はじめに

所得税は、私たちにとって最も身近で関係の深い税ですが、その課税関係については、所得税法だけでなく、租税特別措置法や国税通則法などの税法や他の多くの法令が関連していること、また、社会経済情勢等の変化に対応して、毎年、多様な税制改正が行われることから、一般に複雑で理解しづらいと言われています。

そこで、本書は、所得税の取扱いを正しく理解していただけるよう、所得税に関する法令・政令・省令・告示のほか、関係通達等を体系的に整理するとともに、毎年、税制改正を踏まえた改訂を行っています。

令和６年度税制改正では、令和６年分における所得税額の特別控除、ストックオプション税制の利便性向上、住宅ローン控除の拡充（子育て支援税制の先行対応）などの措置が講じられたことから、これらの改正に対応した内容に改訂しています。

皆様方にとって、本書が所得税をご理解いただく上での一助となれば幸いです。

令和６年８月

編　　者

目　　次

第五章 各種所得の課税の特例

第一節 土地の譲渡等に係る事業所得等の課税の特例…………………………………… 368

第二節 譲渡所得等の課税の特例…………………………………………………………………… 385

第六章　所得金額の計算の通則及び特例

第七章　損益通算及び損失の繰越控除

第二節　損失の繰越控除

第八章　所 得 控 除

第九章　税額の計算

第三節　災害被害者に対する租税の減免

第四節　その他の税額計算の特例

第五節　令和６年分における特別税額控除

第十章　申告、納付及び還付

第一節　予 定 納 税

第十一章　青色申告

第十二章　更正又は決定及び加算税等

第十三章　国税の調査

第十四章　不服申立て及び訴訟

第十五章　雑　　則

第十六章　電子計算機を使用して作成する国税関係帳簿書類の保存方法等の特例

第十七章　復興特別所得税

第十八章　国外財産調書及び財産債務調書

《付　録》

《凡　　例》

本文中の主な法令・通達等は、下記の略語を用いた。

通法…………………国税通則法
通令…………………国税通則法施行令
通規…………………国税通則法施行規則
法……………………所得税法
令……………………所得税法施行令
規……………………所得税法施行規則
措法…………………租税特別措置法
措令…………………租税特別措置法施行令
措規…………………租税特別措置法施行規則
法法…………………法人税法
法令…………………法人税法施行令
国外送金法…………内国税の適正な課税の確保を図るための国外送金等に係る調書の提出等に関する法律
国外送金令…………同法律施行令
国外送金規…………同法律施行規則
耐用年数省令………減価償却資産の耐用年数等に関する省令
災免法………………災害被害者に対する租税の減免、徴収猶予等に関する法律
災免令………………災害被害者に対する租税の減免、徴収猶予等に関する法律の施行に関する政令
財告…………………財務省告示
通基通………………国税通則法基本通達（徴収部関係）（昭45．6．24徴管２－43（例規）ほか）
基通…………………所得税基本通達（最終改正令６．６．28課個２－12ほか）
措通…………………巻末「申告所得税関係法令及び通達索引」に「租税特別措置法基本通達」として表示した通達（租税特別措置法の条文番号を通達番号に使用している通達）
法基通………………法人税基本通達
国外送金通…………内国税の適正な課税の確保を図るための国外送金等に係る調書の提出等に関する法律（国外財産調書及び財産債務調書関係）の取扱い（平25．３．29課個３－４ほか）
耐通…………………所得税についての耐用年数の適用等に関する取扱い（昭45.6.4直審（所）22、直法４－27）
令６改所法等………所得税法等の一部を改正する法律（令和６年法律第８号）
令６改所令…………所得税法施行令の一部を改正する政令（令和６年政令第141号）
令６改措令等………租税特別措置法施行令の一部を改正する政令（令和６年政令第151号）
令６改所規…………所得税法施行規則の一部を改正する省令（令和６年財務省令第14号）
令６改措規…………租税特別措置法施行規則の一部を改正する省令（令和６年財務省令第24号）
復興財確法…………東日本大震災からの復興のための施策を実施するために必要な財源の確保に関する特別措置法
復興政令……………復興特別所得税に関する政令
復興省令……………復興特別所得税に関する省令
令６改復興政令……復興特別所得税に関する政令の一部を改正する政令（令和６年政令第156号）
電帳法………………電子計算機を使用して作成する国税関係帳簿書類の保存方法等の特例に関する法律
電帳令………………同法律施行令
電帳規………………同法律施行規則
新型コロナ税特法…新型コロナウイルス感染症等の影響に対応するための国税関係法律の臨時特例に関する法律（令和２年法律第25号）
新型コロナ税特令…同法律施行令（令和２年政令第160号）
新型コロナ税特規…同法律施行規則（令和２年財務省令第44号）
新型コロナ税特通…同法律関係通達（所得税編）（令和２年課個２－14）

《引　用　例》

法57③二……………所得税法第57条第３項第２号

（注）　本書の内容は、原則として令和６年７月１日現在の法令通達による。未施行の改正については、改正前の規定を本文とし、注意書き等において改正内容及び適用期日を補正している。
なお、原則として、非居住者に関するものは、収録していない。

第一章　令和６年度　所得税改正の概要

（第一章の略語（凡例にないもの）
震災特例法……………東日本大震災の被災者等に係る国税関係法律の臨時特例に関する法律）

Ⅰ　所得税法等

改 正 事 項	改　　正　　内　　容
1　新たな公益信託制度の創設に伴う所得税法等の整備	⑴　公共法人等及び公益信託等に係る非課税について、適用対象となる公益信託が公益信託に関する法律の公益信託（以下「公益信託」という。）とされ、公益信託の信託財産につき生ずる所得（貸付信託の受益権の収益の分配に係るものにあっては、その受益権が信託財産に引き続き属していた期間に対応する部分に限る。）については、所得税を課さないこととされた（法11）。 ⑵　贈与等の場合の譲渡所得等の特例について、対象となる資産の移転の事由に「公益信託の受託者である個人に対する贈与又は遺贈（その信託財産とするためのものに限る。）」が追加され、譲渡所得の基因となる資産等について公益信託の受託者に対する贈与又は遺贈があった場合には、受託者の主体の属性（個人・法人）にかかわらず、その贈与又は遺贈によるみなし譲渡課税を行うこととされた（法59）。 ⑶　公益信託の委託者である居住者がその有する資産を信託した場合には、その資産を信託した時において、その委託者である居住者からその公益信託の受託者に対して贈与又は遺贈によりその資産の移転が行われたものとして取り扱うこととされ、公益信託に譲渡所得の基因となる資産等を信託した場合には、上記⑵のみなし譲渡課税が行われることが明確化された（法67の３）。 ⑷　寄附金控除について、認定特定公益信託の信託財産とするために支出した金銭に代えて、公益信託の信託財産とするために支出したその公益信託に係る信託事務に関連する寄附金（出資に関する信託事務に充てられることが明らかなもの等を除く。）が、特定寄附金として寄附金控除の対象とされた（法78）。なお、改正前に特定寄附金とみなされていた認定特定公益信託の信託財産とするために支出した金銭については、引き続き寄附金控除の対象とする経過措置が講じられた。 ⑸　所得税を課さないこととされる相続、遺贈又は個人からの贈与により取得する財産等のうち個人からの贈与により取得する財産の範囲から、公益信託から給付を受けた財産に該当するものを除くこととされた（法９）。 ⑹　上記⑵の改正に伴い、みなし譲渡課税の対象となる事由を基準にその適用対象等が定められている措置（贈与等により取得した資産の取得費等）について、所要の整備が行われた（法60）。 《適用関係》上記⑴の改正は、公益信託法の施行の日以後に効力が生ずる公益信託（移行認可を受けた信託を含む。）について適用し、同日前に効力が生じた旧公益信託（移行認可を受けたものを除く。）については従前どおりとされる（令６改所法等附２）。 　上記⑵から⑹の改正は、公益信託法の施行の日から施行される（令６改所法等附１九）。
2　減価償却資産の範囲及び耐用年数の改正	⑴　減価償却資産の範囲に、無形固定資産として漁港水面施設運営権が追加された（令６）。 ⑵　鉱業権のうち、石油又は可燃性天然ガスに係る試掘権の耐用年数が６年（改正前：８年）に、アスファルトに係る試掘権の耐用年数が５年（改正前：８年）に、それぞれ短縮された（耐用年数省令１）。 《適用関係》上記⑴の改正は、令和６年４月１日から適用される（令６改所令附１）。 　上記⑵の改正は、令和７年分以後の所得税について適用され、令和６年分以前の所得税については従前どおりとされる（令６改耐用年数省令附則②）。
3　国又は地方公共団体が行う保育その他の子育てに対する助成事業等により支給される金品の非課税	非課税とされる一定の業務又は施設の利用に要する費用に充てるため国等から支給される金品について、その対象となる施設の範囲に、児童福祉法に規定する親子関係形成支援事業に係る施設が追加された（規３の２）。 《適用時期》上記の改正は、令和６年分以後の所得税について適用され、令和５年分以前の所得税については従前どおりとされる（令６改所規附２）。

措置の改正	
4　公共法人等及び公益信託等に係る非課税の改正	適用対象となる公社債等の管理の方法に、一定の社債につき金融商品取引業者（第一種金融商品取引業を行う者に限る。）又は登録金融機関にその社債の譲渡についての制限を付すこと等の要件を満たす保管の委託をする方法が追加された（令51の３）。 《適用時期》上記の改正は、公共法人等又は公益信託若しくは加入者保護信託が令和６年４月１日以後に支払を受けるべき社債の利子について適用される（令６改所令附２）。
5　国庫補助金等の総収入金額不算入制度の改正	対象となる国庫補助金等に、国立研究開発法人新エネルギー・産業技術総合開発機構法に基づく国立研究開発法人新エネルギー・産業技術総合開発機構の供給確保事業助成金及び独立行政法人エネルギー・金属鉱物資源機構法に基づく独立行政法人エネルギー・金属鉱物資源機構の供給確保事業助成金が追加された（令89）。 《適用時期》上記の改正は、令和６年分以後の所得税について適用することとされる（令６改所令附３）。
6　源泉徴収の対象とされる報酬・料金等の範囲の改正	源泉徴収制度及び支払調書の対象となる報酬・料金等の範囲に、社会保険診療報酬支払基金から支払われる流行初期医療の確保に要する費用が追加された（法204）。 《適用時期》上記の改正は、令和６年４月１日以後に支払うべき診療報酬について適用され、同日前に支払うべき診療報酬については従前どおりとされる（令６改所法等附４）。
7　本人確認書類の範囲の改正	国内に住所を有しない個人で個人番号を有するものに係る個人番号を証する書類の範囲に個人番号カードが追加されるとともに、その書類の範囲から還付された個人番号カードが除外された（規81の６）。 《適用時期》上記の改正は、令和６年５月27日から施行されている（租税特別措置法施行規則等の一部を改正する省令（令和６年財務省令第41号）附則１）。
8　オープン型証券投資信託収益の分配の支払通知書等の電子交付の特例の改正	⑴　国内においてオープン型の証券投資信託の収益の分配又は剰余金の配当等とみなされるものにつき支払をする者が、その支払を受ける者からのその支払に関する通知書の交付に代えて行うその通知書に記載すべき事項の電磁的方法による提供についての承諾を得ようとする場合において、その支払をする者が定める期限までにその承諾をしない旨の回答がないときはその承諾があったものとみなす旨の通知をし、その期限までにその支払を受ける者からその回答がなかったときは、その承諾を得たものとみなすこととされた（規92の３）。 ⑵　集団投資信託を引き受けた内国法人が、個人又は法人からのその支払の確定した集団投資信託の収益の分配に係る通知外国所得税の額等の書面による通知に代えて行うその書面に記載すべき事項の電磁的方法による提供についての承諾を得ようとする場合において、その内国法人が定める期限までにその承諾をしない旨の回答がないときはその承諾があったものとみなす旨の通知をし、その期限までにその個人又は法人からその回答がなかったときは、その承諾を得たものとみなすこととされた。 《適用関係》上記の改正は、上記⑴の支払をする者又は上記⑵の内国法人が令和６年４月１日以後に行う上記の通知について適用される（令６改所規附４）。
9　計算書等の書式の特例（改正後：計算書等の書式等の特例）の改正	⑴　適用対象に、障害者等の少額預金の利子所得等の非課税措置に関する申告書が追加された（規104）。 ⑵　国税庁長官は、適用対象となる書類の書式について所要の事項を付記し、又は一部の事項を削る場合には、併せてその用紙の大きさを別表に定める大きさ以外の大きさ（日本産業規格に適合するものに限る。）とすることができることとされた（規104）。 《適用関係》上記の改正は、令和８年９月１日から適用される（令６改所規附１三）。
10　支払調書等の提出の特例の改正	支払調書等のe-Tax等による提出義務制度について、この制度の対象となるかどうかの判定基準となるその年の前々年に提出すべきであった支払調書等の枚数が30枚以上（改正前：100枚以上）に引き下げられた（法228の４、措法42の２の２、国外送金法４）。 《適用時期》上記の改正は、令和９年１月１日以後に提出すべき調書等について適用され、同日前に提出すべき調書等については従前どおりとされる（令６改所法等附５、37、57）

Ⅱ　金融・証券税制

改　正　事　項	改　　　正　　　内　　　容
1　特定の取締役等が受ける新株予約権の行使による株式の取得に係る経済的利益の非課税等の改正	⑴　権利行使価額の年間の限度額である1,200万円の判定について、特定新株予約権に係る付与決議の日において、その特定新株予約権に係る契約を締結した株式会社が、その設立の日以後の期間が５年未満のものである場合には権利行使価額を２で除して計算した金額とし、その設立の日以後の期間が５年以上20年未満であること等の要件を満たすものである場合には権利行使価額を３で除して計算した金額として、その判定を行うこととされた（措法29の２）。 ⑵　適用対象となる新株予約権の行使により取得をする株式の管理の方法について、改正前の要件に代えて、「新株予約権の行使により交付をされるその株式会社の株式（譲渡制限株式に限る。）の管理に関する取決めに従い、その取得後直ちに、その株式会社により管理がされること」との要件を選択適用できることとされた（措法29の２）。 ⑶　株式会社に提出する書面について、その書面の提出に代えて、電磁的方法によるその書面に記載すべき事項の提供を行うことができることとされた。また、その書面に記載すべき事項の提供を受けた株式会社は、各人別に整理し、その書面に記載すべき事項を記録した電磁的記録をその提供を受けた日の属する年の翌年から５年間保存しなければならないこととされた（措法29の２）。 ⑷　付与会社等により管理がされている特定株式について、その管理に係る契約の解約又は終了等の事由によりその特定株式の全部又は一部の返還又は移転があった場合には、その返還又は移転があった特定株式については、その事由が生じた時に、その時における価額に相当する金額による譲渡があったものとみなして、株式等に係る譲渡所得等の課税の特例その他の所得税に関する法令の規定を適用すること等とされた（措法29の２）。 ⑸　「特定新株予約権の付与に関する調書」及び「特定株式等の異動状況に関する調書」の記載事項の見直しが行われた（措規11の３）。 ⑹　認定新規中小企業者等及び社外高度人材の要件の見直しが行われた。 《適用関係》上記⑴及び⑵の改正は、令和６年分以後の所得税について適用され、令和５年分以前の所得税については従前どおりとされる（令６改所法等附31①）。 上記⑶の改正は、令和６年４月１日以後に株式会社に対して行う電磁的方法による書面に記載すべき事項の提供について適用される（令６改所法等附31③）。 上記⑷及び⑸の改正は、令和６年４月１日以後について適用され、同日前であるものについては従前どおりとされる（令６改所法等附31④⑥、令６改措規附19）。
2　特定中小会社が発行した株式の取得に要した金額の控除等の改正	⑴　一定の新株予約権の行使により取得をした控除対象特定株式にあっては、その控除対象特定株式の取得に要した金額に、その新株予約権の取得に要した金額を含むこととされた（措法37の13、措令25の12）。 ⑵　同一年中に複数銘柄の控除対象特定株式の取得をした場合において、特例の適用を受けた年の翌年以後の各年分におけるその控除対象特定株式に係る同一銘柄株式の取得価額又は取得費から控除する金額の計算方法が明確化された（措令25の12）。 ⑶　都道府県知事等の確認をした旨を証する書類について、その特定株式が一定の新株予約権の行使により取得をしたものである場合には、その新株予約権と引換えに払い込むべき額及びその払い込んだ金額の記載があるものに限ること等とされた（措規18の15）。 ⑷　適用対象に、居住者等が受益者となった一定の信託の財産として特定株式の取得をする方法が追加された。 《適用関係》上記⑴の改正は、個人が令和６年４月１日以後に払込みにより取得をする新株予約権の行使により取得をする特定株式について適用される（令６改措令附７①）。 上記⑵の改正は、個人が令和６年４月１日以後に払込みにより取得をする特定株式について適用され、個人が同日前に払込みにより取得をした特定株式については従前どおりとされる（令６改措令附７②）。
3　特定新規中小会社が発行した株式を取得した場合の課税の	⑴　一定の新株予約権の行使により取得をした控除対象特定新規株式にあっては、その控除対象特定新規株式の取得に要した金額に、その新株予約権の取得に要した金額を含むこととされた（措令26の28の３）。

特例の改正	⑵　都道府県知事等の確認をした旨を証する書類について、その特定新規株式が一定の新株予約権の行使により取得をしたものである場合には、その新株予約権と引換えに払い込むべき額及びその払い込んだ金額の記載があるものに限ること等とされた（措規19の11）。 ⑶　適用対象となる国家戦略特別区域法に規定する特定事業を行う株式会社により発行される株式の発行期限が令和８年３月31日まで２年延長された（措法41の19）。 ⑷　適用対象となる地域再生法に規定する特定地域再生事業を行う株式会社により発行される株式の発行期限が令和８年３月31日まで２年延長された（措法41の19）。 ⑸　特定新規中小会社の確認手続において必要な添付書類が一部削減された。 ⑹　適用対象に、居住者等が受益者となった一定の信託の財産として特定新規株式の取得をする方法が追加された。 《適用関係》上記⑴の改正は、個人が令和６年４月１日以後に払込みにより取得をする新株予約権の行使により取得をする特定新規株式について適用される（令６改措令附10①）。
4　上場株式配当等の支払通知書等の電子交付の特例の改正	⑴　国内において上場株式等の配当等又は特定割引債の償還金等の支払をする者が、その支払を受ける者からのその支払に関する通知書の交付に代えて行うその通知書に記載すべき事項の電磁的方法による提供についての承諾を得ようとする場合において、その支払をする者が定める期限までにその承諾をしない旨の回答がないときはその承諾があったものとみなす旨の通知をし、その期限までにその支払を受ける者からその回答がなかったときは、その承諾を得たものとみなすこととされた（措規４の４）。 ⑵　上場株式等の配当等の支払の取扱者が、個人又は内国法人若しくは外国法人からのその上場株式等の配当等に係る控除外国所得税相当額等の書面による通知に代えて行うその書面に記載すべき事項の電磁的方法による提供についての承諾を得ようとする場合において、その支払の取扱者が定める期限までにその承諾をしない旨の回答がないときはその承諾があったものとみなす旨の通知をし、その期限までにその個人又は内国法人若しくは外国法人からその回答がなかったときは、その承諾を得たものとみなすこととされた（措規５の２において準用する措規４の４）。 ⑶　金融商品取引業者等が、特定口座を開設した居住者等からの特定口座年間取引報告書の交付に代えて行うその報告書に記載すべき事項の電磁的方法による提供についての承諾を得ようとする場合において、その金融商品取引業者等が定める期限までにその承諾をしない旨の回答がないときはその承諾があったものとみなす旨の通知をし、その期限までにその居住者等からその回答がなかったときは、その承諾を得たものとみなすこととされた（措規18の13の５）。 《適用関係》上記の改正は、支払者等が令和６年４月１日以後に行う通知について適用される（令改措規附４、９①）。
5　非課税口座内の少額上場株式等に係る配当所得及び譲渡所得等の非課税措置の改正	⑴　受入期間内に受け入れた上場株式等の取得対価の額の合計額が240万円を超えないこと等の要件を満たすことにより特定非課税管理勘定に受け入れることができる上場株式等の範囲に、非課税口座内上場株式等について与えられた一定の新株予約権の行使により取得する上場株式等その他の一定のもので金銭の払込みにより取得するものが追加された（措法37の14、措令25の13）。 ⑵　非課税管理勘定又は特定非課税管理勘定に受け入れることができる非課税口座内上場株式等の分割等により取得する上場株式等の範囲から、非課税口座内上場株式等について与えられた一定の新株予約権の行使により取得する上場株式等その他の一定のものでその取得に金銭の払込みを要するものが除外された（措令25の13）。 ⑶　金融商品取引業者等の営業所の長は、勘定廃止通知書又は非課税口座廃止通知書の交付に代えて、電磁的方法による勘定廃止通知書の記載事項又は非課税口座廃止通知書の記載事項の提供ができることとされた（措法37の14）。 ⑷　非課税口座を開設し、又は開設していた居住者等は、勘定廃止通知書又は非課税口座廃止通知書を添付した非課税口座開設届出書の提出に代えて、勘定廃止通知書の記載事項若しくは非課税口座廃止通知書の記載事項の記載をした非課税口座開設届出書の提出又は非課税口座開設届出書の提出と併せて行われる電磁的方法による勘定廃止通知書の記載事項若しくは非課税口座廃止通知書の記載事項の提供等ができることとされた（措法37の14、措令25の13、措規18の15の３）。 ⑸　金融商品取引業者等の営業所に非課税口座を開設している居住者等は、勘定廃止通知書又は非課税口座廃止通知書の提出に代えて、電磁的方法による勘定廃止通知書の記載事項又は非課税口座廃

	止通知書の記載事項の提供等ができることとされた（措法37の14、措規18の15の３）。 (6)　非課税口座内上場株式等の配当等に係る金融商品取引業者等の要件について、非課税口座に国外において発行された株式のみの保管の委託がされ、かつ、その者がその株式に係る国外株式の配当等に係る一定の支払の取扱者に該当することその他の要件を満たす場合には、口座管理機関に該当することとの要件を満たす必要はないこととされた（措規５の５の２）。 (7)　勘定廃止通知書及び非課税口座廃止通知書並びに非課税口座年間取引報告書の記載事項が簡素化された（措規18の15の９）。 (8)　累積投資上場株式等の要件のうち上場株式投資信託の受益者に対する信託報酬等の金額の通知に係る要件が廃止されるとともに、公募株式投資信託の受益権については、特定非課税管理勘定においてその受益権が振替口座簿への記載等がされている期間を通じて、その特定非課税管理勘定に係る非課税口座が開設されている金融商品取引業者等が、その受益者に対して、その公募株式投資信託に係る信託報酬等の金額を通知することとされているもののみが、上記(1)の特定非課税管理勘定に受け入れることができる上場株式等に該当することとされた。 《適用関係》上記の改正は、令和６年４月１日以後について適用され、同日前については従前どおりとされる（令６改所法等附33、令６改措令附８、令６改措規附５、９）。
6　特定口座内保管上場株式等の譲渡等に係る所得計算等の特例の改正	上場株式等保管委託契約に基づき特定口座に受入れ可能な上場株式等の範囲に、次の上場株式等が追加された（措令25の10の２）。 (1)　金融商品取引業者等に特定口座を開設する居住者等がその金融商品取引業者等に開設されているその居住者等の非課税口座に係る非課税口座内上場株式等について与えられた一定の新株予約権の行使により取得する上場株式等その他の一定のものでその取得に金銭の払込みを要するものの全てを、その行使等の時に、その特定口座に係る振替口座簿に記載等をする方法により受け入れるもの (2)　居住者等が開設する非課税口座に係る非課税口座内上場株式等及びその非課税口座が開設されている金融商品取引業者等にその居住者等が開設する特定口座に係るその非課税口座内上場株式等と同一銘柄の特定口座内保管上場株式等について生じた株式の分割等の事由により取得する上場株式等（非課税口座に受け入れることができるもの及び特定口座に受け入れることができるものを除く。）で、その上場株式等のその特定口座への受入れを振替口座簿に記載等をする方法により行うもの 《適用関係》上記の改正は、令和６年４月１日以後に行使等又は受け入れる上場株式等について適用される（令６改措令附６）。

Ⅲ　土地・住宅税制

<table>
<tr><th>改　正　事　項</th><th>改　　　　正　　　　内　　　　容</th></tr>
<tr><td>1　住宅借入金等を有する場合の所得税額の特別控除制度（住宅ローン税額控除）等の改正</td><td>(1)　住宅借入金等を有する場合の所得税額の特別控除制度の改正（措法41、41の２の２）
①　個人で、年齢40歳未満であって配偶者を有する者、年齢40歳以上であって年齢40歳未満の配偶者を有する者又は年齢19歳未満の扶養親族を有する者（以下「特例対象個人」という。）が、認定住宅等の新築等又は買取再販認定住宅等の取得をし、かつ、その認定住宅等の新築等をした認定住宅等（認定住宅等とみなされる特例認定住宅等を含みます。）又は買取再販認定住宅等の取得をした家屋を令和６年１月１日から同年12月31日までの間に自己の居住の用に供した場合（その認定住宅等の新築等又は買取再販認定住宅等の取得をした日から６月以内に自己の居住の用に供した場合に限る。）において、認定住宅等の住宅ローン税額控除の特例を適用する場合の認定住宅等借入限度額を次のとおり上乗せされた金額とする特例が創設された。
<table>
<tr><th>居住用家屋の区分</th><th>認定住宅等借入限度額</th></tr>
<tr><td>認定住宅</td><td>5,000万円</td></tr>
<tr><td>特定エネルギー消費性能向上住宅</td><td>4,500万円</td></tr>
<tr><td>エネルギー消費性能向上住宅</td><td>4,000万円</td></tr>
</table>
②　小規模居住用家屋である認定住宅等で令和６年12月31日以前に建築確認を受けたもの（以下</td></tr>
</table>

「特例認定住宅等」という。）の新築又は特例認定住宅等で建築後使用されたことのないものの取得についても、認定住宅等の住宅ローン税額控除の特例の適用ができることとされた。ただし、その者の控除期間のうち、その年分の所得税に係る合計所得金額が1,000万円を超える年については、適用しないこととされた。

③　二以上の住宅の取得等に係る住宅借入金等の金額を有する場合の控除額の調整措置等について、所要の措置が講じられた。

⑵　東日本大震災の被災者等に係る住宅借入金等を有する場合の所得税額の特別控除の控除額に係る特例の改正（震災特例法13の２）

①　特例対象個人に該当する住宅被災者が、認定住宅等の新築等又は買取再販認定住宅等の取得をし、かつ、その認定住宅等の新築等をした認定住宅等（認定住宅等とみなされる特例認定住宅等を含む。）又は買取再販認定住宅等の取得をした家屋を令和６年１月１日から同年12月31日までの間に自己の居住の用に供した場合（その認定住宅等の新築等又は買取再販認定住宅等の取得をした日から６月以内に自己の居住の用に供した場合に限る。）において、東日本大震災の被災者等に係る住宅ローン税額控除の控除額に係る特例を適用する場合の借入限度額を次のとおり上乗せされた金額とする特例が創設された。

居住用家屋の区分	借入限度額
認定住宅 特定エネルギー消費性能向上住宅	5,000万円
エネルギー消費性能向上住宅	

②　上記⑴②及び③と同様の措置を講ずることとされた。

《適用関係》上記の改正は、特例対象個人等が令和６年１月１日以後に認定住宅等を居住の用に供する場合について適用される（措法41⑬㉑、震災税特法13の２③）。

2　既存住宅に係る特定の改修工事をした場合の所得税額の特別控除の改正

次の措置が講じられた上で、その適用期限が令和７年12月31日まで２年延長された（措法41の19の３）。

⑴　子育て対応改修工事等に係る税額控除制度の創設

①　特例対象個人が、その所有する居住用の家屋について子育て対応改修工事等をして、その居住用の家屋を令和６年４月１日から同年12月31日までの間に自己の居住の用に供した場合には、その特例対象個人の同年分の所得税の額から、子育て対応改修工事等に係る標準的費用額（補助金等の交付を受ける場合には、補助金等の額を控除した後の金額とし、その金額が250万円を超える場合には、250万円）の10%に相当する金額を控除することができることとされた。

②　上記①の「子育て対応改修工事等」とは、国土交通大臣が財務大臣と協議して定める子育てに係る特例対象個人の負担を軽減するために家屋について行う増改築等でその増改築等に該当するものであることにつき増改築等工事証明書によって証明がされたものであり、その子育て対応改修工事等に係る標準的な工事費用相当額（補助金等の交付がある場合には、補助金等の額を控除した後の金額）が50万円を超えること等の要件を満たすものが本特例の対象とされる。

⑵　合計所得金額要件の見直し

本特例の適用対象者の合計所得金額要件を2,000万円以下（改正前：3,000万円以下）に引き下げることとされた。

⑶　エアコンディショナーの省エネルギー基準達成率の見直し

本特例の適用対象となる省エネ改修工事のうち省エネ設備の取替え又は取付け工事について、その工事の対象設備となるエアコンディショナーの省エネルギー基準達成率を107%以上（改正前：114%以上）に引き下げることとされた。

《適用関係》上記⑴改正は、改修工事をした家屋を令和６年４月１日以後に居住の用に供する場合について適用される（措法41の19の３⑦）。

上記⑵の改正は、対象高齢者等居住改修工事等、対象一般断熱改修工事等、対象多世帯同居改修工事等又は対象住宅耐震改修若しくは対象耐久性向上改修工事等をした家屋を令和６年１月１日以後にその者の居住の用に供する場合について適用され、これらの改修工事をした家屋を同日前にその者の居住の用に供した場合については従前どおりとされる（令６改所法等附35）。

3　収用等に伴い代替資産を取得した場合の課税の特例等の改正	適用対象に、土地収用法に規定する事業の施行者が行うその事業の施行に伴う漁港水面施設運営権の消滅により補償金を取得する場合及び漁港管理者が漁港及び漁場の整備等に関する法律の規定に基づき公益上やむを得ない必要が生じた場合に行う漁港水面施設運営権を取り消す処分に伴う資産の消滅等により補償金を取得するときが追加された（措法33）。 《適用関係》上記の改正は、令和６年４月１日から施行される（令６改所法等附１）。
4　特定土地区画整理事業等のために土地等を譲渡した場合の2,000万円特別控除の改正	⑴　適用対象に、古都保存法又は都市緑地法の規定により対象土地が都市緑化支援機構に買い取られる場合（一定の要件を満たす場合に限ります。）が追加された（措法34）。 ⑵　適用対象から、都市緑地法の規定により土地等が緑地保全・緑化推進法人に買い取られる場合が除外された（措法34）。 《適用関係》上記⑴の改正は、都市緑地法等の一部を改正する法律（令和６年法律第40号。以下「都市緑地法等改正法」という。）の施行の日から施行される（令６改所法等附１十ロ）。 上記⑵の改正は、個人の有する土地等が都市緑地法等改正法の施行の日以後に買い取られる場合について適用され、個人の有する土地等が同日前に買い取られた場合については、従前どおりとされる（令６改所法等附32）。
5　特定住宅地造成事業等のために土地等を譲渡した場合の1,500万円特別控除の改正	適用対象となる特定の民間住宅地造成事業のために土地等が買い取られる場合について、その適用期限が令和８年12月31日まで３年延長された（措法34の２②三）。
6　特定の居住用財産の買換え及び交換の場合の長期譲渡所得の課税の特例の改正	適用期限が令和７年12月31日まで２年延長された（措法36の２ ①②、36の５）。
7　居住用財産の買換え等の場合の譲渡損失の損益通算及び繰越控除の改正	本特例の適用を受けようとする個人が買換資産に係る住宅借入金等の債権者に対し、住宅ローン税額控除制度における「住宅取得資金に係る借入金等の年末残高等調書制度」に係る適用申請書を提出している場合には、買換資産に係る住宅借入金等の残高証明書の納税地の所轄税務署長への提出及び確定申告書への添付を不要とした（措規18の25）上で、その適用期限が令和７年12月31日まで２年延長された（措法41の５）。 《適用関係》上記の改正は、個人が令和６年１月１日以後に行う譲渡資産の特定譲渡について適用され、個人が同日前に行った譲渡資産の特定譲渡については従前どおりとされる（令６改措規附11）。
8　特定居住用財産の譲渡損失の損益通算及び繰越控除の改正	適用期限が令和７年12月31日まで２年延長された（措法41の５の２⑦一）。
9　既存住宅の耐震改修をした場合の所得税額の特別控除の改正	適用期限が令和７年12月31日まで２年延長された（措法41の19の２①）。
10　認定住宅等の新築等をした場合の所得税額の特別控除の改正	本特例の適用対象者の合計所得金額要件が2,000万円以下（改正前：3,000万円以下）に引き下げられた上で、その適用期限が令和７年12月31日まで２年延長された（措法41の19の４）。 《適用関係》上記の改正は、個人が、認定住宅等の新築又は認定住宅等で建築後使用されたことのないものの取得をして、その認定住宅等を令和６年１月１日以後にその者の居住の用に供する場合について適用され、個人が、認定住宅等の新築又は認定住宅等で建築後使用されたことのないものの取得をして、その認定住宅等を同日前にその者の居住の用に供した場合については従前どおりとされる（令６改所法等附36）。
11　特定の事業用資産の買換え等の場合の譲渡所得の課税の特	適用期限（令和６年３月31日）の到来をもって廃止された（旧震災税特法12、旧震災税特令14、旧震災税特規４）。 《適用関係》上記の改正は、個人が令和６年４月１日前に行った譲渡資産の譲渡については従前どお

例（震災税特法）の廃止	りとされている（令６改所法等附58）。

Ⅳ　事業所得等に係る税制

改正事項	改正内容
１　試験研究を行った場合の所得税額の特別控除制度の改正	⑴　試験研究費の額の範囲から、居住者が国外事業所等を通じて行う事業に係る費用の額が除外された（措法10）。 ⑵　一般試験研究費の額に係る税額控除制度について、増減試験研究費割合が０に満たない場合の税額控除割合が次の年分の区分に応じそれぞれ次の割合とされるとともに、税額控除割合の下限が１％から０に引き下げられた（措法10）。 ①　令和９年から令和11年までの年分……8.5％から、その増減試験研究費割合が０に満たない場合のその満たない部分の割合に30分の8.5を乗じて計算した割合を減算した割合 ②　令和12年分及び令和13年分……8.5％から、その増減試験研究費割合が０に満たない場合のその満たない部分の割合に27.5分の8.5を乗じて計算した割合を減算した割合 ③　令和14年以後の年分……8.5％から、その増減試験研究費割合が０に満たない場合のその満たない部分の割合に25分の8.5を乗じて計算した割合を減算した割合 《適用関係》上記⑴の改正は、令和８年分以後の所得税について適用し、令和７年分以前の所得税については従前どおりとされる（令６改所法等附22②）。 上記⑵の改正は、令和９年分以後の所得税について適用され、令和８年分以前の所得税については従前どおりとされる（令６改所法等附22①）。
２　地域経済牽引事業の促進区域内において特定事業用機械等を取得した場合の特別償却又は所得税額の特別控除制度の改正	特別償却割合又は税額控除割合の引上げに係る措置の対象となる承認地域経済牽引事業が、地域の事業者に対して著しい経済的効果を及ぼすものである場合には、その対象となる機械装置及び器具備品の税額控除割合を６％とすることとされた（措法10の４）。 《適用関係》上記の改正は、個人が令和６年４月１日以後に取得又は製作若しくは建設をする特定事業用機械等について適用され、個人が同日前に取得又は製作若しくは建設をした特定事業用機械等については従前どおりとされる（令６改所法等附23）。
３　地方活力向上地域等において特定建物等を取得した場合の特別償却又は所得税額の特別控除制度の改正	次の見直しが行われた上、地方活力向上地域等特定業務施設整備計画の認定期限が令和８年３月31日まで２年延長された（措法10の４の２、措令５の５の３）。 ⑴　特定建物等の範囲に、認定地方活力向上地域等特定業務施設整備計画に記載された特定業務児童福祉施設のうち特定業務施設の新設に併せて整備されるものに該当する建物等及び構築物が追加された。 ⑵　中小事業者以外の個人の適用対象となる特定建物等の取得価額に係る要件が、3,500万円以上（改正前：2,500万円以上）に引き上げられた。 ⑶　特別償却限度額及び税額控除限度額の計算の基礎となる特定建物等の取得価額の上限が、80億円とされた。 《適用関係》上記⑴の改正は、令和６年４月19日以後について適用され、同日前については従前どおりとされる（令６改所法等附24②）。 上記⑵及び⑶の改正は、令和６年４月１日以後について適用され、同日前については従前どおりとされる（令６改所法等附24①、令６改措令附３）。
４　地方活力向上地域等において雇用者の数が増加した場合の所得税額の特別控除制度の改正	次の見直しが行われた上、地方活力向上地域等特定業務施設整備計画の認定期限が令和８年３月31日まで２年延長された（措法10の５）。 ⑴　地方事業所特別基準雇用者数に係る措置について、地方事業所特別税額控除限度額の計算の基礎となる地方事業所特別基準雇用者数が、無期雇用かつフルタイムの雇用者の数に限ることとされた。 ⑵　地方活力向上地域等特定業務施設整備計画が特定業務施設の新設に係るものである場合の適用年が、その特定業務施設を事業の用に供した日（改正前：計画の認定を受けた日）の属する年以後３年内の各年とされた。

	⑶　適用要件のうち離職者に関する要件について、離職者がいないこととの要件を満たさなければならない年が本制度の適用を受けようとする年並びにその前年及び前々年（改正前：本制度の適用を受けようとする年及びその前年）とされた。 《適用関係》上記の改正は、令和６年４月１日以後について適用され、同日前については従前どおりとされる（令６改所法等附25）。
5　給与等の支給額が増加した場合の所得税額の特別控除制度の改正	⑴　個人の継続雇用者給与等支給額が増加した場合に係る措置について、次の見直しが行われた上、その適用期限が令和９年まで３年延長された（措法10の５の４）。 ①　税額控除割合の上乗せ措置について、適用年において次の要件を満たす場合には、原則の税額控除割合にそれぞれ次の割合を加算した割合を税額控除割合とし、適用年において次の要件のうち２以上の要件を満たす場合には、原則の税額控除割合にそれぞれの割合を合計した割合を加算した割合（最大で35%）を税額控除割合とする措置に見直されるとともに、原則の税額控除割合が10%（改正前：15%）とされた。 イ　継続雇用者給与等支給増加割合が４％以上であること……次の割合 (イ)　継続雇用者給与等支給増加割合が４％以上５％未満である場合……５％ (ロ)　継続雇用者給与等支給増加割合が５％以上７％未満である場合……10% (ハ)　継続雇用者給与等支給増加割合が７％以上である場合……15% ロ　次の要件の全てを満たすこと……５％ (イ)　その個人のその適用年の年分の事業所得の金額の計算上必要経費に算入される教育訓練費の額からその比較教育訓練費の額を控除した金額のその比較教育訓練費の額に対する割合が10%以上であること。 (ロ)　その個人のその適用年の年分の事業所得の金額の計算上必要経費に算入される教育訓練費の額のその個人の雇用者給与等支給額に対する割合が0.05%以上であること。 ハ　その適用年の12月31日において次の者のいずれかに該当すること……５％ (イ)　次世代育成支援対策推進法に規定する特例認定一般事業主 (ロ)　女性の職業生活における活躍の推進に関する法律に規定する特例認定一般事業主 ②　本措置の適用を受けるための要件に、その年12月31日において、その個人の常時使用する従業員の数が2,000人を超える場合には、マルチステークホルダー方針を公表しなければならないこととする要件が追加された。 ③　上記**4**⑴の見直しに伴い、地方活力向上地域等において雇用者の数が増加した場合の所得税額の特別控除制度の適用を受ける場合の控除対象雇用者給与等支給増加額の調整計算の見直しが行われた。 ④　次の額の算定に際し、給与等に充てるため他の者から支払を受ける金額のうち役務の提供の対価として支払を受ける金額は、給与等の支給額から控除しないこととされた。 イ　継続雇用者給与等支給増加割合に関する要件の判定における継続雇用者給与等支給額及び継続雇用者比較給与等支給額 ロ　控除対象雇用者給与等支給増加額の算定の基礎となる雇用者給与等支給額及び比較雇用者給与等支給額 ハ　控除対象雇用者給与等支給増加額の上限となる調整雇用者給与等支給増加額の算定の基礎となる雇用者給与等支給額及び比較雇用者給与等支給額 ⑵　青色申告書を提出する個人が、令和７年から令和９年までの各年において国内雇用者に対して給与等を支給する場合で、かつ、その年12月31日において特定個人に該当する場合において、その年において継続雇用者給与等支給増加割合が３%以上であるときは、その個人のその年の控除対象雇用者給与等支給増加額（その年において、地方活力向上地域等において雇用者の数が増加した場合の所得税額の特別控除制度の適用を受ける場合には、その適用による控除を受ける金額の計算の基礎となった者に対する給与等の支給額として計算した金額を控除した残額）に10%（その年において次の要件を満たす場合には、それぞれ次の割合を加算した割合とし、その年において次の要件のうち２以上の要件を満たす場合には、それぞれの割合を合計した割合を加算した割合とする。）を乗じて計算した金額の税額控除（税額控除額は、その年分の調整前事業所得税額の20%相当額が上限とされる。）ができる措置が追加された。

① 継続雇用者給与等支給増加割合が４％以上であること……15％

② 次の要件の全てを満たすこと……５％

イ その個人のその年分の事業所得の金額の計算上必要経費に算入される教育訓練費の額からその比較教育訓練費の額を控除した金額のその比較教育訓練費の額に対する割合が10％以上であること。

ロ その個人のその年分の事業所得の金額の計算上必要経費に算入される教育訓練費の額のその個人の雇用者給与等支給額に対する割合が0.05％以上であること。

③ 次の要件のいずれかを満たすこと……５％

イ その年12月31日において次世代育成支援対策推進法に規定する特例認定一般事業主に該当すること。

ロ その年において女性の職業生活における活躍の推進に関する法律の認定を受けたこと（同法の女性労働者に対する職業生活に関する機会の提供及び雇用環境の整備の状況が特に良好な一定の場合に限る。）。

ハ その年12月31日において女性の職業生活における活躍の推進に関する法律に規定する特例認定一般事業主に該当すること。

⑶ 中小事業者の雇用者給与等支給額が増加した場合に係る措置について、次の見直しが行われた上、その適用期限が令和９年まで３年延長された。

① 税額控除割合の上乗せ措置について、適用年において次の要件を満たす場合には、15％にそれぞれ次の割合を加算した割合を税額控除割合とし、適用年において次の要件のうち２以上の要件を満たす場合には、15％にそれぞれの割合を合計した割合を加算した割合（最大で45％）を税額控除割合とする措置に見直された。

イ 雇用者給与等支給増加割合が2.5％以上であること……15％

ロ 次の要件の全てを満たすこと……10％

(ｲ) その中小事業者のその適用年の年分の事業所得の金額の計算上必要経費に算入される教育訓練費の額からその比較教育訓練費の額を控除した金額のその比較教育訓練費の額に対する割合が５％以上であること。

(ﾛ) その中小事業者のその適用年の年分の事業所得の金額の計算上必要経費に算入される教育訓練費の額のその中小事業者の雇用者給与等支給額に対する割合が0.05％以上であること。

ハ 次の要件のいずれかを満たすこと……５％

(ｲ) その適用年において次世代育成支援対策推進法の認定を受けたこと（同法に規定する次世代育成支援対策の実施の状況が良好な一定の場合に限る。）。

(ﾛ) その適用年の12月31日において次世代育成支援対策推進法に規定する特例認定一般事業主に該当すること。

(ﾊ) その適用年において女性の職業生活における活躍の推進に関する法律の認定を受けたこと（同法の女性労働者に対する職業生活に関する機会の提供及び雇用環境の整備の状況が良好な一定の場合に限る。）。

(ﾆ) その適用年の12月31日において女性の職業生活における活躍の推進に関する法律に規定する特例認定一般事業主に該当すること。

② 上記⑴③及び④と同様の見直しが行われた。

⑷ 青色申告書を提出する個人の各年においてその個人の雇用者給与等支給額がその比較雇用者給与等支給額を超える場合において、中小事業者の雇用者給与等支給額が増加した場合に係る措置（上記⑶の措置）による控除をしてもなお控除しきれない金額を有するときは、その控除しきれない金額につき５年間繰り越して税額控除（税額控除額は、上記⑴から⑶までの措置と合計してその年分の調整前事業所得税額の20％相当額が上限とされる。）ができる制度が創設された。

《適用関係》上記⑴①②④及び⑶①の改正は、令和７年分以後の所得税について適用され、令和６年分以前の所得税については従前どおりとされる（令６改所法等附26①）。

上記⑴③の改正は、令和７年分以後の所得税について適用され、令和６年分以前の所得税については、従来どおり適用できることとされる（令６改措令附４①②）。

上記⑵の措置は、令和７年分以後の所得税について適用される（措法10の５の４②）。

	上記⑷の制度は、個人の令和７年分以後において生ずる控除しきれない金額について適用される（令６改所法等附26②）。
6　事業適応設備を取得した場合等の特別償却又は所得税額の特別控除制度の改正	カーボンニュートラルに向けた投資促進税制について、次の見直しが行われた（措法10の５の６）。 ⑴　本制度の対象となる個人が、青色申告書を提出する個人で産業競争力強化法等の一部を改正する等の法律の施行の日（令和３年８月２日）から令和８年３月31日までの間にされた産業競争力強化法の認定に係る同法に規定する認定事業適応事業者（その認定エネルギー利用環境負荷低減事業適応計画にその計画に従って行うエネルギー利用環境負荷低減事業適応のための措置として生産工程効率化等設備を導入する旨の記載があるものに限る。）であるものとされ、対象資産が、その認定を受けた日から同日以後３年を経過する日までの間に、取得等をして、その個人の事業の用に供した生産工程効率化等設備とされた。 ⑵　税額控除割合が、次の区分に応じそれぞれ次のとおりとされた。 ①　中小事業者が事業の用に供した生産工程効率化等設備……次の生産工程効率化等設備の区分に応じそれぞれ次の割合 イ　エネルギーの利用による環境への負荷の低減に著しく資する生産工程効率化等設備……14％ ロ　上記イ以外の生産工程効率化等設備……10％ ②　中小事業者以外の個人が事業の用に供した生産工程効率化等設備……次の生産工程効率化等設備の区分に応じそれぞれ次の割合 イ　エネルギーの利用による環境への負荷の低減に特に著しく資する生産工程効率化等設備……10％ ロ　上記イ以外の生産工程効率化等設備……５％ ⑶　対象資産について、次の見直しが行われた。 ①　対象資産である生産工程効率化等設備に、車両のうち、列車の走行に伴う二酸化炭素の排出量の削減に資する鉄道車両として国土交通大臣が定めるものが追加された。 ②　対象資産から次の資産が除外されました。 イ　生産工程効率化等設備のうち、広く一般に流通している照明設備及びエアコンディショナー（使用者の快適性を確保するために使用されるものに限る。 ロ　需要開拓商品生産設備 ③　令和６年４月１日前に認定の申請がされた認定エネルギー利用環境負荷低減事業適応計画に記載された資産が除外された。 ⑷　事業適応計画の認定要件のうち事業所等の炭素生産性に係る要件等の見直しが行われた。 《適用関係》上記⑴、⑵及び⑶②ロの改正は、令和６年４月１日以後について適用され、同日前については従前どおりとされる（令６改所法等附27①）。 上記⑶③の改正は、令和６年分以後の所得税について適用される（令６改所法等附27②）。
7　所得税の額から控除される特別控除額の特例の改正	特定税額控除制度の不適用措置について、次の見直しが行われた上、その適用期限が令和９年まで３年延長された（措法10の６）。 ⑴　継続雇用者給与等支給額に係る要件について、次のいずれにも該当する場合には、その個人の継続雇用者給与等支給額からその継続雇用者比較給与等支給額を控除した金額のその継続雇用者比較給与等支給額に対する割合が１％以上であることとされた。 ①　その対象年の12月31日においてその個人の常時使用する従業員の数が2,000人を超える場合 ②　次のいずれかに該当する場合 イ　その対象年が事業を開始した日の属する年、相続又は包括遺贈により事業を承継した日の属する年及び事業の譲渡又は譲受けをした日の属する年のいずれにも該当しない場合であって、その対象年の前年分の事業所得の金額が０を超える一定の場合 ロ　その対象年が事業を開始した日の属する年、相続若しくは包括遺贈により事業を承継した日の属する年又は事業の譲渡若しくは譲受けをした日の属する年に該当する場合 ⑵　国内設備投資額に係る要件について、上記⑴①及び②のいずれにも該当する場合には、国内設備投資額が償却費総額の40％（改正前：30％）相当額を超えることとされた。 ⑶　継続雇用者給与等支給額に係る要件の判定上、継続雇用者給与等支給額及び継続雇用者比較給与

	等支給額の算定に際し、給与等に充てるため他の者から支払を受ける金額のうち役務の提供の対価として支払を受ける金額は、給与等の支給額から控除しないこととされた。 《適用関係》上記の改正は、令和７年分以後の所得税について適用され、令和６年分以前の所得税については従前どおりとされる（令６改所法等附28、26①）。
8　環境負荷低減事業活動用資産等の特別償却制度の改正	基盤確立事業用資産に係る措置について、次の見直しが行われた上、制度の適用期限が令和８年３月31日まで２年延長された（措法11の４）。 ⑴　基盤確立事業用資産の適合基準に、専ら化学的に合成された肥料又は農薬に代替する生産資材を生産するために用いられる機械等及びその機械等と一体的に整備された建物等であることについて基盤確立事業実施計画に係る認定の際、確認が行われたものであることが追加された。 ⑵　個人が、その取得等をした機械等につき本措置の適用を受ける場合には、その機械等につき本措置の適用を受ける年分の確定申告書にその機械等が基盤確立事業用資産に該当するものであることを証する書類を添付しなければならないこととされた（措令６の２の２）。 《適用関係》上記⑵の改正は、個人が令和６年４月１日以後について適用される（令６改措令附５）。
9　生産方式革新事業活動用資産等の特別償却制度の創設	青色申告書を提出する個人でスマート農業法の認定生産方式革新事業者であるものが、同法の施行の日から令和９年３月31日までの間に、その認定生産方式革新事業者として行う生産方式革新事業活動の用に供するための認定生産方式革新実施計画に記載された設備等を構成する機械その他の減価償却資産のうち農作業の効率化等を通じた農業の生産性の向上に著しく資する一定のもの等（以下「生産方式革新事業活動用資産等」という。）の取得等をして、これをその個人のその生産方式革新事業活動等の用に供した場合には、その用に供した日の属する年において、その生産方式革新事業活動用資産等の区分に応じ次に定める額の特別償却ができる制度が創設された（措法11の５）。 ⑴　認定生産方式革新実施計画に記載された生産方式革新事業活動の用に供する設備等を構成する機械装置、器具備品、建物等及び構築物……その取得価額の32%（建物等及び構築物については、16%）相当額 ⑵　認定生産方式革新実施計画に記載された促進措置の用に供する設備等を構成する機械装置……その取得価額の25%相当額 《適用関係》上記の改正は、スマート農業法の施行の日から適用される（令６改所法等附１十四）。
10　特定地域における工業用機械等の特別償却制度の改正	⑴　過疎地域等に係る措置の適用期限が令和９年３月31日まで３年延長された（措法12、措令６の３）。 ⑵　奄美群島に係る措置は、その適用期限（令和６年３月31日）の到来をもって廃止された。 《適用関係》上記⑵の改正は、個人が令和６年４月１日前に取得等をした産業振興機械等については従前どおりとされる（令６改所法等附29①）。
11　事業再編計画の認定を受けた場合の事業再編促進機械等の割増償却制度の廃止	制度が廃止された（旧措法13）。 《適用時期》上記の改正は、令和６年４月１日前については従前どおりとされる（令６改所法等附29②）。
12　輸出事業用資産の割増償却制度の改正	次の見直しが行われた上、その適用期限が令和８年３月31日まで２年延長された（措法13、措令６の５）。 ⑴　対象資産から、開発研究の用に供される資産が除外された。 ⑵　農林水産物等の生産の合理化等に関する要件のうち一定の交付金の交付を受けた資産でないこととの要件の見直しが行われた。 《適用関係》上記の改正は、令和６年４月１日以後について適用され、同日前については従前どおりとされる（令６改所法等附29③）。
13　倉庫用建物等の割増償却制度の改正	次の見直しが行われた上、その適用期限が令和８年３月31日まで２年延長された（措法15）。 ⑴　対象資産について、次の見直しが行われた。 ①　到着時刻表示装置を有する倉庫用の建物等及び構築物について、貨物自動車運送事業者から到着時刻管理システムを通じて提供された貨物の搬入及び搬出をする数量に関する情報その他の情報を表示できる到着時刻表示装置を有するものに限ることとされた。 ②　対象資産から、特定搬出用自動運搬装置を有する貯蔵槽倉庫（到着時刻表示装置を有するもの

	を除く。）用の建物等及び構築物が除外された。 ⑵　本制度の適用を受けることができる年について、供用日以後５年以内の日の属する各年分のうちその適用を受けようとする倉庫用建物等が流通業務の省力化に特に資するものとして一定の要件を満たす特定流通業務施設であることにつき証明がされた年分に限ることとされた。 《適用関係》上記⑵の改正は、令和６年４月１日以後について適用され、同日前については従前どおりとされる（令６改所法等附29④）。
14　特別償却等に関する複数の規定の不適用措置の改正	個人の有する減価償却資産につきその年の前年以前の各年において租税特別措置法の規定による特別償却又は税額控除制度に係る規定のうちいずれか一の規定の適用を受けた場合には、その減価償却資産については、そのいずれか一の規定以外の租税特別措置法の規定による特別償却又は税額控除制度に係る規定は、適用しないこととされた（措法19）。 《適用時期》上記の改正は、令和７年分以後の所得税について適用される（令６改所法等附29⑥）。
15　特定の基金に対する負担金等の必要経費算入の特例の改正	独立行政法人中小企業基盤整備機構が行う中小企業倒産防止共済事業に係る措置について、個人の締結していた共済契約につき解除があった後共済契約を締結したその個人がその解除の日から同日以後２年を経過する日までの間にその共済契約について支出する掛金については、本特例を適用しないこととされた（措法28）。 《適用時期》上記の改正は、個人の締結していた共済契約につき令和６年10月１日以後に解除があった後、共済契約を締結したその個人がその共済契約について支出する掛金について適用される（令６改所法等附30）。
16　中小事業者の少額減価償却資産の取得価額の必要経費算入の特例の改正	適用期限が令和８年３月31日まで２年延長された（措法28の２）。 《適用時期》上記の改正は、令和６年４月１日から適用する（令６改所法等附１）。
17　特定復興産業集積区域において機械等を取得した場合の特別償却又は所得税額の特別控除制度の改正	適用期限が令和８年３月31日まで２年延長された上、令和７年４月１日から令和８年３月31日までの間に取得等をした特定機械装置等の特別償却限度額及び税額控除割合が次のとおりとされた（震災特例法10）。 ⑴　特別償却限度額……その取得価額の45％（建物等及び構築物については、23％）相当額（改正前：その取得価額の50％（建物等及び構築物については、25％）相当額） ⑵　税額控除割合……14％（建物等及び構築物については、７％）（改正前：15％（建物等及び構築物については、８％） 《適用関係》上記の改正は、令和６年４月１日から適用される（令６改所法等附１）。
18　特定復興産業集積区域において被災雇用者等を雇用した場合の所得税額の特別控除制度の改正	対象者指定の期限が令和８年３月31日まで２年延長された上、令和７年４月１日から令和８年３月31日までの間に認定地方公共団体の指定を受けた個人がその認定地方公共団体の作成したその認定を受けた復興推進計画に定められた特定復興産業集積区域内に所在する産業集積事業所に勤務する被災雇用者等に対して支給する給与等の額の税額控除割合が９％（改正前：10％）とされた（震災税特法10の３）。 《適用時期》上記の改正は、令和６年４月１日から適用される（令６改所法等附１）。
19　特定復興産業集積区域における開発研究用資産の特別償却等制度の改正	適用期限が令和８年３月31日まで２年延長された上、令和７年４月１日から令和８年３月31日までの間に取得等をした開発研究用資産の特別償却限度額が、その取得価額の30％（その個人が中小事業者である場合には、45％）相当額（改正前：その取得価額の34％（その個人が中小事業者である場合には、50％）相当額）とされた（震災税特法10の５）。 《適用時期》上記の改正は、令和６年４月１日から適用される（令６改所法等附１）。

Ⅴ　その他の租税特別措置等

改　正　事　項	改　　　正　　　内　　　容
1　令和６年分における所得税額の特別控除等の実施	⑴　令和６年分における所得税額の特別控除（措法41の３の３） ①　居住者の令和６年分の所得税については、その年分の所得税の額から、令和６年分特別税額控除額を控除することとされた。ただし、その者のその年の合計所得金額が1,805万円を超える場

合には、控除できない。

② 上記①の令和６年分特別税額控除額は、次の合計額とされる。

イ ３万円

ロ 居住者の一定の同一生計配偶者又は一定の扶養親族１人につき……３万円

(2) 令和６年分の所得税に係る予定納税に係る特別控除の額の控除等（措法41の３の４～41の３の６）

① 居住者の令和６年分の所得税に係る第１期納付分の予定納税額から、予定納税特別控除額を控除することとされた。

② 上記①の予定納税特別控除額は、３万円とされる。

③ 一定の居住者の令和６年分の所得税につき予定納税額の減額の承認の申請により予定納税額から減額の承認に係る予定納税特別控除額の控除を受けることができることとされた。

④ 上記③の減額の承認に係る予定納税特別控除額は、上記(1)②の令和６年分特別税額控除額の見積額とされる。

(3) 令和６年６月以後に支払われる給与等に係る特別控除の額の控除等（措法41の３の７）

① 令和６年６月１日において給与等の支払者から主たる給与等の支払を受ける者である居住者の同日以後最初にその支払者から支払を受ける同年中の主たる給与等（年末調整の適用を受けるものを除く。）につき所得税法の規定により徴収すべき所得税の額は、その所得税の額に相当する金額から給与特別控除額の控除（その所得税の額に相当する金額が限度とされる。）をした金額に相当する金額とすることとされた。

② 給与特別控除額のうち上記①の控除をしてもなお控除しきれない部分の金額があるときは、その控除しきれない部分の金額を、上記①の最初に主たる給与等の支払を受けた日後にその支払者から支払を受ける令和６年中の主たる給与等（年末調整の適用を受けるものを除く。）につき所得税法の規定により徴収すべき所得税の額に相当する金額から順次控除（それぞれのその所得税の額に相当する金額が限度とされる。）をした金額に相当する金額をもって、それぞれのその主たる給与等につき所得税法の規定により徴収すべき所得税の額とすることとされた。

③ 上記①及び②の給与特別控除額は、、次の合計額とされる。

イ ３万円

ロ 給与所得者の扶養控除等申告書に記載された一定の源泉控除対象配偶者で合計所得金額の見積額が48万円以下である者又は一定の控除対象扶養親族等１人につき……３万円

(4) 令和６年における年末調整に係る特別控除の額の控除等（措法41の３の８）

① 居住者の令和６年中に支払の確定した給与等における年末調整により計算した年税額は、その年税額に相当する金額から年末調整特別控除額を控除した金額に相当する金額とすることとされた。

② 上記①の年末調整特別控除額は、次の合計額とされる。

イ ３万円

ロ 給与所得者の配偶者控除等申告書に記載された一定の控除対象配偶者又は給与所得者の扶養控除等申告書に記載された一定の控除対象扶養親族等１人につき……３万円

(5) 令和６年６月以後に支払われる公的年金等に係る特別控除の額の控除等（措法41の３の９）

① 公的年金等で一定のものの支払を受ける者である居住者の令和６年６月１日以後最初にその公的年金等の支払者から支払を受ける同年分の所得税に係るその公的年金等につき所得税法の規定により徴収すべき所得税の額は、その所得税の額に相当する金額から年金特別控除額の控除（その所得税の額に相当する金額が限度とされる。）をした金額に相当する金額とすることとされた。

② 年金特別控除額のうち上記①の控除をしてもなお控除しきれない部分の金額があるときは、その控除しきれない部分の金額を、上記①の最初に公的年金等の支払を受けた日後にその支払者から支払を受ける令和６年分の所得税に係るその公的年金等につき所得税法の規定により徴収すべき所得税の額に相当する金額から順次控除（それぞれのその所得税の額に相当する金額が限度とされる。）をした金額に相当する金額をもって、それぞれのその公的年金等につき所得税法の規定により徴収すべき所得税の額とすることとされた。

③ 上記①及び②の年金特別控除額は、次の合計額とされる。

	イ　３万円 ロ　公的年金等の受給者の扶養親族等申告書に記載された一定の源泉控除対象配偶者で合計所得金額の見積額が48万円以下である者又は一定の控除対象扶養親族等１人につき……３万円 《適用関係》上記の改正は、、令和６年６月１日から適用される（令６改所法等附１二）
2　新たな公益信託制度の創設に伴う租税特別措置法等の整備	⑴　国等に対して財産を寄附した場合の譲渡所得等の非課税について、次の措置が講じられた（法59、67の３、78ほか）。 ①　本非課税制度の対象となる公益法人等の範囲に、公益信託に関する法律の公益信託（以下「公益信託」という。）の受託者（非居住者又は外国法人に該当するものを除く。）が追加されるとともに、対象となる贈与又は遺贈の範囲について、公益信託の受託者（改正前から本非課税制度の対象となっている公益法人等に該当する法人を除く。）に対する贈与又は遺贈は公益信託の信託財産とするためのものに限る等の整備が行われた。 ②　非課税承認要件である贈与者等の所得税等を不当に減少させる結果とならないことを満たすための条件について、その贈与又は遺贈が公益信託の信託財産とするためのものである場合における公益信託が満たすべき条件の整備が行われた。 ③　非課税承認の取消しにより公益信託の受託者に課税する場合において、その受託者が２以上あるときは、その主宰受託者を、贈与等を行った個人とみなして所得税を課することとする等、公益信託の受託者に課税がされる場合の取扱いの整備が行われた。 ④　特定贈与等を受けた公益信託の受託者（以下「当初受託者」といいます。）が、任務終了事由等により特定贈与等に係る財産等を新受託者等（以下「引継受託者」といいます。）に移転しようとする場合において、当初受託者が、新受託者の選任等の認可又は届出の日の前日までに、一定の事項を記載した書類を納税地の所轄税務署長を経由して国税庁長官に提出したときは、本非課税制度を継続して適用することができることとされた。 ⑤　特定贈与等を受けた公益信託（以下「当初公益信託」といいます。）の受託者が、公益信託の終了により特定贈与等に係る財産等を他の公益法人等に移転し、又は類似の公益事務をその目的とする他の公益信託の信託財産としようとする場合において、当初公益信託の受託者が、公益信託の終了の日の前日までに、一定の事項を記載した書類を納税地の所轄税務署長を経由して国税庁長官に提出したときは、本非課税制度を継続して適用することができることとされた。 ⑥　公益法人等が解散する場合及び公益法人等が公益法人認定法の公益認定の取消処分を受けた場合における非課税制度の継続の特例措置について、適用対象に、次に掲げる場合が追加された。 イ　特定贈与等を受けた公益法人等が、解散による残余財産の分配又は引渡しにより、特定贈与等に係る財産等を類似の公益事務をその目的とする公益信託の信託財産としようとする場合 ロ　当初法人が、公益法人認定法の定款の定めに従い、引継財産を類似の公益事務をその目的とする公益信託の信託財産としようとする場合 ⑦　他の公益法人等が特定贈与等を受けた公益法人等から資産の移転を受けた場合における非課税制度の継続の特例措置について、次の措置が講じられた。 イ　引継受託者が当初受託者の任務終了事由等により資産の移転を受けた場合において、引継受託者が、その移転を受けた資産が特定贈与等に係る財産等であることを知った日の翌日から２月を経過した日の前日までに、一定の書類を納税地の所轄税務署長を経由して国税庁長官に提出したときは、本非課税制度を継続して適用することができることとされた。 ロ　引継法人が当初法人から資産の贈与を受けた場合の措置について、適用対象に、類似の公益事務をその目的とする公益信託の受託者が当初法人から引継財産を公益信託の信託財産として受け入れた場合が追加された。 ⑧　非課税承認申請書の記載事項等について、上記①又は②の改正に伴う所要の整備が行われた。 ⑵　特定寄附信託の利子所得の非課税措置等について、次の措置が講じられた（措令２の35ほか）。 ①　特定寄附信託の利子所得の非課税措置の対象となる対象特定寄附金の範囲について、一定の特定公益信託の信託財産とするために支出した金銭（旧所得税法の規定により特定寄附金とみなされたもの）に代えて、特定寄附金のうち公益信託の信託財産とするために支出した寄附金（所得税法第78条第２項第４号に掲げる特定寄附金）とされた。なお、一定の特定公益信託の信託財産とするために支出した金銭については、引き続き対象特定寄附金とする経過措置が講じられた。

	②　信託の計算書制度について、上記①の改正に伴う記載事項の整備が行われた。 ⑶　公益信託の受託者である個人に対する贈与又は遺贈（その信託財産とするためのものに限る。）をみなし譲渡課税の対象となる事由に追加する改正が行われたことに伴い、租税特別措置法等の特例のうちみなし譲渡課税の対象となる事由を基準にその適用対象等が定められている措置について、所要の整備が行われた（措法29の２ほか）。 《適用関係》上記の改正は、公益信託法の施行の日から適用される（令６改所法等附１九、令６改措令附１三、令６改措規附１四）。
3　山林所得に係る森林計画特別控除制度の改正	適用期限が令和８年まで２年延長された（措法30の２）。
4　給付金等の非課税の改正	次の貸付けについて受けた債務免除により受ける経済的な利益の価額については、引き続き所得税を課さないこととされた（措規19の２）。 ⑴　児童養護施設退所者等に対する自立支援資金貸付事業による貸付け ⑵　児童扶養手当受給者等に対するひとり親家庭高等職業訓練促進資金貸付事業の住宅支援資金貸付け 《適用関係》上記の改正は、令和６年４月１日から適用される（令６改措規附１）。
5　政治活動に関する寄附をした場合の寄附金控除の特例又は所得税額の特別控除の改正	適用期限が令和11年12月31日まで５年延長された（措法41の18）。
6　公益社団法人等に寄附をした場合の所得税額の特別控除制度の改正	⑴　一定の要件を満たす学校法人等に係るいわゆるパブリック・サポート・テストの絶対値要件について、現行の要件に代えて、その実績判定期間を２年（原則：５年）とするとともに、寄附者数の要件を各事業年度（原則：年平均）100人以上とし、寄附金の額の要件を各事業年度（原則：年平均）30万円以上として判定できることとする特例措置が講じられた（措令26の28の２）。 ⑵　国立大学法人、公立大学法人又は独立行政法人国立高等専門学校機構に対する寄附金のうち特例の対象となる寄附金の使途に係る要件について、その使途の対象となる各法人の行う事業の範囲に、次に掲げる事業が追加された（措令26の28の２）。 ①　個々の学生等の障害の状態に応じた合理的な配慮を提供するために必要な事業であって、障害のある学生等に対するもの ②　外国人留学生と日本人学生が共同生活を営む寄宿舎の寄宿料の減額を目的として寄宿舎の整備を行う場合における施設整備費等の一部を負担する事業であって、経済的理由により修学に困難がある学生等に対するもの 《適用関係》上記⑴の改正は、令和７年４月１日から適用される（令６改措令附１二、令６改措規附１二）。

Ⅵ　国税通則法等

改正事項	改正内容
隠蔽し、又は仮装された事実に基づき更正請求書を提出していた場合の重加算税制度の整備	過少申告加算税又は無申告加算税に代えて課される重加算税の適用対象に、「隠蔽し、又は仮装された事実に基づき更正請求書を提出していた場合」が追加された。 《適用時期》上記の改正は、令和７年１月１日以後に法定申告期限等が到来する国税について適用される。

Ⅶ　令和５年度の改正事項のうち、令和６年分の所得税から適用される主なもの

改　正　事　項	改　　　正　　　内　　　容
1　暗号資産の評価の方法の改正	暗号資産信用取引について、他の者から信用の供与を受けて行う暗号資産の売買をいうこととされた（令119の７）。 《適用時期》上記の改正は、令和６年分以後の所得税について適用され、令和５年分以前の所得税については従前どおりとされる（令５改所令附３）。
2　資金決済に関する法律の改正に伴う所得税法等の整備	資金決済に関する法律の一部改正に伴い、次の措置が講じられた。 ○　確定申告において国外居住親族に係る扶養控除等の適用を受けようとする場合における「確定申告書」又は年末調整における税額の過不足の額の計算上、国外居住親族等に係る扶養控除の額等に相当する金額の控除を受けようとする場合における「給与所得者の扶養控除等申告書」若しくは「給与所得者の配偶者控除等申告書」に添付等をすべき送金関係書類の範囲に、「電子決済手段等取引業者の書類又はその写しでその電子決済手段等取引業者が居住者の依頼に基づいて行う電子決済手段の移転によってその居住者からその国外居住親族等に支払をしたことを明らかにするもの」であって、「その年において生活費等に充てるための支払を行ったことを明らかにするもの」が追加された（規47の２、73の２、74の４）。 《適用関係》上記の改正は、令和６年分以後の所得税に係る確定申告書を提出する場合及び令和６年１月１日以後に支払を受けるべき給与等について提出する給与所得者の扶養控除等申告書及び給与所得者の配偶者控除等申告書について適用される（令５改所規附４、７）。
3　非課税口座内の少額上場株式等に係る配当所得及び譲渡所得等の非課税措置の改正	非課税口座年間取引報告書の記載事項が簡素化された。 《適用時期》上記の改正は、令和６年以後に開設されている非課税口座に係る報告書等について適用される（令５改措規附２③④）。
4　試験研究を行った場合の所得税額の特別控除制度の改正	試験研究を行った場合の所得税額の特別控除制度について、以下の改正が行われた（措法10、措令５の３）。 ⑴　新たな役務の開発に係る試験研究費の範囲の見直し ⑵　一般試験研究費の額に係る特別税額控除制度の見直し ①　税額控除割合が次の区分に応じそれぞれ次の割合（上限：10％）とされた。 イ　ロの場合以外の場合……11.5％から、12％から増減試験研究費割合を減算した割合に0.25を乗じて計算した割合を減算した割合（下限：１％） ロ　その年が開業年である場合又は比較試験研究費の額が０である場合……8.5％ ②　令和８年までの各年分については、税額控除割合は、上記①にかかわらず、次の区分に応じそれぞれ次の割合（上限：14％）とされた。 イ　増減試験研究費割合が12％を超える場合（ハの場合を除く。）……11.5％に、その増減試験研究費割合から12％を控除した割合に0.375を乗じて計算した割合を加算した割合 ロ　増減試験研究費割合が12％以下である場合（ハの場合を除く。）……11.5％から、12％からその増減試験研究費割合を減算した割合に0.25を乗じて計算した割合を減算した割合（下限：１％） ハ　その年が開業年である場合又は比較試験研究費の額が０である場合……8.5％ ③　令和６年から令和８年までの各年分のうち次の年分（開業年の年分及び比較試験研究費の額が０である年分を除く。）については、税額控除額の上限に、その年分の調整前事業所得税額に次の年分の区分に応じそれぞれ次の割合（イの年分及び試験研究費割合が10％を超える年分のいずれにも該当する年分にあっては、イの割合と下記④の税額控除額の上限の特例により計算した割合とのうちいずれか高い割合）を乗じて計算した金額を加算することとされた。 イ　増減試験研究費割合が４％を超える年分……その増減試験研究費割合から４％を控除した割合に0.625を乗じて計算した割合（上限：５％） ロ　増減試験研究費割合が０に満たない場合のその満たない部分の割合が４％を超える年分（試験研究費割合が10％を超える年分を除く。）……０から、その満たない部分の割合から４％を

	控除した割合に0.625を乗じて計算した割合（上限：５％）を減算した割合 ④　試験研究費割合が10%を超える場合における税額控除割合の特例及び税額控除額の上限の特例の適用期限が、令和８年まで３年延長された。 ⑤　基準年比売上金額減少割合が２％以上の場合の税額控除額の上限の特例は、その適用期限（令和５年末）の到来をもって廃止された。 (3)　中小企業技術基盤強化税制 ①　中小事業者税額控除限度額の特例のうち増減試験研究費割合が9.4%を超える場合の特例について、適用要件となる増減試験研究費割合が9.4%超から12%超に引き上げられ、その逓増率が0.35から0.375に引き上げられた上、その適用期限が令和８年まで３年延長された。 ②　増減試験研究費割合が9.4%を超える場合の税額控除額の上限の特例について、増減試験研究費割合が12%を超える場合の税額控除額の上限の特例とされた上、その適用期限が令和８年まで３年延長された。 ③　試験研究費割合が10%を超える場合の税額控除額の上限の特例の適用期限が、令和８年まで３年延長された。 ④　基準年比売上金額減少割合が２％以上の場合の税額控除額の上限の特例は、その適用期限（令和５年末）の到来をもって廃止された。 (4)　特別試験研究費の額に係る特別税額控除制度 対象となる試験研究に高度専門知識等を有する者に対して人件費を支出して行う試験研究が追加され、その税額控除割合が20%とされた。 《適用関係》上記の改正は、令和６年分以後の所得税について適用され、令和５年分以前の所得税については従前どおりとされる（令５改所法等附25、令５改措令附２①）。

第二章　通　　則

第一節　定　　義

一　用語の意義

所得税法において次の**1**から**49**に掲げる用語の意義は、当該**1**から**49**に定めるところによる。（法２①）

（注）　所得税法施行令及び所得税法施行規則においても同じ用語を用いる。（令１、規１）

<table>
<tr><td>1</td><td>国　　内</td><td>所得税法の施行地をいう。</td></tr>
<tr><td>2</td><td>国　　外</td><td>所得税法の施行地外の地域をいう。</td></tr>
<tr><td>3</td><td>居 住 者</td><td>国内に住所を有し、又は現在まで引き続いて１年以上居所を有する個人をいう。</td></tr>
<tr><td>4</td><td>非永住者</td><td>居住者のうち、日本の国籍を有しておらず、かつ、過去10年以内において国内に住所又は居所を有していた期間の合計が５年以下である個人をいう。</td></tr>
<tr><td>5</td><td>非居住者</td><td>居住者以外の個人をいう。
（注）　居住者及び非居住者等の区分については、二を参照。</td></tr>
<tr><td>6</td><td>内国法人</td><td>国内に本店又は主たる事務所を有する法人をいう。</td></tr>
<tr><td>7</td><td>外国法人</td><td>内国法人以外の法人をいう。</td></tr>
<tr><td>8</td><td>人格のない社団等</td><td>法人でない社団又は財団で代表者又は管理人の定めがあるものをいう。（三を参照。）</td></tr>
<tr><td>8の2</td><td>株 主 等</td><td>株主又は合名会社、合資会社若しくは合同会社の社員その他法人の出資者をいう。</td></tr>
<tr><td>8の3</td><td>法人課税信託</td><td>法人税法第２条第29号の２《定義》に規定する法人課税信託をいう。</td></tr>
<tr><td>8の4</td><td>恒久的施設</td><td>次のイからハまでに掲げるものをいう。ただし、我が国が締結した所得に対する租税に関する二重課税の回避又は脱税の防止のための条約において次のイからハまでに掲げるものと異なる定めがある場合には、その条約の適用を受ける非居住者又は外国法人については、その条約において恒久的施設と定められたもの（国内にあるものに限る。）とする。
<table>
<tr><td>イ</td><td>非居住者又は外国法人の国内にある支店、工場その他事業を行う一定の場所で（1）で定めるもの</td></tr>
<tr><td>ロ</td><td>非居住者又は外国法人の国内にある建設若しくは据付けの工事又はこれらの指揮監督の役務の提供を行う場所その他これに準ずるものとして（2）で定めるもの</td></tr>
<tr><td>ハ</td><td>非居住者又は外国法人が国内に置く自己のために契約を締結する権限のある者その他これに準ずる者で（7）で定めるもの</td></tr>
</table>
（（1）で定める場所）
（1）　8の4イに規定する（1）で定める場所は、国内にある次の(一)から(三)までに掲げる場所とする。（令１の２①）
<table>
<tr><td>(一)</td><td>事業の管理を行う場所、支店、事務所、工場又は作業場</td></tr>
<tr><td>(二)</td><td>鉱山、石油又は天然ガスの坑井、採石場その他の天然資源を採取する場所</td></tr>
</table>
</td></tr>
</table>

(三)	その他事業を行う一定の場所

（注）　（その他事業を行う一定の場所）

（1）《恒久的施設の範囲》(三)に掲げる「その他事業を行う一定の場所」には、倉庫、サーバー、農園、養殖場、植林地、貸ビル等のほか、非居住者又は外国法人が国内においてその事業活動の拠点としているホテルの一室、展示即売場その他これらに類する場所が含まれる。（基通161－1）

（**8の4**ロに規定する（2）で定めるもの）

（2）　**8の4**ロに規定する（2）で定めるものは、非居住者又は外国法人の国内にある長期建設工事現場等（非居住者又は外国法人が国内において長期建設工事等（建設若しくは据付けの工事又はこれらの指揮監督の役務の提供で1年を超えて行われるものをいう。以下（2）及び（6）において同じ。）を行う場所をいい、非居住者又は外国法人の国内における長期建設工事等を含む。（6）において同じ。）とする。（令1の2②）

（注）　（1年を超える建設工事等）

（2）の建設若しくは据付けの工事又はこれらの指揮監督の役務の提供（以下(注)において「建設工事等」という。）で1年を超えて行われるものには、次に掲げるものが含まれる。（基通161－2）

⑴　建設工事等に要する期間が1年を超えることが契約等からみて明らかであるもの

⑵　一の契約に基づく建設工事等に要する期間が1年以下であっても、これに引き続いて他の契約等に基づく建設工事等を行い、これらの建設工事等に要する期間を通算すると1年を超えることになるもの

㊟1　建設工事等は、その建設工事等を独立した事業として行うものに限られないのであるから、例えば、非居住者又は外国法人が機械設備等を販売したことに伴う据付けの工事等であっても当該建設工事等に該当することに留意する。

2　上記⑴又は⑵に該当しない建設工事等であっても、（3）の規定の適用により、1年を超えて行われるものに該当する場合があることに留意する。

（契約分割後建設工事等が1年を超えて行われるものであるかどうかの判定）

（3）　（2）の場合において、2以上に分割をして建設若しくは据付けの工事又はこれらの指揮監督の役務の提供（以下（3）及び（5）において「建設工事等」という。）に係る契約が締結されたことにより（2）の非居住者又は外国法人の国内における当該分割後の契約に係る建設工事等（以下（3）において「契約分割後建設工事等」という。）が1年を超えて行われないこととなったとき（当該契約分割後建設工事等を行う場所（当該契約分割後建設工事等を含む。）を（2）に規定する長期建設工事現場等に該当しないこととすることが当該分割の主たる目的の一つであったと認められるときに限る。）における当該契約分割後建設工事等が1年を超えて行われるものであるかどうかの判定は、当該契約分割後建設工事等の期間に国内における当該分割後の他の契約に係る建設工事等の期間（当該契約分割後建設工事等の期間と重複する期間を除く。）を加算した期間により行うものとする。ただし、正当な理由に基づいて契約を分割したときは、この限りでない。（令1の2③）

（（1）で定める場所及び（2）で定めるものに含まれないもの）

（4）　非居住者又は外国法人の国内における次の(一)から(六)までに掲げる活動の区分に応じ当該(一)から(六)までに定める場所（当該(一)から(六)までに掲げる活動を含む。）は、（1）に規定する（1）で定める場所及び（2）に規定する（2）で定めるものに含まれないものとする。ただし、当該(一)から(六)までに掲げる活動（(六)に掲げる活動にあっては、(六)の場所における活動の全体）が、当該非居住者又は外国法人の事業の遂行にとって準備的又は補助的な性格のものである場合に限るものとする。（令1の2④）

(一)	当該非居住者又は外国法人に属する物品又は商品の保管、展示又は引渡しのためにのみ施設を使用すること	当該施設
(二)	当該非居住者又は外国法人に属する物品又は商品の在庫を保管、展示又は引渡しのためにのみ保有すること	当該保有することのみを行う場所
(三)	当該非居住者又は外国法人に属する物品又は商品の在庫を事業を行う他の者による加工のためにのみ保有すること	当該保有することのみを行う場所

(四)	その事業のために物品若しくは商品を購入し、又は情報を収集することのみを目的として、(１)(一)から同(三)までに掲げる場所を保有すること	当該場所
(五)	その事業のために(一)から(四)までに掲げる活動以外の活動を行うことのみを目的として、(１)(一)から同(三)までに掲げる場所を保有すること	当該場所
(六)	(一)から(四)までに掲げる活動及び当該活動以外の活動を組み合わせた活動を行うことのみを目的として、(１)(一)から同(三)までに掲げる場所を保有すること	当該場所

(注)１　(準備的な性格のものの意義)

(４)に規定する事業の遂行にとって準備的な性格のものとは、本質的かつ重要な部分を構成する活動の遂行を予定し当該活動に先行して行われる活動をいうことに留意する。(基通161－１の２)

㊟　本文の「先行して行われる活動」に該当するかどうかの判定は、その活動期間の長短によらないことに留意する。

２　(補助的な性格のものの意義)

(４)に規定する事業の遂行にとって「補助的な性格のもの」とは、本質的かつ重要な部分を構成しない活動で、その本質的かつ重要な部分を支援するために行われるものをいうのであるから、例えば、次に掲げるような活動はこれに該当しない。(基通161－１の３)

⑴　事業を行う一定の場所の事業目的が非居住者又は外国法人の事業目的と同一である場合の当該事業を行う一定の場所において行う活動

⑵　非居住者又は外国法人の資産又は従業員の相当部分を必要とする活動

⑶　顧客に販売した機械設備等の維持、修理等（当該機械設備等の交換部品を引き渡すためだけの活動を除く。）

⑷　専門的な技能又は知識を必要とする商品仕入れ

⑸　地域統括拠点としての活動

⑹　他の者に対して行う役務の提供

((４)の規定が適用されない場所)

(５)　(４)の規定は、次の(一)から(三)までに掲げる場所については、適用しない。(令１の２⑤)

(一)	(１)(一)から同(三)までに掲げる場所（国内にあるものに限る。以下(５)において「事業を行う一定の場所」という。）を使用し、又は保有する(４)の非居住者又は外国法人が当該事業を行う一定の場所において事業上の活動を行う場合において、次のイ及びロに掲げる要件のいずれかに該当するとき（当該非居住者又は外国法人が当該事業を行う一定の場所において行う事業上の活動及び当該非居住者又は外国法人（国内において当該非居住者又は外国法人に代わって活動をする場合における当該活動をする者を含む。）が当該事業を行う一定の場所以外の場所（国内にあるものに限る。イ及び(三)において「他の場所」という。）において行う事業上の活動（ロにおいて「細分化活動」という。）が一体的な業務の一部として補完的な機能を果たすときに限る。）における当該事業を行う一定の場所 イ　当該他の場所（当該他の場所において当該非居住者又は外国法人が行う建設工事等及び当該活動をする者を含む。）が当該非居住者又は外国法人の恒久的施設に該当すること。 ロ　当該細分化活動の組合せによる活動の全体がその事業の遂行にとって準備的又は補助的な性格のものでないこと。
(二)	事業を行う一定の場所を使用し、又は保有する(４)の非居住者又は外国法人及び当該非居住者又は外国法人と特殊の関係にある者（国内において当該者に代わって活動をする場合における当該活動をする者（イ及び(三)イにおいて「代理人」という。）を含む。以下(５)において「関連者」という。）が当該事業を行う一定の場所において事業上の活動を行う場合において、次のイ及びロに掲げる要件のいずれかに該当するとき（当該非居住者又は外国法人及び当該関連者が当該事業を行う一定の場所において行う事業上の活

	動（ロにおいて「細分化活動」という。）がこれらの者による一体的な業務の一部として補完的な機能を果たすときに限る。）における当該事業を行う一定の場所 イ　当該事業を行う一定の場所（当該事業を行う一定の場所において当該関連者（代理人を除く。イにおいて同じ。）が行う建設工事等及び当該関連者に係る代理人を含む。）が当該関連者の恒久的施設（当該関連者が居住者又は内国法人である場合にあっては、恒久的施設に相当するもの）に該当すること。 ロ　当該細分化活動の組合せによる活動の全体が当該非居住者又は外国法人の事業の遂行にとって準備的又は補助的な性格のものでないこと。
(三)	事業を行う一定の場所を使用し、又は保有する(4)の非居住者又は外国法人が当該事業を行う一定の場所において事業上の活動を行う場合で、かつ、当該非居住者又は外国法人に係る関連者が他の場所において事業上の活動を行う場合において、次のイ及びロに掲げる要件のいずれかに該当するとき（当該非居住者又は外国法人が当該事業を行う一定の場所において行う事業上の活動及び当該関連者が当該他の場所において行う事業上の活動（ロにおいて「細分化活動」という。）がこれらの者による一体的な業務の一部として補完的な機能を果たすときに限る。）における当該事業を行う一定の場所 イ　当該他の場所（当該他の場所において当該関連者（代理人を除く。イにおいて同じ。）が行う建設工事等及び当該関連者に係る代理人を含む。）が当該関連者の恒久的施設（当該関連者が居住者又は内国法人である場合にあっては、恒久的施設に相当するもの）に該当すること。 ロ　当該細分化活動の組合せによる活動の全体が当該非居住者又は外国法人の事業の遂行にとって準備的又は補助的な性格のものでないこと。

（非居住者又は外国法人が長期建設工事現場等を有する場合）

(6)　非居住者又は外国法人が長期建設工事現場等を有する場合には、当該長期建設工事現場等は(4)(四)から同(六)までに規定する(1)(一)から同(三)までに掲げる場所と、当該長期建設工事現場等に係る長期建設工事等を行う場所（当該長期建設工事等を含む。）は(5)(一)から同(三)までに規定する事業を行う一定の場所と、当該長期建設工事現場等を有する非居住者又は外国法人は(5)(一)から同(三)までに規定する事業を行う一定の場所を使用し、又は保有する(4)の非居住者又は外国法人と、当該長期建設工事等を行う場所において事業上の活動を行う場合（当該長期建設工事等を行う場合を含む。）は(5)(一)から同(三)までに規定する事業を行う一定の場所において事業上の活動を行う場合と、当該長期建設工事等を行う場所において行う事業上の活動（当該長期建設工事等を含む。）は(5)(一)から同(三)までに規定する事業を行う一定の場所において行う事業上の活動とそれぞれみなして、(4)及び(5)の規定を適用する。（令1の2⑥）

（**8の4**ハに規定する(7)で定める者）

(7)　**8の4**ハに規定する(7)で定める者は、国内において非居住者又は外国法人に代わって、その事業に関し、反復して次の(一)から(三)までに掲げる契約を締結し、又は当該非居住者若しくは外国法人によって重要な修正が行われることなく日常的に締結される次の(一)から(三)までに掲げる契約の締結のために反復して主要な役割を果たす者（当該者の国内における当該非居住者又は外国法人に代わって行う活動（当該活動が複数の活動を組み合わせたものである場合にあっては、その組合せによる活動の全体）が、当該非居住者又は外国法人の事業の遂行にとって準備的又は補助的な性格のもの（当該非居住者又は外国法人に代わって行う活動を(5)(一)から同(三)までの非居住者又は外国法人が(5)(一)から同(三)までの事業を行う一定の場所において行う事業上の活動とみなして(5)の規定を適用した場合に(5)の規定により当該事業を行う一定の場所につき(4)の規定を適用しないこととされるときにおける当該活動を除く。）のみである場合における当該者を除く。(8)において「契約締結代理人等」という。）とする。（令1の2⑦）

(一)	当該非居住者又は外国法人の名において締結される契約

(二)	当該非居住者又は外国法人が所有し、又は使用の権利を有する財産について、所有権を移転し、又は使用の権利を与えるための契約
(三)	当該非居住者又は外国法人による役務の提供のための契約

(注) 1　(契約の締結の意義)

(7)の「契約」の締結には、契約書に調印することのほか、契約内容につき実質的に合意することが含まれる。(基通161－3)

2　(契約の締結のために主要な役割を果たす者の意義)

(7)に規定する「主要な役割を果たす者」とは、(7)(一)から同(三)までに掲げる契約が締結されるという結果をもたらす役割を果たす者をいい、例えば、非居住者又は外国法人の商品について販売契約を成立させるために営業活動を行う者がこれに該当する。(基通161－4)

3　(反復して非居住者又は外国法人に代わって行動する者の範囲)

(7)に規定する「契約締結代理人等」には、長期の代理契約に基づいて非居住者又は外国法人に代わって行動する者のほか、個々の代理契約は短期的であるが、2以上の代理契約に基づいて反復して一の非居住者又は外国法人に代わって行動する者が含まれる。(基通161－5)

㈹　本文の「一の非居住者又は外国法人に代わって行動する者」は、特定の非居住者又は外国法人のみに代わって行動する者に限られないことに留意する。

(契約締結代理人等に含まれないもの)

(8)　国内において非居住者又は外国法人に代わって行動する者が、その事業に係る業務を、当該非居住者又は外国法人に対し独立して行い、かつ、通常の方法により行う場合には、当該者は、契約締結代理人等に含まれないものとする。ただし、当該者が、専ら又は主として一又は二以上の自己と特殊の関係にある者に代わって行動する場合は、この限りでない。(令1の2⑧)

(注)　(独立代理人)

(8)に規定する「国内において非居住者又は外国法人に代わって行動する者が、その事業に係る業務を、当該非居住者又は外国法人に対し独立して行い、かつ、通常の方法により行う場合」における当該者は、次に掲げる要件のいずれも満たす必要があることに留意する。(基通161－6)

⑴　代理人として当該業務を行う上で、詳細な指示や包括的な支配を受けず、十分な裁量権を有するなど本人である非居住者又は外国法人から法的に独立していること。

⑵　当該業務に係る技能と知識の利用を通じてリスクを負担し、報酬を受領するなど本人である非居住者又は外国法人から経済的に独立していること。

⑶　代理人として当該業務を行う際に、代理人自らが通常行う業務の方法又は過程において行うこと。

(特殊の関係)

(9)　(5)(二)及び(8)ただし書に規定する特殊の関係とは、一方の者が他方の法人の発行済株式(投資信託及び投資法人に関する法律第2条第12項《定義》に規定する投資法人にあっては、発行済みの投資口(同条第14項に規定する投資口をいう。以下(9)において同じ。))又は出資(当該他方の法人が有する自己の株式(投資口を含む。以下(9)において同じ。)又は出資を除く。)の総数又は総額の100分の50を超える数又は金額の株式又は出資を直接又は間接に保有する関係その他の(10)で定める特殊の関係をいう。(令1の2⑨)

(注) 1　(発行済株式)

(9)に規定する「発行済株式」には、その株式の払込み又は給付の金額(以下(注)2において「払込金額等」という。)の全部又は一部について払込み又は給付(以下(注)2において「払込み等」という。)が行われていないものも含まれるものとする。(基通161－7)

2　(直接又は間接保有の株式)

(9)に規定する「特殊の関係」(以下(注)2において「特殊の関係」という。)に該当するかどうかを判定する場合の直接又は間接に保有する株式には、その払込金額等の全部又は一部について払込み等が行われていないものも含まれるものとする。(基通161－7の2)

㈹　名義株は、その実際の権利者が保有するものとして特殊の関係の有無を判定することに留意する。

((10)で定める特殊の関係)

(10)　(9)《恒久的施設の範囲》に規定する(10)で定める特殊の関係は、次の(一)及び(二)に掲げる関係とする。(規1の2①)

(一)	一方の者が他方の法人の発行済株式（投資信託及び投資法人に関する法律第２条第12項《定義》に規定する投資法人にあっては、発行済みの投資口（同条第14項に規定する投資口をいう。以下(一)において同じ。)）又は出資（自己が有する自己の株式（投資口を含む。以下(一)において同じ。）又は出資を除く。）の総数又は総額（以下において「発行済株式等」という。）の100分の50を超える数又は金額の株式等（株式又は出資をいう。以下において同じ。）を直接又は間接に保有する関係その他の一方の者が他方の者を直接又は間接に支配する関係
(二)	二の法人が同一の者によってそれぞれその発行済株式等の100分の50を超える数又は金額の株式等を直接又は間接に保有される場合における当該二の法人の関係その他の二の者が同一の者によって直接又は間接に支配される場合における当該二の者の関係（(一)に掲げる関係に該当するものを除く。）

（発行済株式等の100分の50を超える数又は金額の株式等を直接又は間接に保有するかどうかの判定）

(11)　(10)(一)の場合において、一方の者が他方の法人の発行済株式等の100分の50を超える数又は金額の株式等を直接又は間接に保有するかどうかの判定は、当該一方の者の当該他方の法人に係る直接保有の株式等の保有割合（当該一方の者の有する当該他方の法人の株式等の数又は金額が当該他方の法人の発行済株式等のうちに占める割合をいう。）と当該一方の者の当該他方の法人に係る間接保有の株式等の保有割合とを合計した割合により行うものとする。（規１の２②）

（間接保有の株式等の保有割合）

(12)　(11)に規定する間接保有の株式等の保有割合とは、次の(一)及び(二)に掲げる場合の区分に応じ当該(一)及び(二)に定める割合（当該(一)及び(二)に掲げる場合のいずれにも該当する場合には、当該(一)及び(二)に定める割合の合計割合）をいう。（規１の２③）

(一)	(11)の他方の法人の株主等（法人税法第２条第14号《定義》に規定する株主等をいう。以下(12)において同じ。）である法人の発行済株式等の100分の50を超える数又は金額の株式等が(11)の一方の者により保有されている場合	当該株主等である法人の有する当該他方の法人の株式等の数又は金額が当該他方の法人の発行済株式等のうちに占める割合（当該株主等である法人が二以上ある場合には、当該二以上の株主等である法人につきそれぞれ計算した割合の合計割合）
(二)	(11)の他方の法人の株主等である法人（(一)に掲げる場合に該当する(一)の株主等である法人を除く。）と(11)の一方の者との間にこれらの者と株式等の保有を通じて連鎖関係にある一又は二以上の法人（以下(二)において「出資関連法人」という。）が介在している場合（出資関連法人及び当該株主等である法人がそれぞれその発行済株式等の100分の50を超える数又は金額の株式等を当該一方の者又は出資関連法人（その発行済株式等の100分の50を超える数又は金額の株式等が当該一方の者又は他の出資関連法人によって保有されているものに限る。）によって保有されている場合に限る。）	当該株主等である法人の有する当該他方の法人の株式等の数又は金額が当該他方の法人の発行済株式等のうちに占める割合（当該株主等である法人が２以上ある場合には、当該２以上の株主等である法人につきそれぞれ計算した割合の合計割合）

（(11)の規定の準用）

(13)　(11)の規定は、(10)(二)の直接又は間接に保有される関係の判定について準用する。（規

<table>
<tr><td></td><td></td><td>1の2④)</td></tr>
<tr><td>9</td><td>公社債</td><td>公債及び社債（会社以外の法人が特別の法律により発行する債券を含む。）をいう。

（公債の範囲）
(1)　公債には、外国及び外国の地方公共団体の発行した債券が含まれる。（基通2－10）

（社債の範囲）
(2)　社債とは、会社が会社法その他の法律の規定により発行する債券及び会社以外の内国法人が特別の法律により発行する債券並びに外国法人が発行する債券でこれらに準ずるものをいうのであるから、債券の発行につき法律の規定をもたない会社以外の内国法人が発行するいわゆる学校債又は組合債のようなものは、これに該当しない。（基通2－11）
（注）いわゆる学校債、組合債等の利子は、雑所得に該当する。</td></tr>
<tr><td>10</td><td>預貯金</td><td>預金及び貯金（これらに準ずるものとして(1)に掲げるものを含む。）をいう。

（預貯金の範囲）
(1)　預貯金は、銀行その他の金融機関に対する預金及び貯金のほか、次の(一)から(三)までに掲げるものとする。（令2）
<table>
<tr><td>(一)</td><td>労働基準法第18条《貯蓄金の管理等》又は船員法第34条《貯蓄金の管理等》の規定により管理される労働者又は船員の貯蓄金</td></tr>
<tr><td>(二)</td><td>国家公務員共済組合法第98条《福祉事業》若しくは地方公務員等共済組合法第112条第1項《福祉事業》に規定する組合に対する組合員の貯金又は私立学校教職員共済法第26条第1項《福祉事業》に規定する事業団に対する加入者の貯金</td></tr>
<tr><td>(三)</td><td>金融商品取引法第2条第9項《定義》に規定する金融商品取引業者（同法第28条第1項《通則》に規定する第1種金融商品取引業を行う者に限る。）に対する預託金で、勤労者財産形成促進法第6条第1項、第2項又は第4項《勤労者財産形成貯蓄契約等》に規定する勤労者財産形成貯蓄契約、勤労者財産形成年金貯蓄契約又は勤労者財産形成住宅貯蓄契約に基づく有価証券の購入のためのもの</td></tr>
</table>

（金融機関の範囲）
(2)　(1)に規定する「銀行その他の金融機関」とは、法律の規定により預金又は貯金の受入れの業務を行うことが認められている銀行、信用金庫、信用金庫連合会、労働金庫、労働金庫連合会、信用協同組合、農業協同組合、漁業協同組合、水産加工業協同組合等をいう。（基通2－12）
（注）金融機関以外のものに対する寄託金につき受ける利子は、(1)(一)から同(三)までに掲げるものにつき受けるものを除き、雑所得に該当する。</td></tr>
<tr><td>11</td><td>合同運用信託</td><td>信託会社（金融機関の信託業務の兼営等に関する法律により同法第1条第1項《兼営の認可》に規定する信託業務を営む同項に規定する金融機関を含む。）が引き受けた金銭信託で、共同しない多数の委託者の信託財産を合同して運用するもの（投資信託及び投資法人に関する法律第2条第2項《定義》に規定する委託者非指図型投資信託及びこれに類する外国投資信託（同条第24項に規定する外国投資信託をいう。12の2及び13において同じ。）並びに委託者が実質的に多数でないものとして(1)で定める信託を除く。）をいう。

（委託者が実質的に多数でない信託）
(1)　上記に規定する(1)で定める信託は、信託の効力が生じた時において、当該信託の委託者（当該信託の委託者となると見込まれる者を含む。以下(1)において同じ。）の全部が委託者の1人（以下(1)において「判定対象委託者」という。）及び次の(一)から(三)までに掲げる者である場合（当該信託の委託者の全部が信託財産に属する資産のみを当該信託に信託する場合を除く。）における当該信託とする。（令2の2①）</td></tr>
</table>

<table>
<tr><td></td><td></td><td>
<table>
<tr><td>(一)</td><td>次のイからホまでに掲げる個人
<table>
<tr><td>イ</td><td>当該判定対象委託者の親族</td></tr>
<tr><td>ロ</td><td>当該判定対象委託者と婚姻の届出をしていないが事実上婚姻関係と同様の事情にある者</td></tr>
<tr><td>ハ</td><td>当該判定対象委託者の使用人</td></tr>
<tr><td>ニ</td><td>イからハまでに掲げる者以外の者で当該判定対象委託者から受ける金銭その他の資産によって生計を維持しているもの</td></tr>
<tr><td>ホ</td><td>ロからニまでに掲げる者と生計を一にするこれらの者の親族</td></tr>
</table></td></tr>
<tr><td>(二)</td><td>当該判定対象委託者と他の者との間にいずれか一方の者（当該者が個人である場合には、これと法人税法施行令第４条第１項《同族関係者の範囲》に規定する特殊の関係のある個人を含む。）が他方の者（法人に限る。）を直接又は間接に支配する関係がある場合における当該他の者</td></tr>
<tr><td>(三)</td><td>当該判定対象委託者と他の者（法人に限る。）との間に同一の者（当該者が個人である場合には、これと法人税法施行令第４条第１項に規定する特殊の関係のある個人を含む。）が当該判定対象委託者及び当該他の者を直接又は間接に支配する関係がある場合における当該他の者</td></tr>
</table>
（直接又は間接に支配する関係）
（2）（1）(二)又は同(三)に規定する直接又は間接に支配する関係とは、一方の者と他方の者との間に当該他方の者が次の(一)から(三)までに掲げる法人に該当する関係がある場合における当該関係をいう。（令２の２②）
<table>
<tr><td>(一)</td><td>当該一方の者が法人を支配している場合（法人税法施行令第14条の２第２項第１号《委託者が実質的に多数でない信託》に規定する法人を支配している場合をいう。）における当該法人</td></tr>
<tr><td>(二)</td><td>(一)若しくは(三)に掲げる法人又は当該一方の者及び(一)若しくは(三)に掲げる法人が他の法人を支配している場合（法人税法施行令第14条の２第２項第２号に規定する他の法人を支配している場合をいう。）における当該他の法人</td></tr>
<tr><td>(三)</td><td>(二)に掲げる法人又は当該一方の者及び(二)に掲げる法人が他の法人を支配している場合（法人税法施行令第14条の２第２項第３号に規定する他の法人を支配している場合をいう。）における当該他の法人</td></tr>
</table>
</td></tr>
<tr><td>12</td><td>貸付信託</td><td>貸付信託法第２条第１項《定義》に規定する貸付信託をいう。</td></tr>
<tr><td>12の2</td><td>投資信託</td><td>投資信託及び投資法人に関する法律第２条第３項に規定する投資信託及び外国投資信託をいう。</td></tr>
<tr><td>13</td><td>証券投資信託</td><td>投資信託及び投資法人に関する法律第２条第４項に規定する証券投資信託及びこれに類する外国投資信託をいう。</td></tr>
<tr><td>14</td><td>オープン型の証券投資信託</td><td>証券投資信託のうち、元本の追加信託をすることができるものをいう。</td></tr>
<tr><td>15</td><td>公社債投資信託</td><td>証券投資信託のうち、その信託財産を公社債に対する投資として運用することを目的とするもので、株式（投資信託及び投資法人に関する法律第２条第14項に規定する投資口を含む。第四章第二節一《配当所得》、同節二《配当等とみなす金額》、第五章第三節二十《株式交換等に係る譲渡所得等の特例》（２）、法第176条第１項及び第２項《信託財産に係る利子等の課税の特例》、第五章第三節二２《株式等の譲渡の対価の受領者の告知》（注）２(一)並びに法第225条第１項第２号《支払調書及び支払通知書》において同じ。）又は出資に対する投資として運用しないものをいう。</td></tr>
</table>

<table>
<tr>
<td>15
の
2</td>
<td>公社債等運用投資信託</td>
<td>
証券投資信託以外の投資信託のうち、信託財産として受け入れた金銭を公社債等（公社債、手形その他の(1)で定める資産をいう。）に対して運用するものとして(2)で定めるものをいう。

（公社債等運用投資信託の範囲）
(1)　上記に規定する(1)で定める資産は、次の(一)から(四)までに掲げる資産とする。（令2の3①）
<table>
<tr><td>(一)</td><td>公社債</td></tr>
<tr><td>(二)</td><td>手形</td></tr>
<tr><td>(三)</td><td>金銭債権（民法第三編第一章第七節第一款《指図証券》に規定する指図証券、同節第二款《記名式所持人払証券》に規定する記名式所持人払証券、同節第三款《その他の記名証券》に規定するその他の記名証券及び同節第四款《無記名証券》に規定する無記名証券に係る債権並びに電子記録債権法（平成19年法律第102号）第2条第1項《定義》に規定する電子記録債権を除く。）</td></tr>
<tr><td>(四)</td><td>合同運用信託</td></tr>
</table>

（公社債等運用投資信託の範囲）
(2)　上記に規定する(2)で定めるものは、証券投資信託以外の投資信託のうち次の(一)及び(二)に掲げる要件を満たすものとする。（令2の3②）
<table>
<tr><td>(一)</td><td>その信託財産を(1)(一)から同(三)までに掲げる資産に対する投資として運用することを目的とする投資信託で、その信託財産を(1)(一)から同(四)までに掲げる資産にのみ運用するものであること。</td></tr>
<tr><td>(二)</td><td>当該投資信託の投資信託約款（投資信託及び投資法人に関する法律第4条第1項《投資信託契約の締結》に規定する委託者指図型投資信託約款又は同法第49条第1項《投資信託契約の締結》に規定する委託者非指図型投資信託約款をいう。15の3の注において同じ。）その他これに類する書類に当該投資信託が(一)に規定する投資信託である旨の定めがあること。</td></tr>
</table>
</td>
</tr>
<tr>
<td>15
の
3</td>
<td>公募公社債等運用投資信託</td>
<td>
その設定に係る受益権の募集が公募（金融商品取引法第2条第3項《定義》に規定する取得勧誘のうち同項第1号に掲げる場合に該当するものとして下記注で定めるものをいう。）により行われた公社債等運用投資信託（法人税法第2条第29号ロ(2)に掲げる投資信託に該当するものに限る。）をいう。

（公募の要件）
注　上記に規定する注で定める取得勧誘は、上記の受益権の募集が国内において行われる場合にあっては、当該募集に係る金融商品取引法第2条第3項《定義》に規定する取得勧誘（以下において「取得勧誘」という。）が同項第1号に掲げる場合に該当し、かつ、投資信託約款にその取得勧誘が同号に掲げる場合に該当するものである旨の記載がなされて行われるものとし、当該受益権の募集が国外において行われる場合にあっては、当該募集に係る取得勧誘が同号に掲げる場合に該当するものに相当するものであり、かつ、目論見書（同法第2条第10項に規定する目論見書をいう。）その他これに類する書類にその取得勧誘が同号に掲げる場合に該当するものに相当するものである旨の記載がなされて行われるものとする。（令2の4）
</td>
</tr>
<tr>
<td>15
の
4</td>
<td>特定目的信託</td>
<td>資産の流動化に関する法律第2条第13項《定義》に規定する特定目的信託をいう。</td>
</tr>
<tr>
<td>15
の
5</td>
<td>特定受益証券発行信託</td>
<td>法人税法第2条第29号ハに規定する特定受益証券発行信託をいう。</td>
</tr>
</table>

16	棚卸資産	事業所得を生ずべき事業に係る資産（有価証券、第六章第二節**四12**《暗号資産の譲渡原価等の計算及びその評価の方法》に規定する暗号資産及び山林を除く。）で棚卸しをすべき次の①から⑦までに掲げる資産をいう。（令３） ① 商品又は製品（副産物及び作業くずを含む。） ② 半製品 ③ 仕掛品（半成工事を含む。） ④ 主要原材料 ⑤ 補助原材料 ⑥ 消耗品で貯蔵中のもの ⑦ 前①から⑥に掲げる資産に準ずるもの （棚卸資産に含まれるもの） 注　上記⑦に掲げる「前①から⑥に掲げる資産に準ずるもの」には、例えば、事業所得を生ずべき事業に係る次の(一)から(六)までに掲げるような資産で一般に販売（家事消費を含む。）の目的で保有されるものが含まれる。（基通２－13） (一) 飼育又は養殖中の牛、馬、豚、家きん、魚介類等の動物 (二) 定植前の苗木 (三) 育成中の観賞用の植物 (四) まだ収穫しない水陸稲、麦、野菜等の立毛及び果実 (五) 養殖中ののり、わかめ等の水産植物でまだ採取されないもの (六) 仕入れ等に伴って取得した空き缶、空き箱、空き瓶等
17	有価証券	金融商品取引法第２条第１項《定義》に規定する有価証券その他これに準ずるもので次の①から③までに掲げるものをいう。（令４） ① 金融商品取引法第２条第１項第１号から第15号まで《定義》に掲げる有価証券及び同項第17号に掲げる有価証券（同項第16号に掲げる有価証券の性質を有するものを除く。）に表示されるべき権利（これらの有価証券が発行されていないものに限るものとし、資金決済に関する法律第２条第９項《定義》に規定する特定信託受益権を除く。） ② 合名会社、合資会社又は合同会社の社員の持分、法人税法第２条第７号《定義》に規定する協同組合等の組合員又は会員の持分その他法人の出資者の持分 ③ 株主又は投資主（投資信託及び投資法人に関する法律第２条第16項《定義》に規定する投資主をいう。）となる権利、優先出資者（協同組織金融機関の優先出資に関する法律第13条第１項《優先出資者となる時期等》の優先出資者をいう。）となる権利、特定社員（資産の流動化に関する法律第２条第５項《定義》に規定する特定社員をいう。）又は優先出資社員（同法第26条《社員》に規定する優先出資社員をいう。）となる権利その他法人の出資者となる権利
18	固定資産	棚卸資産、有価証券、資金決済に関する法律第２条第14項《定義》に規定する暗号資産及び繰延資産以外の資産のうち次の①から④までに掲げるものをいう。（令５） ① 土地（土地の上に存する権利を含む。） ② **19**《減価償却資産》表内①から同⑨までに掲げる資産 ③ 電話加入権 ④ ①から③までに掲げる資産に準ずるもの

19	減価償却資産	不動産所得若しくは雑所得の基因となり、又は不動産所得、事業所得、山林所得若しくは雑所得を生ずべき業務の用に供される棚卸資産、有価証券及び繰延資産以外の資産のうち次の①から⑨までに掲げるもの（時の経過によりその価値の減少しないものを除く。）をいう。（令６）

①	建物及びその附属設備（暖冷房設備、照明設備、通風設備、昇降機その他建物に附属する設備をいう。）
②	構築物（ドック、橋、岸壁、桟橋、軌道、貯水池、坑道、煙突その他土地に定着する土木設備又は工作物をいう。）
③	機械及び装置
④	船舶
⑤	航空機
⑥	車両及び運搬具
⑦	工具、器具及び備品（観賞用、興行用その他これらに準ずる用に供する生物を含む。）
⑧	次に掲げる無形固定資産 イ　鉱業権（租鉱権及び採石権その他土石を採掘し又は採取する権利を含む。） ロ　漁業権（入漁権を含む。） ハ　ダム使用権 ニ　水利権 ホ　特許権 ヘ　実用新案権 ト　意匠権 チ　商標権 リ　ソフトウエア ヌ　育成者権 ル　樹木採取権 ヲ　漁港水面施設運営権 ワ　営業権 カ　専用側線利用権（鉄道事業法第２条第１項《定義》に規定する鉄道事業又は軌道法第１条第１項《軌道法の適用対象》に規定する軌道を敷設して行う運輸事業を営む者（以下⑧において「鉄道事業者等」という。）に対して鉄道又は軌道の敷設に要する費用を負担し、その鉄道又は軌道を専用する権利をいう。） ヨ　鉄道軌道連絡通行施設利用権（鉄道事業者等が、他の鉄道事業者等、独立行政法人鉄道建設・運輸施設整備支援機構、独立行政法人日本高速道路保有・債務返済機構又は国若しくは地方公共団体に対して当該他の鉄道事業者等、独立行政法人鉄道建設・運輸施設整備支援機構若しくは独立行政法人日本高速道路保有・債務返済機構の鉄道若しくは軌道との連絡に必要な橋、地下道その他の施設又は鉄道若しくは軌道の敷設に必要な施設を設けるために要する費用を負担し、これらの施設を利用する権利をいう。） タ　電気ガス供給施設利用権（電気事業法第２条第１項第８号《定義》に規定する一般送配電事業、同項第10号に規定する送電事業、同項第11号の２に規定する配電事業若しくは同項第14号に規定する発電事業又はガス事業法第２条第５項《定義》に規定する一般ガス導管事業を営む者に対して電気又はガスの供給施設（同条第７項に規定する特定ガス導管事業の用に供するものを除く。）を設けるために要する費用を負担し、その施設を利用して電気又はガスの供給を受ける権利をいう。） レ　水道施設利用権（水道法第３条第５項《用語の定義》に規定する水道事業者に対して水道施設を設けるために要する費用を負担し、その施設を利用して水の供給を受ける権利をいう。） ソ　工業用水道施設利用権（工業用水道事業法第２条第５項《定義》に規定する工業用水道事業者に対して工業用水道施設を設けるために要する費用を負担し、その施設を利用して工業用水の供給を受ける権利をいう。）

	ツ　電気通信施設利用権（電気通信事業法第９条第１号《電気通信事業の登録》に規定する電気通信回線設備を設置する同法第２条第５号《定義》に規定する電気通信事業者に対して同条第４号に規定する電気通信事業の用に供する同条第２号に規定する電気通信設備の設置に要する費用を負担し、その設備を利用して同条第３号に規定する電気通信役務の提供を受ける権利（電話加入権及びこれに準ずる権利を除く。）をいう。）
⑨	次に掲げる生物（⑦に掲げるものに該当するものを除く。） イ　牛、馬、豚、綿羊及びやぎ ロ　かんきつ樹、りんご樹、ぶどう樹、梨樹、桃樹、桜桃樹、びわ樹、くり樹、梅樹、柿樹、あんず樹、すもも樹、いちじく樹、キウイフルーツ樹、ブルーベリー樹及びパイナップル ハ　茶樹、オリーブ樹、つばき樹、桑樹、こりやなぎ、みつまた、こうぞ、もう宗竹、アスパラガス、ラミー、まおらん及びホップ

（注）１　電気事業法等の一部を改正する等の法律附則第50条第１項に規定する指定旧供給区域熱供給を行う事業を営む同項に規定するみなし熱供給事業者に対して当該事業に係る熱供給事業法第２条第４項に規定する熱供給施設を設けるために要する費用を負担し、その施設を利用して同条第１項に規定する熱供給を受ける権利は、改正後の上記の規定の適用については、上記⑧に掲げる無形固定資産とみなす。（平28政令48附２②）

２　（注）１に規定する権利（国外における当該権利に相当するものを含む。）は、第九章第二節**二４**（６）の規定の適用については、同（６）(一)ハに掲げる無形固定資産とみなす。（平28政令48附２③）

（美術品等についての減価償却資産の判定）

（１）　「時の経過によりその価値の減少しない資産」は減価償却資産に該当しないこととされているが、次に掲げる美術品等は「時の経過によりその価値の減少しない資産」と取り扱う。（基通２－14）

(一)　古美術品、古文書、出土品、遺物等のように歴史的価値又は希少価値を有し、代替性のないもの

(二)　(一)以外の美術品等で、取得価額が１点100万円以上であるもの（時の経過によりその価値が減少することが明らかなものを除く。）

（注）１　時の経過によりその価値が減少することが明らかなものには、例えば、会館のロビーや葬祭場のホールのような不特定多数の者が利用する場所の装飾用や展示用（有料で公開するものを除く。）として個人が取得するもののうち、移設することが困難で当該用途にのみ使用されることが明らかなものであり、かつ、他の用途に転用すると仮定した場合にその設置状況や使用状況から見て美術品等としての市場価値が見込まれないものが含まれる。

２　取得価額が１点100万円未満であるもの（時の経過によりその価値が減少しないことが明らかなものを除く。）は減価償却資産と取り扱う。

〔経過的取扱い…改正通達の適用時期〕

上記の取扱いは、平成27年１月１日以後に取得をする美術品等について適用し、同日前に取得をした美術品等については、なお従前の例による。ただし、個人が、平成27年１月１日に有する美術品等（この法令解釈通達により減価償却資産とされるものに限る。）について、同日から減価償却資産に該当するものとしている場合には、これを認める。

（注）　ただし書の取扱いにより減価償却資産に該当するものとしている場合における減価償却に関する規定（第六章第二節**六19**《中小事業者の少額減価償却資産の取得価額の必要経費算入の特例》の規定を含む。）の適用に当たっては、当該減価償却資産を同日において取得をし、かつ、事業の用に供したものとすることができる。

（貴金属の素材の価額が大部分を占める固定資産）

（２）　ガラス繊維製造用の白金製溶解炉、光学ガラス製造用の白金製るつぼ、か性カリ製造用の銀製なべのように、素材となる貴金属の価額が取得価額の大部分を占め、かつ、一定期間使用後は素材に還元のうえ鋳直して再使用することを常態としているものは、減価償却資産に該当しない。（基通２－15）

（注）１　これらの資産の鋳直しに要する費用（地金の補給のために要する費用を含む。）は、鋳直しの時において必要経費に算入する。

２　白金ノズルは減価償却資産に該当するのであるが、これに類する工具で貴金属を主体とするものについても、白金ノズルに準じて減価償却をすることができるものとする。

（現にか働していない資産）

（3）　不動産所得、事業所得、山林所得又は雑所得を生ずべき業務の用に供される上表の①から⑨までに規定する資産は、現にか動していない場合であっても、これらの業務の用に供するために維持補修が行われており、いつでもか動し得る状態にあるときは、減価償却資産に該当する。（基通２－16）

（注）　他の場所においてこれらの業務の用に供するために移設中の資産については、その移設期間がその移設のために通常要する期間であると認められる限り、減価償却を継続することができる。

（建設又は製作中の資産）

（4）　建設又は製作中の建物、機械及び装置等の資産は、減価償却資産に該当しないのであるが、その完成した部分が不動産所得、事業所得、山林所得又は雑所得を生ずべき業務の用に供されている場合には、その部分は減価償却資産に該当する。（基通２－17）

（温泉利用権）

（5）　温泉を利用する権利は、上表の⑧ニに掲げる水利権に準ずる減価償却資産とする。（基通２－18）

（注）　この権利の取得価額については第六章第二節**五７**《減価償却資産の取得価額》**イ**(32)、償却費の計算については同**10**《減価償却資産の償却費の計算》**イ**(13)参照。

（工業所有権の実施権等）

（6）　他の者の有する工業所有権（特許権、実用新案権、意匠権及び商標権をいう。以下同じ。）について実施権又は使用権を取得した場合におけるその取得のために要した金額については、当該工業所有権に準じて取り扱う。（基通２－18の２）

（注）　償却費の計算については、第六章第二節**五10イ**(14)参照。

（出 漁 権 等）

（7）　許可漁業の出漁権、繊維工業における織機の登録権利、タクシー業のいわゆるナンバー権のように法令の規定、行政官庁の指導等による規制に基づく許可、認可、登録、割当て等に係る権利は、上表の⑧ワに掲げる営業権に該当するものとし、これらの権利に基づいて業務の活動を開始した日において業務の用に供されたものとする。この場合において、これらの権利を取得した者がその取得により可能となった業務の拡大のために必要な設備等を新たに取得することとなるときは、例えば、許可漁業の出漁権については当該許可に基づく出漁の用に供する船舶を発注するなど、当該業務の拡大に具体的に着手した日から業務の用に供されたものとする。（基通２－19）

（注）　これらの権利の取得価額については、第六章第二節**五７イ**(33)参照。

（無形固定資産の業務の用に供した時期）

（8）　上表の⑧に掲げる無形固定資産のうち、現に営む業務の遂行上必要な漁業権、工業所有権及び樹木採取権については、その取得の日から業務の用に供されたものとして差し支えない。（基通２－20）

（公共下水道施設の使用のための負担金）

（9）　下水道法第２条第３号《公共下水道の定義》に規定する公共下水道を使用する排水設備の新設又は拡張をする者が、その新設又は拡張により必要となる公共下水道の改築に要する費用を負担して取得する当該公共下水道を使用する権利は、上表の⑧レに掲げる水道施設利用権に準ずる減価償却資産とする。（基通２－21）

（注）　公共下水道に係る受益者負担金は、第六章第二節**七３**（５）（基通50－４の２）により償却期間を６年とする繰延資産となる。（編者注）

（電気通信施設利用権の範囲）

（10）　上表の⑧ツに掲げる電気通信施設利用権とは、電気通信事業法施行規則第２条第２項第１

号から第３号まで《用語》に規定する電気通信役務の提供を受ける権利のうち電話加入権（加入電話契約に基づき加入電話の提供を受ける権利をいう。）及びこれに準ずる権利を除く全ての権利をいうのであるから、例えば「電信役務」、「専用役務」、「データ通信役務」、「デジタルデータ伝送役務」、「無線呼出し役務」等の提供を受ける権利は、これに該当する。（基通２－22）

20　繰延資産

不動産所得、事業所得、山林所得又は雑所得を生ずべき業務に関し個人が支出する費用（資産の取得に要した金額とされるべき費用及び前払費用を除く。）のうち支出の効果がその支出の日以後１年以上に及ぶもので次の①から③までに掲げるものをいう。（令７①）

①	開業費（不動産所得、事業所得又は山林所得を生ずべき事業を開始するまでの間に開業準備のために特別に支出する費用をいう。）
②	開発費（新たな技術若しくは新たな経営組織の採用、資源の開発又は市場の開拓のために特別に支出する費用をいう。）
③	①又は②に掲げるもののほか、次に掲げる費用で支出の効果がその支出の日以後１年以上に及ぶもの イ　自己が便益を受ける公共的施設又は共同的施設の設置又は改良のために支出する費用 ロ　資産を賃借し又は使用するために支出する権利金、立退料その他の費用 ハ　役務の提供を受けるために支出する権利金その他の費用 ニ　製品等の広告宣伝の用に供する資産を贈与したことにより生ずる費用 ホ　イからニまでに掲げる費用のほか、自己が便益を受けるために支出する費用

（前払費用の範囲）

（１）　前払費用とは、個人が一定の契約に基づき継続的に役務の提供を受けるために支出する費用のうち、その支出する日の属する年の12月31日（年の中途において死亡し又は出国をした場合には、その死亡又は出国の時）においてまだ提供を受けていない役務に対応するものをいう。（令７②）

（公共的施設の設置又は改良のために支出する費用）

（２）　上表の③イの「自己が便益を受ける公共的施設……の設置又は改良のために支出する費用」とは、次に掲げる費用をいう。（基通２－24）

（一）　自己の必要に基づいて行う道路、堤防、護岸、その他の施設又は工作物（以下(２)において「公共的施設」という。）の設置又は改良（以下(２)において「設置等」という。）のために要する費用（自己の利用する公共的施設につきその設置等を国又は地方公共団体（以下(２)において「国等」という。）が行う場合におけるその設置等に要する費用の一部の負担金を含む。）又は自己の有する道路その他の施設又は工作物を国等に提供した場合における当該施設又は工作物の帳簿価額に相当する金額

（注）　国等に資産を提供した場合には、第三節**四３**①《国等に対して財産を寄附した場合の譲渡所得等の非課税》の規定により、第五章第二節**二十四１**《贈与等の場合の譲渡所得等の特例》①の規定の適用については、当該資産の提供がなかったものとみなされる。

（二）　国等の行う公共的施設の設置等により著しく利益を受ける場合におけるその設置等に要する費用の一部の負担金（土地所有者又は借地権を有する者が土地の価格の上昇に基因して納付するものを除く。）

（三）　鉄道業を営む法人の行う鉄道の建設に当たり支出するその施設に連絡する地下道等の建設に要する費用の一部の負担金

（共同的施設の設置又は改良のために支出する費用）

（３）　上表の③イの「自己が便益を受ける……共同的施設の設置又は改良のために支出する費用」とは、その者の所属する協会、組合、商店街等の行う共同的施設の建設又は改良に要する費用の負担金をいう。この場合において、共同的施設の相当部分が貸室に供されるなど協会等の本来の用以外の用に供されているときは、その部分に係る負担金は、協会等に対する寄附金となることに留意する。（基通２－25）

（簡易な施設の負担金の必要経費算入）

（4）　国、地方公共団体、商店街等の行う街路の簡易舗装、街灯、がんぎ等の簡易な施設で主として一般公衆の便益に供されるもののために充てられる負担金は、これを繰延資産としないでその支出の日の属する年分の必要経費に算入することができる。（基通２－26）

（資産を賃借するための権利金等）

（5）　上表の③ロの費用には、次に掲げるようなものが含まれる。（基通２－27）

（一）　建物を賃借するために支出する権利金、立退料その他の費用

（注）　建物の賃借に際して支払った仲介手数料の額は、その支払った日の属する年分の必要経費に算入することができる。

（二）　電子計算機その他の機器の賃借に伴って支出する引取運賃、関税、据付費その他の費用

（ノーハウの頭金等）

（6）　ノーハウの設定契約に際して支出する一時金又は頭金の費用は、上表の③ハに掲げる費用に該当する。ただし、ノーハウの設定契約において、頭金の全部又は一部を使用料に充当する旨の定めがある場合又は頭金の支払により一定期間は使用料を支払わない旨の定めがある場合には、当該頭金の額のうちその使用料に充当される部分の金額又はその支払わないこととなる使用料の額に相当する部分の金額は、これを繰延資産としないで前払費用として処理することができる。（基通２－28）

（注）　前払費用として処理した頭金の額についてその使用料に充当すべき期間又は使用料を支払わない期間を経過してなお残額があるときは、その残額は当該期間を経過した日の属する年分の必要経費に算入することができる。

（広告宣伝の用に供する資産を贈与したことにより生ずる費用）

（7）　上表の③ニに掲げる「製品等の広告宣伝の用に供する資産を贈与したことにより生ずる費用」とは、自己の製品等の広告宣伝等のため、特約店等に対して広告宣伝用の看板、ネオンサイン、どん帳、陳列棚、自動車のような資産（展示用モデルハウスのように見本としての性格を併せ有するものを含む。以下（7）において同じ。）を贈与した場合（その資産を取得することを条件として金銭を贈与した場合又はその贈与した資産の改良等に充てるために金銭等を贈与した場合を含む。）又は著しく低い対価で譲渡した場合における当該資産の価額又は当該資産の価額からその対価の額を控除した金額に相当する費用をいう。（基通２－29）

（注）　当該資産を自己の用に供しないで贈与又は譲渡したものである場合には、「当該資産の価額」は「当該資産の取得価額」とすることができる。

（スキー場のゲレンデ整備費用）

（8）　積雪地帯におけるスキー場（その土地が主として他の者の所有に係るものに限る。）においてリフト、ロープウェイ等の索道事業を営む者が当該スキー場に係る土地をゲレンデとして整備するために立木の除去、地ならし、沢の埋立て、芝付け等の工事を行った場合には、その工事に要した費用は、上表の③ホに掲げる費用に該当するものとする。

当該スキー場において旅館、食堂、土産物店等を経営する者が当該費用の額の全部又は一部を負担した場合のその負担した額についても、同様とする。（基通２－29の２）

（注）１　既存のゲレンデについて支出する次のような費用の額は、その支出した日の属する年分の必要経費に算入することができる。

イ　おおむねシーズンごとに行う傾斜角度の変更その他これに類する工事のために要する費用

ロ　崩落地の修復、補強等の工事のために要する費用

ハ　シーズンごとに行うブッシュの除去、芝の補植その他これらに類する作業のために要する費用

２　自己の土地をスキー場として整備するための土工工事（他の者の所有に係る土地を有料のスキー場として整備するための土工工事を含む。）に要する費用の額は、構築物の取得価額に算入する。

（出版権の設定の対価）

（9）　著作権法第79条第１項《出版権の設定》に規定する出版権の設定の対価として支出した金額は、上表の③ホに掲げる費用に該当するものとする。（基通２－29の３）

（注）　例えば、漫画の主人公を商品のマーク等として使用する等他人の著作物を利用することについて著作権者等の許諾を得るために支出する一時金の費用は、出版権の設定の対価に準じて取り扱う。

（同業者団体等の加入金）

(10)　同業者団体等（社交団体を除く。）に対して支出した加入金（その構成員としての地位を他に譲渡することができることとなっている場合における加入金及び出資の性質を有する加入金を除く。）は、上表の③ホに掲げる費用に該当するものとする。（基通２－29の４）

（職業運動選手等の契約金等）

(11)　職業運動選手等との専属契約をするために支出する契約金等は、上表の③ホに規定する繰延資産に該当するものとする。（基通２－29の５）

（注）　セールスマン、ホステス等の引抜料、仕度金等の額は、その支出をした日の属する年分の必要経費に算入することができる。

21　各種所得

利子所得、配当所得、不動産所得、事業所得、給与所得、退職所得、山林所得、譲渡所得、一時所得及び雑所得をいう。

（注）　第四章《所得の種類及び各種所得の金額》参照。

22　各種所得の金額

利子所得の金額、配当所得の金額、不動産所得の金額、事業所得の金額、給与所得の金額、退職所得の金額、山林所得の金額、譲渡所得の金額、一時所得の金額及び雑所得の金額をいう。

23　変動所得

漁獲から生ずる所得、著作権の使用料に係る所得その他の所得で年々の変動の著しいもののうち次の①から④までに掲げる所得をいう。（令７の２）

①	漁獲若しくはのりの採取から生ずる所得
②	はまち、まだい、ひらめ、かき、うなぎ、ほたて貝若しくは真珠（真珠貝を含む。）の養殖から生ずる所得
③	原稿若しくは作曲の報酬に係る所得
④	著作権の使用料に係る所得

（漁獲の意義）

（１）　漁獲とは、水産動物を捕獲することをいう。したがって、例えば、こんぶ、わかめ、てんぐさ等の水産植物の採取又はこい等の水産動物の養殖は、これに含まれない。（基通２－30）

（漁獲、採取又は養殖から生ずる所得の意義）

（２）　漁獲、採取又は養殖から生ずる所得とは、自己が捕獲、採取又は養殖をした水産動物又はのりをそのまま販売することにより生ずる所得をいうのであるが、自己が捕獲、採取又は養殖をした水産動物又はのりに切断、乾燥、冷凍、塩蔵等の簡易な加工を施して販売することにより生ずる所得も、これに含まれるものとする。（基通２－31）

（著作権の使用料に係る所得）

（３）　「著作権の使用料に係る所得」には、著作権者以外の者が著作権者のために著作物の出版等による利用に関する代理若しくは媒介をし、又は当該著作物を管理することにより受ける対価に係る所得は含まれない。（基通２－32）

24　臨時所得

役務の提供を約することにより一時に取得する契約金に係る所得その他の所得で臨時に発生するもののうち、次の①から④までに掲げる所得その他これらに類する所得をいう。（令８）

①	職業野球の選手その他一定の者に専属して役務の提供をする者が、３年以上の期間、当該一定の者のために役務を提供し、又はそれ以外の者のために役務を提供しないことを約することにより一時に受ける契約金で、その金額がその契約による役務の提供に対する報酬の年額の２倍に相当する金額以上であるものに係る所得
②	不動産、不動産の上に存する権利、船舶、航空機、採石権、鉱業権、漁業権又は工業所有権

	その他の技術に関する権利若しくは特別の技術による生産方式若しくはこれらに準ずるものを有する者が、３年以上の期間、他人（その者が非居住者である場合の第二節**4**①(一)に規定する事業場等を含む。）にこれらの資産を使用させること（地上権、租鉱権その他の当該資産に係る権利を設定することを含む。）を約することにより一時に受ける権利金、頭金その他の対価で、その金額が当該契約によるこれらの資産の使用料の年額の２倍に相当する金額以上であるものに係る所得（譲渡所得に該当するもの及び第五章第一節**一 1**の適用を受ける権利金等を除く。(措通28の４－52))
③	一定の場所における業務の全部又は一部を休止し、転換し又は廃止することとなった者が、当該休止、転換又は廃止により当該業務に係る３年以上の期間の不動産所得、事業所得又は雑所得の補償として受ける補償金に係る所得
④	③に掲げるもののほか、業務の用に供する資産の全部又は一部につき鉱害その他の災害により被害を受けた者が、当該被害を受けたことにより、当該業務に係る３年以上の期間の不動産所得、事業所得又は雑所得の補償として受ける補償金に係る所得

（契約の範囲）

（１）　上表の①又は同②に規定する契約には、最初に締結する契約のほか、その契約を更新し又は更改する契約も含まれる。(基通２－33)

（報酬年額又は使用料年額の意義）

（２）　上表の①又は同②に規定する「報酬の年額」又は「使用料の年額」とは、契約締結の際において見積もった報酬又は使用料のいわゆる平年額をいうものとする。(基通２－34)

（使用料年額の２倍以上かどうかの判定）

（３）　上表の②に規定する「権利金、頭金その他の対価」が同②に規定する「使用料の年額の２倍に相当する金額以上」であるかどうかは、契約ごとに判定する。(基通２－35)

（補償金に係る所得）

（４）　上表の③及び同④に掲げる補償金に係る所得の金額の計算上総収入金額に算入すべき金額には、いわゆる収益補償金のほか、経費補償金、棚卸資産の対価補償金、固定資産の遊休期間中における減耗補償金等も含まれるのであるが、固定資産（第四章第八節**一 3**《譲渡所得に含まれないもの》(一)に掲げる所得の基因となる資産を除く。以下(４)において同じ。）の除却若しくは譲渡に係る対価補償金又は資産の移転若しくは移築の費用に充てるための費用補償金は、これに含まれない。(基通２－36)

（注）　固定資産の除却又は譲渡に係る対価補償金は譲渡所得の収入金額となり、資産の移転又は移築の費用に充てるための費用補償金は、第六章第一節**三 3**《移転等の支出に充てるための交付金の総収入金額不算入》の規定に該当するものを除き、一時所得の収入金額となる。

（臨時所得に該当するもの）

（５）　次に掲げるものに係る所得は、臨時所得に該当する。(基通２－37)

(一)　３年以上の期間にわたる不動産の貸付けの対価の総額として一括して支払を受ける賃貸料で、その全額がその年分の不動産所得の総収入金額に算入されるべきもの

(二)　不動産の賃貸人が、賃借人の交替又は転貸により賃借人又は転借人（前借人を含む。）から支払を受けるいわゆる名義書換料、承諾料その他これらに類するもの（その交替又は転貸後の貸付期間が３年以上であるものに限る。）で、その金額がその交替又は転貸後に当該賃貸人が支払を受ける賃貸料の年額の２倍に相当する金額以上であるもの（譲渡所得に該当するものを除く。）

(三)　②に規定する不動産、不動産の上に存する権利、船舶、航空機、採石権、鉱業権、漁業権又は工業所有権その他の技術に関する権利若しくは特別の技術による生産方式若しくはこれらに準ずるものに係る損害賠償金その他これに類するもので、その金額の計算の基礎とされた期間が３年以上であるもの（譲渡所得に該当するものを除く。）

<table>
<tr><td></td><td></td><td>（四）　金銭債権の債務者から受ける債務不履行に基づく損害賠償金及び48（注）1《還付加算金》又は地方税法第17条の４第１項《還付加算金》に規定する還付加算金で、その金額の計算の基礎とされた期間が３年以上であるもの</td></tr>
<tr><td>25</td><td>純損失の金額</td><td>第七章第一節《損益通算》に規定する損失の金額のうち同節の規定を適用してもなお控除しきれない部分の金額をいう。
（注）　第七章第一節《損益通算》一１参照。</td></tr>
<tr><td>26</td><td>雑損失の金額</td><td>第八章一１《雑損控除》に規定する損失の金額の合計額が同１(一)から同(三)までに掲げる場合の区分に応じ、当該(一)から(三)に掲げる金額を超える場合におけるその超える部分の金額をいう。</td></tr>
<tr><td>27</td><td>災　　害</td><td>震災、風水害、火災、冷害、雪害、干害、落雷、噴火その他の自然現象の異変による災害及び鉱害、火薬類の爆発その他の人為による異常な災害並びに害虫、害獣その他の生物による異常な災害をいう。（令９）</td></tr>
<tr><td>28</td><td>障害者</td><td>精神上の障害により事理を弁識する能力を欠く常況にある者、失明者その他の精神又は身体に障害がある者で次の①から⑦までに掲げるものをいう。（令10①）
<table>
<tr><td>①</td><td>精神上の障害により事理を弁識する能力を欠く常況にある者又は児童相談所、知的障害者更生相談所（知的障害者福祉法第９条第６項《更生援護の実施者》）に規定する知的障害者更生相談所をいう。29①及び第三節一３の別表（90ページ）の17において同じ。）、精神保健福祉センター（精神保健及び精神障害者福祉に関する法律第６条第１項《精神保健福祉センター》に規定する精神保健福祉センターをいう。29①において同じ。）若しくは精神保健指定医の判定により知的障害者とされた者</td></tr>
<tr><td>②</td><td>①に掲げる者のほか、精神保健及び精神障害者福祉に関する法律第45条第２項《精神障害者保健福祉手帳の交付》の規定により精神障害者保健福祉手帳の交付を受けている者</td></tr>
<tr><td>③</td><td>身体障害者福祉法第15条第４項《身体障害者手帳の交付》の規定により交付を受けた身体障害者手帳に身体上の障害がある者として記載されている者</td></tr>
<tr><td>④</td><td>①から③までに掲げる者のほか、戦傷病者特別援護法第４条《戦傷病者手帳の交付》の規定により戦傷病者手帳の交付を受けている者</td></tr>
<tr><td>⑤</td><td>③及び④に掲げる者のほか、原子爆弾被爆者に対する援護に関する法律第11条第１項《認定》の規定による厚生労働大臣の認定を受けている者</td></tr>
<tr><td>⑥</td><td>①から⑤までに掲げる者のほか、常に就床を要し、複雑な介護を要する者</td></tr>
<tr><td>⑦</td><td>①から⑥までに掲げる者のほか、精神又は身体に障害のある年齢65歳以上の者で、その障害の程度が①又は③に掲げる者に準ずるものとして市町村長又は特別区の区長（社会福祉法に定める福祉に関する事務所が老人福祉法第５条の４第２項各号《福祉の措置の実施者》に掲げる業務を行っている場合には、当該福祉に関する事務所の長。29⑥において「市町村長等」という。）の認定を受けている者</td></tr>
</table>
（障害者として取り扱うことができる者）
（１）　身体障害者手帳の交付を受けていない者又は戦傷病者手帳の交付を受けていない者であっても、次に掲げる要件のいずれにも該当する者は、③又は④に掲げる者に該当するものとして差し支えない。この場合において、その障害の程度が明らかに29③又は同④に規定する障害の程度であると認められる者は、29に掲げる特別障害者に該当するものとして差し支えない。（基通２－38）
（一）　その年分の第十章第一節三２《予定納税額の減額の承認の申請手続》①に規定する申請書、確定申告書、給与所得者の扶養控除等申告書又は退職所得の受給に関する申告書又は公的年金等の受給者の扶養親族等申告書を提出する時において、これらの手帳の交付を申請中であること、又はこれらの手帳の交付を受けるための身体障害者福祉法第15条第１項《身体障害者手帳》若しくは戦傷病者特別援護法施行規則第１条第４号《手帳の交付の請求》に規定する医師の診断書を有していること。
（二）　その年12月31日その他障害者であるかどうかを判定すべき時の現況において、明らかに</td></tr>
</table>

これらの手帳に記載され、又はその交付を受けられる程度の障害があると認められる者であること。

（常に就床を要し複雑な介護を要する者）

（2）　⑥に掲げる「常に就床を要し、複雑な介護を要する者」とは、その年12月31日その他障害者であるかどうかを判定すべき時の現況において、引き続き６月以上にわたり身体の障害により就床を要し、介護を受けなければ自ら排便等をすることができない程度の状態にあると認められる者をいうものとする。（基通２－39）

29　特別障害者

障害者のうち、精神又は身体に重度の障害がある者で次の①から⑥までに掲げるものをいう。（令10②）

①	**28**①に掲げる者のうち、精神上の障害により事理を弁識する能力を欠く常況にある者又は児童相談所、知的障害者更生相談所、精神保健福祉センター若しくは精神保健指定医の判定により重度の知的障害者とされた者
②	**28**②に掲げる者のうち、同②の精神障害者保健福祉手帳に精神保健及び精神障害者福祉に関する法律施行令第６条第３項《精神障害の状態》に規定する障害等級が１級である者として記載されている者
③	**28**③に掲げる者のうち、同③の身体障害者手帳に身体上の障害の程度が１級又は２級である者として記載されている者
④	**28**④に掲げる者のうち、同④の戦傷病者手帳に精神上又は身体上の障害の程度が恩給法別表第一号表ノ二の特別項症から第三項症までである者として記載されている者
⑤	**28**⑤又は同⑥に掲げる者
⑥	**28**⑦に掲げる者のうち、その障害の程度が①又は③に掲げる者に準ずるものとして市町村長等の認定を受けている者

30　寡　　婦

次のイ及びロに掲げる者でひとり親に該当しないものをいう。

イ	夫と離婚した後婚姻をしていない者のうち、次の⑴から⑶までに掲げる要件を満たすもの ⑴　扶養親族を有すること。 ⑵　第七章第二節**一**《純損失の繰越控除》及び同節**二**《雑損失の繰越控除》の規定を適用しないで計算した場合における第三章第二節《課税標準》に規定する総所得金額、退職所得金額及び山林所得金額の合計額（以下**34**までにおいて「**合計所得金額**」という。）が500万円以下であること。 ⑶　その者と事実上婚姻関係と同様の事情にあると認められる者として（2）で定めるものがいないこと。
ロ	夫と死別した後婚姻をしていない者又は夫の生死の明らかでない者で（3）で定めるもののうち、イ⑵及び⑶に掲げる要件を満たすもの

（注）（合計所得金額の意義）

次の①から⑨までの規定の適用がある場合、上記下線部は、それぞれ次のように読み替えられる。（措法８の４③一、28の４⑤一、31③一、32④、37の10⑥一、37の11⑥、41の５⑫一、41の５の２⑫一、41の14②一による法２①三十の読替え（編者注））

	適用がある規定	読替え前	読替え後
①	第五章第二節**十六**《居住用財産の買換え等の場合の譲渡損失の損益通算及び繰越控除》**3**の規定の適用がある場合	の規定	並びに第五章第二節**十六**《居住用財産の買換え等の場合の譲渡損失の繰越控除》の規定
②	第五章第二節**十七**《特定居住用財産の譲渡損失の損益通算及び繰越控除》**3**の規定の適用がある場合	の規定	並びに第五章第二節**十七**《特定居住用財産の譲渡損失の繰越控除》の規定
③	第四章第二節**五１**③《上場株式等	山林所得金額	山林所得金額並びに第四章第二節**五１**③《上場株式

	に係る配当所得等の課税の特例》の規定の適用がある場合		等に係る配当所得等の課税の特例》に規定する上場株式等に係る配当所得等の金額（以下「上場株式等に係る配当所得等の金額」という。）
④	第五章第一節**一**《土地の譲渡等に係る事業所得等の課税の特例》**1**の規定の適用がある場合	山林所得金額	山林所得金額並びに第五章第一節**一**《土地の譲渡等に係る事業所得等の課税の特例》**1**に規定する土地等に係る事業所得等の金額（以下「土地等に係る事業所得等の金額」という。）
⑤	第五章第二節**一 1**《長期譲渡所得の課税の特例》①の規定の適用がある場合	山林所得金額	山林所得金額並びに第五章第二節**一 1**《長期譲渡所得の課税の特例》①（同節**一 2**《優良住宅地の造成等のために土地等を譲渡した場合の長期譲渡所得の課税の特例》又は同節**一 3**《居住用財産を譲渡した場合の長期譲渡所得の課税の特例》の規定により適用される場合を含む。以下同じ。）に規定する長期譲渡所得の金額（以下「長期譲渡所得の金額」という。）
⑥	第五章第二節**二**《短期譲渡所得の課税の特例》①又は同節**二**③の規定の適用がある場合	山林所得金額	山林所得金額並びに第五章第二節**二**《短期譲渡所得の課税の特例》①又は同節**二**③に規定する短期譲渡所得の金額（以下「短期譲渡所得の金額」という。）
⑦	第五章第三節**二**《一般株式等に係る譲渡所得等の課税の特例》**1**①の規定の適用がある場合	山林所得金額	山林所得金額並びに第五章第三節**二**《一般株式等に係る譲渡所得等の課税の特例》**1**①に規定する一般株式等に係る譲渡所得等の金額（以下「一般株式等に係る譲渡所得等の金額」という。）
⑧	第五章第三節**三**《上場株式等に係る譲渡所得等の課税の特例》**1**①の規定の適用がある場合	山林所得金額	山林所得金額並びに第五章第三節**三**《上場株式等に係る譲渡所得等の課税の特例》**1**①に規定する上場株式等に係る譲渡所得等の金額（以下「上場株式等に係る譲渡所得等の金額」という。）
⑨	第五章第四節**一**《先物取引に係る雑所得等の課税の特例》**1**の規定の適用がある場合	山林所得金額	山林所得金額並びに第五章第四節**一**《先物取引に係る雑所得等の課税の特例》**1**に規定する先物取引に係る雑所得等の金額（以下「先物取引に係る雑所得等の金額」という。）

（合計所得金額の計算）

（1）　上表のイ⑵に規定する合計所得金額の計算に当たっては、次のことに留意する。（基通２－41）

(一)　所得税法第９条《非課税所得》、同法第10条《障害者等の少額預金の利子所得等の非課税》その他の法令に規定する非課税所得の金額は、含まれないものであること。

(注)　第三節《非課税所得》参照。

(二)　所得税法その他の法令に規定する所得計算の特例の適用を受けた場合には、その適用後の所得の金額により計算すること。

(注)　租税特別措置法に規定する課税長期譲渡所得金額又は課税短期譲渡所得金額を計算する場合における特別控除額の控除は、上記の所得計算の特例には当たらないことに留意する。

（事実上婚姻関係と同様の事情にあると認められる者の範囲）

（2）　上表のイ⑶に規定する（2）で定める者は、次の(一)及び(二)に掲げる場合の区分に応じ当該(一)又は(二)に定める者とする。（規１の３）

(一)	その者が住民票に世帯主と記載されている者である場合　　その者と同一の世帯に属する者の住民票に住民基本台帳法第７条第４号《住民票の記載事項》に掲げる世帯主との続柄（(二)及び**31**（3）において「世帯主との続柄」という。）が世帯主の未届の夫である旨その他の世帯主と事実上婚姻関係と同様の事情にあると認められる続柄である旨の記載がされた者
(二)	その者が住民票に世帯主と記載されている者でない場合　　その者の住民票に世帯主との続柄が世帯主の未届の妻である旨その他の世帯主と事実上婚姻関係と同様の事情にあると認められる続柄である旨の記載がされているときのその世帯主

（寡婦の範囲）

（３）　**30**の表のロ《定義》に規定する夫の生死の明らかでない者は、次の(一)から(五)までに掲げる者の妻とする。（令11）

(一)	太平洋戦争の終結の当時もとの陸海軍に属していた者で、まだ国内に帰らないもの
(二)	(一)に掲げる者以外の者で、太平洋戦争の終結の当時国外にあってまだ国内に帰らず、かつ、その帰らないことについて(一)に掲げる者と同様の事情があると認められるもの
(三)	船舶が沈没し、転覆し、滅失し若しくは行方不明となった際現にその船舶に乗っていた者若しくは船舶に乗っていてその船舶の航行中に行方不明となった者又は航空機が墜落し、滅失し若しくは行方不明となった際現にその航空機に乗っていた者若しくは航空機に乗っていてその航空機の航行中に行方不明となった者で、３月以上その生死が明らかでないもの
(四)	(三)に掲げる者以外の者で、死亡の原因となるべき危難に遭遇した者のうちその危難が去った後１年以上その生死が明らかでないもの
(五)	(一)から(四)までに掲げる者のほか、３年以上その生死が明らかでない者

（寡婦の要件としての扶養親族の有無）

（４）　**30**の表のイ（１）に掲げる要件については、その者が扶養控除の規定の適用を受ける控除対象扶養親族又はその者の控除対象扶養親族以外の扶養親族（第八章**十六１**（５）の規定の適用がある場合には、同（５）の規定によりその者の扶養親族に該当する者に限る。）を有することをいうのであるから留意する。（基通２－40）

（生死が明らかでない者の範囲）

（５）　（３）(三)又は同(四)に規定する危難に遭遇した者で、同一の危難に遭遇した者について既に死亡が確認されているなど、当該危難の状況からみて生存していることが期待できないと認められるものについては、当該危難があった時から（３）(三)又は同(四)に掲げる者に該当するものとして差し支えない。この場合において、後日その者の生存が確認されたときにおいても、その確認された日前の寡婦又はひとり親の判定については影響がないものとする。（基通２－42）

31　ひとり親

現に婚姻をしていない者又は配偶者の生死の明らかでない者で（１）で定めるもののうち、次のイからハまでに掲げる要件を満たすものをいう。

イ	その者と生計を一にする子で（２）で定めるものを有すること。
ロ	合計所得金額が500万円以下であること。
ハ	その者と事実上婚姻関係と同様の事情にあると認められる者として（３）で定めるものがいないこと。

（ひとり親の範囲）

（１）　**31**本文に規定する配偶者の生死の明らかでない者で（１）で定めるものは、**30**（３）の(一)から(五)に掲げる者の配偶者とする。（令11の２①）

（上表のイに規定する（２）で定める子）

（２）　上表のイに規定する（２）で定める子は、その年分の<u>**総所得金額**</u>、退職所得金額及び山林所得金額の合計額が48万円以下の子（他の者の同一生計配偶者又は扶養親族とされている者を除く。）とする。（令11の２②）

（注）　（総所得金額の意義）

次の①から⑩までの規定の適用がある場合、上記下線部の「総所得金額」については、それぞれ次のように読み替えられる。（措令４の２⑨、19㉔、20⑤、21⑦、25の８⑯、25の９⑬、25の11の２⑳、25の12の３㉔、

26の23⑥、26の26⑪による令11の２②の読替え）（編者注）

①	第四章第二節**五１**③《上場株式等に係る配当所得等の課税の特例》の規定の適用がある場合	総所得金額、第四章第二節**五１**③《上場株式等に係る配当所得等の課税の特例》に規定する上場株式等に係る配当所得等の金額（以下、「上場株式等に係る配当所得等の金額」という。）
②	第五章第一節**一**《土地の譲渡等に係る事業所得等の課税の特例》**１**の規定の適用がある場合	総所得金額、第五章第一節**一**《土地の譲渡等に係る事業所得等の課税の特例》**１**に規定する土地等に係る事業所得等の金額（以下「土地等に係る事業所得等の金額」という。）
③	第五章第二節**一１**《長期譲渡所得の課税の特例》①の規定の適用がある場合	総所得金額、第五章第二節**一１**《長期譲渡所得の課税の特例》①（同節**一２**《優良住宅地の造成等のために土地等を譲渡した場合の長期譲渡所得の課税の特例》又は同節**一３**《居住用財産を譲渡した場合の長期譲渡所得の課税の特例》の規定により適用される場合を含む。以下同じ。）に規定する長期譲渡所得の金額（以下「長期譲渡所得の金額」という。）
④	第五章第二節**二**《短期譲渡所得の課税の特例》①又は同節**二**③の規定の適用がある場合	総所得金額、第五章第二節**二**《短期譲渡所得の課税の特例》①（同節**二**③において準用する場合を含む。以下同じ。）に規定する短期譲渡所得の金額（以下「短期譲渡所得の金額」という。）
⑤	第五章第三節**二**《一般株式等に係る譲渡所得等の課税の特例》**１**①の規定の適用がある場合	総所得金額、第五章第三節**二**《一般株式等に係る譲渡所得等の課税の特例》**１**①に規定する一般株式等に係る譲渡所得等の金額（以下「一般株式等に係る譲渡所得等の金額」という。）
⑥	第五章第三節**三**《上場株式等に係る譲渡所得等の課税の特例》**１**①の規定の適用がある場合	総所得金額、第五章第三節**三**《上場株式等に係る譲渡所得等の課税の特例》**１**①に規定する上場株式等に係る譲渡所得等の金額（以下「上場株式等に係る譲渡所得等の金額」という。）
⑦	第四章第二節**五１**③《上場株式等に係る配当所得等の課税の特例》若しくは第五章第三節**三**《上場株式等に係る譲渡所得等の課税の特例》**１**①の規定の適用があり、かつ、第五章第三節**十**《上場株式等に係る譲渡損失の損益通算及び繰越控除》**１**若しくは同**２**の規定の適用がある場合又は同**３**②（２）の規定の適用がある場合	総所得金額、第四章第二節**五１**③《上場株式等に係る配当所得等の課税の特例》に規定する上場株式等に係る配当所得等の金額（第五章第三節**十**《上場株式等に係る譲渡損失の損益通算及び繰越控除》**１**又は同**２**の規定の適用がある場合には、その適用後の金額。以下「上場株式等に係る配当所得等の金額」という。）、第五章第三節**三**《上場株式等に係る譲渡所得等の課税の特例》**１**①に規定する上場株式等に係る譲渡所得等の金額（第五章第三節**十**《上場株式等に係る譲渡損失の損益通算及び繰越控除》**２**の規定の適用がある場合には、その適用後の金額。以下「上場株式等に係る譲渡所得等の金額」という。）
⑧	第五章第三節**二**《一般株式等に係る譲渡所得等の課税の特例》**１**①及び同節**三**《上場株式等に係る譲渡所得等の課税の特例》**１**①の規定の適用があり、かつ、同節**十四**《特定中小会社が発行した株式に係る譲渡損失の繰越控除等》**２**①若しくは同**２**②の規定の適用がある場合又は同**３**において準用する同**十３**②（２）の規定の適用がある場合	総所得金額、第五章第三節**二**《一般株式等に係る譲渡所得等の課税の特例》**１**①に規定する一般株式等に係る譲渡所得等の金額（同節**十四**《特定中小会社が発行した株式に係る譲渡損失の繰越控除等》**２**②の規定の適用がある場合には、その適用後の金額。以下「一般株式等に係る譲渡所得等の金額」という。）、同節**三**《上場株式等に係る譲渡所得等の課税の特例》**１**①に規定する上場株式等に係る譲渡所得等の金額（同節**十四２**①若しくは同**２**②の規定の適用がある場合には、その適用後の金額。以下「上場株式等に係る譲渡所得等の金額」という。）
⑨	第五章第四節**一**《先物取引に係る雑所得等の課税の特例》**１**の規定の適用がある場合	総所得金額、第五章第四節**一**《先物取引に係る雑所得等の課税の特例》**１**に規定する先物取引に係る雑所得等の金額（以下「先物取引に係る雑所得等の金額」という。）
⑩	第五章第四節**一**《先物取引に係る雑所得等の課税の特例》**１**の規定の適用があり、かつ、同節**二**《先物取引の差金	総所得金額、第五章第四節**一**《先物取引に係る雑所得等の課税の特例》**１**に規定する先物取引に係る雑所得等の金額（同節**二**《先物取引の差金等決済に係る損失の繰越控除》**１**の規

等決済に係る損失の繰越控除》**1**の規定の適用がある場合又は同**3**(5)の規定の適用がある場合	定の適用がある場合には、その適用後の金額。以下「先物取引に係る雑所得等の金額」という。)

(上表のハに規定する(3)で定める者)

(3)　上表のハに規定する(3)で定める者は、次の(一)及び(二)に掲げる場合の区分に応じ当該(一)又は(二)に定める者とする。(規1の4)

(一)	その者が住民票に世帯主と記載されている者である場合　　その者と同一の世帯に属する者の住民票に世帯主との続柄が世帯主の未届の夫又は未届の妻である旨その他の世帯主と事実上婚姻関係と同様の事情にあると認められる続柄である旨の記載がされた者
(二)	その者が住民票に世帯主と記載されている者でない場合　　その者の住民票に世帯主との続柄が世帯主の未届の夫又は未届の妻である旨その他の世帯主と事実上婚姻関係と同様の事情にあると認められる続柄である旨の記載がされているときのその世帯主

32　勤労学生

次の①から③までに掲げる者で、自己の勤労に基づいて得た事業所得、給与所得、退職所得又は雑所得（以下**32**において「**給与所得等**」という。）を有するもののうち、合計所得金額（**30**表内イ参照）が75万円以下であり、かつ、合計所得金額のうち給与所得等以外の所得に係る部分の金額が10万円以下であるものをいう。

<table>
<tr><td>①</td><td colspan="3">学校教育法第１条《学校の範囲》に規定する学校の学生、生徒又は児童</td></tr>
<tr><td rowspan="4">②</td><td colspan="3">国、地方公共団体又は私立学校法第３条《定義》に規定する学校法人、同法第64条第４項《私立専修学校及び私立各種学校》の規定により設立された法人若しくはこれらに準ずるものとして次のイで定める者の設置した学校教育法第124条《専修学校》に規定する専修学校又は同法第134条第１項《各種学校》に規定する各種学校の生徒で次のロに掲げる課程を履修するもの（令11の３①②）</td></tr>
<tr><td rowspan="2">イ</td><td>(イ)</td><td>独立行政法人国立病院機構、独立行政法人労働者健康安全機構、日本赤十字社、商工会議所、健康保険組合、健康保険組合連合会、国民健康保険団体連合会、国家公務員共済組合連合会、社会福祉法人、宗教法人、一般社団法人及び一般財団法人並びに農業協同組合法第10条第１項第11号《事業》に掲げる事業を行う農業協同組合連合会及び医療法人</td></tr>
<tr><td>(ロ)</td><td>学校教育法第124条《専修学校》に規定する専修学校又は同法第134条第１項《各種学校》に規定する各種学校のうち、教育水準を維持するための教員の数その他の文部科学大臣が定める基準を満たすものを設置する者((イ)に掲げる者を除く。)</td></tr>
<tr><td>ロ</td><td colspan="2">②又は③に規定する課程は、当該課程が次に掲げる課程のいずれの区分に属するかに応じ次に掲げる事項に該当する課程とする。
<table><tr><td>(イ)専修学校の高等課程及び専門課程</td><td>〈イ〉　職業に必要な技術の教授をすること。
〈ロ〉　その修業期間が１年以上であること。
〈ハ〉　その１年の授業時間数が800時間以上であること（夜間その他特別な時間において授業を行う場合には、その１年の授業時間数が450時間以上であり、かつ、その修業期間を通ずる授業時間数が800時間以上であること。）。
〈ニ〉　その授業が年２回を超えない一定の時期に開始され、かつ、その終期が明確に定められていること。</td></tr></table></td></tr>
</table>

(ロ)(イ)に掲げる課程以外の課程		〈イ〉 職業に必要な技術の教授をすること。 〈ロ〉 その修業期間（普通科、専攻科その他これらに類する区別された課程があり、それぞれの修業期間が１年以上であって一の課程に他の課程が継続する場合には、これらの課程の修業期間を通算した期間）が２年以上であること。 〈ハ〉 その１年の授業時間数（普通科、専攻科その他これらに類する区別された課程がある場合には、それぞれの課程の授業時間数）が680時間以上であること。 〈ニ〉 その授業が年２回を超えない一定の時期に開始され、かつ、その終期が明確に定められていること。
③	職業訓練法人の行う職業能力開発促進法第24条第３項《職業訓練の認定》に規定する認定職業訓練を受ける者で②のロに掲げる課程を履修するもの	

（注）　上記＿＿下線部については、私立学校法の一部を改正する法律（令和５年法律第21号）により、令和７年４月１日以後、②中「第64条第４項《私立専修学校及び私立各種学校》」が「第152条第５項《私立専修学校等》」に改められる。（同法附則１、17）

（通信教育生）

（１）　学校教育法第１条《学校の範囲》に規定する学校の学生又は生徒には、通信教育生でその課程を履修した後は通信教育生以外の一般の学生等と同一の資格を与えられるものも含まれる。（基通２－43）

（給与所得等以外の所得に係る部分の金額が10万円以下であるかどうかの判定）

（２）　合計所得金額の計算上、第七章第一節《損益通算》の規定の適用がある場合には、**32**本文に規定する「合計所得金額のうち給与所得等以外の所得に係る部分の金額が10万円以下」であるかどうかは、合計所得金額から**32**に規定する給与所得等の金額の合計額を控除した残額により判定する。この場合において、**32**に規定する事業所得に損失が生じているときは、その損失の金額を**32**に規定する給与所得、退職所得及び雑所得の金額の合計額から控除した残額を給与所得等の金額の合計額とする。（基通２－44）

（注）　上記の取扱いは、例えば、

不動産所得の損失の金額	△55万円
事業所得の損失の金額	△10万円
給与所得の金額	50万円
山林所得の金額	60万円
総所得金額	0
山林所得金額	45万円
合計所得金額	45万円

の場合のように、損益通算の結果、合計所得金額の全てが山林所得金額（給与所得等以外の所得に係る部分の金額）からなるものとされる場合であっても、**32**の規定の適用に当たっては、次に掲げる算式により給与所得等以外の所得に係る部分の金額を求めることとしたものである。

給与所得の金額50万円－事業所得の損失の金額10万円＝給与所得等の金額40万円
合計所得金額45万円－給与所得等の金額40万円＝給与所得等以外の所得に係る部分の金額５万円

（職業に必要な技術の教授をする課程の意義）

（３）　②のロに規定する「職業に必要な技術の教授をする」課程とは、一定の資格、特殊な技能又は専門的な知識を必要とする職業におけるその一定の資格の取得又は特殊な技能若しくは専門的な知識の習得に必要な学科、実技等の教授をする課程をいうものとする。（基通２－45）

33	**同一生計配偶者**	居住者の配偶者でその居住者と生計を一にするもの（第六章第二節**十２**①《青色専従者給与の必要経費算入》に規定する青色事業専従者に該当するもので同**２**①に規定する給与の支払を受けるもの及び同**２**③《事業専従者控除額の必要経費算入》に規定する事業専従者に該当するもの（**33の４**において「青色事業専従者等」という。）を除く。）のうち、合計所得金額（**30**の表のイ⑵参照）が48

		万円以下である者をいう。 （配　偶　者） （1）　所得税法に規定する配偶者とは、民法の規定による配偶者をいうのであるから、いわゆる内縁関係にある者は、たとえその者について家族手当等が支給されている場合であっても、これに該当しない。（基通２－46） （注）　外国人で民法の規定によれない者については、法の適用に関する通則法（平成18年法律第78号）の規定によることに留意する。 （生計を一にするの意義） （2）　所得税法に規定する「生計を一にする」とは、必ずしも同一の家屋に起居していることをいうものではないから、次のような場合には、それぞれ次による。（基通２－47） （一）　勤務、修学、療養等の都合上他の親族と日常の起居を共にしていない親族がいる場合であっても、次に掲げる場合に該当するときは、これらの親族は生計を一にするものとする。 イ　当該他の親族と日常の起居を共にしていない親族が、勤務、修学等の余暇には当該他の親族のもとで起居を共にすることを常例としている場合 ロ　これらの親族間において、常に生活費、学資金、療養費等の送金が行われている場合 （二）　親族が同一の家屋に起居している場合には、明らかに互いに独立した生活を営んでいると認められる場合を除き、これらの親族は生計を一にするものとする。 （青色事業専従者等の範囲） （3）　**33**に規定する「青色事業専従者等」とは、その配偶者が居住者の同一生計配偶者に該当するかどうかを判定する場合における当該居住者又は当該居住者と生計を一にする居住者の青色事業専従者等をいうのであるから、例えば年の中途までこれらの者以外の者の青色事業専従者等であった場合であっても、これらの者の青色事業専従者等に該当しないときは、**33**の青色事業専従者等に含まれないことに留意する。（基通２－48）
33の2	**控除対象配偶者**	同一生計配偶者のうち、合計所得金額が1,000万円以下である居住者の配偶者をいう。
33の3	**老人控除対象配偶者**	控除対象配偶者のうち、年齢70歳以上の者をいう。
33の4	**源泉控除対象配偶者**	居住者（合計所得金額が900万円以下であるものに限る。）の配偶者でその居住者と生計を一にするもの（青色事業専従者等を除く。）のうち、合計所得金額が95万円以下である者をいう。
34	**扶養親族**	居住者の親族（その居住者の配偶者を除く。）並びに児童福祉法第27条第１項第３号《都道府県の採るべき措置》の規定により同法第６条の４《定義》に規定する里親に委託された児童及び老人福祉法第11条第１項第３号《市町村の採るべき措置》の規定により同号に規定する養護受託者に委託された老人でその居住者と生計を一にするもの（第六章第二節**十２**①《青色専従者給与の必要経費算入》に規定する青色事業専従者に該当するもので同①に規定する給与の支払を受けるもの及び同**２**③《事業専従者控除額の必要経費算入》に規定する事業専従者に該当するものを除く。）のうち、合計所得金額（**30**の表のイ⑵参照）が48万円以下である者をいう。 （注）　基通２－48《**33**（3）》参照。（編者注） （青色事業専従者に該当する者で給与の支払を受けるもの及び事業専従者に該当するものの範囲） （1）　**34**のかっこ内に規定する「第六章第二節**十２**①に規定する青色事業専従者に該当するもので同①に規定する給与の支払を受けるもの及び同**２**③に規定する事業専従者に該当するもの」については、**33**（3）の取扱いに準ずる。（基通２－48の２）

（里親に委託された児童及び養護受託者に委託された老人の範囲）

（２）「里親に委託された児童」は、扶養親族であるかどうかを判定すべき時の現況において、原則として、年齢が18歳未満の者に限られ、また、「養護受託者に委託された老人」は、当該判定すべき時の現況において、原則として、年齢が65歳以上の者に限られることに留意する。（基通２－49）

（注）１　児童福祉法第４条第１項《児童の定義》、同法第31条第２項《在所年齢の延長等》、老人福祉法第５条の４第１項《福祉の措置の実施者》及び同法第11条第１項第３号《市町村の採るべき措置》参照。

２　当該児童の委託を受けた里親又は当該老人の委託を受けた養護受託者であるかどうかは、それぞれ各都道府県に備え付けてある里親登録簿又は市町村に備え付けてある養護受託者登録簿に記載されているところにより判定することができる。

34の2　**控除対象扶養親族**

扶養親族のうち、次に掲げる者の区分に応じそれぞれ次に定める者をいう。

イ	居住者　　年齢16歳以上の者
ロ	非居住者　　年齢16歳以上30歳未満の者及び年齢70歳以上の者並びに年齢30歳以上70歳未満の者であって次の⑴から⑶までに掲げる者のいずれかに該当するもの ⑴　留学により国内に住所及び居所を有しなくなった者 ⑵　障害者 ⑶　その居住者からその年において生活費又は教育費に充てるための支払を38万円以上受けている者

（38万円以上受けているかどうかの判定）

注　表のロ⑶に規定する「その居住者からその年において生活費又は教育費に充てるための支払を38万円以上受けている」かどうかは、次により判定するものとする。（所基通２－50）

⑴　その支払が、第十章第二節**二１**③**ロ**（２）㈠又は同③**ハ**（２）㈠に規定する金融機関（以下「金融機関」という。）が行う為替取引によるものである場合

イ　その支払は、その居住者が生活費又は教育費に充てるための金銭を送金した日に行われたものとする。

ロ　その支払が外貨建てで行われる場合には、その居住者が送金をした金融機関の当該送金した日におけるその外国通貨に係る対顧客直物電信売相場と対顧客直物電信買相場の仲値（以下「電信売買相場の仲値」という。）により本邦通貨に換算する。ただし、この場合において、本邦通貨により外国通貨を購入し直ちに送金するときは、現に支出した本邦通貨の額をその円換算額とすることができる。

⑵　その支払が、同③**ロ**（２）㈡又は同③**ハ**（２）㈡に規定するクレジットカード等の提示又は通知（以下「クレジットカード等の利用」という。）によるものである場合

イ　その支払は、クレジットカード等の利用をした日に行われたものとする。

ロ　そのクレジットカード等の利用が外国通貨で決済されたものである場合には、当該クレジットカード等の利用をした日における電信売買相場の仲値により本邦通貨に換算する。ただし、この場合において、その外国通貨で決済されたものについて本邦通貨で表示される預貯金の口座から引き落として支払われるときは、現に支出した本邦通貨の額をその円換算額とすることができる。

⑶　その支払が、同③**ロ**（２）㈢又は同③**ハ**（２）㈢に規定する電子決済手段等取引業者が行う同③**ロ**（２）㈢又は同③**ハ**（２）㈢に規定する電子決済手段（以下「電子決済手段」という。）の移転によるものである場合

イ　その支払は、電子決済手段の移転がされた日に行われたものとする。

ロ　その電子決済手段の価額が外国通貨で表示されるものである場合には、その電子決済手段の価額をその表示される外国通貨の金額とみなして、その電子決済手段の移転がされた日における電信売買相場の仲値により本邦通貨に換算する。ただし、この場合において、本邦通貨により電子決済手段を購入し直ちに移転するときは、現に支出した本邦通貨の額をその円換算額とすることができる。

㊟１　邦貨換算については、その支払を受ける金額の年間の合計額につき、その年最後の支払の日の電信売買相場の仲値又は当該最後の支払に係る実際に適用された外国為替の売買相場により一括して換算した金額にす

番号	用語	意義
		ることもできる。 2　電信売買相場の仲値については、次に掲げる場合の区分に応じ、それぞれ次のとおりとする。 (1)　その支払に係る金融機関の電信売買相場の仲値が存在する場合　原則として、その支払に係る金融機関のものによることとするが、その居住者の主たる取引金融機関のものなど合理的なものを継続して使用している場合には、これを認める。 (2)　上記(1)以外の場合　原則として、その居住者の主たる取引金融機関のものによることとするが、合理的なものを継続して使用している場合には、これを認める。
34の3	**特定扶養親族**	控除対象扶養親族のうち、年齢19歳以上23歳未満の者をいう。
34の4	**老人扶養親族**	控除対象扶養親族のうち、年齢70歳以上の者をいう。 (注)　同居老親等……第八章**十四**《扶養控除》**2**参照。(編者注)
35	**特別農業所得者**	その年において農業所得（米、麦、たばこ、果実、野菜若しくは花の生産若しくは栽培又は養蚕に係る事業その他これに類するものとして次の①から③までに掲げる事業から生ずる所得をいう。以下**35**において同じ。）の金額が総所得金額の10分の７に相当する金額を超え、かつ、その年９月１日以後に生ずる農業所得の金額がその年中の農業所得の金額の10分の７を超える者をいう。（令12） ①　米、麦その他の穀物、馬鈴しょ、甘しょ、たばこ、野菜、花、種苗その他のほ場作物、果樹、樹園の生産物又は温室その他特殊施設を用いてする園芸作物の栽培を行う事業 ②　繭又は蚕種の生産を行う事業 ③　主として①及び②に規定する物の栽培又は生産をする者が兼営するわら工品その他これに類する物の生産、家畜、家きん、毛皮獣若しくは蜂の育成、肥育、採卵若しくはみつの採取又は酪農品の生産を行う事業 （たばこ耕作者についての特別農業所得者の判定） 注　たばこ耕作者が特別農業所得者に該当するかどうかの判定に当たっては、葉たばこの刈取り後の農家における通常の熟成の過程の完了する時期が９月１日以後となるものについては、その所得は９月１日以後に生ずるものとして差し支えない。この場合において、通常の熟成の過程の完了する時期とは、葉たばこを積み重ねて発酵させ、化学変化を起こさせるいわゆる堆積発酵の過程の完了する時期をいい、その時期が明らかでない場合には、刈取り時からおおむね２月の期間を経過した時期とする。（基通２－51）
36	**予定納税額**	第十章第一節**一 1**《予定納税額の納付》又は同節**二 1**《特別農業所得者の予定納税額の納付》（これらの規定を所得税法第166条《申告、納付及び還付》において準用する場合を含む。）の規定により納付すべき所得税の額をいう。
37	**確定申告書**	所得税法第２編第５章第２節第１款及び第２款《確定申告》（同法第166条《非居住者に対する準用》において準用する場合を含む。）の規定による申告書（当該申告書に係る期限後申告書を含む。）をいう。
38	**期限後申告書**	国税通則法第18条第２項《期限後申告》に規定する期限後申告書をいう。
39	**修正申告書**	国税通則法第19条第３項《修正申告》に規定する修正申告書をいう。
40	**青色申告書**	第十一章**一**《青色申告》（所得税法第166条《非居住者に対する準用》において準用する場合を含む。）の規定により青色の申告書によって提出する確定申告書及び確定申告書に係る修正申告書をいう。
40の2	**更正請求書**	第十章第八節**一 3**《更正の請求書の記載事項》に規定する更正請求書をいう。
41	**確定申告期限**	第十章第二節**二1**《確定所得申告》（所得税法第166条《非居住者に対する準用》において準用する場合を含む。）の規定による申告書の提出期限をいい、年の中途において死亡し、又は出国をした場合には、同節**三 2**《年の中途で死亡した場合の確定申告等》又は同節**三 4**《年の中途で出国をす

<table>
<tr><td></td><td></td><td>る場合の確定申告等》（これらの規定を同法第166条《非居住者に対する準用》において準用する場合を含む。）の規定による申告書の提出期限をいう。</td></tr>
<tr><td>42</td><td>出　　国</td><td>居住者については、第十五章四2《納税管理人の届出》の規定による納税管理人の届出をしないで国内に住所及び居所を有しないこととなることをいい、非居住者については、同2の規定による納税管理人の届出をしないで国内に居所を有しないこととなること（国内に居所を有しない非居住者で恒久的施設を有するものについては、恒久的施設を有しないこととなることとし、国内に居所を有しない非居住者で恒久的施設を有しないものについては、国内において行う第二節4①(六)《国内源泉所得》に規定する事業を廃止することとする。）をいう。</td></tr>
<tr><td>43</td><td>更　　正</td><td>第十二章一1《更正》又は同章一3《再更正》の規定による更正をいう。</td></tr>
<tr><td>44</td><td>決　　定</td><td>第五節4②(2)《納税地指定の処分の取消しがあった場合の申告等の効力》、第六章第一節三4《免責許可の決定等により債務免除を受けた場合の経済的利益の総収入金額不算入》、同章第二節九1《貸倒引当金》、第五章第三節二十《株式交換等に係る譲渡所得等の特例》、第十章第七節二3《相続により取得した有価証券等の取得費の額に変更があった場合等の修正申告の特例》、第十二章三《更正等に伴う還付》及び所得税法第228条の２《新株予約権の行使に関する調書》の場合を除き、第十二章一2《決定》の規定による決定をいう。</td></tr>
<tr><td>45</td><td>源泉徴収</td><td>所得税法第４編第１章から第６章まで《源泉徴収》の規定及び第九章第二節四18《年末調整に係る住宅借入金等を有する場合の所得税額の特別控除》の規定により所得税を徴収し及び納付することをいう。（下線部は措法41の２の２⑥一により読み替えられた部分（編者注））</td></tr>
<tr><td>46</td><td>附　帯　税</td><td>国税通則法第２条《定義》第４号に規定する附帯税をいう。
（注）　国税のうち延滞税、利子税、過少申告加算税、無申告加算税、不納付加算税及び重加算税をいう。（通法２四）</td></tr>
<tr><td>47</td><td>充　　当</td><td>所得税法第190条《年末調整》及び第191条《過納額の還付》の場合を除き、国税通則法第57条第１項《充当》の規定による充当をいう。
（注）1　国税局長又は税務署長は、還付金又は過誤納金（以下「還付金等」という。）がある場合において、その還付を受けるべき者につき納付すべきこととなっている国税（その納める義務が信託財産責任負担債務である国税に係る還付金等である場合にはその納める義務が当該信託財産責任負担債務である国税に限るものとし、その納める義務が信託財産責任負担債務である国税に係る還付金等でない場合にはその納める義務が信託財産限定責任負担債務である国税以外の国税に限る。）があるときは、還付に代えて、還付金等をその国税に充当しなければならない。この場合において、その国税のうちに延滞税又は利子税があるときは、その還付金等は、まず延滞税又は利子税の計算の基礎となる国税に充当しなければならない。（通法57①）
2　充当があった場合には、充当をするのに適することとなった時に、その充当をした還付金等に相当する額の国税の納付があったものとみなす。（通法57②、通令23①）
3　国税局長又は税務署長は、充当をしたときは、その旨をその充当に係る国税を納付すべき者に通知しなければならない。（通法57③）</td></tr>
<tr><td>48</td><td>還付加算金</td><td>(注)１に規定する還付加算金をいう。
（注）1　還付金等を還付し、又は充当する場合には、次の①から④に掲げる還付金等の区分に従い当該①から④に掲げる日の翌日からその還付のための支払決定の日又はその充当の日（同日前に充当をするのに適することとなった日がある場合には、その適することとなった日）までの期間の日数に応じ、その金額に年7.3％の割合を乗じて計算した還付加算金が付される。（通法58①⑤、通令24①②）
<table>
<tr><td>①</td><td colspan="2">還付金及び更正決定等により納付すべき税額が確定した国税（当該国税に係る延滞税及び利子税を含む。）に係る過納金（②に掲げるものを除く。）</td><td>当該還付金又は過納金に係る国税の納付があった日（その日が当該国税の法定納期限前である場合には、当該法定納期限）
　ただし、還付をすべき予納税額については、その納付の日（その予納税額がその納期限前に納付された場合には、その納期限）（法139③）</td></tr>
<tr><td>②</td><td colspan="2">更正の請求に基づく更正（当該請求に対する処分に係る不服申立て又は訴えについての決定若しくは裁決又は判決を含む。）により納付すべき税額が減少した国税（当該国税に係る延滞税及び利子税を含む。）に係る過納金</td><td>その更正の請求があった日の翌日から起算して３月を経過する日と当該更正があった日の翌日から起算して１月を経過する日とのいずれか早い日（その日が当該国税の法定納期限前である場合には、当該法定納期限）</td></tr>
<tr><td>③</td><td colspan="3">①及び②以外の国税に係る過誤納金</td></tr>
<tr><td></td><td>イ</td><td>納税申告書の提出により納付すべき税額が確定した国税（当該国税に係る延滞税及び利子</td><td>その更正があった日の翌日から起算して１月を経過する日</td></tr>
</table></td></tr>
</table>

			税を含む。）に係る過納金	
		ロ	イ以外の過誤納金	当該過誤納金に係る国税の納付（その他国税に関する法律の規定により過誤納があったとみなされる場合には、その過誤納）があった日
		④	国税の納付があった場合において、その課税標準の計算の基礎となった事実につき、更正の請求ができることとされている後発的事由が生じたことに基づき減額更正（更正の請求に基づく更正を除く。）をしたことにより生じた過納金	その更正があった日の翌日から起算して１月を経過する日
		2　各年の還付加算金特例基準割合（平均貸付割合（各年の前々年の９月から前年の８月までの各月における短期貸付けの平均利率（当該各月において銀行が新たに行った貸付け（貸付期間が１年未満のものに限る。）に係る利率の平均をいう。）の合計を12で除して計算した割合として各年の前年の11月30日までに財務大臣が告示する割合をいう。以下同じ。）に年0.5％の割合を加算した割合をいう。）が年7.3％の割合に満たない場合には、上記(注)１に規定する還付加算金（以下「還付加算金」という。）の計算の基礎となる期間であってその年に含まれる期間に対応する還付加算金についての上記(注)１の規定の適用については、同(注)１中「年7.3％の割合」とあるのは、「租税特別措置法第95条《還付加算金の割合の特例》に規定する還付加算金特例基準割合」とする。（措法95、93）			
49	**相続人及び被相続人**	所得税法において、「相続人」には、包括受遺者を含むものとし、「被相続人」には、包括遺贈者を含むものとする。（法２②）		

（租税特別措置法における用語の意義）

（1）　租税特別措置法第２章《所得税法の特例》、租税特別措置法施行令第２章《所得税法の特例》及び租税特別措置法施行規則第２章《所得税法の特例》においても、所得税法と同様の用語を用いる。（措法２①、措令１①、措規１①）

（国税通則法における用語の意義）

（2）　国税通則法において、次の①から⑨までに掲げる用語の意義は、当該①から⑨までに定めるところによる。（通法２）

（注）所得税に関係のない用語は省略した。

①	**国　　税**	国が課する税のうち関税、とん税、特別とん税、森林環境税及び特別法人事業税以外のものをいう。
②	**源泉徴収等による国税**	源泉徴収に係る所得税及び国際観光旅客税法第２条第１項第７号《定義》に規定する特別徴収に係る国際観光旅客税（これらの税に係る附帯税を除く。）をいう。
③	**消 費 税 等**	消費税、酒税、たばこ税、揮発油税、地方道路税、石油ガス税及び石油石炭税をいう。
④	**附　帯　税**	国税のうち延滞税、利子税、過少申告加算税、無申告加算税、不納付加算税及び重加算税をいう。
⑤	**納　税　者**	国税に関する法律の規定により国税（源泉徴収等による国税を除く。）を納める義務がある者（国税徴収法に規定する第２次納税義務者及び国税の保証人を除く。）及び源泉徴収等による国税を徴収して国に納付しなければならない者をいう。
⑥	**納税申告書**	申告納税方式による国税に関し国税に関する法律の規定により次に掲げるいずれかの事項その他当該事項に関し必要な事項を記載した申告書をいい、国税に関する法律の規定による国税の還付金（以下「還付金」という。）の還付を受けるための申告書でこれらのいずれかの事項を記載したものを含むものとする。 イ　課税標準（国税に関する法律に課税標準額又は課税標準数量の定めがある国税については、課税標準額又は課税標準数量。以下同じ。） ロ　課税標準から控除する金額 ハ　所得税法に規定する純損失の金額又は雑損失の金額でその年以前において生じたもののうち、所得税法の規定により翌年以後の年分の所得の金額の計算上順次繰り越して控除し、又は前年分の所得に係る還付金の額の計算の基礎とすることができるもの（以下「純損失等の金額」という。） ニ　納付すべき税額 ホ　還付金の額に相当する税額

		ヘ　ニの税額の計算上控除する金額又は還付金の額の計算の基礎となる税額
⑦	**法定申告期限**	国税に関する法律の規定により納税申告書を提出すべき期限をいう。
⑧	**法定納期限**	国税に関する法律の規定により国税を納付すべき期限（次に掲げる国税については、それぞれ次に定める期限又は日）をいう。この場合において、国税通則法第38条第２項《繰上請求》に規定する繰上げに係る期限及び所得税法の規定による延納（以下「延納」という。）、国税通則法第47条第１項《納税の猶予の通知等》に規定する納税の猶予又は徴収若しくは滞納処分に関する猶予に係る期限は、当該国税を納付すべき期限に含まれないものとする。 イ　国税通則法第35条第２項《申告納税方式による国税等の納付》の規定により納付すべき国税　　その国税の額をその国税に係る期限内申告書に記載された納付すべき税額とみなして国税に関する法律の規定を適用した場合におけるその国税を納付すべき期限 ロ　国税に関する法律の規定により国税を納付すべき期限とされている日後に納税の告知がされた国税（ハ又はニに掲げる国税に該当するものを除く。）　　当該期限 ハ　国税に関する法律の規定により一定の事実が生じた場合に直ちに徴収するものとされている賦課課税方式による国税　　当該事実が生じた日 ニ　附帯税　　その納付又は徴収の基因となる国税の納付すべき期限（当該国税がイからハまでに掲げる国税に該当する場合には、それぞれ当該国税に係るイからハまでに掲げる期限又は日）
⑨	**課税期間**	国税に関する法律の規定により国税の課税標準の計算の基礎となる期間（課税資産の譲渡等（消費税法第２条第１項第９号《定義》に規定する課税資産の譲渡等をいい、同項第８号の２に規定する特定資産の譲渡等に該当するものを除く。国税通則法第15条第２項第７号《納税義務の成立及びその納付すべき税額の確定》において同じ。）及び特定課税仕入れ（同法第５条第１項《納税義務者》に規定する特定課税仕入れをいう。同号において同じ。）に課される消費税については、同法第19条《課税期間》に規定する課税期間）をいう。

二　居住者及び非居住者の区分

1　国内に住所を有するものとみなされる公務員

国家公務員又は地方公務員（これらのうち日本の国籍を有しない者その他日本の国籍を有する者で、現に国外に居住し、かつ、その地に永住すると認められるものを除く。）は、国内に住所を有しない期間についても国内に住所を有するものとみなして、所得税法（第10条《障害者等の少額預金の利子所得等の非課税》、同法第15条《納税地》及び同法第16条《納税地の特例》を除く。）の規定を適用する。（法３①、令13）

2　国内に住所を有するかどうかの判定

1に定めるもののほか、居住者及び非居住者の区分に関し、個人が国内に住所を有するかどうかの判定については、次による。（法３②）

①	**国内に住所を有する者と推定する場合**	国内に居住することとなった個人が次のイ又はロのいずれかに該当する場合には、その者は、国内に住所を有する者と推定する。（令14①） イ　その者が国内において、継続して１年以上居住することを通常必要とする職業を有すること。 ロ　その者が日本の国籍を有し、かつ、その者が国内において生計を一にする配偶者その他の親族を有することその他国内におけるその者の職業及び資産の有無等の状況に照らし、その者が国内において継続して１年以上居住するものと推測するに足りる事実があること。 （国内に住所を有する者と推定される個人の配偶者及び扶養親族） 注　国内に住所を有する者と推定される個人と生計を一にする配偶者その他その者の扶養する親族が国内に居住する場合には、これらの者も国内に住所を有する者と推定する。（令14②）
②	**国内に住所を有しないものと推定**	国外に居住することとなった個人が次のイ又はロのいずれかに該当する場合には、その者は、国内に住所を有しない者と推定する。（令15①） イ　その者が国外において、継続して１年以上居住することを通常必要とする職業を有すること。

	する場合	ロ　その者が外国の国籍を有し又は外国の法令によりその外国に永住する許可を受けており、かつ、その者が国内において生計を一にする配偶者その他の親族を有しないことその他国内におけるその者の職業及び資産の有無等の状況に照らし、その者が再び国内に帰り、主として国内に居住するものと推測するに足りる事実がないこと。 （国内に住所を有しない者と推定される個人の配偶者及び扶養親族） 注　国内に住所を有しない者と推定される個人と生計を一にする配偶者その他その者の扶養する親族が国外に居住する場合には、これらの者も国内に住所を有しない者と推定する。（令15②）

（住所の意義）

（1）　所得税法に規定する住所とは各人の生活の本拠をいい、生活の本拠であるかどうかは客観的事実によって判定する。（基通２－１）

（注）　国の内外にわたって居住地が異動する者の住所が国内にあるかどうかの判定に当たっては、**2**の①及び②の規定があることに留意する。

（船舶、航空機の乗組員の住所の判定）

（2）　船舶又は航空機の乗組員の住所が国内にあるかどうかは、その者の配偶者その他生計を一にする親族の居住している地又はその者の勤務外の期間中通常滞在する地が国内にあるかどうかにより判定するものとする。（基通３－１）

（学術、技芸を習得する者の住所の判定）

（3）　学術、技芸の習得のため国内又は国外に居住することとなった者の住所が国内又は国外のいずれにあるかは、その習得のために居住する期間その居住する地に職業を有するものとして、**2**表内①又は同②により推定するものとする。（基通３－２）

（国内に居住することとなった者等の住所の推定）

（4）　国内又は国外において事業を営み若しくは職業に従事するため国内又は国外に居住することとなった者は、その地における在留期間が契約等によりあらかじめ１年未満であることが明らかであると認められる場合を除き、それぞれ**2**表内①イ又は同②イに該当するものとする。（基通３－３）

（再入国した場合の居住期間）

（5）　国内に居所を有していた者が国外に赴き再び入国した場合において、国外に赴いていた期間（以下（5）において「在外期間」という。）中、国内に、配偶者その他生計を一にする親族を残し、再入国後起居する予定の家屋若しくはホテルの一室等を保有し、又は生活用動産を預託している事実があるなど、明らかにその国外に赴いた目的が一時的なものであると認められるときは、当該在外期間中も引き続き国内に居所を有するものとして、**一**《用語の意義》**3**の「居住者」又は同**4**の「非永住者」の規定を適用する。（基通２－２）

（国内に居住する者の非永住者等の区分）

（6）　国内に居住する者については、次により非居住者、非永住者等の区分を行うことに留意する。（基通２－３）

（一）　入国後１年を経過する日まで住所を有しない場合　　入国後１年を経過する日までの間は非居住者、１年を経過する日の翌日以後は居住者

（二）　入国直後には国内に住所がなく、入国後１年を経過する日までの間に住所を有することとなった場合　　住所を有することとなった日の前日までの間は非居住者、住所を有することとなった日以後は居住者

（三）　日本の国籍を有していない居住者で、過去10年以内において国内に住所又は居所を有していた期間の合計が５年を超える場合　　５年以内の日までの間は非永住者、その翌日以後は非永住者以外の居住者

（居住期間の計算の起算日）

（7）　**一**《用語の意義》**3**に規定する「１年以上」の期間の計算の起算日は、入国の日の翌日となることに留意する。（基通２－４）

（過去10年以内の計算）

（８）　**一**《用語の意義》**４**に規定する「過去10年以内」とは、判定する日の10年前の同日から、判定する日の前日までをいうことに留意する。（基通２－４の２）

（国内に住所又は居所を有していた期間の計算）

（９）　**一**《用語の意義》**４**に規定する「国内に住所又は居所を有していた期間」は、暦に従って計算し、１月に満たない期間は日をもって数える。

また、当該期間が複数ある場合には、これらの年数、月数及び日数をそれぞれ合計し、日数は30日をもって１月とし、月数は12月をもって１年とする。

なお、過去10年以内に住所又は居所を有することとなった日（以下(９)において「入国の日」という。）と住所又は居所を有しないこととなった日（以下(９)において「出国の日」という。）がある場合には、当該期間は、入国の日の翌日から出国の日までとなることに留意する。　（基通２－４の３）

三　人格のない社団等に対する所得税法の適用

法人でない社団又は財団で代表者又は管理人の定めがあるもの（以下「人格のない社団等」という。）は、法人とみなして、国税通則法及び所得税法（別表第一《公共法人等の表》を除く。）の規定を適用する。（通法３、法４）

（法人でない社団の範囲）

（１）　「法人でない社団」とは、多数の者が一定の目的を達成するために結合した団体のうち法人格を有しないもので、単なる個人の集合体でなく、団体としての組織を有し統一された意思の下にその構成員の個性を超越して活動を行うものをいい、次に掲げるようなものは、これに含まれない。（基通２－５）

（一）　民法第667条《組合契約》の規定による組合

（二）　商法第535条《匿名組合契約》の規定による匿名組合

（法人でない財団の範囲）

（２）　「法人でない財団」とは、一定の目的を達成するために出えんされた財産の集合体のうち法人格を有しないもので、特定の個人又は法人の所有に属さないで一定の組織による統一された意思の下にその出えん者の意図を実現するために独立して活動を行うものをいう。（基通２－６）

（法人でない社団又は財団の代表者又は管理人）

（３）　法人でない社団又は財団について代表者又は管理人の定めがあるとは、その社団又は財団の定款、寄附行為、規則、規約等によって代表者又は管理人が定められている場合のほか、その社団又は財団の業務に係る契約を締結し、その金銭、物品等を管理するなどの業務を主宰する者が事実上あることをいうものとする。したがって、法人でない社団又は財団で代表者又は管理人の定めのないものは通常あり得ないことに留意する。（基通２－７）

（福利厚生等を目的として組織された従業員団体の収入及び支出）

（４）　法人（法別表第一《公共法人等の表》（190ページ）に掲げる法人を除く。以下(４)において同じ。）の役員（法人税法第２条第15号《定義》に規定する役員をいう。以下同じ。）又は使用人をもって組織した団体（以下(６)において「従業員団体」という。）がこれらの者の親ぼく、福利厚生に関する事業を主として行っている場合において、その事業経費の相当部分を当該法人が負担しており、かつ、次に掲げる事実のいずれか一の事実があるときは、原則として、当該事業に係る収入及び支出は、その全額が当該法人の収入及び支出の額に含まれるものとする。（基通２－８）

（一）　法人の役員又は使用人で一定の資格を有する者が、その資格において当然に当該団体の役員に選出されることとなっていること。

（二）　当該団体の事業計画又は事業の運営に関する重要案件の決定について当該法人の許諾を要するなど、当該法人がその業務の運営に参画していること。

（三）　当該団体の事業に必要な施設の全部又は大部分を当該法人が提供していること。

（役員の範囲）

（５）　(４)の法人税法第２条第15号に規定する役員とは、法人の取締役、執行役、会計参与、監査役、理事、監事及び

清算人並びにこれら以外の者で法人の経営に従事している者のうち次に掲げるものをいう。(法法２十五、法令７)

(一)　法人の使用人 (職制上使用人としての地位のみを有する者に限る。(二)において同じ。) 以外の者でその法人の経営に従事しているもの

(注)　上記の「使用人以外の者でその法人の経営に従事しているもの」には、相談役、顧問その他これらに類する者でその法人内における地位、その行う職務等からみて他の役員と同様に実質的に法人の経営に従事していると認められるものが含まれることに留意する。(法基通９－２－１)

(二)　同族会社の使用人のうち、次に掲げる要件のすべてを満たしている者で、その会社の経営に従事しているもの

イ	当該会社の株主グループにつきその所有割合が最も大きいものから順次その順位を付し、その第１順位の株主グループ (同順位の株主グループが２以上ある場合には、そのすべての株主グループ。以下(二)のイにおいて同じ。) の所有割合を算定し、又はこれに順次第２順位及び第３順位の株主グループの所有割合を加算した場合において、当該使用人が次に掲げる株主グループのいずれかに属していること。 (イ)　第１順位の株主グループの所有割合が100分の50を超える場合における当該株主グループ (ロ)　第１順位及び第２順位の株主グループの所有割合を合計した場合にその所有割合がはじめて100分の50を超えるときにおけるこれらの株主グループ (ハ)　第１順位から第３順位までの株主グループの所有割合を合計した場合にその所有割合がはじめて100分の50を超えるときにおけるこれらの株主グループ
ロ	当該使用人の属する株主グループの当該会社に係る所有割合が100分の10を超えていること。
ハ	当該使用人 (その配偶者及びこれらの者の所有割合が100分の50を超える場合における他の会社を含む。) の当該会社に係る所有割合が100分の５を超えていること。

(注)　法人税法施行令第７条第２号の規定は、『同族会社の使用人のうち、第71条第１項第５号イからハまで《使用人兼務役員とされない役員》の規定中「役員」とあるのを「使用人」と読み替えた場合に同号イからハまでに掲げる要件のすべてを満たしている者で、……』となっているので、上記のようになる。(編者注)

(従業員団体の収入及び支出の特例)

(６)　(４)の場合において、当該従業員団体の収入及び支出が、例えば、当該法人からきょ出された部分と構成員から収入した会費等の部分とであん分するなど適正に区分経理されているときは、(４)にかかわらず、その区分されたところにより当該法人の収入及び支出に含められる収入及び支出の額を計算することができる。(基通２－９)

(人格のない社団等の本店又は主たる事務所の所在地)

(７)　人格のない社団等の本店又は主たる事務所の所在地は、次に掲げる場合に応じ、次による。(法基通１－１－４)

(一)　定款、寄附行為、規則又は規約 (以下(７)において「定款等」という。) に本店又は主たる事務所の所在地の定めがある場合　　その定款等に定められている所在地

(二)　(一)以外の場合　　その事業の本拠として代表者又は管理人が駐在し、当該人格のない社団等の行う業務が企画され経理が総括されている場所 (当該場所が転々と移転する場合には、代表者又は管理人の住所)

第二節　納税義務者と課税所得の範囲

1　納税義務者

居住者は、この所得税法により、所得税を納める義務がある。（法５①）

（非居住者の納税義務）

（１）　非居住者は、次の(一)及び(二)に掲げる場合には、この所得税法により、所得税を納める義務がある。（法５②）

(一)	**４**①に規定する国内源泉所得（(二)において「国内源泉所得」という。）を有するとき（(二)に掲げる場合を除く。）。
(二)	その引受けを行う法人課税信託の信託財産に帰せられる内国法人課税所得（**４**⑧(一)から同(十)まで《内国法人に係る所得税の課税標準》に掲げる利子等、配当等、給付補塡金、利息、利益、差益、利益の分配又は賞金をいう。以下**１**において同じ。）の支払を国内において受けるとき又は当該信託財産に帰せられる外国法人課税所得（国内源泉所得のうち**４**①(四)から同(十一)まで又は同(十三)から同(十六)までに掲げるものをいう。以下**１**において同じ。）の支払を受けるとき。

（内国法人の納税義務）

（２）　内国法人は、国内において内国法人課税所得の支払を受けるとき又はその引受けを行う法人課税信託の信託財産に帰せられる外国法人課税所得の支払を受けるときは、この所得税法により、所得税を納める義務がある。（法５③）

（外国法人の納税義務）

（３）　外国法人は、外国法人課税所得の支払を受けるとき又はその引受けを行う法人課税信託の信託財産に帰せられる内国法人課税所得の支払を国内において受けるときは、この所得税法により、所得税を納める義務がある。（法５④）

2　源泉徴収義務者

給与等の支払をする者その他所得税法第４編第１章から第６章まで《源泉徴収》に規定する支払をする者は、この所得税法により、その支払に係る金額につき源泉徴収をする義務がある。（法６）

3　法人課税信託の受託者等に関する通則

法人課税信託の受託者は、各法人課税信託の信託資産等（信託財産に属する資産及び負債並びに当該信託財産に帰せられる収益及び費用をいう。以下**３**において同じ。）及び固有資産等（法人課税信託の信託資産等以外の資産及び負債並びに収益及び費用をいう。（１）において同じ。）ごとに、それぞれ別の者とみなして、この所得税法（**１**、**２**《納税義務》及び第５節《納税地》並びに所得税法第６編《罰則》を除く。（２）において同じ。）の規定を適用する。（法６の２①）

（各法人課税信託の信託資産等及び固有資産等の帰属）

（１）　**３**の場合において、各法人課税信託の信託資産等及び固有資産等は、**３**の規定によりみなされた各別の者にそれぞれ帰属するものとする。（法６の２②）

（受託法人等に関するこの法律の適用）

（２）　受託法人（法人課税信託の受託者である法人（その受託者が個人である場合にあっては、当該受託者である個人）について、**３**の規定により、当該法人課税信託に係る信託資産等が帰属する者としてこの所得税法の規定を適用する場合における当該受託者である法人をいう。以下(２)において同じ。）又は法人課税信託の委託者若しくは受益者についてこの所得税法の規定を適用する場合には、次の(一)から(九)までに定めるところによる。（法６の３）

(一)	法人課税信託の信託された営業所、事務所その他これらに準ずるもの（(二)において「営業所」という。）が国内にある場合には、当該法人課税信託に係る受託法人は、内国法人とする。
(二)	法人課税信託の信託された営業所が国内にない場合には、当該法人課税信託に係る受託法人は、外国法人とす

	る。
(三)	受託法人（会社でないものに限る。）は、会社とみなす。
(四)	法人課税信託の受益権（公募公社債等運用投資信託以外の公社債等運用投資信託の受益権及び社債的受益権（資産の流動化に関する法律第230条第１項第２号《特定目的信託契約》に規定する社債的受益権をいう。第四章第二節**一**《配当所得》、所得税法第176条第１項及び第２項《信託財産に係る利子等の課税の特例》、第五章第三節**二 2**《株式等の譲渡の対価の受領者等の告知》並びに同法第225条第１項《支払調書》において同じ。）を除く。）は株式又は出資とみなし、法人課税信託の受益者は株主等に含まれるものとする。この場合において、その法人課税信託の受託者である法人の株式又は出資は当該法人課税信託に係る受託法人の株式又は出資でないものとみなし、当該受託者である法人の株主等は当該受託法人の株主等でないものとする。
(五)	法人課税信託について信託の終了があった場合又は法人課税信託（法人税法第２条第29号の２ロ《定義》に掲げる信託に限る。）に第四節**2**《信託財産に属する資産及び負債並びに信託財産に帰せられる収益及び費用の帰属》に規定する受益者（同節**2**（１）の規定により同節**2**に規定する受益者とみなされる者を含む。(六)及び(七)において「受益者等」という。）が存することとなった場合（同法第２条第29号の２イ又はハに掲げる信託に該当する場合を除く。）には、これらの法人課税信託に係る受託法人の解散があったものとする。
(六)	法人課税信託（法人税法第２条第29号の２ロに掲げる信託を除く。以下(六)において同じ。）の委託者がその有する資産の信託をした場合又は第四節**2**の規定により受益者等がその信託財産に属する資産及び負債を有するものとみなされる信託が法人課税信託に該当することとなった場合には、これらの法人課税信託に係る受託法人に対する出資があったものとみなす。
(七)	法人課税信託（法人税法第２条第29号の２ロに掲げる信託に限る。以下(七)において同じ。）の委託者がその有する資産の信託をした場合又は第四節**2**の規定により受益者等がその信託財産に属する資産及び負債を有するものとみなされる信託が法人課税信託に該当することとなった場合には、これらの法人課税信託に係る受託法人に対する贈与により当該資産の移転があったものとみなす。
(八)	法人課税信託の収益の分配は資本剰余金の減少に伴わない剰余金の配当と、法人課税信託の元本の払戻しは資本剰余金の減少に伴う剰余金の配当とみなす。
(九)	(一)から(八)までに定めるもののほか、受託法人又は法人課税信託の委託者若しくは受益者についてのこの所得税法の規定の適用に関し必要な事項は、(３)から(６)までで定める。

(法人課税信託の併合又は分割等)

(３)　信託の併合に係る従前の信託又は信託の分割に係る分割信託（信託の分割によりその信託財産の一部を他の信託又は新たな信託に移転する信託をいう。(４)において同じ。）が法人課税信託（法人税法第２条第29号の２イ又はハ《定義》に掲げる信託に限る。以下(３)において「特定法人課税信託」という。）である場合には、当該信託の併合に係る新たな信託又は当該信託の分割に係る他の信託若しくは新たな信託（法人課税信託を除く。）は、特定法人課税信託とみなす。（令16①）

(単独新規信託分割が行われた場合)

(４)　信託の併合又は信託の分割（一の信託が新たな信託に信託財産の一部を移転するものに限る。以下(４)及び(５)において「単独新規信託分割」という。）が行われた場合において、当該信託の併合が法人課税信託を新たな信託とするものであるときにおける当該信託の併合に係る従前の信託（法人課税信託を除く。）は当該信託の併合の直前に法人課税信託に該当することとなったものとみなし、当該単独新規信託分割が集団投資信託（第四節**2**《信託財産に属する資産及び負債並びに信託財産に帰せられる収益及び費用の帰属》(２)(一)に規定する集団投資信託をいう。以下(４)において同じ。）又は受益者等課税信託（同節**2**に規定する受益者（同節**2**（１）の規定により同節**2**に規定する受益者とみなされる者を含む。）がその信託財産に属する資産及び負債を有するものとみなされる信託をいう。以下(４)において同じ。）を分割信託とし、法人課税信託を承継信託（信託の分割により分割信託からその信託財産の一部の移転を受ける信託をいう。以下(４)及び(５)において同じ。）とするものであるときにおける当該承継信託は当該単独新規信託分割の直後に集団投資信託又は受益者等課税信託から法人課税信託に該当することとなったものとみなす。（令16②）

（吸収信託分割又は複数新規信託分割が行われた場合）

(5)　他の信託に信託財産の一部を移転する信託の分割（以下(5)において「吸収信託分割」という。）又は二以上の信託が新たな信託に信託財産の一部を移転する信託の分割（以下(5)において「複数新規信託分割」という。）が行われた場合には、当該吸収信託分割又は複数新規信託分割により移転する信託財産をその信託財産とする信託（以下(5)において「吸収分割中信託」という。）を承継信託とする単独新規信託分割が行われ、直ちに当該吸収分割中信託及び承継信託（複数新規信託分割にあっては、他の吸収分割中信託）を従前の信託とする信託の併合が行われたものとみなして、(3)及び(4)の規定を適用する。（令16③）

（財務省令への委任）

(6)　(3)から(5)までに定めるもののほか、受託法人又は法人課税信託の委託者若しくは受益者についての所得税法又はこの同法施行令の規定の適用に関し必要な事項は、財務省令で定める。（令16④）

4　課税所得の範囲

所得税は、次の①から⑤までに掲げる者の区分に応じ当該①から⑤までに掲げる所得について課する。（法7①）

①	**非永住者以外の居住者**	全ての所得
②	**非永住者**	第九章第二節**二１**①《外国税額控除》に規定する国外源泉所得（国外にある有価証券の譲渡により生ずる所得として(1)で定めるものを含む。以下「国外源泉所得」という。）以外の所得及び国外源泉所得で国内において支払われ、又は国外から送金されたもの
③	**非居住者**	⑥(一)及び同(二)に掲げる非居住者の区分に応じ⑥(一)及び同(二)及び⑦(一)及び同(二)に定める国内源泉所得
④	**内国法人**	国内において支払われる⑧(一)から同(十)までに掲げる利子等、配当等、給付補塡金、利息、利益、差益、利益の分配及び賞金
⑤	**外国法人**	①に規定する国内源泉所得のうち同(四)から同(十一)まで及び同(十三)から同(十六)までに掲げるもの

（注）１　上表中の④の規定は次の(一)又は(二)に掲げる法人がその資産として運用している公社債、合同運用信託、投資信託若しくは特定受益証券発行信託の受益権、社債的受益権、株式又は出資（以下(注)において「公社債等」という。）につき国内において利子等（以下この(注)において「利子等」という。）又は配当等（以下この(注)において「配当等」という。）の支払をする者の備え付ける帳簿に、当該公社債等が当該(一)又は(二)に掲げる法人の運用に係る資産である旨その他財務省令で定める事項の登載を受けている場合には、当該公社債等についてその登載を受けている期間内に支払われる当該利子等又は配当等については、適用しない。（措法９の４①）

(一)　投資法人（投資信託及び投資法人に関する法律第２条第12項に規定する投資法人をいう。以下(一)において同じ。）のうち、次のいずれかに該当するもの

イ　その有する資産を主として有価証券に対する投資として運用することを目的として設立されたものとして措令５①で定める投資法人

ロ　その設立の際の投資口（投資信託及び投資法人に関する法律第２条第14項に規定する投資口をいう。）の募集が金融商品取引法第２条第３項に規定する取得勧誘であって同項第１号に掲げる場合に該当するものとして措令５②で定めるものにより行われた投資法人

(二)　資産の流動化に関する法律第２条第３項に規定する特定目的会社のうち、同条第１項に規定する特定資産が主として有価証券であるものとして措令５③で定めるもの

２　上表中の④の規定は、所得税法第176条第１項に規定する内国信託会社が、その引き受けた証券投資信託以外の投資信託（その設定に係る受益権の募集が第８条の４第１項第２号に規定する公募により行われたものであり、かつ、国内にある営業所、事務所その他これらに準ずるものに信託されたものに限る。(注)４において同じ。）の信託財産に属する公社債等につき国内において利子等又は配当等の支払をする者の備え付ける帳簿に、当該公社債等が当該信託財産に属する旨その他財務省令で定める事項の登載を受けている場合には、当該公社債等についてその登載を受けている期間内に支払われる当該利子等又は配当等については、適用しない。（措法９の４②）

３　上表中の④の規定は、特定目的信託（信託された資産の流動化に関する法律第２条第１項に規定する特定資産が主として有価証券であるものとして政令で定めるものに限る。以下この(注)３において同じ。）の受託法人（**3**(2)に規定する受託法人（第２条の２第２項において準用する同(2)(一)の規定により内国法人としてこの法律の規定を適用するものに限る。）をいう。）が当該特定目的信託の信託財産に属する公社債等につき国内において利子等又は配当等の支払をする者の備え付ける帳簿に、当該公社債等が当該信託財産に属する旨その他財務省令で定める事項の登載を受けている場合には、当該公社債等についてその登載を受けている期間内に支払われる当該利子等又は配当等については、適用しない。（措法９の４③）

４　上表中の⑤の規定は、所得税法第180条の２第１項に規定する外国信託会社が、その引き受けた証券投資信託以外の投資信託の信託財産に属する公社債等につき①(八)（同(八)ハを除く。）又は同(九)に掲げる国内源泉所得（以下この(注)４において「特定国内源泉所得」という。）の支払をする者の備え付ける帳簿に、当該公社債等が当該信託財産に属する旨その他財務省令で定める事項の登載を受けている場合には、当該公社債等についてその登載を受けている期間内に支払われる当該特定国内源泉所得については、適用しない。（措法９の４④）

（非永住者の課税所得の範囲）

（1）　**4**《課税所得の範囲》表内②に規定する国外にある有価証券の譲渡により生ずる所得として（1）で定めるものは、有価証券でその取得の日がその譲渡（第五章第三節**二１**②若しくは同③《一般株式等に係る譲渡所得等の課税の特例》又は同節**三１**②若しくは同③《上場株式等に係る譲渡所得等の課税の特例》の規定によりその額及び価額の合計額が同節**二１**①に規定する一般株式等に係る譲渡所得等又は同節**三１**①に規定する上場株式等に係る譲渡所得等に係る収入金額とみなされる金銭及び金銭以外の資産の交付の基因となった同節**二１**②（㈧及び㈨に係る部分を除く。）若しくは同節**二１**③㈠から同㈢まで又は同節**三１**③㈠及び同㈡に規定する事由に基づく同節**一**㈠から同㈤までに掲げる株式等（同㈣に掲げる受益権にあっては、公社債投資信託以外の証券投資信託の受益権及び証券投資信託以外の投資信託で公社債等運用投資信託に該当しないものの受益権に限る。）についての当該金銭の額及び当該金銭以外の資産の価額に対応する権利の移転又は消滅を含む。以下において同じ。）の日の10年前の日の翌日から当該譲渡の日までの期間（その者が非永住者であった期間に限る。）内にないもの（（2）において「特定有価証券」という。）のうち、次の㈠から㈢までに掲げるものの譲渡により生ずる所得とする。（令17①）

㈠	金融商品取引法第２条第８項第３号ロ《定義》に規定する外国金融商品市場において譲渡がされるもの
㈡	外国金融商品取引業者（国外において金融商品取引法第２条第９項に規定する金融商品取引業者（同法第28条第１項《通則》に規定する第一種金融商品取引業又は同条第２項に規定する第二種金融商品取引業を行う者に限る。）と同種類の業務を行う者をいう。以下において同じ。）への売委託（当該外国金融商品取引業者が当該業務として受けるものに限る。）により譲渡が行われるもの
㈢	外国金融商品取引業者又は国外において金融商品取引法第２条第11項に規定する登録金融機関若しくは投資信託及び投資法人に関する法律第２条第11項《定義》に規定する投資信託委託会社と同種類の業務を行う者の営業所、事務所その他これらに類するもの（国外にあるものに限る。）に開設された口座に係る国外における社債、株式等の振替に関する法律に規定する振替口座簿に類するものに記載若しくは記録がされ、又は当該口座に保管の委託がされているもの

（非永住者が譲渡をした有価証券が当該譲渡の時において特定有価証券に該当するかどうかの判定）

（2）　非永住者が譲渡をした有価証券（以下（2）において「譲渡有価証券」という。）が当該譲渡の時において特定有価証券に該当するかどうかの判定は、当該譲渡の前に取得をした当該譲渡有価証券と同一銘柄の有価証券のうち先に取得をしたものから順次譲渡をしたものとした場合に当該譲渡をしたものとされる当該同一銘柄の有価証券の取得の日により行うものとする。（令17②）

（個人の有する有価証券について次の㈠から㈩㈡までに掲げる事由が生じた場合）

（3）　個人の有する有価証券（以下（3）において「従前の有価証券」という。）について次の㈠から（十二）までに掲げる事由が生じた場合には、当該事由により取得した有価証券（以下（3）において「取得有価証券」という。）はその者が引き続き所有していたものと、当該従前の有価証券のうち当該取得有価証券の取得の基因となった部分は当該取得有価証券と同一銘柄の有価証券とそれぞれみなして、（1）及び（2）の規定を適用する。（令17③）

㈠	株式（出資を含む。）を発行した法人の行った第五章第三節**二十**《株式交換等に係る譲渡所得等の特例》に規定する株式交換又は同**二十**（1）に規定する株式移転
㈡	第五章第三節**二十**（2）㈠に規定する取得請求権付株式、同（2）㈡に規定する取得条項付株式、同㈢に規定する全部取得条項付種類株式、同㈣に規定する新株予約権付社債、同㈤に規定する取得条項付新株予約権又は同㈥に規定する取得条項付新株予約権が付された新株予約権付社債の第五章第三節**二十**（2）㈠から㈥までに規定する請求権の行使、取得事由の発生、取得決議又は行使
㈢	株式（出資及び投資信託及び投資法人に関する法律第２条第14項に規定する投資口を含む。以下（3）において同じ。）又は投資信託若しくは特定受益証券発行信託の受益権の分割又は併合
㈣	株式を発行した法人の第六章第二節**四８**③注《株主割当てにより取得した株式の取得価額》に規定する株式無償割当て（当該株式無償割当てにより当該株式と同一の種類の株式が割り当てられる場合の当該株式無償割当てに限る。）
㈤	株式を発行した法人の第六章第二節**四８**④《合併により取得した株式等の取得価額》に規定する合併

(六)	第六章第二節**四 8** ④(2)に規定する投資信託等（以下(六)において「投資信託等」という。）の受益権に係る投資信託等の同(2)に規定する信託の併合
(七)	株式を発行した法人の第六章第二節**四 8** ⑤《分割型分割により取得した株式等の取得価額》に規定する分割型分割
(八)	特定受益証券発行信託の受益権に係る特定受益証券発行信託の第六章第二節**四 8** ⑤(5)に規定する信託の分割
(九)	株式を発行した法人の第六章第二節**四 8** ⑥《株式分配により取得した株式等の取得価額》に規定する株式分配
(十)	株式を発行した法人の第六章第二節**四 9**《組織変更があった場合の株式等の取得価額》に規定する組織変更
(十一)	新株予約権（投資信託及び投資法人に関する法律第２条第17項に規定する新投資口予約権を含む。(十二)において同じ。）又は新株予約権付社債を発行した法人を第六章第二節**四10**《合併等があった場合の新株予約権等の取得価額》に規定する被合併法人、分割法人、株式交換完全子法人又は株式移転完全子法人とする同**10**に規定する合併等
(十二)	新株予約権の行使

（**4** 表内②に規定する国外源泉所得で国内において支払われ、又は国外から送金されたものの範囲）

（4）　**4** 表内②に規定する国外源泉所得（以下(4)において「**国外源泉所得**」という。）で国内において支払われ、又は国外から送金されたものの範囲については、次の(一)から(六)までに定めるところによる。（令17④）

(一)	非永住者が各年において国外から送金を受領した場合には、その金額の範囲内でその非永住者のその年における国外源泉所得に係る所得で国外の支払に係るものについて送金があったものとみなす。ただし、その非永住者がその年における国外源泉所得以外の所得（以下(4)において「非国外源泉所得」という。）に係る所得で国外の支払に係るものを有する場合は、まずその非国外源泉所得に係る所得について送金があったものとみなし、なお残余があるときに当該残余の金額の範囲内で国外源泉所得に係る所得について送金があったものとみなす。
(二)	(一)に規定する所得の金額は、非永住者の国外源泉所得に係る所得で国外の支払に係るもの及び非国外源泉所得に係る所得で国外の支払に係るものについてそれぞれ第四章第一節から同第十節まで《所得の種類及び各種所得の金額》及び第七章第一節《損益通算》の規定に準じて計算した各種所得の金額の合計額に相当する金額とする。この場合において、これらの所得のうちに給与所得又は退職所得があるときは、その収入金額を給与所得の金額又は退職所得の金額とみなし、山林所得、譲渡所得又は一時所得があるときは、それぞれその収入金額から第四章第七節**二**《山林所得の金額》に規定する必要経費、同章第八節**二**《譲渡所得の金額》に規定する資産の取得費及びその資産の譲渡に要した費用の額又は同章第九節**二**《一時所得の金額》に規定する支出した金額を控除した金額を山林所得の金額、譲渡所得の金額又は一時所得の金額とみなす。
(三)	第二節**4**表内②、(一)及び(二)の規定を適用する場合において、国外源泉所得に係る各種所得又は非国外源泉所得に係る各種所得について国内及び国外において支払われたものがあるときは、その各種所得の金額（(二)後段に規定する所得については、(二)後段の規定により計算した金額）に、その各種所得に係る収入金額のうちに国内で支払われた金額又は国外で支払われた金額の占める割合を乗じて計算した金額をそれぞれその各種所得の金額のうち国内の支払に係るもの又は国外の支払に係るものとみなす。
(四)	(一)の場合において、国外源泉所得に係る各種所得で国外の支払に係るものが二以上あるときは、それぞれの各種所得について、(一)の規定により送金があったものとみなされる国外源泉所得に係る送金額に当該各種所得の金額（(二)後段に規定する所得については、(二)後段の規定により計算した金額）がその合計額のうちに占める割合を乗じて計算した金額に相当する金額の送金があったものとみなす。
(五)	非永住者の国外源泉所得に係る所得で国外の支払に係るもののうち、(一)から(四)までの規定により送金があったものとみなされたものに係る各種所得については、それぞれその各種所得と、これと同一種類の国外源泉所得に係る所得で国内の支払に係るもの及び非国外源泉所得に係る所得とを合算してその者の総所得金額、退職所得金額及び山林所得金額を計算する。
(六)	年の中途において、非永住者以外の居住者若しくは非居住者が非永住者となり、又は非永住者が非永住者以外の居住者若しくは非居住者となったときは、その者がその年において非永住者であった期間内に生じた国外源泉所得又は非国外源泉所得に係る所得で国外の支払に係るもの及び当該期間内に国外から送金があった金額に

ついて(一)から(五)までの規定を適用する。

(注)　上記(4)(五)の下線部「総所得金額」には、第八章一《雑損控除》1(1)と同じく租税特別措置法施行令の読替え規定が含まれる。(編者注)

(特定有価証券の意義)

(5)　(1)《非永住者の課税所得の範囲》に規定する「特定有価証券」とは、有価証券で次に掲げるものをいうことに留意する。(基通7－1)

⑴　譲渡((1)に規定する譲渡をいう。以下(5)において同じ。)の日の10年前の日以前に取得をしたもの

⑵　譲渡の日の10年前の日の翌日から当該譲渡の日までの期間に取得をしたもので、その者が非永住者でなかった期間に取得をしたもの

⑶　平成29年3月31日以前に取得をしたもの(⑴又は⑵に該当するものを除く。)

(非永住者に係る課税標準の計算……送金を受領しなかった場合)

(6)　非国外源泉所得((4)(一)ただし書に規定する非国外源泉所得をいう。以下(9)までにおいて同じ。)及び国外源泉所得((4)に規定する国外源泉所得をいう。以下(9)までにおいて同じ。)を有する非永住者で国外から送金を受領しなかったものに係る課税標準は、次に掲げる場合に応じ、それぞれ次により計算する。(基通7－2)

⑴　国外源泉所得に係る所得で国内の支払に係るものがない場合

非国外源泉所得に係る全ての所得について第三章第二節《課税標準》から第七章《損益通算及び損失の繰越控除》(編者注：所得税法第2編第2章第1節《課税標準》から第3節《損益通算及び損失の繰越控除》)までの規定により総所得金額、退職所得金額及び山林所得金額を計算する。

⑵　国外源泉所得に係る所得で国内の支払に係るものがある場合

イ　非国外源泉所得及び国外源泉所得の別ごとに第四章第一節《利子所得》から同章第十節《雑所得》(編者注：所得税法第23条《利子所得》から同法第35条《雑所得》)まで((4)(二)後段に規定する所得については、同(二)後段)の規定により各種所得の金額(各種所得のうち損失を生じているものについては、その損失の金額。以下(7)までにおいて同じ。)を計算する。

ロ　イにより計算した各種所得の金額のうち国外源泉所得に係るものについては、(4)(三)の規定を適用して国内の支払に係る各種所得の金額を計算する。

ハ　イにより計算した非国外源泉所得に係る各種所得の金額とロにより計算した国外源泉所得に係る各種所得で国内の支払に係るものの金額とを同種類のものごとに合計する。

ニ　ハにより合計したそれぞれの各種所得の金額で(4)(二)後段に規定する所得に係るものについては、その所得の種類に応じ、それぞれ次により計算する。

(イ)　給与所得又は退職所得については、それぞれ第四章第五節**三1**及び同**3**《給与所得》又は同章第六節**三**《退職所得》の規定により給与所得の金額又は退職所得の金額を計算する。

(ロ)　山林所得、譲渡所得又は一時所得については、それぞれ第四章第七節**二1**《山林所得》、同章第八節**二1**《譲渡所得》又は同章第九節**二**《一時所得》に規定する特別控除額を控除し、山林所得の金額、譲渡所得の金額又は一時所得の金額を計算する。

ホ　ハ及びニにより計算した各種所得の金額を基として、第三章第二節《課税標準》の規定により総所得金額、退職所得金額及び山林所得金額を計算する。

(非永住者に係る課税標準の計算……送金を受領した場合)

(7)　非国外源泉所得及び国外源泉所得を有する非永住者で国外から送金を受領したものに係る課税標準は、次により計算する。(基通7－3)

⑴　非国外源泉所得及び国外源泉所得の別ごとに第四章第一節から同章第十節(編者注：所得税法第23条から第35条)まで((4)(二)後段に規定する所得については、同(二)後段)の規定により各種所得の金額を計算する。

⑵　⑴により計算した非国外源泉所得及び国外源泉所得の別ごとの各種所得の金額を、(4)(三)の規定により、それぞれ国内の支払に係るものと国外の支払に係るものとに区分する。

⑶　⑵により区分した国外の支払に係る各種所得の金額について、非国外源泉所得及び国外源泉所得の別ごとに(4)(二)前段に規定する合計額(以下(7)において「国外払の合計額」という。)を計算する。この場合において、国外源泉所得に係る国外払の合計額が赤字となるときは、送金があったものとみなされる金額はないものとして、次の⑷の計算は行わない。

⑷　送金の受領額から⑶により計算した非国外源泉所得に係る国外払の合計額を控除した残額（当該国外払の合計額が赤字の場合には、当該送金の受領額に相当する金額）と⑶により計算した国外源泉所得に係る国外払の合計額とのうちいずれか少ない金額の送金があったものとみなし、次に掲げる場合に応じ、それぞれ次によりその送金があったものとみなされる各種所得の金額を計算する。

イ　国外源泉所得に係る各種所得で国外の支払に係るものが１種類だけの場合　送金があったものとみなされる金額を当該各種所得の金額とする。

ロ　国外源泉所得に係る各種所得で国外の支払に係るものが２種類以上ある場合　（４）(四)の規定を適用して送金があったものとみなされる当該各種所得の金額を計算する。

⑸　⑴により計算した非国外源泉所得に係る各種所得の金額、⑵により区分した国外源泉所得に係る各種所得で国内の支払に係るものの金額及び⑷のイ又はロにより求めた各種所得の金額を同種類のものごとに合計する。

⑹　⑸により合計したそれぞれの各種所得の金額で（４）(二)後段に規定する所得に係るものについては、（６）⑵ニと同様に当該各種所得の金額を計算する。

⑺　⑸及び⑹により計算した各種所得の金額を基として、第三章第二節の規定により総所得金額、退職所得金額及び山林所得金額を計算する。

（国内において支払われたものの意義）

（８）　（１）(二)に掲げる「国内において支払われ……たもの」とは、次に掲げるようなものをいう。（基通７－４）

⑴　その非永住者の国外にある営業所等と国外の顧客との間に行われた商取引の対価で、為替等によりその非永住者の国内にある営業所等に直接送付され、若しくは当該国内にある営業所等に係る債権と相殺され、又は当該国内にある営業所等の預金口座に直接振り込まれたもの

⑵　その非永住者の国外にある不動産等の貸付けによる賃貸料で、為替等によりその非永住者に直接送付され、又はその非永住者の国内にある預金口座に直接振り込まれたもの

（確定申告等の時までに支払がない所得の支払地の推定）

（９）　非国外源泉所得又は国外源泉所得でその年分の確定申告書の提出又は更正若しくは決定を行う時までにまだ支払われていないものがある場合において、これらの所得が国内又は国外のいずれにおいて支払われるか明らかでないときは、例えば、同種の取引に係る所得の過去における支払地、国外にある営業所等、国外における受領者とみられる家族等又は国外にある預金口座の有無等の具体的事情に応じ、国内又は国外のいずれにおいて支払われることとなるかを適正に推定するものとする（平28課２－４、課法11－８、課審５－５改正）。（基通７－５）

（送金の範囲）

（10）　（１）(二)に規定する送金には、国内への通貨の持込み又は小切手、為替手形、信用状その他の支払手段による通常の送金のほか、次に掲げるような行為が含まれる。（平19課法９－16、課個２－27、課審４－40改正）（基通７－６）

⑴　貴金属、公社債券、株券その他の物を国内に携行し又は送付する行為で、通常の送金に代えて行われたと認められるもの

⑵　国内において借入れをし又は立替払を受け、国外にある自己の預金等によりその債務を弁済することとするなどの行為で、通常の送金に代えて行われたと認められるもの

①　国内源泉所得

「国内源泉所得」とは、次の(一)から(十七)までに掲げるものをいう。（法161①）

(一)	非居住者が恒久的施設を通じて事業を行う場合において、当該恒久的施設が当該非居住者から独立して事業を行う事業者であるとしたならば、当該恒久的施設が果たす機能、当該恒久的施設において使用する資産、当該恒久的施設と当該非居住者の事業場等（当該非居住者の事業に係る事業場その他これに準ずるものとして（１）で定めるものであって当該恒久的施設以外のものをいう。②及び⑤において同じ。）との間の内部取引その他の状況を勘案して、当該恒久的施設に帰せられるべき所得（当該恒久的施設の譲渡により生ずる所得を含む。）
(二)	国内にある資産の運用又は保有により生ずる所得（(八)から(十六)までに該当するものを除く。）
(三)	国内にある資産の譲渡により生ずる所得として（４）で定めるもの
(四)	民法第667条第１項《組合契約》に規定する組合契約（これに類するものとして（５）で定める契約を含む。以下(四)

	において同じ。）に基づいて恒久的施設を通じて行う事業から生ずる利益で当該組合契約に基づいて配分を受けるもののうち（６）で定めるもの
(五)	国内にある土地若しくは土地の上に存する権利又は建物及びその附属設備若しくは構築物の譲渡による対価（（７）で定めるものを除く。）
(六)	国内において人的役務の提供を主たる内容とする事業で（８）で定めるものを行う者が受ける当該人的役務の提供に係る対価
(七)	国内にある不動産、国内にある不動産の上に存する権利若しくは採石法の規定による採石権の貸付け（地上権又は採石権の設定その他他人に不動産、不動産の上に存する権利又は採石権を使用させる一切の行為を含む。）、鉱業法の規定による租鉱権の設定又は居住者若しくは内国法人に対する船舶若しくは航空機の貸付けによる対価
(八)	第四章第一節**一**《利子所得》に規定する利子等のうち次に掲げるもの イ　日本国の国債若しくは地方債又は内国法人の発行する債券の利子 ロ　外国法人の発行する債券の利子のうち当該外国法人の恒久的施設を通じて行う事業に係るもの ハ　国内にある営業所（事務所その他これらに準ずるものを含む。以下において「営業所」という。）に預け入れられた預貯金の利子 ニ　国内にある営業所に信託された合同運用信託、公社債投資信託又は公募公社債等運用投資信託の収益の分配
(九)	第四章第二節**一**《配当所得》に規定する配当等のうち次に掲げるもの イ　内国法人から受ける第四章第二節**一**《配当所得》に規定する剰余金の配当、利益の配当、剰余金の分配、金銭の分配又は基金利息 ロ　国内にある営業所に信託された投資信託（公社債投資信託及び公募公社債等運用投資信託を除く。）又は特定受益証券発行信託の収益の分配
(十)	国内において業務を行う者に対する貸付金（これに準ずるものを含む。）で当該業務に係るものの利子（（９）で定めるものを除き、債券の買戻又は売戻条件付売買取引として(11)で定めるものから生ずる差益として(12)で定めるものを含む。）
(十一)	国内において業務を行う者から受ける次に掲げる使用料又は対価で当該業務に係るもの イ　工業所有権その他の技術に関する権利、特別の技術による生産方式若しくはこれらに準ずるものの使用料又はその譲渡による対価 ロ　著作権（出版権及び著作隣接権その他これに準ずるものを含む。）の使用料又はその譲渡による対価 ハ　機械、装置、車両及び運搬具、工具並びに器具及び備品の使用料 （注）　（備品の範囲） ハに規定する器具及び備品には、美術工芸品、古代の遺物等のほか、観賞用、興行用その他これらに準ずる用に供される生物が含まれることに留意する。（基通161－39）
(十二)	次に掲げる給与、報酬又は年金 イ　俸給、給料、賃金、歳費、賞与又はこれらの性質を有する給与その他人的役務の提供に対する報酬のうち、国内において行う勤務その他の人的役務の提供（内国法人の役員として国外において行う勤務その他の(14)で定める人的役務の提供を含む。）に基因するもの ロ　第四章第十節**二２**《公的年金等の定義》に規定する公的年金等（(15)で定めるものを除く。） ハ　第四章第六節**一**《退職所得》に規定する退職手当等のうちその支払を受ける者が居住者であった期間に行った勤務その他の人的役務の提供（内国法人の役員として非居住者であった期間に行った勤務その他の(16)で定める人的役務の提供を含む。）に基因するもの
(十三)	国内において事業を行う者から当該事業の広告宣伝のための賞として支払を受ける金品その他の経済的な利益（旅行その他の役務の提供を内容とするもので、金品との選択をすることができないものとされているものを除く。）（令286）
(十四)	国内にある営業所又は国内において契約の締結の代理をする者を通じて締結した保険業法第２条第３項《定義》に規定する生命保険会社又は同条第４項に規定する損害保険会社の締結する保険契約その他の年金に係る契約で(17)に定める契約に基づいて受ける年金（所得税法第209条第２号《源泉徴収を要しない年金》に掲げる年金に該当するものを除く。）で(十二)のロに該当するもの以外のもの（年金の支払の開始の日以後に当該年金に係る契約に基づき分配を受ける剰余金又は割戻しを受ける割戻金及び当該契約に基づき年金に代えて支給される一時金を含む。）

(十五)	次に掲げる給付補塡金、利息、利益又は差益 イ　⑧《内国法人に係る所得税の課税標準》(三)に掲げる給付補塡金のうち国内にある営業所が受け入れた定期積金に係るもの ロ　⑧(四)に掲げる給付補塡金のうち国内にある営業所が受け入れた同(四)に規定する掛金に係るもの ハ　⑧(五)に掲げる利息のうち国内にある営業所を通じて締結された同(五)に規定する契約に係るもの ニ　⑧(六)に掲げる利益のうち国内にある営業所を通じて締結された同(六)に規定する契約に係るもの ホ　⑧(七)に掲げる差益のうち国内にある営業所が受け入れた預貯金に係るもの ヘ　⑧(八)に掲げる差益のうち国内にある営業所又は国内において契約の締結の代理をする者を通じて締結された同(八)に規定する契約に係るもの
(十六)	国内において事業を行う者に対する出資につき、匿名組合契約(これに準ずる契約として(18)で定めるものを含む。)に基づいて受ける利益の分配
(十七)	(一)から(十六)までに掲げるもののほかその源泉が国内にある所得として(19)で定めるもの

(注)１　(恒久的施設帰属所得の認識に当たり勘案されるその他の状況)

恒久的施設を有する非居住者の①(一)に掲げる国内源泉所得（③の規定により①(一)に掲げる所得とされるものを除く。(注)２において「恒久的施設帰属所得」という。）の認識に当たり勘案される同(一)に規定する「その他の状況」には、恒久的施設に帰せられるリスク及び恒久的施設に帰せられる外部取引が含まれることに留意する。(基通161－８)

㊟１　リスクとは、為替相場の変動、市場金利の変動、経済事情の変化その他の要因による利益又は損失の増加又は減少の生ずるおそれをいう。以下同じ。

２　リスクの引受け又はリスクの管理に関する人的機能を恒久的施設が果たす場合には、当該リスクは当該恒久的施設に帰せられる。

３　外部取引とは、恒久的施設を有する非居住者が他の者との間で行った取引をいう。(注)２において同じ。

２　(恒久的施設帰属所得の認識)

恒久的施設帰属所得は、非居住者の恒久的施設及びその事業場等（①(一)に規定する事業場等をいう。以下(注)２において同じ。）が果たす機能（リスクの引受け又はリスクの管理に関する人的機能、資産の帰属に係る人的機能その他の機能をいう。以下(注)２において同じ。）並びに当該恒久的施設及びその事業場等に関する事実の分析を行うことにより、当該恒久的施設が果たす機能、当該恒久的施設に帰せられるリスク、当該恒久的施設において使用する資産、当該恒久的施設に帰せられる外部取引、内部取引（①(一)に規定する内部取引をいう。(注)４において同じ。）その他の恒久的施設帰属所得の認識に影響を与える状況を特定し、これらの状況を総合的に勘案して認識する。この場合において、当該機能及び当該事実の分析は、当該非居住者が行った外部取引ごと又は当該恒久的施設とその事業場等との間で行われた資産の移転、役務の提供等の事実ごとに、かつ、当該恒久的施設が当該非居住者から独立して事業を行う事業者であるものとして行うことに留意する。(基通161－９)

３　(恒久的施設が果たす機能の範囲)

①(一)に規定する「恒久的施設が果たす機能」には、恒久的施設が果たすリスクの引受け又はリスクの管理に関する人的機能、資産の帰属に係る人的機能、研究開発に係る人的機能、製造に係る人的機能、販売に係る人的機能、役務提供に係る人的機能等が含まれることに留意する。(基通161－10)

㊟　本文の「恒久的施設が果たすリスクの引受け又はリスクの管理に関する人的機能」とは、当該恒久的施設を通じて行う事業に従事する者が行うリスクの引受け又はリスクの管理に関する積極的な意思決定が必要とされる活動をいう。

４　(恒久的施設において使用する資産の範囲)

①(一)に規定する「恒久的施設において使用する資産」には、基通165の３－４《恒久的施設に帰せられる資産の意義》の判定により恒久的施設に帰せられることとなる資産のほか、例えば、賃借をしている固定資産（第一節**―19**⑧イからツまでに掲げる無形固定資産を除く。）、使用許諾を受けた無形資産（⑤(２)(一)イからハまでに掲げるもののほか、顧客リスト、販売網等の重要な価値のあるものをいう。）等で当該恒久的施設において使用するものが含まれることに留意する。(基通161－11)

㊟　本文の「賃借」及び「使用許諾」には、賃借及び使用許諾に相当する内部取引が含まれる。

５　(国内にある資産)

①(二)又は(三)の規定の適用上、非居住者の有する資産（棚卸資産である動産を除く。以下(注)５において同じ。）が国内にあるかどうかは、①(２)又は①(４)に定めるところによるもののほか、おおむね次に掲げる資産の区分に応じ、それぞれ次に掲げる場所が国内にあるかどうかにより判定する。(基通161－12)

⑴　動産　その所在地。ただし、国外又は国内に向けて輸送中の動産については、その目的地とする。

⑵　不動産又は不動産の上に存する権利　その不動産の所在地

⑶　登録された船舶又は航空機　その登録機関の所在地

⑷　鉱業権、租鉱権又は採石権（これらの権利に類する権利を含む。）　その権利に係る鉱区又は採石場の所在地

６　(資産の運用又は保有により生ずる所得)

①(二)に掲げる所得には、次のようなものが該当する。(基通161－14)

⑴　公社債を国内において貸し付けた場合の貸付料及び(２)(一)に掲げる国債、地方債、債券若しくは資金調達のために発行する約束手形に係る償還差益又は発行差金

⑵　(２)(二)に掲げる債権の利子及び当該債権又は①(十)に規定する貸付金に係る債権をその債権金額に満たない価額で取得した場合におけるその満たない部分の金額

⑶　国内にある供託金について受ける利子

⑷　個人から受ける動産（当該個人が国内において生活の用に供するものに限る。）の使用料

7　（旅費、滞在費等）

①(六)に掲げる対価には、非居住者が①(六)に規定する人的役務を提供するために要する往復の旅費、国内滞在費等の全部又は一部を当該対価の支払者が負担する場合におけるその負担する費用が含まれることに留意する。ただし、その費用として支出する金銭等が、当該人的役務を提供する者に対して交付されるものでなく、当該対価の支払者から航空会社、ホテル、旅館等に直接支払われ、かつ、その金額がその費用として通常必要であると認められる範囲内のものであるときは、この限りでない。（基通161－19）

8　（人的役務の提供を主たる内容とする事業等の範囲）

国内において人的役務の提供を行う者の事業が①(六)に規定する人的役務の提供を主たる内容とする事業に該当するかどうかは、国内における人的役務の提供に関する契約ごとに、その契約に基づく人的役務の提供が①(８)に掲げる事業に該当するかどうかにより判定するものとする。この場合、国内において①(六)に規定する人的役務の提供を主たる内容とする事業を行う者には、国内において当該事業を行う他の非居住者又は外国法人に対し、①(８)(一)から同(三)までに掲げる人的役務の提供を主たる内容とする事業を行う非居住者又は外国法人も含まれることに留意する。（基通161－20）

9　（人的役務の提供を主たる内容とする事業の意義）

①(六)に規定する「人的役務の提供を主たる内容とする事業」とは、非居住者が営む自己以外の者の人的役務の提供を主たる内容とする事業又は外国法人が営む人的役務の提供を主たる内容とする事業で①(８)(一)から同(三)までに掲げるものをいうことに留意する。したがって、非居住者が次に掲げるような者を伴い国内において自己の役務を主たる内容とする役務の提供をした場合に受ける報酬は、①(六)に掲げる対価に該当するのではなく、①(十二)イに掲げる報酬に該当する。（基通161－21）

⑴　弁護士、公認会計士等の自由職業者の事務補助者

⑵　映画、演劇の俳優、音楽家、声楽家等の芸能人のマネージャー、伴奏者、美容師

⑶　プロボクサー、プロレスラー等の職業運動家のマネージャー、トレーナー

⑷　通訳、秘書、タイピスト

10　（船舶又は航空機の貸付け）

①(七)に掲げる「船舶若しくは航空機の貸付けによる対価」とは、船体又は機体の賃貸借であるいわゆる裸用船（機）契約に基づいて支払を受ける対価をいい、乗組員とともに船体又は機体を利用させるいわゆる定期用船（機）契約又は航海用船（機）契約に基づいて支払を受ける対価は、これに該当しない。（基通161－26）

㊟１　恒久的施設を有する非居住者のいわゆる定期用船（機）契約又は航海用船（機）契約に基づいて支払を受ける対価は、③の運送の事業に係る所得に該当する。

２　非居住者又は外国法人が居住者又は内国法人に対する船舶又は航空機の貸付け（いわゆる裸用船（機）契約によるものに限る。）に基づいて支払を受ける対価は、たとえ当該居住者又は内国法人が当該貸付けを受けた船舶又は航空機を専ら国外において事業の用に供する場合であっても、①(七)に掲げる国内源泉所得に該当することに留意する。

11　（船舶等の貸付けに伴う技術指導等の対価）

非居住者又は外国法人が①(七)に規定する船舶又は航空機の貸付けをしたことに伴い、当該船舶又は航空機の運航又は整備に必要な技術指導をするための役務の提供をした場合には、当該貸付けに係る契約書等において当該貸付けに係る対価の額と当該役務の提供に係る対価の額とが明確に区分されているときを除き、その対価の額の全部が船舶又は航空機の貸付けによる対価の額に該当するものとする。（基通161－27）

12　（当該業務に係るものの利子の意義）

①(十)に掲げる「当該業務に係るものの利子」とは、国内において業務を行う者に対する①(十)に規定する貸付金のうち、当該国内において行う業務の用に供されている部分の貸付金に対応するものをいう。（基通161－29）

13　（貸付金に準ずるもの）

①(十)に規定する「国内において業務を行う者に対する貸付金」に準ずるものには、国内において業務を行う者に対する債権で次に掲げるようなものが含まれることに留意する。（基通161－30）

⑴　預け金のうち①(八)ハに掲げる預貯金以外のもの

⑵　保証金、敷金その他これらに類する債権

⑶　前渡金その他これに類する債権

⑷　他人のために立替払をした場合の立替金

⑸　取引の対価に係る延払債権

⑹　保証債務を履行したことに伴って取得した求償権

⑺　損害賠償金に係る延払債権

⑻　当座貸越に係る債権

14　（商品等の輸入代金に係る延払債権の利子相当額）

商品等の輸入代金に係る延払債権の利子相当額は、①(９)に規定するものを除き、①(十)に掲げる貸付金の利子に該当するのであるが、当該利子相当額が商品等の代金に含めて関税の課税標準とされるものであるときは、当該利子相当額は同号に掲げる貸付金の利子に該当しないものとして差し支えない。（基通161－31）

15　（当該業務に係るものの意義）

①(十一)に掲げる「当該業務に係るもの」とは、国内において業務を行う者に対し提供された①(十一)イ、ロ又はハに規定する資産の使用料又は対価で、当該資産のうち国内において行う業務の用に供されている部分に対応するものをいう。したがって、例えば、居住者又は内国法人が非居住者又は外国法人から提供を受けた工業所有権等を国外において業務を行う他の者（以下(注)15において「再実施権者」という。）の当該国外における業務の用に提供することにより当該非居住者又は外国法人に対して支払う使用料のうち、再実施権者の使用に係る部分の使用料（当該居住者又は内国法人が再実施権者から受領する使用料の額を超えて支払う場合には、その受領する使用料の額に達す

るまでの部分の金額に限る。）は、①(十一)に掲げる使用料に該当しないことに留意する。(基通161－33)

16　(工業所有権等の意義)

①(十一)イに規定する「工業所有権その他の技術に関する権利、特別の技術による生産方式若しくはこれらに準ずるもの」(以下「工業所有権等」という。）とは、特許権、実用新案権、意匠権、商標権の工業所有権及びその実施権等のほか、これらの権利の目的にはなっていないが、生産その他業務に関し繰り返し使用し得るまでに形成された創作、すなわち、特別の原料、処方、機械、器具、工程によるなど独自の考案又は方法を用いた生産についての方式、これに準ずる秘けつ、秘伝その他特別に技術的価値を有する知識及び意匠等をいう。したがって、ノーハウはもちろん、機械、設備等の設計及び図面等に化体された生産方式、デザインもこれに含まれるが、海外における技術の動向、製品の販路、特定の品目の生産高等の情報又は機械、装置、原材料等の材質等の鑑定若しくは性能の調査、検査等は、これに該当しない。(基通161－34)

17　(使用料の意義)

①(十一)イの工業所有権等の使用料とは、工業所有権等の実施、使用、採用、提供若しくは伝授又は工業所有権等に係る実施権若しくは使用権の設定、許諾若しくはその譲渡の承諾につき支払を受ける対価の一切をいい、①(十一)ロの著作権の使用料とは、著作物（著作権法第２条第１項第１号《定義》に規定する著作物をいう。以下(注)17において同じ。）の複製、上演、演奏、放送、展示、上映、翻訳、編曲、脚色、映画化その他著作物の利用又は出版権の設定につき支払を受ける対価の一切をいうのであるから、これらの使用料には、契約を締結するに当たって支払を受けるいわゆる頭金、権利金等のほか、これらのものを提供し、又は伝授するために要する費用に充てるものとして支払を受けるものも含まれることに留意する。(基通161－35)

18　(図面、人的役務等の提供の対価として支払を受けるものが使用料に該当するかどうかの判定)

工業所有権等を提供し又は伝授するために図面、型紙、見本等の物又は人的役務を提供し、かつ、当該工業所有権等の提供又は伝授の対価の全てを当該提供した物又は人的役務の対価として支払を受ける場合には、当該対価として支払を受けるもののうち、次のいずれかに該当するものは①(十一)イに掲げる使用料に該当するものとし、その他のものは当該物又は人的役務の提供の対価に該当するものとする。(基通161－36)

⑴　当該対価として支払を受ける金額が、当該提供し又は伝授した工業所有権等を使用した回数、期間、生産高又はその使用による利益の額に応じて算定されるもの

⑵　⑴に掲げるもののほか、当該対価として支払を受ける金額が、当該図面その他の物の作成又は当該人的役務の提供のために要した経費の額に通常の利潤の額（個人が自己の作成した図面その他の物を提供し、又は自己の人的役務を提供した場合には、その者がその物の作成又は人的役務の提供につき通常受けるべき報酬の額を含む。）を加算した金額に相当する金額を超えるもの

㊟　上記により物又は人的役務の提供の対価に該当するとされるものは、通常その図面等が作成された地又は人的役務の提供が行われた地に源泉がある所得となる。

なお、これらの所得のうち、国内源泉所得とされるものは、①(一)、(六)又は(十二)に掲げる所得に該当する。

19　(使用料に含まれないもの)

工業所有権等又は著作権の提供契約に基づき支払を受けるもののうち次に掲げる費用又は代金で、当該契約の目的である工業所有権等又は著作権の使用料として支払を受ける金額と明確に区分されているものは、(注)17及び(注)18にかかわらず、①(十一)イ又はロに掲げる使用料に該当しないものとする。(基通161－37)

⑴　工業所有権等の提供契約に基づき、工業所有権等の提供者が自ら又は技術者を派遣して国内において人的役務を提供するために要する費用（例えば、派遣技術者の給与及び通常必要と認められる渡航費、国内滞在費、国内旅費）

⑵　工業所有権等の提供契約に基づき、工業所有権等の提供者のもとに技術習得のために派遣された技術者に対し技術の伝授をするために要する費用

⑶　工業所有権等の提供契約に基づき提供する図面、型紙、見本等の物の代金で、その作成のための実費の程度を超えないと認められるもの

⑷　映画フィルム、テレビジョン放送用のフィルム又はビデオテープの提供契約に基づき、これらの物とともに提供するスチール写真等の広告宣伝用材料の代金で、その作成のための実費の程度を超えないと認められるもの

20　(工業所有権等の現物出資があった場合)

非居住者又は外国法人が、内国法人に対し当該内国法人の国内において行う業務に係る工業所有権等の現物出資をした場合には、その出資により取得する株式又は持分は、それぞれ次により権利の譲渡の対価又は使用料に該当するものとする。(基通161－38)

⑴　現物出資をしたものが工業所有権又はその出願権である場合には、これらの権利の譲渡の対価とする。

⑵　現物出資をしたものが⑴以外のもの（例えば、工業所有権の実施権又は工業所有権若しくはその出願権の目的となっていない特別の技術による生産方式等）である場合には、その出資をした権利又は技術の使用料とする。

(注)　工業所有権等を提供することにより取得するものが権利の譲渡の対価に該当するか又は使用料に該当するかの区別は、租税条約（例えば、日本メキシコ租税条約第12条、日本ブラジル租税条約第11条等）において軽減税率の適用上譲渡の対価と使用料とを区別している場合に限り行えば足りるものであることに留意する。

21　(旅費、滞在費等)

(注)７の取扱いは、①(十二)イに掲げる「人的役務の提供に対する……に基因する」報酬の支払者が、当該人的役務を提供する非居住者の当該人的役務を提供するために要する往復の旅費、国内滞在費等の全部又は一部を負担する場合について準用する。(基通161－40)

22　(損害賠償金等)

①(四)から(十六)までに掲げる対価、使用料、給与、報酬等（以下(注)22においてこれらを「対価等」という。）には、当該対価等として支払われるものばかりでなく、当該対価等に代わる性質を有する損害賠償金その他これに類するものも含まれる。(基通161－46)

(注)　「その他これに類するもの」には、和解金、解決金のほか、対価等の支払が遅延したことに基づき支払われる遅延利息とされる金員で、当該対価等に代わる性質を有するものが含まれることに留意する。

（①（一）に規定する（1）で定めるもの）

（1）　①（一）に規定する（1）で定めるものは、次の（一）から（四）までに掲げるものとする。（令279）

（一）	第一節**一８の４**イに規定する事業を行う一定の場所に相当するもの
（二）	第一節**一８の４**ロに規定する建設若しくは据付けの工事又はこれらの指揮監督の役務の提供を行う場所に相当するもの
（三）	第一節**一８の４**ハに規定する自己のために契約を締結する権限のある者に相当する者
（四）	（一）から（三）までに掲げるものに準ずるもの

（国内にある資産の運用又は保有により生ずる所得）

（2）　次の（一）から（三）までに掲げる資産の運用又は保有により生ずる所得（①（八）から同（十六）までに該当するものを除く。）は、①（二）に掲げる国内源泉所得に含まれるものとする。（令280①）

（一）	公社債のうち日本国の国債若しくは地方債若しくは内国法人の発行する債券又は金融商品取引法第２条第１項第15号《定義》に掲げる約束手形
（二）	居住者に対する貸付金に係る債権で当該居住者の行う業務に係るもの以外のもの
（三）	国内にある営業所、事務所その他これらに準ずるもの又は国内において契約の締結の代理をする者を通じて締結した生命保険契約（保険業法第２条第３項《定義》に規定する生命保険会社若しくは同条第８項に規定する外国生命保険会社等の締結した保険契約又は同条第18項に規定する少額短期保険業者（以下（三）において「少額短期保険業者」という。）の締結したこれに類する保険契約をいう。）、第三節**七**①に規定する旧簡易生命保険契約、損害保険契約（同法第２条第４項に規定する損害保険会社若しくは同条第９項に規定する外国損害保険会社等の締結した保険契約又は少額短期保険業者の締結したこれに類する保険契約をいう。）その他これらに類する契約に基づく保険金の支払又は剰余金の分配（これらに準ずるものを含む。）を受ける権利

（注）１　（振替公社債等の運用又は保有）

（２）（一）に掲げる債券には、社債、株式等の振替に関する法律又は廃止前の社債等登録法の規定により振替口座簿に記載若しくは記録又は登録されたため債券の発行されていない公社債が含まれる。（基通161－13）

２　（振替公社債等の利子）

（注）１の取扱いは、①（八）イに規定する債券の範囲について準用する。（基通161－28）

（①（二）に掲げる国内源泉所得に含まれないもの）

（3）　次の（一）及び（二）に掲げるものは、①（二）に掲げる国内源泉所得に含まれないものとする。（令280②）

（一）	（9）に規定する利子
（二）	金融商品取引法第２条第21項に規定する市場デリバティブ取引又は同条第22項に規定する店頭デリバティブ取引の決済により生ずる所得

（①（三）に規定する（4）で定める所得）

（4）　①（三）に規定する（4）で定める所得は、次の（一）から（八）までに掲げる所得とする。（令281①）

（一）	国内にある不動産の譲渡による所得
（二）	国内にある不動産の上に存する権利、鉱業法の規定による鉱業権又は採石法の規定による採石権の譲渡による所得
（三）	国内にある山林の伐採又は譲渡による所得
（四）	内国法人の発行する株式（株主となる権利、株式の割当てを受ける権利、新株予約権及び新株予約権の割当てを受ける権利を含む。）その他内国法人の出資者の持分（会社法の施行に伴う関係法律の整備等に関する法律第230条第１項《特定目的会社による特定資産の流動化に関する法律等の一部を改正する法律の一部改正に伴う経過措置等》に規定する特例旧特定目的会社の出資者の持分を除く。以下（4）及び（注）３において「株式等」という。）の譲渡（第五章第三節**二**《一般株式等に係る譲渡所得等の課税の特例》**１**②若しくは同③又は同節**三１**《上場株式等に係る譲渡所得等の課税の特例》①若しくは同③の規定によりその額及び価額の合計額が第五章第

	三節二１①に規定する一般株式等に係る譲渡所得等又は同節三１①に規定する上場株式等に係る譲渡所得等に係る収入金額とみなされる金銭及び金銭以外の資産の交付の基因となった第五章第三節二１②（(八)及び(九)に係る部分を除く。）若しくは同③(一)から同(三)まで又は第五章第三節三１③(一)及び同(二)に規定する事由に基づく同節一(一)から同(五)までに掲げる株式等（同(四)に掲げる受益権にあっては、公社債投資信託以外の証券投資信託の受益権及び証券投資信託以外の投資信託で公社債等運用投資信託に該当しないものの受益権に限る。）についての当該金銭の額及び当該金銭以外の資産の価額に対応する権利の移転又は消滅を含む。以下同じ。）による所得で次に掲げるもの イ　同一銘柄の内国法人の株式等の買集めをし、その所有者である地位を利用して、当該株式等をその内国法人若しくはその特殊関係者に対し、又はこれらの者若しくはその依頼する者のあっせんにより譲渡をすることによる所得 ロ　内国法人の特殊関係株主等である非居住者が行うその内国法人の株式等の譲渡による所得
(五)	法人（不動産関連法人に限る。）株式（出資及び投資信託及び投資法人に関する法律第２条第14項《定義》に規定する投資口（(注)８において「投資口」という。）を含む。(注)７及び(注)９において同じ。）の譲渡による所得
(六)	国内にあるゴルフ場の所有又は経営に係る法人の株式又は出資を所有することがそのゴルフ場を一般の利用者に比して有利な条件で継続的に利用する権利を有する者となるための要件とされている場合における当該株式又は出資の譲渡による所得
(七)	国内にあるゴルフ場その他の施設の利用に関する権利の譲渡による所得
(八)	(一)から(七)までに掲げるもののほか、非居住者が国内に滞在する間に行う国内にある資産の譲渡による所得

(注)１　(４)(四)イに規定する株式等の買集めとは、金融商品取引所（金融商品取引法第２条第16項《定義》に規定する金融商品取引所をいう。(注)８において同じ。）又は同条第13項に規定する認可金融商品取引業協会がその会員（同条第19項に規定する取引参加者を含む。）に対し特定の銘柄の株式につき価格の変動その他売買状況等に異常な動きをもたらす基因となると認められる相当数の株式の買集めがあり、又はその疑いがあるものとしてその売買内容等につき報告又は資料の提出を求めた場合における買集めその他これに類する買集めをいう。（令281②）

２　(４)(四)イに規定する特殊関係者とは、(四)イの内国法人の役員又は主要な株主等（(四)イに規定する株式等の買集めをした者から当該株式等を取得することによりその内国法人の主要な株主等となることとなる者を含む。）、これらの者の親族、これらの者の支配する法人、その内国法人の主要な取引先その他その内国法人とこれらに準ずる特殊の関係のある者をいう。（令281③）

３　(４)(四)ロに規定する特殊関係株主等とは、次に掲げる者をいう。（令281④）

(一)	(４)(四)ロの内国法人の一の株主等
(二)	(一)の一の株主等と法人税法施行令第４条《同族関係者の範囲》に規定する特殊の関係その他これに準ずる関係のある者
(三)	(一)の一の株主等が締結している組合契約（次のイからハまでに掲げるものを含む。）に係る組合財産である(４)(四)ロの内国法人の株式等につき、その株主等に該当することとなる者（(一)、(二)に掲げる者を除く。） イ　当該一の株主等が締結している組合契約による組合（これに類するものを含む。以下(三)において同じ。）が締結している組合契約 ロ　イ又はハに掲げる組合契約による組合が締結している組合契約 ハ　ロに掲げる組合契約による組合が締結している組合契約

４　(注３)(三)及び(注)９(三)において、組合契約とは次の(一)から(四)までに掲げる契約をいい、組合財産とは当該(一)から(四)までに掲げる契約の区分に応じ当該(一)から(四)までに定めるものをいう。（令281⑤）

(一)	民法第667条第１項《組合契約》に規定する組合契約　同法第668条《組合財産の共有》に規定する組合財産
(二)	投資事業有限責任組合契約に関する法律第３条第１項《投資事業有限責任組合契約》に規定する投資事業有限責任組合契約　同法第16条《民法の準用》において準用する民法第668条に規定する組合財産
(三)	有限責任事業組合契約に関する法律第３条第１項《有限責任事業組合契約》に規定する有限責任事業組合契約　同法第56条《民法の準用》において準用する民法第668条に規定する組合財産
(四)	外国における(一)から(三)までに掲げる契約に類する契約（以下(四)において「外国組合契約」という。）　当該外国組合契約に係る(一)から(三)までに規定する組合財産に類する財産

５　(４)(四)ロに規定する株式等の譲渡は、次の(一)及び(二)に掲げる要件を満たす場合の同(四)ロの非居住者の当該譲渡の日の属する年（以下「譲渡年」という。）における(二)に規定する株式又は出資の譲渡に限るものとする。（令281⑥）

(一)	譲渡年以前３年内のいずれかの時において、(４)(四)ロの内国法人の特殊関係株主等がその内国法人の発行済株式又は出資（(二)及び(注)６において「発行済株式等」という。の総数又は総額の100分の25以上に相当する数又は金額の株式又は出資（当該特殊関係株主等が(注３)(三)に掲げる者である場合には、同(三)の組合財産であるものに限る。(二)及び(注)６において同

	じ。）を所有していたこと。
(二)	譲渡年において、(4)(四)ロの非居住者を含む同(四)ロの内国法人の特殊関係株主等が最初にその内国法人の株式又は出資の譲渡をする直前のその内国法人の発行済株式等の総数又は総額の100分の５以上に相当する数又は金額の株式又は出資の譲渡をしたこと。

6　次に掲げる場合のいずれかに該当するときは、(4)(四)ロの非居住者を含む同(四)ロの内国法人の特殊関係株主等が(注５)(二)に掲げる要件を満たす同(二)に規定する株式又は出資の譲渡をしたものとして、(注５)の規定を適用する。(令281⑦)

(一)	(4)(四)ロの非居住者がその有する株式又は出資を発行した同(四)ロの内国法人の第四章第二節**一**《配当所得》に規定する分割型分割（以下(一)において「分割型分割」という。）のうち次のいずれかに該当するものにより同節**二２**(2)(三)《所有株式に対応する資本金等の額の計算方法等》に規定する分割承継法人（以下(一)において「分割承継法人」という。）の株式、第六章第二節**四８**⑤《分割型分割により取得した株式等の取得価額》に規定する分割承継親法人（以下(一)において「分割承継親法人」という。）の株式その他の資産の交付を受けた場合において、当該分割型分割に係る同(2)に規定する割合に、当該内国法人の当該分割型分割の直前の発行済株式等の総数又は総額のうちに当該非居住者を含む当該内国法人の特殊関係株主等が当該分割型分割の直前に所有していた当該内国法人の株式又は出資の数又は金額の占める割合を乗じて計算した割合が100分の５以上であるとき。 イ　分割型分割に係る法人税法第２条第12号の９イ《定義》に規定する分割対価資産として当該分割型分割に係る分割承継法人又は分割承継親法人のうちいずれか一の法人の株式（出資を含む。以下(一)において同じ。）以外の資産が交付される分割型分割 ロ　分割型分割に係る分割承継法人又は分割承継親法人の株式が当該分割型分割に係る第四章第二節**二２**(3)(六)に規定する分割法人の発行済株式等の総数又は総額のうちに占める当該分割法人の各株主等の有する当該分割法人の株式の数又は金額の割合に応じて交付されない分割型分割
(二)	(4)(四)ロの非居住者がその有する株式又は出資を発行した同(四)ロの内国法人の法人税法第２条第12号の15の２に規定する株式分配（以下(二)において「株式分配」という。）のうち次のイ又はロいずれかに該当するものにより同条第12号の15の２に規定する完全子法人（以下(二)において「完全子法人」という。）の株式その他の資産の交付を受けた場合において、当該株式分配に係る第六章第二節**四８**⑥(1)《株式分配により取得した株式等の取得価額》に規定する割合に、当該内国法人の当該株式分配の直前の発行済株式等の総数又は総額のうちに当該非居住者を含む当該内国法人の特殊関係株主等が当該株式分配の直前に所有していた当該内国法人の株式又は出資の数又は金額の占める割合を乗じて計算した割合が100分の５以上であるとき。 イ　完全子法人の株式（出資を含む。ロにおいて同じ。）以外の資産が交付される株式分配 ロ　株式分配に係る完全子法人の株式が当該株式分配に係る法人税法第２条第12号の５の２に規定する現物分配法人の発行済株式等の総数又は総額のうちに占める当該現物分配法人の各株主等の有する当該現物分配法人の株式の数又は金額の割合に応じて交付されない株式分配
(三)	(4)(四)ロの非居住者がその有する株式又は出資を発行した同(四)ロの内国法人の資本の払戻し（第四章第二節**二１**《配当等とみなす金額》(四)に規定する資本の払戻しをいう。ロにおいて同じ。）又は解散による残余財産の分配（以下(三)において「払戻し等」という。）として金銭その他の資産の交付を受けた場合において、次に掲げる場合の区分に応じそれぞれ次に定める割合が100分の５以上であるとき。

(三)		
イ	ロに掲げる場合以外の場合	当該払戻し等に係る払戻等割合（第六章第二節**四８**⑦《資本の払戻し等があった場合の株式等の取得価額》に規定する払戻等割合をいう。ロにおいて同じ。）に、当該内国法人の当該払戻し等の直前の発行済株式等の総数又は総額のうちに当該非居住者を含む当該内国法人の特殊関係株主等が当該払戻し等の直前に所有していた当該内国法人の株式又は出資の数又は金額の占める割合を乗じて計算した割合
ロ	当該払戻し等が二以上の種類の株式又は出資を発行していた法人が行った資本の払戻しである場合	当該払戻し等に係る株式又は出資の種類ごとに、その種類の株式又は出資に係る払戻等割合に、当該内国法人の当該払戻し等の直前の発行済株式等の総数又は総額のうちに当該非居住者を含む当該内国法人の特殊関係株主等が当該払戻し等の直前に所有していた当該内国法人の当該種類の株式又は出資の数又は金額の占める割合を乗じて計算した割合の合計割合

7　(4)(五)に規定する不動産関連法人とは、その株式の譲渡の日から起算して365日前の日から当該譲渡の直前の時までの間のいずれかの時において、その有する資産の価額の総額のうちに次の(一)から(四)までに掲げる資産の価額の合計額の占める割合が100分の50以上である法人をいう。(令281⑧)

(一)	国内にある土地等（土地若しくは土地の上に存する権利又は建物及びその附属設備若しくは構築物をいう。以下に同じ。）
(二)	その有する資産の価額の総額のうちに国内にある土地等の価額の合計額の占める割合が100分の50以上である法人の株式
(三)	(二)又は(四)に掲げる株式を有する法人（その有する資産の価額の総額のうちに国内にある土地等並びに(二)、(三)及び(四)に掲げる株式の価額の合計額の占める割合が100分の50以上であるものに限る。）の株式（(二)に掲げる株式に該当するものを除く。）
(四)	(三)に掲げる株式を有する法人（その有する資産の価額の総額のうちに国内にある土地等並びに(二)、(三)及び(四)に掲げる株式の価額の合計額の占める割合が100分の50以上であるものに限る。）の株式（(二)、(三)に掲げる株式に該当するものを除

	く。）

8　（4）（五）に規定する株式の譲渡は、次の（一）及び（二）に掲げる株式（投資口を含む。以下（注8）において同じ。）又は出資の譲渡に限るものとする。（令281⑨）

（一）	譲渡年の前年の12月30日（以下（注8）において「基準日」という。）において、その株式又は出資（金融商品取引所に上場されているものその他これに類するものとして財務省令で定めるものに限る。（二）において「上場株式等」という。）に係る（4）（五）の法人の特殊関係株主等が当該法人の発行済株式（投資信託及び投資法人に関する法律第2条第12項に規定する投資法人にあっては、発行済みの投資口）又は出資（当該法人が有する自己の株式又は出資を除く。（二）において「発行済株式等」という。）の総数又は総額の100分の5を超える数又は金額の株式又は出資（当該特殊関係株主等が（注）9（三）に掲げる者である場合には、同（三）の組合財産であるものに限る。）を有し、かつ、その株式又は出資の譲渡をした者が当該特殊関係株主等である場合の当該譲渡
（二）	基準日において、その株式又は出資（上場株式等を除く。）に係る（4）（五）の法人の特殊関係株主等が当該法人の発行済株式等の総数又は総額の100分の2を超える数又は金額の株式又は出資（当該特殊関係株主等が（注）9（三）に掲げる者である場合には、（三）の組合財産であるものに限る。）を有し、かつ、その株式又は出資の譲渡をした者が当該特殊関係株主等である場合の当該譲渡

9　（注）8に規定する特殊関係株主等とは、次の（一）から（三）までに掲げる者をいう。（令281⑩）

（一）	（4）（五）の法人の一の株主等
（二）	（一）の一の株主等と法人税法施行令第4条に規定する特殊の関係その他これに準ずる関係のある者
（三）	（一）の一の株主等が締結している組合契約（次のイからハまでに掲げるものを含む。）に係る組合財産である（4）（五）の法人の株式につき、その株主等に該当することとなる者（（一）、（二）に掲げる者を除く。） イ　当該一の株主等が締結している組合契約による組合（これに類するものを含む。以下（注9）において同じ。）が締結している組合契約 ロ　イ又はハに掲げる組合契約による組合が締結している組合契約 ハ　ロに掲げる組合契約による組合が締結している組合契約

10　（特殊関係株主等が譲渡した発行済株式又は出資の総数又は総額に占める割合の判定時期）

（注）5（二）に規定する特殊関係株主等の譲渡した株式又は出資の総数又は総額が同（二）の内国法人の発行済株式又は出資の総数又は総額の5％以上になるかどうかは、同（二）に規定する譲渡年の中途において当該内国法人が行った増資等により当該発行済株式又は出資の総数又は総額に異動があった場合においても、当該譲渡年において最初に当該株式又は出資を譲渡した直前の当該発行済株式又は出資の総数又は総額に基づいて計算することに留意する。（基通161−15）

（①（四）に規定する（5）で定める契約）

（5）　①（四）に規定する（5）で定める契約は、次の（一）から（三）までに掲げる契約とする。（令281の2①）

（一）	投資事業有限責任組合契約に関する法律第3条第1項《投資事業有限責任組合契約》に規定する投資事業有限責任組合契約
（二）	有限責任事業組合契約に関する法律第3条第1項《有限責任事業組合契約》に規定する有限責任事業組合契約
（三）	外国における次に掲げる契約に類する契約 イ　民法第667条第1項《組合契約》に規定する組合契約 ロ　（一）又は（二）に掲げる契約

（①（四）に規定する（6）で定める利益）

（6）　①（四）に規定する（6）で定める利益は、同（四）に規定する組合契約（以下（6）において「組合契約」という。）に基づいて恒久的施設を通じて行う事業から生ずる収入から当該収入に係る費用（①（五）から同（十六）までに掲げる国内源泉所得につき所得税法第212条第1項《源泉徴収義務》の規定により徴収された所得税を含む。）を控除したものについて当該組合契約を締結している組合員（当該組合契約を締結していた組合員並びに（2）（三）に掲げる契約を締結している者及び当該契約を締結していた者を含む。）が当該組合契約に基づいて配分を受けるものとする。（令281の2②）

（①（五）に規定する（7）で定める対価）

（7）　①（五）に規定する（7）で定める対価は、土地等（国内にある土地若しくは土地の上に存する権利又は建物及びその附属設備若しくは構築物をいう。以下（7）において同じ。）の譲渡による対価（その金額が1億円を超えるものを除く。）で、当該土地等を自己又はその親族の居住の用に供するために譲り受けた個人から支払われるものとする。（令

281の3）

（注）1　上記の規定に該当しない土地等の譲渡の対価を非居住者又は外国法人に支払う者は、個人・法人を問わずその支払の際に当該譲渡対価の金額の100分の10に相当する所得税を源泉徴収し、これを翌月10日までに国に納付しなければならない。（法212他編者要約）支払調書の書式は所規別表五（二十七）による。

2　（土地等の範囲）

①（五）に掲げる国内にある土地若しくは土地の上に存する権利又は建物及びその附属設備若しくは構築物（以下（注）4までにおいて「土地等」という。）には、鉱業権（租鉱権及び採石権その他土石を採掘し又は採取する権利を含む。）、温泉を利用する権利、配偶者居住権（当該配偶者居住権の目的となっている建物の敷地の用に供される土地（土地の上に存する権利を含む。）を当該配偶者居住権に基づき使用する権利を含む。）、借家権及び土石（砂）などは含まれないことに留意する。（基通161－16）

3　（自己又はその親族の居住の用に供するために該当するかどうかの判定）

（7）に規定する「自己又はその親族の居住の用に供するため」には、土地等を譲り受けた者が事業の用若しくは貸付けの用その他居住の用以外の用に供するため又は他への譲渡のために譲り受けた場合は含まれないのであるが、例えば、当該土地等を譲り受けた後居住の用に供していない場合でも、当該土地等を譲り受ける時の現況において自己又はその親族の居住の用に供するために譲り受けたことについて、合理的な理由があるときはこれに含まれることに留意する。（基通161－17）

4　（譲渡対価が１億円を超えるかどうかの判定）

（7）に規定する土地等の譲渡による対価の金額が１億円を超えるかどうかの判定に当たっては、例えば、当該土地等を居住の用と居住の用以外の用とに供するために譲り受けた個人から支払われるものである場合には、居住の用に供する部分に係る対価の金額及び居住の用以外の用に供する部分に係る対価の金額の合計額により判定することに留意する。（基通161－18）

（①（六）に規定する（8）で定める事業）

（8）　①（六）に規定する（8）で定める事業は、次の（一）から（三）までに掲げる事業とする。（令282）

（一）	映画若しくは演劇の俳優、音楽家その他の芸能人又は職業運動家の役務の提供を主たる内容とする事業
（二）	弁護士、公認会計士、建築士その他の自由職業者の役務の提供を主たる内容とする事業
（三）	科学技術、経営管理その他の分野に関する専門的知識又は特別の技能を有する者の当該知識又は技能を活用して行う役務の提供を主たる内容とする事業（機械設備の販売その他事業を行う者の主たる業務に付随して行われる場合における当該事業及び一表内**8の4**《恒久的施設》ロに規定する建設又は据付けの工事の指揮監督の役務の提供を主たる内容とする事業を除く。）

（注）1　（芸能人等の役務の提供に係る対価の範囲）

（8）（一）に掲げる芸能人又は職業運動家の役務の提供を主たる内容とする事業に係る①（六）に掲げる対価には、国内において当該事業を行う非居住者又は外国法人が当該芸能人又は職業運動家の実演又は実技、当該実演又は実技の録音、録画につき放送、放映その他これらに類するものの対価として支払を受けるもので、当該実演又は実技に係る役務の提供に対する対価とともに支払を受けるものが含まれる。（基通161－22）

㊟　国内において当該事業を行う者が著作隣接権の対価として支払を受けるもので、上記の取扱いにより①（六）に掲げる対価とされるもの以外のものは、①（十一）ロに掲げる著作隣接権の使用料に該当する。

2　（職業運動家の範囲）

（8）（一）に規定する「職業運動家」には、運動家のうち、いわゆるアマチュア、ノンプロ等と称される者であっても、競技等の役務を提供することにより報酬を受ける場合には、これに含まれることに留意する。（基通161－23）

㊟　運動家には、陸上競技などの選手に限られず、騎手、レーサーのほか、大会などで競技する囲碁、チェス等の競技者等が含まれることに留意する。

3　（人的役務の提供に係る対価に含まれるもの）

（8）（一）から同（三）までに掲げる事業を行う者が受ける①（六）に規定する人的役務の提供に係る対価には、国内において当該事業を行う者が当該人的役務の提供に関して支払を受ける全ての対価が含まれることに留意する。したがって、例えば、職業運動家の役務の提供を受けるため、その職業運動家の所属していた法人その他の者に支払われる対価は、移籍料、仲介料、レンタル料、保有権の譲渡対価又は賃貸料等その名称のいかんにかかわらず①（六）に規定する人的役務の提供に係る対価に該当することとなる。（基通161－24）

4　（機械設備の販売等に付随して行う技術役務の提供）

（8）（三）に掲げる「科学技術、経営管理その他の分野に関する専門的知識又は特別の技能を有する者の当該知識又は技能を活用して行う役務の提供を主たる内容とする事業」から除かれる「機械設備の販売その他事業を行う者の主たる業務に付随して行われる場合における当該事業」とは、次に掲げるような行為に係る事業をいう。（基通161－25）

⑴　機械設備の販売業者が機械設備の販売に伴い販売先に対し当該機械設備の据付け、組立て、試運転等のために技術者等を派遣する行為

⑵　工業所有権、ノーハウ等の権利者がその権利の提供を主たる内容とする業務を行うことに伴いその提供先に対しその権利の実施のために技術者等を派遣する行為

㊟　上記の行為に係る事業のために派遣された技術者が国内において行った勤務に関して受ける給与は、①（十二）イに掲げる給与に該当することに留意する。

（①(十)に規定する(9)で定める利子）

(9)　①(十)に規定する(9)で定める利子は、次の(一)及び(二)に掲げる債権のうち、その発生の日からその債務を履行すべき日までの期間（期間の更新その他の方法（以下(9)において「期間の更新等」という。）により当該期間が実質的に延長されることが予定されているものについては、その延長された当該期間。以下(9)において「履行期間」という。）が６月を超えないもの（その成立の際の履行期間が６月を超えなかった当該債権について期間の更新等によりその履行期間が６月を超えることとなる場合のその期間の更新等が行われる前の履行期間における当該債権を含む。）の利子とする。（令283①）

(一)	国内において業務を行う者に対してする資産の譲渡又は役務の提供の対価に係る債権
(二)	(一)に規定する対価の決済に関し、金融機関が国内において業務を行う者に対して有する債権

（注）　（資産の譲渡又は役務の提供の対価に係る債権等の意義）

(9)(一)に掲げる「資産の譲渡又は役務の提供の対価に係る債権」には、商品の輸入代金についてのシッパーズユーザンスに係る債権又は商品の輸入代金、出演料、工業所有権若しくは機械、装置等の使用料に係る延払債権のようなものが該当し、(9)(二)に掲げる債権には、銀行による輸入ユーザンスに係る債権のようなものが該当する。（基通161－32）

（船舶又は航空機の購入のためにその居住者又は内国法人に対して提供された貸付金）

(10)　①(十)の規定の適用については、居住者又は内国法人の業務の用に供される船舶又は航空機の購入のためにその居住者又は内国法人に対して提供された貸付金は、①(十)の規定に該当する貸付金とし、非居住者又は外国法人の業務の用に供される船舶又は航空機の購入のためにその非居住者又は外国法人に対して提供された貸付金は、①(十)の規定に該当する貸付金以外の貸付金とする。（令283②）

（①(十)に規定する債券の買戻又は売戻条件付売買取引として(11)で定めるもの）

(11)　①(十)に規定する債券の買戻又は売戻条件付売買取引として(11)で定めるものは、債券をあらかじめ約定した期日にあらかじめ約定した価格で（あらかじめ期日及び価格を約定することに代えて、その開始以後期日及び価格の約定をすることができる場合にあっては、その開始以後約定した期日に約定した価格で）買い戻し、又は売り戻すことを約定して譲渡し、又は購入し、かつ、当該約定に基づき当該債券と同種及び同量の債券を買い戻し、又は売り戻す取引（(12)において「債券現先取引」という。）とする。（令283③）

（①(十)に規定する差益として(12)で定めるもの）

(12)　①(十)に規定する差益として(12)で定めるものは、国内において業務を行う者との間で行う債券現先取引で当該業務に係るものにおいて、債券を購入する際の当該購入に係る対価の額を当該債券と同種及び同量の債券を売り戻す際の当該売戻しに係る対価の額が上回る場合における当該売戻しに係る対価の額から当該購入に係る対価の額を控除した金額に相当する差益とする。（令283④）

（船舶又は航空機において使用されるものの使用料）

(13)　①(十一)の規定の適用については、①(十一)ロ又は同ハに規定する資産で居住者又は内国法人の業務の用に供される船舶又は航空機において使用されるものの使用料は、①(十一)の規定に該当する使用料とし、当該資産で非居住者又は外国法人の業務の用に供される船舶又は航空機において使用されるものの使用料は、①(十一)の規定に該当する使用料以外の使用料とする。（令284②）

（国内における勤務等とみなされるもの――給与等及び報酬）

(14)　①(十二)イで定める人的役務の提供は、次の(一)及び(二)に掲げる勤務その他の人的役務の提供とする。（令285①）

(一)	内国法人の役員としての勤務で国外において行うもの（当該役員としての勤務を行う者が同時にその内国法人の使用人として常時勤務を行う場合の当該役員としての勤務を除く。）
(二)	居住者又は内国法人が運航する船舶又は航空機において行う勤務その他の人的役務の提供（国外における寄航地において行われる一時的な人的役務の提供を除く。）

（注）１　（内国法人の使用人として常時勤務を行う場合の意義）

(14)(一)のかっこ内に規定する「内国法人の使用人として常時勤務を行う場合」とは、内国法人の役員が内国法人の海外にある支店の長として常時その支店に勤務するような場合をいい、例えば、非居住者である内国法人の役員が、その内国法人の非常勤役員として海外において情報の提供、商取引の側面的援助等を行っているにすぎない場合は、これに該当しないことに留意する。（基通161－42）

2　（内国法人の役員が国外にあるその法人の子会社に常時勤務する場合）

内国法人の役員が国外にあるその法人の子会社に常時勤務する場合において、次の(一)及び(二)に掲げる要件のいずれをも備えているときは、その者の勤務は、(14)(一)のかっこ内に規定する内国法人の役員としての勤務に該当するものとする。（基通161－43）

(一)　その子会社の設置が現地の特殊事情に基づくものであって、その子会社の実態が内国法人の支店、出張所と異ならないものであること。

(二)　その役員の子会社における勤務が内国法人の命令に基づくものであって、その内国法人の使用人としての勤務であると認められること。

3　（内国法人等が運航する船舶又は航空機において行う勤務等）

(14)(二)に掲げる勤務その他の人的役務の提供に関しては、次の(一)から(三)までのことに留意する。（基通161－44）

(一)　その勤務その他の人的役務の提供は、居住者又は内国法人が主体となって行う運航及びこれに付随する業務のために行われるものであること。

㊟1　運航者が子会社等に船内又は機上における物品販売を行わせている場合には、その販売のため乗船し又は搭乗する子会社等の使用人の勤務等も国内における勤務等とされる。

2　乗客が船舶又は航空機において行う次に掲げるような勤務又は人的役務の提供は、国内における勤務等とはされない。

イ　給与所得者が転勤又は出張のため乗船し又は搭乗して旅行をしている期間における当該給与所得者としての勤務

ロ　医療、芸能等の人的役務の提供で、その船舶又は航空機の運航又はこれに付随する業務を行う者との契約等に基づかないもの

(二)　その勤務又は人的役務の提供をするため乗船し又は搭乗する船舶又は航空機には、国内と国外との間又は国内のみを運航するもののほか、国外のみを運航するものを含み、また、その勤務又は人的役務を提供する者の国籍、住所又は居所のいかんを問わないこと。

(三)　その勤務又は人的役務の提供により受ける給与その他の報酬は、その者が乗船し若しくは搭乗する順番の到来するまでの間又は有給休暇等の勤務外の期間中下船（機）して国外に滞在する場合であっても、その下船（機）して国外に滞在する期間に対応する部分を区分することなく、その全額を国内源泉所得とすること。

4　（国外の寄航地において行われる一時的な人的役務の提供）

(14)(二)のかっこ内に規定する「国外における寄航地において行われる一時的な人的役務の提供」とは、国外の寄航地における地上勤務員等が荷物の積卸しを行う場合又は船（機）内の清掃、整備を行う場合等において一時的に乗船し又は搭乗して行う人的役務の提供をいうことに留意する。（基通161－45）

(①(十二)ロに規定する公的年金等)

(15)　①(十二)ロに規定する公的年金等は、第四章第六節**二 1**③(1)(九)《退職手当等とみなす一時金》に規定する制度に基づいて支給される年金（これに類する給付を含む。）とする。（令285②）

(①(十二)ハで定める人的役務の提供)

(16)　①(十二)ハで定める人的役務の提供は、(14)(一)及び同(二)に掲げる勤務その他の人的役務の提供で当該勤務その他の人的役務の提供を行う者が非居住者であった期間に行ったものとする。（令285③）

(①(十四)に規定する(17)で定める契約)

(17)　①(十四)に規定する(17)で定める契約は、第六章第四節**五**《生命保険契約等に基づく年金等に係る所得の計算》**1**③《生命保険契約等の意義》に規定する生命保険契約等又は同**2**①《損害保険年金等に係る雑所得の金額の計算上控除する保険料等》に規定する損害保険契約等であって、年金を給付する定めのあるものとする。（令287）

(①(十六)に規定する(18)で定める契約)

(18)　①(十六)に規定する(18)で定める契約は、当事者の一方が相手方の事業のために出資をし、相手方がその事業から生ずる利益を分配することを約する契約とする。（令288）

(①(十七)に規定する(19)で定める所得)

(19)　①(十七)に規定する(19)で定める所得は、次の(一)から(六)までに掲げる所得とする。（令289）

(一)	国内において行う業務又は国内にある資産に関し受ける保険金、補償金又は損害賠償金（これらに類するものを含む。）に係る所得
(二)	国内にある資産の法人からの贈与により取得する所得
(三)	国内において発見された埋蔵物又は国内において拾得された遺失物に係る所得
(四)	国内において行う懸賞募集に基づいて懸賞として受ける金品その他の経済的な利益（旅行その他の役務の提供

	を内容とするもので、金品との選択ができないものとされているものを除く。）に係る所得
(五)	(二)から(四)に掲げるもののほか、国内においてした行為に伴い取得する一時所得
(六)	(一)から(五)に掲げるもののほか、国内において行う業務又は国内にある資産に関し供与を受ける経済的な利益に係る所得

（勤務等が国内及び国外の双方にわたって行われた場合の国内源泉所得の計算）

(20)　非居住者が国内及び国外の双方にわたって行った勤務又は人的役務の提供に基因して給与又は報酬の支払を受ける場合におけるその給与又は報酬の総額のうち、国内において行った勤務又は人的役務の提供に係る部分の金額は、国内における公演等の回数、収入金額等の状況に照らしその給与又は報酬の総額に対する金額が著しく少額であると認められる場合を除き、次の算式により計算するものとする。（基通161－41）

$$\text{給与又は報酬の総額} \times \frac{\text{国内において行った勤務又は人的役務の提供の期間}}{\text{給与又は報酬の総額の計算の基礎となった期間}}$$

（注）1　国内において勤務し又は人的役務を提供したことにより特に給与又は報酬の額が加算されている場合等には、上記算式は適用しないものとする。

2　①(十二)ハに規定する退職手当等については、上記の算式中「給与又は報酬」とあるのは「退職手当等」と、「国内において行った勤務又は人的役務の提供の期間」とあるのは「居住者であった期間に行った勤務等の期間及び(16)に規定する非居住者であった期間に行った勤務等の期間」と読み替えて計算する。

②　①(一)に規定する内部取引の範囲

①(一)に規定する内部取引とは、非居住者の恒久的施設と事業場等との間で行われた資産の移転、役務の提供その他の事実で、独立の事業者の間で同様の事実があったとしたならば、これらの事業者の間で、資産の販売、資産の購入、役務の提供その他の取引（資金の借入れに係る債務の保証、保険契約に係る保険責任についての再保険の引受けその他これらに類する取引として(1)で定めるものを除く。）が行われたと認められるものをいう。（法161②）

（注）1　（利子の範囲）

基通165の３－８《負債の利子の額の範囲》の取扱いは、②に規定する利子の範囲について準用する。（基通162－１）

2　（工業所有権等及び使用料の意義）

①(注)16の取扱いは⑤(2)(一)イに規定する「工業所有権その他の技術に関する権利、特別の技術による生産方式又はこれらに準ずるもの」（以下(注)２において「工業所有権等」という。）の意義について、①(注)17から(注)20までの取扱いは⑤(2)(一)イの工業所有権等の使用料又は同(一)ロの著作権の使用料の意義について準用する。（基通162－２）

（②に規定する(1)で定める取引）

(1)　②に規定する(1)で定める取引は、資金の借入れその他の取引に係る債務の保証（債務を負担する行為であって債務の保証に準ずるものを含む。）とする。（令290）

③　国内及び国外にわたって船舶又は航空機による運送の事業を行う場合の所得

恒久的施設を有する非居住者が国内及び国外にわたって船舶又は航空機による運送の事業を行う場合には、当該事業から生ずる所得のうち国内において行う業務につき生ずべき所得として(1)で定めるものをもって、①(一)に掲げる所得とする。（法161③）

（③に規定する(1)で定める所得）

(1)　③に規定する(1)で定める所得は、非居住者が国内及び国外にわたって船舶又は航空機による運送の事業を行うことにより生ずる所得のうち、船舶による運送の事業にあっては国内において乗船し又は船積みをした旅客又は貨物に係る収入金額を基準とし、航空機による運送の事業にあってはその国内業務（国内において行う業務をいう。以下(1)において同じ。）に係る収入金額又は経費、その国内業務の用に供する固定資産の価額その他その国内業務が当該運送の事業に係る所得の発生に寄与した程度を推測するに足りる要因を基準として判定したその非居住者の国内業務につき生ずべき所得とする。（令291）

④　租税条約に異なる定めがある場合の国内源泉所得

租税条約（**一の表８の４**ただし書《定義》に規定する条約をいう。以下④において同じ。）において国内源泉所得につき①、②及び③の規定と異なる定めがある場合には、その租税条約の適用を受ける者については、①、②及び③の規定にかかわらず、国内源泉所得は、その異なる定めがある限りにおいて、その租税条約に定めるところによる。この場合において、その条約が①(六)から同(十六)までの規定に代わって国内源泉所得を定めているときは、この法律中①(六)から同(十六)までに規定する事項に関する部分の適用については、その租税条約により国内源泉所得とされたものをもってこれに対応する①(六)から同(十六)までに掲げる国内源泉所得とみなす。(法162①)

⑤　内部取引から所得が生ずる旨を定める租税条約以外の租税条約の適用があるときの国内源泉所得

恒久的施設を有する非居住者の①(一)に掲げる所得を算定する場合において、租税条約（当該非居住者の同(一)に掲げる所得に対して租税を課することができる旨の定めのあるものに限るものとし、当該非居住者の恒久的施設と事業場等との間の①(一)に規定する内部取引から所得が生ずる旨の定めのあるものを除く。）の適用があるときは、①(一)に規定する内部取引には、当該非居住者の恒久的施設と事業場等との間の利子（これに準ずるものとして（1）で定めるものを含む。）の支払に相当する事実その他（2）で定める事実は、含まれないものとする。(法162②)

(⑤に規定する利子に準ずるものとして（1）で定めるもの)

（1）　⑤に規定する利子に準ずるものとして（1）で定めるものは、手形の割引料その他経済的な性質が利子に準ずるものとする。(令291の２①)

(⑤に規定する（2）で定める事実)

（2）　⑤に規定する（2）で定める事実は、次に掲げる事実とする。(令291の２②)

(一)　次に掲げるものの使用料の支払に相当する事実

イ　工業所有権その他の技術に関する権利、特別の技術による生産方式又はこれらに準ずるもの

ロ　著作権（出版権及び著作隣接権その他これに準ずるものを含む。）

ハ　第一節**一19**⑧イから同ツまで《減価償却資産の範囲》に掲げる無形固定資産（国外における同⑧カから同ツまでに掲げるものに相当するものを含む。）

(二)　(一)イからハまでに掲げるものの譲渡又は取得に相当する事実

⑥　非居住者に対する課税の方法

非居住者に対して課する所得税の額は、次の(一)及び(二)までに掲げる非居住者の区分に応じ(一)及び(二)に定める国内源泉所得について、所得税法第３編第２章第２節第１款《非居住者に対する所得税の総合課税》の規定を適用して計算したところによる。(法164①)

(一)	恒久的施設を有する非居住者　　次に掲げる国内源泉所得 イ　①(一)及び同(四)《国内源泉所得》に掲げる国内源泉所得 ロ　①(二)、同(三)、同(五)から同(七)まで及び同(十七)に掲げる国内源泉所得（同(一)に掲げる国内源泉所得に該当するものを除く。）
(二)	恒久的施設を有しない非居住者　　①(二)、同(三)、同(五)から同(七)まで及び同(十七)に掲げる国内源泉所得

⑦　非居住者に対する所得税の分離課税を行う場合の課税の方法

次の(一)及び(二)に掲げる非居住者が(一)及び(二)に定める国内源泉所得を有する場合には、当該非居住者に対して課する所得税の額は、⑥の規定によるもののほか、(一)及び(二)に定める国内源泉所得について所得税法第３編第２章第３節《非居住者に対する所得税の分離課税》の規定を適用して計算したところによる。(法164②)

(一)	恒久的施設を有する非居住者　　①(八)から同(十六)までに掲げる国内源泉所得（同(一)に掲げる国内源泉所得に該当するものを除く。）
(二)	恒久的施設を有しない非居住者　　①(八)から同(十六)までに掲げる国内源泉所得

(非居住者に対する課税関係の概要)

（1）　非居住者に対する課税関係の概要は、次の表のとおりである。(基通164－1)

なお、この表は、法に規定する課税関係の概要であるから、租税条約にはこれと異なる定めのあるものがあることに留意する。

〔表５〕非居住者に対する課税関係の概要

非居住者の区分 ＼ 所得の種類	非居住者：恒久的施設を有する者：恒久的施設帰属所得	非居住者：恒久的施設を有する者：その他の所得	非居住者：恒久的施設を有しない者	所得税の源泉徴収	（参考）外国法人
（事業所得）	【総合課税】	【課税対象外】		無	無
①資産の運用・保有により生ずる所得（⑦から⑮に該当するものを除く。）		【総合課税（一部）】		無	無
②資産の譲渡により生ずる所得				無	無
③組合契約事業利益の配分	【源泉徴収の上、総合課税】	【課税対象外】		20%	20%
④土地等の譲渡による所得		【源泉徴収の上、総合課税】		10%	10%
⑤人的役務提供事業の所得				20%	20%
⑥不動産の賃貸料等				20%	20%
⑦利子等		【源泉分離課税】		15%	15%
⑧配当等				20%	20%
⑨貸付金利子				20%	20%
⑩使用料等				20%	20%
⑪給与その他人的役務の提供に対する報酬、公的年金等、退職手当等				20%	—
⑫事業の広告宣伝のための賞金				20%	20%
⑬生命保険契約に基づく年金等				20%	20%
⑭定期積金の給付補塡金等				15%	15%
⑮匿名組合契約等に基づく利益の分配				20%	20%
⑯その他の国内源泉所得	【総合課税】	【総　合　課　税】		無	無

（注）１　恒久的施設帰属所得が、上記の表①から⑯までに掲げる国内源泉所得に重複して該当する場合があることに留意する。

２　上記の表②資産の譲渡により生ずる所得のうち恒久的施設帰属所得に該当する所得以外のものについては、①(4)(一)から(八)までに掲げるもののみ課税される。

３　措置法の規定により、上記の表において総合課税の対象とされる所得のうち一定のものについては、申告分離課税又は源泉分離課税の対象とされる場合があることに留意する。

４　措置法の規定により、上記の表における源泉徴収税率のうち一定の所得に係るものについては、軽減又は免除される場合があることに留意する。

⑧　内国法人に係る所得税の課税標準

内国法人に対して課する所得税の課税標準は、その内国法人が国内において支払を受けるべき次の(一)から(十)までに掲げるものの額（(十)に掲げる賞金については、その額からその賞金の額の100分の20に相当する金額と60万円との合計額を控除した残額）とする。（法174、令298）

(一)	所得税法第23条第１項《利子所得》（第四章第一節一）に規定する利子等
(二)	所得税法第24条第１項《配当所得》（第四章第二節一）に規定する配当等
(三)	定期積金に係る契約に基づく給付補塡金（当該契約に基づく給付金のうちその給付を受ける金銭の額から当該契約に基づき払い込んだ掛金の額の合計額を控除した残額に相当する部分をいう。）
(四)	銀行法第２条第４項《定義等》の契約に基づく給付補塡金（当該契約に基づく給付金のうちその給付を受ける金銭の額から当該契約に基づき払い込むべき掛金の額の合計額を控除した残額に相当する部分をいう。）
(五)	抵当証券法第１条第１項《証券の交付》に規定する抵当証券に基づき締結された当該抵当証券に記載された債権の元本及び利息の支払等に関する事項を含む契約により支払われる利息
(六)	金その他の貴金属その他これに類する物品で政令で定めるものの買入れ及び売戻しに関する契約で、当該契約に定められた期日において当該契約に定められた金額により当該物品を売り戻す旨の定めがあるものに基づく利益（当

	該物品の当該売戻しをした場合の当該金額から当該物品の買入れに要した金額を控除した残額をいう。）
(七)	外国通貨で表示された預貯金でその元本及び利子をあらかじめ約定した率により本邦通貨又は当該外国通貨以外の外国通貨に換算して支払うこととされているものの差益として次のイ又はロに定める差益 イ　外国通貨で表示された預貯金でその元本及び利子をあらかじめ約定した率により本邦通貨に換算して支払うこととされているもの　　当該元本についてあらかじめ約定した率により本邦通貨に換算した金額から当該元本について当該預貯金の預入の日における外国為替の売買相場により本邦通貨に換算した金額を控除した残額に相当する差益 ロ　外国通貨で表示された預貯金でその元本及び利子をあらかじめ約定した率により当該外国通貨以外の外国通貨（以下ロにおいて「他の外国通貨」という。）に換算して支払うこととされているもの　　当該元本についてあらかじめ約定した率により当該他の外国通貨に換算して支払うこととされている金額から当該元本について当該預貯金の預入の日における外国為替の売買相場により当該他の外国通貨に換算した金額を控除した残額につき、当該他の外国通貨に換算して支払うこととされている時における外国為替の売買相場により本邦通貨に換算した金額に相当する差益
(八)	保険業法第２条第２項《定義》に規定する保険会社、同条第７項に規定する外国保険会社等若しくは同条第18項に規定する少額短期保険業者の締結した保険契約若しくは旧簡易生命保険契約（郵政民営化法等の施行に伴う関係法律の整備等に関する法律第２条《法律の廃止》の規定による廃止前の簡易生命保険法第３条《政府保証》に規定する簡易生命保険契約をいう。）又はこれらに類する共済に係る契約で保険料又は掛金を一時に支払うこと（これに準ずる支払方法を含む。）その他政令で定める事項をその内容とするもののうち、保険期間又は共済期間（以下(八)において「保険期間等」という。）が５年以下のもの及び保険期間等が５年を超えるものでその保険期間等の初日から５年以内に解約されたものに基づく差益（これらの契約に基づく満期保険金、満期返戻金若しくは満期共済金又は解約返戻金の金額からこれらの契約に基づき支払った保険料又は掛金の額の合計額を控除した金額として政令で定めるところにより計算した金額をいう。） （注）　上記(三)～(八)関係の政令は第四章第十節**四**《定期積金の給付補填金等の分離課税等》参照。（編者注）
(九)	匿名組合契約（これに準ずる契約として①(18)《匿名組合契約に準ずる契約の範囲》に規定する契約を含む。所得税法第176条第２項《信託財産に係る利子等の課税の特例》において同じ。）に基づく利益の分配
(十)	馬主が受ける競馬の賞金で金銭で支払われるもの

⑨　納税義務者の区分が異動した場合の課税所得の範囲

その年において、個人が非永住者以外の居住者、非永住者又は⑥(一)及び同(二)に掲げる非居住者の区分のうち２以上のものに該当した場合には、その者がその年において非永住者以外の居住者、非永住者又は同(一)及び同(二)に掲げる非居住者であった期間に応じ、それぞれの期間内に生じた**4**表内①から同③までに掲げる所得に対し、所得税を課する。（法８）

第三節　非課税所得

一　預貯金の利子等

1　当座預金の利子

当座預金の利子（年１％を超える利率の利子を付された当座預金の利子を除く。）については所得税を課さない。（法９①一、令18）

2　児童又は生徒の預貯金の利子等

学校教育法第１条《学校の範囲》に規定する小学校、中学校、義務教育学校、高等学校若しくは中等教育学校又は同法第76条《特別支援学校の部別》に規定する特別支援学校の小学部、中学部若しくは高等部の児童又は生徒が、その学校の長の指導を受けて預入し又は信託した預貯金（**1**に規定するものを除く。以下同じ。）又は合同運用信託で次の①及び②で定めるところにより、当該児童又は生徒の代表者の名義で預入し又は信託した預貯金又は合同運用信託の利子又は収益の分配については所得税を課さない。（法９①二、令19）

①	金融機関その他の預貯金の受入れをする者（**3**①（1）(一)に掲げる者に限る。）の営業所、事務所その他これらに準ずるもの（以下**2**において「金融機関の営業所等」という。）において、当該児童又は生徒の代表者の名義で預貯金又は合同運用信託（**1**に規定するもの又は本邦通貨以外の通貨で預入される預貯金又は本邦通貨以外の通貨により引き受けられる金銭信託に係る合同運用信託を除く。以下**2**において「預貯金等」という。）の預入又は信託（以下**2**において「預入等」という。）をする場合には、その預入等をする都度（その預入等が**3**③（1）に規定する普通預金契約等に基づくものである場合には、最初に預入等をする際）、その学校の長の指導を受けて預入等をする預貯金等である旨を証する書類を提出しなければならない。（規２①）
②	金融機関の営業所等の長は、①の書類の提出を受けた場合には、遅滞なく、その書類に係る預貯金等に関する通帳、証書、受益証券その他の書類に、その預貯金等が**2**の規定に該当するものである旨を表示しなければならない。（規２②）

3　障害者等の少額預金の利子所得等の非課税

①　障害者等の少額預金の利子所得等の非課税

国内に住所を有する個人で、障害者等（90ページの別表各号の第Ｉ欄に規定する者をいう。以下**3**において同じ。）であるものが、金融機関その他の預貯金の受入れ若しくは信託の引受けをする者、金融商品取引業者又は登録金融機関で（1）で定めるものの営業所、事務所その他これらに準ずるもの（以下**3**において「**金融機関の営業所等**」という。）において預貯金（**1**又は**2**の規定に該当するもの又は本邦通貨以外の通貨で預入される預貯金を除く。以下**3**において同じ。）、合同運用信託（**2**の規定に該当するもの又は本邦通貨以外の通貨により引き受けられる金銭信託に係る合同運用信託を除く。以下**3**において同じ。）、公募公社債等運用投資信託（投資信託及び投資法人に関する法律第２条第２項《定義》に規定する委託者非指図型投資信託に限るものとし、（2）で定めるものを除く。以下**3**において「特定公募公社債等運用投資信託」という。）又は有価証券（公社債及び投資信託（同項に規定する委託者非指図型投資信託を除く。）又は特定目的信託の受益権のうち、次の（3）で定めるものに限る。以下**3**において同じ。）の預入、信託又は購入（以下**3**において「**預入等**」という。）をする場合において、②及び③に定めるところにより、その預入等の際その預貯金、合同運用信託、特定公募公社債等投資信託又は有価証券につき**3**の規定の適用を受けようとする旨、その者の氏名、生年月日及び住所並びに障害者等に該当する旨その他必要な事項を記載した書類（以下**3**において「**非課税貯蓄申込書**」という。）を提出したときは、次の(一)から(三)までに掲げる場合に限り、当該(一)から(三)までに定めるものについては、所得税を課さない。（法10①、令33①②）

(一)	その預貯金の元本とその金融機関の営業所等において非課税貯蓄申込書を提出して預入した他の預貯金の元本との合計額が、その預貯金の利子の計算期間を通じて、その個人がその金融機関の営業所等を経由して提出した**非課税貯蓄申告書**に記載された最高限度額（非課税貯蓄限度額変更申告書の提出があった場合には、その提出の日以後

	においては、変更後の最高限度額。以下①において同じ。）を超えない場合　　その預貯金の当該計算期間に対応する利子
(二)	その合同運用信託又は特定公募公社債等運用投資信託（以下(二)において「合同運用信託等」という。）の元本とその金融機関の営業所等において非課税貯蓄申込書を提出して信託した他の合同運用信託等の元本との合計額が、その合同運用信託等の収益の分配の計算期間を通じて、その個人がその金融機関の営業所等を経由して提出した非課税貯蓄申告書に記載された最高限度額を超えない場合（その合同運用信託等が貸付信託又は特定公募公社債等運用投資信託である場合には、その収益の分配の計算期間を通じて社債、株式等の振替に関する法律に規定する振替口座簿への記載又は記録その他の所得税法施行令第37条第１項《有価証券の記録等》で定める方法により管理されている場合に限る。）　　その合同運用信託等の当該計算期間に対応する収益の分配
(三)	その有価証券につき、その利子、収益の分配又は剰余金の配当（第四章第二節《配当所得》に規定する剰余金の配当をいう。以下(三)において同じ。）の計算期間を通じて（その有価証券が当該計算期間の中途において購入したものである場合には、その購入の日の属する計算期間については、同日から当該計算期間の終了の日までの期間を通じて。以下(三)において同じ。)、社債、株式等の振替に関する法律に規定する振替口座簿への記載又は記録その他の所得税法施行令第37条第２項で定める方法により管理されており、かつ、その有価証券の額面金額又は次の（5）に掲げる金額（以下「**額面金額等**」という。）とその金融機関の営業所等において非課税貯蓄申込書を提出して購入した他の有価証券の額面金額等との合計額が、当該計算期間を通じて、その個人がその金融機関の営業所等を経由して提出した非課税貯蓄申告書に記載された最高限度額を超えない場合　　その有価証券の当該計算期間に対応する利子、収益の分配又は剰余金の配当

（金融機関等の範囲）

（1）　①《障害者等の少額預金の利子所得等の非課税》に規定する金融機関その他の預貯金の受入れ若しくは信託の引受けをする者、金融商品取引業者又は登録金融機関で（1）で定めるものは、次の(一)から(五)までに掲げる者とする。(令32)

(一)	銀行、信託会社（信託業法第３条《信託会社の免許》又は第53条第１項《外国信託会社の免許》の免許を受けたものに限る。)、信用金庫、信用金庫連合会、労働金庫、労働金庫連合会、信用協同組合、信用協同組合連合会（中小企業等協同組合法第９条の９第１項第１号《協同組合連合会》の事業を行う協同組合連合会をいう。)、農林中央金庫及び株式会社商工組合中央金庫並びに貯金の受入れをする農業協同組合、農業協同組合連合会、漁業協同組合、漁業協同組合連合会、水産加工業協同組合及び水産加工業協同組合連合会
(二)	労働基準法第18条又は船員法第34条の規定により労働者又は船員の貯蓄金をその委託を受けて管理する者
(三)	国家公務員共済組合法第98条《福祉事業》若しくは地方公務員等共済組合法第112条第１項《福祉事業》の規定によりこれらの規定に規定する組合員の貯金の受入れをする者又は私立学校教職員共済法第26条第１項《福祉事業》の規定により同項に規定する加入者の貯金の受入れをする者
(四)	金融商品取引法第２条第９項《定義》に規定する金融商品取引業者（同法第28条第１項《通則》に規定する第１種金融商品取引業を行う者に限る。)
(五)	金融商品取引法第33条の２《金融機関の登録》の登録を受けた生命保険会社及び損害保険会社

（（2）で定める公募公社債等運用投資信託）

（2）　①に規定する（2）で定める公募公社債等運用投資信託は、本邦通貨以外の通貨により引き受けられる金銭信託に係る公募公社債等運用投資信託とする。(令33③)

（利子所得等について非課税とされる有価証券の範囲）

（3）　利子所得等について非課税とされる公社債及び投資信託又は特定目的信託の受益権は、次の(一)から(九)までに掲げるもの（(一)から(五)までに掲げるものにあっては国内において発行されたものに限るものとし、(六)及び(七)に掲げるものにあってはその募集が国内において行われる受益権で当該受益権に係る信託の設定（追加設定を含む。）があった日において購入されたものに限る。）で本邦通貨で表示されたものとする。(令33④、規５②)

(一)	国債及び地方債

(二)	特別の法令により設立された法人が当該法令の規定により発行する債券
(三)	長期信用銀行法第８条《長期信用銀行債の発行》の規定による長期信用銀行債、金融機関の合併及び転換に関する法律第８条第１項《特定社債の発行》（同法第55条第４項《長期信用銀行が普通銀行となる転換》において準用する場合を含む。）の規定による特定社債、信用金庫法第54条の２の４第１項《全国連合会債の発行》の規定による全国連合会債又は株式会社商工組合中央金庫法第33条《商工債の発行》の規定による商工債
(四)	その債務について政府が保証している社債
(五)	内国法人の発行する社債のうち、その発行に際して金融商品取引法第21条第４項《虚偽記載のある届出書の提出会社の役員等の賠償責任》に規定する元引受契約が（１）(四)に掲げる金融商品取引業者により締結されたもの
(六)	公社債投資信託（投資信託及び投資法人に関する法律第２条第24項《定義》に規定する外国投資信託（(七)において「外国投資信託」という。）を除く。）の受益権
(七)	公募公社債等運用投資信託（投資信託及び投資法人に関する法律第２条第１項に規定する委託者指図型投資信託に限るものとし、外国投資信託を除く。）の受益権
(八)	第二節**３**（２）(四)《受託法人等に関するこの所得税法の適用》に規定する社債的受益権（当該受益権の募集が公募（金融商品取引法第２条第３項《定義》に規定する取得勧誘のうち同項第１号に掲げる場合に該当するものとして（４）で定めるものをいう。）により行われたものに限る。）
(九)	外国、外国の地方公共団体その他の外国法人（条約又は国際間の協定により国内においてその発行する債券の利子に係る源泉徴収の義務を免除された国際機関を除く。）の発行する債券のうち、その発行に際して(五)に規定する元引受契約が(五)に規定する金融商品取引業者により締結されたもの

（（３）(八)（４）で定める勧誘）

（４）（３）(八)に規定する（４）で定める取得勧誘は、その受益権の募集に係る金融商品取引法第２条第３項《定義》に規定する取得勧誘（以下（４）において「取得勧誘」という。）が同条第３項第１号に掲げる場合に該当し、かつ、同条第10項に規定する目論見書及び資産の流動化に関する法律第２条第14項《定義》に規定する資産信託流動化計画にその取得勧誘が金融商品取引法第２条第３項第１号に掲げる場合に該当するものである旨の記載がなされて行われるものとする。（規５①）

（額面金額等の計算）

（５）**３**①(三)の額面金額等は、投資信託（同①に規定する委託者非指図型投資信託を除く。）については、その設定又は追加設定があった時において当該投資信託につき信託又は追加信託がされた金額をその時における当該信託又は追加信託についての受益権の口数で除して計算した金額とし、特定目的信託については、（３）《利子所得等について非課税とされる有価証券の範囲》(八)に掲げる社債的受益権に係る元本の額（資産の流動化に関する法律施行令第52条第２項第３号《社債的受益権を定める特定目的信託契約に付すべき条件》に規定する元本の額をいう。）をその受益権の口数で除して計算した金額とする。（令39①）

②　非課税貯蓄申込書

（非課税貯蓄申込書の記載事項）

（１）非課税貯蓄申込書には、①《障害者等の少額預金の利子所得等の非課税》の規定の適用を受けようとする旨及び次の(一)から(五)までに掲げる事項を記載しなければならない。（令34①）

(一)	提出者の氏名、生年月日及び住所
(二)	障害者等に該当する事実
(三)	預貯金等のうち、提出者がその金融機関の営業所等を経由して提出した非課税貯蓄申告書に記載したものの種別
(四)	預入等をする(三)の預貯金等で①の規定の適用を受けようとするものの金額（当該預貯金等が有価証券である場合にはその額面金額等）

(五)	その他参考となるべき事項

（非課税貯蓄申込書の提出先、障害者等確認書類及び本人確認書類の提示）

（2）　非課税貯蓄申込書は、非課税貯蓄申告書の提出の際に経由した金融機関の営業所等に対してのみ提出することができるものとし、その提出に当たっては、当該金融機関の営業所等の長にその者の身体障害者福祉法第15条第４項の規定により交付を受けた身体障害者手帳、国民年金法第15条第３号《給付の種類》に掲げる遺族基礎年金の年金証書その他の（3）で定める書類の提示又は当該書類の提示に代えて（4）で定めるところにより行う署名用電子証明書等（電子署名等に係る地方公共団体情報システム機構の認証業務に関する法律第３条第１項《個人番号カード用署名用電子証明書の発行》に規定する署名用電子証明書（⑥（1）において「署名用電子証明書」という。）その他の電磁的記録（電子的方式、磁気的方式その他の人の知覚によっては認識することができない方式で作られる記録であって、電子計算機による情報処理の用に供されるものをいう。⑥（1）において同じ。）であって署名用電子証明書又は署名用電子証明書により確認される電子署名（電子署名及び認証業務に関する法律第２条第１項《定義》に規定する電子署名をいう。）が行われた情報で、当該署名用電子証明書に係る者の氏名、生年月日及び住所に係るものをいう。）の送信をしなければならないものとする。（法10②、規７③）

（（2）に規定する（3）で定める書類）

（3）　（2）に規定する（3）で定める書類は、障害者等の身体障害者手帳、遺族基礎年金の年金証書その他の財務省令（規７①）で定める書類のうちいずれかの書類（以下（3）、⑥（2）及び同（5）において「障害者等確認書類」という。）（当該障害者等確認書類に当該障害者等の生年月日又は住所が記載されていない場合には、当該障害者等確認書類及び住所等確認書類（当該障害者等の氏名、生年月日及び住所を証する住民票の写し、健康保険の被保険者証、運転免許証その他の財務省令（規７②）で定める書類のうちいずれかの書類をいう。（4）において同じ。））とする。（令41の２①）（90ページの表参照）

（注）　上記＿＿下線部については、令和６年12月２日以後、（3）中「、健康保険の被保険者証」が削られる。（令６改所令附１一）

（（2）に規定する（4）で定めるところにより行う（2）に規定する署名用電子証明書等の送信）

（4）　（2）に規定する（4）で定めるところにより行う（2）に規定する署名用電子証明書等の送信は、住所等確認書類の提示に代えて行う当該署名用電子証明書等の送信とする。（令41の２②）

（非課税貯蓄申込書の提出時期）

（5）　非課税貯蓄申込書は、①《障害者等の少額預金の利子所得等の非課税》の規定の適用を受けようとする預貯金等の預入等をする都度、その預入等をする金融機関の営業所等に提出しなければならない。（令34②）

（非課税貯蓄申込書の記載内容が障害者等確認書類及び本人確認書類の記載内容並びに非課税貯蓄申告書の記載内容と異なる場合の非課税貯蓄申込書の受理禁止）

（6）　金融機関の営業所等は、個人の提出する非課税貯蓄申込書に記載された氏名、生年月日及び住所並びに障害者等に該当する事実と（2）の規定により提示又は送信を受けた⑥（1）に規定する書類《障害者等確認書類及び本人確認書類》又は署名用電子証明書等に記載又は記録がされた氏名、生年月日及び住所並びに障害者等に該当する事実並びにその者に係る非課税貯蓄申告書に記載された氏名、生年月日及び住所（非課税貯蓄に関する異動申告書の提出があった場合には、当該申告書に記載された変更後の氏名及び住所）とが異なるときは、当該非課税貯蓄申込書を受理してはならない。（令34③）

③　普通預金契約等についての非課税貯蓄申込書の特例

（普通預金契約等についての非課税貯蓄申込書の特例－口座限度額方式－）

（1）　個人が①《障害者等の少額預金の利子所得等の非課税》の規定の適用を受けようとする預貯金等の預入等をする場合において、その預入等が次の（一）から（十）までに掲げる預貯金等に係る契約（以下③において「**普通預金契約等**」という。）に基づくものであるときは、その者がその預入等に際して提出する非課税貯蓄申込書には、②（1）（四）に掲げる事項に代えて、その普通預金契約等に基づいて預入等をする当該預貯金等の区分及びその預貯金等の現在高（有価証券については、額面金額等により計算した現在高。以下③において同じ。）に係る限度額《口座限度額》を記載することができる。（令35①、規６①）

(一)	普通預金（普通貯金を含む。）又は貯蓄預金（貯蓄貯金を含む。）
(二)	租税の納付に充てることを目的として金融機関（①(1)《金融機関等の範囲》(一)に掲げる者をいう。）に対してした預金（貯金を含む。以下(二)において同じ。）で当該金融機関が他の預金と区分して経理しているもの
(三)	納税貯蓄組合法第２条第２項《定義》に規定する納税貯蓄組合預金
(四)	一定の預入期間又は預入金額及び一定の据置期間を約して積み立てる預貯金でその据置期間が３月以上のもの
(五)	据置貯金
(六)	①(1)《金融機関等の範囲》(二)又は同(三)に掲げる者《勤務先又は共済組合》が受入れをする預貯金
(七)	定期預金（定期貯金を含むものとし、(四)に掲げるものを除く。）又は通知預金（通知貯金を含む。）のうち反復して預入することを約するもの
(八)	指定金銭信託及び貸付信託のうち反復して信託することを約するもの
(九)	①(1)(一)、同(四)又は同(五)に掲げる者から有価証券を反復して購入することを約するもの
(十)	長期信用銀行法第８条《長期信用銀行債の発行》の規定による長期信用銀行債、金融機関の合併及び転換に関する法律第８条第１項《特定社債の発行》（同法第55条第４項《長期信用銀行が普通銀行となる転換》において準用する場合を含む。）の規定による特定社債、信用金庫法第54条の２の４第１項《全国連合会債の発行》の規定による全国連合会債、農林中央金庫法第60条《農林債の発行》の規定による農林債又は株式会社商工組合中央金庫法第33条《商工債の発行》の規定による商工債を反復して購入することを約するもの

（口座限度額の変更手続）

（2）（1）の規定による記載をした非課税貯蓄申込書を提出した場合において、その預貯金等の現在高に係る限度額を変更する必要が生じたときは、その後に提出する非課税貯蓄申込書に変更後の限度額を記載するものとする。（令35②）

（口座限度額に達するまでの預入等の場合の非課税貯蓄申込書の提出不要）

（3）①《障害者等の少額預金の利子所得等の非課税》の規定の適用を受けようとする預貯金等につき（1）の規定による記載をした非課税貯蓄申込書を提出した場合には、その預貯金等については、②(5)《非課税貯蓄申込書の提出時期》の規定にかかわらず、その現在高がその記載をした預貯金等の現在高に係る限度額（（2）の規定による記載をした非課税貯蓄申込書を提出した場合には、その提出後においては、変更後の限度額）に達するまでの間は、非課税貯蓄申込書の提出を要しない。（令35③）

（注）口座限度額方式による預入をした預貯金等に係る元本の合計額の計算……⑧(1)参照。（編者注）

（障害者等に該当しないこととなった場合の届出）

（4）（1）又は（2）の規定による記載をした非課税貯蓄申込書を提出した個人が、その提出後において障害者等に該当しないこととなった場合には、その者は、遅滞なく、当該申込書を提出した金融機関の営業所等に、障害者等に該当しなくなった旨その他次の(一)から(四)までに掲げる事項を記載した届出書を提出しなければならない。（令35④、規6②）

(一)	（4）に規定する届出書を提出する者（(三)において「提出者」という。）の氏名、生年月日及び住所
(二)	障害者等に該当しないこととなった年月日及びその事実
(三)	預貯金等のうち、提出者がその金融機関の営業所等を経由して提出した非課税貯蓄申告書に記載したものの種別
(四)	その他参考となるべき事項

（非課税貯蓄申込書の特例が認められる預貯金等の範囲）

（5）（1）(七)又は同(八)に掲げる契約には、次に掲げる預貯金等に係る契約で１口座ごとに１通帳とし、かつ、その

通帳ごとに限度管理を行うものも含まれるものとする。（基通10－5）

（一）　通帳式の定期預金（定期貯金を含むものとし、（1）(四)に掲げるものを除く。）又は通知預金（通知貯金を含む。）

（二）　通帳式の指定金銭信託及び貸付信託

④　**非課税貯蓄申告書**

①《障害者等の少額預金の利子所得等の非課税》の規定は、個人が、最初に①の規定の適用を受けようとする預貯金、合同運用信託、特定公募公社債等運用投資信託又は有価証券の預入等をする日までに、次の(一)から(四)までに掲げる事項を記載した申告書（以下において「**非課税貯蓄申告書**」という。）をその預入等をする金融機関の営業所等を経由し、その者の住所地の所轄税務署長に提出した場合に限り、適用する。（法10③）

(一)	提出者の氏名、生年月日、住所及び個人番号（行政手続における特定の個人を識別するための番号の利用等に関する法律第２条第５項《定義》に規定する個人番号をいう。以下同じ。）、障害者等に該当する旨並びに当該金融機関の営業所等の名称及び所在地
(二)	①の規定の適用を受けようとする預貯金、合同運用信託、特定公募公社債等運用投資信託又は有価証券の別
(三)	当該金融機関の営業所等において預入等をする預貯金、合同運用信託、特定公募公社債等運用投資信託又は有価証券で①の規定の適用を受けようとするものの現在高（有価証券にあっては、額面金額等により計算した現在高）に係る最高限度額
(四)	既に他の金融機関の営業所等を経由して非課税貯蓄申告書を提出している場合には、当該他の金融機関の営業所等ごとの名称及び当該申告書に記載した(三)の最高限度額（⑤の規定による申告書を提出した場合には、変更後の最高限度額）

（非課税貯蓄申告書に記載する最高限度額）

（1）　国内に住所を有する個人が非課税貯蓄申告書を提出する場合には、当該申告書に記載する④(三)に掲げる最高限度額は、10,000円に整数を乗じた金額で、かつ、**300万円**（当該申告書に記載すべき④(四)に掲げる最高限度額がある場合には、300万円から当該最高限度額の合計額を控除した残額）以下の金額としなければならない。（令40）

（注）（3）の規定の適用がある場合における（1）の規定の適用については、この規定中「300万円」とあるのは、「350万円」とする。（措令2の3）

（金融機関の営業所等に提出できない非課税貯蓄申告書等）

（2）　①《障害者等の少額預金の利子所得等の非課税》に規定する個人は、次の(一)及び(二)に掲げる非課税貯蓄申告書又は非課税貯蓄限度額変更申告書に該当する申告書については、これを提出することができないものとし、④又は⑤に規定する金融機関の営業所等の長は、当該申告書又は既に非課税貯蓄申告書を受理した個人から重ねて提出された非課税貯蓄申告書（（4）で定めるものを除く。）については、これを受理することができない。（法10⑦）

(一)	④(三)に掲げる最高限度額（非課税貯蓄限度額変更申告書にあっては、変更後の同(三)に掲げる最高限度額）が300万円を超える金額の記載のある非課税貯蓄申告書若しくは非課税貯蓄限度額変更申告書又は当該最高限度額に④(四)に掲げる最高限度額の合計額を加算した金額が300万円を超える金額の記載のある非課税貯蓄申告書若しくは非課税貯蓄限度額変更申告書
(二)	⑥の（1）《氏名等の告知》の規定による確認を受けていない非課税貯蓄申告書又は非課税貯蓄限度額変更申告書

（平成６年１月１日以後に預入等をする預貯金等の限度額）

（3）　国内に住所を有する個人で障害者等であるものが、平成６年１月１日以後に①に規定する預入等をする①に規定する預貯金、合同運用信託、特定公募公社債等運用投資信託又は有価証券に係る①の規定の適用については、（2）の(一)中「300万円」とあるのは、「350万円」とする。（措法３の４）

（重ねて提出できる非課税貯蓄申告書の範囲）

（4）　（2）《障害者等の少額預金の利子の非課税》に規定する（4）で定める非課税貯蓄申告書は、次の(一)及び(二)に掲げるものとする。（令42①）

(一)	既に提出した非課税貯蓄申告書の提出の際に経由した金融機関の営業所等が、次に掲げる金融機関の営業所又は事務所である場合において、預貯金等のうち当該申告書に記載したもの以外の種別の預貯金等につき提出する非課税貯蓄申告書 イ　金融機関の信託業務の兼営等に関する法律により同法第１条第１項《兼営の認可》に規定する信託業務を営む同項に規定する金融機関、長期信用銀行法第２条《定義》に規定する長期信用銀行、金融機関の合併及び転換に関する法律第８条第１項《特定社債の発行》に規定する普通銀行で同項（同法第55条第４項《長期信用銀行が普通銀行となる転換》において準用する場合を含む。）の認可を受けたもの、信用金庫法第54条の２の４第１項《全国連合会債の発行》に規定する全国を地区とする信用金庫連合会で同条第３項により認可を受けたもの、農林中央金庫又は株式会社商工組合中央金庫 ロ　金融商品取引法第33条の２《金融機関の登録》の登録を受けた銀行、信用金庫、信用金庫連合会、労働金庫、労働金庫連合会、信用協同組合、信用協同組合連合会、農業協同組合、農業協同組合連合会、漁業協同組合、漁業協同組合連合会、水産加工業協同組合又は水産加工業協同組合連合会（イに掲げる金融機関に該当するものを除く。）
(二)	既に⑫に規定する非課税貯蓄廃止申告書を提出している場合又は⑫の（２）《預貯金等を有しないこととなった日以後２年を経過した日の属する年の年末までに預入等がなかった場合の非課税貯蓄廃止申告書のみなし提出》の規定により当該申告書の提出があったとみなされる場合において、これらに規定する金融機関の営業所等を経由して再び当該申告書に係る種別の預貯金等につき提出する非課税貯蓄申告書

（有価証券の預入等をする日の意義）

（５）　④に規定する「有価証券の預入等をする日」とは、次に掲げる区分に応じ、それぞれ次に掲げる日をいうものとする。（基通10－11）

(一)　いわゆる新発債　　その発行日
(二)　いわゆる既発債　その受渡日
(三)　投資信託の受益権　　その設定日又は追加設定日
(四)　特定目的信託の社債的受益権　　その設定日又は受渡日

(注)　特定公募公社債等運用投資信託の受益権については、上記(三)に掲げる日による。

⑤　非課税貯蓄限度額変更申告書

非課税貯蓄申告書を提出した個人が、当該申告書に記載した④(三)に掲げる最高限度額（既に⑤の規定による申告書を提出している場合には、当該申告書に記載した変更後の最高限度額）を変更しようとする場合には、その個人は、その旨並びに次の(一)から(八)までに掲げる事項を記載した申告書（以下において「**非課税貯蓄限度額変更申告書**」という。）を、当該非課税貯蓄申告書の提出の際に経由した金融機関の営業所等を経由して、その者の住所地の所轄税務署長に提出するものとする。（法10④、令41①）

(一)	提出者の氏名、生年月日、住所及び個人番号
(二)	障害者等に該当する事実
(三)	その金融機関の営業所等の名称及び所在地
(四)	預貯金等のうち、提出者がその金融機関の営業所等を経由して提出した非課税貯蓄申告書に記載したものの種別
(五)	(四)の非課税貯蓄申告書に記載した④(三)《障害者等の少額預金の利子所得等の非課税》に掲げる最高限度額（当該申告書につき既に非課税貯蓄限度額変更申告書を提出している場合には、当該非課税貯蓄限度額変更申告書に記載した変更後の最高限度額）
(六)	変更後の最高限度額
(七)	他の金融機関の営業所等を経由して非課税貯蓄申告書を提出している場合には、当該申告書に記載した④の(四)に掲げる最高限度額の合計額
(八)	(四)の非課税貯蓄申告書の提出年月日その他参考となるべき事項

（非課税貯蓄限度額変更申告書に記載する最高限度額）

注　非課税貯蓄限度額変更申告書に記載することができる⑤(六)の最高限度額は、１万円に整数を乗じた金額で、かつ、300万円（当該申告書に記載すべき⑤(七)に掲げる最高限度額の合計額がある場合には、300万円から当該合計額を控除した残額）以下の金額とする。（令41②）

（注）④(３)の規定の適用がある場合における注の規定の適用については、この規定中「300万円」とあるのは、「350万円」とする。（措令２の３）

⑥　障害者等に該当する旨の確認手続

（氏名等の告知）

（１）　非課税貯蓄申告書又は非課税貯蓄限度額変更申告書を提出する個人は、その提出をしようとする際、その提出をする金融機関の営業所等の長に(２)に規定する書類《障害者等確認書類及び本人確認書類》の提示又は当該書類の提示に代えて署名用電子証明書等の送信（署名用電子証明書等（署名用電子証明書、地方公共団体情報システム機構により電子署名が行われた署名用電子証明書に係る者の個人番号及び個人識別事項（行政手続における特定の個人を識別するための番号の利用等に関する法律施行規則第１条第２号《写真の表示等により個人番号提供者を確認できる書類》に係る情報で、同令第３条第１号《電子情報処理組織を使用して個人番号の提供を受ける場合の本人確認の措置》の規定により総務大臣が定めるもの又は署名用電子証明書により確認される電子署名が行われた情報で、当該署名用電子証明書に係る者の氏名、生年月日、住所及び個人番号に係るもの）の送信）をして、氏名、生年月日、住所及び個人番号並びに障害者等に該当する旨を告知し、当該告知をした事項につき確認を受けなければならない。（法10⑤、令41の２④、規７⑥）

（障害者等確認書類及び本人確認書類）

（２）　(１)に規定する書類《障害者等確認書類及び本人確認書類》は、90ページの別表各号の第Ⅰ欄に規定する障害者等の区分に応じ、当該各号の第Ⅱ欄に規定する書類とする。（令41の２③、規７④）

（注）(１)に規定する書類（当該書類の写しを含む。以下の通達においては「**確認書類**」という。）には、90ページの別表に後続する(８)《基通10－10》に掲げる書類を含むものとする。

（確認した旨の非課税貯蓄申告書への確認をした旨の記載等）

（３）　金融機関の営業所等の長は、(１)《氏名等の告知》の規定による告知があった場合には、その告知に係る非課税貯蓄申告書又は非課税貯蓄限度額変更申告書（電磁的方法により提供された当該非課税貯蓄申告書に記載すべき事項又は非課税貯蓄限度額変更申告書に記載すべき事項を記録した電磁的記録を含む。以下(３)において同じ。）に、当該告知があった事項につき確認をした旨その他非課税貯蓄申告書、非課税貯蓄限度額変更申告書又は非課税貯蓄に関する異動申告書の受理の際に提示を受けた(１)に規定する書類若しくは⑨(２)に規定する書類の名称又は当該受理の際に署名用電子証明書等の送信を受けた旨を記載し、又は記録しなければならない。この場合において、金融機関の営業所等の長は、当該非課税貯蓄申告書又は非課税貯蓄限度額変更申告書に記載され、又は記録されているその者の氏名、生年月日、住所及び個人番号並びに障害者等に該当する事実と当該告知があった氏名、生年月日、住所及び個人番号並びに障害者等に該当する事実とが異なるときは当該確認をした旨を記載し、又は記録してはならない。（令41の３①、規８の２）

（氏名、住所の変更時の提示書類）

（４）　別表の**1**の第Ⅱ欄に掲げる書類《個人番号カード等》を⑨《氏名又は住所の変更の場合の「非課税貯蓄に関する異動申告書」》の規定により提示する場合には、当該書類は、その変更後の氏名、住所及び個人番号の記載のあるものに限るものとする。（規７⑤）

（預入者の申請に基づき作成した備付帳簿がある場合の障害者等確認書類の提示の省略の特例）

（５）　金融機関の営業所等の長が、非課税貯蓄申告書を提出した者の氏名、生年月日、住所及び個人番号並びに障害者等に該当する事実その他の事項を記載した帳簿（その者からその者の障害者等確認書類及び本人確認書類の写しを添付した申請書の提出又はその者の障害者等確認書類の提示及び本人確認書類の提示（(１)に定めるところにより行う(１)に規定する署名用電子証明書等の送信を含む。）と併せて行われる電磁的方法による申請書に記載すべき事項の提供を受けて作成されたものに限る。）を備えているときは、その者は、②(２)《非課税貯蓄申込書の提出先及び障害者等確認書類の提示》の規定にかかわらず、当該金融機関の営業所等に対して提出する非課税貯蓄申込書にその旨を記載することにより②(２)の書類の提示（②(４)に定めるところにより行う②(２)に規定する署名用電子証明書等の送信を含む。⑭《非課税貯蓄相続申込書》(１)において同じ。）に代えることができる。ただし、当該非課税貯蓄申込書に記載された氏名、生年月日、住所及び個人番号並びに障害者等に該当する事実が当該帳簿に記載されているその者の氏名、生年月日、住所及び個人番号並びに障害者等に該当する事実と異なるときは、この限りでない。(令41の２⑤、規７⑦)

(氏名等の変更があった場合の届出)

(６)　提出者が、次の(一)及び(二)に掲げる場合に該当することとなった場合（当該提出者が(５)に規定する申請書を提出し、又は電磁的方法により当該申請書に記載すべき事項を記録した電磁的記録を提供した金融機関（以下(10)までにおいて「提出先金融機関」という。）の営業所等に非課税貯蓄に関する異動申告書を提出した場合を除く。以下(６)において同じ。）には、当該提出者は、遅滞なく、当該提出先金融機関の営業所等に、その変更前の氏名、住所及び個人番号並びに変更後の氏名、住所及び個人番号（(一)に掲げる場合には、その変更前の氏名及び住所並びに変更後の氏名及び住所）を記載した届出書（別表の**1**の第Ⅱ欄に掲げるいずれかの書類（(一)に掲げる場合には、別表の**1**の第Ⅱ欄に掲げるいずれかの書類又は⑨(２)に規定する書類）の写しの添付があるもの又はその提出の際にその者の署名用電子証明書等を送信しているものに限る。）を提出しなければならない。当該届出書を提出した後、再び次の(一)及び(二)に掲げる場合に該当することとなった場合も、同様とする。(規７⑧)

(一)	提出者の氏名又は住所の変更をした場合
(二)	提出者の個人番号の変更をした場合

(障害者等に該当しないこととなった場合の届出－備付帳簿登録者－)

(７)　提出者が、障害者等に該当しないこととなった場合（提出先金融機関の営業所等に③(４)《普通預金契約等についての非課税貯蓄申込書の特例》に規定する届出書を提出した場合を除く。）には、当該提出者は、遅滞なく、当該提出先金融機関の営業所等に、障害者等に該当しなくなった旨及び③(４)(一)から同(四)に掲げる事項を記載した届出書を提出しなければならない。(規７⑨)

(電磁的方法による届出書の提出)

(８)　(６)及び(７)に規定する提出者は、これらの規定による届出書の提出に代えて、これらの規定に規定する提出先金融機関の営業所等に対し、これらの届出書に記載すべき事項を電磁的方法により提供することができる。この場合において、当該提出者は、これらの届出書を当該提出先金融機関の営業所等に提出したものとみなす。(規７⑩)

(電磁的方法による(８)の写しの提出)

(９)　提出者は、(８)の規定により(６)に規定する届出書に記載すべき事項を電磁的方法により提供する場合には、(６)に規定する書類の写しの(６)の規定による提出に代えて、(６)の提出先金融機関の営業所等に対し、当該写しに記載されている事項を電磁的方法により提供することができる。この場合において、当該提出者は、(６)の規定により当該届出書に当該写しを添付して、提出したものとみなす。(規７⑪)

(提示省略の特例の適用をやめようとする場合の申出)

(10)　提出者は、(５)の規定の適用を受けることをやめようとする場合には、提出先金融機関の営業所等に、その旨の申出をすることができる。(規７⑫)

⑦　障害者等の少額預金の利子所得等で非課税とされないもの

(障害者等の少額預金の利子所得等が課税されることとなる場合)

(１)　個人が次の(一)又は(二)に掲げる場合に該当することとなったとき（(２)及び(３)に規定する場合に該当する場合を除く。）は、その者が(一)又は(二)に規定する契約に基づいて預入等をした預貯金等の利子、収益の分配又は剰余金の配当でその該当することとなった後に支払を受けるものについては、①《障害者等の少額預金の利子所得等の非課税》の規定は、適用しない。(令36①)

(一)	①の規定の適用を受けようとする預貯金等に係る契約に基づいて預入等をする預貯金等の一部につき非課税貯蓄申込書の提出をしなかった場合（③(3)《口座限度額に達するまでの預入等の場合の非課税貯蓄申込書の提出不要》の規定に該当する場合を除く。）
(二)	③(1)《普通預金契約等についての非課税貯蓄申込書の特例－口座限度額方式－》の規定による記載をした非課税貯蓄申込書を提出した場合において、その記載をした③(1)に規定する預貯金等の現在高に係る限度額（③(2)《口座限度額の変更手続》の規定による記載をした非課税貯蓄申込書を提出した場合には、その提出後においては、変更後の限度額）を超えて③(1)に規定する普通預金契約等に基づく預入等をしたとき。

（障害者等に該当しないこととなった日以後に預入等した預貯金等の利子等の計算）

(2)　預貯金等に係る契約に基づいて預入等をする預貯金等につき非課税貯蓄申込書を提出した個人が、その提出の後障害者等に該当しないこととなり、かつ、当該該当しないこととなった後において当該契約に基づき当該預貯金等の預入等をする場合における当該該当しないこととなった日以後に当該預入等をした①《障害者等の少額預金の利子所得等の非課税》の規定の適用がない預貯金等に係る部分の利子、収益の分配又は剰余金の配当は、同日以後に当該預入等をした預貯金等の金額（当該預貯金等が有価証券である場合には、①に規定する額面金額等）、当該預入等の日から当該預貯金等の払戻し、解約、償還又は買入償却の日までの期間及び当該預貯金等の利率を基礎として計算するものとする。（令36②、規6の2①）

（障害者等に該当しないこととなった日の属する利子の計算期間に係る普通預金等の利子に対する非課税規定の適用）

(3)　普通預金、普通貯金、貯蓄預金、貯蓄貯金、③(1)《普通預金契約等についての非課税貯蓄申込書の特例－口座限度額方式－》(二)及び同(三)《納税準備預金及び納税貯蓄組合預金》に掲げる預貯金並びに①(1)《金融機関等の範囲》(二)又は同(三)に掲げる者《勤務先又は共済組合》が受入れをする預貯金で普通預金又は普通貯金に相当するもの（以下(3)において「**普通預金等**」という。）につき非課税貯蓄申込書を提出した個人が、その提出の後障害者等に該当しないこととなった場合には、当該該当しないこととなった日の属する利子の計算期間に係る利子に対する**3**の規定の適用については、当該計算期間内における当該普通預金等の預入は、②(2)《非課税貯蓄申込書の提出先及び障害者等確認書類の提示》の規定に従って行われたものとみなし、当該計算期間後最初の利子の計算期間に係る利子に対する**3**又は(2)の規定の適用については、当該計算期間の初日における当該普通預金等の現在高は、同日においてその預入が行われたものとみなす。（令36③、規6の2②）

（普通預金又は普通貯金に相当するもの）

(4)　(3)に規定する「①(1)《金融機関等の範囲》(二)又は同(三)に掲げる者《勤務先又は共済組合》が受入れをする預貯金で普通預金又は普通貯金に相当するもの」に該当するかどうかは、その預貯金に満期日の定めがあるかどうか、利息は毎日又は一定の日の残高を基に累積計算により算出され、毎年一定の時期に支払うこととされているかどうか等を勘案して判定するものとする。（基通10－6）

（国外勤務者が追加預入等をした場合の非課税規定の適用関係）

(5)　非課税貯蓄申込書は、国内に住所を有する者（第一節**二1**《国内に住所を有するものとみなされる公務員》の規定により国内に住所を有するものとみなされる国家公務員又は地方公務員〔以下(5)において「国外勤務の公務員」という。〕を除く。）で障害者等（①に規定する障害者等をいう。）に該当する者だけが提出できるのであるから、国内に住所を有しないこととなった者（障害者等に該当しないこととなった者を除き、障害者等のうち、国外勤務の公務員となった者を含む。）に対する①《障害者等の少額預金の利子所得等の非課税》の規定の適用に当たっては、次のことに留意する。（基通10－8）

(一)　その者が国内に住所を有する間に非課税貯蓄申込書を提出して預入等をした預貯金等につき受ける利子、収益の分配又は剰余金の配当（以下「利子等」という。）については、国内に住所を有しなくなった後に当該預貯金等の口座にその利子等の繰入れ又は留守宅渡しの給与の振込み等による追加預入等が行われない限り、引き続き①の規定を適用すること。

(二)　その者が国内に住所を有する間に非課税貯蓄申込書を提出して預入等をした預貯金等の口座に、国内に住所を有しなくなった後に追加預入等をした場合において、その追加預入等が行われた後に当該預金等につき受ける利子等については、次によること。

イ　その預貯金等が限度額を記載した非課税貯蓄申込書に係るものであるときは、その追加預入等が行われた後の残高が当該限度額以下である限り、①の規定を適用する。

ロ　その預貯金等がイ以外のものであるときは、①の規定は適用しない。

(三)　その者が国内に住所を有しないこととなってから新規に預入等をする預貯金等の利子等については、その預入等の際に非課税貯蓄申込書を提出しても①の規定は適用しない。

⑧　非課税限度額の計算等

(普通預金契約等に係る元本の合計額の計算)

(1)　③(1)《普通預金契約等についての非課税貯蓄申込書の特例－口座限度額方式－》の規定による記載がされた非課税貯蓄申込書に係る③(1)に規定する普通預金契約等に基づいて預入等をされた預貯金等については、当該申込書の提出のあった日以後においては、当該申込書を提出した者が引き続き当該申込書に記載された預貯金等の現在高(有価証券については、額面金額等により計算した現在高。(2)において同じ。)に係る限度額(③(2)《口座限度額の変更手続》の規定による記載がされた非課税貯蓄申込書が提出された場合には、その提出があった日以後においては、変更後の限度額)に相当する金額の当該申込書に係る預貯金等を有しているものとみなして、①《障害者等の少額預金の利子所得等の非課税》(一)から同(三)までに規定する元本の合計額又は額面金額等の合計額を計算するものとする。(令39②)

(元本の合計額が最高限度額を超えないかどうかの判定)

(2)　個人が非課税貯蓄申込書を提出して預入等をした預貯金等の①《障害者等の少額預金の利子所得等の非課税》(一)から同(三)までに規定する元本の合計額又は額面金額等の合計額が、その預貯金等の利子、収益の分配又は剰余金の配当の計算期間を通じて当該各号に規定する最高限度額を超えないかどうかは、その計算期間中のいずれの日においてもその預貯金等(その日以前に⑦(1)《障害者等の少額預金の利子所得等が課税されることとなる場合》(一)又は同(二)の規定に該当するに至ったものを除く。)の最終の現在高の合計額が当該最高限度額を超えていないかどうかにより、判定するものとする。(令39③)

⑨　氏名又は住所の変更の場合の「非課税貯蓄に関する異動申告書」

非課税貯蓄申告書を提出した個人が、その提出後、次の(一)及び(二)に掲げる場合に該当することとなった場合には、その者は、遅滞なく、その旨その他(1)で定める事項を記載した申告書を、当該非課税貯蓄申告書の提出をした金融機関の営業所等(⑩若しくは⑪又は所得税法施行令第44条第1項に規定する場合に該当するときは、これらの規定に規定する移管先の営業所等)を経由し、その者の住所地(国内における住所の変更についてはその変更前の住所地とし、国外の場所から従前の住所地以外の国内の場所への住所の変更についてはその従前の住所地とする。)の所轄税務署長に提出しなければならない。この場合において、その提出に当たっては、当該金融機関の営業所等の長にその者の本人確認書類((一)に掲げる場合にあっては、当該本人確認書類又はその者の変更前の氏名若しくは住所及び変更後の氏名若しくは住所を証する住民票の写しその他の(2)で定める書類。以下⑨において「本人確認等書類」という。)を提示し、又はその者の署名用電子証明書等(⑥(1)に規定する署名用電子証明書等をいう。以下⑨において同じ。)を送信しなければならないものとし、当該金融機関の営業所等の長は、当該申告書(電磁的方法により提供された当該申告書に記載すべき事項を記録した電磁的記録を含む。以下⑨において同じ。)に記載され、又は記録されている変更後の氏名、住所又は個人番号が当該本人等確認書類又は署名用電子証明書等に記載又は記録がされた氏名、住所又は個人番号と同一であることの確認をし、かつ、当該申告書に当該確認をした事実その他(4)で定める事項を記載し、又は記録しなければならない。(令43①)

(一)	その者の氏名又は住所の変更をした場合(住所の変更については、国内における住所の変更及び国外の場所から従前の住所地以外の国内の場所への住所の変更に限る。)
(二)	その者の個人番号の変更をした場合

(⑨前段に規定する(1)で定める事項)

(1)　⑨前段《住所又は氏名の変更の場合の「非課税貯蓄に関する異動申告書」》に規定する(1)で定める事項は、次の(一)から(五)までに掲げる事項とする。(規8①)

(一)	⑨に規定する申告書を提出する者(以下(一)及び(二)において「提出者」という。)の氏名、生年月日、住所

	及び個人番号（提出者の氏名又は住所の変更をした場合には、当該提出者の氏名、生年月日及び住所）
(二)	提出者の変更前の氏名、住所又は個人番号及び変更後の氏名、住所又は個人番号
(三)	その金融機関の営業所等を経由して提出した非課税貯蓄申告書に記載した預貯金等の種別
(四)	(三)の非課税貯蓄申告書の提出年月日
(五)	その他参考となるべき事項

（⑨後段に規定する（2）で定める書類）

（2）　⑨後段に規定する（2）で定める書類は、別表の第Ⅱ欄(三)イから同リまでに規定する書類（同イに掲げる書類を除く。）のうち、⑨前段に規定する個人の変更前の氏名又は住所の記載がある書類とする。（規8②）

（個人番号の付記）

（3）　⑨前段に規定する個人が、⑨(一)に掲げる場合に該当して⑨の規定により非課税貯蓄に関する異動申告書を提出したときは、当該非課税貯蓄に関する異動申告書を受理した金融機関の営業所等の長は、当該非課税貯蓄に関する異動申告書（電磁的方法により提供された当該非課税貯蓄に関する異動申告書に記載すべき事項を記録した電磁的記録を含む。）に、当該個人の個人番号を付記するものとする。（規8③）

（非課税貯蓄申告書等への付記事項）

（4）　⑨後段《住所又は氏名の変更がある場合の「非課税貯蓄に関する異動申告書」》に規定する（4）で定める事項は、非課税貯蓄申告書、非課税貯蓄限度額変更申告書又は非課税貯蓄に関する異動申告書の受理の際に提示を受けた⑥（1）《障害者等の少額預金の利子所得等の非課税》に規定する書類若しくは（2）に規定する書類の名称又は当該受理の際に署名用電子証明書等の送信を受けた旨とする。（規8の2）

⑩　非課税貯蓄の移管のための「非課税貯蓄に関する異動申告書」

非課税貯蓄申告書を提出した個人が、その提出後、その者の①の規定の適用を受ける預貯金等の受入れをしている金融機関の営業所等（以下「移管前の営業所等」という。）に対して当該預貯金等に関する事務の全部を移管前の営業所等以外の金融機関の営業所等（当該申告書に記載した移管前の営業所等に係る①（1）《金融機関等の範囲》(一)から同(五)までに掲げる者又はその者と預貯金に係る債務の承継に関する契約を締結している者の営業所、事務所その他これらに準ずるものに限る。以下⑩において「移管先の営業所等」という。）に移管すべきことを依頼し、かつ、その移管がされることとなった場合において、当該預貯金等につき引き続き移管先の営業所等において①の規定の適用を受けようとするときは、当該個人は、当該移管を依頼する際、その旨及び次の(一)から(五)までに掲げる事項を記載した申告書を、移管前の営業所等及び移管先の営業所等を経由して、その者の住所地の所轄税務署長に提出しなければならない。（令43②、規8④）

(一)	⑩に規定する申告書を提出する者の氏名、生年月日、住所及び個人番号
(二)	移管前の営業所等の名称及び所在地並びに移管先の営業所等の名称及び所在地
(三)	(二)に規定する移管前の営業所等を経由して提出した非課税貯蓄申告書に記載した預貯金等の種別
(四)	(三)の非課税貯蓄申告書の提出年月日
(五)	その他参考となるべき事項

⑪　業務の停止が命ぜられた場合の「非課税貯蓄に関する異動申告書」

非課税貯蓄申告書を提出した個人が、その提出後、その者の①の規定の適用を受ける有価証券（合同運用信託等に係る無記名の貸付信託又は特定公募公社債等運用投資信託の受益証券を含む。以下「**特定有価証券**」という。）につきその取得をし、かつ、当該特定有価証券につき所得税法施行令第37条第１項又は第２項《有価証券の記録等》の規定により金融機関の振替口座簿に記載若しくは記録をし、若しくは保管の委託を受け、又は保管の取次ぎをした金融機関の営業所等（以下「特定営業所等」という。）に係る①（1）《金融機関の範囲》(一)から同(五)までに掲げる者（以下⑪及び⑭（3）において「特定金融機関」という。）の特定業務（有価証券（合同運用信託等に係る無記名の貸付信託又は特定公募公社債等運用投資信託の受益証券を含む。）の当該個人による特定営業所等における購入に係る業務をいう。以下⑪において同じ。）につき次の(一)から(四)までに掲げる事由が生じたことにより、当該事由が生じた日から起算して１年を経過する日（当該事由が(一)に掲げるものであって、同日前に(一)の特定業務の停止につき定められた期間が終了する場合には、その終了の日）までの間に特定営業所等に対してその者の当該特定有価証券に関する事務の全部を特定営業所等以外の金融機関の営業所等（特定金融機関と特定有価証券に関する事務の移管（当該個人が特定営業所等にその取得をした特定有価証券の保管の委託をしている場合には、特定有価証券の保管の委託に係る契約の承継を含む。以下同じ。）に関する契約を締結している者の営業所、事務所その他これらに準ずるものに限る。以下⑪において「移管先の営業所等」という。）に移管すべきことを依頼し、かつ、その移管がされることとなった場合において、その取得をした特定有価証券につき引き続き移管先の営業所等において①の規定の適用を受けようとするときは、当該個人は、当該移管を依頼する際、その旨及び（1）で定める事項を記載した申告書を特定営業所等及び移管先の営業所等を経由して、その者の住所地の所轄税務署長に提出しなければならない。（令43③）

(一)	法律の規定に基づく措置として当該特定業務の停止を命ぜられたこと。
(二)	当該特定業務を廃止したこと。
(三)	当該特定業務に係る免許、認可、承認又は登録が取り消されたこと（既に(二)に掲げる事由が生じている場合を除く。）。
(四)	当該特定業務を行う特定営業所等に係る特定金融機関が解散したこと（既に(二)又は(三)に掲げる事由が生じている場合を除く。）。

（⑪に規定する（1）で定める記載事項）

（1）　⑪に規定する（1）で定める事項は次の(一)から(六)までに掲げる事項とする。（規８⑤）

(一)	⑪に規定する申告書を提出する者の氏名、生年月日、住所及び個人番号
(二)	⑪に規定する特定業務につき生じた⑪の(一)から(四)までに掲げる事由の別及び当該事由が生じた年月日
(三)	(二)の特定業務につき(二)の事由が生じた特定金融機関の特定営業所等の名称及び所在地並びに移管先の営業所等の名称及び所在地
(四)	(三)に規定する特定営業所等を経由して提出した非課税貯蓄申告書に記載した預貯金等の種別
(五)	(四)の非課税貯蓄申告書の提出年月日
(六)	その他参考となるべき事項

（障害者等に該当しないこととなった者が預貯金等の移管を行った場合）

（2）　２以上の金融機関の営業所等を経由して非課税貯蓄申告書を提出した者でその後障害者等に該当しないこととなった者が、その後当該金融機関の営業所等の間で①《障害者等の少額預金の利子所得等の非課税》の規定の適用を受ける預貯金等を移管して、当該移管に係る預貯金等につき引き続き①の規定の適用を受けようとする場合には、⑩の規定に基づき非課税貯蓄に関する異動申告書及び非課税貯蓄限度額変更申告書を提出する必要があることに留意する。

この場合、非課税貯蓄限度額変更申告書の「障害者等に該当する事実」欄は記載しないものとする。（基通10－19）

（注）　非課税貯蓄申告書を提出した個人で障害者等に該当しないこととなった者が、その後、その氏名住所又は個人番号の変更をした場合には、⑨に規定する非課税貯蓄に関する異動申告書を提出しなければならないことに留意する。

⑫　非課税貯蓄廃止申告書

非課税貯蓄申告書を提出した個人が、その提出後、当該申告書の提出の際に経由した金融機関の営業所等において預入等をした当該申告書に記載した預貯金等につき①《障害者等の少額預金の利子所得等の非課税》の規定の適用を受けることをやめようとする場合には、その者は、その旨その他次の(一)から(四)までに掲げる事項を記載した申告書（以下において、「**非課税貯蓄廃止申告書**」という。）を、当該預貯金等の受入れをする金融機関の営業所等を経由し、その者の住所地の所轄税務署長に提出しなければならない。（令45①、規９①）

(一)	非課税貯蓄廃止申告書を提出する者の氏名、生年月日、住所及び個人番号
(二)	当該金融機関の営業所等において預入等をした預貯金等で①の規定の適用を受けることをやめようとするものの種別

(三)	(二)の預貯金等に係る④《非課税貯蓄申告書》(三)に掲げる最高限度額（非課税貯蓄限度額変更申告書が提出されている場合には、変更後の最高限度額）
(四)	その他参考となるべき事項

（非課税貯蓄廃止申告書提出後の非課税規定の不適用）

（1）　非課税貯蓄廃止申告書の提出があった場合には、その提出があった日後に支払の確定する⑫に規定する預貯金等の利子、収益の分配又は剰余金の配当については、①《障害者等の少額預金の利子所得等の非課税》の規定は、適用しない。（令45③）

（預貯金等を有しないこととなった日以後２年を経過した日の属する年の年末までに預入等がなかった場合の非課税貯蓄廃止申告書のみなし提出）

（2）　非課税貯蓄申告書を提出した個人が、当該申告書の提出の際に経由した金融機関の営業所等において預入等をした当該申告書に記載した預貯金等（①《障害者等の少額預金の利子所得等の非課税》の規定の適用を受けるものに限る。以下(2)において同じ。）を有しないこととなった場合において、その有しないこととなった日以後２年を経過する日の属する年の12月31日までの間に、当該金融機関の営業所等において当該預貯金等の預入等をしなかったとき（当該預貯金等につき非課税貯蓄廃止申告書を提出した場合を除く。）は、その翌年１月１日に当該預貯金等につき非課税貯蓄廃止申告書の提出があったものとみなす。（令45④）

⑬　非課税貯蓄者死亡届出書

非課税貯蓄申告書を提出した個人が死亡したときは、その者の相続人は、当該申告書に係る預貯金等で①《障害者等の少額預金の利子所得等の非課税》の規定の適用に係るものの利子、収益の分配又は剰余金の配当につきその相続の開始があったことを知った日以後最初に支払がされる日までに、その旨その他次の(一)から(四)までに掲げる事項を記載した届出書を、当該預貯金等の受入れをしている金融機関の営業所等に提出しなければならない。ただし、その者が相続により取得した被相続人に係る預貯金等で①の規定の適用に係るものの受入れをしている金融機関の営業所等に⑭に規定する非課税貯蓄相続申込書を提出したときは、この限りでない。（令46①、規10①）

(一)	非課税貯蓄者死亡届出書を提出する相続人の氏名及び住所
(二)	被相続人の氏名、生年月日及び死亡の時における住所並びに死亡年月日
(三)	当該金融機関の営業所等において預入等をした被相続人に係る預貯金等で①《障害者等の少額預金の利子所得等の非課税》の規定の適用に係るものの種別
(四)	その他参考となるべき事項

⑭　非課税貯蓄相続申込書

⑬に規定する相続人のうちに⑬に規定する預貯金等と同一の種別の預貯金等につき⑬に規定する預貯金等の受入れをしている金融機関の営業所等に非課税貯蓄申込書を提出することができる障害者等である者がある場合において、その者が、相続により取得したその被相続人に係る預貯金等で①《障害者等の少額預金の利子所得等の非課税》の規定の適用に係るものにつき引き続き①の規定の適用を受けたい旨、その適用を受けようとする預貯金等の金額（当該預貯金等が有価証券である場合には、その額面金額等）、障害者等に該当する旨その他次の(一)から(四)までに掲げる事項を記載した書類（以下「**非課税貯蓄相続申込書**」という。）を、⑬に規定する支払がされる日までに、その金融機関の営業所等に提出したときは、①《障害者等の少額預金の利子所得等の非課税》の規定の適用については、その者がその金融機関の営業所等においてその非課税貯蓄相続申込書を提出した日に非課税貯蓄申込書を提出して当該金額に相当する預貯金等の預入等をしたものとみなす。（令47①、規11）

(一)	非課税貯蓄相続申込書を提出する相続人の氏名、生年月日及び住所並びに障害者等に該当する事実
(二)	被相続人の氏名及び死亡の時における住所
(三)	当該金融機関の営業所等において預入等をした被相続人に係る預貯金等で①《障害者等の少額預金の利子所得等の非課税》の規定の適用に係るものの種別
(四)	その他参考となるべき事項

(非課税貯蓄相続申込書提出者の告知等)

(１)　非課税貯蓄相続申込書を提出する者は、その提出の際、⑭の金融機関の営業所等の長に、その者の別表の各号の第Ⅰ欄に規定する障害者等の区分に応じ、当該各号の第Ⅱ欄に規定する書類《障害者等確認書類及び本人確認書類》の②(２)に規定する提示をしなければならない。(令47②)

(届出書等の提出の特例)

(２)　③(４)、⑨～⑪若しくは⑫に規定する個人又は⑬若しくは⑭に規定する相続人は、これらの規定による届出書、申告書又は申込書の提出に代えて、これらの規定に規定する金融機関の営業所等に対し、これらの届出書、申告書又は申込書に記載すべき事項を電磁的方法により提供することができる。この場合において、当該個人又は相続人は、これらの届出書、申告書又は申込書を当該金融機関の営業所等に提出したものとみなす。(令47の３①)

(記載事項の電磁的方法による提供)

(３)　⑩の申告書を受理した⑩の移管前の営業所等の長又は⑪の申告書を受理した⑪の特定営業所等の長は、これらの規定による申告書の提出に代えて、これらの規定に規定する移管先の営業所等に対し、これらの申告書に記載すべき事項を電磁的方法により提供することができる。この場合において、当該移管前の営業所等の長又は特定営業所等の長は、これらの申告書を当該移管先の営業所等に提出したものとみなす。(令47の３③)

(非課税規定の適用を受けていた者が死亡した場合の課税関係)

(４)　その利子等について①《障害者等の少額預金の利子所得等の非課税》の規定の適用を受ける預貯金等を有する者が死亡した場合には、当該預貯金等についてその死亡後に支払を受けるべき利子等に対する課税関係は、次によることに留意する。(基通10－21)

(一)　その者の相続人（障害者等に限る。以下(５)までにおいて同じ。）から当該預貯金等について⑭《非課税貯蓄相続申込書》の規定による非課税貯蓄相続申込書の提出があった場合には、当該非課税貯蓄相続申込書を提出した日に当該相続人が非課税貯蓄申込書を提出して当該預貯金等の預入等をしたものとみなして、①の規定を適用する。

(二)　(一)以外の場合には、⑬《非課税貯蓄者死亡届出書等》の規定による非課税貯蓄者死亡届出書又は非課税貯蓄者死亡通知書が提出されたかどうかにかかわらず、次に掲げる預貯金等の利子等を除き、①の規定を適用しない。

イ　当該預貯金等（ロに掲げるものを除く。）については、その死亡した日を含む利子等の計算期間に対応する利子等のうち、死亡した日までの期間に対応する利子等

ロ　⑦の(３)《障害者等に該当しないことになった日の属する利子の計算期間に係る普通預金等の利子に対する非課税規定の適用》に規定する普通預金等については、その死亡した日を含む利子等の計算期間に対応する利子等

(非課税貯蓄者死亡届出書又は非課税貯蓄相続申込書の提出期限等)

(５)　⑬《非課税貯蓄者死亡届出書》又は⑭《非課税貯蓄相続申込書》に規定する「支払がされる日」とは、利子等がその元本等に繰り入れられる預貯金等及び利子等がその契約者に送金される預貯金等については当該繰入れ又は送金が行われる日をいい、その他の預貯金等については現実にその支払が行われる日をいう。(基通10－22)

(注)　「利子等がその元本等に繰り入れられる預貯金等」には、普通預貯金、自動継続定期預貯金、その収益を金銭信託口座に振り込むこととしている貸付信託及び累積投資に係る証券投資信託があり、「利子等がその契約者に送金される預貯金等」には、その収益を生じた都度送金することとしている貸付信託がある。

(非課税貯蓄相続申込書を提出することができる者)

(６)　⑭《非課税貯蓄相続申込書》に規定する「非課税貯蓄申込書を提出することができる障害者等である者」には、被相続人の預貯金等を相続により取得した相続人のうち、当該相続の開始前に当該預貯金等の受入れをしている金融機関の営業所等を経由して既に当該預貯金等と同一種類の預貯金等につき非課税貯蓄申告書を提出していた者のほか、当該相続の開始後非課税貯蓄相続申込書を提出する時までに当該金融機関の営業所等を経由して当該預貯金等と同一種類の預貯金等につき非課税貯蓄申告書を提出した者も含まれる。(基通10－23)

(非課税貯蓄相続申込書の提出の効果)

(７)　⑭《非課税貯蓄相続申込書》の規定により相続人が非課税貯蓄相続申込書を提出した場合には、当該非課税貯蓄相続申込書に係る預貯金等は、当該非課税貯蓄相続申込書を提出した日に当該相続人が非課税貯蓄申込書を提出して預入等をしたものとみなされるのであるから、当該預貯金等につき非課税貯蓄相続申込書を提出した日以後最初に支

払を受ける利子等に係る預貯金等の元本等の合計額が当該利子等の計算期間を通じて非課税貯蓄限度額を超えないかどうかは、当該利子等の計算期間のうち非課税貯蓄相続申込書の提出の日以後の期間について判定することに留意する。（基通10－24）

別表　障害者等の定義及び障害者等確認書類

（以下の表は、編者において障害者等の定義と障害者等確認書類及び本人確認書類とを対応表示するために作成したものであり、法令に規定されたものではない。（編者注））

号数	**第Ⅰ欄　障害者等の定義** （法10①、令31の２、規４）	**第Ⅱ欄　障害者等確認書類及び本人確認書類** （法10②⑤、令41の２①③、規７①②④）
1	身体障害者福祉法第15条第４項《身体障害者手帳》の規定により身体障害者手帳の交付を受けている者	障害者等の身体障害者手帳及び行政手続における特定の個人を識別するための番号の利用等に関する法律第２条第７項《定義》に規定する個人番号カードその他次の(イ)及び(ロ)に掲げる書類（以下この表の第Ⅱ欄において「**個人番号カード等**」という。）（令41の２③、規７④） (イ)　個人番号カードで告知等の日において有効なもの (ロ)　住民票の写し又は住民票の記載事項証明書で、当該障害者等である者の個人番号の記載のあるもの（告知等の日前６月以内に作成されたものに限る。）及び②（３）に規定する住所等確認書類（表下(注)２(イ)及び同(ロ)に掲げる書類を除く。）
2	国民年金法第37条の２第１項《遺族の範囲》に規定する遺族基礎年金を受けることができる妻である者	(一)　当該年金に係る遺族基礎年金の年金証書及び「**妻であることを証する書類**」（当該妻であることを証する事項の記載がある住民票の写し又は住民票の記載事項証明書をいう。以下この表の第Ⅱ欄において同じ。） (二)　**1**の第Ⅱ欄の個人番号カード等
3	国民年金法第49条第１項《支給要件》に規定する寡婦年金を受けることができる同項に規定する妻である者	(一)　当該年金に係る年金証書 (二)　**1**の第Ⅱ欄の個人番号カード等
4	国民年金法第15条第２号《給付の種類》に掲げる障害基礎年金を受けている者　**（以下令31の２）**	(一)　障害基礎年金に係る年金証書 (二)　**1**の第Ⅱ欄の個人番号カード等
5	厚生年金保険法第32条第２号《保険給付の種類》に規定する障害厚生年金を受けている者又は同条第３号に掲げる遺族厚生年金を受けている同法第59条第１項《遺族》に規定する遺族（妻に限る。）である者	(一)　障害厚生年金又は遺族厚生年金に係る年金証書（当該遺族厚生年金を受けている遺族である妻である者にあっては、当該年金証書及び「妻であることを証する書類」《**2**(一)》） (二)　**1**の第Ⅱ欄の個人番号カード等
6	恩給法第２条第１項《恩給の種類》に規定する増加恩給を受けている者又は同項に規定する扶助料を受けている同法第72条第１項《遺族》に規定する遺族（妻に限る。）である者	(一)　増加恩給又は扶助料に係る恩給証書（当該扶助料を受けている遺族である妻である者にあっては、当該恩給証書及び「妻であることを証する書類」《**2**(一)》） (二)　**1**の第Ⅱ欄の個人番号カード等
7	労働者災害補償保険法第12条の８第１項第６号《業務災害に関する保険給付の種類》に掲げる傷病補償年金、同法第15条第１項《障害補償給付》に規定する障害補償年金、同法第20条の２第６号《複数業務要因災害に関する保険給付の種類》に掲げる複数事業労働者傷病年金、同法第20条の５第２項《複数事業労働者障害給付》に規定する複数事業労働者障害年金、同法第21条第６号《通勤災害に関する保険給付の種類》に掲げる傷病年金若しくは同法第22条の３第２項《障害給付》に規定する障害年金を受けている者又は同法第16条《遺族補償給付》に規	(一)　傷病補償年金、障害補償年金、複数事業労働者傷病年金、複数事業労働者障害年金、傷病年金若しくは障害年金又は遺族補償年金、複数事業労働者遺族年金若しくは遺族年金に係る年金証書（当該遺族補償年金又は遺族年金を受けている遺族である妻である者にあっては、当該年金証書及び「妻であることを証する書類」《**2**(一)》） (二)　**1**の第Ⅱ欄の個人番号カード等

号数	第Ⅰ欄　障害者等の定義	第Ⅱ欄　障害者等確認書類及び本人確認書類
	定する遺族補償年金、同法第20条の６第２項《複数事業労働者遺族給付》に規定する複数事業労働者遺族年金若しくは同法第22条の４第２項《遺族給付》に規定する遺族年金を受けている同法第16条の２第１項《遺族》（同法第20条の６第３項及び第22条の４第３項において準用する場合を含む。）に規定する遺族（妻に限る。）である者	
8	船員保険法第87条第１項《障害年金及び障害手当金の支給要件》に規定する障害年金を受けている者又は同法第97条《遺族年金の支給要件》に規定する遺族年金を受けている同法第35条第１項《遺族年金を受ける遺族の範囲及び順位》に規定する遺族（妻に限る。）である者	(一)　障害年金又は遺族年金に係る年金証書（当該遺族年金を受けている遺族である妻である者にあっては、当該年金証書及び「妻であることを証する書類」《**2**(一)》） (二)　**1**の第Ⅱ欄の個人番号カード等
9	国家公務員災害補償法第９条第３号《補償の種類》に掲げる傷病補償年金若しくは同条第４号イに掲げる障害補償年金を受けている者又は同条第６号イに掲げる遺族補償年金を受けている同法第16条第１項《遺族補償年金》に規定する遺族（妻に限る。）である者	(一)　左欄の各号に規定する傷病補償年金若しくは障害補償年金又は遺族補償年金に係る年金証書（当該遺族補償年金を受けている遺族である妻である者にあっては、当該年金証書及び「妻であることを証する書類」《**2**(一)》） (二)　**1**の第Ⅱ欄の個人番号カード等
10	地方公務員災害補償法第25条第１項第３号《補償の種類等》に掲げる傷病補償年金若しくは同項第４号イに掲げる障害補償年金を受けている者又は同項第６号イに掲げる遺族補償年金を受けている同法第32条第１項《遺族補償年金》に規定する遺族（妻に限る。）である者	
11	公害健康被害の補償等に関する法律第３条第１項第２号《補償給付の種類等》に掲げる障害補償費を受けている者又は同項第３号に掲げる遺族補償費を受けている同法第30条第１項《遺族補償費を受けることができる遺族の範囲及び順位》に規定する遺族（妻に限る。）である者	(一)　障害補償費又は遺族補償費に係る都道府県知事の支給決定通知書（当該遺族補償費を受けている遺族である妻である者にあっては、当該支給決定通知書及び「妻であることを証する書類」《**2**(一)》） (二)　**1**の第Ⅱ欄の個人番号カード等
12	独立行政法人医薬品医療機器総合機構法第15条第１項第１号イ若しくは第２号イ《業務の範囲》に規定する障害年金を受けている者又は同項第１号イ若しくは第２号イに規定する遺族年金を受けている同法第16条第１項第４号《副作用救済給付》若しくは第20条第１項第４号《感染救済給付》に定める遺族（妻に限る。）である者	(一)　障害年金又は遺族年金に係る支給決定通知書（当該遺族年金を受けている遺族である妻である者にあっては、当該支給決定通知書及び「妻であることを証する書類」《**2**(一)》） (二)　**1**の第Ⅱ欄の個人番号カード等
13	戦傷病者戦没者遺族等援護法第５条第１号《援護の種類》に規定する障害年金を受けている者又は同条第２号に規定する遺族年金若しくは遺族給与金を受けている同法第24条《遺族の範囲》に規定する遺族（妻に限る。）である者	(一)　障害年金又は遺族年金若しくは遺族給与金に係る年金証書又は遺族給与金証書（当該遺族年金又は遺族給与金を受けている遺族である妻である者にあっては、当該年金証書又は遺族給与金証書及び「妻であることを証する書類」《**2**(一)》） (二)　**1**の第Ⅱ欄の個人番号カード等
14	児童扶養手当法第４条第１項《支給要件》に規定する児童扶養手当を受けている同項に規定する児童の母である者	(一)　児童扶養手当に係る児童扶養手当証書及び当該児童扶養手当を受けている「児童の母であることを証する事項の記載がある住民票の写し又は住民票の記載事項証明書」 (二)　**1**の第Ⅱ欄の個人番号カード等

号数	第Ⅰ欄　障害者等の定義	第Ⅱ欄　障害者等確認書類及び本人確認書類
15	予防接種法第12条第１項第３号若しくは第２項第３号《給付の種類》に掲げる障害年金を受けている者又は同項第４号に掲げる遺族年金を受けている同号に規定する遺族（妻に限る。）である者	(一)　障害年金又は遺族年金に係る年金証書（当該遺族年金を受けている遺族である妻である者にあっては、当該年金証書及び「妻であることを証する書類」） (二)　**1**の第Ⅱ欄の個人番号カード等
16	特別児童扶養手当等の支給に関する法律第17条《支給要件》に規定する障害児福祉手当又は同法第26条の２《支給要件》に規定する特別障害者手当を受けている者	(一)　障害児福祉手当又は特別障害者手当に係る認定通知書 (二)　**1**の第Ⅱ欄の個人番号カード等
17	都道府県知事又は地方自治法第252条の19第１項《指定都市の権能》の指定都市若しくは同法第252条の22第１項《中核市の権能》の中核市の長から療育手帳（知的障害者の福祉の充実を図るため、児童相談所又は知的障害者更生相談所において知的障害と判定された者に対して支給される手帳で、その者の障害の程度その他の事項の記載があるものをいう。）の交付を受けている者	(一)　療育手帳 (二)　**1**の第Ⅱ欄の個人番号カード等
18	精神保健及び精神障害者福祉に関する法律第45条第２項《精神障害者保健福祉手帳》の規定により精神障害者保健福祉手帳の交付を受けている者	(一)　左欄の精神障害者保健福祉手帳 (二)　**1**の第Ⅱ欄の個人番号カード等
19	原子爆弾被爆者に対する援護に関する法律第24条第１項《医療特別手当の支給》に規定する医療特別手当、同法第25条第１項《特別手当の支給》に規定する特別手当、同法第26条第１項《原子爆弾小頭症手当の支給》に規定する原子爆弾小頭症手当、同法第27条第１項《健康管理手当の支給》に規定する健康管理手当又は同法第28条第１項《保健手当の支給》に規定する保健手当の支給を受けている者	(一)　医療特別手当証書、特別手当証書、原子爆弾小頭症手当証書、健康管理手当証書又は保健手当証書 (二)　**1**の第Ⅱ欄の個人番号カード等
20	戦傷病者特別援護法第４条《戦傷病者手帳の交付》の規定により戦傷病者手帳の交付を受けている者	(一)　戦傷病者手帳 (二)　**1**の第Ⅱ欄の個人番号カード等
21	国民年金法等の一部を改正する法律（以下この表において、「**国民年金法等改正法**」という。）附則第32条第１項《旧国民年金法による給付》に規定する年金たる給付のうち障害を支給事由とするものを受けている者又は同項に規定する年金たる給付のうち死亡を支給事由とするものを受けている当該死亡した者の妻である者 **（以下規４）**	(一)　障害を支給事由とする年金たる給付又は死亡を支給事由とする年金たる給付に係る年金証書（当該死亡を支給事由とする年金たる給付を受けている遺族である妻である者にあっては、当該年金証書及び「妻であることを証する書類」《**2**(一)》） (二)　**1**の第Ⅱ欄の個人番号カード等
22	厚生年金保険法附則第28条《指定共済組合の組合員》に規定する共済組合が支給する年金たる給付のうち障害を支給事由とするものを受けている者又は同条に規定する年金たる給付のうち死亡を支給事由とするものを受けている当該死亡した者の妻である者若しくは同法附則第28条の４第１項《旧共済組合員期間を有する者の遺族に対する特例遺族年金の支給》に規定する特例遺族年金を受けている同法第59条第１項《遺族》に規定する遺族（妻に限る。）である者	(一)　障害を支給事由とする年金たる給付又は死亡を支給事由とする年金たる給付若しくは特例遺族年金に係る年金証書（当該死亡を支給事由とする年金たる給付又は特例遺族年金を受けている遺族である妻である者にあっては、当該年金証書及び「妻であることを証する書類」《**2**(一)》） (二)　**1**の第Ⅱ欄の個人番号カード等
23	国民年金法等改正法附則第78条第１項《旧厚生年金保険法による給付》に規定する年金たる保険給付のうち障害	(一)　左欄の各号に規定する障害を支給事由とする年金たる保険給付又は死亡を支給事由とする年金たる保

号数	第Ⅰ欄　障害者等の定義	第Ⅱ欄　障害者等確認書類及び本人確認書類
	を支給事由とするものを受けている者又は同項に規定する年金たる保険給付のうち死亡を支給事由とするものを受けている当該死亡した者の妻である者	険給付に係る年金証書（当該死亡を支給事由とする年金たる保険給付を受けている遺族である妻である者にあっては、当該年金証書及び「妻であることを証する書類」《**2**(一)》） (二)　**1**の第Ⅱ欄の個人番号カード等
24	国民年金法等改正法附則第87条第１項《旧船員保険法による給付》に規定する年金たる保険給付のうち障害を支給事由とするものを受けている者又は同項に規定する年金たる保険給付のうち死亡を支給事由とするものを受けている当該死亡した者の妻である者	
25	被用者年金制度の一元化等を図るための厚生年金保険法等の一部を改正する法律（以下において「一元化法」という。）附則第41条第１項《追加費用対象期間を有する者の特例等》に規定する障害共済年金若しくは一元化法附則第65条第１項《追加費用対象期間を有する者の特例等》に規定する障害共済年金を受けている者又はこれらの規定に規定する遺族共済年金を受けている被用者年金制度の一元化等を図るための厚生年金保険法等の一部を改正する法律の施行及び国家公務員の退職給付の給付水準の見直し等のための国家公務員退職手当法等の一部を改正する法律の一部の施行に伴う国家公務員共済組合法による長期給付等に関する経過措置に関する政令第118条《国共済組合員等期間を算定の基礎とする退職共済年金等に係る厚生年金保険法の規定の適用》若しくは被用者年金制度の一元化等を図るための厚生年金保険法等の一部を改正する法律及び地方公務員等共済組合法及び被用者年金制度の一元化等を図るための厚生年金保険法等の一部を改正する法律の一部を改正する法律の施行に伴う地方公務員等共済組合法による長期給付等に関する経過措置に関する政令第120条《地共済組合員等期間を算定の基礎とする退職共済年金等に係る厚生年金保険法の規定の適用》の規定によりみなして適用する厚生年金保険法の規定を適用する場合における同法第59条第１項《遺族》に規定する遺族（妻に限る。）である者	(一)　障害共済年金又は遺族共済年金に係る年金証書（当該遺族共済年金を受けているこれらの規定に規定する妻である者にあっては、当該年金証書及び「妻であることを証する書類」《**2**(一)》） (二)　**1**の第Ⅱ欄の個人番号カード等
26	国家公務員等共済組合法等の一部を改正する法律附則第２条第６号《用語の定義》に規定する旧共済法による年金のうち障害を給付事由とするものを受けている者又は同号に規定する旧共済法による年金のうち死亡を給付事由とするものを受けている当該死亡した者の妻である者	(一)　障害を給付事由とする年金又は死亡を給付事由とする年金に係る年金証書（当該死亡を給付事由とする年金を受けている遺族である妻である者にあっては、当該年金証書及び「妻であることを証する書類」《**2**(一)》） (二)　**1**の第Ⅱ欄の個人番号カード等
27	一元化法附則第37条第１項《改正前国共済法による給付等》の規定によりなおその効力を有するものとされる一元化法第２条《国家公務員共済組合法の一部改正》の規定による改正前の国家公務員共済組合法（以下**27**及び**36**において「旧効力国共済法」という。）第72条第１項第２号《長期給付の種類等》に掲げる障害共済年金を受けている者又は同項第４号に掲げる遺族共済年金を受けている旧効力国共済法第２条第１項第３号《定義》に規	(一)　障害共済年金又は遺族共済年金に係る年金証書（当該遺族共済年金を受けているこれらの規定に規定する妻である者にあっては、当該年金証書及び「妻であることを証する書類」《**2**(一)》） (二)　**1**の第Ⅱ欄の個人番号カード等

号数	第Ⅰ欄　障害者等の定義	第Ⅱ欄　障害者等確認書類及び本人確認書類
	定する遺族（妻に限る。）である者	
28	国家公務員共済組合法の長期給付に関する施行法第３条《施行日前に給付事由が生じた給付の取扱》に規定する給付のうち障害を給付事由とする年金である給付若しくは同法第34条第１項《特別措置法の施行日前に給付事由が生じた給付等の取扱い》に規定する長期給付のうち障害を給付事由とする年金である給付を受けている者又は同法第３条に規定する給付のうち死亡を給付事由とする年金である給付若しくは同法第34条第１項に規定する長期給付のうち死亡を給付事由とする年金である給付を受けている当該死亡した者の妻である者	(一)　左欄の各号に規定する障害を給付事由とする年金である給付又は死亡を給付事由とする年金である給付に係る年金証書（当該死亡を給付事由とする年金である給付を受けている遺族である妻である者にあっては、当該年金証書及び「妻であることを証する書類」《２(一)》） (二)　１の第Ⅱ欄の個人番号カード等
29	旧令による共済組合等からの年金受給者のための特別措置法の規定により国家公務員共済組合連合会が支給する年金である給付のうち障害を給付事由とするものを受けている者又は同法の規定により国家公務員共済組合連合会が支給する年金である給付のうち死亡を給付事由とするものを受けている当該死亡した者の妻である者	
30	地方公務員等共済組合法の一部を改正する法律附則第８条《旧公務傷病年金に関する経過措置》に規定する旧公務傷病年金若しくは同法附則第17条第１項《特例公務傷病年金》に規定する特例公務傷病年金を受けている者又は同法附則第９条《旧遺族年金に関する経過措置》に規定する旧遺族年金若しくは同法附則第18条第１項《特例遺族年金》に規定する特例遺族年金を受けている同法による改正前の地方公務員等共済組合法第163条第１項《遺族年金》に規定する遺族（妻に限る。）である者	(一)　旧公務傷病年金若しくは特例公務傷病年金又は旧遺族年金若しくは特例遺族年金に係る年金証書（当該旧遺族年金又は特例遺族年金を受けている遺族である妻である者にあっては、当該年金証書及び「妻であることを証する書類」《２(一)》） (二)　１の第Ⅱ欄の個人番号カード等
31	地方公務員等共済組合法等の一部を改正する法律附則第２条第７号《用語の定義》に規定する障害年金を受けている者又は同号に規定する遺族年金若しくは通算遺族年金を受けている同法による改正前の地方公務員等共済組合法第２条第１項第３号《定義》に規定する遺族（妻に限る。）である者	(一)　障害年金又は遺族年金若しくは通算遺族年金に係る年金証書（当該遺族年金又は通算遺族年金を受けている遺族である妻である者にあっては、当該年金証書及び「妻であることを証する書類」《２(一)》） (二)　１の第Ⅱ欄の個人番号カード等
32	一元化法附則第61条第１項《改正前地共済法による給付等》の規定によりなおその効力を有するものとされる一元化法第３条《地方公務員等共済組合法の一部改正》の規定による改正前の地方公務員等共済組合法（以下32において「旧効力地共済法」という。）第74条第２号《長期給付の種類》に掲げる障害共済年金を受けている者又は同条第４号に掲げる遺族共済年金を受けている旧効力地共済法第２条第１項第３号《定義》に規定する遺族（妻に限る。）である者	(一)　障害共済年金又は遺族共済年金に係る年金証書（当該遺族共済年金を受けているこれらの規定に規定する妻である者にあっては、当該年金証書及び「妻であることを証する書類」《２(一)》） (二)　１の第Ⅱ欄の個人番号カード等
33	地方公務員等共済組合法の長期給付等に関する施行法第３条第１項《施行日前に給付事由が生じた給付の取扱い等》に規定する給付のうち障害を給付事由とする年金である給付、同法第74条第１項《特別措置法の施行の日	(一)　障害を給付事由とする年金である給付又は死亡を給付事由とする年金である給付、遺族共済年金若しくは通算遺族年金に係る年金証書（当該死亡を給付事由とする年金である給付、遺族共済年金又は通算

号数	第Ⅰ欄　障害者等の定義	第Ⅱ欄　障害者等確認書類及び本人確認書類
	前に給付事由が生じた給付の取扱い》に規定する給付のうち障害を給付事由とする年金である給付、同法第103条《旧互助年金法の規定による互助年金の取扱い》に規定する給付のうち障害を給付事由とする年金である給付若しくは同法第104条第１項若しくは第４項《沖縄の立法院議員であった者等の取扱い》に規定する給付のうち障害を給付事由とする年金である給付を受けている者又は同法第３条第１項に規定する給付のうち死亡を給付事由とする年金である給付、同法第74条第１項に規定する給付のうち死亡を給付事由とする年金である給付、同法第103条に規定する給付のうち死亡を給付事由とする年金である給付若しくは同法第104条第１項若しくは第４項に規定する給付のうち死亡を給付事由とする年金である給付を受けている当該死亡した者の妻である者若しくは同法第３条の２《施行日前に給付事由が生じた給付の取扱い等》に規定する遺族共済年金若しくは通算遺族年金を受けている同条に規定する遺族（妻に限る。）である者	遺族年金を受けている遺族である妻である者にあっては、当該年金証書及び「妻であることを証する書類」《**2**(一)》) (二)　**1**の第Ⅱ欄の個人番号カード等
34	地方公務員の退職年金に関する条例による障害を給付事由とする年金である給付を受けている者又は地方公務員の退職年金に関する条例による死亡を給付事由とする年金である給付を受けている当該死亡した者の妻である者	(一)　障害を給付事由とする年金である給付又は死亡を給付事由とする年金である給付に係る年金証書（当該死亡を給付事由とする年金である給付を受けている遺族である妻である者にあっては、当該年金証書及び「妻であることを証する書類」《**2**(一)》) (二)　**1**の第Ⅱ欄の個人番号カード等
35	私立学校教職員共済組合法等の一部を改正する法律第１条《私立学校教職員共済組合法の一部改正》の規定による改正前の私立学校教職員共済組合法による年金のうち障害を給付事由とするものを受けている者又は同法による年金のうち死亡を給付事由とするものを受けている当該死亡した者の妻である者	(一)　障害を給付事由とする年金又は死亡を給付事由とする年金に係る年金証書（当該死亡を給付事由とする年金を受けている遺族である妻である者にあっては、当該年金証書及び「妻であることを証する書類」《**2**(一)》) (二)　**1**の第Ⅱ欄の個人番号カード等
36	一元化法附則第79条《改正前私学共済法による給付》の規定によりなおその効力を有するものとされる一元化法第４条《私立学校教職員共済法の一部改正》の規定による改正前の私立学校教職員共済法（以下**36**において「旧効力私学共済法」という。）第20条第２項第２号《給付》に掲げる障害共済年金を受けている者又は同項第４号に掲げる遺族共済年金を受けている旧効力私学共済法第25条《国家公務員共済組合法の準用》において準用する旧効力国共済法第２条第１項第３号に規定する遺族（妻に限る。）である者	(一)　障害共済年金又は遺族共済年金に係る年金証書（当該遺族共済年金を受けているこれらの規定に規定する妻である者にあっては、当該年金証書及び「妻であることを証する書類」《**2**(一)》) (二)　**1**の第Ⅱ欄の個人番号カード等
37	厚生年金保険制度及び農林漁業団体職員共済組合制度の統合を図るための農林漁業団体職員共済組合法等を廃止する等の法律附則第16条第１項若しくは第２項《移行年金給付》に規定する給付のうち障害を給付事由とする年金である給付を受けている者又は同条第１項若しくは第２項に規定する給付のうち死亡を給付事由とする年金である給付を受けている当該死亡した者の妻で	(一)　障害を給付事由とする年金である給付又は死亡を給付事由とする年金である給付に係る年金証書（当該死亡を給付事由とする年金である給付を受けている遺族である妻である者にあっては、当該年金証書及び「妻であることを証する書類」《**2**(一)》) (二)　**1**の第Ⅱ欄の個人番号カード等

号数	第Ⅰ欄　障害者等の定義	第Ⅱ欄　障害者等確認書類及び本人確認書類
	ある者	
38	国会議員互助年金法を廃止する法律（平成18年法律第１号。以下**38**において「廃止法」という。）附則第２条第１項《退職者に関する経過措置》の規定によりなおその効力を有するものとされる廃止法による廃止前の国会議員互助年金法（昭和33年法律第70号。以下**38**において「旧国会議員互助年金法」という。）第10条第１項《公務傷病年金》に規定する公務傷病年金若しくは廃止法附則第11条第１項《公務傷病年金》に規定する公務傷病年金を受けている者又は旧国会議員互助年金法第19条第１項《遺族扶助年金》に規定する遺族扶助年金若しくは廃止法附則第12条第１項《遺族扶助年金》に規定する遺族扶助年金を受けているこれらの規定に規定する遺族（妻に限る。）である者	(一)　公務傷病年金又は遺族扶助年金に係る年金証書（当該遺族扶助年金を受けている遺族である妻である者にあっては、当該年金証書及び「妻であることを証する書類」《**2**(一)》） (二)　**1**の第Ⅱ欄の個人番号カード等
39	恩給法の一部を改正する法律附則第３条《この法律施行前に給付事由の生じた恩給の取扱》の規定によりなお従前の例によることとされる第７項症の増加恩給若しくは傷病年金を受けている者若しくは同法附則第22条第１項《旧軍人、旧準軍人及び旧軍属の公務傷病恩給の特例》に規定する増加恩給若しくは傷病年金を受けている者若しくは恩給法等の一部を改正する法律附則第13条第１項《旧軍人等に対する特例傷病恩給》に規定する特例傷病恩給を受けている者又は恩給法等の一部を改正する法律附則第15条第１項《傷病者遺族特別年金》に規定する傷病者遺族特別年金を受けている同項に規定する遺族（妻に限る。）である者	(一)　増加恩給、傷病年金若しくは特例傷病恩給又は傷病者遺族特別年金に係る恩給証書（当該傷病者遺族特別年金を受けている遺族である妻である者にあっては、当該恩給証書及び「妻であることを証する書類」《**2**(一)》） (二)　**1**の第Ⅱ欄の個人番号カード等
40	防衛省の職員の給与等に関する法律第27条第１項《国家公務員災害補償法等の準用》において準用する国家公務員災害補償法第９条第３号《補償の種類》に掲げる傷病補償年金若しくは同条第４号イに掲げる障害補償年金を受けている者又は同項において準用する同条第６号イに掲げる遺族補償年金を受けている同法第16条第１項《遺族補償年金》に規定する遺族（妻に限る。）である者	(一)　傷病補償年金若しくは障害補償年金又は遺族補償年金に係る年金証書（当該遺族補償年金を受けている遺族である妻である者にあっては、当該年金証書及び「妻であることを証する書類」《**2**(一)》） (二)　**1**の第Ⅱ欄の個人番号カード等
41	特別職の職員の給与に関する法律第15条《災害補償》の規定により国家公務員災害補償法第９条第３号に掲げる傷病補償年金若しくは同条第４号イに掲げる障害補償年金の例による補償を受けている者又は特別職の職員の給与に関する法律第15条の規定により国家公務員災害補償法第９条第６号イに掲げる遺族補償年金の例による補償を受けている特別職の職員の給与に関する法律第15条に規定する特別職の職員の遺族（妻に限る。）である者	(一)　左欄の各号に規定する傷病補償年金若しくは障害補償年金の例による補償又は遺族補償年金の例による補償に係る年金証書（当該遺族補償年金の例による補償を受けている遺族である妻である者にあっては、当該年金証書及び「妻であることを証する書類」《**2**(一)》） (二)　**1**の第Ⅱ欄の個人番号カード等
42	裁判官の災害補償に関する法律の規定により国家公務員災害補償法第９条第３号に掲げる傷病補償年金若しくは同条第４号イに掲げる障害補償年金の例による補	

号数	第Ⅰ欄　障害者等の定義	第Ⅱ欄　障害者等確認書類及び本人確認書類
	償を受けている者又は裁判官の災害補償に関する法律の規定により国家公務員災害補償法第９条第６号イに掲げる遺族補償年金の例による補償を受けている同法第16条第１項に規定する遺族（妻に限る。）である者	
43	裁判所職員臨時措置法において準用する国家公務員災害補償法第９条第３号に掲げる傷病補償年金若しくは同条第４号イに掲げる障害補償年金を受けている者又は裁判所職員臨時措置法において準用する国家公務員災害補償法第９条第６号イに掲げる遺族補償年金を受けている同法第16条第１項に規定する遺族（妻に限る。）である者	(一)　傷病補償年金若しくは障害補償年金又は遺族補償年金に係る年金証書（当該遺族補償年金を受けている遺族である妻である者にあっては、当該年金証書及び「妻であることを証する書類」《**2**(一)》） (二)　**1**の第Ⅱ欄の個人番号カード等
44	国会議員の歳費、旅費及び手当等に関する法律第12条の３《公務災害補償》の規定に基づく補償で国家公務員災害補償法第９条第３号に掲げる傷病補償年金若しくは同条第４号イに掲げる障害補償年金に準ずるものを受けている者又は国会議員の歳費、旅費及び手当等に関する法律第12条の３の規定に基づく補償で国家公務員災害補償法第９条第６号イに掲げる遺族補償年金に準ずるものを受けている国会議員の歳費、旅費及び手当等に関する法律第12条の３に規定する遺族（妻に限る。）である者	(一)　左欄の各号に規定する傷病補償年金若しくは障害補償年金に準ずる補償又は遺族補償年金に準ずる補償に係る年金証書（当該遺族補償年金に準ずる補償を受けている遺族である妻である者にあっては、当該年金証書及び「妻であることを証する書類」《**2**(一)》） (二)　**1**の第Ⅱ欄の個人番号カード等
45	国会議員の秘書の給料等に関する法律第18条《災害補償》の規定に基づく補償で国家公務員災害補償法第９条第３号に掲げる傷病補償年金若しくは同条第４号イに掲げる障害補償年金に準ずるものを受けている者又は国会議員の秘書の給料等に関する法律第18条の規定に基づく補償で国家公務員災害補償法第９条第６号イに掲げる遺族補償年金に準ずるものを受けている国会議員の秘書の給料等に関する法律第18条に規定する遺族（妻に限る。）である者	
46	国会職員法第26条の２《災害補償》の規定に基づく補償で国家公務員災害補償法第９条第３号に掲げる傷病補償年金若しくは同条第４号イに掲げる障害補償年金に準ずるものを受けている者又は国会議員法第26条の２の規定に基づく補償で国家公務員災害補償法第９条第６号イに掲げる遺族補償年金に準ずるものを受けている国会職員法第26条の２に規定する遺族（妻に限る。）である者	
47	地方公務員災害補償法第69条第１項《非常勤の地方公務員に係る補償の制度》の規定に基づく条例で定めるところにより同法第25条第１項第３号《補償の種類》に掲げる傷病補償年金若しくは同項第４号イに掲げる障害補償年金に相当する補償を受けている者又は同法第69条第１項の規定に基づく条例で定めるところにより同法第25条第１項第６号イに掲げる遺族補償年金に相当する補償を受けている同法第32条第１項《遺族補償年金》	(一)　傷病補償年金若しくは障害補償年金又は遺族補償年金に係る年金証書（当該遺族補償年金を受けている遺族である妻である者にあっては、当該年金証書及び「妻であることを証する書類」《**2**(一)》） (二)　**1**の第Ⅱ欄の個人番号カード等

号数	第Ⅰ欄　障害者等の定義	第Ⅱ欄　障害者等確認書類及び本人確認書類
	の規定に相当する同条例の規定に規定する遺族（妻に限る。）である者	
48	公立学校の学校医、学校歯科医及び学校薬剤師の公務災害補償に関する法律第２条《補償義務》の規定に基づき公立学校の学校医、学校歯科医及び学校薬剤師の公務災害補償の基準を定める政令第４条の２第１項《傷病補償》に規定する傷病補償年金若しくは同令第５条第１項《障害補償》に規定する障害補償年金を受けている者又は同法第２条の規定に基づき同令第８条第１項《遺族補償年金》に規定する遺族補償年金を受けている同項に規定する遺族（妻に限る。）である者	(一)　左欄の各号に掲げる傷病補償年金若しくは障害補償年金又は遺族補償年金に係る年金証書（当該遺族補償年金を受けている遺族である妻である者にあっては、当該年金証書及び「妻であることを証する書類」《**２**(一)》） (二)　**1**の第Ⅱ欄の個人番号カード等
49	消防組織法第24条第１項《非常勤消防団員に対する公務災害補償》、消防法第36条の３第１項及び第２項《消防作業従事者等に対する損害補償》並びに水防法第６条の２第１項《公務災害補償》及び第45条《第24条の規定により水防に従事した者に対する災害補償》の規定に基づき非常勤消防団員等に係る損害補償の基準を定める政令に定める基準に従い定められた条例（同令に定める基準に従って行われた水害予防組合の組合会の議決を含む。以下**49**において同じ。）に基づき同令第５条の２第１項《傷病補償年金》に規定する傷病補償年金若しくは同令第６条第１項《障害補償年金》に規定する障害補償年金を受けている者又は同令に定める基準に従い定められた条例に基づき同令第７条《遺族補償年金》に規定する遺族補償年金を受けている同令第８条第１項《遺族》に規定する遺族（妻に限る。）である者	
50	災害対策基本法第84条第１項《応急措置の業務に従事した者に対する補償》の規定に基づき災害対策基本法施行令第36条第１項《損害補償の基準》に定める基準に従い定められた条例に基づき**49**の傷病補償年金若しくは障害補償年金を受けている者又は同項に定める基準に従い定められた条例に基づき**49**の遺族補償年金を受けている同項の規定による非常勤消防団員等に係る損害補償の基準を定める政令第８条第１項に規定する遺族（妻に限る。）である者	
51	警察官の職務に協力援助した者の災害給付に関する法律第２条《国及び都道府県の責任》の規定に基づき警察官の職務に協力援助した者の災害給付に関する法律施行令第６条の２第１項《傷病給付の範囲、金額及び支給方法》に規定する傷病給付年金若しくは同令第７条第１項《障害給付の金額及び支給方法》に規定する障害給付年金（同法第６条第２項の規定により同令の規定に準じて条例で定められたこれらの年金を含む。）を受けている者又は同令第９条第１項《遺族給付年金》に規定する遺族給付年金（同法第６条第２項の規定により同令の規定に準じて条例で定められた年金を含む。）を受けている同令第９条第１項に規定する遺族（妻に限る。）であ	(一)　左欄の各号に規定する傷病給付年金若しくは障害給付年金又は遺族給付年金に係る年金証書（当該遺族給付年金を受けている遺族である妻である者にあっては、当該年金証書及び「妻であることを証する書類」《**２**(一)》） (二)　**1**の第Ⅱ欄の個人番号カード等

号数	第Ⅰ欄　障害者等の定義	第Ⅱ欄　障害者等確認書類及び本人確認書類
	る者	
52	海上保安官に協力援助した者等の災害給付に関する法律第２条《国の責任》若しくは第３条《国の給付の特例》の規定に基づき海上保安官に協力援助した者等の災害給付に関する法律施行令第３条の２第１項《傷病給付》に規定する傷病給付年金若しくは同令第４条第１項《障害給付》に規定する障害給付年金を受けている者又は同令第６条第１項《遺族給付年金》に規定する遺族給付年金を受けている同項に規定する遺族（妻に限る。）である者	
53	証人等の被害についての給付に関する法律第６条《給付の範囲、金額、支給方法等》の規定に基づき証人等の被害についての給付に関する法律施行令第４条の２第１項《傷病給付の範囲、金額及び支給方法》に規定する傷病給付年金若しくは同令第５条第１項《障害給付の金額及び支給方法》に規定する障害給付年金を受けている者又は同令第６条《遺族給付年金》に規定する遺族給付年金を受けている同令第７条第１項《遺族給付年金》に規定する遺族（妻に限る。）である者	
54	公害健康被害の補償等に関する法律第４条第２項《認定等》の規定による認定を受けている者（同法附則第３条若しくは第４条第２項《旧法の廃止に伴う経過措置》の規定により同法第４条第２項の規定による認定を受けている者とみなされる者を含む。）又はこれらの者（公害健康被害の補償等に関する法律第５条第３項《認定等》の規定により同法第４条第２項の規定による認定を受けているとみなされる者及び同法第６条《認定等》の規定による申請に基づいて行われた同項の規定による認定に係る死亡者を含む。）に係る遺族（妻に限る。）である者	(一)　都道府県知事の公害健康被害の補償等に関する法律第４条第２項《認定等》の規定による認定をした旨を証する書類（遺族である妻である者にあっては、当該書類及び「妻であることを証する書類」《**2**(一)》） (二)　**1**の第Ⅱ欄の個人番号カード等
55	市長から公害健康被害の補償等に関する法律第４条第１項の規定による認定を受けている者（同法附則第３条若しくは第４条第２項の規定により同法第４条第１項の認定を受けている者とみなされる者を含む。）で同法第３条第１項第２号《補償給付の種類等》に掲げる障害補償費に相当する給付を受けている者又は当該認定を受けている者の死亡により同項第３号に掲げる遺族補償費に相当する給付を受けている当該市長が定める遺族（妻に限る。）である者	(一)　障害補償費に相当する給付又は遺族補償費に相当する給付の決定に係る市長の通知書（当該遺族補償費に相当する給付を受けている遺族である妻である者にあっては、当該通知書及び「妻であることを証する書類」《**2**(一)》） (二)　**1**の第Ⅱ欄の個人番号カード等
56	新型インフルエンザ予防接種による健康被害の救済に関する特別措置法第４条第３号《給付の範囲》に掲げる障害年金を受けている者又は同条第４号に掲げる遺族年金を受けている同号に定める遺族（妻に限る。）である者	(一)　障害年金又は遺族年金に係る年金証書（当該遺族年金を受けている遺族である妻である者にあっては、当該年金証書及び「妻であることを証する書類」《**2**(一)》） (二)　**1**のⅡ欄の個人番号カード等
57	戦傷病者戦没者遺族等援護法の一部を改正する法律（昭和28年法律第181号）附則第20項《遺族年金》、戦傷病者	(一)　遺族年金に係る年金証書及び「妻であることを証する書類」《**2**(一)》

号数	第Ⅰ欄　障害者等の定義	第Ⅱ欄　障害者等確認書類及び本人確認書類
	戦没者遺族等援護法の一部を改正する法律附則第11項《遺族年金》、戦傷病者戦没者遺族等援護法等の一部を改正する法律附則第５条第１項《遺族年金の支給の特例》又は戦傷病者戦没者遺族等援護法等の一部を改正する法律附則第７条第１項《遺族年金の支給の特例》に規定する遺族年金を受けているこれらの規定に規定する遺族（妻に限る。）である者	(二)　1の第Ⅱ欄の個人番号カード等
58	執行官法の一部を改正する法律附則第３条第１項《執行官法の一部改正に伴う経過措置》の規定によりなお従前の例により支給される同法による改正前の執行官法附則第13条第１項《退職後の年金についての暫定措置》の規定による恩給法第２条第１項《恩給の種類》に規定する増加恩給に相当する恩給を受けている者	(一)　増加恩給に相当する恩給に係る恩給証書 (二)　1の第Ⅱ欄の個人番号カード等
59	国民年金法等改正法《21参照》附則第97条第１項《第７条の規定の施行に伴う経過措置》の規定により支給される国民年金法等改正法第７条《特別児童扶養手当等の支給に関する法律の一部改正》の規定による改正前の特別児童扶養手当等の支給に関する法律第17条《支給要件》に規定する福祉手当を受けている同条に規定する重度障害者である者	(一)　福祉手当に係る認定通知書 (二)　1の第Ⅱ欄の個人番号カード等
60	国民年金法等改正法《21参照》第３条《厚生年金保険法の一部改正》の規定による改正前の厚生年金保険法第62条第１項《年金額》に規定する子のうち、同法第59条第１項第２号《遺族》に規定する障害の状態にある者に該当するものとして同法第62条第１項の規定により同項の加給年金額の計算の対象とされている者	(一)　国民年金法等改正法第３条《厚生年金保険法の一部改正》の規定による改正前の厚生年金保険法第32条第４号《保険給付の種類》に掲げる遺族年金に係る年金裁定通知書で、その者が左欄に掲げる者に該当する者である旨及びその者の生年月日の記載があるもの (二)　1の第Ⅱ欄の個人番号カード等
61	ハンセン病問題の解決の促進に関する法律第２条第３項《定義》に規定する入所者	(一)　ハンセン病問題の解決の促進に関する法律第２条第２項《定義》に規定する国立ハンセン病療養所等の長の左欄で掲げる者である旨を証する書類 (二)　1の第Ⅱ欄の個人番号カード等
62	毒ガス等の影響によりガス障害にり患している者として、県知事から健康管理手当若しくは保健手当の支給を受けている者又は国家公務員共済組合連合会の理事長から特別手当、医療手当、健康管理手当若しくは保健手当の支給を受けている者	(一)　県知事の健康管理手当若しくは保健手当の支給を受けている者である旨を証する書類又は国家公務員等共済組合連合会の理事長の特別手当、医療手当、健康管理手当若しくは保健手当の支給を受けている者である旨を証する書類 (二)　1の第Ⅱ欄の個人番号カード等

(注)１　通知カード所持者が令和２年５月25日以後に提示する当該通知カード所持者に係る通知カード及び②(３)に規定する住所等確認書類に係る改正前の１の規定の適用については、なお従前の例による。（令２財務省令第46号附則③）

２　第Ⅱ欄の障害者等確認書類は、その障害者等確認書類にその障害者等の生年月日又は住所が記載されていない場合には、その障害者等確認書類及び住所等確認書類（その障害者の氏名、生年月日及び住所を証する住民票の写し、健康保険の被保険者証、運転免許証その他の次の(イ)から(チ)までに掲げる書類のうちいずれかの書類をいう。）とする。（令41の２①、規７②）

(イ)　行政手続における特定の個人を識別するための番号の利用等に関する法律第２条第７項《定義》に規定する個人番号カードで、②(２)の規定による提示、⑥(１)の規定による告知又は⑨若しくは⑭(１)の規定による提示をする日（以下「告知等の日」という。）において有効なもの

(ロ)　住民票の写し又は住民票の記載事項証明書又は印鑑証明書（告知等の日前６月以内に作成されたものに限る。）

(ハ)　印鑑証明書

(ニ)　国民健康保険、健康保険、船員保険、後期高齢者医療若しくは介護保険の被保険者証、健康保険日雇特例被保険者手帳、国家公務員

共済組合若しくは地方公務員共済組合の組合員証又は私立学校教職員共済制度の加入者証

（ホ）　道路交通法第92条第１項《免許証の交付》に規定する運転免許証（告知等の日において有効なものに限る。）又は同法第104条の４第５項《申請による取消し》に規定する運転経歴証明書（道路交通法施行規則別記様式第19の３の10の様式によるものに限る。）

（ヘ）　旅券（出入国管理及び難民認定法第２条第５号《定義》に規定する旅券をいう。）で告知等の日において有効なもの

（ト）　出入国管理及び難民認定法第19条の３《中長期在留者》に規定する在留カード又は日本国との平和条約に基づき日本の国籍を離脱した者等の出入国管理に関する特例法第７条第１項《特別永住者証明書の交付》に規定する特別永住者証明書で、告知等の日において有効なもの

（チ）　（イ）から（ト）のほか、官公署から発行され、又は発給された書類その他これらに類するもの（告知等の日前６月以内に作成されたもの（有効期間又は有効期限のあるものにあっては、告知等の日において有効なもの）に限る。）

㊟　上記～～下線部については、令和６年12月２日以後、（注）２中「、健康保険の被保険者証」が削られる。（令６改所規附１二）

（確認書類の範囲）

（８）　②の（２）又は⑥の（１）《氏名等の告知》に規定する書類（当該書類の写しを含む。以下において「**確認書類**」という。）には、次に掲げる区分に応じ、それぞれ次に掲げる書類を含むものとする。（基通10－10、編者補正）

（一）　別表の第Ⅱ欄の各号に掲げる「障害者等の身体障害者手帳、遺族基礎年金の年金証書その他の各号で定める書類」（第Ⅱ欄の**2**に規定する「妻であることを証する書類」及び第Ⅱ欄の**14**に規定する「児童の母であることを証する事項の記載がある住民票の写し又は住民票の記載事項証明書」を除く。以下（８）において「身体障害者手帳等」という。）

イ　別表の**11**の第Ⅰ欄に規定する障害補償費又は遺族補償費に係る市の長（公害健康被害の補償等に関する法律第４条第３項《認定等》に規定する市の長（同項に規定する特別区の長を含む。）をいう。以下この（一）において同じ。）の支給決定通知書

ロ　公害健康被害の補償等に関する法律第４条第３項の規定に基づく、市の長の同条第２項の規定による認定をした旨を証する書類

ハ　身体障害者手帳等が通知書である場合における当該通知書の改定通知書又は非改定通知書

ニ　身体障害者手帳等が証書である場合における当該証書の改定証書

（二）　別表の**2**の第Ⅱ欄（一）に規定する「妻であることを証する書類」

イ　身体障害者手帳等のうち、妻である旨の記載又は妻である旨の略称若しくは記号の記載があるもの

ロ　身体障害者手帳等以外の書類で当該身体障害者手帳等の発行者等が発行したもののうち、妻として年金を受給している旨等が確認できる事項の記載があるもの

ハ　消除された住民票の写し又は消除された住民票に記載された事項に関する証明書

ニ　戸籍（改製原戸籍を含む。）の謄本、抄本若しくは戸籍に記載された事項に関する証明書又は除かれた戸籍の謄本、抄本若しくは除かれた戸籍に記載された事項に関する証明書

ホ　妻である者がいわゆる内縁関係にあった者である場合には、住民票の写し若しくは住民票の記載事項証明書（上記のハの書類を含む。）のうちその旨が確認できるもの、又は年金の裁定を受けるために提出した書類の写しその他の書類で事実上婚姻関係と同様の事情にあった旨が確認できるもの

（三）　別表の**14**の第Ⅱ欄（一）に規定する「児童の母であることを証する事項の記載がある住民票の写し又は住民票の記載事項証明書」

別表の（注）２（ニ）に掲げる書類（次の（四）のイからヨまでに掲げる書類を含む。）のうち、当該書類の被扶養者欄等に子がいる旨（児童の母である旨）の記載があるもの

（四）　別表の（注）２（チ）に掲げる「官公署から発行され、又は発給された書類その他これらに類するもの」

イ　国民健康保険高齢受給者証

（国民健康保険法施行規則　様式第１号の４、様式第１号の４の２、様式第１号の５、様式第１号の５の２）

ロ　国民健康保険特別療養証明書

（国民健康保険法施行規則　様式第２、様式第２の２）

ハ　健康保険特例退職被保険者証

（健康保険法施行規則　様式第９号⑶⑷）

ニ　健康保険高齢受給者証

（健康保険法施行規則　様式第10号⑴⑵）

ホ　健康保険特別療養証明書

（健康保険法施行規則　様式第12号）

ヘ　健康保険被保険者受給資格者票

（健康保険法施行規則　様式第16号）

ト　船員保険高齢者受給者証
（船員保険法施行規則　様式第２号）
チ　共済組合組合員被扶養者証
（国家公務員共済組合施行規則　別紙様式第15号）
（地方公務員等共済組合法施行規程　別紙様式第19号）
リ　共済組合高齢受給者証
（国家公務員共済組合法施行規則　別紙様式第15号の３）
（地方公務員等共済組合法施行規程　別紙様式第20号）
ヌ　共済組合特別療養証明書
（国家公務員共済組合法施行規則　別紙様式第24号の２）
（地方公務員等共済組合法施行規程　別紙様式第23号）
ル　共済組合船員組合員被扶養者証
（国家公務員共済組合法施行規則　別紙様式第40号）
（地方公務員等共済組合法施行規程　別紙様式第41号）
ヲ　共済組合任意継続組合員証
（地方公務員等共済組合法施行規程　別紙様式第46号）
ワ　共済組合任意継続組合員被扶養者証
（地方公務員等共済組合法施行規程　別紙様式第46号の２）
カ　私立学校教職員共済資格喪失後継続給付証明書
（日本私立学校振興・共済事業団共済運営規則　様式第16号）
ヨ　自衛官診療証
（防衛省職員療養及び補償実施規則　様式別紙第12）
タ　別表の（注）２（ニ）に掲げる書類（上記イからヨまでに掲げる書類を含む。）に記載されている被扶養者又は療養者等から提示された当該書類（当該書類に記載されている被保険者又は組合員等と同居している被扶養者又は療養者等から提示されたものに限る。）
レ　老齢福祉年金の受給者に交付されている国民年金証書（老齢福祉年金支給規則　様式第４号）
ソ　老人の医療費の助成に関する条例等に基づき、別表の（注）２（ニ）に規定する後期高齢者医療の被保険者証に準じて交付される当該助成を受ける資格を証する医療証
ツ　別表の**17**の第Ⅰ欄に規定する療育手帳の交付を受けることができる者に対し、当該手帳に代えて福祉事務所長等が発行する知的障害者である旨を証する書類

（注）１　上記（四）イから同ツまでに掲げる書類は、告知等の日（別表の（注）２（イ）に規定する「告知等の日」をいう。以下において同じ。）前６月以内に作成されたもの（有効期間又は有効期限のあるものにあっては、告知等の日において有効なもの）に限られることに留意する。
２　②（２）の非課税貯蓄申込書の提出をしようとする際、②（３）に規定する障害者等確認書類（以下において「障害者等確認書類」という。）に当該障害者等の氏名、生年月日及び住所の記載がされている場合には、金融機関の営業所等の長に当該記載がされた障害者等確認書類を提示することで、②（３）に規定する住所等確認書類の提示又は当該住所等確認書類の提示に代えて行う②（２）に規定する署名用電子証明書等の送信は要しないことに留意する。
３　⑥（１）の非課税貯蓄申告書又は⑤に規定する非課税貯蓄限度額変更申告書の提出をしようとする際、障害者等確認書類（告知等の日前６月以内に作成されたもの（有効期間又は有効期限のあるものにあっては、告知等の日において有効なもの）に限る。）に当該障害者等の氏名、生年月日及び住所の記載がされている場合には、金融機関の営業所等の長に当該記載がされた障害者等確認書類を提示することで、別表の**1**の第Ⅱ欄（ロ）の住所等確認書類の提示は要しないこととして差し支えない。
４　②（３）に規定する住所等確認書類の様式が改訂された場合において、当面の間旧様式を使用することができるとされているときは、当該住所等確認書類には当該旧様式を含むものとする。

（個人の住所と確認書類に記載されている住所とが異なる場合）
（９）　非課税貯蓄申告書等を提出する個人の生活の本拠地である住所と確認書類に記載されている住所とが異なる場合には、当該非課税貯蓄申告書等に記載する住所は別表の**1**の第Ⅱ欄（一）に掲げる「個人番号カード」又は同（二）に掲げる「住民票の写し又は住民票の記載事項証明書」に記載されている住所によることとする。（基通10－16）

（非課税貯蓄申告書等に記載する氏名等）
（10）　非課税貯蓄申告書等には確認書類に記載されている氏名を記載すべきものであるから、貯金取引に雅号、芸名、通称等を使用している場合には、当該非課税貯蓄申告書等には必ず確認書類に記載されている氏名を記載するほか、

その預金取引等に使用した雅号等を付記し、取引名義人と申込者とが同一人であることを明らかにしておかなければならないことに留意する。（基通10－17）

（申込書又は申告書に記載すべき事項の電磁的方法による提供）

(11)　①、②(２)又は⑤に規定する個人は、これらの規定による申込書又は申告書の提出に代えて、これらの規定に規定する金融機関の営業所等に対し、これらの申込書又は申告書に記載すべき事項を電磁的方法（電子情報処理組織を使用する方法その他の情報通信の技術を利用する方法をいう。）により提供することができる。この場合において、当該個人は、これらの申込書又は申告書を当該金融機関の営業所等に提出したものとみなす。（法10⑧）

4　障害者等の少額公債の利子の非課税

所得税法の施行地に住所を有する個人で**障害者等**（90ページの別表各号の第Ⅰ欄に規定する者をいう。以下**4**において同じ。）であるものが、金融商品取引業者又は金融機関で注で定めるものの営業所又は事務所（以下「**販売機関の営業所等**」という。）において、本邦通貨で表示され、かつ、国内において発行された国債及び地方債（契約により、当該地方債の発行に際して注の(一)に掲げる金融商品取引業者又は注の(二)に掲げる金融機関がその募集〔金融商品取引法第２条第３項に規定する有価証券の募集で同項第１号に該当するものと同一の方式により行われるものをいう。〕の取扱いをするものとされたものに限る。）（以下「**公債**」という。）を購入する場合において、その購入の際その公債につき**4**の規定の適用を受けようとする旨、その者の氏名、生年月日及び住所並びに障害者等に該当する旨**3**②(１)《非課税貯蓄申込書の記載事項》に準ずる事項を記載した書類（以下「**特別非課税貯蓄申込書**」という。）を提出したときは、その公債の利子の各計算期間ごとにその計算期間を通じて（その公債が当該計算期間の中途において購入したものである場合には、その購入の日の属する計算期間については、同日から当該計算期間の終了の日までの期間を通じて）次の(一)及び(二)に掲げる要件を満たす場合に限り、当該計算期間に対応する利子については、所得税を課さない。（措法４①、措令２の４②）

3《障害者等の少額預金の利子所得等の非課税》②以下の規定は、上記の規定を適用する場合について準用する。この場合において、**3**②以下の規定中「非課税貯蓄申込書」とあるのは「特別非課税貯蓄申込書」と、「**3**①」とあるのは「**4**」と、「非課税貯蓄申告書」とあるのは「特別非課税貯蓄申告書」と、「非課税貯蓄廃止申告書」とあるのは「特別非課税貯蓄廃止申告書」と、「非課税貯蓄限度額変更申告書」とあるのは「特別非課税貯蓄限度額変更申告書」と、「非課税貯蓄に関する異動申告書」とあるのは「特別非課税貯蓄に関する異動申告書」と、「非課税貯蓄相続申込書」とあるのは「特別非課税貯蓄相続申込書」と、「非課税貯蓄者死亡届出書」とあるのは「特別非課税貯蓄者死亡届出書」と読み替えるものとする。（措法４②、措令２の４③、措規２の５①）

(一)	その公債につき社債、株式等の振替に関する法律に規定する振替口座簿への記載又は記録により管理されていること。
(二)	その公債の額面金額と当該販売機関の営業所等において特別非課税貯蓄申込書を提出して購入した他の公債の額面金額との合計額が、その個人が当該販売機関の営業所等を経由して提出した上記において準用する**3**④《非課税貯蓄申告書》に規定する特別非課税貯蓄申告書に記載された同④(三)に掲げる最高限度額（上記において準用する**3**⑤《非課税貯蓄限度額変更申告書》に規定する特別非課税貯蓄限度額変更申告書の提出があった場合には、その提出の日以後においては、変更後の最高限度額）を超えないこと。

(注)　障害者等が、平成６年１月１日以後に購入する公債に係る**4**の規定の適用については、**4**の後段において準用する**3**④(２)(一)中「300万円」とあるのは、「350万円」とする。（措法４③）

（金融商品取引業者又は金融機関）

注　**4**に規定する金融商品取引業者又は金融機関は、次の(一)及び(二)に掲げる者とする。（措令２の４①）

(一)	金融商品取引法第２条第９項に規定する金融商品取引業者（同法第28条第１項に規定する第１種金融商品取引業を行う者に限る。）
(二)	金融商品取引法第33条の２の登録を受けた銀行、生命保険会社、損害保険会社、信用金庫、信用金庫連合会、労働金庫、労働金庫連合会、信用協同組合、信用協同組合連合会（中小企業等協同組合法第９条の９第１項第１号の事業を行う協同組合連合会をいう。）、農業協同組合、農業協同組合連合会、漁業協同組合、漁業協同組合連合会、水産加工業協同組合、水産加工業協同組合連合会、農林中央金庫及び株式会社商工組合中央金庫

5　勤労者財産形成住宅貯蓄の利子所得等の非課税

勤労者財産形成促進法（以下**5**において「財形法」という。）第２条第１号に規定する勤労者が、金融機関又は金融商品取引業者で(１)で定める者の営業所又は事務所（以下**6**までにおいて「**金融機関の営業所等**」という。）において同法第６条第４項に規定する勤労者財産形成住宅貯蓄契約（以下**5**において「勤労者財産形成住宅貯蓄契約」という。）に基づく預貯金、合同運用信託若しくは有価証券又は生命保険若しくは損害保険の保険料若しくは生命共済の共済掛金で(２)で定めるもの（以下「財産形成住宅貯蓄」という。）の預入、信託若しくは購入又は払込み（以下**6**までにおいて「**預入等**」という。）をする場合において、その預入等の際当該財産形成住宅貯蓄につきこの**5**の規定の適用を受けようとする旨その他必要な事項を記載した書類（以下「**財産形成非課税住宅貯蓄申込書**」という。）を、財形法第２条第２号に規定する賃金の支払者（給与所得者の扶養控除等申告書の提出の際に経由した支払者に限る。）の事務所、事業所その他これらに準ずるもので当該賃金の支払事務を取り扱うもの（以下「勤務先」という。）（当該賃金の支払者（財形法第14条第２項に規定する中小企業の事業主に限る。）が勤労者財産形成住宅貯蓄契約に係る事務を同法第14条第２項に規定する事務代行団体（以下**5**において「事務代行団体」という。）に委託をしている場合には、勤務先及び当該委託に係る事務代行団体の事務所その他これに準ずるもので当該事務を行うもの。以下**5**において「勤務先等」という。）を経由して提出したときは、次の(一)から(四)までに掲げる場合に限り、当該(一)から(四)までに定めるものについては、所得税を課さない。（措法４の２①）

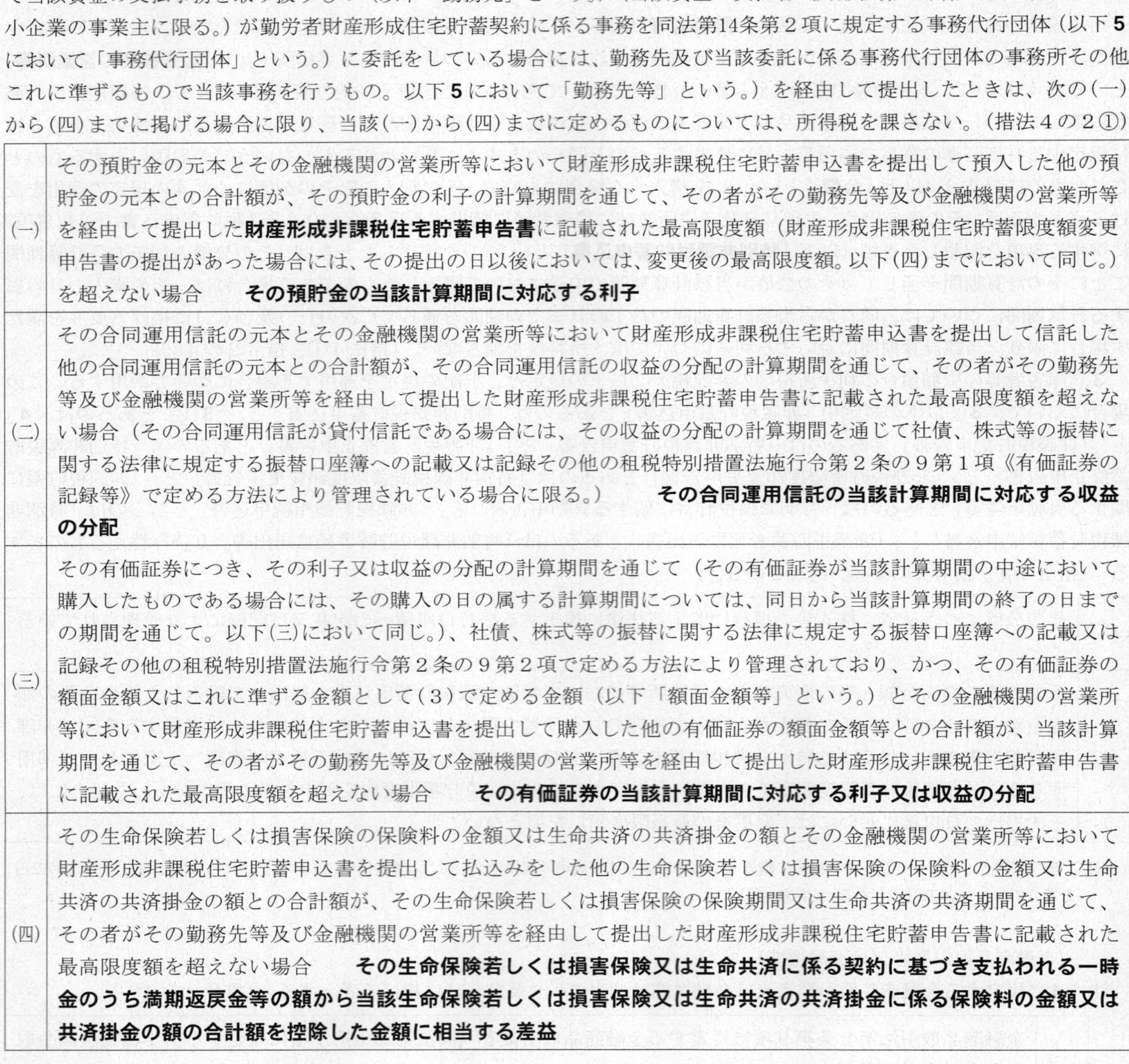

(一)	その預貯金の元本とその金融機関の営業所等において財産形成非課税住宅貯蓄申込書を提出して預入した他の預貯金の元本との合計額が、その預貯金の利子の計算期間を通じて、その者がその勤務先等及び金融機関の営業所等を経由して提出した**財産形成非課税住宅貯蓄申告書**に記載された最高限度額（財産形成非課税住宅貯蓄限度額変更申告書の提出があった場合には、その提出の日以後においては、変更後の最高限度額。以下(四)までにおいて同じ。）を超えない場合　**その預貯金の当該計算期間に対応する利子**
(二)	その合同運用信託の元本とその金融機関の営業所等において財産形成非課税住宅貯蓄申込書を提出して信託した他の合同運用信託の元本との合計額が、その合同運用信託の収益の分配の計算期間を通じて、その者がその勤務先等及び金融機関の営業所等を経由して提出した財産形成非課税住宅貯蓄申告書に記載された最高限度額を超えない場合（その合同運用信託が貸付信託である場合には、その収益の分配の計算期間を通じて社債、株式等の振替に関する法律に規定する振替口座簿への記載又は記録その他の租税特別措置法施行令第２条の９第１項《有価証券の記録等》で定める方法により管理されている場合に限る。）　**その合同運用信託の当該計算期間に対応する収益の分配**
(三)	その有価証券につき、その利子又は収益の分配の計算期間を通じて（その有価証券が当該計算期間の中途において購入したものである場合には、その購入の日の属する計算期間については、同日から当該計算期間の終了の日までの期間を通じて。以下(三)において同じ。）、社債、株式等の振替に関する法律に規定する振替口座簿への記載又は記録その他の租税特別措置法施行令第２条の９第２項で定める方法により管理されており、かつ、その有価証券の額面金額又はこれに準ずる金額として(３)で定める金額（以下「額面金額等」という。）とその金融機関の営業所等において財産形成非課税住宅貯蓄申込書を提出して購入した他の有価証券の額面金額等との合計額が、当該計算期間を通じて、その者がその勤務先等及び金融機関の営業所等を経由して提出した財産形成非課税住宅貯蓄申告書に記載された最高限度額を超えない場合　**その有価証券の当該計算期間に対応する利子又は収益の分配**
(四)	その生命保険若しくは損害保険の保険料の金額又は生命共済の共済掛金の額とその金融機関の営業所等において財産形成非課税住宅貯蓄申込書を提出して払込みをした他の生命保険若しくは損害保険の保険料の金額又は生命共済の共済掛金の額との合計額が、その生命保険若しくは損害保険の保険期間又は生命共済の共済期間を通じて、その者がその勤務先等及び金融機関の営業所等を経由して提出した財産形成非課税住宅貯蓄申告書に記載された最高限度額を超えない場合　**その生命保険若しくは損害保険又は生命共済に係る契約に基づき支払われる一時金のうち満期返戻金等の額から当該生命保険若しくは損害保険又は生命共済の共済掛金に係る保険料の金額又は共済掛金の額の合計額を控除した金額に相当する差益**

（金融機関等の範囲）

（１）　**5**に規定する金融機関又は金融商品取引業者は、**3**①(１)《金融機関等の範囲》(一)に掲げる者（信用金庫連合会、労働金庫連合会及び信用協同組合連合会を除く。(２)において同じ。）並びに財形法第６条第１項第２号に規定する生命保険会社、独立行政法人郵便貯金・簡易生命保険管理機構、農業協同組合及び生命共済の事業を行う者並びに同項第２号の２に規定する損害保険会社又は**3**①(１)(四)及び同(五)に掲げる者とする。（措令２の５①）

（財形住宅貯蓄の範囲）

（２）　**5**に規定する預貯金、合同運用信託若しくは有価証券又は生命保険若しくは損害保険の保険料若しくは生命共済の共済掛金は、**3**①（１）《金融機関等の範囲》（一）に掲げる者に対する預貯金（当座預金及び**3**①（１）（一）に掲げる者が同（二）に掲げる者として受入れをするもの《勤務先預金》を除く。）、合同運用信託若しくは**3**①《障害者等の少額預金の利子所得等の非課税》（３）の規定に該当する公社債及び公社債投資信託の受益権若しくは公社債投資信託以外の証券投資信託でその設定に係る受益権の募集が公募（金融商品取引法第２条第３項に規定する取得勧誘のうち同項第１号に掲げる場合に該当するものとして財務省令で定めるものをいう。）により行われたもの（投資信託及び投資法人に関する法律第２条第24項に規定する外国投資信託を除くものとし、財務省令で定めるものに限る。）の受益権（その募集が国内において行われたもの（本邦通貨で表示されたものに限る。）で当該受益権に係る信託の設定（追加設定を含む。）があった日において購入されたものに限る。）又は財形法第６条第４項第２号に掲げる生命保険契約等に基づく生命保険の保険料若しくは生命共済の共済掛金若しくは同項第３号に掲げる損害保険契約に基づく損害保険の保険料とする。（措令２の５②）

（額面金額に準ずるもの）

（３）　（三）の額面金額に準ずるものとして（３）で定めるものは、証券投資信託について、その設定又は追加設定があった時において当該信託につき信託又は追加信託がされた金額をその時における当該信託又は追加信託についての受益権の口数で除して得た金額を基礎として計算した金額とする。（措令２の11①）

（非課税限度額）

（４）　財産形成非課税住宅貯蓄申告書は、**5**に規定する勤労者が既に当該申告書を提出している場合（一定の場合を除く。）には提出することができないものとし、財産形成非課税住宅貯蓄申告書が次に掲げる場合のいずれかに該当する場合には、勤務先は、これを受理することができない。（措法４の２⑦）

（一）	財産形成非課税住宅貯蓄申告書に記載された最高限度額が**550万円**を超えるものである場合
（二）	財産形成非課税住宅貯蓄申告書に記載された最高限度額と既に提出された**6**に規定する財産形成非課税年金貯蓄申告書に記載された最高限度額との合計額が**550万円**を超えるものである場合

（所得税の徴収が行われない災害等の事由による金銭の払出し）

（５）　勤労者財産形成住宅貯蓄契約又はその履行につき、勤労者財産形成促進法第６条第４項第１号ロ若しくはハ、同項第２号ハ若しくはニ又は同項第３号ハ若しくはニに定める要件に該当しないこととなる事実が発生した場合であって、当該事実が次の（一）から（五）までに掲げる事由（以下において「**災害等の事由**」という。）により当該災害等の事由が生じた日から同日以後１年を経過する日までの間に発生したものであるとき（当該事実の発生が当該災害等の事由に基因するものであることにつき（６）で定めるところにより財産形成非課税住宅貯蓄申告書を提出した個人の住所地の所轄税務署長の確認を受け、当該税務署長から交付を受けた当該確認をした旨の記載がある書面を当該勤労者財産形成住宅貯蓄契約に係る金融機関の営業所等に提出した場合に限る。）は、当該事実は、措法４の２⑨及び措令２の13（二）に掲げる事実に該当しないものとする。（措令２の25の２）

なお、措法４の２⑨に規定する事実とは、勤労者財産形成住宅貯蓄契約又はその履行につき、勤労者財産形成促進法第６条第４項第１号ロ若しくはハ、同項第２号ハ若しくはニ又は同項第３号ハ若しくはニに定める要件に該当しないこととなる事実をいい、措令２の13（二）に規定する事実とは、当該財産形成住宅貯蓄に係る勤労者財産形成住宅貯蓄契約又はその履行につき、勤労者財産形成促進法第６条第４項第１号から第３号までに定める要件に該当しないこととなる事実が生じたこと（金銭等の払込みが定期に行われなかった場合を除く。）をいう。（措法４の２⑨、措令２の13（二））

（一）	当該個人がその居住の用に供している家屋であってその者又はその者と生計を一にする親族が所有しているものについて、災害により全壊、流失、半壊、床上浸水その他これらに準ずる損害を受けたこと。
（二）	当該個人が第八章**二１**①に規定する医療費を支払った場合において、その者又はその支払の時においてその者と生計を一にする親族のためにその年中に支払った当該医療費の金額の合計額が200万円を超えたこと。
（三）	当該個人が、配偶者と死別し、若しくは離婚したこと又はその者の配偶者が第一節**一**表内**30**（３）（一）から同（五）までに掲げる者に該当することとなったこと（これらの事由が生じた日の属する年の12月31日においてそ

	の者が同**30**に規定する寡婦（同**34**に規定する扶養親族を有するものに限る。）又は同**31**に規定するひとり親に該当し、又は該当することが見込まれる場合に限る。）。
(四)	当該個人が、第二節**1**表内**29**に規定する特別障害者に該当することとなったこと。
(五)	当該個人が、雇用保険法第23条第２項に規定する特定受給資格者又は同法第13条第３項に規定する特定理由離職者に該当することとなったこと。

（所轄税務署長による確認手続）

(6)　(5)に規定する事実の発生が(5)に規定する災害等の事由（以下(6)において「災害等の事由」という。）に基因するものであることの(5)に規定する所轄税務署長による確認は、(5)に規定する財産形成非課税住宅貯蓄申告書を提出した個人から次の(一)から(四)までに掲げる事項を記載した書面（当該災害等の事由が生じたことを明らかにする書類が添付されたものに限る。）による申出（当該災害等の事由が生じた日から11月を経過する日までに行われるものに限る。）を受けて行われるものとする。（措規３の５㉑）

(一)	その者の氏名及び住所並びにその者の賃金の支払者及び勤務先等の名称及び所在地
(二)	現に財産形成住宅貯蓄の受入れをしている金融機関の営業所等の名称及び所在地
(三)	当該事実の発生が当該災害等の事由に基因するものであることについての事情の詳細及び当該災害等の事由が生じた年月日
(四)	その他参考となるべき事項

6　勤労者財産形成年金貯蓄の利子所得等の非課税

5《勤労者財産形成住宅貯蓄の利子所得等の非課税》に規定する勤労者が、金融機関の営業所等において勤労者財産形成促進法第６条第２項に規定する勤労者財産形成年金貯蓄契約（以下「勤労者財産形成年金貯蓄契約」という。）に基づく預貯金、合同運用信託若しくは有価証券又は生命保険若しくは損害保険の保険料若しくは生命共済の共済掛金（以下「財産形成年金貯蓄」という。）の預入等をする場合において、その預入等の際当該財産形成年金貯蓄につき**6**の規定の適用を受けようとする旨その他必要な事項を記載した書類（以下「**財産形成非課税年金貯蓄申込書**」という。）を、**5**に規定する賃金の支払者（給与所得者の扶養控除等申告書の提出の際に経由した支払者に限る。）の事務所、事業所その他これらに準ずるもので当該賃金の支払事務を取り扱うもの（以下「勤務先」という。）（当該賃金の支払者（勤労者財産形成促進法第14条第２項に規定する中小企業の事業主に限る。）が勤労者財産形成年金貯蓄契約に係る事務を同法第14条第２項に規定する事務代行団体（以下**6**において「事務代行団体」という。）に委託をしている場合には、勤務先及び当該委託に係る事務代行団体の事務所その他これに準ずるもので当該事務を行うもの。以下**6**において「勤務先等」という。）を経由して提出したときは、次の(一)から(四)までに掲げる場合に限り、当該(一)から(四)までに定めるものについては、所得税を課さない。（措法４の３①）

(一)	その預貯金の元本とその金融機関の営業所等において財産形成非課税年金貯蓄申込書を提出して預入した他の預貯金の元本との合計額が、その預貯金の利子の計算期間を通じて、その者がその勤務先等及び金融機関の営業所等を経由して提出した財産形成非課税年金貯蓄申告書に記載された最高限度額（財産形成非課税年金貯蓄限度額変更申告書の提出があった場合には、その提出の日以後においては、変更後の最高限度額。以下(四)までにおいて同じ。）を超えない場合　　**その預貯金の当該計算期間に対応する利子**
(二)	その合同運用信託の元本とその金融機関の営業所等において財産形成非課税年金貯蓄申込書を提出して信託した他の合同運用信託の元本との合計額が、その合同運用信託の収益の分配の計算期間を通じて、その者がその勤務先等及び金融機関の営業所等を経由して提出した財産形成非課税年金貯蓄申告書に記載された最高限度額を超えない場合　　**その合同運用信託の当該計算期間に対応する収益の分配**
(三)	その有価証券の額面金額又はこれに準ずる金額（以下「額面金額等」という。）とその金融機関の営業所等において財産形成非課税年金貯蓄申込書を提出して購入した他の有価証券の額面金額等との合計額が、その有価証券の利子又は収益の分配の計算期間を通じて（その有価証券が当該計算期間の中途において購入したものである場合には、その購入の日の属する計算期間については、同日から当該計算期間の終了の日までの期間を通じて）、その者がその勤務先等及び金融機関の営業所等を経由して提出した財産形成非課税年金貯蓄申告書に記載された最高限度額を超えない場合　　**その有価証券の当該計算期間に対応する利子又は収益の分配**

(四)	その生命保険若しくは損害保険の保険料の金額又は生命共済の共済掛金の額とその金融機関の営業所等において財産形成非課税年金貯蓄申込書を提出して払込みをした他の生命保険若しくは損害保険の保険料の金額又は生命共済の共済掛金の額との合計額が、勤労者財産形成年金貯蓄契約の締結の日から当該契約に定める年金支払開始日（勤労者財産形成促進法第６条第２項第２号ロ又は第３号ロに規定する年金支払開始日をいう。）までの期間を通じて、その者がその勤務先等及び金融機関の営業所等を経由して提出した財産形成非課税年金貯蓄申告書に記載された最高限度額を超えない場合　**その生命保険若しくは損害保険又は生命共済に係る契約に基づき支払われる年金（当該契約が災害、疾病その他やむを得ない事情により解約された場合に支払われる解約返戻金その他一定の金銭を含む。）の額のうち当該生命保険若しくは損害保険に係る保険料の金額又は生命共済に係る共済掛金の額の合計額を超える部分の金額として計算した金額に相当する差益**

（非課税限度額）

（1）　財産形成非課税年金貯蓄申告書は、**6**に規定する勤労者が既に当該申告書を提出している場合（一定の場合を除く。）には提出することができないものとし、財産形成非課税年金貯蓄申告書が次の(一)及び(二)に掲げる場合のいずれかに該当する場合には、勤務先は、これを受理することができない。（措法４の３⑦）

(一)	財産形成非課税年金貯蓄申告書に記載された最高限度額が**550万円**（生命保険若しくは損害保険の保険料又は生命共済の共済掛金に係るものその他にあっては**385万円**）を超えるものである場合
(二)	財産形成非課税年金貯蓄申告書に記載された最高限度額と既に提出された**5**の規定による財産形成非課税住宅貯蓄申告書に記載された最高限度額との合計額が**550万円**を超えるものである場合

（財産形成非課税申込書等の提出の特例）

（2）　**5**に規定する勤労者（以下(2)において「勤労者」という。）は、次の(一)から(六)までに掲げる書類の提出（以下において「財産形成非課税申込書等の提出」という。）の際に経由すべき**5**又は**6**に規定する勤務先（以下において「勤務先」という。）が電磁的方法（電子情報処理組織を使用する方法その他の情報通信の技術を利用する方法であって(3)で定めるものをいう。以下(2)において同じ。）による当該(一)から(六)までに規定する書類（以下において「**財産形成非課税申込書等**」という。）に記載すべき事項（以下において「記載事項」という。）の提供を適正に受けることができる措置を講じていることその他の(4)で定める要件を満たす場合には、財産形成非課税申込書等の提出に代えて、当該勤務先に対し、当該記載事項を電磁的方法により提供することができる。この場合において、当該勤労者は、その者の氏名を明らかにする措置であって財務省令（措規３の16の２②）で定めるものを講じなければならないものとし、当該措置を講じているときは、その財産形成非課税申込書等を当該勤務先に提出したものとみなす。（措法４の３の２①）

(一)	**5**の規定による**5**に規定する財産形成非課税住宅貯蓄申込書の提出
(二)	措法４の２④の規定による措法４の２④に規定する財産形成非課税住宅貯蓄申告書の提出
(三)	措法４の２⑤の規定による措法４の２⑤に規定する財産形成非課税住宅貯蓄限度額変更申告書の提出
(四)	**6**の規定による**6**に規定する財産形成非課税年金貯蓄申込書の提出
(五)	措法４の３④の規定による措法４の３④に規定する財産形成非課税年金貯蓄申告書の提出
(六)	措法４の３⑤の規定による措法４の３⑤に規定する財産形成非課税年金貯蓄限度額変更申告書の提出

（(2)に規定する(3)で定める方法）

（3）　(2)に規定する(3)で定める方法は、次の(一)及び(二)に掲げる方法（その提供を受ける者が措法４の３の２②に規定する事務代行先又は措法４の３の２③に規定する金融機関の営業所等である場合には、(一)に掲げる方法）とする。（措規３の16の２①）

(一)	電子情報処理組織を使用する方法のうち送信者等（送信者又は当該送信者との契約によりファイルを自己の管理する電子計算機に備え置き、これを受信者若しくは当該送信者の用に供する者をいう。）の使用に係る電子計算機と受信者等（受信者又は当該受信者との契約により受信者ファイル（専ら当該受信者の用に供せられるファイルをいう。以下(3)において同じ。）を自己の管理する電子計算機に備え置く者をいう。以下(3)にお

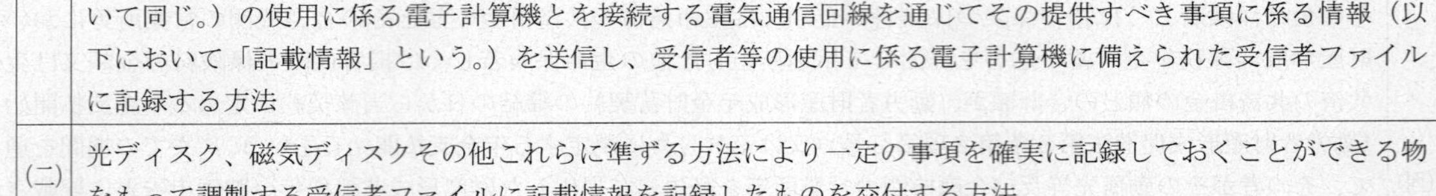

	いて同じ。）の使用に係る電子計算機とを接続する電気通信回線を通じてその提供すべき事項に係る情報（以下において「記載情報」という。）を送信し、受信者等の使用に係る電子計算機に備えられた受信者ファイルに記録する方法
(二)	光ディスク、磁気ディスクその他これらに準ずる方法により一定の事項を確実に記録しておくことができる物をもって調製する受信者ファイルに記載情報を記録したものを交付する方法

((2)に規定する(4)で定める要件)

(4)　(2)に規定する(4)で定める要件は、次の(一)から(三)に掲げる要件とする。(措令2の33の2①)

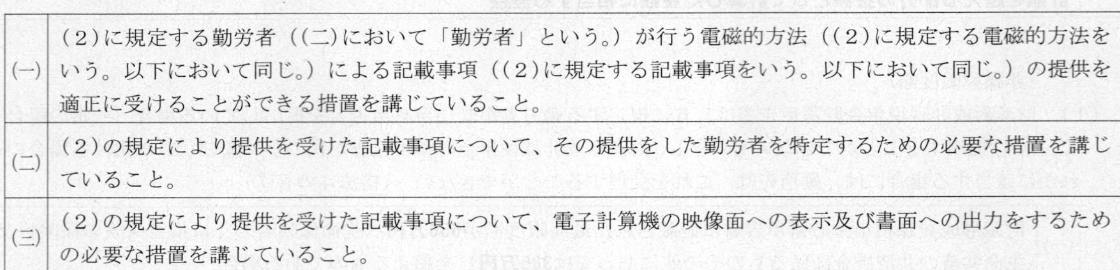

(一)	(2)に規定する勤労者（(二)において「勤労者」という。）が行う電磁的方法（(2)に規定する電磁的方法をいう。以下において同じ。）による記載事項（(2)に規定する記載事項をいう。以下において同じ。）の提供を適正に受けることができる措置を講じていること。
(二)	(2)の規定により提供を受けた記載事項について、その提供をした勤労者を特定するための必要な措置を講じていること。
(三)	(2)の規定により提供を受けた記載事項について、電子計算機の映像面への表示及び書面への出力をするための必要な措置を講じていること。

7　特定寄附信託の利子所得の非課税

特定寄附信託契約に基づき設定された信託（以下**7**において「特定寄附信託」という。）の信託財産につき生ずる公社債若しくは預貯金の利子又は合同運用信託の収益の分配（公社債の利子又は貸付信託の収益の分配にあっては、当該公社債又は貸付信託の受益権が社債、株式等の振替に関する法律に規定する振替口座簿への記載又は記録その他の(1)で定める方法により管理されており、かつ、当該公社債又は貸付信託の受益権が当該信託財産に引き続き属していた期間に対応する部分の額として(2)で定めるところにより計算した金額に相当する部分に限る。(4)の(注)、(5)及び(9)において「利子等」という。）については、所得税を課さない。(措法4の5①)

((1)で定める方法により管理)

(1)　**7**に規定する(1)で定める方法は、**7**に規定する特定寄附信託の信託財産に属する公社債又は貸付信託の受益権の利子又は収益の分配につき**7**の規定の適用を受けようとする次の(一)又は(二)に掲げる公社債又は貸付信託の受益権の区分に応じ当該(一)又は(二)に定める方法とする。(措令2の35①)

(一)	公社債又は貸付信託の受益権（(二)に掲げるものを除く。）	金融機関（**3**①《障害者等の少額預金の利子等の非課税》(1)《金融機関等の範囲》(一)、同(四)及び同(五)に掲げる者をいう。以下**7**において同じ。）の営業所等（(5)に規定する営業所等をいう。以下において同じ。）に係る金融機関の振替口座簿（当該金融機関が社債、株式等の振替に関する法律の規定により備え付ける振替口座簿をいう。以下**7**において同じ。）に記載又は記録を受ける方法
(二)	長期信用銀行法第8条の規定による長期信用銀行債、金融機関の合併及び転換に関する法律第8条第1項（同法第55条第4項において準用する場合を含む。）の規定による特定社債、信用金庫法第54条の2の4第1項の規定による全国連合会債、農林中央金庫法第60条の規定による農林債若しくは株式会社商工組合中央金庫法第33条の規定による商工債又は記名式の貸付信託の受益証券	金融機関の営業所等に係る金融機関の振替口座簿に記載若しくは記録を受ける方法又は当該金融機関の営業所等に保管される方法

（(2)で定めるところにより計算した金額）

（2）　**7**に規定する(2)で定めるところにより計算した金額は、次の(一)又は(二)に掲げる場合の区分に応じ当該(一)又は(二)に定める金額とする。（措令２の35⑤）

(一)	特定寄附信託の受託者が、その特定寄附信託の信託財産に属する公社債又は貸付信託の受益権につきその利子又は収益の分配の計算期間を通じて(1)の規定により金融機関の振替口座簿に記載若しくは記録を受け、又は保管の委託をしている場合　　当該計算期間に対応する利子又は収益の分配の額
(二)	特定寄附信託の受託者が、その特定寄附信託の信託財産に属する公社債又は貸付信託の受益権につきその利子又は収益の分配の計算期間の中途において(1)の規定により金融機関の振替口座簿に記載若しくは記録を受け、又は保管の委託をし、かつ、その記載若しくは記録を受け、又は保管の委託をした日から当該計算期間の終了の日までの期間を通じて金融機関の振替口座簿に記載若しくは記録を受け、又は保管の委託をしている場合　　当該計算期間に対応する利子又は収益の分配の額に当該記載若しくは記録を受け、又は保管の委託をしている期間の日数を乗じこれを当該計算期間の日数で除して計算した金額

（特定寄附信託契約とは）

（3）　**7**に規定する特定寄附信託契約とは、居住者が、信託会社（信託業法第３条又は第53条第１項の免許を受けたものに限るものとし、金融機関の信託業務の兼営等に関する法律により同法第１条第１項に規定する信託業務を営む同項に規定する金融機関を含む。）との間で締結した当該居住者を受益者とする信託契約で、当該信託財産を第八章**七**《寄附金控除》**2**に規定する特定寄附金（同章**七３**の規定又は同章**七４**の規定により特定寄附金とみなされたものを含む。）のうち民間の団体が行う公益を目的とする事業に資するものとして(注)で定めるもの（(9)において「対象特定寄附金」という。）として支出することを主たる目的とすることその他計画的な寄附が適正に実施されるための要件として(4)で定める要件が定められているものをいう。（措法４の５②）

(注)１　(3)に規定する民間の団体が行う公益を目的とする事業に資する特定寄附金として(注)で定めるものは、第八章**七**《寄附金控除》**2**に規定する特定寄附金のうち第九章第二節**二十二**《公益社団法人等に寄附をした場合の所得税の特別控除》(一)イからニまでに掲げる法人に対するもの及び第八章**七３**又は第九章第二節**二十一**《認定特定非営利活動法人に寄附をした場合の寄附金控除の特例》により第八章**七２**に規定する特定寄附金とみなされたものとする。（措令２の35⑥）

２　上記＿＿下線部については、公益信託に関する法律（令和６年法律第30号）の施行の日以後、(3)中「同章**七３**の規定又は」が削られる。（令６改所法等附１九へ）

３　第八章**七３**(注)２の規定の適用がある場合における改正後の(3)の規定の適用については、改正後の(3)中「特定寄附金（」とあるのは「特定寄附金（第八章**七３**(注)２の規定によりなおその効力を有するものとされる改正前の同章**七３**の規定又は」とされる。（令６改所法等附３②）

㊟１　上記＿＿下線部については、公益信託に関する法律（令和６年法律第30号）の施行の日以後、(注)１中「うち」が「うち、」に、「第八章**七３**又は」が「第八章**2**(四)に掲げるもの並びに」に改められる。（令６改措令附１三）

２　第八章**七３**(注)２の規定の適用がある場合における改正後の(注)１の適用については、同(注)１中「並びに」とあるのは「並びに第八章**七３**(注)２の規定によりなおその効力を有するものとされる改正前の第八章**七３**又は」とされる。（令６改措令附２）

（計画的な寄附が適正に実施されるための要件として(4)で定める要件）

（4）　(3)に規定する計画的な寄附が適正に実施されるための要件として(4)で定める要件は、次の(一)から(十四)までに掲げる要件とする。（措令２の35⑦）

(一)	当該信託の信託契約の期間が、５年以上10年以下の範囲内で、かつ、１年の整数倍の期間であること。
(二)	当該信託の受託者がその信託財産として受け入れる資産は、金銭に限られること。
(三)	当該信託の信託財産からの寄附金は、信託契約締結時の信託の元本の額（当該信託契約における(八)の定めにより当該信託の委託者に交付される金額の合計額（(九)において「交付元本額」という。）を除く。(九)において「寄附元本額」という。）を当該信託契約の期間の年数で除した金額と当該信託契約の期間の開始の日から当該寄附をする日までの間に支払われた利子等（**7**に規定する利子等をいう。以下(三)及び(19)において同じ。）の合計額（同日前に既に寄附された利子等の金額を除く。）を、当該信託契約の期間の開始の日以後１年ごとに区分した各期間に支出すること。
(四)	当該信託の信託財産からの寄附金は、その全てを(3)に規定する対象特定寄附金（以下(4)及び(11)において「対象特定寄附金」という。）として支出すること。
(五)	当該信託の信託財産から最初に寄附金を支出する日の前日までに、当該信託の受託者がその対象特定寄附金に

	係る法人又は第八章七《寄附金控除》3に規定する特定公益信託の受託者との間で寄附に関する契約（寄附金を支出する日、寄附金額の算定方法その他の(注)で定める事項の定めがあるものに限る。）を締結すること。
(六)	当該信託の信託財産の運用は、次に掲げる方法に限られること。 イ　預貯金 ロ　国債、地方債、特別の法律により法人の発行する債券又は貸付信託の受益権の取得 ハ　合同運用信託の信託（貸付信託の受益権の取得を除く。）
(七)	当該信託の受益権については、その譲渡に係る契約を締結し、又はこれを担保に供することができないこと。
(八)	当該信託の信託契約の期間中に当該信託財産から当該信託の委託者に金銭の交付をする場合には、当該金銭の交付は当該信託契約の期間の開始の日以後１年ごとに区分した各期間に均等額を交付するものであり、かつ、当該信託契約の期間中に交付される金銭の合計額は信託契約締結時の当該信託の元本の額の100分の30に相当する金額を超えないこと。
(九)	当該信託契約の期間中に当該信託財産につき損失が生じた場合には、次に定めるところによること。 イ　当該損失の金額に寄附元本額の当該信託契約締結時の信託の元本の額に占める割合を乗じた金額を、当該損失が生じた日以後に支出すべき寄附金の額から均等に控除すること。 ロ　当該損失の金額に交付元本額の当該信託契約締結時の信託の元本の額に占める割合を乗じた金額を、当該損失が生じた日以後に委託者に交付すべき金額から均等に控除すること。
(十)	当該信託の信託契約の期間中の最後に行われる(八)の金銭の交付は、当該信託の信託財産から最後に寄附金を支出する日以前に行うこと。
(十一)	当該信託の信託財産の計算期間は、１月１日（信託契約の期間の開始の日の属する年にあっては、その開始の日）から12月31日（信託契約の期間の終了の日の属する年にあっては、その終了の日）までであること。
(十二)	当該信託は、合意による終了ができないこと。
(十三)	当該信託の委託者が死亡した場合には、当該信託は終了し、その信託財産の全てを対象特定寄附金として支出すること。
(十四)	当該信託の受託者である(３)に規定する信託会社の業務方法書に特定寄附信託に関する業務を行う旨の記載があり、かつ、当該受託者は当該業務方法書に従って適正に信託業務を遂行すること。

(注)１　(五)に規定する(注)で定める事項は、次に掲げる事項とする。(措規３の17②)

(一)　当該信託の受託者から対象特定寄附金に係る法人又は特定公益信託の受託者に対して寄附金を支出する日及び当該信託の委託者から指図があった金額を当該信託の信託財産から寄附金として支出すること。

(二)　当該信託の信託財産からの受領法人等への寄附金の交付は、当該信託の受託者が行うこと。

(三)　(二)の交付をする際に、当該受託者から当該受領法人等に対して次に掲げる事項を通知すること。

イ　(二)の寄附金の額のうち、当該信託の信託財産から支出するものの金額及び当該信託財産につき生じた７に規定する利子等の金額に相当する部分の金額

ロ　当該信託の信託契約を締結した居住者の氏名及び住所（国内に住所を有しない者にあっては、居所。）

２　上記____下線部については、公益信託に関する法律（令和６年法律第30号）の施行の日以後、(４)(五)中「第八章七３」が「第二章第三節十２」に、「特定公益信託」が「公益信託」に改められる。(令６改措令附１三)

３　第八章七３(注)２の規定の適用がある場合における改正後の(４)の適用については、同(４)(五)中「公益信託」とあるのは「公益信託若しくは第八章七３(注)２に規定する特定公益信託」とされる。(令６改措令附２)

㊟１　上記____下線部については、公益信託に関する法律（令和６年法律第30号）の施行の日以後、(注)１(一)中「特定公益信託」が「公益信託」に改められる。(令６改措規附１四)

２　第八章七３(注)２の規定の適用がある場合における改正後の(注)１の規定の適用については、同(注)１(一)中「公益信託」とあるのは「公益信託若しくは特定公益信託」とされる。(令６改措規附２)

（特定寄附信託契約の契約書の写しの添付）

（５）　７の規定は、（３）の居住者が、（３）に規定する特定寄附信託契約の締結の後、最初に７の規定の適用を受けようとする利子等の支払を受ける日の前日までに、その者の氏名、住所及び個人番号（行政手続における特定の個人を識別するための番号の利用等に関する法律第２条第５項に規定する個人番号をいう。以下同じ。）その他の財務省令（措規３の17③）で定める事項を記載した申告書（以下において「特定寄附信託申告書」という。）に、当該特定寄附信託契約の契約書の写しを添付して、これを当該特定寄附信託契約に係る特定寄附信託の受託者の営業所、事務所その他これらに準ずるもの（以下において「営業所等」という。）を経由し、当該特定寄附信託の受託者の営業所等の所在地

の所轄税務署長に提出した場合に限り、適用する。（措法４の５③）

(注)　(5)の場合において、特定寄附信託申告書が(5)に規定する税務署長に提出されたときは、(5)の特定寄附信託の受託者の営業所等においてその受理がされた日にその提出があったものとみなす。（措法４の５④）

（特定寄附信託申告書に記載すべき事項の電磁的方法による提供）

(6)　(5)の居住者は、(5)の規定による特定寄附信託申告書の提出に代えて、(5)の特定寄附信託の受託者の営業所等に対し、当該特定寄附信託申告書に記載すべき事項を電磁的方法（措法３の３⑧に規定する電磁的方法をいう。(8)において同じ。）により提供することができる。この場合において、当該居住者は、当該特定寄附信託申告書を当該特定寄附信託の受託者の営業所等に提出したものとみなす。（措法４の５⑤）

（(6)の規定の適用がある場合における(5)(注)１の規定の適用）

(7)　(6)の規定の適用がある場合における(5)(注)１の規定の適用については、(5)(注)１中「が(5)」とあるのは「に記載すべき事項が(5)」と、「受理がされた日」とあるのは「提供を受けた日」とする。（措法４の５⑥）

（特定寄附信託契約の契約書の写しに記載されるべき事項の電磁的方法による提供）

(8)　(5)の居住者は、(6)の規定により特定寄附信託申告書に記載すべき事項を電磁的方法により提供する場合には、(5)に規定する特定寄附信託契約の契約書の写しの(5)の規定による提出に代えて、(5)の特定寄附信託の受託者の営業所等に対し、当該写しに記載されるべき事項を電磁的方法により提供することができる。この場合において、当該居住者は、(5)の規定により当該特定寄附信託申告書に当該写しを添付して、提出したものとみなす。（措法４の５⑦）

（計画的な寄附が適正に実施されていないと認められる事実が生じた場合）

(9)　(3)に規定する特定寄附信託契約又はその履行につき、その信託財産を対象特定寄附金として支出することを主たる目的としなくなったことその他の計画的な寄附が適正に実施されていないと認められる事実として(14)で定める事実が生じた場合には、当該特定寄附信託契約の締結の時から当該事実が生じた日までの間に支払われた利子等については、**7**の規定の適用がなかったものとし、かつ、当該事実が生じた日において当該利子等の支払があったものと、当該特定寄附信託契約に係る特定寄附信託の受託者が当該利子等を支払ったものとそれぞれみなして、租税特別措置法及び所得税法の規定を適用する。（措法４の５⑧）

（**7**の規定の適用がある場合における第八章**七**《寄附金控除》の規定の読替え規定）

(10)　**7**の規定の適用がある場合における第八章**七**《寄附金控除》の規定並びに第九章第二節**二十一**《認定特定非営利活動法人に寄附をした場合の寄附金控除の特例又は所得税額の特別控除》及び同節**二十二**《公益社団法人等に寄附をした場合の所得税額の特別控除》の規定の適用については、第八章**七２**中「学校の入学に関してするものを除く」とあるのは「第二章第三節**一７**《特定寄附信託の利子所得の非課税》の規定の適用を受けた同**7**に規定する利子等の金額に相当する部分及び学校の入学に関してするものを除く」と、同章**七３**中「支出した金銭」とあるのは「支出した金銭（第二章第三節**一７**の規定の適用を受けた同**7**に規定する利子等の金額に相当する部分を除く。）」と、第九章第二節**二十一**中「その寄附をした者」とあるのは「第二章第三節**一７**の規定の適用を受けた同**7**に規定する利子等の金額に相当する部分並びにその寄附をした者」とする。（措法４の５⑨）

(注)１　上記＿＿下線部については、公益信託に関する法律（令和６年法律第30号）の施行の日以後、(10)中「、同章**七３**中「支出した金銭」とあるのは「支出した金銭（第二章第三節**一７**の規定の適用を受けた同**7**に規定する利子等の金額に相当する部分を除く。）」と」が削られる。（令６改所法等附１九へ）

２　第八章**七３**(注)２の規定の適用がある場合における改正後の(10)の規定の適用については、改正後の(10)中「規定並びに」とあるのは「規定、改正前の第八章**七３**の規定並びに」と、「除く」と、」とあるのは「除く」と、改正前の第八章**七３**中「支出した金銭」とあるのは「支出した金銭（第二章第三節**一７**の規定の適用を受けた同**7**に規定する利子等の金額に相当する部分を除く。）」と、」とされる。（令６改所法等附３②）

（公社債等が**7**の規定の適用に係るものである旨の通知）

(11)　特定寄附信託の受託者（公社債若しくは預貯金の利子又は合同運用信託の収益の分配（以下(11)において「利子等」という。）の次の(一)又は(二)に掲げる区分に応じ当該(一)又は(二)に定める者でないものに限る。）は、当該利子等が**7**の規定の適用を受けるものである場合には、次の(一)又は(二)に掲げる利子等の区分に応じ当該(一)又は(二)に定める者に対し（当該利子等が(一)に掲げる利子等であり、かつ、その利子等に係る支払事務の取扱いをする者（以下**7**において「支払事務取扱者」という。）が(1)(一)の金融機関の営業所等でない場合には、当該金融機関の営業所等を経由して当該支払事務取扱者に対し）、その利子等の支払期ごとに、当該公社債、預貯金又は合同運用信託（以下**7**において「公社債等」という。）が**7**の規定の適用に係るものである旨を通知しなければならない。（措令２の35②）

(一)	(1)(一)に掲げる公社債等の利子等　　当該利子等の支払事務取扱者
(二)	(1)(二)に掲げる公社債等の利子等又は預貯金若しくは合同運用信託（貸付信託を除く。）の利子等　　これらの利子等の支払をする者（(9)及び(10)において「支払者」という。）

（支払事務取扱者等による公社債等が**7**の規定の適用に係るものである旨の記載又は記録）

(12)　(11)の通知を受けた支払事務取扱者又は支払者は、公社債等の振替に関する帳簿又は公社債等の管理に関する帳簿に、その公社債等が**7**の規定の適用に係るものである旨を記載し、又は記録しなければならない。（措令２の35③）

（通知の内容を記載した書類の保存）

(13)　(11)の通知を受けた支払事務取扱者又は支払者は、その通知の内容を記載した書類（当該書類に記載すべき事項を記録した電磁的記録を含む。）を、財務省令で定めるところにより保存しなければならない。（措令２の35④）

（計画的な寄附が適正に実施されていないと認められる事実）

(14)　(9)に規定する計画的な寄附が適正に実施されていないと認められる事実として(14)で定める事実は、次の(一)及び(二)に掲げる事実とする。（措令２の35⑧）

(一)	(3)に規定する特定寄附信託契約（以下**7**において「特定寄附信託契約」という。）の変更により、その信託財産を対象特定寄附金として支出することを主たる目的としなくなったこと。
(二)	特定寄附信託契約又はその履行につき、(4)(一)から同(十四)までに掲げる要件に該当しないこととなったこと。

（特定寄附信託申告書の不受理）

(15)　特定寄附信託の受託者は、居住者の提出する(5)に規定する特定寄附信託申告書（以下**7**において「特定寄附信託申告書」という。）に記載された事項のうちに当該居住者と締結した特定寄附信託契約において定められた事項と異なるものがある場合には、当該申告書を受理してはならない。（措令２の35⑨）

（特定寄附信託異動申告書の提出）

(16)　特定寄附信託申告書を提出した居住者が、その提出後、当該特定寄附信託申告書に記載した当該居住者の氏名、住所若しくは居所又は個人番号を変更した場合には、その者は、遅滞なく、その旨その他財務省令で定める事項を記載した申告書（以下**7**において「特定寄附信託異動申告書」という。）を、当該特定寄附信託の受託者の営業所等を経由し、当該特定寄附信託の受託者の営業所等の所在地の所轄税務署長に提出しなければならない。この場合において、当該居住者は、当該特定寄附信託の受託者にその者の行政手続における特定の個人を識別するための番号の利用等に関する法律第２条第７項に規定する個人番号カードその他の財務省令（措規３の17④）で定める書類（その者の氏名又は住所若しくは居所を変更した場合にあっては、当該書類又はその者の変更前の氏名若しくは住所若しくは居所及び変更後の氏名若しくは住所若しくは居所を証する住民票の写しその他の財務省令（措規３の17⑧）で定める書類。以下(13)において「本人確認等書類」という。）を提示し、又はその者の署名用電子証明書等（第五章第三節**六４**に規定する署名用電子証明書等をいう。以下同じ。）を送信しなければならないものとし、当該特定寄附信託の受託者は、当該特定寄附信託異動申告書（電磁的方法（(6)に規定する電磁的方法をいう。(18)及び(20)において同じ。）により提供された当該特定寄附信託異動申告書に記載すべき事項を記録した電磁的記録を含む。以下(16)において同じ。）に記載され、又は記録されている変更後の氏名、住所若しくは居所又は個人番号が当該本人確認等書類又は署名用電子証明書等に記載又は記録がされた氏名、住所若しくは居所又は個人番号と同一であることの確認をし、かつ、当該特定寄附信託異動申告書に当該確認をした事実及び当該本人確認等書類の名称又は署名用電子証明書等の送信を受けた旨を記載し、又は記録しなければならない。（措令２の35⑩）

（特定寄附信託申告書又は特定寄附信託異動申告書を受理した場合の申告書の送付）

(17)　特定寄附信託の受託者は、居住者の提出する特定寄附信託申告書又は特定寄附信託異動申告書を受理した場合には、その受理した日の属する月の翌月10日までに、これらの申告書を当該特定寄附信託の受託者の営業所等の所在地の所轄税務署長に送付しなければならない。（措令２の35⑪）

（特定寄附信託異動申告書に記載すべき事項の電磁的方法による提供）

(18)　(16)の居住者は、(16)の規定による特定寄附信託異動申告書の提出に代えて、(16)の特定寄附信託の受託者の営業所等に対し、当該特定寄附信託異動申告書に記載すべき事項を電磁的方法により提供することができる。この場合において、当該居住者は、当該特定寄附信託異動申告書を当該特定寄附信託の受託者の営業所等に提出したものとみなす。（措令２の35⑫）

（特定寄附信託の信託財産に係る帳簿の保存）

(19)　特定寄附信託の受託者は、当該特定寄附信託の信託財産につき帳簿を備え、財務省令で定めるところにより、当該特定寄附信託の委託者別に、当該信託財産につき生ずる利子等の金額、当該信託財産から支出される寄附金の額及び委託者に交付される金額その他の事項を明らかにし、かつ、当該帳簿を保存しなければならない。（措令２の35⑬）

（申告書の写しの作成・保存）

(20)　特定寄附信託の受託者は、居住者の提出する特定寄附信託申告書又は特定寄附信託異動申告書を受理した場合には、財務省令（措規３の17⑩⑪）で定めるところにより、これらの申告書の写し（これらの申告書に記載すべき事項を記録した電磁的記録を含む。）を作成し、当該写し又は電磁的方法により提供されたこれらの申告書に記載すべき事項が記録された電磁的記録若しくは当該電磁的記録に記録された情報の内容を出力することにより作成した書面を保存しなければならない。（措令２の35⑭）

8　納税準備預金の利子の非課税

納税準備預金（租税の納付に充てることを目的として、銀行、信用金庫、労働金庫、信用協同組合、農業協同組合、農業協同組合連合会、漁業協同組合、漁業協同組合連合会、水産加工業協同組合、水産加工業協同組合連合会及び株式会社商工組合中央金庫に対してした預金で、当該金融機関が他の預金と区分して経理しているものをいう。）の利子については、所得税を課さない。ただし、当該預金から租税の納付の目的以外の目的のために引き出された金額がある場合には、その引き出しの日の属する利子の計算期間に対応する利子については、所得税を課する。（措法５、措令２の36）

9　外国金融機関等の債券現先取引等に係る利子の課税の特例

外国金融機関等が、振替債等に係る債券現先取引等（(一)から(四)までに掲げる債券に係る債券現先取引（第二節**4**①(十)に規定する同①(11)で定める債券の買戻又は売戻条件付売買取引をいう。）で（1）で定める要件を満たすもの又は次に掲げる有価証券に係る証券貸借取引（現金又は有価証券を担保とする有価証券の貸付け又は借入れを行う取引で（2）で定めるものをいう。以下同じ。）（3）で定める要件を満たすものをいう。以下同じ。）で外国金融機関等と特定金融機関等との間で行われるもの（当該取引が外国金融機関等のうち（5）(一)ロに掲げるものとの間で行われるものである場合にあっては、当該取引が、当該外国金融機関等が金融商品取引法第２条第28項に規定する金融商品債務引受業（以下**9**において「金融商品債務引受業」という。）と同種類の業務として他の外国金融機関等（同(一)ロに掲げる外国法人を除く。以下**9**において同じ。）と特定金融機関等（（5）(二)ロに掲げる法人を除く。）との間で行われた振替債等に係る債券現先取引等に基づく債務を引受け、更改その他の方法（以下**9**において「引受け等」という。）により負担したことに係るものである場合に限るものとし、当該取引が特定金融機関等のうち（5）(二)ロに掲げるものとの間で行われるものである場合にあっては、当該取引が、当該特定金融機関等が金融商品債務引受業として外国金融機関等と他の特定金融機関等（同(二)ロに掲げる法人を除く。）との間で行われた振替債等に係る債券現先取引等に基づく債務を引受け等により負担したことに係るものである場合に限るものとする。以下において「振替債等に係る特定債券現先取引等」という。）につき、**特定金融機関等**から第二節**4**①(十)に掲げる利子の支払を受ける場合には、その支払を受ける利子（外国金融機関等（（5）(一)に規定する外国金融機関等をいう。以下において同じ。）が支払を受ける利子で、措法第７条の規定により所得税を課さないこととされるものを除く。）については、所得税を課さない。（措法42の２①、措令27の２④）

(一)	社債、株式等の振替に関する法律第88条に規定する振替国債、措法第５条の２に規定する振替地方債又は同法第66条に規定する振替社債（措法第５条の３第４項第７号イから同チまでに掲げるものを含む。以下**9**において「振替

	社債等」という。）のうちその利子の額若しくは措法第41条の13の３第７項第８号に規定する償還金の額が当該振替社債等の発行をする者若しくは当該発行をする者の特殊関係者（振替社債等の発行をする者との間に措令第３条の２第１項で定める特殊の関係のある者をいう。）に関する同令第11項で定める指標を基礎として算定されるもの以外のもの
(二)	外国又は地方公共団体が発行し、又は保証する債券（(一)に掲げるものを除く。）
(三)	外国法人が発行し、又は保証する債券で(４)で定めるもの（(一)又は(二)に掲げるものを除く。）
(四)	第五章第三節一(一)から同(五)までに掲げる株式等（同(四)に掲げる受益権にあっては、公社債投資信託以外の証券投資信託の受益権及び証券投資信託以外の投資信託で公社債等運用投資信託に該当しないものの受益権に限る。）又は新株予約権付社債（資産の流動化に関する法律第131条第１項に規定する転換特定社債及び同法第139条第１項に規定する新優先出資引受権付特定社債を含む。）のうち、同節**三１**①(１)(一)に掲げる株式等に該当するもの（(一)から(三)に掲げるものを除く。）。

（(１)で定める要件）

(１)　**9**に規定する債券現先取引（以下において「債券現先取引」という。）に係る**9**に規定する(１)で定める要件は、次に掲げる要件（(５)(二)に規定する特定金融機関等が日本銀行である場合には、(一)及び(三)に掲げる要件）とする。（措令27の２①）

(一)	債券現先取引において債券の譲渡の日又は購入の日からその債券の買戻しの日又は売戻しの日までの期間が６月を超えないこと。
(二)	債券現先取引に関し、金融機関等が行う特定金融取引の一括清算に関する法律第３条に規定する一括清算の約定（当該債券現先取引につき第二節**4**①(十)に掲げる利子の支払をする特定金融機関等が(５)(二)ロに掲げる法人である場合には、これに類するものとして財務省令で定める約定）その他債券現先取引に係る債券の価格の変動その他の理由により発生し得る危険を減少させるための約定として財務省令で定める約定をしていること。
(三)	債券現先取引に係る債券の当該取引の約定をした日における価額が当該債券現先取引につき約定をした価格以上であること。

（有価証券の貸付け又は借入れを行う取引で(２)で定めるもの）

(２)　**9**に規定する有価証券の貸付け又は借入れを行う取引で(２)で定めるものは、有価証券を貸し付け、又は借り入れ、あらかじめ約定した期日（あらかじめ期日を約定することに代えて、その開始以後期日の約定をすることができる場合には、その開始以後約定した期日）に当該有価証券と同種及び同量の有価証券の返還を受け、又は返還をする取引とする。（措令27の２②）

（**9**に規定する証券貸借取引に係る**9**に規定する(３)で定める要件）

(３)　**9**に規定する証券貸借取引（以下(３)において「証券貸借取引」という。）に係る**9**に規定する(３)で定める要件は、次の(一)から(三)までに掲げる要件（特定金融機関等が日本銀行である場合には、(一)及び(三)に掲げる要件）とする。（措令27の２③）

(一)	証券貸借取引において有価証券の貸付けの日又は借入れの日からその有価証券の返還を受けた日又は返還をした日までの期間が６月を超えないこと。
(二)	証券貸借取引に関し、金融機関等が行う特定金融取引の一括清算に関する法律第３条に規定する一括清算の約定（当該証券貸借取引につき第二節**4**①(十)に掲げる利子の支払をする特定金融機関等が(５)(二)ロに掲げる法人である場合には、これに類するものとして財務省令で定める約定）をしていること。
(三)	証券貸借取引に係る有価証券の当該証券貸借取引の約定をした日における価額のうちに当該証券貸借取引において担保とされる現金及び有価証券の価額（有価証券にあっては、同日におけるその価額）の合計額の占める割合が100分の50から100分の150までの範囲内にあること。

（外国法人が発行し又は保証する債券の範囲）

（4）　**9**（三）に規定する（4）で定める債券は、次の（一）から（三）までに掲げる債券とする。（措令27の2⑥）

（一）	次に掲げる外国法人が発行し、又は保証する債券 イ　その出資金額又は拠出をされた金額の合計額の2分の1以上が外国の政府により出資又は拠出をされている外国法人 ロ　外国の特別の法令の規定に基づき設立された外国法人で、その業務が当該外国の政府の管理の下に運営されているもの。
（二）	国際間の取極に基づき設立された国際機関が発行し、又は保証する債券
（三）	経済協力開発機構の我が国以外の加盟国の法令の規定に基づき設立され、かつ、当該国において当該国の法令の規定に基づき銀行業を営む法人が発行する債券

（用語の意義）

（5）　**9**において、次の（一）及び（二）に掲げる用語の意義は、当該（一）及び（二）に定めるところによる。（措法42の2⑦）

（一）	**外国金融機関等**　次のイからハまでに掲げる外国法人をいう。 イ　外国の法令に準拠して当該国において銀行業、金融商品取引業又は保険業を営む外国法人 ロ　外国において金融商品債務引受業と同種類の業務を行う外国法人で当該業務を行うことにつき当該国の法令により当該国において金融商品取引法第156条の2の免許と同種類の免許又はこれに類する許可その他の行政処分を受けているもの（その行う当該業務として他の外国法人（イ、ハ又はニに掲げる外国法人に限る。）と特定金融機関等（（二）ロに掲げる法人を除く。）との間の債券現先取引又は証券貸借取引に基づく債務を引受け等により負担する場合における当該外国法人に限る。） ハ　外国の中央銀行 ニ　国際間の取極に基づき設立された国際機関
（二）	**特定金融機関等**　次のイ及びロに掲げる法人をいう。 イ　租税特別措置法第8条第1項に規定する金融機関、同条第2項に規定する金融商品取引業者等その他金融商品取引法施行令第1条の9第5号に掲げるもの（措令27の2⑱）で、金融機関等が行う特定金融取引の一括清算に関する法律第2条第2項に規定する金融機関等に該当する法人（国内に営業所等を有するものに限る。） ロ　金融商品取引法第2条第29項に規定する金融商品取引清算機関（その行う金融商品債務引受業として外国金融機関等（（一）ロに掲げる外国法人を除く。）又は特定外国法人と他の法人（イ又はハに掲げる法人に限る。）との間の債券現先取引又は証券貸借取引に基づく債務を引受け等により負担する場合における当該金融商品取引清算機関に限る。） ハ　日本銀行

（外国金融機関等以外の外国法人の債券現先取引に係る利子の課税の特例）

（6）　外国金融機関等以外の外国法人（条約相手国等の法人に限る。以下において「特定外国法人」という。）が、平成29年4月1日から令和8年3月31日までの間において開始した振替国債等に係る債券現先取引（次の（一）から（三）までに掲げるもので一定の要件を満たすものに限る。）で特定外国法人と特定金融機関等（当該取引が（二）又は（三）に掲げる債券に係るものである場合にあっては、（5）（二）イに掲げる法人に限る。）との間で行われるもの（当該取引が特定金融機関等のうち同（二）ロに掲げるものとの間で行われるものである場合にあっては、当該取引が、当該特定金融機関等が金融商品債務引受業として特定外国法人と他の特定金融機関等（同ロに掲げる法人を除く。）との間で行われた振替国債等に係る債券現先取引に基づく債務を引受け等により負担したことに係るものである場合に限る。以下において「振替国債等に係る特定債券現先取引」という。）につき、特定金融機関等から第二節**4**①（十）に掲げる利子の支払を受ける場合には、その支払を受ける利子（一定のものを除く。）については、所得税を課さない。（措法42の2③）

（一）	振替国債
（二）	外国が発行し、又は保証する債券で一定のもの
（三）	外国法人が発行する債券で一定のもの（（二）に掲げるものを除く。）

((６)の課税の特例の適用が除外される特定外国法人)

(７)　(６)の規定は、(６)に規定する支払を受ける利子の支払を受ける特定外国法人（適格外国証券投資信託（措法第５条の２第２項に規定する適格外国証券投資信託をいう。以下(７)、(８)において同じ。）の受託者である特定外国法人が当該適格外国証券投資信託の信託財産につき当該利子の支払を受ける場合における当該特定外国法人を除く。）が、当該利子を支払う特定金融機関等（当該特定金融機関等（(５)(二)ロに掲げる法人に限る。）が金融商品債務引受業として特定外国法人と他の特定金融機関等のうち同ロに掲げる法人以外のものとの間の振替国債等に係る特定債券現先取引（当該利子に係るものに限る。）に基づく債務を引受け等により負担した場合には、当該他の特定金融機関等。以下(７)において同じ。）の国外関連者（外国法人で、当該利子を支払う特定金融機関等との間にいずれか一方の法人が他方の法人の発行済株式又は出資（当該他方の法人が有する自己の株式又は出資を除く。）の総数又は総額の100分の50以上の数又は金額の株式又は出資を直接又は間接に保有する関係その他の一定の特殊の関係のあるものをいう。）に該当する場合には、適用しない。（措法42の２④）

((６)の規定の適用)

(８)　(６)の規定は、外国投資信託（投資信託及び投資法人に関する法律第２条第24項に規定する外国投資信託をいう。以下(６)において同じ。）の受託者である特定外国法人が当該外国投資信託の信託財産につき支払を受ける(６)に規定する支払を受ける利子については、当該外国投資信託が適格外国証券投資信託である場合に限り、適用する。（措法42の２⑤）

((６)の課税の特例の適用が除外される国外源泉所得)

(９)　**９**及び(６)の規定は、恒久的施設を有する外国法人が支払を受けるこれらの規定に規定する支払を受ける利子で、第二節**４**⑥(一)イに掲げる国内源泉所得に該当するものについては、適用しない。（措法42の２⑥）

二　年金等の給付金

１　傷病者の恩給等

恩給、年金その他これらに準ずる給付で次の①から③までに掲げるものについては、所得税を課さない。（法９①三、令20①②）

<table>
<tr><td rowspan="5">①</td><td colspan="2">恩給法に規定する増加恩給（これに併給される普通恩給を含む。）及び傷病賜金その他公務上又は業務上の事由による負傷又は疾病に基因して受けるこれらに準ずる給付で次に掲げるもの</td></tr>
<tr><td>イ</td><td>恩給法の一部を改正する法律附則第22条第１項《旧軍人等に対する増加恩給等の給付等》の規定による傷病年金</td></tr>
<tr><td>ロ</td><td>労働基準法第８章《災害補償》の規定により受ける療養の給付若しくは費用、休業補償、障害補償、打切補償又は分割補償（障害補償に係る部分に限る。）</td></tr>
<tr><td>ハ</td><td>船員法第10章《災害補償》の規定により受ける療養の給付若しくは費用、傷病手当、予後手当又は障害手当</td></tr>
<tr><td>ニ</td><td>条例の規定により地方公共団体から支払われる給付で上記の増加恩給又は傷病賜金に準ずるもの</td></tr>
<tr><td>②</td><td colspan="2">遺族の受ける恩給及び年金（死亡した者の勤務に基づいて支給されるものに限る。）</td></tr>
<tr><td rowspan="3">③</td><td colspan="2">条例の規定により地方公共団体が精神又は身体に障害のある者に関して実施する共済制度〔地方公共団体の条例において精神又は身体に障害のある者（以下「心身障害者」という。）を扶養する者を加入者とし、その加入者が地方公共団体に掛金を納付し、当該地方公共団体が心身障害者の扶養のための給付金を定期に支給することを定めている制度（脱退一時金（加入者が当該制度から脱退する場合に支給される一時金をいう。）の支給に係る部分を除く。）で、次に掲げる要件を備えているもの〕に基づいて受ける給付</td></tr>
<tr><td>イ</td><td>心身障害者の扶養のための給付金（その給付金の支給開始前に心身障害者が死亡した場合に加入者に対して支給される弔慰金を含む。）のみを支給するものであること。</td></tr>
<tr><td>ロ</td><td>イの給付金の額は、心身障害者の生活のために通常必要とされる費用を満たす金額（イの弔慰金にあっては、掛金の累積額に比して相当と認められる金額）を超えず、かつ、その額について、特定の者につき不当に差別的な取扱いをしないこと。</td></tr>
</table>

	ハ	イの給付金（イの弔慰金を除く。ニにおいて同じ。）の支給は、加入者の死亡、重度の障害その他地方公共団体の長が認定した特別の事故を原因として開始されるものであること。
	ニ	イの給付金の受取人は、心身障害者又はハの事故発生後において心身障害者を扶養する者とするものであること。
	ホ	イの給付金に関する経理は、他の経理と区分して行い、かつ、掛金その他の資金が銀行その他の金融機関に対する運用の委託、生命保険への加入その他これらに準ずる方法を通じて確実に運用されるものであること。

（労働基準法による遺族補償及び葬祭料）

（１）　労働基準法第８章《災害補償》の規定により受ける補償のうち、同法第79条《遺族補償》及び第80条《葬祭料》の規定により受ける遺族補償（同法第82条《分割補償》に規定する分割補償のうち遺族補償に係る部分を含む。）及び葬祭料は、**七**《損害賠償金等》に規定する非課税所得に該当する。（基通９－１）

（非課税とされる年金の範囲）

（２）　上記②に掲げる年金には、次に掲げるものが含まれる。（基通９－２）

（一）　死亡した者の勤務に基づき、使用者であった者から当該死亡した者の遺族に支給される年金

（二）　死亡した者がその勤務に直接関連して加入した社会保険又は共済に関する制度、退職年金制度等に基づき、当該死亡した者の遺族に支給される年金で、当該死亡した者が生存中に支給を受けたとすれば第四章第十節**二２**《公的年金等の定義》の規定によりその者の公的年金等とされるもの

2　文化功労者等に対する年金又は金品

次の①から⑥までに掲げる年金又は金品については所得税を課さない。（法９①十三）

①	文化功労者年金法第３条第１項の規定による年金
②	日本学士院から恩賜賞又は日本学士院賞として交付される金品
③	日本芸術院から恩賜賞又は日本芸術院賞として交付される金品
④	学術若しくは芸術に関する顕著な貢献を表彰するものとして又は顕著な価値がある学術に関する研究を奨励するものとして国、地方公共団体又は財務大臣の指定する団体若しくは基金から交付される金品（給与その他対価の性質を有するものを除く。）で財務大臣の指定するもの
⑤	ノーベル基金からノーベル賞として交付される金品
⑥	外国、国際機関、国際団体又は財務大臣の指定する外国の団体若しくは基金から交付される金品で上記①から⑤までに掲げる年金又は金品に類するもの（給与その他対価の性質を有するものを除く。）のうち財務大臣の指定するもの

（非課税とされる金品等を指定する告示）

（１）　**2**表内の④又は同⑥の規定に基づき、同④又は同⑥に掲げる団体又は基金並びに学術に関する顕著な貢献を表彰するものとして又は顕著な価値がある学術に関する研究を奨励するものとして交付される金品及び同①から同⑤までに掲げる年金又は金品に類する金品を次のとおり指定する。（昭44大蔵省告示第96号、最終改正平23財務省告示第142号）

(一)	国から野口英世博士記念アフリカの医学研究・医療活動分野における卓越した業績に対する賞として交付される金品
(二)	国から科学研究費補助金取扱規程（昭和40年３月文部省告示第110号）の規定により交付される科学研究費補助金又は独立行政法人日本学術振興会から独立行政法人日本学術振興会法第15条第１号の業務として交付される科学研究費補助金若しくは学術研究助成基金助成金
(三)	独立行政法人日本学術振興会から国際生物学賞として交付される金品
(四)	財団法人旭硝子財団（昭和９年２月１日に財団法人旭化学工業奨励会という名称で設立された法人をいう。）

	からブループラネット賞として交付される金品
(五)	財団法人稲盛財団（昭和59年４月12日に財団法人稲盛財団という名称で設立された法人をいう。）から京都賞（学術に関するものに限る。）として交付される金品
(六)	財団法人大河内記念会（昭和33年２月６日に財団法人大河内記念会という名称で設立された法人をいう。）から大河内記念賞として交付される金品
(七)	財団法人国際科学技術財団（昭和57年11月１日に財団法人日本国際賞準備財団という名称で設立された法人をいう。）から日本国際賞として交付される金品
(八)	財団法人国際花と緑の博覧会記念協会（平成３年11月１日に財団法人国際花と緑の博覧会記念協会という名称で設立された法人をいう。）から花の万博記念コスモス賞として交付される金品
(九)	財団法人高松宮妃癌研究基金（昭和43年４月20日に財団法人高松宮妃癌研究基金という名称で設立された法人をいう。）から高松宮妃癌研究助成金及び高松宮妃癌研究基金学術賞として交付される金品
(十)	財団法人東レ科学振興会（昭和35年６月23日に財団法人東洋レーヨン科学振興会という名称で設立された法人をいう。）から東レ科学技術助成金及び東レ科学技術賞として交付される金品
(十一)	財団法人内藤記念科学振興財団（昭和44年４月７日に財団法人内藤記念科学振興財団という名称で設立された法人をいう。）から内藤記念科学奨励金及び内藤記念特定研究助成金並びに内藤記念科学振興賞として交付される金品
(十二)	財団法人日本農業研究所（昭和17年８月17日に財団法人東亜農業研究所という名称で設立された法人をいう。）から日本農業研究所賞として交付される金品
(十三)	財団法人藤原科学財団（昭和34年５月１日に財団法人藤原科学財団という名称で設立された法人をいう。）から藤原賞として交付される金品
(十四)	財団法人本多記念会（昭和32年11月22日に財団法人本多記念会という名称で設立された法人をいう。）から本多記念賞として交付される金品
(十五)	財団法人三島海雲記念財団（昭和37年12月24日に財団法人三島海雲記念財団という名称で設立された法人をいう。）から三島研究奨励金（学術に関するものに限る。）として交付される金品
(十六)	財団法人朝日新聞文化財団（平成４年５月18日に財団法人朝日新聞文化財団という名称で設立された法人をいう。）から朝日賞（学術に関するものに限る。）として交付される金品
(十七)	株式会社毎日新聞社から毎日学術奨励金並びに毎日出版文化賞（学術に関するものに限る。）及び毎日工業技術賞（学術に関するものに限る。）として交付される金品
(十八)	株式会社読売新聞社から読売文学賞（学術に関するものに限る。）として交付される金品
(十九)	国際ヒューマン・フロンティア・サイエンス・プログラム推進機構から交付される研究助成金
(二十)	国際レーニン平和賞委員会から国際レーニン平和賞として交付される金品
(二十一)	ゼネラル・モーターズがん研究基金からゼネラル・モーターズがん研究賞として交付される金品
(二十二)	マグサイサイ基金からマグサイサイ賞として交付される金品
(二十三)	国際獣疫事務局から交付される研究費補助金
(二十四)	国際数学連合からフィールズ賞として交付される金品

（**2**表内の④の団体又は基金及び芸術に関する顕著な貢献を表彰するものとして交付される金品）

（2）　**2**表内の④の規定に基づき、同④に規定する団体又は基金及び芸術に関する顕著な貢献を表彰するものとして交付される金品を次のとおり指定する。（平２大蔵省告示第203号、最終改正平21大蔵省告示第106号）

(一)	財団法人稲盛財団（昭和59年４月12日に財団法人稲盛財団という名称で設立された法人をいう。）から京都賞（芸術に関するものに限る。）として交付される金品
(二)	財団法人朝日新聞文化財団（平成４年５月18日に財団法人朝日新聞文化財団という名称で設立された法人をいう。）から朝日賞（芸術に関するものに限る。）として交付される金品

(三)	株式会社毎日新聞社から毎日出版文化賞（芸術に関するものに限る。）として交付される金品
(四)	株式会社読売新聞社から読売文学賞（芸術に関するものに限る。）として交付される金品

3　オリンピック競技大会等における成績優秀者を表彰するものとして交付される金品等

オリンピック競技大会又はパラリンピック競技大会において特に優秀な成績を収めた者を表彰するものとして財団法人日本オリンピック委員会（平成元年８月７日に財団法人日本オリンピック委員会という名称で設立された法人をいう。）、財団法人日本障害者スポーツ協会（昭和40年５月24日に財団法人日本身体障害者スポーツ協会という名称で設立された法人をいう。）その他これらの法人に加盟している団体であって（1）で定めるものから交付される金品で（2）の財務大臣が指定するものについては所得税を課さない。（法９①十四）

（非課税とされる金品の交付を行う団体）

（1）　**3**に規定する（1）で定める団体は、オリンピック競技大会又はパラリンピック競技大会において実施される競技に関する業務を行う一般社団法人若しくは一般財団法人又は特定非営利活動法人（特定非営利活動促進法第２条第２項《定義》に規定する特定非営利活動法人をいう。（3）において同じ。）のうち、その運営組織が適正であり、かつ、**3**の金品の交付を適正に行うことができると認められるものとして文部科学大臣が財務大臣と協議して指定するものとする。（令28①）

（**3**に規定する金品の指定告示）

（2）　**3**の規定に基づき、**3**に規定する金品を次のように指定し、平成22年分以後の所得税について適用する。なお、租税特別措置法（昭和32年法律第26号）第41条の８第１項に規定する金品を指定する件（平21年財告111号）は、廃止する。（平22財務省告示第102号、最終改正令２同省告示第75号）

(一)	オリンピック競技大会において第一位から第三位までに入賞した者でオリンピック競技大会及びパラリンピック競技大会優秀者顕彰規程（平成６年文部省令第２号。以下「顕彰規程」という。）第２条の規定により国の顕彰を受けたものに対し表彰（顕彰規程第４条の規定により国が奨励する同条に規定する表彰をいう。以下同じ。）をするものとして財団法人日本オリンピック委員会（平成元年８月７日に財団法人日本オリンピック委員会という名称で設立された法人をいう。）から交付される金品		
(二)	パラリンピック競技大会において第一位から第三位までに入賞した者で顕彰規程第２条の規定により国の顕彰を受けたものに対し表彰をするものとして財団法人日本障害者スポーツ協会（昭和40年５月24日に財団法人日本身体障害者スポーツ協会という名称で設立された法人をいう。）から交付される金品		
(三)	オリンピック競技大会において第一位から第三位までに入賞した者で顕彰規程第２条の規定により国の顕彰を受けたものに対し表彰をするものとして**3**に規定する団体から交付される金品（次に掲げる金品の区分に応じそれぞれ次に定める金額に相当する部分に限る。		
	イ	オリンピック競技大会において第一位に入賞したことの表彰をするものとして交付される金品	500万円
	ロ	オリンピック競技大会において第二位に入賞したことの表彰をするものとして交付される金品	200万円
	ハ	オリンピック競技大会において第三位に入賞したことの表彰をするものとして交付される金品	100万円
(四)	パラリンピック競技大会において第一位から第三位までに入賞した者で顕彰規程第２条の規定により国の顕彰を受けたものに対し表彰をするものとして**3**（1）に規定する団体から交付される金品（次に掲げる金品の区分に応じそれぞれ次に定める金額に相当する部分に限る。）		
	イ	パラリンピック競技大会において第一位に入賞したことの表彰をするものとして交付される金品	500万円
	ロ	パラリンピック競技大会において第二位に入賞したことの表彰をするものとして交付される金品	200万円
	ハ	パラリンピック競技大会において第三位に入賞したことの表彰をするものとして交	100万円

	付される金品

（文部科学大臣が財務大臣と協議して指定する金品の交付を適正に行うことができると認められる団体）

（3）　文部科学大臣は、（1）の規定により一般社団法人若しくは一般財団法人又は特定非営利活動法人を指定したときは、これを告示（告示内容は以下のとおり）する。（令28②、平22文部科学省告示第66号、最終改正令６文部科学省告示第67号）

(一)	公益社団法人全日本アーチェリー連盟（平成元年４月19日に社団法人全日本アーチェリー連盟という名称で設立された法人をいう。）
(二)	公益財団法人全日本柔道連盟（昭和63年６月21日に財団法人全日本柔道連盟という名称で設立された法人をいう。）
(三)	公益財団法人全日本スキー連盟（昭和48年５月30日に財団法人全日本スキー連盟という名称で設立された法人をいう。）
(四)	一般社団法人全日本テコンドー協会（平成17年５月25日に社団法人全日本テコンドー協会という名称で設立された法人をいう。）
(五)	公益財団法人日本アイスホッケー連盟（昭和52年２月25日に財団法人日本アイスホッケー連盟という名称で設立された法人をいう。）
(六)	公益社団法人日本ウエイトリフティング協会（昭和49年11月21日に社団法人日本ウエイトリフティング協会という名称で設立された法人をいう。）
(七)	公益社団法人日本カーリング協会（平成４年11月13日に社団法人日本カーリング協会という名称で設立された法人をいう。）
(八)	公益社団法人日本カヌー連盟（昭和55年３月18日に社団法人日本カヌー連盟という名称で設立された法人をいう。）
(九)	公益社団法人日本近代五種協会（平成12年12月25日に社団法人日本近代五種・バイアスロン連合という名称で設立された法人をいう。）
(十)	一般社団法人日本車いすカーリング協会（平成29年５月１日に一般社団法人日本車いすカーリング協会という名称で設立された法人をいう。）
(十一)	一般社団法人日本車いすテニス協会（平成27年４月１日に一般社団法人日本車いすテニス協会という名称で設立された法人をいう。）
(十二)	一般社団法人日本車いすバスケットボール連盟（平成25年８月20日に一般社団法人日本車椅子バスケットボール連盟という名称で設立された法人をいう。）
(十三)	一般社団法人日本車いすラグビー連盟（平成27年３月25日に一般社団法人日本ウィルチェアーラグビー連盟という名称で設立された法人をいう。）
(十四)	公益社団法人日本クレー射撃協会（昭和53年10月４日に社団法人日本クレー射撃協会という名称で設立された法人をいう。）
(十五)	一般社団法人日本ゴールボール協会（平成27年４月１日に一般社団法人日本ゴールボール協会という名称で設立された法人をいう。）
(十六)	公益財団法人日本ゴルフ協会（昭和62年10月１日に財団法人日本ゴルフ協会という名称で設立された法人をいう。）
(十七)	一般社団法人日本サーフィン連盟（平成22年11月１日に一般社団法人日本サーフィン連盟という名称で設立された法人をいう。）
(十八)	公益財団法人日本サッカー協会（昭和49年８月31日に財団法人日本サッカー協会という名称で設立された法人をいう。）
(十九)	公益社団法人日本山岳・スポーツクライミング協会（昭和43年５月25日に社団法人日本山岳協会という名称で設立された法人をいう。）
(二十)	特定非営利活動法人日本視覚障害者柔道連盟（平成20年12月22日に特定非営利活動法人日本視覚障害者柔道連盟という名称で設立された法人をいう。）

(二十一)	一般社団法人日本肢体不自由者卓球協会（平成29年４月３日に一般社団法人日本肢体不自由者卓球協会という名称で設立された法人をいう。）
(二十二)	公益財団法人日本自転車競技連盟（昭和50年９月27日に財団法人日本アマチュア自転車競技連盟という名称で設立された法人をいう。）
(二十三)	一般社団法人日本障害者カヌー協会（平成29年４月３日に一般社団法人日本障害者カヌー協会という名称で設立された法人をいう。）
(二十四)	一般社団法人日本障がい者乗馬協会（平成21年９月１日に一般社団法人日本障害者乗馬協会という名称で設立された法人をいう。）
(二十五)	特定非営利活動法人日本障害者スキー連盟（平成15年１月24日に特定非営利活動法人日本障害者スキー連盟という名称で設立された法人をいう。）
(二十六)	一般社団法人日本身体障害者アーチェリー連盟（平成29年４月10日に一般社団法人日本身体障害者アーチェリー連盟という名称で設立された法人をいう。）
(二十七)	公益財団法人日本水泳連盟（昭和49年５月13日に財団法人日本水泳連盟という名称で設立された法人をいう。）
(二十八)	公益財団法人日本スケート連盟（昭和59年12月27日に社団法人日本スケート連盟という名称で設立された法人をいう。）
(二十九)	公益財団法人日本セーリング連盟（昭和39年５月22日に財団法人日本ヨット協会という名称で設立された法人をいう。）
(三十)	公益財団法人日本体操協会（昭和45年５月30日に財団法人日本体操協会という名称で設立された法人をいう。）
(三十一)	公益財団法人日本卓球協会（昭和51年７月20日に財団法人日本卓球協会という名称で設立された法人をいう。）
(三十二)	公益社団法人日本ダンススポーツ連盟（平成14年８月６日に社団法人日本ダンススポーツ連盟という名称で設立された法人をいう。）
(三十三)	一般社団法人日本知的障害者水泳連盟（平成26年４月１日に一般社団法人日本知的障害者水泳連盟という名称で設立された法人をいう。）
(三十四)	一般社団法人日本知的障がい者卓球連盟（平成28年４月１日に一般社団法人日本知的障がい者卓球連盟という名称で設立された法人をいう。）
(三十五)	公益財団法人日本テニス協会（昭和55年11月21日に財団法人日本テニス協会という名称で設立された法人をいう。）
(三十六)	公益社団法人日本トライアスロン連合（平成11年７月22日に社団法人日本トライアスロン連合という名称で設立された法人をいう。）
(三十七)	一般社団法人日本バイアスロン連盟（平成23年３月30日に一般社団法人日本バイアスロン連盟という名称で設立された法人をいう。）
(三十八)	公益社団法人日本馬術連盟（昭和21年12月23日に社団法人全国馬術連盟という名称で設立された法人をいう。）
(三十九)	公益財団法人日本バスケットボール協会（昭和51年３月30日に財団法人日本バスケットボール協会という名称で設立された法人をいう。）
(四十)	公益財団法人日本バドミントン協会（昭和57年４月１日に財団法人日本バドミントン協会という名称で設立された法人をいう。）
(四十一)	一般社団法人日本パラアイスホッケー協会（平成28年２月18日に一般社団法人日本アイススレッジホッケー協会という名称で設立された法人をいう。）
(四十二)	一般社団法人日本パラサイクリング連盟（平成24年４月５日に一般社団法人日本パラサイクリング連盟という名称で設立された法人をいう。）
(四十三)	特定非営利活動法人日本パラ射撃連盟（平成14年４月11日に特定非営利活動法人日本障害者スポーツ射撃連盟という名称で設立された法人をいう。）
(四十四)	一般社団法人日本パラ水泳連盟（平成25年４月８日に一般社団法人日本身体障がい者水泳連盟という名称で設立された法人をいう。）

(四十五)	一般社団法人日本パラバドミントン連盟（平成28年４月１日に一般社団法人日本障がい者バドミントン連盟という名称で設立された法人をいう。）
(四十六)	一般社団法人日本パラバレーボール協会（平成26年４月１日に一般社団法人日本パラバレーボール協会という名称で設立された法人をいう。）
(四十七)	特定非営利活動法人日本パラ・パワーリフティング連盟（平成25年12月16日に特定非営利活動法人日本ディスエイブル・パワーリフティング連盟という名称で設立された法人をいう。）
(四十八)	一般社団法人日本パラフェンシング協会（令和４年３月17日に一般社団法人日本パラフェンシング協会という名称で設立された法人をいう。）
(四十九)	一般社団法人日本パラ陸上競技連盟（平成26年６月19日に一般社団法人日本パラ陸上競技連盟という名称で設立された法人をいう。）
(五十)	公益財団法人日本バレーボール協会（昭和48年８月27日に財団法人日本バレーボール協会という名称で設立された法人をいう。）
(五十一)	公益財団法人日本ハンドボール協会（昭和56年３月11日に財団法人日本ハンドボール協会という名称で設立された法人をいう。）
(五十二)	公益社団法人日本フェンシング協会（平成３年４月１日に社団法人日本フェンシング協会という名称で設立された法人をいう。）
(五十三)	特定非営利活動法人日本ブラインドサッカー協会（平成27年10月27日に特定非営利活動法人日本ブラインドサッカー協会という名称で設立された法人をいう。）
(五十四)	特定非営利活動法人日本ブラインドマラソン協会（平成11年６月１日に特定非営利活動法人日本盲人マラソン協会という名称で設立された法人をいう。）
(五十五)	公益社団法人日本ボクシング連盟（昭和46年１月12日に社団法人日本アマチュア・ボクシング連盟という名称で設立された法人をいう。）
(五十六)	公益社団法人日本ホッケー協会（昭和55年９月20日に社団法人日本ホッケー協会という名称で設立された法人をいう。）
(五十七)	一般社団法人日本ボッチャ協会（平成27年４月１日に一般社団法人日本ボッチャ協会という名称で設立された法人をいう。）
(五十八)	公益社団法人日本ボブスレー・リュージュ・スケルトン連盟（平成24年２月20日に一般社団法人日本ボブスレー・リュージュ・スケルトン連盟という名称で設立された法人をいう。）
(五十九)	公益社団法人日本ライフル射撃協会（昭和46年９月22日に社団法人日本ライフル射撃協会という名称で設立された法人をいう。）
(六十)	公益財団法人日本ラグビーフットボール協会（昭和31年６月６日に財団法人日本ラグビーフットボール協会という名称で設立された法人をいう。）
(六十一)	公益財団法人日本陸上競技連盟（昭和46年４月24日に財団法人日本陸上競技連盟という名称で設立された法人をいう。）
(六十二)	公益財団法人日本レスリング協会（昭和41年５月19日に財団法人日本アマチュアレスリング協会という名称で設立された法人をいう。）
(六十三)	公益社団法人日本ローイング協会（昭和39年９月２日に社団法人日本漕艇協会という名称で設立された法人をいう。）
(六十四)	一般社団法人ワールドスケートジャパン（平成29年12月18日に一般社団法人日本ローラースポーツ連盟という名称で設立された法人をいう。）

4　給付金等の非課税

①　給付金の非課税

都道府県、市町村又は特別区から給付される給付金で次の(一)から(四)までに掲げるものについては、所得税を課さない。（措法41の８①）

(一)	社会保障の安定財源の確保等を図る税制の抜本的な改革を行うための消費税法の一部を改正する等の法律第７条

		第１号ハの規定に基づき、同号に規定する消費税率の引上げ（(二)において「**消費税率の引上げ**」という。）に際しての低所得者に配慮する観点から給付される次に掲げる給付金
	イ	住民基本台帳法に基づき住民基本台帳に記録されている者（平成27年１月１日において住民基本台帳に記録されている者その他これに準ずる者として(１)で定める者に限る。）のうち、平成27年度分の地方税法の規定による市町村民税（同法の規定による特別区民税を含むものとし、同法第328条（同法第736条第３項において準用する場合を含む。）の規定によって課する所得割を除く。以下において「**市町村民税**」という。）が課されていないもの又は市町村（特別区を含む。）の条例で定めるところにより当該市町村民税を免除されたものである者（当該市町村民税が課されている者（当該市町村民税を免除された者を除く。）の同法の規定による扶養親族とされている者その他の(２)で定める者を除く。(三)イにおいて「平成27年度対象者」という。）に対して給付される(３)で定める給付金
	ロ	住民基本台帳法に基づき住民基本台帳に記録されている者（平成28年１月１日において住民基本台帳に記録されている者その他これに準ずる者として(４)で定める者に限る。）のうち、平成28年度分の地方税法の規定による市町村民税が課されていないもの又は市町村（特別区を含む。）の条例で定めるところにより当該市町村民税を免除されたものである者（当該市町村民税が課されている者（当該市町村民税を免除された者を除く。）の同法の規定による扶養親族とされている者その他の(５)で定める者を除く。(三)ロにおいて「平成28年度対象者」という。）に対して給付される(６)で定める給付金
(二)		消費税率の引上げに際しての児童の属する世帯への経済的な影響の緩和等の観点から給付される児童手当法による児童手当の支給を受ける者その他の(７)で定める者に対して給付される(８)で定める給付金
(三)		低所得である高齢者等への支援等の観点から給付される次に掲げる給付金
	イ	平成27年度対象者のうち、平成28年３月31日において64歳以上である者に対して給付される(９)で定める給付金
	ロ	平成28年度対象者のうち、国民年金法第15条第２号に掲げる障害基礎年金又は同条第３号に掲げる遺族基礎年金を受けている者その他の(10)で定める者（イに掲げる給付金の支給を受ける者を除く。）に対して給付される(11)で定める給付金
(四)		子どもの貧困対策の推進等の観点から給付される児童扶養手当法による児童扶養手当の支給を受ける者その他の(12)で定める者に対して給付される(13)で定める給付金

（①(一)イに規定する住民基本台帳に記録されている者に準ずる者として(１)で定める者）

（1）　①(一)イに規定する住民基本台帳に記録されている者に準ずる者として(１)で定める者は、平成27年１月１日以前に住民基本台帳法第８条の規定により住民票の消除がされた者で、同日において国内に居所を有しているもの（同日においていずれの市町村又は特別区の住民基本台帳にも記録されていない者に限る。）のうち、同日後に住民基本台帳に記録された者とする。（措規19の２①）

（①(一)イに規定する扶養親族とされている者その他の(２)で定める者）

（2）　①(一)イに規定する扶養親族とされている者その他の(２)で定める者は、次の(一)及び(二)に掲げる者とする。（措規19の２②）

(一)		平成27年度分の市町村民税（①(一)イに規定する市町村民税をいう。以下(一)において同じ。）が課されている者（当該市町村民税を免除された者を除く。）の地方税法の規定による扶養親族、控除対象配偶者、配偶者特別控除の対象となる配偶者、青色事業専従者又は事業専従者とされている者（平成27年１月１日において、児童福祉法の規定により入所措置が採られて同法第41条に規定する児童養護施設に入所している者、障害者虐待の防止、障害者の養護者に対する支援等に関する法律（平成23年法律第79号）第９条第２項の規定による措置が採られて同項に規定する障害者支援施設等に入所している者その他これらに類する者に該当する者を除く。）
(二)		平成27年１月１日において次のいずれかに該当する者
	イ	生活保護法第６条第１項に規定する被保護者（平成27年１月１日において保護（同法第２条に規定する保護をいう。イにおいて同じ。）が停止されていた者及び同月２日から同年10月１日までの期間（以下

		(二)において「特定期間」という。）内に保護が廃止され、又は停止された者を除く。）
	ロ	中国残留邦人等の円滑な帰国の促進並びに永住帰国した中国残留邦人等及び特定配偶者の自立の支援に関する法律第14条の規定による支援給付（ロ及び(５)(二)ロにおいて「支援給付」という。）を受けている者（平成27年１月１日において支援給付が停止されていた者及び特定期間内に支援給付が廃止され、又は停止された者を除く。）
	ハ	ハンセン病問題の解決の促進に関する法律施行規則第15条第３項の規定による援護加算（ハ及び(５)のニにおいて「援護加算」という。）を受けている者（平成27年１月１日において援護加算が停止されていた者及び特定期間内に援護加算が廃止され、又は停止された者を除く。）
	ニ	ハンセン病問題の解決の促進に関する法律第19条の規定による援護（ニにおいて「援護」という。）を受けている者（平成27年１月１日において援護が停止されていた者及び特定期間内に援護が廃止され、又は停止された者を除く。）

(①(一)イに規定する(３)で定めるもの)

(３)　①(一)イに規定する(３)で定めるものは、平成27年度の予算における臨時福祉給付金給付事業費補助金を財源として市町村又は特別区から給付される給付金とする。（措規19の２③）

(①(一)ロに規定する住民基本台帳に記録されている者に準ずる者として(４)で定める者)

(４)　①(一)ロに規定する住民基本台帳に記録されている者に準ずる者として(４)で定める者は、平成28年１月１日以前に住民基本台帳法第８条の規定により住民票の消除がされた者で、同日において国内に居所を有しているもの（同日においていずれの市町村又は特別区の住民基本台帳にも記録されていない者に限る。）のうち、同日後に住民基本台帳に記載された者とする。（措規19の２④）

(①(一)ロに規定する扶養親族とされている者その他の(５)で定める者)

(５)　①(一)ロに規定する扶養親族とされている者その他の(５)で定める者は、次の(一)及び(二)に掲げる者とする。（措規19の２⑤）

(一)		平成28年度分の市町村民税が課されている者の扶養親族等（平成28年１月１日において施設入所等児童等に該当する者を除く。）
(二)		平成28年１月１日において次のいずれかに該当する者
	イ	生活保護法第６条第１項に規定する被保護者（平成28年１月１日において保護が停止されていた者及び同月２日から同年10月１日までの期間（以下(二)において「特定期間」という。）内に保護が廃止され、又は停止された者を除く。）
	ロ	支援給付を受けている者（平成28年１月１日において支援給付が停止されていた者及び特定期間内に支援給付が廃止され、又は停止された者を除く。）
	ハ	援護加算を受けている者（平成28年１月１日において援護加算が停止されていた者及び特定期間内に援護加算が廃止され、又は停止された者を除く。）
	ニ	援護を受けている者（平成28年１月１日において援護が停止されていた者及び特定期間内に援護が廃止され、又は停止された者を除く。）

(①(一)ロに規定する(６)で定める給付金)

(６)　①(一)ロに規定する(６)で定める給付金は、平成28年度の予算における臨時福祉給付金給付事業費補助金を財源として市町村又は特別区から給付される給付金とする。（措規19の２⑥）

(①(二)に規定する(７)で定める者)

(７)　①(二)に規定する(７)で定める者は、次の(一)及び(二)に掲げる者（(一)に掲げる者に係る(一)のイに規定する対象児童の全てが給付決定日（①(二)に規定する給付金の給付が決定される日をいう。以下同じ。）以前に死亡した場合における(一)に掲げる者及び(二)に掲げる者が給付決定日以前に死亡した場合における同号に掲げる者を除く。）と

する。（措規19の２⑦）

(一)	平成27年６月分の児童手当法による児童手当（以下(一)において「児童手当」という。）の支給を受ける者（同法第４条第１項第４号に係るもの（以下(一)において「施設等受給者」という。）を除く。以下(一)において「６月分受給者」という。）又は同年５月31日において児童手当の支給要件に該当するものとして市町村又は特別区が認める者（施設等受給者及び６月分受給者を除く。以下(一)において「６月分受給資格者」という。）（６月分受給者又は６月分受給資格者が次に掲げる場合に該当する場合には、それぞれ次に定める者） イ　給付決定日以前に死亡した場合　当該６月分受給者が支給を受ける平成27年６月分の児童手当の支給の対象となった児童又は当該６月分受給資格者に係る児童（ロにおいて「対象児童」と総称する。）に係る当該６月分受給者又は当該６月分受給資格者が死亡した日の属する月の翌月分の児童手当の支給を受ける者その他これに準ずる者 ロ　その者からの暴力を理由に避難している配偶者（その者と生計を一にしない者であって、対象児童を監護し、かつ、これと生計を一にしている者に限る。）を有する場合　当該配偶者
(二)	平成27年５月31日における児童手当法による児童手当又は同法附則第２条第１項の給付の支給要件に該当する者に係る児童であって、同日から給付決定日までの間において、同法第４条第１項第４号に規定する中学校修了前の施設入所等児童（以下(二)において「施設入所等児童」という。）であり、又は施設入所等児童であったもの

（①(二)に規定する(８)で定める給付金）

(８)　①(二)に規定する(８)で定める給付金は、平成27年度の予算における子育て世帯臨時特例給付金給付事業費補助金を財源として市町村又は特別区から給付される給付金とする。（措規19の２⑧）

（①(三)イに規定する(９)で定める給付金）

(９)　①(三)イに規定する(９)で定める給付金は、平成27年度の一般会計補正予算（第１号）における年金生活者等支援臨時福祉給付金給付事業費補助金を財源として市町村又は特別区から給付される給付金とする。（措規19の２⑨）

（①(三)ロに規定する(10)で定める者）

(10)　①(三)ロに規定する(10)で定める者は、次の(一)及び(二)に掲げる者とする。（措規19の２⑩）

(一)	国民年金法第15条第２号に掲げる障害基礎年金又は同条第３号に掲げる遺族基礎年金を受けている者
(二)	(一)に掲げる者に準ずるものとして、次のイからトに掲げる者 イ　国民年金法等の一部を改正する法律（ロ及びハにおいて「国民年金法等改正法」という。）附則第32条第１項に規定する年金たる給付のうち障害を支給事由とするものを受けている者 ロ　国民年金法等改正法附則第78条第１項に規定する年金たる保険給付のうち障害を支給事由とするものを受けている者 ハ　国民年金法等改正法附則第87条第１項に規定する年金たる保険給付のうち障害を支給事由とするものを受けている者 ニ　厚生年金保険制度及び農林漁業団体職員共済組合制度の統合を図るための農林漁業団体職員共済組合法等を廃止する等の法律附則第16条第１項又は第２項に規定する給付のうち障害を給付事由とする年金である給付を受けている者 ホ　国家公務員等共済組合法等の一部を改正する法律附則第２条第６号に規定する旧共済法による年金のうち障害を給付事由とするものを受けている者 ヘ　地方公務員等共済組合法等の一部を改正する法律附則第２条第７号に規定する障害年金を受けている者 ト　私立学校教職員共済組合法等の一部を改正する法律第１条の規定による改正前の私立学校教職員共済組合法による年金のうち障害を給付事由とするものを受けている者

（①(三)ロに規定する(11)で定める給付金）

(11)　①(三)ロに規定する(11)で定める給付金は、平成28年度の予算における年金生活者等支援臨時福祉給付金給付事業費補助金を財源として市町村又は特別区から給付される給付金とする。（措規19の２⑪）

(①(四)に規定する(12)で定める者)

(12)　①(四)に規定する(12)で定める者は、次の(一)及び(二)に掲げる者とする。(措規19の２⑫)

<table>
<tr><td rowspan="4">(一)</td><td colspan="2">令和元年11月分の児童扶養手当法による児童扶養手当の支給に係る監護等児童（同法第５条第２項に規定する監護等児童をいう。以下(12)において同じ。）の父又は母で次のイからハまでに掲げる要件の全てを満たすもの</td></tr>
<tr><td>イ</td><td>当該児童扶養手当の支給を受ける者であること。</td></tr>
<tr><td>ロ</td><td>令和元年10月31日において婚姻をしたことがない者であること。</td></tr>
<tr><td>ハ</td><td>令和元年10月31日において婚姻の届出をしていないが事実上婚姻関係と同様の事情にある者がいない者であること又は当該父若しくは母と当該事情にあった者の生死が同日において明らかでない者であること。</td></tr>
<tr><td>(二)</td><td colspan="2">(一)に掲げる者が令和元年11月１日以後に死亡した場合における同年10月31日においてその者の監護等児童であった者</td></tr>
</table>

(①(四)に規定する(13)で定める給付金)

(13)　①(四)に規定する(13)で定める給付金は、令和元年度の予算における母子家庭等対策費補助金を財源として都道府県、市町村又は特別区から給付される給付金とする。(措規19の２⑬)

②　児童施設入所者が金銭貸付けに係る債務免除を受けた場合の経済的利益の非課税

次の(一)及び(二)に掲げる者が、都道府県又は都道府県が適当と認める者が(一)に掲げる者に対して行う金銭の貸付けであってその者の児童福祉法第６条に規定する保護者からの経済的支援が見込まれないことその他の事情を勘案し、その者の自立を支援することを目的として、その者が進学した後若しくは就職した後の生活費若しくはその居住の用に供する賃貸住宅の家賃又は就職に資する免許若しくは資格の取得に要する費用を援助するために行うものとして(１)で定めるものにつき、当該貸付けに係る債務の免除を受けた場合には、当該免除により受ける経済的な利益の価額については、所得税を課さない。(措法41の８②)

(一)	児童福祉法第27条第１項第３号又は第27条の２第１項の規定により入所措置が採られて同法第41条に規定する児童養護施設に入所している者又は当該入所措置を解除された者その他の(２)で定める者
(二)	(一)に掲げる者の相続人その他の(３)で定める者

(②に規定する金銭の貸付け)

(１)　②に規定する財務省令で定める金銭の貸付けは、平成27年度の一般会計補正予算（第１号)、平成30年度の一般会計補正予算（第２号)、令和２年度の一般会計補正予算（第３号)、令和３年度の一般会計補正予算（第１号)、令和４年度の一般会計補正予算（第２号）又は令和５年度の一般会計補正予算（第１号）における児童福祉事業対策費等補助金を財源の一部として都道府県又は都道府県が適当と認める者が行う金銭の貸付けで次の(一)及び(二)までに掲げるものとする。(措規19の２⑭)

(一)	②(一)に掲げる者（(２)に規定する実施、委託の措置又は入所措置を解除された者に限る。）が進学した後又は就職した後の生活費又はその居住の用に供する賃貸住宅の家賃を援助するために行う金銭の貸付け
(二)	②(一)に掲げる者の就職に資する免許又は資格の取得に要する費用を援助するために行う金銭の貸付け

(②(一)に規定する(２)で定める者)

(２)　②(一)に規定する(２)で定める者は、児童福祉法第６条の３第１項に規定する児童自立生活援助が行われている者若しくはその実施を解除された者、同法第27条第１項第３号の規定により同法第６条の３第８項に規定する小規模住居型児童養育事業を行う者若しくは同法第６条の４に規定する里親に委託をされている者若しくはこれらの者への委託の措置を解除された者又は同号若しくは同法第27条の２第１項の規定により入所措置が採られて同法第41条に規定する児童養護施設、同法第43条の２に規定する児童心理治療施設若しくは同法第44条に規定する児童自立支援施設に入所している者若しくは当該入所措置を解除された者とする。(措規19の２⑮)

（②(二)に規定する（3）で定める者）

（3）　②(二)に規定する（3）で定める者は、相続又は遺贈により②に規定する貸付けに係る債務を承継した者とする。（措規19の２⑯）

③　児童扶養手当受給者が金銭貸付けに係る債務免除を受けた場合の経済的利益の非課税

都道府県若しくは指定都市（以下③において「都道府県等」という。）又は都道府県等が適当と認める者が児童扶養手当法による児童扶養手当の支給を受ける者（これに準ずる者として（1）で定める者を含む。）であって（2）で定める支援を受けているものに対して行う金銭の貸付けであって、その者の自立を支援することを目的として、その者の居住の用に供する賃貸住宅の家賃を援助するために行うものとして（3）で定めるものにつき、当該貸付けを受けた者又はその者の相続人その他の（4）で定める者が、当該貸付けに係る債務の免除を受けた場合には、当該免除により受ける経済的な利益の価額については、所得税を課さない。（措法41の８③）

（③に規定する児童扶養手当の支給を受ける者に準ずる者として（1）で定める者）

（1）　③に規定する児童扶養手当の支給を受ける者に準ずる者として（1）で定める者は、児童扶養手当法第６条第１項に規定する受給資格者のうち、同法による児童扶養手当の支給を受けていない者で、次の(一)から(三)までに掲げる者のいずれにも該当しないものとする。（措規19の２⑰）

(一)	児童扶養手当法第９条第１項に規定する受給資格者で、その者の前年（その者が１月から９月までに③に規定する金銭の貸付けを受ける場合にあっては、前々年。以下（1）において同じ。）の所得の額（児童扶養手当法施行令第３条及び第４条の規定により計算された所得の額をいう。以下（1）において同じ。）が同令第２条の４第２項の規定により計算された額以上であるもの		
(二)	児童扶養手当法第９条の２に規定する受給資格者で、その者の前年の所得の額が児童扶養手当法施行令第２条の４第７項の規定により計算された額以上であるもの		
(三)	次に掲げる者で、それぞれ次に定める者の前年の所得の額が児童扶養手当法施行令第２条の４第８項の規定により計算された額以上であるもの		
	イ	児童扶養手当法第10条に規定する父又は母	当該父又は母の同条に規定する配偶者又は扶養義務者
	ロ	児童扶養手当法第11条に規定する養育者	当該養育者の同条に規定する配偶者又は扶養義務者

（③に規定する（2）で定める支援）

（2）　③に規定する（2）で定める支援は、都道府県、市町村（町村にあっては、福祉事務所（社会福祉法に定める福祉に関する事務所をいう。）を設置する町村に限る。）又は特別区が、③に規定する児童扶養手当法による児童扶養手当の支給を受ける者（以下（2）及び（3）において「児童扶養手当受給者等」という。）が自立した生活を営むことができるようその就労を促進するため、当該児童扶養手当受給者等の収入、家族関係その他の生活の状況、求職活動の状況、職業能力の開発及び向上のための取組の状況その他の事項を勘案し、当該児童扶養手当受給者等の健康上及び生活上の問題点、解決すべき課題並びに自立に向けた目標及び支援の内容その他の事項を記載した計画を策定し、当該計画に基づき公共職業安定所その他の関係機関との連絡調整その他の便宜の提供を行うものとする。（措規19の２⑱）

（③に規定する（3）で定める金銭の貸付け）

（3）　③に規定する（3）で定める金銭の貸付けは、令和３年度から令和６年度までの予算における母子家庭等対策費補助金を財源の一部として都道府県若しくは地方自治法第252条の19第１項の指定都市（以下（3）において「都道府県等」という。）又は都道府県等が適当と認める者が行う金銭の貸付けで、児童扶養手当受給者等の自立を支援することを目的として、当該児童扶養手当受給者等の居住の用に供する賃貸住宅の家賃を援助するために行うものとする。（措規19の２⑲）

（③に規定する相続人その他の（4）で定める者）

（4）　③に規定する相続人その他の（4）で定める者は、相続又は遺贈により③に規定する貸付けに係る債務を承継した者とする。（措規19の２⑳）

5　学資金等

学資に充てるため給付される金品（給与その他対価の性質を有するもの（給与所得を有する者がその使用者から受けるものにあっては、通常の給与に加算して受けるものであって、次のイからニまでに掲げる場合に該当するもの以外のものを除く。）を除く。）及び扶養義務者相互間において扶養義務を履行するため給付される金品については所得税を課さない。（法９①十五）

イ	法人である使用者から当該法人の役員（法人税法第２条第15号《定義》に規定する役員をいう。ロにおいて同じ。）の学資に充てるため給付する場合
ロ	法人である使用者から当該法人の使用人（当該法人の役員を含む。）の配偶者その他の当該使用人と（１）で定める特別の関係がある者の学資に充てるため給付する場合
ハ	個人である使用者から当該個人の営む事業に従事する当該個人の配偶者その他の親族（当該個人と生計を一にする者を除く。）の学資に充てるため給付する場合
ニ	個人である使用者から当該個人の使用人（当該個人の営む事業に従事する当該個人の配偶者その他の親族を含む。）の配偶者その他の当該使用人と（２）で定める特別の関係がある者（当該個人と生計を一にする当該個人の配偶者その他の親族に該当する者を除く。）の学資に充てるため給付する場合

（**5**ロに規定する当該使用人と（１）で定める特別の関係がある者）

（１）　**5**ロに規定する当該使用人と（１）で定める特別の関係がある者は、次の㈠から㈤までに掲げる者とする。（令29①）

㈠	当該使用人（**5**ロに規定する使用人をいう。以下（１）において同じ。）の親族
㈡	当該使用人と婚姻の届出をしていないが事実上婚姻関係と同様の事情にある者及びその者の直系血族
㈢	当該使用人の直系血族と婚姻の届出をしていないが事実上婚姻関係と同様の事情にある者
㈣	㈠から㈢までに掲げる者以外の者で、当該使用人から受ける金銭その他の財産によって生計を維持しているもの及びその者の直系血族
㈤	㈠から㈣までに掲げる者以外の者で、当該使用人の直系血族から受ける金銭その他の財産によって生計を維持しているもの

（当該使用人と（２）で定める特別の関係がある者）

（２）　（１）の規定は、**5**ニに規定する当該使用人と（２）で定める特別の関係がある者について準用する。（令29②）

（通常の給与に加算して受ける学資に充てるため給付される金品）

（３）　**5**の規定の適用において、学資に充てるため給付される金品（以下において「学資金」という。（４）及び（５）において同じ。）で、給与その他対価の性質を有するもののうち、給与所得を有する者がその使用者から受けるものについて非課税となるのは、通常の給与に加算して受けるものに限られるのであるから、**5**イから同ニまでに掲げる場合に該当しない給付であっても、通常の給与に代えて給付されるものは、非課税とならないことに留意する。（基通９－14）

（使用人等に給付される学資金）

（４）　学資金のうち、**5**イから同ニまでに規定する給付（**5**ロ及び同ニに規定する給付にあっては、それぞれ**5**ロ及び同ニに規定する特別の関係がある者に直接支払われるものを含む。）は、原則として、給与所得を有する者に対する給与に該当するのであるから、当該給与所得を有する者に対する給与等（第四章第五節**一**《給与所得》に規定する給与等をいう。**八**（１）において同じ。）として課税することに留意する。（基通９－15）

（特別の関係がある者が使用人である場合の取扱い）

（５）　学資金の給付を受ける者が、**5**ロ又は同ニに規定する特別の関係がある者であり、かつ、当該給付をする者の使用人（**5**イに規定する役員又は**5**ハに規定する親族を除く。）である場合には、当該給付が当該特別の関係がある者のみを対象としているときを除き、当該給付は**5**ロ又は同ニに規定する給付には該当しないものとして取り扱って差し

支えない。（基通９－16）

三　給与所得者が受ける職務上の給付

１　旅　　費

給与所得を有する者が勤務する場所を離れてその職務を遂行するため旅行をし、若しくは転任に伴う転居のための旅行をした場合又は就職若しくは退職をした者若しくは死亡による退職をした者の遺族がこれらに伴う転居のための旅行をした場合に、その旅行に必要な支出に充てるため支給される金品で、その旅行について通常必要であると認められるものについては、所得税を課さない。（法９①四）

（非課税とされる旅費の範囲）

（1）　**1**の規定により非課税とされる金品は、**1**に規定する旅行をした者に対して使用者等からその旅行に必要な運賃、宿泊料、移転料等の支出に充てるものとして支給される金品のうち、その旅行の目的、目的地、行路若しくは期間の長短、宿泊の要否、旅行者の職務内容及び地位等からみて、その旅行に通常必要とされる費用の支出に充てられると認められる範囲内の金品をいうのであるが、当該範囲内の金品に該当するかどうかの判定に当たっては、次に掲げる事項を勘案するものとする。（基通９－３）

（一）　その支給額が、その支給をする使用者等の役員及び使用人の全てを通じて適正なバランスが保たれている基準によって計算されたものであるかどうか。

（二）　その支給額が、その支給をする使用者等と同業種、同規模の他の使用者等が一般的に支給している金額に照らし相当と認められるものであるかどうか。

（注）海外渡航費の必要経費算入…第六章第二節**一**《必要経費・通則》**4**参照。（編者注）

（非課税とされる旅費の範囲を超えるものの所得区分）

（2）　**1**に規定する旅行をした者に対して使用者等からその旅行に必要な支出に充てるものとして支給される金品の額が、その旅行に通常必要とされる費用の支出に充てられると認められる範囲の金額を超える場合には、その超える部分の金額は、その超える部分の金額を生じた旅行の区分に応じ、それぞれ次に掲げる所得の収入金額又は総収入金額に算入する。（基通９－４）

（一）　給与所得を有する者が勤務する場所を離れてその職務を遂行するためにした旅行　　給与所得

（二）　給与所得を有する者が転任に伴う転居のためにした旅行　　給与所得

（三）　就職をした者がその就職に伴う転居のためにした旅行　　雑所得

（四）　退職をした者がその退職に伴う転居のためにした旅行　　退職所得

（五）　死亡による退職をした者の遺族がその死亡による退職に伴う転居のためにした旅行　　退職所得（**九**《相続等により取得するもの》により非課税とされる。）

（非常勤役員等の出勤のための費用）

（3）　給与所得を有する者で常には出勤を要しない次に掲げるようなものに対し、その勤務する場所に出勤するために行う旅行に必要な運賃、宿泊料等の支出に充てるものとして支給される金品で、社会通念上合理的な理由があると認められる場合に支給されるものについては、その支給される金品のうちその出勤のために直接必要であると認められる部分に限り、**1**に掲げる金品に準じて課税しなくて差し支えない。（基通９－５）

（一）　国、地方公共団体の議員、委員、顧問又は参与

（二）　会社その他の団体の役員、顧問、相談役又は参与

（災害地に派遣された職員に支給される災害派遣手当）

（4）　災害対策基本法第31条《職員の派遣義務》の規定により災害地に派遣された職員に対し、その派遣を受けた都道府県又は市町村から同法第32条《派遣職員の身分取扱い》の規定により支給される災害派遣手当については、その職員が本来の勤務地を離れて災害地に滞在するために必要な宿泊等の費用を弁償するものであると認められる部分に限り、**1**に掲げる金品に準じて課税しなくて差し支えない。（基通９－６）

（国内において勤務する外国人に対し休暇帰国のための旅費として支給する金品に対する所得税の取扱い）

（5）　使用者が、国内において長期間引続き勤務する外国人に対し、就業規則等に定めるところにより相当の勤務期間

（おおむね１年以上の期間）を経過するごとに休暇のための帰国を認め、その帰国のための旅行に必要な支出（その者と生計を一にする配偶者その他の親族に係る支出を含む。）に充てるものとして支給する金品については、その支給する金品のうち、国内とその旅行の目的とする国（原則として、その者又はその者の配偶者の国籍又は市民権の属する国をいう。）との往復に要する運賃（航空機等の乗継地においてやむを得ない事情で宿泊した場合の宿泊料を含む。）でその旅行に係る運賃、時間、距離等の事情に照らし最も経済的かつ合理的と認められる通常の旅行の経路及び方法によるものに相当する部分に限り、課税しなくて差し支えない。（昭50直法６－１）

（単身赴任者が職務上の旅行等を行った場合に支給される旅費の取扱いについて）

（6）　給与所得者に支給される旅費が非課税とされるかどうかについては、（1）により判定することとしているところであるが、標記については、下記により取り扱うこととしたから、昭和60年11月15日以後支給すべきものからこれによられたい。（昭60直法６－７、直所３－９）

記

単身赴任者（配偶者又は扶養親族を有する給与所得者で転居を伴う異動をした者のうち単身で赴任した者をいう。）が職務遂行上必要な旅行に付随して帰宅のための旅行を行った場合に支給される旅費については、これらの旅行の目的、行路等からみて、これらの旅行が主として職務遂行上必要な旅行と認められ、かつ、当該旅費の額が（1）に定める非課税とされる旅費の範囲を著しく逸脱しない限り、非課税として取り扱って差し支えない。

2　通勤手当

給与所得を有する者で通勤するもの（以下「通勤者」という。）がその通勤に必要な交通機関の利用又は交通用具の使用のために支出する費用に充てるものとして通常の給与に加算して受ける通勤手当（これに類するものを含む。）のうち、一般の通勤者につき通常必要であると認められる部分として次表に掲げる通勤手当の区分に応じそれぞれに定める金額に相当する部分については、所得税を課さない。（法９①五、令20の２）

	通勤手当等の区分	課税されない金額
①	通勤のため交通機関又は有料の道路を利用し、かつ、その運賃又は料金（以下「運賃等」という。）を負担することを常例とする者（④に規定する者を除く。）が受ける通勤手当（これに類する手当を含む。以下同じ。）	その者の通勤に係る運賃、時間、距離等の事情に照らし最も経済的かつ合理的と認められる通常の通勤の経路及び方法による運賃等の額（１月当たりの金額が150,000円を超えるときは、１月当たり150,000円）
②	通勤のため自動車その他の交通用具を使用することを常例とする者（その通勤の距離が片道２キロメートル未満である者及び④に規定する者を除く。）が受ける通勤手当	次に掲げる場合の区分に応じそれぞれ次に掲げる金額 イ　その通勤の距離が片道10キロメートル未満である場合　１月当たり4,200円 ロ　その通勤の距離が片道10キロメートル以上15キロメートル未満である場合　１月当たり7,100円 ハ　その通勤の距離が片道15キロメートル以上25キロメートル未満である場合　１月当たり12,900円 ニ　その通勤の距離が片道25キロメートル以上35キロメートル未満である場合　１月当たり18,700円 ホ　その通勤の距離が片道35キロメートル以上45キロメートル未満である場合　１月当たり24,400円 ヘ　その通勤の距離が片道45キロメートル以上55キロメートル未満である場合　１月当たり28,000円 ト　その通勤の距離が片道55キロメートル以上である場合　１月当たり31,600円
③	通勤のため交通機関を利用することを常例とする者（①に掲げる通勤手当の支給を受ける者及び④に規定する者を除く。）が受ける通勤用定期乗車券（これに類する乗車券を含む。以下同じ。）	その者の通勤に係る運賃、時間、距離等の事情に照らし最も経済的かつ合理的と認められる通常の通勤の経路及び方法による定期乗車券の価額（１月当たりの金額が150,000円を超えるときは、１月当たり150,000円）
④	通勤のため交通機関又は有料の道路を利用するほか、併せて自動車その他の交通用具を使用することを常例と	その者の通勤に係る運賃、時間、距離等の事情に照らし最も経済的かつ合理的と認められる通常の通勤の経路

する者（当該交通用具を使用する距離が片道２キロメートル未満である者を除く。）が受ける通勤手当又は通勤用定期乗車券	及び方法による運賃等の額又は定期乗車券の価額と当該交通用具を使用する距離につき②のイからトまでに定める金額との合計額（１月当たりの金額が150,000円を超えるときは、１月当たり150,000円）

（新幹線通勤の場合の非課税とされる通勤手当）

注　**2**に規定する「その者の通勤に係る運賃、時間、距離等の事情に照らし最も経済的かつ合理的と認められる通常の通勤の経路及び方法による運賃等の額」には、新幹線鉄道を利用した場合の運賃等の額も含まれるものとする。（基通９－６の３）

（注）「最も経済的かつ合理的と認められる通常の通勤の経路及び方法による運賃等の額」の中には、第四章第五節**4**②(一)（１）イに規定する「特別車両料金等」は含まれないことに留意する。

3　職務上必要な給付

給与所得を有する者がその使用者から受ける金銭以外の物（経済的な利益を含む。）でその職務の性質上欠くことのできない次に掲げるものについては、所得税を課さない。（法９①六、令21）

①	船員法第80条第１項《食料の支給》の規定により支給される食料その他法令の規定により無料で支給される食料
②	給与所得を有する者でその職務の性質上制服を着用すべき者がその使用者から支給される制服その他の身回品
③	②に規定する者がその使用者から②に規定する制服その他の身回品の貸与を受けることによる利益
④	国家公務員宿舎法第12条《無料宿舎》の規定により無料で宿舎の貸与を受けることによる利益その他給与所得を有する者でその職務の遂行上やむを得ない必要に基づき使用者から指定された場所に居住すべきもの**《強制居住者》**がその指定する場所に居住するために家屋の貸与を受けることによる利益

（船員法第80条第１項の規定の適用がない漁船の乗組員に支給される食料）

（１）　船員法第80条第１項《食料の支給》の規定の適用がない漁船の乗組員に対しその乗船中に支給される食料については、その乗組員の勤務がその漁船の操業区域において操業する他の同条の規定の適用がある漁船の乗組員の勤務に類すると認められる場合に支給されるものに限り、**3**表内①に掲げる食料に準じて課税しなくて差し支えない。（基通９－７）

（制服に準ずる事務服、作業服等）

（２）　専ら勤務場所のみにおいて着用する事務服、作業服等については、**3**表内②及び同③に規定する制服に準じて取り扱って差し支えない。（基通９－８）

（職務の遂行上やむを得ない必要に基づき貸与を受ける家屋等）

（３）　**3**表内④に規定する「職務の遂行上やむを得ない必要に基づき使用者から指定された場所に居住すべきものがその指定する場所に居住するため」に貸与を受ける家屋には、次に掲げるようなものが該当する。（基通９－９）

(一)　船舶乗組員に対し提供した船室

(二)　常時交替制により昼夜作業を継続する事業場において、その作業に従事するため常時早朝又は深夜に出退勤をする使用人に対し、その作業に従事させる必要上提供した家屋又は部屋

(三)　通常の勤務時間外においても勤務を要することを常例とする看護師、守衛等その職務の遂行上勤務場所を離れて居住することが困難な使用人に対し、その職務に従事させる必要上提供した家屋又は部屋

(四)　次に掲げる家屋又は部屋

イ　早朝又は深夜に勤務することを常例とするホテル、旅館、牛乳販売店等の住み込みの使用人に対し提供した部屋

ロ　季節的労働に従事する期間その勤務場所に住み込む使用人に対し提供した部屋

ハ　鉱山の掘採場（これに隣接して設置されている選鉱場、製錬場その他の附属設備を含む。）に勤務する使用人に対し提供した家屋又は部屋

ニ　工場寄宿舎その他の寄宿舎で事業所等の構内又はこれに隣接する場所に設置されているものの部屋

（公　　邸）

（４）　国家公務員宿舎法第10条《公邸》の規定により無料で公邸の貸与を受けることによる利益については、**3**表内④

に掲げる利益に準じて課税しなくて差し支えない。（基通９－10）

4　在外手当

国外で勤務する居住者の受ける給与のうち、その勤務により国内で勤務した場合に受けるべき通常の給与に加算して受ける在勤手当（これに類する特別の手当を含む。）のうち、その勤務地における物価、生活水準及び生活環境並びに勤務地と国内との間の為替相場等の状況に照らし、加算して支給を受けることにより国内で勤務した場合に比して利益を受けると認められない部分の金額については、所得税を課さない。（法９①七、令22）

5　外国政府等に勤務する者の給与

外国政府、外国の地方公共団体又は国際間の取極に基づき設立された機関のうち日本国が構成員となっているものその他国を構成員とするもので、財務大臣が指定する国際機関（(注) 参照）に勤務する者で次の①及び②（国際機関に勤務する者については①）に定める要件を備えるものがその勤務により受ける俸給、給料、賃金、歳費、賞与及びこれらの性質を有する給与（外国政府又は外国の地方公共団体に勤務する者が受けるこれらの給与については、その外国がその国において勤務する日本国の国家公務員又は地方公務員で①及び②に掲げる要件に準ずる要件を備えるものが受けるこれらの給与について所得税に相当する税を課さない場合に限る。）については、所得税を課さない。（法９①八、令23、24、規３）

①	その者が日本の国籍を有しない者であり、かつ、日本国に永住する許可を受けている者（日本国に長期にわたり在留することを認められている者を含む。）として日本国との平和条約に基づき日本の国籍を離脱した者等の出入国管理に関する特例法（平成３年法律第71号）に定める特別永住者でないこと。
②	その者のその外国政府又は外国の地方公共団体のために行う勤務が日本国又はその地方公共団体の行う業務に準ずる業務で収益を目的としないものに係る勤務であること。

（注）　職員の給与について所得税を課さない国際機関を次のように指定する。（昭47大蔵省告示第152号）
犯罪の防止及び犯罪者の処遇に関するアジア及び極東研修所
東南アジア貿易投資観光促進センター

（人的非課税）

（１）　国内に居住する外国の大使、公使及び外交官である大公使館員並びにこれらの配偶者に対しては、課税しないものとする。（基通９－11）

（外国政府等に勤務する者の給与）

（２）　**5**の規定の適用に当たっては、次のことに留意する。（基通９－12）

（一）　その勤務先は、外国政府若しくは外国の地方公共団体又は**5**（注）に掲げる国際機関（以下「外国政府等」という。）に限られるのであるから、外国政府等に該当しない法人から受ける給与は、たとえその法人が外国政府等の全額出資に係るものであっても、非課税とならないこと。

（注）　**5**（注）に掲げる国際機関以外の国際機関からその職員が受ける給与についても、条約（例えば、国際連合の特権及び免除に関する条約第５条第18項(b)《課税の免除》、専門機関の特権及び免除に関する条約第６条第19項(b)《課税の免除》、アジア開発銀行を設立する協定第56条第２項《課税の免除》等）により非課税とされる場合があることに留意する。

（二）　外国政府等に勤務する者で**5**表内①及び同②に規定する要件に該当するものが、その勤務により受けるものであっても、退職手当、一時恩給その他の退職により一時に受ける給与及びこれらの性質を有する給与は、非課税とならないこと。

（注）　これらの給与についても、租税条約により非課税とされる場合があることに留意する。

（三）　その勤務が外国政府又は外国の地方公共団体のために行われるものであっても、例えば、その外国政府又は外国の地方公共団体が舞踊、サーカス、オペラ等の芸能の提供を行っている場合のその業務のように、我が国若しくは我が国の地方公共団体の行う業務以外の業務又は収益を目的とする業務に従事したことにより受ける給与は、非課税とならないこと。

6　全国健康保険協会が管掌する健康保険等の被保険者が受ける付加的給付

健康保険法附則第４条第１項又は船員保険法附則第３条第１項に規定する被保険者がこれらの規定に規定する承認法人等から支払を受けるこれらの規定に規定する給付については、所得税を課さない。（措法41の７①）

四　資産の譲渡による所得

1　生活用資産の譲渡による所得

自己又はその配偶者その他の親族が生活の用に供する家具、じゅう器、衣服その他生活に通常必要な動産のうち、次の表内の①及び②に掲げるもの（１個又は１組の価額が30万円を超えるものに限る。）以外のもの（以下、「**生活用動産**」という。）の譲渡による所得については、所得税を課さない。（法９①九、令25）

①	貴石、半貴石、貴金属、真珠及びこれらの製品、べっこう製品、さんご製品、こはく製品、ぞうげ製品並びに七宝製品
②	書画、こっとう及び美術工芸品

（注）　上記により譲渡所得が非課税とされる資産の譲渡による収入金額がその資産の取得費及びその譲渡に要した費用の額の合計額に満たない場合におけるその不足額は、所得税法の規定の適用についてはないものとみなす。（法９②一）

2　資力喪失の場合の譲渡所得等

資力を喪失して債務を弁済することが著しく困難である場合における国税通則法第２条第10号《定義》に規定する強制換価手続による資産の譲渡による所得及び資力を喪失して債務を弁済することが著しく困難であり、かつ、同号の強制換価手続の執行が避けられないと認められる場合における資産の譲渡による所得で、その譲渡に係る対価が当該債務の弁済に充てられたもの（譲渡所得の基因とならない棚卸資産等に係るものを除く。）については、所得税を課さない。（法９①十、令26）

（注）　上記の資産の譲渡による収入金額がその資産の取得費及びその譲渡に要した費用の合計額又は第四章第七節**二**《山林所得の金額》**2**に規定する必要経費に満たない場合におけるその不足額は、所得税法の規定の適用についてはないものとみなす。（法９②二）

（「資力を喪失して債務を弁済することが著しく困難」である場合の意義）

（1）「資力を喪失して債務を弁済することが著しく困難」である場合とは、債務者の債務超過の状態が著しく、その者の信用、才能等を活用しても、現にその債務の全部を弁済するための資金を調達することができないのみならず、近い将来においても調達することができないと認められる場合をいい、これに該当するかどうかは、資産を譲渡した時の現況により判定する。（基通９－12の２）

（非課税とされる山林の伐採又は譲渡による所得）

（2）非課税とされる資力喪失の場合の資産の譲渡による所得は、資産の譲渡による所得のうち棚卸資産（譲渡所得の基因とされない棚卸資産に準ずる資産を含む。）の譲渡その他営利を目的として継続的に行われる資産の譲渡による所得以外の所得に限られるから、山林の伐採又は譲渡による所得であっても、営利を目的として継続的に行われる山林の伐採又は譲渡による所得については、非課税規定は適用されない。（基通９－12の３）

（譲渡対価が債務の弁済に充てられたかどうかの判定）

（3）「その譲渡に係る対価が当該債務の弁済に充てられた」かどうかは、資産の譲渡の対価（当該資産の譲渡に要した費用がある場合には、当該費用に相当する部分を除く。）の全部が当該譲渡の時において有する債務の弁済に充てられたかどうかにより判定する。（基通９－12の４）

（代 物 弁 済）

（4）次に掲げる代物弁済による資産の譲渡に係る所得は、「その譲渡に係る対価が当該債務の弁済に充てられたもの」に該当する。（基通９－12の５）

（一）債権者から清算金を取得しない代物弁済

（二）債権者から清算金を取得する代物弁済で当該清算金の全部を当該代物弁済に係る債務以外の債務の弁済に充てたもの

（注）　清算金とは、代物弁済に係る資産の価額が当該代物弁済に係る債務の額を超える場合におけるその超える金額に相当する金額として債権者から債務者に対し交付される金銭その他の資産をいう。

3　国等に対して財産を寄附した場合の譲渡所得等の非課税

①　国等に対して財産を寄附した場合の譲渡所得等の非課税

国又は地方公共団体に対し財産の贈与又は遺贈があった場合には、第五章第二節**二十四１**①《贈与等の場合の譲渡所得等の課税の特例》の規定の適用については、当該財産の贈与又は遺贈がなかったものとみなす。公益社団法人、公益財団法人、特定一般法人（法人税法別表第二《公益法人等の表》に掲げる一般社団法人及び一般財団法人で、同法第２条第９号の２イ《定義》に掲げるものをいう。）その他の公益を目的とする事業（以下①から③まで及び⑤において「**公益目的事業**」という。）を行う法人（外国法人に該当するものを除く。以下において「**公益法人等**」という。）に対する財産（国外にある土地その他の(２)で定めるものを除く。以下において同じ。）の贈与又は遺贈（当該公益法人等を設立するためにする財産の提供を含む。以下において同じ。）で、当該贈与又は遺贈が教育又は科学の振興、文化の向上、社会福祉への貢献その他公益の増進に著しく寄与すること、当該贈与又は遺贈に係る財産（当該財産につき第五章第二節**三１**《収用等に伴い代替資産を取得した場合の課税の特例》に規定する収用等があったことその他の(３)で定める理由により当該財産の譲渡をした場合において、当該譲渡による収入金額の全部に相当する金額をもって取得した当該財産に代わるべき資産として(３)で定めるものを取得したときは、当該資産（②、③及び⑯において「**代替資産**」という。））が、当該贈与又は遺贈があった日から２年を経過する日までの期間（当該期間内に当該公益法人等の当該公益目的事業の用に直接供することが困難である場合として(４)で定める事情があるときは、(４)で定める期間。②において同じ。）内に、当該公益法人等の当該公益目的事業の用に直接供され、又は供される見込みであることその他の(５)で定める要件を満たすものとして国税庁長官の承認を受けたものについても、また同様とする。（措法40①）

（注）　上記＿＿下線部については、公益信託に関する法律（令和６年法律第30号）の施行の日以後、①中「公益社団法人、公益財団法人、特定一般法人（法人税法別表第２に掲げる一般社団法人及び一般財団法人で、同法第２条第９号の２イに掲げるものをいう。）その他の公益を目的とする事業（以下①から③まで及び⑤において「公益目的事業」という。）を行う法人（外国法人に該当するものを除く。以下において「公益法人等」という」が「公益法人等（次の(一)及び(二)に掲げる者をいう。以下において同じ」に改められ、「遺贈（」の次に「第六章第四節**三５**⑥の規定により(二)に規定する公益信託の受託者に対して贈与又は遺贈により当該財産の移転が行われたものとされた場合におけるその贈与又は遺贈及び」が加えられ、「含む」が「含み、同(二)に掲げる者（(一)に掲げる者に該当する者を除く。）に対するものである場合には(二)に規定する公益信託の信託財産とするためのものに限る」に、「⑯」が「⑱」に、「当該公益目的事業の用に直接供する」が「公益目的事業（(一)に規定する公益を目的とする事業及び公益信託に関する法律第７条第３項第４号に規定する公益信託事務をいう。以下①から③まで及び⑤において同じ。）の用に直接供する」に改められ、①に次の(一)及び(二)が加えられる。（令６改所法等附１九ヘ）

(一)	公益社団法人、公益財団法人、特定一般法人（法人税法別表第２に掲げる一般社団法人及び一般財団法人で、同法第２条第９号の２イに掲げるものをいう。）その他の公益を目的とする事業を行う法人（外国法人に該当するものを除く。）
(二)	公益信託に関する法律第２条第１項第１号に規定する公益信託（以下において「公益信託」という。）の受託者（非居住者又は外国法人に該当するものを除く。）

（①後段の規定の適用を受けようとする場合の手続）

（１）　①後段《国等に対して財産を寄附した場合の譲渡所得等の非課税》の規定の適用を受けようとする者は、贈与又は遺贈（①後段に規定する公益法人等（以下**3**において「公益法人等」という。）を設立するためにする①後段に規定する財産（以下**3**において「財産」という。）の提供を含む。以下において同じ。）により財産を取得する公益法人等の事業の目的、当該贈与又は遺贈に係る財産の内容その他の（注）１で定める事項を記載した申請書に、当該公益法人等が当該申請書に記載された事項を確認したことを証する書類を添付して、当該贈与又は遺贈のあった日から４月以内（当該期間の経過する日前に当該贈与があった日の属する年分の所得税の確定申告書の提出期限が到来する場合には、当該提出期限まで）に、納税地の所轄税務署長を経由して、国税庁長官に提出しなければならない。この場合において、当該期間内に当該申請書の提出がなかったこと又は当該書類の添付がなかったことにつき国税庁長官においてやむを得ないと認める事情があり、かつ、当該贈与又は遺贈に係る山林所得、譲渡所得又は雑所得につき第十二章**一１**《更正》から同**３**《再更正》までの規定による更正又は決定を受ける日の前日までに当該申請書又は書類の提出があったときは、当該期間内に当該申請書の提出又は当該書類の添付があったものとする。（措令25の17①）

（注）１　（１）《公益法人等に対して財産を寄附した場合の譲渡所得等の非課税》に規定する（注）１で定める事項は、次の(一)から(八)までに掲げる事項とする。（措規18の19①）

(一)	贈与又は遺贈（①後段《国等に対して財産を寄附した場合の譲渡所得等の非課税》に規定する贈与又は遺贈をいう。以下**3**において同じ。）をした者（以下(一)において「贈与者等」という。）の氏名、住所又は居所及び当該贈与をした者の個人番号（個人番号を有しない者にあっては、氏名及び住所又は居所。以下(一)において同じ。）（当該贈与をした者が死亡している場合又は遺贈の場合には、当該贈与者等の相続人（包括受遺者を含む。）の氏名、住所又は居所及び個人番号並びに当該贈与者等との続柄を含む。）並びに当該贈与又は遺贈をした年月日

(二)	当該贈与又は遺贈に係る①後段に規定する財産（以下**3**において「財産」という。）の種類、所在地、数量、取得年月日、取得価額及び当該贈与又は遺贈の時における価額並びに当該財産の①後段に規定する公益法人等における使用目的及び使用開始年月日又は使用開始予定年月日（①後段に規定する（4）で定める事情がある場合には、その事情の詳細を含む。）
(三)	当該贈与又は遺贈により財産を取得する公益法人等の名称及び主たる事務所の所在地並びに事業の目的並びに設立年月日又は設立予定年月日
(四)	当該贈与又は遺贈をした者及びこれらの者の親族の当該公益法人等における地位その他当該公益法人等との関係
(五)	当該公益法人等の事業運営に関する明細
(六)	当該公益法人等の（6）(一)に規定する役員等の氏名及び住所並びに当該役員等に係る同(一)に規定する親族等に関する事項
(七)	（1）の申請書に（8）(一)に規定する書類を添付する場合には、その旨
(八)	その他参考となるべき事項

2　上記____下線部については、公益信託に関する法律（令和６年法律第30号）の施行の日以後、（1）中「公益法人等（以下**3**において「公益法人等」という。）を設立するためにする①後段に規定する財産（以下**3**において「財産」という。）の提供を含む」が「贈与又は遺贈をいう」に、「財産を取得する公益法人等」が「①後段に規定する財産（以下**3**において「財産」という。）を取得する①後段に規定する公益法人等（以下**3**において「公益法人等」という。）」に改められる。（令６改措令附１三）

㊟１　上記____下線部については、公益信託に関する法律（令和６年法律第30号）の施行の日以後、（注）１（三）が次のように改められる。（令６改措規附１四）

	当該贈与又は遺贈の次に掲げる場合の区分に応じそれぞれ次に定める事項		
(三)	イ	ロに掲げる場合以外の場合	当該贈与又は遺贈により財産を取得する公益法人等の名称及び主たる事務所の所在地並びに事業の目的並びに設立年月日又は設立予定年月日
	ロ	①(二)に規定する公益信託（以下において「公益信託」という。）の信託財産とするためのものである場合	当該贈与又は遺贈により財産を取得する公益法人等の氏名又は名称及び住所若しくは居所又は本店若しくは主たる事務所の所在地（当該公益信託の受託者が二以上ある場合には、その④(三)に規定する主宰受託者（以下において「主宰受託者」という。）の氏名又は名称を含む。）並びに当該公益信託の名称、公益信託に関する法律（令和６年法律第30号）第２条第１項第２号に規定する公益事務の内容及び同法第６条の認可を受けた年月日

２　上記____下線部については、公益信託に関する法律（令和６年法律第30号）の施行の日以後、（注）１（五）中「明細」の次に「（当該贈与又は遺贈が公益信託の信託財産とするためのものである場合には、当該公益信託に係る信託事務に関する明細）」が加えられ、同（六）が次のように改められる。（令６改措規附１四）

	当該贈与又は遺贈の次に掲げる場合の区分に応じそれぞれ次に定める事項		
(六)	イ	ロに掲げる場合以外の場合	当該公益法人等の（6）(一)イに規定する役員等（以下(六)において「役員等」という。）の氏名及び住所並びに当該役員等に係る（6）(一)イに規定する親族等（ロにおいて「親族等」という。）に関する事項
	ロ	公益信託の信託財産とするためのものである場合	当該公益信託の（6）（注）２(一)に規定する運営委員等の氏名及び住所並びに当該運営委員等に係る親族等に関する事項（当該公益信託の受託者（当該公益信託の受託者が二以上ある場合には、その全ての受託者）が（6）（注）１に規定する者である場合には、当該公益信託の受託者のその役員等の氏名及び住所並びに当該役員等に係る親族等に関する事項）

（①後段に規定する（2）で定める財産）

（2）　①後段に規定する（2）で定める財産は、国外にある土地若しくは土地の上に存する権利又は建物及びその附属設備若しくは構築物とする。（措令25の17②）

（①後段に規定する（3）で定める理由により贈与又は遺贈に係る財産の譲渡をした場合及び当該財産に代わるべき資産として（3）で定めるもの）

（3）　①後段に規定する（3）で定める理由により贈与又は遺贈に係る財産の譲渡をした場合は、次の(一)から(七)までに掲げる場合とし、①後段に規定する当該財産に代わるべき資産として（3）で定めるものは、当該(一)から(七)までに掲げる場合の区分に応じ当該(一)から(七)までに定める資産とする。（措令25の17③）

	理　由	当該財産に代わるべき資産
(一)	当該財産につき租税特別措置法第64条第１項《収用等に伴い代替	当該財産に係る同法第64条第１項に規定

	資産を取得した場合の課税の特例》に規定する収用等又は同法第65条第１項《換地処分等に伴い資産を取得した場合の課税の特例》に規定する換地処分等による譲渡があった場合（同法第64条第２項又は第65条第７項から第９項までの規定によりこれらの譲渡があったものとみなされる場合を含む。）	する代替資産又は同法第65条第１項に規定する交換取得資産
(二)	当該贈与又は遺贈に係る公益法人等の公益を目的とする事業の用に直接供する施設につき、第一節**27**《定義》に規定する災害があった場合において、その復旧を図るために当該財産を譲渡したとき	その災害を受けた施設（災害により滅失した場合には、当該施設に代わるべき当該施設と同種の施設）の用に供する減価償却資産、土地及び土地の上に存する権利
(三)	当該贈与又は遺贈に係る公益法人等の公益目的事業の用に直接供する施設（当該財産をその施設の用に供しているものに限る。）における当該公益目的事業の遂行が、環境基本法第２条第３項に規定する公害により、若しくは当該施設の所在場所の周辺において風俗営業等の規制及び業務の適正化等に関する法律第２条第１項第１号から第４号までに掲げる営業が営まれることとなったことにより著しく困難となった場合又は当該施設の規模を拡張する場合において、当該施設の移転をするため当該財産を譲渡したとき	当該移転後の施設の用に供する減価償却資産、土地及び土地の上に存する権利
(四)	当該財産につき第五章第三節**二十**《株式交換等に係る譲渡所得等の特例》に規定する株式交換又は同**二十**（１）に規定する株式移転による譲渡があった場合	当該株式交換により取得する同**二十**に規定する株式交換完全親法人の同**二十**に規定する株式若しくは親法人（当該株式交換完全親法人との間に同**二十**に規定する同**二十**（３）で定める関係がある法人をいう。）の同**二十**に規定する株式又は当該株式移転により取得する同**二十**（２）に規定する株式移転完全親法人の株式
(五)	国又は地方公共団体に贈与する目的で資産の取得、製作又は建設（以下(五)において「取得等」という。）をする場合において、その資産の取得等の費用に充てるために当該財産を譲渡したとき	当該国又は地方公共団体に贈与する目的で取得等をする資産で、その取得等の後直ちに当該国又は地方公共団体に贈与されるもの
(六)	当該財産のうち、(7)の規定の適用を受けて行われた贈与若しくは遺贈に係るもの又は⑤(二)に規定する特定買換資産で、(7)(二)イ、同ロ⑵若しくはハからホまでに規定する方法でこれらの規定に規定する要件を満たすもの（以下**3**において「特定管理方法」という。）により管理されていたものの譲渡をしたとき	当該譲渡をした財産に代わるべき資産として(注)１で定めるもので引き続き当該特定管理方法により管理されるもの
(七)	(一)から(六)までに掲げる場合に準ずる場合として(注)２で定める場合	その譲渡による収入金額の全部に相当する金額をもって取得した資産で(注)２で定めるもの

(注)１　(3)(六)に規定する(注)１で定める資産は、同(六)の贈与又は遺贈に係る財産の譲渡による収入金額の全部に相当する金額をもって取得する資産で、当該資産につき次の(一)から(五)までに掲げる公益法人等の区分に応じ当該(一)から(五)までに定める決定（その決定をした旨及びその決定をした事項が当該決定に係る議事録その他これに相当する書類に記載されているものに限る。）がされたものとする。（措規18の19②）

(一)	(7)(二)イに掲げる公益法人等	当該資産を同(二)イに規定する方法により管理することについての当該公益法人等の合議制の機関の決定
(二)	(7)(二)ロに掲げる公益法人等	当該資産を同(二)ロ⑵に規定する方法により管理することについての当該公益法人等の合議制の機関の決定
(三)	(7)(二)ハに掲げる公益法人等	当該資産を(7)(注)３(一)に定める方法により同(一)に規定する基本金に組み入れることについての当該公益法人等の理事会の決定

(四)	(7)(二)ニに掲げる公益法人等	当該資産を(7)(注)3(二)に定める方法により同(二)に規定する基本金に組み入れることについての当該公益法人等の理事会の決定
(五)	(7)(二)ホに掲げる公益法人等	当該資産を同(二)ホに規定する方法により管理することについての当該公益法人等の合議制の機関の決定

2　(3)(七)に規定する(注)2で定める場合は、(3)(一)から同(六)までに規定する理由に準ずるやむを得ない理由として国税庁長官が認める理由により当該贈与又は遺贈に係る財産の譲渡をする場合とし、同(七)に規定する(注)2で定める資産は、当該財産の譲渡による収入金額の全部に相当する金額をもって取得した減価償却資産、土地、土地の上に存する権利及び株式（出資を含む。以下(注)2及び⑤(注)1において同じ。）で国税庁長官が認めたもの（株式にあっては、(3)(四)に規定する理由に準ずるやむを得ない理由として国税庁長官が認める理由による譲渡により取得したものに限る。）とする。（措規18の19③）

3　上記＿＿下線部については、公益信託に関する法律（令和6年法律第30号）の施行の日以後、(3)(二)中「公益を目的とする事業」が「①後段に規定する公益目的事業」に改められる。（令6改措令附1三）

(①後段に規定する(4)で定める事情、①後段に規定する(4)で定める期間)

(4)　①後段に規定する(4)で定める事情は、公益法人等が①後段の贈与又は遺贈を受けた土地の上に建設をする当該贈与又は遺贈に係る公益目的事業の用に直接供する建物のその建設に要する期間が通常2年を超えることその他①の財産又は代替資産を当該贈与又は遺贈があった日から2年を経過する日までの期間内に当該公益目的事業の用に直接供することが困難であるやむを得ない事情とし、①後段に規定する(4)で定める期間は、当該贈与又は遺贈があった日から国税庁長官が認める日までの期間とする。（措令25の17④）

(①後段に規定する(5)で定める要件)

(5)　①後段に規定する(5)で定める要件は、次の(一)から(三)までに掲げる要件（①後段の贈与又は遺贈が法人税法別表第一《公共法人の表》に掲げる独立行政法人、国立大学法人、大学共同利用機関法人、地方独立行政法人（地方独立行政法人法第21条第1号に掲げる業務、同条第3号チに掲げる事業に係る同号に掲げる業務、同条第4号に掲げる業務、同条第5号に掲げる業務若しくは地方独立行政法人法施行令第6条第1号に掲げる介護老人保健施設若しくは介護医療院若しくは同条第3号に掲げる博物館、美術館、植物園、動物園若しくは水族館に係る同法第21条第6号に掲げる業務を主たる目的とするもの又は同法第68条第1項に規定する公立大学法人に限る。）及び日本司法支援センターに対するものである場合には、(二)に掲げる要件）とする。（措令25の17⑤）

(一)	当該贈与又は遺贈が、教育又は科学の振興、文化の向上、社会福祉への貢献その他公益の増進に著しく寄与すること。
(二)	当該贈与又は遺贈に係る財産又は①に規定する代替資産が、当該贈与又は遺贈があった日から2年を経過する日までの期間（①に規定する期間をいう。）内に、当該公益法人等の当該贈与又は遺贈に係る公益目的事業の用に直接供され、又は供される見込みであること。
(三)	公益法人等に対して財産の贈与又は遺贈をすることにより、当該贈与若しくは遺贈をした者の所得に係る所得税の負担を不当に減少させ、又は当該贈与若しくは遺贈をした者の親族その他これらの者と相続税法第64条第1項《同族会社等の行為又は計算の否認等》に規定する特別の関係がある者の相続税若しくは贈与税の負担を不当に減少させる結果とならないと認められること。

(注)　上記＿＿下線部については、公益信託に関する法律（令和6年法律第30号）の施行の日以後、(5)中「対するもの」の次に「(①(二)に規定する公益信託の信託財産とするためのものを除く。)」が加えられる。（令6改措令附1三）

((5)(三)の所得税又は贈与税若しくは相続税の負担を不当に減少させる結果とならないと認められる場合の要件)

(6)　贈与又は遺贈により財産を取得した公益法人等が、次の(一)から(五)までに掲げる要件を満たすときは、(5)(三)の所得税又は贈与税若しくは相続税の負担を不当に減少させる結果とならないと認められるものとする。（措令25の17⑥）

(一)	その運営組織が適正であるとともに、その寄附行為、定款又は規則において、その理事、監事、評議員その他これらの者に準ずるもの（以下(6)及び(7)(一)において「役員等」という。）のうち親族関係を有する者及びこれらと次のイからニまでに掲げる特殊の関係がある者（(二)及び(7)(一)において「親族等」という。）の数がそれぞれの役員等の数のうちに占める割合は、いずれも3分の1以下とする旨の定めがあること。 イ　当該親族関係を有する役員等と婚姻の届出をしていないが事実上婚姻関係と同様の事情にある者

<table>
<tr><td></td><td>ロ　当該親族関係を有する役員等の使用人及び使用人以外の者で当該役員等から受ける金銭その他の財産によって生計を維持しているもの
ハ　イ又はロに掲げる者の親族でこれらの者と生計を一にしているもの
ニ　当該親族関係を有する役員等及びイからハまでに掲げる者のほか、次に掲げる法人の法人税法第２条第15号に規定する役員（(1)において「会社役員」という。）又は使用人である者
(1)　当該親族関係を有する役員等が会社役員となっている他の法人
(2)　当該親族関係を有する役員等及びイからハまでに掲げる者並びにこれらの者と法人税法第２条第10号に規定する政令で定める特殊の関係のある法人を判定の基礎にした場合に同号に規定する同族会社に該当する他の法人</td></tr>
<tr><td>(二)</td><td>その公益法人等に財産の贈与若しくは遺贈をする者、その公益法人等の役員等若しくは社員又はこれらの者の親族等に対し、施設の利用、金銭の貸付け、資産の譲渡、給与の支給、役員等の選任その他財産の運用及び事業の運営に関して特別の利益を与えないこと。</td></tr>
<tr><td>(三)</td><td>その寄附行為、定款又は規則において、その公益法人等が解散した場合にその残余財産が国若しくは地方公共団体又は他の公益法人等に帰属する旨の定めがあること。</td></tr>
<tr><td>(四)</td><td>その公益法人等につき公益に反する事実がないこと。</td></tr>
<tr><td>(五)</td><td>その公益法人等が当該贈与又は遺贈により株式の取得をした場合には、当該取得により当該公益法人等の有することとなる当該株式の発行法人の株式がその発行済株式の総数の２分の１を超えることとならないこと。</td></tr>
</table>

(注)　上記＿＿下線部については、公益信託に関する法律（令和６年法律第30号）の施行の日以後、(６)中「により財産を取得した公益法人等が、次の(一)から(五)までに掲げる」が「が、次の(一)及び(二)に掲げる場合の区分に応じ当該(一)又は(二)に定める」に改められ、(６)(一)から(五)までが次のように改められる。(令６改措令附１三)

<table>
<tr><td rowspan="6">(一)</td><td rowspan="6">(二)に掲げる場合以外の場合</td><td colspan="2">次に掲げる要件の全てを満たす公益法人等に対するものであること。</td></tr>
<tr><td>イ</td><td>その運営組織が適正であるとともに、その寄附行為、定款又は規則において、その理事、監事、評議員その他これらの者に準ずるもの（以下(一)及び(７)(一)において「役員等」という。）のうち親族関係を有する者及びこれらと次に掲げる特殊の関係がある者（ロ、(二)ハ及び(７)(一)において「親族等」という。）の数がそれぞれの役員等の数のうちに占める割合は、いずれも３分の１以下とする旨の定めがあること。
(1)　当該親族関係を有する役員等と婚姻の届出をしていないが事実上婚姻関係と同様の事情にある者
(2)　当該親族関係を有する役員等の使用人及び使用人以外の者で当該役員等から受ける金銭その他の財産によって生計を維持しているもの
(3)　(1)又は(2)に掲げる者の親族でこれらの者と生計を一にしているもの
(4)　当該親族関係を有する役員等及び(1)から(3)までに掲げる者のほか、次に掲げる法人の法人税法第２条第15号に規定する役員（(ⅰ)において「会社役員」という。）又は使用人である者
(ⅰ)　当該親族関係を有する役員等が会社役員となっている他の法人
(ⅱ)　当該親族関係を有する役員等及び(1)から(3)までに掲げる者並びにこれらの者と法人税法第２条第10号に規定する政令で定める特殊の関係のある法人を判定の基礎にした場合に同号に規定する同族会社に該当する他の法人</td></tr>
<tr><td>ロ</td><td>その公益法人等に財産の贈与若しくは遺贈をする者、その公益法人等の役員等若しくは社員又はこれらの者の親族等に対し、施設の利用、金銭の貸付け、資産の譲渡、給与の支給、役員等の選任その他財産の運用及び事業の運営に関して特別の利益を与えないこと。</td></tr>
<tr><td>ハ</td><td>その寄附行為、定款又は規則において、その公益法人等が解散した場合にその残余財産が国若しくは地方公共団体又は他の公益法人等に帰属する旨の定めがあること。</td></tr>
<tr><td>ニ</td><td>その公益法人等につき公益に反する事実がないこと。</td></tr>
<tr><td>ホ</td><td>その公益法人等が当該贈与又は遺贈により株式の取得をした場合には、当該取得により当該公益法人等の有することとなる当該株式の発行法人の株式がその発行済株式の総数の２分の１を超えることとならないこと。</td></tr>
<tr><td rowspan="3">(二)</td><td rowspan="3">①(二)に規定する公益信託（以下において「公益信託」という。）の信託財産と</td><td colspan="2">次に掲げる要件（その公益信託の受託者（その公益信託の受託者が二以上ある場合には、その公益信託の全ての受託者）が①(一)に掲げる者（(一)イに掲げる要件を満たすものに限る。）その他の(注)１で定める者である場合には、ロに掲げる要件を除く。）の全てを満たす公益信託の信託財産とするためのものであること。</td></tr>
<tr><td>イ</td><td>その公益信託が、その信託行為の定めるところにより適正に運営されるものであること。</td></tr>
<tr><td>ロ</td><td>その公益信託の信託行為において、運営委員会その他これに準ずるもの（当該信託行為において、その公益信託の目的に関し学識経験を有する者から構成される旨の定めがあることその他の公益信託の適正な運</td></tr>
</table>

するための ものである 場合		営に資するものとして(注) 2で定める要件を満たすものに限る。)を置く旨の定めがあること。
	ハ	その公益信託の信託財産とするために財産の贈与若しくは遺贈をする者、その公益信託の受託者若しくは公益信託に関する法律第4条第2項第2号に規定する信託管理人（当該受託者又は信託管理人が法人である場合には、その同法第9条第2号に規定する理事等を含む。）又はこれらの者（個人に限る。）の親族等に対し、施設の利用、金銭の貸付け、資産の譲渡、報酬の支払その他信託財産の運用及び公益信託の運営に関して特別の利益を与えないこと。
	ニ	その公益信託の信託行為において、その公益信託が終了した場合にその残余財産が国若しくは地方公共団体又は公益法人等に帰属する旨の定めがあること。
	ホ	その公益信託につき公益に反する事実がないこと。
	ヘ	当該贈与又は遺贈により株式がその公益信託の信託財産とされた場合には、当該株式を当該信託財産として受け入れたことにより当該公益信託の受託者（当該公益信託の受託者が二以上ある場合には、いずれかの受託者）の有することとなる当該株式の発行法人の株式がその発行済株式の総数の2分の1を超えることとならないこと。

㊟　公益信託に関する法律（令和6年法律第30号）の施行の日以後、次の(注) 1及び(注) 2が加えられる。(令6改措規附1四)

(注) 1　(6)(二)に規定する(注) 1で定める者は、①(一)に掲げる者（(6)(一)イに掲げる要件を満たすものに限る。）とする。(措規18の19④)

2　(6)(二)ロに規定する(注) 2で定める要件は、次の(一)から(四)までに掲げる要件とする。(措規18の19⑤)

(一)	(6)(二)ロの公益信託の信託行為において、同(二)ロに規定する運営委員会その他これに準ずるもの（(三)において「運営委員会等」という。）は、当該公益信託の目的に関し学識経験を有する者、当該公益信託の適正な運営に必要な実務経験を有する者その他の者（(二)及び(四)において「運営委員等」という。）から構成される旨の定めがあること。
(二)	当該信託行為において、運営委員等のうち(6)(一)イに規定する親族等の数が当該運営委員等の数のうちに占める割合は、3分の1以下とする旨の定めがあること。
(三)	当該信託行為において、当該公益信託の受託者は、信託財産の処分その他の公益信託事務（公益信託に関する法律第7条第3項第4号に規定する公益信託事務をいう。）の処理に関する重要な事項について、運営委員会等の同意を得なければならない旨の定めがあること。
(四)	運営委員等に対して当該公益信託の信託財産から支払われる報酬の額は、その任務の遂行のために通常必要な費用の額を超えないものであることが当該信託行為において明らかであること。

(私立大学校又は私立高等専門学校に対して財産を寄附した場合の要件)

(7)　①後段の贈与又は遺贈が、公益法人等（国立大学法人等（国立大学法人、大学共同利用機関法人、公立大学法人、独立行政法人国立高等専門学校機構及び国立研究開発法人をいう。以下(7)において同じ。)、公益社団法人、公益財団法人、学校法人（私立学校振興助成法第14条第1項に規定する学校法人で同項に規定する文部科学大臣の定める基準に従い会計処理を行うものに限る。(二)ハにおいて同じ。)、社会福祉法人又は認定特定非営利活動法人等（特定非営利活動促進法第2条第3項に規定する認定特定非営利活動法人及び同条第4項に規定する特例認定特定非営利活動法人をいう。(二)ホにおいて同じ。）に限る。以下(7)において同じ。）に対するものである場合において、次の(一)から(三)までに掲げる要件を満たすものであることを証する書類として(注) 1で定める書類を添付した(1)の規定による申請書（当該公益法人等が当該贈与又は遺贈に係る財産について、特定管理方法により管理することとする旨又は同(二)ロ⑴に規定する不可欠特定財産として同(二)ロ⑴に規定する定款の定めを設けることとするの記載のあるものに限る。)の提出があったときは、①後段に規定する要件は、次(一)から(三)までに掲げる要件（国立大学法人等（法人税法別表第一に掲げる法人に限る。(8)及び③(1)(三)において「特定国立大学法人等」という。)にあっては、(二)及び(三)に掲げる要件）とする。(措令25の17⑦)

(一)	当該贈与又は遺贈をした者が当該公益法人等の役員等及び社員並びにこれらの者の親族等に該当しないこと。
(二)	次のイからホまでに掲げる当該贈与又は遺贈を受けた公益法人等の区分に応じそれぞれ次のイからホまでに定める要件 イ　国立大学法人等　当該贈与又は遺贈を受けた財産（当該財産につき譲渡があった場合には、当該譲渡による収入金額の全部に相当する金額をもって取得した資産（(注) 2で定めるものに限る。）を含む。）が、関係大臣（内閣総理大臣、総務大臣、財務大臣、文部科学大臣、厚生労働大臣、農林水産大臣、経済産業大臣、国土交通大臣及び環境大臣をいう。以下(二)及び(注) 5において同じ。）が財務大臣と協議して定める業務に充てるために関係大臣が財務大臣と協議して定める方法により管理されることにつき、関係大臣が財務大臣と協議して定める所轄庁に確認されていること。

	ロ　公益社団法人又は公益財団法人　次の⑴及び⑵に掲げる要件のいずれかを満たすこと。 ⑴　当該贈与又は遺贈を受けた財産が当該公益社団法人又は当該公益財団法人の不可欠特定財産（公益社団法人及び公益財団法人の認定等に関する法律第５条第16号に規定する財産をいう。（９）において同じ。）であるものとして、その旨並びにその維持及び処分の制限について、必要な事項が定款で定められていること。 ⑵　当該贈与又は遺贈を受けた財産（当該財産につき譲渡があった場合には、当該譲渡による収入金額の全部に相当する金額をもって取得した資産（(注）２で定めるものに限る。）を含む。）が、関係大臣が財務大臣と協議して定める事業に充てるために関係大臣が財務大臣と協議して定める方法により管理されることにつき、関係大臣が財務大臣と協議して定める所轄庁に確認されていること。 ハ　学校法人　当該贈与又は遺贈を受けた財産（当該財産につき譲渡があった場合には、当該譲渡による収入金額の全部に相当する金額をもって取得した資産（(注）２で定めるものに限る。）を含む。）が当該学校法人の財政基盤の強化を図るために(注）３で定める方法により管理されていること。 ニ　社会福祉法人　当該贈与又は遺贈を受けた財産（当該財産につき譲渡があった場合には、当該譲渡による収入金額の全部に相当する金額をもって取得した資産（(注）２で定めるものに限る。）を含む。）が当該社会福祉法人の経営基盤の強化を図るために(注）３で定める方法により管理されていること。 ホ　認定特定非営利活動法人等　当該贈与又は遺贈を受けた財産（当該財産につき譲渡があった場合には、当該譲渡による収入金額の全部に相当する金額をもって取得した資産（(注）２で定めるものに限る。）を含む。）が、関係大臣が財務大臣と協議して定める事業に充てるために関係大臣が財務大臣と協議して定める方法により管理されることにつき、関係大臣が財務大臣と協議して定める所轄庁に確認されていること。
(三)	その他(注）４で定める要件

(注)１　（７）に規定する(注）１で定める書類は、（７）に規定する公益法人等から交付を受けた次の(一)及び(二)に掲げる書類（当該公益法人等が（７）に規定する特定国立大学法人等である場合には、(二)に掲げる書類）とする。（措規18の19④）

(一)	（７）に規定する公益法人等に対し（７）の申請書を提出した者が当該贈与又は遺贈をした者について（７）(一)に規定する役員等及び社員並びにこれらの者の親族等に該当しないことを誓約する旨並びに当該公益法人等において当該該当しないことを確認した旨を記載した書類
(二)	（７）に規定する公益法人等の(注）４(一)から同(四)までに掲げる区分に応じ当該(一)から同(四)までに規定する決定（(注）２(一)から同(四)までの決定があった場合には、当該(一)から同(四)までに規定する財産を譲渡することについての当該決定を含む。）をした旨及びその決定をした事項の記載のある議事録その他これに相当する書類の写し並びに当該決定に係る財産の種類、所在地、数量、価額その他の事項を記載した書類（当該決定が(注）４(一)、同(二)ロ又は同(五)に規定する決定である場合には、これらの規定に規定する財産がこれらの規定に規定する方法により管理されることにつきそれぞれ当該公益法人等の（７）(二)イ、同ロ⑵又は同ホの所轄庁に確認されたことを証する書類の写しを含む。）

２　（７）(二)イ、同ロ⑵及び同ハから同ホまでに規定する(注）２で定める資産は、次の(一)から(五)までに掲げる公益法人等の区分に応じ当該(一)から(五)までに定める資産とする。（措規18の19⑤）

(一)	（７）(二)イに掲げる公益法人等	当該公益法人等が当該贈与又は遺贈を受けた財産の譲渡をし、かつ、その譲渡による収入金額の全部に相当する金額をもって取得する資産で、当該財産を譲渡すること及び当該資産につき同(二)イに規定する方法により管理することが当該公益法人等の合議制の機関において決定されたもの
(二)	（７）(二)ロに掲げる公益法人等	当該公益法人等が当該贈与又は遺贈を受けた財産の譲渡をし、かつ、その譲渡による収入金額の全部に相当する金額をもって取得する資産で、当該財産を譲渡すること及び当該資産につき同(二)ロ⑵に規定する方法により管理することが当該公益法人等の合議制の機関において決定されたもの
(三)	（７）(二)ハに掲げる公益法人等	当該公益法人等が当該贈与又は遺贈を受けた財産の譲渡をし、かつ、その譲渡による収入金額の全部に相当する金額をもって取得する資産で、当該財産を譲渡すること及び当該資産につき(注）３(一)に定める方法により同(一)に規定する基本金に組み入れることが当該公益法人等の理事会において決定されたもの
(四)	（７）(二)ニに掲げる公益法人等	当該公益法人等が当該贈与又は遺贈を受けた財産の譲渡をし、かつ、その譲渡による収入金額の全部に相当する金額をもって取得する資産で、当該財産を譲渡すること及び当該資産につき(注）３(二)に定める方法により同(二)に規定する基本金に組み入れることが当該公益法人等の理事会において決定されたもの
(五)	（７）(二)ホに掲げる公益法人等	当該公益法人等が当該贈与又は遺贈を受けた財産の譲渡をし、かつ、その譲渡による収入金額の全部に相当する金額をもって取得する資産で、当該財産を譲渡すること及び当該資産につき同(二)ホに規定する方法により管理することが当該公益法人等の合議制の機関におい

		て決定されたもの

3　(7)(二)ハ及び同ニに規定する(注)3で定める方法は、次の(一)及び(二)に掲げる公益法人等の区分に応じ当該(一)及び(二)に定める方法とする。(措規18の19⑥)

(一)	(7)(二)ハに掲げる公益法人等	同(二)ハに規定する財産につき、学校法人会計基準第30条第1項第1号から第3号までに掲げる金額に相当する金額を同項に規定する基本金に組み入れる方法
(二)	(7)(二)ニに掲げる公益法人等	同(二)ニに規定する財産につき、社会福祉法人会計基準第6条第1項に規定する金額を同項に規定する基本金に組み入れる方法

4　(7)(三)に規定する(注)4で定める要件は、次の(一)から(五)までに掲げる公益法人等の区分に応じ当該(一)から(五)までに定める要件とする。(措規18の19⑦)

(一)	(7)(二)イに掲げる公益法人等	当該公益法人等の合議制の機関において、当該公益法人等が贈与又は遺贈の申出を受け入れること及び同(二)イに規定する財産につき同(二)イに規定する方法により管理することが決定されていること。
(二)	(7)(二)ロに掲げる公益法人等	次のイ及びロに掲げる要件のいずれかを満たすこと。 イ　当該公益法人等の理事会において、当該公益法人等が贈与又は遺贈の申出を受け入れること及び当該贈与又は遺贈を受ける財産につき(7)(二)ロ⑴に規定する不可欠特定財産とすることが決定されていること。 ロ　当該公益法人等の合議制の機関において、当該公益法人等が贈与又は遺贈の申出を受け入れること及び(7)(二)ロ⑵に規定する財産につき同(二)ロ⑵に規定する方法により管理することが決定されていること。
(三)	(7)(二)ハに掲げる公益法人等	当該公益法人等の理事会において、当該公益法人等が贈与又は遺贈の申出を受け入れること及び同(二)ハに規定する財産につき(注)3(一)に定める方法により同(一)に規定する基本金に組み入れることが決定されていること。
(四)	(7)(二)ニに掲げる公益法人等	当該公益法人等の理事会において、当該公益法人等が贈与又は遺贈の申出を受け入れること及び同(二)ニに規定する財産につき(注)3(二)に定める方法により同(二)に規定する基本金に組み入れることが決定されていること。
(五)	(7)(二)ホに掲げる公益法人等	当該公益法人等の合議制の機関において、当該公益法人等が贈与又は遺贈の申出を受け入れること及び同(二)ホに規定する財産につき同(二)ホに規定する方法により管理することが決定されていること。

5　関係大臣は、(7)(二)イ、同ロ⑵及び同ホに規定する業務、事業、方法及び所轄庁を定めたときは、これを告示する。(措令25の17㉟、平30内閣府・総務省・財務省・文部科学省・厚生労働省・農林水産省・経済産業省・国土交通省・環境省告示第1号(最終改正令4同省告示第5号))

㊟1　上記＿下線部については、公益信託に関する法律(令和6年法律第30号)の施行の日以後、(注)1中「18の19④」が「18の19⑥」とされる。(令6改措規附1四)

2　上記＿下線部については、公益信託に関する法律(令和6年法律第30号)の施行の日以後、(注)2中「18の19⑤」が「18の19⑦」とされる。(令6改措規附1四)

3　上記＿下線部については、公益信託に関する法律(令和6年法律第30号)の施行の日以後、(注)3中「18の19⑥」が「18の19⑧」とされる。(令6改措規附1四)

4　上記＿下線部については、公益信託に関する法律(令和6年法律第30号)の施行の日以後、(注)4中「18の19⑦」が「18の19⑨」とされる。(令6改措規附1四)

5　上記＿下線部については、公益信託に関する法律(令和6年法律第30号)の施行の日以後、(注)5中「25の17㉟」が「25の17㊶」とされる。(令6改措令附1三)

((7)の申請書につき承認がなかったときのみなし承認)

(8)　次の(一)及び(二)に掲げる場合において、(1)の税務署長に当該(一)及び(二)に規定する申請書の提出があった日から1月以内((二)の贈与又は遺贈を受けた(7)に規定する公益法人等が特定国立大学法人等でない場合であって、当該贈与又は遺贈を受けた財産が、第五章第三節**一**《一般株式等に係る譲渡所得等の課税の特例》に規定する株式等(同節**一**(一)から同(三)まで、同(五)び同(六)に掲げるものに限る。)、新株予約権付社債(資産の流動化に関する法律第131条第1項に規定する転換特定社債及び同法第139条第1項に規定する新優先出資引受権付特定社債を含む。)又は第二章第二節**4**⑧(九)《内国法人に係る所得税の課税標準》に規定する匿名組合契約の出資の持分であるときは、3月以内)に、これらの申請の承認がなかったとき、又は当該承認をしないことの決定がなかったときは、これらの申請の承認があったものとみなす。(措令25の17⑧)

(一)	①後段の贈与又は遺贈が、公益法人等(法人税法別表第一に掲げる独立行政法人又は地方独立行政法人法施行

	令第６条第３号に掲げる博物館若しくは美術館に係る地方独立行政法人法第21条第６号に掲げる業務を主たる目的とする地方独立行政法人に限る。以下(一)において同じ。）に対するものである場合において、当該贈与又は遺贈につき（1）の申請書（当該贈与又は遺贈に係る財産で文化財保護法第２条第１項第１号に規定する有形文化財（建造物であるもの並びに土地と一体をなしてその価値を形成しているもの及び当該土地であるものを除く。）に該当するものが、当該贈与又は遺贈があった日から２年を経過する日までの期間内に文化観光拠点施設を中核とした地域における文化観光の推進に関する法律（令和２年法律第18号）第６条に規定する認定拠点計画に記載された同法第２条第３項に規定する文化観光拠点施設機能強化事業（同項第１号に掲げる事業に限る。）又は同法第14条に規定する認定地域計画に記載された同法第２条第４項に規定する地域文化観光推進事業（同項第１号に掲げる事業に限る。）のうち公益目的事業に該当するものでこれらの計画について同法第６条又は第14条に規定する認定を受けた当該公益法人等の有する同法第２条第２項に規定する文化観光拠点施設において当該公益法人等が行うものの用に直接供され、又は供される見込みであることを証する文部科学大臣の書類の添付があるものに限る。）の提出があったとき。
(二)	（7）の贈与又は遺贈につき（7）の申請書（（7）の書類の添付があるものに限る。）の提出があった場合

(注)　上記____下線部については、公益信託に関する法律（令和６年法律第30号）の施行の日以後、（8）(一)中「対するもの」の次に「（公益信託の信託財産とするためのものを除く。）」が加えられる。（令６改措令附１三）

（（7）の申請書を提出した者で当該申請の承認があったものが行う手続）

（9）　（7）の申請書（（7）の書類の添付があるものに限る。）を提出した者で当該申請の承認があったものは、（7）に規定するの公益法人等の当該贈与又は遺贈をした日の属する事業年度（租税特別措置法第２条第２項第19号《用語の意義》に規定する事業年度をいう。）において、当該贈与又は遺贈に係る（7）(二)イ、同ロ⑵若しくは同ハから同ホまでに規定する財産が特定管理方法により管理されたこと又は不可欠特定財産について同(二)ロ⑴に規定する定款の定めが設けられたことが確認できる書類として(注)で定めるものを、当該事業年度終了の日から３月以内（当該期間の経過する日後に当該申請書に係る（1）の規定による提出期限が到来する場合には、当該提出期限まで）に、（1）の税務署長を経由して、国税庁長官に提出しなければならない。（措令25の17⑨）

(注)　（9）に規定する(注)で定める書類は、（9）の公益法人等の当該贈与又は遺贈をした日の属する事業年度に係る次の(一)から(五)までに掲げる公益法人等の区分に応じ当該(一)から(五)までに定める書類とする。（措規18の19⑧）

(一)	（7）(注)４(一)に掲げる公益法人等	同(一)に規定する財産につき同(一)に規定する方法により管理されたことを確認できる当該公益法人等が（7）(二)イの所轄庁に提出した書類の写し
(二)	（7）(注)４(二)に掲げる公益法人等	次のイ及びロに掲げる場合の区分に応じそれぞれ次のイ及びロに定める書類 イ　当該公益法人等が当該贈与又は遺贈を受けた財産を（7）(注)４(二)イに規定する不可欠特定財産としている場合　当該財産が当該不可欠特定財産とされたことを確認できる定款及び公益社団法人及び公益財団法人の認定等に関する法律第21条第２項第１号に規定する財産目録の写し ロ　当該公益法人等が（7）(注)４(二)ロに規定する財産を同(二)ロに規定する方法により管理している場合　当該財産が当該方法により管理されたことを確認できる当該公益法人等が（7）(二)ロ⑵の所轄庁に提出した書類の写し
(三)	（7）(注)４(三)に掲げる公益法人等	同(三)に規定する財産につき同(三)に規定する基本金への組み入れがあったことを確認できる学校法人会計基準第36条に規定する基本金明細表その他これに類する書類の写し
(四)	（7）(注)４(四)に掲げる公益法人等	同(四)に規定する財産につき同(四)に規定する基本金への組み入れがあったことを確認できる社会福祉法人会計基準第30条第１項第６号に規定する基本金明細書その他これに類する書類の写し
(五)	（7）(注)４(五)に掲げる公益法人等	同(五)に規定する財産につき同(五)に規定する方法により管理されたことを確認できる当該公益法人等が（7）(二)ホの所轄庁に提出した書類の写し

㊟　上記____下線部については、公益信託に関する法律（令和６年法律第30号）の施行の日以後、「18の19⑧」が「18の19⑩」とされる。（令６改措規附１四）

②　財産等が公益目的事業の用に供されなかった場合の①後段の承認の取消し

国税庁長官は、①後段の規定の適用を受けて贈与又は遺贈があった場合において、当該贈与又は遺贈に係る財産又は代替資産（以下②において「財産等」という。）が当該贈与又は遺贈があった日から２年を経過する日までの期間内に当該公益法人等の当該公益目的事業の用に直接供されなかったときその他の当該財産等が当該公益法人等の当該公益目的事業の用に直接供される前に（1）で定める事実が生じたとき（当該公益法人等が当該財産等（当該財産等の譲渡をした場合には、当該譲渡による収入金額の全部に相当する額の金銭）を国又は地方公共団体に贈与した場合その他（2）で定める場合を除く。）は、①後段の承認を取り消すことができる。この場合には、その承認が取り消された時において、（3）で定めるところにより、①に規定する贈与又は遺贈があったものとみなす。（措法40②）

（②に規定する（1）で定める事実）

（1）　②に規定する（1）で定める事実は、①（5）（二）に規定する期間内に同（二）に規定する財産若しくは代替資産（特定管理方法により管理されているものを除く。）が同（二）の公益目的事業の用に直接供されなかったこと、当該財産若しくは代替資産が当該公益目的事業の用に直接供される前に同（5）（三）に掲げる要件に該当しないこととなったこと又は①（9）の定めるところにより同（9）に規定する①（9）（注）で定める書類の提出がなかったこととする。（措令25の17⑩）

（②に規定する（2）で定める場合）

（2）　②に規定する（2）で定める場合は、⑧に規定する特定処分を受けた⑧に規定する当初法人が、⑧に規定する公益引継資産を国又は地方公共団体に贈与した場合（当該公益引継資産として②に規定する財産又は代替資産（当該財産又は代替資産の譲渡をした場合には、当該譲渡による収入金額の全部に相当する額の金銭）を贈与した場合を除く。）とする。（措令25の17⑪）

（②の規定による取消しがあった場合の所得の金額の計算）

（3）　①後段の規定の適用を受けて行われた贈与又は遺贈に係る①後段の承認につき②の規定による取消しがあった場合には、当該贈与又は遺贈があった時に、その時における価額に相当する金額により、当該贈与又は遺贈に係る財産の譲渡があったものとして、①後段に規定する贈与又は遺贈に係る山林所得の金額、譲渡所得の金額又は雑所得の金額を計算し、当該贈与をした者の当該承認が取り消された日の属する年分（その日までに当該贈与をした者が死亡していた場合には、死亡の日の属する年分。③（4）及び⑱（1）において同じ。）又は当該遺贈をした者の当該遺贈があった日の属する年分の所得として、所得税を課する。（措令25の17⑫）

③　財産等を公益目的事業の用に供しなくなった場合の①後段の承認の取消し

国税庁長官は、①後段の規定の適用を受けて行われた贈与又は遺贈を受けた公益法人等が、当該贈与又は遺贈のあった後、当該贈与又は遺贈に係る財産又は代替資産（以下③において「財産等」という。）をその公益目的事業の用に直接供しなくなったことその他の当該贈与又は遺贈につき（1）で定める事実（②に規定する事実を除く。）が生じた場合（当該公益法人等が当該財産等（当該財産等の譲渡をした場合には、当該譲渡による収入金額の全部に相当する額の金銭）を国又は地方公共団体に贈与した場合その他（2）で定める場合を除く。）には、①後段の承認を取り消すことができる。この場合には、当該公益法人等を当該贈与又は遺贈を行った個人とみなして、（3）で定めるところにより、これに当該財産に係る山林所得の金額、譲渡所得の金額又は雑所得の金額に係る所得税を課する。（措法40③）

（③に規定する（1）で定める事実）

（1）　③に規定する（1）で定める事実は、次の（一）から（三）までに掲げる事実とする。（措令25の17⑬）

（一）	③に規定する財産等（特定管理方法により管理されているものを除く。）をその公益目的事業の用に直接供しなくなったこと。
（二）	①（5）（三）に掲げる要件に該当しないこととなったこと。
（三）	①（7）の申請書の提出の時において同（7）（一）に掲げる要件に該当していなかったこと及び当該提出の時において当該要件に該当しないこととなることが明らかであると認められ、かつ、当該提出の後に当該要件に該当しないこととなったこと（同（7）に規定する公益法人等が特定国立大学法人等である場合を除く。）。

（②（2）の規定の準用）

（2）　②（2）の規定は、③に規定する（2）で定める場合について準用する。（措令25の17⑮）

（財産等を公益目的事業の用に供しなくなった場合の届出書の提出）

（3）　公益法人等（③に規定する財産等（以下（3）において「財産等」という。）を特定管理方法により管理している又は管理していた公益法人等に限る。以下(３)において同じ。)が次の(一)及び(二)のいずれかに該当することとなった場合には、当該公益法人等（(二)に該当することとなった場合における①(７)(二)イ、同ロ又は同ホに掲げる公益法人等を除く。）は、遅滞なく、次の(一)及び(二)に定める事項を記載した届出書を当該公益法人等の主たる事務所の所在地の所轄税務署長を経由して国税庁長官に提出しなければならず、(二)に規定する所轄庁は、遅滞なく、(二)に定める事項を、書面により、当該公益法人等の主たる事務所の所在地の所轄税務署長を経由して国税庁長官に通知しなければならない。(措令25の17⑭)

(一)	当該公益法人等が財産等（特定管理方法により管理されていたものに限るものとし、特定管理方法により管理されているものを除く。）をその公益目的事業の用に直接供しなくなった場合	当該事実その他参考となるべき事項
(二)	当該公益法人等が財産等を特定管理方法により管理しなくなった場合（①(７)(二)イ、同ロ又は同ホに掲げる公益法人等にあっては、当該公益法人等が財産等を特定管理方法により管理しなくなった場合において、当該公益法人等の同(二)イ、同ロ⑵又は同ホに規定する所轄庁が当該事実を知ったとき）	当該事実その他参考となるべき事項

(③の規定による取消しがあった場合の所得の金額の計算)

(４)　①後段の規定の適用を受けて行われた贈与又は遺贈に係る①後段の承認につき③の規定による取消しがあった場合には、当該贈与又は遺贈があった時に、その時における価額に相当する金額により、当該贈与又は遺贈に係る財産の譲渡があったものとして、①後段に規定する財産に係る山林所得の金額、譲渡所得の金額又は雑所得の金額を計算し、当該承認に係る公益法人等の当該承認が取り消された日の属する年分（遺贈の場合には当該遺贈があった日の属する年分とし、当該公益法人等が当該承認が取り消された日の属する年以前に解散をした場合には当該解散の日（当該解散が合併による解散である場合には、当該合併の日の前日）の属する年分とする。）の所得として、所得税を課する。この場合において、当該公益法人等の住所は、その主たる事務所の所在地にあるものとする。(措令25の17⑯)

(注)　上記＿＿下線部については、公益信託に関する法律（令和６年法律第30号）の施行の日以後、(４)中「係る公益法人等」の次に「(④(三)の規定の適用がある場合には、同(三)に規定する主宰受託者。以下(６)まで及び⑰(１)において同じ。)」が加えられ、「解散を」が「解散又は死亡を」に、「前日)」が「前日）又は死亡の日」に、「の住所は、その」が「(個人を除く。）の住所は、その本店又は」に改められる。(令６改措令附１三)

(国税通則法第15条の規定の適用)

(５)　③後段の規定により公益法人等（(４)に規定する承認が取り消された日の属する年以前に解散をしたものに限る。)に課される所得税に係る国税通則法第15条《納税義務の成立及びその納付すべき税額の確定》の規定の適用については、同条第２項第１号中「暦年の終了の時」とあるのは、「解散の日（合併による解散の場合には、当該合併の日の前日）を経過する時」とする。(措令25の17⑰)

(所得税法第二編第五章第二節の規定の適用)

(６)　③後段の規定により公益法人等（(４)に規定する承認が取り消された日の属する年以前に解散をしたものに限る。)に課される所得税に係る所得税法第二編第五章第二節の規定の適用については、第十章第二節**二１**①《確定所得申告》中「第３期（その年の翌年２月16日から３月15日までの期間をいう。以下第二節において同じ。）において」とあるのは「解散の日（合併による解散の場合には、当該合併の日の前日）の翌日から２月以内（当該翌日から２月以内に残余財産の最後の分配又は引渡しが行われる場合には、その行われる日の前日まで）に」と、同章第三節**１**《確定申告による納付》中「第３期において」とあるのは「解散の日（合併による解散の場合には、当該合併の日の前日）の翌日から２月以内（当該翌日から２月以内に残余財産の最後の分配又は引渡しが行われる場合には、その行われる日の前日まで）に」とする。(措令25の17⑱)

④　③後段の規定の適用を受けた公益法人等に対する法人税法の規定の適用

③後段の規定の適用を受けた公益法人等に対する法人税法の規定の適用については、同法第38条第２項《法人税額等の損金不算入》中「次に掲げるもの」とあるのは、「次に掲げるもの及び租税特別措置法第40条第３項後段《国等に対して財産を寄附した場合の譲渡所得等の非課税》の規定による所得税（当該所得税に係る同項の財産の価額が当該財産の同条第１項に規定する贈与又は遺贈を受けた同項に規定する公益法人等の各事業年度の所得の金額の計算上益金の額に算入され

た場合における当該所得税を除く。)」とする。(措法40④)

(注)　公益信託に関する法律(令和６年法律第30号)の施行の日以後、④が次のように改められる。(令６改所法等附１九へ)

④　**③後段の規定の適用を受けた公益法人等に対する国税通則法の規定の適用等**

③後段の規定の適用がある場合には、③後段の規定の適用を受ける公益法人等が①(二)に規定する公益信託の受託者である場合において、当該公益信託の受託者が二以上あるときは、当該公益信託の信託事務を主宰する受託者(以下④、⑪及び⑫において「主宰受託者」という。)を③後段に規定する個人とみなして③後段の規定を適用する。この場合において、当該主宰受託者に課する③後段の財産に係る所得税については、当該主宰受託者以外の受託者は、その所得税について、連帯納付の責めに任ずる。(措法40④三)

⑤　③の代替資産

③の代替資産には、次の(一)及び(二)に掲げる資産を含むものとする。この場合において、(一)の書類を提出した公益法人等は、(一)の買換資産を、(一)の譲渡の日の翌日から１年を経過する日までの期間(当該期間内に(一)の公益目的事業の用に直接供することが困難である場合として(１)で定める事情があるときは、(１)で定める期間)内に、当該公益目的事業の用に直接供しなければならないものとし、(二)の書類を提出した公益法人等は、(二)の特定買換資産を、(二)の方法により管理しなければならないものとする。(措法40⑤)

(一)	③の公益法人等が、③の贈与又は遺贈を受けた財産(当該公益法人等の公益目的事業の用に２年以上直接供しているものに限る。)の譲渡をし、その譲渡による収入金額の全部に相当する金額をもって資産(当該財産に係る公益目的事業の用に直接供することができる当該財産と同種の資産((注)１で定めるものを含む。)、土地及び土地の上に存する権利に限る。以下(一)及び⑯において「買換資産」という。)を取得した場合において、その譲渡の日の前日までに、当該譲渡の日その他の(注)２で定める事項を記載した書類を、納税地の所轄税務署長を経由して国税庁長官に提出したときにおける当該買換資産
(二)	③の公益法人等が、③の贈与又は遺贈を受けた財産((２)で定めるものを除く。)で(２)で定める方法により管理しているものの譲渡をし、その譲渡による収入金額の全部に相当する金額をもって資産(以下(二)及び⑯において「特定買換資産」という。)を取得した場合において、その譲渡の日の前日までに、その管理の方法その他の(注)３で定める事項を記載した書類を、納税地の所轄税務署長を経由して国税庁長官に提出したときにおける当該特定買換資産

(注)１　⑤(一)に規定する(注)１で定めるものは、③に規定する公益法人等が③の贈与又は遺贈を受けた⑤(一)に規定する財産((注)２において「譲渡財産」という。)が株式である場合における公社債及び投資信託の受益権とする。(措規18の19⑨)

２　⑤(一)に規定する(注)２で定める事項は、次の(一)から(五)までに掲げる事項とする。(措規18の19⑩)

(一)	⑤(一)に規定する書類を提出する公益法人等の名称、主たる事務所の所在地及び法人番号
(二)	当該公益法人等が譲渡をしようとする譲渡財産の種類、所在地及び数量並びに当該公益法人等が当該譲渡財産を①後段に規定する公益目的事業の用に直接供した年月日並びに当該譲渡財産の譲渡予定価額及び譲渡予定年月日
(三)	当該譲渡財産を当該公益法人等に贈与又は遺贈をした者の氏名及び住所又は居所、当該贈与又は遺贈をした年月日並びに当該贈与又は遺贈に係る①後段の承認を受けた年月日(以下**３**において「承認年月日」という。)
(四)	当該公益法人等が取得する⑤(一)に規定する買換資産の種類、所在地、数量、取得予定価額、取得予定年月日、使用開始予定年月日(⑤後段に規定する(１)で定める事情がある場合には、その事情の詳細を含む。)及び使用目的
(五)	その他参考となるべき事項

３　⑤(二)に規定する(注)３で定める事項は、次の(一)から(六)までに掲げる事項とする。(措規18の19⑪)

(一)	⑤(二)に規定する書類を提出する公益法人等の名称、主たる事務所の所在地及び法人番号
(二)	当該公益法人等が③の贈与又は遺贈を受けた⑤(二)に規定する財産(以下(注)３及び(注)４において「譲渡財産」という。)を管理している(２)に規定する方法及び次のイ及びロに掲げる公益法人等の区分に応じそれぞれ次のイ及びロに定める事項 イ　①(７)(注)４(一)、同(二)又は同(五)にに掲げる公益法人等　当該公益法人等の①(９)(注)(一)、同(二)ロ又は同(五)の所轄庁の名称、当該譲渡財産が当該方法により管理されることにつき当該所轄庁に確認されたことを証する書類の発行年月日及び当該譲渡財産を当該方法により管理することが当該公益法人等の合議制の機関において決定された年月日 ロ　①(７)(注)４(三)又は同(四)に掲げる公益法人等　当該譲渡財産を当該方法により管理することが当該公益法人等の理事会において決定された年月日
(三)	当該公益法人等が譲渡をしようとする譲渡財産の種類、所在地、数量、譲渡予定価額及び譲渡予定年月日
(四)	当該譲渡財産を当該公益法人等に贈与又は遺贈をした者の氏名及び住所又は居所、当該贈与又は遺贈をした年月日並びに当該贈与又は遺贈に係る承認年月日
(五)	当該公益法人等が取得する⑤(二)に規定する特定買換資産の種類、所在地、数量、取得予定価額、取得予定年月日、使用目的及び当該特定買換資産を(二)に規定する方法により管理することについての当該公益法人等の理事会その他の合議制の機関における決

	定予定年月日
(六)	その他参考となるべき事項

4　(注) 3 (一)に規定する書類を提出しようとする公益法人等は、当該書類に、譲渡財産が同(二)に規定する方法により管理されたことを確認できる書類の写し（当該公益法人等が同(二)イに掲げる法人である場合には、当該譲渡財産が当該方法により管理されることにつき同(二)イの所轄庁に確認されたことを証する書類の写しを含む。）を添付しなければならない。（措規18の19⑫）

5　上記＿＿下線部については、公益信託に関する法律（令和６年法律第30号）の施行の日以後、⑤(一)及び(二)中「⑯」が「⑱」に改められる。（令６改所法等附１九へ）

㊟1　上記＿＿下線部については、公益信託に関する法律（令和６年法律第30号）の施行の日以後、(注) 1 中「18の19⑨」が「18の19⑪」とされる。（令６改措規附１四）

2　上記＿＿下線部については、公益信託に関する法律（令和６年法律第30号）の施行の日以後、(注) 2 (一)中「法人番号」の次に「(当該公益法人等が公益信託の受託者である場合には、当該公益信託の受託者の氏名又は名称、住所若しくは居所又は本店若しくは主たる事務所の所在地及び個人番号又は法人番号（当該公益信託の受託者が二以上ある場合には、その主宰受託者の氏名又は名称を含む。）並びに当該公益信託の名称)」が加えられ、「18の19⑩」が「18の19⑫」とされる。（令６改措規附１四）

3　上記＿＿下線部については、公益信託に関する法律（令和６年法律第30号）の施行の日以後、(注) 3 中「18の19⑪」が「18の19⑬」とされる。（令６改措規附１四）

4　上記＿＿下線部については、公益信託に関する法律（令和６年法律第30号）の施行の日以後、(注) 4 中「18の19⑫」が「18の19⑭」とされる。（令６改措規附１四）

（⑤に規定する（1）で定める事情、⑤に規定する（1）で定める期間）

（1）　⑤に規定する（1）で定める事情は、⑤の公益法人等が⑤(一)に規定する買換資産として取得した土地の上に建設をする同(一)に規定する財産に係る公益目的事業の用に直接供する建物のその建設に要する期間が通常１年を超えることその他当該買換資産を同(一)の譲渡の日の翌日から１年を経過する日までの期間内に当該公益目的事業の用に直接供することが困難であるやむを得ない事情とし、⑤に規定する（1）で定める期間は、当該譲渡の日の翌日から国税庁長官が認める日までの期間とする。（措令25の17⑲）

（⑤(二)に規定する（2）で定める財産、⑤(二)に規定する（2）で定める方法）

（2）　⑤(二)に規定する（2）で定める財産は、①（7）の規定の適用を受けて行われた贈与又は遺贈に係る財産とし、⑤(二)に規定する（2）で定める方法は、特定管理方法とする。（措令25の17⑳）

⑥　合併により公益法人等に係る③の財産等を合併後存続・設立する法人に移転しようとする場合

①後段の規定の適用を受けて行われた贈与又は遺贈（以下**3**において「特定贈与等」という。）を受けた公益法人等が、合併により当該公益法人等に係る③に規定する財産等を合併後存続する法人又は合併により設立する法人（公益法人等に該当するものに限る。以下⑥において「公益合併法人」という。）に移転しようとする場合において、当該合併の日の前日までに、（1）で定めるところにより、当該合併の日その他の(注) 1 で定める事項を記載した書類を、納税地の所轄税務署長を経由して国税庁長官に提出したときは、当該合併の日以後は、当該公益合併法人は当該特定贈与等に係る公益法人等と、当該公益合併法人がその移転を受けた資産は当該特定贈与等に係る財産と、それぞれみなして、**3**の規定を適用する。（措法40⑥）

(注) 1　⑥に規定する(注)で定める事項は、次の(一)から(五)までに掲げる事項とする。（措規18の19⑬）

(一)	⑥に規定する特定贈与等を受けた公益法人等の名称、主たる事務所の所在地及び法人番号並びに合併予定年月日
(二)	当該公益法人等が⑥に規定する公益合併法人に移転をしようとする⑥に規定する財産等の種類、所在地及び数量
(三)	当該公益合併法人の名称、主たる事務所の所在地及び法人番号（法人番号を有しない法人にあっては、名称及び主たる事務所の所在地）並びに当該公益合併法人が当該移転を受ける資産の使用開始予定年月日（⑬において準用する⑤後段に規定する⑤（1）で定める事情がある場合には、その事情の詳細を含む。）及び使用目的
(四)	(二)に規定する財産等（当該財産等が、当該公益法人等が当該特定贈与等を受けた財産以外のものである場合には、当該財産）を当該公益法人等に当該特定贈与等をした者の氏名及び住所又は居所並びに当該特定贈与等に係る贈与又は遺贈をした年月日及び承認年月日並びに当該財産の種類、所在地及び数量
(五)	その他参考となるべき事項

2　上記＿＿下線部については、公益信託に関する法律（令和６年法律第30号）の施行の日以後、⑥中「、合併」の次に「(信託法第56条第２項の規定による合併を除く。)」が、「財産等を」及び「法人又は」の次に「当該」が加えられる。（令６改所法等附１九へ）

㊟　上記＿＿下線部については、公益信託に関する法律（令和６年法律第30号）の施行の日以後、(注) 1 (三)中「⑬」が「⑮」に改められ、「18の19⑬」が「18の19⑮」とされる。（令６改措規附１四）

（⑥の規定の適用を受けようとする場合の手続）

（1）　⑥に規定する特定贈与等を受けた公益法人等が、合併により⑥に規定する財産等を⑥に規定する公益合併法人に移転しようとする場合において、⑥の規定の適用を受けようとするときは、当該合併の日の前日までに、⑥に規定する書類に、当該公益合併法人が⑥の規定の適用を受けることを確認したことを証する書類を添付して、これを当該公益法人等の主たる事務所の所在地の所轄税務署長を経由して、国税庁長官に提出しなければならない。（措令25の17㉑）

（注）　上記＿＿下線部については、公益信託に関する法律（令和６年法律第30号）の施行の日以後、（1）中「合併により⑥」が「⑥に規定する合併により⑥」に改められる。（令６改措令附１三）

⑦　解散による残余財産の分配又は引渡しにより当該公益法人等に係る③に規定する財産等を解散引継法人に移転しようとする場合

特定贈与等を受けた公益法人等が、解散（合併による解散を除く。）による残余財産の分配又は引渡しにより当該公益法人等に係る③に規定する財産等を他の公益法人等（以下⑦において「解散引継法人」という。）に移転しようとする場合において、当該解散の日の前日までに、（1）で定めるところにより、当該解散の日その他の（注）1で定める事項を記載した書類を、納税地の所轄税務署長を経由して国税庁長官に提出したときは、当該解散の日以後は、当該解散引継法人は当該特定贈与等に係る公益法人等と、当該解散引継法人がその移転を受けた資産は当該特定贈与等に係る財産と、それぞれみなして、**3**の規定を適用する。（措法40⑦）

（注）1　⑥（注）の規定は、⑦に規定する（注）1で定める事項について準用する。この場合において、⑥（注）（一）中「合併予定年月日」とあるのは「解散予定年月日」と、⑥（注）（二）及び同（三）中「公益合併法人」とあるのは「解散引継法人」と読み替えるものとする。（措規18の19⑭）

2　上記＿＿下線部については、公益信託に関する法律（令和６年法律第30号）の施行の日以後、⑦中「による解散」の次に「及び信託法第56条第１項第４号に掲げる事由による解散」が加えられ、「以下⑦において「解散引継法人」という」が「①（一）に掲げる者に限る」に、「移転しよう」が「移転し、又は類似の公益信託に関する法律第２条第１項第２号に規定する公益事務（⑧及び⑫において「公益事務」という。）をその目的とする公益信託（その公益信託の受託者が①（二）に掲げる者に該当する者であるものに限る。）の信託財産としよう」に、「解散引継法人は」が「他の公益法人等又は当該公益信託の受託者（以下⑦において「解散引継法人等」という。）は」に、「解散引継法人がその移転を受けた」が「解散引継法人等がその移転を受け、又は当該公益信託の信託財産として受け入れた」に改められる。（令６改所法等附１九へ）

㊟　上記＿＿下線部については、公益信託に関する法律（令和６年法律第30号）の施行の日以後、（注）1中「⑥（注）の規定は、」が削られ、「について準用する」が「は、次の（一）から（五）までに掲げる事項とする」に改められ、（注）1後段が削られ、（注）1に次の（一）から（五）までが加えられ、「18の19⑭」が「18の19⑯」とされる。（令６改措規附１四）

（一）	特定贈与等を受けた公益法人等の名称、主たる事務所の所在地及び法人番号並びに解散予定年月日
（二）	当該公益法人等が⑦に規定する他の公益法人等に移転をし、又は⑦に規定する公益信託の信託財産としようとする⑦に規定する財産等の種類、所在地及び数量
（三）	⑦に規定する解散引継法人等の名称、主たる事務所の所在地及び法人番号（当該解散引継法人等が当該公益信託の受託者である場合には、当該公益信託の受託者の氏名又は名称、住所若しくは居所又は本店若しくは主たる事務所の所在地及び個人番号又は法人番号（当該公益信託の受託者が二以上ある場合には、その主宰受託者の氏名又は名称を含む。）並びに当該公益信託の名称）並びに当該解散引継法人等が当該移転を受け、又は当該公益信託の信託財産として受け入れる資産の使用開始予定年月日（⑮において準用する⑤後段に規定する⑤（1）で定める事情がある場合には、その事情の詳細を含む。）及び使用目的
（四）	（二）に規定する財産等（当該財産等が、当該公益法人等が当該特定贈与等を受けた財産以外のものである場合には、当該財産）を当該公益法人等に当該特定贈与等をした者の氏名及び住所又は居所並びに当該特定贈与等に係る贈与又は遺贈をした年月日及び承認年月日並びに当該財産の種類、所在地及び数量
（五）	その他参考となるべき事項

（⑥（1）の規定の準用）

（1）　⑥（1）の規定は、特定贈与等を受けた公益法人等が⑦に規定する解散による残余財産の分配若しくは引渡しにより⑦に規定する財産等を⑦に規定する解散引継法人に移転しようとする場合について準用する。（措令25の17㉒（編者補正））

（注）　上記＿＿下線部については、公益信託に関する法律（令和６年法律第30号）の施行の日以後、（1）が次のように改められる。（令６改措令附１三）

（必要書類の提出）

（1）　特定贈与等を受けた公益法人等が、⑦に規定する解散による残余財産の分配又は引渡しにより⑦に規定する財産等を⑦に規定する他の公益法人等に移転し、又は⑦に規定する公益信託の信託財産としようとする場合において、⑦の規定の適用を受けようとするときは、当該解散の日の前日までに、⑦に規定する書類に、⑦に規定する解散引継法人等が⑦の規定の適用を受けることを確認したことを証する書類を添付して、これを当該公益法人等の主たる事務所の所在地の所轄税務署長を経由して、国税庁長官に提出しなければなら

ない。(措令25の17㉒)

⑧　公益認定の取消しの処分を受けたものが引継財産を引継法人に贈与しようとする場合

特定贈与等を受けた公益法人等で公益社団法人及び公益財団法人の認定等に関する法律（以下⑧及び⑭において「公益認定法」という。）第29条第１項又は第２項の規定による公益認定法第５条に規定する公益認定の取消しの処分（当該取消しの処分に係る事由により①後段の承認を取り消すことができる場合の当該処分を除く。以下⑧において「特定処分」という。）を受けたもの（当該特定処分後において、①に規定する特定一般法人に該当するものに限る。以下⑧において「当初法人」という。）が、同条第17号に規定する定款の定めに従い、その有する公益認定法第30条第２項に規定する公益目的取得財産残額に相当する額の財産（以下⑧において「引継財産」という。）を他の公益法人等（以下⑧において「引継法人」という。）に贈与しようとする場合において、当該贈与の日の前日までに、(1)で定めるところにより、当該贈与の日その他の(注)１で定める事項を記載した書類を、納税地の所轄税務署長を経由して国税庁長官に提出したときは、当該贈与の日以後は、当該引継法人は当該特定贈与等に係る公益法人等と、当該引継法人が当該贈与を受けた公益引継資産（当該引継財産のうち、当該特定処分を受けた公益法人等に係る③に規定する財産等に相当するものとして(2)で定める部分をいう。）は当該特定贈与等に係る財産と、それぞれみなして、**3**の規定を適用する。この場合において、当該贈与の日以後は、当該当初法人については、③の規定は、適用しない。(措法40⑧)

(注)１　⑧に規定する(注)１で定める事項は、次の(一)から(七)までに掲げる事項とする。(措規18の19⑮)

(一)	⑧に規定する当初法人の名称、主たる事務所の所在地及び法人番号、⑧に規定する特定処分（⑫(注)１において「特定処分」という。）を受けた年月日並びに当該特定処分後において⑧に規定する特定一般法人に該当することとなった事情の詳細
(二)	当該当初法人が⑧に規定する引継法人に贈与をしようとする⑧に規定する公益引継資産の種類、所在地、数量及び当該特定処分を受けた日の前日における価額並びに当該贈与予定年月日
(三)	当該引継法人が当該贈与を受ける当該公益引継資産をもって資産を取得しようとする場合には、その取得しようとする資産（(四)において「代替公益引継資産」という。）の種類、所在地、数量、取得予定価額及び取得予定年月日
(四)	当該引継法人の名称、主たる事務所の所在地及び法人番号並びに当該引継法人が当該贈与を受ける当該公益引継資産（代替公益引継資産を含む。）の使用開始予定年月日（⑬において準用する⑤後段に規定する⑤(1)で定める事情がある場合には、その事情の詳細を含む。）及び使用目的
(五)	当該公益引継資産（当該公益引継資産が、当該当初法人が特定贈与等を受けた財産以外のものである場合には、当該財産）を当該当初法人に当該特定贈与等をした者の氏名及び住所又は居所並びに当該特定贈与等に係る贈与又は遺贈をした年月日及び承認年月日並びに当該財産の種類、所在地及び数量
(六)	当該公益引継資産が(2)(二)に掲げる引継財産である場合には、(2)(注)１又は同(注)２の規定により計算した金額及び当該金額の計算に関する明細
(七)	その他参考となるべき事項

２　上記＿＿下線部については、公益信託に関する法律（令和６年法律第30号）の施行の日以後、⑧中「⑭」が「⑯」に、「、①」が「、①(一)」に、「以下⑧において「引継法人」という」が「①(一)に掲げる者に限る」に、「贈与しよう」が「贈与し、又は類似の公益事務をその目的とする公益信託（その公益信託の受託者が①(二)に掲げる者に該当する者であるものに限る。）の信託財産としよう」に、「贈与の日の」が「贈与の日又は当該信託財産とする日（以下⑧において「贈与等の日」という。）の」に、「贈与の日その他」が「贈与等の日その他」に、「贈与の日以後」が「贈与等の日以後」に、「引継法人は」が「他の公益法人等又は当該公益信託の受託者（以下⑧において「引継法人等」という。）は」に、「引継法人が当該贈与を受けた」が「引継法人等が当該贈与を受け、又は当該公益信託の信託財産として受け入れた」に改められる。(令６改所法等附１九へ)

３　上記＿＿下線部については、公益社団法人及び公益財団法人の認定等に関する法律の一部を改正する法律（令和６年法律第30号）の施行の日以後、⑧中「同条第17号」が「同条第20号」に改められる。(令６改所法等附１十六)

㊟　上記＿＿下線部については、公益信託に関する法律（令和６年法律第30号）の施行の日以後、(注)１(二)中「引継法人に贈与を」が「他の公益法人等に贈与をし、又は⑧に規定する公益信託の信託財産と」に改められ、(注)１(三)中「当該引継法人」が「⑧に規定する引継法人等」に、「受ける」が「受け、又は当該公益信託の信託財産として受け入れる」に改められ、(注)１(四)中「引継法人」が「引継法人等」に改められ、「法人番号」の次に「(当該引継法人等が当該公益信託の受託者である場合には、当該公益信託の受託者の氏名又は名称、住所若しくは居所又は本店若しくは主たる事務所の所在地及び個人番号又は法人番号（当該公益信託の受託者が二以上ある場合には、その主宰受託者の氏名又は名称を含む。）並びに当該公益信託の名称)」が加えられ、「受ける」が「受け、又は当該公益信託の信託財産として受け入れる」に、「⑬」が「⑮」に改められ、「18の19⑮」が「18の19⑰」とされる。(令６改措規附１四)

(⑥(1)の規定の準用)

(1)　⑥(1)の規定は、⑧に規定する当初法人が⑧の規定により⑧に規定する引継財産（(2)において「引継財産」という。）を⑧に規定する引継法人に贈与しようとする場合について準用する。(措令25の17㉒（編者補正）)

(注)　上記＿＿下線部については、公益信託に関する法律（令和６年法律第30号）の施行の日以後、(1)が次のように改められる。(令６改措令附１三)

（必要書類の提出）

（1）　⑧に規定する当初法人が、⑧の規定により⑧に規定する引継財産（（2）において「引継財産」という。）を⑧に規定する他の公益法人等に贈与し、又は⑧に規定する公益信託の信託財産としようとする場合において、⑧の規定の適用を受けようとするときは、⑧に規定する贈与等の日の前日までに、⑧に規定する書類に、⑧に規定する引継法人等が⑧の規定の適用を受けることを確認したことを証する書類を添付して、これを当該当初法人の主たる事務所の所在地の所轄税務署長を経由して、国税庁長官に提出しなければならない。（措令25の17㉓）

（⑧に規定する（2）で定める部分）

（2）　⑧に規定する（2）で定める部分は、引継財産の次の(一)及び(二)に掲げる区分に応じ当該(一)及び(二)に定めるものとする。（措令25の17㉓）

(一)	⑧に規定する財産等	当該財産等
(二)	(一)に掲げる引継財産以外の引継財産	⑧に規定する公益目的取得財産残額を基礎として（注）1で定めるところにより計算した金額に相当する額の資産

（注）1　（2）(二)に規定する（注）1で定めるところにより計算した金額は、当初法人の⑧に規定する公益目的取得財産残額に、(一)に掲げる金額のうちに(二)に掲げる金額の占める割合を乗じて計算した金額とする。（措規18の19⑯）

(一)	公益社団法人及び公益財団法人の認定等に関する法律施行規則（（注）2において「公益認定法施行規則」という。）第49条第1号に掲げる額（その額が零を下回る場合にあっては、零）と同条第2号に掲げる額との合計額
(二)	⑧に規定する財産等の⑧に規定する特定処分を受けた日の前日における価額

2　公益認定法施行規則第50条第1項の規定の適用がある場合における（2）(二)に規定する（注）2で定めるところにより計算した金額は、（注）1の規定にかかわらず、当初法人の⑧に規定する公益目的取得財産残額に、(一)に掲げる金額のうちに(二)に掲げる金額の占める割合を乗じて計算した金額とする。（措規18の19⑰）

(一)	公益認定法施行規則第50条第3項第1号に掲げる額（その額が零を下回る場合にあっては、零）と同項第2号に掲げる額との合計額
(二)	（注）1(二)に掲げる金額

3　上記～～下線部については、公益信託に関する法律（令和6年法律第30号）の施行の日以後、「25の17㉓」が「25の17㉔」とされる。（令6改措令附1三）

㊟1　上記～～下線部については、公益信託に関する法律（令和6年法律第30号）の施行の日以後、（注）1中「18の19⑯」が「18の19⑱」とされる。（令6改措規附1四）

2　上記～～下線部については、公益信託に関する法律（令和6年法律第30号）の施行の日以後、（注）2中「18の19⑰」が「18の19⑲とされる。（令6改措規附1四）

⑨　特定贈与等を受けた①に規定する特定一般法人が受贈公益法人等に贈与しようとする場合

特定贈与等を受けた①に規定する特定一般法人が、③に規定する財産等を他の公益法人等（以下⑨において「受贈公益法人等」という。）に贈与しようとする場合（一般社団法人及び一般財団法人に関する法律及び公益社団法人及び公益財団法人の認定等に関する法律の施行に伴う関係法律の整備等に関する法律第119条第2項第1号ロに掲げる寄附に該当する場合に限る。）において、当該贈与の日の前日までに、（1）で定めるところにより、当該贈与の日その他の（注）1で定める事項を記載した書類を、納税地の所轄税務署長を経由して国税庁長官に提出したときは、当該贈与の日以後は、当該受贈公益法人等は当該特定贈与等に係る公益法人等と、当該受贈公益法人等が当該贈与を受けた資産は当該特定贈与等に係る財産と、それぞれみなして、**3**の規定を適用する。（措法40⑨）

（注）1　⑨に規定する（注）1で定める事項は、次の(一)から(六)までに掲げる事項とする。（措規18の19⑱）

(一)	⑨に規定する特定一般法人の名称、主たる事務所の所在地及び法人番号
(二)	当該特定一般法人の⑨に規定する受贈公益法人等への贈与が一般社団法人及び一般財団法人に関する法律及び公益社団法人及び公益財団法人の認定等に関する法律の施行に伴う関係法律の整備等に関する法律第119条第2項第1号ロに掲げる寄附に該当する旨
(三)	当該特定一般法人が当該受贈公益法人等に贈与をしようとする⑨に規定する財産等の種類、所在地及び数量並びに当該贈与予定年月日
(四)	当該受贈公益法人等の名称、主たる事務所の所在地及び法人番号並びに当該受贈公益法人等が当該贈与を受ける資産の使用開始予定年月日（⑬において準用する⑤後段に規定する⑤（1）で定める事情がある場合には、その事情の詳細を含む。）及び使用目的
(五)	(三)に規定する財産等（当該財産等が、当該特定一般法人が特定贈与等を受けた財産以外のものである場合には、当該財産）を当該特定一般法人に当該特定贈与等をした者の氏名及び住所又は居所並びに当該特定贈与等に係る贈与又は遺贈をした年月日及び承認年月日並びに当該財産の種類、所在地及び数量

(六)	その他参考となるべき事項

2　上記＿＿下線部については、公益信託に関する法律（令和６年法律第30号）の施行の日以後、⑨中「①」が「①(一)」に改められる。（令６改所法等附１九へ）

㊟　上記＿＿下線部については、公益信託に関する法律（令和６年法律第30号）の施行の日以後、（注）１(四)中「⑬」が「⑮」に改められ、「18の19⑱」が「18の19⑳」とされる。（令６改措規附１四）

（⑥(１)の規定の準用）

（１）　⑥(１)の規定は、特定贈与等を受けた⑨に規定する特定一般法人が⑨の規定により⑨に規定する財産等を⑨に規定する受贈公益法人等に贈与しようとする場合について準用する。（措令25の17㉒（編者補正））

（注）　公益信託に関する法律（令和６年法律第30号）の施行の日以後、（１）中「25の17㉒」が「25の17㉕」に改められる。（令６改措令附１三）

⑩　特定贈与等を受けた公益法人等が財産等を他の公益法人等に贈与をしようとする場合

特定贈与等を受けた公益法人等（幼稚園（就学前の子どもに関する教育、保育等の総合的な提供の推進に関する法律第２条第２項に規定する幼稚園をいう。以下⑩において同じ。）又は保育所等（同条第５項に規定する保育所等をいう。以下⑩において同じ。）を設置する者で（１）で定める要件を満たすものに限る。以下⑩において「譲渡法人」という。）が、当該譲渡法人に係る③に規定する財産等（当該幼稚園又は保育所等に係る事業の用に直接供されているものに限る。）を他の公益法人等（同条第７項に規定する幼保連携型認定こども園、幼稚園又は保育所等を設置しようとする者で（２）で定める要件を満たすものに限る。以下⑩において「譲受法人」という。）に贈与をしようとする場合において、当該贈与の日の前日までに、（３）で定めるところにより、当該贈与の日その他の（注）１で定める事項を記載した書類を、納税地の所轄税務署長を経由して国税庁長官に提出したときは、当該贈与の日以後は、当該譲受法人は当該特定贈与等に係る公益法人等と、当該譲受法人がその贈与を受けた資産は当該特定贈与等に係る財産と、それぞれみなして、**3**の規定を適用する。（措法40⑩）

（注）１　⑩に規定する（注）１で定める事項は、次の(一)から(五)までに掲げる事項とする。（措規18の19⑲）

(一)	⑩に規定する譲渡法人の名称、主たる事務所の所在地及び法人番号並びに当該譲渡法人の次のイからハまでに掲げる者の区分に応じそれぞれ次のイからハまでに定める日 イ　⑩に規定する幼稚園（以下**3**において「幼稚園」という。）を設置する者　当該幼稚園の廃止若しくは設置者の変更（（１）(一)に規定する設置者の変更をいう。（２）（注）２において同じ。）の認可（同(一)に規定する認可をいう。イ、（２）（注）１(二)イ及び同（注）２において同じ。）を受けた日又は当該認可の申請をした日 ロ　（１）(二)イに規定する保育所（以下**3**において「保育所」という。）を設置する者　当該保育所の廃止の承認（同(二)イに規定する承認をいう。ロ及び（２）（注）１(二)ロにおいて同じ。）を受けた日又は当該承認の申請をした日 ハ　（１）(二)ロに規定する保育機能施設（以下**3**において「保育機能施設」という。）を設置する者　当該保育機能施設の設置者変更の届出（同(二)ロに規定する設置者変更の届出をいう。）を行った日
(二)	当該譲渡法人が⑩に規定する譲受法人に贈与をしようとする⑩に規定する財産等の種類、所在地及び数量並びに当該贈与予定年月日
(三)	当該譲受法人の名称、主たる事務所の所在地及び法人番号、当該譲受法人が当該贈与を受ける資産の使用開始予定年月日（⑬において準用する⑤後段に規定する⑤(１)で定める事情がある場合には、その事情の詳細を含む。）及び使用目的（⑬(１)に規定する事業に係るものに限る。）並びに当該譲受法人の次のイからニまでに掲げる者の区分に応じそれぞれ次のイからニまでに定める日 イ　⑩に規定する幼保連携型認定こども園（以下**3**において「幼保連携型認定こども園」という。）を設置しようとする者　幼保連携型認定こども園（（２）（注）１に規定する幼保連携型認定こども園に限る。）の設置の認可（（２）(一)に規定する認可をいう。イにおいて同じ。）を受けた日又は当該設置の認可の同(一)に規定する申請をした日 ロ　幼稚園を設置しようとする者　幼稚園（（２）（注）２に規定する幼稚園に限る。）の設置若しくは設置者の変更（（２）(二)に規定する設置者の変更をいう。）の認可（同(二)に規定する認可をいう。ロにおいて同じ。）を受けた日又は当該認可の申請をした日 ハ　保育所を設置しようとする者　保育所（（２）（注）４に規定する保育所に限る。）の設置の認可（（２）(三)イに規定する認可をいう。ハにおいて同じ。）を受けた日又は当該認可の申請をした日 ニ　保育機能施設を設置しようとする者　譲渡法人が設置していた保育機能施設につき、その設置者の変更（（２）(三)ロに規定する変更をいう。）を事由とする届出（同(三)ロに規定する届出をいう。）が行われた日
(四)	(二)に規定する財産等（当該財産等が、当該譲渡法人が特定贈与等を受けた財産以外のものである場合には、当該財産）を当該譲渡法人に当該特定贈与等をした者の氏名及び住所又は居所並びに当該特定贈与等に係る贈与又は遺贈をした年月日及び承認年月日並びに当該財産の種類、所在地及び数量
(五)	その他参考となるべき事項

2　上記＿＿下線部については、公益信託に関する法律（令和６年法律第30号）の施行の日以後、⑩中「公益法人等（」の次に「①(一)に掲げる者であって、」が加えられる。（令６改所法等附１九へ）

㊟　上記＿＿下線部については、公益信託に関する法律（令和６年法律第30号）の施行の日以後、（注）１(三)中「⑬」が「⑮」に改められ、「18の19⑲」が「18の19㉑」とされる。（令６改措規附１四）

（⑩に規定する幼稚園又は保育所等を設置する者に係る(１)で定める要件）

(１)　⑩に規定する幼稚園又は保育所等を設置する者に係る(１)で定める要件は、⑩に規定する特定贈与等を受けた公益法人等の次の(一)及び(二)に掲げる者の区分に応じ当該(一)及び(二)に定める要件とする。（措令25の17㉔）

(一)	⑩に規定する幼稚園を設置する者	当該幼稚園の廃止若しくは設置者の変更（当該設置する者が当該幼稚園の設置者たることをやめようとするものに限る。）の認可（学校教育法第４条第１項に規定する認可をいい、当該設置する者の解散（当該解散による残余財産の分配又は引渡しにより⑩に規定する財産等を⑩に規定する譲受法人に移転する場合に限る。(二)において同じ。）に伴うものを除く。以下(一)において同じ。）を受け、又は当該認可の申請をしていること。
(二)	⑩に規定する保育所等（以下(二)及び(２)において「保育所等」という。）を設置する者	当該保育所等の次のイ及びロに掲げる区分に応じそれぞれ次のイ及びロに定める要件 イ　保育所（就学前の子どもに関する教育、保育等の総合的な提供の推進に関する法律（ロ及び(２)において「認定こども園法」という。）第２条第３項に規定する保育所をいう。以下(二)及び(２)において同じ。）　当該保育所の廃止の承認（児童福祉法第35条第12項に規定する承認をいい、当該保育所を設置する者の解散に伴うものを除く。イにおいて同じ。）を受け、又は当該承認の申請をしていること。 ロ　保育機能施設（認定こども園法第２条第４項に規定する保育機能施設をいう。ロ及び(２)(三)ロにおいて同じ。）　当該保育機能施設の設置者変更の届出（当該保育機能施設の設置者の変更を事由とする児童福祉法第59条の２第２項の規定による届出（当該設置する者が当該保育機能施設の設置者たることをやめようとするものに限る。）をいい、当該設置する者の解散に伴うものを除く。）を行っていること。

（注）　上記＿＿下線部については、公益信託に関する法律（令和６年法律第30号）の施行の日以後、「25の17㉔」が「25の17㉖」とされる。（令６改措令附１三）

（⑩に規定する幼保連携型認定こども園、幼稚園又は保育所等を設置しようとする者に係る(２)で定める要件）

(２)　⑩に規定する幼保連携型認定こども園、幼稚園又は保育所等を設置しようとする者に係る(２)で定める要件は、⑩に規定する他の公益法人等の次の(一)から(三)までに掲げる者の区分に応じ当該(一)から(三)までに定める要件とする。（措令25の17㉕）

(一)	⑩に規定する幼保連携型認定こども園を設置しようとする者	幼保連携型認定こども園（(注)１で定めるものに限る。）の設置の認可（認定こども園法第17条第１項に規定する認可をいう。以下(一)において同じ。）を受け、又は当該設置の認可の認定こども園法第17条第２項の申請をしていること。
(二)	幼稚園を設置しようとする者	幼稚園（(注)２で定めるものに限る。）の設置若しくは設置者の変更（当該設置しようとする者が新たに当該幼稚園の設置者となるものに限る。）の認可（学校教育法第４条第１項に規定する認可をいい、幼保連携型認定こども園（(注)３で定めるものに限る。）を設置することを目的として受けるものに限る。以下(二)において同じ。）を受け、又は当該認可の申請をしていること。
(三)	保育所等を設置しようとする者	保育所等の次のイ及びロに掲げる区分に応じそれぞれ次のイ及びロに定める要件 イ　保育所　保育所（(注)４で定めるものに限る。）の設置の認可（児童福祉法第35条第４項に規定する認可をいい、幼保連携型認定こども園（(注)５で定めるものに限る。）を設置することを目的として受けるものに限る。イにおいて同じ。）を受け、又は当該認可の申請をしていること。 ロ　保育機能施設　⑩に規定する譲渡法人が設置していた保育機能施設につ

		き、その設置者の変更（当該設置しようとする者が新たに当該保育機能施設の設置者となるものに限る。）を事由とする児童福祉法第59条の２第２項の規定による届出（当該設置しようとする者が幼保連携型認定こども園（(注)６で定めるものに限る。）を設置することを目的として行われたものに限る。）が行われていること。

(注)１　(２)(一)に規定する(注)１で定める幼保連携型認定こども園は、(一)に掲げる施設及び(二)に掲げる施設の職員組織等を基にする幼保連携型認定こども園とする。(措規18の19⑳)

(一)	(２)(一)に掲げる幼保連携型認定こども園を設置しようとする者が設置する次のイからハまでに掲げるいずれかの施設 イ　幼稚園（その廃止の認可（学校教育法第４条第１項に規定する認可をいう。イにおいて同じ。）を受け、又は当該認可の申請をしているものに限る。） ロ　保育所（その廃止の承認（児童福祉法第35条第12項に規定する承認をいう。ロにおいて同じ。）を受け、又は当該承認の申請をしているものに限る。） ハ　保育機能施設（その廃止の届出（児童福祉法第59条の２第２項の規定による届出をいう。）を行っているものに限る。）
(二)	譲渡法人が設置する次のイ及びロに掲げるいずれかの施設 イ　幼稚園（その廃止の認可を受け、又は当該認可の申請をしているものに限る。） ロ　保育所（その廃止の承認を受け、又は当該承認の申請をしているものに限る。）

２　(２)(二)に規定する(注)２で定める幼稚園は、譲渡法人が設置する(注)１(二)イに掲げる幼稚園の職員組織等を基にする幼稚園又は譲渡法人が設置する幼稚園で設置者の変更の認可を受け、若しくは当該認可の申請をしているものとする。(措規18の19㉑)

３　(２)(二)に規定する(注)３で定める幼保連携型認定こども園は、同(二)に掲げる幼稚園を設置しようとする者のその設置しようとする幼稚園及びその者が設置する保育所又は保育機能施設を廃止し、これらの職員組織等を基に設置される幼保連携型認定こども園とする。(措規18の19㉒)

４　(２)(三)イに規定する(注)４で定める保育所は、譲渡法人が設置する(注)１(二)ロに掲げる保育所の職員組織等を基にする保育所とする。(措規18の19㉓)

５　(２)(三)イに規定する(注)５で定める幼保連携型認定こども園は、同(三)イに掲げる保育所を設置しようとする者のその設置しようとする保育所及びその者が設置する幼稚園を廃止し、これらの職員組織等を基に設置される幼保連携型認定こども園とする。(措規18の19㉔)

６　(２)(三)ロに規定する(注)６で定める幼保連携型認定こども園は、同(三)ロに掲げる保育機能施設を設置しようとする者のその設置しようとする保育機能施設（その者が当該保育機能施設を廃止し、その職員組織等を基に保育所を設置することとなる場合には、当該保育所）及びその者が設置する幼稚園を廃止し、これらの職員組織等を基に設置される幼保連携型認定こども園とする。(措規18の19㉕)

７　上記＿＿下線部については、公益信託に関する法律（令和６年法律第30号）の施行の日以後、(２)中「25の17㉕」が「25の17㉗」とされる。(令６改措令附１三)

㊟１　上記～～下線部については、公益信託に関する法律（令和６年法律第30号）の施行の日以後、(注)１中「18の19⑳」が「18の19㉒」とされる。(令６改措規附１四)

２　上記～～下線部については、公益信託に関する法律（令和６年法律第30号）の施行の日以後、(注)２中「18の19㉑」が「18の19㉓」とされる。(令６改措規附１四)

３　上記～～下線部については、公益信託に関する法律（令和６年法律第30号）の施行の日以後、(注)３中「18の19㉒」が「18の19㉔」とされる。(令６改措規附１四)

４　上記～～下線部については、公益信託に関する法律（令和６年法律第30号）の施行の日以後、(注)４中「18の19㉓」が「18の19㉕」とされる。(令６改措規附１四)

５　上記～～下線部については、公益信託に関する法律（令和６年法律第30号）の施行の日以後、(注)５中「18の19㉔」が「18の19㉖」とされる。(令６改措規附１四)

６　上記～～下線部については、公益信託に関する法律（令和６年法律第30号）の施行の日以後、(注)６中「18の19㉕」が「18の19㉗」とされる。(令６改措規附１四)

（⑥(１)の規定の準用）

(３)　⑥(１)の規定は、⑩に規定する譲渡法人が⑩の規定により⑩に規定する財産等を⑩に規定する譲受法人に贈与をしようとする場合について準用する。(措令25の17㉒（編者補正））

(注)　公益信託に関する法律（令和６年法律第30号）の施行の日以後、(３)中「25の17㉒」が「25の17㉕」に改められる。(令６改措令附１三)

(注)　公益信託に関する法律（令和６年法律第30号）の施行の日以後、次の項が加えられる。(令６改所法等附１九へ、令６改措令附１三、令６改措規附１四）なお、次の項が加えられた後、現在の⑪から⑲は⑬から㉑と繰り下がる。

⑪　特定贈与等を受けた公益信託の受託者が財産等を引継受託者に移転しようとする場合

特定贈与等を受けた①(二)に規定する公益信託の受託者（以下⑪において「当初受託者」という。）が、次の(一)から(三)までに掲げる事由（当該事由により①後段の承認を取り消すことができる場合（当該特定贈与等をした者の所得に係る所得税の負担を不当に減少させる結果となると認められることその他の事由により当該承認を取り消すことができる場合として(1)で定める場合に限る。）の当該事由を除く。⑭において「任務終了事由等」という。）により当該当初受託者に係る③に規定する財産等を当該(一)から(三)までに掲げる事由の区分に応じ当該(一)から(三)までに定める者（公益信託に関する法律第12条第１項に規定する新受託者（(一)において「新受託者」という。）の選任若しくは同法第７条第２項各号に掲げる事項の変更につき同法第12条第１項の認可を受け、又は同項ただし書に規定する新受託者の選任につき同法第14条第１項の規定による届出がされた当該公益信託の受託者（①(二)に掲げる者に該当する者に限る。）に該当するものに限る。以下⑪において「引継受託者」という。）に移転しようとする場合において、当該認可又は届出の日の前日までに、(2)で定めるところにより、当該認可又は届出の日その他の(3)で定める事項を記載した書類を、納税地の所轄税務署長を経由して国税庁長官に提出したときは、当該認可又は届出の日以後は、当該引継受託者は当該特定贈与等に係る公益法人等と、当該引継受託者がその移転を受けた資産は当該特定贈与等に係る財産と、それぞれみなして、**3**の規定を適用する。この場合において、当該当初受託者が二以上あるときは、その主宰受託者が当該書類を納税地の所轄税務署長を経由して国税庁長官に提出しなければならない。（措法40⑪）

(一)	当該当初受託者の任務の終了	新受託者
(二)	当該当初受託者である法人の合併	当該合併後存続する法人又は当該合併により設立する法人
(三)	当該当初受託者である法人の分割	当該分割により受託者としての権利義務を承継する法人

(⑪に規定する(1)で定める場合)

(1)　⑪に規定する(1)で定める場合は、①後段の規定の適用を受けて行われた贈与又は遺贈につき⑬(二)に掲げる事実が生じたことにより、国税庁長官が①後段の承認を取り消すことができる場合とする。（措令25の17㉘）

(必要書類の提出)

(2)　⑪に規定する当初受託者が、⑪に規定する任務終了事由等により⑪に規定する財産等を⑪に規定する引継受託者に移転しようとする場合において、⑪の規定の適用を受けようとするときは、⑪に規定する認可又は届出の日の前日までに、⑪に規定する書類に、当該引継受託者が⑪の規定の適用を受けることを確認したことを証する書類を添付して、これを当該当初受託者の本店又は主たる事務所の所在地（当該当初受託者が個人である場合には、当該当初受託者の納税地）の所轄税務署長を経由して、国税庁長官に提出しなければならない。（措令25の17㉙）

(⑪に規定する(3)で定める事項)

(3)　⑪に規定する(3)で定める事項は、次の(一)から(五)までに掲げる事項とする。（措規18の19㉘）

(一)	⑪に規定する当初受託者の氏名又は名称、住所若しくは居所又は本店若しくは主たる事務所の所在地及び個人番号又は法人番号（当該当初受託者に係る公益信託の受託者が二以上ある場合には、当該当初受託者以外の受託者の氏名又は名称、住所若しくは居所又は本店若しくは主たる事務所の所在地及び個人番号又は法人番号を含む。）、当該公益信託の名称、⑪に規定する任務終了事由等が生じた年月日並びに当該任務終了事由等の詳細
(二)	当該当初受託者が⑪に規定する引継受託者に移転をしようとする⑪に規定する財産等の種類、所在地及び数量
(三)	当該引継受託者の氏名又は名称、住所若しくは居所又は本店若しくは主たる事務所の所在地及び個人番号又は法人番号、当該引継受託者が当該移転を受ける資産の使用開始予定年月日（⑮において準用する⑤後段に規定する⑤(1)で定める事情がある場合には、その事情の詳細を含む。）及び使用目的並びに公益信託に関する法律第12条第１項に規定する新受託者の選任若しくは同法第７条第２項各号に掲げる事項の変更に係る同法第12条第１項の認可の申請をした日又は同項ただし書に規定する新受託者の選任に係る同法第14条第１項の規定による届出の予定年月日
(四)	(二)に規定する財産等（当該財産等が、当該当初受託者が特定贈与等を受けた財産以外のものである場合には、当該財産）を当該当初受託者に当該特定贈与等をした者の氏名及び住所又は居所並びに当該特定贈与等に係る贈与又は遺贈をした年月日及び承認年月日並びに当該財産の種類、所在地及び数量
(五)	その他参考となるべき事項

⑫　特定贈与等を受けた当初公益信託の受託者が財産等を他の公益法人等に移転等しようとする場合

特定贈与等を受けた①(二)に規定する公益信託（以下⑫において「当初公益信託」という。）の受託者が、公益信託の終了（当該公益信託の終了に係る事由により①後段の承認を取り消すことができる場合（当該特定贈与等をした者の所得に係る所得税の負担を不当に減少させる結果となると認められることその他の事由により当該承認を取り消すことができる場合として(1)で定める場合に限る。）の当該公益信託の終了を除く。）により当該当初公益信託の受託者に係る③に規定する財産等を他の公益法人等（①(一)に掲げる者であって、当該当初公益信託に係る公益信託に関する法律第４条第２項第３号に規定する帰属権利者となるべき者に該当するものに限る。）に移転し、又は類似の公益事務をその目的とする他の公益信託（その公益信託の受託者が①(二)に掲げる者であって、当該当初公益信託に係る同条第２項第３号に規定する帰属権利者となるべき者に該当する者であるものに限る。）の信託財産としようとする場合において、当該公益信託の終了の日の前日までに、(2)で定めるところにより、当該公益信託の終了の日その他の(3)で定める事項を記載した書類を、納税地の所轄税務署長を経由して国税庁長官に提出したときは、当該公益信託の終了の日以後は、当該他の公益法人等又は当該他の公益信託の受託者（以下⑫において「帰属権利者」という。）は当該特定贈与等に係る公益法人等と、当該帰属権利者がその移転を受け、又は当該他の公益信託の信託財産として受け入れた資産は当該特定贈与等に係る財産と、それぞれみなして、**3**の規定を適用する。この場合において、当該当初公益信託の受託者が二以上あるときは、その主宰受託者が当該書類を納税地の所轄税務署長を経由して国税庁長官に提出しなければならない。（措法40

⑫

（⑪（1）の規定の準用）

（1）⑪（1）の規定は、⑫に規定する（1）で定める場合について準用する。（措令25の17㉚）

（必要書類の提出）

（2）⑫に規定する当初公益信託の受託者が、⑫に規定する公益信託の終了により⑫に規定する財産等を⑫に規定する他の公益法人等に移転し、又は⑫に規定する他の公益信託の信託財産としようとする場合において、⑫の規定の適用を受けようとするときは、当該公益信託の終了の日の前日までに、⑫に規定する書類に、⑫に規定する帰属権利者が⑫の規定の適用を受けることを確認したことを証する書類を添付して、これを当該当初公益信託の受託者の本店又は主たる事務所の所在地（当該当初公益信託の受託者が個人である場合には、当該当初公益信託の受託者の納税地）の所轄税務署長を経由して、国税庁長官に提出しなければならない。（措令25の17㉛）

（⑫に規定する（3）で定める事項）

（3）⑫に規定する（3）で定める事項は、次の㈠から㈤までに掲げる事項とする。（措規18の19㉙）

㈠	⑫に規定する当初公益信託の受託者の氏名又は名称、住所若しくは居所又は本店若しくは主たる事務所の所在地及び個人番号又は法人番号（当該当初公益信託の受託者が二以上ある場合には、その主宰受託者の氏名又は名称を含む。）、当該当初公益信託の名称、⑫に規定する公益信託の終了の予定年月日並びに当該公益信託の終了に係る事由の詳細
㈡	当該当初公益信託の受託者が⑫に規定する他の公益法人等に移転をし、又は⑫に規定する他の公益信託の信託財産としようとする⑫に規定する財産等の種類、所在地及び数量
㈢	⑫に規定する帰属権利者の名称、主たる事務所の所在地及び法人番号（当該帰属権利者が当該他の公益信託の受託者である場合には、当該他の公益信託の受託者の氏名又は名称、住所若しくは居所又は本店若しくは主たる事務所の所在地及び個人番号又は法人番号（当該他の公益信託の受託者が二以上ある場合には、その主宰受託者の氏名又は名称を含む。）並びに当該他の公益信託の名称）並びに当該帰属権利者が当該移転を受け、又は当該他の公益信託の信託財産として受け入れる資産の使用開始予定年月日（⑮において準用する⑤後段に規定する⑤（1）で定める事情がある場合には、その事情の詳細を含む。）及び使用目的
㈣	㈡に規定する財産等（当該財産等が、当該当初公益信託の受託者が特定贈与等を受けた財産以外のものである場合には、当該財産）を当該当初公益信託の受託者に当該特定贈与等をした者の氏名及び住所又は居所並びに当該特定贈与等に係る贈与又は遺贈をした年月日及び承認年月日並びに当該財産の種類、所在地及び数量
㈤	その他参考となるべき事項

⑪　公益合併法人が、特定贈与等を受けた公益法人等から合併により資産の移転を受けた場合

⑥に規定する公益合併法人が、特定贈与等を受けた公益法人等から合併により資産の移転を受けた場合（当該公益法人等が当該移転につき⑥に規定する書類を当該合併の日の前日までに提出しなかった場合に限る。）において、当該公益合併法人が、（1）で定めるところにより、当該資産が当該特定贈与等に係る③に規定する財産等であることを知った日の翌日から2月を経過した日の前日までに、当該合併の日その他の（注）で定める事項を記載した書類を、納税地の所轄税務署長を経由して国税庁長官に提出したときは、⑥の規定にかかわらず、当該合併の日以後は、当該公益合併法人は当該特定贈与等に係る公益法人等と、当該公益合併法人がその移転を受けた資産は当該特定贈与等に係る財産と、それぞれみなして、**3**の規定を適用する。（措法40⑪）

（注）⑪に規定する（注）で定める事項は、次の㈠から㈣までに掲げる事項とする。（措規18の19㉖）

㈠	特定贈与等を受けた公益法人等から合併により資産の移転を受けた⑪に規定する公益合併法人の名称、主たる事務所の所在地及び法人番号並びに当該合併をした年月日
㈡	当該公益合併法人が当該合併により移転を受けた資産が⑪に規定する財産等であることを知った日並びに当該資産の種類、所在地、数量、使用開始年月日（⑬において準用する⑤後段に規定する⑤（1）で定める事情がある場合には、その事情の詳細を含む。）及び使用目的
㈢	㈠の特定贈与等を受けた公益法人等の名称、主たる事務所の所在地及び法人番号
㈣	その他参考となるべき事項

（注）上記____下線部については、公益信託に関する法律（令和6年法律第30号）の施行の日以後、⑪中「合併に」が「⑥に規定する合併に」に改められ、「40⑪」が「40⑬」とされる。（令6改所法等附1九へ）

㊟ 上記____下線部については、公益信託に関する法律（令和6年法律第30号）の施行の日以後、（注）1㈠中「合併に」が「⑥に規定する合併に」に、「⑪」が「⑬」に改められ、（注）1㈡中「⑪」が「⑫」に、「⑬」が「⑮」に改められ、「18の19㉖」が「18の19㉚」とされる。（令6改措規附1四）

(⑪の規定の適用を受けようとする場合の手続)

(1)　⑪に規定する公益合併法人が、特定贈与等を受けた公益法人等から合併により資産の移転を受けた場合において、⑪の規定の適用を受けようとするときは、当該資産が当該特定贈与等に係る⑪に規定する財産等であることを知った日の翌日から2月を経過した日の前日までに、⑪に規定する書類に、当該資産が当該特定贈与等を受けた公益法人等から合併により移転を受けたものであることを明らかにする書類を添付して、これを当該公益合併法人の主たる事務所の所在地の所轄税務署長を経由して、国税庁長官に提出しなければならない。(措令25の17㉖)

(注)　上記＿＿下線部については、公益信託に関する法律(令和6年法律第30号)の施行の日以後、(1)中「⑪」が「⑬」に、「合併により資産」が「⑥に規定する合併により資産」に、「⑪の」が「⑬の」に、「合併により移転」が「当該合併により移転」に改められ、「25の17㉖」が「25の17㉜」とされる。(令6改措令附1三)

⑫　⑧⑨⑩に規定する財産等の贈与を受けた場合の⑪の規定の準用

⑪の規定は、⑧に規定する引継法人が⑧に規定する当初法人から⑧に規定する引継財産の贈与を受けた場合(当該当初法人が当該贈与につき⑧に規定する書類を当該贈与の日の前日までに提出しなかった場合に限る。)、⑨に規定する受贈公益法人等が⑨に規定する特定一般法人から⑨に規定する財産等の贈与を受けた場合(当該特定一般法人が当該贈与につき⑨に規定する書類を当該贈与の日の前日までに提出しなかった場合に限る。)及び⑩に規定する譲受法人が⑩に規定する譲渡法人から⑩に規定する財産等の贈与を受けた場合(当該譲渡法人が当該贈与につき⑩に規定する書類を当該贈与の日の前日までに提出しなかった場合に限る。)について準用する。この場合において、当該引継法人が当該当初法人から当該引継財産の贈与を受けた場合について準用するときは、⑪中「資産は」とあるのは、「⑧に規定する公益引継資産は」と読み替えるものとする。(措法40⑫)

(注)1　⑫に規定する引継法人が⑫に規定する当初法人から⑫に規定する引継財産の贈与を受けた場合における⑫において準用する⑪に規定する(注)で定める事項は、次の(一)から(七)までに掲げる事項とする。(措規18の19㉗)

(一)	当該引継法人の名称、主たる事務所の所在地及び法人番号並びに当該贈与を受けた年月日
(二)	当該引継法人が当該当初法人から当該贈与を受けた資産が⑫に規定する引継財産であることを知った日並びに当該贈与を受けた⑧に規定する公益引継資産の種類、所在地、数量及び特定処分を受けた日の前日における価額
(三)	当該引継法人が当該贈与を受けた当該公益引継資産をもって資産を取得した場合には、その取得をした資産((四)において「代替公益引継資産」という。)の種類、所在地、数量、取得価額及び取得年月日
(四)	当該引継法人の当該公益引継資産(代替公益引継資産を含む。)の使用開始年月日(⑬において準用する⑤後段に規定する⑤(1)で定める事情がある場合には、その事情の詳細を含む。)及び使用目的
(五)	当該当初法人の名称、主たる事務所の所在地及び法人番号並びに特定処分を受けた年月日並びに当該特定処分後において⑧に規定する特定一般法人に該当することとなった事情の詳細
(六)	当該公益引継資産が⑧(2)(二)に掲げる引継財産である場合には、同(2)(注)1又は同(注)2の規定により計算した金額及び当該金額の計算に関する明細
(七)	その他参考となるべき事項

2　⑫に規定する受贈公益法人等が⑫に規定する特定一般法人から⑫に規定する財産等の贈与を受けた場合における⑫において準用する⑪に規定する(注)で定める事項は、次の(一)から(五)までに掲げる事項とする。(措規18の19㉘)

(一)	当該受贈公益法人等の名称、主たる事務所の所在地及び法人番号並びに当該贈与を受けた年月日
(二)	当該受贈公益法人等が当該特定一般法人から受けた贈与が一般社団法人及び一般財団法人に関する法律及び公益社団法人及び公益財団法人の認定等に関する法律の施行に伴う関係法律の整備等に関する法律第119条第2項第1号ロに掲げる寄附に該当する旨
(三)	当該受贈公益法人等が当該特定一般法人から贈与を受けた資産が⑨に規定する財産等であることを知った日並びに当該財産等の種類、所在地、数量、使用開始年月日(⑬において準用する⑤後段に規定する⑤(1)で定める事情がある場合には、その事情の詳細を含む。)及び使用目的
(四)	当該特定一般法人の名称、主たる事務所の所在地及び法人番号
(五)	その他参考となるべき事項

3　⑫に規定する譲受法人が⑫に規定する譲渡法人から⑫に規定する財産等の贈与を受けた場合における⑫において準用する⑪に規定する(注)で定める事項は、次の(一)から(四)までに掲げる事項とする。(措規18の19㉙)

(一)	当該譲受法人の名称、主たる事務所の所在地及び法人番号並びに当該贈与を受けた年月日並びに当該譲受法人の⑩(注)1(三)イから同ニまでに掲げる者の区分に応じそれぞれ同イから同ニまでに定める日
(二)	当該譲受法人が当該譲渡法人から贈与を受けた資産が⑩に規定する財産等であることを知った日並びに当該財産等の種類、所在地、数量、使用開始年月日(⑬において準用する⑤後段に規定する⑤(1)で定める事情がある場合には、その事情の詳細を含む。)及び使用目的(⑬(1)に規定する事業に係るものに限る。)

(三)	当該譲渡法人の名称、主たる事務所の所在地及び法人番号並びに当該譲渡法人の⑩(注)(一)イから同ハまでに掲げる者の区分に応じそれぞれ同イから同ハまでに定める日
(四)	その他参考となるべき事項

4　上記＿＿下線部については、公益信託に関する法律（令和６年法律第30号）の施行の日以後、⑫中「引継法人」が「引継法人等」に、「（当該当初法人が当該贈与につき同項に規定する書類を当該贈与の日」が「又は⑧に規定する引継財産を⑧に規定する公益信託の信託財産として受け入れた場合（当該当初法人が当該贈与又は当該信託財産とすることにつき⑧に規定する書類を⑧に規定する贈与等の日」に、「及び⑩」が「、⑩」に、「限る。）に」が「限る。）及び⑪に規定する引継受託者が⑪に規定する当初受託者から任務終了事由等により⑪に規定する財産等の移転を受けた場合（当該当初受託者が当該移転につき⑪に規定する書類を⑪に規定する認可又は届出の日の前日までに提出しなかった場合に限る。）に」に、「受けた場合に」が「受けた場合又は当該引継財産を当該公益信託の信託財産として受け入れた場合に」に改められ、「40⑫」が「40⑭」とされる。（令６改所法等附１九へ）

㊟１　上記＿＿下線部については、公益信託に関する法律（令和６年法律第30号）の施行の日以後、(注)１中「⑫に規定する引継法人」が「⑭に規定する引継法人等」に改められ、「受けた場合」の次に「又は⑭に規定する引継財産を⑭に規定する公益信託の信託財産として受け入れた場合」が加えられ、「⑪」が「⑬」に改められ、(注)１(一)中「引継法人」が「引継法人等」に改められ、「法人番号」の次に「（当該引継法人等が当該公益信託の受託者である場合には、当該公益信託の受託者の氏名又は名称、住所若しくは居所又は本店若しくは主たる事務所の所在地及び個人番号又は法人番号（当該公益信託の受託者が二以上ある場合には、その主宰受託者の氏名又は名称を含む。）並びに当該公益信託の名称）」が加えられ、「受けた」が「受け、又は当該公益信託の信託財産として受け入れた」に改められ、(注)１(二)中「引継法人」が「引継法人等」に、「贈与を受けた」が「贈与を受け、又は当該公益信託の信託財産として受け入れた」に、「⑫」が「⑭」に改められ、(注)１(三)中「引継法人」が「引継法人等」に、「受けた」が「受け、又は当該公益信託の信託財産として受け入れた」に改められ、(注)１(四)中「引継法人」が「引継法人等」に、「⑬」が「⑮」に改められ、「18の19㉗」が「18の19㉛」とされる。（令６改措規附１四）

㊟２　上記＿＿下線部については、公益信託に関する法律（令和６年法律第30号）の施行の日以後、(注)２中「⑫」が「⑭」に、「⑪」が「⑬」に改められ、(注)２(三)中「⑬」が「⑮」に改められ、「18の19㉘」が「18の19㉜」とされる。（令６改措規附１四）

㊟３　上記＿＿下線部については、公益信託に関する法律（令和６年法律第30号）の施行の日以後、(注)３中「⑫」が「⑭」に、「⑪」が「⑬」に改められ、(注)３(二)中「⑬」が「⑮」に改められ、「18の19㉙」が「18の19㉝」とされる。（令６改措規附１四）

㊟４　上記＿＿公益信託に関する法律（令和６年法律第30号）の施行の日以後、次の(注)４が加えられる。（令６改措規附１四）

４　⑭に規定する引継受託者が⑭に規定する当初受託者から⑭に規定する任務終了事由等により⑭に規定する財産等の移転を受けた場合における⑭において準用する⑬に規定する⑬(注)で定める事項は、次の(一)から(四)までに掲げる事項とする。（措規18の19㉞）

(一)	当該引継受託者の氏名又は名称、住所若しくは居所又は本店若しくは主たる事務所の所在地及び個人番号又は法人番号（当該引継受託者に係る公益信託の受託者が二以上ある場合には、当該引継受託者以外の受託者の氏名又は名称、住所若しくは居所又は本店若しくは主たる事務所の所在地及び個人番号又は法人番号を含む。）、当該公益信託の名称並びに当該任務終了事由等に係る⑭に規定する認可又は届出の日
(二)	当該引継受託者が当該当初受託者から当該移転を受けた資産が⑪に規定する財産等であることを知った日並びに当該財産等の種類、所在地、数量、使用開始年月日（⑮において準用する⑤後段に規定する⑤(１)で定める事情がある場合には、その事情の詳細を含む。）及び使用目的
(三)	当該当初受託者の氏名又は名称、住所若しくは居所又は本店若しくは主たる事務所の所在地及び個人番号又は法人番号、⑪に規定する任務終了事由等が生じた年月日並びに当該任務終了事由等の詳細
(四)	その他参考となるべき事項

（⑧⑨⑩に規定する財産等の贈与を受けた場合の⑪(１)の規定の準用）

(１)　⑪(１)の規定は、⑧に規定する引継法人が⑧に規定する当初法人から⑧に規定する引継財産の贈与を受けた場合、⑨に規定する受贈公益法人等が⑨に規定する特定一般法人から⑨に規定する財産等の贈与を受けた場合及び⑩に規定する譲受法人が⑩に規定する譲渡法人から⑩に規定する財産等の贈与を受けた場合について準用する。（措令25の17㉗）

(注)　上記＿＿下線部については、公益信託に関する法律（令和６年法律第30号）の施行の日以後、(１)中「引継法人」が「引継法人等」に、「場合、」が「場合又は⑧に規定する引継財産を⑧に規定する公益信託の信託財産として受け入れた場合、」に、「場合及び」が「場合、」に、「場合に」が「場合及び⑪に規定する引継受託者が⑪に規定する当初受託者から⑪に規定する任務終了事由等により⑪に規定する財産等の移転を受けた場合に」に改められ、(１)に後段として次のように加えられ、「25の17㉗」が「25の17㉝」とされる。（令６改措令附１三）

「この場合において、当該引継法人等が当該当初法人から当該引継財産を当該公益信託の信託財産として受け入れた場合について準用するときは、⑬(１)中「主たる事務所の所在地」とあるのは、「本店又は主たる事務所の所在地（当該引継法人等が個人である場合には、当該引継法人等の納税地）」と、当該引継受託者が当該当初受託者から当該任務終了事由等により当該財産等の移転を受けた場合について準用するときは、⑬(１)中「主たる事務所の所在地」とあるのは、「本店又は主たる事務所の所在地（当該引継受託者が個人である場合には、当該引継受託者の納税地）」と、それぞれ読み替えるものとする。」

⑬　⑥⑦⑧⑨⑩⑪の規定を適用する場合の⑤後段の規定の準用、⑨⑩⑫の規定の適用をする場合の⑧後段の規定の準用

⑤後段の規定は⑥から⑪（⑫において準用する場合を含む。以下⑬において同じ。）までの規定を適用する場合について、⑧後段の規定は⑨の特定一般法人、⑩の譲渡法人並びに⑫の規定を適用する場合における⑫の当初法人、特定一般法人及び譲渡法人について、それぞれ準用する。この場合において、⑩の譲受法人又は⑫の譲受法人について⑩又は⑪の規定を適用する場合について準用する⑤後段中「当該公益目的事業の用」とあるのは「当該公益目的事業の用（(1)で定める事業の用に限る。)」と、「とし、(二)の書類を提出した公益法人等は、(二)の特定買換資産を、(二)の方法により管理しなければならないものとする」とあるのは「とする」と読み替えるものとする。（措法40⑬）

(注)　上記＿＿下線部については、公益信託に関する法律（令和６年法律第30号）の施行の日以後、⑬中「⑪」が「⑬」に改められ、「40⑬」が「40⑮」とされる。（令６改所法等附１九へ）

（⑬の規定により読み替えて適用される⑤後段に規定する(1)で定める事業）

(1)　⑬の規定により読み替えて適用される⑤後段に規定する(1)で定める事業は、⑩に規定する譲受法人又は⑫に規定する譲受法人の⑩(2)(一)から同(三)までに規定する認可又は届出に係る幼保連携型認定こども園を設置し、運営する事業とする。（措令25の17㉘）

(注)　上記＿＿下線部については、公益信託に関する法律（令和６年法律第30号）の施行の日以後、(1)中「⑬」が「⑮」に、「⑫」が「⑭」に改められ、「25の17㉘」が「25の17㉞」とされる。（令６改措令附１三）

⑭　⑨に規定する特定一般法人が、公益認定法第４条の認定を受けた場合の手続

⑨に規定する特定一般法人が、公益認定法第４条の認定を受けた場合には、当該認定を受けた日から１月以内に、(1)で定めるところにより、当該特定一般法人の名称、所在地及び行政手続における特定の個人を識別するための番号の利用等に関する法律第２条第15項に規定する法人番号その他の(注)１で定める事項を記載した書類を、納税地の所轄税務署長を経由して国税庁長官に提出しなければならない。（措法40⑭）

(注)１　⑭に規定する(注)１で定める事項は、次の(一)から(四)までに掲げる事項とする。（措規18の19㉚）

(一)	⑭に規定する特定一般法人の⑭に規定する認定前の名称及び主たる事務所の所在地並びに当該認定後の名称及び主たる事務所の所在地並びに当該特定一般法人の法人番号並びに当該認定を受けた年月日
(二)	当該特定一般法人が特定贈与等を受けた財産の種類、所在地及び数量
(三)	当該財産を当該特定一般法人に当該特定贈与等をした者の氏名及び住所又は居所並びに当該特定贈与等に係る贈与又は遺贈をした年月日及び承認年月日
(四)	その他参考となるべき事項

２　上記＿＿下線部については、公益信託に関する法律（令和６年法律第30号）の施行の日以後、⑭中「40⑭」が「40⑯」とされる。（令６改所法等附１九へ）

㊟　上記＿＿下線部については、公益信託に関する法律（令和６年法律第30号）の施行の日以後、(注)１中「⑭に規定する(注)１」が「⑯に規定する(注)１」に改められ、(注)１(一)中「⑭」が「⑯」に改められ、「18の19㉚」が「18の19㉟」とされる。（令６改措規附１四）

（⑨の書類の添付書類）

(1)　⑭に規定する特定一般法人は、⑭に規定する認定を受けた日から１月以内に、⑭に規定する書類に、当該認定を受けたことを証する書類を添付して、これを当該特定一般法人の主たる事務所の所在地の所轄税務署長を経由して、国税庁長官に提出しなければならない。（措令25の17㉙）

(注)　上記＿＿下線部については、公益信託に関する法律（令和６年法律第30号）の施行の日以後、(1)中「⑭」が「⑯」に改められ、「25の17㉙」が「25の17㉟」とされる。（令６改措令附１三）

（公益認定の取消しの処分を受けた場合の添付書類）

(2)　①後段の規定の適用を受けて行われた贈与又は遺贈を受けた公益法人等が、公益社団法人及び公益財団法人の認定等に関する法律第29条第１項又は第２項の規定による同法第５条に規定する公益認定の取消しの処分を受けた場合には、当該処分を受けた日から１月以内に、当該公益法人等の名称、所在地及び法人番号その他の(注)１で定める事項を記載した書類に、当該処分を受けたことを証する書類及び定款の写しを添付して、これを当該公益法人等の主たる事務所の所在地の所轄税務署長を経由して、国税庁長官に提出しなければならない。（措令25の17㉚）

(注)１　(2)に規定する(注)１で定める事項は、次の(一)から(六)までに掲げる事項とする。（措規18の19㉛）

(一)	(2)に規定する公益法人等の(2)に規定する処分前の名称及び主たる事務所の所在地並びに当該処分後の名称及び主たる事務所の所在地並びに当該公益法人等の法人番号
(二)	当該公益法人等が当該処分を受けた事由（二以上の事由がある場合には、その全ての事由）及び当該処分を受けた年月日

(三)	当該公益法人等が特定贈与等を受けた財産の種類、所在地及び数量
(四)	当該財産を当該公益法人等に当該特定贈与等をした者の氏名及び住所又は居所並びに当該特定贈与等に係る贈与又は遺贈をした年月日及び承認年月日
(五)	当該公益法人等が定款の変更をしようとする場合には、その旨及び当該変更予定年月日
(六)	その他参考となるべき事項

2　上記____下線部については、公益信託に関する法律（令和６年法律第30号）の施行の日以後、（2）中「25の17㉚」が「25の17㊱」とされる。（令６改措令附１三）

㊟　上記____下線部については、公益信託に関する法律（令和６年法律第30号）の施行の日以後、（注）1中「18の19㉛」が「18の19㊱」とされる。（令６改措規附１四）

⑮　承認の通知

国税庁長官は、①後段の承認をしたときは、その旨を当該承認を申請した者及び当該申請に係る公益法人等に対し、当該承認をしないことを決定したとき又は当該承認を②の規定により取り消したときは、その旨を当該承認を申請した者又は当該承認を受けていた者に対し、当該承認を③の規定により取り消したときは、その旨を当該承認に係る公益法人等に対し、それぞれ通知しなければならない。（措法40⑮）

（注）上記____下線部については、公益信託に関する法律（令和６年法律第30号）の施行の日以後、「40⑮」が「40⑰」とされる。（令６改所法等附１九へ）

⑯　公益法人等が受贈資産の移転につき⑤から⑩までの規定の適用を受けようとする場合

個人から贈与又は遺贈を受けた資産（当該資産に係る代替資産、買換資産又は特定買換資産に該当するものを含む。以下⑯において「受贈資産」という。）を有する公益法人等が当該受贈資産の移転につき⑤から⑩までの規定の適用を受けようとする場合には、当該公益法人等は、（1）で定めるところにより、国税庁長官に対し、当該受贈資産が当該公益法人等に係る特定贈与等に係る③に規定する財産等であることの確認を求めることができる。この場合において、当該公益法人等が当該受贈資産のうち平成20年12月１日以後の贈与又は遺贈に係るものについてその確認を求めることができるのは、その確認を求めることにつき災害その他やむを得ない理由がある場合に限るものとする。（措法40⑯）

（注）1　上記____下線部については、公益信託に関する法律（令和６年法律第30号）の施行の日以後、⑯中「⑩」が「⑫」に改められ、「40⑯」が「40⑱」とされる。（令６改所法等附１九へ）

2　国税庁長官は、⑯の規定により確認を求められたときは、当該確認に係る公益法人等に対し、速やかに回答しなければならない。（措法40⑰）

㊟　上記____下線部については、公益信託に関する法律（令和６年法律第30号）の施行の日以後、「40⑰」が「40⑲」とされる。（令６改所法等附１九へ）

（⑯の規定による確認を求める場合の手続）

（1）⑯に規定する公益法人等が⑯の規定による確認を求める場合には、⑯に規定する受贈資産の内容その他の（注）1で定める事項を記載した書類に、⑯に規定する確認を求める資産が当該受贈資産であることを明らかにする書類を添付して、これを当該公益法人等の主たる事務所の所在地の所轄税務署長を経由して、国税庁長官に提出しなければならない。（措令25の17㉛）

（注）1　（1）に規定する（注）1で定める事項は、次の（一）から（五）までに掲げる事項とする。（措規18の19㉜）

(一)	⑯に規定する公益法人等の名称、主たる事務所の所在地及び法人番号
(二)	⑯に規定する受贈資産の種類、所在地及び数量
(三)	当該受贈資産を当該公益法人等に贈与又は遺贈をした者の氏名及び住所又は居所並びに当該贈与又は遺贈をした年月日
(四)	当該受贈資産につき⑯の規定による確認を求める理由（当該受贈資産が平成20年12月１日以後の贈与又は遺贈に係るものである場合には、当該確認を求めるやむを得ない理由を含む。）
(五)	その他参考となるべき事項

2　上記____下線部については、公益信託に関する法律（令和６年法律第30号）の施行の日以後、（1）中「⑯」が「⑱」に、「が⑯」が「（当該公益法人等が①（二）に規定する公益信託の受託者である場合において、当該公益信託の受託者が二以上あるときは、その④（三）に規定する主宰受託者。以下（1）において同じ。）が⑱」に、「主たる事務所の所在地」が「本店又は主たる事務所の所在地（当該公益法人等が個人である場合には、当該公益法人等の納税地）」に改められ、「25の17㉛」が「25の17㊲」とされる。（令６改措令附１三）

㊟　上記____下線部については、公益信託に関する法律（令和６年法律第30号）の施行の日以後、（注）1（一）中「⑯」が「⑱」に改められ、「法人番号」の次に「（当該公益法人等が公益信託の受託者である場合には、当該公益信託の受託者の氏名又は名称、住所若しくは居所又は本店若しくは主たる事務所の所在地及び個人番号又は法人番号（当該公益信託の受託者が二以上ある場合には、その主宰受託者の氏名又は名称を含む。）並びに当該公益信託の名称）」が加えられ、（注）1（二）及び（四）中「⑯」が「⑱」に改められ、「18

の19㉜」が「18の19㊲」とされる。（令６改措規附１四）

⑰　不承認の場合等の延滞税の計算期間

①後段の承認につき、その承認をしないことの決定若しくは②の取消しがあった場合（当該取消しがあった場合には、（１）で定める場合に限る。）における当該承認を申請した者若しくは当該承認を受けていた者の納付すべき所得税の額で当該処分に係る財産の贈与若しくは遺贈に係るものとして（２）で定めるところにより計算した金額又は③の取消しがあった場合（（１）で定める場合に限る。）における当該承認に係る公益法人等の納付すべき所得税の額についての第十二章**四７**（１）《延滞税》の規定の適用については、同（１）本文に規定する期間は、同（１）の規定にかかわらず、当該決定又は取消しの通知をした日の翌日から当該金額を完納する日までの期間とする。（措法40⑱）

（注）　上記＿＿下線部については、公益信託に関する法律（令和６年法律第30号）の施行の日以後、「40⑱」が「40⑳」とされる。（令６改所法等附１九へ）

（⑰に規定する②の取消しに係る（１）で定める場合、⑰に規定する③に係る（１）で定める場合）

（１）　⑰に規定する②の取消しに係る（１）で定める場合は、②（３）の規定により同（３）の贈与又は遺贈をした者に課される所得税のその納付の期限後において当該取消しが行われた場合とし、⑰に規定する③に係る（１）で定める場合は、⑯の規定により公益法人等に課される所得税のその納付の期限（当該公益法人等が⑯に規定する承認が取り消された日の属する年以前に解散をしたものである場合には、⑰の規定により読み替えられた第十章第三節**１**の規定による納付の期限）後において当該取消しが行われた場合とする。（措令25の17㉜）

（注）　上記＿＿下線部については、公益信託に関する法律（令和６年法律第30号）の施行の日以後、（１）中「⑰」が「⑲」に改められ、「25の17㉜」が「25の17㊳」とされる。（令６改措令附１三）

（⑰に規定する（２）で定めるところにより計算した所得税の額）

（２）　⑰に規定する（２）で定めるところにより計算した所得税の額は、その者の納付すべき所得税の額から①後段の承認があったものとした場合において計算されるその者の納付すべき所得税の額を控除した金額に相当する金額とする。（措令25の17㉝）

（注）　上記＿＿下線部については、公益信託に関する法律（令和６年法律第30号）の施行の日以後、（２）中「⑰」が「⑲」に改められ、「25の17㉝」が「25の17㊴」とされる。（令６改措令附１三）

⑱　寄附金控除の適用除外

①の規定の適用を受ける財産の贈与又は遺贈について第八章**七１**《寄附金控除》の規定又は同章**七４**《認定特定非営利活動法人に寄附をした場合の寄附金控除の特例又は所得税額の特別控除》若しくは第九章第二節**二十二**《公益社団法人等に寄附をした場合の所得税額の特別控除》の規定の適用がある場合におけるこれらの規定の適用については、第八章**七２**中「寄附金（学校の入学に関してするものを除く。）」とあるのは「寄附金（**３**①《国等に対して財産を寄附した場合の譲渡所得等の非課税》の規定の適用を受けるもののうち同①に規定する財産の贈与又は遺贈に係る山林所得の金額若しくは譲渡所得の金額で第四章第七節**二１**に規定する山林所得の特別控除額若しくは第四章第八節**二１**に規定する譲渡所得の特別控除額を控除しないで計算した金額又は雑所得の金額に相当する部分及び学校の入学に関してするものを除く。）」と、第八章**七４**中「その寄附をした者」とあるのは「第二章第三節**四３**①の規定の適用を受けるもののうち同①に規定する財産の贈与又は遺贈に係る山林所得の金額若しくは譲渡所得の金額で第四章第七節**二１**に規定する山林所得の特別控除額若しくは第四章第八節**二１**に規定する譲渡所得の特別控除額を控除しないで計算した金額又は雑所得の金額に相当する部分並びにその寄附をした者」と、「所得税法」とあるのは「同法」とする。（措法40⑲）

（注）　上記＿＿下線部については、公益信託に関する法律（令和６年法律第30号）の施行の日以後、「40⑲」が「40㉑」とされる。（令６改所法等附１九へ）

（①後段の承認につき取消しがあった場合の当該承認に係る贈与について寄附金控除の規定の適用）

（１）　①後段の承認につき②の規定による取消しがあった場合において、当該承認に係る贈与について第八章**七１**《寄附金控除》の規定又は同章**七４**《認定特定非営利活動法人に寄附をした場合の寄附金控除の特例又は所得税額の特別控除》若しくは第九章第二節**二十二**《公益社団法人等に寄附をした場合の所得税額の特別控除》の規定の適用があるときは、これらの規定は、当該承認が取り消された日の属する年分において適用を受けることができる。この場合において、これらの規定中「支出した場合」とあるのは「支出した場合（第二章第三節**四３**①後段《国等に対して財産を寄附した場合の譲渡所得等の非課税》の承認につき同②の規定による取消しがあった場合を含む。）」と、第八章**七２**中「寄附金（学校の入学に関してするものを除く。）」とあるのは「寄附金（第二章第三節**四３**①の規定の適用を受けたもの（当該取消しに係るものに限る。）のうち同①に規定する財産の贈与に係る山林所得の金額若しくは譲渡所得の金額で第四章第七節**二１**《山林所得》に規定する山林所得の特別控除額若しくは第四章第八節**二１**《譲渡所得》に規定する譲渡所得の特別控除額を控除しないで計算した金額又は雑所得の金額に相当する部分に限るものとし、学校の入学に関してするものを除く。）」と、第八章**七４**中「その寄附をした者」とあるのは「その年において第二章第三節**四３**①後段の承認につき同②の規定による取消しがあった場合には、同①の規定の適用を受けたもの（当該取消しに係るものに限る。）のうち同①に規定する財産の贈与に係る山林所得の金額若しくは譲渡所得の金額で第四章第七節**二１**に規定する山林所得の特別控除額若しくは第四章第八節**二１**に規定する譲渡所得の特別控除額を控除しないで計算した金額又は雑所得の金額に相当する部分を含むものとし、その寄附をした者」と、「所得税法」とあるのは「同法」とする。（措令25の17㉞）

（注）　上記～～下線部については、公益信託に関する法律（令和６年法律第30号）の施行の日以後、「25の17㉞」が「25の17㊵」とされる。（令６改措令附１三）

⑲　①後段の規定による譲渡所得等の非課税の取扱いについて（通達）

〔①関係〕

（公益を目的とする事業を行う法人）

（１）　①後段に規定する「公益を目的とする事業を行う法人（外国法人に該当するものを除く。）」（以下「公益法人等」という。）とは、次に掲げる事業（以下「公益目的事業」という。）を行う法人をいい、当該事業の遂行に伴い収益を生じているかどうかを問わないのであるから留意する。（昭55直資２－181「１」、平10課資２－243、平20課資４－83、平20課資４－158により改正）

⑴　定款、寄附行為又は規則（これらに準ずるものを含む。以下同じ。）により公益を目的として行うことを明らかにして行う事業

⑵　⑴に掲げる事業を除くほか、社会一般において公益を目的とする事業とされている事業

（遺贈と同様に取り扱う場合）

（２）　①後段に規定する「遺贈（当該公益法人等を設立するためにする財産の提供を含む。）」には、昭和35年10月１日付直資90「被相続人の意思に基づき公益法人を設立する場合等の相続税の取扱いについて」通達の記の１《公益法人の設立の認可申請中に相続の開始があった場合の取扱い》又は２《公益法人の設立の認可申請前に相続の開始があった場合の取扱い》により、被相続人から遺贈により取得したものと同様に取り扱うこととなる場合の財産の提供も含むものとして取り扱う。

また、当該通達の記の４《既設の公益法人に対し贈与があった場合の準用》による取扱いを受ける場合の財産の贈与についても、同様とする。（昭55直資２－181「２」、平20課資４－83、平26課資４－151により改正）

（人格のない社団等に対する贈与等）

（３）　法人でない社団又は財団に対する財産の贈与又は遺贈は、①後段に規定する「法人に対する財産の贈与又は遺贈」に該当しないことに留意する。

ただし、公益法人等を設立するために設けられた設立準備委員会又は発起人会（以下「設立準備委員会等」という。）が、当該公益法人等の設立前に、土地などの財産を贈与又は遺贈により取得して、これを他に譲渡している場合には、次に掲げる要件のいずれにも該当するときに限り、当該贈与又は遺贈は、公益法人等に対する財産の贈与又は遺贈に該当するものとして取り扱う。（昭55直資２－181「３」、昭57直資２－177、昭58直資２－105、平元直資２－209、平４課資２－158、平10課資２－243、平15課資４－245、平19課資４－162、平20課資４－83、平26課資４-151により改正）

⑴　当該譲渡が、①（３）(一)から同(七)まで（同(四)から同(六)までを除く。）に掲げるいずれかの場合に該当する事情によりやむを得ず行われたものであること。

⑵　当該譲渡による収入金額の全部に相当する金額をもって取得した減価償却資産、土地又は土地の上に存する権利が、当該公益法人等の設立により、当該公益法人等に帰属すること。

（注）１　上記の取扱いは、公益法人等の設立の認可などの要件として、例えば、幼稚園の設置運営を目的とする公益法人等の設立認可の場合の園地、園舎などのように、一定の施設を有することが必要とされている場合には、設立準備委員会等が、その公益法人等の設立前に、土地などの財産を贈与又は遺贈により取得して、これを他に譲渡し、その譲渡代金をもって当該施設を取得することがあることを考慮して設けたものであることに留意する。

２　設立準備委員会等に対する財産の贈与又は遺贈があった日は、（５）の⑶又⑷《贈与又は遺贈のあった日》により、公益法人等の設立

前となることから、①(1)の規定による申請書の提出期限が、当該公益法人等の設立前となることがあることに留意する。

（実質上法人の所有と認められるもの）

(4)　公益法人等の設立に際し、当該公益法人等に個人が財産を贈与名義により移転させるとともに、当該移転に伴い債務を引き受けさせる形式がとられている場合であっても、次に掲げる要件のすべてを満たすものと認められるときは、当該財産及び債務は、実質上当初から当該公益法人等に帰属しているものとして取り扱う。したがって、当該財産については、①後段に規定する承認の対象とする必要がないことに留意する。（昭55直資２－181「４」、平20課資４－83、平30課資５－126により改正）

⑴　当該債務は、当該財産の取得のために生じたものであること。

⑵　当該財産の取得又は当該財産の取得に係る債務の発生に関する当該個人の行為が実質上設立準備委員会等の代表者としての資格の下に行われたものであること。

〔①(1)関係〕

（贈与又は遺贈のあった日）

(5)　①(1)に規定する「贈与又は遺贈のあった日」とは、次に掲げる日後に当該贈与又は遺贈の効力が生ずると認められる場合を除き、それぞれ次に掲げる日をいうものとして取り扱う。（昭55直資２－181「５」、昭57直資２－177、昭58直資２－105、平元直資２－209、平４課資２－158、平10課資２－243、平14課資４－301、平15課資４－245、平20課資４－83、令２課資５－125により改正）

⑴　公益法人等に対する財産の贈与の場合　当該公益法人等の理事会など権限ある機関において、その受入れの決議をした日

⑵　公益法人等を設立するための生前の財産の提供の場合　当該公益法人等の成立した日

(注)　公益法人等の成立した日は、次に掲げる法人については、法人の設立登記の日となることに留意する。

特定一般法人（法人税法別表第２に掲げる一般社団法人及び一般財団法人で、同法第２条第９号の２イ《定義》に掲げるものをいう。）、学校法人（私立学校法第３条に規定する学校法人をいう。）、社会福祉法人（社会福祉法第22条《定義》に規定する社会福祉法人をいう。）、更生保護法人（更生保護事業法第２条第６項《定義》に規定する更生保護法人をいう。）、宗教法人（宗教法人法第４条第２項《法人格》に規定する宗教法人をいう。）、医療法人（医療法第39条第２項に規定する医療法人をいう。）又は特定非営利活動法人（特定非営利活動促進法第２条第２項《定義》に規定する特定非営利活動法人をいう。）

⑶　公益法人等に対する遺贈又は当該公益法人等を設立するための遺言による財産の提供の場合（(3)《人格のない社団等に対する贈与等》の設立準備委員会等に対する遺贈と認められる場合を含む。）　遺贈をした者の死亡の日

⑷　(3)《人格のない社団等に対する贈与等》の設立準備委員会等に対する財産の贈与の場合　当該設立準備委員会等において、その受入れの決議をした日

(注)　農地法第２条第１項《定義》に規定する農地及び採草放牧地（以下「農地等」という。）の権利の移転に当たり同法第３条第１項《農地又は採草放牧地の権利移動の制限》若しくは第５条第１項本文《農地又は採草放牧地の転用のための権利移動の制限》の規定による許可又は同項第７号の規定による届出を要する農地等が公益法人等に贈与された場合又は公益法人等を設立するために生前に提供された場合で、上記⑴又は⑵に定める日において当該許可又は届出がなされていないときにおける当該農地等の「贈与のあった日」は、当該農地等に係る当該許可又は届出のあった日をいうものとして取り扱う。

（承認申請書等の提出についての「やむを得ないと認める事情」）

(6)　①(1)後段に規定する「当該期間内に当該申請書の提出がなかったこと又は当該書類の添付がなかったことにつき国税庁長官においてやむを得ないと認める事情」がある場合とは、災害、重病等による場合、遺言をもって公益法人等を設立するための財産の提供があった場合において当該期間内に当該法人が設立されなかったときなど、当該期間内に当該申請書等を提出できなかった事情が客観的に認められる場合をいうものとして取り扱う。（昭55直資２－181「６」、昭57直資２－177、昭58直資２－105、平元直資２－209、平４課資２－158、平10課資２－243、平20課資４－83により改正）

〔①(2)関係〕

（代替資産の範囲）

(7)　①後段かっこ書に規定する「当該財産につき……当該財産に代わるべき資産として(3)で定めるものを取得したときは、当該資産」（以下「代替資産」という。）の範囲から、①(2)に規定する「国外にある土地若しくは土地の上に存する権利又は建物及びその附属設備若しくは構築物」が除かれることに留意する。（昭55直資２－181「７」、平20課資４－83により追加）

(注)　代替資産の取得後に②又は③の規定による①後段の承認の取消しがあった場合であっても、当該承認に係る贈与又は遺贈を受けた財産

の譲渡があったものとして、当該財産に係る山林所得の金額、譲渡所得の金額又は雑所得の金額に係る所得税が課されることに留意する。

〔①(３)関係〕

（譲渡の収入金額による代替資産の取得）

（８）　①後段かっこ書の規定により、代替資産は、贈与又は遺贈に係る財産の譲渡による収入金額の全部に相当する金額をもって取得しなければならないのであるから、その譲渡による収入金額の全部又は一部が①(３)(一)から同(七)までに定める資産の取得に充てられていないときは、当該資産は代替資産に該当しないことに留意する。

この場合において、贈与又は遺贈に係る財産の譲渡又は①(３)(一)から同(七)までに定める資産の取得に要した仲介料、登記費用などの費用があるときは、次により取り扱う。（昭55直資２－181「８」、昭57直資２－177、昭58直資２－105、平元直資２－209、平４課資２－158、平10課資２－243、平15課資４－245、平20課資４－83により改正）

⑴　贈与又は遺贈に係る財産の譲渡について仲介料、登記費用などの費用を要した場合には、当該譲渡の対価の額から当該譲渡に要した費用の額を控除した金額をもって①後段かっこ書に規定する「当該譲渡による収入金額」とする。

⑵　①(３)(一)から同(七)までに定める資産の取得について仲介料、登記費用などの費用を要した場合には、当該取得に要した費用の額は、当該資産の取得に充てられたものとする。

（財産を譲渡することについてのやむを得ない理由として認める場合等）

（９）　①(３)(注)２に規定する国税庁長官が認める理由により贈与又は遺贈に係る財産の譲渡をする場合とは、例えば、次に掲げるような場合とし、同(注)２に規定する当該財産の譲渡による収入金額の全部に相当する金額をもって取得した減価償却資産、土地、土地の上に存する権利及び株式（出資を含む。以下(９)において同じ。）で国税庁長官が認めたものとは、次に掲げる場合の区分に応じそれぞれ次に定めるようなものがこれに該当するものとして取り扱う。（昭55直資２－181「９」、昭57直資２－177、昭58直資２－105、平元直資２－209、平４課資２－158、平10課資２－243、平15課資４－245、平20課資４－83、平26課資４－151、平29課資５－140により改正）

⑴　贈与又は遺贈に係る土地が、不整形地若しくは間口が狭小な土地又は借地権が設定されている土地であることなどから、当該土地を公益法人等の公益目的事業の用に直接供することが困難であるため、当該土地の全部又は一部が当該公益法人等において隣接地又は借地権と交換された場合　交換により取得した隣接地又は借地権

⑵　財産の提供による公益法人等の設立の認可など又は公益目的事業に係る施設の設置認可に際し、当該施設の設置場所が適当でないとする行政庁の指導に基づく設置場所の変更があったことに伴い、贈与又は遺贈に係る財産が当該公益法人等において譲渡された場合　当該変更後の施設の用に供する減価償却資産、土地及び土地の上に存する権利

⑶　贈与又は遺贈に係る財産の使用について建築基準法その他の法令による制限を受けるなどのため、当初の使用計画が実行不能となったことから事業計画の変更があったことに伴い、当該財産が公益法人等において譲渡された場合　当該変更後の施設の用に供する減価償却資産、土地及び土地の上に存する権利

⑷　公益法人等の設立の認可などの要件として、一定の施設を有することが必要とされていることから、当該公益法人等の設立前にその設立準備委員会等において、贈与又は遺贈によって取得した土地などの財産が譲渡され、その譲渡代金の全額をもって当該施設が取得された場合で、当該施設の取得のためには当該財産を譲渡するよりほかに方法がなかったと認められるとき　当該施設の用に供する減価償却資産、土地及び土地の上に存する権利

⑸　公益目的事業の新規開設又は事業規模の拡張に伴い当該公益目的事業の基盤として必要不可欠な財産の取得資産に充てるため、又は当該事業の基盤として必要不可欠な建物などの減価償却資産が老朽化したことに伴い当該資産の建替資金などに充てるために贈与又は遺贈に係る財産が公益法人等において譲渡された場合（上記⑷に掲げる場合を除く。）で、当該公益法人等の財務状況や活動状況に照らし、その財産の取得又は建替えなどのためには当該贈与又は遺贈に係る財産を譲渡するよりほかに方法がなかったと認められるとき　当該公益目的事業の用に供する減価償却資産、土地及び土地の上に存する権利

（注）　当該公益法人等が贈与又は遺贈に係る財産を譲渡することを企図して贈与又は遺贈を受けたと認められる場合には、⑸に該当しないことに留意する。

⑹　当該財産につき第五章第三節**二十**(２)(二)《株式交換等に係る譲渡所得等の特例》に規定する取得条項付株式に係る同(二)に規定する取得事由の発生による譲渡があった場合　当該取得条項付株式に係る取得事由の発生により交付を受ける同(二)に規定する取得をする法人の株式

⑺　当該財産につき第五章第三節**二十**(２)(三)に規定する全部取得条項付種類株式に係る同(三)に規定する取得決議による譲渡があった場合　当該全部取得条項付種類株式に係る取得決議により交付を受ける同(三)に規定する取得

をする法人の株式

⑻　当該財産につき第五章第三節**二十**（２）(六)に規定する取得条項付新株予約権が付された新株予約権付社債に係る同(六)に規定する取得事由の発生による譲渡があった場合　当該取得条項付新株予約権に係る取得事由の発生により交付を受ける同(六)に規定する取得をする法人の株式

〔①（４）関係〕

（２年を経過する日までの期間内に公益目的事業の用に直接供することが困難である場合の「やむを得ない事情」）

(10)　①（４）に規定する「その他①の財産又は代替資産を当該贈与又は遺贈があった日から２年を経過する日までの期間内に当該公益目的事業の用に直接供することが困難であるやむを得ない事情」（以下「やむを得ない事情」という。）とは、贈与をした者（当該贈与した者の相続人及び包括受遺者を含む。）又は遺贈をした者（当該遺贈をした者の相続人及び包括受遺者を含む。）及び贈与又は遺贈を受けた公益法人等の責めに帰せられない次に掲げる事情がある場合など、当該贈与又は遺贈に係る財産又は代替資産（以下(23)までにおいて「財産等」という。）を、当該贈与又は遺贈があった日から２年を経過する日までの期間内に、当該公益法人等の公益目的事業の用に直接供することが困難である事情が客観的に認められる場合をいうものとして取り扱う。（昭55直資２－181「10」、平14課資４－301、平15課資４－245、平20課資４－83により改正）

⑴　災害により、当該財産等を当該期間内に当該公益目的事業の用に直接供せないこと。

⑵　建築基準法その他の法令による制限を受けるなどのため、施設の設置に関する計画の変更を余儀なくされ、施設の設置ができなくなったことに伴い当該財産等を当該期間内に当該公益目的事業の用に直接供せないこと。

⑶　施設の設置認可に係る行政庁の指導又は施設の設置についての隣接地などの所有者などの反対などにより、施設の設置に関する計画の変更を余儀なくされ、施設の設置ができなくなったことに伴い当該財産等を当該期間内に当該公益目的事業の用に直接供せないこと。

〔①（５）(一)関係〕

（法令に違反する贈与等）

(11)　公益法人等に対する財産の贈与が、公職選挙法第199条の２第１項《公職の候補者等の寄附の禁止》の規定に違反するものである場合など法令に違反するものであるとき又はその他の公益に反するものであるときは、当該贈与又は遺贈は公益の増進に著しく寄与することとはならないことに留意する。（昭55直資２－181「11」、平10課資２－243、平20課資４－83により改正）

（公益の増進に著しく寄与するかどうかの判定）

(12)　①（５）(一)に規定する「当該贈与又は遺贈が…公益の増進に著しく寄与する」かどうかの判定は、(11)《法令に違反する贈与等》に該当するものを除き、当該贈与又は遺贈に係る公益目的事業が公益の増進に著しく寄与するかどうかにより行うものとして取り扱う。

この場合の判定は、次に掲げる事項が、それぞれ次に掲げる要件を満たしているかどうかによるものとして取り扱う。（昭55直資２－181「12」、昭57直資２－177、昭58直資２－105、平元直資２－209、平４課資２－158、平８課資２－117、平10課資２－243、平12課資２－256、平15課資４－245、平16課資４－６、平19課資４－162、平20課資４－83、平26課資４－151、平29課資５－140、平30課資５－126、令元課資５－177、令２課資５－125、令５課資２－12により改正）

⑴　公益目的事業の規模

当該贈与又は遺贈を受けた公益法人等の当該贈与又は遺贈に係る公益目的事業が、その事業の内容に応じ、その公益目的事業を行う地域又は分野において社会的存在として認識される程度の規模を有すること。

この場合において、例えば、次のイからヌまでに掲げる事業がその公益法人等の主たる目的として行われているときは、当該事業は、社会的存在として認識される程度の規模を有するものに該当するものとして取り扱う。

イ　学校教育法第１条に規定する学校を設置運営する事業

ロ　社会福祉法第２条第２項各号及び第３項各号《定義》に規定する事業

ハ　更生保護事業法第２条第１項に規定する更生保護事業

ニ　宗教の普及その他教化育成に寄与することとなる事業

ホ　博物館法第２条第１項《定義》に規定する博物館を設置運営する事業

（注）　上記の博物館は、博物館法第11条《登録》の規定による博物館としての登録を受けたものに限られているのであるから留意する。

ヘ　図書館法第２条第１項《定義》に規定する図書館を設置運営する事業

ト　30人以上の学生若しくは生徒（以下「学生等」という。）に対して学資の支給若しくは貸与をし、又はこれらの者の修学を援助するための寄宿舎を設置運営する事業（学資の支給若しくは貸与の対象となる者又は寄宿舎の貸与の対象となる者が都道府県の範囲よりも狭い一定の地域内に住所を有する学生等若しくは当該一定の地域内に所在する学校の学生等に限定されているものを除く。）

チ　科学技術その他の学術に関する研究を行うための施設（以下「研究施設」という。）を設置運営する事業又は当該学術に関する研究を行う者（以下「研究者」という。）に対して助成金を支給する事業（助成金の支給の対象となる者が都道府県の範囲よりも狭い一定の地域内に住所を有する研究者又は当該一定の地域内に所在する研究施設の研究者に限定されているものを除く。）

リ　学校教育法第124条に規定する専修学校又は同法第134条第１項に規定する各種学校を設置運営する事業で、次の要件を具備するもの

（イ）　同時に授業を受ける生徒定数は、原則として80人以上であること。

（ロ）　法人税法施行規則第７条第１号及び第２号《学校において行なう技芸の教授のうち収益事業に該当しないものの範囲》に定める要件

ヌ　医療法第１条の２第２項に規定する医療提供施設を設置運営する事業を営む法人で出資持分の定めのないものが行う事業が次の(イ)及び(ロ)の要件又は(ハ)の要件を満たすもの

（イ）　医療法施行規則第30条の35の３第１項第１号ホ及び第２号《社会医療法人の認定要件》に定める要件（この場合において、同号イの判定に当たっては、介護保険法の規定に基づく保険給付に係る収入金額を社会保険診療に係る収入に含めて差し支えないものとして取り扱う。）

（ロ）　その開設する医療提供施設のうち１以上のものが、その所在地の都道府県が定める医療法第30条の４第１項に規定する医療計画において同条第２項第２号に規定する医療連携体制に係る医療提供施設として記載及び公示されていること。

（ハ）　租税特別措置法施行令第39条の25第１項第１号《特定の医療法人の法人税率の特例》に規定する厚生労働大臣が財務大臣と協議して定める基準

⑵　公益の分配

当該贈与又は遺贈を受けた公益法人等の事業の遂行により与えられる公益が、それを必要とする者の現在又は将来における勤務先、職業などにより制限されることなく、公益を必要とするすべての者（やむを得ない場合においてはこれらの者から公平に選出された者）に与えられるなど公益の分配が適正に行われること。

⑶　事業の営利性

当該公益法人等の当該贈与又は遺贈に係る公益目的事業について、その公益の対価がその事業の遂行に直接必要な経費と比べて過大でないことその他当該公益目的事業の運営が営利企業的に行われている事実がないこと。

（注）　次に掲げる法人の事業の運営が営利企業的に行われている事実がないかどうかの判定は、当分の間、それぞれ次に掲げる法令の要件又は通達に準じて行うものとして取り扱う。

1　専修学校又は各種学校の設置運営を目的とする学校法人等

昭和35年５月26日付文管振第207号「準学校法人の認可基準の解釈および運用について」文部省管理局長通達の別紙（準学校法人の認可基準の解釈および運用方針）のⅡの４の⑴

参考　昭和35年５月26日付文管振第207号文部省管理局長通達の別紙のⅡの４の⑴

当該法人が生徒から経常的に受け入れる授業料その他の金額の総額は、教職員の給与、研究費及び共済組合等の掛金、生徒諸費（支給教材費及びこれに関連する費用、支給奨学金及びこれに類する費用、生徒の保健費及び福利厚生費並びに生徒の娯楽運動に要する費用をいう。）並びに教育用備品費（図書費、教具費及び校具費をいう。）の総額のおおむね1.5倍相当額の範囲内であること。

2　幼稚園の設置運営を目的とする学校法人

昭和36年５月23日付文管振第193号「幼稚園を設置する学校法人に対する幼稚園のための財産の贈与または遺贈の非課税取扱いについて」文部省管理局長通達の記の２の⑵

参考　昭和36年５月23日付文管振第193号文部省管理局長通達の記の２の⑵

当該法人の園児に係る経常的な授業料その他の収入金額の総額は、教職員の給与、研究費及び共済組合等の掛金、園児諸費（支給教材費及びこれに関連する費用、保健費、福利厚生費及び娯楽運動に要する費用をいう。）及び教育用備品費（図書並びに園具及び教具（幼稚園設置基準第10条に掲げる園具及び教具をいう。）の購入および修繕に要する費用をいう。）並びに教育用消耗品費のおおむね1.5倍相当額の範囲内であること。

3　上記⑴のヌの(イ)及び(ロ)の要件を満たす法人

医療法施行規則第30条の35の３第１項第２号に定める要件（この場合において、同号ロの判定に当たっては、介護保険法の規定に基づく保険給付に係る収入金額を社会保険診療に係る収入に含めて差し支えないものとして取り扱う。）

参考　医療法施行規則第30条の35の３第１項第２号の要件

医療法人の事業について、次のいずれにも該当すること。

イ　病院、診療所、介護老人保健施設及び介護医療院の業務に係る費用の額が経常費用の額の100分の60を超えること。

ロ　社会保険診療（租税特別措置法第26条第２項に規定する社会保険診療をいう。以下同じ。）に係る収入金額（労働者災害補償保険法に係る患者の診療報酬（当該診療報酬が社会保険診療報酬と同一の基準によっている場合又は当該診療報酬が少額（全収入金額のおおむね100分の10以下の場合をいう。）の場合に限る。）を含む。）、健康増進法第６条各号に掲げる健康増進事業実施者が行う同法第４条に規定する健康増進事業（健康診査に係るものに限る。以下同じ。）に係る収入金額（当該収入金額が社会保険診療報酬と同一の基準により計算されている場合に限る。）、予防接種（予防接種法第２条第６項に規定する定期の予防接種等その他厚生労働大臣が定める予防接種をいう。）に係る収入金額、助産（社会保険診療及び健康増進事業に係るものを除く。）に係る収入金額（１の分娩に係る助産に係る収入金額が50万円を超えるときは、50万円を限度とする。）、介護保険法の規定による保険給付に係る収入金額（租税特別措置法第26条第２項第４号に掲げるサービスに係る収入金額を除く。）並びに障害者の日常生活及び社会生活を総合的に支援するための法律第６条に規定する介護給付費、特例介護給付費、訓練等給付費、特例訓練等給付費、特定障害者特別給付費、特例特定障害者特別給付費、地域相談支援給付費、特例地域相談支援給付費、計画相談支援給付費、特例計画相談支援給付費及び基準該当療養介護医療費、同法第77条及び第78条に規定する地域生活支援事業、児童福祉法第21条の５の２に規定する障害児通所給付費及び特例障害児通所給付費、同法第24条の２に規定する障害児入所給付費、同法第24条の７に規定する特定入所障害児食費等給付費並びに同法第24条の25に規定する障害児相談支援給付費及び特例障害児相談支援給付費に係る収入金額の合計額が、全収入金額の100分の80を超えること。

ハ　自費患者（社会保険診療に係る患者又は労働者災害補償保険法に係る患者以外の患者をいう。以下同じ。）に対し請求する金額が、社会保険診療報酬と同一の基準により計算されること。

ニ　医療診療（社会保険診療、労働者災害補償保険法に係る診療及び自費患者に係る診療をいう。）により収入する金額が、医師、看護師等の給与、医療の提供に要する費用（投薬費を含む。）等患者のために直接必要な経費の額に100分の150を乗じて得た額の範囲内であること。

４　上記⑴のヌの(ハ)の要件を満たす法人

租税特別措置法施行令第39条の25第１項第１号に規定する厚生労働大臣が財務大臣と協議して定める基準第１号に規定するイからハまでの要件

参考　租税特別措置法施行令第39条の25第１項第１号に規定する厚生労働大臣が財務大臣と協議して定める基準第１号

その医療法人の事業について、次のいずれにも該当すること。

イ　社会保険診療（租税特別措置法第26条第２項に規定する社会保険診療をいう。以下同じ。）に係る収入金額（労働者災害補償保険法に係る患者の診療報酬（当該診療報酬が社会保険診療報酬と同一の基準によっている場合又は当該診療報酬が少額（全収入金額のおおむね100分の10以下の場合をいう。）の場合に限る。）を含む。）、健康増進法第６条各号に掲げる健康増進事業実施者が行う同法第４条に規定する健康増進事業（健康診査に係るものに限る。以下同じ。）に係る収入金額（当該収入金額が社会保険診療報酬と同一の基準によっている場合に限る。）、予防接種法第２条第６項に規定する定期の予防接種等及び医療法施行規則第30条の35の３第１項第２号ロの規定に基づき厚生労働大臣が定める予防接種に定める予防接種に係る収入金額、助産（社会保険診療及び健康増進事業に係るものを除く。）に係る収入金額（１の分娩に係る助産に係る収入金額が50万円を超えるときは、50万円を限度とする。）、介護保険法の規定による保険給付に係る収入金額（租税特別措置法第26条第２項第４号に掲げるサービスに係る収入金額を除く。）並びに障害者の日常生活及び社会生活を総合的に支援するための法律第６条に規定する介護給付費、特例介護給付費、訓練等給付費、特例訓練等給付費、特定障害者特別給付費、特例特定障害者特別給付費、地域相談支援給付費、特例地域相談支援給付費、計画相談支援給付費、特例計画相談支援給付費及び基準該当療養介護医療費、同法第77条及び第78条に規定する地域生活支援事業、児童福祉法第21条の５の２に規定する障害児通所給付費及び特例障害児通所給付費、同法第24条の２に規定する障害児入所給付費、同法第24条の７に規定する特定入所障害児食費等給付費並びに同法第24条の25に規定する障害児相談支援給付費及び特例障害児相談支援給付費に係る収入金額の合計額が、全収入金額の100分の80を超えること。

ロ　自費患者（社会保険診療に係る患者又は労働者災害補償保険法に係る患者以外の患者をいう。）に対し請求する金額が、社会保険診療報酬と同一の基準により計算されること。

ハ　医療診療（社会保険診療、労働者災害補償保険法に係る診療及び自費患者に係る診療をいう。）により収入する金額が、医師、看護師等の給与、医療の提供に要する費用（投薬費を含む。）等患者のために直接必要な経費の額に100分の150を乗じて得た額の範囲内であること。

⑷　法令の遵守等

当該公益法人等の事業の運営につき、法令に違反する事実その他公益に反する事実がないこと。

〔①（５）（二）関係〕

（財産等が公益目的事業の用に直接供されるかどうかの判定）

(13)　①（５）（二）に規定する財産等が贈与又は遺贈に係る公益目的事業の用に直接供されるかどうかの判定は、原則として、当該財産等そのものが、当該贈与又は遺贈を受けた公益法人等の当該贈与又は遺贈に係る公益目的事業の用に直接供されるかどうかにより行うことに留意する。

ただし、株式、著作権などのようにその財産の性質上その財産を公益目的事業の用に直接供することができないものである場合には、各年の配当金、印税収入などその財産から生ずる果実の全部が当該公益目的事業の用に供されるかどうかにより、当該財産が当該公益目的事業の用に直接供されるかどうかを判定して差し支えないものとして取り扱う。この場合において、各年の配当金、印税収入などの果実の全部が当該公益目的事業の用に供されるかどうかは、例えば、(12)の⑴のト《公益の増進に著しく寄与するかどうかの判定》に掲げる事業を行う公益法人等において学資として支給され、又は同チに掲げる事業を行う公益法人等において助成金として支給されるなど、当該果実の全部が直接、かつ、継続して、当該公益目的事業の用に供されるかどうかにより判定することに留意する。（昭55直資２－181「13」、昭57直資２－177、昭58直資２－105、平元直資２－209、平４課資２－158、平10課資２－243、平15課資４－245、平20課資４－83により改正）

（注）1　建物を賃貸の用に供し、当該賃貸に係る収入を公益目的事業の用に供する場合は、ただし書の適用がないことに留意する。
　　2　配当金などの果実が毎年定期的に生じない株式などについては、ただし書の適用がないことに留意する。

（公益法人等の福利厚生施設等として使用される場合）

(14)　財産等が、贈与又は遺贈を受けた公益法人等の理事、監事、評議員その他これらの者に準ずるもの（以下「役員等」という。）若しくは当該公益法人等の社員又は職員のための宿舎、保養所その他の福利厚生施設として利用される場合には、当該財産等は、公益目的事業の用に直接供されていることとはならないことに留意する。

なお、当該財産等が、例えば、宗教法人において本堂に付随する庫裏及びその敷地として利用されている場合などで、当該法人の事業内容、活動状況、施設の状況等に照らして当該法人の事業遂行上必要不可欠な用途に供されると認められるときには、当該財産等は、公益目的事業の用に直接供されるものとして取り扱うことに留意する。（昭55直資２－181「14」、平10課資２－243、平15課資４－245、平20課資４－83により改正）

（２年を経過する日までの期間内に公益目的事業の用に直接供される見込みであるかどうかの判定）

(15)　①（５）(二)に規定する財産等が、贈与又は遺贈があった日から２年を経過する日までの期間（当該期間内に当該贈与又は遺贈を受けた公益法人等の公益目的事業の用に直接供することが困難である場合として①（４）に定める事情があるときは当該贈与又は遺贈があった日から国税庁長官が認める日までの期間。以下(15)において同じ。）内に、当該公益法人等の当該贈与又は遺贈に係る公益目的事業の用に直接供される見込みであるかどうかの判定は、当該財産等が、当該贈与又は遺贈があった日から２年を経過する日までの期間内に、当該公益法人等の当該贈与又は遺贈に係る公益目的事業の用に直接供されることについて、例えば、建物の設計図、資金計画などその具体的計画があり、かつ、その計画の実現性があるかどうかにより行うものとする。（昭55直資２－181「15」、昭57直資２－177、昭58直資２－105、平元直資２－209、平４課資２－158、平10課資２－243、平14課資４－301、平15課資４－245、平20課資４－83により改正）

（承認申請書の提出後にやむを得ない事情が生じた場合）

(16)　①（１）に規定する申請書の提出後に、やむを得ない事情が生じ、贈与又は遺贈に係る財産等が、当該贈与又は遺贈があった日から２年を経過する日までの期間内に、当該贈与又は遺贈を受けた公益法人等の公益目的事業の用に直接供されることが困難となった場合においても、当該財産等が、当該贈与又は遺贈があった日から国税庁長官が認める日までの期間内に当該公益法人等の当該公益目的事業の用に直接供され、又は供される見込みであるときは、①（５）(二)に規定する要件を満たすものとして取り扱う。（昭55直資２－181「16」、平14課資４－301、平15課資４－245、平20課資４－83、平29課資５－140により改正）

（注）　上記の場合には、やむを得ない事情が生じた後速やかに、やむを得ない事情の詳細を記載した書面を、財産の贈与又は遺贈をした者の納税地の所轄税務署長を経由して、国税庁長官に提出するものとする。

〔①（５）(三)及び①（６）関係〕

（相続税等の負担の不当減少についての判定）

(17)　①（５）(三)の規定による所得税又は相続税若しくは贈与税の負担を不当に減少させる結果とならないと認められるかどうかの判定は、原則として、贈与又は遺贈を受けた公益法人等が①（６）(一)から同(五)までに掲げる要件を満たしているかどうかにより行うものとする。

ただし、当該公益法人等の役員等及び職員のうちに、その財産の贈与若しくは遺贈をした者又はこれらの者と親族その他①（６）(一)に規定する特殊の関係がある者が含まれていない事実があり、かつ、これらの者が、当該公益法人等の財産の運用及び事業の運営に関して私的に支配している事実がなく、将来も私的に支配する可能性がないと認められる場合には、同(一)の要件を満たさないときであっても、同(二)から同(五)までの要件を満たしているときは、①（５）(三)の規定による所得税又は相続税若しくは贈与税の負担を不当に減少させる結果とならないと認められることに該当するものとして取り扱う。（昭55直資２－181「17」、昭57直資２－177、昭58直資２－105、平元直資２－209、平４課資２－158、平15課資４－245、平20課資４－83、平25課資４－85、平26課資４－151により改正）

（その運営組織が適正であるかどうかの判定）

(18)　①（６）(一)に規定する「その運営組織が適正である」かどうかの判定は、財産の贈与又は遺贈を受けた公益法人等について、次に掲げる事実が認められるかどうかにより行うものとして取り扱う。（昭55直資２－181「18」、昭57直資２－177、昭58直資２－105、平元直資２－209、平４課資２－158、平10課資２－243、平15課資４－245、平20課資４－83、平26課資４－151、平29課資５－140、令２課資５－125により改正）

⑴　次に掲げる法人の態様に応じ、定款、寄附行為又は規則において、それぞれ次に掲げる事項が定められていること。

イ　公益社団法人及び公益財団法人

一般社団法人及び一般財団法人に関する法律（以下「一般社団・財団法人法」という。）及び公益社団法人及び公益財団法人の認定等に関する法律（以下「公益認定法」という。）において定款の記載事項と定められている事項

なお、この場合においては、次に掲げる事項が定款に定められていなければならないことに留意する。

(イ)　①（６）(一)に定める親族その他特殊の関係がある者に関する規定及び同(三)に定める残余財産の帰属に関する規定

(ロ)　贈与又は遺贈に係る財産が贈与又は遺贈をした者又はこれらの者の親族が法人税法第２条第15号に規定する役員（以下「会社役員」という。）となっている会社の株式又は出資である場合には、その株式又は出資に係る議決権の行使に当たっては、あらかじめ理事会において理事総数（理事現在数）の３分の２以上の承認を得ることを必要とすること。

（注）　上記の「公益社団法人」とは、一般社団・財団法人法第２条第１号《定義》に規定する一般社団法人であって、公益認定法第４条《公益認定》の認定を受けたもの及び一般社団法人及び一般財団法人に関する法律及び公益社団法人及び公益財団法人の認定等に関する法律の施行に伴う関係法律の整備等に関する法律（以下「整備法」という。）第40条第１項《社団法人及び財団法人の存続》に規定する一般社団法人で同法第106条第１項《移行の登記》による移行の登記をした法人をいい、「公益財団法人」とは一般社団・財団法人法第２条第１号に規定する一般財団法人であって公益認定法第４条の認定を受けたもの及び整備法第40条第１項に規定する一般財団法人で同法第106条第１項による移行の登記をした法人をいう。

ロ　法人税法別表第２に掲げる一般社団法人で同法第２条第９号の２イに掲げるもの

(イ)　理事の定数は６人以上、監事の定数は２人以上であること。

(ロ)　理事会を設置すること。

(ハ)　理事会の決議は、次の(ヘ)に該当する場合を除き、理事会において理事総数（理事現在数）の過半数の決議を必要とすること。

(ニ)　社員総会の決議は、法令に別段の定めがある場合を除き、総社員の議決権の過半数を有する社員が出席し、その出席した社員の議決権の過半数の決議を必要とすること。

(ホ)　基本財産に関する定めがあること。

(ヘ)　次に掲げるＣ及びＤ以外の事項の決議は、社員総会の決議を必要とすること。

この場合において次のＥ、Ｆ及びＧ（事業の一部の譲渡を除く。）以外の事項については、あらかじめ理事会における理事総数（理事現在数）の３分の２以上の議決を必要とすること。

なお、贈与又は遺贈に係る財産が贈与又は遺贈をした者又はこれらの者の親族が会社役員となっている会社の株式又は出資である場合には、その株式又は出資に係る議決権の行使に当たっては、あらかじめ理事会において理事総数（理事現在数）の３分の２以上の承認を得ることを必要とすること。

Ａ　収支予算（事業計画を含む。）

Ｂ　決算

Ｃ　重要な財産（基本財産を含む。）の処分及び譲受け

Ｄ　借入金（その事業年度内の収入をもって償還する短期の借入金を除く。）その他新たな義務の負担及び権利の放棄

Ｅ　定款の変更

Ｆ　解散

Ｇ　合併、事業の全部又は一部の譲渡

Ｈ　公益目的事業以外の事業に関する重要な事項

（注）　一般社団・財団法人法第15条第２項第２号《設立時役員等の選任》に規定する会計監査人設置一般社団法人で、同法第127条《会計監査人設置一般社団法人の特則》の規定の適用により同法第126条第２項《計算書類等の定時社員総会への提出等》の規定の適用がない場合にあっては、上記Ｂの決算について、社員総会の決議を要しないことに留意する。

(ト)　役員等には、その地位にあることのみに基づき給与等（第四章第五節**一**《給与所得》に規定する「給与等」

をいう。以下同じ。）を支給しないこと。

(チ)　監事には、理事（その親族その他特殊の関係がある者を含む。）及びその法人の職員が含まれてはならないこと。また、監事は、相互に親族その他特殊の関係を有しないこと。

(注) 1　上記のほか、①(6)(一)に定める親族その他特殊の関係がある者に関する規定及び同(三)に定める残余財産の帰属に関する規定並びに法人税法施行令第３条第１項第１号《非営利型法人の範囲》に定める剰余金の分配に関する規定が定款に定められていなければならないことに留意する。

2　社員総会における社員の議決権は各１個とし、社員総会において行使できる議決権の数、議決権を行使することができる事項、議決権の行使の条件その他の社員の議決権に関する事項（一般社団・財団法人法第50条《議決権の代理行使》から第52条《電磁的方法による議決権の行使》までに規定する事項を除く。）について、定款の定めがある場合には、ロに該当しないものとして取り扱う。

ハ　法人税法別表第２に掲げる一般財団法人で同法第２条第９号の２イに掲げるもの

(イ)　理事の定数は６人以上、監事の定数は２人以上、評議員の定数は６人以上であること。

(ロ)　評議員の定数は、理事の定数と同数以上であること。

(ハ)　評議員の選任は、例えば、評議員の選任のために設置された委員会の議決により選任されるなどその地位にあることが適当と認められる者が公正に選任されること。

(ニ)　理事会の決議は、次の(ト)に該当する場合を除き、理事会において理事総数（理事現在数）の過半数の決議を必要とすること。

(ホ)　評議員会の決議は、法令に別段の定めがある場合を除き、評議員会において評議員総数（評議員現在数）の過半数の決議を必要とすること。

(ヘ)　基本財産に関する定めがあること。

(ト)　次に掲げるＣ及びＤ以外の事項の決議は、評議員会の決議を必要とすること。

この場合において次のＥ及びＦ（事業の一部の譲渡を除く。）以外の事項については、あらかじめ理事会における理事総数（理事現在数）の３分の２以上の決議を必要とすること。

なお、贈与又は遺贈に係る財産が贈与又は遺贈をした者又はこれらの者の親族が会社役員となっている会社の株式又は出資である場合には、その株式又は出資に係る議決権の行使に当たっては、あらかじめ理事会において理事総数（理事現在数）の３分の２以上の承認を得ることを必要とすること。

Ａ　収支予算（事業計画を含む。）

Ｂ　決算

Ｃ　重要な財産（基本財産を含む。）の処分及び譲受け

Ｄ　借入金（その事業年度内の収入をもって償還する短期の借入金を除く。）その他新たな義務の負担及び権利の放棄

Ｅ　定款の変更

Ｆ　合併、事業の全部又は一部の譲渡

Ｇ　公益目的事業以外の事業に関する重要な事項

(注)　一般社団・財団法人法第153条第１項第７号《定款の記載又は記録事項》に規定する会計監査人設置一般財団法人で、同法第199条の規定において読み替えて準用する同法第127条の規定により同法第126条第２項の規定の適用がない場合にあっては、上記Ｂの決算について評議員会の決議を要しないことに留意する。

(チ)　役員等には、その地位にあることのみに基づき給与等を支給しないこと。

(リ)　監事には、理事（その親族その他特殊の関係がある者を含む。）及び評議員（その親族その他特殊の関係がある者を含む。）並びにその法人の職員が含まれてはならないこと。また、監事は、相互に親族その他特殊の関係を有しないこと。

(注)　上記のほか、①(6)(一)に定める親族その他特殊の関係がある者に関する規定及び同(三)に定める残余財産の帰属に関する規定並びに法人税法施行令第３条第１項第１号に定める剰余金の分配に関する規定が定款に定められていなければならないことに留意する。

ニ　学校法人、社会福祉法人、更生保護法人、宗教法人その他の公益目的事業を行う法人

(イ)　その法人に社員総会又はこれに準ずる議決機関がある法人

Ａ　理事の定数は６人以上、監事の定数は２人以上であること。

Ｂ　理事及び監事の選任は、例えば、社員総会における社員の選挙により選出されるなどその地位にあることが適当と認められる者が公正に選任されること。

Ｃ　理事会の議事の決定は、次のＥに該当する場合を除き、原則として、理事会において理事総数（理事現在数）の過半数の議決を必要とすること。

Ｄ　社員総会の議事の決定は、法令に別段の定めがある場合を除き、社員総数の過半数が出席し、その出席社員の過半数の議決を必要とすること。

E　次に掲げる事項（次のFにより評議員会などに委任されている事項を除く。）の決定は、社員総会の議決を必要とすること。

この場合において、次の(E)及び(F)以外の事項については、あらかじめ理事会における理事総数（理事現在数）の３分の２以上の多数による議決を必要とすること。

(A)　収支予算（事業計画を含む。）

(B)　収支決算（事業報告を含む。）

(C)　基本財産の処分

(D)　借入金（その会計年度内の収入をもって償還する短期借入金を除く。）その他新たな義務の負担及び権利の放棄

(E)　定款の変更

(F)　解散及び合併

(G)　当該法人の主たる目的とする事業以外の事業に関する重要な事項

F　社員総会のほかに事業の管理運営に関する事項を審議するため評議員会などの制度が設けられ、上記Eの(E)及び(F)以外の事項の決定がこれらの機関に委任されている場合におけるこれらの機関の構成員の定数及び選任並びに議事の決定については、次によること。

(A)　構成員の定数は、理事の定数の２倍を超えていること。

(B)　構成員の選任については、上記Bに準じて定められていること。

(C)　議事の決定については、原則として、構成員総数の過半数の議決を必要とすること。

G　上記CからFまでの議事の表決を行う場合には、あらかじめ通知された事項について書面をもって意思を表示した者は、出席者とみなすことができるが、他の者を代理人として表決を委任することはできないこと。

H　役員等には、その地位にあることのみに基づき給与等を支給しないこと。

I　監事には、理事（その親族その他特殊の関係がある者を含む。）及び評議員（その親族その他特殊の関係がある者を含む。）並びにその法人の職員が含まれてはならないこと。また、監事は、相互に親族その他特殊の関係を有しないこと。

(ロ)　上記(イ)以外の法人

A　理事の定数は６人以上、監事の定数は２人以上であること。

B　事業の管理運営を審議するため評議員会の制度が設けられており、評議員の定数は、理事の定数の２倍を超えていること。ただし、理事と評議員との兼任禁止規定が定められている場合には、評議員の定数は、理事の定数と同数以上であること。

C　理事、監事及び評議員の選任は、例えば、理事及び監事は評議員会の議決により、評議員は理事会の議決により選出されるなどその地位にあることが適当と認められる者が公正に選任されること。

D　理事会の議事の決定は、法令に別段の定めがある場合を除き、次によること。

(A)　重要事項の決定

次のaからgまでに掲げる事項の決定は、理事会における理事総数（理事現在数）の３分の２以上の多数による議決を必要とするとともに、原則として評議員会の同意を必要とすること。

なお、贈与又は遺贈に係る財産が贈与又は遺贈をした者又はその者の親族が会社役員となっている会社の株式又は出資である場合には、その株式又は出資に係る議決権の行使に当たっては、あらかじめ理事会において理事総数（理事現在数）の３分の２以上の同意を得ることを必要とすること。

a　収支予算（事業計画を含む。）

b　収支決算（事業報告を含む。）

c　基本財産の処分

d　借入金（その会計年度内の収入をもって償還する短期借入金を除く。）その他新たな義務の負担及び権利の放棄

e　寄附行為の変更

f　解散及び合併

g　当該法人の主たる目的とする事業以外の事業に関する重要な事項

(B)　その他の事項の決定

上記(A)に掲げる事項以外の事項の決定は、原則として、理事会において理事総数（理事現在数）の過半数の議決を必要とすること。

E　評議員会の議事の決定は、法令に別段の定めがある場合を除き、評議員会における評議員総数（評議員現

在数）の過半数の議決を必要とすること。

F　上記D及びEの議事の表決を行う場合には、あらかじめ通知された事項について書面をもって意思を表示した者は、出席者とみなすことができるが、他の者を代理人として表決を委任することはできないこと。

G　役員等には、その地位にあることのみに基づき給与等を支給しないこと。

H　監事には、理事（その親族その他特殊の関係がある者を含む。）及び評議員（その親族その他特殊の関係がある者を含む。）並びにその法人の職員が含まれてはならないこと。また、監事は、相互に親族その他特殊の関係を有しないこと。

I　贈与又は遺贈を受けた公益法人等が、学生等に対して学資の支給若しくは貸与をし、又は研究者に対して助成金を支給する事業その他これらに類する事業を行うものである場合には、学資の支給若しくは貸与の対象となる者又は助成金の支給の対象となる者を選考するため、理事会又は評議員会において選出される教育関係者又は学識経験者などにより組織される選考委員会を設けること。

（注）1　上記のほか、①（6）（一）に定める親族その他特殊の関係がある者に関する規定及び同（三）に定める残余財産の帰属に関する規定が定款などに定められていなければならないことに留意する。

2　上記の法人のうち、別途、国税庁長官の定める通達により標準的な定款、寄附行為又は規則の定めがあるものについては、その標準的な定款、寄附行為又は規則に従って定められたものは、上記ニに該当するものとして取り扱うことに留意する。

（注）　特例民法法人（整備法第40条第１項の規定により存続する一般社団法人又は一般財団法人のうち、同法第106条第１項（同法第121条第１項《認定に関する規定の準用》において読み替えて準用する場合を含む。）の移行の登記をしていないもの（同法第131条第１項《認可の取消し》の規定により同法第45条《通常の一般社団法人又は一般財団法人への移行》の認可を取り消されたものにあっては、法人税法第２条第９号の２イに掲げるものに該当するものに限る。）をいう。）については、法令に別段の定めがある場合を除き、上記ニに準じて取り扱うことに留意する。

⑵　当該公益法人等の事業の運営及び役員等の選任などが、法令及び定款、寄附行為又は規則に基づき適正に行われていること。

（注）　他の一の法人（当該他の一の法人と法人税法施行令第４条第２項《同族関係者の範囲》に定める特殊の関係がある法人を含む。）又は団体の役員及び職員の数が当該公益法人等のそれぞれの役員等のうちに占める割合が３分の１を超えている場合には、当該公益法人等の役員等の選任は、適正に行われていないものとして取り扱う。

⑶　当該公益法人等の経理については、その公益法人等の事業の種類及び規模に応じて、その内容を適正に表示するに必要な帳簿書類を備えて、収入及び支出並びに資産及び負債の明細が適正に記帳されていると認められること。

（特別の利益を与えること）

(19)　①（6）（二）の規定による特別の利益を与えることとは、具体的には、例えば、次の⑴又⑵に該当すると認められる場合が、これに該当するものとして取り扱う。（昭55直資２－181「19」、昭57直資２－177、昭58直資２－105、平元直資２－209、平４課資２－158、平10課資２－243、平15課資４－245、平20課資４－83により改正）

⑴　財産の贈与又は遺贈を受けた公益法人等の定款、寄附行為若しくは規則又は贈与契約書などにおいて、次に掲げる者に対して、当該公益法人等の財産を無償で利用させ、又は与えるなど特別の利益を与える旨の記載がある場合

イ　財産の贈与をする者

ロ　当該公益法人等の役員等若しくは社員

ハ　財産の贈与若しくは遺贈をする者、当該公益法人等の役員等若しくは社員（以下「贈与等をする者等」という。）の親族

ニ　贈与等をする者等と次に掲げる特殊の関係がある者（以下「特殊の関係がある者」という。）

（イ）　贈与等をする者等とまだ婚姻の届出をしていないが事実上婚姻関係と同様の事情にある者

（ロ）　贈与等をする者等の使用人及び使用人以外の者で贈与等をする者等から受ける金銭その他の財産によって生計を維持しているもの

（ハ）　上記（イ）又は（ロ）に掲げる者の親族でこれらの者と生計を一にしているもの

（ニ）　贈与等をする者等が会社役員となっている他の会社

（ホ）　贈与等をする者等、その親族、上記（イ）から（ハ）までに掲げる者及びこれらの者と法人税法第２条第10号に規定する政令で定める特殊の関係にある法人を判定の基礎とした場合に同号に規定する同族会社に該当する他の法人

（ヘ）　上記（ニ）又は（ホ）に掲げる法人の会社役員又は使用人

⑵　財産の贈与又は遺贈を受けた公益法人等が、贈与等をする者等又はその親族その他特殊の関係がある者に対して、次に掲げるいずれかの行為をし、又は行為をすると認められる場合

イ　当該公益法人等の所有する財産をこれらの者に居住、担保その他の私事に利用させること。

ロ　当該公益法人等の他の従業員に比し有利な条件で、これらの者に金銭の貸付けをすること。

ハ　当該公益法人等の所有する財産をこれらの者に無償又は著しく低い価額の対価で譲渡すること。

ニ　これらの者から金銭その他の財産を過大な利息又は賃借料で借り受けること。

ホ　これらの者からその所有する財産を過大な対価で譲り受けること、又はこれらの者から公益目的事業の用に直接供するとは認められない財産を取得すること。

ヘ　これらの者に対して、当該公益法人等の役員等の地位にあることのみに基づき給与等を支払い、又は当該公益法人等の他の従業員に比し過大な給与等を支払うこと。

ト　これらの者の債務に関して、保証、弁済、免除又は引受け（当該公益法人等の設立のための財産の提供に伴う債務の引受けを除く。）をすること。

チ　契約金額が少額なものを除き、入札等公正な方法によらないで、これらの者が行う物品販売、工事請負、役務提供、物品の賃貸その他の事業に係る契約の相手方となること。

リ　事業の遂行により供与する公益を主として、又は不公正な方法で、これらの者に与えること。

（公益法人等の有することとなる株式）

(19の２)　①(６)(五)に規定する「当該公益法人等の有することとなる当該株式の発行法人の株式」は、議決権を行使することができる事項について制限のない株式に限らないことに留意する。（昭55直資２－181「19の２」、平26課資４－151により追加）

〔①(７)関係〕

（文部科学大臣の定める基準に従い会計処理を行う学校法人）

(20)　①(７)に規定する「私立学校振興助成法第14条第１項《書類の作成等》に規定する学校法人で同項に規定する文部科学大臣の定める基準に従い会計処理を行うもの」とは、学校法人会計基準に従い会計処理を行う学校法人（以下(20)において「学校法人」という。）をいい、例えば、その贈与又は遺贈に係る学校法人の監査報告書又は寄附行為などに当該学校法人の会計処理は学校法人会計基準により行う旨の記載があるものは、これに該当するものとして取り扱う。（昭55直資２－181「20」、平15課資４－245により追加、平20課資４－83、平29課資５－140により改正）

（国立大学法人等に係る①(７)の要件）

(20の２)　財産の贈与又は遺贈が、国立大学法人等（国立大学法人、大学共同利用機関法人、公立大学法人、独立行政法人国立高等専門学校機構及び国立研究開発法人をいう。以下同じ。）のうち法人税法別表第１に掲げる法人（以下「特定国立大学法人等」という。）に対するものである場合における①(７)の規定の適用については、同(７)(二)及び同(三)の要件を満たす必要があることに留意する。

なお、財産の贈与又は遺贈が、国立大学法人等のうち法人税法別表第２に掲げる法人に対するものである場合には、①(７)(一)から同(三)までの要件の全てを満たす必要があることに留意する。（昭55直資２－181「20の２」、平30課資５－126により追加）

(注)　上記の国立大学法人等のうち法人税法別表第２に掲げる法人とは、国立研究開発法人宇宙航空研究開発機構、国立研究開発法人海洋研究開発機構、国立研究開発法人科学技術振興機構、国立研究開発法人情報通信研究機構、国立研究開発法人新エネルギー・産業技術総合開発機構、国立研究開発法人日本原子力研究開発機構、国立研究開発法人農業・食品産業技術総合研究機構及び国立研究開発法人理化学研究所をいうことに留意する。

（関係大臣が財務大臣と協議して定める方法）

(20の３)　①(７)(二)イ、同(二)ロ⑵及び同(二)ホに規定する関係大臣が財務大臣と協議して定める方法とは、平成30年３月31日付内閣府、総務省、財務省、文部科学省、厚生労働省、農林水産省、経済産業省、国土交通省、環境省告示第１号（以下「告示」という。）に定める次に掲げる要件を満たすことにつき、国立大学法人等、公益社団法人若しくは公益財団法人又は認定特定非営利活動法人等（特定非営利活動促進法第２条第３項に規定する認定特定非営利活動法人（以下「認定特定非営利活動法人」という。）及び同条第４項に規定する特例認定特定非営利活動法人（以下「特例認定特定非営利活動法人」という。）をいう。以下同じ。）の所轄庁の証明（以下(27の２)までにおいて「所轄庁証明」という。）を受けた基金（以下「基金」という。）に組み入れる方法であることに留意する。（昭55直資２－181「20の３」、平30課資５－126により追加、令２課資５－125により改正）

⑴　基金が、他の経理と区分して整理されていること。

⑵　基金が、告示別表の上欄に掲げる公益法人等の区分に応じ、それぞれ同表の中欄に掲げる業務又は事業に充てられることが確実であること。

⑶　基金に組み入れた財産の運用によって生じた利子その他の収入金（当該収入金をもって取得した資産を含む。）を当該基金に組み入れることとしていること。

（注）　例えば、基金に組み入れた財産が株式である場合において、当該株式から配当金が生じたときは、当該配当金の全額を当該基金に組み入れる必要があることに留意する。

また、当該配当金は、その全額を上記⑵の業務又は事業に充てる必要があるが、当該配当金を受領後、直ちに充てる必要はないことに留意する。

⑷　基金への財産の組入れ、基金に組み入れた財産の運用、基金に組み入れた財産の運用によって生じた利子その他の収入金の使途等基金の管理及び運用に関する重要事項について審議する合議制の機関を設置していること。

⑸　基金に組み入れた財産の種類、贈与又は遺贈（以下⑸において「贈与等」という。）をした者の当該財産の取得価額、当該財産の贈与等の時における価額（当該贈与等に係る財産の譲渡をし、当該譲渡による収入金額の全部に相当する金額をもって資産を取得した場合には当該譲渡による収入金額、当該資産の種類及び取得価額を含む。）及びその他参考となるべき事項を記載した基金明細書であって監事の監査を受けたものを、毎事業年度終了後３月以内に、告示別表の上欄に掲げる公益法人等の区分に応じ、それぞれ同表の下欄に掲げる所轄庁に提出するとともに、その写しを作成した日の属する事業年度の翌年度の開始の日から５年間、当該公益法人等の主たる事務所の所在地に保存することとしていること。

（所轄庁証明を受ける時期）

(20の４)　国立大学法人等、公益社団法人若しくは公益財団法人又は認定特定非営利活動法人等が、①（１）の申請書の提出期限において所轄庁証明について申請中の場合など、当該提出期限までに所轄庁証明を受けていないときは、同（７）の規定の適用がないことに留意する。（昭55直資２－181「20の４」、平30課資５－126により追加、令２課資５－125により改正）

（基金又は基本金に組み入れた財産の譲渡等）

(21)　①（７）(二)イ、同ロ⑵、同ハ、同ニ又は同ホかっこ書に規定する「当該財産につき譲渡があった場合」とは、同（７）(注)２各号に規定する公益法人等の合議制の機関又は理事会が贈与又は遺贈を受けた財産を基金又は基本金に組み入れる旨の決定を行った後に当該公益法人等が当該財産を譲渡した場合をいい、この場合に限り当該財産の譲渡による収入金額の全部に相当する金額をもって取得した資産が同（７）(二)イ、同ロ⑵、同ハ、同ニ又は同ホに規定する方法により管理されていることとなることに留意する。（昭55直資２－181「21」、平15課資４－245により追加、平20課資４－83、平29課資５－140、平30課資５－126、令２課資５－125により改正）

〔①（９）関係〕

（①（７）の申請の承認があった者が当該承認後に提出する同（９）の確認書類の提出期限）

(22)　①（１）に規定する申請書が同（１）に定める期間内に提出されなかったことにつき国税庁長官においてやむを得ないと認める事情があり、かつ、当該贈与又は遺贈に係る山林所得、譲渡所得又は雑所得につき第十二章**一１**《更正》から同**３**《再更正》までの規定による更正又は決定を受ける日の前日までに当該申請書の提出があったことから、①（１）後段の規定により当該申請書が当該期間内に提出されたものとされる場合であっても、①（９）の確認書類の提出期限となる当該申請書に係る提出期限が延長されたこととはならないことに留意する。（昭55直資２－181「22」、平15課資４－245により追加、平20課資４－83、平29課資５－140により改正）

〔②関係〕

（２年を経過する日までの期間内に公益目的事業の用に直接供されたかどうかの判定）

(23)　②に規定する財産等（①（３）(六)に規定する特定管理方法（以下「特定管理方法」という。）により管理されているものを除く。以下(23)において同じ。）が贈与又は遺贈があった日から２年を経過する日までの期間（当該期間内に当該贈与又は遺贈を受けた公益法人等の公益目的事業の用に直接供することが困難である場合として①（４）で定める事情があるときは、当該贈与又は遺贈があった日から国税庁長官が認める日までの期間。以下(23)において同じ。）内に当該公益法人等の当該公益目的事業の用に直接供されたかどうかの判定は、次に定める日が当該期間内であるかどうかにより行うものとして取り扱う。（昭55直資２－181「23」、平20課資４－83により追加、平29課資５－140、平30課資５－126、令２課資５－125により改正）

この場合において、②に規定する「当該贈与又遺贈があった日」とは、（５）《贈与又は遺贈のあった日》に定める日をいうものとして取り扱う。

⑴　次の⑵以外の財産等　当該財産等を当該公益法人等の当該公益目的事業の用に直接供した日

（注）　贈与又は遺贈に係る財産が当該贈与又は遺贈を受ける前から当該公益法人等の当該公益目的事業の用に直接供されている場合は、（5）の⑴又は同⑶《贈与又は遺贈のあった日》に定める日を当該公益目的事業の用に直接供した日と取り扱う。

⑵　財産等の性質上、公益目的事業の用に直接供することができない財産等　贈与又は遺贈があった日以後に当該財産等から生じた果実を最初に当該公益目的事業の用に供した日

〔③関係〕

（③（4）に規定する「解散の日」）

（23の２）　③（4）に規定する「解散の日」とは、理事会、評議員会、社員総会その他これに準ずる権限を有する議決機関において解散の日を定めたときはその定めた日、解散の日を定めなかったときは当該議決機関における解散の決議の日、解散事由の発生により解散した場合には当該事由発生の日をいう。（昭55直資２－181「23の２」、平26課資４－151により追加、平30課資５－126により改正）

（③（4）に規定する「合併の日」）

（23の３）　(36)《⑥に規定する「合併の日」》の取り扱いは、③（4）に規定する「合併の日」について準用する。（昭55直資２－181「23の３」、平26課資４－151により追加、平30課資５－126により改正）

〔②及び③共通関係〕

（特定一般法人に該当しないこととなった場合）

(24)　財産の贈与又は遺贈を受けた特定一般法人が当該贈与又は遺贈に係る①後段の承認があった後に法人税法第２条第９号の２イに掲げる要件を満たさないこととなった場合には、②に規定する「当該贈与又は遺贈に係る財産又は代替資産…当該公益法人等の当該公益目的事業の用に直接供されなかったとき」又は③に規定する「①後段の規定を受けて行われた贈与又は遺贈を受けた公益法人等が…当該贈与又は遺贈に係る財産又は代替資産をその公益目的事業の用に直接供しなくなった場合」に該当することに留意する。（昭55直資２－181「24」、平20課資４－83により追加、平29課資５－140により改正）

（認定特定非営利活動法人等に係る認定又は特例認定が失効した場合）

（24の２）　措令第25条の17第７項の規定の適用を受けて行われた贈与若しくは遺贈に係る財産又は措法第40条第５項第２号に規定する特定買換資産（当該財産又は特定買換資産の代替資産を含む。以下（24の２）において同じ。）を特定管理方法により管理する認定特定非営利活動法人等が、例えば、次の⑴又は⑵に該当する場合には、当該財産又は特定買換資産は特定管理方法により管理されているものには該当しないものとして、措令第25条の17第10項、第13項又は第14項の規定を適用することに留意する。（令２課資５－125により追加）

⑴　認定特定非営利活動法人が特定非営利活動促進法第51条第２項《認定の有効期間及びその更新》の規定に基づく認定の有効期間（同条第１項に規定する有効期間をいう。）の更新を受けなかった場合

⑵　特例認定特定非営利活動法人が同法第58条第１項《特例認定》の特例認定に係る同法第60条《特例認定の有効期間》の有効期間の経過後において、同法第44条第１項《認定》の認定を受けていない場合

〔⑤関係〕

（譲渡の日）

(25)　⑤各号に規定する「譲渡の日」とは、⑤に規定する贈与又は遺贈を受けた財産の譲渡による当該財産の引渡しの日をいうものとして取り扱う。（昭55直資２－181「25」、平20課資４－83により追加、平30課資５－126により改正）

（公益目的事業の用に２年以上直接供しているかどうかの判定）

(26)　⑤(一)に規定する「贈与又は遺贈を受けた財産」を当該贈与又は遺贈を受けた公益法人等の公益目的事業の用に２年以上直接供しているかどうかの判定は、原則として、当該贈与又は遺贈を受けた財産について、(23)の⑴又は同⑵《２年を経過する日までの期間内に公益目的事業の用に直接供されたかどうかの判定》に定める日から(25)《譲渡の日》に定める譲渡の日の前日までの期間により行うものとして取り扱う。

ただし、上記により、当該贈与又は遺贈を受けた財産が当該公益法人等の公益目的事業の用に２年以上直接供していると判定される場合であっても、当該財産の譲渡に伴い当該贈与又は遺贈を受けた財産が当該公益法人等の公益目的事業の用に直接供されなくなったと認められる場合を除いては、⑤(一)の規定の適用がないことに留意する。（昭55

直資２－181「26」、平20課資４－83により追加、平30課資５－126により改正）

（買換資産及び特定買換資産の範囲）

(27)　⑤(一)に規定する買換資産（以下「買換資産」という。）及び同(二)に規定する特定買換資産（以下「特定買換資産」という。）の範囲から、①(２)に規定する「国外にある土地若しくは土地の上に存する権利又は建物及びその附属設備若しくは構築物」が除かれることに留意する。（昭55直資２－181「27」、平20課資４－83により追加、平30課資５－126、令２課資５－125により改正）

（注）　買換資産又は特定買換資産の取得後に③の規定による①後段の承認の取消しがあった場合であっても、当該承認に係る贈与又は遺贈を受けた財産の譲渡があったものとして、当該財産に係る山林所得の金額、譲渡所得の金額又は雑所得の金額に係る所得税が課されることに留意する。

（所轄庁証明を受ける時期）

(27の２)　国立大学法人等、公益社団法人若しくは公益財団法人又は認定特定非営利活動法人等が、③の贈与又は遺贈を受けた財産の譲渡の日の前日において所轄庁証明について申請中の場合など、当該財産の譲渡の日の前日までに所轄庁証明を受けていないときは、⑤(二)の規定の適用がないことに留意する。（昭55直資２－181「27の２」、平30課資５－126により追加、令２課資５－125により改正）

（譲渡の収入金額による買換資産又は特定買換資産の取得）

(28)　(８)《譲渡の収入金額による代替資産の取得》の取扱いは買換資産又は特定買換資産を取得する場合について準用する。（昭55直資２－181「28」、平20課資４－83により追加、平26課資４－151、平30課資５－126により改正）

（同種の資産の範囲）

(29)　⑤(一)に規定する「当該財産と同種の資産」とは、例えば、同(一)に規定する贈与又は遺贈を受けた財産が土地の場合は、土地又は土地の上に存する権利（以下「土地等」という。）、建物の場合は、建物及びその附属設備（以下「建物等」という。）、書画の場合は、書画及び骨とうをいう。

なお、⑤(一)に規定する贈与又は遺贈を受けた財産が土地等で、当該土地等とともにその上に存する建物等を譲渡し、当該譲渡による収入金額の全部に相当する金額をもって、新たな土地等及びその上に存する建物等の取得に充てた場合(当該譲渡による収入金額の全部に相当する金額のうち建物等の譲渡による収入金額の全部に相当する金額が、新たな土地等の上に存する建物等の取得に充てられる場合に限る。)には、新たに取得する土地等及びその上に存する建物等を同種の資産として差し支えないものとして取り扱う。（昭55直資２－181「29」、平20課資４－83により追加、平30課資５－126により改正）

（注）　⑤(注)１に規定する「公社債及び投資信託の受益権」には、割引の方法により発行される公社債や分配金の分配方式がいわゆる無分配型（分配型であって利息が再投資されるものを含む。）の投資信託の受益権などのように、果実が生じない又はその生ずる果実を公益目的事業の用に供することができない公社債及び投資信託の受益権は含まれないことに留意する。

（譲渡の日その他の⑤(注)２で定める事項を記載した書類）

(30)　⑤(一)に規定する「当該譲渡の日その他の(注)２で定める事項を記載した書類」又は同(二)に規定する「その管理の方法その他の(注)３で定める事項を記載した書類」は、これらの規定の譲渡の日の前日まで（以下「期限内」という。）に⑤に規定する公益法人等の納税地の所轄税務署長を経由して国税庁長官に提出しなければならないが、期限内に提出されたこれらの書類についてその記載内容の不備が軽微なもので速やかに補完されると認められる場合には、⑤の規定の適用があるものとして取り扱う。（昭55直資２－181「30」、平20課資４－83により追加、平30課資５－126により改正）

（買換資産を１年を経過する日までの期間内に公益目的事業の用に直接供しているかどうかの判定）

(31)　買換資産を⑤(一)に規定する贈与又は遺贈を受けた財産の譲渡の日の翌日から１年を経過する日までの期間（当該期間内に当該贈与又は遺贈を受けた公益法人等の公益目的事業の用に直接供することが困難である場合として⑤(１)に定める事情があるときは、当該譲渡の日の翌日から国税庁長官が認める日までの期間。以下(31)において同じ。）内に、当該公益法人等の当該公益目的事業の用に直接供しているかどうかの判定は、当該買換資産について、(23)の⑴又は同⑵《２年を経過する日までの期間内に公益目的事業の用に直接供されたかどうかの判定》に定める日が当該期間内かどうかにより行うものとして取り扱う。（昭55直資２－181「31」、平20課資４－83により追加、平26課資４－151、平30課資５－126により改正）

（注）　当該買換資産が当該期間内に当該公益法人等の当該公益目的事業の用に直接供していないと判定される場合には、③に規定する「代替資産をその公益目的事業の用に直接供しなくなったこと」に該当することに留意する。

（買換資産が公益法人等の福利厚生施設等として使用される場合）

(32)　(14)《公益法人等の福利厚生施設等として使用される場合》の取扱いは、買換資産について準用する。（昭55直資２－181「32」、平20課資４－83により追加）

（買換資産を１年を経過する日までの期間内に公益目的事業の用に直接供することが困難である場合の「やむを得ない事情」）

(33)　(10)《２年を経過する日までの期間内に公益目的事業の用に直接供することが困難である場合の「やむを得ない事情」》の取扱いは、⑤(１)に規定する「その他当該買換資産を同(一)の譲渡の日の翌日から１年を経過する日までの期間内に当該公益目的事業の用に直接供することが困難であるやむを得ない事情」に準用する。（昭55直資２－181「33」、平20課資４－83により追加、平26課資４－151、平30課資５－126により改正）

（譲渡の日その他の⑤(注)２で定める事項を記載した書類の提出後にやむを得ない事情が生じた場合）

(34)　(16)《承認申請書の提出後にやむを得ない事情が生じた場合》の取扱いは、⑤(一)に規定する「譲渡の日その他の(注)２で定める事項を記載した書類」の提出後に(33)《買換資産を１年を経過する日までの期間内に公益目的事業の用に直接供することが困難である場合の「やむを得ない事情」》に定めるやむを得ない事情が生じた場合に準用する。（昭55直資２－181「34」、平20課資４－83により追加、平30課資５－126により改正）

（注）　上記の場合には、やむを得ない事情が生じた後速やかに、やむを得ない事情の詳細を記載した書面を、⑤(一)に規定する公益法人等の納税地の所轄税務署長を経由して、国税庁長官に提出するものとする。

（代替資産又は買換資産についての⑤の適用）

(35)　⑤に規定する公益法人等が①(３)に定める代替資産又は買換資産を当該公益法人等の公益目的事業の用に直接供している場合には、当該代替資産又は買換資産について⑤の規定の適用がある（⑤(一)の規定を適用する場合は、公益目的事業の用に２年以上直接供しているときに限る。）ものとして取り扱う。この場合において、⑤中「③の贈与又は遺贈を受けた財産」とあるのは「①(３)に定める代替資産又は買換資産」と、「譲渡の日」とあるのは「当該代替資産又は買換資産の譲渡の日」と、⑤(一)中「当該財産」とあるのは「当該代替資産又は買換資産」と読み替えるものとする。（昭55直資２－181「35」、平20課資４－83により追加、平26課資４－151、平29課資５－140、平30課資５－126により改正）

（注）　上記の場合、(25)《譲渡の日》から(34)《譲渡の日その他の⑤(注)２で定める事項を記載した書類の提出後にやむを得ない事情が生じた場合》の取扱いを準用する。

〔⑥関係〕

（⑥に規定する「合併の日」）

(36)　⑥に規定する「合併の日」（以下「合併の日」という。）とは、それぞれ次に掲げる日をいうものとして取り扱う。（昭55直資２－181「36」、平20課資４－83により追加、平26課資４－151により改正）

⑴　吸収合併の場合　合併の効力の生ずる日（合併登記により合併の効力が生ずる場合は、合併登記の日）

（注）　次に掲げる法人の吸収合併の場合の合併の日は、それぞれ次に掲げる日となることに留意する。

1　公益社団法人、公益財団法人、特定一般法人　合併の効力の生ずる日

2　特例民法法人、学校法人、社会福祉法人、更生保護法人、宗教法人、医療法人又は特定非営利活動法人　法人の合併登記の日

⑵　新設合併の場合　合併により設立する法人の成立した日

（注）　次に掲げる法人の新設合併の場合の合併により設立する法人の成立した日は、合併により設立する法人の設立登記の日となることに留意する。

公益社団法人、公益財団法人、特定一般法人、学校法人、社会福祉法人、更生保護法人、宗教法人、医療法人又は特定非営利活動法人

（新設合併の場合の⑥(１)に定める書類）

(37)　⑥に規定する「①後段の規定の適用を受けて行われた贈与又は遺贈」（以下「特定贈与等」という。）を受けた公益法人等が⑥の規定により、③に規定する財産等（以下(41)において「財産等」という。）を合併により設立する法人に移転しようとする場合における⑥(１)に規定する「当該公益合併法人が⑥の規定の適用を受けることを確認したことを証する書類」とは、当該合併により消滅することとなる法人が連名により⑥の規定の適用を受けることを確認した書類とする。（昭55直資２－181「37」、平20課資４－83により追加、平26課資４－151、平29課資５－140、平30課資

5－126により改正）

（注）　上記の場合、特定贈与等を受けた法人の納税地の所轄税務署長は、合併の日以後速やかに合併により設立された法人に対し、上記書類の内容について確認を行うものとする。

〔⑦関係〕

（⑦に規定する「解散の日」）

(38)　⑦に規定する「解散の日」（以下「解散の日」という。）とは、⑦に規定する特定贈与等を受けた公益法人等の解散による残余財産の分配又は引渡しの日をいうものとして取り扱う。（昭55直資２－181「38」、平20課資４－83により追加、平26課資４－151により改正）

〔⑧関係〕

（贈与の日）

(39)　⑧に規定する「贈与の日」とは、⑧に規定する当初法人による⑧に規定する引継財産の贈与の履行の日をいうものとして取り扱う。（昭55直資２－181「39」、平20課資４－83により追加）

（公益引継資産が金銭の場合）

(40)　⑧に規定する「公益引継資産」が金銭の場合、原則として、⑧に規定する引継法人は、当該金銭の全部をもって当該引継法人の公益目的事業の用に直接供することができる財産を取得し、当該財産を⑧に規定する贈与の日の翌日から１年を経過する日までの期間（当該期間内に当該引継法人の当該公益目的事業の用に直接供することが困難である場合として⑤（１）に定める事情があるときは、当該贈与の日の翌日から国税庁長官が認める日までの期間）内に当該公益目的事業の用に直接供しなければならないことに留意する。（昭55直資２－181「40」、平20課資４－83により追加、平26課資４－151、平30課資５－126により改正）

（注）　上記の場合、公益目的事業の用に供することができる財産の取得に要した仲介料、登記費用などの費用があるときは、（8）《譲渡の収入金額による代替資産の取得》の取扱いを準用する。

〔⑨関係〕

（⑨に規定する贈与の日）

(41)　⑨に規定する「贈与の日」とは、⑨に規定する特定贈与等を受けた特定一般法人による⑨に規定する財産等の贈与の履行の日をいうものとして取り扱う。（昭55直資２－181「41」、平20課資４－83により追加）

〔⑩関係〕

（⑩に規定する贈与の日）

(42)　⑩に規定する「贈与の日」とは、⑩に規定する譲渡法人による⑩に規定する財産等の贈与の履行の日をいうものとして取り扱う。（昭55直資２－181「42」、平25課資４－85により追加）

〔⑥から⑫まで共通関係〕

（③の適用関係）

(43)　⑥から⑪（⑫の規定により⑪の規定を準用する場合を含む。（注）２において同じ。）までの規定の適用を受けた場合、⑥から⑫までに定める日以後は、⑥から⑫までの規定により特定贈与等に係る公益法人等とみなされる法人に対して③の規定が適用されることに留意する。（昭55直資２－181「43」、平20課資４－83により追加、平25課資４－85、平26課資４－151により改正）

（注）１　上記の「⑥から⑫までに定める日」とは、⑥及び⑪の場合は合併の日、⑦の場合は解散の日、⑧から⑩までの場合は⑧から⑩までに規定する贈与の日、⑫の規定により⑪の規定を準用する場合は⑫に規定するそれぞれの場合に係る贈与の日をいう。

２　⑥から⑪までの規定の適用により特定贈与等に係る公益法人等とみなされる法人につき③の規定が適用される場合には、⑥から⑪までの規定の適用により①（３）に定める代替資産又は買換資産が特定贈与等に係る財産とみなされる場合であっても、特定贈与等を受けた公益法人等が当該代替資産又は買換資産を取得するために譲渡した特定贈与等に係る財産に係る山林所得の金額、譲渡所得の金額又は雑所得の金額に係る所得税が課されることに留意する。

（⑥から⑪までに規定する（注）で定める事項を記載した書類）

(44)　(30)《譲渡の日その他の⑤（注）２で定める事項を記載した書類》の取扱いは、⑥から⑪（⑫の規定により⑪の規定を準用する場合を含む。）までに規定する（注）で定める事項を記載した書類（以下「各届出書」という。）又は⑥（１）

若しくは⑦(１)の規定により各届出書に添付すべき書類について準用する。(昭55直資２－181「44」、平20課資４－83により追加、平25課資４－85、平26課資４－151、平30課資５－126により改正)

(特定贈与等に係る財産とみなされる資産を１年を経過する日までの期間内に公益目的事業の用に直接供しているかどうかの判定)

(45)　⑬の規定により⑥から⑪（⑫の規定により⑪の規定を準用する場合を含む。）までの規定の適用により特定贈与等に係る財産とみなされる資産が、⑥から⑫までに定める日の翌日から１年を経過する日までの期間（当該期間内に特定贈与等に係る公益法人等とみなされる法人の公益目的事業の用に直接供することが困難である場合として⑤(１)に定める事情があるときは、⑥から⑫までに定める日の翌日から国税庁長官が認める日までの期間。以下(45)において同じ。）内に特定贈与等に係る公益法人等とみなされる法人の公益目的事業の用に直接供しているかどうかの判定は、特定贈与等に係る財産とみなされる資産について、(23)の⑴又は同⑵《２年を経過する日までの期間内に公益目的事業の用に直接供されたかどうかの判定》に定める日が当該期間内かどうかにより行うものとする。(昭55直資２－181「45」、平20課資４－83により追加、平25課資４－85、平26課資４－151、平30課資５－126により改正)

(注)１　上記の「⑥から⑫までに定める日」とは、⑥及び⑪の場合は合併の日、⑦の場合は解散の日、⑧から⑩までの場合は⑧から⑩までに規定する贈与の日、⑫の規定により⑪の規定を準用する場合は⑫に規定するそれぞれの場合に係る贈与の日をいう。

２　特定贈与等に係る財産とみなされる資産が⑥から⑫までに定める日の翌日から１年を経過する日までの期間内に特定贈与等に係る公益法人等とみなされる法人の公益目的事業の用に直接供していないと判定される場合には、③に規定する「当該贈与又は遺贈に係る財産又は代替資産をその公益目的事業の用に直接供しなくなったこと」に該当することに留意する。

(特定贈与等に係る財産とみなされる資産が特定贈与等に係る公益法人等とみなされる法人の福利厚生施設等として使用される場合)

(46)　(14)《公益法人等の福利厚生施設等として使用される場合》の取扱いは、⑥から⑪（⑫の規定により⑪の規定を準用する場合を含む。）までの規定の適用により特定贈与等に係る財産とみなされる資産について準用する。(昭55直資２－181「46」、平20課資４－83により追加、平25課資４－85、平26課資４－151により改正)

(特定贈与等に係る財産とみなされる資産を１年を経過する日までの期間内に公益目的事業の用に直接供することが困難である場合の「やむを得ない事情」)

(47)　(10)《２年を経過する日までの期間内に公益目的事業の用に直接供することが困難である場合の「やむを得ない事情」》の取扱いは、⑥から⑪（⑫の規定により⑪の規定を準用する場合を含む。）までの規定の適用により特定贈与等に係る財産とみなされる資産について、⑬の規定により準用する⑤(１)に規定する当該資産を⑥から⑫までに定める日の翌日から１年を経過する日までの期間内に当該公益目的事業の用に直接供することが困難であるやむを得ない事情についてそれぞれ準用する。(昭55直資２－181「47」、平20課資４－83により追加、平25課資４－85、平26課資４－151、平30課資５－126により改正)

(注)　上記の「⑥から⑫に定める日」とは、⑥及び⑪の場合は合併の日、⑦の場合は解散の日、⑧から⑩までの場合は⑧から⑩に規定する贈与の日、⑫の規定により⑪の規定を準用する場合は⑫に規定するそれぞれの場合に係る贈与の日をいう。

(各届出書の提出後にやむを得ない事情が生じた場合)

(48)　(16)《承認申請書の提出後にやむを得ない事情が生じた場合》の取扱いは、各届出書の提出後に(47)《特定贈与等に係る財産とみなされる資産を１年を経過する日までの期間内に公益目的事業の用に直接供することが困難である場合の「やむを得ない事情」》に定めるやむを得ない事情が生じた場合に準用する。(昭55直資２－181「48」、平20課資４－83により追加、平25課資４－85、平26課資４－151により改正)

(注)　上記の場合には、やむを得ない事情が生じた後速やかに、やむを得ない事情の詳細を記載した書面を、⑥から⑪（⑫の規定により⑪の規定を準用する場合を含む。以下(50)までにおいて同じ。）までの規定の適用により特定贈与等に係る公益法人等とみなされる法人の納税地の所轄税務署長を経由して、国税庁長官に提出するものとする。

(特定贈与等に係る財産とみなされる資産についての⑤の適用)

(49)　⑥から⑪（⑫の規定により⑪の規定を準用する場合を含む。）までの規定の適用により特定贈与等に係る財産とみなされる資産の⑤の規定の適用については、(35)《代替資産又は買換資産についての⑤の適用》の取扱いを準用する。(昭55直資２－181「49」、平20課資４－83により追加、平25課資４－85、平26課資４－151、平30課資５－126により改正)

(注)　上記の場合、(25)《譲渡の日》から(34)《譲渡の日その他の⑤(注)２で定める事項を記載した書類の提出後にやむを得ない事情が生じた場合》の取扱いを準用する。

〔⑭関係〕

（特定一般法人等の範囲）

(50)　⑭に規定する「⑨に規定する特定一般法人」には、特定贈与等を受けた特定一般法人のほか、⑥から⑪（⑫の規定により⑪の規定を準用する場合を含む。）までの規定の適用により特定贈与等に係る公益法人等とみなされる特定一般法人が、⑭（２）に規定する「①後段の規定を受けて行われた贈与又は遺贈を受けた公益法人等」には、⑥から⑪（⑫の規定により⑪の規定を準用する場合を含む。）までの規定の適用により特定贈与等に係る公益法人等とみなされる公益社団法人又は公益財団法人がそれぞれ含まれることに留意する。（昭55直資２－181「50」、平20課資４－83により追加、平25課資４－85、平26課資４－151、平30課資５－126により改正）

〔⑮関係〕

（判定の時期等）

(51)　公益法人等に対する財産の贈与又は遺贈が①（５）(一)から同(三)までに定める要件に該当するかどうかの判定は、①（１）に規定する申請書の記載等に基づき、当該贈与又は遺贈の時を基準として、その後に生じた事実関係をも勘案して行うのであるが、当該贈与又は遺贈の時には、①（５）(一)から同(三)までに定める要件に該当しない場合においても、その申請につき⑮の規定による承認をしないことを決定した旨の通知をする時までに、当該法人の組織、定款などを変更すること等により①（５）(一)から同(三)までに定める要件に該当することが明らかにされたときは、当該贈与又は遺贈は、①（５）(一)から同(三)までに定める要件に該当するものとして取り扱うことができるものとする。（昭55直資２－181「51」、昭57直資２－177、昭58直資２－105、平元直資２－209、平４課資２－158、平15課資４－245、平20課資４－83、平25課資４－85、平26課資４－151により改正）

（注）　①の後段の承認をしないことの決定があった場合には、財産の贈与又は遺贈があった時における当該財産の価額に相当する金額により、当該贈与又は遺贈に係る財産の譲渡があったものとして、当該贈与又は遺贈に係る山林所得の金額、譲渡所得の金額又は雑所得の金額を計算し、財産の贈与又は遺贈をした者に対して、当該贈与があった日の属する年分（遺贈の場合は、遺贈があった日の属する年分）の所得として、所得税が課されることに留意する。

〔⑯関係〕

（災害その他やむを得ない理由がある場合）

(52)　⑯に規定する「災害その他やむを得ない理由がある場合」とは、例えば、災害、盗難などにより⑯に規定する公益法人等が⑮の規定による①後段の承認をした旨の通知に係る通知書を消失した場合等をいうことに留意する。（昭55直資２－181「52」、平26課資４－151により追加）

４　国等に対して重要文化財を譲渡した場合の譲渡所得の非課税

個人が、その有する資産（土地を除く。）で、文化財保護法第27条第１項の規定により重要文化財として指定されたものを国、独立行政法人国立文化財機構、独立行政法人国立美術館、独立行政法人国立科学博物館、地方公共団体、地方独立行政法人（地方独立行政法人法第21条第６号に掲げる業務を主たる目的とするもののうち地方独立行政法人法施行令第６条第３号に掲げる博物館、美術館、植物園、動物園又は水族館のうち博物館法第２条第２項に規定する公立博物館又は同法第31条第２項に規定する指定施設に該当するものに係る地方独立行政法人法第21条第６号に掲げる業務を主たる目的とするものに限る。）又は文化財保護法第192条の２第１項に規定する文化財保存活用支援団体（（１）で定めるものに限る。以下**４**において同じ。）に譲渡した場合（当該文化財保存活用支援団体に譲渡した場合には、（２）で定める場合に限る。）の当該譲渡に係る譲渡所得については、所得税を課さない。（措法40の２、措令25の17の２①）

（**４**に規定する（１）で定める文化財保存活用支援団体）

（１）　**４**に規定する（１）で定める文化財保存活用支援団体は、公益社団法人（その社員総会における議決権の総数の２分の１以上の数が地方公共団体により保有されているものに限る。）又は公益財団法人（その設立当初において拠出をされた金額の２分の１以上の金額が地方公共団体により拠出をされているものに限る。）であって、その定款において、その法人が解散した場合にその残余財産が地方公共団体又は当該法人と類似の目的をもつ他の公益を目的とする事業を行う法人に帰属する旨の定めがあるもの（（２）において「支援団体」という。）とする。（措令25の17の２②）

（**４**に規定する（２）で定める場合）

（２）　**４**に規定する（２）で定める場合は、次の(一)から(四)までに掲げる要件（その譲渡を受けた**４**に規定する重要文化財として指定された資産（以下（２）において「取得資産」という。）が建造物以外のものである場合には、(一)及び

（四）に掲げる要件）を満たす場合とする。（措令25の17の２③）

（一）	当該支援団体と地方公共団体との間で、その取得資産の売買の予約又はその取得資産の第三者への転売を禁止する条項を含む協定に対する違反を停止条件とする停止条件付売買契約のいずれかを締結すること。
（二）	（一）の売買の予約又は停止条件付売買契約の締結につき、その旨の仮登記を行うこと。
（三）	その取得資産が、文化財保護法第192条の２第１項の規定により当該支援団体の指定をした同項の市町村の教育委員会が置かれている当該市町村の区域内に所在すること。
（四）	文化財保護法第183条の５第１項に規定する認定文化財保存活用地域計画に記載された取得資産の保存及び活用に関する事業（地方公共団体の管理の下に行われるものに限る。）の用に供するために当該支援団体が譲渡を受けるものであること。

5　物納による譲渡所得等の非課税

個人がその財産を相続税法第42条第２項《物納手続》（同法第45条第２項《物納申請の却下に係る再申請》において準用する場合を含む。）又は第48条の２第３項の規定による許可を受けて物納した場合には、第四章第七節《山林所得》又は同章第八節《譲渡所得》の規定の適用については、当該財産（相続税法第41条第１項《物納の要件》後段（同法第45条第２項又は第48条の２第６項において準用する場合を含む。）の規定の適用がある場合には、当該財産のうち同法第41条第１項（同法第45条第２項において準用する場合を含む。）又は第48条の２第１項に規定する納付を困難とする金額として注で定める額に相当するものとして注で定める部分）の譲渡がなかったものとみなす。（措法40の３）

（物納による譲渡所得等の非課税）

注　**5**に規定する注で定める部分は、**5**に規定する財産のうち、**5**に規定する納付を困難とする金額として注で定める額が当該財産の価額のうちに占める割合を、当該財産の価額に乗じて計算した金額に相当する部分とする。（措令25の18）

6　債務処理計画に基づき資産を贈与した場合の課税の特例……第五章第二節**二十四**《贈与等の場合の譲渡所得等の特例》**4**参照。

五　貸付信託の受益権等の譲渡による所得の課税の特例

第四章第十節**五**（２）に規定する償還差益につき同節**五**の規定の適用を受ける同節**五**に規定する割引債、預金保険法第２条第２項第５号に規定する長期信用銀行債等、貸付信託の受益権及び農水産業協同組合貯金保険法第２条第２項第４号に規定する農林債（（注）において「貸付信託の受益権等」という。）の譲渡による所得については、所得税を課さない。（措法37の15①、措令25の14の３）

（注）　貸付信託の受益権等の譲渡による収入金額が当該貸付信託の受益権等の所得税法第33条第３項に規定する取得費及びその譲渡に要した費用の額の合計額又はその譲渡に係る必要経費に満たない場合におけるその不足額については、同法の規定の適用については、ないものとみなす（措法37の15②）

○土地等の譲渡に類する株式等の譲渡所得の分離課税（措法32②）…第五章第二節**二**③参照。

六　オープン型の証券投資信託の収益調整金

オープン型の証券投資信託の収益の分配のうち、契約に基づき収益調整金のみに係る収益として分配される特別分配金については、所得税を課さない。（法９①十一、令27）

（収益調整金の意義）

注　収益調整金とは、オープン型の証券投資信託の追加信託が行われる際に、黒字の収益調整金として経理された金額をいう。（基通９－13）

(注)　オープン型の証券投資信託の経理処理においては、元本固定方式がとられているため、場合によっては赤字の収益調整金を生ずることもあるが、赤字の収益調整金は、実際に信託された金額が元本額及び黒字の収益調整金として経理した金額の合計額に対して不足していること、すなわち、実際には信託されなかった金額があることを示すものである。

七　損害賠償金等

１　保険金、損害賠償金等

保険業法第２条第４項《定義》に規定する損害保険会社又は同条第９項に規定する外国損害保険会社等の締結した保険契約に基づき支払を受ける保険金及び損害賠償金（これらに類するものを含む。）で、心身に加えられた損害又は突発的な事故により資産に加えられた損害に基因して取得するものとして次の①から③までに掲げるものその他これらに類するもの（これらのものの額のうちに損害を受けた者の各種所得の金額の計算上必要経費に算入される金額を補塡するための金額が含まれている場合には、当該金額を控除した金額に相当する部分）については、所得税を課さない。（法９①十八、令30）

①	損害保険契約（保険業法第２条第４項《定義》に規定する損害保険会社若しくは同条第９項に規定する外国損害保険会社等の締結した保険契約又は同条第18項に規定する少額短期保険業者（以下①において「少額短期保険業者」という。）の締結したこれに類する保険契約をいう。以下**七**において同じ。）に基づく保険金、生命保険契約（同法第２条第３項に規定する生命保険会社若しくは同条第８項に規定する外国生命保険会社等の締結した保険契約又は少額短期保険業者の締結したこれに類する保険契約をいう。以下①において同じ。）又は旧簡易生命保険契約（郵政民営化法等の施行に伴う関係法律の整備等に関する法律第２条《法律の廃止》の規定による廃止前の簡易生命保険法第３条《政府保証》に規定する簡易生命保険契約をいう。）に基づく給付金及び損害保険契約又は生命保険契約に類する共済に係る契約に基づく共済金で、身体の傷害に基因して支払を受けるもの並びに心身に加えられた損害につき支払を受ける慰謝料その他の損害賠償金（その損害に基因して勤務又は業務に従事することができなかったことによる給与又は収益の補償として受けるものを含む。）
②	損害保険契約に基づく保険金及び損害保険契約に類する共済に係る契約に基づく共済金（①に該当するもの及び満期返戻金等その他これに類するものを除く。）で資産の損害に基因して支払を受けるもの並びに不法行為その他突発的な事故により資産に加えられた損害につき支払を受ける損害賠償金（これらのうち下記(1)の規定に該当するものを除く。）
③	心身又は資産に加えられた損害につき支払を受ける相当の見舞金（下記(1)の規定に該当するものその他役務の対価たる性質を有するものを除く。）

(注)　②の「満期返戻金等」とは、次に掲げるものをいう。（令184④）

(一)　損害保険契約又は生命保険会社の締結した身体の傷害に基因して保険金が支払われる保険契約のうち保険期間の満了後満期返戻金を支払う旨の特約がされているものに基づき支払を受ける満期返戻金及び解約返戻金（損害保険契約等に基づく年金として当該損害保険契約等の保険期間の満了後に支払われる満期返戻金を除く。）

(二)　建物更生共済又は火災共済に係る契約（損害保険料控除の対象となる契約に限る。）のうち建物又は動産の共済期間中の耐存を共済事故とする共済に係る契約に基づき支払を受ける共済金（当該建物又は動産の耐存中に当該期間が満了したことによるものに限る。）及び解約返戻金

(三)　保険業法第２条第18項に規定する少額短期保険業者の締結した損害保険契約に類する保険契約のうち返戻金を支払う旨の特約がされているものに基づき支払を受ける返戻金

（事業所得の収入金額とされる保険金等）

(1)　不動産所得、事業所得、山林所得又は雑所得を生ずべき業務を行う居住者が受ける次に掲げるもので、その業務の遂行により生ずべきこれらの所得に係る収入金額に代わる性質を有するものは、これらの所得に係る収入金額とす

る。（令94①）

（一）　当該業務に係る棚卸資産（譲渡所得の基因とされない棚卸資産に準ずる資産を含む。）、山林、工業所有権その他の技術に関する権利、特別の技術による生産方式若しくはこれらに準ずるもの又は著作権（出版権及び著作隣接権その他これに準ずるものを含む。）につき損失を受けたことにより取得する保険金、損害賠償金、見舞金その他これらに類するもの（山林につき事業所得又は山林所得の金額の計算上第六章第二節**八**《資産損失》**1**②の規定により必要経費に算入される資産損失を受けたことにより取得するものについては、その損失の金額を超える場合におけるその超える金額に相当する部分に限る。）

（二）　当該業務の全部又は一部の休止、転換又は廃止その他の事由により当該業務の収益の補償として取得する補償金その他これに類するもの

（必要経費に算入される金額を補塡するための金額の範囲）

（2）　**七**のかっこ内に規定する「必要経費に算入される金額を補てんするための金額」とは、例えば、心身又は資産の損害に基因して休業する場合はその休業期間中における使用人の給料、店舗の賃借料その他通常の維持管理に要する費用を補塡するものとして計算された金額のようなものをいい、第六章第二節**八**《資産損失》**1**①又は同③の規定により同①又は同③に規定する損失の金額の計算上控除される保険金、損害賠償金その他これらに類するものは、これに含まれない。（基通９－19）

（身体に損害を受けた者以外の者が支払を受ける傷害保険金等）

（3）　**七**表内①の規定により非課税とされる「身体の傷害に基因して支払を受けるもの」は、自己の身体の傷害に基因して支払を受けるものをいうのであるが、その支払を受ける者と身体に傷害を受けた者とが異なる場合であっても、その支払を受ける者がその身体に傷害を受けた者の配偶者若しくは直系血族又は生計を一にするその他の親族であるときは、当該保険金又は給付金についても①の規定の適用があるものとする。（基通９－20）

（注）　いわゆる死亡保険金は、「身体の傷害に基因して支払を受けるもの」には該当しないのであるから留意する。

（高度障害保険金等）

（4）　疾病により重度障害の状態になったことなどにより、生命保険契約又は損害保険契約に基づき支払を受けるいわゆる高度障害保険金、高度障害給付金、入院費給付金等（一時金として受け取るもののほか、年金として受け取るものを含む。）は、①に掲げる「身体の傷害に基因して支払を受けるもの」に該当するものとする。（基通９－21）

（所得補償保険金）

（5）　被保険者の傷害又は疾病により当該被保険者が勤務又は業務に従事することができなかったことによるその期間の給与又は収益の補塡として損害保険契約に基づき当該被保険者が支払を受ける保険金は、**七**表内の①に掲げる「身体の傷害に基因して支払を受けるもの」に該当するものとする。（基通９－22）

（注）　業務を営む者が自己を被保険者として支払う当該保険金に係る保険料は、当該業務に係る所得の金額の計算上必要経費に算入することができないのであるから留意する。

（葬祭料、香典等）

（6）　葬祭料、香典又は災害等の見舞金で、その金額がその受贈者の社会的地位、贈与者との関係等に照らし社会通念上相当と認められるものについては、**七**の規定により課税しないものとする。（基通９－23）

（失業保険金に相当する退職手当、休業手当金等の非課税）

（7）　次に掲げる給付については、課税しないものとする。（基通９－24）

（一）　国家公務員退職手当法第10条《失業者の退職手当》の規定による退職手当

（二）　次に掲げる休業手当金で、組合員、その配偶者又は被扶養者の傷病、葬祭又はこれらの者に係る災害により受けるもの

イ　国家公務員共済組合法第68条《休業手当金》の規定による休業手当金

ロ　地方公務員等共済組合法第70条《休業手当金》の規定による休業手当金

ハ　私立学校教職員共済法第25条《国家公務員共済組合法の準用》の規定によるイに準ずる休業手当金

（三）　労働基準法第76条第１項《休業補償》に定める割合を超えて休業補償を行った場合の当該休業補償

2　新型コロナウイルス感染症に関連して使用人等が使用者から支給を受ける見舞金（令２課個２－10ほか２課共同、最終改正令３課個２－18ほか２課共同）

（用語の意義）

（1）　**2**において、次に掲げる用語の意義は、それぞれ次に定めるところによる。

イ　新型コロナウイルス感染症　　新型コロナウイルス感染症等の影響に対応するための国税関係法律の臨時特例に関する法律（令和２年法律第25号）第２条《定義》に規定する新型コロナウイルス感染症をいう。

ロ　使用人等　　役員（法人税法第２条第15号《定義》に規定する役員をいう。）又は使用人をいう。

ハ　緊急事態宣言　　新型インフルエンザ等対策特別措置法（平成24年法律第31号）第32条第１項《新型インフルエンザ等緊急事態宣言等》に規定する新型インフルエンザ等緊急事態宣言をいう。

ニ　給与等　　所得税法第28条第１項《給与所得》に規定する給与等をいう。

（非課税とされる見舞金の範囲）

（2）　新型コロナウイルス感染症に関連して使用人等が使用者から支給を受ける見舞金のうち次に掲げる要件のいずれも満たすものは、所得税法施行令第30条の規定により非課税所得に該当することに留意する。

イ　その見舞金が心身又は資産に加えられた損害につき支払を受けるものであること

ロ　その見舞金の支給額が社会通念上相当であること

ハ　その見舞金が役務の対価たる性質を有していないこと

（注）　緊急事態宣言が解除されてから相当期間を経過して支給の決定がされたものについては、非課税所得とされる見舞金に該当しない場合があることに留意する。

（心身又は資産に加えられた損害につき支払を受けるもの）

（3）　（2）イの「心身又は資産に加えられた損害につき支払を受けるもの」とは、例えば次のような見舞金が含まれることに留意する。

イ　使用人等又はこれらの親族が新型コロナウイルス感染症に感染したため支払を受けるもの

ロ　緊急事態宣言の下において事業の継続を求められる使用者の使用人等で次の(イ)及び(ロ)に該当する者が支払を受けるもの（当該緊急事態宣言がされた時から解除されるまでの間に業務に従事せざるを得なかったことに基因して支払を受けるものに限る。）

（イ）　多数の者との接触を余儀なくされる業務など新型コロナウイルス感染症に感染する可能性が高い業務に従事している者

（ロ）　緊急事態宣言がされる前と比較して、相当程度心身に負担がかかっていると認められる者

（注）　事業の継続が求められる使用者に該当するかどうかの判定に当たっては、新型コロナウイルス感染症対策の基本的対処方針（令和２年３月28日新型コロナウイルス感染症対策本部決定）参照

ハ　使用人等又はこれらの親族が新型コロナウイルス感染症に感染するなどしてその所有する資産を廃棄せざるを得なかった場合に支払を受けるもの

（社会通念上相当の見舞金）

（4）　（2）ロの「社会通念上相当」であるかどうかについては、次に掲げる事項を勘案して判断することに留意する。

イ　その見舞金の支給額が、使用人等ごとに新型コロナウイルス感染症に感染する可能性の程度や感染の事実（（5）において「感染の可能性の程度等」という。）に応じた金額となっており、そのことが使用者の慶弔規程等において明らかにされているかどうか。

ロ　その見舞金の支給額が、上記イの慶弔規程等や過去の取扱いに照らして相当と認められるものであるかどうか。

（役務の対価たる性質を有していないこと）

（5）　例えば次のような見舞金は、（2）ハの「役務の対価たる性質を有していない」ものには該当しないことに留意する。

イ　本来受けるべき給与等の額を減額した上で、それに相当する額を支給するもの

ロ　感染の可能性の程度等にかかわらず使用人等に一律に支給するもの

ハ　感染の可能性の程度等が同じと認められる使用人等のうち特定の者にのみ支給するもの

ニ　支給額が通常の給与等の額の多寡に応じて決定されるもの

八　子育てに係る助成等の非課税

国又は地方公共団体が保育その他の子育てに対する助成を行う事業その他これに類する事業で（1）で定めるものにより、その業務を利用する者の居宅その他（2）で定める場所において保育その他の日常生活を営むのに必要な便宜の供与を行う業務又は児童福祉法第59条の２第１項《認可外保育施設の届出》に規定する施設その他の（3）で定める施設の利用に要する費用に充てるため支給される金品（**二５**に規定する学資に充てるため給付される金品を除く。）については、所得税を課さない。（法９①十六）

（非課税とされる国等から支給される金品に係る事業の範囲等）

（1）　**八**に規定する（1）で定める事業は、国又は地方公共団体が行う事業で、妊娠中の者に対し、子育てに関する指導、相談、**八**に規定する業務その他の援助の利用に対する助成を行うものとする。（規３の２①）

（**八**に規定する（2）で定める場所）

（2）　**八**に規定する（2）で定める場所は、次に掲げる場所とする。（規３の２②）

(一)	**八**に規定する便宜を供与する者の居宅
(二)	(一)に掲げる場所のほか、**八**に規定する便宜を適切に供与することができる場所

（**八**に規定する（3）で定める施設）

（3）　**八**に規定する（3）で定める施設は、次に掲げる施設とする。（規３の２③）

(一)	児童福祉法第６条の３第２項《定義》に規定する放課後児童健全育成事業、同条第３項に規定する子育て短期支援事業、同条第７項に規定する一時預かり事業、同条第９項に規定する家庭的保育事業、同条第10項に規定する小規模保育事業、同条第11項に規定する居宅訪問型保育事業、同条第12項に規定する事業所内保育事業、同条第13項に規定する病児保育事業、同条第14項に規定する子育て援助活動支援事業又は同条第21項に規定する親子関係形成支援事業に係る施設
(二)	児童福祉法第６条の３第６項に規定する地域子育て支援拠点事業に係る施設及び当該施設に類する施設
(三)	児童福祉法第39条第１項に規定する保育所
(四)	児童福祉法第59条の２第１項に規定する認可外保育施設
(五)	母子保健法第17条の２第１項《産後ケア事業》に規定する産後ケア事業に係る施設及び当該施設に類する施設
(六)	就学前の子どもに関する教育、保育等の総合的な提供の推進に関する法律第２条第６項《定義》に規定する認定こども園
(七)	子ども・子育て支援法第７条第10項第５号《定義》又は第59条第２号若しくは第３号《地域子ども・子育て支援事業》に掲げる業務に係る施設
(八)	子ども・子育て支援法第30条第１項第４号《特例地域型保育給付費の支給》に規定する特例保育を行う施設
(九)	子ども・子育て支援法第59条第４号に掲げる事業（学校教育法第１条《学校の範囲》に規定する小学校就学前の子どもを対象とした多様な集団活動事業に係る施設の利用に要する費用の助成を行うものに限る。）に係る施設及び当該施設に類する施設（(四)に掲げる施設を除く。）
(十)	保育その他の子育てについての指導、相談、情報の提供又は助言を行う事業に係る施設

(注)　（3）（(一)に係る部分に限る。）の規定は、令和６年分以後の所得税について適用され、令和５年分以前の所得税については、なお従前の例による。（令６改所規附２）

（費用の範囲）

（4）　**八**に規定する業務又は施設の利用に要する費用には、当該業務又は施設の利用料そのもののほか、主食費、副食費、交通費、教材費等の費用も含まれることに留意する。（基通９－16の２）

（非課税とされる金品の範囲）

（5）　**八**に規定する事業により国又は地方公共団体から、他の者から受ける役務提供の対価の支払又は物品の購入に利用することのできる証券等の交付を受け、その受けた証券等を**八**に規定する費用（以下(5)において「子育て費用」という。）に充てた場合において、その充てた部分と子育て費用に充てた部分以外の部分とを区分しているときには、その充てた部分に係る証券等は第三節の規定の適用があることに留意する。（基通9－16の3）

九　相続等により取得するもの

相続、遺贈又は個人からの贈与により取得するもの（相続税法の規定により相続、遺贈又は個人からの贈与により取得したものとみなされるものを含む。）については、所得税を課さない。（法9①十七）

(注)1　法人からの贈与により取得するものについては、業務に関して受けるもの及び継続的に受けるものを除いて一時所得として課税されることに留意する。（基通34－1（5）、編者注）

2　上記～～下線部については、公益信託に関する法律（令和6年法律第30号）の施行の日以後、**九**中「含む」が「含み、同法第21条の3第1項第1号《贈与税の非課税財産》に規定する公益信託から給付を受けた財産に該当するものを除く」に改められる。（令6改所法等附1九イ）

（相続財産とされる死亡者の給与等、公的年金等及び退職手当等）

(1)　死亡した者に係る給与等、公的年金等及び退職手当等（第四章第六節**一**《定義》に規定する退職手当等をいう。）で、その死亡後に支給期の到来するもののうち相続税法の規定により相続税の課税価格計算の基礎に算入されるものについては、課税しないものとする。（基通9－17）

(注)　上記の給与等、公的年金等及び退職手当等の支給期については、第六章第一節**一4**《収入金額の収入すべき時期》(12)、同(13)及び同(19)(一)に定めるところによる。

（年金の総額に代えて支払われる一時金）

(2)　死亡を年金給付事由とする第六章第四節**五1**③《生命保険契約等の意義》に規定する生命保険契約等の給付事由が発生した場合で当該生命保険契約等に係る保険料又は掛金がその死亡をした者によって負担されたものであるときにおいて、当該生命保険契約等に基づく年金の受給資格者が当該年金の受給開始日以前に年金給付の総額に代えて一時金の支払を受けたときは、当該一時金については課税しないものとする。（基通9－18）

十　公共法人等及び公益信託等に係る非課税

1　公共法人等に係る非課税

別表第一（190ページ）に掲げる内国法人が支払を受ける所得税法第174条各号《内国法人に係る所得税の課税標準》に掲げる利子等、配当等、給付補塡金、利息、利益、差益及び利益の分配（貸付信託の受益権の収益の分配にあっては、当該内国法人が当該受益権を引き続き所有していた期間に対応する部分の額として**3**で定めるところにより計算した金額に相当する部分に限る。）については、所得税を課さない。（法11①）

2　公益信託等に係る非課税

公益信託ニ関スル法律第1条《公益信託》に規定する公益信託又は社債、株式等の振替に関する法律第2条第11項《定義》に規定する加入者保護信託の信託財産につき生ずる所得（貸付信託の受益権の収益の分配に係るものにあっては、当該受益権が当該公益信託又は当該加入者保護信託の信託財産に引き続き属していた期間に対応する部分の額として**3**で定めるところにより計算した金額に相当する部分に限る。）については、所得税を課さない。（法11②）

(注)1　上記～～下線部については、公益信託に関する法律（令和6年法律第30号）の施行の日以後、**2**中「公益信託ニ関スル法律第1条《公益信託》」が「公益信託に関する法律（令和6年法律第30号）第2条第1項第1号《定義》」に改められ、「規定する公益信託」の次に「（第五章第二節**二十四1**①《贈与等の場合の譲渡所得等の特例》、同**3**①イ《贈与等により取得した資産の取得費等》、第六章第四節**一1**⑥《国外転出をする場合の譲渡所得等の特例》、同**2**⑥《贈与等により非居住者に資産が移転した場合の譲渡所得等の特例》、第六章第四節**三5**⑥《信託に係る所得の金額の計算》及び第八章**七2**(四)《寄附金控除》において「公益信託」という。）」が加えられる。（令6改所法等附1九イ）

2　(注)1の改正後の**2**（**2**に規定する公益信託に係る部分に限る。）の規定は、公益信託に関する法律（令和6年法律第30号）の施行の日以後に効力が生ずる**2**に規定する公益信託（公益信託に関する法律附則第4条第1項に規定する移行認可（以下「移行認可」という。）を受けた信託を含む。）について適用され、同日前に効力が生じた公益信託に関する法律による改正前の公益信託ニ関スル法律第1条に規定する公益信託（移行認可を受けたものを除く。）については、なお従前の例による。（令6改所法等附1九イ、2）

3　貸付信託の受益権の収益の分配のうち公共法人等が引き続き所有していた期間に対応する金額

1及び**2**までに規定する**3**で定めるところにより計算した金額は、次の(一)及び(二)に掲げる場合の区分に応じ当該(一)又は(二)に定める金額とする。(令51)

(一)	**1**に規定する内国法人（以下**十**において「公共法人等」という。）又は**2**に規定する公益信託若しくは加入者保護信託（以下**十**において「公益信託等」という。）の受託者が、その所有し、又はその公益信託等の信託財産に属する貸付信託の受益権の収益の分配の計期間を通じて**4**（1）《公社債等に係る有価証券の記録等》の規定により金融機関の振替口座簿（**一3**①（1）《金融機関等の範囲》(一)、同(四)及び同(五)に掲げる者が社債、株式等の振替に関する法律の規定により備え付ける振替口座簿をいう。以下**十**において同じ。）に記載若しくは記録を受け、又は保管の委託をしている場合	当該計算期間に対応する収益の分配の額
(二)	公共法人等又は公益信託等の受託者が、その所有し、又はその公益信託等の信託財産に属する貸付信託の受益権につきその収益の分配の計算期間の中途において**4**（1）の規定により金融機関の振替口座簿に記載若しくは記録を受け、又は保管の委託をし、かつ、その記載若しくは記録を受け、又は保管の委託をした日から当該計算期間の終了の日までの期間を通じて金融機関の振替口座簿に記載若しくは記録を受け、又は保管の委託をしている場合	当該計算期間に対応する収益の分配の額に当該記載若しくは記録を受け、又は保管の委託をしている期間の日数を乗じこれを当該計算期間の日数で除して計算した金額

4　公社債等の利子又は収益の分配に係る非課税規定の適用要件

1及び**2**までの規定のうち公社債又は貸付信託、投資信託若しくは特定目的信託の受益権で次の(一)から(四)までに定めるもの（以下**4**において「公社債等」という。）の利子、収益の分配又は第四章第二節**一**《配当所得》に規定する剰余金の配当（以下**4**において「利子等」という。）に係る部分は、これらの規定に規定する内国法人又は公益信託若しくは加入者保護信託の受託者が、公社債等につき社債、株式等の振替に関する法律に規定する振替口座簿への記載又は記録その他（1）で定める方法により管理されており、かつ、政令で定めるところにより、当該公社債等の利子等につきこれらの規定の適用を受けようとする旨その他（7）で定める事項を記載した申告書を、当該公社債等の利子等の支払をする者（**5**において「支払者」という。）を経由して税務署長に提出した場合に限り、適用する。(法11③、令51の2)

(一)	貸付信託の受益権
(二)	公社債投資信託の受益権
(三)	公社債等運用投資信託の受益権
(四)	第二節の**3**《法人課税信託の受託者等に関する通則》の（2）の(四)に規定する社債的受益権

（公社債等に係る有価証券の記録等）

（1）　**4**に規定する（1）で定める方法は、公共法人等又は公益信託等の受託者が所有し、又はその公益信託等の信託財産に属する**4**に規定する公社債等（以下において「公社債等」という。）の利子等（**4**に規定する利子等をいう。）につき**1**《公共法人等に係る非課税》及び**2**《公益信託等に係る非課税》の規定の適用を受けようとする次の(一)から(四)までに掲げる公社債等の区分に応じそれぞれ(一)から(四)までに定める方法とする。(令51の3①)

(一)	公社債及び**4**(一)から同(四)《公社債等の範囲》までに掲げる受益権（(二)から(四)までに掲げるものを除く。）	金融機関の営業所等（**一3**①（1）《金融機関等の範囲》(一)、同(四)及び同(五)に掲げる者の営業所、事務所その他これらに準ずるものをいう。以下（1）並びに（3）(一)及び同(四)において同じ。）に係る金融機関の振替口座簿に記載又は記録を受ける方法
(二)	社債（第二章第一節**一**表内**9**《定義》に規定する社債であって、金融商品取引法第29条の2第1項第8号《登録の申請》に規定する権利に該当するものをいう。以下(二)及び（3）(二)において同じ。）	金融商品取引業者等（同法第2条第9項《定義》に規定する金融商品取引業者（同法第28条第1項《通則》に規定する第一種金融商品取引業を行う者に限る。）又は同法第2条第11項に規定する登録金融機関をいう。同号において同じ。）に特定管理方法（当該

		社債の譲渡についての制限を付すことその他の金融庁長官が定める要件を満たす方法をいう。）による保管の委託をする方法
(三)	公社債及び4(二)又は同(三)に掲げる受益権で投資信託委託会社（投資信託及び投資法人に関する法律第2条第11項《定義》に規定する投資信託委託会社をいう。(3)(三)において同じ。）から取得するもの（(二)に掲げるものを除く。）	振替の取次ぎをした当該投資信託委託会社の営業所を通じて金融機関の振替口座簿に記載又は記録を受ける方法
(四)	長期信用銀行法第8条《長期信用銀行債の発行》の規定による長期信用銀行債その他(2)で定める公社債等、記名式の貸付信託及び公募公社債等運用投資信託（投資信託及び投資法人に関する法律第2条第2項に規定する委託者非指図型投資信託に限る。）の受益証券（(二)に掲げるものを除く。）	金融機関の営業所等に係る金融機関の振替口座簿に記載若しくは記録を受ける方法又は金融機関の営業所等に保管される方法

(注)1　金融庁長官は、(1)(二)の規定により要件を定めたときは、これを告示する。（令51の3③）
　2　改正後の(1)（(1)(二)に係る部分に限る。）の規定は、1又は2に規定する内国法人又は公益信託若しくは加入者保護信託が令和6年4月1日以後に支払を受けるべき同(二)に規定する社債の利子について適用される。（令6改所令附2）

（公社債等に係る有価証券の記録等）

(2)　4(1)(四)《公社債等に係る有価証券の記録等》に規定する(2)で定める公社債等は、金融機関の合併及び転換に関する法律第8条第1項《特定社債の発行》（同法第55条第4項《長期信用銀行が普通銀行となる転換》において準用する場合を含む。）の規定による特定社債、信用金庫法第54条の2の4第1項《全国連合会債の発行》の規定による全国連合会債、農林中央金庫法第60条《農林債の発行》の規定による農林債又は株式会社商工組合中央金庫法第33条《商工債の発行》の規定による商工債とする。（規16①）

（金融機関の営業所等の帳簿の備付け等）

(3)　次の(一)から(四)までに掲げる営業所等（営業所、事務所その他これらに準ずるものをいう。(二)において同じ。）（以下4において「金融機関等の営業所等」という。）は、当該(一)から(四)までに定める公社債等につき、帳簿を備え、その記載若しくは記録を受け、又は保管の委託をした者の各人別に口座を設け、(4)に定める事項を記載し、又は記録しなければならない。（令51の3②）

(一)	(1)(一)の金融機関の営業所等	同(一)の金融機関の振替口座簿に記載又は記録をした公社債等
(二)	(1)(二)の金融商品取引業者等の営業所等	同(二)の保管の委託を受けた社債
(三)	(1)(三)の投資信託委託会社の営業所	同(三)の金融機関の振替口座簿に記載又は記録をした公社債等
(四)	(1)(四)の金融機関の営業所等	同(四)の金融機関の振替口座簿に記載若しくは記録をし、又は同(四)の保管の委託を受けた公社債等

（帳簿の記載事項）

(4)　(3)に規定する(4)に定める事項は、次の(一)から(六)までに掲げる事項とする。（規16②）

(一)	金融機関の振替口座簿（3(一)《貸付信託の受益権の収益の分配のうち公共法人等が引き続き所有していた期間の金額》に掲げる金融機関の振替口座簿をいう。以下4において同じ。）に記載若しくは記録を受け、又は保管の委託をした者の名称及び所在地
(二)	金融機関の振替口座簿に記載若しくは記録をし、若しくは保管の委託を受け、又は振替の取次ぎをした3(一)に規定する公社債等の種別又は名称及び額面金額
(三)	(二)に規定する公社債等につき金融機関の振替口座簿に増額の記載若しくは記録をした日及び金融機関の振替口座簿にその減額の記載若しくは記録をした日又は保管の委託がされた日及び保管の委託の取りやめがあった日

(四)	(1)(三)に規定する投資信託委託会社の営業所にあっては、同(三)の振替の取次ぎをした(1)(一)に規定する金融機関の営業所等の名称及び所在地
(五)	(二)に規定する公社債等の利子等（**4**に規定する利子等をいう。以下(7)(三)において同じ。）で**1**又は**2**の規定の適用を受けるものの支払年月日及びその適用を受ける金額
(六)	その他参考となるべき事項

(注)　上記＿＿下線部については、公益信託に関する法律（令和６年法律第30号）の施行の日以後、(4)(一)中「**4**」が「(4)及び(7)(四)」に、「名称及び」が「氏名又は名称及び住所若しくは居所又は」に改められる。(令６改所規附１四)

(帳簿の保存期間)

(5)　(3)の金融機関等の営業所等の長は、その作成した帳簿をその帳簿の閉鎖の日の属する年の翌年から５年間保存しなければならない。(規16③)

(公社債等の利子等に係る非課税申告書の提出)

(6)　公共法人等又は公益信託等の受託者は、その支払を受けるべき公社債等の利子等につき**1**及び**2**の規定の適用を受けようとする場合には、当該公社債等の利子等の支払を受けるべき日の前日までに、**4**に規定する申告書を金融機関等の営業所等及び支払者（**4**に規定する支払者をいう。以下(6)及び**5**(3)において同じ。）を経由してその支払者の当該利子等に係る第五節**3**《源泉徴収に係る所得税の納税地》の規定による納税地（同節**4**《納税地の指定》②の規定による指定があった場合には、その指定をされた納税地）の所轄税務署長に提出しなければならない。(令51の４①)

(注)　(6)の場合において、(6)の申告書が(6)の金融機関等の営業所等に受理されたときは、当該申告書は、その受理された日に(6)の税務署長に提出されたものとみなす。(令51の４③)

(公共法人等及び公益信託等に係る非課税申告書の記載事項)

(7)　**4**に規定する申告書に記載すべき(7)で定める事項は、次の(一)から(六)までに掲げる事項とする。(規16の２①)

(一)	当該申告書を提出する者の名称、本店又は主たる事務所の所在地及び法人番号
(二)	**1**又は**2**の規定の適用を受けようとする公社債又は**4**(一)から同(四)までに掲げる受益権の別及び名称
(三)	**1**又は**2**の規定の適用を受けようとする公社債等の利子等の支払期及び当該公社債等の利子等の額
(四)	(三)に規定する公社債等に係る有価証券につき(1)の規定により金融機関の振替口座簿に増額の記載若しくは記録を受け、又は保管の委託をした年月日及び当該記載若しくは記録をし、若しくは保管の委託を受けた(1)(一)に規定する金融機関の営業所等又は(1)(二)に規定する金融商品取引業者等の(3)に規定する営業所等の名称（(1)(三)に規定する投資信託委託会社の営業所を通じて公社債等に係る有価証券につき金融機関の振替口座簿に増額の記載又は記録を受ける場合には、その旨及び当該公社債等に係る有価証券につき金融機関の振替口座簿に増額の記載又は記録をする者の名称）
(五)	当該申告書の提出の際に経由すべき支払者（**4**に規定する支払者をいう。(8)において同じ。）の名称
(六)	その他参考となるべき事項

(注)１　改正後の(7)（(7)(四)に係る部分に限る。）の規定は、令和６年４月１日以後に提出する**4**の申告書について適用され、同日前に提出した改正前の**4**の申告書については、なお従前の例による。(令６改所規附３)

２　上記＿＿下線部については、公益信託に関する法律（令和６年法律第30号）の施行の日以後、(7)(一)中「名称、本店又は」が「氏名又は名称、住所若しくは居所又は本店若しくは」に、「及び」が「及び個人番号又は」に改められる。(令６改所規附１四)

(非課税申告書への法人番号の付記)

(8)　(7)に規定する申告書を受理した支払者（法人番号を有しない者を除く。以下において同じ。）は、当該申告書（**5**に規定する電磁的方法により提供された当該申告書に記載すべき事項を記録した**一3**《障害者等の少額預金の利子所得等の非課税》②(3)に規定する電磁的記録を含む。）に、当該支払者の法人番号を付記するものとする。(規16の２②)

（保管等についての申告書記載事項と帳簿の記載事項とが異なる場合の金融機関の営業所等の非課税申告書受理禁止）

（9）（6）の金融機関等の営業所等の長は、（6）の申告書に記載されている公社債等に係る有価証券の記載若しくは記録、振替の取次ぎ又は保管に関する事項と（3）の帳簿に記載されている当該公社債等に係る有価証券の記載若しくは記録、保管又は振替の取次ぎに関する事項とが異なるときは、当該申告書を受理してはならない。（令51の4②）

（非課税申告書の包括的記載及び継続的効力）

(10)　**4**に規定する申告書（以下(13)までにおいて「非課税申告書」という。）は、**1**及び**2**の規定の適用を受けようとする利子、収益の分配又は剰余金の配当（以下(11)までにおいて「利子等」という。）につき、公社債又は貸付信託、公社債投資信託若しくは公社債等運用投資信託の受益権若しくは第二節**3**《法人課税信託の受託者に関する通則》（2）(四)に規定する社債的受益権（以下(11)までにおいてこれらを「公社債等」という。）の債券又は受益権の異なるごと（振替公社債の場合には、その名称及び回号の異なるごと）に提出するものとする。（基通11－1）

この場合において、一の金融機関等の営業所等（**4**（3）《金融機関の営業所等の帳簿の備付け等》に規定する金融機関等の営業所等をいう。以下(11)までにおいて同じ。）を経由して支払を受ける種別、名称及び回号を同一とする2以上の公社債等の利子等につき非課税申告書を同時に提出するときは、これらの非課税申告書は、一の非課税申告書によることができる。

なお、非課税申告書の提出は当初の1回で足り、当該非課税申告書に係る公社債等につきその提出の時以後にその収入すべき日が到来する利子等の全てについて**1**及び**2**の規定の適用があることに留意する。

（注）　金融機関等の営業所等の長は、非課税申告書の提出を受けて、**1**及び**2**の規定を適用する場合には、当該非課税申告書の異なるごとの各別に、当該非課税申告書に係る公社債等の異動状況及び利子等の支払状況等について帳簿を備え常時管理するものとし、当該非課税申告書の写しとともに、その帳簿の閉鎖の日の属する年の翌年から5年間保存しておくものとする。

（非課税申告書の効力）

(11)　（6）に規定する公共法人等又は公益信託等の受託者が、(10)の取扱いによる非課税申告書を提出した後に金融機関等の営業所等に当該非課税申告書に係る利子等につき**1**及び**2**の規定の適用を受けることを取りやめる旨の申出を行った場合、又は公共法人等若しくは公益信託等の受託者が非課税申告書を提出した後に当該非課税申告書に係る公社債等につき振替口座簿への記載若しくは記録（以下(12)までにおいて「振替記載等」という。）の抹消又は保管の委託の取りやめを行った場合には、これらの非課税申告書は、その申出又は振替記載等の抹消若しくは保管の委託の取りやめがあった日以後に収入すべき日の到来する利子等につき効力を失う。（基通11－2）

（振替記載等の期間の通算）

(12)　公共法人等又は公益信託等の受託者が自ら所有する貸付信託の受益権につき支払を受ける収益の分配で、当該支払を受ける収益の分配の計算期間のうちに、その収益の分配の支払を受ける公共法人等又は公益信託等の受託者以外の者が振替記載等を受け、又は保管の委託をした期間がある場合には、その者が次に掲げる者であり、当該期間（(三)に掲げる者が保管の委託をしていた期間を除く。）がその収益の分配の支払を受ける公共法人等又は公益信託等の受託者が振替記載等を受け、又は保管の委託をした期間と引き続いているときに限り、当該期間も**3**（二）に規定する「振替口座簿に記載若しくは記録を受け、又は保管の委託をしている期間」に含まれるものとする。（基通11－3）

（一）　公共法人等又は公益信託等の受託者

（二）　国

（三）　措置法第8条第1項《金融機関等の受ける利子所得等に対する源泉徴収の不適用》に規定する金融機関

（四）　第一節**一**表内**5**に規定する非居住者又は同**7**に規定する外国法人で、租税条約の規定により所得税が免除されるその租税条約の我が国以外の締約国の居住者又は法人とされるもの（外国政府、外国中央銀行、外国の地方公共団体又は外国政府若しくは外国の地方公共団体の所有する機関を含み、貸付信託の受益権の収益の分配に係る所得税が免除されるものに限る。）

（五）　アジア開発銀行又は国際復興開発銀行などその設立に関する協定によりわが国の租税が免除されている国際機関等

（非課税申告書等の税務署長への送付等）

(13)　（6）に規定する「支払者」が非課税申告書を受理した場合には、その受理した日の属する月の翌月10日までに、当該申告書を（6）に規定する所轄税務署長に送付するものとする。（基通11－4）

5　申告書に記載すべき事項の電磁的方法による提供

4に規定する内国法人又は公益信託若しくは加入者保護信託の受託者は、**4**の規定による申告書の提出に代えて、**4**の支払者に対し、当該申告書に記載すべき事項を**一3**⑭(9)に規定する電磁的方法により提供することができる。この場合において、当該内国法人又は公益信託若しくは加入者保護信託の受託者は、当該申告書を当該支払者に提出したものとみなす。(法11④)

(電磁的方法による非課税申告書の提出)

(1)　**4**(6)の公共法人等又は公益信託等の受託者は、同(6)の規定による申告書の提出に代えて、同(6)の金融機関等の営業所等に対し、当該申告書に記載すべき事項を電磁的方法(**5**に規定する電磁的方法をいう。(3)において同じ。)により提供することができる。この場合において、当該公共法人等又は公益信託等の受託者は、当該申告書を当該金融機関等の営業所等に提出したものとみなす。(令51の4④)

(電磁的方法による提出の場合の読み替え)

(2)　**5**又は(1)の規定の適用がある場合における**4**(6)(注)の規定の適用については、同(6)(注)中「申告書が」とあるのは「申告書に記載すべき事項を」と、「に受理された」とあるのは「が提供を受けた」と、「受理された日」とあるのは「提供を受けた日」とする。(令51の4⑤)

(記載事項の電磁的方法による提供)

(3)　**4**(6)の申告書を受理した金融機関等の営業所等の長は、同(6)の規定による申告書の提出に代えて、同(6)の支払者に対し、当該申告書に記載すべき事項を電磁的方法により提供することができる。この場合において、当該金融機関等の営業所等の長は、当該申告書を当該支払者に提出したものとみなす。(令51の4⑥)

【所法別表第一　公共法人等の表】　　（法別表第一）

名　　　称	根　　　拠　　　法
委託者保護基金	商品先物取引法
医療法人（医療法（昭和23年法律第205号）第42条の２第１項《社会医療法人》に規定する社会医療法人に限る。）	医療法
沖縄振興開発金融公庫	沖縄振興開発金融公庫法（昭和47年法律第31号）
外国人技能実習機構	外国人の技能実習の適正な実施及び技能実習生の保護に関する法律（平成28年法律第89号）
貸金業協会	貸金業法（昭和58年法律第32号）
学校法人（私立学校法第64条第４項《専修学校及び各種学校》の規定により設立された法人を含む。）	私立学校法
株式会社国際協力銀行	会社法及び株式会社国際協力銀行法（平成23年法律第39号）
株式会社日本政策金融公庫	会社法及び株式会社日本政策金融公庫法（平成19年法律第57号）
企業年金基金	確定給付企業年金法
企業年金連合会	
危険物保安技術協会	消防法（昭和23年法律第186号）
行政書士会	行政書士法（昭和26年法律第４号）
漁業共済組合	漁業災害補償法（昭和39年法律第158号）
漁業共済組合連合会	
漁業信用基金協会	中小漁業融資保証法（昭和27年法律第346号）
漁船保険組合	漁船損害等補償法（昭和27年法律第28号）
金融経済教育推進機構	金融サービスの提供及び利用環境の整備等に関する法律（平成12年法律第101号）
勤労者財産形成基金	勤労者財産形成促進法（昭和46年法律第92号）
軽自動車検査協会	道路運送車両法（昭和26年法律第185号）
健康保険組合	健康保険法
健康保険組合連合会	
原子力損害賠償・廃炉等支援機構	原子力損害賠償・廃炉等支援機構法（平成23年法律第94号）
原子力発電環境整備機構	特定放射性廃棄物の最終処分に関する法律（平成12年法律第117号）
高圧ガス保安協会	高圧ガス保安法（昭和26年法律第204号）
広域的運営推進機関	電気事業法（昭和39年法律第170号）
広域臨海環境整備センター	広域臨海環境整備センター法（昭和56年法律第76号）
公益財団法人	一般社団法人及び一般財団法人に関する法律（平成18年法律第48号）及び公益社団法人及び公益財団法人の認定等に関する法律（平成18年法律第49号）
公益社団法人	
更生保護法人	更生保護事業法（平成７年法律第86号）
港　務　局	港湾法
小型船舶検査機構	船舶安全法（昭和８年法律第11号）

名　　　称	根　　　拠　　　法
国家公務員共済組合 国家公務員共済組合連合会	国家公務員共済組合法
国際観光振興会	国際観光振興会法（昭和34年法律39号）
国民健康保険組合 国民健康保険団体連合会	国民健康保険法
国民年金基金 国民年金基金連合会	国民年金法
国立大学法人	国立大学法人法（平成15年法律第112号）
市街地再開発組合	都市再開発法（昭和44年法律第38号）
自動車安全運転センター	自動車安全運転センター法（昭和50年法律第57号）
司法書士会	司法書士法（昭和25年法律第197号）
社会福祉法人	社会福祉法（昭和26年法律第45号）
社会保険診療報酬支払基金	社会保険診療報酬支払基金法
社会保険労務士会	社会保険労務士法（昭和43年法律第89号）
宗教法人	宗教法人法（昭和26年法律第126号）
住宅街区整備組合	大都市地域における住宅及び住宅地の供給の促進に関する特別措置法（昭和50年法律第67号）
酒造組合 酒造組合中央会 酒造組合連合会 酒販組合 酒販組合中央会 酒販組合連合会	酒税の保全及び酒類業組合等に関する法律（昭和28年法律第７号）
商工会	商工会法（昭和35年法律第89号）
商工会議所	商工会議所法（昭和28年法律第143号）
商工会連合会	商工会法
商工組合（組合員に出資をさせないものに限る。） 商工組合連合会（会員に出資をさせないものに限る。）	中小企業団体の組織に関する法律（昭和32年法律第185号）
使用済燃料再処理・廃炉推進機構	原子力発電における使用済燃料の再処理等の実施及び廃炉の推進に関する法律（平成17年法律第48号）
商品先物取引協会	商品先物取引法
消防団員等公務災害補償等共済基金	消防団員等公務災害補償等責任共済等に関する法律（昭和31年法律第107号）
職員団体等（法人であるものに限る。）	職員団体等に対する法人格の付与に関する法律（昭和53年法律第80号）
職業訓練法人	職業能力開発促進法
信用保証協会	信用保証協会法（昭和28年法律第196号）

名　称	根　拠　法
水害予防組合	水害予防組合法（明治41年法律第50号）
水害予防組合連合	
生活衛生同業組合（組合員に出資をさせないものに限る。）	生活衛生関係営業の運営の適正化及び振興に関する法律（昭和32年法律第164号）
生活衛生同業組合連合会（会員に出資をさせないものに限る。）	
税理士会	税理士法（昭和26年法律第237号）
石炭鉱業年金基金	石炭鉱業年金基金法
船員災害防止協会	船員災害防止活動の促進に関する法律（昭和42年法律第61号）
全国健康保険協会	健康保険法
全国市町村職員共済組合連合会	地方公務員等共済組合法
全国社会保険労務士会連合会	社会保険労務士法
全国農業会議所	農業委員会等に関する法律（昭和26年法律第88号）
損害保険料率算出団体	損害保険料率算出団体に関する法律（昭和23年法律第193号）
大学共同利用機関法人	国立大学法人法
<u>脱炭素成長型経済構造移行推進機構</u>	<u>脱炭素成長型経済構造への円滑な移行の推進に関する法律（令和５年法律第32号）</u>
地方議会議員共済会（注１）	地方公務員等共済組合法
地方競馬全国協会	競馬法（昭和23年法律第158号）
地方公共団体	地方自治法（昭和22年法律第67号）
地方公共団体金融機構	地方公共団体金融機構法（平成19年法律第64号）
地方公共団体情報システム機構	地方公共団体情報システム機構法（平成25年法律第29号）
地方公務員共済組合	地方公務員等共済組合法
地方公務員共済組合連合会	
地方公務員災害補償基金	地方公務員災害補償法（昭和42年法律第121号）
地方住宅供給公社	地方住宅供給公社法（昭和40年法律第124号）
地方税共同機構	地方税法
地方道路公社	地方道路公社法（昭和45年法律第82号）
地方独立行政法人	地方独立行政法人法（平成15年法律第118号）
中央職業能力開発協会	職業能力開発促進法
中央労働災害防止協会	労働災害防止団体法（昭和39年法律第118号）
中小企業団体中央会	中小企業等協同組合法（昭和24年法律第181号）
投資者保護基金	金融商品取引法
独立行政法人（その資本金の額若しくは出資の金額の全部が国若しくは地方公共団体の所有に属しているもの、国若	独立行政法人通則法（平成11年法律第103号）及び同法第１条第１項《目的等》に規定する個別法

名　　　　　　称	根　　　　　拠　　　　　法
しくは地方公共団体以外の者に対し利益若しくは剰余金の分配その他これに類する金銭の分配を行わないもの又はこれらに類するものとして、財務大臣が指定をしたものに限る。)	
土地開発公社	公有地の拡大の推進に関する法律（昭和47年法律第66号）
土地改良区	土地改良法（昭和24年法律第195号）
土地改良区連合	
土地改良事業団体連合会	
土地家屋調査士会	土地家屋調査士法（昭和25年法律第228号）
土地区画整理組合	土地区画整理法（昭和29年法律第119号）
都道府県職業能力開発協会	職業能力開発促進法
都道府県農業会議	農業委員会等に関する法律
日本行政書士会連合会	行政書士法
日本勤労者住宅協会	日本勤労者住宅協会法（昭和41年法律第133号）
日本下水道事業団	日本下水道事業団法（昭和47年法律第41号）
日本公認会計士協会	公認会計士法
日本司法支援センター	総合法律支援法（平成16年法律第74号）
日本司法書士会連合会	司法書士法
日本商工会議所	商工会議所法
日本消防検定協会	消防法
日本私立学校振興・共済事業団	日本私立学校振興・共済事業団法（平成９年法律第48号）
日本税理士会連合会	税理士法
日本赤十字社	日本赤十字社法（昭和27年法律第305号）
日本中央競馬会	日本中央競馬会法（昭和29年法律第205号）
日本電気計器検定所	日本電気計器検定所法（昭和39年法律第150号）
日本土地家屋調査士会連合会	土地家屋調査士法
日本年金機構	日本年金機構法（平成19年法律第109号）
日本弁護士連合会	弁護士法（昭和24年法律第205号）
日本弁理士会	弁理士法（平成12年法律第49号）
日本放送協会	放送法（昭和25年法律第132号）
日本水先人会連合会	水先法（昭和24年法律第121号）
認可金融商品取引業協会	金融商品取引法
農業共済組合	農業保険法（昭和22年法律第185号）
農業共済組合連合会	

名　　　称	根　　拠　　法
農業協同組合中央会	農業協同組合法
農業協同組合連合会（医療法第31条《公的医療機関の定義》に規定する公的医療機関に該当する病院又は診療所を設置するもので（1）に定める要件を満たすものとして財務大臣が指定したものに限る。）	
農業信用基金協会	農業信用保証保険法（昭和36年法律第204号）
農水産業協同組合貯金保険機構	農水産業協同組合貯金保険法（昭和48年法律第53号）
福島国際研究教育機構	福島復興再生特別措置法（平成24年法律第25号）
負債整理組合	農村負債整理組合法（昭和８年法律第21号）
弁護士会	弁護士法
保険契約者保護機構	保険業法
水先人会	水先法
輸出組合（組合員に出資をさせないものに限る。）	輸出入取引法（昭和27年法律第299号）
輸入組合（組合員に出資をさせないものに限る。）	
預金保険機構	預金保険法
労働組合（法人であるものに限る。）	労働組合法（昭和24年法律第174号）
労働災害防止協会	労働災害防止団体法

（注）1　「地方議会議員共済会」は平成23年６月１日以後別表第一から削除される。その廃止後も「存続共済会」は、所得税法その他所得税に関する法令の規定の適用については、同法別表第一に掲げる法人とみなされる。（平成23年法律56号附則１、39、40）

「存続共済会」とは、「地方議会議員共済会」の廃止後も旧退職年金、旧退職一時金、代替退職一時金、旧公務傷病年金、旧遺族年金及び旧遺族一時金の給付などの業務やそれらに附帯する業務を行うために存続する旧共済会で、地方公務員等共済組合法の一部を改正する法律（平成23年法律第56号）の施行後も、旧法の規定により設けられた地方議会議員共済会としてなお存続するものをいう。（平成23年法律56号附則23）

2　改正前の別表第一第１号の表に掲げる社団法人又は財団法人であって一般社団法人及び一般財団法人に関する法律及び公益社団法人及び公益財団法人の認定等に関する法律の施行に伴う関係法律の整備等に関する法律（平成18年法律第50号）第40条第１項の規定により一般社団法人又は一般財団法人として存続するもののうち、同法第106条第１項（同法第121条第１項において読み替えて準用する場合を含む。）の登記をしていないもの（同法第131条第１項の規定により同法第45条の認可を取り消されたものを除く。）は、改正前の別表第一に掲げる内国法人とみなして、改正後の所得税法その他所得税に関する法令の規定を適用する。（平20改所法等附８）

3　農業協同組合法等の一部を改正する等の法律（平成27年法律第63号）附則第12条《存続都道府県中央会の農業協同組合連合会への組織変更》に規定する存続都道府県中央会から同条の規定による組織変更をした農業協同組合連合会であって、同法附則第18条《組織変更後の農業協同組合連合会に係る事業等に関する特例》の規定により引き続きその名称中に農業協同組合中央会という文字を用いるものは、別表第一に掲げる法人とみなして、この法律の規定その他の所得税法、租税特別措置法その他の所得税に関する法令の規定を適用する。（平31改所法等附36、平31改所令附18）

4　上記﹏下線部については、私立学校法の一部を改正する法律（令和５年法律第21号）により、令和７年４月１日以後、学校法人（私立学校法第64条第４項《専修学校及び各種学校》の規定により設立された法人を含む。）の項中「第64条第４項《私立専修学校及び私立各種学校」を「第152条第５項《私立専修学校等」に改める。（同法附則１、17）

5　上記﹏下線部については、国立健康危機管理研究機構法（令和５年法律第46号）の施行の日より、国民年金基金及び国民年金基金連合会の項の次に以下の項を加える。（国立健康危機管理研究機構法の施行に伴う関係法律の整備に関する法律（令和５年法律第47号）附則１）

国立健康危機管理研究機構	国立健康危機管理研究機構法（令和５年法律第46号）

6　上記﹏下線部については、出入国管理及び難民認定法及び外国人の技能実習の適正な実施及び技能実習生の保護に関する法律の一部を

改正する法律（令和６年法律第60号）の施行の日により、外国人技能実習機構の項の規定中「外国人技能実習機構」を「外国人育成就労機構」に、「外国人の技能実習の適正な実施及び技能実習生の保護に関する法律」を「外国人の育成就労の適正な実施及び育成就労外国人の保護に関する法律」に改める。（同法附則１、27三）

（編者注）

公共法人等として所得税法別表第一に掲げられている独立行政法人の要件については、「その資本金の額若しくは出資の金額の全部が国若しくは地方公共団体の所有に属しているもの又はこれに類するものとして、財務大臣が指定をしたものに限る」とされていたが、平成15年度税制改正において「その資本金の額若しくは出資の金額の全部が国若しくは地方公共団体の所有に属しているもの、国若しくは地方公共団体以外の者に対し利益若しくは剰余金の分配その他これに類する金銭の分配を行わないもの又はこれらに類するものとして、財務大臣が指定をしたものに限る」とされた（旧所法別表第一１）。これにより旧所得税法別表第一第１号に掲げられていた公共法人等のうち新たに独立行政法人や学校法人に移行した法人については引き続きこの非課税制度が適用されるが、この非課税制度の対象となる独立行政法人は、財務省告示（次の(4)）により指定される。

（公共法人等に該当する農業協同組合連合会の要件等）

(1)　上表の農業協同組合連合会の項に規定する要件は、当該農業協同組合連合会の定款に次の(一)から(三)までに掲げる定めがあることとする。（令51の５①）

(一)	当該農業協同組合連合会の行う事業は、農業協同組合法第10条第１項第11号《医療に関する施設》に掲げる事業（これに附帯する事業を含む。）又は当該事業及び同項第12号《老人の福祉に関する施設》に掲げる事業（これらに附帯する事業を含む。）に限る旨の定め
(二)	当該農業協同組合連合会は、剰余金の配当（出資に係るものに限る。）を行わない旨の定め
(三)	当該農業協同組合連合会が解散したときは、その残余財産が国若しくは地方公共団体又は(一)に規定する事業を行う他の農業協同組合連合会に帰属する旨の定め

（注）１　農業協同組合連合会は、上表の農業協同組合連合会の項に規定する指定を受けようとするときは、その名称及び主たる事務所の所在地、その設置する病院又は診療所の名称及び所在地その他(2)で定める事項を記載した申請書に定款の写しその他の一定((2)の(注))の書類を添付し、これを財務大臣に提出しなければならない。（令51の５②）

２　財務大臣は、上表の農業協同組合連合会の項の規定により農業協同組合連合会を指定したときは、これを告示する。（令51の５③）（告示内容は(3)のとおり。編者注）

（公共法人等に該当する農業協同組合連合会の指定申請書の記載事項等）

(2)　(1)(注)１に規定する(2)で定める事項は、次の(一)から(六)までに掲げる事項とする。（規17①）

(一)	(1)(注)１の規定による申請書を提出する農業協同組合連合会（以下「申請法人」という。）の名称及び主たる事務所の所在地
(二)	申請法人が設置する病院又は診療所の名称及び所在地
(三)	申請法人が農業協同組合法第10条第１項第12号《老人福祉に関する施設》に掲げる事業を営む場合には、その設置する老人の福祉に関する施設の名称及び所在地
(四)	申請法人の理事の氏名及び住所又は居所
(五)	申請法人の営む事業の概要
(六)	その他参考となるべき事項

（注）　(1)(注)１に規定する書類は、定款の写し（当該定款が同(注)１に規定する申請書の提出をする日前１年以内に変更をしたものである場合には、当該変更に関する農業協同組合法第44条第２項《定款の変更》に規定する行政庁の認可に係る書類の写し又は同条第４項の規定により行政庁に届け出た書類の写しを含む。）並びに同日の属する事業年度の直前の事業年度の損益計算書、貸借対照表、剰余金又は損失の処分表及び事業報告書とする。（規17②）

（指 定 告 示）

(3)　(1)の(注)２の規定に基づき所得税を課さない法人を指定する告示は次のとおり。（昭和60年大蔵省告示第11号、最終改正平成28年財務省告示第95号）

（法　　人　　名）	（主たる事務所の所在地）
北海道厚生農業協同組合連合会	北海道札幌市中央区北四条西１丁目１番地

岩手県厚生農業協同組合連合会　　岩手県紫波郡都南村大字永井14地割42番地
秋田県厚生農業協同組合連合会　　秋田県秋田市八橋字戌川原64番地の２
福島県厚生農業協同組合連合会　　福島県福島市中町７番17号
茨城県厚生農業協同組合連合会　　茨城県水戸市梅香１丁目１番４号
上都賀厚生農業協同組合連合会　　栃木県鹿沼市下田町１丁目1033番地
佐野厚生農業協同組合連合会　　栃木県佐野市堀米町1555番地
群馬県厚生農業協同組合連合会　　群馬県前橋市亀里町1310番地
千葉県厚生農業協同組合連合会　　千葉県千葉市新千葉３丁目２番６号
東京都厚生農業協同組合連合会　　東京都立川市柴崎町３丁目５番27号
神奈川県厚生農業協同組合連合会　　神奈川県横浜市中区海岸通り１丁目２番地の２
新潟県厚生農業協同組合連合会　　新潟県新潟市東中通１番町86番地
富山県厚生農業協同組合連合会　　富山県富山市新総曲輪２番21号
福井県厚生農業協同組合連合会　　福井県福井市大手３丁目２番18号
山梨県厚生農業協同組合連合会　　山梨県甲府市飯田１丁目１番20号
長野県厚生農業協同組合連合会　　長野県長野市大字南長野南県町687番地の２
岐阜県厚生農業協同組合連合会　　岐阜県岐阜市宇佐南４丁目13番１号
静岡県厚生農業協同組合連合会　　静岡県静岡市曲金３丁目８番１号
愛知県厚生農業協同組合連合会　　愛知県愛知郡長久手町大字長湫字西塚田５番地
三重県厚生農業協同組合連合会　　三重県津市栄町１丁目179番地の３
滋賀県厚生農業協同組合連合会　　滋賀県大津市京町４丁目３番38号
兵庫県厚生農業協同組合連合会　　兵庫県神戸市中央区海岸通１番地
島根県厚生農業協同組合連合会　　島根県松江市千鳥町15番地
岡山県厚生農業協同組合連合会　　岡山県岡山市磨屋町８番17号
広島県厚生農業協同組合連合会　　広島県広島市中区大手町４丁目６番16号
山口県厚生農業協同組合連合会　　山口県吉敷郡小郡町大字下郷2139番地
徳島県厚生農業協同組合連合会　　徳島県徳島市北佐古１番地５番12号
香川県厚生農業協同組合連合会　　香川県高松市屋島西町1857番地１
愛媛県厚生農業協同組合連合会　　愛媛県松山市南堀端町２番地３
高知県厚生農業協同組合連合会　　高知県南国市大埇甲1571番地
熊本県厚生農業協同組合連合会　　熊本県熊本市南千反畑町２番３号　熊本県農協会館内
大分県厚生農業協同組合連合会　　大分県別府市大字鶴見4333番地
鹿児島県厚生農業協同組合連合会　　鹿児島県鹿児島市鴨池新町15番地

（所得税法別表第一の規定により所得税を課さない法人を指定する告示）

（４）　財務省告示（平15第605号・最終改正令４第293号）において、**別表**《所得税法別表第一》の表独立行政法人の項の規定に基づき、所得税を課さない法人を次のように指定する。

名　　　　称	根　　　拠　　　法
国立研究開発法人医薬基盤・健康・栄養研究所	国立研究開発法人医薬基盤・健康・栄養研究所法（平成16年法律第135号）
国立研究開発法人宇宙航空研究開発機構	国立研究開発法人宇宙航空研究開発機構法（平成14年法律第161号）
国立研究開発法人海上・港湾・航空技術研究所	国立研究開発法人海上・港湾・航空技術研究所法（平成11年法律第208号）
国立研究開発法人海洋研究開発機構	国立研究開発法人海洋研究開発機構法（平成15年法律第95号）
国立研究開発法人科学技術振興機構	国立研究開発法人科学技術振興機構法（平成14年法律第158号）
国立研究開発法人建築研究所	国立研究開発法人建築研究所法（平成11年法律第206号）

名　　　称	根　　　拠　　　法
国立研究開発法人国際農林水産業研究センター	国立研究開発法人国際農林水産業研究センター法（平成11年法律第197号）
国立研究開発法人国立環境研究所	国立研究開発法人国立環境研究所法（平成11年法律第216号）
国立研究開発法人国立がん研究センター	高度専門医療に関する研究等を行う国立研究開発法人に関する法律（平成20年法律第93号）
国立研究開発法人国立国際医療研究センター	
国立研究開発法人国立循環器病研究センター	
国立研究開発法人国立成育医療研究センター	
国立研究開発法人国立精神・神経医療研究センター	
国立研究開発法人国立長寿医療研究センター	
国立研究開発法人産業技術総合研究所	国立研究開発法人産業技術総合研究所法（平成11年法律第203号）
国立研究開発法人情報通信研究機構	国立研究開発法人情報通信研究機構法（平成11年法律第162号）
国立研究開発法人新エネルギー・産業技術総合開発機構	国立研究開発法人新エネルギー・産業技術総合開発機構法（平成14年法律第145号）
国立研究開発法人森林研究・整備機構	国立研究開発法人森林研究・整備機構法（平成11年法律第198号）
国立研究開発法人水産研究・教育機構	国立研究開発法人水産研究・教育機構法（平成11年法律第199号）
国立研究開発法人土木研究所	国立研究開発法人土木研究所法（平成11年法律第205号）
国立研究開発法人日本医療研究開発機構	国立研究開発法人日本医療研究開発機構法（平成26年法律第49号）
国立研究開発法人日本原子力研究開発機構	国立研究開発法人日本原子力研究開発機構法（平成16年法律第155号）
国立研究開発法人農業・食品産業技術総合研究機構	国立研究開発法人農業・食品産業技術総合研究機構法（平成11年法律第192号）
国立研究開発法人物質・材料研究機構	国立研究開発法人物質・材料研究機構法（平成11年法律第173号）
国立研究開発法人防災科学技術研究所	国立研究開発法人防災科学技術研究所法（平成11年法律第174号）
国立研究開発法人理化学研究所	国立研究開発法人理化学研究所法（平成14年法律第160号）
国立研究開発法人量子科学技術研究開発機構	国立研究開発法人量子科学技術研究開発機構法（平成11年法律第176号）
独立行政法人奄美群島振興開発基金	奄美群島振興開発特別措置法（昭和29年法律第189号）
独立行政法人医薬品医療機器総合機構	独立行政法人医薬品医療機器総合機構法（平成14年法律第192号）
独立行政法人エネルギー・金属鉱物資源機構	独立行政法人エネルギー・金属鉱物資源機構法（平成14年法律第94号）
独立行政法人海技教育機構	独立行政法人海技教育機構法（平成11年法律第214号）

名　　　　　　　称	根　　　　　　拠　　　　　　法
独立行政法人家畜改良センター	独立行政法人家畜改良センター法（平成11年法律第185号）
独立行政法人環境再生保全機構	独立行政法人環境再生保全機構法（平成15年法律第43号）
独立行政法人教職員支援機構	独立行政法人教職員支援機構法（平成12年法律第88号）
独立行政法人勤労者退職金共済機構	中小企業退職金共済法（昭和34年法律第160号）
独立行政法人空港周辺整備機構	公共用飛行場周辺における航空機騒音による障害の防止等に関する法律（昭和42年法律第110号）
独立行政法人経済産業研究所	独立行政法人経済産業研究所法（平成11年法律第200号）
独立行政法人工業所有権情報・研修館	独立行政法人工業所有権情報・研修館法（平成11年法律第201号）
独立行政法人航空大学校	独立行政法人航空大学校法（平成11年法律第215号）
独立行政法人高齢・障害・求職者雇用支援機構	独立行政法人高齢・障害・求職者雇用支援機構法（平成14年法律第165号）
独立行政法人国際観光振興機構	独立行政法人国際観光振興機構法（平成14年法律第181号）
独立行政法人国際協力機構	独立行政法人国際協力機構法（平成14年法律第136号）
独立行政法人国際交流基金	独立行政法人国際交流基金法（平成14年法律第137号）
独立行政法人国民生活センター	独立行政法人国民生活センター法（平成14年法律第123号）
独立行政法人国立印刷局	独立行政法人国立印刷局法（平成14年法律第41号）
独立行政法人国立科学博物館	独立行政法人国立科学博物館法（平成11年法律第172号）
独立行政法人国立高等専門学校機構	独立行政法人国立高等専門学校機構法（平成15年法律第113号）
独立行政法人国立公文書館	国立公文書館法（平成11年法律第79号）
独立行政法人国立重度知的障害者総合施設のぞみの園	独立行政法人国立重度知的障害者総合施設のぞみの園法（平成14年法律第167号）
独立行政法人国立女性教育会館	独立行政法人国立女性教育会館法（平成11年法律第168号）
独立行政法人国立青少年教育振興機構	独立行政法人国立青少年教育振興機構法（平成11年法律第167号）
独立行政法人国立特別支援教育総合研究所	独立行政法人国立特別支援教育総合研究所法（平成11年法律第165号）
独立行政法人国立美術館	独立行政法人国立美術館法（平成11年法律第177号）
独立行政法人国立病院機構	独立行政法人国立病院機構法（平成14年法律第191号）
独立行政法人国立文化財機構	独立行政法人国立文化財機構法（平成11年法律第178号）
独立行政法人自動車技術総合機構	独立行政法人自動車技術総合機構法（平成11年法律第218号）
独立行政法人自動車事故対策機構	独立行政法人自動車事故対策機構法（平成14年法律第183号）
独立行政法人住宅金融支援機構	独立行政法人住宅金融支援機構法（平成17年法律第82号）
独立行政法人酒類総合研究所	独立行政法人酒類総合研究所法（平成11年法律第164号）
独立行政法人情報処理推進機構	情報処理の促進に関する法律（昭和45年法律第90号）
独立行政法人製品評価技術基盤機構	独立行政法人製品評価技術基盤機構法（平成11年法律第204号）
独立行政法人造幣局	独立行政法人造幣局法（平成14年法律第40号）
独立行政法人大学改革支援・学位授与機構	独立行政法人大学改革支援・学位授与機構法（平成15年法律第114号）
独立行政法人大学入試センター	独立行政法人大学入試センター法（平成11年法律第166号）

名　　　　　　　　称	根　　　　　　　　拠　　　　　　　　法
独立行政法人地域医療機能推進機構	独立行政法人地域医療機能推進機構法（平成17年法律第71号）
独立行政法人中小企業基盤整備機構	独立行政法人中小企業基盤整備機構法（平成14年法律第147号）
独立行政法人駐留軍等労働者労務管理機構	独立行政法人駐留軍等労働者労務管理機構法（平成11年法律第217号）
独立行政法人鉄道建設・運輸施設整備支援機構	独立行政法人鉄道建設・運輸施設整備支援機構法（平成14年法律第180号）
独立行政法人統計センター	独立行政法人統計センター法（平成11年法律第219号）
独立行政法人都市再生機構	独立行政法人都市再生機構法（平成15年法律第100号）
独立行政法人日本学術振興会	独立行政法人日本学術振興会法（平成14年法律第159号）
独立行政法人日本学生支援機構	独立行政法人日本学生支援機構法（平成15年法律第94号）
独立行政法人日本芸術文化振興会	独立行政法人日本芸術文化振興会法（平成14年法律第163号）
独立行政法人日本高速道路保有・債務返済機構	独立行政法人日本高速道路保有・債務返済機構法（平成16年法律第100号）
独立行政法人日本スポーツ振興センター	独立行政法人日本スポーツ振興センター法（平成14年法律第162号）
独立行政法人日本貿易振興機構	独立行政法人日本貿易振興機構法（平成14年法律第172号）
独立行政法人農業者年金基金	独立行政法人農業者年金基金法（平成14年法律第127号）
独立行政法人農畜産業振興機構	独立行政法人農畜産業振興機構法（平成14年法律第126号）
独立行政法人農林漁業信用基金	独立行政法人農林漁業信用基金法（平成14年法律第128号）
独立行政法人農林水産消費安全技術センター	独立行政法人農林水産消費安全技術センター法（平成11年法律第183号）
独立行政法人福祉医療機構	独立行政法人福祉医療機構法（平成14年法律第166号）
独立行政法人北方領土問題対策協会	独立行政法人北方領土問題対策協会法（平成14年法律第132号）
独立行政法人水資源機構	独立行政法人水資源機構法（平成14年法律第182号）
独立行政法人郵便貯金簡易生命保険管理・郵便局ネットワーク支援機構	独立行政法人郵便貯金簡易生命保険管理・郵便局ネットワーク支援機構法（平成17年法律第101号）
独立行政法人労働者健康安全機構	独立行政法人労働者健康安全機構法（平成14年法律第171号）
独立行政法人労働政策研究・研修機構	独立行政法人労働政策研究・研修機構法（平成14年法律第169号）
年金積立金管理運用独立行政法人	年金積立金管理運用独立行政法人法（平成16年法律第105号）

十一　皇族費及び公職選挙の候補者が法人から受ける金品

1　皇室経済法の規定により受ける給付

皇室経済法第４条第１項《内廷費》及び第６条第１項《皇族費》の規定により受ける給付については所得税を課さない。(法９①十二)

2　公職選挙法の候補者が取得する金銭等

公職選挙法の適用を受ける選挙に係る公職の候補者が選挙運動に関し法人からの贈与により取得した金銭、物品その他の財産上の利益で、同法第189条《選挙運動に関する収入及び支出の報告書の提出》の規定による報告がされたものについては、所得税を課さない。(法９①十九)

十二　特別法による非課税の規定によるもの

所得税の非課税については、次のような特別法によるものがあることに留意する。(編者注)

非課税所得	根拠法
所有権又は地上権、賃借権その他の使用及び収益を目的とする権利を取得した者の当該権利の取得による経済的な利益	入会林野等に係る権利関係の近代化の助長に関する法律第28条
政府発行の外貨債の利子及び償還差益（その外貨債の償還により受ける金額がその外貨債の発行価額を超える場合におけるその差益をいう。） (注) 1　所得税法第２条第１項第３号に規定する居住者、法人税法第２条第３号に規定する内国法人又はこれらに準ずるものとして政令で定めるものが支払を受ける当該利子又は償還差益については、この限りでない。 2　所得税法第181条及び第212条の規定は、上記に規定する利子については、適用しない。	外貨公債の発行に関する法律第２条
警察官、海上保安官の職務に協力援助した者に支給される金品	警察官の職務に協力援助した者の災害給付に関する法律第11条、海上保安官に協力援助した者等の災害給付に関する法律第７条
確定拠出年金法に基づく障害給付金	確定拠出年金法第32条第２項
確定給付企業年金法に基づく障害給付金	確定給付企業年金法第34条第２項
勧業債券、貯蓄債券、報国債券、臨時資金調整法に基づく証券、貯蓄割増金、証票の当せん金	勧業債券の割増金等に対する所得税の課税の特例に関する法律
所得税法第２条第１項第３号に規定する居住者又は法人税法第２条第３号に規定する内国法人で国際運輸業を営むものの当該事業に係る所得で外国において生じたものについて当該外国が所得税又は法人税に相当する税を課さない場合における当該外国の居住者たる個人又は外国法人の当該所得のうち、日本国内に源泉があるもの	外国人等の国際運輸業に係る所得に対する相互主義による所得税等の非課税に関する法律第44条
旧勲章年金受給者が支給を受ける一時金	旧勲章年金受給者に関する特別措置法第11条
旧令による共済組合等からの年金受給者のための特別措置法による連合会が支給する年金、一時金で旧共済組合法の規定による退職年金及び退職一時金に相当する年金及び一時金以外のもの	旧令による共済組合等からの年金受給者のための特別措置法第16条
健康保険及び介護保険の保険給付	健康保険法第62条、第149条、介護保険法第26条
原子爆弾被爆者の医療等のために支給される金品	原子爆弾被爆者に対する援護に関する法律第46条

非　　課　　税　　所　　得	根　　拠　　法
公害被害者の補償給付	公害健康被害の補償等に関する法律第17条
厚生年金保険の保険給付（老齢厚生年金を除く。）	厚生年金保険法第41条第２項
漁業離職者に支給される訓練待期手当、就職促進手当等右欄の法律第７条１項に規定する給付金（事業主に対して支給するものを除く。）	国際協定の締結等に伴う漁業離職者に関する臨時措置法第９条
職業転換給付金（事業主に対して支給するものを除く。）等	労働施策の総合的な推進並びに労働者の雇用の安定及び職業生活の充実等に関する法律第22条
雇用保険の失業等給付	雇用保険法第12条
就学支援金	高等学校等就学支援金の支給に関する法律第13条
公立学校の学校医、学校歯科医及び学校薬剤師の公務災害に対する補償金	公立学校の学校医、学校歯科医及び学校薬剤師の公務災害補償に関する法律第10条
日本開発銀行等が発行する国際復興開発銀行からの資金の借入契約に係る引渡債券及び外貨債で当該外貨債に係る債務について政府が保証契約をしたものの利子及び償還差益（所得税法第２条第１項第３号に規定する居住者、法人税法第２条第３号に規定する内国法人又はこれらに準ずるものとして政令で定めるものが支払を受ける当該利子又は償還差益を除く。）	国際復興開発銀行等からの外資の受入に関する特別措置に関する法律第５条
国民健康保険の保険給付	国民健康保険法第68条
国民貯蓄債券の割増金	国民貯蓄債券法第10条
国民年金の給付（老齢基礎年金及び付加年金を除く。）	国民年金法第25条
国会議員の調査研究広報滞在費	国会議員の歳費、旅費及び手当等に関する法律第９条
国家公務員共済組合の給付（退職年金及び公務遺族年金並びに休業手当金を除く。）	国家公務員共済組合法第49条第２項
国家公務員の災害補償金	国家公務員災害補償法第30条
災害弔慰金	災害弔慰金の支給等に関する法律第６条
産業投資特別会計の貸付けの財源に充てるために発行する外貨債の利子及び償還差益	産業投資特別会計の貸付の財源に充てるための外貨債の発行に関する法律第４条
児童手当	児童手当法第16条
児童福祉法により支給を受ける金品	児童福祉法第57条の５
児童扶養手当	児童扶養手当法第25条
証人等の被害についての給付金	証人等の被害についての給付に関する法律第11条
私立学校教職員共済組合の給付として支給を受ける金品（退職年金及び職務遺族年金並びに休業手当金を除く。）	私立学校教職員共済法第５条
自立支援給付として支給を受けた金品	障害者の日常生活及び社会生活を総合的に支援するための法律第14条
障害児の父母若しくは障害児と同居しその生計を維持する父母以外の養育者の特別児童扶養手当	特別児童扶養手当等の支給に関する法律第16条
消防団員等公務災害補償及び消防団員等福祉事業に関し右欄の法律又は市町村の条例若しくは水害予防組合の組合会の議決により支給を受ける金品	消防団員等公務災害補償等責任共済等に関する法律第55条第２項

非　課　税　所　得	根　拠　法
職業訓練受講給付金	職業訓練の実施等による特定求職者の就職の支援に関する法律第10条
新型インフルエンザ予防接種による健康被害の救済等に関する給付金	新型インフルエンザ予防接種による健康被害の救済に関する特別措置法第９条
じん肺法による転換手当	じん肺法第36条
スポーツ振興投票券の払戻金	スポーツ振興投票の実施等に関する法律第16条
生活保護者に対して支給する保護金品	生活保護法第57条
就職促進給付金（事業主に対して支給するものを除く。）	船員の雇用の促進に関する特別措置法第５条
船員保険の保険給付	船員保険法第52条
戦傷病者、戦没者遺族の障害年金、障害一時金、遺族給与金、弔慰金並びに戦傷病者戦没者遺族等援護法第37条に規定する国債につき遺族又はその相続人が受ける利子及びこれらの者の当該国債の譲渡による所得	戦傷病者戦没者遺族等援護法第48条
戦傷病者等の妻に対する特別給付金	戦傷病者等の妻に対する特別給付金支給法第10条
戦傷病者特別援護法による支給金品	戦傷病者特別援護法第27条
戦没者等の遺族に対する特別弔慰金	戦没者等の遺族に対する特別弔慰金支給法第12条
戦没者等の妻に対する特別給付金	戦没者等の妻に対する特別給付金支給法第10条
戦没者の父母等に対する特別給付金	戦没者の父母等に対する特別給付金支給法第12条
地方公務員の災害補償金品	地方公務員災害補償法第65条
地方公務員共済組合の行う退職年金及び公務遺族年金並びに休業手当金以外の給付	地方公務員等共済組合法第52条
地方議会議員年金制度廃止に伴う遺族一時金、公務傷病年金、遺族年金	地方公務員等共済組合法改正附則
地方住宅供給公社法第21条第２項に規定する住宅の積立分譲契約による積立額の運用益で住宅の取得代金に充当されるもの	地方住宅供給公社法第46条第２項
当せん金付証票の当せん金品	当せん金付証票法第13条
特定Ｂ型肝炎ウイルス感染者給付金等	特定Ｂ型肝炎ウイルス感染者給付金等の支給に関する特別措置法第20条
副作用救済給付・感染救済給付として給付を受けた金銭	独立行政法人医薬品医療機器総合機構法第36条第２項
独立行政法人日本スポーツ振興センターの災害共済給付金	独立行政法人日本スポーツ振興センター法第34条
独立行政法人農業者年金基金の給付金（年金給付を除く。）	独立行政法人農業者年金基金法第27条
日本国とアメリカ合衆国との間の相互協力及び安全保障条約第６条に基づく施設及び区域並びに日本国における合衆国軍隊の地位に関する協定の実施に伴う所得税法等の臨時特例に関する法律第３条に掲げる所得	同　左
日本国における国際連合の軍隊の地位に関する協定の実施に伴う所得税法等の臨時特例に関する法律第３条に掲げる所得	同　左
納税貯蓄組合預金の利子（10万円を超える目的外引き出しのあったときを除く。）	納税貯蓄組合法第８条

非　　課　　税　　所　　得	根　　拠　　法
犯罪被害者等給付金	犯罪被害者等給付金の支給等による犯罪被害者等の支援に関する法律第18条
ハンセン病療養所入所者等に対する補償金	ハンセン病療養所入所者等に対する補償金の支給に関する法律第９条
引揚者給付金、遺族給付金、引揚者給付金等支給法第５条又は第11条に規定する国債につき引揚者、遺族又はこれらの者の相続人が受ける利子及びこれらの者の引揚者給付金を受ける権利の譲渡による所得	引揚者給付金等支給法第21条
引揚者等に対する特別交付金	引揚者等に対する特別交付金の支給に関する法律第12条
被災者に対する生活再建支援金	被災者生活再建支援法第21条
復興貯蓄債券の利子	復興貯蓄債券法第６条
未熟児の養育医療又はこれに代わる金銭の給付	母子保健法第23条
未帰還者の弔慰料として支給を受けた金銭	未帰還者に関する特別措置法第12条
未帰還者の留守家族が支給を受けた金銭	未帰還者留守家族等援護法第32条
予防接種法による給付	予防接種法第21条
回復請求権者が連合国財産株式の回復を受けることによる所得	連合国財産である株式の回復に関する政令第35条第２項
連合国人が受領する補償金	連合国財産補償法第21条
連合国占領軍等の行為等による被害者等に対する給付金	連合国占領軍等の行為等による被害者等に対する給付金の支給に関する法律第24条
後期高齢者医療給付として給付を受けた金品	高齢者の医療の確保に関する法律第63条
労働者災害補償保険の保険給付	労働者災害補償保険法第12条の６
新型コロナウイルス感染症及びそのまん延防止のための措置の影響に鑑み、家計への支援の観点から給付される給付金	新型コロナウイルス感染症等の影響に対応するための国税関係法律の臨時特例に関する法律（令和２年法律第25号）第４条
新型コロナウイルス感染症及びそのまん延防止のための措置による児童の属する世帯への経済的な影響の緩和の観点から給付される児童手当法による児童手当の支給を受ける者その他の者に対して給付される給付金	新型コロナウイルス感染症等の影響に対応するための国税関係法律の臨時特例に関する法律（令和２年法律第25号）第４条

十三　非課税所得の計算上生じた不足額（損失）

次の①及び②に掲げる金額は、所得税法の規定の適用については、ないものとみなす。（法９②）

①	**生活用動産の譲渡損失**	**四１**に規定する生活用動産の譲渡による収入金額がその資産の取得費及びその譲渡に要した費用の合計額（以下「**取得費等の金額**」という。）に満たない場合におけるその不足額
②	**資力喪失の場合の譲渡による損失**	**四２**に規定する資産の譲渡による収入金額がその資産の取得費等の金額又は山林所得の金額の計算上控除する必要経費に満たない場合におけるその不足額

第四節　所得の帰属

1　実質所得者課税の原則

資産又は事業から生ずる収益の法律上帰属するとみられる者が単なる名義人であって、その収益を享受せず、その者以外の者がその収益を享受する場合には、その収益は、これを享受する者に帰属するものとして、所得税法の規定を適用する。（法12）

（資産から生ずる収益を享受する者の判定）

（1）　1の適用上、資産から生ずる収益を享受する者がだれであるかは、その収益の基因となる資産の真実の権利者がだれであるかにより判定すべきであるが、それが明らかでない場合には、その資産の名義者が真実の権利者であるものと推定する。（基通12－1）

（事業から生ずる収益を享受する者の判定）

（2）　事業から生ずる収益を享受する者がだれであるかは、その事業を経営していると認められる者（以下（6）までにおいて「**事業主**」という。）がだれであるかにより判定するものとする。（基通12－2）

（夫婦間における農業の事業主の判定）

（3）　生計を一にしている夫婦間における農業の事業主がだれであるかの判定をする場合には、両者の農業の経営についての協力度合、耕地の所有権の所在、農業の経営についての知識経験の程度、家庭生活の状況等を総合勘案して、その農業の経営方針の決定につき支配的影響力を有すると認められる者が当該農業の事業主に該当するものと推定する。この場合において、当該支配的影響力を有すると認められる者がだれであるかが明らかでないときには、生計を主宰している者が事業主に該当するものと推定する。ただし、生計を主宰している者が会社、官公庁等に勤務するなど他に主たる職業を有し、他方が家庭にあって農耕に従事している場合において、次に掲げる場合に該当するときは、その農業（次の(四)に掲げる場合に該当するときは、特有財産に係る部分に限る。）の事業主は、当該家庭にあって農耕に従事している者と推定する。（基通12－3）

(一)　家庭にあって農耕に従事している者がその耕地の大部分につき所有権又は耕作権を有している場合（婚姻後に生計を一にする親族から耕作権の名義の変更を受けたことにより、その耕地の大部分につき所有権又は耕作権を有するに至ったような場合を除く。）

(二)　農業がきわめて小規模であって、家庭にあって農耕に従事している者の内職の域を出ないと認められる場合

(三)　(一)又は(二)に該当する場合のほか、生計を主宰している者が、主たる職業に専念していること、農業に関する知識経験がないこと又は勤務地が遠隔であることのいずれかの事情により、ほとんど又は全く農耕に従事していない場合（その農業が相当の規模であって、生計を主宰している者を事業主とみることを相当とする場合を除く。）

(四)　(一)から(三)までに掲げる場合以外の場合において、家庭にあって農耕に従事している者が特有財産である耕地を有している場合

（注）　「家庭にあって農耕に従事している場合」には、従来家庭にあって農耕に従事していた夫婦の一方が、病気療養に専念するため、たまたまその年の農耕に従事しなかったような場合も含まれる。

（親子間における農業の事業主の判定）

（4）　生計を一にしている親子間における農業の事業主がだれであるかの判定をする場合には、両者の年齢、農耕能力、耕地の所有権の所在等を総合勘案して、その農業の経営方針の決定につき支配的影響力を有すると認められる者が当該農業の事業主に該当するものと推定する。この場合において、当該支配的影響力を有すると認められる者がだれであるかが明らかでないときには、次に掲げる場合に該当する場合はそれぞれ次に掲げる者が事業主に該当するものと推定し、その他の場合は生計を主宰している者が事業主に該当するものと推定する。（基通12－4）

(一)　親と子が共に農耕に従事している場合　　当該従事している農業の事業主は、親。ただし、子が相当の年齢に達し、生計を主宰するに至ったと認められるときは、子

(二)　生計を主宰している親が会社、官公庁等に勤務するなど他に主たる職業を有し、子が主として農耕に従事している場合　　当該従事している農業の事業主は、子。ただし、子が若年であるとき、又は親が本務の傍ら農耕に従

事しているなど親を事業主とみることを相当とする事情があると認められるときは、親

(三)　生計を主宰している子が会社、官公庁等に勤務するなど他に主たる職業を有し、親が主として農耕に従事している場合　　当該従事している農業の事業主は、(3)のただし書に準じて判定した者

(「生計を一にしている親族間における農業の経営者の判定について」通達（現行＝基本通達12－3及び12－4）の運営について)

(5)　(3)及び(4)の運営については、当分の間、次により取り扱う。(昭33直所1－16、昭42直所4－3改正)

(一)　(3)(一)の「家庭にあって農耕に従事している者がその耕地の大部分につき所有権又は耕作権を有している場合」とは、耕地のおおむね80％以上の所有権又は耕作権を有する場合をいうものとすること。

(二)　(3)(二)の「農業がきわめて小規模」であるかどうかは、おおむね水田50アール（収穫量に著しい差異のある田畑又は野菜畑若しくは果樹畑などについては、平年作における稲作水田50アール程度の所得を得る面積とする。）程度未満の規模であるかどうかによるものとすること。

(三)　(3)(三)の「農業が相当の規模」であるかどうかは、水田150アール（収穫量に著しい差異のある田畑又は野菜畑若しくは果樹畑などについては、平年作における稲作水田150アール程度の所得を得る面積とする。）程度の規模以上であるかどうかによるものとすること。

(四)　(3)(三)の「主たる職業に専念していること……の事情により、ほとんど又は全く農耕に従事していない」かどうか明らかでない場合には、その者の勤務が常勤（この場合の常勤とは、1日の勤務時間が8時間以上であり、かつ、日曜日、祭日などの休日を除いては、事実上農耕に従事できない勤務をいう。）であるときは、その者の現在までの農業についての経歴、勤務先の職種、家庭における地位など四囲の事情からみてその者がその農業の経営を主宰していると認めるのを相当とする特別の事情がある場合を除き、その農業の経営者でないものとして取り扱うものとすること。

(五)　(3)(三)の「農業に関する知識経験がないこと……の事情により、ほとんど又は全く農耕に従事していない」かどうか明らかでない場合には、学校を卒業すると同時に国有鉄道、学校又は会社などに奉職し、現在まで引き続き勤務しているようなときは、その者が特に農業の知識経験をもちその農業の経営を主宰していると認められる特別の事情がある場合を除き、その農業の経営者でないものとして取り扱うものとすること。

(六)　(3)(三)の「勤務地が遠隔であること……の事情により、ほとんど又は全く農耕に従事していない」かどうか明らかでない場合には、日曜日又は祭日に帰宅する程度にとどまるときは、特にその農業の経営を主宰していると認められる特別の事情がある場合を除き、その農業の経営者でないものとして取り扱うものとすること。

(七)　(4)(一)の「子が相当の年齢」に達したかどうかは、おおむね30歳以上となったかどうかによるものとし、(4)(二)の「子が若年である」かどうかは、おおむね25歳未満であるかどうかによるものとすること。

(親族間における農業以外の事業の事業主の判定)

(6)　生計を一にしている親族間における事業（農業を除く。以下同じ。）の事業主がだれであるかの判定をする場合には、その事業の経営方針の決定につき支配的影響力を有すると認められる者が当該事業の事業主に該当するものと推定する。この場合において、当該支配的影響力を有すると認められる者がだれであるかが明らかでないときには、次に掲げる場合に該当する場合はそれぞれ次に掲げる者が事業主に該当するものと推定し、その他の場合は生計を主宰している者が事業主に該当するものと推定する。(基通12－5)

(一)　生計を主宰している者が一の店舗における事業を経営し、他の親族が他の店舗における事業に従事している場合又は生計を主宰している者が会社、官公庁等に勤務し、他の親族が事業に従事している場合において、当該他の親族が当該事業の用に供されている資産の所有者又は賃借権者であり、かつ、当該従事する事業の取引名義者（その事業が免許可事業である場合には、取引名義者であるとともに免許可の名義者）である場合　　当該他の親族が従事している事業の事業主は、当該他の親族

(二)　生計を主宰している者以外の親族が医師、歯科医師、薬剤師、弁護士、税理士、公認会計士、あん摩マッサージ指圧師等の施術者、映画演劇の俳優その他の自由職業者として、生計を主宰している者とともに事業に従事している場合において、当該親族に係る収支と生計を主宰している者に係る収支とが区分されており、かつ、当該親族の当該従事している状態が、生計を主宰している者に従属して従事していると認められない場合　　当該事業のうち当該親族の収支に係る部分の事業主は、当該親族

(三)　(一)又は(二)に該当する場合のほか、生計を主宰している者が遠隔地において勤務し、その者の親族が国もとにおいて事業に従事している場合のように、生計を主宰している者と事業に従事している者とが日常の起居を共にしていない場合　　当該親族が従事している事業の事業主は、当該親族

（父子間における農業経営者の判定並びにこれに伴う所得税及び贈与税の取扱い）

（7）　国民年金法（昭和34年法律第141号）による老齢福祉年金の特別支給の開始に伴い、従来父が農地などの所有者であることなど農村における特殊事情から父が引き続き農業の経営者であると申告していたものにつき、子を農業の経営者としたい旨の申出があった場合の農業経営者の判定及びこれに関連する贈与税の取扱いは、次による。（昭35直所1－14）

（一）　農業経営者の判定について

イ　子を農業の経営者であるとする申告があった場合において、子がおおむね30歳以上で生計を主宰するに至ったと認められるときはもちろん、従来の生計の主宰関係にさしたる変化がないときでも、父が老齢福祉年金の受給資格年齢（70歳）以上に達し、子が生計を主宰し得るに至っていると認められるときは、その申告を容認することに取り扱うものとする。

ロ　イにより農業の経営者が子に移ることを容認する場合においては、これにより老年者控除（編者注、平成17年分限りで廃止）の適用がなくなることなど容認に伴う問題点をあらかじめ十分に説明し、特別な事情（その後子が死亡し又は生計を別にするに至るなど）がないにもかかわらず、再び父を農業の経営者に変更するようなことがないよう特に指導すること。

ハ　イ及びロによる取扱いは、昭和34年分所得税から適用するものとし、昭和33年分以前の所得税については、従前の取扱例によるものとすること。

（二）　贈与税の取扱いについて

（一）イにより農業経営者が子に移ったことを容認した場合の農業用財産に対する贈与税の課税については、次により取り扱うものとする。

イ　不動産のうち、農地及び採草放牧地の所有権の移転は、農地法第３条の規定により都道府県知事の許可を受けなければできないことになっているから、その許可を受けないものについては贈与税の問題は生じないことに留意すること。

ロ　農地及び採草放牧地以外の不動産については、特に贈与したと認められるものを除いては、贈与はなかったものとすること。

ハ　不動産以外の農業用財産については、贈与があったものとして取り扱うこと。ただし、棚卸資産及び果樹以外の農業用財産で特に書面で贈与を留保する旨の申出があり、かつ、その申出のあった財産の価額を旧経営者を被相続人とする相続財産価額に算入することを了承したものについては、その申出を容認しても差し支えないものとすること。

2　信託財産に属する資産及び負債並びに信託財産に帰せられる収益及び費用の帰属

信託の受益者（受益者としての権利を現に有するものに限る。）は当該信託の信託財産に属する資産及び負債を有するものとみなし、かつ、当該信託財産に帰せられる収益及び費用は当該受益者の収益及び費用とみなして、この所得税法の規定を適用する。ただし、集団投資信託、退職年金等信託又は法人課税信託の信託財産に属する資産及び負債並びに当該信託財産に帰せられる収益及び費用については、この限りでない。（法13①）

（みなし受益者）

（1）　信託の変更をする権限（軽微な変更をする権限として（3）で定めるものを除く。）を現に有し、かつ、当該信託の信託財産の給付を受けることとされている者（受益者を除く。）は、**2**に規定する受益者とみなして、**2**の規定を適用する。（法13②）

（用語の意義）

（2）　**2**において、次の（一）及び（二）に掲げる用語の意義は、当該（一）及び（二）に定めるところによる。（法13③）

（一）	**集団投資信託**	合同運用信託、投資信託（法人税法第２条第29号ロ《定義》に掲げる信託に限る。）及び特定受益証券発行信託をいう。
（二）	**退職年金等信託**	法人税法第84条第１項《退職年金等積立金の額の計算》に規定する確定給付年金資産管理運用契約、確定給付年金基金資産運用契約、確定拠出年金資産管理契約、勤労者財産形成給付契約若しくは勤労者財産形成基金給付契約、国民年金基金若しくは国民年金基金連合会の締結した国民年金法第128条第３項《基金の業務》若しくは第137条の15第４項《連合会の業務》に規定する契約又はこれらに類する退職年金に関する契約で（7）で定めるものに係る信託

		をいう。

（(1)に規定する(3)で定める権限）

(3)　(1)に規定する(3)で定める権限は、信託の目的に反しないことが明らかである場合に限り信託の変更をすることができる権限とする。（令52①）

（(1)に規定する信託の変更をする権限）

(4)　(1)に規定する信託の変更をする権限には、他の者との合意により信託の変更をすることができる権限を含むものとする。（令52②）

（停止条件が付された信託財産の給付を受ける権利を有する者）

(5)　停止条件が付された信託財産の給付を受ける権利を有する者は、(1)に規定する信託財産の給付を受けることとされている者に該当するものとする。（令52③）

（**2**に規定する受益者が２以上ある場合における**2**の規定の適用）

(6)　**2**に規定する受益者（(1)の規定により**2**に規定する受益者とみなされる者を含む。以下(6)において同じ。）が２以上ある場合における**2**の規定の適用については、**2**の信託の信託財産に属する資産及び負債の全部をそれぞれの受益者がその有する権利の内容に応じて有するものとし、当該信託財産に帰せられる収益及び費用の全部がそれぞれの受益者にその有する権利の内容に応じて帰せられるものとする。（令52④）

（退職年金に関する契約で(7)で定めるもの）

(7)　(2)(二)に規定する退職年金に関する契約で(7)で定めるものは、次の(一)から(五)までに掲げる契約とする。（令52⑤）

(一)	法人税法施行令第156条の２第10号《用語の意義》に規定する厚生年金基金契約
(二)	国家公務員共済組合法第21条第２項第２号《設立及び業務》に掲げる業務に係る国家公務員共済組合法施行令第９条の４第１号《厚生年金保険給付積立金等及び退職等年金給付積立金等の管理及び運用に関する契約》に掲げる契約
(三)	地方公務員等共済組合法第３条の２第１項第３号《組合の業務》に規定する退職等年金給付組合積立金の積立ての業務に係る地方公務員等共済組合法施行令第16条の３第１号《資金の運用に関する契約》（同令第20条《準用規定》において準用する場合を含む。）に掲げる契約
(四)	地方公務員等共済組合法第38条の２第２項第４号《地方公務員共済組合連合会》に規定する退職等年金給付調整積立金の管理及び運用に関する事務に係る業務に係る地方公務員等共済組合法施行令第21条の３《準用規定》において準用する同令第16条の３第１号に掲げる契約
(五)	日本私立学校振興・共済事業団法第23条第１項第８号《業務》に掲げる業務に係る信託の契約

（信託財産に属する資産及び負債並びに信託財産に帰せられる収益及び費用の帰属）

(8)　受益者等課税信託（**2**に規定する受益者（(1)の規定により**2**に規定する受益者とみなされる者を含む。）がその信託財産に属する資産及び負債を有するものとみなされる信託をいう。以下(13)までにおいて同じ。）における受益者（(1)の規定により、**2**に規定する受益者とみなされる者を含む。以下(13)までにおいて同じ。）は、受益者としての権利を現に有するものに限られるのであるから、例えば、一の受益者が有する受益者としての権利がその信託財産に係る受益者としての権利の一部にとどまる場合であっても、残余の権利を有する者が存しない又は特定されていないときには、当該受益者がその信託の信託財産に属する資産及び負債の全部を有するものとみなされ、かつ、当該信託財産に帰せられる収益及び費用の全部が帰せられるものとみなされることに留意する。（基通13－1）

（信託財産に帰せられる収益及び費用の帰属の時期）

(9)　受益者等課税信託の信託財産に帰せられる収益及び費用は、当該信託行為に定める信託の計算期間にかかわらず、当該信託の受益者のその年分の各種所得の金額の計算上総収入金額又は必要経費に算入することに留意する。（基通

13－２）

（信託財産に帰せられる収益及び費用の額の計算）

(10)　受益者等課税信託の受益者の当該受益者等課税信託に係る各種所得の金額の計算上総収入金額又は必要経費に算入する額は、当該信託の信託財産から生ずる利益又は損失をいうのではなく、当該信託財産に属する資産及び負債並びに当該信託財産に帰せられる収益及び費用を当該受益者のこれらの金額として計算したところによることに留意する。（基通13－３）

（権利の内容に応ずることの例示）

(11)　**２**《信託財産に属する資産及び負債並びに信託財産に帰せられる収益及び費用の帰属》（６）の規定の適用に当たって、受益者等課税信託の信託財産に属する資産が、その構造上区分された数個の部分を独立して住居、店舗、事務所又は倉庫その他建物としての用途に供することができるものである場合において、その各部分の全部又は一部が２以上の受益者の有する権利の目的となっているときは、当該目的となっている部分については、当該各受益者が、各自の有する権利の割合に応じて有しているものとして（６）の規定を適用することに留意する。（基通13－４）

（信託による資産の移転等）

(12)　委託者と受益者がそれぞれ一であり、かつ、同一の者である場合の受益者等課税信託においては、次に掲げる移転は受益者である委託者にとって資産の譲渡又は資産の取得には該当しないことに留意する。（基通13－５）

(一)　信託行為に基づき信託した資産の当該委託者から当該信託の受託者への移転

(二)　信託の終了に伴う残余財産の給付としての当該資産の当該受託者から当該受益者への移転

(注)　これらの移転があった場合における当該資産（当該信託の期間中に信託財産に属することとなった資産を除く。）の取得の日は、当該委託者が当該資産を取得した日となる。

（信託の受益者としての権利の譲渡等）

(13)　受益者等課税信託の受益者がその有する権利の譲渡又は取得が行われた場合には、その権利の目的となっている信託財産に属する資産及び負債が譲渡又は取得されたこととなることに留意する。（基通13－６）

（受益者等課税信託に係る受益者の範囲）

(14)　**２**に規定する「信託の受益者（受益者としての権利を現に有するものに限る。）」には、原則として、例えば、信託法第182条第１項第１号《残余財産の帰属》に規定する残余財産受益者は含まれるが、次に掲げる者は含まれないことに留意する。（基通13－７）

(一)　同項第２号に規定する帰属権利者（以下(15)において「帰属権利者」という。）（その信託の終了前の期間に限る。）

(二)　委託者の死亡の時に受益権を取得する同法第90条第１項第１号《委託者の死亡の時に受益権を取得する旨の定めのある信託等の特例》に掲げる受益者となるべき者として指定された者（委託者の死亡前の期間に限る。）

(三)　委託者の死亡の時以後に信託財産に係る給付を受ける同項第２号に掲げる受益者（委託者の死亡前の期間に限る。）

（受益者とみなされる委託者）

(15)　（１）の規定により受益者とみなされる者には、（１）に規定する信託の変更をする権限を現に有している委託者が次に掲げる場合であるものが含まれることに留意する。（基通13－８）

(一)　当該委託者が信託行為の定めにより帰属権利者として指定されている場合

(二)　信託法第182条第２項に掲げる信託行為に残余財産受益者若しくは帰属権利者（以下(15)において「残余財産受益者等」という。）の指定に関する定めがない場合又は信託行為の定めにより残余財産受益者等として指定を受けた者の全てがその権利を放棄した場合

３　事業所の所得の帰属の推定

法人に15以上の支店、工場その他の事業所がある場合において、その事業所の３分の２以上に当たる事業所につき、その事業所の所長、主任その他のその事業所に係る事業の主宰者又は次表の①から⑥までに掲げるもの（これらの者であった者を含む。）が前に当該事業所において個人として同一事業を営んでいた事実があるときは、その法人の各事業所におけ

る資金の預入及び借入れ、商品の仕入れ及び販売その他の取引のすべてがその法人の名で行われている場合を除き、税務署長は、当該各事業所の主宰者が当該各事業所から生ずる収益を享受する者であると推定して、更正又は決定をすることができる。(法158、令276)

①	当該主宰者の親族
②	当該主宰者とまだ婚姻の届出をしないが事実上婚姻関係と同様の事情にある者
③	当該主宰者の使用人
④	①から③までに掲げる者以外の者で当該主宰者から受ける金銭その他の資産によって生計を維持するもの
⑤	当該主宰者の雇主
⑥	②から⑤までに掲げる者と生計を一にするこれらの者の親族

第五節　納　税　地

1　納　税　地

所得税の納税地は、納税義務者が次の表内①から⑥までに掲げる場合のいずれに該当するかに応じ、それぞれに定める場所とする。（法15、令53、54）

①	国内に住所を有する場合　　その住所地 （注）住所の意義……第一節二２（１）参照。（編者注）
②	国内に住所を有せず、居所を有する場合　　その居所地
③	①及び②に掲げる場合を除き、恒久的施設を有する非居住者である場合　　その恒久的施設を通じて行う事業に係る事務所、事業所その他これらに準ずるものの所在地（これらが２以上ある場合には、主たるものの所在地）
④	①又は②の規定により納税地を定められていた者が国内に住所及び居所を有しないこととなった場合において、その者がその有しないこととなった時に③に規定する事業に係る事務所、事業所その他これらに準ずるものを有せず、かつ、その納税地とされていた場所にその者の親族その他次に掲げる者が引き続き、又はその者に代わって居住しているとき　　その納税地とされていた場所 イ　納税義務者とまだ婚姻の届出をしないが事実上婚姻関係と同様の事情にある者 ロ　納税義務者の使用人 ハ　イ、ロに掲げる者及び納税義務者の親族以外の者で納税義務者から受ける金銭その他の資産によって生計を維持しているもの
⑤	①から④までに掲げる場合を除き、第二節４①(七)《国内源泉所得》に掲げる対価（船舶又は航空機の貸付けによるものを除く。）を受ける場合　　当該対価に係る資産の所在地（その資産が２以上ある場合には、主たる資産の所在地）
⑥	①から⑤までに掲げる場合以外の場合　　次に掲げる場所 イ　①から⑤までの規定により納税地を定められていた者がこれらの規定のいずれにも該当しないこととなった場合（②の規定により納税地を定められていた者については、②の居所が短期間の滞在地であった場合を除く。）　　その該当しないこととなった時の直前において納税地であった場所 ロ　イに掲げる場合を除き、その者が国に対し所得税に関する法律の規定に基づく申告、請求その他の行為をする場合　　その者が選択した場所（これらの行為が２以上ある場合には、最初にその行為をした際選択した場所） ハ　イ及びロに掲げる場合以外の場合　　麹町税務署の管轄区域内の場所

2　納税地の特例

①　居所地を納税地とする特例

国内に住所のほか居所を有する納税義務者（４①の規定により納税地の指定を受けている納税義務者を除く。②において同じ。）は、１表内①の規定にかかわらず、その住所地に代え、その居所地を納税地とすることができる。（法16①）

②　事業場等を納税地とする特例

国内に住所又は居所を有し、かつ、その住所地又は居所地以外の場所にその営む事業に係る事業場その他これに準ずるもの（以下「事業場等」という。）を有する納税義務者は、１表内①又は同②の規定にかかわらず、その住所地又は居所地に代え、その事業場等の所在地（その事業場等が２以上ある場合には、これらのうち主たる事業場等の所在地。以下同じ。）を納税地とすることができる。（法16②）

③　納税義務者が死亡した場合の納税地

納税義務者が死亡した場合には、その死亡した者に係る所得税の納税地は、その相続人の所得税の納税地によらず、その死亡当時におけるその死亡した者に係る所得税の納税地とする。（法16③）

3　源泉徴収に係る所得税の納税地

第四章第五節《給与所得》に規定する給与等の支払をする者その他所得税法第４編第１章から第６章まで《源泉徴収》に規定する支払をする者（以下**3**において「給与等支払者」という。）のその支払につき源泉徴収をすべき所得税の納税地は、当該給与等支払者の事務所、事業所その他これらに準ずるものでその支払事務を取り扱うもの（以下**3**において「事務所等」という。）のその支払の日における所在地（当該支払の日以後に当該給与等支払者が国内において事務所等を移転した場合には、当該事務所等の移転後の所在地その他の**3**に規定する給与等支払者が提出する所得税法第229条《開業等の届出》若しくは第230条《給与等の支払をする事務所の開設等の届出》に規定する届出書又は法人税法施行令第18条第１項若しくは第２項《納税地の異動の届出》に規定する書面（**4**において「開業等届出書」と総称する。）に記載すべき当該給与等支払者の移転後の事務所等）とする。ただし、公社債の利子、内国法人（第二節**3**《法人課税信託の受託法人等に関する通則》(２)(一)の規定により内国法人とされる同(２)に規定する受託法人を含む。）が支払う第四章第二節《配当所得》**一**に規定する剰余金の配当その他次の表内①から同⑧までに掲げるものについては、その支払をする者の本店又は主たる事務所の所在地その他のそれぞれその支払の日（支払があったものとみなされる日を含む。以下**3**において「支払日」という。）におけるそれぞれに定める場所（当該支払日以後に表内①から同⑧までに規定する者（同④にあっては、同④の法人課税信託の受託者である同④イから同ハまでに掲げる者とする。以下**3**において「利子等支払者」という。）が国内において当該表内①から同⑧までに定める場所を移転した場合には、当該利子等支払者が提出する開業等届出書に記載すべき当該利子等支払者の移転後の同①から同⑧までに定める場所）とする。（法17、令55①②）

<table>
<tr><td>①</td><td colspan="3">日本国の国債の利子　　日本銀行の本店の所在地</td></tr>
<tr><td>②</td><td colspan="3">日本の地方公共団体の発行する地方債又は内国法人の発行する債券の利子　　その地方公共団体の主たる事務所又はその内国法人の本店若しくは主たる事務所の所在地</td></tr>
<tr><td>③</td><td colspan="3">内国法人の支払う第四章第二節《配当所得》一に規定する剰余金の配当、利益の配当、剰余金の分配、金銭の分配及び基金利息　　その内国法人の本店又は主たる事務所の所在地</td></tr>
<tr><td rowspan="4">④</td><td colspan="3">3に規定する受託法人の支払う法人課税信託の収益の分配　　その法人課税信託の受託者の次に掲げる区分に応じそれぞれ次に定める場所</td></tr>
<tr><td>イ</td><td>個　　人</td><td>その者の国内にある事務所、事業所その他これらに準ずるものの所在地（これらが２以上ある場合には、主たるものの所在地）</td></tr>
<tr><td>ロ</td><td>内国法人</td><td>その内国法人の本店又は主たる事務所の所在地</td></tr>
<tr><td>ハ</td><td>外国法人</td><td>その外国法人の国内にある主たる事務所の所在地</td></tr>
<tr><td>⑤</td><td colspan="3">投資信託（投資信託及び投資法人に関する法律第２条第１項《定義》に規定する委託者指図型投資信託に限る。）の収益の分配（③に掲げるものを除く。）　　その信託を引き受けた信託会社（金融機関の信託業務の兼営等に関する法律により同法第１条第１項《兼営の認可》に規定する信託業務を営む同項に規定する金融機関を含む。）の本店又は主たる事務所の所在地（その信託会社が外国法人である場合には、その信託会社の国内にある主たる事務所の所在地）</td></tr>
<tr><td>⑥</td><td colspan="3">特定受益証券発行信託の収益の分配　　その信託を引き受けた法人の本店又は主たる事務所の所在地（その法人が外国法人である場合には、その法人の国内における主たる事務所の所在地）</td></tr>
<tr><td>⑦</td><td colspan="3">第二節4①(四)から同(七)まで及び同(十)から同(十六)までに掲げる国内源泉所得（⑧に掲げるものを除く。）で国外において支払われるもの又は同(八)ロに掲げる国内源泉所得　　その支払者の国内にある事務所、事業所その他これらに準ずるものの所在地（これらが２以上ある場合には、主たるものの所在地）</td></tr>
<tr><td>⑧</td><td colspan="3">所得税法第183条第２項《賞与に係る源泉徴収時期の特例》に規定する賞与　　所得税法第183条第２項の規定により支払があったものとみなされる日において当該賞与の支払をするものとしたならばその支払事務を取り扱うと認められるその支払者の事務所、事業所その他これらに準ずるものの所在地</td></tr>
</table>

4　納税地の指定

①　納税地の指定

1又は**2**の規定による納税地が納税義務者の所得の状況からみて所得税の納税地として不適当であると認められる場合には、その納税地の所轄国税局長（この規定により指定されるべき納税地が**1**から**3**までの規定による納税地〔既にこの規定及び②の規定により納税地の指定がされている場合には、その指定をされている納税地〕の所轄国税局長の管轄区域以外の地域にある場合には、国税庁長官。以下**4**において同じ。）は、これらの規定にかかわらず、その所得税の納税地を指定することができる。（法18①、令56）

②　源泉徴収に係る所得税の納税地の指定

3の規定による納税地が**3**に規定する支払をする者の支払事務の形態その他の状況からみて源泉徴収に係る所得税の納税地として不適当であると認められる場合には、その納税地の所轄国税局長（又は国税庁長官）は、**3**の規定にかかわらず、その所得税の納税地を指定することができる。（法18②）

（納税地を指定した場合の通知）

（1）　国税局長（又は国税庁長官）は、①又は②の規定により所得税の納税地を指定したときは、これらの規定に規定する納税義務者又は支払をする者に対し、書面によりその旨を通知する。（法18③）

（納税地指定の処分の取消しがあった場合の申告等の効力）

（2）　異議申立てについての決定若しくは審査請求についての裁決又は判決により、①又は②の規定による納税地の指定の処分の取消しがあった場合においても、その処分の取消しは、その取消しの対象となった処分のあった時からその取消しの時までの間に、その取消しの対象となった納税地をその処分に係る納税地として①に規定する納税義務者の所得税又は②に規定する支払をする者の源泉徴収に係る所得税に関してされた申告、申請、請求、届出その他書類の提出及び納付並びに国税庁長官、国税局長又は税務署長の処分（その取消しの対象となった処分を除く。）の効力に影響を及ぼさないものとする。（法19）

第三章　課税標準と所得税額の計算順序

第一節　所得税額の計算順序

1　通常の場合の計算順序

居住者に対して課する所得税の額は、次に定める順序により計算する。（法21①）

① 第四章《所得の種類及び各種所得の金額》から第六章《所得金額の計算の通則及び特例》までの規定により、その所得を利子所得、配当所得、不動産所得、事業所得、給与所得、退職所得、山林所得、譲渡所得、一時所得又は雑所得に区分し、これらの所得ごとに所得の金額を計算する。

② ①の所得の金額を基礎として、次節及び第七章《損益通算及び損失の繰越控除》の規定により総所得金額、退職所得金額及び山林所得金額を計算する。

③ 第八章《所得控除》の規定により②の総所得金額、退職所得金額又は山林所得金額から基礎控除その他の控除をして、課税総所得金額、課税退職所得金額又は課税山林所得金額を計算する。

④ ③の課税総所得金額、課税退職所得金額又は課税山林所得金額を基礎として、第九章第一節《税率》の規定により所得税の額を計算する。

⑤ 第九章第二節《税額控除》の規定により配当控除、分配時調整外国税相当額控除及び外国税額控除を受ける場合には、④の所得税の額に相当する金額からその控除をした後の金額をもって所得税の額とする。

（注）　分離課税の配当所得、事業所得等、譲渡所得、株式等に係る譲渡所得等及び先物取引に係る雑所得等の課税特例や居住用財産の譲渡所得の課税特例等については、第五章《各種所得の課税の特例》参照。（編者注）

2　特別な場合の計算順序

年の中途で非居住者が居住者となった場合の税額計算の特例及び確定申告書の提出がない場合の税額計算の特例《第九章第四節》の規定に該当するときは、その者に対して課する所得税の額については、これらの節に定めるところによる。（法21②）

第二節　課　税　標　準

居住者に対して課する所得税の課税標準は、次に掲げる総所得金額、退職所得金額及び山林所得金額とする。（法22①）

<table>
<tr><td rowspan="3">①</td><td colspan="2">総所得金額は、第四章《所得の種類及び各種所得の金額》から第六章《所得金額の計算の通則及び特例》までの規定により計算した次に掲げる金額の合計額（第七章第二節一 1若しくは同2《純損失の繰越控除》又は同節三 1《雑損失の繰越控除》の規定の適用がある場合には、その適用後の金額）とする。（法22②）</td></tr>
<tr><td>イ</td><td>利子所得の金額、配当所得の金額、不動産所得の金額、事業所得の金額、給与所得の金額、譲渡所得の金額（譲渡所得の基因となる資産の譲渡でその資産の取得の日以後５年以内にされたものによる所得に係る部分の金額に限る。）及び雑所得の金額（これらの金額につき第七章第一節《損益通算》の規定の適用がある場合には、その適用後の金額）の合計額</td></tr>
<tr><td>ロ</td><td>譲渡所得の金額（譲渡所得の基因となる資産の譲渡による所得で、イのかっこ書に掲げるもの以外の所得に係る部分の金額に限る。）及び一時所得の金額（これらの金額につき第七章第一節《損益通算》の規定の適用がある場合には、その適用後の金額）の合計額の２分の１に相当する金額</td></tr>
<tr><td>②</td><td colspan="2">退職所得金額又は山林所得金額は、それぞれ第四章から第六章までの規定により計算した退職所得の金額又は山林所得の金額（これらの金額につき第七章《損益通算及び損失の繰越控除》第一節一、第二節一又は同節三の規定の適用がある場合には、その適用後の金額）とする。（法22③）</td></tr>
</table>

（注）　分離課税の配当所得、事業所得等、譲渡所得、一般株式等に係る譲渡所得等、上場株式等に係る譲渡所得等及び先物取引に係る雑所得等の課税特例や居住用財産の譲渡所得の課税特例等については、第五章《各種所得の課税の特例》参照。（編者注）

（注）1　第五章第二節**十六**《居住用財産の買換え等の場合の譲渡損失の繰越控除》**3**の規定の適用がある場合には、上記の規定の適用については、①中＿＿下線部の「又は同節**三 1**《雑損失の繰越控除》」とあるのは「、同節**三 1**《雑損失の繰越控除》又は第五章第二節**十六**《居住用財産の買換え等の場合の譲渡損失の繰越控除》**3**」とされ、②中＿＿下線部の「又は同節**三**」とあるのは「若しくは同節**三**又は第五章第二節**十六**」とされる。（措法41の５⑫二）

2　第五章第二節**十七**《特定居住用財産の譲渡損失の繰越控除》の規定の適用がある場合には、上記の規定の適用については、①中＿＿下線部の「又は同節**三 1**《雑損失の繰越控除》」とあるのは「、同節**三 1**《雑損失の繰越控除》又は第五章第二節**十七**《特定居住用財産の譲渡損失の繰越控除》**3**」とされ、②中＿＿下線部の「又は同節**三**」とあるのは「若しくは同節**三**又は第五章第二節**十七**」とされる。（措法41の５の２⑫二）

3　第四章第五節**三 5**①又は同②《所得金額調整控除》の規定の適用がある場合における上記の規定の適用については、①イ中＿＿下線部の「給与所得の金額」とあるのは、「給与所得の金額から第四章第五節**三 5**①又は同②《所得金額調整控除》の規定による控除をした残額」とされる。（措法41の３の11⑤）

第四章　所得の種類及び各種所得の金額

第一節　利 子 所 得

一　定　　　義

利子所得とは、公社債及び預貯金の利子（公社債で元本に係る部分と利子に係る部分とに分離されてそれぞれ独立して取引されるもののうち、当該利子に係る部分であった公社債に係るものを除く。）並びに合同運用信託、公社債投資信託及び公募公社債等運用投資信託の収益の分配（以下「利子等」という。）に係る所得をいう。（法23①）

（注）　公社債、預貯金、合同運用信託及び公社債投資信託及び公募公社債等運用投資信託の定義（第二章第一節**一**表内**9**～**11**、**15**及び**15の2**）参照。（編者注）

（預貯金の利子に該当するもの）

（1）　次に掲げる金額又は利子は、預貯金の利子に該当する。（基通23－1）

（一）　法人税法第2条第7号《定義》に規定する協同組合等で預貯金の受入れをするものがその預貯金につき支払う同法第60条の2第1号《協同組合等の事業分量配当等の損金算入》に掲げる金額

（注）1　法人税法第2条第7号に規定する協同組合等とは、同法別表第三に掲げる法人をいう。（編者注）

2　法人税法第60条の2（協同組合等の事業分量配当等の損金算入）　協同組合等が各事業年度の決算の確定の時にその支出すべき旨を決議する次に掲げる金額は、当該事業年度の所得の金額の計算上、損金の額に算入する。

一　その組合員その他の構成員に対しその者が当該事業年度中に取り扱った物の数量、価額その他その協同組合等の事業を利用した分量に応じて分配する金額

二　（省略）

（二）　いわゆる金融債を発行する銀行その他の金融機関がその発行に係る払込金を払込期日前に受け入れた場合においてその払込期日前の期間に対応して支払う利子

（三）　銀行その他の金融機関がいわゆる定期積金契約の中途解約前の期間又は満期後の期間に対応して支払う利子

（四）　銀行が銀行法第2条第4項《定義等》の契約の中途解約前の期間又は満期後の期間に対応して支払う利子

（五）　金融機関の信託業務の兼営等に関する法律により同法第1条第1項《兼営の認可》に規定する信託業務を営む同項に規定する金融機関が信託業務として引き受けた財産の整理又は債権の取立て等の代理事務に関連して取得管理する金銭につき支払う利子

（注）　信託銀行が貸付信託契約の募集期間中の期間又は満期後の期間に対応して支払う収益の分配は、合同運用信託の収益の分配に該当する。

（協同組合等から受ける事業分量配当の所得区分）

（2）　法人税法第2条第7号《定義》に規定する協同組合等の組合員その他の者（以下「組合員等」という。）が、その取り扱った物の数量、価額その他協同組合等を利用した分量に応じて当該協同組合から受ける分配金で、組合員等の貯金の受入れに関する業務に係る剰余金を分配したと認められるものは、利子所得に係る収入金額に算入する。（基通23～35共－5（2））

二　利子所得の金額

利子所得の金額は、その年中の利子等の収入金額とする。（法23②）

（注）　無記名の公社債の利子、無記名の株式（無記名の公募公社債等運用投資信託以外の公社債等運用投資信託の受益証券及び無記名の社債的受益権に係る受益証券を含む。所得税法第169条第2号《分離課税に係る所得税の課税標準》、第224条第1項及び第2項《利子、配当等の受領者の告知》並びに第225条第1項及び第2項《支払調書及び支払通知書》において「無記名株式等」という。）の剰余金の配当（第二節《配当所得》**一**に規定する剰余金の配当をいう。）又は無記名の貸付信託、投資信託若しくは特定受益証券発行信託の受益証券に係る収益の分配については、その年分の利子所得の金額又は配当所得の金額の計算上収入金額とすべき金額は、その年において支払を受けた金額とする。（法36③）

（源泉徴収義務及び税率）

注　居住者又は内国法人に対して国内において利子等、配当等及び法第174条《内国法人に係る所得税の課税標準》（第二章第二節**4**⑧(三)から同(八)までに掲げる給付補塡金、利息、利益又は差益の支払をする者は、その支払の際、その利子等、配当等、給付補塡金、利息、利益又は差益について所得税を徴収し、その徴収の日の属する月の翌月10日までに、これを国に納付しなければならない。（法181①、209の２、212③）

上記の利子等について徴収すべき所得税の額は、次の(一)又は(二)の区分に応じ当該(一)又は(二)に掲げる金額とする。（法182、209の３、213②）

(一)　利子等、給付補塡金、利息、利益又は差益　　その金額に100分の15の税率を乗じて計算した金額

(二)　配当等　　その金額に100分の20の税率を乗じて計算した金額

三　課税の特例

1　利子所得の分離課税等

①　利子所得の分離課税等

居住者又は恒久的施設を有する非居住者が、平成28年１月１日以後に国内において支払を受けるべき**一**《定義》に規定する利子等で次の(一)から(四)までに掲げるもの以外のもの（第二章第一節**一**表内**45**に規定する源泉徴収を行わないものとして(１)で定めるもの（「不適用利子」という。）を除く。以下**三**において「**一般利子等**」という。）については、所得税法の規定にかかわらず他の所得と区分し、その支払を受けるべき金額に対し100分の15の税率を適用して所得税を課する。（措法３①）

(一)	特定公社債（第五章第三節**一**《株式等の範囲》(七)に掲げる公社債のうち同節**三**《上場株式等に係る譲渡所得等の課税の特例》**1**①(１)(一)又は同(五)から同(十四)までに掲げるものをいう。同(四)において同じ。）の利子
(二)	公社債投資信託で、その設定に係る受益権の募集が公募（金融商品取引法第２条第３項に規定する取得勧誘のうち同項第１号に掲げる場合に該当するものとして(２)で定めるものをいう。）により行われたもの又はその受益権が第五章第三節**三**《上場株式等に係る譲渡所得等の課税の特例》**1**①(１)(一)に掲げる株式等に該当するものの収益の分配
(三)	公募公社債等運用投資信託の収益の分配
(四)	特定公社債以外の公社債の利子で、その支払の確定した日（無記名の公社債の利子については、その支払をした日）においてその者（以下(四)において「対象者」という。）又は当該対象者と(３)で定める特殊の関係のある法人を判定の基礎となる株主として選定した場合に当該公社債の利子の支払をした法人が法人税法第２条第10号に規定する同族会社に該当することとなるときにおける当該対象者その他の(５)で定める者が支払を受けるもの

(注)　平成28年１月１日以後に支払を受けるべき一般利子等の支払を受ける居住者又は非居住者及びその支払をする者並びに業務に関連して他人のために名義人として一般利子等の支払を受ける者から当該一般利子等の支払を受ける居住者又は非居住者及び当該名義人として当該一般利子等の支払を受ける者については、所得税法第224条《利子、配当等の受領者の告知》、第225条第１項《支払調書及び支払通知書》及び第228条第１項《名義人受領の配当所得等の調書》並びに租税特別措置法３の２の規定中、当該一般利子等に係る部分の規定は適用しない。（措法３④）

（源泉分離課税の効果）

注　①の規定により源泉分離課税とされる①に規定する一般利子等については、次の事項に留意する。（措通３－１）

(１)　当該一般利子等の金額は、第三章第二節《課税標準》に規定する総所得金額には算入されないものであること。したがって、控除対象配偶者又は扶養親族に該当するかどうかの判定をする場合、雑損失の金額又は医療費控除額若しくは配偶者特別控除額の計算を行う場合等においても、当該一般利子等の金額は除外するものであること。

(２)　当該一般利子等につき源泉徴収された所得税の額は、確定申告書を提出して第十章第二節**二 1**②(三)《確定所得申告》に掲げる所得税の額から控除することはできないものであるとともに、同章第六節**三 1**①《純損失の繰戻しによる還付の請求》等の規定による還付の請求の対象ともならないものであること。

（源泉徴収を行わないものとして(１)で定める利子等）

(１)　①に規定する(１)で定める利子等は、公社債の利子で条約又は法律において**二**注又は所得税法212条の規定を適用しないこととされているものとする。（措令１の４①）

（(２)で定める取得勧誘）

(２)　①(二)に規定する(２)で定める取得勧誘は、同(二)の受益権の募集が国内において行われる場合にあっては、当募集に係る金融商品取引法第２条第３項に規定する取得勧誘（以下(２)において「取得勧誘」という。）が①(一)に掲げる場合に該当し、かつ、投資信託及び投資法人に関する法律第４条第１項に規定する委託者指図型投資信託約款にその取得勧誘が金融商品取引法第２条第３項第１号に掲げる場合に該当するものである旨の記載がなされて行われるものとし、当該受益権の募集が国外において行われる場合にあっては、当該募集に係る取得勧誘が同号に掲げる場合に該当するものに相当するものであり、かつ、同条第10項に規定する目論見書その他これに類する書類にその取得勧誘が同号に掲げる場合に該当するものに相当するものである旨の記載がなされて行われるものとする。（措令１の４②）

（①(四)に規定する(３)で定める特殊の関係のある法人）

(３)　①(四)に規定する(３)で定める特殊の関係のある法人は、次の(一)から(三)までに掲げる法人とする。（措令１の４③）

(一)	①(四)に規定する対象者（これと法人税法施行令第４条第１項に規定する特殊の関係のある個人を含む。以下(３)において「対象者」という。）が法人を支配している場合における当該法人
(二)	対象者及びこれと(一)に規定する特殊の関係のある法人が他の法人を支配している場合における当該他の法人
(三)	対象者及びこれと(一)及び(二)に規定する特殊の関係のある法人が他の法人を支配している場合における当該他の法人

（法人税法施行令第４条第３項の規定の準用）

(４)　法人税法施行令第４条第３項の規定は、(３)(一)に規定する法人を支配している場合及び同(二)又は同(三)に規定する他の法人を支配している場合について準用する。（措令１の４④）

（(５)で定める者）

(５)　①(四)に規定する(５)で定める者は、次の(一)から(六)までに掲げる者とする。（措令１の４⑤）

(一)	①(一)に規定する特定公社債以外の公社債の利子の同(四)に規定する支払の確定した日において、(６)で定める方法により判定した場合に当該公社債の利子の支払をした法人が法人税法第２条第10号に規定する同族会社に該当することとなるときにおける当該判定の基礎となる同条第14号に規定する株主等その他の(７)で定める者（以下(５)において「特定個人」という。）
(二)	特定個人の親族
(三)	特定個人と婚姻の届出をしていないが事実上婚姻関係と同様の事情にある者
(四)	特定個人の使用人
(五)	(二)から(四)に掲げる者以外の者で、特定個人から受ける金銭その他の資産によって生計を維持しているもの
(六)	(三)から(五)に掲げる者と生計を一にするこれらの者の親族

（(６)で定める方法）

(６)　(５)(一)に規定する(６)で定める方法は、会社が法人税法第２条第10号に規定する同族会社（(７)(一)において「同族会社」という。）に該当するかどうかを判定する場合におけるその判定の方法をいう。（措規２①）

（(５)(一)　に規定する(７)で定める者）

(７)　(５)(一)に規定する(７)で定める者は、次の(一)及び(二)に掲げる者とする。（措規２②）

(一)	①(一)に規定する特定公社債以外の公社債の利子の支払をした法人（同族会社に該当するものに限る。）の(５)(一)に規定する株主等のうち、その者を法人税法施行令第71条第１項の役員であるとした場合に同項第５号イに掲げる要件を満たすこととなる当該株主等（(二)において「特定株主等」という。）である個人

(二)	特定株主等である法人が個人と(３)に規定する特殊の関係のある法人となる場合における当該個人

②　国外で発行された公社債等の利子所得の分離課税等

居住者が、平成28年１月１日以後に支払を受けるべき国外において発行された公社債（国その他の者が発行した外国通貨で表示された公社債で(１)で定めるもの（以下において「外貨建公社債」という。）を除く。）又は公社債投資信託の受益権の利子又は収益の分配に係る利子等で①(一)及び同(二)に掲げるもの以外のもの（国外において支払われるものに限る。以下②において「国外一般公社債等の利子等」という。）につき、国内における支払の取扱者で(２)で定めるもの（以下②において「支払の取扱者」という。）を通じてその交付を受ける場合には、その支払を受けるべき国外一般公社債等の利子等については、所得税法の規定にかかわらず、他の所得と区分し、その支払を受けるべき金額に対し100分の15の税率を適用して所得税を課する。(措法３の３①)

平成28年１月１日以後に居住者又は内国法人に対して支払われる国外公社債等の利子等の国内における支払の取扱者は、当該居住者又は内国法人に当該国外公社債等の利子等の交付をする際、その交付をする金額（当該国外公社債等の利子等が国外一般公社債等の利子等である場合において、次に規定する外国所得税の額があるときは、その額を加算した金額）に100分の15の税率を乗じて計算した金額の所得税を徴収し、その徴収の日の属する月の翌月10日までに、これを国に納付しなければならない。(措法３の３③)

前記の場合において、平成28年１月１日以後に居住者又は内国法人が支払を受けるべき国外公社債等の利子等につきその支払の際に課される第九章第二節**二１**《外国税額控除》①に規定する外国所得税（(３)で定めるものを含む。）の額があるときは、次に定めるところによる。(措法３の３④)

(一)	当該国外公社債等の利子等が国外一般公社債等の利子等である場合には、当該外国所得税の額は、前記の規定により徴収して納付すべき当該国外一般公社債等の利子等に係る所得税の額を限度として当該所得税の額から控除するものとし、当該居住者に対する第九章第二節**二１**《外国税額控除》①の規定の適用については、ないものとする。
(二)	当該国外公社債等の利子等が国外一般公社債等の利子等以外の国外公社債等の利子等である場合には、租税特別措置法第３条の３第２項に規定する支払を受けるべき金額は、当該国外公社債等の利子等の額から当該外国所得税の額に相当する金額を控除した後の金額とする。

国外一般公社債等の利子等以外の国外公社債等の利子等につき前記の規定により所得税が徴収されるべき場合には、当該国外公社債等の利子等を有する居住者については、当該国外公社債等の利子等が内国法人から支払を受けるものであるときは(一)に定めるところにより、当該国外公社債等の利子等が内国法人以外の者から支払を受けるものであるときは同(一)及び(二)に定めるところにより、第二節**五２**《確定申告を要しない配当所得》の規定を適用する。(措法３の３⑦)

(一)	当該国外公社債等の利子等の国内における支払の取扱者から交付を受けるべき金額については、当該金額を第二節**五２**(注)２に規定する支払を受けるべき利子等の額とみなす。
(二)	当該国外公社債等の利子等については、これを内国法人から支払を受けるものとみなす。

((１)で定める公社債)

(１)　②に規定する(１)で定める公社債は、国若しくは地方公共団体又はその他の内国法人が昭和60年３月31日以前に国外において発行した公社債で外国通貨で表示されたもの（地方公共団体又はその他の内国法人が発行した公社債については、当該公社債に係る債務につき日本国の政府が保証契約をしているもので、その利子の支払の際に課される所得税があるときは当該地方公共団体又はその他の内国法人の負担とする特約があるものに限る。）とする。(措令２の２①)

((２)で定める支払の取扱者)

(２)　②に規定する(２)で定める支払の取扱者は、国外公社債等の利子等（以下②において「国外公社債等の利子等」という。）の支払を受ける者の当該国外公社債等の利子等の受領の媒介、取次ぎ又は代理（業務として又は業務に関連して国内においてするものに限る。）をする者とする。(措令２の２②)

((３)で定める外国所得税)

(３)　②に規定する(３)で定める外国所得税は、外国の法令に基づき外国又はその地方公共団体により国外公社債等の利子等を課税標準として課される税（第九章第二節**二１**①に規定する外国所得税に該当するものを除く。）で第二章第

一節**一**表内**45**に規定する源泉徴収に係る所得税に相当するものとする。（措令２の２③）

③　内国法人が支払を受けるべき民間国外債等の利子の分離課税

内国法人は、平成10年４月１日以後に発行された民間国外債（法人により国外において発行された債券（外国法人により発行された債券にあっては、当該外国法人の恒久的施設を通じて行う事業に係るものとして（1）で定めるものに限る。）で、その利子の支払が国外において行われるものをいう。以下③において同じ。）につき支払を受けるべき利子（租税特別措置法第３条の３第２項若しくは第６項又は第41条の12の２第１項の規定の適用があるものを除く。）について所得税を納める義務があるものとし、その支払を受けるべき金額（外国法人により発行された民間国外債の利子にあっては、当該外国法人の恒久的施設を通じて行う事業に係るものとして（2）で定める金額に対し100分の15の税率を適用して所得税を課する。（措法６①）

平成10年４月１日以後に発行した民間国外債につき、居住者又は内国法人に対しその利子（租税特別措置法第３条の３第３項若しくは第６項又は第41条の12の２第４項の規定の適用があるものを除く。）の支払をする者は、その支払の際、その支払をする金額（外国法人が発行した民間国外債の利子にあっては、当該外国法人の恒久的施設を通じて行う事業に係るものとして（3）で定める金額）に100分の15の税率を乗じて計算した金額の所得税を徴収し、その徴収の日の属する月の翌月末日までに、これを国に納付しなければならない。（措法６②）

（（1）で定める債券）

（1）　③に規定する（1）で定める債券は、恒久的施設を有する外国法人により国外において発行された債券の利子の全部又は一部が当該外国法人の恒久的施設を通じて行う事業に係るものである場合における当該債券とする。（措令３の２の２①）

（（2）で定める金額）

（2）　③に規定する（2）で定める金額は、恒久的施設を有する外国法人により発行された民間国外債（③に規定する民間国外債をいう。以下（3）において同じ。）につき支払を受けるべき利子の金額のうち当該外国法人の恒久的施設を通じて行う事業に係る部分に相当する金額とする。（措令３の２の２②）

（（3）で定める金額）

（3）　③に規定する（3）で定める金額は、恒久的施設を有する外国法人が発行した民間国外債につき居住者又は内国法人に対して支払をする利子の金額のうち当該外国法人の恒久的施設を通じて行う事業に係る部分の金額とする。（措令３の２の２③）

2　勤労者財産形成貯蓄契約に基づく生命保険等の差益等の課税の特例

勤労者財産形成促進法第２条第１号に規定する勤労者が、同法第６条第１項、第２項又は第４項に規定する勤労者財産形成貯蓄契約、勤労者財産形成年金貯蓄契約又は勤労者財産形成住宅貯蓄契約に係る生命保険若しくは損害保険又は生命共済に係る契約に基づき支払を受ける差益（当該勤労者財産形成貯蓄契約に基づき支払われる一時金のうち満期返戻金等として政令で定めるものの額から当該生命保険若しくは損害保険に係る保険料の金額又は生命共済に係る共済掛金の額の合計額を控除した残額又は第二章第三節**一 5**《勤労者財産形成住宅貯蓄の利子所得等の非課税》（四）若しくは同節**一 6**《勤労者財産形成年金貯蓄の利子所得等の非課税》（四）に規定する差益をいう。）については、**一**《定義》に規定する利子等とみなして、所得税法、**1**及び**2**の規定を適用する。（措法４の４①）

（生命保険料控除及び地震保険料控除の不適用）

（1）　勤労者財産形成貯蓄保険契約等に係る生命保険若しくは損害保険の保険料又は生命共済の共済掛金については、第八章**五**《生命保険料控除》及び同章**六**《地震保険料控除》の規定は適用しない。（措法４の４②）

（証券投資信託の終了又は一部の解約により交付を受ける金銭の額及び金銭以外の資産の価額の合計額のうち当該証券投資信託について信託された金額）

（2）　勤労者が、勤労者財産形成貯蓄契約等に基づき購入した証券投資信託（その設定に係る受益権の募集が**1**①（二）に規定する公募により行われたものに限る。）の受益権につき、当該証券投資信託の終了（当該証券投資信託の信託の併合に係るものである場合にあっては、当該証券投資信託の受益者に当該信託の併合に係る新たな信託の受益権以外の資産（信託の併合に反対する当該受益者に対するその買取請求に基づく対価として交付される金銭その他の資産を除く。）の交付がされた信託の併合に係るものに限る。）又は一部の解約があった場合において、当該終了又は一部の解約により交付を受ける金銭を額及び金銭以外の資産の価額の合計額のうち当該証券投資信託について信託されている金額（当該証券投資信託の受益権に係る部分の金額に限る。）に達するまでの金額は、第五章第三節**三**《上場株式等に係る譲渡所得等の申告分離課税》**1**③の規定にかかわらず、当該金額を同①に規定する上場株式等に係る譲渡所得等に係る収入金額とみなして、所得税法、租税特別措置法の規定を適用する。（措法４の４③）

第二節　配 当 所 得

一　定　　義

配当所得とは、法人（法人税法第２条第６号《定義》に規定する公益法人等及び人格のない社団等を除く。）から受ける剰余金の配当（株式又は出資（公募公社債等運用投資信託以外の公社債等運用投資信託の受益権及び社債的受益権を含む。**二**《配当等とみなす金額》において同じ。）に係るものに限るものとし、資本剰余金の額の減少に伴うもの並びに分割型分割（同法第２条第12号の９に規定する分割型分割をいい、法人課税信託に係る信託の分割を含む。以下**一**及び**二**《配当等とみなす金額》において同じ。）によるもの及び株式分配（同法第２条第12号の15の２に規定する株式分配をいう。以下において同じ。）を除く。）、利益の配当（資産の流動化に関する法律第115条第１項《中間配当》に規定する金銭の分配を含むものとし、分割型分割によるもの及び株式分配を除く。）、剰余金の分配（出資に係るものに限る。）、投資信託及び投資法人に関する法律第137条《金銭の分配》の金銭の分配（出資総額等の減少に伴う金銭の分配として（1）で定めるもの（**二１**(四)において「出資等減少分配」という。）を除く。）、基金利息（保険業法第55条第１項《基金利息の支払等の制限》に規定する基金利息をいう。）並びに投資信託（公社債投資信託及び公募公社債等運用投資信託を除く。）及び特定受益証券発行信託の収益の分配（法人税法第２条第12号の15に規定する適格現物分配に係るものを除く。以下「**配当等**」という。）に係る所得をいう。（法24①）

（金銭の分配のうち出資総額等の減少に伴うものの範囲等）

（1）　**一**に規定する（1）で定めるものは、投資信託及び投資法人に関する法律第137条《金銭の分配》の金銭の分配のうち、同条第３項の規定により出資総額又は同法第135条《出資剰余金》の出資剰余金の額から控除される金額があるもの（当該金額が一時差異等調整引当額（投資法人の計算に関する規則第39条第３項後段又は第６項後段《純資産の部の区分》の規定により同令第２条第２項第30号《定義》に規定する一時差異等調整引当額として区分して表示される金額をいう。**二２**（1）において同じ。）の増加額と同額である当該金銭の分配を除く。）とする。（規18①）

（剰余金の配当、利益の配当又は剰余金の分配に含まれるもの）

（2）　上記の「剰余金の配当」、「利益の配当」、「剰余金の分配」には、剰余金又は利益の処分により配当又は分配をしたものだけでなく、法人が株主等に対しその株主等である地位に基づいて供与した経済的な利益が含まれる。（基通24－1）

（配当等に含まれないもの）

（3）　法人が株主等に対してその株主等である地位に基づいて供与した経済的な利益であっても、法人の利益の有無にかかわらず供与することとしている次に掲げるようなもの（これらのものに代えて他の物品又は金銭の交付を受けることができることとなっている場合における当該物品又は金銭を含む。）は、法人が剰余金又は利益の処分として取り扱わない限り、配当等には含まれないものとする。（基通24－2）

(一)　旅客運送業を営む法人が自己の交通機関を利用させるために交付する株主優待乗車券等

(二)　映画、演劇等の興行業を営む法人が自己の興行場等において上映する映画の観賞等をさせるために交付する株主優待入場券等

(三)　ホテル、旅館業等を営む法人が自己の施設を利用させるために交付する株主優待施設利用券等

(四)　法人が自己の製品等の値引販売を行うことにより供与する利益

(五)　法人が創業記念、増資記念等に際して交付する記念品

(注)　上記に掲げる配当等に含まれない経済的な利益で個人である株主等が受けるものは、雑所得に該当し、配当控除の対象とはならない。

（投資信託又は特定受益証券発行信託の信託の終了又は信託契約の一部の解約により分配される収益に係る配当所得の収入金額）

（4）　投資信託又は特定受益証券発行信託（以下（4）において「投資信託等」という。）について信託の終了（当該投資信託等の信託の併合に係るものである場合にあっては、当該投資信託等の受益者に当該信託の併合に係る新たな信託の受益権以外の資産（信託の併合に反対する当該受益者に対するその買取請求に基づく対価として交付される金銭そ

の他の資産を除く。）の交付がされた信託の併合に係るものに限る。）又は信託契約の一部の解約により分配される収益に係る利子所得又は配当所得の収入金額は、当該信託の終了又は当該契約の一部の解約により当該投資信託等の受益権を有する者に対し支払われる金額のうち、当該信託の終了又は当該契約の一部の解約の時において当該投資信託等について信託されている金額で当該受益権に係るものを超える部分の金額とする。（令58①）

（特定受益証券発行信託の信託の分割の受益者に承継信託の受益権以外の資産により分配される収益に係る配当所得の収入金額）

（5）　特定受益証券発行信託について信託の分割（分割信託（信託の分割によりその信託財産の一部を受託者を同一とする他の信託又は新たな信託の信託財産として移転する信託をいう。）の受益者に承継信託（信託の分割により受託者を同一とする他の信託からその信託財産の一部の移転を受ける信託をいう。）の受益権以外の資産（信託の分割に反対する当該受益者に対する信託法第103条第６項《受益権取得請求》に規定する受益権取得請求に基づく対価として交付される金銭その他の資産を除く。）の交付がされたものに限る。）により分配される収益に係る配当所得の収入金額は、当該信託の分割により当該特定受益証券発行信託の受益権を有する者に対し支払われる金額のうち、当該信託の分割の時において当該特定受益証券発行信託について信託されている金額で当該受益権に係るものを超える部分の金額とする。（令58②）

（企業組合等の分配金）

（6）　次の㈠から㈣までに掲げる分配金の額は、配当等の収入金額とする。（令62①）

㈠	企業組合の組合員が中小企業等協同組合法第59条第３項《剰余金の配当》の規定によりその企業組合の事業に従事した程度に応じて受ける分配金
㈡	協業組合の組合員が中小企業団体の組織に関する法律第５条の20第２項《剰余金の配当》の定款の別段の定めに基づき出資口数に応じないで受ける分配金
㈢	農業協同組合法第72条の10第１項第２号《農業の経営》の事業を行う農事組合法人、漁業生産組合又は生産森林組合でその事業に従事する組合員に対し給料、賃金、賞与その他これらの性質を有する給与を支給するものの組合員が、同法第72条の31第２項《剰余金の配当》、水産業協同組合法第85条第２項《剰余金の配当》又は森林組合法第99条第２項《剰余金の配当》の規定によりこれらの法人の事業に従事した程度に応じて受ける分配金
㈣	農住組合の組合員が農住組合法第55条第２項《剰余金の配当》の規定により組合事業の利用分量に応じて受ける分配金
㈤	労働者協同組合の組合員が労働者協同組合法（令和２年法律第78号）第77条第２項《剰余金の配当》の規定によりその労働者協同組合の事業に従事した程度に応じて受ける分配金

（農事組合法人等の分配金）

（7）　農業協同組合法第72条の10第１項第２号の事業を行う農事組合法人、漁業生産組合又は生産森林組合でその事業に従事する組合員に対し給料、賃金、賞与その他これらの性質を有する給与を支給しないものの組合員が、同法第72条の31第２項、水産業協同組合法第85条第２項又は森林組合法第99条第２項の規定によりこれらの法人の事業に従事した程度に応じて受ける分配金の額は、配当所得、給与所得及び退職所得以外の各種所得に係る収入金額とする。（令62②）

（注）　（6）㈢又は（7）に規定する法人がその事業に従事する組合員に対し、給料、賃金、賞与その他これらの性質を有する給与を支給するものであるかどうかの判定に当たり、次に掲げることについては、次による。（基通23～35共－3）

（一）　その事業に従事する組合員にはこれらの組合の役員又は事務に従事する使用人である組合員を含まないから、これらの役員又は使用人である組合員に対し給与を支給しても、給与を支給するものであるかどうかの判定には、関係させない。

（二）　その事業に従事する組合員に対し、その事業年度において当該事業年度分に係る従事分量配当金として確定すべき金額を見合いとして金銭を支給し、当該事業年度の剰余金処分によりその従事分量配当金が確定するまでの間仮払金、貸付金等として経理した場合には、当該仮払金等として経理した金額は、給与として支給されたものとはしない。

（三）　その事業に従事する組合員に対し、通常の家事消費の程度を超えて生産物等を支給した場合において、その支給が給与の支給に代えてされたものと認められるときは、給与を支給するものに該当する。

（組合の事業に従事する組合員に対し給与を支給しない農事組合法人等から受ける従事分量配当の所得区分）

(8)　(7)に規定する法人の組合員が当該法人から受ける(7)に規定する分配金（以下「従事分量配当」という。）については、おおむね次によるものとする。（基通23～35共－4）

(一)　農事組合法人から受ける従事分量配当のうち、農業の経営から生じた所得を分配したと認められるものは、事業所得に係る総収入金額に算入し、当該法人が農業の経営と併せて林業の経営を行っている場合において当該林業の経営から生じた所得を分配したと認められるものは、(三)による。

(二)　漁業生産組合から受ける従事分量配当のうち漁業から生じた所得を分配したと認められるものは、事業所得に係る総収入金額に算入する。この場合において、当該分配金のうち漁獲若しくはのりの採取から生じた所得又ははまち、まだい、ひらめ、かき、うなぎ、ほたて貝若しくは真珠（真珠貝を含む。）の養殖から生じた所得を分配したと認められる部分は、変動所得に係る総収入金額に算入する。

(三)　生産森林組合から受ける従事分量配当のうちその組合のその事業年度中における山林の伐採又は譲渡から生じた所得の大部分を分配したと認められるものは、山林所得に係る総収入金額に算入する。ただし、当該山林の伐採又は譲渡がその取得の日から５年以内にされたものは雑所得（山林の売買を業とする者が受けるものは事業所得）に係る総収入金額に算入する。

（分配金を受ける者が２人以上ある場合）

(9)　生計を一にする親族のうちに同一の法人から(7)に掲げる分配金を受ける者が２人以上ある場合には、これらの者のうち(7)に規定する収入金額の最も大きい者以外の者の受ける当該収入金額に係る所得については、これを当該収入金額の最も大きい者の経営する事業から受ける当該所得とみなして、第六章第二節**十１**《事業から対価を受ける親族がある場合の必要経費の特例》の規定を適用する。（令62③）

（協同組合等の事業分量配当）

(10)　法人税法第２条第７号《定義》に規定する協同組合等から支払を受ける同法第60条の２第１号《協同組合等の事業分量配当等の損金算入》に掲げる金額で同条の規定により当該協同組合等の各事業年度の所得の金額の計算上損金の額に算入されるものは、配当所得以外の各種所得に係る収入金額とする。（令62④）

（協同組合等から受ける事業分量配当の所得区分）

(11)　(10)に規定する協同組合等の組合員その他の者（以下(11)において「組合員等」という。）が、その取り扱った物の数量、価額その他協同組合等を利用した分量に応じて当該協同組合から受ける分配金で、次に掲げるものについては、おおむね次による。（基通23～35共－5）

(一)　組合員等の事業の遂行上必要な資金の貸付業務、物資の供給に関する業務、共同利用施設に関する業務、組合員の生産する物資の運搬、加工、貯蔵若しくは販売に関する業務又は組合員等が事業の用に供する建物、家畜、機械、器具等を目的とした共済事業等に関する業務に係る剰余金を分配したと認められるもの　　事業所得に係る総収入金額に算入する。

(二)　組合員等の貯金の受入れに関する業務に係る剰余金を分配したと認められるもの　　利子所得に係る収入金額に算入する。

(三)　組合員等の所有する農地、採草放牧地等の不動産を貸付けの方法により運用すること又は売り渡すことを目的とする信託の委託者に当該信託に関する業務に係る剰余金を分配したと認められるもの　　不動産所得又は譲渡所得に係る総収入金額に算入する。

二　配当等とみなす金額――みなし配当――

１　合併、分割型分割、資本の払戻し、株式の消却、持分の払戻し等によるみなし配当金額

法人（法人税法第２条第６号《定義》に規定する公益法人等及び人格のない社団等を除く。以下**１**において同じ。）の株主等が当該法人の次の(一)から(七)までに掲げる事由により金銭その他の資産の交付を受けた場合において、その金銭の額及び金銭以外の資産の価額（同条第12号の15に規定する適格現物分配に係る資産にあっては、当該法人のその交付の直前の当該資産の帳簿価額に相当する金額）の合計額が当該法人の同条第16号に規定する資本金等の額のうちその交付の基因となった当該法人の株式又は出資に対応する部分の金額を超えるときは、所得税法の適用については、その超える部分の金額に係る金銭その他の資産は、**一**に規定する剰余金の配当、利益の配当、剰余金の分配又は金銭の分配とみなす。（法25①）

(一)	当該法人の合併（法人課税信託に係る信託の併合を含むものとし、法人税法第２条第12号の８に規定する適格合併を除く。）
(二)	当該法人の分割型分割（法人税法第２条第12号の12に規定する適格分割型分割を除く。）
(三)	当該法人の株式分配（法人税法第２条第12号の15の３に規定する適格株式分配を除く。）
(四)	当該法人の資本の払戻し（株式に係る剰余金の配当（資本剰余金の額の減少に伴うものに限る。）のうち分割型分割によるもの及び株式分配以外のもの並びに出資等減少分配をいう。）又は当該法人の解散による残余財産の分配
(五)	当該法人の自己の株式又は出資の取得（金融商品取引法第２条第16項《定義》に規定する金融商品取引所の開設する市場における購入による取得その他の注で定める取得及び第五章第三節**二十**《株式交換等に係る譲渡所得等の特例》（２）(一)から同(三)までに掲げる株式又は出資の同（２）に規定する場合に該当する場合における取得を除く。）
(六)	当該法人の出資の消却（取得した出資について行うものを除く。）、当該法人の出資の払戻し、当該法人からの社員その他の出資者の退社若しくは脱退による持分の払戻し又は当該法人の株式若しくは出資を当該法人が取得することなく消滅させること。
(七)	当該法人の組織変更（当該組織変更に際して当該組織変更をした当該法人の株式又は出資以外の資産を交付したものに限る。）

（**1**(五)の注で定める取得）

注　**1**(五)に規定する注で定める取得は、次の(一)から(十二)までに掲げる事由による取得とする。（令61①）

(一)	金融商品取引法第２条第16項《定義》に規定する金融商品取引所の開設する市場（同条第８項第３号ロに規定する外国金融商品市場を含む。）における購入
(二)	店頭売買登録銘柄（株式（出資及び投資信託及び投資法人に関する法律第２条第14項《定義》に規定する投資口を含む。以下注において同じ。）で、金融商品取引法第２条第13項に規定する認可金融商品取引業協会が、その定める規定に従い、その店頭売買につき、その売買価格を発表し、かつ、当該株式の発行法人に関する資料を公開するものとして登録したものをいう。）として登録された株式のその店頭売買による購入
(三)	金融商品取引法第２条第８項に規定する金融商品取引業のうち同項第10号に掲げる行為を行う者が同号の有価証券の売買の媒介、取次ぎ又は代理をする場合におけるその売買（同号ニに掲げる方法により売買価格が決定されるものを除く。）
(四)	事業の全部の譲受け
(五)	合併又は分割若しくは現物出資（適格分割若しくは適格現物出資又は事業を移転し、かつ、当該事業に係る資産に当該分割若しくは現物出資に係る分割承継法人若しくは被現物出資法人の株式が含まれている場合の当該分割若しくは現物出資に限る。）による被合併法人又は分割法人若しくは現物出資法人からの移転
(六)	適格分社型分割（法人税法第２条第12号の11《定義》に規定する分割承継親法人の株式が交付されるものに限る。）による分割承継法人からの交付
(七)	第五章第三節**二十**《株式交換等に係る譲渡所得等の特例》に規定する株式交換（同節**二十**に規定する同節**二十**（３）で定める関係がある法人の株式が交付されるものに限る。）による同節**二十**に規定する株式交換完全親法人からの交付
(八)	合併に反対する当該合併に係る被合併法人の株主等の買取請求に基づく買取り
(九)	会社法第182条の４第１項《反対株主の株式買取請求》（資産の流動化に関する法律第38条《特定出資についての会社法の準用》又は第50条第１項《優先出資についての会社法の準用》において準用する場合を含む。）、第192条第１項《単元未満株式の買取りの請求》又は第234条第４項《一に満たない端数の処理》（会社法第235条第２項《一に満たない端数の処理》又は他の法律において準用する場合を含む。）の規定による買取り
(十)	第五章第三節**二十**（２）(三)に規定する全部取得条項付種類株式を発行する旨の定めを設ける法人税法第13条第１項《事業年度の意義》に規定する定款等の変更に反対する株主等の買取請求に基づく買取り（その買取請求の時において、当該全部取得条項付種類株式の同（２）(三)に定める取得決議に係る取得対価の割当てに関する事項（当該株主等に交付する当該買取りをする法人の株式の数が一に満たない端数となるものに限る。）が当該株主等に明らかにされている場合（同（２）に規定する場合に該当する場合に限る。）における当該買取り

	に限る。）
(十一)	第五章第三節**二十**（２）(三)に規定する全部取得条項付種類株式に係る同(三)に定める取得決議（当該取得決議に係る取得の価格の決定の申立てをした者でその申立てをしないとしたならば当該取得の対価として交付されることとなる当該取得をする法人の株式の数が１に満たない端数となるものからの取得（同(三)に規定する場合に該当する場合における当該取得に限る。）に係る部分に限る。）
(十二)	会社法第167条第３項《効力の発生》若しくは第283条《一に満たない端数の処理》に規定する一株に満たない端数（これに準ずるものを含む。）又は投資信託及び投資法人に関する法律第88条の19《一に満たない端数の処理》に規定する一口に満たない端数に相当する部分の対価としての金銭の交付

2　所有株式に対応する資本金等の額の計算方法等

1に規定する株式又は出資に対応する部分の金額は、**1**に規定する事由の次の(一)から(六)までに掲げる区分に応じそれぞれに定める金額とする。（令61②）

(一)	**1**(一)に掲げる合併	当該合併に係る被合併法人の当該合併の日の前日の属する事業年度終了の時の法人税法第２条第16号に規定する資本金等の額（以下**2**において「資本金等の額」という。）を当該被合併法人のその時の発行済株式(投資法人(投資信託及び投資法人に関する法律第２条第12項に規定する投資法人をいう。(五)において同じ。）にあっては、発行済みの投資口〔投資信託及び投資法人に関する法律第２条第14項に規定する投資口をいう。以下(一)及び(五)において同じ。〕）又は出資（その有する自己の株式、投資口又は出資を除く。以下において「発行済株式等」という。）の総数（出資にあっては、総額。以下**2**及び**3**（２）において同じ。）で除して計算した金額に**1**に規定する株主等が当該合併の直前に有していた当該被合併法人の株式（投資口及び出資を含む。以下**2**及び**3**（２）において同じ。）の数（出資にあっては、金額。以下**二**において同じ。）を乗じて計算した金額	
(二)	**1**(二)に掲げる分割型分割	当該分割型分割に係る分割法人の当該分割型分割の直前の分割資本金額等（当該分割型分割の直前の資本金等の額に当該分割法人の当該分割型分割に係るイに掲げる金額のうちにロに掲げる金額の占める割合〔当該分割型分割の直前の資本金等の額又は連結個別資本金等の額が零以下である場合には零と、当該分割型分割の直前の資本金等の額又は連結個別資本金等の額及びロに掲げる金額が零を超え、かつ、イに掲げる金額が零以下である場合には１とし、当該割合に小数点以下３位未満の端数があるときはこれを切り上げる。〕を乗じて計算した金額をいう。）を当該分割法人の当該分割型分割に係る株式の総数（**3**（１）(二)に掲げる分割型分割にあっては、当該分割型分割の直前の発行済株式等の総数）で除して計算した金額に**1**に規定する株主等が当該分割型分割の直前に有していた当該分割法人の当該分割型分割に係る株式の数を乗じて計算した金額	
		イ	当該分割型分割の日の属する事業年度の前事業年度（当該分割型分割の日以前６月以内に法人税法第72条第１項《仮決算をした場合の中間申告書の記載事項等》に規定する期間（同法第２条第12号の７に規定する通算子法人にあっては、同法第72条第５項第１号に規定する期間。イにおいて同じ。）について同条第１項各号に掲げる事項を記載した同法第２条第30号に規定する中間申告書を提出し、かつ、その提出の日から当該分割型分割の日までの間に同条第31号に規定する確定申告書を提出していなかった場合には、当該中間申告書に係る同項に規定する期間）終了の時の資産の帳簿価額から負債（新株予約権及び株式引受権に係る義務を含む。）の帳簿価額を減算した金額（当該終了の時から当該分割型分割の直前の時までの間に資本金等の額又は同条第18号に規定する利益積立金額（(五)イにおいて「利益積立金額」という。）（法人税法施行令第９条第１号及び第６号《利益積立金額》に掲げる金額を除く。）が増加し、又は減少した場合には、その増加した金額を加算し、又はその減少した金額を減算した金額）
		ロ	当該分割型分割の直前の移転資産（当該分割型分割により当該分割法人から分割承継法人に移転した資産をいう。）の帳簿価額から移転負債（当該分割型分割により当該分割法人から当該分割承継法人に移転した負債をいう。）の帳簿価額を控除した金額（当該金額がイに掲げる金額を超える場合（イに掲げる金額が零に満たない場合を除く。）には、イに掲げる金額）

<table>
<tr>
<td>(三)</td>
<td>1(三)に掲げる株式分配</td>
<td>当該株式分配に係る現物分配法人の当該株式分配の直前の分配資本金額等（当該株式分配の直前の資本金等の額にイに掲げる金額のうちにロに掲げる金額の占める割合（当該株式分配の直前の資本金等の額が零以下である場合には零と、当該株式分配の直前の資本金等の額及びロに掲げる金額が零を超え、かつ、イに掲げる金額が零以下である場合には一とし、当該割合に小数点以下三位未満の端数があるときはこれを切り上げる。）を乗じて計算した金額をいう。）を当該現物分配法人の当該株式分配に係る株式の総数で除して計算した金額に1(三)に規定する株主等が当該株式分配の直前に有していた当該現物分配法人の当該株式分配に係る株式の数を乗じて計算した金額
<table>
<tr><td>イ</td><td>当該株式分配を(二)イの分割型分割とみなした場合における(二)イに掲げる金額</td></tr>
<tr><td>ロ</td><td>当該現物分配法人の当該株式分配の直前の法人税法第2条第12号の15の2に規定する完全子法人の株式の帳簿価額に相当する金額（当該金額が零以下である場合には零とし、当該金額がイに掲げる金額を超える場合（イに掲げる金額が零に満たない場合を除く。）にはイに掲げる金額とする。）</td></tr>
</table>
</td>
</tr>
<tr>
<td>(四)</td>
<td>1(四)に掲げる資本の払戻し又は解散による残余財産の分配((五)に掲げるものを除く。イにおいて「払戻し等」という。)</td>
<td>次に掲げる場合の区分に応じそれぞれ次に定める金額
<table>
<tr><td>イ</td><td>ロに掲げる場合以外の場合</td><td>当該払戻し等を行った法人の当該払戻し等の直前の払戻等対応資本金額等（当該直前の資本金等の額に(1)に掲げる金額のうちに(2)に掲げる金額の占める割合（当該直前の資本金等の額が零以下である場合には零と、当該直前の資本金等の額が零を超え、かつ、(1)に掲げる金額が零以下である場合又は当該直前の資本金等の額が零を超え、かつ、残余財産の全部の分配を行う場合には一とし、当該割合に小数点以下三位未満の端数があるときはこれを切り上げる。）を乗じて計算した金額（当該払戻し等が1(四)に規定する資本の払戻しである場合において、当該計算した金額が当該払戻し等により減少した資本剰余金の額を超えるときは、その超える部分の金額を控除した金額）をいう。）を当該法人の当該払戻し等に係る株式の総数で除して計算した金額に1に規定する株主等が当該直前に有していた当該法人の当該払戻し等に係る株式の数を乗じて計算した金額
(1)　当該払戻し等を(二)イの分割型分割とみなした場合における(二)イに掲げる金額
(2)　当該資本の払戻しにより減少した資本剰余金の額又は当該解散による残余財産の分配により交付した金銭の額及び金銭以外の資産の価額（法人税法第2条第12号の15に規定する適格現物分配に係る資産にあっては、その交付の直前の帳簿価額）の合計額（当該減少した資本剰余金の額又は当該合計額が(1)に掲げる金額を超える場合には、(1)に掲げる金額）</td></tr>
<tr><td>ロ</td><td>当該資本の払戻しを行った法人が二以上の種類の株式を発行していた法人である場合</td><td>1に規定する株主等が当該資本の払戻しの直前に有していた当該法人の当該資本の払戻しに係る株式の種類ごとに、当該法人の当該直前のその種類の株式に係る払戻対応種類資本金額（当該直前の当該種類の株式に係る法人税法施行令第8条第2項《資本金等の額》に規定する種類資本金額（ロにおいて「直前種類資本金額」という。）に種類払戻割合（(1)に掲げる金額のうちに(2)に掲げる金額の占める割合をいい、直前種類資本金額又は当該直前の資本金等の額が零以下である場合には零と、直前種類資本金額及び当該直前の資本金等の額が零を超え、かつ、(1)に掲げる金額が零以下である場合には一とし、当該割合に小数点以下三位未満の端数があるときはこれを切り上げる。）を乗じて計算した金額（当該金額が(2)(ⅰ)又は(ⅱ)に掲げる場合の区分に応じそれぞれ(2)(ⅰ)又は(ⅱ)に定める金額を超える場合には、その超える部分の金額を控除した金額）をいう。）を当該法人の当該資本の払戻しに係る当該種類の株式の総数で除して計算した金額に当該株主等が当該直前に有していた当該法人の当該種類の株式の数を乗じて計算した金額の合計額
(1)　イ(1)に掲げる金額に当該資本の払戻しの直前の資本金等の額のうちに直前種類資本金額の占める割合を乗じて計算した金額
(2)　次に掲げる場合の区分に応じそれぞれ次に定める金額（当該金額が(1)に掲げる金額を超える場合には、(1)に掲げる金額）
(ⅰ)　当該資本の払戻しにより減少した資本剰余金の額のうち当該種類の株式に</td></tr>
</table>
</td>
</tr>
</table>

<table>
<tr><td></td><td></td><td colspan="3">係る部分の金額が明らかな場合　当該金額
(ⅱ)　(ⅰ)に掲げる場合以外の場合　当該資本の払戻しにより減少した資本剰余金の額に当該資本の払戻しの直前の当該資本の払戻しに係る各種類の株式に係る法人税法施行令第８条第２項に規定する種類資本金額（当該種類資本金額が零以下である場合には、零）の合計額のうちに直前種類資本金額の占める割合（当該合計額が零である場合には、一）を乗じて計算した金額</td></tr>
<tr><td rowspan="3">(五)</td><td rowspan="3">一に規定する出資等減少分配（以下(五)において「出資等減少分配」という。）</td><td colspan="3">当該出資等減少分配を行った投資法人の当該出資等減少分配の直前の分配対応資本金額等（当該直前の資本金等の額にイに掲げる金額のうちにロに掲げる金額の占める割合（当該直前の資本金等の額が零以下である場合には零と、直前資本金額が零を超え、かつ、イに掲げる金額が零以下である場合には一とし、当該割合に小数点以下三位未満の端数があるときはこれを切り上げる。）を乗じて計算した金額をいい、当該計算した金額が当該出資等減少分配による出資総額等の減少額として(1)で定める金額（ロにおいて「出資総額等減少額」という。）を超える場合にはその超える部分の金額を控除した金額とする。）を当該投資法人の発行済みの投資口（その有する自己の投資口を除く。）の総数で除して計算した金額に二に規定する株主等が当該直前に有していた当該投資法人の投資口の数を乗じて計算した金額</td></tr>
<tr><td>イ</td><td colspan="2">当該投資法人の当該出資等減少分配の日の属する事業年度の前事業年度終了の時の当該投資法人の資産の帳簿価額から負債の帳簿価額を減算した金額（当該終了の時から当該出資等減少分配の直前の時までの間に資本金等の額又は利益積立金額（法人税法施行令第９条第１号に掲げる金額を除く。）が増加し、又は減少した場合には、その増加した金額を加算し、又はその減少した金額を減算した金額）</td></tr>
<tr><td>ロ</td><td colspan="2">出資総額等減少額（当該出資総額等減少額がイに掲げる金額を超える場合には、イに掲げる金額）</td></tr>
<tr><td rowspan="3">(六)</td><td rowspan="3">1(五)から同(七)までに掲げる事由(以下(六)において「自己株式の取得等」という。)</td><td colspan="3">次に掲げる場合の区分に応じそれぞれ次に定める金額</td></tr>
<tr><td>イ</td><td>当該自己株式の取得等をした法人が一の種類の株式を発行していた法人（口数の定めがない出資を発行する法人を含む。）である場合</td><td>当該法人の当該自己株式の取得等の直前の資本金等の額を当該直前の発行済株式等の総数で除して計算した金額に1に規定する株主等が当該直前に有していた当該法人の当該自己株式の取得等に係る株式の数を乗じて計算した金額（当該直前の資本金等の額が零以下である場合には、零）</td></tr>
<tr><td>ロ</td><td>当該自己株式の取得等をした法人が二以上の種類の株式を発行していた法人である場合</td><td>当該法人の当該自己株式の取得等の直前の当該自己株式の取得等に係る株式と同一の種類の株式に係る法人税法施行令第８条第２項に規定する種類資本金額を当該直前の当該種類の株式（当該法人が当該自己株式の取得等の直前に有する自己の株式を除く。）の総数で除して計算した金額に1に規定する株主等が当該直前に有していた当該法人の当該自己株式の取得等に係る当該種類の株式の数を乗じて計算した金額（当該直前の当該種類資本金額が零以下である場合には、零）</td></tr>
</table>

（出資等減少分配による出資総額等の減少額の範囲）

(1)　**2**(五)に規定する(1)で定める金額は、**2**(五)の出資等減少分配により増加する出資総額控除額（投資法人の計算に関する規則第39条第３項の規定により出資総額控除額に区分される金額をいう。）及び出資剰余金控除額（投資法人の計算に関する規則第39条第６項の規定により出資剰余金控除額に区分される金額をいう。）の合計額から当該出資等減少分配により増加する一時差異等調整引当額を控除した金額とする。（規18②）

（金銭その他の資産の範囲）

(2)　**二1**(一)に掲げる合併又は同**1**(二)に掲げる分割型分割に際して当該合併又は分割型分割に係る被合併法人又は

分割法人の株主等に対する株式に係る剰余金の配当、利益の配当又は剰余金の分配として交付がされた金銭その他の資産（法人税法第２条第12号の９のイに規定する分割対価資産を除く。）及び合併に反対する当該株主等に対するその買取請求に基づく対価として交付がされる金銭その他の資産は、同**1**の金銭その他の資産に含まれないものとする。（令61③）

（用語の意義）

（3）　**2**において、次の(一)から(十)までに掲げる用語の意義は、それぞれに定めるところによる。（令61⑥）

(一)	適格分割	法人税法第２条第12号の11に規定する適格分割をいう。
(二)	適格現物出資	法人税法第２条第12号の14に規定する適格現物出資をいう。
(三)	分割承継法人	法人税法第２条第12号の３に規定する分割承継法人（信託の分割により受託者を同一とする他の信託からその信託財産の一部の移転を受ける法人課税信託に係る受託法人（第二章第二節**3**（2）《受託法人等に関するこの法律の適用》に規定する受託法人をいう。(五)、(六)及び(十)において同じ。）を含む。）をいう。
(四)	被現物出資法人	法人税法第２条第12号の５に規定する被現物出資法人をいう。
(五)	被合併法人	法人税法第２条第11号に規定する被合併法人（信託の併合に係る従前の信託である法人課税信託に係る受託法人を含む。）をいう。
(六)	分割法人	法人税法第２条第12号の２に規定する分割法人（信託の分割によりその信託財産の一部を受託者を同一とする他の信託又は新たな信託の信託財産として移転する法人課税信託に係る受託法人を含む。）をいう。
(七)	現物出資法人	法人税法第２条第12号の４に規定する現物出資法人をいう。
(八)	適格分社型分割	法人税法第２条第12号の13に規定する適格分社型分割をいう。
(九)	現物分配法人	法人税法第２条第12号の５の２に規定する現物分配法人をいう。
(十)	合併法人	法人税法第２条第12号に規定する合併法人（信託の併合に係る新たな信託である法人課税信託に係る受託法人を含む。）をいう。

3　無対価合併が行われた場合の１の規定の適用

合併法人（法人税法第２条第12号に規定する合併法人をいう。以下**3**において同じ。）又は分割法人（同条第12号の２に規定する分割法人をいう。以下**3**において同じ。）が被合併法人（同条第11号に規定する被合併法人をいう。）の株主等又は当該分割法人の株主等に対し合併又は分割型分割により株式（出資を含む。以下**3**において同じ。）その他の資産の交付をしなかった場合においても、当該合併又は分割型分割が合併法人又は分割承継法人（同条第12号の３に規定する分割承継法人をいう。以下**3**において同じ。）の株式の交付が省略されたと認められる合併又は分割型分割として（1）で定めるものに該当するときは、（2）で定めるところによりこれらの株主等が当該合併法人又は分割承継法人の株式の交付を受けたものとみなして、**1**の規定を適用する。（法25②）

（**3**に規定する（1）で定めるもの）

（1）　**3**に規定する（1）で定めるものは、次の(一)及び(二)に掲げる合併又は分割型分割（**一**に規定する分割型分割をいう。(二)及び（2）において同じ。）とする。（令61④）

(一)	法人税法施行令第４条の３第２項第１号《適格組織再編成における株式の保有関係等》に規定する無対価合併で同項第２号ロに掲げる関係があるもの
(二)	法人税法施行令第４条の３第６項第１号イに規定する無対価分割に該当する分割型分割で同項第２号イ⑵に掲げる関係があるもの

（無対価合併が行われた場合の株式の価額）

（2）　**3**に規定する場合には、**3**の被合併法人又は分割法人の株主等は、（1）(一)に掲げる合併にあっては当該合併に係る被合併法人が当該合併により当該合併に係る合併法人に移転をした資産（営業権にあっては、法人税法施行令第

123条の10第３項《非適格合併等により移転を受ける資産等に係る調整勘定の損金算入等》に規定する独立取引営業権（以下（２）において「独立取引営業権」という。）に限る。）の価額（法人税法第62条の８第１項《非適格合併等により移転を受ける資産等に係る調整勘定の損金算入等》に規定する資産調整勘定の金額を含む。）から当該被合併法人が当該合併により当該合併法人に移転をした負債の価額（法人税法第62条の８第２項及び第３項に規定する負債調整勘定の金額を含む。）を控除した金額を当該被合併法人の当該合併の日の前日の属する事業年度終了の時の発行済株式等の総数で除して計算した金額に当該被合併法人の株主等が当該合併の直前に有していた当該被合併法人の株式の数を乗じて計算した金額に相当する当該合併法人の株式の交付を受けたものと、（１）(二)に掲げる分割型分割にあっては当該分割型分割に係る分割法人が当該分割型分割により当該分割型分割に係る分割承継法人に移転をした資産（営業権にあっては、独立取引営業権に限る。）の価額（法人税法第62条の８第１項に規定する資産調整勘定の金額を含む。）から当該分割法人が当該分割型分割により当該分割承継法人に移転をした負債の価額（法人税法第62条の８第２項及び第３項に規定する負債調整勘定の金額を含む。）を控除した金額を当該分割法人の当該分割型分割の直前の発行済株式等の総数で除して計算した金額に当該分割法人の株主等が当該分割型分割の直前に有していた当該分割法人の株式の数を乗じて計算した金額に相当する当該分割承継法人の株式の交付を受けたものと、それぞれみなす。（令61⑤）

（法人課税信託に係る信託の併合と分割）

（３）　**1**注又は**3**（１）に規定する合併には、法人課税信託に係る信託の併合を含むものとし、**1**注に規定する分割には、法人課税信託に係る信託の分割を含むものとする。（令61⑦）

三　みなし配当の課税の特例

1　相続財産に係る株式をその発行した非上場会社に譲渡した場合のみなし配当課税の特例

相続又は遺贈（贈与者の死亡により効力を生ずる贈与を含む。以下**1**において同じ。）による財産の取得（相続税法又は租税特別措置法第70条の７の３《非上場株式等の贈与者が死亡した場合の相続税の課税の特例》若しくは第70条の７の７《非上場株式等の特例贈与者が死亡した場合の相続税の課税の特例》の規定により相続又は遺贈による財産の取得とみなされるものを含む。）をした個人で当該相続又は遺贈につき相続税法の規定により納付すべき相続税額があるものが、当該相続の開始があった日の翌日から当該相続に係る同法第27条第１項《相続税の申告書》又は第29条第１項《相続財産法人に係る財産を与えられた者に係る相続税の申告書》の規定による申告書（これらの申告書の提出後において同法第４条第１項《遺贈により取得したものとみなす場合》に規定する事由が生じたことにより取得した資産については、当該取得に係る同法第31条第２項《修正申告の特則》の規定による申告書）の提出期限の翌日以後３年を経過する日までの間に当該相続税額に係る課税価格（同法第19条《相続開始前３年以内に贈与があった場合の相続税額》又は第21条の14《相続時精算課税に係る相続税額》から第21条の18までの規定の適用がある場合には、これらの規定により当該課税価格とみなされた金額）の計算の基礎に算入された金融商品取引法第２条第16項に規定する金融商品取引所に上場されている株式その他これに類するものとして（１）で定める株式を発行した株式会社以外の株式会社（以下**1**において「**非上場会社**」という。）の発行した株式をその発行した当該非上場会社に譲渡した場合において、当該譲渡をした個人が当該譲渡の対価として当該非上場会社から交付を受けた金銭の額が当該非上場会社の法人税法第２条第16号《定義》に規定する資本金等の額のうちその交付の基因となった株式に係る**二１**《配当等とみなす金額》に規定する株式に対応する部分の金額を超えるときは、その超える部分の金額については、同**1**の規定は、適用しない。（措法９の７①）

（注）　**1**の規定の適用がある場合における第五章第三節**二１**②《一般株式等に係る譲渡所得等の課税の特例》の適用については、これらの規定中「の金額」とあるのは、「の金額（第四章第二節《配当所得》**三１**の規定の適用を受ける金額を除く。）」とする。（措法９の７②）

（金融商品取引所に上場されている株式その他これに類する株式）

（１）　**1**に規定する（１）で定める株式は、店頭売買登録銘柄（株式で、金融商品取引法第２条第13項に規定する認可金融商品取引業協会が、その定める規則に従い、その店頭売買につき、その売買価格を発表し、かつ、当該株式の発行法人に関する資料を公開するものとして登録したものをいう。）として登録された株式とする。（措令５の２①）

（適用要件）

（２）　**1**の規定の適用を受けようとする個人は、**1**に規定する非上場会社の発行した株式であって**1**に規定する相続税額に係る課税価格の計算の基礎に算入されたもの（以下（２）及び（３）において「**課税価格算入株式**」という。）を当該非上場会社に譲渡する時までに、その適用を受ける旨及び次の(一)から(四)までに掲げる事項を記載した書面を、当該非上場会社を経由して当該非上場会社の本店又は主たる事務所の所在地の所轄税務署長に提出しなければならな

い。（措令５の２②）

(一)	その適用を受けようとする者の氏名、住所又は居所及び個人番号（個人番号を有しない者にあっては、氏名及び住所又は居所）並びにその者の被相続人の氏名及び死亡の時における住所又は居所並びに死亡年月日
(二)	**1**の納付すべき相続税額又はその見積額
(三)	課税価格算入株式の数及び当該課税価格算入株式のうち当該非上場会社に譲渡をしようとするものの数
(四)	その他参考となるべき事項

（譲り受けた課税価格算入株式の数及び１株当たりの譲受けの対価の額等を記載した書類の提出）

(３)　(２)の書面の提出を受けた非上場会社は、課税価格算入株式を譲り受けた場合には、当該譲り受けた課税価格算入株式の数及び１株当たりの譲受けの対価の額並びに当該課税価格算入株式を譲り受けた年月日を記載した書類を、当該譲り受けた日の属する年の翌年１月31日までに、(２)の書面とあわせて(２)の税務署長に提出しなければならない。（措令５の２③）

（税務署長へのみなし提出）

(４)　(２)の場合において、(２)の書面が(２)の非上場会社に受理されたときは、当該書面は、その受理された時に(２)の税務署長に提出されたものとみなす。（措令５の２⑤）

（非上場会社における書面等の写しの作成）

(５)　**1**に規定する非上場会社は、**1**の規定の適用を受けようとする個人から提出された(２)に規定する書面を受理した場合又は(３)に規定する書類を提出する場合には、当該書面又は書類の写しを作成しなければならない。（措令５の２④、措規５の５①）

（非上場会社における書面等の写しの保存）

(６)　非上場会社は、(５)の規定により作成した(５)の書面又は書類の写しを各人別に整理し、(３)の規定により当該書面又は書類を提出した日の属する年の翌年から５年間保存しなければならない。（措令５の２④、措規５の５②）

四　配当所得の金額

１　通　　則

配当所得の金額は、その年中の配当等の収入金額とする。ただし、株式その他配当所得を生ずべき元本を取得するために要した負債の利子（事業所得又は雑所得の基因となった有価証券その他(１)で定めるものを取得するために要した負債の利子を除く。以下同じ。）でその年中に支払うものがある場合は、当該収入金額から、その支払う負債の利子の額のうちその年においてその元本を有していた期間に対応する部分の金額として**2**に定めるところにより計算した金額の合計額を控除した金額とする。（法24②）

（**1**に規定する(１)で定めるもの）

(１)　**1**に規定する(１)で定めるものは、事業所得又は雑所得の基因となった資金決済に関する法律第２条第９項《定義》に規定する特定信託受益権で金融商品取引法第２条第１項第14号《定義》に掲げる有価証券及び同項第17号に掲げる有価証券（同項第14号に掲げる有価証券の性質を有するものに限る。）に表示されるべき権利（これらの有価証券が発行されていないものに限る。）に該当するものとする。（所令59①）

（株式等を取得するために要した負債の利子）

注　**1**ただし書に規定する「株式その他配当所得を生ずべき元本を取得するために要した負債の利子」については、次のことに留意する。（基通24－５）

(一)　株式その他配当所得を生ずべき元本（以下**2**(６)までにおいて「**株式等**」という。）を取得するために要した負債の利子で、その年中における当該株式等の所有期間に対応して計算された金額は、当該負債によって取得した株式等の配当等からだけでなく、他の株式等の配当等からも控除できること。

(二)　負債によって取得した株式等を処分した場合には、その処分した時までの期間の利子に限り控除できること。

2　負債利子控除

1に定める元本所有期間に対応する部分の負債の利子の額は、その年中に支払う**1**に定める負債の利子の額を12で除し、これにその年において当該負債により取得した元本を有していた期間の月数を乗じて計算した金額とする。（令59②）

$$\text{控除される負債利子}=\frac{\text{その年中に支払う負債利子の額}}{12}\times\text{当該負債により取得した元本所有期間の月数}$$

（注）　上記の月数は、暦に従って計算し、１月に満たない端数を生じたときは、これを１月とする。（令59③）

（株式等の譲渡による所得がある場合の負債の利子）

（１）　その年において第五章第三節**二１**①又は第五章第三節**三１**①の規定の適用を受ける所得（以下（２）までにおいて**「株式等に係る譲渡所得等」**という。）又は第三章第二節《課税標準》若しくは所得税法第165条《総合課税に係る所得税の課税標準、税額等の計算》の規定の適用を受ける株式等の譲渡による所得で事業所得又は雑所得に該当するもの（以下（２）までにおいて「総合課税の株式等に係る事業所得等」という。）を有する者が負債により取得した株式等を有する場合において、当該負債をこれらの所得の基因となった株式等を取得するために要したものとその他のものとに明確に区分することが困難なときは、次の算式により計算した金額を配当所得の金額の計算上控除すべき負債の利子の額とすることができるものとする。（基通24－6）

$$\text{株式等を取得するために要した負債の利子の総額}\times\frac{\text{配当所得の収入金額}}{\text{配当所得の収入金額}+\text{その利子の額を差し引く前の株式等に係る譲渡所得等の金額及び総合課税の株式等に係る事業所得等の金額}}$$

（注）　株式等に係る譲渡所得等の金額の計算上控除する負債の利子の計算…第五章第三節**四**(16)参照。（編者注）

（配当所得の収入金額を超える負債の利子）

（２）　（１）の場合において、（１）に掲げる算式により計算した金額が配当所得の収入金額を超えるときは、その超える部分の金額を、株式等に係る譲渡所得等の金額又は総合課税の株式等に係る事業所得等の金額の計算上控除して差し支えない。（基通24－6の２）

（負債を借り換えた場合）

（３）　株式等を取得するために要した負債を借り換えた場合には、借換え前の負債の額と借換え後の負債の額とのうち、いずれか少ない金額を借換え後の当該株式等を取得するために要した負債の額とする。（基通24－７）

（負債により取得した株式等の一部を譲渡した場合）

（４）　負債により取得した株式等の一部を譲渡した場合には、その譲渡後の残余の株式等に係る負債の額は、その負債によって取得した株式等の銘柄ごとに次の算式により計算した金額とするものとする。（基通24－８）

$$\text{当該譲渡直前における当該銘柄の株式等を取得するために要した負債の額}\times\frac{\text{当該譲渡直後の当該銘柄の株式等の数}}{\text{当該譲渡直前に有していた当該銘柄の株式等の総数}}$$

（注）　その譲渡後その負債の一部を弁済したときは、その弁済はその譲渡した株式等に係る負債から順次行われたものとする。

（負債により取得した株式等を買い換えた場合）

（５）　負債により取得した株式等の全部又は一部を譲渡し、更に他の株式等を取得した場合には、当該他の株式等を取得するために要した負債の額は、当該譲渡した株式等を取得するために要した負債の残存額（その額が当該譲渡した株式等の譲渡代金を超える場合には、当該超える部分の金額を除く。）と当該他の株式等を取得するに際し新たに借り入れた負債の額との合計額（当該合計額が当該他の株式等を取得するために要した金額を超える場合には、当該超える部分の金額を除く。）とする。（基通24－９）

（負債の利子につき月数あん分を行う場合）

（６）　**2**による負債の利子の月数あん分は、株式等を年の中途において取得し又は譲渡した場合で、当該株式等に係る負債の利子がその年１月１日から12月31日までの期間について計算されたものであるときに限り行うことに留意する。（基通24－10）

3　源泉徴収義務

居住者又は内国法人に対し国内において配当等の支払をする者は、その支払の際、その配当等について所得税を徴収し、その徴収の日の属する月の翌月10日までに、これを国に納付しなければならない。（法181①、212③）

配当等について徴収すべき所得税の額は、配当等の額に100分の20（**五 1**①又は同②に規定する私募公社債等運用投資信託等の収益の分配に係る配当等については、100分の15）の税率を乗じて計算した金額とする。（法182、213②、措法８の２④、８の３③）

（注）　配当等（投資信託（公社債投資信託及び公募公社債等運用投資信託を除く。）又は特定受益証券発行信託の収益の分配を除く。）については、支払の確定した日から１年を経過した日までにその支払がされない場合には、その１年を経過した日においてその支払があったものとみなして、上記の規定を適用する。（法181②）

五　配当所得の課税の特例

1　配当所得の分離課税等

①　私募公社債等運用投資信託等の収益の分配に係る配当所得の分離課税等

居住者又は恒久的施設を有する非居住者が平成28年１月１日以後に国内において支払を受けるべき剰余金の配当で次の(一)及び(二)に掲げる受益権の収益の分配に係るもの（以下「私募公社債等運用投資信託等の収益の分配に係る配当等」という。）については、所得税法の規定にかかわらず、他の所得と区分し、その支払を受けるべき金額に対し100分の15の税率を適用して所得税を課する。（措法８の２①）

(一)	公社債等運用投資信託（その設定に係る受益権の募集が公募（金融商品取引法第２条第３項に規定する取得勧誘のうち同項第１号に掲げる場合に該当するものとして（2）で定めるものをいう。）により行われたものを除く。）の受益権（第五章第三節**三**《上場株式等に係る譲渡所得等の申告分離課税》 **1**①（1）(一)に掲げる株式等に該当するものを除く。）
(二)	特定目的信託（その信託契約の締結時において資産の流動化に関する法律第224条に規定する原委託者（以下において「原委託者」という。）が有する社債的受益権の募集が公募（金融商品取引法第２条第３項に規定する取得勧誘のうち同項第１号に掲げる場合に該当するものとして（3）で定めるものをいう。）により行われたものを除く。）の社債的受益権（第五章第三節**三**《上場株式等に係る譲渡所得等の申告分離課税》 **1**①（1）(一)に掲げる株式等に該当するものを除く。）。

（名義人受領の収益の分配）

（1）　平成28年１月１日以後に支払を受けるべき私募公社債等運用投資信託等の収益の分配に係る配当等の支払を受ける居住者又は非居住者及びその支払をする者並びに業務に関連して他人のために名義人として私募公社債等運用投資信託等の収益の分配に係る配当等の支払を受ける者から当該私募公社債等運用投資信託等の収益の分配に係る配当等の支払を受ける居住者又は非居住者及び当該名義人として当該私募公社債等運用投資信託等の収益の分配に係る配当等の支払を受ける者については、所得税法第224条《利子、配当、償還金等の受領者の告知》、第225条第１項《支払調書及び支払通知書》及び第228条第１項《名義人受領の配当所得等の調書》のうち、当該私募公社債等運用投資信託等の収益の分配に係る配当等に係る部分の規定は適用しない。（措法８の２⑥）（第九章第二節**一 2**《配当控除の適用除外》参照）

（（2）で定める取得勧誘）

（2）　①(一)に規定する（2）で定める取得勧誘は、①(一)の受益権の募集が国内において行われる場合にあっては、当該募集に係る金融商品取引法第２条第３項に規定する取得勧誘（以下①において「取得勧誘」という。）が同(一)に掲げる場合に該当し、かつ、投資信託及び投資法人に関する法律第４条第１項に規定する委託者指図型投資信託約款又は同法第49条第１項に規定する委託者非指図型投資信託約款にその取得勧誘が同(一)に掲げる場合に該当するものである旨の記載がなされて行われるものとし、当該受益権の募集が国外において行われる場合にあっては、当該募集に係る取得勧誘が同(一)に掲げる場合に該当するものに相当するものであり、かつ、金融商品取引法第２条第10項に規定する目論見書（（3）において「目論見書」という。）その他これに類する書類にその取得勧誘が同(一)に掲げる場合に該当するものに相当するものである旨の記載がなされて行われるものとする。（措令３の４①）

（(3)で定める取得勧誘）

(3)　①(二)に規定する(3)で定める取得勧誘は、①(二)の社債的受益権の募集が国内において行われる場合にあっては、当該募集に係る取得勧誘が金融商品取引法第２条第３項第１号に掲げる場合に該当し、かつ、目論見書及び資産の流動化に関する法律第２条第14項に規定する資産信託流動化計画（以下(3)において「資産信託流動化計画」という。）にその取得勧誘が金融商品取引法第２条第３項第１号に掲げる場合に該当するものである旨の記載がなされて行われるものとし、当該社債的受益権の募集が国外において行われる場合にあっては、当該募集に係る取得勧誘が同(二)に掲げる場合に該当するものに相当するものであり、かつ、目論見書その他これに類する書類及び資産信託流動化計画にその取得勧誘が同(二)に掲げる場合に該当するものに相当するものである旨の記載がなされて行われるものとする。（措令３の４②）

（負債により取得した受益権に係る配当所得の負債利子の控除）

(4)　**四１**《通則》に規定する「負債の利子の額」には、①の規定によりその剰余金の配当が源泉分離課税とされる私募公社債等運用投資信託等の受益権を取得するために要した負債の利子の額は含まれないことに留意する。（措通８の２－１）

（源泉分離課税の効果）

(5)　①の規定により源泉分離課税とされる同①に規定する私募公社債等運用投資信託等の収益の分配に係る配当等については、次の事項に留意する。（措通３－１、８の２－２により準用）

(一)　当該配当等の金額は、第三章第二節《課税標準》に規定する総所得金額には算入されないものであること。したがって、控除対象配偶者又は扶養親族に該当するかどうかの判定をする場合、雑損失の金額又は医療費控除額若しくは配偶者特別控除額の計算を行う場合等においても、当該配当等の金額は除外するものであること。

(二)　当該配当等につき源泉徴収された所得税の額は、確定申告書を提出して第十章第二節**二１**《確定所得申告》①に掲げる所得税の額から控除することはできないものであるとともに、同章第六節**三１**《純損失の繰戻しによる還付の請求》①等の規定による還付の請求の対象ともならないものであること。

②　国外で発行された投資信託等の収益の分配に係る配当所得の分離課税等

居住者が、平成28年１月１日以後に支払を受けるべき国外において発行された①(一)又は同(二)までに掲げる受益権の収益の分配に係る剰余金の配当（国外において支払われるものに限る。以下②において「国外私募公社債等運用投資信託等の配当等」という。）につき、国内における支払の取扱者でイ又はロに定める国外投資信託等の配当等の支払を受ける者の当該国外投資信託等の配当等の受領の媒介、取次ぎ又は代理（業務として又は業務に関連して国内においてするものに限る。）をする者（以下②において「支払の取扱者」という。）を通じてその交付を受ける場合には、その支払を受けるべき国外私募公社債等運用投資信託等の配当等については、所得税法の規定にかかわらず、他の所得と区分し、その支払を受けるべき金額に対し100分の15の税率を適用して所得税を課する。（措法８の３①、措令４①）

平成28年１月１日以後に居住者又は内国法人（第二章第三節**十１**《公共法人等に係る非課税》に掲げる内国法人を除く。以下②において同じ。）に対して支払われる国外投資信託等の配当等の国内における支払の取扱者は、当該居住者又は内国法人に当該国外投資信託等の配当等の交付をする際、その交付をする金額（当該国外投資信託等の配当等が国外私募公社債等運用投資信託等の配当等である場合において、外国所得税の額があるときは、その額を加算した金額）に次のイ又はロに掲げる国外投資信託等の配当等の区分に応じ当該イ又はロに定める税率を乗じて計算した金額の所得税を徴収し、その徴収の日の属する月の翌月10日までに、これを国に納付しなければならない。（措法８の３①～③）

イ	国外私募公社債等運用投資信託等の配当等	100分の15
ロ	国外私募公社債等運用投資信託等の配当等以外の国外投資信託等の配当等	100分の20

この場合において、居住者又は内国法人が支払を受けるべき国外投資信託等の配当等につきその支払の際に課される第九章第二節**二**《外国税額控除》**１**①に規定する外国所得税（外国の法令に基づき外国又はその地方公共団体により国外投資信託等の配当等を課税標準として課される税（同**１**①の外国所得税に該当するものを除く。）で第二章第一節**一**表内**45**に規定する源泉徴収に係る所得税に相当するものを含む。）の額があるときは、次のイ又はロに定めるところによる。（措法８の３④、措令４②）

イ	当該国外投資信託等の配当等が国外私募公社債等運用投資信託等の配当等である場合には、当該外国所得税の額は、徴収して納付すべき当該国外私募公社債等運用投資信託等の配当等に係る所得税の額を限度として、当該所得

	税の額から控除するものとし、当該居住者に対する第九章第二節**二**《外国税額控除》の規定の適用については、ないものとする。
ロ	当該国外投資信託等の配当等が上表のロに掲げる国外投資信託等の配当等である場合には、同表ロに規定する支払を受けるべき金額は、当該国外投資信託等の配当等の額から当該外国所得税の額に相当する金額を控除した後の金額とする。

（利子所得に係る取扱いの準用）

（1）　②の規定により源泉分離課税とされる②に規定する「国外私募公社債等運用投資信託等の配当等」については、第一節**三 1**①注の取扱いを準用する。（措通８の３－１）

（国外公社債等又は国外株式に係る取扱いの準用）

（2）　②の規定の適用に当たり、第一節**三 1**②(4)から同(7)までの取扱いは、②イに掲げる国外私募公社債等運用投資信託等の配当等について、④(1)から同(3)までの取扱いは、②ロに掲げる国外私募公社債等運用投資信託等の配当等以外の国外投資信託等の配当等について、それぞれ準用する。（措通８の３－２）

（私募公社債等運用投資信託等に係る取扱いの準用）

（3）　②の規定によりその剰余金の配当が源泉分離課税とされる国外私募公社債等運用投資信託等の受益権を取得するために要した負債の利子については、①(4)の取扱いを準用する。（措通８の３－３）

③　上場株式等に係る配当所得等の課税の特例

居住者又は恒久的施設を有する非居住者が、平成28年１月１日以後に支払を受けるべき第一節**一**に規定する利子等（同**三 1**①に規定する一般利子等、同②に規定する国外一般公社債等の利子等その他(2)で定めるものを除く。以下③において「利子等」という。）又は第二節**一**《定義》に規定する配当等（①に規定する私募公社債等運用投資信託等の収益の分配に係る配当等、②に規定する国外私募公社債等運用投資信託等の配当等その他(3)で定めるものを除く。以下③において「**配当等**」という。）で次の(一)から(六)までに掲げるもの（以下③において「**上場株式等の配当等**」という。）を有する場合には、当該上場株式等の配当等に係る利子所得及び配当所得については、所得税法の規定にかかわらず、他の所得と区分し、その年中の当該上場株式等の配当等に係る利子所得の金額及び配当所得の金額として(4)で定めるところにより計算した金額（以下③において「**上場株式等に係る配当所得等の金額**」という。）に対し、上場株式等に係る課税配当所得等の金額（上場株式等に係る配当所得等の金額（(9)(三)の規定により読み替えられた第八章《所得控除》**一**から同章**十六**までの規定の適用がある場合には、その適用後の金額）をいう。）の100分の15に相当する金額に相当する所得税を課する。この場合において、当該上場株式等の配当等に係る配当所得については、第九章第二節**一 1**《配当控除》の規定は、適用しない。（措法８の４①）

(一)	第五章第三節**三**《上場株式等に係る譲渡所得税の申告分離課税》**1**①(1)(一)に掲げる株式等の利子等又は配当等で、内国法人から支払がされる当該配当等の支払に係る基準日（当該配当等が**二**《配当等とみなす金額――みなし配当――》**1**の規定により剰余金の配当、利益の配当、剰余金の分配又は金銭の分配とみなされるものに係る配当等である場合には、(5)で定める日。以下(一)において同じ。）においてその内国法人の発行済株式（投資法人（投資信託及び投資法人に関する法律第２条第12項に規定する投資法人をいう。(三)、⑤(三)及び⑥(5)(三)において同じ。）にあっては、発行済みの投資口（投資信託及び投資法人に関する法律第２条第14項に規定する投資口をいう。以下③、**2**(四)、⑤(三)並びに⑥(三)及び⑥(5)(三)において同じ。）。以下(一)並びに⑤(一)において同じ。）又は出資の総数又は総額の100分の３以上に相当する数又は金額の株式（投資口を含む。以下同じ。）又は出資を有する者（当該配当等の支払を受ける者で当該配当等の支払に係る基準日においてその者を判定の基礎となる株主として選定した場合に法人税法第２条第10号に規定する同族会社に該当することとなる法人と合算して当該内国法人の発行済株式又は出資の総数又は総額の100分の３以上に相当する数又は金額の株式又は出資を有することとなるものを含む。）が当該内国法人から支払を受ける配当等以外のもの
(二)	投資信託でその設定に係る受益権の募集が公募（金融商品取引法第２条第３項に規定する取得勧誘のうち同項第１号に掲げる場合に該当するものとして(6)で定めるものをいう。）により行われたもの（特定株式投資信託を除く。）の収益の分配に係る配当等
(三)	特定投資法人（その規約に投資信託及び投資法人に関する法律第２条第16項に規定する投資主の請求により投資口

	の払戻しをする旨が定められており、かつ、その設立の際の投資口の金融商品取引法第２条第３項に規定する有価証券の募集が同項に規定する取得勧誘であって同項第１号に掲げる場合に該当するものとして（7）で定めるものにより行われた投資法人をいう。）の投資口の配当等
(四)	特定受益証券発行信託（その信託法第３条第１号に規定する信託契約（**2**(五)、⑤(四)、⑥(四)及び第五章第三節**三 1**①(1)(三の二)において「**信託契約**」という。）の締結時において委託者が取得する受益権の募集が公募（金融商品取引法第２条第３項に規定する取得勧誘のうち同項第１号に掲げる場合に該当するものとして（8）で定めるものをいう。）により行われたものに限る。）の収益の分配
(五)	特定目的信託（その信託契約の締結時において原委託者が有する社債的受益権の募集が第８条の２第１項第２号に規定する公募により行われたものに限る。）の社債的受益権の剰余金の配当
(六)	第一節《利子所得》の**三 1**①(一)に規定する特定公社債の利子

（同一の年中に支払を受けるべき他の上場株式等の配当等に係る配当所得）

（1）　③の規定のうち、上場株式等の配当等で③(一)から同(三)までに掲げるもの（同(二)に掲げる収益の分配にあっては、公社債投資信託以外の証券投資信託に係るものに限る。以下（1）において「特定上場株式等の配当等」という。）に係る配当所得に係る部分は、居住者又は恒久的施設を有する非居住者がその年中に支払を受けるべき特定上場株式等の配当等に係る配当所得につき③の規定の適用を受けようとする旨の記載のある確定申告書を提出した場合に限り適用するものとし、居住者又は国内に恒久的施設を有する非居住者がその年中に支払を受けるべき特定上場株式等の配当等に係る配当所得について所得税法の規定の適用を受けた場合には、その者がその同一の年中に支払を受けるべき他の特定上場株式等の配当等に係る配当所得については、③の規定は、適用しない。（措法８の４②）

（（2）で定める利子等）

（2）　③に規定する（2）で定める利子等は、次の(一)及び(二)に掲げる利子等とする。（措令４の２①）

(一)	第二章第二節**4**①(八)《国内源泉所得》に掲げる利子等のうち所得税法第212条第２項の規定の適用を受けるもの
(二)	第一節**三 1**③前段に規定する民間国外債の利子（同③後段に規定する利子をいう。以下(二)において同じ。）及び租税特別措置法第６条第13項に規定する外貨債の利子のうち、同③後段（租税特別措置法第６条第13項において準用する場合を含む。）の規定の適用を受けるもの

（（3）で定める配当等）

（3）　③に規定する（3）で定める配当等は、第二章第二節**4**①(九)に掲げる配当等のうち所得税法第212条第２項《源泉徴収義務》の規定の適用を受けるものとする。（措令４の２②）

（上場株式等の配当等に係る利子所得の金額及び配当所得の金額）

（4）　③に規定する上場株式等の配当等に係る利子所得の金額及び配当所得の金額として（4）で定めるところにより計算した金額は、その年中の③に規定する上場株式等の配当等に係る利子所得の金額及び配当所得の金額の合計額とする。この場合において、当該上場株式等の配当等に係る配当所得の金額の計算上生じた損失の金額のあるときは、当該損失の金額は、当該上場株式等の配当等に係る利子所得の金額から控除する。（措令４の２③）

（（5）で定める日）

（5）　③(一)に規定する（5）で定める日は、**二**《配当等とみなす金額――みなし配当――》**1**(一)から同(六)までに掲げる事由があった日の前日（次の(一)から(三)までに掲げる事由があった場合には、当該(一)から(三)までに掲げる事由の区分に応じそれぞれに定める日）とする。（措令４の２④）

(一)	**二 1**(三)に掲げる株式分配又は同(四)に掲げる資本の払戻し　　当該株式分配又は資本の払戻しによる配当等の支払に係る基準日
(二)	**二 1**(五)に掲げる法人の自己の株式の取得（金融商品取引法第２条第16項に規定する金融商品取引所に上場されている株式（投資信託及び投資法人に関する法律第２条第14項に規定する投資口を含む。以下(二)において同じ。）その他店頭売買登録銘柄として登録された株式を発行した株式会社又は投資信託及び投資法人に関す

	る法律第２条第12項に規定する投資法人の金融商品取引法第27条の22の２第１項に規定する公開買付けによるものに限る。）　当該公開買付けに係る金融商品取引法第27条の５に規定する公開買付期間の末日
(三)	**二１**(六)に掲げる社員その他の出資者の退社又は脱退による持分の払戻し　当該退社又は脱退の日の前日

（(６)で定める取得勧誘）

(６)　③(二)に規定する(６)で定める取得勧誘は、同(二)の受益権の募集が国内において行われる場合にあっては、当該募集に係る金融商品取引法第２条第３項に規定する取得勧誘（以下(８)までにおいて「取得勧誘」という。）が同条第３項第１号に掲げる場合に該当し、かつ、投資信託及び投資法人に関する法律第４条第１項に規定する委託者指図型投資信託約款又は同法第49条第１項に規定する委託者非指図型投資信託約款にその取得勧誘が同号に掲げる場合に該当するものである旨の記載がなされて行われるものとし、当該受益権の募集が国外において行われる場合にあっては、当該募集に係る取得勧誘が同号に掲げる場合に該当するものに相当するものであり、かつ、目論見書（金融商品取引法第２条第10項に規定する目論見書をいう。(８)において同じ。）その他これに類する書類にその取得勧誘が同号に掲げる場合に該当するものに相当するものである旨の記載がなされて行われるものとする。（措令４の２⑤）

（(７)で定める取得勧誘）

(７)　③(三)に規定する(７)で定める取得勧誘は、同(三)の投資口の募集に係る取得勧誘が金融商品取引法第２条第３項第１号に掲げる場合に該当し、かつ、投資信託及び投資法人に関する法律第71条第１項に規定する申込みをしようとする者に対しその取得勧誘が同号に掲げる場合に該当するものである旨の通知がなされて行われるものとする。（措令４の２⑥）

（(８)で定める取得勧誘）

(８)　③(四)に規定する(８)で定める取得勧誘は、③(四)の受益権の募集が国内において行われる場合にあっては、当該募集に係る取得勧誘が金融商品取引法第２条第３項第１号に掲げる場合に該当し、かつ、目論見書及び③(四)に規定する信託契約（以下「信託契約」という。）の契約書にその取得勧誘が金融商品取引法第２条第３項第１号に掲げる場合に該当するものである旨の記載がなされて行われるものとし、当該受益権の募集が国外において行われる場合にあっては、当該募集に係る取得勧誘が金融商品取引法第２条第３項第１号に掲げる場合に該当するものに相当するものであり、かつ、目論見書その他これに類する書類及び信託契約の契約書にその取得勧誘が金融商品取引法第２条第３項第１号に掲げる場合に該当するものに相当するものである旨の記載がなされて行われるものとする。（措令４の２⑦）

（分配時調整外国税相当額控除）

(９)　居住者が各年において所得税法第176条第３項《信託財産に係る利子等の課税の特例》に規定する集団投資信託の収益の分配若しくは特定法人の配当等（⑧《特定目的会社の利益の配当に係る源泉徴収等の特例》に規定する特定目的会社の⑧に規定する利益の配当、⑨《投資法人の配当等に係る源泉徴収等の特例》に規定する投資法人の租税特別措置法第９条の６の２第３項に規定する投資口の⑨に規定する配当等、特定目的信託の受益権の剰余金の配当又は⑪《特定投資信託の剰余金の配当に係る源泉徴収等の特例》に規定する特定投資信託の受益権の剰余金の配当をいう。以下同じ。）の支払又は⑥《上場株式等の配当等に係る源泉徴収義務等の特例》に規定する上場株式等の配当等（以下「特定上場株式等の配当等」という。）の交付を受ける場合（当該収益の分配、当該特定法人の配当等又は当該特定上場株式等の配当等について③《上場株式等に係る配当所得等の課税の特例》の規定の適用を受ける場合に限る。）には、当該収益の分配に係る分配時調整外国税（所得税法第176条第３項に規定する外国の法令により課される所得税に相当する税で政令（令300①）で定めるものをいう。）の額で同項又は同法第180条の２第３項《信託財産に係る利子等の課税の特例》の規定により当該収益の分配に係る所得税の額から控除された金額のうち当該居住者が支払を受ける収益の分配に対応する部分の金額として第九章第二節**一５**①(１)で定める金額に相当する金額、当該特定法人の配当等に係る特定法人調整外国税相当額（租税特別措置法第９条の６第３項に規定する特定目的会社分配時調整外国税相当額、同法第９条の６の２第３項に規定する投資法人分配時調整外国税相当額、同法第９条の６の３第３項《特定目的信託の剰余金の配当に係る源泉徴収等の特例》に規定する特定目的信託分配時調整外国税相当額及び同法第９条の６の４第３項に規定する特定投資信託分配時調整外国税相当額をいう。以下同じ。）及び当該特定上場株式等の配当等に係る同法第９条の３の２第３項の規定により控除された同項各号に定める金額に相当する金額のうち所得税の額に対応する部分以外の部分の金額として政令（措令４の２⑫）で定める金額（以下「特定調整外国税相当額」という。）（第九章第二節**一 5**②において「分配時調整外国税相当額」という。）は、その年分の所得税の額及び③の規定による所得税の額から控除する。（措法８の４③四によって読み替えられた法93①（下線部分は読み替えられた部分（編者注）））

（上場株式配当等の支払に関する通知書の交付）

(10)　居住者又は恒久的施設を有する非居住者に対して国内において上場株式等の配当等（第二章第一節**一**《用語の意義》表内**14**《オープン型の証券投資信託》に規定するオープン型の証券投資信託の収益の分配及び**二**《配当等とみなす金額――みなし配当――》**1**の規定により剰余金の配当、利益の配当、剰余金の分配又は金銭の分配とみなされるものに係る配当等を除く。以下(10)において「上場株式配当等」という。）の支払をする者（これに準ずる者として(注)２で定めるもの（以下(10)及び(11)において「準支払者」という。）を含む。）は、(注)１で定めるところにより、上場株式配当等の支払に関する通知書を、その支払の確定した日（無記名の公社債の利子、所得税法第225条第１項に規定する無記名株式等の剰余金の配当又は無記名の投資信託若しくは特定受益証券発行信託の受益証券に係る収益の分配に係る通知書については、その支払をした日）から１月以内（準支払者が交付する場合には、45日以内）に、その支払を受ける者に交付しなければならない。（措法８の４④）

(注)１　(10)に規定する上場株式配当等の支払をする者は、(10)の規定により、(10)に規定する支払を受ける者ごとに、その者に関する(10)に規定する上場株式配当等（以下(注)１において「上場株式配当等」という。）の次に掲げる事項を記載した通知書を、その支払を受ける者に交付しなければならない。（措規４の４①）

イ　その支払を受ける者の氏名及び住所（国内に住所を有しない者にあっては、所得税法施行規則第81条第１号又は第２号に定める場所）

ロ　その支払の確定した上場株式配当等の金額及びその支払の確定した日（無記名株式等の剰余金の配当（(10)に規定する無記名株式等の剰余金の配当をいう。ホ及びトにおいて同じ。）又は無記名の投資信託若しくは特定受益証券発行信託の受益証券に係る収益の分配については、その支払をした金額及びその支払をした日）

ハ　前号の金額につき第二章第一節**一**表内**45**に規定する源泉徴収をされる所得税の額

ニ　種類別及び名称別の上場株式等（第五章第三節**三 1**①(1)に規定する上場株式等をいう。）の数（③(五)に規定する社債的受益権及び同(六)に規定する特定公社債にあっては、額面金額）その他支払金額の計算の基礎

ホ　その支払の確定した上場株式配当等（無記名株式等の剰余金の配当又は無記名の投資信託若しくは特定受益証券発行信託の受益証券に係る収益の分配については、その支払をした上場株式配当等）に係る通知外国所得税の額（所得税法施行令第300条第９項又は第306条の２第７項に規定する通知外国所得税の額をいう。）、通知外国法人税相当額（租税特別措置法施行令第４条の６の２第29項、第４条の９第14項、第４条の10第10項、第４条の11第10項又は第５条第10項に規定する通知外国法人税相当額をいう。）、控除外国所得税相当額（同施行令第４条の６の２第19項に規定する控除外国所得税相当額をいう。）又は控除所得税相当額（同条第20項に規定する控除所得税相当額をいう。）

ヘ　その支払の際に課された外国所得税（第九章第二節**二 1**②(4)、②又は④に規定する外国所得税をいう。）の額

ト　無記名の公社債の利子、無記名株式等の剰余金の配当又は無記名の投資信託若しくは特定受益証券発行信託の受益証券に係る収益の分配の支払を受けた者が、元本の所有者と異なる場合には、その元本の所有者の氏名又は名称及び住所若しくは居所又は本店若しくは主たる事務所の所在地

チ　その上場株式配当等が第九章第二節**一**《配当控除》**2**(四)に規定する外貨建等証券投資信託に係るものである場合には、当該外貨建等証券投資信託に係る同**2**(3)に規定する外貨建資産割合及び同項に規定する非株式割合

リ　その支払を受ける者が第十五章**四 2**の規定により届け出た納税管理人が明らかな場合には、その氏名及び住所又は居所

ヌ　その他参考となるべき事項

２　(10)に規定する(注)２で定めるものは、所得税法第227条に規定する信託の受託者及び同法第228条第１項に規定する利子等又は配当等の支払を受ける者に該当する者とする。（措令４の２⑭）

（通知書を同一の者に対してその年中に支払った配当等の額の合計額で作成する場合）

(11)　(10)に規定する上場株式配当等の支払をする者又は所得税法第225条第２項第１号に掲げる者（(12)及び(12)(注)１において「配当等の支払者」という。）は、(注)で定めるところにより、これらの規定に規定する通知書を同一の者に対してその年中に支払った利子等及び配当等の額の合計額で作成する場合には、これらの規定にかかわらず、当該通知書をこれらの規定に規定する支払の確定した日の属する年の翌年１月31日（準支払者が交付する場合には、同年２月15日）までに、その支払を受ける者に交付しなければならない。（措法８の４⑤）

(注)　(11)の規定により(11)の通知書を同一の者に対してその年中に支払った利子等（③に規定する利子等をいう。）及び配当等（③に規定する配当等をいう。）の額の合計額で作成し、交付する場合には、次に定めるところによる。（措規４の４②）

イ　(10)(注)１の規定の適用については、同(注１)ロ及び同ホ中「その支払の確定した上場株式配当等」とあるのは「その年中に支払の確定した上場株式配当等」と、「、その」とあるのは「、その年中に」とする。

ロ　所得税法施行規則第92条の規定の適用については、同条第１項中「これらの規定中」とあるのは、「同項第２号イ中「、住所等及び個人番号又は法人番号」とあるのは「及び住所等」と、同号ロ中「その支払の確定した収益」とあるのは「その年中に支払の確定した収益」と、「、その支払」とあるのは「、その年中に支払」と、同項第三号イ中」と、「あるのは、」とあるのは「あるのは」とする。

（通知書に記載すべき事項を電磁的方法により提供する場合）

(12)　配当等の支払者は、(10)又は(11)の規定による通知書の交付に代えて、(注) 2で定めるところにより、当該支払を受ける者の承諾を得て、当該通知書に記載すべき事項を電磁的方法（電子情報処理組織を使用する方法その他の情報通信の技術を利用する方法であって(注) 4で定めるものをいう。）により提供することができる。ただし、当該支払を受ける者の請求があるときは、当該通知書を当該支払を受ける者に交付しなければならない。（措法８の４⑥）

(注) 1　(12)本文の場合において、(12)の配当等の支払者は、(10)又は(11)の通知書を交付したものとみなす。（措法８の４⑦）

2　(12)の配当等の支払者は、(12)本文の規定により(12)に規定する通知書に記載すべき事項を(12)に規定する支払を受ける者に対し提供しようとするときは、(注) 3で定めるところにより、あらかじめ、当該支払を受ける者に対し、その用いる電磁的方法（(12)に規定する電磁的方法をいう。以下において同じ。）の種類及び内容を示し、書面又は電磁的方法による承諾を得なければならない。（措令４の２⑮）

3　(注) 2に規定する配当等の支払者は、(注) 2の規定により、あらかじめ、(注) 2に規定する支払を受ける者に対し、次に掲げる事項を示し、(注) 2に規定する書面又は電磁的方法による承諾を得なければならない。（措規４の４⑨）

(一)　(注) 4に掲げる方法のうち当該配当等の支払者が使用するもの

(二)　記載情報の受信者ファイルへの記録の方式

4　(12)に規定する(注) 4で定める方法は、次に掲げる方法とする。（措規４の４⑦）

(一)　電子情報処理組織を使用する方法のうち次に掲げるもの

イ　送信者等（送信者又は当該送信者との契約によりファイルを自己の管理する電子計算機に備え置き、これを受信者若しくは当該送信者の用に供する者をいう。ロにおいて同じ。）の使用に係る電子計算機と受信者等（受信者又は当該受信者との契約により受信者ファイル（専ら当該受信者の用に供せられるファイルをいう。以下③において同じ。）を自己の管理する電子計算機に備え置く者をいう。イにおいて同じ。）の使用に係る電子計算機とを接続する電気通信回線を通じてその提供すべき事項に係る情報（以下③において「記載情報」という。）を送信し、受信者等の使用に係る電子計算機に備えられた受信者ファイルに記録する方法

ロ　送信者等の使用に係る電子計算機に備えられた受信者ファイルに記録された記載情報を電気通信回線を通じて提供を受ける者の閲覧に供する方法

(二)　光ディスク、磁気ディスクその他これらに準ずる方法により一定の事項を確実に記録しておくことができる物をもって調製する受信者ファイルに記載情報を記録したものを交付する方法

5　(注) 4 (一)又は同(二)に掲げる方法は、次に掲げる基準に適合するものでなければならない。（措規４の４⑧）

(一)　受信者ファイルに記録されている記載情報について、提供を受ける者が電子計算機の映像面への表示及び書面への出力ができるようにするための措置を講じていること。

(二)　(注) 4の(一)に掲げる方法（受信者の使用に係る電子計算機に備えられた受信者ファイルに記載情報を記録する方法を除く。）にあっては、提供を受ける者に対し、記載情報を受信者ファイルに記録する旨又は記録した旨を通知するものであること。ただし、提供を受ける者が当該記載情報を閲覧していたことを確認したときは、この限りでない。

6　(注) 2に規定する配当等の支払者が、(注) 2に規定する支払を受ける者から(注) 3の規定による承諾を得ようとする場合において、当該配当等の支払者が定める期限までに当該承諾をしない旨の回答がないときは当該承諾があったものとみなす旨の通知をし、当該期限までに当該支払を受ける者から当該回答がなかったときは、当該承諾を得たものとみなす。（措規４の４⑩）

㊟　(注) 5の規定は、(注) 5に規定する配当等の支払者が令和６年４月１日以後に行う(注) 5に規定する通知について適用される。（令６改措規附４）

④　国外で発行された株式の配当所得の源泉徴収等の特例

内国法人（第二章第三節**九 1**《公共法人等に係る非課税》に掲げる内国法人を除く。以下④において同じ。）は、昭和63年４月１日以後に支払を受けるべき国外において発行された株式（資産の流動化に関する法律第２条第５項に規定する優先出資を含む。）の剰余金の配当又は利益の配当（**一**《定義》に規定する利益の配当をいう。）に係る**一**に規定する配当等（国外において支払われるものに限る。以下④において「**国外株式の配当等**」という。）につき、国内における支払の取扱者で政令（措令４の５①）で定めるもの（以下④において「支払の取扱者」という。）を通じてその交付を受ける場合には、その支払を受けるべき国外株式の配当等について所得税を納める義務があるものとし、その支払を受けるべき金額について100分の20の税率を適用して所得税を課する。（措法９の２①）

昭和63年４月１日以後に居住者又は内国法人に対して支払われる国外株式の配当等の国内における支払の取扱者は、当該居住者又は内国法人に当該国外株式の配当等の交付をする際、その交付をする金額に100分の20の税率を乗じて計算した金額の所得税を徴収し、その徴収の日の属する月の翌月10日までに、これを国に納付しなければならない。（措法９の２②）

この場合において、国外株式の配当等の支払の際に徴収される第九章第二節**二**《外国税額控除》**1**①に規定する外国所得税（外国の法令に基づき外国又はその他地方公共団体により国外株式の配当等を課税標準として課される税（同①に規定する外国所得税に該当するものを除く。）で、源泉徴収《第二章第一節**一**表内**45**》に係る所得税に相当するものを含む。）の額があるときは、支払を受けるべき金額及び交付をする金額は、当該国外株式の配当等の額から当該外国所得税の額に相当する金額を控除した後の金額とする。（措法９の２③、措令４の５②）

国外株式の配当等につき所得税が徴収されるべき場合には、当該国外株式の配当等を有する居住者については、次に定めるところにより、**2**の規定を適用する。（措法９の２⑤）

(一)　当該国外株式の配当等の国内における支払の取扱者から交付を受けるべき金額（外国所得税額があるときには、当該外国所得税の額を控除した後の金額）については、当該金額を**2**(一)に規定する支払を受けるべき金額又は**2**(注)２に規定する支払を受けるべき配当等の額とみなす。

(二)　当該国外株式の配当等については、これを内国法人から支払を受けるものとみなす。

(外国通貨で支払を受けた配当等を外国通貨で交付する場合の邦貨換算)

(1)　④に規定する支払の取扱者（以下(2)において「支払の取扱者」という。）が④に規定する国外株式の配当等（以下(3)までにおいて「国外株式の配当等」という。）の支払をする者又はその支払を代理する機関（以下(2)において「支払代理機関等」という。）から外国通貨によって国外株式の配当等の支払を受け、当該国外株式の配当等を居住者又は内国法人に外国通貨で交付する場合には、当該交付をする外国通貨の金額を、次に掲げる国外株式の配当等の区分に応じ、それぞれ次に掲げる日（以下(2)までにおいて「邦貨換算日」という。）における当該支払の取扱者の主要取引金融機関（その支払の取扱者がその外国通貨に係る東京外国為替市場の対顧客直物電信買相場を公表している場合には、当該支払の取扱者）の当該外国通貨に係る東京外国為替市場の対顧客直物電信買相場（以下(2)までにおいて「電信買相場」という。）により邦貨に換算した金額を④に規定する「交付をする金額」として④の規定を適用する。(措通９の２－２)

(一)　記名の国外株式の配当等　　支払開始日と定められている日

(二)　無記名の国外株式の配当等　　現地保管機関等が受領した日

(注)１　上記(二)の規定の適用に当たっては、第四章第一節**三１**②(4)(注)１の取扱いを準用する。

２　国外株式の配当等から控除する外国所得税の額の邦貨換算については、当該国外株式の配当等に係る邦貨換算日における電信買相場によるものとする。

(外国通貨で支払を受けた配当等を本邦通貨で交付する場合の配当等の金額)

(2)　支払の取扱者が支払代理機関等から外国通貨によって国外株式の配当等の支払を受け、当該国外株式の配当等を居住者又は内国法人に本邦通貨で交付する場合には、当該交付をする金額を配当等の金額（支払を受けた外国通貨の金額を邦貨換算日における電信買相場により邦貨に換算した金額をいう。以下(2)において同じ。）とその他の金額とに区分し、当該配当等の金額を④に規定する「交付をする金額」として④の規定を適用することに留意する。(措通９の２－３)

(注)　(1)の注書の取扱いは、当該国外株式の配当等に係る邦貨換算について準用する。

(外国所得税について還付を受けた場合)

(3)　④に規定する外国所得税の額は、国外株式の配当等の支払の際に源泉徴収された外国所得税の額をいい、事後当該外国所得税に相当する金額の全部又は一部について還付を受けた場合であっても、当初徴収された外国所得税の額からはその還付を受けた金額を控除する必要はないことに留意する。(措通９の２－４)

⑤　上場株式等の配当等に係る源泉徴収税率等の特例

平成28年１月１日以後に支払を受けるべき**一**《配当所得》に規定する配当等（以下⑤及び⑥において「配当等」という。）で次の(一)から(五)までに掲げるものに係る所得税法第170条《分離課税に係る所得税の税率》、同法第175条《内国法人に係る所得税の税率》、同法第179条《外国法人に係る所得税の税率》、第一節**二**注《源泉徴収及び税率》及び同法第213条《徴収税額》の規定並びに②《国外で発行された投資信託等の収益の分配に係る配当所得の分離課税等》並びに④《国外で発行された株式の配当所得の源泉徴収等の特例》の規定の適用については、所得税法第170条、同法第175条第２号、同法第179条第１号、第一節**二**注(二)並びに同法第213条第１項第１号及び第２項第２号の規定並びに②ロ並びに同④の規定に規定する100分の20の税率は、100分の15の税率とする。(措法９の３)

(一)	第五章第三節**三**《上場株式等に係る譲渡所得等の課税の特例》**1**①(1)(一)に掲げる株式等の配当等で、内国法人から支払がされる当該配当等の支払に係る基準日（当該配当等が**二１**《配当等の額とみなす金額》の規定により剰余金の配当、利益の配当、剰余金の分配又は金銭の分配とみなされるものに係る配当等である場合には、(1)で定める日）においてその内国法人の発行済株式又は出資の総数又は総額の100分の３以上に相当する数又は金額の株式又は出資を有する個人（⑥において「大口株主等」という。）以外の者が支払を受けるもの
(二)	次に掲げる投資信託でその設定に係る受益権の募集が公募（金融商品取引法第２条第３項に規定する取得勧誘のうち同項第１号に掲げる場合に該当するものとして(2)で定めるものをいう。）により行われたもの（特定株式投資信託を除く。）の収益の分配

	イ　公社債投資信託以外の証券投資信託 ロ　証券投資信託以外の投資信託（公募公社債等運用投資信託を除く。）
(三)	特定投資法人（その規約に投資信託及び投資法人に関する法律第２条第16項に規定する投資主の請求により投資口の払戻しをする旨が定められており、かつ、その設立の際の投資口の金融商品取引法第２条第３項に規定する有価証券の募集が同項に規定する取得勧誘であって同項第１号に掲げる場合に該当するものとして（３）で定めるものにより行われた投資法人をいう。）の投資口の配当等
(四)	特定受益証券発行信託（その信託契約の締結時において委託者が取得する受益権の募集が③の(四)に規定する公募により行われたものに限る。）の収益の分配
(五)	特定目的信託（その信託契約の締結時において原委託者が有する社債的受益権の募集が第８条の２第１項第２号に規定する公募により行われたものに限る。）の社債的受益権の剰余金の配当

（（１）で定める日）

（１）　⑤(一)に規定する（１）で定める日は、**二１**(一)から同(七)までに掲げる事由があった日の前日（③（５）(一)から同(三)までに掲げる事由があった場合には、同(一)から同(三)までに掲げる事由の区分に応じそれぞれに定める日。）とする。（措令４の６①）

（⑤(二)の取得勧誘の要件）

（２）　⑤(二)に規定する（２）で定める取得勧誘は、同(二)の受益権の募集が国内において行われる場合にあっては、当該募集に係る金融商品取引法第２条第３項に規定する取得勧誘（以下（２）及び（３）において「取得勧誘」という。）が同条第３項第１号に掲げる場合に該当し、かつ、投資信託及び投資法人に関する法律第４条第１項に規定する委託者指図型投資信託約款又は同法第49条第１項に規定する委託者非指図型投資信託約款にその取得勧誘が同号に掲げる場合に該当するものである旨の記載がなされて行われるものとし、当該受益権の募集が国外において行われる場合にあっては、当該募集に係る取得勧誘が同号に掲げる場合に該当するものに相当するものであり、かつ、目論見書（金融商品取引法第２条第10項に規定する目論見書をいう。）その他これに類する書類にその取得勧誘が同号に掲げる場合に該当するものに相当するものである旨の記載がなされて行われるものとする。（措令４の６②）

（⑤(三)の取得勧誘の要件）

（３）　⑤(三)に規定する（３）で定める取得勧誘は、同(三)の投資口の募集に係る取得勧誘が金融商品取引法第２条第３項第１号に掲げる場合に該当し、かつ、投資信託及び投資法人に関する法律第71条第１項に規定する申込みをしようとする者に対しその取得勧誘が金融商品取引法第２条第３項第１号に掲げる場合に該当するものである旨の通知がなされて行われるものとする。（措令４の６③）

⑥　上場株式等の配当等に係る源泉徴収義務等の特例

平成28年１月１日以後に個人又は内国法人（別表（190ページ）に掲げる内国法人を除く。）若しくは外国法人に対して支払われる次の(一)から(六)までに掲げる利子等（第一節**一**《定義》に規定する利子等をいう。以下⑥において同じ。）又は配当等で（１）で定めるもの（国内において支払われるものに限るものとし、⑦の規定の適用を受ける収益の分配を除く。以下⑥において「上場株式等の配当等」という。）の国内における支払の取扱者で（２）で定めるもの（（６）及び(16)において「支払の取扱者」という。）は、当該個人又は内国法人若しくは外国法人に当該上場株式等の配当等の交付をする際、その交付をする金額（（６）の規定により控除する（６）(一)から同(四)に定める金額がある場合には、当該金額その他の（３）で定める金額を加算した金額）に100分の15（(一)に掲げる配当等でその配当等の支払をする内国法人に係る大口株主等に対し交付をするものについては、100分の20）の税率を乗じて計算した金額の所得税を徴収し、その徴収の日の属する月の翌月10日までに、これを国に納付しなければならない。（措法９の３の２①）

(一)	第五章第三節**三１**①（１）(一)に掲げる株式等の利子等又は配当等
(二)	投資信託でその設定に係る受益権の募集が⑤(二)に規定する公募により行われたもの（特定株式投資信託を除く。）の収益の分配
(三)	特定投資法人（⑤(三)に規定する特定投資法人をいう。）の投資口の配当等
(四)	特定受益証券発行信託（その信託契約の締結時において委託者が取得する受益権の募集が③(四)に規定する公募に

	より行われたものに限る。）の収益の分配
(五)	特定目的信託（その信託契約の締結時において原委託者が有する社債的受益権の募集が①(二)に規定する公募により行われたものに限る。）の社債的受益権の剰余金の配当
(六)	第一節**三１**①(一)に規定する特定公社債の利子

((１)で定める配当等)

(１)　⑥に規定する(１)で定める利子等又は配当等は、次の(一)又は(二)に掲げる者の区分に応じ当該(一)又は(二)に定める配当等とする。(措令４の６の２①)

(一)	居住者及び内国法人　　⑥(一)から同(六)までに掲げる利子等又は配当等
(二)	非居住者及び外国法人　　第二章第二節**４**①(八)《国内源泉所得》に掲げる利子等又は同(九)に掲げる配当等のうち、⑥(一)から同(六)までに掲げる利子等又は配当等に該当するもの

(上場株式等の配当等の国内における支払の取扱者で(２)で定めるもの)

(２)　⑥に規定する(２)で定める支払の取扱者は、⑥に規定する上場株式等の配当等の支払を受ける者の当該上場株式等の配当等の受領の媒介、取次ぎ又は代理（業務として又は業務に関連して国内においてするものに限る。）をする者で社債、株式等の振替に関する法律第２条第４項に規定する口座管理機関とする。(措令４の６の２②、措規５の２①)

((３)で定める金額)

(３)　⑥に規定する(３)で定める金額は、⑥に規定する支払の取扱者（以下において「支払の取扱者」という。）が交付をする上場株式等の配当等の次の(一)及び(二)に掲げる区分に応じ当該(一)及び(二)に定める金額とする。(措令４の６の２③)

(一)	(６)(一)に掲げる収益の分配　同(一)に規定する内国法人又は外国法人が納付した所得税（当該所得税の課せられた収益を分配するとしたならば第二章第三節**六**に掲げるもののみに対応する部分を除く。以下(一)及び(９)(二)において同じ。）及び所得税法施行令第300条第１項に規定する外国所得税（当該外国所得税の課せられた収益を分配するとしたならば同節**六**に掲げるもののみに対応する部分を除く。以下(一)及び(９)(一)において「外国所得税」という。）の額に、(６)(一)に規定する証券投資信託等又は特定受益証券発行信託について当該内国法人又は外国法人が行う収益の分配（当該内国法人又は外国法人が当該所得税及び外国所得税の納付をした日の属する収益の分配の計算期間に対応するもの（同節**六**に掲げるもののみに対応する部分を除く。）に限る。以下(一)において同じ。）の額の総額のうちに当該支払の取扱者が⑥の個人又は内国法人若しくは外国法人に交付をする当該収益の分配の額の占める割合を乗じて計算した金額
(二)	(６)(二)から同(四)までに掲げる利益の配当、配当等又は剰余金の配当　(６)の規定により控除する(６)(二)から同(四)までに定める金額

(源泉徴収義務等の不適用)

(４)　⑥の規定の適用を受ける上場株式等の配当等の支払をする者については、第二節**四３**（所得税法第181条第１項並びに第212条第１項及び第３項）のうち当該上場株式等の配当等に係る部分の規定は、適用しない。(措法９の３の２②)

(⑥の規定の不適用)

(５)　⑥の規定は、所得税法第177条の規定の適用を受ける上場株式等の配当等については、適用しない。(措令４の６の２⑦)

⑦　上場証券投資信託等の償還金等に係る課税の特例

内国法人（所得税法別表第一に掲げる内国法人を除く。(２)において同じ。）又は恒久的施設を有する外国法人が国内において次の(一)及び(二)に掲げる信託（その受益権が金融商品取引法第２条第16項に規定する金融商品取引所（これに類するもので外国の法令に基づき設立されたものを含む。）に上場されていることその他の(１)で定める要件に該当するものに限る。（２）及び（３）において「上場証券投資信託等」という。）の終了又は一部の解約により支払を受ける収益の分配（恒久的施設を有する外国法人が支払を受けるものにあっては、法人税法第141条第１号イに掲げる国内源泉所得に該当するものに限る。）については、所得税法第174条、第175条、第178条、第179条及び第212条第１項から第３項までの規定並びに②の規定は、適用しない。（措法９の４の２①）

(一)	公社債投資信託以外の証券投資信託でその設定に係る受益権の募集が⑤(二)に規定する公募により行われたもの（特定株式投資信託を除く。）
(二)	特定受益証券発行信託

（⑦に規定する（１）で定める要件）

（１）　⑦に規定する（１）で定める要件は、次の(一)及び(二)に掲げる要件とする。（措令４の７の２①）

(一)	その証券投資信託等（⑦(一)に掲げる証券投資信託又は同(二)に掲げる特定受益証券発行信託をいう。(二)において同じ。）の受益権が⑦に規定する金融商品取引所（(二)において「金融商品取引所」という。）に上場されていること又は上場されていたこと。
(二)	その証券投資信託等の投資信託及び投資法人に関する法律第４条第１項に規定する委託者指図型投資信託約款又は信託法第３条第１号に規定する信託契約に、全ての金融商品取引所において当該証券投資信託等の受益権の上場が廃止された場合には、その廃止された日に当該証券投資信託等を終了するための手続を開始する旨の定めがあること。

⑧　特定目的会社の利益の配当に係る源泉徴収等の特例

特定目的会社（資産の流動化に関する法律第２条第３項に規定する特定目的会社をいう。以下⑧において同じ。）が納付した外国法人税の額（法人税法第69条第１項に規定する控除対象外国法人税の額をいう。以下において同じ。）は、（１）で定めるところにより、当該特定目的会社の利益の配当（一に規定する利益の配当をいう。以下⑧において同じ。）に係る所得税の額を限度として当該所得税の額から控除する。（措法９の６①）

（⑧の規定により控除する外国法人税の額）

（１）　控除外国法人税の額（⑧の規定により控除する外国法人税の額（⑧に規定する外国法人税の額をいう。以下⑧から⑪（１）までにおいて同じ。）をいう。以下（１）から（４）において同じ。）は、特定目的会社（⑧に規定する特定目的会社をいう。以下（１）から（４）において同じ。）が納付した外国法人税の額に係る特定目的会社の利益の配当（⑧に規定する利益の配当をいう。以下（１）から（４）において同じ。）の支払を受ける次の(一)から(三)までに掲げる者ごとに当該(一)から(三)までに定める金額を合計した金額とする。（措令４の９①）

(一)	居住者	居住者控除限度額に当該特定目的会社の各事業年度（租税特別措置法第２条第２項第19号に規定する事業年度をいう。以下（１）及び（３）において同じ。）の外貨建資産割合（特定目的会社の事業年度終了の時の貸借対照表に計上されている外貨建資産（外国通貨で表示される株式、債券その他の資産をいう。）の帳簿価額の当該特定目的会社の当該事業年度終了の時の貸借対照表に計上されている総資産の帳簿価額に対する割合をいう。以下（１）において同じ。）を乗じて計算した金額（当該計算した金額が（２）(一)ロに掲げる金額を超える場合には、当該金額）
(二)	内国法人	内国法人控除限度額に当該特定目的会社の各事業年度の外貨建資産割合を乗じて計算した金額（当該計算した金額が（２）(二)ロに掲げる金額を超える場合には、当該金額）
(三)	非居住者又は外国法人	非居住者等控除限度額に当該特定目的会社の各事業年度の外貨建資産割合を乗じて計算した金額（当該計算した金額が（２）(三)ロに掲げる金額を超える場合には、当該金額）

（用語の意義）

（２）　（１）において、次の(一)から(三)までに掲げる用語の意義は、当該(一)から(三)までに定めるところによる。（措令４の９②）

<table>
<tr><td rowspan="3">(一)</td><td rowspan="3">居住者控除限度額</td><td colspan="2">次に掲げる金額の合計額に第一節**二**注(二)に規定する税率を乗じて計算した金額</td></tr>
<tr><td>イ</td><td>居住者が支払を受ける特定目的会社の利益の配当の額</td></tr>
<tr><td>ロ</td><td>(1)に掲げる金額から(2)に掲げる金額を控除した金額（当該控除した金額がイに掲げる金額に係る外国法人税の額として財務省令で定める金額を超える場合には、当該金額）
(1)　イに掲げる金額を一から第一節**二**注(二)に規定する税率を控除して得た率で除して計算した金額
(2)　イに掲げる金額</td></tr>
<tr><td rowspan="3">(二)</td><td rowspan="3">内国法人控除限度額</td><td colspan="2">次に掲げる金額の合計額に所得税法第213条第２項第２号に規定する税率を乗じて計算した金額</td></tr>
<tr><td>イ</td><td>内国法人が支払を受ける特定目的会社の利益の配当の額</td></tr>
<tr><td>ロ</td><td>(1)に掲げる金額から(2)に掲げる金額を控除した金額（当該控除した金額がイに掲げる金額に係る外国法人税の額として財務省令で定める金額を超える場合には、当該金額）
(1)　イに掲げる金額を一から所得税法第213条第２項第２号に規定する税率を控除して得た率で除して計算した金額
(2)　イに掲げる金額</td></tr>
<tr><td rowspan="3">(三)</td><td rowspan="3">非居住者等控除限度額</td><td colspan="2">次に掲げる金額の合計額に所得税法第213条第１項第１号に規定する税率を乗じて計算した金額</td></tr>
<tr><td>イ</td><td>非居住者又は外国法人が支払を受ける特定目的会社の利益の配当の額</td></tr>
<tr><td>ロ</td><td>(1)に掲げる金額から(2)に掲げる金額を控除した金額（当該控除した金額がイに掲げる金額に係る外国法人税の額として財務省令で定める金額を超える場合には、当該金額）
(1)　イに掲げる金額を一から所得税法第213条第１項第１号に規定する税率を控除して得た率で除して計算した金額
(2)　イに掲げる金額</td></tr>
</table>

（控除外国法人税の額の控除）

（3）　控除外国法人税の額は、特定目的会社が利益の配当（当該控除外国法人税の額を納付することとなる事業年度に係るものに限る。）につき所得税法第181条又は第212条の規定により所得税を徴収する際、その徴収して納付すべき所得税の額から控除するものとする。（措令４の９③）

（⑧の規定の適用があった場合の利益の配当の額への加算）

（4）　個人又は法人（第二章第一節**一**表内**8**に規定する人格のない社団等を含む。以下において同じ。）が支払を受ける特定目的会社の利益の配当につき⑧の規定の適用があった場合には、当該利益の配当に係る控除外国法人税の額をこれらの者が支払を受ける当該利益の配当の額に加算するものとする。（措令４の９④）

（特定目的会社が利益の配当の支払をする場合における配当等の金額）

（5）　⑧の規定の適用を受ける特定目的会社が居住者、非居住者、内国法人又は外国法人に対し利益の配当の支払をする場合における第一節**二**注(二)に規定する配当等の金額、所得税法第213条第１項第１号に規定する国内源泉所得の金額又は同条第２項第２号に規定する配当等の金額は、これらの規定にかかわらず、これらの金額に⑧の規定により控除する金額を加算した金額とする。（措法９の６②）

⑨　投資法人の配当等に係る源泉徴収等の特例

投資法人（投資信託及び投資法人に関する法律第２条第12項に規定する投資法人をいう。以下⑨において同じ。）が納付した外国法人税の額は、（1）で定めるところにより、当該投資法人の配当等（第二節**一**に規定する配当等をいう。以下⑨において同じ。）に係る所得税の額を限度として当該所得税の額から控除する。（措法９の６の２①）

（⑧（1）から同（4）までの規定の準用）

（1）　⑧（1）から同（4）までの規定は、⑨の規定により投資法人（⑨に規定する投資法人をいう。以下⑨において同じ。）が納付した外国法人税の額を当該投資法人の配当等に係る所得税の額から控除する場合について準用する。（措令４

の10①）

（⑧（5）の規定の準用）

（2）　⑧（5）の規定は、⑨の規定を適用する場合について準用する。（措法9の6の2②）

⑩　特定目的信託の剰余金の配当に係る源泉徴収等の特例

特定目的信託に係る受託法人（第二章第二節**3**（2）に規定する受託法人（租税特別措置法第2条の2第2項において準用する同節**3**（2）(一)の規定により内国法人としてこの法律の規定を適用するものに限る。）をいう。以下において同じ。）が納付した外国法人税の額は、（1）で定めるところにより、当該特定目的信託の剰余金の配当に係る所得税の額を限度として当該所得税の額から控除する。（措法9の6の3①）

（⑧（1）から同（4）までの規定の準用）

（1）　⑧（1）から同（4）までの規定は、⑩の規定により特定目的信託に係る受託法人（⑩に規定する受託法人をいう。以下⑩において同じ。）が納付した外国法人税の額を当該特定目的信託の剰余金の配当に係る所得税の額から控除する場合について準用する。（措令4の11①）

（⑧（5）の規定の準用）

（2）　⑧（5）の規定は、⑩の規定を適用する場合について準用する。（措法9の6の3②）

⑪　特定投資信託の剰余金の配当に係る源泉徴収等の特例

特定投資信託（投資信託及び投資法人に関する法律第2条第3項に規定する投資信託のうち、法人課税信託に該当するものをいう。以下において同じ。）に係る受託法人（第二章第二節**3**（2）に規定する受託法人（租税特別措置法第2条の2第2項において準用する同節**3**（2）(一)の規定により内国法人としてこの法律の規定を適用するものに限る。）をいう。以下において同じ。）が納付した外国法人税の額は、（1）で定めるところにより、当該特定投資信託の剰余金の配当に係る所得税の額を限度として当該所得税の額から控除する。（措法9の6の4①）

（⑧（1）から同（4）までの規定の準用）

（1）　⑧（1）から同（4）までの規定は、⑪の規定により特定投資信託（⑪に規定する特定投資信託をいう。以下⑪において同じ。）に係る受託法人（⑪に規定する受託法人をいう。以下⑪において同じ。）が納付した外国法人税の額を当該特定投資信託の剰余金の配当に係る所得税の額から控除する場合について準用する。（措令5①）

（⑧（5）の規定の準用）

（2）　⑧（5）の規定は、⑪の規定を適用する場合について準用する。（措法9の6の4②）

2　確定申告を要しない配当所得等

平成28年1月1日以後に支払を受けるべき第一節《利子所得》**一**に規定する利子等（第一節**三1**①に規定する一般利子等その他の（1）で定めるものを除く。以下**2**において「利子等」という。）又は**一**に規定する配当等（**1**①(一)又は同(二)に掲げる受益権の収益の分配その他の（2）で定めるものを除く。以下「配当等」という。）で次の(一)から(七)までに掲げるものを有する居住者又は恒久的施設を有する非居住者は、同年以後の各年分の所得税については、確定所得申告、確定損失申告若しくは年の中途で出国する場合の確定申告を行う場合の総所得金額、配当控除の額若しくは純損失の金額若しくは給与所得者等が確定申告を要するかどうかの判定の場合の給与所得及び退職所得以外の所得金額若しくは第十章第二節**二2**《確定申告を要しない場合》④に規定する公的年金等に係る雑所得以外の所得金額又は**1**の③に規定する上場株式等に係る配当所得等の金額の計算上当該利子等に係る利子所得の金額又は配当等に係る配当所得の金額を除外し、かつ、第九章第二節**一5**に規定する分配時調整外国税相当額（以下**2**及び**3**において「分配時調整外国税相当額」という。）の計算上当該利子等又は配当等に係る分配時調整外国税相当額を除外したところにより、第九章第二節**一5**、同節**二**《確定申告》の規定及び第五章第三節**十**《上場株式等に係る譲渡損失の損益通算及び繰越控除》**3**②（3）（同節**十四**《特定中小会社が発行した株式に係る譲渡損失の繰越控除》**3**において準用する場合を含む。）において準用する第十章第二節《確定申告》**二4**①の規定を適用することができる。（措法8の5①）

(一)	内国法人から支払を受ける配当等（(二)から(六)までに掲げるものを除く。）で、当該内国法人から1回に支払を

	受けるべき金額が、10万円に配当計算期間（当該配当等の直前に当該内国法人から支払がされた配当等の支払に係る基準日の翌日から当該内国法人から支払がされる当該配当等の支払に係る基準日までの期間をいう。）の月数を乗じてこれを12で除して計算した金額以下であるもの
(二)	国若しくは地方公共団体又はその他の内国法人（(七)において「内国法人等」という。）から支払を受ける**1**③(一)掲げる利子等又は配当等
(三)	内国法人から支払を受ける投資信託でその設定に係る受益権の募集が**1**③(二)に規定する公募により行われたもの（特定株式投資信託を除く。）の収益の分配
(四)	特定投資法人（**1**③(三)に規定する特定投資法人をいう。）から支払を受ける投資口の配当等
(五)	特定受益証券発行信託（その信託契約の締結時において委託者が取得する受益権の募集が**1**③(四)に規定する公募により行われたものに限る。）の収益の分配
(六)	内国法人から支払を受ける特定目的信託（その信託契約の締結時において原委託者が有する社債的受益権の募集が**1**①(二)に規定する公募により行われたものに限る。）の社債的受益権の剰余金の配当
(七)	内国法人等から支払を受ける第一節**三 1**①(一)に規定する特定公社債の利子

(注)１　**2**(一)の月数は、暦に従って計算し、12月を超えるときは12月とし、１月に満たない端数を生じたときはこれを１月とする。(措法８の５③)

２　**2**の居住者又は恒久的施設を有する非居住者が有する**2**(一)又は同(二)に掲げる利子等又は配当等についての**2**の規定の適用は、その１回に支払を受けるべき利子等の額又は配当等の額ごとに行うことができる。(措法８の５④)

((１)で定める利子等)

(１)　**2**に規定する(１)で定める利子等は、次の(一)から(五)までに掲げるものとする。(措令４の３①)

(一)	第一節**三 1**①に規定する一般利子等
(二)	第一節**三 1**①(四)に掲げる利子
(三)	国内において発行された公社債又は公社債投資信託若しくは公募公社債等運用投資信託の受益権の利子又は収益の分配（国外において支払われるものに限るものとし、恒久的施設を有する非居住者が支払を受けるものを除く。）
(四)	第一節**三 1**②に規定する国外一般公社債等の利子等（国内における同②に規定する支払の取扱者（(五)において「支払の取扱者」という。）を通じて交付を受けるものに限るものとし、恒久的施設を有する非居住者が支払を受けるものを除く。）
(五)	租税特別措置法第３条の３第２項に規定する国外公社債等の利子等（国内における支払の取扱者を通じて交付を受けるもの及び恒久的施設を有する非居住者が支払を受けるものを除く。）

((２)で定める配当等)

(２)　**2**に規定する(２)で定める配当等は、次の(一)から(六)までに掲げるものとする。(措令４の３②)

(一)	**1**①に規定する私募公社債等運用投資信託等の収益の分配に係る配当等
(二)	国内において発行された投資信託（公社債投資信託及び公募公社債等運用投資信託を除く。）、特定受益証券発行信託又は特定目的信託の受益権の収益の分配（国外において支払われるものに限るものとし、恒久的施設を有する非居住者が支払を受けるものを除く。）
(三)	**1**②に規定する国外私募公社債等運用投資信託等の配当等（国内における同②に規定する支払の取扱者（(四)において「支払の取扱者」という。）を通じて交付を受けるものに限るものとし、恒久的施設を有する非居住者が支払を受けるものを除く。）
(四)	**1**②に規定する国外投資信託等の配当等（国内における支払の取扱者を通じて交付を受けるもの及び恒久的施設を有する非居住者が支払を受けるものを除く。）
(五)	国内において発行された株式（出資及び投資信託及び投資法人に関する法律第２条第14項に規定する投資口を含む。）に係る配当等（国外において支払われるものに限るものとし、恒久的施設を有する非居住者が支払を受けるものを除く。）

(六)	**1**④に規定する国外株式の配当等（国内における同④に規定する支払の取扱者を通じて交付を受けるもの及び恒久的施設を有する非居住者が支払を受けるものを除く。）

（**2**(一)から同(七)までに掲げる利子等又は配当等のうち配当等の規定が不適用となるもの）

(3)　**2**(一)から同(七)までに掲げる利子等又は配当等のうち、次の(一)又は(二)に掲げる利子等又は配当等の支払を受ける居住者又は恒久的施設を有する非居住者及びその支払をする者については、当該(一)又は(二)に掲げる利子等又は配当等の区分に応じ当該(一)又は(二)に定める規定は、適用しない。（措法８の５⑤、措令４の３③、措規４の５）

(一)	**2**(一)に掲げる配当等	所得税法第224条、第225条第１項及び第228条第１項中当該配当等に係る部分の規定
(二)	**2**(二)から同(七)までに掲げる利子等又は配当等	所得税法施行規則第82条第２項（同項第３号に係る部分に限る。）、第83条第２項（同項第１号から第３号までに係る部分に限る。）及び第97条第２項の規定中当該配当等に係る部分の規定

（剰余金の配当、利益の配当又は剰余金の分配とみなされるもの）

(4)　**二1**の規定により剰余金の配当、利益の配当、剰余金の分配又は金銭の分配とみなされるもの（同**1**(四)に規定する資本の払戻しによるものを除く。）に係る配当等については、**2**(一)に規定する配当計算期間を12月として同(一)の規定を適用する。（措令４の３④）

（内国法人から設立後最初に支払がされる(一)に掲げる配当等）

(5)　**2**(一)の内国法人から設立後最初に支払がされる同(一)に掲げる配当等については、当該内国法人の設立の日から当該内国法人から支出される当該配当等の支払に係る基準日までの期間を同(一)に規定する配当計算期間とみなして同(一)及び(3)の規定を適用する。（措令４の３⑤）

（受託法人に係る設立の日）

(6)　第二章第二節**3**(2)《受託法人等に関するこの法律の適用》に規定する受託法人（租税特別措置法第２条の２第２項《法人課税信託の受託者等に関するこの法律の適用》において準用する同(2)(一)の規定により内国法人としてこの法律の規定を適用するものに限る。）について(4)の規定を適用する場合には、当該受託法人は、当該受託法人に係る法人課税信託の効力が生ずる日（一の約款に基づき複数の信託契約が締結されるものである場合にはその最初の契約が締結された日とし、法人課税信託以外の信託が法人課税信託に該当することとなった場合にはその該当することとなった日とする。）に設立されたものとする。（措令４の３⑥）

（確定申告を要しない配当所得等を総所得金額等に算入した場合の効果）

(7)　**2**に規定する利子所得の金額又は配当所得の金額を総所得金額又は**1**③に規定する上場株式等に係る配当所得等の金額に算入したところにより確定申告書を提出した場合には、その後においてその者が更正の請求をし、又は修正申告書を提出する場合においても、当該利子所得の金額又は配当所得の金額を総所得金額等の計算上除外することはできないことに留意する。（措通８の５－１）

（負債により取得した株式等に係る配当所得について**2**の規定の適用を受けた場合の負債利子の控除）

(8)　特定の銘柄の株式その他配当所得を生ずべき元本（以下「株式等」という。）を取得するために要した負債の利子でその年中に支払うものがある場合において、当該銘柄の株式等につきその年中に収入すべき日の到来した配当等に係る配当所得について**2**の規定の適用を受けるときは、その年中に支払う当該負債の利子の額は**四1**に規定する「負債の利子の額」に含まれないことに留意する。ただし、当該銘柄の株式等につきその年中に収入すべき日の到来した配当等に係る配当所得のうちに**2**の規定の適用を受けるものとこの規定の適用を受けないものとがある場合には、当該負債の利子の額のうち次の算式により計算した部分の金額が、**四1**に規定する「負債の利子の額」に含まれないものとする。（措通８の５－２）

$$\text{当該銘柄の株式等を取得するために要した負債につきその年中に支払う利子の総額} \times \frac{\text{(A)のうち2の規定の適用を受ける金額}}{\text{当該銘柄の株式等につきその年中に収入すべき日の到来した配当等の金額の合計額(A)}}$$

（一の内国法人が剰余金の配当について内容の異なる二以上の種類の株式を発行している場合）

（9）　一の内国法人が剰余金の配当について内容の異なる二以上の種類の株式を発行している場合における**2**(一)に規定する「当該配当等の直前に当該内国法人から支払がされた配当等の支払に係る基準日」については、当該株式の種類にかかわらず、当該法人の直前に支払がされた配当等の支払に係る基準日をいうことに留意する。

また、この場合において、同(一)に規定する「１回に支払を受けるべき金額」についても、株式の種類にかかわらず、当該法人から支払を受ける剰余金の配当のうち、その基準日及びその効力を生ずる日が同一の日であるものの総額により判定することに留意する。（措通８の５－３）

3　更正・決定等に係る確定申告を要しない配当所得の取扱い

2に規定する居住者又は非居住者の平成28年以後の各年分の所得税について第十二章**一 2**《決定》の規定による決定（当該決定に係る同**1**《更正》又は同**3**《再更正》の規定による更正を含む。）をする場合におけるこれらの規定の適用については、**2**の規定に該当する利子所得の金額、**2**の規定に該当する配当所得の金額及びこれに係る配当控除の額並びに**2**の規定に該当する分配時調整外国税相当額は、これらの条に規定する課税標準等及び税額等には含まれないものとする。（措法８の５②）

（注）　平成28年１月１日前の各年分の所得税についても経過措置により同様に取り扱われる。（編者注、平25改所法等附27）

（確定申告を要しない配当所得等を有する者が決定等を受ける場合の上場株式配当等控除額の取扱い）

（1）　**1**⑥(5)《上場株式等の配当等に係る源泉徴収義務等の特例》の規定の適用を受けた居住者又は恒久的施設を有する非居住者に対して行う**3**に規定する決定は、措置法第９条の３の２第６項の規定により読み替えて適用される法第120条第１項第４号《確定所得申告》に規定する「上場株式配当等控除額のうち所得税の額に対応する部分の金額として政令で定める金額」を同号に規定する「源泉徴収をされた又はされるべき所得税の額」に加算しないで行うことに留意する。（措通８の５－４）

4　非課税口座内の少額上場株式等に係る配当所得の非課税

第五章第三節**十六**《非課税口座内の少額上場株式等に係る譲渡所得等の非課税》**1**に規定する金融商品取引業者等（以下**4**及び**5**において「金融商品取引業者等」という。）の営業所（同**1**に規定する営業所をいう。**5**において同じ。）に第五章第三節**十六 2**①に規定する非課税口座（以下において「**非課税口座**」という。）を開設している居住者又は恒久的施設を有する非居住者が支払を受けるべき同**十六 1**に規定する非課税口座内上場株式等（以下において「**非課税口座内上場株式等**」という。）の**一**《定義》に規定する配当等（**五 1**《配当所得の分離課税等》①に規定する私募公社債等運用投資信託等の収益の分配に係る配当等及び同**1**②《国外で発行された投資信託等の収益の分配に係る配当所得の分離課税等》に規定する国外私募公社債等運用投資信託等の配当等を除く。以下**4**及び**5**において「配当等」という。）で次の(一)から(四)に掲げるもの（当該金融商品取引業者等が国内における支払の取扱者で（1）で定めるものであるものに限る。第五章第三節**十六14**①において「**非課税口座内上場株式等の配当等**」という。）については、所得税を課さない。（措法９の８）

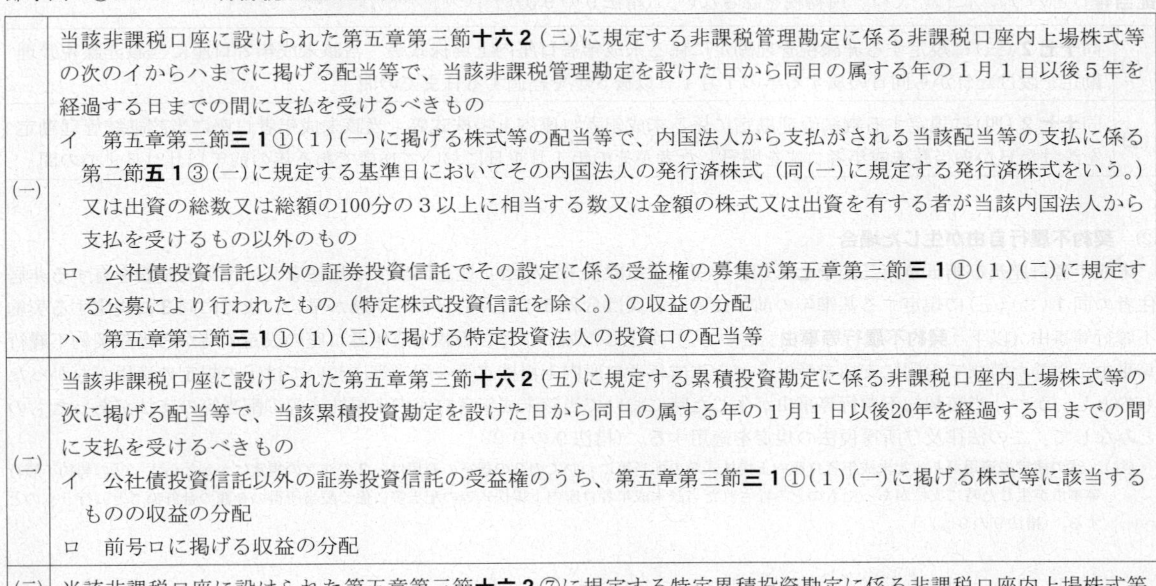

(一)	当該非課税口座に設けられた第五章第三節**十六 2**(三)に規定する非課税管理勘定に係る非課税口座内上場株式等の次のイからハまでに掲げる配当等で、当該非課税管理勘定を設けた日から同日の属する年の１月１日以後５年を経過する日までの間に支払を受けるべきもの イ　第五章第三節**三 1**①(1)(一)に掲げる株式等の配当等で、内国法人から支払がされる当該配当等の支払に係る第二節**五 1**③(一)に規定する基準日においてその内国法人の発行済株式（同(一)に規定する発行済株式をいう。）又は出資の総数又は総額の100分の３以上に相当する数又は金額の株式又は出資を有する者が当該内国法人から支払を受けるもの以外のもの ロ　公社債投資信託以外の証券投資信託でその設定に係る受益権の募集が第五章第三節**三 1**①(1)(二)に規定する公募により行われたもの（特定株式投資信託を除く。）の収益の分配 ハ　第五章第三節**三 1**①(1)(三)に掲げる特定投資法人の投資口の配当等
(二)	当該非課税口座に設けられた第五章第三節**十六 2**(五)に規定する累積投資勘定に係る非課税口座内上場株式等の次に掲げる配当等で、当該累積投資勘定を設けた日から同日の属する年の１月１日以後20年を経過する日までの間に支払を受けるべきもの イ　公社債投資信託以外の証券投資信託の受益権のうち、第五章第三節**三 1**①(1)(一)に掲げる株式等に該当するものの収益の分配 ロ　前号ロに掲げる収益の分配
(三)	当該非課税口座に設けられた第五章第三節**十六 2**⑦に規定する特定累積投資勘定に係る非課税口座内上場株式等

	の(二)イ又はロに掲げる配当等で、当該特定累積投資勘定を設けた日以後に支払を受けるべきもの
(四)	当該非課税口座に設けられた第五章第三節**十六２**⑧に規定する特定非課税管理勘定に係る非課税口座内上場株式等の(一)イからハまでに掲げる配当等で、当該特定非課税管理勘定を設けた日以後に支払を受けるべきもの

（**４**に規定する(１)で定める支払の取扱者）

（１）　**４**に規定する(１)で定める支払の取扱者は、**４**(一)から同(四)までに掲げる配当等の支払を受ける者の当該配当等の受領の媒介、取次ぎ又は代理（業務として又は業務に関連して国内においてするものに限る。）をする者で(２)で定めるものとする。(措令５の２の２)

（(１)に規定する(２)で定めるもの）

（２）　(１)に規定する(２)で定めるものは、次の(一)又は(二)のいずれかに掲げるものとする。(措規５の５の２①)

<table>
<tr><td>(一)</td><td colspan="2">社債、株式等の振替に関する法律第２条第４項に規定する口座管理機関</td></tr>
<tr><td rowspan="3">(二)</td><td colspan="2">次に掲げる要件の全てを満たす者（(一)に掲げるものに該当するものを除く。）</td></tr>
<tr><td>イ</td><td>その者の４に規定する営業所に開設されている４に規定する非課税口座に係る第五章第三節十六１①に規定する振替口座簿を備えていないこと。</td></tr>
<tr><td>ロ</td><td>イに規定する非課税口座に五１④に規定する株式のみの保管の委託がされ、かつ、その者が当該株式に係る同④に規定する国外株式の配当等に係る同④に規定する支払の取扱者に該当すること。</td></tr>
</table>

（注）（２）の規定は、令和６年４月１日以後に支払を受けるべき**４**に規定する非課税口座内上場株式等の**４**に規定する配当等について適用され、同日前に支払を受けるべき**４**に規定する非課税口座内上場株式等の**４**に規定する配当等については、なお従前の例による。(令６改措規附５)

５　未成年者口座内の少額上場株式等に係る配当所得の非課税

①　未成年者口座内の少額上場株式等に係る配当所得の非課税

金融商品取引業者等の営業所に第五章第三節**十七２**(一)に規定する未成年者口座（以下「**未成年者口座**」という。）を開設している居住者又は恒久的施設を有する非居住者が、次の(一)及び(二)に掲げる同**１**に規定する未成年者口座内上場株式等（以下「**未成年者口座内上場株式等**」という。）の区分に応じ当該(一)及び(二)に定める期間内に支払を受けるべき当該未成年者口座内上場株式等の配当等で**４**(一)イから同ハまでに掲げるもの（当該金融商品取引業者等が**４**に規定する国内における支払の取扱者であるものに限る。以下**５**並びに第五章第三節**十七８**②において「**未成年者口座内上場株式等の配当等**」という。）については、所得税を課さない。(措法９の９①)

(一)	同**十七２**(三)に規定する非課税管理勘定に係る未成年者口座内上場株式等　当該未成年者口座に当該非課税管理勘定を設けた日から同日の属する年の１月１日以後５年を経過する日までの間
(二)	同**十七２**(四)に規定する継続管理勘定に係る未成年者口座内上場株式等　当該未成年者口座に当該継続管理勘定を設けた日から当該未成年者口座を開設した者がその年１月１日において18歳である年の前年12月31日までの間

②　契約不履行自由が生じた場合

未成年者口座及び第五章第三節**十七２**(五)に規定する課税未成年者口座を開設する居住者又は恒久的施設を有する非居住者の同**１**(３)(三)に規定する基準年の前年12月31日又は令和５年12月31日のいずれか早い日までに同**３**に規定する契約不履行等事由（以下「**契約不履行等事由**」という。）が生じた場合には、当該未成年者口座の設定の時から当該契約不履行等事由が生じた時までの間に支払を受けるべき未成年者口座内上場株式等の配当等については①の規定の適用がなかったものとし、かつ、当該契約不履行等事由が生じた時において当該未成年者口座内上場株式等の配当等の支払があったものとみなして、この法律及び所得税法の規定を適用する。(措法９の９②)

（注）②の規定の適用があった未成年者口座内上場株式等の配当等についての**２**の規定の適用は、**２**の注２の規定にかかわらず、②の契約不履行等事由が生じた時に支払があったものとみなされた当該未成年者口座内上場株式等の配当等に係る配当所得の金額の合計額ごとに行うものとする。(措法９の９③)

第三節　不動産所得

一　定　　義

不動産所得とは、不動産、不動産の上に存する権利、船舶又は航空機（以下「不動産等」という。）の貸付け（地上権又は永小作権の設定その他他人に不動産等を使用させることを含む。）による所得（事業所得又は譲渡所得に該当するものを除く。）をいう。（法26①）

（船舶の範囲等）

（1）　**一**に規定する船舶には、船舶法第20条《小型船舶及び櫓櫂船に対する適用除外》に規定する船舶及び舟は含まれないものとする。したがって、総トン数20トン未満の船舶及び端舟その他ろかいのみで運転し、又は主としてろかいで運転する舟の貸付けによる所得は、事業所得又は雑所得に該当する。（基通26－1）

（ケース貸し）

（2）　いわゆるケース貸しは、不動産の貸付けに該当する。（基通26－2）

（用船契約に係る所得）

（3）　いわゆる裸用船契約に係る所得は、**一**に規定する船舶の貸付けによる所得に該当し、船員とともに利用させるいわゆる定期用船契約又は航海用船契約に係る所得は、事業所得又は雑所得に該当する。
航空機の貸付けに係る所得についても、これに準ずる。（基通26－3）

（アパート、下宿等の所得の区分）

（4）　アパート、下宿等の所得の区分については、次による。（基通26－4）
（一）　アパート、貸間等のように食事を供さない場合の所得は、不動産所得とする。
（二）　下宿等のように食事を供する場合の所得は、事業所得又は雑所得とする。

（広告等のため土地等を使用させる場合の所得）

（5）　広告等のため、土地、家屋の屋上又は側面、塀等を使用させる場合の所得は、不動産所得に該当する。（基通26－5）

（借地権の存続期間の更新の対価等）

（6）　借地権、地役権等の存続期間の更新の対価として支払を受けるいわゆる更新料に係る所得及び借地権者等の変更に伴い支払を受けるいわゆる名義書替料に係る所得は、その実質が契約の更改に係るものであり、かつ、第八節**一2**①《資産の譲渡とみなされる行為》の規定の適用があるものを除き、不動産所得に該当する。（基通26－6）

（不動産業者が販売の目的で取得した不動産を一時的に貸し付けた場合の所得）

（7）　不動産業者が販売の目的で取得した土地、建物等の不動産を一時的に貸し付けた場合における当該貸付けによる所得は、不動産業から生ずる事業所得に該当する。この場合において、その貸し付けた不動産が建物その他使用又は時の経過により減価する資産であるときは、当該資産につき減価償却資産に準じて計算した償却費の額に相当する金額を当該事業所得の金額の計算上必要経費に算入することができるものとする。（基通26－7）

（寄宿舎等の貸付けによる所得）

（8）　事業所得を生ずべき事業を営む者が、当該事業に従事している使用人に寄宿舎を利用させることにより受ける使用料に係る所得は、当該事業から生ずる所得に該当する。（基通26－8）

（建物の貸付けが事業として行われているかどうかの判定）

（9）　建物の貸付けが不動産所得を生ずべき事業として行われているかどうかは、社会通念上事業と称するに至る程度の規模で建物の貸付けを行っているかどうかにより判定すべきであるが、次に掲げる事実のいずれか一に該当する場合又は賃貸料の収入の状況、貸付資産の管理の状況等からみてこれらの場合に準ずる事情があると認められる場合には、特に反証がない限り、事業として行われているものとする。(基通26－9)

(一)　貸間、アパート等については、貸与することができる独立した室数がおおむね10以上であること。

(二)　独立家屋の貸付けについては、おおむね５棟以上であること。

(注)　建物の貸付けが不動産所得を生ずべき事業として営まれているかどうかは、専従者給与（控除額）の必要経費算入、貸倒（資産）損失の必要経費算入、延納に係る利子税の必要経費算入、青色申告特別控除の選択適用等に関係がある。(編者注)

(不動産所得の基因となっていた建物の賃借人に支払った立退料)

(10)　不動産所得の基因となっていた建物の賃借人を立ち退かすために支払う立退料は、当該建物の譲渡に際し支出するもの又は当該建物を取り壊してその敷地となっていた土地等を譲渡するために支出するものを除き、その支出した日の属する年分の不動産所得の金額の計算上必要経費に算入する。(基通37－23)

(臨時所得の範囲)

(11)　臨時所得とは、次に掲げる所得その他これに類する所得をいう。(令８二～四)

(一)　不動産、不動産の上に存する権利、船舶、航空機、採石権、鉱業権、漁業権又は工業所有権その他の技術に関する権利若しくは特別の技術による生産方式若しくはこれらに準ずるものを有する者が、３年以上の期間、他人にこれらの資産を使用させること（地上権、租鉱権その他の当該資産に係る権利を設定することを含む。）を約することにより一時に受ける権利金、頭金その他の対価で、その金額が当該契約によるこれらの資産の使用料の年額の２倍に相当する金額以上であるものに係る所得（譲渡所得に該当するもの及び第五章第一節《土地の譲渡等に係る事業所得等の課税の特例》の適用を受ける権利金等を除く。）(措通28の４－52)

(二)　一定の場所における業務の全部又は一部を休止し、転換し又は廃止することとなった者が、当該休止、転換又は廃止により当該業務に係る３年以上の期間の不動産所得、事業所得又は雑所得の補償として受ける補償金に係る所得

(三)　(二)に掲げるもののほか、業務の用に供する資産の全部又は一部につき鉱害その他の災害により被害を受けた者が、当該被害を受けたことにより、当該業務に係る３年以上の期間の不動産所得、事業所得又は雑所得の補償として受ける補償金に係る所得

(臨時所得に該当するもの)

(12)　次に掲げるものに係る所得は、臨時所得に該当する。(基通２－37(１)～(３))

(一)　３年以上の期間にわたる不動産の貸付けの対価の総額として一括して支払を受ける賃貸料で、その全額がその年分の不動産所得の総収入金額に算入されるべきもの

(二)　不動産の賃貸人が、賃借人の交替又は転貸により賃借人又は転借人（前借人を含む。）から支払を受けるいわゆる名義書替料、承諾料その他これらに類するもの（その交替又は転貸後の貸付期間が３年以上であるものに限る。）で、その金額がその交替又は転貸後に当該賃貸人が支払を受ける賃貸料の年額の２倍に相当する金額以上であるもの（譲渡所得に該当するものを除く。）

(三)　不動産、不動産の上に存する権利、船舶、航空機、採石権、鉱業権、漁業権又は工業所有権その他の技術に関する権利若しくは特別の技術による生産方式若しくはこれらに準ずるものに係る損害賠償金その他これに類するもので、その金額の計算の基礎とされた期間が３年以上であるもの（譲渡所得に該当するものを除く。）

(注)　臨時所得の平均課税……第九章第一節**二**参照。

(土地の貸付けに係る権利金等の所得区分)

(13)　事業所得又は雑所得の基因となる土地に係る第五章第一節**一３**《賃借権の設定等による所得で分離課税となるもの》ロに掲げる行為の対価として受ける権利金その他の一時金に係る所得は、不動産所得ではなく、事業所得又は雑所得に該当する。(措通28の４－８)

二　不動産所得の金額

不動産所得の金額は、その年中の不動産所得に係る総収入金額から必要経費を控除した金額とする。(法26②)

○**不動産所得に係る損益通算の特例**……………………第七章第一節**４**参照。

○**青色申告特別控除**……………………………………第六章第四節**四**参照。

第四節　事 業 所 得

一　定　　義

事業所得とは、農業、漁業、製造業、卸売業、小売業、サービス業その他の事業で次に掲げる事業（不動産の貸付業又は船舶若しくは航空機の貸付業に該当するものを除く。）から生ずる所得（山林所得又は譲渡所得に該当するものを除く。）をいう。（法27①、令63）

①　農　　　業 ②　林業及び狩猟業 ③　漁業及び水産養殖業 ④　鉱業（土石採取業を含む。） ⑤　建　　設　　業 ⑥　製　　造　　業 ⑦　卸売業及び小売業（飲食店業及び料理店業を含む。） ⑧　金融業及び保険業 ⑨　不　動　産　業 ⑩　運輸通信業（倉庫業を含む。） ⑪　医療保健業、著述業その他のサービス業 ⑫　①から⑫に掲げるもののほか、対価を得て継続的に行う事業

（貸衣装等の譲渡による所得）

（1）　貸衣装業における衣装類の譲渡、パチンコ店におけるパチンコ器の譲渡、養豚業における繁殖用又は種付用の豚の譲渡、養鶏業における採卵用の鶏の譲渡のように、事業の用に供された固定資産を反復継続して譲渡することが当該事業の性質上通常である場合における当該固定資産の譲渡による所得は、事業所得に該当する。（基通27－1）

（注）　当該固定資産が第八節**一３**(一)のロ又は同ハ《譲渡所得の基因とされない棚卸資産に準ずる資産》に規定する「その者の業務の性質上基本的に重要なもの」であっても、上記の場合に該当するときは、当該固定資産の譲渡による所得は、事業所得に該当する。

なお、「その者の業務の性質上基本的に重要なものの意義」については、次の基本通達33－1の2参照。

＜参考＞

基通33－1の2《少額重要資産の範囲》「その者の業務の性質上基本的に重要なもの」とは、製品の製造、農産物の生産、商品の販売、役務の提供等その者の目的とする業務の遂行上直接必要な減価償却資産で当該業務の遂行上欠くことのできないもの（以下この項において「少額重要資産」という。）をいう。

（注）　少額重要資産であっても、貸衣装業における衣装類、パチンコ店におけるパチンコ器、養豚業における繁殖用又は種付用の豚のように、事業の用に供された後において反復継続して譲渡することが当該事業の性質上通常である少額重要資産の譲渡による所得は、譲渡所得には該当せず、事業所得に該当する。

（有料駐車場等の所得）

（2）　いわゆる有料駐車場、有料自転車置場等の所得については、自己の責任において他人の物を保管する場合の所得は事業所得又は雑所得に該当し、そうでない場合の所得は不動産所得に該当する。（基通27－2）

（バンガロー等の貸付けによる所得）

（3）　観光地、景勝地、海水浴場等におけるバンガロー等で季節の終了とともに解体、移設又は格納することができるような簡易な施設の貸付けによる所得は、事業所得又は雑所得に該当する。（基通27－3）

（金融業者が担保権の実行等により取得した資産の譲渡等による所得）

（4）　金融業を営む者が担保権の実行又は代物弁済等により取得した土地、建物、機械又は車両等の資産を譲渡した場合における当該譲渡による所得及び当該資産を一時的に貸し付けたことによる所得は、金融業から生ずる事業所得に該当する。この場合において、その一時的に貸し付けた資産が建物その他使用又は時の経過により減価する資産であるときは、当該資産につき減価償却資産に準じて計算した償却費の額に相当する金額を当該事業所得の金額の計算上必要経費に算入することができるものとする。（基通27－４）

（注）１　担保権の実行又は代物弁済等により資産を取得（いわゆる譲渡担保のような債権を担保するための形式的な取得を除く。）した場合において、当該資産の取得時における価額が貸金等の額を超えるときは、その超える部分に相当する金額は、その資産の取得の時において事業所得の金額の計算上総収入金額に算入することとなる。

２　機械、車両等の動産の貸付けによる所得は、その貸付けが一時的なものでない場合でも、事業所得となる。

（事業の遂行に付随して生じた収入）

（５）　事業所得を生ずべき事業の遂行に付随して生じた次に掲げるような収入は、事業所得の金額の計算上総収入金額に算入する。（基通27－５）

（一）　事業の遂行上取引先又は使用人に対して貸し付けた貸付金の利子

（二）　事業用資産の購入に伴って景品として受ける金品

（三）　新聞販売店における折込広告収入

（四）　浴場業、飲食業等における広告の掲示による収入

（五）　医師又は歯科医師が、休日、祭日又は夜間に診療等を行うことにより地方公共団体等から支払を受ける委嘱料等

（注）　地方公共団体等から支給を受ける委嘱料等で給与等に該当するものについては、第五節《給与所得》一（９）参照。

（六）　事業用固定資産に係る固定資産税を納期前に納付することにより交付を受ける地方税法第365条第２項《固定資産税に係る納期前の納付》に規定する報奨金

（金銭の貸付けから生ずる所得が事業所得であるかどうかの判定）

（６）　金銭の貸付け（手形の割引、譲渡担保その他これらに類する方法による金銭の交付を含む。以下同じ。）による所得が事業所得に該当するかどうかは、その貸付口数、貸付金額、利率、貸付けの相手方、担保権の設定の有無、貸付資金の調達方法、貸付けのための広告宣伝の状況その他諸般の状況を総合勘案して判定する。（基通27－６）

（競走馬の保有に係る所得が事業所得に該当するかどうかの判定）

（７）　その年の競走馬の保有に係る所得が事業所得に該当するかどうかは、その規模、収益の状況その他の事情を総合勘案して判定するのであるが、次の（一）又は（二）のいずれかに該当する場合には、その年の競走馬の保有に係る所得は、事業所得に該当するものとする。（基通27－７）

（一）　その年において、競馬法第14条〈馬の登録〉（同法第22条《準用規定》において準用する場合を含む。）の規定による登録を受けている競走馬（以下「登録馬」という。）でその年における登録期間が６月以上であるものを５頭以上保有している場合

（二）　次のイ及びロの事実のいずれにも該当する場合

イ　その年以前３年以内の各年において、登録馬（その年における登録期間が６月以上であるものに限る。）を２頭以上保有していること。

ロ　その年の前年以前３年以内の各年のうちに、競走馬の保有に係る所得の金額が黒字の金額である年が１年以上あること。

（注）１　競走馬の生産その他競走馬の保有に直接関連する事業を営む者がその事業に関連して保有している競走馬の保有に係る所得は、事業所得に該当する。

２　事業所得に該当しない場合の所得は雑所得に該当し、損失を生じても損益通算の対象とならないとともに、その場合の競走馬は生活に通常必要でない資産として資産損失や譲渡損失の金額の控除について制限を受ける。（編者）

（競走馬の保有に係る所得の税務上の取扱いについて）

（８）　標題のことについては、ご照会に係る事実関係を前提とする限り、貴見のとおりで差し支えありません。

ただし、照会に係る事実関係が異なる場合又は新たな事実が生じた場合には、この回答内容と異なる課税関係が生ずることがあることを申し添えます。（平成15年８月19日付課個５－５、平成15年８月１日付農林水産省15生畜第2163号照会に対する回答）

一．組合馬主制度における組合員の受ける損益の税務上の取扱いについて

組合馬主制度は、複数の組合員をもって構成された民法第667条に定める法人格なき組合を競馬法第13条（同法第22条において準用する場合を含む。）に基づき馬主登録するものであり、当該組合は、競走馬を所有し競争を通じて収益を得ることをその目的としています。

また、当該組合においては、組合財産として競走馬を保有し、競馬賞金等の収入は組合財産に繰り入れ、経費については組合員が出資比率に応じて拠出する会費等により支弁され、損益は民法第674条に基づき、組合契約に定める分配割合に応じて各組合員に帰属することとなっています。

したがって、この組合馬主制度における各組合員に対してその分配割合によりあん分される利益の額又は損失の額については、所得税基本通達（36・37共－19及び20）に基づいて取り扱うものと考えております。

二．個人馬主の競走馬の保有に係る所得の税務上の取扱いについて

(一)　近年の個人馬主においては、競馬賞金等の上昇等に伴い、多頭数の競走馬を保有するよりも、血統、馬格等の良い高資質馬をレベルの高い施設の中で調教し、確実に出走させることにより収益をあげていくといった経済性を重視する傾向にあります。

さらに、競走馬の購入に当たっては、馬主自らが北海道等の市場や牧場等へ買付けに出向く者も増加し、また、競走馬を預託する厩舎の選択・騎乗騎手の選択・出走させる競争の選択等に馬主自らが関与するなど、競走馬の保有に係る財産的支出だけでなく、経営管理的な知的労力なども増大してきております。

このような傾向を踏まえ、平成14年の個人馬主の経営状況をみると、３歳以上の競走馬が年間５回以上出走した場合には、年間平均の競馬賞金等の収入は中央競馬で1,357万円、地方競馬で429万円という規模になり、かつ、年間の損益分岐点（中央競馬：1,218万円、地方競馬：322万円）を超える状況にあります。また同様に、２歳の競走馬が年間３回以上出走した場合には、年間平均の競馬賞金等の収入は中央競馬で548万円、地方競馬で222万円という規模になり、かつ、年間の損益分岐点（中央競馬：522万円、地方競馬：172万円）を超える状況にあります。

このように年間出走回数が、３歳以上馬にあっては５回以上、２歳馬にあっては３回以上の競走馬（共有馬を除く。）を保有している場合には、相当程度の規模の収入金額が見込まれ、かつ、競走馬の初期投資を含む経費を回収できる程度の収益性も見込まれることから、「その年以前3年間の各年において競馬賞金等の収入があり、その３年間のうち、年間５回以上（２歳馬については年間３回以上）出走している競走馬を保有する年が１年以上ある場合」には、競走馬の保有に係る所得は、所得税法施行令第178条に規定する規模、収益の状況等に照らし、事業所得に該当するものと考えられます。

(注)　上記の「競馬賞金等」とは、別紙１（省略）に記載のものとします。

(二)　上記(一)の取扱いにより、個人馬主が適正な申告を行うためには、何らかの担保措置が必要であると考えており、具体的には、日本中央競馬会、地方競馬全国協会及び都道府県等地方競馬主催者が、個人馬主ごとに、その保有する競走馬の出走回数及び競馬賞金収入の額等を記載した証明書類（別紙２－１～２－３・省略）を作成・交付し、個人馬主は、確定申告に際して、当該証明書類を確定申告書に添付することとします。

また、取扱いに齟齬をきたすことのないよう、日本中央競馬会、地方競馬全国協会及び都道府県等地方競馬主催者等を通じて個人馬主の所得税等の申告等について的確な周知・指導を行っていくことを考えております。

なお、出走回数等の証明書類の作成・交付は、平成15年分所得税の確定申告から措置することが可能であることから、上記の取扱いは平成15年分所得税の確定申告から適用できると考えております。

(農事組合法人等の分配金)

(９)　農業協同組合法第72条の８第１項第２号の事業を行う農事組合法人、漁業生産組合又は生産森林組合でその事業に従事する組合員に対し給料、賃金、賞与その他これらの性質を有する給与を支給しないものの組合員が、農業協同組合法第72条の15第２項、水産業協同組合法第85条第２項又は森林組合法第99条第２項の規定によりこれらの法人の事業に従事した程度に応じて受ける分配金の額は、配当所得、給与所得及び退職所得以外の各種所得に係る収入金額とする。(令62②)

(注)　(９)において、法人が組合員に対し給与等を支給するものであるかどうかの判定は、次による。(基通23～35共－３)

(一)　その事業に従事する組合員にはこれらの組合の役員又は事務に従事する使用人である組合員を含まないから、これらの役員又は使用人である組合員に対し給与を支給しても、給与を支給するものであるかどうかの判定には関係させない。

(二)　その事業に従事する組合員に対し、その事業年度において当該事業年度分に係る従事分量配当金として確定すべき金額を見合いとして金銭を支給し、当該事業年度の剰余金処分によりその従事分量配当金が確定するまでの間仮払金、貸付金等として経理した場合には、当該仮払金等として経理した金額は、給与として支給されたものとはしない。

(三)　その事業に従事する組合員に対し、通常の家事消費の程度を超えて生産物等を支給した場合において、その支給が給与の支給に代えてされたものと認められるときは、給与を支給するものに該当する。

(分配金を受ける者が２人以上ある場合)

(10)　生計を一にする親族のうちに同一の法人から(９)に掲げる分配金を受ける者が２人以上ある場合には、これらの

者のうち収入金額の最も大きい者以外の者の受ける当該収入金額に係る所得については、これを当該収入金額の最も大きい者の経営する事業から受ける当該所得とみなして、第六章第二節**十１**《事業から対価を受ける親族がある場合の必要経費の特例》の規定を適用する。（令62③）

（組合の事業に従事する組合員に対し給与を支給しない農事組合法人等から受ける従事分量配当の所得区分）

(11)　(９)に規定する法人の組合員が当該法人から受ける(９)に規定する分配金（以下「従事分量配当」という。）については、おおむね次によるものとする。（基通23～35共－４）

(一)　農事組合法人から受ける従事分量配当のうち、農業の経営から生じた所得を分配したと認められるものは、事業所得に係る総収入金額に算入し、当該法人が農業の経営と併せて林業の経営を行っている場合において当該林業の経営から生じた所得を分配したと認められるものは、(三)による。

(二)　漁業生産組合から受ける従事分量配当のうち漁業から生じた所得を分配したと認められるものは、事業所得に係る総収入金額に算入する。この場合において、当該分配金のうち漁獲若しくはのりの採取から生じた所得又ははまち、まだい、ひらめ、かき、うなぎ、ほたて貝若しくは真珠（真珠貝を含む。）の養殖から生じた所得を分配したと認められる部分は、変動所得に係る総収入金額に算入する。

(三)　生産森林組合から受ける従事分量配当のうちその組合のその事業年度中における山林の伐採又は譲渡から生じた所得の大部分を分配したと認められるものは、山林所得に係る総収入金額に算入する。ただし、当該山林の伐採又は譲渡がその取得の日から５年以内にされたものは雑所得（山林の売買を業とする者が受けるものは事業所得）に係る総収入金額に算入する。

（協同組合等の事業分量配当）

(12)　法人税法第２条第７号《定義》に規定する協同組合等から支払を受ける同法第60条の２第１号《協同組合等の事業分量配当等の損金算入》に掲げる金額で同項の規定により当該協同組合等の各事業年度の所得の金額の計算上損金の額に算入されるものは、配当所得以外の各種所得に係る収入金額とする。（令62④）

（協同組合等から受ける事業分量配当の所得区分）

(13)　(12)に規定する協同組合等の組合員その他の者（以下(13)において「組合員等」という。）が、その取り扱った物の数量、価額その他協同組合等を利用した分量に応じて当該協同組合から受ける分配金で、次に掲げるものについては、おおむね次による。（基通23～35共－５）

(一)　組合員等の事業の遂行上必要な資金の貸付業務、物資の供給に関する業務、共同利用施設に関する業務、組合員の生産する物資の運搬、加工、貯蔵若しくは販売に関する業務又は組合員等が事業の用に供する建物、家畜、機械、器具等を目的とした共済事業等に関する業務に係る剰余金を分配したと認められるもの　　事業所得に係る総収入金額に算入する。

(二)　組合員等の貯金の受入れに関する業務に係る剰余金を分配したと認められるもの　　利子所得に係る収入金額に算入する。

(三)　組合員等の所有する農地、採草放牧地等の不動産を貸付けの方法により運用すること又は売り渡すことを目的とする信託の委託者に当該信託に関する業務に係る剰余金を分配したと認められるもの　　不動産所得又は譲渡所得に係る総収入金額に算入する。

（固定資産である土地に区画形質の変更等を加えて譲渡した場合の所得）

(14)　固定資産である林地その他の土地に区画形質の変更を加え若しくは水道その他の施設を設け宅地等として譲渡した場合又は固定資産である土地に建物を建設して譲渡した場合には、当該譲渡による所得は棚卸資産又は雑所得の基因となる棚卸資産に準ずる資産の譲渡による所得として、その全部が事業所得又は雑所得に該当する。（基通33－４）

（注）　固定資産である土地につき区画形質の変更又は水道その他の施設の設置を行った場合であっても、次のいずれかに該当するときは、当該土地は、なお固定資産に該当するものとして差し支えない。

１　区画形質の変更又は水道その他の施設の設置に係る土地の面積（当該土地の所有者が２以上いる場合には、その合計面積）が小規模（おおむね3,000㎡以下をいう。）であるとき。

２　区画形質の変更又は水道その他の施設の設置が土地区画整理法、土地改良法等法律の規定に基づいて行われたものであるとき。

（極めて長期間保有していた土地に区画形質の変更等を加えて譲渡した場合の所得）

(15)　土地、建物等の譲渡による所得が(14)により事業所得又は雑所得に該当する場合であっても、その区画形質の変更若しくは施設の設置又は建物の建設（以下(15)において「区画形質の変更等」という。）に係る土地が極めて長期間引き続き所有されていたものであるときは、(14)にかかわらず、当該土地の譲渡による所得のうち、区画形質の変更等による利益に対応する部分は事業所得又は雑所得とし、その他の部分は譲渡所得として差し支えない。この場合において、譲渡所得に係る収入金額は区画形質の変更等の着手直前における当該土地の価額とする。(基通33－5)

(注)　当該土地、建物等の譲渡に要した費用の額は、すべて事業所得又は雑所得の金額の計算上必要経費に算入する。

(自己が育成した山林を伐採し製材して販売する場合の所得)

(16)　製材業者が自ら植林して育成した山林(幼齢林を取得して育成した山林を含む。)を伐採し、製材して販売する場合には、植林から製品の販売までの全所得がその販売した時の製材業の所得となるのであるが、植林又は幼齢林の取得から伐採までの所得は、伐採した原木を当該製材業者の通常の原木貯蔵場等に運搬した時の山林所得とし、製材から販売までの所得は、その製品を販売した時の事業所得として差し支えないものとする。この場合において、山林所得の金額は当該運搬した時の当該原木貯蔵場等における原木の価額を基として計算するものとし、事業所得の金額は当該原木の価額に相当する金額を当該原木の取得価額として計算するものとする。(基通23～35共－12)

(大工、左官、とび職等の受ける報酬に係る所得税の取扱いについて)

(17)　標題のことについては、下記のとおり定めたから、これによられたい。(平成21年12月17日付課個５－５、最終改正平成22年６月18日付課個５－１)

なお、昭和28年８月17日付直所５－20「大工、左官、とび等に対する所得税の取扱について」(法令解釈通達)、昭和29年５月18日付直所５－22「大工、左官、とび等に対する所得税の取扱について」(法令解釈通達)、昭和30年２月22日付直所５－８「大工、左官、とび等に対する所得税の取扱について」(法令解釈通達)及び昭和31年３月12日付直所５－４「大工、左官、とび等に対する従来の取扱通達にいう『大工、左官、とび等』の意義等について」(法令解釈通達)は、廃止する。

(趣旨)

大工、左官、とび職等の受ける報酬に係る所得が所得税法第27条に規定する事業所得に該当するか同法第28条に規定する給与所得に該当するかについては、これまで、昭和28年８月17日付直所５－20「大工、左官、とび等に対する所得税の取扱について」(法令解釈通達)ほかにより取り扱ってきたところであるが、大工、左官、とび職等の就労形態が多様化したことなどから所要の整備を図るものである。

記

1　定義

この通達において、「大工、左官、とび職等」とは、日本標準職業分類(総務省)の「大工」、「左官」、「とび職」、「窯業・土石製品製造従事者」、「板金従事者」、「屋根ふき従事者」、「生活関連作業従事者」、「植木職、造園師」、「畳職」に分類する者その他これらに類する者をいう。

2　大工、左官、とび職等の受ける報酬に係る所得区分

事業所得とは、自己の計算において独立して行われる事業から生ずる所得をいい、例えば、請負契約又はこれに準ずる契約に基づく業務の遂行ないし役務の提供の対価は事業所得に該当する。また、雇用契約又はこれに準ずる契約に基づく役務の提供の対価は、事業所得に該当せず、給与所得に該当する。

したがって、大工、左官、とび職等が、建設、据付け、組立てその他これらに類する作業において、業務を遂行し又は役務を提供したことの対価として支払を受けた報酬に係る所得区分は、当該報酬が、請負契約若しくはこれに準ずる契約に基づく対価であるのか、又は、雇用契約若しくはこれに準ずる契約に基づく対価であるのかにより判定するのであるから留意する。

この場合において、その区分が明らかでないときは、例えば、次の事項を総合勘案して判定するものとする。

(一)　他人が代替して業務を遂行すること又は役務を提供することが認められるかどうか。

(二)　報酬の支払者から作業時間を指定される、報酬が時間を単位として計算されるなど時間的な拘束(業務の性質上当然に存在する拘束を除く。)を受けるかどうか。

(三)　作業の具体的な内容や方法について報酬の支払者から指揮監督(業務の性質上当然に存在する指揮監督を除く。)を受けるかどうか。

(四)　まだ引渡しを了しない完成品が不可抗力のため滅失するなどした場合において、自らの権利として既に遂行した業務又は提供した役務に係る報酬の支払を請求できるかどうか。

(五)　材料又は用具等(くぎ材等の軽微な材料や電動の手持ち工具程度の用具等を除く。)を報酬の支払者から供与されているかどうか。

（力士等に対する課税について）

(18)　次に掲げる所得については、それぞれ次の所得の種類区分により課税する。ただし、(五)に掲げる祝儀のうち、祝宴会において贈呈されるもので、少額なものについては、しいて課税しなくても差し支えない。（昭34直所５－４〔３〕）

(一)　力士がスポンサーから受ける賞金については、事業所得

(二)　力士又は年寄が給金割により分配を受ける地方巡業の益金については、事業所得

(三)　日本相撲協会が力士の後援会に対して支払う切符販売の手数料については、当該力士の雑所得

(四)　力士が後援会から受ける金品については、一時所得

(五)　力士が後援会等から受ける祝儀については、次によること

(イ)　法人から受けるものは一時所得

(ロ)　個人から受けるものは贈与

(六)　力士が引退するに際して行われる引退興行に係る所得については、当該力士の事業所得

二　事業所得の金額

事業所得の金額は、その年中の事業所得に係る総収入金額から必要経費を控除した金額とする。（法27②）

○青色申告特別控除……………………………………………………………第六章第四節**四**参照。
○家内労働者等の事業所得等の所得計算の特例……………………………第六章第二節**一５**参照。
○株式等に係る事業所得がある場合の課税の特例…………………………第五章第三節参照。

第五節　給与所得

一　定　義

給与所得とは、俸給、給料、賃金、歳費及び賞与並びにこれらの性質を有する給与（以下「給与等」という。）に係る所得をいう。(法28①)

（宿日直料）

（1）　宿直料又は日直料は給与等に該当する。ただし、次のいずれかに該当する宿直料又は日直料を除き、その支給の基因となった勤務１回につき支給される金額（宿直又は日直の勤務をすることにより支給される食事の価額を除く。）のうち4,000円（宿直又は日直の勤務をすることにより支給される食事がある場合には、4,000円からその食事の価額を控除した残額）までの部分については、課税しないものとする。(基通28－1)

（一）　休日又は夜間の留守番だけを行うために雇用された者及びその場所に居住し、休日又は夜間の留守番をも含めた勤務を行うものとして雇用された者に当該留守番に相当する勤務について支給される宿直料又は日直料

（二）　宿直又は日直の勤務をその者の通常の勤務時間内の勤務として行った者及びこれらの勤務をしたことにより代日休暇が与えられる者に支給される宿直料又は日直料

（三）　宿直又は日直の勤務をする者の通常の給与等の額に比例した金額又は当該給与等の額に比例した金額に近似するように当該給与等の額の階級区分等に応じて定められた金額（以下（1）においてこれらの金額を「給与比例額」という。）により支給される宿直料又は日直料（当該宿直料又は日直料が給与比例額とそれ以外の金額との合計額により支給されるものである場合には、給与比例額の部分に限る。）

（同一人が宿直と日直とを引き続いて行った場合）

（2）　同一人が宿直と日直とを引き続いて行った場合（土曜日等通常の勤務時間が短い日の宿直で、宿直としての勤務時間が長いため、通常の日の宿直料よりも多額の宿直料が支給される場合を含む。）には、通常の宿直又は日直に相当する勤務時間を経過するごとに宿直又は日直を１回行ったものとして、（1）のただし書の取扱いを適用する。(基通28－2)

（年額又は月額により支給される旅費）

（3）　職務を遂行するために行う旅行の費用に充てるものとして支給される金品であっても、年額又は月額により支給されるものは、給与等とする。ただし、その支給を受けた者の職務を遂行するために行う旅行の実情に照らし、明らかに第二章第三節**三１**《非課税とされる旅費》に掲げる金品に相当するものと認められる金品については、課税しない。(基通28－3)

（役員等に支給される交際費等）

（4）　使用者から役員又は使用人に交際費、接待費等として支給される金品は、その支給を受ける者の給与等とする。ただし、使用者の業務のために使用すべきものとして支給されるもので、そのために使用したことの事績の明らかなものについては、課税しない。(基通28－4)

（雇用契約等に基づいて支給される結婚祝金品等）

（5）　使用者から役員又は使用人に対し雇用契約等に基づいて支給される結婚、出産等の祝金品は、給与等とする。ただし、その金額が支給を受ける者の地位等に照らし、社会通念上相当と認められるものについては、課税しなくて差し支えない。(基通28－5)

（委員手当等）

（6）　国又は地方公共団体の各種委員会（審議会、調査会、協議会等の名称のものを含む。）の委員に対する謝金、手当等の報酬は、原則として、給与等とする。ただし、当該委員会を設置した機関から他に支払われる給与等がなく、かつ、その委員会の委員として旅費その他の費用の弁償を受けない者に対して支給される当該謝金、手当等の報酬で、その年中の支給額が１万円以下であるものについては、課税しなくて差し支えない。この場合において、その支給額

が１万円以下であるかどうかは、その所属する各種委員会ごとに判定するものとする。（基通28－７）

（地方自治法の規定による費用の弁償）

（7）　地方自治法第203条第２項《議員報酬、費用弁償及び期末手当》及び同法第203条の２第３項《報酬、費用弁償及び期末手当》の規定により受ける費用の弁償は、第二章第三節《非課税所得》**三１**に掲げる金品に該当するものその他その職務を行うために要した費用の弁償であることが明らかなものを除き、給与等とする。（基通28－８）

（非常勤の消防団員が支給を受ける金銭）

（8）　消防組織法第18条《消防団》の規定に基づき市町村に設置された消防団に勤務する非常勤の消防団員が当該市町村から支給を受ける金銭については、次による。（基通28－９）

(一)　当該非常勤の消防団員が、災害、警戒、訓練等の職務に従事する場合に、その者の出動の日数等に応じて支給を受ける金銭（交通費を除く。）については、次による。

イ　出動時に要する費用の弁償として支給を受けるものは、次に掲げる出動の態様に応じ、それぞれ次に定める金額までの部分については、課税しなくて差し支えない。

(イ)　災害に関する出動（水火災又は地震等に係る出動をいい、火災原因調査又は警戒等に係る出動を除く。）
１日につき8,000円

(ロ)　(イ)以外の出動　１日につき4,000円

ロ　イにより課税しなくて差し支えないとされるもの以外のものについては、給与等とする。

（注）　交通費については、第二章第三節**三１**《旅費》の規定の適用があることに留意する。

(二)　当該非常勤の消防団員が、その者の出動の日数等に関係なくあらかじめ定められている年額、月額等によって支給を受ける金銭については、次による。

イ　消防団員としての活動に要する費用（出動時に要する費用を除く。）の弁償として支給を受けるものは、その年中の支給額が５万円までの部分については、課税しなくて差し支えない。

ロ　イにより課税しなくて差し支えないとされるもの以外のものについては、給与等とする。

（医師又は歯科医師が支給を受ける休日、夜間診療の委嘱料等）

（9）　医師又は歯科医師が、地方公共団体等の開設する救急センター、病院等において休日、祭日又は夜間に診療等を行うことにより地方公共団体等から支給を受ける委嘱料等は、給与等に該当する。（基通28－９の２）

（注）　地方公共団体等から支払を受ける委嘱料等に係る所得で、事業所得に該当するものについては、第四節《事業所得》**一**の（5）の(五)参照。

（派遣医が支給を受ける診療の報酬等）

（10）　大学病院の医局等若しくは教授等又は医療機関のあっせんにより派遣された医師又は歯科医師が、派遣先の医療機関において診療等を行うことにより当該派遣先の医療機関から支給を受ける報酬等は、給与等に該当する。（基通28－９の３）

（注）１　大学病院の医局等とは、大学の医学部、歯学部若しくはその附属病院又はこれらの教室若しくは医局をいう。
２　教授等とは、大学病院の医局等の教授、准教授、講師、助教又は助手をいう。

（給与等の受領を辞退した場合）

（11）　給与等の支払を受けるべき者がその給与等の全部又は一部の受領を辞退した場合には、その支給期の到来前に辞退の意思を明示して辞退したものに限り、課税しないものとする。（基通28－10）

（注）　既に支給期が到来した給与等の受領を辞退した場合については、次の（12）及び（13）参照。

（支払者が債務免除を受けた場合の源泉徴収）

（12）　給与等その他の源泉徴収の対象となるものの支払者が、当該源泉徴収の対象となるもので未払のものにつきその支払債務の免除を受けた場合には、当該債務の免除を受けた時においてその支払があったものとして源泉徴収を行うものとする。ただし、当該債務の免除が当該支払者の債務超過の状態が相当期間継続しその支払をすることができないと認められる場合に行われたものであるときは、この限りでない。（基通181～223共－２）

（注）　支払の確定した日から１年を経過した日において支払があったものとみなされた未払の配当等又は役員に対する賞与等につき同日後において上記ただし書に該当する債務の免除が行われても、当該配当等又は賞与等につき源泉徴収をした税額は、当該源泉徴収をした徴収義務者に還付する過誤納金とはならないが、当該免除をした者については第六章第四節**二２**《資産の譲渡代金が回収不能となった場合

等の所得計算の特例》の規定の適用があることに留意する。

（役員が未払賞与等の受領を辞退した場合）

(13)　役員が、次に掲げるような特殊な事情の下において、一般債権者の損失を軽減するためその立場上やむなく、自己が役員となっている法人から受けるべき賞与等その他の源泉徴収の対象となるもので未払のものの受領を辞退した場合には、当該辞退により支払わないこととなった部分については、源泉徴収をしなくて差し支えない。（基通181～223共－３）

（一）　当該法人が特別清算開始の命令を受けたこと。

（二）　当該法人が破産手続開始の決定を受けたこと。

（三）　当該法人が再生手続開始の決定を受けたこと。

（四）　当該法人が更生手続の開始決定を受けたこと。

（五）　当該法人が事業不振のため会社整理の状態に陥り、債権者集会等の協議決定により債務の切捨てを行ったこと。

（使用人等の発明等に係る報償金等）

(14)　業務上有益な発明、考案等をした役員又は使用人が使用者から支払を受ける報償金、表彰金、賞金等の金額は、次に掲げる区分に応じ、それぞれ次に掲げる所得に係る収入金額又は総収入金額に算入するものとする。（基通23～35共－１）

（一）　業務上有益な発明、考案又は創作をした者が当該発明、考案又は創作に係る特許を受ける権利、実用新案登録を受ける権利若しくは意匠登録を受ける権利又は特許権、実用新案権若しくは意匠権を使用者に承継させたことにより支払を受けるもの　　これらの権利の承継に際し一時に支払を受けるものは譲渡所得、これらの権利を承継させた後において支払を受けるものは雑所得

（二）　特許権、実用新案権又は意匠権を取得した者がこれらの権利に係る通常実施権又は専用実施権を設定したことにより支払を受けるもの　　雑所得

（三）　事務若しくは作業の合理化、製品の品質の改善又は経費の節約等に寄与する工夫、考案等（特許又は実用新案登録若しくは意匠登録を受けるに至らないものに限る。）をした者が支払を受けるもの　　その工夫、考案等がその者の通常の職務の範囲内の行為である場合には給与所得、その他の場合には一時所得（その工夫、考案等の実施後の成績等に応じ継続的に支払を受けるときは、雑所得）

（四）　災害等の防止又は発生した災害等による損害の防止等に功績のあった者が一時に支払を受けるもの　　その防止等がその者の通常の職務の範囲内の行為である場合には給与所得、その他の場合には一時所得

（五）　篤行者として社会的に顕彰され使用者に栄誉を与えた者が一時に支払を受けるもの　　一時所得

（組合事務専従者以外の組合員が受ける金銭等）

(15)　労働組合のいわゆる組合事務専従者以外の組合員が就業時間中に組合活動に従事し、又は遠隔地における組合大会に出席するなどのため、当該組合から手当、日当その他の名義をもって支払を受ける金銭等は、当該組合員の雑所得の総収入金額に算入する。ただし、当該組合員の組合活動に従事する状態及び組合から支払を受ける金銭の額が組合事務専従者の従事状態及び給与等の額に比して大差がないなど、組合事務専従者との権衡上雑所得とすることが適当でないと認められる場合には、組合事務専従者が支払を受ける給与等又は旅費に準じ、それぞれの内容に従い給与等又は旅費に該当するものとする。（基通23～35共－２）

（株式等を取得する権利を与えられた場合の所得区分）

(16)　発行法人から第六章第一節**ー２**③《株式等を取得する権利の価額》（一）から同（三）までに掲げる権利を与えられた場合（同③の規定の適用を受ける場合に限る。）の当該権利の行使による株式（これに準ずるものを含む。以下(17)までにおいて同じ。）の取得に係る所得区分は、次に掲げる場合に応じ、それぞれ次による。（基通23～35共－６）

（一）　第六章第一節**ー２**③（一）又は同③（二）に掲げる権利を与えられた者がこれを行使した場合　　発行法人（外国法人を含む。）と当該権利を与えられた者との関係等に応じ、それぞれ次による。

イ　発行法人と権利を与えられた者との間の雇用契約又はこれに類する関係に基因して当該権利が与えられたと認められるとき　　給与所得とする。ただし、退職後に当該権利の行使が行われた場合において、例えば、権利付与後短期間のうちに退職を予定している者に付与され、かつ、退職後長期間にわたって生じた株式の値上り益に相当するものが主として供与されているなど、主として職務の遂行に関連を有しない利益が供与されていると認められるときは、雑所得とする。

(注)　例えば、**四１**①《特定の取締役等が受ける新株予約権の行使による株式の取得に係る経済的利益の非課税等》に規定する「取締役等」の関係については、雇用契約又はこれに類する関係に該当することに留意する。

ロ　権利を与えられた者の営む業務に関連して当該権利が与えられたと認められるとき　　事業所得又は雑所得とする。

(注)　例えば、**四１**①に規定する「特定従事者」にその者の営む業務に関連して同①に規定する特定新株予約権が与えられた場合（雇用契約又はこれに類する関係にない場合に限る。）において同①の適用がないときは、上記に該当することに留意する。

ハ　イ及びロ以外のとき　　原則として雑所得とする。

(二)　第六章第一節**一２**③(三)に掲げる権利を与えられた者がこれを行使した場合　　一時所得とする。ただし、当該発行法人の役員又は使用人に対しその地位又は職務等に関連して株式を取得する権利が与えられたと認められるときは給与所得とし、これらの者の退職に基因して当該株式を取得する権利が与えられたと認められるときは退職所得とする。

（株主等として与えられた場合）

(17)　第六章第一節**一２**③に規定する「株主等として与えられた場合（当該発行法人の他の株主等に損害を及ぼすおそれがないと認められる場合に限る。）」とは、同③に規定する権利が株主等のその有する株式の内容及び数に応じて平等に与えられ、かつ、その株主等とその内容の異なる株式を有する株主等との間においても経済的な衡平が維持される場合をいうことに留意する。（基通23～35共－８）

(注)　例えば、他の株主等に損害を及ぼすおそれがないと認められる場合に該当するか否かの判定については、新株予約権無償割当てにつき会社法第322条の種類株主総会の決議があったか否かのみをもって判定するのではなく、その発行法人の各種類の株式の内容、当該新株予約権無償割当ての状況などを総合的に勘案して判断する必要があることに留意する。

（大学の教授等が支給を受ける研究費等に対する所得税の取扱いについて）

(18)　大学に勤務する教授、准教授、講師、助教及び助手等（以下(18)において「教授等」という。）が当該大学から支給を受ける研究費、出版助成金、表彰金等に対する所得税の課税に当たっては、それぞれ下記により取り扱うこととされたい。（昭33直所２－59）

(一)　個人研究費、特別研究費、研究雑費又は研究費補助等の名目で、教授等の地位又は資格等に応じ、年額又は月額により支給されるものについては、大学が当該教授等からその費途の明細を徴し、かつ、購入に係る物品がすべて大学に帰属するものである等、大学が直接支出すべきであったものを当該教授等を通じて支出したと認められるものを除き、当該教授等の給与所得とすること。

(二)　大学から与えられた研究題目又は当該教授等の選択による研究題目の研究のために必要な金額としてあらかじめ支給される研究奨励金のようなものについては、(一)に準じて取り扱うこと。

(三)　教授等がその研究の成果を自費出版しようとする場合に、大学から支給を受ける出版助成金等については、当該出版の実態に応じ、当該教授等の雑所得又は事業所得の収入金額とすること。

(四)　学術上の研究に特に成果を挙げた教授等又は教育実践上特に功績があった教授等を表彰するものとして大学から支給される表彰金等については、当該教授等の一時所得とすること。

（力士等に対する課税について）

(19)　日本相撲協会が日本相撲協会寄付行為施行細則（以下この項において「細則」という。）の規定に基づいて年寄、力士、行司等に支給するものについては、次の所得の種類区分により課税する。（昭34直所５－４〔１〕）

(一)　年寄名跡金（細則第42条第２項）、参与である年寄に支給される金額（細則第45条）、養成費（細則第48条）、養成補助費（細則第49条）、行司養成費（細則第55条）、装束補助費（細則第56条）、養成奨励金（細則第79条）、力士褒賞金（細則第80条及び第81条）、幕下以下奨励金（細則第82条）、細則第62条から同第73条まで及び同第75条の規定に基づき支給するもの（ただし、細則第65条第３号の規定により支給される見舞金及び同第73条第２項の規定により電車賃として支給する乗車券で、通勤手当の非課税規定により非課税とされるものを除く。）については、給与所得

(二)　省略

（全国健康保険協会が管掌する健康保険等の被保険者が受ける附加的給付等に係る課税の特例）

(20)　健康保険法附則第４条第１項に規定する事業主又は船員保険法附則第３条第１項に規定する船舶所有者が第１項に規定する給付に要する費用として同項に規定する承認法人等に対し支出した金銭の額は、同項に規定する被保険者の給与所得に係る収入金額には含まれないものとする。（措法41の７③）

（単身赴任者が職務上の旅行等を行った場合に支給される旅費の取扱いについて）

(21)　給与所得者に支給される旅費が非課税とされるかどうかについては、第二章第三節**三 1**（1）により判定することとしているところであるが、標記については、下記により取り扱うこととしたから、昭和60年11月15日以後支給すべきものからこれによられたい。（昭60直法６－７、直所３－９）

記

単身赴任者（配偶者又は扶養親族を有する給与所得者で転居を伴う異動をした者のうち単身で赴任した者をいう。）が職務遂行上必要な旅行に付随して帰宅のための旅行を行った場合に支給される旅費については、これらの旅行の目的、行路等からみて、これらの旅行が主として職務遂行上必要な旅行と認められ、かつ、当該旅費の額が第二章第三節《非課税所得》**三 1**（1）に定める非課税とされる旅費の範囲を著しく逸脱しない限り、非課税として取り扱って差し支えない。

二　確定給付企業年金規約等に基づく掛金

1　確定給付企業年金規約等に基づく掛金等の取扱い

事業を営む個人又は法人が支出した次の(一)から(六)に掲げる掛金、保険料、事業主掛金又は信託金等は、当該(一)から(六)に規定する被共済者、加入者、受益者等、企業型年金加入者、個人年金加入者又は信託の受益者等に対する給与所得に係る収入金額に含まれないものとする。（令64①）

(一)	独立行政法人勤労者退職金共済機構又は第六節**二２**②《特定退職金共済団体の承認》（５）に規定する特定退職金共済団体が行う退職金共済に関する制度に基づいてその被共済者のために支出した掛金（第六節**二１**表内③（２）《退職金共済制度等に基づく一時金で退職手当等とみなさないもの》(二)ロから同へまでに掲げる掛金を除くものとし、中小企業退職金共済法第53条の規定により独立行政法人勤労者退職金共済機構に納付した金額を含む。）
(二)	確定給付企業年金法第３条第１項《確定給付企業年金の実施》に規定する確定給付企業年金に係る規約に基づいて同法第25条第１項《加入者》に規定する加入者のために支出した同法第55条第１項《掛金》の掛金（同法第63条《積立不足に伴う掛金の拠出》、第78条第３項《実施事業所の増減》、第78条の２第３号《確定給付企業年金を実施している事業主が２以上である場合等の実施事業所の減少の特例》及び第87条《終了時の掛金の一括拠出》の掛金並びにこれに類する掛金で注で定めるものを含む。）のうち当該加入者が負担した金額以外の部分 （確定給付企業年金の掛金） 注　上記に規定する注で定める掛金は、次に掲げる掛金とする。（規18の２） （一）　確定給付企業年金法施行令第54条の４《資産の移換をする場合の掛金の一括拠出》の規定により支出した同条の掛金 （二）　確定給付企業年金法第３条第１項《確定給付企業年金の実施》に規定する確定給付企業年金に係る規約に基づいて同法第82条の５第１項《確定給付企業年金から独立行政法人勤労者退職金共済機構への積立金等の移換》の加入者であった者のために支出した確定給付企業年金法施行令第54条の８第３号《独立行政法人勤労者退職金共済機構への積立金等の移換の基準》の掛金 （三）　確定給付企業年金法施行規則第64条《積立金の額が給付に関する事業に要する費用に不足する場合の取扱い》の規定により支出した同条の掛金
(三)	法人税法附則第20条第３項《退職年金等積立金に対する法人税の特例》に規定する適格退職年金契約に基づいて法人税法施行令附則第16条第１項第２号《適格退職年金契約の要件等》に規定する受益者等のために支出した掛金又は保険料（第六節**二１**表内③（３）《適格退職年金契約に基づく一時金で退職手当等とみなさないもの》(二)に規定する受益者等とされた者に係る掛金及び保険料を除く。）のうち当該受益者等が負担した金額以外の部分
(四)	確定拠出年金法第４条第３項《承認の基準等》に規定する企業型年金規約に基づいて同法第２条第８項《定義》に規定する企業型年金加入者のために支出した同法第３条第３項第７号《規約の承認》に規定する事業主掛金（同法第54条第１項《他の制度の資産の移換》の規定により移換した確定拠出年金法施行令第22条第１項第５号《他の制度の資産の移換の基準》に掲げる資産を含む。）
(五)	確定拠出年金法第56条第３項《承認の基準等》に規定する個人型年金規約に基づいて同法第68条の２第１項《中小事業主掛金》の個人型年金加入者のために支出した同項の掛金
(六)	勤労者財産形成促進法第６条の２第１項《勤労者財産形成給付金契約等》に規定する勤労者財産形成給付金契約に基づいて同項第２号に規定する信託の受益者等のために支出した同項第１号に規定する信託金等

（掛金又は信託金等の必要経費算入）

注　事業を営む個人が**１**(一)から同(六)に掲げる掛金、保険料、事業主掛金又は信託金等を支出した場合には、その支出した金額（確定給付企業年金法第56条第２項《掛金の納付》又は法人税法施行令附則第16条第２項の規定に基づき、同(二)に掲げる掛金又は同(三)に掲げる掛金若しくは保険料の支出を金銭に代えて同条第56条第２項に規定する株式又は同令附則第16条第２項に規定する株式をもって行った場合には、その時におけるこれらの株式の価額）は、その支出した日の属する年分の当該事業に係る不動産所得の金額、事業所得の金額又は山林所得の金額の計算上、必要経費に算入する。（令64②）

2　不適格退職金共済契約等に基づく掛金の取扱い

事業を営む個人又は法人が支出した次の(一)又は(二)に掲げる掛金（当該個人のための掛金及び当該(一)又は(二)に規定する者が負担した金額に相当する部分の掛金を除く。）で、当該個人のその事業に係る不動産所得の金額、事業所得の金額若しくは山林所得の金額又は当該法人の各事業年度の所得の金額の計算上必要経費又は損金の額に算入されるものは、当該(一)又は(二)に規定する者に対する給与所得に係る収入金額に含まれるものとする。（令65）

(一)	**1**(一)に規定する制度に該当しない第六節**二2**①《特定退職金共済団体の要件》の(一)に規定する退職金共済契約（以下(一)において「退職金共済契約」という。）又はこれに類する契約に基づいて被共済者又はこれに類する者のために支出した掛金（第六節**二2**③《特定退職金共済団体の承認の取消し等》の規定による承認の取消しを受けた団体に対しその取消しに係る退職金共済契約に基づき支出し、又は同③(1)の規定により承認が失効をした団体に対しその失効に係る退職金共済契約に基づき支出した掛金については、その取消しの時又はその失効後に支出した掛金）及び第六節**二1**表内③(2)《退職金共済制度等に基づく一時金で退職手当等とみなさないもの》の(二)のロからヘまでに掲げる掛金
(二)	**1**(三)に規定する適格退職年金契約に該当しない第六章第四節**五1**③《生命保険金等の意義》(三)（生命保険契約等に基づく年金に係る雑所得の金額の計算上控除する保険料等）に掲げる契約に基づいてその受益者、保険金受取人又は共済金受取人とされた使用人（法人の役員を含む。）のために支出した掛金又は保険料（法人税法施行令附則第18条第1項《適格退職年金契約の承認の取消し》の規定による承認の取消しを受けた第六節**二1**表内③(3)《適格退職年金契約に基づく一時金で退職手当等とみなさないもの》(一)に規定する信託会社等に対しその取消しに係る同(一)に規定する契約に基づき支出した掛金又は保険料については、その取消しの時以後に支出した掛金又は保険料）及び同③(3)(二)に規定する受益者等とされた者に係る掛金又は保険料

（退職給付金支給事業とその他の事業とを併せて行う団体に対して支出した掛金）

注　**2**の規定の適用に当たり、事業主が**2**(一)及び同(二)に規定する契約に基づき退職給付金を支給する事業（以下において「退職給付金支給事業」という。）とその他の事業とを併せて行う団体に対して、被共済者又はこれに類する者のために支出した掛金で損金の額又は必要経費に算入される金額は、退職給付金支給事業以外の事業に充てられる部分の金額が明らかに区分されている場合を除き、その全額を被共済者又はこれに類する者に対する給与等とする。（基通31－5）

三　給与所得の金額

1　給与所得の金額

給与所得の金額は、その年中の給与等の収入金額から給与所得控除額を控除した残額とする。（法28②）

2　給与所得控除額

1に規定する給与所得控除額は、給与等の収入金額に応じて下表により計算した金額とする。（法28③）

給与等の収入金額	給与所得控除額
1,800,000円以下の場合	収入金額×40%－10万円（55万円に満たない場合には、55万円）
1,800,000円を超え3,600,000円以下の場合	620,000円＋（収入金額－1,800,000円）×30%
3,600,000円を超え6,600,000円以下の場合	1,160,000円＋（収入金額－3,600,000円）×20%
6,600,000円を超え8,500,000円以下の場合	1,760,000円＋（収入金額－6,600,000円）×10%
8,500,000円を超える場合	1,950,000円

3　簡易給与所得表

その年中の給与等の収入金額が660万円未満である場合には、当該給与等に係る給与所得の金額は**1**又は**2**の規定にかかわらず、当該収入金額を所得税法別表第五の給与等の金額として、同表により当該金額に応じて求めた同表の給与所得控除後の給与等の金額に相当する金額とする。（法28④）

4　給与所得者の特定支出の控除

①　給与所得者の特定支出の控除の特例

居住者が、各年において特定支出をした場合において、その年中の特定支出の額の合計額が**1**《給与所得の金額》に規定する給与所得控除額の２分の１に相当する金額を超えるときは、その年分の**1**に規定する給与所得の金額は、**1**及び**3**の規定にかかわらず、**1**の残額からその超える部分の金額を控除した金額とする。（法57の２①）

②　特定支出の範囲

①に規定する特定支出とは、居住者の次の(一)から(七)までに掲げる支出（その支出につきその者に係る**一**に規定する給与等の支払をする者（以下**4**において**「給与等の支払者」**という。）により補填される部分があり、かつ、その補填される部分につき所得税が課されない場合における当該補填される部分及びその支出につき雇用保険法第10条第５項《失業等給付》に規定する教育訓練給付金、母子及び父子並びに寡婦福祉法第31条第１号《母子家庭自立支援給付金》に規定する母子家庭自立支援教育訓練給付金又は同法第31条の10《父子家庭自立支援給付金》において準用する同号に規定する父子家庭自立支援教育訓練給付金が支給される部分がある場合における当該支給される部分を除く。）をいう。（法57の２②）

(一)

その者の通勤のために必要な交通機関の利用又は交通用具の使用のための支出で、その通勤の経路及び方法がその者の通勤に係る運賃、時間、距離その他の事情に照らして最も経済的かつ合理的であることにつき③で定めるところにより給与等の支払者により証明がされたもののうち、一般の通勤者につき通常必要であると認められる部分として(1)で定める支出

（一般の通勤者につき通常必要であると認められる部分として定める支出）

(1)　上記の一般の通勤者につき通常必要であると認められる部分として定める支出は、次のイからハに掲げる場合の区分に応じ当該イからハに定める金額に相当する支出（航空機の利用に係るものを除く。）とする。（令167の３①）

イ	交通機関を利用する場合（ハに掲げる場合に該当する場合を除く。）	その年中の運賃及び料金〔特別車両料金その他の客室の特別の設備の利用についての料金として(2)で定めるもの（以下イにおいて**「特別車両料金等」**という。）を除く。〕の額の合計額（当該合計額が上記の証明がされた経路及び方法による１月当たりの定期乗車券又は定期乗船券の価額〔特別車両料金等に係る部分を除く。〕の合計額を超えるときは、当該合計額）
ロ	自動車その他の交通	上記の証明がされた経路及び方法により交通用具を使用するために支出する燃料

<table>
<tr><td></td><td>
<table>
<tr><td></td><td>用具を使用する場合（ハに掲げる場合に該当する場合を除く。）</td><td>費及び有料の道路の料金の額並びに当該交通用具の修理のための支出（第六章第二節ー3①又は同②《資本的支出》に掲げる金額に相当する部分及びその者の故意又は重大な過失により生じた事故に係るものを除く。(二)(1)(三)において同じ。）でその者の通勤に係る部分の額のその年中の合計額</td></tr>
<tr><td>ハ</td><td>交通機関を利用するほか、併せて自動車その他の交通用具を使用する場合</td><td>イ及びロの規定に準じて計算した金額</td></tr>
</table>
（特別車両料金等）
（2）　(1)イに規定する(2)で定める料金は、特別車両料金、特別船室料金その他鉄道、船舶又は自動車の客室の特別の設備の利用についての料金（寝台料金で6,600円以下のものを除く。）とする。（規36の5③、令167の5二ロ）
</td></tr>
<tr><td>(二)</td><td>
勤務する場所を離れて職務を遂行するために直接必要な旅行であることにつき③で定めるところにより給与等の支払者により証明がされたものに通常要する支出で(1)で定めるもの

（勤務する場所を離れて職務を遂行するために直接必要な旅行に通常要する支出）
（1）　上記に規定する(1)で定める支出は、上記に規定する旅行でその旅行に係る運賃、時間、距離その他の事情に照らし最も経済的かつ合理的と認められる通常の経路及び方法によるものに要する次のイからハまでに掲げる支出とする。（令167の3②）
<table>
<tr><td>イ</td><td>当該旅行に要する運賃及び料金（特別車両料金その他の客室の特別の設備の利用についての料金として(2)で定めるものを除く。(三)(1)(一)及び(六)(2)(一)において同じ。）</td></tr>
<tr><td>ロ</td><td>当該旅行に要する自動車その他の交通用具の使用に係る燃料費及び有料の道路の料金</td></tr>
<tr><td>ハ</td><td>(二)の交通用具の修理のための支出（当該旅行に係る部分に限る。）</td></tr>
</table>
（特別車両料金その他の客室の特別の設備の利用についての料金）
（2）　(1)イに規定する特別車両料金その他の客室の特別の設備の利用についての料金は、(一)(2)に規定する料金及び航空機の客室の特別の設備の利用についての料金とする。（規36の5④）
</td></tr>
<tr><td>(三)</td><td>
転任に伴うものであることにつき③で定めるところにより給与等の支払者により証明がされた転居のために通常必要であると認められる支出として(1)で定めるもの

（転居のために通常必要であると認められる支出）
（1）　上記の転居のために通常必要であると認められる支出は、転任の事実が生じた日以後1年以内にする上記に規定する転居のための自己又はその配偶者その他の親族に係る支出で次に掲げる金額に相当するものとする。（令167の3③）
<table>
<tr><td>イ</td><td>当該転居のための旅行に通常必要であると認められる運賃及び料金の額</td></tr>
<tr><td>ロ</td><td>当該転居のために自動車を使用することにより支出する燃料費及び有料の道路の料金の額</td></tr>
<tr><td>ハ</td><td>当該転居に伴う宿泊費の額（通常必要であると認められる額を著しく超える部分を除く。）</td></tr>
<tr><td>ニ</td><td>当該転居のための生活の用に供する家具その他の資産の運送に要した費用（これに付随するものを含む。）の額</td></tr>
</table>
</td></tr>
<tr><td>(四)</td><td>職務の遂行に直接必要な技術又は知識を習得することを目的として受講する研修（人の資格を取得するためのものを除く。）であることにつき、③で定めるところにより、給与等の支払者により証明がされたもののための支出又はキャリアコンサルタント（職業能力開発促進法第30条の3《業務》に規定するキャリアコンサルタントをいう。(五)において同じ。）により証明がされたもののための支出（教育訓練（雇用保険法第60条の2第1項《教育訓練給付金》に規定する教育訓練をいう。(五)において同じ。）に係る部分に限る。）</td></tr>
</table>

<table>
<tr><td>(五)</td><td>人の資格を取得するための支出で、その支出がその者の職務の遂行に直接必要なものとして、③で定めるところにより、給与等の支払者により証明がされたもの又はキャリアコンサルタントにより証明がされたもの（教育訓練に係る部分に限る。）</td></tr>
<tr><td>(六)</td><td>転任に伴い生計を一にする配偶者との別居を常況とすることになった場合その他これに類する場合として（1）で定める場合に該当することにつき③で定めるところにより給与等の支払者により証明がされた場合におけるその者の勤務する場所又は居所とその配偶者その他の親族が居住する場所との間のその者の旅行に通常要する支出で（2）で定めるもの

（転任に伴い生計を一にする配偶者との別居を常況とすることになった場合その他これに類する場合）
（1）　上記の転任に伴い生計を一にする配偶者との別居を常況とすることになった場合その他これに類する場合は、配偶者と死別し、若しくは配偶者と離婚した後婚姻をしていない者又は配偶者の生死の明らかでない者〔第二章第一節一表内30（3）《寡婦の範囲》(一)から同(五)までに掲げる者の配偶者をいう。〕が転任に伴い生計を一にする子〔同表内31（2）《ひとり親の範囲》に規定する子及び特別障害者である子をいう。〕との別居を常況とすることとなった場合とする。（令167の3④、規36の5⑤⑥）

（その者の旅行に通常要する支出）
（2）　上記の支出は、上記に規定する旅行でその旅行に係る運賃、時間、距離その他の事情に照らし最も経済的かつ合理的と認められる通常の経路及び方法によるものに要する次のイ及びロに掲げる支出とする。（令167の3⑤）
イ　当該旅行に要する運賃及び料金
ロ　当該旅行に要する自動車その他の交通用具の使用に係る燃料費及び有料の道路の料金</td></tr>
<tr><td>(七)</td><td>次に掲げる支出（当該支出の額の合計額が65万円を超える場合には、65万円までの支出に限る。）で、その支出がその者の職務の遂行に直接必要なものとして③で定めるところにより給与等の支払者により証明がされたもの
イ　書籍、定期刊行物その他の図書で職務に関連するものとして（1）で定めるもの及び制服、事務服その他の勤務場所において着用することが必要とされる衣服で（2）で定めるものを購入するための支出
ロ　交際費、接待費その他の費用で、給与等の支払者の得意先、仕入先その他職務上関係のある者に対する接待、供応、贈答その他これらに類する行為のための支出

（（1）で定める図書）
（1）　上記イに規定する（1）で定める図書は、次に掲げる図書であって職務に関連するものとする。（令167の3⑥）
(一)　書籍
(二)　新聞、雑誌その他の定期刊行物
(三)　(一)又は(二)に掲げるもののほか、不特定多数の者に販売することを目的として発行される図書

（（2）で定める衣服）
（2）　上記イに規定する（2）で定める衣服は、次に掲げる衣服であって勤務場所において着用することが必要とされるものとする。（令167の3⑦）
(一)　制服
(二)　事務服
(三)　作業服
(四)　(一)から(三)までに掲げるもののほか、②に規定する給与等の支払者により勤務場所において着用することが必要とされる衣服</td></tr>
</table>

（注）　上記＿＿下線部については、雇用保険法等の一部を改正する法律（令和６年法律第26号）により、令和７年10月１日以後、②中「第10条第５項」を「第10条第５項第１号」に改める。（同法附則１三、30）

③　給与等の支払者等による証明等

②(一)から同(七)までに規定する証明（同(四)及び同(五)に規定する証明にあっては、これらの規定に規定する給与等の支払者による証明に限る。）は、①の規定の適用を受けようとする居住者の申出に基づき、②に規定する支出の次の(一)から(九)までに掲げる区分に応じ当該(一)から(九)までに定める事項（当該支出につき②に規定する給与等の支払者により補塡される部分があり、かつ、その補塡される部分につき所得税が課されない場合には、当該補塡される部分の金額を含む。）につき行われるものとする。（規36の５①）

		次に掲げる事項	
(一)	②(一)に掲げる支出《通勤費用》	イ	その者の氏名及び住所（国内に住所がない場合には、居所。③において同じ。）並びに勤務する場所
		ロ	その者の通勤の経路及び方法並びに当該経路及び方法が運賃、時間、距離その他の事情に照らして最も経済的かつ合理的であると認められる旨
(二)	②(二)に掲げる支出《旅行費用》	イ	その者の氏名及び住所並びに勤務する場所及び当該場所を離れて職務を遂行した場所
		ロ	その旅行が勤務する場所を離れて職務を遂行するために直接必要なものである旨
(三)	②(三)に掲げる支出《転任費用》	イ	その者の氏名並びに転任の前後の勤務する場所及び住所
		ロ	その者の転任の事実が生じた年月日
(四)	②(四)に掲げる支出《研修費用》	イ	その者の氏名及び住所
		ロ	その研修がその者の職務の遂行に直接必要な技術又は知識を習得するためのものである旨
		ハ	その研修を行う者の名称並びにその研修を行う場所及び期間
(五)	②(五)に掲げる支出《資格取得費用》	イ	その者の氏名及び住所
		ロ	その人の資格の取得がその者の職務の遂行に直接必要なものである旨
(六)	②(六)に掲げる支出《単身赴任者の帰省費用》	イ	(三)イ及びロに掲げる事項
		ロ	その者が②(六)の本文又は同(五)(１)に規定する場合のいずれかに該当する旨
		ハ	その者の配偶者その他の親族が居住する場所
(七)	②(七)イに規定する図書を購入するための支出	イ	その者の氏名及び住所
		ロ	その図書の購入がその者の職務の遂行に直接必要なものである旨及びその職務の内容
		ハ	その図書の名称及び内容
(八)	②(七)イに規定する衣服を購入するための支出	イ	その者の氏名及び住所
		ロ	その衣服の購入がその者の職務の遂行に直接必要なものである旨及びその職務の内容
		ハ	その衣服の種類

<table>
<tr><td rowspan="4">(九)</td><td rowspan="4">②(七)ロに掲げる支出</td><td colspan="2">次に掲げる事項</td></tr>
<tr><td>イ</td><td>その者の氏名及び住所</td></tr>
<tr><td>ロ</td><td>その接待、供応、贈答その他これらに類する行為（ハにおいて「接待等」という。）のための支出がその者の職務の遂行に直接必要なものである旨及びその職務の内容</td></tr>
<tr><td>ハ</td><td>その接待等の内容並びに当該接待等の相手方の氏名又は名称及び当該相手方との関係</td></tr>
</table>

④　キャリアコンサルタントによる証明

③（(四)及び(五)に係る部分に限る。）の規定は、②(四)及び同(五)に規定するキャリアコンサルタントによる証明について準用する。この場合において、③中「事項（当該支出につき②に規定する給与等の支払者により補填される部分があり、かつ、その補填される部分につき所得税が課されない場合には、当該補填される部分の金額を含む。）」とあるのは、「事項」と読み替えるものとする。（所規36の５②）

⑤　申告要件

①の規定は、確定申告書、修正申告書又は更正請求書（(１)において「申告書等」という。）に①の規定の適用を受ける旨及び①に規定する特定支出の額の合計額の記載があり、かつ、②(一)から同(六)に掲げるそれぞれの特定支出に関する明細書及びこれらの同(一)から同(六)に規定する証明の書類の添付がある場合に限り、適用する。（法57の２③）

（支出を証する書類の添付）

（１）　①の規定の適用を受ける旨の記載がある申告書等を提出する場合には、①に規定する特定支出の支出の事実及び支出した金額を証する書類として(３)で定める書類を当該申告書等に添付し、又は当該申告書等の提出の際提示しなければならない。（法57の２④）

（特定支出に関する明細書の記載事項）

（２）　⑤に規定する特定支出に関する明細書には、次に掲げる事項を記載しなければならない。（令167の４）

<table>
<tr><td>(一)</td><td>②(一)から同(六)までに掲げるそれぞれの支出につきその支出の内容、相手方の氏名又は名称、年月日及び金額並びに当該支出につき②に規定する給与等の支払者により補填される部分があり、かつ、その補填される部分につき所得税が課されない場合における当該補填される部分の金額及び当該支出につき②に規定する教育訓練給付金、母子家庭自立支援教育訓練給付金又は父子家庭自立支援教育訓練給付金が支給される部分がある場合における当該支給される部分の金額</td></tr>
<tr><td>(二)</td><td>次に掲げる支出の区分に応じそれぞれ次に定める事項
イ　②(一)に掲げる支出　　同(一)に規定する通勤の経路及び方法
ロ　②(二)に掲げる支出　　同(二)に規定する勤務する場所及びその場所を離れて職務を遂行した場所
ハ　②(三)に掲げる支出　　同(三)に規定する転任の前後の勤務する場所及び住所（住所がない場合には居所）
ニ　②(四)に掲げる支出　　同(四)に規定する研修の内容
ホ　②(五)に掲げる支出　　同(五)に規定する人の資格の内容
ヘ　②(六)に掲げる支出　　同(六)に規定するその者の勤務する場所又は居所とその者の配偶者その他の親族が居住する場所
ト　②(七)イに掲げる支出　　同(七)イに規定する図書の内容又は同(六)イに規定する衣服の種類
チ　②(七)ロに掲げる支出　　同(七)ロに規定する接待、供応、贈答その他これらに類する行為の相手方の氏名又は名称及び当該相手方との関係</td></tr>
<tr><td>(三)</td><td>その他参考となるべき事項</td></tr>
</table>

（特定支出の支出等を証する書類）

（３）　(１)に規定する添付書類は、次の(一)又は(二)に掲げる支出の区分に応じ当該(一)又は(二)に定める書類とする。（令167の５）

(一)	②(一)から同(五)まで、同(六)（②(六)(２)イ《給与所得者の特定支出の範囲》に係る部分に限る。）及び②(七)

	に掲げる支出《通勤費用、転任費用、研修費用、資格取得費用》　当該支出につき、これを領収した者の領収を証する書類その他の当該支出の事実及び支出した金額を証する書類		
(二)	②(六)((２)イに係る部分に限る。)に掲げる支出《単身赴任者の帰省費用》　当該支出につき、これを領収した者の領収を証する書類その他の当該支出の事実及び支出した金額を証する書類並びに次に掲げる場合の区分に応じ次に定める書類		
	イ	航空機を利用する場合	その航空機に搭乗をした年月日及び搭乗区間につき、(６)で定めるところにより、航空法第２条第18項《定義》に規定する航空運送事業を営む者が証する書類
	ロ	鉄道、船舶又は自動車（以下において「**鉄道等**」という。）を利用する場合（その利用に係る運賃及び料金の額が(５)で定める金額以上である場合に限る。）	その鉄道等を利用した年月日及び乗車又は乗船の区間につき、(６)で定めるところにより、鉄道事業法第７条第１項《事業基本計画の変更等》に規定する鉄道事業者、海上運送法第２条第２項《定義》に規定する船舶運航事業を営む者又は道路運送法第２条第２項《定義》に規定する自動車運送事業を営む者が証する書類

(特定支出の支出等を証する書類)

(４)　(３)(二)イ又は同ロ《特定支出の支出等を証する書類》に定める書類は、同イ又は同ロに規定する航空運送事業を営む者又は鉄道事業者、船舶運航事業を営む者若しくは自動車運送事業を営む者が、②(六)《給与所得者の特定支出の控除の特例》(同(六)(２)(一)《給与所得者の特定支出の範囲》に係る部分に限る。)に掲げる支出をした者からの航空機又は(３)(二)ロに規定する鉄道等を利用した年月日及び搭乗又は乗車若しくは乗船した区間の記載がある書面による申出に基づいて証明をするものとする。(規36の６①)

((３)(二)ロに規定する金額とその判定方法)

(５)　(３)(二)ロに規定する金額は、15,000円とする。(規36の６②)

この金額は、一の交通機関の利用に係る運賃及び料金の額によるものとする。この場合において、当該交通機関が旅客鉄道株式会社及び日本貨物鉄道株式会社に関する法律第１条第１項《会社の目的及び事業》に規定する旅客会社、旅客鉄道株式会社及び日本貨物鉄道株式会社に関する法律の一部を改正する法律附則第２条第１項《指針の公表等》に規定する新会社及び旅客鉄道株式会社及び日本貨物鉄道株式会社に関する法律の一部を改正する法律附則第２条第１項《指針の公表等》に規定する新会社（以下(５)において「旅客会社等」という。）が営む旅客鉄道事業（日本国有鉄道改革法第９条第１項《連絡船事業の引継ぎ》に規定する連絡船事業を含む。以下(５)において同じ。）に係るものであるときは、各旅客会社等が営む旅客鉄道事業に係る鉄道又は船舶の利用に係る運賃及び料金の額の合計額によるものとする。(規36の６③)

５　所得金額調整控除

①　給与等の収入金額が850万円を超える居住者の調整控除

その年中の給与等の収入金額が850万円を超える居住者で、特別障害者に該当するもの又は年齢23歳未満の扶養親族を有するもの若しくは特別障害者である同一生計配偶者若しくは扶養親族を有するものに係る総所得金額を計算する場合には、その年中の給与等の収入金額（当該給与等の収入金額が1,000万円を超える場合には、1,000万円）から850万円を控除した金額の100分の10に相当する金額を、その年分の給与所得の金額から控除する。(措法41の３の11①)

(特別障害者に該当するかどうかの判定)

(１)　①の場合において、居住者が特別障害者に該当するかどうか又はその者が年齢23歳未満の扶養親族に該当するかどうか若しくは特別障害者である同一生計配偶者若しくは扶養親族に該当するかどうかの判定は、その年12月31日（その居住者がその年の中途において死亡し、又は出国をする場合には、その死亡又は出国の時）の現況による。ただし、その判定に係る者がその当時既に死亡している場合は、その死亡の時の現況による。(措法41の３の11③)

(一の居住者の扶養親族等が他の居住者の扶養親族に該当する場合)

(２)　年齢23歳未満の扶養親族又は特別障害者である同一生計配偶者若しくは扶養親族が、居住者の特別障害者である同一生計配偶者に該当し、かつ、他の居住者の特別障害者である扶養親族にも該当する場合又は２以上の居住者の年齢23歳未満若しくは特別障害者である扶養親族に該当する場合において、①の規定の適用を受けるに当たっては、これらの居住者はいずれも年齢23歳未満の扶養親族又は特別障害者である同一生計配偶者若しくは扶養親族を有することとなることに留意する。（措通41の３の11－１）

（年の中途において死亡した者等の親族等が扶養親族等に該当するかどうかの判定）

（３）　年の中途において死亡し又は出国をした居住者の配偶者その他の親族（第二章第一節**一**表内**34**《定義》に規定する児童及び老人を含む。以下（３）において「親族等」という。）がその居住者の①に規定する同一生計配偶者又は扶養親族に該当するかどうかは、その死亡又は出国の時の現況により見積もったその年１月１日から12月31日までの当該親族等の合計所得金額により判定する。（措通41の３の11－２）

②　給与所得控除後の給与等の金額及び公的年金等に係る雑所得の金額がある居住者の調整控除

その年分の給与所得控除後の給与等の金額及び公的年金等に係る雑所得の金額がある居住者で、当該給与所得控除後の給与等の金額及び当該公的年金等に係る雑所得の金額の合計額が10万円を超えるものに係る総所得金額を計算する場合には、当該給与所得控除後の給与等の金額（当該給与所得控除後の給与等の金額が10万円を超える場合には、10万円）及び当該公的年金等に係る雑所得の金額（当該公的年金等に係る雑所得の金額が10万円を超える場合には、10万円）の合計額から10万円を控除した残額を、その年分の給与所得の金額（①の規定の適用がある場合には、①の規定による控除をした残額）から控除する。（措法41の３の11②）

（給与所得者の特定支出の控除の特例の適用を受ける場合）

（１）　②の規定による所得金額調整控除については、その年分の③(五)に掲げる給与所得控除後の給与等の金額及び同(六)に掲げる公的年金等に係る雑所得の金額がある居住者に対し適用があるのであるから、**4**①《給与所得者の特定支出の控除の特例》の規定による特定支出の控除を受けた者であっても、②の規定による所得金額調整控除の適用があることに留意する。（措通41の３の11－３）

③　用語の定義

5において、次の(一)から(七)までに掲げる用語の意義は、当該(一)から(七)までに定めるところによる。（措法41の３の11④）

(一)	**給与等**　**一**に規定する給与等をいう。
(二)	**特別障害者**　第二章第一節**一**表内**29**に規定する特別障害者をいう。
(三)	**扶養親族**　第二章第一節**一**表内**34**に規定する扶養親族をいう。
(四)	**同一生計配偶者**　第二章第一節**一**表内**33**に規定する同一生計配偶者をいう。
(五)	**給与所得控除後の給与等の金額**　給与等の収入金額から**2**に規定する給与所得控除額を控除した残額（**3**の規定の適用がある場合には、**3**に規定する給与所得控除後の給与等の金額に相当する金額）をいう。
(六)	**公的年金等に係る雑所得の金額**　第十節**二1**(一)に掲げる金額をいう。
(七)	**出国**　第二章第一節**一**表内**42**に規定する出国をいう。

四　給与所得の課税の特例

1　特定の取締役等が受ける新株予約権の行使による株式の取得に係る経済的利益の非課税等

①　特定の取締役等が受ける新株予約権の行使による株式の取得に係る経済的利益の非課税等

会社法（平成17年法律第86号）第238条第２項の決議（同法第239条第１項の決議による委任に基づく同項に規定する募集事項の決定及び同法第240条第１項の規定による取締役会の決議を含む。）により新株予約権（(1)で定めるものに限る。以下①において「**新株予約権**」という。）を与えられる者とされた当該決議（以下**イ**において「**付与決議**」という。）のあった株式会社若しくは当該株式会社がその発行済株式(議決権のあるものに限る。)若しくは出資の総数若しくは総額の100分の50を超える数若しくは金額の株式（議決権のあるものに限る。）若しくは出資を直接若しくは間接に保有する関係その他の(2)で定める関係にある法人の取締役、執行役若しくは使用人である個人（当該付与決議のあった日において当該株式会社の(3)で定める数の株式を有していた個人（以下①及び②(1)において「**大口株主**」という。）及び同日において当該株式会社の大口株主に該当する者の配偶者その他の当該大口株主に該当する者と(4)で定める特別の関係があった個人(以下①及び②(1)において「**大口株主の特別関係者**」という。）を除く。以下①、②(1)及び②(4)において「**取締役等**」という。）若しくは当該取締役等の相続人（(5)で定めるものに限る。以下①、②(1)及び②(4)において「**権利承継相続人**」という。）又は当該株式会社若しくは当該法人の取締役、執行役及び使用人である個人以外の個人（大口株主及び大口株主の特別関係者を除き、中小企業等経営強化法第13条に規定する認定新規中小企業者等に該当する当該株式会社が同法第９条第２項に規定する認定社外高度人材活用新事業分野開拓計画（当該新株予約権の行使の日以前に同項の規定による認定の取消しがあったものを除く。)に従って行う同法第２条第８項に規定する社外高度人材活用新事業分野開拓に従事する同項に規定する社外高度人材（当該認定社外高度人材活用新事業分野開拓計画に従って当該新株予約権を与えられる者に限る。以下①において同じ。）で、当該認定社外高度人材活用新事業分野開拓計画の同法第８条第２項第２号に掲げる実施時期の開始の日（当該認定社外高度人材活用新事業分野開拓計画の変更により新たに当該社外高度人材活用新事業分野開拓に従事することとなった社外高度人材にあっては、当該変更について受けた同法第９条第１項の規定による認定の日。**2**(二)において「**実施時期の開始等の日**」という。）から当該新株予約権の行使の日まで引き続き居住者である者に限る。以下**1**において「**特定従事者**」という。）が、当該付与決議に基づき当該株式会社と当該取締役等又は当該特定従事者との間に締結された契約により与えられた当該新株予約権（当該新株予約権に係る契約において、次の(一)から(八)までに掲げる要件（当該新株予約権が当該取締役等に対して与えられたものである場合には、(一)から(六)までに掲げる要件）が定められているものに限る。以下**1**において「**特定新株予約権**」という。）を当該契約に従って行使することにより当該特定新株予約権に係る株式の取得をした場合には、当該株式の取得に係る経済的利益については、所得税を課さない。ただし、当該取締役等若しくは権利承継相続人又は当該特定従事者（以下①及び②(1)において「**権利者**」という。）が、当該特定新株予約権の行使をすることにより、その年における当該行使に際し払い込むべき額（以下①及び②(1)(三)において「権利行使価額」という。）（当該特定新株予約権に係る付与決議の日において、当該特定新株予約権に係る契約を締結した株式会社がその設立の日以後の期間が５年未満のものである場合には当該権利行使価額を２で除して計算した金額とし、当該株式会社がその設立の日以後の期間が５年以上20年未満であることその他の(6)で定める要件を満たすものである場合には当該権利行使価額を３で除して計算した金額とする。以下①（(三)を除く。）及び②(1)(三)において同じ。）と当該権利者がその年において既にした当該特定新株予約権及び他の特定新株予約権の行使に係る権利行使価額との合計額が、1,200万円を超えることとなる場合には、当該1,200万円を超えることとなる特定新株予約権の行使による株式の取得に係る経済的利益については、この限りでない。（措法29の２①）

(一)	当該新株予約権の行使は、当該新株予約権に係る付与決議の日後２年を経過した日から当該付与決議の日後10年を経過する日（当該付与決議の日において当該新株予約権に係る契約を締結した株式会社がその設立の日以後の期間が５年未満であることその他の(6)で定める要件を満たすものである場合には、当該付与決議の日後15年を経過する日）までの間に行わなければならないこと。
(二)	当該新株予約権の行使に係る権利行使価額の年間の合計額が、1,200万円を超えないこと。
(三)	当該新株予約権の行使に係る一株当たりの権利行使価額は、当該新株予約権に係る契約を締結した株式会社の株式の当該契約の締結の時における一株当たりの価額に相当する金額以上であること。
(四)	当該新株予約権については、譲渡をしてはならないこととされていること。
(五)	当該新株予約権の行使に係る株式の交付が当該交付のために付与決議がされた会社法第238条第１項に定める事項に反しないで行われるものであること。

<table>
<tr><td rowspan="2">(六)</td><td colspan="2">当該新株予約権の行使により取得をする株式につき、次に掲げる要件のいずれかを満たすこと。</td></tr>
<tr><td>イ</td><td>当該行使に係る株式会社と金融商品取引業者又は金融機関で（8）で定めるもの（以下において「金融商品取引業者等」という。）との間であらかじめ締結される新株予約権の行使により交付をされる当該株式会社の株式の振替口座簿（社債、株式等の振替に関する法律に規定する振替口座簿をいう。以下において同じ。）への記載若しくは記録、保管の委託又は管理及び処分に係る信託（以下において「管理等信託」という。）に関する取決め（当該振替口座簿への記載若しくは記録若しくは保管の委託に係る口座又は当該管理等信託に係る契約が権利者の別に開設され、又は締結されるものであること、当該口座又は契約においては新株予約権の行使により交付をされる当該株式会社の株式以外の株式を受け入れないことその他の（9）で定める要件が定められるものに限る。）に従い、(10)で定めるところにより、当該取得後直ちに、当該株式会社を通じて、当該金融商品取引業者等の振替口座簿に記載若しくは記録を受け、又は当該金融商品取引業者等の営業所若しくは事務所（第五章第三節十一１において「営業所等」という。）に保管の委託若しくは管理等信託がされること。</td></tr>
<tr><td></td><td>ロ</td><td>当該行使に係る株式会社と当該契約により当該新株予約権を与えられた者との間であらかじめ締結される新株予約権の行使により交付をされる当該株式会社の株式（譲渡制限株式に限る。ロにおいて同じ。）の管理に関する取決め（当該管理に係る契約が権利者の別に締結されるものであること、当該株式会社が、新株予約権の行使により交付をされる当該株式会社の株式につき帳簿を備え、権利者の別に、当該株式の取得その他の異動状況に関する事項を記載し、又は記録することによって、当該株式を当該株式と同一銘柄の他の株式と区分して管理をすることその他の(11)で定める要件が定められるものに限る。）に従い、(13)で定めるところにより、当該取得後直ちに、当該株式会社により管理がされること。</td></tr>
<tr><td>(七)</td><td colspan="2">当該契約により当該新株予約権を与えられた者は、当該契約を締結した日から当該新株予約権の行使の日までの間において国外転出（国内に住所及び居所を有しないこととなることをいう。以下(七)及び第五章第三節十一２において同じ。）をする場合には、当該国外転出をする時までに当該新株予約権に係る契約を締結した株式会社にその旨を通知しなければならないこと。</td></tr>
<tr><td>(八)</td><td colspan="2">当該契約により当該新株予約権を与えられた者に係る中小企業等経営強化法第９条第２項に規定する認定社外高度人材活用新事業分野開拓計画（２(二)及び(四)において「認定社外高度人材活用新事業分野開拓計画」という。）につき当該新株予約権の行使の日以前に同条第２項の規定による認定の取消しがあった場合には、当該新株予約権に係る契約を締結した株式会社は、速やかに、その者にその旨を通知しなければならないこと。</td></tr>
</table>

(注) 1　①の規定は、令和６年分以後の所得税について適用され、令和５年分以前の所得税については、なお従前の例による。(令６改所法等附31①)

2　令和６年４月１日前に締結された改正前の①に規定する契約（以下(注)２において「旧契約」という。）で改正前の①の(一)から同(八)までに掲げる要件が定められているもの（同日から令和６年12月31日までの間に行われた当該旧契約の変更により、次の(一)から(三)までに掲げる場合に該当することとなった場合には、当該(一)から(三)までに定める旧契約を含む。）は、改正後の①(一)から同(八)までに掲げる要件が定められている同①の契約とみなして、**四**の規定が適用される。(令６改所法等附31②)

(一)	旧契約に定められていた改正前の①(二)に掲げる要件に代えて改正後の①(二)に掲げる要件が定められた場合((三)に掲げる場合を除く。)	当該要件及び改正前の①(一)から同(八)までに掲げる要件(同①(二)に掲げるものを除く。)が定められている当該旧契約
(二)	旧契約に定められていた改正前の①(六)に掲げる要件に代えて改正後の①(六)（ロに係る部分に限る。）に掲げる要件が定められた場合（(三)に掲げる場合を除く。)	当該要件及び改正前の①(一)から同(八)までに掲げる要件(同①(六)に掲げるものを除く。)が定められている当該旧契約
(三)	旧契約に定められていた改正前の①(二)及び同(六)に掲げる要件に代えて改正後の①(二)及び同(六)（ロに係る部分に限る。）に掲げる要件が定められた場合	当該要件及び改正前の①(一)から同(八)までに掲げる要件(同①(二)及び同(六)に掲げるものを除く。)が定められている当該旧契約

((1)で定める新株予約権)

(1)　①に規定する(1)で定める新株予約権は、会社法第238条第２項の決議（同法第239条第１項の決議による委任に基づく同項に規定する募集事項の決定及び同法第240条第１項の規定による取締役会の決議を含む。）に基づき金銭の払込み（金銭以外の資産の給付を含む。）をさせないで発行された新株予約権とする。(措令19の３①)

（（２）で定める関係）

（２）　①に規定する（２）で定める関係は、①に規定する付与決議（（５）及び②（５）において「付与決議」という。）のあった株式会社が他の法人の発行済株式（議決権のあるものに限る。）又は出資（以下（２）において「発行済株式等」という。）の総数又は総額の100分の50を超える数又は金額の株式（議決権のあるものに限るものとし、出資を含む。以下（２）において同じ。）を直接又は間接に保有する関係とする。この場合において、当該株式会社が当該他の法人の発行済株式等の総数又は総額の100分の50を超える数又は金額の株式を直接又は間接に保有するかどうかの判定は、当該株式会社の当該他の法人に係る直接保有の株式の保有割合（当該株式会社の有する当該他の法人の株式の数又は金額が当該他の法人の発行済株式等の総数又は総額のうちに占める割合をいう。）と当該株式会社の当該他の法人に係る間接保有の株式の保有割合（次の㈠又は㈡に掲げる場合の区分に応じ当該㈠又は㈡に定める割合（当該㈠又は㈡に掲げる場合のいずれにも該当する場合には、当該㈠又は㈡に定める割合の合計割合）をいう。）とを合計した割合により行うものとする。（措令19の３②）

㈠	当該他の法人の株主等（所得税法第２条第１項第８号の２に規定する株主等をいう。以下（２）において同じ。）である法人の発行済株式等の総数又は総額の100分の50を超える数又は金額の株式が当該株式会社により所有されている場合	当該株主等である法人の有する当該他の法人の株式の数又は金額が当該他の法人の発行済株式等の総数又は総額のうちに占める割合（当該株主等である法人が２以上ある場合には、当該２以上の株主等である法人につきそれぞれ計算した割合の合計割合）
㈡	当該他の法人の株主等である法人（（㈠に掲げる場合に該当する㈠の株主等である法人を除く。）と当該株式会社との間にこれらの者と発行済株式等の所有を通じて連鎖関係にある１又は２以上の法人（以下㈡において「出資関連法人」という。）が介在している場合（出資関連法人及び当該株主等である法人がそれぞれその発行済株式等の総数又は総額の100分の50を超える数又は金額の株式を当該株式会社又は出資関連法人（その発行済株式等の総数又は総額の100分の50を超える数又は金額の株式が当該株式会社又は他の出資関連法人によって所有されているものに限る。）	当該株主等である法人の有する当該他の法人の株式の数又は金額が当該他の法人の発行済株式等の総数又は総額のうちに占める割合（当該株主等である法人が２以上ある場合には、当該２以上の株主等である法人につきそれぞれ計算した割合の合計割合）

（（３）で定める株式の数）

（３）　①に規定する（３）で定める数は、次の㈠又は㈡に掲げる株式の区分に応じ当該㈠又は㈡に定める数とする。（措令19の３③）

㈠	金融商品取引法第２条第16項に規定する金融商品取引所に上場されている株式又は店頭売買登録銘柄（株式で、同条第13項に規定する認可金融商品取引業協会が、その定める規則に従い、その店頭売買につき、その売買価格を発表し、かつ、当該株式の発行法人に関する資料を公開するものとして登録したものをいう。）として登録されている株式	これらの株式を発行した株式会社の発行済株式の総数の10分の１を超える数
㈡	㈠に掲げる株式以外の株式	当該株式を発行した株式会社の発行済株式の総数の３分の１を超える数

（大口株主に該当する者と（４）で定める特別の関係があった個人）

（４）　①に規定する当該大口株主に該当する者と（４）で定める特別の関係があった個人は、次の㈠から㈤までに掲げる者とする。（措令19の３④）

㈠	当該大口株主に該当する者の親族
㈡	当該大口株主に該当する者と婚姻の届出をしていないが事実上婚姻関係と同様の事情にある者及びその者の直系血族

(三)	当該大口株主に該当する者の直系血族と婚姻の届出をしていないが事実上婚姻関係と同様の事情にある者
(四)	(一)～(三)に掲げる者以外の者で、当該大口株主に該当する者から受ける金銭その他の財産によって生計を維持しているもの及びその者の直系血族
(五)	(一)～(四)に掲げる者以外の者で、当該大口株主に該当する者の直系血族から受ける金銭その他の財産によって生計を維持しているもの

【参考】ストック・オプション制度に係る課税の特例の概要

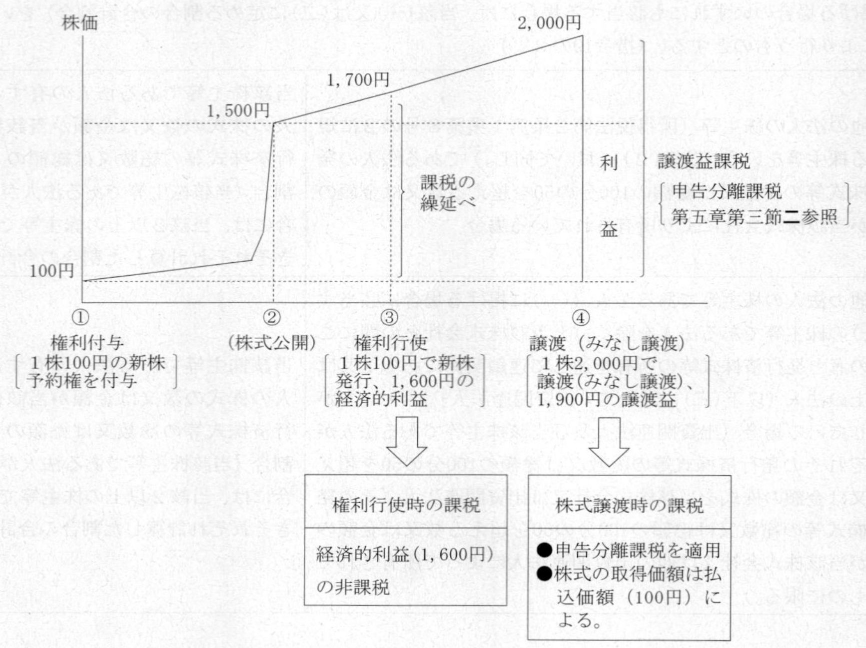

((5)で定める取締役等の相続人)

(5)　①に規定する(5)で定める相続人は、①に規定する取締役等が新株予約権若しくは新株引受権又は株式譲渡請求権を行使できる期間内に死亡した場合において、当該新株予約権に係る付与決議に基づき当該新株予約権を行使できることとなる当該取締役等の相続人とする。(措令19の3⑤)

(①ただし書に規定する(6)で定める要件)

(6)　①ただし書に規定する(6)で定める要件は、次の(一)及び(二)に掲げる要件とする。(措規11の3①)

(一)	①ただし書に規定する株式会社が、①ただし書の付与決議(①に規定する付与決議をいう。以下において同じ。)の日においてその設立の日以後の期間が5年以上20年未満であること。	
(二)	①ただし書に規定する株式会社が、次に掲げる会社のいずれかに該当すること。	
	イ	①ただし書の付与決議の日において金融商品取引法第2条第16項に規定する金融商品取引所(ロ及び(7)(二)において「金融商品取引所」という。)に上場されている株式又は店頭売買登録銘柄(株式で、認可金融商品取引業協会(同条第13項に規定する認可金融商品取引業協会をいう。以下(二)において同じ。)が、その定める規則に従い、その店頭売買につき、その売買価格を発表し、かつ、当該株式の発行法人に関する資料を公開するものとして登録したものをいう。以下(一)及び(7)(二)において同じ。)として登録されている株式を発行する会社以外の会社
	ロ	①ただし書の付与決議の日において、金融商品取引所に上場されている株式を発行する会社((9)(四)イ(ハ)及び②(9)(八)において「上場会社」という。)で、当該株式が金融商品取引法第121条の規定により内閣総理大臣への届出がなされて最初にいずれかの金融商品取引所に上場された日(当該株式が同

		日の前日において店頭売買登録銘柄として登録されていた株式である場合には、当該株式が最初に認可金融商品取引業協会の定める規則に従い店頭売買登録銘柄として登録された日）以後の期間が５年未満であるもの
	ハ	①ただし書の付与決議の日において、店頭売買登録銘柄として登録されている株式を発行する会社（(９)(四)イ(ハ)及び②(９)(八)において「店頭売買登録会社」という。）で、当該株式が最初に認可金融商品取引業協会の定める規則に従い店頭売買登録銘柄として登録された日以後の期間が５年未満であるもの

(①(一)に規定する(７)で定める要件)

(７)　①(一)に規定する(７)で定める要件は、次の(一)及び(二)に掲げる要件とする。(措規11の３②)

(一)	①(一)に規定する株式会社が、同(一)の付与決議の日においてその設立の日以後の期間が５年未満であること。
(二)	①(一)に規定する株式会社が、同(一)の付与決議の日において金融商品取引所に上場されている株式又は店頭売買登録銘柄として登録されている株式を発行する会社以外の会社であること。

((８)で定める証券業者又は金融機関)

(８)　①(六)イに規定する(８)で定める金融商品取引業者又は金融機関は、金融商品取引法第２条第９項に規定する金融商品取引業者（同法第28条第１項に規定する第１種金融商品取引業を行う者に限る。）又は信託会社（金融機関の信託業務の兼営等に関する法律により同法第１条第１項に規定する信託業務を営む同項に規定する金融機関を含む。）とする。(措令19の３⑥)

((９)で定める要件)

(９)　①(六)イに規定する(９)で定める要件は、次の(一)から(四)までに掲げる要件とする。(措令19の３⑦)

(一)	当該振替口座簿（①(六)イに規定する振替口座簿をいう。以下**1**において同じ。）への記載若しくは記録若しくは保管の委託に係る口座又は管理等信託に係る契約は、新株予約権の行使により①の株式会社（以下(９)及び(11)(一)において「**付与会社**」という。）の株式の取得をした権利者又は当該付与会社の**取締役等の特定株式**（第五章第三節**十一 1**《特定株式の全部又は一部の返還又は移転があった場合のみなし譲渡課税》に規定する取締役等の特定株式をいう。以下**1**において同じ。）に係る承継特例適用者（同節**十一**に規定する承継特例適用者をいう。以下**1**において同じ。）の各人別に開設され、又は締結されるものであること。		
(二)	当該振替口座簿への記載若しくは記録若しくは保管の委託に係る口座又は管理等信託に係る契約においては、次のイ又はロに掲げる株式((11)(二)において「対象株式等」という。)のうち、それぞれイ又はロに定める方法により振替口座簿への記載若しくは記録若しくは保管の委託又は管理等信託がされるもの（当該株式に係る第五章第三節**十一 1**(１)に規定する分割等株式を含む。）以外の株式を受け入れないこと。		
	イ	権利者が、新株予約権の行使により、付与会社の株式で当該行使の期間、当該行使に係る①(二)の権利行使価額及び１株当たりの①(三)の権利行使価額並びに当該付与会社が当該行使を受けて行う当該株式の振替又は交付がそれぞれ①(一)から同(三)まで及び同(五)に掲げる要件を満たすもの（以下この(二)において「**対象株式**」という。）を取得する場合（当該権利者が、当該行使をする際、②(１)(一)から同(三)までの書面（当該行使をする新株予約権が取締役等に対して与えられたものである場合には、同(一)及び同(三)の書面）の同(一)から同(三)までに規定する提出をしている場合に限るものとし、その年における当該行使に係る対象株式の①(二)の権利行使価額と当該権利者がその年において既にした当	当該付与会社が、当該対象株式の振替又は交付を、当該口座を開設した金融商品取引業者等（①(六)イに規定する金融商品取引業者等をいう。以下**1**において同じ。）の振替口座簿に記載若しくは記録をする方法又は当該権利者に当該対象株式に係る株券の交付をせずに、当該保管の委託若しくは管理等信託に係る金融商品取引業者等の営業所等（同(六)イに規定する営業所等をいう。以下**1**において同じ。）に当該対象株式を直接引き渡す方法

<table>
<tr><td></td><td></td><td>該新株予約権及び他の①に規定する特定新株予約権（以下において「特定新株予約権」という。）の行使に係る①(二)の権利行使価額との合計額が1,200万円を超える場合を除く。）における当該対象株式</td><td></td></tr>
<tr><td></td><td>ロ</td><td>承継特例適用者が特例適用者（第五章第三節十一１《特定株式の全部又は一部の返還又は移転があった場合のみなし譲渡課税》に規定する特例適用者をいう。以下１において同じ。）から相続（同節十一１に規定する相続をいう。同節十一１（６）において同じ。）又は遺贈（同節十一１（各号列記以外の部分に限る。）に規定する遺贈をいう。同節十一１（６）において同じ。）により付与会社の取締役等の特定株式を取得する場合における当該取締役等の特定株式</td><td>当該取締役等の特定株式の振替口座簿への記載若しくは記録若しくは保管の委託又は管理等信託に係る金融商品取引業者等が、当該承継特例適用者から当該取締役等の特定株式の当該金融商品取引業者等の振替口座簿への振替の申請若しくは保管の委託を受け、又は管理等信託を引き受ける際に、当該特例適用者の当該取締役等の特定株式に係る振替口座簿から当該承継特例適用者の当該取締役等の特定株式に係る当該金融商品取引業者等の振替口座簿への記載若しくは記録がされる方法又は当該承継特例適用者に当該取締役等の特定株式に係る株券の交付をせずに、当該金融商品取引業者等の当該取締役等の特定株式に係る営業所等における当該特例適用者の当該取締役等の特定株式に係る保管の委託に係る口座若しくは管理等信託の信託財産から当該承継特例適用者の当該取締役等の特定株式に係る保管の委託に係る口座若しくは管理等信託の信託財産に当該取締役等の特定株式を直接移管する方法</td></tr>
<tr><td>(三)</td><td colspan="3">権利者又は承継特例適用者が行う金融商品取引業者等の振替口座簿に記載若しくは記録をし、又は金融商品取引業者等に保管の委託若しくは管理等信託をしている特定株式（第五章第三節十一１に規定する特定株式をいう。以下において同じ。）又は承継特定株式（同１に規定する承継特定株式をいう。以下１において同じ。）の譲渡は、当該金融商品取引業者等の当該振替口座簿への記載若しくは記録又は保管の委託若しくは管理等信託に係る営業所等において当該金融商品取引業者等へ売委託又は当該金融商品取引業者等に対する譲渡により行うこと。</td></tr>
<tr><td rowspan="4">(四)</td><td colspan="3">その他次のイからハまでで定める要件</td></tr>
<tr><td rowspan="3">イ</td><td colspan="2">①の株式会社（(ハ)及びロにおいて「付与会社」という。）は、新株予約権の行使を受けて振替又は交付をする対象株式（(二)イに規定する対象株式をいう。以下イからハまでにおいて同じ。）を当該対象株式の振替口座簿（①(六)イに規定する振替口座簿をいう。以下(８)及び②(９)において同じ。）への記載若しくは記録若しくは保管の委託又は管理等信託に係る金融商品取引業者等の営業所等に引き渡す際に、次に掲げる事項を当該金融商品取引業者等の営業所等に通知すること。（措規11の３③一）
(イ) 当該行使をした権利者の氏名、住所（国内に住所を有しない者にあっては、所得税法施行規則第81条第１号から第３号までに掲げる場所。②(９)(十二)を除き、以下１において同じ。）及び個人番号（個人番号を有しない者にあっては、氏名及び住所。以下において同じ。）
(ロ) 当該行使をした権利者の氏名、住所又は個人番号が当該新株予約権の付与に係る契約を締結した時の氏名、住所又は個人番号と異なる場合には、当該契約を締結した時の氏名、住所及び個人番号
(ハ) 当該新株予約権に係る付与決議の日及び当該付与会社の設立の日（当該付与会社が上場会社又は店頭売買登録会社に該当するものである場合には当該付与決議の日及び設立の日並びに(６)(二)ロに規定する上場された日又は同(二)ハに規定する登録された日とし、当該付与会社が同(二)イに掲げる会社に該当するものである場合にはその旨並びに当該付与決議の日及び設立の日とする。）</td></tr>
</table>

<table>
<tr><td rowspan="2"></td><td>(ニ)</td><td>当該対象株式の数並びに①(二)及び同(三)の権利行使価額</td></tr>
<tr><td>(ホ)</td><td>当該新株予約権が特定従事者（①に規定する特定従事者をいう。②(6)において同じ。）に与えられたものである場合には、その旨</td></tr>
<tr><td rowspan="4">ロ</td><td colspan="2">付与会社は、当該付与会社の特定株式を有する特例適用者につき次に掲げる事実があったことを知ったときは、遅滞なく、それぞれ次に定める事項を、当該特定株式の振替口座簿への記載若しくは記録若しくは保管の委託又は管理等信託に係る金融商品取引業者等の営業所等に通知すること。（措規11の３③二）</td></tr>
<tr><td>(イ)</td><td>次に掲げる事実　　次に掲げる事実の区分に応じそれぞれ次に定める事項
㋑　氏名、住所又は個人番号の変更　　その旨並びに変更前の氏名、住所及び個人番号並びに変更後の氏名、住所及び個人番号
㋺　行政手続における特定の個人を識別するための番号の利用等に関する法律の規定により初めて受けた個人番号の通知　　その通知を受けた後の氏名、住所及び個人番号</td></tr>
<tr><td>(ロ)</td><td>死亡　　その旨及び死亡年月日</td></tr>
<tr><td>(ハ)</td><td>特定株式（取締役等の特定株式（第五章第三節十一１に規定する取締役等の特定株式をいう。以下において同じ。）を除く。）を有する特例適用者の国外転出（①(七)に規定する国外転出をいう。以下(四)及び②(9)(十一)において同じ。）　　その旨及び国外転出をした日</td></tr>
<tr><td rowspan="6">ハ</td><td colspan="2">金融商品取引業者等は、権利者又は承継特例適用者が振替又は交付を受けた対象株式又は特定株式につき、当該金融商品取引業者等の振替口座簿に記載若しくは記録をする際又は保管の委託を受け、若しくは管理等信託を引き受ける際に、当該権利者又は承継特例適用者との間で次に掲げる事項を約すること。（措規11の３③三）</td></tr>
<tr><td>(イ)</td><td>当該権利者又は承継特例適用者は、次の⑴及び⑵に掲げる場合に該当することとなった場合には、遅滞なく、その旨並びに変更前の氏名、住所及び個人番号並びに変更後の氏名、住所及び個人番号（⑴に掲げる場合にあっては、その旨並びに変更前の氏名及び住所並びに変更後の氏名及び住所）を、当該金融商品取引業者等の当該振替口座簿への記載若しくは記録又は保管の委託若しくは管理等信託に係る営業所等に届け出ること。
⑴　当該権利者又は承継特例適用者の氏名又は住所の変更をした場合
⑵　当該権利者又は承継特例適用者の個人番号の変更をした場合</td></tr>
<tr><td>(ロ)</td><td>当該権利者又は承継特例適用者は、行政手続における特定の個人を識別するための番号の利用等に関する法律の規定により個人番号が初めて通知された場合には、遅滞なく、その旨並びにその通知を受けた後の氏名、住所及び個人番号を当該金融商品取引業者等の当該振替口座簿への記載若しくは記録又は保管の委託若しくは管理等信託に係る営業所等に届け出ること。</td></tr>
<tr><td>(ハ)</td><td>当該権利者又は承継特例適用者が死亡した場合には、その者の相続人（受遺者である個人を含む。以下ハ及び⑿において同じ。）は、その相続の開始があったことを知った日以後遅滞なく、当該金融商品取引業者等の当該振替口座簿への記載若しくは記録又は保管の委託若しくは管理等信託に係る営業所等にその旨及び当該相続の開始があったことを知った日を届け出ること。</td></tr>
<tr><td>(ニ)</td><td>当該権利者が死亡した場合には、その者の相続人は、その相続の開始があったことを知った日の翌日から10月以内に、当該権利者が当該振替口座簿への記載若しくは記録又は保管の委託若しくは管理等信託をしていた特定株式の返還を受け、又は引き続き当該特定株式（取締役等の特定株式に限る。）の振替口座簿への記載若しくは記録若しくは保管の委託若しくは管理等信託をすること。</td></tr>
<tr><td>(ホ)</td><td>金融商品取引業者等の営業所等は、当該振替口座簿への記載若しくは記録をし、又は保管の委託を受け、若しくは管理等信託を引き受けている特定株式を有する個人が死亡したことを知った場合において、その者の相続人が、(ニ)の期限内に、当該特定株式の返還を受けず、かつ、引き続き当該特定株式（取締役等の特定株式に限る。）の振替口座簿への記載若しくは記録又は保管の委託若しくは管理等信託をしないときは、当該振替口座簿への記載若しくは記録をし、又は保管の委託を受け、若しくは管理等信託を引き受けている特定株式に係る振替口座簿への記載若しくは記録又は保管の委託若しくは管理等信託を終了させること。</td></tr>
</table>

(ヘ)	当該権利者（取締役等の特定株式以外の特定株式を有する当該権利者に限る。(ト)において同じ。）は、国外転出をする場合には、当該国外転出をする時までに当該金融商品取引業者等の当該振替口座簿への記載若しくは記録又は保管の委託若しくは管理等信託に係る営業所等にその旨を届け出ること。
(ト)	金融商品取引業者等の営業所等は、当該権利者が国外転出をした場合には、当該権利者が有する取締役等の特定株式以外の特定株式に係る振替口座簿への記載若しくは記録又は保管の委託若しくは管理等信託を終了させること。

(注)　改正後の(9)(四)（イ(ハ)に係る部分に限る。）の規定は、令和6年4月1日以後に同イの規定により同イの通知をする場合について適用され、同日前に改正前の(9)(四)イの規定により同イの通知をした場合については、なお従前の例による。（令6改措規附7①）

(保管の委託又は管理等信託)

(10)　①(六)イの振替口座簿への記載又は記録は、権利者が新株予約権の行使により株式の取得をする際、当該株式の振替又は交付をする株式会社が金融商品取引業者等の振替口座簿への記載若しくは記録の通知又は振替の申請をすることにより行うものとし、同(六)イの保管の委託又は管理等信託は、権利者が、新株予約権の行使により株式の取得をする際、当該株式に係る株券の交付を受けずに、当該株式の交付をする株式会社から金融商品取引業者等の営業所等に当該株式を直接引き渡させることにより行うものとする。（措令19の3⑧）

(①(六)ロに規定する(11)で定める要件)

(11)　①(六)ロに規定する(11)で定める要件は、次に掲げる要件とする。（措令19の3⑨）

(一)	当該管理に係る契約は、新株予約権の行使により付与会社の①(六)ロに規定する株式の取得をした権利者又は当該付与会社の取締役等の特定株式に係る承継特例適用者の各人別に締結されるものであること。
(二)	②(7)の株式会社が、対象株式等（当該対象株式等に係る第五章第三節**十一1**(1)に規定する分割等株式を含み、譲渡制限株式に限る。）につき帳簿を備え、権利者又は承継特例適用者の別に、当該対象株式等の取得その他の異動状況に関する事項を記載し、又は記録することによって、当該対象株式等を当該対象株式等と同一銘柄の他の株式と区分して管理をすることその他の経済産業大臣が定める要件を満たす方法によって管理をすること。
(三)	権利者又は承継特例適用者が行う②(7)の株式会社により管理がされている特定株式又は承継特定株式の譲渡は、金融商品取引業者等への売委託又は法人に対する譲渡（当該権利者又は承継特例適用者が、国内において、当該法人から当該特定株式又は承継特定株式の譲渡の対価の支払を受ける場合における当該譲渡に限る。）により行うこと。
(四)	その他(12)で定める要件

(注)　経済産業大臣は、(11)(二)の規定により要件を定めたときは、これを告示する。（措令19の3㊲、令6経済産業省告示第69号）

((11)(四)に規定する(12)で定める要件)

(12)　(11)(四)に規定する(12)で定める要件は、株式会社（②(7)の株式会社をいう。以下(12)において同じ。）が、権利者又は承継特例適用者が交付を受けた(11)(二)に規定する対象株式等につき、①(六)ロの管理をする際に、当該権利者又は承継特例適用者との間で次の(一)から(八)までに掲げる事項を約することとする。（措規11の3④）

(一)	当該権利者又は承継特例適用者は、次に掲げる場合に該当することとなった場合には、遅滞なく、その旨並びに変更前の氏名、住所及び個人番号並びに変更後の氏名、住所及び個人番号（イに掲げる場合にあっては、その旨並びに変更前の氏名及び住所並びに変更後の氏名及び住所）を、当該管理に係る株式会社に届け出ること。 イ　当該権利者又は承継特例適用者の氏名又は住所の変更をした場合 ロ　当該権利者又は承継特例適用者の個人番号の変更をした場合
(二)	当該権利者又は承継特例適用者は、行政手続における特定の個人を識別するための番号の利用等に関する法律の規定により個人番号が初めて通知された場合には、遅滞なく、その旨並びにその通知を受けた後の氏名、住所及び個人番号を当該管理に係る株式会社に届け出ること。

(三)	当該権利者又は承継特例適用者が死亡した場合には、その者の相続人は、その相続の開始があったことを知った日以後遅滞なく、当該管理に係る株式会社にその旨及び当該相続の開始があったことを知った日を届け出ること。
(四)	当該権利者が死亡した場合には、その者の相続人は、その相続の開始があったことを知った日の翌日から10月以内に、当該権利者が当該管理をさせていた特定株式の返還を受け、又は引き続き当該特定株式（取締役等の特定株式に限る。）の管理をさせること。
(五)	当該株式会社は、当該管理をしている特定株式を有する個人が死亡したことを知った場合において、その者の相続人が、(四)の期限内に、当該特定株式の返還を受けず、かつ、引き続き当該特定株式（取締役等の特定株式に限る。）の管理をさせないときは、当該管理をしている特定株式に係る管理を終了させること。
(六)	当該権利者（取締役等の特定株式以外の特定株式を有する当該権利者に限る。(七)において同じ。）は、国外転出をする場合には、当該国外転出をする時までに当該管理に係る株式会社にその旨を届け出ること。
(七)	当該株式会社は、当該権利者が国外転出をした場合には、当該権利者が有する取締役等の特定株式以外の特定株式に係る管理を終了させること。
(八)	当該権利者又は承継特例適用者は、当該管理がされている特定株式又は承継特定株式（第五章第三節**十一1**に規定する承継特定株式をいう。以下において同じ。）の譲渡をした場合（当該株式会社に譲渡をした場合を除く。）には、遅滞なく、当該譲渡をした特定株式又は承継特定株式に係る売買契約書の写しを当該株式会社に提出（当該写しの提出に代えて行う電磁的方法（②(1)(一)に規定する電磁的方法をいう。②(2)において同じ。）による当該写しに記載すべき事項の提供を含む。）をすること。

(①(六)ロの管理)

(13)　①(六)ロの管理は、権利者が新株予約権の行使により同(六)ロに規定する株式の取得をする際、当該株式の交付をする株式会社が、(11)(二)に規定する帳簿に当該株式の取得その他の異動状況に関する事項を記載し、又は記録することにより行うものとする。（措令19の3⑩）

(特例適用者等が有する同一銘柄の株式のうち特定株式等以外の株式がある場合の有価証券の譲渡原価の計算及びその評価)

(14)　特例適用者又は承継特例適用者の有する同一銘柄の株式のうちに特定株式又は承継特定株式と当該特定株式及び承継特定株式以外の株式とがある場合には、これらの株式については、それぞれその銘柄が異なるものとして、第六章第二節**四**《有価証券の譲渡原価の計算及びその評価》**3**から同**11**まで及び第五章第三節**二十**《株式交換等に係る譲渡所得の特例》(6)から同(9)まで（租税特別措置法施行令第25条の11第1項に規定する一般株式等の譲渡に係る国内源泉所得又は同条第2項に規定する上場株式等の譲渡に係る国内源泉所得について第四章《所得の種類及び各種所得の金額》の規定に準じて計算する場合における第六章第二節**四3**から同**11**までの規定を含む。）並びに第五章第三節**十五1**(2)の規定を適用する。（措令19の3㉑）

(有価証券の評価等の規定の適用)

(15)　特例適用者の有する同一銘柄の特定株式のうちに取締役等の特定株式以外の特定株式がある場合における第六章第二節**四**（所得税法施行令第二編第一章第四節第三款）及び第五章第三節**二十**(6)から同(9)までの規定の適用については、次の(一)及び(二)に定めるところによる。（措令19の3㉒）

(一)	当該同一銘柄の特定株式のうちに取締役等の特定株式と当該取締役等の特定株式以外の特定株式とがある場合には、これらの特定株式については、それぞれその銘柄が異なるものとして、これらの規定を適用する。
(二)	当該取締役等の特定株式以外の特定株式のうちに当該取締役等の特定株式以外の特定株式に係る特定新株予約権の行使をした日が異なる特定株式がある場合には、これらの特定株式については、それぞれその銘柄が異なるものとして、これらの規定を適用する。

(**1**①の本文の規定の適用がある場合の有価証券の取得価額)

(16)　**1**①の本文の規定の適用がある場合における第六章**四5**①の規定による有価証券の評価額の計算の基礎となる有価証券の取得価額は、次に定める金額とする。（措令19の3㉓によって読み替えられた令109①三（下線部分は読み替

えられた部分（編者注））

発行法人から与えられた第六章第一節**一２**③の規定に該当する場合における同③(一)から同③(三)までに掲げる権利の行使により取得した有価証券（第四章第五節**四１**①本文《特定の取締役等が受ける新株予約権の行使による株式の取得に係る経済的利益の非課税等》の規定の適用を受けて取得したものを除く。）	その有価証券のその権利の行使の日（同③(三)に掲げる権利の行使により取得した有価証券にあっては、当該権利に基づく払込み又は給付の期日（払込み又は給付の期間の定めがある場合には、当該払込み又は給付をした日））における価額

（①(三)の１株当たりの価額）

(17)　①(三)の「１株当たりの価額」は、第六章第一節**一２**③(４)の例により算定するのであるが、新株予約権を発行する株式会社（以下「発行会社」という。）が、取引相場のない株式の「１株当たりの価額」につき、昭和39年４月25日付直資56・直審（資）17「財産評価基本通達」（法令解釈通達）（以下「財産評価基本通達」という。）の178から189－７までの例によって算定した価額としているときは、次によることを条件として、これを認める。（措通29の２－１）

⑴　「１株当たりの価額」につき財産評価基本通達179の例により算定する場合（同通達189－３の⑴において同通達179に準じて算定する場合を含む。）において、新株予約権を与えられる者が発行会社にとって同通達188の⑵に定める「中心的な同族株主」に該当するときは、発行会社は常に同通達178に定める「小会社」に該当するものとしてその例によること。

⑵　発行会社が土地（土地の上に存する権利を含む。）又は金融商品取引所に上場されている有価証券を有しているときは、財産評価基本通達185に定める「１株当たりの純資産価額（相続税評価額によって計算した金額）」の計算に当たり、これらの資産については、新株予約権に係る契約時における価額によること。

⑶　財産評価基本通達185の本文に定める「１株当たりの純資産価額（相続税評価額によって計算した金額）」の計算に当たり、同通達186－２により計算した評価差額に対する法人税額等に相当する金額は控除しないこと。

（注）１　発行会社が、会社法第108条第１項に掲げる事項について内容の異なる種類の株式を発行している場合には、その内容を勘案して「１株当たりの価額」を算定することに留意する。

２　(13)の取扱いは、この通達の発遣日（令和５年７月７日）以後に新株予約権の行使を行う場合について適用する。

（分割等株式の範囲）

(18)　①の規定の適用を受けて取得する株式を発行した法人が行う第六章第二節**四８**⑤に規定する分割型分割（以下(18)において「分割型分割」という。）や同**８**⑥に規定する株式分配（以下(18)において「株式分配」という。）により取得した第五章第三節**十一１**(１)に規定する分割承継法人株式、分割承継親法人株式又は完全子法人株式は、同節**十一１**(１)に規定する分割等株式（以下(18)において「分割等株式」という。）に該当することとなる。

ただし、分割型分割又は株式分配が、第六章第二節**四８**⑤(３)又は同**８**⑥(２)の規定により分割型分割又は株式分配に該当しないものとされるときは、取得した株式は分割等株式に該当しないことに留意する。（措通29の２－２）

②　適用要件及び手続等

（適 用 要 件）

(１)　①本文の規定は、権利者が特定新株予約権の行使をする際、次の(一)から(四)までに掲げる要件（権利者が行使をする特定新株予約権が取締役等に対して与えられたものである場合には、(一)及び(三)に掲げる要件）を満たす場合に限り、適用する。（措法29の２②）

(一)	当該権利者が、当該権利者（その者が権利承継相続人である場合には、その者の被相続人である取締役等）が当該特定新株予約権に係る付与決議の日において当該行使に係る株式会社の大口株主及び大口株主の特別関係者に該当しなかったことを誓約する書面を当該株式会社に提出（当該書面の提出に代えて行う電磁的方法（電子情報処理組織を使用する方法その他の情報通信の技術を利用する方法をいう。以下(１)及び(２)において同じ。）による当該書面に記載すべき事項の提供を含む。）をしたこと。
(二)	当該権利者が、当該権利者に係る認定社外高度人材活用新事業分野開拓計画の実施時期の開始等の日から当該行使の日まで引き続き居住者であったことを誓約する書面を当該行使に係る株式会社に提出（当該書面の提出に代えて行う電磁的方法による当該書面に記載すべき事項の提供を含む。）をしたこと。

(三)	当該権利者が、当該特定新株予約権の行使の日の属する年における当該権利者の他の特定新株予約権の行使の有無（当該他の特定新株予約権の行使があった場合には、当該行使に係る権利行使価額及びその行使年月日）その他(2)で定める事項を記載した書面を当該行使に係る株式会社に提出（当該書面の提出に代えて行う電磁的方法による当該書面に記載すべき事項の提供を含む。(四)において同じ。）をしたこと。
(四)	当該行使に係る株式会社が、当該権利者に係る認定社外高度人材活用新事業分野開拓計画につき中小企業等経営強化法第9条第2項の規定による認定の取消しがなかったことを確認し、当該権利者から提出を受けた(三)の書面（電磁的方法により提供された当該書面に記載すべき事項を記録した電磁的記録（電子的方式、磁気的方式その他人の知覚によっては認識することができない方式で作られる記録であって、電子計算機による情報処理の用に供されるものをいう。(2)において同じ。）を含む。）に当該確認をした事実を記載し、又は記録したこと。

(注)　(1)の規定は、令和6年4月1日以後に(1)(一)から同(三)までの株式会社に対して行う(1)(一)から同(三)までに規定する電磁的方法による(1)(一)から同(三)までの書に記載すべき事項の提供について適用される。(令6改所法等附31③)

(特定株式譲渡請求権等の行使に係る株式会社の書面の保存義務)

(2)　(1)(一)から同(三)までの株式会社は、(1)(一)から同(三)までの書面の(1)(一)から同(三)までに規定する提出を受けた場合には、(1)(一)から同(三)までに規定する提出を受けた書面を他の関係書類（電磁的方法により提供された当該関係書類に記載すべき事項を記録した電磁的記録を含む。）とともに各人別に整理し、当該提出を受けた日の属する年の翌年から5年間、これらの書面（電磁的方法により提供されたこれらの書面に記載すべき事項を記録した電磁的記録を含む。）を保存しなければならない。(措法29の2③、措規11の3⑥)

(注)　(2)の規定は、令和6年4月1日以後に(1)(一)から同(三)までの株式会社に対して行う(1)(一)から同(三)までに規定する電磁的方法による(1)(一)から同(三)までの書面に記載すべき事項の提供について適用される。(令6改所法等附31③)

((3)で定める事項を記載した書面)

(3)　(1)(三)に規定する(3)で定める事項は、次の(一)から(七)までに掲げる事項とする。(措規11の3⑤)

(一)	当該書面の(1)(三)に規定する提出をする者（以下(3)において「提出者」という。）の氏名、住所及び個人番号（当該提出者が①に規定する権利承継相続人である場合には、当該提出者の氏名、住所及び個人番号並びにその者の被相続人である①に規定する取締役等の氏名、死亡の時における住所及び死亡年月日）
(二)	その行使をする特定新株予約権に係る付与決議があった年月日
(三)	その行使をする特定新株予約権に係る①に規定する契約において定められている事項のうち、当該特定新株予約権に係る株式の種類、数及び1株当たりの権利行使価額（①(二)及び同(三)の権利行使価額をいう。以下(3)において同じ。）
(四)	特定新株予約権の行使により振替又は交付を受けようとする株式の数
(五)	提出者が特定新株予約権の行使の日の属する年において既に当該特定新株予約権の行使をしたことがある場合には、その既にした当該特定新株予約権の行使に係る株式の数及び権利行使価額並びにその行使年月日
(六)	提出者が特定新株予約権の行使の日の属する年において既に他の特定新株予約権の行使をしたことがある場合には、当該他の特定新株予約権に係る付与決議のあった株式会社の名称及び本店の所在地並びにその既にした当該他の特定新株予約権の行使に係る権利行使価額及びその行使年月日
(七)	その他参考となるべき事項

(注)　改正後の(3)((三)、同(五)及び同(六)に係る部分に限る。)の規定は、令和6年4月1日以後に改正後の(1)(三)に規定する提出をする同(三)に規定する書面について適用され、同日前に提出した改正前の(2)(三)に規定する書面については、なお従前の例による。(令6改措規附7②)

(特定新株予約権を与える株式会社の当該付与に関する調書の提出義務)

(4)　付与決議に基づく契約により取締役等若しくは権利承継相続人又は特定従事者に特定新株予約権を与える株式会社は、(5)で定めるところにより、当該特定新株予約権の付与に関する調書（以下**1**において、「特定新株予約権等の付与に関する調書」という。）を、その付与をした日の属する年の翌年1月31日までに、税務署長に提出しなければならない。(措法29の2⑥)

（付与決議に基づく契約により特定新株予約権等を付与する株式会社の提出する調書の内容）

（5）　付与決議に基づく契約により特定新株予約権を付与する株式会社は、当該特定新株予約権を付与した取締役等又は特定従事者の氏名及び住所（国内に住所を有しない者にあっては、所得税法施行規則第81条第1号から第3号までに掲げる場所。（8）において同じ。）、当該特定新株予約権の行使に係る①(三)の権利行使価額、当該取締役等が死亡した場合に当該特定新株予約権を行使できることとなる当該取締役等の相続人の有無その他の（6）で定める事項を記載した調書を、当該特定新株予約権を付与した日の属する年の翌年1月31日までに、当該株式会社の本店の所在地の所轄税務署長に提出しなければならない。（措令19の3㉗、措規11の3⑭）

（（5）に規定する（6）で定める事項）

（6）　（5）に規定する（6）で定める事項は、次の(一)から(八)までに掲げる事項とする。（措規11の3⑮）

(一)	当該特定新株予約権を付与した取締役等又は特定従事者の氏名、住所及び個人番号
(二)	その特定新株予約権を付与した者が取締役等又は特定従事者のいずれに該当するかの別
(三)	当該特定新株予約権の付与に係る付与決議のあった年月日
(四)	当該特定新株予約権の付与に係る契約を締結した年月日
(五)	当該特定新株予約権の行使に係る株式の種類及び数並びに①(三)の権利行使価額
(六)	当該特定新株予約権の行使をすることができる期間
(七)	(一)の取締役等が死亡した場合に(一)の特定新株予約権を行使できることとなる当該取締役等の相続人の有無
(八)	その他参考となるべき事項

（金融商品取引業者等の保管の委託等を受けている特定株式の異動状況に関する調書の提出義務）

（7）　①(六)イ又は同ロに規定する取決めに従い、特定株式又は承継特定株式につき、振替口座簿への記載若しくは記録をし、若しくは保管の委託を受け、若しくは管理等信託を引き受けている金融商品取引業者等又は管理をしている同①ロに規定する株式会社は、（8）で定めるところにより、当該特定株式又は承継特定株式の受入れ若しくは取得又は交付その他の異動状況に関する調書（以下において「特定株式等の異動状況に関する調書」という。）を、毎年1月31日までに、税務署長に提出しなければならない。（措法29の2⑦）

（注）　改正後の（7）の規定は、令和6年4月1日以後に提出する（7）に規定する特定株式等の異動状況に関する調書について適用され、同日前に提出した改正前の（7）に規定する特定株式等の異動状況に関する調書については、なお従前の例による。（令6改所法等附31⑥）

（取決めに従い特定株式等の保管の委託を受け又は管理等信託を引き受けている証券業者等の提出すべき調書の内容）

（8）　①(六)イ又は同ロに規定する取決めに従い、特定株式又は承継特定株式につき、振替口座簿への記載若しくは記録をし、若しくは保管の委託を受け、若しくは管理等信託を引き受けている金融商品取引業者等又は管理をしている（7）の株式会社は、当該特定株式又は承継特定株式の振替口座簿への記載若しくは記録又は保管の委託若しくは管理等信託又は管理をしている者ごとに、その者の氏名及び住所、当該特定株式又は承継特定株式の受入れ若しくは取得又は振替若しくは交付をした年月日及びその事由その他の（9）で定める事項を記載した調書を、毎年1月31日までに、当該金融商品取引業者等の当該振替口座簿への記載若しくは記録若しくは保管の委託若しくは管理等信託に係る営業所等又は当該株式会社の本店の所在地の所轄税務署長に提出しなければならない。（措令19の3㉘）

（（8）に規定する（9）で定める事項）

（9）　（8）に規定する（9）で定める事項は、次の(一)から(十三)までに掲げる事項（当該特定株式又は承継特定株式のうち第五章第三節**十一1**（1）に規定する合併法人株式若しくは合併親法人株式、分割承継法人株式若しくは分割承継親法人株式、完全子法人株式、株式交換完全親法人の株式若しくは同（1）に規定する株式交換完全親法人との間に同（1）に規定する同（3）で定める関係がある法人の株式又は同（1）に規定する株式移転完全親法人の株式（以下（9）において「合併法人株式等」という。）が含まれている場合には、当該合併法人株式等と当該合併法人株式等以外の特定株式又は承継特定株式との別に、それぞれについての当該事項）とする。（措規11の3⑯）

(一)	当該特定株式又は承継特定株式につき、振替口座簿への記載若しくは記録を受け、若しくは保管の委託若しくは管理等信託をし、又は①(六)ロの管理をさせている者の氏名、住所及び個人番号

(二)	前年中に特定新株予約権の行使をした特例適用者の氏名、住所又は個人番号が当該特定新株予約権の付与に係る契約を締結した時の氏名、住所又は個人番号と異なる場合には、当該契約を締結した時の氏名、住所及び個人番号
(三)	(一)の者が前年中に承継特例適用者に該当することとなった者である場合には、その者の被相続人である特例適用者の氏名及び死亡の時における住所並びに死亡年月日
(四)	当該特定株式又は承継特定株式に係る(７)の株式会社（当該特定株式又は承継特定株式のうちに合併法人株式等が含まれている場合には、当該合併法人株式等に係る第五章第三節**十一１**(４)(一)に規定する被合併法人等及び合併法人等）の名称、本店の所在地及び法人番号（前年中に名称又は所在地に変更があった場合には、当該変更前の名称及び所在地を含む。）
(五)	当該特定株式又は承継特定株式の振替口座簿への記載若しくは記録若しくは保管の委託に係る口座若しくは管理等信託又は①(六)ロの管理に係る契約を開設し、又は締結した年月日（当該特定株式又は承継特定株式の振替口座簿への記載若しくは記録若しくは保管の委託若しくは管理等信託又は当該管理の期間が定められている場合には、当該期間）
(六)	前年12月31日における当該特定株式又は承継特定株式の数
(七)	前年中における当該特定株式又は承継特定株式の受入れ若しくは取得又は振替又は交付をした年月日、数及び事由
(八)	前年中に特定新株予約権の行使により交付をされた当該特定株式の①(二)及び同(三)の権利行使価額並びに当該特定株式に係る特定新株予約権の付与決議のあった年月日及び当該特定株式に係る株式会社の設立の年月日（当該株式会社が上場会社又は店頭売買登録会社に該当するものである場合には当該権利行使価額、付与決議のあった年月日及び設立の年月日並びに①(６)(二)ロに規定する上場された日又は同(二)ハに規定する登録された日とし、当該株式会社が同(二)イに掲げる会社に該当するものである場合にはその旨並びに当該権利行使価額、付与決議のあった年月日及び設立の年月日とする。）
(九)	①(六)イ又は同ロに規定する取決めに従って当該特定株式又は承継特定株式の譲渡がされた場合には、当該譲渡の対価の額
(十)	(一)の者が死亡したことを知った場合には、その旨及びその者の死亡年月日
(十一)	(一)の者（取締役等の特定株式以外の特定株式を有する者に限る。）が国外転出をした場合には、その旨及び当該国外転出をした日
(十二)	(一)の者が第十五章**四２**の規定により届け出た納税管理人が明らかな場合には、その氏名及び住所又は居所
(十三)	その他参考となるべき事項

（注）　令和６年１月１日から同年３月31日までの間に改正前の①(９)(四)イの規定により同イの通知を受けた同イに規定する金融商品取引業者等の営業所等に係る当該金融商品取引業者等が令和６年４月１日以後に当該通知に係る同イに規定する対象株式に係る②(７)に規定する調書を提出する場合における改正後の(９)の規定の適用については、改正後の(９)(八)中「①(二)及び同(三)の権利行使価額並びに当該特定株式に係る特定新株予約権の付与決議のあった年月日及び当該特定株式に係る株式会社の設立の年月日（当該株式会社が上場会社又は店頭売買登録会社に該当するものである場合には当該権利行使価額、付与決議のあった年月日及び設立の年月日並びに①(６)(二)ロに規定する上場された日又は同(二)ハに規定する登録された日とし、当該株式会社が同(二)イに掲げる会社に該当するものである場合にはその旨並びに当該権利行使価額、付与決議のあった年月日及び設立の年月日とする。）」とあるのは「①(三)の権利行使価額」とされる。（令６改措規附７③）

（特定新株予約権の付与に関する調書又は特定株式等の異動状況に関する調書の提出に関する調査等）

(10)　国税庁、国税局又は税務署の当該職員は、特定新株予約権の付与に関する調書又は特定株式等の異動状況に関する調書の提出に関する調査について必要があるときは、当該特定新株予約権の付与に関する調書若しくは特定株式等の異動状況に関する調書を提出する義務がある者に質問し、その者の特定新株予約権の付与若しくは特定株式若しくは承継特定株式の受入れ若しくは取得若しくは交付その他の異動状況に関する帳簿書類その他の物件を検査し、又は当該物件（その写しを含む。）の提示若しくは提出を求めることができる。（措法29の２⑨）

（調査によって提出された物件の留置き）

(11)　国税庁、国税局又は税務署の当該職員は、特定新株予約権の付与に関する調書又は特定株式等の異動状況に関する調書の提出に関する調査について必要があるときは、当該調査において提出された物件を留め置くことができる。

（措法29の２⑩）

（物件の留め置き）

(12)　国税通則法施行令第30条の３《提出物件の留置き、返還等》の規定は、(11)の規定により物件を留め置く場合について準用する。（措令19の３㊳）

（身分証明書の携帯及び提示）

(13)　国税庁、国税局又は税務署の当該職員は、(11)の規定による質問、検査又は提示若しくは提出の要求をする場合には、その身分を示す証明書を携帯し、関係人の請求があったときは、これを提示しなければならない。（措法29の２⑪）

（質問又は検査の権限）

(14)　(11)及び(12)の規定による当該職員の権限は、犯罪捜査のために認められたものと解してはならない。（措法29の２⑫）

2　勤労者が受ける財産形成給付金等に係る課税の特例

勤労者財産形成促進法第２条第１号に規定する勤労者が、同法第６条の２第１項に規定する勤労者財産形成給付金契約又は同法第６条の３第２項に規定する第一種勤労者財産形成基金契約若しくは同条第３項に規定する第二種勤労者財産形成基金契約に基づき一時金として支払を受ける同法第６条の２第２項に規定する財産形成給付金又は同法第６条の４第２項に規定する第一種財産形成基金給付金若しくは同条第３項に規定する第二種財産形成基金給付金（以下「**財産形成給付金等**」という。）のうち、同法第６条の２第１項第６号又は同法第６条の３第２項第６号若しくは同条第３項第５号に規定する中途支払理由でやむを得ないものとして次の(一)及び(二)に定めるもの以外の理由により支払を受ける財産形成給付金等の額は、同法第６条の２第１項に規定する信託会社等又は同法第６条の３第２項に規定する信託会社等若しくは同条第３項に規定する銀行等がそれぞれ支払をする給与等の金額とみなし、その他の財産形成給付金等の額は、これらの者がそれぞれ支払をする一時所得に係る収入金額とみなして、所得税法の規定を適用する。（措法29の３）

(一)	財産形成給付金の「やむを得ない中途支払理由」	勤労者財産形成促進法施行令（以下「**財形法令**」という。）第20条第１項第２号から第４号までに掲げる理由（第４号に掲げる理由については右欄ので定めるところにより証明がされたものに限る。）（措令19の４一）	左欄に規定する証明がされた理由は、財形法令第20条第１項第４号に規定する事業主の同号に掲げる請求である旨を証する書類が同条第２項に規定する信託会社等に提出されたことにより証明がされた理由とする。（措規11の４①）	
(二)	第一種財産形成基金給付金又は第二種財産形成基金給付金の「やむを得ない中途支払理由」	財形法令第27条の５第１項３号若しくは第５号に掲げる理由、同項第４号に掲げる理由でやむを得ないものとして注で定めるもの若しくは同項第６号（同令第27条の23において読み替えて適用する場合を含む。以下右欄までにおいて同じ。）に掲げる理由又は同令第27条の16第１項第２号に掲げる理由、同項第３号に掲げる理由でやむを得ないものとして注で定めるもの若しくは同項第４号（同令弟27条の23において読み替えて適用する場合を含む。以下右欄までにおいて同じ。）に掲げる理由（これらのやむを得ないものとして注で定める理由又は同令第27条の５第１項第６号若しくは同令第27条の16第１項第４号に掲げる理由については、右欄で定めるところにより証明がされたものに限る。）（措令19の４二）	左欄に規定する証明がされた理由は、次の各号の区分に応じ、当該各号に掲げる理由とする。（措規11の４③一、二） イ　左欄の注に定める理由により給付金が支払われる場合	当該勤労者を雇用する事業主の当該勤労者が左欄の注に規定する休養を要することとなったこと又は左欄の注に規定する設立事業場を休業したことを証する書類及び勤労者財産形成基金の当該勤労者が当該勤労者財産形成基金の規約により定められている資格を喪失しその加入員でなくなったことを証する書類が財形法令第27条の５第２項に規定する信託会社等又は同令第27条の16第２項に規定する銀行等に提出されたことにより証明がされた理由

		（やむを得ない理由と認められるもの） 注　上記の「やむを得ないものとして注で定めるもの」とは、**2**に規定する勤労者が心身の故障のため休養を要することとなったこと又は当該勤労者が勤務する勤労者財産形成促進法第７条の11第１項第３号に規定する設立事業場が休業したことにより勤労者財産形成基金の規約により定められている資格を喪失し当該勤労者財産形成基金の加入員でなくなったこととする。（措規11の４②）

ロ	財形法令第27条の５第１項第６号又は同令第27条の16第１項第４号に掲げる請求により給付金が支払われる場合	当該勤労者を雇用する事業主の同令第27条の５第１項第６号に掲げる請求である旨を証する書類が同号に規定する基金を経由してイに規定する信託会社等に提出されたことにより証明がされた理由又は当該勤労者を雇用する事業主の同令第27条の16第１項第４号に掲げる請求である旨を証する書類が同号に規定する基金を経由してイに規定する銀行等に提出されたことにより証明がされた理由

（財形給付金等の所得区分及び収入すべき時期）

（1）　勤労者が、財形給付金契約等に基づき一時金として支払を受ける財形給付金等に係る所得の所得区分及びその所得の総収入金額又は収入金額の収入すべき時期は、それぞれ次の表のとおりであるから留意する。（措通29の３－２）

《財形給付金等の所得区分及び収入すべき時期一覧表》

種類＼項目	支払理由等		所得区分等：証明の有無	所得区分	根拠法令	収入すべき時期
①財形給付金	イ　７年を経過した日ごとに支払われるもの（財形法６の２①六）			一時所得	措法29の３	財形法第６条の２第１項第６号に規定する７年を経過した日
	ロ　中途支払理由	（イ）　財形貯蓄契約等を締結している者でなくなったこと（財形法令20①一）		給与所得	措法29の３ 措令19の４一	中途支払理由が生じた日
		（ロ）　勤労者の死亡（財形法令20①一の二）		非課税 ((注)１参照)		
		（ハ）　当該契約に係る事業場の勤労者でなくなったこと（財形法令20①二）		一時所得	措法29の３ 措令19の４一	中途支払理由が生じた日
		（ニ）　給与所得者の扶養控除等申告書を当該事業場を経由して提出する勤労者以外の者となったこと（財形法令20①三）		同　上	同　上	同　上
		（ホ）　勤労者に係る疾病、災害又は持家の取得を理由とする当該事業主を経由して行う給付金の支払の請求（財形法令20①四）	事業主の証明あり ((注)２参照)	同　上	措法29の３ 措令19の４一 措規11の４①	信託会社等が支払の請求を受理した日
			証明なし	給与所得	同　上	同　上
		（ヘ）　上記（ホ）以外の理由による当該事業主を経由して行う給付金の支払の請求（財形法令20①五）		同　上	措法29の３ 措令19の４一	同　上
	ハ　当該契約の解約（財形法令22一、二）			一時所得 ((注)３参照)	措法29の３	解約の日

②第一種財形基金給付金	イ	７年を経過した日ごとに支払われるもの（財形法６の３②六）		一時所得	措法29の３	財形法第６条の３第２項第６号に規定する７年を経過した日
	ロ中途支払理由	（イ）財形貯蓄契約等を締結している者でなくなったこと（財形法令27の５①一）		給与所得	措法29の３ 措令19の４二	中途支払理由が生じた日
		（ロ）当該基金に対し脱退の申出をしたため、当該基金の加入員でなくなったこと（財形法令27の５①一の二）		同上	同上	同上
		（ハ）勤労者が死亡したため、当該基金の加入員でなくなったこと（財形法令27の５①二）		非課税 ((注)１参照)		
		（ニ）設立事業場の勤労者でなくなったため、当該基金の加入員でなくなったこと（財形法令27の５①三）		一時所得	措法29の３ 措令19の４二	中途支払理由が生じた日
		（ホ）当該基金の規約により定められている資格を喪失したため、当該基金の加入員でなくなったこと（財形法令27の５①四）	事業主及び基金の証明あり ((注)４参照)	同上	措法29の３ 措令19の４一 措規11の４②、③一	同上
			証明なし	給与所得	同上	同上
		（ヘ）給与所得者の扶養控除等申告書を当該事業場を経由して提出する勤労者以外の者となったため、当該基金の加入員でなくなったこと（財形法令27の５①五）		一時所得	措法29の３ 措令19の４二	同上
		（ト）勤労者に係る疾病、災害又は持家の取得を理由とする当該基金を経由して行う給付金の支払の請求（財形法令27の５①六）	事業主の証明あり ((注)２参照)	同上	措法29の３ 措令19の４二 措規11の４③二	信託会社等が支払の請求を受理した日
			証明なし	給与所得	同上	同上
		（チ）上記（ト）以外の理由による当該基金を経由して行う給付金の支払の請求（財形法令27の５①七）		同上	措法29の３ 措令19の４二	同上
	ハ	当該契約の解約（財形法令27の11一、二）		一時所得 ((注)３参照)	措法 29 の３	解約の日
③第二種財形基金給付金	イ	７年を経過した日ごとに支払われるもの（財形法６の３③五）		一時所得	措法29の３	財形法第６条の３第３項第５号に規定する７年を経過した日
	ロ中途支払理由	（イ）財形貯蓄契約等を締結している者でなくなったこと（財形法令27の16①一）		給与所得	措法29の３ 措令19の４二	中途支払理由が生じた日
		（ロ）当該基金に対し脱退の申出をしたため、当該基金の加入員でなくなったこと（財形法令27の16①一）		同上	同上	同上
		（ハ）勤労者が死亡したため、当該基金の加入員でなくなったこと（財形法令27の16①一）		非課税 ((注)１参照)		
		（ニ）次のいずれかに該当するもの（財形法令27の16①二） 〈イ〉設立事業場の勤労者でなくなったため、当該基金の加入員でなくなったこと 〈ロ〉給与所得者の扶養控除等申告書を当該事業場を経由して提出する勤労者以外の者となったため、当該基金の加入員でなくなったこと		一時所得	措法29の３ 措令19の４二	中途支払理由が生じた日
		（ホ）当該基金の規約により定められている資格を喪失したため、当該基金の加入員でなくなったこと（財形法令27の16①三）	事業主及び基金の証明あり ((注)４参照)	同上	措法29の３ 措令19の４二 措規11の４②、③一	同上
			証明なし	給与所得	同上	同上
		（ヘ）勤労者に係る疾病、災害又は持家の取得を理由とする当該基金に対して行う給付金の支払の請求（財形法令27の16①四）	事業主の証明あり ((注)２参照)	一時所得	措法29の３ 措令19の４二 措規11の４③二	銀行等が支払の請求を受理した日
			証明なし	給与所得	同上	同上

（ト）　上記（ヘ）以外の理由による当該基金に対して行う給付金の支払の請求（財形法令27の16①五）		同　　上	措法29の３ 措令19の４二	同　　上
ハ　当該契約の解約（財形法令27の22一、二）		一時所得 （（注）３参照）	措法29の３	解約の日

(注) 1　勤労者の死亡により支払を受ける財形給付金の額又は第一種財形基金給付金の額若しくは第二種財形基金給付金の額は、相続税の課税価格計算の基礎に算入されるものであるから、第二章第三節《非課税所得》**八**（1）《相続財産とされる死亡者の給与等、公的年金等及び退職手当等》の適用があることに留意する。

2　「事業主の証明あり」とは、勤労者に係る疾病、災害又は持家の取得を理由とする財形給付金等の支払の請求について、**2**表（一）の右欄又は同表（二）の右欄のロに規定する事業主の証明がされた場合をいう。

3　事業主又は基金が同一の勤労者に関し２以上の財形給付金契約等を締結している場合には、厚生労働大臣の承認の取消しが行われたこと等により当該契約等が解約されるときを除き、その締結しているすべての財形給付金契約等が解約されることになっている。

4　「事業主及び基金の証明あり」とは、**2**表（二）の右欄イに規定する次に掲げる事業主及び基金の証明がされた場合に限られることに留意する。

〈イ〉　勤労者が心身の故障のため休養を要することとなったこと又は設立事業場を休業したことについての事業主の証明

〈ロ〉　上記〈イ〉の事実が生じたことにより当該基金の規約で定めている資格を喪失し加入員でなくなったことについての基金の証明

（財形給付金等に含まれるもの）

（2）　財形給付金契約等の相手方である財形法第６条の２第１項に規定する信託会社等又は第６条の３第２項《勤労者財産形成基金契約》に規定する信託会社等若しくは同条第３項に規定する銀行等が、（1）の表の「収入すべき時期」欄に掲げる日後に財形給付金等を支払う際に、これらの日の翌日からその支払の日までの期間に対応する利子その他これに準ずるものを、当該財形給付金契約等においてあらかじめ約定されたところにより付加することとしている場合において、当該期間がその財形給付金等の支払に要する期間として相当と認められるとき（おおむね１か月以内であるとき）は、その付加する金額についても、**2**に規定する財形給付金等に含まれるものとして差し支えない。（措通29の３－３）

(注)　財形給付金等がその支払に要する期間として相当と認められる期間を経過して支払われる場合には、（1）の表の「収入すべき時期」欄に掲げる日の翌日からその支払の日までの期間に対応する利子その他これに準ずるものの金額のすべてについて、**2**の規定の適用はないことに留意する。

（やむを得ない中途支払理由で勤労者の疾病等によるもの）

（3）　事業主がその勤労者につき**2**表（一）の右欄又は同表（二）の右欄ロの規定により証明する支払の請求とは、当該勤労者が他に資金を有していないことなどにより、次に掲げる支出に充てるためにやむなく財形給付金等の支払の請求をせざるを得ないと認められる場合の当該支払の請求をいうことに留意する。（措通29の３－４）

（一）　勤労者の疾病（傷害を含む。）により、その治療のために、又は治療を要する間休養するために要する支出（保険金、損害賠償金その他これらに類するものにより補てんされる部分の金額を除く。）

（二）　勤労者の有する生活に通常必要な資産について災害が生じたことにより、その原状回復のために要する支出（保険金、損害賠償金その他これらに類するものにより補てんされる部分の金額を除く。）

（三）　勤労者が自己の居住の用に供する住宅の新築、購入又は増改築（床面積の増加を伴うものに限る。）に要する支出

（第二種財形基金給付金に係る所得の源泉徴収等）

（4）　第二種財形基金給付金の支払は、財形法第７条の19《基金の行う業務》の規定により、基金がその加入員である勤労者に対して行うこととされているが、当該給付金については、**2**の規定により財形法第６条の３第３項に規定する銀行等が支払うものとみなされているから、当該銀行等は、所得税法の定めるところに従い、次に掲げるところにより源泉徴収等をしなければならないことに留意する。（措通29の３－５）

（一）　当該給付金のうち給与等とみなされるものを支払う際には所得税を徴収し納付すること。

（二）　当該給付金に関する次の法定調書を作成の上、税務署長に提出すること。

イ　給与等とみなされる第二種財形基金給付金　　「給与所得の源泉徴収票」

ロ　一時所得に係る総収入金額とみなされる第二種財形基金給付金　　「生命保険契約等の一時金の支払調書」

（給与等とみなされる財形給付金等に係る源泉徴収税額）

（5）　**2**の規定により給与等とみなされる財形給付金等に係る源泉徴収税額は、次に掲げる区分に応じ、それぞれ次に掲げる期間を所得税法第186条第１項第２号ロ《賞与に係る徴収税額》に規定する「賞与の金額の計算の基礎となった

期間」として計算した従たる給与である賞与（前月中の普通給与の支払がない場合に該当）の税額とする。（措通29の３－６）

(一)　その財形給付金契約等に基づき、その勤労者に対して最初に支払われるもの　　その財形給付金契約等に基づきその勤労者のために最初に信託金、保険料、共済掛金若しくは証券投資信託の設定のための金銭（以下(５)において「信託金等」という。）又は預貯金の預入若しくは有価証券の購入に係る金銭（以下(５)において「預入金等」という。）の払込みが行われた日の属する月から、その財形給付金等が支払われるべき日（(１)の表の「収入すべき時期」欄に掲げる日をいう。以下(二)において同じ。）の属する月までの期間

(二)　その財形給付金契約等に基づき、その勤労者に対して２回目分以後に支払われるもの　　当該２回目分以後に支払われる財形給付金等の直前に支払われた財形給付金等に係る最後の信託金等又は預入金等の払込みが行われた日後、最初に信託金等又は預入金等の払込みが行われた日の属する月から、当該２回目分以後に支払われる財形給付金等が支払われるべき日の属する月までの期間

3　退職勤労者が弁済を受ける未払賃金に係る課税の特例

賃金の支払の確保等に関する法律第７条（同法第16条の規定により読み替えて適用される場合を含む。以下**3**において同じ。）に規定する事業主に係る事業を退職した労働者が同法第７条の規定により同条の未払賃金に係る債務で給与等に係るものにつき弁済を受けた金額は、当該事業主から当該退職の日において支払を受けるべき第六節《退職所得》**一**に規定する退職手当等の金額とみなして、所得税法の規定を適用する。（措法29の４）

（注）　上記に関する取扱いは措通29の４－１～５により定められている。（第六節**二 3** 参照）（編者注）

第六節　退 職 所 得

一　定　　義

退職所得とは、退職手当、一時恩給その他の退職により一時に受ける給与及びこれらの性質を有する給与（以下「退職手当等」という。）に係る所得をいう。（法30①）

（退職手当等の範囲）

（1）　退職手当等とは、本来退職しなかったとしたならば支払われなかったもので、退職したことに基因して一時に支払われることとなった給与をいう。したがって、退職に際し又は退職後に使用者等から支払われる給与で、その支払金額の計算基準等からみて、他の引き続き勤務している者に支払われる賞与等と同性質であるものは、退職手当等に該当しないことに留意する。（基通30－１）

（引き続き勤務する者に支払われる給与で退職手当等とするもの）

（2）　引き続き勤務する役員又は使用人に対し退職手当等として一時に支払われる給与のうち、次に掲げるものでその給与が支払われた後に支払われる退職手当等の計算上その給与の計算の基礎となった勤続期間を一切加味しない条件の下に支払われるものは、（1）にかかわらず、退職手当等とする。（基通30－２）

（一）　新たに退職給与規程を制定し、又は中小企業退職金共済制度若しくは確定拠出年金制度への移行等相当の理由により従来の退職給与規程を改正した場合において、使用人に対し当該制定又は改正前の勤続期間に係る退職手当等として支払われる給与

（注）1　上記の給与は、合理的な理由による退職金制度の実質的改変により精算の必要から支払われるものに限られるのであって、例えば、使用人の選択によって支払われるものは、これに当たらないことに留意する。

2　使用者が上記の給与を未払金等として計上した場合には、当該給与は現に支払われる時の退職手当等とする。この場合において、当該給与が２回以上にわたって分割して支払われるときは、**三**（1）《一の退職により２以上の退職手当等を受ける場合の退職所得の収入の時期》の規定の適用があることに留意する。

（二）　使用人から役員になった者に対しその使用人であった勤続期間に係る退職手当等として支払われる給与（退職給与規程の制定又は改正をして、使用人から役員になった者に対しその使用人であった期間に係る退職手当等を支払うこととした場合において、その制定又は改正の時に既に役員になっている者の全員に対し当該退職手当等として支払われる給与で、その者が役員になった時までの期間の退職手当等として相当なものを含む。）

（三）　役員の分掌変更等により、例えば、常勤役員が非常勤役員（常時勤務していない者であっても代表権を有するもの及び代表権は有しないが実質的にその法人の経営上主要な地位を占めていると認められるものを除く。）になったこと、分掌変更等の後における報酬が激減（おおむね50％以上減少）したことなどで、その職務の内容又はその地位が激変した者に対し、当該分掌変更等の前における役員であった勤続期間に係る退職手当等として支払われる給与

（四）　いわゆる定年に達した後引き続き勤務する使用人に対し、その定年に達する前の勤続期間に係る退職手当等として支払われる給与

（五）　労働協約等を改正していわゆる定年を延長した場合において、その延長前の定年（以下「旧定年」という。）に達した使用人に対し旧定年に達する前の勤続期間に係る退職手当等として支払われる給与で、その支払をすることにつき相当の理由があると認められるもの

（六）　法人が解散した場合において引き続き役員又は使用人として清算事務に従事する者に対し、その解散前の勤続期間に係る退職手当等として支払われる給与

（使用人から執行役員への就任に伴い退職手当等として支給される一時金）

（3）　使用人（職制上使用人としての地位のみを有する者に限る。）からいわゆる執行役員に就任した者に対しその就任前の勤続期間に係る退職手当等として一時に支払われる給与（当該給与が支払われた後に支払われる退職手当等の計算上当該給与の計算の基礎となった勤続期間を一切加味しない条件の下に支払われるものに限る。）のうち、例えば、次のいずれにも該当する執行役員制度の下で支払われるものは、退職手当等に該当する。（基通30－２の２）

（一）　執行役員との契約は、委任契約又はこれに類するもの（雇用契約又はこれに類するものは含まない。）であり、

かつ、執行役員退任後の使用人としての再雇用が保障されているものではないこと

(二)　執行役員に対する報酬、福利厚生、服務規律等は役員に準じたものであり、執行役員は、その任務に反する行為又は執行役員に関する規程に反する行為により使用者に生じた損害について賠償する責任を負うこと

(注)　上記例示以外の執行役員制度の下で支払われるものであっても、個々の事例の内容から判断して、使用人から執行役員への就任につき、勤務関係の性質、内容、労働条件等において重大な変動があって、形式的には継続している勤務関係が実質的には単なる従前の勤務関係の延長とはみられないなどの特別の事実関係があると認められる場合には、退職手当等に該当することに留意する。

(受給者が掛金を拠出することにより退職に際しその使用者から支払われる一時金)

(4)　在職中に使用者に対し所定の掛金を拠出することにより退職に際して当該使用者から支払われる一時金は、退職手当等とする。この場合において、その退職手当等の収入金額は、その一時金の額から受給者が拠出した掛金（支給日までにその掛金の運用益として元本に繰り入れられた金額を含む。）の額を控除した金額による。（基通30－3）

(注)　上記後段のかっこ内の掛金の運用益として元本に繰り入れられた金額とは、各人ごとの掛金の額が区分経理されている場合において、当該掛金に対応する運用益としてその者に係る一時金の原資に繰り入れられたものをいい、当該運用益に係る所得は、当該掛金が第二章第一節**一10**(1)《預貯金の範囲》に掲げる貯蓄金として管理されている場合にはその繰り入れられた時の利子所得とし、その他の場合にはその繰り入れられた時の第十節**二1**《雑所得の金額の計算》(二)に規定する雑所得として課税することとなる。

(過去の勤務に基づき使用者であった者から支給される年金に代えて支払われる一時金)

(5)　第十節**二2**《公的年金等の定義》③に規定する過去の勤務に基づき使用者であった者から支給される年金の受給資格者に対し当該年金に代えて支払われる一時金のうち、退職の日以後当該年金の受給開始日までの間に支払われるものは退職手当等とする。

なお、年金の受給開始日後に支払われる一時金であっても、将来の年金給付の総額に代えて支払われるものは、次に掲げる区分に応じ、それぞれ次に掲げる年分の退職手当等として差し支えない。（基通30－4）

(一)　退職の日以後当該退職に基因する退職手当等の支払を既に受けている者に支払われる当該一時金　　当該退職手当等のうち最初に支払われたものの支給期の属する年分

(二)　(一)以外の当該一時金　　当該一時金の支給期の属する年分

(注) 1　年金の受給開始日後に支払われる一時金で、上記なお書に該当しないものは、第十節**二2**③に規定する公的年金等に該当する。

2　年金の受給開始日までの間に支払われる一時金で退職手当等とされるものについては、**三**(1)《一の退職により２以上の退職手当等を受ける場合の退職所得の収入の時期》の規定が適用されることに留意する。

(解雇予告手当)

(6)　労働基準法第20条《解雇の予告》の規定により使用者が予告をしないで解雇する場合に支払う予告手当は、退職手当等に該当する。（基通30－5）

二　退職手当等とみなす一時金（みなし退職所得）

1　退職手当等とみなす一時金

次の①から③までに掲げる一時金は、所得税法の規定の適用については、退職手当等とみなす。（法31）

①	国民年金法、厚生年金保険法、国家公務員共済組合法、地方公務員等共済組合法、私立学校教職員共済法及び独立行政法人農業者年金基金法の規定に基づく一時金その他これらの法律の規定による社会保険又は共済に関する制度に類する制度に基づく一時金（これに類する給付を含む。以下において同じ。）で注で定めるもの (一　時　金) 注　上記の一時金（これに類する給付を含む。）は、次に掲げる一時金とする。（令72①） (一)　国民年金法等の一部を改正する法律第５条《船員保険法の一部改正》の規定による改正前の船員保険法の規定に基づく一時金 (二)　地方公務員等共済組合法の一部を改正する法律附則の規定に基づく一時金 (三)　厚生年金保険制度及び農林漁業団体職員共済組合制度の統合を図るための農林漁業団体職員共済組合法等を廃止する等の法律附則第30条《特例一時金の支給》の規定に基づく一時金（同条第１項第１号に掲げる者に対して支給するものに限る。）

②	石炭鉱業年金基金法の規定に基づく一時金で同法第16条第１項《坑内員に関する給付》又は第18条第１項《坑外員に関する給付》に規定する坑内員又は坑外員の退職に基因して支払われるものその他同法の規定による社会保険に関する制度に類する制度に基づく一時金で注で定めるもの （一　時　金） 注　上記の一時金（これに類する給付を含む。）は、平成25年厚生年金等改正法第１条《厚生年金保険法の一部改正》の規定による改正前の厚生年金保険法（以下「旧厚生年金保険法」という。）第９章《厚生年金基金及び企業年金連合会》の規定に基づく一時金で平成25年厚生年金等改正法附則第３条第12号《定義》に規定する厚生年金基金の加入員（③(1)(五)において「加入員」という。）の退職に基因して支払われるものとする。（令72②）
③	確定給付企業年金法の規定に基づいて支給を受ける一時金で、同法第25条第１項《加入者》に規定する加入者の退職により支払われるもの（同法第３条第１項《確定給付企業年金の実施》に規定する確定給付企業年金に係る規約に基づいて拠出された掛金のうちに当該加入者の負担した金額がある場合には、その一時金の額からその負担した金額を控除した金額に相当する部分に限る。）その他これに類する一時金として(1)で定めるもの （一　時　金） (1)　上記の一時金（これに類する給付を含む。）は、次に掲げる一時金とする。（令72③） (一)　特定退職金共済団体が行う退職金共済に関する制度に基づいて支給される一時金で、当該制度に係る被共済者の退職により支払われるもの (二)　独立行政法人勤労者退職金共済機構が中小企業退職金共済法第10条第１項《退職金》、第30条第２項《退職金相当額の受入れ等》又は第43条第１項《退職金》の規定により支給するこれらの規定に規定する退職金 (三)　独立行政法人中小企業基盤整備機構が支給する次に掲げる一時金 イ　第八章**四**《小規模企業共済等掛金控除》**2**(一)に規定する契約（以下(三)において「小規模企業共済契約」という。）に基づいて支給される小規模企業共済法第９条第１項《共済金》に規定する共済金 ロ　小規模企業共済法第２条第３項《定義》に規定する共済契約者で年齢65歳以上であるものが同法第７条第３項《契約の解除》の規定により小規模企業共済契約を解除したことにより支給される同法第12条第１項《解約手当金》に規定する解約手当金 ハ　小規模企業共済法第７条第４項の規定により小規模企業共済契約が解除されたものとみなされたことにより支給される同法第12条第１項に規定する解約手当金 (四)　法人税法附則第20条第３項《退職年金等積立金に対する法人税の特例》に規定する適格退職年金契約に基づいて支給を受ける一時金で、その一時金が支給される基因となった勤務をした者の退職により支払われるもの（当該契約に基づいて払い込まれた掛金又は保険料のうちに当該勤務をした者の負担した金額がある場合には、その一時金の額からその負担した金額を控除した金額に相当する部分に限る。） (五)　次に掲げる規定に基づいて支給を受ける一時金で、加入員、確定給付企業年金法第25条第１項《加入者》に規定する加入者又は確定拠出年金法第２条第８項《定義》に規定する企業型年金加入者（(六)において「企業型年金加入者」という。）の退職により支払われるもの（確定給付企業年金法第３条第１項《確定給付企業年金の実施》に規定する確定給付企業年金に係る規約に基づいて拠出された掛金のうちに当該加入者の負担した金額がある場合には、その一時金の額からその負担した金額を控除した金額に相当する部分に限る。） イ　平成25年厚生年金等改正法附則第42条第３項《基金中途脱退者に係る措置》、第43条第３項《解散基金加入員等に係る措置》、第46条第３項《確定給付企業年金中途脱退者に係る措置》、第47条第３項《終了制度加入者等に係る措置》、第49条の２第１項《企業型年金加入者であった者に係る措置》又は第75条第２項《解散存続連合会の残余財産の連合会への交付》の規定 ロ　平成25年厚生年金等改正法附則第63条第１項《確定給付企業年金中途脱退者等に係る措置に関する経過措置》の規定によりなおその効力を有するものとされる平成25年厚生年金等改正法第２条《確定給付企業年金法の一部改正》の規定による改正前の確定給付企業年金法第91条の２第３項《中途脱退者に係る措置》の規定 ハ　平成25年厚生年金等改正法附則第63条第２項の規定によりなおその効力を有するものとされる平成

25年厚生年金等改正法第２条の規定による改正前の確定給付企業年金法第91条の３第３項《終了制度加入者等に係る措置》の規定

(六)　確定給付企業年金法第91条の23第１項《企業型年金加入者であった者に係る措置》の規定に基づいて支給を受ける一時金で、企業型年金加入者の退職により支払われるもの

(七)　確定拠出年金法第４条第３項《承認の基準等》に規定する企業型年金規約又は同法第56条第３項《承認の基準等》に規定する個人型年金規約に基づいて同法第28条第１号《給付の種類》(同法第73条《企業型年金に係る規定の準用》において準用する場合を含む。)に掲げる老齢給付金として支給される一時金

(八)　独立行政法人福祉医療機構が社会福祉施設職員等退職手当共済法第７条《退職手当金の支給》の規定により支給する同条に規定する退職手当金

(九)　外国の法令に基づく保険又は共済に関する制度で①及び②に規定する法律の規定による社会保険又は共済に関する制度に類するものに基づいて支給される一時金で、当該制度に係る被保険者又は被共済者の退職により支払われるもの

(退職金共済制度等に基づく一時金で退職手当等とみなさないもの)

(２)　(１)(一)に掲げる一時金は、次に掲げる給付（一時金に該当するものに限る。）を含まないものとし、これらの給付として支給される金額は、一時所得に係る収入金額とする。(令76①④)

(一)　特定退職金共済団体が承認の取消し《**2**③》を受け、又は**2**③(１)に規定する届出書を提出した場合において、その取消しを受け、又はその届出書を提出した法人がその取消しを受けた時又は同③(１)に規定する日以後に行う給付

(二)　特定退職金共済団体が行う給付で、これに対応する掛金のうちに次に掲げる掛金が含まれているもの

イ	**2**①《特定退職金共済団体の要件》の(一)に掲げる要件に反して被共済者が自ら負担した掛金
ロ	**2**①(二)に掲げる要件に反して当該特定退職金共済団体の被共済者が既に他の特定退職金共済団体の被共済者となっており、その者について、当該他の特定退職金共済団体の退職金共済契約に係る共済期間が当該特定退職金共済団体に係る共済期間と重複している場合における当該特定退職金共済団体に係る掛金
ハ	**2**①(三)に掲げる要件に反して被共済者とされた者についての掛金
ニ	掛金の月額が**2**①(六)に定める限度（**2**①(七)に規定する過去勤務等通算期間に対応する掛金の額にあっては、同(七)ロに定める限度）を超えて支出された場合における当該掛金
ホ	**2**①(七)イに掲げる要件に反して同(七)に規定する過去勤務等通算期間を定め、当該過去勤務等通算期間に対応するものとして払い込んだ掛金
ヘ	当該特定退職金共済団体の被共済者となった日前の期間（当該被共済者の**2**①(七)に規定する過去勤務等通算期間を除く。）を給付の計算の基礎に含め、当該期間に対応するものとして払い込んだ掛金

(適格退職年金契約に基づく一時金で退職手当等とみなさないもの)

(３)　上記本文の適格退職年金契約に基づいて支給を受ける一時金は、次に掲げる給付（一時金に該当するものに限る。）を含まないものとし、これらの給付として支給される金額は、一時所得に係る収入金額とする。(令76②④)

(一)　法人税法附則第20条第１項《退職年金等積立金に対する法人税の特例》に規定する適格退職年金契約に係る信託、生命保険又は生命共済の業務を行う信託会社（金融機関の信託業務の兼営等に関する法律により同法第１条第１項《兼営の認可》に規定する信託業務を営む銀行を含む。)、生命保険会社(保険業法第２条第３項《定義》に規定する生命保険会社及び同条第８項に規定する外国生命保険会社等をいう。)又は農業協同組合連合会（以下(二)までにおいて「**信託会社等**」という。）が法人税法附則第20条第３項に規定する適格退職年金契約につき法人税法施行令附則第18条第１項《適格退職年金契約の承認の取消し》の規定による承認の取消しを受けた場合において、その信託会社等が当該契約に基づきその取消しを受けた時以後に行う給付

	（二）　(一)に規定する業務を行う信託会社等が行う給付で、これに対応する掛金又は保険料のうちに法人税法施行令附則第16条第１項第３号《適格退職年金契約の要件等》に掲げる要件に反して同項第２号に規定する受益者等とされた者に係る掛金又は保険料が含まれているもの （税務署長の通知） （４）　税務署長は、特定退職金共済団体の被共済者又は(３)(二)に規定する受益者等のうちに(２)(二)又は(３)(二)に掲げる給付を受けるべき者があると認めたときは、当該特定退職金共済団体又は(３)(二)に規定する信託会社等に対し、書面によりその旨及びその者の氏名を通知するものとする。（令76③）

（確定給付企業年金法等の規定に基づいて支払われる一時金）

注　③に規定する「加入者の退職により支払われるものその他これに類する一時金として(１)で定めるもの」又は②の注に規定する「加入員の退職に基因して支払われるもの」には、確定給付企業年金法の規定に基づいて支払われる退職一時金、公的年金制度の健全性及び信頼性の確保のための厚生年金保険法等の一部を改正する法律（平成25年法律第63号。以下「平成25年厚生年金等改正法」という。）第１条《厚生年金保険法の一部改正》の規定による改正前の厚生年金保険法第９章《厚生年金基金及び企業年金連合会》の規定に基づいて支払われる退職一時金、法人税法附則第20条第３項《退職年金等積立金に対する法人税の特例》に規定する適格退職年金契約に基づいて支払われる退職一時金、平成25年厚生年金等改正法附則の規定に基づいて支払われる退職一時金、平成25年厚生年金等改正法第２条《確定給付企業年金法の一部改正》の規定による改正前の確定給付企業年金法の規定に基づいて支払われる退職一時金又は確定拠出年金法の規定に基づいて老齢給付金として支払われる一時金のうち、次に掲げる一時金がそれぞれ含まれるものとする。（基通31－１）

（一）　確定給付企業年金規約、厚生年金基金規約又は適格退職年金契約に基づいて支給される年金の受給資格者に対し当該年金に代えて支払われる一時金のうち、退職の日以後当該年金の受給開始日までの間に支払われるもの（年金の受給開始日後に支払われる一時金のうち、将来の年金給付の総額に代えて支払われるものを含む。）

（注）　上記一時金の課税年分については、**一**(５)の取扱いに準ずる。

（二）　確定拠出年金法に規定する企業型年金規約又は個人型年金規約に基づく年金の受給開始日後に支払われる一時金のうち、将来の年金給付の総額に代えて支払われるもの

（注）　上記一時金の課税年分については、当該一時金の支給期の属する年分とし、**三**(１)《一の退職により２以上の退職手当等を受ける場合の退職所得の収入の時期》の規定の適用はないことに留意する。

（三）　確定給付企業年金規約の加入者又は厚生年金基金（企業年金連合会を含む。）若しくは適格退職年金契約の加入員に対し、**一**(２)(二)及び同(四)から同(六)まで並びに**一**(３)に掲げる退職に準じた事実等が生じたことに伴い加入者又は加入員（厚生年金基金の場合の加算適用加入員を含む。）としての資格を喪失したことを給付事由として支払われる一時金（当該事実等が生じたことを給付事由として、使用者から**一**(２)(二)及び同(四)から同(六)まで並びに**一**(３)に掲げる退職手当等が支払われる場合に限る。）

（注）　上記の場合において、加入者又は加入員に支払われる退職手当等が確定給付企業年金規約又は厚生年金基金規約若しくは適格退職年金契約に基づいて支払われるもののみである場合には、上記かっこ書は適用しない。

2　特定退職金共済団体

①　特定退職金共済団体の要件

1表内③(１)(一)に規定する特定退職金共済団体とは、退職金共済事業を行う市町村（特別区を含む。）、商工会議所、商工会、商工会連合会、都道府県中小企業団体中央会、退職金共済事業を主たる目的とする一般社団法人又は一般財団法人その他財務大臣の指定するこれらに準ずる法人で、その行う退職金共済事業につき次の(一)から(十一)までに掲げる要件を備えているものとして税務署長の承認を受けたものをいう。

財務大臣は、上記の指定をしたときは、これを告示する。（令73①③）

(一)	多数の事業主を対象として**退職金共済契約**（事業主が退職金共済事業を行う団体に掛金を納付し、その団体がその事業主の雇用する使用人の退職について退職給付金を支給すること（(八)イに規定する退職金に相当する額若しくは(八)ハに規定する退職給付金に相当する額又は(九)に規定する引渡金額の引渡しを含む。）を約する契約をいう。以下同じ。）を締結することを目的とし、かつ、**加入事業主**（退職金共済契約を締結した事業主をいう。以下同じ。）のみがその掛金（(七)に規定する過去勤務等通算期間に対応する掛金を含む。(四)、(五)及び(十)において同じ。）を負担すること。

<table>
<tr><td>(二)</td><td>被共済者（退職金共済契約に基づいて退職給付金の支給を受けるべき者をいう。以下同じ。）のうちに他の特定退職金共済団体の被共済者を含まないこと。</td></tr>
<tr><td>(三)</td><td>被共済者のうちに加入事業主である個人若しくはこれと生計を一にする親族又は加入事業主である法人の役員（法人税法第34条第６項《役員給与の損金不算入》に規定する使用人としての職務を有する役員を除く。）を含まないこと。</td></tr>
<tr><td>(四)</td><td>掛金として払い込まれた金額（中小企業退職金共済法第31条第１項《退職金相当額の引渡し等》の規定によりその引渡しを受けた金額及び(八)のハの規定によりその引渡しを受けた金額並びにこれらの運用による利益を含む。(五)において同じ。）は、加入事業主に返還しないこと。</td></tr>
<tr><td>(五)</td><td>掛金として払い込まれた金額から退職金共済事業を行う団体の事務に要する経費として通常必要な金額を控除した残額（へにおいて「資産総額」という。）は、次に掲げる資産として運用し、かつ、これらの資産を担保に供し又は貸し付けないこと。
<table>
<tr><td>イ</td><td>公社債（信託会社〔金融機関の信託業務の兼営等に関する法律により同法第１条第１項《兼営の認可》に規定する信託業務を営む銀行を含む。〕に信託した公社債を含む。）</td></tr>
<tr><td>ロ</td><td>預貯金（定期積金その他これに準ずるものを含む。）</td></tr>
<tr><td>ハ</td><td>合同運用信託</td></tr>
<tr><td>ニ</td><td>証券投資信託の受益権</td></tr>
<tr><td>ホ</td><td>被共済者を被保険者とする生命保険の保険料その他これに類する生命共済の共済掛金（(２)で定めるものに限る。）</td></tr>
<tr><td>ヘ</td><td>加入事業主に対する貸付金で次に掲げる要件を満たすもの
(イ)　被共済者の福祉を増進するために必要な被共済者の住宅その他の施設の設置又は整備に要する資金に充てられるものであること。
(ロ)　資産総額のうちに当該貸付金の残額の合計額の占める割合が常時100分の15以下であること。</td></tr>
</table></td></tr>
<tr><td>(六)</td><td>掛金の月額は、被共済者１人につき30,000円以下であること。</td></tr>
<tr><td>(七)</td><td>被共済者につき過去勤務期間（その者（(３)で定める者を除く。）が被共済者となった日の前日まで加入事業主の下で引き続き勤務した期間をいう。イにおいて同じ。）又は合併等前勤務期間（その者が、法人の合併又は事業の譲渡（それぞれ(４)で定める合併又は事業の譲渡に限る。以下(七)において同じ。）に伴い被共済者となった者として(５)で定める者（以下(七)において「合併等被共済者」という。）である場合において、当該合併又は事業の譲渡の日の前日まで当該合併により消滅した法人若しくは当該合併後存続する法人又は当該事業の譲渡をした法人（当該合併又は事業の譲渡以外の合併又は事業の譲渡によりこれらの法人に事業が承継され、又は譲渡された法人を含む。）である事業主の下で引き続き勤務した期間をいう。イにおいて同じ。）がある場合において、これらの期間を退職給付金の額の計算の基礎に含めるときは、当該退職給付金の額の計算の基礎に含める期間（以下(七)において「過去勤務等通算期間」という。）並びに当該過去勤務等通算期間に対応する掛金の額及びその払込みは、次の要件を満たすものであること。
<table>
<tr><td>イ</td><td>過去勤務等通算期間は、次に掲げる場合の区分に応じ、それぞれ次に定めるところによるものであること。
(イ)　過去勤務等通算期間が過去勤務期間に係るものである場合　退職金共済契約（(１)で定める契約を含む。ハにおいて同じ。）を締結する際に当該加入事業主に雇用されている者（被共済者となるべき者に限る。）の全てについて、その者の過去勤務期間（当該過去勤務期間（ハの(イ)及び(ハ)に掲げる金額に係るものを除く。）が10年を超えるときは、10年とする。）に対応して定めること。
(ロ)　過去勤務等通算期間が合併等前勤務期間に係るものである場合　当該合併等被共済者の全てについて、その者の合併等前勤務期間（(２)で定める期間に限る。）に対応して定めること。

（上記(イ)で定める契約）
(１)　上記(イ)で定める契約は、特定退職金共済団体が、その行う退職金共済事業につき新たに上記の過去勤務期間を退職給付金の額の計算の基礎に含めることとする退職金共済事業に係る</td></tr>
</table></td></tr>
</table>

契約（当該契約が当該退職金共済事業を開始する日の前日における加入事業主との間で締結をすることとされている場合にあっては、同日から同日以後２年以内に当該締結をするものとされているものに限る。）とする。（規18の４⑤）

（上記(ロ)で定める期間）

（２）　上記(ロ)で定める期間は、その者が、当該合併等に係る被合併法人若しくは合併法人又は事業の譲渡をした法人である事業主が締結していた適格退職年金契約に係る受益者等であった期間（当該適格退職年金契約の締結若しくは変更又はその者の加入に伴い、その者につき法人税法施行令附則第16条第１項第７号に規定する過去勤務債務等の額が計算されたことがある場合には、その計算の基礎に含められた期間を含む。）とする。（規18の４⑥）

ロ

過去勤務等通算期間に対応する掛金の額は、当該過去勤務等通算期間の月数を(六)の掛金の月額(ハの(イ)及び(ハ)に掲げる金額に係るものを除き、当該月額が30,000円を超えるときは、30,000円とする。)に乗じて得た金額と当該過去勤務等通算期間に係る運用収益として注で定める金額との合計額以下とすること。

（上記で定める金額）

注　上記の注で定める金額は、上記ロの乗じて得た金額、上記に規定する過去勤務等通算期間及び(五)の規定による資産の運用による利益の状況を基礎として適正に見積もられる運用収益に相当する金額とする。（規18の４⑦）

ハ

過去勤務等通算期間に対応する掛金の額（次に掲げる金額があるときは、それぞれこれらの金額を控除した額）は、当該掛金の額を退職金共済契約を締結した日又は当該合併等被共済者となった日として(６)で定める日（以下(七)において「基準日」という。）の翌日から同日以後５年を経過する日までの期間の月数（過去勤務等通算期間が５年未満であるときは当該過去勤務等通算期間の月数とし、被共済者が当該５年を経過する日前に退職をすることとされているときは当該翌日から同日以後当該退職をすることとされている日までの期間の月数とする。）で均分して、当該基準日の属する月以後毎月払い込まれること。

(イ)　中小企業退職金共済法第17条第１項《解約手当金等》の規定により独立行政法人勤労者退職金共済機構から引き渡される金額

(ロ)　法人税法施行令附則第16条第１項第９号ニ《適格退職年金契約の要件等》に掲げる金額

(ハ)　他の特定退職金共済団体との間で、当該他の特定退職金共済団体に係る退職金共済契約の解除をして特定退職金共済団体の加入事業主となった者が申し出たときは当該加入事業主に係る(五)に規定する資産総額に相当する額をその特定退職金共済団体に引き渡すことその他(１)で定める事項を約する契約を締結している場合において、当該他の特定退職金共済団体の加入事業主であった者が当該解除後直ちに、その特定退職金共済団体の加入事業主となり、かつ、(２)で定めるところにより申出をしたときに、当該契約で定めるところによって当該他の特定退職金共済団体から引き渡される当該資産総額に相当する額

（上記(ハ)に規定する(１)で定める事項）

（１）　上記(ハ)に規定する(１)で定める事項は、次に掲げる事項とする。（規18の４⑨）

一　上記(ハ)の他の特定退職金共済団体（(２)において「他の特定退職金共済団体」という。）は、上記(ハ)の申出をする加入事業主であった者に係る上記(ハ)に規定する資産総額に相当する額（以下(１)及び(２)において「加入事業主に係る資産総額相当額」という。）を、当該加入事業主に係る資産総額相当額並びに当該加入事業主であった者及び当該加入事業主であった者に係る被共済者について行った退職金共済契約に係る退職金共済事業に関する記録とともに、一括して、遅滞なく、当該加入事業主であった者がその加入事業主となった上記(ハ)の特定退職金共済団体（(二)及び(２)において「受入特定退職金共済団体」という。）に、引き渡すこと。

二　受入特定退職金共済団体は、加入事業主に係る資産総額相当額を、加入事業主となった者に係る被共済者の退職給付金に充てるための資産として受け入れること。

（上記(ハ)の申出）

（2）　上記(ハ)の申出は、その申出をする加入事業主となった者が、その加入事業主となった後直ちに、次に掲げる事項を記載した申出書を、当該受入特定退職金共済団体を経由して、当該他の特定退職金共済団体に提出することにより、行わなければならない。（規18の４⑩）

一　申出をする事業主の氏名又は名称及び住所（国内に住所を有しない者にあっては、所得税法施行規則第81条（国内に住所を有しない者の告知すべき居所地等）に規定する場所。以下同じ。）

二　加入事業主に係る資産総額相当額を当該他の特定退職金共済団体から当該受入特定退職金共済団体に引き渡すことを申し出る旨

三　当該他の特定退職金共済団体の名称及び所在地並びに申出をする事業主が当該他の特定退職金共済団体との退職金共済契約の解除をした年月日

四　当該受入特定退職金共済団体の名称及び所在地並びに申出をする事業主が当該受入特定退職金共済団体と退職金共済契約を締結した年月日

五　その他参考となるべき事項

(八)

被共済者が退職をした場合において、当該被共済者（当該退職につき退職金共済契約に基づき退職給付金の支給を受けることができる者に限る。）が次に掲げる場合に該当するときは、それぞれ次に定めるところによること。

イ	当該被共済者が、中小企業退職金共済法第30条第１項《退職金相当額の受入れ等》の規定により、同項の申出をした場合　　同項に規定する契約で定めるところによって当該被共済者に係る同項に規定する退職金に相当する額を独立行政法人勤労者退職金共済機構に引き渡すこと。
ロ	当該被共済者が、中小企業退職金共済法第31条第１項《退職金相当額の引渡し等》の規定により独立行政法人勤労者退職金共済機構から同項に規定する退職金に相当する額の引渡しを受けて被共済者となった者である場合　　当該被共済者の当該退職について支給する退職給付金は、その計算の基礎に当該退職金に相当する額を含むものであること。
ハ	他の特定退職金共済団体との間で、その退職につき退職金共済契約に基づき退職給付金の支給を受けることができる被共済者（当該退職をした者に限る。）が申し出たときは当該被共済者に係る当該退職給付金に相当する額を当該他の特定退職金共済団体に引き渡すことその他（1）で定める事項を約する契約を締結している場合において、当該被共済者が当該退職後３年間内に、当該退職給付金を請求しないで当該他の特定退職金共済団体の被共済者となり、かつ、（2）で定めるところにより申出をした場合　　当該契約で定めるところによって当該退職給付金に相当する額を当該他の特定退職金共済団体に引き渡すこと。（規18の４⑫）
ニ	当該被共済者が、ハに定めるところにより当該被共済者に係る特定退職金共済団体以外の特定退職金共済団体からハに規定する退職給付金に相当する額の引渡しを受けて被共済者となった者である場合　　当該被共済者の当該退職について支給する退職給付金は、その計算の基礎に当該引渡しを受けた当該退職給付金に相当する額が含まれるものであること。
ホ	当該被共済者が、当該退職後３年間内に、当該退職給付金（以下ホにおいて「引継退職給付金」という。）を請求しないで他の加入事業主（当該被共済者に係る特定退職金共済団体と退職金共済契約を締結した事業主に限る。）に係る被共済者となり、かつ、（3）で定めるところにより申出をした場合　　当該被共済者の退職（当該他の加入事業主との雇用関係が終了する場合に限る。）について支給する退職給付金は、その計算の基礎に当該引継退職給付金に相当する額を含むものであること。（規18の４⑫）

（上記ハに規定する（1）で定める事項）

（1）　上記ハに規定する（1）で定める事項は、同ハの退職給付金を支給すべき特定退職金共済団体（（2）において「従前の特定退職金共済団体」という。）は、同ハの申出をした者に係る当該退職給付金に相当する額を、一括して、遅滞なく、同ハの他の特定退職金共済団体（（2）において「他の特定退職金共済団体」という。）に引き渡すこととする。（規18の４⑪）

<table>
<tr><td></td><td>（上記ハの申出）
（2）　上記ハの申出は、次に掲げる事項を記載した申出書に、従前の特定退職金共済団体の被共済者証その他の当該申出をする者が同ハに規定するその退職につき退職金共済契約に基づき退職給付金の支給を受けることができる被共済者であったことを証する書類を添付し、これを他の特定退職金共済団体を経由して従前の特定退職金共済団体に提出することにより、行わなければならない。（規18の4⑬）
一　当該申出をする者の氏名及び住所
二　当該申出をする者に係る他の特定退職金共済団体の加入事業主の氏名又は名称及び住所
三　他の特定退職金共済団体の名称及び所在地
四　当該申出をする者を雇用していた事業主（当該申出をする者がその退職につき上記ハの規定に従い同ハの退職給付金の請求をしなかった場合のその退職に係る従前の特定退職金共済団体の加入事業主（当該加入事業主であった者を含む。）をいう。）の氏名又は名称及び住所
五　四の退職の年月日

（上記ホの申出）
（3）　上記ホの申出は、次に掲げる事項を記載した申出書に、被共済者証の写しを添付し、これを同ホに規定する他の加入事業主を経由して特定退職金共済団体に提出することにより、行わなければならない。（規18の4⑭）
一　当該申出をする者の氏名及び住所
二　当該申出をする者を雇用する上記ホに規定する他の加入事業主の氏名又は名称及び住所
三　当該申出をする者を雇用していた事業主（当該申出をする者がその退職につき上記ホの規定に従い同ホに規定する引継退職給付金の請求をしなかった場合における当該退職に係る当該特定退職金共済団体の加入事業主（当該加入事業主であった者を含む。）をいう。）の氏名又は名称及び住所
四　三の退職の年月日</td></tr>
<tr><td>(九)</td><td>退職金共済事業を廃止した場合において、中小企業退職金共済法第31条の2第1項《退職金共済事業を廃止した団体からの受入金額の受入れ等》（同条第6項において準用する場合を含む。以下(九)において同じ。）に規定する事業主が、同条第1項の規定による申出をしたときは、同項に規定する廃止団体と独立行政法人勤労者退職金共済機構との間の同項の引渡しに係る契約で定めるところによって当該事業主に係る被共済者であった者に係る引渡金額（同項に規定する掛金の総額及び掛金に相当するものとして同項に規定する政令で定める金額並びにこれらの運用による利益の額の範囲内の金額をいう。）を独立行政法人勤労者退職金共済機構に引き渡すこと。</td></tr>
<tr><td>(十)</td><td>掛金の額又は退職給付金の額について、加入事業主又は被共済者のうち特定の者につき不当に差別的な取扱いをしないこと。</td></tr>
<tr><td>(十一)</td><td>退職金共済事業に関する経理は、他の経理と区分して行うこと。</td></tr>
</table>

（①に規定する一般社団法人又は一般財団法人）

（1）　①に規定する一般社団法人又は一般財団法人は、一般社団法人及び一般財団法人に関する法律及び公益社団法人及び公益財団法人の認定等に関する法律の施行に伴う関係法律の整備等に関する法律第40条第1項《社団法人及び財団法人の存続》の規定により一般社団法人又は一般財団法人として存続するもののうち、同法第106条第1項《移行の登記》（同法第121条第1項《認定に関する規定の準用》において読み替えて準用する場合を含む。）の登記をしていないもの（同法第131条第1項《認可の取消し》の規定により同法第45条《通常の一般社団法人又は一般財団法人への移行》の認可を取り消されたものを除く。）以外のものにあっては、次の(一)から(五)までに掲げる要件を満たすものに限るものとする。（令73②）

(一)	その定款に上表の(十一)の退職金共済事業に関する経理に関する書類をその主たる事務所に備え置く旨並びに加入事業主及び被共済者が当該書類を閲覧できる旨の定めがあること。
(二)	その定款に特定の個人又は団体に剰余金の分配を受ける権利を与える旨の定めがないこと。
(三)	その定款に解散したときはその残余財産が特定の個人又は団体（国若しくは地方公共団体、公益社団法人若しくは公益財団法人、公益社団法人及び公益財団法人の認定等に関する法律第5条第17号イからトまで《公益認

	定の基準》に掲げる法人又はその目的と類似の目的を有する他の一般社団法人若しくは一般財団法人を除く。）に帰属する旨の定めがないこと。
(四)	上表の(一)から(三)まで及び(五)に掲げる要件の全てに該当していた期間において、特定の個人又は団体に剰余金の分配その他の方法（合併による資産の移転を含む。）により特別の利益を与えることを決定し、又は与えたことがないこと。
(五)	各理事について、当該理事及び当該理事の配偶者又は３親等以内の親族その他の当該理事と次に掲げる財務省令で定める特殊の関係のある者である理事の合計数の理事の総数のうちに占める割合が、３分の１以下であること。（規18の５） ① 当該理事の配偶者 ② 当該理事の三親等以内の親族 ③ 当該理事と婚姻の届出をしていないが事実上婚姻関係と同様の事情にある者 ④ 当該理事の使用人 ⑤ ①から④までに掲げる者以外の者で当該理事から受ける金銭その他の資産によつて生計を維持しているもの ⑥ ③から⑤までに掲げる者と生計を一にするこれらの者の配偶者又は三親等以内の親族

（特定退職金共済団体の資産運用の対象となる生命保険料等の範囲等）

(2)　①(五)ホに規定する生命保険の保険料その他これに類する生命共済の共済掛金は、次の(一)及び(二)に掲げるものとする。（規18の４①）

(一)	②(5)に規定する特定退職金共済団体（以下(2)及び②において「特定退職金共済団体」という。）を保険契約者及び保険金受取人とする生命保険で次に掲げるものに係る保険料	
	イ	その特定退職金共済団体の①(二)に規定する被共済者（ロ、(3)、(5)及び①(七)ハ(1)において「被共済者」という。）を被保険者とする養老保険（被保険者が保険期間中に死亡し又は当該期間満了の日に生存している場合に保険金を支払う定めのある生命保険をいう。）又は生存保険（被保険者が一定期間満了の日に生存している場合に保険金を支払う定めのある生命保険をいい、保険金の支払方法が年金の方法によるものを含む。）
	ロ	被保険者たる被共済者の集団を被保険団体とする保険期間が１年である団体生命保険で被保険者が保険期間中に死亡した場合に保険金を支払うほか当該期間中に解約した場合若しくは被保険者が被保険団体から脱退した場合又は被保険者が当該期間満了の日に生存している場合に当該保険契約に基づく保険金以外の給付金を支払う定めのあるもの
(二)	農業協同組合連合会（農業協同組合法第10条第１項第10号《共済に関する施設》の事業を行う農業協同組合連合会のうちその業務が全国の区域に及ぶものに限る。）が行う特定退職金共済団体を共済契約者及び共済金受取人とする生命共済で次に掲げるものに係る共済掛金	
	イ	その特定退職金共済団体の①(二)に規定する被共済者（ロにおいて「被団体共済者」という。）をその生命共済の被共済者とする養老共済（生命共済の被共済者が共済期間中に死亡し又は当該期間満了の日に生存している場合に共済金を支払う定めのある生命共済をいう。）又は生存共済（生命共済の被共済者が一定期間満了の日に生存している場合に共済金を支払う定めのある生命共済をいい、共済金の支払方法が年金の方法によるものを含む。）
	ロ	被共済者たる被団体共済者の集団を被共済団体とする共済期間が１年である団体生命共済で被共済者が共済期間中に死亡した場合に共済金を支払うほか当該期間中に解約した場合若しくは被共済者が被共済団体から脱退した場合又は被共済者が当該期間満了の日に生存している場合に当該共済契約に基づく共済金以外の給付金を支払う定めのあるもの

(①(七)で規定する(3)で定める者)

(3)　①(七)に規定する(3)で定める者は、同(七)に規定する合併又は事業の譲渡（以下「合併等」という。）に伴い被共済者となった者で当該合併等の直前において当該合併等に係る合併法人（合併後存続する法人をいう。(5)及び①(七)イ(2)において同じ。）である事業主が締結していた法人税法附則第20条第3項《退職年金積立金に対する法人税の特例》に規定する適格退職年金契約（(5)及び①(七)イ(2)において「適格退職年金契約」という。）に係る法人税法施行令附則第16条第1項第3号《適格退職年金契約の要件等》に規定する受益者等（(5)及び①(七)イ(2)において「受益者等」という。）であったものとする。(規18の4②)

(①(七)に規定する(4)で定める合併又は事業の譲渡)

(4)　①(七)に規定する(4)で定める合併又は事業の譲渡は、次の(一)から(七)までに掲げる合併又は事業の譲渡とする。(規18の4③)

(一)	農業協同組合が農業協同組合合併助成法第2条第1項《合併経営計画の樹立》の規定により同法第4条第2項《合併経営計画の適否の認定》の認定を受けて行う合併又は農業協同組合法第10条第1項第3号《貯金又は定期積金の受入れ》の事業を行う農業協同組合が同法第65条第2項《合併の要件》の認可を受けて行う合併（農業協同組合及び農業協同組合連合会の信用事業に関する命令（平成5年大蔵省・農林水産省令第1号）第57条第2項《合併の認可の申請等》において準用する同令第50条第2項《信用事業の全部又は一部の譲渡の認可の申請等》に規定する審査を受けて行うものに限る。）
(二)	農林中央金庫及び特定農水産業協同組合等による信用事業の再編及び強化に関する法律(以下(4)において「再編強化法」という。）第8条《合併》の規定による農林中央金庫と信用農水産業協同組合連合会（再編強化法第2条第2項《定義》に規定する信用農水産業協同組合連合会をいう。(五)イにおいて同じ。）との合併
(三)	全国の区域を地区とする農業協同組合連合会とその会員たる農業協同組合連合会(信用農業協同組合連合会(再編強化法第2条第1項第2号に規定する信用農業協同組合連合会をいう。(五)ロ及び(六)において同じ。）を除く。）との合併
(四)	再編強化法附則第30条第1項《農林中央金庫と特定承継会社との合併》の規定による農林中央金庫と特定承継会社（再編強化法附則第26条第1項《特定承継会社に係る農林中央金庫法等の特例》に規定する特定承継会社をいう。以下同じ。）との合併
(五)	再編強化法第2条第4項に規定する事業譲渡のうち次に掲げるもの イ　信用農水産業協同組合連合会が農林中央金庫に対して行う信用事業（再編強化法第2条第3項に規定する信用事業をいう。ニ及び(六)において同じ。）の全部又は一部の譲渡 ロ　特定農業協同組合(再編強化法第2条第1項第1号に規定する特定農業協同組合をいう。ハにおいて同じ。）が農林中央金庫又は信用農業協同組合連合会に対して行う農業協同組合法第10条第1項第3号の事業の全部の譲渡 ハ　特定農業協同組合が特定承継会社に対して行う農業協同組合法第10条第1項第3号の事業の全部の譲渡 ニ　再編強化法第2条第1項第3号に規定する特定漁業協同組合又は同項第5号に規定する特定水産加工業協同組合が農林中央金庫、同項第4号に規定する信用漁業協同組合連合会又は同項第6号に規定する信用水産加工業協同組合連合会に対して行う信用事業の全部の譲渡
(六)	再編強化法附則第29条第1項《特定農業協同組合等から特定承継会社への信用事業の譲渡》の規定による信用農業協同組合連合会が特定承継会社に対して行う信用事業の全部又は一部の譲渡
(七)	再編強化法附則第31条第1項《特定承継会社から農林中央金庫への事業の譲渡》の規定による特定承継会社が農林中央金庫に対して行う事業の全部又は一部の譲渡

(被共済者となった者として定める者)

(5)　①(七)に規定する被共済者となった者として定める者は、次の(一)及び(二)に掲げる者とする。(規18の4④)

(一)	合併等に伴い被共済者となった者で当該合併等の直前において当該合併等に係る被合併法人（合併により消滅した法人をいう。(二)及び①(七)イ(2)において同じ。)、合併法人又は事業の譲渡をした法人である事業主が締結していた適格退職年金契約に係る受益者等であったもの
(二)	合併等前から被共済者であった者で当該合併等の直前において当該合併等に係る被合併法人、合併法人又は事

	業の譲渡をした法人である事業主が締結していた適格退職年金契約に係る受益者等であったもの

（合併等被共済者となった日）

（6）　①(七)ハに規定する合併等被共済者となった日として定める日は、合併等があった日（同日後において当該合併等に係る同(七)に規定する合併等被共済者に係る退職金共済契約（①(一)に規定する退職金共済契約をいう。以下同じ。）の締結をした場合には、当該締結の日）とする。（規18の4⑧）

（退職金共済契約の範囲）

（7）　①(一)の「退職金共済契約」には、使用人の退職について退職給付金を支給するほか、使用人の慶弔、災害について金品を支給するなど他の給付をも併せて行うことを約する契約は含まれない。ただし、退職給付金の給付事業に関する経理とその他の経理とが明確に区分されている場合には、その退職給付金の給付に係る部分の契約に限り、退職金共済契約に該当する。（基通31－3）

(注)　使用人の退職につき退職給付金を支給する契約で退職金共済契約に該当しないものは、第五節**二**の**2**《不適格退職金共済契約等に基づく掛金の取扱い》の(一)に規定する退職金共済契約に類する契約に該当する。

（被共済者間の公平な取扱い）

（8）　①(十)に掲げる要件は、特定の事業に従事する被共済者又は役付の被共済者等特定の者だけについて掛金の額を減額し又は退職給付金の額を増額するなどの取扱いをしてはならないことを定めたものであるが、次に掲げるような特別の事情がある者に対する給付に差を設けても不当に差別的な取扱いをすることにはならないことに留意する。（基通31－4）

(一)　窃取、横領、傷害その他刑罰法規に触れる行為により、事業主に重大な損害を加え、その名誉若しくは信用を著しくき損し、又は職場規律を著しく乱した者

(二)　秘密の漏えいその他の行為により職務上の義務に著しく違反した者

(三)　正当な理由がない欠勤その他の行為により職場規律を乱した者又は雇用契約に関し著しく信義に反する行為があった者

（退職給付金支給事業とその他の事業とを併せて行う団体に対して支出した掛金）

（9）　第五節**二2**《不適格退職金共済契約等に基づく掛金の取扱い》の規定の適用に当たり、事業主が同**2**(一)又は同(二)に規定する契約に基づき退職給付金を支給する事業（以下(9)において「退職給付金支給事業」という。）とその他の事業とを併せて行う団体に対して、被共済者又はこれに類する者のために支出した掛金で損金の額又は必要経費に算入される金額は、退職給付金支給事業以外の事業に充てられる部分の金額が明らかに区分されている場合を除き、その全額を被共済者又はこれに類する者に対する給与等とする。（基通31－5）

②　特定退職金共済団体の承認

①の法人は、その行う退職金共済事業につき①の承認を受けようとするときは、次の(一)から(八)までに掲げる事項を記載した申請書に退職金共済規程並びに一般社団法人及び一般財団法人にあっては定款の写しを添付し、これを当該法人の主たる事務所の所在地の所轄税務署長に提出しなければならない。（令74①、規19①）

(一)	申請書を提出する法人の名称、主たる事務所の所在地及び法人番号
(二)	(一)の法人の代表者及びその法人の行う退職金共済事業の責任者の氏名
(三)	(二)の退職金共済事業を開始しようとする年月日
(四)	(一)の申請書を提出する時において(二)の退職金共済事業に加入することの見込まれる事業主の数及び①の(二)に規定する被共済者となることの見込まれるその雇用する使用人の数
(五)	(一)の法人が一般社団法人又は一般財団法人である場合には、①(1)(五)に掲げる要件に該当することを明らかにする事項
(六)	③の規定により特定退職金共済団体の承認の取消しを受けた後再び(一)の申請書を提出する場合には、その取消しの通知を受けた年月日
(七)	③(1)に規定する届出書を提出した後再び(一)の申請書を提出する場合には、③(1)に規定する年月日

(八)	その他参考となるべき事項

(名称等を変更する場合の届出)

(1)　特定退職金共済団体は、上記(一)、(二)に掲げる事項を変更するときは、遅滞なくその旨をその主たる事務所の所在地の所轄税務署長に届け出なければならない。(規19③)

(退職金共済規程の規定事項)

(2)　②の退職金共済規程は、その退職金共済事業が①(一)から同(十一)に掲げる要件に該当するかどうかを判定するために必要な事項につき規定したものでなければならない。(令74②)

(申請の承認)

(3)　税務署長は、②の申請書の提出があった場合において、これに添付された退職金共済規程が①(一)から同(十一)に掲げる要件の全てに該当しているときは、その申請を承認するものとする。ただし、その申請をした法人が③(注)の規定により承認の取消しの通知を受けた日又は③(1)に規定する日以後1年以内に当該申請書を提出した場合は、この限りでない。(令74③)

(承認又は却下の通知)

(4)　税務署長は、(3)の規定による承認又は却下の処分をするときは、②の申請書を提出した法人に対し、書面によりその旨を通知する。(令74④)

(退職金共済規程の変更についての承認)

(5)　①に規定する特定退職金共済団体は、(3)の規定による承認を受けた退職金共済規程のうち、①(一)から同(十一)に掲げる要件に係る事項の変更（①の(七)に規定する過去勤務期間又は合併等前勤務期間を退職給付金の額の計算の基礎に含めることとする変更を含む。以下③までにおいて同じ。）をしようとするときは、その変更について②の税務署長の承認を受けなければならない。(令74⑤)

(規程変更に係る承認の手続)

(6)　②、(2)、(3)本文及び(4)の規定は、(5)に規定する変更に係る承認について準用する。(令74⑥)

(退職金共済規程の変更承認申請書の記載事項)

(7)　退職金共済規程の変更承認申請書の記載事項は、次の(一)から(五)までに掲げる事項とする。(規19②)

(一)	②(一)及び同(二)に掲げる事項
(二)	②に規定する退職金共済規程を変更したい旨及びその内容（当該内容が①(七)に掲げる要件に関するものである場合にあっては、同(七)イから同ハまでに掲げる事項についての内容）
(三)	変更をしようとする事情及びその変更をしようとする年月日
(四)	②(6)において準用する②に規定する申請書を提出する法人が一般社団法人又は一般財団法人である場合には、**2**①(1)(四)及び同(五)に掲げる要件に該当することを明らかにする事項
(五)	その他参考となるべき事項

③　特定退職金共済団体の承認の取消し等

税務署長は、①に規定する特定退職金共済団体につき次の(一)から(三)までに掲げる事実があると認めるときは、②(3)本文の規定による承認を取り消すことができる。(令75①)

(一)	当該特定退職金共済団体の退職金共済規程のうち①(一)から同(十一)に掲げる要件に係る事項について②(5)の税務署長の承認を受けないで変更をしたこと。
(二)	当該特定退職金共済団体の退職金共済事業につき①(一)、同(四)、同(五)、同(十)又は同(十一)に掲げる要件に反する事実があること。

(三)	当該特定退職金共済団体の全ての被共済者につき①(二)、同(三)又は同(六)から同(八)までに掲げる要件に反する事実があること。

(注)　税務署長は、③の規定による承認の取消しの処分をするときは、③の特定退職金共済団体に対し、書面によりその旨を通知する。(令75②)

(退職金共済事業の廃止)

(1)　特定退職金共済団体は、その行う退職金共済事業を廃止しようとするときは、その旨、その特定退職金共済団体の名称及び所在地並びに当該退職金共済事業を廃止しようとする年月日を記載した届出書を当該廃止しようとする日までに②の税務署長に提出しなければならない。この場合において、当該届出書の提出があったときは、同日において、当該特定退職金共済団体に係る②(3)本文の規定による承認は、その効力を失うものとする。(令75③)

3　退職勤労者が弁済を受ける未払賃金

賃金の支払の確保等に関する法律（以下「賃金支払確保法」という。）第7条（同法第16条の規定により読み替えて適用される場合を含む。以下同じ。）に規定する事業主に係る事業を退職した労働者が同法第7条の規定により同条の未払賃金に係る債務で給与等に係るものにつき弁済を受けた金額は、当該事業主から当該退職の日において支払を受けるべき退職手当等の金額とみなして、所得税法の規定を適用する。(措法29の4)

(退職勤労者が弁済を受ける未払賃金に係る債務の内容)

(1)　**3**に規定する退職した労働者（以下「退職勤労者」という。）が、賃金支払確保法第7条《未払賃金の立替払》の規定により弁済を受ける未払賃金に係る債務は、当該退職勤労者が同条に規定する事業主（以下「事業主」という。）から支払を受けるべき定期賃金に係る債務（以下「未払定期賃金」という。）と退職手当等に係る債務（以下(2)において「未払退職手当等」という。）とに限られていることに留意する。(措通29の4－1)

(注) 1　上記の弁済事務は、独立行政法人労働者健康安全機構（船員法の適用を受ける船員については、地方運輸局神戸運輸監理部又は沖縄総合事務局運輸部）において行うことになっている。

2　定期賃金とは、労働基準法第24条第2項本文《賃金の支払》に規定する賃金をいい、臨時に支払われる賃金又は賞与に係る債務については、賃金支払確保法第7条の規定の適用がないことに留意する。(賃金の支払の確保等に関する法律施行令第4条第2項《立替払の対象となる未払賃金の範囲》参照)

(弁済の充当の順序)

(2)　退職勤労者が、賃金支払確保法第7条の規定により未払賃金に係る債務の弁済を受ける場合において、当該債務のうちに未払退職手当等があるときは、その弁済は、まず、当該未払退職手当等の弁済に充当され、その残額があれば、未払定期賃金の弁済に充当されることになっていることに留意する。

この場合において、2以上の支払期日に係る未払定期賃金があるときは、先に到来する支払期日に係る未払定期賃金の弁済に順次充当される。(措通29の4－2)

(注)　上記の弁済の充当の順序については、独立行政法人労働者健康安全機構の業務方法書（船員法の適用を受ける船員に関しては、社会保険庁通知）において定められている。

(年末調整後に立替払があった場合の再調整)

(3)　退職勤労者に係るその年分の給与等につき、未払となっているものを含めて年末調整を行った後、給与所得の源泉徴収票を作成する時までに、当該退職勤労者がその未払となっている給与等に係る債務につき**3**に規定する弁済を受けた場合には、当該弁済を受けた金額を除いたところで、年末調整に係る税額を再計算し、先に年末調整を行った際に計算した税額との差額を過納額の還付の規定に準じ、還付して差し支えないものとする。(措通29の4－3)

(注) 1　上記により再調整を行う場合には、事業主は、政府から送付を受けた未払賃金立替払の通知書等により退職勤労者ごとの弁済金額を確認することに留意する。

2　退職勤労者は、上記によらないで、確定申告により税額の精算をすることができるが、この場合には政府が発行する立替払賃金支給決定通知書又はその写しを確定申告書に添付する。

(確定申告後に立替払があった場合の更正の請求)

(4)　確定申告書を提出した退職勤労者が、その申告書に係る給与所得の金額の計算の基礎となった給与等で未払となっているものに係る債務につき、**3**に規定する弁済を受けたことにより国税通則法第23条第1項各号《更正の請求》の事由が生じた場合には、同項の規定の適用があることに留意する。

なお、同項に規定する期間の満了する日後に**3**に規定する弁済を受けた場合には、所得税法第152条《各種所得の金額に異動が生じた場合の更正の請求の特例》（第十章第八節**二１**）の規定に準じ、更正の請求をすることができるものとする。（措通29の４－４）

（退職勤労者が未払給与等の弁済を受けるほか退職手当等の支払を受ける場合）

（５）　退職勤労者が、**３**に規定する未払給与等の弁済を受けるほか、その退職により事業主から退職手当等の支払を受けることとなる場合又は退職手当等とみなされる一時金の支払を受けることとなる場合は、第六章第一節**－４**（14）《退職所得の収入の時期》の「一の勤務先を退職することにより２以上の……退職手当等の支払を受ける権利を有することとなる場合」に該当することに留意する。（措通29の４－５）

三　退職所得の金額

退職所得の金額は、その年中の退職手当等の収入金額から退職所得控除額を控除した残額の２分の１に相当する金額（当該退職手当等が、短期退職手当等である場合には次の(一)及び(二)に掲げる場合の区分に応じ当該(一)又は(二)に定める金額とし、特定役員退職手当等である場合には当該退職手当等の収入金額から退職所得控除額を控除した残額に相当する金額とする。）とする。（法30②）

(一)	当該退職手当等の収入金額から退職所得控除額を控除した残額が300万円以下である場合	当該残額の２分の１に相当する金額
(二)	(一)に掲げる場合以外の場合	150万円と当該退職手当等の収入金額から300万円に退職所得控除額を加算した金額を控除した残額との合計額

（一の退職により２以上の退職手当等を受ける場合の退職所得の収入の時期）

（１）　居住者が一の勤務先を退職することにより２以上の退職手当等の支払を受ける権利を有することとなる場合には、その者の支払を受ける当該退職手当等については、これらのうち最初に支払を受けるべきものの支払を受けるべき日の属する年における収入金額とする。（令77）

四　退職所得控除

１　通　　則

退職所得控除額は、**４**で定める勤続年数に応じ、次表に定める金額とする。（法30③）

勤続年数	退職所得控除額
20年以下の場合	勤続年数×40万円
20年を超える場合	800万円＋（勤続年数－20年）×70万円

２　障害退職等の場合の退職所得控除額

次のイ又はロに掲げる場合に該当するときは、退職所得控除額は、**１**の規定にかかわらず、当該イ又はロに定める金額とする。（法30⑥二・三、令71）

イ	上記**１**及び**３**の規定により計算した金額が80万円に満たない場合（ロに該当する場合を除く。）	80万円
ロ	退職所得者が在職中に障害者に該当することとなったことにより、その該当することとなった日以後全く又はほとんど勤務に服さないで退職した場合	**１**及び**３**の規定により計算した金額（当該金額が80万円に満たない場合には、80万円）に100万円を加算した金額

（障害による退職に該当する場合）

（１）　次に掲げる場合は、障害者に該当することとなったことに基づいて退職したものでないことが明らかな場合を除き、上記ロに掲げる場合に該当するものとする。（基通30－15）

(一)　障害者に該当することとなった後一応勤務には復したが、平常の勤務に復することができないままその勤務に復した後おおむね６月以内に退職した場合（常勤の役員又は使用人が非常勤の役員又は使用人となったことにより退職手当等の支払を受け、常勤の役員又は使用人としては退職したと同様の状態となった場合を含む。(二)において同じ。)

(二)　障害者に該当することとなった後一応平常の勤務には復したが、その勤務に耐えられないでその勤務に復した後おおむね２月以内に退職した場合

(勤務の意義)

(２)　上記ロに掲げる「勤務」とは、障害者に該当することとなった当時における職務と同一の職務だけをいうのではなく、その勤務先における勤務である限り、その当時の職務以外の職務に復するなど当時の職場と異なる職場に勤務する場合の当該職務もこれに含まれるものであるから留意すること。(編者注)

(障害者になった原因と割増控除)

(３)　障害退職による退職所得の割増控除は、その障害者になった原因が公傷であると私傷であるとを問わず適用されることに留意する。(編者注)

3　前に退職手当等の支払を受けている場合の退職所得控除額

次の(一)及び(二)に掲げる場合に該当するときは、**1**の規定にかかわらず、**1**により計算した金額から、それぞれに定める金額を控除した金額を退職所得控除額とする。(法30⑥一、令70①)

(一)	**4**(一)ロに規定する場合に該当し、かつ、同ロに規定する他の者から前に退職手当等の支払を受けている場合又は同ハただし書に規定する場合に該当する場合	当該他の者から前に支払を受けた退職手当等又は同ハただし書に規定する前に支払を受けた退職手当等につき**4**の規定により計算した期間を**1**の勤続年数とみなして**1**の規定を適用して計算した金額
(二)	その年の前年以前４年内(その年に**二１**表内③(１)(七)《退職手当等とみなす一時金》に掲げる一時金の支払を受ける場合には、19年内。以下(二)において同じ。)に退職手当等((一)に規定する前に支払を受けた退職手当等を除く。)の支払を受け、かつ、その年に退職手当等の支払を受けた場合において、その年に支払を受けた退職手当等につき**4**により計算した期間の基礎となった勤続期間等(**4**(三)に規定する勤続期間等をいう。)の一部がその年の前年以前４年内に支払を受けた退職手当等(以下「**前の退職手当等**」という。)に係る勤続期間等(以下「**前の勤続期間等**」という。)と重複している場合	その重複している部分の期間を**1**の勤続年数とみなして**1**の規定を適用して計算した金額

(注)　上記(一)の期間及び(二)の重複している部分の期間に１年未満の端数があるときは、その端数を切り捨てる。(令70③)

(前の退職手当等に退職所得控除額の控除不足がある場合の経過年数の計算)

(１)　上記(二)の場合において、前の退職手当等の収入金額が前の退職手当等について同(二)の規定を適用しないで計算した**1**の退職所得控除額に満たないときは、前の退職手当等の支払金額の計算の基礎となった勤続期間等のうち、前の退職手当等に係る就職の日又は**4**(二)に規定する組合員等であった期間の初日から次の退職手当等の収入金額の区分に応じそれぞれの算式により求めた数(１に満たない端数を生じたときは、これを切り捨てた数)に相当する年数を経過した日の前日までの期間を前の勤続期間等とみなして、上記(二)に定める金額を計算する。(令70②)

前の退職手当等の収入金額	算　　式
800万円以下の場合	収入金額÷40万円
800万円を超える場合	(収入金額－800万円)÷70万円＋20

（その年に支払を受ける２以上の退職手当等のうちに前の退職手当等の計算期間を通算して支払われるものがある場合の控除期間）

（2）　その年に支払を受ける２以上の退職手当等のうちに、その支払金額がその年の前年以前に支払を受けた退職手当等の支払金額の計算の基礎とされた期間（以下「前の退職手当等の計算期間」という。）を含めた期間により計算されたものがある場合には、**3**（一）に掲げる金額の計算の基礎となる同（一）に規定する期間（以下「控除期間」という。）の計算については、次による。（基通30－14）

（一）　一の退職手当等に係る前の退職手当等の計算期間のうちに、他の退職手当等に係る**4**（三）ただし書に規定する勤続期間等（当該他の退職手当等の支払金額が前の退職手当等の計算期間を含めた期間により計算されたものである場合には、当該前の退職手当等の計算期間を除く。）と重複する部分がある場合には、当該重複する部分の期間は控除期間に含まれないものとする。

（二）　一の退職手当等に係る前の退職手当等の計算期間（（一）により控除期間に含まれないものとされる期間を除く。以下同じ。）のうちに他の退職手当等に係る前の退職手当等の計算期間と重複する部分がある場合には、一の退職手当等に係る前の退職手当等の計算期間に、他の退職手当等に係る前の退職手当等の計算期間のうち当該重複する部分以外の期間を加算した期間により控除期間を計算するものとする。

（注）　したがって、次図のように、同一年中においてＡ、Ｂ、Ｃ３社から支払を受ける退職手当等の支払金額が、それぞれ前の退職手当等の計算期間（次図の斜線で表示した期間）を含めた期間により計算されたものである場合には、上記（一）により、Ａ′＋Ｃ′の期間は控除期間に含まれないこととなり、（二）によりＡ＋Ｂ＋Ｃの期間が控除期間となる。

〔図〕

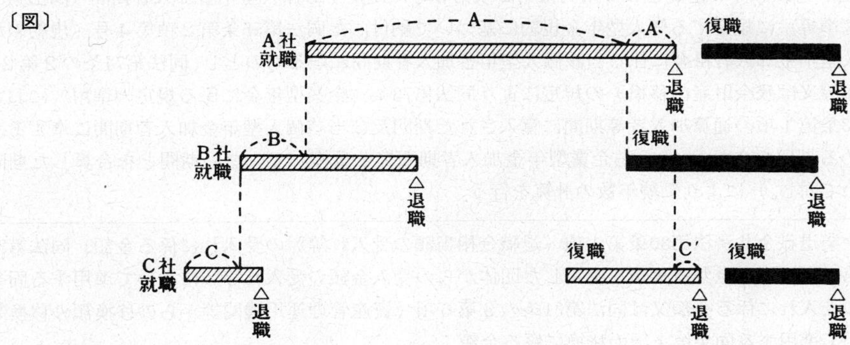

4　退職所得控除額に係る勤続年数の計算

1に規定する**4**で定める勤続年数は、次の（一）から（三）までに定めるところにより計算した勤続年数とする。（令69①）

<table>
<tr><td rowspan="4">（一）</td><td colspan="2">退職手当等（退職手当等とみなすもの（（二）及び（三）並びに6①において「退職一時金等」という。）を除く。以下「退職手当等」という。）については、退職所得者が退職手当等の支払者の下においてその退職手当等の支払の基因となった退職の日まで引き続き勤務した期間（以下「勤続期間」という。）により勤続年数を計算する。ただし、イからハまでに規定する場合に該当するときは、それぞれイからハまでに定めるところによる。</td></tr>
<tr><td>イ</td><td>退職所得者が退職手当等の支払者の下において就職の日から退職の日までに一時勤務しなかった期間がある場合には、その一時勤務しなかった期間前にその支払者の下において引き続き勤務した期間を勤続期間に加算した期間により勤続年数を計算する。</td></tr>
<tr><td>ロ</td><td>退職所得者が退職手当等の支払者の下において勤務しなかった期間に他の者の下において勤務したことがある場合において、その支払者がその退職手当等の支払金額の計算の基礎とする期間のうちに当該他の者の下において勤務した期間を含めて計算するときは、当該他の者の下において勤務した期間を勤続期間に加算した期間により勤続年数を計算する。</td></tr>
<tr><td>ハ</td><td>退職所得者が退職手当等の支払者から前に退職手当等の支払を受けたことがある場合には、前に支払を受けた退職手当等の支払金額の計算の基礎とされた期間の末日以前の期間は、勤続期間又はイ若しくはロの規定により加算すべき期間に含まれないものとして、勤続期間の計算又はイ若しくはロの計算を行う。ただし、その支払者がその退職手当等の支払金額の計算の基礎とする期間のうちに、当該前に支払を受けた退職手当等の支払金額の計算の基礎とされた期間を含めて計算する場合には、当該期間は、これらの期間に含まれるものとしてこれらの計算を行うものとする。</td></tr>
</table>

<table>
<tr><td></td><td>（退職手当等の支払者に含まれるもの）
注　退職手当等の支払者には、その者が相続人である場合にはその被相続人を含むものとし、その者が合併後存続する法人又は合併により設立された法人である場合には合併により消滅した法人を含むものとし、その者が法人の分割により資産及び負債の移転を受けた法人である場合にはその分割により当該資産及び負債の移転を行った法人を含むものとする。（令69③）</td></tr>
<tr><td>(二)</td><td>退職一時金等については、組合員等であった期間（退職一時金等の支払金額の計算の基礎となった期間（当該退職一時金等の支払金額のうちに次のイからハまでに掲げる金額が含まれている場合には、当該金額の計算の基礎となった期間を含む。）をいい、当該期間の計算が時の経過に従って計算した期間によらず、これに一定の期間を加算して計算した期間によっている場合には、その加算をしなかったものとして計算した期間をいう。ただし、当該退職一時金等が二１表内③（１）（七）《退職手当等とみなす一時金》に掲げる一時金に該当する場合には、当該支払金額の計算の基礎となった期間は、当該支払金額の計算の基礎となった確定拠出年金法第33条第２項第１号《支給要件》に規定する企業型年金加入者期間（同法第４条第３項《承認の基準等》に規定する企業型年金規約に基づいて納付した同法第３条第３項第７号《規約の承認》に規定する事業主掛金に係る当該企業型年金加入者期間に限るものとし、同法第54条第２項《他の制度の資産の移換》又は第54条の２第２項《脱退一時金相当額等の移換》の規定により同法第33条第１項の通算加入者等期間に算入された期間及び当該企業型年金加入者期間に準ずるものとして（１）で定める期間を含む。以下(二)において「企業型年金加入者期間等」という。）と、当該計算の基礎となった同条第２項第３号に規定する個人型年金加入者期間（同法第56条第３項《承認の基準等》に規定する個人型年金規約に基づいて納付した同法第55条第２項第４号《規約の承認》に規定する個人型年金加入者掛金に係る当該個人型年金加入者期間に限るものとし、同法第74条の２第２項《脱退一時金相当額等又は残余財産の移換》の規定により同法第73条《企業型年金に係る規定の準用》において準用する同法第33条第１項の通算加入者等期間に算入された期間及び当該個人型年金加入者期間に準ずるものとして（２）で定める期間を含む。）のうち企業型年金加入者期間等と重複していない期間とを合算した期間をいう。(三)において同じ。）により勤続年数の計算を行う。

<table><tr><td>イ</td><td>中小企業退職金共済法第30条第１項《退職金相当額の受入れ等》の受入れに係る金額、同法第31条の２第６項《退職金共済事業を廃止した団体からの受入金額の受入れ等》において準用する同条第１項の受入れに係る金額又は同法第31条の３第６項《資産管理運用機関等からの移換額の移換等》において準用する同条第１項の移換に係る金額</td></tr><tr><td>ロ</td><td>公的年金制度の健全性及び信頼性の確保のための厚生年金保険法等の一部を改正する法律附則第36条第７項《解散存続厚生年金基金の残余財産の独立行政法人勤労者退職金共済機構への交付》において準用する同条第１項の規定による申出に従い交付された額</td></tr><tr><td>ハ</td><td>二２①(八)ロ《特定退職金共済団体の要件》に規定する退職金に相当する額、同(八)ニに規定する退職給付金に相当する額又は同(八)ホに規定する引継退職給付金に相当する額</td></tr></table></td></tr>
<tr><td>(三)</td><td>その年に２以上の退職手当等又は退職一時金等の支給を受ける場合には、これらの退職手当等又は退職一時金等のそれぞれについて(一)又は(二)の規定により計算した期間のうち最も長い期間により勤続年数を計算する。ただし、その最も長い期間以外の期間の年数の計算の基礎となった勤続期間等（勤続期間及び(一)のイからハまでの規定により加算すべき期間又は(二)の組合員等であった期間をいう。以下同じ。）の全部又は一部がその最も長い期間の計算の基礎となった勤続期間等と重複していない場合には、その重複していない勤続期間等について(一)又は(二)の規定に準じて計算した期間をその最も長い期間に加算して、勤続年数を計算する。</td></tr>
</table>

（注）　上記により計算した期間に１年未満の端数を生じたときは、これを１年として勤続年数を計算する。（令69②）

（退職所得控除額に係る勤続年数の計算）

（１）　**4**(二)に規定する企業型年金加入者期間に準ずる期間として（１）で定める期間は、次の(一)及び(二)に掲げる場合の区分に応じ当該(一)又は(二)に定める期間とする。（規18の３①）

(一)	その者の**4**(一)に規定する退職一時金等（第六節**二１**③（１）（七）《退職手当等とみなす一時金》に掲げる一時金に該当するものに限る。以下において「老齢給付金」という。）の支払金額のうちに確定拠出年金法第54条第１項《他の制度の資産の移換》の規定により資産管理機関（同法第２条第７項第１号ロ《定義》に規定する資産管理機関をいう。(二)において同じ。）が移換を受けた資産が含まれている場合　　次のイ及びロに掲げ

	る期間 イ　当該資産の額の算定の基礎となった期間のうちその者が60歳に達した日の前日が属する月の翌月以後の期間 ロ　当該資産の額の算定の基礎となった確定拠出年金法施行規則第30条第１項各号《通算加入者等期間に算入する期間》に定める期間又は同令附則第２条第２項《適格退職年金契約に関する特例》に規定する期間のうち、確定拠出年金法第33条第２項第２号《支給要件》に規定する企業型年金運用指図者期間（以下において「企業型年金運用指図者期間」という。）又は同項第４号に規定する個人型年金運用指図者期間（以下において「個人型年金運用指図者期間」という。）と重複している期間
(二)	その者の老齢給付金の支払金額のうちに確定拠出年金法第54条の２第１項《脱退一時金相当額等の移換》の規定により資産管理機関が移換を受けた同項の脱退一時金相当額等が含まれている場合　次のイ及びロに掲げる期間 イ　当該脱退一時金相当額等の算定の基礎となった期間のうちその者が60歳に達した日の前日が属する月の翌月以後の期間 ロ　当該脱退一時金相当額等の算定の基礎となった確定拠出年金法施行規則第30条第２項各号に定める期間のうち企業型年金運用指図者期間又は個人型年金運用指図者期間と重複している期間

（個人型年金加入者期間に準ずる期間）

（2）　**4**(二)に規定する個人型年金加入者期間に準ずる期間として(2)で定める期間は、その者の老齢給付金の支払金額のうちに確定拠出年金法第74条の２第１項《脱退一時金相当額等又は残余財産の移換》の規定により同法第２条第５項に規定する連合会が移換を受けた同法第74条の２第１項の脱退一時金相当額等又は残余財産が含まれている場合における次の(一)及び(二)に掲げる期間とする。（規18の３②）

(一)	当該脱退一時金相当額等又は残余財産の算定の基礎となった期間のうちその者が60歳に達した日の前日が属する月の翌月以後の期間
(二)	当該脱退一時金相当額等又は残余財産の算定の基礎となった確定拠出年金法施行規則第59条第２項《準用規定》において準用する同令第30条第２項各号に定める期間のうち企業型年金運用指図者期間又は個人型年金運用指図者期間と重複している期間

（退職手当等の支払金額の計算の基礎となった期間と勤続年数との関係）

（3）　**4**(一)に掲げる勤続年数は、当該退職手当等の支払者（その者が相続人である場合にはその被相続人を含み、その者が合併後存続する法人又は合併により設立された法人である場合には合併により消滅した法人を含み、その者が法人の分割により資産及び負債の移転を受けた法人である場合にはその分割により資産及び負債の移転を行った法人を含む。）の下においてその退職手当等の支払の基因となった退職の日まで引き続き勤務した期間により計算するのであるから、退職手当等の支払金額の計算の基礎となった期間がその引き続き勤務した期間の一部である場合又はその期間に一定の率を乗ずるなどにより換算をしたものである場合であっても、同(一)本文の勤続年数は、その引き続き勤務した実際の期間により計算することに留意する。（基通30－６）

（長期欠勤又は休職中の期間）

（4）　**4**(一)に規定する勤務した期間には、長期欠勤又は休職（他に勤務するためのものを除く。）の期間も含まれる。（基通30－７）

（引き続き勤務する者に支払われる給与で退職手当等とされるものに係る勤続年数）

（5）　**一**《定義》(2)により引き続き勤務する役員又は使用人に支払われる退職手当等とされる給与に係る勤続年数は、当該給与の計算の基礎とされた勤続期間の末日において退職したものとして計算するものとする。（基通30－８）

（日々雇い入れられる期間）

（6）　所得税法第185条第１項第３号《日額表丙欄の適用を受ける給与等》に掲げる給与等の支払を受けていた期間は、**4**(一)に掲げる「引き続き勤務した期間」及び「他の者の下において勤務した期間」に含まれない。（基通30－９）

（前に勤務した期間を通算して支払われる退職手当等に係る勤続年数の計算規定を適用する場合）

（7）　**4**（一）ロ及び同ハただし書の規定は、法律若しくは条例の規定により、又は所得税法施行令第153条《退職給与規程の範囲》若しくは旧法人税法施行令第105条《退職給与規程の範囲》に規定する退職給与規程において、他の者の下において勤務した期間又は前に支払を受けた退職手当等の支払金額の計算の基礎とされた期間（以下（8）においてこれらの期間を「前に勤務した期間」という。）を含めた期間により退職手当等の支払金額の計算をする旨が明らかに定められている場合に限り、適用するものとする。（基通30－10）

（前に勤務した期間の一部等を通算する場合の勤続年数の計算）

（8）　**4**（一）ロ及び同ハただし書に規定する場合において、退職手当等の支払金額の計算の基礎とする期間のうちに、前に勤務した期間のうちの一部の期間又は前に勤務した期間に一定の率を乗ずるなどにより換算をした期間を含めて計算するときは、それぞれ当該一部の期間又は当該前に勤務した期間を**4**（一）の本文に規定する勤続期間（以下(10)において「勤続期間」という。）に加算して勤続年数を計算するものとする。（基通30－11）

（復職等に際し退職手当等を返還した場合）

（9）　既往における退職に際し退職手当等の支払を受けた場合であっても、その後復職又は再就職に際し、その復職又は再就職のための条件として定められたところに従い、当該退職手当等の全額を当該退職手当等の支払者に返還したときは、**4**（一）ハに規定する「前に退職手当等の支払を受けたことがある場合」に該当しないものとする。（基通30－12）

（勤続年数の計算の基礎となる期間の計算）

(10)　勤続期間、**4**（一）イ若しくは同ロの規定により加算する期間又は同(一)ハただし書の規定により含まれるものとされる期間は、それぞれ暦に従って計算し、１月に満たない期間は日をもって数え、これらの年数、月数及び日数をそれぞれ合計し、日数は30日をもって１月とし、月数は12月をもって１年とする。

4（二）に規定する組合員等であった期間についても同様とする。（基通30－13）

（退職一時金等に係る勤続年数の計算）

(11)　**4**（一）に掲げる退職一時金等に係る勤続年数の計算に当たっては、次のことに留意する。（基通31－2）

（一）　当該退職一時金等の支払金額の計算の基礎となった期間が、例えば、休職又は停職の期間を２分の１とするなど、時の経過に従って計算した期間に一定の率を乗ずるなどにより短縮して計算されている場合には、その短縮をしない期間により勤続年数を計算すること。

（二）　当該退職一時金等の支払金額の計算の基礎となった期間が、例えば、休職若しくは停職の期間又は掛金等を負担しなかった期間等を除外するなど、一部の期間を全く除外して計算されている場合には、その除外された期間を除いて勤続年数を計算すること。

（三）　当該退職一時金等の支払金額の計算の基礎となった期間が当該退職一時金等の給付の基因となった制度等に加入する前の勤務期間を含めて計算されている場合には、その含められた期間を通算して勤続年数を計算すること。

（四）　当該退職一時金等の支払金額の計算の基礎となった期間が、例えば、いわゆる任意継続組合員であった期間を含めるなど、退職の時以後においてその受給者が保険料又は掛金を負担した期間を含めて計算されている場合には、その含められた期間を通算して勤続年数を計算すること。

5　短期退職手当等

三に規定する短期退職手当等とは、退職手当等のうち、退職手当等の支払をする者から短期勤続年数（**四 1** に規定する勤続年数のうち、**6** に規定する役員等以外の者としての（1）で定める勤続年数が５年以下であるものをいう。 **6**（2）において同じ。）に対応する退職手当等として支払を受けるものであって、**6** に規定する特定役員退職手当等に該当しないものをいう。（法30④）

（**5** に規定する（1）で定める勤続年数）

（1）　**5** に規定する（1）で定める勤続年数は、退職手当等に係る調整後勤続期間（**4**（一）の規定により計算した期間をいう。 **6**（1）並びに **6**(14)（一般退職手当等、短期退職手当等又は特定役員退職手当等のうち２以上の退職手当等がある場合の退職所得の金額の計算）において同じ。）のうち、その退職手当等の支払を受ける居住者が **5** に規定する役員等以外の者として勤務した期間により計算した勤続年数とする。（令69の２①）

（注）　上記により計算した機関に１年未満の端数が生じたときは、これを１年として勤続年数を計算する。（令69の２④、69②）

6　特定役員退職手当等

三に規定する特定役員退職手当等とは、退職手当等のうち、役員等（次に掲げる者をいう。）としての（1）で定める勤続年数（以下**6**及び（2）において「役員等勤続年数」という。）が５年以下である者が、退職手当等の支払をする者から当該役員等勤続年数に対応する退職手当等として支払を受けるものをいう。（法30⑤）

（一）	法人税法第２条第15号《定義》に規定する役員
（二）	国会議員及び地方公共団体の議会の議員
（三）	国家公務員及び地方公務員

（役員等以外の者としての勤続年数及び役員等勤続年数の計算）

（1）　**6**に規定する（1）で定める勤続年数は、退職手当等に係る調整後勤続期間のうち、その退職手当等の支払を受ける居住者が**6**に規定する役員等として勤務した期間（(注) ２及び⒁において「役員等勤続期間」という。）により計算した勤続年数とする。（令69の２②）

（注）１　上記により計算した期間に１年未満の端数が生じたときは、これを１年として勤続年数を計算する。（令69の２④、69②）

２　（1）の調整後勤続期間のうちに役員等勤続期間がある場合には（1）の役員等以外の者として勤務した期間には当該役員等勤続期間を含むものとし、居住者が支払を受ける**一**に規定する退職手当等が退職一時金等である場合にはその退職一時金等に係る**4**（二）に規定する組合員等であった期間を（1）の退職手当等に係る調整後勤続期間のうち役員等以外の者として勤務した期間として、（1）の規定を適用する。（令69の２③）

（特定役員退職手当等に係る役員等勤続年数と特定役員退職手当等以外の退職手当等に係る勤続年数の重複期間）

（2）　その年中に一般退職手当等（退職手当等のうち、短期退職手当等（**5**に規定する短期退職手当等をいう。以下（2）において同じ。）及び特定役員退職手当等（**6**に規定する特定役員退職手当等をいう。以下（2）において同じ。）のいずれにも該当しないものをいう。以下（2）において同じ。）、短期退職手当等又は特定役員退職手当等のうち２以上の退職手当等があり、当該一般退職手当等に係る勤続年数、当該短期退職手当等に係る短期勤続年数又は当該特定役員退職手当等に係る役員等勤続年数に重複している期間がある場合の退職所得の金額の計算については、（5）から⒂までで定める。（法30⑦）

（一般退職手当等及び短期退職手当等がある場合の退職所得の金額の計算）

（3）　その年中に一般退職手当等（（2）に規定する一般退職手当等をいう。以下⒂までにおいて同じ。）及び短期退職手当等（**5**に規定する短期退職手当等をいう。以下⒂までにおいて同じ。）がある場合（その年中に特定役員退職手当等（**6**に規定する特定役員退職手当等をいう。以下⒂までにおいて同じ。）がある場合を除く。）の退職所得の金額は、次に掲げる金額の合計額とする。（令71の２①）

㈠	その年中の短期退職手当等の次に掲げる場合の区分に応じそれぞれ次に定める金額 イ　当該短期退職手当等の収入金額から短期退職所得控除額（次に掲げる金額の合計額をいう。ロ及び(二)において同じ。）を控除した残額（(二)の一般退職手当等の収入金額が(二)に規定する一般退職所得控除額に満たない場合には、当該残額からその満たない部分の金額を控除した残額。イにおいて同じ。）が300万円以下である場合　当該残額の２分の１に相当する金額 ⑴　40万円に短期勤続年数から重複勤続年数を控除した年数を乗じて計算した金額 ⑵　20万円に重複勤続年数を乗じて計算した金額 ロ　イに掲げる場合以外の場合　当該短期退職手当等の収入金額から300万円に短期退職所得控除額を加算した金額を控除した残額（(二)の一般退職手当等の収入金額が(二)に規定する一般退職所得控除額に満たない場合には、当該残額からその満たない部分の金額を控除した残額）と150万円との合計額
㈡	その年中の一般退職手当等の収入金額から一般退職所得控除額（退職所得控除額（**三**に規定する退職所得控除額をいう。以下⒂までにおいて同じ。）から短期退職所得控除額を控除した残額をいう。）を控除した残額（(一)イの短期退職手当等の収入金額が短期退職所得控除額に満たない場合には、当該残額からその満たない部分の金額を控除した残額）の２分の１に相当する金額

（（３）に規定する短期勤続年数）

（４）　（３）に規定する短期勤続年数とは、短期勤続期間（短期退職手当等につき**4**（一）から同（三）まで《退職所得控除額に係る勤続年数の計算》の規定により計算した期間をいう。以下(15)までにおいて同じ。）により計算した年数をいい、（３）に規定する重複勤続年数とは、短期勤続期間と一般勤続期間（一般退職手当等につき**4**（一）から同（三）までの規定により計算した期間をいう。以下(15)までにおいて同じ。）とが重複している期間により計算した年数をいう。（令71の２②）

（注）　上記により計算した機関に１年未満の端数が生じたときは、これを１年として勤続年数を計算する。（令71の２⑩、69②）

（一般退職手当等、短期退職手当等又は特定役員退職手当等のうち２以上の退職手当等がある場合の退職所得の金額の計算）

（５）　その年中に一般退職手当等及び特定役員退職手当等がある場合（その年中に短期退職手当等がある場合を除く。）の退職所得の金額は、次の（一）及び（二）に掲げる金額の合計額とする。（令71の２③）

（一）	その年中の特定役員退職手当等の収入金額から特定役員退職所得控除額（次に掲げる金額の合計額をいう。（二）において同じ。）を控除した残額（（二）の一般退職手当等の収入金額が（二）に規定する一般退職所得控除額に満たない場合には、当該残額からその満たない部分の金額を控除した残額） イ　40万円に特定役員等勤続年数から重複勤続年数を控除した年数を乗じて計算した金額 ロ　20万円に重複勤続年数を乗じて計算した金額
（二）	その年中の一般退職手当等の収入金額から一般退職所得控除額（退職所得控除額から特定役員退職所得控除額を控除した残額をいう。）を控除した残額（（一）の特定役員退職手当等の収入金額が特定役員退職所得控除額に満たない場合には、当該残額からその満たない部分の金額を控除した残額）の２分の１に相当する金額

（特定役員等勤続年数）

（６）　（５）に規定する特定役員等勤続年数とは、特定役員等勤続期間（特定役員退職手当等につき**4**（一）及び同（三）の規定により計算した期間をいう。以下(15)までにおいて同じ。）により計算した年数をいい、（５）に規定する重複勤続年数とは、特定役員等勤続期間と一般勤続期間とが重複している期間により計算した年数をいう。（令71の２④）

（注）　上記により計算した期間に１年未満の端数が生じたときは、これを１年として勤続年数を計算する。（令69②、令71の２⑩）

（短期退職手当等と特定役員退職手当等がある場合の退職所得の金額）

（７）　その年中に短期退職手当等及び特定役員退職手当等がある場合（その年中に一般退職手当等がある場合を除く。）の退職所得の金額は、次に掲げる金額の合計額とする。（令71の２⑤）

（一）	その年中の特定役員退職手当等の収入金額から特定役員退職所得控除額（次に掲げる金額の合計額をいう。（二）において同じ。）を控除した残額（（二）イの短期退職手当等の収入金額が同イに規定する短期退職所得控除額に満たない場合には、当該残額からその満たない部分の金額を控除した残額） イ　40万円に特定役員等勤続年数（（６）に規定する特定役員等勤続年数をいう。（９）（一）イにおいて同じ。）から重複勤続年数を控除した年数を乗じて計算した金額 ロ　20万円に重複勤続年数を乗じて計算した金額
（二）	その年中の短期退職手当等の次に掲げる場合の区分に応じそれぞれ次に定める金額 イ　当該短期退職手当等の収入金額から短期退職所得控除額（退職所得控除額から特定役員退職所得控除額を控除した残額をいう。ロにおいて同じ。）を控除した残額（（一）の特定役員退職手当等の収入金額が特定役員退職所得控除額に満たない場合には、当該残額からその満たない部分の金額を控除した残額。イにおいて同じ。）が300万円以下である場合　当該残額の２分の１に相当する金額 ロ　イに掲げる場合以外の場合　当該短期退職手当等の収入金額から300万円に短期退職所得控除額を加算した金額を控除した残額（（一）の特定役員退職手当等の収入金額が特定役員退職所得控除額に満たない場合には、当該残額からその満たない部分の金額を控除した残額）と150万円との合計額

（（７）に規定する重複勤続年数）

（８）　（７）に規定する重複勤続年数とは、特定役員等勤続期間と短期勤続期間とが重複している期間により計算した年数をいう。（令71の２⑥）

(注)　上記により計算した期間に１年未満の端数が生じたときは、これを１年として勤続年数を計算する。(令71の２⑩、69②)

(一般退職手当等、短期退職手当等及び特定役員退職手当等がある場合の退職所得の金額)

(９)　その年中に一般退職手当等、短期退職手当等及び特定役員退職手当等がある場合の退職所得の金額は、次に掲げる金額の合計額とする。(令71の２⑦)

(一)	その年中の特定役員退職手当等の収入金額から特定役員退職所得控除額（次に掲げる金額の合計額をいう。(三)及び(11)(一)において同じ。）を控除した残額 イ　40万円に特定役員等勤続年数からロに規定する重複勤続年数とハに規定する重複勤続年数を合計した年数を控除した年数を乗じて計算した金額 ロ　20万円に重複勤続年数（特定役員等勤続期間と短期勤続期間とが重複している期間（全重複期間を除く。）及び特定役員等勤続期間と一般勤続期間とが重複している期間（全重複期間を除く。）により計算した年数に限る。）を乗じて計算した金額 ハ　14万円に重複勤続年数（全重複期間により計算した年数に限る。）を乗じて計算した金額
(二)	その年中の短期退職手当等の次に掲げる場合の区分に応じそれぞれ次に定める金額 イ　当該短期退職手当等の収入金額から短期退職所得控除額（次に掲げる金額の合計額をいう。ロ、(三)及び(11)(二)において同じ。）を控除した残額が300万円以下である場合　当該残額の２分の１に相当する金額 ⑴　40万円に(３)に規定する短期勤続年数から⑵に規定する重複勤続年数と⑶に規定する重複勤続年数を合計した年数を控除した年数を乗じて計算した金額 ⑵　20万円に重複勤続年数（短期勤続期間と特定役員等勤続期間とが重複している期間（全重複期間を除く。）及び短期勤続期間と一般勤続期間とが重複している期間（全重複期間を除く。）により計算した年数に限る。）を乗じて計算した金額 ⑶　13万円に重複勤続年数（全重複期間により計算した年数に限る。）を乗じて計算した金額 ロ　イに掲げる場合以外の場合　150万円と当該短期退職手当等の収入金額から300万円に短期退職所得控除額を加算した金額を控除した残額との合計額
(三)	その年中の一般退職手当等の収入金額から一般退職所得控除額（退職所得控除額から特定役員退職所得控除額と短期退職所得控除額との合計額を控除した残額をいう。(11)(三)において同じ。）を控除した残額の２分の１に相当する金額

((９)に規定する重複勤続年数)

(10)　(９)に規定する重複勤続年数とは、特定役員等勤続期間、短期勤続期間又は一般勤続期間が重複している期間により計算した年数をいい、(９)に規定する全重複期間とは、特定役員等勤続期間、短期勤続期間及び一般勤続期間が重複している期間をいう。(令71の２⑧)

(注)　上記により計算した期間に１年未満の端数が生じたときは、これを１年として勤続年数を計算する。(令71の２⑩、69②)

((９)の退職所得の金額の計算)

(11)　(９)の退職所得の金額を計算する場合において、次の(一)から(三)に掲げる場合には、当該(一)から(三)に定めるところによる。(令71の２⑨)

(一)	(９)(一)の特定役員退職手当等の収入金額が特定役員退職所得控除額に満たない場合　次に掲げる残額の区分に応じ当該残額からそれぞれ次に定める金額を控除する。 イ　(９)(二)イ又は同ロの残額　当該満たない部分の金額の２分の１に相当する金額（ロに掲げる残額が当該２分の１に相当する金額に満たない場合には、当該満たない部分の金額を加算した金額） ロ　(９)(三)の一般退職所得控除額を控除した残額　当該満たない部分の金額の２分の１に相当する金額（イに掲げる残額が当該２分の１に相当する金額に満たない場合には、当該満たない部分の金額を加算した金額）
(二)	(９)(二)イの短期退職手当等の収入金額が短期退職所得控除額に満たない場合　次に掲げる残額の区分に応じ当該残額からそれぞれ次に定める金額を控除する。 イ　(９)(二)の残額　当該満たない部分の金額の２分の１に相当する金額（ロに掲げる残額が当該２分の１に相当する金額に満たない場合には、当該満たない部分の金額を加算した金額）

	ロ　(９)(三)の一般退職所得控除額を控除した残額　当該満たない部分の金額の２分の１に相当する金額（イに掲げる残額が当該２分の１に相当する金額に満たない場合には、当該満たない部分の金額を加算した金額）
(三)	(９)(三)の一般退職手当等の収入金額が一般退職所得控除額に満たない場合　次に掲げる残額の区分に応じ当該残額からそれぞれ次に定める金額を控除する。 イ　(９)(一)の残額　当該満たない部分の金額の２分の１に相当する金額（ロに掲げる残額が当該２分の１に相当する金額に満たない場合には、当該満たない部分の金額を加算した金額） ロ　(９)(二)イ又は同ロの残額　当該満たない部分の金額の２分の１に相当する金額（イに掲げる残額が当該２分の１に相当する金額に満たない場合には、当該満たない部分の金額を加算した金額）

（**3**(一)の規定の適用がある場合の短期退職所得控除額）

(12)　**3**(一)の規定の適用があり、かつ、次の(一)及び(二)に掲げる場合に該当するときの(３)(一)イ又は(９)(二)イに規定する短期退職所得控除額は、(３)(一)イ又は(９)(二)イの合計額から当該各号に掲げる場合の区分に応じ当該各号に定める金額を控除した金額とする。（令71の２⑪）

(一)	**3**(一)に規定する前に支払を受けた退職手当等の全部又は一部が短期退職手当等に該当する場合　短期勤続期間のうち当該前に支払を受けた退職手当等（短期退職手当等に該当するものに限る。）に係る期間を基礎として同(一)の規定により計算した金額
(二)	短期勤続期間の全部又は一部が**3**(二)に規定する前の勤続期間等と重複している場合　その重複している期間を基礎として同(二)の規定により計算した金額

（(５)の(一)の特定役員退職所得控除額）

(13)　**2**の（イに係る部分に限る。）の規定の適用があり、かつ、次の(一)又は(二)に掲げる場合に該当するときの(５)(一)、(７)(一)又は(９)(一)に規定する特定役員退職所得控除額は、(５)(一)、(７)(一)又は(９)(一)の合計額から当該(一)又は(二)に掲げる場合の区分に応じ当該(一)又は(二)に定める金額を控除した金額とする。（令71の２⑫）

(一)	**3**(一)に規定する前に支払を受けた退職手当等の全部又は一部が特定役員退職手当等に該当する場合　特定役員等勤続期間のうち当該前に支払を受けた退職手当等（特定役員退職手当等に該当するものに限る。）に係る期間を基礎として同(一)の規定により計算した金額
(二)	特定役員等勤続期間の全部又は一部が**3**(二)に規定する前の勤続期間等と重複している場合　その重複している期間を基礎として同(二)の規定により計算した金額

（調整後勤続期間のうちに５年以下の役員等勤続期間と当該役員等勤続期間以外の期間がある退職手当等）

(14)　調整後勤続期間のうちに５年以下の役員等勤続期間と当該役員等勤続期間以外の期間がある退職手当等の支払を受ける場合には、当該退職手当等は、次の(一)及び(二)に掲げる退職手当等から成るものとする。（令71の２⑬）

(一)	退職手当等の金額から(二)に掲げる金額を控除した残額に相当する特定役員退職手当等
(二)	役員等勤続期間以外の期間を基礎として、他の使用人に対する退職給与の支給の水準等を勘案して相当と認められる金額に相当する一般退職手当等又は短期退職手当等

（(14)の退職手当等の支払を受ける場合）

(15)　(14)の規定の適用がある場合には、(14)の退職手当等の支払を受ける場合は、その年中に特定役員退職手当等及び一般退職手当等又は短期退職手当等がある場合とみなして、(５)、(７)及び(９)の規定を適用する。（令71の２⑭）

第七節　山林所得

一　定　義

山林所得とは、山林の伐採又は譲渡による所得をいう。（法32①）

（山林の伐採又は譲渡による所得）

（1）「山林の伐採又は譲渡による所得」とは、山林を伐採して譲渡したことにより生ずる所得又は山林を伐採しないで譲渡したことにより生ずる所得をいう。（基通32－1）

（山林とともに土地を譲渡した場合）

（2）山林をその生立する土地とともに譲渡した場合における当該土地の譲渡から生ずる所得は、山林所得に該当しない。（基通32－2）

（自己が育成した山林を伐採し製材して販売する場合の所得）

（3）製材業者が自ら植林して育成した山林（幼齢林を取得して育成した山林を含む。）を伐採し、製材して販売する場合には、植林から製品の販売までの全所得がその販売した時の製材業の所得となるのであるが、植林又は幼齢林の取得から伐採までの所得は、伐採した原木を当該製材業者の通常の原木貯蔵場等に運搬した時の山林所得とし、製材から販売までの所得は、その製品を販売した時の事業所得として差し支えないものとする。この場合において、山林所得の金額は当該運搬した時の当該原木貯蔵場等における原木の価額を基として計算するものとし、事業所得の金額は当該原木の価額に相当する金額を当該原木の取得価額として計算するものとする。（基通23～35共－12）

1　保有期間5年以内の山林の伐採又は譲渡による所得

山林をその取得の日以後5年以内に伐採し又は譲渡することによる所得は、山林所得に含まれないものとする。（法32②）

（山林の取得の日）

（1）上記に掲げる山林の取得の日は、次による。（基通32－3）

（一）他から取得した山林については、基通36－12《山林所得又は譲渡所得の総収入金額の収入すべき時期》に準じて判定した日とする。

参考・基通36－12　山林所得又は譲渡所得の総収入金額の収入すべき時期は、山林所得又は譲渡所得の基因となる資産の引渡しがあった日によるものとする。ただし、納税者の選択により、当該資産の譲渡に関する契約の効力発生の日……（中略）……により総収入金額に算入して申告があったときは、これを認める。

（注）1　山林所得又は譲渡所得の総収入金額の収入すべき時期は、資産の譲渡の当事者間で行われる当該資産に係る支配の移転の事実（例えば、土地の譲渡の場合における所有権移転登記に必要な書類等の交付）に基づいて判定をした当該資産の引渡しがあった日によるのであるが、当該収入すべき時期は、原則として譲渡代金の決済を了した日より後にはならないのであるから留意する。

2　省　略

（二）自ら植林した山林については、当該植林の完了した日とし、他に請け負わせて植林した山林については当該山林の引渡しを受けた日とする。この場合において、植林の完了した日又は引渡しを受けた日の判定は、当該植林した山林の林分ごとに行う。

（注）林分とは、林相が一様で周囲のものと区分できる山林経営上の単位となる立木の集団をいう。

（業務に係る雑所得の例示）

（2）次に掲げるような所得は、事業所得又は山林所得と認められるものを除き、業務に係る雑所得に該当する。（基通35－2）

（一）～（七）……省略（第十節参照）

（八）保有期間が5年以内の山林の伐採又は譲渡による所得

2　分収造林契約又は分収育林契約に係る収益及び権利の譲渡等による所得

①　用語の意義

2において、次の(一)又は(二)に掲げる用語の意義は、当該(一)又は(二)に定めるところによる。(令78)

(一)	分収造林契約	分収林特別措置法第２条第１項《定義》に規定する分収造林契約その他一定の土地についての造林に関し、その土地の所有者、当該土地の所有者以外の者でその土地につき造林を行うもの及びこれらの者以外の者でその造林に関する費用の全部若しくは一部を負担するものの三者又はこれらの者のうちいずれか二者が当事者となって締結する契約で、その契約条項中において、当該契約の当事者が当該契約に係る造林による収益を一定の割合により分収することを約定しているものをいう。
(二)	分収育林契約	分収林特別措置法第２条第２項に規定する分収育林契約その他一定の土地に生育する山林の保育及び管理（以下**2**において「**育林**」という。）に関し、その土地の所有者、当該土地の所有者以外の者でその山林につき育林を行うもの及びこれらの者以外の者でその育林に関する費用の全部若しくは一部を負担するものの三者又はこれらの者のうちのいずれか二者が当事者となって締結する契約で、その契約条項中において、当該契約の当事者が当該契約に係る育林による収益を一定の割合により分収することを約定しているものをいう。

②　分収造林契約の収益

分収造林契約の当事者が当該契約に基づきその契約の目的となった山林の造林による収益のうち当該山林の伐採又は譲渡による収益（第六章第一節**一１**(２)(一)及び同(二)《事業所得等の収入金額とされる保険金等》に掲げるものを含む。③において同じ。）を当該契約に定める一定の割合により分収する金額は、④に定めがあるものを除き、山林所得に係る収入金額とする。(令78の２①)

③　分収育林契約の収益

分収育林契約の当事者が当該契約に基づきその契約の目的となった山林の育林による収益のうち当該山林の伐採又は譲渡による収益を当該契約に定める一定の割合により分収する金額は、④に定めがあるものを除き、山林所得に係る収入金額とする。(令78の２②)

④　山林所得以外の所得となる分収造林契約又は分収育林契約の収益

分収造林契約又は分収育林契約の当事者がその契約に基づき分収する金額で次の(一)から(三)に掲げる金額のいずれかに該当するものは、山林所得以外の各種所得に係る収入金額とする。(令78の２③)

(一)	分収造林契約又は分収育林契約の目的となった山林の伐採又は譲渡前にその契約に定める一定の割合により分収する金額（第六章第一節**一１**(２)(一)及び同(二)に掲げるものを除く。）
(二)	分収造林契約又は分収育林契約の締結の期間中引き続きその契約に係る地代、利息その他の対価（当該契約に基づく造林又は育林に係るものを除く。）に相当する金額の支払を受ける者が当該契約に定める一定の割合により分収する金額
(三)	分収造林契約又は分収育林契約に係る権利を取得した日以後５年以内にその契約に定める一定の割合により分収する金額

⑤　分収造林契約又は分収育林契約に係る権利の譲渡による所得

分収造林契約又は分収育林契約に係る権利の譲渡による収入金額は、⑥に定めがあるものを除き、山林所得に係る収入金額とする。(令78の３①)

⑥　事業所得又は雑所得の収入金額となる権利の譲渡収入

次の(一)又は(二)に掲げる分収造林契約又は分収育林契約の当事者の当該(一)又は(二)に掲げる収入金額は、事業所得又は雑所得に係る収入金額とする。(令78の３②)

(一)	分収造林契約の当事者である土地の所有者若しくは**造林者**（当該土地の所有者以外の者で当該契約の目的となった土地につき造林を行うものをいう。以下⑥において同じ。）又は分収育林契約の当事者である土地の所有者若しくは**育林者**（当該土地の所有者以外の者で当該契約の目的となった山林の育林を行うものをいう。以下⑥において同じ。）	その契約に係る権利の取得の日以後５年以内にした当該権利の譲渡による収入金額
(二)	分収造林契約の当事者である**造林費負担者**（当該契約に係る土地の所有者及び造林者以外の者でその造林に関する費用の全部又は一部を負担するものいう。⑧において同じ。）又は分収育林契約の当事者である**育林費負担者**（当該契約に係る土地の所有者及び育林者以外の者でその育林に関する費用の全部又は一部を負担するものいう。⑧において同じ。）	その契約に係る権利の譲渡による収入金額（⑧の本文の規定の適用を受けるものを除く。）

⑦　山林所有者が分収育林契約の締結に際し取得する山林の持分の対価

山林の所有者が当該山林につき分収育林契約を締結することにより、当該契約を締結する他の者から支払を受ける当該契約の目的となった山林の持分の対価の額は、山林所得に係る収入金額とする。ただし、当該山林の取得の日以後５年以内に支払を受ける当該持分の対価の額は、事業所得又は雑所得に係る収入金額とする。（令78の３③）

⑧　造林費負担者又は育林費負担者の募集により取得する持分の対価

分収造林契約又は分収育林契約の当事者が、不特定の者に対しその契約の造林費負担者又は育林費負担者として権利を取得し義務を負うこととなるための申込みを勧誘したことにより、新たに当該権利を取得し義務を負うこととなった者から支払を受ける持分の対価の額は、山林所得に係る収入金額とする。ただし、当該当事者が当該契約に係る権利の取得の日以後５年以内に支払を受ける当該持分の対価の額は、事業所得又は雑所得に係る収入金額とする。（令78の３④）

二　山林所得の金額

１　通　　則

山林所得の金額は、その年中の山林所得に係る総収入金額から必要経費を控除し、その残額から山林所得の特別控除額50万円（その残額が50万円に満たない場合は、当該残額）を控除した金額とする。（法32③④）

（山林所得の基因となる山林とその他の山林とがある場合の収入金額等の区分）

注　伐採又は譲渡した山林のうちに、山林所得の基因となる山林とその他の山林とがある場合のそれぞれの山林の収入金額及び譲渡に要した費用の額は、基通33－11《譲渡資産のうちに短期保有資産と長期保有資産とがある場合の収入金額の区分》に準じて計算するものとする。（基通32－４）

参考・基通33－11　一の契約により譲渡した資産のうちに短期保有資産と長期保有資産とがある場合には、それぞれの譲渡資産の収入金額は、当該譲渡に係る収入金額の合計額をそれぞれの譲渡資産の当該譲渡の時の価額の比によりあん分して計算するものとし、当該譲渡資産に係る譲渡費用で個々の譲渡資産との対応関係の明らかでないものがあるときは、当該譲渡費用の額をそれぞれの資産に係る収入金額の比であん分するなど合理的な方法によりそれぞれの資産に係る当該譲渡費用の額を計算するものとする。この場合において、当事者の契約によりそれぞれの譲渡資産に対応する収入金額が区分されており、かつ、その区分がおおむねその譲渡の時の価額の比により適正に区分されているときは、これを認める。

○**法人に対する贈与、低額譲渡等の場合の山林所得の特例**……第五章第二節**二十四１**参照。

２　山林所得の必要経費

山林につきその年分の事業所得の金額、山林所得の金額又は雑所得の金額の計算上必要経費に算入すべき金額は、別段の定めがあるものを除き、その山林の植林費、取得に要した費用、管理費、伐採費その他その山林の育成又は譲渡に要した費用（償却費以外の費用でその年において債務の確定しないものを除く。）の額とする。（法37②）

（災害等関連費用の必要経費算入の時期）

（１）　山林について支出した被災事業用資産の損失に含まれる災害関連費用《第七章第二節**一３**表内①から同③》その他これに類する費用の額は、その支出をした日の属する年分の事業所得の金額又は山林所得の金額の計算上必要経費に算入して差し支えない。（基通37－31）

（間伐した山林に係る必要経費）

（2）　間伐により譲渡した山林に係る山林所得の金額の計算上必要経費に算入する費用の額には、当該山林の伐採及び譲渡に要した費用の額のほか、当該山林に係る植林費、取得に要した費用、管理費及び育成費の額が含まれる。（基通37－32）

（林地賦課金）

（3）　国立研究開発法人森林研究・整備機構法附則第７条第３項及び第８条第３項の規定により独立行政法人緑資源機構法を廃止する法律の施行後もなおその効力を有するものとされる廃止前の独立行政法人緑資源機構法第21条第１項《賦課金》の規定により受益者が賦課徴収される賦課金（以下（6）までにおいて「受益者が賦課徴収される賦課金」という。）のうち、その受益地の所有者に対し受益面積に応じて賦課される金額（以下（6）において「林地賦課金」という。）は、元本相当部分を当該賦課の対象となった林地の改良費に、利息相当部分を当該林地に生立する山林の管理費にそれぞれ算入する。（基通37－33）

（立木賦課金）

（4）　受益者が賦課徴収される賦課金のうち、その受益地に生立する山林の所有者に対しその所有する山林の価額に応じて賦課される金額（以下（6）までにおいて「**立木賦課金**」という。）は、当該賦課の対象となった山林の管理費に算入する。（基通37－34）

（立木賦課金の償却の特例）

（5）　立木賦課金の賦課の対象となった山林を毎年同程度の規模により伐採又は譲渡している場合には、（4）にかかわらず、当該立木賦課金を無形減価償却資産の減価償却に準ずる方法により、25年間に均等償却して差し支えない。（基通37－35）

（立木賦課金の額が明らかでない場合）

（6）　受益者が賦課徴収される賦課金のうち、立木賦課金の額と林地賦課金の額との区分が明らかでないものについては、その賦課金の額の90％相当額を立木賦課金の額とし、その残額を林地賦課金の額とする。（基通37－36）

（地方公共団体等が林道開設に伴い賦課する賦課金等）

（7）　地方公共団体、森林組合又は森林組合連合会が、林道の開設に伴いその開設費の全部又は一部を山林所有者又は林地所有者に賦課し、又は負担させた場合におけるその賦課金又は負担金については、（3）から（6）までの取扱いに準ずる。（基通37－37）

（譲渡に要した費用）

（8）　**2**に掲げる「譲渡に要した費用」については、基通33－７《譲渡費用の範囲》の取扱いに準ずる。（基通37－38）

参考・基通33－７　譲渡所得の基因となる資産の「資産の譲渡に要した費用」（以下「譲渡費用」という。）とは、資産の譲渡に係る次に掲げる費用（取得費とされるものを除く。）をいう。

（一）　資産の譲渡に際して支出した仲介手数料、運搬費、登記若しくは登録に要する費用その他当該譲渡のために直接要した費用

（二）　(一)に掲げる費用のほか、借家人等を立ち退かせるための立退料、土地（借地権を含む。以下同じ。）を譲渡するためその土地の上にある建物等の取壊しに要した費用、既に売買契約を締結している資産を更に有利な条件で他に譲渡するため当該契約を解除したことに伴い支出する違約金その他当該資産の譲渡価額を増加させるため当該譲渡に際して支出した費用

（注）　譲渡資産の修繕費、固定資産税その他その資産の維持又は管理に要した費用は、譲渡費用に含まれないことに留意する。

①　昭和27年12月31日以前に取得した山林に係る取得費の計算の特例

山林所得の基因となる山林が昭和27年12月31日以前から引き続き所有していた山林である場合には、その山林に係る山林所得の金額の計算上控除する必要経費は、次のイの金額とロの金額との合計額とする。（法61①、令171）

イ	昭和28年１月１日における山林の樹種別及び樹齢別の標準的な評価額を基礎とし、これにその山林に係る地味、地域その他の事情の差異による調整を加えた価額 この場合において、当該標準的な評価額及びこれに加えるべき調整の方法は、同日において山林につき相続税及び贈与税の課税標準の計算に用いるべきものとして国税庁長官が定めて公表したところによる。
ロ	その山林につき昭和28年１月１日以後に支出した管理費、伐採費その他その山林の育成又は譲渡に要した費用

	の額

② **相続、贈与等により取得した山林の取得費**……第五章第二節**二十四3**参照。

3　概算経費控除

①　概算経費控除の適用がある場合の必要経費

個人が、その年の15年前の年の12月31日以前から引き続き所有していた山林を伐採し、又は譲渡した場合において、当該伐採又は譲渡による山林所得の金額の計算上総収入金額から控除すべき必要経費は、**2**及び第六章第二節《必要経費》**二**以下の規定並びに第五章第二節**二十四3**《贈与等により取得した資産の取得費》の規定にかかわらず、当該伐採又は譲渡による収入金額（当該伐採又は譲渡に関し、伐採費、運搬費、当該伐採又は譲渡に関して要した仲介手数料その他の費用を要したときは、当該費用を控除した金額）に③により定められた割合（以下、「概算経費率」という。）を乗じて算出した金額（その控除した金額又は山林所得を生ずべき業務につきその年において生じた被災事業用資産の損失の金額（第七章第二節**一3**）があるときは、これらの金額を加算した金額）とすることができる。（措法30①、措規12①）

（注）　上記の規定は、確定申告書に、その適用を受ける旨の記載がない場合には、適用しない。（措法30③）

②　相続等により取得した山林の所有期間

①の規定の適用については、相続、遺贈又は贈与により取得した山林は、相続人、受遺者又は受贈者が引き続き所有していたものとみなす。ただし、次のイからホまでに掲げる山林については、この限りでない。（措法30②）

イ	昭和28年中に包括遺贈により取得した山林
ロ	昭和28年１月１日から昭和36年12月31日までの間に遺贈（包括遺贈及び相続人に対する特定遺贈を除く。ハにおいて同じ。）又は贈与（相続人に対する贈与で被相続人たる贈与者の死亡により効力を生ずべきものを除く。ハ及びニにおいて同じ。）により取得した山林
ハ	昭和37年１月１日から昭和40年３月31日までの間に遺贈又は贈与により取得した山林で旧所得税法（昭和22年法律第27号）第５条の２第３項《みなし譲渡の適用除外》の規定の適用を受けなかったもの
ニ	昭和40年４月１日から昭和47年12月31日までの間に相続（限定承認に係るものに限る。ホにおいて同じ。）、遺贈（包括遺贈のうち限定承認に係るもの以外のもの及び相続人に対する特定遺贈を除く。）又は贈与により取得した山林で所得税法の一部を改正する法律（昭和48年法律第８号）による改正前の所得税法第59条第２項《みなし譲渡の適用除外》の規定の適用を受けなかったもの
ホ	昭和48年１月１日以後に相続又は遺贈（包括遺贈のうち限定承認に係るものに限る。）により取得した山林

（注）1　上記イ～ホはいずれも「みなし譲渡」の適用のあった山林で相続等の時に取得したものとされるものである。第五章第二節**二十四3**《贈与等により取得した資産の取得費》の表参照。（編者注）

2　上記～～下線部については、公益信託に関する法律（令和６年法律第30号）の施行の日以後、②ホ中「又は遺贈（」が「、遺贈（公益信託に関する法律第２条第１項第１号に規定する公益信託（以下ホにおいて「公益信託」という。）の受託者に対するもの（その信託財産とするためのものに限る。）及び」に改められ、「限る。）」の次に「又は贈与（公益信託の受託者に対するもの（その信託財産とするためのものに限る。）に限る。）」が加えられる。（令６改所法等附１九へ）

③　概算経費率

①に規定する伐採又は譲渡による収入金額に乗ずべき割合は、その伐採又は譲渡の日の属する年の15年前の年の翌年１月１日における山林の価額〔伐採又は譲渡の日の属する年の15年前の年の翌年１月１日における山林の樹種別及び樹齢別の標準的な評価額を基礎とし、これに当該山林に係る地味、地域その他の事情の差異による調整を加えた価額とする。この場合において、当該標準的な評価額及びこれに加えるべき調整の方法は、同日において山林につき相続税及び贈与税の課税標準の計算に用いるべきものとして国税庁長官が定めて公表したところによる。〕及び同日以後において通常要すべき管理費その他の必要経費（①に規定する伐採費、運搬費等を除く。）を基礎として定めた割合《100分の50》とする。（措法30④、措令19の５、措規12②）

（分収造林契約等の収益等についての適用）

（1）　①の規定は、その年の15年前の年の12月31日以前から引き続き有していた**一2**①《用語の意義》(一)に規定する分収造林契約又は同(二)に規定する分収育林契約に係る権利に基づき分収する金額で**一 2**②及び同③《分収造林契約又は分収育林契約の収益》の規定により山林所得の収入金額とされるものに係る必要経費の計算についても適用があるものとする。

また、**一 2**⑤、同⑦又は同⑧《分収造林契約又は分収育林契約に係る権利の譲渡等による所得》に規定する分収造林契約又は分収育林契約に係る権利の譲渡による収入金額又は持分の対価の額で、これらの規定により山林所得の収入金額とされるものに係る必要経費についても、同様とする。(措通30－1)

(概算経費率による必要経費の計算)

(2)　①に規定する必要経費は、次の算式により計算した金額となることに留意する。(措通30－2)

(その年の15年前の年の12月31日以前から引き続き有していた山林の収入金額 － 左の山林の伐採又は譲渡に関して要した伐採費、運搬費、仲介手数料その他の費用の額A) × 概算経費率 ＋ (A＋山林所得を生ずべき業務につきその年において生じた被災事業用資産の損失の金額)

(注)　上記算式の「その他の費用」には、青色専従者給与額又は事業専従者控除額のうち、伐採又は譲渡に要した費用に対応する部分の金額が含まれることに留意する。(編者注)

(「被災事業用資産の損失の金額」についての留意事項)

(3)　①に規定する「山林所得を生ずべき業務につきその年において生じた被災事業用資産の損失の金額」については、次の点に留意する。(措通30－3)

(一)　当該損失の金額は、その年において生じた次に掲げる損失の金額及び災害関連費用の額に限られること。したがって、盗難、横領その他の事由により生じたものは含まれないこと。

イ　災害により、山林(事業所得の基因となるものを除く。)並びに山林所得を生ずべき事業の用に供される固定資産及び繰延資産について生じた損失の金額

(注)　山林所得を生ずべき事業とは、山林の輪伐のみによって通常の生活費を賄うことができる程度の規模において行う山林の経営をいう。(基通45－3)

ロ　山林(事業所得の基因となるものを除く。)又は山林所得を生ずべき事業の用に供される固定資産若しくは繰延資産が災害により滅失し、損壊し又はその価値が減少したこと等に伴い支出する費用で、第七章第二節**一 3**表内①から同③《災害関連費用》に掲げるもの(以下「**災害関連費用**」という。)の額

(注)　災害関連費用の額は、**2**の規定にかかわらず、その支出した年分の被災事業用資産の損失の金額に含めることができる。(基通37－31)

(二)　当該損失の金額には、保険金、損害賠償金その他これらに類するもの(以下「保険金等」という。)により補填される部分の金額は含まれないこと。

(注)　山林(保有期間が5年を超えるものに限る。)につき損失を受けたことにより取得する保険金等が当該山林に係る損失の金額を超える場合には、その超える部分の金額に相当する保険金等は、その保険金等の確定した年分の山林所得の総収入金額に算入される。(令94①一)この場合において、山林所得の総収入金額に算入される当該保険金等については、①の規定の適用はない。

4　森林計画特別控除

①　森林計画特別控除の適用がある場合の必要経費

個人が、平成24年から令和8年までの各年において、その有する山林につき森林法第11条第5項(同法第12条第3項において準用する場合、木材の安定供給の確保に関する特別措置法第8条の規定により読み替えて適用される場合及び同法第9条第2項又は第3項の規定により読み替えて適用される森林法第12条第3項において準用する場合を含む。)の規定による市町村の長(同法第19条の規定の適用がある場合には、同条第1項各号に掲げる場合の区分に応じ当該各号に定める者。④において同じ。)の認定を受けた同法第11条第1項に規定する森林経営計画(同条第5項第2号ロに規定する公益的機能別森林施業を実施するためのものとして(1)で定めるもの及び同法第16条又は木材の安定供給の確保に関する特別措置法第9条第4項の規定による認定の取消しがあったものを除く。④において「**森林経営計画**」という。)に基づいてその山林の全部又は一部の伐採をし、又は譲渡(交換、出資による譲渡及び収用等による譲渡を除く。)をした場合(贈与等の場合の譲渡所得等の特例《第五章第二節**二十四 1**①》の適用がある場合及び森林の保健機能の増進に関する特別措置法第2条第2項第2号に規定する森林保健施設を整備するために当該伐採又は譲渡をした場合を除く。)には、当該伐採又は譲渡の日の属する年分の当該伐採又は譲渡に係る山林所得の金額に対する**1**の適用については、**1**に規定する必要経費を控除した残額は、当該残額に相当する金額から当該山林に係る森林計画特別控除額を控除した残額に相当する金額とする。(措法30の2①、措令19の6①)

（森林経営計画）

（1）　①に規定する（1）で定める森林経営計画は、森林法第11条第５項第２号ロに規定する公益的機能別森林施業を実施するための同条第１項に規定する森林経営計画のうち森林法施行規則第39条第２項第２号に規定する特定広葉樹育成施業森林に係るもの（当該特定広葉樹育成施業森林を対象とする部分に限る。）とする。（措規13①）

（森林計画特別控除の対象となる山林所得）

（2）　森林計画特別控除の対象となる山林所得は、森林法の規定による市町村長、都道府県知事又は農林水産大臣の認定を受けた同法第11条第１項に規定する森林経営計画（以下（2）において「認定森林経営計画」という。）に基づいて伐採又は譲渡した山林に係る山林所得に限られるから、当該森林経営計画を有する者が山林を伐採又は譲渡した場合であっても、次に掲げる山林に係る山林所得については、森林計画特別控除の特例は適用されないことに留意する。（措通30の２－１）

（一）　認定森林経営計画の対象とされていない山林

（二）　認定森林経営計画の対象とされている山林のうち当該森林経営計画に基づいて伐採又は譲渡しなかった部分

（三）　交換、出資若しくは第五章第二節**三**《収用等に伴い代替資産を取得した場合の課税の特例》**1**に規定する収用等又は第五章第二節**二十四1**①《贈与等の場合の譲渡所得等の特例》に規定する贈与（法人に対するものに限る。）、相続（限定承認に係るものに限る。）若しくは遺贈（法人に対するもの及び個人に対する限定承認に係る包括遺贈に限る。）により譲渡した山林

（四）　森林法第11条第５項第２号ロに規定する公益的機能別森林施業を実施するための森林経営計画のうち、森林法施行規則第13条第２項第２号に規定する特定広葉樹育成施業森林に係る森林経営計画（当該特定広葉樹育成施業森林を対象とする部分に限る。）の対象とされていた山林

（五）　認定森林経営計画につき森林法第16条《認定の取消し》又は木材の安定供給の確保に関する特別措置法第９条第４項《森林経営計画の変更の特例》の規定による認定の取消しがあった場合の当該森林経営計画の対象とされていた山林

（注）　認定森林経営計画につき森林法第16条又は木材の安定供給の確保に関する特別措置法第９条第４項の規定による認定の取消しがあった場合における①の規定の適用については、その森林経営計画は認定を受けなかったものとみなされる。したがって、この場合においては、その認定の取消しをされた森林経営計画に基づいて伐採又は譲渡をした山林に係るその取消し前の各年分の山林所得につき①の規定の適用を受けていた者は、④の規定により、その認定の取消しがあった日から４か月以内に当該山林所得に係る所得税の修正申告書を提出しなければならないことに留意する。

（分収造林契約等の収益についての適用）

（3）　①の規定は、①に規定する森林経営計画に基づく山林の伐採又は譲渡による収益を**一 2**②から同④まで《分収造林契約又は分収育林契約による収益》に規定する分収造林契約又は分収育林契約により分収する場合における山林所得の金額の計算についても適用があるものとする。（措通30の２－２）

②　森林計画特別控除額

①に規定する森林計画特別控除額は、次の(一)又は(二)に掲げる金額のうちいずれか低い金額((二)に規定する必要経費の額を**3**《概算経費控除》①の規定により算出する場合にあっては、(一)に掲げる金額)とする。（措法30の２②、措規13②）

(一)	①に規定する山林の伐採又は譲渡に係る収入金額（当該伐採又は譲渡に関し、伐採費、運搬費、当該伐採又は譲渡に関して要した仲介手数料その他の費用（以下「**伐採費等**」という。）を要したときは、当該費用を控除した金額）の100分の20（当該収入金額が2,000万円を超える場合には、その超える部分の金額については、100分の10）に相当する金額 （収入金額－伐採費等）×20%
(二)	(一)に規定する収入金額の100分の50に相当する金額から**2**に規定する必要経費の額((一)に規定する伐採費等を要したとき、又はその年において生じた**3**①に規定する被災事業用資産の損失があるときは、当該費用の額及び当該被災事業用資産の損失の金額のうち森林計画特別控除の対象となる収入金額に対応する部分の金額を控除した金額）を控除した残額 （収入金額－伐採費等）×50%－（伐採費等及び被災事業用資産の損失のうち、森林計画特別控除の対象となる収入金額に対応する部分以外の必要経費）

	（被災事業用資産の損失のうち、森林計画特別控除の対象となる収入金額に対応する部分） 注　被災事業用資産の損失のうち、森林計画特別控除の対象となる収入金額に対応する部分は、その年において生じた被災事業用資産の損失の金額に、森林計画特別控除の対象となる山林の伐採又は譲渡に係る収入金額がその年中の山林所得に係る総収入金額のうちに占める割合（当該割合に小数点以下３位未満の端数があるときは、これを切り上げた割合）を乗じて計算した金額とする。（措令19の６②） $\text{被災事業用資産の損失の金額} \times \dfrac{\text{森林計画特別控除の対象となる収入金額}}{\text{その年中の山林所得の総収入金額}}$（この割合の小数点以下３位未満切上げ）

（森林計画特別控除額の計算）

注　その年中に伐採又は譲渡した森林計画特別控除の対象となる山林のなかに、山林所得の金額の計算上総収入金額から控除すべき必要経費の額を**3**《概算経費控除》の規定により算出することとなる山林（以下注において「概算経費控除対象山林」という。）とその他の山林がある場合における森林計画特別控除額は次に掲げる金額の合計額となることに留意する。（措通30の２－３）

(一)　概算経費控除対象山林に係る部分の収入金額を基として計算した上記(一)に掲げる金額

(二)　その他の山林に係る部分の収入金額及び必要経費の額を基として計算した上記(一)及び(二)に掲げる金額のうちいずれか低い金額

（注）　上記②の(二)に規定する「必要経費の額」は、森林計画特別控除の対象となる山林のうち概算経費控除対象山林以外の山林に係る部分の必要経費の額をいうことに留意する。

③　森林計画特別控除の適用を受けるための手続

①の規定は、確定申告書に、①の規定の適用を受けようとする旨の記載があり、かつ、山林所得の金額の計算に関する明細書その他次に掲げる書類の添付がある場合に限り、適用する。（措法30の２③、措規13③）

（注）　具体的には、確定申告書の「特例適用条文」欄に「措法30条の２」と記載する。（編者注）

(一)	①に規定する伐採又は譲渡に係る山林の所在する地域を管轄する市町村の長（森林法第19条の適用を受ける山林については、同条第１項各号に掲げる場合の区分に応じ当該各号に定める者）の当該伐採又は譲渡が①に規定する森林経営計画に基づくものである旨、当該伐採又は譲渡をした山林に係る林地の面積並びに当該山林の樹種別及び樹齢別の材積を証する書類
(二)	(一)の山林に係る林地の測量図
(三)	当該個人の森林法施行規則第34条に規定する森林経営計画書（当該計画書につき変更があった場合には、変更後の当該計画書）の写し

（注）　(三)に掲げる書類がその年の前年分以前の所得税につき既に提出された確定申告書に添付されている場合には、(一)及び(二)に掲げる書類を添付すれば足りるものとする。（措規13③本文かっこ書）

（確定申告書への記載等がない場合の宥恕規定）

注　税務署長は、確定申告書の提出がなかった場合又は森林計画特別控除の適用を受ける旨の記載若しくは③に規定する書類の添付がない確定申告書の提出があった場合においても、その提出又は記載若しくは添付がなかったことについてやむを得ない事情があると認めるときは、当該記載をした書類並びに山林所得の金額の計算に関する明細書及び上記(一)～(三)の書類の提出があった場合に限り、①の規定を適用することができる。（措法30の２④）

④　森林施業計画の認定の取消しがあった場合の修正申告

森林経営計画につき森林法第16条又は木材の安定供給の確保に関する特別措置法第９条第４項の規定による認定の取消しがあった場合における①の規定の適用については、当該森林経営計画に係る①に規定する市町村の長の認定を受けなかったものとみなす。この場合において、当該認定の取消しがあった日の属する年の前年以前の各年分の山林所得につき①の規定の適用を受けた個人は、当該認定の取消しがあった日から４月以内に、当該各年分（④前段の規定により①の規定の適用を受けないこととなる年分に限る。）の所得税についての修正申告書を提出し、かつ、当該期限内に当該申告書の提出により納付すべき税額を納付しなければならない。（措法30の２⑤）

⑤　市町村の長の通知義務

①に規定する市町村の長は、①に規定する森林経営計画につき④に規定する認定の取消しをした場合（当該認定の取消しがあった当該森林経営計画に係る森林所有者が個人である場合に限る。）には、当該認定の取消しをした日から４月以内に、その旨、当該認定の取消しをした年月日並びに当該森林所有者の氏名及び住所地その他必要な事項を、書面により、当該森林所有者の住所地の所轄税務署長に通知しなければならない。（措令19の６③）

⑥　修正申告がなかった場合の更正

④の規定に該当することとなった場合において、④の規定による修正申告書の提出がないときは、納税地の所轄税務署長は、当該申告書に記載すべきであった所得金額、所得税の額その他の事項につき国税通則法第24条又は第26条の規定による更正を行う。（措法30の２⑥）

⑦　修正申告又は更正に対する国税通則法の適用関係

④による修正申告書及び⑥の更正に対する国税通則法の規定の適用については、次に定めるところによる。（措法30の２⑦）

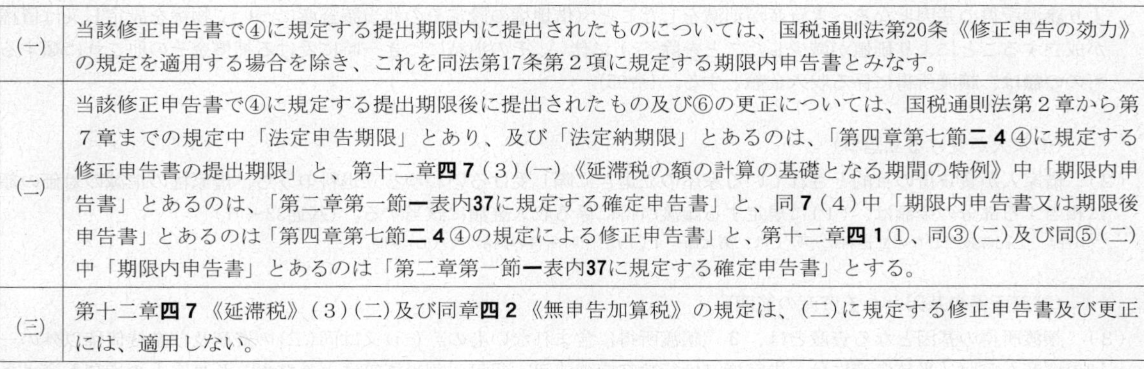

(一)	当該修正申告書で④に規定する提出期限内に提出されたものについては、国税通則法第20条《修正申告の効力》の規定を適用する場合を除き、これを同法第17条第２項に規定する期限内申告書とみなす。
(二)	当該修正申告書で④に規定する提出期限後に提出されたもの及び⑥の更正については、国税通則法第２章から第７章までの規定中「法定申告期限」とあり、及び「法定納期限」とあるのは、「第四章第七節**二４**④に規定する修正申告書の提出期限」と、第十二章**四７**（３）(一)《延滞税の額の計算の基礎となる期間の特例》中「期限内申告書」とあるのは、「第二章第一節**一**表内**37**に規定する確定申告書」と、同**７**（４）中「期限内申告書又は期限後申告書」とあるのは「第四章第七節**二４**④の規定による修正申告書」と、第十二章**四１**①、同③(二)及び同⑤(二)中「期限内申告書」とあるのは「第二章第一節**一**表内**37**に規定する確定申告書」とする。
(三)	第十二章**四７**《延滞税》（３）(二)及び同章**四２**《無申告加算税》の規定は、(二)に規定する修正申告書及び更正には、適用しない。

第八節　譲 渡 所 得

一　定　　義

1　譲渡所得の意義

譲渡所得とは、資産の譲渡（建物又は構築物の所有を目的とする地上権又は賃借権の設定その他契約により他人に土地を長期間使用させる行為で**2**①に規定する資産の譲渡とみなされる行為を含む。以下同じ。）による所得をいう。（法33①）

（譲渡所得の収入金額とされる補償金等）

（1）　契約（契約が成立しない場合に法令によりこれに代わる効果を認められる行政処分その他の行為を含む。）に基づき、又は資産の消滅（価値の減少を含む。以下同じ。）を伴う事業でその消滅に対する補償を約して行うものの遂行により譲渡所得の基因となるべき資産が消滅をしたこと（借地権の設定その他当該資産について物権を設定し又は債権が成立することにより価値が減少したことを除く。）に伴い、その消滅につき一時に受ける補償金その他これに類するものの額は、譲渡所得に係る収入金額とする。（令95）

（借家人が受ける立退料）

（2）　借家人が賃貸借の目的とされている家屋の立退きに際し受けるいわゆる立退料のうち、借家権の消滅の対価の額に相当する部分の金額は、（1）に規定する譲渡所得に係る収入金額に該当する。（基通33－6）

（注）　上記に該当しない立退料については、第九節**一1**（1）《一時所得の例示》の(七)参照。

（譲渡所得の基因となる資産の範囲）

（3）　譲渡所得の基因となる資産とは、**3**《譲渡所得に含まれないもの》(一)又は同(二)の資産及び金銭債権以外の一切の資産をいい、当該資産には、借家権又は行政官庁の許可、認可、割当て等により発生した事実上の権利も含まれる。（基通33－1）

（財産分与による資産の移転）

（4）　民法第768条《財産分与》（同法第749条及び第771条において準用する場合を含む。）の規定による財産の分与として資産の移転があった場合には、その分与をした者は、その分与をした時においてその時の価額により当該資産を譲渡したこととなる。（基通33－1の4）

（注）1　財産分与による資産の移転は、財産分与義務の消滅という経済的利益を対価とする譲渡であり、贈与ではないから、第五章第二節**二十四1**《贈与等の場合の譲渡所得等の特例》の規定は適用されない。

2　財産分与により取得した資産の取得費については、**二2**①（5）参照。

（代償分割による資産の移転）

（5）　遺産の代償分割（現物による遺産の分割に代え共同相続人の１人又は数人に他の共同相続人に対する債務を負担させる方法により行う遺産の分割をいう。以下同じ。）により負担した債務が資産の移転を要するものである場合において、その履行として当該資産の移転があったときは、その履行をした者は、その履行をした時においてその時の価額により当該資産を譲渡したこととなる。（基通33－1の5）

（注）　代償分割に係る資産の取得費については、**二2**①《資産の取得費》（6）参照。（編者注）

（共有地の分割）

（6）　個人が他の者と土地を共有している場合において、その共有に係る一の土地についてその持分に応ずる現物分割があったときには、その分割による土地の譲渡はなかったものとして取り扱う。（基通33－1の7）

（注）1　その分割に要した費用の額は、その土地が業務の用に供されるもので当該業務に係る各種所得の金額の計算上必要経費に算入されたものを除き、その土地の取得費に算入する。

2　分割されたそれぞれの土地の面積の比と共有持分の割合とが異なる場合であっても、その分割後のそれぞれの土地の価額の比が共有持分の割合におおむね等しいときは、その分割はその共有持分に応ずる現物分割に該当するのであるから留意する。

（受益者等課税信託の信託財産に属する資産の譲渡等）

（7）　受益者等課税信託（第二章第四節**2**《信託財産に属する資産及び負債並びに信託財産に帰せられる収益及び費用の帰属》に規定する受益者（同節**2**（1）《みなし受益者》の規定により同節**2**に規定する受益者とみなされる者を含む。以下(7)において「受益者等」という。）がその信託財産に属する資産及び負債を有するものとみなされる信託をいう。以下(7)において同じ。）の信託財産に属する資産が譲渡所得の基因となる資産である場合における当該資産の譲渡又は受益者等課税信託の受益者等としての権利の目的となっている信託財産に属する資産が譲渡所得の基因となる資産である場合における当該権利の譲渡による所得は、原則として譲渡所得となり、第八節《譲渡所得》の規定その他の所得税に関する法令の規定を適用することとなる。なお、この場合においては次の点に留意する。（基通33－1の8）

(一)　受益者等課税信託の信託財産に属する資産の譲渡があった場合において、当該資産の譲渡に係る信託報酬として当該受益者等課税信託の受益者等が当該受益者等課税信託の受託者に支払った金額については、**二**《譲渡所得の金額》**1**に規定する「資産の譲渡に要した費用」に含まれる。

(二)　委託者と受益者等がそれぞれ一であり、かつ、同一の者である場合の受益者等課税信託の信託財産に属する資産の譲渡があった場合又は当該受益者等課税信託の受益者等としての権利の譲渡があった場合における当該資産又は当該権利に係る資産の**二**《譲渡所得の金額》**1**(一)に規定する「取得の日」は、当該委託者が当該資産の取得をした日となる。

(注)　当該受益者等課税信託の信託財産に属する資産が信託期間中に信託財産に属することとなったものである場合には、当該資産が信託財産に属することとなった日となる。

(三)　受益者等課税信託の受益者等としての権利の譲渡があった場合において、当該受益者等としての権利の目的となっている信託財産に属する債務があるため、当該譲渡の対価の額が当該債務の額を控除した残額をもって支払われているときは、当該譲渡による収入すべき金額は、第六章第一節**一1**《収入金額》の規定により、その支払を受けた対価の額に当該控除された債務の額に相当する金額を加算した金額となる。

(注)　譲渡された受益者等としての権利の目的となっている資産（金銭及び金銭債権を除く。）の譲渡収入金額は、当該受益者等としての権利の譲渡により収入すべき金額からその信託財産に属する金銭及び金銭債権の額を控除した残額を基礎として、当該受益者等としての権利の譲渡の時における当該受益者等としての権利の目的となっている各資産（金銭及び金銭債権を除く。）の価額の比によりあん分して算定するものとする。

(四)　委託者が受益者等課税信託の受益者等となる信託の設定により信託財産に属することとなった資産の譲渡に係る譲渡所得の金額の計算上控除する取得費は、当該委託者が当該資産を引き続き有しているものとして、**二2**①《資産の取得費》及び同**2**②《減価する資産の取得費》の規定を適用して計算した金額となる。

(注)　当該受益者等課税信託の信託期間中に、当該受益者等課税信託に係る信託財産に属することとなった資産の取得費は、受益者等が、当該資産を当該受益者等課税信託の受託者がその取得のために要した金額をもって取得し、引き続き有しているものとして、**二2**①及び同**2**②の規定を適用して計算する。この場合において、当該資産の取得に係る信託報酬として当該受益者等課税信託の受益者等が当該受益者等課税信託の受託者に支払った金額については、同**2**①に規定する「資産の取得に要した金額」に含まれる。

(五)　譲渡所得に関する課税の特例等の規定の適用を受けようとする受益者等が確定申告書に添付すべき書類については、昭和55年12月26日付直所３－20ほか１課共同「租税特別措置法に係る所得税の取扱いについて」（法令解釈通達）の28の４－53《信託の受益者における書類の添付》に準ずる。

（譲渡担保に係る資産の移転）

（8）　債務者が、債務の弁済の担保としてその有する資産を譲渡した場合において、その契約書に次のすべての事項を明らかにしており、かつ、当該譲渡が債権担保のみを目的として形式的にされたものである旨の債務者及び債権者の連署に係る申立書を提出したときは、当該譲渡はなかったものとする。この場合において、その後その要件のいずれかを欠くに至ったとき又は債務不履行のためその弁済に充てられたときは、これらの事実の生じた時において譲渡があったものとする。（基通33－2）

(一)　当該担保に係る資産を債務者が従来どおり使用収益すること。

(二)　通常支払うと認められる当該債務に係る利子又はこれに相当する使用料の支払に関する定めがあること。

(注)　形式上、買戻条件付譲渡又は再売買の予約とされているものであっても、上記のような要件を具備しているものは、譲渡担保に該当する。

（極めて長期間保有していた不動産の譲渡による所得）

（9）　固定資産である不動産の譲渡による所得であっても、当該不動産を相当の期間にわたり継続して譲渡している者の当該不動産の譲渡による所得は、**3**(一)《棚卸資産等の譲渡による所得》に掲げる所得に該当し、譲渡所得には含まれないが、極めて長期間（おおむね10年以上をいう。以下(11)において同じ。）引き続き所有していた不動産（販売

の目的で取得したものを除く。）の譲渡による所得は、譲渡所得に該当するものとする。（基通33－３）

（固定資産である土地に区画形質の変更等を加えて譲渡した場合の所得）

(10)　固定資産である林地その他の土地に区画形質の変更を加え若しくは水道その他の施設を設け宅地等として譲渡した場合又は固定資産である土地に建物を建設して譲渡した場合には、当該譲渡による所得は棚卸資産又は雑所得の基因となる棚卸資産に準ずる資産の譲渡による所得として、その全部が事業所得又は雑所得に該当する。（基通33－４）

（注）　固定資産である土地につき区画形質の変更又は水道その他の施設の設置を行った場合であっても、次のいずれかに該当するときは、当該土地は、なお固定資産に該当するものとして差し支えない。

1　区画形質の変更又は水道その他の施設の設置に係る土地の面積（当該土地の所有者が２以上いる場合には、その合計面積）が小規模（おおむね3,000㎡以下をいう。）であるとき。

2　区画形質の変更又は水道その他の施設の設置が土地区画整理法、土地改良法等法律の規定に基づいて行われたものであるとき。

（極めて長期間保有していた土地に区画形質の変更等を加えて譲渡した場合の所得）

(11)　土地、建物等の譲渡による所得が(10)により事業所得又は雑所得に該当する場合であっても、その区画形質の変更若しくは施設の設置又は建物の建設（以下「区画形質の変更等」という。）に係る土地が極めて長期間引き続き所有されていたものであるときは、(10)にかかわらず、当該土地の譲渡による所得のうち、区画形質の変更等による利益に対応する部分は事業所得又は雑所得とし、その他の部分は譲渡所得として差し支えない。この場合において、譲渡所得に係る収入金額は区画形質の変更等の着手直前における当該土地の価額とする。（基通33－５）

（注）　当該土地、建物等の譲渡に要した費用の額は、すべて事業所得又は雑所得の金額の計算上必要経費に算入する。

（ゴルフ会員権の譲渡による所得）

(12)　ゴルフクラブ（ゴルフ場の所有又は経営に係る法人の株式又は出資を有することが会員となる資格の要件とされているゴルフクラブを除く。）の会員である個人が、その会員である地位（いわゆる会員権）を譲渡（営利を目的として継続的に行われるものを除く。）したことによる所得は、譲渡所得に該当する。（基通33－６の２）

（ゴルフ場の利用権の譲渡に類似する株式等の譲渡による所得の所得区分）

(13)　第五章第三節**一**注《ゴルフ場その他の施設の利用に関する権利に類似する株式等》の規定に規定する株式又は出資者の持分を譲渡（営利を目的として継続的に行われるものを除く。）したことによる所得は、譲渡所得に該当する。（基通33－６の３）

（有価証券の譲渡所得が短期譲渡所得に該当するかどうかの判定）

(14)　譲渡所得の基因となる有価証券を譲渡した場合において、当該有価証券と同一銘柄の有価証券を当該譲渡の日前５年前及び当該譲渡の日前５年以内に取得しているときは、当該譲渡した有価証券は先に取得したものから順次譲渡したものとして、当該有価証券のうちに**二１**(一)《短期譲渡所得》に掲げる所得の基因となる有価証券が含まれているかどうかを判定する。この場合において、株式の分割又は併合により取得した有価証券、株主割当てにより取得（第六章第二節**四８**③《株主割当てにより取得した株式の取得価額》に規定する旧株の数に応じて割り当てられた株式を取得した場合及び同③の注に規定する旧株を発行した法人の株式無償割当てにより割り当てられた株式を取得した場合をいう。）した有価証券及び法人の合併、法人の分割、株式分配（法人税法第２条第12号の15の２《定義》に規定する株式分配をいう。以下(14)において同じ。）又は組織変更により取得した有価証券（第五章第三節**二１**《申告分離課税》②又は同節**三１**②又は同節**十八１**から同１（２）又は同節**十八１**《合併等により外国親法人株式等の交付を受ける場合の課税の特例》の規定により一般株式等に係る譲渡所得等又は上場株式等に係る譲渡所得等に係る収入金額とみなされることとなる金額がある場合における法人の合併、法人の分割、株式分配又は組織変更により取得した有価証券を除く。）の取得の日は、その取得の基因となった有価証券の取得の日とする。（基通33－６の４）

（注）1　株式無償割当てのうち、旧株と異なる種類の株式の割当てを受けた場合の取得の日は、当該株式無償割当ての効力を生ずる日となることに留意する。

2　当該譲渡した有価証券の取得費は、第六章第二節**四３**《雑所得又は譲渡所得の基因となる有価証券の譲渡原価等の計算》の規定により計算することに留意する。

（信用取引等に係る所得の帰属時期）

(15)　信用取引若しくは発行日取引又は先物取引の方法による株式又は公社債の売買から生ずる所得及び第六章第二節**四12**⑥に規定する暗号資産信用取引（以下同章第三節**12**（１）において同じ。）の方法による暗号資産（同章第二節**四12**

に規定する暗号資産をいう。以下同章第三節**12**（１）及び同章第二節**四12**関係において同じ。）の売買から生ずる所得は、これらの取引又は先物取引の決済の日の属する年分の所得とする。（基通23～35共－10）

（有価証券の譲渡による所得の所得区分）

(16)　有価証券の譲渡による所得が事業所得若しくは雑所得に該当するか又は譲渡所得に該当するかは、当該有価証券の譲渡が営利を目的として継続的に行われているかどうかにより判定することに留意する。（基通23～35共－11）

（注）　第五章第三節**一**《株式等の範囲》に規定する株式等の譲渡に係る所得区分については、平成14年６月24日付課資３－１ほか３課共同「租税特別措置法（株式等に係る譲渡所得等関係）の取扱いについて」（法令解釈通達）の37の10－２《株式等の譲渡に係る所得区分》参照

（土石等の譲渡による所得）

(17)　土地の所有者が、その土地の地表又は地中の土石、砂利等（以下「土石等」という。）を譲渡（営利を目的として継続的に行われるものを除く。）したことによる所得は、譲渡所得に該当する。（基通33－６の５）

（注）　譲渡所得の金額の計算上控除する土石等の取得費については、**二２**①《資産の取得費》(24)参照。

（法律の規定に基づかない区画形質の変更に伴う土地の交換分合）

(18)　一団の土地の区域内に土地（土地の上に存する権利を含む。以下(18)において同じ。）を有する２以上の者が、その一団の土地の利用の増進を図るために行う土地の区画形質の変更に際し、相互にその区域内に有する土地の交換分合（土地区画整理法、土地改良法等の法律の規定に基づいて行うものを除く。以下(18)において同じ。）を行った場合には、その交換分合が当該区画形質の変更に必要最小限の範囲内で行われるものである限り、その交換分合による土地の譲渡はなかったものとして取り扱う。この場合において、当該区域内にある土地の一部がその区画形質の変更に要する費用に充てるために譲渡されたときは、当該２以上の者が当該区域内に有していた土地の面積の比その他合理的な基準によりそれぞれその有していた土地の一部を譲渡したものとする。（基通33－６の６）

（注）１　当該交換分合により取得した土地の取得の日及び取得費は、譲渡がなかったものとされる土地の取得の日及び取得費（その土地の区画形質の変更に要した費用があるときは、その取得費に当該費用の額を加算した金額）となることに留意する。

２　この取扱いは、当該交換分合が、一団の土地の区画形質の変更に伴い行われる道路その他の公共施設の整備、不整形地の整理等に基因して行われるもので、四囲の状況からみて必要最小限の範囲内であると認められるものについて適用できることに留意する。

（宅地造成契約に基づく土地の交換等）

(19)　一団の土地の区画形質の変更に関する事業（土地区画整理法、土地改良法等の規定に基づくものを除く。以下(19)において同じ。）が施行される場合において、その事業の施行者とその一団の土地の区域内に土地（土地の上に存する権利を含む。以下(19)において同じ。）を有する者（以下(19)において「従前の土地の所有者」という。）との間に締結された契約に基づき、従前の土地の所有者の有する土地をその事業の施行のためにその事業施行者に移転し、その事業完了後に区画形質の変更が行われたその区域内の土地の一部を従前の土地の所有者が取得するときは、その従前の土地の所有者が有する土地とその取得する土地との位置が異なるときであっても、その土地の異動が当該事業の施行上必要最小限の範囲内のものであると認められるときは、その従前の土地の所有者の有する土地（金銭等とともに土地を取得するときは、従前の土地の所有者の有する土地のうちその金銭等に対応する部分を除く。以下(19)において「従前の土地」という。）のうちその取得する土地（その取得する土地につき、金銭等の支払があるときは、その取得する土地のうちその金銭等で取得したと認められる部分を除く。以下(19)において「換地」という。）の面積に相当する部分は譲渡がなかったものとして取り扱う。

この場合において、換地の面積が従前の土地の面積に満たないときにおけるその満たない面積に相当する従前の土地（以下(19)において「譲渡する土地」という。）の譲渡に係る譲渡所得の収入金額は、取得した換地について行われる区画形質の変更に要する費用の額に相当する金額による。ただし、当該事業の施行に関する契約において譲渡する土地の面積が定められている場合には、課税上特に弊害がないと認められる限り、当該譲渡する土地の契約時における価額によることができる。

なお、**二１**（２）《資産の取得の日》の取扱いの適用については、同（２）中「引渡しがあった日」とあるのは「換地の取得の日」とする。（基通33－６の７）

（注）１　「区画形質の変更に要する費用の額」は、当該契約において定められた金額がある場合にはその金額によるものであるが、その定めがないときは、当該事業の施行者が支出する当該区画形質の変更に要する工事の原価の額とその工事に係る通常の利益の額との合計額による。

２　当該契約により取得した換地の取得の日及び取得費は、従前の土地（譲渡がなかったものとされる部分に限る。）の取得の日及び取得費（従前の土地のうち譲渡があったものとされる部分があるときは、その取得費に当該部分の譲渡による譲渡所得の収入金額とされた金額に相当する金額を加算した金額）となることに留意する。

3　この取扱いの適用については、(18)（注）2の取扱いに準ずる。

（配偶者居住権等の消滅による所得）

(20)　配偶者居住権又は当該配偶者居住権の目的となっている建物の敷地の用に供される土地（土地の上に存する権利を含む。）を当該配偶者居住権に基づき使用する権利の消滅につき対価の支払を受ける場合における当該対価の額は、(1)に規定する譲渡所得に係る収入金額に該当することに留意する。（基通33－6の8）

（遺留分侵害額の請求に基づく金銭の支払に代えて行う資産の移転）

(21)　民法第1046条第1項《遺留分侵害額の請求》の規定による遺留分侵害額に相当する金銭の支払請求があった場合において、金銭の支払に代えて、その債務の全部又は一部の履行として資産（当該遺留分侵害額に相当する金銭の支払請求の基因となった遺贈又は贈与により取得したものを含む。）の移転があったときは、その履行をした者は、原則として、その履行があった時においてその履行により消滅した債務の額に相当する価額により当該資産を譲渡したこととなる。（基通33－1の6）

（注）　当該遺留分侵害額に相当する金銭の支払請求をした者が取得した資産の取得費については、**二2**①(29)参照

2　借地権等の設定等による対価

①　資産の譲渡とみなされる行為

イ　建物若しくは構築物の所有を目的とする借地権又は地役権の設定

1に定める資産の譲渡とみなされる行為は、建物若しくは構築物の所有を目的とする地上権若しくは賃借権（以下「**借地権**」という。）又は**地役権**（特別高圧架空電線の架設、特別高圧地中電線若しくはガス事業法第2条第11項《定義》に規定するガス事業者が供給する高圧のガスを通ずる導管の敷設、飛行場の設置、懸垂式鉄道若しくは跨座式鉄道の敷設又は砂防法第1条《定義》に規定する砂防設備である導流堤その他(1)で定めるこれに類するもの（(一)において「導流堤等」という。）の設置、都市計画法第4条第14項《定義》に規定する公共施設の設置若しくは同法第8条第1項第4号《地域地区》の特定街区内における建築物の建築のために設定されたもので、建造物の設置を制限するものに限る。以下同じ。）の設定（借地権に係る土地の転貸その他他人に当該土地を使用させる行為を含む。以下同じ。）のうち、その対価として支払を受ける金額が次の(一)から(三)までに掲げる場合の区分に応じ当該(一)から(三)までに定める金額の10分の5に相当する金額を超えるものとする。（令79①）

(一)	当該設定が建物若しくは構築物の全部の所有を目的とする借地権又は地役権の設定である場合（(三)に掲げる場合を除く。）	その土地（借地権者にあっては、借地権。(二)において同じ。）の価額（当該設定が、地下若しくは空間について上下の範囲を定めた借地権若しくは地役権の設定である場合又は導流堤等若しくは河川法第6条第1項第3号《河川区域》に規定する遊水地その他(2)で定めるこれに類するものの設置を目的とした地役権の設定である場合には、当該価額の2分の1に相当する金額）
(二)	当該設定が建物又は構築物の一部の所有を目的とする借地権の設定である場合	その土地の価額に、その建物又は構築物の床面積（当該対価の額が、当該建物又は構築物の階その他利用の効用の異なる部分ごとにその異なる効用に係る適正な割合を勘案して算定されているときは、当該割合による調整後の床面積。以下(二)において同じ。）のうちに当該借地権に係る建物又は構築物の一部の床面積の占める割合を乗じて計算した金額
(三)	当該設定が施設又は工作物（大深度地下の公共的使用に関する特別措置法第16条《使用の認可の要件》の規定により使用の認可を受けた事業（以下(三)において「**認可事業**」という。）と一体的に施行される事業として当該認可事業に係る同法第14条第2項第2号《使用認可申請書》の事	その土地（借地権者にあっては、借地権）の価額の2分の1に相当する金額に、その土地（借地権者にあっては、借地権に係る土地）における地表から同法第2条第1項各号《定義》に掲げる深さのうちいずれか深い方の深さ（以下(三)において「**大深度**」という。）までの距離のうちに当該借地権の設定される範囲のうち最も浅い部分の深さから当該大深度（当該借地権の設定される範囲より深い地下であって当該大深度よりも浅い地下において既に地下について上下の範囲を定めた他の借地権が設定されている場合には、当該他の借地権の範囲のうち最も浅い部分の深さ）までの距離の占める割合を乗じて計算した金額

	業計画書に記載されたものにより設置されるもののうち（3）で定めるものに限る。）の全部の所有を目的とする地下について上下の範囲を定めた借地権の設定である場合	

（導流堤に類するもの）

（1）　**イ**に規定する導流堤に類するものは、砂防法第１条《定義》に規定する砂防設備である遊砂地（流出した土砂、土石又は泥流（以下（1）において「土砂等」という。）が下流域に流出することを防止するために設置される施設で、当該土砂等を捕捉し、かつ、当該施設の区域内において人為的に当該土砂等を氾濫させるものをいう。）とする。（規19の２①）

（遊水地に類するもの）

（2）　**イ**(一)に規定する遊水地に類するものは、ダムによって貯留される流水に係る河川法第16条第１項《河川整備基本方針》に規定する計画高水流量を低減するために設置される施設で、同法第６条第１項第３号《河川区域》に規定する遊水地に相当するもの（同法第79条第１項《国土交通大臣の認可等》の規定による国土交通大臣の認可を受けて設置されるものに限る。）とする。（規19の２②）

（施設又は工作物の範囲）

（3）　**イ**(三)に規定する（3）で定める施設又は工作物は、(三)の事業計画書に係る大深度地下の公共的使用に関する特別措置法施行規則第８条第一号イ《使用認可申請書の添付書類の様式等》に掲げる事業計画の概要に記載された同号ロの施設又は工作物とする。（規19の２③）

（区画形質の変更等を加えた土地に借地権等を設定した場合の所得）

（4）　固定資産である林地その他の土地に区画形質の変更を加え又は水道その他の施設を設け宅地等とした後、その土地に**イ**に規定する借地権又は地役権（以下（4）において「借地権等」という。）を設定した場合において、その借地権等の設定（営利を目的として継続的に行われるものを除く。）が**イ**に規定する行為に該当するときは、当該借地権等の設定に係る対価の額の全部が譲渡所得に係る収入金額に該当することに留意する。（基通33－４の２）

（特別高圧架空電線等の意義）

（5）　**イ**の「特別高圧架空電線」又は「特別高圧地中電線」とは、電気設備に関する技術基準を定める省令（平成９年通商産業省令第52号）第２条第１項第３号《電圧の種別等》に規定する特別高圧（電圧が7,000ボルトを超えるもの）の電気を送電するための架空電線又は地中電線をいう。（基通33－12）

（借地権に係る土地を他人に使用させる行為等）

（6）　**イ**の「その他他人に当該土地を使用させる行為」には、例えば、借地権に係る土地の地下に地下鉄等の構築物を建設させるためその土地の地下を使用させる行為又は特別高圧架空電線の架設等をさせるためその土地の上の空間を使用させる行為が該当し、**ロ**の「その土地の所有者及びその借地権者がともにその土地の利用を制限されることとなるとき」には、例えば、これらの行為をさせることにより、その土地の上に建設する建造物の重量若しくは高さが制限されることとなる場合又は建造物の設置が制限されることとなる場合が該当する。（基通33－13）

（共同建築の場合の借地権の設定）

（7）　一団の土地の区域内に土地（土地の上に存する権利を含む。以下（7）において同じ。）を有する２以上の者が、その一団の土地の上に共同で建築した建物を区分所有し、又は共有する場合における**イ**の規定の適用については、次に掲げる場合の区分に応じ、それぞれ次により取り扱う。（基通33－15の２）

(一)　各人の所有する土地の面積又は価額の比（以下（7）において「土地の所有割合」という。）と各人の区分所有する部分の建物の床面積（当該建物の階その他の部分ごとに利用の効用が異なるときは、当該部分ごとに、その異なる効用に係る適正な割合を勘案して算定した床面積）の比又は共有持分の割合（以下（7）において「建物の所有割合」という。）とがおおむね等しい場合　　相互に借地権の設定はなかったものとする。

(二)　上記(一)以外の場合　　建物の所有割合が土地の所有割合に満たない者の当該満たない割合に対応する部分の土地についてのみ貸付けが行われたものとする。

ロ　土地所有者及びその借地権者がともに土地使用に制限を受ける場合

借地権に係る土地を他人に使用させる場合において、その土地の使用により、その使用の直前におけるその土地の利用状況に比し、その土地の所有者及びその借地権者がともにその土地の利用を制限されることとなるときは、これらの者については、これらの者が使用の対価として支払を受ける金額の合計額を**イ**に規定する支払を受ける金額とみなして、**イ**の規定を適用する。（令79②）

ハ　借地権等の設定等により支払われる金額が地代の年額の20倍相当額以下である場合

イの規定の適用については、借地権又は地役権の設定の対価として支払を受ける金額が当該設定により支払を受ける地代の年額の20倍に相当する金額以下である場合には、当該設定は、**イ**の行為に該当しないものと推定する。（令79③）

②　特別の経済的利益で借地権の設定等による対価とされるもの

イ　特に有利な条件による金銭の貸付け

①**イ**に規定する借地権又は地役権の設定（当該借地権に係る土地の転貸その他他人に当該土地を使用させる行為を含む。以下②において同じ。）をしたことに伴い、通常の場合の金銭の貸付けの条件に比し特に有利な条件による金銭の貸付け（いずれの名義をもってするかを問わず、これと同様の経済的性質を有する金銭の交付を含む。以下同じ。）その他特別の経済的な利益を受ける場合には、当該金銭の貸付けにより通常の条件で金銭の貸付けを受けた場合に比して受ける利益その他当該特別の経済的な利益の額を①の**イ**又は**ロ**に規定する対価の額に加算した金額をもってこれらの規定に規定する支払を受ける金額とみなして、これらの規定を適用する。（令80①）

（借地権の設定等に伴う保証金等）

注　借地権の設定等に当たり保証金、敷金等の名義による金銭を受け入れた場合においても、その受け入れた金額がその土地の存する地域において通常収受される程度の保証金等の額（その額が明らかでないときは、当該借地権の設定等に係る契約による地代のおおむね３月分相当額とする。）以下であるときは、当該受け入れた金額は、上記に掲げる「特に有利な条件による金銭の貸付け」には該当しないものとする。（基通33－15）

ロ　特に有利な条件で金銭の貸付けを受けた場合の利益の額

イの場合において、その受けた金銭の貸付けにより通常の条件で金銭の貸付けを受けた場合に比して受ける利益の額は、当該貸付けを受けた金額から、当該金額について通常の利率（当該貸付けを受けた金額につき利息を附する旨の約定がある場合には、その利息に係る利率を控除した利率）の10分の５に相当する利率による複利の方法で計算した現在価値に相当する金額（当該金銭の貸付けを受ける期間が**イ**の設定に係る権利の存続期間に比して著しく短い期間として約定されている場合において、長期間にわたって地代を据え置く旨の約定がされていることその他当該権利に係る土地の上に存する建物又は構築物の状況、地代に関する条件等に照らし、当該金銭の貸付けを受けた期間が将来更新されるものと推測するに足りる明らかな事実があるときは、借地権又は地役権の設定を受けた者が当該設定により受ける利益から判断して当該金銭の貸付けが継続されるものと合理的に推定される期間を基礎として当該方法により計算した場合の現在価値に相当する金額）を控除した金額によるものとする。（令80②）

（複利の方法で計算した現在価値に相当する金額の計算）

注　上記に掲げる「通常の利率」は昭和39年４月25日付直資56・直審（資）17「財産評価基本通達」（法令解釈通達）の４－４に定める基準年利率、「貸付けを受ける期間」は１年を単位として計算した期間（１年未満の端数があるときは、その端数を切り捨てて計算した期間）、「複利の方法で計算した現在価値」の計算の基礎となる複利現価率は小数点以下第３位まで計算した率（第４位を切り上げる。）による。（基通33－14）

（注）**イ**に規定する金銭の貸付けを受けた日を含む月の基準年利率が公表されていない場合は最も近い月の利率とする。

3　譲渡所得に含まれないもの

次に掲げる所得は、譲渡所得に含まれないものとする。（法33②、令81）

<table>
<tr><td rowspan="4">(一)</td><td colspan="2">棚卸資産（これに準ずる資産として次に掲げるものを含む。）の譲渡その他営利を目的として継続的に行われる資産の譲渡による所得</td></tr>
<tr><td>イ</td><td>不動産所得、山林所得又は雑所得を生ずべき業務に係る棚卸資産に準ずる資産</td></tr>
<tr><td>ロ</td><td>少額の減価償却資産（使用可能期間が１年未満であるもの及び取得価額が10万円未満であるものをいう）。ただし、取得価額が10万円未満であるもののうち、その者の業務の性質上基本的に重要なものを除く。</td></tr>
<tr><td>ハ</td><td>減価償却資産で第六章第二節五３《一括償却資産の必要経費算入》の規定の適用を受けたもの（その者の業務の性質上基本的に重要なものを除く。）</td></tr>
<tr><td>(二)</td><td colspan="2">(一)に該当するもののほか、山林の伐採又は譲渡による所得</td></tr>
</table>

(棚卸資産に含まれるもの)

（1）　棚卸資産に準ずる資産には、例えば、事業所得を生ずべき事業に係る次に掲げるような資産で一般に販売（家事消費を含む。）の目的で保有されるものが含まれる。（基通２－13）

(一)　飼育又は養殖中の牛、馬、豚、家きん、魚介類等の動物

(二)　定植前の苗木

(三)　育成中の観賞用の植物

(四)　まだ収穫しない水陸稲、麦、野菜等の立毛及び果実

(五)　養殖中ののり、わかめ等の水産植物でまだ採取されないもの

(六)　仕入れ等に伴って取得した空き缶、空き箱、空き瓶等

(少額重要資産の範囲)

（2）　**3**(一)ロ又は同ハの「その者の業務の性質上基本的に重要なもの」とは、製品の製造、農産物の生産、商品の販売、役務の提供等その者の目的とする業務の遂行上直接必要な減価償却資産で当該業務の遂行上欠くことのできないもの（以下「少額重要資産」という。）をいう。（基通33－１の２）

(注)　少額重要資産であっても、貸衣装業における衣装類、パチンコ店におけるパチンコ器、養豚業における繁殖用又は種付用の豚のように、事業の用に供された後において反復継続して譲渡することが当該事業の性質上通常である少額重要資産の譲渡による所得は、譲渡所得には該当せず、事業所得に該当する。

(使用可能期間が１年未満である減価償却資産)

（3）　使用可能期間が１年未満である減価償却資産で第六章第二節**五２**《少額の減価償却資産の取得価額の必要経費算入》の規定に該当するものの譲渡による所得は、当該減価償却資産がその者の業務の性質上基本的に重要なものに該当する場合であっても、譲渡所得には該当しない。（基通33－１の３）

(借地権の設定等による対価で譲渡所得とならないもの)

（4）　**2**①に該当する行為に係る対価で**3**(一)の規定により譲渡所得の収入金額に含まれないものは、事業所得又は雑所得に係る収入金額とし、当該対価につき**二３**《借地権の設定等に係る取得費》①から同④までの規定に準じて計算した金額は、当該事業所得又は雑所得に係る必要経費に算入する。（令94②）

二　譲渡所得の金額

１　通　　則

譲渡所得の金額は、次の(一)又は(二)に掲げる所得につき、それぞれその年中の当該所得に係る総収入金額から当該所得の基因となった資産の取得費及びその資産の譲渡に要した費用の額の合計額を控除し、その残額の合計額（当該(一)又は(二)のうちいずれかに掲げる所得に係る総収入金額が当該所得の基因となった資産の取得費及びその資産の譲渡に要した費用の額の合計額に満たない場合には、その不足額に相当する金額を他の号に掲げる所得に係る残額から控除した金額。以下「**譲渡益**」という。）から**譲渡所得の特別控除額**〔50万円（譲渡益が50万円に満たない場合には、当該譲渡益）とする。〕を控除した金額とする。（法33③④、令82）

<table>
<tr><td rowspan="4">(一)</td><td colspan="2">資産の譲渡（**一３**《譲渡所得に含まれないもの》に該当するものを除く。(二)において同じ。）でその資産の取得の日以後５年以内にされたものによる所得（次のイからハまでに掲げる所得を除く。）</td></tr>
<tr><td>イ</td><td>自己の研究の成果である特許権、実用新案権その他の工業所有権、自己の育成の成果である育成者権、自己の著作に係る著作権及び自己の探鉱により発見した鉱床に係る採掘権の譲渡による所得</td></tr>
<tr><td>ロ</td><td>第五章第二節**二十四３**①イ《贈与等により取得した資産の取得費等》に掲げる相続又は遺贈により取得した同**３**①(一)に掲げる配偶者居住権の消滅（当該配偶者居住権を取得した時に当該配偶者居住権の目的となっている建物を譲渡したとしたならば同**３**①の規定により当該建物を取得した日とされる日以後５年を経過する日後の消滅に限る。）による所得</td></tr>
<tr><td>ハ</td><td>第五章第二節**二十四３**①イに掲げる相続又は遺贈により取得した同③**１**ロに掲げる配偶者居住権の目的となっている建物の敷地の用に供される土地（土地の上に存する権利を含む。以下ハにおいて同じ。）を当該配偶者居住権に基づき使用する権利の消滅（当該権利を取得した時に当該土地を譲渡したとしたならば同**３**①の規定により当該土地を取得した日とされる日以後５年を経過する日後の消滅に限る。）による所得

（注）上記ロ及びハの規定は、令和２年４月１日以後の同ロに規定する配偶者居住権の消滅及び同ハに規定する権利の消滅について適用される。（令２改所令等附１、３）</td></tr>
<tr><td>(二)</td><td colspan="2">資産の譲渡による所得で(一)に掲げる所得以外のもの</td></tr>
</table>

（特別控除額の控除の順序）

（1）　**1**により譲渡益から**1**に規定する譲渡所得の特別控除額を控除する場合には、まず、当該譲渡益のうち上表の(一)に掲げる所得に係る部分の金額から控除するものとする。（法33⑤）

（資産の取得の日）

（2）　表の(一)の資産の取得の日は、次による。（基通33－９）

(一)　他から取得した資産については、基通36－12《山林所得又は譲渡所得の総収入金額の収入すべき時期》に準じて判定した日とする。

(二)　自ら建設、製作又は製造（以下「建設等」という。）をした資産については、当該建設等が完了した日とする。

(三)　他に請け負わせて建設等をした資産については、当該資産の引渡しを受けた日とする。

参考・基通36－12　山林所得又は譲渡所得の総収入金額の収入すべき時期は、山林所得又は譲渡所得の基因となる資産の引渡しがあった日によるものとする。ただし、納税者の選択により、当該資産の譲渡に関する契約の効力発生の日（中略）により総収入金額に算入して申告があったときは、これを認める。

（注）1　山林所得又は譲渡所得の総収入金額の収入すべき時期は、資産の譲渡の当事者間で行われる当該資産に係る支配の移転の事実（例えば、土地の譲渡の場合における所有権移転登記に必要な書類等の交付）に基づいて判定をした当該資産の引渡しがあった日によるのであるが、当該収入すべき時期は、原則として譲渡代金の決済を了した日より後にはならないのであるから留意する。

2　省略

（借地権者等が取得した底地の取得時期等）

（3）　借地権その他の土地の上に存する権利（以下「**借地権等**」という。）を有する者が当該権利の設定されている土地（以下「**底地**」という。）を取得した場合には、その土地の取得の日は、当該底地に相当する部分とその他の部分とを各別に判定するものとする。

底地を有する者がその土地に係る借地権等を取得した場合も、同様とする。（基通33－10）

（譲渡資産のうちに短期保有資産と長期保有資産とがある場合の収入金額等の区分）

（4）　一の契約により譲渡した資産のうちに短期保有資産（上表の(一)に掲げる所得の基因となる資産をいう。）と長期保有資産（同表の(二)に掲げる所得の基因となる資産をいう。）とがある場合には、それぞれの譲渡資産の収入金額は、当該譲渡に係る収入金額の合計額をそれぞれの譲渡資産の当該譲渡の時の価額の比によりあん分して計算するものとし、当該譲渡資産に係る譲渡費用で個々の譲渡資産との対応関係の明らかでないものがあるときは、当該譲渡費用の額をそれぞれの資産に係る収入金額の比であん分するなど合理的な方法によりそれぞれの資産に係る当該譲渡費用の額を計算するものとする。この場合において、当事者の契約によりそれぞれの譲渡資産に対応する収入金額が区分されており、かつ、その区分がおおむねその譲渡の時の価額の比により適正に区分されているときは、これを認める。(基通33－11)

(借地権等を消滅させた後、土地を譲渡した場合等の収入金額の区分)

(5)　借地権等の設定されている土地の所有者が、当該借地権等を消滅させた後に当該土地を譲渡し、又は当該土地に新たな借地権等の設定（その設定による所得が譲渡所得とされる場合に限る。以下(6)までにおいて同じ。）をした場合には、当該土地のうち借地権等の消滅時に取得したものとされる部分（以下(5)において「旧借地権部分」という。）及びその他の部分（以下(5)において「旧底地部分」という。）をそれぞれ譲渡し、又はそれぞれの部分について借地権等の設定をしたものとして取り扱うものとし、この場合における旧借地権部分及び旧底地部分に係る収入金額は、それぞれ次に掲げる算式により計算した金額によるものとする。(基通33－11の2)

(一)　旧借地権部分に係る収入金額

$$\text{当該土地の譲渡の対価の額又は当該新たに設定した借地権等の対価の額} \times \frac{\text{旧借地権等の消滅時の旧借地権等の価額}}{\text{旧借地権等の消滅時の当該土地の更地価額}}$$

(注)　「旧借地権等の消滅時の旧借地権等の価額」は、その借地権等の消滅につき対価の支払があった場合において、その対価の額が適正であると認められるときは、その対価の額（手数料その他の付随費用の額を含まない。）によることができる。

(二)　旧底地部分に係る収入金額

当該土地の譲渡の対価の額又は新たに設定した借地権等の対価の額－(一)の金額

(注)　借地権等を消滅させた後、土地を譲渡した場合等における譲渡所得の金額の計算上控除する取得費の額の区分については、**3**②《借地権を設定した土地の底地の取得費等》**イ**注参照。

(底地を取得した後、土地を譲渡した場合等の収入金額の区分)

(6)　借地権等を有する者が、当該借地権等に係る底地を取得した後に当該土地を譲渡し、又は当該土地に借地権等の設定をした場合には、当該土地のうちその取得した底地に相当する部分（以下(6)において「旧底地部分」という。）及びその他の部分（以下(6)において「旧借地権部分」という。）をそれぞれ譲渡し、又はそれぞれの部分について借地権等の設定をしたものとして取り扱うものとし、この場合における旧底地部分及び旧借地権部分に係る収入金額は、それぞれ次に掲げる算式により計算した金額によるものとする。(基通33－11の3)

(一)　旧底地部分に係る収入金額

$$\text{当該土地の譲渡の対価の額又は当該設定した借地権等の対価の額} \times \frac{\text{旧底地の取得時の旧底地の価額}}{\text{旧底地の取得時の当該土地の更地価額}}$$

(注)　「旧底地の取得時の旧底地の価額」は、その底地の取得につき対価の支払があった場合において、その対価の額が適正であると認められるときは、その対価の額（手数料その他の付随費用の額を含まない。）によることができる。

(二)　旧借地権部分に係る収入金額

当該土地の譲渡の対価の額又は当該設定した借地権等の対価の額 － (一)の金額

(注)　底地を取得した後、土地を譲渡した場合等における譲渡所得の金額の計算上控除する取得費の額の区分については、**2**①《資産の取得費》の(22)参照。

(有価証券の譲渡所得が短期譲渡所得に該当するかどうかの判定) ……**－1**(14)《基通33－6の4》参照。

2　譲渡所得の金額の計算上控除する資産の取得費

①　資産の取得費

譲渡所得の金額の計算上控除する資産の取得費は、別段の定めがあるものを除き、その資産の取得に要した金額並びに設備費及び改良費の額の合計額とする。(法38①)

(土地等と共に取得した建物等の取壊し費用等)

(1)　自己の有する土地の上に存する借地人の建物等を取得した場合又は建物等の存する土地(借地権を含む。以下(1)において同じ。)をその建物等と共に取得した場合において、その取得後おおむね1年以内に当該建物等の取壊しに着手するなど、その取得が当初からその建物等を取り壊して土地を利用する目的であることが明らかであると認められるときは、当該建物等の取得に要した金額及び取壊しに要した費用の額の合計額（発生資材がある場合には、その発生資材の価額を控除した残額）は、当該土地の取得費に算入する。(基通38－1)

（一括して購入した一団の土地の一部を譲渡した場合の取得費）

（2）　一括して購入した一団の土地の一部を譲渡した場合における譲渡所得の金額の計算上控除すべき取得費の額は、原則として当該土地のうち譲渡した部分の面積が当該土地の面積のうちに占める割合を当該土地の取得価額に乗じて計算した金額によるのであるが、当該土地のうち譲渡した部分の譲渡時の価額が当該土地の譲渡時の価額のうちに占める割合を当該土地の取得価額に乗じて計算した金額によっても差し支えない。（基通38－1の2）

（所有権等を確保するために要した訴訟費用等）

（3）　取得に関し争いのある資産につきその所有権等を確保するために直接要した訴訟費用、和解費用等の額は、その支出した年分の各種所得の金額の計算上必要経費に算入されたものを除き、資産の取得に要した金額とする。（基通38－2）

（注）　各種所得の金額の計算上必要経費に算入されるものについては、第六章第二節**－7**（3）《民事事件に関する費用》参照。

（価値の減少に対する補償金等に係る取得費）

（4）　**－1**（1）《譲渡所得の収入金額とされる補償金等》に規定する譲渡所得の基因となる資産の価値が減少したことに伴い、当該価値の減少につき一時に受ける補償金その他これに類するものに係る譲渡所得の金額の計算上控除する取得費は、次に掲げる算式により計算する。（基通38－5）

$$\begin{array}{l}\text{当該価値の減少が生じた直前}\\\text{における当該資産の取得費}\end{array}\times\frac{\text{補償金等の額}}{\text{補償金等の額}+\begin{array}{l}\text{当該価値の減少があった直}\\\text{後における当該資産の価額}\end{array}}$$

（分与財産の取得費）

（5）　民法第768条《財産分与》（同法第749条及び第771条において準用する場合を含む。）の規定による財産の分与により取得した財産は、その取得した者がその分与を受けた時においてその時の価額により取得したこととなることに留意する。（基通38－6）

（代償分割に係る資産の取得費）

（6）　遺産の代償分割に係る資産の取得費については、次による。（基通38－7）

（一）　代償分割により負担した債務に相当する金額は、当該債務を負担した者が当該代償分割に係る相続により取得した資産の取得費には算入されない。

（二）　代償分割により債務を負担した者から当該債務の履行として取得した資産は、その履行があった時においてその時の価額により取得したこととなる。

（取得費等に算入する借入金の利子等）

（7）　固定資産の取得のために借り入れた資金の利子（賦払の契約により購入した固定資産に係る購入代価と賦払期間中の利息及び賦払金の回収費用等に相当する金額とが明らかに区分されている場合におけるその利息及び回収費用等に相当する金額を含む。）のうち、その資金の借入れの日から当該固定資産の使用開始の日（当該固定資産の取得後、当該固定資産を使用しないで譲渡した場合においては、当該譲渡の日。以下⑿において同じ。）までの期間に対応する部分の金額は、業務の用に供される資産に係るもので、第六章第二節《必要経費》**－7**（5）又は同（6）により当該業務に係る各種所得の金額の計算上必要経費に算入されたものを除き、当該固定資産の取得費又は取得価額に算入する。

固定資産の取得のために資金を借り入れる際に支出する公正証書作成費用、抵当権設定登記費用、借入れの担保として締結した保険契約に基づき支払う保険料その他の費用で当該資金の借入れのために通常必要と認められるものについても、同様とする。（基通38－8）

（注）1　その借り入れた資金が購入手数料等固定資産の取得費に算入される費用に充てられた場合には、その充てられた部分の借入金も「固定資産の取得のために借り入れた資金」に該当する。

2　「譲渡の日」は、基通36－12《山林所得又は譲渡所得の総収入金額の収入すべき時期》（330ページの参考）に準じて判定した日による。

（使用開始の日の判定）

（8）　（7）に定める「使用開始の日」は、次により判定する。（基通38－8の2）

（一）　土地については、その使用の状況に応じ、それぞれ次に定める日による。

イ　新たに建物、構築物等の敷地の用に供するものは、当該建物、構築物等を居住の用、事業の用等に供した日

ロ　既に建物、構築物等の存するものは、当該建物、構築物等を居住の用、事業の用等に供した日（当該建物、構築物等が当該土地の取得の日前からその者の居住の用、事業の用等に供されており、かつ、引き続きこれらの用に供されるものである場合においては、当該土地の取得の日）

ハ　建物、構築物等の施設を要しないものは、そのものの本来の目的のための使用を開始した日（当該土地がその取得の日前からその者において使用されているものである場合においては、その取得の日）

(二)　建物、構築物並びに機械及び装置（次の(三)に掲げるものを除く。）については、そのものの本来の目的のための使用を開始した日（当該資産がその取得の日前からその者において使用されているものである場合においては、その取得の日）による。

(三)　書画、骨とう、美術工芸品などその資産の性質上取得の時が使用開始の時であると認められる資産については、その取得の日による。

（借入金により取得した固定資産を使用開始後に譲渡した場合）

(9)　借入金により取得した固定資産を使用した後に譲渡した場合には、当該固定資産の使用開始があった日後譲渡の日までの間に使用しなかった期間があるときであっても、当該使用開始があった日後譲渡の日までの期間に対応する借入金の利子については当該固定資産の取得費又は取得価額に算入しない。（基通38－8の3）

（固定資産を取得するために要した借入金を借り換えた場合）

(10)　固定資産を取得するために要した借入金を借り換えた場合には、借換え前の借入金の額（借換え時までの当該借入金に係る未払利子を含む。）と借換え後の借入金の額とのうちいずれか低い金額は、借換え後もその固定資産の取得資金に充てられたものとして取り扱う。（基通38－8の4）

（借入金で取得した固定資産の一部を譲渡した場合）

(11)　借入金により取得した固定資産の一部を譲渡した場合には、当該固定資産のうち譲渡した部分の取得時の価額が当該固定資産の取得時の価額のうちに占める割合を当該借入金の額に乗じて計算した金額を当該譲渡した固定資産の取得のために借り入れたものとして(7)の取扱いを適用する。（基通38－8の5）

（借入金で取得した固定資産を買換えた場合）

(12)　借入金により取得した固定資産を譲渡し、その譲渡代金をもって他の固定資産を取得した場合には、その借入金（次に掲げる金額のうち最も低い金額に相当する金額に限る。）は、その譲渡の日において、新たに取得した固定資産の取得のために借り入れたものとして取り扱う。

なお、借入金により取得した固定資産の譲渡につき第五章第二節**三**《収用等に伴い代替資産を取得した場合の課税の特例》、同節**四2**《交換取得資産とともに取得した補償金等に係る課税の特例》、同節**十五**《特定の居住用財産の買換え及び交換の特例》、同節**十八1**《特定の事業用資産の買換えの場合の譲渡所得の課税の特例》又は同節**十九**《既成市街地等内にある土地等の中高層耐火建築物等の建設のための買換え又は交換の特例》の規定の適用を受ける場合には、新たに取得した固定資産の取得のために借り入れたものとされる借入金の利子のうち当該譲渡した資産（以下(12)において「譲渡資産」という。）の譲渡の日からこれらの規定に規定する代替資産又は買換資産（以下(14)までにおいて「**代替資産等**」という。）の取得の日までの期間に対応する部分の金額は代替資産等の取得に要した金額に算入し、当該借入金の利子のうち、代替資産等の取得の日後使用開始の日までの期間に対応する部分の金額は、同節**六2**《収用交換等により取得した代替資産等の取得価額及び取得時期》、同節**十五8**①《買換資産の取得価額の計算》、同節**十八10**①《買換えに係る特定の事業用資産の譲渡の場合の取得価額の計算等》又は同節**十九8**①《買換資産の取得価額の計算等》の規定により代替資産等の取得価額とされる金額に加算することができるものとする。（基通38－8の6）

(一)　譲渡の日における借入金の残存額（譲渡資産が借入金により取得した固定資産の一部である場合においては、(11)に定めるところにより計算した当該譲渡資産に対応する借入金の残存額。以下(13)において同じ。）

(二)　譲渡資産の譲渡価額

(三)　新たに取得した固定資産の取得価額

（借入金で取得した固定資産を交換した場合等）

(13)　借入金により取得した固定資産を交換により譲渡した場合には、交換の日におけるその借入金の残存額と交換取得資産の価額のうちいずれか低い金額は、その交換の日において、交換取得資産を取得するために借り入れたものと

して取り扱う。

第五章第二節**四１**《交換取得資産に係る譲渡所得等の課税の特例》に規定する交換処分等又は同節**五**《換地処分等に伴い資産を取得した場合の課税の特例》に規定する換地処分等があった場合も、同様である。（基通38－８の７）

（注）　固定資産を交換した場合において、交換差金を支払うために借り入れた資金は、交換取得資産の取得のために借り入れたものとして取り扱われることに留意する。

（代替資産等を借入金で取得した場合）

(14)　固定資産を借入金により取得した場合において、当該固定資産を代替資産等として第五章第二節**三**、**四２**、**十五**、**十八１**又は**十九**（上記(12)参照）の規定の適用を受けるときには、当該借入金の利子は代替資産等の取得費又は取得価額に算入しない。ただし、次に掲げる場合に該当する場合には、それぞれ次に掲げる借入金の利子については(７)の取扱いを適用する。（基通38－８の８）

(一)　これらの規定の適用を受ける譲渡資産の譲渡の日前に借入金により代替資産等を取得した場合　　その借入れをした日から当該譲渡資産の譲渡の日までの期間に対応する部分の借入金の利子

(二)　譲渡資産の収入金額が代替資産等の取得価額に満たない場合　　その満たない金額に対応する部分の借入金の利子

（被相続人が借入金により取得した固定資産を相続により取得した場合）

(15)　被相続人が借入金により取得した固定資産（既に被相続人が使用していたものを除く。）を相続人が相続又は遺贈により取得した場合において、当該相続人がその借入金を承継したときは、次に掲げる金額のうちいずれか低い金額に相当する借入金は、当該相続人が相続開始の日において、当該固定資産の取得のために借り入れたものとして取り扱う。

なお、被相続人が固定資産を取得するために要した借入金の利子のうち、相続開始の日までの期間に対応する部分の金額は第五章第二節**二十四３**《贈与等により取得した資産の取得費等》の規定により計算した取得費又は取得価額に算入するのであるから留意する。（基通38－８の９）

(一)　当該相続人が承継した借入金の額

(二)　次の算式により計算した金額

$$\text{被相続人が借り入れた資金のうち相続開始の日における残存額} \times \frac{\text{当該固定資産のうち、当該相続人が取得した部分の相続開始の日における価額}}{\text{当該固定資産の相続開始の日における価額}}$$

（非業務用の固定資産に係る登録免許税等）

(16)　固定資産（業務の用に供されるものを除く。以下(16)において同じ。）に係る登録免許税（登録に要する費用を含む。）、不動産取得税等固定資産の取得に伴い納付することとなる租税公課は、当該固定資産の取得費に算入する。（基通38－９）

（注）１　第五章第二節**二十四３**①イに規定する贈与、相続又は遺贈による取得に伴い納付することとなる登録免許税等については、⑥の（２）参照。

２　業務の用に供される資産に係る登録免許税等については、第六章第二節**一２**（２）《固定資産税等の必要経費算入》及び第六章第二節**五７イ**(24)《減価償却資産に係る登録免許税等》参照。

（非事業用資産の取得費の計算上控除する減価償却費相当額）

(17)　譲渡所得の基因となる資産が家屋その他使用又は期間の経過により減価する資産である場合における当該資産の取得費は、**２**②《減価する資産の取得費》の規定により計算するのであるが、当該資産が各種所得（同②(一)に掲げる不動産所得、事業所得、山林所得又は雑所得をいう。以下(17)において同じ。）を生ずべき業務の用に供されていない資産（以下(17)において「非事業用資産」という。）であり、かつ、当該非事業用資産と同種の減価償却資産が第六章第二節**五１**《減価償却資産の範囲》①から同⑦までに掲げる減価償却資産に該当する場合には、当該非事業用資産の取得費の計算上控除する減価償却費相当額については、当該非事業用資産の**２**①《資産の取得費》に規定する合計額に相当する金額の100分の95に相当する金額が限度となることに留意する。

なお、譲渡した資産に係る各種所得を生ずべき業務の用に供されていた期間については、当該資産の同①に規定する合計額に相当する金額から当該期間内の日の属する各年分の各種所得の金額の計算上必要経費に算入されるその資産の償却費の額の累積額を控除して当該資産の取得費を計算するのであるが、当該資産を各種所得を生ずべき業務の用に供されなくなった後に譲渡した場合において、当該資産の償却費の額の累積額が当該資産の同①に規定する合計額に相当する金額の100分の95に相当する金額を超えているときは、当該資産の当該合計額に相当する金額から控除する減価償却費相当額は、当該償却費の額の累積額となることに留意する。（基通38－９の２）

（契約解除に伴い支出する違約金）

(18)　いったん締結した固定資産の取得に関する契約を解除して他の固定資産を取得することとした場合に支出する違約金の額は、各種所得の金額の計算上必要経費に算入されたものを除き、当該取得した固定資産の取得費又は取得価額に算入する。（基通38－９の３）

（土地についてした防壁、石垣積み等の費用）

(19)　埋立て、土盛り、地ならし、切土、防壁工事その他土地の造成又は改良のために要した費用の額はその土地の取得費に算入するのであるが、土地についてした防壁、石垣積み等であっても、その規模、構造等からみて土地と区分して構築物とすることが適当と認められるものの費用の額は、土地の取得費に算入しないで、構築物の取得費とすることができる。

上水道又は下水道の工事に要した費用の額についても、同様とする。（基通38－10）

（注）1　専ら建物、構築物等の建設のために行う地質調査、地盤強化、地盛り、特殊な切土等土地の改良のためのものでない工事に要した費用の額は、当該建物、構築物等の取得費に算入する。

2　土地の測量費は、各種所得の金額の計算上必要経費に算入されたものを除き、土地の取得費に算入する。

（土地、建物等の取得に際して支払う立退料等）

(20)　土地、建物等の取得に際し、当該土地、建物等を使用していた者に支払う立退料その他その者を立ち退かせるために要した金額は、当該土地、建物等の取得費又は取得価額に算入する。（基通38－11）

（借地権の取得費）

(21)　借地権の取得費には、土地の賃貸借契約又は転貸借契約（これらの契約の更新及び更改を含む。以下(21)において「借地契約」という。）をするに際して借地権の対価として土地所有者又は借地権者に支払った金額のほか、次に掲げる金額を含むものとする。ただし、(一)に掲げる金額が建物等の購入代価のおおむね10％以下の金額であるときは、強いてこれを区分しないで建物等の取得費に含めることができる。（基通38－12）

(一)　土地の上に存する建物等を取得した場合におけるその建物等の購入代価のうち借地権の対価と認められる部分の金額

(二)　賃借した土地の改良のためにした土盛り、地ならし、埋立て等の整地に要した費用の額

(三)　借地契約に当たり支出した手数料その他の費用の額

(四)　建物等を増改築するに当たりその土地の所有者又は借地権者に対して支出した費用の額

（底地を取得した後、土地を譲渡した場合等の譲渡所得に係る取得費）

(22)　借地権等を有する者が、当該借地権等に係る底地を取得した後に当該土地を譲渡し、又は当該土地に借地権等の設定をした場合における譲渡所得の金額の計算上控除する**1**（６）に定める旧底地部分及び旧借地権部分に係る取得費は、次に掲げる場合の区分に応じ、それぞれ次に掲げる算式により計算した金額によるものとする。（基通38－４の３）

(一)　当該土地を譲渡した場合

イ　旧底地部分に係る取得費

$$\text{底地の取得のために要した金額（A）} \times \frac{\text{当該土地のうち譲渡した部分の面積}}{\text{当該土地の面積}}$$

（注）「底地の取得のために要した金額」は、第五章第二節**二十四3**《贈与等により取得した資産の取得費等》の規定の適用がある場合には、同**3**の規定により計算した金額となる。

ロ　旧借地権部分に係る取得費

$$\text{旧借地権等の設定又は取得に要した金額（B）} \times \frac{\text{当該土地のうち譲渡した部分の面積}}{\text{当該土地の面積}}$$

(二)　当該土地につき借地権等の設定をした場合

イ　旧底地部分に係る取得費

$$(A+B) \times \frac{\text{借地権等の設定の対価の額（C）}}{\text{借地権等の設定をした時のその土地の更地価額（D）}} \times \frac{A}{A+B}$$

ロ　旧借地権部分に係る取得費

$$(A+B)\times \frac{C}{D}\times \frac{B}{A+B}$$

（治山工事等の費用）

(23)　天然林を人工林に転換するために必要な地ごしらえ又は治山の工事のために支出した金額は、構築物の取得費に算入されるものを除き、林地の取得費に算入する。（基通38－13）

（土石等の譲渡に係る取得費）

(24)　土地の地表又は地中にある土石等を譲渡した場合の譲渡所得の金額の計算上控除する取得費は、次に掲げる場合の区分に応じ、それぞれ次による。

なお、その土地の所有者が当該土石等の譲渡後の土地について原状回復等を行った場合には、その原状回復等に要した費用の額はその土地の取得費に算入する。（基通38－13の２）

(一)　土石等の譲渡後におけるその土地の価額が、その土地の取得費に相当する金額以上である場合　　土石等の譲渡に係る取得費はないものとする。

(二)　上記(一)以外の場合　　その土地の取得費（土石等の譲渡前におけるその土地の価額が、その土地の取得費の額に満たない場合においては、当該価額）のうち、土石等の譲渡後におけるその土地の価額を超える部分の金額に相当する金額を土石等の譲渡に係る取得費とする。

(注)　土石等の譲受者が、土石等の採取後、その土地について原状回復を行う場合には、上記の「土石等の譲渡後におけるその土地の価額」は原状回復後のその土地の価額による。

（電話加入権の取得費）

(25)　電話加入権の取得費には、電気通信事業者との加入電話契約に基づいて支出する工事負担金のほか、屋内配線工事に要した費用等電話機を設置するために支出する費用（当該費用の支出の目的となった資産を自己の所有とする場合のその設置のために支出するものを除く。）が含まれることに留意する。（基通38－14）

（借家権の取得費）

(26)　借家権の譲渡に係る譲渡所得の金額の計算上控除する取得費の額は、借家権の取得に当たり支払った権利金の額から次の算式により計算した金額を控除した金額とする。（基通38－15）

$$権利金の額\times \frac{借家権を取得した日から譲渡する日までの期間(A)}{権利金の支出の効果の及ぶ期間(B)}$$

(注)１　$\frac{A}{B}$が１を超えるときは、１とする。

２　権利金の支出の効果の及ぶ期間については、基通50－３《繰延資産の償却期間》（下掲）に定める償却期間による。

参考　基通50－３の規定のうち、建物を賃借するために支出する権利金に係る部分を抜粋して示せば次のとおりである。（編者注）

細	目	償　却　期　間
(一)	建物の新築に際しその所有者に対して支払った権利金等で当該権利金等の額が当該建物の賃借部分の建設費の大部分に相当し、かつ、実際上その建物の存続期間中賃借できる状況にあると認められるものである場合	その建物の耐用年数の70％に相当する年数
(二)	建物の賃借に際して支払った(一)以外の権利金等で、契約、慣習等によってその明渡しに際して借家権として転売できることになっているものである場合	その建物の賃借後の見積残存耐用年数の70％に相当する年数
(三)	(一)及び(二)以外の権利金等である場合	５年（契約による賃借期間が５年未満であり、かつ、契約更新をする場合に再び権利金等の支払を要することが明らかであるものについては、当該賃借期間の年数）

(注)　償却期間の１年未満の端数は切り捨てる。

（土地建物等以外の資産の取得費）

(27)　土地建物等以外の資産（通常、譲渡所得の金額の計算上控除する取得費がないものとされる土地の地表又は地中にある土石等並びに借家権及び漁業権等を除く。）を譲渡した場合における譲渡所得の金額の計算上収入金額から控除する取得費は、**2**①及び同③から同⑤までの規定に基づいて計算した金額となるのであるが、当該収入金額の100分の５に相当する金額を取得費として譲渡所得の金額を計算しているときは、これを認めて差し支えないものとする。（基通38－16）

（注）　配偶者居住権又は当該配偶者居住権の目的となっている建物の敷地の用に供される土地（土地の上に存する権利を含む。）を当該配偶者居住権に基づき使用する権利の消滅につき対価の支払を受ける場合における譲渡所得の金額の計算上収入金額から控除する取得費については、第五章第二節**二十四3**③（9）参照

（物納の撤回に係る資産を譲渡した場合）

(28)　相続税法第46条第１項《物納の撤回》の規定により物納の撤回の承認を受けた資産を他に譲渡した場合における各種所得の金額の計算については、当該承認を受けた者が同法第43条第２項の規定により相続税の納付があったものとされた日前から引き続き所有していたものとする。この場合、当該資産の取得費の計算については、次によるものとする。（基通33－16）

(一)　物納の撤回の承認を受けた者が同法第46条第９項《国が支出した有益費の納付》の規定により有益費の額に相当する金銭を納付した場合には、当該有益費の額に相当する額は、物納の撤回の承認を受けた日において支出した①に規定する設備費及び改良費の額とする。

(二)　当該資産につき②の規定により取得費を計算する場合には、相続税法第43条第２項の規定により相続税の納付があったものとされた日の翌日から当該物納の撤回の承認があった日までの期間は、②の(二)に掲げる期間に該当する。

（遺留分侵害額の請求に基づく金銭の支払に代えて移転を受けた資産の取得費）

(29)　民法第1046条第１項の規定による遺留分侵害額に相当する金銭の支払請求があった場合において、金銭の支払に代えて、その債務の全部又は一部の履行として資産の移転があったときは、その履行を受けた者は、原則として、その履行があった時においてその履行により消滅した債権の額に相当する価額により当該資産を取得したこととなる。（基通38－７の２）

㊟　(29)の取扱いは、令和元年７月１日以後に開始した相続に係る遺留分侵害額の請求があった場合について適用する。

②　減価する資産の取得費

譲渡所得の基因となる資産が家屋その他使用又は期間の経過により減価する資産である場合には、①に規定する資産の取得費は、①に規定する合計額に相当する金額から、その取得の日から譲渡の日までの期間のうち次の(一)又は(二)に掲げる期間の区分に応じ当該(一)又は(二)に掲げる金額の合計額を控除した金額とする。（法38②）

(一)	その資産が不動産所得、事業所得、山林所得又は雑所得を生ずべき業務の用に供されていた期間	第六章第二節**五**《減価償却》の規定により当該期間内の日の属する各年分の不動産所得の金額、事業所得の金額、山林所得の金額又は雑所得の金額の計算上必要経費に算入されるその資産の償却費の額の累積額
(二)	(一)に掲げる期間以外の期間	当該資産の取得に要した金額並びに設備費及び改良費の額の合計額につき、当該資産と同種の減価償却資産に係る耐用年数に1.5を乗じて計算した年数により旧定額法に準じて計算した金額に、当該資産の当該期間に係る年数を乗じて計算した金額。この場合において、当該資産と同種の減価償却資産が第六章第二節**五11**①イ又は同ハ《減価償却資産の償却累積額による償却費の特例》に掲げる減価償却資産に該当する場合には、当該計算した金額は、当該同種の減価償却資産の同①イ又はハに掲げる区分に応じ当該イ又はハに定める金額を限度とする。（令85①）

（注）　(二)の場合において、次のイ又はロに掲げる年数に１年未満の端数があるときの処理については、当該イ又はロに定めるところによる。（令85②）

イ　(二)に規定する1.5を乗じて計算した年数　　１年未満の端数は切り捨てる。

ロ　(二)に規定する期間に係る年数　　６月以上の端数は１年とし、６月に満たない端数は切り捨てる。

（主たる部分を業務の用に供していない譲渡資産の取得費）

注　譲渡資産が業務の用と業務の用以外の用とに併せ供されていた場合において、当該譲渡資産の所有期間を通じ、当該業務の用以外の用に供されていた部分が当該譲渡資産の90％以上であるときは、その資産の全部が業務の用以外の用に供されていたものとして②の規定を適用して差し支えない。（基通38－３）

③　昭和27年12月31日以前に取得した資産の取得費

譲渡所得の基因となる資産（④及び⑤に規定する資産を除く。）が昭和27年12月31日以前から引き続き所有していた資産である場合には、その資産に係る譲渡所得の金額の計算上控除する取得費は、その資産の昭和28年１月１日における価額〔同日におけるその資産の現況に応じ、同日においてその資産につき相続税及び贈与税の課税標準の計算に用いるべきものとして国税庁長官が定めて公表した方法により計算した価額《昭和28年１月１日現在の相続税評価額》をいう。〕（当該金額がその資産の取得に要した金額と同日前に支出した設備費及び改良費の額との合計額に満たないことが証明された場合には、当該合計額）とその資産につき同日以後に支出した設備費及び改良費の額との合計額とする。（法61②、令172①）

（資産の再評価を行っているものである場合）

注　上記の資産が資産再評価法第８条第１項《個人の減価償却資産の再評価》（同法第10条第１項《非事業用資産を事業の用に供した場合の再評価》において準用する場合を含む。）又は第16条《死亡の場合の再評価の承継》の規定により再評価を行っているものである場合において、その資産につき③の規定により計算した昭和28年１月１日における価額が当該再評価に係る再評価額に満たないときは、その資産の③に規定する昭和28年１月１日における価額は、③の規定にかかわらず、当該再評価額とする。（令172②）

④　昭和27年12月31日以前に取得した減価する資産の取得費

譲渡所得の基因となる資産が昭和27年12月31日以前から引き続き所有していた資産で、②《減価する資産の取得費》の規定に該当するものである場合には、その資産に係る譲渡所得の金額の計算上控除する取得費は、その資産の昭和28年１月１日における価額〔③に規定する昭和28年１月１日現在の相続税評価額をいう。〕（当該金額がその資産の取得に要した金額と同日前に支出した設備費及び改良費の額との合計額を基礎として同日においてその資産の譲渡があったものとみなして②の規定を適用した場合にその資産の取得費とされる金額に満たないことが証明された場合には、当該価額）とその資産につき同日以後に支出した設備費及び改良費の額との合計額から、その資産を同日において当該価額をもって取得したものとみなした場合に計算される②(一)又は同(二)に掲げる金額の合計額を控除した金額とする。（法61③、令172①③）

⑤　昭和27年12月31日以前に取得した有価証券の取得費

有価証券につき譲渡所得の金額を計算する場合において、譲渡所得の金額の計算上控除する有価証券の取得費の計算の基礎となる金額のうちに昭和27年12月31日以前に取得した有価証券の取得に要した金額が含まれているときは、その取得した有価証券の昭和28年１月１日における価額として次の(一)及び(二)に掲げるところにより計算した金額（当該金額がその有価証券の取得に要した金額に満たないことが証明された場合には、その取得に要した金額）をもって、その取得した有価証券の取得に要した金額とする。（法61④、令173）

<table>
<tr><td rowspan="3">(一)</td><td colspan="2">証券取引所（証券取引法等の一部を改正する法律（平成18年法律第65号）第３条《証券取引法の一部改正》の規定による改正前の証券取引法に規定する証券取引所をいう。）において上場されている株式又は気配相場のある株式若しくは出資については、次に定めるところにより計算した金額を基礎として計算した金額とする。</td></tr>
<tr><td>イ</td><td>昭和27年12月中における毎日の公表最終価格（金融商品取引法第130条《総取引高、価格等の通知等》に相当する規定により公表された最終の価格をいう。）又は最終の気配相場の価格（以下「公表最終価格等」という。）の合計額を同月中の日数（公表最終価格等のない日の数を除く。）で除する。</td></tr>
<tr><td>ロ</td><td>イの公表最終価格等のうちに、その株式又は出資に係る発行法人の資本又は出資の増加による権利落ちに係る価格が含まれている場合において、当該増加に係る株式又は出資（以下「新株」という。）が昭和27年12月31日において発行されているときは、当該権利落ち前の公表最終価格等についてはその額から当該新株の権利の価額を控除した価額を、同日において当該新株が発行されていないときは、当該権利落ち以後の公表最終価格等についてはその額に当該新株の権利の価額を加算した価額をそれぞれ基礎としてイの規定により計算する。</td></tr>
<tr><td>(二)</td><td colspan="2">その他の株式又は出資については、その株式又は出資に係る発行法人の昭和28年１月１日における資産の価額</td></tr>
</table>

	の合計額から負債の額の合計額を控除した金額をその発行法人の同日における発行済株式又は出資の総数又は総額で除して計算した金額を基礎として計算した金額とする。

⑥　**その他の取得費計算の特例**

イ　土地建物等の長期譲渡所得の概算取得費控除（収入金額の５％）……第五章第二節**一４**参照。

ロ　収用交換等により取得した代替資産等の取得価額……第五章第二節**六２**参照。

ハ　特定の居住用財産の買換え等による買換（交換）取得資産の取得価額……第五章第二節**十五８**参照。

ニ　特定の事業用資産の買換え等による買換（交換）取得資産の取得価額……第五章第二節**十八10**参照。

ホ　既成市街地等内の土地等の中高層耐火建築物等建設のための買換え等の場合の買換（交換）取得資産の取得価額……第五章第二節**十九８**参照。

ヘ　特定普通財産とその隣接する土地等の交換の場合の譲渡所得の課税の特例……第五章第二節**二十一３**参照。

ト　相続財産に係る取得費への相続税額の加算……第五章第二節**二十二１**参照。

チ　固定資産の交換により取得した資産の取得費……第五章第二節**二十三２**参照。

リ　贈与等により取得した資産の取得費……第五章第二節**二十四３**参照。

（贈与等により取得した資産の取得費）

（1）　贈与、相続若しくは遺贈又は低額譲渡により取得した資産については、その贈与等の時期に応じその取得費及び取得時期は次の表のようになる。（基通60－１）

贈与等の区分＼贈与等の時期			昭25. 4. 1〜昭26. 12. 31	昭27. 1. 1〜昭28. 12. 31	昭29. 1. 1〜昭32. 12. 31	昭33. 1. 1〜昭36. 12. 31	昭37. 1. 1〜昭40. 3. 31	昭40. 4. 1〜昭47. 12. 31	昭48. 1. 1〜
贈与	①　被相続人からの死因贈与								
	②　①以外の贈与						（有）（無）	（有）（無）	
相続	③　限定承認に係る相続							（有）（無）	
	④　③以外の相続								
遺贈	包括遺贈	⑤ 限定承認に係る包括遺贈						（有）（無）	
		⑥　⑤以外の包括遺贈							
	特定遺贈	⑦　被相続人からの特定遺贈							
		⑧　⑦以外の特定遺贈					（有）（無）	（有）（無）	
低額譲渡	譲渡の対価が取得費・譲渡費用の合計額以上のもの						（有）（無）	（有）（無）	
	譲渡の対価が取得費・譲渡費用の合計額未満のもの						（有）（無）	（有）（無）	

(注) 1　――の期間内に取得した資産は、その取得の時の時価に相当する金額により、当該取得の時において取得したものとみなされることを示す。

-----の期間内に取得した資産は、贈与者等がその資産を保有していた期間を含めて引き続き所有していたものとみなされることを示す。(贈与者等の取得費を引き継ぐ)

〰〰の期間内に取得した資産は、実際の譲受けの対価をもって、当該取得の時において取得したものとされることを示す。

2　「(有)」は、贈与者等について、所得税法の一部を改正する法律（昭和48年法律第８号）による改正前の所得税法第59条第１項《みなし譲渡課税》の規定の適用があったことを示す。「(無)」は、同条第２項の規定による書面を提出したことにより、贈与者等について、同条第１項の規定の適用がなかったことを示す。

(贈与等の際に支出した費用)

(２)　第五章第二節**二十四３**①イに掲げる贈与、相続又は遺贈（以下(２)において「贈与等」という。）により譲渡所得の基因となる資産を取得した場合において、当該贈与等に係る受贈者等が当該資産を取得するために通常必要と認められる費用を支出しているときには、当該費用のうち当該資産に対応する金額については、第六章第二節**一２**(２)及び同節**五７イ**(24)の定めにより各種所得の金額の計算上必要経費に算入された登録免許税、不動産取得税等を除き、当該資産の取得費に算入できることに留意する。（基通60－２）

(注)　当該贈与等以外の事由により非業務用の固定資産を取得した場合の登録免許税等については、**２**①(16)（基通38－９）参照。

３　借地権の設定等に係る取得費

①　借地権等の設定をした場合の譲渡所得に係る取得費

一２①《資産の譲渡とみなされる行為》**イ**に規定する借地権又は地役権（以下「**借地権等**」という。）の**設定**（借地権に係る土地を他人に使用させる行為を含む。以下同じ。）につき**一１**《譲渡所得の意義》の適用がある場合において、当該設定に係る譲渡所得の金額の計算上控除する取得費は、次の(一)から(四)までに掲げる場合の区分に応じ、それぞれ次の(一)から(四)までに掲げるところにより計算した金額とする。（令174）…この場合にも**２**⑥《その他の取得費計算の特例》の特例があることに留意する。②～④について同じ。（編者注）

(一)	通常の場合の借地権等の設定（(二)及び(三)に該当する場合を除く。）	その借地権等の設定をした土地の取得に要した金額及び改良費の額の合計額に、イに掲げる金額がロに掲げる金額のうちに占める割合を乗じて計算した金額とする。（令174①） イ　その借地権等の設定の対価として支払を受ける金額 ロ　イに掲げる金額とその借地権等の設定をされている土地（以下「**底地**」という。）としての価額（当該土地が借地権等の設定の目的である用途にのみ使用される場合において、当該底地としての価額が明らかでなく、かつ、その借地権等の設定により支払を受ける地代があるときは、その地代の年額の20倍に相当する金額）との合計額
(二)	現に借地権等の設定をしている土地について更に他の者に対し借地権等の設定をした場合	前の借地権等の設定につき(一)の規定によりその取得費とされた金額があるときは、当該他の者に対する借地権等の設定に係る(一)の規定の適用については、当該土地に係る(一)に規定する取得に要した金額及び改良費の額の合計額は、当該合計額に相当する金額から当該取得費とされた金額を控除した金額とする。（令174②）
(三)	先に借地権等の設定があった土地で現に借地権等の設定等がない土地について借地権等の設定をした場合	(一)の規定により先の借地権等の設定に係る譲渡所得の金額の計算上控除された取得費があるときは、当該先の借地権等（①の使用に係る権利を含む。以下同じ。）の消滅につき対価を支払った場合を除き、①により控除する取得費は、(一)の規定により計算した金額から当該控除された取得費に相当する金額を控除した金額とする。（令174③）
(四)	借地権等の設定に係る土地が昭和27年12月31日以前から引き続き所有していたものである場合	当該土地に係る(一)に規定する取得に要した金額及び改良費の額の合計額は、当該土地につき**２**③《昭和27年12月31日以前に取得した資産の取得費》の規定により計算した金額と昭和28年１月１日以後に支出した改良費の額との合計額に相当する金額とする。（令174④）

（借地権等の設定をした場合の譲渡所得に係る取得費）

注　借地権等の設定の対価による所得が譲渡所得とされる場合において、①の規定により当該譲渡所得に係る収入金額から控除する取得費は、次に掲げる場合の区分に応じ、それぞれ次に掲げるところにより計算した金額となることに留意する。（基通38－４）

㈠　その土地について初めて借地権等を設定した場合

$$\text{その借地権等を設定した土地の取得費(A)} \times \frac{\text{その借地権等の設定の対価として支払を受ける金額(B)}}{\text{B＋その土地の底地としての価額(C)}}$$

㈡　現に借地権等を設定している土地について更に借地権等を設定した場合

$$\left(\text{A}-\text{現に設定されている借地権等につき㈠により計算して取得費とされた金額}\right) \times \frac{\text{B}}{\text{B＋C}}$$

㈢　先に借地権等の設定があった土地で現に借地権等を設定していないものについて借地権等を設定した場合（②**イ**注の取扱いが適用される場合を除く。）

$$\text{A}\times\frac{\text{B}}{\text{B＋C}}-\text{先に設定した借地権等につき㈠により計算して取得費とされた金額}$$

（注）　この算式により計算した金額が赤字となる場合は、その赤字はゼロとする。

②　借地権等を設定した土地の底地の取得費等

イ　底地の取得費

借地権等の設定につき**－１**《譲渡所得の意義》の適用があった場合において、当該設定をした土地の譲渡があったときは、当該土地に係る**底地**に相当する部分の譲渡があったものとし、当該譲渡に係る譲渡所得の金額の計算上控除する取得費は、①に規定する土地の取得に要した金額及び改良費の額の合計額から①の規定により当該借地権等の設定に係る譲渡所得の金額の計算上控除された取得費に相当する金額を控除した金額とする。（令175①）

（借地権等を消滅させた後、土地を譲渡した場合等の譲渡所得に係る取得費）

注　借地権等の設定されている土地の所有者が、対価を支払って当該借地権等を消滅させ、又は当該借地権等の贈与を受けたことにより当該借地権等が消滅した後に当該土地を譲渡し、又は当該土地に新たな借地権等の設定（その設定による所得が譲渡所得とされる場合に限る。以下この注において同じ。）をした場合における譲渡所得の金額の計算上控除する**１**（５）に定める旧借地権部分及び旧底地部分に係る取得費は、次に掲げる場合の区分に応じ、それぞれ次に掲げる算式により計算した金額によるものとする。（基通38－４の２）

㈠　当該土地を譲渡した場合

イ　旧借地権部分に係る取得費

$$\text{旧借地権等の消滅につき支払った対価の額(A)} \times \frac{\text{当該土地のうち譲渡した部分の面積}}{\text{当該土地の面積}}$$

（注）　「旧借地権等の消滅につき支払った対価の額」は、第五章第二節**二十四３**①《贈与等により取得した資産の取得費等》の規定の適用がある場合には、同①の規定により計算した金額となる。

ロ　旧底地部分に係る取得費

$$\left(\text{譲渡又は借地権等の設定をした土地の取得費(B)}-\text{先に設定した借地権等につき①の注により計算して取得費とされた金額(C)}\right) \times \frac{\text{当該土地のうち譲渡した部分の面積}}{\text{当該土地の面積}}$$

㈡　当該土地につき新たに借地権等の設定をした場合

イ　旧借地権部分に係る取得費

$$\{(\text{B}-\text{C})+\text{A}\} \times \frac{\text{新たに設定した借地権等の対価の額(D)}}{\text{新たに借地権等の設定をした時のその土地の更地価額(E)}} \times \frac{\text{A}}{(\text{B}-\text{C})+\text{A}}$$

ロ　旧底地部分に係る取得費

$$\{(\text{B}-\text{C})+\text{A}\} \times \frac{\text{D}}{\text{E}} \times \frac{\text{B}-\text{C}}{(\text{B}-\text{C})+\text{A}}$$

ロ　返還した経済的利益の土地の取得費への加算

借地権等の設定につき**一 2**②《特別の経済的な利益で借地権の設定等による対価とされるもの》の規定の適用を受けた者が、同②**イ**の貸付けを受けた金額のうち当該設定の対価の額に加算された金額の全部又は一部の返済その他特別の経済的な利益の全部又は一部の返還をした場合において、その返還により当該借地権等に係る土地の地代の引上げ、その土地の上に存する建物又は構築物の除去その他当該土地の底地の価値の増加があったときは、その返還をした利益の額に相当する金額は、当該設定をした土地の取得に要した金額及び改良費の額の合計額に加算する。(令175②)

③　借地権の転貸に係る取得費

一 2①《資産の譲渡とみなされる行為》に規定する借地権（以下「**借地権**」という。）に係る土地の**転貸**（当該土地を他人に使用させる行為を含む。以下同じ。）につき**一 1**《譲渡所得の意義》の適用がある場合には、当該転貸に係る譲渡所得の金額の計算上控除する取得費は、次の(一)から(三)までに掲げる場合の区分に応じ、それぞれ次の(一)から(三)までに掲げるところにより計算した金額とする。(令176①)

(一)	通常の場合の借地権に係る土地の転貸の場合（(二)に該当する場合を除く。）	当該転貸をした土地に係る借地権の取得に要した金額及び改良費の額の合計額に、イに掲げる金額がロに掲げる金額のうちに占める割合を乗じて計算した金額とする。(令 176①) イ：当該借地権に係る土地の転貸の対価として支払を受ける金額 ロ：イに掲げる金額と当該転貸直後における当該転貸をした土地に係る借地権の価額（当該転貸に係る土地が当該転貸の目的である用途にのみ使用される場合において、当該借地権の価額が明らかでなく、かつ、当該転貸により支払われる地代で当該借地権を有する者に交付するものがあるときは、その者に交付する地代の年額の20倍に相当する金額）との合計額
(二)	先に転貸をした土地で現に借地権の転貸に係る権利が消滅しているものを転貸した場合	先の転貸に係る譲渡所得の金額の計算上控除された取得費があるときは、当該先の転貸に係る権利の消滅につき対価を支払った場合を除き、③に規定する取得費は、(一)の規定により計算した金額から当該控除された取得費に相当する金額を控除した金額とする。(令176②) (注)　先の転貸に係る権利の消滅につき支払った対価があるときは、上記により計算した金額に加算する。(編者注)
(三)	転貸した土地に係る借地権が昭和27年12月31日以前から引き続き所有していたものである場合	(一)に規定する転貸をした土地に係る借地権が昭和27年12月31日以前から引き続いて所有していたものであるときは、当該借地権に係る(一)に規定する取得に要した金額及び改良費の額の合計額は、当該借地権につき**2**③《昭和27年12月31日以前に取得した資産の取得費》の規定により計算した金額と昭和28年１月１日以後に支出した改良費の額との合計額に相当する金額とする。(令176③)

④　転貸をした借地権の取得費

イ　転貸した土地に係る借地権の譲渡があった場合の取得費

③に規定する借地権に係る土地の転貸につき**一 1**《譲渡所得の意義》の適用があった場合において、当該転貸をした土地に係る借地権の譲渡があったときは、当該譲渡に係る譲渡所得の金額の計算上控除する借地権の取得費は、当該借地権の取得に要した金額及び改良費の額の合計額から当該転貸に係る譲渡所得の金額の計算上控除された取得費に相当する金額を控除した金額とする。(令177①)

ロ　返還した経済的利益の借地権の取得費への加算

③に規定する借地権に係る土地の転貸につき**一 2**②《特別の経済的利益で借地権の設定等による対価とされるもの》の規定の適用を受けた者が、同②**イ**の貸付けを受けた金額のうち当該転貸の対価の額に加算された金額の全部又は一部の返済その他特別の経済的な利益の全部又は一部の返還をした場合において、その返還により当該転貸に係る使用料の引上げ、その土地の上に存する建物又は構築物の除去その他当該転貸をした土地に係る借地権の価値の増加があったときは、その

返還をした利益の額に相当する金額は、当該転貸をした土地に係る借地権の取得に要した金額及び改良費の額の合計額に加算する。（令177②）

（借地権の取得費）

注　借地権の取得費には、土地の賃貸借契約又は転貸借契約（これらの契約の更新及び更改を含む。以下この注において「借地契約」という。）をするに際して借地権の対価として土地所有者又は借地権者に支払った金額のほか、次に掲げる金額を含むものとする。ただし、(一)に掲げる金額が建物等の購入代価のおおむね10%以下の金額であるときは、強いてこれを区分しないで建物等の取得費に含めることができる。（基通38－12）

（一）　土地の上に存する建物等を取得した場合におけるその建物等の購入代価のうち借地権の対価と認められる部分の金額

（二）　賃借した土地の改良のためにした土盛り、地ならし、埋立て等の整地に要した費用の額

（三）　借地契約に当たり支出した手数料その他の費用の額

（四）　建物等を増改築するに当たりその土地の所有者又は借地権者に対して支出した費用の額

4　譲 渡 費 用

（譲渡費用の範囲）

（1）　**1**《通則》に規定する「資産の譲渡に要した費用」（以下「譲渡費用」という。）とは、資産の譲渡に係る次に掲げる費用（取得費とされるものを除く。）をいう。（基通33－７）

（一）　資産の譲渡に際して支出した仲介手数料、運搬費、登記若しくは登録に要する費用その他当該譲渡のために直接要した費用

（二）　(一)に掲げる費用のほか、借家人等を立ち退かせるための立退料、土地（借地権を含む。（2）までにおいて同じ。）を譲渡するためその土地の上にある建物等の取壊しに要した費用、既に売買契約を締結している資産を更に有利な条件で他に譲渡するため当該契約を解除したことに伴い支出する違約金その他当該資産の譲渡価額を増加させるため当該譲渡に際して支出した費用

（注）　譲渡資産の修繕費、固定資産税その他その資産の維持又は管理に要した費用は、譲渡費用に含まれないことに留意する。

（資産の譲渡に関連する資産損失）

（2）　土地の譲渡に際しその土地の上にある建物等を取壊し、又は除却したような場合において、その取壊し又は除却が当該譲渡のために行われたものであることが明らかであるときは、当該取壊し又は除却の時において当該資産につき第六章第二節**八 1**④《資産損失の金額》又は同⑤《昭和27年12月31日以前に取得した資産の損失の金額の特例》の規定に準じて計算した金額（発生資材がある場合には、その発生資材の価額を控除した残額）に相当する金額は、当該譲渡に係る譲渡費用とする。（基通33－８）

三　生活に通常必要でない資産の災害による損失

1　生活に通常必要でない資産の災害による損失

居住者が、災害又は盗難若しくは横領により、生活に通常必要でない次の①から③までに掲げる資産について受けた損失の金額（保険金、損害賠償金その他これらに類するものにより補てんされる部分の金額を除く。）は、**2**に定めるところによりその者のその損失を受けた日の属する年分又はその翌年分の譲渡所得の金額の計算上控除すべき金額とみなす。（法62①、令178①）

①	競走馬（その規模、収益の状況その他の事情に照らし事業と認められるものの用に供されるものを除く。）その他射こう的行為の手段となる動産 （注）　上記の「事業と認められるもの」の判定については、第四節《事業所得》**一**（7）参照。（編者注）
②	通常自己及び自己と生計を一にする親族が居住の用に供しない家屋で主として趣味、娯楽又は保養の用に供する目的で所有するものその他主として趣味、娯楽、保養又は鑑賞の目的で所有する資産（①又は③に掲げる動産を除く。）
③	生活の用に供する動産で譲渡所得が非課税となる生活用動産《第二章第三節《非課税所得》**四 1**》に該当しないもの

2　譲渡所得の金額の計算上控除すべき金額の控除順序

1に規定する生活に通常必要でない資産について受けた損失の金額をその生じた日の属する年分及びその翌年分の譲渡所得の金額の計算上控除すべき金額とみなす場合には、次の①及び②に定めるところによる。（令178②）

①	まず、当該損失の金額をその生じた日の属する年分の**二１**(一)《短期保有資産に係る譲渡所得》に掲げる所得の金額の計算上控除すべき金額とし、当該所得の金額の計算上控除しきれない損失の金額があるときは、これを当該年分の**二１**(二)《長期保有資産に係る譲渡所得》に掲げる所得の金額の計算上控除すべき金額とする。
②	①の規定によりなお控除しきれない損失の金額があるときは、これをその生じた日の属する年の翌年分の**二１**(一)に掲げる所得の金額の計算上控除すべき金額とし、なお控除しきれない損失の金額があるときは、これを当該翌年分の**二１**(二)に掲げる所得の金額の計算上控除すべき金額とする。

（災害損失の控除の順序）

注　譲渡所得の金額の計算上控除すべき損失の金額は、**二１**に規定する譲渡益の計算上、同**１**に規定する残額から控除することに留意する。（基通62－１）

3　損失の金額の計算の基礎となる資産の価額

1に規定する生活に通常必要でない資産について受けた損失の金額の計算の基礎となるその資産の価額は、次の①又は②に掲げる資産の区分に応じ当該①又は②に掲げる金額とする。（令178③）

①	**二２**①《資産の取得費》に規定する資産（下記②に掲げるものを除く。）	当該損失の生じた日にその資産の譲渡があったものとみなして**二２**①の規定（その資産が昭和27年12月31日以前から引き続き所有していたものである場合には、**二２**③《昭和27年12月31日以前に取得した資産の取得費》の規定）を適用した場合にその資産の取得費とされる金額に相当する金額
②	**二２**②《減価する資産の取得費》に規定する資産	当該損失の生じた日にその資産の譲渡があったものとみなして**二２**②《減価する資産の取得費》の規定（その資産が昭和27年12月31日以前から引き続き所有していたものである場合には、**二２**④《昭和27年12月31日以前に取得した減価する資産の取得費》の規定）を適用した場合にその資産の取得費とされる金額に相当する金額

（固定資産等の資産損失に関する取扱いの準用）

注　**1**により譲渡所得の金額の計算上控除すべき損失の金額等については、第六章第二節**八１**《固定資産等の損失》④（１）《損失の金額》及び同④（６）《保険金、損害賠償金に類するものの範囲》から同（９）《損失が生じた資産の取得費等》までの取扱いに準ずる。（基通62－２）

第九節　一 時 所 得

一　定　　義

1　通　　則

一時所得とは、利子所得、配当所得、不動産所得、事業所得、給与所得、退職所得、山林所得及び譲渡所得以外の所得のうち、営利を目的とする継続的行為から生じた所得以外の一時の所得で労務その他の役務又は資産の譲渡の対価としての性質を有しないものをいう。（法34①）

（一時所得の例示）

（1）　次に掲げるようなものに係る所得は、一時所得に該当する。（基通34－1）

（一）　懸賞の賞金品、福引の当選金品等（業務に関して受けるものを除く。）

（二）　競馬の馬券の払戻金、競輪の車券の払戻金等（営利を目的とする継続的行為から生じたものを除く。）

(注) 1　馬券を自動的に購入するソフトウエアを使用して定めた独自の条件設定と計算式に基づき、又は予想の確度の高低と予想が的中した際の配当率の大小の組合せにより定めた購入パターンに従って、偶然性の影響を減殺するために、年間を通じてほぼ全てのレースで馬券を購入するなど、年間を通じての収支で利益が得られるように工夫しながら多数の馬券を購入し続けることにより、年間を通じての収支で多額の利益を上げ、これらの事実により、回収率が馬券の当該購入行為の期間総体として100％を超えるように馬券を購入し続けてきたことが客観的に明らかな場合の競馬の馬券の払戻金に係る所得は、営利を目的とする継続的行為から生じた所得として雑所得に該当する。

2　上記(注) 1以外の場合の競馬の馬券の払戻金に係る所得は、一時所得に該当することに留意する。

3　競輪の車券の払戻金等に係る所得についても、競馬の馬券の払戻金に準じて取り扱うことに留意する。

（三）　労働基準法第114条《付加金の支払》の規定により支払を受ける付加金

（四）　第六章第四節**五 1**②《一時金に係る一時所得の金額の計算》に規定する生命保険契約等に基づく一時金（業務に関して受けるものを除く。）及び同**2**《損害保険契約等に基づく年金及び一時金に係る一時所得の金額の計算》の④各号に規定する損害保険契約等に基づく満期返戻金等

（五）　法人からの贈与により取得する金品（業務に関して受けるもの及び継続的に受けるものを除く。）

（六）　人格のない社団等の解散により受けるいわゆる清算分配金又は脱退により受ける持分の払戻金

（七）　借家人が賃貸借の目的とされている家屋の立退きに際し受けるいわゆる立退料（その立退きに伴う業務の休止等により減少することとなる借家人の収入金額又は業務の休止期間中に使用人に支払う給与等借家人の各種所得の金額の計算上必要経費に算入される金額を補填するための金額及び第八節**一 1**（1）《譲渡所得の収入金額とされる補償金等》に規定する譲渡所得に係る収入金額に該当する部分の金額を除く。）

(注) 1　収入金額又は必要経費に算入される金額を補填するための金額は、その業務に係る各種所得の金額の計算上総収入金額に算入される。

2　譲渡所得に係る収入金額に該当する立退料については、第八節**一 1**（2）《借家人が受ける立退料》参照。

（八）　民法第557条《手付》の規定により売買契約が解除された場合に当該契約の当事者が取得する手付金又は償還金（業務に関して受けるものを除く。）

（九）　第六章第一節**三 1**①《国庫補助金等の総収入金額不算入》又は同**2**①《条件付国庫補助金等の総収入金額不算入》に規定する国庫補助金等のうちこれらの規定の適用を受けないもの及び同**3**《移転等の支出に充てるための交付金の総収入金額不算入》に規定する資産の移転等の費用に充てるため受けた交付金のうちその交付の目的とされた支出に充てられなかったもの

（十）　遺失物拾得者又は埋蔵物発見者が受ける報労金

（十一）　遺失物の拾得又は埋蔵物の発見により新たに所有権を取得する資産

（十二）　地方税法第41条第１項《個人の道府県民税の賦課徴収》、同法第321条第２項《個人の市町村民税の納期前の納付》及び同法第365条第２項《固定資産税に係る納期前の納付》の規定により交付を受ける報奨金（業務用固定資産に係るものを除く。）

(注)　発行法人から株式等を取得する権利を与えられた場合（株主等として与えられた場合(23～35共－８参照)を除く。）の経済的利益の所得区分については、（3）参照。

（遺族が受ける給与等、公的年金等及び退職手当等）

（2）　死亡した者に係る給与等、公的年金等及び退職手当等で、その死亡後に支給期の到来するもののうち相続税法の規定により相続税の課税価格計算の基礎に算入されることにより所得税を課税しないものとされるもの以外のものに係る所得は、その支払を受ける遺族の一時所得に該当するものとする。（基通34－2）

（注）　被相続人の死亡後3年経過後に支給額の確定した退職手当等がこれに該当する。（編者注）

（株式等を取得する権利を与えられた場合の所得区分）

（3）　発行法人から第六章第一節**一 2** ③《株式等を取得する権利の価額》（一）から同（三）までに掲げる権利を与えられた場合（同③の規定の適用を受ける場合に限る。）の当該権利の行使による株式（これに準ずるものを含む。以下（4）までにおいて同じ。）の取得に係る所得区分は、次に掲げる場合に応じ、それぞれ次による。（基通23～35共－6）

（一）　第六章第一節**一 2** ③（一）又は同③（二）に掲げる権利を与えられた者がこれを行使した場合　　発行法人（外国法人を含む。）と当該権利を与えられた者との関係等に応じ、それぞれ次による。

イ　発行法人と権利を与えられた者との間の雇用契約又はこれに類する関係に基因して当該権利が与えられたと認められるとき　　給与所得とする。ただし、退職後に当該権利の行使が行われた場合において、例えば、権利付与後短期間のうちに退職を予定している者に付与され、かつ、退職後長期間にわたって生じた株式の値上り益に相当するものが主として供与されているなど、主として職務の遂行に関連を有しない利益が供与されていると認められるときは、雑所得とする。

（注）　例えば、**四 1** ①《特定の取締役等が受ける新株予約権の行使による株式の取得に係る経済的利益の非課税等》に規定する「取締役等」の関係については、雇用契約又はこれに類する関係に該当することに留意する。

ロ　権利を与えられた者の営む業務に関連して当該権利が与えられたと認められるとき　　事業所得又は雑所得とする。

（注）　例えば、**四 1** ①に規定する「特定従事者」にその者の営む業務に関連して同①に規定する特定新株予約権が与えられた場合（雇用契約又はこれに類する関係にない場合に限る。）において同①の適用がないときは、上記に該当することに留意する。

ハ　イ及びロ以外のとき　　原則として雑所得とする。

（二）　第六章第一節**一 2** ③（三）に掲げる権利を与えられた者がこれを行使した場合　　一時所得とする。ただし、当該発行法人の役員又は使用人に対しその地位又は職務等に関連して株式を取得する権利が与えられたと認められるときは給与所得とし、これらの者の退職に基因して当該株式を取得する権利が与えられたと認められるときは退職所得とする。

（株主等として与えられた場合）

（4）　第六章第一節**一 2** ③に規定する「株主等として与えられた場合（当該発行法人の他の株主等に損害を及ぼすおそれがないと認められる場合に限る。）」とは、同③に規定する権利が株主等のその有する株式の内容及び数に応じて平等に与えられ、かつ、その株主等とその内容の異なる株式を有する株主等との間においても経済的な衡平が維持される場合をいうことに留意する。（基通23　～35共－8）

（注）　例えば、他の株主等に損害を及ぼすおそれがないと認められる場合に該当するか否かの判定については、新株予約権無償割当てにつき会社法第322条の種類株主総会の決議があったか否かのみをもって判定するのではなく、その発行法人の各種類の株式の内容、当該新株予約権無償割当ての状況などを総合的に勘案して判断する必要があることに留意する。

（年金に代えて支払われる一時金）

（5）　第六章第四節**五 1** ①《年金に係る雑所得の金額の計算》、同**2** ①《損害保険契約等に基づく年金に係る雑所得の金額の計算》、同**3** ①《相続等に係る生命保険契約等に基づく年金に係る雑所得の金額の計算》又は同**4** ①《相続等に係る損害保険契約等に基づく年金に係る雑所得の金額の計算》の規定の対象となる年金の受給資格者に対し当該年金に代えて支払われる一時金のうち、当該年金の受給開始日以前に支払われるものは一時所得の収入金額とし、同日後に支払われるものは雑所得の収入金額とする。ただし、同日後に支払われる一時金であっても、将来の年金給付の総額に代えて支払われるものは、一時所得の収入金額として差し支えない。（基通35－3）

（注）　死亡を給付事由とする生命保険契約等の給付事由が発生した場合において当該生命保険契約等に基づく年金の支払に代えて受給開始日以前に支払われる一時金については、課税しない。

（使用人等の発明等に係る報償金等）

（6）　業務上有益な発明、考案等をした役員又は使用人が使用者から支払を受ける報償金、表彰金、賞金等の金額は、次に掲げる区分に応じ、それぞれ次に掲げる所得に係る収入金額又は総収入金額に算入するものとする。（基通23～35共－1）

(一)、(二)……省略

(三)　事務若しくは作業の合理化、製品の品質の改善又は経費の節約等に寄与する工夫、考案等（特許又は実用新案登録若しくは意匠登録を受けるに至らないものに限る。）をした者が支払を受けるもの　　その工夫、考案等がその者の通常の職務の範囲内の行為である場合には給与所得、その他の場合には一時所得（その工夫、考案等の実施後の成績等に応じ継続的に支払を受けるときは、雑所得）

(四)　災害等の防止又は発生した災害等による損害の防止等に功績のあった者が一時に支払を受けるもの　　その防止等がその者の通常の職務の範囲内の行為である場合には給与所得、その他の場合には一時所得

(五)　篤行者として社会的に顕彰され使用者に栄誉を与えた者が一時に支払を受けるもの　　一時所得

（平成18年度の水田農業構造改革交付金等についての所得税の特例）

(7)　個人が、地域水田農業推進協議会（水田農業構造改革交付金、麦・大豆品質向上対策費補助金、水田飼料作物生産振興事業費補助金及び畑地化推進対策費補助金（以下「水田農業構造改革交付金等」という。）を農業者に交付する事業の実施主体をいう。以下同じ。）から平成18年度の水田農業構造改革交付金等の交付を受けた場合には、当該個人の平成18年分の所得税については、その交付を受けた金額は、**1**に規定する一時所得に係る収入金額とみなし、かつ、その交付の基因となった農地に係る損失又は費用として次で定めるものの額は、その交付を受けた金額を超える部分の金額を除き、当該一時所得に係る**二**の支出した金額とみなす。（平成18年度の水田農業構造改革交付金等についての所得税及び法人税の臨時特例に関する法律（平成19年法律第２号）第１条、同法施行令、同法施行規則）

(一)　農地を米穀（飼料の用に供するものを除く。）以外の作物の生産若しくは栽培の用に供し、又は畜舎その他の農業生産に必要な施設の敷地、山林若しくは養魚池の用に供した場合における当該農地　　次に掲げる損失又は費用

イ　当該農地に係るけい畔、水利施設その他所得税法第２条第１項第18号に規定する固定資産又は同項第20号に規定する繰延資産に係る資産の取壊し又は除却による損失

ロ　イに規定する取壊し又は除却に付随する費用

ハ　当該米穀以外の作物の生産又は栽培をしたことに伴い特別に支出する費用

(二)　農地で(一)に掲げるもの以外のもの　　当該農地に係る公租公課、農薬費、雇人費、減価償却費その他当該農地の維持又は管理に要する費用

2　一時所得とされる退職一時金

次の(一)から(四)までに掲げる給付として支給される金額（一時金に該当するものに限る。）は、一時所得に係る収入金額とする。（令76①②④）

(一)	特定退職金共済団体が承認の取消し（第六節**二２**③）を受けた場合において、その取消しを受けた法人がその取消しを受けた時以後に行う給付	
(二)	特定退職金共済団体が行う給付で、これに対応する掛金のうちに次に掲げる掛金が含まれているもの	
	イ	**特定退職金共済団体の要件**（第六節**二２**①）の(一)に掲げる要件に反して被共済者が自ら負担した掛金
	ロ	特定退職金共済団体の要件の(二)に掲げる要件に反して、当該特定退職金共済団体の被共済者が既に他の特定退職金共済団体の被共済者となっており、その者について、当該他の特定退職金共済団体の退職金共済契約に係る共済期間が当該特定退職金共済団体に係る共済期間と重複している場合における当該特定退職金共済団体に係る掛金
	ハ	特定退職金共済団体の要件の(三)に掲げる要件に反して被共済者とされた者についての掛金
	ニ	掛金の月額が特定退職金共済団体の要件の(六)に定める限度（特定退職金共済団体の要件の(七)に規定する過去勤務等通算期間に対応する掛金の額にあっては、同(七)ロに定める限度）を超えて支出された場合における当該掛金
	ホ	特定退職金共済団体の要件の(七)イに掲げる要件に反して同(七)に規定する過去勤務等通算期間を定め、当該過去勤務等通算期間に対応するものとして払い込んだ掛金
	ヘ	当該特定退職金共済団体の被共済者となった日前の期間（当該被共済者の特定退職金共済団体の要件の(七)に規定する過去勤務等通算期間を除く。）を給付の計算の基礎に含め、当該期間に対応するものとして払い込んだ掛金

(三)	法人税法附則第20条第１項《退職年金等積立金に対する法人税の特例》に規定する適格退職年金契約に係る信託、生命保険又は生命共済の業務を行う信託会社（金融機関の信託業務の兼営等に関する法律により同法第１条第１項《兼営の認可》に規定する信託業務を営む銀行を含む。）、生命保険会社（保険業法第２条第３項《定義》に規定する生命保険会社及び同条第８項に規定する外国生命保険会社等をいう。）又は農業協同組合連合会（以下(四)までにおいて「**信託会社等**」という。）が法人税法附則第20条第３項に規定する適格退職年金契約につき法人税法施行令附則第18条第１項《適格退職年金契約の承認の取消し》の規定による承認の取消しを受けた場合において、その信託会社等が当該契約に基づきその取消しを受けた時以後に行う給付
(四)	(三)に規定する業務を行う信託会社等が行う給付で、これに対応する掛金又は保険料のうちに法人税法施行令附則第16条第１項第３号《適格退職年金契約の要件》に掲げる要件に反して同項第２号に規定する受益者等とされた者に係る掛金又は保険料が含まれているもの

3　一時所得とみなされるもの

第五節**5**《勤労者が受ける財産形成給付金等に係る課税の特例》に規定する「その他の財産形成給付金等の額」は一時所得の収入金額とみなされる。（措法29の３）

二　一時所得の金額

一時所得の金額は、その年中の一時所得に係る総収入金額からその収入を得るために支出した金額（その収入を生じた行為をするため、又はその収入を生じた原因の発生に伴い直接要した金額に限る。）の合計額を控除し、その残額から一時所得の特別控除額（50万円〔当該残額が50万円に満たない場合は、当該残額〕）を控除した金額とする。（法34②③）

（注）　総所得金額に算入される一時所得の金額は、損益通算をした後の金額の２分の１とされる。（編者注、法22②二）

（一時所得の収入を得るために支出した金額）

注　「収入を得るために支出した金額」には、例えば、懸賞クイズ等の当選金品の一部を公益施設等に寄附する定めがある場合に当該定めに基づき寄附した金品又は当該当選金品に係る所得が国外源泉所得である場合に当該所得について外国において課された外国税額（外国税額控除又は源泉徴収税額等の還付の規定の適用を受けるものを除く。）も含まれる。（基通34－３）

○**生命保険契約等の一時金又は満期返戻金等に係る一時所得の金額の計算**……第六章第四節**五**参照。

三　懸賞金付預貯金等の懸賞金等の分離課税等

個人が、国内において、預貯金、合同運用信託その他の（１）で定めるもの（以下**三**において「預貯金等」という。）に係る契約に基づき預入、信託その他の（２）で定める行為（以下**三**において「預入等」という。）がされた預貯金等（当該預入等がされた預貯金等に係る契約が一定の期間継続されることその他の（３）で定める要件を満たすものに限る。）について、（４）で定めるところにより、当該預貯金等を対象として行われるくじ引その他の方法により、支払若しくは交付を受け、又は受けるべき金品その他の経済上の利益（以下「**懸賞金付預貯金等の懸賞金等**」という。）については、第三章第二節《課税標準》、第九章第一節**一**《税率》、所得税法第165条《総合課税に係る所得税の課税標準、税額等の計算》の規定にかかわらず、他の所得と区分し、その支払若しくは交付を受け、又は受けるべき金額に対し100分の15の税率を適用して所得税を課する。（措法41の９①）

（預貯金等の範囲）

（１）　**三**に規定する預貯金、合同運用信託その他の（１）で定めるものは、預貯金、合同運用信託、公社債、公社債投資信託の受益権及び銀行法第２条第４項に規定する定期積金等とする。（措令26の９①）

（預入等の範囲）

（２）　**三**に規定する預入、信託その他の（２）で定める行為は、（１）に規定する預貯金、合同運用信託、公社債、公社債投資信託の受益権及び定期積金等の預入、信託、購入又は払込みとする。（措令26の９②）

（一定の要件）

（3）　**三**に規定する（3）で定める要件は、次に掲げる要件とする。（措令26の9③）

（一）　**三**に規定する預入等（（4）において「預入等」という。）がされた預貯金等（同**三**に規定する預貯金等をいう。以下において同じ。）に係る契約が、一定の期間継続され、又は一定の期間継続することとされていること。

（二）　（一）の契約に係る預貯金等を対象としてくじ引その他の方法（（4）において「くじ引等」という。）により、金品その他の経済的利益の支払若しくは交付を受け、又は受けることとされていること。

（懸賞金等の支払等の方法）

（4）　預貯金等を対象として行われるくじ引等及び当該くじ引等に係る金品その他の経済的利益（以下（4）において「懸賞金等」という。）の支払若しくは交付又は供与（以下（4）において「支払等」という。）は、次の（一）から（三）に定めるところにより行われるものとする。（措令26の9④）

（一）　抽せん権（くじ引等により抽せんを受けることができる権利をいう。）は、（3）の（一）の要件を満たす預貯金等を対象として、その預入等がされた預貯金等の一定額若しくはその預貯金等の残高の一定額を基準として、又は当該預貯金等に係る契約の一定の期間の継続に対して、1個又は数個が与えられるものとする。

（二）　一の抽せんごとの懸賞金等の総額は、くじ引等の対象とされる預貯金等の総額に応じて定められているものとする。

（三）　くじ引等に関し、そのくじ引等の期日並びにそのくじ引等に係る懸賞金等の支払等の開始の日及びその支払等の方法を定めるものとする。

（利子等が非課税とされる預貯金等に係る懸賞金等に対する源泉徴収）

（5）　第二章第三節**一3**《障害者等の少額預金の利子所得等の非課税》、同**5**《勤労者財産形成住宅貯蓄の利子所得等の非課税》又は同**6**《勤労者財産形成年金貯蓄の利子所得等の非課税》等の規定によりその利子等が非課税とされる預貯金等を対象として行われるくじ引等により支払等が行われる**三**に規定する懸賞金付預貯金等の懸賞金等については、**三**の規定の適用があることに留意する。（措通41の9－1）

四　定期積金の給付補塡金等の分離課税等

居住者又は恒久的施設を有する非居住者が、昭和63年4月1日以後に国内において支払を受けるべき次の（三）から（八）《法174三～八》に掲げる給付補塡金、利息、利益又は差益（以下**四**において「**給付補塡金等**」という。）については、所得税法の規定にかかわらず、他の所得と区分し、その支払を受けるべき金額に対し100分の15の税率を適用して所得税を課する。（措法41の10①、法174三～八）

（三） ～ （七）	……（雑所得及び譲渡所得関係につき省略）……第十節**四**参照。
（八）	保険業法第2条第2項《定義》に規定する保険会社、同条第7項に規定する外国保険会社等若しくは同条第18項に規定する少額短期保険業者の締結した保険契約若しくは旧簡易生命保険契約（郵政民営化法等の施行に伴う関係法律の整備等に関する法律第2条《法律の廃止》の規定による廃止前の簡易生命保険法第3条《政府保証》に規定する簡易生命保険契約をいう。）又はこれらに類する共済に係る契約で保険料又は掛金を一時に支払うこと（これに準ずる支払方法として（1）で定めるものを含む。）その他（3）で定める事項をその内容とするもののうち、保険期間又は共済期間（以下「**保険期間等**」という。）が5年以下のもの及び保険期間等が5年を超えるものでその保険期間等の初日から5年以内に解約されたものに基づく差益（これらの契約に基づく満期保険金、満期返戻金若しくは満期共済金又は解約返戻金の金額からこれらの契約に基づき支払った保険料又は掛金の額の合計額を控除した金額として（9）で定めるところにより計算した金額をいう。）

（一時払に準ずる支払方法）

（1）　**四**（八）に規定する一時払に準ずる支払方法は、同（八）に規定する保険契約若しくは旧簡易生命保険契約（第二章第三節**七**表内①《非課税とされる保険金、損害賠償金等》に規定する旧簡易生命保険契約をいう。（3）及び（9）において同じ。）又はこれらに類する共済に係る契約に係る同（八）に規定する保険期間等の初日から1年以内にこれらの契約に係る保険料又は掛金の総額の2分の1以上の額に相当する保険料又は掛金を支払う方法及び同日から2年以内に当該保険料又は掛金の総額の４分の３以上の額に相当する保険料又は掛金を支払う方法（これらの契約において当該保険料又は掛金の全部又は一部を前納することができることとされている場合において、その全部を前納したとき又はその一部をこれらの方法に準じて前納したときを含む。）とする。（令298⑤）

（一時払に準ずる払込方法の判定）

（２）（１）に規定する「その一部をこれらの方法に準じて前納したとき」に当たるかどうかは、次の算式により求めた保険料又は掛金（以下この（２）及び⑽において「保険料等」という。）の割合が、保険期間等の初日から１年以内については２分の１以上、同日から２年以内については４分の３以上であるかどうかにより判定するものとする。（基通174－５）

保険期間等の初日から１年以内又は２年以内に払い込まれた保険料等の総額 ÷ 保険期間等の満了の日までに払い込まれた保険料等の総額

（注）１　前納により払い込まれた保険料等については、当該前納による割引後の金額によるものとする。

２　保険契約又は共済契約（以下（２）及び（４）（６）⑽において「保険契約等」という。）が保険期間等の初日から５年以内に解約された場合においては、上記の算式中「保険期間等の満了の日までに払い込まれた保険料等の総額」とあるのは「保険契約等が解約された日までに払い込まれた保険料等の総額と、保険契約等の解約の直前において同日以後に払い込むこととされていた表定保険料（保険契約等の締結時に定められた保険料払込方法等（契約内容の変更があった場合には、変更後の保険料払込方法等）に基づき、あらかじめ定められた払込期日に払い込むべき保険料等をいう。）の総額との合計額」と読み替えて計算する。

３　払込期日前に払い込まれた保険料等であっても、当該払込みにより保険料等の割引が行われない場合には、当該払込期日前の払込みは前納に当たらないので、払込期日に保険料等が払い込まれたものとして計算をする。

（その他の契約事項）

（３）**四**㈧に規定するその他の事項は、次の㈠又は㈡に掲げる契約の区分に応じ当該㈠又は㈡に定める事項とする。（令298⑥）

㈠	生命保険契約（保険業法第２条第３項《定義》に規定する生命保険会社若しくは同条第８項に規定する外国生命保険会社等の締結した保険契約又は同条第18項に規定する少額短期保険業者の締結したこれに類する保険契約をいう。）若しくは旧簡易生命保険契約又はこれらに類する共済に係る契約	死亡保険金のうち（５）で定めるもの又はこれに類する共済金の額として（５）で定める金額の満期保険金又は満期共済金の額に対する割合が５未満であり、かつ、（５）で定める死亡保険金以外の死亡保険金又はこれに類する共済金の額の満期保険金又は満期共済金の額に対する割合が１以下であること。
㈡	損害保険契約（保険業法第２条第４項に規定する損害保険会社若しくは同条第９項に規定する外国損害保険会社等の締結した保険契約又は同条第18項に規定する少額短期保険業者の締結したこれに類する保険契約をいう。）又はこれに類する共済に係る契約	保険金で（８）で定めるもの又はこれに類する共済金の額として（８）で定める金額の満期返戻金又は満期共済金の額に対する割合が５未満であること。

（保障倍率の判定）

（４）（３）㈠に規定する「（５）で定める金額の満期保険金又は満期共済金の額に対する割合」若しくは「（５）で定める死亡保険金以外の死亡保険金又はこれに類する共済金の額の満期保険金又は満期共済金の額に対する割合」又は（３）㈡に規定する「（８）で定める金額の満期返戻金又は満期共済金の額に対する割合」（以下（４）においてこれらの割合を「保障倍率」という。）が、これらの規定に規定する５未満又は１以下であるかどうかは、保険期間等の初日から満了の日までを通じた保障倍率に基づいて判定するものとする。（基通174－６）

（特定の死亡保険金等）

（５）（３）㈠に規定する死亡保険金は、災害、不慮の事故、感染症の予防及び感染症の患者に対する医療に関する法律第６条第２項《感染症の定義》に規定する一類感染症、同条第３項に規定する二類感染症若しくは同条第４項に規定する三類感染症又は悪性新生物による人の死亡又は高度の障害（以下（５）において「災害死亡等」という。）を保険事故として支払われる保険金とし、（３）㈠に規定する（５）で定める金額は、次の㈠又は㈡に掲げる金額の合計額とする。（規72①）

(一)　各被保険者又は各被共済者の災害死亡等により支払われる死亡保険金又は死亡共済金の額

(二)　各被保険者又は各被共済者の疾病又は傷害に基因する入院及び通院に係る給付金の日額にその支払限度日数を乗じて計算した金額

（高度の障害の範囲）

(6)　(5)に規定する「高度の障害」とは、保険契約等において保険金又は共済金の支払事由とされる「高度の障害状態となったこと」をいうのであるから、(5)に規定する災害、不慮の事故、感染症の予防及び感染症の患者に対する医療に関する法律第6条第2項から第4項《感染症の定義》に規定する感染症又は悪性新生物以外の原因によって高度の障害状態となった場合も含まれることに留意する。（基通174－7）

（個人年金保険契約の取扱い）

(7)　**四**(八)に規定する「保険業法第2条第2項《定義》に規定する保険会社、同条第7項に規定する外国保険会社等若しくは同条第18項に規定する少額短期保険業者の締結した保険契約若しくは旧簡易生命保険契約（郵政民営化法等の施行に伴う関係法律の整備等に関する法律第2条《法律の廃止》の規定による廃止前の簡易生命保険法第3条《政府保証》に規定する簡易生命保険契約をいう。）又はこれらに類する共済に係る契約」には、第八章**五**《生命保険料控除》**4**《新生命保険契約等の範囲》から同**6**《介護医療保険契約の範囲》まで及び同章**六**《地震保険料控除》**2**《損害保険契約等の範囲》に規定する契約で年金を給付する定めのあるもの（当該契約において、給付される年金の総額が定められているいわゆる確定年金契約に限る。）のうち、当該契約に定められた年金支払開始日前に解約されたものを含むものとする。（基通174－4）

(注)　当該契約が年金支払開始日前に解約された場合における(4)に規定する保障倍率の計算に当たっては、満期保険金、満期返戻金又は満期共済金の金額は、年金原資の金額（年金支払開始日の前日において、当該契約の締結時に定められた年金額（契約内容の変更があった場合には、変更後の年金額）を支払うため原資として積み立てられている金額をいう。）によるものとする。

（特定の損害保険金等）

(8)　(3)(二)の保険金で(8)で定めるものは、不動産若しくは動産の損害を保険事故として支払われる保険金又は身体の傷害に基因する死亡若しくは後遺障害を保険事故として支払われる保険金とし、同(二)に規定する金額は、次の(一)から(三)に掲げる契約の区分に応じ当該(一)から(三)に定める金額とする。（規72②）

<table>
<tr><td>(一)</td><td>不動産又は動産の全損に対して保険金又は共済金を支払ったときに失効する損害保険契約（(3)(二)に規定する損害保険契約をいう。）又はこれに類する共済に係る契約（(二)及び(三)において「損害保険契約等」という。）</td><td colspan="2">当該不動産又は動産の全損に対して支払われる保険金又は共済金の額</td></tr>
<tr><td rowspan="3">(二)</td><td rowspan="3">人の身体の傷害に基因する死亡又は後遺障害に対して保険金又は共済金を支払ったときに失効する損害保険契約等</td><td colspan="2">次に掲げる金額の合計額</td></tr>
<tr><td>イ</td><td>各被保険者又は各被共済者（配偶者以外の生計を一にする親族が含まれているときは、当該親族に係る被保険者又は被共済者の数は2とする。ロにおいて同じ。）の死亡保険金又は死亡共済金の額と後遺障害保険金又は後遺障害共済金の額とのいずれか多い金額</td></tr>
<tr><td>ロ</td><td>各被保険者又は各被共済者の傷害に基因する入院及び通院に係る保険金又は共済金の日額にその支払限度日数及び当該損害保険契約等の年数を乗じて計算した金額</td></tr>
<tr><td>(三)</td><td>不動産若しくは動産の全損に対して保険金若しくは共済金を支払ったとき又は人の身体の傷害に基因する死亡若しくは後</td><td colspan="2">(一)と(二)に定める金額のうちいずれか多い金額</td></tr>
</table>

	遺障害に対して保険金若しくは共済金を支払ったときに失効する損害保険契約等	

（差益の額の計算方法）

（9）　**四**(八)に規定する金額《差益の額》は、次の(一)に掲げる金額から(二)に掲げる金額を控除した金額とする。（令298⑦）

(一)	**四**(八)に規定する保険契約若しくは旧簡易生命保険契約又はこれらに類する共済に係る契約に基づく満期保険金、満期返戻金若しくは満期共済金又は解約返戻金（以下(二)までにおいて「**満期保険金等**」という。）の金額とこれらの契約に基づき分配を受ける剰余金又は割戻しを受ける割戻金の額で当該満期保険金等とともに又は当該満期保険金等の支払を受けた後に支払を受けるものとの合計額
(二)	(一)の保険契約若しくは旧簡易生命保険契約又はこれらに類する共済に係る契約に係る保険料又は掛金の総額から、これらの契約に基づく満期保険金等の支払の日前にこれらの契約に基づく剰余金の分配若しくは割戻金の割戻しを受け、又はこれらの契約に基づき分配を受ける剰余金若しくは割戻しを受ける割戻金をもって当該保険料又は掛金の支払に充てた場合における当該剰余金又は割戻金の額を控除した金額

（一部解約の場合の課税関係等）

(10)　**四**(八)に規定する解約返戻金には、保険契約等の一部を解約したことにより支払われる返戻金又は還付金が含まれるのであるが、この場合において、当該解約後において継続する保険契約等に係る一時払に準ずる払込方法の判定（(2)に規定する払込保険料等の割合の判定をいう。）に当たっては、当該解約部分に相当する保険料等の金額はないものとなることに留意する。（基通174－8）

（国内に恒久的施設を有する非居住者のうち特定の者に対する適用除外）

(11)　**四**の規定は、恒久的施設を有する非居住者が支払を受ける給付補塡金等で、第二章第二節**4**⑥(一)イ《非居住者に対する課税の方法》に掲げる国内源泉所得に該当しないものについては、適用しない。（措法41の10②）

（給付補塡金等に関する支払調書の特例）

(12)　昭和63年4月1日以後に居住者又は非居住者に対し給付補塡金等の支払をする者については、所得税法第225条第1項《支払調書及び支払通知書》のうち、当該給付補塡金等に係る部分の規定は、適用しない。（措法41の10③）

（利子所得に係る取扱いの準用）

(13)　**四**の規定又は第十節**四**《定期積金の給付補塡金等の分離課税等》の規定により源泉分離課税とされる**四**又は第十節**四**に規定する「給付補塡金等」及び第十節**五**《償還差益に対する分離課税》の規定により源泉分離課税とされる同**五**に規定する「償還差益」については、第一節**三 1**①注《源泉分離課税の効果》の取扱いを準用する。（措通41の10・41の12共－1）

第十節　雑　所　得

一　定　義

雑所得とは、利子所得、配当所得、不動産所得、事業所得、給与所得、退職所得、山林所得、譲渡所得及び一時所得のいずれにも該当しない所得をいう。(法35①)

(その他雑所得の例示)

(1)　次に掲げるようなものに係る所得は、その他雑所得（公的年金等に係る雑所得及び業務に係る雑所得以外の雑所得をいう。）に該当する。(基通35－1)

(一)　法人の役員等の勤務先預け金の利子で利子所得とされないもの

(二)　いわゆる学校債、組合債等の利子

(三)　定期積金に係る契約又は銀行法第2条第4項《定義等》の契約に基づくいわゆる給付補塡金

(四)　第二章第一節**一**表内**48**(注) 1 《還付加算金》又は地方税法第17条の4第1項《還付加算金》に規定する還付加算金

(五)　土地収用法第90条の3第1項第3号《加算金の裁決》に規定する加算金及び同法第90条の4《過怠金の裁決》に規定する過怠金

(六)　人格のない社団等の構成員がその構成員たる資格において当該人格のない社団等から受ける収益の分配金（いわゆる清算分配金及び脱退により受ける持分の払戻金を除く。）

(七)　法人の株主等がその株主等である地位に基づき当該法人から受ける経済的な利益で、第二節《配当所得》**一**(2)により配当所得とされないもの

(八)　第六章第四節**五 1**①《生命保険契約等に基づく年金に係る雑所得の金額の計算》、同**2**①《損害保険契約等に基づく年金に係る雑所得の金額の計算上控除する保険料等》、同**3**①《相続等に係る生命保険契約等に基づく年金に係る雑所得の金額の計算》及び同**4**①《相続等に係る損害保険契約等に基づく年金に係る雑所得の金額の計算》の規定の適用を受ける年金

(九)　役務の提供の対価が給与等とされる者が支払を受ける所得税法第204条第1項第7号《源泉徴収義務》に掲げる契約金

(十)　就職に伴う転居のための旅行の費用として支払を受ける金銭等のうち、その旅行に通常必要であると認められる範囲を超えるもの

(十一)　役員又は使用人が自己の職務に関連して使用者の取引先等からの贈与等により取得する金品

(十二)　譲渡所得の基因とならない資産の譲渡から生ずる所得（営利を目的として継続的に行う当該資産の譲渡から生ずる所得及び山林の譲渡による所得を除く。）

(業務に係る雑所得の例示)

(2)　次に掲げるような所得は、事業所得又は山林所得と認められるものを除き、業務に係る雑所得に該当する。(基通35－2)

(一)　動産（第三節《不動産所得》**一**《定義》に規定する船舶及び航空機を除く。）の貸付けによる所得

(二)　工業所有権の使用料（専用実施権の設定等により一時に受ける対価を含む。）に係る所得

(三)　温泉を利用する権利の設定による所得

(四)　原稿、さし絵、作曲、レコードの吹き込み若しくはデザインの報酬、放送謝金、著作権の使用料又は講演料等に係る所得

(五)　採石権、鉱業権の貸付けによる所得

(六)　金銭の貸付けによる所得

(七)　営利を目的として継続的に行う資産の譲渡から生ずる所得

(八)　保有期間が5年以内の山林の伐採又は譲渡による所得

(注)　事業所得と認められるかどうかは、その所得を得るための活動が、社会通念上事業と称するに至る程度で行っているかどうかで判定する。なお、その所得に係る取引を記録した帳簿書類の保存がない場合（その所得に係る収入金額が300万円を超え、かつ、事業所得と認められ

る事実がある場合を除く。）には、業務に係る雑所得（資産（山林を除く。）の譲渡から生ずる所得については、譲渡所得又はその他雑所得）に該当することに留意する。

（年金に代えて支払われる一時金）

（3）　第六章第四節**五 1**①《生命保険契約等に基づく年金に係る雑所得の金額の計算》、同**2**①《損害保険契約等に基づく年金に係る雑所得の金額の計算上控除する保険料等》、同**3**①《相続等に係る生命保険契約等に基づく年金に係る雑所得の金額の計算》又は同**4**①《相続等に係る損害保険契約等に基づく年金に係る雑所得の金額の計算》の規定の対象となる年金の受給資格者に対し当該年金に代えて支払われる一時金のうち、当該年金の受給開始日以前に支払われるものは一時所得の収入金額とし、同日後に支払われるものは雑所得の収入金額とする。ただし、同日後に支払われる一時金であっても、将来の年金給付の総額に代えて支払われるものは、一時所得の収入金額として差し支えない。（基通35－３）

（注）　死亡を年金給付事由とする生命保険契約等の給付事由が発生した場合で当該生命保険契約に係る保険料又は掛金がその死亡をした者によって負担されたものであるときにおいて、当該生命保険契約等に基づく年金の受給資格者が当該年金の受給開始日以前に年金給付の総額に代えて一時金の支払を受けたときは、当該一時金については、課税しないものとする。（基通９－18）

（使用人等の発明等に係る報償金等）

（4）　業務上有益な発明、考案等をした役員又は使用人が使用者から支払を受ける報償金、表彰金、賞金等の金額は、次に掲げる区分に応じ、それぞれ次に掲げる所得に係る収入金額又は総収入金額に算入するものとする。（基通23～35共－１）

㈠　業務上有益な発明、考案又は創作をした者が当該発明、考案又は創作に係る特許を受ける権利、実用新案登録を受ける権利若しくは意匠登録を受ける権利又は特許権、実用新案権若しくは意匠権を使用者に承継させたことにより支払を受けるもの　　これらの権利の承継に際し一時に支払を受けるものは譲渡所得、これらの権利を承継させた後において支払を受けるものは雑所得

㈡　特許権、実用新案権又は意匠権を取得した者がこれらの権利に係る通常実施権又は専用実施権を設定したことにより支払を受けるもの　　雑所得

㈢　事務若しくは作業の合理化、製品の品質の改善又は経費の節約等に寄与する工夫、考案等（特許又は実用新案登録若しくは意匠登録を受けるに至らないものに限る。）をした者が支払を受けるもの　　その工夫、考案等がその者の通常の職務の範囲内の行為である場合には給与所得、その他の場合には一時所得（その工夫、考案等の実施後の成績等に応じ継続的に支払を受けるときは、雑所得）

㈣　災害等の防止又は発生した災害等による損害の防止等に功績のあった者が一時に支払を受けるもの　　その防止等がその者の通常の職務の範囲内の行為である場合には給与所得、その他の場合には一時所得

㈤　篤行者として社会的に顕彰され使用者に栄誉を与えた者が一時に支払を受けるもの　　一時所得

（抵当証券に係る税務上の取扱い）

（5）　標題のことについて、〇〇抵当信用株式会社取締役社長〇〇〇〇から別紙２のとおり照会があり、これに対し直税部審理課長名で別紙１のとおり回答したから了知されたい。（昭59直審４－30、３－115、５－８）

別紙１

標題のことについては、貴見のとおりで差し支えありません。

なお、投資家の保有する抵当証券は、法人税法第52条（貸倒引当金）第１項又は所得税法第52条（貸倒引当金）第１項に規定する貸金には含まれませんので、念のため申し添えます。

別紙２

当社の取り扱う抵当証券に係る税務上の取扱いについては、下記に記載したところにより処理したいと考えておりますが、貴意を得たく照会いたします。

なお、抵当証券の発行と流通の仕組みは別添〔略〕のとおりです。

㈠　法人税〔略〕

㈡　所得税

イ　抵当証券に係る利子

投資家が支払を受ける抵当証券に係る利子は、所得税法上の利子等に該当しないことから、それを支払う際には所得税の源泉徴収を必要とせず、また、その支払を受けた者については、雑所得に該当する。（所得税法23条、181条参照）

ロ　抵当証券の償還損

投資家が抵当証券を額面金額を超えて取得したために生ずる償還時の償還差損は、雑所得の損失に該当する。

ハ　抵当証券の売買損益

投資家が抵当証券を償還期限前に売却したことによる売却損益は、当該抵当証券が譲渡所得の基因となる資産に該当しないと認められるので、雑所得又は雑所得の損失に該当する。

(三)　有価証券取引税〔略〕

(注)　抵当証券の利子の課税については**四**《定期積金の給付補塡金等の分離課税等》参照。(編者注)

(裁判員等に支給される旅費、日当及び宿泊料に対する所得税法上の取扱いについて(照会))

(6)　裁判員の参加する刑事裁判に関する法律（平成16年法律第63号。以下「裁判員法」という。）については、本年7月15日に施行された名簿調製に関する部分を除き、平成21年5月21日に施行されるところです。

裁判所から呼出しを受けた裁判員候補者及び選任予定裁判員は、裁判員等選任手続の期日に出頭しなければならないとされています（裁判員法第29条第1項、第97条第5項）。この呼出しに応じて出頭した裁判員候補者及び選任予定裁判員には、裁判員の参加する刑事裁判に関する規則（平成19年最高裁判所規則第7号）第6条ないし第9条に定めるところにより、旅費、日当及び宿泊料（以下「旅費等」という。）を支給することとなります（裁判員法第29条第2項、第97条第5項）。また、同様に、裁判員及び補充裁判員についても、旅費等を支給することとなります（同法第11条）。

そこで、裁判員、補充裁判員並びに裁判員等選任手続の期日に出頭した裁判員候補者及び選任予定裁判員（以下「裁判員等」という。）に対して支給される旅費等については、下記のとおり取り扱って差し支えないか照会します。(平成20年11月4日・最高裁刑一第001805号・国税庁課税部審理室長・大久保　修身殿・最高裁判所事務総局刑事局長　小川　正持)

記

1　裁判員等に対して支給される旅費等については、その合計額を雑所得に係る総収入金額に算入する。

2　実際に負担した旅費及び宿泊料、その他裁判員等が出頭するのに直接要した費用の額の合計額については、旅費等に係る雑所得の金額の計算上必要経費に算入する。

二　雑所得の金額

1　雑所得の金額の計算

雑所得の金額は、次の(一)及び(二)に掲げる金額の合計額とする。(法35②)

(一)	その年中の公的年金等の収入金額から公的年金等控除額を控除した残額
(二)	その年中の雑所得（公的年金等に係るものを除く。）に係る総収入金額から必要経費を控除した金額

○**生命保険契約等に基づく年金に係る雑所得の計算**（令183）……第六章第四節**五1**参照。

○**損害保険契約等に基づく年金に係る雑所得の金額の計算**（令184）……第六章第四節**五2**参照。

2　公的年金等の定義

1に規定する公的年金等とは、次の①から④までに掲げる年金をいう。(法35③、31)

①	国民年金法、厚生年金保険法、国家公務員共済組合法、地方公務員等共済組合法、私立学校教職員共済法及び独立行政法人農業者年金基金法の規定に基づく一時金その他これらの法律の規定による社会保険又は共済に関する制度に類する制度に基づく年金（これに類する給付を含む。）で注で定めるもの (上記の年金) 注　上記の年金（これに類する給付を含む。）は、次に掲げる年金とする。(令82の2①) (一)　国民年金法等の一部を改正する法律（昭和60年法律第34号）第5条《船員保険法の一部改正》の規定による改正前の船員保険法の規定に基づく年金 (二)　厚生年金保険法附則第28条《指定共済組合の組合員》に規定する共済組合が支給する年金 (三)　被用者年金制度の一元化等を図るための厚生年金保険法等の一部を改正する法律(以下において「一

	元化法」という。）附則第41条第１項《追加費用対象期間を有する者の特例等》又は第65条第１項《追加費用対象期間を有する者の特例等》の規定に基づく年金 （四）　一元化法附則第36条第１項《改正前国共済法による職域加算額の経過措置》の規定によりなおその効力を有するものとされる同項の改正前国共済法の規定に基づく年金 （五）　一元化法附則第37条第１項《改正前国共済法による給付等》の規定によりなおその効力を有するものとされる同項の改正前国共済法の規定に基づく年金 （六）　旧令による共済組合等からの年金受給者のための特別措置法第３条第１項若しくは第２項《旧陸軍共済組合及び共済協会の権利義務の承継》、第４条第１項《外地関係共済組合に係る年金の支給》又は第７条の２第１項《旧共済組合員に対する年金の支給》の規定に基づく年金 （七）　地方公務員等共済組合法の一部を改正する法律（平成23年法律第56号）附則の規定に基づく年金 （八）　一元化法附則第60条第１項《改正前地共済法による職域加算額の経過措置》の規定によりなおその効力を有するものとされる同項の改正前地共済法の規定に基づく年金 （九）　一元化法附則第61条第１項《改正前地共済法による給付等》の規定によりなおその効力を有するものとされる同項の改正前地共済法の規定に基づく年金 （十）　一元化法附則第78条第１項《改正前私学共済法による職域加算額の経過措置》の規定によりなおその効力を有するものとされる同項の改正前私学共済法の規定に基づく年金 （十一）　一元化法附則第79条《改正前私学共済法による給付》の規定によりなおその効力を有するものとされる同条の改正前私学共済法の規定に基づく年金 （十二）　厚生年金保険制度及び農林漁業団体職員共済組合制度の統合を図るための農林漁業団体職員共済組合法等を廃止する等の法律第１条《農林漁業団体職員共済組合法等の廃止》の規定による廃止前の農林漁業団体職員共済組合法の規定に基づく年金 （十三）　旧厚生年金保険法第９章《厚生年金基金及び企業年金連合会》の規定に基づく年金
②	石炭鉱業年金基金法の規定に基づく年金で同法第16条第１項《坑内員に関する給付》又は第18条第１項《坑外員に関する給付》に規定する坑内員又は坑外員の退職に基因して支払われるものその他同法の規定による社会保険に関する制度に類する制度に基づく年金
③	恩給（一時恩給を除く。）及び過去の勤務に基づき使用者であった者から支給される年金
④	確定給付企業年金法の規定に基づいて支給を受ける年金（第六節**二１**《退職手当金とみなす一時金》表内③に規定する規約に基づいて拠出された掛金のうちにその年金が支給される同法第25条第１項《加入者》に規定する加入者（同項に規定する加入者であった者を含む。）の負担した金額がある場合には、その年金の額からその負担した金額のうちその年金の額に対応するものとして②《確定給付企業年金の額から控除する金額》で定めるところにより計算した金額を控除した金額に相当する部分に限る。）その他これに類する年金（これに類する給付を含む。）として注で定めるもの （上記の年金） 注　上記の年金（これに類する給付を含む。）は、次に掲げる給付とする。（令82の２②、72③一、三イ、五イ～ハ、八） （一）　特定退職金共済団体が行う退職金共済に関する制度及び外国の法令に基づく保険又は共済に関する制度に基づいて支給される年金（これに類する給付を含む。） （二）　中小企業退職金共済法第12条第１項《退職金の分割支給等》に規定する分割払の方法により支給される同条第５項に規定する分割退職金 （三）　第八章**四**《小規模企業共済等掛金控除》に規定する小規模企業共済契約に基づいて小規模企業共済法第９条の３第１項《共済金の分割支給等》に規定する分割払の方法により支給される同条第５項に規定する分割共済金 （四）　法人税法附則第20条第３項《退職年金等積立金に対する法人税の特例》に規定する適格退職年金契約に基づいて支給を受ける退職年金（当該契約に基づいて払い込まれた掛金又は保険料のうちにその退職年金が支給される基因となった勤務をした者の負担した金額がある場合には、その年において支給される当該退職年金の額から当該退職年金の額（その年金の支給開始の日以後に当該契約に基づいて分配を受ける剰余金の額に相当する部分の金額を除く。）に当該退職年金に係る次条第１項の規定に準じて計算した割合を乗じて計算した金額を控除した金額に相当する部分に限る。）

	（五）　第六節**二１**表内③（１）（五）イから同ハまでに掲げる規定に基づいて支給を受ける年金（同（五）に規定する規約に基づいて拠出された掛金のうちにその年金が支給される確定給付企業年金法第25条第１項《加入者》に規定する加入者（同項に規定する加入者であった者を含む。）の負担した金額がある場合には、その年において支給される当該年金の額から当該年金の額（その年金の支給開始の日以後に当該規約に基づいて分配を受ける剰余金の額に相当する部分の金額を除く。）に当該年金に係る②《確定給付企業年金の額から控除する金額》の規定に準じて計算した割合を乗じて計算した金額を控除した金額に相当する部分に限る。） （六）　確定拠出年金法第４条第３項《承認の基準等》に規定する企業型年金規約又は同法第56条第３項《承認の基準等》に規定する個人型年金規約に基づいて同法第28条第１号《給付の種類》（同法第73条《企業型年金に係る規定の準用》において準用する場合を含む。）に掲げる老齢給付金として支給される年金

（受給者が掛金を拠出することにより退職後その使用者であった者から支給される年金）

（１）　在職中に使用者に対して所定の掛金を拠出することにより退職後当該使用者であった者から支給される年金は、上表の③に規定する公的年金等とする。この場合において、その公的年金等の収入金額は、その年中に支給される年金の額から受給者が拠出した掛金（支給開始日までにその掛金の運用益として元本に繰り入れられた金額を含む。）の額を基として②《確定給付企業年金の額から控除する金額》の規定に準じて計算した金額を控除した金額による。（基通35－５）

（注）　上記後段のかっこ内の「掛金の運用益として元本に繰り入れられた金額」については、第六節《退職所得》**一**の（４）の（注）参照。

（転籍前の法人から支給される較差補塡金）

（２）　過去の勤務に基づき使用者であった者から支給される年金は、上表の③に規定する公的年金等となるのであるが、転籍者（他の法人に転籍した使用人をいう。）に対し転籍前の法人から転籍後の法人との給与条件の較差を補塡するために支給される較差補塡金（転籍後の法人を経由して支給されるものを含む。）は、第五節《給与所得》**一**に規定する給与等に該当することに留意する。（基通35－７）

①　退職金共済制度等に基づく年金等で公的年金等に含まれないもの

２表内④注（一）に掲げる給付は、次のイ（一）又は同（二）に掲げる給付（年金に該当するものに限る。）を含まないものとし、同注（四）に規定する退職年金は、次のロ（一）又は同（二）に掲げる給付（退職年金に該当するものに限る。）を含まないものとする。（令82の２③、76①②）　これらの公的年金等に含まれない給付として支給される金額は、公的年金等に係る雑所得以外の雑所得に係る収入金額とする。（令82の２④）

<table>
<tr><td rowspan="8">イ</td><td colspan="2">（一）　特定退職金共済団体が承認の取消し（第六節二２③）を受けた場合において、その取消しを受けた法人がその取消しを受けた時以後に行う給付
（二）　特定退職金共済団体が行う給付で、これに対応する掛金のうちに次に掲げる掛金が含まれているもの</td></tr>
<tr><td>イ</td><td>特定退職金共済団体の要件（第六節二２①）の（一）に掲げる要件に反して被共済者が自ら負担した掛金</td></tr>
<tr><td>ロ</td><td>特定退職金共済団体の要件の（二）に掲げる要件に反して、当該特定退職金共済団体の被共済者が既に他の特定退職金共済団体の被共済者となっており、その者について、当該他の特定退職金共済団体の退職金共済契約に係る共済期間が当該特定退職金共済団体に係る共済期間と重複している場合における当該特定退職金共済団体に係る掛金</td></tr>
<tr><td>ハ</td><td>特定退職金共済団体の要件の（三）に掲げる要件に反して被共済者とされた者についての掛金</td></tr>
<tr><td>ニ</td><td>掛金の月額が特定退職金共済団体の要件の（六）に定める限度（特定退職金共済団体の要件の（七）に規定する過去勤務等通算期間に対応する掛金の額にあっては、同（七）のロに定める限度）を超えて支出された場合における当該掛金</td></tr>
<tr><td>ホ</td><td>特定退職金共済団体の要件の（七）のイに掲げる要件に反して同（七）に規定する過去勤務等通算期間を定め、当該過去勤務等通算期間に対応するものとして払い込んだ掛金</td></tr>
<tr><td>ヘ</td><td>当該特定退職金共済団体の被共済者となった日前の期間（当該被共済者の特定退職金共済団体の要件の（七）に規定する過去勤務等通算期間を除く。）を給付の計算の基礎に含め、当該期間に対応</td></tr>
</table>

	するものとして払い込んだ掛金
ロ	(一)　法人税法附則第20条第１項《退職年金等積立金に対する法人税の特例》に規定する適格退職年金契約に係る信託、生命保険又は生命共済の業務を行う信託会社（信託業務を兼営する銀行を含む。）、生命保険会社（保険業法第２条第３項《定義》に規定する生命保険会社及び外国生命保険会社等をいう。）又は農業協同組合連合会（以下(二)までにおいて「**信託会社等**」という。）が法人税法附則第20条第３項に規定する適格退職年金契約につき法人税法施行令附則第18条第１項《適格退職年金契約の承認の取消し》の規定による承認の取消しを受けた場合において、その信託会社等が当該契約に基づきその取消しを受けた時以後に行う給付 (二)　(一)に規定する業務を行う信託会社等が行う給付で、これに対応する掛金又は保険料のうちに法人税法施行令附則第16条第１項第３号《適格退職年金契約の要件》に掲げる要件に反して同項第２号に規定する受益者等とされた者に係る掛金又は保険料が含まれているもの

②　確定給付企業年金の額から控除する金額

２表内④に規定するところにより計算した金額《受益者の負担した掛金の控除額》は、その年において同④に規定する規約に基づいて支給される年金の額（その年金の支給開始の日以後に当該規約に基づいて分配を受ける剰余金の額に相当する部分の金額〔以下(１)において「**剰余金額**」という。〕を除く。）に、(一)に掲げる金額のうちに(二)に掲げる金額の占める割合（小数点以下２位まで算出し、３位以下を切り上げたところによる。）を乗じて計算した金額とする。（令82の３①③）

<table>
<tr><td rowspan="3">(一)</td><td colspan="3">次に掲げる年金の区分に応じそれぞれ右欄に定める金額</td></tr>
<tr><td>イ</td><td>その支給開始の日において支給総額が確定している年金</td><td>その支給総額</td></tr>
<tr><td>ロ</td><td>その支給開始の日において支給総額が確定していない年金</td><td>その支給総額の見込額</td></tr>
<tr><td>(二)</td><td colspan="3">２表内④に規定する掛金のうちその年金が支給される基因となった同④に規定する加入者の負担した金額（当該金額に次に掲げる資産に係る当該加入者が負担した部分に相当する金額が含まれている場合には、当該金額を控除した金額）
イ　平成25年厚生年金等改正法附則第35条第１項《解散存続厚生年金基金の残余財産の確定給付企業年金への交付》の規定により平成25年厚生年金等改正法附則第３条第11号《定義》に規定する存続厚生年金基金（ニからヘまでにおいて「存続厚生年金基金」という。）から交付された同項に規定する残余財産
ロ　平成25年厚生年金等改正法附則第55条第２項《存続連合会から確定給付企業年金への年金給付等積立金等の移換》の規定により平成25年厚生年金等改正法附則第３条第13号に規定する存続連合会（ハにおいて「存続連合会」という。）から移換された平成25年厚生年金等改正法附則第55条第１項に規定する年金給付等積立金等
ハ　平成25年厚生年金等改正法附則第62条第２項《移換に関する経過措置》の規定によりなおその効力を有するものとされる旧厚生年金保険法第165条の２第２項《連合会から確定給付企業年金への年金給付等積立金の移換》の規定により存続連合会から移換された平成25年厚生年金等改正法附則第62条第１項の規定によりなおその効力を有するものとされる旧厚生年金保険法第165条第５項《連合会から基金への権利義務の移転及び年金給付等積立金の移換》に規定する年金給付等積立金
ニ　平成25年厚生年金等改正法附則第５条第１項《存続厚生年金基金に係る改正前厚生年金保険法等の効力等》の規定によりなおその効力を有するものとされる平成25年厚生年金等改正法第２条《確定給付企業年金法の一部改正》の規定による改正前の確定給付企業年金法（ホ及びヘにおいて「旧効力確定給付企業年金法」という。）第110条の２第３項《厚生年金基金の設立事業所に係る給付の支給に関する権利義務の確定給付企業年金への移転》の規定により存続厚生年金基金から権利義務が承継された同条第４項に規定する積立金
ホ　旧効力確定給付企業年金法第111条第２項《厚生年金基金から規約型企業年金への移行》又は第112条第４項《厚生年金基金から基金への移行》の規定により存続厚生年金基金から権利義務が承継された平成25年厚生年金等改正法附則第５条第１項の規定によりなおその効力を有するものとされる旧厚生年金保険法第130条の２第２項《年金たる給付及び一時金たる給付に要する費用に関する契約》に規定する年金給付等積立金
ヘ　旧効力確定給付企業年金法第115条の３第２項《厚生年金基金から確定給付企業年金への脱退一時金相当額の移換》の規定により存続厚生年金基金から移換された同条第１項に規定する脱退一時金相当額
ト　旧厚生年金保険法の規定により旧厚生年金保険法第149条第１項《連合会》に規定する連合会から移換され</td></tr>
</table>

	た資産又は平成25年厚生年金等改正法第２条の規定による改正前の確定給付企業年金法の規定により平成25年厚生年金等改正法附則第３条第10号に規定する旧厚生年金基金から権利義務が承継され、若しくは移換された資産で、財務省令で定めるもの チ　確定拠出年金法第54条の４第２項《確定給付企業年金の加入者となった者の個人別管理資産の移換》の規定により同法第２条第７項第１号ロ《定義》に規定する資産管理機関から移換された同条第12項に規定する個人別管理資産 リ　確定拠出年金法第74条の４第２項《確定給付企業年金の加入者となった者の個人別管理資産の移換》の規定により同法第２条第５項に規定する連合会から移換された同条第12項に規定する個人別管理資産

$$\text{その年分の年金の額（剰余金額を除く。）} \times \frac{\text{受給者の負担した掛金の額}}{\text{年金の支給総額（又は見込額）}} = \text{年金の額から控除する金額}$$

（支給総額の見込額）

（1）　②(一)ロに定める支給総額の見込額は、次の(一)から(三)までに掲げる金額とする。（令82の３②）

<table>
<tr><td rowspan="5">(一)</td><td colspan="3">②に規定する年金のうち次に掲げるもの（(二)に該当するものを除く。）については、その支給の基礎となる規約において定められているその年額（剰余金額を除く。）に、次に掲げる年金の区分に応じそれぞれ次に掲げる年数を乗じて計算した金額</td></tr>
<tr><td>イ</td><td>有期の年金で、受給権者（その年金の支給開始の日における確定給付企業年金法第30条第１項《裁定》に規定する受給権者をいう。以下同じ。）がその期間内に死亡した場合にはその死亡後の期間につき支給を行わないもの</td><td>その支給期間に係る年数（その年数がその受給者等についてのその年金の支給開始の日における別表（360ページ）に定める余命年数（以下「支給開始日における余命年数」という。）を超える場合には、その余命年数）</td></tr>
<tr><td>ロ</td><td>有期の年金で、受給権者がその支給開始の日以後一定期間（以下「保証期間」という。）内に死亡した場合にはその死亡後においてもその保証期間の終了の日までその支給を継続するもの</td><td>その支給期間に係る年数（その年数がその保証期間に係る年数とその受給権者に係る支給開始日における余命年数とのうちいずれか長い年数を超える場合には、そのいずれか長い年数）</td></tr>
<tr><td>ハ</td><td>終身の年金で、受給権者の生存中に限り支給するもの</td><td>その受給権者に係る支給開始日における余命年数</td></tr>
<tr><td>ニ</td><td>終身の年金で、受給権者の生存中支給するほか、受給権者が保証期間内に死亡した場合にはその死亡後においてもその保証期間の終了の日までその支給を継続するもの</td><td>その受給権者に係る支給開始日における余命年数（当該余命年数がその保証期間に係る年数に満たない場合には、その保証期間に係る年数）</td></tr>
<tr><td>(二)</td><td colspan="3">(一)ロ又は同ニに掲げる年金のうち支給総額の見込額の計算の基礎となる年数が保証期間に係る年数とされるもので、受給権者に支給する年金の年額と受給権者の死亡後に支給する年金の年額とが異なるものについては、受給権者に支給する年金の年額に受給権者に係る支給開始日における余命年数を乗じて計算した金額と受給権者の死亡後に支給する年金の年額に保証期間に係る年数と当該余命年数との差に相当する年数を乗じて計算した金額との合計額</td></tr>
<tr><td>(三)</td><td colspan="3">その支給の条件が(一)及び(二)に定めるところと異なる年金については、その支給の条件に応じ、その年額、受給権者（受給権者の死亡後その親族その他の者に支給する年金については、受給権者及び当該親族その他の者）に係る余命年数及び保証期間（受給権者の死亡後一定期間年金を支給する旨を定めている場合におけるその一定期間を含む。）を基礎として(一)及び(二)の規定に準じて計算した金額</td></tr>
</table>

（年金の支給開始日以後に分配を受ける剰余金）

（2）　②本文のかっこ内に規定する剰余金額については、当該金額そのままが**2**表内④に規定する公的年金等の収入金額となることに留意する。（基通35－６）

所令別表　余命年数表

年金の支給開始日における年齢	余命年数		年金の支給開始日における年齢	余命年数		年金の支給開始日における年齢	余命年数	
	男	女		男	女		男	女
0歳	74年	80年	33歳	43年	48年	66歳	14年	18年
1	74	79	34	42	47	67	14	17
2	73	78	35	41	46	68	13	16
3	72	77	36	40	45	69	12	15
4	71	77	37	39	44	70	12	14
5	70	76	38	38	43	71	11	14
6	69	75	39	37	42	72	10	13
7	68	74	40	36	41	73	10	12
8	67	73	41	35	40	74	9	11
9	66	72	42	34	39	75	8	11
10	65	71	43	33	38	76	8	10
11	64	70	44	32	37	77	7	9
12	63	69	45	32	36	78	7	9
13	62	68	46	31	36	79	6	8
14	61	67	47	30	35	80	6	8
15	60	66	48	29	34	81	6	7
16	59	65	49	28	33	82	5	7
17	58	64	50	27	32	83	5	6
18	57	63	51	26	31	84	4	6
19	56	62	52	25	30	85	4	5
20	55	61	53	25	29	86	4	5
21	54	60	54	24	28	87	4	4
22	53	59	55	23	27	88	3	4
23	52	58	56	22	26	89	3	4
24	51	57	57	21	25	90	3	3
25	50	56	58	20	25	91	3	3
26	50	55	59	20	24	92	2	3
27	49	54	60	19	23	93	2	3
28	48	53	61	18	22	94	2	2
29	47	52	62	17	21	95	2	2
30	46	51	63	17	20	96	2	2
31	45	50	64	16	19	97歳以上	1	1
32	44	49	65	15	18			

3　公的年金等控除額

1に規定する公的年金等控除額は、次の(一)から(三)までに掲げる場合の区分に応じ当該(一)から(三)までに定める金額とする。(法35④)

<table>
<tr><td rowspan="7">(一)</td><td colspan="3">その年中の公的年金等の収入金額がないものとして計算した場合における第二章第一節一表内30《定義》に規定する合計所得金額（(二)及び(三)において「公的年金等に係る雑所得以外の合計所得金額」という。）が1,000万円以下である場合　次のイ及びロに掲げる金額の合計額（当該合計額が60万円に満たない場合には、60万円）</td></tr>
<tr><td>イ</td><td colspan="2">40万円</td></tr>
<tr><td rowspan="5">ロ</td><td colspan="2">その年中の公的年金等の収入金額から50万円を控除した残額の次の⑴から⑷までに掲げる場合の区分に応じそれぞれ次の⑴から⑷までに定める金額</td></tr>
<tr><td>⑴　当該残額が360万円以下である場合</td><td>当該残額×25%</td></tr>
<tr><td>⑵　当該残額が360万円を超え720万円以下である場合</td><td>90万円＋（当該残額－360万円）×15%</td></tr>
<tr><td>⑶　当該残額が720万円を超え950万円以下である場合</td><td>144万円＋（当該残額－720万円）×５%</td></tr>
<tr><td>⑷　当該残額が950万円を超える場合</td><td>155万5,000円</td></tr>
<tr><td rowspan="3">(二)</td><td colspan="3">その年中の公的年金等に係る雑所得以外の合計所得金額が1,000万円を超え2,000万円以下である場合　次のイ及びロに掲げる金額の合計額（当該合計額が50万円に満たない場合には、50万円）</td></tr>
<tr><td>イ</td><td colspan="2">30万円</td></tr>
<tr><td>ロ</td><td colspan="2">(一)ロに掲げる金額</td></tr>
<tr><td rowspan="3">(三)</td><td colspan="3">その年中の公的年金等に係る雑所得以外の合計所得金額が2,000万円を超える場合　次のイ及びロに掲げる金額の合計額（当該合計額が40万円に満たない場合には、40万円）</td></tr>
<tr><td>イ</td><td colspan="2">20万円</td></tr>
<tr><td>ロ</td><td colspan="2">(一)ロに掲げる金額</td></tr>
</table>

（公的年金等に係る雑所得以外の合計所得金額の計算について）

（1）　**3**(一)から同(三)に規定する「公的年金等に係る雑所得以外の合計所得金額」は、その年中の公的年金等の収入金額がないものとして計算した場合における合計所得金額をいうのであるから、第五節**三 5**②《所得金額調整控除》の規定による所得金額調整控除の適用はないものとして計算することに留意する。(基通35－８)

4　公的年金等控除の最低控除額等の特例

年齢が65歳以上である個人が、平成17年以後の各年において、その年中の**2**に規定する公的年金等（以下**4**において「公的年金等」という。）の収入金額がある場合における当該公的年金等に係る**3**（所得税法第165条第１項において適用する場合を含む。）の規定の適用については、**3**(一)中「60万円に」とあるのは「110万円に」と、「60万円）」とあるのは「110万円）」と、**3**(二)中「50万円」とあるのは「100万円」と、**3**(三)中「40万円」とあるのは「90万円」とする。(措法41の15の３①)

（年齢の判定）

注　**4**の個人の年齢が65歳以上であるかどうかの判定はその年12月31日（その者が年の中途において死亡し、又は第二章第一節**一**《用語の意義》表内**42**に規定する出国をする場合には、その死亡又は出国の時）の年齢による。(措法41の15の３④、編者補正)

【公的年金等に係る雑所得の金額の速算式】

上記**3**の規定による公的年金等控除額を控除した後の所得税の雑所得の金額の速算式は、公的年金等に係る雑所得以外の所得に係る合計所得金額に応じて次のとおりである。（編者注）

（1）　公的年金等に係る雑所得以外の所得に係る合計所得金額が1,000万円以下

年齢区分	公的年金等の収入金額の合計額（A）	雑所得の金額の計算式
65歳未満	600,000円まで	0円
	600,001円から1,299,999円まで	A－600,000円
	1,300,000円から4,099,999円まで	A×75%－275,000円
	4,100,000円から7,699,999円まで	A×85%－685,000円
	7,700,000円から9,999,999円まで	A×95%－1,455,000円
	10,000,000円以上	A－1,955,000円
65歳以上	1,100,000円まで	0円
	1,100,001円から3,299,999円まで	A－1,100,000円
	3,300,000円から4,099,999円まで	A×75%－275,000円
	4,100,000円から7,699,999円まで	A×85%－685,000円
	7,700,000円から9,999,999円まで	A×95%－1,455,000円
	10,000,000円以上	A－1,955,000円

（2）　公的年金等に係る雑所得以外の所得に係る合計所得金額が1,000万円超2,000万円以下

年齢区分	公的年金等の収入金額の合計額（A）	雑所得の金額の計算式
65歳未満	500,000円まで	0円
	500,001円から1,299,999円まで	A－500,000円
	1,300,000円から4,099,999円まで	A×75%－175,000円
	4,100,000円から7,699,999円まで	A×85%－585,000円
	7,700,000円から9,999,999円まで	A×95%－1,355,000円
	10,000,000円以上	A－1,855,000円
65歳以上	1,000,000円まで	0円
	1,000,001円から3,299,999円まで	A－1,000,000円
	3,300,000円から4,099,999円まで	A×75%－175,000円
	4,100,000円から7,699,999円まで	A×85%－585,000円
	7,700,000円から9,999,999円まで	A×95%－1,355,000円
	10,000,000円以上	A－1,855,000円

（3）　公的年金等に係る雑所得以外の所得に係る合計所得金額が2,000万円超

年齢区分	公的年金等の収入金額の合計額（A）	雑所得の金額の計算式
65歳未満	400,000円まで	0円
	400,001円から1,299,999円まで	A－400,000円
	1,300,000円から4,099,999円まで	A×75%－75,000円
	4,100,000円から7,699,999円まで	A×85%－485,000円
	7,700,000円から9,999,999円まで	A×95%－1,255,000円
	10,000,000円以上	A－1,755,000円

65歳以上	900,000円まで	0円
	900,001円から3,299,999円まで	A－900,000円
	3,300,000円から4,099,999円まで	A×75%－75,000円
	4,100,000円から7,699,999円まで	A×85%－485,000円
	7,700,000円から9,999,999円まで	A×95%－1,255,000円
	10,000,000円以上	A－1,755,000円

三　勤労者財産形成基金契約に基づく信託金等

1　勤労者財産形成基金が支出する信託金等の受益者等の雑所得に係る総収入金額不算入

勤労者財産形成基金が、勤労者財産形成促進法第６条の３第２項《勤労者財産形成基金契約》に規定する第一種勤労者財産形成基金契約に基づいて同項第２号に規定する信託の受益者等のために支出した同項第１号に規定する信託金等又は同条第３項に規定する第二種勤労者財産形成基金契約に基づいて同項第２号に規定する勤労者について支出した同項第１号に規定する預入金等は、当該信託の受益者等又は当該勤労者に対する雑所得に係る総収入金額に含まれないものとする。（令82の４①）

2　事業を営む個人の支出する信託の払込金等の必要経費算入

事業を営む個人が、勤労者財産形成促進法第７条の20《拠出》の規定により**1**に規定する信託金等又は預入金等の払込みに充てるために必要な金銭を支出した場合には、その支出した金額は、その支出した日の属する年分の当該事業に係る不動産所得の金額、事業所得の金額又は山林所得の金額の計算上、必要経費に算入する。（令82の４②）

四　定期積金の給付補塡金等の分離課税等

居住者又は恒久的施設を有する非居住者が、昭和63年４月１日以後に国内において支払を受けるべき次の(一)から(六)まで《法174三～八》に掲げる給付補塡金、利息、利益又は差益（以下**四**において「**給付補塡金等**」という。）については、所得税法の規定にかかわらず、他の所得と区分し、その支払を受けるべき金額に対し100分の15の税率を適用して所得税を課する。（措法41の10①、法174三～八）

(一)	定期積金に係る契約に基づく給付補塡金（当該契約に基づく給付金のうちその給付を受ける金銭の額から当該契約に基づき払い込んだ掛金の額の合計額を控除した残額に相当する部分をいう。）
(二)	銀行法第２条第４項《定義等》の契約に基づく給付補塡金（当該契約に基づく給付金のうちその給付を受ける金銭の額から当該契約に基づき払い込むべき掛金の額として注で定めるものの合計額を控除した残額に相当する部分をいう。） （上記の掛金の額） 注　上記の払い込むべき掛金の額として定めるものは、上記に規定する契約に基づき払い込むべき掛金の額（当該契約に基づき掛金を払い込むべきこととされている期間の中途で当該契約に基づく給付金の給付を受けた場合には、当該掛金の額から当該契約に基づき銀行に対して支払うべき利子に相当する金額を控除した金額）とする。（令298②）
(三)	抵当証券法第１条第１項《証券の交付》に規定する抵当証券に基づき締結された当該抵当証券に記載された債権の元本及び利息の支払等に関する事項を含む契約として注で定める契約により支払われる利息 （上記の契約） 注　上記の契約は、抵当証券法第１条第１項《証券の交付》に規定する抵当証券の販売（販売の代理又は媒介を含む。）を業として行う者と当該抵当証券の購入をした者との間で締結された当該抵当証券に記載された債権の元本及び利息の弁済の受領並びにその支払に関する事項を含む契約とする。（令298③）
(四)	金その他の貴金属その他これに類する物品で政令《未定》で定めるものの買入れ及び売戻しに関する契約で、当該契約に定められた期日において当該契約に定められた金額により当該物品を売り戻す旨の定めがあるものに基づく利益（当該物品の当該売戻しをした場合の当該金額から当該物品の買入れに要した金額を控除した残額をいう。）《**譲渡所得**》
(五)	外国通貨で表示された預貯金でその元本及び利子をあらかじめ約定した率により本邦通貨又は当該外国通貨以外の外国通貨に換算して支払うこととされているものの差益（当該換算による差益として注で定めるものをいう。） （上記の差益） 注　上記の差益は、次のイ又はロに掲げる預貯金の区分に応じ当該イ又はロに定める差益とする。（令298④） イ　外国通貨で表示された預貯金でその元本及び利子をあらかじめ約定した率により本邦通貨に換算して支払うこととされているもの　当該元本についてあらかじめ約定した率により本邦通貨に換算した金額から当該元本について当該預貯金の預入の日における外国為替の売買相場により本邦通貨に換算した金額を控除した残額に相当する差益 ロ　外国通貨で表示された預貯金でその元本及び利子をあらかじめ約定した率により当該外国通貨以外の外国通貨（以下ロにおいて「他の外国通貨」という。）に換算して支払うこととされているもの　当該元本についてあらかじめ約定した率により当該他の外国通貨に換算して支払うこととされている金額から当該元本について当該預貯金の預入の日における外国為替の売買相場により当該他の外国通貨に換算した金額を控除した残額につき、当該他の外国通貨に換算して支払うこととされている時における外国為替の売買相場により本邦通貨に換算した金額に相当する差益
(六)	省略《一時払い保険契約の差益⇒一時所得》…………第九節**四**参照

（給付補塡金の意義）

（1）　**四**(一)又は同(二)に規定する「その給付を受ける金銭の額」については、次に掲げる場合の区分に応じ、それぞれ次の金額によるものとする。（基通174－1）

(一)　定期積金に係る契約又は銀行法第２条第４項《定義等》の契約に定められた所定の払込日後に掛金の払込みが行われたことにより、遅延利息又は延滞利息が発生する場合　　契約に定められた給付金の額から当該遅延利息又は延滞利息の金額を控除した金額

(二)　定期積金に係る契約又は銀行法第２条第４項《定義等》の契約に定められた所定の払込日前に掛金の払込みが行われたことにより、先払割引金又は先掛割引料が発生する場合　　契約に定められた給付金の額に当該先払割引金又は先掛割引料を加算した金額

（外国為替の売買相場）

（2）　**四**(五)注《内国法人に係る所得税の課税標準》の「外国為替の売買相場」とは、次に掲げる売買相場の区分に応じ、それぞれ次に定めるものとする。（基通174－2）

(一)　同注イに規定する預入の日における外国為替の売買相場　　同イに規定する預貯金の受入れをする金融機関におけるその預入の日におけるその外国通貨に係る対顧客直物電信売相場

(二)　同注ロに規定する預入の日における外国為替の売買相場　　同ロに規定する預貯金の受入れをする金融機関におけるその預入の日における同ロに規定する他の外国通貨に同ロに規定する外国通貨を交換する場合の外国為替の売買相場（市場相場から合理的に計算したものに限る。）

(三)　同注ロに規定する他の外国通貨に換算して支払うこととされている時における外国為替の売買相場　　同ロに規定する預貯金の受入れをする金融機関における当該他の外国通貨に換算して支払うこととされている時における当該他の外国通貨に係る対顧客直物電信買相場

(注) 1　(1)については、あらかじめ定められた率により本邦通貨に換算した金額をもって預入の申込みを受けている場合にあっては、当該「あらかじめ定められた率」により邦貨に換算して差し支えないものとする。

2　(2)については、あらかじめ定められた率により同号に規定する他の外国通貨に換算した金額をもって預入の申込みを受けている場合にあっては、当該「あらかじめ定められた率」により他の外国通貨に換算して差し支えないものとする。

3　上記「外国為替の売買相場」は、その換算の日のその外国通貨に係る最終の売買相場によるものとする。

（中途解約等が行われた場合の本邦通貨に換算した金額）

（3）　**四**(五)に規定する「預貯金」の中途解約等が行われた場合における同(五)注に規定する「あらかじめ約定した率により本邦通貨に換算した金額」は、次に掲げる場合の区分に応じ、それぞれ次に掲げる金額によることに留意する。（基通174－3）

(一)　解約等により、「あらかじめ約定した率」を変更することとされている場合　　変更後の率により邦貨に換算した金額

(二)　解約等により生ずる為替差損又は為替差益の金額を、「あらかじめ約定した率により本邦通貨に換算した金額」から減額し又は増額して支払うこととされている場合　　当該減額又は増額後の金額

（恒久的施設を有する非居住者のうち特定の者に対する適用除外）

（4）　**四**の規定は、恒久的施設を有する非居住者が支払を受ける給付補塡金等で、第二章第二節**4**⑥(一)イ《非居住者に対する課税の方法》に掲げる国内源泉所得に該当しないについては、適用しない。（措法41の10②）

（給付補塡金等に関する支払調書の特例）

（5）　昭和63年４月１日以後に居住者又は非居住者に対し給付補塡金等の支払をする者については、所得税法第225条第１項《支払調書及び支払通知書》のうち、当該給付補塡金等に係る部分の規定は、適用しない。（措法41の10③）

五　償還差益に対する分離課税

個人が昭和63年４月１日以後に発行された割引債について支払を受けるべき償還差益については、所得税法の規定にかかわらず、他の所得と区分し、その支払を受けるべき金額（外国法人により国外において発行された割引債の償還差益にあっては、当該外国法人が国内において行う事業に係るものとして（1）で定める金額。以下において同じ。）に対し、100分の18（東京湾横断道路の建設に関する特別措置法第２条第１項に規定する東京湾横断道路建設事業者が同法第10条第１項の認可を受けて発行する社債及び民間都市開発の推進に関する特別措置法第３条第１項に規定する民間都市開発推進機構（政令で定めるものに限る。）が同法第８条第３項の認可を受けて発行する債券のうち、割引債に該当するもの（「特別割引債」という。）につき支払を受けるべき償還差益については、100分の16）の税率を適用して所得税を課する。（措法41の12①）

（償還差益の金額等）

（1）　**五**に規定する（1）で定める金額は、次の(一)又は(二)に掲げる金額とする。（措令26の９の２①）

(一)	法人税法第141条第１号に掲げる外国法人により国外において発行された（2）に規定する割引債（以下において「割引債」という。）について支払を受けるべき（2）に規定する償還差益（以下（1）から（5）までにおいて「償還差益」という。）の金額にイに掲げる金額のうちにロに掲げる金額の占める割合を乗じて計算した金額 イ　当該割引債の法人税法施行令第136条の２第１項に規定する満たない部分の金額（以下（1）、（3）において「社債発行差金」という。） ロ　イに掲げる金額のうち当該外国法人の法人税法第141条第１号に規定する事業を行う一定の場所を通じて国内において行う事業に帰せられる部分の金額
(二)	法人税法第141条第２号又は第３号に掲げる外国法人により国外において発行された割引債について支払を受けるべき償還差益の金額にイに掲げる金額のうちにロに掲げる金額の占める割合を乗じて計算した金額 イ　当該割引債の社債発行差金 ロ　イに掲げる金額農地のうちこれらの外国法人の法人税法第141条第２号又は第３号に規定する事業に帰せられる部分の金額

（割引債及び償還差益の意義）

（2）　**五**に規定する割引債とは、割引の方法により発行される公社債（（3）で定めるものに限る。）で次の(一)から(三)までに掲げるもの以外のものをいい、**五**に規定する償還差益とは、割引債の償還金額（買入消却が行われる場合には、その買入金額）がその発行価額を超える場合におけるその差益をいう。（措法41の12⑦、措令26の15③）

(一)	外貨公債の発行に関する法律第１条第１項又は第３項（同法第４条において準用する場合を含む。）の規定により発行される同法第１条第１項に規定する外貨債（同法第４条に規定する外貨債を含む。）
(二)	特別の法令により設立された法人が当該法令の規定により発行する債券のうち（4）で定めるもの
(三)	平成28年１月１日以後に発行された公社債（預金保険法第２条第２項第５号に規定する長期信用銀行債等、農水産業協同組合貯金保険法第２条第２項第４号に規定する農林債を除く。）

（（2）の（3）で定める公社債）

（3）　（2）に規定する（3）で定める公社債は、割引の方法により発行される公社債で次の(一)から(三)までに掲げるものとする。（措令26の15①）

(一)	国債及び地方債
(二)	内国法人が発行する社債（会社以外の内国法人が特別の法律により発行する債券を含む。）
(三)	外国法人が発行する債券（国外において発行する債券にあっては、次のイ又はロに掲げるものに限る。） イ　法人税法第141条第１号に掲げる外国法人が国外において発行する債券の社債発行差金の全部又は一部が当該外国法人の同号に規定する事業を行う一定の場所を通じて国内において行う事業に帰せられる場合における当該債券

	ロ　法人税法第141条第２号又は第３号に掲げる外国法人が国外において発行する債券の社債発行差金の全部又は一部がこれらの外国法人のこれらの号に規定する事業に帰せられる場合における当該債券

((２)の(二)の債券のうち(４)で定めるもの)

(４)　(２)(二)に規定する(４)で定めるものは、独立行政法人住宅金融支援機構、沖縄振興開発金融公庫又は独立行政法人都市再生機構が、独立行政法人住宅金融支援機構法附則第８条、沖縄振興開発金融公庫法第27条第４項又は独立行政法人都市再生機構法附則第15条第１項の規定により発行する債券とする。(措令26の15②)

(非居住者が支払を受けるべき償還差益に関する所得税法等の適用)

(５)　非居住者が支払を受けるべき(３)(三)に掲げる公社債（**五**《償還差益に対する分離課税》の規定の適用を受けたものに限る。）の償還差益については、第二章第二節**４**①(二)《国内源泉所得》に規定する国内にある資産の運用又は保有により生ずる所得とみなして、所得税法その他所得税に関する法令の規定（第二章第一節**一**《用語の意義》表内**45**に規定する源泉徴収に係る所得税に関する規定を除く。）を適用する。(措令26の16)

第五章　各種所得の課税の特例

第一節　土地の譲渡等に係る事業所得等の課税の特例

一　土地の譲渡等に係る事業所得等の分離課税（平成10年1月1日～令和8年3月31日まで適用停止）

1　通　　則

個人が、他の者（当該個人が非居住者である場合の第二章第二節**4**《課税所得の範囲》①(一)に規定する事業場等を含む。）から取得をした土地（国内にあるものに限る。以下第一節において同じ。）又は土地の上に存する権利（以下第一節において「**土地等**」という。）で事業所得又は雑所得の基因となるもののうち、その年1月1日において所有期間が5年以下であるもの（その年中に取得をした土地等で注で定めるものを含む。）の**譲渡**（地上権又は賃借権の設定その他契約により他人（当該個人が非居住者である場合の同①(一)に規定する事業場等を含む。）に土地を長期間使用させる行為で**3**で定めるもの〔**2**及び**三**《優良宅地供給等の適用除外》**1**イにおいて「**賃借権の設定等**」という。〕及び土地等の売買又は交換の代理又は媒介に関し報酬を受ける行為その他の行為で土地等の譲渡に準ずるものとして**4**で定めるものを含む。以下第一節において「**土地の譲渡等**」という。）をした場合には、当該土地の譲渡等による事業所得及び雑所得については、所得税法の規定にかかわらず、他の所得と区分し、その年中の当該土地の譲渡等に係る事業所得の金額及び雑所得の金額として**二**に定めるところにより計算した金額（以下第一節において「**土地等に係る事業所得等の金額**」という。）に対し、次のイ又はロに掲げる金額のうちいずれか多い金額に相当する所得税を課する。（措法28の4①）

イ	土地等に係る事業所得等の金額（総所得金額からの所得控除の控除不足額がある場合には当該控除不足額を控除した金額。ロにおいて「**土地等に係る課税事業所得等の金額**」という。）の100分の40に相当する金額
ロ	土地等に係る課税事業所得等の金額につき**1**の規定の適用がないものとした場合に算出される所得税の額として**5**《土地等の譲渡等に係る事業所得等に対する上積税額》で定めるところにより計算した金額の100分の110に相当する金額

（注）　**1**の規定は、個人が平成10年1月1日から令和8年3月31日までの間にした土地の譲渡等については適用しない。（措法28の4⑥）

（その年中に取得をした土地等で分離課税の対象となるもの）

注　**1**に規定するその年中に取得をした土地等は、当該個人がその年中に他の者（当該個人が非居住者である場合の第二章第二節**4**①(一)に規定する事業場等を含む。）から取得をした**1**に規定する土地等（当該土地等が**2**（1）(一)又は同(三)に掲げる土地等に該当するものである場合には、その年1月1日において**2**に規定する所有期間が5年を超えるものを除く。）とする。（措令19①）

2　土地等の所有期間の計算

1に規定する所有期間とは、当該個人が**1**に規定する譲渡（賃借権の設定等を含む。）をした土地等をその取得をした日の翌日から引き続き所有していた期間をいう。（措法28の4②、措令19⑥）

（交換、贈与、相続又は低額譲渡等により取得した土地等の所有期間）

（1）　**2**の譲渡をした土地等が次の(一)から(三)の左欄に掲げる土地等に該当するものである場合には、当該譲渡をした土地等については、当該個人が当該(一)から(三)の右欄に定める日においてその取得をし、かつ、当該右欄に掲げる日の翌日から引き続き所有していたものとみなして、**2**の規定を適用する。（措令19⑦）

(一)	交換により取得した土地等で第二節**二十三**《固定資産の交換の場合の譲渡所得の特例》の規定の適用を受けたもの	当該交換により譲渡をした土地等の取得をした日

(二)	昭和47年12月31日以前に所得税法の一部を改正する法律（昭和48年法律第８号）による改正前の所得税法第60条第１項各号に該当する贈与、相続、遺贈又は譲渡により取得した土地等	当該贈与をした者、当該相続に係る被相続人、当該遺贈に係る遺贈者又は当該譲渡をした者が当該土地等の取得をした日
(三)	昭和48年１月１日以後に第二節**二十四３**《贈与等により取得した資産の取得費等》各号に該当する贈与、相続、遺贈又は譲渡により取得した土地等	当該贈与をした者、当該相続に係る被相続人、当該遺贈に係る遺贈者又は当該譲渡をした者が当該土地等の取得をした日

(注)　(二)及び(三)に掲げる贈与、相続、遺贈又は譲渡とは、いわゆる「みなし譲渡」の規定の適用のなかった贈与、相続、遺贈又は低額譲渡（譲渡価額が譲渡者の取得費に満たなかったものに限る。）をいう。（第二節**一１**②（２）参照）

なお、収用交換等により取得した代替資産等についても譲渡資産の取得日を引き継ぐこととされている。（編者注）

（用語の意義）

（２）　以下に掲げる措通28の４－１から53までにおいて、次に掲げる用語の意義は、それぞれ次に定めるところによる。（措通28の４－１要約）

(一)　土地等　　国内にある土地及び当該土地の上に存する権利をいう。

(二)　土地の譲渡等　　**１**に規定する土地の譲渡等で**１**の規定の適用を受けるものをいう。

(三)　分離課税の事業所得等の収入金額　　分離課税とされる事業所得又は雑所得に係る収入金額のうち土地の譲渡等による事業所得又は雑所得に係る収入金額（**３**ロに掲げる行為に伴い、その対価として支払を受ける権利金その他の一時金の額を含む。）をいい、第三節**二１**①《一般株式等に係る譲渡所得等の課税の特例》に規定する一般株式等の譲渡による事業所得又は雑所得に係る収入金額及び同節**三１**①《上場株式等に係る譲渡所得等の課税の特例》に規定する上場株式等の譲渡による事業所得又は雑所得に係る収入金額を除く。

(四)　販売費及び一般管理費の額　　土地の譲渡等のために要した販売費、一般管理費その他土地の譲渡等に係る事業所得又は雑所得を生ずべき業務について生じた費用（負債の利子を除く。）の額をいう。

(五)　分離課税の事業所得等の金額　　分離課税の事業所得等の収入金額から**二**に規定する原価等の額を控除した金額（**二**後段の規定の適用がある場合には、その適用後の金額）をいう。

(六)　総合課税の事業所得等の金額　　事業所得又は雑所得のうち土地の譲渡等による所得、第三節**二１**①に規定する一般株式等の譲渡による所得及び同節**三１**①に規定する上場株式等の譲渡による所得以外の所得の金額をいう。

（土地等の取得の時期の判定）

（３）　**１**の規定を適用する場合において、土地等を取得した日とは、当該土地等の引渡しを受けた日をいうものとする。ただし、引渡しの日に関し特約がある場合を除き、当該土地等の売買代金の支払額（手付金を含む。）の合計額がその売買代金の30％以上になった日（その日が売買契約締結の日前である場合には、その締結の日）以後引渡しまでの間の一定の日をもってその取得の日としているときは、これを認める。（措通28の４－２）

(注)１　土地等の売買代金の支払のため手形の振出し（裏書譲渡を含む。以下同じ。）をした場合には、当該手形が次のすべての要件を備えているものであるときに限り、その振出しの日において土地等の売買代金の支払があったものとして取り扱う。

(一)　当該手形の期日において券面額の支払を現に行っていること。

(二)　当該手形の振出しの日（裏書譲渡の場合には、その裏書の日）から手形の期日までの期間が120日を超えていないこと。

２　土地の上に存する権利の引渡しを受けた日とは、その土地につき当該権利に基づき使用収益等を行うことができることとなった日をいう。

（土地等の引渡しの日に関し特約がある場合）

（４）　(３)において「引渡しの日に関し特約がある場合」とは、例えば、地方公共団体と公有水面の埋立地を分譲する契約を締結した場合に埋立て後その土地の引渡しを受けることとしているとき、土地付マンションの分譲契約を締結した場合にマンションしゅん（竣）工後、建物と併せてその土地等の引渡しを受けることとしているとき、建物の取壊し、撤去を条件として土地等の引渡しを受けることとしているときなどをいうものとし、単に代金完済後所有権の移転又は引渡しを行う旨の条件が付されていてもここにいう特約がある場合には該当しないものとする。（措通28の４－３）

（転用未許可農地等の譲渡による所得）

（５）　農地法第３条第１項《農地又は採草放牧地の権利移動の制限》若しくは第５条第１項本文《農地又は採草放牧地

の転用のための権利移動の制限》の規定による許可を受けなければならない農地若しくは採草放牧地又は同項第３号の規定による届出をしなければならない農地若しくは採草放牧地を他の者から取得をして譲渡（譲渡をした年の１月１日において所有期間が５年以下であるもの及び当該年中に取得をしたものの譲渡に限る。）をした場合には、その取得又は譲渡が当該許可を受けないで、又は当該届出をしないで行われたときであっても、その譲渡による所得については、**1**の規定の適用がある。（措通28の４－４）

（他の者から取得をした土地等の意義）

（６）　**1**に規定する他の者から取得をした土地等とは、他の者が有していた土地等を売買、交換、贈与、相続、代物弁済等により取得した場合の当該土地等又は他の者が有する土地等について土地の上に存する権利を設定した場合の当該土地の上に存する権利をいい、自ら公有水面の埋立てにより取得した土地は、他の者から取得をした土地等には含まれないことに留意する。（措通28の４－５）

（自ら公有水面の埋立てにより取得した土地の意義）

（７）　自ら公有水面の埋立てにより取得した土地とは、公有水面埋立法第２条の免許を受け、自ら埋立工事又は干拓工事を行って取得した土地をいうが、埋立免許権の譲渡が形式的であり、当該埋立免許権の譲渡を受けた者の名義により埋立てをしたことについて相当の理由がある場合又は国若しくは地方公共団体が同法の規定により行う公有水面の埋立てについて、国若しくは地方公共団体の委託を受けて埋立てを行った場合において、その費用を負担してその埋立てに係る工事を行い、又は管理し、かつ、自ら埋立てをしたことと同様の実質を有していると認められるときは、当該埋立てに基づき取得した土地は、他の者から取得をした土地等に該当しないものとして取り扱う。（措通28の４－６）

（土地等の贈与等があった場合）

（８）　第六章第一節**二２**①又は同②《棚卸資産の贈与等の場合の総収入金額算入》に掲げる事由により事業所得又は雑所得の基因となる土地等の移転があった場合には、その事由が生じた時において土地等の譲渡があったものとして、**一**から**三**までの規定を適用する。（措通28の４－７）

（注）　国又は地方公共団体に対する贈与等については、**三**《優良宅地供給等の適用除外》**1**イの規定があることに留意する。

（土地等の譲渡――借地権が消滅した場合）

（９）　地上権若しくは土地の賃借権若しくはこれらの権利に係る土地の転借に係る権利又は地役権（以下(11)までにおいて「**借地権**」という。）を有する不動産業者等が、当該借地権の消滅の対価の支払を受けた場合（当該対価の支払を受けるべき場合においてその全部又は一部の支払を受けなかった場合を含む。）には、当該借地権の譲渡があったものとする。（措通28の４－14）

（土地等の取得――借地権者が底地を取得した場合）

(10)　借地権を有する者が当該借地権に係る土地を取得したことによりその借地権が消滅した場合には、その消滅後の土地については、消滅した借地権に対応する部分の土地は当該借地権の取得の日に取得し、当該借地権に対応する部分以外の部分の土地は、その借地権が消滅した日に取得したものとして取り扱う。（措通28の４－15）

（借地権割合が２分の１以下である土地に係る借地権の譲渡）

(11)　借地権の設定につき、その対価として支払った金額がその土地の価額の２分の１以下等のため第四章第八節**一２**①《資産の譲渡とみなされる行為》の規定の適用がない場合であっても、借地権者である不動産業者等が当該借地権を譲渡したときは、その譲渡の行為は、**1**に掲げる行為に該当することに留意する。（措通28の４－16）

（造成工事の対価として土地を交付する場合）

(12)　土地の所有者が他の者にその土地の造成工事を請け負わせた場合において、その契約に基づき対価の支払に代えて造成後の土地の一部を交付したときは、その造成完了時に、土地の所有者にあっては当該交付に係る土地の譲渡をしたものとし、造成工事を請け負った者にあってはその取得をしたものとする。この場合において、当該交付に係る土地の譲渡価額は、当該造成工事に係る契約において造成工事の対価の額が定められているときはその金額により、その定めがないときはその造成完了時の価額による。（措通28の４－17）

（注）　契約によりその造成工事に係る対価の額が定められていない場合において、譲渡対価の額及び取得価額とすべき価額を当該造成工事を

請け負った者が支出した当該造成工事の原価の額と請負工事に係る通常の利益の額との合計額によっているときは、これを認める。

3　賃借権の設定等による所得で分離課税となるもの

1に規定する地上権又は賃借権の設定その他契約により他人（当該個人が非居住者である場合の第二章第二節**4**①(一)に規定する事業場等を含む。）に土地を長期間使用させる行為は、次のイ及びロに掲げる行為とする。（措令19②）

イ	地上権又は賃借権の設定その他契約により他人（当該個人が非居住者である場合の第二章第二節**4**①(一)に規定する事業場等を含む。ロにおいて同じ。）に土地を長期間使用させる行為で第四章第八節**一2**①《資産の譲渡とみなされる行為》に該当するもの
ロ	イに掲げるもののほか、地上権又は賃借権の設定その他契約により他人に土地を長期間使用させる行為でその対価として権利金その他の一時金の支払を受けるもののうち、当該行為をした日の属する年において当該土地の譲渡があったもの

（土地の貸付けに係る権利金等の所得区分）

（1）　事業所得又は雑所得の基因となる土地に係るロに掲げる行為の対価として受ける権利金その他の一時金に係る所得は、不動産所得ではなく、事業所得又は雑所得に該当する。（措通28の４－８）

（分離課税とされる権利金等）

（2）　イ及びロに掲げる行為の対価として受け取る権利金等に係る所得で**1**の規定の適用を受けるものは、臨時所得には該当しない。（措通28の４－52）

4　土地等の譲渡に準ずる仲介行為

1に規定する土地等の譲渡に準ずる仲介行為は、**1**に規定する土地等の売買又は交換の代理又は媒介に関し宅地建物取引業法第46条第１項に規定する報酬の額を超える報酬を受ける行為とする。（措令19③）

（仲介行為者が２以上である場合の仲介行為の判定）

（1）　**1**に規定する報酬を受ける行為につきその行為をした者が２以上である場合において、これらの者のいずれにもその依頼者から当該行為に係る報酬が支払われているときは、その行為が**4**に規定する行為に該当するかどうかは、その報酬の額の合計額により判定するものとする。（措通28の４－９）

（注）　**1**に規定する報酬を受ける行為に関し、その行為をした者が情報提供者に対して支払う金額は、依頼者からの支払ではないから、その行為をした者がその依頼者から代理受領をしたと認められる場合を除き、**1**に規定する報酬の額には該当しない。

（売主及び買主の双方から報酬を収受する場合の仲介行為の判定）

（2）　土地等の売買又は交換の媒介の行為をし、その当事者の双方から報酬を受けた場合において、当該報酬を受ける行為が**4**に規定する行為に該当するかどうかは、その報酬の支払者の異なるごとに判定する。（措通28の４－10）

（宅地建物取引業法に規定する報酬の額の範囲）

（3）　土地等の売買又は交換の代理又は媒介の行為をした場合において、当該行為につき受ける収入金額を対価の部分と当該行為に通常要する費用の額に対応する部分とに区分しているときであっても、次に掲げるものを除き、その行為に係る報酬の額は、当該収入金額によることに留意する。（措通28の４－11）

（一）　昭和45年10月23日付建設省告示第1552号「宅地建物取引業者が宅地又は建物の売買等に関して受けることができる報酬の額を定める件」第９①ただし書に規定する広告の料金相当額

（二）　依頼者の特別の依頼により行う遠隔地における現地調査に要する費用で事前に依頼者の承諾があるものにつき別途に受領した金額

（山林原野の仲介行為）

（4）　山林原野等宅地以外の土地等の売買又は交換の代理又は媒介の行為をした場合において、当該行為につき宅地建物取引業法第46条第１項に規定する報酬の額を超える報酬を受けるときは、当該行為について**1**の規定の適用があることに留意する。（措通28の４－12）

（分離課税の適用を受ける仲介行為の範囲）

（5）　**4**に規定する行為であるかどうかは、その行為に係る土地等の譲渡をする者の当該土地等の取得の時期がいつであるかは問わないのであるが、その行為が行われた時期がいつであるかどうかは、その行為に係る土地等の売買又は交換に関する契約成立の日により判定する。（措通28の４－13）

（注）　その行為が昭和62年10月１日以後平成９年12月31日以前に行われたものである場合には旧措法28の５①の規定が適用されることに留意する。

5　土地の譲渡等に係る事業所得等に対する上積税額

1ロに規定する**5**で定めるところにより計算した金額は、土地等に係る課税事業所得等の金額とその年分の課税総所得金額との合計額を当該課税総所得金額とみなして計算した場合の所得税の額から、その年分の課税総所得金額に係る所得税の額を控除した金額とする。（措令19⑤）

「その年分の課税総所得金額＋課税短期譲渡所得金額＋土地等に係る課税事業所得等の金額」を課税総所得金額とみなして計算した所得税の額（A）	－	「その年分の課税総所得金額＋課税短期譲渡所得金額」を課税総所得金額とみなして計算した所得税の額（B）	＝	土地等に係る課税事業所得等に対する上積税額

二　土地等に係る事業所得等の計算

一1に規定する土地の譲渡等に係る事業所得の金額及び雑所得の金額として**二**で定めるところにより計算した金額は、その年中の同**1**に規定する土地の譲渡等（以下において「**土地の譲渡等**」という。）による事業所得又は雑所得に係る収入金額（同**3**ロに掲げる行為に伴い、その対価として支払を受ける権利金その他の一時金の額を含む。）から当該事業所得又は雑所得に係る次に掲げる金額の合計額（以下において「原価等の額」という。）を控除した金額の合計額（第七章第一節**二1**、同章第二節**一**又は同**三**の規定の適用がある場合には、その適用後の金額）とする。この場合において、当該事業所得に係る収入金額及び原価等の額につき第六章第四節**三1**①又は同②の規定の適用を受けているときは、当該収入金額及び原価等の額は、同①又は同②の規定によりその年分の事業所得の金額の計算上総収入金額及び必要経費に算入される金額（当該総収入金額に算入される金額のうちに第六章第四節**三1**③(二)ロに掲げる金額に相当する金額及び同②（3）(二)に掲げる金額が含まれている場合には、これらの金額を控除した金額）によるものとする。（措令19④）

イ	当該土地の譲渡等に係る土地等の原価の額として第四章第八節**二2**①の規定に準じて計算した金額
ロ	その年中に支払うべき負債の利子の額のうち、当該土地の譲渡等に係る部分の金額
ハ	イ及びロに掲げるもののほか、当該土地の譲渡等のために要した販売費及び一般管理費の額

（事業所得等の金額の区分計算）

（1）　その年分の事業所得又は雑所得の総収入金額及び必要経費のうちに土地の譲渡等に係るものとその他のもの（株式等の譲渡に係るものを除く。）とがある場合には、これらの金額を分離課税の事業所得等の収入金額及びその原価等の額とその他の収入金額及びその必要経費とに分別して、それぞれ分離課税の事業所得等の金額又はその計算上生じた損失の金額と総合課税の事業所得等の金額又はその計算上生じた損失の金額とを計算するものとする。また、そのいずれかが損失の金額で他方が黒字の金額となる場合には、その損失の金額と黒字の金額とを通算し、その通算を行った後の金額をその年分の事業所得の金額若しくはその計算上生じた損失の金額又は雑所得の金額として、第七章第一節《損益の通算》の損益通算を行う。（措通28の４－18）

（注）　いわゆる現金主義の方法により所得計算をしている場合については、(12)及び(13)の取扱いによる。

（土地等の原価の額）

（2）　土地の譲渡等のあった日の属する年の前年以前の各年において支出したその土地等の取得のために要した負債の利子で、当該土地等の取得価額に算入しているものがある場合には、その利子の額は、**二**イの原価の額には含まれないのであるが、**二**ロのその年中に支払うべき負債の利子の額として、当該土地の譲渡等のあった日の属する年分の分離課税の事業所得等の金額の計算上控除する。（措通28の４－19）

(各種引当金の繰入額)

(3)　**二**ハの販売費及び一般管理費の額を計算する場合における所得税法の規定による各種引当金の繰入額は、その年分の事業所得の金額の計算上必要経費の額に算入される金額から総収入金額に算入すべき金額を控除した金額（当該金額がマイナスとなる場合には、ゼロとする。）によるものとする。(措通28の４－20)

(注)　退職給与引当金については、まずその年分において支出した退職給与の額と取崩しに係る総収入金額に算入すべき金額とを相殺し、なお総収入金額に算入すべき金額に残額がある場合には、その残額を繰入額から控除した金額による。

(売上割引)

(4)　土地の譲渡等のあった日の属する年以後の各年において支出した当該土地の譲渡等に係る売上割引の額は、その支出した年における**二**ハの販売費及び一般管理費の額に含まれる。(措通28の４－21)

(事業専従者控除額)

(5)　第六章第二節**十２**③《事業専従者控除額の必要経費算入》の事業専従者控除額を計算する場合における事業所得の金額には、土地の譲渡等に係る事業所得の金額も含まれるのであるが、土地の譲渡等に係る事業に従事する事業専従者がある場合には、当該事業専従者に係る事業専従者控除額は、**二**ハの販売費及び一般管理費の額に算入する。この場合において、当該事業専従者が事業所得を生ずべき事業のうちの土地の譲渡等に係る事業とその他の事業（株式等の譲渡による事業を除く。）とに従事しているときは、**二**ハの販売費及び一般管理費の額に算入する事業専従者控除額は、第六章第二節**十２**⑤《２以上の事業に従事した場合の事業専従者給与等の必要経費算入額の計算》の規定に準じて計算する。(措通28の４－22)

(翌年以後において生じた負債の利子、販売費等)

(6)　**二**ロの利子の額並びに同ハの販売費及び一般管理費の額には、その土地の譲渡等のあった日の属する年の前年以前の各年において支出した当該土地の譲渡等に係る負債の利子の額並びに販売費及び一般管理費の額は含まれないのであるが、土地の譲渡等に係る負債の利子の額並びに販売費及び一般管理費の額で、当該土地の譲渡等のあった日の属する年の翌年以後に生じたものは、その生じた各年分の分離課税の事業所得等の金額の計算上控除する。(措通28の４－23)

(土地の譲渡等に係る貸倒損失等)

(7)　土地の譲渡等に係る第六章第二節**八**《資産損失》の損失の金額でその年分の事業所得又は雑所得の金額の計算上必要経費に算入されるものは、その損失の生じた日の属する年分の分離課税の事業所得等の金額の計算上控除するものとする。(措通28の４－24)

(注)　その年分の雑所得（株式等の譲渡による雑所得を除く。以下(7)及び(9)において同じ。）のうちに土地の譲渡等以外の所得がある場合には、その所得を含めて計算したその年分の雑所得の金額を基にして同節**八１**③《事業と称するに至らない程度の業務の用に供される資産等の損失の必要経費算入》の必要経費算入限度額を計算する。

(事業を廃止した後に土地の譲渡等に係る費用又は損失が生じた場合)

(8)　事業所得を生ずべき事業を廃止した後において、土地の譲渡等に係る事業所得の費用又は損失で、当該事業を廃止しなかったとしたならばその年分の分離課税の事業所得の金額の計算上控除されるべきものが生じた場合には、第六章第四節**二１**《事業を廃止した場合等の必要経費の特例》の規定により計算した金額をその廃止した日の属する年分（同日の属する年において事業所得に係る総収入金額がなかった場合には、当該総収入金額があった最近の年分）又はその前年分の分離課税の事業所得の金額の計算上控除する。(措通28の４－25)

(注)１　これらの年分の事業所得（株式等の譲渡による事業所得を除く。以下(8)において同じ。）のうちに土地の譲渡等以外の所得がある場合には、その所得を含めて計算したその年分の事業所得の金額を基にして第六章第四節**二１**表内①ロ及び同②ロに掲げる金額《必要経費算入限度額》を計算する。

２　上記により控除を受ける年分の事業所得に係る総収入金額のうちに土地の譲渡等に係る収入金額がなかった場合には、その控除をされる金額は、その年分の分離課税の事業所得の損失の金額として総合課税の事業所得の金額と通算される（(1)参照)。

(土地の譲渡等に係る雑所得の収入金額が回収不能となった場合)

(9)　土地の譲渡等に係る雑所得の収入金額の全部又は一部を回収することができないこととなった場合には、その土地の譲渡等のあった日の属する年分の分離課税の雑所得の収入金額から第六章第四節**二２**《資産の譲渡代金が回収不能となった場合等の所得計算の特例》①の規定により計算した金額を控除する。(措通28の４－26)

（注）　当該年分の雑所得のうちに土地の譲渡等以外の所得がある場合には、その所得を含めて計算した当該年分の雑所得の金額を基にして第六章第四節**二２**①ロに掲げる金額《回収不能に伴う所得の減少額》を計算する。この場合において、上記により計算したその年分の分離課税の雑所得に損失の金額が生ずることとなるときは、その損失の金額は、総合課税の雑所得の金額と通算される。((1)及び(18)参照)

（青色申告特別控除額）

(10)　第六章第四節**四**《青色申告特別控除》による青色申告特別控除額の計算の基礎となる事業所得の金額には、土地の譲渡等に係る事業所得の金額も含まれるのであるが、分離課税の事業所得の金額を計算する場合には、青色申告特別控除額は、控除できないものであることに留意する。（措通28の４－27）

（注）　事業所得の金額から控除する青色申告特別控除額のうちに、総合課税の事業所得の金額から控除しきれない部分の金額がある場合には、その金額は、損失の金額として分離課税の事業所得の金額と通算されることになる（(1)参照）。

（延払基準を適用している場合の土地の譲渡等に係る事業所得の金額）

(11)　土地の譲渡等に係る事業所得の収入金額及び原価等の額につき延払基準の方法により経理している場合におけるその土地の譲渡等のあった日の属する年以後の各年分の土地の譲渡等に係る事業所得の金額は、次の算式により計算した金額から当該土地の譲渡等に係るその年中の負債の利子の額と販売費及び一般管理費の額（販売手数料の額を除く。）との合計額を控除した金額とする。（措通28の４－28）

当該土地の譲渡等のあった日の属する年において延払基準の方法による経理をしていないものとして計算した場合における当該土地の譲渡等に係る事業所得の収入金額から原価の額と販売手数料の額との合計額を控除した金額 × 第六章第四節**三１**③《延払基準の方法》に規定するリース譲渡に係る賦払金割合

（注）　当該土地の譲渡等に係る譲渡の対価の額のうちに含まれている賦払に係る利息相当額又は代金回収のための費用相当額は、当該土地の譲渡に係る事業所得の収入金額からは除外することはできない。

（現金主義によって所得計算をしている場合の分離課税の事業所得の金額）

(12)　各年分の事業所得の金額又は業務に係る雑所得の金額につき第六章第四節**三３**①《小規模事業者の収入及び費用の帰属時期》の規定によるいわゆる現金主義の方法により所得計算をしている場合における土地の譲渡等のあった日の属する年以後の各年分の分離課税の事業所得等の金額（**一４**に規定する行為に係るものを除く。）は、次の算式により計算した金額からその年中に支出した当該土地の譲渡等に係る負債の利子の額と販売費及び一般管理費の額との合計額を控除した金額とする。（措通28の４－29）

当該土地の譲渡等のあった日の属する年において第六章第四節**三３**の規定を適用しないで計算した場合における分離課税の事業所得等の収入金額から原価の額を控除した金額 × $\dfrac{\text{その年において収入した分離課税の事業所得等の収入金額}}{\text{当該土地の譲渡等のあった日の属する年において第六章第四節三３の規定を適用しないで計算した場合における分離課税の事業所得等の収入金額}}$

（注）　第六章第四節**三３**の規定を適用して計算したその年分の事業所得の金額又は業務に係る雑所得の金額から上記により計算した分離課税の事業所得等の金額を控除した金額は、その年分の総合課税の事業所得等の金額又は損失の金額となる。また、**４**の規定を適用して計算したその年分の事業所得又は業務に係る雑所得が損失の金額である場合には、その損失の金額と上記により計算した分離課税の事業所得等の金額との合計額がその年分の総合課税の事業所得等の損失の金額となる。

（現金主義によって所得計算をしている場合の仲介行為に係る分離課税の事業所得の金額）

(13)　各年分の事業所得の金額又は業務に係る雑所得の金額につき第六章第四節**三３**の規定によるいわゆる現金主義の方法により所得計算をしている場合における**一４**に規定する行為に係るその年分の分離課税の事業所得等の金額は、その年において収入した当該行為に係る収入金額からその年において支出した当該行為に係る負債の利子の額と販売費及び一般管理費の額との合計額を控除した金額とする。（措通28の４－30）

（注）　その行為が**一４**に規定する報酬の額を超える報酬を受ける行為であるかどうかは、その年において収入したものであるかどうかを問わず、当該行為に係るすべての報酬の額の合計額により判定する。

（建物、土地等を同時に譲渡した場合における土地等の対価の計算）

(14)　建物及び土地等を同時に譲渡した場合には、建物の譲渡による収入金額及び土地等の譲渡による収入金額は、建物及び土地等の譲渡による全体の収入金額をその譲渡の時における建物の価額及び土地等の価額の比によりあん分して計算するのであるが、当該土地等の譲渡による収入金額が、次によるなど合理的に算定されており、かつ、当該譲渡に係る契約書において明らかにされているとき（建物の譲渡による収入金額から明らかにすることができるときを含む。）は、これを認める。（措通28の４－31）

(一)　建物の譲渡による収入金額として相当と認められる価額を建物及び土地等の譲渡による全体の収入金額から控除した金額を土地等の譲渡による収入金額としていること。

(注)　例えば、建物の建築費の額又は購入価額（当該建物の建築又は購入後に要した施設費その他の附帯費用の額を含む。）に通常の利益の額を加算した金額を建物の譲渡による収入金額としているときは、相当と認められる価額とする。

(二)　土地等の譲渡による収入金額として相当と認められる価額を土地等の譲渡による収入金額としていること。ただし、建物及び土地等の譲渡による全体の収入金額から当該土地等の譲渡による収入金額を控除した金額が建物の譲渡による収入金額として相当と認められる場合に限る。

（新築した建物を土地等とともに同時に譲渡した場合の対価の計算の特例）

(15)　自己の有する土地等に建物（建物に附帯する門、塀、駐車場等の構築物を含む。以下(16)までにおいて同じ。）を建築し、これらを同時に譲渡した場合において、当該土地等の譲渡による収入金額が、次に掲げる場合の区分に応じ、それぞれ次に定めるところにより算定されており、かつ、当該土地等の譲渡による収入金額とした金額が当該譲渡に係る契約書において明らかにされているとき（建物の譲渡による収入金額から明らかにすることができるときを含む。）は、(14)にかかわらず、これを認める。（措通28の４－32）

(一)　土地等と建物の譲渡による収入金額の合計額（以下(15)において「**譲渡による収入金額の合計額**」という。）が、土地等の取得価額（支払利子の額が含まれている場合には、当該支払利子の額を控除した金額。以下この(15)において同じ。）と建物の取得価額との合計額（以下この(15)において「**譲渡原価の合計額**」という。）を超える場合

建物の取得価額に142％（建物の建築期間が１年を超える場合には、その超える期間の月数（１月未満の端数があるときは１月とする。）に１％を乗じた割合を加算した割合とし、その加算した割合が154％を超えるときは154％とする。）を乗じて計算した額と譲渡による収入金額の合計額から土地等の取得価額を控除した残額とのいずれか少ない金額に相当する金額以下の金額を建物の譲渡による収入金額とし、残余を土地等の譲渡による収入金額とする。

(二)　(一)以外の場合　　譲渡による収入金額の合計額に譲渡原価の合計額のうちに建物の取得価額の占める割合を乗じて計算した額に相当する金額を建物の譲渡による収入金額とし、残余を土地等の譲渡による収入金額とする。

(注)１　庭石、芝生、樹木等のうち通常土地の価格に含めて取引されるものは、建物の取得価額には含めない。

２　建築期間とは、建築着工の日から譲渡の日までの期間をいう。

３　当該土地等の譲渡による収入金額が、当該土地等の譲渡につき**三３**《適用除外の証明書》ニ(ロ)(一)から同(四)までに掲げる場合に応じ、それぞれ同(一)から同(四)までに定める予定対価の額又は譲渡予定価額を超える場合において、当該予定対価の額又は譲渡予定価額をもって土地等の譲渡に係る収入金額としているときは、これを認める。

（同時に取得した新築の建物と土地等を同時に譲渡した場合の対価の計算の特例）

(16)　土地等と建物（建築後使用されたことのないものに限る。）とを同時に購入し、その後これらを同時に譲渡した場合における土地等の譲渡による収入金額の計算については、(15)に準じて取り扱う。この場合において、(15)の(一)の142％に係るかっこ書は適用しない。（措通28の４－33）

（温泉利用権等のある土地等を譲渡した場合における土地等の対価の区分）

(17)　温泉をゆう出する土地等又は温泉を利用する権利がある土地等を譲渡した場合において、その土地等の譲渡による収入金額のうちに温泉利用権の価額を含んでいることが契約書等により明らかにされているときは、その収入金額から当該温泉利用権の価額を控除した金額をもって、その土地等の譲渡による収入金額とする。

また、岩石が埋蔵されている土地等を譲渡した場合（当該岩石が当該土地等を取得した者において採掘される場合に限る。）又は立木等（相当の価額を有し、かつ、独立して取引されることに合理性が認められるものに限る。）がある土地等を譲渡した場合においても、同様とする。（措通28の４－34）

（分離課税の雑所得と総合課税の雑所得とがある場合）

(18)　その年の雑所得のうちに分離課税の雑所得と総合課税の雑所得とがある場合において、そのいずれかが黒字の金額で他方が損失の金額であるときは、それらの金額を通算した後の黒字の金額が損益通算前の雑所得の金額となり、その通算をした結果損失の金額が残ったとき又はそのいずれもが損失の金額であるときは、その損失の金額は、他の所得とは通算できないことに留意する。（措通28の４－51）

三　優良宅地供給等の適用除外

１　通　　則

一の規定は、次のイからチまでに掲げる土地等の譲渡に該当することにつき**３**《適用除外の証明書》に掲げるところにより証明がされたものについては、適用しない。（措法28の４③）

<table>
<tr><td>イ</td><td>国又は地方公共団体その他これらに準ずる法人に対する土地等の譲渡（賃借権の設定等を含む。以下同じ。）で国又は地方公共団体に対する土地等の譲渡（措令19⑧）</td></tr>
<tr><td>ロ</td><td>独立行政法人都市再生機構、土地開発公社その他これらに準ずる法人で宅地若しくは住宅の供給又は土地の先行取得の業務を行うことを目的とする次の(イ)及び(ロ)に掲げるものに対する土地等の譲渡で、当該譲渡に係る土地等が当該業務を行うために直接必要であると認められるもの（(ロ)に掲げる法人に対する土地等の譲渡で当該譲渡に係る土地等の面積が1,000平方メートル以上である場合には、ニ(イ)に掲げる要件《適正な対価の要件》に該当する譲渡に限るものとし、土地開発公社に対する土地等の譲渡である場合には、公有地の拡大の推進に関する法律第17条第１項第１号ニに掲げる土地の譲渡を除く。）（措令19⑨）
<table>
<tr><td>(イ)</td><td>成田国際空港株式会社、独立行政法人中小企業基盤整備機構、地方住宅供給公社及び日本勤労者住宅協会</td></tr>
<tr><td>(ロ)</td><td>公益社団法人（その社員総会における議決権の全部が地方公共団体により保有されているものに限る。）又は公益財団法人（その拠出をされた金額の全額が地方公共団体により拠出をされているものに限る。）のうち次に掲げる要件を満たすもの
(一)　宅地若しくは住宅の供給又は土地の先行取得の業務を主たる目的とすること。
(二)　当該地方公共団体の管理の下に(一)の業務を行っていること。</td></tr>
</table></td></tr>
<tr><td>ハ</td><td>土地等の譲渡で第二節七１《収用交換等の場合の譲渡所得等の特別控除》に規定する収用交換等によるもの（当該収用交換等のうち(１)で定めるものによる土地等の譲渡で当該譲渡に係る土地等の面積が1,000平方メートル以上である場合には、ニの(イ)に掲げる要件《適正な対価の要件》に該当する譲渡に限るものとし、イ及びロに掲げる譲渡に該当するものを除く。）</td></tr>
<tr><td>ニ</td><td>都市計画法第29条第１項の許可（同法第４条第２項に規定する都市計画区域内において行われる同条第12項に規定する開発行為に係るものに限る。以下「開発許可」という。）を受けた個人（開発許可に基づく地位を承継した個人を含む。）が造成した一団の宅地（その面積が1,000平方メートル以上のものに限る。）の全部又は一部の当該個人による譲渡で、次に掲げる要件（当該譲渡が(２)で定める譲渡に該当する場合には、(イ)及び(ロ)に掲げる要件）に該当するもの
<table>
<tr><td>(イ)</td><td>当該譲渡に係る対価の額が当該譲渡に係る適正な対価の額として２①に定める金額以下であること。</td></tr>
<tr><td>(ロ)</td><td>当該譲渡に係る宅地の造成が当該開発許可の内容に適合していること。</td></tr>
<tr><td>(ハ)</td><td>当該譲渡が公募の方法により行われたものであること。
（注）　雇用保険法等の一部を改正する法律（平成19年法律第30号）附則第87条の規定による改正前の勤労者財産形成促進法第９条第１項の貸付けを受けた事業主が同項第１号に規定する勤労者のうちから公正な方法により決定した者に対して行う当該貸付けに係る宅地の譲渡は公募の方法により行われた譲渡に含まれるものとする。（措令19㉒）</td></tr>
</table>
（注）１　昭和49年法律第67号改正による都市計画法附則第４項には、次のことが定められている。
市街化区域及び市街化調整区域に関する都市計画が定められていない都市計画区域については、当該都市計画が定められるまでの間、その区域内において政令で定める規模以上の開発行為をしようとする者は、あらかじめ、都道府県知事の許可を受けなければならない。ただし、農業、林業若しくは漁業の用に供する政令で定める建築物又はこれらの業務を営む者の居住の用に供する建築物の建築の用に供する目的で行う開発行為及び第29条第３号から第９号までに掲げる開発行為については、この限りでない。
２　「一団の宅地」の面積要件は、定期借地権設定地等を含めて一体的に行われる一団の住宅地造成事業等の場合には、その定期借地権設定地等を含めて判定することとされる。その定期借地権の種類は、借地借家法第22条《定期借地権》又は第23条《建物譲渡特約付借地権》の適用を受けるものをいう。（以下本表のホ～トまでにおいて同じ。）〔編者注〕</td></tr>
<tr><td>ホ</td><td>その宅地の造成につき開発許可を要しない場合において個人が造成した一団の宅地（その面積が1,000平方メートル以上のものに限る。）の全部又は一部の当該個人による譲渡で、次に掲げる要件（当該譲渡が(２)で定める</td></tr>
</table>

譲渡に該当する場合には(イ)及びニ(イ)《適正な対価の要件》の要件）に該当するもの

(イ) 当該譲渡に係る宅地の造成が優良な宅地の供給に寄与するものであることについて都道府県知事の認定を受けて行われ、かつ、その造成が当該認定の内容に適合していること。

（注）１　上記の都道府県知事の認定は、宅地の造成を行おうとする個人の申請に基づき、当該宅地の造成の内容が次の事項について国土交通大臣の定める基準に適合している場合に行うものとする。（措令19⑬）

(一)	宅地の用途に関する事項
(二)	宅地としての安全性に関する事項
(三)	給水施設、排水施設その他宅地に必要な施設に関する事項
(四)	その他優良な宅地の供給に関し必要な事項

２　上記の優良な宅地の認定基準は昭和54年３月31日付建設省告示第767号（第二節**—２**①(27)）により告示されている。（編者注）

(ロ) 当該譲渡がニ(イ)《適正な対価の要件》及びニ(ハ)《公募の方法による販売の要件》に掲げる要件に該当するものであること。

へ

個人が自己の計算により新築した住宅又は請負の方法により新築した住宅〔個人が請負の方法により新築した住宅で当該住宅の敷地の用に供された土地と併せて引き渡したもの（(８)参照）をいう。〕(その新築が優良な住宅の供給に寄与するものであることについて都道府県知事の認定を受けたものに限る。)の敷地の用に供された一団の宅地（その面積が1,000平方メートル以上のものに限る。）の全部又は一部の当該個人による譲渡で、ニ(イ)《適正な対価の要件》及び同(ハ)《公募の方法による販売の要件》に掲げる要件に該当するもの（ニ及びホの譲渡に該当するものを除く。）(措令19⑭)

（注）１　上記の都道府県知事の認定は、住宅を新築した個人の申請に基づき、当該住宅が次の事項について国土交通大臣の定める基準に適合している場合に行うものとする。（措令19⑮）

(一)	建築基準法その他住宅の建築に関する法令の遵守に関する事項
(二)	住宅の床面積に関する事項
(三)	その他優良な住宅の供給に関し必要な事項

２　上記の優良な住宅の認定基準は昭和54年３月31日付建設省告示第768号（第二節**—２**①(28)参照。）により告示されている。（編者注）

ト

次に掲げる一団の宅地（その面積が1,000平方メートル未満のものに限る。）の全部又は一部の当該個人による譲渡で当該譲渡に係る対価の額が当該譲渡に係る適正な対価の額として**２**②で定める金額以下であるもの

(イ) 当該個人が造成した一団の宅地でその造成が優良な宅地の供給に寄与するものであることについて市町村長又は特別区の区長（その造成が開発許可を受けたものである場合には、当該許可をした者）の認定を受けたもの

（注）　上記の市町村長又は特別区の区長（開発許可をした者を含む。）の認定については、ホ(イ)(注)１を準用する。この場合において、ホ(イ)(注)１のうち「行おうとする」とあるのは、「行った」と読み替えるものとする。（措令19⑰）

(ロ) 一団の宅地で、当該個人が自己の計算により新築した住宅又はへに規定する請負の方法により新築した住宅（その新築が優良な住宅の供給に寄与するものであることについて市町村長又は特別区の区長の認定を受けたものに限る。）の敷地の用に供されたもの（(イ)の宅地に該当するものを除く。）(措令19⑭)

（注）　上記の市町村長又は特別区の区長の認定については、へ(注)１を準用する。（措令19⑰）

チ

宅地建物取引業法第２条第３号に規定する宅地建物取引業者である個人の行う土地等（当該個人が他の個人から譲渡を受けた土地等のうち、当該他の個人又は当該他の個人の親族が当該譲渡があった日の１年前の日から引き続き主としてその居住の用に供していた家屋〔１棟の家屋で、その構造上区分された数個の部分を独立して住居その他の用に供することができるもののうちその各部分が区分所有されているものにあっては、当該他の個人が区分所有していた部分で当該居住の用に供していたものとする。以下同じ。〕の敷地の用に供されているものを当該家屋とともに譲渡を受けた場合又は災害により滅失した当該家屋の敷地の用に供されていたもの

	の譲渡を受けた場合における土地等〔その面積が500平方メートル以下のものに限る。〕に限る。）の譲渡でその取得後６月以内に行われるもののうち土地等の売買の代理又は媒介に関し報酬を受ける行為に類するものとして(３)で定めるもの（措令19⑱⑲）（この規定の適用に関しては、(３)、(16)及び(17)参照＝編者注）

（ハで定める収用交換等）

(１)　**1**のハの収用交換等による土地等の譲渡は、契約により行われる土地等の譲渡（賃借権の設定等を含む。）のうち次の(一)及び(二)に掲げるもの以外のものをいう。（措令19⑩）

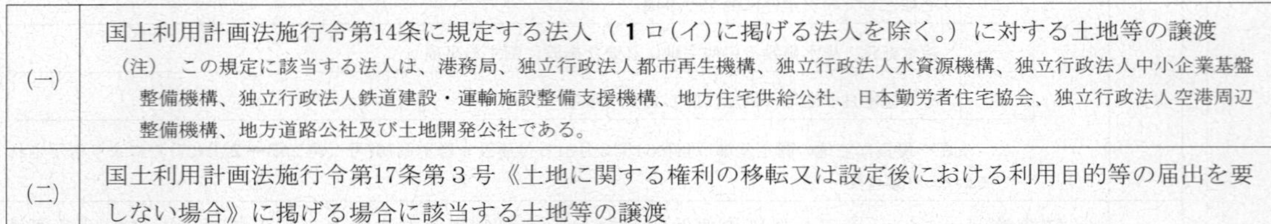

(一)	国土利用計画法施行令第14条に規定する法人（**1**ロ(イ)に掲げる法人を除く。）に対する土地等の譲渡 （注）　この規定に該当する法人は、港務局、独立行政法人都市再生機構、独立行政法人水資源機構、独立行政法人中小企業基盤整備機構、独立行政法人鉄道建設・運輸施設整備支援機構、地方住宅供給公社、日本勤労者住宅協会、独立行政法人空港周辺整備機構、地方道路公社及び土地開発公社である。
(二)	国土利用計画法施行令第17条第３号《土地に関する権利の移転又は設定後における利用目的等の届出を要しない場合》に掲げる場合に該当する土地等の譲渡

（ニ及びホで定める譲渡――公募要件の適用されない譲渡）

(２)　**1**ニ及び同ホで定める譲渡は、これらの号に規定する一団の宅地の全部又は一部（その面積が国土利用計画法第23条第２項第１号イからハまでに規定する区域に応じそれぞれ同号イからハまでに規定する面積以上のものに限る。）を、宅地建物取引業法第２条第３号に規定する宅地建物取引業者（新築された住宅又は住宅の敷地の用に供される宅地の分譲の事業を行うものに限る。）に対し譲渡した場合であって、当該宅地建物取引業者が当該宅地の上に自己の計算により住宅を新築し、かつ、その新築した住宅とともに当該宅地を公募の方法により譲渡するものであること又は当該宅地建物取引業者が当該宅地を公募に係る応募者に対し譲渡することを約し、かつ、当該宅地の上に住宅を請負の方法により新築するものであることが確実であると認められることにつき、国土交通大臣の定めるところにより、当該宅地が所在する都道府県の知事（当該宅地が地方自治法第252条の19第１項の指定都市に所在する場合には、当該指定都市の長）の認定を受けた場合における当該譲渡とする。（措令19⑪）

（チの仲介行為に類する土地等の譲渡）

(３)　**1**チで定める土地等の譲渡は、**1**チに規定する個人が取得した同かっこ書に規定する土地等を同かっこ書に規定する家屋とともに譲渡する場合（災害により滅失した当該家屋の敷地の用に供されていた土地等の譲渡をする場合を含む。）であって、当該土地等及び当該家屋（以下「**居住用土地等**」という。）の譲渡に係る対価の額から次の(一)及び(二)に掲げる金額の合計額を控除した金額が、売買の代理報酬相当額（当該個人が当該居住用土地等につき売買の代理を行うものとした場合において、当該居住用土地等の(一)に掲げる金額を当該売買に係る代金の額とみなして宅地建物取引業法第46条第１項の規定を適用したならば当該代理に関し受けることができることとされる同項に規定する報酬の額に相当する金額をいう。）を超えない場合における土地等の譲渡とする。（措令19⑳）

(一)	当該居住用土地等に係る原価の額として**二**《土地等に係る事業所得等の計算》イにより計算した金額（当該金額のうちに他の宅地建物取引業者に対して支払った当該居住用土地等の売買の代理又は媒介に関する報酬の額に相当する金額が含まれている場合には、当該金額を控除した金額）
(二)	当該居住用土地等の保有のために要した負債の利子の額として(一)に掲げる金額に100分の６の割合を乗じて計算した金額を12で除してこれに当該居住用土地等の譲渡を受けた日から当該居住用土地等の譲渡をした日までの期間の月数を乗じて計算した金額

（注）　(二)の月数は、暦に従って計算し、15日に満たない端数を生じたときはこれを切り捨て、15日以上で、かつ、１月に満たない端数を生じたときはこれを１月とする。（措令19㉑）

（収用交換等による土地の譲渡等）

(４)　事業所得又は雑所得の基因となる土地等を第二節**三**《収用等に伴い代替資産を取得した場合の課税の特例》に規定する収用等又は同**四**《交換処分等に伴い資産を取得した場合の課税の特例》に規定する交換処分等により譲渡した場合のこの節の規定の適用関係は、次のようになる。（措通28の４－35）

(一)　同節**四**の規定の適用を受けたもの（同節**四 1**に規定する補償金等の額に対応する部分を除く。）及び同節**五**《換地処分等に伴い資産を取得した場合の課税の特例》に規定する換地処分によるもの（同**五 1**又は同**2**に規定する清算金の額又は保留地の対価の額に対応する部分を除く。）については、譲渡がなかったものとされる。

(二)　(一)以外のもので、**1**ハのかっこ内の要件に該当するものについては、総合課税の事業所得又は雑所得とされる。

(三)　(一)及び(二)以外のものについては、分離課税の事業所得又は雑所得とされる。

（地方公共団体の出資又は拠出により設立された法人の意義）

(5)　**1**ロ(ロ)(一)に規定する「その出資金額又は拠出をされた金額の全額が地方公共団体により出資又は拠出をされていること」とは、外部から導入される資金（債務の額を除く。）のすべてが地方公共団体により出資又は拠出をされることをいうのであるから、一の法人について出資金額と拠出をされた金額とがある場合には、そのいずれについてもその全額が地方公共団体によって出資又は拠出をされていなければならないことに留意する。（措通28の４－36）

（土地区画整理事業の換地処分により取得した土地の譲渡の除外規定の適用）

(6)　土地区画整理事業の換地処分により取得した土地（仮換地の指定を受けた土地で、既に造成を完了し、そのまま換地処分に至ることが確実と認められるものを含む。）を譲渡した場合において、これらの土地に係る一団の宅地の造成について**1**ホ又は同ト(イ)に規定する認定を受けているときは、当該一団の宅地は、自ら造成したものとして取り扱う。（措通28の４－37）

（優良宅地の造成の意義）

(7)　**1**ニ、同ホ及び同ト(イ)の規定は、自己が造成した宅地の譲渡について適用されるのであるが、この場合の自己が造成した宅地とは、**3**《適用除外の証明書》ニ(イ)、同ホ(イ)又は同ト(イ)に掲げる書類により証明された宅地をいうものとする。（措通28の４－38）

（いわゆる売建方式による場合の土地の引渡しの時期）

(8)　請負の方法により新築する住宅の敷地の用に供する土地の譲渡につき**1**ヘ又は同ト(ロ)の規定の適用を受ける場合には、当該土地はその代金の相当部分（おおむね50％以上）を収受するに至った日と所有権移転登記の申請（その登記の申請に必要な書類の相手方への交付を含む。）をした日とのいずれか早い日に引渡しがあったものとして取り扱う。

この場合において、そのいずれか早い日の属する年に当該土地の上に請負の方法により新築した住宅の引渡しが行われたときは、当該住宅は、**1**ヘに規定する「当該住宅の敷地の用に供された土地と併せて引き渡したもの」に該当するものとする。（措通28の４－39）

（造成工事の対価として取得した土地を譲渡した場合の除外規定の適用）

(9)　**一２**(12)の場合において、造成工事を請け負った者がその造成工事の対価として造成後の土地の一部を取得したときは、当該土地の譲渡に係る**1**の規定の適用については、次によるものとする。（措通28の４－40）

(一)　当該土地は、自ら造成をした土地に該当する。

(二)　当該土地が**1**ニ、同ホ又は同ト(イ)のいずれに該当するかは、その造成された一団の宅地の全体により判定する。

(三)　**3**《適用除外の証明書》ニ(イ)、同ホ(イ)又は同ト(イ)に掲げる書類は、当該土地の従前の所有者の当該土地に係る当該書類の写しによることができる。

（公募手続開始前の譲渡）

(10)　公募手続開始前の土地等の譲渡は、たとえその譲渡が一般需要者に対するものであり、かつ、公募後の譲渡と同一条件により行われたものであっても、公募の方法による譲渡には該当しないものとする。（措通28の４－41）

（会員を対象とする土地等の譲渡）

(11)　いわゆるハウジングメイト等会員を対象として土地等の譲受人を募集する場合であっても、その会員の募集が公募の方法により行われるときは、当該会員を対象とする譲受人の募集は、公募の方法に該当するものとする。（措通28の４－42）

(注)　「会員の募集が公募の方法により行われているとき」には、一団の宅地の造成分譲を目的として、その分譲を希望する組合員、出資者等を募集する場合を含むものとするが、会員等となるに当たって縁故関係を必要とすること、入会資格に強い制約のある社交団体の会員

資格を必要とすること等の場合は、これに含まれないものとする。

（一団の宅地の一部の譲渡が公募要件を欠く場合の除外規定の適用）

(12)　一団の宅地の譲渡のうちに縁故募集等公募の方法によらない部分の譲渡と公募の方法による部分の譲渡とがある場合には、原則としてその公募の方法による部分の譲渡のみが**1**ニ(ハ)に規定する要件（以下「**公募要件**」という。）に該当するのであるが、一団の宅地の相当部分を公募の方法により譲渡し、一部分を特別の事情により公募の方法によらないで譲渡した場合において、その特別の事情が**1**ニの開発許可、同ホ又は同への認定の認定の要件となっていること、その一団の宅地の生活条件等の整備上必要であること等相当と認められるものであるときは、その一団の宅地の譲渡の全部が公募要件に該当するものとして取り扱う。（措通28の４－43）

（公募売れ残り品の譲渡）

(13)　一団の宅地の譲渡に際し、公募の方法により再三譲受人を募集したが、なお売れ残った土地等がある場合において、その後公募の際とおおむね同一の条件により当該土地等を譲渡したときは、譲受人が転売を目的として取得したと認められる場合（その譲渡が(2)に定める要件に該当する場合を除く。）を除き、その売れ残った土地等の譲渡は公募の方法により行われたものとする。（措通28の４－44）

(注)　土地等の譲渡が(2)に定める要件に該当する場合には、**1**の規定の適用上、公募要件を満たしている必要はない。

（一団の宅地の一部が住宅以外の施設の敷地の用に供される場合の除外規定の適用）

(14)　**1**への規定を適用する場合において同へに規定する新築された優良な住宅の敷地の用に供される一団の宅地の規定を適用する場合において同ロに規定する新築された良質な住宅の敷地の用に供される一団の宅地には、当該住宅に居住する者の生活条件等の整備上必要な施設の敷地の用に供される土地等を含むものとして取り扱う。（措通28の４－45）

(注)　住宅に居住する者の生活条件等の整備上必要な施設の敷地の用に供される土地等については、**3**《適用除外の証明書》のへの(イ)の証明は要しないことに留意する。

（併用住宅の敷地）

(15)　**1**へ又は同ト(ロ)に規定する認定を受けた新築された住宅に係る建物の敷地の用に供された土地等は、当該建物が住宅以外の部分を有するものであっても、その全部がこれらに規定する新築された住宅の敷地の用に供されたものに該当することに留意する。（措通28の４－46）

（災害により滅失した家屋の意義）

(16)　**1**チに規定する「災害により滅失した当該家屋」とは、同チに規定する個人が他の個人から譲渡を受けた土地等の上に存していた家屋で、その譲渡の日前１年前の日から当該他の個人又は当該他の個人の親族が居住の用に供していたものが、その後当該譲渡の日までの間に災害により滅失した場合における当該家屋をいう。（措通28の４－48）

（主として居住の用に供していた家屋の意義）

(17)　**1**チに規定する「主としてその居住の用に供していた家屋」とは、同チに規定する他の個人又は当該他の個人の親族が生活の本拠として使用していた家屋（当該家屋が居住の用と居住の用以外の用に供されていた場合には、その家屋の床面積の２分の１以上に相当する部分が専ら居住の用に供されていたものに限る。）をいう。したがって、いわゆる別荘の用に供されていた家屋は、これに該当しないのであるから留意する。（措通28の４－49）

(注)　その家屋の床面積の２分の１以上に相当する部分が専ら居住の用に供されていたかどうかは、当該家屋に係る廊下、階段その他その共用に供すべき部分の床面積を除いたところで判定する。

2　適正な対価の額

①　1,000平方メートル以上の土地等の適正な対価の額

1ニ(イ)に規定する「適正な対価の額」は、次の(一)から(四)までに掲げる場合の区分に応じ当該(一)から(四)までに定める金額とする。（措令19⑫）

(一)	国土利用計画法第14条第１項に規定する許可を受けて土地の譲渡をした場合	当該許可に係る**予定対価の額**（同項に規定する予定対価の額をいう。以下

		(四)までにおいて同じ。)
(二)	国土利用計画法第27条の４第１項《注視区域における土地に関する権利の移転等の届出》(第27条の７第１項《監視区域における土地等に関する権利の移転等の届出》において準用する場合を含む。) に規定する届出 (以下(二)及び(三)において「**届出**」という。) をし、かつ、同法第27条の５第１項《注視区域における土地売買等の契約に関する勧告等》又は第27条の８第１項《監視区域における土地売買等の契約に関する勧告等》の規定による勧告を受けないで土地の譲渡をした場合	当該届出に係る予定対価の額
(三)	国土利用計画法施行令第17条の２第１項第３号から第５号《注視区域における土地に関する権利の移転等の届出を要しない場合》までに掲げる場合に該当するため届出をしないで土地の譲渡をした場合	当該土地の譲渡に係る予定対価の額
(四)	(一)から(三)までに掲げる場合のほか、土地の譲渡を行おうとする個人が、国土交通大臣の定めるところにより、当該土地の譲渡に係る対価の額として予定している金額 (以下「**譲渡予定価額**」という。) につき当該土地が所在する都道府県の知事 (当該土地が地方自治法第252条の19第１項の指定都市に所在する場合には、当該指定都市の長。以下同じ。) に対し申出をし、かつ、当該都道府県の知事から当該譲渡予定価額につき意見がない旨の通知を受けた場合において当該土地の譲渡をしたとき。	当該申出に係る譲渡予定価額

②　1,000平方メートル未満の土地等に係る適正な対価の額

1トに規定する「適正な対価の額」は、国土利用計画法第14条第１項に規定する許可を受けて土地の譲渡をした場合にあっては当該許可に係る予定対価の額とし、その他の場合にあっては同表のトに規定する譲渡に係る土地若しくは当該土地の近傍類地の地価公示法第８条《不動産鑑定士等の土地についての鑑定評価の準則》に規定する公示価格若しくは国土利用計画法施行令第９条第１項《基準地の標準価格》に規定する標準価格又は当該土地の近傍類地につき行われた譲渡で①の(一)から(四)までに掲げる場合に該当するものに係る対価の額に照らし当該土地の譲渡に係る対価の額として相当と認められる価額とする。(措令19⑯)

(1,000平方メートル未満の優良宅地等の適正価格の判定)

(１)　**1**トの規定を適用する場合における1,000平方メートル未満の優良宅地の適正価格は、②に定めるところによるのであるが、次のいずれかの額をもってその譲渡に係る土地 (国土利用計画法第14条第１項に規定する許可を受けて譲渡した土地を除く。) の適正価格として計算している場合には、その計算を認めるものとする。(措通28の４－47)

(一)　公示価格等に係る土地の固定資産税評価額を知ることができる場合において、当該譲渡に係る土地の固定資産税評価額に、当該公示価格等を当該公示価格等に係る土地の固定資産税評価額で除して得た値を乗じて得た額

(注)　公示価格等とは、当該譲渡に係る土地の近傍類地の地価公示法第８条に規定する公示価格若しくは国土利用計画法施行令第９条第１項に規定する標準価格又は当該土地の近傍類地につき行われた譲渡で①の(一)から(四)までに掲げる場合に該当するもの (以下(二)において「**適正譲渡事例**」という。) に係る対価の額をいう。

(二)　適正譲渡事例に係る土地の面積、立地条件、譲渡時期等の諸条件と当該譲渡に係る土地についてのこれらの諸条件とを比較考量した場合に当該適正譲渡事例に係る対価の額を基礎として合理的に算定される当該譲渡に係る土地の価額

(注)　国土利用計画法第27条の６第１項に規定する監視区域内の土地について、同法第27条の７第１項の規定に基づき同法第27条の４第１項に規定する届出をし、かつ、同法第27条の８第１項の規定による勧告を受けないで譲渡した場合における当該届出に係る予定対価の額は、適正対価の額とする。

(三)　当該譲渡に係る土地の取得価額 (支払利子の額が含まれている場合には、当該支払利子の額を控除した金額) に142% (当該土地の保有期間が１年を超える場合には、その超える期間の月数〔１月未満の端数があるときは１月とする。〕に１%を乗じた割合を加算した割合とし、その加算した割合が154%を超えるときは154%とする。) を乗じて計算した額

（土地の譲渡予定価額の申出の手続及び譲渡予定価額についての意見等について定める国土庁告示）

（2）　昭和53年３月31日付国土庁告示第１号には次のことが定められている。（最終改正令和４年国土交通省告示第463号）

第一　（土地の譲渡予定価額の申出の手続）

1　①(四)の都道府県知事（地方自治法第252条の19第１項の指定都市にあっては、指定都市の長。以下同じ。）に対する申出は、これらの規定に規定する土地の譲渡（以下「土地の譲渡」という。）に係る契約（予約を含む。以下同じ。）を締結しようとする日前６週間までに、次の事項を記載した書面（以下「申出書」という。）を提出してするものとする。

一　申出者の氏名又は名称及び住所並びに法人にあっては、その代表者の氏名

二　土地の譲渡に係る土地の所在、面積及び区画数

三　土地の譲渡に係る土地に関する権利（国土利用計画法第14条第１項に規定する土地に関する権利をいう。以下同じ。）の種別及び内容

四　土地の譲渡に係る対価の額として予定している価額

五　土地の譲渡に係る土地の地目及び利用の現況（**1**ロ及び同ハに掲げる土地等の譲渡の場合に限る。）

六　土地の譲渡に係る契約を締結しようとする年月日

七　土地の譲渡に係る土地に、土地に関する権利の移転又は設定と併せて権利の移転又は設定をする工作物等（国土利用計画法施行規則第４条第３号に規定する工作物等をいう。以下同じ。）が存するときは、次に掲げる事項

イ　工作物等の種類及び概要

ロ　移転又は設定に係る工作物等に関する権利の種別及び内容

ハ　工作物等に関する権利の移転又は設定の対価として予定している価額

八　次に掲げる場合の区分に応じそれぞれ次に掲げる年月日

イ　**1**ニの開発許可を受けた場合　　当該開発許可を受けた年月日

ロ　**1**ホの都道府県知事の認定を受けた場合　　当該認定を受けた年月日

ハ　**1**への都道府県知事の認定を受けるための申請をした場合　　当該申請をした年月日

2　前項の申出書には、次に掲げる図面を添付するものとする。

一　土地の譲渡に係る土地の位置を明らかにした縮尺５万分の１以上の地形図

二　土地の譲渡に係る土地の形状を明らかにした縮尺2,500分の１以上の図面

第二　（譲渡予定価額についての意見等）

1　①(四)の譲渡予定価額（以下「譲渡予定価額」という。）につき意見がある場合は、国土利用計画法第27条の５第１項第１号中「届出」とあるのを「申出」と、「予定対価の額」とあるのを「譲渡予定価額」と読み替えた同号の規定に該当する場合とする。

2　第一第１項の申出を受けた都道府県知事は、当該申出に係る譲渡予定価額につき意見がある場合には、その旨を当該申出のあった日から起算して６週間以内に、通知するものとする。

3　適用除外の証明書

1に規定するところにより証明がされた土地等の譲渡は、次のイからチまでに掲げる土地等の譲渡の区分に応じ当該イからチまでに定める書類を確定申告書に添付することにより証明がされた土地等の譲渡とする。（措規11①）

	区　分	証　明　書
イ	**1**イの土地等の譲渡	当該土地等の買取りをする者の当該土地等を買い取った旨を証する書類
ロ	**1**ロの土地等の譲渡	次に定める書類 (イ)　当該土地等の買取りをする者（当該買取りをする者が**1**ロ(ロ)に掲げる法人である場合には、その法人を所轄する地方公共団体の長）の当該土地等を同ロに規定する業務の用に直接供するために買い取った旨を証する書類 (ロ)　当該土地等の買取りをする者が**1**ロ(ロ)に規定する法人であり、かつ、当該譲渡に係る土地等の面積が1,000平方メートル以上である場合には、ニ(ロ)(一)から同(四)までに掲げる場合の区分に応じそれぞれ同(一)から同(四)までに定める書類
ハ	**1**ハの土地等の譲渡	次に定める書類 (イ)　収用証明書（措規14⑤） (ロ)　当該土地等の譲渡が**1**(1)に規定する譲渡に該当し、かつ、当該譲渡に係る土地等の面

<table>
<tr><td></td><td></td><td>積が1,000平方メートル以上である場合には、ニ(ロ)(一)から同(四)までに掲げる場合の区分に応じ、それぞれ同(ロ)(一)から同(四)までに定める書類</td></tr>
<tr><td>ニ</td><td>**1**ニの土地等の譲渡</td><td>次に掲げる書類
(イ)　都市計画法第35条第２項（同法附則第５項において準用する場合を含む。）の通知の文書の写し及び同法第36条第２項（同法附則第５項において準用する場合を含む。）に規定する検査済証の写し（**1**ニに規定する開発許可に基づく地位を承継した個人で、その承継につき都市計画法第45条〈同法附則第５項において準用する場合を含む。〉の都道府県知事の承認を要するものにあっては、これらの書類及び当該承認を受けた旨を証する書類）
(ロ)　当該土地の譲渡の次に掲げる場合の区分に応じ、それぞれ次に定める書類
<table>
<tr><td>(一)</td><td>**2**①(一)に掲げる場合</td><td>**都道府県知事**（地方自治法第252条の19第１項の指定都市にあっては、当該指定都市の長。以下ニにおいて同じ）の国土利用計画法施行令第13条第１項に規定する通知に係る同項の文書の写し並びに当該土地の譲渡に係る対価の額及び**2**①(一)に規定する許可に係る予定対価の額に関する明細書</td></tr>
<tr><td>(二)</td><td>**2**①(二)に掲げる場合</td><td>都道府県知事の国土利用計画法第27条の５第１項又は第27条の８第１項の勧告をしなかった旨を証する書類の写し並びに当該土地の譲渡に係る対価の額及び**2**①(二)に規定する届出に係る予定対価の額に関する明細書</td></tr>
<tr><td>(三)</td><td>**2**①(三)に掲げる場合</td><td>都道府県知事の国土利用計画法施行令第17条の２第１項第３号から第５号までに規定する確認をした旨の通知に係る文書の写し並びに当該土地の譲渡に係る対価の額及び**2**①(三)に規定する予定対価の額に関する明細書</td></tr>
<tr><td>(四)</td><td>**2**①(四)に掲げる場合</td><td>都道府県知事の当該土地の譲渡に係る**2**①(四)に規定する譲渡予定価額につき意見がない旨の通知に係る文書の写し並びに当該土地の譲渡に係る対価の額及び**2**①(四)に規定する申出に係る譲渡予定価額に関する明細書</td></tr>
</table>
(ハ)　**1**ニ(ハ)に掲げる要件《公募の方法による販売の要件》に該当する事実を明らかにする書類（**1**(２)《公募要件の適用されない譲渡》に規定する土地の譲渡に該当するものである場合には、都道府県知事の当該土地の譲渡につき**1**(２)に規定する認定をしたことを証する書類）</td></tr>
<tr><td>ホ</td><td>**1**ホの土地等の譲渡</td><td>次に掲げる書類
(イ)　都道府県知事の当該土地の譲渡に係る宅地の造成につき**1**ホ(イ)に規定する認定をしたことを証する書類及び都道府県知事の当該宅地の造成が当該認定の内容に適合している旨を証する書類
(ロ)　ニ(ロ)及び同(ハ)に定める書類</td></tr>
<tr><td>ヘ</td><td>**1**への土地等の譲渡</td><td>次に掲げる書類
(イ)　都道府県知事の**1**へに規定する認定をしたことを証する書類
(ロ)　ニ(ロ)及び同(ハ)に定める書類</td></tr>
<tr><td>ト</td><td>**1**トの土地等の譲渡</td><td>当該土地の譲渡に係る対価の額及び**2**②に規定する「適正な対価の額」に関する明細書並びに次に掲げる譲渡の区分に応じ、それぞれ次に定める書類
<table>
<tr><td>(イ)</td><td>**1**ト(イ)に掲げる宅地の譲渡</td><td>市町村長又は特別区の区長（当該宅地の造成が**1**ニに規定する開発許可を受けたものである場合には、当該開発許可をした者）の**1**ト(イ)に規定する認定をしたことを証する書類</td></tr>
<tr><td>(ロ)</td><td>**1**ト(ロ)に掲げる宅地の譲渡</td><td>市町村長又は特別区の区長の**1**ト(ロ)に規定する認定をしたことを証する書類及びその譲渡価格が適正であることの事実を明らかにする書類</td></tr>
</table></td></tr>
</table>

チ	1チの土地等の譲渡	次に掲げる書類 (イ)　当該譲渡に係る土地等の所在地を管轄する市町村長（特別区の区長を含むものとし、地方自治法第252条の19第1項の指定都市にあっては、区長又は総合区長とする。）から交付を受けた当該土地等に係る1チに規定する他の個人又は当該他の個人の親族の住民票の写しその他当該土地等が1チに規定する土地等に該当することを明らかにする書類 (ロ)　1(3)に規定する居住用土地等の譲渡に係る対価の額から当該居住用土地等に係る同項の各号に掲げる金額の合計額を控除した金額が同項の売買の代理報酬相当額を超えないことを明らかにするその計算に関する明細書

（確定申告書に添付する書類の書式）

(1)　ニ(ロ)及び同(ハ)（かっこ書を除く。）の書類並びにト及びチ(ロ)の明細書は、それぞれ別紙1から別紙4までの書式（省略）による。（措通28の4－50）

（信託の受益者における書類の添付）

(2)　受益者等課税信託（第二章第四節**2**《信託財産に属する資産及び負債並びに信託財産に帰せられる収益及び費用の帰属》に規定する受益者（同**2**(1)の規定により同**2**に規定する受益者とみなされる者を含む。）がその信託財産に属する資産及び負債を有するものとみなされる信託をいう。）の受益者（同**2**(1)の規定により、同**2**に規定する受益者とみなされる者を含む。）が、当該信託の信託財産に属する土地等の譲渡又は賃借権の設定等に係る雑所得について第一節**三1**の規定の適用を受けようとする場合には、同**1**の規定により、同節**3**イから同チまでに掲げる書類をその確定申告書に添付する必要があるのであるが、その添付に当たっては、これらの書類が受益者の有する信託財産に属する土地等の譲渡等に係るものである旨の受託者の証明を受けたものであることに留意する。（措通28の4－53）

第二節　譲渡所得等の課税の特例

一　土地建物等の長期譲渡所得の課税の特例

1　長期譲渡所得の課税の特例

①　長期譲渡所得の分離課税

個人が、その有する土地若しくは土地の上に存する権利（以下**二**《土地建物等の短期譲渡所得の課税の特例》までにおいて「**土地等**」という。）又は建物及びその附属設備若しくは構築物（以下**二**までにおいて「**建物等**」という。）で、その年１月１日において所有期間が５年を超えるものの**譲渡**（建物又は構築物の所有を目的とする地上権又は賃借権の設定その他契約により他人（当該個人が非居住者である場合の第二章第二節**4**《課税所得の範囲》①(一)に規定する事業場等を含む。）に土地を長期間使用させる行為で第四章第八節**一２**①《資産の譲渡とみなされる行為》で定めるもの（以下**三１**《収用等に伴い代替資産を取得した場合の課税の特例》から**二十**《特定の交換分合により土地等を取得した場合の課税の特例》まで及び**二十一**《特定普通財産とその隣接する土地等の交換の場合の譲渡所得の課税の特例》において「**譲渡所得の基因となる不動産等の貸付け**」という。）を含む。以下**二**までにおいて同じ。）をした場合には、当該譲渡による譲渡所得については、所得税法の規定にかかわらず、他の所得と区分し、その年中の当該譲渡に係る譲渡所得の金額（所得税法に規定する譲渡所得の特別控除額の控除をしないで計算した金額とし、**二**①に規定する短期譲渡所得の金額の計算上生じた損失の金額があるときは、同①後段の規定にかかわらず、当該計算した金額を限度として当該損失の金額を控除した後の金額とする。以下①及び**4**において「**長期譲渡所得の金額**」という。）に対し、長期譲渡所得の金額（第八章**一**《雑損控除》**1**の(注)の規定により読み替えられた第八章**一**から同章**十七**《所得控除の順序》までの規定の適用がある場合には、その適用後の金額。以下**3**までにおいて「**課税長期譲渡所得金額**」という。）の100分の15に相当する金額に相当する所得税を課する。この場合において、長期譲渡所得の金額の計算上生じた損失の金額があるときは、所得税法その他所得税に関する法令の規定の適用については、当該損失の金額は生じなかったものとみなす。（措法31①、措令20①）

（注）「長期譲渡所得の金額」は、譲渡した土地建物等が**七**から**十一**まで《分離譲渡所得の特別控除》の規定の適用を受けるものである場合には、それぞれこれらの規定による特別控除額を控除した残額をいうのであるから留意する。（編者注）

②　土地建物等の所有期間の計算

①に規定する所有期間とは、当該個人が**1**に規定する譲渡をした土地等又は建物等をその取得（建設を含む。）をした日の翌日から引き続き所有していた期間をいう。（措法31②、措令20②）

（交換、贈与、相続又は低額譲渡等により取得した土地建物等の所有期間）

（1）　②の譲渡をした土地等又は建物等が次の(一)から(三)までの左欄に掲げる土地等又は建物等に該当するものである場合には、当該譲渡をした土地等又は建物等については、当該個人が当該(一)から(三)までの右欄に定める日においてその取得をし、かつ、当該右欄に定める日の翌日から引き続き所有していたものとみなして、②の規定を適用する。（措令20③）

(一)	交換により取得した土地等又は建物等で**二十三**《固定資産の交換の場合の譲渡所得の特例》の規定の適用を受けたもの	当該交換により譲渡をした土地等又は建物等の取得をした日
(二)	昭和47年12月31日以前に所得税法の一部を改正する法律（昭和48年法律第８号）による改正前の所得税法第60条第１項各号に該当する贈与、相続、遺贈又は譲渡により取得した土地等又は建物等	当該贈与をした者、当該相続に係る被相続人、当該遺贈に係る遺贈者又は当該譲渡をした者が当該土地等又は建物等の取得をした日
(三)	昭和48年１月１日以後に**二十四３**《贈与等により取得した資産の取得費等》のイ又はロに該当する贈与、相続、遺贈又は譲渡により取得した土地等又は建物等	当該贈与をした者、当該相続に係る被相続人、当該遺贈に係る遺贈者又は当該譲渡をした者が当該土地等又は建物等の取得をした日

（昭和47年以前に贈与等により取得した資産の取得費及び取得時期）

（2）　**二十四 3**《贈与等により取得した資産の取得費等》①及び同④の規定は、昭和48年1月1日以後に贈与、相続若しくは遺贈又は低額譲渡により取得した資産について適用され、昭和47年12月31日以前に贈与、相続若しくは遺贈又は低額譲渡により取得した資産については、所得税法の一部を改正する法律（昭和48年法律第８号）による改正前の所得税法又は旧所得税法（昭和22年法律第27号をいう。）の規定が適用されることに留意する。（基通60－1）

（注）　贈与等の時期に応じ、従前の法律の規定を示すと下表のようになる。

贈与等の区分 ＼ 贈与等の時期			昭25. 4. 1 ～ 昭26.12.31	昭27. 1. 1 ～ 昭28.12.31	昭29. 1. 1 ～ 昭32.12.31	昭33. 1. 1 ～ 昭36.12.31	昭37. 1. 1 ～ 昭40. 3. 31	昭40. 4. 1 ～ 昭47.12.31	昭48. 1. 1 ～
贈与		①　被相続人からの死因贈与							
贈与		②　①以外の贈与					(有) (無)	(有) (無)	
相続		③　限定承認に係る相続						(有) (無)	
相続		④　③以外の相続							
遺贈	包括遺贈	⑤　限定承認に係る包括遺贈						(有) (無)	
遺贈	包括遺贈	⑥　⑤以外の包括遺贈							
遺贈	特定遺贈	⑦　被相続人からの特定遺贈							
遺贈	特定遺贈	⑧　⑦以外の特定遺贈					(有) (無)	(有) (無)	
低額譲渡		譲渡の対価が取得費・譲渡費用の合計額以上のもの					(有) (無)	(有) (無)	
低額譲渡		譲渡の対価が取得費・譲渡費用の合計額未満のもの					(有) (無)	(有) (無)	

（注）1　═══の期間内に取得した資産は、その取得の時の時価に相当する金額により、当該取得の時において取得したものとみなされることを示す。

………の期間内に取得した資産は、贈与者等がその資産を保有していた期間を含めて引き続き所有していたものとみなされることを示す。

〰〰〰の期間内に取得した資産は、実際の譲受けの対価をもって、当該取得の時において取得したものとされることを示す。

2　「(有)」、贈与者等について、所得税法の一部を改正する法律（昭和48年法律第８号）による改正前の所得税法第59条第１項《みなし譲渡課税》の規定の適用があったことを示す。

「(無)」は、同条第２項の規定による書面を提出したことにより、贈与者等について、同条第１項の規定の適用がなかったことを示す。

（代替資産等の取得の日）

（3）　次に掲げる資産について②に規定する所有期間を判定する場合における②に規定する「その取得をした日」は、それぞれ次に掲げる日によることに留意する。（措通31・32共－5、編者補正）

（一）　その取得につき**三**《収用等に伴い代替資産を取得した場合の課税の特例》、**四**《交換処分等に伴い資産を取得した場合の課税の特例》、**五**《換地処分等に伴い資産を取得した場合の課税の特例》又は**二十**《特定の交換分合により土地等を取得した場合の課税の特例》の規定の適用を受けた代替資産等　　これらの規定の適用に係る旧譲渡資産

の取得の日

(二)　その取得につき**十五**《特定の居住用財産の買換え及び交換の場合の長期譲渡所得の課税の特例》**1**若しくは同**5**、**十八**《特定の事業用資産の買換え又は交換の特例》**1**若しくは同**4**、**十九**《既成市街地等内にある土地等の中高層耐火建築物等建設のための買換え又は交換の特例》又は**二十一**《特定普通財産とその隣接する土地等の交換の場合の譲渡所得の課税の特例》の規定の適用を受けた買換資産等　これらの資産の実際の取得の日

(改良、改造等があった土地建物等の所有期間の判定)

(4)　その取得後改良、改造等を行った土地建物等について②に規定する所有期間を判定する場合における②に規定する「その取得をした日」は、その改良、改造等の時期にかかわらず、当該土地建物等の取得をした日によるものとする。(措通31・32共－6)

(配偶者居住権等が消滅した場合における建物又は土地等の所有期間の判定)

(5)　配偶者居住権又は当該配偶者居住権の目的となっている建物の敷地の用に供される土地等を当該配偶者居住権に基づき使用する権利(以下(5)及び(6)において「配偶者居住権等」という。)が消滅した後に、当該配偶者居住権の目的となっていた建物又は当該土地等を譲渡した場合において、②に規定する所有期間を判定するときにおける②に規定する「その取得をした日」は、配偶者居住権等の消滅の時期にかかわらず、当該建物又は当該土地等の取得をした日によることに留意する。(措通31・32共－7)

(配偶者居住権を有する居住者が建物又は土地等を取得した場合の所有期間の判定)

(6)　配偶者居住権を有する居住者が、当該配偶者居住権の目的となっている建物又は当該建物の敷地の用に供される土地等を取得し当該建物又は当該土地等を譲渡した場合において、②に規定する所有期間を判定するときにおける②に規定する「その取得をした日」は、配偶者居住権等の取得の時期にかかわらず、当該建物又は当該土地等の取得をした日によることに留意する。(措通31・32共－8)

(借地権者等が取得した底地の取得時期等)

(7)　借地権その他の土地の上に存する権利(以下「借地権等」という。)を有する者が当該権利の設定されている土地(以下「底地」という。)を取得した場合には、その土地の取得の日は、当該底地に相当する部分とその他の部分とを各別に判定するものとする。

底地を有する者がその土地に係る借地権等を取得した場合も、同様とする。(基通33－10)

(譲渡資産のうちに短期保有資産と長期保有資産とがある場合の収入金額等の区分)

(8)　一の契約により譲渡した資産のうちに短期保有資産(第四章第八節**二**《譲渡所得の金額》**1**(一)に掲げる所得の基因となる資産をいう。)と長期保有資産(同節**二1**(二)に掲げる所得の基因となる資産をいう。)とがある場合には、それぞれの譲渡資産の収入金額は、当該譲渡に係る収入金額の合計額をそれぞれの譲渡資産の当該譲渡の時の価額の比によりあん分して計算するものとし、当該譲渡資産に係る譲渡費用で個々の譲渡資産との対応関係の明らかでないものがあるときは、当該譲渡費用の額をそれぞれの資産に係る収入金額の比であん分するなど合理的な方法によりそれぞれの資産に係る当該譲渡費用の額を計算するものとする。この場合において、当事者の契約によりそれぞれの譲渡資産に対応する収入金額が区分されており、かつ、その区分がおおむねその譲渡の時の価額の比により適正に区分されているときは、これを認める。(基通33－11)

(分離課税とされる譲渡所得の基因となる資産の範囲)

(9)　**一**又は**二**の規定により分離課税とされる譲渡所得の基因となる資産は、次に掲げる資産に限られるから、鉱業権(租鉱権及び採石権その他土石を採掘し又は採取する権利を含む。)、温泉を利用する権利、配偶者居住権(当該配偶者居住権の目的となっている建物の敷地の用に供される土地(土地の上に存する権利を含む。)を当該配偶者居住権に基づき使用する権利を含む。)、借家権、土石(砂)などはこれに含まれないことに留意する。(措通31・32共－1)

(一)　土地若しくは土地の上に存する権利又は建物及びその附属設備若しくは構築物(以下「土地建物等」という。)

(二)　事業又はその用に供する資産の譲渡に類するものとして**二**③(2)(二)《土地等の譲渡に類する株式の譲渡の範囲》に掲げる株式等(同③に規定する株式等をいう。)のうち同**二**③(1)(一)又は同(二)に掲げるもの

（転用未許可農地）

(10)　農地法第３条第１項《農地又は採草放牧地の権利移動の制限》若しくは第５条第１項《農地又は採草放牧地の転用のための権利移動の制限》の規定による許可を受けなければならない農地若しくは採草放牧地又は同項第６号の規定による届出をしなければならない農地若しくは採草放牧地を取得するための契約を締結した者が当該契約に係る権利を譲渡した場合には、当該譲渡による譲渡所得は、**一**又は**二**の規定の適用がある譲渡所得に該当するものとする。（措通31・32共－１の２）

（受益者等課税信託の信託財産に属する資産の譲渡等）

(11)　受益者等課税信託（第二章第四節**2**《信託財産に属する資産及び負債並びに信託財産に帰せられる収益及び費用の帰属》に規定する受益者（同**2**（１）の規定により同**2**に規定する受益者とみなされる者を含む。以下「受益者等」という。）がその信託財産に属する資産及び負債を有するものとみなされる信託をいう。以下同じ。）の信託財産に属する資産が（９）に掲げる分離課税とされる譲渡所得の基因となる資産である場合における当該資産の譲渡又は受益者等課税信託の受益者等としての権利の目的となっている信託財産に属する資産が（９）に掲げる分離課税とされる譲渡所得の基因となる資産である場合における当該権利の譲渡による所得は、原則として分離課税とされる譲渡所得となり、**一**又は**二**の規定その他の所得税に関する法令の規定を適用することとなる。なお、この場合においては次の点に留意する。（措通31・32 共－１の３）

（一）　受益者等課税信託の信託財産に属する資産の譲渡があった場合において、当該資産の譲渡に係る信託報酬として当該受益者等課税信託の受益者等が当該受益者等課税信託の受託者に支払った金額については、第四章第八節**二1**《譲渡所得の金額》に規定する「資産の譲渡に要した費用」に含まれる。

（二）　委託者と受益者等がそれぞれ一であり、かつ、同一の者である場合の受益者等課税信託の信託財産に属する資産の譲渡があった場合又は当該受益者等課税信託の受益者等としての権利の譲渡があった場合における当該資産又は当該権利に係る資産の②に規定する「その取得をした日」は、当該委託者が当該資産の取得をした日となる。

（注）　当該受益者等課税信託の信託財産に属する資産が信託期間中に信託財産に属することとなったものである場合には、当該資産が信託財産に属することとなった日となる。

（三）　受益者等課税信託の受益者等としての権利の譲渡があった場合において、当該受益者等としての権利の目的となっている信託財産に属する債務があるため、当該譲渡の対価の額が当該債務の額を控除した残額をもって支払われているときは、当該譲渡による収入すべき金額は、第六章第一節《収入金額》**一1**の規定により、その支払を受けた対価の額に当該控除された債務の額に相当する金額を加算した金額となる。

（注）　譲渡された受益者等としての権利の目的となっている資産（金銭及び金銭債権を除く。）の譲渡収入金額は、当該受益者等としての権利の譲渡により収入すべき金額からその信託財産に属する金銭及び金銭債権の額を控除した残額を基礎として、当該受益者等としての権利の譲渡の時における当該受益者等としての権利の目的となっている各資産（金銭及び金銭債権を除く。）の価額の比によりあん分して算定するものとする。

（四）　委託者が受益者等課税信託の受益者等となる信託の設定により信託財産に属することとなった資産の譲渡に係る譲渡所得の金額の計算上控除する取得費は、当該委託者が当該資産を引き続き有しているものとして、第四章第八節**二2**《譲渡所得の金額の計算上控除する取得費》の規定を適用して計算した金額となる。

（注）　当該受益者等課税信託の信託期間中に、当該受益者等課税信託に係る信託財産に属することとなった資産の取得費は、受益者等が、当該資産を当該受益者等課税信託の受託者がその取得のために要した金額をもって取得し、引き続き有しているものとして、第四章第八節**二2**の規定を適用して計算する。この場合において、当該資産の取得に係る信託報酬として当該受益者等課税信託の受益者等が当該受益者等課税信託の受託者に支払った金額については、同**2**①に規定する「資産の取得に要した金額」に含まれる。

（五）　分離課税とされる譲渡所得に関する課税の特例等の規定の適用を受けようとする受益者等が確定申告書に添付すべき書類については、昭和55年12月26日付直所３－20ほか１課共同「租税特別措置法に係る所得税の取扱いについて」（法令解釈通達）の28の４－53《信託の受益者における書類の添付》に準ずる。

③　分離課税の譲渡所得がある場合の損益計算

1《長期譲渡所得の課税の特例》①の規定により**二**①《短期譲渡所得の分離課税》に規定する短期譲渡所得の金額の計算上生じた損失の金額を控除する場合において、**1**《長期譲渡所得の課税の特例》①に規定する長期譲渡所得の金額のうちに**七1**《5,000万円特別控除》、**八1**《2,000万円特別控除》、**九1**《1,500万円特別控除》、**十1**《800万円特別控除》、**十一1**①《3,000万円特別控除》、**十二1**《1,000万円特別控除》又は**十三1**《100万円特別控除》の規定の適用に係る部分の金額とその他の部分の金額とがあるときは、当該損失の金額は、まず当該他の部分の金額から控除し、なお控除しきれない当該損失の金額があるときは、これを順次100万円控除、800万円控除、1,000万円控除、1,500万円控除、2,000万円控除、3,000万円控除又は5,000万円控除の規定の適用に係る部分の金額から控除する。（措令20⑦）

（譲渡所得の金額の計算）

（1）　**分離短期譲渡所得**（譲渡所得のうち**二**《短期譲渡所得の分離課税》①（同③《土地等の譲渡に類する株式等の譲渡所得の分離課税》において準用する場合を含む。以下(1)において同じ。）の規定の適用がある所得をいう。以下同じ。）の金額又は**分離長期譲渡所得**（譲渡所得のうち**1**①の規定の適用がある所得をいう。以下同じ。）の金額を計算する場合において、これらの所得の基因となった資産のうちに譲渡損失の生じた資産があるときは、その年中に譲渡した資産を分離短期譲渡所得の基因となる資産及び分離長期譲渡所得の基因となる資産に区分して、これらの資産の区分ごとに、それぞれの総収入金額から当該資産の取得費及び譲渡費用の合計額を控除して譲渡損益を計算する。この場合において、その区分ごとに計算した金額のうちに損失の生じたものがあるときは、その損失の金額は、次により他の譲渡益から控除する。（措通31・32共－2）

（一）　分離短期譲渡所得の損失の金額は、分離長期譲渡所得の譲渡益から控除し、なお控除しきれない損失の金額は生じなかったものとみなす。

（二）　分離長期譲渡所得の損失の金額は、分離短期譲渡所得の譲渡益から控除し、なお控除しきれなかった損失の金額については、当該損失の金額のうちに居住用財産の譲渡損失の金額（**十六**《居住用財産の買換え等の場合の譲渡損失の損益通算及び繰越控除》**1**①に規定する居住用財産の譲渡損失の金額をいう。）又は特定居住用財産の譲渡損失の金額（**十七**《特定居住用財産の譲渡損失の損益通算及び繰越控除》**1**①に規定する特定居住用財産の譲渡損失の金額をいう。）があることとなる場合を除き、生じなかったものとみなす。

（適用税率が異なる資産の譲渡がある場合の譲渡所得の計算）

（2）　分離長期譲渡所得の基因となる資産のなかに**優良住宅地の造成等のために譲渡した土地等**（**2**に規定する優良住宅地等のための譲渡又は**2**②に規定する確定優良住宅地等予定地のための譲渡に係る土地等をいう。以下において同じ。）と**居住用財産**（**3**の規定の適用を受ける居住用財産をいう。以下において同じ。）とその他の土地建物等とがある場合における(1)又は(4)の適用については、次によるものとする。ただし、納税者がこの取扱いと異なる計算をして申告したときは、その計算を認める。（措通31－1(1)、(2)）

（一）　(1)において分離長期譲渡所得に係る譲渡損益を計算する場合には、分離長期譲渡所得の基因となる資産を優良住宅地の造成等のために譲渡した土地等又は居住用財産とその他の土地建物等とに区分して譲渡損益を計算し、その区分ごとに計算した金額のいずれかに損失が生じたときは、当該損失の金額は、次により他の譲渡益から控除する。

イ　当該損失の金額が優良住宅地の造成等のために譲渡した土地等又は居住用財産につき生じたものであるときは、まず、その他の土地建物等に係る譲渡益から控除する。

ロ　イによる控除をしてもなお控除しきれない損失の金額があるとき又は当該損失の金額がその他の土地建物等につき生じたものであるときは、優良住宅地の造成等のために譲渡した土地等に係る譲渡益又は居住用財産に係る譲渡益から順次控除する。

（二）　(1)(一)により、分離短期譲渡所得の損失の金額を分離長期譲渡所得の譲渡益から控除する場合には、その他の土地建物等に係る譲渡益、優良住宅地の造成等のために譲渡した土地等に係る譲渡益又は居住用財産に係る譲渡益から順次控除する。

（軽減税率対象土地等に係る部分の譲渡所得の計算）

（3）　分離短期譲渡所得の基因となる資産のなかに**二**④の軽減税率対象土地等とその他の土地建物等（有価証券を含む。以下(3)において同じ。）とがある場合における(1)又は(4)の適用については、次によるものとする。（措通32－9(1)、(2)、編者補正）

（一）　(1)において、分離短期譲渡所得に係る譲渡損益を計算する場合には、分離短期譲渡所得の基因となる資産を軽減税率対象土地等とその他の土地建物等とに区分し、これらの資産ごとに、それぞれ総収入金額から当該資産の取得費及び譲渡費用の合計額を控除して譲渡損益を計算する。この場合において、その区分ごとに計算した金額のいずれかに損失が生じたときは、当該損失の金額は他の譲渡益から控除する。

（二）　(1)(二)により、分離長期譲渡所得の損失の金額を分離短期譲渡所得の譲渡益から控除する場合には、まず、軽減税率対象土地等以外の部分に係る分離短期譲渡所得の譲渡益から控除する。

（特別控除額の異なる資産の譲渡がある場合の譲渡所得の構成）

（4）　その年中の分離短期譲渡所得又は分離長期譲渡所得のうちに、収用交換等の場合の5,000万円控除（**七**参照）、居住用財産を譲渡した場合の3,000万円控除（**十一**参照）、特定土地区画整理事業等のために土地等を譲渡した場合の

2,000万円控除（**八**参照）、特定住宅地造成事業等のために土地等を譲渡した場合の1,500万円控除（**九**参照）、特定期間に取得をした土地等を譲渡した場合の長期譲渡所得の1,000万円控除（**十二**参照）、農地保有の合理化等のために農地等を譲渡した場合の800万円控除（**十**参照）若しくは低未利用土地等を譲渡した場合の長期譲渡所得の100万円控除（**十三**参照）の対象となる所得又はその他の所得が２以上ある場合において、その年中に譲渡した資産のうちに譲渡損失の生ずる資産があるときは、分離短期譲渡所得の譲渡益又は分離長期譲渡所得の譲渡益は、それぞれの金額の範囲内において、まず5,000万円控除の対象となる資産の譲渡益から成るものとし、次に、3,000万円控除、2,000万円控除、1,500万円控除、1,000万円控除、800万円控除若しくは100万円控除の対象となる資産の譲渡益又はその他の資産の譲渡益から順次成るものとする。

その年分の短期譲渡所得の金額又は長期譲渡所得の金額の計算上、居住用財産の買換え等の場合の譲渡損失の損益通算及び繰越控除、特定の居住用財産の譲渡損失の損益通算及び繰越控除又は雑損失の繰越控除の適用がある場合も、これに準ずる。（措通31・32共－３）

＜計算例＞

具体的な計算例を示すと次のようになる。

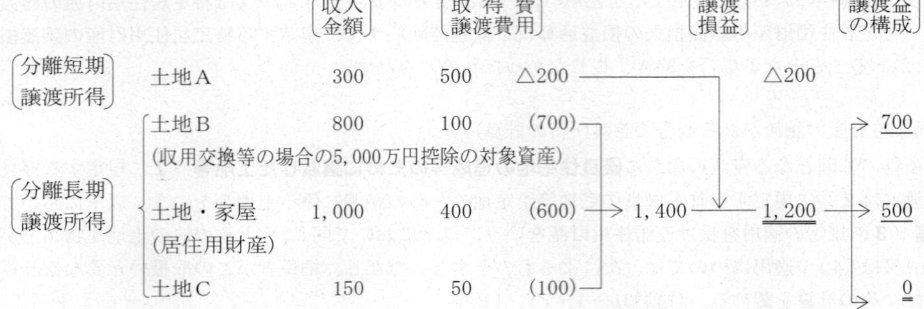

（適用税率が異なる資産の譲渡がある場合の譲渡所得の計算）

（５）（４）において、同一の特別控除額の対象となる資産の分離長期譲渡所得の譲渡益のなかに、居住用財産に係るものとその他の土地建物等に係るものとがある場合には、当該譲渡益は、居住用財産に係るもの、その他の土地建物等に係るものから順次成るものとする。ただし、納税者がこの取扱いと異なる計算をして申告したときは、その計算を認める。（措通31－１（３）、編者補正）

（注）　優良住宅地の造成等のために譲渡した土地等について特別控除等の規定の適用を受けるときは、**2**《優良住宅地の造成等のために土地等を譲渡した場合の長期譲渡所得の課税の特例》の規定は適用できないことに留意する。

（軽減税率対象土地等に係る部分の譲渡所得の計算）

（６）（４）において、同一の特別控除額の対象となる資産の分離短期譲渡所得の譲渡益のなかに、**二**④の軽減税率対象土地等に係るものとその他の土地建物等に係るものとがある場合には、当該譲渡益は、まず、軽減税率対象土地等に係るものから成るものとする。（措通32－９（３））

（雑損失の繰越控除及び所得控除の順序）

（７）その年の前年以前３年内の各年において生じた雑損失の金額は、その年分の①総所得金額、②土地等に係る事業所得等の金額、③短期譲渡所得の金額（一般所得分）、④短期譲渡所得の金額（軽減所得分）、⑤長期譲渡所得の金額（一般所得分）、⑥長期譲渡所得の金額（特定所得分）、⑦長期譲渡所得の金額（軽課所得分）、⑧上場株式等に係る配当所得等の金額、⑨一般株式等に係る譲渡所得等の金額、⑩上場株式等に係る譲渡所得等の金額、⑪先物取引に係る雑所得等の金額、⑫山林所得金額又は⑬退職所得金額の計算上順次控除（⑤から⑪までにおいては、適用税率の高いものから順次控除）するものとする。ただし、長期譲渡所得の金額、上場株式等に係る配当所得等の金額、一般株式等に係る譲渡所得等の金額、上場株式等に係る譲渡所得等の金額又は先物取引に係る雑所得等の金額の間において、納税者がこの取扱いと異なる順序で控除して申告したときは、これを認める。

また、その年分の所得控除についても、これと同様に取り扱う。（措通31・32共－４）

（注）１　短期譲渡所得の金額（一般所得分）とは、**二**①《短期譲渡所得の分離課税》の規定の対象となる土地等又は建物等の譲渡に係るもの（次の２に規定するものを除く。）をいう。

２　短期譲渡所得の金額（軽減所得分）とは、**二**④の規定の対象となる土地等の譲渡に係るものをいう。

３　長期譲渡所得の金額（一般所得分）とは、**一１**①《長期譲渡所得の分離課税》の規定の対象となる土地等又は建物等の譲渡に係るもの（次の４又は５に該当するものを除く。）をいう。

４　長期譲渡所得の金額（特定所得分）とは、**一２**①に規定する優良住宅地等のための譲渡又は同**２**②に規定する確定優良住宅地等予定地のための譲渡に係るものをいう。

５　長期譲渡所得の金額（軽課所得分）とは、**一３**《居住用財産を譲渡した場合の長期譲渡所得の課税の特例》の規定の適用を受ける居住用財産の譲渡に係るものをいう。

④　課税長期譲渡所得金額の端数計算

課税長期譲渡所得金額に1,000円未満の端数があるとき又はその全額が1,000円未満であるときは、国税通則法第118条第１項《端数計算》の規定により、その端数金額又はその全額を切り捨てることとなるが、課税長期譲渡所得金額のなかに優良住宅地の造成等のために譲渡した土地等に係る部分の金額、居住用財産の譲渡に係る部分の金額又はその他の土地建物等の譲渡に係る部分の金額とがある場合においても、それぞれの金額に1,000円未満の端数があるとき又はそれぞれその金額が1,000円未満であるときは、その端数金額又はその全額を切り捨てるものとする。（措通31－２）

2　優良住宅地の造成等のために土地等を譲渡した場合の長期譲渡所得の課税の特例

個人が、昭和62年10月１日から令和７年12月31日までの間に、その有する土地等でその年１月１日において**1**②《土地建物等の所有期間の計算》に規定する所有期間が５年を超えるものの譲渡をした場合において、当該譲渡が優良住宅地等のための譲渡に該当するときは、当該譲渡（**3**《居住用財産を譲渡した場合の長期譲渡所得の課税の特例》の規定の適用を受けるものを除く。以下**2**において同じ。）による譲渡所得については、**1**①の前段の規定により当該譲渡に係る課税長期譲渡所得金額に対し課する所得税の額は、同①の前段の規定にかかわらず、次のイ又はロに掲げる場合の区分に応じ当該イ又はロに定める金額に相当する額とする。（措法31の２①）

（注）　**2**（②において準用する場合を含む。）の場合において、個人が、その有する土地等につき、**三１**《収用等があった場合の代替資産の課税の特例》から**七１**《5,000万円特別控除》まで、**八１**《2,000万円特別控除》から**十三**《低未利用土地等を譲渡した場合の長期譲渡所得の特別控除》まで、**十五１**及び同**５**《特定の居住用財産の買換え及び交換の場合の課税の特例》、**十八１**《特定の事業用資産の買換えの場合の特例》まで、同**４**《特定の事業用資産を交換した場合の課税の特例》から**二十１**《特定の交換分合により土地等を取得した場合の課税の特例》まで又は**二十一１**《特定普通財産とその隣接する土地等の交換の場所の譲渡所得の課税の特例》の規定の適用を受けるときは、当該土地等の譲渡は、**２**又は②に規定する優良住宅地等のための譲渡又は確定優良住宅地等予定地のための譲渡に該当しないものとみなす。（措法31の２④）

イ	課税長期譲渡所得金額が2,000万円以下である場合	当該課税長期譲渡所得金額の100分の10に相当する金額
ロ	課税長期譲渡所得金額が2,000万円を超える場合	次に掲げる金額の合計額 イ　200万円 ロ　当該課税長期譲渡所得金額から2,000万円を控除した金額の100分の15に相当する金額

①　優良住宅地等のための譲渡

２に規定する優良住宅地等のための譲渡とは、次の(一)から(十六)までに掲げる土地等の譲渡に該当することにつき(29)で定めるところにより証明がされたものをいう。（措法31の２②）

<table>
<tr><td rowspan="3">(一)</td><td colspan="2">国、地方公共団体その他これらに準ずる法人に対する土地等の譲渡で次のイ又はロに掲げる土地等（1に規定する土地等をいう。）の譲渡（1に規定する譲渡をいう。）（措令20の２①）</td></tr>
<tr><td>イ</td><td>国又は地方公共団体に対する土地等の譲渡</td></tr>
<tr><td>ロ</td><td>地方道路公社、独立行政法人鉄道建設・運輸施設整備支援機構、独立行政法人水資源機構、成田国際空港株式会社、東日本高速道路株式会社、首都高速道路株式会社、中日本高速道路株式会社、西日本高速道路株式会社、阪神高速道路株式会社又は本州四国連絡高速道路株式会社に対する土地等の譲渡で、当該譲渡に係る土地等がこれらの法人の行う三《収用等の課税の特例》1①に規定する土地収用法等に基づく収用（同1表内②の買取り及び同4表内①の使用を含む。）の対償に充てられるもの</td></tr>
<tr><td>(二)</td><td colspan="2">独立行政法人都市再生機構、土地開発公社その他これらに準ずる法人で宅地若しくは住宅の供給又は土地の先行取得の業務を行うことを目的とする次のイからヘに掲げるものに対する土地等の譲渡で、当該譲渡に係る土地等が当該業務を行うために直接必要であると認められるもの（土地開発公社に対する公有地の拡大の推進に</td></tr>
</table>

<table>
<tr><td rowspan="7"></td><td colspan="2">関する法律第17条第１項第１号ニに掲げる土地の譲渡に該当するものを除く。）（措令20の２②）</td></tr>
<tr><td>イ</td><td>成田国際空港株式会社、独立行政法人中小企業基盤整備機構、地方住宅供給公社及び日本勤労者住宅協会</td></tr>
<tr><td>ロ</td><td>公益社団法人（その社員総会における議決権の全部が地方公共団体により保有されているものに限る。）又は公益財団法人（その拠出をされた金額の全額が地方公共団体により拠出をされているものに限る。）のうち次に掲げる要件を満たすもの
（イ）　宅地若しくは住宅の供給又は土地の先行取得の業務を主たる目的とすること
（ロ）　当該地方公共団体の管理の下に(イ)の業務を行っていること</td></tr>
<tr><td>ハ</td><td>幹線道路の沿道の整備に関する法律第13条の３第３号に掲げる業務を行う同法第13条の２第１項に規定する沿道整備推進機構（公益社団法人（その社員総会における議決権の総数の２分の１以上の数が地方公共団体により保有されているものに限る。以下①において同じ。）又は公益財団法人（その設立当初において拠出をされた金額の２分の１以上の金額が地方公共団体により拠出をされているものに限る。以下①において同じ。）であって、その定款において、その法人が解散した場合にその残余財産が地方公共団体又は当該法人と類似の目的をもつ他の公益を目的とする事業を行う法人に帰属する旨の定めがあるものに限る。）</td></tr>
<tr><td>ニ</td><td>密集市街地における防災街区の整備の促進に関する法律第301条第３号に掲げる業務を行う同法第300条第１項に規定する防災街区整備推進機構（公益社団法人又は公益財団法人であって、その定款において、その法人が解散した場合にその残余財産が地方公共団体又は当該法人と類似の目的をもつ他の公益を目的とする事業を行う法人に帰属する旨の定めがあるものに限る。）</td></tr>
<tr><td>ホ</td><td>中心市街地の活性化に関する法律第62条第３号に掲げる業務を行う同法第61条第１項に規定する中心市街地整備推進機構（公益社団法人又は公益財団法人であって、その定款において、その法人が解散した場合にその残余財産が地方公共団体又は当該法人と類似の目的をもつ他の公益を目的とする事業を行う法人に帰属する旨の定めがあるものに限る。）</td></tr>
<tr><td>ヘ</td><td>都市再生特別措置法第119条第４号に掲げる業務を行う同法第118条第１項に規定する都市再生推進法人（公益社団法人又は公益財団法人であって、その定款において、その法人が解散した場合にその残余財産が地方公共団体又は当該法人と類似の目的をもつ他の公益を目的とする事業を行う法人に帰属する旨の定めがあるものに限る。）とする。</td></tr>
<tr><td rowspan="3">(二の二)</td><td colspan="2">土地開発公社に対する次のイ及びロに掲げる土地等の譲渡で、当該譲渡に係る土地等が独立行政法人都市再生機構が施行するそれぞれ次のイ又はロに定める事業の用に供されるもの</td></tr>
<tr><td>イ</td><td>被災市街地復興特別措置法第５条第１項の規定により都市計画に定められた被災市街地復興推進地域（以下九１（措法34の２）までにおいて「被災市街地復興推進地域」という。）内にある土地等　同法による被災市街地復興土地区画整理事業（以下九１（措法34の２）までにおいて「被災市街地復興土地区画整理事業」という。）</td></tr>
<tr><td>ロ</td><td>被災市街地復興特別措置法第21条に規定する住宅被災市町村の区域内にある土地等　都市再開発法による第二種市街地再開発事業</td></tr>
<tr><td>(三)</td><td colspan="2">土地等の譲渡で七《収用交換等の場合の譲渡所得等の特別控除》１に規定する収用交換等によるもの((一)、(二)及び(二の二)に掲げる譲渡（(注)で定める土地等の譲渡）に該当するものを除く。）
(注)　上記及び(五)に規定する(注)で定める土地等の譲渡は、都市再開発法による市街地再開発事業の施行者である同法第50条の２第３項に規定する再開発会社に対する当該再開発会社の株主又は社員である個人の有する土地等の譲渡とする。（措令20の２③）</td></tr>
<tr><td>(四)</td><td colspan="2">都市再開発法による第一種市街地再開発事業の施行者に対する土地等の譲渡で、当該譲渡に係る土地等が当該事業の用に供されるもの（(一)から(三)までに掲げる譲渡（(三)(注)で定める土地等の譲渡）に該当するものを除く。）</td></tr>
<tr><td>(五)</td><td colspan="2">密集市街地における防災街区の整備の促進に関する法律による防災街区整備事業の施行者に対する土地等の譲渡で、当該譲渡に係る土地等が当該事業の用に供されるもの（(一)から(三)までに掲げる譲渡又は(注)で定める土地等の譲渡に該当するものを除く。）
(注)　上記の(注)で定める土地等の譲渡は、密集市街地における防災街区の整備の促進に関する法律による防災街区整備事業の施行</td></tr>
</table>

者である同法第165条第３項に規定する事業会社に対する当該事業会社の株主又は社員である個人の有する土地等の譲渡とする。（措令20の２④）

(六)

密集市街地における防災街区の整備の促進に関する法律第３条第１項第１号に規定する防災再開発促進地区の区域内における同法第８条に規定する認定建替計画（当該認定建替計画に定められた新築する建築物の敷地面積の合計が500平方メートル以上であることその他の（注）１で定める要件を満たすものに限る。）に係る建築物の建替えを行う事業の同法第７条第１項に規定する認定事業者に対する土地等の譲渡で、当該譲渡に係る土地等が当該事業の用に供されるもの（(二)から(五)までに掲げる譲渡又は（注）２で定める土地等の譲渡に該当するものを除く。）

（注）１　上記の（注）１で定める要件は、(一)及び(二)（密集市街地における防災街区の整備の促進に関する法律第８条に規定する認定建替計画（以下①において「認定建替計画」という。）に定められた同法第４条第４項第１号に規定する建替事業区域（ロにおいて「建替事業区域」という。）の周辺の区域からの避難に利用可能な通路を確保する場合にあっては、(一)及び(三)）に掲げる要件とする。（措令20の２⑤）

イ	認定建替計画に定められた新築する建築物の敷地面積がそれぞれ100平方メートル以上であり、かつ、当該敷地面積の合計が500平方メートル以上であること。 ※新築する建築物の「敷地面積」とは、原則として、当該新築する一棟の建築物の敷地面積をいう。ただし、附属建築物がある場合には、当該敷地面積は、当該新築する主たる建築物と附属建築物との敷地の用に供される土地等の面積による。（措通31の２－６）
ロ	認定建替計画に定められた建替事業区域内に密集市街地における防災街区の整備の促進に関する法律第２条第10号に規定する公共施設が確保されていること。
ハ	その確保する通路が次に掲げる要件を満たすこと。 (イ)　密集市街地における防災街区の整備の促進に関する法律第289条第４項の認可を受けた同条第１項に規定する避難経路協定（その避難経路協定を締結した同項に規定する土地所有者等に地方公共団体が含まれているものに限る。）において同項に規定する避難経路として定められていること。 (ロ)　幅員４メートル以上のものであること。

２　上記の（注）２で定める土地等の譲渡は、(六)に規定する認定事業者である法人に対する当該法人の株主又は社員である個人の有する土地等の譲渡とする。（措令20の２⑥）

(七)

都市再生特別措置法第25条に規定する認定計画に係る同条に規定する都市再生事業（当該認定計画に定められた建築物（その建築面積が1,500平方メートル（措規13の３③）以上であるものに限る。）の建築がされること、その事業の施行される土地の区域の面積が１ヘクタール以上であることその他の（注）で定める要件を満たすものに限る。）の同法第23条に規定する認定事業者（当該認定計画に定めるところにより当該認定事業者と当該区域内の土地等の取得に関する協定を締結した独立行政法人都市再生機構を含む。）に対する土地等の譲渡で、当該譲渡に係る土地等が当該都市再生事業の用に供されるもの（(二)から(六)までに掲げる譲渡に該当するものを除く。）

（注）　上記の（注）で定める要件は、次に掲げる要件とする。（措令20の２⑦）

イ	その事業に係る(七)に規定する認定計画において上記に規定する建築物の建築をすることが定められていること。
ロ	その事業の施行される土地の区域の面積が１ヘクタール（当該区域が含まれる都市再生特別措置法第２条第３項に規定する都市再生緊急整備地域内において当該区域に隣接し、又は近接してこれと一体的に他の同条第１項に規定する都市開発事業（当該都市再生緊急整備地域に係る同法第15条第１項に規定する地域整備方針に定められた都市機能の増進を主たる目的とするものに限る。）が施行され、又は施行されることが確実であると見込まれ、かつ、当該区域及び当該他の都市開発事業の施行される土地の区域の面積の合計が１ヘクタール以上となる場合には、0.5ヘクタール）以上であること。
ハ	都市再生特別措置法第２条第２項に規定する公共施設の整備がされること。

(八)

国家戦略特別区域法第11条第１項に規定する認定区域計画に定められている同法第２条第２項に規定する特定事業又は当該特定事業の実施に伴い必要となる施設を整備する事業（これらの事業のうち、産業の国際競争力の強化又は国際的な経済活動の拠点の形成に特に資するものとして（注）で定めるものに限る。）を行う者に対する土地等の譲渡で、当該譲渡に係る土地等がこれらの事業の用に供されるもの（(二)から(七)までに掲げる譲渡に該当するものを除く。）

	(注)　(八)に規定する(注)で定める事業は、国家戦略特別区域法施行規則第12条各号に掲げる要件の全てを満たす事業とする。(措規13の3④)
(九)	所有者不明土地の利用の円滑化等に関する特別措置法第13条第1項の規定により行われた裁定（同法第10条第1項第1号に掲げる権利に係るものに限るものとし、同法第18条の規定により失効したものを除く。以下(九)において「裁定」という。）に係る同法第10条第2項の裁定申請書（以下(九)において「裁定申請書」という。）に記載された同項第2号の事業を行う当該裁定申請書に記載された同項第1号の事業者に対する次に掲げる土地等の譲渡（当該裁定後に行われるものに限る。）で、当該譲渡に係る土地等が当該事業の用に供されるもの((一)から(二の二)まで又は(四)から(八)までに掲げる譲渡に該当するものを除く。) イ　当該裁定申請書に記載された特定所有者不明土地（所有者不明土地の利用の円滑化等に関する特別措置法第10条第2項第5号に規定する特定所有者不明土地をいう。以下(九)において同じ。）又は当該特定所有者不明土地の上に存する権利 ロ　当該裁定申請書に添付された所有者不明土地の利用の円滑化等に関する特別措置法第10条第3項第1号に掲げる事業計画書の同号ハに掲げる計画に当該事業者が取得するものとして記載がされた特定所有者不明土地以外の土地又は当該土地の上に存する権利（当該裁定申請書に記載された当該事業が当該特定所有者不明土地以外の土地をイに掲げる特定所有者不明土地と一体として使用する必要性が高い事業と認められないものとして(注)で定める事業に該当する場合における当該記載がされたものを除く。） (注)　上記ロに規定する(注)で定める事業は、(九)に規定する裁定申請書に記載された所有者不明土地の利用の円滑化等に関する特別措置法第10条第2項第2号の事業に係る同条第1項に規定する事業区域の面積が500平方メートル以上であり、かつ、当該裁定申請書に記載された上記イに規定する特定所有者不明土地の面積の当該事業区域の面積に対する割合が4分の1未満である事業とする。(措令20の2⑧)
(十)	マンションの建替え等の円滑化に関する法律第15条第1項若しくは第64条第1項若しくは第3項の請求若しくは同法第56条第1項の申出に基づくマンション建替事業（同法第2条第1項第4号に規定するマンション建替事業をいい、良好な居住環境の確保に資するものとして(注)1で定めるものに限る。以下(十)において同じ。）の施行者（同法第2条第1項第5号に規定する施行者をいう。以下(十)において同じ。）に対する土地等の譲渡又は同法第2条第1項第6号に規定する施行マンションが(注)2で定める建築物に該当し、かつ、同項第7号に規定する施行再建マンションの延べ面積が当該施行マンションの延べ面積以上であるマンション建替事業の施行者に対する土地等（同法第11条第1項に規定する隣接施行敷地に係るものに限る。）の譲渡で、これらの譲渡に係る土地等がこれらのマンション建替事業の用に供されるもの((六)から(九)までに掲げる譲渡に該当するものを除く。) (注)1　上記の良好な居住環境の確保に資するものとして(注)1で定めるものは、マンションの建替え等の円滑化に関する法律第2条第1項第4号に規定するマンション建替事業に係る同項第7号に規定する施行再建マンションの住戸の規模及び構造が国土交通大臣が財務大臣と協議して定める基準に適合する場合における当該マンション建替事業とする。(措令20の2⑨) 2　(十)に規定する(注)2で定める建築物は、建築基準法第3条第2項（同法第86条の9第1項において準用する場合を含む。）の規定により同法第3章（第3節及び第5節を除く。）の規定又はこれに基づく命令若しくは条例の規定の適用を受けない建築物とする。(措令20の2⑩) 3　国土交通大臣は、(注)1の規定により基準を定めたときは、これを告示する。(措令20の2㉗) 4　上記の施行再建マンションの住戸の規模及び構造の基準は、平成26年12月22日付国土交通省告示第1183号により告示されている。(26)参照。(編者注)
(十一)	マンションの建替え等の円滑化に関する法律第124条第1項の請求に基づく同法第2条第1項第9号に規定するマンション敷地売却事業（当該マンション敷地売却事業に係る同法第113条に規定する認定買受計画に、同法第109条第1項に規定する決議特定要除却認定マンションを除却した後の土地に新たに建築される同法第2条第1項第1号に規定するマンション（良好な居住環境を備えたものとして(注)1で定めるものに限る。）に関する事項、当該土地において整備される道路、公園、広場その他の公共の用に供する施設に関する事項その他の(注)2で定める事項の記載があるものに限る。以下(十一)において同じ。）を実施する者に対する土地等の譲渡又は当該マンション敷地売却事業に係る同法第141条第1項の認可を受けた同項に規定する分配金取得計画（同法第145条において準用する同項の規定により当該分配金取得計画の変更に係る認可を受けた場合には、その変更後のもの）に基づく当該マンション敷地売却事業を実施する者に対する土地等の譲渡で、これらの譲渡に係る土地等がこれらのマンション敷地売却事業の用に供されるもの (注)1　上記に規定する良好な居住環境を備えたものとして(注)で定めるものは、マンションの建替え等の円滑化に関する法律第2

条第１項第９号に規定するマンション敷地売却事業に係る同法第109条第１項に規定する決議特定要除却認定マンションを除却した後の土地に新たに建築される同法第２条第１項第１号に規定するマンションのその住戸の規模及び構造が国土交通大臣が財務大臣と協議して定める基準に適合する場合における当該マンションとする。（措令20の２⑪）

国土交通大臣は、上記の規定により基準を定めたときは、これを告示する。（措令20の２㉗）(27)参照

2　上記に規定する(注)２で定める事項は、次に掲げる事項のうちいずれかの事項（上記に規定する認定買受計画に風俗営業等の規制及び業務の適正化等に関する法律第２条第１項に規定する風俗営業又は同条第５項に規定する性風俗関連特殊営業の用に供する施設に関する事項と併せて記載がされたものを除く。）とする。（措規13の３⑤）

(一)　上記に規定する決議特定要除却認定マンションを除却した後の土地（以下「除却後の土地」という。）に新たに建築される上記に規定するマンションに関する事項

(二)　除却後の土地において整備される道路、公園、広場、下水道、緑地、防水若しくは防砂の施設又は消防の用に供する貯水施設に関する事項

(三)　除却後の土地において整備される公営住宅法第36条第３号ただし書の社会福祉施設若しくは公共賃貸住宅又は地域における多様な需要に応じた公的賃貸住宅等の整備等に関する特別措置法第６条第６項に規定する公共公益施設、特定優良賃貸住宅若しくは登録サービス付き高齢者向け住宅に関する事項

(十二)

建築面積が150平方メートル（措令20の２⑫）以上である建築物の建築をする事業（当該事業の施行される土地の区域の面積が500平方メートル以上であること等(注)１で定める要件を満たすものに限る。）を行う者に対する都市計画法第４条第２項に規定する都市計画区域のうち(注)２で定める区域内にある土地等の譲渡で、当該譲渡に係る土地等が当該事業の用に供されるもの（(六)から(十)まで、又は(十三)から(十六)までに掲げる譲渡に該当するものを除く。）

(注)１　上記の(注)１で定める要件は、次に掲げる要件とする。（措令20の２⑬）

(イ)	上記に規定する建築物の建築をする事業の施行される土地の区域（以下この(注)において「施行地区」という。）の面積が500平方メートル以上であること。
(ロ)	次に掲げる要件のいずれかを満たすこと。 イ　その事業の施行地区内において都市施設（都市計画法第４条第６項に規定する都市計画施設又は同法第12条の５第２項第１号イに掲げる施設をいう。）の用に供される土地（その事業の施行地区が、同条第３項に規定する再開発等促進区内又は同条第４項に規定する開発整備促進区内である場合には当該都市施設又は同条第５項第１号に規定する施設の用に供される土地とし、幹線道路の沿道の整備に関する法律第９条第３項に規定する沿道再開発等促進区内である場合には当該都市計画施設、同条第２項第１号に規定する沿道地区施設又は同条第４項第１号に規定する施設の用に供される土地とする。）が確保されていること。 ロ　上記に規定する建築物に係る建築面積の敷地面積に対する割合が、建築基準法第53条第１項各号に掲げる建築物の区分に応じ同項に定める数値（同条第２項又は同条第３項（同条第７項又は第８項の規定により適用される場合を含む。）の規定の適用がある場合には、これらの規定を適用した後の数値とする。）から10分の１を減じた数値（同条第６項（同条第７項の規定により適用される場合を含む。）の規定の適用がある場合には、10分の９とする。）以下であること。 ハ　その事業の施行地区内の土地の高度利用に寄与するものとして(注)３で定める要件

2　上記の(注)２で規定する区域は、次に掲げる区域とする。（措令20の２⑭）

(イ)	都市計画法第７条第１項の市街化区域と定められた区域
(ロ)	都市計画法第７条第１項に規定する区域区分に関する同法第４条第１項に規定する都市計画が定められていない同条第２項に規定する都市計画区域のうち、同法第８条第１項第１号に規定する用途地域が定められている区域

3　(注)１(ロ)ハに規定する施行地区内の土地の高度利用に寄与するものとして定める要件は、(注)１(イ)に規定する建築物の建築をする事業の同(イ)に規定する施行地区内の土地（建物又は構築物の所有を目的とする地上権又は賃借権（以下において「借地権」という。）の設定がされている土地を除く。）につき所有権を有する者又は当該施行地区内の土地につき借地権を有する者（区画された一の土地に係る所有権又は借地権が２以上の者により共有されている場合には、当該所有権を有する２以上の者又は当該借地権を有する２以上の者をそれぞれ一の者とみなしたときにおける当該所有権を有する者又は当該借地権を有する者）の数が２以上であることとする。（措規13の３⑥）

(十三)

都市計画法第29条第１項の許可（同法第４条第２項に規定する都市計画区域のうち(注)１で定める区域内において行われる同条第12項に規定する開発行為に係るものに限る。以下(十三)において「開発許可」という。）を受けて住宅建設の用に供される一団の宅地（次に掲げる要件を満たすものに限る。）の造成を行う個人（同法第44条又は第45条に規定する開発許可に基づく地位の承継があった場合には、当該承継に係る被承継人である個人又は当該地位を承継した個人。③において同じ。）又は法人（同条に規定する開発許可に基づく地位の承継があった場合には、当該承継に係る被承継人である法人又は当該地位を承継した法人。③において同じ。）に対する土地等の譲渡で、当該譲渡に係る土地等が当該一団の宅地の用に供されるもの（(六)から(九)までに掲げる譲渡に該当するものを除く。）

イ	当該一団の宅地の面積が1,000平方メートル（開発許可を要する面積が1,000平方メートル未満である区域内の当該一団の宅地の面積にあっては、(注)で定める面積）以上のものであること。
ロ	当該一団の宅地の造成が当該開発許可の内容に適合して行われると認められるものであること。

(注)1　上記に規定する(注)1で定める区域は、次に掲げる区域とする。（措令20の2⑮）

(一)	(十二)(注)2(イ)(ロ)に掲げる区域
(二)	都市計画法第7条第1項の市街化調整区域と定められた区域

2　上記イで定める面積は、都市計画法施行令第19条第2項の規定により読み替えて適用される同条第1項本文の規定の適用がある場合には、500平方メートルとし、同項ただし書（同条第2項の規定により読み替えて適用する場合を含む。）の規定により同条第1項ただし書の都道府県が条例を定めている場合には、当該条例で定める規模に相当する面積とする。（措令20の2⑯）

(十四)

その宅地の造成につき都市計画法第29条第1項の許可を要しない場合において住宅建設の用に供される一団の宅地（次に掲げる要件を満たすものに限る。）の造成を行う個人（当該造成を行う個人の死亡により当該造成に関する事業を承継した当該個人の相続人又は包括受遺者が当該造成を行う場合には、その死亡した個人又は当該相続人若しくは包括受遺者。③において同じ。）又は法人（当該造成を行う法人の合併による消滅により当該造成に関する事業を引き継いだ当該合併に係る法人税法第2条第12号に規定する合併法人が当該造成を行う場合には当該合併により消滅した法人又は当該合併法人とし、当該造成を行う法人の分割により当該造成に関する事業を引き継いだ当該分割に係る同条第12号の3に規定する分割承継法人が当該造成を行う場合には当該分割をした法人又は当該分割承継法人とする。③において同じ。）に対する土地等の譲渡で、当該譲渡に係る土地等が当該一団の宅地の用に供されるもの（(六)から(九)までに掲げる譲渡又は(注)1で定める土地等の譲渡に該当するものを除く。）

イ	当該一団の宅地の面積が1,000平方メートル((注)2で定める区域内の当該一団の宅地の面積にあっては、(注)2で定める面積）以上のものであること。
ロ	都市計画法第4条第2項に規定する都市計画区域内において造成されるものであること。
ハ	当該一団の宅地の造成が、住宅建設の用に供される優良な宅地の供給に寄与するものであることについて都道府県知事の認定を受けて行われ、かつ、当該認定の内容に適合して行われると認められるものであること。

(注)1　上記(十四)に規定する(注)1で定める土地等の譲渡は、土地区画整理法による土地区画整理事業の施行者である同法第51条の9第5項に規定する区画整理会社に対する当該区画整理会社の株主又は社員である個人の有する土地等の譲渡とする。（措令20の2⑰）

2　上記イに規定する区域は、都市計画法施行令第19条第2項の規定の適用を受ける区域（都の区域〔特別区の存する区域に限る。〕及び市町村でその区域の全部又は一部が次のイ～ハに掲げる区域内にあるもの）とし、同イに規定する面積は、500平方メートルとする。（措令20の2⑱、編者補正）

イ　首都圏整備法第2条第3項に規定する既成市街地又は同条第4項に規定する近郊整備地帯

ロ　近畿圏整備法第2条第3項に規定する既成都市区域又は同条第4項に規定する近郊整備区域

ハ　中部圏開発整備法第2条第3項に規定する都市整備区域

3　上記の都道府県知事の認定は、住宅建設の用に供される一団の宅地の造成を行う上記の個人又は法人の申請に基づき、当該一団の宅地の造成の内容が次の事項について国土交通大臣の定める基準に適合している場合に行うものとする。（措令20の2⑲）

〈イ〉	宅地の用途に関する事項
〈ロ〉	宅地としての安全性に関する事項
〈ハ〉	給水施設、排水施設その他住宅建設の用に供される宅地に必要な施設に関する事項
〈ニ〉	その他住宅建設の用に供される優良な宅地の供給に関し必要な事項

4　上記の優良な宅地の認定基準は昭和54年3月31日付建設省告示第767号により告示されている。(25)参照。（編者注）

(十五)

一団の住宅又は中高層の耐火共同住宅（それぞれ次に掲げる要件を満たすものに限る。）の建設を行う個人（当該建設を行う個人の死亡により当該建設に関する事業を承継した当該個人の相続人又は包括受遺者が当該建設を行う場合には、その死亡した個人又は当該相続人若しくは包括受遺者。(十六)及び③において同じ。）又は法人（当該建設を行う法人の合併による消滅により当該建設に関する事業を引き継いだ当該合併に係る法人税法第2条第12号に規定する合併法人が当該建設を行う場合には当該合併により消滅した法人又は当該合併法人とし、当該建設を行う法人の分割により当該建設に関する事業を引き継いだ当該分割に係る同条第12号の３に規定する分割承継法人が当該建設を行う場合には当該分割をした法人又は当該分割承継法人とする。(十六)及び③において同じ。）に対する土地等の譲渡で、当該譲渡に係る土地等が当該一団の住宅又は中高層の耐火共同住宅の用に供されるもの（(六)から(十)まで、又は(十三)及び(十四)に掲げる譲渡に該当するものを除く。）

イ	一団の住宅にあってはその建設される住宅の戸数が25戸以上のものであること。
ロ	中高層の耐火共同住宅にあっては住居の用途に供する独立部分（建物の区分所有等に関する法律第２条第１項に規定する建物の部分に相当するものをいう。）が15以上のものであること又は当該中高層の耐火共同住宅の床面積が1,000平方メートル以上のものであることその他(注) 1で定める要件を満たすものであること。
ハ	(十四)のロに規定する都市計画区域内において建設されるものであること。
ニ	当該一団の住宅又は中高層の耐火共同住宅の建設が優良な住宅の供給に寄与するものであることについて都道府県知事(当該中高層の耐火共同住宅でその用に供される土地の面積が1,000平方メートル未満のものにあっては、市町村長）の認定を受けたものであること。

(注) 1　上記ロで定める要件は、次に掲げる要件とする。(措令20の２⑳)

〈イ〉	建築基準法第２条第９号の２に規定する耐火建築物又は同条第９号の３に規定する準耐火建築物に該当するものであること。
〈ロ〉	地上階数３以上の建築物であること。
〈ハ〉	当該建築物の床面積の４分の３以上に相当する部分が専ら居住の用（当該居住の用に供される部分に係る廊下、階段その他その共用に供されるべき部分を含む。）に供されるものであること。
〈ニ〉	上記ロの住居の用途に供する独立部分の床面積が200平方メートル以下で、かつ、50平方メートル以上（寄宿舎にあっては、18平方メートル以上）であること。(措規13の３⑦)

2　上記ニの都道府県知事又は市町村長の認定は、一団の住宅又は中高層の耐火共同住宅の建設を行う個人又は法人の申請に基づき、当該一団の住宅又は中高層の耐火共同住宅が次の事項について国土交通大臣の定める基準に適合している場合に行うものとする。(措令20の２㉑)

〈イ〉	建築基準法その他住宅の建築に関する法令の遵守に関する事項
〈ロ〉	住宅の床面積に関する事項
〈ハ〉	その他優良な住宅の供給に関し必要な事項

3　上記の優良な住宅の認定基準は昭和54年３月31日付建設省告示第768号により告示されている。(28) 参照。(編者注)

(十六)

住宅又は中高層の耐火共同住宅（それぞれ次に掲げる要件を満たすものに限る。）の建設を行う個人又は法人に対する土地等（土地区画整理法による土地区画整理事業の同法第２条第４項に規定する施行地区内の土地等で同法第98条第１項の規定による仮換地の指定〔仮に使用又は収益をすることができる権利の目的となるべき土地又はその部分の指定を含む。以下(十六)において同じ。〕がされたものに限る。）の譲渡のうち、その譲渡が当該指定の効力発生の日（同法第99条第２項の規定により使用又は収益を開始することができる日が定められている場合には、その日）から３年を経過する日の属する年の12月31日までの間に行われるもので、当該譲渡をした土地等につき仮換地の指定がされた土地等が当該住宅又は中高層の耐火共同住宅の用に供されるもの（(六)から(十)まで、又は(十三)から(十五)までに掲げる譲渡に該当するものを除く。）

イ	住宅にあっては、その建設される住宅の床面積及びその住宅の用に供される土地等の面積が(注)で定める要件を満たすものであること。
ロ	中高層の耐火共同住宅にあっては、(十五)の(注) 1で定める要件を満たすものであること。
ハ	住宅又は中高層の耐火共同住宅が建築基準法その他住宅の建築に関する法令に適合するものであると認められること。

(注)　上記イで定める要件は、次に掲げる要件とする。(措令20の２㉒)

〈イ〉	その建設される一の住宅の床面積が200平方メートル以下で、かつ、50平方メートル以上のものであること。
〈ロ〉	その建設される一の住宅の用に供される土地等の面積が500平方メートル以下で、かつ、100平方メートル以上のものであること。

（地方道路公社等に対する土地等の譲渡）

（1）　①(一)に規定する「その他これらに準ずる法人に対する土地等の譲渡」とは、同(一)ロに掲げる法人（以下(3)までにおいて「特定法人」という。）に対する土地等の譲渡で、当該譲渡に係る土地等が当該特定法人が行う**三 1**《収用等の課税の特例》表内①に規定する土地収用法等に基づく収用（同**1**表内②の買取り及び同**4**表内①の使用を含む。以下(3)までにおいて同じ。）の対償に充てられるものをいうから、特定法人が収用に係る事業の施行者に代わり土地等を買い取った場合には、①(一)の規定に該当しないことに留意する。（措通31の2－1）

（収用対償地の買取りに係る契約方式）

（2）　次に掲げる方式による契約に基づき、**三 1**表内①に規定する土地収用法等に基づく収用の対償に充てられることとなる土地等（以下(3)までにおいて「代替地」という。）が特定法人に買い取られる場合は、①(一)ロに規定する「収用の対償に充てられる土地等の譲渡」に該当するものとする。ただし、当該代替地の譲渡について**九**《特定住宅地造成事業との1,500万円控除》の規定を適用する場合には、**2**の規定は適用できないことに留意する。（措通31の2－2）

（一）　特定法人、収用により譲渡する土地等（以下(3)までにおいて「事業用地」という。）の所有者及び代替地の所有者の三者が次に掲げる事項を約して契約を締結する方式

イ　代替地の所有者は、特定法人に代替地を譲渡すること。

ロ　事業用地の所有者は、特定法人に事業用地を譲渡すること。

ハ　特定法人は、代替地の所有者に対価を支払い、事業用地の所有者には代替地を譲渡するとともに事業用地の所有者に支払うべき補償金（事業用地の譲渡に係る補償金又は対価に限る。）の額から代替地の所有者に支払う対価の額を控除した残額を支払うこと。

（注）　上記契約方式における代替地の譲渡について①(一)ロに規定する「収用の対償に充てられる土地等の譲渡」に該当するのは、当該代替地のうち事業用地の所有者に支払われるべき事業用地の譲渡に係る補償金又は対価に相当する部分に限られるので、例えば、上記契約方式に基づいて特定法人が取得する代替地であっても当該事業用地の上にある建物につき支払われるべき移転補償金に相当する部分には**2**の規定の適用がないことに留意する。

（二）　特定法人と事業用地の所有者が次に掲げる事項を約して契約を締結する方式

イ　事業用地の所有者は、特定法人に事業用地を譲渡し、代替地の取得を希望する旨の申出をすること。

ロ　特定法人は、事業用地の所有者に代替地の譲渡を約すとともに、事業用地の所有者に補償金等を支払うこと。ただし、当該補償金等の額のうち代替地の価額に相当する金額については特定法人に留保し、代替地の譲渡の際にその対価に充てること。

（収用対償地が農地等である場合）

（3）　特定法人が行う**三 1**表内①に規定する土地収用法等に基づく収用の対償に充てる土地等が農地又は採草放牧地（以下(3)において「農地等」という。）であるため、特定法人、事業用地の所有者及び当該農地等の所有者の三者が、次に掲げる事項を内容とする契約を締結し、当該契約に基づき、農地等の所有者が当該農地等を譲渡した場合には、当該譲渡は、①の表の(一)のロに規定する「収用の対償に充てられる土地等の譲渡」に該当するものとする。ただし、当該代替地の譲渡について**九**《特定住宅地造成事業の1,500万円控除》の規定を適用する場合には、**2**の規定は適用できないことに留意する。（措通31の2－3）

（一）　農地等の所有者は、当該収用の事業用地を譲渡した者に当該農地等を譲渡すること。

（二）　特定法人は、当該農地等の所有者に当該農地等の譲渡の対価を直接支払うこと。

（注）　上記契約方式における農地等の譲渡について①の表の(一)のロに規定する「収用の対償に充てられる土地等の譲渡」に該当するのは、当該農地等のうち事業用地の所有者に支払われるべき事業用地の譲渡に係る補償金又は対価のうち当該農地等の譲渡の対価として特定法人から当該農地等の所有者に直接支払われる金額に相当する部分に限られることに留意する。

（独立行政法人都市再生機構等に対する土地等の譲渡）

（4）　独立行政法人都市再生機構、土地開発公社その他の①(二)に掲げる法人に対して土地等を譲渡した場合の**2**の規定の適用については、次による。（措通31の2－4、編者補正）

（一）　①(二)に規定する「当該譲渡に係る土地等が当該業務を行うために直接必要であると認められるもの」とは、独立行政法人都市再生機構、土地開発公社又は①(二)に掲げる法人に対する次の土地等の譲渡をいうのであるから、当該法人に対する土地等の譲渡であっても、例えば、当該法人が職員宿舎の敷地の用として取得する土地等は、これに該当しないことに留意する。

イ　宅地又は住宅の供給業務を行う法人により当該宅地又は住宅の用に供するために取得されるもの

ロ　土地の先行取得の業務を行う法人により当該先行取得の業務として取得されるもの

(注)　土地の先行取得の業務とは、国又は地方公共団体等が将来必要とする公共施設又は事業用地等を当該国又は地方公共団体等に代わって取得することを業務の範囲としている法人が行う当該業務をいう。例えば、土地開発公社にあっては、公有地の拡大の推進に関する法律第17条第１項第１号イからハ、ホ及び第３号（第１号ロ、ハ及びホの業務に附帯する業務に限る。）に掲げる業務をいうのであるから、公共施設用地等の取得に際してその対償地を取得することも先行取得の業務に該当する。

(二)　独立行政法人都市再生機構又は地方住宅供給公社が**八**《特定土地区画整理事業等のために土地等を譲渡した場合の譲渡所得の特別控除》**2**表内①に規定する宅地の造成、共同住宅の建設又は建築物及び建築敷地の整備に関する事業の用に供するために取得する土地等は、①(二)に規定する「当該業務を行うために直接必要であると認められるもの」に該当するものとする。

(収用交換等による譲渡)

(５)　①(三)に規定する「土地等の譲渡で**七**《収用交換等の場合の譲渡所得等の特別控除》**1**に規定する収用交換等によるもの」とは、当該譲渡が**三**《収用等に伴い代替資産を取得した場合の課税の特例》**1**表内①から同⑧まで又は**四**《交換処分等に伴い資産を取得した場合の課税の特例》**1**①又は同②の規定に該当する場合をいうことに留意する。したがって、当該譲渡が**七**《収用交換等の5,000万円控除》**3**表内①から同③までに掲げる場合に該当する場合であっても、当該譲渡は①(三)に該当する。(措通31の２－５)

(注)　当該譲渡について、**三**《収用等に伴い代替資産を取得した場合の課税の特例》、**四**《交換処分等に伴い資産を取得した場合の課税の特例》又は**七**《収用交換等の5,000万円控除》の規定を適用する場合には、**2**の規定は適用できないことに留意する。

(建築物の「敷地面積」の意義)

(６)　①(六)(注)１イに規定する認定建替計画に定められた新築する建築物の「敷地面積」とは、原則として、当該新築する一棟の建築物の敷地面積をいう。ただし、附属建築物がある場合には、当該敷地面積は、当該新築する主たる建築物と附属建築物との敷地の用に供される土地等の面積による。(措通31の２－６)

(建築物の「建築面積」の意義)

(７)　①(十二)に規定する建築物の「建築面積」は、建築基準法施行令第２条第１項第２号に規定する建築面積をいい、当該建築面積が150㎡以上であるかどうかの判定は、建築物一棟ごとの建築面積により行うものとする。(措通31の２－７)

(注)　建築面積が150㎡以上であるかどうかの判定に当たっては、住宅に附属する車庫など主たる建築物の維持又はその効用を果たすために必要と認められる附属建築物がある場合であっても、当該事業により建築される主たる建築物の建築面積により行うことに留意する。

(建築物の建築をする事業の施行地区の面積要件等)

(８)　①(十二)に規定する建築物の建築をする事業の施行される土地の区域（以下「施行地区」という。）の面積とは、原則として、当該事業により建築される一棟の建築物の敷地の用に供される土地等の面積をいう。ただし、附属建築物がある場合には、施行地区の面積は、当該事業により建築される主たる建築物と附属建築物との敷地の用に供される土地等の面積による。(措通31の２－８)

(注)　①(十二)(注)１(ロ)ロに規定する「建築面積の敷地面積に対する割合」を求める場合における建築面積は、主たる建築物の建築面積と附属建築物の建築面積の合計面積により、敷地面積は、建築基準法施行令第２条第１項第１号に規定する敷地面積によることに留意する。

(建築事業を行う者が死亡した場合)

(９)　①(十二)に規定する建築物の建築をする事業を行う者が当該建築物の建築工事の完了前に死亡した場合であっても、その死亡前に設計図などにより当該建築物の建築計画が具体的に確定しており、かつ、その死亡した者の相続人が当該計画に従って建築物の建築を行う場合には、その相続人を同(十二)に規定する建築物の建築をする事業を行う者として、その死亡した者に対する土地等の譲渡について**2**の規定を適用することができる。(措通31の２－９)

(注)　①(十二)(注)１に規定する建築物の建築をする事業を行う者が当該建築物の建築工事完了前に当該建築物の建築事業の施行地を譲渡した場合には、その者に対する土地等の譲渡については**2**の規定の適用はない。

(建築物を２以上の者が建築する場合)

(10)　①(十二)に規定する建築物の建築をする事業を行う者又は同(十六)に規定する住宅若しくは中高層の耐火共同住宅の建設を行う個人若しくは法人が２以上ある場合における**2**の規定の適用についての留意事項並びに同(十二)及び同(十六)に規定する要件の判定は、次による。(措通31の２－10)

(一)　当該事業を行う者又は当該建設を行う個人若しくは法人が２以上ある場合であっても、これらの者に対する土地等の譲渡について**2**の規定の適用があるのであるが、当該土地等のうち第四章第八節**一 2**《借地権等の設定等による対価》①**イ**（７）《共同建築の場合の借地権の設定》(二)の取扱いによりその土地等を買い受けた者によって土地等の貸付けが行われたものとされる部分については**2**の規定の適用はないことに留意する。ただし、その貸付けが使用貸借に基づく場合にはこの限りではない。

(二)　①(十二)に規定する建築物の建築面積要件及び施行地区の面積要件の判定は、当該事業を行う者が２以上ある場合であっても、当該事業により建築される建築物の建築面積及び当該事業の施行地区の面積の全体により行うものとする。

(三)　①(十六)イに規定する住宅の床面積要件及び敷地面積要件の判定は、当該建設を行う個人又は法人が２以上ある場合であっても、当該建設された住宅の床面積及び当該住宅の用に供される土地等の面積の全体により行うものとする。

(宅地造成につき開発許可を受けた者が有する当該宅地造成区域内の土地等の譲渡についての特例の不適用)

(11)　①(十三)に規定する宅地の造成を都市計画法第29条第１項の許可（同法第４条第２項に規定する都市計画区域のうち次に掲げる区域内において行われる同条第12項に規定する開発行為に係るものに限る。以下(12)から(14)までにおいて「開発許可」という。）を受けて行う個人又は法人は、当該個人又は法人につき同法第44条又は第45条に規定する開発許可に基づく地位の承継（以下において「開発許可に基づく地位の承継」という。）があった場合には、当該開発許可に基づく地位の承継に係る被承継人である個人若しくは法人又は当該開発許可に基づく地位の承継をした個人若しくは法人をいうのであるが、開発許可に基づく地位の承継に係る被承継人である個人が当該開発許可に係る宅地造成事業の施行地域内に有する土地等を当該開発許可に基づく地位の承継をした個人又は法人に譲渡した場合における当該土地等の譲渡については**2**の規定の適用はないことに留意する。(措通31の２－13)

(一)　都市計画法第７条第１項の市街化区域と定められた区域

(二)　都市計画法第７条第１項の市街化調整区域と定められた区域

(三)　都市計画法第７条第１項に規定する区域区分に関する同法第４条第１項に規定する都市計画が定められていない同条第２項に規定する都市計画区域のうち、同法第８条第１項第１号に規定する用途地域が定められている区域

(宅地の造成等を行う個人又は法人)

(12)　①(十二)に規定する建築物の建築、同(十三)若しくは同(十四)に規定する宅地の造成又は同(十五)若しくは同(十六)に規定する住宅若しくは中高層の耐火共同住宅の建設を行う個人又は法人には、建築物の建築、宅地の造成又は住宅若しくは中高層の耐火共同住宅の建設を事業として行っていない個人又は法人も含まれることに留意する。

したがって、例えば、同(十六)に規定する住宅又は中高層の耐火共同住宅の建設を行う個人又は法人には、その建設する住宅又は中高層の耐火共同住宅を当該個人の住宅の用又は当該法人の従業員の宿舎の用などに使用する場合における当該個人又は法人も含まれる。(措通31の２－14)

(「住宅建設の用に供される一団の宅地の造成」の意義)

(13)　①(十三)又は同(十四)に規定する「住宅建設の用に供される一団の宅地の造成」とは、公共施設及び公益的施設(教育施設、医療施設、官公庁施設、購買施設その他の施設で、居住者の共同の福祉又は利便のために必要なものをいう。(14)において同じ。）の敷地の用に供される部分の土地を除き、当該事業の施行地域内の土地の全部を住宅建設の用に供する目的で行う一団の宅地の造成をいう。したがって、開発許可を受けて行われる宅地の造成が、例えば、住宅地の造成と工業団地の造成とである場合の当該造成を行う者に対する土地等の譲渡については、**2**の規定の適用はないことに留意する。(措通31の２－15)

(注)　都市計画法第29条第１項の許可を受けて住宅地の造成と工業団地の造成とが行われた場合においては、当該造成された住宅地に①の表の(十五)に規定する「一団の住宅又は中高層の耐火共同住宅」が建設される場合であっても、同表の(十五)の規定の適用はない。

(「一団の宅地の面積」の判定)

(14)　①(十三)イ又は同(十四)イに規定する「一団の宅地の面積」の判定は、開発許可を要するものについては開発許可の申請時、土地区画整理法による土地区画整理事業については当該事業の施行に係る認可時、都市計画法第29条第１項の許可を要しないものについては都道府県知事に対する優良宅地の認定申請時の面積により行うほか、次の点に留意する。(措通31の２－16)

(一)　宅地造成事業がその施行者を異にして隣接する地域において施行される場合の「一団の宅地の面積」の判定は、宅地造成される土地の全体の面積により行うのではなく、当該事業の施行者ごとに行うこと。

(二)　宅地造成事業の施行者が取得した土地と当該事業の施行者が他の者から造成を請け負った土地とを一括して宅

地造成する場合の「一団の宅地の面積」の判定は、宅地造成される土地の全体の面積により行うのではなく、当該事業の施行者が所有する土地の面積のみで行うこと。

(三)　宅地造成事業の施行地域内に公共施設又は公益的施設を設置する場合の「一団の宅地の面積」の判定は、当該施設の敷地の用に供される土地を含めて行うこと。

(四)　宅地造成事業を施行する一団の土地のうちに第四章第八節一1《譲渡所得の意義》(18)《法律の規定に基づかない区画形質の変更に伴う土地の交換分合》又は同1(19)《宅地造成契約に基づく土地の交換等》の定めにより譲渡がなかったものとして取り扱う土地がある場合の「一団の宅地の面積」の判定は、譲渡がなかったものとして取り扱う部分の土地を除いて行うこと。

(「土地区画整理法に規定する組合員である個人又は法人」の意義)

(15)　(29)(十四)に規定する「土地区画整理法第２条第３項に規定する施行者又は同法第25条第１項に規定する組合員である個人又は法人」には、土地区画整理法による土地区画整理事業として行われる住宅建設の用に供される一団の宅地の造成事業について、②に規定する確定優良住宅地等予定地のための土地等の買取りに該当する事業である旨の国土交通大臣の証明を受けた者で、土地区画整理事業の施行認可や土地区画整理組合の設立認可前における土地区画整理法第２条第３項に規定する施行者又は同法第25条第１項に規定する組合員となることが確実と認められる個人又は法人が含まれることに留意する。(措通31の２－17)

(国土交通大臣の証明の日前に土地等を譲渡した場合)

(16)　土地区画整理法による土地区画整理事業として行われる住宅建設の用に供される一団の宅地の造成事業を行う土地区画整理法第２条第３項に規定する施行者又は同法第25条第１項に規定する組合員である個人又は法人に対して、国土交通大臣の証明の日前に土地等を譲渡した場合には、当該買取者は、(29)(十四)に規定する買取者の要件を満たさないこととなるので、当該土地等の譲渡については②の規定の適用はないことに留意する。(措通31の２－18)

(「住宅又は中高層の耐火共同住宅」の建設を行う者)

(17)　①(十五)に規定する「住宅又は中高層の耐火共同住宅」は、当該住宅又は中高層の耐火共同住宅を建設するために土地等を買い取った個人（当該建設を行う個人の死亡により当該建設に関する事業を承継した当該個人の相続人又は包括受遺者が当該建設を行う場合には、その死亡した個人又は当該相続人若しくは包括受遺者）又は法人（当該建設を行う法人の合併による消滅により当該建設に関する事業を引き継いだ当該合併に係る法人税法第２条第12号に規定する合併法人が当該建設を行う場合には、当該合併により消滅した法人又は当該合併法人とし、当該建設を行う法人の分割により当該建設に関する事業を引き継いだ当該分割に係る同条第12号の３に規定する分割承継法人が当該建設を行う場合には当該分割をした法人又は当該分割承継法人）が建設した住宅又は中高層の耐火共同住宅に限られることに留意する。(措通31の２－19)

(「住居の用途に供する独立部分」及び「床面積」の判定)

(18)　①(十五)ロに規定する「中高層の耐火共同住宅にあっては住居の用途に供する独立部分（建物の区分所有等に関する法律第２条第１項に規定する建物の部分に相当するものをいう。）が15以上」又は「中高層の耐火共同住宅の床面積が1,000㎡以上」であるかどうかの判定は、当該中高層の耐火共同住宅の一棟ごとの独立部分の戸数又は一棟ごとの床面積により行うものとする。(措通31の２－20)

(換地処分後の土地等の譲渡)

(19)　土地区画整理法による土地区画整理事業の施行に伴い、同法第98条第１項《仮換地の指定》の規定による仮換地の指定（仮に使用又は収益をすることができる権利の目的となるべき土地又はその部分の指定を含む。）があり、かつ、当該指定の効力発生の日（同法第99条第２項《仮換地の指定の効果》の規定により使用又は収益を開始することができる日が定められた場合には、その日）から３年を経過する日の属する年の12月31日までの間に換地処分が行われた場合において、当該換地処分により取得した土地等をその取得の日から当該期間の末日までの間に①の表の(十六)に規定する住宅又は中高層の耐火共同住宅の建設を行う個人又は法人に譲渡したとき（当該譲渡に係る土地等が当該住宅又は中高層の耐火共同住宅の用に供される場合に限る。）は、当該土地等の譲渡は、同(十六)に掲げる土地等の譲渡に該当するものとして取り扱う。(措通31の２－21)

（住宅の床面積等）

(20)　①(十六)に規定する住宅又は中高層の耐火共同住宅が二棟以上建設される場合における同(十六)に規定する要件に該当するかどうかの判定については、次による。（措通31の２－22）

(一)　同(十六)(注)に定める住宅の床面積及び住宅の用に供される土地等の面積要件については、次の点に留意する。

イ　住宅の床面積が200㎡以下で、かつ、50㎡以上であるかどうかは、一棟の家屋ごとに行うのであるが、一棟の家屋で、その構造上区分された数個の部分を独立して住居の用途に供することができるものの床面積要件の判定は、それぞれその区分された住居の用途に供することができる部分（以下「独立住居部分」という。）の床面積と共用部分の床面積を各独立住居部分の床面積に応じて按分した面積との合計面積により行うこと。

ロ　住宅の用に供される土地等の面積が500㎡以下で、かつ、100㎡以上であるかどうかの判定は、その建設される一の住宅の用に供される土地等の面積により行い、また、一棟の家屋が独立住居部分からなる場合の敷地面積要件の判定は、当該一棟の家屋の敷地面積を当該一棟の家屋の全体の床面積に占める床面積の判定の基礎となる各独立住居部分の床面積の割合に応じて按分した面積により行うこと。

ハ　各独立住居部分の一部分が床面積の要件又は敷地面積の要件に該当しない場合には、住宅建設を行う者に対する土地等の譲渡のうち当該独立住居部分を有する一棟の家屋の敷地の用に供される土地等の譲渡について**2**の規定の適用はないこと。

(二)　中高層の耐火共同住宅の各独立住居部分の一部分が①(十五)(注)１〈ニ〉に規定する床面積の要件に該当しない場合には、中高層の耐火共同住宅の建設を行う者に対する土地等の譲渡のうち床面積の要件に該当しない独立住居部分を有する一棟の中高層の耐火共同住宅の敷地の用に供される土地等の譲渡について**2**の規定の適用はないことに留意する。

（併用住宅の場合）

(21)　住宅以外の部分の床面積が全体の床面積の２分の１未満である併用住宅は、①(十六)に規定する「住宅」に該当するものとする。したがって、当該「住宅」に該当する併用住宅についての同(十六)(注)に定める床面積要件及び敷地面積要件の判定は、当該併用住宅全体の床面積及び当該併用住宅の用に供される土地等の面積により行う。（措通31の２－23）

（床面積の意義）

(22)　①、①(十五)(注)１、同(十六)(注)及び(29)に規定する床面積は、建築基準法施行令第２条第１項第３号に規定する床面積によるものとする。（措通31の２－24）

（土地区画整理事業等の施行地区内の土地等の譲渡）

(23)　土地区画整理法による土地区画整理事業、新都市基盤整備法による土地整理又は大都市地域における住宅及び住宅地等の供給の促進に関する特別措置法（以下「大都市地域住宅等供給促進法」という。）による住宅街区整備事業の施行地区内にある従前の宅地（当該宅地の上に存する権利を含む。）を次に掲げる者に譲渡した場合において、当該譲渡した従前の宅地に係る仮換地がそれぞれ次に掲げる用途又は用に供されるときは、当該譲渡した従前の宅地がこれらの用途又は用に供されるものとして**2**の規定を適用することができる。（措通31の２－25）

(一)　①(二)に掲げる法人　同(二)に規定する業務を行うために直接必要であると認められる用途

(二)　①(十二)に規定する建築物の建築をする事業を行う者　同(十二)に規定する建築物の建築をする事業の用

(三)　①(十三)又は同(十四)に規定する個人又は法人　同(十三)又は同(十四)に規定する一団の宅地の用

(四)　①(十五)に規定する個人又は法人　同(十五)に規定する一団の住宅又は中高層の耐火共同住宅の用

（「確定優良住宅地等予定地のための譲渡の特例期間」の判定）

(24)　②(５)から同(７)までの規定による確定優良住宅地等予定地のための譲渡の特例期間の判定は、①(十三)若しくは同(十四)に規定する「住宅建設の用に供される一団の宅地の造成を行う個人又は法人」又は同(十五)若しくは同(十六)に規定する「住宅又は中高層の耐火共同住宅の建設を行う個人又は法人」が②(８)の規定により税務署長に提出した同(８)(二)に規定する事業概要書等により行うことに留意する。したがって、土地区画整理法による土地区画整理事業として行われる住宅建設の用に供される一団の宅地の造成事業にあっては、当該造成事業として国土交通大臣から最初に証明を受けた日から２年を経過する日の属する年の12月31日までに事業計画を変更して、新たに国土交通大臣の証明を受けた場合には、当該変更後における住宅建設の用に供される一団の宅地の造成事業の事業概要書に基づき特例期間の判定を行うこととなる。

なお、②(５)(三)に規定する「住居の用途に供する独立部分が50以上のもの」であるかどうかの判定は、建設される１棟の中高層の耐火共同住宅により行うのであるから留意する。(措通31の２－28)

（注）②(６)又は同(７)に規定する「確定優良住宅地造成等事業につき開発許可等を受けることができると見込まれる日として所轄税務署長が認定した日」は一の事業ごとに一定の日を税務署長が判定することになること及び当該認定した日の属する年の12月31日までの期間内に開発許可等を受けることができなかった確定優良住宅地造成等事業を行う個人又は法人に対する土地等の譲渡については、その全部が①(十三)から同(十六)までに掲げる土地等の譲渡に該当しないこととなるから、⑤の規定の適用を受けた者は④の規定により修正申告書を提出しなければならないことに留意する。

(優良な宅地の認定基準)

(25)　①(十四)(注)３に掲げる優良な宅地の認定基準に係る建設省告示の内容は次のとおりである。(昭54建設省告示第767号抄、最終改正令５国土交通省告示第549号)

第一　宅地の用途に関する事項

(一)　当該造成に係る宅地が次に掲げる建築物の建築又は工作物の建設及びこれらに関連して必要と認められる公共施設又は公益的施設の整備の用に供されるものであること。

住宅（別荘を除く。)、工場、流通業務施設、事務所、研究施設、研修施設、厚生施設。

(二)　当該造成に係る宅地が住宅（別荘を除く。）及びこれに関連して必要と認められる公共施設又は公益的施設の整備の用に供されるものであること。

第二　宅地としての安全性に関する事項及び給水施設、排水施設その他宅地に必要な施設に関する事項

(一)　当該宅地の造成について都市計画法第33条第１項第２号から第11号《開発許可の基準》までに規定する基準に適合するように設計が定められていること。

(二)　省略

第三　その他優良な宅地の供給に関し必要な事項

(一)　宅地の造成が、宅地造成及び特定盛土等規制法その他宅地の造成に関する法令に照らし、適法に行われたものであること。

(二)　①の表の(十四)のハに規定する宅地の造成にあっては、当該造成に係る宅地の区画数に占める１区画当たりの宅地の面積が100平方メートル以上である区画数の割合が100分の80以上であること。

(施行再建マンションの住戸の規模及び構造の基準)

(26)　①(十)(注)１に規定する国土交通大臣が財務大臣と協議して定めるマンションの建替え等の円滑化に関する法律(以下(26)において「法」という。）第２条第１項第７号に規定する施行再建マンション（以下(26)において単に「施行再建マンション」という。）の住戸の基準は、次の(一)又は(二)のいずれかに掲げるものとする。(平26国土交通省告示第1183号①、最終改正令３同省告示第290号)

(一)　施行再建マンションの住戸の規模が、マンションの建替え等の円滑化に関する法律施行規則（以下(28)において「施行規則」という。）第15条第１項第１号に掲げるものであること。

(二)　施行再建マンションが施行規則第15条第２項の規定の適用を受けるものであり、かつ、当該施行再建マンションの住戸の規模及び構造が次のイ及びロに掲げるものであること。

イ　施行再建マンションの各戸の専有部分（法第２条第１項第16号に規定する専有部分をいう。以下同じ。）の床面積の平均が、次の(イ)から(ロ)までに掲げる住戸の区分に応じ、それぞれに定める値以上であること。

(イ)　法第２条第１項第６号に規定する施行マンション（以下(26)において単に「施行マンション」という。）に現に居住する施行規則第15条第１項第１号に規定する単身者（以下(26)において単に「単身者」という。）の居住の用に供する住戸　　25平方メートル

(ロ)　施行マンションに現に居住する60歳以上の者（単身者を除き、その者の有する施行マンションの区分所有権（法第２条第１項第14号に規定する区分所有権をいう。）又は敷地利用権（同項第19号に規定する敷地利用権をいう。）の価額を考慮して、施行再建マンションの住戸の専有部分の床面積を50平方メートル以上とするために必要な費用を負担することが困難であると都道府県知事（市の区域内にあっては、当該市の長。以下「都道府県知事等」という。）が認める者に限る。）の居住の用に供する住戸　　30平方メートル

(ハ)　(イ)及び(ロ)に掲げる住戸以外の住戸　　50平方メートル

ロ　施行再建マンションの住戸の構造が、各戸の界壁（建築基準法施行令第78条の２に規定する耐力壁である界壁を除く。）の配置の変更により、各戸の専有部分の床面積を変更することができるものであること。

（売却再建マンションの住戸の規模及び構造の基準）

(27)　①(十一)(注)１に規定する国土交通大臣が財務大臣と協議して定める法第２条第１項第１号に規定するマンション（以下「売却再建マンション」という。）の住戸の規模の基準は、売却再建マンションの各戸の専有部分の床面積が、次の(一)から(三)までに掲げる住戸の区分に応じ、それぞれに定める値以上であることとする。（平26国土交通省告示第1183号②、最終改正令３同省告示第290号）

(一)　法第109条第２項第４号に規定する代替建築物提供等計画（(二)において単に「代替建築物提供等計画」という。）に記載された売却再建マンションの住戸であって、同条第１項に規定する決議特定要除却認定マンション（(二)において単に「決議特定要除却認定マンション」という。）に現に居住する単身者の居住の用に供するもの　　25平方メートル

(二)　代替建築物提供等計画に記載された売却再建マンションの住戸であって、決議特定要除却認定マンションに現に居住する60歳以上の者（単身者を除き、法第142条第１項第３号に規定する分配金の価額を考慮して、売却再建マンションの住戸の専有部分の床面積を50平方メートル以上とするために必要な費用を負担することが困難であると都道府県知事等が認める者に限る。）の居住の用に供するもの　　30平方メートル

(三)　(一)又は(二)に掲げる住戸以外の住戸　　50平方メートル

(注)　上記の規定にかかわらず、住宅事情の実態により必要があると認められる場合においては、上記の売却再建マンションの住戸の規模の基準を、上記に定める値以下で都道府県知事等が定める値以上とすることができるものとする。この場合においては、売却再建マンションの住戸の規模及び構造が次に掲げるものでなければならない。

イ　売却再建マンションの各戸の専有部分の床面積の平均が、(26)(一)又は同(二)に掲げる住戸の区分に応じ、それぞれに定める値以上であること。

ロ　売却再建マンションの住戸の構造が、各戸の界壁の配置の変更により、各戸の専有部分の床面積を変更することができるものであること。

（優良な住宅の認定基準）

(28)　①(十五)(注)２に掲げる優良な住宅の認定基準に係る建設省告示の内容は次のとおりである。（昭54建設省告示第768号抄、最終改正令２国土交通省告示第499号）

第一　建築基準法その他住宅の建築に関する法令の遵守に関する事項

住宅の新築が、建築基準法、都市計画法その他住宅の建築に関する法令に照らし、適法に行われたものであること。

第二　住宅の床面積に関する事項

住宅の人の居住の用に供する部分の床面積（建築基準法施行規則別記第二号様式に規定する高床式住宅にあっては、床下部分以外の部分の面積）が、40平方メートル以上（寄宿舎にあっては、18平方メートル以上、①(十五)(注)２の規定による認定に係る寄宿舎以外の住宅にあっては50平方メール以上）200平方メートル以下であること。

第三　その他優良な住宅の供給に関し必要な事項

(一)　台所、水洗便所、洗面設備及び浴室（寄宿舎にあっては、共同の食堂、水洗便所、洗面設備及び浴室）並びに収納設備を備えた住宅であること。

(二)　別荘の用に供される住宅でないこと。

(三)　住宅（当該住宅が、一棟の家屋でその構造上区分された数個の部分を独立して人の居住の用その他の用に供することができるものの一部分〔以下「一棟の家屋の一部分」という。〕である場合にあっては、当該家屋をいう。(四)において同じ。）の床面積の敷地面積に対する割合が、10分の１未満でないこと。

(四)　住宅の建築費が3.3平方メートル当たり95万円（耐火構造〔建築基準法第２条第７号に規定する耐火構造をいう。〕を有する住宅にあっては、100万円）以下であること。

(五)　住宅が一棟の家屋の一部分である場合にあっては、当該家屋の第二並びに第三の(一)及び(二)の要件に該当する住宅の床面積の合計の当該家屋の床面積に占める割合が、２分の１以上であること。

（優良住宅地等のための譲渡であることにつき証明がされたもの）

(29)　①に規定するところにより証明がされた土地等の譲渡は、次の(一)から(十六)までに掲げる土地等の譲渡の区分に応じ当該(一)から(十六)までに定める書類を確定申告書に添付することにより証明がされた土地等の譲渡とする。（措規13の３①）

(一)	①(一)に掲げる土地等の譲渡《国又は地方公共団	次に掲げる場合の区分に応じそれぞれ次に定める書類 イ　当該土地等の譲渡が国又は地方公共団体に対して行われるものである場

	体その他これらに準ずる法人に対する譲渡》	合　当該土地等の買取りをする者の当該土地等を買い取った旨を証する書類 ロ　当該土地等の譲渡が①(一)ロに規定する法人に対して行われるものである場合　当該土地等の買取りをする者の当該土地等を同ロに規定する収用の対償に充てるために買い取った旨を証する書類
(二)	①(二)に掲げる土地等の譲渡《都市再生機構及び土地開発公社等に対する譲渡》	次に掲げる場合の区分に応じそれぞれ次に定める書類 イ　当該土地等の譲渡が独立行政法人都市再生機構、土地開発公社又は①(二)イに掲げる法人に対して行われるものである場合　当該土地等の買取りをする者の当該土地等を同(二)に規定する業務の用に直接供するために買い取った旨を証する書類 ロ　当該土地等の譲渡が①(二)ロに規定する法人に対して行われるものである場合　当該法人に係る同(二)に規定する地方公共団体の長の当該土地等が当該法人により同(二)に規定する業務の用に直接供するために買い取られた旨を証する書類 ハ　当該土地等の譲渡が①(二)ハに掲げる法人に対して行われるものである場合　市町村長又は特別区の区長の当該土地等の買取りをする者が同(二)ハに掲げる法人である旨及び当該土地等が当該法人により同(二)に規定する業務の用に直接供するために買い取られた旨を証する書類 ニ　当該土地等の譲渡が①(二)ニに掲げる法人に対して行われるものである場合　市町村長又は特別区の区長の当該土地等の買取りをする者が同(二)ニに掲げる法人である旨及び当該土地等が当該法人により同(二)に規定する業務の用に直接供するために買い取られた旨を証する書類 ホ　当該土地等の譲渡が①(二)ホに掲げる法人に対して行われるものである場合　市町村長又は特別区の区長の当該土地等の買取りをする者が同(二)ホに掲げる法人である旨及び当該土地等が当該法人により同(二)に規定する業務の用に直接供するために買い取られた旨を証する書類 ヘ　当該土地等の譲渡が①(二)ヘに掲げる法人に対して行われるものである場合　市町村長又は特別区の区長の当該土地等の買取りをする者が同ヘに掲げる法人である旨及び当該土地等が当該法人により同(二)に規定する業務の用に直接供するために買い取られた旨を証する書類
(二の二)	①(二の二)に掲げる土地等の譲渡	土地開発公社の当該土地等を①(二の二)イ又は同ロに掲げる土地等の区分に応じそれぞれ同イ又は同ロに定める事業の用に供するために買い取った旨を証する書類（当該土地等の所在地の記載があるものに限る。）
(三)	①(三)に掲げる土地等の譲渡《収用交換等による譲渡で(一)、(二)に該当しないもの》	次に掲げる書類 収用証明書（措規14⑤）……措通別表2「収用証明書の区分一覧表」参照。
(四)	①(四)に掲げる土地等の譲渡《第一種市街地再開発事業施行者への譲渡》	当該土地等の買取りをする①(四)に規定する第一種市街地再開発事業の施行者の当該土地等を当該事業の用に供するために買い取った旨を証する書類
(五)	①(五)に掲げる土地等の譲渡	当該土地等の買取りをする①(五)に規定する防災街区整備事業の施行者の当該土地等を当該事業の用に供するために買い取った旨を証する書類
(六)	①(六)に掲げる土地等の譲渡	当該土地等の買取りをする①(六)に規定する認定事業者から交付を受けた次に掲げる書類 イ　密集市街地における防災街区の整備の促進に関する法律第4条第1項に規定する所管行政庁の当該土地等に係る①(六)に規定する認定建替計画が同(六)(注)1に規定する要件を満たすものである旨を証する書類の写し

		ロ　当該土地等の買取りをする者の当該土地等を①(六)に規定する認定建替計画に係る建築物の建替えを行う事業の用に供するために買い取った旨を証する書類
(七)	①(七)に掲げる土地等の譲渡	当該土地等の買取りをする①(七)に規定する認定事業者から交付を受けた次に掲げる書類 イ　国土交通大臣の当該土地等に係る①(七)に規定する都市再生事業が都市再生特別措置法第25条に規定する認定事業である旨及び同(七)(注)イから同ハまでに掲げる要件を満たすものである旨を証する書類の写し ロ　当該土地等の買取りをする者の当該土地等を①(七)に規定する都市再生事業の用に供するために買い取った旨を証する書類（当該土地等の買取りをする者が同(七)の独立行政法人都市再生機構である場合には、当該書類及び同(七)の協定に基づき買い取った旨を証する書類）
(八)	①(八)に掲げる土地等の譲渡	当該土地等の買取りをする①(八)に規定する特定事業又は当該特定事業の実施に伴い必要となる施設を整備する事業を行う者から交付を受けた次に掲げる書類 イ　国家戦略特別区域法第７条第１項第１号に規定する国家戦略特別区域担当大臣の当該土地等に係る同法第２条第２項に規定する特定事業が同法第11条第１項に規定する認定区域計画に定められている旨及び当該特定事業又は当該特定事業の実施に伴い必要となる施設を整備する事業が国家戦略特別区域法施行規則第12条各号に掲げる要件の全てを満たすものである旨を証する書類の写し ロ　当該土地等の買取りをする者の当該土地等を①(八)に規定する特定事業又は当該特定事業の実施に伴い必要となる施設を整備する事業の用に供するために買い取った旨を証する書類
(九)	①(九)に掲げる土地等の譲渡	次に掲げる書類 イ　都道府県知事の①(九)に規定する裁定をした旨を所有者不明土地の利用の円滑化等に関する特別措置法第14条の規定により通知した文書の写し ロ　次に掲げる場合の区分に応じそれぞれ次に定める書類 (1)　当該土地等が①(九)イに掲げる土地等である場合　　当該土地等の買取りをする者の所有者不明土地の利用の円滑化等に関する特別措置法第10条第２項の規定による提出をしたイに規定する裁定に係る同(九)に規定する裁定申請書（同(九)に規定する事業者及び事業並びに同(九)イに規定する特定所有者不明土地の記載がされたものに限る。）の写し及び当該土地等を当該事業の用に供するために買い取った旨を証する書類 (2)　当該土地等が①(九)ロに掲げる土地等である場合　　当該土地等の買取りをする者の所有者不明土地の利用の円滑化等に関する特別措置法第10条第２項の規定による提出をしたイに規定する裁定に係る同(九)に規定する裁定申請書（同(九)に規定する事業者及び事業（同(九)ロに規定する同(九)(注)で定める事業を除く。）の記載がされたものに限る。）の写し、当該裁定申請書に添付された同(九)ロの事業計画書（同(九)ロの計画に当該事業者が当該土地等を取得するものとして記載がされたものに限る。）の写し及び当該土地等を当該記載がされた事業の用に供するために買い取った旨を証する書類
(十)	①(十)に掲げる土地等の譲渡	次に掲げる場合の区分に応じそれぞれ次に定める書類 イ　当該土地等の譲渡がマンションの建替え等の円滑化に関する法律第15条第１項若しくは第64条第１項若しくは第３項の請求又は同法第56条第１項の申出に基づくものである場合　　当該土地等の買取りをするマンション建替事業（①(十)に規定するマンション建替事業をいう。以下(十)において同じ。）の施行者（①(十)に規定する施行者をいう。ロにおいて同じ。）

		の当該マンション建替事業に係る施行再建マンション（①(十)に規定する施行再建マンションをいう。ロにおいて同じ。）が同(十)(注)１に規定する基準に適合することにつき都道府県知事（市の区域内にあっては、当該市の長。ロ及び(十一)において同じ。）の証明を受けた旨及び当該土地等を当該請求又は申出に基づき当該マンション建替事業の用に供するために買い取った旨を証する書類 ロ　当該土地等の譲渡が①(十)に規定する隣接施行敷地に係るものである場合　当該土地等の買取りをするマンション建替事業の施行者の当該マンション建替事業に係る同(十)に規定する施行マンションが同(十)(注)２に規定する建築物に該当すること及び当該マンション建替事業に係る施行再建マンションが同(十)(注)１に規定する基準に適合し、かつ、当該施行再建マンションの延べ面積が当該施行マンションの延べ面積以上であることにつき都道府県知事の証明を受けた旨並びに当該隣接施行敷地に係る土地等を当該マンション建替事業に係る当該施行再建マンションの敷地とするために買い取った旨を証する書類
(十一)	①(十一)に掲げる土地等の譲渡	当該土地等の買取りをするマンション敷地売却事業（①(十一)に規定するマンション敷地売却事業をいう。以下(十一)において同じ。）を実施する者の当該マンション敷地売却事業に係る①(十一)に規定する認定買受計画に同(十一)(注)２に規定するいずれかの事項の記載があること及び当該記載がされた（同(注)２(一)のマンションが新たに建築されること又は当該記載がされた同(二)若しくは同(三)の施設が整備されることにつき都道府県知事の証明を受けた旨並びに当該土地等を①(十一)の請求又は同(十一)に規定する分配金取得計画に基づき当該マンション敷地売却事業の用に供するために買い取った旨を証する書類
(十二)	①(十二)に掲げる土地等の譲渡《一定の建築物の建築をする一定の事業を行う者に対する市街化区域等内にあるものの譲渡》	当該土地等の買取りをする①(十二)に規定する建築物の建築をする事業を行う者から交付を受けた次に掲げる書類 イ　国土交通大臣のその建築物が①(十二)に規定する建築物に該当するものである旨及び当該建築物の建築をする事業が同(十二)(注)１(イ)及び同(ロ)に掲げる要件を満たすものである旨を証する書類の写し ロ　当該土地等の買取りをする者の①(十二)の譲渡に係る土地等が同(十二)(注)２(イ)及び同(ロ)に掲げる区域内に所在し、かつ、当該土地等を同(十二)に規定する建築物の建築をする事業の用に供する旨を証する書類
(十三)	①(十三)に掲げる土地等の譲渡《開発許可を受けて行う一団の宅地の造成を行う者への譲渡》	当該土地等の買取りをする①(十三)の住宅建設の用に供される一団の宅地の造成を行う同(十三)に規定する個人又は法人（以下(十三)において「土地等の買取りをする者」という。）から交付を受けた次に掲げる書類 イ　当該一団の宅地の造成に係る都市計画法第30条第１項《開発許可申請手続》に規定する申請書の写し（当該造成に関する事業概要書及び設計説明書並びに当該一団の宅地の位置及び区域等を明らかにする地形図の添付のあるものに限る。）及び同法第35条第２項《開発許可申請に対する処分の通知》の通知の文書の写し ロ　土地等の買取りをする者の①(十三)の譲渡に係る土地等がイに規定する通知に係る都市計画法第４条第13項に規定する開発区域内に所在し、かつ、①(十三)(注)１(一)及び同(二)に掲げる区域内に所在する旨及び当該土地等を当該一団の宅地の用に供する旨を証する書類
(十四)	①(十四)に掲げる土地等の譲渡《開発許可を要しない場合に都市計画区域内において行う1,000平方メートル以上の一団の	当該土地等の買取りをする①(十四)の住宅建設の用に供される一団の宅地の造成を行う同(十四)に規定する個人又は法人（当該一団の宅地の造成が土地区画整理法（昭和29年法律第119号）による土地区画整理事業として行われる場合には、当該土地区画整理事業の同法第２条第３項に規定する施行者又は同法第25条第１項に規定する組合員である個人又は法人に限る。以下(十四)

	優良宅地の造成を行う者への譲渡》	において「土地等の買取りをする者」という。）から交付を受けた次に掲げる書類 イ　当該一団の宅地の造成に係る①(十四)イ及び同ロに関する事項の記載のある同ハに規定する認定の申請書の写し（当該造成に関する事業概要書及び設計説明書並びに当該一団の宅地の位置及び区域等を明らかにする地形図の添付のあるものに限る。）並びに都道府県知事の当該申請書に基づき同(十四)ハに規定する認定をしたことを証する書類の写し ロ　土地等の買取りをする者の①(十四)の譲渡に係る土地等が同(十四)ロに規定する都市計画区域内に所在し、かつ、当該土地等を当該一団の宅地の用に供する旨（当該一団の宅地の造成が土地区画整理法による土地区画整理事業として行われる場合には、当該一団の宅地が当該土地区画整理事業の同法第２条第４項に規定する施行地区内に所在し、かつ、当該譲渡に係る土地等が当該土地等の買取りをする者の有する当該施行地区内にある土地と併せて一団の土地に該当することとなる旨を含む。）を証する書類 ハ　次に掲げる場合の区分に応じそれぞれ次に定める書類 (イ)　当該一団の宅地の造成が土地区画整理法による土地区画整理事業として行われる場合　　都道府県知事の同法第４条第１項又は第14条第１項若しくは第３項又は第51条の２第１項の規定による認可をしたことを証する書類の写し (ロ)　(イ)の場合以外の場合　　都道府県知事の当該一団の宅地の造成がイに規定する認定の内容に適合している旨を証する書類の写し
(十五)	①(十五)に掲げる土地等の譲渡《都市計画区域内において25戸以上の一団の優良住宅又は独立部分が15以上又は床面積1,000平方メートル以上の中高層の優良耐火共同住宅の建設を行う者への譲渡》	当該土地等の買取りをする①(十五)の一団の住宅又は中高層の耐火共同住宅の建設を行う個人又は法人（以下(十五)において「土地等の買取りをする者」という。）から交付を受けた次に掲げる書類 イ　当該一団の住宅又は中高層の耐火共同住宅の建設に係る①(十五)イ又は同ロ及び同ハに関する事項の記載のある同ニに規定する認定の申請書の写し（当該建設に関する事業概要書〔当該中高層の耐火共同住宅にあっては、当該事業概要書及び各階平面図〕並びに当該建設を行う場所及び区域等を明らかにする地形図の添付のあるものに限る。）並びに都道府県知事（当該中高層の耐火共同住宅でその用に供される土地の面積が1,000平方メートル未満のものにあっては、市町村長）の同(十五)ニに規定する認定をしたことを証する書類の写し ロ　土地等の買取りをする者の①(十五)の譲渡に係る土地等が同(十五)ハに規定する都市計画区域内に所在し、かつ、当該土地等を当該一団の住宅又は中高層の耐火共同住宅の用に供する旨を証する書類 ハ　当該一団の住宅又は中高層の耐火共同住宅に係る建築基準法第７条第５項《検査済証の交付》に規定する検査済証の写し
(十六)	①(十六)に掲げる土地等の譲渡《土地区画整理事業の施行地区内の土地等の譲渡で、仮換地が特定住宅の用に供されるもの》	当該土地等の買取りをする①(十六)の住宅又は中高層の耐火共同住宅（当該中高層の耐火共同住宅にあっては、その床面積が500平方メートル以上であるものに限る。）の建設を行う個人又は法人（以下(十六)において「土地等の買取りをする者」という。）から交付を受けたイからハまでに掲げる書類及びニに掲げる書類 イ　当該住宅又は中高層の耐火共同住宅の建設に係る①(十六)イ又は同ロに関する事項の記載のある建築基準法第６条第１項に規定する確認の申請書（これに準ずるものを含む。ロにおいて同じ。）の写し（当該建設に関する事業概要書及び当該建設を行う場所及び区域等を明らかにする地形図の添付のあるものに限る。） ロ　土地等の買取りをする者の①(十六)の譲渡に係る土地等につき同(十六)に規定する仮換地の指定がされた土地等をイに規定する確認の申請書に係

		る当該住宅又は中高層の耐火共同住宅の用に供する旨を証する書類 ハ　当該住宅又は中高層の耐火共同住宅に係る同(十六)ハに規定する検査済証の写し ニ　当該譲渡に係る土地等につき土地区画整理法第98条第５項又は第６項《仮換地の指定に関する通知》の規定により通知（同法第99条第２項の規定による通知を含む。）を受けた文書の写し

（土地等の買取りをする者による検査済証等の代行提出）

(30)　(29)(十四)ハ(ロ)に掲げる都道府県知事の証する書類の写し又は同(十五)ハに掲げる検査済証の写しは、同(十四)又は同(十五)に規定する土地等の買取りをする者から、同(十四)の一団の宅地の造成又は同(十五)の一団の住宅若しくは中高層の耐火共同住宅の建設を同(十四)又は同(十五)に規定する申請書の内容に適合して行う旨及び当該申請書に基づく同(十四)ハ(ロ)に規定する都道府県知事の証する書類又は同(十五)ハに規定する検査済証の交付を受けたときは遅滞なく当該都道府県知事の証する書類の写し又は当該検査済証の写しを提出する旨を約する書類が当該造成又は建設に関する事業に係る事務所、事業所その他これらに準ずるものの所在地の所轄税務署長に提出されている場合には、当該土地等の買取りをする者の当該所轄税務署長に提出した書類の写しとすることができる。(措規13の３②)

②　確定優良住宅地等予定地のための譲渡に対する準用

2の規定は、個人が、昭和62年10月１日から令和７年12月31日までの間に、その有する土地等でその年１月１日において**1**②《土地建物等の所有期間の計算》に規定する所有期間が５年を超えるものの譲渡をした場合において、当該譲渡が**確定優良住宅地等予定地のための譲渡**（その譲渡の日から同日以後２年を経過する日の属する年の12月31日までの期間<住宅建設の用に供される宅地の造成に要する期間が通常２年を超えることその他の(５)で定めるやむを得ない事情がある場合には、その譲渡の日から(６)で定める日までの期間。③において「予定期間」という。）内に①(十三)から同(十六)までに掲げる土地等の譲渡に該当することとなることが確実であると認められることにつき(１)で定めるところにより証明がされたものをいう。以下⑤において同じ。）に該当するときについて準用する。この場合において、**2**の規定中「優良住宅地等のための譲渡」とあるのは、「確定優良住宅地等予定地のための譲渡」と、読み替えるものとする。(措法31の２③)

（確定優良住宅地等予定地のための譲渡であることにつき証明がされた土地等の譲渡）

(１)　②に規定するところにより証明がされた土地等の譲渡は、②に規定する土地等の譲渡の次の(一)から(三)までに掲げる区分に応じ当該(一)から(三)までに定める書類を確定申告書に添付することにより証明がされた土地等の譲渡とする。(措規13の３⑧)

(一)	①(十三)から同(十五)までに係る土地等の譲渡（(二)掲げるものを除く。）　当該土地等の買取をする同(十三)若しくは同(十四)の造成又は同(十五)の建設を行うこれらの規定に規定する個人又は法人（以下(一)において「土地等の買取りをする者」という。）から交付を受けた次に掲げる書類 イ　次に掲げる場合の区分に応じそれぞれ次に定める書類 (イ)　国土利用計画法第14条第１項の規定による許可を受けて当該土地等が買い取られる場合　当該許可に係る通知の文書の写し (ロ)　国土利用計画法第27条の４第１項（同法第27条の７第１項において準用する場合を含む。）の規定による届出をして当該土地等が買い取られる場合　都道府県知事（地方自治法第252条の19第１項の指定都市にあっては、当該指定都市の長）の当該届出につき国土利用計画法第27条の５第１項又は第27条の８第１項の勧告をしなかった旨を証する書類の写し (ハ)　(イ)及び(ロ)に掲げる場合以外の場合　国土交通大臣の次に掲げる事項を認定したことを証する書類の写し ㋑　土地等の買取りをする者の資力、信用、過去の事業実績等からみて当該土地等の買取りをする者の行う一団の宅地の造成又は一団の住宅若しくは中高層の耐火共同住宅の建設が完成すると認められること。 ㋺　㋑の一団の宅地の造成又は一団の住宅若しくは中高層の耐火共同住宅の建設が①(十三)若しくは同(十四)の一団の宅地の造成又は同(十五)の一団の住宅若しくは中高層の耐火共同住宅の建設に該

	当することとなると見込まれること。 ロ　当該土地等のその用に供する①(十三)若しくは同(十四)の一団の宅地の造成又は同(十五)の一団の住宅若しくは中高層の耐火共同住宅の建設に関する事業概要書及び当該土地等の所在地を明らかにする地形図 ハ　土地等の買取りをする者の当該買い取った土地等を②に規定する２年を経過する日の属する年の12月31日までに、①(十三)若しくは同(十四)の一団の宅地又は同(十五)の一団の住宅若しくは中高層の耐火共同住宅の用に供することを約する書類（既に(５)に規定する所轄税務署長の(５)又は(７)若しくは④(１)の承認を受けて(６)、(７)及び④(１)に規定する所轄税務署長が認定した日の通知を受けている場合((二)ニ及び(三)ロにおいて「認定日の通知を受けている場合」という。）には、当該通知に係る文書の写し（(二)ニ及び(三)ロにおいて「通知書の写し」という。))
(二)	①(十四)に係る土地等の譲渡（同(十四)の一団の宅地の造成を土地区画整理法による土地区画整理事業として行う同(十四)に規定する個人又は法人に対するものに限る。）　当該土地等の買取りをする当該一団の宅地の造成を行う当該個人又は法人（以下(二)において「土地等の買取りをする者」という。）から交付を受けた次に掲げる書類 イ　(一)イ(イ)又は同(ロ)に掲げる場合に該当する場合には、その該当する(一)イ(イ)又は同(ロ)の区分に応じそれぞれ(一)イ(イ)又は同(ロ)に定める書類 ロ　国土交通大臣の次に掲げる事項を認定したことを証する書類の写し (イ)　土地等の買取りをする者の資力、信用、過去の事業実績等からみて当該土地等の買取りをする者の行う一団の宅地の造成が完成すると認められること。 (ロ)　(イ)の一団の宅地の造成が①(十四)の一団の宅地の造成に該当することとなると見込まれること。 ハ　当該土地等のその用に供する①(十四)の一団の宅地の造成に関する事業概要書及び当該土地等の所在地を明らかにする地形図 ニ　土地等の買取りをする者の当該買い取った土地等を②に規定する２年を経過する日の属する年の12月31日までに、①(十四)の一団の宅地の用に供することを約する書類（認定日の通知を受けている場合には、通知書の写し)
(三)	①(十六)に係る土地等の譲渡　当該土地等の買取りをする同(十六)の住宅又は中高層の耐火共同住宅の建設を行う同(十六)に規定する個人又は法人（以下(三)において、「土地等の買取りをする者」という。）から交付を受けた次に掲げる書類 イ　当該土地等のその用に供する①(十六)の住宅又は中高層の耐火共同住宅の建設に関する事業概要書及び当該土地等の所在地を明らかにする地形図 ロ　土地等の買取りをする者の当該買い取った土地等を②に規定する２年を経過する日の属する年の12月31日までに、①(十六)の住宅又は中高層の耐火共同住宅の用に供することを約する書類（認定日の通知を受けている場合には、通知書の写し) ハ　①(31)(十六)ニに掲げる文書の写し

（国土利用計画法の許可を受けて買い取られる場合）

(２)　(１)(一)イ(イ)に規定する「国土利用計画法第14条第１項の規定による許可を受けて当該土地等が買い取られる場合」とは、同項の規定による許可を受けた後において、当該許可に係る内容に従って締結した売買契約に基づいて買い取られる場合をいうことに留意する。したがって、同項の許可の内容と異なる事項を約した売買契約に基づいて買い取られた土地等に係る譲渡所得については、たとえ当該譲渡所得に係る確定申告書に(１)(一)イ(イ)に規定する書類の添付がある場合であっても、②の規定の適用はない。(措通31の２－26)

（国土利用計画法の届出をして買い取られる場合）

(３)　(１)(一)イ(ロ)に規定する「国土利用計画法第27条の４第１項(同法第27条の７第１項において準用する場合を含む。）の規定による届出をして当該土地等が買い取られる場合」とは、同法第27条の４第１項(同法第27条の７第１項において準用する場合を含む。）の規定による届出をした日から起算して６週間を経過した日(同日前に都道府県知事(地方自治法第252条の19第１項の指定都市にあっては当該指定都市の長)から国土利用計画法第27条の５第３項(同法第27条の８第２項において準用する場合を含む。）に規定する勧告をしない旨の通知を受けた場合には、当該通知を受けた日。以下(３)において同じ。）以後において当該届出に係る内容に従って締結した売買契約に基づいて買い取られる場合をいうことに留意する。したがって、次に掲げる売買契約に基づいて買い取られた土地等に係る譲渡所得については、たとえ当該譲渡所得に係る確定申告書に(1)(一)イ(ロ)に規定する書類の添付がある場合であっても、②の規定の適用はない。(措通31の2－27)

(一)　当該届出をした日から起算して6週間を経過した日の前日までの間に締結した売買契約

(二)　当該届出の内容と異なる事項を約した売買契約(その買取り価額が当該届出に係る予定対価の額未満である売買契約を除く。)

(確定申告後に(5)による期限延長の認定があった場合)

(4)　(1)の場合において、(1)に規定する書類を添付して確定申告書を提出した個人が、当該確定申告書を提出した後、②の規定の適用を受けた譲渡に係る土地等の買取りをした者から当該土地等につき(6)又は(7)に規定する税務署長の認定した日の通知に関する文書の写しの交付を受けたときは、当該通知に関する文書の写しを、遅滞なく、納税地の所轄税務署長に提出するものとし、当該通知に関する文書の写しの提出があった場合には、(1)(一)から同(三)に規定する2年を経過する日は、当該通知に係る所轄税務署長が認定した日であったものとする。(措規13の3⑨)

(②のやむを得ない事情及び延長期限)

(5)　②に規定する住宅建設の用に供される宅地の造成に要する期間が通常2年を超えることその他のやむを得ない事情は、②の譲渡に係る土地等の買取りをする①(十三)若しくは同(十四)の造成又は同(十五)若しくは同(十六)の建設に関する事業（以下(5)において「**確定優良住宅地造成等事業**」という。）を行う個人又は法人が、(8)で定めるところにより、当該確定優良住宅地造成等事業につき、次の(一)から(四)までに掲げる事業の区分に応じ当該(一)から(四)までに定める事由により②に規定する2年を経過する日の属する年の12月31日までの期間内に①(十三)ロに規定する開発許可、同(十四)ハの都道府県知事の認定、同(十五)ニの都道府県知事若しくは市町村長の認定又は同(十六)に規定する住宅若しくは中高層の耐火共同住宅に係る建築基準法第7条第5項若しくは第7条の2第5項の規定による検査済証の交付（以下「**開発許可等**」という。）を受けることが困難であると認められるとして当該事業に係る事務所、事業所その他これらに準ずるものの所在地の所轄税務署長（以下「所轄税務署長」という。）の承認を受けた事情とする。(措令20の2㉓)

(一)	①(十三)の造成に関する事業（その造成に係る住宅建設の用に供される一団の宅地の面積が1ヘクタール以上のものに限る。）	当該事業に係る都市計画法第32条第1項に規定する同意を得、及び同条第2項に規定する協議をするために要する期間が通常2年を超えると見込まれること。
(二)	①(十四)の造成に関する事業（その事業が土地区画整理法による土地区画整理事業として行われるもので、かつ、その造成に係る住宅建設の用に供される一団の宅地の面積が1ヘクタール以上のものに限る。）	当該事業に係る土地区画整理法第4条第1項若しくは第14条第1項、第3項若しくは第51条の2第1項の規定による認可を受けるために要する期間又は当該土地区画整理事業の施行に要する期間が通常2年を超えると見込まれること。
(三)	①(十五)の建設に関する事業（その建設される同(十五)イに規定する住宅の戸数又は同(十五)ロに規定する住居の用途に供する独立部分が50以上のものに限る。）	当該事業に係る同(十五)イに規定する一団の住宅又は同(十五)ロに規定する中高層の耐火共同住宅の建設に要する期間が通常2年を超えると見込まれること。
(四)	確定優良住宅地造成等事業（上記(一)から(三)までに掲げる事業でこれらの規定に定める事由があるものを除く。）	当該事業につき災害その他の(9)で定める事情((7)において「災害等」という。）が生じたことにより当該事業に係る開発許可等を受けるために要する期間が通常2年を超えることとなると見込まれること。

(②に規定する日)

(6)　②に規定する日は、②に規定する2年を経過する日の属する年の12月31日までの期間の末日から同日以後2年((5)(一)又は同(二)に掲げる事業(その造成に係る住宅建設の用に供される一団の宅地の面積が10ヘクタール以上であるものに限る。）にあっては、4年）を経過する日までの期間内の日で当該事業につき開発許可等を受けることができると見込まれる日として所轄税務署長が認定した日の属する年の12月31日（(7)において「当初認定日の属する年の末日」という。）とする。（措令20の2㉔）

（災害等が生じたことなどにより期日までに開発許可等を受けられない事情がある場合）

(7)　(5)(一)から(三)までに掲げる事業（当該事業につきこれらの規定に定める事由により(5)の承認を受けた事情があるものに限る。）につき、災害等が生じたことにより、又は当該事業が大規模住宅地等開発事業（(5)(一)又は同(二)に掲げる事業であってその造成に係る住宅建設の用に供される一団の宅地の面積が5ヘクタール以上であるものをいう。）であることにより、当初認定日の属する年の末日までに当該事業に係る開発許可等を受けることが困難であると認められるとして(8)で定めるところにより所轄税務署長の承認を受けた事情があるときは、②に規定する日は、(6)の規定にかかわらず、当該当初認定日の属する年の末日から2年を経過する日までの日で当該事業につき開発許可等を受けることができると見込まれる日として所轄税務署長が認定した日の属する年の12月31日とする。（措令20の2㉕）

（確定優良住宅地造成等事業の期限延長の承認申請）

(8)　(5)に規定する確定優良住宅地造成等事業（以下(8)において「**確定優良住宅地造成等事業**」という。）を行う個人又は法人が、当該確定優良住宅地造成等事業につき、(5)又は(7)に規定する所轄税務署長の承認を受けようとする場合には、(5)に規定する2年を経過する日の属する年の12月31日（(7)の承認にあっては、(6)に規定する当初認定日の属する年の末日）の翌日から15日を経過する日までに、(一)に掲げる事項を記載した申請書に(二)に掲げる書類を添付して、(5)に規定する所轄税務署長に提出しなければならない。（措規13の3⑩）

(一)	次に掲げる事項 イ　申請者の氏名及び住所又は名称、本店若しくは主たる事務所の所在地及び法人番号（法人番号を有しない法人にあっては、名称及び主たる事務所の所在地）並びに当該確定優良住宅地造成等事業に係る事務所、事業所その他これらに準ずるものの名称、所在地及びその代表者その他の責任者の氏名 ロ　当該確定優良住宅地造成等事業につき(5)(一)から同(四)に定める事由がある旨及び当該事由の詳細（(7)の承認にあっては、(7)に定める事由がある旨及び当該事由の詳細並びに(6)に規定する税務署長が認定した日の年月日） ハ　当該承認を受けようとする確定優良住宅地造成等事業の着工予定年月日及び完成予定年月日 ニ　当該承認を受けようとする確定優良住宅地造成等事業につき(5)に規定する開発許可等を受けることができると見込まれる年月日及び(6)又は(7)に規定する税務署長の認定を受けようとする年月日
(二)	当該承認を受けようとする確定優良住宅地造成等事業の①(29)(十三)から同(十六)までの区分に応じこれらの規定に規定する申請書に準じて作成した書類（①(十三)イ、同(十四)イ及び同ロ、同(十五)イ若しくは同ロ及び同ハ若しくは同(十六)イ若しくは同ロに関する事項の記載のあるものに限る。）並びに①(29)(十三)から同(十六)までに規定する事業概要書、設計説明書又は各階平面図及び地形図その他の書類

（災害その他の事情）

(9)　(5)(四)に規定する災害その他の事情は、次の(一)から(三)までに掲げる事情とする。（措規13の3⑪）

(一)	震災、風水害、雪害その他自然現象の異変による災害が生じ、又は①(十五)若しくは同(十六)の住宅若しくは中高層の耐火共同住宅につき火災が生じたこと。
(二)	当該買取りをした土地等につき文化財保護法第92条第1項に規定する埋蔵文化財の調査のための発掘を行うこととなったこと。
(三)	(一)及び(二)に掲げる事情のほか、土地等の買取りをする者の責めに帰せられない事由で、かつ、当該土地等の買取りをする日においては予測できなかった事由に該当するものとして(5)に規定する所轄税務署長が認めた事情が生じたこと。

③　確定優良住宅地造成等事業を行う者の書類交付義務等

②の規定の適用を受けた者から②の規定の適用を受けた譲渡に係る土地等の買取りをした①(十三)若しくは同(十四)の造成又は同(十五)若しくは同(十六)の建設を行う個人又は法人は、当該譲渡の全部又は一部が予定期間内に①(十三)から

同(十六)までに掲げる土地等の譲渡に該当することとなった場合には、②の規定の適用を受けた者に対し、遅滞なく、その該当することとなった当該譲渡についてその該当することとなったことを証する(1)で定める書類を交付しなければならない。(措法31の2⑤)

(①(十二)から同(十六)までに該当することとなったことを証する書類)

(1)　③に規定する書類は、①(29)(十三)から同(十六)までに掲げる書類（当該書類で既に交付しているものを除く。）とする。(措規13の3⑫)

(書類の交付を受けた者の税務署長への提出義務)

(2)　②の規定の適用を受けた者は、②の規定の適用を受けた譲渡に係る③に規定する書類の交付を受けた場合には、遅滞なく、次に掲げる事項を記載した書類に当該交付を受けた書類（②の規定の適用を受けた年分の確定申告書に添付している書類を除く。）を添付して、納税地の所轄税務署長に提出しなければならない。(措法31の2⑥、措規13の3⑬)

(一)	②の規定の適用を受けた譲渡に係る土地等のその譲渡をした年月日、当該土地等の面積及び所在地
(二)	当該土地等の買取りをした者の氏名又は名称及び住所又は本店若しくは主たる事務所の所在地
(三)	(一)に規定する譲渡に係る土地等のうち、当該交付を受けた書類を提出することにより①(十三)から同(十六)までに掲げる土地等の譲渡に該当することとなったものの面積及び所在地
(四)	②の規定の適用を受けた年分の確定申告書を提出した後その者の氏名又は住所を変更している場合には、当該確定申告書に記載した氏名又は住所及び当該確定申告書を提出した税務署の名称
(五)	その他参考となるべき事項

(確定優良住宅地等予定地のための譲渡が優良住宅地等のための譲渡に該当することとなった場合の証明書類)

(3)　②に規定する確定優良住宅地等予定地のための譲渡に係る土地等の買取りをした個人又は法人は、当該譲渡が②に規定する期間内に①(十三)から同(十六)までに掲げる土地等の譲渡に該当することとなった場合には、③の規定により②の規定の適用を受けた者に対して、①(29)(十三)から同(十六)までに掲げる書類（当該書類で既に交付しているものを除く。）を交付しなければならないこととされているが、この場合には①(30)の規定の適用はないことに留意する。(措通31の2－29)

(証明書類の添付がなかったことについてやむを得ない事情がある場合の特例の適用)

(4)　**2**又は②の規定は、確定申告書(第二章第一節**一**《用語の定義》表内**37**に規定する確定申告書をいう。以下(4)において同じ。)に①(29)(一)から同(十六)まで又は②(1)(一)から同(三)までに掲げる区分に応じ、当該(一)から(三)までに規定する書類の添付がある場合に限り適用があるのであるが、確定申告書に当該書類の添付がない場合であっても、その添付がなかったことについてやむを得ない事情があると認められるときは、当該書類の提出があった場合に限り、**2**又は②の規定の適用を認めて差し支えない。(措通31の2－30)

(特定非常災害に基因するやむを得ない事情により予定期間を延長するための手続等)

(5)　②(5)に規定する確定優良住宅地造成等事業を行う個人又は法人が、④(1)に規定する所轄税務署長の承認を受けようとする場合には、同(2)に規定する申請書を④に規定する非常災害が生じた日の翌日から②に規定する予定期間（以下(5)において「予定期間」という。）の末日の属する年の翌年1月15日までの間に当該所轄税務署長に提出しなければならないことに留意する。

なお、④(1)に規定する所轄税務署長の承認を受けたものについて、④の規定の適用を受けた場合には、その後に②に規定する②(3)で定めるやむを得ない事情による予定期間の延長を行うことはできないことに留意する。(措通31の2－31)

(優良住宅地等のための譲渡に関する証明書類等)

(6)　①に規定する優良住宅地等のための譲渡及び②に規定する確定優良住宅地等予定地のための譲渡に関する証明書類等の内容を一覧表で示すと別表1（省略）のとおりである。(措通31の2－32)

④　非常災害に基因するやむを得ない事情により予定期間内に土地等の譲渡に該当することが困難となった場合

②の規定の適用を受けた土地等の譲渡の全部又は一部が、特定非常災害の被害者の権利利益の保全等を図るための特別措置に関する法律第２条第１項の規定により特定非常災害として指定された非常災害に基因するやむを得ない事情により、②に規定する予定期間内に①(十三)から同(十六)までに掲げる土地等の譲渡に該当することが困難となった場合で(１)で定める場合において、当該予定期間の初日から当該予定期間の末日後２年以内の日で(１)で定める日までの間に当該譲渡の全部又は一部が①(十三)から同(十六)までに掲げる土地等の譲渡に該当することとなることが確実であると認められることにつき(３)で定めるところにより証明がされたときは、②、③及び⑤、同(１)及び同(２)の規定の適用については、②に規定する予定期間は、当該初日から当該(１)で定める日までの期間とする。(措法31の２⑦)

(④に規定する(１)で定める場合及び(１)で定める日)

(１)　④に規定する(１)で定める場合は、②(５)に規定する確定優良住宅地造成等事業を行う個人又は法人が、(２)で定めるところにより、当該確定優良住宅地造成等事業につき④に規定する特定非常災害として指定された非常災害に基因するやむを得ない事情により②に規定する予定期間内に開発許可等を受けることが困難であると認められるとして所轄税務署長の承認を受けた場合とし、④に規定する(１)で定める日は、当該予定期間の末日から同日以後２年を経過する日までの期間内の日で当該確定優良住宅地造成等事業につき開発許可等を受けることができると見込まれる日として所轄税務署長が認定した日の属する年の12月31日とする。(措令20の２㉖)

(申請書類の税務署長への提出)

(２)　(１)に規定する確定優良住宅地造成等事業（以下(２)において「確定優良住宅地造成等事業」という。）を行う個人又は法人が、当該確定優良住宅地造成等事業につき、(１)に規定する所轄税務署長の承認を受けようとする場合には、(１)に規定する予定期間の末日の属する年の翌年１月15日までに、次の(一)から(五)までに掲げる事項を記載した申請書に②(８)(二)に掲げる書類を添付して、当該所轄税務署長に提出しなければならない。(措規13の３⑭)

(一)	②(８)(一)イに掲げる事項
(二)	当該確定優良住宅地造成等事業について、④の特定非常災害として指定された非常災害により当該予定期間内に(１)に規定する開発許可等を受けることが困難となった事情の詳細
(三)	当該承認を受けようとする確定優良住宅地造成等事業の完成予定年月日
(四)	当該承認を受けようとする確定優良住宅地造成等事業につき(１)に規定する開発許可等を受けることができると見込まれる年月日
(五)	当該承認を受けようとする確定優良住宅地造成等事業につき②(５)、同(７)又は(１)の承認を受けたことがある場合には、その承認に係る②(６)、同(７)及び(１)に規定する所轄税務署長が認定した日

(④に規定する(３)で定めるところにより証明がされたとき)

(３)　(２)の場合において②(１)に規定する書類を添付して確定申告書を提出した個人が、当該確定申告書を提出した後、②の規定の適用を受けた譲渡に係る土地等の買取りをした者から当該土地等につき(１)に規定する所轄税務署長が認定した日の通知に関する文書の写しの交付を受けたときは、当該通知に関する文書の写しを、遅滞なく、納税地の所轄税務署長に提出するものとし、当該通知に関する文書の写しの提出（当該確定申告書に添付した場合を含む。）があった場合には、(１)に規定する所轄税務署長が認定した日は当該通知に係る所轄税務署長が認定した日であったものと、当該土地等の譲渡は④に規定する(３)で定めるところにより証明がされたものとする。(措規13の３⑮)

⑤　修正申告等

②の規定の適用を受けた者は、同②の規定の適用を受けた譲渡の全部又は一部が②に規定する予定期間内に①(十三)から同(十六)までに掲げる土地等の譲渡に該当しないこととなった場合には、当該予定期間を経過した日から４月以内に②の規定の適用を受けた譲渡のあった日の属する年分の所得税についての修正申告書を提出し、かつ、当該期限内に当該申告書の提出により納付すべき税額を納付しなければならない。この場合において、その該当しないこととなった譲渡は、②の規定にかかわらず、確定優良住宅地等予定地のための譲渡ではなかったものとみなす。(措法31の２⑧)

(更　　正)

(１)　⑤の場合において、修正申告書の提出がないときは、納税地の所轄税務署長は、当該申告書に記載すべきであった所得金額、所得税の額その他の事項につき第十二章**一 1**《更正》又は同**3**《再更正》の規定による更正を行う。（措法31の２⑨）

（修正申告書等に対する国税通則法の適用関係）

（２）　⑤による修正申告書及び（１）の更正に対する国税通則法の規定の適用については、次の(一)から(三)までに定めるところによる。（措法31の２⑩）

(一)	当該修正申告書で⑤に規定する提出期限内に提出されたものについては、第十章第七節**一 4**《修正申告の効力》の規定を適用する場合を除き、これを国税通則法第17条第２項に規定する期限内申告書とみなす。
(二)	当該修正申告書で⑤に規定する提出期限後に提出されたもの及び当該更正については、国税通則法第２章から第７章までの規定中「法定申告期限」とあり、及び「法定納期限」とあるのは、「第五章第二節**一 2**⑤に規定する修正申告書の提出期限」と、第十二章**四 7**（３）(一)《延滞税の額の計算の基礎となる期間の特例》中「期限内申告書」とあるのは、「第二章第一節**一**表内**37**に規定する確定申告書」と、同**7**（４）中「期限内申告書又は期限後申告書」とあるのは「第五章第二節**一 2**⑤の規定による修正申告書」と、第十二章**四 1**①、同③(二)及び同⑤(二)中「期限内申告書」とあるのは「第二章第一節**一**表内**37**に規定する確定申告書」とする。
(三)	第十二章**四 7**《延滞税》（３）(二)及び同章**四 2**《無申告加算税》の規定は、(二)に規定する修正申告書及び更正には、適用しない。

3　居住用財産を譲渡した場合の長期譲渡所得の課税の特例

個人が、その有する土地等又は建物等でその年１月１日において**1**②《土地建物等の所有期間の計算》に規定する所有期間が10年を超えるもののうち居住用財産に該当するものの譲渡（当該個人の配偶者その他の当該個人と②で定める特別の関係がある者に対してするもの及び次の(一)から(十三)までに掲げる規定の適用を受けるものを除く。以下**3**において同じ。）をした場合（当該個人がその年の前年又は前々年において既に**3**の規定の適用を受けている場合を除く。）には、当該譲渡による譲渡所得については、**1**①《長期譲渡所得の分離課税》の前段の規定により当該譲渡に係る課税長期譲渡所得金額に対し課する所得税の額は、同①の前段の規定にかかわらず次のイ又はロに掲げる場合の区分に応じ当該イ又はロに定める金額に相当する金額とする。（措法31の３①）

イ	課税長期譲渡所得金額が6,000万円以下である場合	当該課税長期譲渡所得金額の100分の10に相当する金額
ロ	課税長期譲渡所得金額が6,000万円を超える場合	次に掲げる金額の合計額 (一)　600万円 (二)　課税長期譲渡所得金額から6,000万円を控除した金額の100分の15に相当する金額

【重複適用できない課税の特例】

(一)　**二十三**《固定資産の交換の場合の譲渡所得の課税の特例》（法58）
(二)　**一 2**《優良住宅地の造成等のために土地等を譲渡した場合の長期譲渡所得の課税の特例》（措法31の２）
(三)　**三**《収用等に伴い代替資産を取得した場合の課税の特例》（措法33）
(四)　**四**《交換処分等に伴い資産を取得した場合の課税の特例》（措法33の２）
(五)　**五**《換地処分等に伴い資産を取得した場合の課税の特例》（措法33の３）
(六)　**十三**《低未利用土地等を譲渡した場合の長期譲渡所得の特別控除》（措法35の３）
(七)　**十五**《特定の居住用財産の買換え及び交換の場合の長期譲渡所得の課税の特例》（措法36の２、36の５）
(八)　**十八**《特定の事業用資産の買換え又は交換の場合の特例》（措法37、37の４）
(九)　**十九**《既成市街地等内にある土地等の中高層耐火建築物等建設のための買換え又は交換の特例〔**十九 9**を除く。〕》（措法37の５）
(十)　**二十**《特定の交換分合により土地等を取得した場合の課税の特例》（措法37の６）
(十一)　**二十一 1**《特定普通財産とその隣接する土地等の交換の場合の譲渡所得の課税の特例》（措法37の８）
(十二)　第十七章第二節**二十一**《被災市街地復興土地区画整理事業による換地処分に伴い代替住宅等を取得した場合の譲渡所得の課税の特例》（震災特例法11の４）

（固定資産の交換の場合の譲渡所得の課税の特例等との関係）

注　**3**に規定する譲渡につき、**二十三**《固定資産の交換の場合の譲渡所得の特例》又は**一２**《優良住宅地の造成等のために土地等を譲渡した場合に係る長期譲渡所得の課税の特例》、**三**から**五**まで《収用交換等の場合の課税の特例》、**十五**《特定の居住用財産の買換え及び交換の場合の長期譲渡所得の課税の特例》、**十八**《特定の事業用資産の買換え又は交換の特例》、**十九**《既成市街地等内にある土地等の中高層耐火建築物等建設のための買換え又は交換の特例》〔**十九９**を除く。〕、**二十**《特定の交換分合により土地等を取得した場合の課税の特例》若しくは**二十一**《特定普通財産とその隣接する土地等の交換の場合の譲渡所得の課税の特例》の規定の適用を受ける場合には、当該譲渡については**3**の規定の適用はないが、当該譲渡した資産が居住用部分（その者の居住の用に供している部分をいう。以下において同じ。）と非居住用部分（その者の居住の用以外の用に供している部分をいう。以下において同じ。）とから成る家屋（当該家屋でその居住の用に供されなくなったものを含む。）又は当該家屋の敷地の用に供されている土地（当該家屋の敷地の用に供されていたものを含む。）若しくは当該土地の上に存する権利である場合において、当該非居住用部分に相当するものの譲渡についてのみ**三**《収用等に伴い代替資産を取得した場合の課税の特例》（**四２**《交換取得資産とともに取得した補償金等に係る課税の特例》において準用する場合を含み、**三６**②又は同③《代替資産の特例》に規定する資産を代替資産とする場合に限る。以下注において同じ。）、**四１**《交換取得資産に係る譲渡所得等の課税の特例》（同**1**表内①（注）《同種の資産の特例》において準用する**三６**②に規定する資産を同種の資産とする場合に限る。以下において同じ。）、**十八**又は**十八４**の規定の適用を受けることができるときは、当該居住用部分に相当するものの譲渡については、当該非居住用部分に相当するものの譲渡につきこれらの規定の適用を受ける場合であっても、当該居住用部分に相当するものの譲渡が**3**の規定による要件を満たすものである限り、**3**の規定の適用があることに留意する。（措通31の３－１）

（注）１　その者の居住の用に供されなくなった後において譲渡した家屋又は土地（土地の上に存する権利を含む。以下この（注）において同じ。）に係る居住用部分及び非居住用部分の判定は、その者の居住の用に供されなくなった時の直前における当該家屋又は土地の利用状況に基づいて行い、その者の居住の用に供されなくなった後における利用状況は、この判定には関係がない。

２　その者の居住の用に供されなくなった後において居住用部分の全部又は一部を他の用途に転用した家屋又は土地を譲渡し、その譲渡につきその転用後の用途に基づいて**三**、**四**、**十八**又は**十八４**の規定の適用を受ける場合には、当該居住用部分の譲渡については、**3**の規定の適用はない。

３　やむを得ない事情により居住用財産の買換えの場合の買換資産を取得できなかった場合の3,000万円特別控除及び**3**の規定の適用……③（4）、**十一２**①（5）参照。（編者注）

①　居住用財産の範囲

3に規定する居住用財産とは、次の㈠から㈣までに掲げる家屋又は土地等をいう。（措法31の３②）

㈠	当該個人がその居住の用に供している家屋で（1）で定めるもののうち国内にあるもの
㈡	㈠に掲げる家屋で当該個人の居住の用に供さなくなったもの（当該個人の居住の用に供されなくなった日から同日以後３年を経過する日の属する年の12月31日までの間に譲渡されるものに限る。）
㈢	㈠又は㈡に掲げる家屋及び当該家屋の敷地の用に供されている土地等
㈣	当該個人の㈠に掲げる家屋が災害により滅失した場合において、当該個人が当該家屋を引き続き所有していたとしたならば、その年１月１日において**1**②に規定する所有期間が10年を超える当該家屋の敷地の用に供されていた土地等（当該災害があった日から同日以後３年を経過する日の属する年の12月31日までの間に譲渡されたものに限る。）

（居住の用に供している家屋）

（1）　㈠に規定する家屋は、個人がその居住の用に供している家屋（当該家屋のうちにその居住の用以外の用に供している部分があるときは、その居住の用に供している部分に限る。以下（1）において同じ。）とし、その者がその居住の用に供している家屋を２以上有する場合には、これらの家屋のうち、その者が主としてその居住の用に供していると認められる一の家屋に限るものとする。（措令20の３②）

（居住用家屋の範囲）

（2）　①に規定する「その居住の用に供している家屋」とは、その者が生活の拠点として利用している家屋（一時的な利用を目的とする家屋を除く。）をいい、これに該当するかどうかは、その者及び配偶者等（社会通念に照らしその者と同居することが通常であると認められる配偶者その他の者をいう。以下（2）において同じ。）の日常生活の状況、その家屋への入居目的、その家屋の構造及び設備の状況その他の事情を総合勘案して判定する。この場合、この判定に当たっては、次の点に留意する。(措通31の３－２)

(一)　転勤、転地療養等の事情のため、配偶者等と離れ単身で他に起居している場合であっても、当該事情が解消したときは当該配偶者等と起居を共にすることとなると認められるときは、当該配偶者等が居住の用に供している家屋は、その者にとっても、その居住の用に供している家屋に該当する。

(注)　これにより、その者が、その居住の用に供している家屋を２以上所有することとなる場合には、(1)の規定により、その者が主としてその居住の用に供していると認められる一の家屋のみが、**3**の規定の対象となる家屋に該当することに留意する。

(二)　次に掲げるような家屋は、その居住の用に供している家屋には該当しない。

イ　**3**の規定の適用を受けるためのみの目的で入居したと認められる家屋、その居住の用に供するための家屋の新築期間中だけの仮住いである家屋その他一時的な目的で入居したと認められる家屋

(注)　譲渡した家屋に居住していた期間が短期間であっても、当該家屋への入居目的が一時的なものでない場合には、当該家屋は上記に掲げる家屋には該当しない。

ロ　主として趣味、娯楽又は保養の用に供する目的で有する家屋

((三)に掲げる資産)

(3)　①(三)に規定する「(一)又は(二)に掲げる家屋及び当該家屋の敷地の用に供されている土地等」とは、①(一)又は同(二)に掲げる家屋とともにこれらの家屋の敷地の用に供されている土地等（土地又は当該土地の上に存する権利をいう。以下(19)までにおいて同じ。）でその年の１月１日において所有期間（**1**②《土地建物等の所有期間の計算》に規定する所有期間をいう。以下(20)までにおいて同じ。）が10年を超えるものを譲渡した場合の当該家屋及び敷地の用に供されている土地等をいうのであるから留意する。(措通31の３－３)

(注)１　①(三)に該当する家屋及び土地等の譲渡があった場合において、そのいずれか一方の資産に係る譲渡所得についてのみ**3**の規定を適用することはできない。

２　①(一)又は同(二)に規定する家屋とともに当該家屋の敷地の用に供されている土地等の譲渡があった場合において、当該家屋又は当該土地等のいずれか一方のその年１月１日における所有期間が10年以下であるときは、当該家屋及び土地等は**3**に規定する居住用財産に該当しないので、その譲渡所得については、**3**の規定を適用することはできない。

(敷地のうちに所有期間の異なる部分がある場合)

(4)　①(一)又は同(二)に掲げる家屋とともにこれらの家屋の敷地の用に供されている土地等の譲渡があった場合において、当該土地等のうちにその年１月１日における所有期間が10年を超える部分とその他の部分があるときは、その土地等のうち当該10年を超える部分のみが①(三)に掲げる土地等に該当するのであるから留意する。(措通31の３－４)

(注)　これらの家屋の敷地の用に供されている一の土地が、その取得の日を第四章第八節**二**《譲渡所得の金額》**1**(3)《借地権者等が取得した底地の取得時期等》の定めにより借地権等に相当する部分と底地に相当する部分とに区分して判定するものであるときは、当該土地のうちその年１月１日における所有期間が10年を超えることとなる部分のみが①の(三)に掲げる土地等に該当することになる。

(居住用土地等のみの譲渡)

(5)　①(一)又は同(二)に掲げる家屋を取り壊し、当該家屋の敷地の用に供されていた土地等を譲渡した場合（その取壊し後、当該土地等の上にその土地等の所有者が建物等を建設し、当該建物等とともに譲渡する場合を除く。）において、当該譲渡した土地等が次に掲げる要件の全てを満たすときは、当該土地等は①に規定する居住用財産に該当するものとして取り扱う。ただし、当該土地等のみの譲渡であっても、その家屋を引き家して当該土地等を譲渡する場合の当該土地等は、①に規定する居住用財産に該当しない。(措通31の３－５)

(一)　当該土地等は、当該家屋が取り壊された日の属する年の１月１日において所有期間が10年を超えるものであること。

(二)　当該土地等は、当該土地等の譲渡に関する契約が当該家屋を取り壊した日から１年以内に締結され、かつ、当該家屋をその居住の用に供さなくなった日以後３年を経過する日の属する年の12月31日までに譲渡したものであること。

(三)　当該土地等は、当該家屋を取り壊した後譲渡に関する契約を締結した日まで、貸付けその他の用に供していないものであること。

(注)　その取壊しの日の属する年の１月１日において所有期間が10年を超えない家屋の敷地の用に供されていた土地等については、**3**の規定の適用はない。

（生計を一にする親族の居住の用に供している家屋）

(6)　その有する家屋が(2)に定めるその居住の用に供している家屋に該当しない場合であっても、次に掲げる要件の全てを満たしているときは、その家屋はその所有者にとって①に規定する「その居住の用に供している家屋」に該当するものとして取り扱うことができるものとする。ただし、当該家屋の譲渡、当該家屋とともにするその敷地の用に供されている土地等の譲渡又は災害により滅失（(5)に定める取壊しを含む。）をした当該家屋の敷地の用に供されていた土地等の譲渡が次の(二)の要件を欠くに至った日から1年を経過した日以後に行われた場合には、この限りでない。（措通31の3－6）

(一)　当該家屋は、当該所有者が従来その所有者としてその居住の用に供していた家屋であること。

(二)　当該家屋は、当該所有者が当該家屋をその居住の用に供さなくなった日以後引き続きその生計を一にする親族（第二章第一節**一**表内**33**(2)《生計を一にするの意義》に定める親族をいう。以下(6)において同じ。）の居住の用に供している家屋であること。

(三)　当該所有者は、当該家屋をその居住の用に供さなくなった日以後において、既に**3**、**十一**　**1**①《居住用財産の譲渡所得の特別控除》（同③の規定により適用する場合を除く。）、**十五**《特定の居住用財産の買換え及び交換の特例》**1**又は同**5**、**十六**《居住用財産の買換え等の場合の譲渡損失の繰越控除》又は**十七**《特定居住用財産の譲渡損失の損益通算及び繰越控除》の規定の適用を受けていないこと。

(四)　当該所有者の(2)に定めるその居住の用に供している家屋は、当該所有者の所有する家屋でないこと。

（注）1　当該家屋が、上記(一)の当該所有者が従来その居住の用に供していた家屋であるかどうか及び上記(二)の生計を一にする親族がその居住の用に供している家屋であるかどうかは、(2)に定めるところに準じて判定する。

2　この取扱いは、当該家屋を譲渡した年分の確定申告書に次に掲げる書類の添付がある場合（当該確定申告書の提出後において当該書類を提出した場合を含む。）に限り適用する。

イ　当該所有者の戸籍の附票の写し

ロ　当該生計を一にする親族が居住の用に供していることを明らかにする書類

ハ　当該家屋及び当該所有者の(2)に定めるその居住の用に供している家屋の登記事項証明書

（店舗兼住宅等の居住部分の判定）

(7)　その居住の用に供している家屋のうちに居住の用以外の用に供されている部分のある家屋に係る(1)に規定するその居住の用に供している部分及び当該家屋の敷地の用に供されている土地等のうちその居住の用に供している部分は、次により判定するものとする。（措通31の3－7）

(一)　当該家屋のうちその居住の用に供している部分は、次の算式により計算した面積に相当する部分とする。

$$\text{当該家屋のうちその居住の用に専ら供している部分の床面積(A)} + \text{当該家屋のうちその居住の用と居住の用以外の用とに併用されている部分の床面積(B)} \times \frac{\text{(A)}}{\text{(A)} + \text{居住の用以外の用に専ら供されている部分の床面積}}$$

(二)　当該土地等のうちその居住の用に供している部分は、次の算式により計算した面積に相当する部分とする。

$$\text{当該土地等のうちその居住の用に専ら供している部分の面積} + \text{当該土地等のうちその居住の用と居住の用以外の用とに併用されている部分の面積} \times \frac{\text{当該家屋の床面積のうち(一)の算式により計算した床面積}}{\text{当該家屋の床面積}}$$

（注）　その居住の用に供している家屋のうちに居住の用以外の用に供されている部分のある家屋又は当該家屋の敷地の用に供されている土地等をその居住の用に供されなくなった後において譲渡した場合における当該家屋又は当該土地等のうちその居住の用に供している部分の判定は、当該家屋又は当該土地等をその居住の用に供されなくなった時の直前における利用状況に基づいて行い、その居住の用に供されなくなった後における利用状況は、この判定には関係がない。

（店舗等部分の割合が低い家屋）

(8)　その居住の用に供している家屋又は当該家屋の敷地の用に供されている土地等のうち(7)により計算したその居住の用に供している部分がそれぞれ当該家屋又は当該土地等のおおむね90%以上である場合には、当該家屋又は当該土地等の全部がその居住の用に供している部分に該当するものとして取り扱って差し支えない。（措通31の3－8）

（「主としてその居住の用に供していると認められる一の家屋」の判定時期）

(9)　その譲渡した家屋が(1)に規定する「その者が主としてその居住の用に供していると認められる一の家屋」に該当するかどうかは、次に掲げる場合の区分に応じ、それぞれ次に掲げる時の現況により判定することに留意する。（措

通31の３－９）

(一)　その譲渡した家屋がその譲渡の時においてその者の居住の用に供している家屋である場合　　その譲渡の時

(二)　その譲渡した家屋がその者の居住の用に供していた家屋でその譲渡の時においてその者の居住の用に供されていないものである場合　　その家屋がその者の居住の用に供されなくなった時

(注)　その譲渡した家屋が、上記(二)により、「その者が主としてその居住の用に供していると認められる一の家屋」に該当すると判定された場合には、その譲渡の時においてその者が他にその居住の用に供している家屋を有している場合であっても、その譲渡した家屋は、①に規定する家屋に該当する。

(居住用家屋の一部の譲渡)

(10)　その居住の用に供している家屋（(１)に規定する家屋に限る。以下(19)までにおいて同じ。）又は当該家屋でその居住の用に供されなくなったものを区分して所有権の目的としその一部のみを譲渡した場合又は２棟以上の建物から成る一構えのその居住の用に供している家屋（当該家屋でその居住の用に供されなくなったものを含む。）のうち一部のみを譲渡した場合には、当該譲渡した部分以外の部分が機能的にみて独立した居住用の家屋と認められない場合に限り、当該譲渡は、**3**に規定する譲渡に該当するものとする。（措通31の３－10）

(居住用家屋を共有とするための譲渡)

(11)　その居住の用に供している家屋（当該家屋でその居住の用に供されなくなったものを含む。）を他の者と共有にするため譲渡した場合又は当該家屋について有する共有持分の一部を譲渡した場合には、当該譲渡は、**3**に規定する譲渡には該当しないことに留意する。（措通31の３－11）

(居住用家屋の敷地の判定)

(12)　譲渡した土地等が①に規定する居住の用に供している家屋の「敷地」に該当するかどうかは、社会通念に従い、当該土地等が当該家屋と一体として利用されている土地等であったかどうかにより判定する。（措通31の３－12）

(「災害」の意義)

(13)　①に規定する「災害」とは、第二章第一節**一**表内**27**《定義》に規定する災害をいう。（措通31の３－13）

(災害滅失家屋の跡地等の用途)

(14)　災害により滅失したその居住の用に供している家屋の敷地の用に供されていた土地等の譲渡、その居住の用に供している家屋でその居住の用に供されなくなったものの譲渡又は当該家屋とともにする当該家屋の敷地の用に供されている土地等の譲渡が、これらの家屋をその居住の用に供されなくなった日から同日以後３年を経過する日の属する年の12月31日までの間に行われている場合には、その譲渡した資産は、当該居住の用に供されなくなった日以後どのような用途に供されている場合であっても、①に規定する居住用財産に該当する。（措通31の３－14）

(注) 1　第四章第八節**一 1**《譲渡所得の意義》(10)《固定資産である土地に区画形質の変更等を加えて譲渡した場合の所得》及び同(11)《極めて長期間保有していた土地に区画形質の変更等を加えて譲渡した場合の所得》により、その譲渡による所得が事業所得又は雑所得となる場合には、当該事業所得又は雑所得となる部分については、**3**の規定の適用はない。

2　その居住の用に供している家屋の敷地の用に供されている土地等を譲渡するため、その家屋を取り壊した場合における取扱いについては(５)による。

(居住の用に供されなくなった家屋が災害により滅失した場合)

(15)　その居住の用に供している家屋でその居住の用に供されなくなったものが災害により滅失した場合において、その居住の用に供されなくなった日から同日以後３年を経過する日の属する年の12月31日までの間に、当該家屋の敷地の用に供されていた土地等を譲渡したときは、当該譲渡は、**3**に規定する居住用財産の譲渡に該当するものとして取り扱う。

この場合において、当該家屋の所有期間の判定に当たっては、当該譲渡の時まで当該家屋を引き続き所有していたものとする。（措通31の３－15）

(土地区画整理事業等の施行地区内の土地等の譲渡)

(16)　土地区画整理法による土地区画整理事業、新都市基盤整備法による土地整理又は大都市地域住宅等供給促進法による住宅街区整備事業（以下(16)において「土地区画整理事業等」という。）の施行地区内にある従前の宅地（当該宅地の上に存する建物の所有を目的とする借地権を含む。）を仮換地の指定又は使用収益の停止があった後に譲渡した場合における**3**の規定の適用については、その居住の用に供している家屋（当該家屋でその居住の用に供されなくなったものを含む。）の移転又は除却（土地区画整理事業等のために行われるものに限る。）後における当該家屋の敷地の用に供されていた従前の宅地の譲渡（換地処分による譲渡を除く。）で、当該家屋がその居住の用に供されなくなった日から次に掲げる日のうちいずれか遅い日までの間にされたものは、**3**に規定する居住用財産の譲渡に該当するものとして取り扱う。

この場合において、当該家屋の所有期間の判定に当たっては、当該譲渡の時まで当該家屋を引き続き所有していたものとする。（措通31の３－16）

イ　当該家屋がその居住の用に供されなくなった日以後３年を経過する日の属する年の12月31日

ロ　当該家屋をその居住の用に供さなくなった日から１年以内に仮換地の指定があった場合（仮換地の指定後において当該居住の用に供さなくなった場合を含む。）には、当該従前の宅地に係る仮換地につき使用又は収益を開始することができることとなった日以後１年を経過する日

（権利変換により取得した施設建築物等の一部を取得する権利等の譲渡）

(17)　次に掲げる事業の施行地区内にその居住の用に供している家屋（当該家屋でその居住の用に供されなくなったものを含む。）及び当該家屋の敷地の用に供されている土地等（災害により滅失した当該家屋の敷地であった土地等を含む。）を有する者につき、それぞれに掲げるところにより**五**《換地処分等に伴い資産を取得した場合の課税の特例》の規定による旧資産、防災旧資産又は変換前資産の譲渡があったとみなされる日が、当該家屋をその居住の用に供されなくなった日から同日以後３年を経過する日の属する年の12月31日までの間にあるときは、当該譲渡は、**3**に規定する譲渡に該当するものとして取り扱う。（措通31の３－17）

(一)　都市再開発法による市街地再開発事業に係る権利変換又は収用若しくは買取りに伴い取得した施設建築物の一部を取得する権利（当該権利とともに取得した施設建築敷地若しくはその共有持分又は地上権の共有持分を含む。）又は建築施設の部分の給付を受ける権利を譲渡（**五**《換地処分等に伴い資産を取得した場合の課税の特例》**3**に規定する相続、遺贈又は贈与を含む。）した場合又は建築施設の部分につき都市再開発法第118条の５第１項《譲受け希望の申出等の撤回》に規定する譲受け希望の申出を撤回した場合（同法第118条の12第１項《仮登記等に係る権利の消滅について同意が得られない場合における譲受け希望の申出の撤回》又は第118条の19第１項《譲受け希望の申出を撤回したものとみなす場合》の規定により、譲受けの申出を撤回したものとみなされる場合を含む。）において、**五**《換地処分等に伴い資産を取得した場合の課税の特例》**3**の規定による旧資産の譲渡があったものとみなされる日

(二)　密集市街地における防災街区の整備の促進に関する法律による防災街区整備事業に係る権利変換に伴い取得した防災施設建築物の一部を取得する権利（当該権利とともに取得した防災施設建築敷地若しくはその共有持分又は地上権の共有持分を含む。）を譲渡（**五**《換地処分等に伴い資産を取得した場合の課税の特例》**5**に規定する相続、遺贈又は贈与を含む。）した場合において、同**5**の規定による防災旧資産の譲渡があったものとみなされる日

(三)　マンションの建替え等の円滑化に関する法律によるマンション建替事業に係る権利変換に伴い取得した施行再建マンションに関する権利を取得する権利（当該権利とともに取得した施行再建マンションに係る敷地利用権を含む。）を譲渡（**五**《換地処分等に伴い資産を取得した場合の課税の特例》**7**に規定する相続、遺贈又は贈与を含む。）した場合において、同**7**の規定による変換前資産の譲渡があったものとみなされる日

なお、この場合において、当該旧資産、防災旧資産又は変換前資産の所有期間は、当該旧資産、防災旧資産又は変換前資産の譲渡があったものとみなされる日の属する年の１月１日における所有期間となるのであるから留意する。

（居住用家屋の敷地の一部の譲渡）

(18)　その居住の用に供している家屋（当該家屋でその居住の用に供されなくなったものを含む。）の敷地の用に供されている土地等又は災害により滅失した当該家屋（(5)に定める取り壊した家屋を含む。以下(18)において同じ。）の敷地の用に供されていた土地等の一部を区分して譲渡した場合には、次の点に留意する。（措通31の３－18）

(一)　現に存する当該家屋の敷地の用に供されている土地等の一部の譲渡である場合　　当該譲渡が当該家屋の譲渡と同時に行われたものであるときは、当該譲渡は**3**に規定する譲渡に該当するが、当該譲渡が当該家屋の譲渡と同時に行われたものでないときは、当該譲渡は同**3**に規定する譲渡には該当しない。

(二)　災害により滅失した当該家屋の敷地の用に供されていた土地等の一部の譲渡である場合　　当該譲渡は、全て**3**に規定する譲渡に該当する。

（注）　譲渡した土地等が当該家屋の敷地の用に供されている土地又は当該家屋の敷地の用に供されていた土地に該当するかどうかは、(12)に定めるところにより判定する。

（居住用家屋の所有者とその敷地の所有者が異なる場合の取扱い）

(19)　①の(一)又は(二)に掲げる家屋（以下(19)及び(20)において「譲渡家屋」という。）の所有者以外の者が当該譲渡家屋の敷地の用に供されている土地等でその譲渡の年の１月１日における所有期間が10年を超えているもの（以下(19)において「譲渡敷地」という。）の全部又は一部を有している場合において、譲渡家屋の所有者と譲渡敷地の所有者の行った譲渡が次に掲げる要件の全てを満たすときは、これらの者がともに**3**の規定の適用を受ける旨の申告をしたときに限り、その申告を認めることとして取り扱う。（措通31の３－19）

（一）　譲渡敷地は、譲渡家屋とともに譲渡されているものであること。

（二）　譲渡家屋の所有者と譲渡敷地の所有者とが親族関係を有し、かつ、生計を一にしていること。

（三）　譲渡家屋は、当該家屋の所有者が譲渡敷地の所有者とともにその居住の用に供している家屋であること。

（注）1　(二)及び(三)の要件に該当するかどうかは、その家屋の譲渡の時の状況により判定する。ただし、その家屋がその所有者の居住の用に供されなくなった日から同日以後３年を経過する日の属する年の12月31日までの間に譲渡されたものであるときは、(二)の要件に該当するかどうかは、その家屋がその所有者の居住の用に供されなくなった時からその家屋の譲渡の時までの間の状況により、(三)の要件に該当するかどうかは、その家屋がその所有者の居住の用に供されなくなった時の直前の状況により判定する。

2　この取扱いは、譲渡家屋の所有者が当該家屋（譲渡敷地のうちその者が有している部分を含む。）の譲渡につき**3**の規定の適用を受けない場合（当該譲渡に係る課税長期譲渡所得金額がない場合を除く。）には、譲渡敷地の所有者について適用することはできない。

3　この取扱いにより、譲渡敷地の所有者が当該敷地の譲渡につき**3**の規定の適用を受ける場合には、譲渡家屋の所有者に係る当該家屋の譲渡について**十六**《居住用財産の買換え等の場合の譲渡損失の損益通算及び繰越控除》**1**又は**十七**《特定居住用財産の譲渡損失の損益通算及び繰越控除》**1**の規定の適用を受けることはできない。

（借地権等の設定されている土地の譲渡についての取扱い）

(20)　譲渡家屋の所有者が、当該家屋の敷地である借地権等の設定されている土地でその譲渡の年の１月１日における所有期間が10年を超えているもの（以下(20)において「居住用底地」という。）の全部又は一部を所有している場合において、当該家屋を取り壊し当該居住用底地を譲渡したときの**3**の規定の適用については(５)に準じて取り扱うこととし、当該居住用底地が当該家屋とともに譲渡されているときは、当該家屋及び当該居住用底地の譲渡について**3**の規定の適用を認めることとして取り扱う。

また、譲渡家屋の所有者以外の者が、居住用底地の全部又は一部を所有している場合における**3**の規定の適用については、(19)に準じて取り扱うこととする。（措通31の３－19の２）

②　譲渡者と特別の関係がある者

3に規定する当該個人と特別の関係がある者は、次の(一)から(五)までに掲げる者とする。（措令20の３①）

(一)	当該個人の配偶者及び直系血族
(二)	当該個人の親族（(一)に掲げる者を除く。以下(二)において同じ。）で当該個人と生計を一にしているもの及び当該個人の親族で①(１)に規定する家屋の譲渡がされた後当該個人と当該家屋に居住をする者
(三)	当該個人と婚姻の届出をしていないが事実上婚姻関係と同様の事情にある者及びその者の親族でその者と生計を一にしているもの
(四)	(一)から(三)までに掲げる者及び当該個人の使用人以外の者で当該個人から受ける金銭その他の財産によって生計を維持しているもの及びその者の親族でその者と生計を一にしているもの
(五)	当該個人、当該個人の(一)又は(二)に掲げる親族、当該個人の使用人若しくはその使用人の親族でその使用人と生計を一にしているもの又は当該個人に係る(三)又は(四)に掲げる者を判定の基礎となる第二章第一節**一**表内**8の2**に規定する株主等とした場合に法人税法施行令第４条第２項(注)に規定する特殊の関係その他これに準ずる関係のあることとなる会社その他の法人

（注）　法人税法施行令第４条第１項及び第２項に定める同族関係者等は次のとおりである。（編者注）

（一）　株主等と「特殊の関係のある個人」は、次に掲げる者とする。

イ　株主等の親族

ロ　株主等と婚姻の届出をしないが事実上婚姻関係と同様の事情にある者

ハ　個人である株主等の使用人

ニ　イからハまでに掲げる者以外の者で個人である株主等から受ける金銭その他の資産によって生計を維持しているもの

ホ　ロからニまでに掲げる者と生計を一にするこれらの者の親族

（二）　株主等と「特殊の関係のある法人」は、次に掲げる会社とする。

イ　同族会社であるかどうかを判定しようとする会社の株主等（当該会社が自己の株式又は出資を有する場合の当該会社を除く。以下ハまで及び(四)において「判定会社株主等」という。）の１人（個人である判定会社株主等については、その１人及びこれと(一)に規定する特殊の関係のある個人。以下(二)において同じ。）が他の会社を支配している場合における当該他の会社

ロ　判定会社株主等の１人及びこれとイに規定する特殊の関係のある会社が有する他の会社を支配している場合における当該他の会社

ハ　判定会社株主等の１人及びこれとイ又はロに規定する特殊の関係のある会社が他の会社を支配している場合における当該他の会社

(三)　(二)のイからハまでに規定する他の会社を支配している場合とは、次に掲げる場合のいずれかに該当する場合をいう。

イ　他の会社の発行済株式又は出資（その有する自己の株式又は出資を除く。）の総数又は総額の100分の50を超える数又は金額の株式又は出資を有する場合

ロ　他の会社の次に掲げる議決権のいずれかにつき、その総数（当該議決権を行使することができない株主等が有する当該議決権の数を除く。）の100分の50を超える数を有する場合

(イ)　事業の全部若しくは重要な部分の譲渡、解散、継続、合併、分割、株式交換、株式移転又は現物出資に関する決議に係る議決権

(ロ)　役員の選任及び解任に関する決議に係る議決権

(ハ)　役員の報酬、賞与その他の職務執行の対価として会社が供与する財産上の利益に関する事項についての決議に係る議決権

(ニ)　剰余金の配当又は利益の配当に関する決議に係る議決権

ハ　他の会社の株主等（合名会社、合資会社又は合同会社の社員（当該他の会社が業務を執行する社員を定めた場合にあっては、業務を執行する社員）に限る。）の総数の半数を超える数を占める場合

(四)　同一の個人又は法人（人格のない社団等を含む。）と(二)に定める特殊の関係のある２以上の会社が、判定会社株主等である場合には、その２以上の会社は、相互に(二)に規定する特殊の関係のある会社であるものとみなす。

（特殊関係者に対する譲渡の判定時期）

（１）　**3**に規定する譲渡が②(一)から同(五)に掲げる者に対する譲渡に該当するかどうかは、当該譲渡をした時において判定する。ただし、当該譲渡が②(二)に規定する「当該個人と当該家屋に居住をするもの」に対する譲渡に該当するかどうかは、当該譲渡がされた後の状況により判定する。（措通31の３－20）

（「生計を一にしているもの」の意義）

（２）　②に規定する「生計を一にしているもの」とは、第二章第一節**一**表内**33**（２）《生計を一にするの意義》に定めるところによる。（措通31の３－21）

（同居の親族）

（３）　②(二)に規定する「当該個人の親族で①（１）に規定する家屋の譲渡がされた後当該個人と当該家屋に居住をするもの」とは、当該家屋の譲渡がされた後において、当該家屋の譲渡者である個人及び当該家屋の譲受者である当該個人の親族（当該個人の配偶者及び直系血族並びに当該譲渡の時において当該個人と生計を一にしている親族を除く。）が共に当該家屋に居住する場合における当該譲受者をいうことに留意する。（措通31の３－22）

（「個人から受ける金銭その他の財産によって生計を維持しているもの」の意義）

（４）　②(四)に規定する「当該個人から受ける金銭その他の財産によって生計を維持しているもの」とは、当該個人から給付を受ける金銭その他の財産又は給付を受けた金銭その他の財産の運用によって生ずる収入を日常生活の資の主要部分としている者をいうのであるが、当該個人から離婚に伴う財産分与、損害賠償その他これらに類するものとして受ける金銭その他の財産によって生計を維持している者は含まれないものとして取り扱う。（措通31の３－23）

（名義株についての株主等の判定）

（５）　②(五)に規定する「株主等」とは、株主名簿又は社員名簿に記載されている株主等をいうのであるが、株主名簿又は社員名簿に記載されている株主等が単なる名義人であって、当該名義人以外の者が実際の権利者である場合には、その実際の権利者をいうことに留意する。（措通31の３－24）

（会社その他の法人）

（６）　②(五)に規定する「会社その他の法人」には、例えば、出資持分の定めのある医療法人のようなものがある。（措通31の３－25）

③　申 告 要 件

3の規定は、**3**の規定の適用を受けようとする年分の確定申告書に、**3**の規定の適用を受けようとする旨の記載があり、かつ、**3**の規定に該当する旨を証する書類として（１）で定める書類の添付がある場合に限り、適用する。（措法31の３③）

（申告要件に定める書類）

（1）　③に規定する書類は、譲渡をした家屋又は土地若しくは土地の上に存する権利（以下（1）において「土地建物等」という。）に係る登記事項証明書及び当該土地建物等が①(一)から同(四)までのいずれかの資産に該当する事実を記載した書類（当該譲渡に係る契約を締結した日の前日において当該譲渡をした者の住民票に記載されていた住所と当該譲渡をした土地建物等の所在地とが異なる場合その他これに類する場合には、これらの書類及び戸籍の附票の写し、消除された戸籍の附票の写しその他これらに類する書類で当該土地建物等が当該各号のいずれかの資産に該当することを明らかにするもの）とする。（措規13の４）

（確定申告書への記載等がない場合の宥恕規定）

（2）　税務署長は、確定申告書の提出がなかった場合又は③の記載若しくは添付がない確定申告書の提出があった場合においても、その提出又は記載若しくは添付がなかったことについてやむを得ない事情があると認めるときは、当該記載をした書類及び③で定める書類の提出があった場合に限り、**3**の規定を適用することができる。（措法31の３④）

（住民基本台帳に登載されていた住所が譲渡資産の所在地と異なる場合）

（3）　**3**に規定する資産を譲渡した者の住民基本台帳に登載されていた住所が、当該譲渡に係る契約を締結した日の前日において当該資産の所在地と異なる場合には、（1）《確定申告書への添付書類》の規定により、次に掲げる書類を確定申告書に添付する必要があることに留意する。（措通31の３－26）

(一)　その者の戸籍の附票の写し（当該譲渡をした日から２か月を経過した日後に交付を受けたものに限る。）又は消除された戸籍の附票の写し

(二)　その者の住民基本台帳に登載されていた住所が当該資産の所在地と異なっていた事情の詳細を記載した書類

(三)　その者の当該資産に居住していた事実を明らかにする書類

（買換資産を取得できなかった場合の軽減税率の適用）

（4）　**十五**《特定の居住用財産の買換え及び交換の特例》**1**に規定する譲渡資産の譲渡をし、同**2**において準用する同**1**の規定の適用を受けた者が、災害その他その者の責めに帰せられないやむを得ない事情により同**2**に規定する取得期限までに同**1**に規定する買換資産を取得できなかったためこれらの規定による特例を受けられないこととなった場合には、その者が当該取得期限の属する年の翌年４月30日までに同**7**②の規定による修正申告書の提出をするときに限り、当該資産の譲渡については**3**及び**十一**《3,000万円特別控除》の規定の適用をすることができることとする。（措通31の３－27）

4　長期譲渡所得の概算取得費控除

個人が昭和27年12月31日以前から引き続き所有していた土地等又は建物等を譲渡した場合における長期譲渡所得の金額の計算上収入金額から控除する取得費は、第四章第八節《譲渡所得》**二 2**《譲渡所得の金額の計算上控除する取得費》及び同章第七節《山林所得》**二 2**①の規定にかかわらず、当該収入金額の100分の５に相当する金額とする。ただし、当該金額がそれぞれ次のイ又はロに掲げる金額に満たないことが証明された場合には、当該イ又はロに掲げる金額とする。（措法31の４①）

イ	その土地等の取得に要した金額と改良費の額との合計額
ロ	その建物等の取得に要した金額と設備費及び改良費の額との合計額につき第四章第八節**二 2**②又は同**2**④《減価する資産の取得費》の規定を適用した場合にこれらの規定により取得費とされる金額

（昭和28年以後に取得した資産についての適用）

（1）　**4**の規定は、昭和27年12月31日以前から引き続き所有していた土地建物等の譲渡所得の金額の計算につき適用されるのであるが、昭和28年１月１日以後に取得した土地建物等の取得費についても、**4**の規定に準じて計算して差し支えないものとする。（措通31の４－１）

（相続等により取得した土地建物等の取得日の判定）

（2）　第四章第七節《山林所得》**二 3**②《相続等により取得した山林の所有期間》の規定は、**4**の規定を適用する場合について準用する。この場合において、同節**二 3**②の本文中「山林」とあるのは「第五章第二節**一 4**に規定する土地等又は建物等（以下(2)において「土地建物等」という。)」と、同項ただし書中「山林」とあるのは「土地建物等」と読み替えるものとする。（措法31の４②）

二　土地建物等の短期譲渡所得の課税の特例

①　短期譲渡所得の分離課税

個人が、その有する土地等又は建物等で、その年１月１日において②に規定する所有期間が５年以下であるもの（その年中に取得をした土地等又は建物等で注で定めるものを含む。）の譲渡をした場合には、当該譲渡による譲渡所得については、所得税法の規定にかかわらず、他の所得と区分し、その年中の当該譲渡に係る譲渡所得の金額（所得税法に規定する譲渡所得の特別控除額の控除をしないで計算した金額とし、**一１**《長期譲渡所得の課税の特例》①に規定する長期譲渡所得の金額の計算上生じた損失の金額があるときは、同**１**後段の規定にかかわらず、当該計算した金額を限度として当該損失の金額を控除した後の金額とする。以下①において「**短期譲渡所得の金額**」という。）に対し、課税短期譲渡所得金額（短期譲渡所得の金額〔同**１**③(三)の規定により読み替えられた第八章**一**《雑損控除》から同章**十七**《所得控除の順序》までの規定の適用がある場合には、その適用後の金額〕をいう。）の100分の30に相当する金額に相当する所得税を課する。この場合において、短期譲渡所得の金額の計算上生じた損失の金額があるときは、所得税法その他所得税に関する法令の規定の適用については、当該損失の金額は生じなかったものとみなす。（措法32①）

(注)　「短期譲渡所得の金額」は、譲渡した土地建物等が**七**から**十一**まで《分離譲渡所得の特別控除》の規定の適用を受けるものである場合には、それぞれこれらの規定による特別控除額を控除した残額をいうのであるから留意する。（編者注）

（その年中に取得をした土地建物等で短期譲渡所得の基因となるもの）

注　①に規定するその年中に取得した土地等又は建物等で注で定めるものは、当該個人がその年中に取得(建設を含む。)をした①に規定する土地等又は建物等（当該土地等又は建物等が②(１)(一)又は同(三)に掲げる土地等又は建物等に該当するものである場合には、その年１月１日において②に規定する所有期間が５年を超えるものを除く。）とする。(措令21①)

②　土地建物等の所有期間の計算

①に規定する所有期間とは、当該個人が①に規定する譲渡をした土地等又は建物等をその取得（建設を含む。）をした日の翌日から引き続き所有していた期間をいう。（措法31②、措令20②）

（交換、贈与、相続又は低額譲渡等により取得した土地建物等の所有期間）

(１)　②の譲渡をした土地等又は建物等が次の(一)から(三)までの左欄に掲げる土地等又は建物等に該当するものである場合には、当該譲渡をした土地等又は建物等については、当該個人が当該(一)から(三)までの右欄に定める日においてその取得をし、かつ、当該右欄に定める日の翌日から引き続き所有していたものとみなして、②の規定を適用する。(措令20③)

(一)	交換により取得した土地等又は建物等で**二十三**《固定資産の交換の場合の譲渡所得の特例》の規定の適用を受けたもの	当該交換により譲渡をした土地等又は建物等の取得をした日
(二)	昭和47年12月31日以前に所得税法の一部を改正する法律（昭和48年法律第８号）による改正前の所得税法第60条第１項各号に該当する贈与、相続、遺贈又は譲渡により取得した土地等又は建物等	当該贈与をした者、当該相続に係る被相続人、当該遺贈に係る遺贈者又は当該譲渡をした者が当該土地等又は建物等の取得をした日
(三)	昭和48年１月１日以後に**二十四３**《贈与等により取得した資産の取得費等》各号に該当する贈与、相続、遺贈又は譲渡により取得した土地等又は建物等	当該贈与をした者、当該相続に係る被相続人、当該遺贈に係る遺贈者又は当該譲渡をした者が当該土地等又は建物等の取得をした日

(注)　表の(二)と(三)は、いわゆる「みなし譲渡課税」の行われなかった贈与、相続、遺贈又は低額譲渡により取得した土地建物等であり、その詳細は**一１**②(２)の表を参照。（編者注）

（代替資産等の取得の日）

(２)　次に掲げる資産について②に規定する所有期間を判定する場合における②に規定する「その取得をした日」は、それぞれ次に掲げる日によるのであるから留意する。（措通31・32共－５）

(一)　その取得につき**三**《収用等に伴い代替資産を取得した場合の課税の特例》、**四**《交換処分等に伴い資産を取得した場合の課税の特例》、**五**《換地処分等に伴い資産を取得した場合の課税の特例》又は**二十**《特定の交換分合により

土地等を取得した場合の課税の特例》の規定の適用を受けた代替資産等　　これらの規定の適用に係る旧譲渡資産の取得の日

(二)　その取得につき**十五**《特定の居住用財産の買換え及び交換の特例》**1**若しくは同**4**、**十八**《特定の事業用資産の買換え又は交換の特例》**1**若しくは同**4**、**十九**《既成市街地等内にある土地等の中高層耐火建築物等建設のための買換え又は交換の特例》又は**二十一**《特定普通財産とその隣接する土地等の交換の場合の譲渡所得の課税の特例》の規定の適用を受けた買換資産等　　これらの資産の実際の取得の日

(改良、改造等があった土地建物等の所有期間の判定)

(3)　その取得後改良、改造等を行った土地建物等について②に規定する所有期間を判定する場合における同②に規定する「その取得をした日」は、その改良、改造等の時期にかかわらず、当該土地建物等の取得をした日によるものとする。(措通31・32共－6)

(配偶者居住権等が消滅した場合における建物又は土地等の所有期間の判定)

(4)　配偶者居住権又は当該配偶者居住権の目的となっている建物の敷地の用に供される土地等を当該配偶者居住権に基づき使用する権利(以下(4)及び(5)において「配偶者居住権等」という。)が消滅した後に、当該配偶者居住権の目的となっていた建物又は当該土地等を譲渡した場合において、**一1**②に規定する所有期間を判定するときにおける同②に規定する「その取得をした日」は、配偶者居住権等の消滅の時期にかかわらず、当該建物又は当該土地等の取得をした日によることに留意する。(措通31・32共－7)

(配偶者居住権を有する居住者が建物又は土地等を取得した場合の所有期間の判定)

(5)　配偶者居住権を有する居住者が、当該配偶者居住権の目的となっている建物又は当該建物の敷地の用に供される土地等を取得し当該建物又は当該土地等を譲渡した場合において、**一1**②に規定する所有期間を判定するときにおける同②に規定する「その取得をした日」は、配偶者居住権等の取得の時期にかかわらず、当該建物又は当該土地等の取得をした日によることに留意する。(措通31・32共－8)

(借地権者等が取得した底地の取得時期等)

(6)　借地権その他の土地の上に存する権利(以下「借地権等」という。)を有する者が底地(当該権利の設定されている土地をいう。以下(6)において同じ。)を取得した場合には、その土地の取得の日は、当該底地に相当する部分とその他の部分とを各別に判定するものとする。底地を有する者がその土地に係る借地権等を取得した場合も、同様とする。(基通33－10)

(譲渡資産のうちに短期保有資産と長期保有資産とがある場合の収入金額等の区分)

(7)　一の契約により譲渡した資産のうちに短期保有資産(第四章第八節《譲渡所得》**二1**(一)に掲げる所得の基因となる資産をいう。)と長期保有資産(同節**二1**(二)に掲げる所得の基因となる資産をいう。)とがある場合には、それぞれの譲渡資産の収入金額は、当該譲渡に係る収入金額の合計額をそれぞれの譲渡資産の当該譲渡の時の価額の比によりあん分して計算するものとし、当該譲渡資産に係る譲渡費用で個々の譲渡資産との対応関係の明らかでないものがあるときは、当該譲渡費用の額をそれぞれの資産に係る収入金額の比であん分するなど合理的な方法によりそれぞれの資産に係る当該譲渡費用の額を計算するものとする。この場合において、当事者の契約によりそれぞれの譲渡資産に対応する収入金額が区分されており、かつ、その区分がおおむねその譲渡の時の価額の比により適正に区分されているときは、これを認める。(基通33－11)

③　土地等の譲渡に類する株式等の譲渡所得の分離課税

①の規定は、個人が、その有する資産が主として土地等である法人の発行する株式又は出資(当該株式又は出資のうち次の(一)から(四)までに掲げる出資、投資口又は受益権に該当するものを除く。以下③において「株式等」という。)の譲渡で、その年1月1日において②に規定する所有期間が5年以下である土地等の譲渡に類するものとして(1)で定めるものをした場合において、当該譲渡による所得が、事業又はその用に供する資産の譲渡に類するものとして(2)で定める株式等の譲渡による所得に該当するときについて準用する。(措法32②)

(一)	資産の流動化に関する法律第2条第3項に規定する特定目的会社であって措法第67条の14第1項第1号ロ(1)若しくは(2)に掲げるもの又は同号ロ(3)若しくは(4)に掲げるもの(同項第2号ニに規定する同族会社に該当する

	ものを除く。）に該当するものの同法第２条第５項に規定する優先出資及び同条第６項に規定する特定出資
(二)	投資信託及び投資法人に関する法律第２条第12項に規定する投資法人であって、措法第67条の15第１項第１号ロ（１）又は（２）に掲げるもの（同項第２号ニに規定する同族会社に該当するものを除く。）に該当するものの同法第２条第14項に規定する投資口
(三)	法人課税信託のうち特定目的信託であって、措法第68条の３の２第１項第１号ロに掲げる要件に該当するもの（同項第２号イに規定する同族会社に該当するものを除く。）の受益権
(四)	法人課税信託のうち法人税法第２条第29号の２ニに掲げる投資信託であつて、措法第68条の３の３第１項第１号ロに掲げる要件に該当するもの（同項第２号イに規定する同族会社に該当するものを除く。）の受益権

（土地等の譲渡に類する（1）で定める譲渡）

（1）　③に規定する（1）で定める譲渡は、次の(一)及び(二)に掲げる株式等（③に規定する株式等をいう。以下（1）及び（2）において同じ。）の譲渡とする。（措令21③）

<table>
<tr><td>(一)</td><td colspan="2">その有する資産の価額の総額のうちに占める短期保有土地等（当該法人がその取得をした日から引き続き所有していた①に規定する土地等（以下（1）において「土地等」という。）でその取得をした日の翌日から当該株式等の譲渡をした日の属する年の１月１日までの所有期間が５年以下であるもの及び土地等で当該株式等の譲渡をした日の属する年において当該法人が取得をしたものをいう。）の価額の合計額の割合が100分の70以上である法人の株式等</td></tr>
<tr><td rowspan="3">(二)</td><td colspan="2">その有する資産の価額の総額のうちに占める土地等の価額の合計額の割合が100分の70以上である法人の株式等のうち、次に掲げる株式等に該当するもの</td></tr>
<tr><td>イ</td><td>その年１月１日において当該個人がその取得をした日の翌日から引き続き所有していた期間（②（1）(二)又は同(三)に規定する贈与、相続、遺贈又は譲渡により取得をした株式等については、同(二)又は同(三)に掲げる日の翌日から当該贈与、相続、遺贈又は譲渡があった日までの期間を含む。）が５年以下である株式等</td></tr>
<tr><td>ロ</td><td>その年中に取得をした株式等（②（1）(三)に規定する贈与、相続、遺贈又は譲渡により取得をした株式等については、同(三)に規定する者がその取得をした日の翌日からその年１月１日までの期間が５年を超えるものを除く。）</td></tr>
</table>

（資産の譲渡に類する（2）で定める株式等の譲渡）

（2）　③に規定する（2）で定める株式等の譲渡は、次の(一)及び(二)に掲げる要件に該当する場合のその年における(二)の株式等の譲渡とする。（措令21④）

(一)	その年以前３年内のいずれかの時において、その株式等に係る発行法人の特殊関係株主等がその発行法人の発行済株式（投資信託及び投資法人に関する法律第２条第12項に規定する投資法人にあっては、発行済みの同条第14項に規定する投資口。（3）(三)において同じ。）又は出資（当該発行法人が有する自己の株式（同条第14項に規定する投資口を含む。（3）(三)において同じ。）又は出資を除く。(二)において「発行済株式等」という。）の総数又は総額の100分の30以上に相当する数又は金額の株式等を有し、かつ、その株式等の譲渡をした者がその特殊関係株主等であること。
(二)	その年において、その株式等の譲渡をした者を含む(一)の発行法人の特殊関係株主等がその発行法人の発行済株式等の総数又は総額の100分の５以上に相当する数又は金額の株式等の譲渡をし、かつ、その年以前３年内において、その発行法人の発行済株式等の総数又は総額の100分の15以上に相当する数又は金額の株式等の譲渡をしたこと。

（（2）(二)の判定上譲渡に含まれない株式の譲渡）

（3）　（2）(二)の場合において、同(二)の譲渡は、次の(一)から(四)までに掲げる株式の譲渡を含まないものとする。（措令21⑤）

(一)	株式が金融商品取引法第２条第16項に規定する金融商品取引所（以下(３)において「金融商品取引所」という。）に上場されている場合において、同条第17項《定義》に規定する取引所金融商品市場においてするその株式の譲渡
(二)	株式が**店頭売買登録銘柄**（株式で、金融商品取引法第２条第13項に規定する認可金融商品取引業協会（以下(３)において「認可金融商品取引業協会」という。が、その定める規則に従い、その店頭売買につき、その売買価格を発表し、かつ、当該株式の発行法人に関する資料を公開するものとして登録をしたものをいう。以下(四)において同じ。）である場合において、同法第67条第２項に規定する店頭売買有価証券市場における同法第２条《定義》第９項に規定する金融商品取引業者（同法第28条第１項に規定する第一種金融商品取引業を行う者に限る。以下(３)において「金融商品取引業者」という。）の媒介、取次ぎ又は代理によってするその株式の譲渡（(四)に規定する登録に係る株式の譲渡に該当する場合における当該譲渡を除く。）
(三)	株式（その金融商品取引所にその発行する株式が上場されていない発行法人に係る当該株式に限る。）が金融商品取引法第121条の規定により内閣総理大臣への届出がなされて最初に当該金融商品取引所に上場される場合において、当該金融商品取引所の定める当該上場に関する規則に従って当該株式の当該上場の申請の日から当該上場される日までの間に**株式の公開**（同法第４条第１項の規定による内閣総理大臣への届出をし、かつ、認可金融商品取引業協会の定める規則に従ってその承認を受けた金融商品取引業者を通じてする同法第２条第４項に規定する有価証券の売出しに該当する株式の売出しをいう。）の方法により行う当該上場に係る株式の譲渡（当該株式に係る発行法人の特殊関係株主等がその発行法人の発行済株式（当該発行法人が有する自己の株式を除く。(四)において同じ。）の総数の100分の10以上に相当する数の株式の譲渡をした場合における当該譲渡を除く。）
(四)	株式（金融商品取引所に上場されている株式以外の株式に限る。以下(四)において同じ。）が最初に認可金融商品取引業協会の定める規則に従い店頭売買登録銘柄として登録された場合において、当該規則に従い当該登録に際し**株式の売出し**（金融商品取引法第４条第１項の規定による内閣総理大臣への届出をし、かつ、当該規則に従って当該登録の申請をした金融商品取引業者を通じてする同法第２条第４項に規定する有価証券の売出しに該当する株式の売出しをいう。）の方法により行う当該登録に係る株式の譲渡（当該株式に係る発行法人の特殊関係株主等がその発行法人の発行済株式の総数の100分の10以上に相当する数の株式の譲渡をした場合における当該譲渡を除く。）

（特殊関係株主等の範囲）

(４)　(２)並びに(３)(三)及び同(四)に規定する特殊関係株主等とは、これらの規定に規定する発行法人の第二章第一節一表内**8の2**に規定する株主等並びに当該株主等と法人税法施行令第４条第１項及び第２項に規定する特殊の関係その他これに準ずる関係のある者をいう。（措令21⑥）

（法人税法施行令第４条に規定する同族関係者）

(５)　法人税法施行令第４条に定める同族関係者等は次のとおりである。（編者注）

(一)　株主等と「特殊の関係のある個人」は、次に掲げる者とする。

イ　株主等の親族

ロ　株主等とまだ婚姻の届出をしないが事実上婚姻関係と同様の事情にある者

ハ　個人である株主等の使用人

ニ　イからハまでに掲げる者以外の者で個人である株主等から受ける金銭その他の資産によって生計を維持しているもの

ホ　ロからニまでに掲げる者と生計を一にするこれらの者の親族

(二)　株主等と「特殊の関係のある法人」は、次に掲げる会社とする。

イ　同族会社であるかどうかを判定しようとする会社の株主等（当該会社が自己の株式又は出資を有する場合の当該会社を除く。以下ハまで及び(四)において「判定会社株主等」という。）の１人（個人である判定会社株主等については、その１人及びこれと(一)に規定する特殊の関係のある個人。以下(二)において同じ。）が他の会社を支配している場合における当該他の会社

ロ　判定会社株主等の１人及びこれとイに規定する特殊の関係のある会社が他の会社を支配している場合における

当該他の会社

ハ　判定会社株主等の１人及びこれとイ又はロに規定する特殊の関係のある会社が他の会社を支配している場合における当該他の会社

(三)　(二)のイからハまでに規定する他の会社を支配している場合とは、次に掲げる場合のいずれかに該当する場合をいう。

イ　他の会社の発行済株式又は出資（その有する自己の株式又は出資を除く。）の総数又は総額の100分の50を超える数又は金額の株式又は出資を有する場合

ロ　他の会社の次に掲げる議決権のいずれかにつき、その総数（当該議決権を行使することができない株主等が有する当該議決権の数を除く。）の100分の50を超える数を有する場合

(イ)　事業の全部若しくは重要な部分の譲渡、解散、継続、合併、分割、株式交換、株式移転又は現物出資に関する決議に係る議決権

(ロ)　役員の選任及び解任に関する決議に係る議決権

(ハ)　役員の報酬、賞与その他の職務執行の対価として会社が供与する財産上の利益に関する事項についての決議に係る議決権

(ニ)　剰余金の配当又は利益の配当に関する決議に係る議決権

ハ　他の会社の株主等（合名会社、合資会社又は合同会社の社員（当該他の会社が業務を執行する社員を定めた場合にあっては、業務を執行する社員）に限る。）の総数の半数を超える数を占める場合

(四)　同一の個人又は法人（人格のない社団等を含む。）と(二)に定める特殊の関係のある２以上の会社が、判定会社株主等である場合には、その２以上の会社は、相互に(二)に定める特殊の関係のある会社であるものとみなす。

（募集株式の割当て等があった場合における譲渡株式数の割合）

(６)　募集株式の割当て等により株式等の発行法人の発行済株式等の総数又は総額に異動があった場合において、(２)(二)に規定する特殊関係株主等の譲渡した株式等の数が当該発行済株式等の総数又は総額の５％以上又は15％以上に相当する数に当たるかどうかは、それぞれ当該株式等を譲渡した時（当該譲渡した時が募集株式の割当てに係る株式等の割当ての基準となった日以後当該募集株式の割当てに係る株式等の発行前であるときは、当該割当てに係る株式等の発行直後）における当該発行法人の発行済株式等の総数又は総額のうちに当該譲渡をした株式等の数又は金額の占める割合を算出し、その算出した割合の合計により判定する。（措通32－５）

（その他これに準ずる関係のある者の範囲）

(７)　(４)の前段に規定する「その他これに準ずる関係のある者」には、会社以外の法人で法人税法施行令第４条第２項各号及び第４項《同族関係者の範囲》（上記(５)参照）に規定する特殊の関係のある者が含まれる。したがって、例えば、株主の１人及びこれと同条に規定する特殊の関係のある個人又は法人が有する会社以外の法人の出資の金額が当該法人の出資の総額の50％超に相当する場合における当該会社以外の法人はこれに該当する。（措通32－６）

（土地類似株式等の判定の時期）

(８)　その譲渡した株式等が③(１)(一)及び同(二)に掲げる株式等（(10)において「土地類似株式等」という。）に該当するかどうかは、当該譲渡の時の現況により判定するものとする。この場合において、同一年中に同一発行法人の株式等の譲渡が２回以上行われており、そのいずれかの譲渡の日の現況において判定した結果、当該譲渡に係る株式等が③(１)(一)及び同(二)に該当するときは、当該同一年中に譲渡した当該同一発行法人の株式等は、全て当該③(１)(一)及び同(二)に該当するものとする。（措通32－２）

（総資産の価額の算定が困難な場合の簡便計算）

(９)　譲渡した株式等に係る発行法人の③(１)(一)及び同(二)に規定する土地保有割合を計算する場合において、当該譲渡の時の現況における当該発行法人の有する資産の価額の総額の算定が困難と認められるときは、当該資産の価額の総額は、次の算式により計算した金額によるものとする。（措通32－３）

（算式）

$$\frac{\text{当該株式等の譲渡対価の額}}{\text{譲渡株式等の数等}} \times \text{発行法人の発行済株式等の総数等} + \text{発行法人が有する負債の金額（退職給与引当金の額を含む。）}$$

（譲渡直前に借入等を行った場合の土地類似株式等の判定）

(10)　譲渡した株式等が③（1）(一)及び同(二)に規定する株式等に該当するかどうかを判定する場合において、当該株式等の発行法人の有する借入金等の債務のうちに、その債務の発生の理由に合理性がなく、土地類似株式等と判定されることを免れるためのものと認められるものがあるときは、その債務はないものとして当該判定を行うものとする。（措通32－4）

④　収用等の場合の短期譲渡所得の税率の軽減

第一節《土地の譲渡等に係る事業所得等の課税の特例》**三 1** イから同ハまで《収用等の場合の適用除外》に掲げる土地等の譲渡に該当することにつき同 **3**《適用除外の証明書》で定めるところにより証明がされたもの《**軽減税率対象土地等**》に係る①の規定の適用については、①中「100分の30」とあるのは「100分の15」とする。（措法32③）

（短期譲渡所得に軽減税率対象土地等に係る部分とその他の部分がある場合のその他の部分に係る上積税額）

（1）　①の場合において、①に規定する課税短期譲渡所得金額のうちに④に規定する土地等の譲渡に係る部分の金額とその他の部分の金額とがあるときは、これらの金額を区分してそのそれぞれにつき①の計算を行うものとする。（措令21②）

（注）その他の部分の短期譲渡所得が軽減税率対象土地等に係る部分の短期譲渡所得に上積みされているものとみなして、その他の部分の短期譲渡所得に係る上積税額を計算する主旨である。（編者注）

（軽減税率対象所得）

（2）　④の規定の対象となる分離短期譲渡所得は、土地又は土地の上に存する権利の譲渡による所得に限られ、建物及びその附属設備又は構築物の譲渡による所得はこれに含まれないことに留意する。（措通32－7）

（注）④の規定の対象となる土地又は土地の上に存する権利の譲渡は、（6）の規定により証明されたものに限られる。

（課税繰延べの特例の適用を受ける場合の1,000㎡の面積基準の判定）

（3）　その譲渡した土地等の譲渡所得について**二十三**《固定資産の交換の場合の譲渡所得の特例》又は**三**《収用等に伴い代替資産を取得した場合の課税の特例》、**四**《交換処分等に伴い資産を取得した場合の課税の特例》、**十八 1**《特定の事業用資産の買換えの場合の譲渡所得の課税の特例》、同 **4**《特定の事業用資産を交換した場合の譲渡所得の課税の特例》、**十九**《既成市街地等内にある土地等の中高層耐火建築物等建設のための買換え及び交換の特例》又は**二十**《特定の交換分合により土地等を取得した場合の課税の特例》の規定の適用を受ける場合には、その譲渡所得の金額の計算上その土地等の全部又は一部の譲渡がなかったものとされるが、その譲渡した土地等の面積が第一節**三 1** ロ又は同ハ《収用等の場合の適用除外》に規定する1,000㎡以上であるかどうかは、当該譲渡がなかったものとされる部分の土地等の面積を含めて判定するものとする。（措通32－8）

（軽減税率対象土地等に係る部分の譲渡所得の計算）

（4）　分離短期譲渡所得の基因となる資産のなかに軽減税率対象土地等とその他の土地建物等（有価証券を含む。以下（5）までにおいて同じ。）とがある場合における**一 1**④（1）又は同（4）の適用については、次によるものとする。（措通32－9）

(一)　**一 1**④（1）において、分離短期譲渡所得に係る譲渡損益を計算する場合には、分離短期譲渡所得の基因となる資産を軽減税率対象土地等とその他の土地建物等に区分し、これらの資産ごとに、それぞれ総収入金額から当該資産の取得費及び譲渡費用の合計額を控除して譲渡損益を計算する。この場合において、その区分ごとに計算した金額のいずれかに損失が生じたときは、当該損失の金額は他の譲渡益から控除する。

(二)　**一 1**④（1）(二)により、分離長期譲渡所得の損失の金額を分離短期譲渡所得の譲渡益から控除する場合には、まず、軽減税率対象土地等以外の部分に係る分離短期譲渡所得の譲渡益から控除する。

(三)　**一 1**④（4）において、同一の特別控除額の対象となる資産の分離短期譲渡所得の譲渡益のなかに、軽減税率対象土地等に係るものとその他の土地建物等に係るものとがある場合には、当該譲渡益は、まず、軽減税率対象土地等に係るものから成るものとする。

（特別控除額等の控除の順序）

（5）　分離短期譲渡所得のなかに、軽減税率対象土地等に係るものとその他の土地建物等（有価証券を含む。以下同じ。）に係るものとがある場合には、分離短期譲渡所得に係る収用交換等の場合の5,000万円控除その他の特別控除の額は、まず、当該その他の土地建物等に係る短期譲渡所得の金額から控除するものとする。所得控除額の控除についても、また同様とする。(措通32－10)

(注)　軽減税率対象土地等に係る短期譲渡所得がある場合の損益通算等の取扱いについては、**一1**④(3)及び同(6)参照。(編者注)

(確定申告書に添付する証明書)

(6)　第一節**三3**《適用除外の証明書》イから同ハまでの規定は、④に規定するところにより証明がされた土地等の譲渡について準用する。(措規13の5①)

(平成11年1月1日から令和2年3月31日までの適用停止措置)

(7)　第一節**三3**ロ(ロ)及び同ハ(ロ)の規定は、個人が平成11年1月1日から令和8年3月31日までの間にした④に規定する土地等の譲渡については、適用しない。(措規13の5③)

⑤　課税短期譲渡所得金額の端数の計算

課税短期譲渡所得金額に1,000円未満の端数があるとき又はその全額が1,000円未満であるときは、国税通則法第118条第1項の規定により、その端数金額又はその全額を切り捨てることとなるが、課税短期譲渡所得金額のなかに④の規定の対象となる土地等に係る部分の金額とその他の土地建物等（有価証券を含む。）に係る部分の金額とがある場合においても、それぞれの金額に1,000円未満の端数があるとき又はその全額が1,000円未満であるときは、その端数金額又は全額を切り捨てるものとする。(措通32－1)

三　収用等に伴い代替資産を取得した場合の課税の特例

1　収用等のあった年において代替資産を取得した場合の課税の特例

個人の有する資産（棚卸資産その他これに準ずる資産で政令で定めるもの〔事業所得の基因となる山林並びに雑所得の基因となる土地及び土地の上に存する権利をいう。＝措令22②〕を除く。以下**三**、**四2**《交換取得資産とともに取得した補償金等に係る課税の特例》及び**七**《収用交換等の場合の譲渡所得等の特別控除》において同じ。）で下表①から同⑧までに規定するものが当該①から⑧までに掲げる場合に該当することとなった場合（**四1**《交換取得資産に係る譲渡所得等の課税の特例》に該当する場合を除く。）において、その者が当該①から⑧までに規定する補償金、対価又は清算金の額（当該資産の譲渡〔消滅及び価値の減少を含む。以下同じ。〕に要した費用がある場合には、当該補償金、対価又は清算金の額のうちから支出したものとして**6**《譲渡費用の超過額》により計算した金額を控除した金額。以下**三**において同じ。）の全部又は一部に相当する金額をもって当該①から⑧までに規定する収用、買取り、換地処分、権利変換、買収又は消滅（以下「**収用等**」という。）のあった日の属する年の12月31日までに**代替資産**（**7**《代替資産の範囲》参照）の取得（所有権移転外リース取引による取得を除き、製作及び建設を含む。以下同じ。）をしたときは、その者については、その選択により、当該収用等により取得した補償金、対価又は清算金の額が当該代替資産に係る取得に要した金額（以下**二十一**《特定普通財産とその隣接する土地等の交換の場合の譲渡所得の課税の特例》までにおいて「**取得価額**」という。）以下である場合にあっては、当該譲渡した資産（下表③の清算金を同③の土地等とともに取得した場合には、当該譲渡した資産のうち当該清算金の額に対応するものとして**イ**により計算した部分。以下この**1**において同じ。）の譲渡がなかったものとし、当該補償金、対価又は清算金の額が当該取得価額を超える場合にあっては、当該譲渡した資産のうちその超える金額に相当するものとして**ロ**により計算した部分について譲渡があったものとして、**一**《土地建物等の長期譲渡所得の課税の特例》（**一2**《優良住宅地の造成等のために土地等を譲渡した場合の長期譲渡所得の課税の特例》又は**一3**《居住用財産を譲渡した場合の長期譲渡所得の課税の特例》の規定により適用される場合を含む。**七1**《5,000万円特別控除》イ、**八1**《2,000万円特別控除》イ、**九1**《1,500万円特別控除》イ、**十1**《800万円特別控除》イ、**十一1**①《居住財産の譲渡所得の特別控除(3,000万円特別控除)》イ、**十二1**《1,000万円特別控除》及び**十三1**《100万円特別控除》を除き、以下**二十一**《特定普通財産とその隣接する土地等の交換の場合の譲渡所得の課税の特例》までにおいて同じ。）若しくは**二**《土地建物等の短期譲渡所得の課税の特例》又は第四章第七節《山林所得》若しくは第四章第八節《譲渡所得》の規定を適用することができる。（措法33①）

①	資産が土地収用法、河川法、都市計画法、首都圏の近郊整備地帯及び都市開発区域の整備に関する法律、近畿圏の近郊整備区域及び都市開発区域の整備及び開発に関する法律、新住宅市街地開発法、都市再開発法、新都市基盤整備法、流通業務市街地の整備に関する法律、水防法、土地改良法、森林法、道路法、住宅地区改良法、所有者不明土地の利用の円滑化等に関する特別措置法その他政令で定めるその他の法令（測量法、鉱業法、採石法又は日本国とアメリカ合衆国との間の相互協力及び安全保障条約第6条に基づく施設及び区域並びに日本国における合衆国軍隊の地位に関する協定の実施に伴う土地等の使用等に関する特別措置法をいう。＝措令22①）（以下**四**《交換処分等に伴い資産を取得した場合の課税の特例》までにおいて「**土地収用法等**」という。）の規定に基づいて収用され、補償金を取得する場合（下記注で定める場合に該当する場合を除く。） （上記の注で定める場合） 注　上記に規定する注で定める場合は、都市再開発法による第2種市街地再開発事業（その施行者が同法第50条の2第3項に規定する再開発会社（以下において「再開発会社」という。）であるものに限る。）の施行に伴い、当該再開発会社の株主又は社員である者が、資産又は資産に関して有する所有権以外の権利が収用され、買い取られ、又は消滅し、補償金又は対価を取得する場合とする。（措令22⑨）
②	資産について買取りの申出を拒むときは土地収用法等の規定に基づいて収用されることとなる場合において、当該資産が買い取られ、対価を取得するとき（①注で定める場合に該当する場合を除く。）。
③	土地又は土地の上に存する権利（以下「**土地等**」という。）につき土地区画整理法による土地区画整理事業、大都市地域における住宅及び住宅地の供給の促進に関する特別措置法（以下**九**《特定住宅地造成事業等のために土地等を譲渡した場合の所得の特別控除》までにおいて「**大都市地域住宅等供給促進法**」という。）による住宅街区整備事業、新都市基盤整備法による土地整理又は土地改良法による土地改良事業が施行された場合において、当該土地等に係る換地処分により土地区画整理法第94条（大都市地域住宅等供給促進法第82条第1項及び新都市基盤整備法第37条において準用する場合を含む。）の規定による清算金（土地区画整理法第90条（同項及

び新都市基盤整備法第36条において準用する場合を含む。）の規定により換地又は当該権利の目的となるべき宅地若しくはその部分を定められなかったこと及び大都市地域住宅等供給促進法第74条第４項又は第90条第１項の規定により大都市地域住宅等供給促進法第74条第４項に規定する施設住宅の一部等又は大都市地域住宅等供給促進法第90条第２項に規定する施設住宅若しくは施設住宅敷地に関する権利を定められなかったことにより支払われるものを除く。）又は土地改良法第54条の２第４項（同法第89条の２第10項、第96条及び第96条の４第１項において準用する場合を含む。）に規定する清算金（同法第53条の２の２第１項（同法第89条の２第３項、第96条及び第96条の４第１項において準用する場合を含む。）の規定により地積を特に減じて換地若しくは当該権利の目的となるべき土地若しくはその部分を定めたこと若しくは当該権利の目的となるべき土地若しくはその部分を定められなかったことにより支払われるものを除く。）を取得するとき（下記注で定める場合に該当する場合を除く。）。

（上記の注で定める場合）

注　上記に規定する注で定める場合は、土地区画整理法による土地区画整理事業（その施行者が同法第51条の９第５項に規定する区画整理会社（以下この注及び**4**表内②注(二)において「区画整理会社」という。）であるものに限る。）の施行に伴い、当該区画整理会社の株主又は社員である者が、その有する土地等（③に規定する土地等をいう。以下において同じ。）につき当該土地等に係る換地処分により土地区画整理法第94条の規定による清算金（同法第95条第６項の規定により換地を定められなかったことにより取得するものに限る。）を取得する場合とする。（措令22⑩）

③の2

資産につき都市再開発法による第１種市街地再開発事業が施行された場合において、当該資産に係る権利変換により同法第91条の規定による補償金（同法第79条第３項の規定により施設建築物の一部等若しくは施設建築物の一部についての借家権が与えられないように定められたこと又は同法第111条の規定により読み替えられた同項の規定により建築施設の部分若しくは施設建築物の一部についての借家権が与えられないように定められたことにより支払われるもの及びやむを得ない事情により同法第71条第１項又は第３項の申出をしたと認められる場合として(1)で定める場合における当該申出に基づき支払われるものに限る。）を取得するとき（(2)で定める場合に該当する場合を除く。）。

（上記の(1)で定める場合）

(1)　やむを得ない事情により都市再開発法第71条第１項又は第３項の申出をしたと認められる場合として(1)で定める場合は、第１種市街地再開発事業の施行者が、次に掲げる場合のいずれか（同条第１項又は第３項の申出をした者が同法第70条の２第１項の申出をすることができる場合には、イに掲げる場合に限る。）に該当することを、同法第７条の19第１項、第43条第１項若しくは第50条の14第１項の審査委員の過半数の同意を得て、又は同法第57条第１項若しくは第59条第１項の市街地再開発審査会の議決を経て、認めた場合とする。この場合において、当該市街地再開発審査会の議決については、同法第79条第２項後段の規定を準用する。（措令22⑪）

イ　都市再開発法第71条第１項又は第３項の申出をした者（以下(1)において「申出人」という。）の当該権利変換に係る建築物が都市計画法第８条第１項第１号又は第２号の地域地区による用途の制限につき建築基準法第３条第２項の規定の適用を受けるものである場合

ロ　申出人が当該権利変換に係る都市再開発法第２条第３号に規定する施行地区内において同条第６号に規定する施設建築物（以下(1)において「施設建築物」という。）の保安上危険であり、又は衛生上有害である事業を営んでいる場合

ハ　申出人がロの施行地区内において施設建築物に居住する者の生活又は施設建築物内における事業に対し著しい支障を与える事業を営んでいる場合

ニ　ロの施行地区内において住居を有し、若しくは事業を営む申出人又はその者と住居及び生計を一にしている者が老齢又は身体上の障害のため施設建築物において生活し、又は事業を営むことが困難となる場合

ホ　イからニまでに掲げる場合のほか、施設建築物の構造、配置設計、用途構成、環境又は利用状況につき申出人が従前の生活又は事業を継続することを困難又は不適当とする事情がある場合

（補償金を取得するときから除かれる（２）で定める場合）

（２）　③の２に規定する補償金を取得するときから除かれる③の２に規定する（２）で定める場合は、資産につき都市再開発法による第１種市街地再開発事業（その施行者が再開発会社であるものに限る。）が施行された場合において、当該再開発会社の株主又は社員である者が、当該資産に係る権利変換により、又は当該資産に関して有する権利で権利変換により新たな権利に変換をすることのないものが消滅したことにより、同法第91条の規定による補償金を取得するときとする。（措令22⑫）

③の３

資産につき密集市街地における防災街区の整備の促進に関する法律による防災街区整備事業が施行された場合において、当該資産に係る権利変換により同法第226条の規定による補償金（同法第212条第３項の規定による防災施設建築物の一部等若しくは防災施設建築物の一部についての借家権が与えられないように定められたこと又は（１）で定める規定により防災建築施設の部分若しくは防災施設建築物の一部についての借家権が与えられないように定められたことにより支払われるもの及びやむを得ない事情により同法第203条第１項又は第３項の申出をしたと認められる場合として（２）で定める場合における当該申出に基づき支払われるものに限る。）を取得するとき（（３）で定める場合に該当する場合を除く。）。

（上記の防災建築施設の部分が与えられないように定められた（１）で定める規定）

（１）　上記に規定する（１）で定める規定は、密集市街地における防災街区の整備の促進に関する法律施行令第43条の規定により読み替えられた密集市街地における防災街区の整備の促進に関する法律第212条第３項の規定とする。（措令22⑬）

（上記のやむを得ない事情により申出をしたと認められる場合として（２）で定める場合）

（２）　上記に規定するやむを得ない事情により密集市街地における防災街区の整備の促進に関する法律第203条第１項又は第３項の申出をしたと認められる場合として（２）で定める場合は、上記の防災街区整備事業の施行者が、次に掲げる場合のいずれか（同条第１項又は第３項の申出をした者が同法第202条第１項の申出をすることができる場合には、イに掲げる場合に限る。）に該当することを、同法第131条第１項、第161条第１項若しくは第177条第１項の審査委員の過半数の同意を得て、又は同法第187条第１項若しくは第190条第１項の防災街区整備審査会の議決を経て、認めた場合とする。この場合において、当該防災街区整備審査会の議決については、同法第212条第２項後段の規定を準用する。（措令22⑭）

イ　密集市街地における防災街区の整備の促進に関する法律第203条第１項又は第３項の申出をした者（以下（２）において「申出人」という。）の当該権利変換に係る建築物が都市計画法第８条第１項第１号又は第２号の地域地区による用途の制限につき建築基準法第３条第２項の規定の適用を受けるものである場合

ロ　申出人が当該権利変換に係る密集市街地における防災街区の整備の促進に関する法律117条第２号に規定する施行地区内において同条第５号に規定する防災施設建築物（以下（２）において「防災施設建築物」という。）の保安上危険であり、又は衛生上有害である事業を営んでいる場合

ハ　申出人がロの施行地区内において防災施設建築物に居住する者の生活又は防災施設建築物内における事業に対し著しい支障を与える事業を営んでいる場合

ニ　ロの施行地区内において住居を有し、若しくは事業を営む申出人又はその者と住居及び生計を一にしている者が老齢又は身体上の障害のため防災施設建築物において生活し、又は事業を営むことが困難となる場合

ホ　イからニまでに掲げる場合のほか、防災施設建築物の構造、配置設計、用途構成、環境又は利用状況につき申出人が従前の生活又は事業を継続することを困難又は不適当とする事情がある場合

（補償金を取得するときから除かれる（３）で定める場合）

（３）　上記に規定する補償金を取得するときから除かれる（３）で定める場合は、資産につき密集市街地における防災街区の整備の促進に関する法律による防災街区整備事業（その施行者が同法第165条第３項に規定する事業会社（以下（３）、**4**②注の（三）及び**4**④（２）の（二）において「事業会社」という。）であるものに限る。）が施行された場合において、当該事業会社の株主又は社員である者が、当該資産に係る権利変換により、又は当該資産に関して有する権利で権利変換により新たな権利に変換をすることのないものが消滅

	したことにより、同法第226条の規定による補償金を取得するときとする。（措令22⑮）
③の4	土地等が都市計画法第52条の４第１項（同法第57条の５及び密集市街地における防災街区の整備の促進に関する法律第285条において準用する場合を含む。）又は都市計画法第56条第１項の規定に基づいて買い取られ、対価を取得する場合（**八**《特定土地区画整理事業等の2,000万円控除》の**2**表内②及び同②の２に掲げる場合に該当する場合を除く。）
③の5	土地区画整理法による土地区画整理事業で同法第109条第１項に規定する減価補償金（③の６において「減価補償金」という。）を交付すべきこととなるものが施行される場合において、公共施設の用地に充てるべきものとして当該事業の施行区域（同法第２条第８項に規定する施行区域をいう。同号において同じ。）内の土地等が買い取られ、対価を取得するとき。
③の6	地方公共団体又は独立行政法人都市再生機構が被災市街地復興推進地域において施行する被災市街地復興土地区画整理事業で減価補償金を交付すべきこととなるものの施行区域内にある土地等について、これらの者が当該被災市街地復興土地区画整理事業として行う公共施設の整備改善に関する事業の用に供するためにこれらの者（土地開発公社を含む。）に買い取られ、対価を取得する場合（③の４及び③の５に掲げる場合に該当する場合を除く。）
③の7	地方公共団体又は独立行政法人都市再生機構が被災市街地復興特別措置法第21条に規定する住宅被災市町村の区域において施行する都市再開発法による第二種市街地再開発事業の施行区域（都市計画法第12条第２項の規定により第二種市街地再開発事業について都市計画に定められた施行区域をいう。）内にある土地等について、当該第二種市街地再開発事業の用に供するためにこれらの者（土地開発公社を含む。）に買い取られ、対価を取得する場合（②又は**四1**表内①に掲げる場合に該当する場合を除く。）
④	国、地方公共団体、独立行政法人都市再生機構又は地方住宅供給公社が、自ら居住するため住宅を必要とする者に対し賃貸し、又は譲渡する目的で行う50戸以上の一団地の住宅経営に係る事業の用に供するため土地等が買い取られ、対価を取得する場合
⑤	資産が土地収用法等の規定により収用された場合（②に規定する買取りがあった場合を含む。）において、当該資産に関して有する所有権以外の権利が消滅し、補償金又は対価を取得するとき（①注で定める場合に該当する場合を除く。）
⑥	資産に関して有する権利で都市再開発法に規定する権利変換により新たな権利に変換をすることのないものが、同法第87条の規定により消滅し、同法第91条の規定による補償金を取得する場合（③の２（２）で定める場合に該当する場合を除く。）
⑥の2	資産に関して有する権利で密集市街地における防災街区の整備の促進に関する法律に規定する権利変換により新たな権利に変換をすることのないものが、同法第221条の規定により消滅し、同法226条の規定による補償金を取得する場合（③の３（３）で定める場合に該当する場合を除く。）
⑦	国若しくは地方公共団体（その設立に係る団体（その出資金額又は拠出された金額の全額が地方公共団体により出資又は拠出されている法人とする。）を含む。）が行い、若しくは土地収用法第３条に規定する事業の施行者がその事業の用に供するために行う公有水面埋立法の規定に基づく公有水面の埋立て又は当該施行者が行う当該事業の施行に伴う漁業権、入漁権、<u>漁港水面施設運営権</u>その他水の利用に関する権利又は鉱業権（租鉱権及び採石権その他土石を採掘し、又は採取する権利を含む。）の消滅（これらの権利の価値の減少を含む。）により、補償金又は対価を取得する場合（措令22⑯）
⑧	①から⑦までに掲げる場合のほか、国又は地方公共団体が、次に掲げる法令の規定に基づき行う処分に伴う資産の買取り若しくは消滅（価値の減少を含む。）により、又はこれらの規定に基づき行う買収の処分により補償金又は対価を取得する場合（措令22①） イ　建築基準法第11条第１項 ロ　漁業法第39条第１項 <u>ハ　漁港及び漁場の整備等に関する法律第59条第２項（第２号に係る部分に限る。）</u> ニ　港湾法第41条第１項 ホ　鉱業法第53条（同法第87条において準用する場合を含む。）

	へ　海岸法第22条第１項 ト　水道法第42条第１項 チ　電気通信事業法第141条第５項

イ　譲渡した資産のうち③の清算金に対応する部分

1に規定する清算金の額に対応するものとされる部分は、収用等により譲渡（消滅及び価値の減少を含む。）をした資産（以下「**譲渡資産**」という。）のうち、換地処分により取得した**1**表内③に規定する清算金の額が当該清算金の額（中心市街地の活性化に関する法律第16条第１項、高齢者、身体障害者等の移動の円滑化の促進に関する法律第39条第１項、都市の低炭素化の促進に関する法律第19条第１項、大都市地域における住宅及び住宅地の供給の促進に関する特別措置法第21条第１項又は地方拠点都市地域の整備及び産業業務施設の再配置の促進に関する法律第28条第１項の規定による保留地が定められた場合には、当該保留地の対価の額を加算した金額）と当該換地処分により取得した同③に規定する土地等（大都市地域住宅等供給促進法第74条第１項に規定する施設住宅の一部並びに同法第90条第２項に規定する施設住宅及び施設住宅敷地に関する権利を含む。）の価額との合計額のうちに占める割合を、当該譲渡資産の価額に乗じて計算した金額に相当する部分とする。（措令22⑦）

$$\text{譲渡資産の価額} \times \frac{\text{1表内③の換地処分により取得した清算金の額}}{\text{分子の清算金の額及び保留地の対価の額} + \text{1表内③の換地処分により取得した土地等又は権利の価額}} = \text{清算金に対応する譲渡資産の部分}$$

ロ　譲渡資産のうち譲渡があったものとされる部分

1の規定により譲渡があったものとされる部分は、譲渡資産のうち、当該譲渡資産に係る**1**に規定する補償金、対価又は清算金の額から当該譲渡資産の代替資産に係る取得に要した金額（以下「取得価額」という。）を控除した金額が当該補償金、対価又は清算金の額のうちに占める割合を、当該譲渡資産の価額に乗じて計算した金額に相当する部分とする。（措令22⑧）

（注）　上記**ロ**の規定により譲渡があったものとされる部分の譲渡資産に係る譲渡所得等の計算は次のようになる。「譲渡費用の超過額」は**6**参照。（編者注）

$$\left\{\left(\text{対価補償金の額} - \text{譲渡費用の超過額}\right) - \text{代替資産の取得価額}\right\} - \text{譲渡資産の取得費} \times \frac{\left(\text{対価補償金の額} - \text{譲渡費用の超過額}\right) - \text{代替資産の取得価額}}{\left(\text{対価補償金の額} - \text{譲渡費用の超過額}\right)}$$

（収用又は使用の範囲）

（1）　**三**又は**四**《交換処分等に伴い資産を取得した場合の課税の特例》に規定する「収用」又は「使用」には、土地収用法第16条《事業の認定》に規定する当該事業（以下「本体事業」という。）の施行により必要を生じた同条に規定する関連事業のための収用又は使用が含まれるのであるから留意する。（措通33－1）

（関連事業に該当する場合）

（2）　本体事業の施行により必要を生じた事業が、関連事業としての土地収用法第３章《事業の認定等》の規定による事業の認定（以下「関連事業としての事業認定」という。）を受けていない場合においても、その事業が次の要件の全てに該当するときは、収用等の場合の課税の特例の適用上は、関連事業に該当するものとする。（措通33－2）

（一）　土地収用法第３条《土地を収用し又は使用することができる事業》各号の一に該当するものに関する事業であること。

（二）　本体事業の施行によって撤去変改を被る既存の同条各号の一に掲げる施設（以下（3）において「既存の公的施設」という。）の機能復旧のため本体事業と併せて施行する必要がある事業であること。

（三）　本体事業の施行者が自ら施行することが収用経済等の公益上の要請に合致すると認められる事業であること。

（四）　その他四囲の状況から関連事業としての事業認定を受け得る条件を具備していると認められる事業であること。

（注）　収用証明書の規定は、本体事業と関連事業とについてそれぞれ別個に適用されることに留意する。

（既存の公的施設の機能復旧に該当するための要件）

（3）　本体事業の施行により必要を生じた事業が、（2）（二）の既存の公的施設の機能復旧のために施行されるものに該当するための要件については、次の点に留意する。（措通33－3）

(一)　その事業は、既存の公的施設の機能復旧の限度で行われるものであることを要し、従来当該施設が当該地域において果してきた機能がその事業の施行によって改良されることとなるものは、これに該当しないこと。ただし、当該施設の設置に関する最低基準が法令上具体的に規制されている場合における当該基準に達するまでの改良は、この限りでないものとすること。

(注)　ただし書に該当する事例としては、車線の幅員を道路構造令第５条《車線等》に規定する幅員まで拡張する場合がある。

(二)　その事業は、本体事業の起業地内に所在して撤去変改を被る既存の公的施設の移転（道路等にあっては、そのかさ上げを含む。）のために行われるものであることを要し、本体事業の施行に伴う当該地域の環境の変化に起因して行う移転、新設等の事業は、これに該当しないこと。ただし、既存の公的施設が当該起業地の内外にわたって所在する場合において、当該施設の全部を移転しなければ従来利用していた目的に供することが著しく困難となるときにおける当該起業地外に所在する部分の移転は、この限りでないものとすること。

(三)　既存の公的施設の移転先として関連事業のための収用又は使用の対象となる場所は、当該施設の従来の機能を維持するために必要欠くべからざる場所であることを要し、他の場所をもって代替することができるような場所はこれに該当しないから、起業地と即地的一帯性を欠く場所は、その対象に含まれないこと。ただし、起業地の地形及び当該施設の立地条件に特殊な制約があって、起業地と即地的に一帯をなす場所から移転先を選定することが著しく困難な場合には、当該特殊な制約が解消することとなる至近の場所については、この限りでないものとすること。

(関連事業の関連事業)

（4）　関連事業に関連して施行する事業については、当該関連事業を本体事業とみなした場合に、その関連して施行する事業が（2）の要件に適合する限りにおいて、収用等の場合の課税の特例の適用上は、関連事業に該当するものとする。(措通33－４)

(棚卸資産等の収用交換等)

（5）　棚卸資産等について収用等又は交換処分等があった場合には、当該資産のうち、補償金、対価又は清算金に対応する部分については、**三**又は**四２**《交換取得資産とともに取得した補償金等に係る課税の特例》の規定の適用はないが、当該資産のうち交換処分等により取得した資産に対応する部分については、**四１**《交換取得資産に係る譲渡所得等の課税の特例》の規定の適用があるのであるから留意する。

なお、不動産売買業を営む個人の有する土地又は建物であっても、当該個人が使用し、若しくは他に貸し付けているもの（販売の目的で所有しているもので、一時的に使用し、又は他に貸し付けているものを除く。）又は当該個人が使用することを予定して長期間にわたり所有していることが明らかなものは、棚卸資産等には該当しないのであるから留意する。(措通33－５)

(注)　「棚卸資産等」とは、次に掲げる資産をいう。(**５**《補償金の意義》（1）において同じ。)

（1）　所得税法第２条第１項第16号《定義》に規定する棚卸資産（所得税法施行令第81条各号《棚卸資産に準ずる資産》に掲げる資産を含む。）……（第二章第一節**一**表内**16**及び第六章第一節**二１**参照）

（2）　（1）に該当するもののほか、個人が当該収用等のあった日以前５年以内に取得した山林

(権利変換差額等についての収用等の課税の特例)

（6）　個人が、第一種市街地再開発事業若しくは第二種市街地再開発事業の施行に伴い取得した変換取得資産（**五３**《変換取得資産である権利の譲渡等があった場合の収用特例の適用》（2）(一)に規定する変換取得資産をいう。以下**十二２**(12)（編者注：措通35の２－10）までにおいて同じ。）若しくは対償取得資産（**五２**《権利変換等の場合の課税の特例》の（1）に規定する対償取得資産をいう。以下（6）及び**十二２**(12)において同じ。）又は防災街区整備事業の施行に伴い取得した防災変換取得資産（**五５**《防災施設建築物の一部を取得する権利につき譲渡があった場合の課税の特例》（3）に規定する防災変換取得資産をいう。以下**十二２**(12)までにおいて同じ。）を有する個人から当該変換取得資産若しくは対償取得資産又は防災変換取得資産を**二十四３**《贈与等により取得した資産の取得費等》①に掲げる贈与、相続又は遺贈により取得した場合において、当該変換取得資産若しくは対償取得資産又は防災変換取得資産を取得した個人が都市再開発法第104条《清算》若しくは第118条の24《清算》又は密集市街地における防災街区の整備の促進に関する法律第248条《清算》に規定する差額に相当する金額の交付を受けることとなったときは、そのなった日において**五２**に規定する旧資産又は同**４**に規定する防災旧資産のうち同**３**（2）又は同**５**（3）に規定する部分につき収用等による譲渡があったものとして**三**の規定の適用があるものとする。(措通33－６)

(収用等又は換地処分等があった日)

(7)　**1**に規定する収用等のあった日とは、第六章第一節―**4**(16)《山林所得又は譲渡所得の総収入金額の収入すべき時期》に定める日によるのであるが、次に掲げる場合にはそれぞれ次による。(措通33－7)

(一)　資産について土地収用法第48条第1項《権利取得裁決》若しくは第49条第1項《明渡裁決》に規定する裁決又は第50条第1項《和解》に規定する和解があった場合　　当該裁決書又は和解調書に記載された権利取得の時期又は明渡しの期限として定められている日(その日前に引渡し又は明渡しがあった場合には、その引渡し又は明渡しがあった日)

(二)　資産について土地区画整理法第103条第1項《換地処分》(新都市基盤整備法第41条《換地処分等》及び大都市地域住宅等供給促進法第83条《土地区画整理法の準用》において準用する場合を含む。)、新都市基盤整備法第40条《一括換地》又は土地改良法第54条第1項《換地処分》の規定による換地処分があった場合　　土地区画整理法第103条第4項(新都市基盤整備法第41条及び大都市地域住宅等供給促進法第83条において準用する場合を含む。)又は土地改良法第54条第4項の規定による換地処分の公告のあった日の翌日

(三)　資産について土地改良法、農業振興地域の整備に関する法律又は農住組合法による交換分合が行われた場合　　土地改良法第98条第10項又は第99条第12項《土地改良区の交換分合計画の決定手続》(同法第100条第2項《農業協同組合等の交換分合計画の決定手続》及び第100条の2第2項《市町村の交換分合計画の決定手続》、農業振興地域の整備に関する法律第13条の5《土地改良法の準用》並びに農住組合法第11条《土地改良法の準用》において準用する場合を含む。)の規定により公告があった交換分合計画において所有権等が移転等をする日として定められている日

(四)　資産について都市再開発法第86条第2項《権利変換の処分》又は密集市街地における防災街区の整備の促進に関する法律第219条第2項《権利変換の処分》の規定による権利変換処分があった場合　　権利変換計画に定められている権利変換期日

(権利変換による補償金の範囲)

(8)　**1**表内③の2又は同③の3に規定する補償金には、都市再開発法第91条第1項《補償金等》又は密集市街地における防災街区の整備の促進に関する法律第226条第1項《補償金等》の規定により補償として支払われる利息相当額は含まれるが、都市再開発法第91条第2項又は密集市街地における防災街区の整備の促進に関する法律第226条第2項の規定により支払われる過怠金の額及び都市再開発法第118条の15第1項《譲受け希望の申出の撤回に伴う対償の支払等》の規定により支払われる利息相当額は含まれないことに留意する。(措通33－21)

(注)　都市再開発法第91条第2項又は密集市街地における防災街区の整備の促進に関する法律第226条第2項の規定により支払われる過怠金の額及び都市再開発法第118条の15第1項の規定により支払われる利息相当額は雑所得の総収入金額に算入されることに留意する。

(収用等に伴う課税の特例を受ける権利の範囲)

(9)　**1**表内⑤の「当該資産に関して有する所有権以外の権利が消滅し、補償金又は対価を取得するとき」とは、例えば、土地等の収用等に伴い、当該土地にある鉱区について設定されていた租鉱権、当該土地について設定されていた借地権、採石権等が消滅した場合や建物の収用等に伴い、当該建物について設定されていた配偶者居住権が消滅した場合において、補償金の交付を受けるとき等をいうのであるから留意する。(措通33－22)

(権利変換により新たな権利に変換することがないものの意義)

(10)　**1**表内⑥に規定する「都市再開発法に規定する権利変換により新たな権利に変換をすることのないもの」又は同⑥の2に規定する「密集市街地における防災街区の整備の促進に関する法律に規定する権利変換により新たな権利に変換することのないもの」とは、例えば、地役権、工作物所有のための地上権又は賃借権をいうのであるから留意する。(措通33－23)

(公有水面の埋立て又は土地収用事業の施行に伴う漁業権等の消滅)

(11)　**1**表内⑦は、次に掲げるような場合において、漁業権、入漁権その他水の利用に関する権利等が消滅(価値の減少を含む。)し、補償金又は対価を取得するときにおいて適用があるのであるから留意する。この場合、当該権利には、漁業法第105条《組合員行使権》に規定する組合員行使権を含むことに取り扱う。(措通33－24)

(一)　国又は地方公共団体(その出資金額又は拠出された金額の全額が地方公共団体により出資又は拠出をされている法人を含む。以下(11)において同じ。)が、公有水面埋立法第2条《免許》に規定する免許を受けて公有水面の埋立てを行う場合

（注）　例えば、国又は地方公共団体が農地又は工業地の造成のため、同法の規定に基づき海面の埋立て又は水面の干拓を行う場合等である。

（二）　土地収用法第３条に規定する事業（土地を収用し又は使用することができる事業）（都市計画法第４条第15項《定義》に規定する都市計画事業を含む。以下「土地収用事業」という。）の施行者（国又は地方公共団体を除く。）が、その事業の用に供するため公有水面埋立法に規定する免許を受けて公有水面の埋立てを行う場合

（注）　例えば、電力会社が火力発電施設用地の取得のため、同法の規定に基づいて海面の埋立てを行う場合等である。

（三）　土地収用事業の施行者が、その収用事業を施行する場合（(二)に該当する場合を除く。）

（注）　例えば、国が水力発電施設としてダムを建設するため河川をせきとめたことにより、その下流にある漁業権等の全部又は一部が制限される場合等である。

（公有水面の埋立て等に伴う権利の消滅の意義）

(12)　**1**表内⑦の「公有水面の埋立て又は当該施行者が行う当該事業の施行に伴う……権利の消滅」とは、当該公有水面の埋立てによりその埋立てに係る区域に存する漁業権等が消滅すること又は土地収用事業に係る施設ができることによりその施設の存する区域（河川につき施設されたものである場合には、その施設により流水の状況その他に影響を受ける当該河川の流域を含む。）に存する漁業権等が消滅することをいうのであるから留意する。（措通33－25）

（清算金等の相殺が行われた場合）

(13)　土地区画整理法第111条《清算金等の相殺》（新都市基盤整備法第42条《清算》又は大都市地域住宅等供給促進法第83条《土地区画整理法の準用》において準用する場合を含む。）の規定により清算金の相殺が行われた場合であっても、**1**の特例の適用については、それぞれの換地処分の目的となった土地ごとに課税計算を行うのであるから、交付されるべき清算金（その一部が相殺されたときは、その相殺前の金額）に相当する金額は、その交付されるべき清算金に係る土地等の換地処分による清算金の額に該当し、徴収されるべき清算金（その一部が相殺されたときは、その相殺前の金額）に相当する金額は、その徴収されるべき清算金に係る土地等の取得価額に算入されることに留意する。（措通33－46）

（短期保有資産と長期保有資産とがある場合等の買換差金の区分）

(14)　**1**の特例（**2**及び**3**並びに**四2**において準用する場合を含む。）を適用する場合において、一の収用交換等により譲渡した資産のうちに分離短期譲渡所得の基因となる資産、分離長期譲渡所得の基因となる資産、総合短期譲渡所得の基因となる資産又は総合長期譲渡所得の基因となる資産のいずれか２以上があり、かつ、当該譲渡をした資産（以下「譲渡資産」という。）に係る代替資産の取得に伴い買換差金（譲渡資産の収入金額が代替資産の取得価額を超える場合のその超過額をいう。）が生じたときは、当該買換差金の額をそれぞれの譲渡資産の譲渡の時の価額（それぞれの譲渡資産の譲渡による収入金額が明らかであり、かつ、その額が適正であると認められる場合には、そのそれぞれの収入金額）の比により按分して計算した金額をそれぞれの譲渡資産に係る買換差金とする。（措通33－47の５）

（注）　２以上の収用交換等により資産を譲渡した場合において、その取得した資産をいずれの収用交換等に係る譲渡資産の代替資産とするかは、納税者の選択したところによるのであるから留意する。

2　収用等のあった年の前年中に代替資産を取得した場合の課税の特例

1の規定は、個人が**1**①から⑧までに掲げる場合に該当することとなった場合において、当該個人が、収用等のあった日の属する年の前年中（当該収用等により当該個人の有する資産の譲渡をすることとなることが明らかとなった日以後の期間に限る。）に代替資産となるべき資産の取得をしたとき（当該代替資産となるべき資産が土地等である場合において、工場等の建設に要する期間が通常１年を超えることその他の（１）で定めるやむを得ない事情があるときは、（１）で定める期間内に取得をしたとき）について準用する。この場合において、**1**中「その選択により」とあるのは、「その選択により、**2**（２）で定めるところにより」と読み替えるものとする。（措法33②）

（**2**に規定する（１）で定めるやむを得ない事情）

（１）　**2**に規定する（１）で定めるやむを得ない事情は、工場、事務所その他の建物、構築物又は機械及び装置で事業の用に供するもの（以下（１）及び**3**②において「工場等」という。）の敷地の用に供するための宅地の造成並びに当該工場等の建設及び移転に要する期間が通常１年を超えると認められる事情その他これに準ずる事情とし、**2**に規定する（１）で定める期間は、**2**に規定する収用等のあった日の属する年の前年以前３年の期間（当該収用等により**2**の個人の有する資産の譲渡をすることとなることが明らかとなつた日以後の期間に限る。）とする。（措令22⑰）

（譲渡があったものとされる金額の扱い）

（2）　**2**において準用する**1**の規定を適用する場合において、**2**に規定する代替資産となるべき資産が減価償却資産であり、かつ、当該代替資産となるべき資産につき収用等のあった日前に既に必要経費に算入された第六章第二節**五4**の規定による償却費の額があるときは、当該収用等により取得した**1**に規定する補償金、対価又は清算金の額のうち、当該償却費の額と当該償却費の額の計算の基礎となった期間につき**六2**の規定を適用した場合に計算される第六章第二節**五4**の規定による償却費の額との差額に相当する金額については、譲渡資産の譲渡があったものとし、当該譲渡があったものとされる金額は、不動産所得、事業所得、山林所得又は雑所得に係る収入金額とする。（措令22⑱）

（代替資産の取得の時期）

（3）　**2**に規定する「当該収用等により当該個人の有する資産の譲渡をすることとなることが明らかとなった日」とは、土地収用法第16条《事業の認定》の規定による事業認定又は起業者から買取り等の申出があったこと等によりその有する資産について収用等をされることが明らかとなった日をいい、（1）に規定する「当該収用等により（1）の個人の有する資産の譲渡をすることとなることが明らかとなった日」についても、また同様である。（措通33－47）

（長期先行取得が認められるやむを得ない事情）

（4）　代替資産の取得につき**2**の規定を適用する場合における（1）に定める「その他これに準ずる事情があるとき」には、譲渡資産について次に掲げるような事情があるためやむを得ずその譲渡が遅延した場合が含まれるものとする。（措通33－47の2）

⑴　借地人又は借家人が容易に立退きに応じないため譲渡ができなかったこと。

⑵　災害等によりその譲渡に関する計画の変更を余儀なくされたこと。

⑶　⑴又は⑵に準ずる特別な事情があったこと。

（特別償却等を実施した先行取得資産の取扱い）

（5）　譲渡資産の譲渡をした日の属する年の前年以前に取得した資産につき**六2**③《特別償却等》に掲げる規定の適用を受けている場合には、当該資産が**2**の規定に該当するものであっても、**2**の規定の適用はないものとする。（措通33－47の3）

（譲渡の日の属する年の前年以前において取得した資産の特例の適用）

（6）　**2**の規定により譲渡資産の譲渡の日の属する年の前年以前に取得した資産を当該譲渡資産に係る代替資産とすることができる場合において、当該代替資産の取得価額が当該譲渡による収入金額を超えるときは、その超える金額に相当する部分の資産については、当該譲渡の日の属する年の翌年以後における**2**の規定による代替資産とすることができるものとする。（措通33－47の4）

3　収用等のあった年の翌年以後において代替資産を取得する場合の課税の特例

1の規定は、個人が**1**表内①から同⑧までに掲げる場合に該当した場合において、その者が同①から同⑧までに規定する補償金、対価又は清算金の額の全部又は一部に相当する金額をもって取得指定期間（収用等のあった日の属する年の翌年1月1日から収用等のあった日以後2年を経過した日までの期間（当該収用等に係る事業の全部又は一部が完了しないこと、工場等の建設に要する期間が通常2年を超えることその他のやむを得ない事情があるため、当該期間内に代替資産の取得をすることが困難である場合として下表のいずれかに該当する場合には、当該代替資産については、同年1月1日から下表のそれぞれに定める日までの期間）をいう。）内に代替資産を取得する見込みであるときについて準用する。この場合において、**1**中「の額（」とあるのは「の額（**3**に規定する収用等のあった日の属する年において当該補償金、対価若しくは清算金の額の一部に相当する金額をもって**3**に規定する代替資産の取得をした場合又は**3**に規定する収用等に係る**2**に規定する前年中に**2**に規定する代替資産となるべき資産の取得をした場合には、これらの資産の取得価額を控除した金額。以下において同じ。）（」と、「取得価額」とあるのは「**取得価額の見積額**」と読み替えるものとする。（措法33③、措令22⑲）

①	収用等に係る事業の全部又は一部が完了しないため、当該収用等のあった日以後2年を経過した日までにイ又はロに掲げる資産を代替資産として取得をすることが困難であり、かつ、当該事業の全部又は一部の完了後において当該資産の取得をすることが確実であると認められる場合	＝	それぞれイ又はロに掲げる日

<table>
<tr><td rowspan="2"></td><td>イ</td><td>当該収用等に係る事業の施行された地区内にある土地又は当該土地の上に存する権利（当該事業の施行者の指導又はあっせんにより取得するものに限る。）</td><td>当該収用等があった日から４年を経過した日（同日前に当該土地又は土地の上に存する権利の取得をすることができると認められる場合には、当該取得をすることができると認められる日とし、当該収用等に係る事業の全部又は一部が完了しないことにより当該４年を経過した日までに当該取得をすることが困難であると認められる場合において（2）で定めるところにより納税地の所轄税務署長の承認を受けたときは、同日から４年を経過する日までの期間内の日で当該取得をすることができる日として当該税務署長が認定した日とする。）から６月を経過した日</td></tr>
<tr><td>ロ</td><td>当該収用等に係る事業の施行された地区内にある土地又は当該土地の上に存する権利を有する場合に当該土地又は当該権利の目的物である土地の上に建設する建物又は構築物</td><td>当該収用等があった日から４年を経過した日（同日前に当該土地又は当該権利の目的物である土地を当該建物又は構築物の敷地の用に供することができると認められる場合には、当該敷地の用に供することができると認められる日とし、当該収用等に係る事業の全部又は一部が完了しないことにより当該４年を経過した日までに当該敷地の用に供することが困難であると認められる場合において（2）で定めるところにより納税地の所轄税務署長の承認を受けたときは同日から４年を経過する日までの期間内の日で当該敷地の用に供することができる日として当該税務署長が認定した日とする。）から６月を経過した日</td></tr>
<tr><td>②</td><td colspan="3">収用等のあったことに伴い、工場等の建設又は移転を要することとなった場合において、当該工場等の敷地の用に供するための宅地の造成並びに当該工場等の建設及び移転に要する期間が通常２年を超えるため、当該収用等のあった日以後２年を経過した日までに当該工場等又は当該工場等の敷地の用に供する土地その他の当該工場等に係る資産を代替資産として取得をすることが困難であり、かつ、当該収用等のあった日から３年を経過した日までに当該資産の取得をすることが確実であると認められるとき　＝　当該資産の取得をすることができることとなると認められる日
（注）「工場等」とは、工場、事務所その他の建物、構築物又は機械及び装置で事業の用に供するものをいう。</td></tr>
</table>

（添付書類）

（1）　**3**（**四2**において準用する場合を含む。）において準用する**1**の規定の適用を受ける者が**3**表内①及び同②に掲げる場合に該当するときは、その者は、代替資産明細書に、同①及び同②に掲げる場合の区分に応じ当該該当する事情及び同①の場合にあっては同①イの当該土地若しくは土地の上に存する権利の取得をすることができることとなると認められる日又は同①ロの当該土地若しくは当該権利の目的物である土地を同ロの建物若しくは構築物の敷地の用に供することができることとなると認められる日、同②の場合にあっては同②の当該工場等又は当該工場等の敷地の用に供する土地その他の当該工場等に係る資産の同②に規定する取得をすることができると認められる日を付記し、かつ、①の場合にあってはこれにその付記した事項についての事実を証する書類を添付しなければならない。（措規14⑥）

（４年経過日以後２月以内に行う税務署長への取得期間延長申請）

（２）　**3**表内①イ又は同ロに規定する所轄税務署長の承認を受けようとする者は、これらの規定に規定する収用等があった日後４年を経過した日から２月以内に、次の(一)から(七)までに掲げる事項を記載した申請書にこれらの規定に規定する事業の施行者の当該承認を受けようとする者がこれらの規定に掲げる資産を同①に規定する代替資産として同①イに規定する取得をすること又は同①ロに規定する敷地の用に供することができることとなると認められる年月の記載がされた書類を添付して、納税地の所轄税務署長に提出しなければならない。（措規14④）

(一)	申請者の氏名及び住所
(二)	譲渡した資産について引き続き**1**の規定の適用を受けようとする旨
(三)	当該４年を経過した日までに当該取得をすること又は当該敷地の用に供することができないこととなった事情の詳細
(四)	**3**に規定する収用等のあった年月日
(五)	**3**に規定する補償金、対価又は清算金の額
(六)	**六１**《収用交換等に伴い代替資産を取得した場合の更正の請求、修正申告等》①ロに掲げる場合に該当することとなったとしたならば同①に規定する修正申告書の提出により納付すべきこととなる税額及びその計算に関する明細
(七)	当該取得をする予定の当該代替資産の種類、構造及び規模並びにその取得予定年月日

4　使用補償金及び譲渡対価等に対する特例の適用

個人の有する資産が次の①から④までに掲げる場合に該当することとなった場合には、**1**（**2**及び**3**において準用する場合を含む。）の規定の適用については、①の場合にあっては①の土地等、②又は③の場合にあっては②又は③に規定する土地の上にある資産又はその土地の上にある建物に係る配偶者居住権、④の場合にあっては④に規定する権利（②から④までの補償金がこれらの資産の価額の一部を補償するものである場合には、これらの資産のうち、これらの資産に係る補償金の額がこれらの資産の価額のうちに占める割合に相当する部分）について、収用等による譲渡があったものとみなす。この場合においては、①、②若しくは④の補償金若しくは対価の額又は③に規定する補償金の額をもって、**1**の補償金、対価又は清算金の額とみなす。（措法33④、措令22⑳）

①	土地等が土地収用法等の規定に基づいて使用され、補償金を取得する場合（土地等について使用の申出を拒むときは土地収用法等の規定に基づいて使用されることとなる場合において、当該土地等が契約により使用され、対価を取得するときを含む。）において、当該土地等を使用させることが、**譲渡所得の基因となる不動産等の貸付け**に該当するとき（下記の注で定める場合に該当する場合を除く。）。 （上記の注で定める場合） 注　①に規定する注で定める場合は、都市再開発法による第２種市街地再開発事業（その施行者が再開発会社であるものに限る。）の施行に伴い、土地等が使用され、補償金を取得する場合（土地等について使用の申出を拒むときは都市計画法第69条の規定により適用される土地収用法の規定に基づいて使用されることとなる場合において、当該土地等が契約により使用され、対価を取得するときを含む。）において、当該再開発会社の株主又は社員の有する土地等が使用され、補償金又は対価を取得するときとする。（措令22㉑）
②	土地等が**1**表内①から同③の３までの規定、①の規定若しくは**四**《交換処分等に伴い資産を取得した場合の課税の特例》**1**表内②若しくは**五**《換地処分等に伴い資産を取得した場合の課税の特例》**1**に該当することとなったことに伴い、その土地の上にある資産につき、土地収用法等の規定に基づく収用をし、若しくは取壊し若しくは除去をしなければならなくなった場合又は**1**表内⑧に規定する法令の規定若しくは大深度地下の公共的使用に関する特別措置法第11条の規定に基づき行う国若しくは地方公共団体の処分に伴い、その土地の上にある資産の取壊し若しくは除去をしなければならなくなった場合において、これらの資産若しくはその土地の上にある建物に係る配偶者居住権（当該配偶者居住権の目的となっている建物の敷地の用に供される土地等を当該配偶者居住権に基づき使用する権利を含む。以下②及び③並びに**四１**①において同じ。）の対価又はこれらの資産若しくはその土地の上にある建物に係る配偶者居住権の損失に対する補償金で次のイ又はロの区分に応じそれぞれに定める対価又は補償金を取得するとき（下記注で定める場合に該当する場合を除く。）。（措令22㉒） イ　土地の上にある資産について土地収用法等の規定に基づき収用の請求をしたときは収用されることとなる

場合において、当該資産が買い取られ、又はその土地の上にある建物が買い取られ当該建物に係る配偶者居住権が消滅し、対価を取得するとき……当該資産又は当該配偶者居住権の対価

ロ　土地の上にある資産について取壊し又は除去をしなければならなくなった場合において、当該資産又はその土地の上にある建物に係る配偶者居住権の損失に対する補償金を取得するとき……当該資産又は当該配偶者居住権の損失につき土地収用法第88条（通常受ける損失の補償）（所有者不明土地の利用の円滑化等に関する特別措置法第35条第１項において準用する場合を含む。）、河川法第22条第３項（洪水時等における緊急措置）、水防法第28条第３項（公費負担）、土地改良法第119条（障害物の移転等）、道路法第69条第１項（損失の補償）、土地区画整理法第78条第１項（移転等に伴う損失補償）（大都市地域における住宅及び住宅地の供給の促進に関する特別措置法第71条（土地区画整理法の準用）及び新都市基盤整備法第29条（土地区画整理法の準用）において準用する場合を含む。）、都市再開発法第97条第１項（土地の明渡しに伴う損失補償）、密集市街地における防災街区の整備の促進に関する法律第232条第１項、建築基準法第11条第１項（都市計画区域等における建築物の敷地、構造及び建築設備の規定に適合しない建築物に対する措置）、港湾法第41条第３項又は大深度地下の公共的使用に関する特別措置法第32条第１項の規定により受けた補償金その他これに相当する補償金

（上記の注で定める場合）

注　上記に規定する注で定める場合は、次の㈠から㈢までに掲げる場合とする。（措令22㉓）

㈠	都市再開発法による市街地再開発事業（その施行者が再開発会社であるものに限る。）の施行に伴い、土地等が収用され、又は買い取られることとなったことにより、次に掲げる資産につき、収用をし、又は取壊し若しくは除去をしなければならなくなった場合において、次に掲げる資産の区分に応じそれぞれ次に定める資産の対価又は当該資産の損失につき補償金を取得するとき。 イ　その土地の上にある当該再開発会社の株主又は社員（都市再開発法第73条第１項第２号若しくは第７号又は第118条の７第１項第２号に規定する者を除く。）の有する資産　　当該資産 ロ　その土地の上にある建物（当該再開発会社の株主又は社員（都市再開発法第73条第１項第７号若しくは第14号又は第118条の７第１項第４号に規定する者を除く。）が当該建物に係る配偶者居住権を有するものに限る。）　　当該配偶者居住権
㈡	土地区画整理法による土地区画整理事業（その施行者が区画整理会社であるものに限る。）の施行に伴い、土地等が買い取られることとなったことにより、次に掲げる資産につき、取壊し又は除去をしなければならなくなった場合において、次に掲げる資産の区分に応じそれぞれ次に定める資産の損失につき補償金を取得するとき。 イ　その土地の上にある当該区画整理会社の株主又は社員（換地処分により土地等又は土地区画整理法第93条第４項若しくは第５項に規定する建築物の一部及びその建築物の存する土地の共有持分を取得する者を除く。ロにおいて同じ。）の有する資産　　当該資産 ロ　その土地の上にある建物（当該区画整理会社の株主又は社員が当該建物に係る配偶者居住権を有するものに限る。）　　当該配偶者居住権
㈢	密集市街地における防災街区の整備の促進に関する法律による防災街区整備事業（その施行者が事業会社であるものに限る。）の施行に伴い、土地等が買い取られることとなったことにより、次に掲げる資産につき、取壊し又は除去をしなければならなくなった場合において、次に掲げる資産の区分に応じそれぞれ次に定める資産の損失につき補償金を取得するとき。 イ　その土地の上にある当該事業会社の株主又は社員（密集市街地における防災街区の整備の促進に関する法律第205条第１項第２号又は第７号に規定する者を除く。）の有する資産　　当該資産 ロ　その土地の上にある建物（当該事業会社の株主又は社員（密集市街地における防災街区の整備の促進に関する法律第205条第１項第７号又は第14号に規定する者を除く。）が当該建物に係る配偶者居住権を有するものに限る。）　　当該配偶者居住権

③	土地等が**五９**の規定に該当することとなったことに伴い、その土地の上にある資産が土地区画整理法第77条の規定により除却される場合において、当該資産又はその土地の上にある建物に係る配偶者居住権の損失に対して、同法第78条第１項の規定による補償金を取得するとき。

④　配偶者居住権の目的となっている建物の敷地の用に供される土地等が**1**①、同②、同③の２若しくは同③の３の規定若しくは①の規定に該当することとなったことに伴い当該土地等を当該配偶者居住権に基づき使用する権利の価値が減少した場合又は配偶者居住権の目的となっている建物が**1**①、同②若しくは同⑤の規定に該当することとなったことに伴い当該建物の敷地の用に供される土地等を当該配偶者居住権に基づき使用する権利が消滅した場合において、これらの権利の対価又はこれらの権利の損失に対する補償金で（１）で定めるものを取得するとき（②に掲げる場合又は（２）で定める場合に該当する場合を除く。）。

（権利の対価又は権利の損失に対する補償金で（１）で定めるもの）

（１）　上記に規定する権利の対価又は権利の損失に対する補償金で（１）で定めるものは、次の(一)及び(二)に掲げる場合の区分に応じ当該(一)及び(二)に定める対価又は補償金とする。（措令22㉔）

(一)	上記に規定する配偶者居住権の目的となっている建物又は当該建物の敷地の用に供される土地等について土地収用法等の規定に基づき収用の請求をしたときは収用されることとなる場合において、当該建物又は当該土地等が買い取られ当該土地等を当該配偶者居住権に基づき使用する権利が消滅し、又は当該権利の価値が減少し、対価を取得するとき　　当該権利の対価
(二)	上記に規定する権利の価値が減少した場合又は当該権利が消滅した場合において、当該権利の損失に対する補償金を取得するとき　　当該権利の損失につき土地収用法第88条、河川法第22条第３項、水防法第28条第３項、道路法第69条第１項、都市再開発法第97条第１項、密集市街地における防災街区の整備の促進に関する法律第232条第１項又は大深度地下の公共的使用に関する特別措置法第32条第１項の規定により受けた補償金その他これに相当する補償金

（（２）で定める場合）

（２）　上記に規定する（２）で定める場合は、次の(一)及び(二)に掲げる場合とする。（措令22㉕）

(一)	都市再開発法による市街地再開発事業（その施行者が再開発会社であるものに限る。）の施行に伴い、当該再開発会社の株主又は社員（同法第118条の７第１項第４号に規定する者を除く。）である者が、その配偶者居住権の目的となっている建物又は当該建物の敷地の用に供される土地等が収用され、又は買い取られ、当該土地等を当該配偶者居住権に基づき使用する権利の対価又は当該権利の損失につき補償金を取得する場合
(二)	密集市街地における防災街区の整備の促進に関する法律による防災街区整備事業（その施行者が事業会社であるものに限る。）の施行に伴い、当該事業会社の株主又は社員である者が、その配偶者居住権の目的となっている建物又は当該建物の敷地の用に供される土地等が買い取られ、当該土地等を当該配偶者居住権に基づき使用する権利の損失につき補償金を取得する場合

（土地等の使用に伴う損失の補償金等を対価補償金とみなす場合）

（１）　土地等が土地収用法等の規定により使用されたこと（土地等について使用の申出を拒むときは土地収用法等の規定に基づいて使用されることとなる場合を含む。）に伴い、当該使用に係る土地の上にある資産につき、土地収用法等の規定により収用をし又は取壊し若しくは除去をしなければならなくなった場合において交付を受ける当該資産の対価又は損失に対する補償金（**4**表内②に定めるものに限る。）は、当該土地等を使用させることが同①の要件を満たさないときにおいても、対価補償金とみなして取り扱うことができるものとする。（措通33－26）

（逆収用の請求ができる場合に買い取られた資産の対価）

（２）　**4**表内②の収用等をされた土地の上にある資産につき土地収用法等の規定に基づく収用をしなければならなくなった場合において、「これらの資産若しくはその土地の上にある建物に係る配偶者居住権（当該配偶者居住権の目的となっている建物の敷地の用に供される土地等を当該配偶者居住権に基づき使用する権利を含む。以下（２）から（４）まで及び（９）において同じ。）の対価を取得するとき」とは、収用等をされた土地の上にある資産が次の(一)又は(二)に掲げるようなものであるため、その所有者が収用の請求をすれば収用されることとなる場合（いわゆる逆収用の請求ができる場合）において、現実に収用の請求又は収用の裁決の手続を経ないで当該資産が買い取られ、又は当該土地の上にある建物が買い取られ当該建物に係る配偶者居住権が消滅し、その対価を取得するときをいうのであるから留意する。（措通33－27）

(一)　移転が著しく困難であるか、又は移転によって従来利用していた目的に供することが著しく困難となる資産(土地収用法第78条参照)

(二)　公共用地の取得に関する特別措置法第２条《特定公共事業》各号に掲げる事業の用に供するために収用等をされた土地の上にある資産（同法第22条参照）

(注)　これらの資産の存する土地等の収用等につき事業認定若しくは特定公共事業の認定があったかどうか、又は特定公共事業の起業者が緊急裁決の申立てをしたかどうかにかかわらないのであるから留意する。

(取壊し又は除去をしなければならない資産の損失に対する補償金)

(３)　**4**表内②の収用等をされた土地の上にある資産につき、取壊し又は除去をしなければならなくなった場合において、当該資産又は当該土地の上にある建物に係る配偶者居住権の損失に対する補償金で「次の各号の区分に応じ……取得するとき」とは、収用等をされた土地の上にある資産につき、取壊し又は除去をしなければならなくなった場合において、当該資産又は当該土地の上にある建物に係る配偶者居住権自体について生ずる損失に対する補償金で同②のロに掲げるものの交付を受けるときに限られることに留意する。(措通33－28)

(取壊し等による損失補償金の取扱い)

(４)　土地等が**四**《交換処分等に伴い資産を取得した場合の課税の特例》**1**表内①の規定に該当することとなったことに伴い、当該土地の上にある資産につき土地収用法等の規定に基づく収用をし、又は取壊し若しくは除去をしなければならなくなった場合において、当該資産若しくは当該土地の上にある建物に係る配偶者居住権の対価又は損失に対する補償金（**4**表内②に規定するものに限る。）を取得するときは、同②に準じ**4**の適用があるものとして取り扱うことができるものとする。(措通33－28の２)

(発生資材等の売却代金)

(５)　土地等の収用に伴い、当該土地の上にある建物、構築物、立竹木等を取壊し又は除去をしなければならないこととなった場合において生じた発生資材（資産の取壊し又は除去に伴って生ずる資材をいう。）又は伐採立竹木の売却代金の額は、**4**表内②ロの補償金の額には該当しないのであるから留意する。(措通33－29)

(伐採立竹木損失補償金と売却代金とがある場合の必要経費等の控除)

(６)　**4**表内②に規定する補償金を取得して伐採した立竹木を他に売却した場合には、当該立竹木の譲渡に係る山林所得の金額又は譲渡所得の金額の計算上控除すべき必要経費又は取得費及び譲渡費用は、まず、当該立竹木の売却代金に係るこれらの所得の金額の計算上控除し、なお控除しきれない金額があるときは、当該補償金に係るこれらの所得の金額の計算上控除する。(措通33－29の２)

(借家人補償金)

(７)　他人の建物を使用している個人が、当該建物が収用等をされたことに伴いその使用を継続することが困難となったため、転居先の建物の賃借に要する権利金に充てられるものとして交付を受ける補償金（従来の家賃と転居先の家賃との差額に充てられるものとして交付を受ける補償金を含む。以下「借家人補償金」という。）については、**4**表内②の対価補償金とみなして取り扱う。この場合において、個人が借家人補償金に相当する金額をもって転居先の建物の賃借に要する権利金に充てたときは、当該権利金に充てた金額は、代替資産の取得に充てた金額とみなして取り扱うことができる。(措通33－30)

(注)　借家人補償金をもって事業用固定資産の取得に充てた場合には、**7**③《種類の異なる代替資産》の規定による代替資産の特例の適用があるものについてはこれにより、また、その建物と同じ用途に供する土地又は建物を取得した場合には、当該土地又は建物を当該借家人補償金に係る代替資産に該当するものとして取り扱う。

(借家権の範囲)

(８)　**1**③の２及び同③の３に規定する借家権には、配偶者居住権が含まれることに留意する。

なお、配偶者居住権に係る補償金が**1**③の２及び同③の３に該当する場合における当該配偶者居住権の目的となっている建物の敷地の用に供される土地等を当該配偶者居住権に基づき使用する権利に係る補償金については、**4**表内②の補償金に該当するものとして取り扱う。(措通33－31)

(除却される資産の損失に対する補償金)

(９)　**4**表内③に規定する「資産が土地区画整理法第77条の規定により除却される場合において、これらの資産又はその土地の上にある建物に係る配偶者居住権の損失に対して、同法第78条第１項の規定による補償金を取得するとき」における当該補償金とは、同法第78条第１項《移転等に伴う損失補償》の規定に基づき施行者が支払う補償金のうち、当該除却される資産又は配偶者居住権自体について生ずる損失に対する補償金に限られることに留意する。（措通33－31の２）

5　補償金の意義

1表内①、同⑤、同⑦又は同⑧の補償金の額は、名義がいずれであるかを問わず、資産の収用等の対価たる金額をいうものとし、収用等に際して交付を受ける移転料その他当該資産の収用等の対価たる金額以外の金額を含まないものとする。（措法33⑤）

（対価補償金とその他の補償金との区分）

（１）　**1**又は**四**《交換処分等に伴い資産を取得した場合の課税の特例》**1**に規定する補償金、対価又は清算金の額（**4**によりこれらの補償金、対価又は清算金の額とみなされるものを含む。）とは、名義のいかんを問わず、収用等による譲渡（**4**により収用等による譲渡とみなされるものを含む。以下同じ。）の目的となった資産の収用等の対価たる金額（以下「**対価補償金**」という。）をいうのであるから、次の(一)から(四)までに掲げる補償金は、別に定める場合を除き、対価補償金に該当しないことに留意する。（措通33－８）

(一)　事業（事業と称するに至らない不動産又は船舶の貸付けその他これに類する行為で相当の対価を得て継続的に行うものを含む。以下(２)までにおいて同じ。）について減少することとなる収益又は生ずることとなる損失の補填に充てるものとして交付を受ける補償金（以下「**収益補償金**」という。）

(二)　休廃業等により生ずる事業上の費用の補填又は収用等による譲渡の目的となった資産以外の資産（棚卸資産等を除く。）について実現した損失の補填に充てるものとして交付を受ける補償金（以下「**経費補償金**」という。）

(三)　資産（棚卸資産等を含む。）の移転に要する費用の補填に充てるものとして交付を受ける補償金（以下「**移転補償金**」という。）

(四)　その他対価補償金たる実質を有しない補償金

（補償金の課税上の取扱い）

（２）　(１)によって分類される補償金の課税上の取扱いは、次のとおりとなることに留意する。（措通33－９）

補償金の種類		課税上の取扱い
(一)	対価補償金	譲渡所得の金額又は山林所得の金額の計算上、収用等の場合の課税の特例の適用がある。
(二)	収益補償金	当該補償金交付の基因となった事業の態様に応じ、不動産所得の金額、事業所得の金額又は雑所得の金額の計算上、総収入金額に算入する。ただし、(５)により、収益補償金として交付を受ける補償金を対価補償金として取り扱うことができる場合がある。
(三)	経費補償金	(イ)　休廃業等により生ずる事業上の費用の補填に充てるものとして交付を受ける補償金は、当該補償金交付の基因となった事業の態様に応じ、不動産所得の金額、事業所得の金額又は雑所得の金額の計算上、総収入金額に算入する。 (ロ)　収用等による譲渡の目的となった資産以外の資産（棚卸資産等を除く。）について実現した損失の補填に充てるものとして交付を受ける補償金は、山林所得の金額又は譲渡所得の金額の計算上、総収入金額に算入する。ただし、(７)により、経費補償金として交付を受ける補償金を対価補償金として取り扱うことができる場合がある。
(四)	移転補償金	補償金をその交付の目的に従って支出した場合には、当該支出した額については、第六章第一節**三3**《移転等の支出に充てるための交付金の総収入金額不算入》の規定が適用される。 ただし、(８)又は(９)により、引き家補償の名義で交付を受ける補償金又は移設困難な機械装置の補償金を対価補償金として取り扱うことができる場合がある。また、**4**(７)により、借家人補償金は、対価補償金とみなして取り扱う。

(五)	その他対価補償金の実質を有しない補償金	その実態に応じ、各種所得の金額の計算上、総収入金額に算入する。ただし、第二章第三節《非課税所得》の規定に該当するものは、非課税である。

(注)　移転補償金をその交付の目的に従って支出したかどうかの判定は、次による。

(一)　当該移転補償金をその交付の基因となった資産の移転若しくは移築又は除去若しくは取壊しのための支出に充てた場合　交付の目的に従って支出した場合に該当することになる。

(二)　当該移転補償金を資産の取得のための支出又は資産の改良その他の資本的支出に充てた場合　その交付の目的に従って支出した場合に該当しない。

(借地人が交付を受けるべき借地権の対価補償金の代理受領とみなす場合)

(3)　借地権その他の土地の上に存する権利（以下(3)において「借地権等」という。）の設定されている土地について収用等があった場合において、当該土地に係る対価補償金と当該借地権等に係る対価補償金とが一括して当該土地の所有者に交付され、その交付された金額の一部が当該土地の所有者から当該借地権等を有する者に借地権等に係る対価補償金に対応する金額として支払われたときは、その支払が立退料等の名義でされたものであっても、当該支払を受けた金額は、借地権等を有する者に交付されるべき借地権等の対価補償金が代理受領されたものとみなして、当該借地権等を有する者について**三**から**五**まで及び**七**《収用交換等の場合の譲渡所得等の特別控除》の規定を適用することができる。この場合において、当該借地権等を有する者が確定申告書等に添付する**七４**《特別控除の申告要件》表内①から同③までに規定する書類は、当該土地の所有者から支払を受けた金額の計算に関する明細書及び収用等をされた土地に係る同項に規定する書類で当該土地の所有者が交付を受けるものの写しとする。(措通33－31の４)

(２以上の資産について収用等が行われた場合の補償金)

(4)　２以上の資産が同時に収用等をされた場合において、個々の資産ごとの対価補償金の額が明らかでないときは、当該収用等をされた個々の資産に係る対価補償金の額は、当該資産の収用等があった日における価額の比又は起業者が補償金等の算定の基礎とした当該資産の評価額の比その他適正な基準により区分する。(措通33－10)

(注)　譲渡資産が同種のものである場合又は当該譲渡資産に係る代替資産につき**７**②又は同③《代替資産の特例》の規定の適用を受ける場合には、譲渡所得の金額又は代替資産の取得価額は、その対価補償金の額の合計額を基礎として計算すればよいのであるから、強いて上記の区分をする必要はないことに留意する。

(収益補償金名義で交付を受ける補償金を対価補償金として取り扱うことができる場合)

(5)　建物の収用等に伴い収益補償金名義で補償金の交付を受けた場合において、当該建物の対価補償金として交付を受けた金額（建物の譲渡に要した費用の額を控除する前の額とし、特別措置等の名義で交付を受けた補償金で(13)により対価補償金として判定すべき金額があるときは、当該金額を含む額とする。）が当該収用等をされた建物の再取得価額に満たないときは、当分の間、納税者が、当該収益補償金の名義で交付を受けた補償金のうち当該満たない金額に相当する金額（当該金額が当該補償金の額を超えるときは、当該補償金の額）を、譲渡所得の計算上当該建物の対価補償金として計算したときは、これを認めるものとする。この場合における当該建物の再取得価額は、次による。(措通33－11)

(一)　建物の買取り契約の場合は、起業者が買取り対価の算定基礎とした当該建物の再取得価額によるものとし、その額が明らかでないときは、当該建物について適正に算定した再取得価額による。

(二)　建物の取壊し契約の場合は、次による。

イ　起業者が補償金の算定基礎とした当該建物の再取得価額が明らかであるときは、その再取得価額による。

ロ　イ以外のときは、当該建物の対価補償金として交付を受けた金額（建物の譲渡に要した費用の額を控除する前の額とし、特別措置等の名義で交付を受けた補償金の額を含めない額とする。）に当該建物の構造が木造又は木骨モルタル造であるときは65分の100を、その他の構造のものであるときは95分の100を、それぞれ乗じた金額による。

(注) １　再取得価額とは、収用等をされた建物と同一の建物を新築するものと仮定した場合の取得価額をいう。

２　収益補償金名義で交付を受ける補償金を、借家人補償金に振り替えて計算することはできないことに留意する。

(収益補償金名義で交付を受ける補償金を２以上の建物の対価補償金とする場合の計算)

(6)　(5)の場合において、収用等をされた建物が２以上あり、かつ、収益補償金名義で交付を受けた金額及び建物の対価補償金として交付を受けた金額の合計額が当該建物の再取得価額の合計額に満たないときは、(5)により対価補償金と判定する金額をその個々の建物のいずれの対価補償金として計算するかは、個々の建物の再取得価額を限度と

して、納税者が計算したところによる。（措通33－12）

（事業廃止の場合の機械装置等の売却損の補償金）

（7）　土地、建物、漁業権その他の資産の収用等に伴い、機械装置等の売却を要することとなった場合において、その売却による損失の補償として交付を受ける補償金は、経費補償金に該当する（（1）(二)参照）のであるが、当該収用等に伴い事業の全てを廃止した場合又は従来営んできた業種の事業を廃止し、かつ、当該機械装置等を他に転用することができない場合に交付を受ける当該機械装置等の売却損の補償金は、対価補償金として取り扱う。この場合において、当該機械装置等の帳簿価額（譲渡所得の金額の計算上控除する取得費をいう。以下同じ。）のうち当該対価補償金に対応する部分の金額は、次の算式により計算した金額によるものとする。ただし、当該収用等をされた者が、当該機械装置等の帳簿価額のうち、その処分価額又は処分見込価額を超える部分の金額を当該対価補償金に対応する部分の帳簿価額として申告し又は経理している場合には、これを認めるものとする。（措通33－13）

$$\left(\begin{array}{c}\text{当該機械装置}\\\text{等の帳簿価額}\end{array}\right)\times\frac{(\text{当該対価補償金の額})}{\left(\begin{array}{c}\text{当該対価補}\\\text{償金の額}\end{array}\right)+\left(\begin{array}{c}\text{当該機械装置等の処分}\\\text{価額又は処分見込価額}\end{array}\right)}$$

（注）　機械装置等の売却損の補償金は、一般には、次のイからロを控除して計算される。

イ　当該機械装置等と同種の機械装置等の再取得価額から、当該再取得価額を基として計算した償却費の額の累計額に相当する金額を控除した残額

ロ　当該機械装置等を現実に売却し得る価額

（引き家補償等の名義で交付を受ける補償金）

（8）　土地等の収用等に伴い、起業者から当該土地等の上にある建物又は構築物を引き家し又は移築するために要する費用として交付を受ける補償金であっても、その交付を受ける者が実際に当該建物又は構築物を取り壊したときは、当該補償金（当該建物又は構築物の一部を構成していた資産で、そのもの自体としてそのまま又は修繕若しくは改良を加えたうえ他の建物又は構築物の一部を構成することができると認められるものに係る部分を除く。）は、当該建物又は構築物の対価補償金に当たるものとして取り扱うことができる。（措通33－14）

（移設困難な機械装置の補償金）

（9）　土地等又は建物等の収用等に伴い、機械又は装置の移設を要することとなった場合において、その移設に要する経費の補償として交付を受ける補償金は、対価補償金には該当しないのであるが、機械装置の移設補償名義のものであっても、例えば、製錬設備の溶鉱炉、公衆浴場設備の浴槽のように、その物自体を移設することが著しく困難であると認められる資産について交付を受ける取壊し等の補償金は、対価補償金として取り扱う。

なお、これに該当しない場合であっても、機械装置の移設のための補償金の額が当該機械装置の新設のための補償金の額を超えること等の事情により、移設経費の補償に代えて当該機械装置の新設費の補償を受けた場合には、その事情が起業者の算定基礎等に照らして実質的に対価補償金の交付に代えてされたものであることが明確であるとともに、現にその補償の目的に適合した資産を取得し、かつ、旧資産の全部又は大部分を廃棄又はスクラップ化しているものであるときに限り、当該補償金は対価補償金に該当するものとして取り扱うことができる。（措通33－15）

（残地補償金）

（10）　土地等の一部について収用等があった場合において、土地収用法第74条《残地補償》の規定によりその残地の損失について補償金の交付を受けたときは、当該補償金を当該収用等があった日の属する年分の当該収用等をされた土地等の対価補償金とみなして取り扱うことができる。この場合において、当該収用等をされた部分の土地等の取得価額は、次の算式により計算した金額による。（措通33－16）

$$\text{当該土地の取得価額}\times\frac{\begin{array}{c}\text{収用直前の当}\\\text{該土地の価額}\end{array}-\begin{array}{c}\text{収用等をされた}\\\text{後の残地の価額}\end{array}}{\text{収用直前の当該土地の価額}}$$

（残地買収の対価）

（11）　土地の一部について収用等があったことに伴い、残地が従来利用されていた目的に供することが著しく困難となり、その残地について収用の請求をすれば収用されることとなる事情があるため（土地収用法第76条第１項《残地収用の請求権》参照）、残地を起業者に買い取られた場合には、その残地の買取りの対価は、当該収用等があった日の属

する年分の対価補償金として取り扱うことができる。（措通33－17）

（残地保全経費の補償金）

(12)　土地等の一部又は当該土地等の隣接地について収用等があったことにより、残地に通路、溝、垣、さくその他の工作物の新築、改築、増築若しくは修繕又は盛土若しくは切土（以下「工作物の新築等」という。）をするためのものとして交付を受ける補償金は対価補償金には該当しないから、当該補償金については収用等の場合の課税の特例は適用されないが、当該工作物の新築等が残地の従来の機能を保全するために必要なものであると認められる場合に限り、当該工作物の新築等に要した金額のうち当該補償金の額に相当する金額までの金額については、第六章第一節**三 3**《移転等の支出に充てるための交付金の総収入金額不算入》に規定する移転等の費用に充てるための金額の交付を受けた場合に準じて取り扱って差し支えないものとする。（措通33－18）

（特別措置等の名義で交付を受ける補償金）

(13)　交付を受けた補償金等のうち、特別措置等の名義のもので、その交付の目的が明らかでないものがある場合には、その者が交付を受ける他の補償金等の内容及びその算定の内訳、同一事業につき起業者が他の収用等をされた者に対してした補償の内容等を勘案して、それぞれ対価補償金、収益補償金、経費補償金、移転補償金又はその他の補償金のいずれに属するかを判定するのであるが、その判定が困難なときは、課税上弊害がない限り、起業者が証明するところによることができるものとする。（措通33－19）

（注）　収用等の補償実施状況によれば、建物の所有者に対して特別措置の名義で建物の対価補償金たる実質を有する補償金が交付され、借家人に対して同じ名義で借家人補償金たる実質を有する補償金が交付される実例があることに留意する。

（減価補償金）

(14)　**1**表内③及び**五**《換地処分等に伴い資産を取得した場合の課税の特例》**1**に規定する「清算金」には、土地区画整理法第109条《減価補償金》に規定する減価補償金を含むものとする。（措通33－20）

（収益補償金の課税延期）

(15)　収用等に伴い交付を受ける収益補償金のうち(5)によらない部分の金額については、その収用等があった日の属する年分の事業所得等の総収入金額に算入しないで、収用等をされた土地又は建物から立ち退くべき日として定められている日（その日前に立ち退いたときは、その立ち退いた日）の属する年分の事業所得等の総収入金額に算入したい旨を書面をもって申し出たときは、これを認めて差し支えない。収用等があった日の属する年の末日までに支払われないものについても、同様とする。（措通33－32）

（経費補償金の課税延期）

(16)　経費補償金若しくは移転補償金（(7)、(8)、(9)及び**4**(7)により、対価補償金として取り扱うものを除く。）又は(12)に定める残地保全経費の補償金のうち、収用等のあった日の属する年の翌年１月１日から収用等のあった日以後２年（地下鉄工事のため一旦建物を取り壊し、工事完成後従前の場所に建築する場合等**3**表内①又は同②《代替資産の取得期限の特例》に掲げる場合に該当するときは、当該各号に掲げる期間）を経過する日までに交付の目的に従って支出することが確実と認められる部分の金額については、同日とその交付の目的に従って支出する日とのいずれか早い日の属する年分の各種所得の金額の計算上総収入金額に算入したい旨を当該収用等のあった日の属する年分の確定申告書を提出する際に、書面をもって申し出たときは、これを認めることに取り扱う。（措通33－33）

（仮換地等が土地収用法等の規定に基づいて使用され補償金等を取得する場合の収用等の場合の課税の特例の適用）

(17)　土地等につき土地区画整理法又は土地改良法による土地区画整理事業又は土地改良事業が施行された場合において、当該土地等に係る仮換地又は一時利用地が公共事業のために使用されたことにより当該仮換地又は一時利用地について有する使用収益権が消滅し、補償金等を取得するときにおける収用等の場合の課税の特例の適用に関する取扱いは次による。

なお、土地区画整理法又は土地改良法による土地区画整理事業又は土地改良事業の施行地区内の公共用地等は、本来はこれらの事業の中で換地処分の手法を通じて取得されるべきものであるが、この取扱いは、仮換地又は一時利用地の指定のあった日から相当の期間が経過しており、かつ、近い将来において換地処分が行われる見込みがないなど仮換地又は一時利用地そのものを公共事業の用に供することについてやむを得ない事情がある場合について適用するものとする。（昭和48年１月19日付直審５－１（例規）、４－３）

(一)　この取扱いにおいて、次に掲げる用語の意義は、それぞれ次に定めるところによる。

イ　仮換地等　　土地区画整理法第98条第1項《仮換地の指定》の規定により指定があった仮換地又は土地改良法第53条の5第1項《一時利用地の指定》の規定により指定があった一時利用地をいう。

ロ　起業地　　**七**《収用交換等の場合の譲渡所得等の特別控除》**1**に規定する収用交換等に係る事業を施行すべき土地の区域をいう。

ハ　従前の宅地等　　土地区画整理法上の従前の宅地又は土地改良法上の従前の土地をいう。

ニ　土地収用法等　　**1**表内①に規定する土地収用法等をいう。

ホ　公共事業施行者　　**七3**表内①に規定する公共事業施行者をいう。

(二)　仮換地等が起業地内にあり、当該仮換地等に係る従前の宅地等が起業地の外にある場合において、当該仮換地等が次に掲げる場合に該当して補償金又は対価を取得するときは、当該補償金又は対価は、**1**に規定する補償金又は対価に該当するものとする。

イ　仮換地等が土地収用法等の規定に基づいて使用された結果、当該仮換地等について有する使用収益権が消滅する場合

ロ　仮換地等について有する使用収益権の消滅の申出を拒むときは土地収用法等の規定に基づいて当該仮換地等が使用され当該権利が消滅することとなる場合において、当該権利が契約により消滅するとき

(三)　仮換地等が起業地内にあり、当該仮換地等に係る従前の宅地等が起業地の外にある場合において、公共事業施行者からの買取り等の申出に応じて当該従前の宅地等の譲渡をし、納税者から当該譲渡の対価の額の全部が当該仮換地等の使用収益権の消滅の対価に該当するものとして(二)の取扱いにより**1**又は**七1**の規定を適用して確定申告書等の提出があったときは、これを認めるものとする。

(四)　(二)の取扱い((三)により(二)の取扱いを受ける場合を含む。(五)において同じ。)により、**1**又は**七1**の規定の適用を受ける場合に確定申告書等に添付すべき収用証明書は、仮換地等として指定されている土地についての使用の証明書類とする。

(五)　(二)の取扱いにより仮換地等の使用収益権の消滅につき**七1**の規定を適用する場合には、**七3**表内①に規定する最初に買取り等の「申出のあった日」は、当該仮換地等に係る従前の宅地等について最初に買取りの申出のあった日と当該仮換地等の使用収益権について最初に消滅の申出のあった日のうちいずれか早い日をいうものとする。

(六)　仮換地等の使用収益権の消滅につき(二)の取扱いの適用を受けた者が、当該消滅のあった日の属する年の翌年1月1日以後に行われた換地処分により当該仮換地等を換地として取得した場合において、当該換地が当該仮換地等を使用している者によって土地収用法等の規定に基づいて収用され又は買い取られ、補償金又は対価を取得したときは、当該収用又は買取りにより譲渡した換地については、**七3**表内②の規定により、5,000万円特別控除の特例は適用がないものとする。

(仮換地の指定により交付を受ける仮清算金)

(18)　土地区画整理法第102条《仮清算金》の規定により交付を受ける仮清算金の額は、換地処分があるまでは所得税法第36条に規定するその年において収入すべき金額に該当しないのであるから留意する。(措通33－46の2)

6　譲渡費用の超過額

1の規定により補償金、対価又は清算金の額から控除する金額は、譲渡資産の譲渡に要した費用の金額の合計額が、当該収用等に際し譲渡に要する費用に充てるべきものとして交付を受けた金額の合計額を超える場合におけるその超える金額《**譲渡費用の超過額**》とする。この場合において、譲渡資産が2以上あるときは、当該譲渡資産の譲渡に要した費用の金額の合計額が当該収用等に際し譲渡に要する費用に充てるべきものとして交付を受けた金額の合計額を超える場合におけるその超える金額を個々の譲渡資産の譲渡に要した費用の金額に按分して計算した金額とする。(措令22③、措規14①)

(収用等をされた資産の譲渡に要した費用の範囲)

(1)　収用等をされた資産の譲渡に要した費用がある場合には、**1**の規定により、当該費用の額が当該費用に充てるべきものとして交付を受けた金額を超えるときのその超える金額(交付を受けた金額が明らかでないときは、当該費用の額)を、当該譲渡をした資産に係る対価補償金の額から控除することとなるのであるが、この場合の譲渡に要した費用とは、例えば、次のようなものをいうのであるから留意する。(措通33－34)

(一)　譲渡に要したあっせん手数料、謝礼

(二)　譲渡資産の借地人又は借家人等に対して支払った立退料(土地の取得価額とされる場合又は借地人が受けるべき借地権の対価補償金を代理受領し、これを支払ったものと認められる場合の立退料を除く。)

（三）　資産が取壊し又は除去を要するものであるときにおけるその取壊し又は除去の費用（発生資材の評価額又は処分価額に相当する金額を控除した金額とし、控除しきれない場合には、当該費用はないものとする。）

（四）　当該資産の譲渡に伴って支出しなければならないこととなった次に掲げる費用

イ　建物等の移転費用

ロ　動産の移転費用

ハ　仮住居の使用に要する費用

ニ　立木の伐採又は移植に要する費用

（五）　その他（一）から（四）までに掲げる費用に準ずるもの

（譲渡費用の額の計算）

（2）　**1**の規定により対価補償金の額から控除すべき譲渡資産の譲渡に要した費用の額を計算する場合において、同時に収用等をされた譲渡資産が２以上ある場合には、（1）の超える金額を個々の譲渡資産に係る譲渡に要した費用の金額の比によりあん分するのであるが、その計算が困難である場合には、当該超える金額をその収用等があった日の譲渡資産の価額又は対価補償金の額の比その他適正な基準により区分する。（措通33－35）

（注）　この場合においても、個々の譲渡資産に係る金額の区分については、**5**の（4）の（注）と同様に、強いて区分する必要がないときがあることに留意する。

（発生資材を自己使用した場合の取扱い）

（3）　収用等に伴い、取壊し又は除去をした資産について生じた発生資材がある場合において、その全部又は一部を代替資産の製作、建築等に使用し又は使用する見込みであるときは、その使用し又は使用する見込みの発生資材の評価額は、（1）（三）のかっこ書の「発生資材の評価額」には含まれないものとする。この場合において、当該代替資産の取得価額の計算上、当該使用し又は使用する見込みの発生資材の価額はないものとする。（措通33－36）

（発生資材を譲渡した場合の取扱い）

（4）　収用等に伴い、取壊し又は除去をした資産について生じた発生資材がある場合において、その全部又は一部を譲渡したときは、発生資材の譲渡に係る譲渡所得の金額の計算上控除する取得費は、その譲渡した発生資材の処分価額のうち、（1）（三）により、資産の取壊し又は除去の費用から控除した金額に相当する金額となるのであるから留意する。（措通33－37）

（取壊し等が遅れる場合の計算の調整）

（5）　収用等をされた資産の全部又は一部を当該収用等があった日の属する年の翌年以後において取壊し等をすることとしている場合における**1**の規定の適用については、当該収用等があった日の属する年の12月31日における現況により、資産の譲渡に要する費用の額で対価補償金の額から控除すべき金額等の適正な見積額を基礎として計算する。この場合において、その確定額が見積額と異なることとなったときは、**六 1**《収用交換等に伴い代替資産を取得した場合の更正の請求、修正申告等》の規定に準じて取り扱うものとする。（措通33－38）

7　代替資産の範囲

①　種類を同じくする代替資産

1に規定する代替資産は、原則として、収用等により譲渡した資産と種類を同じくする資産とするが、この場合の種類を同じくする資産は、収用等の区分に応じ次のイからホまでに掲げる資産とする。（措法33①、措令22④）

イ	**1**表内①、同②又は同③の２又は同③の３の場合	譲渡資産が土地又は土地の上に存する権利、建物（その附属設備を含む。）又は建物に附属する（注）で定める構築物、当該構築物以外の構築物及びその他の資産の区分のいずれに属するかに応じそれぞれこれらの区分に属する資産（譲渡資産がその他の資産の区分に属するものである場合には、次に掲げる譲渡資産の区分に応じそれぞれ次に定める資産） （イ）　（ロ）及び（ハ）に掲げる資産以外の資産　　当該資産と種類及び用途を同じくする資産 （ロ）　配偶者居住権　　当該配偶者居住権を有していた者の居住の用に供する建物又は当該建物の賃借権 （ハ）　配偶者居住権の目的となっている建物の敷地の用に供される土地又は当該土地の上に存する権利を当該配偶者居住権に基づき使用する権利　　当該権利を有していた者の居住

		の用に供する建物の敷地の用に供される土地又は当該土地の上に存する権利 （注）「建物に附属する特定の構築物」とは、建物に附属する門、塀、庭園（庭園に附属する亭、庭内神しその他これらに類する附属設備を含む。）、煙突、貯水槽その他これらに類する資産をいう。（措規14②）
ロ	**1**表内③又は同③の４から同④までの場合	譲渡資産が**1**の③又は③の４から④までに定める資産の区分のいずれに属するかに応じ、それぞれ当該各号に定める資産
ハ	**1**表内⑤の場合	当該譲渡資産と同種の権利（当該譲渡資産が次に掲げる資産である場合には、次に掲げる譲渡資産の区分に応じそれぞれ次に定める資産） （イ）　配偶者居住権　　当該配偶者居住権を有していた者の居住の用に供する建物又は当該建物の賃借権 （ロ）　配偶者居住権の目的となっている建物の敷地の用に供される土地又は当該土地の上に存する権利を当該配偶者居住権に基づき使用する権利　　当該権利を有していた者の居住の用に供する建物の敷地の用に供される土地又は当該土地の上に存する権利
ニ	**1**表内⑥から同⑦までの場合	当該譲渡資産と同種の権利
ホ	**1**表内⑧の場合	譲渡資産がイ、ハ又はニに定める譲渡資産の区分のいずれに属するかに応じ、それぞれこれらの区分に属する資産

（配偶者居住権等を有していた者の居住の用に供する建物）

（1）　配偶者居住権又は当該配偶者居住権の目的となっている建物の敷地の用に供される土地等を当該配偶者居住権に基づき使用する権利の代替資産を取得する場合における①イ(ロ)若しくは同(ハ)又は①ハ(イ)若しくは同(ロ)に規定する「居住の用に供する建物」については、当該建物を居住の用と居住の用以外の用とに併せて供する場合においても、これらの号に規定する「居住の用に供する建物」に該当するものとして取り扱って差し支えない。（措通33－38の２）

（配偶者居住権等を有していた者の居住の用に供する建物の判定）

（2）　①イ(ロ)若しくは同(ハ)又は①ハ(イ)若しくは同(ロ)に規定する「居住の用に供する建物」であるかどうかは、配偶者居住権又は当該配偶者居住権の目的となっている建物の敷地の用に供される土地等を使用する権利を有していた者が、取得資産を取得してから相当の期間内にその者の居住の用に供したかどうかによって判定するのであるが、その取得の日以後１年を経過した日（当該取得の日の属する年分の確定申告期限がこれより後に到来する場合には、当該期限）までにその居住の用に供しているときは、相当の期間内に居住の用に供したものとして取り扱う。（措通33－38の３）

②　一組の資産が収用等をされた場合の代替資産《一組法》

譲渡資産が①イに掲げる区分（①イの「(ニ)その他の資産」の区分を除く。）の異なる２以上の資産で一の効用を有する一組の資産となって次のイからホまでに掲げる用に供するものである場合において、譲渡資産の譲渡の日の属する年分の確定申告書に当該一組の資産の明細を記載した書類を添付したときに限り、その効用と同じ効用を有する他の資産をもって当該譲渡資産の全てに係る代替資産とすることができる。（措令22⑤、措規14③）

イ	居住の用
ロ	店舗又は事務所の用
ハ	工場、発電所又は変電所の用
ニ	倉庫の用
ホ	イからニまでの用のほか、劇場の用、運動場の用、遊技場の用その他これらの用の区分に類する用

（一組の資産を譲渡した場合の代替資産）

（1）　②の規定は、一の効用を有する一組の資産について収用等があった場合において、その収用等をされた資産と効用を同じくする他の資産を取得したときに適用があるものであり、当該他の資産が一組の資産となっていることを要しないのであるから留意する。

したがって、居住用の土地家屋につき収用等をされた者がその有する土地の上に居住用の家屋を取得した場合には、その家屋は代替資産に該当することとなる。（措通33－39）

（2以上の用に供されている資産）

（2）　一の効用を有する一組の資産について収用等があった場合において、当該資産が上記②のイからホまでに掲げる用途のうちの2以上の用途に供されていたとき、例えば、居住の用と店舗又は事務所の用に併せて供されていたときは、②の適用については、そのいずれの用にも供されていたものとして取り扱う。

代替資産を取得した場合において、当該代替資産が②のイからホの2以上の用途に供されるときも同様とする。（措通33－40）（②と③の特例はこれを併用することができる。＝編者注）

③　**種類の異なる代替資産**《事業用資産法》

譲渡資産が当該譲渡をした者の営む事業（事業と称するに至らない不動産又は船舶の貸付けその他これに類する行為で相当の対価を得て継続的に行うものを含む。以下③において同じ。）の用に供されていたものである場合において、その者が、事業の用に供するため、当該譲渡資産に係る①又は②の代替資産に該当する資産以外の資産（当該事業の用に供する減価償却資産、土地及び土地の上に存する権利に限る。）を取得（制作及び建設を含む。）をするときは、①及び②にかかわらず、当該資産をもって当該譲渡資産の代替資産とすることができる。（措令22⑥）

（事業の用に供されていたもの）

（1）　③に規定する「事業の用に供されていたもの」であるかどうかの判定は、原則として、譲渡契約締結の時の現況により行うのであるが、事業の用に供されていた資産が土地収用法に規定する事業の認定があったこと、収用等に該当する買取り等の申出があったことなどにより譲渡を余儀なくされることが明らかになったため、譲渡契約締結時には事業の用に供されていない場合であっても、当該資産は③に規定する「事業の用に供されていたもの」に該当するものとして取り扱う。（措通33－41）

（事業の用と事業以外の用とに併用されていた資産の取扱い）

（2）　譲渡資産が事業の用と事業以外の用とに併せ供されていた場合には、③の適用については、原則としてその事業の用に供されていた部分を「事業の用に供するもの」として取り扱う。ただし、その事業の用に供されていた部分がその資産全体のおおむね90％以上である場合には、その資産の全部を「事業の用に供されていたもの」として差し支えない。

なお、③の規定により代替資産とすることができる資産についても同様に取り扱う。（措通33－42）

（注）　事業用部分と非事業用部分は、原則として、面積の比により判定するものとする。

（生計を一にする親族の事業の用に供している資産）

（3）　③の規定は、資産の所有者が③に規定する事業の用に供していたものを譲渡し、かつ、その者が③に規定する代替資産とすることができる資産を取得（製作及び建設を含む。（4）において同じ。）する場合に適用があるのであるが、譲渡資産がその所有者と生計を一にする親族の③に規定する事業の用に供されていた場合には、当該譲渡資産はその所有者にとっても事業の用に供されていたものに該当するものとして③の規定を適用することができる。

③に規定する代替資産とすることができる資産について同様の事情がある場合も、また同様とする。（措通33－43）

（代替資産とすることができる事業用固定資産の判定）

（4）　③の規定により、代替資産とすることができる資産が事業の用に供する資産であるかどうかは、その取得資産の改修その他の手入れの要否等の具体的事情に応じ、相当の期間内に事業の用に供したかどうかによって判定するのであるが、当該取得資産をその取得の日以後1年を経過した日（当該取得の日の属する年分の確定申告期限がこれより後に到来する場合には、当該期限）までにその事業の用に供しているときは、相当の期間内に事業の用に供したものとして取り扱う。（措通33－44）

（資本的支出）

（5）　資産の収用等に伴い、その代替資産となるべき資産の改良、改造等をした場合には、その改良、改造等のための費用の支出は、**1**の規定の適用上、代替資産の取得に当たるものとして取り扱う。（措通33－44の２）

（相続人が代替資産を取得した場合）

（6）　収用交換等により資産を譲渡した個人が、代替資産を取得しないで死亡した場合であっても、その死亡前に代替資産の取得に関する売買契約又は請負契約を締結しているなど代替資産が具体的に確定しており、かつ、その相続人が法定期間内にその代替資産を取得したときは、その死亡した者の当該譲渡につき**1**の規定を適用することができる。（措通33－45）

8　申告要件と収用証明書、代替資産明細書の添付

1から**3**までの規定は、これらの規定の適用を受けようとする年分の確定申告書に、これらの規定の適用を受けようとする旨を記載し、かつ、これらの規定による山林所得の金額又は譲渡所得の金額の計算に関する明細書その他《**収用証明書**》を添付しない場合には、適用しない。ただし、当該申告書の提出がなかったこと又は当該記載若しくは添付がなかったことにつき税務署長においてやむを得ない事情があると認める場合において、当該記載をした書類並びに当該明細書及び《収用証明書》の提出があったときは、この限りでない。（措法33⑥）

（1）　**収用証明書の種類**……省略（措規14⑤、措通33－50別表２「収用証明書の区分一覧表」参照）

（代替資産明細書の添付）

（2）　**8**に規定する確定申告書を提出する者は、代替資産に関する登記事項証明書その他代替資産の**1**に規定する取得をした旨を証する書類を次の(一)又は(二)に掲げる場合の区分に応じ当該(一)又は(二)に掲げる日（**8**ただし書の規定に該当してその日後において**8**ただし書に規定する書類を提出する場合には、その提出の日）までに納税地の所轄税務署長に提出しなければならない。（措法33⑦、措令22㉖、措規14⑦）

(一)　**1**（**2**において準用する場合を含む。）の規定の適用を受ける場合　　当該確定申告書の提出の日

(二)　**3**において準用する**1**の規定の適用を受ける場合　　代替資産を取得をした日から４月を経過する日

9　非常災害に基因するやむを得ない事情により取得指定期間内に取得をすることが困難となった場合の取得指定期間の特例

個人が、特定非常災害の被害者の権利利益の保全等を図るための特別措置に関する法律第２条第１項の規定により特定非常災害として指定された非常災害に基因するやむを得ない事情により、代替資産の**3**に規定する取得指定期間内における取得をすることが困難となった場合において、当該取得指定期間の初日から当該取得指定期間の末日後２年以内の日で（1）で定める日までの間に代替資産の取得をする見込みであり、かつ、（2）で定めるところにより納税地の所轄税務署長の承認を受けたときは、**3**及び**六 1**の規定の適用については、**3**に規定する取得指定期間は、当該初日から当該（1）で定める日までの期間とする。（措法33⑧）

（**9**に規定する（1）で定める日）

（1）　**9**に規定する（1）で定める日は、**3**に規定する取得指定期間の末日の翌日から起算して２年以内の日で代替資産の取得をすることができるものとして**9**の所轄税務署長が認定した日とする。（措令22㉗）

（**9**に規定する税務署長の承認に必要な申請書類の提出）

（2）　**9**に規定する所轄税務署長の承認を受けようとする個人は、**9**に規定する取得指定期間の末日の属する年の翌年３月15日（同日が**六 1**①に規定する提出期限後である場合には、当該提出期限）までに、**1**に規定する譲渡した資産について**9**の承認を受けようとする旨、**9**の特定非常災害として指定された非常災害に基因するやむを得ない事情により代替資産（**1**に規定する代替資産をいう。以下（2）において同じ。）の取得（**1**に規定する取得をいう。以下（2）において同じ。）をすることが困難であると認められる事情の詳細、取得をする予定の代替資産の取得予定年月日及びその取得価額の見積額並びに当該所轄税務署長の認定を受けようとする年月日その他の明細を記載した申請書に、当該非常災害に基因するやむを得ない事情により代替資産の取得をすることが困難であると認められる事情を証する書類を添付して、当該所轄税務署長に提出しなければならない。ただし、税務署長においてやむを得ない事情があると認める場合には、当該書類を添付することを要しない。（措規14⑧）

（税務署長が認定した日）

（3）　（2）に規定する個人が（2）の所轄税務署長の承認を受けた場合には、（1）に規定する所轄税務署長が認定した日は当該承認において税務署長が認定した日とする。（措規14⑨）

（特定非常災害に基因するやむを得ない事情により取得指定期間を延長するための手続等）

（4）　**9**に規定する所轄税務署長の承認を受けようとする場合には、（2）に規定する申請書を**9**に規定する非常災害が生じた日の翌日から**3**に規定する取得指定期間（以下（4）において「取得指定期間」という。）の末日の属する年の翌年3月15日（同日が**六1**①に規定する提出期限後である場合は、当該提出期限）までの間に当該所轄税務署長に提出しなければならないことに留意する。

なお、**9**の規定の適用を受けた場合には、その後に**3**に規定する**3**表のいずれかに該当するとして取得指定期間の延長を行うことはできないことに留意する。（措通33－49の2）

四　交換処分等に伴い資産を取得した場合の課税の特例

1　交換取得資産に係る譲渡所得等の課税の特例

個人の有する資産で次の①又は②に規定するものが当該①又は②に掲げる場合に該当することとなった場合（当該①又は②に規定する資産とともに補償金、対価又は清算金（以下**七**《収用交換等の場合の譲渡所得等の特別控除》までにおいて「**補償金等**」という。）を取得した場合を含む。）には、その者については、その選択により、当該①又は②に規定する収用、買取り又は交換（以下**七**までにおいて「**交換処分等**」という。）により譲渡した資産（当該各号に規定する資産とともに補償金等を取得した場合には、当該譲渡した資産のうち当該補償金等の額に対応する部分以外のものとして（2）で定める部分）の譲渡がなかったものとして、第一節《土地の譲渡等に係る事業所得等の課税の特例》、**一**《土地建物等の長期譲渡所得の課税の特例》若しくは**二**《土地建物等の短期譲渡所得の課税の特例》又は第四章第四節《事業所得》、同章第七節《山林所得》、同章第八節《譲渡所得》若しくは同章第十節《雑所得》の規定を適用することができる。（措法33の2①）

①	資産につき**三**《収用等に伴い代替資産を取得した場合の課税の特例》 **1**表内①に掲げる土地収用法等の規定による収用があった場合（同②又は同④に該当する買取りがあった場合を含む。）において、当該資産又は当該資産に係る配偶者居住権と同種の資産その他のこれらに代わるべき資産として代替資産を取得するとき。 （注）　上記の交換取得資産が同種であるかどうかは、**三 7**①イ又は同①ロ又は同②《１組法》に定める資産区分により判定する。（措令22の２②）
②	土地等につき土地改良法による土地改良事業又は農業振興地域の整備に関する法律第13条の２第１項の事業が施行された場合において、当該土地等に係る交換により土地等を取得するとき。

（交換処分等により土地等又は補償金等を取得する場合の特例の適用関係）

（1）　個人の有する資産について交換処分等があった場合の収用等の場合の課税の特例の適用関係は、次のとおりであるから留意する。（編者注）

（一）　交換取得資産だけを取得する場合　譲渡資産が棚卸資産等であっても当該交換取得資産につき**1**の特例の適用がある。

（二）　交換取得資産と補償金等を併せて取得する場合　譲渡資産のうち交換取得資産に対応する部分については、当該譲渡資産が棚卸資産等であっても当該交換取得資産につき**1**の特例の適用があり、補償金等に対応する部分については、当該譲渡資産が山林所得又は譲渡所得の基因となる資産である場合は**3**の準用規定により、**三**の特例の適用がある。

（三）　（二）の場合において、補償金に対応する部分について**三**の特例の適用ができない場合（すなわち譲渡資産が棚卸資産等である場合）には、当該補償金は全額を事業所得又は雑所得の収入金額とされる。

（譲渡がなかったものとして定める部分）

（2）　**1**に規定する（2）で定める部分は、**1**に規定する交換処分等により譲渡した資産のうち、当該交換処分等により取得した資産（以下**六 2**《代替資産の取得価額等》①までにおいて「**交換取得資産**」という。）の価額が当該価額と当該交換取得資産とともに取得した**1**に規定する補償金等の額との合計額のうちに占める割合を、当該譲渡した資産の価額に乗じて計算した金額に相当する部分とする。（措令22の２①）

$$\text{交換譲渡資産の価額} \times \frac{\text{交換取得資産の価額}}{\text{交換取得資産の価額}+\text{補償金等の額}}\text{（交換資産割合）} = \text{譲渡がなかったものとされる部分}$$

（注）　交換処分等に伴い交換取得資産のほかに補償金等を取得した場合で、**2**により代替資産取得の場合の課税の特例の適用がない場合には、上記により譲渡がなかったものとされる部分以外の部分について次により所得が計算される。（編者注）

①　収入金額＝補償金等の額

②　必要経費＝（譲渡資産の取得費＋譲渡費用の超過額）× $\frac{\text{補償金等の額}}{\text{交換取得資産の価額}+\text{補償金等の額}}$（補償金割合）

（配偶者居住権の目的となっている建物の敷地の用に供される土地等を当該配偶者居住権に基づき使用する権利の価値の減少による損失補償金の取扱い）

（3）　配偶者居住権の目的となっている建物の敷地の用に供される土地等が**1**①の規定に該当することとなったことに伴い当該土地等を当該配偶者居住権に基づき使用する権利の価値が減少した場合において、当該権利の対価又は損失に対する補償金（**三 4**④（1）に規定するものに限る。）を取得するときは、同**4**④の規定に準じ、同**4**の規定の適用があるものとして取り扱うことができるものとする。（措通33－31の3）

2　交換取得資産とともに取得した補償金等に係る課税の特例

三1から同**4**までの規定は、個人の有する資産で**1**表内①及び同②までに規定するものが同①及び同②に掲げる場合に該当することとなった場合において、個人が、同①及び同②に規定する資産とともに補償金等を取得し、その額の全部若しくは一部に相当する金額をもって代替資産の取得をしたとき、若しくは取得をする見込みであるとき、又は代替資産となるべき資産の取得をしたときについて準用する。この場合において、**三1**中「当該譲渡した資産」とあるのは、「当該譲渡した資産のうち当該補償金等の額に対応するものとして(1)で定める部分」と読み替えるものとする。(措法33の2②)

(補償金等の額に対応するものとして定める部分)

(1)　**2**において準用する**三1**に規定する当該補償金等の額に対応するものとして(1)で定める部分は、**2**に規定する譲渡した資産のうち、**1**(2)に規定する部分以外の部分とする。(措令22の2③)

(補償金等の額から控除する譲渡費用の超過額)

(2)　**2**において準用する**三1**から同**3**までの規定により**2**の補償金等の額から控除する「譲渡資産の譲渡に要した費用」の金額は、当該資産につき**三6**の規定に準じて計算した金額から、当該金額に**1**(2)に掲げる交換資産割合を乗じて計算した金額を控除した金額とする。(措令22の2④)

$$\left(\begin{array}{l}\text{三6により計算した}\\\text{譲渡費用の超過額}\end{array}\right)\times\underbrace{\left(\begin{array}{c}1-\text{交換資産割合}\\\text{(1(2)の割合)}\end{array}\right)}_{\text{補償金割合}}=\left(\begin{array}{l}\text{交換取得資産とともに取得した補償金}\\\text{等の額から控除する譲渡費用の超過額}\end{array}\right)$$

(注)　**2**に規定する補償金等の額から(2)により計算した譲渡費用の超過額を控除した残額の全部が代替資産の取得価額に充てられる場合は、所得金額が発生しないが、当該残額の一部をもって代替資産を取得する場合には、譲渡所得又は山林所得の金額は次により計算される。(編者注)

① 収入金額$=\left(\text{補償金等の額}-\text{譲渡費用の超過額}\times\text{補償金割合}\right)-\text{代替資産の取得価額}$

② 必要経費$=\text{譲渡資産の取得費}\times\text{補償金割合}\times\dfrac{\text{(分母の金額)}-\text{(代替資産の取得価額)}}{\left(\text{補償金等の額}\right)-\left(\text{譲渡費用の超過額}\times\text{補償金割合}\right)}$

3　収用等に伴い代替資産を取得した場合の課税の特例規定の準用

1及び**2**の規定を適用する場合には、**三**の規定中次の規定を準用する。(措法33の2③④⑤、措令22の2⑤、措規14の2)

三5《補償金の意義》

三8《申告要件と収用証明書、代替資産明細書の添付》

三9《取得指定期間の特例》

五　換地処分等に伴い資産を取得した場合の課税の特例

1　換地処分等の場合の課税の特例

個人が、その有する土地等につき土地区画整理法による土地区画整理事業、新都市基盤整備法による土地整理、土地改良法による土地改良事業又は大都市地域住宅等供給促進法による住宅街区整備事業が施行された場合において、当該土地等に係る換地処分により土地等又は土地区画整理法第93条第１項、第２項、第４項若しくは第５項に規定する建築物の一部及びその建築物の存する土地の共有持分、大都市地域住宅等供給促進法第74条第１項に規定する施設住宅の一部等若しくは大都市地域住宅等供給促進法第90条第２項に規定する施設住宅若しくは施設住宅敷地に関する権利を取得したときは、第一節《土地の譲渡等に係る事業所得等の課税の特例》及び**一**《土地建物等の長期譲渡所得の課税の特例》若しくは**二**《土地建物等の短期譲渡所得の課税の特例》又は第四章第四節《事業所得》、同章第八節《譲渡所得》若しくは同章第十節《雑所得》の規定の適用については、換地処分により譲渡した土地等（土地等とともに清算金を取得した場合又は中心市街地の活性化に関する法律第16条第１項、高齢者、障害者等の移動等の円滑化の促進に関する法律第39条第１項、都市の低炭素化の促進に関する法律第19条第１項、大都市地域住宅等供給促進法第21条第１項若しくは地方拠点都市地域の整備及び産業業務施設の再配置の促進に関する法律第28条第１項の規定による保留地が定められた場合には、当該譲渡した土地等のうち当該清算金の額又は当該保留地の対価の額に対応する部分以外のものとして注で定める部分）の譲渡がなかったものとみなす。（措法33の３①）

（譲渡がなかったものとして注で定める部分）

注　**1**に規定する注で定める部分は、**1**の換地処分により譲渡した土地等（土地又は土地の上に存する権利をいう。以下この注において同じ。）のうち、当該換地処分により取得した土地等（土地区画整理法第93条第１項、第２項、第４項又は第５項に規定する建築物の一部及びその建築物の存する土地の共有持分、大都市地域における住宅及び住宅地の供給の促進に関する特別措置法第74条第１項に規定する施設住宅の一部等並びに同法第90条第２項に規定する施設住宅及び施設住宅敷地に関する権利を含む。以下この注並びに**六２**①イ及び同①ハ並びに同②（１）(三)において「**換地取得資産**」という。）の価額が当該価額と当該換地取得資産とともに取得した清算金の額又は**1**に規定する保留地の対価の額との合計額のうちに占める割合を、当該譲渡した土地等の価額に乗じて計算した金額に相当する部分とする。（措令22の３①）

$$\left(\begin{array}{l}\text{換地処分により譲渡}\\\text{した土地等の価額}\end{array}\right)\times\frac{\text{（換地取得資産の価額）}}{\text{（換地取得資産の価額）}+\text{（清算金又は保留地の対価の額）}}=\left(\begin{array}{l}\text{譲渡がなかったものと}\\\text{される部分の土地等}\end{array}\right)$$

（注）　上記により譲渡がなかったものとされる部分以外の譲渡資産は譲渡があったものとされ、それは清算金又は保留地の対価の額に対応する部分の譲渡資産とされるので、この場合の譲渡所得の所得計算は次のようになる。この所得の額については、5,000万円又は1,500万円特別控除か**三１**に規定する代替資産取得による課税の特例を適用することができる。（編者注）

$$\left(\begin{array}{l}\text{清算金又は保留}\\\text{地の対価の額}\end{array}\right)-\left(\begin{array}{l}\text{譲渡資産}\\\text{の取得費}\end{array}\right)\times\frac{\text{（清算金又は保留地の対価の額）}}{\left(\begin{array}{l}\text{換地取得資産}\\\text{の価額}\end{array}\right)+\left(\begin{array}{l}\text{清算金又は保留地}\\\text{の対価の額}\end{array}\right)}=\left(\begin{array}{l}\text{長期譲渡所得又は}\\\text{短期譲渡所得の額}\end{array}\right)$$

2　権利変換等の場合の課税の特例

個人が、その有する資産につき都市再開発法による第１種市街地再開発事業が施行された場合において当該資産に係る権利変換により施設建築物の一部を取得する権利若しくは施設建築物の一部についての借家権を取得する権利及び施設建築敷地若しくはその共有持分若しくは地上権の共有持分（当該資産に係る権利変換が同法第110条第１項又は第110条の２第１項の規定により定められた権利変換計画において定められたものである場合には、施設建築敷地に関する権利又は施設建築物に関する権利を取得する権利）若しくは個別利用区内の宅地若しくはその使用収益権を取得したとき、又はその有する資産が同法による第２種市街地再開発事業の施行に伴い買い取られ、若しくは収用された場合において、同法第118条の11第１項の規定によりその対償として同項に規定する建築施設の部分の給付（当該給付が同法第118条の25の３第１項の規定により定められた管理処分計画において定められたものである場合には、施設建築敷地又は施設建築物に関する権利の給付）を受ける権利を取得したときは、第一節《土地の譲渡等に係る事業所得等の課税の特例》及び**一**《土地建物等の長期譲渡所得の課税の特例》若しくは**二**《土地建物等の短期譲渡所得の課税の特例》又は第四章第四節《事業所得》、同章第八節《譲渡所得》若しくは同章第十節《雑所得》の規定の適用については、当該権利変換又は買取り若しくは収用により譲渡した資産（当該給付を受ける権利とともに補償金等を取得した場合には、当該譲渡した資産のうち当該補償金等の額に対応する部分以外のものとして注で定める部分。以下「**旧資産**」という。）の譲渡がなかったものとみなす。（措法33の３②）

（譲渡がなかったものとして注で定める部分）

（1）　**2**に規定する注で定める部分は、**2**の買取り又は収用（以下「**買取り等**」という。）により譲渡した資産のうち、当該資産に係る都市再開発法第118条の11第１項の規定により取得した同項に規定する建築施設の部分の給付（当該給付が同法第118条の25の３第１項の規定により定められた管理処分計画において定められたものである場合には、施設建築敷地又は施設建築物に関する権利の給付）を受ける権利（以下この注並びに**六２**①イ及び同①ホ並びに同②（1）(三)において「**対償取得資産**」という。）の買取り等の時における価額が当該価額と当該対償取得資産とともに取得した**1**に規定する補償金等の額との合計額のうちに占める割合を当該譲渡した資産の価額に乗じて計算した金額に相当する部分とする。（措令22の３②）

$$\left(\begin{array}{l}\text{買取り等により譲渡した資}\\\text{産の買取り等の時の価額}\end{array}\right)\times\frac{\text{（対償取得資産の価額）}}{\text{（対償取得資産の価額）＋（補償金等の額）}}=\left(\begin{array}{l}\text{譲渡がなかったものと}\\\text{される部分＝旧資産}\end{array}\right)$$

（注）　**1**(注)と同主旨で、上記により譲渡がなかったものとされる部分以外の部分（補償金等に対応する譲渡資産の部分）は、下記の算式により譲渡があったものとして譲渡所得等が計算されるが、この所得については本節**七１**《5,000万円控除》又は**三１**の収用等の課税特例が適用される。（編者注）

$$\left(\begin{array}{l}\text{補償金}\\\text{等の額}\end{array}\right)-\left(\begin{array}{l}\text{譲渡資産}\\\text{の取得費}\end{array}\right)\times\frac{\text{（補償金等の額）}}{\text{（対償取得資産の価額）＋（補償金等の額）}}=\left(\begin{array}{l}\text{長期譲渡所得又は短期}\\\text{譲渡所得の金額}\end{array}\right)$$

（借家権の範囲）

（2）　**2**に規定する借家権には、配偶者居住権及び当該配偶者居住権の目的となっている建物の敷地の用に供される土地等を当該配偶者居住権に基づき使用する権利が含まれることに留意する。（措通33の３－１）

3　変換取得資産である権利の譲渡等があった場合の収用特例の適用

2の適用を受けた場合において**2**の施設建築物の一部を取得する権利若しくは施設建築物の一部についての借家権を取得する権利（都市再開発法第110条第１項又は第110条の２第１項の規定により定められた権利変換計画に係る施設建築物に関する権利を取得する権利を含む。）若しくは**2**に規定する給付を受ける権利につき譲渡、相続（限定承認に係るものに限る。以下**五**《換地処分等に伴い資産を取得した場合の課税の特例》、**六２**《収用交換等により取得した代替資産等の取得価額及び取得時期》、**十五８**《買換資産の取得価額の計算》、**十八10**《買換えに係る特定の事業用資産の譲渡の場合の取得価額の計算等》、**二十**《特定の交換分合により土地等を取得した場合の課税の特例》及び**二十一３**《交換取得資産の取得価額の計算等》において同じ。）、遺贈（法人に対するもの及び個人に対する包括遺贈のうち限定承認に係るものに限る。以下**五**、**六２**、**十五８**、**十八10**、**二十１**及び**二十一３**において同じ。）若しくは贈与（法人に対するものに限る。以下**五**、**六２**、**十五８**、**十八10**、**二十１**及び**二十一３**において同じ。）があったとき、又は**2**に規定する建築施設の部分（同法第118条の25の３第１項の規定により定められた管理処分計画に係る施設建築敷地又は施設建築物に関する権利を含む。）につき同法第118条の５第１項の規定による譲受け希望の申出の撤回があったとき（同法第118条の12第１項又は第118条の19第１項の規定により譲受け希望の申出を撤回したものとみなされる場合を含む。）は、（1）で定めるところにより、当該譲渡、相続、遺贈若しくは贈与又は譲受け希望の申出の撤回のあった日若しくは同法第118条の12第１項又は第118条の19第１項の規定によりその撤回があったものとみなされる日において旧資産の譲渡、相続、遺贈若しくは贈与又は収用等による譲渡があったものとみなして第一節《土地の譲渡等に係る事業所得等の課税の特例》、本節**一**《土地建物等の長期譲渡所得の課税の特例》若しくは**二**《土地建物等の短期譲渡所得の課税の特例》及び**三**《収用等に伴い代替資産を取得した場合の課税の特例》並びに第四章第四節《事業所得》、同章第八節《譲渡所得》、同章第十節《雑所得》、第六章第一節**二２**《棚卸資産の贈与等の場合の総収入金額算入》若しくは本節**二十四**《贈与等の場合の譲渡所得等の特例》の規定を適用し、**2**の施設建築物の一部を取得する権利及び施設建築敷地若しくはその共有持分若しくは地上権の共有持分（都市再開発法第110条の２第１項の規定により定められた権利変換計画に係る施設建築敷地に関する権利又は施設建築物に関する権利を取得する権利を含む。）若しくは個別利用区内の宅地若しくはその使用収益権又は前項に規定する給付を受ける権利につき都市再開発法第104条第１項（同法第110条の２第６項又は第111条の規定により読み替えて適用される場合を含む。）又は第118条の24（同法第118条の25の３第３項の規定により読み替えて適用される場合を含む。）の規定によりこれらの規定に規定する差額に相当する金額の交付を受けることとなったときは、そのなった日において旧資産のうち当該金額に対応するものとして（2）で定める部分《（2）参照》につき収用等による譲渡があったものとみなして**三**の規定を適用する。（措法33の３③）

（注）　上記～～下線部については、公益信託に関する法律（令和６年法律第30号）の施行の日以後、**3**中「及び個人」が「並びに公益信託に関する法律第２条第１項第１号に規定する公益信託（以下**3**において「公益信託」という。）の受託者である個人に対するもの（その信託財産とするためのものに限る。）及び個人」に改められ、「贈与（法人に対するもの」の次に「及び公益信託の受託者である個人に対するもの（その信

託財産とするためのものに限る。)」が加えられ、「建築施設の部分（同法」が「建築施設の部分（都市再開発法」に改められる。(令６改所法等附１九へ)

(旧資産のうち譲渡があったものとされる部分)

(1)　**2**の施設建築物の一部を取得する権利若しくは施設建築物の一部についての借家権を取得する権利（都市再開発法第110条第１項又は第110条の２第１項の規定により定められた権利変換計画に係る施設建築物に関する権利を取得する権利を含む。(一)において同じ。）若しくは**2**に規定する給付を受ける権利につき、**3**に規定する譲渡、相続、遺贈若しくは贈与（以下「譲渡等」という。）があった場合又は**3**に規定する譲受け希望の申出の撤回があった場合（**3**に規定する譲受け希望の申出を撤回したものとみなされる場合を含む。）において、**3**の規定により譲渡等又は**3**に規定する収用等による譲渡があったものとみなされる**2**に規定する旧資産は、次の(一)又は(二)に掲げる場合の区分に応じ当該(一)又は(二)に定めるものとする。(措令22の３③)

(一)	譲渡等又は**3**に規定する収用等による譲渡があったものとみなされる旧資産が、権利変換により譲渡した資産に係るものである場合	旧資産のうち、当該譲渡等をした当該施設建築物の一部を取得する権利又は施設建築物の一部についての借家権を取得する権利の権利変換の時における価額が当該旧資産に係る権利変換により取得した当該施設建築物の一部を取得する権利又は施設建築物の一部についての借家権を取得する権利及び施設建築敷地若しくはその共有持分又は地上権の共有持分（都市再開発法第110条第１項又は第110条の２第１項の規定により定められた権利変換計画に係る施設建築敷地に関する権利を含む。）の権利変換の時における総価額のうちに占める割合を、当該旧資産の権利変換の時における価額に乗じて計算した金額に相当する部分 $\left(\text{旧資産の権利変換時の価額}\right)\times\dfrac{(\text{譲渡等した権利の権利変換時の価額})}{(\text{変換取得資産の権利変換時の総価額})}=\text{譲渡等があったものとされる部分の旧資産}$ (注)　上記により譲渡等があったものとされる旧資産の部分に係る所得金額の計算は次の算式による。(編者注) $\left(\text{譲渡等した権利の譲渡収入金額とされる金額}\right)-\left(\text{旧資産の取得費等とされる金額}\right)\times\dfrac{(\text{譲渡等した権利の権利変換時の価額})}{(\text{変換取得資産の権利変換時の総価額})}=\text{所得金額}$
(二)	譲渡等又は**3**に規定する収用等による譲渡があったものとみなされる旧資産が、買取り等により譲渡した資産に係るものである場合	旧資産のうち、当該譲渡等をした又は譲受け希望の申出の撤回をした若しくは譲受け希望の申出の撤回をしたものとみなされた当該給付を受ける権利の買取り等の時における価額が当該旧資産に係る対償取得資産の買取り等の時における価額のうちに占める割合を、当該旧資産の買取り等の時における価額に乗じて計算した金額に相当する部分 $\left(\text{旧資産の買取り時の価額}\right)\times\dfrac{(\text{譲渡等した又は譲受け希望の申出の撤回をした権利の買取り等の時の価額})}{(\text{対償取得資産の買取り等の時の価額})}=\text{譲渡等があったものとされる部分の旧資産}$ (注)１　上記の「旧資産の買取り時の価額」は**2**の注の適用がある場合には同項に掲げる算式により計算した金額となる。(編者注) ２　上記により譲渡等があったものとされる旧資産の部分に係る所得金額の計算は次の算式による。(編者注) $\left(\text{譲渡等した権利の譲渡収入金額とされる金額}\right)-\left(\text{旧資産の取得費等とされる金額}\right)\times\dfrac{(\text{譲渡等した又は譲受け希望の申出の撤回をした権利の買取り等の時の価額})}{(\text{対償取得資産の買取り等の時の価額})}=\text{所得金額}$

(旧資産のうち権利変換差額等に対応する部分として収用等による譲渡があったものとされる部分)

(2)　**3**に規定する旧資産のうち権利変換差額等に対応する部分として収用等による譲渡があったものとされる部分は、次の(一)又は(二)に掲げる場合の区分に応じ当該(一)又は(二)に定める部分とする。(措令22の３④)

(一)	旧資産が権利変換により譲渡した資産に係るものである場合	当該旧資産のうち、都市再開発法第104条第１項（同法第110条の２第６項又は第111条の規定により読み替えて適用される場合を含む。）の差額《権利変換差額》に相当する金額が変換取得資産（**3**の施設建築物の一部を取得する権利及び施設建築敷地若しくはその共有持分若しくは地上権の共有持分（都市再開発法第110条の２第１項の規定により定められた権利変換計画に係る施設建築敷地に関する権利又は施設建築物に関する権利を取得する権利を含む。）又は個別利用区内の宅地若しくはその使用収益権をいう。**六２**①ニ及び同②(1)(三)において同じ。）の権利変換の時におけ

		る総価額のうちに占める割合を、当該旧資産の権利変換の時における価額に乗じて計算した金額に相当する部分 $\left(\text{旧資産の権利変換時の価額}\right)\times\dfrac{(\text{権利変換差額})}{(\text{変換取得資産の権利変換時の総価額})}=\left(\text{譲渡等があったものとされる部分}\right)$ （注）　この場合の所得金額は次により計算されることとなるが、権利変換差額を補償金等とみなして、収用等の課税の特例が適用される。（編者注） $\left(\text{権利変換差額}\right)-\left(\text{旧資産の取得費等とされる金額}\right)\times\dfrac{(\text{権利変換差額})}{\left(\text{変換取得資産の権利変換時の総価額}\right)}$
(二)	旧資産が買取り等により譲渡した資産に係るものである場合	当該旧資産のうち、都市再開発法第118条の24第１項（同法第118条の25の３第３項の規定により読み替えて適用される場合を含む。）の差額に相当する金額が対償取得資産の買取り等の時における価額のうちに占める割合を、当該旧資産の買取り等の時における価額に乗じて計算した金額に相当する部分 （注）　算式は、上記(一)に準ずる。この場合、(一)の算式中「権利変換時」は「買取り時」と、「変換取得資産」は「対償取得資産」と読み替える。（編者注）

（権利変換差額等についての収用等の課税の特例）

（３）　個人が、第一種市街地再開発事業若しくは第二種市街地再開発事業の施行に伴い取得した変換取得資産（**3**《変換取得資産である権利の譲渡等があった場合の収用特例の適用》（２）(一)に規定する変換取得資産をいう。以下**十二 2**(12)（編者注：措通35の２－10）までにおいて同じ。）若しくは対償取得資産（**2**《権利変換等の場合の課税の特例》の注に規定する対償取得資産をいう。以下（６）及び**十二 2**(12)において同じ。）又は防災街区整備事業の施行に伴い取得した防災変換取得資産（**5**《防災施設建築物の一部を取得する権利につき譲渡があった場合の特例》（３）に規定する防災変換取得資産をいう。以下**十二 2**(12)までにおいて同じ。）を有する個人から当該変換取得資産若しくは対償取得資産又は防災変換取得資産を**二十四 3**《贈与等により取得した資産の取得費等》①に掲げる贈与、相続又は遺贈により取得した場合において、当該変換取得資産若しくは対償取得資産又は防災変換取得資産を取得した個人が都市再開発法第104条《清算》若しくは第118条の24《清算》又は密集市街地における防災街区の整備の促進に関する法律第248条《清算》に規定する差額に相当する金額の交付を受けることとなったときは、そのなった日において**2**に規定する旧資産又は**4**に規定する防災旧資産のうち**3**（２）又は**5**（３）に規定する部分につき収用等による譲渡があったものとして**三**の規定の適用があるものとする。（措通33－６）

4　防災街区整備事業が施行された場合の防災施設建築物の一部を取得する権利金等を取得した場合の特例

個人が、その有する資産につき密集市街地における防災街区の整備の促進に関する法律による防災街区整備事業が施行された場合において、当該資産に係る権利変換により防災施設建築物の一部を取得する権利若しくは防災施設建築物の一部についての借家権を取得する権利及び防災施設建築敷地若しくはその共有持分若しくは地上権の共有持分（当該資産に係る権利変換が同法第255条第１項又は第257条第１項の規定により定められた権利変換計画において定められたものである場合には、防災施設建築敷地に関する権利又は防災施設建築物に関する権利を取得する権利）又は個別利用区内の宅地若しくはその使用収益権を取得したときは、第一節《土地の譲渡等に係る事業所得等の課税の特例》、**一**《土地建物等の長期譲渡所得の課税の特例》若しくは**二**《土地建物等の短期譲渡所得の課税の特例》は第四章第四節《事業所得》、同章第八節《譲渡所得》若しくは同章第十節《雑所得》の規定の適用については、当該権利変換により譲渡した資産（**5**及び**七 1**《5,000万円特別控除》において「**防災旧資産**」という。）の譲渡がなかったものとみなす。（措法33の３④）

（借家権の範囲）

（１）　**4**に規定する借家権には、配偶者居住権及び当該配偶者居住権の目的となっている建物の敷地の用に供される土地等を当該配偶者居住権に基づき使用する権利が含まれることに留意する。（措通33の３－１）

5　防災施設建築物の一部を取得する権利につき譲渡等があった場合の課税の特例

4の規定の適用を受けた場合において、**4**の防災施設建築物の一部を取得する権利又は防災施設建築物の一部についての借家権を取得する権利（密集市街地における防災街区の整備の促進に関する法律第255条第１項又は第257条第１項の規定により定められた権利変換計画に係る防災施設建築物に関する権利を取得する権利を含む。）につき譲渡、相続、遺贈又は贈与があったときは、（１）で定めるところにより、当該譲渡、相続、遺贈又は贈与のあった日において防災旧資産の譲渡、相続、遺贈又は贈与があったものとみなして第一節《土地の譲渡等に係る事業所得等の課税の特例》、**一**《土地建物等の長期譲渡所得の課税の特例》若しくは**二**《土地建物等の短期譲渡所得の課税の特例》は第四章第四節《事業所得》、同章第八節《譲渡所得》、同章第十節《雑所得》、第六章第一節**二２**《棚卸資産の贈与等の場合の総収入金額算入》若しくは**二十五**《贈与等の場合の譲渡所得等の特例》の規定を適用し、**４**の防災施設建築物の一部を取得する権利及び防災施設建築敷地若しくはその共有持分若しくは地上権の共有持分(密集市街地における防災街区の整備の促進に関する法律第255条第１項の規定により定められた権利変換計画に係る防災施設建築敷地に関する権利又は防災施設建築物に関する権利を取得する権利を含む。)又は個別利用区内の宅地若しくはその使用収益権につき密集市街地における防災街区の整備の促進に関する法律第248条第１項（(２)で定める規定により読み替えて適用される場合を含む。）の規定により同項に規定する差額に相当する金額の交付を受けることとなったときは、そのなった日において防災旧資産のうち当該金額に対応するものとして(３)で定める部分につき収用等による譲渡があったものとみなして**三**《収用等により代替資産を取得した場合の課税の特例》の規定を適用する。(措法33の３⑤)

（譲渡等があったものとみなされる**５**の防災旧資産）

（１）　**４**の防災施設建築物の一部を取得する権利又は防災施設建築物の一部についての借家権を取得する権利（密集市街地における防災街区の整備の促進に関する法律第255条第１項又は第257条第１項の規定により定められた権利変換計画に係る防災施設建築物に関する権利を取得する権利を含む。以下(１)において同じ。）につき譲渡等があった場合において、**５**の規定により譲渡等があったものとみなされる**４**に規定する防災旧資産（以下(１)及び(３)において「防災旧資産」という。）は、当該防災旧資産のうち、当該譲渡等をした当該防災施設建築物の一部を取得する権利又は防災施設建築物の一部についての借家権を取得する権利の権利変換の時における価額が当該防災旧資産に係る権利変換により取得した当該防災施設建築物の一部を取得する権利又は防災施設建築物の一部についての借家権を取得する権利及び防災施設建築敷地若しくはその共有持分又は地上権の共有持分（密集市街地における防災街区の整備の促進に関する法律第255条又は第257条の規定により定められた権利変換計画に係る防災施設建築敷地に関する権利を含む。）の権利変換の時における総価額のうちに占める割合を、当該防災旧資産の権利変換の時における価額に乗じて計算した金額に相当する部分とする。(措令22の３⑤)

（**５**に規定する(２)で定める規定）

（２）　**５**に規定する(２)で定める規定は、密集市街地における防災街区の整備の促進に関する法律施行令第43条又は第45条の規定とする。(措令22の３⑥)

（防災旧資産のうち当該金額に対応するものとして(３)で定める部分）

（３）　**５**に規定する(３)で定める部分は、防災旧資産のうち、密集市街地における防災街区の整備の促進に関する法律第248条第１項(密集市街地における防災街区の整備の促進に関する法律施行令第43条又は第45条の規定により読み替えて適用される場合を含む。)の差額に相当する金額が防災変換取得資産（**５**の防災施設建築物の一部を取得する権利及び防災施設建築敷地若しくはその共有持分若しくは地上権の共有持分（密集市街地における防災街区の整備の促進に関する法律第255条第１項の規定により定められた権利変換計画に係る防災施設建築敷地に関する権利又は防災施設建築物に関する権利を取得する権利を含む。）又は個別利用区内の宅地若しくはその使用収益権をいう。**六２**①ヘ及び同②ハにおいて同じ。）の権利変換の時における総価額のうちに占める割合を、当該防災旧資産の権利変換の時における価額に乗じて計算した金額に相当する部分とする。(措令22の３⑦)

６　マンション建替事業が施行された場合の施行再建マンションに関する権利などを取得する権利を取得した場合の課税の特例

個人が、その有する資産（注で定めるものに限る。以下**６**において同じ。）につきマンションの建替え等の円滑化に関する法律第２条第１項第４号に規定するマンション建替事業が施行された場合において、当該資産に係る同法の権利変換により同項第７号に規定する施行再建マンションに関する権利を取得する権利又は当該施行再建マンションに係る敷地利用権（同項第19号に規定する敷地利用権をいう。）を取得した時は、第一節《土地の譲渡等に係る事業所得等の課税の特例》、本節**一**《土地建物等の長期譲渡所得の課税の特例》若しくは**二**《土地建物等の短期譲渡所得の課税の特例》又は第四章第四節《事業所得》、同章第八節《譲渡所得》若しくは同章第十節《雑所得》の規定の適用については、当該権利変換により譲渡した資産（**７**において「変換前資産」という。）の譲渡がなかったものとみなす。(措法33の３⑥)

（注で定める資産）

注　**６**に規定する注で定める資産は、マンションの建替え等の円滑化に関する法律第２条第１項第６号に規定する施行

マンションに関する権利及びその敷地利用権（同項第19号に規定する敷地利用権をいう。）とする。（措令22の３⑧）

7　施行再建マンションに関する権利を取得する権利の譲渡等があった場合の課税の特例

6の規定の適用を受けた場合において、**6**の施行再建マンションに関する権利を取得する権利につき譲渡、相続、遺贈又は贈与があった時は、（1）で定めるところにより、当該譲渡、相続、遺贈又は贈与のあった日において変換前資産の譲渡、相続、遺贈又は贈与があったものとみなして第一節《土地の譲渡等に係る事業所得等の課税の特例》、**一**《土地建物等の長期譲渡所得の課税の特例》若しくは**二**《土地建物等の短期譲渡所得の課税の特例》又は第四章第四節《事業所得》、同章第八節《譲渡所得》、同章第十節《雑所得》、第六章第一節**二２**《棚卸資産の贈与等の場合の総収入金額算入》若しくは**二十四**《贈与等の場合の譲渡所得等の特例》の規定を適用し、当該施行再建マンションに関する権利を取得する権利又は同項の施行再建マンションに係る敷地利用権につきマンションの建替え等の円滑化に関する法律第85条の規定により同条に規定する差額に相当する金額の交付を受けることとなったときは、そのなった日において変換前資産のうち当該金額に対応するものとして（2）で定める部分につき譲渡があったものとみなして第一節《土地の譲渡等に係る事業所得等の課税の特例》、本節**一**《土地建物等の長期譲渡所得の課税の特例》若しくは**二**《土地建物等の短期譲渡所得の課税の特例》又は第四章第四節《事業所得》、同章第八節《譲渡所得》若しくは同章第十節《雑所得》の規定を適用する。（措法33の３⑦）

（施行再建マンションに関する権利を取得する権利につき譲渡等があったものとみなされる変換前資産）

（1）　**7**に規定する施行再建マンションに関する権利を取得する権利につき譲渡等があった場合において、**7**の規定により譲渡等があったものとみなされる**6**に規定する変換前資産（以下（1）及び（2）において「変換前資産」という。）は、変換前資産のうち、当該譲渡等をした当該取得する権利の**6**の権利変換の時における価額が当該変換前資産に係る当該権利変換により取得した当該取得する権利及び**6**に規定する施行再建マンションに係る敷地利用権（（2）並びに**六２**①ト及び同②（1）（三）において「変換後資産」という。）の当該権利変換の時における総価額のうちに占める割合を、当該変換前資産の当該権利変換の時における価額に乗じて計算した金額に相当する部分とする。（措令22の３⑨）

（譲渡があったものとされる（2）で定める部分）

（2）　**7**に規定する（2）で定める部分は、変換前資産のうち、**7**に規定する差額に相当する金額が変換後資産の**6**の権利変換の時における総価額のうちに占める割合を、当該変換前資産の当該権利変換の時における価額に乗じて計算した金額に相当する部分とする。（措令22の３⑩）

8　敷地分割事業が実施された場合の権利変換により除却敷地持分等を取得したときの特例

個人が、その有する資産につきマンションの建替え等の円滑化に関する法律第２条第１項第12号に規定する敷地分割事業が実施された場合において、当該資産に係る同法の敷地権利変換により同法第191条第１項第２号に規定する除却敷地持分、同項第５号に規定する非除却敷地持分等又は同項第８号の敷地分割後の団地共用部分の共有持分を取得したときは、第五章第一節、同章第二節**一１**若しくは同節**二**又は第四章第四節、第五章第二節**三**若しくは同節**十一**の規定の適用については、当該敷地権利変換により譲渡した資産（当該資産につきマンションの建替え等の円滑化に関する法律第205条の規定により同条に規定する差額に相当する金額の交付を受けることとなった場合には、当該譲渡した資産のうち当該差額に相当する金額に対応する部分以外のものとして（1）で定める部分）の譲渡がなかったものとみなす。（措法33の３⑧）

（**8**に規定する（1）で定める部分）

（1）　**8**に規定する（1）で定める部分は、**8**の敷地権利変換により譲渡した資産のうち、当該敷地権利変換により取得した**8**に規定する除却敷地持分、非除却敷地持分等又は敷地分割後の団地共用部分の共有持分（**六２**①チ及び同②（1）（三）において「分割後資産」という。）の価額が当該価額と**8**に規定する差額に相当する金額との合計額のうちに占める割合を、当該譲渡した資産の価額に乗じて計算した金額に相当する部分とする。（措令22の３⑪）

$$\left(\begin{array}{l}\text{敷地権利変換により}\\\text{譲渡した資産の価額}\end{array}\right)\times\frac{\text{（分割後資産の価額）}}{\text{（分割後資産の価額）}+\left(\begin{array}{l}\text{マンションの建替え等の円滑化に}\\\text{関する法律第205条に規定する差額}\end{array}\right)}$$

9　被災市街地復興土地区画整理事業が施行された場合の換地処分により代替住宅等を取得したときの特例

個人が、その有する土地等（第六章第二節**三１**に規定する棚卸資産その他これに準ずる資産で（1）で定めるものを除く。以下において同じ。）で被災市街地復興推進地域内にあるものにつき被災市街地復興土地区画整理事業が施行された場合において、当該土地等に係る換地処分により、土地等及びその土地等の上に建設された被災市街地復興特別措置法第15条第１項に規定する住宅又は同条第２項に規定する住宅等（以下**9**、(3)及び**六２**②ニにおいて「**代替住宅等**」という。）を取得したときは、**一１**若しくは同**2**又は第四章第八節**一**の規定の適用については、当該換地処分により譲渡した土地等（代替住宅等とともに清算金を取得した場合又は被災市街地復興特別措置法第17条第１項の規定により保留地が定められた場合には、当該譲渡した土地等のうち当該清算金の額又は当該保留地の対価の額に対応する部分以外のものとして(2)で定める部分）の譲渡がなかったものとみなす。（措法33の３⑨）

（**9**に規定する棚卸資産に準ずる資産で(1)で定めるもの）

(1)　**9**に規定する棚卸資産に準ずる資産で(1)で定めるものは、雑所得の基因となる土地及び土地の上に存する権利とする。（措令22の３⑫）

（**9**に規定する(2)で定める部分）

(2)　**9**に規定する(2)で定める部分は、**9**の換地処分により譲渡した土地等（**9**に規定する土地等をいう。以下(2)において同じ。）のうち、当該換地処分により取得した代替住宅等（**9**に規定する代替住宅等をいう。以下(2)並びに**六２**①イ及び同①リ並びに同②ニにおいて同じ。）の価額が当該価額と当該代替住宅等とともに取得した清算金の額又は**9**の保留地の対価の額との合計額のうちに占める割合を、当該譲渡した土地等の価額に乗じて計算した金額に相当する部分とする。（措令22の３⑬）

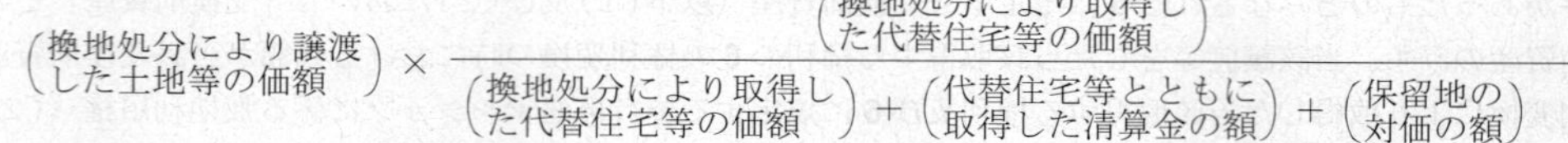

$$\left(\begin{array}{c}\text{換地処分により譲渡}\\\text{した土地等の価額}\end{array}\right)\times\frac{\left(\begin{array}{c}\text{換地処分により取得し}\\\text{た代替住宅等の価額}\end{array}\right)}{\left(\begin{array}{c}\text{換地処分により取得し}\\\text{た代替住宅等の価額}\end{array}\right)+\left(\begin{array}{c}\text{代替住宅等とともに}\\\text{取得した清算金の額}\end{array}\right)+\left(\begin{array}{c}\text{保留地の}\\\text{対価の額}\end{array}\right)}$$

（確定申告書の添付書類）

(3)　**9**の規定は、**9**の規定の適用を受けようとする年分の確定申告書に、**9**の規定の適用を受けようとする旨の記載があり、かつ、被災市街地復興土地区画整理事業の施行者から交付を受けた土地等に係る換地処分により代替住宅等を取得したことを証する書類その他の(4)で定める書類の添付がある場合に限り、適用する。（措法33の３⑩）

（(3)に規定する(4)で定める書類）

(4)　(3)に規定する(4)で定める書類は、次の(一)及び(二)に掲げる書類とする。（措規14の３）

(一)	被災市街地復興土地区画整理事業に係る換地処分により譲渡をした**9**に規定する土地等及び取得をした**9**に規定する代替住宅等の登記事項証明書並びに当該土地等の換地処分に係る換地計画に関する図書（土地区画整理法第87条第１項各号に掲げる事項の記載があるものに限る。）の写し（当該被災市街地復興土地区画整理事業の施行者の当該換地計画に関する図書の写しである旨の記載があるものに限る。）
(二)	**9**に規定する清算金又は**9**に規定する保留地の対価を取得する場合には、被災市街地復興土地区画整理事業の施行者の当該清算金又は当該保留地の対価の支払をした旨を証する書類（当該清算金の額又は当該保留地の対価の額の記載があるものに限る。）

（やむを得ない事情があると認められるときの**9**の適用）

(5)　税務署長は、確定申告書の提出がなかった場合又は(3)の記載若しくは添付がない確定申告書の提出があった場合においても、その提出又は記載若しくは添付がなかったことについてやむを得ない事情があると認めるときは、当該記載をした書類及び(3)の(4)で定める書類の提出があった場合に限り、**9**の規定を適用することができる。（措法33の３⑪）

（**1**の規定の適用除外）

(6)　**9**の規定の適用を受ける**9**に規定する換地処分による土地等の譲渡については、**1**の規定は、適用しない。（措法33の３⑫）

10　被災市街地復興土地区画整理事業が施行された場合の換地処分により土地等を取得したときの１の規定の適用

個人の有する土地又は土地の上に存する権利で被災市街地復興推進地域内にあるものにつき被災市街地復興土地区画整理事業が施行された場合において、当該個人が、当該土地又は土地の上に存する権利に係る換地処分により土地等及びその土地等の上に建設された被災市街地復興特別措置法第15条第１項に規定する住宅又は同条第２項に規定する住宅等を取得したときにおける**1**の規定の適用については、当該換地処分による土地又は土地の上に存する権利の譲渡につき**9**の規定の適用を受ける場合を除き、当該換地処分により取得した当該住宅又は当該住宅等は**1**に規定する清算金に、当該住宅又は当該住宅等の価額は**1**に規定する清算金の額にそれぞれ該当するものとみなす。（措法33の３⑬）

（代替住宅等とともに取得する清算金）

（１）　**9**に規定する代替住宅等とともに清算金を取得する場合には、当該清算金は土地区画整理法第90条《所有者の同意により換地を定めない場合》の規定によりその宅地の全部又は一部について換地を定められなかったことにより支払われるものに該当するので、**9**に規定する換地処分により譲渡した土地等のうち当該清算金の額に対応する部分については、**三１**又は**七１**の規定の適用はないことに留意する。（措通33の３－２）

（換地処分により譲渡した土地等に固定資産以外のものがある場合）

（２）　**9**に規定する換地処分により譲渡した土地等の全部又は一部に棚卸資産である土地等又は雑所得の基因となる資産である土地等がある場合において、当該換地処分により、土地等及びその土地等の上に建設された被災市街地復興特別措置法第15条第１項《清算金に代わる住宅等の給付》に規定する住宅又は同条第２項に規定する住宅等を取得したときは、**10**の規定により、当該住宅又は当該住宅等（以下（２）において「清算金に代えて取得をする住宅等」という。）のうち当該棚卸資産である土地等又は雑所得の基因となる資産である土地等に対応する部分は**1**に規定する清算金に、当該対応する部分の価額は**1**に規定する清算金の額にそれぞれ該当するものとみなされて、当該対応する部分の価額は、事業所得又は雑所得の金額の計算上、総収入金額に算入することとなることに留意する。

なお、この場合における当該対応する部分の価額は、当該清算金に代えて取得をする住宅等の価額に、換地処分により譲渡した土地等の価額に占める当該棚卸資産である土地等又は雑所得の基因となる資産である土地等の価額の割合を乗じて計算した金額とする。（措通33の３－３）

（申 告 手 続）

（３）　**1**、**2**、**4**、**6**又は**8**の規定は、これらの規定の適用を受けるための確定申告書及び証明書類の提出をすることなく、適用することに留意する。

なお、**9**の規定は、**9**の規定の適用を受けようとする年分の確定申告書に、**9**の規定の適用を受けようとする旨の記載があり、かつ、被災市街地復興土地区画整理事業の施行者から交付を受けた**9**（４）に規定する書類の添付がある場合に限り、適用することに留意する。（措通33の３－４）

六　代替資産に係る更正の請求又は修正申告及び取得価額等

1　収用交換等に伴い代替資産を取得した場合の更正の請求、修正申告等

①　代替資産の取得価額が承認を受けた取得価額の見積額に満たなかった場合等の修正申告と更正処分

三 3《収用等のあった年の翌年以後において代替資産を取得する場合の課税の特例》(**四 2**《交換取得資産とともに取得した補償金等に係る課税の特例》において準用する場合を含む。以下②までにおいて同じ。）の規定の適用を受けた者は、次のイ又はロに掲げる場合に該当する場合には、それぞれ、当該イ又はロに定める日から４月以内に当該収用交換等のあった日の属する年分の所得税についての修正申告書を提出し、かつ、当該期限内に当該申告書の提出により納付すべき税額を納付しなければならない。(措法33の５①)

イ　代替資産の取得をした場合において、当該資産の取得価額が**三 3**の規定により読み替えられた同**1**に規定する取得価額の見積額に満たないとき　　当該資産の取得をした日

ロ　**三 3**に規定する取得指定期間内に代替資産の取得をしなかった場合　　当該取得指定期間を経過した日

イ又はロに掲げる場合に該当することとなった場合において、修正申告書の提出がないときは、納税地の所轄税務署長は、当該申告書に記載すべきであった所得金額、所得税の額その他の事項につき第十二章**一 1**《更正》又は同**3**《再更正》の規定による更正を行う。(措法33の５②)

（代替資産を取得した場合の修正申告書の提出期限等）

（1）　**三 3**において準用する同**1**（**四 2**において準用する場合を含む。）の規定の適用を受けた者が**三 3**に規定する取得指定期間内に代替資産を取得した場合において、当該資産の取得価額が同**2**に規定する取得価額の見積額（以下（1）において「見積額」という。）に満たないときは、当該資産を取得した日から４か月以内に当該満たない額に対応する所得税についての修正申告書を提出しなければならないのであるが、この場合の当該資産を取得した日とは、同**2**に規定する取得指定期間を経過する日をいうものとして取り扱うこととする。

また、同**2**に規定する取得指定期間内に代替資産を取得した場合において、当該資産の取得価額が見積額を超えるときは、当該資産を取得した日から４か月以内に当該超える額に対応する所得税についての更正の請求をすることができるのであるが、当該取得をした日が２以上ある場合の更正の請求をすることができる期間は、そのいずれか遅い日から４か月を経過する日までの間とする。(措通33の５－１)

（修正申告書等に対する国税通則法の適用関係）

（2）　①による修正申告書及び（1）の更正に対する国税通則法の規定の適用については、次の(一)から(三)までに定めるところによる。(措法33の５③)

(一)	当該修正申告書で①に規定する提出期限内に提出されたものについては、国税通則法第20条《修正申告の効力》の規定を適用する場合を除き、これを同法第17条第２項に規定する期限内申告書とみなす。
(二)	当該修正申告書で①に規定する提出期限後に提出されたもの及び当該更正については、国税通則法第２章から第７章までの規定中「法定申告期限」とあり、及び「法定納期限」とあるのは、「**六 1**①に規定する修正申告書の提出期限」と、第十二章**四 7**（3）(一)《延滞税の額の計算の基礎となる期間の特例》中「期限内申告書」とあるのは、「第二章第一節**一**表内**37**に規定する確定申告書」と、同**7**（4）中「期限内申告書又は期限後申告書」とあるのは「第五章第二節**六 1**①の規定による修正申告書」と、第十二章**四 1**①、同③(二)及び同⑤(二)中「期限内申告書」とあるのは「第二章第一節**一**表内**37**に規定する確定申告書」とする。
(三)	第十二章**四 7**《延滞税》の（3）及び同章**四 2**《無申告加算税》の規定は、(二)に規定する修正申告書及び更正には、適用しない。

（代替資産の取得期間を延長した場合に取得すべき代替資産）

（3）　個人が**三 3**（**四 2**において準用する場合を含む。）の規定の適用を受けた場合において、同**3**①又は同②に掲げる場合に該当するときは、その者については、①イ又は同ロに規定する代替資産は、**三 3**①又は同②の規定に該当する資産とする。(措令22の５)

②　代替資産の取得価額が承認を受けた取得価額の見積額を超える場合の更正の請求

三3の規定の適用を受けた者は、同**3**に規定する取得指定期間内に代替資産の取得をした場合において、その取得価額が同**3**の規定により読み替えられた同**1**に規定する取得価額の見積額に対して過大となったときは、当該代替資産の取得をした日から４月以内に、納税地の所轄税務署長に対し、その収用交換等のあった日の属する年分の所得税についての更正の請求をすることができる。（措法33の５④）

2　収用交換等により取得した代替資産等の取得価額及び取得時期

三《収用等に伴い代替資産を取得した場合の課税の特例》、**四**《交換処分等に伴い資産を取得した場合の課税の特例》**1**若しくは同**2**又は**五**《換地処分に伴い資産を取得した場合の課税の特例》の規定の適用を受けた者（**1**①による修正申告書を提出し、又は同①後段による更正を受けたため、**三**（**四2**において準用する場合を含む。）の規定の適用を受けないこととなった者を除く。）が代替資産又は交換処分等、換地処分若しくは権利変換（都市再開発法第88条第２項の規定による施設建築物の一部若しくは同条第５項の規定による施設建築物の一部についての借家権若しくは同法第110条第３項若しくは第110条の２第４項の規定による同法第110条第２項（同法第110条の２第２項において準用する場合を含む。）の施設建築物に関する権利、同法第118条の11第１項（同法第118条の25の３第３項の規定により読み替えて適用される場合を含む。）の規定による建築施設の部分若しくは施設建築敷地若しくは施設建築物に関する権利、密集市街地における防災街区の整備の促進に関する法律第222条第２項の規定による防災施設建築物の一部若しくは同条第５項の規定による防災施設建築物の一部についての借家権若しくは同法第255条第４項若しくは第257条第３項の規定による同法第255条第２項（同法第257条第２項において準用する場合を含む。）の防災施設建築物に関する権利又はマンションの建替え等の円滑化に関する法律第71条第２項の規定による施行再建マンションの区分所有権（注で定めるものに限る。）若しくは同条第３項の規定による施行再建マンションの部分についての借家権の取得を含む。②(ハ)において同じ。）により取得した資産（以下③までにおいて「**代替資産等**」という。）について第六章第二節**五**《減価償却》により償却費の額を計算するとき、又は代替資産等につきその取得した日以後譲渡（譲渡所得の基因となる不動産等の貸付けを含む。）、相続（限定承認に係るものに限る。）、遺贈（法人に対するもの及び個人に対する包括遺贈のうち限定承認に係るものに限る。）若しくは贈与（法人に対するものに限る。）があった場合において、事業所得の金額、山林所得の金額、譲渡所得の金額又は雑所得の金額を計算するときは、**三**、**四1**若しくは同**2**又は**五**の特例の適用を受けた資産（以下②において「譲渡資産」という。）の取得の時期を当該代替資産等の取得の時期とし、譲渡資産の取得価額並びに設備費及び改良費の額の合計額（**十五8**《買換えに係る居住用財産の譲渡の場合の取得価額の計算等》、**十八10**《買換えに係る特定の事業用資産の譲渡の場合の取得価額の計算等》、**十九1**《既成市街地等内にある土地等の中高層耐火建築物等の建設のための買換え及び交換の場合の譲渡所得の課税の特例》及び**二十1**《特定の交換分合により土地等を取得した場合の課税の特例》において「取得価額等」という。）のうち当該代替資産等に対応する部分として①で定めるところにより計算した金額をその取得価額とする。ただし、取得価額については、②イから同ニまでの左欄に掲げる場合に該当する場合には、その取得価額とされる金額に、同イから同ニまでの右欄により計算した金額をそれぞれ加算した金額を、その取得価額とする。（措法33の６①）

（注で定める施行再建マンションの区分所有権）

注　**2**の本文に規定する注で定める区分所有権は、マンションの建替え等の円滑化に関する法律第２条第１項第６号に規定する施行マンションの区分所有権（同項第14号に規定する区分所有権をいう。以下注において同じ。）を有する者に対し、同法の権利変換により当該施行マンションの区分所有権に対応して与えられた同条第１項第７号に規定する施行再建マンションの区分所有権とする。（措令22の６①）

①　譲渡資産の取得価額、設備費及び改良費の額の合計額のうち代替資産等の取得価額とされる金額

2の規定により**2**に規定する代替資産等（以下「代替資産等」という。）の取得価額とされる金額は、次のイからリまでに掲げる資産の区分に応じ当該イからリまでに定める金額とする。（措令22の６②）

	代替資産等及び収用交換等の区分		代替資産の取得価額とされる金額
イ	代替資産	補償金、対価又は清算金（以下「補償金等」という。）のみを取得した場合	当該代替資産の取得価額（当該取得価額が**2**に規定する譲渡資産（以下①において「譲渡資産」という。）の**七1**に規定する収用交換等による譲渡により取得した補償金等の額〔当該譲渡に要した費用の金額がある場合には、当該費用の金額のうち**三6**《譲渡費用の超過額》又は**四2**《交換取得資産とともに取得した補償金等に係る課税の特例》(２)により計算した金額を控除した金額〕を超える場合には、その超える金額を控除した金額）又は

		三３《収用等のあった年の翌年以後において代替資産を取得する場合の課税の特例》（**四２**において準用する場合を含む。）において準用する**三１**に規定する取得価額の見積額（その額が当該代替資産の取得価額と当該補償金等の額とのいずれにも満たず、かつ、**1**②による更正の請求をしない場合における当該見積額に限る。）が当該補償金等の額のうちに占める割合を、当該譲渡資産の取得価額並びに設備費及び改良費の額の合計額（以下「**譲渡資産の取得価額**」という。）に乗じて計算した金額 $\left(\text{譲渡資産の取得価額}\right)\times\dfrac{\text{代替資産の取得価額又はその見積額（実際取得価額に満たない場合に限る。）}}{(\text{補償金等の額})-(\text{譲渡費用の超過額})}$ （注）　分数の割合は、上記規定により１を超えるときは１とする。
	補償金等とともに交換取得資産、換地取得資産、対償取得資産又は代替住宅等を取得した場合	上欄の規定中「当該譲渡資産の取得価額」とあるのを、当該取得価額から当該交換取得資産、換地取得資産、対償取得資産又は代替住宅等につきロ、ハ、ホ又はリの右欄により計算した金額を控除した金額として、上欄の規定に準じて計算した金額 $\left(\text{譲渡資産の取得価額}-\text{ロ、ハ、ホ又はチの右欄の金額}\right)\times\dfrac{\text{代替資産の取得価額又はその見積額（実際取得価額に満たない場合に限る。）}}{(\text{補償金等の額})-(\text{譲渡費用の超過額})}$ （注）　分数の割合が１を超えるときは１とする。
ロ	交換取得資産	$\left(\text{譲渡資産の取得価額}\right)\times\dfrac{(\text{交換取得資産の価額})}{(\text{交換取得資産の価額})+(\text{補償金等の額})}$
ハ	換地取得資産	$\left(\text{譲渡資産の取得価額}\right)\times\dfrac{(\text{換地取得資産の価額})}{(\text{換地取得資産の価額})+(\text{補償金等の額})}$
ニ	変換取得資産	$\left(\text{譲渡資産の取得価額}\right)\times\dfrac{(\text{変換取得資産又は対償取得資産の価額})}{\left(\text{変換取得資産又は対償取得資産の価額}\right)+(\text{補償金等の額})}$
ホ	対償取得資産	
ヘ	防災変換取得資産（※１参照）	$\left(\text{防災旧資産の取得価額等}\right)\times\dfrac{(\text{防災変換取得資産の価額})}{(\text{防災変換取得資産})+(\text{清算金の額})}$
ト	変換後資産（※２参照）	$\left(\text{変換前資産の取得価額等}\right)\times\dfrac{(\text{変換後資産の価額})}{(\text{変換後資産の価額})+(\text{清算金の額})}$
チ	分割後資産	$\left(\text{敷地権利変換により譲渡した資産の価額}\right)\times\dfrac{(\text{分割後資産の価額})}{\left(\text{分割後資産の価額}\right)+\left(\text{マンションの建替え等の円滑化に関する法律第205条に規定する差額}\right)}$
リ	代替住宅等	$\left(\text{譲渡資産の取得価額}\right)\times\dfrac{(\text{換地処分により取得した代替住宅等の価額})}{\left(\text{換地処分により取得した代替住宅等の価額}\right)+\left(\text{代替住宅等とともに取得した清算金の価額}\right)+\left(\text{保留地の対価の額}\right)}$

※１　権利変換に際して、密集市街地整備法第248条第１項の規定による清算金の支出をした場合には、「（防災旧資産の取得価額等）＋（清算金の額）」となる。

※２　権利変換に際して、マンション建替え等円滑化法第85条の規定による支出をした場合には、「（変換前資産の取得価額等）＋（清算金の額）」となる。

②　代替資産の取得価額とされる金額に加算される金額

代替資産の取得価額は、次のイからニに該当する場合には、その取得価額とされる金額に、①イから同リまでに定める金額のうち(1)に定めるところにより計算した金額をそれぞれ加算した金額を、その取得価額とする。（措法33の６①ただし書）

イ	譲渡資産に係る収用交換等による譲渡に関して**三6**《譲渡費用の超過額》に規定する費用がある場合	当該費用に相当する金額《譲渡費用の超過額》
ロ	代替資産の取得価額が、譲渡資産に係る補償金等の額（当該資産の収用交換等による譲渡に要した費用がある場合には、**三6**《譲渡費用の超過額》に定める金額を控除した金額）を超える場合又は**三3**（**四2**において準用する場合を含む。）の規定により読み替えられた**三1**に規定する取得価額の見積額（当該補償金等の額以下のものに限る。）を超える場合（**1**②による更正の請求をした場合を除く。） （注）　**四2**《交換取得資産とともに取得した補償金等に係る課税の特例》の適用を受けた者に係る代替資産については、上記の規定中「**三6**」とあるのは「**四2**（２）」と読み替える。（措令22の６④）	その超える額 （注）　（代替資産の取得価額）－（補償金等の額－譲渡費用の超過額）＝超過額 又は（代替資産の取得価額）－（取得価額の見積額《（補償金等の額－譲渡費用の超過額）を限度とする》）＝超過額
ハ	交換処分等、換地処分又は権利変換により取得した資産の価額が譲渡資産の価額を超え、かつ、その差額に相当する金額を交換処分等、換地処分又は権利変換に際して支出した場合	その支出した交換差金等の額
ニ	代替住宅等を取得するために要した経費の額がある場合	当該経費の額

（②の規定により代替資産等の取得価額とされる金額に加算する金額）

（１）　②の規定により代替資産等の取得価額とされる金額に加算する金額は、次の㈠から㈣までに掲げる代替資産等の区分に応じ当該㈠から㈣までに定める金額とする。（措令22の６③）

㈠	代替資産	②ロに定める金額
㈡	交換取得資産	②イに定める金額に①ロに規定する割合を乗じて計算した金額及び②ハに定める金額の合計額
㈢	換地取得資産、変換取得資産、対償取得資産、防災変換取得資産、変換後資産又は分割後資産	②ハに定める金額
㈣	代替住宅等	②イに定める金額に①リに規定する割合を乗じて計算した金額並びに②ハに定める金額及び同ニに定める金額の合計額

（２以上の代替資産があるときの取得価額の計算）

（２）　**2**により**2**に規定する代替資産等の取得価額を計算する場合において、**2**に規定する当該譲渡資産に係る当該代替資産等が２以上あるときは、これらの代替資産等の取得価額は、**2**の規定により計算した取得価額とされる金額をこれらの代替資産の価額にあん分して計算した金額とする。（措規16）

（代替資産等に係る取得価額計算明細書の提出）

（３）　代替資産等について償却費の額を計算する場合又は事業所得の金額、山林所得の金額、譲渡所得の金額若しくは雑所得の金額を計算する場合には、確定申告書に当該代替資産等の取得価額が**2**により計算されている旨及びその計算の明細を記載するものとする。（措令22の６⑤）

（代替資産等の取得価額の計算）

（４）　**一4**《長期譲渡所得の概算取得費控除》の規定は、昭和27年12月31日以前から引き続き所有していた土地建物等の譲渡所得の金額の計算につき適用されるのであるが、**2**に規定する「譲渡資産の取得価額並びに設備費及び改良費の額の合計額」についても、**一4**の規定に準じて計算して差し支えないものとする。（措通33の６－１）

（代替資産の償却費の計算）

（5）　**2**に規定する代替資産等について減価償却費の額又は減価の額を計算する場合には、当該代替資産等につき**2**の規定により計算した金額を基とし、当該代替資産等について固定資産の耐用年数等に関する省令において定められた耐用年数により計算するものとする。（措通33－49）

（注）　**2**①及び同②により計算される代替資産等の取得価額は、収用交換等の態様に応じ次の算式によることとなる。（編者注）

1　代替資産

①　補償金等の額から譲渡費用の超過額（**三6**又は**四2**（2）により計算した金額をいう。）を控除した金額が代替資産の取得価額より大きい場合（一部買換え）

$$（譲渡資産の取得費）\times \frac{（代替資産の取得価額）}{（補償金等の額）－（譲渡費用の超過額）}$$

譲渡資産が山林所得の基因となる山林であるときは、「譲渡資産の取得費」は、その山林の植林費、取得に要した費用、管理費その他その山林の育成に要した費用の額とする。以下の算式においても同じ。

②　補償金等の額から譲渡費用の超過額を控除した金額と代替資産の取得価額が同額の場合（全部買換え）
譲渡資産の取得費がそのまま代替資産の取得価額となる。

③　補償金等の額から譲渡費用の超過額を控除した金額が代替資産の取得価額より小さい場合（全部買換え）
（譲渡資産の取得費）＋（代替資産の取得価額）－{（補償金等の額）－（譲渡費用の超過額）}

2　交換取得資産

①　交換取得資産のみを取得した場合（全部交換）………（譲渡資産の取得費）＋（譲渡費用の超過額）

②　交換取得資産と併せて補償金等を取得した場合（一部交換）

$$\left\{\binom{譲渡資産}{の取得費}＋\binom{譲渡費用}{の超過額}\right\}\times \frac{（交換取得資産の価額）}{（交換取得資産の価額）＋（補償金等の額）}$$

③　交換取得資産の価額が譲渡資産の価額より大きいため、交換処分等に際してその差額（清算金）を支出した場合（全部交換）………
（譲渡資産の取得費）＋（譲渡費用の超過額）＋（清算金の額）

3　換地取得資産、変換取得資産又は対償取得資産（以下「換地等取得資産」という。）

①　換地等取得資産のみを取得した場合（全部換地）
譲渡資産の取得費がそのまま換地等取得資産の取得価額となる。

②　換地等取得資産とともに清算金等を取得した場合（一部換地等）

$$\binom{譲渡資産}{の取得費}\times \frac{（換地等取得資産の価額）}{（換地等取得資産の価額）＋（清算金の額又は権利変換差額）}$$

③　換地等取得資産の価額が譲渡資産の価額より大きいため、換地処分に際してその差額（清算金等）を支出した場合（全部換地等）
（譲渡資産の取得費）＋（清算金の額又は権利変換差額）

4　交換取得資産や換地等取得資産と併せて取得した補償金等で取得した代替資産

前掲**1**の算式中「譲渡資産の取得費」及び「譲渡費用の超過額」とあるところを、それぞれの金額に次の割合を乗じて計算した金額に置きかえて代替資産の取得価額を求める。

$$\frac{補償金等（清算金又は権利変換差額）の額}{交換（又は換地等）取得資産の価額＋補償金等（清算金又は権利変換差額）の額}$$

③　代替資産等に対する特別償却等の不適用

個人が**三**《収用等に伴い代替資産を取得した場合の課税の特例》、**四**《交換処分等に伴い資産を取得した場合の課税の特例》**1**若しくは同**2**又は**五**《換地処分等に伴い資産を取得した場合の課税の特例》**2**、同**4**若しくは同**6**の規定の適用を受けた場合には、代替資産等については、第六章第二節**六18**《特別償却等に関する複数の規定の不適用》に掲げる次の規定は、適用しない。（措法33の６②、措法19①）

イ　中小事業者が機械等を取得した場合の特別償却又は所得税額の特別控除（措法10の３）
ロ　地域経済牽引事業の促進区域内において特定事業用機械等を取得した場合の特別償却又は所得税額の特別控除（措法10の４）
ハ　地方活力向上地域等において特定建物等を取得した場合の特別償却又は所得税額の特別控除（措法10の４の２）
ニ　特定中小事業者が特定経営力向上設備等を取得した場合の特別償却又は所得税額の特別控除（措法10の５の３）
ホ　認定特定高度情報通信技術活用設備を取得した場合の特別償却又は所得税額の特別控除（措法10の５の５）
ヘ　事業適応設備を取得した場合等の特別償却又は所得税額の特別控除（措法10の５の６）
ト　特定船舶の特別償却（措法11）
チ　被災代替資産等の特別償却（措法11の２）
リ　特定事業継続力強化設備等の特別償却（措法11の３）
ヌ　環境負荷低減事業活動用資産等の特別償却（措法11の４）
ル　生産方式革新事業活動用資産の特別償却（措法11の５）
ヲ　特定地域における工業用機械等の特別償却（措法12）
ワ　医療用機器等の特別償却（措法12の２）

カ　事業再編計画の認定を受けた場合の事業再編促進機械等の割増償却（旧措法13）
ヨ　輸出事業用資産の割増償却（旧措法13の２）
タ　特定都市再生建築物等の割増償却（措法14）
レ　倉庫用建物等の割増償却（措法15）
（注）　措令第10条各号の規定についても上記同様、適用されない。（編者注）

（代替資産についての特別償却の不適用）

注　③の規定により、代替資産については、たとえ当該代替資産の取得価額の一部が対価補償金以外の資金から成るときであっても、措置法に規定する特別償却をすることができないことに留意する。（措通33－48）

七　収用交換等の場合の譲渡所得等の特別控除

1　5,000万円特別控除

個人の有する資産で**三**《収用等に伴い代替資産を取得した場合の課税の特例》**1**表内①から同⑧又は**四**《交換処分等に伴い資産を取得した場合の課税の特例》**1**表内①又は同②に規定するものがこれらの規定に該当することとなった場合（**三4**《使用補償金及び譲渡対価等に対する特例の適用》の規定により同**3**表内①に規定する土地等、同②若しくは同③に規定する土地の上にある資産若しくはその土地の上にある建物に係る配偶者居住権又は同④に規定する権利につき収用等による譲渡があったものとみなされた場合、**五3**《変換取得資産である権利の譲渡等があった場合の収用特例の適用》の規定により旧資産又は旧資産のうち**五3**（1）又は同（2）で定める部分につき収用等による譲渡があったものとみなされた場合及び**五5**の規定により防災旧資産のうち同**5**（2）で定める部分につき収用等による譲渡があったものとみなされた場合を含む。）において、その者がその年中にその該当することとなった資産のいずれについても**三**又は**四**の特例の適用を受けないとき（**四**の特例の適用を受けず、かつ、**三**の特例の適用を受けた場合において、**六**《代替資産に係る更正の請求、修正申告等》**1**①の規定による修正申告書を提出したことにより**三**の特例の適用を受けないこととなるときを含む。）は、これらの全部の資産の収用等又は交換処分等（以下**七**において「**収用交換等**」という。）による譲渡に対する**一**《土地建物等の長期譲渡所得の課税の特例》若しくは**二**《土地建物等の短期譲渡所得の課税の特例》又は第四章第七節《山林所得》若しくは同章第八節《譲渡所得》の規定の適用については、これらの規定中次のイからニまでの左欄に掲げる規定は、それぞれの右欄に掲げるところによる。（措法33の4①）

イ	**一1**①中「長期譲渡所得の金額」	長期譲渡所得の金額から5,000万円（長期譲渡所得の金額のうち**七1**《5,000万円特別控除》の規定に該当する資産の譲渡に係る部分の金額が5,000万円に満たない場合には、当該資産の譲渡に係る部分の金額）を控除した金額
ロ	**二**①イ中「短期譲渡所得の金額」	短期譲渡所得の金額から5,000万円（短期譲渡所得の金額のうち**七1**に該当する資産の譲渡に係る部分の金額が5,000万円に満たない場合には、当該資産の譲渡に係る部分の金額）を控除した金額
ハ	第四章第七節**二**《山林所得の金額》の山林所得に係る収入金額から必要経費を控除した残額	当該資産の譲渡に係る当該残額に相当する金額から5,000万円（当該残額に相当する金額が5,000万円に満たない場合には、当該残額に相当する金額）を控除した金額
ニ	第四章第八節**二**《譲渡所得の金額》の譲渡所得に係る収入金額から当該所得の基因となった資産の取得費及びその資産の譲渡に要した費用の額の合計額を控除した残額	当該資産の譲渡に係る当該残額に相当する金額から5,000万円（当該残額に相当する金額が5,000万円に満たない場合には、当該残額に相当する金額）を控除した金額

2　特別控除の控除順序

1の場合において、当該個人のその年中の収用交換等による資産の譲渡について**1**イから同ニまでのうち２以上の規定の適用があるときは、**1**イから同ニまでの規定により控除すべき金額は、通じて5,000万円の範囲内において、まず同ロの規定により控除すべき金額から成るものとし、同ロの規定の適用がない場合又は同ロの規定により控除すべき金額が5,000万円に満たない場合には、5,000万円又は当該満たない部分の金額の範囲内において、同ニ、同ハ又は同イの規定により控除すべき金額から成るものとして計算した金額とする。この場合において、同ニに規定する残額に相当する金額のうちに短期保有資産に係る部分の金額と長期保有資産に係る部分の金額があるときは、まず短期保有資産に係る部分の金額から控除するものとする。（措法33の4②、措令22の4①）

（注）　5,000万円控除のイからニまでの各種所得等からの控除の順序を①～⑦の番号で表示すれば次のとおりである。（編者注）

所得の区分／控除の区分	分離課税				総合課税		山林所得
	土地建物等の譲渡				その他の譲渡		
	一般短期譲渡所得	一般長期譲渡所得	軽減税率適用の長期譲渡所得	軽減税率適用短期譲渡所得	短期譲渡所得	長期譲渡所得	
収用交換等の場合の5,000万円控除	①	⑥	⑦（（1）参照）	②	③	④	⑤

（軽減税率適用長期譲渡所得からの特別控除額等の控除の順序）

（1）　軽減税率適用長期譲渡所得のうちにあっては、①優良住宅地の造成等のために譲渡した土地等、②居住用財産《**一3**》に係る長期譲渡所得の順（適用税率の高い順）に、特別控除額及び所得控除額の控除を行うことに留意する。

（特別控除額等の控除の順序）

（2）　分離短期譲渡所得のなかに、軽減税率対象土地等に係るものとその他の土地建物等に係るものとがある場合には、分離短期譲渡所得に係る収用交換等の場合の5,000万円控除その他の特別控除の額は、まず、当該その他の土地建物等に係る短期譲渡所得の金額から控除するものとする。所得控除額の控除についても、また同様とする。（措通32－10）

（5,000万円控除の特例と課税繰延べの特例の適用関係）

（3）　収用交換等によりその年中に譲渡した資産のうちに、例えば最初に買取り等の申出のあった日から６月を経過した日までに譲渡した資産と同日後に譲渡した資産とがあるなど、5,000万円控除の特例が受けられる資産と受けられない資産とがある場合において、その受けられる資産につき5,000万円控除の特例の適用を受けたときは、5,000万円控除の特例が受けられない資産については、**三**《収用等に伴い代替資産を取得した場合の課税の特例》及び**四**《交換処分等に伴い資産を取得した場合の課税の特例》の規定は適用されないのであるから留意する。（措通33の４－１）

3　特別控除の適用対象とならない譲渡資産

1の5,000万円特別控除の特例は、次の①から③に掲げる場合に該当する場合には、当該①から③に定める資産については適用しない。（措法33の４③、措令22の４②、措規15①）

<table>
<tr><td rowspan="5">①</td><td colspan="4">資産の収用交換等による譲渡が、当該資産の買取り、消滅、交換、取壊し、除去又は使用（以下「買取り等」という。）の申出をする者（以下「公共事業施行者」という。）から当該資産につき最初に当該申出のあった日から６月を経過した日（次の各号に掲げる場合には、同日から当該各号に定める期間を経過した日）までにされなかった場合</td><td rowspan="5">当該資産</td></tr>
<tr><td>イ</td><td colspan="2">資産の収用交換等による譲渡につき土地収用法第15条の７第１項の規定による仲裁の申請に基づき同法第15条の11第１項に規定する仲裁判断があった場合</td><td>当該申請をした日から当該譲渡の日までの期間</td></tr>
<tr><td>ロ</td><td colspan="2">資産の収用交換等による譲渡につき土地収用法第46条の２第１項の規定による補償金の支払の請求があった場合</td><td>当該請求をした日から当該譲渡の日までの期間</td></tr>
<tr><td>ハ</td><td colspan="2">資産の収用交換等による譲渡につき農地法第３条第１項又は第５条第１項の規定による許可を受けなければならない場合</td><td>当該許可の申請をした日から当該許可があった日（当該申請をした日後に当該許可を要しないこととなった場合には、その要しないこととなった日）までの期間</td></tr>
<tr><td>ニ</td><td>（イ）</td><td>資産の収用交換等による譲渡につき農地法第５条第１項第６号の規定による届出をする場合（(ロ)に掲げる場合を除く。）</td><td>当該届出に係る届出書を提出した日から当該届出書を農業委員会が農地法施行令第10条第２項の規定により受理した日までの期間</td></tr>
</table>

	(ロ)	(イ)の譲渡につき農地法第18条第１項の規定による許可を受けた後同法第５条第１項第６号の規定による届出をする場合	当該許可の申請をした日から当該許可があった日までの期間に(イ)に掲げる期間を加算した期間	
②	一の収用交換等に係る事業につき資産の収用交換等による譲渡が２以上あった場合において、これらの譲渡が２以上の年にわたってされたとき			当該資産のうち、最初に当該譲渡があった年において譲渡された資産以外の資産
③	資産の収用交換等による譲渡が当該資産につき最初に買取り等の申出を受けた者以外の者からされた場合（当該申出を受けた者の死亡によりその者から当該資産を取得した者が当該譲渡をした場合を除く。）			当該資産

（受益者等課税信託の信託財産に属する資産について収用交換等があった場合の「買取り等の申出のあった日」等）

（1）　受益者等課税信託の信託財産に属する資産について収用交換等があった場合における**七**の規定の適用に関しては次の点に留意する。（措通33の４－１の２）

（一）　**3**表内①に規定する「最初に当該申出のあった日」とは、受益者等課税信託の受託者が、同号に規定する公共事業施行者から当該受益者等課税信託の信託財産に属する資産につき、最初に買取り等の申出を受けた日をいう。

（二）　**3**表内②に規定する「一の収用交換等に係る事業につき**1**に規定する資産の収用交換等による譲渡が二以上あった場合」に該当するかどうかは、受益者等が有する受益者等課税信託の信託財産に属する資産の譲渡とそれ以外の資産の譲渡とを通じて判定する。

（三）　収用交換等による譲渡の時における受益者等課税信託の信託財産に属する資産の譲渡をした受益者等が、当該受益者等課税信託の信託財産に属する資産につき最初に買取り等の申出を受けた時における当該受益者等課税信託の受益者等以外の者（当該申出を受けた時における受益者等の死亡によりその者から当該受益者等課税信託の受益者等としての権利を取得した者を除く。）である場合には、**3**表内③の規定に該当することとなる。

（仲裁の申請等があった場合の留意事項）

（2）　**1**の5,000万円控除の規定は、原則として最初に買取り等の申出のあった日から６か月を経過した日までに当該申出に係る資産を譲渡しなかった場合には適用がないのであるが、最初に買取り等の申出があった日から６か月を経過した日までに当該申出に係る資産につき次に掲げる申請等が行われている場合には、当該申請等に係る資産の譲渡については、当該譲渡が最初に買取り等の申出があった日から６か月を経過した日後に行われた場合であっても、**1**の適用があるのであるから留意する。（措通33の４－２）

（一）　土地収用法第15条の７第１項の規定による仲裁の申請（同法第15条の11第１項に規定する仲裁判断があった場合に限る。）

（二）　土地収用法第46条の２第１項《補償金の支払請求》の規定による補償金の支払の請求

（三）　農地法第３条第１項又は第５条第１項の規定による許可の申請

（四）　農地法第５条第１項第６号の規定による届出。ただし、同法第18条第１項《農地又は採草牧草地の賃貸借の解約等の制限》の規定による許可を受けた後同法第５条第１項第６号の規定による届出をする場合には、当該許可の申請

（「許可を要しないこととなった場合」等の意義）

（3）　**3**表内①ハに規定する「当該申請をした日後に当該許可を要しないこととなった場合」とは、農地又は採草放牧地（以下(3)において「農地等」という。）の譲渡につき農地法第５条第１項の規定による許可の申請をした日後において、次に掲げるような事由が生じたため、許可を要しないこととなった場合をいい、同①ハに規定する「その要しないこととなった日」とは、次に掲げる区分に応じ、それぞれ次に掲げる日をいうのであるから留意する。（措通33の４－２の２）

（一）　当該許可前に、当該農地等の所在する地域が都市計画法第７条第１項《区域区分》に規定する市街化区域に該当することとなったことに伴い、農地法第５条第１項第６号の規定による届出をし、当該届出が受理されたこと

当該受理の日

(二)　農地法施行規則第53条第12号《許可の例外》に掲げる都道府県以外の地方公共団体、独立法人都市再生機構、地方住宅供給公社、土地開発公社、独立行政法人中小企業基盤整備機構又は同規則第29条第14号の規定により農林水産大臣が指定する法人（以下(二)において「指定法人」という。）が当該農地等を買い取る場合において、当該許可前に当該農地等の所在する地域が都市計画法第７条第１項に規定する市街化区域（指定法人にあっては同号に規定する指定計画に係る市街化区域）に該当することとなったこと　当該市街化区域に関する都市計画の決定にかかる告示があった日

（許可申請の取下げがあった場合）

(4)　農地法第５条第１項の規定による許可の申請をした日後に、当該許可を要しないこととなったため又は当該申請に代えて同項第６号の規定による届出をするため、当該申請を取り下げた場合には、**3**表内①ハの規定の適用については、同①ハに規定する「当該許可の申請をした日」は、当該取下げに係る申請をした日として取り扱う。（措通33の４－２の３）

（仲裁判断等があった場合の証明書類）

(5)　**4**表内②に規定する「当該買取り等につき**3**表内①イから同ニに掲げる場合のいずれかに該当する場合には、その旨を証する書類」とは、次の書類をいうのであるが、**4**表内②の「公共事業施行者の買取り等の年月日及び当該買取り等に係る資産の明細を記載した買取り等があったことを証する書類」に**3**表内①に規定する公共事業施行者（以下(6)及び**4**(2)において「公共事業施行者」という。）が(一)から(四)に掲げる日を記載している場合には、それぞれ(一)から(四)に掲げる書類の提出を省略しても差し支えないものとする。（措通33の４－２の４）

(一)　仲裁判断があった場合　　仲裁の申請をした日及び仲裁判断のあった日の記載のある仲裁判断書の写し

(二)　補償金の支払請求があった場合　　補償金の支払の請求をした日の記載のある収用裁決書の写し

(三)　農地法の許可を受ける場合　　申請をした日及び許可があった日の記載のある許可申請書の写し

(四)　農地法の届出をする場合　　届出書を提出した日及び受理した日の記載のある受理通知書の写し

（補償金の支払請求があった土地の上にある建物等の譲渡期間の取扱い）

(6)　土地収用法の規定により補償金の支払の請求ができる資産は、土地及び土地に関する所有権以外の権利に限られているが、これらの資産につき最初に買取り等の申出のあった日から６か月を経過した日までに補償金の支払の請求があった場合には、これらの資産の上にある建物等の資産の譲渡についても**3**表内①ロに規定する「土地収用法第46条の２第１項の規定による補償金の支払の請求があった場合」に準じて取り扱う。（措通33の４－３）

（漁業権等の消滅により取得する補償金等の譲渡期間の取扱い）

(7)　漁業権又は入漁権（以下(7)において「漁業権等」という。）の消滅（価値の減少を含む。以下(7)において同じ。）により漁業協同組合等の組合員が補償金又は対価（以下(7)において「補償金等」という。）を取得する場合における**3**表内①の規定の適用については、漁業権等につき公共事業施行者から漁業協同組合等に対して最初に買取り等の申出があった日から６か月を経過した日後において当該組合員の漁業法第105条に規定する組合員行使権（当該買取り等の申出の対象となった漁業権等に係るものに限る。以下(7)において同じ。）の消滅に伴う補償金等の額が確定した場合であっても、当該公共事業施行者と当該漁業協同組合等の間で締結された当該漁業権等の消滅に関する契約の効力が最初に買取り等の申出があった日から６か月を経過した日までに生じているときは、当該組合員の漁業を営む権利の収用交換等による譲渡は、最初に買取り等の申出のあった日から６か月を経過した日までにされているものとして取り扱う。（措通33の４－３の２）

（注）　漁業協同組合等が有する漁業権等の消滅により、当該漁業協同組合等の組合員がその漁業を営む権利の消滅に伴って取得する補償金等を譲渡所得の総収入金額に算入すべき時期は、当該組合員ごとの補償金等の額が確定した日により判定することに留意する。

（関 連 事 業）

(8)　土地収用法第16条《事業の認定》に規定する関連事業は、本体事業から独立した別個の事業ではなく、本体事業に付随する事業として、本体事業とともに**3**表内②に規定する「一の収用交換等に係る事業」に該当するのであるから留意する。（措通33の４－３の３）

（事業計画の変更等があった場合の一の収用交換等に係る事業）

（9）　一の収用交換等に係る事業が次に掲げる場合に該当することとなった場合において、その事業の施行につき合理的と認められる事情があるときは、次に掲げる地域ごとにそれぞれ別個の事業として取り扱い、**3**表内②を適用する。（措通33の４－４）

（一）　事業の施行地について計画変更があり、当該変更に伴い拡張された部分の地域について事業を施行する場合　当該変更前の地域と当該変更に伴い拡張された部分の地域

（注）　この取扱いは、一の収用交換等に係る事業の施行地の変更前において当該変更前の地域にある資産を当該事業のために譲渡した者が、当該変更後において当該変更に伴い拡張された部分の地域にある資産を当該事業のために譲渡する場合に限って適用があることに留意する。

（二）　事業を施行する営業所、事務所その他の事業場が２以上あり、当該事業場ごとに地域を区分して事業を施行する場合　　当該区分された地域

（三）　事業が１期工事、２期工事等と地域を区分して計画されており、当該計画に従って当該地域ごとに時期を異にして事業を施行する場合　　当該区分された地域

（一の収用交換等に係る事業につき譲渡した資産のうちに権利取得裁決による譲渡資産と明渡裁決による譲渡資産とがある場合の取扱い）

（10）　一の収用交換等に係る事業につき譲渡した資産のうちに土地（土地に関する所有権以外の権利を含む。以下同じ。）とその土地の上にある建物等があり、その土地の譲渡は権利取得裁決により、その建物等の譲渡は明渡裁決により行われたため、これらの譲渡が２以上の年にわたった場合において、その建物等につき権利取得裁決前に明渡裁決の申立てをしており、かつ、その土地の譲渡があった年にその建物等の譲渡があったものとして申告したときは、建物等はその年において収用等による譲渡があったものとして取り扱う。（措通33の４－５）

（死亡により資産を取得した者の範囲）

（11）　**3**表内③のかっこ内に規定する「当該申出を受けた者の死亡によりその者から当該資産を取得した者」とは、当該申出を受けた者から相続又は遺贈（死因贈与を含む。）により当該資産を取得した者をいうのであるから留意する。（措通33の４－６）

4　特別控除の申告要件

収用交換等の場合の5,000万円特別控除の特例は、**1**の規定の適用があるものとした場合においてもその年分の確定申告書を提出しなければならない者については、**1**の規定の適用を受けようとする年分の確定申告書又は**1**の修正申告書に、**1**の規定の適用を受けようとする旨の記載があり、かつ、**1**の規定の適用を受けようとする資産につき公共事業施行者から交付を受けた次に掲げる書類の添付がある場合に限り、適用する。（措法33の４④、措規15②）

①	買取り等の申出証明書	公共事業施行者の買取り等の最初の申出の年月日及び当該申出に係る資産の明細を記載した買取り等の申出があったことを証する書類 （注）　書式は「公共事業用資産の買取り等の申出証明書」による。
②	買取り等の証明書	公共事業施行者の買取り等の年月日及び当該買取り等に係る資産の明細を記載した買取り等があったことを証する書類並びに当該買取り等につき**3**表内①イから同ニに掲げる場合のいずれかに該当する場合には、その旨を証する書類 （注）　書式は「公共事業用資産の買取り等の証明書」による。
③	収用証明書	買取り等に係る資産の措規14⑤各号の区分に応じ、当該各号に掲げる書類

（確定申告書への記載等がない場合の宥恕規定）

（1）　税務署長は、確定申告書若しくは**1**に規定する修正申告書の提出がなかった場合又は上記の記載又は添付がない確定申告書又は**1**に規定する修正申告書の提出があった場合においても、その提出又は記載若しくは添付がなかったことについてやむを得ない事情があると認めるときは、当該記載をした書類及び証明書の提出があった場合に限り、特例を適用することができる。（措法33の４⑤）

（買取り等の申出証明書の発行者）

（2）　公共事業施行者の買取り等の申出に関する事務に従事した者が、その公共事業施行者の本店又は主たる事務所以

外の営業所、事務所その他の事業場に勤務する者であるときは、確定申告書等に添付する「買取り等の申出証明書」は、当該事業場の長が発行したものによることができるものとする。(措通33の4－7)

(代行買収における証明書の発行者)

(3)　代行買収者が資産の買取り等をする場合には、**4**表内①又は同②の「買取り等の申出証明書」又は「買取り等の証明書」は、当該資産の買取り等の申出又は買取り等をした代行買収者が発行し、収用証明書は、事業の施行者である国又は地方公共団体等が発行することに留意する。(措通33の4－8)

(公共事業施行者の買取り等の申出証明書の写しの提出)

(4)　公共事業施行者は、**4**表内①の買取り等の申出証明書の写しを、その申出をした日の属する月の翌月10日までに、その事業の施行に係る営業所、事務所その他の事業場の所在地の所轄税務署長に提出しなければならない。(措法33の4⑥、措規15③)

(公共事業施行者の買取り等の対価の支払調書の提出)

(5)　公共事業施行者は、その買取り等の申出に係る資産の買取り等をした場合には、1月から3月まで、4月から6月まで、7月から9月まで及び10月から12月までの各期間に支払うべき当該買取り等に係る対価についての支払に関する調書《所得税法第225条第1項第9号》を、当該各期間に属する最終月の翌月末日までに(4)の税務署長に提出しなければならない。(措法33の4⑥、措規15④)

買取り等した時期	提　出　期　限	買取り等した時期	提　出　期　限
1月から3月までの間	4月末日	7月から9月までの間	10月末日
4月から6月までの間	7月末日	10月から12月までの間	翌年の1月末日

(公共事業用資産の買取り等の申出証明書)

(6)　確定申告書等に添付すべき**4**表内①の「買取り等の申出証明書」、同②の「買取り等の証明書」及び(4)の「買取り等の申出証明書の写し」の様式は、昭和47年6月22日付直資4－3「公共事業用資産の買取り等の申出証明書等の様式について」において定められている。(編者注)

5　5,000万円控除の適用を受けた譲渡所得等に対応する延払条件付譲渡による延納利子税の免除

第十章第四節**二**《延払条件付譲渡に係る所得税額の延納》に規定する延納の許可に係る所得税の額の計算の基礎となった山林所得の金額又は譲渡所得の金額のうちに**1**の規定の適用を受けた資産の譲渡に係る部分の金額がある場合には、当該延納に係る同節**二5**①《延納税額に係る利子税》の規定による利子税のうち当該譲渡に係る山林所得の金額又は譲渡所得の金額に対する所得税の額に対応する部分の金額として注で定めるところにより計算した金額は、免除する。(措法33の4⑦)

(注で定めるところにより計算した免除される利子税)

注　**5**に規定する注で定めるところにより計算した金額は、第十章第四節**二5**①の規定による利子税の額に、その利子税の計算の基礎となった所得税に係る山林所得の金額又は譲渡所得の金額(**一1**《長期譲渡所得の課税の特例》(同**2**《優良住宅地に係る長期譲渡所得の課税の特例》又は同**3**《居住用財産を譲渡した場合の長期譲渡所得の課税の特例》の規定により適用される場合を含む。)に規定する長期譲渡所得の金額及び**二**に規定する短期譲渡所得の金額については、**1**による5,000万円控除のほか、**八**《特定土地区画整理事業等のために土地等を譲渡した場合の所得の特別控除》、**九**《特定住宅地造成事業等の1,500万円控除》、**十**《農地等を譲渡した場合の800万円特別控除》、**十一**《居住用財産の譲渡所得の特別控除》、**十二**《特定期間に取得をした土地等を譲渡した場合の長期譲渡所得の特別控除》又は**十三**《低未利用土地等を譲渡した場合の長期譲渡所得の特別控除》の規定による特別控除の適用があるときはそれらの控除される金額を控除した後の金額とする。以下注において同じ。)のうちに**1**の規定の適用を受けた資産の譲渡に係る山林所得の金額又は譲渡所得の金額の占める割合を乗じて計算した金額とする。(措令22の4③)

$$\left(\begin{array}{l}\text{延払条件付譲渡による延納}\\\text{所得税額に係る利子税の額}\end{array}\right)\times\frac{\text{5,000万円控除の適用を受けた譲渡に係る山林所得及び譲渡所得の金額(特別控除後)}}{\text{延納所得税額の計算の基礎となった山林所得及び譲渡所得の金額(特別控除後)}}=\text{免除される利子税}$$

6　特定駐留軍用地等を譲渡した場合の譲渡所得の課税の特例

沖縄県における駐留軍用地跡地の有効かつ適切な利用の推進に関する特別措置法第16条第１項（同法第18条の３第１項において準用する場合を含む。以下同じ。）の土地（同法第18条の３第３項の規定により同条第１項において準用する同法第14条第１項の規定によりされたものとみなされた届出又は同法第18条の３第４項の規定により同条第１項において準用する同法第15条第１項の規定によりされたものとみなされた申出に係る土地を含む。以下「特定駐留軍用地等」という。）を有する個人が、当該特定駐留軍用地等についての同法第16条第１項の買取りの協議（以下「買取協議」という。）に基づき、当該買取協議を行う同条第２項（同法第18条の３第１項において準用する場合を含む。）に規定する地方公共団体等に当該特定駐留軍用地等の譲渡（**十八１**《特定の事業用資産の買換えの場合の譲渡所得の課税の特例》の規定の適用を受けるものを除く。）をしたときは、当該譲渡に対する**一１**又は**二**①の規定の適用については、当該譲渡は、**1**に規定する収用交換等による譲渡に該当するものとみなして、**1**、**2**及び**5**の規定を適用する。（沖縄の復帰に伴う国税関係法令の適用の特別措置等に関する政令第34条の３①）

（確定申告要件）

（１）　**6**の規定は、**6**の規定の適用を受けようとする者の**6**の譲渡をした日の属する年分の確定申告書に、**6**の規定の適用を受けようとする旨の記載があり、かつ、当該譲渡が買取協議に基づき行われたものである旨その他の事項を証する（３）で定める書類の添付がある場合に限り、適用する。（沖縄の復帰に伴う国税関係法令の適用の特別措置等に関する政令第34条の３②）

（宥恕規定）

（２）　税務署長は、確定申告書の提出がなかった場合又は（１）の記載若しくは添付がない確定申告書の提出があった場合においても、その提出又は記載若しくは添付がなかったことについてやむを得ない事情があると認めるときは、当該記載をした書類及び（３）で定める書類の提出があった場合に限り、**6**の規定を適用することができる。（沖縄の復帰に伴う国税関係法令の適用の特別措置等に関する政令第34条の３③）

（特定駐留軍用地内の土地を譲渡した場合の譲渡所得の課税の特例に関する証明書）

（３）　（１）に規定する（３）で定める書類は、**6**に規定する地方公共団体等の**6**に規定する特定駐留軍用地等の譲渡が**6**に規定する買取協議に基づき行われたものである旨及び当該特定駐留軍用地等の譲渡に係る対価の額を証する書類とする。（沖縄の復帰に伴う国税関係法令の適用の特別措置等に関する省令第７条の３）

八　特定土地区画整理事業等のために土地等を譲渡した場合の所得の特別控除

1　2,000万円特別控除

個人の有する土地又は土地の上に存する権利（以下**十**《農地保有の合理化等のために農地等を譲渡した場合の所得の特別控除》までにおいて「**土地等**」という。）が**2**に定める**特定土地区画整理事業等**のために買い取られる場合に該当することとなった場合には、その者がその年中にその該当することとなった土地等（**十一**《居住用財産の譲渡所得の特別控除》の規定の適用を受ける部分を除く。）の全部又は一部につき**十五 1**《特定の居住用財産の買換えの場合の長期譲渡所得の課税の特例》、同**5**《特定の居住用財産を交換した場合の長期譲渡所得の課税の特例》、**十八 1**《特定の事業用資産の買換えの場合の譲渡所得の課税の特例》又は同**4**《特定の事業用資産を交換した場合の譲渡所得の課税の特例》の規定の適用を受ける場合を除き、これらの全部の土地等の譲渡に対する**一**《土地建物等の長期譲渡所得の課税の特例》又は**二**《土地建物等の短期譲渡所得の課税の特例》の規定の適用については、これらの規定中下表の左欄に掲げる規定は同表の右欄に定めるところによる。（措法34①）

イ	**一 1**①中「長期譲渡所得の金額」	長期譲渡所得の金額から2,000万円（長期譲渡所得の金額のうち**八 1**《2,000万円特別控除》の規定に該当する土地等の譲渡に係る部分の金額が2,000万円に満たない場合には当該土地等の譲渡に係る部分の金額とし、ロの規定により読み替えられた**二**《土地建物等の短期譲渡所得の課税の特例》①の規定の適用を受ける場合には2,000万円から同①の規定により控除される金額を控除した金額と当該土地等の譲渡に係る部分の金額とのいずれか低い金額とする。）を控除した金額
ロ	**二**①イ中「短期譲渡所得の金額」	短期譲渡所得の金額から2,000万円（短期譲渡所得の金額のうち**八 1**の規定に該当する土地等の譲渡に係る部分の金額が2,000万円に満たない場合には、当該土地等の譲渡に係る部分の金額）を控除した金額

2　特定土地区画整理事業等の意義

1に規定する特定土地区画整理事業等のために買い取られる場合とは、次の①から⑦までに掲げる場合をいう。（措法34②、措令22の7）

①	国、地方公共団体、独立行政法人都市再生機構又は地方住宅供給公社が土地区画整理法による土地区画整理事業、大都市地域住宅等供給促進法による住宅街区整備事業、都市再開発法による第1種市街地再開発事業又は密集市街地における防災街区の整備の促進に関する法律による防災街区整備事業として行う公共施設の整備改善、宅地の造成、共同住宅の建設又は建築物及び建築敷地の整備に関する事業の用に供するためこれらの者（地方公共団体が財産を提供して設立した団体（当該地方公共団体とともに国、地方公共団体及び独立行政法人都市再生機構以外の者が財産を提供して設立した団体を除く。）で、都市計画その他市街地の整備の計画に従って宅地の造成を行うことを主たる目的とするものを含む。）に買い取られる場合（**三**《収用等に伴い代替資産を取得した場合の課税の特例》**1**表内③の4、③の5又は③の6の規定の適用がある場合を除く。）
②	都市再開発法による第一種市街地再開発事業の都市計画法第56条第1項に規定する事業予定地内の土地等が、同項の規定に基づいて、当該第一種市街地再開発事業を行う都市再開発法第11条第2項の認可を受けて設立された市街地再開発組合に買い取られる場合
②の2	密集市街地における防災街区の整備の促進に関する法律による防災街区整備事業の都市計画法第56条第1項に規定する事業予定地内の土地等が、同項の規定に基づいて、当該防災街区整備事業を行う密集市街地における防災街区の整備の促進に関する法律第136条第2項の許可を受けて設立された防災街区整備事業組合に買い取られる場合
③	古都における歴史的風土の保存に関する特別措置法第11条第1項、都市緑地法第17条第1項若しくは第3項、特定空港周辺航空機騒音対策特別措置法第8条第1項、航空法第49条第4項（同法第55条の2第2項において準用する場合を含む。）、防衛施設周辺の生活環境の整備等に関する法律第5条第2項又は公共用飛行場周辺における航空機騒音による障害の防止等に関する法律第9条第2項その他政令で定める法律の規定により買い取られる場合（都市緑地法第17条第3項の規定により買い取られる場合には、（注）で定める場合に限る。） （注）　上記に規定する（注）で定める場合は、土地等（**1**に規定する土地等をいう。以下（注）において同じ。）が、都市緑地法第17条第3項の規定により、都道府県、町村又は（同条第2項に規定する緑地保全・緑化推進法人（公益社団法人（その社員総会における議決権の総数の2分の1以上の数が地方公共団体により保有されているものに限る。④（注）1及び⑦（注）において同じ。）又は公益財団

<table>
<tr><td></td><td>法人（その設立当初において拠出をされた金額の２分の１以上の金額が地方公共団体により拠出をされているものに限る。④(注) 1及び⑦(注)において同じ。）であって、その定款において、その法人が解散した場合にその残余財産が地方公共団体又は当該法人と類似の目的をもつ他の公益を目的とする事業を行う法人に帰属する旨の定めがあるものに限る。以下(注)において「推進法人」という。）に買い取られる場合（推進法人に買い取られる場合にあっては、次に掲げる要件を満たす場合に限る。）とする。（措令22の７②）
(一)　当該推進法人と地方公共団体との間で、その買い取った土地等の売買の予約又はその買い取った土地等の第三者への転売を禁止する条項を含む協定に対する違反を停止条件とする停止条件付売買契約のいずれかを締結し、その旨の仮登記を行うこと。
(二)　その買い取った土地等が、当該推進法人に係る都市緑地法第69条第１項の指定をした市町村長の当該市町村の区域内に存する同法第12条第１項に規定する特別緑地保全地区内の土地等であること。
(三)　当該推進法人が、地方公共団体の管理の下に、当該土地等の買取りを行い、かつ、その買い取った土地等の保全を行うと認められるものであること。</td></tr>
<tr><td>④</td><td>文化財保護法第27条第１項の規定により重要文化財として指定された土地、同法第109条第１項の規定により史跡、名勝若しくは天然記念物として指定された土地、自然公園法第20条第１項の規定により特別地域として指定された区域内の土地又は自然環境保全法第25条第１項の規定により特別地区として指定された区域内の土地が国又は地方公共団体（地方公共団体が財産を提供して設立した団体〔当該地方公共団体とともに国、地方公共団体及び独立行政法人都市再生機構以外の者が財産を提供して設立した団体を除く。〕で、都市計画その他市街地の整備の計画に従って宅地の造成を行うことを主たる目的とするものを含む。）に買い取られる場合（当該重要文化財として指定された土地又は当該史跡、名勝若しくは天然記念物として指定された土地が独立行政法人国立文化財機構、独立行政法人国立科学博物館、地方独立行政法人（地方独立行政法人法第21条第５号に掲げる業務を主たる目的とするもののうち地方独立行政法人法施行令第６条第３号に掲げる博物館又は植物園のうち博物館法第２条第２項に規定する公立博物館又は同法第31条第２項に規定する指定施設に該当するものに係る地方独立行政法人法第21条第６号に掲げる業務を主たる目的とするものに限る。）又は文化財保護法第192条の２第１項に規定する文化財保存活用支援団体（(注) １で定めるものに限る。以下④において同じ。）に買い取られる場合（当該文化財保存活用支援団体に買い取られる場合には、(注) ２で定める場合に限る。）を含むものとし、三１表内②の規定の適用がある場合を除く。）（措令22の７③）
(注) 1　上記に規定する(注) １で定める文化財保存活用支援団体は、公益社団法人又は公益財団法人であって、その定款において、その法人が解散した場合にその残余財産が地方公共団体又は当該法人と類似の目的をもつ他の公益を目的とする事業を行う法人に帰属する旨の定めがあるもの（(注) ２において「支援団体」という。）とする。（措令22の７④）
2　上記に規定する(注) ２で定める場合は、次の(一)から(三)までに掲げる要件を満たす場合とする。（措令22の７⑤）
(一) 当該支援団体と地方公共団体との間で、その買い取った土地（④に規定する重要文化財として指定された土地又は④に規定する史跡、名勝若しくは天然記念物として指定された土地をいう。以下(注) ２において同じ。）の売買の予約又はその買い取った土地の第三者への転売を禁止する条項を含む協定に対する違反を停止条件とする停止条件付売買契約のいずれかを締結し、その旨の仮登記を行うこと。
(二) その買い取った土地が、文化財保護法第192条の２第１項の規定により当該支援団体の指定をした同項の市町村の教育委員会が置かれている当該市町村の区域内にある土地であること。
(三) 文化財保護法第183条の５第１項に規定する認定文化財保存活用地域計画に記載された土地の保存及び活用に関する事業（地方公共団体の管理の下に行われるものに限る。）の用に供するためにその土地が買い取られるものであること。</td></tr>
<tr><td>⑤</td><td>森林法第25条若しくは25条の２の規定により保安林として指定された区域内の土地又は同法第41条の規定により指定された保安施設地区内の土地が同条第３項に規定する保安施設事業のために国又は地方公共団体に買い取られる場合</td></tr>
<tr><td>⑥</td><td>防災のための集団移転促進事業に係る国の財政上の特別措置等に関する法律第３条第１項の同意を得た同項に規定する集団移転促進事業計画において定められた同法第２条第１項に規定する移転促進区域内にある同法第３条第２項第６号に規定する農地等が当該集団移転促進事業計画に基づき地方公共団体に買い取られる場合（三１表内②の規定の適用がある場合を除く。）</td></tr>
<tr><td>⑦</td><td>農業経営基盤強化促進法第４条第１項第１号に規定する農用地で同法第22条の４第１項に規定する区域内にあるものが、同条第２項の申出に基づき、同項の農地中間管理機構（(注)で定めるものに限る。）に買い取られる場合
(注)　上記に規定する(注)で定める農地中間管理機構は、公益社団法人又は公益財団法人であって、その定款において、その法人が解散した場合にその残余財産が地方公共団体又は当該法人と類似の目的をもつ他の公益を目的とする事業を行う法人に帰属する旨の定めがあるものとする。（措令22の７⑥）</td></tr>
</table>

(注) 1　上記＿＿下線部については、都市緑地法等の一部を改正する法律（令和６年法律第40号）の施行の日以後、**2**③中「第11条第１項」が「第12条第１項」に改められ、「（都市緑地法第17条第３項の規定により買い取られる場合には、(注)で定める場合に限る。）」及び(注)書きが削

られ、③の次に次の「③の２」と「③の３」が加えられる。（令６改所法等附１十ロ、令６改措令附１六）

<table>
<tr><td rowspan="3">③の２</td><td colspan="2">古都における歴史的風土の保存に関する特別措置法第13条第１項に規定する対象土地が同条第４項の規定により同項の都市緑化支援機構に買い取られる場合（当該都市緑化支援機構が公益社団法人又は公益財団法人であることその他の(注)で定める要件を満たす場合に限る。）
（注）　上記に規定する(注)で定める要件は、次に掲げる要件とする。（措令22の７②）</td></tr>
<tr><td>(一)</td><td>③の２の都市緑化支援機構（以下において「支援機構」という。）が公益社団法人又は公益財団法人であり、かつ、その定款において、当該支援機構が解散した場合にその残余財産が地方公共団体又は当該支援機構と類似の目的をもつ他の公益を目的とする事業を行う法人に帰属する旨の定めがあること。</td></tr>
<tr><td>(二)</td><td>支援機構と地方公共団体との間で、その買い取った対象土地（③の２に規定する対象土地をいう。以下(二)において同じ。）の売買の予約又はその買い取った対象土地の第三者への転売を停止条件とする停止条件付売買契約の締結をし、その旨の仮登記を行うこと。</td></tr>
<tr><td>③の３</td><td colspan="2">都市緑地法第17条の２第１項に規定する対象土地が同条第４項の規定により同項の都市緑化支援機構に買い取られる場合（当該都市緑化支援機構が公益社団法人又は公益財団法人であることその他の(注)で定める要件を満たす場合に限る。）
（注）　③の２(注)の規定は、③の３に規定する(注)で定める要件について準用する。この場合において、③の２(注)の(一)及び(二)中「③の２」とあるのは、「③の３」と読み替えるものとする。（措令22の７③）</td></tr>
</table>

２　改正後の**２**（③に係る部分に限る。）の規定は、個人の有する**１**に規定する土地等が都市緑地法等の一部を改正する法律（令和６年法律第40号）の施行の日以後に買い取られる場合について適用され、個人の有する**１**に規定する土地等が同日前に買い取られた場合については、なお従前の例による。（令６改所法等附１十、32）

３　上記＿＿下線部については、都市緑地法等の一部を改正する法律（令和６年法律第40号）の施行の日以後、**２**④中「((注)１で定めるものに限る。以下④において同じ。)」が削られ、「(注)２で定める場合」が「当該文化財保存活用支援団体が公益社団法人又は公益財団法人であることその他の(注)で定める要件を満たす場合」に改められ、**２**⑦中「((注)で定めるものに限る。)」が削られ、「場合」の次に「(当該農地中間管理機構が公益社団法人又は公益財団法人であることその他の(注)で定める要件を満たす場合に限る。)」が加えられる。（令６改所法等附１十ロ）

４　上記＿＿下線部については、都市緑地法等の一部を改正する法律（令和６年法律第40号）の施行の日以後、④中、「22の７③」が「22の７④」とされる。（令６改措令附１六）

５　上記＿＿下線部については、都市緑地法等の一部を改正する法律（令和６年法律第40号）の施行の日以後、④中、(注)１が削られる。（令６改措令附１六）

６　上記＿＿下線部については、都市緑地法等の一部を改正する法律（令和６年法律第40号）の施行の日以後、④(注)２中「場合は」が「要件は」に改められ、「を満たす場合」が削られ、(三)が(四)とされ、(二)中「より当該」が「より」に改められ、(二)が(三)とされ、(一)中「当該」及び「を禁止する条項を含む協定に対する違反」が削られ、「いずれかを締結し」が「締結をし」に改められ、(一)が(二)とされ、(二)の前に次の(一)が加えられる。（令６改措令附１六）

(一)	④の文化財保存活用支援団体（以下(注)において「支援団体」という。）が公益社団法人（その社員総会における議決権の総数の２分の１以上の数が地方公共団体により保有されているものに限る。⑦(注)において同じ。）又は公益財団法人（その設立当初において拠出をされた金額の２分の１以上の金額が地方公共団体により拠出をされているものに限る。⑦(注)において同じ。）であり、かつ、その定款において、当該支援団体が解散した場合にその残余財産が地方公共団体又は当該支援団体と類似の目的をもつ他の公益を目的とする事業を行う法人に帰属する旨の定めがあること。

７　上記＿＿下線部については、都市緑地法等の一部を改正する法律（令和６年法律第40号）の施行の日以後、⑦(注)中「農地中間管理機構は、」が「要件は、⑦の農地中間管理機構が」に、「あって」が「あり、かつ」に、「その法人」及び「当該法人」が「当該農地中間管理機構」に、「もの」が「こと」に改められる。（令６改措令附１六）

（特定土地区画整理事業の施行者と買取りをする者の関係）

（1）　**2**表内①の規定については、次の諸点に留意する。（措通34－１）

（一）　**2**表内①に規定する事業の施行者は、国、地方公共団体、独立行政法人都市再生機構又は地方住宅供給公社に限られ、地方公共団体の設立に係る団体（地方住宅供給公社を除く。）は含まれないこと。

（二）　**2**表内①に規定する事業の用に供される土地等の買取りをする者には、国、地方公共団体、独立行政法人都市再生機構又は地方住宅供給公社のほか、地方公共団体の設立に係る団体（地方住宅供給公社を除く。）で同①のかっこ書に規定するものが含まれること。

（三）　**2**表内①に規定する事業の施行者が(一)に掲げる者に該当し、かつ、当該事業の用に供される土地等の買取りをする者が(二)に掲げる者に該当する場合には、当該事業の施行者と当該買取りをする者が異なっても同①の適用があること。

（宅地の造成を主たる目的とするものかどうかの判定）

（2）　**2**表内①及び同④に規定する地方公共団体が財産を提供して設立した団体（当該地方公共団体とともに国、地方公共団体及び独立行政法人都市再生機構以外の者が財産を提供して設立した団体を除く。）で、都市計画その他市街地の整備の計画に従って宅地の造成を行うことを主たる目的とするものに該当するかどうかは、当該宅地の造成を行うことがその団体の定款に定められている目的及び業務の範囲内であるかどうかにより判定する。

この場合において、当該宅地の造成を行うことがその団体の主たる業務に附帯する業務にすぎないときは、その団体は**2**表内①及び同④に規定する団体に該当しないことに留意する。（措通34－１の２）

（代行買収の要件）

（3）　**2**表内①に規定する事業の施行者と同①に規定する土地等の買取りをする者が異なる場合におけるその買い取った土地等が当該事業の用に供するため買い取った土地等に該当するかどうかは、次に掲げる要件の全てを満たしているかどうかにより判定するものとする。（措通34－２）

（一）　買取りをした土地等に相当する換地処分又は権利変換後の換地取得資産（**五１**《換地処分等の場合の課税の特例》の注に規定する換地取得資産をいう。以下**十二２**(12)（編者注：措通35の２－10）において同じ。）又は変換取得資産若しくは防災変換取得資産は、最終的に**2**表内①に掲げる事業の施行者に帰属するものであること。

（二）　当該土地等の買取り契約書には、当該土地等の買取りをする者が、**2**表内①に規定する事業の施行者が行う当該事業の用に供するために買取りをするものである旨が明記されているものであること。

（三）　上記(一)に掲げる事項については、当該事業の施行者と当該土地等の買取りをする者との間の契約書又は覚書により相互に明確に確認されているものであること。

（同一事業で**2**表内①の買取りが２以上の年にわたって行われたとき）

（4）　個人の有する土地等につき、一の事業で**2**表内①から同⑥までの買取りに係るものの用に供するために、これらの規定の買取りが２以上行われた場合において、これらの買取りが２以上の年にわたって行われたときは、これらの買取りのうち、最初にこれらの規定の買取りが行われた年において行われたもの以外の買取りについては、**1**の規定は、適用しない。（措法34③）

（受益者等課税信託の信託財産に属する土地等が特定土地区画整理事業等のために買い取られた場合）

（5）　受益者等課税信託の信託財産に属する土地等が特定土地区画整理事業等のために買い取られた場合において、(4)に規定する「一の事業で**2**表内①から同⑥までの買取りに係るものの用に供するために、これらの規定の買取りが２以上行われた場合」に該当するかどうかは、受益者等が有する受益者等課税信託の信託財産に属する土地等の譲渡とそれ以外の土地等の譲渡とを通じて判定することに留意する。（措通34－４の２）

（借地権の設定の対価についての不適用）

（6）　**1**、**九１**《1,500万円控除》又は**十１**《800万円控除》の規定は、借地権の設定の対価については、たとえ当該借地権の設定が第四章第八節**一２**①《資産の譲渡とみなされる行為》の規定により資産の譲渡とみなされる場合であっても、適用がないことに留意する。（措通34－３）

（一の事業の判定）

（7）　(4)に規定する「一の事業」に該当するかどうかの判定等については、**七３**(8)に準じて取り扱う。（措通34－４）

3　特別控除の申告要件

1の2,000万円控除の特例は、**1**の規定の適用があるものとした場合においてもその年分の確定申告書を提出しなければならない者については、**1**の規定の適用を受けようとする年分の確定申告書に、**1**の規定の適用を受けようとする旨の記載があり、かつ、**2**表内①から同⑥の買取りをする者から交付を受けた**1**の土地等の買取りがあったことを証する書類その他の財務省令（措規17＝省略）で定める書類の添付がある場合に限り適用する。（措法34④）

（確定申告書への記載等がない場合の宥恕規定）

（1）　税務署長は、確定申告書の提出がなかった場合又は上記の記載又は添付がない確定申告書の提出があった場合においても、その提出又は記載若しくは添付がなかったことについてやむを得ない事情があると認めるときは、当該記載をした書類及び証明書類の提出があった場合に限り、**1**の特例を適用することができる。（措法34⑤）

（買取りをする者の支払調書の提出）

（2）　**2**表内①から同⑥の買取りをする者は、土地等の買取りをした場合には、1月から3月まで、4月から6月まで、7月から9月まで及び10月から12月までの各期間に支払うべき当該買取りに係る対価についての支払に関する調書《所得税法第225条第1項第9号》を、当該期間に属する最終月の翌月末日までに、その事業の施行に係る営業所、事務所その他の事業場の所在地の所轄税務署長に提出しなければならない。（措法34⑥、措規17②、15④）

（特定土地区画整理事業等の証明書の区分一覧表）

（3）　**3**に規定する財務省令で定める書類の内容は、措通別表3（省略）として定められている。（措通34－5）

九　特定住宅地造成事業等のために土地等を譲渡した場合の所得の特別控除

1　1,500万円特別控除

個人の有する土地等が**2**に定める**特定住宅地造成事業等**のために買い取られる場合に該当することとなった場合には、その者がその年中にその該当することとなった土地等（**十一**《居住用財産の譲渡所得の特別控除》の規定の適用を受ける部分を除く。）の全部又は一部につき**十五１**《特定の居住用財産の買換えの場合の長期譲渡所得の課税の特例》、同**5**《特定の居住用財産を交換した場合の長期譲渡所得の課税の特例》、**十八１**《特定の事業用資産の買換えの場合の譲渡所得の課税の特例》又は同**4**《特定の事業用資産を交換した場合の譲渡所得の課税の特例》の規定の適用を受ける場合を除き、これらの全部の土地等の譲渡に対する**一**《土地建物等の長期譲渡所得の課税の特例》又は**二**《土地建物等の短期譲渡所得の課税の特例》の規定の適用については、これらの規定中下表の左欄に掲げる規定は同表の右欄に定めるところによる。（措法34の２①）

イ	**一１**①中「長期譲渡所得の金額」	長期譲渡所得の金額から1,500万円（長期譲渡所得の金額のうち**九１**《1,500万円特別控除》の規定に該当する土地等の譲渡に係る部分の金額が1,500万円に満たない場合には当該土地等の譲渡に係る部分の金額とし、ロの規定により読み替えられた**二**《土地建物等の短期譲渡所得の課税の特例》①の規定の適用を受ける場合には1,500万円から同項の規定により控除される金額を控除した金額と当該土地等の譲渡に係る部分の金額とのいずれか低い金額とする。）を控除した金額
ロ	**二**①イ中「短期譲渡所得の金額」	短期譲渡所得の金額から1,500万円（短期譲渡所得の金額のうち**九１**の規定に該当する土地等の譲渡に係る部分の金額が1,500万円に満たない場合には、当該土地等の譲渡に係る部分の金額）を控除した金額

2　特定住宅地造成事業等の意義

1に規定する特定住宅地造成事業等のために買い取られる場合とは、次の①から㉕に掲げる場合をいう。（措法34の２②）

①	地方公共団体（地方公共団体が財産を提供して設立した団体（当該地方公共団体とともに国、地方公共団体及び独立行政法人都市再生機構以外の者が財産を提供して設立した団体を除く。②において同じ。）で、都市計画その他市街地の整備の計画に従って宅地の造成を行うことを主たる目的とするものを含む。⑫において同じ。）、独立行政法人中小企業基盤整備機構、独立行政法人都市再生機構、成田国際空港株式会社、地方住宅供給公社又は日本勤労者住宅協会が行う住宅の建設又は宅地の造成を目的とする事業（土地開発公社が行う公有地の拡大の推進に関する法律第17条第１項第１号ニに掲げる土地の取得に係る事業を除く。）の用に供するためにこれらの者に買い取られる場合（**三１**《収用交換等の場合の課税の特例》表内②若しくは同④及び**四１**《交換処分等の特例》表内①又は**八**《特定土地区画整理事業等のために土地等を譲渡した場合の所得の特別控除》**2**表内①の特例に掲げる場合に該当する場合を除く。）（措令22の８①）
②	**三１**表内①に定める土地収用法等に基づく収用（収用に準ずる買取り〔**三１**表内②〕及び使用〔**三４**表内①〕を含む。）を行う者若しくはその者に代わるべき者（地方公共団体若しくは地方公共団体が財産を提供して設立した団体又は独立行政法人都市再生機構で、収用を行う者と当該収用に係る事業につきその者に代わって当該収用の対償に充てられる土地又は土地の上に存する権利を買い取るべき旨の契約を締結したもの）によって当該収用の対償に充てるため買い取られる場合、住宅地区改良法第２条第６項に規定する改良住宅を同条第３項に規定する改良地区の区域外に建設するため買い取られる場合又は公営住宅法第２条第４号に規定する公営住宅の買取りにより地方公共団体に買い取られる場合（**三１**表内②若しくは同④若しくは**四１**表内①に掲げる場合又は都市再開発法による第２種市街地再開発事業の用に供するために同②に規定する収用をすることができる当該事業の施行者である同法第50条の２第３項に規定する再開発会社によって当該収用の対償に充てるため買い取られる場合を除く。）（措令22の８②③）
③	一団の宅地の造成に関する事業（次に掲げる要件を満たすものであることにつき(９)で定めるところにより、国土交通大臣の認定を受けたもの〔措令22の８④〕に限る。）の用に供するために、平成６年１月１日から令和８年12月31日までの間に、買い取られる場合（(７)で定める場合に限る。） イ　当該一団の宅地の造成が土地区画整理法による土地区画整理事業（当該土地区画整理事業の同法第

<table>
<tr><td></td><td><table>
<tr><td></td><td>2条第4項に規定する施行地区（ロにおいて「施行地区」という。）の全部が都市計画法第7条第1項の市街化区域と定められた区域に含まれるものに限る。）として行われるものであること。</td></tr>
<tr><td>ロ</td><td>当該一団の宅地の造成に係る一団の土地（イの土地区画整理事業の施行地区内において当該土地等の買取りをする個人又は法人の有する当該施行地区内にある一団の土地に限る。）の面積が5ヘクタール以上のものであることその他（8）で定める要件を満たすものであること。</td></tr>
<tr><td>ハ</td><td>当該事業により造成される宅地の分譲が公募の方法により行われるものであること。</td></tr>
</table></td></tr>
<tr><td>④</td><td>公有地の拡大の推進に関する法律第6条第1項の協議に基づき地方公共団体、土地開発公社又は港務局、地方住宅供給公社、地方道路公団及び独立行政法人都市再生機構に買い取られる場合（三 1 表内②又は八 2 表内①から同⑥までに掲げる場合に該当する場合を除く。）（措令22の8⑦）</td></tr>
<tr><td>⑤</td><td>特定空港周辺航空機騒音対策特別措置法第4条第1項に規定する航空機騒音障害防止特別地区内にある土地が同法第9条第2項の規定により買い取られる場合</td></tr>
<tr><td>⑥</td><td>地方公共団体又は幹線道路の沿道の整備に関する法律第13条の2第1項に規定する沿道整備推進機構（公益社団法人（その社員総会における議決権の総数の2分の1以上の数が地方公共団体により保有されているものに限る。⑦から⑪まで及び㉕において同じ。）又は公益財団法人（その設立当初において拠出をされた金額の2分の1以上の金額が地方公共団体により拠出をされているものに限る。⑦から⑪まで及び㉕において同じ。）であって、その定款において、その法人が解散した場合にその残余財産が地方公共団体又は当該法人と類似の目的をもつ他の公益を目的とする事業を行う法人に帰属する旨の定めがあるものに限る。）が同法第2条第2号に掲げる沿道整備道路の沿道の整備のために行う公共施設若しくは公用施設の整備、宅地の造成又は建築物及び建築敷地の整備に関する次に掲げる事業（当該事業が沿道整備推進機構により行われるものである場合には、地方公共団体の管理の下に行われるものに限る。）の用に供するために、都市計画法第12条の4第1項第4号に掲げる沿道地区計画の区域内にある土地等が、これらの者に買い取られる場合（三 1 表内②若しくは同④、四 1 ①若しくは八 2 表内①に掲げる場合又は①、②若しくは④に掲げる場合に該当する場合を除く。）（措令22の8⑧）
<table>
<tr><td>イ</td><td>道路、公園、緑地その他の公共施設又は公用施設の整備に関する事業</td></tr>
<tr><td>ロ</td><td>都市計画法第4条第7項に規定する市街地開発事業、住宅地区改良法第2条第1項に規定する住宅地区改良事業又は流通業務市街地の整備に関する法律第2条第2項に規定する流通業務団地造成事業</td></tr>
<tr><td>ハ</td><td>遮音上有効な機能を有する建築物として下記(注)で定めるもの（以下ハにおいて「緩衝建築物」という。）の整備に関する事業で、次に掲げる要件を満たすもの
(イ)　その事業の施行される土地の区域の面積が500平方メートル以上であること。
(ロ)　当該緩衝建築物の建築面積が150平方メートル以上であること。
(ハ)　当該緩衝建築物の敷地のうち日常一般に開放された空地の部分の面積の当該敷地の面積に対する割合が100分の20以上であること。</td></tr>
</table>
（注）上表のハに規定する（注）で定める建築物は、同ハに規定する沿道地区計画に適合する建築物で、幹線道路の沿道の整備に関する法律施行規則第14条第1項第2号（同条第2項の規定により適用される場合を含む。）及び第3号に掲げる要件に該当するもの（遮音上の効用を有しないものを除く。）とする。（措規17の2④）</td></tr>
<tr><td>⑦</td><td>地方公共団体又は密集市街地における防災街区の整備の促進に関する法律第300条第1項に規定する防災街区整備推進機構（公益社団法人又は公益財団法人であって、その定款において、その法人が解散した場合にその残余財産が地方公共団体又は当該法人と類似の目的をもつ他の公益を目的とする事業を行う法人に帰属する旨の定めがあるものに限る。）が同法第2条第2号に掲げる防災街区としての整備のために行う公共施設若しくは公用施設の整備、宅地の造成又は建築物及び建築敷地の整備に関する事業で特定防災街区整備地区又は防災街区整備地区計画の区域内において行われる次に掲げる事業（当該事業が⑦に規定する防災街区整備推進機構により行われるものである場合には、地方公共団体の管理の下に行われるものに限る。）の用に供するために、都市計画法第8条第1項第5号の2に掲げる特定防災街区整備地区又は同法第12条の4第1項第2号に掲げる防災街区整備地区計画の区域内にある土地等が、これらの者に買い取られる場合（三《収用交換等の場合の課税の特例》1 表内②若しくは同④、四 1 表内①若しくは八《特定土地区画整理事業のために土地等を譲渡した場合の所得の特別控除》2 に掲げる場合又はこの表の①、②若しくは④に掲げる場合に該当する場合を除く。）（措令22の8⑨）</td></tr>
</table>

	イ	道路、公園、緑地その他の公共施設又は公用施設の整備に関する事業
	ロ	都市計画法第４条第７項に規定する市街地開発事業又は住宅地区改良法第２条第１項に規定する住宅地区改良事業
	ハ	密集市街地における防災街区の整備の促進に関する法律第２条第２号に掲げる防災街区としての整備に資する建築物として下記(注)で定めるもの（以下ハにおいて「延焼防止建築物」という。）の整備に関する事業で、次に掲げる要件を満たすもの (イ)　その事業の施行される土地の区域の面積が300平方メートル以上であること。 (ロ)　当該延焼防止建築物の建築面積が150平方メートル以上であること。
		(注)　上記のハに規定する(注)で定める建築物は、同ハに規定する特定防災街区整備地区に関する都市計画法第４条第１項に規定する都市計画（密集市街地における防災街区の整備の促進に関する法律第31条第３項第３号に規定する間口率の最低限度が定められているものに限る。）に適合する建築物で建築基準法第２条第９号の２に規定する耐火建築物に該当するもの並びに⑦に規定する防災街区整備地区計画に適合する建築物で密集市街地における防災街区の整備の促進に関する法律施行規則第134条第１号ロ及びハに掲げる要件に該当するものとする。（措規17の２⑤）
⑧		地方公共団体又は中心市街地の活性化に関する法律第61条第１項に規定する中心市街地整備推進機構（注で定めるものに限る。）が同法第16条第１項に規定する認定中心市街地（以下⑧において「認定中心市街地」という。）の整備のために同法第12条第１項に規定する認定基本計画の内容に即して行う公共施設若しくは公用施設の整備、宅地の造成又は建築物及び建築敷地の整備に関する事業で注に掲げる事業（当該事業が⑧に規定する中心市街地整備推進機構により行われるものである場合には、地方公共団体の管理の下に行われるものに限る。）の用に供するために、認定中心市街地の区域内にある土地等が、これらの者に買い取られる場合（**三１**表内②若しくは同④、**四１**表内①若しくは**八２**表内①に掲げる場合又はこの表の①、②、④若しくは⑥又は⑦に掲げる場合に該当する場合を除く。） （注で定める中心市街地整備推進機構） 注　⑧に規定する注で定める中心市街地整備推進機構は、公益社団法人又は公益財団法人であって、その定款において、その法人が解散した場合にその残余財産が地方公共団体又は当該法人と類似の目的をもつ他の公益を目的とする事業を行う法人に帰属する旨の定めがあるものとし、⑧に規定する注で定める事業は、⑧の認定中心市街地の区域内において行われる次に掲げる事業（当該事業が⑧に規定する中心市街地整備推進機構により行われるものである場合には、地方公共団体の管理の下に行われるものに限る。）とする。（措令22の８⑩） イ　道路、公園、緑地その他の公共施設又は公用施設の整備に関する事業 ロ　都市計画法第４条第７項に規定する市街地開発事業 ハ　都市再開発法第129条の６に規定する認定再開発事業計画に基づいて行われる同法第129条の２第１項に規定する再開発事業
⑨		地方公共団体又は景観法第92条第１項に規定する景観整備機構（下記(注)で定めるものに限る。以下⑨において同じ。）が同法第８条第１項に規定する景観計画に定められた同条第２項第５号ロに規定する景観重要公共施設の整備に関する事業（当該事業が当該景観整備機構により行われるものである場合には、地方公共団体の管理の下に行われるものに限る。）の用に供するために、当該景観計画の区域内にある土地等が、これらの者に買い取られる場合（**三１**表内②、**四１**表内①若しくは**八２**表内①に掲げる場合又は②、④若しくは⑥から⑧までに掲げる場合に該当する場合を除く。） (注)　上記に規定する(注)で定める景観整備機構は、公益社団法人又は公益財団法人であって、その定款において、その法人が解散した場合にその残余財産が地方公共団体又は当該法人と類似の目的をもつ他の公益を目的とする事業を行う法人に帰属する旨の定めがあるものとする。（措令22の８⑪）
⑩		地方公共団体又は都市再生特別措置法第118条第１項に規定する都市再生推進法人（下記(注)で定めるものに限る。以下⑩において同じ。）が同法第46条第１項に規定する都市再生整備計画又は同法第81条第１項に規定する立地適正化計画に記載された公共施設の整備に関する事業（当該事業が当該都市再生整備推進法人により行われるものである場合には、地方公共団体の管理の下に行われるものに限る。）の用に供するために、当該都市再生整備計画又は立地適正化計画の区域内にある土地等が、これらの者に買い取られる場合（**三１**表内②若しくは同④、**四１**表内①若しくは**八２**表内①に掲げる場合又は①、②、④若しくは⑥から⑨までに掲げる場合に該

<table>
<tr><td></td><td>当する場合を除く。）
（注）　上記に規定する（注）で定める都市再生推進法人は、公益社団法人又は公益財団法人であって、その定款において、その法人が解散した場合にその残余財産が地方公共団体又は当該法人と類似の目的をもつ他の公益を目的とする事業を行う法人に帰属する旨の定めがあるものとする。（措令22の８⑫）</td></tr>
<tr><td>⑪</td><td>地方公共団体又は地域における歴史的風致の維持及び向上に関する法律第34条第１項に規定する歴史的風致維持向上支援法人（下記（注）で定めるものに限る。以下⑪において同じ。）が同法第12条第１項に規定する認定重点区域における同法第８条に規定する認定歴史的風致維持向上計画に記載された公共施設又は公共施設の整備に関する事業（当該事業が当該歴史的風致維持向上支援法人により行われるものである場合には、地方公共団体の管理の下に行われるものに限る。）の用に供するために、当該認定重点区域内にある土地等が、これらの者に買い取られる場合（三１表内②若しくは同④、四１表内①若しくは八２表内①に掲げる場合又は②、④若しくは⑥から⑩までに掲げる場合に該当する場合を除く。）
（注）　上記に規定する（注）で定める歴史的風致維持向上支援法人は、公益社団法人又は公益財団法人であって、その定款において、その法人が解散した場合にその残余財産が地方公共団体又は当該法人と類似の目的をもつ他の公益を目的とする事業を行う法人に帰属する旨の定めがあるものとする。（措令22の８⑬）</td></tr>
<tr><td>⑫</td><td>国又は都道府県が作成した総合的な地域開発に関する計画で、国土交通省の作成した苫小牧地区及び石狩新港地区の開発に関する計画並びに青森県の作成したむつ小川原地区の開発に関する計画に基づき、主として工場、住宅又は流通業務施設の用に供する目的で行われる一団の土地の造成に関する事業で、次に掲げる要件に該当するものとして都道府県知事が指定したものの用に供するために、地方公共団体又は国若しくは地方公共団体の出資に係る法人（その発行済株式又は出資の総数又は総額の２分の１以上が国〔国の全額出資に係る法人を含む。〕又は地方公共団体により所有され又は出資をされた法人）に買い取られる場合（措令22の８⑭⑮）
<table>
<tr><td>イ</td><td>当該計画に係る区域の面積が300ヘクタール以上であり、かつ、当該事業の施行区域の面積が30ヘクタール以上であること。（措令22の８⑮）</td></tr>
<tr><td>ロ</td><td>当該事業の施行区域内の道路、公園、緑地その他の公共の用に供する空地の面積が当該施行区域内に造成される土地の用途区分に応じて適正に確保されるものであること。</td></tr>
</table></td></tr>
<tr><td>⑬</td><td>次に掲げる事業（都市計画その他の土地利用に関する国又は地方公共団体の計画に適合して行われるものであることその他（20）で定める要件に該当することにつき（22）で定めるところにより証明がされたものに限る。）の用に供するために、地方公共団体の出資に係る法人その他（20）で定める法人に買い取られる場合
<table>
<tr><td>イ</td><td>商店街の活性化のための地域住民の需要に応じた事業活動の促進に関する法律第５条第３項に規定する認定商店街活性化事業計画に基づく同法第２条第２項に規定する商店街活性化事業又は同法第７条第３項に規定する認定商店街活性化支援事業計画に基づく同法第２条第３項に規定する商店街活性化支援事業</td></tr>
<tr><td>ロ</td><td>中心市街地の活性化に関する法律第49条第２項に規定する認定特定民間中心市街地活性化事業計画に基づく同法第７条第７項に規定する中小小売商業高度化事業（同項第１号から第４号まで又は第７号に掲げるものに限る。）</td></tr>
</table></td></tr>
<tr><td>⑭</td><td>次に掲げる事業で当該イ又はロに定める要件に該当するものとして都道府県知事が指定したものの用に供するために買い取られる場合（措令22の８⑱）
<table>
<tr><td>イ</td><td>農業協同組合法（昭和22年法律第132号）第11条の48第１項に規定する宅地等供給事業のうち同法第10条第５項第３号に掲げるもの……当該事業が、都市計画その他の土地利用に関する国又は地方公共団体の計画に適合した計画に従って行われるものであること並びに当該事業により造成される土地の処分予定価額が、当該事業の施行区域内の土地の取得及び造成に要する費用の額、分譲に要する費用の額、当該事業に要する一般管理費の額並びにこれらの費用に充てるための借入金の利子の額の見積額の合計額以下であること。</td></tr>
<tr><td>ロ</td><td>独立行政法人中小企業基盤整備機構法第15条第１項第３号ロに規定する他の事業者との事業の共同化又は中小企業の集積の活性化に寄与する事業の用に供する土地の造成に関する事業……イに定める要件に該当すること及び当該事業が同項第３号又は第４号の規定による資金の貸付けを受けて行われるものであること。</td></tr>
</table></td></tr>
</table>

⑭の2	総合特別区域法第2条第2項第5号イ又は第3項第5号イに規定する共同して又は一の団地若しくは主として一の建物に集合して行う事業の用に供する土地の造成に関する事業が、⑭イに定める要件に該当すること及び同法第30条又は第58条の規定による資金の貸付けを受けて行われるものとして市町村長又は特別区の区長が指定したものの用に供するために買い取られる場合（措令22の8⑲）
⑮	地方公共団体の出資に係る法人その他の(27)で定める法人（以下この⑮において「特定法人」という。）が行う産業廃棄物の処理に係る特定施設の整備の促進に関する法律第2条第2項に規定する特定施設の整備の事業（当該事業が同法第4条第1項の規定による認定を受けた整備計画に基づいて行われるものであることその他の(28)で定める要件に該当することにつき(29)で定めるところにより証明がされたものに限る。）の用に供するために、地方公共団体又は当該特定法人に買い取られる場合（**三1**表内②若しくは**四1**表内①に掲げる場合又は①に掲げる場合に該当する場合を除く。）
⑯	広域臨海環境整備センター法第20条第3項の規定による認可を受けた同項の基本計画に基づいて行われる同法第2条第1項第4号に掲げる廃棄物の搬入施設の整備の事業の用に供するために、広域臨海環境整備センターに買い取られる場合
⑰	生産緑地法第6条第1項に規定する生産緑地地区内にある土地が、同法第11条第1項、第12条第2項又は第15条第2項の規定に基づき、地方公共団体、土地開発公社又は港務局、地方住宅供給公社、地方道路公団及び独立行政法人都市再生機構に買い取られる場合（措令22の8⑦）
⑱	国土利用計画法第12条第1項の規定により規制区域として指定された区域内の土地等が同法第19条第2項の規定により買い取られる場合
⑲	国、地方公共団体又は独立行政法人中小企業基盤整備機構、独立行政法人都市再生機構その他法人税法別表第一《公共法人の表》に掲げる法人で地域の開発、保全又は整備に関する事業を行う法人が作成した地域の開発、保全又は整備に関する事業に係る計画で、国土利用計画法第9条第3項に規定する土地利用の調整等に関する事項として同条第1項の土地利用基本計画に定められたもの（地域の開発、保全又は整備に関する事業の施行区域が定められた計画で、当該施行区域の面積が20ヘクタール以上であるもの。）に基づき、当該事業の用に供するために土地等が国又は地方公共団体（地方公共団体が財産を提供して設立した団体〔当該地方公共団体とともに国、地方公共団体及び独立行政法人都市再生機構以外の者が財産を提供して設立した団体を除く。〕で、都市計画その他市街地の整備の計画に従って宅地の造成を行うことを主たる目的とするものを含む。）に買い取られる場合（措令22の8①㉒）
⑳	都市再開発法第7条の6第3項、大都市地域住宅等供給促進法第8条第3項（大都市地域住宅等供給促進法第27条において準用する場合を含む。）、地方拠点都市地域の整備及び産業業務施設の再配置の促進に関する法律第22条第3項又は被災市街地復興特別措置法第8条第3項の規定により土地等が買い取られる場合
㉑	土地区画整理法による土地区画整理事業（同法第3条第1項の規定によるものを除く。）が施行された場合において、土地等の上に存する建物又は構築物（以下㉑において「建物等」という。）が建築基準法第3条第2項に規定する建築物その他(30)で定める建物等に該当していることにより換地（当該土地の上に存する権利の目的となるべき土地を含む。以下㉑において同じ。）を定めることが困難であることにつき(31)で定めるところにより証明がされた当該土地等について土地区画整理法第90条の規定により換地が定められなかったことに伴い同法第94条の規定による清算金を取得するとき。（下記(注)に定める場合に該当する場合を除く。） (注)　上記に規定する(注)で定める場合は、土地区画整理法による㉑に規定する土地区画整理事業（その施行者が同法第51条の9第5項に規定する区画整理会社であるものに限る。）が施行された場合において、当該区画整理会社の株主又は社員である者が、その有する土地等につき㉑の換地が定められなかったことに伴い同法第94条の規定による清算金を取得するときとする。（措令22の8㉔）
㉑の2	土地等につき被災市街地復興土地区画整理事業が施行された場合において、被災市街地復興特別措置法第17条第1項の規定により保留地が定められたことに伴い当該土地等に係る換地処分により当該土地等のうち当該保留地の対価の額に対応する部分の譲渡があったとき。
㉒	土地等につきマンションの建替え等の円滑化に関する法律第2条第1項第4号に規定するマンション建替事業が施行された場合において、当該土地等に係る同法の権利変換により同法第75条の規定による補償金（当該個人（同条第1号に掲げる者に限る。）がやむを得ない事情により同法第56条第1項の申出をしたと認められる場合として注で定める場合における当該申出に基づき支払われるものに限る。）を取得するとき、又は当該土地等が同法第15条第1項若しくは第64条第1項若しくは第3項の請求（当該個人にやむを得ない事情があったと認

<table>
<tr><td></td><td>められる場合として注で定める場合にされたものに限る。）により買い取られたとき
（やむを得ない事情により申出をしたと認められる場合として注で定める場合及びやむを得ない事情があったと認められる場合として注で定める場合）
注　上記に規定するやむを得ない事情により申出をしたと認められる場合として注で定める場合及びやむを得ない事情があったと認められる場合として注で定める場合は、次の(一)又は(二)に掲げる場合のいずれかに該当する場合で、上記のマンション建替事業の施行者がその該当することにつきマンションの建替え等の円滑化に関する法律第37条第１項又は第53条第１項の審査委員の過半数の確認を得た場合とする。（措令22の８㉕）
<table>
<tr><td>(一)</td><td>マンションの建替えの円滑化等に関する法律第56条第１項の申出をした者、同法第15条第１項若しくは第64条第１項の請求をされた者又は同条第３項の請求をした者（(二)においてこれらの者を「申出人等」という。）の有する同法第２条第１項第６号に規定する施行マンションが都市計画法第８条第１項第１号から第２号の２までの地域地区による用途の制限につき建築基準法第３条第２項の規定の適用を受けるものである場合</td></tr>
<tr><td>(二)</td><td>(一)の施行マンションにおいて住居を有し若しくは事業を営む申出人等又はその者と住居及び生計を一にしている者が老齢又は身体上の障害のためマンションの建替えの円滑化等に関する法律第２条第１項第７号に規定する施行再建マンションにおいて生活すること又は事業を営むことが困難となる場合</td></tr>
</table></td></tr>
<tr><td>㉒の２</td><td>建築物の耐震改修の促進に関する法律第５条第３項第２号に規定する通行障害既存耐震不適格建築物（同法第７条第２号又は第３号に掲げる建築物であるものに限る。）に該当する決議特定要除却認定マンション（マンションの建替え等の円滑化に関する法律第109条第１項に規定する決議特定要除却認定マンションをいう。）の敷地の用に供されている土地等につきマンションの建替え等の円滑化に関する法律第２条第１項第９号に規定するマンション敷地売却事業（当該マンション敷地売却事業に係る同法第113条に規定する認定買受計画に、決議特定要除却認定マンションを除却した後の土地に新たに建築される同項第１号に規定するマンションに関する事項の記載があるものに限る。）が実施された場合において、当該土地等に係る同法第141条第１項の認可を受けた同項に規定する分配金取得計画（同法第145条において準用する同項の規定により当該分配金取得計画の変更に係る認可を受けた場合には、その変更後のもの）に基づき同法第151条の規定による同法第142条第１項第３号の分配金を取得するとき、又は当該土地等が同法第124条第１項の請求により買い取られたとき。</td></tr>
<tr><td>㉓</td><td>絶滅のおそれのある野生動植物の種の保存に関する法律第37条第１項の規定により管理地区として指定された区域内の土地が国若しくは地方公共団体に買い取られる場合又は鳥獣保護及び狩猟の適正化に関する法律第29条第１項の規定により環境大臣が特別保護地区として指定した区域内の土地のうち文化財保護法第109条第１項の規定により天然記念物として指定された鳥獣（これに準ずる鳥を含む。）の生息地その他次に掲げる土地で国若しくは地方公共団体においてその保存をすることが緊急に必要なものとして環境大臣が指定する土地（上記に規定する管理地区として指定された区域内の土地を除く。）が国若しくは地方公共団体に買い取られる場合（**三１**表内②又は**八２**表内④に掲げる場合に該当する場合を除く。）（措令22の８㉖）
<table>
<tr><td>イ</td><td>文化財保護法第109条第１項の規定により天然記念物として指定された鳥獣の生息地</td></tr>
<tr><td>ロ</td><td>日本国が締結した渡り鳥及び絶滅のおそれのある鳥類並びにその環境の保護に関する条約においてその保護をすべきものとされた鳥類の生息地</td></tr>
</table></td></tr>
<tr><td>㉔</td><td>自然公園法第72条に規定する都道府県立自然公園の区域内のうち同法第73条第１項に規定する条例の定めるところにより特別地域として指定された地域で、当該地域内における行為につき同法第20条第１項に規定する特別地域内における行為に関する同法第２章第４節の規定による規制と同等の規制が行われている地域として環境大臣が認定した地域内の土地又は自然環境保全法第45条第１項に規定する都道府県自然環境保全地域のうち同法第46条第１項に規定する条例の定めるところにより特別地区として指定された地区で、当該地区内における行為につき同法第25条第１項に規定する特別地区内における行為に関する同法第４章第２節の規定による規制と同等の規制が行われている地区として環境大臣が認定した地区内の土地が地方公共団体に買い取られる場合</td></tr>
</table>

㉕	農業経営基盤強化促進法第４条第１項第１号に規定する農用地で農業振興地域の整備に関する法律第８条第２項第１号に規定する農用地区域として定められている区域内にあるものが、農業経営基盤強化促進法第22条第２項の協議に基づき、同項の農地中間管理機構（公益社団法人又は公益財団法人であって、その定款において、その法人が解散した場合にその残余財産が地方公共団体又は当該法人と類似の目的をもつ他の公益を目的とする事業を行う法人に帰属する旨の定めがあるものに限る。）に買い取られる場合（措令22の８㉗）

（「宅地」の範囲）

（1）　**2**表内①に規定する「宅地」とは、建物の敷地及びその維持又は効用を果たすために必要な土地をいうのであるが、ガスタンク又は石油タンクの敷地である土地もこれに含まれるものとして取り扱う。（措通34の２－１）

（地方公共団体等が行う住宅の建設又は宅地の造成事業の施行者と買取りをする者の関係）

（2）　**2**表内①に規定する住宅の建設又は宅地の造成を行う者が同①に掲げる者に該当し、かつ、当該住宅の建設又は宅地の造成のために土地等の買取りをする者が同①に掲げる者に該当する場合には、当該住宅の建設又は宅地の造成の事業施行者と当該買取りをする者とが異なっていても、同①の規定の適用があることに留意する。（措通34の２－２）

（代行買収の要件）

（3）　**2**表内①に規定する住宅の建設又は宅地の造成の事業施行者と同①に規定する土地等の買取りをする者が異なる場合におけるその買い取った土地等が当該住宅の建設又は宅地の造成のため買い取った土地等に該当するかどうかは、次に掲げる要件の全てを満たしているかどうかにより判定するものとする。（措通34の２－３）

（一）　買取りをした土地等は、最終的に**2**表内①の事業の施行者に帰属するものであること。

（二）　当該土地等の買取契約書には、当該土地等の買取りをする者が**2**表内①の事業の施行者が行う当該住宅の建設又は宅地の造成のために買取りをするものである旨が明記されているものであること。

（三）　上記(一)の事項については、当該事業の施行者と当該土地等の買取りをする者との間の契約書又は覚書により相互に明確に確認されているものであること。

（収用対償用地が農地等である場合）

（4）　農地法の規定により、**2**表内②に規定する収用を行う者（同号かっこ書の地方公共団体が財産を提供して設立した団体を含む。以下「公共事業施行者」という。）が、当該収用の対償に充てるための農地又は採草放牧地（以下「農地等」という。）を直接取得することができないため、当該公共事業施行者、当該収用により資産を譲渡した者及び当該農地等の所有者の三者が、次に掲げる事項を内容とする契約を締結し、当該契約に基づき、農地等の所有者が当該農地等を譲渡した場合には、当該譲渡は、同②に規定する「収用の対償に充てるため買い取られる場合」に該当するものとして、**1**の規定を適用することができるものとする。（措通34の２－４）

（一）　農地等の所有者は、当該収用により資産を譲渡した者に対し当該農地等を譲渡すること。

（二）　公共事業施行者は、当該農地等の所有者に対し当該農地等の譲渡の対価を直接支払うこと。

（注）　上記契約方式における農地等の譲渡について**2**表内②に規定する「当該収用の対償に充てるため買い取られる場合」に該当するのは、当該農地等のうち事業用地の所有者に支払われるべき事業用地の譲渡に係る補償金又は対価のうち当該農地等の譲渡の対価として公共事業施行者から当該農地等の所有者に直接支払われる金額に相当する部分に限られる。

（収用対償地の買取りに係る契約方式）

（5）　次に掲げる方式による契約に基づき、収用の対償に充てられることとなる土地等（以下（5）及び(26)において「代替地」という。）が**公共事業施行者**（**三１**表内①に規定する土地収用法等に基づく収用（同②の買取り及び**三４**表内①の使用を含む。以下（5）及び(26)において同じ。）を行う者をいう。以下（5）及び(26)において同じ。）に買い取られる場合は、**2**表内②に規定する「収用の対償に充てるため買い取られる場合」に該当するものとする。（措通34の２－５）

（一）　公共事業施行者、収用により譲渡する土地等（以下（5）及び(26)において「事業用地」という。）の所有者及び代替地の所有者の三者が次に掲げる事項を約して契約を締結する方式

イ　代替地の所有者は公共事業施行者に代替地を譲渡すること。

ロ　事業用地の所有者は公共事業施行者に事業用地を譲渡すること。

ハ　公共事業施行者は代替地の所有者に対価を支払い、事業用地の所有者には代替地を譲渡するとともに事業用地

の所有者に支払うべき補償金等（事業用地の譲渡に係る補償金又は対価に限る。以下(5)において同じ。）の額から代替地の所有者に支払う対価の額を控除した残額を支払うこと。

（注）　上記契約方式における代替地の譲渡について**2**表内②に規定する「当該収用の対償に充てるため買い取られる場合」に該当するのは、当該代替地のうち事業用地の所有者に支払われるべき事業用地の譲渡に係る補償金又は対価に相当する部分に限られるので、例えば、上記契約方式に基づいて公共事業施行者が取得する代替地であっても当該事業用地の上にある建物につき支払われるべき移転補償金に相当する部分には**1**の規定の適用がないことに留意する。

(二)　公共事業施行者と事業用地の所有者が次に掲げる事項を約して契約を締結する方式

イ　事業用地の所有者は公共事業施行者に事業用地を譲渡し、代替地取得を希望する旨の申出をすること。

ロ　公共事業施行者は事業用地の所有者に代替地の譲渡を約すとともに、事業用地の所有者に補償金等を支払うこと。ただし、当該補償金等の額のうち代替地の価額に相当する金額については公共事業施行者に留保し、代替地の譲渡の際にその対価に充てること。

（**2**表内③の買い取りが２以上行われた場合）

(6)　個人の有する土地等につき、一の事業で**2**表内①から同③まで、同⑥から同⑯まで、同⑲、同㉒又は同㉒の２の買取りに係るものの用に供するために、これらの規定の買取りが２以上行われた場合において、これらの買取りが２以上の年にわたって行われたときは、これらの買取りのうち、最初にこれらの規定の買取りが行われた年において行われたもの以外の買取りについては、**1**の規定は、適用しない。（措法34の２④）

（土地区画整理法による土地区画整理事業として行われる場合の条件）

(7)　**2**表内③に規定する場合は、**1**に規定する土地等（以下(7)、(30)(四)及び**2**表内㉑(注)において「土地等」という。）が、同条第二項第三号イに規定する土地区画整理事業に係る土地区画整理法第４条第１項、第14条第１項若しくは第３項又は第51条の２第１項に規定する認可の申請があった日の属する年の１月１日以後（当該土地区画整理事業の同号イに規定する施行地区内の土地又は土地の上に存する権利につき同法第98条第１項の規定による仮換地の指定（仮に使用又は収益をすることができる権利の目的となるべき土地又はその部分の指定を含む。）が行われた場合には、同日以後その最初に行われた当該指定の効力発生の日の前日までの間）に、同号ロに規定する個人又は法人に買い取られる場合（当該土地等が当該個人又は法人の有する当該施行地区内にある土地と併せて一団の土地に該当することとなる場合に限るものとし、当該土地区画整理事業（その施行者が同法第51条の９第５項に規定する区画整理会社であるものに限る。）の施行に伴い、当該区画整理会社の株主又は社員である者の有する土地等が当該区画整理会社に買い取られる場合を除く。）とする。（措令22の８⑤）

（**2**表内③ロに規定する要件）

(8)　**2**表内③ロに規定する要件は、同③ハに規定する方法により分譲される一の住宅の建設の用に供される土地の面積が(10)で定める要件を満たすものであることとする。（措令22の８⑥）

（**2**表内③イからハまでに掲げる要件を満たすものであることの国土交通大臣の認定）

(9)　**2**表内③の規定による国土交通大臣の認定は、その一団の宅地の造成に関する事業に係る宅地の造成及び宅地の分譲が**2**表内③イからハまでに掲げる要件を満たすものであることにつき、国土交通大臣の定めるところにより、当該一団の宅地の造成に関する事業を行う個人又は法人の申請に基づき行うものとする。（措規17の２②）

（(8)に規定する(10)で定める要件）

(10)　(8)に規定する(10)で定める要件は、**2**表内③ハに規定する方法により分譲される一の住宅の建設の用に供される土地（建物の区分所有等に関する法律第２条第１項の区分所有権の目的となる建物の建設の用に供される土地を除く。）の面積が170平方メートル（地形の状況その他の特別の事情によりやむを得ない場合にあっては、150平方メートル）以上であることとする。（措規17の２③）

（一団地の公営住宅の買取りが行われた場合の**三**、**四**又は**七**との適用関係）

(11)　公営住宅法第２条第４号に規定する「公営住宅の買取り」が、一団地の住宅経営に係る事業として行われる場合において、当該一団地の住宅経営に係る事業が50戸未満の事業であるときは、**2**表内②に該当するのであるが、当該一団地の住宅経営に係る事業が50戸以上の事業であるときは、**三**《収用等の課税の特例》、**四**《交換処分等の課税の特例》又は**七**《収用交換等の5,000万円控除》の規定の適用がある場合があるのであるから留意する。（措通34の２－６）

（公営住宅の買取りが行われた場合における特例の適用対象となる土地等の範囲）

(12)　土地等が**2**表内②に規定する公営住宅の買取りにより地方公共団体に買い取られる場合における**1**の規定の適用については、次の点に留意する。（措通34の２－７）

(一)　**1**の規定の適用対象となる土地等は、固定資産である土地等に限られること。したがって、例えば、土地所有者が建物を建設し、その建物と敷地である土地が買い取られる場合において、当該土地の譲渡による所得が第四章第八節**一 1**(11)《極めて長期間保有していた土地に区画形質の変更等を加えて譲渡した場合の所得》の取扱いにより事業所得、雑所得又は譲渡所得に区分されるときには、譲渡所得となる部分のみに**1**の規定の適用があること。

(二)　**2**表内②に規定する公営住宅の買取りにおける土地等の買取りとは、地方公共団体が公営住宅法第２条第４号の規定により公営住宅として建物（同号に規定する附帯施設を含む。以下(12)において同じ。）を買い取るために必要な土地の所有権、地上権又は賃借権を取得することをいい、当該建物の買取りに付随しない土地等の買取りは、これには該当しないことから、例えば、地方公共団体が公営住宅として建物とその敷地である借地権等を買い取り、当該借地権等の設定されていた土地の所有者と当該土地に係る賃貸借契約を締結した場合において、その後に当該土地の所有者から底地を買い取った場合には、当該底地の譲渡については**1**の規定の適用はないこと。

(注)(１)　公営住宅法第２条第４号に規定する「附帯施設」とは、給水施設、排水施設、電気施設等のほか自転車置場、物置等の施設をいい、公営住宅法第２条第９号に規定する児童遊園、共同浴場、集会場等の「共同施設」は、同条第４号の公営住宅の買取りには含まれていないのであるから留意する。

(２)　公営住宅の買取りに伴い借地権等が設定される場合の**1**の規定の適用関係については、**八**《特定土地区画整理事業等の2,000万円控除》**2**(６)による。

(三)　借地権等を有する者が、当該借地権等に係る底地を取得した後、公営住宅として買い取られる建物に付随して旧借地権等部分と旧底地部分が買い取られる場合には、そのいずれの部分についても、**1**の適用があること。

（土地区画整理事業として行われる宅地造成事業）

(13)　一団の宅地の造成に関する事業（以下(17)までにおいて「宅地造成事業」という。）が**2**表内③ロに規定する要件に該当するかどうかの判定については、次の点に留意する。（措通34の２－９）

(一)　土地区画整理事業の施行地区内において土地等の買取りをする個人又は法人が２以上あるときは、同表の③のロに定める面積要件は全体として判定するのではなく、それぞれ土地等の買取りをする個人又は法人ごとに判定すること。

(二)　同③のロに規定する「土地等の買取りをする個人又は法人の有する……一団の土地」とは、同③のロに規定する土地等の買取りをする個人又は法人が土地区画整理事業の施行地区内において既に有する土地と買取りに係る土地とを併せて、これらの土地が一団の土地となっているものをいうこと。

(三)　宅地造成事業により造成した一の住宅の建設の用に供される宅地は、建物の区分所有等に関する法律第２条第１項の区分所有権の目的となる建物の建設の用に供される土地を除き、その全部が(８)に規定する面積要件に該当するものでなければならないこと。

（土地区画整理事業として行う宅地造成事業のための土地等の買取り時期）

(14)　一団の宅地の造成が**2**表内③イに規定する土地区画整理事業として行われるものである場合には、当該事業に係る土地区画整理法第４条第１項《施行の認可》、第14条第１項若しくは第３項《設立の認可》又は第51条の２第１項《施行の認可》に規定する認可の申請があった日の属する年の１月１日以後（当該事業の同法第２条第４項《定義》に規定する施行地区内の土地等につき(７)に規定する仮換地の指定が行われた場合には、同日以後その最初に行われた当該指定の効力発生の日の前日までの間）に土地等が買い取られる場合に限り**1**の規定の適用があるのであるが、当該事業の施行地区内の土地等につき当該仮換地の指定が行われないで土地区画整理法第103条《換地処分》の規定による換地処分が行われる場合には、同条第４項の規定による換地処分の公告があった日以後に行われた土地等の買取りについては**2**表内③の規定に該当しないものとする。（措通34の２－13）

（公 募 要 件）

(15)　**2**表内③ハに規定する「公募の方法により行われるもの」とは、宅地造成事業により造成された宅地（公共施設（道路、公園、下水道、緑地、広場、河川、運河、水路及び消防の用に供する貯水施設をいう。）又は公益的施設（教育施設、医療施設、官公庁施設、購買施設その他の施設で、居住者の共同の福祉又は利便のために必要なものをいう。）の敷地の用に供される部分の土地を除く。以下(17)までにおいて同じ。）の全部が公募の方法により分譲される事業をいうことに留意する。したがって、宅地造成事業であっても、次に掲げるようなものは該当しない。（措通34の２－14）

(一)　造成された宅地の全部又は一部の賃貸を目的とする事業

（二）　造成された宅地の全部又は一部を、従業員、子会社その他特定の者に譲渡することを約して行う事業

（公募手続開始前の譲渡）

(16)　宅地造成事業により造成された宅地を公募手続開始前に譲渡するときは、たとえその譲渡が一般需要者に対するものであり、かつ、公募後の譲渡と同一条件により行われたものであっても、公募の方法による譲渡には該当しないものとする。（措通34の２－15）

（会員を対象とする土地等の譲渡）

(17)　いわゆるハウジングメイト等会員を対象として宅地造成事業により造成された宅地の譲受人を募集するものであっても、その会員の募集が公募の方法により行われるときは、当該会員を対象とする譲受人の募集は、公募の方法に該当するものとする。（措通34の２－16）

（注）「会員の募集が公募により行われるとき」には、一団の宅地の造成分譲を目的として、その分譲を希望する組合員、出資者等を募集する場合を含むものとするが、会員等となるに当たって縁故関係を必要とすること、入会資格に強い制約のある社交団体の会員資格を必要とすること等の場合は、これに含まれないものとする。

（優良住宅地に係る長期譲渡所得の課税の特例との適用関係）

(18)　その年中に**2**に規定する特定住宅地造成事業等のために買い取られる場合に該当することとなった土地等の譲渡につき**一2**《優良住宅地の造成等のために土地等を譲渡した場合の長期譲渡所得の課税の特例》（同**2**表内③において準用する場合を含む。以下同じ。）の規定の適用はないことに留意する。（措通34の２－17）

（２以上の年に譲渡している場合の措置法第34条との適用関係）

(19)　**2**表内①、同⑥から同⑪までの規定に該当する買取りが行われた場合において当該買取りが**八2**表内①に掲げる場合にも該当する場合、**2**表内④の規定に該当する買取りが行われた場合において当該買取りが**八2**表内①から同⑥に掲げる場合にも該当する場合及び**2**表内㉓の規定に該当する買取りが行われた場合において当該買取りが**八2**表内④に掲げる場合にも該当する場合には、これらの買取りについては**八1**の規定が適用され、**1**の規定の適用はないこととされていることから、これらに該当する買取りが一の事業のために２以上の年にわたって行われた場合においては、最初の年の譲渡以外の譲渡については、**八1**のみならず**1**の規定の適用もないことに留意する。（措通34の２－19）

（**2**表内⑬の事業に係る要件及び法人）

(20)　**2**表内⑬に規定する要件及び法人は、次の（一）及び（二）に掲げる事業の区分に応じ、当該（一）及び（二）の「事業の要件」欄に定める要件とし、同⑬に規定する法人は、当該（一）及び（二）の「法人」欄に定める法人とする。（措令22の８⑯⑰、措規17の２⑥～⑭、平21経済産業省告示第257号（最終改正令３同省告示第70号））

号	事業の要件	法人
（一） **2**表内⑬イ《商店街活性化事業》又は同ロ《商店街活	次に掲げる事業の区分に応じそれぞれ次に定める要件 イ　商店街の活性化のための地域住民の需要に応じた事業活動の促進に関する法律（以下（一）及び右欄において「商店街活性化法」という。）第２条第２項に規定する**商店街活性化事業**　次に掲げる要件 （１）　当該事業が都市計画その他の土地利用に関する国又は地方公共団体の計画に適合して行われるものであること。 （２）　当該事業により顧客その他の地域住民の利便の増進を図るための施設として財務省令で定める施設が設置されること。 （注）　上記（２）に規定する財務省令で定める施設は、休憩所、集会場、駐車場、アーケードその他これらに類する施設（以下「公共用施設」という。）とする。（措規17の２⑥） （３）　当該事業の区域として財務省令で定める区域の面積が1,000平方メートル以上であること。 （注）　上記（３）に規定する財務省令で定める区域は、イの（４）に規定する認定商店街活性化事業計画に基づく商店街活性化法第５条第１項	次に掲げる事業の区分に応じそれぞれ次に定める法人 イ　左欄のイに掲げる商店街活性化事業　**2**表内⑬イの認定商店街活性化事業計画（当該商店街活性化事業に係るものに限る。）に係る商店街活性化法第５条第１項に規定する認定商店街活性化事業者である法人で、中小企業等協同組合法第９条の２第７項に規定する特定共済組合及び同法第９条の９第４項に規定する特定共済組合連合会以外のもの ロ　左欄のロに掲げる商店街活性化支援事業　**2**表内⑬イの認定商店街活性化支援事業計画（当該商店街活性化支援事業に係るものに限る。）に

性化支援事業》に掲げる事業

に規定する認定商店街活性化事業者である商店街振興組合等（同法第２条第２項に規定する商店街振興組合等をいう。）の組合員又は所属員で中小小売商業者等（同法第２条第１項第３号から第７号までに掲げる者をいう。）に該当するものの事業の用に供される店舗その他の施設（当該認定商店街活性化事業計画の区域内に存するものに限る。）及び当該認定商店街活性化事業計画に基づく当該商店街活性化事業により新たに設置される公共用施設の用に供される土地の区域とする。（措規17の２⑦）

（4）　当該事業に係る商店街活性化法第５条第３項に規定する認定商店街活性化事業計画が経済産業大臣が財務大臣と協議して定める基準に適合するものであり、当該認定商店街活性化事業計画に従って当該事業が実施されていること。

（5）　その他財務省令で定める要件

（注）　その他の財務省令で定める要件は、次に掲げる要件とする。（措規17の２⑧）

（イ）　当該事業に参加する者の数が10以上であること。

（ロ）　当該事業により新たに設置される公共用施設及び店舗その他の施設の用に供される土地の面積とこれらの施設の床面積との合計面積（これらの施設の建築面積を除く。）に占める売場面積の割合が２分の１以下であること。

（ハ）　当該事業が、独立行政法人中小企業基盤整備機構法第15条第１項第３号、第４号若しくは第11号に掲げる業務（同項第３号又は第４号に掲げる業務にあっては、同項第３号ロ又はハに掲げる事業又は業務に係るものに限る。）に係る資金（同項第11号に掲げる業務に係るものにあっては、土地、建物その他の施設を取得し、造成し、又は整備するのに必要な資金に限る。）の貸付け、株式会社日本政策金融公庫法（平成19年法律第57号）第11条第１項第１号の規定による同法別表第一第１号若しくは第14号の下欄に掲げる資金（土地、建物その他の施設を取得し、造成し、又は整備するのに必要な資金に限る。）の貸付け又は国若しくは地方公共団体の補助金（土地、建物その他の施設を取得し、造成し、又は整備するのに必要な補助金に限る。）の交付を受けて行われるものであること。

ロ　商店街活性化法第２条第３項に規定する**商店街活性化支援事業**　次に掲げる要件

（1）　イ(1)に掲げる要件

（2）　当該事業を行う施設として財務省令で定める施設（その建築面積が150平方メートル以上であるものに限る。）が設置されること。

（注）　上記(2)に規定する財務省令で定める施設は、研修施設（講義室を有する施設で、資料室を備えたものをいう。(5)(注)において同じ。）とする。（措規17の２⑨）

（3）　当該事業の区域として財務省令で定める区域の面積が300平方メートル以上であること。

（注）　上記(3)に規定する財務省令で定める区域は、下記(4)に規定する認定商店街活性化支援事業計画に基づく表の(二)のロに掲げる商店街活性化支援事業を行う施設として新たに設置される研修施設の用に供される土地の区域とする。（措規17の２⑩）

（4）　当該事業に係る商店街活性化法第７条第３項に規定する認定商店街活性化支援事業計画が経済産業大臣が財務大臣と協議して定める基準に適合するものであり、当該認定商店街活性化支援事業計画に従って当該事業が実施されていること。

（5）　その他財務省令で定める要件

（注）　上記(5)に規定する財務省令で定める要件は、イ(5)(注)(ハ)に

係る商店街活性化法第７条第１項に規定する認定商店街活性化支援事業者である法人（商店街活性化法第６条第１項に規定する一般社団法人又は一般財団法人であって、その定款において、その法人が解散した場合にその残余財産が地方公共団体又は当該法人と類似の目的をもつ他の公益を目的とする事業を行う法人に帰属する旨の定めがあるもののうち、次に掲げる要件のいずれかを満たすものに限る。）

（1）　その社員総会における議決権の総数の３分の１を超える数が地方公共団体により保有されている公益社団法人であること。

（2）　その社員総会における議決権の総数の４分の１以上の数が一の地方公共団体により保有されている公益社団法人であること。

（3）　その拠出をされた金額の３分の１を超える金額が地方公共団体により拠出をされている公益財団法人であること。

（4）　その拠出をされた金額の４分の１以上の金額が一の地方公共団体により拠出をされている公益財団法人であること。

掲げる要件とする。（措規17の２⑪）

(二)　⑬のロに掲げる事業【中小小売商業高度化事業】

イ　(一)イ(１)及び同(２)に掲げる要件

ロ　当該事業の区域として(21)で定める区域の面積が1,000平方メートル(当該事業が中心市街地の活性化に関する法律(以下(三)において「中心市街地活性化法」という。)第７条第７項第３号若しくは第４号に定める事業又は同項第７号に定める事業（当該事業が同項第３号又は第４号に定める事業に類するもので共同店舗とともに公共用施設を設置する事業又は共同店舗と併設される公共用施設を設置する事業に限る。（措規17の２⑬)）である場合には、500平方メートル）以上であること。

ハ　当該事業が独立行政法人中小企業基盤整備機構法第15条第１項第３号又は第４号に掲げる業務（同項第３号ロ又はハに掲げる事業又は業務に係るものに限る。）に係る資金の貸付けを受けて行われるものであること。

ニ　中心市街地活性化法第49条第２項に規定する認定特定民間中心市街地活性化事業計画（以下(二)において「認定特定民間中心市街地活性化事業計画」という。）に基づく中心市街地活性化法第７条第７項第１号又は第２号に定める事業にあっては、これらの事業に参加する者の数が10以上であること。（措規17の２⑭）

ホ　認定特定民間中心市街地活性化事業計画に基づく中心市街地活性化法第７条第７項第２号から第４号まで又は第７号に定める事業にあっては、これらの事業により新たに設置される公共用施設及び店舗その他の施設の用に供される土地の面積とこれらの施設の床面積との合計面積（これらの施設の建築面積を除く。）に占める売場面積の割合が２分の１以下であること。（措規17の２⑭）

ヘ　認定特定民間中心市街地活性化事業計画に基づく中心市街地活性化法第７条第７項第７号に定める事業にあっては、当該事業を行う認定特定民間中心市街地活性化事業者である法人に出資又は拠出をしている商店街振興組合等の組合員又は所属員で中小小売商業者等の用に供される店舗その他の施設（当該認定特定民間中心市街地活性化事業計画の区域内に存するものに限る。）又は当該事業により新たに設置される店舗その他の施設をその者の営む事業の用に供する者の数が10（当該事業がロに定めるものである場合には、５）以上であること。（措規17の２⑭）

認定特定民間中心市街地活性化事業計画（当該事業に係るものに限る。）に係る中心市街地活性化法第49条第１項に規定する認定特定民間中心市街地活性化事業者である法人（同法第７条第７項第７号に定める事業にあっては、商工会、商工会議所及び次に掲げる法人に限る。）

イ　地方公共団体の出資に係る中心市街地活性化法第７条第７項第７号に掲げる特定会社のうち、次に掲げる要件を満たすもの

（１）　当該法人の発行済株式又は出資の総数又は総額の３分の２以上が地方公共団体又は独立行政法人中小企業基盤整備機構により所有され、又は出資をされていること。

（２）　当該法人の株主又は出資者（以下(二)及び（三)において「株主等」という。）の３分の２以上が中小小売商業者等（中心市街地の活性化に関する法律第７条第１項に規定する中小小売商業者（同号イにおいて「中小小売商業者」という。）又は中心市街地の活性化に関する法律施行令第12条第１項第２号に規定する中小サービス業者（同法第７条第１項第３号及び第５号から第７号までに該当するものに限る。）をいう。（３）において同じ。）又は商店街振興組合等（同法第７条第７項第１号に掲げる商店街振興組合等（中小企業等協同組合法第９条の９第１項第１号又は第３号の事業を行う協同組合連合会を除く。）をいう。（３）において同じ。）であること。

（３）　その有する当該法人の株式又は出資の数又は金額の最も多い株主等が地方公共団体、独立行政法人中小企業基盤整備機構、中小小売商業者等又は商店街振興組合等のいずれかであること。

ロ　中心市街地活性化法第７条第７項第７号に掲げる一般社団法人等であって、その定款において、その法人が解散した場合にその残余財産が地方公共団体又は当該法人と類似の目的をもつ他の公益を目的とする事業

			を行う法人に帰属する旨の定めがあるもののうち、(一)ロ(１)から同(４)までに掲げる要件のいずれかを満たすもの

(中小小売商業高度化事業の区域)

(21)　(20)(二)ロに規定する区域は、次の(一)から(三)までに掲げる事業の区分に応じ当該(一)から(三)までに定める区域とする。(措規17の２⑫)

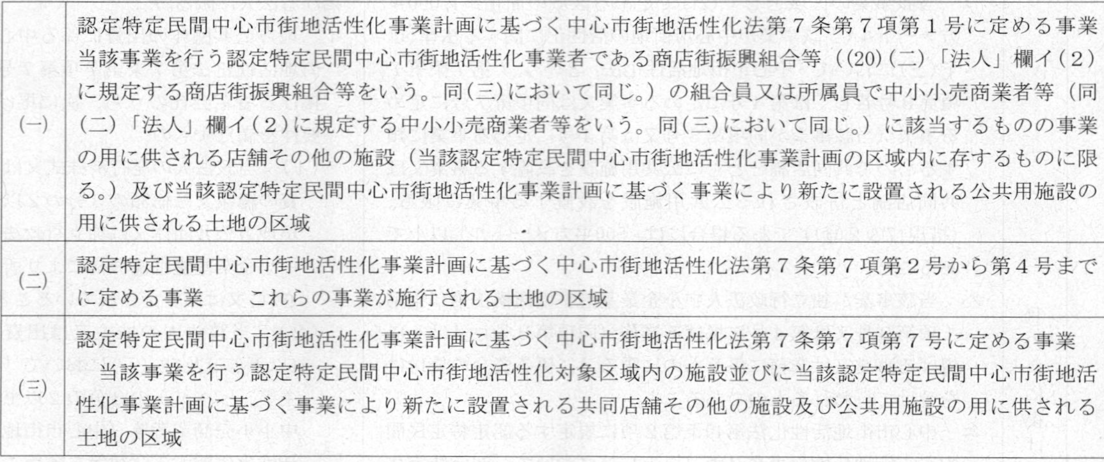

(一)	認定特定民間中心市街地活性化事業計画に基づく中心市街地活性化法第７条第７項第１号に定める事業　当該事業を行う認定特定民間中心市街地活性化事業者である商店街振興組合等((20)(二)「法人」欄イ(２)に規定する商店街振興組合等をいう。同(三)において同じ。)の組合員又は所属員で中小小売商業者等(同(二)「法人」欄イ(２)に規定する中小小売商業者等をいう。同(三)において同じ。)に該当するものの事業の用に供される店舗その他の施設(当該認定特定民間中心市街地活性化事業計画の区域内に存するものに限る。)及び当該認定特定民間中心市街地活性化事業計画に基づく事業により新たに設置される公共用施設の用に供される土地の区域
(二)	認定特定民間中心市街地活性化事業計画に基づく中心市街地活性化法第７条第７項第２号から第４号までに定める事業　これらの事業が施行される土地の区域
(三)	認定特定民間中心市街地活性化事業計画に基づく中心市街地活性化法第７条第７項第７号に定める事業　当該事業を行う認定特定民間中心市街地活性化対象区域内の施設並びに当該認定特定民間中心市街地活性化事業計画に基づく事業により新たに設置される共同店舗その他の施設及び公共用施設の用に供される土地の区域

(**２**表内⑬の事業に係る証明手続)

(22)　**２**表内⑬に規定するところにより証明がされた事業は、次の(一)及び(二)までに掲げる事業の区分に応じ当該(一)及び(二)までに定める事業とする。(措規17の２⑮)

(一)	**２**表内⑬イに掲げる事業《高度化事業》　当該事業が(20)(一)の「事業の要件」欄に定める要件を満たすものであることにつき書面により経済産業大臣の証明がされた事業
(二)	**２**表内⑬ロに掲げる事業《中小小売商業高度化事業》　当該事業が(20)(二)の「事業の要件」欄に定める要件を満たすものであることにつき書面により経済産業大臣の証明がされた事業

(「公共用施設」の範囲)

(23)　(20)(一)に規定する「公共用施設」とは、休憩所、集会場、駐車場、小公園、カラー舗装、街路灯などのように顧客その他の地域住民の利便の増進を図るための施設をいうのであるから、商店街振興組合等の組合事務所及び組合員が共同で使用する店舗、倉庫などのような施設は公共用施設には含まれないことに留意する。(措通34の２−20)

(事業の区域の面積判定)

(24)　(20)(一)の「事業の要件」欄イ(３)(注)又は同欄ロ(３)(注)に定める事業の区域の面積が1,000㎡又は300㎡以上であるかどうかは、例えば、店舗併用住宅などのように(20)(一)「事業の要件」欄イ(３)(注)又は同欄ロ(３)(注)に規定するものの事業の用に供される部分と当該事業の用以外の用に供される部分とからなる建物の用に供される土地がある場合には、その土地の全部が当該事業の区域の面積に該当するものとして判定することとする。(措通34の２−21)

(一の事業の判定)

(25)　(６)に規定する「一の事業」に該当するかどうかの判定等については、**七３**(９)に準じて取り扱う。(措通34の２−22)

（収用対償地の事業概念）

(26)　代替地の買取りそのものは、(６)に規定する「事業」には当たらないので、公共事業施行者が当該買取りに係る代替地について区画形質の変更を加え若しくは水道その他の施設を設け又は建物を建設した上で事業用地の所有者に譲渡するような場合を除き、代替地の買取りについては(６)の規定の適用はないことに留意する。（措通34の２－23）

（注）代替地の買取りについて(６)の規定が適用される場合であっても、代替地の買取りが(６)に規定する一の事業の用に供するための買取りに該当するかどうかは、当該代替地の買取りのみに基づいて判定するのであって、当該買取りの起因となった収用等の事業が同一事業であるかどうかとは関係がないことに留意する。

（**2**表内⑮の定める法人）

(27)　**2**表内⑮に規定する法人は、次の(一)及び(二)に掲げる法人とする。（措令22の８⑳）

(一)	地方公共団体の出資に係る法人のうち、その発行済株式又は出資の総数又は総額の２分の１以上が一の地方公共団体により所有され又は出資をされているもの
(二)	公益社団法人又は公益財団法人であって、その定款において、その法人が解散した場合にその残余財産が地方公共団体又は当該法人と類似の目的をもつ他の公益を目的とする事業を行う法人に帰属する旨の定めがあるもののうち、次に掲げる要件のいずれかを満たすもの イ　その社員総会における議決権の総数の２分の１以上の数が地方公共団体により保有されている公益社団法人であること。 ロ　その社員総会における議決権の総数の４分の１以上の数が一の地方公共団体により保有されている公益社団法人であること。 ハ　その拠出をされた金額の２分の１以上の金額が地方公共団体により拠出をされている公益財団法人であること。 ニ　その拠出をされた金額の４分の１以上の金額が一の地方公共団体により拠出をされている公益財団法人であること。

（**2**表内⑮の定める要件）

(28)　**2**表内⑮に規定する要件は、産業廃棄物の処理に係る特定施設の整備の促進に係る法律第２条第２項に規定する特定施設の整備の事業が、同法第４条第１項の規定による認定を受けた同項の整備計画（次の(一)及び(二)に掲げる事項の定めがあるものに限る。）に基づいて行われるものであること。（措令22の８㉑）

(一)	**2**表内⑮に規定する特定法人が当該特定施設を運営すること。
(二)	当該特定施設の利用者を限定しないこと。

（**2**表内⑮で定めるところにより証明がされた事業）

(29)　**2**表内⑮に規定するところにより証明がされた事業は、同⑮に規定する特定法人が行う(28)に規定する事業が(28)に定める要件を満たすものであることにつき書面により厚生労働大臣の証明がされた事業とする。（措規17の２⑯）

（**2**表内㉑で定める建物等）

(30)　**2**表内㉑に規定する建物等は、次の(一)から(六)までに掲げる建築物又は構築物とする。（措令22の８㉓、措規17の２⑱）

(一)	建築基準法第３条第２項に規定する建築物
(二)	風俗営業等取締法の一部を改正する法律（以下(二)において「改正法」という。）附則第２条第２項若しくは第３条第１項の規定の適用に係る風俗営業等の規制及び業務の適正化等に関する法律第２条第１項に規定する風俗営業の営業所が同法第４条第２項第２号の規定に基づく条例の規定の施行若しくは適用の際当該条例の規定に適合しない場合の当該風俗営業の営業所の用に供されている建築物若しくは構築物（以下(35)において「建築物等」という。）、同法第28条第３項に規定する店舗型性風俗特殊営業（改正法附則第４条第２項又は風俗営業等の規制及び業務の適正化等に関する法律の一部を改正する法律（平成10年法律第55号）附則第４条第２項の規定の適用に係るものを含む。以下(二)において同じ。）が風俗営業等の規制及び

	業務の適正化等に関する法律第28条第１項の規定の施行若しくは適用の際同項の規定に適合しない場合の当該店舗型性風俗特殊営業の営業所の用に供されている建築物等、同条第３項に規定する店舗型性風俗特殊営業が同条第２項の規定に基づく条例の規定の施行若しくは適用の際当該条例の規定に適合しない場合の当該店舗型性風俗特殊営業の営業所の用に供されている建築物等、同法第31条の13第１項に規定する店舗型電話異性紹介営業（風俗営業等の規制及び業務の適正化等に関する法律の一部を改正する法律（平成13年法律第52号）附則第２条第２項の規定の適用に係るものを含む。以下(二)において同じ。）が風俗営業等の規制及び業務の適正化等に関する法律第31条の13第１項の規定若しくは同項において準用する同法第28条第２項の規定に基づく条例の規定の施行若しくは適用の際同法第31条の13第１項において準用する同法第28条第１項の規定若しくは当該条例の規定に適合しない場合の当該店舗型電話異性紹介営業の営業所の用に供されている建築物等又は同法第33条第５項に規定する営業が同条第４項の規定に基づく条例の規定の施行若しくは適用の際当該条例の規定に適合しない場合の当該営業の営業所の用に供されている建築物等
(三)	危険物の規制に関する政令の一部を改正する政令附則第２項に規定する屋外タンク貯蔵所で危険物の規制に関する政令第11条第１項第１号の２の表の第２号の上欄に掲げる屋外貯蔵タンクの存するもの
(四)	都市計画法第４条第２項に規定する都市計画区域内において同法第８条第１項第１号に規定する用途地域が変更され、又は変更されることとなることにより、引き続き従前の用途と同一の用途に供することができなくなる建築物等又は換地処分により取得する土地等の上に建築して従前と同一の用途に供することができなくなる建築物等
(五)	道路運送車両法施行規則の一部を改正する省令（以下(五)において「昭和42年改正規則」という。）附則第２項又は道路運送車両法施行規則等の一部を改正する省令（以下(五)において「昭和53年改正規則」という。）附則第２項の規定の適用に係る道路運送車両法第77条に規定する自動車特定整備事業を経営している者の当該事業の事業場の規模が昭和42年改正規則又は昭和53年改正規則の施行の際道路運送車両法施行規則第57条第１項及び別表第２号又は昭和53年改正規則による改正後の道路運送車両法施行規則別表第４の規定に適合しない場合の当該事業場に係る建築物又は構築物
(六)	風俗営業等の規制及び業務の適正化等に関する法律施行規則附則第２項の規定の適用に係る風俗営業等の規制及び業務の適正化等に関する法律第２条第１項第１号又は第２号に掲げる営業に係る営業所の同法第４条第２項第１号に規定する構造又は設備の全部が同規則の施行の際同規則第７条に規定する技術上の基準（当該営業所に係る床面積の大きさの基準に限る。）に適合しない場合の当該営業所の用に供されている建築物

（**2**表内㉑で定めるところにより証明がされた土地等）

(31)　**2**表内㉑に規定するところにより証明がされた土地等は、その土地等の上に存在する同㉑に規定する建物等（以下(31)において「建物等」という。）が(30)(一)から同(六)までに掲げる建築物又は構築物に該当していることにより**2**表内㉑に規定する換地（以下(31)において「換地」という。）を定めることが困難となる次の(一)及び(二)に掲げる事情のいずれかに該当することにつき書面により国土交通大臣の証明がされた土地等とする。（措規17の２⑰）

(一)	当該土地等に係る換地処分が行われたとしたならば、建築基準法その他の法令の規定により、当該建物等を引き続き従前の用途と同一の用途に供すること又は換地処分により取得する土地等の上に建物等を建築して従前の用途と同一の用途に供することができなくなると認められること。
(二)	当該土地等に係る換地処分が行われ、当該建物等を引き続き従前の用途と同一の用途に供するとしたならば、当該建物等の構造、配置設計、利用構成等を著しく変更する必要があると認められ、かつ、当該建物等における従前の生活又は業務の継続が著しく困難となると認められること。

（受益者等課税信託の信託財産に属する土地等が特定住宅地造成事業等のために買い取られた場合）

(32)　受益者等課税信託の信託財産に属する土地等が特定住宅地造成事業等のために買い取られた場合において、(6)に規定する「一の事業で**2**表内①から同③まで、同⑥から同⑯まで、同⑲、同㉒又は同㉒の２の買取りに係るものの用に供するために、これらの規定の買取りが２以上行われた場合」に該当するかどうかは、受益者等が有する受益者等課税信託の信託財産に属する土地等の譲渡とそれ以外の土地等の譲渡とを通じて判定することに留意する。（措通34の２－22の２）

（被災市街地復興推進地域内にあるものが**2**表内㉑の２に掲げる場合に該当することとなった場合）

(33)　個人の有する土地等で被災市街地復興推進地域内にあるものが**2**表内㉑の２に掲げる場合に該当することなった場合には、同㉑の２の保留地が定められた場合は**五 1**に規定する保留地が定められた場合に該当するものとみなし、かつ、同㉑の２の保留地の対価の額は**五 1**に規定する保留地の対価の額に該当するものとみなして、**五 1**の規定を適用する。（措法34の２③）

3　特別控除の申告要件

1の1,500万円控除の特例は、**1**の規定の適用があるものとした場合においてもその年分の確定申告書を提出しなければならない者については、**1**の規定の適用を受けようとする年分の確定申告書に、**1**の規定の適用を受けようとする旨の記載があり、かつ、**2**表内①から同㉕までの買取りをする者から交付を受けた**1**の土地等の買取りがあったことを証する書類その他の財務省令（措規17の２①＝省略）で定める書類の添付があった場合に限り適用する。（措法34の２⑤、34④）

（確定申告書への記載等がない場合の宥恕規定）

(1)　税務署長は、確定申告書の提出がなかった場合又は上記の記載又は添付がない確定申告書等の提出があった場合においても、その提出又は記載若しくは添付がなかったことについてやむを得ない事情があると認めるときは、当該記載をした書類及び証明書類の提出があった場合に限り、**1**の特例を適用することができる。（措法34の２⑤、34⑤）

（買取りをする者の支払調書の提出）

(2)　**2**表内①から同㉕までの買取りをする者は、土地等の買取りをした場合には、１月から３月まで、４月から６月まで、７月から９月まで及び10月から12月までの各期間に支払うべき当該買取りに係る対価についての支払に関する調書《所得税法第225条第１項第９号》を、当該期間に属する最終月の翌月末日までに、その事業の施行に係る営業所、事業所その他の事業場の所在地の所轄税務署長に提出しなければならない。（措法34の２⑤、34⑥）

（特定住宅地造成事業等の証明書の区分一覧表）

(3)　**3**に規定する書類の内容を一覧表で示したものが措通別表４（省略）として定められている。（措通34の２－24）

十　農地保有の合理化等のために農地等を譲渡した場合の所得の特別控除

1　800万円特別控除

個人の有する土地等が**2**に定める農地保有の合理化等のために譲渡した場合に該当することとなった場合には、その者がその年中にその該当することとなった土地等の全部又は一部につき**十八1**《特定の事業用資産の買換えの場合の譲渡所得の課税の特例》又は同**4**《特定の事業用資産を交換した場合の譲渡所得の課税の特例》の規定の適用を受ける場合を除き、これらの全部の土地等の譲渡に対する**一**《土地建物等の長期譲渡所得の課税の特例》又は**二**《土地建物等の短期譲渡所得の課税の特例》の規定の適用については、これらの規定中、下表の左欄に掲げる規定は同表の右欄に定めるところによる。（措法34の３①）

イ	**一1**①に規定する「長期譲渡所得の金額」	長期譲渡所得の金額から800万円（長期譲渡所得の金額のうち**十1**《800万円特別控除》の規定に該当する土地等の譲渡に係る部分の金額が800万円に満たない場合には当該土地等の譲渡に係る部分の金額とし、ロの規定により読み替えられた**二**《短期譲渡所得の分離課税》①の規定の適用を受ける場合には800万円から同①の規定により控除される金額を控除した金額と当該土地等の譲渡に係る部分の金額とのいずれか低い金額とする。）を控除した金額
ロ	**二**①イの規定中「短期譲渡所得の金額」	短期譲渡所得の金額から800万円（短期譲渡所得の金額のうち**十1**の規定に該当する土地等の譲渡に係る部分の金額が800万円に満たない場合には、当該土地等の譲渡に係る部分の金額）を控除した金額

2　「農地保有の合理化等のために譲渡した場合」の意義

1に規定する農地保有の合理化等のために譲渡した場合とは、次の①から⑥までに掲げる場合をいう。（措法34の３②）

①	農業振興地域の整備に関する法律第23条に規定する勧告に係る協議、調停又はあっせんにより譲渡した場合その他農地保有の合理化のために土地等を譲渡した場合として（1）で定める場合（**八2**⑦又は**九2**㉕の規定の適用がある場合を除く。）
②	農業振興地域の整備に関する法律第８条第２項第１号に規定する農用地区域内にある土地等を農地中間管理事業の推進に関する法律第18条第７項の規定による公告があった同条第１項の農用地利用集積等促進計画の定めるところにより譲渡した場合（**八2**⑦又は**九2**表内㉕の規定の適用がある場合を除く。）
③	農村地域への産業の導入の促進等に関する法律第５条第２項の規定により同条第１項に規定する実施計画において定められた同条第２項第１号に規定する産業導入地区内の土地等（農業振興地域の整備に関する法律第３条に規定する農用地等及び当該農用地等の上に存する権利に限る。）を当該実施計画に係る農村地域への産業の導入の促進等に関する法律第４条第２項第４号に規定する施設用地の用に供するため譲渡した場合
④	土地等（土地改良法第２条第１項に規定する農用地及び当該農用地の上に存する権利に限る。）につき同条第２項第１号から第３号までに掲げる土地改良事業が施行された場合において、当該土地等に係る換地処分により同法第54条の２第４項（換地処分の効果及び清算金）（同法第89条の２第10項、第96条及び第96条の４において準用する場合を含む。）に規定する清算金（当該土地等について、同法第８条第５項第２号に規定する施設の用若しくは同項第３号に規定する農用地以外の用途に供する土地又は同法第53条の３の２第１項第１号（土地改良施設等の用に供する土地についての措置）に規定する農用地に供することを予定する土地に充てるため同法第53条の２の２第１項（換地を定めない場合の特例）〔同法第89条の２第３項、第96条及び第96条の４において準用する場合を含む。〕の規定により、地積を特に減じて換地若しくは当該権利の目的となるべき土地若しくはその部分を定めたこと又は換地若しくは当該権利の目的となるべき土地若しくはその部分が定められなかったことにより支払われるものに限る。）を取得するとき。
⑤	林業経営の規模の拡大、林地の集団化その他林地保有の合理化に資するため、森林組合法第９条第２項第７号又は第101条第１項第９号の事業を行う森林組合又は森林組合連合会に委託して森林法第５条第１項の規定による地域森林計画の対象とされた山林に係る土地を譲渡した場合
⑥	土地等（農業振興地域の整備に関する法律第３条に規定する農用地等及び同法第８条第２項第３号（市町村の定める農業振興地域整備計画）に規定する農用地等とすることが適当な土地並びにこれらの土地の上に存する権利に限る。）につき同法第13条の２第１項又は第２項（交換分合）の事業が施行された場合において、同法第

13条の３（交換分合による清算金）の規定による清算金を取得するとき。

（（１）で定める場合）

（１）　**２**表内①に規定する（１）で定める場合は、農業経営基盤強化促進法第５条第３項に規定する農地中間管理機構（公益社団法人（その社員総会における議決権の総数の２分の１以上の数が地方公共団体により保有されているものに限る。）又は公益財団法人（その設立当初において拠出をされた金額の２分の１以上の金額が地方公共団体により拠出をされているものに限る。）であって、その定款において、その法人が解散した場合にその残余財産が地方公共団体又は当該法人と類似の目的をもつ他の公益を目的とする事業を行う法人に帰属する旨の定めがあるものに限る。）に対し、同法第７条の規定により当該農地中間管理機構が行う事業（同条第１号に掲げるものに限る。）のために農地法第２条第１項に規定する農地（同法第43条第１項の規定により農作物の栽培を耕作に該当するものとみなして適用する同法第２条第１項に規定する農地を含む。以下において「農地」という。）若しくは採草放牧地で農業振興地域の整備に関する法律第８条第２項第１号に規定する農用地区域として定められている区域内にあるもの、当該区域内にある土地で開発して農地とすることが適当なもの若しくは当該区域内にある土地で同号に規定する農業上の用途区分が同法第３条第４号に規定する農業用施設の用に供することとされているもの（農地の保全又は利用上必要な施設で（２）で定めるものの用に供する土地を含む。）又はこれらの土地の上に存する権利を譲渡した場合（**２**表内②に掲げる場合に該当する場合を除く。）とする。（措令22の９）

（農地の保全又は利用上必要な施設）

（２）　（１）の農地の保全又は利用上必要な施設は、（１）に規定する農用地区域として定められている区域内にある（１）に規定する農地を保全し、又は耕作（農地法第43条第１項の規定により耕作に該当するものとみなされる農作物の栽培を含む。）の用に供するために必要なかんがい排水施設、ため池、排水路又は当該農地の地すべり若しくは風害を防止するために直接必要な施設とする。（措規18①）

3　特別控除の申告要件

１の800万円控除は、**１**の規定の適用を受けようとする年分の確定申告書に、**１**の規定の適用を受けようとする旨の記載があり、かつ、**１**の規定に該当する旨を証する書類として財務省令（措規18②）で定めるものの添付がある場合に限り、適用する。（措法34の３③）

（確定申告書への記載等がない場合の宥恕規定）

（１）　税務署長は、確定申告書の提出がなかった場合又は上記の記載又は添付がない確定申告書等の提出があった場合においても、その提出又は記載若しくは添付がなかったことについてやむを得ない事情があると認めるときは、当該記載をした書類及び証明書類の提出があった場合に限り、**１**の特例を適用することができる。（措法34の３④）

（農地保有の合理化等の証明書の区分一覧表）

（２）　**３**に規定する書類の内容を一覧表で示したものが措通別表５（省略）として定められている。（措通34の３－１）

十一　居住用財産の譲渡所得の特別控除

1　3,000万円特別控除

①　居住財産の譲渡所得の特別控除（3,000万円特別控除）

個人の有する資産が、居住用財産を譲渡した場合に該当することとなった場合には、その年中にその該当することとなった全部の資産の譲渡に対する**一１**又は**二**の規定の適用については、次のイ又はロに定めるところによる。（措法35①）

イ	**一１**①に規定する「長期譲渡所得の金額」	長期譲渡所得の金額から3,000万円（長期譲渡所得の金額のうち①《3,000万円控除》の規定に該当する資産の譲渡に係る部分の金額が3,000万円に満たない場合には当該資産の譲渡に係る部分の金額とし、ロの規定により読み替えられた**二**《土地建物等の短期譲渡所得の課税の特例》①の規定の適用を受ける場合には3,000万円から同①の規定により控除される金額を控除した金額と当該資産の譲渡に係る部分の金額とのいずれか低い金額とする。）を控除した金額
ロ	**二**①の規定中「短期譲渡所得の金額」	短期譲渡所得の金額から3,000万円（短期譲渡所得の金額のうち①の規定に該当する資産の譲渡に係る部分の金額が3,000万円に満たない場合には、当該資産の譲渡に係る部分の金額）を控除した金額

（固定資産の交換の特例等との関係）

（1）　②(一)及び同(二)に規定する譲渡につき、**二十三**《固定資産の交換の場合の譲渡所得の特例》又は**三**から**五**まで及び**七**《収用交換等の場合の課税の特例》、**十五**《特定の居住用財産の買換え又は交換の特例》、**十八**《特定の事業用資産の買換え又は交換の特例》、**十九**《既成市街地等内にある土地等の中高層耐火建築物等建設のための買換え又は交換の特例》、**二十**《特定の交換分合により土地等を取得した場合の課税の特例》若しくは**二十一**《特定普通財産とその隣接する土地等の交換の場合の譲渡所得の課税の特例》の規定の適用を受ける場合には、当該譲渡については①の規定の適用はないが、当該譲渡した資産が居住用部分（その者の居住の用に供している部分をいう。以下(1)において同じ。）と非居住用部分（その者の居住の用以外の用に供している部分をいう。以下(1)において同じ。）とから成る家屋（当該家屋でその居住の用に供されなくなったものを含む。）又は当該家屋の敷地の用に供されている土地（当該家屋の敷地の用に供されていたものを含む。）若しくは当該土地の上に存する権利である場合において、当該非居住用部分に相当するものの譲渡についてのみ**三**《収用等に伴い代替資産を取得した場合の課税の特例》（**四２**《交換取得資産とともに取得した補償金等に係る課税の特例》において準用する場合を含み、**三７**②又は同③《代替資産の特例》に規定する資産を代替資産とする場合に限る。以下(1)において同じ。）、**四１**《交換取得資産に係る譲渡所得等の課税の特例》（**三７**②に規定する資産を同種の資産とする場合に限る。以下(1)において同じ。）、**十八**又は**十八４**の規定の適用を受けることができるときは、当該居住用部分に相当するものの譲渡については、当該非居住用部分に相当するものの譲渡につきこれらの規定の適用を受ける場合であっても、当該居住用部分に相当するものの譲渡が②の規定による要件を満たすものである限り、①の規定の適用があることに留意する。（措通35－１、編者補正）

（注）１　その者の居住の用に供されなくなった後において譲渡した家屋又は土地（土地の上に存する権利を含む。以下この(注)において同じ。）に係る居住用部分及び非居住用部分の判定は、その者の居住の用に供されなくなった時の直前における当該家屋又は土地の利用状況に基づいて行い、その者の居住の用に供されなくなった後における利用状況は、この判定には関係がない。

２　その者の居住の用に供されなくなった後において居住用部分の全部又は一部を他の用途に転用した家屋又は土地を譲渡し、その譲渡につきその転用後の用途に基づいて**三**、**四**、**十八**又は**十八４**の規定の適用を受ける場合には、当該居住用部分の譲渡については、①の規定の適用はない。

②　①に規定する居住用財産を譲渡した場合

①に規定する居住用財産を譲渡した場合とは、次の(一)及び(二)に掲げる場合（当該個人がその年の前年又は前々年において既に①（③の規定により適用する場合を除く。）又は**十五１**、**十五５**、**十六１**若しくは**十七１**の規定の適用を受けている場合を除く。）をいう。（措法35②）

(一)	その居住の用に供している家屋で(注)１で定めるもの（以下②において「**居住用家屋**」という。）の譲渡（当該個人の配偶者その他の当該個人と(注)２で定める特別の関係がある者に対してするもの及び**二十三**の規定又は**三**、**四**、**五**、**七**、**十八**、**十八４**若しくは**二十一**の規定の適用を受けるものを除く。以下②及び③において同じ。）又は居住用家屋とともにするその敷地の用に供されている土地若しくは当該土地の上に存する権利の譲渡（譲渡所得の基因となる不動産等の貸付けを含む。以下②及び③において同じ。）をした場合

(二)	災害により滅失した居住用家屋の敷地の用に供されていた土地若しくは当該土地の上に存する権利の譲渡又は居住用家屋で当該個人の居住の用に供されなくなったものの譲渡若しくは居住用家屋で当該個人の居住の用に供されなくなったものとともにするその敷地の用に供されている土地若しくは当該土地の上に存する権利の譲渡を、これらの居住用家屋が当該個人の居住の用に供されなくなった日から同日以後３年を経過する日の属する年の12月31日までの間にした場合

(注)１　②(一)に規定する(注)１で定める家屋は、個人がその居住の用に供している家屋（当該家屋のうちにその居住の用以外の用に供している部分があるときは、その居住の用に供している部分に限る。以下(注)１おいて同じ。）とし、その者がその居住の用に供している家屋を２以上有する場合には、それらの家屋のうち、その者が主としてその居住の用に供していると認められる一の家屋に限るものとする。（措令23①、20の３②）

２　②(一)に規定する当該個人と(注)２で定める特別の関係がある者は、**一３**②(一)から(五)までに掲げる者とする。（措令23②）

(居住用土地等のみの譲渡)

(１)　その居住の用に供している家屋（当該家屋でその居住の用に供されなくなったものを含む。以下(１)において同じ。）を取り壊し、その家屋の敷地の用に供されていた土地等（土地及び土地の上に存する権利をいう。以下同じ。）を譲渡した場合（その取壊し後、当該土地等の上にその土地等の所有者が建物等を建築し、当該建物等とともに譲渡する場合を除く。）において、当該土地等の譲渡が次に掲げる要件の全てを満たすときは、当該譲渡は、②(一)及び同(二)に規定する譲渡に該当するものとして取り扱う。ただし、その居住の用に供している家屋の敷地の用に供されている土地等のみの譲渡であっても、その家屋を引き家して当該土地等を譲渡する場合には、当該譲渡は、同(一)及び同(二)に規定する譲渡に該当しない。（措通35－２）

(一)　当該土地等の譲渡に関する契約が、その家屋を取り壊した日から１年以内に締結され、かつ、その家屋を居住の用に供さなくなった日以後３年を経過する日の属する年の12月31日までに譲渡したものであること。

(二)　その家屋を取り壊した後譲渡に関する契約を締結した日まで、貸付けその他の用に供していない当該土地等の譲渡であること。

(土地区画整理事業等の施行地区内の土地等の譲渡)

(２)　土地区画整理法による土地区画整理事業、新都市基盤整備法による土地整理又は大都市地域住宅等供給促進法による住宅街区整備事業（以下(２)において「土地区画整理事業等」という。）の施行地区内にある従前の宅地（当該宅地の上に存する建物の所有を目的とする借地権を含む。）を仮換地の指定又は使用収益の停止があった後に譲渡した場合における②の規定の適用については、次による。（措通35－３）

(一)　当該従前の宅地の所有者（借地権者を含む。）が、当該従前の宅地に係る仮換地にその居住の用に供している家屋（当該家屋でその居住の用に供されなくなったものを含む。以下(２)において同じ。）を有する場合には、当該従前の宅地は、当該家屋の敷地の用に供されているものとして取り扱う。

(二)　その居住の用に供している家屋の移転又は除却（土地区画整理事業等のために行われるものに限る。）後における当該家屋の敷地の用に供されていた従前の宅地の譲渡（換地処分による譲渡を除く。）で、当該家屋がその居住の用に供されなくなった日から次に掲げる日のうちいずれか遅い日までの間にされたものは、②(一)及び同(二)に規定する譲渡に該当するものとして取り扱う。

イ　当該家屋がその居住の用に供されなくなった日以後３年を経過する日の属する年の12月31日

ロ　当該家屋をその居住の用に供さなくなった日から１年以内に仮換地の指定があった場合（仮換地の指定後において当該居住の用に供さなくなった場合を含む。）には、当該従前の宅地に係る仮換地につき使用又は収益を開始することができることとなった日以後１年を経過する日

(居住用家屋の所有者と土地の所有者が異なる場合の特別控除の取扱い)

(３)　居住用家屋の所有者以外の者がその家屋の敷地の用に供されている土地等の全部又は一部を有している場合において、その家屋（その家屋の所有者が有する当該敷地の用に供されている土地等を含む。）の②(一)及び同(二)に規定する譲渡に係る長期譲渡所得の金額又は短期譲渡所得の金額（以下(３)において「長期譲渡所得の金額等」という。）が①の3,000万円の特別控除額に満たないときは、その満たない金額は、次に掲げる要件の全てに該当する場合に限り、その家屋の所有者以外の者が有するその土地等の譲渡に係る長期譲渡所得の金額等の範囲内において、当該長期譲渡所得の金額等から控除できるものとする。（措通35－４）

(一)　その家屋とともにその敷地の用に供されている土地等の譲渡があったこと。

(二)　その家屋の所有者とその土地等の所有者とが親族関係を有し、かつ、生計を一にしていること。

(三)　その土地等の所有者は、その家屋の所有者とともにその家屋を居住の用に供していること。

(注) 1　(二)及び(三)の要件に該当するかどうかは、その家屋の譲渡の時の状況により判定する。ただし、その家屋がその所有者の居住の用に供されなくなった日から同日以後３年を経過する日の属する年の12月31日までの間に譲渡されたものであるときは、(二)の要件に該当するかどうかは、その家屋がその所有者の居住の用に供されなくなった時からその家屋の譲渡の時までの間の状況により、(三)の要件に該当するかどうかは、その家屋がその所有者の居住の用に供されなくなった時の直前の状況により判定する。

2　上記の要件を具備する家屋の所有者が２人以上ある場合には、当該家屋の譲渡に係る当該満たない金額の合計額の範囲内（上記の要件を具備する土地等の所有者が１人である場合には最高3,000万円を限度とし、当該土地等の所有者が２人以上である場合には当該合計額の範囲内で当該土地等の所有者各人に配分した金額は当該土地等の所有者各人ごとに最高3,000万円を限度とする。）で、当該土地等の所有者についてこの取扱いを適用する。

3　この取扱いにより、居住用家屋の所有者以外の者が当該家屋の敷地の譲渡につき①の規定の適用を受ける場合には、当該家屋の所有者に係る当該家屋の譲渡について**十六１**《居住用財産の買換え等の場合の譲渡損失の損益通算及び繰越控除》又は**十七１**《特定居住用財産の譲渡損失の損益通算及び繰越控除》の規定の適用を受けることはできない。

4　上記(注)２の規定を算式で示すと次のとおりである。(編者注)

①｛(3,000万円×家屋所有者の数)－家屋の譲渡所得から控除される特別控除額の合計額｝－他の土地所有者が控除を受ける特別控除額 ②3,000万円	①と②のいずれか少ない金額	＝土地所有者がその土地の譲渡所得から控除できる特別控除額

(借地権等の設定されている土地の譲渡についての取扱い)

(４)　居住用家屋の所有者が、当該家屋の敷地である借地権等の設定されている土地（以下(４)において「居住用底地」という。）の全部又は一部を所有している場合において、当該家屋を取り壊し当該居住用底地を譲渡したときの①（③の規定により適用する場合を除く。）の規定の適用については(１)に準じて取り扱うこととし、当該居住用底地が当該家屋とともに譲渡されているときは、当該家屋及び当該居住用底地の譲渡について①の規定の適用を認めることとして取り扱う。

また、居住用家屋の所有者以外の者が、居住用底地の全部又は一部を所有している場合における①の規定の適用については、(３)に準じて取り扱うこととする。(措通35－５)

(居住用財産を譲渡した場合の長期譲渡所得の課税の特例に関する取扱いの準用)

(５)　その者が譲渡した家屋若しくは土地等が②(一)及び同(二)に規定する資産に該当するかどうか又はこれらの資産の譲渡が②(一)及び同(二)に規定する譲渡に該当するかどうかの判定等については、次の取扱いに準じて取扱うものとする。(措通35－６、編者補正)

措通31の３－２《居住用家屋の範囲》……………………………………**一３**①(２)参照。
措通31の３－６《生計を一にする親族の居住の用に供している家屋》……………**一３**①(６)参照。
措通31の３－７《店舗兼住宅等の居住部分の判定》……………………………**一３**①(７)参照。
措通31の３－８《店舗等部分の割合が低い家屋》………………………………**一３**①(８)参照。
措通31の３－９《「主としてその居住の用に供していると認められる一の家屋」の判定時期》……………………………………………………**一３**①(９)参照。
措通31の３－10《居住用家屋の一部の譲渡》……………………………………**一３**①(10)参照。
措通31の３－11《居住用家屋を共有とするための譲渡》…………………………**一３**①(11)参照。
措通31の３－12《居住用家屋の敷地の判定》……………………………………**一３**①(12)参照。
措通31の３－13《「災害」の意義》…………………………………………………**一３**①(13)参照。
措通31の３－14《災害滅失家屋の跡地等の用途》…………………………………**一３**①(14)参照。
措通31の３－15《居住の用に供されなくなった家屋が災害により滅失した場合》……**一３**①(15)参照。
措通31の３－17《権利変換により取得した施設建築物等の一部を取得する権利等の譲渡》……**一３**①(17)参照。
措通31の３－18《居住用家屋の敷地の一部の譲渡》……………………………**一３**①(18)参照。
措通31の３－20《特殊関係者に対する譲渡の判定時期》…………………………**一３**②(１)参照。
措通31の３－21《「生計を一にしているもの」の意義》…………………………**一３**②(２)参照。
措通31の３－22《同居の親族》……………………………………………………**一３**②(３)参照。
措通31の３－23《「個人から受ける金銭その他の財産によって生計を維持しているもの」の意義》……………………………………………**一３**②(４)参照。
措通31の３－24《名義株についての株主等の判定》………………………………**一３**②(５)参照。

措通31の３－25《会社その他の法人》……………………………………………… **一３**②(６)参照。
措通31の３－26《住民基本台帳に登載されていた住所が譲渡資産の所在地と異なる場合》……… **一３**③(３)参照。
措通31の３－27《買換資産を取得できなかった場合の軽減税率の適用》……………………… **一３**③(４)参照。

③　相続等により被相続人居住用家屋等の取得をした個人が、その被相続人居住用家屋等の譲渡をした場合

相続又は遺贈（贈与者の死亡により効力を生ずる贈与を含む。以下⑥までにおいて同じ。）による被相続人居住用家屋及び被相続人居住用家屋の敷地等の取得をした相続人（包括受遺者を含む。以下③及び④において同じ。）が、平成28年４月１日から令和９年12月31日までの間に、次の(一)及び(二)に掲げる譲渡（当該相続の開始があった日から同日以後３年を経過する日の属する年の12月31日までの間にしたものに限るものとし、**二十二**《相続財産に係る譲渡所得の課税の特例》の規定の適用を受けるもの及びその譲渡の対価の額が１億円を超えるものを除く。以下**十一**において「**対象譲渡**」という。）をした場合（当該相続人が既に当該相続又は遺贈に係る当該被相続人居住用家屋又は当該被相続人居住用家屋の敷地等の対象譲渡について③の規定の適用を受けている場合を除き、(三)に掲げる譲渡をした場合にあっては、当該譲渡の時から当該譲渡の日の属する年の翌年２月15日までの間に、当該被相続人居住用家屋が耐震基準（地震に対する安全性に係る規定又は基準として(１)で定めるものをいう。(一)ロにおいて同じ。）に適合することとなった場合又は当該被相続人居住用家屋の全部の取壊し若しくは除却がされ、若しくはその全部が滅失をした場合に限る。）には、①に規定する居住用財産を譲渡した場合に該当するものとみなして、①の規定を適用する。（措法35③）

(一)	当該相続若しくは遺贈により取得をした被相続人居住用家屋（当該相続の時後に当該被相続人居住用家屋につき行われた増築、改築（当該被相続人居住用家屋の全部の取壊し又は除却をした後にするもの及びその全部が滅失をした後にするものを除く。）、修繕又は模様替え（(三)において「増改築等」という。）に係る部分を含むものとし、次のイ及びロに掲げる要件を満たすものに限る。以下(一)において同じ。）の(２)で定める部分の譲渡又は当該被相続人居住用家屋とともにする当該相続若しくは遺贈により取得をした被相続人居住用家屋の敷地等（イに掲げる要件を満たすものに限る。）の(３)で定める部分の譲渡 イ　当該相続の時から当該譲渡の時まで事業の用、貸付けの用又は居住の用に供されていたことがないこと。 ロ　当該譲渡の時において耐震基準に適合するものであること。
(二)	当該相続又は遺贈により取得をした被相続人居住用家屋（イに掲げる要件を満たすものに限る。）の全部の取壊し若しくは除却をした後又はその全部が滅失をした後における当該相続又は遺贈により取得をした被相続人居住用家屋の敷地等（ロ及びハに掲げる要件を満たすものに限る。）の(３)で定める部分の譲渡 イ　当該相続の時から当該取壊し、除却又は滅失の時まで事業の用、貸付けの用又は居住の用に供されていたことがないこと。 ロ　当該相続の時から当該譲渡の時まで事業の用、貸付けの用又は居住の用に供されていたことがないこと。 ハ　当該取壊し、除却又は滅失の時から当該譲渡の時まで建物又は構築物の敷地の用に供されていたことがないこと。
(三)	当該相続若しくは遺贈により取得をした被相続人居住用家屋（当該相続の時後に当該被相続人居住用家屋につき行われた増改築等に係る部分を含むものとし、当該相続の時から当該譲渡の時まで事業の用、貸付けの用又は居住の用に供されていたことがないものに限る。以下(三)において同じ。）の(３)で定める部分の譲渡又は当該被相続人居住用家屋とともにする当該相続若しくは遺贈により取得をした被相続人居住用家屋の敷地等（当該相続の時から当該譲渡の時まで事業の用、貸付けの用又は居住の用に供されていたことがないものに限る。）の(３)で定める部分の譲渡（これらの譲渡のうち(一)に掲げる譲渡に該当するものを除く。）

（③に規定する地震に対する安全性に係る規定又は基準として(１)で定めるもの）

(１)　③に規定する地震に対する安全性に係る規定又は基準として(１)で定めるものは、建築基準法施行令第三章及び第五章の四の規定又は国土交通大臣が財務大臣と協議して定める地震に対する安全性に係る基準とする。（措令23③）

（③(一)及び同(三)に規定する被相続人居住用家屋の(２)で定める部分）

(２)　③(一)及び同(三)に規定する被相続人居住用家屋の(２)で定める部分は、③(一)又は同(三)に規定する被相続人居住用家屋の譲渡の対価の額に、次の(一)及び(二)に掲げる被相続人居住用家屋（⑤に規定する被相続人居住用家屋をいう。以下(２)、(３)及び⑤(３)において同じ。）の区分に応じ当該(一)及び(二)に定める割合を乗じて計算した金額に相当する部分とする。（措令23④）

(一)	⑤の相続の開始の直前において⑤に規定する被相続人（以下**十一**において「被相続人」という。）の居住の用に供されていた被相続人居住用家屋	当該相続の開始の直前における被相続人居住用家屋の床面積のうちに当該相続の開始の直前における当該被相続人の居住の用に供されていた部分の床面積の占める割合
(二)	⑤に規定する対象従前居住の用（⑤(４)及び⑤(５)において「対象従前居住の用」という。）に供されていた被相続人居住用家屋	⑤に規定する特定事由（以下**十一**において「特定事由」という。）により被相続人居住用家屋が被相続人の居住の用に供されなくなる直前における当該被相続人居住用家屋の床面積のうちに当該居住の用に供されなくなる直前における当該被相続人の居住の用に供されていた部分の床面積の占める割合

（③(一)及び同(二)に規定する被相続人居住用家屋の敷地等の(３)で定める部分）

(３)　③(一)及び同(二)に規定する被相続人居住用家屋の敷地等の(３)で定める部分は、当該(一)及び(二)に規定する被相続人居住用家屋の敷地等の譲渡の対価の額に、次の(一)及び(二)に掲げる被相続人居住用家屋の敷地等（⑤に規定する被相続人居住用家屋の敷地等をいう。以下(３)において同じ。）の区分に応じ当該(一)及び(二)に定める割合を乗じて計算した金額に相当する部分とする。（措令23⑤）

(一)	(２)(一)に掲げる被相続人居住用家屋の敷地の用に供されていた被相続人居住用家屋の敷地等	⑤の相続の開始の直前における被相続人居住用家屋の敷地等の面積（土地にあっては当該土地の面積をいい、土地の上に存する権利にあっては当該土地の面積をいう。以下(一)及び(二)において同じ。）のうちに当該相続の開始の直前における被相続人の居住の用に供されていた部分の面積の占める割合
(二)	(２)(二)に掲げる被相続人居住用家屋の敷地の用に供されていた被相続人居住用家屋の敷地等	特定事由により当該被相続人居住用家屋が被相続人の居住の用に供されなくなる直前における被相続人居住用家屋の敷地等の面積のうちに当該居住の用に供されなくなる直前における当該被相続人の居住の用に供されていた部分の面積の占める割合

(４)　国土交通大臣は、(１)の規定により基準を定めたときは、これを告示する。（措令23⑯）

（同一年中に自己の居住用財産と被相続人の居住用財産の譲渡があった場合の特別控除の適用）

(５)　③に規定する相続人（以下「相続人」という。）が、同一年中に②(一)及び同(二)に規定する譲渡及び③に規定する対象譲渡（以下において「対象譲渡」という。）をし、そのいずれの譲渡についても①の規定の適用を受ける場合は**十四１**注に定める順序により特別控除額の控除をすることとなるのであるが、これらの譲渡に係る分離短期譲渡所得又は分離長期譲渡所得の区分が同一であるときは、当該対象譲渡に対応する金額から先に特別控除額の控除をするものとする。ただし、納税者が②(一)及び同(二)に規定する譲渡に対応する金額から先に特別控除額の控除をして申告したときは、これを認める。（措通35－７）

なお、①の規定により、その年中にその該当することとなった全部の資産の譲渡に係る譲渡所得の金額から3,000万円（④の規定の適用がある場合には、同(３)に定める算式により計算した金額）を限度として控除することに留意する。

（相続財産に係る譲渡所得の課税の特例等との関係）

(６)　③に規定する譲渡につき、**二十二１**《相続財産に係る譲渡所得の課税の特例》の規定の適用を受ける場合には、当該譲渡については③の規定の適用はないことに留意する。この場合において、当該譲渡した資産が居住用部分（相続の開始の直前（当該資産が⑤に規定する対象従前居住の用（以下において「対象従前居住の用」という。）に供されていた資産である場合には、⑤に規定する特定事由（以下において「特定事由」という。）により当該資産が当該相続又は遺贈（贈与者の死亡により効力を生ずる贈与を含む。以下において同じ。）に係る④に規定する被相続人（以下において「被相続人」という。）の居住の用に供されなくなる直前。以下(６)において同じ。）において当該被相続人の居住の用に供されていた部分をいう。以下(６)において同じ。）と非居住用部分（相続の開始の直前において当該被相続人の居住の用以外の用に供されていた部分をいう。以下において同じ。）とから成る被相続人居住用家屋（⑤に規定する被相続人居住用家屋をいう。以下において同じ。）又は被相続人居住用家屋の敷地等（⑤に規定する被相続人居住用家屋の敷地等をいう。以下において同じ。）である場合において、当該非居住用部分に相当するものの譲渡についてのみ**二十二１**の規定の適用を受けるときは、当該居住用部分に相当するものの譲渡については、当該非居住用部分に相当するものの譲渡につき同**１**の規定の適用を受ける場合であっても、当該居住用部分に相当するものの譲渡が③の規定による要件を満たすものである限り、③の規定の適用があることに留意する。（措通35－８）

（「被相続人居住用家屋及び被相続人居住用家屋の敷地等の取得をした個人」の範囲）

（７）　③及び④に規定する「相続又は遺贈による被相続人居住用家屋及び被相続人居住用家屋の敷地等の取得をした相続人」とは、相続又は遺贈により、被相続人居住用家屋と被相続人居住用家屋の敷地等の両方を取得した相続人に限られるから、相続又は遺贈により被相続人居住用家屋のみ又は被相続人居住用家屋の敷地等のみを取得した相続人は含まれないことに留意する。（措通35－９）

（被相続人居住用家屋が店舗兼住宅等であった場合の居住用部分の判定）

（８）　③(一)及び同(三)に規定する被相続人居住用家屋又は同(一)及び同(二)に規定する被相続人居住用家屋の敷地等のうちに非居住用部分がある場合における③（２）(一)及び同(二)並びに③（３）(一)及び同(二)に規定する「被相続人の居住の用に供されていた部分」の判定については、当該相続の開始の直前（当該被相続人居住用家屋が対象従前居住の用に供されていた家屋である場合には、特定事由により当該家屋が被相続人の居住の用に供されなくなる直前。以下（８）において同じ。）における利用状況に基づき、**一３**①（７）に準じて判定するものとする。したがって、譲渡した被相続人居住用家屋の床面積が、相続の時後（当該被相続人居住用家屋が対象従前居住の用に供されていた家屋である場合には、特定事由により当該家屋が被相続人の居住の用に供されなくなった時後）に行われた増築等により増減した場合であっても、当該相続の開始の直前における当該被相続人居住用家屋の床面積を基に行うことに留意する。

なお、これにより計算した「被相続人の居住の用に供されていた部分」の面積が当該被相続人居住用家屋又は当該被相続人居住用家屋の敷地等の面積のおおむね90％以上となるときは、**一３**①（８）に準じて取り扱って差し支えない。（措通35－15）

（相続の時から譲渡の時までの利用制限）

（９）　③(一)イ、同(二)イ及びロ並びに同(三)に規定する「事業の用、貸付けの用又は居住の用に供されていたことがないこと」の要件の判定に当たっては、相続の時から譲渡の時までの間に、被相続人居住用家屋又は被相続人居住用家屋の敷地等が事業の用、貸付けの用又は居住の用として一時的に利用されていた場合であっても、事業の用、貸付けの用又は居住の用に供されていたこととなることに留意する。また、当該貸付けの用には、無償による貸付けも含まれることに留意する。（措通35－16）

（被相続人居住用家屋の敷地等の一部の譲渡）

（10）　相続人が、相続又は遺贈により取得をした被相続人居住用家屋の敷地等の一部を区分して譲渡をした場合には、次の点に留意する。（措通35－17）

⑴　当該譲渡が③(二)に掲げる譲渡に該当するときであっても、当該相続人が当該被相続人居住用家屋の敷地等の一部の譲渡について既に③の規定の適用を受けているときは、③の規定の適用を受けることはできない。

⑵　現に存する被相続人居住用家屋に係る被相続人居住用家屋の敷地等の一部の譲渡である場合

イ　当該譲渡が当該被相続人居住用家屋の譲渡とともに行われたものであるとき

当該譲渡は③(一)又は同(三)に掲げる譲渡に該当する。

ロ　当該譲渡が当該被相続人居住用家屋の譲渡とともに行われたものでないとき

当該譲渡は③(一)及び同(二)に掲げる譲渡には該当しない。

⑶　当該被相続人居住用家屋の全部の取壊し、除却又は滅失をした後における当該被相続人居住用家屋の敷地等の一部の譲渡である場合

イ　当該被相続人居住用家屋の敷地等を単独で取得した個人がその取得した敷地等の一部を譲渡したとき

③(二)に掲げる要件は、当該相続人が相続又は遺贈により取得した被相続人居住用家屋の敷地等の全部について満たしておく必要があることから、当該被相続人居住用家屋の敷地等のうち譲渡していない部分についても、同(二)ロ及び同ハに掲げる要件を満たさない限り、当該譲渡は同(二)に掲げる譲渡に該当しない。

(注)　被相続人居住用家屋の敷地等のうち当該相続人以外の者が相続又は遺贈により単独で取得した部分があるときは、当該部分の利用状

況にかかわらず、当該相続人が相続又は遺贈により取得した被相続人居住用家屋の敷地等の全部について③(二)ロ及び同ハに掲げる要件を満たしている限り、当該譲渡は同(二)に掲げる譲渡に該当する。

ロ　当該被相続人居住用家屋の敷地等を複数の相続人の共有で取得した相続人がその共有に係る一の敷地について、共有のまま分筆した上、その一部を譲渡したとき

③(二)に掲げる要件は、当該相続人が相続又は遺贈により共有で取得した当該分筆前の被相続人居住用家屋の敷地等の全部について満たしておく必要があることから、当該被相続人居住用家屋の敷地等のうち譲渡していない部分についても同(二)ロ及び同ハに掲げる要件を満たさない限り、当該譲渡は同(二)に掲げる譲渡に該当しない。

(注)　譲渡した土地等が当該被相続人居住用家屋の敷地の用に供されていた土地等に該当するかどうかは、⑤(9)に定めるところにより判定する。

(譲渡の対価の額)

(11)　③に規定する「譲渡の対価の額」とは、例えば譲渡協力金、移転料等のような名義のいかんを問わず、その実質においてその譲渡をした被相続人居住用家屋又は被相続人居住用家屋の敷地等の譲渡の対価たる金額をいうことに留意する。(措通35－19)

(その譲渡の対価の額が1億円を超えるかどうかの判定)

(12)　相続又は遺贈により被相続人居住用家屋及び被相続人居住用家屋の敷地等の取得をした相続人が譲渡した譲渡資産（③(一)及び同(二)に規定する被相続人居住用家屋又は被相続人居住用家屋の敷地等をいう。以下において同じ。）の譲渡対価の額（③に規定する譲渡の対価の額をいう。以下において同じ。）が1億円を超えるかどうかの判定は、次により行うことに留意する。また、⑥に規定する居住用家屋取得相続人（以下において「居住用家屋取得相続人」という。）が対象譲渡資産一体家屋等（⑥に規定する「対象譲渡資産一体家屋等」をいう。⑥(5)において同じ。）の適用前譲渡（⑥に規定する「適用前譲渡」をいう。以下において同じ。）又は適用後譲渡（⑦に規定する「適用後譲渡」をいう。以下において同じ。）をしているときの⑥又は⑦の規定における1億円を超えるかどうかについては、当該譲渡対価の額と適用前譲渡に係る対価の額との合計額又は適用後譲渡に係る対価の額と当該譲渡対価の額（適用前譲渡がある場合には、当該譲渡対価の額と適用前譲渡に係る対価の額との合計額）との合計額で判定することに留意する。(措通35－20)

⑴　譲渡資産が共有である場合は、被相続人から相続又は遺贈により取得した共有持分に係る譲渡対価の額により判定する。

(注)　当該譲渡資産に係る他の共有持分のうち居住用家屋取得相続人の共有持分については、適用前譲渡に係る対価の額となることに留意する。

⑵　譲渡資産が相続の開始の直前において店舗兼住宅等及びその敷地の用に供されていた土地等である場合は、被相続人の居住の用に供されていた部分に対応する譲渡対価の額により判定し、この場合の譲渡対価の額の計算については、次の算式により行う。

イ　当該家屋のうち相続の開始の直前において被相続人の居住の用に供されていた部分の譲渡対価の額の計算

$$\text{当該家屋の譲渡価額} \times \frac{\text{(8)により}\textbf{ー3}\text{①(7)に準じて計算した被相続人の居住の用に供されていた部分の床面積}}{\text{相続の開始の直前における当該家屋の床面積}}$$

ロ　当該土地等のうち相続の開始の直前において被相続人の居住の用に供されていた部分の譲渡対価の額の計算

$$\text{当該土地等の譲渡価額} \times \frac{\text{(8)により}\textbf{ー3}\text{①(7)に準じて計算した被相続人の居住の用の供されていた部分の面積}}{\text{相続の開始の直前における当該土地等の面積}}$$

ただし、これにより計算した被相続人の居住の用に供されていた部分がそれぞれ当該家屋又は当該土地等のおおむね90%以上である場合において、**ー3**①(8)に準じて当該家屋又は当該土地等の全部をその居住の用に供している部分に該当するものとして取り扱うときは、当該家屋又は当該土地等の全体の譲渡価額により判定する。

(注)　譲渡した被相続人居住用家屋の敷地等が⑤(5)に規定する用途上不可分の関係にある2以上の建築物のある一団の土地であった場合は、当該被相続人居住用家屋の敷地等に係る譲渡対価の額は、⑤(9)の算式により計算した面積に係る部分となることに留意する。

(居住用財産を譲渡した場合の長期譲渡所得の課税の特例に関する取扱いの準用)

(13)　その者が譲渡した家屋又は土地等が③に規定する譲渡に該当するかどうかの判定等については、**ー3**①(11)及び

同②(１)から同(６)までに準じて取り扱うものとする。(措通35－27)

(譲渡の日の判定)

(14)　③に規定する「譲渡の日の属する年の翌年２月15日」とは、対象譲渡について③の規定の適用を受ける者に係る第六章第一節**ー４**(16)《山林所得又は譲渡所得の総収入金額の収入すべき時期》に基づく収入すべき時期を「譲渡の日」とし、その日の属する年の翌年２月15日をいうことに留意する。(措通35－９の４)

(「被相続人居住用家屋が耐震基準に適合することとなった場合」の意義)

(15)　③に規定する「被相続人居住用家屋が耐震基準に適合することとなった場合」とは、被相続人居住用家屋の譲渡の日から同日の属する年の翌年２月15日までの間に当該家屋を建築基準法施行令第３章及び第５章の４の規定又は国土交通大臣が財務大臣と協議して定める地震に対する安全性に係る基準（以下(15)において「耐震基準」という。）に適合させるための工事が完了した場合をいうのであるが、③の規定を適用する場合は、当該工事の完了の日から当該譲渡の日の属する年分の確定申告書の提出の日までの間に、当該家屋が耐震基準に適合する旨の証明のための家屋の調査が終了し、又は平成13年国土交通省告示第1346号別表２－１の１－１耐震等級（構造躯体の倒壊等防止）に係る評価がされている必要があることに留意する。(措通35－９の５)

④　当該相続又は遺贈による被相続人居住用家屋及び被相続人居住用家屋の敷地等の取得をした相続人の数が３人以上であるときにおける①の規定の適用

③の場合において、当該相続又は遺贈による被相続人居住用家屋及び被相続人居住用家屋の敷地等の取得をした相続人の数が３人以上であるときにおける①の規定の適用については、①イ中「3,000万円（」とあるのは「2,000万円（②(一)又は同(二)に掲げる場合に該当して①の規定の適用を受ける場合には、3,000万円の範囲内において、(１)で定めるところにより計算した金額。以下④において同じ。)（」と、「3,000万円に」とあるのは「2,000万円に」と、「3,000万円から」とあるのは「2,000万円から」と、①ロ中「3,000万円（」とあるのは「2,000万円（②(一)又は同(二)に掲げる場合に該当して①の規定の適用を受ける場合には、3,000万円の範囲内において、(２)で定めるところにより計算した金額。以下④において同じ。)（」と、「3,000万円に」とあるのは「2,000万円に」とする。(措法35④)

(参考)　措法35④によって読み替えられた措法35①(一)及び(二)（下線部分は読み替えられた部分）

イ	**ー１**①に規定する「長期譲渡所得の金額」	長期譲渡所得の金額から<u>2,000万円（②(一)又は同(二)に掲げる場合に該当して①の規定の適用を受ける場合には、3,000万円の範囲内において、(１)で定めるところにより計算した金額。以下④において同じ。)</u>（長期譲渡所得の金額のうち①《3,000万円控除》の規定に該当する資産の譲渡に係る部分の金額が<u>2,000万円に</u>満たない場合には当該資産の譲渡に係る部分の金額とし、ロの規定により読み替えられた**ニ**《土地建物等の短期譲渡所得の課税の特例》①の規定の適用を受ける場合には<u>2,000万円から</u>同①の規定により控除される金額を控除した金額と当該資産の譲渡に係る部分の金額とのいずれか低い金額とする。）を控除した金額
ロ	**ニ**①の規定中「短期譲渡所得の金額」	短期譲渡所得の金額から<u>2,000万円（②(一)又は同(二)に掲げる場合に該当して①の規定の適用を受ける場合には、3,000万円の範囲内において、(２)で定めるところにより計算した金額。以下④において同じ。)</u>（短期譲渡所得の金額のうち①の規定に該当する資産の譲渡に係る部分の金額が<u>2,000万円に</u>満たない場合には、当該資産の譲渡に係る部分の金額）を控除した金額

(④の規定により読み替えて適用される①イの規定により読み替えられた**ー１**①に規定する(１)で定めるところにより計算した金額)

(１)　④の規定により読み替えて適用される①イの規定により読み替えられた**ー１**①に規定する(１)で定めるところにより計算した金額は、3,000万円（(２)前段の規定により計算した金額がある場合には、3,000万円からその計算した金額を控除した金額）と次に掲げる金額の合計額とのいずれか低い金額とする。この場合において、(二)に掲げる金額が2,000万円（(２)に規定する①の規定により控除される金額がある場合には、2,000万円からその控除される金額を控除した金額。以下(１)において同じ。）であるときは、**ー１**①に規定する長期譲渡所得の金額（以下(１)において「長期譲渡所得の金額」という。）のうち①（③の規定により適用する場合に限る。）の規定に該当する資産の譲渡に係

る部分の金額から①の規定により控除される金額は、2,000万円を限度とする。(措令23⑥)

(一)	長期譲渡所得の金額のうち①（③の規定により適用する場合を除く。）の規定に該当する資産の譲渡に係る部分の金額
(二)	2,000万円と長期譲渡所得の金額のうち①（③の規定により適用する場合に限る。）の規定に該当する資産の譲渡に係る部分の金額とのいずれか低い金額

(④の規定により読み替えて適用される①ロの規定により読み替えられた**二**①に規定する(2)で定めるところにより計算した金額)

(2)　④の規定により読み替えて適用される①ロの規定により読み替えられた**二**①に規定する(2)で定めるところにより計算した金額は、3,000万円と次に掲げる金額の合計額とのいずれか低い金額とする。この場合において、(二)に掲げる金額が2,000万円であるときは、**二**①に規定する短期譲渡所得の金額（以下(2)において「短期譲渡所得の金額」という。）のうち①（③の規定により適用する場合に限る。）の規定に該当する資産の譲渡に係る部分の金額から①の規定により控除される金額は、2,000万円を限度とする。(措令23⑦)

(一)	短期譲渡所得の金額のうち①（③の規定により適用する場合を除く。）の規定に該当する資産の譲渡に係る部分の金額
(二)	2,000万円と短期譲渡所得の金額のうち①（③の規定により適用する場合に限る。）の規定に該当する資産の譲渡に係る部分の金額とのいずれか低い金額

(相続人が３人以上であるときの同一年中に自己の居住用財産と被相続人の居住用財産の譲渡があった場合の特別控除額の金額)

(3)　相続又は遺贈による被相続人居住用家屋及び被相続人居住用家屋の敷地等の取得をした相続人の数が３人以上である場合における③の規定の適用により控除される金額は2,000万円となるが、この場合において、相続人が同一年中に②各号に規定する譲渡及び対象譲渡をし、そのいずれの譲渡についても①の規定の適用を受ける場合の特別控除額の金額は、次の金額となるのであるから留意する。(措通35－７の２)

(一)　短期譲渡所得の金額から控除される金額

「3,000万円」と「次に掲げる金額の合計額」とのいずれか低い金額。

ただし、ロの金額が2,000万円である場合には、被相続人の居住用財産の譲渡に係る短期譲渡所得の金額から③の規定の適用により控除される金額は、2,000万円が限度となる。

イ　居住用財産の譲渡に係る短期譲渡所得の金額（短期譲渡所得の金額のうち①（③の規定により適用する場合を除く。）の規定に該当する資産の譲渡に係る部分の金額をいう。）

ロ　次に掲げる金額のうちいずれか低い金額

(イ)　2,000万円

(ロ)　被相続人の居住用財産の譲渡に係る短期譲渡所得の金額（短期譲渡所得の金額のうち①（③の規定により適用する場合に限る。）の規定に該当する資産の譲渡に係る部分の金額をいう。）

(二)　長期譲渡所得の金額から控除される金額

「3,000万円（上記(一)の短期譲渡所得の金額から控除される金額がある場合には、3,000万円からその短期譲渡所得の金額から控除される金額を控除した金額）」と「次に掲げる金額の合計額」とのいずれか低い金額。

ただし、ロの金額がロ(イ)に掲げる金額である場合には、被相続人の居住用財産の譲渡に係る長期譲渡所得の金額から③の規定の適用により控除される金額は、ロ(イ)に掲げる金額が限度となる。

イ　居住用財産の譲渡に係る長期譲渡所得の金額（長期譲渡所得の金額のうち①（③の規定により適用する場合を除く。）の規定に該当する資産の譲渡に係る部分の金額をいう。）

ロ　次に掲げる金額のうちいずれか低い金額

(イ)　2,000万円（上記(一)の被相続人の居住用財産の譲渡に係る短期譲渡所得の金額から③の規定により控除される金額がある場合には、2,000万円からその同項の規定により控除される金額を控除した金額）

(ロ)　被相続人の居住用財産の譲渡に係る長期譲渡所得の金額（長期譲渡所得の金額のうち①（③の規定により適用する場合に限る。）の規定に該当する資産の譲渡に係る部分の金額をいう。）

(相続又は遺贈による被相続人居住用家屋及び被相続人居住用家屋の敷地等の取得をした相続人の数)

（4）　④の規定は、相続又は遺贈による被相続人居住用家屋及び被相続人居住用家屋の敷地等（以下(4)において「被相続人居住用財産」という。）の取得をした相続人の数が３人以上である場合に適用されるのであるから、当該相続の時から当該相続に係る一の相続人がする対象譲渡の時までの間に、当該相続に係る他の相続人が被相続人居住用財産の共有持分につき譲渡、贈与又は当該他の相続人の死亡による相続若しくは遺贈があったことにより当該被相続人居住用財産を所有する相続人の数に異動が生じた場合であっても、当該相続又は遺贈による被相続人居住用財産の取得をした相続人の数の判定には影響を及ぼさないことに留意する。(措通35－９の６)

⑤　③、④及び⑥に規定する被相続人居住用家屋及び被相続人居住用家屋の敷地等

③、④及び⑥に規定する被相続人居住用家屋とは、当該相続の開始の直前において当該相続又は遺贈に係る被相続人（包括遺贈者を含む。以下⑤及び⑥において同じ。）の居住の用（居住の用に供することができない事由として(1)で定める事由（以下⑤及び⑥において「特定事由」という。）により当該相続の開始の直前において当該被相続人の居住の用に供されていなかった場合((3)で定める要件を満たす場合に限る。)における当該特定事由により居住の用に供されなくなる直前の当該被相続人の居住の用((三)において「対象従前居住の用」という。)を含む。)に供されていた家屋(次の(一)から(三)までに掲げる要件を満たすものに限る。)で(4)で定めるものをいい、③、④及び⑥に規定する被相続人居住用家屋の敷地等とは、当該相続の開始の直前において当該被相続人居住用家屋の敷地の用に供されていた土地として(5)で定めるもの又は当該土地の上に存する権利をいう。(措法35⑤)

(一)	昭和56年５月31日以前に建築されたこと。
(二)	建物の区分所有等に関する法律第１条の規定に該当する建物でないこと。
(三)	当該相続の開始の直前において当該被相続人以外に居住をしていた者がいなかったこと（当該被相続人の当該居住の用に供されていた家屋が対象従前居住の用に供されていた家屋である場合には、当該特定事由により当該家屋が居住の用に供されなくなる直前において当該被相続人以外に居住をしていた者がいなかったこと。）。

(⑤に規定する(1)で定める事由)

（1）　⑤に規定する(1)で定める事由は、次の(一)及び(二)に掲げる事由とする。(措令23⑧)

<table>
<tr><td rowspan="4">(一)</td><td colspan="2">介護保険法第19条第１項に規定する要介護認定又は同条第２項に規定する要支援認定を受けていた被相続人その他これに類する被相続人として(2)で定めるものが次に掲げる住居又は施設に入居又は入所をしていたこと。</td></tr>
<tr><td>イ</td><td>老人福祉法第５条の２第６項に規定する認知症対応型老人共同生活援助事業が行われる住居、同法第20条の４に規定する養護老人ホーム、同法第20条の５に規定する特別養護老人ホーム、同法第20条の６に規定する軽費老人ホーム又は同法第29条第１項に規定する有料老人ホーム</td></tr>
<tr><td>ロ</td><td>介護保険法第８条第28項に規定する介護老人保健施設又は同条第29項に規定する介護医療院</td></tr>
<tr><td>ハ</td><td>高齢者の居住の安定確保に関する法律第５条第１項に規定するサービス付き高齢者向け住宅（イに規定する有料老人ホームを除く。）</td></tr>
<tr><td>(二)</td><td colspan="2">障害者の日常生活及び社会生活を総合的に支援するための法律第21条第１項に規定する障害支援区分の認定を受けていた被相続人が同法第５条第11項に規定する障害者支援施設（同条第10項に規定する施設入所支援が行われるものに限る。）又は同条第17項に規定する共同生活援助を行う住居に入所又は入居をしていたこと。</td></tr>
</table>

((1)(一)に規定する(2)で定める被相続人)

（2）　(1)(一)に規定する(2)で定める被相続人は、特定事由により⑤に規定する被相続人居住用家屋が被相続人の居住の用に供されなくなる直前において、介護保険法施行規則第140条の62の４第２号に該当していた者とする。(措規18の２③)

(⑤に規定する(3)で定める要件)

（3）　⑤に規定する(3)で定める要件は、次の(一)から(三)までに掲げる要件とする。(措令23⑨)

(一)	特定事由により被相続人居住用家屋が被相続人の居住の用に供されなくなった時から⑤の相続の開始の直前まで引き続き当該被相続人居住用家屋が当該被相続人の物品の保管その他の用に供されていたこと。
(二)	特定事由により被相続人居住用家屋が被相続人の居住の用に供されなくなった時から⑤の相続の開始の直前まで当該被相続人居住用家屋が事業の用、貸付けの用又は当該被相続人以外の者の居住の用に供されていたことがないこと。
(三)	被相続人が(１)(一)及び同(二)に規定する住居又は施設に入居又は入所をした時から⑤の相続の開始の直前までの間において当該被相続人の居住の用に供する家屋が二以上ある場合には、これらの家屋のうち、当該住居又は施設が、当該被相続人が主としてその居住の用に供していた一の家屋に該当するものであること。

(⑤に規定する(４)で定める家屋)

(４)　⑤に規定する(４)で定める家屋は、⑤の相続の開始の直前（当該家屋が対象従前居住の用に供されていた家屋である場合には、特定事由により当該家屋が被相続人の居住の用に供されなくなる直前）において、被相続人の居住の用に供されていた⑤(一)から同(三)までに掲げる要件を満たす家屋であって、当該被相続人が主としてその居住の用に供していたと認められる一の建築物に限るものとする。(措令23⑩)

(⑤に規定する(５)で定める土地)

(５)　⑤に規定する(５)で定める土地は、⑤の相続の開始の直前（当該土地が対象従前居住の用に供されていた(４)に規定する家屋の敷地の用に供されていた土地である場合には、特定事由により当該家屋が被相続人の居住の用に供されなくなる直前。以下(５)において同じ。）において(４)に規定する家屋の敷地の用に供されていたと認められるものとする。この場合において、当該相続の開始の直前において当該土地が用途上不可分の関係にある２以上の建築物のある一団の土地であった場合には、当該土地のうち、当該土地の面積に次の(一)及び(二)に掲げる床面積の合計のうちに(一)に掲げる床面積の占める割合を乗じて計算した面積に係る土地の部分に限るものとする。(措令23⑪)

(一)	当該相続の開始の直前における当該土地にあった(１)に規定する家屋の床面積
(二)	当該相続の開始の直前における当該土地にあった(１)に規定する家屋以外の建築物の床面積

(被相続人居住用家屋の範囲)

(６)　被相続人から相続又は遺贈により取得した家屋が、⑤に規定する「相続の開始の直前において当該相続又は遺贈に係る被相続人の居住の用（対象従前居住の用を含む。）に供されていた家屋」に該当するかどうかの判定は、相続の開始の直前（当該家屋が対象従前居住の用に供されていた家屋である場合には、特定事由により当該家屋が被相続人の居住の用に供されなくなる直前）における現況に基づき、**一３**①(２)に準じて取り扱うものとする。この場合において、当該被相続人の居住の用に供されていた家屋が複数の建築物から成る場合であっても、(４)の規定により、それらの建築物のうち、当該被相続人が主としてその居住の用に供していたと認められる一の建築物のみが被相続人居住用家屋に該当し、当該一の建築物以外の建築物は、被相続人居住用家屋には該当しないことに留意する。(措通35－10)

(建物の区分所有等に関する法律第１条の規定に該当する建物)

(７)　⑤(二)に規定する「建物の区分所有等に関する法律第１条の規定に該当する建物」とは、区分所有建物である旨の登記がされている建物をいうことに留意する。(措通35－11)

(注)　上記の区分所有建物とは、被災区分所有建物の再建等に関する特別措置法（平成７年法律第43号）第２条に規定する区分所有建物をいうことに留意する。

(「被相続人以外に居住をしていた者」の範囲)

(８)　⑤(三)に規定する「当該被相続人以外に居住をしていた者」とは、相続の開始の直前（当該被相続人の居住の用に供されていた家屋が対象従前居住の用に供されていた家屋である場合には、特定事由により当該家屋が居住の用に供されなくなる直前）において、被相続人の居住の用に供されていた家屋を生活の拠点として利用していた当該被相続人以外の者のことをいい、当該被相続人の親族のほか、賃借等により当該被相続人の居住の用に供されていた家屋の一部に居住していた者も含まれることに留意する。(措通35－12)

（被相続人居住用家屋の敷地等の判定等）

（9）　譲渡した土地等（土地又は土地の上に存する権利をいう。以下において同じ。）が⑤に規定する「当該被相続人居住用家屋の敷地の用に供されていた土地」又は「当該土地の上に存する権利」に該当するかどうかは、社会通念に従い、当該土地等が相続の開始の直前（当該土地が対象従前居住の用に供されていた被相続人居住用家屋の敷地の用に供されていた土地である場合には、特定事由により当該家屋が被相続人の居住の用に供されなくなる直前。以下（9）において同じ。）において被相続人居住用家屋と一体として利用されていた土地等であったかどうかにより判定することに留意する。この場合において、当該相続の開始の直前において、当該土地が用途上不可分の関係にある２以上の建築物のある一団の土地であった場合における当該土地は、（5）の規定により、当該土地のうち、次の算式により計算した面積に係る土地の部分に限られることに留意する。（措通35－13）

なお、これらの建築物について相続の時後（当該土地が対象従前居住の用に供されていた被相続人居住用家屋の敷地の用に供されていた土地である場合には、特定事由により当該家屋が被相続人の居住の用に供されなくなった時後）に増築や取壊し等があった場合であっても、次の算式における床面積は、相続の開始の直前における現況によることに留意する。

（算式）

$$\left[\text{一団の土地の面積}^{(注1)}\ A \times \frac{\text{相続の開始の直前における一団の土地にあった被相続人居住用家屋の床面積}\ B}{B + \text{相続の開始の直前における一団の土地にあった被相続人居住用家屋以外の建築物}^{(注2)}\text{の床面積}}\right] \times \frac{\text{譲渡した土地等の面積}^{(注3)}}{A}$$

（注）1　被相続人以外の者が相続の開始の直前において所有していた土地等の面積も含まれる。

2　被相続人以外の者が所有していた建築物も含まれる。

3　被相続人から相続又は遺贈により取得した被相続人の居住の用に供されていた家屋の敷地の用に供されていた土地等の面積のうち、譲渡した土地等の面積による。

〔計算例〕

具体的な計算例を示すと次のとおりとなる。

〔設例１〕

相続の開始の直前において、被相続人が所有していた甲土地（1,000㎡）が、用途上不可分の関係にある２以上の建築物（被相続人が所有していた母屋：350㎡、離れ：100㎡、倉庫：50㎡）のある一団の土地であった場合（甲土地及びこれらの建築物について相続人Ａが４分の３を、相続人Ｂが４分の１を相続し、相続人Ａと相続人Ｂが共に譲渡したケース）

⑴　相続人Ａが譲渡した土地（1,000㎡×３/４＝750㎡）のうち、被相続人居住用家屋の敷地等に該当する部分の計算

$$\left[1{,}000\text{㎡} \times \frac{350\text{㎡}}{350\text{㎡} + (100\text{㎡}+50\text{㎡})}\right] \times \frac{750\text{㎡}}{1{,}000\text{㎡}} = 525\text{㎡}$$

⑵　相続人Ｂが譲渡した土地（1,000㎡×１/４＝250㎡）のうち、被相続人居住用家屋の敷地等に該当する部分の計算

$$\left[1{,}000\text{㎡} \times \frac{350\text{㎡}}{350\text{㎡} + (100\text{㎡}+50\text{㎡})}\right] \times \frac{250\text{㎡}}{1{,}000\text{㎡}} = 175\text{㎡}$$

〔設例２〕

相続の開始の直前において、被相続人が所有していた甲土地（800㎡）と乙土地（200㎡）が、用途上不可分の関係にある２以上の建築物（被相続人が所有していた母屋：350㎡、離れ：100㎡、倉庫：50㎡）のある一団の土地であった場合（甲土地は相続人Ａが、乙土地は相続人Ｂが、これらの建築物は相続人Ａのみが相続し、相続人Ａと相続人Ｂが共にその全てを譲渡したケース）

⑴　相続人Ａが譲渡した甲土地（800㎡）のうち、被相続人居住用家屋の敷地等に該当する部分の計算

$$\left[1{,}000\text{㎡} \times \frac{350\text{㎡}}{350\text{㎡} + (100\text{㎡}+50\text{㎡})}\right] \times \frac{800\text{㎡}}{1{,}000\text{㎡}} = 560\text{㎡}$$

⑵　相続人Ｂは、被相続人からの相続により乙土地（200㎡）は取得したが、被相続人居住用家屋を取得していないため、③の規定の適用を受けることはできない。

〔設例３〕

相続の開始の直前において、被相続人が所有していた甲土地（400㎡）と相続人Ａが所有していた乙土地（600㎡）が、用途上不可分の関係にある２以上の建築物（被相続人と相続人Ａが共有（それぞれ２分の１）で所有していた母屋：350㎡、被相続人が単独で所有していた離れ：100㎡、倉庫：50㎡）のある一団の土地であった場合（相続人Ａが全てを相続し、更地とした上、甲土地及び乙土地を譲渡したケース）

⑴　相続人Ａが譲渡した甲土地（400㎡）及び乙土地（600㎡）のうち、被相続人居住用家屋の敷地等に該当する部分の計算

$$\left[1{,}000\text{㎡} \times \frac{350\text{㎡}}{350\text{㎡} + (100\text{㎡}+50\text{㎡})}\right] \times \frac{400\text{㎡}}{1{,}000\text{㎡}} = 280\text{㎡}$$

⑵　相続人Ａが譲渡した乙土地（600㎡）については、被相続人から相続又は遺贈により取得したものではないため、③の規定の適用を受けることはできない。

（用途上不可分の関係にある２以上の建築物）

(10)　（５）に規定する「用途上不可分の関係にある２以上の建築物」とは、例えば、母屋とこれに附属する離れ、倉庫、蔵、車庫のように、一定の共通の用途に供せられる複数の建築物であって、これを分離するとその用途の実現が困難となるような関係にあるものをいい、（４）に規定する「被相続人が主としてその居住の用に供していたと認められる一の建築物」と他の建築物とが用途上不可分の関係にあるかどうかは、社会通念に従い、相続の開始の直前（当該一の建築物が対象従前居住の用に供されていた家屋である場合には、特定事由により当該家屋が被相続人の居住の用に供されなくなる直前）における現況において判定することに留意する。この場合において、これらの建築物の所有者が同一であるかどうかは問わないことに留意する。（措通35－14）

（要介護認定等の判定時期）

(11)　被相続人が、（１）(一)に規定する要介護認定若しくは要支援認定又は（１）(二)に規定する障害支援区分の認定を受けていたかどうかは、特定事由により被相続人居住用家屋が当該被相続人の居住の用に供されなくなる直前において、当該被相続人がこれらの認定を受けていたかにより判定することに留意する。（措通35－９の２）

（特定事由により居住の用に供されなくなった時から相続の開始の直前までの利用制限）

(12)　（３）(二)に規定する「事業の用、貸付けの用又は当該被相続人以外の者の居住の用に供されていたことがないこと」の要件の判定に当たっては、特定事由により被相続人居住用家屋が被相続人の居住の用に供されなくなった時から相続の開始の直前までの間に、当該被相続人居住用家屋が事業の用、貸付けの用又は当該被相続人以外の者の居住の用として一時的に利用されていた場合であっても、事業の用、貸付けの用又は当該被相続人以外の者の居住の用に供されていたこととなることに留意する。また、当該貸付けの用には、無償による貸付けも含まれることに留意する。（措通35－９の３）

⑥　③の規定を適用しないこととなる場合——適用前譲渡

③の規定は、当該相続又は遺贈による被相続人居住用家屋又は被相続人居住用家屋の敷地等の取得をした相続人（包括受遺者を含む。⑦から⑨までにおいて「**居住用家屋取得相続人**」という。）が、当該相続の時から③の規定の適用を受ける者の対象譲渡をした日の属する年の12月31日までの間に、当該対象譲渡をした資産と当該相続の開始の直前において一体として当該被相続人の居住の用（特定事由により当該被相続人居住用家屋が当該相続の開始の直前において当該被相続人の居住の用に供されていなかった場合（⑤に規定する⑤（３）で定める要件を満たす場合に限る。）には、（１）で定める用途）に供されていた家屋（当該相続の時後に当該家屋につき行われた増築、改築（当該家屋の全部の取壊し又は除却をした後にするもの及びその全部が滅失をした後にするものを除く。）、修繕又は模様替に係る部分を含む。）で（２）で定めるもの又は当該家屋の敷地の用に供されていた土地として（２）で定めるもの若しくは当該土地の上に存する権利（⑦において「**対象譲渡資産一体家屋等**」という。）の譲渡（譲渡所得の基因となる不動産等の貸付けを含み、**七１**に規定する収用交換等による譲渡その他の（３）で定める譲渡（⑦において「収用交換等による譲渡」という。）を除く。以下「適用前譲渡」という。）をしている場合において、当該適用前譲渡に係る対価の額と当該対象譲渡に係る対価の額との合計額が１億円を超えることとなるときは、適用しない。（措法35⑥）

（⑥に規定する（1）で定める用途）

（1）　⑥に規定する（1）で定める用途は、⑤（3）(一)に規定する用途とする。（措令23⑫）

（⑤（4）及び同（5）の規定の準用）

（2）　⑤（4）及び同（5）の規定は、⑥に規定する（2）で定める家屋及び⑥に規定する（2）で定める土地について準用する。この場合において、⑤（4）中「（当該家屋が対象従前居住の用に供されていた家屋である場合には、特定事由により当該家屋が被相続人の居住の用に供されなくなる直前）において、」とあるのは「において」と、「居住の用に供されていた⑤(一)から同(三)まで」とあるのは「居住の用（当該家屋が特定事由により当該相続の開始の直前において当該被相続人の居住の用に供されていなかった場合（③(一)及び(二)に掲げる要件を満たす場合に限る。）には、③(一)に規定する用途）に供されていた⑤(一)から同(三)まで」と、「あって、」とあるのは「あって、当該相続の開始の直前（当該家屋が対象従前居住の用に供されていた家屋である場合には、特定事由により当該家屋が当該被相続人の居住の用に供されなくなる直前）において」と、⑤（5）中「直前（当該土地が対象従前居住の用に供されていた（4）に規定する家屋の敷地の用に供されていた土地である場合には、特定事由により当該家屋が被相続人の居住の用に供されなくなる直前。以下（5）において同じ。）」とあるのは「直前」と読み替えるものとする。（措令23⑬）

（⑥に規定する（3）で定める譲渡）

（3）　⑥に規定する（3）で定める譲渡は、**十五３**（1）(一)及び同(二)に掲げる譲渡とする。（措令23⑭）

（居住用家屋取得相続人の範囲）

（4）　「居住用家屋取得相続人」には、③の規定の適用を受ける相続人を含むほか、当該相続又は遺贈により被相続人居住用家屋のみ又は被相続人居住用家屋の敷地等のみの取得をした相続人も含まれることに留意する。したがって、例えば、被相続人居住用家屋の敷地等のみを相続又は遺贈により取得した者が、当該相続の時から③の規定の適用を受ける者の対象譲渡をした日以後３年を経過する日の属する年の12月31日までに行った当該被相続人居住用家屋の敷地等の譲渡は、適用前譲渡又は適用後譲渡に該当する。（措通35－21）

（「対象譲渡資産一体家屋等」の判定）

（5）　居住用家屋取得相続人がその相続の時から③の規定の適用を受ける者の対象譲渡をした日以後３年を経過する日の属する年の12月31日までの間に譲渡をした資産（以下において「譲渡資産」という。）が「対象譲渡資産一体家屋等」に該当するかどうかは、社会通念に従い、対象譲渡をした資産と一体として被相続人の居住の用（特定事由により被相続人居住用家屋が当該相続の開始の直前において当該被相続人の居住の用に供されていなかった場合（⑤（3）(一)から同(三)までに掲げる要件を満たす場合に限る。）には同(一)に規定する用途）に供されていたものであったかどうかを、相続の開始の直前の利用状況により判定することに留意する。また、この判定に当たっては、次の点に留意する。（措通35－22）

⑴　居住用家屋取得相続人が相続の開始の直前において所有していた譲渡資産もこの判定の対象に含まれること。

⑵　譲渡資産の相続の時後における利用状況はこの判定には影響がないこと。

⑶　③の規定の適用を受けるためのみの目的で相続の開始の直前に一時的に居住の用以外の用に供したと認められる部分については、「対象譲渡資産一体家屋等」に該当すること。

⑷　譲渡資産が対象譲渡をした資産と相続の開始の直前において一体として利用されていた家屋の敷地の用に供されていた土地等であっても、当該土地が用途上不可分の関係にある２以上の建築物のある一団の土地であった場合は、⑥（2）において読み替えて準用する⑤（5）の規定により計算した面積に係る土地等の部分のみが、「対象譲渡資産一体家屋等」に該当すること。

（注）　対象譲渡をした資産と相続の開始の直前において一体として利用されていた家屋は、⑥（2）において読み替えて準用する⑤（4）の規定により、当該相続の開始の直前（当該家屋が対象従前居住の用に供されていた家屋である場合には、特定事由により当該家屋が被相続人の居住の用に供されなくなる直前）において当該被相続人が主として居住の用に供していた一の建築物に限られる。

⑸　譲渡資産が相続の開始の直前において被相続人の店舗兼住宅等又はその敷地の用に供されていた土地等であった場合における非居住用部分（相続の開始の直前において当該被相続人の居住の用以外の用に供されていた部分をいう。）に相当するものもこの判定に含まれること。

⑦　③の規定を適用しないこととなる場合――適用後譲渡

③の規定は、居住用家屋取得相続人が、③の規定の適用を受ける者の対象譲渡をした日の属する年の翌年１月１日から

当該対象譲渡をした日以後３年を経過する日の属する年の12月31日までの間に、対象譲渡資産一体家屋等の譲渡（譲渡所得の基因となる不動産等の貸付けを含み、収用交換等による譲渡を除く。以下「適用後譲渡」という。）をした場合において、当該適用後譲渡に係る対価の額と当該対象譲渡に係る対価の額（適用前譲渡がある場合には、⑥の合計額）との合計額が１億円を超えることとなったときは、適用しない。（措法35⑦）

（適用前譲渡又は適用後譲渡が贈与によるものである場合における⑥及び⑦の規定の適用）

（１）　⑥に規定する居住用家屋取得相続人が、⑥に規定する適用前譲渡又は⑦に規定する適用後譲渡をした場合において、当該適用前譲渡又は適用後譲渡が贈与（著しく低い価額の対価による譲渡として（２）で定めるものを含む。以下（１）において同じ。）によるものである場合における⑥及び⑦の規定の適用については、当該贈与の時における価額に相当する金額をもってこれらの規定に規定する適用前譲渡及び適用後譲渡に係る対価の額とする。（措令23⑮）

（（１）に規定する（２）で定める譲渡）

（２）　（１）に規定する（２）で定める譲渡は、⑥又は⑦に規定する対象譲渡資産一体家屋等の適用前譲渡又は⑥⑦に規定する適用後譲渡に係る対価の額が、当該対象譲渡資産一体家屋等の当該適用前譲渡又は適用後譲渡の時における価額の２分の１に満たない金額である場合の当該適用前譲渡又は適用後譲渡とする。（措規18の２④）

（「適用後譲渡」の判定）

（３）　居住用家屋取得相続人が行った譲渡が適用後譲渡に該当するかどうかの判定をする場合において、③の規定の適用を受ける相続人が複数いるときは、各人の対象譲渡ごとに行うことに留意する。（措通35－23）

（被相続人の居住用財産の一部を贈与している場合）

（４）　（１）に規定する「贈与（著しく低い価額の対価による譲渡を含む。）の時における価額」とは、その贈与の時又はその著しく低い価額の対価による譲渡の時における通常の取引価額をいうことに留意する。（措通35－24）

なお、その譲渡が、著しく低い価額の対価による譲渡に該当するかどうかは、その譲渡の時における通常の取引価額の２分の１に相当する金額に満たない金額による譲渡かどうかにより判定することに留意する。

⑧　③の規定の適用を受けようとする者が負う他の居住用家屋取得相続人に対する通知義務

③の規定の適用を受けようとする者は、他の居住用家屋取得相続人に対し、対象譲渡をした旨、対象譲渡をした日その他参考となるべき事項の通知をしなければならない。この場合において、当該通知を受けた居住用家屋取得相続人で適用前譲渡をしている者は当該通知を受けた後遅滞なく、当該通知を受けた居住用家屋取得相続人で適用後譲渡をした者は当該適用後譲渡をした後遅滞なく、それぞれ、当該通知をした者に対し、その譲渡をした旨、その譲渡をした日、その譲渡の対価の額その他参考となるべき事項の通知をしなければならない。（措法35⑧）

（適用前譲渡又は適用後譲渡をした旨等の通知がなかった場合）

（１）　③の規定の適用を受けようとする者から⑧前段の通知を受けた居住用家屋取得相続人で適用前譲渡をしている者又は適用後譲渡をした者から、当該通知をした者に対する⑧後段に規定する通知がなかったとしても、⑥又は⑦の規定により、適用前譲渡に係る対価の額と対象譲渡に係る対価の額との合計額又は適用後譲渡に係る対価の額と対象譲渡に係る対価の額（適用前譲渡がある場合には、その対象譲渡に係る対価の額と適用前譲渡に係る対価の額との合計額）との合計額が１億円を超えることとなったときは、③の規定の適用はないことに留意する。（措通35－25）

⑨　対象譲渡につき③の規定の適用を受けている者が⑦の規定に該当することとなった場合の修正申告

対象譲渡につき③の規定の適用を受けている者は、⑦の規定に該当することとなった場合には、居住用家屋取得相続人がその該当することとなった適用後譲渡をした日から４月を経過する日までに当該対象譲渡をした日の属する年分の所得税についての修正申告書を提出し、かつ、当該期限内に当該申告書の提出により納付すべき税額を納付しなければならない。（措法35⑨）

⑩　⑨の規定に該当する場合において、修正申告書の提出がないときの更正

⑨の規定に該当する場合において、修正申告書の提出がないときは、納税地の所轄税務署長は、当該申告書に記載すべきであった所得金額、所得税の額その他の事項につき第十二章**一１**又は同**３**の規定による更正を行う。（措法35⑩）

⑪　修正申告書等に対する国税通則法等の適用関係

六１①（２）の規定は、⑨の規定による修正申告書及び⑩の更正について準用する。この場合において、**六１**①（２）（一）及び同（二）中「①に規定する提出期限」とあるのは「**十一１**⑨に規定する提出期限」と、同（二）中「**六１**①」とあるのは「**十一１**⑨」と読み替えるものとする。（措法35⑪）

２　特別控除の申告要件

①　特別控除の申告要件

１①の3,000万円控除は、その適用を受けようとする者の同①に規定する資産の譲渡をした年分の確定申告書に、同①の規定の適用を受けようとする旨その他の（１）で定める事項の記載があり、かつ、当該譲渡による譲渡所得の金額に関する明細書その他（２）で定める書類の添付がある場合に限り、適用する（措法35⑫）

（①に規定する（１）で定める事項）

（１）　①に規定する（１）で定める事項は、次の（一）及び（二）に掲げる場合の区分に応じ当該（一）及び（二）に定める事項とする。（措規18の２①）

（一）	**１**②（一）又は同（二）に掲げる場合に該当して同①の規定の適用を受ける場合	次のイ及びロに掲げる事項 イ　**１**②（一）又は同（二）に掲げる場合に該当して同①の規定の適用を受けようとする旨 ロ　**１**②（一）又は同（二）に掲げる場合に該当する事実
（二）	**１**③の規定により同①の規定の適用を受ける場合	次のイからヘまでに掲げる事項 イ　**１**③の規定により同①の規定の適用を受けようとする旨 ロ　**１**③に規定する対象譲渡（（２）（二）において「対象譲渡」という。）に該当する事実 ハ　**１**③に規定する相続又は遺贈（以下（二）並びに（２）（二）イ⑵（ⅰ）及び⑶（ⅶ）において「相続等」という。）に係る同⑤に規定する被相続人の氏名及び死亡の時における住所並びに死亡年月日 ニ　当該相続等に係る他の居住用家屋取得相続人（**１**⑥に規定する居住用家屋取得相続人をいう。ホにおいて同じ。）がある場合には、その者の氏名及び住所並びにその者の当該相続の開始の時における同⑥の被相続人居住用家屋又は被相続人居住用家屋の敷地等の持分の割合 ホ　当該相続等に係る適用前譲渡（**１**⑥に規定する適用前譲渡をいう。ホ、（２）（二）イ⑸及び**１**⑦（２）において同じ。）がある場合には、当該適用前譲渡をした居住用家屋取得相続人の氏名並びにその者が行った当該適用前譲渡の年月日及び当該適用前譲渡に係る対価の額 ヘ　その他参考となるべき事項

（①に規定する（２）で定める書類）

（２）　①に規定する（２）で定める書類は、次の（一）及び（二）に掲げる場合の区分に応じ当該（一）及び（二）に定める書類とする。（措規18の２②）

（一）	**１**②（一）又は同（二）のいずれかの場合に該当するものとして同①の規定の適用を受ける場合	次のイ及びロに掲げる書類 イ　**１**①に規定する資産の譲渡による譲渡所得の金額の計算に関する明細書 ロ　イの譲渡に係る契約を締結した日の前日において当該譲渡をした者の住民票に記載されていた住所と当該譲渡をしたイの資産の所在地とが異なる場合その他これに類する場合には、戸籍の附票の写し、消除された戸籍の附票の写しその他これらに類する書類で（１）（一）ロに掲げる事項を明らかにするもの
（二）	**１**③の規定により同①の規定の適用を受ける場合	次のイ及びロに掲げる場合の区分に応じそれぞれ次のイ及びロに定める書類 イ　対象譲渡が**１**③（一）に掲げる譲渡である場合　次の⑴から⑸までに掲げる書類 ⑴　当該対象譲渡による譲渡所得の金額の計算に関する明細書

⑵　**1**③の被相続人居住用家屋及び被相続人居住用家屋の敷地等の登記事項証明書その他の書類で次の(ⅰ)から(ⅲ)までに掲げる事項を明らかにするもの

(ⅰ)　当該対象譲渡をした者が当該被相続人居住用家屋及び当該被相続人居住用家屋の敷地等を(1)(二)ハの被相続人（以下(二)及び**1**④(2)において「被相続人」という。）から相続等により取得したこと。

(ⅱ)　当該被相続人居住用家屋が昭和56年5月31日以前に建築されたこと。

(ⅲ)　当該被相続人居住用家屋が建物の区分所有等に関する法律第1条の規定に該当する建物でないこと。

⑶　当該対象譲渡をした被相続人居住用家屋（**1**③(一)に規定する被相続人居住用家屋をいう。⑶から⑸までにおいて同じ。）又は被相続人居住用家屋及び被相続人居住用家屋の敷地等（同(一)に規定する被相続人居住用家屋の敷地等をいう。⑶及び⑸において同じ。）の所在地の市町村長又は特別区の区長の次に掲げる事項（**1**⑤に規定する居住の用が同⑤に規定する対象従前居住の用（以下(二)において「対象従前居住の用」という。）以外の居住の用である場合には、(ⅰ)、(ⅱ)及び(ⅶ)に掲げる事項）を確認した旨を記載した書類

(ⅰ)　**1**⑤の相続の開始の直前（その被相続人居住用家屋が対象従前居住の用に供されていた被相続人居住用家屋である場合には、同⑤に規定する特定事由（以下(二)及び**1**⑤(2)において「特定事由」という。）により当該被相続人居住用家屋が被相続人の居住の用に供されなくなる直前。ロ⑶(ⅰ)において同じ。）において、被相続人がその被相続人居住用家屋を居住の用に供しており、かつ、当該被相続人居住用家屋に当該被相続人以外に居住をしていた者がいなかったこと。

(ⅱ)　当該被相続人居住用家屋又は当該被相続人居住用家屋及び被相続人居住用家屋の敷地等が当該相続の時から当該対象譲渡の時まで事業の用、貸付けの用又は居住の用に供されていたことがないこと。

(ⅲ)　その被相続人居住用家屋が特定事由により**1**⑤の相続の開始の直前において被相続人の居住の用に供されていなかったこと。

(ⅳ)　特定事由により被相続人居住用家屋が被相続人の居住の用に供されなくなった時から**1**⑤の相続の開始の直前まで引き続き当該被相続人居住用家屋が当該被相続人の物品の保管その他の用に供されていたこと。

(ⅴ)　特定事由により被相続人居住用家屋が被相続人の居住の用に供されなくなった時から**1**⑤の相続の開始の直前まで当該被相続人居住用家屋が事業の用、貸付けの用又は当該被相続人以外の者の居住の用に供されていたことがないこと。

(ⅵ)　被相続人が**1**⑤(1)(一)及び同(二)に規定する住居又は施設に入居又は入所をした時から**1**⑤の相続の開始の直前までの間において当該被相続人の居住の用に供する家屋が二以上ある場合には、これらの家屋のうち、当該住居又は施設が、当該被相続人が主としてその居住の用に供していた一の家屋に該当するものであること。

(ⅶ)　相続等による当該被相続人居住用家屋及び被相続人居住用家屋の敷地等の取得をした**1**③に規定する相続人の数

⑷　当該対象譲渡をした被相続人居住用家屋が国土交通大臣が財務大臣と協議して定める**1**③に規定する耐震基準（ハ⑶(ⅱ)及び⑷において「耐震基準」という。）に適合する家屋である旨を証する書類

⑸　当該対象譲渡をした被相続人居住用家屋又は被相続人居住用家屋及び被相続人居住用家屋の敷地等に係る売買契約書の写しその他の書類で、当該被相続人居住用家屋又は当該被相続人居住用家屋及び被相続人居住用家屋の敷地等の譲渡に係る対価の額が1億円（当該対象譲渡に係る適用前譲渡がある場合には、1億円から当該適用前譲渡に係る対価の額の合計額を控除した残額。ロ⑷において同じ。）以下であることを明らかにする書類

ロ　対象譲渡が**1**③(二)に掲げる譲渡である場合　次の⑴から⑷までに掲げる書類

⑴　当該対象譲渡による譲渡所得の金額の計算に関する明細書

⑵　イ⑵に掲げる書類

⑶　当該対象譲渡をした被相続人居住用家屋の敷地等（**1**③(二)に規定する被相続人居住用家屋の敷地等をいう。⑶及び⑷において同じ。）の所在地の市町村長又は特別区の区長の次に掲げる事項（**1**⑤に規定する居住の用が対象従前居住の用以外の居住の用である場合には、(ⅰ)から(ⅳ)まで及び(ⅸ)に掲げる事項）を確認した旨を記載した書類

(ⅰ)　**1**⑤の相続の開始の直前において、被相続人がその被相続人居住用家屋の敷地等に係る被相続人居住用家屋（**1**③(二)に規定する被相続人居住用家屋をいう。⑶において同じ。）を居住の用に供しており、かつ、当該被相続人居住用家屋に当該被相続人以外に居住をしていた者がいなかったこと。

(ⅱ)　当該被相続人居住用家屋の敷地等に係る被相続人居住用家屋が当該相続の時からその全部の取壊し、除却又は滅失の時まで事業の用、貸付けの用又は居住の用に供されていたことがないこと。

(ⅲ)　当該被相続人居住用家屋の敷地等が当該相続の時から当該対象譲渡の時まで事業の用、貸付けの用又は居住の用に供されていたことがないこと。

(ⅳ)　当該被相続人居住用家屋の敷地等が(ⅱ)の取壊し、除却又は滅失の時から当該対象譲渡の時まで建物又は構築物の敷地の用に供されていたことがないこと。

(ⅴ)　その被相続人居住用家屋の敷地等に係る被相続人居住用家屋が特定事由により**1**⑤の相続の開始の直前において被相続人の居住の用に供されていなかったこと。

(ⅵ)　特定事由によりその被相続人居住用家屋の敷地等に係る被相続人居住用家屋が被相続人の居住の用に供されなくなった時から**1**⑤の相続の開始の直前まで引き続き当該被相続人居住用家屋が当該被相続人の物品の保管その他の用に供されていたこと。

(ⅶ)　特定事由によりその被相続人居住用家屋の敷地等に係る被相続人居住用家屋が被相続人の居住の用に供されなくなった時から**1**⑤の相続の開始の直前まで当該被相続人居住用家屋が事業の用、貸付けの用又は当該被相続人以外の者の居住の用に供されていたことがないこと。

(ⅷ)　被相続人が**1**⑤(1)(一)及び(二)に規定する住居又は施設に入居又は入所をした時から**1**⑤の相続の開始の直前までの間において当該被相続人の居住の用に供する家屋が二以上ある場合には、これらの家屋のうち、当該住居又は施設が、当該被相続人が主としてその居住の用に供していた一の家屋に該当するものであること。

(ⅸ)　イ⑶(ⅶ)に掲げる事項

⑷　当該対象譲渡をした被相続人居住用家屋の敷地等に係る売買契約書の写しその他の書類で、当該被相続人居住用家屋の敷地等の譲渡に係る対価の額が1億円以下であることを明らかにする書類

ハ　対象譲渡が**1**③(三)に掲げる譲渡である場合　　次の⑴から⑸までに掲げる書類

⑴　当該対象譲渡による譲渡所得の金額の計算に関する明細書

⑵　イ⑵に掲げる書類

⑶　当該対象譲渡をした被相続人居住用家屋（**1**③(三)に規定する被相続人居住用家屋をいう。⑶及び⑷において同じ。）又は被相続人居住用家屋及び被相続人居住用家屋の敷地等（**1**③(三)に規定する被相続人居住用家屋の敷地等をいう。）の所在地の市町村長又は特別区の区長の次に掲げる事項（**1**⑤に規定する居住の用が対象従前居住の用以外の居住の用である場合には、(ⅰ)及び(ⅱ)

		に掲げる事項）を確認した旨を記載した書類 （ⅰ）　イ⑶（ⅰ）、（ⅱ）及び（ⅶ）に掲げる事項 （ⅱ）　当該対象譲渡の時から当該対象譲渡の日の属する年の翌年２月15日までの期間（⑷において「特定期間」という。）内に、当該被相続人居住用家屋が耐震基準に適合することとなったこと又は当該被相続人居住用家屋の全部の取壊し若しくは除却がされ、若しくはその全部が滅失をしたこと。 （ⅲ）　イ⑶（ⅲ）から（ⅵ）までに掲げる事項 ⑷　当該対象譲渡をした被相続人居住用家屋が国土交通大臣が財務大臣と協議して定める耐震基準に適合する家屋である旨を証する書類又は当該対象譲渡をした被相続人居住用家屋の登記事項証明書その他の書類で、特定期間内に当該被相続人居住用家屋の全部の取壊し若しくは除却がされ、若しくはその全部が滅失をした旨を証する書類 ⑸　イ⑸に掲げる書類

（確定申告書への記載等がない場合の宥恕規定）

（３）　税務署長は、確定申告書の提出がなかった場合又は上記の記載若しくは添付がない確定申告書等の提出があった場合においても、その提出又は記載若しくは添付がなかったことについてやむを得ない事情があると認めるときは、当該記載をした書類及び**２**①（２）で定める書類の提出があった場合に限り、**１**①の特例を適用することができる。（措法35⑬）

（対象譲渡について措置法第35条第３項の規定を適用しないで申告した場合）

（４）　相続人が被相続人居住用家屋又は被相続人居住用家屋の敷地等の一部の対象譲渡（以下において「当初対象譲渡」という。）をした場合において、当該相続人の選択により、当該当初対象譲渡について**１**③の規定の適用をしないで確定申告書を提出したときは、例えば、その後において当該相続人が行った当該被相続人居住用家屋又は被相続人居住用家屋の敷地等の一部の対象譲渡について同③の規定の適用を受けないときであっても、当該相続人が更正の請求をし、又は修正申告書を提出するときにおいて、当該当初対象譲渡について同③の規定の適用を受けることはできないことに留意する。（措通35－18）

（登記事項証明書で特例の対象となる被相続人居住用財産であることについての証明ができない場合）

（５）　譲渡した資産が、**１**③の規定の適用対象となる被相続人居住用財産の要件（（２）（二）イ⑵（ⅰ）から同（ⅲ）までに掲げる事項に限る。）に該当することについて、同（二）イ⑵に規定する登記事項証明書では証明することができない場合には、例えば、次に掲げる書類で同（二）イ⑵（ⅰ）から同（ⅲ）までに掲げる事項に該当するものであることを明らかにするものを確定申告書に添付した場合に限り、**１**③の規定の適用があることに留意する。（措通35－26）

⑴　同（二）イ⑵（ⅰ）に掲げる事項を証する書類　遺産分割協議書

⑵　同（二）イ⑵（ⅱ）に掲げる事項を証する書類　確認済証（昭和56年５月31日以前に交付されたもの）、検査済証（当該検査済証に記載された確認済証交付年月日が昭和56年５月31日以前であるもの）、建築に関する請負契約書

⑶　同（二）イ⑵（ⅲ）に掲げる事項を証する書類　固定資産課税台帳の写し

十二　特定期間に取得をした土地等を譲渡した場合の長期譲渡所得の特別控除

1　1,000万円特別控除

個人が、平成21年1月1日から平成22年12月31日までの間に取得（当該個人の配偶者その他の当該個人と（2）で定める特別の関係がある者からの取得並びに相続、遺贈、贈与及び交換によるものその他代物弁済としての取得及び所有権移転外リース取引による取得を除く。）をした国内にある土地又は土地の上に存する権利（以下**1**及び（1）において「土地等」という。）で、その年1月1日において**一1**①《長期譲渡所得の分離課税》に規定する所有期間が5年を超えるものの譲渡をした場合には、その者がその年中にその譲渡をした土地等の全部又は一部につき**三1**《収用等に伴い代替資産を取得した場合の課税の特例》、**四1**《交換処分等に伴い資産を取得した場合の課税の特例》、**五1**《換地処分に伴い資産を取得した場合の課税の特例》、**十五1**《特定の居住用財産の買換えの場合の長期譲渡所得の課税の特例》、同**5**《特定の居住用財産を交換した場合の長期譲渡所得の課税の特例》、**十八1**《特定の事業用資産の買換えの場合の譲渡所得の課税の特例》、同**4**《特定の事業用資産を交換した場合の譲渡所得の課税の特例》又は**二十一1**《特定普通財産とその隣接する土地等の交換の場合の譲渡所得の課税の特例》の規定の適用を受ける場合を除き、これらの全部の土地等の譲渡に対する**一**《土地建物等の長期譲渡所得の課税の特例》の規定の適用については、**一1**①中「長期譲渡所得の金額（」とあるのは、「長期譲渡所得の金額から1,000万円（長期譲渡所得の金額のうち**十二1**の規定に該当する土地等の譲渡に係る部分の金額が1,000万円に満たない場合には、当該土地等の譲渡に係る部分の金額）を控除した金額（」とする。（措法35の2①、措令23の2②）

（**1**の土地等の譲渡の範囲）

（1）　**1**の土地等の譲渡には、譲渡所得の基因となる不動産等の貸付けを含むものとし、**二十三**《固定資産の交換の場合の譲渡所得の特例》の規定又は**七**《収用交換等の場合の譲渡所得の特例》若しくは**八**《土地区画整理事業等のための土地等を譲渡した場合の所得の特別控除》から**十一**《居住用財産の譲渡所得の特別控除》までの規定の適用を受ける譲渡を含まないものとする。（措法35の2②）

（特別の関係がある者－特例の適用のない譲渡の相手方）

（2）　**1**に規定する当該個人と特別の関係がある者は、次の(一)から(五)までに掲げる者とする。（措令23の2①）

(一)	当該個人の配偶者及び直系血族
(二)	当該個人の親族（(一)に掲げる者を除く。）で当該個人と生計を一にしているもの
(三)	当該個人と婚姻の届出をしていないが事実上婚姻関係と同様の事情にある者及びその者の親族でその者と生計を一にしているもの
(四)	(一)から(三)までに掲げる者及び当該個人の使用人以外の者で当該個人から受ける金銭その他の財産によって生計を維持しているもの及びその者の親族でその者と生計を一にしているもの
(五)	当該個人、当該個人の(一)及び(二)に掲げる親族、当該個人の使用人若しくはその使用人の親族でその使用人と生計を一にしているもの又は当該個人に係る(三)及び(四)に掲げる者を判定の基礎となる第二章第一節**一**表内**8の2**に規定する株主等とした場合に法人税法施行令第4条第2項（**一3**②(注)(二)参照）に規定する特殊の関係その他これに準ずる関係のあることとなる会社その他の法人

（**十二**の規定を適用する場合における**一1**②の規定の適用）

（3）　**十二**の規定を適用する場合における**一1**②の規定の適用については、同②中「**1**」とあるのは「**十二1**」と、「土地等又は建物等」とあるのは「土地等」と、「取得（建設を含む。）」とあるのは「同**1**に規定する取得」とし、**一1**②(1)の規定は、適用しない。（措令23の2③）

2　特別控除の申告要件

1の規定は、**1**の規定の適用を受けようとする年分の確定申告書に、**1**の規定の適用を受ける旨の記載があり、かつ、**1**の規定に該当する旨を証する書類として(2)で定めるものの添付がある場合に限り、適用する。（措法35の2③）

（宥恕規定）

（1）　税務署長は、確定申告書の提出がなかった場合又は**2**の記載若しくは添付がない確定申告書の提出があった場合においても、その提出又は記載若しくは添付がなかったことについてやむを得ない事情があると認めるときは、当該記載をした書類及び(２)で定める書類の提出があった場合に限り、**1**の規定を適用することができる。(措法35の２④)

(**2**に規定する(２)で定める書類)

(２)　**2**に規定する(２)で定める書類は、**1**の譲渡をした**1**に規定する土地等に係る登記事項証明書、売買契約書の写しその他の書類で、当該土地等が平成21年１月１日から平成22年12月31日までの間に**1**に規定する取得をされたものであることを明らかにする書類とする。(措規18の３①)

(「取得」の範囲)

(３)　**1**の規定は、平成21年１月１日から平成22年12月31日までの間（以下(13)までにおいて「取得期間」という。）に土地等（**1**に規定する土地等をいう。以下(14)までにおいて同じ。）の取得（**1**に規定する取得をいう。以下(13)までにおいて同じ。）をした者に限り適用があるのであるが、**1**及び**1**(３)の規定により、当該取得には、当該土地等の相続、遺贈、贈与、交換、代物弁済及び所有権移転外リース取引による取得（以下(３)において「相続等による取得」という。）並びに当該取得をした者からの相続等による取得は含まれないことに留意する。(措通35の２－１)

(取得をした日の判定)

(４)　土地等の「取得をした日」の判定は、第四章第八節**二1**(２)《資産の取得の日》の取扱いに準ずる。(措通35の２－２)

(特殊関係者からの取得の判定時期)

(５)　土地等の取得が**1**(２)(一)から同(五)まで《特殊関係者の範囲》に掲げる者からの取得に該当するかどうかは、当該取得をした時において判定する。(措通35の２－３)

(「生計を一にしているもの」の意義)

(６)　**1**(２)に規定する「生計を一にしているもの」とは、第二章第一節**一**表内**33**(２)《生計を一にするの意義》に定めるところによる。(措通35の２－４)

(「個人から受ける金銭その他の財産によって生計を維持しているもの」の意義)

(７)　**1**(２)(四)に規定する「当該個人から受ける金銭その他の財産によって生計を維持しいているもの」とは、当該個人から給付を受ける金銭その他の財産又は給付を受けた金銭その他の財産の運用によって生ずる収入を日常生活の資の主要部分としている者をいうのであるが、当該個人から離婚に伴う財産分与、損害賠償その他これらに類するものとして受ける金銭その他の財産によって生計を維持している者は含まれないものとして取り扱う。(措通35の２－５)

(名義株についての株主等の判定)

(８)　**1**(２)(五)に規定する「株主等」とは、株主名簿又は社員名簿に記載されている株主等をいうのであるが、株主名簿又は社員名簿に記載されている株主等が単なる名義人であって、当該名義人以外の者が実際の権利者である場合には、その実際の権利者をいうことに留意する。(措通35の２－６)

(会社その他の法人)

(９)　**1**(２)(五)に規定する「会社その他の法人」には、例えば、出資持分の定めのある医療法人のようなものがある。(措通35の２－７)

(立退料等を支払って貸地の返還を受けた場合)

(10)　土地を他人に使用させていた者が、立退料等を支払ってその借地人から貸地の返還を受けた場合には、当該土地の借地権等に相当する部分の取得があったものとし、当該支払った金額（その金額のうちにその借地人から取得した建物、構築物等で当該土地の上にあるものの対価に相当する金額があるときは、当該金額を除く。）を当該土地の借地権等に相当する部分の取得価額として**1**の規定を適用することができるものとする。(措通35の２－８)

（土地等と建物等を一括取得した場合の土地等の取得価額の区分）

(11)　土地等を建物等と一の契約により取得した場合における当該土地等の取得価額については、次によるものとする。（措通35の２－９）

(一)　当該土地等及び建物等の価額が当事者間の契約において区分されており、かつ、その区分された価額が当該土地等及び建物等の当該取得の時の価額としておおむね適正なものであるときは、当該契約により明らかにされている当該土地等の価額による。

(二)　当該土地等及び建物等の価額が当事者間の契約において区分されていない場合であっても、例えば、当該土地等及び建物等が建設業者から取得したものであってその建設業者の帳簿書類に当該土地等及び建物等のそれぞれの価額が区分して記載されている等当該土地等及び建物等のそれぞれの価額がその取得先等において確認され、かつ、その区分された価額が当該土地等及び建物等の取得価額の時の価額としておおむね適正なものであるときは、当該確認された当該土地等の価額によることができる。

(三)　(一)及び(二)により難いときは、当該一括して取得した土地等及び建物等の当該取得の時における価額の比によりあん分して計算した当該土地等の金額を、当該土地等の取得価額とする。

（換地処分等により取得した土地等）

(12)　取得期間内に取得がされた土地等につき土地区画整理法による土地区画整理事業、新都市基盤整備法による土地整理、大都市地域住宅等供給促進法による住宅街区整備事業、土地改良法による土地改良事業、独立行政法人森林総合研究所法附則第９条第１項に規定する業務のうち独立行政法人緑資源機構法を廃止する法律による廃止前の独立行政法人緑資源機構法第11条第１項第７号イ《業務の範囲》の事業、独立行政法人森林総合研究所法附則第11条第１項に規定する業務のうち森林開発公団法の一部を改正する法律附則第８条の規定による廃止前の農用地整備公団法第19条第１項第１号イ《業務の範囲》の事業、都市再開発法による市街地再開発事業、密集市街地における防災街区の整備の促進に関する法律による防災街区整備事業又はマンションの建替え等の円滑化に関する法律によるマンション建替事業若しくは敷地分割事業が施行された場合において、当該事業の施行により換地取得資産、変換取得資産、対償取得資産、防災変換取得資産、変換後資産（**五７**（１）に規定する変換後資産をいう。）又は分割後資産（同**８**（１）に規定する分割後資産をいう。）（以下(12)において「換地取得資産等」という。）を取得した場合には、当該換地取得資産等のうち土地等に係る部分については、取得期間内に取得がされた土地等に該当するものとして**１**の規定を適用する。（措通35の２－10）

（収用等に伴い代替資産を取得した場合の課税の特例等の適用を受けた土地等の所有期間の判定）

(13)　取得期間内に**三**《収用等に伴い代替資産を取得した場合の課税の特例》**１**、**四**《交換処分等に伴い資産を取得した場合の課税の特例》**１**又は**五**《換地処分等に伴い資産を取得した場合の課税の特例》**１**の規定の適用を受けて取得した土地等（交換により取得したものを除く。）について**１**の規定を適用する場合における**１**に規定する所有期間とは、**１**、**五１**及び**１**（３）の規定により、当該土地等を実際に取得をした日の翌日から引き続き所有していた期間をいうことに留意する。（措通35の２－11）

（所得税法第58条の固定資産の交換の特例との選択適用）

(14)　**１**に規定する譲渡（以下(14)において「譲渡」という。）には、**１**（１）の規定により、**二十三**《固定資産の交換の場合の譲渡所得の特例》の規定の適用を受ける譲渡は含まれないのであるから、土地等の譲渡について**二十三**の規定の適用を受ける場合には、当該譲渡に伴って取得した交換差金について、**１**の規定の適用を受けることはできないことに留意する。（措通35の２－12）

十三　低未利用土地等を譲渡した場合の長期譲渡所得の特別控除

1　100万円特別控除

個人が、都市計画法第４条第２項に規定する都市計画区域内にある土地基本法第13条第４項に規定する低未利用土地（以下**1**及び(１)(二)において「**低未利用土地**」という。）又は当該低未利用土地の上に存する権利（以下**2**までにおいて「**低未利用土地等**」と総称する。）で、その年１月１日において**一１**②に規定する所有期間が５年を超えるものの譲渡を令和２年７月１日から令和７年12月31日までの間にした場合（当該譲渡の後に当該低未利用土地等の利用がされる場合に限る。）には、その者がその年中にその譲渡をした低未利用土地等の全部又は一部につき**三**から**五**まで、**十五**、**十五５**、**十八**、**十八４**又は**二十一**の規定の適用を受ける場合を除き、これらの全部の低未利用土地等の譲渡に対する第**一１**の規定の適用については、同**１**①中「長期譲渡所得の金額（」とあるのは、「長期譲渡所得の金額から100万円（長期譲渡所得の金額のうち**１**の規定に該当する**１**に規定する低未利用土地等の譲渡に係る部分の金額が100万円に満たない場合には、当該低未利用土地等の譲渡に係る部分の金額）を控除した金額（」とする。（措法35の３①）

（**1**の土地等の譲渡の範囲）

（１）　**1**の低未利用土地等の譲渡には、譲渡所得の基因となる不動産等の貸付けを含むものとし、次の(一)から(三)までに掲げる譲渡を含まないものとする。（措法35の３②）

(一)	当該個人の配偶者その他の当該個人と(２)で定める特別の関係がある者に対してする譲渡
(二)	その譲渡の対価（当該低未利用土地等の譲渡とともにした当該低未利用土地の上にある資産の譲渡の対価を含む。）の額が500万円（当該低未利用土地等が次に掲げる区域内にある場合には、800万円）を超えるもの イ　都市計画法第４条第２項に規定する都市計画区域のうち(３)で定める区域 ロ　所有者不明土地の利用の円滑化等に関する特別措置法第45条第１項に規定する所有者不明土地対策計画を作成した市町村の区域（イに掲げる区域を除く。）
(三)	**二十三**の規定又は**七**若しくは**八**から**十二**までの規定の適用を受ける譲渡

（(１)(一)に規定する当該個人と(２)で定める特別の関係がある者）

（２）　(１)(一)に規定する当該個人と(２)で定める特別の関係がある者は、**十二１**(２)の(一)から(五)に掲げる者とする。（措令23の３①）

（(１)(二)イに規定する(３)で定める区域）

（３）　(１)(二)イに規定する(３)で定める区域は、次の(一)及び(二)に掲げる区域とする。（措令23の３②）

(一)	都市計画法第７条第１項の市街化区域と定められた区域
(二)	都市計画法第７条第１項に規定する区域区分に関する同法第４条第１項に規定する都市計画が定められていない同条第２項に規定する都市計画区域のうち、同法第８条第１項第１号に規定する用途地域が定められている区域

（譲渡の対価の額）

（４）　(１)(二)に規定する「譲渡の対価の額」とは、例えば譲渡協力金、移転料等のような名義のいかんを問わず、その実質においてその譲渡をした**1**に規定する低未利用土地又は当該低未利用土地の上に存する権利（以下(７)までにおいて「低未利用土地等」という。）の譲渡の対価たる金額をいうことに留意する。（措通35の３－１）

（譲渡の対価の額が500万円又は800万円を超えるかどうかの判定）

（５）　(１)(二)に規定する譲渡の対価の額（以下(５)において「譲渡対価」という。）が500万円（低未利用土地等が(１)(二)イ又はロに掲げる区域内にある場合には、800万円）を超えるかどうかの判定は、次により行うものとする。（措通35の３－２）

⑴　低未利用土地等が共有である場合は、所有者ごとの譲渡対価により判定する。

⑵　低未利用土地等と当該低未利用土地等の譲渡とともにした当該低未利用土地の上にある資産の所有者が異なる場合は、低未利用土地等の譲渡対価により判定する。

⑶　低未利用土地と当該低未利用土地の上に存する権利の所有者が異なる場合は、所有者ごとの譲渡対価により判定する。

⑷　同一年中に**1**の規定の適用を受けようとする低未利用土地等が２以上ある場合は、当該低未利用土地等ごとの譲渡対価により判定する。

（譲渡の対価の額に係る要件が異なる区域に所在する低未利用土地等を譲渡した場合の判定）

（６）　譲渡した一団の低未利用土地等が、（１）(二)イ又はロに掲げる区域及びそれ以外の区域のいずれにも所在する場合における（１）の規定の適用については、それぞれの区域に係る同(二)に規定する価額をそれぞれの区域に所在する低未利用土地等の面積を基にあん分するなど、合理的な方法により算定した価額によることとなるが、例えば、それぞれの区域に所在する低未利用土地等の面積を算定するのが困難であるなどの事情がある場合は、当該低未利用土地等の総面積の過半を占める区域に当該低未利用土地等が所在するとして、（１）の規定を適用して差し支えないものとする。（措通35の３－２の２）

（**二十三**の固定資産の交換の特例との選択適用）

（７）　**1**に規定する譲渡には、（１）(三)の規定により、**二十三**《固定資産の交換の場合の譲渡所得の特例》の規定の適用を受ける譲渡は含まれないのであるから、低未利用土地等の譲渡について**二十三**の規定の適用を受ける場合には、当該譲渡に伴って取得した交換差金について、**十一**の規定の適用を受けることはできないことに留意する。（措通35の３－３）

（特殊関係者に対する譲渡の判定時期等）

（８）　**1**に規定する譲渡が**十二１**（２）(一)から(五)《特殊関係者の範囲》に掲げる者に対する譲渡に該当するかどうかは、当該譲渡をした時において判定するほか、**十二２**（６）から同（９）までの取扱いを準用する。（措通35の３－４）

（**1**の規定の適用除外）

（９）　**1**の規定は、**1**の規定の適用を受けようとする低未利用土地等と一筆であった土地からその年の前年又は前々年に分筆された土地又は当該土地の上に存する権利の譲渡（譲渡所得の基因となる不動産等の貸付けを含む。）を当該前年又は前々年中にした場合において、その者が当該譲渡につき**1**の規定の適用を受けているときは、適用しない。（措法35の３③）

2　特別控除の申告要件

1の規定は、**1**の規定の適用を受けようとする年分の確定申告書に、**1**の規定の適用を受ける旨の記載があり、かつ、**1**の規定の適用を受けようとする低未利用土地等の譲渡の後の利用に関する書類その他の（１）で定める書類の添付がある場合に限り、適用する。（措法35の３④）

（**2**に規定する（１）で定める書類）

（１）　**2**に規定する（１）で定める書類は、次の(一)及び(二)に掲げる書類とする。（措規18の３の２）

(一)	譲渡をした土地又は当該土地の上に存する権利（以下(一)において「土地等」という。）の所在地の市町村長又は特別区の区長のイからニまでに掲げる事項を確認した旨及びホからトまでに掲げる事項を記載した書類 イ　当該土地等が都市計画法第４条第２項に規定する都市計画区域内にあること。 ロ　当該土地等が、当該譲渡の時において、**1**に規定する低未利用土地等（(二)において「低未利用土地等」という。）に該当するものであること。 ハ　当該土地等が、当該譲渡の後に利用されていること又は利用される見込みであること。 ニ　当該土地等の**1**に規定する所有期間が５年を超えるものであること。 ホ　当該土地等と一筆であった土地からその年の前年又は前々年に分筆された土地等の有無 ヘ　ホに規定する分筆された土地等がある場合には、当該土地等につき(一)に掲げる書類の当該譲渡をした者への交付の有無 ト　当該土地等が**1**（１）(二)イ又はロに掲げる区域内にある場合には、当該土地等が同(二)イ又はロに掲げる区域のうちいずれの区域内にあるかの別
(二)	譲渡をした低未利用土地等に係る売買契約書の写しその他の書類で、当該低未利用土地等の**1**（１）(二)に規定

	する譲渡の対価の額が500万円（当該低未利用土地等が同(二)イ又はロに掲げる区域内にある場合には、800万円）以下であることを明らかにするもの

（宥恕規定）

（2）　税務署長は、確定申告書の提出がなかった場合又は**2**の記載若しくは添付がない確定申告書の提出があった場合においても、その提出又は記載若しくは添付がなかったことについてやむを得ない事情があると認めるときは、当該記載をした書類及び(1)で定める書類の提出があった場合に限り、**1**の規定を適用することができる。（措法35の3⑤）

十四　譲渡所得の特別控除額の特例

1　特別控除額の最高限度（5,000万円）とその控除順序

個人がその有する資産の譲渡（譲渡所得の基因となる不動産等の貸付けを含む。以下**十四**において同じ。）をした場合において、その年中の当該資産の譲渡につき**七１**《5,000万円控除》、**八１**《2,000万円控除》、**九１**《1,500万円控除》、**十１**《800万円控除》、**十一１**《3,000万円控除》、**十二１**《1,000万円控除》又は**十三１**《100万円控除》の規定のうち２以上の規定の適用を受けることにより控除すべき金額の合計額が5,000万円を超えることとなるときは、これらの規定により控除すべき金額は、通じて5,000万円の範囲内において、まず**七１**の規定により控除すべき金額から成るものとし、**七１**の規定の適用がない場合又は**七１**の規定により控除すべき金額が5,000万円に満たない場合には、5,000万円又は当該満たない部分の金額の範囲内において、順次**十一１**、**八１**、**九１**、**十二１**《特定の土地等の長期譲渡所得の特別控除》、**十１**及び**十三１**の規定により控除すべき金額から成るものとして計算した金額とする。（措法36①、措令24）

（譲渡所得の特別控除額の累積限度額）

注　その年中の資産の譲渡につき、収用交換等の場合の5,000万円控除の特例《**七１**》、居住用財産を譲渡した場合の3,000万円控除の特例《**十一１**》、特定土地区画整理事業等のために土地等を譲渡した場合の2,000万円控除の特例《**八１**》、特定住宅地造成事業等のために土地等を譲渡した場合の1,500万円控除の特例《**九１**》、特定期間に取得をした土地等を譲渡した場合の長期譲渡所得の1,000万円控除の特例《**十二１**》、農地保有の合理化等のために農地等を譲渡した場合の800万円控除の特例《**十１**》又は低未利用土地等を譲渡した場合の長期譲渡所得の100万円控除の特例《**十三**》の規定の２以上の特別控除の規定の適用を受ける場合において、これらの特別控除額の合計額が5,000万円を超えることとなるときは、その年中のこれらの特別控除額の合計額は、その年を通じて5,000万円とされる。この場合における特別控除額の控除は、5,000万円に達するまで次表に掲げる順序により行うこととなることに留意する。（措通36－１）

控除の区分＼所得の区分	分離短期譲渡所得	総合短期譲渡所得	総合長期譲渡所得	山林所得	分離長期譲渡所得
収用交換等の場合の5,000万円控除	①	②	③	④	⑤
居住用財産を譲渡した場合の3,000万円控除	⑥	—	—	—	⑦
特定土地区画整理事業等の場合の2,000万円控除	⑧	—	—	—	⑨
特定住宅地造成事業等の場合の1,500万円控除	⑩	—	—	—	⑪
特定期間に取得をした土地等を譲渡した場合の長期譲渡所得の1,000万円控除	—	—	—	—	⑫
農地保有の合理化等の場合の800万円控除	⑬	—	—	—	⑭
低未利用土地等を譲渡した場合の長期譲渡所得の100万円控除	—	—	—	—	⑮

十五　特定の居住用財産の買換え及び交換の場合の長期譲渡所得の課税の特例

1　特定の居住用財産の買換えの場合の長期譲渡所得の課税の特例

個人が、平成５年４月１日から令和７年12月31日までの間に、その有する家屋又は土地若しくは土地の上に存する権利で、その年１月１日において①に規定する所有期間が10年を超えるもののうち次の(一)から(四)までに掲げるもの（以下において「**譲渡資産**」という。）の**譲渡**（譲渡所得の基因となる不動産等の貸付けを含むものとし、当該譲渡資産の譲渡に係る対価の額が１億円を超えるもの、当該個人の配偶者その他の当該個人と**一３**②で定める特別の関係がある者に対してするもの、**三１**《収用等に伴い代替資産を取得した場合の課税の特例》、**四１**《交換処分等に伴い資産を取得した場合の課税の特例》、**五１**《換地処分に伴い資産を取得した場合の課税の特例》、**七１**《収用交換等の場合の譲渡所得等の特別控除》、**十八１**《特定の事業用資産の買換えの場合の譲渡所得の課税の特例》、同**４**《特定の事業用資産を交換した場合の譲渡所得の課税の特例》又は**二十一１**《特定普通財産とその隣接する土地等の交換の場合の譲渡所得の課税の特例》の規定の適用を受けるもの及び贈与、交換又は出資によるもの及び代物弁済（金銭債務の弁済に代えてするものに限る。以下同じ。）によるものを除く。以下において同じ。）をした場合において、平成５年４月１日（当該譲渡の日が平成７年１月１日以後であるときは、当該譲渡の日の属する年の前年１月１日）から当該譲渡の日の属する年の12月31日までの間に、当該個人の居住の用に供する家屋又は当該家屋の敷地の用に供する土地若しくは当該土地の上に存する権利で、(１)で定めるもののうち国内にあるもの（以下において「**買換資産**」という。）の取得（建設を含むものとし、贈与又は交換によるもの及び代物弁済によるものを除く。以下**十五**において同じ。）をし、かつ、当該取得の日から当該譲渡の日の属する年の翌年12月31日までの間に当該個人の居住の用に供したとき、又は供する見込みであるときは、当該個人がその年又はその年の前年若しくは前々年において**一３**《居住用財産を譲渡した場合の長期譲渡所得の課税の特例》、**十一１**《居住用財産の譲渡所得の特別控除》（**十一１**③の規定により適用する場合を除く。）、**十六１**《居住用財産の買換え等の場合の譲渡損失の損益通算及び繰越控除》又は**十七１**《特定居住用財産の譲渡損失の損益通算及び繰越控除》の規定の適用を受けている場合を除き、当該譲渡資産の譲渡による収入金額が当該買換資産の取得価額以下である場合にあっては当該譲渡資産の譲渡がなかったものとし、当該収入金額が当該取得価額を超える場合にあっては当該譲渡資産のうちその超える金額に相当するものとして(２)で定める部分の譲渡があったものとして、**一**《土地建物等の長期譲渡所得の課税の特例》の規定を適用する。（措法36の２①、措令24の２①②④）

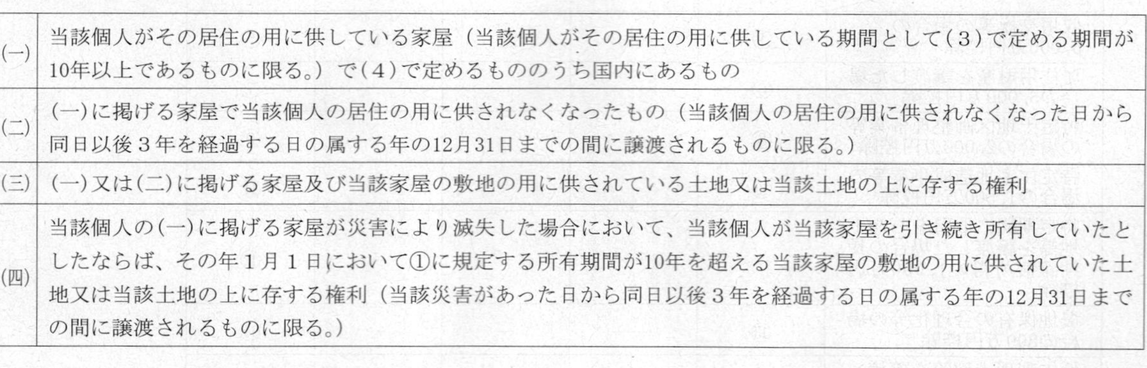

(一)	当該個人がその居住の用に供している家屋（当該個人がその居住の用に供している期間として(３)で定める期間が10年以上であるものに限る。）で(４)で定めるもののうち国内にあるもの
(二)	(一)に掲げる家屋で当該個人の居住の用に供されなくなったもの（当該個人の居住の用に供されなくなった日から同日以後３年を経過する日の属する年の12月31日までの間に譲渡されるものに限る。）
(三)	(一)又は(二)に掲げる家屋及び当該家屋の敷地の用に供されている土地又は当該土地の上に存する権利
(四)	当該個人の(一)に掲げる家屋が災害により滅失した場合において、当該個人が当該家屋を引き続き所有していたとしたならば、その年１月１日において①に規定する所有期間が10年を超える当該家屋の敷地の用に供されていた土地又は当該土地の上に存する権利（当該災害があった日から同日以後３年を経過する日の属する年の12月31日までの間に譲渡されるものに限る。）

（居住の用に供する家屋又は当該家屋の敷地の用に供する土地若しくは当該土地の上に存する権利）

（１）　**１**に規定する個人の居住の用に供する家屋又は当該家屋の敷地の用に供する土地若しくは当該土地の上に存する権利で(１)で定めるものは、次の(一)及び(二)に掲げる資産の区分に応じ当該(一)及び(二)に定めるものとする。（措令24の２③）

<table>
<tr><td rowspan="2">(一)</td><td colspan="2">当該個人が居住の用に供する家屋　次のイからハまでに掲げる家屋の区分に応じそれぞれ次のイからハまでに定める家屋</td></tr>
<tr><td>イ</td><td>建築後使用されたことのない家屋　次に掲げる家屋（当該家屋を令和６年１月１日以後に当該個人の居住の用に供した場合又は供する見込みである場合にあっては、第九章第二節四12に規定する特定居住用家屋に該当するものを除く。）
⑴　一棟の家屋の床面積のうち当該個人が居住の用に供する部分の床面積が50平方メートル以上であるもの
⑵　一棟の家屋のうちその独立部分（一棟の家屋でその構造上区分された数個の部分を独立して住居そ</td></tr>
</table>

	の他の用途に供することができるもののその部分をいう。以下（１）において同じ。）を区分所有する場合には、その独立部分の床面積のうち当該個人が居住の用に供する部分の床面積が50平方メートル以上であるもの
ロ	建築後使用されたことのある家屋で耐火建築物（登記簿に記録された当該家屋の構造が鉄骨造、鉄筋コンクリート造、鉄骨鉄筋コンクリート造その他の（注）１で定めるものである建物をいう。ハにおいて同じ。）に該当するもの　イ⑴又は⑵に掲げる家屋（その取得（**１**に規定する取得をいう。ハ、（６）、（７）及び**６**（３）において同じ。）の日以前25年以内に建築されたもの又は建築基準法施行令第三章及び第五章の四の規定若しくは国土交通大臣が財務大臣と協議して定める地震に対する安全性に係る基準（ハにおいて「建築基準等」という。）に適合することにつき（注）２で定めるところにより証明がされたものに限る。）
ハ	建築後使用されたことのある家屋で耐火建築物に該当しないもの　イ⑴又は⑵に掲げる家屋（その取得の日以前25年以内に建築されたもの又は**１**に規定する譲渡の日の属する年の12月31日（**２**において準用する**１**の規定の適用を受ける場合にあっては、**２**に規定する取得期限）までに建築基準等に適合することにつき（注）２で定めるところにより証明がされたものに限る。）

（上記に規定する建物）

（注）１　上記（一）ロに規定する（注）１で定める構造は、登記簿に記録された当該家屋の構造のうち建物の主たる部分の構成材料が石造、れんが造、コンクリートブロック造、鉄骨造、鉄筋コンクリート造又は鉄骨鉄筋コンクリート造とする。（措規18の４①）

２　上記（一）ロに規定する（注）２で定めるところにより証明がされた家屋は、当該家屋が国土交通大臣が財務大臣と協議して定める（一）ロに掲げる家屋に該当する旨を証する書類を確定申告書に添付することにより証明がされた家屋とし、同（一）ハに規定する（注）２で定めるところにより証明がされた家屋は、当該家屋が国土交通大臣が財務大臣と協議して定める同（一）ハに掲げる家屋に該当する旨を証する書類を確定申告書に添付することにより証明がされた家屋とする。（措規18の４②）

（二）	（一）に掲げる家屋の敷地の用に供する土地又は当該土地の上に存する権利　当該土地の面積（（一）イ⑵に掲げる家屋については、その１棟の家屋の敷地の用に供する土地の面積に当該家屋の床面積のうちにその者の区分所有する独立部分の床面積の占める割合を乗じて計算した面積）が500平方メートル以下であるもの

（注）　国土交通大臣は、（１）（一）ロの規定により基準を定めたときは、これを告示する。（措令24の２⑭、平17国土交通省告示第393号（最終改正令５同省告示第284号））

（譲渡があったものとされる部分）

（２）　**１**（**２**において準用する場合を含む。）に規定する部分は、譲渡（**１**に規定する譲渡をいう。以下（２）及び（５）において同じ。）をした**１**に規定する譲渡資産（以下**十五**において「譲渡資産」という。）のうち、当該譲渡による収入金額（当該譲渡資産が**１**（三）に掲げる家屋及び土地又は土地の上に存する権利である場合には、これらの資産の譲渡による収入金額の合計額）から**１**に規定する買換資産（以下**十五**において「買換資産」という。）の取得価額（当該買換資産が家屋及び当該家屋の敷地の用に供する土地又は当該土地の上に存する権利である場合には、これらの資産の取得価額の合計額）を控除して得た金額が当該収入金額のうちに占める割合を、当該譲渡資産の価額に乗じて計算した金額に相当する部分とする。（措令24の２⑤）

（居住の用に供している期間として定める期間）

（３）　**１**（一）に規定する期間は、同（一）の個人が同（一）に掲げる家屋の存する場所に居住していた期間とする。（措令24の２⑥）

（譲渡資産とされるもの）

（４）　**１**（一）に規定する家屋は、個人がその居住の用に供している家屋（当該家屋のうちにその居住の用以外の用に供している部分があるときは、その居住の用に供している部分に限る。以下（４）において同じ。）とし、その者がその居住の用に供している家屋を２以上有する場合には、これらの家屋のうち、その者が主としてその居住の用に供していると認められる一の家屋に限るものとする。（措令24の２⑦、20の３②）

（居住の用に供していた家屋を取り壊した年における敷地等の譲渡）

（５）　**1**(三)に該当する家屋が取り壊された場合において、その取り壊された日の属する年中に同(三)に該当する土地又は土地の上に存する権利の譲渡があつたときは、当該土地又は土地の上に存する権利（同日以後に貸付けその他の業務の用に供しているものを除く。）は、譲渡資産に該当するものとする。（措令24の２⑪）

（併用住宅又は２以上の居住用家屋を取得した場合の買換資産）

（６）　買換資産の範囲については、**1**に定めるもののほか、次に定めるところによる。（措令24の２⑫）

(一)	**1**に規定する個人が取得をする家屋（当該家屋の敷地の用に供する土地又は当該土地の上に存する権利を含む。(二)において同じ。）のうちに当該個人の居住の用以外の用に供する部分があるときは、その居住の用に供する部分に限り、買換資産に該当するものとする。
(二)	**1**に規定する個人が、平成５年４月１日（**1**に規定する譲渡の日が平成７年１月１日以後であるときは、当該譲渡の日の属する年の前年１月１日）から当該譲渡の日の属する年の12月31日（**2**において準用する**1**の規定の適用を受ける場合にあっては、**2**に規定する取得期限）までの間に、２以上の家屋の取得をする場合において、当該個人がその取得をした家屋のうちの一の家屋を主としてその居住の用に供するときは、当該一の家屋に限り、買換資産に該当するものとする。

（買換資産の取得をした者が取得年の翌年12月31日までに死亡した場合）

（７）　**1**（**2**において準用する場合を含む。）の規定の適用を受けた個人が、買換資産の取得をした後、当該取得の日（当該取得の日が２以上ある場合には、そのいずれか遅い日）の属する年の翌年12月31日までの間に死亡した場合において、当該買換資産を相続により取得した者がその取得をした後同日まで当該買換資産をその居住の用に供しているときは、当該買換資産は、当該死亡をした個人が同日までその居住の用に供していたものとみなして、**1**又は**2**の規定を適用する。（措令24の２⑬）

（**1**(三)に掲げる資産）

（８）　**1**(三)に規定する「(一)又は(二)に掲げる家屋及び当該家屋の敷地の用に供されている土地又は当該土地の上に存する権利」とは、同(一)又は同(二)に掲げる家屋とともにこれらの家屋の敷地の用に供されている土地又は土地の上に存する権利（以下(31)までにおいて「土地等」という。）でその年の１月１日において所有期間（**一 1**②に規定する所有期間をいう。以下(29)までにおいて同じ。）が10年を超えるものを譲渡した場合の当該家屋及び敷地の用に供されている土地等をいうことに留意する。（措通36の２－１）

(注)１　**1**(三)に該当する家屋及び土地等の譲渡があった場合において、そのいずれか一方の資産に係る譲渡所得についてのみ**1**の規定を適用することはできない。

２　**1**(一)又は同(二)に規定する家屋とともに当該家屋の敷地の用に供されている土地等の譲渡があった場合において、当該家屋又は当該土地等のいずれか一方のその年１月１日における所有期間が10年以下であるときは、当該家屋及び土地等は１に規定する譲渡資産に該当しないので、その譲渡所得については、同項の規定を適用することはできない。

（居住期間の判定）

（９）　**1**(一)に規定する「当該個人がその居住の用に供している家屋」の居住期間（当該個人がその居住の用に供している期間として(３)に規定する期間をいう。以下(30)までにおいて同じ。）が10年以上であるものかどうかは、次により判定する。（措通36の２－２）

(一)　当該個人が、譲渡した家屋の存する場所に居住していなかった期間がある場合には、居住していなかった期間を除きその前後の居住していた期間を合計する。

(二)　居住期間に該当するかどうかの判定については、**一 3**①(２)《居住用家屋の範囲》及び同(６)《生計を一にする親族の居住の用に供している家屋》に準じて取り扱う。

（換地処分等があった場合の居住期間の取扱い）

(10)　譲渡した土地等が土地区画整理法による土地区画整理事業、新都市基盤整備法による土地整理若しくは大都市地域住宅等供給促進法による住宅街区整備事業又は都市再開発法による第一種市街地再開発事業若しくは密集市街地における防災街区の整備の促進に関する法律による防災街区整備事業による換地処分又は権利変換（以下(10)において「換地処分等」という。）によって取得したものである場合において、当該個人が当該換地処分等に係る従前の家屋の

存した場所に居住していた期間は、居住期間に含まれないことに留意する。（措通36の２－３）

（借家であったものを取得した場合の居住期間）

(11)　譲渡した家屋が、当該個人以外の者が所有する家屋であったときがある場合であっても、当該個人が当該家屋に居住していた期間は、居住期間に含まれることに留意する。（措通36の２－４）

（家屋の建替え期間中の居住期間の取扱い）

(12)　家屋の建替えのために、一時的に他の場所で起居していた期間は、居住期間に含めて差し支えないものとする。（措通36の２－５）

（譲渡資産の譲渡に係る対価の額）

(13)　**1**に規定する「譲渡資産の譲渡に係る対価の額」とは、例えば譲渡協力金、移転料等のような名義のいかんを問わず、その実質において譲渡資産の譲渡の対価たる金額をいうことに留意する。（措通36の２－６）

（譲渡に係る対価の額が１億円を超えるかどうかの判定）

(14)　**1**に規定する譲渡資産の譲渡に係る対価の額（以下(14)において「譲渡対価」という。）が１億円を超えるかどうかの判定は、次により行うものとする。（措通36の２－６の２）

（一）　譲渡資産が共有である場合は、各所有者ごとの譲渡対価により判定する。

（二）　譲渡資産が店舗兼住宅等及びその敷地の用に供されている土地等である場合は、その居住の用に供している部分に対応する譲渡対価により判定し、この場合の譲渡対価の計算については、次の算式により行う。

イ　当該家屋のうち居住の用に供している部分の譲渡対価の計算

$$\text{当該家屋の譲渡価額}\times\frac{\text{当該家屋のうちその居住の用に専ら供している部分の床面積 A}+\text{当該家屋のうち居住の用と居住の用以外の用とに併用されている部分の床面積}\times\dfrac{\text{A}}{\text{A}+\text{居住の用以外の用に専ら供されている部分の床面積}}}{\text{当該家屋の床面積}}$$

ロ　当該土地等のうち居住の用に供している部分の譲渡対価の計算

$$\text{当該土地等の譲渡価額}\times\frac{\text{当該土地等のうちその居住の用に専ら供している部分の面積}+\text{当該土地等のうち居住の用と居住の用以外の用とに併用されている部分の面積}\times\dfrac{\text{当該家屋の床面積のうちイの算式により計算した居住の用に供している部分の床面積}}{\text{当該家屋の床面積}}}{\text{当該土地等の面積}}$$

ただし、これにより計算したその居住の用に供している部分がそれぞれ当該家屋又は当該土地等のおおむね90％以上である場合において、**一３**①（８）に準じて当該家屋又は当該土地等の全部をその居住の用に供している部分に該当するものとして取り扱うときは、当該家屋又は当該土地等の全体の譲渡価額により判定する。

（三）　災害により滅失したその居住の用に供している家屋の敷地の用に供されていた土地等に区画形質の変更等を加えて譲渡した場合において、第四章第八節**一１**(10)《固定資産である土地に区画形質の変更等を加えて譲渡した場合の所得》及び同**１**(11)《極めて長期間保有していた土地に区画形質の変更等を加えて譲渡した場合の所得》により譲渡所得となる部分について**1**の規定を適用する場合は、その譲渡に係る対価の額のうち譲渡所得となる部分の対価の額により判定する。

（四）　家屋の所有者と当該家屋の敷地の用に供されている土地等の所有者が異なる場合において、(28)により、これらの者がともに**1**の規定の適用を受ける旨の申告をするときは、当該家屋の譲渡価額と当該土地等の譲渡価額の合計額により判定する。

（低額譲渡等）

(15)　譲渡資産の譲渡が**二十四**《贈与等の場合の譲渡所得等の課税の特例》**1**②に掲げる譲渡に該当するものである場合又は買換資産（**1**に規定する買換資産をいう。以下において同じ。）の取得が相続税法第７条本文《贈与又は遺贈により取得したものとみなす場合》の規定に該当するものである場合における**1**（**2**において準用する場合を含む。）の規定の適用については、次によるものとする。（措通36の２－６の５）

（一）　譲渡資産のうち、当該譲渡の日における当該資産の価額から当該譲渡の対価の額を控除した金額に相当する部分については、贈与による譲渡があったものとし、当該贈与による譲渡があったものとする部分の金額は、**1**に規定する「譲渡資産の譲渡による収入金額」に含まないものとする。この場合において、当該贈与による譲渡があったものとする部分以外の部分の取得費は、その譲渡資産の取得費に当該譲渡の対価の額が当該譲渡資産の当該譲渡の日における価額のうちに占める割合を乗じて計算した金額とする。

(二)　買換資産のうち、当該取得の日における当該資産の価額から当該取得の対価の額を控除した金額に相当する部分については贈与による取得があったものとし、当該贈与による取得があったものとする部分の金額は買換資産の取得価額に含まないものとする。

(店舗兼住宅等の居住部分の判定)

(16)　その者が取得をする家屋又は当該家屋の敷地の用に供する土地等のうちにその者の居住の用以外の用に供する部分がある場合における**1**(6)(一)に規定するその居住の用に供する部分の判定については、**一3**①(7)に準じて取り扱うものとする。

なお、これにより計算したその居住の用に供する部分の面積が当該家屋又は当該敷地の用に供する土地等の面積のおおむね90%以上となるときは、**一3**①(8)に準じて取り扱って差し支えない。(措通36の2－7)

(居住用家屋の敷地の判定)

(17)　その者の取得する土地等が**1**に規定する「当該家屋の敷地の用に供する土地若しくは当該土地の上に存する権利」に該当するかどうかの判定については、**一3**①(12)に準じて取り扱うものとする。(措通36の2－8)

(買換資産を一括取得した場合の取得価額の区分)

(18)　買換資産に該当する家屋と土地等を一の契約により取得した場合における当該家屋及び土地等のそれぞれの**1**に規定する取得価額については、次によるものとする。(措通36の2－9)

(一)　当該家屋及び土地等の価額が当事者間の契約において区分されており、かつ、その区分された価額が当該家屋及び土地等の当該取得の時の価額としておおむね適正なものであるときは、当該契約により明らかにされている価額による。

(二)　当該家屋及び土地等の価額が当事者間の契約において区分されていない場合であっても、例えば、当該家屋及び土地等が建設業者から取得したものであってその建設業者の帳簿書類に当該家屋及び土地等のそれぞれの価額が区分して記載されている等当該家屋及び土地等のそれぞれの価額がその取得先等において確認され、かつ、その区分された価額が当該家屋及び土地等の当該取得の時の価額としておおむね適正なものであるときは、当該確認された価額によることができる。

(三)　(一)及び(二)により難いときは、当該一括して取得した家屋及び土地等の当該取得の時における価額の比によりあん分して計算した金額を、それぞれ当該家屋及び土地等の取得価額とする。

(立退料等を支払って貸地の返還を受けた場合)

(19)　土地を他人に使用させていた者が、立退料等を支払ってその借地人から貸地の返還を受けた場合には、当該土地の借地権等に相当する部分の取得があったものとし、当該支払った金額(その金額のうちにその借地人から取得した建物、構築物等で当該土地の上にあるものの対価に相当する金額があるときは、当該金額を除く。)を当該土地の借地権等に相当する部分の取得価額として**1**(**2**において準用する場合を含む。)の規定を適用することができるものとする。(措通36の2－10)

(宅地の造成)

(20)　その者の有する土地を居住の用に供するために地盛り、切土等して宅地の造成をした場合において、その費用の額が相当の金額に上り、実質的に新たに土地を取得したことと同様の事情があるものと認められるときは、当該造成についてはその完成の時に新たな土地の取得があったものとし、当該費用の額をその取得価額として**1**(**2**において準用する場合を含む。)の規定を適用することができるものとする。(措通36の2－11)

(買換資産の改良、改造等)

(21)　既に有する家屋又は当該家屋の敷地の用に供する土地等についてその者の居住の用に供するため改良、改造等を行った場合のその改良、改造等は、(20)に定めるものを除き買換資産の取得には当たらないのであるが、買換資産の取得期間(**1**に規定する譲渡資産の譲渡の日の属する年の前年1月1日から当該譲渡の日の属する年の12月31日(**2**の規定に該当する場合にあっては譲渡資産の譲渡の日の属する年の前年1月1日から**2**に規定する取得期限)までの間をいう。以下(30)までにおいて同じ。）内にされた買換資産に該当する家屋又は当該家屋とともにする当該家屋の敷地の用に供する土地等の取得に伴って、買換資産の取得期間内に次に掲げる改良、改造等が行われた場合には、その改良、改造等は買換資産の取得に当たるものとして、**1**（**2**において準用する場合を含む。）の規定を適用することができるものとする。（措通36の２－12）

(一)　当該家屋又は当該土地等についてその者の居住の用に供するために改良、改造を行った場合

(二)　当該家屋の取得に伴って次に掲げる資産（事業又は事業に準ずる不動産の貸付けの用に供されるものを除く。）の取得をした場合

イ　車庫、物置その他の附属建物（当該家屋の敷地内にあるものに限る。）又は当該建物に係る建物附属設備

ロ　石垣、門、塀その他これらに類するもの（当該家屋の敷地内にあるものに限る。）

（買換家屋の床面積要件及び買換土地等の面積要件の判定）

(22)　その者が取得をする家屋又は当該家屋の敷地の用に供する土地等について（１）(一)に定める家屋の床面積要件又は同(二)に定める土地等の面積要件の判定を行う場合には、次の点に留意する。（措通36の２－13）

(一)　その家屋の床面積のうち当該個人が居住の用に供する部分の床面積が50㎡以上のものであるかどうかを判定する場合において、当該家屋と一体として利用される離れ屋、物置等の附属家屋は、当該家屋に含むものとする。

(二)　その家屋又は土地等が共有物である場合には、当該家屋の全体の床面積（当該家屋のうちその独立部分を区分所有する場合には、その独立部分の床面積）又は土地等の全体の面積（当該土地等が独立部分を区分所有する家屋の敷地の用に供するものである場合には、当該土地等の全体の面積に当該家屋の床面積のうちにその区分所有する独立部分の床面積の占める割合を乗じて計算した面積）により行うこと。

(三)　その家屋が店舗兼住宅等である場合には、家屋については**一３**①（７）に準じて計算した居住の用に供する部分の床面積により行い、土地等については、当該店舗兼住宅等の敷地の用に供される土地等の全体の面積により行うこと。

なお、これにより計算した家屋の居住の用に供する部分の床面積が当該家屋の床面積のおおむね90％以上である場合において、(16)に準じて当該家屋の全部をその者の居住の用に供している部分に該当するものとして取り扱うときは、当該家屋の全体の床面積により判定するものとする。

(四)　その取得をした土地等に係る仮換地を居住の用に供したことにより、(27)に準じて**1**（**2**において準用する場合を含む。）の規定を適用するときは、当該仮換地の面積により判定する。

(五)　その取得をする家屋が床面積要件を満たさない場合においては、当該家屋の敷地の用に供する土地等は、その面積が500㎡以下のものであっても**1**に規定する買換資産に該当しないこと。

(六)　その居住の用に供する家屋の敷地の用に供する土地等に、買換資産の取得期間内に取得をした土地等とその他の土地等がある場合においては、買換資産の取得期間内に取得（相続、遺贈又は贈与による取得を除く。）をした土地等の面積の合計面積により判定する。

(七)　その譲渡をした家屋の所有者と当該家屋の敷地の用に供されている土地等の所有者が異なる場合において、(28)により、これらの者がともに**1**（**2**において準用する場合を含む。）の規定の適用を受ける旨の申告をするときは、これらの者が取得をした家屋の全体の床面積及び取得をした土地等の面積の合計面積により判定する。

（床面積の意義）

(23)　（１）(一)に規定する家屋の「床面積」は、次による。（措通36の２－14）

(一)　（１）(一)イ⑴に規定する家屋の床面積は、各階ごとに壁その他の区画の中心線で囲まれた部分の水平投影面積（登記簿上表示される面積）による。

(二)　（１）(一)イ⑵に規定する独立部分の床面積は、壁その他の区画の内側線で囲まれた部分の水平投影面積（登記簿上表示される面積）による。したがって、当該床面積には、数個の独立部分に通ずる階段、エレベーター室等共用部分の面積は含まれない。

（借地権又は底地に係る面積要件の判定）

(24)　借地権又は借地権の設定されている土地（底地）を取得した場合における（１）(二)に規定する「面積」は、当該借地権の目的となっている土地又は当該借地権の設定されている土地の面積によることに留意する。（措通36の２－15）

（やむを得ない事情により買換資産の取得が遅れた場合）

(25)　**2**において準用する**1**の規定の適用を受けた者が、買換資産に該当する家屋（いわゆる建売住宅のように家屋とともにその敷地の用に供する土地等の譲渡がある場合の当該土地等を含む。以下(25)において同じ。）を買換資産の取得期間内に取得できなかった場合であっても、次に掲げる要件のいずれをも満たすときは、当該家屋は買換資産の取得期間内に取得されていたものとして取り扱う。（措通36の２－16）

(一)　買換資産に該当する家屋を買換資産の取得期間内に取得する契約を締結していたにもかかわらず、その契約の締結後に生じた災害（その災害について**2**括弧書の取得期限の延長の承認を受けている場合のその災害を除く。）その他その者の責めに帰せられないやむを得ない事情により当該契約に係る家屋を当該期間内に取得できなかったこと。

(二)　買換資産に該当する家屋を取得期限（**2**に規定する「取得期限」をいう。**7**①(１)において同じ。）の属する年の翌年12月31日までに取得し、かつ、同日までに当該取得した家屋をその者の居住の用に供していること。

(注)　買換資産の取得の日については、第四章第八節**二**《譲渡所得の金額》**1**(２)《資産の取得の日》に定めるところにより判定するのであるが、次に掲げる資産は、それぞれ次に掲げる日以後において取得することになることに留意する。

(１)　他から取得する家屋で、その取得に関する契約時において建設が完了していないもの　当該建設が完了した日

(２)　他から取得する家屋又は土地等で、その取得に関する契約時において当該契約に係る譲渡者がまだ取得していないもの（(１)に掲げる家屋を除く。）　当該譲渡者が取得した日

（買換資産を当該個人の居住の用に供したことの意義）

(26)　買換資産を当該個人の居住の用に供したかどうかについては、**一 3**①(２)に準じて判定することとして取り扱う。この場合において、買換資産である土地等については、当該土地等の上にあるその者の有する家屋をその者が居住の用に供したときに、当該個人の居住の用に供したことになることに留意する。（措通36の２－17）

(注)　買換資産がその者の居住の用に供されていないときは、たとえその者の譲渡した資産が(31)において準用する**一 3**①(６)により譲渡資産に該当することになる場合であっても、その譲渡につき**1**の規定の適用はない。

（仮換地の指定されている土地等の判定）

(27)　土地区画整理法による土地区画整理事業、新都市基盤整備法による土地整理若しくは大都市地域住宅等供給促進法による住宅街区整備事業の施行地区内にある土地等を買換資産として取得した場合において当該土地等につき仮換地の指定があったとき又はこれらの事業の施行地区内にある土地等で仮換地の指定されているものを買換資産として取得した場合において、当該取得した土地等を**1**に規定する当該個人の居住の用に供したかどうかは、当該取得した土地等に係る仮換地を当該居住の用に供したかどうかにより判定することとして取り扱う。（措通36の２－18）

（居住用家屋の所有者とその敷地の所有者が異なる場合の取扱い）

(28)　**1**の(一)又は(二)に掲げる家屋（以下(28)及び(29)において「譲渡家屋」という。）の所有者以外の者が当該譲渡家屋の敷地の用に供されている土地等でその譲渡の年の１月１日における所有期間が10年を超えているもの（以下(28)において「譲渡敷地」という。）の全部又は一部を有している場合において、譲渡家屋の所有者と譲渡敷地の所有者の行った譲渡等が次に掲げる要件の全てを満たすときは、これらの者がともに**1**（**2**において準用する場合を含む。）の規定の適用を受ける旨の申告をしたときに限り、その申告を認めることとして取り扱う。（措通36の２－19）

(一)　譲渡家屋の所有者と譲渡敷地の所有者は、次のいずれにも該当する資産の**1**に規定する譲渡をしていること。

イ　譲渡敷地の所有者の譲渡家屋における居住期間が10年以上であること。

ロ　譲渡敷地は、譲渡家屋とともに譲渡されているものであること。

ハ　譲渡家屋は、その譲渡の時において当該家屋の所有者が譲渡敷地の所有者とともにその居住の用に供している家屋(当該家屋がその所有者の居住の用に供されなくなった日から同日以後3年を経過する日の属する年の12月31日までの間に譲渡されたものであるときは、その居住の用に供されなくなった時の直前においてこれらの者がその居住の用に供していた家屋）であること。

(二)　譲渡家屋の所有者と譲渡敷地の所有者は、次のいずれにも該当する資産の**1**に規定する取得をしていること。

イ　これらの者が取得した資産は、その居住の用に供する一の家屋又は当該家屋とともに取得した当該家屋の敷地の用に供する一の土地等で国内にあるものであること。

ロ　イの家屋又は土地等は、これらの者のそれぞれが、おおむねその者の(一)に掲げる譲渡に係る譲渡収入金額（当該家屋の取得価額又は当該家屋及び土地等の取得価額の合計額が譲渡家屋及び譲渡敷地の譲渡収入金額の合計額を超える場合にあっては、それぞれの者に係る譲渡収入金額に当該超える金額のうちその者が支出した額を加算した金額）の割合に応じて、その全部又は一部を取得しているものであること。

ハ　当該取得した家屋又は土地等は、買換資産の取得期間内に取得されているものであること。

ニ　当該取得した家屋は、買換資産をその居住の用に供すべき期間（**1**に規定する買換資産の取得の日から譲渡資産の譲渡の日の属する年の翌年12月31日（**2**に該当する場合にあっては、買換資産の取得の日の属する年の翌年12月31日）までの期間をいう。以下(30)までにおいて同じ。）内に、譲渡家屋の所有者が譲渡敷地の所有者とともにその居住の用に供しているものであること。

(三)　譲渡家屋の所有者と譲渡敷地の所有者とは、譲渡家屋及び譲渡敷地の譲渡の時（当該家屋がその所有者の居住の用に供されなくなった日から同日以後３年を経過する日の属する年の12月31日までの間に譲渡されたものであるときは、その居住の用に供されなくなった時）から買換資産をその居住の用に供すべき期間を経過するまでの間、親族関係を有し、かつ、生計を一にしていること。

(注) 1　この取扱いは、譲渡家屋の所有者が当該家屋（譲渡敷地のうちその者が有している部分を含む。）の譲渡につき**1**（**2**において準用する場合を含む。）の規定の適用を受けない場合（当該譲渡に係る長期譲渡所得がない場合を除く。）には、譲渡敷地の所有者について適用することはできない。

2　この取扱いにより、譲渡敷地の所有者が当該敷地の譲渡につき**1**（**2**において準用する場合を含む。）の規定の適用を受ける場合には、譲渡家屋の所有者に係る当該家屋の譲渡について**十六1**《居住用財産の買換え等の場合の譲渡損失の損益通算及び繰越控除》又は**十七1**《特定居住用財産の譲渡損失の損益通算及び繰越控除》の規定の適用を受けることはできない。

（借地権等の設定されている土地の譲渡についての取扱い）

(29)　譲渡家屋の所有者が、当該家屋の敷地である借地権等の設定されている土地でその譲渡の年の１月１日における所有期間が10年を超えているもの（以下(29)において「居住用底地」という。）の全部又は一部を所有している場合において、当該居住用底地が当該家屋とともに譲渡されているときは、当該家屋及び居住用底地の譲渡について**1**（**2**において準用する場合を含む。）の規定の適用を認めることとして取り扱い、当該家屋を取り壊して当該居住用底地を譲渡したときの同**1**の規定の適用については、**一3**①(５)に準じて取り扱う。

また、譲渡家屋の所有者以外の者が、居住用底地の全部又は一部を所有している場合における**1**の規定の適用については、(28)に準じて取り扱うこととする。(措通36の２－20)

（相続人が買換資産を取得した場合）

(30)　譲渡資産の譲渡をした者が買換資産を取得しないで死亡した場合であっても、その死亡前に買換資産の取得に関する売買契約又は請負契約を締結しているなど買換資産が具体的に確定しており、当該買換資産をその相続人が買換資産の取得期間内に取得し、かつ、その居住の用に供すべき期間内に当該買換資産を当該相続人の居住の用に供したときは、譲渡資産の譲渡をした者の当該譲渡に係る譲渡所得について**1**（**2**において準用する場合を含む。）の規定を適用することができるものとする。(措通36の２－21)

（居住用財産を譲渡した場合の長期譲渡所得の課税の特例に関する取扱い等の準用）

(31)　その者が譲渡した家屋若しくは土地等が**1**(一)から同(四)に掲げる譲渡資産に該当するかどうか又はこれらの資産の譲渡が**1**に規定する「譲渡」に該当するかどうかの判定等については、**一3**《居住用財産を譲渡した場合の長期譲渡所得の課税の特例》及び**十一**《居住用財産を譲渡所得の特別控除》に関する次の措通に準じて取り扱うものとする。この場合において、**一3**①(17)中「譲渡（**五3**に規定する相続、遺贈又は贈与を含む。）した場合」とあるのは「譲渡した場合」と「譲渡（**五5**に規定する相続、遺贈又は贈与を含む。）した場合」とあるのは「譲渡した場合」と「譲渡（**五7**に規定する相続、遺贈又は贈与を含む。）した場合」とあるのは「譲渡した場合」とそれぞれ読み替えるものとする。(措通36の２－23、編者補正)

措通31の３－２《居住用家屋の範囲》……**一3**①(２)参照。

措通31の３－４《敷地のうちに所有期間が異なる部分がある場合》……**一3**①(４)参照。

措通31の３－５《居住用土地等のみの譲渡》……**一3**①(５)参照。

措通31の３－６《生計を一にする親族の居住の用に供している家屋》……**一3**①(６)参照。

措通31の３－７《店舗兼住宅等の居住部分の判定》……**一3**①(７)参照。

措通31の３－８《店舗等部分の割合が低い家屋》……**一3**①(８)参照。

措通31の３－９《「主としてその居住の用に供していると認められる一の家屋」の判定時期》……**一3**①(９)参照。

措通31の３－10《居住用家屋の一部の譲渡》……**一3**①(10)参照。

措通31の３－11《居住用家屋を共有とするための譲渡》……**一3**①(11)参照。

措通31の３－12《居住用家屋の敷地の判定》……**一3**①(12)参照。

措通31の３－13《「災害」の意義》……………………………………………………………………**一３**①(13)参照。
措通31の３－14《災害滅失家屋の跡地等の用途》……………………………………………………**一３**①(14)参照。
措通31の３－15《居住の用に供されなくなった家屋が災害により滅失した場合》………………**一３**①(15)参照。
措通31の３－16《土地区画整理事業等の施行地区内の土地等の譲渡》………………………………**一３**①(16)参照。
措通31の３－17《権利変換により取得した施設建築物等の一部を取得する権利等の譲渡》………**一３**①(17)参照。
措通31の３－18《居住用家屋の敷地の一部の譲渡》……………………………………………………**一３**①(18)参照。
措通31の３－20《特殊関係者に対する譲渡の判定時期》……………………………………………**一３**②(１)参照。
措通31の３－21《「生計を一にしているもの」の意義》………………………………………………**一３**②(２)参照。
措通31の３－22《同居の親族》……………………………………………………………………………**一３**②(３)参照。
措通31の３－23《「個人から受ける金銭その他の財産によって生計を維持している
もの」の意義》……………………………………………………………………………………**一３**②(４)参照。
措通31の３－24《名義株についての株主等の判定》……………………………………………………**一３**②(５)参照。
措通31の３－25《会社その他の法人》……………………………………………………………………**一３**②(６)参照。
措通35－１《固定資産の交換の特例等との関係》……………………………………………………**十一１**①(１)参照。

①　土地建物等の所有期間の計算

１に規定する所有期間とは、当該個人がその譲渡をした土地等又は建物等をその取得（建設を含む。）をした日の翌日から引き続き所有していた期間をいう。（措法36の２①、31②、措令20②）

②　交換、贈与、相続又は低額譲渡等により取得した土地建物等の所有期間

①の譲渡をした土地等又は建物等が次の(一)から(三)の左欄に掲げる土地等又は建物等に該当するものである場合には、当該譲渡をした土地等又は建物等については、当該個人が当該(一)から(三)の右欄に掲げる日においてその取得をし、かつ、当該右欄に掲げる日の翌日から引き続き所有していたものとみなして、①の規定を適用する。（措令20③）

(一)	交換により取得した土地等又は建物等で**二十三**《固定資産の交換の場合の譲渡所得の特例》の規定の適用を受けたもの	当該交換により譲渡をした土地等又は建物等の取得をした日
(二)	昭和47年12月31日以前に所得税法の一部を改正する法律（昭和48年法律第８号）による改正前の所得税法第60条第１項各号に該当する贈与、相続、遺贈又は譲渡により取得した土地等又は建物等	当該贈与をした者、当該相続に係る被相続人、当該遺贈に係る遺贈者又は当該譲渡をした者が当該土地等又は建物等の取得をした日
(三)	昭和48年１月１日以後に**二十四３**《贈与等により取得した資産の取得費等》各号に該当する贈与、相続、遺贈又は譲渡により取得した土地等又は建物等	当該贈与をした者、当該相続に係る被相続人、当該遺贈に係る遺贈者又は当該譲渡をした者が当該土地等又は建物等の取得をした日

（注）　上表の(二)と(三)は、いわゆる「みなし譲渡課税」の行われなかった贈与、相続、遺贈又は低額譲渡により取得した土地建物等であり、その詳細は**二十四３**②(１)《贈与等により取得した資産の取得費》（基通60－１）の表を参照。（編者注）

２　譲渡年の翌年中に買換資産を取得する場合の特例

１の規定は、平成５年４月１日から令和７年12月31日までの間に譲渡資産の譲渡をした個人が、当該譲渡をした日の属する翌年１月１日から同年12月31日（特定非常災害の被害者の権利利益の保全等を図るための特別措置に関する法律第２条第１項の規定により特定非常災害として指定された非常災害に基因するやむを得ない事情により、同日までに買換資産の取得をすることが困難となった場合において、同日後２年以内に買換資産の取得をする見込みであり、かつ、(１)で定めるところにより納税地の所轄税務署長の承認を受けたときは、同日の属する年の翌々年12月31日。**７**②(二)において「取得期限」という。）までの間に買換資産の取得をする見込みであり、かつ、当該取得の日の属する年の翌年12月31日までに当該取得をした買換資産を当該個人の居住の用に供する見込みであるときについて準用する。この場合において、**１**中「当該譲渡の日の属する年の12月31日までの間」とあるのは「**２**に規定する取得期限まで」と、「から当該譲渡の日の属する年の翌年12月31日までの間」とあるのは「の属する年の翌年12月31日まで」と、「取得価額以下」とあるのは「取得価額とその取得価額の見積額との合計額以下」と、「当該取得価額」とあるのは「当該合計額」と読み替えるものとする。（措法36の２②）

（所轄税務署長の承認手続）

（1）　**2**に規定する所轄税務署長の承認を受けようとする個人は、**2**に規定する取得期限の属する年の翌年３月15日までに、譲渡（**1**に規定する譲渡をいう。**6**において同じ。）をした譲渡資産（**1**に規定する譲渡資産をいう。**3**及び**6**において同じ。）について**2**の承認を受けようとする旨、**2**の特定非常災害として指定された非常災害に基因するやむを得ない事情により買換資産（**1**に規定する買換資産をいう。以下**十五**において同じ。）の取得（**1**に規定する取得をいう。以下**十五**において同じ。）をすることが困難であると認められる事情の詳細、取得をする予定の買換資産の取得予定年月日及びその取得価額の見積額その他の明細を記載した申請書に、当該非常災害に基因するやむを得ない事情により買換資産の取得をすることが困難であると認められる事情を証する書類を添付して、当該所轄税務署長に提出しなければならない。ただし、税務署長においてやむを得ない事情があると認める場合には、当該書類を添付することを要しない。（措規18の４③）

3　前３年以内の譲渡に係る対価の額と当該譲渡資産の譲渡に係る対価の額との合計額が１億円を超える場合

1（**2**において準用する場合を含む。以下**十五**において同じ。）の規定は、譲渡資産の譲渡をした個人が、当該譲渡をした日の属する年又はその年の前年若しくは前々年に、当該譲渡資産と一体として当該個人の居住の用に供されていた家屋又は土地若しくは土地の上に存する権利の譲渡（**七１**に規定する収用交換等による譲渡その他の（1）で定める譲渡（**4**及び（1）において「収用交換等による譲渡」という。）を除く。以下**3**及び**4**において「前３年以内の譲渡」という。）をしている場合において、当該前３年以内の譲渡に係る対価の額と当該譲渡資産の譲渡に係る対価の額との合計額が１億円を超えることとなるときは、適用しない。（措法36の２③）

（収用交換等による譲渡）

（1）　**3**に規定する（1）で定める譲渡は、次の㈠及び㈡に掲げる譲渡とする。（措令24の２⑧）

㈠	**七１**に規定する収用交換等による譲渡
㈡	**八１**又は**九１**の規定の適用を受ける譲渡

（譲渡資産と一体として居住の用に供されていた家屋又は土地等の譲渡をした場合において当該譲渡が贈与によるものである場合）

（2）　**1**に規定する譲渡資産の譲渡をした個人が、当該譲渡をした日の属する年、その年の前年若しくは前々年又はその年の翌年若しくは翌々年に当該譲渡資産と一体として当該個人の居住の用に供されていた家屋又は土地若しくは土地の上に存する権利の譲渡をした場合において、当該譲渡が贈与（著しく低い価額の対価による譲渡として（3）で定めるものを含む。以下（2）において同じ。）によるものである場合における**3**及び**4**の規定の適用については、当該贈与の時における価額に相当する金額をもってこれらの規定に規定する譲渡に係る対価の額とする。（措令24の２⑨）

（著しく低い価額の対価による譲渡として（3）で定めるもの）

（3）　（2）に規定する（3）で定める譲渡は、譲渡資産と一体として個人の居住の用に供されていた家屋又は土地若しくは土地の上に存する権利（以下（3）において「家屋等」という。**6**（2）において同じ。）の譲渡に係る対価の額が、当該家屋等の譲渡の時における価額の２分の１に満たない金額である場合の当該譲渡とする。（措規18の４④）

（「譲渡資産と一体として居住の用に供されていた家屋又は土地等」の判定）

（4）　その譲渡をした資産が**3**及び**4**に規定する「当該譲渡資産と一体として当該個人の居住の用に供されていた家屋又は土地若しくは土地の上に存する権利」に該当するかどうかは、社会通念に従い、当該譲渡資産と一体として利用されているものであったかどうかを、それぞれ次に掲げる時の利用状況により判定するものとする。（措通36の２－６の３）

㈠　当該譲渡資産の譲渡をする以前に譲渡をしている資産（㈢に掲げる資産を除く。）　当該資産の譲渡をした時

㈡　当該譲渡資産の譲渡をした後に譲渡をしている資産（㈢に掲げる資産を除く。）　当該譲渡資産の譲渡をした時

㈢　当該譲渡資産がその譲渡の時においてその者の居住の用に供されていないため、その居住の用に供されなくなった時の直前における利用状況により**1**の適用を受ける場合において、その居住の用に供されなくなった後に譲渡をしている資産　その者の居住の用に供されなくなった時の直前

(注) 1　上記の場合において、1の規定の適用を受けるためのみの目的で(一)、(二)及び(三)に掲げる時の前に一時的に居住の用以外の用に供したと認められる部分については、「当該譲渡資産と一体として当該個人の居住の用に供されていた家屋又は土地若しくは土地の上に存する権利」に該当する。

2　当該譲渡資産の譲渡の年の1月1日において所有期間が10年以下である底地や買増しした庭の一部のように、1の規定の適用対象とならないものも、「当該譲渡資産と一体として当該個人の居住の用に供されていた家屋又は土地若しくは土地の上に存する権利」に該当することに留意する。

（居住用財産の一部を贈与している場合）

（5）　（2）に規定する「贈与（著しく低い価額の対価による譲渡を含む。）の時における価額」とは、その贈与の時又はその著しく低い価額の対価による譲渡の時における通常の取引価額をいうことに留意する。

なお、その譲渡が、著しく低い価額の対価による譲渡に該当するかどうかは、その譲渡の時における通常の取引価額の２分の１に相当する金額に満たない金額による譲渡かどうかにより判定することに留意する。（措通36の２－６の４）

4　譲渡をした日の属する年の翌年又は翌々年に譲渡資産と一体として居住の用に供されていた家屋又は土地等の譲渡をした場合

1の規定は、譲渡資産の譲渡をした個人が、当該譲渡をした日の属する年の翌年又は翌々年に、当該譲渡資産と一体として当該個人の居住の用に供されていた家屋又は土地若しくは土地の上に存する権利の譲渡（収用交換等による譲渡を除く。）をした場合において、当該家屋又は土地若しくは土地の上に存する権利の譲渡に係る対価の額と当該譲渡資産の譲渡に係る対価の額（前３年以内の譲渡がある場合には、3の合計額）との合計額が１億円を超えることとなったときは、適用しない。（措法36の２④）

5　特定の居住用財産を交換した場合の長期譲渡所得の課税の特例

個人が、平成５年４月１日から令和７年12月31日までの間に、その有する家屋若しくは土地若しくは土地の上に存する権利で1に規定する譲渡資産に該当するもの（以下「**交換譲渡資産**」という。）と当該個人の居住の用に供する家屋若しくは当該家屋の敷地の用に供する土地若しくは当該土地の上に存する権利で1に規定する買換資産に該当するもの（以下「**交換取得資産**」という。）との交換（**四**《交換処分等に伴い資産を取得した場合の課税の特例》1②に規定する交換、**十八4**《特定の事業用資産を交換した場合の譲渡所得の課税の特例》、**十九**《既成市街地等内にある土地等の中高層耐火建築物等建設のための買換え又は交換の特例》4若しくは**二十一**《特定普通財産とその隣接する土地等の交換の場合の譲渡所得の課税の特例》又は**二十三**《固定資産の交換の場合の譲渡所得の特例》の規定の適用を受ける交換を除く。以下同じ。）をした場合（当該交換に伴い**交換差金**〔交換により取得した資産の価額と交換により譲渡した資産の価額との差額を補うための金銭をいう。〕を取得し、又は支払った場合を含む。）又は交換譲渡資産と交換取得資産以外の資産との交換をし、かつ、交換差金を取得した場合（下表内①において「**他資産との交換の場合**」という。）における1から4まで及び6から8までの規定の適用については、次の①及び②に定めるところによる。（措法36の５、措令24の４①②）

①	**交換譲渡資産**	当該交換譲渡資産（他資産との交換の場合にあっては、交換譲渡資産のうち、交換差金の額が当該交換差金の額と交換により取得した資産の価額との合計額のうちに占める割合を、当該交換譲渡資産の価額に乗じて計算した金額に相当する部分に限る。以下①において同じ。）は、当該個人が、その交換の日において、同日における当該交換譲渡資産の価額に相当する金額をもって1の譲渡をしたものとみなす。 $\text{他資産との交換の場合において譲渡資産の譲渡があったとみなされる部分の金額} = \text{交換譲渡資産の価額} \times \dfrac{\text{交換差金の額}}{\text{交換取得資産の価額}+\text{交換差金の額}}$
②	**交換取得資産**	当該交換取得資産は、当該個人が、その交換の日において、同日における当該交換取得資産の価額に相当する金額をもって1の取得をしたものとみなす。

6　申告要件と譲渡資産の証明書及び買換資産の証明書の提出

1の規定は、1の規定の適用を受けようとする者の譲渡資産の譲渡をした日の属する年分の確定申告書に、1の規定の適用を受けようとする旨の記載があり、かつ、当該譲渡資産の譲渡価額、買換資産の取得価額又はその見積額に関する明細書〔譲渡所得の内訳書〕その他（2）で定める書類の添付がある場合に限り、適用する。（措法36の２⑤）

（確定申告書への記載等がない場合の宥恕規定）

（1）　税務署長は、確定申告書の提出がなかった場合又は上記の記載若しくは添付がない確定申告書の提出があった場合においても、その提出又は記載若しくは添付がなかったことについてやむを得ない事情があると認めるときは、当該記載をした書類並びに上記明細書及び（2）で定める書類の提出があった場合に限り、**1**の規定を適用することができる。（措法36の２⑥）

（添 付 書 類）

（2）　**6**に規定する（2）で定める書類は、次に掲げる書類並びに**2**において準用する**1**の規定の適用を受ける場合における取得をする予定の買換資産の取得予定年月日及びその買換資産の取得価額の見積額その他の明細を記載した書類並びに譲渡資産が**1**(一)から同(四)までのいずれかの資産に該当する事実を記載した書類（譲渡に係る契約を締結した日の前日において当該譲渡をした者の住民票に記載されていた住所と当該譲渡をした譲渡資産の所在地とが異なる場合、当該譲渡の日前10年内において当該譲渡をした者の住民票に記載されていた住所を異動したことがある場合その他これらに類する場合には、当該書類及び戸籍の附票の写し、消除された戸籍の附票の写しその他これらに類する書類で当該譲渡資産が当該各号のいずれかの資産に該当することを明らかにするもの）とする。（措規18の４⑤）

(一)	譲渡をした譲渡資産に係る登記事項証明書その他これに類する書類で、当該譲渡資産の**1**に規定する所有期間が10年を超えるものであることを明らかにするもの
(二)	譲渡をした譲渡資産に係る売買契約書の写しその他の書類で、当該譲渡資産の譲渡に係る対価の額（**3**に規定する前３年以内の譲渡がある場合には、**3**の合計額）が１億円以下であることを明らかにするもの

（買換資産の証明書の提出）

（3）　**6**に規定する確定申告書を提出する者は、取得をした買換資産に係る登記事項証明書、売買契約書の写しその他の書類で当該買換資産の取得をしたこと、当該買換資産に係る家屋の床面積（**1**（1）(一)に規定する個人が居住の用に供する部分の同(一)イ⑴又は⑵の床面積をいう。）が50平方メートル以上であること及び当該買換資産に係る土地の面積（同（1）(二)に規定する土地の面積をいう。）が500平方メートル以下であることを明らかにする書類並びに当該買換資産に係る家屋が**1**（1）(一)イに掲げる建築後使用されたことのない家屋（令和６年１月１日以後に当該個人の居住の用に供したもの又は供する見込みであるものに限る。）である場合における第九章第二節**四16**(一)チに規定する同**四12**に規定する特定居住用家屋に該当するもの以外のものであることを明らかにする書類、当該買換資産に係る家屋が同（1）(一)ロ又は同ハに掲げる建築後使用されたことのある家屋である場合におけるその取得の日以前25年以内に建築されたものであることを明らかにする書類若しくはその写し又は同（1）(一)表内（注）２に規定する書類並びに当該取得をした者が、当該買換資産を次の(一)又は(二)に掲げる場合の区分に応じ当該(一)又は(二)に定める日（**6**（1）に該当してその日後において確定申告書を提出する場合には、その提出の日）までに居住の用に供していない場合における、その旨及びその居住の用に供する予定年月日その他の事項を記載した書類を同日までに納税地の所轄税務署長に提出しなければならない。（措法36の２⑦、33⑦、措令24の２⑩、措規18の４⑥）

(一)	**1**の規定の適用を受ける場合　　当該確定申告書の提出の日
(二)	**2**において準用する**1**の規定の適用を受ける場合　　**1**に規定する買換資産の取得をした日（当該取得をした日が２以上ある場合には、そのいずれか遅い日）から４月を経過する日

（注）　取得をした買換資産に係る家屋が、建築基準法施行規則別記第２号様式の副本に規定する高床式住宅に該当するものであるときは、当該家屋が**1**（1）(一)イ⑴又は同⑵に掲げる家屋に該当することを明らかにするために（3）の規定により添付する書類は、当該家屋に係る建築基準法第６条第１項に規定する確認済証の写し又は同法第２条第35号に規定する特定行政庁の当該家屋が当該高床式住宅に該当するものである旨を証する書類で床面積の記載があるものとすることができる。（措規18の４⑦）

（特例の対象となる譲渡資産であることについての証明）

（4）　**1**に規定する資産を譲渡した場合において、当該資産が**1**に規定する資産に該当するものであることについて、**6**（2）に規定する登記事項証明書、戸籍の附票の写し等（以下（4）において「公的書類」という。）では証明することができない場合（戸籍の附票の消除や家屋が未登記である等の事由により公的書類の交付を受けることができない場合を含む。）には、公的書類に類する書類で**1**に規定する資産に該当するものであることを明らかにするものを確定申告書に添付した場合に限り、**1**（**2**において準用する場合を含む。）の規定の適用があることに留意する。

なお、当該譲渡に係る契約を締結した日の前日において、**1**に規定する資産を譲渡した者の住民基本台帳に登載されていた住所が、当該資産の所在地と異なる場合については、**一3**③(３)に準じて取り扱うものとする。(措通36の２－22)

(注)　公的書類に類する書類には、例えば、次のようなものが含まれる。

１　**1**に規定する家屋であることを証する書類　固定資産課税台帳の写し、取得に関する契約書

２　当該譲渡した者の居住期間を証する書類　学校の在籍証明書、郵便書簡、町内会等の居住者名簿

7　更正の請求又は修正申告等

①　買換資産を譲渡資産の譲渡の年の翌年12月31日までに居住の用に供しない場合又は供しなくなった場合の修正申告

1の規定の適用を受けた者は、譲渡資産の譲渡をした日の属する年の翌年12月31日までに、買換資産を当該個人の居住の用に供しない場合又は供しなくなった場合には、同日から４月を経過する日までに当該譲渡の日の属する年分の所得税についての修正申告書を提出し、かつ、当該期限内に当該申告書の提出により納付すべき税額を納付しなければならない。(措法36の３①)

(修正申告書の提出期限)

(１)　買換資産の全部又は一部を譲渡資産の譲渡の日の属する年の翌年中に取得する見込みであるため、**2**において準用する**1**の規定の適用を受けた者が、②(一)又は同(二)に該当する場合において、②の規定により当該譲渡の日の属する年分の所得税についての修正申告書を提出しなければならない期限は、次に掲げる税額の区分に応じそれぞれ次に掲げる日から４か月を経過する日とするものとする。(措通36の３－１)

(一)　その者が取得期限までに買換資産の取得をしていない場合において納付すべきこととなる買換資産の取得価額の見積額（以下(１)において「見積額」という。）に対応する所得税の額　　当該取得期限

(二)　その者が取得期限までに買換資産を取得し、かつ、その取得価額が見積額に満たない場合において納付すべきこととなる当該取得価額と見積額との差額に対応する所得税の額　　当該取得期限

(三)　その者が当該譲渡資産の譲渡の日の属する年の前年１月１日から取得期限までの間に取得した買換資産をその取得の日の属する年の翌年12月31日までにその者の居住の用に供しない場合又は供しなくなった場合において納付すべきこととなる当該譲渡資産の譲渡に係る所得税の額（(１)又は(２)により納付すべきこととなる所得税の額を除く。）　　当該取得の日の属する年の翌年12月31日

(居住の用に供しないことについて特別の事情がある場合)

(２)　**1**(**2**において準用する場合を含む。)の規定の適用を受けた者が、買換資産の取得をした後、譲渡資産の譲渡の日の属する年の翌年12月31日（**2**において準用する**1**の規定の適用を受けている場合にあっては、買換資産の取得の日の属する年の翌年12月31日。以下(２)において同じ。）までに当該買換資産をその者の居住の用に供しない場合又は供しなくなった場合においても、その供しないこと又は供しなくなったことについて次に掲げる事情があるときは、①又は②に規定する「買換資産を当該個人の居住の用に供しない場合又は供しなくなった場合」には該当しないものとして取り扱うことができるものとする。(措通36の３－２)

(一)　当該買換資産について、**七1**《5,000万円控除》に規定する収用交換等に該当する譲渡をすることとなったこと。

(二)　当該買換資産が災害により滅失又は損壊したこと。

(三)　当該買換資産の取得をした者について海外勤務その他これに類する事情が生じたこと。

(四)　当該買換資産の取得をした者が死亡したこと（当該買換資産を相続により取得した者がその取得後譲渡資産の譲渡の日の属する年の翌年12月31日までに当該買換資産をその居住の用に供しないことにつきやむを得ない事情がある場合に限る。）

②　買換資産の取得価額が承認を受けた見積額と異なる場合等の修正申告又は更正の請求

2において準用する**1**の規定の適用を受けた者は、次の(一)又は(二)に該当する場合には、(一)に該当する場合で過大となったときにあっては当該買換資産の取得をした日（当該取得をした日が２以上ある場合には、そのいずれか遅い日。以下②において同じ。）から４月を経過する日までに**2**に規定する譲渡の日の属する年分の所得税についての更正の請求をすることができるものとし、(一)に該当する場合で不足額を生ずることとなったとき、又は(二)に該当するときにあっては、当該買換資産の取得をした日又は(二)に該当することとなった日から４月を経過する日までに当該譲渡の日の属する年分の所得税についての修正申告書を提出し、かつ、当該期限内に当該申告書の提出により納付すべき税額を納付しなければならないものとする。(措法36の３②)

(一)	買換資産の取得をした場合において、その取得価額が**2**の規定により読み替えられた**1**に規定する取得価額の見積

	額に対して過不足額があるとき。
(二)	取得期限までに買換資産の取得をしていないとき、又は買換資産の取得をした場合において当該取得の日の属する年の翌年12月31日までに買換資産を当該個人の居住の用に供しないとき、若しくは供しなくなったとき。

③　譲渡資産の譲渡につき4の規定に該当することとなった場合の修正申告書を提出等

譲渡資産の譲渡につき**1**（同**2**において準用する場合を含む。）の規定の適用を受けている者は、同**4**の規定に該当することとなった場合には、その該当することとなった譲渡をした日から４月を経過する日までに当該譲渡資産の譲渡をした日の属する年分の所得税についての修正申告書を提出し、かつ、当該期限内に当該申告書の提出により納付すべき税額を納付しなければならない。（措法36の３③）

④　修正申告がなかった場合の更正

①、②(二)若しくは③に該当する場合又は②(一)に規定する不足額を生ずることとなった場合において、修正申告書の提出がないときは、納税地の所轄税務署長は、当該申告書に記載すべきであった所得金額、所得税の額その他の事項につき第十二章**一１**《更正》又は同**３**《再更正》の規定による更正を行う。（措法36の３④）

（修正申告書等に対する国税通則法の適用関係）

注　**六１**①（２）の規定は、①から③までの規定による修正申告書及び④の更正について準用する。この場合において、**六１**①（２）(一)及び同(二)中「①に規定する提出期限」とあるのは「**十五７**①から同③までに規定する提出期限」と、同(二)中「**六１**①」とあるのは「**十五７**①から同③まで」と読み替えるものとする。（措法36の３⑤）

8　買換資産の取得価額の計算

①　買換資産の取得価額の計算

1（**2**を含む。以下同じ。）の規定の適用を受けた者（**7**①から同③までの規定による修正申告書を提出し、又は**7**④の規定による更正を受け、かつ、**1**の規定による特例を認められないことなった者を除く。）の買換資産について、当該買換資産の取得の日以後その譲渡（**三４**表内①に規定する譲渡所得の基因となる不動産等の貸付けを含む。）、相続（限定承認に係るものに限る。）、遺贈（法人に対するもの及び個人に対する包括遺贈のうち限定承認に係るものに限る。）又は贈与（法人に対するものに限る。）があった場合において、譲渡所得の金額を計算するときは、当該買換資産の取得価額は、次のイからハまでに掲げる場合の区分に応じ、当該イからハまでに掲げる金額とする。（措法36の４、措令24の３③④）

イ	**1**の譲渡による収入金額が買換資産の取得価額を超える場合	当該譲渡をした譲渡資産の**取得価額等**（取得価額、設備費及び改良費の合計額をいう。以下同じ。）及び譲渡費用のうち、その超える額に対応する部分以外の部分として次により計算した金額 $(\text{譲渡資産の取得価額等}+\text{譲渡費用の額})\times\dfrac{\text{買換資産の取得価額}}{\text{譲渡資産の譲渡に係る収入金額}}$ （注）　上記の算式中「譲渡資産の取得価額等」は、当該譲渡資産が**1**の(三)に掲げる家屋及び土地又は土地の上に存する権利である場合には、これらの資産の取得価額等の合計額とする。以下ロ、ハ及び②において同じ。（措令24の３④）
ロ	**1**の譲渡による収入金額が買換資産の取得価額に等しい場合	譲渡資産の取得価額等＋譲渡費用の額
ハ	**1**の譲渡による収入金額が買換資産の取得価額に満たない場合	（譲渡資産の取得価額等＋譲渡費用の額）＋（買換資産の取得価額－譲渡資産の譲渡による収入金額）

（確定申告書への付記）

注　①に規定する買換資産について譲渡所得の金額を計算する場合には、確定申告書に当該買換資産に係る譲渡所得の金額が①の規定により計算されている旨を記載するものとする。（措令24の３①）

②　買換資産が２以上ある場合の取得価額の計算

①に規定する買換資産が２以上ある場合には、各買換資産につき同①の規定によりその取得価額とされる金額は、①のイからハまでに規定する場合の区分に応じ、当該各号に掲げる金額に、当該各買換資産の取得価額がこれらの買換資産の取得価額の合計額のうちに占める割合を乗じて計算した金額とする。（措令24の３②）

（一）　①イの場合

$$\left(\begin{matrix}\text{譲渡資産の}\\\text{取得価額等}\end{matrix}+\begin{matrix}\text{譲渡費}\\\text{用の額}\end{matrix}\right)\times\frac{\text{買換資産の取得価額の合計額}}{\text{譲渡資産の譲渡に係る収入金額}}\times\frac{\text{個々の買換資産の取得価額}}{\text{買換資産の取得価額の合計額}}$$

（二）　①ロの場合

$$\left(\begin{matrix}\text{譲渡資産の}\\\text{取得価額等}\end{matrix}+\begin{matrix}\text{譲渡費}\\\text{用の額}\end{matrix}\right)\times\frac{\text{個々の買換資産の取得価額}}{\text{買換資産の取得価額の合計額}}$$

（三）　①ハの場合

$$\left\{\left(\begin{matrix}\text{譲渡資産の}\\\text{取得価額等}\end{matrix}+\begin{matrix}\text{譲渡費}\\\text{用の額}\end{matrix}\right)+\left(\begin{matrix}\text{買換資産の取得}\\\text{価額の合計額}\end{matrix}-\begin{matrix}\text{譲渡資産の譲渡}\\\text{に係る収入金額}\end{matrix}\right)\right\}\times\frac{\text{個々の買換資産の取得価額}}{\text{買換資産の取得価額の合計額}}$$

十六　居住用財産の買換え等の場合の譲渡損失の損益通算及び繰越控除

1　居住用財産の買換え等の場合の譲渡損失の損益通算及び繰越控除

①　譲渡損失の損益通算及び3年間繰越控除

個人の平成16年分以後の各年分の譲渡所得の金額の計算上生じた居住用財産の譲渡損失の金額がある場合には、**一1**①《長期譲渡所得の分離課税》の後段及び同③の規定にかかわらず、当該居住用財産の譲渡損失の金額については、第七章第一節**一1**《損益通算の順序》の規定その他の所得税に関する法令の規定を適用する。ただし、当該個人がその年の前年以前3年内の年において生じた当該居住用財産の譲渡損失の金額以外の居住用財産の譲渡損失の金額につき①の規定の適用を受けているときは、この限りでない。(措法41の5①)

(各種所得の金額の計算上生じた損失の金額又は純損失や雑損失の繰越控除がある場合の控除順序)

(1)　その年分の各種所得の金額(第二章第一節**一**《用語の意義》表内**22**に規定する各種所得の金額をいう。)の計算上生じた損失の金額がある場合又は第七章第二節《損失の繰越控除》**一**に規定する純損失の繰越控除若しくは同節**二**に規定する雑損失の繰越控除の規定による控除が行われる場合には、まず同章第一節《損益通算》**一1**及び同章第二節**一**《純損失の繰越控除》の規定による控除を行い、次に**3**の規定による控除及び同節**二**《雑損失の繰越控除》の規定による控除を順次行う。この場合において、控除する純損失の金額(第二章第一節**一**表内**25**に規定する純損失の金額をいう。以下**1**において同じ。)及び控除する雑損失の金額(同**一**表内**26**に規定する雑損失の金額をいう。以下(2)において同じ。)が前年以前3年内(第七章第二節**二1**から同**3**まで又は同節**四1**の規定の適用がある場合には、前年以前5年内)の2以上の年に生じたものであるときは、これらの年のうち最も古い年に生じた純損失の金額又は雑損失の金額から順次控除する。(措令26の7②)

(総合譲渡所得の金額の計算と居住用財産の譲渡損失の金額との関係)

(2)　総合短期譲渡所得(譲渡所得のうち第四章第八節**二1**(一)に掲げる所得で、**二**①《短期譲渡所得の分離課税》の規定の適用がない所得をいう。以下(2)において同じ。)の金額又は総合長期譲渡所得(譲渡所得のうち同節**二1**(二)に掲げる所得で、**一1**《長期譲渡所得の課税の特例》及び**二**①の規定の適用がない所得をいう。以下(2)において同じ。)の金額を計算する場合において、これらの所得の基因となった資産のうちに譲渡損失の生じた資産があるときは、その年中に譲渡した資産を総合短期譲渡所得の基因となる資産及び総合長期譲渡所得の基因となる資産に区分して、これらの資産の区分ごとにそれぞれの総収入金額から当該資産の取得費及び譲渡費用の合計額を控除して譲渡損益を計算する。この場合において、その区分ごとに計算した金額の一方に損失の金額が生じた場合又は居住用財産の譲渡損失の金額(①に規定する居住用財産の譲渡損失の金額をいう。以下(3)及び②(12)から同(20)までにおいて同じ。)がある場合のその損失の金額の譲渡益からの控除は次による。(措通41の5－1)

(一)　総合長期譲渡所得の損失の金額は、総合短期譲渡所得の譲渡益から控除する。

(二)　総合短期譲渡所得の損失の金額は、総合長期譲渡所得の譲渡益から控除する。

(三)　居住用財産の譲渡損失の金額は、(一)又は(二)による控除後の譲渡益について、総合短期譲渡所得の譲渡益、総合長期譲渡所得の譲渡益の順に控除する。ただし、納税者がこの取扱いと異なる順序で控除して申告したときはその計算を認める。

(通算後譲渡損失の金額の繰越控除の順序)

(3)　前年以前3年内の年において生じた**3**に規定する通算後譲渡損失の金額(以下において「通算後譲渡損失の金額」という。)に相当する金額をその年の総所得金額、土地等に係る事業所得等の金額、分離長期譲渡所得の金額、分離短期譲渡所得の金額、山林所得金額又は退職所得金額(以下においてこれらを「総所得金額等」という。)の計算上控除する場合には、次の(一)から(四)の順序で控除するのであるから留意する。(措通41の5－1の2)

(一)　まず、その年分の各種所得の金額の計算上生じた損失の金額がある場合には、第七章第一節《損益通算》の規定による控除を行う。

(二)　次に、同章第二節**一1**又は同**2**《純損失の繰越控除》に規定する純損失の金額がある場合には、同**一1**又は同**2**の規定による控除を行う。

(三)　その上で、通算後譲渡損失の金額に相当する金額について、**3**の規定による繰越控除を行う。この場合、その年分の分離長期譲渡所得の金額、分離短期譲渡所得の金額、総所得金額、土地等に係る事業所得等の金額、山林所得金額又は退職所得金額から順次控除する。

(四)　更に、第七章第二節**二１**《雑損失の繰越控除》に規定する雑損失がある場合には、同**１**の規定による控除を行う。

②　用語の意義

十六において、次の(一)から(四)までに掲げる用語の意義は、当該(一)から(四)までに定めるところによる。(措法41の5⑦)

<table>
<tr><td>(一)</td><td>居住用財産の譲渡損失の金額　当該個人が、平成10年１月１日から<u>令和７年12月31日</u>までの期間（4において「適用期間」という。）内に、その有する家屋又は土地若しくは土地の上に存する権利で、その年１月１日において一１②《土地建物等の所有期間の計算》に規定する所有期間が５年を超えるもののうち次に掲げるもの（以下②及び4において「譲渡資産」という。）の譲渡（一１①に規定する譲渡所得の基因となる不動産等の貸付けを含むものとし、当該個人の配偶者その他の当該個人と（１）で定める特別の関係がある者に対してするものその他（２）で定めるものを除く。以下(一)及び4において「特定譲渡」という。）をした場合（当該個人がその年の前年若しくは前々年における資産の譲渡につき一３《居住用財産を譲渡した場合の長期譲渡所得の課税の特例》、十一１①《居住用財産の譲渡所得の特別控除（3,000万円控除）》（同③の規定により適用する場合を除く。）若しくは十五１又は同5《特定の居住用財産の買換え及び交換の場合の長期譲渡所得の課税の特例》の規定の適用を受けている場合又は当該個人がその年若しくはその年の前年以前３年内における資産の譲渡につき十七１①の規定の適用を受け、若しくは受けている場合を除く。）において、平成10年１月１日（当該特定譲渡の日が平成12年１月１日以後であるときは、当該特定譲渡の日の属する年の前年１月１日）から当該特定譲渡の日の属する年の翌年12月31日（特定非常災害の被害者の権利利益の保全等を図るための特別措置に関する法律第二条第一項の規定により特定非常災害として指定された非常災害に基因するやむを得ない事情により、同日までに当該個人の居住の用に供する家屋で（３）で定めるもの又は当該家屋の敷地の用に供する土地若しくは当該土地の上に存する権利で、国内にあるもの（以下②、6及び6（１）において「買換資産」という。）の取得（建設を含むものとし、贈与によるものその他（４）で定めるものを除く。以下②、6及び6（１）において同じ。）をすることが困難となった場合において、同日後２年以内に買換資産の取得をする見込みであり、かつ、（８）で定めるところにより納税地の所轄税務署長の承認を受けたときは、同日の属する年の翌々年12月31日。6において「取得期限」という。）までの間に、買換資産の取得をして当該取得をした日の属する年の12月31日において当該買換資産に係る住宅借入金等の金額を有し、かつ、当該取得の日から当該取得の日の属する年の翌年12月31日までの間に当該個人の居住の用に供したとき、又は供する見込みであるときにおける当該譲渡資産の特定譲渡（その年において当該特定譲渡が２以上ある場合には、当該個人が（５）で定めるところにより選定した一の特定譲渡に限る。）による譲渡所得の金額の計算上生じた損失の金額のうち、当該特定譲渡をした日の属する年分の一１《長期譲渡所得の分離課税》に規定する長期譲渡所得の金額及び二①《短期譲渡所得の分離課税》に規定する短期譲渡所得の金額の計算上控除してもなお控除しきれない部分の金額として（６）で定めるところにより計算した金額
<table>
<tr><td>イ</td><td>当該個人がその居住の用に供している家屋で（７）で定めるもののうち国内にあるもの</td></tr>
<tr><td>ロ</td><td>イに掲げる家屋で当該個人の居住の用に供されなくなったもの（当該個人の居住の用に供されなくなった日から同日以後３年を経過する日の属する年の12月31日までの間に譲渡されるものに限る。）</td></tr>
<tr><td>ハ</td><td>イ又はロに掲げる家屋及び当該家屋の敷地の用に供されている土地又は当該土地の上に存する権利</td></tr>
<tr><td>ニ</td><td>当該個人のイに掲げる家屋が災害により滅失した場合において、当該個人が当該家屋を引き続き所有していたとしたならば、その年１月１日において一１②《土地建物等の所有期間の計算》に規定する所有期間が５年を超える当該家屋の敷地の用に供されていた土地又は当該土地の上に存する権利（当該災害があった日から同日以後３年を経過する日の属する年の12月31日までの間に譲渡されるものに限る。）</td></tr>
</table></td></tr>
<tr><td>(二)</td><td>純損失の金額　第二章第一節一《用語の意義》表内25に規定する純損失の金額をいう。</td></tr>
<tr><td>(三)</td><td>通算後譲渡損失の金額　当該個人のその年において生じた純損失の金額のうち、居住用財産の譲渡損失の金額に係るもの（当該居住用財産の譲渡損失の金額に係る譲渡資産のうちに土地又は土地の上に存する権利で（９）で定める面積が500平方メートルを超えるものが含まれている場合には、当該土地又は土地の上に存する権利のうち当該500平方メートルを超える部分に相当する金額を除く。）として⑽で定めるところにより計算した金額をいう。</td></tr>
<tr><td>(四)</td><td>住宅借入金等　住宅の用に供する家屋の新築若しくは取得又は当該家屋の敷地の用に供される土地若しくは当該土地の上に存する権利の取得（以下(四)において「住宅の取得等」という。）に要する資金に充てるために第九章</td></tr>
</table>

	第二節**四**《住宅の借入金等を有する場合の特別税額控除》**1**表内(一)(１)に規定する金融機関又は独立行政法人住宅金融支援機構から借り入れた借入金で契約において償還期間が10年以上の割賦償還の方法により返済することとされているものその他の住宅の取得等に係る借入金又は債務（利息に対応するものを除く。）で(11)で定めるものをいう。

（当該個人と特別の関係のある者）

（１）　②(一)に規定する当該個人と(１)で定める特別の関係がある者は、次の(一)から(五)までに掲げる者とする。(措令26の７④)

(一)	当該個人の配偶者及び直系血族
(二)	当該個人の親族（(一)に掲げる者を除く。以下(二)において同じ。）で当該個人と生計を一にしているもの及び当該個人の親族で(７)に規定する家屋の譲渡がされた後当該個人と当該家屋に居住をするもの
(三)	当該個人と婚姻の届出をしていないが事実上婚姻関係と同様の事情にある者及びその者の親族でその者と生計を一にしているもの
(四)	(一)から(三)までに掲げる者及び当該個人の使用人以外の者で当該個人から受ける金銭その他の財産によって生計を維持しているもの及びその者の親族でその者と生計を一にしているもの
(五)	当該個人、当該個人の(一)及び(二)に掲げる親族、当該個人の使用人若しくはその使用人の親族でその使用人と生計を一にしているもの又は当該個人に係る(三)又は(四)に掲げる者を判定の基礎となる第二章第一節**一**《用語の意義》表内**8の2**に規定する株主等とした場合に法人税法施行令第４条第２項に規定する特殊の関係その他これに準ずる関係のあることとなる会社その他の法人

（②(一)の特定譲渡）

（２）　②(一)に規定する(２)で定める譲渡は、贈与又は出資による譲渡とする。(措令26の７⑤)

（当該個人の居住の用に供する家屋）

（３）　②(一)に規定する当該個人の居住の用に供する家屋で(３)で定めるものは、次の(一)及び(二)に掲げる家屋とし、当該個人が、その居住の用に供する家屋を２以上有する場合には、これらの家屋のうち、その者が主としてその居住の用に供すると認められる一の家屋に限るものとする。(措令26の７⑥)

(一)	１棟の家屋の床面積のうち当該個人が居住の用に供する部分の床面積が50平方メートル以上であるもの
(二)	１棟の家屋のうちその構造上区分された数個の部分を独立して住居その他の用途に供することができるものにつきその各部分（以下(二)及び(９)において「独立部分」という。）を区分所有する場合には、その独立部分の床面積のうち当該個人が居住の用に供する部分の床面積が50平方メートル以上であるもの

（②(一)の取得）

（４）　②(一)に規定する(４)で定める取得は、代物弁済（金銭債務の弁済に代えてするものに限る。）としての取得とする。(措令26の７⑦)

（②(一)の選定）

（５）　②(一)の選定は、同(一)に規定する個人が、**2**の規定によりの確定申告書に添付すべき**2**に規定する居住用財産の譲渡損失の金額の計算に関する明細書に、一の特定譲渡（同(一)に規定する特定譲渡をいう。以下**十六**において同じ。）に係る同(一)に規定する居住用財産の譲渡損失の金額の計算に関する明細を記載することにより行うものとする。(措令26の７⑧)

（長期譲渡所得の金額及び短期譲渡所得の金額の計算上控除してもなお控除しきれない部分の金額）

（６）　②(一)に規定する(６)で定めるところにより計算した金額は、同(一)に規定する譲渡資産（(10)及び**4**(１)において「譲渡資産」という。）の特定譲渡（その年において当該特定譲渡が２以上ある場合には、当該個人が(５)の規定により選定した一の特定譲渡に限る。(10)及び**4**(１)において同じ。）による譲渡所得の金額の計算上生じた損失の金額のうち、当該特定譲渡をした日の属する年分の**一１**《長期譲渡所得の分離課税》に規定する長期譲渡所得の金額の計算上生じた損失の金額（当該長期譲渡所得の金額の計算上生じた損失の金額のうちに**二**①《短期譲渡所得の分離課税》の規定により同①に規定する短期譲渡所得の金額の計算上控除する金額がある場合には、当該長期譲渡所得の金額の計算上生じた損失の金額から当該控除する金額に相当する金額を控除した金額）に達するまでの金額とする。（措令26の７⑨）

（②(一)イに規定する(７)で定める家屋）

(７)　②(一)イに規定する(７)で定める家屋は、個人がその居住の用に供している家屋（当該家屋のうちにその居住の用以外の用に供している部分があるときは、その居住の用に供している部分に限る。以下(７)において同じ。）とし、その者がその居住の用に供している家屋を２以上有する場合には、これらの家屋のうち、その者が主としてその居住の用に供していると認められる一の家屋に限るものとする。（措令26の７⑩）

（所轄税務署長の承認手続）

(８)　②(一)に規定する所轄税務署長の承認を受けようとする個人は、同(一)に規定する取得期限の属する年の翌年３月15日までに、特定譲渡をした譲渡資産（②(一)に規定する譲渡遺産をいう。）について同(一)の承認を受けようとする旨、同(一)の特定非常災害として指定された非常災害に基因するやむを得ない事情により買換資産の取得をすることが困難であると認められる事情の詳細、取得をする予定の買換資産の取得予定年月日及びその取得価額の見積額その他の明細を記載した申請書に、当該非常災害に基因するやむを得ない事情により買換資産の取得をすることが困難であると認められる事情を証する書類を添付して、当該所轄税務署長に提出しなければならない。ただし、税務署長においてやむを得ない事情があると認める場合には、当該書類を添付することを要しない。（措規18の25④）

（②(三)の面積）

(９)　②(三)に規定する(９)で定める面積は、土地にあっては当該土地の面積（(３)(二)に掲げる家屋については、その１棟の家屋の敷地の用に供する土地の面積に当該家屋の床面積のうちにその者の区分所有する独立部分の床面積の占める割合を乗じて計算した面積。以下(９)において同じ。）とし、土地の上に存する権利にあっては当該土地の面積とする。（措令26の７⑪）

（特定譲渡による譲渡所得の金額の計算上生じた損失の金額として(10)で定める金額）

(10)　②(三)に規定する(10)で定めるところにより計算した金額は、②(一)に規定する居住用財産の譲渡損失の金額（以下(10)において「**居住用財産の譲渡損失の金額**」という。）のうち、その年において生じた純損失の金額（次の(一)又は(二)に掲げる場合に該当する場合には、当該金額から、当該(一)又は(二)に掲げる場合の区分に応じ当該(一)又は(二)に定める金額を控除した金額）に達するまでの金額（当該居住用財産の譲渡損失の金額に係る譲渡資産のうちに土地又は土地の上に存する権利（以下(10)において土地等」という。）で②(三)に規定する(９)で定める面積（以下(10)において「面積」という。）が500平方メートルを超えるものが含まれている場合には、当該金額から、当該金額に当該居住用財産の譲渡損失の金額のうちに当該土地等の特定譲渡による譲渡所得の金額の計算上生じた損失の金額の占める割合を乗じて計算した金額に超過面積割合（当該土地等に係る面積のうちに当該500平方メートルを超える部分に係る当該面積の占める割合をいう。）を乗じて計算した金額を控除した金額）とする。（措令26の７⑫）

(一)	当該居住用財産の譲渡損失の金額が生じた年（その年分の所得税につき青色申告書を提出する年に限る。）において、その年分の不動産所得の金額、事業所得の金額、山林所得の金額又は譲渡所得の金額（**一１**《長期譲渡所得の分離課税》に規定する長期譲渡所得の金額及び**二**①《短期譲渡所得の分離課税》に規定する短期譲渡所得の金額を除く。）の計算上生じた損失の金額がある場合	当該損失の金額の合計額（当該合計額がその年において生じた純損失の金額を超えるときは、当該純損失の金額に相当する金額）
(二)	当該居住用財産の譲渡損失の金額が生じた年において生じた第七章第二節**一２**《変動所得の金額及び被災事業用資産の損失の繰越控除》①又は同②に掲げる損失の金額がある場合（(一)に掲げる場合を除く。）	当該損失の金額の合計額（当該合計額がその年において生じた純損失の金額を超えるときは、当該純損失の金額に相当する金額）

（住宅の取得等に係る借入金又は債務で(11)で定めるもの）

(11)　②(四)に規定する(11)で定める借入金又は債務は、次の(一)から(四)までに掲げる借入金又は債務（利息に対応するものを除く。）とする。（措令26の７⑬）

<table>
<tr>
<td>(一)</td>
<td>
②(四)に規定する住宅の取得等（以下(11)において「住宅の取得等」という。）に要する資金に充てるために同(四)に規定する金融機関、独立行政法人住宅金融支援機構、地方公共団体その他当該資金の貸付けを行う(１)で定める者から借り入れた借入金（当該借入金に類する債務で(２)で定めるものを含む。）で、契約において償還期間が10年以上の割賦償還の方法により返済することとされているもの
（貸金の貸付けを行う(１)で定める者）
(１)　上記に規定する(１)で定める者は、貸金業法第２条第２項に規定する貸金業者で住宅の取得等（②の(四)に規定する住宅の取得等をいう。(２)及び(四)(注)において同じ。）に必要な資金の長期の貸付けの業務を行うもの、沖縄振興開発金融公庫、国家公務員共済組合、国家公務員共済組合連合会、日本私立学校振興・共済事業団、地方公務員共済組合、農林漁業団体職員共済組合、独立行政法人北方領土問題対策協会及び厚生年金保険法等の一部を改正する法律附則第48条第１項に規定する指定基金とする。（措規18の25⑤、18の21②）
（借入金に類する債務で(２)で定めるもの）
(２)　上記に規定する(２)で定める債務は、次に掲げる債務とする。（措規18の25⑥）
<table>
<tr><td>イ</td><td>住宅の取得等に係る工事を建設業法第２条第３項に規定する建設業者（以下(２)において「建設業者」という。）に請け負わせた個人が、当該住宅の取得等に係る工事を請け負わせた建設業者から当該住宅の取得等に係る工事の請負代金の全部又は一部に充てるために借り入れた借入金</td></tr>
<tr><td>ロ</td><td>居住用財産を宅地建物取引業法第２条第３号に規定する宅地建物取引業者（以下(２)において「宅地建物取引業者」という。）から取得した個人が、当該居住用財産の譲渡をした当該宅地建物取引業者から当該居住用財産の取得の対価の全部又は一部に充てるために借り入れた借入金</td></tr>
<tr><td>ハ</td><td>住宅の取得等をした個人が、(１)に規定する貸金業者又は宅地建物取引業者である法人で住宅の取得等に係る工事の請負代金又は住宅の取得等の対価の全部又は一部を当該住宅の取得等に係る工事をした者又は当該住宅の取得等をした者に代わって当該住宅の取得等に係る工事を請け負った建設業者又は当該住宅の取得等に係る居住用財産を譲渡した者に支払をすることを業とするものから、当該個人が当該住宅の取得等に係る工事の請負代金又は当該住宅の取得等の対価の全部又は一部の支払を受けたことにより当該法人に対して負担する債務</td></tr>
<tr><td>ニ</td><td>住宅の取得等に要する資金に充てるために勤労者財産形成促進法第９条第１項に規定する事業主団体又は福利厚生会社から借り入れた借入金で、当該事業主団体又は福利厚生会社が独立行政法人勤労者退職金共済機構から貸付けを受けた同項の貸金に係るもの</td></tr>
<tr><td>ホ</td><td>住宅の取得等に要する資金に充てるために個人が②の(四)に規定する金融機関、独立行政法人住宅金融支援機構若しくは(１)に規定する貸金業者（以下ホにおいて「当初借入先」という。）から借り入れた借入金又は当該当初借入先に対して負担するハに掲げる債務に係る債権の譲渡があった場合において、当該個人が、当該当初借入先から当該債権の譲渡（第九章第二節四１表内(一)(５)(イ)に規定する要件を満たすものに限る。）を受けた特定債権者（当該当初借入先との間で当該債権の管理及び回収に係る業務の委託に関する契約（同１表内(一)(５)(イ)に規定する契約に該当するものに限る。）を締結し、かつ、当該契約に従って当該当初借入先に対して当該債権の管理及び回収に係る業務の委託をしている法人をいう。）に対して有する当該債権に係る借入金又は債務</td></tr>
</table>
</td>
</tr>
<tr>
<td>(二)</td>
<td>建設業法第２条第３項に規定する建設業者に対する住宅の取得等に係る債務又は宅地建物取引業法第２条第３号に規定する宅地建物取引業者、独立行政法人都市再生機構、地方住宅供給公社その他居住用財産（住宅の用に供する家屋又は当該家屋の敷地の用に供される土地若しくは当該土地の上に存する権利をいう。(三)において同じ。）の分譲を行う(１)で定める者に対する住宅の取得等に係る債務（当該債務に類する債務で(２)で定めるものを含む。）で、契約において賦払期間が10年以上の割賦払の方法により支払うこととされているもの</td>
</tr>
</table>

<table>
<tr><td></td><td>（居住用財産の分譲を行う（１）で定める者）
（１）　上記に規定する（１）で定める者は、地方公共団体及び日本勤労者住宅協会とする。（措規18の25⑦、措令26⑪）

（（２）で定める債務）
（２）　上記に規定する（２）で定める債務は、旧勤労者財産形成促進法第９条第１項第１号に規定する事業主団体又は福利厚生会社から取得した居住用財産の取得の対価に係る債務で当該事業主団体又は福利厚生会社が独立行政法人勤労者退職金共済機構から貸付けを受けた同号の資金により建設し、又は取得した当該居住用財産に係るもののうち、当該資金に係る部分とする。（措規18の25⑧）</td></tr>
<tr><td>(三)</td><td>独立行政法人都市再生機構、地方住宅供給公社その他の注で定める法人を当事者とする居住用財産の取得に係る債務の承継に関する契約に基づく当該法人に対する当該債務（当該債務に類する債務で財務省令で定めるものを含む。）で、当該承継後の当該債務の賦払期間が10年以上の割賦払の方法により支払うこととされているもの

（その他の注で定める法人）
注　上記の注で定める法人は、独立行政法人都市再生機構、地方住宅供給公社及び日本勤労者住宅協会とする。（措規18の25⑨、措令26⑭）</td></tr>
<tr><td>(四)</td><td>住宅の取得等に要する資金に充てるために第九章第二節四《住宅の借入金等を有する場合の特別税額控除》１表内(四)に規定する使用者（以下(四)において「使用者」という。）から借り入れた借入金又は当該使用者に対する当該住宅の取得等の対価に係る債務（これらの借入金又は債務に類する債務で注で定めるものを含む。）で、契約において償還期間又は賦払期間が10年以上の割賦償還又は割賦払の方法により返済し、又は支払うこととされているもの

（注で定める債務）
注　上記の注で定める債務は、住宅の取得等をした個人が、上記に規定する使用者に代わって当該住宅の取得等に要する資金の貸付けを行っていると認められる第九章第二節四１表内(四)（４）に規定する一般社団法人又は一般財団法人で国土交通大臣が財務大臣と協議して指定した者から当該住宅の取得等に要する資金に充てるために借り入れた借入金とする。（措規18の25⑩、措令26⑱）</td></tr>
</table>

（**１**②(一)ハに掲げる資産）

(12)　**１**②(一)ハに規定する「イ又はロに掲げる家屋及び当該家屋の敷地の用に供されている土地又は当該土地の上に存する権利」とは、同(一)イ又は同ロに掲げる家屋とともにこれらの家屋の敷地の用に供されている土地等（土地又は当該土地の上に存する権利をいう。以下(26)までにおいて同じ。）でその年の１月１日において所有期間（**一１**②に規定する所有期間をいう。以下(21)までにおいて同じ。）が５年を超えるものを譲渡した場合の当該家屋及び敷地の用に供されている土地等をいうのであるから留意する。（措通41の５－３）

(注)１　**１**②(一)ハに該当する家屋及び土地等の譲渡に係る居住用財産の譲渡損失の金額の計算は、当該家屋及び土地等に係る譲渡損益の合計額により行うことになる。したがって、そのいずれか一方の資産に係る譲渡損失のみをもって居住用財産の譲渡損失の金額の計算を行うことはできない。

２　**１**②(一)イ又は同ロに規定する家屋とともに敷地の用に供されている土地等の譲渡があった場合において、当該家屋又は当該土地等のいずれか一方のその年１月１日における所有期間が５年以下であるときは、当該家屋及び土地等は同②の(一)に規定する譲渡資産に該当しないので、その譲渡損失については、**１**の①及び**３**の規定を適用することはできない。

（敷地のうちに所有期間の異なる部分がある場合）

(13)　**１**②(一)イ又は同ロに掲げる家屋とともにこれらの家屋の敷地の用に供されている土地等の譲渡があった場合において、当該土地等のうちにその年１月１日における所有期間が５年を超える部分とその他の部分があるときは、その土地等のうち当該５年を超える部分のみが同(一)ハに掲げる土地等に該当するのであるから留意する。（措通41の５－４）

(注)　これらの家屋の敷地の用に供されている一の土地が、その取得の日を第四章第八節**二１**（３）《借地権者等が取得した底地の取得時期等》の定めにより借地権等に相当する部分と底地に相当する部分とに区分して判定するものであるときは、当該土地のうちその年の１月１日における所有期間が５年を超えることとなる部分のみが**１**②(一)ハに掲げる土地等に該当することになる。

（居住用土地等のみの譲渡）

(14)　**1**②(一)イ又は同ロに掲げる家屋を取り壊し、当該家屋の敷地の用に供されていた土地等を譲渡した場合（その取壊し後、当該土地等の上にその土地等の所有者が建物等を建設し、当該建物等とともに譲渡する場合を除く。）において、当該譲渡した土地等が次に掲げる要件の全てを満たすときは、当該土地等は譲渡資産に該当するものとして取り扱うことができるものとする。

ただし、当該土地等のみ譲渡であっても、その家屋を引き家して当該土地等を譲渡する場合の当該土地等は譲渡資産に該当しない。（措通41の５－５）

(一)　当該土地等は、当該家屋が取り壊された日の属する年の１月１日において所有期間が５年を超えるものであること。

(二)　当該土地等は、当該土地等の譲渡に関する契約が当該家屋を取り壊した日から１年以内に締結され、かつ、当該家屋をその居住の用に供さなくなった日以後３年を経過する日の属する年の12月31日までに譲渡したものであること。

(三)　当該土地等は、当該家屋を取り壊した後譲渡に関する契約を締結した日まで、貸付けその他の用に供していないものであること。

（注）　その取り壊しの日の属する年の１月１日において所有期間が５年を超えない家屋の敷地の用に供されていた土地等の譲渡に係る譲渡損失については、**1**①及び**3**の規定の適用はない。

（災害滅失家屋の跡地等の用途）

(15)　災害により滅失したその居住の用に供している家屋の敷地の用に供されていた土地等の譲渡、その居住の用に供している家屋でその居住の用に供されなくなったものの譲渡又は当該家屋とともにする当該家屋の敷地の用に供されている土地等の譲渡が、これらの家屋をその居住の用に供されなくなった日から同日以後３年を経過する日の属する年の12月31日までの間に行われている場合には、その譲渡した資産は、当該居住の用に供されなくなった日以後どのような用途に供されている場合であっても、譲渡資産に該当するのであるから留意する。（措通41の５－６）

（居住の用に供されなくなった家屋が災害により滅失した場合）

(16)　その居住の用に供している家屋でその居住の用に供されなくなったものが災害により滅失した場合において、その居住の用に供されなくなった日から同日以後３年を経過する日の属する年の12月31日までの間に、当該家屋の敷地の用に供されていた土地等を譲渡したときは、当該譲渡は、譲渡資産の譲渡に該当するものとして取り扱うことができるものとする。

この場合において、当該家屋の所有期間の判定に当たっては、当該譲渡の時まで当該家屋を引き続き所有していたものとする。（措通41の５－７）

（土地区画整理事業等の施行地区内の土地等の譲渡）

(17)　土地区画整理法による土地区画整理事業、新都市基盤整備法による土地整理又は大都市地域住宅等供給促進法による住宅街区整備事業の施行地区内にある従前の宅地（当該宅地の上に存する建物の所有を目的とする借地権を含む。）を仮換地の指定又は使用収益の停止があった後に譲渡した場合並びに次に掲げる事業の施行地区内にその居住の用に供している家屋（当該家屋でその居住の用に供されなくなったものを含む。）及び当該家屋の敷地の用に供されている土地等（災害により滅失した当該家屋の敷地であった土地等を含む。）を有する者につき、それぞれに掲げるところによる譲渡があった場合又は譲渡があったものとみなされる場合には、**一3**①(16)及び同(17)に準じて取り扱うことができるものとする。（措通41の５－８）

(一)　都市再開発法による市街地再開発事業に係る権利変換又は収用若しくは買取りに伴い取得した施設建築物の一部を取得する権利（当該権利とともに取得した施設建築敷地若しくはその共有持分又は地上権の共有持分を含む。）又は建築施設の部分の給付を受ける権利を譲渡した場合又は建築施設の部分につき同法第118条の５第１項《譲受け希望の申出等の撤回》に規定する譲受け希望の申出を撤回した場合（同法第118条の12第１項《仮登記等に係る権利の消滅について同意が得られない場合における譲受け希望の申出の撤回》又は第118条の19第１項《譲受け希望の申出を撤回したものとみなす場合》の規定により、譲受けの申出を撤回したものとみなされる場合を含む。）において、**五3**《変換取得資産である権利の譲渡等があった場合の収用特例の適用》の規定による旧資産の譲渡があったものとみなされる場合

(二)　密集市街地における防災街区の整備の促進に関する法律による防災街区整備事業に係る権利変換に伴い取得した防災施設建築物の一部を取得する権利（当該権利とともに取得した防災施設建築敷地若しくはその共有持分又は

地上権の共有持分を含む。）を譲渡した場合において、同項の規定による防災旧資産の譲渡があったものとみなされる場合

(三)　マンションの建替え等の円滑化に関する法律によるマンション建替事業に係る権利変換に伴い取得した施行再建マンションに関する権利を取得する権利（当該権利とともに取得した施行再建マンションに係る敷地利用権を含む。）を譲渡した場合において、**五3**の規定による変換前資産の譲渡があったものとみなされる場合

（居住用家屋の敷地の一部の譲渡）

(18)　その居住の用に供している家屋（当該家屋でその居住の用に供されなくなったものを含む。）の敷地の用に供されている土地等、災害により滅失した当該家屋の敷地の用に供されていた土地等（以下(19)までおいて「災害跡地」という。）又は(14)に定める取り壊した家屋の敷地の用に供されていた土地等（以下(19)までにおいて「取り壊し跡地」という。）の一部を区分して譲渡した場合には、次の点に留意する。（措通41の５－９）

(一)　現に存する当該家屋の敷地の用に供されている土地等の一部の譲渡である場合　　当該譲渡が当該家屋の譲渡と同時に行われたものであるときは、当該譲渡は譲渡資産の譲渡に該当するが、当該譲渡が当該家屋の譲渡と同時に行われたものでないときは、当該譲渡は譲渡資産の譲渡には該当しない。

(二)　災害跡地の一部の譲渡である場合　　居住の用に供している家屋が災害により滅失した場合には当該災害があった日（居住の用に供されなくなった家屋が災害により滅失した場合には当該家屋が居住の用に供されなくなった日）から、同日以後３年を経過する日の属する年の12月31日までに行われた譲渡は、全て譲渡資産の譲渡に該当する。

(三)　取壊し跡地の一部の譲渡である場合　　当該譲渡は、(14)により判定する。

（災害跡地等を２以上に分けて譲渡した場合）

(19)　その年において２以上の譲渡資産の②(一)に規定する特定譲渡（以下(22)までにおいて「特定譲渡」という。）がある場合には、その者が選定した一の特定譲渡に係る譲渡損失の金額をもって同(一)に規定する居住用財産の譲渡損失の金額を計算するのであるが、同一年中に、居住の用に供している家屋（当該家屋でその居住の用に供されなくなったものを含む。）の敷地の用に供されている土地等の一部を区分して当該家屋の譲渡と同時に譲渡した場合又は災害跡地若しくは取壊し跡地を２以上に区分して譲渡した場合（当該譲渡のいずれもが(18)(二)若しくは同(三)により譲渡資産の譲渡に該当する場合に限る。）には、これらを一の譲渡資産の譲渡として取り扱うことができるものとする。（措通41の５－10）

（居住用家屋の所有者とその敷地の所有者が異なる場合の取扱い）

(20)　②(一)イ又は同ロに掲げる家屋（以下(20)及び(21)において「譲渡家屋」という。）の所有者以外の者が当該譲渡家屋の敷地の用に供されている土地等でその譲渡の年の１月１日における所有期間が５年を超えているもの（以下(20)において「譲渡敷地」という。）の全部又は一部を有している場合において、譲渡家屋の所有者と譲渡敷地の所有者の行った譲渡等が次に掲げる要件の全てを満たしたときは、これらの者がともに①又は**3**の規定の適用を受ける旨の申告をしたときに限り、その申告を認めることとして取り扱う。（措通41の５－11）

(一)　譲渡家屋の所有者と譲渡敷地の所有者は、次のいずれにも該当する資産の特定譲渡をしていること。

イ　譲渡敷地は、譲渡家屋とともに特定譲渡がされているものであること。

ロ　譲渡家屋は、その譲渡の時において当該家屋の所有者が譲渡敷地の所有者とともにその居住の用に供している家屋（当該家屋がその所有者の居住の用に供されなくなった日から同日以後３年を経過する日の属する年の12月31日までの間に譲渡されたものであるときは、その居住の用に供されなくなった時の直前においてこれらの者がその居住の用に供していた家屋）であること。

(二)　譲渡家屋の所有者と譲渡敷地の所有者は、次のいずれにも該当する資産の②(一)に規定する取得をしていること。

イ　これらの者が取得した資産は、その居住の用に供する一の家屋又は当該家屋とともに取得した当該家屋の敷地の用に供する一の土地等で国内にあるものであること。

ロ　イの家屋又は土地等は、これらの者のそれぞれが、おおむねその者の(一)に掲げる譲渡に係る譲渡収入金額（当該家屋の取得価額又は当該家屋及び土地等の取得価額の合計額が譲渡家屋及び譲渡敷地の譲渡収入金額を超える場合にあっては、それぞれの者に係る譲渡収入金額に当該超える金額のうちその者が支出した額を加算した金額）の割合に応じて、その全部又は一部を取得しているものであること。

ハ　当該取得した家屋又は土地等は、②(一)に規定する買換資産（以下(25)までにおいて「買換資産」という。）の

取得期間内（(22)において「取得期間内」という。）に取得されているものであること。

ニ　当該取得した家屋は、買換資産をその居住の用に供すべき期間（買換資産の取得の日から当該取得の日の属する年の翌年12月31日までの期間をいう。）内に、譲渡家屋の所有者が譲渡敷地の所有者とともにその居住の用に供しているものであること。

(三)　譲渡家屋の所有者と譲渡敷地の所有者とは、譲渡家屋及び譲渡敷地の譲渡の時（当該家屋がその所有者の居住の用に供されなくなった日から同日以後３年を経過する日の属する年の12月31日までの間に譲渡されたものであるときは、その居住の用に供されなくなった時）から買換資産をその居住の用に供するまでの間、親族関係を有し、かつ、生計を一にしていること。

(四)　譲渡家屋の所有者と譲渡敷地の所有者のそれぞれが、次に掲げる日において買換資産に係る住宅借入金等（②(四)の規定する住宅借入金等をいう。以下(26)までにおいて同じ。）の金額を有していること。

イ　①の規定の適用を受ける場合には、買換資産を取得した日の属する年の12月31日

ロ　**3**の規定の適用を受ける場合には、**3**の規定の適用を受ける年の12月31日

(注) 1　譲渡家屋の所有者が当該家屋（譲渡敷地のうちその者が有している部分を含む。）の譲渡につき①又は**3**の規定を適用しない場合（当該家屋の所有者について居住用財産の譲渡損失の金額又は通算後譲渡損失の金額がない場合、①(３)(一)及び同(二)に掲げる控除後において控除すべきその年の総所得金額等がないこととなる場合並びにその年の合計所得金額が3,000万円を超えるため①の規定の適用を受けることができない場合を除く。）には、譲渡敷地の所有者について①及び**3**の規定を適用することはできない。

2　譲渡敷地の所有者が当該敷地の譲渡につき①の規定の適用を受ける場合には、譲渡家屋の所有者の当該家屋の譲渡については**一3**、**十一1**①（同③の規定により適用する場合を除く。）、**十五1**又は同**5**の規定（**十七1**②(16)において「居住用財産に係る課税の特例」という。）の適用を受けることはできない。

(借地権等の設定されている土地の譲渡についての取扱い)

(21)　譲渡家屋の所有者が、当該家屋の敷地である借地権等の設定されている土地でその譲渡の年の１月１日における所有期間が５年を超えているもの（以下(21)において「居住用底地」という。）の全部又は一部を所有している場合において、当該家屋を取り壊し当該居住用底地を譲渡したときの**十六**の規定の適用については(14)に準じて取り扱うこととし、当該当該居住用底地が当該家屋とともに譲渡されているときは、当該家屋及び当該居住用底地の譲渡について①及び**3**の規定の適用を認めることとして取り扱う。

また、譲渡家屋の所有者以外の者が、居住用底地の全部又は一部を所有している場合における**十六**の規定の適用については、(20)に準じて取り扱うこととする。（措通41の５－12）

(やむを得ない事情により買換資産の取得が遅れた場合)

(22)　①又は**3**の規定の適用を受けようとする者が、取得期限（②(一)に規定する「取得期限」をいう。以下(22)において同じ。）までに買換資産に該当する家屋（いわゆる建売住宅のように家屋とともにその敷地の用に供する土地等の譲渡がある場合の当該土地等を含む。以下(22)において同じ。）を取得できなかった場合であっても、次に掲げる要件のいずれをも満たすときは、当該家屋は、取得期間内に取得されていたものとして取り扱う。この場合、取得期限において買換資産に係る住宅借入金等の金額を有しているかどうかは、当該家屋の取得の日において買換資産に係る住宅借入金等を有しているかどうかにより判定するものとする。（措通41の５－13）

(一)　買換資産に該当する家屋を取得期間内に取得する契約を締結していたにもかかわらず、その契約の締結後に生じた災害（その災害について②(一)括弧書の取得期限の延長の承認を受けている場合のその災害を除く。）その他その者の責めに帰せられないやむを得ない事情により当該契約に係る家屋を当該期間内に取得できなかったこと。

(二)　買換資産に該当する家屋を取得期限の属する年の翌年12月31日までに取得し、かつ、同日までに当該取得した家屋をその者の居住の用に供していること。

(注)　買換資産の取得の日については、第四章第八節**二1**(２)《資産の取得の日》に定めるところにより判定するのであるが、次に掲げる資産は、それぞれ次に掲げる日以後において取得することになるのであるから留意する。

(イ)　他から取得する家屋で、その取得に関する契約時において建設が完了していないもの　当該建設が完了した日

(ロ)　他から取得する家屋又は土地等で、その取得に関する契約時において当該契約に係る譲渡者がまだ取得していないもの（(一)に掲げる家屋を除く。）　当該譲渡者が取得した日

(買換家屋の床面積要件の判定)

(23)　その者が取得する家屋について(３)に定める床面積要件の判定を行う場合には、次の点に留意する。（措通41の５－14）

(一)　その家屋の床面積のうち当該個人が居住の用に供する部分の床面積が50㎡以上のものであるかどうかを判定す

る場合において、当該家屋と一体として利用される離れ屋、物置等の附属家屋は当該家屋に含むものとする。

(二)　その家屋が共有物である場合には、当該家屋の全体の床面積(当該家屋のうちその独立部分を区分所有する場合には、その独立部分の床面積)により行うこと。

(三)　その家屋が店舗兼住宅等である場合には、**一３**①(７)に準じて計算した居住の用に供する部分の床面積により行うこと。

なお、これにより計算した家屋の居住の用に供する部分の床面積が当該家屋のおおむね90％以上である場合には、当該家屋の全体の床面積により判定して差し支えない。

(床面積の意義)

(24)　(３)に規定する家屋の「床面積」は、次による。(措通41の５－15)

(一)　(３)(一)に規定する家屋の床面積は、各階ごとに壁その他の区画の中心線で囲まれた部分の水平投影面積(登記簿上表示される面積)による。

(二)　(３)(二)に規定する独立部分の床面積は、建物の区分所有等に関する法律第２条第３項に規定する専有部分の床面積をいい、壁その他の区画の内側線で囲まれた部分の水平投影面積(登記簿上表示される面積)による。したがって、当該床面積には、数個の独立部分に通ずる階段、エレベーター室等共用部分の面積は含まれない。

(借入金又は債務の借換えをした場合)

(25)　買換資産の取得に係る借入金又は債務(以下(25)において「当初の借入金等」という。)の金額を消滅させるために新たな借入金を有することとなる場合において、当該新たな借入金が当初の借入金を消滅させるためのものであることが明らかであり、かつ、(11)(一)又は同(四)に規定する要件を満たしているときに限り、当該新たな借入金は、買換資産に係る住宅借入金等に該当するものとする。(措通41の５－16)

(繰上返済等をした場合)

(26)　買換資産に係る住宅借入金等の金額に係る契約において、その年の翌年以後に返済等をすべきこととされている買換資産に係る住宅借入金等の金額につき、その年に繰り上げて返済等をした場合であっても、その年の12月31日における現実の買換資産に係る住宅借入金等の金額の残高があるときには、①又は**３**の規定の適用があるのであるが、当該繰上返済等により償還期間又は割賦期間が10年未満となる場合のその年については、①又は**３**の規定の適用はないものとする。(措通41の５－17)

(注)　借入金又は債務の借換えをした場合には、(25)の適用がある場合があることに留意する。

(居住用財産を譲渡した場合の長期譲渡所得の課税の特例に関する取扱い等の準用)

(27)　その者が譲渡した家屋若しくは土地等が**１**②(一)に規定する譲渡資産に該当するかどうか、これらの資産の譲渡が同(一)に規定する特定譲渡に該当するかどうか又はその者が取得した家屋若しくは土地等が同(一)に規定する買換資産に該当するかどうかの判定等については、次の取扱いに準じて取り扱うものとする。(措通41の５－18、編者補正)

措通31の３－２《居住用家屋の範囲》……………………**一３**①(２)参照。
措通31の３－６《生計を一にする親族の居住の用に供している家屋》……………………**一３**①(６)参照。
措通31の３－７《店舗兼住宅等の居住部分の判定》……………………**一３**①(７)参照。
措通31の３－８《店舗等部分の割合が低い家屋》……………………**一３**①(８)参照。
措通31の３－９《「主としてその居住の用に供していると認められる一の家屋」の判定時期》……………………**一３**①(９)参照。
措通31の３－10《居住用家屋の一部の譲渡》……………………**一３**①(10)参照。
措通31の３－11《居住用家屋を共有とするための譲渡》……………………**一３**①(11)参照。
措通31の３－12《居住用家屋の敷地の判定》……………………**一３**①(12)参照。
措通31の３－13《「災害」の意義》……………………**一３**①(13)参照。
措通31の３－20《特殊関係者に対する譲渡の判定時期》……………………**一３**②(１)参照。
措通31の３－21《「生計を一にしているもの」の意義》……………………**一３**②(２)参照。
措通31の３－22《同居の親族》……………………**一３**②(３)参照。
措通31の３－23《「個人から受ける金銭その他の財産によって生計を維持しているもの」の意義》……………………**一３**②(４)参照。
措通31の３－24《名義株についての株主等の判定》……………………**一３**②(５)参照。

措通31の３－25《会社その他の法人》……………………………………………………………………**一３**②（６）参照。
措通36の２－６の５《低額譲渡等》……………………………………………………………………**十五１**(15)参照。
措通36の２－10《立退料等を支払って貸地の返還を受けた場合》………………………………**十五１**(19)参照。
措通36の２－11《宅地の造成》…………………………………………………………………………**十五１**(20)参照。
措通36の２－17《買換資産を当該個人の居住の用に供したことの意義》………………………**十五１**(26)参照。
措通36の２－18《仮換地の指定されている土地等の判定》………………………………………**十五１**(27)参照。
措通36の３－２《居住の用に供しないことについて特別の事情がある場合》……………**十五７**①（２）参照。
措通41－12《店舗併用住宅等の場合の床面積基準の判定》……………………第九章第二節**四１①イ**（３）参照。
措通41－13《住宅の取得等に係る家屋の敷地の判定》…………………………第九章第二節**四１①イ**（４）参照。
措通41－14《住宅資金の長期融資を業とする貸金業を営む法人》…………第九章第二節**四１**表内(一)（３）参照。
措通41－15《共済会等からの借入金》……………………………………………………第九章第二節**四１**(21)参照。
措通41－17《割賦償還の方法等》…………………………………………………………第九章第二節**四１**(23)参照。
措通41－18《返済等をすべき期日において返済等をすべき金額の明示がない場合》
……………………………………………………………………………………第九章第二節**四１**(24)参照。
措通41－20《住宅の新築取得等に係る住宅借入金等の金額》………………………第九章第二節**四１**(26)参照。

２　申告要件

十六の規定は、**十六**の規定の適用を受けようとする年分の確定申告書に、**十六**の規定の適用を受けようとする旨の記載があり、かつ、居住用財産の譲渡損失の金額の計算に関する明細書その他の（２）で定める書類の添付がある場合に限り、適用する。（措法41の５②）

（買換資産の明細及び買換資産を居住の用に供する年月日に関する書類の提出期限）

（１）　**２**の確定申告書を提出する者は、買換資産（**１**②(一)に規定する買換資産をいう。以下（１）において同じ。）の明細、当該買換資産に係る**１**②(四)に規定する住宅借入金等の金額及び当該買換資産を居住の用に供する年月日に関する（３）で定める書類を、次の(一)又は(二)に掲げる場合の区分に応じ当該(一)又は(二)に定める日又は期限までに納税地の所轄税務署長に提出しなければならない。（措令26の７⑰）

(一)	特定譲渡の日の属する年の12月31日までに買換資産の取得（**１**②(一)に規定する取得をいう。(二)において同じ。）をする場合　　当該確定申告書の提出の日
(二)	特定譲渡の日の属する年の翌年１月１日から**１**②(一)に規定する取得期限までの間に買換資産の取得をする場合　　当該買換資産の取得をした日の属する年分の確定申告書の提出期限

（居住用財産の譲渡損失の金額の計算に関する明細書その他の（２）で定める書類）

（２）　**２**に規定する（２）で定める書類は、次の(一)及び(二)に掲げる書類及び譲渡資産（**１**②(一)に規定する譲渡資産をいう。以下（２）及び**１**②（８）において同じ。）が同②(一)イから同ニまでのいずれかの資産に該当する事実を記載した書類（特定譲渡（同②(一)に規定する特定譲渡をいう。以下（２）及び**１**②（８）において同じ。）に係る契約を締結した日の前日において当該特定譲渡をした者の住民票に記載されていた住所と当該特定譲渡をした譲渡資産の所在地とが異なる場合その他これに類する場合には、これらの書類及び戸籍の附票の写し、消除された戸籍の附票の写しその他これらに類する書類で当該譲渡資産が同②(一)イから同ニまでのいずれかの資産に該当することを明らかにするもの）とする。（措規18の25①）

(一)	その年において生じた**１**②(一)に規定する居住用財産の譲渡損失の金額の計算に関する明細書
(二)	特定譲渡をした譲渡資産に係る登記事項証明書、売買契約書の写しその他の書類で、当該譲渡資産の同②の(一)に規定する所有期間が５年を超えるものであること及び当該譲渡資産のうちに土地又は土地の上に存する権利が含まれている場合には**１**②(三)に規定する同②（９）で定める面積を明らかにするもの

（（１）に規定する（３）で定める書類）

（３）　（１）に規定する（３）で定める書類は、次の(一)及び(二)に掲げる個人の区分に応じ当該(一)又は(二)に定める書類（その個人が取得をした買換資産を（１）(一)及び同(二)の各号に定める日又は期限までに居住の用に供していない場合には、当該書類並びにその旨及びその居住の用に供する予定年月日その他の事項を記載した書類）とする。（措規

18の25⑪）

(一)	取得をした買換資産に係る住宅借入金等に係る債権者に第九章第二節**四19**①の規定により同②に規定する適用申請書の提出をした個人	取得をした買換資産に係る登記事項証明書、売買契約書の写しその他の書類で、当該買換資産の取得をしたこと、当該買換資産の取得をした年月日及び当該買換資産に係る家屋の床面積（**1**②(3)(一)及び同(二)に規定する個人が居住の用に供する部分の床面積をいう。）が50平方メートル以上であることを明らかにする書類
(二)	(一)に掲げる個人以外の個人	次に掲げる書類 イ　(一)に定める書類 ロ　取得をした買換資産に係る住宅借入金等の残高証明書

（注）　改正後の(3)の規定は、個人が令和６年１月１日以後に行う改正後の**1**②(一)に規定する譲渡資産の特定譲渡について適用され、個人が同日前に行った改正前の**1**②(一)に規定する譲渡資産の特定譲渡については、なお従前の例による。（令６改措規附11）

((1)の規定により提出する(3)(二)に規定する住宅借入金等の残高証明書についての準用)

(4)　**3**(5)の規定は、(1)の規定により提出する(3)(二)ロに規定する住宅借入金等の残高証明書について準用する。この場合において、**3**(5)中「**3**の規定の適用を受けようとする年の12月31日（**3**の個人が死亡した日の属する年にあっては」とあるのは、「**1**①の規定の適用を受けようとする個人が買換資産の取得をした日の属する年の12月31日（当該個人がその年の中途において死亡した場合には」と読み替えるものとする。（措規18の25⑫）

（注）　改正後の(4)の規定は、個人が令和６年１月１日以後に行う改正後の**1**②(一)に規定する譲渡資産の特定譲渡について適用され、個人が同日前に行った改正前の**1**②(一)に規定する譲渡資産の特定譲渡については、なお従前の例による。（令６改措規附11）

(確定申告書の提出がなかった場合等の宥恕規定)

(5)　税務署長は、**2**の確定申告書の提出がなかった場合又は**2**の記載若しくは添付がない確定申告書の提出があった場合においても、その提出又は記載若しくは添付がなかったことについてやむを得ない事情があると認めるときは、当該記載をした書類及び**2**(2)で定める書類の提出があった場合に限り、**1**①の規定を適用することができる。（措法41の5③）

3　通算後譲渡損失の金額の繰越控除

確定申告書を提出する個人が、その年の前年以前3年内の年において生じた通算後譲渡損失の金額（**3**の規定の適用を受けて前年以前の年において控除されたものを除く。）を有する場合において、当該個人がその年12月31日（その者が死亡した日の属する年にあっては、その死亡した日）において当該通算後譲渡損失の金額に係る買換資産（**1**②(一)に規定する買換資産をいう。）に係る住宅借入金等の金額を有するときは、**一1**《長期譲渡所得の分離課税》後段の規定にかかわらず、当該通算後譲渡損失の金額に相当する金額は、(1)で定めるところにより、当該確定申告書に係る年分の同**1**に規定する長期譲渡所得の金額、**二**①《短期譲渡所得の分離課税》に規定する短期譲渡所得の金額、総所得金額、退職所得金額又は山林所得金額の計算上控除する。ただし、当該個人のその年分の所得税の係るその年の第二章第一節**一**《用語の意義》表内**30**の合計所得金額が3,000万円を超える年については、この限りでない。（措法41の5④）

(通算後譲渡損失の金額に相当する金額の控除順序)

(1)　**3**に規定する通算後譲渡損失の金額に相当する金額は、その年分の**一1**《長期譲渡所得の分離課税》(**一2**《優良住宅地に係る長期譲渡所得の課税の特例》又は**一3**《居住用財産を譲渡した場合の長期譲渡所得の課税の特例》の規定により適用される場合を含む。以下**3**において同じ。）に規定する長期譲渡所得の金額、**二**①《短期譲渡所得の分離課税》(**二**③において準用する場合を含む。以下**3**において同じ。）に規定する短期譲渡所得の金額、総所得金額、山林所得金額又は退職所得金額関する額から順次控除する。（措令26の7①）

(通算後譲渡損失の金額の生じた年が特例対象純損失金額若しくは特定雑損失金額の生じた年又はその翌年であるとき)

(2)　**1**①(1)の規定の適用がある場合において、その者の有する**3**に規定する通算後譲渡損失の金額の生じた年がその者の有する第七章第二節**一4**(1)に規定する特例対象純損失金額若しくは同節**四1**(1)に規定する特定雑損失金額の生じた年又はその翌年であるときは、当該通算後譲渡損失の金額は当該特例対象純損失金額又は当該特定雑損失金額よりも古い年に生じたものとして**1**①(1)の規定による控除を行う。（措令26の7③）

（第一節**一1**の規定の適用がある場合における（1）の規定の適用）

（3）　第一節**一1**の規定の適用がある場合における（1）の規定の適用については、（1）中「総所得金額」とあるのは、「総所得金額、第一節**一1**に規定する土地等に係る事業所得等の金額」とする。（措令26の7⑯）

（第一節**一1**の規定の適用がある場合における**3**の規定の適用）

（4）　第一節**一1**の規定の適用がある場合における**3**の規定の適用については、**3**中「総所得金額」とあるのは、「総所得金額、第一節**一1**に規定する土地等に係る事業所得等の金額」とする。（措令26の7⑮）

（**3**の規定の申告要件）

（5）　**3**の規定は、当該個人が居住用財産の譲渡損失の金額が生じた年分の所得税につき**2**の確定申告書をその提出期限までに提出した場合であって、その後において連続して確定申告書を提出しており、かつ、**3**の確定申告書に**3**の規定による控除を受ける金額の計算に関する明細書その他の（6）で定める書類の添付がある場合に限り、適用する。（措法41の5⑤）

（（5）に規定する（6）で定める書類）

（6）　（5）に規定する（6）で定める書類は、次の(一)及び(二)に掲げる個人の区分に応じ当該(一)又は(二)に定める書類とする。（措規18の25②）

(一)	取得（**1**②(一)に規定する取得をいう。(二)ロ、**1**②（8）及び**2**（3）において同じ。）をした買換資産（②(一)に規定する買換資産をいう。以下において同じ。）に係る住宅借入金等（②(四)に規定する住宅借入金等をいう。(二)ロ、（8）及び**2**（3）において同じ。）に係る（8）に規定する債権者に第九章第二節**四19**①の規定により同②に規定する適用申請書の提出をした個人	**3**の規定によりその年において控除すべき**3**に規定する通算後譲渡損失の金額及びその金額の計算の基礎その他参考となるべき事項を記載した明細書
(二)	(一)に掲げる個人以外の個人	次に掲げる書類 イ　(一)に定める明細書 ロ　取得をした買換資産に係る住宅借入金等の残高証明書

（注）　改正後の（6）の規定は、個人が令和6年1月1日以後に行う改正後の**1**②(一)に規定する譲渡資産の特定譲渡について適用され、個人が同日前に行った改正前の**1**②(一)に規定する譲渡資産の特定譲渡については、なお従前の例による。（令6改措規附11）

（提出期限までに確定申告書の提出がなかったとき等の取扱い）

（7）　**2**（5）の規定は、**3**の規定を適用する場合における（5）の提出期限までに確定申告書の提出がなかったとき又は（5）の書類の添付がない確定申告書の提出があったときについて準用する。（措法41の5⑥）

（住宅借入金等の残高証明書）

（8）　（6）(二)ロに規定する住宅借入金等の残高証明書は、買換資産に係る住宅借入金等に係る債権者（当該債権者が**1**②(11)(一)表内（2）ホに規定する特定債権者である場合には当該特定債権者に係る同(一)（2）ホの当初借入先（同ホに規定する契約に従い同ホの債権の管理及び回収に係る業務を行っているものに限る。）とし、買換資産に係る住宅借入金等が次の(一)又は(二)に掲げる住宅借入金等に該当する場合には独立行政法人勤労者退職金共済機構とする。**2**（3）(一)において同じ。）の**3**の規定の適用を受けようとする年の12月31日（**3**の個人が死亡した日の属する年にあっては、その死亡した日）における当該住宅借入金等（当該住宅借入金等が**1**②(11)(一)（2）ホに掲げる借入金又は債務である場合には、同ホの当初借入先から借り入れた借入金又は債務とする。以下（8）において同じ。）の金額を証する書類（当該書類の交付を受けようとする者の氏名及び住所（国内に住所がない場合には、居所）、当該住宅借入金等のその借入れをした金額又はその債務の額として負担をした金額、当該住宅借入金等に係る契約を締結した年月日、当該住宅借入金等に係る契約において定められている**1**②(11)(一)から同(四)までに規定する償還期間又は賦払期間その他参考となるべき事項が記載されたものに限る。）とする。（措規18の25③）

(一)	勤労者財産形成促進法第9条第1項に規定する事業主、事業主団体又は福利厚生会社から借り入れた借入金

	で、当該事業主、事業主団体又は福利厚生会社が独立行政法人勤労者退職金共済機構から貸付けを受けた同項の資金に係るもの
(二)	雇用保険法等の一部を改正する法律（平成19年法律第30号）附則第87条の規定による改正前の勤労者財産形成促進法（以下**十六**及び**十七**において「旧勤労者財産形成促進法」という。）第９条第１項第１号に規定する事業主、事業主団体若しくは福利厚生会社又は日本勤労者住宅協会から取得した居住用財産（**1**②(11)(二)に規定する居住用財産をいう。以下同じ。）に係る債務で当該事業主、事業主団体若しくは福利厚生会社又は日本勤労者住宅協会が独立行政法人勤労者退職金共済機構から貸付けを受けた旧勤労者財産形成促進法第９条第１項第１号又は第２号の資金により建設し、又は取得した当該居住用財産に係るもののうち、当該資金に係る部分

（注）　改正後の(8)の規定は、個人が令和６年１月１日以後に行う改正後の**1**②(一)に規定する譲渡資産の特定譲渡について適用され、個人が同日前に行った改正前の**1**②(一)に規定する譲渡資産の特定譲渡については、なお従前の例による。（令６改措規附11）

4　純損失の金額のうちに居住用財産の特定純損失の金額がある場合の純損失の繰越控除

確定申告書を提出する個人の第七章第二節**一**《純損失の繰越控除》**1**に規定する各年において生じた純損失の金額のうちに**特定純損失の金額**（適用期間内に行った譲渡資産の特定譲渡による譲渡所得の金額の計算上生じた損失の金額に係る純損失の金額として(1)で定めるところにより計算した金額をいう。(2)及び(3)において同じ。)）がある場合における同**1**（所得税法第165条第１項の規定により準じて計算する場合を含む。）の規定の適用については、同**1**中「及び」とあるのは「､」と、「となったもの」とあるのは「となったもの及び第五章第二節**十六**《居住用財産の買換え等の場合の譲渡損失の損益通算及び繰越控除》**4**に規定する特定純損失の金額」とする。（措法41の５⑧）

（参考）　**4**による読替え後の第七章第二節**一1**

> **1　青色申告者の純損失の繰越控除**
>
> 確定申告書を提出する居住者のその年の前年以前３年内の各年（その年分の所得税につき青色申告書を提出している年に限る。）において生じた純損失の金額（第七章第二節**一1**の規定により前年以前において控除されたもの、第十章第六節**三3**⑤《純損失の繰戻しによる還付》の規定により還付を受けるべき金額の計算の基礎となったもの及び第五章第二節**十六4**《居住用財産の買換え等の場合の譲渡損失の損益通算及び繰越控除》に規定する特定純損失の金額を除く。）がある場合には、当該純損失の金額に相当する金額は、第七章第二節**一4**で定めるところにより、当該確定申告書に係る年分の総所得金額、退職所得金額又は山林所得金額の計算上控除する。（措法41の５⑧による読替え後の法70①（下線部分は読み替えられた部分））

（純損失の金額として(1)で定めるところにより計算した金額）

(1)　**4**に規定する(1)で定めるところにより計算した金額は、その年において行った譲渡資産の特定譲渡（**1**②(一)に規定する適用期間内に行ったものに限る。）による譲渡所得の金額の計算上生じた損失の金額に係る同(一)に規定する居住用財産の譲渡損失の金額のうち、その年において生じた純損失の金額から当該純損失の金額が生じた年分の不動産所得の金額、事業所得の金額、山林所得の金額又は譲渡所得の金額（**一1**①《長期譲渡所得の分離課税》に規定する長期譲渡所得の金額及び**二**①《短期譲渡所得の分離課税》に規定する短期譲渡所得の金額を除く。）の計算上生じた損失の金額の合計額（当該合計額が当該純損失の金額を超える場合には、当該純損失の金額に相当する金額）を控除した金額に達するまでの金額とする。（措令26の７⑭）

（特定純損失の金額がある場合における純損失の繰戻しによる還付の請求の適用）

(2)　確定申告書を提出する個人のその年において生じた純損失の金額のうちに特定純損失の金額がある場合における第十章第六節**三**《純損失の繰戻しによる還付の請求》**1**①又は同**2**①の規定の適用については、同**1**①又は同**2**①中「生じた純損失の金額」とあるのは、「生じた純損失の金額（**十六**《居住用財産の買換え等の場合の譲渡損失の損益通算及び繰越控除》**4**(2)に規定する特定純損失の金額を除く。)」とする。（措法41の５⑨）

（事業の全部の譲渡や廃止の事実が生じた日又は死亡した日の属する年の前年に生じた純損失のうちに特定純損失の金額があるときにおける純損失の繰戻しによる還付の請求の適用）

(3)　当該個人につき第十章第六節**三1**⑤に規定する事実が生じた場合又は当該個人が死亡した場合において、当該事実が生じた日又は死亡した日の属する年の前年において生じた純損失の金額のうちに特定純損失の金額があるときにおける第十章第六節**三1**⑤又は同**2**④の規定の適用については、同**1**⑤中「及び」とあるのは「､」と、「となったもの」とあるのは「となったもの及び第五章第二節**十六**《居住用財産の買換え等の場合の譲渡損失の損益通算及び繰越控除》**4**(3)に規定する特定純損失の金額」と、同**2**④中「及び**3**⑤」とあるのは「、**3**⑤」と「となったもの」とあるのは「となったもの及び第五章第二節**十六**《居住用財産の買換え等の場合の譲渡損失の損益通算及び繰越控除》**4**(３)に規定する特定純損失の金額」とする。(措法41の５⑩)

5　3の規定の適用がある場合の読替え規定

3の規定の適用がある場合における所得税法及び所得税法施行令の規定の適用については、次に定めるところにより左欄に掲げる字句を右欄に掲げる字句に読み替えたところによる。(措令26の７⑱⑲)

	読替え対象	左欄	右欄
(一)	第十二章**二2**《青色申告書に係る更正の特例》①(一)中	の規定	若しくは第五章第二節**十六**《居住用財産の買換え等の場合の譲渡損失の繰越控除》**3**の規定
(二)	第九章第二節**二**《外国税額控除》**1**⑦(１)中	又は同節**三**《雑損失の繰越控除》	、同節**三**《雑損失の繰越控除》又は第五章第二節**十六**《居住用財産の買換え等の場合の譲渡損失の繰越控除》**3**
(三)	第九章第四節**1**①《年の中途で非居住者が居住者となった場合の税額の計算方法》(二)中	の規定に準じて	並びに第五章第二節**十六**《居住用財産の買換え等の場合の譲渡損失の繰越控除》**3**の規定に準じて
(四)	第十章第一節**一1**《予定納税額の納付》①中及び同(１)中	の規定を	及び第五章第二節**十六**《居住用財産の買換え等の場合の譲渡損失の繰越控除》**3**の規定を

6　修正申告

1の規定の適用を受けた者は、取得期限までに買換資産の取得をしない場合、買換資産の取得をした日の属する年の12月31日において当該買換資産に係る住宅借入金等の金額を有しない場合又は買換資産の取得をした日の属する年の翌年12月31日までに当該買換資産をその者の居住の用に供しない場合には、特定譲渡の日の属する年の翌年12月31日又は同日から４月を経過する日までに**1**の規定の適用を受けた年分の所得税についての修正申告書を提出し、かつ、当該期限内に当該修正申告書の提出により納付すべき税額を納付しなければならない。(措法41の５⑬)

(買換資産の取得をした年の翌年末までに買換資産を居住の用に供しない場合)

(１)　**3**の規定の適用を受けた者は、当該適用に係る買換資産の取得をした日の属する年の翌年12月31日までに、当該買換資産をその者の居住の用に供しない場合には、同日から４月を経過する日までに**3**の規定の適用を受けた年分の所得税についての修正申告書を提出し、かつ、当該期限内に当該修正申告書の提出により納付すべき税額を納付しなければならない。(措法41の５⑭)

(修正申告書の提出がなかった場合の更正)

(２)　**6**又は(１)の規定に該当する場合において、**6**又は(１)の規定による修正申告書の提出がないときは、納税地の所轄税務署長は、当該修正申告書に記載すべきであった所得金額、所得税の額その他の事項につき第十二章**一1**《更正》又は同**3**《再更正》の規定による更正を行う。(措法41の５⑮)

(修正申告書等に対する国税通則法の適用関係)

(３)　**6**又は(１)の規定による修正申告書及び(２)の更正に対する国税通則法の規定の適用については、次に定めるところによる。(措法41の５⑯)

(一)	当該修正申告書で**6**又は(１)に規定する提出期限内に提出されたものについては、第十章第七節**4**《修正申告の効力》の規定を適用する場合を除き、これを同章第二節**一2**《期限内申告》に規定する期限内申告書とみなす。
(二)	当該修正申告書で**6**又は(１)に規定する提出期限後に提出されたもの及び当該更正については、国税通則法第二章から第七章までの規定中「法定申告期限」とあり、及び「法定納期限」とあるのは「又は**6**又は(１)に規

	定する修正申告書の提出期限」と、第十二章**四 7**《延滞税》（３）（一）「期限内申告書」とあるのは「第二章第一節**一**《用語の意義》表内**37**に規定する確定申告書」と、同**7**（４）中「期限内申告書又は期限後申告書」とあるのは「第五章第二節**十六 6** 又は同**6**（１）の規定による修正申告書」と、同章**四 1**①、同③（二）及び⑤（二）中「期限内申告書」とあるのは「第二章第一節**一**表内**37**に規定する確定申告書」とする。
(三)	第十二章**四 7**《延滞税》（３）（二）及び同**四 2**《無申告加算税》の規定は、（二）に規定する修正申告書及び更正には、適用しない。

十七　特定居住用財産の譲渡損失の損益通算及び繰越控除

1　特定居住用財産の譲渡損失の損益通算及び繰越控除

①　譲渡損失の損益通算及び３年間繰越控除

個人の平成16年分以後の各年分の譲渡所得の金額の計算上生じた特定居住用財産の譲渡損失の金額がある場合には、**一1**《長期譲渡所得の分離課税》の後段及び同**1**③(二)の規定にかかわらず、当該特定居住用財産の譲渡損失の金額については、第七章第一節**一1**《損益通算の順序》の規定その他の所得税に関する法令の規定を適用する。ただし、当該個人がその年の前年以前３年内の年において生じた当該特定居住用財産の譲渡損失の金額以外の特定居住用財産の譲渡損失の金額につき①の規定の適用を受けているときは、この限りでない。(措法41の５の２①)

(総合譲渡所得の金額の計算と特定居住用財産の譲渡損失の金額との関係)

(1)　総合短期譲渡所得（譲渡所得のうち第四章第八節**二1**(一)に掲げる所得で、**二**①《短期譲渡所得の分離課税》の規定の適用がない所得をいう。以下(1)において同じ。)の金額又は総合長期譲渡所得(譲渡所得のうち同節**二1**(二)に掲げる所得で、**一1**《長期譲渡所得の課税の特例》及び**二**①の規定の適用がない所得をいう。以下(1)において同じ。）の金額を計算する場合において、これらの所得の基因となった資産のうちに譲渡損失の生じた資産があるときは、その年中に譲渡した資産を総合短期譲渡所得の基因となる資産及び総合長期譲渡所得の基因となる資産に区分して、これらの資産の区分ごとにそれぞれの総収入金額から当該資産の取得費及び譲渡費用の合計額を控除して譲渡損益を計算する。この場合において、その区分ごとに計算した金額の一方に損失の金額が生じた場合又は特定居住用財産の譲渡損失の金額（①に規定する特定居住用財産の譲渡損失の金額をいう。以下(2)及び②(15)から(18)までにおいて同じ。）がある場合のその損失の金額の譲渡益からの控除は次による。（措通41の５の２－１）

(一)　総合長期譲渡所得の損失の金額は、総合短期譲渡所得の譲渡益から控除する。

(二)　総合短期譲渡所得の損失の金額は、総合長期譲渡所得の譲渡益から控除する。

(三)　特定居住用財産の譲渡損失の金額は、(一)又は(二)による控除後の譲渡益について、総合短期譲渡所得の譲渡益、総合長期譲渡所得の譲渡益の順に控除する。ただし、納税者がこの取扱いと異なる順序で控除して申告したときはその計算を認める。

(通算後譲渡損失の金額の繰越控除の順序)

(2)　前年以前３年内の年において生じた**3**に規定する通算後譲渡損失の金額（以下②(15)及び同(16)において「通算後譲渡損失の金額」という。）に相当する金額をその年の総所得金額、土地等に係る事業所得等の金額、分離長期譲渡所得の金額、分離短期譲渡所得の金額、山林所得金額又は退職所得金額（②(16)においてこれらを「総所得金額等」という。）の計算上控除する場合には、次の(一)から(四)の順序で控除するのであるから留意する。(措通41の５の２－２)

(一)　まず、その年分の各種所得の金額の計算上生じた損失の金額がある場合には、第七章第一節《損益通算》の規定による控除を行う。

(二)　次に同章第二節**一**《純損失の繰越控除》**1**又は同**2**に規定する純損失の金額がある場合には、同節**一1**又は同**2**の規定による控除を行う。

(三)　その上で、通算後譲渡損失の金額に相当する金額について、**3**の規定による繰越控除を行う。この場合、その年分の分離長期譲渡所得の金額、分離短期譲渡所得の金額、総所得金額、土地等に係る事業所得等の金額、山林所得金額又は退職所得金額から順次控除する。

(四)　更に、第七章第二節**二**《雑損失の繰越控除》**1**に規定する雑損失がある場合には、同**1**の規定による控除を行う。

②　用語の意義

十七において、次の(一)から(四)までに掲げる用語の意義は、当該(一)から(四)までに定めるところによる。(措法41の５の２⑦)

(一)	**特定居住用財産の譲渡損失の金額**	当該個人が、平成16年１月１日から令和７年12月31日までの期間（**4**において「**適用期間**」という。）内に、その有する家屋又は土地若しくは土地の上に存する権利で、その年１月１日において**一1**②《土地建物等の所有期間の計算》に規定する所有期間が５年を超えるもののうち

<table>
<tr><td></td><td></td><td>次に掲げるもの（以下(一)及び**4**において「**譲渡資産**」という。）の譲渡（**一 1**①に規定する譲渡所得の基因となる不動産等の貸付けを含むものとし、当該個人の配偶者その他の当該個人と（1）で定める特別の関係がある者に対してするものその他（2）で定めるものを除く。以下(一)及び**4**において「**特定譲渡**」という。）をした場合（当該個人が当該特定譲渡に係る契約を締結した日の前日において当該譲渡資産に係る住宅借入金等の金額を有する場合に限るものとし、当該個人がその年の前年若しくは前々年における資産の譲渡につき**一 3**《居住用財産を譲渡した場合の長期譲渡所得の課税の特例》、**十一 1**①《居住用財産の譲渡所得の特別控除(3,000万円の特別控除)》（同③の規定により適用する場合を除く。）若しくは**十五**《特定の居住用財産の買換え及び交換の場合の長期譲渡所得の課税の特例》の規定の適用を受けている場合又は当該個人がその年若しくはその年の前年以前３年内における資産の譲渡につき**十六 1**①《譲渡損失の３年間繰越控除》の規定の適用を受け、若しくは受けている場合を除く。）において、当該譲渡資産の特定譲渡（その年において当該特定譲渡が２以上ある場合には、当該個人が（3）で定めるところにより選定した一の特定譲渡に限る。）による譲渡所得の金額の計算上生じた損失の金額のうち、当該特定譲渡をした日の属する年分の**一 1**①《長期譲渡所得の分離課税》に規定する長期譲渡所得の金額及び**二**①《短期譲渡所得の分離課税》に規定する短期譲渡所得の金額の計算上控除してもなお控除しきれない部分の金額として（4）で定めるところにより計算した金額（当該特定譲渡に係る契約を締結した日の前日における当該譲渡資産に係る住宅借入金等の金額の合計額から当該譲渡資産の譲渡の対価の額を控除した残額を限度とする。）をいう。
<table>
<tr><td>イ</td><td>当該個人がその居住の用に供している家屋で（5）で定めるもののうち国内にあるもの</td></tr>
<tr><td>ロ</td><td>イに掲げる家屋で当該個人の居住の用に供されなくなったもの（当該個人の居住の用に供されなくなった日から同日以後３年を経過する日の属する年の12月31日までの間に譲渡されるものに限る。）</td></tr>
<tr><td>ハ</td><td>イ又はロに掲げる家屋及び当該家屋の敷地の用に供されている土地又は当該土地の上に存する権利</td></tr>
<tr><td>ニ</td><td>当該個人のイに掲げる家屋が災害により滅失した場合において、当該個人が当該家屋を引き続き所有していたとしたならば、その年１月１日において**一 1**②《土地建物等の所有期間の計算》に規定する所有期間が５年を超える当該家屋の敷地の用に供されていた土地又は当該土地の上に存する権利（当該災害があった日から同日以後３年を経過する日の属する年の12月31日までの間に譲渡されるものに限る。）</td></tr>
</table></td></tr>
<tr><td>(二)</td><td>**純損失の金額**</td><td>第二章第一節**一**《用語の意義》表内**25**に規定する純損失の金額をいう。</td></tr>
<tr><td>(三)</td><td>**通算後譲渡損失の金額**</td><td>当該個人のその年において生じた純損失の金額のうち、特定居住用財産の譲渡損失の金額に係るものとして（6）で定めるところにより計算した金額をいう。</td></tr>
<tr><td>(四)</td><td>**住宅借入金等**</td><td>住宅の用に供する家屋の新築若しくは取得又は当該家屋の敷地の用に供される土地若しくは当該土地の上に存する権利の取得（以下(四)において「住宅の取得等」という。）に要する資金に充てるために第九章第二節**四**《住宅の借入金等を有する場合の特別税額控除》**1**表内(一)（1）に規定する金融機関又は独立行政法人住宅金融支援機構から借り入れた借入金で契約において償還期間が10年以上の割賦償還の方法により返済することとされているものその他の住宅の取得等に係る借入金又は債務（利息に対応するものを除く。）で（7）で定めるものをいう。</td></tr>
</table>

（当該個人と特別の関係がある者）

（1）　②(一)に規定する当該個人と（1）で定める特別の関係がある者は、次の(一)から(五)までに掲げる者とする。（措令26の７の２④）

(一)	当該個人の配偶者及び直系血族
(二)	当該個人の親族（(一)に掲げる者を除く。以下(二)において同じ。）で当該個人と生計を一にしているもの及

	び当該個人の親族で(５)に規定する家屋の譲渡がされた後当該個人と当該家屋に居住をするもの
(三)	当該個人と婚姻の届出をしていないが事実上婚姻関係と同様の事情にある者及びその者の親族でその者と生計を一にしているもの
(四)	(一)から(三)までに掲げる者及び当該個人の使用人以外の者で当該個人から受ける金銭その他の財産によって生計を維持しているもの及びその者の親族でその者と生計を一にしているもの
(五)	当該個人、当該個人の(一)及び(二)に掲げる親族、当該個人の使用人若しくはその使用人の親族でその使用人と生計を一にしているもの又は当該個人に係る(三)又は(四)に掲げる者を判定の基礎となる第二章第一節**一**《用語の意義》表内**8の2**に規定する株主等とした場合に法人税法施行令第４条第２項に規定する特殊の関係その他これに準ずる関係のあることとなる会社その他の法人

(特定譲渡)

(２)　②(一)に規定する(２)で定める譲渡は、贈与又は出資による譲渡とする。(措令26の７の２⑤)

(選定した一の特定譲渡)

(３)　②(一)の選定は、同(一)に規定する個人が、**2**の規定により**2**の確定申告書に添付すべき**2**に規定する特定居住用財産の譲渡損失の金額の計算に関する明細書に、一の特定譲渡（同(一)に規定する特定譲渡をいう。以下**十七**において同じ。)に係る同(一)に規定する特定居住用財産の譲渡損失の金額の計算に関する明細を記載することにより行うものとする。(措令26の７の２⑥)

(長期譲渡所得及び短期譲渡所得の金額の計算上控除しきれない部分の金額の計算)

(４)　②(一)に規定する(４)で定めるところにより計算した金額は、同(一)に規定する譲渡資産（**4**(３)において「譲渡資産」という。）の特定譲渡（その年において当該特定譲渡が２以上ある場合には、当該個人が(３)の規定により選定した一の特定譲渡に限る。**4**(３)において同じ。）による譲渡所得の金額の計算上生じた損失の金額のうち、当該特定譲渡をした日の属する年分の**一 1**①《長期譲渡所得の分離課税》に規定する長期譲渡所得の金額の計算上生じた損失の金額（当該長期譲渡所得の金額の計算上生じた損失の金額のうちに**二**①《短期譲渡所得の分離課税》の規定により同①に規定する短期譲渡所得の金額の計算上控除する金額がある場合には、当該長期譲渡所得の金額の計算上生じた損失の金額から当該控除する金額に相当する金額を控除した金額）に達するまでの金額とする。(措令26の７の２⑦)

(個人がその居住の用に供している家屋で(５)で定めるもの)

(５)　②(一)イに規定する(５)で定める家屋は、個人がその居住の用に供している家屋（当該家屋のうちにその居住の用以外の用に供している部分があるときは、その居住の用に供している部分に限る。以下(５)において同じ。)とし、その者がその居住の用に供している家屋を２以上有する場合には、これらの家屋のうち、その者が主としてその居住の用に供していると認められる一の家屋に限るものとする。(措令26の７の２⑧)

(特定居住用財産の譲渡損失の金額として(６)で定める金額)

(６)　②(三)に規定する(６)で定めるところにより計算した金額は、②(一)に規定する特定居住用財産の譲渡損失の金額（以下(６)において「特定居住用財産の譲渡損失の金額」という。)のうち、その年において生じた純損失の金額（次の(一)又は(二)に掲げる場合に該当する場合には、当該金額から、当該(一)又は(二)に掲げる場合の区分に応じ当該(一)又は(二)に定める金額を控除した金額）に達するまでの金額とする。(措令26の７の２⑨)

(一)	当該特定居住用財産の譲渡損失の金額が生じた年（その年分の所得税につき青色申告書を提出する年に限る。）において、その年分の不動産所得の金額、事業所得の金額、山林所得の金額又は譲渡所得の金額（**一 1**①《長期譲渡所得の分離課税》に規定する長期譲渡所得の金額及び**二**①《短期譲渡所得の分離課税》に規定する短期譲渡所得の金額を除く。）の計算上生じた損失の金額がある場合　　当該損失の金額の合計額（当該合計額がその年において生じた純損失の金額を超えるときは、当該純損失の金額に相当する金額）
(二)	当該特定居住用財産の譲渡損失の金額が生じた年において生じた第七章第二節**一 2**《変動所得の損失及び被災事業用資産の損失の繰越控除》①又は同②に掲げる損失の金額がある場合（(一)に掲げる場合を除く。） 当該損失の金額の合計額（当該合計額がその年において生じた純損失の金額を超えるときは、当該純損失の金

	額に相当する金額)

(その他の住宅の取得等に借入金又は債務)

(7)　②(四)に規定する(7)で定める借入金又は債務は、次の(一)から(四)までに掲げる借入金又は債務（利息に対応するものを除く。）とする。(措令26の7の2⑩)

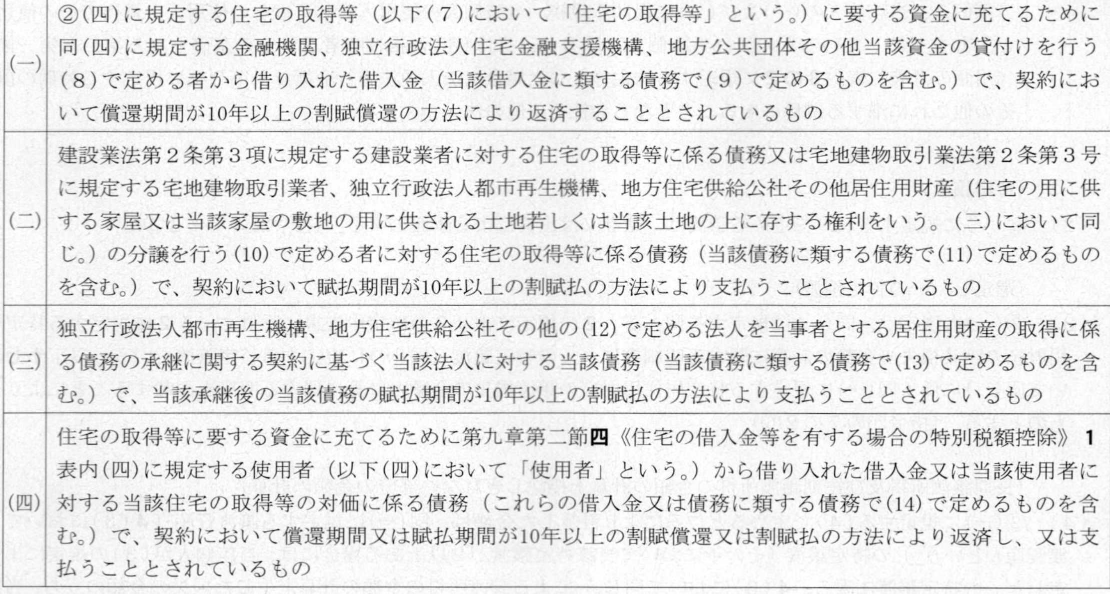

(一)	②(四)に規定する住宅の取得等（以下(7)において「住宅の取得等」という。）に要する資金に充てるために同(四)に規定する金融機関、独立行政法人住宅金融支援機構、地方公共団体その他当該資金の貸付けを行う(8)で定める者から借り入れた借入金（当該借入金に類する債務で(9)で定めるものを含む。）で、契約において償還期間が10年以上の割賦償還の方法により返済することとされているもの
(二)	建設業法第2条第3項に規定する建設業者に対する住宅の取得等に係る債務又は宅地建物取引業法第2条第3号に規定する宅地建物取引業者、独立行政法人都市再生機構、地方住宅供給公社その他居住用財産（住宅の用に供する家屋又は当該家屋の敷地の用に供される土地若しくは当該土地の上に存する権利をいう。(三)において同じ。）の分譲を行う(10)で定める者に対する住宅の取得等に係る債務（当該債務に類する債務で(11)で定めるものを含む。）で、契約において賦払期間が10年以上の割賦払の方法により支払うこととされているもの
(三)	独立行政法人都市再生機構、地方住宅供給公社その他の(12)で定める法人を当事者とする居住用財産の取得に係る債務の承継に関する契約に基づく当該法人に対する当該債務（当該債務に類する債務で(13)で定めるものを含む。）で、当該承継後の当該債務の賦払期間が10年以上の割賦払の方法により支払うこととされているもの
(四)	住宅の取得等に要する資金に充てるために第九章第二節**四**《住宅の借入金等を有する場合の特別税額控除》**1**表内(四)に規定する使用者（以下(四)において「使用者」という。）から借り入れた借入金又は当該使用者に対する当該住宅の取得等の対価に係る債務（これらの借入金又は債務に類する債務で(14)で定めるものを含む。）で、契約において償還期間又は賦払期間が10年以上の割賦償還又は割賦払の方法により返済し、又は支払うこととされているもの

((7)(一)のその他当該資金の貸付けを行う(8)で定める者)

(8)　(7)(一)に規定する(8)で定める者は、貸金業法第2条第1項に規定する貸金業を行う法人（貸金業の規制等に関する法律施行令の一部を改正する政令第1条の規定による改正前の貸金業の規制等に関する法律施行令第1条第4号に掲げる者に該当する法人を含む。）で住宅の取得等（②(四)に規定する住宅の取得等をいう。(9)及び(14)において同じ。）に必要な資金の長期の貸付けの業務を行うもの、沖縄振興開発金融公庫、独立行政法人福祉医療機構、国家公務員共済組合及び**十六1**②(11)表内(一)(1)に規定する者とする。(措規18の26④)

((7)(一)の当該借入金に類する債務で(9)で定めるもの)

(9)　(7)(一)に規定する(9)で定める債務は、次の(一)から(六)までに掲げる債務とする。(措規18の26⑤)

(一)	住宅の取得等に係る工事を建設業法第2条第3項に規定する建設業者（以下(9)において「建設業者」という。）に請け負わせた個人が、当該住宅の取得等に係る工事を請け負わせた建設業者から当該住宅の取得等に係る工事の請負代金の全部又は一部に充てるために借り入れた借入金
(二)	居住用財産を宅地建物取引業法第2条第3号に規定する宅地建物取引業者（以下(9)において「宅地建物取引業者」という。）から取得した個人が、当該居住用財産の譲渡をした当該宅地建物取引業者から当該居住用財産の取得の対価の全部又は一部に充てるために借り入れた借入金
(三)	住宅の取得等をした個人が、(8)に規定する貸金業を行う法人又は宅地建物取引業者である法人で住宅の取得等に係る工事の請負代金又は住宅の取得等の対価の全部又は一部を当該住宅の取得等に係る工事をした者又は当該住宅の取得等をした者に代わって当該住宅の取得等に係る工事を請け負った建設業者又は当該住宅の取得等に係る居住用財産を譲渡した者に支払をすることを業とするものから、当該個人が当該住宅の取得等に係る工事の請負代金又は当該住宅の取得等の対価の全部又は一部の支払を受けたことにより当該法人に対して負担する債務
(四)	住宅の取得等に要する資金に充てるために勤労者財産形成促進法第9条第1項に規定する事業主団体又は福利厚生会社から借り入れた借入金で、当該事業主団体又は福利厚生会社が独立行政法人勤労者退職金共済機構

	から貸付けを受けた同項の資金に係るもの
(五)	住宅の取得等に要する資金に充てるために旧年金福祉事業団業務承継法第12条第２項第２号イに掲げる者（(7)の(四)に規定する使用者（(11)の(二)及び(14)において「使用者」という。）を除く。）から借り入れた借入金で、当該掲げる者が独立行政法人福祉医療機構から貸付けを受けた旧年金福祉事業団業務承継法第12条第２項第２号イの資金に係るもの
(六)	住宅の取得等に要する資金に充てるために個人が②(四)に規定する金融機関、独立行政法人住宅金融支援機構若しくは(8)に規定する貸金業を行う法人（以下(六)において「当初借入先」という。）から借り入れた借入金又は当該当初借入先に対して負担する(三)に掲げる債務に係る債権の譲渡があつた場合において、当該個人が、当該当初借入先から当該債権の譲渡（第九章第二節**四１**表内(一)(5)(イ)に規定する要件を満たすものに限る。）を受けた特定債権者（当該当初借入先との間で当該債権の管理及び回収に係る業務の委託に関する契約（同**１**表内(一)(5)(イ)に規定する契約に該当するものに限る。）を締結し、かつ、当該契約に従つて当該当初借入先に対して当該債権の管理及び回収に係る業務の委託をしている法人をいう。）に対して有する当該債権に係る借入金又は債務

((7)(二)のその他居住用財産の分譲を行う(10)で定める者)

(10)　(7)(二)に規定する(10)で定める者は、第九章第二節**四１**表内(二)(1)に規定する者とする。(措規18の26⑥)

((7)(二)に規定する当該債務に類する債務で(11)で定める債務)

(11)　(7)(二)に規定する(11)で定める債務は、次の(一)及び(二)に掲げる債務とする。(措規18の26⑦)

(一)	旧勤労者財産形成促進法第９条第１項第１号に規定する事業主団体又は福利厚生会社から取得した居住用財産の取得の対価に係る債務で当該事業主団体又は福利厚生会社が独立行政法人勤労者退職金共済機構から貸付けを受けた同号の資金により建設し、又は取得した当該居住用財産に係るもののうち、当該資金に係る部分
(二)	旧年金福祉事業団業務承継法第 12 条第２項第１号に規定する政令で定める法人（使用者及び日本勤労者住宅協会を除く。）から取得した居住用財産の取得の対価に係る債務で当該政令で定める法人が独立行政法人福祉医療機構から貸付けを受けた同号の資金により建設し、又は取得した当該居住用財産に係るもののうち、当該資金に係る部分

(独立行政法人都市再生機構、地方住宅供給公社その他の(12)で定める法人)

(12)　(7)(三)に規定する(12)で定める法人は、第九章第二節**四１**表内(三)(1)に規定する法人（独立行政法人都市再生機構、地方住宅供給公社及び日本勤労者住宅協会）とする。(措規18の26⑧、措令26⑭)

((7)(三)に規定する当該債務に類する債務で(13)で定めるもの)

(13)　(7)(三)に規定する(13)で定める債務は、旧年金福祉事業団業務承継法第12条第２項第１号に規定する政令で定める法人（日本勤労者住宅協会を除く。）を当事者とする居住用財産の取得に係る債務の承継に関する契約に基づく当該政令で定める法人に対する当該債務で、当該政令で定める法人が独立行政法人福祉医療機構から貸付けを受けた同号の資金により建設し、又は取得した当該居住用財産に係るもののうち当該資金に係る部分とする。(措規18の26⑨)

((7)(四)に規定する借入金又は債務に類する債務で(14)で定めるもの)

(14)　(7)(四)に規定する(14)で定める債務は、住宅の取得等をした個人が、使用者に代わって当該住宅の取得等に要する資金の貸付けを行っていると認められる第九章第二節**四１**表内(四)(4)に規定する一般社団法人又は一般財団法人で国土交通大臣が財務大臣と協議して指定した者から当該住宅の取得等に要する資金に当てるために借り入れた借入金とする。(措規18の26⑩)

(②(一)ハに掲げる資産)

(15)　②(一)ハに規定する「イ又はロに掲げる家屋及び当該家屋の敷地の用に供されている土地又は当該土地の上に存する権利」とは、同(一)イ又は同ロに掲げる家屋とともにこれらの家屋の敷地の用に供されている土地等（土地又は当該土地の上に存する権利をいう。以下(19)までにおいて同じ。）でその年の１月１日において所有期間（**一１**②に規定する所有期間をいう。以下(19)までにおいて同じ。）が５年を超えるものを譲渡した場合の当該家屋及び敷地の用に

供されている土地等をいうのであるから留意する。（措通41の5の2－3）

（注）1　②(一)ハに該当する家屋及び土地等の譲渡に係る特定居住用財産の譲渡損失の金額の計算は、当該家屋及び土地等に係る譲渡損益の合計額により行うことになる。したがって、そのいずれか一方の資産に係る譲渡損失のみをもって特定居住用財産の譲渡損失の金額の計算を行うことはできない。

2　②(一)イ又はロに規定する家屋とともに当該家屋の敷地の用に供されている土地等の譲渡があった場合において、当該家屋又は当該土地等のいずれか一方のその年1月1日における所有期間が5年以下であるときは、当該家屋及び土地等は②(一)に規定する譲渡資産（以下(19)までにおいて「譲渡資産」という。）に該当しないので、その譲渡損失については、①及び**3**の規定を適用することはできない。

（居住用家屋の所有者とその敷地の所有者が異なる場合の取扱い）

(16)　②(一)イ又は同ロに掲げる家屋（以下(16)及び(17)において「譲渡家屋」という。）の所有者以外の者が当該譲渡家屋の敷地の用に供されている土地等でその譲渡の年の1月1日における所有期間が5年を超えているもの（以下(16)において「譲渡敷地」という。）の全部又は一部を有している場合において、譲渡家屋の所有者と譲渡敷地の所有者の行った譲渡等が次に掲げる要件の全てを満たすときは、これらの者がともに①又は**3**の規定の適用を受ける旨の申告をしたときに限り、その申告を認めることとして取り扱う。（措通41の5の2－4）

(一)　譲渡家屋の所有者と譲渡敷地の所有者は、次のいずれにも該当する資産の②(一)に規定する特定譲渡（以下(19)までにおいて「特定譲渡」という。）をしていること。

イ　譲渡敷地は、譲渡家屋とともに特定譲渡がされているものであること。

ロ　譲渡家屋は、その譲渡の時において当該家屋の所有者が譲渡敷地の所有者とともにその居住の用に供している家屋（当該家屋がその所有者の居住の用に供されなくなった日から同日以後3年を経過する日の属する年の12月31日までの間に譲渡されたものであるときは、その居住の用に供されなくなった時の直前においてこれらの者がその居住の用に供していた家屋）であること。

(二)　譲渡家屋の所有者と譲渡敷地の所有者のそれぞれが、特定譲渡に係る契約を締結した日の前日において当該譲渡家屋及び当該譲渡敷地に係る住宅借入金等（②(四)に規定する住宅借入金等をいう。以下(18)までにおいて「譲渡資産に係る住宅借入金等」という。）の金額を有していること。

（注）1　譲渡家屋の所有者が当該家屋（譲渡敷地のうちその者が有している部分を含む。）の譲渡につき①又は**3**の規定を適用しない場合（当該家屋の所有者について特定居住用財産の譲渡損失の金額又は通算後譲渡損失の金額がない場合、①(2)(一)及び同(二)に掲げる控除後において控除すべきその年の総所得金額等がないこととなる場合並びにその年の合計所得金額が3,000万円を超えるため①の規定の適用を受けることができない場合を除く。）には、譲渡敷地の所有者について①及び**3**の規定を適用することはできない。

2　譲渡敷地の所有者が当該敷地の譲渡につき①の規定の適用を受ける場合には、譲渡家屋の所有者の当該家屋の譲渡については居住用財産に係る課税の特例の適用を受けることはできない。

（借入金又は債務の借換えをした場合）

(17)　譲渡資産に係る借入金又は債務（以下(17)において「当初の借入金等」という。）の金額を消滅させるために新たな借入金を有することとなった場合において、当該新たな借入金が当初の借入金を消滅させるためのものであることが明らかであり、かつ、(7)(一)又は同(四)に規定する要件を満たしているときに限り、当該新たな借入金は、譲渡資産に係る住宅借入金等に該当するものとする。（措通41の5の2－5）

（繰上返済等をした場合）

(18)　譲渡資産に係る住宅借入金等について、特定譲渡に係る契約を締結した日の前日前において繰り上げて返済等をしていた場合であっても、当該特定譲渡に係る契約を締結した日の前日における当該住宅借入金等の金額の残高があるときには、当該残高に基づいて特定居住用財産の譲渡損失の金額を計算できるのであるが、当該繰上返済等により、当該住宅借入金等の償還期間又は割賦期間が10年未満となった場合には、①の規定の適用はないものとする。（措通41の5の2－6）

（注）　借入金又は債務の借換えをした場合には、(17)の適用がある場合があることに留意する。

（居住用財産を譲渡した場合の長期譲渡所得の課税の特例に関する取扱い等の準用）

(19)　その者が譲渡した家屋若しくは土地等が②(一)に規定する譲渡資産に該当するかどうか、これらの資産の譲渡が同(一)に規定する特定譲渡に該当するかどうかの判定等については、次の取扱いに準じて取り扱うものとする。（措通41の5の2－7、編者補正）

措通31の3－2《居住用家屋の範囲》…………………………………………………………………**－3**①(2)参照。

措通31の3－6《生計を一にする親族の居住の用に供している家屋》…………………………**－3**①(6)参照。

措通31の３－７《店舗兼住宅等の居住部分の判定》…………………………………………… **一３**①(７)参照。
措通31の３－８《店舗等部分の割合が低い家屋》…………………………………………… **一３**①(８)参照。
措通31の３－９《「主としてその居住の用に供していると認められる一の家屋」の
判定時期》…………………………………………………………………… **一３**①(９)参照。
措通31の３－10《居住用家屋の一部の譲渡》…………………………………………… **一３**①(10)参照。
措通31の３－11《居住用家屋を共有とするための譲渡》……………………………………… **一３**①(11)参照。
措通31の３－12《居住用家屋の敷地の判定》…………………………………………… **一３**①(12)参照。
措通31の３－13《「災害」の意義》…………………………………………………… **一３**①(13)参照。
措通31の３－20《特殊関係者に対する譲渡の判定時期》………………………………… **一３**②(１)参照。
措通31の３－21《「生計を一にしているもの」の意義》………………………………… **一３**②(２)参照。
措通31の３－22《同居の親族》………………………………………………………… **一３**②(３)参照。
措通31の３－23《「個人から受ける金銭その他の財産によって生計を維持している
もの」の意義》…………………………………………………………… **一３**②(４)参照。
措通31の３－24《名義株についての株主等の判定》…………………………………… **一３**②(５)参照。
措通31の３－25《会社その他の法人》……………………………………………… **一３**②(６)参照。
措通41－12《店舗併用住宅等の場合の床面積基準の判定》……………………… 第九章第二節**四１**①**イ**(３) 参照。
措通41－13《住宅の取得等に係る家屋の敷地の判定》…………………………… 第九章第二節**四１**①**イ**(４) 参照。
措通41－14《住宅資金の長期融資を業とする貸金業を営む法人》………… 第九章第二節**四１**表内(一)(３) 参照。
措通41－15《共済会等からの借入金》……………………………………… 第九章第二節**四１**(21) 参照。
措通41－17《割賦償還の方法等》………………………………………… 第九章第二節**四１**(23) 参照。
措通41－18《返済等をすべき期日において返済等をすべき金額の明示がない場合》
……………………………………………………… 第九章第二節**四１**(24) 参照。
措通41－20《住宅の新築取得等に係る住宅借入金等の金額》……………………… 第九章第二節**四１**(26) 参照。
措通41の５－４《敷地のうちに所有期間の異なる部分がある場合》…………………… **十六１**②(13)参照。
措通41の５－５《居住用土地等のみの譲渡》…………………………………………… **十六１**②(14)参照。
措通41の５－６《災害滅失家屋の跡地等の用途》……………………………………… **十六１**②(15)参照。
措通41の５－７《居住の用に供されなくなった家屋が災害により滅失した場合》……… **十六１**②(16)参照。
措通41の５－８《土地区画整理事業等の施行地区内の土地等の譲渡》………………… **十六１**②(17)参照。
措通41の５－９《居住用家屋の敷地の一部の譲渡》…………………………………… **十六１**②(18)参照。
措通41の５－10《災害跡地等を２以上に分けて譲渡した場合》………………………… **十六１**②(19)参照。
措通41の５－12《借地権等の設定されている土地の譲渡についての取扱い》………… **十六１**②(21)参照。

２　申告要件

１の規定は、**１**の規定の適用を受けようとする年分の確定申告書に、**１**の規定の適用を受けようとする旨の記載があり、かつ、特定居住用財産の譲渡損失の金額の計算に関する明細書その他の(２)で定める書類の添付がある場合に限り、適用する。(措法41の５の２②)

(確定申告書への記載等がなかった場合の宥恕規定)

(１)　税務署長は、**２**の確定申告書の提出がなかった場合又は**２**の記載若しくは添付がない確定申告書の提出があった場合においても、その提出又は記載若しくは添付がなかったことについてやむを得ない事情があると認めるときは、当該記載をした書類及び(２)で定める書類の提出があった場合に限り、**１**の規定を適用することができる。(措法41の５の２③)

(添 付 書 類)

(２)　**２**に規定する(２)で定める書類は、次の(一)から(三)までに掲げる書類及び譲渡資産（**１**②(一)に規定する譲渡資産をいう。以下(２)及び(３)において同じ。）が同②(一)イから同ニまでのいずれかの資産に該当する事実を記載した書類（特定譲渡（同②(一)に規定する特定譲渡をいう。以下(２)及び(３)において同じ。）に係る契約を締結した日の前日において当該特定譲渡をした者の住民票に記載されていた住所と当該特定譲渡をした譲渡資産の所在地とが異なる場合その他これに類する場合には、これらの書類及び戸籍の附票の写し、消除された戸籍の附票の写しその他これらに類する書類で当該譲渡資産が同②(一)イから同ニまでのいずれかの資産に該当することを明らかにするもの）

とする。(措規18の26①)

(一)	その年において生じた**1**②(一)に規定する特定居住用財産の譲渡損失の金額の計算に関する明細書
(二)	特定譲渡をした譲渡資産に係る登記事項証明書、売買契約書の写しその他の書類で、当該譲渡資産の**1**②(一)に規定する所有期間が５年を超えるものであることを明らかにするもの
(三)	特定譲渡をした譲渡資産に係る住宅借入金等（**1**②(四)に規定する住宅借入金等をいう。(３)において同じ。）の残高証明書

(譲渡資産に係る住宅借入金等の残高証明書)

(３)　(２)(三)に規定する住宅借入金等の残高証明書は、当該住宅借入金等に係る債権者（当該債権者が**1**②(９)(六)に規定する特定債権者である場合には当該特定債権者に係る同(六)の当初借入先（同(六)に規定する契約に従い同(六)の債権の管理及び回収に係る業務を行っているものに限る。）とし、当該住宅借入金等が次の(一)又は(二)に掲げる住宅借入金等に該当する場合には当該(一)又は(二)に定める者とする。）の当該譲渡資産の特定譲渡に係る契約を締結した日の前日における当該住宅借入金等（当該住宅借入金等が**1**②(９)(六)に掲げる借入金又は債務である場合には、同(六)の当初借入先から借り入れた借入金又は債務とする。以下(３)において同じ。）の金額を証する書類（当該書類の交付を受けようとする者の氏名及び住所(国内に住所がない場合には、居所)、当該住宅借入金等が**1**②(７)(一)から同(四)までに掲げる借入金又は債務のいずれに該当するかの別、当該住宅借入金等のその借入れをした金額又はその債務の額として負担をした金額、当該住宅借入金等に係る契約を締結した年月日、当該住宅借入金等に係る契約において定められている同(７)(一)から同(四)に規定する償還期間又は賦払期間その他参考となるべき事項が記載されたものに限る。）とする。（措規18の26②）

(一)	次に掲げる住宅借入金等　独立行政法人勤労者退職金共済機構	イ	勤労者財産形成促進法第９条第１項に規定する事業主、事業主団体又は福利厚生会社から借り入れた借入金で、当該事業主、事業主団体又は福利厚生会社が独立行政法人勤労者退職金共済機構から貸付けを受けた同項の資金に係るもの
		ロ	旧勤労者財産形成促進法第９条第１項第１号に規定する事業主、事業主団体若しくは福利厚生会社又は日本勤労者住宅協会から取得した居住用財産（**1**②(７)(二)に規定する居住用財産をいう。以下**2**において同じ。）に係る債務で当該事業主、事業主団体若しくは福利厚生会社又は日本勤労者住宅協会が独立行政法人勤労者退職金共済機構から貸付けを受けた旧勤労者財産形成促進法第９条第１項第１号又は第２号の資金により建設し、又は取得した当該居住用財産に係るもののうち、当該資金に係る部分
(二)	次に掲げる住宅借入金等　独立行政法人福祉医療機構	イ	年金積立金管理運用独立行政法人法附則第14条第２号の規定による廃止前の年金福祉事業団の解散及び業務の承継等に関する法律（以下において「旧年金福祉事業団業務承継法」という。）第12条第２項第２号イに掲げる者から借り入れた借入金で、当該掲げる者が独立行政法人福祉医療機構から貸付けを受けた同号イの資金に係るもの
		ロ	旧年金福祉事業団業務承継法第12条第２項第１号に規定する政令で定める法人から取得した居住用財産に係る債務で当該政令で定める法人が独立行政法人福祉医療機構から貸付けを受けた同号の資金により建設し、又は取得した当該居住用財産に係るもののうち、当該資金に係る部分
		ハ	旧年金福祉事業団業務承継法第12条第２項第１号に規定する政令で定める法人を当事者とする居住用財産の取得に係る債務の承継に関する契約に基づく当該政令で定める法人に対する当該債務で、当該政令で定める法人が独立行政法人福祉医療機構から貸付けを受けた同号の資金により建設し、又は取得した居住用財産に係るもののうち、当該資金に係る部分

3　通算後譲渡損失の金額の繰越控除

確定申告書を提出する個人が、その年の前年以前３年内の年において生じた通算後譲渡損失の金額（**3**の規定の適用を受けて前年以前の年において控除されたものを除く。）を有する場合には、**一 1**①《長期譲渡所得の分離課税》の後段の規定にかかわらず、当該通算後譲渡損失の金額に相当する金額は、（4）で定めるところにより、当該確定申告書に係る年分の同①に規定する長期譲渡所得の金額、**二**①《短期譲渡所得の分離課税》規定する短期譲渡所得の金額、総所得金額、退職所得金額又は山林所得金額の計算上控除する。ただし、当該個人のその年分の所得税に係るその年の第二章第一節**一**《用語の意義》表内**30**の合計所得金額が3,000万円を超える年については、この限りでない。（措法41の５の２④）

（**3**の規定の申告要件）

（1）　**3**の規定は、当該個人が特定居住用財産の譲渡損失の金額が生じた年分の所得税につき**2**の確定申告書をその提出期限までに提出した場合であって、その後において連続して確定申告書を提出しており、かつ、**3**の確定申告書に**3**の規定による控除を受ける金額の計算に関する明細書その他（3）で定める書類の添付がある場合に限り、適用する。（措法41の５の２⑤）

（提出期限までに提出がなかったとき等の取扱い）

（2）　**2**（1）の規定は、**3**の規定を適用する場合における（1）の提出期限までに確定申告書の提出がなかったとき又は（1）の書類の添付がない確定申告書の提出があったときについて準用する。（措法41の５の２⑥）

（**3**の規定による控除を受ける金額の計算に関する明細書その他（3）で定める書類）

（3）　（1）に規定する（3）で定める書類は、**3**の規定によりその年において控除すべき**3**に規定する通算後譲渡損失の金額及びその金額の計算の基礎その他参考となるべき事項を記載した明細書とする。（措規18の26③）

（通算後譲渡損失の金額に相当する金額の順次控除）

（4）　**3**に規定する通算後譲渡損失の金額に相当する金額は、その年分の**一 1**①《長期譲渡所得の分離課税》（**一 2**《優良住宅地に係る長期譲渡所得の課税の特例》又は**一 3**《居住用財産を譲渡した場合の長期譲渡所得の課税の特例》の規定により適用される場合を含む。以下**3**において同じ。）に規定する長期譲渡所得の金額、**二**①《短期譲渡所得の分離課税》（**二**③おいて準用する場合を含む。以下**3**において同じ。）に規定する短期譲渡所得の金額、総所得金額、山林所得金額又は退職所得金額から順次控除する。（措令26の７の２①）

（各種所得の金額の計算上生じた損失の金額又は純損失や雑損失の繰越控除がある場合の控除順序）

（5）　その年分の各種所得の金額（第二章第一節**一**《用語の意義》表内**22**に規定する各種所得の金額をいう。）の計算上生じた損失の金額がある場合又は第七章第二節《損失の繰越控除》**一**の純損失の繰越控除若しくは同節**二**の雑損失の繰越控除の規定による控除が行われる場合には、まず同章第一節《損益通算》**一 1**及び同章第二節**一**《純損失の繰越控除》の規定による控除を行い、次に**3**の規定による控除及び第七章第二節《損失の繰越控除》**二**の雑損失の繰越控除の規定による控除を順次行う。この場合において、控除する純損失の金額（第二章第一節**一**《用語の意義》表内**25**に規定する純損失の金額をいう。以下**十七**において同じ。）及び控除する雑損失の金額（第二章第一節**一**《用語の意義》表内**26**に規定する雑損失の金額をいう。以下（5）において同じ。）が前年以前３年内（第七章第二節**二 1**から同**3**まで又は同節**四 1**の規定の適用がある場合には、前年以前５年内）の２以上の年に生じたものであるときは、これらの年のうち最も古い年に生じた純損失の金額又は雑損失の金額から順次控除する。（措令26の７の２②）

（通算後譲渡損失の金額の生じた年が特例対象純損失金額若しくは特定雑損失金額の生じた年又はその翌年であるとき）

（6）　（5）の規定の適用がある場合において、その者の有する**3**に規定する通算後譲渡損失の金額の生じた年がその者の有する第七章第二節**一 4**（1）に規定する特例対象純損失金額若しくは同節**四 1**（1）に規定する特定雑損失金額の生じた年又はその翌年であるときは、当該通算後譲渡損失の金額は当該特例対象純損失金額又は当該特定雑損失金額よりも古い年に生じたものとして（5）の規定による控除を行う。（措令26の７の２③）

4　純損失の金額のうちに特定純損失の金額がある場合の取扱い

確定申告書を提出する個人の第七章第二節**一**《純損失の繰越控除》**1**に規定する各年において生じた純損失の金額のうちに**特定純損失の金額**（適用期間内に行った譲渡資産の特定譲渡による譲渡所得の金額の計算上生じた損失の金額に係る

純損失の金額として(3)で定めるところにより計算した金額をいう。(1)及び(2)において同じ。）がある場合における同**1**（所法第165条の規定により準じて計算する場合を含む。）の規定の適用については、同**1**中「及び」とあるのは「、」と、「となったもの」とあるのは「となったもの及び第五章第二節**十七**《特定居住用財産の譲渡損失の損益通算及び繰越控除》**4**に規定する特定純損失の金額」とする。（措法41の５の２⑧）

（参考）　**4**による読替え後の第七章第二節**一 1**

1　青色申告者の純損失の繰越控除 確定申告書を提出する居住者のその年の前年以前３年内の各年（その年分の所得税につき青色申告書を提出している年に限る。）において生じた純損失の金額（第七章第二節**一 1**の規定により前年以前において控除されたもの、第十章第六節**三 3**⑤《純損失の繰戻しによる還付》の規定により還付を受けるべき金額の計算の基礎となったもの及び第五章第二節**十七 4**《特定居住用財産の譲渡損失の損益通算及び繰越控除》に規定する特定純損失の金額を除く。）がある場合には、当該純損失の金額に相当する金額は、第七章第二節**一 4**で定めるところにより、当該確定申告書に係る年分の総所得金額、退職所得金額又は山林所得金額の計算上控除する。（措法41の５の２⑧による読替え後の法70①（下線部分は読み替えられた部分））

（純損失の金額のうちに特定純損失の金額がある場合における純損失の繰戻しによる還付請求又等の規定の適用）

(1)　確定申告書を提出する個人のその年において生じた純損失の金額のうちに特定純損失の金額がある場合における第十章第六節**三 1**①又は同**2**①の規定の適用については、同**1**①又は同**2**①中「生じた純損失の金額」とあるのは、「生じた純損失の金額（第五章第二節**十七**《特定居住用財産の譲渡損失の損益通算及び繰越控除》**4**(1)に規定する特定純損失の金額を除く。)」とする。（措法41の５の２⑨）

（事業の全部の譲渡又は廃止等があった場合又は当該個人が死亡した場合の繰戻しの特例の適用）

(2)　当該個人につき第十章第六節**三 1**⑤《事業の全部の譲渡又は廃止等があった場合の繰戻しの特例》に規定する事実が生じた場合又は当該個人が死亡した場合において、当該事実が生じた日又は死亡した日の属する年の前年において生じた純損失の金額のうちに特定純損失の金額があるときにおける同**1**⑤又は同**2**④《前年分の損失に係る繰戻しの特例》の規定の適用については、同**1**⑤中「及び**3**⑤」とあるのは「、**3**⑤」と、「となったもの」とあるのは「となったもの及び第五章第二節**十七**《特定居住用財産の譲渡損失の損益通算及び繰越控除》**4**(2)に規定する特定純損失の金額」と、同**2**④中「及び**3**⑤」とあるのは「、**3**⑤」と、「となったもの」とあるのは「となったもの及び第五章第二節**十七**《特定居住用財産の譲渡損失の損益通算及び繰越控除》**4**(2)に規定する特定純損失の金額」とする。（措法41の５の２⑩）

（特定譲渡による譲渡所得の金額の計算上生じた損失の金額に係る純損失の金額として(3)で定めるところにより計算した金額）

(3)　**4**に規定する(3)で定めるところにより計算した金額は、その年において行った譲渡資産の特定譲渡（**1**②(一)に規定する適用期間内に行ったものに限る。）による譲渡所得の金額の計算上生じた損失の金額に係る同(一)に規定する特定居住用財産の譲渡損失の金額のうち、その年において生じた純損失の金額から当該純損失の金額が生じた年分の不動産所得の金額、事業所得の金額、山林所得の金額又は譲渡所得の金額（**一 1**①《長期譲渡所得の分離課税》に規定する長期譲渡所得の金額及び**二**①《短期譲渡所得の分離課税》に規定する短期譲渡所得の金額を除く。）の計算上生じた損失の金額の合計額（当該合計額が当該純損失の金額を超える場合には、当該純損失の金額に相当する金額）を控除した金額に達するまでの金額とする。（措令26の７の２⑩）

5　3の規定の適用がある場合の読替え規定

3の規定の適用がある場合には、次の左欄に掲げる字句は同右欄に掲げる字句に読み替えたところによる。（措令26の７の２⑫～⑮）

<table>
<tr><td colspan="3">(一)から(四)までに定めるもののほか、3の規定の適用がある場合における所得税に関する法令の規定の適用に関し必要な事項は、次のイからニまでに掲げる左欄を右欄に読み替えて適用する。（措令26の７の２⑫～⑮）</td></tr>
<tr><td rowspan="2">(一)</td><td colspan="2">第五章第一節一《土地の譲渡等に係る事業所得等の分離課税》1の規定の適用がある場合における十七 3《通算後譲渡損失の金額の控除》の規定の適用については、同3中</td></tr>
<tr><td>総所得金額</td><td>総所得金額、第五章第一節一《土地の譲渡等に係る事業所得等の分離課税》1に規定する土地等に係る事業所得等の金額</td></tr>
</table>

<table>
<tr><td>(二)</td><td>第五章第一節一《土地の譲渡等に係る事業所得等の分離課税》1の規定の適用がある場合における3(４)の規定の適用については、同(４)中
<table><tr><td>総所得金額</td><td>総所得金額、第五章第一節一《土地の譲渡等に係る事業所得等の分離課税》の1に規定する土地等に係る事業所得等の金額</td></tr></table></td></tr>
<tr><td>(三)</td><td>十七3《通算後譲渡損失の金額の控除》の規定の適用がある場合における第十二章二2《青色申告書に係る更正の特例》の規定の適用については、同2①(一)中
<table><tr><td>の規定</td><td>若しくは第五章第二節十七3《通算後譲渡損失の金額の控除》の規定</td></tr></table></td></tr>
<tr><td>(四)</td><td>十七3《通算後譲渡損失の金額の控除》の規定の適用がある場合における所得税法施行令の規定の適用については、
<table>
<tr><td>(イ)</td><td>第九章第二節二1⑦(１)規定の適用については、同(１)中
<table><tr><td>又は同節三《雑損失の繰越控除》</td><td>、同節三《雑損失の繰越控除》又は第五章第二節十七3《通算後譲渡損失の金額の控除》</td></tr></table></td></tr>
<tr><td>(ロ)</td><td>第九章第四節1①の規定の適用については、同①(二)中
<table><tr><td>の規定に準じて</td><td>並びに第五章第二節十七3《通算後譲渡損失の金額の控除》の規定に準じて</td></tr></table></td></tr>
<tr><td>(ハ)</td><td>第十章第一節一1(１)の規定の適用については、同(１)中
<table><tr><td>の規定を</td><td>及び第五章第二節十七3《通算後譲渡損失の金額の控除》）の規定を</td></tr></table></td></tr>
</table></td></tr>
</table>

十八　特定の事業用資産の買換え又は交換の特例

1　特定の事業用資産の買換えの場合の譲渡所得の課税の特例

個人が、昭和45年１月１日から令和８年12月31日（次の表の③の左欄に掲げる資産にあっては、同年３月31日）までの間に、その有する資産（第二章第一節《定義》**一**表内**16**に規定する棚卸資産その他これに準ずる資産で（1）で定めるものを除く。以下**十八**、**十八 4**《特定の事業用資産を交換した場合の譲渡所得の課税の特例》及び**十九**《既成市街地等内にある土地等の中高層耐火建築物等の建設のための買換え及び交換の場合の譲渡所得の課税の特例》において同じ。）で同表の①から④までの左欄に掲げるもののうち事業（事業に準ずるものとして（2）で定めるものを含む。以下**十九**までにおいて同じ。）の用に供しているものの譲渡（譲渡所得の基因となる不動産等の貸付けを含むものとし、**三**《収用等に伴い代替資産を取得した場合の課税の特例》から**五**《換地処分等に伴い資産を取得した場合の課税の特例》までの規定に該当するもの及び贈与、交換又は出資によるものその他（3）で定めるものを除く。以下において同じ。）をした場合において、当該譲渡の日の属する年の12月31日までに、当該①から④までの右欄に掲げる資産の取得（建設及び製作を含むものとし、同表の①及び③の左欄の場合を除き、贈与、交換又は法人税法第２条第12号の５の２に規定する現物分配によるもの、所有権移転外リース取引によるものその他（2）で定めるものを除く。以下**3**まで及び**5**から**10**までにおいて同じ。）をし、かつ、当該取得の日から１年以内に、当該取得をした資産（以下において「買換資産」という。）を当該①から④までの右欄に規定する地域内にある当該個人の事業の用（同表の④の右欄に掲げる船舶については、その個人の事業の用。**2**及び**3**並びに**9**①において同じ。）に供したとき（当該期間内に当該事業の用に供しなくなったときを除く。）、又は供する見込みであるときは、（3）で定めるところにより納税地の所轄税務署長に**1**の規定の適用を受ける旨の届出をした場合における当該譲渡につき、当該譲渡による収入金額が当該買換資産の取得価額以下である場合にあっては当該譲渡に係る資産のうち当該収入金額の100分の80（当該譲渡をした資産が同表の①の左欄に掲げる資産（同①のハに掲げる区域内にあるものに限る。**10**①（1）において同じ。）に該当し、かつ、当該買換資産が同①の右欄に掲げる資産に該当する場合には、100分の70。以下**1**において同じ。）に相当する金額を超える金額に相当するものとして**イ**で定める部分の譲渡があったものとし、当該収入金額が当該取得価額を超える場合にあっては当該譲渡に係る資産のうち当該取得価額の100分の80に相当する金額を超える金額に相当するものとして**ロ**で定める部分の譲渡があったものとして、**一**《土地建物等の長期譲渡所得の課税の特例》**1**、**二**《土地建物等の短期譲渡所得の課税の特例》又は第四章第八節《譲渡所得》の規定を適用する。（措法37①）

<table>
<tr><th></th><th colspan="3">譲　渡　資　産</th><th>買　換　資　産</th></tr>
<tr><td rowspan="3">①</td><td colspan="3">次に掲げる区域（イ又はロに掲げる区域にあっては、令和２年４月１日前に当該区域となった区域を除く。以下①において「航空機騒音障害区域」という。）内にある土地等（土地又は土地の上に存する権利をいう。以下十八において同じ。）（平成26年４月１日又はその土地等のある区域が航空機騒音障害区域となった日のいずれか遅い日以後に取得（相続、遺贈又は贈与による取得を除く。）をされたものを除く。）、建物（その附属設備を含む。以下この表及び6において同じ。）又は構築物でそれぞれ次に定める場合に譲渡をされるもの</td><td rowspan="3">左欄のイからハまでに掲げる区域以外の地域内（国内に限る。以下①において同じ。）にある土地等、建物、構築物又は機械及び装置（農業又は林業の用に供されるものにあっては、都市計画法第７条第１項の市街化区域と定められた区域以外の地域内にあるものに限る。）</td></tr>
<tr><td>イ</td><td>特定空港周辺航空機騒音対策特別措置法第４条第１項に規定する航空機騒音障害防止特別地区</td><td>同法第８条第１項若しくは第９条第２項の規定により買い取られ、又は同条第１項の規定により補償金を取得する場合</td></tr>
<tr><td>ロ</td><td>公共用飛行場周辺における航空機騒音による障害の防止等に関する法律第９条第１項に規定する第二種区域</td><td>同条第２項の規定により買い取られ、又は同条第１項の規定により補償金を取得する場合</td></tr>
</table>

<table>
<tr><td></td><td>ハ</td><td>防衛施設周辺の生活環境の整備等に関する法律第５条第１項に規定する第二種区域</td><td>同条第２項の規定により買い取られ、又は同条第１項の規定により補償金を取得する場合</td><td></td></tr>
<tr><td rowspan="5">②</td><td colspan="3">次に掲げる区域（イからハまでに掲げる区域にあっては、(４)で定める区域を除く。以下②において「**既成市街地等**」という。）内にある土地等、建物又は構築物</td><td rowspan="5">既成市街地等内にある土地等、建物、構築物又は機械及び装置で、土地の計画的かつ効率的な利用に資するものとして(６)で定める施策の実施に伴い、当該施策に従って取得をされるもの（(７)で定めるものを除く。）</td></tr>
<tr><td>イ</td><td colspan="2">首都圏整備法第２条第３項に規定する既成市街地</td></tr>
<tr><td>ロ</td><td colspan="2">近畿圏整備法第２条第３項に規定する既成都市区域</td></tr>
<tr><td>ハ</td><td colspan="2">首都圏、近畿圏及び中部圏の近郊整備地帯等の整備のための国の財政上の特別措置に関する法律第２条第３項に規定する政令で定める区域</td></tr>
<tr><td>ニ</td><td colspan="2">イからハまでに掲げる区域に類する区域として(５)で定める区域</td></tr>
<tr><td>③</td><td colspan="3">国内にある土地等、建物又は構築物で、当該個人により取得をされたこれらの資産のうちその譲渡の日の属する年の１月１日において所有期間（第五章第二節**二**②に規定する所有期間をいう。**ハ**において同じ。）が10年を超えるもの</td><td>国内にある土地等（事務所、事業所その他の(８)で定める施設（以下③において「特定施設」という。）の敷地の用に供されるもの（当該特定施設に係る事業の遂行上必要な駐車場の用に供されるものを含む。）又は駐車場の用に供されるもの（建物又は構築物の敷地の用に供されていないことについて(９)で定めるやむを得ない事情があるものに限る。）で、その面積が300平方メートル以上のものに限る。）、建物又は構築物</td></tr>
<tr><td>④</td><td colspan="3">**船舶**（船舶法第１条に規定する日本船舶に限るものとし、漁業（水産動植物の採捕又は養殖の事業をいう。）の用に供されるものを除く。以下④において同じ。）のうちその進水の日からその譲渡の日までの期間が(10)で定める期間に満たないもの（建設業その他の(10)で定める事業の用に供されるものにあっては、平成23年１月１日以後に建造されたものを除く。）</td><td>船舶（(11)で定めるものに限る。）</td></tr>
</table>

（**1**に規定する(１)で定める棚卸資産に準ずる資産）

(１)　**1**に規定する(１)で定める棚卸資産に準ずる資産は、雑所得の基因となる土地及び土地の上に存する権利とする。(措令25①)

（**1**に規定する事業に準ずるものとして(２)で定めるもの）

(２)　**1**に規定する事業に準ずるものとして(２)で定めるものは、事業と称するに至らない不動産又は船舶の貸付けその他これに類する行為で相当の対価を得て継続的に行うものとし、**1**に規定する(２)で定める譲渡は、代物弁済（金銭債務の弁済に代えてするものに限る。以下(２)において同じ。）としての譲渡とし、**1**に規定する(２)で定める取得は、代物弁済としての取得とする。(措令25②)

（**1**の規定の適用を受ける旨の届出）

(３)　**1**の届出は、**1**の表の①から④までの左欄に掲げる資産の**1**に規定する譲渡の日（同日前に当該①から④までの右欄に掲げる資産の取得（建設及び製作を含む。(11)(二)を除き、以下**十八**及び**10**①(２)において同じ。）をした場合

((二)ロにおいて「先行取得の場合」という。）には、当該資産の**1**に規定する取得の日）を含む３月期間（１月１日から３月31日まで、４月１日から６月30日まで、７月１日から９月30日まで及び10月１日から12月31日までの各期間をいう。(二)において同じ。）の末日の翌日から２月以内に、**1**の譲渡につき**1**の規定の適用を受ける旨及び次の(一)から(四)までに掲げる事項を記載した届出書により行わなければならない。（措令25③）

<table>
<tr><td>(一)</td><td colspan="3">届出者の氏名及び住所</td></tr>
<tr><td rowspan="3">(二)</td><td colspan="3">次に掲げる場合の区分に応じそれぞれ次に定める事項</td></tr>
<tr><td>イ</td><td>ロに掲げる場合以外の場合</td><td>次に掲げる事項
⑴　当該譲渡をした資産及び当該３月期間内に取得をした資産の種類、構造又は用途、規模（土地等（土地又は土地の上に存する権利をいう。以下において同じ。）にあっては、その面積。ロ⑴において同じ。）、所在地並びに譲渡年月日及び取得年月日（船舶にあっては、種類、構造又は用途、規模並びに譲渡年月日及び取得年月日。ロ⑴において同じ。）
⑵　当該譲渡をした資産の価額及び取得費の額
⑶　当該３月期間の末日の翌日以後に取得をする見込みである資産の種類、所在地及び取得予定年月日（船舶にあっては、種類及び取得予定年月日）</td></tr>
<tr><td>ロ</td><td>先行取得の場合</td><td>次に掲げる事項
⑴　当該３月期間内に譲渡をした資産及び当該取得をした資産の種類、構造又は用途、規模、所在地並びに譲渡年月日及び取得年月日
⑵　当該取得をした資産の取得価額
⑶　当該３月期間の末日の翌日以後に譲渡をする見込みである資産の種類、所在地及び譲渡予定年月日（船舶にあっては、種類及び譲渡予定年月日）</td></tr>
<tr><td>(三)</td><td colspan="3">(二)の取得をした、又は(二)の取得をする見込みである資産のその適用に係る1の表の①から④までの区分</td></tr>
<tr><td>(四)</td><td colspan="3">その他参考となるべき事項</td></tr>
</table>

（**1**表内②左欄に規定する同欄のイからハまでに掲げる区域から除くものとして（4）で定める区域）

（4）　**1**表内②の左欄に規定する同欄のイからハまでに掲げる区域から除くものとして（4）で定める区域は、**1**の譲渡があった日の属する年の10年前の年の翌年１月１日以後に公有水面埋立法の規定による竣（しゅん）功認可のあった埋立地の区域（（5）において「埋立区域」という。）とする。（措令25⑥）

（**1**表内②左欄のニに規定する（5）で定める区域）

（5）　**1**表内②の左欄のニに規定する（5）で定める区域は、都市計画法第４条第１項に規定する都市計画に都市再開発法第２条の３第１項第２号に掲げる地区若しくは同条第２項に規定する地区の定められた市又は道府県庁所在の市の区域の都市計画法第４条第２項に規定する都市計画区域のうち最近の国勢調査の結果による人口集中地区の区域（同欄のイからハまでに掲げる区域（埋立区域を除く。）を除く。）とする。（措令25⑦）

（**1**表内②右欄に規定する（6）で定める施策）

（6）　**1**表内②の右欄に規定する（6）で定める施策は、都市再開発法による市街地再開発事業（その施行される土地の区域の面積が5,000平方メートル以上であるものに限る。）に関する都市計画とする。（措令25⑧）

（**1**表内②右欄に規定する（7）で定めるもの）

（7）　**1**表内②の右欄に規定する（7）で定めるものは、建物（その附属設備を含む。以下（7）において同じ。）のうち次に掲げるもの（その敷地の用に供される土地等を含む。）とする。（措令25⑨）

(一)	中高層耐火建築物（地上階数４以上の中高層の建築基準法第２条第９号の２に規定する耐火建築物をいう。）以外の建物
(二)	住宅の用に供される部分が含まれる建物（住宅の用に供される部分に限る。）

（**1**表内③右欄に規定する（8）で定める施設）

（8）　**1**表内③の右欄に規定する（8）で定める施設は、事務所、工場、作業場、研究所、営業所、店舗、倉庫、住宅その他これらに類する施設（福利厚生施設に該当するものを除く。）とする。（措令25⑩）

（**1**表内③右欄に規定する（9）で定めるやむを得ない事情）

（9）　**1**表内③の右欄に規定する（9）で定めるやむを得ない事情は、次に掲げる手続その他の行為が進行中であることにつき財務省令で定める書類により明らかにされた事情とする。（措令25⑪）

(一)	都市計画法第29条第１項又は第２項の規定による許可の手続
(二)	建築基準法第６条第１項に規定する確認の手続
(三)	文化財保護法第93条第２項に規定する発掘調査
(四)	建築物の建築に関する条例の規定に基づく手続（建物又は構築物の敷地の用に供されていないことが当該手続を理由とするものであることにつき国土交通大臣が証明したものに限る。）

（**1**表内④左欄に規定する(10)で定める期間、同④に規定する(10)で定める事業）

(10)　**1**表内④の左欄に規定する(10)で定める期間は、次の(一)又は(二)に掲げる船舶の区分に応じそれぞれに定める期間とし、同④に規定する(10)で定める事業は、建設業及びひき船業とする。（措令25⑫）

(一)	海洋運輸業（本邦の港と本邦以外の地域の港との間又は本邦以外の地域の各港間において船舶により人又は物の運送をする事業をいう。）の用に供されている船舶　　20年
(二)	沿海運輸業（本邦の各港間において船舶により人又は物の運送をする事業をいう。）の用に供されている船舶　23年
(三)	建設業又はひき船業の用に供されている船舶　　30年

（**1**表内④右欄に規定する(11)で定めるもの）

(11)　**1**表内④の右欄に規定する(11)で定めるものは、次に掲げる船舶（その船舶に係る**1**の譲渡をした資産に該当する船舶（(二)において「譲渡船舶」という。）に係る事業と同一の事業の用に供されるものに限る。）とする。（措令25⑬、平29国土交通省告示第303号（最終改正令５同省告示第283号））

(一)	建造の後事業の用に供されたことのない船舶のうち環境への負荷の低減に資する船舶として国土交通大臣が財務大臣と協議して指定するもの
(二)	船舶で、その進水の日から取得の日までの期間が耐用年数（所得税法の規定により定められている耐用年数をいう。）以下であり、かつ、その期間がその船舶に係る譲渡船舶の進水の日から当該譲渡船舶の譲渡の日までの期間に満たないもののうち環境への負荷の低減に資する船舶として国土交通大臣が財務大臣と協議して指定するもの（(一)に掲げるものを除く。）

（注）　国土交通大臣は、上記の規定により船舶を指定したとき、これを告示する。（措令25㉔）

イ　譲渡による収入金額が買換資産の取得価額以下である場合の譲渡があったものとされる部分

譲渡（**1**（**2**及び**3**において準用する場合を含む。以下同じ。）に規定する譲渡をいう。以下同じ。）による収入金額が買換資産（**1**に規定する買換資産をいう。以下同じ。）の取得価額以下である場合における**1**に規定する**イ**で定める部分は、当該譲渡をした**1**の表の各号の左欄に掲げる資産で**1**に規定する事業の用に供しているもの（以下「**譲渡資産**」という。）のうち、当該譲渡資産の価額の100分の20に相当する金額（当該譲渡資産及び買換資産が次の(一)及び(二)に掲げる場合に該当する場合には、当該譲渡資産の価額に当該(一)及び(二)までに掲げる場合の区分に応じ当該(一)及び(二)までに定める割合を乗じて計算した金額）に相当する部分とする。（措令25④）

(一)	当該譲渡資産が**1**表内①の左欄に掲げる資産（①の左欄のハに掲げる区域内にあるものに限る。**10**①（2）及び**10**②において同じ。）に該当するものであり、かつ、買換資産が①の右欄に掲げる資産に該当するものである場合において**1**の規定の適用を受けるとき　　100分の30
(二)	当該譲渡資産及び買換資産につき**6**の規定により**1**の規定の適用を受ける場合　　当該買換資産が次に掲げる資

産のいずれに該当するかに応じそれぞれ次に定める割合
イ　**6**(一)に掲げる地域内にある資産　100分の10
ロ　**6**(二)に掲げる地域内にある資産　100分の25
ハ　**6**(三)に掲げる地域内にある資産　100分の30（当該譲渡資産及び買換資産のいずれもが**6**に規定する主たる事務所資産に該当する場合には、100分の40）

ロ　譲渡による収入金額が買換資産の取得価額を超える場合の譲渡があったものとされる部分

イの規定は、譲渡による収入金額が買換資産の取得価額を超える場合における**1**に規定する部分について準用する。この場合において、**イ**中「譲渡資産の価額の100分の20」とあるのは「譲渡による収入金額（当該譲渡の日の属する年中に２以上の譲渡資産の譲渡が行われた場合には、これらの譲渡資産の譲渡により取得した収入金額の合計額）から買換資産の取得価額（当該譲渡の日の属する年中に２以上の買換資産の取得が行われた場合には、これらの買換資産の取得価額の合計額）の100分の80」と、「譲渡資産の価額に」とあるのは「買換資産の取得価額に」と、「金額」とあるのは「金額）を控除した金額が当該収入金額のうちに占める割合を、当該譲渡資産の価額に乗じて計算した金額」と、**イ**(一)中「100分の30」とあるのは「100分の70」と、**イ**(二)イ中「100分の10」とあるのは「100分の90」と、**イ**(二)ロ中「100分の25」とあるのは「100分の75」と、**イ**(二)ハ中「100分の30」とあるのは「100分の70」と、「100分の40」とあるのは「100分の60」と読み替えるものとする。（措令25⑤）

（注）　595ページの図解及び計算式参照。（編者注）

ハ　短期所有土地等の適用除外

1（**2**及び**3**において準用する場合を含む。）の規定は、その年１月１日において**所有期間**（**二**②に規定する所有期間をいう。以下**1**において同じ。）が５年以下である土地等（その年中に取得をした土地等〔当該土地等が同②(１)(一)又は同(三)《交換、贈与、相続等により取得した資産》に掲げる土地等に該当するものである場合には、その年１月１日において所有期間が５年を超えるものを除く。〕を含む。）の譲渡（第一節**三**《優良宅地供給等の適用除外》**1**の表に掲げる土地等の譲渡の区分に応じ、同**3**に掲げる書類を確定申告書に添付することにより証明がされた土地等の譲渡を除く。）については、適用しない。（措法37⑤、措令25⑲、措規18の５③。編者要約）

（注）　上記**ロ**の規定は、個人が平成10年１月１日から令和８年３月31日までの間に取得した土地等の譲渡については、適用しない。（措法37⑫）

ニ　1の規定による取扱い（通達）

（収用等をされた資産についての適用除外）

（１）　譲渡資産について**三**から**七**まで《収用等の場合の課税の特例》の規定の適用を受けることができる場合には、これらの規定の適用を受けないときにおいても、**1**の規定の適用はないことに留意する。（措通37－１）

（不動産売買業者の有する土地建物等）

（２）　**1**の規定は、第二章第一節**一**《定義》表内**16**に規定する棚卸資産及び雑所得の基因となる土地建物等については適用がないのであるが、不動産売買業を営む者の有する土地建物等で、その者が使用し若しくは他に貸し付けているもの（販売の目的で所有しているもので一時的に使用し又は他に貸し付けているものを除く。）又はその者が具体的な使用計画に基づいて使用することを予定して相当の期間所有していることが明らかであるものは、棚卸資産に該当しない。（措通37－２）

（事業に準ずるものの範囲）

（３）　**1**に規定する「事業に準ずるもの」とは**1**の〔　〕内の規定により事業と称するに至らない不動産又は船舶の貸付けその他これに類する行為で相当の対価を得て継続的に行うものをいうのであるが、その判定については、次の点に留意する。（措通37－３）

（一）　「不動産又は船舶の貸付けその他これに類する行為」とは、**1**の表の①から⑤に掲げる資産の賃貸その他その使用に関する権利の設定（以下(二)において「貸付け等」という。）の行為をいう。

（二）　「相当の対価を得て継続的に行う」とは、相当の所得を得る目的で継続的に対価を得て貸付け等の行為を行うことをいう。この場合には、次のことに留意する。

イ　相当の所得を得る目的で継続的に対価を得ているかどうかについては、次による。

（イ）　相当の対価については、その貸付け等の用に供している資産の減価償却費の額（当該資産の取得につき**1**（**2**及び**3**において準用する場合を含む。）の規定の適用を受けているときは、**9**の①《買換資産の取得価額の計算》の規定により計算した取得価額を基として計算した減価償却費の額）、固定資産税その他の必要経費を回収した後において、なお相当の利益が生ずるような対価を得ているかどうかにより判定する。

（ロ）　その貸付け等をした際にその対価を一時に受け、その後一切対価を受けない場合には、継続的に対価を得ていることに該当しない。

（ハ）　その貸付け等をした際に一時金を受け、かつ、継続的に対価を得ている場合には、一時金の額と継続的に受けるべき対価の額とを総合して(イ)の相当の対価であるかどうかを判定する。

ロ　継続的に貸付け等の行為を行っているかどうかについては、原則として、その貸付け等に係る契約の効力の発生した時の現況においてその貸付け等が相当期間継続して行われることが予定されているかどうかによる。

（事業の用と事業以外の用とに併用されていた資産の買換え）

（4）　譲渡資産が事業の用と事業以外の用とに併せて供されていた場合の**1**の規定の適用については、その事業の用に供されていた部分を「事業の用に供しているもの」とする。ただし、その事業の用に供されていた部分がおおむね90%以上である場合には、その資産の全部を「事業の用に供しているもの」として差し支えない。

なお、**1**の規定により買換資産とすることができる資産についても同様とする。(措通37－4)

（注）　事業用部分と非事業用部分は、原則として、面積の比により判定するものとする。

（低額譲渡等）

（5）　**十八**に規定する譲渡又は取得には、贈与によるものは含まれないのであるが、当該贈与には、**二十四**《贈与等の場合の譲渡所得等の特例》の**1**の②に掲げる譲渡《法人に対する低額譲渡》及び相続税法第７条本文《贈与又は遺贈に因り取得したものとみなす場合》の規定による贈与により取得したものとみなされる取得を含むものとし、当該贈与による譲渡又は取得とする部分は、それぞれ次によるものとする。(措通37－5)

（一）　当該譲渡に係る資産のうち、当該資産のその譲渡の日における価額からその譲渡の対価の額を控除した金額に相当する部分は贈与による譲渡があったものとする。この場合において、当該贈与による譲渡があったものとする部分の取得費は、当該資産の取得費に次の割合を乗じて計算した金額とする。

$$\frac{\text{当該資産のその譲渡の日における価額}-\text{その譲渡の対価の額}}{\text{当該資産のその譲渡の日における価額}}$$

（二）　当該取得に係る資産のうち、当該資産のその取得の日における価額からその取得の対価の額を控除した金額に相当する部分は贈与による取得があったものとする。この場合において、当該贈与による取得があったものとする部分の金額は、買換資産の取得価額に含まれないことに留意する。

（買換資産を当該個人の事業の用に供したことの意義）

（6）　買換資産について**1**の規定の適用を受けることができるのは、当該買換資産をその取得の日から１年以内に事業の用に供した場合又は供する見込みである場合に限られるのであるが、この場合において、当該買換資産を事業の用に供したかどうかの判定は、次による。(措通37－21)

（一）　土地の上にその者の建物、構築物等の建設等をする場合においても、当該建物、構築物等が事業の用に供されないときにおける当該土地は、事業の用に供したものに該当しない。

（二）　空閑地（運動場、物品置場、駐車場等として利用している土地であっても、特別の施設を設けていないものを含む。）である土地、空家である建物等は、事業の用に供したものに該当しない。ただし、特別の施設は設けていないが、物品置場、駐車場等として常時使用している土地で事業の遂行上通常必要なものとして合理的であると認められる程度のものは、この限りでない。

（三）　工場等の用地としている土地であっても、当該工場等の生産方式、生産規模等の状況からみて必要なものとして合理的であると認められる部分以外の部分の土地は、事業の用に供したものに該当しない。

（四）　農場又は牧場等としている土地であっても、当該農場又は牧場等で行っている耕作、牧畜等の行為が社会通念上農業、牧畜業等に至らない程度のものであると認められる場合における当該土地又は耕作能力、牧畜能力等から推定して必要以上に保有されていると認められる場合における当該必要以上に保有されている土地は、事業の用に供したものに該当しない。

(五)　植林されている山林を相当の面積にわたって取得し、社会通念上林業と認められる程度に至る場合における当該土地は、事業の用に供したものに該当するが、例えば、雑木林を取得して保有するに過ぎず、林業と認められるに至らない場合における当該土地は、事業の用に供したものに該当しない。

(六)　事業に関し貸し付ける次のものは、相当の対価を得ていない場合であっても、事業の用に供したものに該当するものとする。

イ　工場、事業所等の作業員社宅、売店等として貸し付けているもの

ロ　自己の商品等の下請工場、販売特約店等に対し、当該商品等について加工、販売等をするために必要な施設として貸し付けているもの

(注)　譲渡資産が事業の用に供していた資産であるかどうかは、上記に準じて判定するものとする。ただし、次に掲げるような資産は、事業の用に供していた資産に該当しない。

イ　1の規定の適用を受けるためのみの目的で一時的に事業の用に供したと認められる資産

ロ　たまたま運動場、物品置場、駐車場等として利用し、又はこれらの用のために一時的に貸し付けていた空閑地

(買換資産を事業の用に供した時期の判定)

(7)　買換資産の事業の用に供した日は、次により判定する。(措通37－23)

(一)　土地等については、その使用の状況に応じ、それぞれ次に定める日による。

イ　新たに建物、構築物等の敷地の用に供するものは、当該建物、構築物等を事業の用に供した日（次に掲げる場合には、その建設等に着手した日）

(イ)　当該建物、構築物等の建設等に着手した日から3年以内に建設等を完了して事業の用に供することが確実であると認められる場合

(ロ)　当該建物、構築物等の建設等に着手した日から3年超5年以内に建設等を完了して事業の用に供することが確実であると認められる場合（当該建物、構築物等の建設等に係る事業の継続が困難となるおそれがある場合において、国又は地方公共団体が当該事業を代行することにより当該事業の継続が確実であるものに限る。）

ロ　既に建物、構築物等の存するものは、当該建物、構築物等を事業の用に供した日（当該建物、構築物等が当該土地等の取得の日前からその者の事業の用に供されており、かつ、引き続きその用に供されるものである場合には、当該土地等の取得の日）

ハ　建物、構築物等の施設を要しないものは、そのものの本来の目的のための使用を開始した日（当該土地等がその取得の日前からその者において使用されているものである場合には、その取得の日）

(二)　建物、構築物並びに機械及び装置については、そのものの本来の目的のための使用を開始した日（当該資産がその取得の日前からその者において使用されているものである場合には、その取得の日）による。

(相続人が買換資産を取得して事業の用に供した場合)

(8)　**1**の表の①から⑤の左欄に掲げる資産を譲渡した者が買換資産を取得しないで死亡した場合であっても、その死亡前に買換資産の取得に関する売買契約又は請負契約を締結しているなど買換資産が具体的に確定しており、かつ、その相続人が法定期間内にその買換資産を取得し、事業の用に供したとき（当該譲渡をした者と生計を一にしていた親族の事業の用に供した場合を含む。）は、その死亡した者の当該譲渡につき**1**の規定を適用することができる。(措通37－24)

(注)　**1**の適用を受けるためには、**1**の届出も行う必要があること、及び当該届出については(11)の取扱いがあることに留意する。

(借地権等の返還により支払を受けた借地権等の対価に対する特例の適用)

(9)　他人の土地を使用している者が、当該土地に係る借地権等をその土地の所有者に返還し、その土地の所有者から立退料等の支払を受けた場合には、当該支払を受けた金額のうち借地権等の価額に相当する金額は、土地の上に存する権利の譲渡による対価とする。(措通37－6)

(同一の3月期間内に譲渡資産の譲渡をし、かつ、買換資産の取得をした場合の届出)

(10)　**1**の規定の適用を受けるためには、譲渡資産の譲渡の日（同日前に買換資産の取得をした場合には、その買換資産の取得の日）を含む3月期間（1月1日から3月31日まで、4月1日から6月30日まで、7月1日から9月30日まで及び10月1日から12月31日までの各期間をいう。）の末日の翌日から2月以内に**1**の規定の適用を受ける旨及び一定の事項を記載した届出書により納税地の所轄税務署長に**1**の届出を行う必要があるが、同一の3月期間内に譲渡資産の譲渡をし、かつ、買換資産の取得をした場合であっても、その3月期間の末日の翌日から2月以内に当該届出を行わなければならないことに留意する。(措通37－7)

(注)　個人が令和６年４月１日以後に譲渡資産の譲渡をして、同日以後に買換資産の取得をする場合の当該買換資産について適用し、個人が同日前に譲渡資産の譲渡をした場合における同日前に取得した買換資産又は同日以後に取得する買換資産及び個人が同日以後に譲渡資産の譲渡をする場合における同日前に取得した買換資産については、なお従前の例による。

（譲渡資産の譲渡をし、かつ、買換資産の取得をした者が届出をする前に死亡した場合）

(11)　同一年中に譲渡資産の譲渡をし、かつ、買換資産の取得をした者が**1**の届出をする前に死亡した場合において、その死亡した者の相続人が、その死亡した者が譲渡資産の譲渡をした日（同日前にその死亡した者が買換資産の取得をした場合には、その買換資産の取得の日）を含む３月期間の末日の翌日から２月以内に当該届出をしたときは、その届出は、その死亡した者が行った**1**の届出として取り扱うこととする。（措通37－７の２）

(注)　個人が令和６年４月１日以後に譲渡資産の譲渡をして、同日以後に買換資産の取得をする場合の当該買換資産について適用し、個人が同日前に譲渡資産の譲渡をした場合における同日前に取得した買換資産又は同日以後に取得する買換資産及び個人が同日以後に譲渡資産の譲渡をする場合における同日前に取得した買換資産については、なお従前の例による。

（買換資産の取得価額が譲渡資産の譲渡による収入金額を超える場合）

(12)　買換資産の取得価額（当該買換資産が**1**(３)の届出書に記載した同(３)(二)イ(３)の資産である場合は、その見込額）が、当該買換資産の取得に充てるために既に譲渡がされた譲渡資産の当該譲渡による収入金額を超える場合において、その既にされた譲渡後に譲渡され、又は譲渡することが見込まれる他の譲渡資産があるときは、当該買換資産のうち当該収入金額を超える金額に相当する部分を買換資産とみなして、**1**の届出をすることができるものとする。

また、譲渡資産の譲渡による収入金額（当該譲渡資産が**1**(３)の届出書に記載した同(３)(二)ロ(３)の資産である場合は、その見込額）が、既に取得をした買換資産の取得価額を超える場合のその超える部分についての**1**の届出についても、同様とする。（措通37－７の３）

(注)　個人が令和６年４月１日以後に譲渡資産の譲渡をして、同日以後に買換資産の取得をする場合の当該買換資産について適用し、個人が同日前に譲渡資産の譲渡をした場合における同日前に取得した買換資産又は同日以後に取得する買換資産及び個人が同日以後に譲渡資産の譲渡をする場合における同日前に取得した買換資産については、なお従前の例による。

（土地等が譲渡資産又は買換資産に該当するかどうかの判定）

(13)　譲渡又は取得した土地等（**1**表内①の左欄に規定する「土地等」をいう。以下において同じ。）が同①から同⑤までの左欄に規定する譲渡資産又は右欄に規定する買換資産に該当するかどうかを判定する場合において、その譲渡又は取得した土地等が当該①から⑤までに規定する地域又は区域にあるかどうかは、その土地等を譲渡した時又は取得した時の現況による。（措通37－８）

（建物等が買換資産に該当するかどうかの判定）

(14)　**1**表内①及び②の右欄に規定する「建物、構築物又は機械及び装置」とは、これらの資産が**1**表内①及び②の右欄に規定する地域又は区域において取得されるものをいい、これに該当するかどうかは、その資産を取得した時の現況による。（措通37－９）

（航空機騒音障害区域内にある土地等の取得の日の判定）

(15)　譲渡をした土地等が**三**《収用等に伴い代替資産を取得した場合の課税の特例》、**四**《交換処分等に伴い資産を取得した場合の課税の特例》、**五**《換地処分等に伴い資産を取得した場合の課税の特例》又は**二十**《特定の交換分合により土地等を取得した場合の課税の特例》の規定の適用を受けて取得をしたものである場合における**1**表内①の左欄に規定する「平成26年４月１日又はその土地等のある区域が航空機騒音障害区域となった日のいずれか遅い日」以後に取得をしたものかどうかの判定は、当該譲渡をした土地等を実際に取得をした日によることに留意する。（措通37－12）

（海洋運輸業又は沿海運輸業の意義）

(16)　**1**(10)(一)に規定する海洋運輸業又は同(二)に規定する沿海運輸業（以下(13)において「海洋運輸業又は沿海運輸業」という。）は、海洋又は沿海における運送営業に限られるから、たとえ海上運送法の規定により船舶運航事業を営もうとする旨の届出をしていても、専ら自家貨物の運送を行う場合には、その営む運送は、海洋運輸業又は沿海運輸業に該当しないことに留意する。（措通37－13）

(注)　海洋運輸業又は沿海運輸業については、日本標準産業分類（総務省）の「小分類451 外航海運業」又は「小分類452 沿海海運業」に分類する事業が該当する。

（建造された船舶の意義）

(17)　**1**の表の④の左欄に規定する「平成23年１月１日以後に建造されたもの」とは、同日以後に竣工した船舶をいうのであるが、同日前に建造に着手したことを明らかにする書類の保存がある場合の当該船舶については、同日以後に建造された船舶に該当しないものとして取り扱うこととする。（措通37－13の２）

（貸地の返還を受けた場合に支払った立退料等）

(18)　土地を他人に使用させていた者が、借地人を立ち退かせるために立退料等を支払った場合には、**1**の規定の適用については、当該土地に係る底地以外の部分の取得があったものとし、当該支払った金額（その金額のうちに当該借地人から取得した建物、構築物等の対価に相当する金額があるときは、当該金額を除く。）は、当該土地に係る底地以外の部分の取得価額とする。（措通37－14）

（資本的支出）

(19)　既に有する資産について改良、改造等を行った場合には、当該改良、改造等は、原則として**1**に規定する買換資産の取得に当たらないのであるが、次に掲げる改良、改造等が**2**に規定する年中若しくは期間内又は**3**に規定する取得指定期間内に行われる場合には、その改良、改造等は**1**に規定する買換資産の取得に当たるものとして**1**の規定を適用することができるものとする。（措通37－15）

(一)　新たに取得した買換資産について事業の用に供するためにする改良、改造等（その取得の日から１年以内に行われるものに限る。）

(二)　(一)のほか、例えば、建物の増改築又は構築物の拡張若しくは延長等をする場合のように実質的に新たな資産を取得すると認められる改良、改造等

（土地造成費等）

(20)　次に掲げるような宅地等の造成のための費用を支出した場合において、その金額が相当の額に上り、実質的に新たに土地を取得したことと同様の事情があるものと認められるときは、当該造成についてはその完成の時に新たな土地の取得があったものとし、当該費用の額をその取得価額として**1**の規定の適用があるものとする。（措通37－16）

(一)　自己の有する水田、池沼の土盛り等をして宅地等の造成をするための費用

(二)　自己の有するいわゆるがけ地の切土をして宅地等の造成をするための費用

(三)　公有水面の埋立てをして宅地等を造成するための費用

（支出した交換差金についての買換えの適用）

(21)　資産を交換した場合（**4**《特定の事業用資産を交換した場合の譲渡所得の課税の特例》又は**二十三**《固定資産の交換の場合の譲渡所得の特例》の規定の適用を受ける場合を除く。）において、当該交換に伴い交換差金を支出したときは、当該交換により取得した資産（以下(21)において「交換取得資産」という。）のうち当該交換差金に対応する部分は、買換えにより取得した資産として取り扱うことができるものとする。したがって、当該交換取得資産が**1**表内①から同⑤までの右欄に掲げる買換資産のいずれかに該当する場合において、その左欄に該当する譲渡資産があるときは、当該譲渡資産の譲渡所得については、交換取得資産のうち当該交換に伴って支出した交換差金に対応する部分を買換資産として、**1**の規定の適用がある。（措通37－17）

（固定資産である土地に区画形質の変更等を加えて譲渡した場合の事業用の判定）

(22)　その者の事業（**1**の〔　〕内に規定する事業に準ずるものを含む。）の用に供されている土地に区画形質の変更を加え若しくは水道その他の施設を設け又は建物を建設して、その区画形質の変更等を加えた後速やかに譲渡した場合において、当該土地が第四章第八節**一 1** (10)《固定資産である土地に区画形質の変更等を加えて譲渡した場合の所得》の(注)により、固定資産に該当するものであるときは、当該土地は、**1**に規定する事業の用に供している資産に該当するものとして**1**の規定を適用することができるものとする。

当該土地の譲渡による所得のうちに所得税基本通達33－５《極めて長期間保有していた土地に区画形質の変更等を加えて譲渡した場合の所得》により譲渡所得とする部分がある場合における当該譲渡所得に係る収入金額に相当する部分の土地についても、また同様とする。（措通37－18）

（譲渡資産又は買換資産が２以上ある場合の買換え）

(23)　その年中に**1**表内左欄に掲げる譲渡資産を２以上譲渡した場合又は同表の右欄に掲げる買換資産を２以上取得し

た場合には、当該譲渡資産又は買換資産のうち納税者が**8**《申告要件等》の規定により**1**（**2**《先行取得》又は**3**《翌年以後の取得》において準用する場合を含む。）の規定の適用を受ける旨の申告をした譲渡資産又は買換資産について**1**の規定を適用する。（措通37－19）

（注）　**1**の規定の対象となる一の譲渡資産又は買換資産の一部分のみを譲渡資産又は買換資産として**1**の規定を適用することはできないことに留意する。

（譲渡がなかったものとされる部分の金額等の計算）

(24)　その年中に譲渡した資産の譲渡につき**1**の表の２以上の規定の適用を受ける場合には、**1**の規定により「譲渡がなかったもの」とされる部分の金額又は「譲渡があったもの」とされる部分の金額の計算は、同表の①から⑤までごとに行うのであるから留意する。ただし、次に掲げる場合には、それぞれ次に定める方法により行うこととする。（措通37－19の２）

⑴　譲渡資産が**1**の表の①の左欄に掲げる資産のうち対象区域内にあるもの及びそれ以外の区域内にあるものについて、**1**の規定の適用を受ける場合　　納税者が計算したところに基づき、②の右欄に掲げる買換資産を、対象区域内にある譲渡資産に対応する部分又はそれ以外の区域内にある譲渡資産に対応する部分に区分をして、これらの部分ごとに計算する方法

⑵　**6**の規定により**1**の規定の適用を受けるときにおいて、東京都の特別区、集中地域（東京都の特別区を除く。）又は集中地域以外の地域のうち２以上の地域内に買換資産を取得した場合　　納税者が計算したところに基づき、**1**の表の③の左欄に掲げる譲渡資産を、**6**の規定により**1**の規定の適用を受けた買換資産で次に掲げる買換資産に対応する部分又はこれらの買換資産以外の買換資産に対応する部分に区分をして、これらの部分ごとに計算する方法

イ　集中地域以外の地域内にある買換資産

ロ　集中地域（東京都の特別区を除く。）内にある買換資産

ハ　東京都の特別区内にある買換資産であって、集中地域以外の地域内にある**1**の譲渡をした資産及び東京都の特別区内にある買換資産のいずれもが**6**に規定する主たる事務所資産に該当する場合における当該買換資産

ニ　東京都の特別区内にある買換資産であって、上記ハの買換資産以外の買換資産

（注）１　その年中に譲渡した資産又は取得した資産が**1**の表の２以上の左欄に掲げる譲渡資産又は２以上の右欄に掲げる買換資産に該当する場合において、当該譲渡資産又は買換資産につき当該２以上の規定の適用を受けるときは、**1**の規定により「譲渡がなかったもの」とされる部分の金額又は「譲渡があったもの」とされる部分の金額の計算は、納税者が**7**①又は同②の規定により、当該譲渡資産又は買換資産の全部又は一部について当該２以上の号のいずれかの号の左欄に掲げる譲渡資産又は右欄に掲げる買換資産に該当するものとして選択したところに基づきそれぞれの号ごとに行うのであるから留意する。

２　同一年中に**1**表内①から同⑤までの一の規定の適用を受ける譲渡資産又は買換資産が２以上あるときは、当該譲渡資産の譲渡による収入金額の合計額又は当該買換資産の取得価額の合計額を基としてこれらの部分の金額を計算する。上記⑴の区域ごとに区分をして計算する場合又は上記⑵の買換資産ごとに区分をして計算する場合において、その区分ごとに譲渡資産又は買換資産が２以上あるときも同様である。

（2,000万円控除等の特例と特定の事業用資産の買換えの特例）

(25)　その年中に**1**表内①から同⑤までの左欄に掲げる資産を２以上譲渡した場合において、当該譲渡した資産のうちに**八**《特定土地区画整理事業等のために土地等を譲渡した場合の所得の特別控除》の規定の適用を受けることができる土地等（以下(25)において「特別控除対象土地等」という。）があり、特別控除対象土地等の全部又は一部について**八**の規定の適用を受けるときは、特別控除対象土地等以外の資産についてのみ**1**の規定の適用を受けることができることに留意する。

当該譲渡した資産のうちに**九**《特定住宅地造成事業等のために土地等を譲渡した場合の所得の特別控除》、**十**《農地保有の合理化等のために農地等を譲渡した場合の所得の特別控除》、**十二**《特定期間に取得をした土地等を譲渡した場合の長期譲渡所得の特別控除》又は**十三**《低未利用土地等を譲渡した場合の長期譲渡所得の特別控除》の規定の適用を受けることができる土地等があり、当該土地等の全部又は一部についてこれらの規定の適用を受ける場合も、また同様である。（措通37－20）

（土地区画整理事業等の施行地区内の土地等の事業用の判定）

(26)　土地区画整理法による土地区画整理事業、新都市基盤整備法による土地整理、大都市地域住宅等供給促進法による住宅街区整備事業又は土地改良法による土地改良事業の施行地区内にある従前の宅地又は従前の土地（当該宅地又は土地の上に存する権利を含むものとし、以下(26)及び(27)において「従前の宅地等」という。）を譲渡した場合（換地処分により譲渡した場合を除く。）において、次のいずれかに該当するときは、当該従前の宅地等は、**十八**又は**十八**

4に規定する事業の用に供している資産に該当するものとして、これらの規定を適用することができることに取り扱う。（措通37－21の２）

(一)　従前の宅地等の所有者が、仮換地又は一時利用地（以下(28)及び(29)において「**仮換地等**」という。）を当該事業の用に供している場合

(二)　(一)に掲げる場合のほか、当該事業の用に供していた従前の宅地等を、当該事業の用に供さなくなった日から１年以内に仮換地の指定があった場合（仮換地の指定後において当該事業の用に供さなくなった場合を含む。）において、当該事業の用に供さなくなった日から当該仮換地の指定の効力発生の日（当該効力発生の日と別に当該仮換地について使用又は収益を開始することができる日が定められている場合には、その日）以後１年以内又は一時利用地の指定の通知に係る使用開始の日以後１年以内に当該従前の宅地等を譲渡したとき（仮換地等を当該事業の用以外の用に供する建物又は堅固な構築物の敷地の用に供している場合を除く。）

（仮換地等の指定後において取得した土地等の事業用の判定等）

(27)　土地区画整理法（新都市基盤整備法及び大都市地域住宅等供給促進法において準用する場合を含む。）又は土地改良法による仮換地等の指定があった後において取得した従前の宅地等が、**十八**に規定する買換資産に該当するかどうかの判定については、次により取り扱う。（措通37－21の３）

(一)　当該従前の宅地等を**1**に規定する事業の用に供したかどうかは、当該従前の宅地等に係る仮換地等を当該事業の用に供したかどうかによる。

(二)　**5**に規定する買換資産の面積が譲渡資産である土地等の面積に**5**に規定する倍率を乗じた面積を超えるかどうかは、買換資産である従前の宅地等に係る仮換地等の面積による。

この場合、譲渡資産である従前の宅地等につき(26)の取扱いの適用を受けるときは、当該譲渡資産についても、また同様とする。

（権利変換により取得した施設建築物等の一部を取得する権利等の譲渡）

(28)　次に掲げる事業の施行地区内に、**1**に規定する事業の用に供している資産を有している者が、それぞれに掲げるところにより**五３**の規定による旧資産、防災旧資産又は変換前資産の譲渡があったものとみなされるときは、当該旧資産、防災旧資産又は変換前資産は当該事業の用に供している資産に該当するものとして、**1**（**2**及び**3**において準用する場合を含む。）の規定を適用することができるものとする。（措通37－21の４）

(一)　都市再開発法による市街地再開発事業に係る権利変換又は収用若しくは買取りに伴い取得した施設建築物の一部を取得する権利（当該権利とともに取得した施設建築敷地若しくはその共有持分又は地上権の共有持分を含む。）又は建築施設の部分の給付を受ける権利を譲渡した場合又は建築施設の部分につき同法第118条の５第１項《譲受け希望の申出等の撤回》に規定する譲受け希望の申出を撤回した場合（同法第118条の12第１項《仮登記等に係る権利の消滅について同意が得られない場合における譲受け希望の申出の撤回》又は第118条の19第１項《譲受け希望の申出を撤回したものとみなす場合》の規定により、譲受けの申出を撤回したものとみなされる場合を含む。）において、**五３**の規定による旧資産の譲渡があったものとみなされる場合

(二)　密集市街地における防災街区の整備の促進に関する法律による防災街区整備事業に係る権利変換に伴い取得した防災施設建築物の一部を取得する権利（当該権利とともに取得した防災施設建築敷地若しくはその共有持分又は地上権の共有持分を含む。）を譲渡した場合において、**五５**の規定による防災旧資産の譲渡があったものとみなされる場合

(三)　マンションの建替え等の円滑化に関する法律によるマンション建替事業に係る権利変換に伴い取得した施行再建マンションに関する権利を取得する権利（当該権利とともに取得した施行再建マンションに係る敷地利用権を含む。）を譲渡した場合において、**五７**の規定による変換前資産の譲渡があったものとみなされる場合

なお、この場合において、当該旧資産、防災旧資産又は変換前資産の所有期間は、当該旧資産、防災旧資産又は変換前資産の譲渡があったものとみなされる日の属する年の１月１日における所有期間となるのであるから留意する。

（生計を一にする親族の事業の用に供している資産）

(29)　措通33－43の取扱いは、**1**の規定を適用する場合について準用する。（措通37－22）

〔参考〕措通33－43（生計を一にする親族の事業の用に供している資産）　**三７**③《代替資産》の規定は、資産の所有者が同項に規定する事業の用に供していたものを譲渡し、かつ、その者が同項に規定する代替資産とすることができる資産を取得（制作及び建設を含む。）する場合に適用があるのであるが、譲渡資産がその所有者と生計

を一にする親族の同項に規定する事業の用に供されていた場合には、当該譲渡資産はその所有者にとっても事業の用に供されていたものに該当するものとして同項の規定を適用することができる。

同項に規定する代替資産とすることができる資産について同様の事情がある場合も、また同様とする。

（短期保有資産と長期保有資産とがある場合等の買換差金の区分）

(30)　**1**の規定を適用する場合において、譲渡した資産のうちに分離短期譲渡所得の基因となる資産、分離長期譲渡所得の基因となる資産、総合短期譲渡所得の基因となる資産又は総合長期譲渡所得の基因となる資産のいずれか２以上があり、かつ、買換えに伴い生じた買換差金（譲渡資産の収入金額が買換資産の取得価額を超える場合のその超過額をいう。）があるときは、当該買換差金の額を譲渡したそれぞれの資産の譲渡の時の価額（契約等によりそれぞれの資産の譲渡による収入金額が明らかであり、かつ、その額が適正であると認められる場合には、そのそれぞれの収入金額）の比によりあん分して計算した金額をそれぞれの資産に係る買換差金とする。（措通37－25）

2　買換えのための先行取得資産の特例

1及び**5**の規定は、昭和45年１月１日から令和８年12月31日（**1**表内③の左欄に掲げる資産にあっては、同年３月31日）までの間に同①から同④までの左欄に掲げる資産で事業の用に供しているものの譲渡をした個人が、当該譲渡をした日の属する年の前年中（工場、事務所その他の建物、構築物又は機械及び装置〔以下「工場等」という。〕の建設に要する期間が通常１年を超えること又は工場等の敷地の用に供するための宅地の造成並びに当該工場等の建設及び移転に要する期間が通常１年を超えると認められる事情その他これに準ずる事情がある場合は、当該譲渡の日の属する年の前年以前２年の期間内）に当該①から④までの右欄に掲げる資産の取得をし、かつ、当該取得の日から１年以内に、当該取得をした資産（(１)で定めるところにより納税地の所轄税務署長に**2**の規定の適用を受ける旨の届出をしたものに限る。）を当該①から④までの右欄に規定する地域内にある当該個人の事業の用に供した場合（当該取得の日から１年以内に当該事業の用に供しなくなった場合を除く。）について準用する。この場合において、**1**の規定中「(１)で定めるところにより納税地の所轄税務署長に**2**の規定の適用を受ける旨の届出をした場合における当該譲渡につき」とあるのは、「**2**(２)で定めるところにより」と読み替えるものとする。（措法37③、措令25⑮）

（先行取得資産の届出手続）

(１)　**2**の届出は、**1**表内①から同④までの右欄に掲げる資産の取得をした日の属する年の翌年３月15日までに、当該資産につき**2**の規定の適用を受ける旨及び次の(一)から(五)までに掲げる事項を記載した届出書により行わなければならない。（措令25⑯）

(一)	届出者の氏名及び住所
(二)	当該取得をした資産の種類、構造又は用途、規模（土地等にあっては、その面積）、所在地、取得年月日及び取得価額（船舶にあっては、種類、構造又は用途、規模、取得年月日及び取得価額）
(三)	譲渡をする見込みである資産の種類、所在地及び譲渡予定年月日（船舶にあっては、種類及び譲渡予定年月日）
(四)	当該取得をした資産のその適用に係る**1**の表の①から④の区分
(五)	その他参考となるべき事項

（先行取得資産が減価償却資産である場合の減価償却差額の調整）

(２)　**2**において準用する**1**の規定を適用する場合において、買換資産が減価償却資産であり、かつ、当該資産につき譲渡資産の譲渡の日前に既に必要経費に算入された償却費の額があるときは、当該譲渡資産の収入金額のうち、当該償却費の額と当該償却費の額の計算の基礎となった期間につき**10**①《買換資産の取得価額の計算》の規定を適用した場合に計算される償却費の額との差額に相当する金額については、当該譲渡資産の譲渡があったものとし、当該譲渡があったものとされる金額は、不動産所得、事業所得、山林所得又は雑所得に係る収入金額とする。（措令25⑰）

（買換資産の実際取得価額を基礎として計算した過年分の減価償却費の額）－（**10**①により圧縮された買換資産の取得価額を基礎として計算される過年分の減価償却費の額）＝事業所得等の収入金額に算入される金額

（譲渡の日の属する年の前年において取得した資産の買換えの適用）

(３)　**2**の規定により譲渡資産の譲渡の日の属する年の前年以前に取得した資産（取得の日の属する年の翌年３月15日までに納税地の所轄税務署長に**2**の規定の適用を受ける旨の届出をしたものに限る。）を当該譲渡資産に係る買換資産とすることができる場合において、当該買換資産の取得価額が当該譲渡による収入金額を超えるときは、その超える金額に相当する部分の資産については、その資産につき当該譲渡の日の属する年の翌年３月15日までに納税地の所轄税務署長に**2**の規定の適用を受ける旨の届出をしたものに限り、当該譲渡の日の属する年の翌年以後における**2**の規定による買換資産とすることができるものとする。（措通37－26）

（長期先行取得が認められるやむを得ない事情）

（4）　買換資産の取得につき**2**の規定を適用する場合における**2**に定める「その他これに準ずる事情がある場合」には、譲渡資産について次に掲げるような事情があるためやむを得ずその譲渡が遅延した場合が含まれるものとする。（措通37－26の２）

（一）　借地人又は借家人が容易に立退きに応じないため譲渡ができなかったこと。

（二）　譲渡するために必要な広告その他の行為をしたにもかかわらず容易に買手がつかなかったこと。

（三）　(一)又は(二)に準ずる特別な事情があったこと。

（特別償却等を実施した先行取得資産の取扱い）

（5）　譲渡資産の譲渡をした日の属する年の前年以前に取得した資産につき**10**③《買換資産についての特別償却の不適用》に掲げる規定の適用を受けている場合には、当該資産が**2**の規定に該当するものであっても、**2**の規定の適用はないものとする。（措通37－26の３、編者補正）

3　譲渡のあった年の翌年以後において買換資産を取得する場合の特例

1及び**5**の規定は、昭和45年１月１日から令和８年12月31日（**1**表内③の左欄に掲げる資産にあっては、同年３月31日）までの間に**1**表内①から同④までの左欄に掲げる資産で事業の用に供しているものの譲渡をした個人が、当該譲渡をした日の属する年の翌年の１月１日から同年の12月31日までの期間（工場、事務所その他の建物、構築物又は機械及び装置〔以下「工場等」という。〕の建設に要する期間が通常１年を超えること又は工場等の敷地の用に供するための宅地の造成並びに当該工場等の建設及び移転に要する期間が１年を超えると認められる事情その他これに準ずる事情があるため、同日までに当該①から④の右欄に掲げる資産の取得をすることが困難である場合において、（3）により税務署長の承認を受けたときは、当該資産の取得をすることができるものとして、同日後２年以内において当該税務署長が認定した日までの期間。**9**の②のロにおいて「取得指定期間」という。）内に当該①から④の右欄に掲げる資産の取得をする見込みであり、かつ、当該取得の日から１年以内に当該取得をした資産を当該①から④の右欄に規定する地域内にある当該個人の事業の用に供する見込みであるときについて準用する。この場合において、**1**の規定中「ときは、（3）で定めるところにより納税地の所轄税務署長にこの項の規定の適用を受ける旨の届出をした場合における当該譲渡につき」とあるのは「ときは」と、」に、「あるのは、」が「あるのは「取得価額」とあるのは、「取得価額の見積額」と読み替えるものとする。（措法37④）

（買換資産の取得期間の認定）

（1）　**3**のかっこ書の買換資産の取得期間の延長の認定は、工場等を構成する買換資産の取得の事情に基づいて個々に行うのであるから、例えば、工場の建設に３年を要する場合であっても、その敷地については、造成等の特別の事情がない限り取得期間の延長は認められないことに留意する。（措通37－27）

（取得期間の認定を行う場合のやむを得ない事情）

（2）　**3**のかっこ書の買換資産の取得期間の認定を行う場合における**2**に定める「その他これに準ずる事情」があるためやむを得ずその取得が遅延する場合には、買換資産について次に掲げるような事情があるためやむを得ずその取得が遅延する場合が含まれるものとする。（措通37－27の２）

（一）　法令の規制等によりその取得に関する計画の変更を余儀なくされたこと。

（二）　売主その他の関係者との交渉が長引き容易にその取得ができないこと。

（三）　(一)又は(二)に準ずる特別な事情があること。

（取得期間の承認の申請）

（3）　**3**のかっこ書により取得期間の延長につき税務署長の承認を受けようとする者は、次の(一)から(四)までに掲げる事項を記載した申請書を納税地の所轄税務署長に提出しなければならない。（措令25⑱）

(一)	申請者の氏名及び住所

(二)	**3**のかっこ書に規定する事情の詳細
(三)	資産の取得予定年月日及び税務署長の認可を受けようとする日
(四)	その他参考となるべき事項

(取得予定の場合の申告書への添付要件)

(4)　**1**表内①から同④までの左欄に掲げる資産で事業（**1**に規定する事業をいう。以下(4)において同じ。）の用に供しているものの譲渡（**1**に規定する譲渡をいう。以下において同じ。）をした個人が、**3**に規定する取得指定期間内に同①から同④までの右欄に掲げる資産の取得（**1**に規定する取得をいう。以下(4)において同じ。）をする見込みであり、かつ、当該取得の日から１年以内に当該取得をした資産を同①から同④までの右欄に規定する地域内にある当該個人の事業の用（**1**表内④の右欄に掲げる船舶については、その個人の事業の用）に供する見込みである場合において、**3**において準用する**1**の規定の適用を受けるときは、取得をする予定の**1**表内①から同④までの右欄に掲げる資産（以下(4)において「取得予定資産」という。）についての取得予定年月日、当該取得予定資産の取得価格の見積額及び当該取得予定資産が同①から同④までの右欄に掲げる資産ののいずれに該当するかの別（**6**の規定により**3**において準用する**1**の規定の適用を受ける場合には、当該取得予定資産の**6**(一)から同(三)に掲げる地域の区分の別を含む。）その他の明細を記載した書類を、**8**《申告要件》①の確定申告書に添付しなければならない。(措規18の５②)

(非常災害に基因するやむを得ない事情により取得指定期間内における取得をすることが困難となった場合の取得指定期間の特例)

(5)　個人が、特定非常災害の被害者の権利利益の保全等を図るための特別措置に関する法律第２条第１項の規定により特定非常災害として指定された非常災害に基因するやむを得ない事情により、**1**表内①から同⑤までの「買換資産」欄に掲げる資産の**3**に規定する取得指定期間内における取得をすることが困難となった場合において、当該取得指定期間の初日から当該取得指定期間の末日後２年以内の日で(6)で定める日までの間に当該①から⑤までの「買換資産」欄に掲げる資産の取得をする見込みであり、かつ、(7)で定めるところにより納税地の所轄税務署長の承認を受けたときは、**3**及び**9**①の規定の適用については、**3**に規定する取得指定期間は、当該初日から当該(6)で定める日までの期間とする。(措法37⑧)

((5)に規定する(6)で定める日)

(6)　(5)に規定する(6)で定める日は、**3**に規定する取得指定期間の末日の翌日から起算して２年以内の日で(5)に規定する資産の取得をすることができるものとして(5)の所轄税務署長が認定した日とする。(措令25㉑)

((5)に規定する所轄税務署長の承認手続)

(7)　(5)に規定する所轄税務署長の承認を受けようとする個人は、(5)に規定する取得指定期間の末日の属する年の翌年３月15日（同日が**9**②に規定する提出期限後である場合には、当該提出期限）までに、次の(一)から(四)までに掲げる事項を記載した申請書に、(5)の特定非常災害として指定された非常災害に基因するやむを得ない事情により**1**表内①から同④までの右欄に掲げる資産の取得をすることが困難であると認められる事情を証する書類を添付して、納税地の所轄税務署長に提出しなければならない。ただし、税務署長においてやむを得ない事情があると認める場合には、当該書類を添付することを要しない。(措規18の５⑥)

(一)	申請者の氏名及び住所
(二)	(5)の特定非常災害として指定された非常災害に基因するやむを得ない事情の詳細
(三)	取得をする予定の**1**表内①から同④までの右欄に掲げる資産の取得予定年月日及び(6)の認定を受けようとする年月日
(四)	その他参考となるべき事項

(税務署長が認定した日)

(8)　(7)に規定する個人が(7)の税務署長の承認を受けた場合には、(6)に規定する税務署長が認定した日は当該承認において税務署長が認定した日とする。(措規18の５⑦)

（特定非常災害に基因するやむを得ない事情により取得指定期間を延長するための手続等）

（9）　（5）に規定する所轄税務署長の承認を受けようとする場合には、（7）に規定する申請書を（5）に規定する非常災害が生じた日の翌日から**3**に規定する取得指定期間（以下（9）において「取得指定期間」という。）の末日の属する年の翌年３月15日（同日が**9**②に規定する提出期限後である場合は、当該提出期限）までの間に当該所轄税務署長に提出しなければならないことに留意する。

なお、（5）の規定の適用を受けた場合には、その後に**2**に規定するやむを得ない事情による取得指定期間の延長を行うことはできないことに留意する。（措通37－30）

4　特定の事業用資産を交換した場合の譲渡所得の課税の特例

個人が、昭和45年１月１日から令和８年12月31日（**1**表内③の左欄に掲げる資産にあっては、同年３月31日）までの間に、その有する資産で同①から同④までの左欄に掲げるもののうち事業の用に供しているもの（以下「**交換譲渡資産**」という。）と同①から同④までの右欄に掲げる資産（以下「**交換取得資産**」という。）との交換（**四**《交換処分等の特例》**1**表内②に規定する交換、**二十三**《固定資産の交換の場合の譲渡所得の特例》の規定の適用を受ける交換を除く。以下同じ。）をした場合（当該交換に伴い**交換差金**〔交換により取得した資産の価額と交換により譲渡した資産の価額との差額を補うための金銭をいう。以下**4**、**十九**《既成市街地等内にある土地等の中高層耐火建築物等建設のための買換え又は交換の特例》**1**及び**二十一1**《特定普通財産とその隣接する土地等の交換の場合の譲渡所得の課税の特例》において同じ。〕を取得し、又は支払った場合を含む。）又は交換譲渡資産と交換取得資産以外の資産との交換をし、かつ、交換差金を取得した場合（下表①において「**他資産との交換の場合**」という。）における**十八**（**4**を除く。）の規定の適用については、次の①及び②に定めるところによる。（措法37の４、措令25の３①②）

①	**交換譲渡資産**	当該交換譲渡資産（他資産との交換の場合にあっては、交換譲渡資産のうち、交換差金の額が当該交換差金の額と交換により取得した資産の価額との合計額のうちに占める割合を、当該交換譲渡資産の価額に乗じて計算した金額に相当する部分に限る。）は、当該個人が、その交換の日において、同日における当該資産の価額に相当する金額をもって**1**の譲渡をしたものとみなす。
②	**交換取得資産**	当該交換取得資産は、当該個人が、その交換の日において、同日における当該資産の価額に相当する金額をもって**1**の取得をし、**1**の届出をしたものとみなす。

（注）　①の交換差金を当該譲渡資産に対応する買換資産の取得に充てた場合には、交換差金部分について**1**の規定を適用できることとなる。（編者注）

（交換の意義）

（1）　上記の交換については、相手方における交換のための取得の事実の有無及び交換差金の額等についての要件は付されていないことに留意する。（編者注）

（固定資産の交換の特例との選択適用）

（2）　資産の交換について**二十三**《固定資産の交換の場合の譲渡所得の特例》の規定の適用を受けた場合には、当該交換に伴って取得した交換差金については、**4**のかっこ書の規定により、**1**の規定の適用を受けることはできないことに留意する。（措通37の４－１）

（交換の場合の買換資産）

（3）　**1**の表の①から⑤までの左欄に掲げる資産と当該①から⑤までの右欄に掲げる資産を交換し、当該交換について**4**の規定を適用する場合には、**4**の交換取得資産をもって交換譲渡資産の買換資産とする。したがって、当該交換譲渡については、当該交換に伴い交換譲渡資産の価額と交換取得資産の価額との差額を補うために金銭を取得した場合における当該金銭の額に係る部分を除き、**3**の規定の適用はないことに留意する。（措通37の４－２）

5　買換資産として土地等を取得する場合の面積制限

1の規定を適用する場合において、その年中の買換資産のうちに土地等があり、かつ、当該土地等をそれぞれ**1**表内①から同⑤までの右欄ごとに区分をし、当該区分ごとに計算した当該土地等に係る面積が、当該年中において譲渡をした同①から同⑤までの左欄に掲げる土地等に係る面積に譲渡資産である土地等に係る面積に５を乗じて計算した面積を超えるときは、**1**の規定にかかわらず、当該買換資産である土地等のうちその超える部分の面積に対応するものは、**1**の買換資産に該当しないものとする。（措法37②、措令25⑭）

（買換資産が２以上ある場合の面積制限の適用）

（１）　**1**の表のいずれかの右欄に該当する土地等を２以上取得して買換資産とする場合において、これらの買換資産として取得した土地等の合計面積が譲渡資産である土地等に係る面積に**5**に規定する倍率を乗じて計算した面積に相当する面積を超える場合には、買換資産となる土地等の面積は、買換資産として取得したそれぞれの土地等の面積に次の割合を乗じて計算した面積を限度とすることに留意する。

また、**1**の表のいずれかの右欄に該当する土地等を、譲渡の日の属する年の前年以前又は譲渡の日の属する年の翌年以後に取得して買換資産とする場合における面積制限についても、また同様である。（措通37－10）

（割合）

$$\frac{\text{譲渡資産である土地等に係る面積に5に規定する倍率を乗じて計算した面積に相当する面積}}{\text{買換資産として取得した土地等の合計面積}}$$

(注)１　「１の表のいずれかの号の右欄に該当する土地等を２以上取得して買換資産とする場合」は、次に掲げる場合には、それぞれ次に定めるときをいう。

⑴　１の表の①の右欄に該当する土地等について、譲渡資産が同②の左欄のハに掲げる区域内（以下「対象区域内」という。）にあるものに該当し、１の規定の適用を受ける場合　　譲渡資産が左欄に掲げる資産のうち対象区域内にあるものに該当するときにおける同②の右欄に掲げる買換資産又は当該買換資産以外の買換資産ごとに区分をした場合において、当該区分ごとに当該土地等を２以上取得して買換資産とするとき

⑵　１の表の③の右欄に該当する土地等について、**6**の規定により**1**の規定の適用を受ける場合　　次に掲げる買換資産又はこれらの買換資産以外の買換資産ごとに区分をした場合において、当該区分ごとに当該土地等を２以上取得して買換資産とするとき

イ　集中地域（**6**(一)に規定する地域をいう。以下において同じ。）以外の地域内にある買換資産

ロ　集中地域（東京都の特別区を除く。）内にある買換資産

ハ　東京都の特別区内にある買換資産であって、集中地域以外の地域内にある**1**の譲渡をした資産及び東京都の特別区内にある買換資産のいずれもが**6**に規定する主たる事務所資産に該当する場合における当該買換資産

ニ　東京都の特別区内にある買換資産であって、上記ハの買換資産以外の買換資産

２　上記(注)１の⑵イの「集中地域」とは、地域再生法第５条第４項第５号イに規定する集中地域をいい、具体的には、平成30年４月１日における次に掲げる区域をいう。以下同じ。

⑴　東京都の特別区の存する区域及び武蔵野市の区域並びに三鷹市、横浜市、川崎市及び川口市の区域のうち首都圏整備法施行令別表に掲げる区域を除く区域

⑵　首都圏整備法第24条第１項の規定により指定された区域

⑶　大阪市の区域及び近畿圏整備法施行令別表に掲げる区域

⑷　首都圏、近畿圏及び中部圏の近郊整備地帯等の整備のための国の財政上の特別措置に関する法律施行令別表に掲げる区域

（譲渡対価を区分した場合の面積制限の適用）

（２）　**1**の表の２以上の左欄に該当する土地等を譲渡した場合において、その土地等の譲渡対価により２以上の右欄に該当する資産を取得して同表の２以上の規定の適用を受けるときは、その買換資産となる土地等の面積は、納税者が**7**①又は同②の規定により、当該譲渡資産又は買換資産の全部又は一部について当該２以上の号のいずれかの号の譲渡資産又は買換資産に該当するものとして選択したところに基づき、当該譲渡した土地等の面積にいずれかの号の譲渡資産の譲渡収入金額が当該土地等の譲渡収入金額の合計に占める割合を乗じ、さらに**5**に規定する倍率を乗じて計算した面積に相当する面積を限度とすることに留意する。

また、**1**表内③の左欄に該当する土地等を譲渡した場合で、当該土地等の譲渡対価により、東京都の特別区、集中地域（東京都の特別区を除く。）又は集中地域以外の地域のうち２以上の地域内に同④の右欄に該当する土地等を取得して、**6**の規定により**1**の規定の適用を受けるときにおける買換資産となる土地等の面積の計算についても、同様に計算することに留意する。（措通37－11）

（土地造成費についての面積制限）

（３）　その有する土地について造成を行った場合において、**1**(23)により当該造成を買換資産の取得として**1**の規定の適用を受けようとするときは、当該土地が譲渡資産の譲渡の日前おおむね10年以内に取得されたものであるときを除き、これにつき**5**の規定の適用はないものとする。（措通37－11の３）

（共有地に係る面積制限）

（４）　土地に係る共有持分（借地権に係る準共有持分を含む。）を譲渡し、又は取得した場合における**1**の規定の適用については、当該土地の面積にその譲渡又は取得をした共有持分の割合を乗じて計算した面積を基礎として**5**の規定を適用する。（措通37－11の４）

（仮換地に係る面積制限）

（５）　土地区画整理法（新都市基盤整備法及び大都市地域住宅等供給促進法において準用する場合を含む。）又は土地改良法による仮換地の指定を受けた土地を譲渡し、又は取得した場合における**1**の規定の適用については、当該仮換地の面積を基礎として**5**の規定を適用する。（措通37－11の５）

（借地権又は底地に係る面積制限）

（６）　借地権等（借地権その他の土地の上に存する権利をいう。以下（６）において同じ。）又は借地権等の設定されている土地（底地）を譲渡し、又は取得した場合における**1**の規定の適用については、当該借地権等の目的となっている土地又は当該借地権等の設定されている土地の面積を基礎として**5**の規定を適用する。（措通37－11の６）

（取得をされた資産の範囲）

（７）　**1**表内③の左欄に規定する譲渡資産には、**二十三1**の規定の適用を受けて取得した同**1**に規定する取得資産、**二十五3**①イ又は同ロに規定する贈与、相続、遺贈又は譲渡により取得した同①に規定する資産、**三1**、**四1**若しくは同**2**又は**五**の規定の適用を受けて取得した**六2**に規定する代替資産等及び**二十1**の規定の適用を受けて取得した**二十3**に規定する交換取得資産（以下（７）において「交換取得資産等」という。）のうち、その譲渡の日の属する年の１月１日において所有期間（**一1**②に規定する所有期間をいう。以下において同じ。）が10年を超える資産が含まれるのであるが、当該交換取得資産等について、更に、これらの規定の適用を受けて取得をされた場合の当該交換取得資産等も含まれるものとする。（措通37－11の10）

（交換差金を支払って取得した交換取得資産等と特例の適用）

（８）　**二十三1**の規定の適用を受けて取得した同**1**に規定する取得資産、**三1**、**四1**若しくは同**2**又は**五**の規定の適用を受けて取得した**六2**に規定する代替資産等又は**二十1**の規定の適用を受けて取得した**二十3**に規定する交換取得資産の取得に要した金額が、それぞれこれらの規定の適用を受け譲渡した資産の譲渡価額を超える場合（**二十1**(三)に掲げる場合を含む。）であっても、当該取得された資産の全てが**1**の表の③の右欄に規定する譲渡資産に該当することに留意する。（措通37－11の11）

（所有期間が10年を超える土地等についての買換えの適用）

（９）　**1**表内③の左欄に規定する譲渡資産は、同欄に掲げる個人により取得をされた資産のうち、その譲渡の日の属する年の１月１日において所有期間が10年を超えるものに限ることとされているため、当該個人が所有期間が10年を超える土地等とともに当該土地等の上に有する所有期間が10年以下の建物又は構築物を譲渡した場合には、当該土地等のみが同欄に規定する譲渡資産に該当し、当該建物又は構築物は当該譲渡資産には該当しないことに留意する。（措通37－11の13）

（長期所有の土地等の買換えに係る面積の判定）

(10)　その者が取得した土地等で**1**表内③の右欄に規定する「特定施設」の敷地の用に供されるものの面積が同欄に規定する300㎡以上であるかどうかの判定を行う場合には、次の点に留意する。（措通37－11の14）

(一)　その土地等が、共有物である場合には、土地等の全体の面積にその者の共有持分の割合を乗じて計算した面積（当該土地等が独立部分を区分所有する特定施設の敷地の用に供するものである場合には、当該土地等の総面積に当該特定施設に係る建物の独立部分の総床面積のうちにその者の区分所有する独立部分の床面積の占める割合を乗じて計算した面積）を、その者が取得した土地等の面積とする。

(二)　その土地等が、特定施設として使用されている部分とその他の部分からなる施設の敷地の用に供されるものである場合には、特定施設の敷地の用に供される土地等の面積は、次の算式により計算した面積とする。

$$\text{その土地等のうち特定施設の敷地の用に専ら供される部分の面積}+\text{その土地等のうち特定施設の敷地として使用される部分とその他の部分とに併用される部分の面積}\times\frac{\text{当該施設のうち特定施設として専ら使用される部分の床面積(A)}+\text{当該施設のうち特定施設として使用される部分とその他の部分とに併用される部分の床面積}\times\dfrac{\text{A}}{\text{A＋当該施設のうちその他の部分として専ら使用される部分の床面積}}}{\text{当該施設の床面積}}$$

(注)　取得した土地等が特定施設の「敷地」に該当するかどうかは、社会通念に従い、当該土地等が当該施設と一体として利用されるものであるかどうかにより判定する。

6　譲渡資産が１表内③の左欄に掲げる資産であり、買換資産が同表内③の右欄に掲げる資産である場合の１の適用

１の規定（１表内③に係る部分に限る。）を適用する場合において、個人が譲渡をした同③の左欄に掲げる資産が(一)に掲げる地域内にある資産に該当し、かつ、当該個人が取得をした、若しくは取得をする見込みである１表内③の右欄に掲げる資産（以下６において「**第三号買換資産**」という。）が(二)若しくは(三)に掲げる地域内にある資産に該当するとき、又は個人が譲渡をした１表内③の左欄に掲げる資産が(三)に掲げる地域内にある主たる事務所資産（当該個人の主たる事務所として使用される建物及び構築物並びにこれらの敷地の用に供される土地等をいう。以下６において同じ。）に該当し、かつ、当該個人が取得をした、若しくは取得をする見込みである第三号買換資産が(一)に掲げる地域内にある主たる事務所資産に該当するときにおける１の規定の適用については、これらの第三号買換資産が次の(一)から(三)に掲げる地域のうちいずれの地域内にあるかに応じ当該(一)から(三)に定めるところによる。（措法37⑩）

(一)	地域再生法第５条第４項第５号イに規定する集中地域（(二)において「集中地域」という。）以外の地域	１中「100分の80」とあるのは、「100分の90」とする。
(二)	集中地域（(三)に掲げる地域を除く。）	１中「100分の80」とあるのは、「100分の75」とする。
(三)	地域再生法第17条の２第１項第１号に規定する政令で定めるもの	１中「100分の80」とあるのは「100分の70」と、「が１表内①の左欄に掲げる資産（同欄のハに掲げる区域内にあるものに限る。10①（１）において同じ。）に該当し、かつ、当該買換資産が同①の右欄に掲げる資産に該当する場合には、100分の70」とあるのは「及び当該買換資産のいずれもが６に規定する主たる事務所資産に該当する場合には、100分の60」とする。

（主たる事務所資産に該当する資産）

（１）　６に規定する個人の主たる事務所として使用される建物及び構築物並びにこれらの敷地の用に供される土地等とは、事業の本拠として当該個人の行う事業が企画され経理が総括されている場所として使用されている建物及び構築物並びにこれらの敷地の用に供される土地等をいうことに留意する。（措通37－11の15）

（主たる事務所資産であるかどうかの判定）

（２）　個人が、その主たる事務所資産の所在地を現に主たる事務所として使用する建物等（建物及び構築物並びにこれらの敷地の用に供される土地等をいう。以下（２）において同じ。）の所在地から買換資産の所在地へ移転しようとする場合において、当該買換資産の取得が間に合わないために、一時的に主たる事務所としての機能を他の建物等の所在地へ移転させた場合においても、その譲渡する建物等は６の主たる事務所資産に該当するものとする。この場合において、当該他の建物等の譲渡をしたとしても、その譲渡をする他の建物等は６の主たる事務所資産に該当しないことに留意する。（措通37－11の16）

7　譲渡資産又は買換資産についての選択適用

①　譲渡資産についての選択適用

１（２及び３において準用する場合を含む。以下①において同じ。）の譲渡をした資産が１の表の２以上の左欄に掲げる資産に該当する場合における１の規定により譲渡がなかったものとされる部分の金額の計算については、当該譲渡をした資産の全部又は一部は、当該個人の選択により、当該２以上のいずれかの左欄に掲げる資産にのみ該当するものとして１の規定を適用する。（措法37⑪、措令25㉒）

②　買換資産についての選択適用

①の規定は、買換資産が１の表の２以上のいずれかの右欄に掲げる資産に該当する場合について準用する。（措令25㉓）

（買換資産の取得が計画と異なる場合の譲渡資産の再区分）

譲渡した資産が１の表の２以上の左欄に該当する場合において、３の規定により買換資産の取得をする見込みのときは、その見込みに応じて①の規定により譲渡資産を区分して１の規定を適用するのであるが、その見込みと異なる

買換資産を取得したときは、改めて①の規定により譲渡資産を区分して**1**の規定を適用することができることに留意する。（措通37－28）

（注）　譲渡した資産が**1**の表の③の左欄に該当し、**3**の規定により買換資産の取得をする見込みで、**6**の規定により**1**の規定の適用を受ける場合における同表の③の右欄に規定する買換資産の東京都の特別区、集中地域（東京都の特別区を除く。）又は集中地域以外の地域の区分が、その見込みと異なる区分の地域に買換資産を取得したときも同様である。

8　申告要件

①　申告記載及び証明書等の添付

1（**2**及び**3**において準用する場合を含む。）の規定は、**1**の規定の適用を受けようとする者の**1**の譲渡をした日の属する年分の確定申告書に、**1**の規定の適用を受けようとする旨の記載があり、かつ、当該譲渡をした資産の譲渡価額、買換資産の取得価額又はその見積額に関する明細書〔譲渡所得計算明細書〕その他（４）で定める書類の添付がある場合に限り、適用する。（措法37⑥）

（確定申告書への記載がない場合の宥恕規定）

（１）　税務署長は、確定申告書の提出がなかった場合又は上記の記載若しくは添付がない確定申告書の提出があった場合においても、その提出又は記載若しくは添付がなかったことについてやむを得ない事情があると認めるときは、当該記載をした書類並びに上記明細書及び（４）で定める書類の提出があった場合に限り、**1**（**2**及び**3**において準用する場合を含む。）の規定を適用することができる。（措法37⑦）

（買換資産の証明書の提出）

（２）　①に規定する確定申告書を提出する者は、買換資産に関する登記事項証明書その他これらの資産の取得をした旨を証する書類を、次の㈠又は㈡に掲げる場合の区分に応じ当該㈠又は㈡に定める日（（１）の規定に該当してその日後において確定申告書を提出する場合には、その提出の日）までに納税地の所轄税務署長に提出しなければならない。（措法37⑨、33⑦、措令25⑳、措規18の５⑧）

㈠　**1**（**2**において準用する場合を含む。）の規定の適用を受ける場合　　当該確定申告書の提出の日

㈡　**3**において準用する**1**の規定の適用を受ける場合　　買換資産の取得をした日から４月を経過する日

（買換えの証明書の添付）

（３）　租税特別措置法第37条の規定の適用を受けようとする場合において、①に定める書類の添付は、（４）の《買換え証明書》に掲げる資産（租税特別措置法施行規則第18条の５第４項第５号に掲げる資産にあっては、駐車場の用に供される土地等で**1**表内③の右欄に規定するやむを得ない事情があるものに限る。）について買換えの規定の適用を受けようとするときに限り必要とされるのであるから、これらの資産以外の資産について買換えの規定の適用を受けようとするときにはその添付を要しないことに留意する。（措通37－29）

（編者注）令和５年７月７日現在、令和５年度改正を受けての改正通達が公表されていないため、上記については旧通達をそのまま掲載している。

（買換えの証明書）

（４）　①でいう（４）で定める書類は、租税特別措置法施行規則第18条の５第４項及び第５項に規定する**1**の表の①から④までに応じ、それぞれに掲げる証明者の当該①から④までに該当する旨を証する書類（省略）とする。（措規18の５④⑤）

9　特定の事業用資産の買換えの場合の更正の請求、修正申告等

①　買換資産を取得の日から１年以内に事業の用に供しない場合又は供しなくなった場合の修正申告

1の規定の適用を受けた者は、買換資産の取得をした日から１年以内に、当該買換資産を**1**表内①から同④までの右欄に規定する地域内にある当該個人の事業の用に供しない場合又は供しなくなった場合には、これらの事情に該当することとなった日から４月以内に**1**の譲渡をした日の属する年分の所得税についての修正申告書を提出し、かつ、当該期限内に当該申告書の提出により納付すべき税額を納付しなければならない。（措法37の２①）

（買換資産を事業の用に供しなくなったかどうかの判定）

（1）　買換資産について①に規定する事情が生じた場合においても、それが収用、災害その他その者の責めに帰せられないやむを得ない事情に基づき生じたものであるときは、①の規定を適用しないことができる。（措通37の２－１）

（建物、構築物等の建設等が遅れた場合の買換えの不適用）

（2）　**1**（７）(一)イ(イ)又は同(ロ)に該当していた場合においても、その建物、構築物等が**1**（７）(一)イ(イ)又は同(ロ)に定める期間内に事業の用に供されないときは、当該建物、構築物等の敷地の用に供する土地等は、その取得の日から１年以内に事業の用に供しない場合に該当するものとして①の規定の適用があることに留意する。（措通37の２－２）

②　買換資産の取得価額が承認を受けた見積額と異なる場合等の修正申告又は更正の請求

3において準用する**1**の規定の適用を受けた者は、次のイ又はロのいずれかに該当する場合には、イに該当する場合で過大となったときにあっては、当該買換資産の取得をした日から４月以内に譲渡資産の譲渡をした日の属する年分の所得税についての更正の請求をすることができるものとし、イに該当する場合で不足額を生ずることとなったとき、又はロに該当するときにあっては、当該買換資産の取得をした日又はロに該当する事情が生じた日から４月以内に譲渡資産の譲渡をした日の属する年分の所得税についての修正申告書を提出し、かつ、当該期限内に当該申告書の提出により納付すべき税額を納付しなければならないものとする。（措法37の２②）

イ	**1**表内①から同④までの右欄に掲げる資産の取得をした場合において、その取得価額が**3**において準用する**1**に規定する取得価額の見積額に対して過不足額があるとき、又はその買換資産の地域が**3**の地域と異なることとなったこと、その買換資産（**1**表内③に係るものに限る。以下イにおいて同じ。）の**6**(一)から同(三)に掲げる地域の区分が、**3**の取得をし、事業の用に供する見込みであった資産の**6**(一)から同(三)に掲げる地域の区分と異なることとなったこと若しくはその買換資産が**6**に規定する主たる事務所資産に該当するかどうかの判定が、**3**の取得をし、事業の用に供する見込みであった資産の当該判定と異なることとなったことにより**1**に規定する譲渡があったものとされる部分の金額に過不足額があるとき
ロ	取得期間内に**1**表内①から同④までの右欄に掲げる資産の取得をせず、又は**3**の取得の日から１年以内に、買換資産を**3**の事業の用に供せず、若しくは供しなくなった場合

（注）　**3**のかっこ書に該当する場合はロの規定中、「取得期間内」とあるのは「税務署長が認定した日までの期間内」となることに留意する。（編者注）

（買換資産を取得した場合の修正申告書の提出期限等）

注　**3**の規定の適用を受けた者が、**1**に規定する買換資産を取得した場合において、当該買換資産の取得価額が**3**に規定する取得価額の見積額（以下注において「見積額」という。）に満たないとき、又は次に掲げる事由に該当したことにより**1**に規定する「譲渡があったもの」とされる部分の金額に不足が生じたときは、当該買換資産を取得した日から４か月以内に修正申告書を提出しなければならないのであるが、この場合の当該買換資産を取得した日とは、**1**に規定する買換資産の**3**に規定する取得指定期間を経過する日をいうものとして取り扱うこととする。

また、買換資産の取得価額が見積額を超えるとき、又は次に掲げる事由に該当したことにより**1**に規定する「譲渡があったもの」とされる部分の金額が過大となったときは、当該買換資産を取得した日から４か月以内に更正の請求をすることができるのであるが、買換資産を２以上取得する場合には、当該買換資産を取得した日とは、当該買換資産のうち最も遅く取得したものの取得の日をいうものとする。（措通37の３－１の２）

(一)　当該買換資産の地域が**3**の地域と異なることとなったこと。

(二)　当該買換資産（**1**の表の③に係るものに限る。）の東京都の特別区、集中地域（東京都の特別区を除く。）又は集中地域以外の地域の区分が、**3**の取得をし、事業の用に供する見込みであった資産のこれらの地域の区分と異なることとなったこと。

(三)　当該買換資産が**6**に規定する主たる事務所資産に該当するかどうかの判定が、**3**の取得をし、事業の用に供する見込みであった資産の当該判定と異なることとなったこと。

（注）　取得した買換資産をその取得の日から１年以内に事業の用に供しない場合又は供しなくなった場合には、①又は②の規定により、これらの事情に該当することとなった日から４か月以内に修正申告書を提出するのであるが、この場合における買換資産の取得をした日とは、その買換資産を実際に取得した日をいうのであるから留意する。

③　修正申告がなかった場合の更正

①若しくは②ロに該当する場合又は②イに規定する不足額を生ずることとなった場合において、修正申告書の提出がないときは、納税地の所轄税務署長は、当該申告書に記載すべきであった所得金額、所得税の額その他の事項につき第十二章一**1**《更正》又は同**3**《再更正》の規定による更正を行う。(措法37の２③)

(修正申告書等に対する国税通則法の適用関係)

注　**六1**①(２)の規定は、①又は②の規定による修正申告書及び③の更正について準用する。この場合において、**六1**①(２)(一)及び同(二)中「①に規定する提出期限」とあるのは「**十八9**①又は同②に規定する提出期限」と、同(二)中「**六1**①」とあるのは「**十八9**①又は同②」と読み替えるものとする。(措法37の２④)

10　買換えに係る特定の事業用資産の譲渡の場合の取得価額の計算等

①　買換資産の取得価額の計算

1（**2**及び**3**において準用する場合を含む。以下同じ。）の規定の適用を受けた者（**9**①若しくは同②の規定による修正申告書を提出し、又は**9**③の規定による更正を受けたため、**1**の規定による特例を認められないこととなった者を除く。）の買換資産に係る減価償却費の額を計算するとき、又は当該買換資産の取得の日以後その譲渡（譲渡所得の基因となる不動産等の貸付けを含む。)、相続、遺贈若しくは贈与があった場合において、譲渡所得の金額を計算するときは、当該買換資産の取得価額は、次のイからハまでに掲げる場合の区分に応じ当該イからハまでに定める金額とする。(措法37の３①、措令25の２③④⑤)

イ	**1**の譲渡による収入金額が買換資産の取得価額を超える場合（595ページの図解参照）	当該譲渡をした資産の取得価額等のうち、その超える額及び買換資産の取得価額の100分の20に相当する金額に対応する部分以外の部分として計算した金額と当該100分の20に相当する金額との合計額 $(\text{譲渡資産の取得価額等}+\text{譲渡費用の額})\times\frac{\text{買換資産の取得価額〈A〉}\times 0.8}{\text{譲渡資産の譲渡に係る収入金額}}+\text{〈A〉}\times\frac{20}{100}$ (注)　上記の算式中「譲渡資産の取得価額等」は、同一年中に２以上の譲渡資産の譲渡が行われた場合には、これらの譲渡資産の取得価額等の合計額による。(以下ロ及びハにおいて同じ。)(措令25の２④)
ロ	**1**の譲渡による収入金額が買換資産の取得価額に等しい場合	当該譲渡をした資産の取得価額等のうち当該収入金額の100分の20に相当する金額に対応する部分以外の部分の金額として計算した金額と当該100分の20に相当する金額との合計額に相当する金額 $(\text{譲渡資産の取得価額等}+\text{譲渡費用の額})\times\frac{80}{100}+\text{譲渡資産の譲渡収入金額}\times\frac{20}{100}$
ハ	**1**の譲渡による収入金額が買換資産の取得価額に満たない場合	ロの合計額に相当する金額にその満たない金額を加算した金額 $(\text{譲渡資産の取得価額等}+\text{譲渡費用の額})\times\frac{80}{100}+\text{譲渡資産の譲渡収入金額}\times\frac{20}{100}$ $+(\text{買換資産の取得価額}-\text{譲渡資産の譲渡による収入金額})$

(譲渡資産が**1**表内①の左欄に掲げる資産であり、買換資産が同表内①の右欄に掲げる資産である場合に**1**の適用を受けた場合における①の規定の適用)

(１)　①の場合において、**1**に規定する譲渡をした資産が**1**表内①の左欄に掲げる資産に該当するものであり、かつ、買換資産又は取得をする見込みである資産が同①の右欄に掲げる資産に該当するときにおいて**1**の規定の適用を受けたときにおける①の規定の適用については、①イから同ハ中「100分の20」とあるのは、「100分の30」とする。(措法37の３②)

(譲渡資産が**1**表内①の左欄に掲げる資産であり、買換資産が同表内①の右欄に掲げる資産である場合に**1**の適用を受けた場合における①の規定の適用及び**6**の規定により**1**の規定の適用を受けた場合の①の規定の適用)

(２)　譲渡をした資産が**1**表内①の左欄に掲げる資産に該当するものであり、かつ、取得をした、又は取得をする見込みである資産が同①の右欄に掲げる資産に該当するものである場合において**1**の規定の適用を受けたときにおける①の規定の適用については、これらの規定中「100分の80」とあるのは「100分の70」とし、**6**の規定により**1**の規定の適用を受けた場合における①の規定の適用については、これらの規定中「100分の80」とあるのは、買換資産が、(3)(一)に掲げる地域内にある場合には「100分の90」と、(3)(二)に掲げる地域内にある場合には「100分の75」と、(3)(三)に掲げる地域内にある場合には「100分の70（当該譲渡資産及び買換資産のいずれもが**6**に規定する主たる事務所資産に該当する場合には、100分の60)」とする。(措令25の２⑥)

（**1**の場合（**6**の規定により**1**の規定の適用を受けた場合に限る。）における**1**の規定の適用）

(3)　①の場合（**6**の規定により**1**の規定の適用を受けた場合に限る。）における①の規定の適用については、①の買換資産が次の(一)から(三)までに掲げる地域のうちいずれの地域内にあるかに応じ当該(一)から(三)までに定めるところによる。(措法37の３③)

(一)	**6**(一)に掲げる地域	①イから同ハ中「100分の20」とあるのは、「100分の10」とする。
(二)	**6**(二)に掲げる地域	①イから同ハ中「100分の20」とあるのは、「100分の25」とする。
(三)	**6**(三)に掲げる地域	①イ中「の100分の20」とあるのは「の100分の30（当該譲渡をした資産及び当該買換資産のいずれもが**6**に規定する主たる事務所資産に該当する場合には、100分の40。以下(3)において同じ。)」と、「当該100分の20」とあるのは「当該100分の30」と、①ロ及び①ハ中「100分の20」とあるのは「100分の30」とする。

（確定申告書への附記）

(4)　①に規定する買換資産について減価償却費の額を計算する場合又は譲渡所得の金額を計算する場合には、確定申告書に当該買換資産が①の規定に該当するものである旨及び当該買換資産に係る償却費又は譲渡所得の金額についてはその金額が①の規定により計算されている旨を記載するものとする。(措令25の２①)

②　買換資産が２以上ある場合の取得価額の計算

1表内①から同④までのいずれかの右欄に掲げる買換資産（同①の右欄に掲げる買換資産にあっては譲渡資産が同①の左欄に掲げる資産に該当するものである場合に同**1**（**2**及び**3**において準用する場合を含む。以下②及び①(2)において同じ。)の規定の適用を受けるときにおける同①の右欄に掲げる買換資産又は当該買換資産以外の買換資産ごとに区分した場合の当該区分したそれぞれの買換資産とし、同表内③の右欄に掲げる買換資産にあっては**6**の規定により**1**の規定の適用を受ける場合における次に掲げる買換資産又はこれらの買換資産以外の買換資産ごとに区分した場合の当該区分したそれぞれの買換資産とする。）が２以上ある場合には、各買換資産につき①（①(1)又は同(3)の規定により読み替えて適用される場合を含む。①において同じ。）の規定によりその取得価額とされる金額は、①イから同ハまでに掲げる場合の区分に応じ、当該①イから同ハまでに定める金額に当該各買換資産の価額がこれらの買換資産の価額の合計額のうちに占める割合を乗じて計算した金額とする。(措令25の２②)

(一)	**6**(一)に掲げる地域内にある買換資産
(二)	**6**(二)に掲げる地域内にある買換資産
(三)	**6**(三)に掲げる地域内にある買換資産であって、**1**の譲渡をした資産及び当該買換資産のいずれもが**6**に規定する主たる事務所資産に該当する場合における当該買換資産
(四)	**6**(三)に掲げる地域内にある買換資産であって、(三)に掲げる買換資産以外の買換資産

（同一の号に規定する買換資産が２以上ある場合に付すべき取得価額）

(1)　同一年中において**1**《特定の事業用資産の買換えの場合の譲渡所得の特例》の表のいずれか一の号の規定の適用を受けた買換資産が２以上ある場合において、①及び②《買換資産が２以上ある場合の取得価額の計算》の規定により当該個々の買換資産の取得価額とされる金額は、**1**表内①から同⑤までをそれぞれ次の算式により計算した金額とする。(措通37の３－１)

(一)　①のイの場合

$$\left\{\left(\begin{array}{l}\text{譲渡資産}\\\text{の取得費}\\\text{の合計額}\end{array}+\begin{array}{l}\text{譲渡費用}\\\text{の額の合}\\\text{計額}\end{array}\right)\times\frac{\text{買換資産の取得価額の合計額}\times0.8}{\text{譲渡資産の譲渡に係る収入金額の合計額}}+\begin{array}{l}\text{買換資産の}\\\text{取得価額の}\\\text{合計額}\end{array}\times0.2\right\}\times\frac{\text{個々の買換資産の価額}}{\text{買換資産の価額の合計額}}$$

(二)　①のロの場合

$$\left\{\left(\text{譲渡資産の取得費の合計額}+\text{譲渡費用の額の合計額}\right)\times0.8+\text{譲渡資産の譲渡に係る収入金額の合計額}\times0.2\right\}\times\frac{\text{個々の買換資産の価額}}{\text{買換資産の価額の合計額}}$$

(三)　①のハの場合

$$\left\{\left(\text{譲渡資産の取得費の合計額}+\text{譲渡費用の額の合計額}\right)\times0.8+\text{譲渡資産の譲渡に係る収入金額の合計額}\times0.2+\left(\text{買換資産の取得価額の合計額}-\text{譲渡資産の譲渡に係る収入金額の合計額}\right)\right\}$$
$$\times\frac{\text{個々の買換資産の価額}}{\text{買換資産の価額の合計額}}$$

(注) 1　次に掲げる場合における①及び②の規定により個々の買換資産の取得価額とされる金額は、それぞれ次に定めるところによる。

⑴　**1**の表の①の右欄に掲げる買換資産について、譲渡資産が同②の左欄に掲げる資産のうち対象区域内にあるものに該当し、**1**の規定の適用を受けたときにおける同②の右欄に掲げる買換資産又は当該買換資産以外の買換資産ごとに区分をした場合の当該区分をしたそれぞれの買換資産が２以上ある場合　　納税者が計算したところに基づき、同②の右欄に掲げる買換資産を、対象区域内又はそれ以外の区域内にある譲渡資産に対応する部分ごとに区分をして、これらの区分ごとに上記の算式に準じて計算した金額とする。この場合において、算式中の「買換資産」は「買換資産のうち対象区域内にある譲渡資産に対応する部分」又は「買換資産のうち対象区域内以外の区域内にある譲渡資産に対応する部分」と読み替えるものとする。なお、算式中の「0.2」及び「0.8」は、譲渡資産が対象区域内にあるものに該当する場合には「0.3」及び「0.7」とする。

⑵　**1**の表の③の右欄に掲げる買換資産について、**6**の規定により**1**の規定の適用を受けた買換資産で次に掲げる買換資産又はこれらの買換資産以外の買換資産ごとに区分をした場合の当該区分をしたそれぞれの買換資産が２以上ある場合　　納税者が計算したところに基づき、③の規定の適用を受けた譲渡資産を、**6**の規定により**1**の規定の適用を受けた買換資産で次に掲げる買換資産又はこれらの買換資産以外の買換資産に対応する部分ごとに区分をして、これらの部分ごとに上記の算式に準じて計算した金額とする。この場合において、算式中の「譲渡資産」は、「譲渡資産のうち**6**の規定により**1**の規定の適用を受けた(注)１(２)イに掲げる買換資産に対応する部分」、「譲渡資産のうち**6**の規定により**1**の規定の適用を受けた(注)１(２)ロに掲げる買換資産に対応する部分」、「譲渡資産のうち**6**の規定により**1**の規定の適用を受けた(注)１(２)ハに掲げる買換資産に対応する部分」、「譲渡資産のうち**6**の規定により**1**の規定の適用を受けた(注)１(２)ニに掲げる買換資産に対応する部分」又は「譲渡資産のうち**6**の規定により**1**の規定の適用を受けた買換資産以外の買換資産に対応する部分」と読み替えるものとする。なお、算式中の「0.2」及び「0.8」は、買換資産が**6**の規定により**1**の規定の適用を受けた次のイに掲げる買換資産に該当する場合には「0.1」及び「0.9」とし、買換資産が**6**の規定により**1**の規定の適用を受けた次のロに掲げる買換資産に該当する場合には「0.25」及び「0.75」とし、買換資産が**6**の規定により**1**の規定の適用を受けた次のニに掲げる買換資産に該当する場合には「0.30」及び「0.70」とし、買換資産が**6**の規定により**1**の規定の適用を受けた次のハに掲げる買換資産に該当する場合には「0.4」及び「0.6」とする。

イ　集中地域以外の地域内にある買換資産

ロ　集中地域（東京都の特別区を除く。）内にある買換資産

ハ　東京都の特別区内にある買換資産であって、集中地域以外の地域内にある**1**の譲渡をした資産及び東京都の特別区内にある買換資産のいずれもが**6**に規定する主たる事務所資産に該当する場合における当該買換資産

ニ　東京都の特別区内にある買換資産であって、上記ハの買換資産以外の買換資産

2　上記の算式中、買換資産の価額とは、当該買換資産の取得の日における価額をいうのであるが、当該買換資産の取得価額をもってその取得の日における価額として差し支えない。

（５倍の面積制限を超えて取得した土地等に付すべき取得価額）

(２)　買換資産として取得した土地等の合計面積が譲渡資産である土地等に係る面積に５を乗じて計算した面積を超えている場合における当該土地等に付すべき取得価額は、次に掲げる金額の合計額とする。(措通37の３－２)

(一)　当該取得した土地等の取得に要した金額と改良費の額との合計額に次に掲げる割合を乗じて計算した金額を買換資産の取得価額又は買換資産の価額として(１)に準じて計算した金額

$$\frac{\text{譲渡資産である土地等に係る面積}\times5}{\text{買換資産として取得した土地等の合計面積}}$$

(二)　当該取得した土地等の取得に要した金額と改良費の額との合計額に次に掲げる割合を乗じて計算した金額

$$\frac{\text{買換資産として取得した土地等の合計面積}-\text{譲渡資産である土地等に係る面積}\times5}{\text{買換資産として取得した土地等の合計面積}}$$

〈計算例〉

具体的な計算例を示すと次のとおりとなる。

〔設例〕

(一)　譲渡資産……**1**表内③の左欄に該当する宅地（集中地域以外の地域にある資産）

イ　面　　積　500㎡

ロ　譲渡価額　100,000,000円

ハ　取得時期　昭和32年12月１日

ニ　取得価額　25,000,000円

ホ　譲渡費用　5,000,000円

(二)　買換資産……**１**表内③の右欄に該当する宅地、建物

イ　Ａ区所在の宅地、建物（東京都の特別区内にある資産）

(イ)　宅地の面積　200㎡

(ロ)　宅地の取得に要した金額　60,000,000円

(ハ)　建物の取得に要した金額　20,000,000円

ロ　Ｂ市所在の宅地（集中地域以外の地域内にある資産）

(イ)　宅地の面積　4,000㎡

(ロ)　宅地の取得に要した金額　40,000,000円

(三)　買換資産に対応する譲渡資産の部分の選択

納税者はＡ区の宅地、建物に対する譲渡資産の部分を80,000,000円（該当面積400㎡）、Ｂ市の宅地に対応する譲渡資産の部分を20,000,000円（該当面積100㎡）と選択したものとする。

(四)　買換資産に付すべき取得価額

イ　Ａ区の宅地に付すべき取得価額　30,600,000円

$$\left\{(25,000,000\text{円}+5,000,000\text{円})\times\frac{400\text{㎡}}{500\text{㎡}}\times0.7+80,000,000\text{円}\times0.3\right\}\times\frac{60,000,000\text{円}}{80,000,000\text{円}}=30,600,000\text{円}$$

（注）　Ａ区の宅地に係る面積制限は2,000㎡（400㎡×５倍）である。

ロ　Ａ区の建物に付すべき取得価額　10,200,000円

$$\left\{(25,000,000\text{円}+5,000,000\text{円})\times\frac{400\text{㎡}}{500\text{㎡}}\times0.7+80,000,000\text{円}\times0.3\right\}\times\frac{20,000,000\text{円}}{80,000,000\text{円}}=10,200,000\text{円}$$

ハ　Ｂ市の宅地に付すべき取得価額　37,200,000円

(イ)　$40,000,000\text{円}\times\frac{100\text{㎡}\times5\text{倍}}{4,000\text{㎡}}=5,000,000\text{円}$

(ロ)　$\left\{(25,000,000\text{円}+5,000,000\text{円})\times\frac{100\text{㎡}}{500\text{㎡}}\times\frac{5,000,000\text{円}\times0.8}{20,000,000\text{円}}+5,000,000\text{円}\times0.2\right\}=2,200,000\text{円}$

(ハ)　$40,000,000\text{円}\times\frac{4,000\text{㎡}-100\text{㎡}\times5\text{倍}}{4,000\text{㎡}}=35,000,000\text{円}$

(ニ)　2,200,000円＋35,000,000円＝37,200,000円

③　買換資産についての特別償却等の不適用

個人が**１**の規定の適用を受けた場合には、買換資産については、第六章第二節**六18**に掲げる次に掲げる規定は、適用しない。（措法37の３④、措法19①）

イ　中小事業者が機械等を取得した場合の特別償却又は所得税額の特別控除（措法10の３）

ロ　地域経済牽引事業の促進区域内において特定事業用機械等を取得した場合の特別償却又は所得税額の特別控除（措法10の４）

ハ　地方活力向上地域等において特定建物等を取得した場合の特別償却又は所得税額の特別控除（措法10の４の２）

ニ　特定中小事業者が特定経営力向上設備等を取得した場合の特別償却又は所得税額の特別控除（措法10の５の３）

ホ　認定特定高度情報通信技術活用設備を取得した場合の特別償却又は所得税額の特別控除（措法10の５の５）

ヘ　事業適応設備を取得した場合等の特別償却又は所得税額の特別控除（措法10の５の６）

ト　特定船舶の特別償却（措法11）

チ　被災代替資産等の特別償却（措法11の２）

リ　特定事業継続力強化設備等の特別償却（措法11の３）

ヌ　環境負荷低減事業活動用資産等の特別償却（措法11の４）

ル　生産方式革新事業活動用資産等の特別償却（措法11の５）

ヲ　特定地域における工業用機械等の特別償却（措法12）

ワ　医療用機器等の特別償却（措法12の２）

カ　事業再編計画の認定を受けた場合の事業再編促進機械等の割増償却（旧措法13）
ヨ　輸出事業用資産の割増償却（旧措法13の２）
タ　特定都市再生建築物等の割増償却（措法14）
レ　倉庫用建物等の割増償却（措法15）
(注)　措令第10条各号の規定についても上記同様、適用されない。（編者注）

（買換えの特例の適用を受けた資産についての特別償却の不適用）

（１）　**1**の規定の適用を受けた買換資産については、その取得価額が譲渡資産の譲渡による収入金額を超える場合であっても、当該買換資産については、③イから同レまでに規定する特別償却をすることはできないことに留意する。（措通37の３－３、編者補正）

（買換えの特例が適用されないこととなった買換資産に係る特別償却）

（２）　**1**の規定の適用を受けた買換資産をその取得の日から１年以内に事業の用に供せず、又は供しなくなったため、その適用がないこととなった場合には、その適用がないこととなった日以後においては、当該買換資産について③トから同レまでに規定する要件を具備する限り特別償却をすることができるものとする。この場合において、次に定めることについては、次によることに留意する。（措通37の３－４、編者補正）

(一)　これらの措法条文に規定する取得の日は、当該資産の**1**に規定する取得の日による。

(二)　③ル及び同ワから同レまでの規定の適用を受けることができる期間は、その適用がないこととなった日からこれらに規定する期間の末日までの間に限られる。

(注)１　例えば、③トに規定する特定船舶につき**1**の規定の適用を受けた場合において、それが一旦事業の用に供された後にその取得の日から１年以内に事業の用に供されなくなったため**1**の規定の適用がないこととなったときは、その後においても当該特定船舶について③トの規定の適用を受けることはできない。ただし、特定船舶をその取得の日から１年を経過する日まで引き続き事業の用に供しなかったため**1**の規定の適用がないこととなった場合には、その後当該特定船舶を事業の用に供した日の属する年において③トの規定の適用を受けることができる。

２　例えば、第六章第二節**六12**④（措法12④＝上記③ル）に規定する産業振興機械等（以下「産業振興機械等」という。）について、**1**の規定の適用を受けた場合において、それが一旦事業の用に供された後にその取得の日から１年以内に事業の用に供されなくなったため**1**の規定の適用がないこととなったときにおいても、その後当該産業振興機械等を事業の用に供したときは、当初に事業の用に供した日以後５年以内の期間のうち再び事業の用に供している期間については、第六章第二節**六12**④の規定の適用を受けることができる。ただし、産業振興機械等をその取得の日から１年を経過する日まで引き続き事業の用に供しなかったため**1**の規定の適用がないこととなった場合には、その後当該産業振興機械等を事業の用に供した日以後５年以内の期間のうち事業の用に供している期間については、第六章第二節**六12**④の規定の適用を受けることができる。

（買換資産の償却費の計算）

（３）　**六２**②（４）《代替資産等の償却費の計算》は、買換資産の償却費の計算に準用する。（措通37の３－５）

〈参　考〉譲渡代金＞買換資産の取得価額の場合
の譲渡所得と買換資産の取得価額

（課税繰延割合80％の場合）

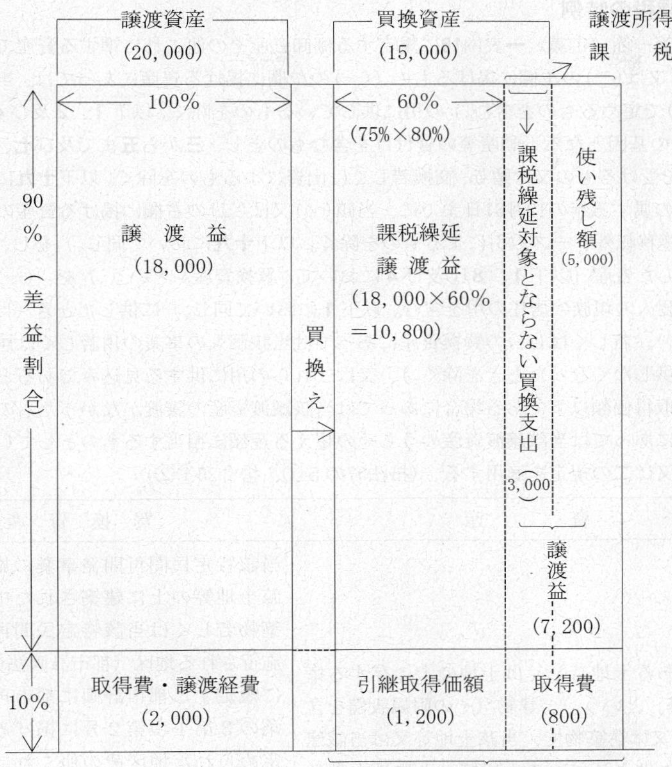

【譲渡所得の計算】

$$\overbrace{\left[20,000-(15,000\times0.8)\right]}^{\text{収入金額}}-\overbrace{\left[2,000\times\frac{20,000-15,000\times0.8}{20,000}\right]}^{\text{取得費・譲渡経費}}$$

$$=8,000-\left(2,000\times\frac{8,000}{20,000}\right)=7,200$$ 《譲渡所得の金額》

【買換資産の取得価額の計算】

$$2,000\times\frac{15,000\times0.8}{20,000}+15,000\times0.2=1,200+3,000=4,200$$

十九　既成市街地等内にある土地等の中高層耐火建築物等の建設のための買換え及び交換の場合の譲渡所得の課税の特例

1　買換えの場合の譲渡所得の課税の特例

個人が、その有する資産（第二章第一節《定義》**一**表内**16**に規定する棚卸資産その他これに準ずる資産で**十八1**（1）で定めるものを除く。）で次の表の(一)又は(二)の左欄に掲げるもの（(一)の左欄に掲げる資産にあっては、当該個人の事業（事業に準ずるものとして**十八1**（2）で定めるものを含む。）の用に供しているものを除く。以下**1**、**2**及び**4**において「譲渡資産」という。）の譲渡（譲渡所得の基因となる不動産等の貸付けを含むものとし、**三**から**五**まで及び**七**、**八**から**十三**まで、**十五**若しくは**十八**の規定の適用を受けるもの又は贈与、交換若しくは出資によるものを除く。以下**十九**において同じ。）をした場合において、当該譲渡の日の属する年の12月31日までに、当該(一)又は(二)の右欄に掲げる資産の取得（建設を含むものとし、贈与、交換又は所有権移転外リース取引によるものを除く。以下**十九**において同じ。）をし、かつ、当該取得の日から１年以内に、当該取得をした資産（以下**1**、**8**①及び**4**において「買換資産」という。）を、(一)の買換資産にあっては当該個人の居住の用（当該個人の親族の居住の用を含む。以下**1**において同じ。）に供したとき（当該期間内に居住の用に供しなくなったときを除く。）、若しくは(二)の買換資産にあっては当該個人の事業の用若しくは居住の用に供したとき（当該期間内にこれらの用に供しなくなったときを除く。）、又はこれらの用に供する見込みであるときは、当該譲渡による収入金額が当該買換資産の取得価額以下である場合にあっては当該譲渡資産の譲渡がなかったものとし、当該収入金額が当該取得価額を超える場合にあっては当該譲渡資産のうちその超える金額に相当するものとして（1）で定める部分の譲渡があったものとして、**一1**又は**二**の規定を適用する。（措法37の５①、措令25①②）

	譲　渡　資　産	買　換　資　産
(一)	次に掲げる区域又は地区内にある土地若しくは土地の上に存する権利（以下**十九**において「**土地等**」という。）、建物（その附属設備を含む。以下**十九**において同じ。）又は構築物で、当該土地等又は当該建物若しくは構築物の敷地の用に供されている土地等の上に地上階数４以上の中高層の耐火建築物（以下**十九**において「**中高層耐火建築物**」という。）の建築をする（2）で定める事業（以下**1**において「**特定民間再開発事業**」という。）の用に供するために譲渡をされるもの（当該特定民間再開発事業の施行される土地の区域内にあるものに限る。） イ　**十八1**の表の②の左欄に規定する既成市街地等（同②のニに掲げる区域を除く。） ロ　都市計画法第４条第１項に規定する都市計画に都市再開発法第２条の３第１項第２号に掲げる地区として定められた地区その他これに類する地区として（4）で定める地区（イに掲げる区域内にある地区を除く。）	当該特定民間再開発事業の施行により当該土地等の上に建築された中高層耐火建築物若しくは当該特定民間再開発事業の施行される地区（都市計画法第４条第１項に規定する都市計画に都市再開発法第２条の３第１項第２号に掲げる地区として定められた地区その他これに類する地区として（4）で定める地区に限る。）内で行われる他の特定民間再開発事業その他の（5）で定める事業の施行により当該地区内に建築された（5）で定める中高層の耐火建築物（これらの建築物の敷地の用に供されている土地等を含む。）又はこれらの建築物に係る構築物 （注）　上記に規定する「当該特定民間再開発事業の施行される地区」とは、左欄に規定する特定民間再開発事業が施行される土地の区域が都市計画に都市再開発法第２条の３第１項第２号に掲げる地区として定められた地区又は（4）に定める地区のいずれか１の地区内に所在する場合における当該土地の区域に係る地区をいうのであるから留意する（措通37の５－２の２）
(二)	次に掲げる区域内にある土地等、建物又は構築物で、当該土地等又は当該建物若しくは構築物の敷地の用に供されている土地等の上に地上階数３以上の中高層の耐火共同住宅（主として住宅の用に供される建築物で（6）で定めるものに限る。以下**1**において同じ。）の建築をする事業の用に供するために譲渡をされるもの（当該事業の施行される土地の区域内にあるものに限るものとし、(一)に掲げる資産に該当するものを除く。） イ　(一)の左欄のイに規定する既成市街地等	当該事業の施行により当該土地等の上に建築された耐火共同住宅（当該耐火共同住宅の敷地の用に供されている土地等を含む。）又は当該耐火共同住宅に係る構築物

ロ　首都圏整備法第２条第４項に規定する近郊整備地帯、近畿圏整備法第２条第４項に規定する近郊整備区域又は中部圏開発整備法第２条第３項に規定する都市整備区域（**十八１**の表の②の左欄のハに掲げる区域を除く。）のうち、イに掲げる既成市街地等に準ずる区域として（7）で定める区域 ハ　中心市街地の活性化に関する法律第12条第１項に規定する認定基本計画に基づいて行われる同法第７条第６項に規定する中心市街地共同住宅供給事業（同条第４項に規定する都市福利施設の整備を行う事業と一体的に行われるものに限る。）の区域	

（**1**に規定する（1）で定める部分）

（1）　**1**（**2**において準用する場合を含む。）に規定する（1）で定める部分は、譲渡（（**1**に規定する譲渡をいう。以下**十九**において同じ。）をした**1**に規定する譲渡資産（以下**十九**において「譲渡資産」という。）のうち、当該譲渡による収入金額（当該譲渡の日の属する年中に２以上の譲渡資産の譲渡が行われた場合には、これらの譲渡資産の譲渡により取得した収入金額の合計額）から**1**に規定する買換資産（以下**十九**において「買換資産」という。）の取得価額（当該譲渡の日の属する年中に２以上の買換資産の**1**に規定する取得が行われた場合には、これらの買換資産の取得価額の合計額）を控除した金額が当該収入金額のうちに占める割合を、当該譲渡資産の価額に乗じて計算した金額に相当する部分とする。（措令25の４①）

（注）　上記の規定により譲渡があったものとされる部分に係る譲渡所得の計算は次の算式によることとなる。（編者注）

$$\left(\text{譲渡資産の譲渡収入金額}\right)-\left(\text{買換資産の取得価額}\right)-\left(\text{譲渡資産の取得費}+\text{譲渡資産の譲渡費用}\right)\times\frac{\text{譲渡資産の譲渡収入金額}-\text{買換資産の取得価額}}{\text{譲渡資産の譲渡収入金額}}$$

（**1**の表の(一)の左欄に規定する中高層の耐火建築物の建築をする（2）で定める事業）

（2）　**1**の表の(一)の左欄に規定する中高層の耐火建築物の建築をする（2）で定める事業は、地上階数４以上の中高層の耐火建築物の建築をすることを目的とする事業で、次の(一)から(四)までに掲げる要件の全てを満たすものであることにつき、当該中高層の耐火建築物の建築基準法第２条第16号に規定する建築主の申請に基づき都道府県知事（当該事業が都市再生特別措置法第25条に規定する認定計画に係る同条に規定する都市再生事業又は同法第99条に規定する認定誘導事業計画に係る同条に規定する誘導施設等整備事業に該当する場合には、国土交通大臣。**9**（1）及び同（5）において同じ。）が認定をしたものとする。（措令25の４②）

<table>
<tr><td>(一)</td><td colspan="3">その事業が1の表の(一)の左欄のイ又はロに掲げる区域又は地区内において施行されるもの（都市の低炭素化の促進に関する法律第12条に規定する認定集約都市開発事業計画（当該認定集約都市開発事業計画に次に掲げる事項が定められているものに限る。以下(一)及び（4）(四)において同じ。）の区域内において施行される事業にあっては、当該認定集約都市開発事業計画に係る同法第９条第１項に規定する集約都市開発事業であって社会資本整備総合交付金（予算の目である社会資本整備総合交付金の経費の支出による給付金をいう。）の交付を受けて行われるもの（イ及びロにおいて「集約都市開発事業」という。）に限る。）であること。
イ　当該集約都市開発事業の施行される土地の区域（以下（2）において「施行地区」という。）の面積が2,000平方メートル以上であること。
ロ　当該集約都市開発事業により都市の低炭素化の促進に関する法律第９条第１項に規定する特定公共施設の整備がされること。</td></tr>
<tr><td>(二)</td><td colspan="3">その事業の施行地区の面積が1,000平方メートル以上であること。</td></tr>
<tr><td rowspan="3">(三)</td><td colspan="3">その事業の施行地区内において都市施設（都市計画法第４条第６項に規定する都市計画施設又は同法第12条の５第２項第１号イに掲げる施設をいう。）の用に供される土地（その事業の施行地区が次に掲げる区域内である場合には、当該都市計画施設又は当該区域の区分に応じそれぞれ次に定める施設の用に供される土地）又は建築基準法施行令第136条第１項に規定する空地が確保されていること。</td></tr>
<tr><td>イ</td><td>都市計画法第12条の５第３項に規定する再開発等促進区又は同条第４項に規定する開発整備促進区</td><td>同条第２項第１号イに掲げる施設又は同条第５項第１号に規定する施設</td></tr>
<tr><td>ロ</td><td>都市計画法第12条の４第１項第２号に</td><td>密集市街地における防災街区の整備の促進に関する法律第32</td></tr>
</table>

	掲げる防災街区整備地区計画の区域	条第２項第１号に規定する地区防災施設又は同項第２号に規定する地区施設
ハ	都市計画法第12条の４第１項第４号に掲げる沿道地区計画の区域	幹線道路の沿道の整備に関する法律第９条第２項第１号に規定する沿道地区施設（その事業の施行地区が同条第３項に規定する沿道再開発等促進区内である場合には、当該沿道地区施設又は同条第４項第１号に規定する施設）
(四)	その事業の施行地区内の土地の利用の共同化に寄与するものとして(３)で定める要件	

((２)(四)に規定する施行地区内の土地の利用の共同化に寄与するものとして(３)で定める要件)

(３)　(２)(四)に規定する施行地区内の土地の利用の共同化に寄与するものとして(３)で定める要件は、(２)に規定する中高層の耐火建築物の建築をすることを目的とする事業の(２)(一)イに規定する施行地区内の土地（建物又は構築物の所有を目的とする地上権又は賃借権（以下(３)において「借地権」という。）の設定がされている土地を除く。）につき所有権を有する者又は当該施行地区内の土地につき借地権を有する者（区画された１の土地に係る所有権又は借地権が２以上の者により共有されている場合には、当該所有権を有する２以上の者又は当該借地権を有する２以上の者をそれぞれ１の者とみなしたときにおける当該所有権を有する者又は当該借地権を有する者）の数が２以上であり、かつ、当該中高層の耐火建築物の建築の後における当該施行地区内の土地に係る所有権又は借地権がこれらの者又はこれらの者及び当該中高層の耐火建築物（当該中高層の耐火建築物に係る構築物を含む。）を所有することとなる者の２以上の者により共有されるものであることとする。（措規18の６①）

（**1**の表の(一)の左欄のロ及び右欄に規定する(４)で定める地区）

(４)　**1**の表の(一)の左欄のロ及び右欄に規定する(４)で定める地区は、次の(一)から(四)までに掲げる地区又は区域とする。（措令25の４③）

(一)	次に掲げる地区若しくは区域で都市計画法第４条第１項に規定する都市計画に定められたもの又は中心市街地の活性化に関する法律第16条第１項に規定する認定中心市街地の区域 イ　都市計画法第８条第１項第３号に掲げる高度利用地区 ロ　都市計画法第12条の４第１項第２号に掲げる防災街区整備地区計画の区域及び同項第４号に掲げる沿道地区計画の区域のうち、次に掲げる要件のいずれにも該当するもの ⑴　当該防災街区整備地区計画又は沿道地区計画の区域について定められた次に掲げる計画において、当該計画の区分に応じそれぞれ次に定める制限が定められていること。 （ⅰ）　当該防災街区整備地区計画の区域について定められた密集市街地における防災街区の整備の促進に関する法律第32条第２項第１号に規定する特定建築物地区整備計画又は同項第２号に規定する防災街区整備地区整備計画　　同条第３項又は第４項第２号に規定する建築物等の高さの最低限度又は建築物の容積率の最低限度 （ⅱ）　当該沿道地区計画の区域について定められた幹線道路の沿道の整備に関する法律第９条第２項第１号に規定する沿道地区整備計画　　同条第６項第２号に規定する建築物等の高さの最低限度又は建築物の容積率の最低限度 ⑵　⑴（ⅰ）又は（ⅱ）に掲げる計画の区域において建築基準法第68条の２第１項の規定により、条例で、これらの計画の内容として定められた⑴（ⅰ）又は（ⅱ）に定める制限が同項の制限として定められていること。
(二)	都市再生特別措置法第２条第３項に規定する都市再生緊急整備地域
(三)	都市再生特別措置法第99条に規定する認定誘導事業計画の区域
(四)	認定集約都市開発事業計画の区域

（**1**の表の(一)の右欄に規定する(５)で定める事業及び同欄に規定する(５)で定める中高層の耐火建築物）

(５)　**1**の表の(一)の右欄に規定する(５)で定める事業は、次の(一)及び(二)に掲げる事業とし、同欄に規定する(５)で定める中高層の耐火建築物は、当該(一)及び(二)に掲げる事業の施行により建築された同表の(一)の左欄に規定する中高層耐火建築物で建築後使用されたことのないものとする。（措令25の４④）

(一)	**1**の表の(一)の左欄に規定する特定民間再開発事業
(二)	都市再開発法による第一種市街地再開発事業又は第二種市街地再開発事業

（**1**の表の(二)の左欄に規定する主として住宅の用に供される建築物で(６)で定めるもの）

(６)　**1**(二)の左欄に規定する主として住宅の用に供される建築物は、同欄に掲げる資産の取得をした者が建築した建築物（当該取得をした者が個人である場合には、当該個人の死亡により当該建築物の建築に関する事業を承継した当該個人の相続人又は包括受遺者が建築したものを、当該取得をした者が法人である場合には、当該取得をした法人の合併による消滅により当該建築物の建築に関する事業を引き継いだ当該合併に係る法人税法第２条第12号に規定する合併法人が建築したもの及び当該取得をした法人の分割により当該建築物の建築に関する事業を引き継いだ当該分割に係る同条第12号の３に規定する分割承継法人が建築したものを含む。）又は同欄に掲げる資産の譲渡をした者が建築した建築物で、次の(一)及び(二)に掲げる要件の全てに該当するものとする。（措令25の４⑤）

(一)	建築基準法第２条第９号の２に規定する耐火建築物又は同条第９号の３に規定する準耐火建築物に該当するものであること。
(二)	当該建築物の床面積の２分の１以上に相当する部分が専ら居住の用（当該居住の用に供される部分に係る廊下、階段その他その共用に供されるべき部分を含む。）に供されるものであること。

（**1**の表の(二)の左欄のロに規定する既成市街地等に準ずる区域として(７)で定める区域）

(７)　**1**(二)の左欄のロに規定する既成市街地等に準ずる区域は、同(一)の左欄のイに規定する既成市街地等と連接して既に市街地を形成していると認められる市の区域のうち、都市計画法第７条第１項の市街化区域として定められている区域でその区域の相当部分が最近の国勢調査の結果による人口集中地区に該当し、かつ、都市計画その他の土地利用に関する計画に照らし中高層住宅の建設が必要である区域として国土交通大臣が財務大臣と協議して指定した区域とする。（措令25の４⑥）

国土交通大臣は、上記の規定により区域を指定したときは、これを告示する。（措令25の４㉑）

（指 定 告 示）

(８)　(７)の規定に基づき国土交通大臣が指定する区域を次のように定め、個人が昭和58年４月１日以後に行う資産の譲渡について適用する。（昭58．３.31国土庁・建設省告示第１号（最終改正平４．３.31国土庁・建設省告示第１号））

(７)の国土交通大臣が指定する区域は、次に掲げる市の区域（首都圏整備法第２条第４項に規定する近郊整備地帯、近畿圏整備法第２条第４項に規定する近郊整備区域又は中部圏開発整備法第２条第３項に規定する都市整備区域〈首都圏、近畿圏及び中部圏の近郊整備地帯等の整備のための国の財政上の特別措置に関する法律施行令別表に掲げる区域に掲げる区域を除く。〉内の区域に限る。）のうち、都市計画法第７条第１項の市街化区域として定められている区域とする。

都府県名	市　　　名
埼 玉 県	川口市、浦和市、大宮市、所沢市、岩槻市、春日部市、上尾市、与野市、草加市、越谷市、蕨市、戸田市、鳩ケ谷市、朝霞市、志木市、和光市、新座市、八潮市、富士見市、三郷市
千 葉 県	千葉市、市川市、船橋市、松戸市、野田市、佐倉市、習志野市、柏市、流山市、八千代市、我孫子市、鎌ケ谷市、浦安市、四街道市
東 京 都	八王子市、立川市、三鷹市、青梅市、府中市、昭島市、調布市、町田市、小金井市、小平市、日野市、東村山市、国分寺市、国立市、田無市、保谷市、福生市、狛江市、東大和市、清瀬市、東久留米市、武蔵村山市、多摩市、稲城市、羽村市
神奈川県	横浜市、川崎市、横須賀市、平塚市、鎌倉市、藤沢市、茅ヶ崎市、逗子市、相模原市、厚木市、大和市、海老名市、座間市、綾瀬市
愛 知 県	名古屋市、春日井市、小牧市、尾張旭市、豊明市
京 都 府	京都市、宇治市、向日市、長岡京市、八幡市
大 阪 府	堺市、岸和田市、豊中市、池田市、吹田市、泉大津市、高槻市、貝塚市、守口市、枚方市、茨木市、八

	尾市、泉佐野市、富田林市、寝屋川市、河内長野市、松原市、大東市、和泉市、箕面市、柏原市、羽曳野市、門真市、摂津市、高石市、藤井寺市、東大阪市、四条畷市、交野市、大阪狭山市
兵 庫 県	神戸市、尼崎市、西宮市、芦屋市、伊丹市、宝塚市、川西市

（特例の対象となる譲渡資産）

(9)　**1**(二)の左欄に掲げる譲渡資産は、事業の用又は居住の用に供されていたものであるかどうかを問わないものであることに留意する。(措通37の５－１)

(注)　例えば、**1**(二)の左欄に掲げる譲渡資産で個人が空閑地又は事業の用に供していた土地を譲渡し、同(二)の右欄に掲げる買換資産を取得して居住の用に供したような場合における当該土地の譲渡についても**1**の規定の適用がある。

（地上階数の判定）

(10)　その建築される中高層の耐火建築物に地上階数４以上の部分と地上階数４に満たない部分とがある場合又はその建築される中高層の耐火共同住宅((６)に定める要件を満たすものに限る。)に地上階数３以上の部分と地上階数３に満たない部分とがある場合であっても、当該中高層の耐火建築物又は中高層の耐火共同住宅は、**1**に規定する中高層耐火建築物又は中高層の耐火共同住宅に該当するものとして取り扱う。(措通37の５－２)

(注)　地上階数は、建築基準法施行令第２条第１項第８号《階数の算定方法》に規定するところにより判定することに留意する。

（買換資産の取得の時期）

(11)　**1**に規定する譲渡資産を譲渡した日の属する年の１月１日以後に取得した**1**に規定する中高層耐火建築物若しくは中高層の耐火建築物又は中高層の耐火共同住宅は、当該譲渡した日前に取得したものであっても、**1**に規定する買換資産とすることができる。(措通37の５－４)

（自己の建設に係る耐火建築物又は耐火共同住宅を分譲した場合）

(12)　その者がおおむね10年以上所有している土地等の上に自ら**1**に規定する中高層耐火建築物又は中高層の耐火共同住宅を建設し、当該建設した日から同日の属する年の12月31日までの間に当該中高層耐火建築物又は耐火共同住宅の一部とともに当該土地等の一部の譲渡(**三 3**表内①に規定する譲渡所得の基因となる不動産等の貸付けを含む。以下(11)において同じ。)をした場合には、当該譲渡をした土地等を**1**に規定する譲渡資産とし、当該建設した中高層耐火建築物又は耐火共同住宅(譲渡された部分を除く。)を**1**に規定する買換資産として**1**の規定の適用を受けることができることに留意する。この場合において、**1**に規定する「当該譲渡による収入金額」は、第四章第八節**一 1**(11)《極めて長期間保有していた土地に区画形質の変更を加えて譲渡した場合の所得》により当該譲渡した土地等の当該建設に着手する直前の価額を基として算定することになる。(措通37の５－４の２)

（生計を一にする親族の事業の用に供する資産）

(13)　**1**(二)の規定は、同(二)の左欄に掲げる譲渡資産の譲渡をした者が同(二)の右欄に掲げる買換資産を取得し、かつ、当該取得した買換資産をその取得の日から１年以内に当該譲渡をした者の**1**に規定する事業の用又は居住の用(当該譲渡をした者の親族の居住の用を含む。)に供した場合又は供する見込みである場合に適用があるのであるが、当該買換資産が当該譲渡をした者と生計を一にする親族の**1**に規定する事業の用に供される場合には、当該買換資産は当該譲渡をした者にとっても**1**に規定する事業の用に供されたものとして**1**の規定を適用することができる。(措通37の５－５)

（相続人が買換資産を取得した場合）

(14)　**1**に規定する譲渡資産の譲渡をした者が**1**に規定する買換資産を取得しないで死亡した場合であっても、その死亡前に買換資産の取得に関する売買契約又は請負契約を締結しているなど買換資産が具体的に確定しており、かつ、その相続人が法定期間内にその買換資産を取得し、事業の用(当該譲渡をした者と生計を一にしていた親族の事業の用を含む。)又は居住の用(当該譲渡をした者の親族の居住の用を含む。)に供したときは、その死亡した者の当該譲渡につき**1**の規定を適用することができる。(措通37の５－６)

(注)　**1**の表の(一)の右欄に掲げる買換資産にあっては、居住の用(同(一)の左欄に掲げる譲渡資産の譲渡をした者の親族の居住の用を含む。)に供したときのみに限られていることに留意する。

（譲渡価額が定められていない場合の譲渡収入金額）

(15)　**1**に規定する譲渡資産（以下(15)において「譲渡資産」という。）の譲渡に関する契約において、譲渡資産の譲渡価額を定めず、**1**に規定する買換資産（以下(15)において「買換資産」という。）を当該譲渡の対価として取得することを約した場合（**4**に該当する場合を除く。）には、**1**に規定する「当該譲渡による収入金額」は買換資産の取得時の価額に相当する金額によるのであるから留意する。ただし、この場合であっても、当該契約時においては、当該買換資産が当該譲渡に係る契約の効力発生の日の属する年の翌年以後に取得されるものであるためその価額は確定していないが、譲渡資産が具体的に確定していることから、その者が当該譲渡資産の当該契約時における価額に相当する金額をその譲渡による収入金額とし、**1**の規定を適用して当該買換資産の価額の確定前に申告したときは、当該価額がその譲渡をするに至った事情等に照らし合理的に算定していると認められる限り、その申告を認めることとする。（措通37の５－７）

(注)　ただし書による場合の当該買換資産の**1**に規定する取得価額は、当該契約時における当該譲渡資産の価額（当該買換資産の取得に伴って金銭その他の資産を給付し、又は取得するときは、当該金銭の額及び金銭以外の資産の価額を当該譲渡資産の当該価額に加算し、又は当該価額から減算した価額）によるのであるから留意する。

（譲渡がなかったものとされる部分の金額等の計算）

(16)　その年中に**1**に規定する買換えが２以上行われた場合（当該２以上の買換えに係る**1**(一)の左欄又は同(二)に規定する事業の施行される土地の区域がそれぞれ異なる場合に限る。）において、当該２以上の買換えについて**1**の規定の適用を受けるときは、**1**の規定により「譲渡がなかったもの」とされる部分の金額又は「譲渡があったもの」とされる部分の金額の計算は、それぞれの買換えごとに行うことに留意する。（措通37の５－３）

(注)　上記の場合において、それぞれの買換えに係る譲渡資産又は買換資産が２以上あるときは、当該譲渡資産の譲渡による収入金額の合計額又は当該買換資産の取得価額の合計額を基としてこれらの部分の金額を計算する。

（特定の事業用資産の買換えの場合の譲渡所得の課税の特例に関する取扱いの準用）

(17)　次の取扱いは、**十九**の規定を適用する場合について準用する。（措通37の５-10、編者補正）

措通33－49《代替資産の償却費の計算》……………………………………………………… **六2**②(５)参照。
措通37－２《不動産売買業者の有する土地建物等》…………………………………………… **十八1二**(２)参照。
措通37－５《低額譲渡等》…………………………………………………………………………… **十八1二**(５)参照。
措通37－６《借地権等の返還により支払を受けた借地権等の対価に対する特例の適用》…… **十八1二**(９)参照。
措通37－18《固定資産である土地に区画形質の変更等を加えて譲渡した場合の事業用の判定》………………………………………………………………………………………… **十八1二**(18)参照。
措通37－19《譲渡資産又は買換資産が２以上ある場合の買換え》…………………………… **十八1二**(19)参照。
措通37－25《短期保有資産と長期保有資産とがある場合等の買換差金の区分》…………… **十八1二**(26)参照。
措通37－27の２《取得期間の認定を行う場合のやむを得ない事情》…………………………… **十八3**(２)参照。
措通37－30《特定非常災害に基因するやむを得ない事情により取得指定期間を延長するための手続等》………………………………………………………………………………… **十八3**(９)参照。
措通37の２－１《買換資産を事業の用に供しなくなったかどうかの判定》…………………… **十八9**①(１)参照。
措通37の３－１の２《買換資産を取得した場合の修正申告書の提出期限等》………………… **十八9**②注参照。
措通37の３－３《買換えの特例の適用を受けた資産についての特別償却の不適用》………… **十八10**③(１)参照。
措通37の３－４《買換えの特例が適用されないこととなった買換資産に係る特別償却》…… **十八10**③(２)参照。

2　譲渡があった年の翌年以後において買替資産を取得する場合の特例

1の規定は、譲渡資産の譲渡をした個人が、取得指定期間（当該譲渡をした日の属する年の翌年の１月１日から同年の12月31日までの期間（(１)で定めるやむを得ない事情があるため、同日までに**1**の表の(一)及び(二)の右欄に掲げる資産の取得をすることが困難である場合において、(２)で定めるところにより税務署長の承認を受けたときは、当該資産の取得をすることができるものとして、同日後２年以内において当該税務署長が認定した日までの期間）をいう。）内に同表の(一)及び(二)の右欄に掲げる資産の取得をする見込みであり、かつ、当該取得の日から１年以内に当該取得をした資産を当該個人の**1**に規定する事業の用又は居住の用に供する見込みであるときについて準用する。この場合において、**1**中「取得価額」とあるのは、「取得価額の見積額」と読み替えるものとする。（措法37の５②）

（**2**に規定する(１)で定めるやむを得ない事情）

(１)　**2**に規定する(１)で定めるやむを得ない事情は、**1**の表の(一)の右欄に規定する中高層耐火建築物若しくは中高層の耐火建築物又は同表の(二)の右欄に規定する耐火共同住宅（これらの建築物に係る構築物を含む。）の建築に要する期間が通常１年を超えると認められる事情その他これに準ずる事情とする。（措令25の４⑦）

（取得期間の延長に係る承認の申請）

（２）　**2**の税務署長の承認を受けようとする者は、次の(一)から(四)までに掲げる事項を記載した申請書を納税地の所轄税務署長に提出しなければならない。（措令25の４⑧）

(一)	申請者の氏名及び住所
(二)	（１）に規定するやむを得ない事情の詳細
(三)	**1**の表の(一)又は(二)の右欄に掲げる資産の**1**に規定する取得をすることができると見込まれる年月日及び**2**の認定を受けようとする年月日
(四)	その他参考となるべき事項

3　特定の事業用資産の買換えの特例規定の準用

次の各規定は、**1**の規定を適用する場合について準用する。この場合において所要の読替えを行う。（措法37の５③）

（注）　この読み替えて準用されることとなる各規定は読替え後の形で**4**以下に収録した。（編者注）

十八３（５）　《非常災害に基因するやむを得ない事情により取得指定期間内における取得をすることが困難になった場合の取得指定期間の特例》

十八８　《申告要件》

十八９　《特定の事業用資産の買換えの場合の更正の請求、修正申告等》

十八10③　《買換資産についての特別償却の不適用》

4　交換した場合の譲渡所得の課税の特例

個人が、その有する資産で譲渡資産に該当するもの（以下「**交換譲渡資産**」という。）と買換資産に該当する資産（以下「**交換取得資産**」という。）との交換（**十八４**《事業用資産の交換》又は**二十三**《固定資産の交換の場合の譲渡所得の特例》の規定の適用を受ける交換を除く。以下同じ。）をした場合（**交換差金**〔交換により取得した資産の価額と交換により譲渡した資産の価額との差額を補うための金銭をいう。〕を取得し、又は支払った場合を含む。）又は交換譲渡資産と交換取得資産以外の資産との交換をし、かつ、交換差金を取得した場合（以下「**他資産との交換の場合**」という。）における**1**（**2**において準用する場合を含む。）及び**8**①並びに**5**、**7**並びに**8**③の規定の適用については、次の①及び②に定めるところによる。（措法37の５⑤、措令25の４⑮⑯）

①	**交換譲渡資産**	当該交換譲渡資産（他資産との交換の場合にあっては、交換譲渡資産のうち、交換差金の額が当該交換差金の額と交換により取得した資産の価額との合計額のうちに占める割合を、当該交換譲渡資産の価額に乗じて計算した金額に相当する部分に限る。）は、当該個人が、その交換の日において、同日における当該資産の価額に相当する金額をもって**1**の譲渡をしたものとみなす。 他資産との交換の場合の譲渡があったものとみなされる部分 ＝ 交換譲渡資産の価額 × $\frac{\text{交換差金の額}}{\text{交換取得資産の価額＋交換差金の額}}$
②	**交換取得資産**	当該交換取得資産は、当該個人が、その交換の日において、同日における当該資産の価額に相当する金額をもって**1**の取得をしたものとみなす。

（注）　①の交換差金を買換資産の取得に充てた場合には、交換差金部分についてだけ**1**の規定を適用できることとなる。（編者注）

5　申告要件と買換えの証明書及び買換資産の証明書の提出

1（**2**において準用する場合を含む。以下同じ。）の規定は、**1**の規定の適用を受けようとする者の**1**の譲渡をした日の属する年分の確定申告書に、**1**の規定の適用を受けようとする旨の記載があり、かつ、当該譲渡をした資産の譲渡価額、買換資産の取得価額又はその見積額に関する明細書その他（２）で定める書類の添付がある場合に限り、適用する。（措法37の５③、37⑥）

（確定申告書への記載等がない場合の宥恕規定）

（1）　税務署長は、確定申告書の提出がなかった場合又は上記の記載若しくは添付がない確定申告書の提出があった場合においても、その提出又は記載若しくは添付がなかったことについてやむを得ない事情があると認めるときは、当該記載をした書類並びに上記明細書及び（2）で定める書類の提出があった場合に限り、**1**の規定を適用することができる。（措法37の５③、37⑦）

（証　明　書）

（2）　**5**に規定する（2）で定める書類は、**1**に規定する譲渡資産（以下「譲渡資産」という。）の次の(一)又は(二)に掲げる区分に応じ、当該(一)又は(二)に定める書類（**2**において準用する**1**の規定の適用を受ける場合には、当該書類並びに取得（**1**に規定する取得をいう。以下において同じ。）をする予定の**1**の表の(一)又は(二)の右欄に掲げる資産（以下（2）並びに**6**（2）(三)及び同(五)において「取得予定資産」という。）の取得予定年月日、当該取得予定資産の取得価額の見積額及び当該取得予定資産が**1**の表の(一)又は(二)の右欄に掲げる資産のいずれに該当するかの別（当該取得予定資産が**1**の表の(一)の右欄に掲げる資産に該当する場合には、当該取得予定資産が同欄に規定する中高層耐火建築物又は中高層の耐火建築物のいずれに該当するかの別）その他の明細を記載した書類）とする。（措規18の６②）

(一)	**1**(一)の左欄に掲げる資産　　次に掲げる場合の区分に応じそれぞれ次に定める書類 イ　**1**(一)の右欄に規定する中高層耐火建築物又は当該中高層耐火建築物に係る構築物の取得をした場合　　都道府県知事（同(一)の左欄に規定する中高層耐火建築物の建築をする事業が都市再生特別措置法第25条に規定する認定計画に係る同条に規定する都市再生事業又は同法第99条に規定する認定誘導事業計画に係る同条に規定する誘導施設等整備事業に該当する場合には、国土交通大臣。ロにおいて同じ。）の買換資産（**1**に規定する買換資産をいう。以下（2）において同じ。）に該当する同(一)の左欄に規定する中高層耐火建築物の建築をする事業に係る**1**（2）に規定する認定をした旨を証する書類 ロ　**1**(一)の右欄に規定する中高層の耐火建築物又は当該中高層の耐火建築物に係る構築物の取得をした場合　　都道府県知事の譲渡資産に係る同(一)の左欄に規定する中高層耐火建築物の建築をする事業につき**1**（2）に規定する認定をした旨並びに買換資産に該当する同(一)の右欄に規定する中高層の耐火建築物が当該事業の施行される同欄に規定する地区内にある旨及び当該中高層の耐火建築物を建築する次に掲げる事業の区分に応じそれぞれ次に定める旨を証する書類 〈イ〉　**1**（5）(一)に掲げる特定民間再開発事業　　当該事業につき**1**（2）に規定する認定をした旨 〈ロ〉　**1**（5）(二)に掲げる第一種市街地再開発事業又は第二種市街地再開発事業　　当該中高層の耐火建築物がこれらの事業の施行により建築されたものである旨
(二)	**1**(二)の左欄に掲げる資産　　買換資産に該当する同欄に規定する中高層の耐火共同住宅に係る建築基準法第７条第５項に規定する検査済証の写し及び当該中高層の耐火共同住宅に係る事業概要書又は各階平面図その他の書類で当該中高層の耐火共同住宅が**1**（6）(一)及び同(二)に掲げる要件に該当するものであることを明らかにする書類並びに次に掲げる場合の区分に応じそれぞれ次に定める書類 イ　当該資産の所在地が**1**(二)の左欄のイ又は同ロに掲げる区域内である場合　　当該資産の所在地を管轄する市町村長の当該資産の所在地が当該区域内である旨を証する書類（東京都の特別区の存する区域、武蔵野市の区域又は大阪市の区域内にあるものを除く。） ロ　当該資産の所在地が**1**(二)の左欄のハに掲げる区域内である場合　　当該資産の所在地を管轄する市町村長の当該資産の所在地が当該区域内である旨並びに中心市街地の活性化に関する法律第23条の計画の認定をした旨及び当該認定をした計画に係る同法第７条第６項に規定する中心市街地共同住宅供給事業が同条第４項に規定する都市福利施設の整備を行う事業と一体的に行われるものである旨を証する書類

（買換資産明細書の提出）

（3）　**5**に規定する確定申告書を提出する者は、買換資産に関する登記事項証明書その他これらの資産を取得した旨を証する書類を、次の(一)又は(二)に掲げる場合の区分に応じ当該(一)又は(二)に定める日（（1）に該当してその日後において確定申告書を提出する場合には、その提出の日）までに納税地の所轄税務署長に提出しなければならない。（措令25の４⑨、措規18の５⑧、措法37⑨、33⑦）

(一)	**1**の規定の適用を受ける場合　　当該確定申告書の提出の日

(二)	2の規定の適用を受ける場合	買換資産の取得をした日から４月を経過する日

6　非常災害に基因するやむを得ない事情により取得指定期間内に取得をすることが困難となった場合の取得指定期間の特例

個人が、特定非常災害の被害者の権利利益の保全等を図るための特別措置に関する法律第２条第１項の規定により特定非常災害として指定された非常災害に基因するやむを得ない事情により、1(一)及び同(二)の「買換資産」欄に掲げる資産の取得指定期間（2に規定する取得指定期間をいう。以下6及び7②(二)おいて同じ。）内における取得をすることが困難となった場合において、当該取得指定期間の初日から当該取得指定期間の末日後２年以内の日で(1)で定める日までの間に同(一)及び同(二)の「買換資産」欄に掲げる資産の取得をする見込みであり、かつ、(2)で定めるところにより納税地の所轄税務署長の承認を受けたときは、2及び7の規定の適用については、取得指定期間は、当該初日から当該(1)で定める日までの期間とする。（措法37の５③、37⑧）

（6に規定する(1)で定める日）

(1)　6に規定する(1)で定める日は、2に規定する取得指定期間の末日の翌日から起算して２年以内の日で1(一)及び同(二)の「買換資産」欄に掲げる資産の取得をすることができるものとして6の所轄税務署長が認定した日とする。（措令25の４⑩）

（所轄税務署長の承認手続）

(2)　6に規定する所轄税務署長の承認を受けようとする個人は、6に規定する取得指定期間の末日の属する年の翌年３月15日（同日が7②に規定する提出期限後である場合には、当該提出期限）までに、次の(一)から(六)までに掲げる事項を記載した申請書に、6の特定非常災害として指定された非常災害に基因するやむを得ない事情により1の表の(一)及び同(二)の右欄に掲げる資産の取得をすることが困難であると認められる事情を証する書類を添付して、当該所轄税務署長に提出しなければならない。ただし、税務署長においてやむを得ない事情があると認める場合には、当該書類を添付することを要しない。（措規18の６③）

(一)	1に規定する譲渡をした譲渡資産について6の承認を受けようとする旨
(二)	当該特定非常災害として指定された非常災害に基因するやむを得ない事情により1の表の(一)及び同(二)の右欄に掲げる資産の取得をすることが困難であると認められる事情の詳細
(三)	取得予定資産の取得予定年月日及び当該取得予定資産の取得価額の見積額
(四)	当該所轄税務署長の認定を受けようとする年月日
(五)	取得予定資産が表の各号の右欄に掲げる資産のいずれに該当するかの別（当該取得予定資産が1の表の(一)の右欄に掲げる資産に該当する場合には、当該取得予定資産が同欄に規定する中高層耐火建築物又は中高層の耐火建築物のいずれに該当するかの別）
(六)	その他参考となるべき事項

（税務署長が認定した日）

(3)　(2)に規定する個人が(2)の所轄税務署長の承認を受けた場合には、(1)に規定する所轄税務署長が認定した日は当該承認において税務署長が認定した日とする。（措規18の６④）

7　更正の請求又は修正申告等

①　買換資産を取得の日から１年以内に事業の用又は居住の用に供しない場合又は供しなくなった場合の修正申告

1の規定の適用を受けた者は、買換資産の取得をした日から１年以内に、当該買換資産を当該個人の1に規定する事業の用又は居住の用に供しない場合又は供しなくなった場合には、これらの事情に該当することとなった日から４月以内に1の譲渡をした日の属する年分の所得税についての修正申告書を提出し、かつ、当該期限内に当該申告書の提出により納付すべき税額を納付しなければならない。（措法37の５③、37の２①）

②　買換資産の取得価額が承認を受けた見積額と異なる場合等の修正申告又は更正の請求

2において準用する**1**の規定の適用を受けた者は、次の(一)又は(二)のいずれかに該当する場合には、(一)に該当する場合で過大となったときにあっては、当該買換資産の取得をした日から４月以内に**2**の譲渡をした日の属する年分の所得税についての更正の請求をすることができるものとし、(一)に該当する場合で不足額を生ずることとなったとき、又は(二)に該当するときにあっては、当該買換資産の取得をした日又は(二)に該当する事情が生じた日から４月以内に**2**の譲渡をした日の属する年分の所得税についての修正申告書を提出し、かつ、当該期限内に当該申告書の提出により納付すべき税額を納付しなければならないものとする。(措法37の５③、37の２②)

(一)	**1**の表の(一)及び同(二)の右欄に掲げる資産の取得をした場合において、その取得価額が**2**において準用する**1**に規定する取得価額の見積額に対して過不足額があるとき。
(二)	取得指定期間内に**1**の表の(一)及び同(二)の右欄に掲げる資産の取得をせず、又は**2**の取得の日から１年以内に、買換資産を**1**に規定する事業の用若しくは居住の用に供せず、若しくは供しなくなった場合

③　修正申告がなかった場合の更正

①若しくは②のロに該当する場合又は②イに規定する不足額を生ずることとなった場合において、修正申告書の提出がないときは、納税地の所轄税務署長は、当該申告書に記載すべきであった所得金額、所得税の額その他の事項につき第十二章**一 1**《更正》又は同**3**《再更正》の規定による更正を行う。(措法37の５③、37の２③)

(修正申告書等に対する国税通則法の適用関係)

注　**六 1**①(２)の規定は、①又は②の規定による修正申告書及び③の更正について準用する。この場合において、**六 1**①(２)(一)及び同(二)中「①に規定する提出期限」とあるのは「**十九 7**①又は同②に規定する提出期限」と、同(二)中「**六 1**①」とあるのは「**十九 7**①又は同②」と読み替えるものとする。(措法37の５③、37の２④、33の５③)

8　買換資産の取得価額の計算等

①　買換資産の取得価額の計算

1の規定の適用を受けた者（**7**①若しくは同②の規定による修正申告書を提出し、又は**7**③の規定による更正を受けたため、**1**の規定による特例を認められないこととなった者を除く。）の買換資産に係る減価償却費の額を計算するとき、又は当該買換資産の取得の日以後その譲渡（**三 4**表内①に規定する譲渡所得の基因となる不動産等の貸付けを含む。)、相続(限定承認に係るものに限る。)、遺贈（法人に対するもの及び個人に対する包括遺贈のうち限定承認に係るものに限る。）若しくは贈与（法人に対するものに限る。）があった場合において、譲渡所得の金額を計算するときは、当該買換資産の取得価額は、次のイからハまでに定める場合の区分に応じ当該イからハまでに定める金額とする。(措法37の５④、措令25の４⑬⑭)

イ	**1**の譲渡による収入金額が買換資産の取得価額を超える場合	当該譲渡をした資産の**取得価額等**（取得価額、設備費及び改良費の合計額をいう。以下同じ。）及び譲渡費用のうち、その超える額に対応する部分以外の部分として次により計算した金額 (譲渡資産の取得価額等＋譲渡費用の額) × $\frac{\text{買換資産の取得価額}}{\text{譲渡資産の譲渡に係る収入金額}}$ (注)　上記の算式中「譲渡資産の取得価額等」は、同一年中に２以上の譲渡資産の譲渡が行われた場合には、これらの譲渡資産の取得価額等の合計額による。(以下②までにおいて同じ。)(措令25の４⑭)
ロ	**1**の譲渡による収入金額が買換資産の取得価額に等しい場合	譲渡資産の取得価額等＋譲渡費用の額
ハ	**1**の譲渡による収入金額が買換資産の取得価額に満たない場合	(譲渡資産の取得価額等＋譲渡費用の額) ＋ (買換資産の取得価額－譲渡資産の譲渡による収入金額)

（確定申告書への付記）

注　買換資産について①の規定により減価償却費の額を計算する場合又は譲渡所得の金額を計算する場合には、確定申告書に当該買換資産が①の規定に該当するものである旨及び当該買換資産に係る償却費又は譲渡所得の金額についてはその金額が①の規定により計算されている旨を記載するものとする。（措令25の４⑪）

②　買換資産が２以上ある場合の取得価額の計算

買換資産が２以上ある場合には、各買換資産につき①の規定によりその取得価額とされる金額は、①イから同ハまでに定める場合の区分に応じ、同イから同ハまでに定める金額に当該各買換資産の価額がこれらの買換資産の価額の合計額のうちに占める割合を乗じて計算した金額とする。（措令25の４⑫、措通37の５－９）

（一）　①イの場合

$$\left(\begin{array}{l}\text{譲渡資産の取}\\\text{得費の合計額}\end{array}+\begin{array}{l}\text{譲渡費用の}\\\text{額の合計額}\end{array}\right)\times\frac{\text{買換資産の取得価額の合計額}}{\text{譲渡資産の譲渡に係る収入金額の合計額}}\times\frac{\text{個々の買換資産の価額}}{\text{買換資産の価額の合計額}}$$

（二）　①ロの場合

$$\left(\begin{array}{l}\text{譲渡資産の取}\\\text{得費の合計額}\end{array}+\begin{array}{l}\text{譲渡費用の}\\\text{額の合計額}\end{array}\right)\times\frac{\text{個々の買換資産の価額}}{\text{買換資産の価額の合計額}}$$

（三）　①ハの場合

$$\left\{\left(\begin{array}{l}\text{譲渡資産の取}\\\text{得費の合計額}\end{array}+\begin{array}{l}\text{譲渡費用の}\\\text{額の合計額}\end{array}\right)+\left(\begin{array}{l}\text{買換資産の取得}\\\text{価額の合計額}\end{array}-\begin{array}{l}\text{譲渡資産の譲渡に係}\\\text{る収入金額の合計額}\end{array}\right)\right\}+\frac{\text{個々の買換資産の価額}}{\text{買換資産の価額の合計額}}$$

③　買換資産についての特別償却等の不適用

1の規定の適用を受けた場合には、買換資産については、第六章第二節**六18**《特別償却等に関する複数の規定の不適用》に掲げる次に掲げる規定は、適用しない。（措法37の５③、37の３④、措法19①）

イ　中小事業者が機械等を取得した場合の特別償却又は所得税額の特別控除（措法10の３）

ロ　地域経済牽引事業の促進区域内において特定事業用機械等を取得した場合の特別償却又は所得税額の特別控除（措法10の４）

ハ　地方活力向上地域等において特定建物等を取得した場合の特別償却又は所得税額の特別控除（措法10の４の２）

ニ　特定中小事業者が特定経営力向上設備等を取得した場合の特別償却又は所得税額の特別控除（措法10の５の３）

ホ　認定特定高度情報通信技術活用設備を取得した場合の特別償却又は所得税額の特別控除（措法10の５の５）

ヘ　事業適応設備を取得した場合等の特別償却又は所得税額の特別控除（措法10の５の６）

ト　特定船舶の特別償却（措法11）

チ　被災代替資産等の特別償却（措法11の２）

リ　特定事業継続力強化設備等の特別償却（措法11の３）

ヌ　環境負荷低減事業活動用資産等の特別償却（措法11の４）

ル　生産方式革新事業活動用資産等の特別償却（措法11の５）

ヲ　特定地域における工業用機械等の特別償却（措法12）

ワ　医療用機器等の特別償却（措法12の２）

カ　事業再編計画の認定を受けた場合の事業再編促進機械等の割増償却（旧措法13）

ヨ　輸出事業用資産の割増償却（旧措法13の２）

タ　特定都市再生建築物等の割増償却（措法14）

レ　倉庫用建物等の割増償却（措法15）

（注）　措令第10条各号の規定についても、上記同様、適用されない。（編者注）

9　特定民間再開発事業に係る買換資産を取得できないやむを得ない事情がある場合の他の特例の適用の特則

個人が、その有する資産で**1**（一）の左欄に掲げるものの譲渡をした場合において、当該個人が同（一）の右欄に掲げる資産のうち同（一）の中高層耐火建築物又は当該中高層耐火建築物に係る構築物の取得をすることが困難である特別な事情があるものとして（1）で定める場合に該当するときは、当該譲渡をした資産が、その年１月１日において**一１**②《土地建物等の所有期間の計算》に規定する所有期間が10年以下のもので**一３**①《居住用財産の範囲》に規定する居住用財産に該当するものである場合には、当該譲渡による譲渡所得は、同**3**に規定する譲渡所得に該当するものとみなして、同**3**の規定を適用する。（措法37の５⑥）

（買換資産を取得することが困難な特別な事情があるものとして（1）で定める場合）

（1）　**9**に規定する（1）で定める場合は、**1**(一)の左欄に掲げる資産の譲渡をした個人及び**1**（3）に規定する建築主の申請に基づき、都道府県知事が、当該個人につき当該個人又は当該個人と同居を常況とする者の老齢、身体上の障害その他（2）で定める事情により、当該個人が同(一)の右欄に掲げる資産のうち同(一)の中高層耐火建築物又は当該中高層耐火建築物に係る構築物を取得してこれを引き続き居住の用に供することが困難であると認められる事情があるものとして認定をした場合とする。（措令25の4⑰）

（（2）で定める事情）

（2）　（1）に規定する（2）で定める事情は、次の(一)又は(二)に掲げるいずれかの事情とする。（措規18の6⑤）

(一)	**1**(一)の右欄に規定する中高層耐火建築物（以下(二)において「中高層耐火建築物」という。）の用途が専ら業務の用に供する目的で設計されたものであること。
(二)	中高層耐火建築物が住宅の用に供するのに不適当な構造、配置及び利用状況にあると認められるものであること。

（特則の適用除外）

（3）　**9**の規定は、**9**に規定する資産の譲渡が**1**(一)の左欄に規定する中高層耐火建築物の建築に係る建築基準法第6条第4項又は第6条の2第1項の規定による確認済証の交付（同法第18条第3項の規定による確認済証の交付を含む。）のあった日の翌日から同日以後6月を経過する日までの間に行われた場合で当該資産の譲渡の一部につき**1**（**2**において準用する場合を含む。）の規定の適用を受けないときに限り、適用する。（措令25の4⑳）

（中高層耐火建築物の取得をすることが困難である特別な事情がある場合）

（4）　**9**の規定により**一3**の規定の適用を受ける場合には、次の点に留意する。（措通37の5－8）

(一)　**9**の規定は、**9**に規定する資産の譲渡の一部につき**1**の規定の適用を受けないときに限り適用があること。

(二)　当該譲渡については、**十一1**①の規定の適用がないこと。

（特則の適用手続）

（5）　**9**の規定により**一3**《居住用財産を譲渡した場合の長期譲渡所得の課税の特例》の規定の適用を受けようとする個人は、その適用を受けようとする年分の確定申告書に、**9**の規定により**一3**の規定の適用を受ける旨を記載し、かつ、都道府県知事が（1）に規定する認定をした旨を証する書類その他（6）で定める書類を添付しなければならない。（措令25の4⑱）

（添 付 書 類）

（6）　（5）に規定する書類は、都道府県知事の（5）に規定する個人が譲渡をした**1**(一)の左欄に規定する資産に係る同欄に規定する中高層の耐火建築物の建築をする事業につき**1**（2）に規定する認定をした旨を証する書類（当該中高層の耐火建築物の建築に係る（3）に規定する交付のあった年月日の記載のあるものに限る。）及び当該譲渡をした資産に係る（1）に規定する認定をした旨を証する書類とする。（措規18の6⑥）

（確定申告書への記載等がない場合の宥恕規定）

（7）　**9**の規定は、（5）の確定申告書の提出がなかった場合又は（5）の記載若しくは添付がない確定申告書の提出があった場合には、適用しない。ただし、税務署長は、その提出又は記載若しくは添付がなかったことについてやむを得ない事情があると認めるときは、当該記載をした書類及び（5）に規定する書類の提出があった場合に限り、**9**の規定を適用することができる。（措令25の4⑲）

二十　特定の交換分合により土地等を取得した場合の課税の特例

1　交換分合の場合の課税の特例

個人の有する土地又は土地の上に存する権利（第二章第一節**一**《用語の意義》表内**16**に規定する棚卸資産その他これに準ずる資産で雑所得の基因となる土地及び土地の上に存する権利を除く。以下**1**及び**3**において「**土地等**」という。）が次の(一)及び(二)に掲げる場合に該当することとなった場合には、当該(一)及び(二)に規定する交換分合により譲渡（譲渡所得の基因となる不動産等の貸付けを含む。以下**1**、**3**及び**3**注において同じ。）をした土地等（当該各号に規定する土地等とともに当該(一)及び(二)に規定する清算金の取得をした場合には、当該譲渡をした土地等のうち当該清算金の額に対応する部分以外のものとして（1）で定める部分）の譲渡がなかったものとして、**一**《土地建物等の長期譲渡所得の課税の特例》又は**二**《土地建物等の短期譲渡所得の課税の特例》の規定を適用する。（措法37の６①、措令25の５①）

(一)	農業振興地域の整備に関する法律第13条の２第２項の規定による交換分合により土地等の譲渡（次のイからニまでの規定の適用を受けるものを除く。）をし、かつ、当該交換分合により土地等の取得をした場合（当該土地等とともに同法第13条の５において準用する土地改良法第102条第４項の規定による清算金の取得をした場合を含む。） イ　**八**《特定土地区画整理事業等のために土地等を譲渡した場合の譲渡所得の特別控除》（措法34） ロ　**九**《特定住宅地造成事業等のために土地等を譲渡した場合の譲渡所得の特別控除》（措法34の２） ハ　**十**《農地保有の合理化等のために農地等を譲渡した場合の譲渡所得の特別控除》（措法34の３） ニ　**十二**《特定の土地等の長期譲渡所得の特別控除》（措法35の２） ホ　**十三**《低未利用土地等を譲渡した場合の長期譲渡所得の特別控除》（措法35の３） ヘ　**十八**《特定の事業用資産の買換え又は交換の特例》（措法37、37の４）
(二)	農住組合法第７条第２項第３号の規定による交換分合（注で定める区域内において同法第２章第３節に定めるところにより行われたものに限る。）により土地等（農住組合の組合員である個人並びに当該組合員以外の個人で農住組合法第９条第１項の規定による認可があった同項に規定する交換分合計画において定める土地の所有権〈当該土地の上に存する権利を含む。〉を有する者の有する土地等に限る。）の譲渡（次のイからヌまでの規定の適用を受けるものを除く。）をし、かつ、当該交換分合により土地等の取得をした場合（当該土地等とともに同法第11条において準用する土地改良法第102条第４項の規定による清算金の取得をした場合を含む。）（措令25の５④） イ　**三**《収用等に伴い代替資産を取得した場合の課税の特例》（措法33） ロ　**七**《収用交換等の場合の譲渡所得等の特別控除》（措法33の４） ハ　**八**《特定土地区画整理事業等のために土地等を譲渡した場合の譲渡所得の特別控除》（措法34） ニ　**九**《特定住宅地造成事業等のために土地等を譲渡した場合の譲渡所得の特別控除》（措法34の２） ホ　**十**《農地保有の合理化等のために農地等を譲渡した場合の譲渡所得の特別控除》（措法34の３） ヘ　**十一**《居住用財産の譲渡所得の特別控除》（措法35） ト　**十二**《特定の土地等の長期譲渡所得の特別控除》（措法35の２） チ　**十三**《低未利用土地等を譲渡した場合の長期譲渡所得の特別控除》（措法35の３） リ　**十五**《特定の居住用財産の買換え及び交換の特例》（措法36の２、36の５） ヌ　**十八**《特定の事業用資産の買換え又は交換の特例》（措法37、37の４） ル　**十九**《既成市街地等内にある土地等の中高層耐火建築物等の建設のための買換え及び交換の特例》（措法37の５） （上記の区域） 注　上記の区域は、平成３年１月１日において次に掲げる区域に該当する区域とする。（措令25の５③） (一)　都の区域（特別区の存する区域に限る。） (二)　首都圏整備法第２条第１項に規定する首都圏、近畿圏整備法第２条第１項に規定する近畿圏又は中部圏開発整備法第２条第１項に規定する中部圏内にある地方自治法第252条の19第１項の市の区域 (三)　(二)に規定する市以外の市でその区域の全部又は一部が首都圏整備法第２条第３項に規定する既成市街地若しくは同条第４項に規定する近郊整備地帯、近畿圏整備法第２条第３項に規定する既成都市区域若しくは同条第４項に規定する近郊整備区域又は中部圏開発整備法第２条第３項に規定する都市整備区域内にあるものの区域

（譲渡がなかったものとして定める部分）

（1）　**1**に規定する定める部分は、**1**(一)から同(三)までに規定する交換分合により譲渡した**1**に規定する土地等（以下**二十**において「**交換譲渡資産**」という。）のうち、当該交換分合により取得した土地等（以下**二十**において「**交換取得資産**」という。）の価額が当該価額と当該交換取得資産とともに取得した**1**(一)から同(三)までに規定する清算金の額との合計額のうちに占める割合を、交換譲渡資産の価額に乗じて計算した金額に相当する部分とする。（措令25の5②）

$$\text{交換譲渡資産の価額} \times \frac{\text{交換取得資産の価額}}{\text{交換取得資産の価額}+\text{清算金の額}}(\text{交換資産割合}) = \text{譲渡がなかったものとされる部分}$$

（注）　交換分合に伴い交換取得資産のほかに清算金等を取得した場合は、上記により譲渡がなかったものとされる部分以外の部分について次により譲渡所得が計算される。（編者注）

①　収入金額＝清算金の額

②　必要経費＝$(\text{譲渡資産の取得価額等}+\text{譲渡費用の額}) \times \frac{\text{清算金の額}}{\text{交換取得資産の価額}+\text{清算金の額}}(\text{清算金割合})$

（清算金を取得した場合の800万円特別控除）

（2）　**1**(一)から同(三)までに規定する交換分合により土地等とともに清算金を取得した場合には、当該交換分合により譲渡した土地等のうち当該清算金に対応する部分について譲渡があったものとして**一**《土地建物等の長期譲渡所得の課税の特例》又は**二**《土地建物等の短期譲渡所得の課税の特例》の規定の適用がある。また、土地等（農業振興地域の整備に関する法律第３条に規定する農用地等及び同法第８条第２項第３号に規定する農用地等とすることが適当な土地並びにこれらの土地の上に存する権利に限る。）につき、**1**(一)に規定する交換分合が行われた場合において、農業振興地域の整備に関する法律第13条の３の規定により清算金のみを取得するときは、**十**《農地保有の合理化等のために農地等を譲渡した場合の所得の特別控除》の規定の適用があることに留意する。（措通37の６－２、編者補正）

2　申 告 要 件

1の規定は、**1**の規定の適用を受けようとする年分の確定申告書に、**1**の規定の適用を受けようとする旨の記載があり、かつ、次の(一)及び(二)に掲げる場合の区分に応じ当該(一)及び(二)に定める書類の添付がある場合に限り、適用する。（措法37の６②、措規18の７）

(一)　**1**(一)の場合　　同(一)に規定する交換分合により譲渡をした同(一)に規定する土地等及び取得をした当該土地等の登記事項証明書並びに当該交換分合に係る交換分合計画の写し（農業振興地域の整備に関する法律第13条の２第３項の規定による認可をした者の当該交換分合計画の写しである旨の記載のあるものに限る。）

(二)　**1**(二)の場合　　同(二)に規定する交換分合により譲渡をした同(二)に規定する土地等及び取得をした当該土地等の登記事項証明書並びに当該交換分合に係る交換分合計画の写し（農住組合法第11条において準用する土地改良法第99条第12項の規定による公告をした者の当該交換分合計画の写しである旨の記載のあるものに限る。）並びに当該土地等が同(二)注(一)から同(三)までに掲げる区域内にあることを明らかにする書類

（確定申告書等への記載等がない場合の宥恕規定）

（1）　税務署長は、確定申告書の提出がなかった場合又は**2**に規定する記載若しくは添付のない確定申告書の提出があった場合においても、その提出又は記載若しくは添付がなかったことについてやむ得ない事情があると認めるときは、当該記載をした書類及び**2**に掲げる書類の提出があった場合に限り、**1**の規定の適用をすることができる。（措法37の６③）

（農住組合法の規定による交換分合のうち特例の対象となるものの範囲）

（2）　農住組合法第７条第２項第３号の規定による交換分合のうち、**1**の規定の対象となるのものは、平成３年１月１日において次表に掲げる東京都の特別区及び市の区域に該当する区域内で農住組合法第２章第３節に定めるところにより行われた交換分合に限られることに留意する（措通37の６－１）

区分	都府県名	都　　市　　名
首都圏	茨 城 県	竜ケ崎市、水海道市、取手市、岩井市、牛久市
	埼 玉 県	川口市、川越市、浦和市、大宮市、行田市、所沢市、飯能市、加須市、東松山市、岩槻市、春日部市、狭山市、羽生市、鴻巣市、上尾市、与野市、草加市、越谷市、蕨市、戸田市、志木市、和光市、桶川市、新座市、朝霞市、鳩ケ谷市、入間市、久喜市、北本市、上福岡市、富士見市、八潮市、蓮

		田市、三郷市、坂戸市、幸手市
	東 京 都	特別区、武蔵野市、三鷹市、八王子市、立川市、青梅市、府中市、昭島市、調布市、町田市、小金井市、小平市、日野市、東村山市、国分寺市、国立市、福生市、多摩市、稲城市、狛江市、武蔵村山市、東大和市、清瀬市、東久留米市、保谷市、田無市、秋川市
	千 葉 県	千葉市、市川市、船橋市、木更津市、松戸市、野田市、成田市、佐倉市、習志野市、柏市、市原市、君津市、富津市、八千代市、浦安市、鎌ケ谷市、流山市、我孫子市、四街道市
	神奈川県	横浜市、川崎市、横須賀市、平塚市、鎌倉市、藤沢市、小田原市、茅ケ崎市、逗子市、相模原市、三浦市、秦野市、厚木市、大和市、海老名市、座間市、伊勢原市、南足柄市、綾瀬市
中部圏	愛 知 県	名古屋市、岡崎市、一宮市、瀬戸市、半田市、春日井市、津島市、碧南市、刈谷市、豊田市、安城市、西尾市、犬山市、常滑市、江南市、尾西市、小牧市、稲沢市、東海市、尾張旭市、知立市、高浜市、大府市、知多市、岩倉市、豊明市
	三 重 県	四日市市、桑名市
近畿圏	京 都 府	京都市、宇治市、亀岡市、向日市、長岡京市、城陽市、八幡市
	大 阪 府	大阪市、守口市、東大阪市、堺市、岸和田市、豊中市、池田市、吹田市、泉大津市、高槻市、貝塚市、枚方市、茨木市、八尾市、泉佐野市、富田林市、寝屋川市、河内長野市、松原市、大東市、和泉市、箕面市、柏原市、羽曳野市、門真市、摂津市、泉南市、藤井寺市、交野市、四条畷市、高石市、大阪狭山市
	兵 庫 県	神戸市、尼崎市、西宮市、芦屋市、伊丹市、宝塚市、川西市、三田市
	奈 良 県	奈良市、大和高田市、大和郡山市、天理市、橿原市、桜井市、五条市、御所市、生駒市

3　交換取得資産の取得の時期及び取得価額

1の規定の適用を受けた個人が**1**(一)から同(三)までに規定する交換分合により取得した土地等（以下**3**及び**3**注において「交換取得資産」という。）につき、その取得をした日以後譲渡、相続、遺贈又は贈与があった場合において、当該交換取得資産に係る事業所得の金額、譲渡所得の金額又は雑所得の金額を計算するときは、当該交換分合により譲渡をした土地等（以下**3**において「交換譲渡資産」という。）の取得の時期を当該交換取得資産の取得の時期とし、次の(一)から(三)までに掲げる金額の合計額をその取得価額とする。（措法37の６④）

(一)	交換譲渡資産の取得価額等（取得価額、設備費及び改良費の合計額をいう。以下同じ。）に交換譲渡資産の譲渡に要した費用の額を加算した金額（交換取得資産とともに**1**(一)から同(三)までに規定する清算金を取得した場合には当該加算した金額のうち、当該清算金の額に対応する部分以外の部分の額として注で定めるところにより計算した金額とする。） (上記により計算した金額) 注　上記により計算した金額は、交換譲渡資産の取得価額等及び当該交換譲渡資産の譲渡に要した費用の額の合計額に**1**(１)に規定する割合《交換資産割合》を乗じて計算した金額とする。（措令25の５⑤） $\left(\text{交換譲渡資産の取得価額等}+\begin{array}{c}\text{交換譲渡資産の譲渡}\\\text{に要した費用の額}\end{array}\right)\times\frac{\text{交換取得資産の価額}}{\text{交換取得資産の価額}+\text{清算金の額}}$
(二)	交換譲渡資産とともに**1**(一)から同(三)までに規定する清算金を支出して交換取得資産を取得した場合には、当該清算金の額
(三)	交換取得資産を取得するために要した経費の額がある場合には、当該経費の額

(交換取得資産の取得価額の明細の申告書への記載)

注　交換取得資産の譲渡に係る事業所得の金額、譲渡所得の金額又は雑所得の金額を計算する場合には、確定申告書に当該交換取得資産の取得価額が**3**の規定により計算されている旨及びその計算の明細を記載するものとする。（措法37の６⑤）

二十一　特定普通財産とその隣接する土地等の交換の場合の譲渡所得の課税の特例

1　特定普通財産とその隣接する土地等の交換の場合の譲渡所得の課税の特例

個人が、その有する国有財産特別措置法第９条第２項の普通財産のうち同項に規定する土地等として(２)で定めるところにより証明がされたもの（以下**二十一**において「**特定普通財産**」という。）に隣接する土地（当該特定普通財産の上に存する権利を含むものとし、第二章第一節**一**《用語の意義》表内**16**に規定する棚卸資産その他これに準ずる資産で雑所得の基因となる土地及び土地の上に存する権利を除く。以下において「**所有隣接土地等**」という。）につき、国有財産特別措置法第９条第２項の規定により当該所有隣接土地等と当該特定普通財産との交換（**十八４**《特定の事業用資産を交換した場合の譲渡所得の課税の特例》の規定の適用を受ける交換を除く。以下**１**において同じ。）をしたとき（交換差金を取得し、又は支払った場合を含む。）は、当該所有隣接土地等（当該特定普通財産とともに交換差金を取得した場合には、当該所有隣接土地等のうち当該交換差金に相当するものとして(１)で定める部分を除く。）の交換がなかったものとして、**一**《土地建物等の長期譲渡所得の課税の特例》又は**二**《土地建物等の短期譲渡所得の課税の特例》の規定を適用する。（措法37の８①、措令25の６①②）

（**１**に規定する(１)で定める部分）

(１)　**１**に規定する(１)で定める部分は、**１**に規定する交換をした**１**に規定する所有隣接土地等のうち、**１**に規定する交換差金の額が当該交換の日における**１**に規定する特定普通財産（以下(１)において「特定普通財産」という。）の価額（当該特定普通財産が２以上ある場合には、各特定普通財産の価額の合計額）と当該交換差金の額との合計額のうちに占める割合を、当該所有隣接土地等の価額に乗じて計算した金額に相当する部分とする。（措令25の６③）

（(２)で定めるところにより証明がされた土地等）

(２)　**１**に規定する(２)で定めるところにより証明がされた土地等は、国有財産特別措置法第９条第２項に規定する土地等（以下(２)において「土地等」という。）のうち、財務局長等（国有財産法第９条第２項の規定により財務大臣から国有財産の総括に関する事務の一部を分掌された財務局長若しくは福岡財務支局長又は内閣府設置法第45条第１項の規定により財務局の長とみなされた沖縄総合事務局の長をいう。㈡及び**２**(２)において同じ。）の当該土地等が国有財産特別措置法第９条第２項に規定する円滑に売り払うため必要があると認められるものとして次の㈠から㈢までのいずれかに該当する土地等であることにつき証明がされたものとする。（措規18の８①）

㈠	建築物の敷地の用に供する場合には建築基準法第43条の規定に適合しないこととなる土地等
㈡	財務局長等が著しく不整形と認める土地等
㈢	建物又は構築物の所有を目的とする地上権又は賃借権の目的となつている土地等

2　申 告 要 件

１の規定は、**１**の規定の適用を受けようとする者の**１**に規定する所有隣接土地等（以下「所有隣接土地等」という。）の**１**に規定する交換をした日の属する年分の確定申告書に、**１**の規定の適用を受けようとする旨の記載があり、かつ、当該交換の日における当該交換により譲渡した所有隣接土地等及び当該交換により取得した**１**に規定する特定普通財産（以下「特定普通財産」という。）の価額（**１**に規定する交換差金を取得し、又は支払った場合には、当該所有隣接土地等及び特定普通財産の価額並びに当該交換差金の額）に関する明細書その他(２)で定める書類の添付がある場合に限り、適用する。（措法37の８②、37⑥）

（確定申告書の提出がなかった場合等の宥恕規定）

(１)　税務署長は、確定申告書の提出がなかった場合又は**２**の記載若しくは添付がない確定申告書の提出があった場合においても、その提出又は記載若しくは添付がなかったことについてやむを得ない事情があると認めるときは、当該記載をした書類並びに**２**の明細書及び(２)で定める書類の提出があった場合に限り、**１**の規定を適用することができる。（措法37の８②、37⑦）

（添 付 書 類）

(２)　**２**に規定する(２)で定める書類は、**１**の交換の契約書の写しのほか、次の㈠又は㈡に掲げる場合の区分に応じ当該㈠又は㈡に定める書類とする。（措規18の８②）

<table>
<tr><td>(一)</td><td colspan="2">1に規定する特定普通財産が国の一般会計に属する場合　当該特定普通財産の所在地を管轄する財務局長等から交付を受けた国有財産特別措置法第９条第２項の規定に基づき交換をした旨及び当該特定普通財産が1（２）(一)から同(三)までのいずれかの土地等に該当する旨を証する書類</td></tr>
<tr><td rowspan="3">(二)</td><td colspan="2">特定普通財産が国有財産法施行令第４条各号に掲げる特別会計に属する場合　当該特定普通財産を所管する国有財産法第４条第２項に規定する各省各庁の長から交付を受けた次に掲げる書類</td></tr>
<tr><td>イ</td><td>当該特定普通財産の所在地を管轄する財務局長等の当該各省各庁の長から協議された当該特定普通財産の国有財産特別措置法第９条第２項に規定する交換について同意する旨及び当該特定普通財産が1（２）(一)から同(三)までのいずれかの土地等に該当する旨を証する書類の写し</td></tr>
<tr><td>ロ</td><td>当該各省各庁の長の国有財産特別措置法第９条第２項の規定に基づき交換をした旨を証する書類</td></tr>
</table>

（明細書の提出）

（３）　**2**に規定する確定申告書を提出する者は、（４）で定めるところにより、**1**に規定する交換により取得した特定普通財産（**3**及び**3**（４）において「**交換取得資産**」という。）の明細に関する（５）で定める書類を納税地の所轄税務署長に提出しなければならない。（措法37の８③）

（交換用地等の証明書の提出）

（４）　**2**に規定する確定申告書を提出する者は、（３）に規定する（５）で定める書類を、当該確定申告書の提出の日（（１）の規定に該当してその日の翌日以後において（３）に規定する書類を提出する場合には、その提出の日）までに納税地の所轄税務署長に提出しなければならない。（措令25の６④）

（（３）に規定する（５）で定める書類）

（５）　（３）に規定する（５）で定める書類は、**1**に規定する交換により取得した特定普通財産に関する登記事項証明書その他当該特定普通財産を取得した旨を証する書類の写しとする。（措規18の８③）

3　交換取得資産の取得価額の計算等

1の規定の適用を受けた者の交換取得資産について、当該交換取得資産を取得した日以後その譲渡（譲渡所得の基因となる不動産等の貸付けを含む。（４）において同じ。）、相続、遺贈又は贈与があった場合において、事業所得の金額、譲渡所得の金額又は雑所得の金額を計算するときは、（１）で定めるところにより、当該交換取得資産の取得価額は、次の(一)から(三)までに掲げる場合の区分に応じ当該(一)から(三)までに定める金額（所有隣接土地等の**1**の交換に要した費用があるときは、（２）で定めるところにより計算した当該費用の金額を加算した金額）とする。（措法37の８④）

(一)	**1**の交換により交換取得資産とともに交換差金を取得した場合　当該交換により譲渡した所有隣接土地等の取得価額のうち当該交換差金に対応する部分以外の部分の額として（３）で定めるところにより計算した金額
(二)	**1**の交換の日において当該交換により譲渡した所有隣接土地等の価額が交換取得資産の価額に等しい場合　当該交換により譲渡した所有隣接土地等の取得価額に相当する金額
(三)	**1**の交換により交換取得資産を取得した場合（交換差金を支払った場合に限る。）　当該交換により譲渡した所有隣接土地等の取得価額に当該交換差金の額を加算した金額に相当する金額

（**2**（３）に規定する交換取得資産が２以上ある場合）

（１）　**2**（３）に規定する交換取得資産が２以上ある場合には、各交換取得資産につき**3**の規定によりその取得価額とされる金額は、**3**(一)から同(三)までに掲げる場合の区分に応じ当該(一)から同(三)までに定める金額に、当該各交換取得資産の価額がこれらの交換取得資産の価額の合計額のうちに占める割合を乗じて計算した金額とする。（措令25の６⑤）

（**3**の規定により**3**(一)から同(三)までに定める金額に加算する**3**に規定する費用の金額）

（２）　**3**の規定により**3**(一)から同(三)までに定める金額に加算する**3**に規定する費用の金額は、**3**に規定する交換に要した費用の額のうち**1**の規定による譲渡所得の金額の計算上控除されなかった部分の金額とする。（措令25の６⑥）

（**3**(一)に規定する交換差金に対応する部分以外の部分の額として(3)で定めるところにより計算した金額）

（3）　**3**(一)に規定する交換差金に対応する部分以外の部分の額として(3)で定めるところにより計算した金額は、**1**に規定する交換の日における特定普通財産の価額（当該特定普通財産が２以上ある場合には、各特定普通財産の価額の合計額）が当該特定普通財産の価額と当該交換差金の額との合計額のうちに占める割合を、同(一)に規定する交換により譲渡した**1**に規定する所有隣接土地等の取得価額に乗じて計算した金額とする。（措令25の６⑦）

（確定申告書への記載）

（4）　交換取得資産の譲渡に係る事業所得の金額、譲渡所得の金額又は雑所得の金額を計算する場合には、確定申告書に当該交換取得資産の取得価額が**3**の規定により計算されている旨及びその計算の明細を記載するものとする。（措法37の８⑤）

（短期保有の所有隣接土地等と長期保有の所有隣接土地等がある場合の交換差金の区分）

（5）　**1**の規定の適用を受ける場合において、その交換をした土地等のうちに短期譲渡所得の基因となるものと長期譲渡所得の基因となるものとがあり、かつ、交換差金（**1**に規定する交換に伴い取得した交換差金の額をいう。）があるときは、当該交換差金の額を交換したそれぞれの資産の交換の時の価額（契約等によりそれぞれの資産の交換による収入金額が明らかであり、かつ、その額が適正であると認められる場合には、そのそれぞれの収入金額）の比によりあん分して計算した金額をそれぞれの資産に係る交換差金とする。（措通37の８－１）

（他の課税の特例に関する取扱いの準用）

（6）　**十八１**(2)の取扱いは、**1**の規定を適用する場合について準用する。（措通37の８－２）

二十二　相続財産に係る譲渡所得の課税の特例

1　相続財産に係る取得費への相続税額の加算

相続又は遺贈（贈与者の死亡により効力を生ずる贈与を含む。以下同じ。）による財産の取得（相続税法又は租税特別措置法第70条の５《農地等の贈与者が死亡した場合の相続税の課税の特例》、第70条の６の９《個人の事業用資産の贈与者が死亡した場合の相続税の課税の特例》、第70条の７の３《非上場株式等の贈与者が死亡した場合の相続税の課税の特例》若しくは第70条の７の７《非上場株式等の特例贈与者が死亡した場合の相続税の課税の特例》の規定により相続又は遺贈による財産の取得とみなされるものを含む。以下同じ。）をした個人で当該相続又は遺贈につき相続税法の規定による**相続税額**があるものが、当該相続の開始があった日の翌日から当該相続に係る相続税法第27条第１項又は第29条第１項の規定による申告書（これらの申告書の提出後において同法第４条第１項《遺贈により取得したものとみなす場合》に規定する事由が生じたことにより取得した資産については、当該取得に係る同法第31条第２項《修正申告の特則》の規定による申告書。以下「相続税申告書」という。）の提出期限（以下「相続税申告期限」という。）の翌日以後３年を経過する日までの間に当該相続税額に係る課税価格（同法第19条又は第21条の14《相続時精算課税に係る相続税額》から第21条の18までの規定の適用がある場合には、これらの規定により当該課税価格とみなされた金額）の計算の基礎に算入された資産の譲渡（**一１**に規定する譲渡所得の基因となる不動産等の貸付けを含む。以下同じ。）をした場合における譲渡所得に係る第四章第八節**二**《譲渡所得の金額》**１**の規定の適用については、同**１**に規定する取得費は、当該取得費に相当する金額に当該相続税額のうち当該譲渡をした資産に対応する部分として**２**で定めるところにより計算した金額を加算した金額とする。（措法39①）

（農地等についての相続税の納税猶予の規定の適用を受ける者がある場合等の相続税額）

（１）　**１**に規定する相続税法の規定による相続税額は、同一の被相続人（租税特別措置法第70条の６第１項《農地等についての相続税の納税猶予》に規定する被相続人をいう。）からの相続又は遺贈による財産の取得をした者のうちに同条第１項の規定の適用を受ける者がある場合には、同条第２項に規定する納付すべき相続税の額とし、相続税法第20条、第21条の15第３項又は第21条の16第４項の規定により控除される金額がある場合には、同法の規定による相続税額又は当該納付すべき相続税の額に当該金額を加算した金額とする。（措法39⑥）

（課税価格の計算の基礎に算入された資産）

（２）　**１**に規定する課税価格の計算の基礎に算入された資産には、相続又は遺贈による当該資産の移転につき**二十四１**《贈与等の場合の譲渡所得等の特例》又は第六章第四節**一２**の規定の適用を受けた資産（同**２**③ただし書の規定の適用を受けるもの又は同③本文の規定が適用されないこととなったものを除く。）を含まないものとし、当該課税価格の計算の基礎に算入された資産につき**五１**《換地処分等に伴い資産を取得した場合の課税の特例》の規定の適用を受けた場合における当該資産に係る同**１**若しくは同**９**の換地処分又は同**２**、同**４**、同**６**若しくは同**８**の権利変換により取得した資産を含むものとする。（措法39⑦）

（取得費に加算する金額）

（３）　**１**の規定を適用する場合において、**１**の規定により**１**に規定する取得費に加算する金額は、譲渡をした資産ごとに計算するものとする。（措法39⑧）

（所得税の納税義務成立後に相続税額が確定する場合等）

（４）　**１**の規定は、**１**に規定する資産を譲渡した場合において、当該譲渡の日の属する年分の所得税の納税義務の成立する時において確定している相続税額があるときに適用があるのであるが、当該所得税の納税義務の成立する時が相続税の申告書の提出期限前である場合には、たとえその時において確定している相続税額がない場合においても、当該提出期限までに相続税額が確定したときは**１**の規定の適用があることに留意する。（措通39－１）

（同一銘柄の株式を譲渡した場合の適用関係）

（５）　譲渡所得の基因となる株式（株主又は投資主となる権利、株式の割当てを受ける権利、新株予約権（新投資口予約権を含む。以下（５）において同じ。）及び新株予約権の割当てを受ける権利を含む。以下（５）において同じ。）を相続等により取得した個人が、当該株式と同一銘柄の株式を有している場合において、**１**に規定する特例適用期間内に、これらの株式の一部を譲渡したときには、当該譲渡については、当該相続等により取得した株式の譲渡からなるものとして、**１**の規定を適用して差し支えない。（措通39－12）

（相続時精算課税適用者の死亡後に特定贈与者が死亡した場合）

（6）　相続時精算課税適用者（相続税法第21条の9第5項に規定する「相続時精算課税適用者」をいう。以下(6)において同じ。）の死亡後に当該相続時精算課税適用者に係る特定贈与者（同条第5項に規定する「特定贈与者」をいう。以下(6)において同じ。）が死亡した場合において、同法第21条の17第1項に規定する納税に係る権利又は義務を承継した当該相続時精算課税適用者の相続人（以下(6)において「承継相続人」という。）が、当該特定贈与者に係る贈与財産のうち同法第21条の9第3項の規定の適用を受けたもの（以下(6)において「相続時精算課税適用資産」という。）を当該相続時精算課税適用者から相続等により取得しているときには、当該相続時精算課税適用資産は、**二十二**の規定の適用上、当該相続時精算課税適用者及び当該特定贈与者の相続税の課税価格の計算の基礎にそれぞれ算入された資産とし、当該承継相続人が当該相続時精算課税適用資産を**1**に規定するそれぞれの特例適用期間内に譲渡したときには、いずれの相続税額についても**1**の規定を適用して差し支えない。相続税法第21条の18第2項に規定する相続人についても、また同様とする。

なお、この場合における**二十二**の規定の適用については、当該相続時精算課税適用者の死亡に係る相続税額を先に適用する。ただし、当該承継相続人が当該特定贈与者に係る相続税額を先に適用して申告したときは、その申告を認める。（措通39－13）

（所得税法第60条の3第1項の規定の適用を受けた資産の範囲）

（7）　（2）の規定により、**1**に規定する課税価格の計算の基礎に算入された資産には、相続又は遺贈による当該資産の移転につき第六章第四節**一 2**①《贈与等により非居住者に資産が移転した場合の譲渡所得等の特例》の規定の適用を受けた資産は含まれないのであるが、同①の規定の適用を受けた資産であっても、次に掲げるものは、**1**に規定する課税価格の計算の基礎に算入された資産に含まれることに留意する。（措通39－14）

⑴　同④ただし書《所得税法第60条の3第1項の規定の適用を受けた資産の取得価額の付替計算の不適用》の規定の適用を受ける次に掲げる有価証券等

イ　同①の規定の適用を受けた被相続人に係る相続の開始の日の属する年分の所得税について確定申告書の提出及び決定がされていない場合における有価証券等

ロ　当該相続の開始の日の属する年分の譲渡所得等の金額の計算上有価証券等の当該相続の時における価額に相当する金額が総収入金額に算入されていない当該有価証券等

ハ　同⑥前段《受贈者等が帰国をした場合等の課税の取消し》（同⑦の規定により適用する場合を含む。）の規定の適用があった有価証券等

（注）　当該有価証券等の譲渡をした日以後に同⑥前段の規定の適用があったことにより、第十章第七節**二 2**①《非居住者である受贈者等が帰国をした場合等の修正申告の特例》の規定による修正申告書の提出又は同章第八節**二 4**①《非居住者である受贈者等が帰国をした場合等の更正の請求の特例》の規定による更正の請求に基づく更正があった者は、**4**(二)の規定により、当該修正申告書の提出又は更正があった日の翌日から4月を経過する日までに更正の請求をすることにより、**1**の規定を適用することができることに留意する。

⑵　同④本文の規定が適用されないこととなった有価証券等

（注）1　「同④本文の規定が適用されないこととなった有価証券等」については、同①(2)参照

2　当該有価証券等の譲渡をした日以後に遺産分割等の事由が生じたことにより、第十章第七節**二 5**①《遺産分割等があった場合の修正申告の特例》の規定による修正申告書の提出又は同章第八節**二 6**《遺産分割等があった場合の更正の請求の特例》の規定による更正の請求に基づく更正があった者は、**4**(三)の規定により、当該修正申告書の提出又は更正があった日の翌日から4月を経過する日までに更正の請求をすることにより、**1**の規定を適用することができることに留意する。

2　取得費に加算される相続税額の計算

1に規定する譲渡をした資産に対応する部分として**2**で定めるところにより計算した金額は、(一)に掲げる相続税額に(二)に掲げる割合を乗じて計算した金額とする。ただし、当該計算した金額が、当該資産の譲渡所得に係る収入金額から**1**の規定の適用がないものとした場合の当該資産の取得費及びその資産の譲渡に要した費用の額の合計額を控除した残額に相当する金額を超える場合には、その残額に相当する金額とし、当該収入金額が当該合計額に満たない場合には、当該計算した金額は、ないものとする。（措令25の16①）

(一)	当該譲渡をした資産の取得の基因となった相続又は遺贈（**1**に規定する遺贈をいう。以下同じ。）に係る当該取得をした者の**1**に規定する相続税法の規定による相続税額（**1**(1)の規定又は**3**(2)の規定の適用がある場合にはその適用後の金額とし、これらの相続税額に係る第二章第一節**一**(2)表内④に規定する附帯税に相当する税額を除く。）で、当該譲渡の日の属する年分の所得税の納税義務の成立する時（その時が、**1**に規定する相続税申告書の提出期限内における当該相続税申告書の提出の時前である場合には、当該提出の時）において確定しているもの

(二)	(一)に掲げる相続税額に係る(一)に規定する者についての相続税法第11条の２に規定する課税価格（同法第19条又は第21条の14から第21条の18までの規定の適用がある場合にはこれらの規定により課税価格とみなされた金額とし、同法第13条の規定の適用がある場合には同条の規定の適用がないものとした場合の課税価格又はみなされた金額とする。）のうちに当該譲渡をした資産の当該課税価格の計算の基礎に算入された価額の占める割合

（**2**(一)の確定相続税額）

（１）　**2**(一)に掲げる相続税額は、同(一)に規定する納税義務の成立する時後において、当該相続税額に係る相続税につき修正申告書の提出又は第十二章**一１**《更正》若しくは同**3**《再更正》に規定する更正があった場合には、同(一)の規定にかかわらず、その申告又は更正後の相続税額とする。（措令25の16②）

（相続税法第19条の規定の適用がある場合）

（２）　相続又は遺贈による財産の取得をした個人の当該相続又は遺贈につき相続税法第19条の規定の適用がある場合には、当該個人に係る**1**に規定する相続税法の規定による相続税額は、同法第19条の規定により控除される贈与税の額がないものとして計算した場合のその者の同法の規定による納付すべき相続税額（**1**（１）の規定の適用がある場合には、その適用後の金額）に相当する金額とする。（措令25の16③）

（所得税の納税義務の成立の時期）

（３）　**2**《取得費に加算される相続税額の計算》(一)に規定する「当該譲渡の日の属する年分の所得税の納税義務の成立する時」とは、国税通則法第15条第２項第１号《納税義務の成立及びその納付すべき税額の確定》に掲げる暦年の終了の時をいうのであるから留意する。ただし、年の中途において死亡した者又は年の中途において出国する者については、その死亡又は出国の時をいう。（措通39－２）

（非課税財産がある場合の課税価格）

（４）　**2**(二)に規定する「相続税法第11条の２に規定する課税価格」には、同法第12条第１項《相続税の非課税財産》及び措置法第70条第１項《国等に対して相続財産を贈与した場合の相続税の非課税》の規定により相続税の課税価格に算入されない財産の価額は含まれないことに留意する。（措通39－３）

（贈与税額控除額がないものとして計算した相続税額）

（５）　**2**（２）に規定する相続税額は、次に掲げる者の区分に応じ、それぞれ次に掲げる金額となることに留意する。（措通39－４）

(一)　納付すべき相続税額がある者　その者の当該相続税額に相続税法第19条《相続開始前７年以内に贈与があった場合の相続税額》の規定により控除される贈与税の額を加算した金額

(二)　納付すべき相続税額がない者　相続税法第19条の規定により控除される贈与税の額（その者のものに限る。）がないものとして同法第15条《遺産に係る基礎控除》から第20条の２《在外財産に対する相続税額の控除》及び第21条の14《相続時精算課税に係る相続税額》から第21条の18までの規定により算出した金額

（相続財産を２以上譲渡した場合の取得費に加算する相続税額）

（６）　相続税の課税価格（相続税法第19条又は第21条の14から第21条の18までの規定の適用がある場合には、これらの規定により当該課税価格とみなされた金額をいう。（７）において同じ。）の計算の基礎に算入された資産を同一年中に２以上譲渡した場合の**2**の規定により計算される当該譲渡した資産に対応する部分の相続税額は、**1**（３）の規定により当該譲渡した資産ごとに計算するのであるから、たとえ、譲渡した資産のうちに譲渡損失の生じた資産があり、当該譲渡損失の生じた資産に対応する部分の相続税額を当該資産の取得費に加算することができない場合であっても、当該相続税額を他の譲渡資産の取得費に加算することはできないことに留意する。（措通39－５）

（相続財産の譲渡につき交換の特例等の適用を受ける場合の相続税額の加算）

（７）　相続税の課税価格の計算の基礎に算入された資産の譲渡につき**二十三**《固定資産の交換の場合の譲渡所得の特例》又は**三**《収用等に伴い代替資産を取得した場合の課税の特例》、**四**《交換処分等に伴い資産を取得した場合の課税の特例》、**十一１**①《居住用財産の譲渡所得の特別控除》（同③の規定により適用を受けた場合に限る。）、**十五１**《特定の居住用財産の買換えの場合の長期譲渡所得の課税の特例》、**十五５**《特定の居住用財産を交換した場合の長期譲渡所得

の課税の特例》、**十八１**《特定の事業用資産の買換えの場合の譲渡所得の課税の特例》、**十八４**《特定の事業用資産を交換した場合の譲渡所得の課税の特例》若しくは**十九**《既成市街地等内にある土地等の中高層耐火建築物等の建設のための買換え及び交換の場合の譲渡所得の課税の特例》（以下(７)において「交換の特例等」という。）の規定の適用を受けた場合において、当該資産のうちの一部について譲渡があったものとされる部分又は**十一１**③の規定の適用対象とならない部分があるときは、**１**の規定により取得費に加算される金額は、**２**(一)に掲げる相続税額に、次に掲げる場合の区分に応じ、それぞれ次に掲げる算式により計算した金額が同(二)に規定する課税価格のうちに占める割合を乗じて計算した金額による。（措通39－６）

(一)　交換差金等がある交換につき**二十三**の規定の適用を受けた場合

$$\text{当該譲渡資産の相続税の課税価格の計算の基礎に算入された価額（以下(7)において「相続税評価額」という。）} \times \frac{\text{取得した交換差金等の額}}{\text{取得した交換差金等の額} + \text{交換取得資産の価額}}$$

(二)　収用等による資産の譲渡又は特定資産の譲渡につき**三**、**十五１**、**十五５**又は**十九**の規定の適用を受けた場合

$$\text{当該譲渡資産の相続税評価額} \times \frac{\text{当該譲渡資産の譲渡による収入金額} - \text{代替資産又は買換資産の取得価額}}{\text{当該譲渡資産の譲渡による収入金額}}$$

(三)　交換処分等による譲渡につき**四１**の規定の適用を受けた場合

$$\text{当該譲渡資産の相続税評価額} \times \frac{\text{取得した補償金等の額}}{\text{取得した補償金等の額} + \text{交換取得資産の価額}}$$

(四)　特定資産の譲渡につき**十八１**又は**十八４**の規定の適用を受けた場合

$$\text{当該譲渡資産の相続税評価額} \times \frac{\text{当該譲渡資産につき譲渡があったものとされる部分に対応する収入金額}}{\text{当該譲渡資産の譲渡による収入金額}}$$

(五)　相続の開始の直前において被相続人の居住の用に供されていた家屋又はその敷地等の譲渡につき**十一１**③の規定の適用を受けた場合

$$\text{当該譲渡資産の相続税評価額} \times \frac{\text{当該譲渡資産のうち同項の規定の適用対象とならない部分に対応する収入金額}}{\text{当該譲渡資産の譲渡による収入金額}}$$

（代償金を支払って取得した相続財産を譲渡した場合の取得費加算額の計算）

(８)　代償金を支払って取得した相続財産を譲渡した場合における**二十二**の規定により譲渡資産の取得費に加算する相続税額については、次の算式により計算するものとする。（措通39－７）

$$\text{確定相続税額} \times \frac{\text{譲渡をした資産の相続税評価額B} - \text{支払代償金C} \times \frac{\text{B}}{\text{A}+\text{C}}}{\text{その者の相続税の課税価格（債務控除前）A}}$$

（注）１　「確定相続税額」とは、**２**(一)に掲げる相続税額をいい、**２**(１)に規定する場合にあっては同(１)の規定による相続税額をいう。

２　支払代償金については、昭和34年１月28日付直資10「相続税法基本通達の全部改正について」通達11の２-10《代償財産の価額》に定める金額によることに留意する。

（相続税額に異動が生ずる更正であっても再計算をしない場合）

(９)　**１**に規定する資産の譲渡の日の属する年分の所得税の納税義務の成立の時又は当該資産の取得の基因となった相続若しくは遺贈に係る相続税の申告書の提出期限のうちいずれか遅い日を経過した後に行われた当該相続税の申告又は当該遅い日を経過した後に行われた当該相続若しくは遺贈に係る相続税の決定に対する修正申告書の提出又は更正があった場合については、**２**(１)の規定の適用はないことに留意する。（措通39－８）

（判決等により相続税額が異動した場合）

(10)　相続税についての再調査の請求に係る決定、審査請求に係る裁決又は判決により、相続税額に異動が生じた場合には、**２**(１)に規定する更正があった場合に準じ、当該異動後の相続税額を基礎として取得費に加算すべき金額の再計算を行うものとする。（措通39－９）

（取得費に加算すべき相続税額の再計算）

(11)　**2**（1）の規定の適用がある場合又は(10)により**2**（1）に規定する更正があった場合に準じて取り扱う場合には、**1**の規定を適用して申告をした資産の譲渡に係る譲渡所得について**2**（1）に規定する修正申告又は更正後の相続税額を基礎として取得費に加算すべき金額を再計算するのであるが、当該譲渡所得について修正申告書の提出がある場合を除き、税務署長は第十二章**一1**又は同**3**の規定により更正することとなる。この場合において同**8**に規定する更正をすることができる期間を超えて更正することはできないことに留意する。（措通39−10）

（第二次相続人が第一次相続に係る相続財産を譲渡した場合の取得費加算額の計算）

(12)　相続等により財産を取得した個人のうち**1**の規定の適用を受けることができる者（以下(12)において「第一次相続人」という。）について、**1**に規定する期間（以下(12)において「特例期間」という。）内に相続が開始した場合において（以下(12)において当該相続を「第二次相続」という。）、当該第二次相続により財産を取得した相続人又は包括受遺者（以下(12)において「第二次相続人」という。）が特例対象資産（第一次相続人の相続税の課税価格の計算の基礎に算入された譲渡所得の基因となる資産をいう。以下(12)において同じ。）を第一次相続（第一次相続人が特例対象資産を相続等により取得したときの相続をいう。以下(12)において同じ。）に係る特例期間内に譲渡した場合には、第一次相続人が死亡する直前において取得費に加算できる金額（以下(12)において「第一次限度額」という。）を第二次相続人が承継しているものとみなして**1**の規定を適用して差し支えないものとする。（措通39−11）

(1)　上記の場合において、**1**の規定により当該譲渡した特例対象資産の取得費に加算する金額は、次の算式により計算した金額とする。

$$\text{譲渡した特例対象資産に係る取得費加算額} = \mathrm{A} \times \frac{\mathrm{C}}{\mathrm{B}}$$

（注）　算式中の符号は、次のとおりである。

Aは、第二次相続人の適用限度額をいい、次の計算式1により算出した第一次限度額を基に、次の計算式2により算出する。

（計算式1）

$$\left\{\text{第一次相続に係る相続税額} \times \frac{\text{第一次相続に係る特例対象資産の価額の合計額}}{\text{第一次相続に係る相続税の課税価格（債務控除前）}}\right\} - \text{既に適用を受けた取得費加算額} = \text{第一次限度額}$$

（計算式2）

$$\text{第一次限度額} \times \frac{\text{第二次相続人の第二次相続に係る相続税の課税価格の計算の基礎に算入された特例対象資産の価額の合計額}}{\text{第二次相続に係る相続税の課税価格の計算の基礎に算入された特例対象資産の価額の合計額}} = \text{第二次相続人の適用限度額}$$

Bは、第二次相続に係る相続税の課税価格の計算の基礎に算入された特例対象資産の価額の合計額

Cは、第二次相続に係る相続税の課税価格の計算の基礎に算入された特例対象資産である譲渡資産の価額

(2)　相続税の申告義務がないことなどにより、当該第二次相続に係る相続税の申告書の提出がない場合における上記(1)の計算は、当該第二次相続に係る相続税の課税価格の計算の基礎に算入すべき特例対象資産の価額を基に行うものとする。

(3)　当該特例対象資産は、第二次相続人が第二次相続により取得した資産でもあることから、**二十二**の規定による取得費に加算する金額の計算に当たっては、第一次相続に係る金額を基として行うか、又は第二次相続に係る金額を基として行うかは、譲渡した特例対象資産ごとに当該資産を譲渡した第二次相続人の選択したところによる。

3　申告要件

1の規定は、**1**の規定の適用を受けようとする年分の確定申告書又は修正申告書（第十章第七節**二3**①の規定により提出するものに限る。(2)において同じ。）に、**1**の規定の適用を受けようとする旨（特例適用条文欄に「措法39条」と記載）の記載があり、かつ、**1**の規定による譲渡所得の金額の計算に関する明細書その他(1)で定める書類の添付がある場合に限り、適用する。（措法39②）

（添付書類）

（1）　**3**に規定する書類は、**1**に規定する相続の開始があつた日及び当該相続に係る**1**に規定する相続税申告書の提出をした日並びに**1**の規定により当該資産の取得費に相当する金額に加算する金額の計算の明細その他参考となるべき事項を記載した書類とする。（措規18の18①）

（確定申告書への記載等がない場合の宥恕規定）

（2）　税務署長は、確定申告書若しくは修正申告書の提出がなかった場合又は**3**の記載若しくは添付がない確定申告書

若しくは修正申告書の提出があった場合においても、その提出又は記載若しくは添付がなかったことについてやむを得ない事情があると認めるときは、当該記載をした書類及び(1)で定める書類の提出があった場合に限り、**1**の規定を適用することができる。(措法39③)

4　更正の請求

次の(一)及び(二)に掲げる者が**1**に規定する課税価格の計算の基礎に算入された資産の譲渡について**1**の規定を適用することにより、当該譲渡をした者の当該譲渡の日の属する年分の所得税につき第十章第八節**二 3**①(一)及び(二)に掲げる場合に該当することとなる場合には、その者は、それぞれ次の(一)から(三)までに定める日まで、税務署長に対し、更正の請求をすることができる。(措法39④)

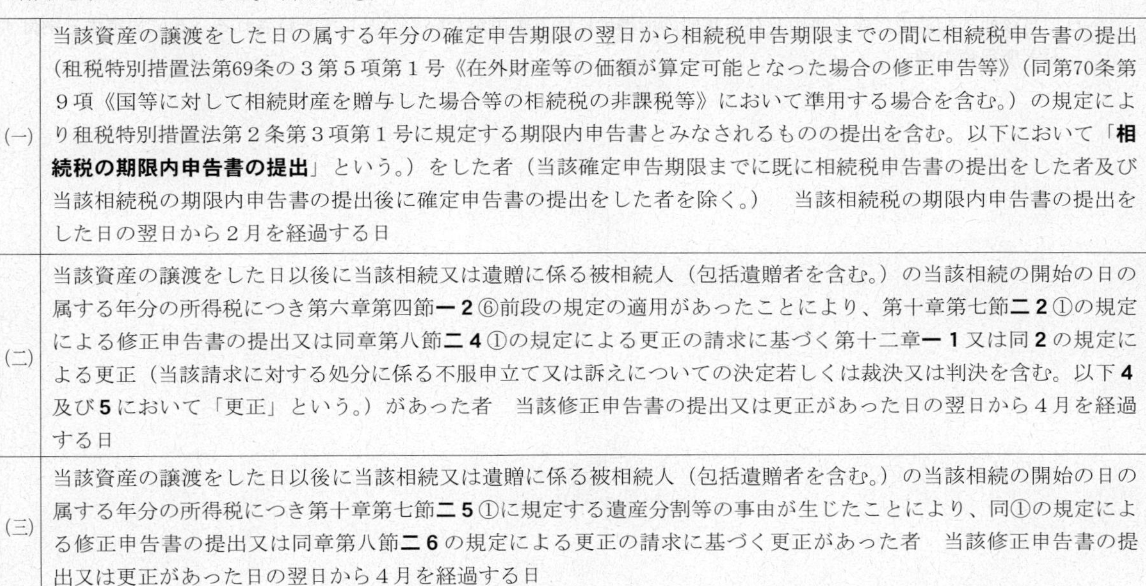

(一)	当該資産の譲渡をした日の属する年分の確定申告期限の翌日から相続税申告期限までの間に相続税申告書の提出(租税特別措置法第69条の３第５項第１号《在外財産等の価額が算定可能となった場合の修正申告等》(同第70条第９項《国等に対して相続財産を贈与した場合等の相続税の非課税等》において準用する場合を含む。)の規定により租税特別措置法第２条第３項第１号に規定する期限内申告書とみなされるものの提出を含む。以下において「**相続税の期限内申告書の提出**」という。)をした者(当該確定申告期限までに既に相続税申告書の提出をした者及び当該相続税の期限内申告書の提出後に確定申告書の提出をした者を除く。)　当該相続税の期限内申告書の提出をした日の翌日から２月を経過する日
(二)	当該資産の譲渡をした日以後に当該相続又は遺贈に係る被相続人(包括遺贈者を含む。)の当該相続の開始の日の属する年分の所得税につき第六章第四節**一 2**⑥前段の規定の適用があったことにより、第十章第七節**二 2**①の規定による修正申告書の提出又は同章第八節**二 4**①の規定による更正の請求に基づく第十二章**一 1**又は同**2**の規定による更正(当該請求に対する処分に係る不服申立て又は訴えについての決定若しくは裁決又は判決を含む。以下**4**及び**5**において「更正」という。)があった者　当該修正申告書の提出又は更正があった日の翌日から４月を経過する日
(三)	当該資産の譲渡をした日以後に当該相続又は遺贈に係る被相続人(包括遺贈者を含む。)の当該相続の開始の日の属する年分の所得税につき第十章第七節**二 5**①に規定する遺産分割等の事由が生じたことにより、同①の規定による修正申告書の提出又は同章第八節**二 6**の規定による更正の請求に基づく更正があった者　当該修正申告書の提出又は更正があった日の翌日から４月を経過する日

(注) 1　**3**及び**3**(2)の規定は、**4**の規定により更正の請求をする場合について準用する。この場合において、**3**中「確定申告書又は修正申告書(第十章第七節**二 3**①の規定により提出するものに限る。(2)において同じ。)に、**1**」とあるのは「更正請求書に、**1**」と、**3**(2)中「、確定申告書若しくは修正申告書」とあるのは「、**4**(一)から(三)までに掲げる者の区分に応じ当該(一)から(三)までに定める日までに更正請求書」と、「添付がない確定申告書若しくは修正申告書」とあるのは「添付がない更正請求書」と、「その提出」とあるのは「同日までにその提出」と読み替えるものとする。(措法39⑤)

2　**3**の(1)の規定は、(注) 1において準用する**3**に規定する(1)で定める書類について準用する。(措規18の18②)

5　相続税額が減少したことに伴い修正申告書を提出したこと又は更正があったことにより納付すべき所得税の額

1の規定の適用を受けた個人が相続税法第32条第１項の規定による更正の請求を行ったことにより**1**の相続税額が減少した場合において、当該相続税額が減少したことに伴い修正申告書を提出したこと又は更正があったことにより納付すべき所得税の額については、所得税に係る国税通則法第２条第８号に規定する法定納期限の翌日から当該修正申告書の提出があった日又は当該更正に係る同法第28条第１項に規定する更正通知書を発した日までの期間は、同法第60条第２項の規定による延滞税の計算の基礎となる期間に算入しない。(措法39⑨)

(延滞税の計算の基礎となる期間に算入しないこととされる所得税の額)

(1)　**5**に規定する納付すべき所得税の額(相続税法第32条第１項《更正の請求の特則》の規定による更正の請求を行ったことにより**1**の相続税額が減少した場合において、当該相続税額が減少したことに伴い修正申告書を提出したこと又は更正があったことにより納付すべき所得税の額をいう。以下(1)において同じ。)については、次に掲げる場合の区分に応じ、それぞれに掲げる金額が限度となることに留意する。(措通39−15)

⑴　相続税法第32条第１項に掲げる事由以外の他の相続税に係る事由による**1**の相続税額の異動に伴う所得税の額の異動がある場合　次のイ又はロのうちいずれか低い金額

イ　所得税の修正申告書を提出したこと又は更正があったことにより納付すべき所得税の額(以下⑴において「所得税の修正申告等により納付すべき所得税の額」という。)

ロ　当該他の相続税に係る事由がないものとして計算される「**5**に規定する納付すべき所得税の額」

(2)　「**5**に規定する納付すべき所得税の額」の異動以外の他の所得税に係る事由による所得税の額の異動がある場合　次のイ又はロのいずれか低い金額

イ　所得税の修正申告等により納付すべき所得税の額

ロ　当該他の所得税に係る事由がないものとして計算される「**5**に規定する納付すべき所得税の額」

(3)　相続税法第32条第１項に掲げる事由以外の他の相続税に係る事由による**1**の相続税額の異動に伴う所得税の額の異動があり、かつ、「**5**に規定する納付すべき所得税の額」の異動以外の他の所得税に係る事由による所得税の額の異動がある場合　次のイ又はロのいずれか低い金額

イ　所得税の修正申告等により納付すべき所得税の額

ロ　当該他の相続税に係る事由及び当該他の所得税に係る事由がないものとして計算される「**5**に規定する納付すべき所得税の額」

二十三　固定資産の交換の場合の譲渡所得の特例

1　固定資産の交換の場合の譲渡所得の特例

居住者が、各年において、１年以上有していた固定資産で次の①から⑤までに掲げるものをそれぞれ他の者が１年以上有していた固定資産で当該①から⑤までに掲げるもの（交換のために取得したと認められるものを除く。）と交換し、その交換により取得した当該①から⑤までに掲げる資産（以下「**取得資産**」という。）をその交換により譲渡した当該①から⑤までに掲げる資産（以下「**譲渡資産**」という。）の譲渡の直前の用途と同一の用途に供した場合には、第四章第八節《譲渡所得》の規定の適用については、当該譲渡資産（取得資産とともに金銭その他の資産を取得した場合には、当該金銭の額及び金銭以外の資産の価額に相当する部分を除く。）の譲渡がなかったものとみなす。（法58①）

①	土地（建物又は構築物の所有を目的とする地上権及び賃借権並びに農地法第２条第１項《定義》に規定する農地（同法第43条第１項《農作物栽培高度化施設に関する特例》の規定により農作物の栽培を耕作に該当するものとみなして適用する同法第２条第１項に規定する農地を含む。）の上に存する耕作（同法第43条第１項の規定により耕作に該当するものとみなされる農作物の栽培を含む。）に関する権利を含む。）
②	建物（これに附属する設備及び構築物を含む。）
③	機械及び装置
④	船舶
⑤	鉱業権（租鉱権及び採石権その他土石を採掘し、又は採取する権利を含む。）

ただし、その交換の時における取得資産の価額と譲渡資産の価額との差額がこれらの価額のうちいずれか多い価額の100分の20に相当する金額を超える場合には、上記の規定は適用しない。（法58②）

（所有期間の起算日）

（1）　**1**に規定する「１年以上有していた固定資産」であるかどうかを判定する場合における当該固定資産の取得の日については、基通33－９の取扱いに準ずる。（基通58－１）

（参考）　基通33－９《資産の取得の日》　第四章第八節**二１**(一)《譲渡所得の金額》に規定する取得の日は、次による。

（1）　他から取得した資産については、基通36－12に準じて判定した日とする。

（2）　自ら建設、製作又は製造（以下この項において「建設等」という。）をした資産については、当該建設等が完了した日とする。

（3）　他に請け負わせて建設等をした資産については、当該資産の引渡しを受けた日とする。

基通36－12《山林所得又は譲渡所得の総収入金額の収入すべき時期》　山林所得又は譲渡所得の総収入金額の収入すべき時期は、山林所得又は譲渡所得の基因となる資産の引渡しがあった日によるものとする。ただし、納税者の選択により、当該資産の譲渡に関する契約の効力発生の日（農地法第３条第１項《農地又は採草放牧地の権利移動の制限》若しくは第５条第１項本文《農地又は採草放牧地の転用のための権利移動の制限》の規定による許可（同条第４項の規定により許可があったものとみなされる協議の成立を含む。以下同じ。）を受けなければならない農地若しくは採草放牧地（以下この項においてこれらを「農地等」という。）の譲渡又は同条第１項第６号の規定による届出をしてする農地等の譲渡については、当該農地等の譲渡に関する契約が締結された日）により総収入金額に算入して申告があったときは、これを認める。

（注）１　山林所得又は譲渡所得の総収入金額の収入すべき時期は、資産の譲渡の当事者間で行われる当該資産に係る支配の移転の事実（例えば、土地の譲渡の場合における所有権移転登記に必要な書類等の交付）に基づいて判定をした当該資産の引渡しがあった日によるのであるが、当該収入すべき時期は、原則として譲渡代金の決済を了した日より後にはならないのであるから留意する。

２　農地等の譲渡について、農地法第３条又は第５条に規定する許可を受ける前又は届出前に当該農地等の譲渡に関する契約が解除された場合（再売買と認められるものを除く。）には、通則法第23条第２項の規定により、当該契約が解除された日の翌日から２月以内に更正の請求をすることができることに留意する。

（取得時期の引継規定の適用がある資産の所有期間）

（2）　交換により譲渡又は取得した固定資産が次に掲げる資産である場合における**1**に規定する「１年以上有していた固定資産」であるかどうかの判定は、次に掲げるところによる。（基通58－１の２）

(一)　**二十四３**《贈与等により取得した資産の取得費等》①又は**六２**《収用交換等により取得した代替資産等の取得価額及び取得時期》の規定の適用がある資産……引き続き所有していたものとして判定する。

(二)　**2**《交換の特例を受けた取得資産の取得価額等》の規定の適用がある資産……その実際の取得の日を基礎として判定する。

（交換の対象となる土地の範囲）

（3）　**1**表内①の「土地」には、立木その他独立して取引の対象となる土地の定着物は含まれないが、その土地が宅地である場合には、庭木、石垣、庭園（庭園に附属する亭、庭内神し〔祠〕その他これらに類する附属設備を含む。）その他これらに類するもののうち宅地と一体として交換されるもの（同②の「建物」に該当するものを除く。）は含まれる。（基通58－2）

（交換の対象となる耕作権の範囲）

（4）　**1**表内①に規定する「農地法第2条第1項《定義》に規定する農地（同法第43条第1項《農作物栽培高度化施設に関する特例》の規定により農作物の栽培を耕作に該当するものとみなして適用する同法第2条第1項に規定する農地を含む。）の上に存する耕作（同法第43条第1項の規定により耕作に該当するものとみなされる農作物の栽培を含む。）に関する権利」とは、同①に規定する耕作を目的とする地上権、永小作権又は賃借権で、これらの権利の移転、これらの権利に係る契約の解約等をする場合には農地法第3条第1項、第5条第1項又は第18条第1項《農地又は採草放牧地の賃貸借の解約等の制限》の規定の適用があるものをいう。（基通58－2の2）

（注）　したがって、これらの条の規定の適用がないいわゆる事実上の権利は含まれないことに留意する。

（交換の対象となる建物附属設備等）

（5）　**1**表内②のかっこ内の「建物に附属する設備及び構築物」は、その建物と一体となって交換される場合に限り建物として交換の特例の適用があるのであるから、建物に附属する設備又は構築物は、それぞれ単独には交換の特例の適用がない。（基通58－3）

（2以上の種類の資産を交換した場合）

（6）　2以上の種類の固定資産を同時に交換した場合、例えば、土地及び建物と土地及び建物とを交換した場合には、**1**のただし書の適用については土地は土地と、建物は建物とそれぞれ交換したものとする。この場合において、これらの資産は全体としては等価であるが、土地と土地、建物と建物との価額がそれぞれ異なっているときは、それぞれの価額の差額は**1**のただし書に規定する差額に該当することに留意する。（基通58－4）

（注）　次のような交換（金額は交換の時の価額を表わす。）が行われた場合には、**1**のただし書により建物については交換の特例の適用がないが、土地については適用があり、この場合建物の価額のうち600万円が土地に係る**2**表内①から同③までに規定する交換差金等となる。

（編者注）

甲	乙
土地2,400万円	土地3,000万円
建物1,600万円	建物1,000万円

（交換により取得した2以上の同種類の資産のうちに同一の用途に供さないものがある場合）

（7）　交換により種類を同じくする2以上の資産を取得した場合において、その取得した資産のうちに譲渡直前の用途と同一の用途に供さなかったものがあるときは、**1**の規定の適用については、当該用途に供さなかった資産は**1**の規定の適用がある取得資産には該当せず、当該資産は交換差金等となる。（基通58－5）

（取得資産を譲渡資産の譲渡直前の用途と同一の用途に供したかどうかの判定）

（8）　**1**に規定する資産を交換した場合において、取得資産を譲渡資産の譲渡直前の用途と同一の用途に供したかどうかは、その資産の種類に応じ、おおむね次に掲げる区分により判定する。（基通58－6）

（一）　土地　　宅地、田畑、鉱泉地、池沼、山林、牧場又は原野、その他の区分

（二）　建物　　居住の用、店舗又は事務所の用、工場の用、倉庫の用、その他の用の区分

（注）　店舗又は事務所と住宅とに併用されている家屋は、居住専用又は店舗専用若しくは事務所専用の家屋と認めて差し支えない。

（三）　機械及び装置　　その機械及び装置の属する減価償却資産の耐用年数等に関する省令の一部を改正する省令（平成20年財務省令第32号）による改正前の耐用年数省令別表第2に掲げる設備の種類の区分

（四）　船舶　　漁船、運送船（貨物船、油そう船、薬品そう船、客船等をいう。）、作業船（しゅんせつ船及び砂利採取船を含む。）、その他の区分

（譲渡資産の譲渡直前の用途）

（9）　**1**に規定する譲渡資産の譲渡直前の用途は、例えば、農地を宅地に造成し、又は住宅を店舗に改造するなど当該譲渡資産を他の用途に供するために造成又は改造に着手して他の用途に供することとしている場合には、その造成又

は改造後の用途をいう。

なお、例えば、農地を宅地に造成した後、他人が所有する固定資産である宅地と交換したような場合において、その譲渡による所得が基通33－５《極めて長期間保有していた土地に区画形質の変更等を加えて譲渡した場合の所得》により譲渡所得又は事業所得若しくは雑所得として取り扱われるときは、その土地のうち、当該譲渡所得の基因となる部分についてのみ固定資産に該当するものとして**1**の規定を適用することができる。（基通58－７）

（注）当該事業所得又は雑所得に係る収入金額に相当する金額は、交換差金に該当することとなることに留意する。

（**編者注**）第四章第八節**一１**(10)《固定資産である土地に区画形質の変更等を加えて譲渡した場合の所得》（基通33－４）及び同(11)《極めて長期間保有していた土地に区画形質の変更等を加えて譲渡した場合の所得》（基通33－５）参照。

（取得資産を譲渡資産の譲渡直前の用途と同一の用途に供する時期）

(10)　固定資産を交換した場合において、取得資産をその交換の日の属する年分の確定申告書の提出期限までに譲渡資産の譲渡直前の用途と同一の用途に供したとき（相続人が当該用途に供した場合を含む。）は、**1**の規定を適用することができるものとする。この場合において、取得資産を譲渡資産の譲渡直前の用途と同一の用途に供するには改造等を要するため、当該提出期限までに当該改造等に着手しているとき（相当期間内にその改造等を了する見込みであるときに限る。）は、当該提出期限までに同一の用途に供されたものとする。（基通58－８）

（資産の一部分を交換とし他の部分を売買とした場合）

(11)　一の資産につき、その一部分については交換とし、他の部分については売買としているときは、交換の特例の適用については、当該他の部分を含めて交換があったものとし、その売買代金は交換差金等とする。（基通58－９）

（借地権等の設定の対価として土地を取得した場合）

(12)　自己の有する土地に借地権等の設定（その設定による所得が譲渡所得とされる場合に限る。）をし、その設定の対価として相手方から土地等を取得した場合には、**1**表内①に掲げる土地の交換があったものとして**1**の規定を適用することができるものとする。（基通58－11）

（交換資産の時価）

(13)　固定資産の交換があった場合において、交換当事者間において合意されたその資産の価額が交換をするに至った事情等に照らし合理的に算定されていると認められるものであるときは、その合意された価額が通常の取引価額と異なるときであっても、**1**の規定の適用上、これらの資産の価額は当該当事者間において合意されたところによるものとする。（基通58－12）

2　交換の特例の適用を受けた取得資産の取得価額等

1の規定の適用を受けた居住者が取得資産について行うべき減価償却費の額の計算及びその者が取得資産を譲渡した場合における譲渡所得の金額の計算については、その者がその取得資産を次の表の左欄に掲げる場合の区分に応じ当該各号の右欄に掲げる金額をもって取得したものとみなす。この場合において、その譲渡による所得が第四章第八節**二１**《譲渡所得の金額》(一)又は同(二)に掲げる所得のいずれに該当するかの判定については、その者がその取得資産を**1**に規定する譲渡資産を取得した時から引き続き所有していたものとみなす。（法58⑤、令168）

①	取得資産とともに**交換差金等**（交換の時における取得資産の価額と譲渡資産の価額とが等しくない場合にその差額を補うために交付される金銭その他の資産をいう。以下同じ。）を取得した場合	（譲渡資産の取得費とされる金額＋譲渡資産の譲渡に要した費用の額）×取得資産の価額／（取得資産の価額＋交換差金等の額）＋取得資産の取得に要した経費の額 （注）譲渡資産の取得費とされる金額については、第四章第八節**二２**参照。（編者注）
②	譲渡資産とともに交換差金等を交付して取得資産を取得した場合	（譲渡資産の取得費とされる金額＋譲渡資産の譲渡に要した費用の額）＋交換差金等の額＋取得資産の取得に要した経費の額
③	取得資産を取得するために要した経費の額がある場合	（譲渡資産の取得費とされる金額＋譲渡資産の譲渡に要した費用の額）＋取得資産の取得に要した経費の額

（交換費用の区分）

注　交換のために要した費用の額を**2**表内①から同③までに規定する「取得資産を取得するために要した経費の額」とに区分する場合において、仲介手数料、周旋料その他譲渡と取得との双方に関連する費用（受益者等課税信託（第二章第四節**2**《信託財産に属する資産及び負債並びに信託財産に帰せられる収益及び費用の帰属》に規定する受益者（同**2**（1）の規定により同**2**に規定する受益者とみなされる者を含む。以下この注において「受益者等」という。）がその信託財産に属する資産及び負債を有するものとみなされる信託をいう。以下この注において同じ。）の信託財産に属する資産（信託財産に属する資産が譲渡所得の基因となる資産である場合における当該資産をいう。）を交換した場合において、当該交換に係る信託報酬として当該受益者等課税信託の受益者等が当該受益者等課税信託の受託者に支払う金額を含む。）でいずれの費用であるか明らかでないものがあるときは、当該費用の50%ずつをそれぞれの費用とする。（基通58－10）

3　申告要件

1の規定は、確定申告書に**1**の規定の適用を受ける旨（特例適用条文欄に「所法58条」と記載）、取得資産及び譲渡資産の価額その他次に掲げる事項の記載がある場合に限り、適用する。（法58③、規37）

イ　取得資産及び譲渡資産の種類、数量及び用途
ロ　交換の相手方の氏名又は名称及び住所若しくは居所又は本店若しくは主たる事務所の所在地
ハ　交換がされた年月日
ニ　取得資産及び譲渡資産の取得の年月日
ホ　その他参考となるべき事項

（注）　これらイからホまでの確定申告書への記載は、「譲渡所得計算明細書」にこれらの事項を記載して確定申告書に添付することによって代えることとされる。（編者注）

（確定申告書への記載等がない場合の宥恕規定）

注　税務署長は、確定申告書の提出がなかった場合又は上記の記載がない確定申告書の提出があった場合においても、その提出がなかったこと又はその記載がなかったことについてやむを得ない事情があると認めるときは、**1**の規定を適用することができる。（法58④）

二十四　贈与等の場合の譲渡所得等の特例

1　贈与等の場合の譲渡所得等の特例

次に掲げる事由により居住者の有する山林（事業所得の基因となるものを除く。）又は譲渡所得の基因となる資産の移転があった場合には、その者の山林所得の金額、譲渡所得の金額又は雑所得の金額の計算については、その事由が生じた時に、その時における価額に相当する金額により、これらの資産の譲渡があったものとみなす。（法59①、令169）

①	贈与（法人に対するものに限る。）又は相続（限定承認に係るものに限る。）若しくは遺贈（法人に対するもの及び個人に対する包括遺贈のうち限定承認に係るものに限る。）
②	著しく低い価額の対価（譲渡の時における価額の２分の１に満たない金額）による譲渡（法人に対するものに限る。）

(注)　上記～～下線部については、公益信託に関する法律（令和６年法律第30号）の施行の日以後、1①中「対するものに」が「対するもの及び公益信託の受託者である個人に対するもの（その信託財産とするためのものに限る。）に」に、「及び」が「並びに公益信託の受託者である個人に対するもの（その信託財産とするためのものに限る。）及び」に改められる。（令６改所法等附１九イ）

（財産の拠出）

（１）　**1**表内①に規定する贈与には、一般財団法人の設立を目的とする財産の拠出を含むものとする。（基通59－１）

（低額譲渡）

（２）　**1**表内②に規定する「対価」には、第六章第一節**一 1**《収入金額》に規定する金銭以外の物又は権利その他経済的な利益も含まれるから、贈与名義による法人に対する資産の移転であっても、当該移転に伴い債務を引き受けさせることなどによる経済的な利益による収入がある場合には、当該移転については、同①の規定の適用はなく、当該経済的な利益による収入に基づいて同②の規定の適用の有無を判定する。（基通59－２）

（同族会社等に対する低額譲渡）

（３）　山林（事業所得の基因となるものを除く。）又は譲渡所得の基因となる資産を法人に対し時価の２分の１以上の対価で譲渡した場合には、**1**表内②の規定の適用はないが、時価の２分の１以上の対価による法人に対する譲渡であっても、その譲渡が第十二章**二 4**《同族会社等の行為又は計算の否認等》の規定に該当する場合には、同**4**の規定により、税務署長の認めるところによって、当該資産の時価に相当する金額により山林所得の金額、譲渡所得の金額又は雑所得の金額を計算することができる。（基通59－３）

（一の契約により２以上の資産を譲渡した場合の低額譲渡の判定）

（４）　法人に対し一の契約により２以上の資産を譲渡した場合において、当該資産の譲渡が②に掲げる低額譲渡に該当するかどうかを判定するときは、たとえ、当該契約において当該譲渡した個々の資産の全部又は一部について対価の額が定められている場合であっても、当該個々の資産ごとに判定するのではなく、当該契約ごとに当該契約により譲渡したすべての資産の対価の額の合計額を基として判定する。（基通59－４）

（借地権等の設定及び借地の無償返還）

（５）　**1**に規定する「譲渡所得の基因となる資産の移転」には、借地権等の設定は含まれないのであるが、借地の返還は、その返還が次に掲げるような理由に基づくものである場合を除き、これに含まれる。（基通59－５）

（一）　借地権等の設定に係る契約書において、将来借地を無償で返還することが定められていること。

（二）　当該土地の使用の目的が、単に物品置場、駐車場等として土地を更地のまま使用し、又は仮営業所、仮店舗等の簡易な建物の敷地として使用していたものであること。

（三）　借地上の建物が著しく老朽化したことその他これに類する事由により、借地権が消滅し、又はこれを存続させることが困難であると認められる事情が生じたこと。

（株式等を贈与等した場合の「その時における価額」）

（６）　**1**の規定の適用に当たって、譲渡所得の基因となる資産が株式（株主又は投資主となる権利、株式の割当てを受ける権利、新株予約権（新投資口予約権を含む。以下（６）において同じ。）及び新株予約権の割当てを受ける権利を含む。以下（６）において同じ。）である場合の**1**に規定する「その時における価額」は、第六章第一節《収入金額》の**一 2**②（４）（基通23～35共－９）に準じて算定した価額による。この場合、同（４）⑷ニに定められる「１株又は１口当たりの純資産価額等を参酌して通常取引されると認められる価額」については、原則として、次によることを条件に、昭和39年４月25日付直資56・直審（資）17「財産評価基本通達」（法令解釈通達）の178から189－７まで《取引相場のない株式の評価》の例により算定した価額とする。（基通59－６）

(一)　財産評価基本通達178、188、188－６、189－２、189－３及び189－４中「取得した株式」とあるのは「譲渡又は贈与した株式」と、同通達185、189－２、189－３及び189－４中「株式の取得者」とあるのは「株式を譲渡又は贈与した個人」と、同通達188中「株式取得後」とあるのは「株式の譲渡又は贈与直前」とそれぞれ読み替えるほか、読み替えた後の同通達185ただし書、189－２、189－３又は189－４において株式を譲渡又は贈与した個人とその同族関係者の有する議決権の合計数が評価する会社の議決権総数の50％以下である場合に該当するかどうか及び読み替えた後の同通達188の(1)から(4)までに定める株式に該当するかどうかは、株式の譲渡又は贈与直前の議決権の数により判定すること。

(二)　当該株式の価額につき財産評価基本通達179の例により算定する場合(同通達189－３の(１)において同通達179に準じて算定する場合を含む。)において、当該株式を譲渡又は贈与した個人が当該譲渡又は贈与直前に当該株式の発行会社にとって同通達188の(２)に定める「中心的な同族株主」に該当するときは、当該発行会社は常に同通達178に定める「小会社」に該当するものとしてその例によること。

(三)　当該株式の発行会社が土地（土地の上に存する権利を含む。）又は金融商品取引所に上場されている有価証券を有しているときは、財産評価基本通達185の本文に定める「１株当たりの純資産価額（相続税評価額によって計算した金額）」の計算に当たり、これらの資産については、当該譲渡又は贈与のときにおける価額によること。

(四)　財産評価基本通達185の本文に定める「１株当たりの純資産価額（相続税評価額によって計算した金額）」の計算に当たり、同通達186－２により計算した評価差額に対する法人税額等に相当する金額は控除しないこと。

2　個人に対する低額譲渡があった場合の譲渡損失

居住者が**1**に規定する資産を個人に対し**1**表内②に規定する対価の額により譲渡した場合において、当該対価の額が当該資産の譲渡に係る山林所得の金額、譲渡所得の金額又は雑所得の金額の計算上控除する必要経費又は取得費及び譲渡に要した費用の額の合計額に満たないときは、その不足額は、その山林所得の金額、譲渡所得の金額又は雑所得の金額の計算上、なかったものとみなす。（法59②）

3　贈与等により取得した資産の取得費等

①　みなし譲渡課税の適用を受けなかった贈与等により取得した資産の取得費及び取得時期

居住者が次に掲げる事由により取得した**1**に規定する資産を譲渡した場合における事業所得の金額、山林所得の金額、譲渡所得の金額又は雑所得の金額の計算については、その者が引き続きこれを所有していたものとみなす。（法60①）

イ	贈与、相続（限定承認に係るものを除く。）又は遺贈（包括遺贈のうち限定承認に係るものを除く。）
ロ	**2**の規定に該当する譲渡

(注) 1　イの贈与により取得した資産には、法人からの贈与により取得した資産（一時所得又は雑所得の収入金額とされる。）は含まれないことに留意する。

2　上記＿＿下線部については、公益信託に関する法律（令和６年法律第30号）の施行の日以後、①イ中「贈与」の次に「(公益信託の受託者に対するもの（その信託財産とするためのものに限る。第六章第四節**一１**⑥(二)及び同**２**⑥(二)《贈与等により非居住者に資産が移転した場合の譲渡所得等の特例》において同じ。）を除く。)」が、「遺贈（」の次に「公益信託の受託者に対するもの（その信託財産とするためのものに限る。第六章第四節**一１**⑥(三)及び同**２**⑥(三)において同じ。）及び」が加えられる。（令６改所法等附１九イ）

②　配偶者居住権の目的となっている建物等を譲渡した場合の取得費

①の場合において、①イに掲げる相続又は遺贈により取得した次の(一)及び(二)に掲げる資産を譲渡したときにおける当該資産の取得費については、同イの規定にかかわらず、当該(一)及び(二)に定めるところによる。（法60②）

(一)	配偶者居住権の目的となっている建物　　当該建物に配偶者居住権が設定されていないとしたならば当該建物を譲渡した時において①の規定により当該建物の取得費の額として計算される金額から当該建物を譲渡した時において当該配偶者居住権が消滅したとしたならば③の規定により配偶者居住権の取得費とされる金額を控除する。
(二)	配偶者居住権の目的となっている建物の敷地の用に供される土地（土地の上に存する権利を含む。以下(二)及び③(二)において同じ。）　　当該建物に配偶者居住権が設定されていないとしたならば当該土地を譲渡した時において①の規定により当該土地の取得費の額として計算される金額から当該土地を譲渡した時において当該土地を当

該配偶者居住権に基づき使用する権利が消滅したとしたならば③の規定により当該権利の取得費とされる金額を控除する。

（②の適用範囲）

（1）　②の規定は、配偶者居住権の設定に係る①イに掲げる相続又は遺贈により当該配偶者居住権の目的となっている建物又は当該建物の敷地の用に供される土地（土地の上に存する権利を含む。以下④(5)までにおいて同じ。）を取得した居住者が当該建物又は当該土地を譲渡した場合について適用があるのであるが、当該居住者から同イに掲げる贈与、相続又は遺贈により当該建物又は当該土地を取得した居住者が当該建物又は当該土地を譲渡した場合においても、その譲渡した当該建物又は当該土地の取得費については、①の規定により、引き続きこれを所有していたものとみなされることから、②の規定の適用があることに留意する。（基通60－3）

③　配偶者居住権等の権利が消滅した場合の譲渡所得の金額の計算

①の場合において、①イに掲げる相続又は遺贈により取得した次の(一)及び(二)に掲げる権利が消滅したときにおける譲渡所得の金額の計算については、①の規定にかかわらず、当該(一)及び(二)に定めるところによる。この場合において、第四章第八節**二２**②《譲渡所得の金額の計算上控除する取得費》の規定は、適用しない。（法60③）

(一)	配偶者居住権　　当該相続又は遺贈により当該配偶者居住権を取得した時において、その時に当該配偶者居住権の目的となっている建物を譲渡したとしたならば当該建物の取得費の額として計算される金額のうちその時における配偶者居住権の価額に相当する金額に対応する部分の金額として(1)で定めるところにより計算した金額により当該配偶者居住権を取得したものとし、当該金額から当該配偶者居住権の存続する期間を基礎として(2)で定めるところにより計算した金額を控除した金額をもって当該配偶者居住権の同**二２**①に規定する取得費とする。
(二)	配偶者居住権の目的となっている建物の敷地の用に供される土地を当該配偶者居住権に基づき使用する権利 当該相続又は遺贈により当該権利を取得した時において、その時に当該土地を譲渡したとしたならば当該土地の取得費の額として計算される金額のうちその時における当該権利の価額に相当する金額に対応する部分の金額として(3)で定めるところにより計算した金額により当該権利を取得したものとし、当該金額から当該配偶者居住権の存続する期間を基礎として(4)で定めるところにより計算した金額を控除した金額をもって当該権利の同**二２**①に規定する取得費とする。

（贈与等により取得した資産の取得費等）

（1）　③(一)に規定するその時における配偶者居住権の価額に相当する金額に対応する部分の金額として(1)で定めるところにより計算した金額は、同(一)に規定する配偶者居住権の目的となっている建物の取得費の額として計算される金額に、(一)に掲げる価額が次に掲げる価額の合計額のうちに占める割合を乗じて計算した金額とする。（令169の2①）

(一)	その相続開始の時において配偶者居住権につき相続税法第23条の２第１項《配偶者居住権等の評価》の規定を適用したならば同項の規定により計算される当該配偶者居住権の価額
(二)	その相続開始の時において当該建物につき相続税法第23条の２第２項の規定を適用したならば同項の規定により計算される当該建物の価額

（配偶者居住権の存続する期間を基礎として(2)で定めるところにより計算した金額）

（2）　③(一)に規定する配偶者居住権の存続する期間を基礎として(2)で定めるところにより計算した金額は、(1)の規定により計算した金額に、配偶者居住権を取得した時から当該配偶者居住権が消滅した時までの期間の年数（６月以上の端数は１年とし、６月に満たない端数は切り捨てる。）が相続税法第23条の２第１項第２号イに規定する配偶者居住権の存続年数のうちに占める割合（当該割合が１を超える場合には、１とする。）を乗じて計算した金額とする。（令169の２②）

（配偶者居住権の目的となっている建物の敷地の用に供される土地を当該配偶者居住権に基づき使用する権利の価額に相当する金額に対応する部分の金額として(3)で定めるところにより計算した金額）

（3）　③(二)に規定するその時における配偶者居住権の目的となっている建物の敷地の用に供される土地（土地の上に

存する権利を含む。以下**3**において同じ。）を当該配偶者居住権に基づき使用する権利の価額に相当する金額に対応する部分の金額として（3）で定めるところにより計算した金額は、同(二)に規定する配偶者居住権の目的となっている建物の敷地の用に供される土地の取得費の額として計算される金額に、(一)に掲げる価額が次の(一)又は(二)に掲げる価額の合計額のうちに占める割合を乗じて計算した金額とする。（令169の２③）

(一)	その相続開始の時において当該権利につき相続税法第23条の２第３項の規定を適用したならば同項の規定により計算される当該権利の価額
(二)	その相続開始の時において当該土地につき相続税法第23条の２第４項の規定を適用したならば同項の規定により計算される当該土地の価額

（配偶者居住権の存続する期間を基礎として（4）で定めるところにより計算した金額）

（4）　③(二)に規定する配偶者居住権の存続する期間を基礎として（4）で定めるところにより計算した金額は、（3）の規定により計算した金額に、配偶者居住権の目的となっている建物の敷地の用に供される土地を当該配偶者居住権に基づき使用する権利を取得した時から当該権利が消滅した時までの期間の年数（６月以上の端数は１年とし、６月に満たない端数は切り捨てる。）が相続税法第23条の２第１項第２号イに規定する配偶者居住権の存続年数のうちに占める割合（当該割合が１を超える場合には、１とする。）を乗じて計算した金額とする。（令169の２④）

（配偶者居住権が消滅した後に建物を譲渡した場合における建物の取得費）

（5）　①イに掲げる相続又は遺贈により配偶者居住権の目的となっている建物を取得した居住者が、当該配偶者居住権が消滅した後に当該建物を譲渡した場合における当該建物の取得費については、次の(一)及び(二)に定めるところによる。（令169の２⑤）

(一)	当該配偶者居住権の消滅につき③の規定によりその取得費とされた金額がある場合には、当該取得費とされた金額を第四章第八節**二２**①《譲渡所得の金額の計算上控除する取得費》に規定する資産の取得に要した金額並びに設備費及び改良費の額の合計額から控除するものとする。
(二)	当該居住者が当該配偶者居住権の消滅につき対価を支払った場合における当該対価の額は、同**二２**①に規定する資産の取得に要した金額並びに設備費及び改良費の額の合計額に含まれるものとする。

（配偶者居住権の目的となっている建物の敷地の用に供される土地を配偶者居住権に基づき使用する権利が消滅した後に当該土地を譲渡した場合における当該土地の取得費）

（6）　①イに掲げる相続又は遺贈により配偶者居住権の目的となっている建物の敷地の用に供される土地を取得した居住者が、当該土地を当該配偶者居住権に基づき使用する権利が消滅した後に当該土地を譲渡した場合における当該土地の取得費については、次の(一)及び(二)に定めるところによる。（令169の２⑥）

(一)	当該権利の消滅につき③の規定によりその取得費とされた金額がある場合には、当該取得費とされた金額を第四章第八節**二２**①に規定する資産の取得に要した金額並びに設備費及び改良費の額の合計額から控除するものとする。
(二)	当該居住者が当該権利の消滅につき対価を支払った場合における当該対価の額は、同**二２**①に規定する資産の取得に要した金額並びに設備費及び改良費の額の合計額に含まれるものとする。

（配偶者居住権の目的となっている建物等の取得価額）

（7）　①イに掲げる相続又は遺贈により取得した配偶者居住権を有する居住者が、その後において次の(一)及び(二)に掲げる資産を取得し、当該資産を譲渡した場合には、その者が当該資産を当該(一)及び(二)に掲げる資産の区分に応じ当該(一)及び(二)に定める金額をもって取得したものとして、譲渡所得の金額を計算する。（令169の２⑦）

(一)	当該配偶者居住権の目的となっている建物　　当該建物の取得費に、当該建物の取得の時に当該配偶者居住権が消滅したものとして③の規定を適用したならば当該配偶者居住権の取得費とされる金額を加算した金額
(二)	当該配偶者居住権の目的となっている建物の敷地の用に供される土地　　当該土地の取得費に、当該土地の取得の時に当該土地を当該配偶者居住権に基づき使用する権利が消滅したものとして③の規定を適用したなら

	ば当該権利の取得費とされる金額を加算した金額

（「配偶者居住権等を取得した時」の意義）

（8）　③(一)に規定する「配偶者居住権を取得した時」及び③(二)に規定する「当該権利を取得した時」とは、配偶者居住権が設定された時をいうことに留意する。（基通60－4）

（注）　配偶者居住権が設定された時については、相続税法基本通達23の2－2《「配偶者居住権が設定された時」の意義》参照

（配偶者居住権等の取得費）

（9）　配偶者居住権又は当該配偶者居住権の目的となっている建物の敷地の用に供される土地を当該配偶者居住権に基づき使用する権利（以下④(5)までにおいて「配偶者居住権等」という。）が消滅した場合における譲渡所得の金額の計算上収入金額から控除する取得費は、③の規定により計算した金額となるのであるが、当該収入金額の100分の5に相当する金額を取得費として譲渡所得の金額を計算しているときは、これを認めて差し支えないものとする。（基通60－5）

（配偶者居住権等の取得費に算入する金額）

(10)　③の規定により配偶者居住権等の取得費を計算する場合において、配偶者居住権等を取得した後に、当該配偶者居住権の目的となっている建物又は当該建物の敷地の用に供される土地について改良、改造等が行われたときであっても、当該改良、改造等に要した費用の額は、③の規定による配偶者居住権等の取得費の計算上加算されないことに留意する。ただし、配偶者居住権等を取得した場合に、④(2)において資産の取得費に算入できることとされる金額については、(1)又は(3)《贈与等により取得した資産の取得費等》の規定により計算した金額に加算して、配偶者居住権等の取得費を計算して差し支えない。（基通60－6）

（(5)(一)及び(6)(一)に規定する配偶者居住権等の「取得費とされた金額」）

(11)　(5)(一)及び(6)(一)に規定する配偶者居住権等の「取得費とされた金額」については、配偶者居住権を有していた居住者が配偶者居住権等の消滅による譲渡所得の金額の計算上控除した取得費について、(9)の定めにより計算した場合又は(10)ただし書の定めにより加算した金額がある場合であっても、③の規定により計算した金額によることに留意する。（基通60－7）

④　みなし譲渡課税の適用を受けた相続等により取得した資産の取得費及び取得時期

居住者が**1**表内①に掲げる相続又は遺贈により取得した資産を譲渡した場合における事業所得の金額、山林所得の金額、譲渡所得の金額又は雑所得の金額の計算については、その者が当該資産をその取得の時における価額に相当する金額により取得したものとみなす。（法60④）

（注）　上記～～下線部については、公益信託に関する法律（令和6年法律第30号）の施行の日以後、④中「掲げる」の次に「贈与、」が加えられる。（令6改所法等附1九イ）

（贈与等により取得した資産の取得費）

（1）　**3**①及び同④の規定は、昭和48年1月1日以後に贈与、相続若しくは遺贈又は低額譲渡により取得した資産について適用され、昭和47年12月31日以前に贈与、相続若しくは遺贈又は低額譲渡により取得した資産については、所得税法の一部を改正する法律（昭和48年法律第8号）による改正前の所得税法又は旧所得税法（昭和22年法律第27号をいう。）の規定が適用されることに留意する。（基通60－1）

（注）　贈与等の時期に応じ、従前の法律の規定を示すと次表のようになる。

贈与等の区分 ＼ 贈与等の時期		昭25. 4. 1～昭26. 12. 31	昭27. 1. 1～昭28. 12. 31	昭29. 1. 1～昭32. 12. 31	昭33. 1. 1～昭36. 12. 31	昭37. 1. 1～昭40. 3. 31	昭40. 4. 1～昭47. 12. 31	昭48. 1. 1～
贈与	①　被相続人からの死因贈与	＝＝	＝＝	＝＝	┄┄	┄┄	┄┄	┄┄
	②　①以外の贈与	＝＝	＝＝	＝＝	＝＝	(有) ＝＝ (無) ┄┄	(有) ＝＝ (無) ┄┄	┄┄
相続	③　限定承認に係る相続	＝＝	┄┄	┄┄	┄┄	┄┄	(有) ＝＝ (無) ┄┄	＝＝
	④　③以外の相続	＝＝	┄┄	┄┄	┄┄	┄┄	┄┄	┄┄
遺贈 包括遺贈	⑤　限定承認に係る包括遺贈	＝＝	＝＝	┄┄	┄┄	┄┄	(有) ＝＝ (無) ┄┄	＝＝
	⑥　⑤以外の包括遺贈	＝＝	＝＝	┄┄	┄┄	┄┄	┄┄	┄┄
遺贈 特定遺贈	⑦　被相続人からの特定遺贈	＝＝	┄┄	┄┄	┄┄	┄┄	┄┄	┄┄
	⑧　⑦以外の特定遺贈	＝＝	＝＝	＝＝	＝＝	(有) ＝＝ (無) ┄┄	(有) ＝＝ (無) ┄┄	┄┄
低額譲渡	譲渡の対価が取得費・譲渡費用の合計額以上のもの	＝＝	＝＝	＝＝	＝＝	(有) ＝＝ (無) 〰〰	(有) ＝＝ (無) 〰〰	〰〰
	譲渡の対価が取得費・譲渡費用の合計額未満のもの	＝＝	＝＝	＝＝	＝＝	(有) ＝＝ (無) ┄┄	(有) ＝＝ (無) ┄┄	┄┄

(注) 1　＝＝の期間内に取得した資産は、その取得の時の時価に相当する金額により、当該取得の時において取得したものとみなされることを示す。

┄┄の期間内に取得した資産は、贈与者等がその資産を保有していた期間を含めて引き続き所有していたものとみなされることを示す。

〰〰の期間内に取得した資産は、実際の譲受けの対価をもって、当該取得の時において取得したものとされることを示す。

2　「(有)」は、贈与者等について、所得税法の一部を改正する法律（昭和48年法律第８号）による改正前の所得税法第59条第１項《みなし譲渡課税》の規定の適用があったことを示す。「(無)」は、同条第２項の規定による書面を提出したことにより、贈与者等について、同条第１項の規定の適用がなかったことを示す。

（贈与等の際に支出した費用）

（2）　**3**①イに掲げる贈与、相続又は遺贈（以下（2）において「贈与等」という。）により譲渡所得の基因となる資産を取得した場合において、当該贈与等に係る受贈者等が当該資産を取得するために通常必要と認められる費用を支出しているときには、当該費用のうち当該資産に対応する金額については、第六章第二節**一２**（２）及び同節**五７イ**（24）の定めにより各種所得の金額の計算上必要経費に算入された登録免許税、不動産取得税等を除き、当該資産の取得費に算入できることに留意する。（基通60－２）

(注)　当該贈与等以外の事由により非業務用の固定資産を取得した場合の登録免許税等については、第四章第八節**二２**①(16)（基通38－９）参照。

（配偶者居住権等の消滅につき対価を支払わなかった場合における建物又は土地の取得費）

（3）　配偶者居住権の設定に係る①イに掲げる相続又は遺贈により配偶者居住権の目的となっている建物又は当該建物の敷地の用に供される土地を取得した居住者が、配偶者居住権等の消滅につき対価を支払わなかった場合において、その消滅後にその居住者が当該建物又は当該土地を譲渡したときにおける当該建物又は当該土地の取得費は、当該配偶者居住権の設定に係る相続又は遺贈の時から配偶者居住権が設定されていなかったものとした場合において計算される取得費の額となることに留意する。（基通60－８）

（配偶者居住権の目的となっている建物又は当該建物の敷地の用に供される土地の購入後に配偶者居住権等の消滅につき対価を支払った場合における当該建物又は当該土地の取得費）

（4）　配偶者居住権の設定に係る①イに掲げる相続又は遺贈により配偶者居住権の目的となっている建物又は当該建物の敷地の用に供される土地を取得した居住者から当該建物又は 当該土地を購入した居住者が、対価を支払って配偶者居住権等を消滅させた後に当該建物又は当該土地を譲渡した場合における当該消滅の対価の額については、当該建物又は当該土地の取得費の計算上、③（5）（二）又は同（6）（二）の規定を準用するものとする。（基通60－9）

（配偶者居住権を有する居住者が贈与等により建物又は土地を取得した場合における当該建物又は当該土地の取得費）

（5）　配偶者居住権を有する居住者（以下（5）において「配偶者」という。）が、当該配偶者居住権の設定に係る①イに掲げる相続又は遺贈により当該配偶者居住権の目的となっている建物又は当該建物の敷地の用に供される土地を取得した居住者から同イに掲げる贈与、相続又は遺贈により当該建物又は当該土地を取得したことにより配偶者居住権等が消滅した場合において、その消滅後に配偶者が当該建物又は当該土地を譲渡したときにおける当該建物又は当該土地の取得費は、当該配偶者居住権の設定に係る相続又は遺贈の時から配偶者居住権が設定されていなかったものとした場合において計算される取得費の額となることに留意する。（基通60－10）

4　債務処理計画に基づき資産を贈与した場合の課税の特例

①　債務処理計画に基づき資産を贈与した場合の課税の特例

租税特別措置法第42条の４第19項第７号に規定する中小企業者に該当する内国法人の取締役又は業務を執行する社員である個人で当該内国法人の債務の保証に係る保証債務を有するものが、当該個人の有する資産（有価証券を除く。）で当該資産に設定された賃借権、使用貸借権その他資産の使用又は収益を目的とする権利が現に当該内国法人の事業の用に供されているもの（当該資産又は権利のうちに当該内国法人の事業の用以外の用に供されている部分がある場合には、当該内国法人の事業の用に供されている部分として（1）で定める部分に限る。以下において同じ。）を、当該内国法人について策定された債務処理に関する計画で一般に公表された債務処理を行うための手続に関する準則に基づき策定されていることその他の（2）で定める要件を満たすもの（以下において「債務処理計画」という。）に基づき、平成25年４月１日から令和７年３月31日までの間に当該内国法人に贈与した場合には、次の（一）から（四）までに掲げる要件を満たしているときに限り、**1**①の規定の適用については、当該資産の贈与がなかったものとみなす。（措法40の３の２①）

（一）	当該個人が、当該債務処理計画に基づき、当該内国法人の債務の保証に係る保証債務の一部を履行していること。
（二）	当該債務処理計画に基づいて行われた当該内国法人に対する資産の贈与及び前号の保証債務の一部の履行後においても、当該個人が当該内国法人の債務の保証に係る保証債務を有していることが、当該債務処理計画において見込まれていること。
（三）	当該内国法人が、当該資産の贈与を受けた後に、当該資産をその事業の用に供することが当該債務処理計画において定められていること。
（四）	次に掲げる要件のいずれかを満たすこと。 イ　当該内国法人が中小企業者等に対する金融の円滑化を図るための臨時措置に関する法律第２条第１項に規定する金融機関から受けた事業資金の貸付けにつき、当該貸付けに係る債務の弁済の負担を軽減するため、同法の施行の日から平成28年３月31日までの間に条件の変更が行われていること。 ロ　当該債務処理計画が平成28年４月１日以後に策定されたものである場合においては、当該内国法人が同日前に次のいずれにも該当しないこと。 ⑴　株式会社地域経済活性化支援機構法第25条第４項に規定する再生支援決定の対象となった法人 ⑵　株式会社東日本大震災事業者再生支援機構法第19条第４項に規定する支援決定の対象となった法人 ⑶　株式会社東日本大震災事業者再生支援機構法第59条第１項に規定する産業復興機構の組合財産である債権の債務者である法人 ⑷　⑴から⑶までに掲げる法人のほか、（注）１で定める法人

（注）　①（四）ロ⑷に規定する（注）１で定める法人は、銀行法施行規則第17条の２第６項第８号に規定する合理的な経営改善のための計画（同号イに掲げる措置を実施することを内容とするものに限る。）を実施している会社とする。（措規18の19の２①）

（内国法人の事業の用に供されている部分）

（1）　①に規定する内国法人の事業の用に供されている部分として（1）で定める部分は、①の資産又は権利で当該内国法人の事業の用及び当該内国法人の事業の用以外の用に供されているもののうち、次の㈠又は㈡に掲げる権利の区分に応じ当該各号に定める金額に相当する部分とする。（措令25の18の２①）

㈠	土地の上に存する権利又は建物及びその附属設備若しくは構築物（以下㈠において「建物等」という。）の賃借権、使用貸借権その他建物等の使用又は収益を目的とする権利　　当該土地又は建物等の価額に相当する金額に、当該土地又は建物等の面積又は床面積のうちに占める当該内国法人の事業の用に供されている権利が設定されている部分の面積又は床面積の割合を乗じて計算した金額
㈡	工業所有権その他の資産の使用又は収益を目的とする権利（㈠に掲げるものを除く。）　当該工業所有権その他の資産の価額に相当する金額に、①の個人が収入すべき当該工業所有権の使用料の総額のうちに占める当該内国法人から収入すべき使用料の額の割合その他権利の種類及び性質に照らして合理的と認められる基準により算出した当該内国法人の事業の用に供されている割合を乗じて計算した金額

（再生計画認可の決定に準ずる事実等）

（2）　①に規定する（2）で定める要件は、①の債務処理に関する計画が法人税法施行令第24条の２第１項第１号から第３号まで及び第４号又は第５号に掲げる要件に該当することとする。（措令25の18の２②）

（中小企業者の範囲）

（3）　①に規定する中小企業者に該当する内国法人とは、租税特別措置法施行令第27条の４第25項に規定する法人をいい、具体的には、次のいずれかに掲げる法人（内国法人に限る。）をいうことに留意する。（措通40の３の２－１）

⑴　資本金の額又は出資金の額が１億円以下の法人のうち次に掲げる法人以外の法人

イ　その発行済株式又は出資（その有する自己の株式又は出資を除く。ロにおいて同じ。）の総数又は総額の２分の１以上が同一の大規模法人（資本金の額若しくは出資金の額が１億円を超える法人、資本若しくは出資を有しない法人のうち常時使用する従業員の数が1,000人を超える法人又は次に掲げる法人をいい、中小企業投資育成株式会社を除く。ロにおいて同じ。）の所有に属している法人

（イ）　大法人（次に掲げる法人をいう。以下このイにおいて同じ。）との間に当該大法人による完全支配関係（法人税法第２条第12号の７の６に規定する完全支配関係をいう。（ロ）において同じ。）がある普通法人

A　資本金の額又は出資金の額が５億円以上である法人

B　保険業法第２条第５項に規定する相互会社及び同条第10項に規定する外国相互会社のうち、常時使用する従業員の数が1,000人を超える法人

C　法人税法第４条の３に規定する受託法人

（ロ）　普通法人との間に完全支配関係がある全ての大法人が有する株式（投資信託及び投資法人に関する法律第２条第14項に規定する投資口を含む。）及び出資の全部を当該全ての大法人のうちいずれか一の法人が有するものとみなした場合において当該いずれか一の法人と当該普通法人との間に当該いずれか一の法人による完全支配関係があることとなるときの当該普通法人（（イ）に掲げる法人を除く。）

ロ　イに掲げるもののほか、その発行済株式又は出資の総数又は総額の３分の２以上が大規模法人の所有に属している法人

ハ　他の通算法人（法人税法第２条第12号の７の２に規定する通算法人をいう。以下ハにおいて同じ。）のうちいずれかの法人が次に掲げる法人に該当しない場合における通算法人

（イ）　資本金の額又は出資金の額が一億円以下の法人のうちイ及びロに掲げる法人以外の法人

（ロ）　資本又は出資を有しない法人のうち常時使用する従業員の数が1,000人以下の法人

⑵　資本又は出資を有しない法人のうち常時使用する従業員の数が1,000人以下の法人（当該法人が法人税法第２条第12号の６の７に規定する通算親法人である場合には、ハに掲げる法人を除く。）

（注）　「常時使用する従業員の数」は、常用であると日々雇い入れるものであるとを問わず、事務所又は事業所に常時就労している職員、工員等（役員を除く。）の総数によって判定することに留意する。この場合において、法人が酒造最盛期、野菜缶詰・瓶詰製造最盛期等に数か月程度の期間その労務に従事する者を使用するときは、当該従事する者の数を「常時使用する従業員の数」に含めるものとする。

（中小企業者又は取締役等である個人に該当するかどうかの判定時期）

（4）　①の規定は、①㈠に規定する保証債務の一部の履行があった時点及び①に規定する贈与があった時点のそれぞ

れにおいて、当該贈与を受けた法人が①に規定する内国法人である場合及び当該贈与をした者が当該内国法人の取締役又は業務を執行する社員である個人で当該内国法人の債務の保証に係る保証債務を有するものである場合に適用があることに留意する。（措通40の３の２－２）

（特例の対象となる贈与資産）

（５）　①に規定する「個人の有する資産（有価証券を除く。）で当該資産に設定された賃借権、使用貸借権その他資産の使用又は収益を目的とする権利が現に当該内国法人の事業の用に供されているもの」とは、①に規定する個人が有する資産で①に規定する内国法人への貸付けの用に供しているものであり、かつ、当該資産に設定された権利が当該内国法人の事業の用に供されているものをいうことに留意する。

なお、当該個人が有する（１）(一)に規定する建物等で当該内国法人への貸付けの用に供しているもの（当該建物等が当該内国法人の事業の用に供されているものに限る。）の敷地の用に供されている当該個人の有する土地を、当該内国法人に贈与した場合にも、①の規定の適用があることに留意する。（措通40の３の２－３）

（内国法人の事業の用に供されている部分）

（６）　①に規定する内国法人に贈与した資産のうちに当該資産に設定された賃借権、使用貸借権その他の資産の使用又は収益を目的とする権利が現に当該内国法人の事業の用に供されている部分とそれ以外の用に供されている部分とがあるときには、当該内国法人の事業の用に供されている部分は、贈与した資産が、建物及びその附属設備又は構築物（以下（６）において「建物等」という。）の場合には⑴の算式により計算した床面積に相当する部分となり、建物等の敷地の用に供されている土地の場合には⑵の算式により計算した面積に相当する部分となることに留意する。また、工業所有権その他の資産（有価証券、土地及び建物等を除く。以下（６）において「工業所有権等」という。）の場合には⑶の算式による割合又は権利の種類及び性質に照らして合理的と認められる基準により算出した当該内国法人の事業の用に供されている割合によることに留意する。（措通40の３の２－４）

⑴　贈与した資産が建物等の場合

$$\text{贈与した建物等のうち当該内国法人の事業の用に専ら供されている部分の床面積（A）} + \text{贈与した建物等のうち当該内国法人の事業の用に供されている部分とその他の部分とに併用されている部分の床面積} \times \frac{A}{A + \text{その他の部分に専ら供されている部分の床面積}}$$

⑵　贈与した資産が建物等の敷地の用に供されている土地の場合

$$\text{贈与した土地のうち当該内国法人の事業の用に供されている建物等の敷地として専ら供されている部分の面積} + \text{贈与した土地のうち当該内国法人の事業の用に供されている建物等の敷地として供されている部分とその他の部分とに併用されている部分の面積} \times \frac{\text{当該建物等の床面積のうち上記⑴の算式により計算した当該内国法人の事業の用に供されている部分の床面積}}{\text{当該建物等の床面積}}$$

（注）　贈与した土地が当該内国法人の事業の用に供される建物等の「敷地」に該当するかどうかは、社会通念に従い、当該土地が当該建物等と一体として利用されているものであったかどうかにより判定する。

⑶　贈与した資産が工業所有権等の場合

$$\frac{\text{贈与した個人が当該内国法人から収入すべき当該工業所有権等の使用料の額}}{\text{贈与した個人が収入すべき当該工業所有権等の使用料の総額}}$$

（債務処理計画の要件）

（７）　①に規定する債務処理計画とは、法人税法施行令第24条の２第１項第１号から第３号まで及び第４号又は第５号《再生計画認可の決定に準ずる事実等》に掲げる要件を満たすものをいうことから、民事再生法の規定による再生計画認可の決定が確定した再生計画又は会社更生法の規定による更生計画認可の決定を受けた更生計画は、当該債務処理計画には含まれないことに留意する。（措通40の３の２－５）

（負担付贈与）

（８）　①に規定する贈与には、当該贈与に伴い債務を引き受けさせることなどによる経済的な利益による収入がある場合は含まれないことに留意する。（措通40の３の２－６）

（保証債務の一部の履行の範囲）

（9）　①(一)に規定する保証債務の一部を履行している場合とは、民法第446条《保証人の責任等》に規定する保証人の債務又は同法第454条《連帯保証の場合の特則》に規定する連帯保証人の債務の履行があった場合のほか、次に掲げる場合も、①に規定する債務処理計画に基づきそれらの債務を履行しているときは、①の規定の適用があることとする。（措通40の３の２－７）

⑴　不可分債務の債務者の債務の履行をしている場合

⑵　連帯債務者の債務の履行をしている場合

⑶　合名会社又は合資会社の無限責任社員による会社の債務の履行をしている場合

⑷　①に規定する内国法人の債務を担保するため質権若しくは抵当権を設定した者がその債務を弁済し又は質権若しくは抵当権を実行されている場合

⑸　法律の規定により連帯して損害賠償の責任がある場合において、その損害賠償金の支払をしている場合

（事業資金の貸付条件の変更）

（10）　①(四)イに規定する事業資金の貸付けに係る債務の弁済の負担を軽減するための条件の変更とは、例えば、返済金額の減額、返済割合等の変更、元本の返済猶予（例えば、代物弁済の受領、利息のみの返済又は利息の支払猶予等）、借入期間の延長等のことをいい、当該条件の変更は、平成21年12月４日から平成28年３月31日までの間に行われていなければならないことに留意する。（措通40の３の２－８）

（注）　①(四)イの要件は、平成28年４月１日以後の①の贈与について適用されることに留意する。

② **申告要件**

①の規定は、確定申告書に、①の規定の適用を受ける旨の記載があり、かつ、①の贈与をした資産の種類その他の（1）で定める事項を記載した書類及び①(一)から同(四)までに掲げる要件を満たす旨を証する書類として（2）で定める書類の添付がある場合に限り、適用する。（措法40の３の２②）

税務署長は、確定申告書の提出がなかった場合又は前段の記載若しくは添付がない確定申告書の提出があった場合においても、その提出又は記載若しくは添付がなかったことについてやむを得ない事情があると認めるときは、当該記載をした書類及び前段の書類の提出があった場合に限り、①の規定を適用することができる。（措法40の３の２③）

（記載事項）

（1）　②に規定する（1）で定める事項は、次の(一)から(四)までに掲げる事項とする。（措規18の19の２②）

(一)	①の贈与をした資産の種類、数量及び当該贈与の時における価額
(二)	当該資産の贈与を受けた①の内国法人の名称及び本店又は主たる事務所の所在地
(三)	当該資産の贈与の年月日及び取得の年月日
(四)	その他参考となるべき事項

（添 付 書 類）

（2）　②に規定する（2）で定める書類は、①に規定する債務処理計画に係る法人税法施行規則第８条の６第１項各号に掲げる者の当該債務処理計画が①（2）に規定する要件を満たすものであり、かつ、①の資産の贈与が当該債務処理計画に基づき①(一)から同(四)までに掲げる要件を満たして行われたものである旨を証する書類とする。（措規18の19の２③）

第三節　株式等に係る譲渡所得等の課税の特例

一　株式等の範囲

本節に規定する株式等とは、次の(一)から(七)までに掲げるもの（外国法人に係るものを含むものとし、ゴルフ場その他の施設の利用に関する権利に類するものとして注で定める株式又は出資者の持分を除く。）をいう。（措法37の10②、措令25の８③）

(一)	株式（株主又は投資主（投資信託及び投資法人に関する法律第２条第16項に規定する投資主をいう。）となる権利、株式の割当てを受ける権利、新株予約権（同条第17項に規定する新投資口予約権を含む。以下(一)において同じ。）及び新株予約権の割当てを受ける権利を含む。）
(二)	特別の法律により設立された法人の出資者の持分、合名会社、合資会社又は合同会社の社員の持分、法人税法第２条第７号に規定する協同組合等の組合員又は会員の持分その他法人の出資者の持分（出資者、社員、組合員又は会員となる権利及び出資の割当てを受ける権利を含むものとし、(三)に掲げるものを除く。）
(三)	協同組織金融機関の優先出資に関する法律に規定する優先出資（優先出資者（同法第13条第１項の優先出資者をいう。）となる権利及び優先出資の割当てを受ける権利を含む。）及び資産の流動化に関する法律第２条第５項に規定する優先出資（優先出資社員（同法第26条に規定する優先出資社員をいう。）となる権利及び同法第５条第１項第２号ニ(２)に規定する引受権を含む。）
(四)	投資信託の受益権
(五)	特定受益証券発行信託の受益権
(六)	社債的受益権
(七)	公社債（預金保険法第２条第２項第５号に規定する長期信用銀行債等、農水産業協同組合貯金保険法第２条第２項第４号に規定する農林債及び第四章第十節**五**(２)に規定する償還差益につき同節**五**の規定の適用を受ける同節**五**(２)に規定する割引債を除く。以下本節において同じ。）

（ゴルフ場その他の施設の利用に関する権利に類似する株式等）

注　**一**に規定する株式又は出資者の持分は、ゴルフ場の所有又は経営に係る法人の株式又は出資を所有することがそのゴルフ場を一般の利用者に比して有利な条件で継続的に利用する権利を有する者となるための要件とされている場合における当該株式又は出資者の持分とする。（措令25の８②）

（株式の範囲）

(１)　**一**(一)に規定する「株式」には、第四章第二節**五１**③(一)の規定により、投資信託及び投資法人に関する法律第２条第14項に規定する投資口が含まれることに留意する。（措通37の10・37の11共－19）

(注)　「投資口」とは、投資法人（資産を主として特定資産に対する投資として運用することを目的として設立された社団）の社員の地位で、均等の割合的単位に細分化されたものをいう。

（公社債の範囲）

(２)　**一**(七)に掲げる「公社債」の範囲は、第二章第一節**一**表内**９**（１）《公債の範囲》及び同（２）《社債の範囲》の取扱いによるのであるが、次に掲げるものは除かれることに留意する。（措通37の10・37の11共－20）

(一)　預金保険法第２条第２項第５号《定義》に規定する長期信用銀行債等

(二)　農水産業協同組合貯金保険法第２条第２項第４号《定義》に規定する農林債

(三)　(一)及び(二)以外の公社債で、第四章第十節**五**(２)に規定する償還差益について同節**五**の規定の適用を受ける同節**五**(２)に規定する割引債

(注)　上記(一)から(三)までの公社債の譲渡による所得については、第二章第三節**五**の規定により所得税は課されない。

二　一般株式等に係る譲渡所得等の課税の特例

1　一般株式等に係る譲渡所得等の申告分離課税

①　一般株式等に係る譲渡所得等の申告分離課税

居住者又は恒久的施設を有する非居住者が、平成28年1月1日以後に一般株式等（株式等のうち**三1**①(1)に規定する上場株式等以外のものをいう。以下**1**において同じ。）の譲渡（金融商品取引法第28条第8項第3号イに掲げる取引（**五2**《特定管理株式等の譲渡による所得計算の特例》①において「有価証券先物取引」という。）の方法により行うもの並びに法人の自己の株式又は出資の②(五)に規定する取得及び公社債の買入れの方法による償還に係るものを除く。以下①及び**三1**①において同じ。）をした場合には、当該一般株式等の譲渡による事業所得、譲渡所得及び雑所得（第六章第一節**一9**《発行法人から与えられた株式を取得する権利の譲渡による収入金額》の規定に該当する事業所得及び雑所得並びに第二節**二**③《土地等の譲渡に類する株式等の譲渡所得の分離課税》の規定に該当する譲渡所得を除く。以下**二**において「一般株式等に係る譲渡所得等」という。）については、所得税法の規定にかかわらず、他の所得と区分し、その年中の当該一般株式等の譲渡に係る事業所得の金額、譲渡所得の金額及び雑所得の金額として(1)で定めるところにより計算した金額（以下①において「一般株式等に係る譲渡所得等の金額」という。）に対し、一般株式等に係る課税譲渡所得等の金額（総所得金額からの所得控除の控除不足額がある場合は、第八章**十七2**《2以上の所得がある場合の所得控除の順序》で定めるところにより、当該不足額を控除した金額をいう。）の100分の15に相当する金額の所得税を課する。この場合において、一般株式等に係る譲渡所得等の金額の計算上生じた損失の金額があるときは、所得税法その他所得税に関する法令の規定の適用については、当該損失の金額は生じなかったものとみなす。（措法37の10①）

（①の規定の適用がある場合の配当所得、譲渡所得の計算）

（注）配当所得の金額は、その年中の配当等の収入金額とする。ただし、株式その他配当所得を生ずべき元本を取得するために要した負債の利子（事業所得、譲渡所得又は雑所得の基因となった有価証券を取得するために要した負債の利子を除く。以下同じ。）でその年中に支払うものがある場合は、当該収入金額から、その支払う負債の利子の額のうちその年においてその元本を有していた期間に対応する部分の金額として第四章第二節**四2**に定めるところにより計算した金額の合計額を控除した金額とする。（措法37の10⑥二により読み替えられた法24②（下線部分は読み替えられた部分（編者注））

一般株式等に係る譲渡所得の金額は、第四章第八節**二1**(一)又は同(二)に掲げる所得につき、それぞれその年中の当該所得に係る総収入金額から当該所得の基因となった資産の取得費及びその資産の譲渡に要した費用の額並びにその年中に支払うべきその資産を取得するために要した負債の利子の合計額を控除した残額の合計額（同(一)又は同(二)のうちいずれかの号に掲げる所得に係る総収入金額が当該所得の基因となった資産の取得費及びその資産の譲渡に要した費用の額の合計額に満たない場合には、その不足額に相当する金額を他の号に掲げる所得に係る残額から控除した金額）とする。（措法37の10⑥三により読み替えられた法33③（下線部分は読み替えられた部分（編者注））

（一般株式等に係る譲渡所得等の金額）

(1)　①に規定する一般株式等の譲渡に係る事業所得の金額、譲渡所得の金額及び雑所得の金額として計算した金額は、その年中の①に規定する一般株式等の譲渡に係る事業所得の金額、譲渡所得の金額及び雑所得の金額の合計額とする。この場合において、これらの金額の計算上生じた損失の金額があるときは、当該損失の金額は、次の(一)から(三)に掲げる損失の金額の区分に応じ当該(一)から(三)に定めるところにより控除する。（措令25の8①）

(一)	当該一般株式等の譲渡に係る事業所得の金額の計算上生じた損失の金額	当該損失の金額は、当該一般株式等の譲渡に係る譲渡所得の金額及び雑所得の金額から控除する。
(二)	当該一般株式等の譲渡に係る譲渡所得の金額の計算上生じた損失の金額	当該損失の金額は、当該一般株式等の譲渡に係る事業所得の金額及び雑所得の金額から控除する。
(三)	当該一般株式等の譲渡に係る雑所得の金額の計算上生じた損失の金額	当該損失の金額は、当該一般株式等の譲渡に係る事業所得の金額及び譲渡所得の金額から控除する。

（移動平均法の不適用）

(2)　①に規定する一般株式等の譲渡に係る事業所得の金額の計算に当たっては、第六章第二節**四5**①(二)《移動平均法》の規定は、適用しない。（措令25の8⑧）

②　一般株式等に係る譲渡所得等の収入金額とみなされる一般株式等につき交付を受ける金額

一般株式等を有する居住者又は恒久的施設を有する非居住者が、当該一般株式等につき交付を受ける次の(一)から(九)

までに掲げる金額（第四章第二節**二１**《合併、分割型分割、資本の払戻し、株式の消却、持分の払戻し》の規定に該当する部分の金額を除く。**三１**②において同じ。）及び（１）で定める事由により当該一般株式等につき交付を受ける（１）で定める金額は、一般株式等に係る譲渡所得等に係る収入金額とみなして、所得税法及び第三節の規定を適用する。（措法37の10③）

(一)	法人（法人税法第２条第６号に規定する公益法人等を除く。以下②において同じ。）の第二章第一節**一**表内**８の２**に規定する株主等（以下②において「株主等」という。）がその法人の合併（法人課税信託に係る信託の併合を含む。以下(一)において同じ。）（当該法人の株主等に法人税法第２条第12号に規定する合併法人（信託の併合に係る新たな信託である法人課税信託に係る所得税法第６条の３に規定する受託法人を含む。）又は合併法人との間に当該合併法人の発行済株式若しくは出資（自己が有する自己の株式又は出資を除く。(二)及び(三)において「発行済株式等」という。）の全部を直接若しくは間接に保有する関係として（２）で定める関係がある法人のうちいずれか一の法人の株式又は出資以外の資産（当該株主等に対する株式又は出資に係る剰余金の配当、利益の配当又は剰余金の分配として交付がされた金銭その他の資産及び合併に反対する当該株主等に対するその買取請求に基づく対価として交付がされる金銭その他の資産を除く。）の交付がされなかったものを除く。）により交付を受ける金銭の額及び金銭以外の資産の価額の合計額
(二)	法人の株主等がその法人の分割（法人税法第２条第12号の９のイに規定する分割対価資産として同条第12号の３に規定する分割承継法人（信託の分割により受託者を同一とする他の信託からその信託財産の一部の移転を受ける法人課税信託に係る第二章第二節**３**（２）に規定する受託法人を含む。）又は分割承継法人との間に当該分割承継法人の発行済株式等の全部を直接若しくは間接に保有する関係として（３）で定める関係がある法人のうちいずれか一の法人の株式又は出資以外の資産の交付がされなかったもので、当該株式又は出資が法人税法第２条第12号の２に規定する分割法人（信託の分割によりその信託財産の一部を受託者を同一とする他の信託又は新たな信託の信託財産として移転する法人課税信託に係る第二章第二節**３**（２）に規定する受託法人を含む。以下(二)において同じ。）の発行済株式等の総数又は総額のうちに占める当該分割法人の各株主等の有する当該分割法人の株式の数又は金額の割合に応じて交付されたものを除く。）により交付を受ける金銭の額及び金銭以外の資産の価額の合計額
(三)	法人の株主等がその法人の行った法人税法第２条第12号の15の２に規定する株式分配（当該法人の株主等に同号に規定する完全子法人の株式又は出資以外の資産の交付がされなかったもので、当該株式又は出資が同条第12号の５の２に規定する現物分配法人の発行済株式等の総数又は総額のうちに占める当該現物分配法人の各株主等の有する当該現物分配法人の株式の数又は金額の割合に応じて交付されたものを除く。）により交付を受ける金銭の額及び金銭以外の資産の価額の合計額
(四)	法人の株主等がその法人の資本の払戻し（株式に係る剰余金の配当（資本剰余金の額の減少に伴うものに限る。）のうち法人税法第２条第12号の９に規定する分割型分割（法人課税信託に係る信託の分割を含む。）によるもの及び同条第12号の15の２に規定する株式分配以外のもの並びに第四章第二節**一**に規定する出資等減少分配をいう。）により、又はその法人の解散による残余財産の分配として交付を受ける金銭の額及び金銭以外の資産の価額の合計額
(五)	法人の株主等がその法人の自己の株式又は出資の取得（金融商品取引所（金融商品取引法第２条第16項に規定する金融商品取引所をいう。**三１**①（１）において同じ。）の開設する市場における購入による取得その他の（５）で定める取得及び**二十**《株式交換等に係る譲渡所得等の特例》（２）(一)から同(三)までに掲げる株式又は出資の同（２）に規定する場合に該当する場合における取得を除く。）により交付を受ける金銭の額及び金銭以外の資産の価額の合計額
(六)	法人の株主等がその法人の出資の消却（取得した出資について行うものを除く。）、その法人の出資の払戻し、その法人からの退社若しくは脱退による持分の払戻し又はその法人の株式若しくは出資をその法人が取得することなく消滅させることにより交付を受ける金銭の額及び金銭以外の資産の価額の合計額
(七)	法人の株主等がその法人の組織変更（当該組織変更に際して当該組織変更をしたその法人の株式又は出資以外の資産が交付されたものに限る。）により交付を受ける金銭の額及び金銭以外の資産の価額の合計額
(八)	公社債の元本の償還（買入れの方法による償還を含む。以下(七)において同じ。）により交付を受ける金銭の額及び金銭以外の資産の価額（当該金銭又は金銭以外の資産とともに交付を受ける金銭又は金銭以外の資産で元本の価額の変動に基因するものの価額を含むものとし、第四章第一節**三**《利子所得》**１**①(一)に規定する特定公社債以外の公社債の償還により交付を受ける金銭又は金銭以外の資産でその償還の日においてその者（以下(八)において

	「対象者」という。）又は当該対象者と（6）で定める特殊の関係のある法人を判定の基礎となる株主として選定した場合に当該金銭又は金銭以外の資産の交付をした法人が法人税法第２条第10号に規定する同族会社に該当することとなるときにおける当該対象者その他の（6）で定める者が交付を受けるものの価額を除く。）の合計額
(九)	分離利子公社債（公社債で元本に係る部分と利子に係る部分とに分離されてそれぞれ独立して取引されるもののうち、当該利子に係る部分であった公社債をいう。）に係る利子として交付を受ける金銭の額及び金銭以外の資産の価額の合計額

（（1）で定める事由及び（1）で定める金額）

（1）　②に規定する（1）で定める事由は、次の(一)又は(二)に掲げる事由とし、②に規定する（1）で定める金額は、当該(一)又は(二)に掲げる事由に応じそれぞれに定める金額とする。（措令25の８④）

(一)	合併　　当該合併に係る被合併法人（法人税法第２条第11号に規定する被合併法人をいう。）の新株予約権者（新投資口予約権（投資信託及び投資法人に関する法律第２条第17項に規定する新投資口予約権をいう。以下(一)において同じ。）の新投資口予約権者を含む。以下(一)において同じ。）が当該合併により当該新株予約権者が有していた当該被合併法人の新株予約権（新投資口予約権を含む。）に代えて金銭その他の資産の交付を受ける場合（当該合併により法人税法第２条第12号に規定する合併法人の新株予約権のみの交付を受ける場合を除く。）における当該金銭の額及び金銭以外の資産の価額の合計額
(二)	組織変更　　当該組織変更をした法人の新株予約権者が当該組織変更により当該新株予約権者が有していた当該法人の新株予約権に代えて交付を受ける金銭の額

（発行済株式等の全部を保有する関係として（2）で定める関係）

（2）　②(一)に規定する（2）で定める関係は、合併の直前に当該合併に係る法人税法第２条第12号に規定する合併法人と当該合併法人以外の法人との間に当該法人による完全支配関係（同条第12号の７の６に規定する完全支配関係をいう。以下（2）及び（3）において同じ。）がある場合の当該完全支配関係とする。（措令25の８⑤）

（発行済株式等の全部を保有する関係として（3）で定める関係）

（3）　②(二)に規定する（3）で定める関係は、分割の直前に当該分割に係る法人税法第２条第12号の３に規定する分割承継法人と当該分割承継法人以外の法人との間に当該法人による完全支配関係がある場合の当該完全支配関係とする。（措令25の８⑥）

（合併等交付金のうち収入金額から除外されるもの）

（4）　次の(一)又は(二)に掲げる合計額のうちに、当該(一)又は(二)に定める金銭その他の資産に係る金銭の額及び金銭以外の資産の価額がある場合には、当該金銭の額及び金銭以外の資産の価額は、当該合計額には含まれないものとする。（措令25の８⑦）

(一)	②(一)に規定する合計額　　被合併法人（法人税法第２条第11号に規定する被合併法人をいい、信託の併合に係る従前の信託である法人課税信託に係る第二章第二節**3**《法人課税信託の受託者等に関する通則》（2）に規定する受託法人を含む。）の②(一)に規定する株主等（(二)において「株主等」という。）に対する株式（投資信託及び投資法人に関する法律第２条第14項に規定する投資口を含む。以下この節において同じ。）又は出資に係る剰余金の配当、利益の配当、剰余金の分配又は金銭の分配として交付がされた金銭その他の資産及び合併（法人課税信託に係る信託の併合を含む。）に反対する当該株主等に対するその買取請求に基づく対価として交付がされる金銭その他の資産
(二)	②(二)に規定する合計額　　同(二)に規定する分割法人の株主等に対する株式又は出資に係る剰余金の配当又は利益の配当として交付がされた同(二)に規定する分割対価資産以外の金銭その他の資産

（証券取引所の開設する市場における購入によるその他の自己株式の取得）

（5）　②(五)に規定する（5）で定める取得は、次の(一)から(五)までに掲げる事由による取得とする。（措令25の８⑨）

(一)	金融商品取引法第２条第16項に規定する金融商品取引所（③（1）において「金融商品取引所」という。）の開

	設する市場（同条第８項第３号ロに規定する外国金融商品市場を含む。）における購入
(二)	店頭売買登録銘柄（有価証券で、金融商品取引法第２条第13項に規定する認可金融商品取引業協会が、その定める規則に従い、その店頭売買につき、その売買価格を発表し、かつ、当該有価証券の発行法人に関する資料を公開するものとして登録をしたものをいう。**三１**①(１)(一)(注)(一)において同じ。）として登録された株式（出資を含む。）のその店頭売買による購入
(三)	金融商品取引法第２条第８項に規定する金融商品取引業のうち同項第10号に掲げる行為を行う者が同号の有価証券の売買の媒介、取次ぎ又は代理をする場合におけるその売買（同号ニに掲げる方法により売買価格が決定されるものを除く。）による購入
(四)	事業の全部の譲受け
(五)	会社法第192条第１項の規定による請求に係る同項の単元未満株式の買取り

（第四章第一節**三１**①(３)及び同(４)の規定の準用）

(６)　第四章第一節**三１**①(３)及び同(４)の規定は②(八)に規定する(６)で定める特殊の関係のある法人について、同**１**①(５)の規定は②(八)に規定する(６)で定める者について、それぞれ準用する。この場合において、同**１**①(３)中「①(四)」とあるのは「**二１**②(八)」と、同**１**①(５)中「①(四)」とあるのは「**二１**②(八)」と、同**１**①(５)(一)中「①(一)」とあるのは「**二１**②(八)」と、「利子の同(四)に規定する支払の確定した日」とあるのは「同(八)に規定する償還の日」と、「利子の支払」とあるのは「償還により金銭又は金銭以外の資産の交付」と読み替えるものとする。（措令25の８⑩）

(注)　第四章第一節**三１**①(６)の規定は(６)において準用する同**１**①(５)に規定する同(６)で定める方法について、同**１**①(７)の規定は(６)において準用する同**１**①(５)に規定する同(７)で定める者について、それぞれ準用する。（措規18の９①）

（一般株式等に係る譲渡所得等に係る収入金額とみなす金額等—法人の合併の場合）

(７)　②(一)の規定の適用に関しては、次の点に留意する。（措通37の10－１）

(一)　法人の合併に当たり、②の規定により、被合併法人の株式（以下(７)において「旧株」という。）についての一般株式等に係る譲渡所得等に係る収入金額とみなされる②(一)に掲げる金額（第四章第二節**二**《配当等とみなす金額》の規定に該当する部分の金額（以下(12)までにおいて「みなし配当額」という。）を除く。）及び当該収入金額から控除すべき取得価額は、次の算式によって計算した金額となる。

収入金額とみなされる金額 ＝ 法人の合併により交付を受けた合併法人又は合併親法人の株式及びそれ以外の資産の価額の合計額 － みなし配当額

(注)　「合併法人」とは、②(一)に規定する合併法人をいい、「合併親法人」とは、合併法人との間に**二１**②(２)に規定する完全支配関係がある法人をいう。以下(７)において同じ。

取得価額 ＝ 旧株の従前の取得価額の合計額

また、当該合併により取得した合併法人又は合併親法人の株式の取得価額は、第六章第二節**四７**①(六)の規定により、取得のために通常要する価額となる。

(二)　②の規定の適用がない場合における法人の合併により取得した合併法人若しくは合併親法人の株式又は第六章第二節**四８**④《合併により取得した株式等の取得価額》(１)に規定する無対価合併が行われた場合の合併法人の株式の１株当たりの取得価額は、同④又は同④(１)の規定により、それぞれ次の算式によって計算した金額となる。

イ　ロ以外の合併

取得した合併法人又は合併親法人の株式１株当たりの取得価額 ＝ ［旧株１株の従前の取得価額 ＋ 旧株１株当たりのみなし配当額 ＋ 旧株１株当たりの合併法人又は合併親法人の株式の取得費用］ ÷ 旧株１株について取得した合併法人又は合併親法人の株式の数

ロ　第六章第二節**四８**④《合併により取得した株式等の取得価額》(１)に規定する無対価合併

無対価合併後の合併法人の株式１株当たりの取得価額 ＝ 合併法人の１株の従前の取得価額 ＋ ［［無対価合併の直前に有していた旧株１株の従前の取得価額 ＋ 旧株１株当たりのみなし配当額］ × 旧株の株式の数 ÷ 合併法人の株式の数］

なお、法人税法施行令第４条の３第２項第１号《適格組織再編成における株式の保有関係等》に規定する無対価合併に該当する合併で、同項第２号ロに掲げる関係があるもの以外のものが行われた場合の当該無対価合併後の合併法人の株式１株当たりの取得価額は、合併法人の１株当たりの従前の取得価額となる。

(三)　合併法人が、②(一)に規定する法人の合併に際し株主に対し交付しなければならない株式に一株に満たない端数が生じたため、会社法第234条第１項《一に満たない端数の処理》の規定等によりその端数の合計数に相当する株式を他に譲渡し、又は買い取った代金として株主に金銭が交付された場合における②(一)の規定の適用については、**二十**(11)《一株に満たない数の株式の譲渡等による代金が交付された場合の取扱い》に準じて取り扱う。

(一般株式等に係る譲渡所得等に係る収入金額とみなす金額等―法人の分割の場合)

(８)　②(二)規定の適用に関しては、次に点に留意する。(措通37の10－２)

(一)　法人の分割に当たり、②の規定により、分割法人の株式（以下(８)において「所有株式」という。）についての一般株式等に係る譲渡所得等に係る収入金額とみなされる②(二)に掲げる金額（みなし配当額を除く。）及び当該収入金額から控除すべき取得価額は、次の算式によって計算した金額となる。

収入金額とみなされる金額 ＝ 法人の分割により交付を受けた分割承継法人又は分割承継親法人の株式及びそれ以外の資産の価額の合計額 － みなし配当額

(注)　「分割承継法人」とは、②(二)に規定する分割承継法人をいい、「分割承継親法人」とは、分割承継法人との間に(３)に規定する完全支配関係がある法人をいう。以下(８)において同じ。

取得価額 ＝ 所有株式の従前の取得価額の合計額 × 純資産移転割合

(注)　「純資産移転割合」は、第四章第二節**二２**《所有株式に対応する資本金等の額の計算方法等》(二)に規定する割合で、次により計算した割合（分割法人の同節**二**《配当とみなす金額》(二)に規定する分割型分割（以下(一)において「分割型分割」という。）の直前の法人税法第２条第16号《定義》に規定する資本金等の額（(８)、(９)及び(10)において「資本金等の額」という。）が零以下である場合には零と、当該分割型分割の直前の資本金等の額及び次に掲げる算式の分子の金額が零を超え、かつ、次に掲げる算式の分母の金額が零以下である場合には１とし、当該割合に小数点以下３位未満の端数があるときは切上げ）をいう。以下(８)において同じ。

純資産移転割合 ＝ （分割法人から分割承継法人に移転した資産の帳簿価額(※１)（ａ） － 分割法人から分割承継法人に移転した負債の帳簿価額(※１)（ｂ））／（分割法人の資産の帳簿価額(※２)（ｃ） － 分割法人の負債（新株予約権及び株式引受権に係る義務を含む。）の帳簿価額(※２)（ｄ））

(※)１　分割法人の分割型分割の直前の帳簿価額による。なお、算式の分子の金額（ａ－ｂ）が、算式の分母の金額（ｃ－ｄ）を超える場合（算式の分母の金額（ｃ－ｄ）が零に満たない場合を除く。）には、算式の分母の金額（ｃ－ｄ）となる。

２　分割法人の分割型分割の日の属する事業年度の前事業年度等の終了の時の帳簿価額による。なお、当該終了の時から当該分割型分割の直前の時までの間に資本金等の額又は法人税法第２条第18号に規定する利益積立金額（以下(10)までにおいて「利益積立金額」という。）（法人税法施行令第９条第１号及び第６号《利益積立金額》に掲げる金額を除く。）が増加し、又は減少した場合には、その増加した金額を加算し、又はその減少した金額を減算した金額となる。

また、当該分割があった日以後における所有株式１株当たりの取得価額は、第六章第二節**四８**⑤《分割型分割により取得した株式等の取得価額》（２）の規定により、次の算式によって計算した金額となり、また、当該分割により取得した分割承継法人又は分割承継親法人の株式の取得価額は、同**７**①(六)の規定により、取得のために通常要する価額となる。

分割後の所有株式１株当たりの取得価額 ＝ 所有株式１株の従前の取得価額 － ［所有株式１株の従前の取得価額 × 純資産移転割合］

(二)　②の規定の適用がない場合における法人の分割があった日以後の所有株式及び当該分割により取得した分割承継法人若しくは分割承継親法人又は第六章第二節**四８**⑤《分割型分割により取得した株式等の取得価額》（１）に規定する無対価分割型分割が行われた場合の分割承継法人の株式に係る１株当たりの取得価額は、同⑤、同⑤（１）及び同⑤（２）の規定により、それぞれ次の算式によって計算した金額となる。

イ　ロ以外の第四章第二節《配当所得》**一**に規定する分割型分割

分割後の所有株式１株当たりの取得価額 ＝ 所有株式１株の従前の取得価額 － ［所有株式１株の従前の取得価額 × 純資産移転割合］

取得した分割承継法人又は分割承継親法人の株式１株当たりの取得価額 ＝ ［所有株式１株の従前の取得価額 × 純資産移転割合 ÷ 所有株式１株について取得した分割承継法人又は分割承継親法人の株式の数］ ＋ 分割承継法人又は分割承継親法人の株式１株当たりのみなし配当額 ＋ 分割承継法人又は分割承継親法人の株式１株当たりの分割承継法人又は分割承継親法人の株式の取得費用

ロ　同⑤(１)に規定する無対価分割型分割

分割後の所有株式１株当たりの取得価額 ＝ 所有株式１株の従前の取得価額 － ［所有株式１株の従前の取得価額 × 純資産移転割合］

取得した分割承継法人の株式１株当たりの取得価額 ＝ 分割承継法人の株式１株の従前の取得価額 ＋ ［旧株１株の従前の取得価額 × 純資産移転割合 × 旧株の株式の数 ÷ 分割承継法人の株式の数 ＋ 分割承継法人の株式１株当たりのみなし配当額］

(注)　旧株とは無対価分割型分割の直前に有していた分割法人の株式をいう。

なお、法人税法施行令第４条の３第６項第１号イに規定する無対価分割に該当する分割型分割で、同項第２号イ(２)に掲げる関係があるもの以外のものが行われた場合の分割法人の株式１株当たりの取得価額は、所有株式１株の従前の取得価額となり、分割承継法人の株式１株当たりの取得価額は、分割承継法人の株式１株の従前の取得価額となる。

(三)　法人税法第２条第12号の９イに規定する分割型分割に係る分割法人が②(二)に規定する法人の分割に際し株主に対し交付しなければならない株式に一株に満たない端数が生じたため、その端数に応じて株主に金銭が交付された場合における②(二)の規定の適用については、二十(11)に準じて取り扱う。

(一般株式等に係る譲渡所得等に係る収入金額とみなす金額等－株式分配の場合)

(９)　②(三)の規定の適用に関しては、次の点に留意する。(措通37の10－２の２)

(一)　②(三)に規定する株式分配に当たり、②の規定により、同(三)に規定する現物分配法人（以下(９)において「現物分配法人」という。）の株式（以下(９)において「所有株式」という。）についての一般株式等に係る譲渡所得等に係る収入金額とみなされる同(三)に掲げる金額（みなし配当額を除く。）及び当該収入金額から控除すべき取得価額は、次の算式によって計算した金額となる。

収入金額とみなされる金額 ＝ 株式分配により交付を受けた完全子法人の株式及びそれ以外の資産の価額の合計額 － みなし配当額

(注)　「完全子法人」とは、②(三)に規定する完全子法人をいう。以下(９)において同じ。

取得価額 ＝ 所有株式の従前の取得価額の合計額 × 純資産移転割合

(注)　「純資産移転割合」は、第四章第二節二２(三)に規定する割合で、次により計算した割合（現物分配法人の同節二１(三)に規定する株式分配（以下(一)において「株式分配」という。）の直前の資本金等の額が零以下である場合には零と、当該株式分配の直前の資本金等の額及び次に掲げる算式の分子の金額が零を超え、かつ、次に掲げる算式の分母の金額が零以下である場合には１とし、当該割合に小数点以下３位未満の端数があるときは切上げ）をいう。以下(９)において同じ。

純資産移転割合 ＝ 完全子法人の株式の帳簿価額(※１) ／ ［現物分配法人の資産の帳簿価額(※２)(ａ) － 現物分配法人の負債（新株予約権及び株式引受権に係る義務を含む。）の帳簿価額(※２)(ｂ)］

(※)１　現物分配法人の株式分配の直前の帳簿価額による。なお、算式の分子の金額が零以下である場合には零とし、算式の分子の金額が算式の分母の金額（ａ－ｂ）を超える場合（算式の分母の金額（ａ－ｂ）が零に満たない場合を除く。）には、算式の分母の金額（ａ－ｂ）となる。

２　現物分配法人の株式分配の日の属する事業年度の前事業年度等の終了の時の帳簿価額による。なお、当該終了の時から当該株式分配の直前の時までの間に資本金等の額又は利益積立金額（法人税法施行令第９条第１号及び第６号に掲げる金額を除く。）が増加し、又は減少した場合には、その増加した金額を加算し、又はその減少した金額を減算した金額となる。

また、当該株式分配があった日以後における所有株式１株当たりの取得価額は、第六章第二節四８⑥(１)《株式分配により取得した株式等の取得価額》の規定により、次の算式によって計算した金額となり、また、当該株式分配により取得した完全子法人の株式の取得価額は、同７①(六)の規定により、取得のために通常要する価額となる。

株式分配後の所有株式１株当たりの取得価額 ＝ 所有株式１株の従前の取得価額 － ［所有株式１株の従前の取得価額 × 純資産移転割合］

(二)　②の規定の適用がない場合における株式分配（第四章第二節一に規定する株式分配をいう。(二)において同じ。）があった日以後の所有株式及び当該株式分配により取得した完全子法人の株式に係る１株当たりの取得価額は、第六章第二節四８⑥又は同⑥(１)の規定により、それぞれ次の算式によって計算した金額となる。

株式分配後の所有株式１株当たりの取得価額 ＝ 所有株式１株の従前の取得価額 － ［所有株式１株の従前の取得価額 × 純資産移転割合］

取得した完全子法人の株式１株当たりの取得価額 ＝ ［所有株式１株の従前の取得価額 × 純資産移転割合 ÷ 所有株式１株について取得した完全子法人の株式の数］ ＋ 完全子法人の株式１株当たりのみなし配当額 ＋ 完全子法人の株式１株当たりの完全子法人の株式の取得費用

(三)　現物分配法人が②(三)に規定する株式分配に際し株主に対し交付しなければならない完全子法人の株式に一株に満たない端数が生じたため、その端数に応じて株主に金銭が交付された場合における同(三)の規定の適用については、第五章第三節二十(11)に準じて取り扱う。

（一般株式等に係る譲渡所得等に係る収入金額とみなす金額等―資本の払戻し等の場合）

(10)　②(四)に規定する「法人の資本の払戻し」又は「法人の解散による残余財産の分配」（以下(10)において「資本の払戻し等」という。）により金銭その他の資産（以下(10)において「金銭等」という。）の交付を受けた場合のその有していた資本の払戻し等を行った法人の株式（以下(10)において「旧株」という。）に係る一般株式等に係る譲渡所得等に係る収入金額とみなされる金額及び当該収入金額から控除すべき取得価額は、それぞれ次の算式によって計算した金額となることに留意する。（措通37の10－３）

収入金額とみなされる金額 ＝ 資本の払戻し等により取得した金銭等の価額の合計額 － みなし配当額

取得価額 ＝ 旧株の従前の取得価額の合計額 × 払戻等割合

(注)　「払戻等割合」は、次に掲げる区分に応じ、それぞれ次の割合をいう。以下(10)において同じ。

(1)　資本の払戻し等（(2)に掲げるものを除く。以下(1)において同じ。）

イ　ロに掲げる場合以外の場合　第四章第二節二２(四)イに規定する割合で、次により計算した割合（資本の払戻し等を行った法人の当該資本の払戻し等の直前の資本金等の額が零以下である場合には零と、当該直前の資本金等の額が零を超え、かつ、次に掲げる算式の分母の金額が零以下である場合又は直前資本金額等が零を超え、かつ、残余財産の全部の分配を行う場合には１とし、当該割合に小数点以下３位未満の端数があるときは切上げ）

払戻等割合 ＝ その法人の資本の払戻しにより減少した資本剰余金の額又はその法人の解散による残余財産の分配により交付した金銭の額及び金銭以外の資産の価額（法人税法第２条第12号の15に規定する適格現物分配に係る資産にあっては、その交付の直前の帳簿価額）の合計額（※１） ／ その法人の資産の帳簿価額（※２）（ａ） － その法人の負債（新株予約権に係る義務を含む。）の帳簿価額（※２）（ｂ）

※１　算式の分子の金額が、算式の分母の金額（ａ－ｂ）を超える場合には、算式の分母（ａ－ｂ）の金額となる。

※２　その法人の資本の払戻し等の日の属する事業年度の前事業年度等の終了の時による。なお、当該終了の時から当該資本の払戻し等の直前の時までの間に資本金等の額又は利益積立金額（法人税法施行令第９条第１号及び第６号に掲げる金額を除く。）が増加し、又は減少した場合には、その増加した金額を加算し、又はその減少した金額を減算した金額となる。

ロ　資本の払戻しを行った法人が２以上の種類の株式を発行していた法人である場合　第四章第二節二２(四)ロに規定する種類払戻割合で、次により計算した割合（直前種類資本金額（資本の払戻しを行った法人の当該資本の払戻しの直前のその種類の株式に係る法人税法施行令第８条第２項《資本金等の額》に規定する種類資本金額をいう。以下(10)において同じ。）又は資本の払戻しを行った法人の当該資本の払戻しの直前の資本金等の額が零以下である場合には零と、直前種類資本金額及び当該直前の資本金等の額が零を超え、かつ、次に掲げる算式の分母の金額が零以下である場合には１とし、当該割合に小数点以下３位未満の端数があるときは切上げ）

払戻等割合 ＝ Ａ(※１) ／ ［その法人の資産の帳簿価額(※２)(ａ) － その法人の負債（新株予約権及び株式引受権に係る義務を含む。）の帳簿価額(※２)(ｂ)］ × Ｂ(※３)

※１　Ａは、次に掲げる場合の区分に応じそれぞれ次に定める金額（当該金額が払戻等割合における算式の分母の金額（(ａ－ｂ)×Ｂ）を超える場合には、当該分母の金額（(ａ－ｂ)×Ｂ)）となる。

(イ)　その法人の資本の払戻しにより減少した資本剰余金の額のうちその種類の株式に係る部分の金額が明らかな場合　当該金額

(ロ)　(イ)に掲げる場合以外の場合　その法人の資本の払戻しにより減少した資本剰余金の額にその法人の資本の払戻しの直前の当該資本の払戻しに係る各種類の株式に係る法人税法施行令第８条第２項に規定する種類資本金額（当該種類資本金額が零以下である場合には、零）の合計額のうちに直前種類資本金額の占める割合（当該合計額が零である場合には、１）を乗じて計算した金額

※２　その法人の資本の払戻し等の日の属する事業年度の前事業年度等の終了の時による。なお、当該終了の時から当該資本の払戻し等の直前の時までの間に資本金等の額又は利益積立金額（法人税法施行令第９条第１号及び第６号に掲げる金額を除く。）が増加し、又は減少した場合には、その増加した金額を加算し、又はその減少した金額を減算した金額となる。

※3　Bは、次により計算した割合となる。

$$B = \frac{\text{直前種類資本金額}}{\text{その法人の資本の払戻しの直前の資本金等の額}}$$

⑵　第四章第二節一に規定する出資等減少分配

第四章第二節二２(五)に規定する割合で、次により計算した割合（出資等減少分配を行った投資法人の当該出資等減少分配の直前の資本金等の額が零以下である場合には零と、当該直前の資本金等の額が零を超え、かつ、次に掲げる算式の分母の金額が零以下である場合には１とし、当該割合に小数点以下３位未満の端数があるときは切上げ）

$$\text{払戻等割合} = \frac{\text{その投資法人の出資等減少分配により増加する出資総額控除額及び出資剰余金控除額の合計額からその出資等減少分配により増加する一時差異等調整引当額を控除した金額(※1)}}{\text{その投資法人の資産の帳簿価額(※2)(a)} - \text{その投資法人の負債の帳簿価額(※2)(b)}}$$

※1　算式の分子の金額が、算式の分母の金額（ａ－ｂ）を超える場合には、算式の分母の金額（ａ－ｂ）となる。

※2　その投資法人の出資等減少分配の日の属する事業年度の前事業年度の終了の時による。なお、当該終了の時から当該出資等減少分配の直前の時までの間に資本金等の額又は利益積立金額（法人税法施行令第９条第１号に掲げる金額を除く。）が増加し、又は減少した場合には、その増加した金額を加算し、又はその減少した金額を減算した金額となる。

また、当該資本の払戻し等があった日以後における旧株１株当たりの取得価額は、第六章第二節四８⑦《資本の払戻し等があった場合の株式等の取得価額》の規定により、次の算式によって計算した金額となる。

$$\text{旧株１株当たりの取得価額} = \text{旧株１株の従前の取得価額} - \left[\text{旧株１株の従前の取得価額} \times \text{払戻等割合}\right]$$

（一般株式等に係る譲渡所得等に係る収入金額とみなす金額等―口数に定めがない出資の払戻しの場合）

(11)　②(六)に規定する「法人の出資の払戻し」（以下(11)において「出資の払戻し」という。）により金銭その他の資産（以下(11)において「金銭等」という。）の交付を受けた場合において、その有していた法人の出資（口数に定めがないものに限る。以下(11)において「所有出資」という。）の払戻しに係る一般株式等に係る譲渡所得等に係る収入金額とみなされる金額及び当該収入金額から控除すべき取得価額は、それぞれ次の算式によって計算した金額となることに留意する。（措通37の10－４）

$$\text{収入金額とみなされる金額} = \text{出資の払戻しにより取得した金銭等の価額の合計額} - \text{みなし配当額}$$

$$\text{取得価額} = \text{所有出資の従前の取得価額の合計額} \times \frac{\text{出資の払戻しに係る出資の金額}}{\text{出資の払戻しの直前の所有出資の金額}}$$

また、当該所有出資１単位当たりの取得価額は、第六章第二節四８⑦（１）の規定により、次の算式によって計算した金額となる。

$$\text{所有出資１単位当たりの取得価額} = \text{所有出資１単位当たりの従前の取得価額} - \left[\text{所有出資１単位当たりの従前の取得価額} \times \frac{\text{出資の払戻しに係る出資の金額}}{\text{出資の払戻しの直前の所有出資の金額}}\right]$$

（一般株式等に係る譲渡所得等に係る収入金額とみなす金額等―法人の組織変更の場合）

(12)　②(七)の規定の適用に関しては、次の点に留意する。（措通37の10－５）

(一)　法人の組織変更に当たり、②の規定により、組織変更前の法人の株式又は出資（以下(12)において「旧株」という。）についての一般株式等に係る譲渡所得等に係る収入金額とみなされる②(七)に掲げる金額（みなし配当額を除く。）及び当該収入金額から控除すべき取得価額は、次の算式によって計算した金額となる。

$$\text{収入金額とみなされる金額} = \text{法人の組織変更により交付を受けた組織変更をした法人の株式又は出資及びそれ以外の資産の価額の合計額} - \text{みなし配当額}$$

また、当該組織変更により取得した組織変更をした法人の株式又は出資（以下(12)において「組織変更法人の株式」という。）の取得価額は、第六章第二節四７①(六)の規定により、取得のために通常要する価額となる。

(二)　②の規定の適用がない場合における法人の組織変更により取得した組織変更法人の株式の１単位当たりの取得

価額は、第六章第二節**四9**《組織変更があった場合の株式等の取得価額》の規定により、次の算式によって計算した金額となる。

取得した組織変更法人の株式１単位当たりの取得価額 ＝ ［（旧株１単位の従前の取得価額 ＋ 旧株１単位当たりの組織変更法人の株式の取得費用）× 旧株の数］÷ 取得した組織変更法人の株式の数

③　一般株式等に係る譲渡所得等の収入金額とみなされる投資信託等の受益権

投資信託若しくは特定受益証券発行信託（以下③において「**投資信託等**」という。）の受益権で一般株式等に該当するもの又は社債的受益権で一般株式等に該当するものを有する居住者又は恒久的施設を有する非居住者がこれらの受益権につき交付を受ける次の(一)から(四)までに掲げる金額は、一般株式等に係る譲渡所得等に係る収入金額とみなして、所得税法及び第三節の規定を適用する。（措法37の10④）

(一)	その上場廃止特定受益証券発行信託（その受益権が金融商品取引法第２条第16項に規定する金融商品取引所に上場されていたことその他の（１）で定める要件に該当する特定受益証券発行信託をいう。以下(一)及び(二)において同じ。）の終了（当該上場廃止特定受益証券発行信託の信託の併合に係るものである場合にあっては、当該上場廃止特定受益証券発行信託の受益者に当該信託の併合に係る新たな信託の受益権以外の資産（信託の併合に反対する当該受益者に対するその買取請求に基づく対価として交付される金銭その他の資産を除く。）の交付がされた信託の併合に係るものに限る。）又は一部の解約により交付を受ける金銭の額及び金銭以外の資産の価額の合計額
(二)	その投資信託等（上場廃止特定受益証券発行信託を除く。以下(二)において同じ。）の終了（当該投資信託等の信託の併合に係るものである場合にあっては、当該投資信託等の受益者に当該信託の併合に係る新たな信託の受益権以外の資産（信託の併合に反対する当該受益者に対するその買取請求に基づく対価として交付される金銭その他の資産を除く。）の交付がされた信託の併合に係るものに限る。）又は一部の解約により交付を受ける金銭の額及び金銭以外の資産の価額の合計額のうち当該投資信託等について信託されている金額（当該投資信託等の受益権に係る部分の金額に限る。）に達するまでの金額
(三)	その特定受益証券発行信託に係る信託の分割（分割信託（信託の分割によりその信託財産の一部を受託者を同一とする他の信託又は新たな信託の信託財産として移転する信託をいう。**三1**③(二)において同じ。）の受益者に承継信託（信託の分割により受託者を同一とする他の信託からその信託財産の一部の移転を受ける信託をいう。同(二)において同じ。）の受益権以外の資産（信託の分割に反対する当該受益者に対する信託法第103条第６項に規定する受益権取得請求に基づく対価として交付される金銭その他の資産を除く。）の交付がされたものに限る。）により交付を受ける金銭の額及び金銭以外の資産の価額の合計額のうち当該特定受益証券発行信託について信託されている金額（当該特定受益証券発行信託の受益権に係る部分の金額に限る。）に達するまでの金額 （交付される金銭その他の資産に係る金銭の額及び金銭以外の資産の価額がある場合） 注　(三)に規定する合計額のうちに、信託の分割に反対する同(三)に規定する特定受益証券発行信託の受益者に対する同(三)に規定する受益権取得請求に基づく対価として交付がされる金銭その他の資産に係る金銭の額及び金銭以外の資産の価額がある場合には、当該金銭の額及び金銭以外の資産の価額は、当該合計額には含まれないものとする。（措令25の８⑬）
(四)	社債的受益権の元本の償還により交付を受ける金銭の額及び金銭以外の資産の価額の合計額

（③(一)に規定する金融商品取引所に上場されていたことその他の要件）

（１）　③(一)に規定する（１）で定める要件は、次に掲げる要件とする。（措令25の８⑪）

（一）　その特定受益証券発行信託の受益権が金融商品取引所に上場されていたこと。

（二）　その特定受益証券発行信託の信託法第３条第１号に規定する信託契約に、全ての金融商品取引所において当該特定受益証券発行信託の受益権の上場が廃止された場合には、その廃止された日に当該特定受益証券発行信託を終了するための手続を開始する旨の定めがあること。

（一般株式等に係る譲渡所得等に係る収入金額とみなす金額等―上場廃止特定受益証券発行信託の信託の併合の場合）

（2）　③(一)の規定の適用に関しては、次の点に留意する。（措通37の10－6）

（一）　③(一)に規定する上場廃止特定受益証券発行信託（以下(2)において「上場廃止特定受益証券発行信託」という。）の信託の併合に当たり、③の規定により、上場廃止特定受益証券発行信託の受益権（以下(2)において「旧受益権」という。）についての一般株式等に係る譲渡所得等に係る収入金額とみなされる金額及び当該収入金額から控除すべき取得価額は、次の算式によって計算した金額となる。

収入金額とみなされる金額 ＝ 上場廃止特定受益証券発行信託の信託の併合により交付を受けた当該信託の併合に係る新たな信託の受益権（以下(2)において「新受益権」という。）及びそれ以外の資産の価額の合計額

取得価額 ＝ 旧受益権の従前の取得価額の合計額

また、当該信託の併合により取得した新受益権の取得価額は、第六章第二節**四 7**①(六)の規定により、取得のために通常要する価額となる。

（二）　③の規定の適用がない場合における上場廃止特定受益証券発行信託の信託の併合により取得した新受益権の１口当たりの取得価額は、第六章第二節**四 8**④(2)の規定により、次の算式によって計算した金額となる。

取得した新受益権１口当たりの取得価額 ＝ ［旧受益権１口の従前の取得価額 ＋ 旧受益権１口当たりの新受益権の取得費用］ ÷ 旧受益権１口について取得した新受益権の口数

（一般株式等に係る譲渡所得等に係る収入金額とみなす金額等―投資信託等の信託の併合の場合）

（3）　③(二)の規定の適用に関しては、次の点に留意する。（措通37の10－7）

（一）　③(二)に規定する投資信託等（以下(3)において「投資信託等」という。）の信託の併合に当たり、③の規定により、投資信託等の受益権で一般株式等に該当するもの（以下(3)において「旧受益権」という。）についての一般株式等に係る譲渡所得等に係る収入金額とみなされる金額及び当該収入金額から控除すべき取得価額は、次の算式によって計算した金額となる。

収入金額とみなされる金額 ＝ 投資信託等の信託の併合により交付を受けた当該信託の併合に係る新たな信託の受益権（以下(3)において「新受益権」という。）及びそれ以外の資産の価額の合計額のうち当該投資信託等について信託されている金額に達するまでの金額

取得価額 ＝ 旧受益権の従前の取得価額の合計額

また、当該信託の併合により取得した新受益権の取得価額は、第六章第二節**四 7**①(六)の規定により、取得のために通常要する価額となる。

（二）　③の規定の適用がない場合における投資信託等の信託の併合により取得した新受益権の１口当たりの取得価額は、第六章第二節**四 8**④(2)の規定により、次の算式によって計算した金額となる。

取得した新受益権１口当たりの取得価額 ＝ ［旧受益権１口の従前の取得価額 ＋ 旧受益権１口当たりの新受益権の取得費用］ ÷ 旧受益権１口について取得した新受益権の口数

（一般株式等に係る譲渡所得等に係る収入金額とみなす金額等―特定受益証券発行信託に係る信託の分割の場合）

（4）　③(三)の規定の適用に関しては、次の点に留意する。（措通37の10－8）

（一）　特定受益証券発行信託に係る信託の分割に当たり、③の規定により、特定受益証券発行信託の受益権で一般株式等に該当するもの（以下(4)において「旧受益権」という。）についての一般株式等に係る譲渡所得等に係る収入金額とみなされる③(三)に掲げる金額及び当該収入金額から控除すべき取得価額は、次の算式によって計算した金額となる。

収入金額とみなされる金額 ＝ 特定受益証券発行信託に係る信託の分割により交付を受けた承継信託の受益権及びそれ以外の資産の価額の合計額のうち当該特定受益証券発行信託について信託された金額に達するまでの金額

（注）　「承継信託」とは、特定受益証券発行信託に係る信託の分割により受託者を同一とする他の信託からその信託財産の一部の移転を受ける信託をいう（以下(4)において同じ。）。

取得価額 ＝ 旧受益権の従前の取得価額の合計額 × 分割移転割合

(注)　「分割移転割合」は、第六章第二節**四8**⑤(5)に規定する割合で、次により計算した割合(小数点以下3位未満の端数があるときは切上げ)をいう(以下(4)において同じ。)。

$$\text{分割移転割合}=\frac{\text{分割信託(※1)から承継信託に移転した資産の帳簿価額}-\text{分割信託(※1)から承継信託に移転した負債の帳簿価額}}{\text{分割信託の資産の帳簿価額(※2)}-\text{分割信託の負債の帳簿価額(※2)}}$$

※1　「分割信託」とは、特定受益証券発行信託に係る信託の分割によりその信託財産の一部を受託者を同一とする他の信託又は新たな信託の信託財産として移転する信託をいう。

※2　信託の分割前に終了した計算期間のうち最も新しいものの終了の時による。

また、当該特定受益証券発行信託に係る信託の分割があった日以後における旧受益権1口当たりの取得価額は、第六章第二節**四8**⑤(6)の規定により、次の算式によって計算した金額となり、また、当該特定受益証券発行信託に係る信託の分割により取得した承継信託の受益権の取得価額は、同**四7**①(六)の規定により、取得のために通常要する価額となる。

$$\text{特定受益証券発行信託に係る信託の分割後の旧受益権1口当たりの取得価額}=\text{旧受益権1口の従前の取得価額}-\left[\text{旧受益権1口の従前の取得価額}\times\text{分割移転割合}\right]$$

(二)　③の規定の適用がない場合における特定受益証券発行信託に係る信託の分割があった日以後の旧受益権及び当該信託の分割により取得した承継信託の受益権に係る1口当たりの取得価額は、第六章第二節**四8**⑤(5)又は同(6)の規定により、それぞれ次の算式によって計算した金額となる。

$$\text{特定受益証券発行信託に係る信託の分割後の旧受益権1口当たりの取得価額}=\text{旧受益権1口の従前の取得価額}-\left[\text{旧受益権1口の従前の取得価額}\times\text{分割移転割合}\right]$$

$$\text{取得した承継信託の受益権1口当たりの取得価額}=\left[\text{旧受益権1口の従前の取得価額}\times\text{分割移転割合}\div\text{旧受益権1口について取得した承継信託の受益権の口数}\right]+\text{承継信託の受益権1口当たりの承継信託の受益権の取得費用}$$

④　確定申告書への所得金額の計算明細書の添付

その年において①に規定する一般株式等に係る譲渡所得等を有する居住者又は恒久的施設を有する非居住者が確定申告書を提出する場合には、(1)で定めるところにより、当該一般株式等に係る譲渡所得等の金額の計算に関する明細書を当該申告書に添付しなければならない。この場合において、第十章第二節**二1**④《事業所得等に係る総収入金額及び必要経費の内訳書の添付》の規定の適用については、同④中「事業所得」とあるのは、「事業所得(第五章第三節**二**《一般株式等に係る譲渡所得等の申告分離課税》**1**①に規定する一般株式等の譲渡による事業所得を除く。)」とする。(措令25の8⑭)

((1)で定める計算明細書)

(1)　④の規定により確定申告書に添付すべき(1)の明細書は、①に規定する一般株式等の譲渡による事業所得、譲渡所得又は雑所得(第六章第一節**一9**《発行法人から与えられた株式を取得する権利の譲渡による収入金額》の規定に該当する事業所得及び雑所得並びに第二節**二**《土地建物等の短期譲渡所得の課税の特例》③《土地等の譲渡に類する株式等の譲渡所得の分離課税》の規定に該当する譲渡所得を除く。以下(1)において同じ。)のそれぞれについて作成するものとし、当該明細書には、次の(一)又は(二)に掲げる所得の区分に応じそれぞれに定める項目別の金額、その他参考となるべき事項を記載しなければならない。この場合において、その業態、規模等の状況からみて当該項目により難い項目については、当該項目に準ずる他の項目によることができるものとする。(措規18の9②)

(一)	事業所得又は雑所得	次に掲げる項目 イ　総収入金額については、一般株式等の譲渡(①に規定する一般株式等をいう。以下(1)において同じ。)による収入金額及びその他の収入の別 ロ　必要経費については、一般株式等の取得価額、一般株式等を取得するために要した負債の利子、一般株式等の譲渡のために要した委託手数料、管理費及びその他の経費の別
(二)	譲渡所得	次に掲げる項目 イ　総収入金額については、一般株式等の譲渡による収入金額及びその他の収入の別 ロ　取得費及び譲渡に要した費用については、一般株式等の取得費、一般株式等を取得するために要した負債の利子、一般株式等の譲渡のために要した委託手数料及びその他の経費の別

2　株式等の譲渡の対価の受領者等の告知

株式等の譲渡をした者（法人税法別表第一《公共法人の表》に掲げる法人その他（1）で定めるものを除く。）で国内において次の(一)から(三)までに掲げる者からその株式等の譲渡の対価（その株式等が特定信託受益権（資金決済に関する法律第２条第９項《定義》に規定する特定信託受益権をいう。(四)において同じ。）に該当する場合にあっては金銭に限るものとし、その額の全部又は一部が第六章第一節**一 9**《発行法人から与えられた株式を取得する権利の譲渡による収入金額》の規定により同**9**に規定する給与等の収入金額又は退職手当等の収入金額とみなされるものを除く。**3**(十)及び所得税法第228条第２項《名義人受領の配当所得等の調書》において同じ。）の支払を受けるものは、（2）以下で定めるところにより、その支払を受けるべき時までに、その者の氏名又は名称、住所（国内に住所を有しない者にあっては、(注)１で定める場所とする。以下**2**において同じ。）及び個人番号又は法人番号（個人番号及び法人番号を有しない者その他（5）で定める者にあっては、氏名又は名称及び住所。以下**2**において同じ。）を当該(一)から(三)までに掲げる者（これに準ずる者として（6）で定めるものを含む。以下**2**において「**支払者**」という。）に告知しなければならない。この場合において、その支払を受ける者は、（7）で定めるところにより、当該支払者にその者の住民票の写し、法人の登記事項証明書その他（8）で定める書類を提示し、又は署名用電子証明書等を送信しなければならないものとし、当該支払者は、(11)で定めるところにより、当該告知された氏名又は名称、住所及び個人番号又は法人番号を当該書類又は署名用電子証明書等により確認しなければならないものとする。（法224の３①）

(一)	その株式等の譲渡を受けた法人（(二)から(四)までに掲げる者を通じてその譲渡を受けたものを除く。）
(二)	その株式等の譲渡について売委託（(三)に規定する株式等の競売についてのものを除く。）を受けた金融商品取引法第２条第９項《定義》に規定する金融商品取引業者又は同条第11項に規定する登録金融機関
(三)	会社法第234条第１項又は第235条第１項《一に満たない端数の処理》（これらの規定を他の法律において準用する場合を含む。）の規定その他投資信託及び投資法人に関する法律第88条第１項及び第149条の17第１項《一に満たない端数の処理》の規定並びに会社法第234条第６項《一に満たない端数の処理》において準用する同条第１項の規定により一株又は一口に満たない端数に係る株式等の競売（会社法第234条第２項（同法第235条第２項又は他の法律において準用する場合を含む。）の規定その他投資信託及び投資法人に関する法律第88条第１項及び第149条の17第１項の規定並びに会社法第234条第６項において準用する同条第２項による競売以外の方法による売却を含む。）をした法人（令341の２）
(四)	その株式等（特定信託受益権に該当するものに限る。）の譲渡について資金決済に関する法律第２条第10項第２号に掲げる行為の委託を受けた同条第12項に規定する電子決済手段等取引業者（同法第62条の８第２項《電子決済手段を発行する者に関する特例》の規定により電子決済手段等取引業者とみなされる者を含む。）

(注)１　(注)１で定める場所…………所規第81条《国内に住所を有しない者の告知すべき居所地等》参照。

２　**2**に規定する株式等とは、次に掲げるもの（外国法人に係るものを含む。）をいう。（法224の３②、令344の２）

(一)　株式（株主又は投資主（投資信託及び投資法人に関する法律第２条第16項《定義》に規定する投資主をいう。）となる権利、株式の割当てを受ける権利、新株予約権（同条第17項に規定する新投資口予約権を含む。以下(一)において同じ。）及び新株予約権の割当てを受ける権利を含む。）

(二)　特別の法律により設立された法人の出資者の持分、合名会社、合資会社又は合同会社の社員の持分、法人税法第２条《定義》第７号に規定する協同組合等の組合員又は会員の持分その他法人の出資者の持分（出資者、社員、組合員又は会員となる権利及び出資の割当てを受ける権利を含むものとし、(三)に掲げるものを除く。）

(三)　協同組織金融機関の優先出資に関する法律に規定する優先出資（優先出資者（同法第13条第１項《優先出資者となる時期》の優先出資者をいう。）となる権利及び優先出資の割当てを受ける権利を含む。）及び資産の流動化に関する法律第２条第５項《定義》に規定する優先出資（優先出資社員（同法第26条《社員》に規定する優先出資社員をいう。）となる権利及び同法第５条第１項第２号ニ（2）《資産流動化計画》に規定する引受権を含む。）

(四)　投資信託の受益権

(五)　特定受益証券発行信託の受益権

(六)　社債的受益権

(七)　公社債（預金保険法第２条第２項第５号《定義》に規定する長期信用銀行債等、農水産業協同組合貯金保険法第２条第２項第４号《定義》に規定する農林債及び第四章第十節**五**（2）《償還差益等に係る分離課税等》に規定する償還差益につき同節**五**の規定の適用を受ける同節**五**（2）に規定する割引債を除く。(注)４において同じ。）

３　**2**の規定は、国内において第四章第二節**二**《配当等とみなす金額》の金銭その他資産のうち一定のもの（同**二**の規定により剰余金の配当、利益の配当、剰余金の分配又は金銭の分配とみなされる部分を除く。）及び政令で定める金銭（以下(注)３において「金銭等」という。）の交付を受ける者並びに当該金銭等の交付をする者について準用する。この場合において、**2**中「株式等の譲渡をした者」とあるのは「国内において(注)３に規定する金銭等の交付を受ける者」と、「を除く。）で国内において次の(一)から(三)までに掲げる者からその株式等の譲渡の対価（その株式等が特定信託受益権（資金決済に関する法律第２条第９項《定義》に規定する特定信託受益権をいう。(四)において同じ。）に該当する場合にあっては金銭に限るものとし、その額の全部又は一部が第六章第一節**一 9**《発行法人から与えられた株式を取得する権利の譲渡による収入金額》の規定により同**9**に規定する給与等の収入金額又は退職手当等の収入金額とみなされるものを除く。**3**の(十)及び所得税法第228条第２項《名義人受領の配当所得等の調書》において同じ。）の支払を受けるもの」とあるのは「を除く。)」と、「その支払」とあるのは「その交付」と、「当該(一)から(三)までに掲げる者」とあるのは「当該金銭等の交付をする者」と、「支払者」とある「交付者」と読み替えるものとする。（法224の３③）

4　**2**の規定は、国内において次に掲げる金銭その他の資産（以下(注)４において「償還金等」という。）の交付を受ける者及び当該償還金等の交付をする者について準用する。この場合において、**2**中「株式等の譲渡をした者」とあるのは「国内において(注)４に規定する償還金等の交付を受ける者」と、「を除く。」で国内において次の各号に掲げる者からその株式等の譲渡の対価（その株式等が特定信託受益権（資金決済に関する法律第２条第９項《定義》に規定する特定信託受益権をいう。(四)において同じ。）に該当する場合にあっては金銭に限るものとし、その額の全部又は一部が第六章第一節**一 9**《発行法人から与えられた株式を取得する権利の譲渡による収入金額》の規定により同**9**に規定する給与等の収入金額又は退職手当等の収入金額とみなされるものを除く。**3**及び所得税法第228条第２項《名義人受領の配当所得等の調書》において同じ。）の支払を受けるもの」とあるのは「を除く。)」と、「その支払」とあるのは「その交付」と、「当該各号に掲げる者」とあるのは「当該償還金等の交付をする者」と、「支払者」とあるのは「交付者」と読み替えるものとする。（法224の３④）

(一)　投資信託若しくは特定受益証券発行信託の終了若しくは一部の解約又は特定受益証券発行信託に係る信託の分割により交付を受ける金銭その他の資産のうち(注)５で定めるもの（収益の分配に係る収入金額とされる部分として(注)６で定める金額に係る部分を除く。）

(二)　社債的受益権又は公社債の元本の償還により交付を受ける金銭その他の資産（当該金銭その他の資産とともに交付を受ける金銭その他の資産で元本の価額の変動に基因するものを含む。）

(三)　分離利子公社債（公社債で元本に係る部分と利子に係る部分とに分離されてそれぞれ独立して取引されるもののうち、当該利子に係る部分であつた公社債をいう。）に係る利子として交付を受ける金銭その他の資産

5　(注)４の(一)に規定する(注)５で定める金銭その他の資産は、次に掲げるものとする。（令346①）

(一)　投資信託又は特定受益証券発行信託（以下(一)において「投資信託等」という。）の終了（当該投資信託等の信託の併合に係るものである場合にあっては、当該投資信託等の受益者に当該信託の併合に係る新たな信託の受益権以外の資産（信託の併合に反対する当該受益者に対するその買取請求に基づく対価として交付される金銭その他の資産を除く。）の交付がされた信託の併合に係るものに限る。）又は一部の解約により交付を受ける金銭及び金銭以外の資産

(二)　特定受益証券発行信託に係る信託の分割（所得税法施行令第58条第２項《投資信託等の収益の分配に係る収入金額》に規定する分割信託の受益者に同項に規定する承継信託の受益権以外の資産（信託の分割に反対する当該受益者に対する信託法第103条第６項《受益権取得請求》に規定する受益権取得請求に基づく対価として交付される金銭その他の資産を除く。）の交付がされたものに限る。）により交付を受ける金銭及び金銭以外の資産

6　(注)４の(一)に規定する(注)６で定める金額は、次の各号に掲げる金銭及び金銭以外の資産の区分に応じ当該各号に定める金額とする。（令346②）

(一)　(注)５の(一)に掲げる金銭及び金銭以外の資産　　当該金銭の額及び当該金銭以外の資産の価額の合計額のうち、所得税法施行令第58条第１項の規定により利子所得又は配当所得の収入金額とされる金額

(二)　(注)５の(二)に掲げる金銭及び金銭以外の資産　　当該金銭の額及び当該金銭以外の資産の価額の合計額のうち、所得税法施行令第58条第２項の規定により配当所得の収入金額とされる金額

（告知義務のない公共法人等の範囲）

(1)　**2**に規定する法人税法別表第一《公共法人の表》に掲げる法人その他のものは、国並びに次の(一)から(三)までに掲げる法人及び国際機関（以下において「**公共法人等**」という。）とする。（令341、335②）

(一)	法人税法別表第一に掲げる法人
(二)	特別の法律により設立された法人（当該特別の法律において、その法人の名称が定められ、かつ、当該名称として用いられた文字を他の者の名称の文字として用いてはならない旨の定めのあるものに限る。）
(三)	外国政府、外国の地方公共団体及び第二章第三節**三 5**(注)《職員の給与が非課税とされる国際機関の範囲》に規定する国際機関

（受領者の告知の方法）

(2)　国内において**2**(注)２に規定する株式等（以下(12)までにおいて「**株式等**」という。）の譲渡の対価（**2**に規定する対価をいう。以下(12)までにおいて同じ。）につき支払を受ける者（公共法人等を除く。以下(6)までにおいて同じ。）は、当該株式等の譲渡の対価につきその支払を受けるべき時までに、その都度、その者の氏名又は名称、住所（国内に住所を有しない者にあっては**2**(注)１で定める場所。以下(3)から(12)において同じ。）及び個人番号又は法人番号（個人番号及び法人番号を有しない者又は(5)の規定に該当する者（(11)において「番号既告知者」という。）にあっては、氏名又は名称及び住所。(3)において同じ。）を、その株式等の譲渡の対価の**2**に規定する支払者に告知しなければならない。（令342①）

（受領者の告知があったものとみなす場合）

(3)　株式等の譲渡の対価の支払を受ける者が次の表の左欄に掲げる場合のいずれかに該当するときは、その者は、そ

の支払を受ける当該表の右欄に定める株式等の譲渡の対価につき(2)の規定による告知をしたものとみなす。(令342②)

(一)	株式等の譲渡の対価の支払を受ける者が、当該株式等を払込みにより取得した場合又は当該株式等を購入若しくは相続その他の方法により取得した場合において、当該払込みにより取得をする際又は当該株式等の名義の変更若しくは書換えの請求をする際、その者の氏名又は名称、住所及び個人番号又は法人番号を当該対価の支払をする**2**(二)に掲げる者((二)、(三)及び(4)において「金融商品取引業者等」という。)又は**2**(四)に掲げる電子決済手段等取引業者((二)及び(4)において「電子決済手段等取引業者」という。)の営業所(営業所又は事務所をいう。以下**2**及び所得税法施行令第348条《信託受益権の譲渡の対価の受領者の告知》において同じ。)の長に告知しているとき	当該株式等の譲渡の対価
(二)	株式等の譲渡の対価の支払を受ける者が、当該対価の支払をする金融商品取引業者等又は電子決済手段等取引業者の営業所において株式等の保管の委託(当該対価の支払をする者が電子決済手段等取引業者である場合には、株式等の管理)に係る契約を締結する際、その者の氏名又は名称、住所及び個人番号又は法人番号を当該金融商品取引業者等の営業所の長に告知しているとき	その譲渡の時まで当該契約に基づき保管の委託又は管理をしていた株式等の当該対価
(三)	株式等の譲渡の対価の支払を受ける者が、当該対価の支払をする金融商品取引業者等の営業所において金融商品取引業者等が社債、株式等の振替に関する法律の規定により備え付ける振替口座簿又は金融商品取引業者等の営業所を通じて当該金融商品取引業者等以外の振替機関等(同法第２条第５項《定義》に規定する振替機関等をいう。)が同法の規定により備え付ける振替口座簿に係る口座の開設を受ける際、その者の氏名又は名称、住所及び個人番号又は法人番号を当該金融商品取引業者等の営業所の長に告知しているとき	その譲渡の時まで当該口座に係る当該振替口座簿に記載又は記録を受けていた株式等の当該対価
(四)	株式等の譲渡の対価の支払を受ける者が、金融商品取引法第156条の24第１項《免許及び免許の申請》に規定する信用取引又は発行日取引(有価証券が発行される前にその有価証券の売買を行う取引であって(注)で定める取引をいう。)(以下(四)において「信用取引等」という。)により当該株式等の譲渡を行う場合において、当該株式等の譲渡の際、その者の氏名又は名称、住所及び個人番号又は法人番号を当該対価の支払をする法第224条の３第１項第２号に掲げる金融商品取引業者の営業所の長に告知しているとき	当該告知をした後に当該営業所において支払を受ける信用取引等に係る株式等の譲渡の対価

(注)　(四)に規定する有価証券が発行される前にその有価証券の売買を行う取引であって(注)で定める取引は、金融商品取引法第161条の２に規定する取引及びその保証金に関する内閣府令第１条第２項《定義》に規定する発行日取引とする。(規81の19)

(住所・氏名等の変更の告知)

(4)　(3)の場合において、(3)(一)から同(四)までに定める株式等の譲渡の対価の支払を受ける者が(3)(一)から同(四)までの告知をした後、次の(一)から(三)までに掲げる場合に該当することとなった場合には、その者は、その該当することとなった日以後最初に当該株式等の譲渡に係る対価の支払を受けるべき時までに、当該(一)から(三)までに掲げる場合の区分に応じそれぞれに定める事項を当該対価の支払をする金融商品取引業者等又は電子決済手段等取引業者の営業所の長に告知しなければならない。当該告知をした後、再び(一)又は(二)に掲げる場合に該当することとなった場合についても、同様とする。(令342③)

(一)	その者の氏名若しくは名称又は住所の変更をした場合	その者のその変更をした後の氏名又は名称、住所及び法人番号(その者が個人である場合には、その変更をした後の氏名及び住所)
(二)	その者の個人番号の変更をした場合	その者のその変更をした後の氏名、住所及び個人番号
(三)	行政手続における特定の個人を識別するための番号の利用等に関する法律の規定により個人番号又は法人番号が初めて通知された場合	その者のその通知を受けた後の氏名又は名称、住所及び個人番号又は法人番号

（**2**に規定する(5)で定める者）

(5)　**2**に規定する(5)で定める者は、株式等の譲渡の対価の**2**に規定する支払者が、財務省令〔規18の20③〕で定めるところにより、当該株式等の譲渡の対価の支払を受ける者の氏名又は名称、住所及び個人番号又は法人番号その他の事項を記載した帳簿（その者の(8)において準用する令第337条第２項各号《告知に係る住民票の写しその他の書類の提示等》に定める書類のいずれかの提示若しくはその者の署名用電子証明書等の送信を受け、又は令第343条第４項の規定による確認をして作成されたものに限る。）を備えている場合におけるその支払を受ける者（その者の氏名若しくは名称、住所又は個人番号若しくは法人番号が当該帳簿に記載されているその者の氏名若しくは名称、住所又は個人番号若しくは法人番号と異なるものを除く。）とする。（令342④）

（**2**(一)から同(三)までに掲げる者に準ずる者）

(6)　**2**に規定する同**2**(一)から同(三)までに掲げる者に準ずる者として(6)で定めるものは、法第228条第２項《名義人受領の株式等の譲渡の対価の調書》に規定する株式等の譲渡の対価の同項に規定する支払を受ける者に該当する者とする。（令342⑤）

（受領者の告知に係る住民票の写しその他の書類の提示等）

(7)　株式等の譲渡の対価につき支払を受ける者は、(2)から(6)までの規定による告知をする際、当該告知をする当該対価の支払者に(8)において準用する所得税法施行令第337条第２項に規定する書類を提示し、又は署名用電子証明書等を送信しなければならない。（令343①）

（提示書類の範囲）

(8)　所得税法施行令第337条第２項の規定は、**2**に規定する書類について準用する。（令343②）

【参考】　令第337条第２項　法第224条第１項《利子、配当等の受領者の告知》に規定する書類は、次の(一)又は(二)に掲げる者の区分に応じ当該(一)又は(二)に定めるいずれかの書類とする。

(一)　個人　　当該個人の住民票の写し、行政手続における特定の個人を識別するための番号の利用等に関する法律第２条第７項《定義》に規定する個人番号カードその他の財務省令〔規81の６①〕で定める書類

(二)　法人　　当該法人の設立の登記に係る登記事項証明書、行政手続における特定の個人を識別するための番号の利用等に関する法律施行令第38条《法人番号の通知》の規定による通知に係る書面その他の財務省令〔規81の６③〕で定める書類

（住所等変更確認書類の提示）

(9)　(3)(一)から同(四)までの告知をした個人が、(4)(一)に掲げる場合に該当することとなった場合において、(4)の規定による告知をするときは、(7)の規定による書類の提示又は署名用電子証明書等の送信に代えて、住所等変更確認書類（当該個人の変更前の氏名又は住所及び変更後の氏名又は住所を証する住民票の写しその他の〔規81の21〕で定める書類をいう。(11)において同じ。）の提示をすることができる。この場合において、当該個人は、(7)の規定による書類の提示又は署名用電子証明書等の送信をしたものとみなす。（令343③）

（帳簿の備付けがある場合の書類提示の省略）

(10)　株式等の譲渡の対価につき支払を受ける者が当該対価の支払者に(2)から(6)までの規定による告知をする場合において、当該対価の支払者が、財務省令〔規81の21〕で定めるところにより、その支払を受ける者の氏名又は名称、住所及び個人番号又は法人番号（個人番号及び法人番号を有しない者にあっては、氏名又は名称及び住所。以下(10)において同じ。）その他の事項を記載した帳簿（その者から申請書（その者の(8)において準用する令第337条第２項各号に定める書類のいずれかの写しを添付したもの又はその提出の際にその者の署名用電子証明書等の送信若しくは前項の規定による確認を受けているものに限る。）の提出（当該申請書の提出に代えて行う電子情報処理組織を使用する方法その他の情報通信の技術を利用する方法による当該申請書に記載すべき事項の提供を含む。）を受けて作成されたものに限る。）を備えているときは、その支払を受ける者は、(7)の規定にかかわらず、当該対価の支払者に対しては、(7)に規定する書類の提示又は署名用電子証明書等の送信を要しないものとする。ただし、当該告知をする氏名又は名称、住所及び個人番号又は法人番号が当該帳簿に記載されているその者の氏名又は名称、住所及び個人番号又は法人番号と異なるときは、この限りでない。（令343⑤）

（株式等の譲渡の対価の支払者の確認等）

(11)　株式等の譲渡の対価の支払者は、(２)から(６)までの規定による告知があった場合には、令第343条第４項の規定による確認をした場合を除き、当該告知があった氏名又は名称、住所及び個人番号又は法人番号（個人番号及び法人番号を有しない者、番号既告知者又は(４)の規定による告知をした個人（当該告知の際に(９)の規定により住所等変更確認書類を提示した個人に限る。）にあっては、氏名又は名称及び住所。以下(11)において同じ。）が、当該告知の際に提示又は送信を受けた(８)において準用する令第337条第２項に規定する書類若しくは住所等変更確認書類又は署名用電子証明書等に記載又は記録がされた氏名又は名称、住所及び個人番号又は法人番号と同じであるかどうかを確認しなければならない。この場合において、当該告知をした者が(10)に規定する帳簿に記載されている者であるときは、当該告知があった氏名又は名称、住所及び個人番号又は法人番号が当該帳簿に記載されている氏名又は名称、住所及び個人番号又は法人番号と同じであるかどうかをそれぞれ確認しなければならない。（令344①）

（確認事実の記録）

(12)　株式等の譲渡の対価の支払者は、(11)又は令第343条第４項の規定による確認をした場合には、財務省令〔規81の22〕で定めるところにより、これらの規定による確認に関する帳簿（これに類する帳簿又は書類を含む。）に、これらの規定による確認をした旨を明らかにし、かつ、これらの帳簿を保存しなければならない。（令344②）

3　株式等の譲渡の対価の支払調書

次の(一)から(十四)に掲げる者は、財務省令〔規91〕で定めるところにより、当該(一)から(十四)に規定する支払（(十)及び(十一)に規定する交付並びに(十三)に規定する差金等決済を含む。）に関する調書を、その支払（当該交付及び当該差金等決済を含む。）の確定した日（………かっこ書省略………）の属する年の翌年１月31日まで（……かっこ書一部省略……(十四)に規定する支払に関する調書についてはその支払の確定した日の属する月の翌月末日までとする。）に、税務署長に提出しなければならない。（法225①）

(一)～(九)………省略。

(十)　居住者又は恒久的施設を有する非居住者に対し国内において**2**（注）２に規定する株式等の譲渡の対価の支払をする**2**(一)から同(三)までに掲げる者、**2**（注）３に規定する金銭等の交付をする同(注)３に規定する交付をする者又は**2**（注）４に規定する償還金等の交付をする同(注)４に規定する交付をする者

(十一)　恒久的施設を有しない非居住者、内国法人（一般社団法人及び一般財団法人（公益社団法人及び公益財団法人を除く。)、労働者共同組合、人格のない社団等並びに法人税法以外の法律によって法人税法第２条第６号《定義》に規定する公益法人等とみなされているもので所得税法施行令第352条の２第１項《償還金等の支払調書の提出範囲》で定めるものに限る。）又は外国法人に対し国内において**2**（注）４に規定する償還金等のうち所得税法施行令第352条の２第２項で定めるものの交付をする同(注)４に規定する交付をする者

(十二)　居住者又は恒久的施設を有する非居住者に対し国内において所得税法224条の４《信託受益権の譲渡の対価の受領者の告知》に規定する信託受益権の譲渡の対価の支払をする同条各号に掲げる者

(十三)　居住者又は恒久的施設を有する非居住者が国内において行った所得税法224条の５《先物取引の差金等決済をする者の告知》第２項に規定する差金等決済に係る同項に規定する先物取引の同条第１項各号に掲げる場合の区分に応じ当該各号に定める者

(十四)　居住者又は恒久的施設を有する非居住者に対し国内において所得税法224条の６《金地金等の譲渡の対価の受領者の告知》に規定する金地金等の譲渡の対価の支払をする同条に規定する支払者

（居住者又は恒久的施設を有する非居住者に対する株式等の譲渡の対価等の支払調書）

(１)　居住者又は恒久的施設を有する非居住者に対し、国内において**2**（注）２に規定する株式等の譲渡の対価（**2**に規定する対価をいう。以下同じ。）の支払をする**2**(一)から同(三)までに掲げる者又は**2**（注）４に規定する償還金等の交付をする者は**3**(十)の規定により、その対価の支払又は償還金等の交付を受ける者の各人別に、次の(一)又は(二)に掲げる支払又は交付の区分に応じ当該(一)又は(二)に定める事項を記載した調書を、その支払又は交付をする者の事務所、事業所その他これらに準ずるものでその対価の支払事務又は償還金等の交付事務を取り扱うものの所在地の所轄税務署長に提出しなければならない。（規90の２①）

(一)　株式等の譲渡の対価の支払

(イ)　その支払を受ける者の氏名、住所（国内に住所を有しない者にあっては所得税法施行規則第81条の18《株式等の譲渡の対価の受領者が国内に住所を有しない場合の告知すべき居所地等》において準用する所規第81条《国内に住所を有しない者の告知すべき居所地等》に規定する場所。以下(一)において同じ。）及び個人番号（個人番

号を有しない者にあっては、氏名及び住所）

(ロ)　その年中に支払の確定した株式等の譲渡の対価の額、その確定した日及び譲渡があった旨

(ハ)　(ロ)の株式等の銘柄別の数（社債的受益権及び公社債にあっては、額面金額）

(ニ)　株式等の**2**(注) 2(一)から同(七)までに規定する区分

(ホ)　その支払を受ける者が第十五章**四2**《納税管理人の届出》の規定により届け出た納税管理人が明らかな場合には、その氏名又は名称及び住所若しくは居所又は本店若しくは主たる事務所の所在地

(ヘ)　その他参考となるべき事項

(二)　償還金等の交付

(イ)　その交付を受ける者の氏名、住所（国内に住所を有しない者にあっては、所得税法施行規則第81条の28《償還金等の受領者が国内に住所を有しない場合の告知すべき居所地等》において準用する所規第81条に規定する場所。以下(二)及び(2)(一)において同じ。）及び個人番号（個人番号を有しない者にあっては、氏名及び住所）

(ロ)　その年中に交付の確定した償還金等の額、その交付の確定した日及び当該償還金等の交付の基因となった事由

(ハ)　(ロ)の償還金等につき源泉徴収をされる所得税の額

(ニ)　その交付の基因となった公社債等（投資信託若しくは特定受益証券発行信託の受益権、社債的受益権、公社債又は**2**(注) 4(三)に規定する分離利子公社債をいう。）の種類別及び名称又は銘柄別の数（社債的受益権及び公社債にあっては、額面金額）

(ホ)　その交付を受ける者が第十五章**四2**の規定により届け出た納税管理人が明らかな場合には、その氏名又は名称及び住所若しくは居所又は本店若しくは主たる事務所の所在地

(ヘ)　その他参考となるべき事項

（恒久的施設を有しない非居住者等に対する株式等の譲渡の対価等の支払調書）

(2)　**3**(十一)に規定する非居住者、内国法人又は外国法人に対し、国内において所得税法施行令第352条の2第2項各号《償還金等の支払調書の提出範囲》に掲げる公社債の償還金等（以下(2)において「割引債の償還金等」という。）の交付をする者は、**3**(十一)の規定により、その割引債の償還金等の交付を受ける者の各人別に、次の(一)から(六)までに掲げる事項を記載した調書を、その交付をする者の事務所、事業所その他これらに準ずるものでその割引債の償還金等の交付事務を取り扱うものの所在地の所轄税務署長に提出しなければならない。（規90の2②）

(一)	その交付を受ける者の氏名又は名称、住所及び個人番号又は法人番号（個人番号及び法人番号を有しない者にあっては、氏名又は名称及び住所）
(二)	その年中に交付の確定した割引債の償還金等の額、その交付の確定した日及び当該割引債の償還金等の交付の基因となった事由
(三)	(二)の割引債の償還金等につき源泉徴収をされる所得税の額
(四)	その交付の基因となった割引債の償還金等の種類別及び銘柄別の額面金額
(五)	その交付を受ける者が第十五章**四2**の規定により届け出た納税管理人が明らかな場合には、その氏名又は名称及び住所若しくは居所又は本店若しくは主たる事務所の所在地
(六)	その他参考となるべき事項

（株式等の譲渡の対価に係る支払調書の特例）

(3)　**3**(十)又は同(十一)に掲げる者は、(4)で定めるところにより、**3**(十)又は同(十一)に規定する支払又は交付に関する調書を同一の個人又は同(十一)に規定する内国法人若しくは外国法人に対する1回の支払又は交付ごとに作成する場合には、**3**の規定にかかわらず、当該調書をその支払又は交付の確定した日の属する月の翌月末日までに税務署長に提出しなければならない。（措法38①）

(注) 1　(3)の規定により**3**の調書を同一の個人又は**3**(十一)に規定する内国法人若しくは外国法人に対する1回の支払又は交付ごとに作成し、提出する場合における(1)の規定の適用については、(1)(一)(ロ)及び同(二)(ロ)並びに(2)(二)中「その年中に」とあるのは、「その」とする。（措規18の17①）

2　(3)の規定による**3**の調書の提出は、**2**(一)に掲げる法人、**2**(二)に掲げる金融商品取引業者若しくは登録金融機関、**2**(三)に掲げる法人若しくは**2**(四)に掲げる電子決済手段等取引業者又は**2**(注) 4に規定する交付をする者（租税特別措置法第38条第3項及び第5項に規定する交付の取扱者を含む。）ごとに選択しなければならない。（措規18の17②）

3　(注) 2の調書には、(3)の規定によるものである旨を表示しなければならない。（措規18の17⑤）

（交付金銭等の支払調書）

（4）　居住者又は恒久的施設を有する非居住者に対し国内において**2**（注）3《交付金銭等の受領者の告知》に掲げる金銭等（以下（4）において「交付金銭等」という。）の交付をする者は、**3**(十)《交付金銭等の支払調書》の規定により、その交付の基因となった事由ごとに、その交付金銭等の交付を受ける者の各人別に、次に掲げる事項を記載した調書を、その交付をする者の事務所、事業所その他これらに準ずるものでその交付金銭等の交付事務を取り扱うものの所在地の所轄税務署長に提出しなければならない。（規90の3①）

(一)　その交付を受ける者の氏名、住所（国内に住所を有しない者にあっては、所得税法施行規則81条の24《交付金銭等の受領者が国内に住所を有しない場合の告知すべき居所地等》において準用する同規則81条《国内に住所を有しない者の告知すべき居所地等》に規定する場所。以下(一)において同じ。）及び個人番号（個人番号を有しない者にあっては、氏名及び住所））

(二)　その交付をする金銭の額、金銭以外の資産の価額、これらの合計額及び当該合計額のうち交付金銭等の額並びにその交付の確定した日（無記名の株式（投資信託及び投資法人に関する法律第2条第14項《定義》に規定する投資口を含む。以下（4）において同じ。）に係る交付金銭等については、その交付をした日）

(三)　その交付の基因となった株式又は出資の種類別の数又は金額

(四)　無記名の株式について、**2**（注）3に規定する交付を受けた者が元本の所有者と異なる場合には、その元本の所有者の氏名及び住所又は居所

(五)　その交付を受ける者が第十五章**四2**《納税管理人の届出》の規定により届け出た納税管理人が明らかな場合には、その氏名及び住所又は居所

(六)　その他参考となるべき事項

三　上場株式等に係る譲渡所得等の課税の特例

1　上場株式等に係る譲渡所得等の申告分離課税

①　上場株式等に係る譲渡所得等の申告分離課税

居住者又は恒久的施設を有する非居住者が、平成28年１月１日以後に上場株式等の譲渡をした場合には、当該上場株式等の譲渡による事業所得、譲渡所得及び雑所得（第六章第一節**一９**《発行法人から与えられた株式を取得する権利の譲渡による収入金額》の規定に該当する事業所得及び雑所得並びに第四章第七節**一１**《山林所得》の規定に該当する譲渡所得を除く。以下②及び③において「上場株式等に係る譲渡所得等」という。）については、所得税法の規定にかかわらず、他の所得と区分し、その年中の当該上場株式等の譲渡に係る事業所得の金額、譲渡所得の金額及び雑所得の金額として（２）で定めるところにより計算した金額（以下①において「上場株式等に係る譲渡所得等の金額」という。）に対し、上場株式等に係る課税譲渡所得等の金額（上場株式等に係る譲渡所得等の金額（総所得金額からの所得控除の控除不足額がある場合は、第八章**十七２**《２以上の所得がある場合の所得控除の順序》で定めるところにより、当該不足額を控除した金額をいう。）の100分の15に相当する金額に相当する所得税を課する。この場合において、上場株式等に係る譲渡所得等の金額の計算上生じた損失の金額があるときは、所得税法その他所得税に関する法令の規定の適用については、当該損失の金額は生じなかったものとみなす。（措法37の11①）

（①の規定の適用がある場合の配当所得、譲渡所得の計算）

（注）　配当所得の金額は、その年中の配当等の収入金額とする。ただし、株式その他配当所得を生ずべき元本を取得するために要した負債の利子（事業所得、譲渡所得又は雑所得の基因となった有価証券を取得するために要した負債の利子を除く。以下同じ。）でその年中に支払うものがある場合は、当該収入金額から、その支払う負債の利子の額のうちその年においてその元本を有していた期間に対応する部分の金額として第四章第二節**四２**に定めるところにより計算した金額の合計額を控除した金額とする。（措法37の11⑥により準用される措法37の10⑥二により読み替えられた法24②（下線部分は読み替えられた部分（編者注））

上場株式等に係る譲渡所得の金額は、第四章第八節**二１**(一)又は同(二)に掲げる所得につき、それぞれその年中の当該所得に係る総収入金額から当該所得の基因となった資産の取得費及びその資産の譲渡に要した費用の額並びにその年中に支払うべきその資産を取得するために要した負債の利子の合計額を控除した残額の合計額（同(一)又は同(二)のうちいずれかの号に掲げる所得に係る総収入金額が当該所得の基因となった資産の取得費及びその資産の譲渡に要した費用の額の合計額に満たない場合には、その不足額に相当する金額を他の号に掲げる所得に係る残額から控除した金額）とする。（措法37の11⑥により準用される措法37の10⑥三により読み替えられた法33③（下線部分は読み替えられた部分（編者注））

（上場株式等の範囲）

（１）　**三**において「上場株式等」とは、株式等（**一**に規定する株式等をいう。(一)において同じ。）のうち次の(一)から(十四)までに掲げるものをいう。（措法37の11②）

<table>
<tr><td>(一)</td><td>株式等で金融商品取引所に上場されているものその他これに類するものとして注で定めるもの

（金融商品取引所に上場されているものに類するもの）
注　上記に規定する注で定めるものは、株式等のうち次に掲げるものとする。（措令25の９②）
(一)　店頭売買登録銘柄として登録された株式（出資を含む。）、店頭転換社債型新株予約権付社債（新株予約権付社債（資産の流動化に関する法律第131条第１項に規定する転換特定社債及び同法第139条第１項に規定する新優先出資引受権付特定社債を含む。）で、金融商品取引法第２条第13項に規定する認可金融商品取引業協会が、その定める規則に従い、その店頭売買につき、その売買価格を発表し、かつ、当該新株予約権付社債の発行法人に関する資料を公開するものとして指定したものをいう。）その他これらに類する株式等で(注)で定めるもの
(注)　上記注に規定する(注)で定める株式等は、次に掲げるものとする。（措規18の10①）
(一)　店頭管理銘柄株式（金融商品取引法第２条第16項に規定する金融商品取引所への上場が廃止され、又は二１②(５)(二)に規定する店頭売買登録銘柄としての登録が取り消された株式（出資及び投資信託及び投資法人に関する法律第２条第14項に規定する投資口を含む。）のうち、認可金融商品取引業協会（金融商品取引法第２条第13項に規定する認可金融商品取引業協会をいう。(二)において同じ。）が、その定める規則に従い指定したものをいう。）
(二)　認可金融商品取引業協会の定める規則に従い、登録銘柄として認可金融商品取引業協会に備える登録原簿に登録された日本銀行出資証券
(二)　金融商品取引法第２条第８項第３号ロに規定する外国金融商品市場において売買されている株式等</td></tr>
<tr><td>(二)</td><td>投資信託でその設定に係る受益権の募集が第四章第二節五１③(二)に規定する公募により行われたもの（租税</td></tr>
</table>

	特別措置法第３条の２に規定する特定株式投資信託を除く。）の受益権
(三)	第四章第二節**五１**③(三)に規定する特定投資法人の投資信託及び投資法人に関する法律第２条第14項に規定する投資口
(三の二)	特定受益証券発行信託（その信託契約の締結時において委託者が取得する受益権の募集が第四章第二節**五１**③(四)に規定する公募により行われたものに限る。）の受益権
(四)	特定目的信託（その信託契約の締結時において原委託者が取得する社債的受益権の募集が第四章第二節**五１**①(二)に規定する公募により行われたものに限る。）の社債的受益権
(五)	国債及び地方債
(六)	外国又はその地方公共団体が発行し、又は保証する債券
(七)	会社以外の法人が特別の法律により発行する債券（外国法人に係るもの並びに投資信託及び投資法人に関する法律第２条第19項に規定する投資法人債、同法第139条の12第１項に規定する短期投資法人債、資産の流動化に関する法律第２条第７項に規定する特定社債及び同条第８項に規定する特定短期社債を除く。）
(八)	公社債でその発行の際の金融商品取引法第２条第３項に規定する有価証券の募集が同項に規定する取得勧誘であって同項第１号に掲げる場合に該当するものとして注で定めるものにより行われたもの （取得勧誘） 注　上記に規定する注で定める取得勧誘は、(八)に規定する有価証券の募集が国内において行われる場合にあっては、当該有価証券の募集に係る金融商品取引法第２条第３項に規定する取得勧誘（以下(１)において「取得勧誘」という。）が同条第３項第１号に掲げる場合に該当し、かつ、同条第10項に規定する目論見書（以下(１)及び(十一)注において「目論見書」という。）にその取得勧誘が同号に掲げる場合に該当するものである旨の記載がなされて行われるものとし、当該有価証券の募集が国外において行われる場合にあっては、当該有価証券の募集に係る取得勧誘が同号に掲げる場合に該当するものに相当するものであり、かつ、目論見書その他これに類する書類にその取得勧誘が同号に掲げる場合に該当するものに相当するものである旨の記載がなされて行われるものとする。（措令25の９③）
(九)	社債のうち、その発行の日前９月以内（外国法人にあっては、12月以内）に金融商品取引法第５条第１項に規定する有価証券届出書、同法第24条第１項に規定する有価証券報告書その他注で定める書類（(十一)ロにおいて「有価証券報告書等」という。）を内閣総理大臣に提出している法人が発行するもの （その他の書類） 注　上記に規定する注で定める書類は、金融商品取引法第24条の５第１項に規定する半期報告書、同法第５条第８項に規定する外国会社届出書、同法第24条第８項に規定する外国会社報告書又は同法第24条の５第７項に規定する外国会社半期報告書とする。（措令25の９④）
(十)	金融商品取引所（これに類するもので外国の法令に基づき設立されたものを含む。以下(十)において同じ。）において当該金融商品取引所の規則に基づき公表された公社債情報（一定の期間内に発行する公社債の種類及び総額、その公社債の発行者の財務状況及び事業の内容その他当該公社債及び当該発行者に関して明らかにされるべき基本的な情報をいう。以下(十)において同じ。）に基づき発行する公社債で、その発行の際に作成される目論見書に、当該公社債が当該公社債情報に基づき発行されるものである旨の記載のあるもの
(十一)	国外において発行された公社債で、次に掲げるもの イ　金融商品取引法第２条第４項に規定する有価証券の売出し（同項に規定する売付け勧誘等であって同項第１号に掲げる場合に該当するものとして注で定める場合に該当するものに限る。）に応じて取得した公社債（ロにおいて「売出し公社債」という。）で、当該取得の時から引き続き当該有価証券の売出しをした金融商品取引業者等（**六３**(一)に規定する金融商品取引業者等をいう。ロにおいて同じ。）の営業所（同(一)に規定する営業所をいう。ロにおいて同じ。）において保管の委託がされているもの ロ　金融商品取引法第２条第４項に規定する売付け勧誘等に応じて取得した公社債（売出し公社債を除く。）で、当該取得の日前９月以内（外国法人にあっては、12月以内）に有価証券報告書等を提出している会社が発行したもの（当該取得の時から引き続き当該売付け勧誘等をした金融商品取引業者等の営業所において保管の委託がされているものに限る。）

（売付け勧誘等）

注　上記イに規定する注で定める場合は、金融商品取引法第２条第４項に規定する有価証券の売出しに係る同項に規定する売付け勧誘等（以下注において「売付け勧誘等」という。）が同条第４項第１号に掲げる場合に該当し、かつ、目論見書又は同法第27条の32の２第１項に規定する外国証券情報にその売付け勧誘等が同号に掲げる場合に該当するものである旨の記載又は記録がなされて行われる場合とする。（措令25の９⑤）

(十二)　外国法人が発行し、又は保証する債券で注で定めるもの

（外国法人が発行し、又は保証する債券）

注　上記に規定する注で定める債券は、次に掲げる債券とする。（措令25の９⑥）

（一）　次に掲げる外国法人が発行し、又は保証する債券

イ　その出資金額又は拠出をされた金額の合計額の２分の１以上が外国の政府により出資又は拠出をされている外国法人

ロ　外国の特別の法令の規定に基づき設立された外国法人で、その業務が当該外国の政府の管理の下に運営されているもの

（二）　国際間の取極に基づき設立された国際機関が発行し、又は保証する債券

(十三)　銀行業若しくは金融商品取引法第28条第１項に規定する第一種金融商品取引業を行う者（同法第29条の４の２第８項に規定する第一種少額電子募集取扱業者を除く。）若しくは外国の法令に準拠して当該国において銀行業若しくは同法第２条第８項に規定する金融商品取引業を行う法人（以下(十三)において「銀行等」という。）又は次に掲げる者が発行した社債（その取得をした者が実質的に多数でないものとして（1）で定めるものを除く。

イ　銀行等がその発行済株式又は出資の全部を直接又は間接に保有する関係として（2）で定める関係（ロにおいて「完全支配の関係」という。）にある法人

ロ　親法人（銀行等の発行済株式又は出資の全部を直接又は間接に保有する関係として（3）で定める関係のある法人をいう。）が完全支配の関係にある当該銀行等以外の法人

（その取得をした者が実質的に多数でない社債）

（1）　上記に規定する（1）で定める社債は、社債を発行した日において、当該社債を取得した者の全部が当該社債を取得した者の一人（以下（1）において「判定対象取得者」という。）及び次に掲げる者である場合における当該社債とする。（措令25の９⑦）

（一）　次に掲げる個人

イ　当該判定対象取得者の親族

ロ　当該判定対象取得者と婚姻の届出をしていないが事実上婚姻関係と同様の事情にある者

ハ　当該判定対象取得者の使用人

ニ　イからハまでに掲げる者以外の者で当該判定対象取得者から受ける金銭その他の資産によって生計を維持しているもの

ホ　ロからニまでに掲げる者と生計を一にするこれらの者の親族

（二）　当該判定対象取得者と他の者との間にいずれか一方の者（当該者が個人である場合には、これと法人税法施行令第４条第１項に規定する特殊の関係のある個人を含む。）が他方の者（法人に限る。）を直接又は間接に支配する関係がある場合における当該他の者

（三）　当該判定対象取得者と他の者（法人に限る。）との間に同一の者（当該者が個人である場合には、これと法人税法施行令第４条第１項に規定する特殊の関係のある個人を含む。）が当該判定対象取得者及び当該他の者を直接又は間接に支配する関係がある場合における当該他の者

（注）　上記（二）又は（三）に規定する直接又は間接に支配する関係とは、一方の者と他方の者との間に当該他方の者が次に掲げる法人に該当する関係がある場合における当該関係をいう。（措令25の９⑧）

（一）　当該一方の者が法人を支配している場合（法人税法施行令第14条の２第２項第１号に規定する法人を支配している場合をいう。）における当該法人

（二）　（一）若しくは（三）に掲げる法人又は当該一方の者及び（一）若しくは（三）に掲げる法人が他の法人を支配している場合（法人税法施行令第14条の２第２項第２号に規定する他の法人を支配している場合をいう。）における当該他の法人

（三）　（二）に掲げる法人又は当該一方の者及び同号に掲げる法人が他の法人を支配している場合（法人税法施行令第14条の２第２項第３号に規定する他の法人を支配している場合をいう。）における当該他の法人

	（銀行等がその発行済株式又は出資の全部を直接又は間接に保有する関係） (2)　上記イに規定する(2)で定める関係は、銀行等（上記に規定する銀行等をいう。以下(2)及び(3)において同じ。）が法人の発行済株式又は出資（当該法人が有する自己の株式又は出資を除く。以下(2)及び(3)において「発行済株式等」という。）の全部を保有する場合における当該銀行等と法人との間の関係（以下(2)において「直接支配関係」という。）とする。この場合において、当該銀行等及びこれとの間に直接支配関係がある一若しくは二以上の法人又は当該銀行等との間に直接支配関係がある一若しくは二以上の法人が他の法人の発行済株式等の全部を保有するときは、当該銀行等は当該他の法人の発行済株式等の全部を保有するものとみなす。（措令25の９⑨） （銀行等の発行済株式又は出資の全部を直接又は間接に保有する関係） (3)　上記ロに規定する(3)で定める関係は、法人が銀行等の発行済株式又は出資（当該銀行等が有する自己の株式又は出資を除く。）の全部を保有する場合における当該法人と銀行等との間の関係とする。この場合において、当該法人（以下(3)において「判定法人」という。）及びこれとの間に直接支配関係（当該判定法人が法人の発行済株式等の全部を保有する場合における当該判定法人と法人との間の関係をいう。以下(3)において同じ。）がある一若しくは二以上の法人又は当該判定法人との間に直接支配関係がある一若しくは二以上の法人が当該銀行等の発行済株式等の全部を保有するときは、当該判定法人は当該銀行等の発行済株式等の全部を保有するものとみなす。（措令25の９⑩）
(十四)	平成27年12月31日以前に発行された公社債（その発行の時において法人税法第２条第10号に規定する同族会社に該当する会社が発行したものを除く。）

（上場株式等に係る譲渡所得等の金額）

(2)　①に規定する上場株式等の譲渡に係る事業所得の金額、譲渡所得の金額及び雑所得の金額として(2)で定めるところにより計算した金額は、その年中の①に規定する上場株式等の譲渡に係る事業所得の金額、譲渡所得の金額及び雑所得の金額の合計額とする。この場合において、これらの金額の計算上生じた損失の金額があるときは、当該損失の金額は、次の(一)から(三)までに掲げる損失の金額の区分に応じ当該(一)から(三)までに定めるところにより控除する。（措令25の９①）

(一)	当該上場株式等の譲渡に係る事業所得の金額の計算上生じた損失の金額	当該損失の金額は、当該上場株式等の譲渡に係る譲渡所得の金額及び雑所得の金額から控除する。
(二)	当該上場株式等の譲渡に係る譲渡所得の金額の計算上生じた損失の金額	当該損失の金額は、当該上場株式等の譲渡に係る事業所得の金額及び雑所得の金額から控除する。
(三)	当該上場株式等の譲渡に係る雑所得の金額の計算上生じた損失の金額	当該損失の金額は、当該上場株式等の譲渡に係る事業所得の金額及び譲渡所得の金額から控除する。

（移動平均法の不適用）

(3)　①に規定する上場株式等の譲渡に係る事業所得の金額の計算に当たっては、第六章第二節**四５**①(二)《移動平均法》の規定は、適用しない。（措令25の９⑪）

（外国金融商品市場）

(4)　(1)(一)注(二)に規定する「外国金融商品市場」とは、金融商品取引法第２条第８項第３号ロに規定する「取引所金融商品市場に類似する市場で外国に所在するもの」をいうが、日本証券業協会の規則に基づき各証券会社が「適格外国金融商品市場」としている市場は、これに該当することに留意する。（措通37の11－1）

（注）　「適格外国金融商品市場」とは、日本証券業協会の会員（証券会社）が、次の要件を満たしており投資家保護上問題がないと判断する外国の取引所金融商品市場又は外国の店頭市場をいう（外国証券の取引に関する規則（昭48.12.4）７①一、④）。

① 取引証券の取引価格が入手可能であること。
② 取引証券の発行者に関する財務諸表等の投資情報が入手可能であること。
③ その市場を監督する監督官庁又はそれに準ずる機関が存在していること。
④ 取引証券の購入代金、売却代金、果実等について送受金が可能であること。
⑤ 取引証券の保管業務を行う機関があること。

（公社債情報）

（５）（１）(十)に規定する「金融商品取引所の規則に基づき公表された公社債情報」とは、例えば、東京証券取引所が定める「特定上場有価証券に関する有価証券上場規程の特例」第２条《定義》に掲げる「プログラム情報」が該当することに留意する。（措通37の11－２）

（国外において発行された公社債の意義）

（６）（１）(十一)に規定する「国外において発行された公社債」とは、募集又は売出しが国外において行われた公社債をいい、外国通貨で表示されているものに限らないことに留意する。（措通37の11－３）

（外国証券情報）

（７）（１）(十一)注に規定する「外国証券情報」とは、証券情報等の提供又は公表に関する内閣府令（平成20年内閣府令第78号）第12条《外国証券情報の内容》に規定する情報のことをいうことに留意する。（措通37の11－４）

（注）「外国証券情報」は、金融商品取引法第27条の32の２第１項《外国証券情報の提供又は公表》の規定により、同項に規定する外国証券売出しにより有価証券を売り付ける場合に公表を義務付けられた当該有価証券及び当該有価証券の発行者に関する情報であり、証券情報等の提供又は公表に関する内閣府令第12条において具体的な内容が規定されている。

（取得時から引き続き同一の金融商品取引業者等の営業所において保管の委託がされていない公社債）

（８）（１）(十一)イに規定する有価証券の売出しに応じて取得した公社債又は同(十一)ロに規定する売付け勧誘等に応じて取得した公社債であっても、それらの取得時から引き続き当該有価証券の売出し又は当該売付け勧誘等（以下（８）において「有価証券の売出し等」という。）をした金融商品取引業者等の営業所において保管の委託がされていないものについては、同(十一)イ又は同ロに掲げる公社債には該当しないことに留意する。

したがって、例えば、取引している金融商品取引業者等の変更等により、取得時から引き続き有価証券の売出し等をした金融商品取引業者等の営業所において保管の委託がされないこととなる公社債は、同(十一)に掲げる公社債には該当しないこととなることに留意する。ただし、同一の金融商品取引業者等の他の営業所に移管された公社債は、引き続き有価証券の売出し等をした金融商品取引業者等の営業所において保管の委託がされているものに該当することに留意する。（措通37の11－５）

（平成27年12月31日以前に同族会社が発行した公社債の取扱い）

（９）（１）(十四)に掲げる平成27年12月31日以前に発行された公社債の取扱いについては、次の点に留意する。（措通37の11－６）

(一)（１）(十四)括弧書の公社債（その発行時において同族会社（法人税法第２条第10号に規定する同族会社をいう。以下（９）において同じ。）に該当する会社が発行したものをいう。以下（９）において同じ。）

当該公社債の譲渡又は元本の償還（買入れの方法による償還を含む。以下（９）において同じ。）の日において、当該会社が同族会社に該当しないこととなっている場合であっても、（１）(十四)括弧書の公社債に該当する。

（注）（１）(十四)括弧書の公社債であっても、同(一)から同(十三)までのいずれかに該当する場合には、上場株式等に該当する。

(二)（１）(十四)括弧書の公社債が同(一)から同(十三)までのいずれにも該当せず、一般株式等に該当する場合において、当該公社債の元本の償還により金銭等の交付を受けるとき

その償還の日においてその交付を受ける者が**二１**②(八)括弧書の規定に該当する者である場合は、同(八)の規定により、一般株式等に係る譲渡所得等に係る収入金額とみなされない。

（注）（１）(十四)括弧書の公社債に限らず、特定公社債（第四章第一節**三１**①(一)に規定する特定公社債をいう。）以外の公社債の元本の償還により交付を受ける金銭等の額が**二１**②(八)の規定により一般株式等に係る譲渡所得等に係る収入金額とみなされない場合のその交付を受ける金銭等の額は、総合課税の雑所得に係る収入金額となる。

（信用取引等に係る譲渡益の計算）

(10)　上場株式等に係る譲渡所得等の金額の計算に当たり、信用取引等の方法により上場株式等の買付け又は売付けを行った者が、当該信用取引等に関し、金融商品取引業者に支払う又は金融商品取引業者から支払を受ける次のものについては、それぞれ次に掲げるところによることに留意する。（措通37の11－７）

(一)　買付けを行った者が金融商品取引業者に支払う買委託手数料、委託手数料等に係る消費税及び地方消費税、名義書換料並びに金利に相当する額は、当該信用取引等に伴い直接要した費用の額に算入する。

(二)　買付けを行った者が金融商品取引業者から支払を受ける品貸料の額は、上場株式等の譲渡に係る収入金額に算入する。

（三）　売付けを行った者が金融商品取引業者から支払を受ける金利に相当する額は、上場株式等の譲渡に係る収入金額に算入する。

（四）　売付けを行った者が金融商品取引業者に支払う売委託手数料、委託手数料等に係る消費税及び地方消費税並びに品貸料の額は、当該信用取引等に伴い直接要した費用の額に算入する。

（五）　買付けを行った者が金融商品取引業者から支払を受ける配当落調整額及び権利処理価額に相当する額は、買付けに係る上場株式等の取得価額から控除し、売付けを行った者が金融商品取引業者に支払う配当落調整額及び権利処理価額に相当する額は、上場株式等の譲渡に係る収入金額から控除する。

（注）　「配当落調整額」とは、信用取引等に係る株式につき配当が付与された場合において、金融商品取引業者が売付けを行った者から徴収し又は買付けを行った者に支払う当該配当に相当する金銭の額をいい、「権利処理価額」とは、信用取引等に係る株式につき、株式分割、株式無償割当て及び会社分割による株式を受ける権利、新株予約権（新投資口予約権を含む。）又は新株予約権の割当てを受ける権利が付与された場合において、金融商品取引業者が売付けを行った者から徴収し又は買付けを行った者に支払うこれらの権利の価額に相当する金銭の額をいう。

（信用取引等の決済の日後に授受される配当落調整額）

(11)　上場株式等に係る譲渡所得等の金額を計算する場合において、信用取引等の決済の日後に配当落調整額の授受が行われた場合は、その授受が行われた金額をその授受が行われた年の総収入金額又は必要経費に算入することに留意する。（措通37の11－８）

（信用取引において現渡しの方法により決済を行った場合の所得計算）

(12)　金融商品取引法第156条の24第１項《免許及び免許の申請》の規定による信用取引の方法により上場株式等の売付けを行った場合において、いわゆる現渡しの方法により決済を行ったときの上場株式等に係る譲渡所得等の金額は、当該売付けの際の約定金額により、当該現渡しをした時に、当該現渡しをした上場株式等を譲渡したものとして計算するのであるから留意する。この場合において、当該上場株式等に係る取得価額は、当該現渡しをした上場株式等の取得に要した金額により、また、その取得の日は当該現渡しをした上場株式等及びそれと同一銘柄の上場株式等のうち先に取得したものから順次譲渡をしたものとした場合に当該譲渡をしたものとされる当該現渡しをした上場株式等の取得の日による。（措通37の11－９）

（金融商品取引法第28条第８項第３号ハに掲げる取引による権利の行使又は義務の履行により取得した上場株式等の取得価額）

(13)　金融商品取引法第28条第８項第３号ハに掲げる取引による権利の行使又は義務の履行により取得した上場株式等の取得価額は、次の区分ごとにそれぞれに掲げるところによる。（措通37の11－10）

（一）　いわゆるコールオプションの買方が当該オプションの権利の行使により取得をした場合

当該オプションの権利の行使により支出した金額及び一連の取引に関連して支出した委託手数料（当該委託手数料に係る消費税及び地方消費税を含む。）の合計額に支払オプション料を加算した金額

（二）　いわゆるプットオプションの売方が当該オプションの義務の履行により取得をした場合

当該オプションの義務の履行により支出した金額及び一連の取引に関連して支出した委託手数料（当該委託手数料に係る消費税及び地方消費税を含む。）の合計額から受取オプション料を控除した金額

②　上場株式等に係る譲渡所得等の収入金額とみなされる上場株式等につき交付を受ける金額

上場株式等を有する居住者又は恒久的施設を有する非居住者が、当該上場株式等につき交付を受ける**二１**②(一)から同(九)までに掲げる金額及び同②に規定する同②(１)で定める事由により当該上場株式等につき交付を受ける同②に規定する同②(１)で定める金額は、上場株式等に係る譲渡所得等に係る収入金額とみなして、所得税法及び第三節の規定を適用する。（措法37の11③）

（上場株式等に係る譲渡所得等に係る収入金額とみなす金額等―法人の合併の場合等）

(１)　**二１**②(７)から同(12)までの取扱いは、②の規定により上場株式等に係る譲渡所得等に係る収入金額とみなされる場合について準用する。（措通37の11－11）

③　上場株式等に係る譲渡所得等の収入金額とみなされる投資信託等の受益権

投資信託若しくは特定受益証券発行信託（以下③において「投資信託等」という。）の受益権で上場株式等に該当するもの又は社債的受益権で上場株式等に該当するものを有する居住者又は恒久的施設を有する非居住者がこれらの受益権につ

き交付を受ける次の(一)から(三)までに掲げる金額は、上場株式等に係る譲渡所得等に係る収入金額とみなして、所得税法及び第三節の規定を適用する。（措法37の11④）

(一)	その投資信託等の終了（当該投資信託等の信託の併合に係るものである場合にあっては、当該投資信託等の受益者に当該信託の併合に係る新たな信託の受益権以外の資産（信託の併合に反対する当該受益者に対するその買取請求に基づく対価として交付される金銭その他の資産を除く。）の交付がされた信託の併合に係るものに限る。）又は一部の解約により交付を受ける金銭の額及び金銭以外の資産の価額の合計額
(二)	その特定受益証券発行信託に係る信託の分割（分割信託の受益者に承継信託の受益権以外の資産（信託の分割に反対する当該受益者に対する信託法第103条第６項に規定する受益権取得請求に基づく対価として交付される金銭その他の資産を除く。）の交付がされたものに限る。）により交付を受ける金銭の額及び金銭以外の資産の価額の合計額
(三)	社債的受益権の元本の償還により交付を受ける金銭の額及び金銭以外の資産の価額の合計額

（上場株式等に係る譲渡所得等に係る収入金額とみなす金額等―投資信託等の信託の併合の場合）

（1）　③(一)の規定の適用に関しては、次の点に留意する。（措通37の11－12）

（一）　③(一)に規定する投資信託等（以下(1)において「投資信託等」という。）の信託の併合に当たり、③の規定により、投資信託等の受益権で上場株式等に該当するもの（以下(1)において「旧受益権」という。）についての上場株式等に係る譲渡所得等に係る収入金額とみなされる金額及び当該収入金額から控除すべき取得価額は、次の算式によって計算した金額となる。

収入金額とみなされる金額 ＝ 投資信託等の信託の併合により交付を受けた当該信託の併合に係る新たな信託の受益権（以下(1)において「新受益権」という。）及びそれ以外の資産の価額の合計額

取得価額 ＝ 旧受益権の従前の取得価額の合計額

また、当該信託の併合により取得した新受益権の取得価額は、第六章第二節**四７**①(六)の規定により、取得のために通常要する価額となる。

（二）　③の規定の適用がない場合における投資信託等の信託の併合により取得した新受益権の１口当たりの取得価額は、第六章第二節**四８**④(2)の規定により、次の算式によって計算した金額となる。

取得した新受益権１口当たりの取得価額 ＝ ［旧受益権１口の従前の取得価額 ＋ 旧受益権１口当たりの新受益権の取得費用］ ÷ 旧受益権１口について取得した新受益権の口数

（上場株式等に係る譲渡所得等に係る収入金額とみなす金額等―特定受益証券発行信託に係る信託の分割の場合）

（2）　③(二)の規定の適用に関しては、次の点に留意する。（措通37の11－13）

（一）　特定受益証券発行信託に係る信託の分割に当たり、③の規定により、特定受益証券発行信託の受益権で上場株式等に該当するもの（以下(2)において「旧受益権」という。）についての上場株式等に係る譲渡所得等に係る収入金額とみなされる同③(二)に掲げる金額及び当該収入金額から控除すべき取得価額は、次の算式によって計算した金額となる。

収入金額とみなされる金額 ＝ 特定受益証券発行信託に係る信託の分割により交付を受けた承継信託の受益権及びそれ以外の資産の価額の合計額

(注)　「承継信託」とは、特定受益証券発行信託に係る信託の分割により受託者を同一とする他の信託からその信託財産の一部の移転を受ける信託をいう（以下(2)において同じ。）。

取得価額 ＝ 旧受益権の従前の取得価額の合計額 × 分割移転割合

(注)　「分割移転割合」は、第六章第二節**四８**⑤(5)に規定する割合で、次により計算した割合（小数点以下３位未満の端数があるときは切上げ）をいう（以下(2)において同じ。）。

分割移転割合 ＝ （分割信託(※１)から承継信託に移転した資産の帳簿価額 － 分割信託(※１)から承継信託に移転した負債の帳簿価額）／（分割信託の資産の帳簿価額(※２) － 分割信託の負債の帳簿価額(※２)）

※１　「分割信託」とは、特定受益証券発行信託に係る信託の分割によりその信託財産の一部を受託者を同一とする他の信託又は新たな

信託の信託財産として移転する信託をいう。

※２　信託の分割前に終了した計算期間のうち最も新しいものの終了の時による。

また、当該特定受益証券発行信託に係る信託の分割があった日以後における旧受益権１口当たりの取得価額は、第六章第二節**四８**⑤(６)の規定により、次の算式によって計算した金額となり、また、当該特定受益証券発行信託に係る信託の分割により取得した承継信託の受益権の取得価額は、同**７**①(六)の規定により、取得のために通常要する価額となる。

特定受益証券発行信託に係る信託の分割後の旧受益権１口当たりの取得価額 ＝ 旧受益権１口の従前の取得価額 － ［旧受益権１口の従前の取得価額 × 分割移転割合］

(二)　③の規定の適用がない場合における特定受益証券発行信託に係る信託の分割があった日以後の旧受益権及び当該信託の分割により取得した承継信託の受益権に係る１口当たりの取得価額は、第六章第二節**四８**⑤(５)又は同(６)の規定により、それぞれ次の算式によって計算した金額となる。

特定受益証券発行信託に係る信託の分割後の旧受益権１口当たりの取得価額 ＝ 旧受益権１口の従前の取得価額 － ［旧受益権１口の従前の取得価額 × 分割移転割合］

取得した承継信託の受益権１口当たりの取得価額 ＝ ［旧受益権１口の従前の取得価額 × 分割移転割合 ÷ 旧受益権１口について取得した承継信託の受益権の口数］

＋　承継信託の受益権１口当たりの承継信託の受益権の取得費用

四　二《一般株式等に係る譲渡所得等の課税の特例》・三《上場株式等に係る譲渡所得等の課税の特例》の共通事項

（株式等に係る譲渡所得等の総収入金額の収入すべき時期）

（1）　株式等に係る譲渡所得等の総収入金額の収入すべき時期は、次の区分ごとにそれぞれに掲げるところによる。（措通37の10・37の11共－1）

（一）　次の(二)から(十二)まで以外の場合

株式等の引渡しがあった日による。ただし、納税者の選択により、当該株式等の譲渡に関する契約の効力発生の日により総収入金額に算入して申告があったときは、これを認める。

（二）　金融商品取引法第156条の24第１項《免許及び免許の申請》の規定による信用取引又は発行日取引（以下(８)までにおいて「信用取引等」という。）の方法による場合

当該信用取引等の決済の日による。

（三）　その有する株式（以下(１)において「旧株」という。）につき、その旧株を発行した法人の行った株式交換により**二十**《株式交換等に係る譲渡所得等の特例》に規定する株式交換完全親法人に対して当該旧株を譲渡した場合（**二十**の規定により当該旧株の譲渡がなかったものとみなされる場合を除く。）

その契約において定めたその効力を生ずる日による。

（四）　旧株につき、その旧株を発行した法人の行った株式移転により**二十**(１)に規定する株式移転完全親法人（以下「株式移転完全親法人」という。）に対して当該旧株を譲渡した場合（同(１)の規定により当該旧株の譲渡がなかったものとみなされる場合を除く。）

当該株式移転完全親法人の設立登記の日による。

（五）　**二十**(２)各号に掲げる有価証券を当該各号に定める事由により譲渡した場合（同(２)の規定により当該有価証券の譲渡がなかったものとみなされる場合を除く。）

イ　取得請求権付株式に係る請求権の行使による当該取得請求権付株式の譲渡については、当該請求権の行使をした日による。

ロ　取得条項付株式（取得条項付新株予約権及び取得条項付新株予約権が付された新株予約権付社債を含む。以下(１)において同じ。）に係る取得事由の発生による当該取得条項付株式の譲渡については、当該取得事由が生じた日（当該取得条項付株式を発行する法人が当該取得事由の発生により当該取得条項付株式の一部を取得することとするときは、当該取得事由が生じた日と取得の対象となった株主等への当該株式を取得する旨の通知又は公告の日から２週間を経過した日のいずれか遅い日）による。

ハ　全部取得条項付種類株式に係る取得決議による当該全部取得条項付種類株式の譲渡については、当該取得決議において定めた会社が全部取得条項付種類株式を取得する日による。

ニ　新株予約権付社債に付された新株予約権の行使による当該新株予約権付社債についての社債の譲渡については、当該新株予約権を行使した日による。

（六）　**二１**②に規定する事由に基づき交付を受ける金銭及び金銭以外の資産（以下(六)において「金銭等」という。）の額が一般株式等に係る譲渡所得等又は上場株式等に係る譲渡所得等に係る収入金額とみなされる場合

イ　同②(一)及び同②(１)(一)に掲げる合併によるものについては、その契約において定めたその効力を生ずる日（新設合併の場合は、新設合併設立会社の設立登記の日）による。ただし、これらの日前に金銭等が交付される場合には、その交付の日による。

ロ　同②(二)に規定する分割によるものについては、その契約において定めたその効力を生ずる日（新設分割の場合は、新設分割設立会社の設立登記の日）による。ただし、これらの日前に金銭等が交付される場合には、その交付の日による。

ハ　同②(三)に規定する株式分配によるものについては、当該株式分配について定めたその効力を生ずる日による。ただし、その効力を生ずる日を定めていない場合には、当該株式分配を行う法人の社員総会その他正当な権限を有する機関の決議があった日による。

ニ　同②(四)に規定する資本の払戻しによるものについては、その払戻しに係る剰余金の配当又は同(四)に規定する出資等減少分配がその効力を生ずる日による。

ホ　同②(四)に規定する解散による残余財産の分配によるものについては、その分配開始の日による。ただし、その分配が数回に分割して行われる場合には、それぞれの分配開始の日による。

ヘ　同②(五)に規定する自己の株式又は出資の取得によるものについては、その法人の取得の日による。

ト　同②(六)に規定する出資の消却、出資の払戻し、社員その他の出資者の退社若しくは脱退による持分の払戻し

又は株式若しくは出資を法人が取得することなく消滅させるものについては、これらの事実があった日による。

チ　同②(七)及び同②(1)(二)に掲げる組織変更によるものについては、組織変更計画において定めたその効力を生ずる日による。ただし、その効力を生ずる日前に金銭等が交付される場合には、その交付の日による。

リ　同②(八)に規定する公社債の元本の償還によるものについては、その償還の日による。この場合において、償還の日とは次に掲げる場合の区分に応じ、それぞれ次に掲げる日（ただし、買入れの方法による償還の場合は(一)の日）による。

(イ)　記名の公社債（無記名の公社債のうち、第六章第一節**一5**注《振替記載等を受けた公社債》の定めによるものを含む。）の場合　償還期日

(ロ)　無記名の公社債（(イ)の公社債を除く。）の場合　公社債の元本の償還により交付を受ける金銭等の交付の日

ヌ　同②(九)に規定する分離利子公社債に係る利子の交付によるものについては、第六章第一節**一4**(1)《利子所得の収入金額の収入すべき時期》の取扱いに準ずる。

(七)　**二1**③各号に規定する事由に基づき交付を受ける金銭等の額が一般株式等に係る譲渡所得等に係る収入金額とみなされる場合

イ　同③(一)に規定する上場廃止特定受益証券発行信託の終了（当該上場廃止特定受益証券発行信託の信託の併合に係るものを除く。）若しくは一部の解約又は同③(二)に規定する投資信託等の終了（当該投資信託等の信託の併合に係るものを除く。）若しくは一部の解約によるものについては、その終了又は一部の解約の日による。

ロ　同③(一)に規定する上場廃止特定受益証券発行信託の信託の併合又は③(二)に規定する投資信託等の信託の併合に係るものについては、当該信託の併合がその効力を生ずる日による。ただし、当該効力を生ずる日前に金銭等が交付される場合には、その交付の日による。

ハ　同③(三)に規定する特定受益証券発行信託に係る信託の分割によるものについては、当該信託の分割がその効力を生ずる日による。ただし、当該効力を生ずる日前に金銭等が交付される場合には、その交付の日による。

ニ　同③(四)に規定する社債的受益権の元本の償還によるものについては、その償還の日による。

(八)　**三1**③各号に規定する事由に基づき交付を受ける金銭等の額が上場株式等に係る譲渡所得等に係る収入金額とみなされる場合

イ　同③(一)に規定する投資信託等の終了（当該投資信託等の信託の併合に係るものを除く。）若しくは一部の解約によるものについては、その終了又は一部の解約の日による。

ロ　同③(一)に規定する投資信託等の信託の併合に係るものについては、当該信託の併合がその効力を生ずる日による。ただし、当該効力を生ずる日前に金銭等が交付される場合には、その交付の日による。

ハ　同③(二)に規定する特定受益証券発行信託に係る信託の分割によるものについては、当該信託の分割がその効力を生ずる日による。ただし、当該効力を生ずる日前に金銭等が交付される場合には、その交付の日による。

ニ　同③(三)に規定する社債的受益権の元本の償還によるものについては、その償還の日による。

(九)　取得条項付新投資口予約権に係る取得事由の発生による当該取得条項付新投資口予約権を譲渡した場合

当該取得事由が生じた日（当該取得条項付新投資口予約権を発行する投資法人が当該取得事由の発生により当該取得条項付新投資口予約権の一部を取得することとするときは、当該取得事由が生じた日と取得の対象となった新投資口予約権者への当該取得条項付新投資口予約権を取得する旨の通知又は公告の日から2週間を経過した日のいずれか遅い日）による。

(十)　旧株につき、会社法第774条の3第1項第1号《株式交付計画》に規定する株式交付親会社の行った株式交付により当該株式交付親会社に対して当該旧株（**十五1**の規定により当該旧株の譲渡がなかったものとみなされる部分を除く。）を譲渡した場合

会社法第774条の3第1項の株式交付計画（(19)において「株式交付計画」という。）に定められた株式交付がその効力を生ずる日による。

(十一)　**十八1**又は同**1**(1)に規定する事由に基づき一般株式等に係る譲渡所得等又は上場株式等に係る譲渡所得等に係る収入金額とみなされる場合

十八1に規定する特定合併又は同**1**(1)に規定する特定分割型分割によるものについては、その契約において定めたその効力を生ずる日による。

(十二)　**十八1**(2)に規定する事由に基づき一般株式等に係る譲渡所得等又は上場株式等に係る譲渡所得等に係る収入金額とみなされる場合

十八1(2)に規定する特定株式分配によるものについては、当該特定株式分配について定めたその効力を生ずる日による。ただし、その効力を生ずる日を定めていない場合には、当該特定株式分配を行う法人の社員総会その他

正当な権限を有する機関の決議があった日による。

（株式等の譲渡に係る所得区分）

（2）　株式等の譲渡（**二１**③各号又は**三１**③各号に規定する事由に基づき一般株式等に係る譲渡所得等又は上場株式等に係る譲渡所得等に係る収入金額とみなされる場合を含む。以下(2)において同じ。）による所得が事業所得若しくは雑所得に該当するか又は譲渡所得に該当するかは、当該株式等の譲渡が営利を目的として継続的に行われているかどうかにより判定するのであるが、その者の一般株式等に係る譲渡所得等の金額又は上場株式等に係る譲渡所得等の金額の計算上、次に掲げる株式等の譲渡による部分の所得については、譲渡所得として取り扱って差し支えない。（措通37の10・37の11共－2）

（一）　上場株式等で所有期間が１年を超えるものの譲渡による所得

（二）　一般株式等の譲渡による所得

（注）　この場合において、その者の上場株式等に係る譲渡所得等の金額の計算上、信用取引等の方法による上場株式等の譲渡による所得など上記(一)に掲げる所得以外の上場株式等の譲渡による所得がある場合には、当該部分は事業所得又は雑所得として取り扱って差し支えない。

（一般株式等に係る譲渡損失の金額又は上場株式等に係る譲渡損失の金額が生じた場合の損益の計算）

（3）　一般株式等に係る譲渡所得等の金額の計算上生じた損失の金額は、「特定投資株式に係る譲渡損失の損益の計算」の適用を受ける場合を除き、上場株式等に係る譲渡所得等の金額の計算上控除することはできず、また、上場株式等に係る譲渡所得等の金額の計算上生じた損失の金額は、一般株式等に係る譲渡所得等の金額の計算上控除することはできないことに留意する。（措通37の10・37の11共－3）

（一般株式等に係る譲渡所得等の金額及び上場株式等に係る譲渡所得等の金額の計算）

（4）　一般株式等に係る譲渡所得等の金額及び上場株式等に係る譲渡所得等の金額の計算は、次に掲げる順序によって計算することに留意する。（措通37の10・37の11共－4）

（一）　一般株式等に係る事業所得、譲渡所得又は雑所得の金額のいずれかに、その金額の計算上生じた損失の金額がある場合には、**二１**①(1)の規定により、当該損失の金額を他の一般株式等に係る事業所得、譲渡所得又は雑所得の金額から控除する。

（二）　上場株式等に係る事業所得、譲渡所得又は雑所得の金額のいずれかに、その金額の計算上生じた損失の金額がある場合には、**三１**①(2)の規定により、当該損失の金額を他の上場株式等に係る事業所得、譲渡所得又は雑所得の金額から控除する。

（三）　「特定投資株式の取得に要した金額の控除等」又は「設立特定株式の取得に要した金額の控除等」の適用を受ける場合には、**十二１**(9)(一)又は**十三１**(3)(一)の規定により、まず一般株式等に係る譲渡所得等の金額の計算上控除し、なお控除しきれない金額があるときは、上場株式等に係る譲渡所得等の金額の計算上控除する。

（四）　「特定投資株式に係る譲渡損失の損益の計算」の適用を受ける場合には、当該特定投資株式に係る譲渡損失の金額を上場株式等に係る譲渡所得等の金額の計算上控除する。

（五）　「特定投資株式に係る譲渡損失の繰越控除」の適用を受ける場合には、当該繰越控除に係る譲渡損失の金額を、**十四２**②(2)(二)の規定により、まず一般株式等に係る譲渡所得等の金額の計算上控除し、なお控除しきれない金額があるときは、上場株式等に係る譲渡所得等の金額の計算上控除する。

（六）　「上場株式等に係る譲渡損失の繰越控除」の適用を受ける場合には、当該繰越控除に係る譲渡損失の金額を上場株式等に係る譲渡所得等の金額の計算上控除する。

（七）　第七章第二節**１**《雑損失の繰越控除》に規定する雑損失の金額（(5)において「雑損失の金額」という。）がある場合には、同**１**の規定による控除を行う。

（注）１　上記(一)又は(二)の計算に当たり、一般株式等に係る事業所得、譲渡所得若しくは雑所得の金額又は上場株式等に係る事業所得、譲渡所得若しくは雑所得の金額のうちに、「特定投資株式に係る譲渡所得等の課税の特例（旧措法37の13の3）」の適用がある株式等の譲渡による事業所得、譲渡所得又は雑所得の金額（以下(4)において「公開等特定株式に係る譲渡所得等の金額」という。）がある場合、上記(一)又は(二)の損失の金額は、まず公開等特定株式に係る譲渡所得等の金額から控除する。

２　上記(三)の計算に当たり、一般株式等に係る譲渡所得等の金額又は上場株式等に係る譲渡所得等の金額のうちに、公開等特定株式に係る譲渡所得等の金額に対応する部分の金額がある場合は、まず当該公開等特定株式に係る譲渡所得等の金額に対応する部分の金額から控除する。

（雑損失の繰越控除及び所得控除の順序）

（5）　その年の前年以前３年内の各年において生じた雑損失の金額の控除は、昭和46年８月26日付直資４－５ほか２課共同「租税特別措置法（山林所得・譲渡所得関係）の取扱いについて」（法令解釈通達）31・32共－４によるものとする。また、その年分の所得控除についても、これと同様に取り扱う。（措通37の10・37の11共－５）

（外貨で表示されている株式等に係る譲渡の対価の額等の邦貨換算）

（6）　一般株式等に係る譲渡所得等の金額又は上場株式等に係る譲渡所得等の金額の計算に当たり、株式等の譲渡の対価の額が外貨で表示され当該対価の額を邦貨又は外貨で支払うこととされている場合の当該譲渡の価額は、原則として、外貨で表示されている当該対価の額につき金融商品取引業者と株式等を譲渡する者との間の外国証券の取引に関する外国証券取引口座約款において定められている約定日におけるその支払をする者の主要取引金融機関（その支払をする者がその外貨に係る対顧客直物電信買相場を公表している場合には、当該支払をする者）の当該外貨に係る対顧客直物電信買相場により邦貨に換算した金額による。

また、国外において発行された公社債の元本の償還（買入れの方法による償還を除く。）により交付を受ける金銭等の邦貨換算については、記名のものは償還期日における対顧客直物電信買相場により邦貨に換算した金額により、無記名のものは、現地保管機関等が受領した日（現地保管機関等からの受領の通知が著しく遅延して行われる場合を除き、金融商品取引業者が当該通知を受けた日としても差し支えない。）における対顧客直物電信買相場により邦貨に換算した金額による。

なお、取得の対価の額の邦貨換算については、対顧客直物電信売相場により、上記に準じて行う。（措通37の10・37の11共－６）

（注）　株式等の取得の約定日が平成10年３月以前である場合には、外国為替公認銀行の公表した対顧客直物電信売相場によることに留意する。

（２以上の種類の株式が発行されている場合の取得価額の計算）

（7）　一般株式等に係る譲渡所得等の金額又は上場株式等に係る譲渡所得等の金額の計算に当たり、一の法人の２以上の種類の株式を有する場合には、各種類の株式の権利内容等からみて、各種類の株式がそれぞれ異なる価額で取引が行われるものと認められるときには、各種類の株式はそれぞれ異なる銘柄の株式として、第六章第二節**四５**①《有価証券の評価の方法》の規定を適用するものとする。（措通37の10・37の11共－７）

（注）　一の法人等の２以上の種類（回号）の公社債を有する場合も同様とする。

（受益者等課税信託の信託財産に属する株式等と同一銘柄の株式等を有している場合の取得価額の計算）

（8）　受益者等課税信託（第二章第四節**２**《信託財産に属する資産及び負債並びに信託財産に帰せられる収益及び費用の帰属》に規定する受益者（同**２**（1）の規定により同**２**に規定する受益者とみなされる者を含む。以下(8)及び(20)において「受益者等」という。）がその信託財産に属する資産及び負債を有するものとみなされる信託をいう。(20)において同じ。）の信託財産に属する資産のうちに当該受益者等が有する株式等と同一銘柄の株式等がある場合には、当該信託財産に属する株式等と当該受益者等が有する株式等とを区分しないで第六章第二節**四５**①の規定を適用することに留意する。（措通37の10・37の11共－８）

（特定譲渡制限付株式等の価額）

（9）　第六章第二節**四７**①(二)《有価証券の取得価額》に規定する特定譲渡制限付株式又は承継譲渡制限付株式のその譲渡についての制限が解除された日（同日前に第六章第一節**一２**①《譲渡制限付株式の価額等》の個人が死亡した場合において、当該個人の死亡の時に同**２**②(二)に規定する事由に該当しないことが確定している当該特定譲渡制限付株式又は承継譲渡制限付株式については、当該個人の死亡日）における価額は、同章第一節**一２**①（5）《特定譲渡制限付株式等の価額》により求めた価額とする。（措通37の10・37の11共－９）

（付与された権利の行使等により取得した株式等の価額）

(10)　第六章第二節**四７**①《有価証券の取得価額》(三)に規定する同章第一節**一２**③各号に掲げる権利の行使により取得した株式等のその権利の行使の日（同③(三)に掲げる権利の行使により取得した株式等にあっては、当該権利に基づく払込み又は給付の期日（払込み又は給付の期間の定めがある場合には、当該払込み又は給付をした日））における価額は、同**一２**③（4）《③本文の株式の価額》により求めた価額とする。

また、上場株式等償還特約付社債（**六３**（8）(十三)に規定する上場株式等償還特約付社債をいう。以下同じ。）の償還により取得した上場株式等の取得価額は、当該上場株式等償還特約付社債の償還の日における当該上場株式等の価額によるものとし、その価額については、上記と同様とする。（措通37の10・37の11共－９の２）

（株式等の購入費用）

(11)　第六章第二節**四７**①(五)に規定する「購入のために要した費用」とは、株式等を購入するに当たって支出した買委託手数料（当該委託手数料に係る消費税及び地方消費税を含む。）、交通費、通信費、名義書換料等をいう。

なお、利付公社債（既発債）を購入する場合に、直前の利払期からその購入の時までの期間に応じた経過利子に相当する額として、売買価額に含めて譲渡者に対して支払われる金額については、その利付公社債の取得価額に含まれることに留意する。（措通37の10・37の11共－10）

（新株予約権の行使により取得した株式の取得価額）

(12)　新株予約権の行使により取得した株式（発行法人から与えられた第六章第一節**一２**③(一)又は同(二)に掲げる新株予約権で第六章第一節**一２**②の規定の適用を受けるものの行使により取得したものを除く。）１株当たりの取得価額は、次の算式により計算した金額によるものとする。また、投資信託及び投資法人に関する法律第２条第17項《定義》に規定する新投資口予約権の行使により取得した投資口１口当たりの取得価額についても同様とする。（措通37の10・37の11共－11）

$$\text{新株１株当たりの払込金額} + \frac{\text{当該新株予約権の当該行使直前の取得価額}}{\text{当該行使により取得した新株の数}}$$

（新株予約権付社債に係る新株予約権の行使により取得した株式の取得価額）

(13)　新株予約権付社債に係る新株予約権の内容として定められている新株予約権の行使に際して出資される財産の価額が当該新株予約権付社債の発行時の発行法人の株式の価額を基礎として合理的に定められている場合における当該新株予約権の行使により取得した株式１株当たりの取得価額は、次に定める算式により計算した金額によるものとする。（措通37の10・37の11共－12）

$$\text{株式１株につき払い込むべき金額} + \frac{\text{当該払込みに係る新株予約権付社債の当該行使直前の取得価額が当該払込みに係る新株予約権付社債の額面金額を超える場合のその超える部分の金額}}{\text{当該行使により取得した株式の数}}$$

（株式等の取得価額）

(14)　株式等を譲渡した場合における事業所得の金額、譲渡所得の金額又は雑所得の金額の計算上必要経費又は取得費に算入する金額は、第六章第二節**一**《必要経費》、第四章第八節**二２**《譲渡所得の金額の計算上控除する取得費》①、第六章第二節**四２**《有価証券の譲渡原価等の計算及びその評価の方法》及び第四章第七節**二２**①《昭和27年12月31日以前に取得した資産の取得費等》の規定に基づいて計算した金額となるのであるが、譲渡をした同一銘柄の株式等について、当該株式等の譲渡による収入金額の100分の５に相当する金額を当該株式等の取得価額として事業所得の金額若しくは雑所得の金額を計算しているとき又は当該金額を譲渡所得の金額の計算上収入金額から控除する取得費として計算しているときは、これを認めて差し支えないものとする。（措通37の10・37の11共－13）

（１単位当たりの取得価額の端数処理）

(15)　第六章第二節**四５**①の規定により計算された１単位当たりの取得価額又は同**３**《譲渡所得の基因となる有価証券の取得費等》の規定により計算された１単位当たりの金額に１円未満の端数（公社債は額面100円当たりの価額とした場合の小数点以下２位未満の端数）があるときは、原則として、その端数を切り上げるものとする。（措通37の10・37の11共－14）

（株式等を取得するために要した負債の利子）

(16)　一般株式等に係る譲渡所得等の金額又は上場株式等に係る譲渡所得等の金額の計算上控除する株式等を取得するために要した負債の利子の額は、株式等に係る譲渡所得等の基因となった株式等を取得するために要した負債の利子で、その年中における当該株式等の所有期間に対応して計算された金額とする。（措通37の10・37の11共－15）

（配当所得の収入金額等がある場合の負債の利子）

(17)　その年において、株式等に係る譲渡所得等及び配当所得を有する者が負債により取得した株式等を有する場合において、当該負債を株式等に係る譲渡所得等の基因となった株式等を取得するために要したものとその他のものとに明確に区分することが困難なときには、次の算式により計算した金額を、一般株式等に係る譲渡所得等の金額又は上場株式等に係る譲渡所得等の金額の計算上控除すべき負債の利子の額とすることができるものとする。（措通37の10・37の11共－16）

$$\text{株式等を取得するために要した負債の利子の総額} \times \frac{\text{その利子の額を差し引く前の一般株式等に係る譲渡所得等の金額又は上場株式等に係る譲渡所得等の金額}}{\text{配当所得の収入金額} + \text{その利子の額を差し引く前の一般株式等に係る譲渡所得等の金額及び上場株式等に係る譲渡所得等の金額} + \text{その利子の額を差し引く前の総合課税の株式等に係る事業所得等の金額}}$$

（注）　算式中の「総合課税の株式等に係る事業所得等」とは、第三章第二節《課税標準》又は所得税法第165条《総合課税に係る所得税の課税標準、税額等の計算》の規定の適用を受ける株式等の譲渡による所得で事業所得又は雑所得に該当するものをいう。

（負債を借り換えた場合等の負債の利子）

(18)　株式等を取得するために要した負債を借り換えた場合等の取扱いについては、第四章第二節**四２**（３）《負債を借り換えた場合》、同（４）《負債により取得した株式等の一部を譲渡した場合》及び同（５）《負債により取得した株式等を買い換えた場合》の取扱いを準用する。（措通37の10・37の11共－17）

（「取得をした日」の判定）

(19)　一般株式等に係る譲渡所得等の金額又は上場株式等に係る譲渡所得等の金額を計算する場合における株式等の「取得をした日」の判定は、次による。（措通37の10・37の11共－18）

(一)　他から取得した株式等は、引渡しがあった日による。ただし、納税者の選択により、当該株式等の取得に関する契約の効力発生の日を取得をした日として申告があったときは、これを認める。

(二)　金銭の払込み又は財産の給付（以下「払込み等」という。）により取得した株式等は、その払込み等の期日（払込み等の期間が定められている場合には払込み等を行った日）による。

(三)　取締役の報酬等（会社法第361条第１項《取締役の報酬等》に規定する報酬等をいう。）として取得する株式等で、同法第202条の２第１項《取締役の報酬等に係る募集事項の決定の特則》の規定により払込み等を要しないものは、同項第２号の割当日による。

(四)　新株予約権（新投資口予約権を含む。以下(19)において同じ。）の行使（新株予約権付社債に係る新株予約権の行使を含む。）により取得した株式等は、その新株予約権を行使した日による。

(五)　株式等の分割又は併合により取得した株式等及び株主割当てにより取得（第六章第二節**四８**③《株主割当てにより取得した株式の取得価額》に規定する旧株の数に応じて割り当てられた株式等を取得した場合をいう。）した株式等は、その取得の基因となった株式等の「取得をした日」による。

(六)　株式無償割当てにより取得した株式等は、その取得の基因となった株式等の「取得をした日」による。ただし、当該株式無償割当ての基因となった株式等と異なる種類の株式等が割り当てられた場合には、当該株式無償割当ての効力を生ずる日による。

(七)　新株予約権無償割当て（新投資口予約権無償割当てを含む。）により取得した新株予約権は、当該新株予約権無償割当ての効力を生ずる日による。

(八)　法人の合併又は法人の分割により取得した株式等は、その取得の基因となった株式等の「取得をした日」による。ただし、**二１**②(一)若しくは同(二)（**三１**②の規定により上場株式等に係る譲渡所得等に係る収入金額とみなされる場合を含む。）又は**十八１**若しくは同**１**（１）の規定により、一般株式等に係る譲渡所得等又は上場株式等に係る譲渡所得等に係る収入金額とみなされることとなる金額がある場合における法人の合併又は法人の分割により取得した株式等は、その契約において定めたその効力を生ずる日（新設合併又は新設分割の場合は、新設合併設立会社又は新設分割設立会社の設立登記の日）による。

(九)　株式分配（法人税法第２条第12号の15の２《定義》に規定する株式分配をいう。以下(九)において同じ。）により取得した株式等は、その取得の基因となった株式等の「取得をした日」による。ただし、**二１**②(三)（**三１**②の規定により上場株式等に係る譲渡所得等に係る収入金額とみなされる場合を含む。）又は**十八１**（２）の規定により、一般株式等に係る譲渡所得等又は上場株式等に係る譲渡所得等に係る収入金額とみなされることとなる金額がある場合における株式分配により取得した株式等は、当該株式分配について定めたその効力を生ずる日（その効力を生ずる日を定めていない場合には、当該株式分配を行う法人の社員総会その他正当な権限を有する機関の決議があった日）による。

（十）　投資信託（第二章第一節**一**《定義》表内**12の２**に規定する投資信託をいう。）又は特定受益証券発行信託（同**15の５**に規定する特定受益証券発行信託をいう。以下同じ。）（以下(19)において「投資信託等」という。）の受益権に係る投資信託等の信託の併合により取得した受益権は、その取得の基因となった投資信託等の受益権の「取得をした日」による。ただし、**二１**③(一)若しくは同(二)又は**三１**③(一)の規定により、一般株式等に係る譲渡所得等又は上場株式等に係る譲渡所得等に係る収入金額とみなされることとなる金額がある場合における投資信託等の信託の併合により取得した受益権は、その契約において定めたその効力を生ずる日による。

（十一）　特定受益証券発行信託の受益権に係る特定受益証券発行信託の信託の分割により取得した受益権は、その取得の基因となった特定受益証券発行信託の受益権の「取得をした日」による。ただし、**二１**③(三)又は**三１**③(二)の規定により、一般株式等に係る譲渡所得等又は上場株式等に係る譲渡所得等に係る収入金額とみなされることとなる金額がある場合における特定受益証券発行信託の信託の分割により取得した受益権は、その契約において定めたその効力を生ずる日による。

（十二）　組織変更により取得した株式等は、その取得の基因となった株式等の「取得をした日」による。ただし、**二１**②(七)（**三１**②の規定により上場株式等に係る譲渡所得等に係る収入金額とみなされる場合を含む。）の規定により、一般株式等に係る譲渡所得等又は上場株式等に係る譲渡所得等に係る収入金額とみなされることとなる金額がある場合における組織変更により取得した株式等は、組織変更において定めたその効力を生ずる日による。

（十三）　株式交換により取得した株式等は、その契約において定めたその効力を生ずる日による。

（十四）　株式移転により取得した株式等は、株式移転完全親法人の設立登記の日による。

（十五）　株式交付により取得した株式等は、株式交付計画に定められた株式交付がその効力を生ずる日による。

（十六）　取得請求権付株式の請求権の行使の対価として交付された株式等は、当該請求権の行使をした日による。

（十七）　取得条項付株式（取得条項付新株予約権及び取得条項付新株予約権が付された新株予約権付社債を含む。）の取得対価として交付された株式等は、取得事由が生じた日（当該取得条項付株式を発行する法人が当該取得事由の発生により当該取得条項付株式の一部を取得することとするときは、当該取得事由が生じた日と取得の対象となった株主等への当該株式等を取得する旨の通知又は公告の日から２週間を経過した日のいずれか遅い日）による。

（十八）　全部取得条項付種類株式の取得対価として交付された株式等は、全部取得条項付種類株式に係る取得決議において定めた会社が全部取得条項付種類株式を取得する日による。

（十九）　信用取引の買建てにより取得していた株式等をいわゆる現引きにより取得した場合には、当該買建ての際における(１)の日による。

（二十）　上場株式等償還特約付社債の償還により取得した株式等は、その償還の日による。

（二十一）　金融商品取引法第28条第８項第３号ハ《通則》に掲げる取引による権利の行使又は義務の履行により取得した株式等は、当該取引の対象株式等の売買に係る決済の日による。ただし、納税者の選択により、その権利の行使の日又は義務の履行の日を取得をした日として申告があったときは、これを認める。

(注)　第五章第二節**二十四３**①《贈与等により取得した資産の取得費等》の規定は、株式等についても適用されることに留意する。

(受益者等課税信託の信託財産に属する株式等の譲渡等)

(20)　受益者等課税信託の信託財産に属する資産が株式等である場合における当該資産の譲渡又は受益者等課税信託の受益者等としての権利の目的となっている信託財産に属する資産が株式等である場合における当該権利の譲渡による所得は、原則として株式等に係る譲渡所得等となり、**二**又は**三**の規定その他の所得税に関する法令の規定を適用することとなる。なお、この場合においては次の点に留意する。（措通37の10・37の11共－21）

（一）　受益者等課税信託の信託財産に属する株式等の譲渡があった場合において、当該株式等の譲渡に係る信託報酬として当該受益者等課税信託の受益者等が当該受益者等課税信託の受託者に支払った金額については、第六章第二節**一**に規定する「当該総収入金額を得るため直接に要した費用」又は第四章第八節《譲渡所得》**二**に規定する「資産の譲渡に要した費用」に含まれる。

（二）　委託者と受益者等がそれぞれ一であり、かつ、同一の者である場合の受益者等課税信託の信託財産に属する株式等の譲渡があった場合又は当該受益者等課税信託の受益者等としての権利の譲渡があった場合における当該株式等又は当該権利に係る株式等の「取得をした日」は、当該委託者が当該株式等の取得をした日となる。

(注)　当該受益者等課税信託の信託財産に属する株式等が信託期間中に信託財産に属することとなったものである場合には、当該株式等が信託財産に属することとなった日となる。

（三）　受益者等課税信託の受益者等としての権利の譲渡があった場合において、当該受益者等としての権利の目的となっている信託財産に属する債務があるため、当該譲渡の対価の額が当該債務の額を控除した残額をもって支払われているときは、当該譲渡による収入すべき金額は、第六章第一節《収入金額》**一**の規定により、その支払を受けた対価の額に当該控除された債務の額に相当する金額を加算した金額となる。

(注)　譲渡された受益者等としての権利の目的となっている資産（金銭及び金銭債権を除く。）の譲渡収入金額は、当該受益者等としての権利の譲渡により収入すべき金額からその信託財産に属する金銭及び金銭債権の額を控除した残額を基礎として、当該受益者等としての権利の譲渡の時における当該受益者等としての権利の目的となっている各資産（金銭及び金銭債権を除く。）の価額の比によりあん分して算定するものとする。

(四)　委託者が受益者等課税信託の受益者等となる信託の設定により信託財産に属することとなった株式等の譲渡に係る譲渡所得等の金額の計算上必要経費又は取得費に算入する金額は、当該委託者が当該株式等を引き続き有しているものとして、第六章第二節**一**、第四章第八節**二 2**①、第六章第二節**四 2**及び第四章第七節**二 2**①の規定を適用して計算した金額となる。

(注)　当該受益者等課税信託の信託期間中に、当該受益者等課税信託に係る信託財産に属することとなった株式等の譲渡に係る譲渡所得等の金額の計算上必要経費又は取得費に算入する金額は、受益者等が、当該株式等を当該受益者等課税信託の受託者がその取得のために要した金額をもって取得し、引き続き有しているものとして、第六章第二節**一**、第四章第八節**二 2**①、第六章第二節**四 2**及び第四章第七節**二 2**①の規定を適用して計算する。この場合において、当該株式等の取得に係る信託報酬として当該受益者等課税信託の受益者等が当該受益者等課税信託の受託者に支払った金額については、第六章第二節**四 7**①に規定する「取得価額」に含まれる。

(五)　株式等に係る譲渡所得等に関する課税の特例等の規定の適用を受けようとする受益者等が確定申告書に添付すべき書類については、昭和55年12月26日付直所３－20ほか１課共同「租税特別措置法に係る所得税の取扱いについて」(法令解釈通達) 28の４－53《信託の受益者における書類の添付》に準ずる。

(法人が自己の株式又は出資を個人から取得する場合の所得税法第59条の適用)

(21)　法人がその株主等から**二 1**②(五)の規定に該当する自己の株式又は出資の取得を行う場合において、その株主等が個人であるときには、**二 1**②及び**三 1**②の規定により、当該株主等が交付を受ける金銭等（第四章第二節**二**《配当等とみなす金額》 **1**の規定に該当する部分の金額（以下(21)において「みなし配当額」という。）を除く。）は一般株式等に係る譲渡所得等又は上場株式等に係る譲渡所得等に係る収入金額とみなされるが、この場合における第二節**二十四 1**表内②《贈与等の場合の譲渡所得等の特例》の規定の適用については、次による。(措通37の10・37の11共－22)

(一)　第二節**二十四 1**表内②の規定に該当するかどうかの判定

法人が当該自己の株式又は出資を取得した時における当該自己の株式又は出資の価額（以下(21)において「当該自己株式等の時価」という。）に対して、当該株主等に交付された金銭等の額が、同②に規定する著しく低い価額の対価であるかどうかにより判定する。

(二)　第二節**二十四 1**表内②の規定に該当する場合の一般株式等に係る譲渡所得等又は上場株式等に係る譲渡所得等に係る収入金額とみなされる金額

当該自己株式等の時価に相当する金額から、みなし配当額に相当する金額を控除した金額による。

(注)　「当該自己株式等の時価」は、第二節**二十四 1**（6）《株式等を贈与等した場合の「その時における価額」》により算定するものとする。

(法人の自己の株式等の取得から除かれる措置法令第25条の８第９項第３号の「購入」)

(22)　**二 1**②(五)に規定する「法人の自己の株式又は出資の取得」から除かれることとされている**二 1**②（5）(三)に掲げる「購入」とは、金融商品取引法第30条《認可》の規定により金融商品取引業者が内閣総理大臣の認可を受けた私設取引システムにおける有価証券の売買の媒介、取次ぎ又は代理をする場合におけるその売買（同法第２条第８項第10号ニ《定義》に掲げる方法により売買価格が決定されるものを除く。）による購入であることに留意する。(措通37の10・37の11共－23)

(合計所得金額等の計算)

(23)　一般株式等に係る譲渡所得等の金額又は上場株式等に係る譲渡所得等の金額を有する場合における所得税に関する法令の規定の適用に当たっては、次の点に留意する。(措通37の10・37の11共－24)

(一)　第二章第一節**一**表内**30**イ⑵に規定する「合計所得金額」には、**二 1**①(注)(一)及び**三 1**①(注)の規定により一般株式等に係る譲渡所得等の金額及び上場株式等に係る譲渡所得等の金額が含まれ、第二章第一節**一**表内**31**（2）《ひとり親の範囲》に規定する「総所得金額、退職所得金額及び山林所得金額の合計額」には、租税特別措置法施行令第25条の８第16項及び第25条の９第13項の規定により、一般株式等に係る譲渡所得等の金額及び上場株式等に係る譲渡所得等の金額が含まれる。この場合の一般株式等に係る譲渡所得等の金額又は上場株式等に係る譲渡所得等の金額は、「特定投資株式の取得に要した金額の控除等」又は「設立特定株式の取得に要した金額の控除等」を適用した後の金額による。

(注)1　「特定投資株式の取得に要した金額の控除等」又は「設立特定株式の取得に要した金額の控除等」の適用に当たっては、(4)(三)参照。

2　「特定投資株式に係る譲渡所得等の課税の特例(旧措法37の13の3)」の適用もある場合は、まず「特定投資株式の取得に要した金額の控除等」又は「設立特定株式の取得に要した金額の控除等」を適用し、次に「特定投資株式に係る譲渡所得等の課税の特例(旧措法37の13の3)」を適用した後の金額による。

(二)　第十章第二節**二 1**《確定所得申告》①本文に規定する「その年分の総所得金額、退職所得金額及び山林所得金額の合計額」、同**2**《確定所得申告を要しない場合》①(一)に規定する「給与所得及び退職所得以外の所得金額」及び同**2**④に規定する「その年分の公的年金等に係る雑所得以外の所得金額」には、一般株式等に係る譲渡所得等の金額及び上場株式等に係る譲渡所得等の金額が含まれる。これらの場合の一般株式等に係る譲渡所得等の金額又は上場株式等に係る譲渡所得等の金額は、法令の規定により確定申告書の提出又は確定申告書への記載若しくは明細書等の添付を要件として適用される特例を適用しないで計算した金額による。

五　特定管理株式等が価値を失った場合の株式等に係る譲渡所得等の課税の特例

1　特定管理株式等が価値を失った場合の株式等に係る譲渡所得等の課税の特例

居住者又は恒久的施設を有する非居住者について、その有する特定管理株式等（当該居住者又は恒久的施設を有する非居住者の開設する特定口座（**六3**(一)に規定する特定口座をいう。以下**1**において同じ。）に係る**六1**に規定する特定口座内保管上場株式等（(1)で定めるところにより特定口座に移管されたものを除く。）が上場株式等（**三1**①(1)に規定する上場株式等をいう。以下**七**《特定口座内保管上場株式等の譲渡による所得等に対する源泉徴収等の特例》まで、**十**《上場株式等に係る譲渡損失の損益通算及び繰越控除》において同じ。）に該当しないこととなった内国法人が発行した株式又は公社債につき、当該上場株式等に該当しないこととなった日以後引き続き当該特定口座を開設する金融商品取引業者等（**六3**(一)に規定する金融商品取引業者等をいう。）に開設される特定管理口座（当該特定口座内保管上場株式等が上場株式等に該当しないこととなった内国法人が発行した株式又は公社債につき当該特定口座から移管により保管の委託がされることその他の(5)で定める要件を満たす口座をいう。以下**1**及び**2**①において同じ。）に係る振替口座簿（社債、株式等の振替に関する法律に規定する振替口座簿をいう。以下**1**及び**2**①並びに**六1**及び同**3**において同じ。）に記載若しくは記録がされ、又は特定管理口座に保管の委託がされている当該内国法人が発行した株式又は公社債をいう。以下**五**において同じ。）又は特定口座内公社債（当該特定口座に係る振替口座簿に記載若しくは記録がされ、又は当該特定口座に保管の委託がされている内国法人が発行した公社債をいう。）が株式又は公社債としての価値を失ったことによる損失が生じた場合として次の(一)及び(二)に掲げる事実が発生したときは、当該事実が発生したことは当該特定管理株式等又は特定口座内公社債の譲渡をしたことと、当該損失の金額として(2)で定める金額は**十**(1)に規定する上場株式等の譲渡をしたことにより生じた損失の金額とそれぞれみなして、**五**、**三**及び**十**の規定その他の所得税に関する法令の規定を適用する。（措法37の11の2①）

(一)	当該特定管理株式等又は特定口座内公社債を発行した内国法人が解散（合併による解散を除く。）をし、その清算が結了したこと。
(二)	(一)に掲げる事実に類する事実として(3)で定めるもの

（特定口座に移管された特定口座内保管上場株式等）

(1)　**1**に規定する(1)で定めるところにより特定口座に移管がされた特定口座内保管上場株式等は、**十六**《非課税口座内の少額上場株式等に係る譲渡所得等の非課税》**1**に規定する非課税口座内上場株式等又は**十七1**《未成年者口座内の少額上場株式等に係る譲渡所得等の非課税》に規定する未成年者口座内上場株式等のうち、当該非課税口座内上場株式等又は未成年者口座内上場株式等が上場されている金融商品取引法第2条第16項に規定する金融商品取引所の定める規則に基づき、当該金融商品取引所への上場を廃止することが決定された銘柄又は上場を廃止するおそれがある銘柄として当該非課税口座内上場株式等又は未成年者口座内上場株式等が指定されている期間内に、当該非課税口座内上場株式等に係る**十六2**(一)に規定する非課税口座又は当該未成年者口座内上場株式等に係る**十七2**(一)に規定する未成年者口座から特定口座（**六3**(一)に規定する特定口座をいう。**4**において同じ。）に移管がされたものその他(4)で定める**1**に規定する上場株式等とする。（措令25の9の2①）

（特定管理株式等が価値を失った場合の株式等に係る譲渡所得等の課税の特例）

(2)　**1**に規定する損失の金額として(2)で定める金額は、次の(一)及び(二)までに掲げる株式又は公社債の区分に応じ当該(一)及び(二)までに定める金額とする。（措令25の9の2②）

(一)	特定管理株式等（**1**に規定する特定管理株式等をいう。以下**五**及び**5**③において同じ。）	**1**(一)又は同(二)に掲げる事実が発生した特定管理株式等につき当該事実が発生した日において**2**①(2)に定めるところにより当該特定管理株式等に係る一株又は一単位当たりの金額に相当する金額を算出した場合における当該金額に当該事実の発生の直前において有する当該特定管理株式等の数を乗じて計算した金額
(二)	特定口座内公社債（**1**に規定する特定口座内公社債をいう。以下(二)及び(3)(二)において同じ。）	**1**(一)又は同(二)に掲げる事実が発生した特定口座内公社債につき当該事実が発生した日において**六1**(1)に定めるところにより当該特定口座内公社債に係る一単位当たりの金額に相当する金額を算出した場合における当該金額に当該事実の発生の直前において有する当該特定口座内公社債の数を乗じて計算した金額

（特定管理株式を発行した株式会社が清算を結了した事実に類する事実）

（3）　**1**(二)に規定する（3）で定める事実は、次の(一)及び(二)に掲げる株式又は公社債の区分に応じ、当該(一)及び(二)に定める事実とする。（措令25の9の2③）

(一)	特定管理株式等である株式　　次に掲げる事実 イ　特定管理株式等である株式を発行した内国法人（以下(一)において「特定株式発行法人」という。）が破産法の規定による破産手続開始の決定を受けたこと。 ロ　特定株式発行法人がその発行済株式の全部を無償で消滅させることを定めた会社更生法第２条第２項に規定する更生計画につき同法の規定による更生計画認可の決定を受け、当該更生計画に基づき当該発行済株式の全部を無償で消滅させたこと。 ハ　特定株式発行法人がその発行済株式（投資信託及び投資法人に関する法律第２条第12項に規定する投資法人にあっては、発行済みの同条第14項に規定する投資口）の全部を無償で消滅させることを定めた民事再生法第２条第３号に規定する再生計画につき同法の規定による再生計画認可の決定が確定し、当該再生計画に基づき当該発行済株式の全部を無償で消滅させたこと。 ニ　特定株式発行法人が預金保険法第111条第１項の規定による同項の特別危機管理開始決定を受けたこと。
(二)	特定管理株式等である公社債又は特定口座内公社債（以下(二)において「特定口座内公社債等」という。）　　次に掲げる事実 イ　特定口座内公社債等を発行した内国法人（以下(二)において「特定口座内公社債等発行法人」という。）が破産法第216条第１項若しくは第217条第１項の規定による破産手続廃止の決定又は同法第220条第１項の規定による破産手続終結の決定を受けたことにより、当該居住者又は恒久的施設を有する非居住者が有する特定口座内公社債等と同一銘柄の社債に係る債権の全部について弁済を受けることができないことが確定したこと。 ロ　特定口座内公社債等発行法人がその社債を無償で消滅させることを定めた会社更生法第２条第２項に規定する更生計画につき同法の規定による更生計画認可の決定を受け、当該更生計画に基づき当該居住者又は恒久的施設を有する非居住者が有する特定口座内公社債等と同一銘柄の社債を無償で消滅させたこと。 ハ　特定口座内公社債等発行法人がその社債を無償で消滅させることを定めた民事再生法第２条第３号に規定する再生計画につき同法の規定による再生計画認可の決定が確定し、当該再生計画に基づき当該居住者又は恒久的施設を有する非居住者が有する特定口座内公社債等と同一銘柄の社債を無償で消滅させたこと。

（非課税口座から特定口座に移管がされたものその他（4）で定める上場株式等）

（4）　（1）に規定する（4）で定める上場株式等は、（1）に規定する非課税口座内上場株式等又は未成年者口座内上場株式等のうち、認可金融商品取引業協会の定める規則に基づき、当該非課税口座内上場株式等又は未成年者口座内上場株式等が店頭管理銘柄株式として指定されている期間内に、（1）に規定する非課税口座又は未成年者口座から特定口座（（1）に規定する特定口座をいう。（5）及び**3**（2）において同じ。）に移管がされたものとする。（措規18の10の2①）

（特定口座から移管により保管の委託がされることその他の（5）で定める要件を満たす口座）

（5）　**1**に規定する（5）で定める要件は、次に掲げる要件とする。（措規18の10の2②）

(一)　居住者又は恒久的施設を有する非居住者の開設する特定口座に係る**1**に規定する特定口座内保管上場株式等が**1**に規定する上場株式等に該当しないこととなった内国法人が発行した株式又は公社債につき当該特定口座から当該特定口座が開設されている金融商品取引業者等（**1**に規定する金融商品取引業者等をいう。以下**五**において同じ。）に開設される当該居住者又は恒久的施設を有する非居住者の口座に移管される当該内国法人の株式のみが当該口座に係る振替口座簿（**1**に規定する振替口座簿をいう。(二)及び**4**注において同じ。）に記載若しくは記録がされ、又は保管の委託がされる当該口座であること。

(二)　居住者又は恒久的施設を有する非居住者が、特定口座を開設する金融商品取引業者等の営業所（**六3**(一)に規定する営業所をいう。以下**五**において同じ。）の長に特定管理口座開設届出書（**4**に規定する特定管理口座開設届出書をいう。**4**注及び**5**③（3）(二)において同じ。）の提出（**4**に規定する提出をいう。**4**の注及び**5**③（3）(二)において同じ。）をして、当該金融商品取引業者等と(一)に規定する内国法人が発行した株式又は公社債の振替口座簿への記載若しくは記録又は保管の委託に係る契約（その契約書において、当該振替口座簿への記載若しくは記録又は保管の委託がされている当該内国法人が発行した株式又は公社債の譲渡は当該金融商品取引業者等への売委託による方法又は当該金融商品取引業者等に対してする方法によることが定められているものに限る。）に基づき開設される口座であること。

（非課税口座又は未成年者口座から移管された株式のうち特定管理株式等とならないもの）

（6）　**1**に規定する特定管理株式等（以下（6）及び**2**②（2）において「特定管理株式等」という。）の対象となる特定口座内保管上場株式等からは、次の上場株式等が除かれることに留意する。

ただし、次の上場株式等であっても、**六3**（8）（三十）に掲げる上場株式等に該当するものについては、当該特定口座内保管上場株式等から除かれないものとして差し支えない。

なお、次の上場株式等を非課税口座又は未成年者口座から**六3**（一）に規定する特定口座（以下「特定口座」という。）に移管した場合に、当該特定口座に当該上場株式等と同一銘柄の特定口座内保管上場株式等があるときには、特定管理株式等の売上原価の額又は取得費の額は、第六章第二節**四6**④《有価証券の法定評価方法》又は同**3**の規定に基づいて計算した金額となることに留意する。（措通37の11の2－1）

⑴　非課税口座内上場株式等又は未成年者口座内上場株式等のうち、当該非課税口座内上場株式等又は未成年者口座内上場株式等が上場されている金融商品取引法第2条第16項《定義》に規定する金融商品取引所の定める規則に基づき、当該金融商品取引所への上場を廃止することが決定された銘柄又は上場を廃止するおそれのある銘柄として指定されている期間内に、当該非課税口座内上場株式等に係る非課税口座座又は未成年者口座内上場株式等に係る未成年者口座から特定口座に移管がされたもの

⑵　非課税口座内上場株式等又は未成年者口座内上場株式等のうち、**三1**①（1）（一）注（一）（注）（一）に規定する認可金融商品取引業協会の定める規則に基づき、同（一）に掲げる店頭管理銘柄株式として指定されている期間内に、当該非課税口座内上場株式等に係る非課税口座又は未成年者口座内上場株式等に係る未成年者口座から特定口座に移管がされたもの

（注）　上記に掲げる上場株式等を非課税口座又は未成年者口座から非課税口座、未成年者口座及び特定口座以外の口座（以下「一般口座」という。）に移管した場合に、一般口座に当該上場株式等と同一銘柄の株式等があるときの当該上場株式等及び当該上場株式等と同一銘柄の株式等の売上原価の額又は取得費の額についても同様であることに留意する。

（特定管理株式等が価値を失った場合の特例の適用）

（7）　**1**の規定は、**3**の規定により、**1**に規定する事実が発生した日の属する年分の確定申告書に、**1**の規定の適用を受けようとする旨を記載し、かつ、**1**に規定する損失の金額の計算に関する明細書及び**3**（2）に規定する書類の添付がある場合に限り、適用することに留意する。（措通37の11の2－2）

2　特定管理株式等の譲渡による所得計算の特例

①　特定管理株式等の譲渡による事業所得等の金額と当該特定管理株式等の譲渡以外の株式等の譲渡による事業所得等の金額との区分計算の特例

居住者又は恒久的施設を有する非居住者が、特定管理口座（その者が2以上の特定管理口座を有する場合には、それぞれの特定管理口座。以下①において同じ。）の振替口座簿に記載若しくは記録がされ、又は特定管理口座に保管の委託がされている特定管理株式等の譲渡（これに類するものとして（1）で定めるものを含み、有価証券先物取引の方法により行うものを除く。以下**九**まで、**十**及び**十四**《特定中小会社が発行した株式に係る譲渡損失の繰越控除等》において同じ。）をした場合には、（2）で定めるところにより、当該特定管理株式等の譲渡による事業所得の金額、譲渡所得の金額又は雑所得の金額と当該特定管理株式等の譲渡以外の株式等（**一**に規定する株式等をいう。）の譲渡による事業所得の金額、譲渡所得の金額又は雑所得の金額とを区分して、これらの金額を計算するものとする。（措法37の11の2②）

（特定管理口座に保管の委託がされている特定管理株式の譲渡に類するもの）

（1）　①に規定する譲渡に類するものとして（1）で定めるものは、**二1**②若しくは同③又は**三1**②若しくは同③の規定によりその額及び価額の合計額が**二1**に規定する一般株式等に係る譲渡所得等又は**三1**に規定する上場株式等に係る収入金額とみなされる金銭及び金銭以外の資産の交付の基因となった**二1**②又は同③各号又は**三1**③各号に規定する事由に基づく株式等（**一**に規定する株式等をいう。以下**五**において同じ。）についての当該金銭の額及び当該金銭以外の資産の価額に対応する権利の移転又は消滅とする。（措令25の9の2④）

（特定管理株式の譲渡による事業所得の金額、譲渡所得の金額又は雑所得の金額の計算）

（2）　特定管理株式等の譲渡（①に規定する譲渡をいう。以下**五**において同じ。）による事業所得の金額、譲渡所得の金額又は雑所得の金額の計算は、①の居住者又は恒久的施設を有する非居住者が有するそれぞれの特定管理口座（**1**に規定する特定管理口座をいう。以下において同じ。）ごとに、当該特定管理口座に係る特定管理株式等の譲渡による事業所得、譲渡所得又は雑所得と当該特定管理株式等の譲渡以外の株式等の譲渡による事業所得、譲渡所得又は雑所得とを区分して、当該特定管理株式等の譲渡による事業所得の金額、譲渡所得の金額又は雑所得の金額を計算することにより行うものとする。この場合において、当該居住者又は恒久的施設を有する非居住者の有する同一銘柄の株式又は公社債のうちに当該特定管理株式等と当該特定管理株式等以外の株式又は公社債とがあるときには、これらの株式又は公社債については、それぞれその銘柄が異なるものとして、第六章第二節《必要経費》**一**又は第四章第八節**二 2**《譲渡所得の金額の計算上控除する資産の取得費》規定によりその者のその年分のこれらの株式又は公社債の譲渡による事業所得の金額、譲渡所得の金額又は雑所得の金額の計算上必要経費又は取得費に算入する金額の計算に係る第六章第二節**四 2**の規定並びに同**5**《有価証券の評価の方法》から同**11**まで及び**二十**《株式交換等に係る譲渡所得等の特例》（6）から同（9）までの規定並びに**十五 1**（2）《特別事業再編を行う法人の株式を対価とする株式等の譲渡に係る譲渡所得等の課税の特例》（1）の規定を適用する。（措令25の９の２⑤）

（共通必要経費の額の一定の基準による特定管理株式の譲渡に係るものと特定管理株式以外の株式等の譲渡に係るものへの配分）

（3）　（2）の場合において、株式等の譲渡をした日の属する年分の**二 1**に規定する一般株式等（**六 1**（2）及び同**2**（2）において「一般株式等」という。）の譲渡による事業所得の金額若しくは雑所得の金額又は①に規定する上場株式等の譲渡による事業所得の金額若しくは雑所得の金額の計算上必要経費に算入されるべき金額のうちに（2）のそれぞれの特定管理口座に係る特定管理株式等の譲渡と当該特定管理株式等以外の株式等の譲渡の双方に関連して生じた金額（以下（3）において「共通必要経費の額」という。）があるときは、当該共通必要経費の額は、これらの所得を生ずべき業務に係る収入金額その他の（4）で定める基準により当該特定管理株式等の譲渡に係る必要経費の額と当該特定管理株式等以外の株式等の譲渡に係る必要経費の額とに配分するものとする。（措令25の９の２⑥）

（一定の基準）

（4）　（3）に規定する（4）で定める基準は、（2）のそれぞれの特定管理口座（**1**に規定する特定管理口座をいう。以下**五**において同じ。）に係る特定管理株式等（**1**に規定する特定管理株式等をいう。以下**五**において同じ。）の譲渡（①に規定する譲渡をいう。以下**五**において同じ。）による事業所得又は雑所得及び当該特定管理株式等以外の株式等（**一**に規定する株式等をいう。**3**（2）（二）において同じ。）の譲渡による事業所得又は雑所得を生ずべき業務に係る収入金額その他の基準のうち当該業務の内容及び費用の性質に照らして合理的と認められるものとする。（措規18の10の２③）

②　譲渡による所得の金額の計算上総収入金額から控除すべき売上原価の額又は取得費の額の計算及び同一銘柄の株式の所有期間の判定

居住者又は恒久的施設を有する非居住者が、特定管理口座から特定管理株式等の全部又は一部の払出し（振替によるものを含むものとし、譲渡に係るものを除く。）をした場合には、当該払出し後の当該払出しにより特定管理株式等に該当しないこととなった内国法人の株式又は公社債と同一銘柄の株式又は公社債（特定管理株式等であるものを除く。）の譲渡による所得の金額の計算上総収入金額から控除すべき売上原価の額又は取得費の額の計算及び当該同一銘柄の株式又は公社債の所有期間の判定については、次に定めるところによる。（措令 25 の９の２⑩）

（一）　第六章第二節**四 5**《有価証券の評価の方法》から同**11**まで及び**二十**《株式交換等に係る譲渡所得等の特例》（6）から同（9）までの規定並びに**十五 1**（2）の規定の適用については、当該払出しをした内国法人の株式又は公社債は、当該払出しの時に、**5**①（二）ロの金額により取得されたものとする。

（二）　所得税法等の一部を改正する法律（平成20年法律第23号）附則第48条の規定によりなおその効力を有するものとされる同法第８条の規定による改正前の**十五**（旧措法37の13の３①）に規定する（1）で定める期間に係る**十五**（旧措法37の13の３①）の規定その他（1）で定める規定の適用については、当該払出しをした内国法人の株式は、**5**の①の（二）のハに規定する取得日に取得されたものとする。

（②（二）に規定する（1）で定める規定）

（1）　②（二）に規定する（1）で定める規定は、租税特別措置法施行令の一部を改正する政令（平成20年政令第161号）附則第29条第１項の規定によりなおその効力を有するものとされる同令の規定による改正前の**十五**（１）（旧措令25の12の３①）の規定とする。（措規18の10の２⑦）

（株式等に係る譲渡所得等の課税の特例に関する取扱いの準用）

（２）　特定管理株式等又は**1**に規定する特定口座内公社債の譲渡による譲渡所得等の金額の計算等については、次の取扱いを準用する。（措通37の11の２－３）

措通37の10・37の11共－１《株式等に係る譲渡所得等の総収入金額の収入すべき時期》…………… **四**（１）参照。

措通37の10・37の11共－２《株式等の譲渡に係る所得区分》…………… **四**（２）参照。

措通37の10・37の11共－３《一般株式等に係る譲渡損失の金額又は上場株式等に係る譲渡損失の金額が生じた場合の損益の計算》…………… **四**（３）参照。

措通37の10・37の11共－４《一般株式等に係る譲渡所得等の金額及び上場株式等に係る譲渡所得等の金額の計算》…………… **四**（４）参照。

措通37の10・37の11共－５《雑損失の繰越控除及び所得控除の順序》…………… **四**（５）参照。

措通37の10・37の11共－10《株式等の購入費用》…………… **四**（11）参照。

措通37の10・37の11共－18《「取得をした日」の判定》…………… **四**（19）参照。

措通37の10・37の11共－24《合計所得金額等の計算》…………… **四**（23）参照。

措通37の10－１《一般株式等に係る譲渡所得等に係る収入金額とみなす金額等—法人の合併の場合》…………… **二１**②（７）参照。

措通37の10－２《一般株式等に係る譲渡所得等に係る収入金額とみなす金額等—法人の分割の場合》…………… **二１**②（８）参照。

措通37の10－２の２《一般株式等に係る譲渡所得等に係る収入金額とみなす金額等－株式分配の場合》…………… **二１**②（９）参照。

措通37の10－３《一般株式等に係る譲渡所得等に係る収入金額とみなす金額等—資本の払戻し等の場合》…………… **二１**②（10）参照。

措通37の10－５《一般株式等に係る譲渡所得等に係る収入金額等—法人の組織変更の場合》…………… **二１**②（12）参照。

3　申告要件等

1の規定は、（１）で定めるところにより、**1**に規定する事実が発生した日の属する年分の確定申告書に、**1**の規定の適用を受けようとする旨の記載があり、かつ、**1**に規定する損失の金額として（１）で定める金額の計算に関する明細書その他の（２）で定める書類の添付がある場合に限り、適用する。（措法 37 の 11 の２③）

（確定申告書への添付書類）

（１）　**1**の規定の適用を受けようとする居住者又は恒久的施設を有する非居住者は、**3**の確定申告書に、**1**の規定の適用を受けようとする旨の記載をし、かつ、**3**に規定する（２）で定める書類を添付しなければならない。（措令25の９の２⑦）

（損失の金額の計算に関する明細書その他の添付書類）

（２）　**3**に規定する（２）で定める書類は、次の（一）及び（二）に掲げる書類とする。（措規18の10の２④）

<table>
<tr><td rowspan="3">（一）</td><td colspan="4">価値喪失株式等（**1**（一）又は同（二）に掲げる事実の発生に係る特定管理株式等又は同**1**に規定する特定口座内公社債をいう。以下（一）において同じ。）につき特定管理口座又は特定口座を開設し、又は開設していた金融商品取引業者等の営業所の長から交付を受けた当該価値喪失株式等の次に掲げる区分に応じそれぞれ次に定める書類</td></tr>
<tr><td rowspan="2">イ</td><td rowspan="2">特定管理株式等</td><td colspan="2">当該金融商品取引業者等の営業所の長が⑴に掲げる事実の確認をした旨を証する書類（当該確認をした旨及び⑵から⑷までに掲げる事項の記載があるものに限る。）</td></tr>
<tr><td>⑴
⑵</td><td>当該特定管理株式に係る**1**（３）（一）イに規定する特定株式発行法人について**1**（一）又は同（二）に掲げる事実が発生したこと。
⑴の事実の内容及びその発生年月日</td></tr>
</table>

		(3)	当該特定管理株式に係る**1**（２）（一）に規定する１株当たりの金額に相当する金額及び当該事実の発生の直前において有する当該特定管理株式の数
		(4)	当該居住者又は恒久的施設を有する非居住者の氏名及び住所（国内に住所を有しない者にあっては、次に掲げる者の区分に応じそれぞれ次に定める場所。以下**五**において同じ。） （ｉ）　国内に居所を有する個人　　当該個人の居所地 （ⅱ）　恒久的施設を有する非居住者（（ｉ）に掲げる者を除く。）　　当該非居住者の恒久的施設を通じて行う事業に係る事務所、事業所その他これらに準ずるもの（これらが２以上あるときは、そのうち主たるものとする。）の所在地
ロ	特定口座内公社債等		**1**（３）（二）に規定する特定口座内公社債等をいう。 当該金融商品取引業者等の営業所の長が(1)に掲げる事実の確認をした旨を証する書類（当該確認をした旨及び(2)から(4)までに掲げる事項の記載があるものに限る。）
		(1)	当該特定口座内公社債等に係る**1**（３）（二）イに規定する特定口座内公社債等発行法人について**1**（一）及び同（二）に掲げる事実が発生したこと。
		(2)	（１）の事実の内容及びその発生年月日
		(3)	当該特定口座内公社債等に係る**1**（２）（一）及び同（二）に規定する一単位当たりの金額に相当する金額及び当該事実の発生の直前において有する当該特定口座内公社債等の数
		(4)	当該居住者又は恒久的施設を有する非居住者の氏名及び住所
（二）	租税特別措置法施行令第25条の９第13項において準用する**二**《一般株式等に係る譲渡所得等の申告分離課税》**1**④に規定する明細書（価値喪失株式等と当該価値喪失株式等以外の株式等（以下（二）において「他の株式等」という。）との別に、価値喪失株式等に係る**1**（２）（一）又は同（二）に定める金額及び当該他の株式等に係る租税特別措置法施行規則第18条の10第２項において準用する同規則第18条の９第２項各号に定める項目別の金額の記載があるものに限る。）		

（確定申告書の提出がなかった場合等の宥恕規定）

（３）　税務署長は、**3**の確定申告書の提出がなかった場合又は**3**の記載若しくは添付がない確定申告書の提出があった場合においても、その提出又は記載若しくは添付がなかったことについてやむを得ない事情があると認めるときは、当該記載をした書類及び**3**（２）で定める書類の提出があった場合に限り、**1**の規定を適用することができる。（措法37の11の２④）

4　特定管理口座開設届出書の提出

1又は**2**①の規定の適用を受けようとする居住者又は恒久的施設を有する非居住者は、特定口座を開設している金融商品取引業者等（**六 3**（一）に規定する金融商品取引業者等をいう。以下**五**において同じ。）の営業所（同（一）に規定する営業所をいう。以下**五**において同じ。）において特定管理口座を開設する場合には、当該特定管理口座を開設しようとする金融商品取引業者等の営業所の長に対し、最初に**1**の内国法人が発行した株式又は公社債を当該特定管理口座に受け入れる時までに、特定管理口座開設届出書（当該内国法人が発行した株式又は公社債を特定管理口座に係る振替口座簿（**1**に規定する振替口座簿をいう。**5**①、**5**③、**六 1**から同**3**まで、同**6**及び同**10**において同じ。）に記載若しくは記録をし、又は特定管理口座に保管の委託をする旨その他の注で定める事項を記載した書類をいう。**5**②及び同③において同じ。）の提出（当該特定管理口座開設届出書の提出に代えて行う電磁的方法（電子情報処理組織を使用する方法その他の情報通信の技術を利用する方法をいう。**六11**から**14**を除き、以下この節において同じ。）による当該特定管理口座開設届出書に記載すべき事項の提供を含む。同③において同じ。）をしなければならない。（措令25の９の２⑧）

（特定管理口座に保管の委託をする旨その他の一定の事項を記載した書類）

注　**4**に規定する注で定める事項は、次に掲げる事項とする。（措規18の10の２⑤）

（一）　**1**の内国法人が発行した株式又は公社債を特定管理口座に係る振替口座簿に記載若しくは記録を受け、又は当該特定管理口座に保管の委託をする旨

（二）　特定管理口座開設届出書の提出をする者の氏名、生年月日及び住所

(三)　当該特定管理口座開設届出書の提出先の金融商品取引業者等の営業所の名称及び所在地
(四)　特定管理口座の名称
(五)　**1**の(一)又は(二)に掲げる事実の発生又は特定管理株式等の譲渡による事業所得の金額、譲渡所得の金額若しくは雑所得の金額の計算につき、**1**又は**2**の①の規定の適用を受ける旨
(六)　その他参考となるべき事項

5　特定管理口座に関する手続関係等

①　特定管理口座を開設している居住者又は国内に恒久的施設を有する非居住者に対する書面による通知義務

特定管理口座を開設する金融商品取引業者等は、当該特定管理口座を開設している居住者又は恒久的施設を有する非居住者に対し、次の(一)又は(二)に掲げる場合の区分に応じ当該(一)又は(二)の特定管理株式を銘柄ごとに区分して当該(一)又は(二)に定める事項を書面により通知（その書面による通知に代えて行う電磁的方法による通知を含む。）をしなければならない。（措令25の９の２⑨）

(一)	特定管理株式等の譲渡があった場合　次に掲げる事項 イ　当該特定管理株式等の譲渡があった日及びその数又は額面金額 ロ　当該特定管理株式等の譲渡に係る収入金額のうち当該特定管理口座において処理された金額 ハ　第六章第二節**四5**から同**11**まで及び(６)から同(９)までの規定並びに**十五1**(２)の規定（これらの規定を**2**①(２)後段の規定により適用する場合を含む。）により当該特定管理株式等の売上原価の額又は取得費の額として計算される金額に相当する金額 ニ　イからハまでに掲げるもののほか注で定める事項
(二)	特定管理口座から特定管理株式等の全部又は一部の払出し（振替によるものを含むものとし、(一)の譲渡に係るものを除く。）があった場合　次に掲げる事項 イ　当該払出しがあった日 ロ　当該払出しがあった時に当該特定管理株式等の譲渡があったものとした場合に、(一)ハに定めるところにより計算した金額 ハ　当該払出しに係る特定管理株式等の取得の日（当該払出しの直前に当該特定管理口座に係る振替口座簿に記載若しくは記録がされ、又は当該特定管理口座に保管の委託がされている同一銘柄の特定管理株式等のうちに２回以上にわたって取得したものがある場合には、当該特定管理口座に係るその銘柄の特定管理株式等については、先に取得したものから順次払出しをするものとした場合に当該払出しに係る特定管理株式等についてその取得をした日とされる日。ハにおいて「取得日」という。）及び当該取得日に係る特定管理株式等の数又は額面金額 ニ　イからハまでに掲げるもののほか注で定める事項

（特定管理株式の譲渡があった場合等の書面によるその他の通知事項）

注　①(一)ニ及び同(二)ニに規定する注で定める事項は、次に掲げる事項とする。（措規18の10の２⑥）
(一)　①(一)に掲げる譲渡又は同(二)に掲げる払出しをした者の氏名及び住所
(二)　①に規定する通知をする金融商品取引業者等の営業所の名称及び所在地
(三)　その他参考となるべき事項

②　金融商品取引業者等において事業譲渡等があった場合

事業の譲渡若しくは合併若しくは分割又は金融商品取引業者等の営業所の新設若しくは廃止若しくは業務を行う区域の変更により、居住者又は恒久的施設を有する非居住者が開設している特定管理口座に関する事務の全部が、その事業の譲渡を受けた金融商品取引業者等若しくはその合併により設立した金融商品取引業者等若しくはその合併後存続する金融商品取引業者等若しくはその分割により資産及び負債の移転を受けた金融商品取引業者等の営業所又は同一の金融商品取引業者等の他の営業所（以下②において「移管先の営業所」という。）に移管された場合には、当該移管された日以後における当該移管された特定管理口座に係る**五**の規定の適用については、当該特定管理口座に係る移管前の営業所（当該移管先の営業所に当該特定管理口座に関する事務を移管した金融商品取引業者等の営業所をいう。）の長がした特定管理口座開設届出書（電磁的方法により提供された当該特定管理口座開設届出書に記載すべき事項を記録した電磁的記録を含む。③(２)において同じ。）の受理その他の手続は、当該移管先の営業所の長がしたものとみなす。（措令25の９の３）

③　金融商品取引業者等の営業所における特定管理口座に関する帳簿書類の整理保存

金融商品取引業者等の営業所の長は、特定管理口座開設届出書の提出をして開設された特定管理口座に係る特定管理株式につき帳簿を備え、各人別に、その特定管理株式等の振替口座簿への記載若しくは記録又は保管、受入れ及び譲渡（譲渡以外の払出しを含む。）に関する事項を明らかにし、かつ、当該帳簿を財務省令で定めるところにより保存しなければならない。（措令25の10①）

（書面による通知をした場合の帳簿の保存義務等）

（1）　金融商品取引業者等の営業所の長は、①の規定による通知をしたときは、その旨及びその通知をした事項につき帳簿を備え、各人別に、その事績を明らかにし、かつ、当該帳簿を（3）で定めるところにより保存しなければならない。（措令25の10②）

（特定管理口座開設届出書又は書類の保存義務）

（2）　金融商品取引業者等の営業所の長は、特定管理口座開設届出書を受理し、又は**3**（2）で定める書類に係る同（2）で定める書類を作成した場合には、（3）で定めるところにより、当該特定管理口座開設届出書又は書類を保存しなければならない。（措令25の10③）

（金融商品取引業者等の営業所における帳簿書類等の整理保存）

（3）　金融商品取引業者等の営業所の長は、次の(一)から(三)までに掲げる帳簿及び書類を各人別に整理し、当該(一)から(三)までに定める日の属する年の翌年から５年間保存しなければならない。（措規18の10の３①）

(一)	当該金融商品取引業者等の営業所の長が作成した③及び（1）の帳簿	これらの帳簿を閉鎖した日
(二)	当該金融商品取引業者等の営業所の長が受理した特定管理口座開設届出書（電磁的方法（**4**に規定する電磁的方法をいう。**六10**(注)２において同じ。）により提供された当該特定管理口座開設届出書に記載すべき事項を記録した電磁的記録を含む。）	当該特定管理口座開設届出書の提出があった日
(三)	当該金融商品取引業者等の営業所の長が**1**の規定の適用を受けようとする居住者又は恒久的施設を有する非居住者に交付した**3**（2）(一)イから同ハまでに定める書類の写し及び当該書類に記載された同(一)イ⑴及び同ロ⑴の事実が発生したことを確認した書類	その交付をした日

（届出書及び帳簿の保存）

（4）　（2）に規定する**3**に規定する（2）で定める書類は、**3**（2）(一)イ及び同ロに定めるに掲げる書類とする。（措規18の10の３②）

六　特定口座内保管上場株式等の譲渡等に係る所得計算等の特例

1　特定口座内保管上場株式等の譲渡等に係る所得計算等の特例

居住者又は恒久的施設を有する非居住者が、上場株式等保管委託契約に基づき特定口座（その者が２以上の特定口座を有する場合には、それぞれの特定口座。**1**及び**2**において同じ。）に係る振替口座簿に記載若しくは記録がされ、又は特定口座に保管の委託がされている上場株式等（以下**九**までにおいて「**特定口座内保管上場株式等**」という。）の譲渡をした場合には、(１)で定めるところにより、当該特定口座内保管上場株式等の譲渡による事業所得の金額、譲渡所得の金額又は雑所得の金額と当該特定口座内保管上場株式等以外の株式等（**一**に規定する株式等をいう。**2**において同じ。）の譲渡による事業所得の金額、譲渡所得の金額又は雑所得の金額とを区分して、これらの金額を計算するものとする。（措法37の11の３①）

(特定口座内保管上場株式等の譲渡等をした者の(１)で定める所得計算等)

(１)　**1**に規定する特定口座内保管上場株式等の譲渡（**1**に規定する譲渡をいう。以下**六**、**七**及び**九**において同じ。）による事業所得の金額、譲渡所得の金額又は雑所得の金額の計算は、**1**の居住者又は恒久的施設を有する非居住者が有するそれぞれの特定口座（**3**(一)に規定する特定口座をいう。以下**六**及び**七**において同じ。）ごとに、当該特定口座に係る特定口座内保管上場株式等の譲渡による事業所得、譲渡所得又は雑所得と当該特定口座内保管上場株式等以外の株式等（**一**に規定する株式等をいう。以下**六**、**七**及び**九**において同じ。）の譲渡による事業所得、譲渡所得又は雑所得とを区分して、当該特定口座内保管上場株式等の譲渡による事業所得の金額、譲渡所得の金額又は雑所得の金額を計算することにより行うものとする。この場合において、第六章第二節《必要経費》**一**又は第四章第八節**二 2**①《資産の取得費》の規定によりその者のその年分の当該特定口座内保管上場株式等の譲渡による事業所得の金額、譲渡所得の金額又は雑所得の金額の計算上必要経費又は取得費に算入する金額の計算に係る第六章第二節**四 2**《有価証券の原価の計算》の規定並びに第六章第二節**四**《有価証券の評価》及び**二十**《株式交換等に係る譲渡所得等の特例》の(６)から同(９)までの規定並びに**十五 1**《株式等を対価とする株式の譲渡に係る譲渡所得等の課税の特例》(２)の規定の適用については、次に定めるところによる。（措令25の10の２①）

(一)　２回以上にわたって取得した同一銘柄の特定口座内保管上場株式等の譲渡による事業所得の金額の計算上必要経費に算入する売上原価の額の計算については、第六章第二節**四 2**《有価証券の原価の計算》の規定にかかわらず、同**3**《雑所得又は譲渡所得の基因となる有価証券の譲渡原価等の計算》の規定を適用する。この場合における同**3**の規定の適用については、同**3**中「雑所得の金額」とあるのは、「事業所得の金額若しくは雑所得の金額」とする。

(二)　当該居住者又は恒久的施設を有する非居住者の有する同一銘柄の上場株式等（**三 1**①(１)に規定する上場株式等をいう。以下**六**及び**七**において同じ。）のうちに当該特定口座内保管上場株式等と当該特定口座内保管上場株式等以外の上場株式等とがある場合には、これらの上場株式等については、それぞれその銘柄が異なるものとして、所得税法施行令第２編第１章第４節第３款《有価証券の評価》及び**二十**《株式交換等に係る譲渡所得等の特例》の(６)から同(９)までの規定並びに**十五 1**(２)の規定を適用する。

(三)　一の特定口座において一の日に２回以上にわたって同一銘柄の特定口座内保管上場株式等の譲渡があった場合には、当該一の日におけるこれらの譲渡については、これらの譲渡のうち最後の譲渡の時にこれらの譲渡があったものとみなして、第六章第二節**四 3**《雑所得又は譲渡所得の基因となる有価証券の譲渡原価等の計算》の規定を適用する。

(共通必要経費の額があるときの配分方法)

(２)　(１)の場合において、株式等の譲渡をした日の属する年分の一般株式等の譲渡による事業所得の金額若しくは雑所得の金額又は上場株式等の譲渡による事業所得の金額若しくは雑所得の金額の計算上必要経費に算入されるべき金額のうちに(１)のそれぞれの特定口座に係る特定口座内保管上場株式等の譲渡と当該特定口座内保管上場株式等以外の株式等の譲渡の双方に関連して生じた金額（以下(２)において「共通必要経費の額」という。）があるときは、当該共通必要経費の額は、これらの所得を生ずべき業務に係る収入金額その他の(注)で定める基準により当該特定口座内保管上場株式等の譲渡に係る必要経費の額と当該特定口座内保管上場株式等以外の株式等の譲渡に係る必要経費の額とに配分するものとする。（措令25の10の２②）

(注)　(２)に規定する(注)で定める基準は、(１)のそれぞれの特定口座に係る**1**に規定する特定口座内保管上場株式等（以下「特定口座内保管上場株式等」という。）の譲渡（**五 2**①に規定する譲渡をいう。）による事業所得又は雑所得及び特定口座内保管上場株式等以外の株式等（**一**に規定する株式等をいう。）の譲渡による事業所得又は雑所得を生ずべき業務に係る収入金額その他の基準のうち当該業務の内容及び費用の性質に照らして合理的と認められるものとする。（措規18の11①）なお、この規定は**2**(２)において準用する**1**(２)に規定する(注)で定める基準について準用する。（措規18の11③）

（特定口座内保管上場株式等の譲渡による取得費等の額の計算）

（3）　2回以上にわたって取得した同一銘柄の特定口座内保管上場株式等の譲渡による所得の計算上、必要経費に算入する売上原価の額又は取得費の額（以下「取得費等の額」という。）の計算については、（1）の規定により、次により行うこととなるのであるから留意する。（措通37の11の3－1.）

（一）　取得費等の額の計算については、第六章第二節**四 3**に規定する総平均法に準ずる方法による。この場合、居住者等の有する同一銘柄の上場株式等のうちに当該特定口座内保管上場株式等と当該特定口座内保管上場株式等以外の上場株式等とがある場合には、これらの上場株式等については、それぞれその銘柄が異なるものとする。

（二）　一の特定口座において一の日に2回以上にわたって同一銘柄の当該特定口座内保管上場株式等の譲渡があった場合には、当該一の日におけるこれらの譲渡については、これらの譲渡のうち最後の譲渡の時にこれらの譲渡があったものとみなして、同**3**の規定を適用する。

2　信用取引等に係る上場株式等の譲渡等の所得計算の特例

金融商品取引法第156条の24第1項に規定する信用取引又は発行日取引（有価証券が発行される前にその有価証券の売買を行う取引であって金融商品取引法第161条の2に規定する取引及びその保証金に関する内閣府令第1条第2項に規定する発行日取引をいう。）（以下**六**及び**七**において「**信用取引等**」という。）を行う居住者又は恒久的施設を有する非居住者が、上場株式等信用取引等契約に基づき上場株式等の信用取引等を特定口座において処理した場合には、（1）で定めるところにより、当該特定口座において処理した信用取引等による上場株式等の譲渡又は当該信用取引等の決済のために行う上場株式等の譲渡（当該上場株式等の譲渡に係る株式等と同一銘柄の株式等の買付けにより取引の決済を行う場合又は当該上場株式等の譲渡に係る株式等と同一銘柄の株式等を買い付けた取引の決済のために行う場合に限る。以下**2**、**3**及び**12**において「**信用取引等に係る上場株式等の譲渡**」という。）による事業所得の金額又は雑所得の金額と当該信用取引等に係る上場株式等の譲渡以外の株式等の譲渡による事業所得の金額又は雑所得の金額とを区分して、これらの金額を計算するものとする。（措法37の11の3②、措規18の11②）

（信用取引等に係る上場株式等の譲渡による事業所得の金額又は雑所得の金額の計算）

（1）　**2**に規定する信用取引等に係る上場株式等の譲渡による事業所得の金額又は雑所得の金額の計算は、**2**の居住者又は恒久的施設を有する非居住者が有するそれぞれの特定口座ごとに、当該特定口座に係る信用取引等に係る上場株式等の譲渡による事業所得又は雑所得と当該信用取引等に係る上場株式等の譲渡以外の株式等の譲渡による事業所得又は雑所得とを区分して、当該信用取引等に係る上場株式等の譲渡による事業所得の金額又は雑所得の金額を計算することにより行うものとする。（措令25の10の2③）

（共通必要経費があるときの配分方法）

（2）　**1**（2）の規定は、（1）の場合において株式等の譲渡をした日の属する年分の一般株式等の譲渡による事業所得の金額若しくは雑所得の金額又は上場株式等の譲渡による事業所得の金額若しくは雑所得の金額の計算上必要経費に算入されるべき金額のうちに（1）のそれぞれの特定口座に係る信用取引等に係る上場株式等の譲渡と当該信用取引等に係る上場株式等の譲渡以外の株式等の譲渡の双方に関連して生じた金額があるときについて準用する。（措令25の10の2④）

（特定口座開設届出書の提出義務）

（3）　**1**又は**2**の規定の適用を受けようとする居住者又は恒久的施設を有する非居住者は、金融商品取引業者等（**3**（一）に規定する金融商品取引業者等をいう。以下**六**及び**九**において同じ。）の営業所（**3**（一）に規定する営業所をいう。以下**六**及び**九**において同じ。）において**3**（一）の口座を開設する場合には、その口座を開設しようとする金融商品取引業者等の営業所の長に対し、最初に**1**の規定の適用を受けようとする**3**（二）イから同ハまでに掲げる上場株式等を当該口座に受け入れる時又は当該口座において最初に**2**の規定の適用を受けようとする**2**に規定する信用取引等を開始する時のいずれか早い時までに、特定口座開設届出書（**3**（一）に規定する特定口座開設届出書をいう。以下**7**まで及び**10**において同じ。）の提出（**3**（一）に規定する提出をいう。**3**（17）（二）、**4**、**6**、**7**及び**10**において同じ。）をしなければならない。（措令25の10の2⑤）

（特定口座以外の上場株式等に係る譲渡所得等の金額との合計）

（4）　**1**に規定する特定口座内保管上場株式等の譲渡による事業所得の金額、譲渡所得の金額若しくは雑所得の金額（（5）において「特定口座内保管上場株式等の譲渡による譲渡所得等の金額」という。）又は**2**に規定する信用取引等に係る上場株式等の譲渡による事業所得の金額若しくは雑所得の金額（(5)において「信用取引等に係る上場株式等の譲渡による雑所得等の金額」という。）と特定口座以外における上場株式等に係る譲渡所得等の金額との合計は次の順序により行う。(措通37の11の3－13)

(一)　居住者等が有する特定口座が2以上ある場合には、金融商品取引業者等から交付を受けた**11**に規定する報告書(以下「特定口座年間取引報告書」という。)に基づき、それぞれの特定口座年間取引報告書に記載された年間取引損益の各欄の金額を合計する。

(二)　上記(一)により合計された年間取引損益の各欄の金額について、特定口座以外の上場株式等に係る譲渡所得等の金額と合計する。

(株式等に係る譲渡所得等の課税の特例に関する取扱い等の準用)

(5)　特定口座内保管上場株式等の譲渡による譲渡所得等の金額の計算、信用取引等（**2**に規定する信用取引又は発行日取引をいう。）に係る上場株式等の譲渡による雑所得等の金額の計算等については、次の取扱いを準用する。(措通37の11の3－14、編者補正)

措通37の10・37の11共－1《株式等に係る譲渡所得等の総収入金額の収入すべき時期》…… **四**(1)参照。

措通37の10・37の11共－2《株式等の譲渡に係る所得区分》…… **四**(2)参照。

措通37の10・37の11共－3《一般株式等に係る譲渡損失の金額又は上場株式等に係る譲渡損失の金額が生じた場合の損益の計算》…… **四**(3)参照。

措通37の10・37の11共－4《一般株式等に係る譲渡所得等の金額及び上場株式等に係る譲渡所得等の金額の計算》…… **四**(4)参照。

措通37の10・37の11共－5《雑損失の繰越控除及び所得控除の順序》…… **四**(5)参照。

措通37の10・37の11共－6《外貨で表示されている株式等に係る譲渡の対価の額等の邦貨換算》…… **四**(6)参照。

措通37の10・37の11共－7　《2以上の種類の株式が発行されている場合の取得価額の計算》…… **四**(7)参照。

措通37の10・37の11共－8《受益者等課税信託の信託財産に属する株式等と同一銘柄の株式等を有している場合の取得価額の計算》…… **四**(8)参照。

措通37の10・37の11共－9《特定譲渡制限付株式等の価額》…… **四**(9)参照。

措通37の10・37の11共－9の2《付与された権利の行使等により取得した株式等の価額》…… **四**(10)参照。

措通37の10・37の11共－10《株式等の購入費用》…… **四**(11)参照。

措通37の10・37の11共－11《新株予約権の行使により取得した株式の取得価額》…… **四**(12)参照。

措通37の10・37の11共－12《新株予約権付社債に係る新株予約権の行使により取得した株式の取得価額》…… **四**(13)参照。

措通37の10・37の11共－14《1単位当たりの取得価額の端数処理》…… **四**(15)参照。

措通37の10・37の11共－18《「取得をした日」の判定》…… **四**(19)参照。

措通37の10・37の11共－19《株式の範囲》…… **一**(1)参照。

措通37の10・37の11共－20《公社債の範囲》…… **一**(2)参照。

措通37の10・37の11共－21《受益者等課税信託の信託財産に属する株式等の譲渡等》…… **四**(20)参照。

措通37の10・37の11共－24《合計所得金額等の計算》…… **四**(23)参照。

措通37の11－1《外国金融商品市場》…… **三1**①(4)参照。

措通37の11－2《公社債情報》…… **三1**①(5)参照。

措通37の11－3《国外において発行された公社債の意義》…… **三1**①(6)参照。

措通37の11－4《外国証券情報》…… **三1**①(7)参照。

措通37の11－5《取得時から引き続き同一の金融商品取引業者等の営業所において保管の委託がされていない公社債》…… **三1**①(8)参照。

措通37の11－6《平成27年12月31日以前に同族会社が発行した公社債の取扱い》…… **三1**①(9)参照。

措通37の11－7《信用取引等に係る譲渡益の計算》…… **三1**①(10)参照。

措通37の11－8《信用取引等の決済の日後に授受される配当落調整額》…… **三1**①(11)参照。

措通37の11－9《信用取引において現渡しの方法により決済を行った場合の所得計算》…… **三1**①(12)参照。

措通37の11－10《金融商品取引法第28条第8項第3号ハに掲げる取引による権利の行使又は義務の履行により取得した上場株式等の取得価額》…… **三1**①(13)参照。

措通37の11－11《上場株式等に係る譲渡所得等に係る収入金額とみなす金額等―法人の合併の場合等》……三１②(１)参照。
措通37の11－12《上場株式等に係る譲渡所得等に係る収入金額とみなす金額等―投資信託等の信託の併合の場合》……三１③(１)参照。
措通37の11－13《上場株式等に係る譲渡所得等に係る収入金額とみなす金額等―特定受益証券発行信託に係る信託の分割の場合》……三１③(２)参照。
措通37の12の２－１《売委託》……十１(９)参照。

3　用語の意義

この**六**において、次の(一)から(三)までに掲げる用語の意義は、それぞれに定めるところによる。(措法37の11の３③)

(一)	**特定口座**	居住者又は恒久的施設を有する非居住者が、**1**及び**2**の規定の適用を受けるため、金融商品取引法第２条第９項に規定する金融商品取引業者（同法第28条第１項に規定する第１種金融商品取引業を行う者に限る。）、同法第２条第11項に規定する登録金融機関又は投資信託及び投資法人に関する法律第２条第11項に規定する投資信託委託会社（以下**六**、**七**及び**九**において「**金融商品取引業者等**」という。）の営業所（国内にある営業所又は事務所をいう。以下**六**、**七**及び**九**において同じ。）の長に、その口座の名称、当該金融商品取引業者等の営業所の名称及び所在地、その口座に設ける勘定の種類、その口座に係る振替口座簿に記載若しくは記録がされ、又はその口座に保管の委託がされている上場株式等の譲渡及びその口座において処理された信用取引等に係る上場株式等の譲渡による事業所得の金額、譲渡所得の金額又は雑所得の金額の計算につき**1**又は**2**の規定の適用を受ける旨その他の(注)で定める事項を記載した届出書（以下**4**、**4**(５)において「**特定口座開設届出書**」という。）の提出（当該特定口座開設届出書の提出に代えて行う電子情報処理組織を使用する方法その他の情報通信の技術を利用する方法による当該特定口座開設届出書に記載すべき事項の提供を含む。以下**4**、**4**(５)において同じ。）をして、当該金融商品取引業者等との間で締結した上場株式等保管委託契約又は上場株式等信用取引等契約に基づき開設された上場株式等の振替口座簿への記載若しくは記録若しくは保管の委託又は上場株式等の信用取引等に係る口座（当該口座においてこれらの契約及び**九2**(一)に規定する上場株式配当等受領委任契約に基づく取引以外の取引に関する事項を扱わないものに限る。）をいう。
(二)	**上場株式等保管委託契約**	**1**の規定の適用を受けるために**1**の居住者又は恒久的施設を有する非居住者が金融商品取引業者等と締結した上場株式等の振替口座簿への記載若しくは記録又は保管の委託に係る契約（信用取引等に係るものを除く。）で、その契約書において、上場株式等の振替口座簿への記載若しくは記録又は保管の委託は当該記載若しくは記録又は保管の委託に係る口座に設けられた**特定保管勘定**（当該契約に基づき当該口座に係る振替口座簿に記載若しくは記録又は保管の委託がされる上場株式等につき、当該記載若しくは記録又は保管の委託に関する記録を他の取引に関する記録と区分して行うための勘定をいう。）において行うこと、当該特定保管勘定においては当該居住者又は恒久的施設を有する非居住者の次のイからハまでに掲げる上場株式等（第四章第五節**四1**①の本文の規定の適用を受けて取得をした同①に規定する特定新株予約権に係る上場株式等を除く。(措令25の10の２⑥)）のみを受け入れること、当該特定保管勘定において振替口座簿への記載若しくは記録又は保管の委託がされている上場株式等の譲渡は当該金融商品取引業者等への売委託による方法、当該金融商品取引業者等に対してする方法その他(１)で定める方法によりすることその他(３)で定める事項が定められているものをいう。 イ　特定口座開設届出書の提出後に、当該金融商品取引業者等への買付けの委託（当該買付けの委託の媒介、取次ぎ又は代理を含む。）により取得をした上場株式等又は当該金融商品取引業者等から取得をした上場株式等で、その取得後直ちに当該口座に受け入れるもの ロ　当該金融商品取引業者等以外の金融商品取引業者等に開設されている当該居住者又は恒久的施設を有する非居住者の特定口座（ロにおいて「他の特定口座」という。）から、(４)で定めるところにより、当該他の特定口座に係る特定口座内保管上場株式等の全部又は一部の移管がされる場合（当該特定口座内保管上場株式等の一部の移管がされる場合にあっては、当該移管がされる特定口座内保管上場株式等と同一銘柄の特定口座内保管上場株式等は全て当該

			移管がされる特定口座内保管上場株式等に含まれる場合に限る。）の当該移管がされる上場株式等
		ハ	イ及びロに掲げるもののほか(8)で定める上場株式等
(三)	**上場株式等信用取引等契約**		**2**の規定の適用を受けるために**2**の居住者又は恒久的施設を有する非居住者が金融商品取引業者等と締結した上場株式等の信用取引等に係る契約で、その契約書において、上場株式等の信用取引等は当該信用取引等に係る口座に設けられた特定信用取引等勘定（当該契約に基づき当該口座において処理される上場株式等の信用取引等につき、当該信用取引等の処理に関する記録を他の取引に関する記録と区分して行うための勘定をいう。）において処理すること、当該特定信用取引等勘定においては特定口座開設届出書の提出後に開始する上場株式等の信用取引等に関する事項のみを処理することその他の(17)で定める事項が定められているものをいう。

（注）　上記**3**(一)に規定する(注)で定める事項は、次の(一)から(六)までに掲げる事項とする。（措規18の11④）

(一)	特定口座開設届出書の提出（**3**(一)に規定する提出をいう。以下において同じ。）をする者の氏名、生年月日、住所（国内に住所を有しない者にあっては、次に掲げる者の区分に応じそれぞれ次に定める場所。以下同じ。）及び個人番号（個人番号を有しない者又は**4**(6)の規定に該当する者にあっては、氏名、生年月日及び住所。） イ　国内に居所を有する個人　当該個人の居所地 ロ　恒久的施設を有する非居住者（イに掲げる者を除く。）　当該非居住者の恒久的施設を通じて行う事業に係る事務所、事業所その他これらに準ずるもの（これらが２以上あるときは、そのうち主たるものとする。）の所在地
(二)	当該特定口座開設届出書の提出先の金融商品取引業者等（**3**(一)に規定する金融商品取引業者等をいう。以下同じ。）の営業所（**3**(一)に規定する営業所をいう。以下同じ。）の名称及び所在地
(三)	**3**(一)に規定する口座の名称
(四)	当該口座に設ける勘定（**3**(二)に規定する特定保管勘定及び同(三)に規定する特定信用取引等勘定をいう。以下同じ。）の種類
(五)	**3**(二)に規定する上場株式等保管委託契約に基づき当該口座に係る振替口座簿（**1**に規定する振替口座簿をいう。以下同じ。）に記載若しくは記録がされ、又は当該口座に保管の委託がされている上場株式等（**三**(1)に規定する上場株式等をいう。以下同じ。）の譲渡及び当該口座において**3**(三)に規定する上場株式等信用取引等契約に基づき処理された**2**に規定する信用取引等に係る上場株式等の譲渡による事業所得の金額、譲渡所得の金額又は雑所得の金額の計算につき**1**又は**2**の規定の適用を受ける旨
(六)	その他参考となるべき事項

（**3**(二)(1)で定める方法）

(1)　**3**(二)に規定する(1)で定める方法は、次の(一)から(三)までに掲げる方法とする。（措令25の10の２⑦）

(一)	上場株式等を発行した法人に対して会社法第192条第１項の規定に基づいて行う同項に規定する単元未満株式の譲渡について、同項に規定する請求を当該特定口座を開設する金融商品取引業者等の営業所を経由して行う方法
(二)	**二１**②又は**三１**③(一)から同(三)までに規定する事由による上場株式等の譲渡について、当該譲渡に係る金銭及び金銭以外の資産の交付が当該特定口座を開設する金融商品取引業者等の営業所を経由して行われる方法
(三)	(一)及び(二)に掲げるもののほか財務省令で定める方法

（信用取引の決済をその特定信用取引等勘定において行った上場株式等と同一銘柄の特定口座内保管上場株式等の引渡しにより行った場合）

(2)　特定口座を開設している居住者又は恒久的施設を有する非居住者が、当該特定口座に設けられた**3**(三)に規定する特定信用取引等勘定において行った上場株式等の売付けの**2**に規定する信用取引につき、当該信用取引の決済を当該上場株式等と同一銘柄の当該特定口座に係る特定口座内保管上場株式等の引渡しにより行った場合には、その特定口座内保管上場株式等の引渡しは**3**(二)に規定する金融商品取引業者等への売委託による方法による譲渡に該当するものとみなして、**六**から**九**までの規定を適用する。（措令25の10の２⑧）

（**3**(二)(3)で定める事項）

(3)　**3**(二)に規定する(3)で定める事項は、次の(一)から(三)までに定める事項とする。（措令25の10の２⑨）

(一)	特定口座からの特定口座内保管上場株式等の全部若しくは一部の払出し（振替によるものを含むものとし、**3**

	(二)に規定する方法により行われる譲渡に係るもの及び当該特定口座以外の特定口座への移管に係るものを除く。）があった場合又は特定口座に係る**五 1**に規定する特定口座内公社債（以下(一)において「特定口座内公社債」という。）につき同**1**各号に掲げる事実が発生した場合には、これらの特定口座を開設する金融商品取引業者等は、これらの特定口座を開設している居住者又は恒久的施設を有する非居住者に対し、当該払出しをした特定口座内保管上場株式等又は当該事実が発生した特定口座内公社債の(５)(二)イに定めるところにより計算した金額、同(二)ロに規定する取得日及び当該取得日に係る数その他参考となるべき事項を書面により通知（その書面による通知に代えて行う電磁的方法による通知を含む。(５)において同じ。）をすること。
(二)	**3**(二)ロの規定による特定口座内保管上場株式等の移管は、(４)及び(５)に定めるところにより行うこととされていること。
(三)	(８)(三)、同(四)、同(十五)、同(二十二)、同(二十七)及び同(二十八)の移管による上場株式等の受入れは、(８)(三)、同(四)、同(十五)、同(二十二)、同(二十七)及び同(二十八)及び(９)から(11)まで若しくは(13)、(14)、同(注)１又は**6**に定めるところにより行うこととされていること。

（**3**(二)ロの移管を行う場合の手続）

(４)　**3**(二)ロの移管を行う場合には、その開設する特定口座（以下(６)までにおいて「移管先の特定口座」という。）に同(二)ロに掲げる上場株式等の受入れをしようとする居住者又は恒久的施設を有する非居住者は、同(二)ロに規定する他の特定口座（以下(４)及び(５)において「移管元の特定口座」という。）が開設されている金融商品取引業者等（以下(４)及び(５)において「移管元の金融商品取引業者等」という。）の営業所の長に対し、当該移管元の特定口座に係る特定口座内保管上場株式等を当該移管先の特定口座に移管することを依頼する旨、移管する特定口座内保管上場株式等の種類、銘柄、数その他の(注)で定める事項を記載した書類（以下(４)及び(５)並びに**10**(４)において「特定口座内保管上場株式等移管依頼書」という。）の提出（当該特定口座内保管上場株式等移管依頼書の提出に代えて行う電磁的方法による当該特定口座内保管上場株式等移管依頼書に記載すべき事項の提供を含む。）をして当該移管元の特定口座に係る特定口座内保管上場株式等の全部又は一部を当該移管先の特定口座に移管することを依頼しなければならないものとし、当該依頼を受けた移管元の金融商品取引業者等の営業所の長は、当該依頼に係る特定口座内保管上場株式等の全てを、振替口座簿又は国外におけるこれに類するものに記載又は記録をして、当該移管先の特定口座に移管しなければならないものとする。（措令25の10の２⑩）

（注）（４）に規定する(注)で定める事項は、次の(一)から(六)までに掲げる事項とする。（措規18の11⑤）

(一)	特定口座内保管上場株式等移管依頼書（(４)に規定する特定口座内保管上場株式等移管依頼書をいう。）の(４)に規定する提出をする者の氏名、生年月日及び住所
(二)	(４)の移管元の金融商品取引業者等の営業所の名称及び所在地並びに(５)の移管先の金融商品取引業者等の営業所の名称及び所在地
(三)	(４)に規定する移管元の特定口座（(四)及び(５)(注)３において「移管元の特定口座」という。）に係る特定口座内保管上場株式等を(４)に規定する移管先の特定口座（(四)及び(５)(注)１において「移管先の特定口座」という。）に移管することを依頼する旨及びその移管を希望する年月日
(四)	移管元の特定口座の名称並びに移管先の特定口座の名称及び記号又は番号
(五)	移管をしようとする特定口座内保管上場株式等の種類、銘柄及び数（**三 1**①(１)(四)に掲げる社債的受益権及び第四章第一節**三 1**①(一)に規定する特定公社債（以下「特定公社債等」という。）にあっては、額面金額）
(六)	その他参考となるべき事項

（移管元の金融商品取引業者等から移管先の金融商品取引業者等への移管関係書類の送付義務等）

(５)　(４)の場合において、(４)の移管元の金融商品取引業者等の営業所の長は、その移管の際、移管先の特定口座を開設する金融商品取引業者等（以下(５)において「移管先の金融商品取引業者等」という。）の営業所の長に次の(一)又は(二)に掲げる書類又は電磁的記録の送付（当該書類の送付に代えて行う電磁的方法による当該書類に記載すべき事項の提供を含む。以下(５)において同じ。）又は送信をするとともに、(４)の居住者又は恒久的施設を有する非居住者に(二)のイ及びロに掲げる事項その他(注)１で定める事項を書面により通知をしなければならない。この場合において、当該移管先の金融商品取引業者等の営業所の長は、(一)又は(二)に掲げる書類又は電磁的記録の送付又は送信がない場合には、(４)の特定口座内保管上場株式等の移管を受けないものとする。（措令25の10の２⑪）

(一)	(４)の居住者又は恒久的施設を有する非居住者から、提出を受けた当該移管に係る特定口座内保管上場株式等

		移管依頼書の写し又は電磁的方法により提供を受けた当該移管に係る特定口座内保管上場株式等移管依頼書に記載すべき事項を記録した電磁的記録
(二)		当該移管に係る特定口座内保管上場株式等につき当該移管元の金融商品取引業者等の営業所の長の次に掲げる事項を証する書類
	イ	当該移管に係る特定口座内保管上場株式等を銘柄ごとに区分し、当該移管をした時に当該移管をした特定口座内保管上場株式等の譲渡があったものとした場合に、第六章第二節**四**《有価証券の評価》及び**二十**《株式交換等に係る譲渡所得等の特例》の(6)から同(9)までの規定並びに**十五 1**(2)の規定（これらの規定を**1**(1)後段の規定により適用する場合を含む。）により当該特定口座内保管上場株式等の売上原価の額又は取得費の額（以下(5)において「取得費等の額」という。）として計算される金額に相当する金額（当該移管に要する費用として(注) 2で定めるものがある場合には、当該取得費等の額として計算される金額及び当該特定口座内保管上場株式等の数に対応する当該費用の金額並びにこれらの金額の合計額）
	ロ	当該移管に係る特定口座内保管上場株式等の取得の日（当該移管の直前に移管元の特定口座に係る振替口座簿に記載若しくは記録がされ、又は当該特定口座に保管の委託がされている同一銘柄の特定口座内保管上場株式等のうちに2回以上にわたって取得したものがある場合には、当該移管元の特定口座に係るその銘柄の特定口座内保管上場株式等については、先に取得をしたものから順次譲渡（当該移管元の特定口座からの譲渡以外の払出しを含む。）をするものとした場合に当該移管に係る特定口座内保管上場株式等についてその取得をした日とされる日。ロにおいて「取得日」という。）及び当該取得日に係る特定口座内保管上場株式等の数
	ハ	当該移管が移管元の特定口座に係る特定口座内保管上場株式等の全部の移管か一部の移管かの別及び当該移管が当該特定口座内保管上場株式等の一部の移管である場合には、当該移管がされる特定口座内保管上場株式等と同一銘柄の当該移管元の特定口座に係る特定口座内保管上場株式等は全て当該移管がされる特定口座内保管上場株式等に含まれる旨
	ニ	イからハまでに掲げるもののほか(注) 3で定める事項

(注) 1　(5)に規定する(注) 1で定める事項は、(4)の移管に係る特定口座内保管上場株式等の移管先の特定口座への移管予定年月日とする。(措規18の11⑥)

2　(5)(二)イに規定する(注) 2で定めるものは、同(二)の移管元の金融商品取引業者等が(5)の居住者又は恒久的施設を有する非居住者から支払を受ける(4)の特定口座内保管上場株式等の移管のための手数料その他これに要する費用とする。(措規18の11⑦)

3　(5)(二)ニに規定する(注) 3で定める事項は、次の(一)から(四)までに掲げる事項とする。(措規18の11⑧)

(一)	移管元の特定口座を開設している者につき**4**(3)又は**5**の規定により確認をしたその者の氏名、生年月日及び住所
(二)	移管元の特定口座の名称
(三)	移管をする特定口座内保管上場株式等の種類、銘柄及び数（特定公社債等にあっては、額面金額）
(四)	(注) 1の移管予定年月日

（受け入れた特定口座内保管上場株式等と同一銘柄の特定口座内保管上場株式等を譲渡した場合における売上原価又は取得費の額の計算及び所有期間の判定）

(6)　**3**(二)ロの移管により特定口座内保管上場株式等を受け入れた移管先の特定口座において当該受入れ後にその受け入れた特定口座内保管上場株式等と同一銘柄の特定口座内保管上場株式等を譲渡した場合における当該同一銘柄の特定口座内保管上場株式等の譲渡による所得の金額の計算上総収入金額から控除すべき売上原価又は取得費の額の計算及びその譲渡をした特定口座内保管上場株式等の所有期間の判定については、次の(一)及び(二)に定めるところによる。(措令25の10の2⑫)

(一)	第六章第二節**四**《有価証券の評価方法》及び**二十**《株式交換等に係る譲渡所得等の特例》の(6)から同(9)までの規定並びに**十五 1**(2)の規定（これらの規定を**1**(1)の後段の規定により適用する場合を含む。）の適用については、当該受け入れた特定口座内保管上場株式等は、当該受入れの時に、(5)(二)イに規定する取得費等の額として計算される金額（同(二)イに規定する移管に要する費用がある場合には、同イに規定する合計額）により取得されたものとする。
(二)	所得税法等の一部を改正する法律（平成20年法律第23号）附則第48条の規定によりなおその効力を有するもの

とされる同法第８条の規定による改正前の**十五**（旧措法37の13の３①）に規定する（２）で定める期間に係る同**２**（旧措法37の13の３①）の規定その他(注)で定める規定の適用については、当該受け入れた特定口座内保管上場株式等は、（５）(二)ロに規定する取得日に取得されたものとする。

（注）(二)に規定する(注)で定める規定は、租税特別措置法施行令の一部を改正する政令（平成20年政令第161号）附則第29条第１項の規定によりなおその効力を有するものとされる同令の規定による改正前の**十五**（１）（旧措令25の12の３①）の規定とする。（措規18の11⑨）

（株式交換等により取得した特定親会社株式）

（７）　（８）(十)に規定する株式交換により取得をした同(十)の株式交換完全親法人の株式（上場株式等に該当するものに限る。）若しくは同(十)に規定する親法人の株式（上場株式等に該当するものに限る。）若しくは同(十)に規定する株式移転により取得をした同(十)の株式移転完全親法人の株式（上場株式等に該当するものに限る。）、同(十の二)に規定する合併等により取得した同(十の二)に規定する合併法人等新株予約権等のうち株式交換若しくは株式移転により取得したもの（上場株式等に該当するものに限る。）、同(十一)に規定する取得条項付株式の取得事由の発生（**二十**（２）(二)に定める取得事由の発生に限る。）若しくは同(十一)に規定する全部取得条項付種類株式の取得決議（**二十**（２）(三)に定める取得決議に限る。）により取得をした（８）(十一)の上場株式等、同(十六)の金融商品取引業者から返還された上場株式等又は同(二十三)に規定する持株会契約等に基づき取得した上場株式等については、同(十)の居住者若しくは恒久的施設を有する非居住者が当該株式交換完全親法人の株式若しくは当該親法人の株式若しくは当該株式移転完全親法人の株式の取得の基因となった同(十)の特定口座内保管上場株式等の取得をした日、同(十の二)の居住者若しくは恒久的施設を有する非居住者が当該合併法人等新株予約権等の取得の基因となった同(十の二)に規定する旧新株予約権等の取得をした日、同(十一)の居住者若しくは恒久的施設を有する非居住者が同(十一)の取得条項付株式若しくは全部取得条項付種類株式の取得をした日、同(十六)の居住者若しくは恒久的施設を有する非居住者が当該金融商品取引業者に貸し付けた特定口座内保管上場株式等の取得をした日又は同(二十三)に規定する持株会等口座から同(二十三)の居住者若しくは恒久的施設を有する非居住者の特定口座に振替の方法により受け入れた日を（５）(二)ロに規定する取得日とみなして、（５）（(11)において準用する場合を含む。）及び（６）(二)（(12)において準用する場合を含む。）の規定を適用する。（措令25の10の２⑬）

（**３**(二)ハに規定する（８）で定める上場株式等）

（８）　**３**(二)ハに規定する（８）で定める上場株式等は、次の(一)から(三十一)までに掲げる上場株式等とする。（措令25の10の２⑭）

(一)	その特定口座を開設する金融商品取引業者等が行う上場株式等の募集（金融商品取引法第２条第３項に規定する有価証券の募集（(十三)において「有価証券の募集」という。）に該当するものに限る。）により取得した上場株式等又は当該金融商品取引業者等が行う同条第４項に規定する有価証券の売出しに応じて取得した上場株式等
(二)	その特定口座を開設する**３**(三)の居住者又は恒久的施設を有する非居住者が当該特定口座に設けられた同(三)に規定する特定信用取引等勘定において行った**２**に規定する信用取引により買い付けた上場株式等のうち当該信用取引の決済により受渡しが行われたもので、その受渡しの際に、当該特定口座を開設する金融商品取引業者等の口座から当該特定口座に設けられた**３**(二)に規定する特定保管勘定への振替の方法により受け入れるもの
(三)	居住者又は恒久的施設を有する非居住者が贈与、相続（限定承認に係るものを除く。以下(三)、(四)及び（９）において同じ。）又は遺贈（包括遺贈のうち限定承認に係るものを除く。以下(三)、(四)及び（９）において同じ。）により取得した当該贈与をした者、当該相続に係る被相続人又は当該遺贈に係る包括遺贈者の開設していた特定口座に係る特定口座内保管上場株式等であった上場株式等、**十六２**(一)に規定する非課税口座（以下（８）及び(13)において「非課税口座」という。）に係る同**十六１**に規定する非課税口座内上場株式等（以下（８）において「非課税口座内上場株式等」という。）であった上場株式等若しくは**十七２**(一)に規定する未成年者口座（以下（８）及び(13)において「**未成年者口座**」という。）に係る同**１**に規定する未成年者口座内上場株式等（以下（８）において「**未成年者口座内上場株式等**」という。）であった上場株式等又は特定口座以外の口座（非課税口座及び未成年者口座を除く。(四)及び（９）において「相続等一般口座」という。）に係る振替口座簿に記載若しくは記録がされ、若しくは当該口座に保管の委託がされていた上場株式等（引き続きこれらの口座（以下(三)において「相続等口座」という。）に係る振替口座簿に記載若しくは記録がされ、又は当該相続等口座に保管の委託がされているものに限る。以下(三)において同じ。）で、当該相続等口座からの当該相続

	等口座が開設されている金融商品取引業者等に開設されている当該居住者又は恒久的施設を有する非居住者の特定口座への移管により受け入れるもの（次に掲げる上場株式等の区分に応じ、それぞれ次に定める要件を満たすものに限る。） イ　当該贈与により取得した上場株式等　　当該居住者又は恒久的施設を有する非居住者が当該贈与により取得した上場株式等のうち同一銘柄の上場株式等は全て当該相続等口座から当該特定口座へ移管がされ、かつ、当該移管がされる上場株式等が当該相続等口座に係る上場株式等の一部である場合には、当該特定口座において当該移管がされる上場株式等と同一銘柄の上場株式等を有していないこと。 ロ　当該相続又は遺贈により取得した上場株式等　　当該居住者又は恒久的施設を有する非居住者が当該相続又は遺贈により取得した上場株式等のうち、同一銘柄の上場株式等は全て当該相続等口座から当該特定口座へ移管がされること。
(四)	居住者又は恒久的施設を有する非居住者が贈与、相続又は遺贈により取得した当該贈与をした者、当該相続に係る被相続人又は当該遺贈に係る包括遺贈者の開設していた特定口座に係る特定口座内保管上場株式等であった上場株式等又は相続等一般口座に係る振替口座簿に記載若しくは記録がされ、若しくは当該口座に保管の委託がされていた上場株式等（引き続きこれらの口座（以下(四)において「相続等口座」という。）に係る振替口座簿に記載若しくは記録がされ、又は当該相続等口座に保管の委託がされているものに限る。）で、当該相続等口座からの当該相続等口座が開設されている金融商品取引業者等以外の金融商品取引業者等に開設されている当該居住者又は恒久的施設を有する非居住者の特定口座への移管により受け入れるものにより受け入れるもの（(三)イ又は同ロに掲げる上場株式等の区分に応じ、当該イ又はロに定める要件を満たすものに限る。）
(五)	居住者又は恒久的施設を有する非居住者が開設する特定口座に係る特定口座内保管上場株式等につき株式又は投資信託若しくは特定受益証券発行信託の受益権の分割又は併合により取得する上場株式等で、当該株式又は投資信託若しくは特定受益証券発行信託の受益権の分割又は併合に係る上場株式等の当該特定口座への受入れを、振替口座簿に記載若しくは記録をし、又は保管の委託をする方法により行うもの
(六)	特定口座を開設する居住者又は恒久的施設を有する非居住者が有する上場株式等（当該特定口座を開設されている金融商品取引業者等の振替口座簿に記載若しくは記録がされ、又は当該金融商品取引業者等に保管の委託がされているものに限るものとし、非課税口座内上場株式等及び未成年者口座内上場株式等を除く。）につき会社法第185条に規定する株式無償割当て、同法第277条に規定する新株予約権無償割当て又は投資信託及び投資法人に関する法律第88条の13に規定する新投資口予約権無償割当てにより取得する上場株式等で、その割当ての時に、当該特定口座に係る振替口座簿に記載若しくは記録をし、又は当該特定口座に保管の委託をする方法により受け入れるもの
(七)	居住者又は恒久的施設を有する非居住者が開設する特定口座に係る特定口座内保管上場株式等につき**二１**②(一)に規定する法人の同(一)に規定する株主等（以下(８)において「株主等」という。）がその法人の合併（法人課税信託に係る信託の併合を含む。以下(七)及び(十八)において同じ。）（当該法人の株主等に同②(一)に規定する合併法人（以下(七)及び(十八)において「合併法人」という。）又は合併法人との間に同②(一)に規定する同②(２)で定める関係がある法人（以下(七)及び(十八)において「合併親法人」という。）のうちいずれか一の法人の株式（出資を含む。(十)、(二十)、(二十一)及び(二十二)を除き、以下(８)において同じ。）のみの交付がされるもの（当該法人の株主等に当該合併法人の株式又は合併親法人の株式（以下(七)及び(十八)において「合併親法人株式」という。）及び当該法人の株主等に対する株式に係る剰余金の配当、利益の配当又は剰余金の分配として金銭その他の資産の交付がされたもの並びに合併に反対する当該法人の株主等に対するその買取請求に基づく対価として金銭その他の資産の交付がされるものを含む。(十八)において同じ。）に限る。）により取得する当該合併法人の株式又は合併親法人株式で、当該合併法人の株式又は合併親法人株式の当該特定口座への受入れを、振替口座簿に記載若しくは記録をし、又は保管の委託をする方法により行うもの
(八)	居住者又は恒久的施設を有する非居住者が開設する特定口座に係る特定口座内保管上場株式等につき投資信託の受益者がその投資信託の併合（当該投資信託の受益者に当該併合に係る新たな投資信託の受益権のみの交付がされるもの（投資信託の併合に反対する当該受益者に対するその買取請求に基づく対価として交付される金銭その他の資産の交付がされるものを含む。）に限る。）により取得する当該新たな投資信託の受益権で、当該新たな投資信託の受益権の当該特定口座への受入れを、振替口座簿に記載若しくは記録をし、又は保管の委

	託をする方法により行うもの
(九)	居住者又は恒久的施設を有する非居住者が開設する特定口座に係る特定口座内保管上場株式等につき**二１**②(二)に規定する法人の株主等がその法人の分割（同(二)に規定する分割対価資産として同(二)に規定する分割承継法人（以下(九)及び(十九)において「分割承継法人」という。）又は分割承継法人との間に同②(二)に規定する同②(３)で定める関係がある法人（以下(九)及び(十九)において「分割承継親法人」という。）のうちいずれか一の法人の株式のみの交付がされるもので、当該株式が同②(二)に規定する分割法人（以下(九)及び(十九)において「分割法人」という。）の同②(一)に規定する発行済株式等（(十)、(十九)及び(十九の二)において「発行済株式等」という。）の総数又は総額のうちに占める当該分割法人の各株主等の有する当該分割法人の株式の数又は金額の割合に応じて交付されるものに限る。）により取得する当該分割承継法人の株式又は分割承継親法人の株式（以下(九)及び(十九)において「分割承継親法人株式」という。）で、当該分割承継法人の株式又は分割承継親法人株式の当該特定口座への受入れを、振替口座簿に記載若しくは記録をし、又は保管の委託をする方法により行うもの
(九の二)	居住者又は恒久的施設を有する非居住者が開設する特定口座に係る特定口座内保管上場株式等につき**二１**②(三)に規定する法人の株主等がその法人の行った法人税法第２条第12号の15の２に規定する株式分配（当該法人の株主等に同②(三)に規定する完全子法人（以下(九の二)及び(十九の二)において「完全子法人」という。）の株式のみの交付がされるもので、当該株式が同②(三)に規定する現物分配法人（以下(九の二)及び(十九の二)において「現物分配法人」という。）の発行済株式等の総数又は総額のうちに占める当該現物分配法人の各株主等の有する当該現物分配法人の株式の数又は金額の割合に応じて交付されるものに限る。）により取得する当該完全子法人の株式で、当該完全子法人の株式の当該特定口座への受入れを、振替口座簿に記載若しくは記録をし、又は保管の委託をする方法により行うもの
(十)	居住者又は恒久的施設を有する非居住者が開設する特定口座に係る特定口座内保管上場株式等につき**二十**《株式交換等に係る譲渡所得等の特例》に規定する株式交換により取得する**二十**に規定する株式交換完全親法人（以下(十)及び(二十)において「株式交換完全親法人」という。）の株式若しくは親法人（株式交換完全親法人との間に**二十**に規定する**二十**(３)で定める関係がある法人をいう。(二十)において同じ。）の株式又は**二十**(１)に規定する株式移転により取得する同(１)に規定する株式移転完全親法人の株式で、これらの株式の当該特定口座への受入れを、振替口座簿に記載若しくは記録をし、又は保管の委託をする方法により行うもの
(十の二)	居住者又は恒久的施設を有する非居住者が開設する特定口座に係る特定口座内保管上場株式等である新株予約権又は新株予約権付社債（以下(十の二)において「旧新株予約権等」という。）につき当該旧新株予約権等を有する者が当該旧新株予約権等を発行した法人を第六章第二節**四10**《合併等があった場合の新株予約権等の取得価額》に規定する被合併法人、分割法人、株式交換完全子法人又は株式移転完全子法人とする同**10**に規定する合併等（当該合併等により当該旧新株予約権等に代えて当該合併等に係る同**10**に規定する合併法人、分割承継法人、株式交換完全親法人又は株式移転完全親法人の新株予約権又は新株予約権付社債（以下(十の二)において「合併法人等新株予約権等」という。）のみの交付がされるものに限る。）により取得する当該合併法人等新株予約権等で、当該合併法人等新株予約権等の当該特定口座への受入れを、振替口座簿に記載若しくは記録をし、又は保管の委託をする方法により行うもの
(十一)	居住者又は恒久的施設を有する非居住者が開設する特定口座に係る特定口座内保管上場株式等につき**二十**(２)(一)に規定する取得請求権付株式の請求権の行使、同(３)(二)に規定する取得条項付株式の取得事由の発生、同(２)(三)に規定する全部取得条項付種類株式の取得決議又は同(２)(六)に規定する取得条項付新株予約権が付された新株予約権付社債の取得事由の発生により取得する上場株式等で、当該上場株式等の当該特定口座への受入れを、振替口座簿に記載若しくは記録をし、又は保管の委託をする方法により行うもの
(十二)	金融商品取引業者等に特定口座を開設する居住者又は恒久的施設を有する非居住者が次に掲げる行使又は取得事由の発生（以下(十二)において「行使等」という。）により取得する上場株式等で、当該行使等により取得する上場株式等の全てを、当該行使等の時に、当該特定口座に係る振替口座簿に記載若しくは記録をし、又は当該特定口座に保管の委託をする方法により受け入れるもの イ　当該特定口座に係る特定口座内保管上場株式等に付された新株予約権の行使 ロ　当該特定口座に係る特定口座内保管上場株式等について与えられた株式の割当てを受ける権利又は新株予約権（投資信託及び投資法人に関する法律第２条第17項に規定する新投資口予約権を含む。ハにおいて同じ。）の行使（ニに掲げるものを除く。）

	ハ　新株予約権のうち、当該特定口座に係る特定口座内保管上場株式等であるもの、当該金融商品取引業者等に開設された非課税口座に係る非課税口座内上場株式等であるもの又は当該金融商品取引業者等に開設された未成年者口座に係る未成年者口座内上場株式等であるものの行使 ニ　当該居住者又は恒久的施設を有する非居住者が与えられた第六章第一節**一 2**③《株式等を取得する権利の価額》(一) 又は(二)に係る権利（同③の規定の適用があるものに限る。）の行使 ホ　当該特定口座に係る特定口座内保管上場株式等について与えられた**二十**（２）(五)に規定する取得条項付新株予約権の取得事由の発生又は行使
(十三)	居住者又は恒久的施設を有する非居住者の特定口座を開設する金融商品取引業者等に開設されている口座において、当該居住者又は恒久的施設を有する非居住者が当該金融商品取引業者等の行う有価証券の募集により、又は当該金融商品取引業者等から取得をした上場株式等償還特約付社債（社債であって、上場株式等に係る株価指数又は当該社債を発行する者以外の者の発行した上場株式等の価格があらかじめ定められた条件を満たした場合に当該社債の償還が当該社債の額面金額に相当する金銭又は当該上場株式等で行われる旨の特約が付されたものをいう。）でその取得の日の翌日から引き続き当該口座に係る振替口座簿に記載若しくは記録がされ、又は当該口座において保管の委託がされているものの償還により取得する上場株式等で、当該上場株式等の当該特定口座への受入れを、振替口座簿に記載若しくは記録をし、又は保管の委託をする方法により行うもの
(十四)	居住者又は恒久的施設を有する非居住者の特定口座を開設する金融商品取引業者等に開設されている口座において当該居住者又は恒久的施設を有する非居住者が行った金融商品取引法第28条第８項第３号ハに掲げる取引による権利の行使又は義務の履行により取得する上場株式等で、当該上場株式等の当該特定口座への受入れを、振替口座簿に記載若しくは記録をし、又は保管の委託をする方法により行うもの
(十五)	居住者又は恒久的施設を有する非居住者が特定口座を開設する際に当該特定口座を開設する金融商品取引業者等の営業所に開設されている**６**（１）《出国口座に保管の委託がされている上場株式等の特定口座への移管》に規定する出国口座（以下(十五)において「出国口座」という。）に係る振替口座簿に記載若しくは記録がされ、又は当該出国口座において保管されている上場株式等（**６**（２）に規定する出国口座への受入れ又は出国口座からの払出しがあった場合には、当該受入れ又は払出しがあった上場株式等と同一銘柄の上場株式等を除く。）で、当該居住者又は恒久的施設を有する非居住者が当該金融商品取引業者等の営業所の長に**６**（１）の規定に基づき同（１）(二)に規定する出国口座内保管上場株式等移管依頼書の同(二)に規定する提出をしたことによる当該出国口座から当該特定口座への移管により、その全てを受け入れるもの
(十六)	居住者又は恒久的施設を有する非居住者が開設する特定口座に係る特定口座内保管上場株式等を当該特定口座を開設している金融商品取引業者（**３**(一)に規定する金融商品取引業者をいう。）に貸し付けた場合における当該貸付契約（当該貸し付けた特定口座内保管上場株式等が当該特定口座から当該金融商品取引業者の口座に振り替えられ、かつ、当該貸付期間の終了後直ちに返還される当該貸し付けた特定口座内保管上場株式等と同一銘柄の上場株式等の全てが当該金融商品取引業者の口座から当該特定口座に振り替えられることを約するものをいう。）に基づき返還される上場株式等で、当該上場株式等の当該特定口座への受入れを、振替口座簿に記載若しくは記録をし、又は保管の委託をする方法により行うもの
(十七)	居住者又は恒久的施設を有する非居住者が有する上場株式等以外の株式等で、その株式等の上場等の日（**十四**《特定中小会社が発行した株式に係る譲渡損失の繰越控除等》**１**に規定する上場等の日をいう。以下(十七)及び(二十一)において同じ。）の前日において当該居住者又は恒久的施設を有する非居住者が有する当該株式等と同一銘柄の株式等の全てを、その上場等の日に特定口座（当該居住者又は恒久的施設を有する非居住者がその特定口座を開設している金融商品取引業者等の営業所の長に対し、当該株式等の取得の日及び取得に要した金額を証する書類その他の(注)１で定める書類を提出した場合における当該特定口座に限る。）に係る振替口座簿に記載若しくは記録をし、又は当該特定口座に保管の委託をする方法により受け入れるもの
(十八)	居住者又は恒久的施設を有する非居住者が有する上場株式等以外の株式等につき**二 １**②(一)に規定する法人の株主等がその法人の合併（当該法人の株主等に合併法人又は合併親法人のうちいずれか一の法人の株式のみの交付がされるものに限る。）により取得する当該合併法人の株式又は合併親法人株式で、その取得する当該合併法人の株式又は合併親法人株式の全てを、当該合併の日に特定口座（当該居住者又は恒久的施設を有する非居住者がその特定口座を開設している金融商品取引業者等の営業所の長に対し、当該株式等の取得の日及び取得に要した金額を証する書類その他の(注)１で定める書類を提出した場合における当該特定口座に限る。）

	に係る振替口座簿に記載若しくは記録をし、又は当該特定口座に保管の委託をする方法により受け入れるもの
(十九)	居住者又は恒久的施設を有する非居住者が有する上場株式等以外の株式等につき**二 1**②(二)に規定する法人の株主等がその法人の分割（同(二)に規定する分割対価資産として分割承継法人又は分割承継親法人のうちいずれか一の法人の株式のみの交付がされるもので、当該株式が分割法人の発行済株式等の総数又は総額のうちに占める当該分割法人の各株主等の有する当該分割法人の株式の数又は金額の割合に応じて交付されるものに限る。）により取得する当該分割承継法人の株式又は分割承継親法人株式で、その取得する当該分割承継法人の株式又は分割承継親法人株式の全てを、当該分割の日に特定口座（当該居住者又は恒久的施設を有する非居住者がその特定口座を開設している金融商品取引業者等の営業所の長に対し、当該株式等の取得の日及び取得に要した金額を証する書類その他の(注) 1 で定める書類を提出した場合における当該特定口座に限る。）に係る振替口座簿に記載若しくは記録をし、又は当該特定口座に保管の委託をする方法により受け入れるもの
(十九の二)	居住者又は恒久的施設を有する非居住者が有する上場株式等以外の株式等につき**二 1**②(三)に規定する法人の株主等がその法人の行った法人税法第２条第12号の15の２に規定する株式分配（当該法人の株主等に完全子法人の株式のみの交付がされるもので、当該株式が現物分配法人の発行済株式等の総数又は総額のうちに占める当該現物分配法人の各株主等の有する当該現物分配法人の株式の数又は金額の割合に応じて交付されるものに限る。）により取得する当該完全子法人の株式で、その取得する当該完全子法人の株式の全てを、当該株式分配の日に特定口座（当該居住者又は恒久的施設を有する非居住者がその特定口座を開設している金融商品取引業者等の営業所の長に対し、当該株式等の取得の日及び取得に要した金額を証する書類その他の(注) 1 で定める書類を提出した場合における当該特定口座に限る。）に係る振替口座簿に記載若しくは記録をし、又は当該特定口座に保管の委託をする方法により受け入れるもの
(二十)	居住者又は恒久的施設を有する非居住者が有する上場株式等以外の株式等につき**二十**に規定する株式交換により取得する株式交換完全親法人の株式若しくは親法人の株式又は同**二十**(１)に規定する株式移転により取得する同(１)に規定する株式移転完全親法人の株式で、その取得する当該株式交換完全親法人の株式若しくは親法人の株式又は株式移転完全親法人の株式の全てを、当該株式交換又は株式移転の日に特定口座（当該居住者又は恒久的施設を有する非居住者がその特定口座を開設している金融商品取引業者等の営業所の長に対し、当該株式等の取得の日及び取得に要した金額を証する書類その他の(注) 1 で定める書類を提出した場合における当該特定口座に限る。）に係る振替口座簿に記載若しくは記録をし、又は当該特定口座に保管の委託をする方法により受け入れるもの
(二十の二)	居住者又は恒久的施設を有する非居住者が有する上場株式等以外の株式等につき**二十**(２)(一)に規定する取得請求権付株式の請求権の行使、(２)(二)に規定する取得条項付株式の取得事由の発生又は同(２)(三)に規定する全部取得条項付種類株式の取得決議により取得する上場株式等で、その取得する上場株式等の全てを、当該上場株式等の取得の日に特定口座（当該居住者又は恒久的施設を有する非居住者がその特定口座を開設している金融商品取引業者等の営業所の長に対し、当該上場株式等の取得の日及び取得に要した金額を証する書類その他の(注) 1 で定める書類を提出した場合における当該特定口座に限る。）に係る振替口座簿に記載若しくは記録をし、又は当該特定口座に保管の委託をする方法により受け入れるもの
(二十一)	居住者又は恒久的施設を有する非居住者が保険業法第２条第２項に規定する保険会社（以下(二十一)及び(二十二)において「保険会社」という。）の同条第５項に規定する相互会社（(二十二)において「相互会社」という。）から株式会社への組織変更により当該保険会社から割当てを受ける株式で、その割当てを受ける株式の全てを、当該株式の上場等の日に特定口座（当該居住者又は恒久的施設を有する非居住者がその特定口座を開設している金融商品取引業者等の営業所の長に対し、当該保険会社から交付を受けた当該割当てを受ける株式の数を証する書類（(二十二)、(14)(一)及び**10**(３)において「割当株式数証明書」という。）の提出をした場合における当該特定口座に限る。）に係る振替口座簿に記載若しくは記録をし、又は当該特定口座に保管の委託をする方法により受け入れるもの
(二十二)	居住者又は恒久的施設を有する非居住者が保険会社の相互会社から株式会社への組織変更により当該保険会社から割当てを受けた株式（当該割当ての時に当該居住者又は恒久的施設を有する非居住者のための社債、株式等の振替に関する法律第131条第３項に規定する特別口座に記載又は記録がされることとなったものに限り、当該特別口座に記載又は記録がされている当該割当てを受けた株式につき次に掲げる事由により取得した株式を含む。以下**六**において「割当株式」という。）で、当該割当株式の全てを当該特別口座から特定口座（当該居住者又は恒久的施設を有する非居住者が、その特定口座を開設している金融商品取引業者等の営業所の長

	を経由し、その者の住所地（国内に住所を有しない者にあっては、**4**に規定する**4**(注) 2で定める場所。(14)及び(15)において同じ。）の所轄税務署長に対し、当該特別口座以外の口座（特定口座、非課税口座及び未成年口座を除く。(15)において「一般口座」という。）において当該割当株式と同一銘柄の株式を現に有しておらず、かつ、有していたことがない旨その他の(注) 2で定める事項の記載がある申出書に当該割当株式に係る割当株式数証明書を添付して提出した場合における当該特定口座に限る。）への移管（当該割当ての日から10年以内に行うものに限る。）により受け入れるもの (イ)　株式の分割 (ロ)　会社法第185条に規定する株式無償割当て（当該株式無償割当てにより当該特別口座に記載又は記録がされている株式と同一の種類の株式が割り当てられるものに限る。） (ハ)　**二十**(2)(二)に規定する取得条項付株式の同(二)に定める取得事由の発生（当該取得の対価として当該取得をされる株主に当該特別口座に記載又は記録がされている株式と同一の種類及び銘柄の株式が交付されるものに限る。）
(二十三)	居住者又は恒久的施設を有する非居住者が締結した持株会契約（上場株式等を発行する会社の役員（法人税法第2条第15号に規定する役員をいう。(二十四)において同じ。)、従業員その他(注) 3で定める者（以下(二十三)において「従業員等」という。）が、当該会社の他の従業員等と共同して、当該会社が発行する上場株式等の買付けを一定の計画に従って個別の投資判断に基づかずに継続的に行うことを約する契約をいう。）その他これに類する契約として(注) 4で定めるもの（以下(二十三)において「持株会契約等」という。）に基づき取得した上場株式等で、特定口座（当該持株会契約等に基づき取得した上場株式等をその取得の日から引き続き当該持株会契約等に基づき開設された口座（以下（二十三）において「持株会等口座」という。）に係る振替口座簿への記載若しくは記録をし、又は当該持株会等口座に保管の委託をしている金融商品取引業者等その他(注) 5で定める金融商品取引業者等の営業所において開設されているものに限る。）への受入れを、当該持株会等口座から当該特定口座への振替の方法により行うもの
(二十四)	特定口座を開設する居住者又は恒久的施設を有する非居住者が株式付与信託契約（発行法人等（上場株式等の発行法人及び当該発行法人と密接な関係を有する法人として(注) 6で定めるものをいう。以下(二十四)において同じ。）を委託者とする金銭の信託契約で、当該信託契約に基づく信託の受託者は当該上場株式等の取得をすること、当該受託者が取得をした当該上場株式等は当該発行法人等の定款の規定、株主総会、社員総会、取締役会その他これらに準ずるものの決議若しくは会社法第404条第3項の報酬委員会の決定又は当該発行法人等の従業員の勤続年数、業績その他の基準を勘案して当該発行法人等が定めた当該上場株式等の付与に関する規則（労働基準法第89条の規定により届け出たものに限る。）に従って当該発行法人等の役員又は従業員、これらの相続人（包括受遺者を含む。）その他(注) 6で定める者に付与されることその他(注) 7で定める事項が定められているものをいう。）に基づき取得した上場株式等で、当該上場株式等の当該特定口座への受入れを、当該株式付与信託契約に基づき開設された当該受託者の口座から当該特定口座への振替の方法により行うもの
(二十五)	居住者又は恒久的施設を有する非居住者が取得した特定譲渡制限付株式等（第六章第一節**一 2**①に規定する特定譲渡制限付株式又は承継譲渡制限付株式をいう。以下(二十五)において同じ。）で、特定口座（当該居住者又は恒久的施設を有する非居住者の当該特定口座を開設する金融商品取引業者等に開設されている特定口座以外の口座（非課税口座及び未成年者口座を除く。）において当該特定譲渡制限付株式等がその取得の日から引き続き当該特定口座以外の口座に係る振替口座簿に記載若しくは記録がされ、又は当該特定口座以外の口座に保管の委託がされている場合における当該特定口座に限る。以下(二十五)において同じ。）への受入れを、当該特定譲渡制限付株式等の①に規定する譲渡についての制限が解除された時にその制限が解除された特定譲渡制限付株式等の全てについて、当該特定口座以外の口座から当該特定口座への振替の方法により行うもの
(二十六)	居住者又は恒久的施設を有する非居住者が発行法人等（上場株式等の発行法人及び当該発行法人と密接な関係を有する法人として(注) 8で定めるものをいう。以下(二十六)において同じ。）に対して役務の提供をした場合において、その者が当該役務の提供の対価として当該発行法人等から取得する当該上場株式等で次に掲げる要件に該当するものの全てを、その取得の時に、その者の特定口座に係る振替口座簿に記載若しくは記録をし、又は当該特定口座に保管の委託をする方法により受け入れるもの イ　当該上場株式等が当該役務の提供の対価としてその者に生ずる債権の給付と引換えにその者に交付されるものであること。 ロ　イに掲げるもののほか、当該上場株式等が実質的に当該役務の提供の対価と認められるものであること。

(二十七)	居住者又は恒久的施設を有する非居住者が開設する非課税口座に設けられた非課税管理勘定（**十六2**③に規定する非課税管理勘定をいう。以下(二十七)、(二十九)イ及び(三十)において同じ。)、累積投資勘定（同**2**⑤に規定する累積投資勘定をいう。以下(二十七)及び(三十)において同じ。)、特定累積投資勘定（同**2**⑦に規定する特定累積投資勘定をいう。以下(二十七)及び(三十)において同じ。）又は特定非課税管理勘定（同**2**⑧に規定する特定非課税管理勘定をいう。以下(二十七)、(二十九)イ及び(三十)において同じ。）に係る非課税口座内上場株式等で、当該非課税口座から当該非課税口座が開設されている金融商品取引業者等に開設されている当該居住者又は恒久的施設を有する非居住者の特定口座への移管により受け入れるもの（イ及びロに掲げる要件又はハに掲げる要件を満たすものに限る。） イ　当該居住者又は恒久的施設を有する非居住者が、当該非課税口座を開設している金融商品取引業者等の営業所の長に対し、当該非課税口座に設けられた非課税管理勘定、累積投資勘定、特定累積投資勘定又は特定非課税管理勘定に係る非課税口座内上場株式等を当該特定口座に移管することを依頼する旨、移管する非課税口座内上場株式等の種類、銘柄及び数又は価額その他(注)９で定める事項を記載した書類（イ及び**10**(４)において「特定口座への非課税口座内上場株式等移管依頼書」という。）の提出（当該特定口座への非課税口座内上場株式等移管依頼書の提出に代えて行う電磁的方法による当該特定口座への非課税口座内上場株式等移管依頼書に記載すべき事項の提供を含む。）をして移管されること。 ロ　当該非課税口座に設けられた非課税管理勘定、累積投資勘定、特定累積投資勘定又は特定非課税管理勘定に係る非課税口座内上場株式等の一部の移管がされる場合には、当該移管がされる非課税口座内上場株式等と同一銘柄の非課税口座内上場株式等で当該非課税管理勘定又は累積投資勘定に係るもの（当該移管がされる日に**十六2**②イ⑵又は同ロの規定による移管がされるものを除く。）は全て当該移管がされる非課税口座内上場株式等に含まれること。 ハ　**十六2**②(３)（(一)に係る部分に限る。）（同**2**④(７)又は同**2**⑥(３)において準用する場合を含む。）の規定により移管されること。
(二十八)	居住者又は恒久的施設を有する非居住者が開設する未成年者口座に設けられた非課税管理勘定（**十七2**(三)に規定する非課税管理勘定をいう。以下(二十八)において同じ。）又は継続管理勘定（同(四)に規定する継続管理勘定をいう。以下(二十八)において同じ。）に係る未成年者口座内上場株式等で、当該未成年者口座から当該未成年者口座が開設されている金融商品取引業者等に開設されている当該居住者又は恒久的施設を有する非居住者の特定口座への移管により受け入れるもの（イ及びロに掲げる要件又はハに掲げる要件を満たすものに限る。） イ　当該居住者又は恒久的施設を有する非居住者が、当該未成年者口座を開設している金融商品取引業者等の営業所の長に対し、当該未成年者口座に設けられた非課税管理勘定又は継続管理勘定に係る未成年者口座内上場株式等を当該特定口座に移管することを依頼する旨、移管する未成年者口座内上場株式等の種類、銘柄及び数又は価額その他の(注)10で定める事項を記載した書類（イ及び**10**(４)において「特定口座への未成年者口座内上場株式等移管依頼書」という。）の提出（当該特定口座への未成年者口座内上場株式等移管依頼書の提出に代えて行う電磁的方法による当該特定口座への未成年者口座内上場株式等移管依頼書に記載すべき事項の提供を含む。）をして移管されること。 ロ　当該未成年者口座に設けられた非課税管理勘定又は継続管理勘定に係る未成年者口座内上場株式等の一部の移管がされる場合には、当該移管がされる未成年者口座内上場株式等と同一銘柄の未成年者口座内上場株式等で当該非課税管理勘定又は継続管理勘定に係るもの（当該移管がされる日に**十七2**(二)ロ⑴(ⅱ)若しくは同ロ⑵又は同ハ⑴若しくは同ハ⑵の規定による移管がされるものを除く。）は全て当該移管がされる未成年者口座内上場株式等に含まれること。 ハ　**十七2**(４)（(一)に係る部分に限る。）又は同**2**(５)（(一)に係る部分に限る。）（同**2**(６)において準用する場合を含む。）の規定により移管されること。
(二十九)	金融商品取引業者等に特定口座を開設する居住者又は恒久的施設を有する非居住者が次に掲げる行使又は取得事由の発生（以下(二十九)において「行使等」という。）により上場株式等を取得した場合（当該上場株式等の取得について、金銭の払込みを要する場合に限る。）に、当該行使等により取得する上場株式等の全てを、当該行使等の時に、当該特定口座に係る振替口座簿に記載若しくは記録をし、又は当該特定口座に保管の委託をする方法により受け入れるもの イ　当該金融商品取引業者等に開設されている当該居住者又は恒久的施設を有する非居住者の非課税口座に設けられた非課税管理勘定又は特定非課税管理勘定に係る非課税口座内上場株式等（以下(二十九)に

		おいて「特定非課税口座内上場株式等」という。）である新株予約権付社債に付された新株予約権の行使
	ロ	特定非課税口座内上場株式等について与えられた株式の割当てを受ける権利（株主等として与えられた場合（当該特定非課税口座内上場株式等を発行した法人の他の株主等に損害を及ぼすおそれがあると認められる場合を除く。）に限る。）の行使
	ハ	特定非課税口座内上場株式等について与えられた新株予約権（投資信託及び投資法人に関する法律第２条第17項に規定する新投資口予約権を含み、第六章第一節**一２**③の規定の適用があるものを除く。）の行使
	ニ	特定非課税口座内上場株式等について与えられた**二十**（２）（五）に規定する取得条項付新株予約権に係る同（五）に定める取得事由の発生又は行使
(三十)		居住者又は恒久的施設を有する非居住者が開設する非課税口座に設けられた非課税管理勘定、累積投資勘定、特定累積投資勘定又は特定非課税管理勘定に係る非課税口座内上場株式等及び当該非課税口座が開設されている金融商品取引業者等に当該居住者又は恒久的施設を有する非居住者が開設する特定口座に係る当該非課税口座内上場株式等と同一銘柄の特定口座内保管上場株式等について生じた**十六２**②(10)(一)から同(十)までに規定する事由により取得する上場株式等（同(10)(一)から(十)まで（**十六２**④(12)、同**２**⑥（７）又は同**２**⑥(10)において準用する場合を含む。）の規定により当該非課税口座に受け入れることができるもの及び(一)から(二十九)までの規定により特定口座に受け入れることができるものを除く。）で、当該上場株式等の当該特定口座への受入れを、振替口座簿に記載若しくは記録をし、又は保管の委託をする方法により行うもの
(三十一)		居住者又は恒久的施設を有する非居住者が**十六２**①に規定する非課税口座開設届出書（当該非課税口座開設届出書が同**３**⑦の規定により同**２**①に規定する提出をすることができないものに該当する場合のものに限る。）の同**２**①に規定する提出をして開設された同**３**⑧の規定により非課税口座に該当しないものとされる同**３**⑧の口座に係る振替口座簿に記載若しくは記録又は当該口座に保管の委託がされている上場株式等で、当該口座から当該口座が開設されている金融商品取引業者等の営業所に開設されている当該居住者又は恒久的施設を有する非居住者の特定口座への振替の方法により当該上場株式等の全てを受け入れるもの
(三十二)		居住者又は恒久的施設を有する非居住者が開設する特定口座（**十七２**（五）に規定する課税未成年者口座を構成するものに限る。）に係る特定口座内保管上場株式等で、同**２**（二）ト又は同（六）ホ若しくは同へ の規定により当該特定口座が廃止される日に当該特定口座から当該特定口座が開設されている金融商品取引業者等に開設されている当該居住者又は恒久的施設を有する非居住者の当該特定口座以外の特定口座への振替の方法により当該特定口座内保管上場株式等の全てを受け入れるもの
(三十三)		(一)から(二十九)までに掲げるもののほか財務省令で定める上場株式等

（注）１　（８）(十七)から同(二十の二)までに規定する(注)１で定める書類は、次に掲げる書類（(一)及び(二)に掲げる書類（それぞれイ及びロに掲げる書類を除く。）にあっては、第六章第二節**四**《有価証券の譲渡原価の計算及びその評価》**７**から同**11**まで若しくは**二十**（６）から同（９）までの規定又は**十五１**（２）の規定に準じて計算する場合においてその取得価額が当該株式等の取得価額の計算の基礎とされる株式等の取得に係る書類で(一)及び(二)に掲げる書類（同(二)イ及びロに掲げる書類を除く。）に相当するものを含むものとし、その書類に記載された取得をした株式等の数又は額面金額（当該書類に記載がされた取得年月日又は払込みに係る年月日後に当該株式等につき第六章第二節**四**《有価証券の譲渡原価の計算及びその評価》**７**から同**11**まで若しくは**二十**（６）から同（９）までに規定する事由又は**十五１**（２）に規定する事由が生じた場合には、当該事由が生じた後に(一)に規定する取得者が有することとなつた株式等の数又は額面金額とし、(二)に掲げる書類にあっては、これらの数又は額面金額のうちその居住者又は国内に恒久的施設を有する非居住者が（８）の(三)に規定する贈与、相続又は遺贈により取得をした株式等の数又は額面金額とする。）の合計数又は合計額が(三)に掲げる書類に記載された株式等の数又は額面金額以上である場合における当該書類に限る。）とする。（措規18の11⑩）

(一)　（８）(十七)から同(二十の二)までの上場株式等以外の株式等を有する者が次のイからホまでに掲げる書類において取得者（その書類においてその株式等を取得した者とされている者をいう。以下(一)及び（９）(注)５において同じ。）とされている場合におけるこれらの書類のうちいずれかの書類

イ　当該株式等につき作成された契約締結時交付書面（金融商品取引業等に関する内閣府令第100条第１項に規定する契約締結時交付書面又は資産対応証券の募集等又はその取扱いを行う特定目的会社及び特定譲渡人に係る行為規制等に関する内閣府令第16条に規定する契約締結時交付書面をいう。）、取引報告書（証券取引法等の一部を改正する法律（平成18年法律第65号）第３条の規定による改正前の証券取引法第41条第１項（同法第65条の２第５項、証券取引法等の一部を改正する法律（平成18年法律第65号）第５条の規定による改正前の投資信託及び投資法人に関する法律第27条及び証券取引法等の一部を改正する法律の施行に伴う関係法律の整備等に関する法律（平成18年法律第66号）第169条の規定による改正前の資産の流動化に関する法律第209条において準用する場合を含む。）に規定する取引報告書をいう。）、取引残高報告書（金融商品取引業等に関する内閣府令第98条第１項第３号イ

に規定する取引残高報告書、同令附則第６条の規定による廃止前の証券会社に関する内閣府令別表第８に規定する取引残高報告書及び金融商品取引業等に関する内閣府令附則第６条の規定による廃止前の金融機関の証券業務に関する内閣府令別表第16に規定する取引残高報告書をいう。）又は受渡計算書（証券会社に関する内閣府令等の一部を改正する内閣府令（平成13年内閣府令第32号）第１条の規定による改正前の証券会社に関する内閣府令別表第８に規定する受渡計算書及び証券会社に関する内閣府令等の一部を改正する内閣府令（平成13年内閣府令第32号）第３条の規定による改正前の金融機関の証券業務に関する内閣府令別表第10に規定する受渡計算書をいう。）その他これらに相当する書類（当該株式等の取得に要した金額、取得年月日、銘柄及び数又は額面金額並びに当該株式等の取得者の氏名その他の事項の記載があるものに限る。）

ロ　顧客勘定元帳等（金融商品取引業等に関する内閣府令第157条第１項第９号に掲げる顧客勘定元帳、同令附則第６条の規定による廃止前の証券会社に関する内閣府令別表第８に規定する顧客勘定元帳及び金融商品取引業等に関する内閣府令附則第６条の規定による廃止前の金融機関の証券業務に関する内閣府令別表第９に規定する投資信託及び投資法人に関する法律施行令第８条第２号に掲げる証券投資信託及びこれに類する外国投資信託の受益証券に係る法第２条第８項第３号に掲げる行為を行う業務に係る顧客別に取引経過を記載した書類をいう。）の写し（当該株式等の取得に要した金額、取得年月日、銘柄及び数又は額面金額並びに当該株式等の取得者の氏名その他の事項の記載があるものに限る。）

ハ　払込みにより取得した当該株式等を発行した法人又は当該法人の会社法第123条に規定する株主名簿管理人、資産の流動化に関する法律第42条第１項第３号に規定する優先出資社員名簿管理人、協同組織金融機関の優先出資に関する法律第25条第２項に規定する優先出資者名簿管理人若しくは投資信託及び投資法人に関する法律第166条第２項第８号に規定する投資主名簿等管理人（(９)(注)５(一)ハにおいて「株主名簿管理人等」という。）若しくは会社法第683条に規定する社債原簿管理人（資産の流動化に関する法律第125条の規定により読み替えられた会社法第683条に規定する特定社債原簿管理人又は投資信託及び投資法人に関する法律第166条第２項に規定する投資主名簿等管理人を含む(９)(注)５(一)ハにおいて「社債原簿管理人」という。）が作成した書類で当該株式等の取得に要した金額及び取得の日を証するもの（当該株式等の払込みに係る払込金額及び年月日、当該株式等の銘柄及び数又は額面金額並びに当該株式等の取得者の氏名その他の事項の記載があるものに限る。）

ニ　イからハまでに掲げるもののほか、金融商品取引業者等又は信託会社（金融機関の信託業務の兼営等に関する法律により同法第１条第１項に規定する信託業務を営む同項に規定する金融機関を含む。）が作成した書類で当該株式等の取得に要した金額及び取得の日を証するもの（当該株式等の取得に要した金額、取得年月日、銘柄及び数又は額面金額並びに当該株式等の取得者の氏名その他の事項の記載があるものに限る。）

ホ　当該株式等の取得に係る売買契約書（当該株式等の取得に要した金額、取得年月日、銘柄及び数又は額面金額並びに当該株式等の取得者の氏名その他の事項の記載があるものに限る。）の写し

(二)　(８)(十七)から同(二十の二)までの上場株式等以外の株式等が同(三)に規定する贈与、相続若しくは遺贈により取得したものであり、かつ、当該贈与に係る贈与をした者、当該相続に係る被相続人若しくは当該遺贈に係る包括遺贈者（以下(二)において「被相続人等」という。）が(一)イから同ホまでに掲げる書類において取得者とされている場合におけるこれらの書類のうちいずれかの書類で、当該贈与、相続若しくは遺贈があった時において当該被相続人等が有していた株式等のうち当該移管がされる株式等と同一銘柄の全ての株式等に係るもの又はその写し及び次に掲げる書類

イ　当該贈与に係る契約書、当該相続に係る財産の分割の協議に関する書類（当該書類に当該相続に係る全ての共同相続人及び包括受遺者が自署しているものに限る。）、当該遺贈に係る遺言書その他これらに類する書類で、当該株式等の受入れをしようとする特定口座（**六３**(一)に規定する特定口座をいう。以下**六**において同じ。）を開設している居住者若しくは恒久的施設を有する非居住者が当該株式等を当該贈与、相続若しくは遺贈により取得したものであることを確認できるもの又はその写し

ロ　当該株式等の受入れをしようとする特定口座を開設している居住者又は恒久的施設を有する非居住者が第二節**二十四３**①の規定により引き続き所有していたものとみなされる当該株式等の第六章第二節**四**《有価証券の譲渡原価の計算及びその評価》**７**から同**11**まで若しくは**二十**(６)から同(９)までの規定又は**十五１**(２)の規定に準じて計算した一単位当たりの取得価額に相当する金額を記載した明細書（当該被相続人等が当該株式等の取得をした年月日、種類、銘柄、数又は額面金額、取得に要した金額その他の事項の記載があるものに限る。）

(三)　当該株式等を発行した法人から交付を受けた当該居住者又は恒久的施設を有する非居住者が(８)(十七)に規定する上場等の日（同(十八)の株式等にあっては同(十八)に規定する合併の日とし、同(十九)の株式等にあっては同(十九)に規定する分割の日とし、同(十九の二)の株式等にあっては同(十九の二)に規定する株式分配の日とし、同(二十)の株式等にあっては同(二十)に規定する株式交換又は株式移転の日とし、同(二十の二)の株式等にあっては同(二十の二)に規定する請求権の行使、取得事由の発生又は取得決議により取得する上場株式等の取得の日とする。以下(三)において同じ。）前２月以内の一定の日において有する当該株式等と同一銘柄の株式等（当該一定の日から当該上場等の日の前日までの間に当該株式等と同一銘柄の株式等の取得をした場合には、当該取得をした株式等を含む。）の数又は額面金額を証する書類

２　**３**(８)(二十二)に規定する(注)２で定める事項は、次に掲げる事項とする。(措規18の11⑪)

(一)　**３**(８)(二十二)の申出書を提出する者の氏名、生年月日及び住所

(二)　**３**(８)(二十二)に規定する特別口座（以下(注)２において「特別口座」という。）に係る同(二十二)に規定する割当株式（以下２及び**10**の(注)３において「割当株式」という。）の全てを同(二十二)の特定口座に移管することを依頼する旨及びその移管を希望する年月日

(三)　**３**(８)(二十二)に規定する一般口座において当該割当株式と同一銘柄の株式を現に有しておらず、かつ、有していたことがない旨

(四)　当該特別口座が開設されている振替機関等（社債、株式等の振替に関する法律第131条第３項に規定する振替機関等をいう。）の名称及び所在地並びに当該移管を受ける特定口座を開設されている金融商品取引業者等の営業所の名称及び所在地

(五)　移管をしようとする割当株式の種類、銘柄及び数

(六)　その他参考となるべき事項

3　(8)(二十三)に規定する(注)3で定める者は、同(二十三)の上場株式等を発行する会社（以下(注)3において「発行会社」という。）と資本関係、人的関係又は取引関係を有する会社で当該発行会社が指定した会社の同(二十三)に規定する役員又は従業員とする。(措規18の11⑫)

4　(8)(二十三)に規定する(注)4で定めるものは、金融商品取引法第35条第1項第7号に規定する累積投資契約のうち、給与等（第四章第五節一に規定する給与等をいう。）から控除された金銭を当該給与等の支払をする者を経由して払い込む方法により行う証券投資信託の受益権の買付けであって、当該買付けを一定の計画に従って個別の投資判断に基づかずに継続的に行うことを約する契約とする。(措規18の11⑬)

5　(8)(二十三)に規定する(注)5で定める金融商品取引業者等は、同(二十三)の金融商品取引業者等の発行済株式（議決権のあるものに限る。以下(注)5において同じ。）又は出資の総数又は総額の100分の50を超える数又は金額の株式（議決権のあるものに限るものとし、出資を含む。以下(注)5において同じ。）を直接に保有する関係にある会社が、その発行済株式又は出資の総数又は総額の100分の50を超える数又は金額の株式を直接に保有する関係にある当該金融商品取引業者等以外の金融商品取引業者等とする。(措規18の11⑭)

6　(8)(二十四)に規定する(注)6で定めるものは、同(二十四)に規定する上場株式等の発行法人と資本関係又は取引関係を有する法人で、当該上場株式等の発行法人が指定したものとし、同(二十四)に規定する(注)6で定める者は、同(二十四)に規定する発行法人等の同(二十四)に規定する役員又は従業員であった者及びその相続人（包括受遺者を含む。）とする。(措規18の11⑮)

7　(8)(二十四)に規定する(注)7で定める事項は、次に掲げる事項とする。(措規18の11⑯)

(一)　当該信託の受託者がその信託財産として受け入れる金銭は、その全てが(8)(二十四)に規定する発行法人等から拠出されるものであること。

(二)　当該信託の受託者にその信託財産として付与される新株予約権は、その全てが(8)(二十四)に規定する上場株式等の発行法人から付与されるものであること。

8　(8)(二十六)に規定する(注)8で定めるものは、同(二十六)に規定する上場株式等の発行法人と資本関係又は取引関係を有する法人で、当該上場株式等の発行法人が指定したものとする。(措規18の11⑰)

9　(8)(二十七)イに規定する(注)9で定める事項は、次に掲げる事項とする。(措規18の11⑱)

(一)　特定口座への非課税口座内上場株式等移管依頼書（(8)(二十七)イに規定する特定口座への非課税口座内上場株式等移管依頼書をいう。**10**(注)1(三)において同じ。）の(8)(二十七)イに規定する提出をする者の氏名、生年月日及び住所

(二)　非課税口座（**十六2**の(一)に規定する非課税口座をいう。以下(注)9及び(9)(注)5において同じ。）が開設されている金融商品取引業者等の営業所の名称及び所在地並びに特定口座が開設されている金融商品取引業者等の営業所の名称及び所在地

(三)　当該非課税口座に設けられた非課税管理勘定（**十六2**(三)に規定する非課税管理勘定をいう。(四)において同じ。）、累積投資勘定（同**2**(五)に規定する累積投資勘定をいう。(四)において同じ。）、特定累積投資勘定（同(七)に規定する特定累積投資勘定をいう。(四)において同じ。）又は特定非課税管理勘定（同(八)に規定する特定非課税管理勘定をいう。(四)において同じ。）に係る非課税口座内上場株式等（**十六1**に規定する非課税口座内上場株式等をいう。(五)において同じ。）を当該特定口座に移管することを依頼する旨及びその移管を希望する年月日

(四)　当該非課税口座及び特定口座の記号又は番号並びに当該非課税管理勘定、累積投資勘定、特定累積投資勘定又は特定非課税管理勘定を設けた日の属する年

(五)　移管をしようとする非課税口座内上場株式等の種類、銘柄及び数又は価額

(六)　その他参考となるべき事項

10　(8)(二十八)イに規定する(注)10で定める事項は、次に掲げる事項とする。(措規18の11⑲)

(一)　特定口座への未成年者口座内上場株式等移管依頼書（(8)(二十八)イに規定する特定口座への未成年者口座内上場株式等移管依頼書をいう。**10**(注)1(三)において同じ。）の(8)(二十八)イに規定する提出をする者の氏名、生年月日及び住所

(二)　未成年者口座（**十七2**(一)に規定する未成年者口座をいう。以下(注)10及び(9)(注)5において同じ。）が開設されている金融商品取引業者等の営業所の名称及び所在地並びに特定口座が開設されている金融商品取引業者等の営業所の名称及び所在地

(三)　当該未成年者口座に設けられた非課税管理勘定（**十七2**(三)に規定する非課税管理勘定をいう。(四)において同じ。）又は継続管理勘定（同**2**(四)に規定する継続管理勘定をいう。(五)において同じ。）に係る未成年者口座内上場株式等（同**1**に規定する未成年者口座内上場株式等をいう。(五)において同じ。）を当該特定口座に移管することを依頼する旨及びその移管を希望する年月日

(四)　当該未成年者口座及び特定口座の記号又は番号並びに当該非課税管理勘定継続管理勘定を設けた日の属する年

(五)　移管をしようとする未成年者口座内上場株式等の種類、銘柄及び数又は価額

(六)　その他参考となるべき事項

11　改正後の(8)（(二十九)に係る部分に限る。）の規定は、令和6年4月1日以後に同(二十九)に規定する行使等により同(二十九)の特定口座に受け入れる同(二十九)に掲げる上場株式等について適用される。(令6改措令附6①)

12　改正後の(8)（(三十)に係る部分に限る。）の規定は、令和6年4月1日以後に同(三十)に規定する事由により同(三十)の特定口座に受け入れる同(三十)に掲げる上場株式等について適用される。(令6改措令附6②)

13　上記____下線部については、公益信託に関する法律（令和6年法律第30号）の施行の日以後、(8)(三)中「が贈与」が「が贈与（公益信託に関する法律（令和6年法律第30号）第2条第1項第1号に規定する公益信託（以下(三)において「公益信託」という。）の受託者に対するもの（その信託財産とするためのものに限る。）を除く。以下(三)、(四)及び(9)において同じ。）」に、「遺贈（」が「遺贈（公益信託の受託者に対するもの（その信託財産とするためのものに限る。）及び」に改められる。(令6改措令附1三)

((8)(三)の相続上場株式等の移管を行う場合の手続き)

(9)　(8)(三)の上場株式等（以下(9)において「相続上場株式等」という。）につき同(三)の移管を行う場合には、同

(三)の金融商品取引業者等に開設している特定口座に相続上場株式等の受入れをしようとする居住者又は恒久的施設を有する非居住者は、当該金融商品取引業者等の同(三)に規定する相続等口座を開設している営業所（以下(9)において「移管元の営業所」という。）の長に対し、相続上場株式等移管依頼書（当該相続等口座に係る相続上場株式等を当該特定口座に移管することを依頼する旨、移管する相続上場株式等の種類、銘柄、数その他の(注)1で定める事項を記載した書類をいう。以下(9)及び**10**(4)において同じ。）の提出（当該相続上場株式等移管依頼書の提出に代えて行う電磁的方法による当該相続上場株式等移管依頼書に記載すべき事項の提供で、その者の住所等確認書類（住民票の写しその他の(注)2で定める書類をいう。）の提示又はその者の特定署名用電子証明書等（**4**に規定する署名用電子証明書等のうち(注)3で定めるものをいう。）の送信と併せて行われるものを含む。以下(9)において同じ。）をして当該相続上場株式等の全部又は一部を当該特定口座に移管することを依頼しなければならないものとし、当該移管元の営業所の長は、当該依頼に係る相続上場株式等の全てを、当該居住者又は恒久的施設を有する非居住者に交付せずに、当該相続等口座から当該特定口座に直接移管する方法又は当該特定口座への振替の方法により移管しなければならないものとする。この場合において、当該相続上場株式等の取得が贈与によるものであるときは、その提出をする相続上場株式等移管依頼書（電磁的方法により提供された当該相続上場株式等移管依頼書に記載すべき事項を記録した電磁的記録を含む。以下(9)において同じ。）に当該相続上場株式等が贈与により取得したものである旨を証する書類として(注)4で定める書類を添付しなければならないものとし、当該相続上場株式等が相続等一般口座に係る振替口座簿に記載若しくは記録がされ、又は当該口座に保管の委託がされていたものであるときは、その提出をする相続上場株式等移管依頼書に(8)(三)の贈与をした者、相続に係る被相続人又は遺贈に係る包括遺贈者の当該相続上場株式等の取得の日及びその取得に要した金額を証する書類その他の(注)5で定める書類を添付しなければならないものとする。（措令25の10の2⑮）

(注)1　(9)に規定する(注)1で定める事項は、次に掲げる事項とする。（措規18の11⑳）

(一)　相続上場株式等移管依頼書（(9)に規定する相続上場株式等移管依頼書をいう。(注)2において同じ。）の提出（(9)に規定する提出をいう。(注)2において同じ。）をする者の氏名、生年月日及び住所

(二)　(9)に規定する移管元の営業所の名称及び所在地並びに(9)の特定口座を開設する金融商品取引業者等の営業所（(三)において「移管先の営業所」という。）の名称及び所在地

(三)　相続等口座（(8)(三)に規定する相続等口座をいう。(四)及び(六)において同じ。）に係る相続上場株式等（(9)に規定する相続上場株式等をいう。(五)及び(注)4から(注)6までにおいて同じ。）を移管先の営業所に開設されている(9)の特定口座に移管することを依頼する旨及びその移管を希望する年月日

(四)　相続等口座の名称並びに(三)の特定口座の名称及び記号又は番号

(五)　移管をしようとする相続上場株式等の種類、銘柄及び数（特定公社債にあっては、額面金額）

(六)　相続等口座を開設していた被相続人又は包括遺贈者の氏名及び死亡の時における住所並びに死亡年月日

(七)　その他参考となるべき事項

2　(9)前段に規定する(注)2で定める書類は、相続上場株式等移管依頼書の提出をする者に係る次条第四項に規定する住所等確認書類とする。（措規18の11㉑）

3　(9)に規定する(注)3で定めるものは、**4**(注)1(二)イに掲げる署名用電子証明書及び同(二)ロに掲げる情報が記録された電磁的記録とする。（措規18の11㉒）

4　(9)の後段に規定する贈与により取得したものである旨を証する書類として(注)4で定める書類は、当該贈与に係る契約書の写しその他の書類で、(9)後段の相続上場株式等が当該贈与により取得したものであることを明らかにするものとする。（措規18の11㉓）

㊟　(注)4の規定は、(10)において準用する(4)後段に規定する贈与により取得したものである旨を証する書類として(注)で定める書類について、(注)5の規定は(10)において準用する(4)後段に規定する取得の日及びその取得に要した金額を証する書類その他(注)で定める書類について、それぞれ準用する。この場合において、(注)5(一)中「**3**(8)(三)」とあるのは、「**3**(8)(四)」と読み替えるものとする。（措規18の11㉗）

5　(9)の後段に規定する取得の日及びその取得に要した金額を証する書類その他の(注)5で定める書類は、次に掲げる書類（(一)に掲げる書類にあっては、第六章第二節**四**《有価証券の譲渡原価の計算及びその評価》**7**から同**11**まで若しくは**二十**(6)から同(9)までの規定又は**十五 1**(2)の規定に準じて計算する場合においてその取得価額が当該相続上場株式等の取得価額の計算の基礎とされる株式等の取得に係る書類で(一)に掲げる書類に相当するものを含む。）とする。（措規18の11㉔）

(一)　(8)(三)に規定する贈与をした者、相続に係る被相続人又は遺贈に係る包括遺贈者（以下(注)5において「被相続人等」という。）がイからハまでに掲げる書類において取得者とされている場合におけるこれらの書類のうちいずれかの書類で、当該贈与、相続又は遺贈があった時において当該被相続人等が有していた上場株式等（特定口座、非課税口座若しくは未成年者口座に係る振替口座簿に記載若しくは記録がされ、又は特定口座、非課税口座若しくは未成年者口座に保管の委託がされていたものを除く。）のうち当該移管がされる相続上場株式等と同一銘柄の全ての上場株式等に係るもの

イ　(8)(注)1(一)イから同ホまでに掲げるいずれかの書類又はその写し

ロ　(8)(十三)に規定する上場株式等償還特約付社債の償還に関する事務の取扱いをした金融商品取引業者等が作成した書類で当該償還により取得した相続上場株式等の取得の日を証するもの（当該相続上場株式等の取得年月日、銘柄及び数並びに当該相続上場株式等の取得者の氏名その他の事項の記載があるものに限る。）又はその写し

ハ　当該相続上場株式等を発行した法人又は当該法人の株主名簿管理人等若しくは社債原簿管理人が作成した書類で当該相続上場株式等の取得の日を証するもの（当該相続上場株式等の払込み又は名義書換の年月日、銘柄及び数又は額面金額並びに当該相続上

場株式等の取得者の氏名その他の事項の記載があるもの（当該相続上場株式等の取得の日を名義書換の日としているものにあっては、当該名義書換の日が当該贈与、相続又は遺贈があつた日前10年以内の日であるものを除く。）に限るものとし、(8)の(注)１の(一)のハに掲げるものを除く。）

(二)　当該相続上場株式等の受入れをしようとする特定口座を開設している居住者又は恒久的施設を有する非居住者が第二節**二十四３**①の規定により引き続き所有していたものとみなされる当該相続上場株式等の第六章第二節**四**《有価証券の譲渡原価の計算及びその評価》**７**から同**11**まで若しくは**二十**(６)から同(９)までの規定又は**十五１**(２)の規定に準じて計算した一単位当たりの取得価額に相当する金額を記載した明細書（当該被相続人等が当該相続上場株式等の取得をした年月日、種類、銘柄、数又は額面金額、取得に要した金額その他の事項の記載があるものに限る。）

6　(注)５の場合において、当該居住者又は恒久的施設を有する非居住者が(注)５(一)ロ又は同ハに掲げる書類を提出するときにおける同(二)に規定する一単位当たりの取得価額に相当する金額の計算は、当該書類に記載された取得の日における当該相続上場株式等の価額（次の(一)から(四)までに掲げる株式等の区分に応じ当該(一)から(四)までに定める金額をその一単位当たりの価額として計算した金額をいう。）に相当する金額を基礎として行うものとする。（措規18の11㉕）

(一)　取引所売買株式等（その売買が主として金融商品取引所（金融商品取引法第２条第16項に規定する金融商品取引所及びこれに類するもので外国の法令に基づき設立されたものをいう。以下(一)において同じ。）において行われている株式等をいう。以下(一)において同じ。）　　金融商品取引所において公表された当該取得の日における当該取引所売買株式等の最終の売買の価格（公表された同日における最終の売買の価格がない場合には、公表された同日における最終の気配相場の価格とし、その最終の売買の価格及びその最終の気配相場の価格のいずれもない場合には、同日前の最終の売買の価格又は最終の気配相場の価格が公表された日で当該取得の日に最も近い日におけるその最終の売買の価格又はその最終の気配相場の価格とする。）に相当する金額

(二)　店頭売買株式等（**二１**②(５)(二)に規定する店頭売買登録銘柄として登録された株式等をいう。以下(二)において同じ。）　　金融商品取引法第67条の19の規定により公表された当該取得の日における当該店頭売買株式等の最終の売買の価格（公表された同日における最終の売買の価格がない場合には、公表された同日における最終の気配相場の価格とし、その最終の売買の価格及びその最終の気配相場の価格のいずれもない場合には、同日前の最終の売買の価格又は最終の気配相場の価格が公表された日で当該取得の日に最も近い日におけるその最終の売買の価格又はその最終の気配相場の価格とする。）に相当する金額

(三)　その他価格公表株式等（(一)又は(二)に掲げる株式等以外の株式等のうち、価格公表者（株式等の売買の価格又は気配相場の価格を継続的に公表し、かつ、その公表する価格がその株式等の売買の価格の決定に重要な影響を与えている場合におけるその公表をする者をいう。以下(三)において同じ。）によって公表された売買の価格又は気配相場の価格があるものをいう。以下(三)において同じ。）　　価格公表者によって公表された当該取得の日における当該その他価格公表株式等の最終の売買の価格（公表された同日における最終の売買の価格がない場合には、公表された同日における最終の気配相場の価格とし、その最終の売買の価格及びその最終の気配相場の価格のいずれもない場合には、同日前の最終の売買の価格又は最終の気配相場の価格が公表された日で当該取得の日に最も近い日におけるその最終の売買の価格又はその最終の気配相場の価格とする。）に相当する金額

(四)　(一)から(三)までに掲げる株式等以外の株式等　　その株式等の当該取得の日における価額として合理的な方法により計算した金額

7　（取引所売買株式等）

(注)６(一)に掲げる「取引所売買株式等」とは、その売買が主として金融商品取引所（金融商品取引所に類するもので外国の法令に基づき設立されたものを含む。以下(注)７において同じ。）において行われている株式等をいうが、これに該当するかどうかは、その株式等の売買取引が金融商品取引所において最も活発に行われているかどうかにより判定する。この場合、金融商品取引所において最も活発に行われているかどうか明らかでないものは、原則として、我が国における売買取引の状況により判定するものとするが、その株式等が金融商品取引所に類するもので外国の法令に基づき設立されたものにおいて実際に取得されたものであるときは、取引所売買株式等に該当するものとして取り扱って差し支えない。（措通37の11の３－６）

8　（最終の気配相場の価格）

(注)６(一)から同(三)までに規定する「最終の気配相場の価格」は、その日における最終の売り気配と買い気配の仲値とする。ただし、当該売り気配又は買い気配のいずれか一方のみが公表されている場合には、当該公表されている最終の売り気配又は買い気配とする。（措通37の11の３－７）

9　（２以上の市場に価格が存する場合）

(注)６(一)又は同(三)の同一の区分に属する同一銘柄の上場株式等について、同(一)又は同(三)に規定する価格が２以上の市場に存する場合には、当該価格が最も高い市場の価格をもって、同(一)又は同(三)の金額として差し支えない。（措通37の11の３－８）

10　（価格公表者）

(注)６(三)に規定する「価格公表者」は、株式等の売買の価格又は気配相場の価格を継続して公表し、かつ、その公表する価格がその株式等の売買の価格の決定に重要な影響を与えている場合におけるその公表をする者をいうこととされている。この場合における「その公表する価格がその株式等の売買の価格の決定に重要な影響を与えている場合」とは、基本的には、ブローカー（銀行、証券会社等のように、金融資産の売買の媒介、取次ぎ若しくは代理の受託をする業者又は自己が買手若しくは売手となって店頭で金融資産の売買を成立させる業者をいう。(注)７において同じ。）の公表する価格又は取引システムその他の市場において成立した価格がその時における価額を表すものとして一般的に認められている状態にあることをいうのであるから、単に売買実例があることのみでは、当該重要な影響を与えている場合には該当しない。（措通37の11の３－９）

11　（その他価格公表株式等の最終の売買の価格等）

(注)６(三)に規定する「その他価格公表株式等の最終の売買の価格」又は「最終の気配相場の価格」とは、同(三)に規定する価格公表者によって公表される次に掲げる価格をいうことに留意する。この場合、当該価格は、通常の方法により入手可能なもので差し支えないものとする。（措通37の11の３－10）

(一)　複数の店頭市場の情報を集計し、提供することを目的として組織化された業界団体が公表した当該取得の日における最終の売買

の価格（当該取得の日の社債の取引情報により日本証券業協会が公表する約定単価を基に算定した平均値又は中央値を含む。）又は最終の気配相場の価格（当該取得の日の気配値に基づいて日本証券業協会が公表する公社債店頭売買参考統計値の平均値又は中央値を含む。）

(二)　金融機関又は証券会社間の市場、ディーラー間の市場、電子媒体取引市場のように、随時売買又は換金を行うことができる取引システムにおいて成立する当該取得の日における最終の売買の価格又は最終の気配相場の価格

(三)　ブローカーによって継続的に提示されている時価情報等のうち当該取得の日における最終の売買の価格又は最終の気配相場の価格（株式以外の有価証券については、当該ブローカーによって提示された合理的な方法により計算した価格を含む。）

((4)の移管手続を(8)(四)の移管を行う場合に準用する場合の読替え)

(10)　(4)の規定は、(8)(四)の移管をする場合について準用する。この場合において、(4)中「**3**(二)ロ」とあるのは「(8)(四)」と、「同(二)のロ」とあるのは「同(四)」と、「上場株式等の受入れ」とあるのは「上場株式等（以下(4)において「相続上場株式等」という。）の受入れ」と、「他の特定口座」とあり、及び「移管元の特定口座」とあるのは「相続等口座」と、「特定口座内保管上場株式等を」とあるのは「相続上場株式等を」と、「特定口座内保管上場株式等の」とあるのは「相続上場株式等の」と、「特定口座内保管上場株式等移管依頼書」とあるのは「相続上場株式等移管依頼書」と、「を含む」とあるのは「で、その者の(9)に規定するの住所等確認書類の提示又はその者の(9)に規定する特定署名用電子証明書等の送信と併せて行われるものを含む。以下(10)において同じ」と、「ものとする」とあるのは「ものとする。この場合において、当該相続上場株式等の取得が贈与によるものであるときは、その提出をする相続上場株式等移管依頼書（電磁的方法により提供された当該相続上場株式等移管依頼書に記載すべき事項を記録した電磁的記録を含む。以下(10)において同じ。）に当該相続上場株式等が贈与により取得したものである旨を証する書類として(9)(注)4で定める書類を添付しなければならないものとし、当該相続上場株式等が同(四)の相続等一般口座に係る振替口座簿に記載若しくは記録がされ、又は当該口座に保管の委託がされていたものであるときは、その提出をする相続上場株式等移管依頼書に同(四)の贈与をした者、相続に係る被相続人又は遺贈に係る包括遺贈者の当該相続上場株式等の取得の日及びその取得に要した金額を証する書類その他の(9)(注)4で定める書類を添付しなければならないものとする」読み替えるものとする。(措令25の10の2⑯)

(注)　(10)において準用する(4)に規定する(注)で定める事項は、次に掲げる事項とする。(措規18の11㉖)

(一)　(10)において準用する(4)に規定する相続上場株式等移管依頼書の同項に規定する提出をする者の氏名、生年月日及び住所

(二)　(10)において準用する(4)の移管元の金融商品取引業者等の営業所の名称及び所在地並びに(4)の移管先の特定口座（(三)及び(四)において「移管先の特定口座」という。）を開設する金融商品取引業者等の営業所の名称及び所在地

(三)　(10)において準用する(4)に規定する相続等口座（(四)及び(六)において「相続等口座」という。）に係る相続上場株式等（(4)に規定する相続上場株式等をいう。(五)において同じ。）を移管先の特定口座に移管することを依頼する旨及びその移管を希望する年月日

(四)　相続等口座の名称並びに移管先の特定口座の名称及び記号又は番号

(五)　移管をしようとする相続上場株式等の種類、銘柄及び数（特定公社債にあっては、額面金額）

(六)　相続等口座を開設していた被相続人又は包括遺贈者の氏名及び死亡の時における住所並びに死亡年月日

(七)　その他参考となるべき事項

((9)の移管及び(10)において準用する(4)の移管に係る移管元及び移管先の金融商品取引業者等について(5)の規定を準用する場合の読替え)

(11)　(5)の規定は、(9)の移管（(9)の相続上場株式等の移管を、(9)の金融商品取引業者等の(9)に規定する移管元の営業所以外の営業所（以下(11)において「移管先の営業所」という。）に開設している(9)の特定口座に行う場合に限る。)に係る当該移管元の営業所の長及び当該移管先の営業所の長並びに(10)において準用する(4)の移管に係る(4)に規定する移管元の金融商品取引業者等の営業所の長及び移管先の金融商品取引業者等の営業所の長（(4)に規定する移管先の特定口座を開設する金融商品取引業者等の営業所の長をいう。)について準用する。この場合において、(5)中「(4)の場合」とあるのは「(9)又は(10)において準用する(4)の場合」と、「(4)の移管元の」とあるのは「(11)に規定する移管元の営業所の長又は(11)に規定する移管元の」と、「移管先の特定口座を開設する金融商品取引業者等(以下(5)において「移管先の金融商品取引業者等」という。）の営業所の長」とあるのは「(11)に規定する移管先の営業所の長又は(11)に規定する移管先の金融商品取引業者等の営業所の長」と、「、(4)の」とあるのは「、(9)又は(10)において準用する(4)の」と、「当該移管先の金融商品取引業者等の営業所の長」とあるのは「当該移管先の営業所の長又は移管先の金融商品取引業者の営業所の長」と、「ない場合」とあるのは「ない場合その他(注)で定める場合」と、「(4)の特定口座内保管上場株式等」とあるのは「(9)又は(10)において準用する(4)に規定する相続上場株式等(以下(5)において「相続上場株式等」という。)」と、(5)(一)中「(4)の」とあるのは「(9)又は(10)において準用する(4)の」と、「特定口座内保管上場株式等移管依頼書」とあるのは「相続上場株式等移管依頼書」と、「電磁的記録」とあるのは「電磁的記録（当該相続上場株式等が(8)(三)又は同(四)の贈与により取得したものである場合には、

当該相続上場株式等移管依頼書の写し又は当該電磁的記録及び当該贈与に係る(９)後段又は(10)において準用する(４)後段に規定する贈与により取得したものである旨を証する書類として(９)(注)４で定める書類の写しとし、当該相続上場株式等が(８)(三)又は同(四)の相続等一般口座に係る振替口座簿に記載若しくは記録がされ、又は当該口座に保管の委託がされていたものである場合には、当該相続上場株式等移管依頼書の写し又は当該電磁的記録及び(９)後段又は(10)において準用する(４)後段に規定する取得の日及びその取得に要した金額を証する書類その他の(注)３で定める書類の写しとする。)」と、(５)(二)中「特定口座内保管上場株式等」とあるのは「相続上場株式等」と、「移管元の金融商品取引業者等の営業所の長」とあるのは「移管元の営業所の長又は移管元の金融商品取引業者等の営業所の長」と、「直前に移管元の特定口座」とあるのは「直前に(９)又は(10)において準用する(４)に規定する相続等口座（以下(５)において「相続等口座」という。)」と、「当該移管元の特定口座」とあるのは「当該相続等口座」と、「移管が移管元の特定口座」とあるのは「移管が相続等口座」と「、当該移管が」とあるのは「、当該居住者又は恒久的施設を有する非居住者が取得した相続上場株式等のうち移管が」と読み替えるものとする。(措令25の10の２⑰)

(注)　(11)において準用する(５)に規定する財務省令で定める場合は、(８)(三)又は同(四)の贈与により取得した(９)(注)１(三)又は(10)(注)(三)に規定する相続上場株式等の移管がされる場合（当該移管がされる相続上場株式等が(９)(注)１(三)又は(10)(注)(三)に規定する相続等口座に係る上場株式等の一部である場合に限る。）において、当該移管を受ける(11)に規定する移管先の営業所に解説している特定口座又は(10)(注)(二)に規定する移管先の特定口座に当該相続上場株式等と同一銘柄の上場株式等がこれらの特定口座に係る振替口座簿に記載若しくは記録され、又は保管の委託がされているときとする。(措規18の11㉚)

((９)及び(10)において準用する(４)の移管により受け入れた相続上場株式等と同一銘柄の上場株式等を受入れ後に譲渡した場合に(６)の規定を準用する場合の読替え)

(12)　(６)の規定は、(９)及び(10)において準用する(４)の規定による移管により受け入れたこれらの規定に規定する相続上場株式等と同一銘柄の上場株式等をその受入れ後に譲渡した場合について準用する。この場合において、(６)の(一)中「特定口座内保管上場株式等」とあるのは「(９)又は(10)において準用する(４)に規定する相続上場株式等」と、「(５)(二)イ」とあるのは「(11)において準用する(５)(二)イ」と、(６)(二)中「特定口座内保管上場株式等」とあるのは「(９)又は(10)において準用する(４)に規定する相続上場株式等」と、「(５)(二)ロ」とあるのは「(11)において準用する(５)(二)ロ」と読み替えるものとする。(措令25の10の２⑱)

(注)　(12)において準用する(６)(二)に規定する(注)で定める規定は、(６)(注)に規定する規定とする。(措規18の11㉛)

(申出書を受理した金融商品取引業者等の営業所の長による確認)

(13)　(８)(二十二)に規定する申出書（以下において「申出書」という。）を受理した金融商品取引業者等の営業所の長は、その申出書を提出した居住者又は恒久的施設を有する非居住者が、当該金融商品取引業者等の営業所及び当該金融商品取引業者等の他の営業所に現に開設し、又は開設していた特定口座以外の口座（非課税口座及び未成年者口座を除く）に、当該申出書に係る割当株式の特定口座への受入れの際、当該割当株式と同一銘柄の株式を有していないこと及び当該受入れの日前において当該株式を有していたことがないことを確認しなければならないものとする。(措令25の10の２⑲)

(注)１　金融商品取引業者等の営業所の長は、(13)の確認をした場合又は(14)(一)又は同(二)に掲げる書類の提出をした場合には、財務省令で定めるところにより、当該確認又は提出に係る割当株式の受入れをした特定口座に係る**10**の帳簿に、当該確認又は提出をした事実を明らかにしなければならない。(措令25の10の９④)

２　金融商品取引業者等の営業所の長は、(13)の規定による確認をした場合又は(14)(一)又は同(二)に掲げる書類の提出をした場合には、当該確認又は提出に係る割当株式の受入れをした特定口座に係る**10**の帳簿に、当該確認又は提出に係る者の氏名及び住所、当該確認又は提出をした年月日並びにその旨を記載することにより、当該確認をした旨又は当該書類を提出した事実を明らかにしなければならない。(措規18の13の４③)

(申出書の所轄税務署長への提出)

(14)　(13)の金融商品取引業者等の営業所の長は、(13)の申出書に係る割当株式を特定口座に受け入れたときは、その受け入れた日の属する月の翌月末日までに、次の(一)及び(二)に掲げる書類を、当該申出書を提出した居住者又は恒久的施設を有する非居住者の住所地の所轄税務署長に提出しなければならないものとする。(措令25の10の２⑳)

(一)	当該申出書及び当該申出書に添付された割当株式数証明書
(二)	当該金融商品取引業者等の営業所の長が作成した当該受入れ年月日、(13)の確認をした旨その他の(注)２で定める事項を記載した書類

(注)１　(14)の申出書が同(14)に規定する税務署長に提出された場合には、(13)の金融商品取引業者等の営業所の長においてその受理がされた日にその提出があったものとみなす。(措令25の10の２㉑)

2　(14)(二)に規定する(注)2で定める事項は、次に掲げる事項とする。(措規18の11㉜)

(一)　当該特定口座を開設している居住者又は恒久的施設を有する非居住者の氏名、生年月日及び住所

(二)　(8)(二十二)の移管をした年月日

(三)　当該移管の際に(13)の規定による確認をした旨

(四)　当該移管をした割当株式の種類、銘柄、数及び一株当たりの取得価額

(五)　その他参考となるべき事項

(割当株式の取得価額がその受け入れた割当株式の取得価額と異なる場合)

(15)　(8)(二十二)の居住者又は恒久的施設を有する非居住者が、一般口座（当該割当株式を受け入れた特定口座が開設されている金融商品取引業者等以外の金融商品取引業者等の営業所に開設されたものに限る。）において、当該受入れの日前に当該割当株式と同一銘柄の株式を有していたことにより、当該割当株式を受け入れた特定口座において処理された当該割当株式と同一銘柄の株式の上場株式等の譲渡をした場合における当該譲渡による所得の金額の計算上総収入金額から控除すべき売上原価又は取得費の額の計算の基礎となる当該割当株式の取得価額がその受け入れた割当株式の取得価額と異なる場合には、次に定めるところによる。(措令25の10の2㉒)

(一)	当該特定口座が開設されている金融商品取引業者等の営業所の長は、その異なることを知った場合には、速やかに、その知った旨その他(注)で定める事項を当該居住者又は恒久的施設を有する非居住者の住所地の所轄税務署長に通知しなければならないものとする。
(二)	(一)の所轄税務署長がその異なることについて(一)の金融商品取引業者等の営業所の長の責めに帰すべき理由があると認める場合を除き、(一)の特定口座において**七1**に規定する源泉徴収選択口座内調整所得金額又は**七3**に規定する満たない部分の金額若しくは特定費用の金額として計算された金額は、当該割当株式を当該特定口座に受け入れた取得価額を基礎として計算されたものとみなす。
(三)	その異なることにより所得税の負担を減少させる結果となるときは、(二)に規定する場合を除き、当該割当株式を受け入れた特定口座に係る**八**(一)又は同(二)に掲げる金額については、**八**の規定は、適用しない。

(注)　(15)(一)に規定する(注)で定める事項は、次に掲げる事項とする。(措規18の11㉝)

(一)　当該特定口座を開設している居住者又は恒久的施設を有する非居住者の氏名、生年月日及び住所

(二)　(15)に規定する取得価額が異なっていた割当株式に係る(14)の(注)2の(二)及び(四)に掲げる事項

(三)　当該特定口座への受入れの日前にその受入れをした割当株式と同一銘柄の株式が記載又は記録をされていた振替口座簿に係る金融商品取引業者等の営業所の名称及び所在地並びに当該金融商品取引業者等の法人番号

(四)　当該特定口座への受入れをした割当株式に係る(14)の(一)又は(二)に掲げる書類の提出年月日

(五)　その他参考となるべき事項

((8)(五)から同(十一)までの事由等により取得し、又は同(十六)の規定により返還された上場株式等で特定口座に受け入れなかったものがある場合の適用関係)

(16)　(8)(五)から同(十一)までに規定する事由その他財務省令で定める事由により取得し、又は同(十六)の規定により返還された上場株式等で特定口座に受け入れなかったものがある場合には、当該上場株式等については、当該事由が生じた時又は当該返還された時に当該特定口座に受け入れたものと、その受入れ後直ちに当該特定口座からの払出しがあったものとそれぞれみなして、第六章第二節**四**《有価証券の評価》及び**二十**《株式交換等に係る譲渡所得等の特例》の(6)から同(9)までの規定並びに**十五1**(2)の規定（これらの規定を**1**の(1)後段の規定により適用する場合を含む。）並びに(3)(一)及び(18)の規定を適用する。(措令25の10の2㉓)

(**3**(三)(17)で定める事項)

(17)　**3**(三)に規定する(17)で定める事項は、次に掲げる事項とする。(措令25の10の2㉔)

(一)	**3**(三)の契約に基づく上場株式等の信用取引等は、当該信用取引等に係る口座に設けられた特定信用取引等勘定（同(三)に規定する特定信用取引等勘定をいう。(二)において同じ。）において処理すること。
(二)	特定信用取引等勘定においては、特定口座開設届出書の提出後に開始する上場株式等の信用取引等に関する事項のみを処理すること。
(三)	(一)及び(二)に掲げるもののほか財務省令で定める事項

（特定口座から特定口座内保管上場株式等の全部又は一部の払出しをした場合の売上原価又は取得費の額の計算及び所有期間の判定）

(18)　居住者又は恒久的施設を有する非居住者が、特定口座から特定口座内保管上場株式等の全部又は一部の払出し（振替によるものを含むものとし、**3**(二)に規定する方法により行われる譲渡に係るもの及び当該特定口座以外の特定口座への移管に係るものを除く。）をした場合には、当該払出し後の当該払出しをした上場株式等と同一銘柄の上場株式等（特定口座内保管上場株式等であるものを除く。）の譲渡による所得の金額の計算上総収入金額から控除すべき売上原価又は取得費の額の計算及び当該同一銘柄の上場株式等の所有期間の判定については、次の(一)及び(二)に定めるところによる。（措令25の10の２㉕）

(一)	第六章第二節**四**《有価証券の評価》及び**二十**《株式交換等に係る譲渡所得等の特例》の(6)から同(9)までの規定並びに**十五１**(2)の規定の適用については、当該払出しをした上場株式等は、当該払出しの時に、(5)(二)イに規定する取得費等の額として計算される金額（同(二)イに規定する費用がある場合には、同イに規定する合計額）により取得されたものとする。
(二)	所得税法等の一部を改正する法律（平成20年法律第23号）附則第48条の規定によりなおその効力を有するものとされる同法第８条の規定による改正前の**十五**（旧措法37の13の３）に規定する(1)で定める期間に係る同**十五**（旧措法37の13の３）の規定その他(注)で定める規定の適用については、当該払出しをした上場株式等は、(5)の(二)のロに規定する取得日に取得されたものとする。

（注）　(二)(注)で定める規定は、(6)(注)に規定する規定とする。（措規18の11㉛）

（法人が分割型分割を行った場合等の参考事項の通知義務）

(19)　居住者又は恒久的施設を有する非居住者が開設する特定口座に係る特定口座内保管上場株式等を発行した法人は、次の(一)から(三)までに掲げる場合に該当する場合には、当該特定口座が開設されている金融商品取引業者等の営業所の長に対し、当該(一)から(三)までに掲げる場合の区分に応じ当該(一)から(三)までに定める事項その他特定口座内保管上場株式等の取得価額の計算に関し参考となるべき事項を通知しなければならない。（措令25の10の２㉖）

<table>
<tr><td>(一)</td><td colspan="3">当該法人が第四章第二節一に規定する分割型分割を行った場合　　当該分割型分割を行った旨及び当該分割型分割に係る同節二２(二)に規定する割合</td></tr>
<tr><td>(二)</td><td colspan="3">当該法人が第四章第二節一に規定する株式分配を行った場合　　当該株式分配を行った旨及び当該株式分配に係る同節二２(三)に規定する割合</td></tr>
<tr><td rowspan="3">(三)</td><td colspan="3">当該法人が第四章第二節二１(四)に規定する資本の払戻し（イにおいて「資本の払戻し」という。）又は解散による残余財産の分配（以下(三)において「払戻し等」という。）を行った場合　　当該払戻し等を行った旨及び当該払戻し等に係る同節二２(四)イに規定する割合（次に掲げる場合には、当該払戻し等に係るそれぞれ次に定める割合）</td></tr>
<tr><td>イ</td><td>当該払戻し等が二以上の種類の株式又は出資を発行していた法人が行った資本の払戻しである場合</td><td>当該特定口座内保管上場株式等に係る同節二２(四)ロに規定する種類払戻割合</td></tr>
<tr><td>ロ</td><td>当該払戻し等が同節一に規定する出資等減少分配である場合</td><td>同節二２(五)に規定する割合</td></tr>
</table>

（特定口座内保管上場株式等を現渡しした場合）

(20)　**3**(三)に規定する特定信用取引等勘定において行った上場株式等の売付けの信用取引につき、当該信用取引の決済を当該上場株式等と同一銘柄の特定口座内保管上場株式等の引渡し（いわゆる現渡しの方法をいう。）により行った場合には、その特定口座内保管上場株式等の引渡しは**3**(二)に規定する金融商品取引業者等への売委託の方法による譲渡に該当するとみなされるのであるから留意する。（措通37の11の３－３）

（株式無償割当てにより取得した上場株式等を特定口座に受入れる場合の「取得をした日」）

(21)　(8)(六)に規定する株式無償割当てにより取得した上場株式等を特定口座に受け入れる場合において、当該上場株式等（当該株式無償割当ての基因となった株式等と異なる種類のものを除く。以下(21)において同じ。）が次に掲げるものであるときは、**四**(19)にかかわらず、当該株式無償割当ての効力を生ずる日をもって当該上場株式等の「取得をした日」としても差し支えない。（措通37の11の３－４）

(一)　特定口座内保管上場株式等以外の株式等を基因として割り当てられた上場株式等

(二)　特定口座内保管上場株式等及び当該特定口座内保管上場株式等と同一銘柄の特定口座内保管上場株式等以外の株式等の双方に基因して割り当てられた上場株式等

(貸付契約に基づいて返還された上場株式等の取得価額等)

(22)　(8)(十六)に規定する当該貸付契約に基づき返還される上場株式等を、同(十六)に規定する方法により特定口座に受け入れる際の当該上場株式等の取得価額及び取得日は、当該貸付契約に基づく貸付時に当該特定口座において管理されていた取得価額及び取得日によることに留意する。なお、貸付期間中に、当該特定口座において当該上場株式等と同一銘柄の特定口座内保管上場株式等が譲渡された場合には、貸付時に当該上場株式等が払い出されているものとして譲渡損益を計算するのであるが、特定口座外で当該上場株式等と同一銘柄の上場株式等が譲渡された場合には、(18)の規定の適用はなく、当該同一銘柄の上場株式等の取得価額の計算には影響しないことに留意する。(措通37の11の3－5)

(一株に満たない端数の処理)

(23)　(8)(十二)及び同(十八)から同(二十一)までに規定する事由により取得し、又は割当てを受ける上場株式等の全てを特定口座に受け入れる際に、当該事由により取得し、又は割当てを受ける上場株式等の数に一株に満たない端数があるときは、当該取得し、又は割当てを受ける上場株式等の全てには当該端数に相当する部分が含まれることに留意する。

したがって、当該端数に相当する部分については、当該事由が生じた時に当該特定口座に受け入れたものと、その受入れ後直ちに当該特定口座からの払出しがあったものとして、取得費等の額の計算及び所有期間の判定並びに(3)(一)に規定する書面等による通知を行うことに留意する。(措通37の11の3－11)

(特定口座内保管上場株式等を払い出した場合)

(24)　(18)に規定する「特定口座内保管上場株式等の全部又は一部の払出し」とは、特定口座内保管上場株式等を特定口座外での保管とするための払出し（振替の方法による払出しを含む。）をいうのであるが、特定口座外において、当該払出しがされた上場株式等と同一銘柄の上場株式等を当該払出し後に譲渡した場合の取得費等の額の計算及び所有期間等の判定については、(18)(一)及び同(二)の規定により、次によるのであるから留意する。(措通37の11の3－12)

(一)　取得費等の額の計算上、当該払出しがされた上場株式等は、当該払出しの時に、当該払出しがされた上場株式等が特定口座において譲渡されたとした場合に計算される取得費等の額に相当する金額により取得したものとする。

(注)　特定口座外において、当該払出しの前に、当該払出しがされた上場株式等と同一銘柄の上場株式等が譲渡されている場合に、当該払出しがされた上場株式等の下記(二)による取得の日が当該譲渡の前であっても、既に行われた当該譲渡についての取得費等の額の再計算は行わない。

(二)　所有期間等の判定上、当該払出しがされた同一銘柄の上場株式等は、その取得の日に取得されたものとする。ただし、当該払出しがされた同一銘柄の上場株式等が２回以上にわたって取得されたものであるときは、特定口座において先に取得したものから順次譲渡され、その残りが順次払い出されたとした場合のその取得の日により取得されたものとする。

4　特定口座開設届出書の提出の際の住民票の写し等の書類の提示及び氏名等の告知

特定口座開設届出書の提出をしようとする居住者又は恒久的施設を有する非居住者は、(1)で定めるところにより、その提出をする際、**3**(一)の金融商品取引業者等の営業所の長に、その者の住民票の写しその他の(2)で定める書類を提示し、又は署名用電子証明書等（電子署名等に係る地方公共団体情報システム機構の認証業務に関する法律第３条第１項に規定する署名用電子証明書その他の電磁的記録（電子的方式、磁気的方式その他の人の知覚によっては認識することができない方式で作られる記録であって、電子計算機による情報処理の用に供されるものをいう。）であって(注)１で定めるものをいう。）を送信して氏名、生年月日、住所（国内に住所を有しない者にあっては、(注)２で定める場所。以下**4**、(5)及び**11**において同じ。）及び個人番号（個人番号を有しない者（その他(6)で定める者）にあっては、氏名、生年月日及び住所。以下(5)において同じ。）を告知し、当該告知をした事項につき確認を受けなければならない。(措法37の11の3④)

(注)１　**4**に規定する(注)１で定めるものは、次の(一)及び(二)に掲げる者の区分に応じ当該(一)及び(二)に定める電磁的記録とする。(措規18の12①)

(一)　番号既告知者（(6)の規定に該当する者をいう。(二)及び(2)(注)１において同じ。）以外の者　当該者の次のイからハまでに掲げる電磁的記録又は情報が記録された電磁的記録

イ　署名用電子証明書（電子署名等に係る地方公共団体情報システム機構の認証業務に関する法律第３条第１項に規定する署名用電子証明書をいう。以下(注)１において同じ。）

ロ　地方公共団体情報システム機構により電子署名（電子署名及び認証業務に関する法律第２条第１項に規定する電子署名をいう。以下(注)１において同じ。）が行われたイの署名用電子証明書に係る者の個人番号及び個人識別事項（行政手続における特定の個人を識別するための番号の利用等に関する法律施行規則第１条第２号に規定する個人識別事項をいう。）に係る情報で、同令第３条第１号の規定により総務大臣が定めるもの

ハ　イの署名用電子証明書により確認される電子署名が行われた情報で、当該署名用電子証明書に係る者の氏名、生年月日、住所及び個人番号に係るもの

(二)　番号既告知者　当該番号既告知者の次のイ及びロに掲げる電磁的記録又は情報が記録された電磁的記録

イ　署名用電子証明書

ロ　イの署名用電子証明書により確認される電子署名が行われた情報で、当該署名用電子証明書に係る者の氏名、生年月日及び住所に係るもの

2　**4**に規定する(注)２で定める場所は、次の(一)又は(二)に掲げる者の区分に応じ当該(一)又は(二)に定める場所とする。（措規18の12②）

(一)　国内に居所を有する個人　当該個人の居所地

(二)　恒久的施設を有する非居住者（(一)に掲げる者を除く。）　当該非居住者の恒久的施設を通じて行う事業に係る事務所、事業所その他これらに準ずるもの（これらが２以上あるときは、そのうち主たるものとする。）の所在地

（特定口座開設届出書を提出する者の告知等）

(1)　**4**の規定により金融商品取引業者等の営業所の長に特定口座開設届出書の提出をしようとする居住者又は恒久的施設を有する非居住者は、その提出をする際、当該金融商品取引業者等の営業所の長に、その者の(2)に規定する書類を提示し、又はその者の署名用電子証明書等（**4**に規定する署名用電子証明書等をいう。(3)、(6)及び**5**において同じ。）を送信して氏名、生年月日、住所（国内に住所を有しない者にあっては、**4**に規定する(注)２で定める場所。以下(1)、(3)、(6)及び**5**(一)において同じ。）及び個人番号（個人番号を有しない者又は(6)の規定に該当する者にあっては、氏名、生年月日及び住所。(3)において同じ。）を告知しなければならない。（措令25の10の３①）

（特定口座開設届出書を提出する際に提出する(2)で定める書類）

(2)　**4**に規定する(2)で定める書類は、**4**に規定する居住者又は恒久的施設を有する非居住者の住民票の写し、行政手続における特定の個人を識別するための番号の利用等に関する法律第２条第７項に規定する個人番号カードその他の(注)１で定める書類のいずれかの書類とする。（措令25の10の３②）

(注)１　(2)に規定する(注)１で定める書類は、次の(一)から(三)までに掲げる者の区分に応じ当該(一)から(三)までに定める書類（当該個人の氏名、生年月日及び住所（国内に住所を有しない個人にあっては、**4**(注)２に規定する場所。(注)２において同じ）の記載のあるものに限る。）とする。（措規18の12③）

(一)　国内に住所を有する個人（(三)に掲げる者を除く。）　当該個人の次に掲げるいずれかの書類

イ　行政手続における特定の個人を識別するための番号の利用等に関する法律第２条第７項に規定する個人番号カードで金融商品取引業者等の営業所の長に提示する日において有効なもの

ロ　住民票の写し又は住民票の記載事項証明書（地方公共団体の長の住民基本台帳の住所、氏名、生年月日その他の事項を証する書類をいう。(注)２(二)において同じ。）で、当該個人の個人番号の記載のあるもの（金融商品取引業者等の営業所の長に提示する日前６月以内に作成されたものに限る。）及び住所等確認書類で(注)２(一)及び(二)に掲げるもの以外のもの

(二)　国内に住所を有しない個人（(三)に掲げる者を除く。）　次に掲げる当該個人の区分に応じそれぞれ次に定める書類

イ　個人番号を有しない個人　住所等確認書類（(注)２(一)及び(二)に掲げる書類を除く。ロにおいて同じ。）

ロ　個人番号を有する個人　住所等確認書類及び(一)イに掲げる個人番号カード

(三)　番号既告知者　住所等確認書類（国内に住所を有しない個人にあっては、(注)２(一)及び(二)に掲げる書類を除く。）

2　(注)１に規定する住所等確認書類とは、次に掲げる書類（当該個人の氏名、生年月日及び住所の記載のあるものに限る。）をいう。（措規18の12④）

(一)　(注)１(一)イに掲げる個人番号カード

(二)　住民票の写し又は住民票の記載事項証明書（金融商品取引業者等の営業所の長に提示する日前６月以内に作成されたものに限る。(三)において同じ。）

(三)　印鑑証明書

(四)　国民健康保険、健康保険、船員保険、後期高齢者医療若しくは介護保険の被保険者証、健康保険日雇特例被保険者手帳、国家公務員共済組合若しくは地方公務員共済組合の組合員証又は私立学校教職員共済制度の加入者証

(五)　児童扶養手当証書、母子健康手帳、身体障害者手帳、療育手帳（知的障害者の福祉の充実を図るため、児童相談所又は知的障害者更生相談所において知的障害と判定された者に対して都道府県知事又は地方自治法第252条の19第１項の指定都市若しくは同法第252条の22第１項の中核市の長から支給される手帳で、その者の障害の程度その他の事項の記載のあるものをいう。）、精神障害者保健福祉手帳又は戦傷病者手帳

(六)　道路交通法第92条第１項に規定する運転免許証（金融商品取引業者等の営業所の長に提示する日において有効なものに限る。）又は同法第104条の４第５項に規定する運転経歴証明書（道路交通法施行規則別記様式第19の３の10の様式によるものに限る。）

(七)　旅券（出入国管理及び難民認定法第２条第５号に規定する旅券をいう。）で金融商品取引業者等の営業所の長に提示する日にお

いて有効なもの

(八)　出入国管理及び難民認定法第19条の３に規定する在留カード又は日本国との平和条約に基づき日本の国籍を離脱した者等の出入国管理に関する特例法第７条第１項に規定する特別永住者証明書で、金融商品取引業者等の営業所の長に提示する日において有効なもの

(九)　(一)から(八)までに掲げる書類のほか、官公署から発行され、又は発給された書類その他これらに類するもの（金融商品取引業者等の営業所の長に提示する日前６月以内に作成されたもの（有効期間又は有効期限のあるものにあっては、金融商品取引業者等の営業所の長に提示する日において有効なもの）に限る。）

㊟　国民年金手帳（年金制度の機能強化のための国民年金法等の一部を改正する法律（令和２年法律第40号）第２条の規定による改正前の国民年金法第13条第１項に規定する国民年金手帳をいう。）が年金制度の機能強化のための国民年金法等の一部を改正する法律の施行に伴う厚生労働省関係省令の整備に関する省令（令和３年厚生労働省令第115号）附則第６条第１項の規定により同項に規定する書類とみなされる間における改正後の(注)２（**十六３**③(３)（**十七１**(５)において準用する場合を含む。）において準用する場合を含む。）及び**十六２**④(４)の規定の適用については、改正後の(注)２及び**十六２**④(４)中「掲げる書類（」とあるのは、「掲げる書類又は年金制度の機能強化のための国民年金法等の一部を改正する法律（令和２年法律第40号）第２条の規定による改正前の国民年金法第13条第１項に規定する国民年金手帳（」とする。（令４改措規等附４）

（告知があった場合の氏名、生年月日及び住所の確認義務）

（３）　金融商品取引業者等の営業所の長は、(１)の規定による告知があった場合には、当該告知があった氏名、生年月日、住所及び個人番号が、当該告知の際に提示又は送信を受けた(２)に規定する書類又は署名用電子証明書等に記載又は記録がされた氏名、生年月日、住所及び個人番号と同じであるかどうかを確認しなければならない。（措令25の10の３③）

(注)　金融商品取引業者等の営業所の長は、(３)の規定による確認をした場合には、(４)の確認に関する帳簿に、その確認をした年月日及び(１)の規定による告知の際に提示された(２)に規定する書類の名称又は当該告知の際に(１)に規定する署名用電子証明書等（(６)(注)において「署名用電子証明書等」という。）の送信を受けた旨を記載することにより、当該確認をした旨を明らかにしておかなければならない。（措規18の12⑤）

（(３)の確認をした場合の確認に関する帳簿への確認をした旨の明示及び帳簿保存義務）

（４）　金融商品取引業者等の営業所の長は、(３)の確認をした場合には、(注)で定めるところにより、当該確認に関する帳簿に当該確認をした旨を明らかにし、かつ、当該帳簿を保存しなければならない。（措令25の10の３④）

(注)　金融商品取引業者等の営業所の長は、(４)の確認に関する帳簿又は(６)(注)の帳簿を、これらの帳簿の閉鎖の日の属する年の翌年から５年間保存しなければならない。（措規18の12⑦）

（告知と異なる記載がある場合や二重提出された場合の特定口座開設届出書の受理の禁止）

（５）　金融商品取引業者等の営業所の長は、**４**の告知を受けたものと異なる氏名、生年月日、住所及び個人番号が記載されている特定口座開設届出書並びに当該金融商品取引業者等に既に特定口座を開設している居住者又は恒久的施設を有する非居住者から重ねて提出がされた特定口座開設届出書（当該特定口座が**十七２**(五)に規定する課税未成年者口座を構成する口座である場合に提出がされた特定口座開設届出書及び同(五)に規定する課税未成年者口座を構成する口座として特定口座を開設するために提出がされた特定口座開設届出書を除く。）については、これを受理することができない。（措法37の11の３⑤）

（**４**に規定する(６)で定める者）

（６）　**４**に規定する(６)で定める者は、特定口座開設届出書の提出を受ける金融商品取引業者等の営業所の長が、(注)で定めるところにより、当該特定口座開設届出書の提出をする居住者又は恒久的施設を有する非居住者の氏名、住所及び個人番号その他の事項を記載した帳簿（その者の(２)に規定する書類の提示又はその者の署名用電子証明書等の送信を受けて作成されたものに限る。）を備えている場合における当該居住者又は恒久的施設を有する非居住者（当該特定口座開設届出書に記載されるべきその者の氏名、住所又は個人番号が当該帳簿に記載されているその者の氏名、住所又は個人番号と異なるものを除く。）とする。（措令25の10の３⑤）

(注)　金融商品取引業者等の営業所の長が(６)の規定により帳簿を作成する場合には、その者は、当該帳簿に次の(一)から(三)に掲げる事項を記載しなければならない。（措規18の12⑥）

(一)　(２)に規定する書類の提示又は署名用電子証明書等の送信をした個人の氏名、住所及び個人番号

(二)　当該提示又は送信を受けた年月日及び当該提示を受けた書類の名称又は署名用電子証明書等の送信を受けた旨

(三)　その他参考となるべき事項

５　特定口座異動届出書の提出義務等

特定口座を開設している居住者又は恒久的施設を有する非居住者がその氏名、住所若しくは個人番号の変更をした場合

又は行政手続における特定の個人を識別するための番号の利用等に関する法律の規定により個人番号が初めて通知された場合には、その者は、遅滞なく、当該特定口座が開設されている金融商品取引業者等の営業所の長（(2)又は**7**の移管があった場合には、これらの規定に規定する移管先の営業所の長。(1)において同じ。）に、その旨その他(注)１で定める事項を記載した届出書の提出(当該届出書の提出に代えて行う電磁的方法による当該届出書に記載すべき事項の提供を含む。以下**5**において同じ。）をしなければならない。この場合において、当該届出書の提出に当たっては、当該金融商品取引業者等の営業所の長にその者の**4**(2)に規定する書類（その者の氏名又は住所の変更をした場合にあっては、当該書類又はその者の変更前の氏名若しくは住所及び変更後の氏名若しくは住所を証する住民票の写しその他の(注)２で定める書類。以下**5**において「本人確認等書類」という。）を提示し、又はその者の署名用電子証明書等を送信しなければならないものとし、当該金融商品取引業者等の営業所の長は、当該届出書（電磁的方法により提供された当該届出書に記載すべき事項を記録した電磁的記録を含む。以下**5**において同じ。）に記載され、又は記録されている変更又は通知がされた氏名、住所又は個人番号が当該本人確認等書類又は署名用電子証明書等に記載又は記録がされた氏名、住所又は個人番号と同一であることの確認をし、かつ、当該届出書に当該確認をした旨及び当該本人確認等書類の名称又は署名用電子証明書等の送信を受けた旨を記載し、又は記録しなければならない。(措令25の10の４①)

(注)１　上記に規定する(注)１で定める事項は、次に掲げる事項とする。(措規18の12の２①)

(一)　特定口座異動届出書（(3)に規定する特定口座異動届出書をいう。(注)２及び(1)(注)１並びに**10**(注)１(三)において同じ。）の提出（**5**に規定する提出をいう。(1)において同じ。）をする者の氏名、生年月日、住所（国内に住所を有しない者にあっては、**4**(注)２に規定する場所。以下において同じ。）及び個人番号（個人番号を有しない者又は氏名若しくは住所の変更をした者にあっては、氏名、生年月日及び住所。）

(二)　特定口座開設届出書の提出をした金融商品取引業者等の営業所に開設されている特定口座（**3**の(一)に規定する特定口座をいう。以下において同じ。）の名称及び記号又は番号

(三)　氏名、住所又は個人番号の変更をした場合には、その変更前の氏名、住所又は個人番号及びその変更後の氏名、住所又は個人番号

(四)　行政手続における特定の個人を識別するための番号の利用等に関する法律の規定により個人番号が初めて通知された場合には、その者のその通知を受けた後の氏名、住所及び個人番号

(五)　その他参考となるべき事項

２　**5**に規定する(注)２で定める書類は、**4**(2)(注)２に規定する書類（(注)２(一)に掲げる書類を除く。）のうち、特定口座異動届出書の提出をする者の変更前の氏名又は住所の記載がある書類とする。(措規18の12の２②)

(新たに特定保管勘定若しくは特定信用取引等勘定を設定しようとする場合)

(1)　特定口座を開設している居住者又は恒久的施設を有する非居住者が、当該特定口座に新たに特定保管勘定（**3**(二)に規定する特定保管勘定をいう。以下(1)において同じ。）若しくは特定信用取引等勘定（**3**(三)に規定する特定信用取引等勘定をいう。以下(1)において同じ。）を設定しようとする場合又は当該特定口座に設けられている特定保管勘定若しくは特定信用取引等勘定を廃止しようとする場合（**8**に規定する特定口座廃止届出書の**8**に規定する提出をする場合を除く。）には、その者は、当該特定口座が開設されている金融商品取引業者等の営業所の長に、その旨その他(注)１で定める事項を記載した届出書の提出（当該届出書の提出に代えて行う電磁的方法による当該届出書に記載すべき事項の提供を含む。）をしなければならない。(措令25の10の４②)

(注)　(1)に規定する(注)１で定める事項は、次に掲げる事項とする。(措規18の12の２③)

(一)　特定口座異動届出書の(1)に規定する提出をする者の氏名、生年月日及び住所

(二)　特定口座開設届出書の提出をした金融商品取引業者等の営業所に開設されている特定口座の名称及び記号又は番号

(三)　当該特定口座に設けられている勘定の種類

(四)　当該特定口座に新たな勘定を設定しようとする場合には、その設定しようとする勘定の種類

(五)　当該特定口座に設けられている勘定を廃止しようとする場合には、その廃止しようとする勘定の種類

(六)　その他参考となるべき事項

(特定口座に関する事務の全部を移管先の営業所へ移管する場合の届出書の提出義務)

(2)　特定口座を開設している居住者又は恒久的施設を有する非居住者が、当該特定口座が開設されている金融商品取引業者等の営業所（以下(1)及び(2)において「移管前の営業所」という。）の長に対して当該特定口座に関する事務の全部を当該金融商品取引業者等の他の営業所（以下(1)において「移管先の営業所」という。）に移管すべきことを依頼し、かつ、その移管がされることとなった場合において、当該特定口座に係る特定口座内保管上場株式等の譲渡又は信用取引等による所得につき引き続き当該移管先の営業所において**1**又は**2**の規定の適用を受けようとするときは、当該居住者又は恒久的施設を有する非居住者は、当該移管を依頼する際、当該移管前の営業所を経由して、当該移管先の営業所の長に、その旨、その者の氏名、生年月日及び住所その他(注)で定める事項を記載した届出書の提出（当該届出書の提出に代えて行う電磁的方法による当該届出書に記載すべき事項の提供を含む。）をしなければならない。(措令25の10の４③)

（注）（２）に規定する（注）１で定める事項は、次に掲げる事項とする。（措規18の12の２④）

（一）移管前の営業所（（２）に規定する移管前の営業所をいう。（二）において同じ。）の名称及び所在地並びに（１）に規定する移管先の営業所の名称及び所在地

（二）移管前の営業所に開設されている特定口座の名称及び記号又は番号並びに当該特定口座に設けられている勘定（**3**（二）に規定する特定保管勘定及び**3**（三）に規定する特定信用取引等勘定並びに**九 2**（二）に規定する特定上場株式配当等勘定をいう。以下において同じ。）の種類

（三）（２）の移管を希望する年月日

（四）（二）の特定口座につき特定口座源泉徴収選択届出書（**七 1**に規定する特定口座源泉徴収選択届出書をいう。以下（四）及び**七 1**（注）２から４において同じ。）の提出（**七 1**に規定する提出をいう。**七 1**（注）２から４において同じ。）をして同**1**の規定の適用を選択している場合には、その旨及び当該特定口座源泉徴収選択届出書の提出年月日

（五）（二）の特定口座（当該特定口座につき**七 1**の規定の選択をしている場合に限る。）につき、源泉徴収選択口座内配当等受入開始届出書の提出（**九 2**（１）に規定する源泉徴収選択口座内配当等受入開始届出書の提出をいう。）又は源泉徴収選択口座内配当等受入終了届出書（**九 1**（３）（注）２に規定する源泉徴収選択口座内配当等受入終了届出書をいう。以下（五）において同じ。）の提出（**九 1**（３）（注）２に規定する提出をいう。）をしている場合には、その旨及び当該源泉徴収選択口座内配当等受入開始届出書の提出年月日又は源泉徴収選択口座内配当等受入終了届出書の提出年月日

（六）その他参考となるべき事項

（（２）の届出書が移管先の営業所に受理された場合の取扱い）

（３）（２）の届出書（電磁的方法により提供された当該届出書に記載すべき事項を記録した電磁的記録を含む。）が（２）に規定する移管先の営業所に受理された場合には、（２）の規定による移管があった日以後における当該移管があった特定口座に係る**1**から**4**までの規定の適用については、当該特定口座に係る移管前の営業所の長がした特定口座開設届出書（電磁的方法により提供された当該特定口座開設届出書に記載すべき事項を記録した電磁的記録を含む。**7**において同じ。）の受理、**4**に規定する確認その他の手続は、当該移管先の営業所の長がしたものとみなす。（措令25の10の４④）

（特定口座異動届出書）

（４）**5**、（１）及び（２）の規定による届出書は、特定口座異動届出書という。（措令25の10の４⑤）

6　特定口座継続適用届出書等

特定口座開設届出書の提出をした居住者又は恒久的施設を有する非居住者が、その提出後、出国（居住者にあっては、国内に住所及び居所を有しないこととなることをいい、恒久的施設を有する非居住者にあっては、恒久的施設を有しないこととなることをいう。以下**6**において同じ。）により居住者又は恒久的施設を有する非居住者に該当しないこととなった場合には、当該特定口座開設届出書に係る特定口座が開設されている金融商品取引業者等の営業所の長に**8**に規定する特定口座廃止届出書の同項に規定する提出をしたものとみなして、**8**（１）の規定を適用する。（措令25の10の５①）

（出国口座に保管の委託がされている上場株式等の特定口座への移管）

（１）**6**の居住者又は恒久的施設を有する非居住者が、**6**の特定口座開設届出書の提出をした金融商品取引業者等の営業所に開設されていた特定口座（以下（１）において「出国前特定口座」という。）に係る特定口座内保管上場株式等の全てにつき、出国をした後引き続き当該金融商品取引業者等の営業所に開設されている口座（以下**6**において「**出国口座**」という。）に係る振替口座簿に記載若しくは記録を受け、又は当該出国口座に保管の委託をし、かつ、帰国（居住者又は恒久的施設を有する非居住者に該当することとなることをいう。以下（１）において同じ。）をした後再び当該金融商品取引業者等の営業所に開設する特定口座に係る振替口座簿に記載若しくは記録を受け、又は当該特定口座に保管の委託をしようとするときは、次の（一）から（四）までに掲げる要件を満たす場合に限り、当該出国口座に係る振替口座簿に記載若しくは記録がされ、又は当該出国口座に保管の委託がされている上場株式等を当該特定口座に移管することができるものとする。（措令25の10の５②）

（一）	当該居住者又は恒久的施設を有する非居住者が、出国をする日までに、当該金融商品取引業者等の営業所の長に、特定口座継続適用届出書（出国前特定口座に係る特定口座内保管上場株式等を出国口座に係る振替口座簿に記載若しくは記録を受け、又は当該出国口座に保管の委託をする旨その他の（４）で定める事項を記載した書類をいう。以下（１）及び（３）並びに**10**（４）において同じ。）の提出（当該特定口座継続適用届出書の提出に代えて行う電磁的方法による当該特定口座継続適用届出書に記載すべき事項の提供を含む。（３）において同じ。）をすること。
（二）	当該居住者又は恒久的施設を有する非居住者（（三）に規定する居住者を除く。）が、帰国をした後、**4**の規定

	により当該金融商品取引業者等の営業所の長に特定口座開設届出書の提出をする際、当該特定口座開設届出書とともに出国口座内保管上場株式等移管依頼書（当該出国口座に係る振替口座簿に記載若しくは記録がされ、又は当該出国口座に保管の委託がされている上場株式等を当該特定口座に移管することを依頼する旨、移管する上場株式等の種類、銘柄、数その他の(5)で定める事項を記載した書類をいう。以下(1)、(2)及び**10**の(4)において同じ。）の提出（当該出国口座内保管上場株式等移管依頼書の提出に代えて行う電磁的方法による当該出国口座内保管上場株式等移管依頼書に記載すべき事項の提供を含む。以下(1)及び(2)において同じ。）をすること。
(三)	当該居住者のうちその出国の日の属する年分の所得税につき第六章第四節**一 1**①《国外転出をする場合の譲渡所得等の特例》(同**1**⑩の規定により適用する場合を含む。以下(三)において同じ。）の規定の適用を受けたもの（同日の属する年分の所得税につき確定申告書の提出及び第十二章**一 2**の規定による決定がされていない者並びに同日の属する年分の事業所得の金額、譲渡所得の金額又は雑所得の金額の計算上、第六章第四節**一 1**①(一)及び同(二)に掲げる場合の区分に応じ当該(一)又は(二)に定める金額が総収入金額に算入されていない者を除く。）が、帰国をした後、**4**の規定により当該金融商品取引業者等の営業所の長に特定口座開設届出書の提出をする際、当該特定口座開設届出書とともに出国口座内保管上場株式等移管依頼書及び第十章第七節**二 1**①又は同章第八節**二 3**①（同**3**③において準用する場合を含む。）の規定の適用の有無に応じた第六章第四節**一 1**①(一)及び同(二)に定める金額を証する書類として(6)で定めるものの提出をすること。
(四)	(三)の居住者が次のイ及びロに掲げる場合に該当する場合には、それぞれ次のイ又はロに定める日（同日が第十章第八節**二 3**①（同③において準用する場合を含む。）の規定による更正の請求をした者の当該請求に基づく更正の日前である場合にあっては、同日）以後に出国口座内保管上場株式等移管依頼書の提出をすること。 イ　出国の日から５年を経過する日（同章第五節**一 1**②の規定により同**一 1**①の規定による納税の猶予を受けている者にあっては、10年を経過する日。ロにおいて「満了基準日」という。）までに帰国をした場合　当該帰国の日から４月を経過した日 ロ　満了基準日の翌日から満了基準日以後４月を経過する日までの間に帰国をした場合　当該満了基準日から４月を経過した日

(出国口座から特定口座に移管することができる上場株式等)

(2)　(1)の規定により出国口座から特定口座に移管することができる上場株式等は、当該出国口座に移管された上場株式等のうち、出国の日から出国口座内保管上場株式等移管依頼書の提出をする日までの間に当該出国口座への受入れ又は当該出国口座からの払出し（振替による受入れ及び払出しを含むものとし、次の(一)から(十)までに掲げる上場株式等の受入れをする場合における当該受入れ及び払出しを除く。以下(2)において同じ。）が行われない場合における当該上場株式等と同一銘柄の上場株式等とする。(措令25の10の５③)

(一)	当該出国口座に係る振替口座簿に記載若しくは記録がされ、又は当該出国口座に保管の委託がされている上場株式等に係る株式又は投資信託若しくは特定受益証券発行信託の受益権の分割又は併合により取得する上場株式等で、当該株式又は投資信託若しくは特定受益証券発行信託の受益権の分割又は併合に係る上場株式等の当該出国口座への受入れを、当該振替口座簿に記載若しくは記録をし、又は保管の委託をする方法により行うもの
(二)	当該出国口座に係る振替口座簿に記載若しくは記録がされ、又は当該出国口座に保管の委託がされている上場株式等に係る**3**(8)(六)に規定する株式無償割当て、新株予約権無償割当て又は新投資口予約権無償割当てにより取得する上場株式等で、当該株式無償割当て、新株予約権無償割当て又は新投資口予約権無償割当てに係る上場株式等の当該出国口座への受入れを、当該振替口座簿に記載若しくは記録をし、又は保管の委託をする方法により行うもの
(三)	当該出国口座に係る振替口座簿に記載若しくは記録がされ、又は当該出国口座に保管の委託がされている上場株式等を発行した**二 1**②(一)に規定する法人の**3**(8)(七)に規定する合併により取得する同(七)に規定する合併法人の株式（出資を含む。(六)を除き、以下(2)において同じ。）又は**3**(8)(七)に規定する合併親法人株式で、当該合併法人の株式又は合併親法人株式の当該出国口座への受入れを、当該振替口座簿に記載若しくは記録をし、又は保管の委託をする方法により行うもの
(四)	当該出国口座に係る振替口座簿に記載若しくは記録がされ、又は当該出国口座に保管の委託がされている投資信託の受益権に係る投資信託の**3**(8)(八)に規定する併合により取得する当該併合に係る新たな投資信託の

	受益権で、当該併合に係る新たな投資信託の受益権の当該出国口座への受入れを、当該振替口座簿に記載若しくは記録をし、又は保管の委託をする方法により行うもの
(五)	当該出国口座に係る振替口座簿に記載若しくは記録がされ、又は当該出国口座に保管の委託がされている上場株式等を発行した**二 1**②(二)に規定する法人の**3**(8)(九)に規定する分割により取得する同(九)に規定する分割承継法人の株式又は同(九)に規定する分割承継親法人株式で、当該分割承継法人の株式又は分割承継親法人株式の当該出国口座への受入れを、当該振替口座簿に記載若しくは記録をし、又は保管の委託をする方法により行うもの
(五の二)	当該出国口座に係る振替口座簿に記載若しくは記録がされ、又は当該出国口座に保管の委託がされている上場株式等を発行した**二 1**②(三)に規定する法人の行った**3**(8)(九の二)に規定する株式分配により取得する同(九の二)に規定する完全子法人の株式で、当該完全子法人の株式の当該出国口座への受入れを、当該振替口座簿に記載若しくは記録をし、又は保管の委託をする方法により行うもの
(六)	当該出国口座に係る振替口座簿に記載若しくは記録がされ、又は当該出国口座に保管の委託がされている上場株式等に係る**3**(8)(十)に規定する株式交換により取得する同(十)に規定する株式交換完全親法人の株式若しくは同(十)に規定する親法人の株式又は同(十)に規定する株式移転により取得する同(十)に規定する株式移転完全親法人の株式で、これらの株式の当該出国口座への受入れを、当該振替口座簿に記載若しくは記録をし、又は保管の委託をする方法により行うもの
(七)	当該出国口座に係る振替口座簿に記載若しくは記録がされ、又は当該出国口座に保管の委託がされている上場株式等である**3**(8)(十の二)に規定する旧新株予約権等を発行した法人を同(十の二)に規定する被合併法人、分割法人、株式交換完全子法人又は株式移転完全子法人とする同(十の二)に規定する合併等により取得する同(十の二)に規定する合併法人等新株予約権等で、当該合併法人等新株予約権等の当該出国口座への受入れを、当該振替口座簿に記載若しくは記録をし、又は保管の委託をする方法により行うもの
(八)	当該出国口座に係る振替口座簿に記載若しくは記録がされ、又は当該出国口座に保管の委託がされている上場株式等で**二十**(2)(二)に規定する取得条項付株式、同(2)(三)に規定する全部取得条項付種類株式又は同(2)(六)に規定する取得条項付新株予約権が付された新株予約権付社債であるものに係るこれらの規定に定める取得事由の発生又は取得決議により取得する上場株式等で、当該取得する上場株式等の当該出国口座への受入れを、当該振替口座簿に記載若しくは記録をし、又は保管の委託をする方法により行うもの
(九)	当該出国口座に係る振替口座簿に記載若しくは記録がされ、又は当該出国口座に保管の委託がされている上場株式等について与えられた**二十**(2)(五)に規定する取得条項付新株予約権に係る同(五)に定める取得事由の発生により取得する上場株式等で、当該取得する上場株式等の当該出国口座への受入れを、当該振替口座簿に記載若しくは記録をし、又は保管の委託をする方法により行うもの
(十)	(一)から(九)までに掲げるもののほか(7)で定める上場株式等

(事業の譲渡、合併、分割又は金融商品取引業者等の営業所の新設若しくは廃止により特定口座継続適用届出書を提出した者が開設している出国口座に関する事務が移管先の営業所に移管された場合)

(3)　事業の譲渡若しくは合併若しくは分割又は金融商品取引業者等の営業所の新設若しくは廃止若しくは業務を行う区域の変更により、特定口座継続適用届出書の提出をした者が開設している出国口座に関する事務が、**7**に規定する移管先の営業所に移管された場合には、当該出国口座に係る移管前の営業所（当該移管先の営業所に当該出国口座に関する事務を移管した金融商品取引業者等の営業所をいう。）の長がした特定口座継続適用届出書（電磁的方法により提供された当該特定口座継続適用届出書に記載すべき事項を記録した電磁的記録を含む。）の受理その他の手続については、当該移管先の営業所の長がしたものとみなして、(1)又は(2)の規定を適用する。(措令25の10の5④)

(出国前特定口座に係る特定口座内保管上場株式等を出国口座に保管の委託をする旨その他の(4)で定める事項を記載した書類)

(4)　**6**(1)(一)に規定する(4)で定める事項は、次の(一)から(六)までに掲げる事項とする。(措規18の13①)

(一)	特定口座継続適用届出書（**6**(1)(一)に規定する特定口座継続適用届出書をいう。以下(4)及び**10**(注)1(三)において同じ。）の提出（**6**(1)(一)に規定する提出をいう。(二)において同じ。）をする者の氏名、生年月日及び住所

(二)	当該特定口座継続適用届出書の提出先の金融商品取引業者等の営業所の名称及び所在地
(三)	**6**(1)に規定する出国前特定口座（(四)において「出国前特定口座」という。）に係る全ての特定口座内保管上場株式等を(二)の金融商品取引業者等の営業所に開設されている出国口座（同(1)に規定する出国口座をいう。以下**6**において同じ。）に係る振替口座簿に記載若しくは記録を受け、又は当該出国口座に保管の委託をする旨
(四)	(二)の金融商品取引業者等の営業所に開設されている出国前特定口座の名称及び記号又は番号
(五)	**6**(1)に規定する出国をする予定年月日及び**6**に規定する帰国をする予定年月日
(六)	その他参考となるべき事項

（出国口座に保管の委託がされている上場株式等を特定口座に移管することを依頼する旨、移管する上場株式等の種類、銘柄、数その他の(5)で定める事項を記載した書類）

(5)　**6**(1)(二)に規定する(5)で定める事項は、次の(一)から(六)までに掲げる事項とする。(措規18の13②)

(一)	出国口座内保管上場株式等移管依頼書（**6**(1)(二)に規定する出国口座内保管上場株式等移管依頼書をいう。以下(5)及び**10**(注)1(三)において同じ。）の提出（**6**(1)(二)に規定する提出をいう。(二)において同じ。）をする者の氏名、生年月日及び住所
(二)	当該出国口座内保管上場株式等移管依頼書の提出先の金融商品取引業者等の営業所の名称及び所在地
(三)	出国口座に係る振替口座簿に記載若しくは記録がされ、又は出国口座に保管の委託がされている上場株式等を当該出国口座内保管上場株式等移管依頼書とともに特定口座開設届出書の提出をしたことにより(二)の金融商品取引業者等の営業所に開設する特定口座に移管することを依頼する旨
(四)	特定口座に移管しようとする出国口座に係る振替口座簿に記載若しくは記録がされ、又は出国口座に保管の委託がされている上場株式等の種類、銘柄及び数（特定公社債等にあっては、額面金額）
(五)	**6**(1)に規定する出国をした年月日及び**6**に規定する帰国をした年月日
(六)	その他参考となるべき事項

（**6**(1)(三)に規定する(6)で定める書類）

(6)　**6**(1)(三)に規定する(6)で定める書類は、同(三)の居住者の次の(一)から(三)までに掲げる場合の区分に応じ当該(一)から(三)までに定める書類とする。(措規18の13③)

(一)	当該居住者が第十章第七節**二1**①の規定の適用を受けた場合　同①の規定により提出した修正申告書の写し（当該修正申告書の提出後に、当該居住者が再び修正申告書を提出し、又は第十二章**一1**若しくは同**3**の規定による更正（更正の請求に対する処分に係る不服申立て又は訴えについての決定若しくは裁決又は判決を含む。以下(6)において「更正」という。）があった場合には、当該居住者の価額証明書類（次のイ及びロに掲げる書類で第六章第四節**一1**の規定の適用に係る同**1**①(一)及び同(二)に定める金額を証する書類をいう。以下(6)において同じ。）） イ　再び提出した当該修正申告書の写し ロ　当該更正に係る次に掲げる書類 ⑴　第十二章**一5**①に規定する更正通知書（当該更正が更正の請求に基づくものである場合には、当該更正通知書又はその写し及び当該更正通知書に係る更正請求書の写し。(二)において「更正通知書等」という。） ⑵　第十四章**二4**⑦の再調査決定書、第十四章**三19**①の裁決書若しくは確定判決の判決書若しくは調書又はこれらの書類の写し
(二)	当該居住者が第十章第八節**二3**①（同**3**③において準用する場合を含む。以下(6)において同じ。）の規定の適用を受けた場合　同**3**①の規定による更正の請求に基づく更正に係る更正通知書等又はその写し（当該更正の請求に基づく更正後に、当該居住者が修正申告書を提出し、又は更正があった場合には、当該居住者の価額証明書類）
(三)	当該居住者が第十章第七節**二1**①又は同章第八節**二3**①の規定の適用を受けなかった場合　当該居住者の**6**(1)(三)に規定する出国の日の属する年分の所得税に係る確定申告書の写し又は第十二章**一5**①に規定する

	決定通知書若しくはその写し（当該確定申告書の提出又は同一２の規定による決定の後に、当該居住者が修正申告書を提出し、又は更正があった場合には、当該居住者の価額証明書類）

（出国口座から特定口座に移管することができる（7）で定める上場株式等）

（7）　6（2）(十)に規定する（7）で定める上場株式等は、上場株式等につき出国口座に係る振替口座簿に記載若しくは記録を受け、又は出国口座に保管の委託をしている者が当該出国口座を開設している金融商品取引業者等と締結した金融商品取引法第35条第１項第７号に規定する累積投資契約(上場株式等の取得を目的とするものであつて、次の(一)及び(二)に掲げる要件を満たすものに限る。）に基づき取得する上場株式等で、当該振替口座簿に記載若しくは記録がされ、又は保管の委託がされている上場株式等と同一銘柄のものとする。（措規18の13④）

(一)	当該累積投資契約は当該振替口座簿に記載若しくは記録を受け、又は当該保管の委託をしている者と当該金融商品取引業者等との間で当該出国口座を開設した日前に締結されたものであること。
(二)	当該累積投資契約に基づき取得した上場株式等（当該出国口座に係る振替口座簿に記載若しくは記録がされ、又は当該出国口座に保管の委託がされているものに限る。）の利子等（第四章第一節《利子所得》一に規定する利子等をいう。）又は配当等（第四章第二節一《配当所得》に規定する配当等をいう。）のみを当該上場株式等と同一銘柄の上場株式等の購入の対価に充てるものであること。

7　金融商品取引業者等において事業譲渡等があった場合にその特定口座に関する事務が移管された場合

事業の譲渡若しくは合併若しくは分割又は金融商品取引業者等の営業所の新設若しくは廃止若しくは業務を行う区域の変更により、特定口座開設届出書の提出をした居住者又は恒久的施設を有する非居住者が開設している特定口座に関する事務の全部が、その事業の譲渡を受けた金融商品取引業者等若しくはその合併により設立した金融商品取引業者等若しくはその合併後存続する金融商品取引業者等若しくはその分割により資産及び負債の移転を受けた金融商品取引業者等の営業所又は同一の金融商品取引業者等の他の営業所（以下７において「移管先の営業所」という。）に移管された場合には、当該移管された日以後における当該移管された特定口座に係る１から４までの規定の適用については、当該特定口座に係る移管前の営業所（当該移管先の営業所に当該特定口座に関する事務を移管した金融商品取引業者等の営業所をいう。）の長がした特定口座開設届出書の受理、４の規定による確認その他の手続は、当該移管先の営業所の長がしたものとみなす。（措令25の10の６）

8　特定口座廃止届出書の提出義務

特定口座を開設している居住者又は恒久的施設を有する非居住者が、当該特定口座につき１及び２並びに九１の規定の適用を受けることをやめようとする場合には、その者は、当該特定口座が開設されている金融商品取引業者等の営業所の長に、当該特定口座を廃止する旨その他(注)で定める事項を記載した届出書（以下８、10から七まで及び九において「特定口座廃止届出書」という。）の提出（当該特定口座廃止届出書の提出に代えて行う電磁的方法による当該特定口座廃止届出書に記載すべき事項の提供を含む。（1）及び（2）、11（1）並びに七１（注）３（四）及び七３（注）(二)において同じ。）をしなければならない。（措令25の10の７①）

（注）　８に規定する(注)で定める事項は、次に掲げる事項とする。（措規18の13の２①）

（一）　８に規定する特定口座廃止届出書の同項に規定する提出（10(注)１(三)において「特定口座廃止届出書の提出」という。）をする者の氏名、生年月日及び住所

（二）　１及び２並びに九１の規定の適用を受けることをやめようとする特定口座の名称及び記号又は番号並びに当該特定口座に設けられている勘定の種類

（三）　当該特定口座（七１に規定する源泉徴収選択口座に限る。）についての九１の規定の適用の有無

（四）　その他参考となるべき事項

（特定口座廃止届出書の提出があった場合の適用関係）

（1）　特定口座廃止届出書の提出があった場合には、その提出があった日以後にその口座において処理される上場株式等の譲渡若しくは信用取引等による所得又は同日以後にその口座に受け入れる九１に規定する上場株式等の配当等（以下８において「上場株式等の配当等」という。）に係る利子所得又は配当所得については、六から九までの規定は適用しない。（措令25の10の７②）

（特定口座廃止届出書の提出前に支払の確定した上場株式等の配当等があり、当該配当を居住者等に交付していない場合の（１）の適用関係）

（２）　源泉徴収選択口座内配当等受入開始届出書の提出（**九１**（２）に規定する源泉徴収選択口座内配当等受入開始届出書の提出をいう。以下（２）において同じ。）をした居住者又は恒久的施設を有する非居住者が、その源泉徴収選択口座内配当等受入開始届出書の提出後、当該源泉徴収選択口座内配当等受入開始届出書の提出をした金融商品取引業者等に対し特定口座廃止届出書の提出をした場合（**６**の規定により特定口座廃止届出書の提出をしたものとみなされる場合を除く。）において、当該特定口座廃止届出書の提出があった日前に支払の確定した上場株式等の配当等（無記名の公社債の利子、無記名株式等の剰余金の配当（**二３**に規定する無記名株式等の剰余金の配当をいう。**九**において同じ。）又は無記名の投資信託若しくは特定受益証券発行信託の受益証券に係る収益の分配にあっては、同日前に支払われた上場株式等の配当等）で同日において当該金融商品取引業者等が当該居住者又は恒久的施設を有する非居住者に対してまだ交付していないもの（当該特定口座廃止届出書に係る**七１**に規定する源泉徴収選択口座に受け入れるべきものに限る。）があるときは、当該特定口座廃止届出書は、当該金融商品取引業者等が当該居住者又は恒久的施設を有する非居住者に対して当該上場株式等の配当等の交付をした日（２回以上にわたって当該上場株式等の配当等の交付をする場合には、これらの交付のうち最後に交付をした日）の翌日に提出がされたものとみなして、（１）の規定を適用する。（措令25の10の７③）

9　特定口座開設者死亡届出書の提出義務

特定口座を開設している居住者又は恒久的施設を有する非居住者が死亡したときは、その者の相続人は、当該特定口座につきその相続の開始があったことを知った日以後遅滞なく、当該特定口座が開設されている金融商品取引業者等の営業所の長に、その旨その他（注）で定める事項を記載した届出書（以下**９**、**10**（４）並びに**七１**（注）３（五）及び**七３**（注）（三）において「特定口座開設者死亡届出書」という。）の提出（当該特定口座開設者死亡届出書の提出に代えて行う電磁的方法による当該特定口座開設者死亡届出書に記載すべき事項の提供を含む。同**七１**（注）３（五）及び**七３**（注）（三）において同じ。）をしなければならない。（措令25の10の８）

（注）　**９**に規定する（注）で定める事項は、次に掲げる事項とする。（措規18の13の３）

（一）　**９**に規定する特定口座開設者死亡届出書の**９**に規定する提出（**10**（注）１（三）において「特定口座開設者死亡届出書の提出」という。）をする相続人の氏名及び住所

（二）　被相続人の氏名、生年月日及び死亡の時における住所並びに死亡年月日

（三）　被相続人がその金融商品取引業者等の営業所において開設していた特定口座の名称及び記号又は番号並びに当該特定口座に設けられていた勘定の種類

（四）　その他参考となるべき事項

10　金融商品取引業者等の営業所における特定口座に関する帳簿書類の整理保存

金融商品取引業者等の営業所の長は、特定口座開設届出書の提出をして開設された特定口座に係る特定口座内保管上場株式等又は当該特定口座において処理した信用取引等につき帳簿を備え、各人別に、その特定口座内保管上場株式等の振替口座簿への記載若しくは記録又は保管、受入れ及び譲渡（譲渡以外の払出しを含む。）並びにその上場株式等の信用取引等の処理に関する事項を明らかにし、かつ、当該帳簿を（注）で定めるところにより保存しなければならない。（措令25の10の９①）

（注）１　金融商品取引業者等の営業所の長は、次の（一）から（四）までに掲げる帳簿及び書類を各人別に整理し、当該（一）から（四）に定める日の属する年の翌年から５年間保存しなければならない。（措規18の13の４①）

（一）　当該金融商品取引業者等の営業所の長が作成した**10**及び（１）の帳簿　　これらの帳簿を閉鎖した日

（二）　当該金融商品取引業者等の営業所の長が**３**（５）（**３**（11）において準用する場合を含む。以下（二）において同じ。）の規定による送付をした同**３**（５）（二）に掲げる書類の写し又は当該書類に記載すべき事項が記録された電磁的記録　　その送付をした日

（三）　当該金融商品取引業者等の営業所の長が受理し、又は提出、送付若しくは送信を受けた特定口座開設届出書、特定口座内保管上場株式等移管依頼書、**３**（５）（一）又は同（二）（**３**（11）において準用する場合を含む。）に掲げる書類又は電磁的記録、**３**（８）（二十一）に規定する割当株式数証明書（以下（注）１、（４）（注）１及び同（注）４において「割当株式数証明書」という。）、特定口座への非課税口座内上場株式等移管依頼書、特定口座への未成年者口座内上場株式等移管依頼書、**３**（９）に規定する相続上場株式等移管依頼書、**３**（10）において準用する**３**（４）に規定する相続上場株式等移管依頼書、特定口座異動届出書、特定口座継続適用届出書及び出国口座内保管上場株式等移管依頼書並びに（４）（注）１に規定する書類　　これらの届出書、依頼書、書類、電磁的記録又は証明書に係る特定口座につき特定口座廃止届出書の提出若しくは特定口座開設者死亡届出書の提出があった日（**６**の規定により特定口座廃止届出書の提出があったものとみなされた場合（当該特定口座につき特定口座継続適用届出書の**６**（１）（一）に規定する提出があった場合を除く。）には、当該特定口座廃止届出書の提出があったものとみなされた日）又は当該特定口座に係る特定口座内保管上場株式等を受け入れた**６**（１）に規定する出国口座（当該出国口座に係る振替口座簿に記載若しくは記録がされ、又は当該出国口座に保管の委託がされている上場株式等につき出国口座内保管上場株式等移管依頼書の**６**（１）（二）に規定する提出があったものを除く。）が閉鎖された日

（四）　当該金融商品取引業者等の営業所の長が提出を受けた**８**に規定する特定口座廃止届出書　　当該特定口座廃止届出書の**８**に規定する

提出があった日

(五)　当該金融商品取引業者等の営業所の長が提出を受けた**9**に規定する特定口座開設者死亡届出書　当該特定口座開設者死亡届出書の**9**に規定する提出があった日

2　(注)1(三)から同(五)までに掲げる届出書、依頼書及び書類((5)(注)に規定する書類を除く。以下(注)2において同じ。)には、電磁的方法により提供されたこれらの届出書、依頼書及び書類に記載すべき事項を記録した電磁的記録を含むものとする。(措規18の13の4②)

3　金融商品取引業者等の営業所の長は、**3**(13)の規定による確認をした場合又は同**3**(14)(一)又は同(二)に掲げる書類の提出をした場合には、当該確認又は提出に係る割当株式の受入れをした特定口座に係る**10**の帳簿に、当該確認又は提出に係る者の氏名及び住所、当該確認又は提出をした年月日並びにその旨を記載することにより、当該確認をした旨又は当該書類を提出した事実を明らかにしなければならない。(措規18の13の4③)

(**3**(3)(一)、同**3**(5)又は(15)(一)の通知をしたときの帳簿の備付けと保存義務)

(1)　金融商品取引業者等の営業所の長は、**3**(3)(一)、同**3**(5)又は(15)(一)の規定による通知をしたときは、その旨及びその通知をした事項につき帳簿を備え、各人別に、その事績を明らかにし、かつ、当該帳簿を**10**(注)で定めるところにより保存しなければならない。(措令25の10の9②)

(**3**(5)の送付をしたときの書類の整理と保存義務)

(2)　金融商品取引業者等の営業所の長は、**3**(5)の規定による送付をしたときは、当該送付をした同(5)(一)又は同(二)に掲げる書類(電磁的方法により提供した当該書類に記載すべき事項を記録した電磁的記録を含む。)を各人別に整理し、当該書類を**10**(注)で定めるところにより保存しなければならない。(措令25の10の9③)

(**3**(8)(二十二)の申告書を受理した場合)

(3)　金融商品取引業者等の営業所の長は、**3**(8)(二十二)に規定する申出書を受理した場合には、(4)(注)4で定めるところにより、当該申出書及び当該申出書に添付された割当株式数証明書の写しを作成し、当該写しを保存しなければならない。(措令25の10の9⑦)

(特定口座開設届出書、特定口座内保管上場株式等移管依頼書、相続上場株式等移管依頼書、特定口座異動報告書等の保存義務)

(4)　金融商品取引業者等の営業所の長は、特定口座開設届出書、特定口座内保管上場株式等移管依頼書、**3**(5)(一)又は同(二)(**3**(11)において準用する場合を含む。)に掲げる書類又は電磁的記録、**3**(8)(二十一)に規定する書類、特定口座への非課税口座内上場株式等移管依頼書、特定口座への未成年者口座内上場株式等移管依頼書、相続上場株式等移管依頼書、**3**(10)において準用する**3**(4)に規定する相続上場株式等移管依頼書、特定口座異動届出書、特定口座継続適用届出書、出国口座内保管上場株式等移管依頼書、特定口座廃止届出書、特定口座開設者死亡届出書その他(注)1で定める書類を受理した場合は、(注)2で定めるところにより、これらの届出書、依頼書、書類及び電磁的記録を保存しなければならない。(措令25の10の9⑤)

(注)1　(4)に規定する(注)1で定める書類は、**3**(8)(二十二)に規定する申出書の写し、当該申出書に添付された割当株式数証明書の写し、**3**(8)(注)1(一)から同(三)まで及び**3**(9)(注)5(一)又は同(二)(同(注)4㊉において準用する場合を含む。)に掲げる書類、同(注)4(同(注)4㊉において準用する場合を含む。)に規定する書類並びに**6**(6)(一)から同(三)までに定める書類とする。(措規18の13の4④)

2　金融商品取引業者等は、その年において当該金融商品取引業者等に開設されていた特定口座がある場合には、当該特定口座を開設した居住者又は恒久的施設を有する非居住者の各人別に、**11**(注)(一)から(十七)までに掲げる事項を記載した報告書(以下(注)において「**特定口座年間取引報告書**」という。)2通を作成し、**11**に規定するその年の翌年1月31日までに、1通を当該金融商品取引業者等の当該特定口座が開設されていた営業所の所在地の所轄税務署長(**11**(注)(一)イにおいて「所轄税務署長」という。)に提出し、他の1通を当該居住者又は恒久的施設を有する非居住者に交付しなければならない。(措規18の13の5①)

3　(注)2の場合(**13**(注)4で準用する場合を含む。)において、(注)2の金融商品取引業者等が、居住者又は恒久的施設を有する非居住者が(注)2の特定口座において行った特定口座内保管上場株式等の譲渡又は信用取引等に係る上場株式等の譲渡につき契約締結時交付書面(金融商品取引業等に関する内閣府令第100条第1項に規定する契約締結時交付書面をいう。)及び取引残高報告書(同令第98条第1項第3号イに規定する取引残高報告書をいう。)の交付を当該居住者又は恒久的施設を有する非居住者に対して行っているときは、当該金融商品取引業者等は、(注)2の規定にかかわらず、当該居住者又は恒久的施設を有する非居住者に交付する特定口座年間取引報告書には、これらの書類の交付を行った当該特定口座内保管上場株式等の譲渡又は信用取引等に係る上場株式等の譲渡に係る**11**の(注)の(五)に掲げる事項の記載は、要しない。(措規18の13の5③)

4　金融商品取引業者等の営業所の長は、**3**(8)(二十二)の居住者又は恒久的施設を有する非居住者から提出された同(二十二)に規定する申出書を受理した場合には、当該申出書及び当該申出書に添付された割当株式数証明書の写しを作成しなければならない。ただし、当該申出書又は割当株式数証明書に記載された事項を**10**の帳簿に記載する場合は、この限りでない。(措規18の13の4⑥)

((4)の届出書、依頼書及び書類の範囲)

(5)　(4)の届出書、依頼書及び書類（**3**(8)(二十一)に規定する書類その他(注)で定める書類を除く。以下(5)において同じ。)には、電磁的方法により提供されたこれらの届出書、依頼書又は書類に記載すべき事項を記録した電磁的記録を含むものとする。(措令25の10の９⑥)

(注)　(5)に規定する(注)で定める書類は、(4)(注)１に規定する書類とする。(措規18の13の４⑤)

11　金融商品取引業者等による上場株式等の譲渡の対価の額等の年間取引報告書の提出義務

金融商品取引業者等は、その年において当該金融商品取引業者等に開設されていた特定口座がある場合には、(注)で定めるところにより、当該特定口座を開設した居住者又は恒久的施設を有する非居住者の氏名及び住所、その年中に当該特定口座において処理された上場株式等の譲渡の対価の額、当該上場株式等の取得費の額、当該譲渡に要した費用の額、当該譲渡に係る所得の金額又は差益の金額、当該特定口座に受け入れた**九１**に規定する上場株式等の配当等（以下において「上場株式等の配当等」という。）の額その他の(注)で定める事項を記載した報告書（「年間取引報告書」）２通を作成し、その年の翌年１月31日（年の中途で上場株式等保管委託契約又は上場株式等信用取引等契約の解約による特定口座の廃止その他の(1)で定める事由が生じた場合には、当該事由が生じた日の属する月の翌月末日）までに、１通を当該金融商品取引業者等の当該特定口座を開設する営業所の所在地の所轄税務署長に提出し、他の１通を当該居住者又は恒久的施設を有する非居住者に交付しなければならない。(措法37の11の３⑦)

(注)　**11**に規定する(注)で定める事項は、**11**の特定口座に係る次に掲げる事項とする。(措規18の13の５②)

(一)　次に掲げる特定口座年間取引報告書の区分に応じそれぞれ次に定める事項

イ　所轄税務署長に提出する特定口座年間取引報告書　当該特定口座を開設していた居住者又は恒久的施設を有する非居住者の氏名、生年月日、住所及び個人番号（個人番号を有しない者にあっては、氏名、生年月日及び住所）

ロ　当該特定口座を開設していた居住者又は恒久的施設を有する非居住者に交付する特定口座年間取引報告書　当該居住者又は国内に恒久的施設を有する非居住者の氏名、生年月日及び住所

(二)　当該特定口座が開設されていた金融商品取引業者等の営業所の名称、所在地及び電話番号並びに当該金融商品取引業者等の法人番号

(三)　当該特定口座に設けられていた勘定の種類

(四)　当該特定口座に係る特定口座開設届出書の提出年月日

(五)　その年中にされた当該特定口座に係る特定口座内保管上場株式等の譲渡又はその年中に当該特定口座において処理された差金決済（**2**に規定する信用取引等の**七１**に規定する差金決済をいう。(七)及び(九)において同じ。）に係る**2**に規定する信用取引等に係る上場株式等の譲渡（以下(注)及び**10**(4)(注)３において「信用取引等に係る上場株式等の譲渡」という。）に関する次に掲げる事項

イ　当該特定口座内保管上場株式等の譲渡又は当該信用取引等に係る上場株式等の譲渡があった年月日

ロ　当該特定口座内保管上場株式等の譲渡又は当該信用取引等に係る上場株式等の譲渡がされた上場株式等の種類及び銘柄

ハ　当該特定口座内保管上場株式等の譲渡又は当該信用取引等に係る上場株式等の譲渡がされた上場株式等の数（特定公社債等にあっては、額面金額）

ニ　当該特定口座内保管上場株式等の譲渡又は当該信用取引等に係る上場株式等の譲渡に係る収入金額のうち当該特定口座において処理された金額

ホ　その譲渡が、当該特定口座内保管上場株式等の譲渡のうち次に掲げる譲渡のいずれに該当するか又は当該信用取引等に係る上場株式等の譲渡に該当するかの別

(1)　公開等特定株式の譲渡（平成20年改正令附則第18条第４項第１号に規定する公開等特定株式の譲渡をいう。）

(2)　**十１**(1)に規定する上場株式等の譲渡（公開等特定株式の譲渡に該当するものを除く。）

(六)　その年中にされた当該特定口座に係る特定口座内保管上場株式等の(五)のホの(1)又は(2)に掲げる譲渡の別に、次に掲げる金額

イ　当該特定口座内保管上場株式等の譲渡に係る収入金額のうち当該特定口座において処理された金額の総額

ロ　当該特定口座内保管上場株式等の譲渡に係る**七２**(注)２の(2)(一)又は同(二)に掲げる金額の合計額の総額（当該特定口座を開設していた居住者又は恒久的施設を有する非居住者が締結した金融商品取引法第２条第８項第12号ロに規定する投資一任契約に基づき当該特定口座が開設されていた金融商品取引業者等に支払うべき費用の額（(七)ロにおいて「投資一任契約に基づき支払うべき費用の額」という。）のうち当該特定口座内保管上場株式等の譲渡に係る事業所得の金額又は雑所得の金額の計算上必要経費に算入されるべき金額（**七２**(一)イに規定する取得費等の金額の総額の計算上処理された金額を除く。）がある場合には、当該必要経費に算入されるべき金額を加算した金額）

ハ　イに掲げる金額からロに掲げる金額を控除した金額

(七)　その年中に当該特定口座において処理された差金決済に係る信用取引等に係る上場株式等の譲渡につき次に掲げる金額

イ　当該信用取引等に係る上場株式等の譲渡に係る収入金額のうち当該特定口座において処理された金額の総額

ロ　次に掲げる金額のうち当該特定口座において処理された金額の合計額の総額（投資一任契約に基づき支払うべき費用の額のうち当該信用取引等に係る上場株式等の譲渡に係る事業所得の金額又は雑所得の金額の計算上必要経費に算入されるべき金額（**七２**(一)ロに規定する差益金額及び差損金額の計算上処理された金額を除く。）がある場合には、当該必要経費に算入されるべき金額を加算した金額）

(1)　当該差金決済に係る信用取引等（**2**に規定する信用取引等をいう。以下(注)において同じ。）として行われた上場株式等の買付けにおいて当該上場株式等を取得するために要した金額

(2)　(1)の上場株式等の買付けのために当該特定口座を開設する金融商品取引業者等から借り入れた借入金につき支払った利子の額

(3)　(1)及び(2)に掲げるもののほか、当該信用取引等に係る上場株式等の譲渡のために要した委託手数料、管理費その他当該差金決済に係る信用取引等を行うことに伴い直接要した費用の額

ハ　イに掲げる金額からロに掲げる金額を控除した金額

(八)　その年における当該特定口座についての**七1**の規定の適用の有無並びに当該特定口座につき同**1**の規定の適用を受けている場合には、その年中に支払をした当該特定口座に係る特定口座内保管上場株式等の譲渡の対価又は当該特定口座において処理された上場株式等の信用取引等に係る差金決済に係る差益に相当する金額につき同**1**の規定により徴収して納付すべき所得税の額（租税特別措置法施行令第25条の10の11第９項の規定の適用がある場合には、その適用後の金額）の合計額及び徴収して納入すべき地方税法（昭和25年法律第226号）第23条第１項第３号の４に規定する株式等譲渡所得割の額の合計額

(九)　その年中に支払をした租税特別措置法第41条の12の２第１項第２号に規定する国外割引債の償還金で当該特定口座に係る特定口座内保管上場株式等に係るものにつき、その支払の際に徴収された同条第５項に規定する外国所得税の額があるときは、当該外国所得税の額

(十)　その年中に交付した当該特定口座（**七1**に規定する源泉徴収選択口座に限る。(十一)から(十三)までにおいて同じ。）に係る源泉徴収選択口座内配当等（**九1**に規定する源泉徴収選択口座内配当等をいう。以下(注)において「源泉徴収選択口座内配当等」という。）に関する次に掲げる事項

イ　当該源泉徴収選択口座内配当等を交付した年月日及びその支払の確定した日（無記名の公社債の利子、**8**(２)に規定する無記名株式等の剰余金の配当又は無記名の投資信託若しくは特定受益証券発行信託の受益証券に係る収益の分配については、その支払がされた日）

ロ　種類別及び銘柄別の上場株式等の数その他源泉徴収選択口座内配当等の額の計算の基礎

ハ　当該源泉徴収選択口座内配当等の額

ニ　当該源泉徴収選択口座内配当等とともに交付された第二章第三節**六**《オープン型の証券投資信託の収益調整金》に掲げる収益の分配の額

ホ　当該源泉徴収選択口座内配当等につき、その交付の際に租税特別措置法第３条の３第３項（同条第１項に規定する国外一般公社債等の利子等に係る部分を除く。)、第８条の３第３項（同条第２項第２号に係る部分に限る。）第９条の２第２項又は同法第９条の３の２第１項の規定により徴収した所得税の額

ヘ　当該源泉徴収選択口座内配当等につき、その交付の際に地方税法第71条の31第２項の規定により徴収した同項に規定する配当割の額

ト　当該源泉徴収選択口座内配当等に係る租税特別措置法施行令第４条の６の２第19項に規定する控除外国所得税相当額、同条第20項に規定する控除所得税相当額又は同条第29項に規定する通知外国法人税相当額

チ　当該源泉徴収選択口座内配当等につきその支払の際に課された外国所得税（租税特別措置法第３条の３第４項、第８条の３第４項又は同法第９条の２第３項に規定する外国所得税をいう。）の額

(十一)　その年中の当該特定口座に係る源泉徴収選択口座内配当等につき、第四章第二節**五1**③(１)に規定する特定上場株式等の配当等（配当所得に該当するものに限る。）と当該特定上場株式等の配当等以外の同**1**③に規定する上場株式等の配当等の別に、(十)ハに掲げる金額の総額、同ニに掲げる金額の総額、同ホに掲げる金額の総額、同ヘに掲げる金額の総額、同トに掲げる金額の総額及び同チに掲げる金額の総額並びに次に掲げる源泉徴収選択口座内配当等の区分に応じそれぞれ次に定める金額

イ　公社債の利子等（第四章第一節**一**《利子所得》に規定する利子をいい、ヘに掲げるものを除く。イにおいて同じ。）　その年中の当該公社債の利子に係る(十)ハに掲げる金額の総額、同ホに掲げる金額の総額及び同ヘに掲げる金額の総額

ロ　第四章第二節**一**《配当所得》に規定する剰余金の配当、利益の配当、剰余金の分配、金銭の分配又は基金利息（ロにおいて「剰余金の配当等」という。）　その年中の当該剰余金の配当等に係る(十)ハに掲げる金額の総額、同ホに掲げる金額の総額、同ヘに掲げる金額の総額及び同トに掲げる金額の総額

ハ　租税特別措置法第３条の２に規定する特定株式投資信託の収益の分配　その年中の当該特定株式投資信託の収益の分配に係る(十)ハに掲げる金額の総額、同ホに掲げる金額の総額、同ヘに掲げる金額の総額及び同トに掲げる金額の総額

ニ　投資信託又は特定受益証券発行信託の収益の分配（ロ、ハ、ホ及びヘに掲げるものを除く。）　その年中の当該投資信託又は特定受益証券発行信託の収益の分配に係る(十)ハに掲げる金額の総額、同ホに掲げる金額の総額及び、同ヘに掲げる金額の総額及び同トに掲げる金額の総額

ホ　第二章第一節**一**《用語の意義》**14**に規定するオープン型の証券投資信託の収益の分配（ハ及びヘに掲げるものを除く。）　その年中の当該オープン型の証券投資信託の収益の分配に係る(十)ハに掲げる金額の総額、同ニに掲げる金額の総額、同ホに掲げる金額の総額、同ヘに掲げる金額の総額及び同トに掲げる金額の総額

ヘ　租税特別措置法第３条の３第１項に規定する国外一般公社債等の利子以外の同条第２項に規定する国外公社債等の利子等、第８条の３第２項第２号に掲げる国外投資信託等の配当等又は租税特別措置法第９条の２第１項に規定する国外株式の配当等（ヘにおいて「国外配当等」という。）　その年中の当該国外配当等に係る(十)ハに掲げる金額の総額、同ホに掲げる金額の総額、同ヘに掲げる金額の総額及び同チに掲げる金額の総額

(十二)　当該特定口座につき**九4**(一)又は(二)に掲げる金額がある場合には、当該金額の合計額及び同**4**の規定に基づき計算した当該特定口座に係る源泉徴収選択口座内配当等について徴収して納付すべき所得税の額

(十三)　**九4**(３)の適用がある場合には、同(３)の規定により当該特定口座において還付をした所得税の額

(十四)　当該特定口座につき**7**の移管があった場合には、その旨、当該移管があった年月日並びに**7**に規定する移管前の営業所の名称及び所在地

(十五)　その年において当該特定口座につき**6**の規定により**8**に規定する特定口座廃止届出書の**8**に規定する提出があったものとみなされた場合には、その旨

(十六)　当該特定口座を開設した者が第十五章**四2**の規定により届け出た納税管理人が明らかな場合には、その氏名及び住所又は居所

(十七)　その他参考となるべき事項

(**11**のその他(１)で定める事由)

(１)　**11**に規定にする(１)で定める事由は、特定口座廃止届出書の提出があった場合とする。(措令25の10の10①)

（特定口座年間取引報告書にその額等を記載すべきものとされる上場株式等の譲渡の対価の支払を受ける者及び支払者の受領者の告知義務及び支払調書の提出義務の適用除外）

（2）　特定口座年間取引報告書にその額その他の事項を記載すべきものとされる上場株式等の譲渡の対価（**二2**《株式等の譲渡の対価の受領者等の告知》（注）3に規定する金銭等及び同（注）4に規定する償還金等を含む。以下（2）において同じ。）の支払（所得税法第224条の3第3項及び第4項に規定する交付を含む。以下（2）において同じ。）を受ける者（所得税法第228条第2項に規定する支払を受ける者に該当する者を除く。）、支払をする者及びその交付の取扱者（租税特別措置法第38条第3項及び第5項に規定する交付の取扱者をいう。）については、**二2**《株式等の譲渡の対価の受領者の告知》、同**2**（注）3及び同（注）4並びに**二3**《株式等の譲渡の対価の支払調書》並びに租税特別措置法第38条第3項及び第5項のうち当該上場株式等の譲渡の対価に係る部分の規定は、適用しない。（措令25の10の10⑤）

（特定口座年間取引報告書の添付をもって確定申告書への明細書の添付に代えることができる場合）

（3）　**三**に規定する上場株式等に係る譲渡所得等を有する居住者又は恒久的施設を有する非居住者で金融商品取引業者等の営業所に特定口座を開設しているものがその年分の確定申告書（**十**《上場株式等に係る譲渡損益の損益通算及び繰越控除》**3**②（3）（**十四**《特定中小会社が発行した株式に係る譲渡損失の繰越控除》**3**《確定損失申告の規定の準用》において準用する場合を含む。）において準用する第十章第二節**二4**《確定損失申告》①（同①(二)を除く。）の規定による申告書を含む。以下（3）において同じ。）を提出する場合において、その年中に、**1**（1）に規定する特定口座内保管上場株式等の譲渡による事業所得、譲渡所得若しくは雑所得又は**2**（1）に規定する信用取引等に係る上場株式等の譲渡による事業所得若しくは雑所得の基因となる上場株式等の譲渡以外の株式等の譲渡がないときは、当該確定申告書を提出する場合における租税特別措置法施行令第25条の9第13項において準用する同第25条の8第14項の規定の適用については、特定口座年間取引報告書又は**13**本文の規定による提供を受けた当該特定口座年間取引報告書に記載すべき事項を書面に出力したもの（二以上の特定口座を有する場合には、当該二以上の特定口座に係るこれらの書類及びその合計表（（注）1で定める事項を記載したものをいう。））の添付をもって同第25条の9第13項において準用する**二1**④に規定する明細書の添付に代えることができる。（措令25の10の10⑦）

（注）1　（3）に規定する（注）1で定める事項は、次に掲げる事項とする。（措規18の13の5⑬）

(一)　（3）の確定申告書を提出する居住者又は恒久的施設を有する非居住者の氏名及び住所

(二)　当該確定申告書に添付する特定口座年間取引報告書又は印刷報告書に記載されている**11**（注）2(六)イから同ハまでに掲げる金額及び同（注）2(七)イから同ハまでに掲げる金額のそれぞれの合計額

(三)　その他参考となるべき事項

2　確定申告書（**十3**②（3）（**十四3**において準用する場合を含む。）において準用する第十章第二節**二4**①（同①(二)を除く。）の規定による申告書を含む。）に租税特別措置法施行令第25条の9第13項において準用する同第25条の8第14項に規定する明細書を添付すべき居住者又は恒久的施設を有する非居住者は、当該確定申告書に当該明細書と併せて特定口座年間取引報告書又は**13**本文の規定による提供を受けた当該特定口座年間取引報告書に記載すべき事項を書面に出力したもの（（注）3及び（注）1(二)並びに**十3**②(二)において「印刷報告書」という。）（2以上の特定口座を有する場合には、当該2以上の特定口座に係るこれらの書類及びその合計表（（3）に規定する合計表をいう。））の添付をする場合には、当該明細書には、租税特別措置法施行規則第18条の10第2項において準用する同第18条の9第2項の規定にかかわらず、当該添付をするこれらの書類に記載がされた上場株式等に係る同項の記載は、要しない。（措規18の13の5⑥）

3　（注）2の場合において、（注）2に規定する確定申告書に（注）2の明細書と併せて（注）2に規定する特定口座年間取引報告書又は印刷報告書の添付がされたときは、当該明細書には租税特別措置法施行規則第18条の10第2項において準用する同第18条の9第2項の記載がされているものとみなして、租税特別措置法施行令第25条の9第13項において準用する同第25条の8第14項の規定を適用する。（措規18の13の5⑦）

12　特定口座内保管上場株式等の譲渡の受入れが行われなかったものがある場合

金融商品取引業者等に開設されていた特定口座で、その年中に当該特定口座に係る特定口座内保管上場株式等の譲渡及び当該特定口座で処理した信用取引等に係る上場株式等の譲渡並びに当該特定口座への上場株式等の配当等の受入れが行われなかったものがある場合には、当該金融商品取引業者等は、**11**の規定にかかわらず、当該特定口座に係る**11**の規定による報告書を当該特定口座を開設した居住者又は恒久的施設を有する非居住者に対して交付することを要しない。ただし、当該居住者又は恒久的施設を有する非居住者の請求があるときは、当該報告書をその者に交付しなければならない。（措法37の11の3⑧）

13　報告書に記載すべき事項の電磁的方法による提供

金融商品取引業者等は、**11**及び**12**のただし書の規定による報告書の交付に代えて、（1）で定めるところにより、これらの規定に規定する居住者又は恒久的施設を有する非居住者の承諾を得て、当該報告書に記載すべき事項を電磁的方法（電子情報処理組織を使用する方法その他の情報通信の技術を利用する方法であって(注)２で定めるものをいう。)により提供することができる。ただし、当該居住者又は恒久的施設を有する非居住者の請求があるときは、当該報告書をその者に交付しなければならない。(措法37の11の３⑨)

(注)１　**13**本文の場合において、**13**の金融商品取引業者等は、**11**又は**12**のただし書の報告書を交付したものとみなす。(措法37の11の３⑩)

２　**13**に規定する(注)２で定める方法は、次に掲げる方法とする。(措規18の13の５⑧)

(一)　電子情報処理組織を使用する方法のうち次に掲げるもの

イ　送信者等（送信者又は当該送信者との契約によりファイルを自己の管理する電子計算機に備え置き、これを受信者若しくは当該送信者の用に供する者をいう。ロにおいて同じ。）の使用に係る電子計算機と受信者等（受信者又は当該受信者との契約により受信者ファイル（専ら当該受信者の用に供せられるファイルをいう。以下(注)３及び(１)(注)において同じ。）を自己の管理する電子計算機に備え置く者をいう。イにおいて同じ。）の使用に係る電子計算機とを接続する電気通信回線を通じてその提供すべき事項に係る情報（以下(注)３及び(１)(注)において「記載情報」という。）を送信し、受信者等の使用に係る電子計算機に備えられた受信者ファイルに記録する方法

ロ　送信者等の使用に係る電子計算機に備えられた受信者ファイルに記録された記載情報を電気通信回線を通じて提供を受ける者の閲覧に供する方法

(二)　光ディスク、磁気ディスクその他これらに準ずる方法により一定の事項を確実に記録しておくことができる物をもって調製する受信者ファイルに記載情報を記録したものを交付する方法

３　(注)２(一)又は同(二)に掲げる方法は、次に掲げる基準に適合するものでなければならない。(措規18の13の５⑨)

(一)　受信者ファイルに記録されている記載情報について、提供を受ける者が電子計算機の映像面への表示及び書面への出力ができるようにするための措置を講じていること。

(二)　(注)２(一)に掲げる方法（受信者の使用に係る電子計算機に備えられた受信者ファイルに記載情報を記録する方法を除く。）にあっては、提供を受ける者に対し、記載情報を受信者ファイルに記録する旨又は記録した旨を通知するものであること。ただし、提供を受ける者が当該記載情報を閲覧していたことを確認したときは、この限りでない。

４　**10**(４)(注)２及び**11**(注)の規定は、**12**ただし書又は**13**のただし書の規定により居住者又は恒久的施設を有する非居住者に交付する特定口座年間取引報告書について準用する。(措規18の13の５⑫)

(金融商品取引業者等が、特定口座年間取引報告書に記載すべき事項を提供しようとするとき)

(１)　**13**の金融商品取引業者等は、**13**本文の規定により特定口座年間取引報告書に記載すべき事項を提供しようとするときは、(注)１で定めるところにより、あらかじめ、**13**の居住者又は恒久的施設を有する非居住者に対し、その用いる電磁的方法（**13**に規定する電磁的方法をいう。以下(１)及び(２)において同じ。）の種類及び内容を示し、書面又は電磁的方法による承諾を得なければならない。(措令25の10の10③)

(注)１　金融商品取引業者等は、(１)の規定により、あらかじめ、(１)の居住者又は恒久的施設を有する非居住者に対し、次に掲げる事項を示し、同(１)に規定する書面又は電磁的方法による承諾を得なければならない。(措規18の13の５⑩)

(一)　**13**の(注)２の(一)又は(二)に掲げる方法のうち当該金融商品取引業者等が使用するもの

(二)　記載情報の受信者ファイルへの記録の方式

２　金融商品取引業者等が、(１)の居住者又は恒久的施設を有する非居住者から(注)１の規定による承諾を得ようとする場合において、当該金融商品取引業者等が定める期限までに当該承諾をしない旨の回答がないときは当該承諾があったものとみなす旨の通知をし、当該期限までに当該居住者又は恒久的施設を有する非居住者から当該回答がなかったときは、当該承諾を得たものとみなす。(措規18の13の５⑪)

㊟　改正後の(注)２の規定は、同(注)２に規定する金融商品取引業者等が令和６年４月１日以後に行う同(注)２に規定する通知について適用される。(令６改措規附９①)

(居住者又は国内に恒久的施設を有する非居住者から書面又は電磁的方法により　電磁的方法による提供を受けない旨の申出があったとき)

(２)　(１)の規定による承諾を得た金融商品取引業者等は、(１)の居住者又は恒久的施設を有する非居住者から書面又は電磁的方法により**13**本文の規定による電磁的方法による提供を受けない旨の申出があったときは、当該居住者又は恒久的施設を有する非居住者に対し、特定口座年間取引報告書に記載すべき事項の提供を電磁的方法によってしてはならない。ただし、当該居住者又は恒久的施設を有する非居住者が再び(１)の規定による承諾をした場合は、この限りでない。(措令25の10の10④)

14　国税庁、国税局又は税務署の職員による質問又は検査

国税庁、国税局又は税務署の当該職員は、**11**の報告書の提出に関する調査について必要があるときは、当該報告書を提出する義務がある者に質問し、その者の特定口座及び当該特定口座における上場株式等の取扱いに関する帳簿書類その他の物件を検査し、又は当該物件（その写しを含む。）の提示若しくは提出を求めることができる。(措法37の11の３⑫)

(注)　**14**及び(１)の規定による当該職員の権限は、犯罪捜査のために認められたものと解してはならない。(措法37の11の３⑮)

（調査によって提出された物件の留置き）

（1）　国税庁、国税局又は税務署の当該職員は、**11**の報告書の提出に関する調査について必要があるときは、当該調査において提出された物件を留め置くことができる。（措法37の11の3⑬）

また、国税通則法施行令30の3の規定は、上記の規定により物件を留め置く場合について準用する。（措令25の10の10⑧）

（国税庁、国税局又は税務署の職員の身分証明書の提示義務）

（2）　国税庁、国税局又は税務署の当該職員は、**14**の規定による質問、検査又は提示若しくは提出の要求をする場合には、その身分を示す証明書を携帯し、関係人の請求があったときは、これを提示しなければならない。（措法37の11の3⑭）

七　特定口座内保管上場株式等の譲渡所得等に対する源泉徴収等の特例

1　特定口座内保管上場株式等の譲渡による所得等に対する源泉徴収等の特例

居住者又は恒久的施設を有する非居住者に対し国内においてその営業所に開設されている特定口座（**六3**(一)に規定する特定口座をいう。以下**七**において同じ。）に係る特定口座内保管上場株式等の譲渡の対価又は当該特定口座において処理された上場株式等の信用取引等の決済（当該信用取引等に係る株式等〔**一**《上場株式等の範囲》に規定する株式等をいう。〕の受渡しが行われることとなるものを除く。以下**九**までにおいて「**差金決済**」という。）に係る差益に相当する金額の支払をする金融商品取引業者等は、当該居住者又は恒久的施設を有する非居住者から、(注) 1で定めるところにより、その年最初に当該特定口座に係る特定口座内保管上場株式等の譲渡をする時又は当該特定口座において処理された上場株式等の信用取引等につきその年最初に差金決済を行う時のうちいずれか早い時までに、当該金融商品取引業者等の当該特定口座を開設する営業所の長に**特定口座源泉徴収選択届出書**（**1**の規定の適用を受ける旨その他(注) 2で定める事項を記載した書類をいう。以下**1**において同じ。）の提出（当該特定口座源泉徴収選択届出書の提出に代えて行う電磁的方法による当該特定口座源泉徴収選択届出書に記載すべき事項の提供を含む。）があった場合において、その年中に行われた当該特定口座。以下**九**までにおいて「**源泉徴収選択口座**」という。）に係る特定口座内保管上場株式等の譲渡又は当該源泉徴収選択口座において処理された上場株式等の信用取引等に係る差金決済により源泉徴収選択口座内調整所得金額が生じたときは、当該譲渡の対価又は当該差金決済に係る差益に相当する金額の支払をする際、当該源泉徴収選択口座内調整所得金額に**100分の15**の税率を乗じて計算した金額の所得税を徴収し、その徴収の日の属する年の翌年1月10日（(注) 3で定める場合にあっては、(注) 3で定める日）までに、これを国に納付しなければならない。（措法37の11の4①）

(注) 1　特定口座を開設している居住者又は恒久的施設を有する非居住者でその年中に行われた当該特定口座に係る特定口座内保管上場株式等の譲渡又は当該特定口座において処理された上場株式等の信用取引等に係る差金決済（**1**に規定する差金決済をいう。以下において同じ。）により生ずる**2**に規定する源泉徴収選択口座内調整所得金額に係る当該譲渡の対価又は当該差金決済に係る差益に相当する金額について**1**の規定の適用を受けようとするものは、当該特定口座が開設されている金融商品取引業者等の営業所の長に、その年最初に当該特定口座に係る特定口座内保管上場株式等の譲渡をする時又は当該特定口座において処理された上場株式等の信用取引等につきその年最初に差金決済を行う時のうちいずれか早い時までに、特定口座源泉徴収選択届出書（**1**に規定する特定口座源泉徴収選択届出書をいう。）の提出（**1**に規定する提出をいう。）をしなければならない。（措令25の10の11①）

2　**1**に規定する(注) 2で定める事項は、次の(一)から(四)までに掲げる事項とする。（措規18の13の6①）

(一)	特定口座源泉徴収選択届出書の提出をする者の氏名、生年月日及び住所
(二)	特定口座源泉徴収選択届出書の提出先の金融商品取引業者等の営業所の名称及び所在地
(三)	**1**の規定の適用を受ける特定口座の名称及び記号又は番号
(四)	その他参考となるべき事項

3　**1**に規定する(注) 3で定める場合は次の(一)から(五)までに掲げる場合とし、**1**に規定する(注) 3で定める日は、当該(一)から(五)までに掲げる場合の区分に応じ当該(一)から(五)までに定める日とする。（措令25の10の11②）

(一)	その源泉徴収選択口座（**1**に規定する源泉徴収選択口座をいう。以下において同じ。）が開設されている金融商品取引業者等の事業の譲渡により当該源泉徴収選択口座に関する事務がその譲渡を受けた金融商品取引業者等の営業所に移管された場合　　当該譲渡の日の属する月の翌月10日
(二)	その源泉徴収選択口座が開設されている金融商品取引業者等の分割により当該源泉徴収選択口座に関する事務がその分割による資産及び負債の移転を受けた金融商品取引業者等の営業所に移管された場合　　当該分割の日の属する月の翌月10日
(三)	その源泉徴収選択口座が開設されている金融商品取引業者等が解散又は事業の廃止をした場合　　当該解散又は廃止の日の属する月の翌月10日
(四)	その源泉徴収選択口座につき特定口座廃止届出書の提出があった場合　　当該提出があった日の属する月の翌月10日
(五)	その源泉徴収選択口座につき特定口座開設者死亡届出書の提出があった場合　　当該提出があった日の属する月の翌月10日

（特定口座源泉徴収選択届出書の提出期限）

（1）　**1**に規定する特定口座源泉徴収選択届出書の提出期限は、その年最初の当該特定口座に係る特定口座内保管上場株式等の譲渡に係る決済が行われた日（以下（1）において「決済日」という。）又は当該特定口座において処理された上場株式等の信用取引等につきその年最初に差金決済を行う時のうちいずれか早い時となることに留意する。（措通37の11の4－1）

(注) 1　特定口座における源泉徴収の選択は、年ごとに行うこととなることから、特定口座内保管上場株式等の譲渡又は信用取引等の決済ごとに選択することはできない。

2　決済日とは、金融商品取引所における普通取引にあっては、売買契約成立の日から起算して通常3営業日である。

（他の金融商品取引業者等を通じて行う譲渡）

（2）　**1**に規定する金融商品取引業者等が、**1**に規定する特定口座内保管上場株式等の譲渡をしようとする者（以下（2）において「株式等の譲渡者」という。）から売委託を受け、他の金融商品取引業者等を通じて譲渡した場合であっても、**1**又は**3**の規定により所得税を徴収又は還付するべき者は、株式等の譲渡者から売委託を受けた金融商品取引業者等であることに留意する。（措通37の11の４－２）

2　源泉徴収選択口座内調整所得金額

1に規定する源泉徴収選択口座内調整所得金額とは、金融商品取引業者等の営業所に開設されている居住者又は恒久的施設を有する非居住者の源泉徴収選択口座に係る特定口座内保管上場株式等の譲渡又は当該源泉徴収選択口座において処理された上場株式等の信用取引等に係る差金決済（第六章第四節**一 1**又は同**2**の規定により譲渡があったものとみなされたものを除く。以下**2**及び**3**において「対象譲渡等」という。）が行われた場合において、当該居住者又は恒久的施設を有する非居住者の当該源泉徴収選択口座に係る(一)に掲げる金額（**3**において「源泉徴収口座内通算所得金額」という。）が(二)に掲げる金額（**3**において「源泉徴収口座内直前通算所得金額」という。）を超えるときにおける当該超える部分の金額をいう。（措法37の11の４②）

(一)	イに掲げる金額とロに掲げる金額とを合計した金額（当該金額が零を下回る場合には、零）	
	イ	その年において当該対象譲渡等の時の以前にした特定口座内保管上場株式等の譲渡に係る譲渡収入金額（特定口座内保管上場株式等の譲渡に係る収入金額として(注)１で定める金額をいう。(二)イにおいて同じ。）の総額からその譲渡をした特定口座内保管上場株式等に係る取得費等の金額（その譲渡をした特定口座内保管上場株式等の取得に要した金額及びその譲渡に要した費用の金額として(注)２で定める金額をいう。(二)イにおいて同じ。）の総額を控除した金額
	ロ	その年において当該対象譲渡等の時の以前に行われた上場株式等の信用取引等に係る差金決済により生じた差益の金額として(注)３で定める金額（(二)ロにおいて「差益金額」という。）の総額から当該対象譲渡等の時の以前に行われた上場株式等の信用取引等に係る差金決済により生じた差損の金額として(注)３で定める金額（(二)ロにおいて「差損金額」という。）の総額を控除した金額
(二)	イに掲げる金額とロに掲げる金額とを合計した金額（当該金額が零を下回る場合には、零）	
	イ	その年において当該対象譲渡等の時の前にした特定口座内保管上場株式等の譲渡に係る譲渡収入金額の総額からその譲渡をした特定口座内保管上場株式等に係る取得費等の金額の総額を控除した金額
	ロ	その年において当該対象譲渡等の時の前に行われた上場株式等の信用取引等に係る差金決済により生じた差益金額の総額から当該対象譲渡等の時の前に行われた上場株式等の信用取引等に係る差金決済により生じた差損金額の総額を控除した金額

(注)１　**2**(一)イに規定する特定口座内保管上場株式等の譲渡に係る収入金額として(注)１で定める金額は、その譲渡をした特定口座内保管上場株式等の当該譲渡に係る収入金額のうち当該特定口座内保管上場株式等に係る源泉徴収選択口座において処理された金額（財務省令で定めるものを除く。）とする。（措令25の10の11③）

２　**2**(一)イに規定する譲渡をした特定口座内保管上場株式等の取得に要した金額及びその譲渡に要した費用の金額として(注)２で定める金額は、その譲渡につき(注)１に規定する金額がある場合における次の(一)及び(二)に掲げる金額の合計額とする。（措令25の10の11④）

(一)	その譲渡をした特定口座内保管上場株式等の取得に要した金額その他の当該特定口座内保管上場株式等につき当該特定口座内保管上場株式等に係る源泉徴収選択口座において処理された金額又は事項を基礎として第六章第二節**四**及び**二十**《株式交換等による取得株式等の取得価額の計算等》(6)から同(9)までの規定並びに**十五 1**（2）の規定（これらの規定を**六 1**（1）後段の規定により適用する場合を含む。）に準じて計算した場合に算出される当該特定口座内保管上場株式等の売上原価の額又は取得費の額に相当する金額
(二)	その譲渡をした特定口座内保管上場株式等の当該譲渡に係る委託手数料その他当該譲渡に要した費用の額のうち当該特定口座内保管上場株式等に係る源泉徴収選択口座において処理された金額

３　**2**(一)ロに規定する差益の金額として(注)３で定める金額は、源泉徴収選択口座において差金決済が行われた信用取引等に係る(一)に掲げる金額から当該信用取引等に係る(二)に掲げる金額を控除した残額とし、**2**(一)ロに規定する差損の金額として(注)３で定める金額は、当該信用取引等に係る(二)に掲げる金額から当該信用取引等に係る(一)に掲げる金額を控除した残額とする。（措令25の10の11⑤）

(一)	その信用取引等による上場株式等の譲渡又はその信用取引等の決済のために行う上場株式等の譲渡に係る収入金額のうち当該源泉徴収選択口座において処理された金額
(二)	次のイからハまでに掲げる金額のうち当該源泉徴収選択口座において処理された金額の合計額

イ　(一)の信用取引等に係る上場株式等の買付けにおいて当該上場株式等を取得するために要した金額 ロ　イの上場株式等の買付けのために(一)の源泉徴収選択口座を開設する金融商品取引業者等から借り入れた借入金につき支払った利子の額 ハ　イ及びロに掲げるもののほか、当該信用取引等に係る上場株式等の譲渡のために要した委託手数料、管理費その他当該信用取引等を行うことに伴い直接要した費用の額

3　特定口座源泉徴収選択届出書の提出がされた場合の所得税の還付

居住者又は恒久的施設を有する非居住者の源泉徴収選択口座を開設している金融商品取引業者等は、当該源泉徴収選択口座において、その年中に行われた対象譲渡等により当該対象譲渡等に係る源泉徴収口座内通算所得金額が源泉徴収口座内直前通算所得金額に満たないこととなった場合又はその年中に行われた対象譲渡等につき特定費用の金額（その者が締結した金融商品取引法第２条第８項第12号ロに規定する投資一任契約に基づき当該金融商品取引業者等に支払うべき費用の額のうち当該対象譲渡等に係る事業所得の金額又は雑所得の金額の計算上必要経費に算入されるべき金額でその年12月31日（(注)で定める場合にあっては、(注)で定める日）において**2**(一)イに規定する取得費等の金額の総額並びに同(一)ロに規定する差益金額及び差損金額の計算上処理された金額に含まれないものをいう。以下**3**において同じ。）がある場合には、その都度、当該居住者又は恒久的施設を有する非居住者に対し、当該満たない部分の金額又は当該特定費用の金額（当該特定費用の金額が当該源泉徴収選択口座においてその年最後に行われた対象譲渡等に係る源泉徴収口座内通算所得金額を超える場合には、その超える部分の金額を控除した金額）に100分の15を乗じて計算した金額に相当する所得税を還付しなければならない。（措法37の11の４③）

(注)　**3**に規定する(注)で定める場合は次の(一)から(三)に掲げる場合とし、**3**に規定する(注)で定める日は、当該(一)から(三)に掲げる場合の区分に応じ当該(一)から(三)に定める日とする。（措令25の10の11⑥）

(一)	その源泉徴収選択口座が開設されている金融商品取引業者等が解散又は事業の廃止をした場合	当該解散又は廃止の日
(二)	その源泉徴収選択口座につき特定口座廃止届出書の提出があった場合	当該提出があった日
(三)	その源泉徴収選択口座につき特定口座開設者死亡届出書の提出があった場合	当該提出があった日

4　源泉徴収に係る所得税とみなす規定

1の規定により徴収して納付すべき所得税は、第二章第一節**一**《用語の意義》表内**45**《源泉徴収》に規定する源泉徴収に係る所得税とみなして、所得税法、国税通則法及び国税徴収法の規定を適用する。（措法37の11の４④）

八　確定申告を要しない上場株式等の譲渡による所得

その年分の所得税に係る源泉徴収選択口座を有する居住者又は恒久的施設を有する非居住者で、当該源泉徴収選択口座につき次の(一)又は(二)に掲げる金額を有するものは、その年分の所得税については、**三**《上場株式等に係る譲渡所得等の申告分離課税》に規定する上場株式等に係る譲渡所得等の金額若しくは**十 1**（1）《上場株式等に係る譲渡損失の損益通算及び繰越控除》若しくは同**2**（1）に規定する上場株式等に係る譲渡損失の金額又は第十章第二節**二 2**《確定申告を要しない場合》①（所得税法第166条において準用する場合を含む。）に規定する給与所得及び退職所得以外の所得金額若しくは同④に規定する公的年金等に係る雑所得以外の所得金額の計算上当該(一)又は(二)に掲げる金額（当該(一)又は(二)に掲げる金額が同一の源泉徴収選択口座に係るものである場合には、当該源泉徴収選択口座については(一)に掲げる金額及び(二)に掲げる金額）を除外したところにより、第十章第二節**二**《確定申告》**1**から同節**三**《死亡又は出国の場合の確定申告》**4**まで及び**十 3**②（2）（**十四**《特定中小会社が発行した株式に係る譲渡損失の繰越控除》**3**において準用する場合を含む。）において準用する同節**二 4**《確定損失申告》の規定を適用することができる。（措法37の11の5①）

(一)	その年中にした源泉徴収選択口座（その者が源泉徴収選択口座を2以上有する場合には、それぞれの源泉徴収選択口座。(二)において同じ。）に係る特定口座内保管上場株式等の譲渡につき**六**《特定口座内保管上場株式等の譲渡等に係る所得計算等の特例》**1**の規定に基づいて計算された当該特定口座内保管上場株式等の譲渡による事業所得の金額、譲渡所得の金額及び雑所得の金額並びにこれらの所得の金額の計算上生じた損失の金額
(二)	その年中にした源泉徴収選択口座において処理された差金決済に係る**六 2**に規定する信用取引等に係る上場株式等の譲渡につき同**2**の規定により計算された当該信用取引等に係る上場株式等の譲渡による事業所得の金額及び雑所得の金額並びにこれらの所得の金額の計算上生じた損失の金額

（国税通則法の規定による決定等があった場合の適用除外）

（1）　**八**に規定する居住者又は恒久的施設を有する非居住者のその年分の所得税について第十二章**一 2**《決定》の規定による決定（当該決定に係る同**1**《更正》又は同**3**《再更正》の規定による更正を含む。）をする場合におけるこれらの規定の適用については、**八**(一)又は同(二)に掲げる金額は、同章**一 1**から同**3**までに規定する課税標準等には含まれないものとする。（措法37の11の5②）

（確定申告を要しない上場株式等の譲渡による所得がある場合の読替え）

（2）　**八**の規定の適用を受ける場合における第二章第一節**一**《用語の意義》表内**30**から同**34の4**まで及び第十章第二節**二 2**《確定申告を要しない場合》①及び同④の規定の適用については、**三 1**①(注)において準用する**二 1**①(注)(一)の規定及び租税特別措置法施行令第25条の9第13項において準用する同令第25条の8第15項の規定にかかわらず、次に定めるところによる。（措令25の10の12①）

(一)　第二章第一節**一**《用語の意義》表内**30**から同**34の4**までの規定の適用については、同**30**中「山林所得金額」とあるのは、「山林所得金額並びに第五章第三節**三**《上場株式等に係る譲渡所得等の課税の特例》に規定する上場株式等に係る譲渡所得等の金額（**八**《確定申告を要しない上場株式等の譲渡による所得》の規定の適用を受ける場合には、**八**(一)又は同(二)に掲げる金額を除外した金額)」とする。

(二)　第十章第二節**二 2**《確定申告を要しない場合》の規定の適用については、同**2**中「課税総所得金額等」とあるのは「課税総所得金額等、第五章第三節**三**《上場株式等に係る譲渡所得等の課税の特例》に規定する上場株式等に係る課税譲渡所得等の金額」と、「同項」とあるのは「前条第1項」と、「合計額（」とあるのは「合計額（**八**《確定申告を要しない上場株式等の譲渡による所得》の規定の適用を受ける同**八**の(一)又は(二)に掲げる金額を除く。」とする。

(三)　第十章第二節**二 2**①の規定の適用については、同①中「合計額」とあるのは「合計額（第五章第三節**八**《確定申告を要しない上場株式等の譲渡による所得》の規定の適用を受ける**八**(一)又は同(二)に掲げる金額を除く。)」と、「課税総所得金額」とあるのは「課税総所得金額、第五章第三節**三**《上場株式等に係る譲渡所得等の課税の特例》に規定する上場株式等に係る課税譲渡所得等の金額」と、「同①」とあるのは「**1**の①」とする。

（適用を受けた場合の効果）

（3）　**八**の規定を適用する場合には、**七 1**に規定する源泉徴収選択口座（以下（6）までにおいて「源泉徴収選択口座」という。）につき有する**八**(一)又は同(二)に掲げる各種所得の金額又は損失の金額（以下（6）までにおいて「所得又は損失の金額」という。）は、所得税法及び所得税法令の規定の適用上、次に掲げる金額又は合計額には含まれないのであるから留意する。（措通37の11の5－1）

(一)　第二章第一節**一**《用語の意義》表内**30**イ(２)に規定する「合計所得金額」

(二)　第二章第一節**一**表内**31**(２)に規定する「総所得金額、退職所得金額及び山林所得金額の合計額」

(三)　第十章第二節**二１**《確定申告書を提出すべき場合》①に規定する「その年分の総所得金額、退職所得金額及び山林所得金額の合計額」

(四)　第十章第二節**二２**《確定申告を要しない場合》①(一)に規定する「給与所得及び退職所得以外の所得金額」

(五)　第十章第二節**二２**④に規定する「その年分の公的年金等に係る雑所得以外の所得金額」

（２以上の源泉徴収選択口座を有する場合）

(４)　その年分に係る**七１**の規定の適用につき２以上の源泉徴収選択口座を有し、それぞれの源泉徴収選択口座に所得又は損失の金額が生じている場合の**八**の規定の適用については、当該源泉徴収選択口座ごとに行うことができるのであるから留意する。ただし、一の源泉徴収選択口座において**六３**(二)に規定する特定保管勘定と同**３**(三)に規定する特定信用取引等勘定のいずれをも設定している場合には、いずれかの勘定において生じた所得又は損失の金額のみについて**八**の規定を適用することはできないのであるから留意する。（措通37の11の５－２）

（源泉徴収選択口座において生じた所得の金額等を申告する場合の計算）

(５)　源泉徴収選択口座において生じた所得又は損失の金額を申告する場合の上場株式等に係る譲渡所得等の金額の計算は次の順序により行う。（措通37の11の５－３）

(一)　まず、申告しようとする源泉徴収選択口座が２以上ある場合には、金融商品取引業者等から交付を受けた当該源泉徴収選択口座に係る特定口座年間取引報告書に基づき、それぞれの特定口座年間取引報告書に記載された年間取引損益の各欄の金額を合計する。

(二)　次に、源泉徴収選択口座以外の特定口座との間で同様の合計計算を行う。

(三)　最後に、(二)により合計された年間取引損益の各欄の金額について、特定口座以外の上場株式等に係る譲渡所得等の金額と合計する。

（源泉徴収選択口座において生じた所得の金額等を申告した場合の効果）

(６)　源泉徴収選択口座において生じた所得又は損失の金額を上場株式等に係る譲渡所得等の金額に算入したところにより確定申告書を提出した場合には、その後においてその者が更正の請求をし、又は修正申告書を提出する場合においても、当該所得又は損失の金額を当該上場株式等に係る譲渡所得等の金額の計算上除外することはできないことに留意する。（措通37の11の５－４）

九　源泉徴収選択口座内配当等に係る所得計算及び源泉徴収等の特例

1　源泉徴収選択口座内配当等に係る所得計算及び源泉徴収等の特例

源泉徴収選択口座を有する居住者又は恒久的施設を有する非居住者が支払を受ける第四章第二節**五 1**③《上場株式等に係る配当所得の課税の特例》に規定する上場株式等の配当等（以下**九**において「**上場株式等の配当等**」という。）のうち、当該居住者又は恒久的施設を有する非居住者が当該源泉徴収選択口座を開設している金融商品取引業者等と締結した上場株式配当等受領委任契約に基づき当該源泉徴収選択口座に設けられた特定上場株式配当等勘定に受け入れられたもの（以下**九**において「源泉徴収選択口座内配当等」という。）については、(1)で定めるところにより、当該源泉徴収選択口座内配当等に係る利子所得の金額及び配当所得の金額と当該源泉徴収選択口座内配当等以外の利子等（第四章第一節《利子所得》**一**に規定する利子等をいう。**2**(一)において同じ。）及び配当等（第四章第二節《配当所得》**一**に規定する配当等をいう。**2**(一)において同じ。）に係る利子所得の金額及び配当所得の金額とを区分して、これらの金額を計算するものとする。(措法37の11の6①)

(源泉徴収選択口座内配当等に係る配当所得の金額の計算)

(1)　**1**に規定する源泉徴収選択口座内配当等（以下において「源泉徴収選択口座内配当等」という。）に係る利子所得の金額及び配当所得の金額の計算は、**1**の居住者又は恒久的施設を有する非居住者が有するそれぞれの源泉徴収選択口座ごとに、当該源泉徴収選択口座において有する源泉徴収選択口座内配当等に係る利子所得の金額及び配当所得の金額と当該源泉徴収選択口座内配当等以外の利子等(第四章第一節**一**に規定する利子等をいう。**4**(1)において同じ。）及び配当等（第四章第二節《配当所得》**一**に規定する配当等をいう。以下(1)及び**4**(1)において同じ。）に係る利子所得の金額及び配当所得の金額とを区分して、当該源泉徴収選択口座内配当等に係る利子所得の金額及び配当所得の金額を計算することにより行うものとする。この場合において、配当等の交付を受けた日又は支払の確定した日（無記名株式等の剰余金の配当又は無記名の投資信託若しくは特定受益証券発行信託の受益証券に係る収益の分配については、その支払を受けた日）の属する年分の配当所得の金額の計算上第四章第二節**四 1**（**二 1**①(注)(二)(**三 1**①(注)において準用する場合を含む。）の規定により読み替えて適用する場合を含む。以下(1)において同じ。）の規定により控除する同節**四 1**に規定する負債の利子（以下(1)において「負債の利子」という。）の額のうちに当該それぞれの源泉徴収選択口座において有する源泉徴収選択口座内配当等に係る配当所得と当該源泉徴収選択口座内配当等以外の配当等に係る配当所得の双方の配当所得を生ずべき**一**に規定する株式等（以下(1)において「株式等」という。）を取得するために要した金額（以下(1)において「共通負債利子の額」という。）があるときは、当該共通負債利子の額は、これらの配当所得を生ずべき株式等の取得に要した金額その他の合理的と認められる基準により当該源泉徴収選択口座内配当等に係る負債の利子の額と当該源泉徴収選択口座内配当等以外の配当等に係る負債の利子の額とに配分するものとする。(措令25の10の13①)

(源泉徴収選択口座内配当等受入開始届出書の金融商品取引業者等の営業所の長への提出)

(2)　**1**の規定の適用を受けようとする居住者又は恒久的施設を有する非居住者は、特定上場株式配当等勘定が設けられた源泉徴収選択口座が開設されている金融商品取引業者等の営業所の長に、**2**(1)で定めるところにより、当該金融商品取引業者等の営業所の名称及び所在地、当該金融商品取引業者等が支払の取扱いをする上場株式等の配当等につき当該源泉徴収選択口座に設けられた特定上場株式配当等勘定への受入れを依頼する旨、当該受け入れられた上場株式等の配当等について同**1**の規定の適用を受けようとする旨その他の(3)で定める事項を記載した届出書（以下において「源泉徴収選択口座内配当等受入開始届出書」という。）の提出（当該源泉徴収選択口座内配当等受入開始届出書の提出に代えて行う電磁的方法による当該源泉徴収選択口座内配当等受入開始届出書に記載すべき事項の提供を含む。(3)において「源泉徴収選択口座内配当等受入開始届出書の提出」という。）をしなければならない。(措法37の11の6②)

(源泉徴収選択口座に係る特定上場株式配当等勘定に受入れと取止め)

(3)　(2)の源泉徴収選択口座内配当等受入開始届出書の提出を受けた金融商品取引業者等の営業所の長は、当該源泉徴収選択口座内配当等受入開始届出書の提出をした居住者又は国内に恒久的施設を有する非居住者に対して支払われる上場株式等の配当等で当該源泉徴収選択口座内配当等受入開始届出書の提出を受けた日以後に支払の確定するもの（無記名の公社債の利子、所得税法第225条第1項に規定する無記名株式等の剰余金の配当又は無記名の投資信託若しくは特定受益証券発行信託の受益証券に係る収益の分配にあっては、同日以後に支払われるもの）のうち当該金融商品取引業者等が支払の取扱いをするもの（(注)1で定める要件を満たすものに限る。）の全てを、当該居住者又は恒久的施設を有する非居住者の源泉徴収選択口座に係る特定上場株式配当等勘定に受け入れるものとする。ただし、（注）２で定めるところにより、当該居住者又は恒久的施設を有する非居住者が、当該金融商品取引業者等の営業所の長に対し、当該上場株式等の配当等の特定上場株式配当等勘定への受入れをやめることを依頼する旨を記載した届出書を提出した場合は、この限りでない。（措法37の11の６③）

（注）１　（３）に規定する（注）１で定める要件は、（３）の金融商品取引業者等と（３）の居住者又は恒久的施設を有する非居住者との間で締結された**２**（一）に規定する上場株式配当等受領委任契約において特定上場株式配当等勘定に受け入れることができることとされている上場株式等の配当等であることとする。（措令25の10の13③）

２　源泉徴収選択口座内配当等受入開始届出書の提出をしている居住者又は恒久的施設を有する非居住者が、その源泉徴収選択口座内配当等受入開始届出書の提出後、その源泉徴収選択口座内配当等受入開始届出書の提出を受けた金融商品取引業者等が支払の取扱いをする上場株式等の配当等につき**１**の規定の適用を受けることをやめようとする場合には、その者は、特定口座廃止届出書の**六８**に規定する提出をする場合を除き、当該金融商品取引業者等の営業所の長に、その上場株式等の配当等の支払の確定する日までに、当該源泉徴収選択口座に設けられた特定上場株式配当等勘定への上場株式等の配当等の受入れをやめることを依頼する旨その他の財務省令で定める事項を記載した届出書（以下において「源泉徴収選択口座内配当等受入終了届出書」という。）の提出（当該源泉徴収選択口座内配当等受入終了届出書の提出に代えて行う電磁的方法による当該源泉徴収選択口座内配当等受入終了届出書に記載すべき事項の提供を含む。**２**（２）までにおいて同じ。）をしなければならない。（措令25の10の13④）

（共通負債利子の額の配分）

（４）（１）に規定する「共通負債利子の額」を有する場合には、当該共通負債利子の額について次の算式により計算した金額を、源泉徴収選択口座内配当等に係る負債の利子の額又は源泉徴収選択口座内配当等以外の配当等に係る負債の利子の額とすることができるものとする。（措通37の11の６－１）

$$\text{共通負債利子の額} \times \frac{\text{源泉徴収選択口座内配当等に係る配当所得の収入金額又は源泉徴収選択口座内配当等以外の配当等に係る配当所得の収入金額}}{\text{源泉徴収選択口座内配当等に係る配当所得の収入金額} + \text{源泉徴収選択口座内配当等以外の配当等に係る配当所得の収入金額}}$$

２　用語の意義

九において、次の（一）又は（二）に掲げる用語の意義は、当該（一）又は（二）に定めるところによる。（措法37の11の６④）

<table>
<tr><td rowspan="5">（一）</td><td rowspan="5">上場株式配当等受領委任契約</td><td colspan="2">１の規定の適用を受けるために１の居住者又は恒久的施設を有する非居住者が金融商品取引業者等と締結した上場株式等の配当等の受領の委任に関する契約で、その契約書において、当該金融商品取引業者等が支払の取扱いをする上場株式等の配当等を当該上場株式等の配当等の受領に係る源泉徴収選択口座に設けられた特定上場株式配当等勘定に受け入れることができること、当該特定上場株式配当等勘定においては当該居住者又は恒久的施設を有する非居住者に対して支払われる次に掲げる利子等又は配当等のうち上場株式等の配当等に該当するもの（当該源泉徴収選択口座が開設されている金融商品取引業者等の営業所に係る金融商品取引業者等の社債、株式等の振替に関する法律に規定する振替口座簿に記載若しくは記録がされ、又は当該営業所に保管の委託がされている上場株式等に係るものに限る。）のみを受け入れることその他（３）で定める事項が定められているものをいう。</td></tr>
<tr><td>イ</td><td>租税特別措置法第３条の３第２項に規定する国外公社債等の利子等（同条第１項に規定する国外一般公社債等の利子等を除く。）で同条第３項の規定に基づき当該金融商品取引業者等により所得税が徴収されるべきもの</td></tr>
<tr><td>ロ</td><td>第四章第二節五１②《国外で発行された投資信託等の収益の分配に係る配当所得の分離課税等》ロに掲げる国外私募公社債等運用投資信託等の配当等以外の国外投資信託等の配当等で同②の規定に基づき当該金融商品取引業者等により所得税が徴収されるべきもの</td></tr>
<tr><td>ハ</td><td>同節五１④《国外で発行された株式の配当所得の源泉徴収等の特例》に規定する国外株式の配当等で同④の規定に基づき当該金融商品取引業者等により所得税が徴収されるべきもの</td></tr>
<tr><td>ニ</td><td>同節五１⑥《上場株式等の配当等に係る源泉徴収義務等の特例》に規定する上場株式等の配当等で同⑥の規定に基づき当該金融商品取引業者等により所得税が徴収されるべ</td></tr>
</table>

		きもの
(二)	**特定上場株式配当等勘定**	上場株式配当等受領委任契約に基づき源泉徴収選択口座において交付を受ける上場株式等の配当等につき、当該上場株式等の配当等に関する記録を他の上場株式等の配当等に関する記録と区分して行うための勘定をいう。

（源泉徴収選択口座内配当等受入開始届出書の提出）

（1）　**2**(二)に規定する特定上場株式配当等勘定（(3)において「特定上場株式配当等勘定」という。）が設けられた源泉徴収選択口座を開設している居住者又は恒久的施設を有する非居住者でその支払を受ける**1**に規定する上場株式等の配当等（以下**九**において「上場株式等の配当等」という。）について**1**の規定の適用を受けようとするものは、当該源泉徴収選択口座が開設されている金融商品取引業者等の営業所の長に対し、その上場株式等の配当等の支払の確定する日（無記名の公社債の利子、無記名株式等の剰余金の配当又は無記名の投資信託若しくは特定受益証券発行信託の受益証券に係る収益の分配については、その支払がされる日。）までに、源泉徴収選択口座内配当等受入開始届出書の提出（**1**(2)に規定する源泉徴収選択口座内配当等受入開始届出書の提出をいう。**1**(3)(注) 2において同じ。）をしなければならない。（措令25の10の13②）

（源泉徴収選択口座内配当等受入終了届出書の提出があった場合）

（2）　源泉徴収選択口座内配当等受入終了届出書の提出があった場合には、当該提出を受けた金融商品取引業者等の営業所の長に係る金融商品取引業者等が支払の取扱いをする上場株式等の配当等でその提出があった日以後に支払の確定するもの（無記名の公社債の利子、無記名株式等の剰余金の配当又は無記名の投資信託若しくは特定受益証券発行信託の受益証券に係る収益の分配にあっては、同日以後に支払がされるもの）に係る利子所得又は配当所得については、**1**の規定は、適用しない。（措令25の10の13⑤）

（配当等のうち上場株式等の配当等に該当するもののみを受け入れることその他(3)で定める事項）

（3）　**2**(一)に規定する(3)で定める事項は、次に掲げる事項とする。（措令25の10の13⑥）

(一)　源泉徴収選択口座を開設している居住者又は恒久的施設を有する非居住者に対して支払われる上場株式等の配当等で当該源泉徴収選択口座が開設されている金融商品取引業者等が支払の取扱いをするもののうち、当該金融商品取引業者等が当該上場株式等の配当等をその支払をする者から受け取った後直ちに当該居住者又は恒久的施設を有する非居住者に交付するもののみを、その交付の際に、当該源泉徴収選択口座に設けられた特定上場株式配当等勘定に受け入れること。

(二)　(一)に掲げるもののほか財務省令で定める事項

3　所得税の納期限等

源泉徴収選択口座が開設されている金融商品取引業者等が、源泉徴収選択口座内配当等につき、第四章第二節《配当所得》**三 1**②（同②に規定する国外一般公社債等の利子等に係る部分を除く。**4**及び**4**(3)において同じ。)、第四章第二節**五 1**②（同②ロに係る部分に限る。**4**及び**4**(3)において同じ。)、同**1**④又は同**1**⑥の規定に基づき徴収した所得税の額の納期限は、これらの規定にかかわらず、これらの規定に規定する徴収の日の属する年の翌年1月10日（注で定める場合にあっては、注で定める日）とする。（措法37の11の6⑤）

（注で定める場合にあっては、注で定める日）

注　**七 1**(注) 3の規定は、**3**に規定する注で定める場合及び**3**に規定する注で定める日について準用する。（措令25の10の13⑦）

4　徴収して納付すべき所得税の額の計算等及び還付

3の金融商品取引業者等が居住者又は恒久的施設を有する非居住者に対して支払われる源泉徴収選択口座内配当等について徴収して納付すべき所得税の額を計算する場合において、当該源泉徴収選択口座内配当等に係る源泉徴収選択口座につき次の各号に掲げる金額があるときは、当該源泉徴収選択口座内配当等について徴収して納付すべき所得税の額は、政令で定めるところにより、その年中に交付をした源泉徴収選択口座内配当等の額の総額から当該各号に掲げる金額の合計額を控除した残額を第四章第一節**三 1**②の中段に規定する国外公社債等の利子等、同章第二節**五 1**②に規定する国外投資信託等の配当等、同**1**④に規定する国外株式の配当等又は同**1**⑥に規定する上場株式等の配当等に係るこれらの規定に規

定する交付をする金額とみなしてこれらの規定を適用して計算した金額とする。（措法37の11の６⑥）

(一)	その年中にした当該源泉徴収選択口座に係る特定口座内保管上場株式等の譲渡につき**六１**の規定に基づいて計算された当該特定口座内保管上場株式等の譲渡による事業所得の金額、譲渡所得の金額及び雑所得の金額の計算上生じた損失の金額として（１）で定める金額
(二)	その年中に当該源泉徴収選択口座において処理された差金決済に係る**六２**に規定する信用取引等に係る上場株式等の譲渡につき**六２**の規定により計算された当該信用取引等に係る上場株式等の譲渡による事業所得の金額及び雑所得の金額の計算上生じた損失の金額として政令で定める金額

（源泉徴収選択口座内配当等に係る源泉徴収選択口座において計算された金額があるときの源泉徴収選択口座内配当等の徴収・納付すべき所得税の額）

（１）　**４**の金融商品取引業者等が**４**の居住者又は恒久的施設を有する非居住者に対してその年中に交付した源泉徴収選択口座内配当等について徴収して納付すべき所得税の額を計算する場合（**３**注において準用する**七１**(注)３(一)又は同(二)に掲げる場合に該当することとなったことにより当該源泉徴収選択口座内配当等について徴収して納付すべき所得税の額を計算する場合を除く。）において、当該源泉徴収選択口座内配当等に係る源泉徴収選択口座において計算された**４**(一)又は同(二)に掲げる金額があるときは、当該源泉徴収選択口座内配当等について徴収して納付すべき所得税の額は、当該源泉徴収選択口座内配当等の額の総額から**４**(一)又は同(二)に掲げる金額の合計額を控除した残額に係る利子等又は配当等の次の(一)から(三)までに掲げる区分に応じ当該(一)から(三)までに定める金額の合計額に相当する金額とする。（措令25の10の13⑧）

(一)　租税特別措置法第３条の３第２項に規定する国外公社債等の利子等（第四章第一節**三１**②の前段に規定する国外一般公社債等の利子等（（２）において「国外一般公社債等の利子等」という。）を除く。）　当該国外公社債等の利子等につき同②の中段の規定により計算した所得税の額

(二)　第四章第二節**五１**②ロに掲げる国外私募公社債等運用投資信託等の配当等以外の国外投資信託等の配当等　当該国外投資信託等の配当等につき同**１**②の規定により計算した所得税の額

(三)　同**１**④に規定する国外株式の配当等　当該国外株式の配当等につき同④の規定により計算した所得税の額

(四)　同**１**⑥に規定する上場株式等の配当等　当該上場株式等の配当等につき同⑤の規定により計算した所得税の額

（所得税を徴収・納付することを要しない場合）

（２）　（１）の場合において、当該居住者又は恒久的施設を有する非居住者に対して支払われる源泉徴収選択口座内配当等について、その年中に当該金融商品取引業者等が当該源泉徴収選択口座内配当等の交付の際に第四章第一節**三１**②の中段（国外一般公社債等の利子等に係る部分を除く。以下において同じ。）、同章第二節**五１**②（同②ロに係る部分に限る。以下において同じ。）、同**１**④又は同**１**⑥の規定により既に徴収した所得税の額が（１）の規定を適用して計算した所得税の額に満たない場合には、当該金融商品取引業者等は、当該満たない部分の金額に相当する所得税を徴収して納付することを要しない。（措令25の10の13⑨）

（徴収した所得税の額が（２）の規定を適用して計算した所得税の額を超えるときの超える部分の金額に相当する所得税を還付）

（３）　**４**の場合において、当該居住者又は恒久的施設を有する非居住者に対して支払われる源泉徴収選択口座内配当等について、その年中に当該金融商品取引業者等が当該源泉徴収選択口座内配当等の交付の際に第四章第一節**三１**②の中段、同章第二節**五１**②、同**１**④又は同**１**⑥の規定により既に徴収した所得税の額が**４**の規定を適用して計算した所得税の額を超えるときは、当該金融商品取引業者等は、当該居住者又は恒久的施設を有する非居住者に対し、当該超える部分の金額に相当する所得税を還付しなければならない。（措法37の11の６⑦）

５　その年分の配当所得の金額の計算上収入金額とすべき金額

源泉徴収選択口座内配当等については、その年分の利子所得の金額又は配当所得の金額の計算上収入金額とすべき金額は、第六章第一節《収入金額》**一１**の規定にかかわらず、その年において当該源泉徴収選択口座内配当等に係る源泉徴収選択口座が開設されている金融商品取引業者等から交付を受けた金額とする。（措法37の11の６⑧）

（源泉徴収選択口座内配当等についての第四章第二節**五2**の規定の適用）

（1）　居住者又は恒久的施設を有する非居住者が有する源泉徴収選択口座内配当等についての第四章第二節**五2**《確定申告を要しない配当所得》の規定の適用は、租税特別措置法第8条の5第4項の規定にかかわらず、**1**の規定により計算されたその年中に交付を受けた源泉徴収選択口座内配当等（その者が二以上の源泉徴収選択口座において源泉徴収選択口座内配当等を有する場合には、それぞれの源泉徴収選択口座において有する源泉徴収選択口座内配当等）に係る利子所得の金額及び配当所得の金額の合計額ごとに行うものとする。（措法37の11の6⑨）

（源泉徴収選択口座内配当等の額から控除した金額につき**八**の規定の適用を受けない場合）

（2）　**4**の金融商品取引業者等が**4**の規定により源泉徴収選択口座内配当等について徴収して納付すべき所得税の額の計算上当該居住者又は恒久的施設を有する非居住者が有する源泉徴収選択口座内配当等の額から控除した**4**の(一)又は(二)に掲げる金額につき**八**の規定の適用を受けない場合には、当該源泉徴収選択口座内配当等に係る利子所得の金額及び配当所得の金額の合計額については、第四章第二節**五2**及び同**3**の規定は、適用しない。（措法37の11の6⑩）

（源泉徴収選択口座内配当等の収入すべき時期）

（3）　源泉徴収選択口座内配当等については、その利子所得及び配当所得の収入金額の収入すべき時期は、当該源泉徴収選択口座内配当等に係る源泉徴収選択口座が開設されている金融商品取引業者等（**5**に規定する金融商品取引業者等をいう。）から交付を受けた日となることに留意する。（措通37の11の6－2）

十　上場株式等に係る譲渡損失の損益通算及び繰越控除

1　上場株式等に係る譲渡損失の損益通算

確定申告書（**3**②(2)（**十四 3**《特定中小会社が発行した株式に係る譲渡損失の繰越控除》において準用する場合を含む。）において準用する第十章第二節**二 4**《確定損失申告》①の規定による申告書を含む。以下**十**において同じ。）を提出する居住者又は恒久的施設を有する非居住者の平成28年分以後の各年分の上場株式等に係る譲渡損失の金額がある場合には、**三**《上場株式等に係る譲渡所得等の課税の特例》の後段の規定にかかわらず、当該上場株式等に係る譲渡損失の金額は、当該確定申告書に係る年分の第四章第二節**五 1**③《上場株式等に係る配当所得の課税の特例》に規定する上場株式等に係る配当所得等の金額を限度として、当該年分の当該上場株式等に係る配当所得等の金額の計算上控除する。（措法37の12の２①）

（**1**に規定する上場株式等に係る譲渡損失の金額）

（1）　**1**に規定する上場株式等に係る譲渡損失の金額とは、当該居住者又は恒久的施設を有する非居住者が、上場株式等の譲渡のうち次の(一)から(十一)までに掲げる上場株式等の譲渡（第二節**二**③《土地等の譲渡に類する株式等の譲渡所得の分離課税》の規定に該当するものを除く。）をしたことにより生じた損失の金額として(2)で定めるところにより計算した金額のうち、その者の当該譲渡をした日の属する年分の**三**に規定する上場株式等に係る譲渡所得等の金額の計算上控除してもなお控除しきれない部分の金額として(3)で定めるところにより計算した金額をいう。（措法37の12の２②）

(一)	金融商品取引法第２条第９項に規定する金融商品取引業者（同法第28条第１項に規定する第１種金融商品取引業を行う者に限る。(二)において「金融商品取引業者」という。）又は同法第２条第11項に規定する登録金融機関（(三)において「登録金融機関」という。）への売委託により行う上場株式等の譲渡
(二)	金融商品取引業者に対する上場株式等の譲渡
(三)	登録金融機関又は投資信託及び投資法人に関する法律第２条第11項に規定する投資信託委託会社に対する上場株式等の譲渡で(5)で定めるもの
(四)	**二 1**①又は**三**③(一)から同(四)までに規定する事由による上場株式等の譲渡
(五)	上場株式等を発行した法人の行う株式交換又は株式移転による当該法人に係る法人税法第２条第12号の６の３に規定する株式交換完全親法人又は同条第12号の６の６に規定する株式移転完全親法人に対する当該上場株式等の譲渡
(六)	上場株式等を発行した法人に対して会社法第192条第１項の規定に基づいて行う同項に規定する単元未満株式の譲渡その他これに類する上場株式等の譲渡として(6)で定めるもの
(七)	上場株式等を発行した法人に対して会社法の施行に伴う関係法律の整備等に関する法律（平成17年法律第87号）第64条の規定による改正前の商法（明治32年法律第48号）第220条ノ６第１項の規定に基づいて行う同項に規定する端株の譲渡
(八)	上場株式等を発行した法人が行う会社法第234条第１項又は第235条第１項（これらの規定を他の法律において準用する場合を含む。）の規定その他(7)で定める規定による一株又は一口に満たない端数に係る上場株式等の競売（会社法第234条第２項（同法第235条第２項又は他の法律において準用する場合を含む。）の規定その他(7)で定める規定による競売以外の方法による売却を含む。）による当該上場株式等の譲渡
(九)	信託会社（金融機関の信託業務の兼営等に関する法律により同法第１条第１項に規定する信託業務を営む同項に規定する金融機関を含む。(十)において同じ。）の営業所（国内にある営業所又は事務所をいう。以下(1)において同じ。）に信託されている上場株式等の譲渡で、当該営業所を通じて金融商品取引法第58条に規定する外国証券業者（(十)において単に「外国証券業者」という。）への売委託により行うもの
(十)	信託会社の営業所に信託されている上場株式等の譲渡で、当該営業所を通じて外国証券業者に対して行うもの
(十一)	第六章第四節**一 1**①又は同**2**①の規定により行われたものとみなされた上場株式等の譲渡

（上場株式等の譲渡をしたことにより生じた損失の金額として(2)で定めるところにより計算した金額）

（2）　(1)に規定する上場株式等の譲渡をしたことにより生じた損失の金額として(2)で定めるところにより計算した

金額は、次の(一)又は(二)に掲げる場合の区分に応じ当該(一)又は(二)に定める金額とする。(措令25の11の２①)

(一)	当該損失の金額が、事業所得又は雑所得の基因となる上場株式等の譲渡（(１)に規定する上場株式等の譲渡をいう。以下**十**において同じ。）をしたことにより生じたものである場合	当該上場株式等の譲渡による事業所得の金額又は雑所得の金額の計算上生じた損失の金額として(注)で定めるところにより計算した金額
(二)	当該損失の金額が、譲渡所得の基因となる上場株式等の譲渡をしたことにより生じたものである場合	当該上場株式等の譲渡による譲渡所得の金額の計算上生じた損失の金額

(注)　(２)(一)に規定する(注)で定めるところにより計算した金額は、(１)に規定する上場株式等の譲渡（以下(注)及び**３**②(注)１において「上場株式等の特定譲渡」という。）による事業所得又は雑所得と当該上場株式等の特定譲渡以外の上場株式等の譲渡（以下(注)及び**３**②(注)１において「上場株式等の一般譲渡」という。）による事業所得又は雑所得とを区分して当該上場株式等の特定譲渡に係る事業所得の金額又は雑所得の金額を計算した場合にこれらの金額の計算上生ずる損失の金額に相当する金額とする。この場合において、当該上場株式等の特定譲渡をした日の属する年分の**三**に規定する上場株式等の譲渡に係る事業所得の金額又は雑所得の金額の計算上必要経費に算入されるべき金額のうちに当該上場株式等の特定譲渡と当該上場株式等の一般譲渡の双方に関連して生じた金額（以下(注)において「共通必要経費の額」という。）があるときは、当該共通必要経費の額は、これらの所得を生ずべき業務に係る収入金額その他の基準のうち当該業務の内容及び費用の性質に照らして合理的と認められるものにより当該上場株式等の特定譲渡に係る必要経費の額と当該上場株式等の一般譲渡に係る必要経費の額とに配分するものとする。(措規18の14の２①)

(株式等に係る譲渡所得等の金額の計算上控除してもなお控除しきれない部分の金額)

(３)　(１)に規定する控除しきれない部分の金額として(３)で定めるところにより計算した金額は、上場株式等の譲渡をした日の属する年分の(１)に規定する上場株式等に係る譲渡所得等の金額（**十**において「上場株式等に係る譲渡所得等の金額」という。）の計算上生じた損失の金額のうち、特定譲渡損失の金額の合計額に達するまでの金額とする。(措令25の11の２②)

(特定譲渡損失の金額)

(４)　(３)に規定する特定譲渡損失の金額とは、その年中の**三**に規定する上場株式等の譲渡に係る事業所得の金額の計算上生じた損失の金額、**三**に規定する上場株式等の譲渡に係る譲渡所得の金額の計算上生じた損失の金額又は**三**に規定する上場株式等の譲渡に係る雑所得の金額の計算上生じた損失の金額のうち、それぞれの所得の基因となる上場株式等の譲渡に係る(２)の(一)又は(二)に掲げる金額の合計額に達するまでの金額をいう。(措令25の11の２③)

((１)(三)に規定する(５)で定める譲渡)

(５)　(１)(三)に規定する(５)で定める譲渡は、次に掲げるものとする。(措令25の11の２④)

(一)　(１)(三)に規定する登録金融機関に対する上場株式等の譲渡で金融商品取引法第２条第８項第１号の規定に該当するもの

(二)　(１)(三)に規定する投資信託委託会社に対する上場株式等の譲渡で金融商品取引法施行令第１条の12第１号に掲げる買取りに該当するもの

(上場株式等の譲渡として(６)で定めるもの)

(６)　(１)(六)に規定する(６)で定める譲渡は、**二十**(２)(四)に掲げる新株予約権付社債についての社債、同(２)(五)に掲げる取得条項付新株予約権又は同(２)(六)に掲げる新株予約権付社債のこれらの規定に規定する法人に対する譲渡でその譲渡が同(２)に規定する場合に該当しない場合における当該譲渡及び投資信託及び投資法人に関する法律第88条の９第１項に規定する取得条項付新投資口予約権の当該取得条項付新投資口予約権を発行した法人に対する譲渡とする。(措令25の11の２⑤)

(会社法の規定その他(７)で定める規定)

(７)　(１)(八)に規定する上場株式等の競売に係る同(八)に規定する(７)で定める規定は、投資信託及び投資法人に関する法律第88条第１項及び第149条の17第１項の規定並びに会社法第234条第６項において準用する同条第１項の規定とし、同号に規定する競売以外の方法による売却に係る同(八)に規定する(７)で定める規定は、投資信託及び投資法人に関する法律第88条第１項及び第149条の17第１項の規定並びに会社法第234条第６項において準用する同条第２項の規定とする。(措令25の11の２⑥)

（確定申告書への記載事項）

（８）　**1**の規定の適用を受けようとする場合に提出する**1**に規定する確定申告書には、第十章第二節**二 1**②(一)から(十一)まで若しくは同**二 3**①(一)から(四)まで又は同節**二 4**②(一)から(十)までに掲げる事項のほか、次に掲げる事項を併せて記載しなければならない。(措令25の11の２⑦)

(一)	その年において生じた(１)に規定する上場株式等に係る譲渡損失の金額
(二)	(一)に掲げる金額を控除しないで計算した場合のその年分の第四章第二節**五 1**③に規定する上場株式等に係る配当所得等の金額（以下**十**において「上場株式等に係る配当所得等の金額」という。）
(三)	(一)又は(二)に掲げる金額の計算の基礎その他参考となるべき事項

（売委託）

（９）　(１)(一)に規定する「売委託」とは、金融商品取引法第２条第８項第２号及び第10号に掲げる行為のうち売買の媒介、取次ぎ若しくは代理について委託すること、同項第３号に掲げる行為のうち売買の委託の媒介、取次ぎ若しくは代理について委託すること又は同項第９号に掲げる行為のうち売出しの取扱いについて委託することをいう。(措通37の12の２－１)

（上場株式等に係る配当所得等の金額の意義）

(10)　(１)に規定する上場株式等に係る譲渡損失の金額を控除することができる「上場株式等に係る配当所得等の金額」とは、「上場株式等に係る配当所得等の申告分離課税の特例」を選択したもののみをいうことに留意する。

また、**2**(１)に規定する上場株式等に係る譲渡損失の金額(以下**3**②(６)から同(８)までにおいて「上場株式等に係る譲渡損失の金額」という。)を控除することができる「上場株式等に係る配当所得等の金額」についても同様である。(措通37の12の２－２)

2　上場株式等に係る譲渡損失の繰越控除

確定申告書を提出する居住者又は恒久的施設を有する非居住者が、その年の前年以前３年内の各年において生じた上場株式等に係る譲渡損失の金額（**2**の規定の適用を受けて前年以前において控除されたものを除く。）を有する場合には、**三**①の後段の規定にかかわらず、当該上場株式等に係る譲渡損失の金額に相当する金額は、(２)で定めるところにより、当該確定申告書に係る年分の同**三**①に規定する上場株式等に係る譲渡所得等の金額及び第四章第二節**五 1**③に規定する上場株式等に係る配当所得等の金額（**1**の規定の適用がある場合にはその適用後の金額。以下**2**において同じ。）を限度として、当該年分の当該上場株式等に係る譲渡所得等の金額及び上場株式等に係る配当所得等の金額の計算上控除する。(措法37の12の２⑤)

（上場株式等に係る譲渡損失の金額）

（１）　**2**に規定する上場株式等に係る譲渡損失の金額とは、当該居住者又は恒久的施設を有する非居住者が、平成15年１月１日以後に、上場株式等の譲渡のうち**1**(１)(一)から同(十一)までに掲げる上場株式等の譲渡（第二節**二**③《土地等の譲渡に類する株式等の譲渡所得の分離課税》の規定に該当するものを除く。）をしたことにより生じた損失の金額として(３)で定めるところにより計算した金額のうち、その者の当該譲渡をした日の属する年分の**三 1**①に規定する上場株式等に係る譲渡所得等の金額の計算上控除してもなお控除しきれない部分の金額として(４)で定めるところにより計算した金額（**1**の規定の適用を受けて控除されたものを除く。）をいう。(措法37の12の２⑥)

（上場株式等に係る譲渡損失の金額の控除）

（２）　**2**の規定による上場株式等に係る譲渡損失の金額（(１)に規定する上場株式等に係る譲渡損失の金額をいう。以下**十**において同じ。）の控除については、次に定めるところによる。(措令25の11の２⑧)

(一)　控除する上場株式等に係る譲渡損失の金額が前年以前３年内の２以上の年に生じたものである場合には、これらの年のうち最も古い年に生じた上場株式等に係る譲渡損失の金額から順次控除する。

(二)　前年以前３年内の一の年において生じた上場株式等に係る譲渡損失の金額の控除をする場合において、その年分の上場株式等に係る譲渡所得等の金額（**十二**《特定中小会社が発行した株式の取得に要した金額の控除等》**1**、**十三**《特定新規中小企業者がその設立の際に発行した株式の取得に要した金額の控除等》**1**又は**十四**《特定中小会社が発行した株式に係る譲渡損失の繰越控除等》**2**①若しくは同②の規定の適用がある場合には、その適用後の金額）及び上場株式等に係る配当所得等の金額があるときは、当該上場株式等に係る譲渡損失の金額は、まず当該上場株式等に係る譲渡所得等の金額から控除し、なお控除しきれない損失の金額があるときは、当該上場株式等に係る配当所得等の金額から控除する。

（三）　第七章第二節**二１**《雑損失の繰越控除》の規定による控除が行われる場合には、まず**2**の規定による控除を行った後、同節**二１**の規定による控除を行う。

（上場株式等の譲渡をしたことにより生じた損失の金額）

（３）　（１）に規定する上場株式等の譲渡をしたことにより生じた損失の金額として（３）で定めるところにより計算した金額は、**1**（２）（一）又は同（二）に掲げる場合の区分に応じ当該（一）又は（二）に定める金額とする。（措令25の11の２⑨）

（控除しきれない部分の金額として（４）で定めるところにより計算した金額）

（４）　（１）に規定する控除しきれない部分の金額として（４）で定めるところにより計算した金額は、上場株式等の譲渡をした日の属する年分の上場株式等に係る譲渡所得等の金額の計算上生じた損失の金額のうち、**1**（４）に規定する特定譲渡損失の金額の合計額に達するまでの金額とする。（措令25の11の２⑩）

3　申告要件等

①　1の申告要件等

1の規定は、**1**の規定の適用を受けようとする年分の確定申告書に、**1**の規定の適用を受けようとする旨の記載があり、かつ、上場株式等に係る譲渡損失の金額の計算に関する明細書その他の②（注）１で定める書類の添付がある場合に限り、適用する。（措法37の12の２③）

（**1**の規定の適用がある場合における第四章第二節**五１**③の規定の適用）

（１）　**1**の規定の適用がある場合における第四章第二節**五１**③の規定の適用については、同③中「計算した金額（」とあるのは、「計算した金額（**十１**の規定の適用がある場合には、その適用後の金額。」とする。（措法37の12の２④）

②　2の申告要件等

2の規定は、**2**に規定する居住者又は恒久的施設を有する非居住者が**2**（１）に規定する上場株式等に係る譲渡損失の金額が生じた年分の所得税につき当該上場株式等に係る譲渡損失の金額の計算に関する明細書その他の（注）２で定める書類の添付がある確定申告書を提出し、かつ、その後において連続して確定申告書を提出している場合であって、**2**の確定申告書に**2**の規定による控除を受ける金額の計算に関する明細書その他の（注）３で定める書類の添付がある場合に限り、適用する。（措法37の12の２⑦）

（注）１　①に規定する②（注）１で定める書類は、次に掲げる書類とする。（措規18の14の２②）

（一）　**1**（１）に規定する上場株式等に係る譲渡損失の金額の計算に関する明細書（当該上場株式等に係る譲渡損失の金額、**1**（４）に規定する特定譲渡損失の金額、**1**（３）に規定する特定譲渡損失の金額の合計額及び同（３）に規定する上場株式等に係る譲渡所得等の金額の計算上生じた損失の金額の記載があるものに限る。）

（二）　租税特別措置法施行令第25条の９第13項において準用する同施行令第25条の８第14項に規定する明細書（上場株式等の特定譲渡をした上場株式等と上場株式等の一般譲渡をした上場株式等との別に租税特別措置法施行規則第18条の10第２項において準用する**二１**④（１）に定める項目別の金額の記載があるものに限るものとし、**六11**（３）（**十七８**②（６）において準用する場合を含む。以下（二）、**十二２**注（五）、**十三３**（１）（五）及び**十四２**①（３）（二）において同じ。）の規定の適用がある場合において**六11**（３）に規定する確定申告書に当該明細書に代えて同（３）に規定する特定口座年間取引報告書若しくは印刷報告書又は租税特別措置法施行規則第18条の15の11第１項に規定する未成年者口座年間取引報告書若しくは**十七８**③（１）本文の規定による提供を受けた当該未成年者口座年間取引報告書に記載すべき事項を書面に出力したもの（以下（二）、**十二２**注の（五）、**十三３**（１）（五）及び**十四２**①（３）（二）において「特定口座年間取引報告書等」という。）の添付をするときは当該特定口座年間取引報告書等とし、**六11**（３）（注）２及び同（注）３の規定の適用がある場合において**六11**（３）（注）２に規定する確定申告書に同項の明細書及び特定口座年間取引報告書等の添付をするときは当該明細書及び当該特定口座年間取引報告書等とする。）

２　（注）１の規定は、②に規定する上場株式等に係る譲渡損失の金額の計算に関する明細書その他の（注）１で定める書類について準用する。この場合において、（注）１の（一）中「**1**（１）」とあるのは、「**2**（１）」と読み替えるものとする。（措規18の14の２③）

３　②に規定する控除を受ける金額の計算に関する明細書その他の（注）３で定める書類は、**2**の規定によりその年において控除すべき**2**の（１）に規定する上場株式等に係る譲渡損失の金額（以下**十**において「上場株式等に係る譲渡損失の金額」という。）及びその金額の計算の基礎その他参考となるべき事項を記載した明細書及び（注）１の（二）に掲げる書類とする。（措規18の14の２④）

（**2**の規定の適用がある場合における第四章第二節**五１**③（同③（４）を除く。）及び**一**又は**二**（**二１**①（注）を除く。）の規定の適用）

（１）　**2**の規定の適用がある場合における第四章第二節**五１**③（同③（４）を除く。）及び**三**（**三１**①（注）を除く。）の規定の適用については、第四章第二節**五１**③及び**三**中「計算した金額（」とあるのは「、「計算した金額（**2**の規定の適用がある場合には、その適用後の金額。」とする。（措法37の12の２⑧）

（翌年以後に上場株式等に係る譲渡損失の繰越控除の規定の適用を受けようとする場合の確定損失申告の規定の準用等）

（２）　第十章第二節**二４**《確定損失申告》①（同①(二)を除く。）の規定は、居住者又は恒久的施設を有する非居住者が、その年の翌年以後において**2**の規定の適用を受けようとする場合であって、その年の年分の所得税につき同**二１**①の規定による申告書を提出すべき場合及び同**二３**①又は同**二４**①の規定による申告書を提出することができる場合のいずれにも該当しない場合について準用する。この場合において、同①中「第七章第二節**一**《純損失の繰越控除》**1**若しくは同**2**若しくは同節**三**《雑損失の繰越控除》**1**の規定の適用を受け、又は第六節**三**《純損失の繰戻しによる還付の手続等》**3**⑤の規定による還付を受けようとするときは、第３期において」とあるのは「第五章第三節**十２**《上場株式等に係る譲渡損失の繰越控除》の規定の適用を受けようとするときは」と、「②の(一)から(十)までに掲げる」とあるのは「その年において生じた同**十２**（１）に規定する上場株式等に係る譲渡損失の金額（以下①において「上場株式等に係る譲渡損失の金額」という。）、その年の前年以前３年内の各年において生じた上場株式等に係る譲渡損失の金額その他の第五章第三節**十２**（４）で定める」と、同**二４**①(一)中「純損失の金額」とあるのは「上場株式等に係る譲渡損失の金額」と、同①(三)中「純損失の金額及び雑損失の金額（第七章第二節**一１**若しくは同**2**又は同節**三１**」とあるのは「上場株式等に係る譲渡損失の金額（第五章第三節**十２**」と、「及び第六節**三**《純損失の繰戻しによる還付の手続等》**3**⑤の規定により還付を受けるべき金額の計算の基礎となったものを除く。②(二)において同じ」とあるのは「を除く」と、「これらの金額」とあるのは「当該上場株式等に係る譲渡損失の金額」と、「総所得金額、退職所得金額及び山林所得金額の」とあるのは「第五章第三節**三**《上場株式等に係る譲渡所得等の課税の特例》**1**に規定する上場株式等に係る譲渡所得等の金額及び第五章第三節**十２**に規定する上場株式等に係る配当所得等の金額」と読み替えるものとする。（措法37の12の２⑨）

（その年の翌年以後又はその年において**2**の規定の適用を受けようとする場合の申告書への記載事項）

（３）　その年の翌年以後又はその年において**2**の規定の適用を受けようとする場合に提出すべき第十章第二節**二１**《確定所得申告》①の規定による申告書及び提出することができる同**3**《還付等を受けるための申告》①又は同**4**《確定損失申告》①の規定による申告書には、同**1**②(一)から(十一)まで若しくは同**3**①(一)から(四)まで又は同**4**②(一)から(九)までに掲げる事項のほか、次の(一)から(六)までに掲げる事項を併せて記載しなければならない。（措令25の11の２⑪）

(一)	その年において生じた上場株式等に係る譲渡損失の金額
(二)	その年の前年以前３年内の各年において生じた上場株式等に係る譲渡損失の金額（**2**の規定により前年以前において控除されたものを除く。（４）の(二)において同じ。）
(三)	その年において生じた上場株式等に係る譲渡損失の金額がある場合には、その年分の上場株式等に係る譲渡所得等の金額の計算上生じた損失の金額及び**1**の規定を適用しないで計算した場合のその年分の上場株式等に係る配当所得等の金額
(四)	(二)に掲げる上場株式等に係る譲渡損失の金額がある場合には、当該損失の金額を控除しないで計算した場合のその年分の上場株式等に係る譲渡所得等の金額及び上場株式等に係る配当所得等の金額
(五)	**2**の規定により翌年以後において上場株式等に係る譲渡所得等の金額又は上場株式等に係る配当所得等の金額の計算上控除することができる上場株式等に係る譲渡損失の金額
(六)	(一)から(五)までに掲げる金額の計算の基礎その他(注)で定める事項

(注)　上表の(六)に規定する(注)で定める事項は、**2**の規定によりその年において控除すべき上場株式等に係る譲渡損失の金額及びその金額の計算の基礎その他参考となるべき事項とする。（措規18の14の２⑤）

（（２）において準用する確定損失申告書に記載する（４）で定める事項）

（４）　（２）において準用する第十章第二節**二４**《確定損失申告》に規定する（４）で定める事項は、次の(一)から(六)ま

でに掲げる事項とする。（措令25の11の２⑫）

(一)	その年において生じた上場株式等に係る譲渡損失の金額
(二)	その年の前年以前３年内の各年において生じた上場株式等に係る譲渡損失の金額
(三)	その年において生じた上場株式等に係る譲渡損失の金額がある場合には、その年分の総所得金額、退職所得金額及び山林所得金額の合計額並びに**1**の規定を適用しないで計算した場合のその年分の上場株式等に係る配当所得等の金額並びに上場株式等に係る譲渡所得等の金額の計算上生じた損失の金額又は純損失の金額（第二章第一節**一**《用語の意義》表内**25**に規定する純損失の金額をいう。(四)において同じ。）
(四)	(二)に掲げる上場株式等に係る譲渡損失の金額がある場合には、その年分の総所得金額、退職所得金額及び山林所得金額の合計額並びに当該損失の金額を控除しないで計算した場合のその年分の上場株式等に係る譲渡所得等の金額及び上場株式等に係る配当所得等の金額又は純損失の金額
(五)	**2**の規定により翌年以後において上場株式等に係る譲渡所得等の金額又は上場株式等に係る配当所得等の金額の計算上控除することができる上場株式等に係る譲渡損失の金額
(六)	(一)から(五)までに掲げる金額の計算の基礎その他(注)で定める事項

（注）　上表の(六)に規定する(注)で定める事項は、次に掲げる事項とする。（措規18の14の２⑥）

(一)　（２）において準用する第十章第二節**二 4**①の規定による申告書又は当該申告書を提出することができる場合に該当するときの**4**の（２）の(六)の規定により読み替えて適用される同節**三 4**③の規定による申告書を提出する者の氏名、住所（国内に住所がない場合には、居所及び個人番号（個人番号を有しない者にあっては、氏名及び住所（国内に住所がない場合には、居所））並びに住所地（国内に住所がない場合には、居所地）と納税地とが異なる場合には、その納税地

(二)　上表の(三)の純損失若しくは各種所得の基因となる資産若しくは事業の所在地又は当該純損失若しくは各種所得の生じた場所（各種所得（当該純損失の金額の計算の基礎となった各種所得を含む。以下(二)において同じ。）の生じた場所が当該各種所得に係る収入金額の支払者の居所又は本店若しくは主たる事務所若しくは支店若しくは従たる事務所（以下(二)において「本店等」という。）の所在地となる場合には、当該支払者の氏名又は名称及び住所若しくは居所又は本店等の所在地若しくは法人番号）

(三)　**2**の規定によりその年において控除すべき上場株式等に係る譲渡損失の金額及びその金額の計算の基礎

(四)　第十章第二節**二 1**②(八)ニから同(八)タまで及び同(八)ソから同(八)ムまでに掲げる事項

(五)　その他参考となるべき事項

（分離事業・雑所得・長期譲渡所得・短期譲渡所得又は先物取引に係る雑所得等の課税の特例の適用がある場合の適用関係）

（５）　第一節**一**《土地の譲渡等に係る事業所得等の分離課税》、同章第二節**一 1**①《長期譲渡所得の分離課税》、同節**二**①《短期譲渡所得の分離課税》（同**二**③において準用する場合を含む。）、同章第三節**二 1**《一般株式等に係る譲渡所得等の申告分離課税》又は第四節**一 1**《先物取引に係る雑所得等の申告分離課税》の規定の適用がある場合における（４）の規定の適用については、（４）(三)及び同(四)中「総所得金額」とあるのは「総所得金額、第五章第一節**一**《土地の譲渡等に係る事業所得等の分離課税》に規定する土地等に係る事業所得等の金額」と、「及び山林所得金額」とあるのは「、山林所得金額、第五章第二節**一 1**①《長期譲渡所得の分離課税》に規定する長期譲渡所得の金額、同節**二**①《短期譲渡所得の分離課税》に規定する短期譲渡所得の金額、同章第三節**二 1**に規定する一般株式等に係る譲渡所得等の金額及び第四節**一 1**《先物取引に係る雑所得等の申告分離課税》に規定する先物取引に係る雑所得等の金額」とする。（措令25の11の２⑬）

（上場株式等に係る配当所得等の金額もある場合の繰越控除の順序）

（６）　前年以前３年内の１の年において生じた上場株式等に係る譲渡損失の金額の控除をする場合において、その年分の上場株式等に係る譲渡所得等の金額（「特定投資株式の取得に要した金額の控除等」、「設立特定株式の取得に要した金額の控除等」又は「特定投資株式に係る譲渡損失の損益の計算」若しくは「特定投資株式に係る譲渡損失の繰越控除」の適用がある場合にはその適用後の金額）及び上場株式等に係る配当所得等の金額があるときは、当該上場株式等に係る譲渡損失の金額は、**2**（２）(二)の規定により、まず当該上場株式等に係る譲渡所得等の金額から控除し、なお控除しきれない損失の金額があるときは、当該上場株式等に係る配当所得等の金額から控除することに留意する。（措通37の12の２－４）

（更正の請求による更正により上場株式等に係る譲渡損失の金額があることとなった場合）

（７）　**3**②に規定する「上場株式等に係る譲渡損失の金額が生じた年分の所得税につき当該上場株式等に係る譲渡損失

の金額の計算に関する明細書その他の（注）２で定める書類の添付がある確定申告書を提出」した場合には、同②に規定する上場株式等に係る譲渡損失の金額の計算に関する明細書その他の同②（注）２で定める書類（（8）において「明細書等」という。）の添付がなく提出された確定申告書につき通則法第23条《更正の請求》に規定する更正の請求に基づく更正により、新たに上場株式等に係る譲渡損失の金額があることとなった場合も含まれるものとする。（措通37の12の２－５）

（更正により上場株式等に係る譲渡損失の金額が増加した場合）

（8）　上場株式等に係る譲渡損失の金額が生じた年分の所得税につき**3**②の明細書等の添付がある確定申告書を提出した場合において、上場株式等に係る譲渡損失の金額が過少であるため更正が行われたときは、その更正後の金額を基として**2**の規定を適用する。（措通37の12の２－６）

4　読替え規定

（**2**の規定の適用がある場合の国税通則法の規定の適用）

（1）　**2**の規定の適用がある場合における国税通則法の規定の適用については、第二章第一節**一**（２）の表内⑥ハ中「又は雑損失の金額」とあるのは「若しくは雑損失の金額又は第五章第三節**十 2**《上場株式等に係る譲渡損失の繰越控除》の（1）に規定する上場株式等に係る譲渡損失の金額」とする。（措法37の12の２⑩）

（**1**又は**2**、**3**②（３）の規定の適用がある場合における所得税法の規定の適用）

（2）　**1**又は**2**、**3**②（３）の規定の適用がある場合における所得税法の規定の適用については、次の（一）から（十一）までに定めるところによる。（措令25の11の２⑲）

（一）	第二章第一節**一**《用語の定義》表内**40**《青色申告書》	
	確定申告書及び	確定申告書（第五章第三節**十**《上場株式等に係る譲渡損失の繰越控除》**3**②（３）において準用する第十章第二節**二 4**①の規定による申告書を含む。以下（一）において同じ。）及び
（二）	第六章第一節**三**《国庫補助金等の総収入金額不算入》**1**③	
	確定申告書	確定申告書（第五章第三節**十**《上場株式等に係る譲渡損失の繰越控除》**3**②（３）において準用する第十章第二節**二 4**①の規定による申告書を含む。以下所得税法第233条までにおいて同じ。）
（三）	第十章第二節**二 3**《還付を受けるための申告》②	
	4の①	**4**の①（第五章第三節**十**《上場株式等に係る譲渡損失の繰越控除》**3**②（３）において準用する場合を含む。）
（四）	第十章第二節**三 2**《年の中途で死亡した場合の確定申告等》①から③	
	を記載した	の記載（財務省令で定める記載を含む。）をした
（五）	第十章第二節**三 4**《年の中途で出国する場合の確定申告》①及び同②	
	事項	事項その他財務省令で定める事項
（六）	第十章第二節**三 4**《年の中途で出国する場合の確定申告》③及び同④	
	純損失の金額若しくは雑損失の金額	純損失の金額、雑損失の金額若しくは第五章第三節**十**《上場株式等に係る譲渡損失の繰越控除》**2**（１）に規定する上場株式等に係る譲渡損失の金額（第十二章**二 2**《青色申告書に係る更正の特例》において「上場株式等に係る譲渡損失の金額」という。）
	の規定による申告書	の規定による申告書又は第五章第三節**十 3**②（３）において準用する第十章第二節**二 4**《確定損失申告》①の規定による申告書

	②の各号に掲げる事項	二4②に掲げる事項その他財務省令で定める事項又は第五章第三節十3②(3)において準用する第十章第二節二4《確定損失申告》①に規定する第五章第三節十2(3)で定める事項
(七)	第十章第八節二《所得税法による更正の請求の特例》1	
	若しくは(三)	又は(三)
	又は同節二4②(一)	、同節二4②(一)
	若しくは(八)《損失申告書の記載事項	又は(八)《損失申告書の記載事項
	に掲げる金額	その他財務省令で定める規定に掲げる金額
(八)	第十章第八節二《所得税法による更正の請求の特例》2(一)又は同(二)以外の部分	
本文	若しくは(三)	又は(三)
本文	又は同節二4②(一)若しくは	、同節二4②(一)又は
本文	に掲げる金額	その他財務省令で定める規定に掲げる金額
(九)	第十章第八節二3①(二)	
	又は同4②(一)若しくは	、同4②(一)又は
	に掲げる金額	その他財務省令で定める規定に掲げる金額
(十)	第十二章二2《青色申告書に係る更正の特例》	
	純損失の金額	純損失の金額若しくは上場株式等に係る譲渡損失の金額
	の規定の適用	若しくは第五章第三節十《上場株式等に係る譲渡損失の繰越控除》2の規定の適用
(十一)	第十二章二4《同族会社等の行為又は計算の否認等》①	
	若しくは同(三)	又は同(三)
	又は同4②(一)	、同4②(一)
	若しくは同(七)	又は同(七)
	に掲げる金額	その他財務省令で定める規定に掲げる金額
	同4①(3)中	
	若しくは同(三)	又は同(三)
	又は同4②(一)	、同4②(一)
	若しくは同(七)	又は同(七)その他財務省令で定める規定

(注)　次の(一)から(三)までに掲げる記載、事項又は規定は、当該(一)から(三)までに定める記載、事項又は規定とする。(措規18の14の2⑦)

(一)　上表の(四)に規定する財務省令で定める記載　3②(3)(一)から同(六)までに掲げる事項の記載

(二)　上表の(五)に規定する財務省令で定める事項　3②(3)(一)から同(六)までに掲げる事項

(三)　上表の(七)、同(九)並びに同(十一)に規定する財務省令で定める規定　1(8)(一)、3②(3)(一)若しくは同(五)又は同②(4)(一)若しくは同(五)

十一　特定株式の全部又は一部の返還又は移転があった場合のみなし譲渡課税

1　特定株式の全部又は一部の返還又は移転があった場合のみなし譲渡課税

次の(一)から(三)までに掲げる事由により、第四章第五節**四１**《特定の取締役等が受ける新株予約権等の行使による株式の取得に係る経済的利益の非課税等》の本文の規定の適用を受けた個人（以下**１**及び**２**において「**特例適用者**」という。）が有する当該適用を受けて取得をした株式その他これに類する株式として(１)で定めるもの（同**１**①(六)イに規定する取決めに従い金融商品取引業者等の振替口座簿に記載若しくは記録を受け、若しくは金融商品取引業者等の営業所等に保管の委託若しくは管理等信託がされているもの又は同(六)ロに規定する取決めに従い同(六)ロに規定する株式会社（当該株式会社を法人税法第２条第11号に規定する被合併法人とする合併により同**１イ**①(六)ロに規定する管理に係る契約の移転を受けた当該合併に係る同条第12号に規定する合併法人その他の(４)で定める法人を含む。以下において同じ。）により管理がされているものに限る。以下**１**において「**特定株式**」という。）の全部又は一部の返還又は移転があった場合（特例適用者から相続（限定承認に係るものを除く。）又は遺贈（包括遺贈のうち限定承認に係るものを除く。）により特定株式（特定従事者に対して与えられた特定新株予約権の行使により取得をした株式その他これに類する株式として(５)で定めるものを除く。以下**１**及び**２**において「**取締役等の特定株式**」という。）の取得をした個人（以下**１**において「**承継特例適用者**」という。）が、当該取締役等の特定株式を同**１**①(六)イに規定する取決めに従い引き続き当該取締役等の特定株式に係る金融商品取引業者等の振替口座簿に記載若しくは記録を受け、又は金融商品取引業者等の営業所等に保管の委託若しくは管理等信託をし、又は当該取締役等の特定株式を同(六)ロに規定する取決めに従い引き続き当該取締役等の特定株式の管理をしていた同(六)ロに規定する株式会社により管理をさせる場合を除く。）には、当該返還又は移転があった特定株式については、その事由が生じた時に、その時における価額に相当する金額による譲渡があったものと、(一)に掲げる事由による返還を受けた特例適用者については、当該事由が生じた時に、その時における価額に相当する金額をもって当該返還を受けた特定株式の数に相当する数の当該特定株式と同一銘柄の株式の取得をしたものとそれぞれみなして、**二１**《一般株式の譲渡所得等の申告分離課税》及び**三１**《上場株式等に係る譲渡所得等の申告分離課税》の規定その他の所得税に関する法令の規定を適用する。次に掲げる事由により、承継特例適用者が有する承継特定株式（特例適用者から当該相続又は遺贈により取得をした取締役等の特定株式その他これに類する株式として(６)で定めるもので同**１**①(六)イに規定する取決めに従い引き続き当該取締役等の特定株式に係る金融商品取引業者等の振替口座簿に記載若しくは記録を受け、又は金融商品取引業者等の営業所等に保管の委託若しくは管理等信託がされ、又は同(六)ロに規定する取決めに従い引き続き当該取締役等の特定株式の管理をしていた同(六)ロに規定する株式会社により管理がされているものをいう。以下**１**において同じ。）の全部又は一部の返還又は移転があった場合についても、同様とする。（措法29の２④）

(一)	当該金融商品取引業者等の振替口座簿への記載若しくは記録、保管の委託若しくは管理等信託又は第四章第五節**四１**①(六)ロに規定する株式会社による管理に係る契約の解約又は終了（同**１**①(六)イ又はロに規定する取決めに従ってされる譲渡に係る終了その他(７)で定める終了を除く。）
(二)	贈与（法人に対するものを除く。）又は相続（限定承認に係るものを除く。）若しくは遺贈（法人に対するもの及び個人に対する包括遺贈のうち限定承認に係るものを除く。）
(三)	同**１**①(六)イ又はロに規定する取決めに従ってされる譲渡以外の譲渡でその譲渡の時における価額より低い価額によりされるもの（第二節**二十五**《贈与等の場合の譲渡所得等の特例》**１**表内②に規定する譲渡に該当するものを除く。）

(注)１　改正後の**十一１**（(一)に係る部分に限る。）の規定は、令和６年４月１日以後に同(一)に規定する解約又は終了により同**１**に規定する特例適用者又は承継特例適用者が有する同**１**に規定する特定株式又は承継特定株式の全部又は一部の返還がある場合について適用され、同日前に改正前の**１**(一)に規定する解約又は終了により同**１**に規定する特例適用者又は承継特例適用者が有する同**１**に規定する特定株式又は承継特定株式の全部又は一部の返還があった場合については、なお従前の例による。（令６改所法等附31④）

２　改正後の**１**（(三)に係る部分に限る。）の規定は、令和６年４月１日以後に同(三)に規定する譲渡により同**１**に規定する特例適用者又は承継特例適用者が有する同**１**に規定する特定株式又は承継特定株式の全部又は一部の移転がある場合について適用され、同日前に改正前の**１**(三)に規定する譲渡により同**１**に規定する特例適用者又は承継特例適用者が有する同**１**に規定する特定株式又は承継特定株式の全部又は一部の移転があった場合については、なお従前の例による。（令６改所法等附31⑤）

３　上記＿＿下線部については、公益信託に関する法律（令和６年法律第30号）の施行の日以後、**１**中「又は遺贈（」の次に「公益信託に関する法律（令和６年法律第30号）第２条第１項第１号に規定する公益信託の受託者に対するものであってその信託財産とするためのもの及び」が加えられ、同**１**(二)中「贈与（法人に対するもの」の次に「及び公益信託に関する法律第２条第１項第１号に規定する公益信託（以下(二)において「公益信託」という。）の受託者である個人に対するもの（その信託財産とするためのものに限る。）」が加えられ、「及び」が「並びに公益信託の受託者である個人に対するもの（その信託財産とするためのものに限る。）及び」に改められる。（令６改所法等附１九へ）

（取得をした株式その他これに類する株式として（1）で定めるもの）

（1）　1に規定する第四章第五節四1①本文の規定の適用を受けて取得をした株式その他これに類する株式として（1）で定めるものは、特例適用者が、その有する第四章第五節四1①の本文の規定の適用を受けて取得をした株式につき有し、又は取得することとなる第六章第二節四《有価証券の譲渡原価の計算及びその評価》8①に規定する分割又は併合後の所有株式、同③注に規定する株式無償割当て後の所有株式、同④に規定する合併に係る同④に規定する合併法人株式又は合併親法人株式、同⑤に規定する分割型分割に係る同⑤に規定する分割承継法人株式又は分割承継親法人株式及び同⑥に規定する株式分配に係る同⑥に規定する完全子法人株式並びに二十《株式交換等に係る譲渡所得等の特例》に規定する株式交換により二十に規定する株式交換完全親法人（以下（1）において「株式交換完全親法人」という。）から交付を受けた当該株式交換完全親法人の株式、又は株式交換完全親法人との間に二十に規定する二十（3）で定める関係がある法人の株式、二十（1）に規定する株式移転により同（1）に規定する株式移転完全親法人から交付を受けた当該株式移転完全親法人の株式、二十（2）（二）に規定する取得条項付株式の同（二）に規定する取得事由の発生により交付を受けた株式、同（2）（三）に規定する全部取得条項付種類株式の同（三）に規定する取得決議により交付を受けた株式その他（2）で定めるもの（会社法第189条第１項に規定する単元未満株式その他これに類するものとして（3）で定めるものに該当するものを除く。（4）及び（6）において「分割等株式」という。）とする。（措令19の３⑪）

（（2）で定める株式）

（2）　（1）に規定する（2）で定める株式は、特例適用株式（第四章第五節四1本文の適用を受けて取得した株式をいう。以下（2）及び（3）において同じ。）について、当該特例適用株式の数に応じて当該特例適用株式を発行した法人の株式無償割当て（第六章第二節四8③注に規定する株式無償割当てをいう。）により割り当てられた株式を取得した場合（当該特例適用株式と異なる種類の株式を取得した場合に限る。）における当該割り当てられた株式とする。（措規11の３⑧）

（単元未満株式その他これに類するものとして（3）で定めるもの）

（3）　（1）に規定する単元未満株式その他これに類するものとして（3）で定めるものは、特例適用株式及び当該特例適用株式と同一銘柄の他の株式に係る第六章第二節四8①に規定する分割若しくは併合後の所有株式、同③注に規定する株式無償割当て後の所有株式、同④に規定する合併に係る同④に規定する合併法人株式若しくは合併親法人株式、合併親法人株式若しくは同⑤に規定する分割型分割に係る同⑤に規定する分割承継法人株式若しくは分割承継親法人株式若しくは同⑥に規定する株式分配に係る同⑥に規定する完全子法人株式又は二十《株式交換等に係る譲渡所得等の特例》に規定する株式交換により二十に規定する株式交換完全親法人（以下（3）において「株式交換完全親法人」という。）から交付を受けた当該株式交換完全親法人の株式若しくは株式交換完全親法人との間に二十に規定する二十（3）で定める関係がある法人（以下（3）において「親法人」という。）の株式、二十（1）に規定する株式移転により同（1）に規定する株式移転完全親法人から交付を受けた当該株式移転完全親法人の株式、二十（2）（二）に規定する取得条項付株式の同（二）に規定する取得事由の発生により交付を受けた株式、同（2）（三）に規定する全部取得条項付種類株式の同（三）に規定する取得決議により交付を受けた株式若しくは（2）に規定する株式無償割当てにより割り当てられた（2）に規定する株式のうち、当該特例適用株式に対応する部分のこれらの所有株式、合併法人株式若しくは合併親法人株式若しくは分割承継法人株式若しくは分割承継親法人株式若しくは完全子法人株式又は株式交換完全親法人の株式若しくは親法人の株式、株式移転完全親法人の株式、当該取得事由の発生若しくは取得決議により交付を受けた株式若しくは当該株式無償割当てにより割り当てられた株式で会社法第189条第１項に規定する単元未満株式に該当するものとする。（措規11の３⑨）

（1に規定する（4）で定める法人）

（4）　1に規定する（4）で定める法人は、第四章第五節四1①（六）ロに規定する管理に係る契約の移転を受けた次の（一）から（三）までに掲げる合併等（（1）に規定する合併、分割型分割、株式分配、株式交換又は株式移転をいう。以下（4）において同じ。）の区分に応じ当該（一）から（三）までに定める法人（内国法人に限る。）とする。（措規11の３⑦）

<table>
<tr><td>（一）</td><td>第四章第五節四1①（六）ロに規定する株式会社を被合併法人等（第六章第二節四8④に規定する被合併法人、同8⑤（1）に規定する分割法人、同8⑥（2）に規定する現</td><td>当該合併等に係る合併法人等（次に掲げる法人をいう。以下（4）において同じ。）
<table><tr><td>イ</td><td>第六章第二節四8④に規定する合併法人又は合併親法人</td></tr><tr><td>ロ</td><td>同8⑤に規定する分割承継法人又は分割承継親法人</td></tr></table></td></tr>
</table>

<table>
<tr><td rowspan="3"></td><td rowspan="3">物分配法人、法人税法第２条第12号の６に規定する株式交換完全子法人又は同条第12号の６の５に規定する株式移転完全子法人をいう。以下(４)において同じ。）とする合併等</td><td>ハ</td><td>同８⑥に規定する完全子法人</td></tr>
<tr><td>ニ</td><td>株式交換完全親法人（(１)に規定する株式交換完全親法人をいう。ニにおいて同じ。）又は株式交換完全親法人との間に(１)に規定する二十(３)で定める関係がある法人</td></tr>
<tr><td>ホ</td><td>(１)に規定する株式移転完全親法人</td></tr>
<tr><td>(二)</td><td>(一)又は(三)に定める合併法人等を被合併法人等とする合併等</td><td colspan="2">当該合併等に係る合併法人等</td></tr>
<tr><td>(三)</td><td>(二)に定める合併法人等を被合併法人等とする合併等</td><td colspan="2">当該合併等に係る合併法人等</td></tr>
</table>

（**1**に規定する特定新株予約権の行使により取得をした株式その他これに類する株式として(５)で定めるもの）

(５)　**1**に規定する特定新株予約権の行使により取得をした株式その他これに類する株式として(５)で定めるものは、特定従事者（第四章第五節**四１**①に規定する特定従事者をいう。以下**十一**において同じ。）が、その有する当該特定従事者に対して与えられた特定新株予約権の行使により取得をした株式につき有し、又は取得することとなる分割等株式とする。（措令19の３⑫）

（取得をした特定株式その他これに類する株式として(６)で定めるもの）

(６)　**1**に規定する取得をした取締役等の特定株式その他これに類する株式として(６)で定めるものは、承継特例適用者が、その有する相続又は遺贈により取得をした取締役等の特定株式につき有し、又は取得することとなる分割等株式とする。（措令19の３⑬）

（**1**(一)に規定する(７)で定める終了）

(７)　**1**(一)に規定する(７)で定める終了は、第四章第五節**四１**①(六)イ又はロに規定する取決めに従ってされる取締役等の特定株式以外の特定株式を有する特例適用者の国外転出(同(七)に規定する国外転出をいう。**2**(１)及び同(２)において同じ。）に係る終了とする。（措令19の３⑭）

（特定株式等の譲渡による申告分離課税に規定する株式等の譲渡所得がある場合の明細書の読替え規定）

(８)　その年において特定株式又は承継特定株式に係る**二１**《申告分離課税》に規定する一般株式等に係る譲渡所得等又は**三１**《上場株式等に係る譲渡所得等の申告分離課税》に規定する上場株式等に係る譲渡所得等を有する居住者又は恒久的施設を有する非居住者が確定申告書を提出する場合における同**二１**④（施行令第25条の９第13項において準用する場合を含む。）の規定の適用については、**二１**④中「明細書」とあるのは、「明細その他**1**(９)で定める事項を記載した書類」とする。（措令19の３㉔）

（明細その他**1**の(９)で定める事項）

(９)　(８)の規定により読み替えて適用される**二１**④（施行令第25条の９第13項において準用する場合を含む。(10)において同じ。）に規定する(９)で定める事項は、次の(一)から(六)までに掲げる事項（当該特定株式のうちに取締役等の特定株式以外の特定株式が含まれている場合には、第四章第五節**四１**①(15)(一)及び同(二)に規定するこれらの特定株式の別に、それぞれについての当該事項）とする。（措規11の３⑩）

(一)	特定株式又は承継特定株式の譲渡をした年月日
(二)	譲渡をした特定株式又は承継特定株式の数
(三)	**1**の規定の適用がある場合には、当該適用に係る**1**(一)から同(三)までに掲げる事由
(四)	**2**の規定の適用がある場合には、その旨
(五)	譲渡をした特定株式が取締役等の特定株式以外の特定株式である場合には、当該譲渡をした特定株式に係る特定新株予約権の行使の日
(六)	その他参考となるべき事項

（(8)の規定により読み替えられた申告分離課税の適用がある場合の計算明細書）

(10)　(8)の規定により読み替えられた**二１**④の規定の適用がある場合における同**１**④(1)（措規第18条の10第２項において準用する場合を含む。）の規定の適用については、**二１**④(1)中「明細書は」とあるのは「書類は」と、「明細書には、」とあるのは「書類には、当該譲渡をした**十一１**(8)に規定する特定株式又は承継特定株式と当該特定株式及び承継特定株式以外の株式等（**一**《株式等の範囲》に規定する株式等をいう。）との別に」と、「項目別の金額」とあるのは「項目別の金額、当該特定株式又は承継特定株式に係る**十一１**(9)に規定する事項」とする。（措規11の３⑪）

（特定株式等の譲渡をした特例適用者が支払者から特定株式等の譲渡の対価の支払を受ける場合の株式等の譲渡の対価の受領者の告知）

(11)　特定株式又は承継特定株式の譲渡をした特例適用者又は承継特例適用者が、国内において、**二２**《株式等の譲渡の対価の受領者の告知》に規定する支払者から当該特定株式又は承継特定株式の譲渡の対価の支払を受ける場合における**二２**の規定の適用については、同**２**中「以下**２**において同じ。）を」とあるのは、「以下**２**において同じ。）並びに当該株式等のうち**十一１**《特定株式の全部又は一部の返還又は移転があった場合のみなし譲渡課税》に規定する特定株式又は承継特定株式が含まれている旨及び当該特定株式又は承継特定株式の数を」とする。（措令19の３㉚）

（(11)に規定する場合における受領者の告知の方法の規定の読替え規定）

(12)　(11)に規定する場合における**二２**(2)《受領者の告知の方法》の規定の適用については、同**２**(2)中「同じ。）を」とあるのは、「同じ。）並びに当該株式等のうちに**十一１**《特定株式の全部又は一部の返還又は移転があった場合のみなし譲渡課税》に規定する特定株式又は承継特定株式が含まれている旨及び当該特定株式又は承継特定株式の数を」とする。（措令19の３㉛）

２　特例適用者が国外転出をする場合のみなし譲渡課税

特例適用者が国外転出をする場合には、その国外転出の時に有する特定株式（取締役等の特定株式を除く。）のうちその国外転出の時における価額に相当する金額として(1)で定める金額（以下**２**において「**国外転出時価額**」という。）がその取得に要した金額として(2)で定める金額を超えるもので(3)で定めるもの（以下**２**において「**特定従事者の特定株式**」という。）については、その国外転出の時に、権利行使時価額（当該特定従事者の特定株式の国外転出時価額と当該特例適用者が当該特定従事者の特定株式に係る特定新株予約権の行使をした日における当該特定従事者の特定株式の価額に相当する金額として(4)で定める金額とのうちいずれか少ない金額をいう。以下**２**において同じ。）による譲渡があったものと、当該特例適用者については、その国外転出の時に、当該権利行使時価額をもって当該特定従事者の特定株式の数に相当する数の当該特定従事者の特定株式と同一銘柄の株式の取得をしたものとそれぞれみなして、**二１**《一般株式等に係る譲渡所得等の申告分離課税》及び**三１**《上場株式等に係る譲渡所得等の申告分離課税》の規定その他の所得税に関する法令の規定を適用する。（措法29の２⑤）

（**２**に規定する国外転出の時における価額に相当する金額として(1)で定める金額）

(1)　**２**に規定する国外転出の時における価額に相当する金額として(1)で定める金額は、次の(一)及び(二)に掲げる場合の区分に応じ当該(一)又は(二)に定める金額とする。（措令19の３⑮）

(一)	**２**の国外転出をする日の属する年分の確定申告書の提出の時までに国税通則第十五章**四２**の規定による納税管理人の届出をした場合、同**２**の規定による納税管理人の届出をしないで当該国外転出をした日以後に当該年分の確定申告書を提出する場合又は当該年分の所得税につき第十二章**一２**の規定による決定がされる場合 　当該国外転出の時における特定株式（取締役等の特定株式を除く。(二)、(2)及び(3)において同じ。）の価額に相当する金額
(二)	(一)に掲げる場合以外の場合　　**２**の国外転出の予定日から起算して３月前の日（同日後に取得をした特定株式にあっては、当該取得時）における特定株式の価額に相当する金額

（**２**に規定する特定株式の取得に要した金額として(2)で定める金額）

(2)　**２**に規定する特定株式の取得に要した金額として(2)で定める金額は、**２**の国外転出の時に特定株式の譲渡があったものとした場合に第六章第二節**四**及び第五章第三節**二十**(6)から同(9)までの規定（第四章第五節**四１**①(14)、同(15)及び同(16)の規定により適用する場合を含む。(3)において同じ。）により当該特定株式の売上原価の額又は取得費の額として計算される金額に相当する金額とする。（措令19の３⑯）

（**2**に規定する（３）で定める特定株式）

（３）　**2**に規定する（３）で定める特定株式は、特定株式に係る特定新株予約権の行使をした日における当該特定株式の価額に相当する金額が当該行使をした日に当該特定株式の譲渡があったものとした場合に第六章第二節**四**及び第五章第三節**二十**（６）から同（９）までの規定により当該特定株式の売上原価の額又は取得費の額として計算される金額に相当する金額を超える当該特定株式とする。（措令19の３⑰）

（**2**に規定する特定従事者の特定株式の価額に相当する金額として（４）で定める金額）

（４）　**2**に規定する特定従事者の特定株式の価額に相当する金額として（４）で定める金額は、次の(一)及び(二)に掲げる場合の区分に応じ当該(一)又は(二)に定める金額とする。（措令19の３⑱）

<table>
<tr><td>(一)</td><td colspan="2">(二)に掲げる場合以外の場合　　特例適用者が特定従事者の特定株式（**2**に規定する特定従事者の特定株式をいう。以下（４）において同じ。）に係る特定新株予約権の行使をした日における当該行使により取得をした株式の権利行使時評価額（当該株式の同日における価額に相当する金額を当該株式の数で除して計算した金額をいう。(二)及び（６）において同じ。）に**2**の規定により譲渡があったものとみなされた当該特定従事者の特定株式の数を乗じて計算した金額</td></tr>
<tr><td rowspan="7">(二)</td><td colspan="2">特定従事者の特定株式について次に掲げる事由（以下(二)において「株式交換等の事由」という。）が生じた場合　　特例適用者が特定従事者の特定株式に係る特定新株予約権の行使により取得をした株式（当該行使の日以後に次に掲げる事由により取得をした株式がある場合には、当該株式。以下(二)において「旧株」という。）について生じた当該株式交換等の事由により取得した株式又は当該株式交換等の事由が生じた時前から引き続き有していた旧株（（６）において「所有株式」という。）に係る当該株式交換等の事由の次に掲げる区分に応じそれぞれ次に定める金額に、**2**の規定により譲渡があったものとみなされた当該特定従事者の特定株式の数を乗じて計算した金額</td></tr>
<tr><td>イ</td><td>株式を発行した法人の**二十**に規定する**二十**（１）に規定する株式移転　　当該株式交換又は株式移転があった法人が発行した株式の権利行使時評価額を、当該株式交換又は株式移転により当該株式一株について取得した**二十**に規定する株式交換完全親法人（イにおいて「株式交換完全親法人」という。）の株式若しくは株式交換完全親法人との間に**二十**に規定する**二十**（３）で定める関係がある法人の株式又は**二十**（１）に規定する株式移転完全親法人の株式の数で除して計算した金額</td></tr>
<tr><td>ロ</td><td>**二十**（２）(二)に規定する取得条項付株式（ロにおいて「取得条項付株式」という。）の同(二)に規定する取得事由の発生又は同（２）(三)に規定する全部取得条項付種類株式（ロにおいて「全部取得条項付種類株式」という。）の同(三)に規定する取得決議　　当該取得事由の発生又は取得決議があった取得条項付株式又は全部取得条項付種類株式の権利行使時評価額を、当該取得事由の発生又は取得決議により当該取得条項付株式又は全部取得条項付種類株式一株について取得した株式の数で除して計算した金額</td></tr>
<tr><td>ハ</td><td>株式の分割又は併合　　当該分割又は併合があった株式の権利行使時評価額を基礎として第六章第二節**四８**①の規定に準じて計算した金額</td></tr>
<tr><td>ニ</td><td>株式を発行した法人の第六章第二節**四８**③注に規定する株式無償割当て（当該株式無償割当てにより当該株式と同一の種類の株式が割り当てられる場合の当該株式無償割当てに限る。）　　当該株式無償割当ての基因となった株式の権利行使時評価額を基礎として同③注の規定に準じて計算した金額</td></tr>
<tr><td>ホ</td><td>株式を発行した法人の第六章第二節**四８**④に規定する合併　　当該合併に係る同④に規定する被合併法人の株式の権利行使時評価額を基礎として同④の規定に準じて計算した金額</td></tr>
<tr><td>ヘ</td><td>株式を発行した法人の第六章第二節**四８**⑤に規定する分割型分割　　次に掲げる株式の区分に応じそれぞれ次に定める金額
⑴　当該分割型分割に係る第六章第二節**四８**⑤に規定する分割承継法人の株式又は同⑤に規定する分割承継親法人の株式　　当該分割型分割に係る第四章第二節**二２**（３）(六)に規定する分割法人（⑵において「分割法人」という。）の株式の権利行使時評価額を基礎として第六章第二節**四８**⑤の規定に準じて計算した金額
⑵　当該特例適用者が当該分割型分割の前から引き続き有している当該分割型分割に係る分割法人の株式　　当該分割法人の株式の権利行使時評価額を基礎として第六章第二節**四８**⑤（２）の規定に準</td></tr>
</table>

		じて計算した金額
	ト	株式を発行した法人の第六章第二節**四８**⑥に規定する株式分配　次に掲げる株式の区分に応じそれぞれ次に定める金額 ⑴　当該株式分配に係る第六章第二節**四８**⑥に規定する完全子法人の株式　当該株式分配に係る同**８**⑥(２)に規定する現物分配法人（⑵において「現物分配法人」という。）の株式の権利行使時評価額を基礎として同**８**⑥の規定に準じて計算した金額 ⑵　当該特例適用者が当該株式分配の前から引き続き有している当該株式分配に係る現物分配法人の株式　当該現物分配法人の株式の権利行使時評価額を基礎として第六章第二節**四８**(１)の規定に準じて計算した金額
	チ	株式を発行した法人の第六章第二節**四８**⑦に規定する資本の払戻し又は解散による残余財産の分配　当該特例適用者が当該資本の払戻し又は解散による残余財産の分配の前から引き続き有している当該法人の株式の権利行使時評価額を基礎として同⑦の規定に準じて計算した金額

（読み替え規定）

(５)　(４)(二)ハから同チまでの規定により第六章第二節**四８**①、同**８**③注、同**８**④、同**８**⑤及び同**８**⑤(２)、同**８**⑥及び同**８**⑥(１)並びに同**８**⑦の規定に準じて計算する場合には、第六章第二節**四８**①中「取得価額は、旧株一株の従前の取得価額」とあるのは「第五章第三節**十一２**(４)(一)《特定の取締役等が受ける新株予約権の行使による株式の取得に係る経済的利益の非課税等》に規定する権利行使時評価額（以下「権利行使時評価額」という。）は、旧株一株の従前の権利行使時評価額」と、同**８**③注中「取得価額」とあるのは「権利行使時評価額」と、同**８**④中「取得価額は、旧株一株の従前の取得価額（第四章第二節**二１**(一)《合併の場合のみなし配当》の規定により剰余金の配当、利益の配当、剰余金の分配若しくは金銭の分配として交付を受けたものとみなされる金額又はその合併法人株式若しくは合併親法人株式の取得のために要した費用の額がある場合には、当該交付を受けたものとみなされる金額及び費用の額のうち旧株一株に対応する部分の金額を加算した金額）」とあるのは「権利行使時評価額は、旧株一株の従前の権利行使時評価額」と、同**８**⑤中「取得価額」とあるのは「権利行使時評価額」と、「金額（第四章第二節**二１**(二)《分割型分割の場合のみなし配当》の規定により剰余金の配当若しくは利益の配当として交付を受けたものとみなされる金額又はその分割承継法人株式若しくは分割承継親法人株式の取得のために要した費用の額がある場合には、当該交付を受けたものとみなされる金額及び費用の額のうち分割承継法人株式又は分割承継親法人株式一株に対応する部分の金額を加算した金額）」とあるのは「金額」と、同**８**⑤(２)中「取得価額」とあるのは「権利行使時評価額」と、同**８**⑥中「取得価額」とあるのは「権利行使時評価額」と、「金額（第四章第二節**二１**(三)《株式分配の場合のみなし配当》の規定により剰余金の配当若しくは利益の配当として交付を受けたものとみなされる金額又はその完全子法人株式の取得のために要した費用の額がある場合には、当該交付を受けたものとみなされる金額及び費用の額のうち完全子法人株式一株に対応する部分の金額を加算した金額）」とあるのは「金額」と、同**８**⑥(１)及び同**８**⑦中「取得価額」とあるのは「権利行使時評価額」と読み替えるものとする。（措令19の３⑲）

（権利行使時評価額とみなす規定）

(６)　(４)(二)の所有株式につき同(二)イから同チまでに掲げる事由が生じた時後における同(二)の規定の適用については、同(二)イから同チまでに定める金額を当該所有株式に係る同(二)イから同チまでに規定する権利行使時評価額とみなす。（措令19の３⑳）

（国外転出直前に譲渡した特定従事者の特定株式の取扱い）

(７)　第四章第五節**四１**①(七)に規定する国外転出（以下(９)までにおいて「国外転出」という。）をする**１**に規定する特例適用者（以下(９)までにおいて「特例適用者」という。）が譲渡した**２**に規定する特定従事者の特定株式（以下(８)までにおいて「特定従事者の特定株式」という。）で当該国外転出の日までに引渡しの行われていないものについては、原則として、同日に当該特定従事者の特定株式を有するものとして**２**の規定を適用することに留意する。ただし、納税者の選択により、当該特定従事者の特定株式の譲渡に関する契約の効力発生の日により実際に譲渡したことによる譲渡所得等として申告があったときは、これを認める。（措通29の２－３）

（特定従事者の特定株式を取得するために要した負債の利子がある場合）

（8）　**2**の規定については、特例適用者が国外転出の時に有する**1**に規定する特定株式（**1**に規定する取締役等の特定株式を除く。以下(8)において同じ。）のうち、**2**に規定する国外転出時価額が当該国外転出の時における売上原価の額又は取得費の額を超えるもので、かつ、当該特定株式に係る特定新株予約権の行使をした日における当該特定株式の価額に相当する金額が同日における売上原価の額又は取得費の額を超えるものに適用があるのであるが、当該特定株式に係る特定新株予約権を行使するために要した負債の利子で、当該国外転出の時に当該特定株式の譲渡があったものとした場合に一般株式等に係る譲渡所得等の金額又は上場株式等に係る譲渡所得等の金額の計算上控除すべきものがあるときは、当該負債の利子をこれらの売上原価の額又は取得費の額に加算して**2**の規定の適用を判定して差し支えない。

また、**2**の規定により一般株式等に係る譲渡所得等の金額又は上場株式等に係る譲渡所得等の金額の計算をする場合においては、当該負債の利子を控除して差し支えない。（措通29の２－４）

（注）（8）において、「売上原価の額又は取得費の額」は(2)又は(3)に規定する特定株式の売上原価の額又は取得費の額として計算される金額に相当する金額をいう。

（法第60条の２第１項と措置法第29条の２第５項の適用順序）

（9）　国外転出の日の属する年分の所得税について、**2**の規定の適用を受ける特例適用者が第六章第四節**一１**①の規定の適用を受ける場合には、まず**2**の規定を適用し、次に第六章第四節**一１**①の規定を適用することに留意する。（措通29の２－５）

十二　特定中小会社が発行した株式の取得に要した金額の控除等

1　特定中小会社が発行した株式の取得に要した金額の控除等

平成15年4月1日以後に、次の(一)から(三)までに掲げる株式会社（以下**1**及び**十四1**において「**特定中小会社**」という。）の区分に応じそれぞれに定める株式（以下**1**及び**十四**において「**特定株式**」という。）を払込み（当該株式の発行に際してするものに限る。以下**十四**までにおいて同じ。）により取得（第四章第五節**1**《特定の取締役等が受ける新株予約権等の行使による株式の取得に係る経済的利益の非課税等》**イ**本文の適用を受けるものを除く。以下**十四**までにおいて同じ。）をした居住者又は恒久的施設を有する非居住者（当該取得をした日においてその者を判定の基礎となる株主として選定した場合に当該特定中小会社が法人税法第２条第10号に規定する同族会社に該当することとなるときにおける当該株主その他の(１)で定める者であったものを除く。）が、当該特定株式を払込みにより取得をした場合における**二1**《一般株式等に係る譲渡所得等の課税の特例》及び**三1**《上場株式等に係る譲渡所得等の課税の特例》の規定の適用については、(９)で定めるところにより、その年分の**二1**に規定する一般株式等に係る譲渡所得等の金額又は**三1**に規定する上場株式等に係る譲渡所得等の金額の計算上、その年中に当該払込みにより取得をした特定株式(その年12月31日において有するものとして(11)で定めるものに限る。以下**十二**において「**控除対象特定株式**」という。）の取得に要した金額として(11)で定める金額の合計額（適用前の一般株式等に係る譲渡所得等の金額（**1**の規定を適用しないで計算した場合における**二1**に規定する一般株式等に係る譲渡所得等の金額をいう。**2**において同じ。）及び適用前の上場株式等に係る譲渡所得等の金額（**1**の規定を適用しないで計算した場合における**三1**に規定する上場株式等に係る譲渡所得等の金額をいう。**2**において同じ。）の合計額（以下**1**において「適用前の株式等に係る譲渡所得等の金額の合計額」という。）が当該(11)で定める金額の合計額に満たない場合には、当該適用前の株式等に係る譲渡所得等の金額の合計額に相当する金額）を控除する。(措法37の13①)

(一)	中小企業経営強化法第６条に規定する特定新規中小企業者に該当する株式会社	当該株式会社により発行される株式
(二)	内国法人のうちその設立の日以後10年を経過していない株式会社（中小企業基本法第２条第１項各号に掲げる中小企業者に該当する会社であることその他の(６)で定める要件を満たすものに限る。）	当該株式会社により発行される株式で次に掲げるもの イ　投資事業有限責任組合契約に関する法律第２条第２項に規定する投資事業有限責任組合（(７)で定めるものに限る。）に係る同法第３条第１項に規定する投資事業有限責任組合契約に従って取得をされるもの ロ　金融商品取引法第29条の４の２第９項に規定する第一種少額電子募集取扱業務を行う者（(８)で定めるものに限る。）が行う同項に規定する電子募集取扱業務により取得をされるもの
(三)	内国法人のうち、沖縄振興特別措置法第57条の２第１項に規定する指定会社で平成26年４月１日から令和７年３月31日までの間に同項の規定による指定を受けたもの	当該指定会社により発行される株式

(当該株主その他(１)で定める者)

(１)　**1**に規定する(１)で定める者は、次の(一)から(八)までに掲げる者とする。(措令25の12①)

(一)	**1**に規定する特定株式（以下**十二**及び**十四**において「特定株式」という。）を払込み（**1**に規定する払込みをいう。(11)を除き、以下**十四**までにおいて同じ。）により取得（**1**に規定する取得をいう。(11)を除き、以下**十四**までにおいて同じ。）をした日として(２)で定める日において、(３)で定める方法により判定した場合に当該特定株式を発行した特定中小会社（**1**に規定する特定中小会社をいう。以下**十二**及び**十四**において同じ。）が法人税法第２条第10号に規定する同族会社に該当することとなるときにおける当該判定の基礎となる株主として(４)で定める者
(二)	当該特定株式を発行した特定中小会社の設立に際し、当該特定中小会社に自らが営んでいた事業の全部を承継させた個人（以下(１)において「**特定事業主であった者**」という。）
(三)	特定事業主であった者の親族

(四)	特定事業主であった者と婚姻の届出をしていないが事実上婚姻関係と同様の事情にある者
(五)	特定事業主であった者の使用人
(六)	(三)から(五)までに掲げる者以外の者で、特定事業主であった者から受ける金銭その他の資産によって生計を維持しているもの
(七)	(四)から(六)までに掲げる者と生計を一にするこれらの者の親族
(八)	(一)から(七)までに掲げる者以外の者で、特定中小会社との間で当該特定株式に係る投資に関する条件を定めた契約として(5)で定める契約を締結していないもの

((1)(一)に規定する(2)で定める日)

(2)　(1)(一)に規定する(2)で定める日は、次の(一)又は(二)に掲げる特定株式の区分に応じ当該(一)又は(二)に定める日とする。(措規18の15①)

(一)　特定中小会社の設立の際に発行された特定株式　　当該特定中小会社の成立の日

(二)　特定中小会社の設立の日後に発行された特定株式　　当該特定株式の払込み（**1**に規定する払込みをいう。以下(2)において同じ。）の期日（払込みの期間の定めがある場合には、当該払込みをした日）

((1)(一)に規定する(3)で定める方法)

(3)　(1)(一)に規定する(3)で定める方法は、会社が法人税法第２条第10号に規定する同族会社((4)において「**同族会社**」という。）に該当するかどうかを判定する場合におけるその判定の方法をいう。(措規18の15②)

((1)(一)に規定する(4)で定める者)

(4)　(1)(一)に規定する(4)で定める者は、当該特定株式を発行した特定中小会社(同族会社に該当するものに限る。)の株主のうち、その者を法人税法施行令第71条第１項の役員であるとした場合に同項第５号イに掲げる要件を満たすこととなる当該株主とする。(措規18の15③)

((1)(八)に規定する(5)で定める契約)

(5)　(1)(八)に規定する(5)で定める契約は、次の(一)及び(二)に掲げる特定中小会社の区分に応じそれぞれに定める契約とする。(措規18の15④)

(一)	**1**(一) 及び同(二)に掲げる株式会社に該当する特定中小会社	当該特定中小会社との間で締結する特定株式に係る投資に関する条件を定めた契約で中小企業等経営強化法施行規則第11条第２項第３号ロに規定する投資に関する契約に該当するもの
(二)	**1**(三)に掲げる指定会社に該当する特定中小会社	当該特定中小会社との間で締結する特定株式に係る投資に関する条件を定めた契約で経済金融活性化措置実施計画及び特定経済金融活性化事業の認定申請及び実施状況の報告等に関する内閣府令第13条第５号に規定する特定株式投資契約に該当するもの

(その設立の日以後10年を経過していない中小企業者に該当するものとして(6)で定める株式会社)

(6)　**1**(二)に規定する(6)で定める要件は、次の(一)から(四)までに掲げる要件とする。(措規18の15⑤)

<table>
<tr><td rowspan="3">(一)</td><td colspan="3">中小企業基本法第２条第１項各号に掲げる中小企業者<u>（合併又は分割により設立されたものを除く。）</u>に該当する会社であり、かつ、次のイ又はロに掲げる会社以外の会社であること。</td></tr>
<tr><td rowspan="2">イ</td><td colspan="2">その発行済株式（その有する自己の株式を除く。ロにおいて同じ。）の総数の２分の１を超える数の株式が同一の大規模法人（資本金の額若しくは出資金の額が１億円を超える法人又は資本若しくは出資を有しない法人のうち常時使用する従業員の数が1,000人を超える法人をいい、中小企業投資育成株式会社を除く。以下(一)において同じ。）及び当該大規模法人と特殊の関係にある法人（次に掲げる会社をいう。以下(一)において同じ。）の所有に属している会社</td></tr>
<tr><td>(1)</td><td>当該大規模法人が有する他の会社の株式（出資を含む。以下(一)において同じ。）の数（出資にあっては、金額。以下(一)において同じ。）が当該他の会社の発行済株式又は出資（その有する</td></tr>
</table>

<table>
<tr><td></td><td></td><td></td><td>自己の株式を除く。以下(一)において「発行済株式等」という。）の総数（出資にあっては総額。以下(一)において同じ。）の２分の１以上に相当する場合における当該他の会社</td></tr>
<tr><td></td><td></td><td>(2)</td><td>当該大規模法人及びこれと(1)の特殊の関係のある会社が有する他の会社の株式の数の合計数（出資にあっては、合計額。(3)において同じ。）が当該他の会社の発行済株式等の総数の２分の１以上に相当する場合における当該他の会社</td></tr>
<tr><td></td><td></td><td>(3)</td><td>当該大規模法人並びにこれと(1)及び(2)の特殊の関係のある会社が有する他の会社の株式の数の合計数が当該他の会社の発行済株式等の総数の２分の１以上に相当する場合における当該他の会社</td></tr>
<tr><td></td><td>ロ</td><td colspan="2">イに掲げるもののほか、その発行済株式の総数の３分の２以上が大規模法人及び当該大規模法人と特殊の関係のある法人の所有に属している会社</td></tr>
<tr><td>(二)</td><td colspan="3">金融商品取引法第２条第16項に規定する金融商品取引所に上場されている株式又は店頭売買登録銘柄（株式で、同条第13項に規定する認可金融商品取引業協会が、その定める規則に従い、その店頭売買につき、その売買価格を発表し、かつ、当該株式の発行法人に関する資料を公開するものとして登録したものをいう。）として登録されている株式を発行する会社以外の会社であること。</td></tr>
<tr><td>(三)</td><td colspan="3">風俗営業等の規則及び業務の適正化等に関する法律第２条第１項に規定する風俗営業又は同条第５項に規定する性風俗関連特殊営業に該当する事業を行う会社でないこと。</td></tr>
<tr><td>(四)</td><td colspan="3">次のいずれかの会社であること。
イ　**1**(二)イに規定する投資事業有限責任組合（**2**注(一)ハにおいて「認定投資事業有限責任組合」という。）を通じ、その発行する特定株式を払込みにより取得（**1**に規定する取得をいう。以下**十二**において同じ。）をしようとする居住者又は恒久的施設を有する非居住者との間で(5)(一)に定める契約を締結する会社
ロ　**1**(二)ロに規定する第一種少額電子募集取扱業務を行う者（ロ及び**2**注(一)ニにおいて「認定少額電子募集取扱業者」という。）から積極的な指導を受ける会社であり、かつ、当該認定少額電子募集取扱業者が行う電子募集取扱業務（**1**(二)ロに規定する電子募集取扱業務をいう。(8)及び**2**注(一)ニ(2)において同じ。）により、その発行する特定株式を払込みにより取得をしようとする居住者又は恒久的施設を有する非居住者との間で(5)(一)に定める契約を締結する会社</td></tr>
</table>

((7)で定める投資事業有限責任組合)

(7)　**1**(二)イに規定する(7)で定める投資事業有限責任組合は、投資事業有限責任組合契約に関する法律第３条第１項に規定する投資事業有限責任組合契約によって成立する同法第２条第２項に規定する投資事業有限責任組合であって、当該組合がその株式を保有する特定中小会社に対して積極的な指導を行うことが確実であると見込まれるものとして経済産業大臣の認定を受けたものとする。(措規18の15⑥、平16経済産業省告示第124号（最終改正令６同省告示第67号)

((8)で定める第一種少額電子募集取扱業務を行う者)

(8)　**1**(二)ロに規定する(8)で定める第一種少額電子募集取扱業務を行う者は、金融商品取引法第29条の登録を受けた者であって、その者が行う電子募集取扱業務において募集の取扱い又は私募の取扱いをする株式を発行する特定中小会社に対して積極的な指導を行うことが確実であると見込まれるものとして経済産業大臣の認定を受けたものとする。(措規18の15⑦、平16経済産業省告示第124号（最終改正令６同省告示第67号)

((9)で定める控除の仕方)

(9)　**1**の規定による控除については、次の(一)及び(二)に定めるところによる。(措令25の12②)

(一)	**1**に規定する控除対象特定株式の取得に要した金額（(11)の規定により計算される金額をいう。**3**(3)及び**3**(5)において同じ。）の合計額の**1**の規定による控除は、まず**1**に規定する適用前の一般株式等に係る譲渡所得等の金額を限度として、その取得の日の属する年分の**1**に規定する一般株式等に係る譲渡所得等の金額の計算上控除し、なお控除しきれない金額があるときは、**1**に規定する適用前の上場株式等に係る譲渡所得等の金額を限度として、その取得の日の属する年分の**1**に規定する上場株式等に係る譲渡所得等の金額の計算上控除

	する。
(二)	第七章第二節**二１**《雑損失の繰越控除》の規定による控除が行われる場合には、まず**１**の規定による控除を行った後、同節**二１**の規定による控除を行う。

(その年12月31日において有するものとして(11)で定める特定株式)

(10)　**１**に規定するその年12月31日において有するものとして(11)で定める特定株式は、**１**の居住者又は恒久的施設を有する非居住者がその年中に払込みにより取得をした特定株式のうちその年12月31日（その者が年の中途において死亡し、第二章第一節**一**《用語の意義》表内**42**に規定する出国した場合には、その死亡又は出国の時。以下**十二**において同じ。）における当該特定株式に係る控除対象特定株式数（当該特定株式の銘柄ごとに、(一)に掲げる数から(二)に掲げる数を控除した残数をいう。）に対応する特定株式とする。（措令25の12③）

(一)	当該居住者又は恒久的施設を有する非居住者がその年中に払込みにより取得をした特定株式の数
(二)	当該居住者又は恒久的施設を有する非居住者がその年中に譲渡（**五２**①に規定する譲渡をいう。）又は贈与をした同一銘柄株式（(一)の特定株式及び当該特定株式と同一銘柄の他の株式をいう。以下**十二**において同じ。）の数

(**１**に規定する控除対象特定株式の取得に要した金額として(11)で定める金額)

(11)　**１**に規定する控除対象特定株式の取得に要した金額として(11)で定める金額は、**１**の居住者又は恒久的施設を有する非居住者がその年中に(１)(一)に規定する払込みにより同(一)に規定する取得をした特定株式の銘柄ごとに、その払込みにより取得をした特定株式の同(一)に規定する取得に要した金額（次の(一)又は(二)に掲げる新株予約権の行使により同(一)に規定する取得をした当該(一)又は(二)に定める特定株式にあっては、当該新株予約権の取得に要した金額を含む。）の合計額を当該取得をした特定株式の数で除して計算した金額に(10)に規定する控除対象特定株式数を乗じて計算した金額とする。（措令25の12④）

(一)	**１**(一)に掲げる株式会社に該当する特定中小会社に対する払込み（新株予約権の発行に際してするものに限る。(二)において同じ。）により取得をした新株予約権	当該特定中小会社により発行される特定株式
(二)	**１**(二)に掲げる株式会社に該当する特定中小会社に対する払込みにより取得をした新株予約権（同(二)イに規定する投資事業有限責任組合に係る同(二)イに規定する投資事業有限責任組合契約に従って取得をしたものに限る。）	当該特定中小会社により発行される同(二)イに掲げる特定株式

(注)　改正後の(11)の規定は、個人が令和６年４月１日以後に同(11)(一)に規定する払込みにより取得をする同(11)(一)又は同(二)に掲げる新株予約権の行使により改正後の**１**に規定する取得をする当該(一)又は(二)に定める特定株式について適用される。（令６改措令附７①）

(払込みにより取得した者から贈与等により取得した場合)

(12)　「特定投資株式の取得に要した金額の控除等」は、**１**に規定する特定株式（以下(14)までにおいて「特定株式」という。）を払込みにより取得した者に限り適用があるため、特定株式を払込みにより取得した者から当該特定株式を贈与、相続又は遺贈により取得した者については、**１**の規定の適用はないことに留意する。

なお、「特定投資株式が株式としての価値を失った場合の特例」、「特定投資株式に係る譲渡損失の損益の計算」及び「特定投資株式に係る譲渡損失の繰越控除」の規定の適用についても同様である。（措通37の13－１）

(控除対象特定株式数の計算)

(13)　(10)に規定する控除対象特定株式数（(14)において「控除対象特定株式数」という。）の計算における(10)(二)に規定する譲渡又は贈与には、特定株式の払込みによる取得の日以前に行われたその年中の同(二)に規定する同一銘柄株式（以下(16)までにおいて「同一銘柄株式」という。）の譲渡又は贈与も含まれるのであるから留意する。（措通37の13－２）

(払込みによる取得の後に分割等があった場合の控除対象額の計算)

(14)　特定株式の払込みによる取得の後、その取得の日の属する年の12月31日までの期間内に、当該特定株式に係る同一銘柄株式につき分割、併合又は会社法第185条に規定する株式無償割当て（当該株式無償割当てにより当該特定株式と同一の種類の株式が割り当てられるものに限る。以下(14)において同じ。）があった場合の(９)に規定する控除対象特定株式の取得に要した金額の合計額（以下(14)において「控除対象額」という。）の計算は、(10)、(11)、**3**（１）又は同(２)の規定に基づき、次のように行う。（措通37の13－３）

《計算例》

【取得等の状況】

	取得等の時期	事由	株数(株)	単価(円)	払込金額(円)	残株数(株)
A	平成18年４月	払込取得	2,000株	500円	1,000,000円	2,000株
B	平成18年５月	譲渡	1,000株			1,000株
C	平成18年６月	株式分割	1,000株			2,000株
D	平成18年９月	払込取得	1,000株	500円	500,000円	3,000株
E	平成18年10月	株式無償割当て	1,500株			4,500株

イ　払込みにより取得をした特定株式の取得に要した金額の合計額

1,000,000円（Aの取得）＋500,000円（Dの取得）＝1,500,000円……①

ロ　払込みにより取得をした特定株式の数

$\left[2,000\text{株（Aの取得）}\times 2\text{（分割の比率）}+1,000\text{株（Dの取得）}\right]\times\left[1+\frac{1,500}{3,000}\right]$（株式無償割当ての比率）＝7,500株……②

ハ　譲渡又は贈与をした同一銘柄株式の数

$\left[1,000\text{株（Bの譲渡）}\times 2\text{（分割の比率）}\right]\times\left[1+\frac{1,500}{3,000}\right]$（株式無償割当ての比率）＝3,000株……③

ニ　控除対象特定株式数

7,500株（②）－3,000株（③）＝4,500株……④

ホ　控除対象額（その年の株式等に係る譲渡所得等の金額が限度）

（1,500,000円（①）÷7,500株（②））×4,500株（④）＝900,000円

（注）　**3**（１）に規定する分割又は併合の比率とは、分割又は併合後に有することとなった株式数を分割又は併合前に有していた株式数で除して得た数をいうことに留意する。したがって、上記ロ及びハの分割の比率は、2,000株÷1,000株＝２となる。

（適用年の翌年以後の取得価額の計算－控除対象特定株式の場合）

(15)　**1**に規定する控除対象特定株式（**3**（５）に規定する特例控除対象特定株式（以下(15)及び(16)において「特例控除対象特定株式」という。）を除く。以下(15)及び(16)において「控除対象特定株式」という。）の取得に要した金額の合計額につき**1**の規定の適用を受けた場合における、その適用を受けた年（以下(15)及び(16)において「適用年」という。）の翌年以後の各年分における**1**の規定の適用を受けた控除対象特定株式（以下(15)において「適用控除対象特定株式」という。）に係る同一銘柄株式１株当たりの取得価額は、**3**（３）の規定により、次に掲げる場合の区分に応じ、それぞれ次に定める金額による。（措通37の13－５）

⑴　適用年において当該適用控除対象特定株式以外の適用控除対象特定株式（(２)において「他の適用控除対象特定株式」という。）がない場合

$$\text{適用年の翌年以後の各年分における当該同一銘柄株式１株当たりの取得価額}=\text{当該同一銘柄株式１株当たりの当該適用年の12月31日における取得価額}-\left[\frac{\text{措置法第37条の13第１項の規定の適用を受けた金額として一定の金額（適用控除対象額）（※）}}{\text{当該適用年の12月31日において有する当該同一銘柄株式の数}}\right]$$

⑵　適用年において他の適用控除対象特定株式がある場合

$$\text{適用年の翌年以後の各年分における当該同一銘柄株式１株当たりの取得価額}=\text{当該同一銘柄株式１株当たりの当該適用年の12月31日における取得価額}-\left[\frac{\text{適用控除対象額（※）}\times\frac{A}{A+B}}{\text{当該適用年の12月31日において有する当該同一銘柄株式の数}}\right]$$

A　当該適用控除対象特定株式の取得に要した金額

B　当該他の適用控除対象特定株式の取得に要した金額

※　「適用控除対象額」とは、**3**（４）の規定により、次に掲げる場合の区分に応じ、それぞれ次に定める金額をいう。

① その年中に取得をした控除対象特定株式の取得に要した金額の合計額につき１の規定の適用を受けた場合（次の②に掲げる場合に該当する場合を除く。）　当該適用年に１の規定の適用を受けた金額

② その年中に取得をした控除対象特定株式及び特例控除対象特定株式の取得に要した金額の合計額につき１の規定の適用を受けた場合　次の算式により計算した金額

$$\text{適用控除対象額} = \text{当該適用年に１の規定の適用を受けた金額} \times \left[\frac{C}{C+D}\right]$$

C　１の規定の適用を受けた当該控除対象特定株式の取得に要した金額

D　１の規定の適用を受けた当該特例控除対象特定株式の取得に要した金額

（注）　１の規定の適用を受けることができる者が年の中途において死亡し、その相続人又は受遺者により被相続人に係る１の規定の適用を受ける旨の第十章第二節三２《年の中途で死亡した場合の確定申告等》に規定する申告書が提出された場合には、当該被相続人の死亡のときにおいて上記算式に準じて計算した取得価額が当該同一銘柄株式を相続又は遺贈により取得した者の取得価額となることに留意する。

（適用年の翌年以後の取得価額の計算－特例控除対象特定株式の場合）

(16)　特例控除対象特定株式の取得に要した金額の合計額につき１の規定の適用を受けた場合における、適用年の翌年以後の各年分における１の規定の適用を受けた特例控除対象特定株式（以下(16)において「特例適用控除対象特定株式」という。）に係る同一銘柄株式１株当たりの取得価額は、３(５)の規定により、次に掲げる場合の区分に応じ、それぞれ次に定める金額による。（措通37の13－６）

(一)　１の規定の適用を受けた金額として一定の金額（特例適用控除対象額）(※) が20億円を超えた場合

イ　適用年において当該特例適用控除対象特定株式以外の特例適用控除対象特定株式（ロにおいて「他の特例適用控除対象特定株式」という。）がない場合

$$\text{適用年の翌年以後の各年分における当該同一銘柄株式１株当たりの取得価額} = \text{当該同一銘柄株式１株当たりの当該適用年の12月31日における取得価額} - \left[\frac{\text{特例適用控除対象額(※)}-\text{20億円}}{\text{当該適用年の12月31日において有する当該同一銘柄株式の数}}\right]$$

ロ　適用年において他の特例適用控除対象特定株式がある場合

$$\text{適用年の翌年以後の各年分における当該同一銘柄株式１株当たりの取得価額} = \text{当該同一銘柄株式１株当たりの当該適用年の12月31日における取得価額} - \left[\frac{(\text{特例適用控除対象額（※）}-\text{20億円}) \times \dfrac{A}{A+B}}{\text{当該適用年の12月31日において有する当該同一銘柄株式の数}}\right]$$

A　当該特例適用控除対象特定株式の取得に要した金額

B　当該他の特例適用控除対象特定株式の取得に要した金額

(二)　特例適用控除対象額（※）が20億円以下であった場合

当該特例適用控除対象特定株式に係る同一銘柄株式１株当たりの適用年の12月31日における取得価額

※　「特例適用控除対象額」とは、３(７)の規定により、次に掲げる場合の区分に応じ、それぞれ次に定める金額をいう。

① その年中に取得をした特例控除対象特定株式の取得に要した金額の合計額につき１の規定の適用を受けた場合（次の②に掲げる場合に該当する場合を除く。）　当該適用年に１の規定の適用を受けた金額

② その年中に取得をした控除対象特定株式及び特例控除対象特定株式の取得に要した金額の合計額につき１の規定の適用を受けた場合次の算式により計算した金額

$$\text{特例適用控除対象額} = \text{当該適用年に１の規定の適用を受けた金額} \times \left[\frac{D}{C+D}\right]$$

C　１の規定の適用を受けた当該控除対象特定株式の取得に要した金額

D　１の規定の適用を受けた当該特例控除対象特定株式の取得に要した金額

（注）　１の規定の適用を受けることができる者が年の中途において死亡し、その相続人又は受遺者により被相続人に係る１の規定の適用を受ける旨の第十章第二節三２①に規定する申告書が提出された場合には、当該被相続人の死亡のときにおいて上記算式に準じて計算した取得価額が当該同一銘柄株式を相続又は遺贈により取得した者の取得価額となることに留意する。

2　申告要件等

１の規定は、１の規定の適用を受けようとする年分の確定申告書に、１の規定の適用を受けようとする旨の記載があり、かつ、１に規定する控除対象特定株式の取得に要した金額として１(11)で定める金額、適用前の一般株式等に係る譲渡所得等の金額、適用前の上場株式等に係る譲渡所得等の金額及び１の控除の計算に関する明細書その他の注で定める書類の添付がある場合に限り、適用する。（措法37の13②）

（確定申告書への添付書類）

注　**2**に規定する注で定める書類は、次の(一)から(七)までに掲げる書類（(三)に掲げる書類にあっては、**1**に規定する控除対象特定株式を取得した日の属する年中の同(三)イから同ハまでに掲げる事項の記載があるものに限る。）とする。（措規18の15⑧）

<table>
<tr><td rowspan="13">(一)</td><td colspan="3">次に掲げる場合の区分に応じそれぞれ次に定める書類</td></tr>
<tr><td rowspan="5">イ</td><td colspan="2">1《特定中小会社が発行した株式の取得に要した金額の控除等》の(一)に掲げる株式会社に該当する特定中小会社（中小企業等経営強化法施行規則第８条第５号イ又はロに該当する会社に限る。）が発行した特定株式である場合　　当該特定中小会社から交付を受けた都道府県知事の当該特定株式に係る基準日（1（２）(一)又は同(二)までに掲げる特定株式の区分に応じ同(一)又は同(二)に定める日をいう。ハ、ニ、(二)及び3（６）において同じ。）において⑴から⑶までに掲げる事実の確認をした旨を証する書類（⑷に掲げる事項の記載があるものに限る。）</td></tr>
<tr><td>⑴</td><td>当該特定中小会社が中小企業等経営強化法施行規則第８条各号に掲げる要件に該当するものであること。</td></tr>
<tr><td>⑵</td><td>当該居住者又は恒久的施設を有する非居住者による当該特定株式の取得が、当該居住者又は恒久的施設を有する非居住者と当該特定中小会社との間で締結された1（５）(一)に定める契約に基づき払込みによりされたものであること。</td></tr>
<tr><td>⑶</td><td>当該特定株式が特例控除対象特定株式（3（５）に規定する特例控除対象特定株式をいう。以下十二において同じ。）に該当する場合には、当該特定中小会社が3（６）(一)に定める要件に該当するものであること。</td></tr>
<tr><td>⑷</td><td>当該居住者又は恒久的施設を有する非居住者の氏名及び住所（国内に住所を有しない者にあっては、所得税法施行規則第81条第１号又は第２号に定める場所。以下(一)において同じ。）、払込みにより取得がされた当該特定株式の数及び当該特定株式と引換えに払い込むべき額並びにその払い込んだ金額（当該特定株式が1（11）(一)に掲げる新株予約権の行使により取得をしたものである場合には、当該新株予約権と引換えに払い込むべき額及びその払い込んだ金額を含む。）</td></tr>
<tr><td rowspan="4">ロ</td><td colspan="2">1(一)に掲げる株式会社に該当する特定中小会社（中小企業等経営強化法施行規則第８条第５号ハに該当する会社に限る。）が発行した特定株式である場合　　当該特定中小会社から交付を受けた都道府県知事の当該特定株式に係る特定基準日（当該特定中小会社のその設立の日の属する年12月31日をいう。）において⑴及び⑵に掲げる事実の確認をした旨を証する書類（⑶に掲げる事項の記載があるものに限る。）</td></tr>
<tr><td>⑴</td><td>当該特定中小会社が中小企業等経営強化法施行規則第８条各号に掲げる要件に該当するものであること。</td></tr>
<tr><td>⑵</td><td>当該居住者又は恒久的施設を有する非居住者による当該特定株式の取得が、当該居住者又は恒久的施設を有する非居住者と当該特定中小会社との間で締結された1（５）(一)に定める契約に基づき払込みによりされたものであること。</td></tr>
<tr><td>⑶</td><td>当該居住者又は恒久的施設を有する非居住者の氏名及び住所、払込みにより取得がされた当該特定株式の数及び当該特定株式と引換えに払い込むべき額並びにその払い込んだ金額（当該特定株式が1（11）(一)に掲げる新株予約権の行使により取得をしたものである場合には、当該新株予約権と引換えに払い込むべき額及びその払い込んだ金額を含む。）</td></tr>
<tr><td rowspan="3">ハ</td><td colspan="2">1(二)に掲げる株式会社に該当する特定中小会社が発行した同(二)イに掲げる特定株式である場合　　当該特定株式に係る認定投資事業有限責任組合の当該特定株式に係る基準日において⑴から⑶までに掲げる事実の確認をした旨を証する書類（⑷に掲げる事項の記載があるものに限る。）及び当該認定投資事業有限責任組合が1（７）の認定を受けたものであることを証する書類の写し</td></tr>
<tr><td>⑴</td><td>当該特定中小会社が1（６）(一)から同(五)までに掲げる要件に該当するものであること。</td></tr>
<tr><td>⑵</td><td>当該居住者又は恒久的施設を有する非居住者による当該特定株式の取得が、同（６）の(四)イの契約に従って当該認定投資事業有限責任組合を通じて払込みによりされたものであること。</td></tr>
</table>

		(3)	当該特定株式が特例控除対象特定株式に該当する場合には、当該特定中小会社が**3**（6）(二)に定める要件に該当するものであること。
		(4)	当該居住者又は恒久的施設を有する非居住者の氏名及び住所、払込みにより取得がされた当該特定株式の数及び当該特定株式と引換えに払い込むべき額並びにその払い込んだ金額（当該特定株式が**1**(11)(二)に掲げる新株予約権の行使により取得をしたものである場合には、当該新株予約権と引換えに払い込むべき額及びその払い込んだ金額を含む。）
	ニ		**1**(二) に掲げる株式会社に該当する特定中小会社が発行した同(二)ロに掲げる特定株式である場合　当該特定株式に係る認定少額電子募集取扱業者の当該特定株式に係る基準日において⑴から⑶までに掲げる事実の確認をした旨を証する書類（⑷に掲げる事項の記載があるものに限る。）及び当該認定少額電子募集取扱業者が前項の認定を受けたものであることを証する書類の写し
		⑴	当該特定中小会社が（6）の(一)から(四)までに掲げる要件に該当するものであること。
		⑵	当該居住者又は恒久的施設を有する非居住者による当該特定株式の取得が、（6）(四)ロの契約に従って当該認定少額電子募集取扱業者が行う電子募集取扱業務による払込みによりされたものであること。
		⑶	当該特定株式が特例控除対象特定株式に該当する場合には、当該特定中小会社が**3**（6）(二)に定める要件に該当するものであること。
		⑷	当該居住者又は恒久的施設を有する非居住者の氏名及び住所、払込みにより取得がされた当該特定株式の数及び当該特定株式と引換えに払い込むべき額並びにその払い込んだ金額
	ホ		**1**(三)に掲げる指定会社に該当する特定中小会社が発行した特定株式である場合　当該特定中小会社から交付を受けた沖縄県知事の当該特定株式に係る**1**（2）(二)において定める日において⑴及び⑵に掲げる事実を確認した旨を証する書類（⑶に掲げる事項の記載があるものに限る。）
		⑴	当該特定中小会社が経済金融活性化措置実施計画及び特定経済金融活性化事業の認定申請及び実施状況の報告等に関する内閣府令第13条各号に掲げる要件に該当するものであること。
		⑵	当該居住者又は恒久的施設を有する非居住者による当該特定株式の取得が、当該居住者又は恒久的施設を有する非居住者と当該特定中小会社との間で締結された**1**（5）(二)に定める契約に基づき、当該特定中小会社の設立の日以後10年以内に払込みによりされたものであること。
		⑶	当該居住者又は恒久的施設を有する非居住者の氏名及び住所、払込みにより取得がされた当該特定株式の数及び当該特定株式と引換えに払い込むべき額並びにその払い込んだ金額
(二)			当該特定株式を発行した特定中小会社の当該特定株式を払込みにより取得をした居住者又は恒久的施設を有する非居住者が当該特定株式に係る基準日（当該特定株式が**1**(三)から同(五)までに定める株式である場合には、当該特定株式に係る**1**（2）(二)に定める日）において**1**（1）(一)に掲げる者に該当しないことの確認をした旨を証する書類
(三)			当該特定株式を発行した特定中小会社（当該特定中小会社であった株式会社を含む。）から交付を受けた当該特定株式を払込みにより取得をした当該居住者又は恒久的施設を有する非居住者が有する当該特定中小会社の株式の当該取得の時（当該取得の時が２以上ある場合には、最初の取得の時）以後の当該株式の異動につき次に掲げる事項がその異動ごとに記載された明細書
	イ		異動事由
	ロ		異動年月日
	ハ		異動した株式の数及び当該異動直後において有する株式の数
	ニ		その他参考となるべき事項
(四)			当該居住者又は恒久的施設を有する非居住者と当該特定中小会社との間で締結された当該特定中小会社の**1**（5）(一)又は同(二)に掲げる区分に応じそれぞれに定める契約に係る契約書の写し
(五)			**ニ１④**（租税特別措置法施行令第25条の９第13項において準用する場合を含む。）に規定する明細書で**1**（1）(一)

	に規定する適用前の一般株式等に係る譲渡所得等の金額及び同(一)に規定する適用前の上場株式等に係る譲渡所得等の金額の記載があるもの（**六11**(３)の規定の適用がある場合において同(３)に規定する確定申告書に当該明細書に代えて特定口座年間取引報告書等の添付をするときは当該特定口座年間取引報告書等とし、**六11**(３)(注)２及び同(注)３の規定の適用がある場合において同(注)２に規定する確定申告書に同(注)２の明細書及び特定口座年間取引報告書等の添付をするときは当該明細書及び当該特定口座年間取引報告書等とする。）
(六)	**1**(１)(一)に規定する控除対象特定株式の取得に要した金額（同(一)に規定する取得に要した金額をいう。以下(六)、**3**(４)及び同(７)において同じ。）の計算に関する明細書（**1**(９)(一)」に規定する控除対象特定株式の取得に要した金額の合計額及びその年中に払込みにより取得をした特定株式の銘柄ごとの同(10)の控除対象特定株式の取得に要した金額の計算に関する明細の記載があるものに限るものとし、**3**(３)の規定の適用がある場合には同(３)に規定する適用控除対象特定株式に係る同(３)(二)イ又は同ロに掲げる場合の区分に応じ当該イ又はロに定める金額の計算に関する明細の記載があるものに限るものとし、**3**(５)の規定の適用がある場合には同(５)に規定する特例適用控除対象特定株式に係る同(二)イ又はロに掲げる場合の区分に応じ当該イ又はロに定める金額の計算に関する明細の記載があるものに限る。）
(七)	**1**(10)に規定する控除対象特定株式数の計算に関する明細書（当該控除対象特定株式数並びに当該控除対象特定株式数に係る同(10)(一)及び同(二)に掲げる数の計算に関する明細並びに当該計算の基礎となった同(10)(一)に規定する払込みにより取得をした特定株式の当該取得及び同(10)(二)に規定する譲渡又は贈与のそれぞれの年月日その他参考となるべき事項の記載があるものに限る。）

3　控除対象特定株式と同一銘柄の株式の取得価額等

1の規定の適用を受けた場合における控除対象特定株式と同一銘柄の株式の取得価額の計算の特例その他**1**及び**2**の規定の適用に関し必要な事項は、次の(１)から(６)までで定める。（措法37の13③）

（取得後期間内に特定株式に係る同一銘柄株式につき分割又は併合があった場合における特定株式の数及び計算）

(１)　特定株式の払込みによる取得の後当該取得の日の属する年12月31日までの期間（以下(１)及び(２)において「**取得後期間**」という。）内に、当該特定株式に係る同一銘柄株式につき分割又は併合があった場合における**1**(10)(一)及び同(二)に掲げる数及び**1**(11)に規定する取得をした特定株式の数の計算については、当該分割又は併合の前にされたこれらの規定に規定する取得並びに譲渡及び贈与に係る株式の数は、当該取得並びに譲渡及び贈与がされた株式の数に当該分割又は併合の比率（取得後期間内において２以上の段階にわたる分割又は併合があった場合には、当該取得又は譲渡若しくは贈与がされた後の全ての段階の分割又は併合の比率の積に相当する比率）を乗じて得た数とする。（措令25の12⑤）

（特定株式の払込みによる取得後期間内に、当該特定株式に係る同一銘柄株式につき株式無償割当てがあった場合における特定株式の数及び計算）

(２)　特定株式の払込みによる取得後期間内に、当該特定株式に係る同一銘柄株式につき会社法第185条に規定する株式無償割当て（当該株式無償割当てにより当該特定株式と同一の種類の株式が割り当てられるものに限る。以下(２)において同じ。）があった場合における**1**(10)(一)及び同(二)に掲げる数及び**1**(11)に規定する取得をした特定株式の数の計算については、当該株式無償割当ての前にされたこれらの規定に規定する取得並びに譲渡及び贈与に係る株式の数は、当該取得並びに譲渡及び贈与がされた株式の数に当該株式無償割当てにより割り当てられた株式の数（取得後期間内において二以上の段階にわたる株式無償割当てがあった場合には、当該取得又は譲渡若しくは贈与がされた後の全ての段階の株式無償割当てにより割り当てられた株式の数の合計数）を加算した数とする。（措令25の12⑥）

（**1**の適用を受けた年の翌年以後の各年分の控除対象株式に係る同一銘柄株式１株当たりの取得価額）

(３)　**1**の居住者又は恒久的施設を有する非居住者が、その年中に取得をした控除対象特定株式（**1**に規定する控除対象特定株式をいい、(５)に規定する特例控除対象特定株式を除く。以下(３)において同じ。）の取得に要した金額の合計額につき**1**の規定の適用を受けた場合には、その適用を受けた年（以下において「**適用年**」という。）の翌年以後の各年分における第六章第二節**四2**《有価証券の譲渡原価の計算及びその評価》及び**二十**《株式交換等に係る譲渡所得等の特例》(６)から同(９)までの規定並びに**十五1**(２)の規定の適用については、これらの規定により当該各年分の必要経費又は取得費に算入すべき金額の計算の基礎となる当該適用年に**1**の規定の受けた控除対象特定株式（以下

(3)において「適用控除対象特定株式」という。)に係る同一銘柄株式1株当たりの第六章第二節**四5**《有価証券の評価の方法》①の規定により算出した取得価額は、(一)に掲げる金額から(二)に掲げる金額を控除した金額とし、当該同一銘柄株式1株当たりの同**四3**の規定により算出した必要経費に算入する金額及び取得費に算入する金額は、当該控除に準じて計算した金額とする。(措令25の12⑦)

<table>
<tr><td>(一)</td><td colspan="3">当該適用控除対象特定株式に係る同一銘柄株式一株当たりの当該適用年の12月31日における第六章第二節四5①の規定により算出した取得価額</td></tr>
<tr><td rowspan="3">(二)</td><td colspan="3">当該適用控除対象特定株式に係る適用年の次に掲げる場合の区分に応じそれぞれ次に定める金額を当該適用年の12月31日において有する当該適用控除対象特定株式に係る同一銘柄株式の数で除して計算した金額</td></tr>
<tr><td>イ</td><td>当該適用年において当該適用控除対象特定株式以外の適用控除対象特定株式（ロにおいて「他の適用控除対象特定株式」という。）がない場合</td><td>1の規定の適用を受けた金額として(4)で定める金額（ロにおいて「適用額」という。）</td></tr>
<tr><td>ロ</td><td>当該適用年において他の適用控除対象特定株式がある場合</td><td>適用額に、当該適用控除対象特定株式の取得に要した金額と当該他の適用控除対象特定株式の取得に要した金額との合計額のうちに占める当該適用控除対象特定株式の取得に要した金額の割合を乗じて計算した金額</td></tr>
</table>

(注)　改正後の(3)の規定は、個人が令和6年4月1日以後に改正後の**1**に規定する払込みにより同**1**に規定する取得をする同**1**に規定する特定株式について適用され、個人が同日前に改正前の**1**に規定する払込みにより同**1**に規定する取得をした同**1**に規定する特定株式については、なお従前の例による。(令6改措令附7②)

((3)(二)イに規定する(4)で定める金額)

(4)　(3)(二)イに規定する(4)で定める金額は、次の(一)及び(二)に掲げる場合の区分に応じ当該(一)又は(二)に定める金額とする。(措規18の15⑨)

(一)	その年中に取得をした控除対象特定株式（(3)に規定する控除対象特定株式をいう。(二)及び(7)(二)において同じ。）の取得に要した金額の合計額につき**1**の規定の適用を受けた場合((二)に掲げる場合に該当する場合を除く。)	その年に**1**の規定の適用を受けた金額
(二)	その年中に取得をした控除対象特定株式及び特例控除対象特定株式の取得に要した金額の合計額につき**1**の規定の適用を受けた場合	その年に**1**の規定の適用を受けた金額に、**1**の規定の適用を受けた当該控除対象特定株式の取得に要した金額と**1**の規定の適用を受けた当該特例控除対象特定株式の取得に要した金額との合計額のうちに占める当該控除対象特定株式の取得に要した金額の割合を乗じて計算した金額

(適用額が20億円を超えたとき)

(5)　**1**の居住者又は恒久的施設を有する非居住者が、その年中に取得をした**1**に規定する控除対象特定株式（**1**(一)又は同(二)に掲げる株式会社でその設立の日以後の期間が5年未満の株式会社であることその他の(6)で定める要件を満たすもの（(8)及び(10)(一)ロにおいて「特例株式会社」という。）の特定株式に係るものに限る。以下(5)において「特例控除対象特定株式」という。）の取得に要した金額の合計額につき**1**の規定の適用を受けた場合において、当該適用を受けた金額として(7)で定める金額（以下(5)において「適用額」という。）が20億円を超えたときは、その適用を受けた年（以下(5)及び(8)において「適用年」という。）の翌年以後の各年分における第六章第二節**四2**から同**11**まで及び**二十**(6)から同(9)までの規定並びに**十五1**(2)の規定の適用については、これらの規定により当該各年分の必要経費又は取得費に算入すべき金額の計算の基礎となる当該適用年に**1**の規定の適用を受けた特例控除対象特定株式（以下(12)までにおいて「特例適用控除対象特定株式」という。）に係る同一銘柄株式1株当たりの第六章第二節**四5**①の規定により算出した取得価額は、(一)に掲げる金額から(二)に掲げる金額を控除した金額とし、当該同一銘柄株式1株当たりの同節**四3**の規定により算出した必要経費に算入する金額及び取得費に算入する金額は、当該控除に準じて計算した金額とする。(措令25の12⑧)

<table>
<tr><td>(一)</td><td colspan="3">当該特例適用控除対象特定株式に係る同一銘柄株式１株当たりの当該適用年の12月31日における第六章第二節**四５**①の規定により算出した取得価額</td></tr>
<tr><td rowspan="3">(二)</td><td colspan="3">当該特例適用控除対象特定株式に係る適用年の次に掲げる場合の区分に応じそれぞれ次に定める金額を当該適用年の12月31日において有する当該特例適用控除対象特定株式に係る同一銘柄株式の数で除して計算した金額</td></tr>
<tr><td>イ</td><td>当該適用年において当該特例適用控除対象特定株式以外の特例適用控除対象特定株式（ロにおいて「他の特例適用控除対象特定株式」という。）がない場合</td><td>適用額から20億円を控除した残額</td></tr>
<tr><td>ロ</td><td>当該適用年において他の特例適用控除対象特定株式がある場合</td><td>適用額から20億円を控除した残額に、当該特例適用控除対象特定株式の取得に要した金額と当該他の特例適用控除対象特定株式の取得に要した金額との合計額のうちに占める当該特例適用控除対象特定株式の取得に要した金額の割合を乗じて計算した金額</td></tr>
</table>

（(５)に規定する(６)で定める要件）

(６)　(５)に規定する(６)で定める要件は、次の(一)及び(二)に掲げる株式会社の区分に応じ当該(一)又は(二)に定める要件とする。（措規18の15⑩）

(一)	**１**(一)に掲げる株式会社	次に掲げる要件 イ　基準日においてその設立の日以後の期間が５年未満の株式会社であること。 ロ　基準日において中小企業等経営強化法施行規則第８条第５号ロに該当する株式会社であること。
(二)	**１**(二)に掲げる株式会社	次に掲げる要件 イ　基準日においてその設立の日以後の期間が５年未満の株式会社であること。 ロ　基準日において中小企業等経営強化法施行規則第８条第５号ロ⑴又は⑵に掲げる会社の区分に応じそれぞれ同号ロ⑴又は⑵に定める要件

（(５)に規定する(７)で定める金額）

(７)　(５)に規定する(７)で定める金額は、次の(一)及び(二)に掲げる場合の区分に応じ当該(一)又は(二)に定める金額とする。（措規18の15⑪）

(一)	その年中に取得をした特例控除対象特定株式の取得に要した金額の合計額につき**１**の規定の適用を受けた場合（(二)に掲げる場合に該当する場合を除く。）	その年に**１**の規定の適用を受けた金額
(二)	その年中に取得をした控除対象特定株式及び特例控除対象特定株式の取得に要した金額の合計額につき**１**の規定の適用を受けた場合	その年に**１**の規定の適用を受けた金額に、**１**の規定の適用を受けた当該控除対象特定株式の取得に要した金額と**１**の規定の適用を受けた当該特例控除対象特定株式の取得に要した金額との合計額のうちに占める当該特例控除対象特定株式の取得に要した金額の割合を乗じて計算した金額

（特例株式会社への通知）

(８)　(５)の規定の適用がある場合において、特例適用控除対象特定株式の取得をした(５)の居住者又は恒久的施設を有する非居住者は、当該特例適用控除対象特定株式に係る同一銘柄株式を(５)の適用年の翌年以後最初に譲渡又は贈与をする時までに、(５)の規定の適用がある旨その他の(９)で定める事項を当該特例適用控除対象特定株式に係る特例株式会社（当該特例株式会社であった株式会社を含む。⑽(一)ロにおいて同じ。）に通知しなければならない。（措令25の12⑨）

（(８)に規定する(９)で定める事項）

(９)　(８)に規定する(９)で定める事項は、(８)の居住者又は恒久的施設を有する非居住者の氏名及び(８)に規定する特例適用控除対象特定株式に係る(８)に規定する同一銘柄株式について(５)の規定の適用がある旨とする。(措規18の15⑫)

（同一銘柄の株式を払込みによる取得があった日の属する年の翌年以後の各年において譲渡又は贈与をした場合の通知）

(10)　**1**に規定する居住者又は恒久的施設を有する非居住者が、払込みにより取得をした特定中小会社の特定株式（次の(一)から(四)までに掲げる特定株式の区分に応じ当該(一)から(四)までに定めるものに限る。）に係る同一銘柄株式をその払込みによる取得があった日の属する年の翌年以後の各年において譲渡又は贈与をした場合において、当該特定中小会社（当該特定中小会社であった株式会社を含む。）が**1**(１)(八)に規定する**1**(５)で定める契約に基づく当該居住者又は恒久的施設を有する非居住者からの申出その他の事由により当該譲渡又は贈与があったことを知ったときは、当該特定中小会社は、その知った日の属する年の翌年１月31日までに、その知った旨その他の(５)で定める事項をその所在地の所轄税務署長に通知しなければならない。(措令25の12⑩)

<table>
<tr><td rowspan="3">(一)</td><td rowspan="3">1(一)に定める特定株式</td><td colspan="3">次に掲げる特定株式の区分に応じそれぞれ次に定めるもの</td></tr>
<tr><td>イ</td><td>ロに掲げる特定株式以外の特定株式</td><td>平成15年４月１日以後に払込みにより取得をしたもの</td></tr>
<tr><td>ロ</td><td>特例適用控除対象特定株式</td><td>令和５年４月１日以後に払込みにより取得をしたもの（(８)の規定により通知を受けた特例株式会社の特例適用控除対象特定株式に限る。(二)ロ及び(三)ロにおいて同じ。）</td></tr>
<tr><td rowspan="3">(二)</td><td rowspan="3">1(二)イに掲げる特定株式</td><td colspan="3">次に掲げる特定株式の区分に応じそれぞれ次に定めるもの</td></tr>
<tr><td>イ</td><td>ロに掲げる特定株式以外の特定株式</td><td>平成16年４月１日以後に払込みにより取得をしたもの</td></tr>
<tr><td>ロ</td><td>特例適用控除対象特定株式</td><td>令和５年４月１日以後に払込みにより取得をしたもの</td></tr>
<tr><td rowspan="3">(三)</td><td rowspan="3">1(二)ロに掲げる特定株式</td><td colspan="3">次に掲げる特定株式の区分に応じそれぞれ次に定めるもの</td></tr>
<tr><td>イ</td><td>ロに掲げる特定株式以外の特定株式</td><td>令和２年４月１日以後に払込みにより取得をしたもの</td></tr>
<tr><td>ロ</td><td>特例適用控除対象特定株式</td><td>令和５年４月１日以後に払込みにより取得をしたもの</td></tr>
<tr><td>(四)</td><td>1(三)に定める特定株式</td><td colspan="3">平成26年４月１日以後に払込みにより取得をしたもの</td></tr>
</table>

（(10)に規定する(11)で定める事項）

(11)　(10)に規定する(11)で定める事項は、(10)に規定する特定中小会社が(10)の居住者又は恒久的施設を有する非居住者につき当該特定中小会社の株式の譲渡又は贈与があったことを知った旨、当該譲渡又は贈与をした株式の数及びその年月日その他の事項とする。(措規18の15⑬)

（**1**の規定の適用がある場合の**二**及び**三**の規定の適用）

(12)　**1**の規定の適用がある場合における**二**及び**三**の規定の適用については、**二 1**①及び**三 1**①中「計算した金額（」とあるのは「計算した金額（**十二 1**の規定の適用がある場合には、その適用後の金額。」とする。(措令25の12⑪)

十三　特定新規中小企業者がその設立の際に発行した株式の取得に要した金額の控除等

1　特定新規中小企業者がその設立の際に発行した株式の取得に要した金額の控除等

令和５年４月１日以後に、その設立の日の属する年12月31日において中小企業等経営強化法第６条に規定する特定新規中小企業者に該当する株式会社でその設立の日以後の期間が１年未満の株式会社であることその他の(１)で定める要件を満たすものによりその設立の際に発行される株式（以下**1**において「**設立特定株式**」という。）を払込みにより取得をした居住者又は恒久的施設を有する非居住者（当該株式会社の発起人であることその他の(２)で定める要件を満たすものに限る。）が、当該設立特定株式を払込みにより取得をした場合における**二１**①及び**三１**①の規定の適用については、(３)で定めるところにより、その年分の**二１**①に規定する一般株式等に係る譲渡所得等の金額又は**三１**①に規定する上場株式等に係る譲渡所得等の金額の計算上、その年中に当該払込みにより取得をした設立特定株式（その年12月31日において有するものとして(５)で定めるものに限る。以下**十三**において「**控除対象設立特定株式**」という。）の取得に要した金額の合計額（適用前の一般株式等に係る譲渡所得等の金額（**1**の規定を適用しないで計算した場合における**二１**①に規定する一般株式等に係る譲渡所得等の金額をいう。**3**において同じ。）及び適用前の上場株式等に係る譲渡所得等の金額（**1**の規定を適用しないで計算した場合における**三１**①に規定する上場株式等に係る譲渡所得等の金額をいう。**3**において同じ。）の合計額（以下**1**において「**適用前の株式等に係る譲渡所得等の金額の合計額**」という。）が当該取得に要した金額の合計額に満たない場合には、当該適用前の株式等に係る譲渡所得等の金額の合計額に相当する金額）を控除する。（措法37の13の２①）

（**1**に規定する(１)で定める要件）

(１)　**1**に規定する(１)で定める要件は、その設立の日の属する年12月31日において中小企業等経営強化法第６条に規定する特定新規中小企業者に該当する株式会社でその設立の日以後の期間が１年未満であること及び当該株式会社が中小企業等経営強化法施行規則第８条第５号ハに該当する会社であることとする。（措規18の15の２①）

（**1**に規定する(２)で定める要件）

(２)　**1**に規定する(２)で定める要件は、次の(一)及び(二)に掲げる要件とする。（措令25の12の２①）

<table>
<tr><td>(一)</td><td colspan="2">1に規定する株式会社（以下十三において「特定株式会社」という。）の1に規定する設立特定株式（以下十三において「設立特定株式」という。）を払込みにより取得をした居住者又は恒久的施設を有する非居住者が当該特定株式会社の発起人であること。</td></tr>
<tr><td rowspan="7">(二)</td><td colspan="2">当該居住者又は恒久的施設を有する非居住者が次に掲げる者に該当しないこと。</td></tr>
<tr><td>イ</td><td>当該設立特定株式を発行した特定株式会社の設立に際し、当該特定株式会社に自らが営んでいた事業の全部を承継させた個人（以下(二)において「特定事業主であった者」という。）</td></tr>
<tr><td>ロ</td><td>特定事業主であった者の親族</td></tr>
<tr><td>ハ</td><td>特定事業主であった者と婚姻の届出をしていないが事実上婚姻関係と同様の事情にある者</td></tr>
<tr><td>ニ</td><td>特定事業主であった者の使用人</td></tr>
<tr><td>ホ</td><td>ロからニまでに掲げる者以外の者で、特定事業主であった者から受ける金銭その他の資産によって生計を維持しているもの</td></tr>
<tr><td>ヘ</td><td>ハからホまでに掲げる者と生計を一にするこれらの者の親族</td></tr>
</table>

（**1**の規定による控除）

(３)　**1**の規定による控除については、次の(一)及び(二)に定めるところによる。（措令25の12の２②）

(一)	**1**に規定する控除対象設立特定株式の取得に要した金額の合計額の**1**の規定による控除は、まず**1**に規定する適用前の一般株式等に係る譲渡所得等の金額を限度として、その取得の日の属する年分の**1**に規定する一般株式等に係る譲渡所得等の金額の計算上控除し、なお控除しきれない金額があるときは、**1**に規定する適用前の上場株式等に係る譲渡所得等の金額を限度として、その取得の日の属する年分の**1**に規定する上場株式等に係る譲渡所得等の金額の計算上控除する。
(二)	第七章第二節**三１**の規定による控除が行われる場合には、まず**1**の規定による控除を行った後、第七章第二節**三１**の規定による控除を行う。

（控除対象設立特定株式の取得に要した金額）

（4）　（3）の場合において、（3）に規定する控除対象設立特定株式の取得に要した金額は、**1**の居住者又は恒久的施設を有する非居住者がその年中に払込みにより取得をした設立特定株式の銘柄ごとに、その払込みにより取得をした設立特定株式の取得に要した金額の合計額を当該取得をした設立特定株式の数で除して計算した金額に（5）に規定する控除対象設立特定株式数を乗じて計算した金額とする。（措令25の12の２③）

（**1**に規定するその年12月31日において有するものとして（5）で定める設立特定株式）

（5）　**1**に規定するその年12月31日において有するものとして（5）で定める設立特定株式は、**1**の居住者又は恒久的施設を有する非居住者がその年中に払込みにより取得をした設立特定株式のうちその年12月31日（その者が年の中途において死亡し、又は第二章第一節**一42**に規定する出国をした場合には、その死亡又は出国の時。以下**十三**において同じ。）における当該設立特定株式に係る控除対象設立特定株式数（当該設立特定株式の銘柄ごとに、(一)に掲げる数から(二)に掲げる数を控除した残数をいう。）に対応する設立特定株式とする。（措令25の12の２④）

(一)	当該居住者又は恒久的施設を有する非居住者がその年中に払込みにより取得をした設立特定株式の数
(二)	当該居住者又は恒久的施設を有する非居住者がその年中に譲渡（**五２**①に規定する譲渡をいう。）又は贈与をした同一銘柄株式（(一)の設立特定株式及び当該設立特定株式と同一銘柄の他の株式をいう。以下**十三**において同じ。）の数

（設立特定株式の払込みによる取得後期間内に取得した設立特定株式の数の計算）

（6）　設立特定株式の払込みによる取得の後当該取得の日の属する年12月31日までの期間（以下（6）及び（7）において「取得後期間」という。）内に、当該設立特定株式に係る同一銘柄株式につき分割又は併合があった場合における（4）に規定する取得をした設立特定株式の数及び（5）(一)及び(二)に掲げる数の計算については、当該分割又は併合の前にされたこれらの規定に規定する取得並びに譲渡及び贈与に係る株式の数は、当該取得並びに譲渡及び贈与がされた株式の数に当該分割又は併合の比率（取得後期間内において２以上の段階にわたる分割又は併合があった場合には、当該取得又は譲渡若しくは贈与がされた後の全ての段階の分割又は併合の比率の積に相当する比率）を乗じて得た数とする。（措令25の12の２⑤）

（設立特定株式の払込みによる取得後期間内に株式無償割当てがあった場合における設立特定株式の数の計算）

（7）　設立特定株式の払込みによる取得後期間内に、当該設立特定株式に係る同一銘柄株式につき会社法第185条に規定する株式無償割当て（当該株式無償割当てにより当該設立特定株式と同一の種類の株式が割り当てられるものに限る。以下（7）において同じ。）があった場合における（4）に規定する取得をした設立特定株式の数及び（5）(一)及び同(二)に掲げる数の計算については、当該株式無償割当ての前にされたこれらの規定に規定する取得並びに譲渡及び贈与に係る株式の数は、当該取得並びに譲渡及び贈与がされた株式の数に当該株式無償割当てにより割り当てられた株式の数（取得後期間内において２以上の段階にわたる株式無償割当てがあった場合には、当該取得又は譲渡若しくは贈与がされた後の全ての段階の株式無償割当てにより割り当てられた株式の数の合計数）を加算した数とする。（措令25の12の２⑥）

（適用年の翌年以後の取得価額の計算）

（8）　**1**に規定する控除対象設立特定株式（以下（8）において「控除対象設立特定株式」という。）の取得に要した金額の合計額につき**1**の規定の適用を受けた場合における、その適用を受けた年（以下（8）において「適用年」という。）の翌年以後の各年分における**1**の規定の適用を受けた控除対象設立特定株式（以下（8）において「適用控除対象設立特定株式」という。）に係る同一銘柄株式（（5）(二)に規定する同一銘柄株式をいう。以下（8）において同じ。）１株当たりの取得価額は、**4**の規定により、次に掲げる場合の区分に応じ、それぞれ次に定める金額による。（措通37の13の２－１）

(一)　**1**の規定の適用を受けた金額（以下（8）において「適用額」という。）が20億円を超えた場合

イ　適用年において当該適用控除対象設立特定株式以外の適用控除対象設立特定株式（ロにおいて「他の適用控除対象設立特定株式」という。）がない場合

$$\text{適用年の翌年以後の各年分における当該同一銘柄株式1株当たりの取得価額} = \text{当該同一銘柄株式1株当たりの当該適用年の12月31日における取得価額} - \left[\frac{\text{適用額}-20\text{億円}}{\text{当該適用年の12月31日において有する当該同一銘柄株式の数}} \right]$$

ロ　適用年において他の適用控除対象設立特定株式がある場合

$$\text{適用年の翌年以後の各年分における当該同一銘柄株式1株当たりの取得価額} = \text{当該同一銘柄株式1株当たりの当該適用年の12月31日における取得価額} - \left[\frac{(\text{適用額}-20\text{億円}) \times \frac{A}{A+B}}{\text{当該適用年の12月31日において有する当該同一銘柄株式の数}} \right]$$

A　当該適用控除対象設立特定株式の取得に要した金額

B　当該他の適用控除対象設立特定株式の取得に要した金額

(二)　適用額が20億円以下であった場合

当該適用控除対象設立特定株式に係る同一銘柄株式1株当たりの適用年の12月31日における取得価額

(注)　**1**の規定の適用を受けることができる者が年の中途において死亡し、その相続人又は受遺者により被相続人に係る**1**の規定の適用を受ける旨の第十章第二節**三2**①に規定する申告書が提出された場合には、当該被相続人の死亡のときにおいて上記算式に準じて計算した取得価額が当該同一銘柄株式を相続又は遺贈により取得した者の取得価額となることに留意する。

(特定中小会社が発行した株式の取得に要した金額の控除等に関する取扱いの準用)

(9)　**1**の規定の適用に当たっては、**十二1**(12)及び同(14)の取扱いを準用する。(措通37の13の2－2)

2　適用除外

1の規定の適用を受けた控除対象設立特定株式及び当該控除対象設立特定株式と同一銘柄の株式で、その適用を受けた年中に払込みにより取得をしたものについては、**十二1**の規定は、適用しない。(措法37の13の2②)

3　申告要件

1の規定は、**1**の規定の適用を受けようとする年分の確定申告書に、**1**の規定の適用を受けようとする旨の記載があり、かつ、控除対象設立特定株式の取得に要した金額、適用前の一般株式等に係る譲渡所得等の金額、適用前の上場株式等に係る譲渡所得等の金額及び**1**の控除の計算に関する明細書その他の(1)で定める書類の添付がある場合に限り、適用する。(措法37の13の2③)

(**3**に規定する(1)で定める書類)

(1)　**3**に規定する(1)で定める書類は、次の(一)から(七)までに掲げる書類((三)に掲げる書類にあっては、控除対象設立特定株式(**1**に規定する控除対象設立特定株式をいう。以下(1)において同じ。)の取得(**十二1**に規定する取得をいう。以下(1)において同じ。)をした日の属する年中の(三)イから同ハまでに掲げる事項の記載があるものに限る。)とする。(措規18の15の2②)

<table>
<tr><td rowspan="4">(一)</td><td colspan="2">特定株式会社(1(2)(一)に規定する特定株式会社をいう。以下(1)及び(5)において同じ。)から交付を受けた都道府県知事の当該特定株式会社が発行した設立特定株式(1に規定する設立特定株式をいう。以下(1)において同じ。)に係る基準日(当該特定株式会社のその設立の日の属する年12月31日をいう。)においてイ及びロに掲げる事実の確認をした旨を証する書類(ハに掲げる事項の記載があるものに限る。)</td></tr>
<tr><td>イ</td><td>当該特定株式会社が中小企業等経営強化法施行規則第8条各号((五)イ又は同ロ及び(六)イ又は同ロを除く。)に掲げる要件に該当するものであること。</td></tr>
<tr><td>ロ</td><td>当該居住者又は恒久的施設を有する非居住者が当該特定株式会社の発起人に該当すること及び当該設立特定株式の取得が当該発起人としての払込み(十二1に規定する払込みをいう。以下(1)において同じ。)によりされたものであること。</td></tr>
<tr><td>ハ</td><td>当該居住者又は恒久的施設を有する非居住者の氏名及び住所(国内に住所を有しない者にあっては、所得税法施行規則第81条第1号又は第2号に定める場所)、払込みにより取得がされた当該設立特定株式の数及び当該設立特定株式と引換えに払い込むべき額並びにその払い込んだ金額</td></tr>
<tr><td>(二)</td><td colspan="2">当該設立特定株式を発行した特定株式会社の当該設立特定株式を払込みにより取得をした居住者又は恒久的</td></tr>
</table>

<table>
<tr><td></td><td>施設を有する非居住者が当該特定株式会社の成立の日において1（２）(二)に掲げる要件を満たすことの確認をした旨を証する書類</td></tr>
<tr><td>(三)</td><td>当該設立特定株式を発行した特定株式会社（当該特定株式会社であった株式会社を含む。）から交付を受けた当該設立特定株式を払込みにより取得をした当該居住者又は恒久的施設を有する非居住者が有する当該特定株式会社の株式の当該取得の時（当該取得の時が２以上ある場合には、最初の取得の時）以後の当該株式の異動につき次に掲げる事項がその異動ごとに記載された明細書
<table><tr><td>イ</td><td>異動事由</td></tr><tr><td>ロ</td><td>異動年月日</td></tr><tr><td>ハ</td><td>異動した株式の数及び当該異動直後において有する株式の数</td></tr><tr><td>ニ</td><td>その他参考となるべき事項</td></tr></table></td></tr>
<tr><td>(四)</td><td>当該居住者又は恒久的施設を有する非居住者と当該特定株式会社との間で締結された中小企業等経営強化法施行規則第11条第２項第３号ロに規定する株式の管理に関する契約に係る契約書の写し</td></tr>
<tr><td>(五)</td><td>二 1④（租税特別措置法施行令第25条の９第13項において準用する場合を含む。）に規定する明細書で1（３）(一)に規定する適用前の一般株式等に係る譲渡所得等の金額及び同(一)に規定する適用前の上場株式等に係る譲渡所得等の金額の記載があるもの（六11（３）の規定の適用がある場合において同（３）に規定する確定申告書に当該明細書に代えて特定口座年間取引報告書等の添付をするときは当該特定口座年間取引報告書等とし、六11（３）(注) ２及び同(注) ３の規定の適用がある場合において同(注) ２に規定する確定申告書に同(注) ２の明細書及び特定口座年間取引報告書等の添付をするときは当該明細書及び当該特定口座年間取引報告書等とする。）</td></tr>
<tr><td>(六)</td><td>1（３）(一)に規定する控除対象設立特定株式の取得に要した金額の計算に関する明細書（同(一)に規定する控除対象設立特定株式の取得に要した金額の合計額及びその年中に払込みにより取得をした設立特定株式の銘柄ごとの1（４）の控除対象設立特定株式の取得に要した金額の計算に関する明細の記載があるものに限るものとし、4の規定の適用がある場合には4に規定する適用控除対象設立特定株式に係る4（二)イ又はロに掲げる場合の区分に応じ当該イ又はロに定める金額の計算に関する明細の記載があるものに限る。）</td></tr>
<tr><td>(七)</td><td>1（５）に規定する控除対象設立特定株式数の計算に関する明細書（当該控除対象設立特定株式数並びに当該控除対象設立特定株式数に係る1（５）(一)及び同(二)に掲げる数の計算に関する明細並びに当該計算の基礎となった同(一)に規定する払込みにより取得をした設立特定株式の当該取得及び同(二)に規定する譲渡又は贈与のそれぞれの年月日その他参考となるべき事項の記載があるものに限る。）</td></tr>
</table>

4　適用額が20億円を超えたときの控除対象設立特定株式と同一銘柄の株式の取得価額の計算

1の居住者又は恒久的施設を有する非居住者が、その年中に取得をした**1**に規定する控除対象設立特定株式（以下**4**において「控除対象設立特定株式」という。）の取得に要した金額の合計額につき**1**の規定の適用を受けた場合において、当該適用を受けた金額（以下**4**において「適用額」という。）が20億円を超えたときは、その適用を受けた年（以下**4**及び（１）において「適用年」という。）の翌年以後の各年分における第六章第二節**四 2**から同**11**まで及び**二十**（６）から同（９）までの規定並びに**十五 1**（２）の規定の適用については、これらの規定により当該各年分の必要経費又は取得費に算入すべき金額の計算の基礎となる当該適用年に**1**の規定の適用を受けた控除対象設立特定株式（以下**十三**において「適用控除対象設立特定株式」という。）に係る同一銘柄株式１株当たりの第六章第二節**四 5**①の規定により算出した取得価額は、(一)に掲げる金額から(二)に掲げる金額を控除した金額とし、当該同一銘柄株式１株当たりの同節**四 3**の規定により算出した必要経費に算入する金額及び取得費に算入する金額は、当該控除に準じて計算した金額とする。（措令25の12の２⑦）

<table>
<tr><td>(一)</td><td>当該適用控除対象設立特定株式に係る同一銘柄株式１株当たりの当該適用年の12月31日における第六章第二節四 5①の規定により算出した取得価額</td></tr>
<tr><td>(二)</td><td>当該適用控除対象設立特定株式に係る適用年の次に掲げる場合の区分に応じそれぞれ次に定める金額を当該適用年の12月31日において有する当該適用控除対象設立特定株式に係る同一銘柄株式の数で除して計算した金額
<table><tr><td>イ</td><td>当該適用年において当該適用控除対象設立特定株式以外の適用控除対象設立特定株式（ロにおいて「他</td><td>適用額から20億円を控除した残額</td></tr></table></td></tr>
</table>

		の適用控除対象設立特定株式」という。）がない場合	
	ロ	当該適用年において他の適用控除対象設立特定株式がある場合	適用額から20億円を控除した残額に、当該適用控除対象設立特定株式の取得に要した金額（**1**（４）の規定により計算される同（４）に規定する取得に要した金額をいう。ロにおいて同じ。）と当該他の適用控除対象設立特定株式の取得に要した金額との合計額のうちに占める当該適用控除対象設立特定株式の取得に要した金額の割合を乗じて計算した金額

（適用控除対象設立特定株式に係る特定株式会社への通知）

（１）　**4**の規定の適用がある場合において、適用控除対象設立特定株式の取得をした**4**の居住者又は恒久的施設を有する非居住者は、当該適用控除対象設立特定株式に係る同一銘柄株式を**4**の適用年の翌年以後最初に譲渡又は贈与をする時までに、**4**の規定の適用がある旨その他の（２）で定める事項を当該適用控除対象設立特定株式に係る特定株式会社（当該特定株式会社であった株式会社を含む。以下（１）及び（４）において同じ。）に通知しなければならない。この場合において、当該居住者又は恒久的施設を有する非居住者は、当該翌年以後の各年において当該同一銘柄株式の譲渡又は贈与をしたときは、遅滞なく、当該特定株式会社にその旨、当該譲渡又は贈与をした日及び当該同一銘柄株式の数その他の（３）で定める事項を通知しなければならない。（措令25の12の２⑧）

（（１）前段に規定する（２）で定める事項）

（２）　（１）前段に規定する（２）で定める事項は、（１）の居住者又は恒久的施設を有する非居住者の氏名及び（１）に規定する適用控除対象設立特定株式に係る（１）に規定する同一銘柄株式について**4**の規定の適用がある旨とする。（措規18の15の２③）

（（１）後段に規定する（３）で定める事項）

（３）　（１）後段に規定する（３）で定める事項は、（１）の居住者又は恒久的施設を有する非居住者の氏名並びに（１）に規定する適用控除対象設立特定株式に係る（１）に規定する同一銘柄株式の譲渡又は贈与をした旨、当該譲渡又は贈与をした当該同一銘柄株式の数及びその年月日とする。（措規18の15の２④）

（所轄税務署長への通知）

（４）　**1**に規定する居住者又は恒久的施設を有する非居住者が、払込みにより取得をした特定株式会社の設立特定株式（（１）前段の規定により通知を受けた特定株式会社の適用控除対象設立特定株式で令和５年４月１日以後に払込みにより取得をしたものに限る。）に係る同一銘柄株式をその払込みによる取得があった日の属する年の翌年以後の各年において譲渡又は贈与をした場合において、当該特定株式会社が（１）後段の規定による通知その他の事由により当該譲渡又は贈与があったことを知ったときは、当該特定株式会社は、その知った日の属する年の翌年１月31日までに、その知った旨その他の（５）で定める事項をその所在地の所轄税務署長に通知しなければならない。（措令25の12の２⑨）

（（４）に規定する（５）で定める事項）

（５）　（４）に規定する（５）で定める事項は、（４）の特定株式会社が（４）の居住者又は恒久的施設を有する非居住者につき当該特定株式会社の株式の譲渡又は贈与があったことを知った旨、当該譲渡又は贈与をした株式の数及びその年月日その他の事項とする。（措規18の15の２⑤）

（一般株式等に係る譲渡所得等の課税の特例及び上場株式等に係る譲渡所得等の課税の特例の適用）

（６）　**1**の規定の適用がある場合における**二**及び**三**の規定の適用については、**二 1**①及び**三 1**①中「計算した金額（」とあるのは、「計算した金額（**1**の規定の適用がある場合には、その適用後の金額。」とする。（措令25の12の２⑩）

十四　特定中小会社が発行した株式に係る譲渡損失の繰越控除等

1　価値喪失株式に係る損失の金額の特例

特定中小会社の特定株式を払込みにより取得をした居住者又は恒久的施設を有する非居住者（**十二 1**に規定する居住者又は恒久的施設を有する非居住者（当該特定株式が**十三 1**に規定する設立特定株式に該当する場合には、**十三 1**に規定する居住者又は恒久的施設を有する非居住者を含む。）に該当するものに限る。以下**十四**において同じ。）について、当該特定中小会社の設立の日から当該特定中小会社（当該特定中小会社であった株式会社を含む。）が発行した株式に係る上場等の日（金融商品取引法第２条第16項に規定する金融商品取引所に上場された日その他の（1）で定める日をいう。）の前日までの期間（**2**②（1）において「**適用期間**」という。）内に、その有する当該払込みにより取得をした特定株式が株式としての価値を失ったことによる損失が生じた場合として次の(一)及び(二)に掲げる事実が発生したときは、当該事実が発生したことは当該特定株式の譲渡をしたことと、当該損失の金額として（2）で定める金額は当該特定株式の譲渡をしたことにより生じた損失の金額とそれぞれみなして、**十四**及び**二**《一般株式等に係る譲渡所得等の課税の特例》の規定その他の所得税に関する法律の規定を適用する。（措法37の13の３①）

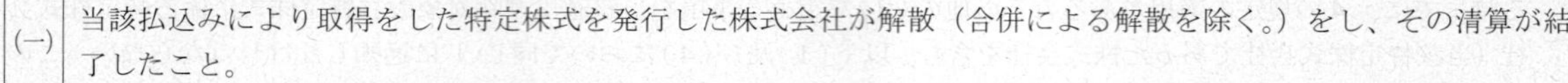

(一)	当該払込みにより取得をした特定株式を発行した株式会社が解散（合併による解散を除く。）をし、その清算が結了したこと。
(二)	(一)に掲げる事実に類する事実として（3）で定めるもの

（（1）で定める日）

（1）　**1**に規定する（1）で定める日は、次の(一)又は(二)に掲げる株式の区分に応じ当該(一)又は(二)に定める日とする。（措令25の12の３①）

(一)	金融商品取引法第２条第16項に規定する金融商品取引所（以下(一)において「金融商品取引所」という。）に上場されている株式	当該株式が同法第121条の規定により内閣総理大臣への届出がなされて最初にいずれかの金融商品取引所に上場された日（当該株式が同日の前日において店頭売買登録銘柄（株式で、同法第２条第13項に規定する認可金融商品取引業協会が、その定める規則に従い、その店頭売買につき、その売買価格を発表し、かつ、当該株式の発行法人に関する資料を公開するものとして登録したものをいう。(二)において同じ。）として登録されていた株式である場合には、(二)に定める日）
(二)	店頭売買登録銘柄として登録されている株式	当該株式が最初に金融商品取引法第２条第13項に規定する認可金融商品取引業協会の定める規則に従い店頭売買登録銘柄として登録された日

（特定株式が株式としての価値を失ったことにより生じた損失の金額）

（2）　**1**に規定する損失の金額として（2）で定める金額は、次の(一)又は(二)に掲げる場合の区分に応じ、当該(一)又は(二)に定める金額とする。（措令25の12の３②）

(一)	払込みにより取得をした**1**(一)又は同(二)に掲げる事実（以下（2）において「事実」という。）の発生に係る特定株式（以下（2）において「価値喪失株式」という。）が事業所得の基因となる株式である場合	当該事実が発生した日を第六章第二節**四 5**《有価証券の評価の方法》の①に規定するその年12月31日とみなして同**5**(一)に掲げる方法によって当該価値喪失株式に係る１株当たりの取得価額に相当する金額を算出した場合における当該金額に当該事実の発生の直前において有する当該価値喪失株式の数を乗じて計算した金額
(二)	価値喪失株式が譲渡所得又は雑所得の基因となる株式である場合	当該事実が発生した時を第六章第二節**四 3**《雑所得又は譲渡所得の基因となる有価証券の譲渡原価等の計算》に規定する譲渡の時とみなして同**3**に定める方法によって当該価値損失株式に係る１株当たりの金額に相当する金額を算出した場合における当該金額に当該事実の発生の直前において有する当該価値喪失株式の数を乗じて計算した金額

（特定株式が株式としての価値を失ったことによる損失が生じた場合とされる清算結了に類する事実）

（3）　**1**(二)に規定する（3）で定める事実は、払込みにより取得をした特定株式を発行した株式会社が破産法の規定による破産手続開始の決定を受けたこととする。（措令25の12の３③）

（適 用 手 続）

（4）　**1**の規定は、（5）で定めるところにより、**1**に規定する事実が発生した日の属する年分の確定申告書に、**1**の規定の適用を受けようとする旨の記載があり、かつ、**1**に規定する損失の金額の計算に関する明細書その他の（6）で定める書類の添付がある場合に限り、適用する。（措法37の13の３②）

（確定申告書への記載事項及び添付書類）

（5）　**1**の規定の適用を受けようとする者は、（4）の確定申告書（**3**において準用する第十章第二節**二４**①の規定による申告書（損失申告書）を含む。）に、**1**の規定の適用を受けようとする旨の記載をし、かつ、（4）に規定する（6）で定める書類を添付しなければならない。（措令25の12の３④）

（添 付 書 類）

（6）　（4）に規定する（6）で定める書類は、次の（一）から（五）までに掲げる書類とする。（措規18の15の２の２①）

<table>
<tr><td>(一)</td><td>十二２注（一）から同（四）までに掲げる書類（十三１に規定する設立特定株式について十四の規定の適用を受ける場合には、当該書類又は十三３（1）（一）から同（四）までに掲げる書類）</td></tr>
<tr><td>(二)</td><td>価値喪失株式に係る1（2）（一）又は同（二）に定める金額の計算に関する明細書（当該価値喪失株式に係る同（一）又は同（二）に規定する１株当たりの取得価額に相当する金額又は１株当たりの金額に相当する金額、これらの金額の計算に関する明細及び同（一）又は同（二）に規定する当該価値喪失株式の数の記載があるものに限る。）</td></tr>
<tr><td>(三)</td><td>価値喪失株式に係る6に規定する特定残株数（以下（三）、2②（9）において「特定残株数」という。）の計算に関する明細書（当該特定残株数並びに当該特定残株数に係る6（一）及び同（二）に掲げる数の計算に関する明細並びに当該計算の基礎となった同（一）に規定する払込みにより取得をした特定株式の当該取得及び同（二）の譲渡又は贈与のそれぞれの年月日その他参考となるべき事項の記載があるものに限る。）</td></tr>
<tr><td>(四)</td><td>二１④に規定する明細書（価値喪失株式と当該価値喪失株式以外の二１に規定する一般株式等（以下（四）、2②（9）及び②（4）（一）表内（注）において「一般株式等」という。）との別に、価値喪失株式に係る1（2）（一）又は同（二）に掲げる金額及び当該一般株式等に係る二１④（1）（一）又は同（二）に定める項目別の金額の記載があるものに限る。）</td></tr>
<tr><td>(五)</td><td>当該特定中小会社（当該特定中小会社であった株式会社を含む。以下（五）において同じ。）につき発生した次に掲げる事実の区分に応じそれぞれ次に定める書類
<table>
<tr><td>イ</td><td>1（一）の清算（特別清算を除く。）が結了したこと</td><td>当該清算の結了の登記がされた当該特定中小会社の登記事項証明書又は当該清算に係る会社法第507条第３項の承認がされた同項に規定する決算報告の写し及び当該承認がされた株主総会の議事録の写し（当該清算に係る清算人により原本と相違のないことが証明されたものに限る。）</td></tr>
<tr><td>ロ</td><td>1（一）の清算（特別清算に限る。）が結了したこと</td><td>当該特別清算の終結の登記及び当該終結に伴う閉鎖の登記がされた当該特定中小会社の登記事項証明書又は当該特別清算に係る会社法第569条第１項の認可の決定の公告があったことを明らかにする書類の写し</td></tr>
<tr><td>ハ</td><td>1（3）に規定する破産手続開始の決定を受けたこと</td><td>当該破産手続開始の決定の登記がされた当該特定中小会社の登記事項証明書又は当該破産手続開始の決定の公告があったことを明らかにする書類の写し</td></tr>
</table></td></tr>
</table>

（確定申告書の提出及び確定申告書への記載等がない場合の宥恕規定）

（7）　税務署長は、（4）の確定申告書の提出がなかった場合又は（4）の記載若しくは添付がない確定申告書の提出があった場合においても、その提出又は記載若しくは添付がなかったことについてやむを得ない事情があると認めるときは、当該記載をした書類及び（6）で定める書類の提出があった場合に限り、**1**の規定を適用することができる。（措法37の13の３③）

（上場株式等に係る譲渡損失の繰越控除に関する取扱い等の準用）

（8）　**十四**の規定の適用に当たっては、次の取扱いを準用する。（措通37の13の３－１、編者補正）

措通37の12の２－５《更正の請求による更正により上場株式等に係る譲渡損失の金額があることとなった場合》…………**十３**②（7）参照。

措通37の12の２－６《更正により上場株式等に係る譲渡損失の金額が増加した場合》…………**十３**②（8）参照。

2　特定株式に係る譲渡損失の金額の繰越控除の特例

①　特定株式に係る譲渡損失の金額の繰越控除の特例（上場株式等）

確定申告書（**3**において準用する**十３**②（2）において準用する第十章第二節**二４**《確定損失申告》の規定による申告書を含む。以下**2**、（1）及び②において同じ。）を提出する居住者又は恒久的施設を有する非居住者の特定株式に係る譲渡損失の金額がある場合には、**二１**の後段の規定にかかわらず、当該特定株式に係る譲渡損失の金額は、当該確定申告書に係る年分の**三１**に規定する上場株式等に係る譲渡所得等の金額（**十二１**又は**十三１**の規定の適用がある場合には、その適用後の金額）を限度として、当該年分の当該上場株式等に係る譲渡所得等の金額の計算上控除する。（措法37の13の３④）

（①の規定の適用を受けようとする場合に提出する確定申告書への記載事項）

（1）　①の規定の適用を受けようとする場合に提出する①に規定する確定申告書には、第十章第二節**二１**②(一)から同(八)若しくは同**二３**①(一)から同(四)又は同**二４**②(一)から同(十)に掲げる事項のほか、次の(一)から(三)までに掲げる事項を併せて記載しなければならない。（措令25の12の３⑥）

(一)	その年において生じた②（1）に規定する特定株式に係る譲渡損失の金額
(二)	(一)に掲げる金額を控除しないで計算した場合のその年分の**三１**①に規定する上場株式等に係る譲渡所得等の金額（**十二１**又は**十三１**の規定の適用がある場合には、その適用後の金額）
(三)	(一)及び(二)に掲げる金額の計算の基礎その他参考となるべき事項

（明細書その他の書類の添付）

（2）　①の規定は、①の規定の適用を受けようとする年分の確定申告書に、①の規定の適用を受けようとする旨の記載があり、かつ、特定株式に係る譲渡損失の金額の計算に関する明細書その他の（3）で定める書類の添付がある場合に限り、適用する。（措法37の13の３⑤）

（添付書類）

（3）　（2）に規定する（3）で定める書類は、次の(一)から(四)までに掲げる書類とする。（措規18の15の２の２③）

<table>
<tr><td>(一)</td><td colspan="3">②（1）に規定する特定株式に係る譲渡損失の金額（以下「特定株式に係る譲渡損失」という。）の計算に関する明細書（当該特定株式に係る譲渡損失の金額、同（6）に規定する特定譲渡損失の金額、同（5）に規定する特定譲渡損失の金額の合計額及び二１《申告分離課税》に規定する一般株式等に係る譲渡所得等の金額の計算上生じた損失の金額の記載があるものに限る。）</td></tr>
<tr><td>(二)</td><td colspan="3">施行令第25条の９第13項において準用する施行令第25条の８第14項に規定する明細書（施行令第25条の10の10第７項の規定の適用がある場合において同項に規定する確定申告書に当該明細書に代えて特定口座年間取引報告書等の添付をするときは当該特定口座年間取引報告書等とし、第18条の13の５第６項及び第７項の規定の適用がある場合において同条第６項に規定する確定申告書に同項の明細書及び特定口座年間取引報告書等の添付をするときは当該明細書及び当該特定口座年間取引報告書等とする。）</td></tr>
<tr><td>(三)</td><td colspan="3">1（6）(一)に掲げる書類</td></tr>
<tr><td rowspan="2">(四)</td><td colspan="3">次に掲げる場合の区分に応じそれぞれ次に定める書類</td></tr>
<tr><td>イ</td><td>その年において①に規定する居住者又は恒久的施設を有する非居住者に特定株式の②の</td><td>次に掲げる書類
（イ）　当該特定株式の譲渡に係る金融商品取引法第２条第９項に規定する金融商品取引業者（同法第28条第１項に規定する第１種金融商品取引業を行う者に限る。）又は同法第２条第11項に規定する登録金融機関から交付を受けた当該特定株式の譲渡に係る契約締結時交付書面（金融商品取引業者等に関する内閣府令第</td></tr>
</table>

		(4)(一)に規定する譲渡に係る同(一)又は同(二)に定める金額がある場合	100条第1項に規定する契約締結時交付書面をいう。) (ロ)　当該特定株式の譲渡を受けた者の氏名及び住所又は名称及び本店若しくは主たる事務所の所在地並びに当該居住者又は恒久的施設を有する非居住者との関係、当該譲渡をした特定株式の数、当該譲渡による収入金額、当該譲渡をした年月日その他の参考となるべき事項を記載した書類 (ハ)　当該譲渡をした特定株式に係る取得価額の計算に関する明細書(第六章第二節**四5**《有価証券の評価方法》①(一)《総平均法》に掲げる方法によって算出した当該特定株式に係る1株当たりの取得価額又は同節**四3**《雑所得又は譲渡所得の基因となる有価証券の譲渡原価等の計算》に定める方法によって算出した当該譲渡をした特定株式に係る1株当たりの金額及びこれらの金額の計算に関する明細並びに当該譲渡をした特定株式の数の記載があるものに限る。) (ニ)　②(9)(一)(イ)及び同(ロ)に掲げる書類(当該譲渡をした特定株式と同一銘柄の他の特定株式がその年において価値喪失株式となった場合には同(ロ)に掲げる書類)
	ロ	その年においてイに規定する居住者又は恒久的施設を有する非居住者に②(4)(三)に定める金額がある場合	**1**(6)(二)から同(五)までに掲げる書類

(読替え規定)

(4)　①の規定の適用がある場合における**三1**①の規定の適用については、同①中「計算した金額（」とあるのは、「計算した金額（**十四2**①の規定の適用がある場合には、その適用後の金額。」とする。(措法37の13の3⑥)

②　特定株式に係る譲渡損失の金額の繰越控除の特例（一般株式等）

確定申告書を提出する居住者又は恒久的施設を有する非居住者が、その年の前年以前3年内の各年において生じた特定株式に係る譲渡損失の金額(①又は②の規定の適用を受けて前年以前において控除されたものを除く。)を有する場合には、**二1**①後段の規定にかかわらず、当該特定株式に係る譲渡損失の金額に相当する金額は、(2)で定めるところにより、当該確定申告書に係る年分の同①に規定する一般株式等に係る譲渡所得等の金額（**十二1**又は**十三1**の規定の適用がある場合には、その適用後の金額。以下②において同じ。）及び**三1**①に規定する上場株式等に係る譲渡所得等の金額（**十二1**若しくは**十三1**の規定又は①の規定の適用がある場合には、その適用後の金額。以下②において同じ。）を限度として、当該年分の当該一般株式等に係る譲渡所得等の金額及び上場株式等に係る譲渡所得等の金額の計算上控除する。(措法37の13の3⑦)

(特定株式に係る譲渡損失の金額)

(1)　①、①(1)及び②に規定する特定株式に係る譲渡損失の金額とは、当該居住者又は恒久的施設を有する非居住者が、適用期間内に、その払込みにより取得をした特定株式の譲渡（当該居住者又は恒久的施設を有する非居住者の親族その他の特別の関係がある者に対してする譲渡その他の(3)で定めるものを除く。)をしたことにより生じた損失の金額として(4)で定めるところにより計算した金額のうち、その者の当該譲渡をした日の属する年分の**二1**①《申告分離課税》に規定する一般株式等に係る譲渡所得等の金額の計算上控除してもなお控除しきれない部分の金額として(5)で定めるところにより計算した金額をいう。(措法37の13の3⑧)

(特定株式に係る譲渡損失の金額の控除)

(2)　②の規定による特定株式に係る譲渡損失の金額（(1)に規定する特定株式に係る譲渡損失の金額をいう。以下**十四**において同じ。）の控除については、次の(一)から(三)までに定めるところによる。(措令25の12の3⑦)

(一)	控除する特定株式に係る譲渡損失の金額が前年以前3年内の2以上の年に生じたものである場合には、これらの年のうち最も古い年に生じた特定株式が係る譲渡損失の金額から順次控除する。

(二)	前年以前３年内の一の年において生じた特定株式に係る譲渡損失の金額の控除をする場合において、その年分の②に規定する一般株式等に係る譲渡所得等の金額（以下(二)において「一般株式等に係る譲渡所得等の金額」という。）及び②に規定する上場株式等に係る譲渡所得等の金額（以下(二)において「上場株式等に係る譲渡所得等の金額」という。）があるときは、当該特定株式に係る譲渡損失の金額は、まず当該一般株式等に係る譲渡所得等の金額から控除し、なお控除しきれない損失の金額があるときは、当該上場株式等に係る譲渡所得等の金額から控除する。
(三)	第七章第二節**二１**《雑損失の繰越控除》の規定による控除が行われる場合には、まず②の規定による控除を行った後、同節**二１**の規定による控除を行う。

（適用除外とされる譲渡）

（３）　(１)に規定する(３)で定める譲渡は、次の(一)及び(二)に掲げる譲渡とする。（措令25の12の３⑧）

(一)	次に掲げる者に対する譲渡 イ　当該居住者又は恒久的施設を有する非居住者の親族 ロ　当該居住者又は恒久的施設を有する非居住者と婚姻の届出をしていないが事実上婚姻関係と同様の事情のある者 ハ　当該居住者又は恒久的施設を有する非居住者の使用人 ニ　イからハまでに掲げる者以外の者で、当該居住者又は恒久的施設を有する非居住者から受ける金銭その他の資産によって生計を維持しているもの ホ　ロからニまでに掲げる者と生計を一にするこれらの者の親族
(二)	特定株式の譲渡をすることにより当該譲渡をした居住者又は恒久的施設を有する非居住者の所得に係る所得税の負担を不当に減少させる結果となると認められる場合における当該譲渡

（特定株式の譲渡をしたことにより生じた損失の金額として計算した金額）

（４）　(１)に規定する特定株式の譲渡をしたことにより生じた損失の金額として(４)で定めるところにより計算した金額は、次の(一)から(三)までに掲げる場合の区分に応じ当該(一)から(三)までに定める金額とする。（措令25の12の３⑨）

(一)	当該損失の金額が、(１)に規定する適用期間（(二)において「適用期間」という。）内に、払込みにより取得をした特定株式で事業所得又は雑所得の基因となるものの譲渡（(１)に規定する譲渡をいう。以下(一)及び(二)において同じ。）をしたことにより生じたものである場合（(三)に掲げる場合を除く。）	当該特定株式の譲渡による事業所得の金額又は雑所得の金額の計算上生じた損失の金額として注で定めるところにより計算した金額 （注で定めるところにより計算した金額） 注　注で定めるところにより計算した金額は、特定株式の譲渡（(一)に規定する譲渡をいう。）による事業所得又は雑所得と当該特定株式以外の一般株式等の譲渡による事業所得又は雑所得とを区分して当該特定株式の譲渡に係る事業所得の金額又は雑所得の金額を計算した場合にこれらの金額の計算上生ずる損失の金額に相当する金額とする。この場合において、当該特定株式の譲渡をした日の属する年分の一般株式等の譲渡に係る事業所得の金額又は雑所得の金額の計算上必要経費に算入されるべき金額のうちに当該特定株式の譲渡と当該特定株式以外の一般株式等の譲渡の双方に関連して生じた金額（以下注において「共通必要経費の額」という。）があるときは、当該共通必要経費の額は、これらの所得を生ずべき業務に係る収入金額その他の基準のうち当該業務の内容及び費用の性質に照らして合理的と認められるものによ

		り当該特定株式の譲渡に係る必要経費の額と当該特定株式以外の一般株式等の譲渡に係る必要経費の額とに配分するものとする。（措規18の15の２の２④）
(二)	当該損失の金額が、適用期間内に、払込みにより取得をした特定株式で譲渡所得の基因となるものの譲渡をしたことにより生じたものである場合（(三)に掲げる場合を除く。）	当該特定株式の譲渡による譲渡所得の金額の計算上生じた損失の金額
(三)	当該損失の金額が**１**の規定により**１**の特定株式の譲渡をしたことにより生じたものとみなされたものである場合	**１**（２）(一)又は同(二)に掲げる場合の区分に応じ当該(一)又は(二)に定めるところにより計算した金額

（控除しきれない部分の金額として計算した金額）

（５）　（１）に規定する控除しきれない部分の金額として（５）で定めるところにより計算した金額は、特定株式の（１）に規定する譲渡をした日の属する年分の（１）に規定する一般株式等に係る譲渡所得等の金額の計算上生じた損失の金額のうち、特定譲渡損失の金額の合計額に達するまでの金額とする。（措令25の12の３⑩）

（特定譲渡損失の金額）

（６）　（５）に規定する特定譲渡損失の金額とは、その年中の**二１**①に規定する一般株式等の譲渡に係る事業所得の金額の計算上生じた損失の金額、同①に規定する一般株式等の譲渡に係る譲渡所得の金額の計算上生じた損失の金額又は同①に規定する一般株式等の譲渡に係る雑所得の金額の計算上生じた損失の金額のうち、それぞれその所得の基因となる特定株式の譲渡に係る（４）(一)から同(三)に掲げる金額の合計額に達するまでの金額をいう。（措令25の12の３⑪）

（適 用 要 件）

（７）　②の規定は、②に規定する居住者又は恒久的施設を有する非居住者が（１）に規定する特定株式に係る譲渡損失の金額が生じた年分の所得税につき当該特定株式に係る譲渡損失の金額の計算に関する明細書その他の（注）１で定める書類の添付がある確定申告書（①に規定する確定申告書をいう。以下（７）において同じ。）を提出し、かつ、その後において連続して確定申告書を提出している場合であって、②の確定申告書に②の規定による控除を受ける金額の計算に関する明細書その他の（注）２で定める書類の添付がある場合に限り、適用する。（措法37の13の３⑨による読替え後の措法37の12の２⑦）

（注）１　（７）において準用する**十３**②に規定する特定株式に係る譲渡損失の金額の計算に関する明細書その他の（注）１で定める書類は、次の(一)及び(二)に掲げる書類とする。（措規18の15の２の２⑤）
(一)　①（２）(一)から同(三)までに掲げる書類
(二)　次のイ及びロに掲げる場合の区分に応じそれぞれイ又はロに定める書類
イ　その年において（７）において準用する**十３**②に規定する居住者又は恒久的施設を有する非居住者に特定株式の（４）(一) に規定する譲渡に係る同(一)又は同(二)に定める金額がある場合　①（２）(四)イに定める書類
ロ　その年においてイに規定する居住者又は恒久的施設を有する非居住者に（４）(三)に定める金額がある場合　①（２）(四)ロに定める書類
２　（７）に規定する控除を受ける金額の計算に関する明細書その他の（注）２で定める書類は、②の規定によりその年において控除すべき特定株式に係る譲渡損失の金額及びその金額の計算の基礎その他参考となるべき事項を記載した明細書及び**１**（６）(四)、②（９）(一)(ロ)又は①（２）(二)に掲げる書類とする。（措規18の15の２の２⑥）

（価値喪失株式に係る損失の金額の特例の適用を受けようとする年に特定株式に係る譲渡損失の金額がある場合の確定申告書への記載及び明細書等の添付要件について）

（８）　**１**（５）に規定する者が、**１**の規定の適用を受けようとする年の翌年以後において②の規定の適用を受けるために、その年分の所得税につき（７）に規定する特定株式に係る譲渡損失の金額の計算に関する明細書その他の（10）で定める書類の添付がある確定申告書を提出する場合における**１**（５）の規定の適用については、同（５）中「（４）に規定する（６）で定める書類」とあるのは、「**２**②（７）に規定する特定株式に係る譲渡損失の金額の計算に関する明細書及び**２**②（９）で定める書類」とする。（措令25の12の３⑤）

（(8)の規定により読み替えて適用される**1**(6)に規定する書類）

(9)　(8)の規定により読み替えて適用される**1**(6)に規定する書類は、次の(一)及び(二)に掲げる場合の区分に応じそれぞれ次に定める書類とする。（措規18の15の2の2②）

(一)	その年において(8)に規定する者に特定株式の(4)(一)に規定する譲渡に係る同(一)又は同(二)に定める金額がある場合	**1**(6)(一)から同(五)に掲げる書類及び①(2)(四)イ(イ)から同(ハ)までに掲げる書類並びに次に掲げる書類（当該譲渡をした特定株式と同一銘柄の他の特定株式がその年において価値喪失株式となった場合には、(ロ)に掲げる書類） (イ)　当該譲渡をした特定株式に係る特定残株数の計算に関する明細書（**1**(6)(三)に規定する記載があるものに限る。） (ロ)　**二 1**④に規定する明細書（当該譲渡をした特定株式と当該特定株式以外の一般株式等との別に、同④(一)又は同(二)に定める項目別の金額の記載があるものに限る。）
(二)	その年において(一)に規定する者に(一)に規定する金額がない場合	**1**(6)(一)から同(五)に掲げる書類

（②の規定の適用がある場合における**二**及び**三**の規定の適用）

(10)　②の規定の適用がある場合における**二**（**二 1**①(注)を除く。）及び**三**（**三 1**①(注)を除く。）の規定の適用については、**二 1**①及び**三 1**①中「計算した金額（」とあるのは、「計算した金額（**十四**《特定中小会社が発行した株式に係る譲渡損失の繰越控除等》**2**②の規定の適用がある場合には、その適用後の金額。」とする。（措法37の13の3⑨による読替え後の措法37の12の2⑧）

（その年の翌年以後又はその年において②の規定の適用を受けようとする場合の申告書への記載事項）

(11)　その年の翌年以後又はその年において②の規定の適用を受けようとする場合に提出すべき第十章第二節**二 1**①の規定による申告書及び提出することができる同**二 3**①又は同**4**①の規定による申告書には、同**1**②(一)から(十一)まで若しくは同**3**①(一)から(四)まで又は同**4**②(一)から(九)までに掲げる事項のほか、次の(一)から(六)までに掲げる事項を併せて記載しなければならない。（措令25の12の3⑯による読替え後の措令25の11の2⑪）

(一)	その年において生じた上場株式等に係る譲渡損失の金額又は②(1)に規定する特定株式に係る譲渡損失の金額（以下(11)において「特定株式に係る譲渡損失の金額」という。）
(二)	その年の前年以前3年内の各年において生じた上場株式等に係る譲渡損失の金額又は特定株式に係る譲渡損失の金額（①(1)又は②の規定により前年以前において控除されたものを除く。）
(三)	その年において生じた上場株式等に係る譲渡損失の金額又は特定株式に係る譲渡損失の金額がある場合には、その年分の上場株式等に係る譲渡所得等の金額又は**二 1**に規定する一般株式等に係る譲渡所得等の金額（以下(11)において「一般株式等に係る譲渡所得等の金額」という。）の計算上生じた損失の金額及び**十四 1**又は①の規定を適用しないで計算した場合のその年分の上場株式等に係る配当所得等の金額又は上場株式等に係る譲渡所得等の金額
(四)	(二)に掲げる上場株式等に係る譲渡損失の金額又は特定株式に係る譲渡損失の金額がある場合には、これらの損失の金額を控除しないで計算した場合のその年分の上場株式等に係る譲渡所得等の金額、一般株式等に係る譲渡所得等の金額及び上場株式等に係る配当所得等の金額
(五)	**十 2**又は②の規定により翌年以後において上場株式等に係る譲渡所得等の金額、一般株式等に係る譲渡所得等の金額又は上場株式等に係る配当所得等の金額の計算上控除することができる上場株式等に係る譲渡損失の金額又は特定株式に係る譲渡損失の金額
(六)	前各号に掲げる金額の計算の基礎その他財務省令で定める事項

3　確定損失申告の規定の準用等

十 3②(2)の規定は、その年の翌年以後において**2**②の規定の適用を受けようとする居住者又は恒久的施設を有する非居住者について準用する。（この場合において、**十 3**②(2)の規定は、**3**の規定により、読み替えられる。）（措法37の13

の３⑩）

4　特定株式又は特定株式と同一銘柄の株式で特定株式に該当しない株式を譲渡した場合の優先順位

特定株式を払込みにより取得をした居住者又は恒久的施設を有する非居住者が、当該払込みにより取得をした特定株式、払込み以外の方法により取得をした当該特定株式又は当該特定株式と同一銘柄の株式で特定株式に該当しないものの譲渡（**五２**①に規定する譲渡をいう。以下において同じ。）をした場合（当該譲渡の時の直前において当該居住者又は恒久的施設を有する非居住者に当該払込みにより取得をした特定株式に係る**特定残株数**がある場合に限る。）には、これらの株式（以下**８**までにおいて「**同一銘柄株式**」という。）の譲渡については、当該譲渡をした当該同一銘柄株式のうち当該譲渡の時の直前における当該払込みにより取得をした当該特定株式に係る特定残株数に達するまでの部分に相当する数の株式が当該払込みにより取得をした当該特定株式に該当するものとみなして、**十四**及び**二１**の規定その他の所得税に関する法令の規定を適用する。（措令25の12の３⑫））

5　特定分割等株式のうち特定株式とみなされるもの

特定株式を払込みにより取得をした居住者又は恒久的施設を有する非居住者が、その有する当該特定株式に係る同一銘柄株式につき第六章第二節**四８**①に規定する分割又は併合後の所有株式（以下において「**特定分割等株式**」という。）を有することとなった場合（当該特定分割等株式を有することとなった時の直前において当該居住者又は恒久的施設を有する非居住者に当該同一銘柄株式係る特定残株数がある場合に限る。）には、当該特定分割等株式のうち当該特定分割等株式の数に㈠に掲げる数のうちに㈡に掲げる数の占める割合を乗じて得た数（１未満の端数があるときは、これを切り捨てる。）に相当する株式を有することとなったことはその有することとなった時において当該割合を乗じて得た数に相当する特定株式を払込みにより取得をしたこととみなして、**十四**及び**二１**《申告分離課税》その他の所得税に関する法令の規定を適用する。（措令25の12の３⑬）

㈠	当該特定分割等株式を有することとなった時の直前において有する当該同一銘柄株式の数
㈡	当該特定分割等株式を有することとなった時の直前における当該特定株式に係る特定残株数

6　特定残株数の計算

４、**５**及び**８**に規定する特定残株数は、同一銘柄の株式に係る㈠に掲げる数から当該同一銘柄の株式に係る㈡に掲げる数を控除した数をいうものとし、**５**に規定する特定分割等株式を有することとなったことがある場合又は**８**に規定する特定無償割当て株式を有することとなったことがある場合において㈠又は㈡に掲げる数の算出をするときは、当該特定分割等株式及び特定無償割当て株式を有することとなった時（当該特定分割等株式及び特定無償割当て株式を有することとなった時が２以上ある場合には、最後の当該特定分割等株式及び特定無償割当て株式を有することとなった時）以後にされた特定株式の払込みによる取得又は株式の譲渡若しくは贈与を基礎として計算するものとする。（措令25の12の３⑮）

㈠	払込みにより取得をした特定株式の数（払込みによる取得が２以上ある場合には、当該２以上の払込みによる取得をした特定株式の数の合計数）
㈡	特定株式の払込みによる取得の時（払込みによる取得が２以上ある場合には、最初の払込みによる取得の時）以後に譲渡又は贈与をした株式の数

7　国税通則法の規定の適用

②の規定の適用がある場合における国税通則法の規定の適用については、第二章第一節**一**（２）の表内⑥及び第十章第二節**一１**《納税申告書》ハ中「又は雑損失の金額」とあるのは「若しくは雑損失の金額又は**十**《上場株式等に係る譲渡損失の繰越控除》**２**（１）に規定する上場株式等に係る譲渡損失の金額又は同節**十四**《特定中小会社が発行した株式に係る譲渡損失の繰越控除等》②（１）に規定する特定株式に係る譲渡損失の金額」とする。（措法37の13の３⑨による読替え後の措法37の12の２⑩）

8　その有する当該特定株式に係る同一銘柄株式につき特定無償割当て株式を有することとなった場合

特定株式を払込みにより取得をした居住者又は恒久的施設を有する非居住者が、その有する当該特定株式に係る同一銘柄株式につき第六章第二節**四８**③注《株主割当てにより取得した株式の取得価額》に規定する株式無償割当て後の所有株式（以下**８**において「特定無償割当て株式」という。）を有することとなった場合（当該特定無償割当て株式を有することとなった時の直前において当該居住者又は恒久的施設を有する非居住者に当該同一銘柄株式に係る特定残株数がある場合に限る。）には、当該特定無償割当て株式のうち当該特定無償割当て株式の数に(一)に掲げる数のうち(二)に掲げる数の占める割合を乗じて得た数（１未満の端数があるときは、これを切り捨てる。）に相当する株式を有することとなったことはその有することとなった時において当該割合を乗じて得た数に相当する特定株式を払込みにより取得をしたこととみなして、**8**、**十四**及び**二**の規定その他の所得税に関する法令の規定を適用する。（措令25の12の３⑭）

(一)	当該特定無償割当て株式を有することとなった時の直前において有する当該同一銘柄株式の数
(二)	当該特定無償割当て株式を有することとなった時の直前における当該特定株式に係る特定残株数

十五　株式等を対価とする株式の譲渡に係る譲渡所得等の課税の特例

1　株式等を対価とする株式の譲渡に係る譲渡所得等の課税の特例

個人が、その有する株式（以下**1**において「**所有株式**」という。）を発行した法人を会社法第774条の３第１項第１号に規定する株式交付子会社とする株式交付により当該所有株式の譲渡をし、当該株式交付に係る株式交付親会社（同号に規定する株式交付親会社をいう。以下**1**において同じ。）の株式の交付を受けた場合（当該株式交付により交付を受けた当該株式交付親会社の株式の価額が当該株式交付により交付を受けた金銭の額及び金銭以外の資産の価額の合計額のうちに占める割合が100分の80に満たない場合並びに当該株式交付の直後の当該株式交付親会社が法人税法第２条第10号に規定する同族会社（同号に規定する同族会社であることについての判定の基礎となった株主のうちに同号に規定する同族会社でない法人又は第二章第一節**一 8**に規定する人格のない社団等がある場合には、当該法人又は人格のない社団等をその判定の基礎となる株主から除外して判定するものとした場合においても法人税法第２条第10号に規定する同族会社となるものに限る。）に該当する場合を除く。）における**二**から**十四**まで又は第四章第四節、同章第八節**一**及び同**二 1**、同章第十節**一**及び同節**二 1**から同**3**の規定の適用については、当該譲渡をした所有株式（当該株式交付により交付を受けた金銭又は金銭以外の資産（当該株式交付親会社の株式を除く。）がある場合には、当該所有株式のうち、当該株式交付により交付を受けた金銭の額及び金銭以外の資産の価額の合計額（当該株式交付親会社の株式の価額を除く。）に対応する部分以外のものとして(１)で定める部分）の譲渡がなかったものとみなす。（措法37の13の４①）

（**1**に規定する(１)で定める部分）

(１)　**1**に規定する(１)で定める部分は、**1**の規定の適用がある株式交付により譲渡した所有株式（**1**に規定する所有株式をいう。以下(１)及び(２)(一)において同じ。）のうち、当該所有株式の価額に株式交付割合（当該株式交付により交付を受けた株式交付親会社（**1**に規定する株式交付親会社をいう。(２)において同じ。）の株式の価額が当該株式交付により交付を受けた金銭の額及び金銭以外の資産の価額の合計額（剰余金の配当として交付を受けた金銭の額及び金銭以外の資産の価額の合計額を除く。）のうちに占める割合をいう。(２)(一)イにおいて同じ。）を乗じて計算した金額に相当する部分とする。（措令25の12の４①）

（事業所得の金額、譲渡所得の金額又は雑所得の金額の計算）

(２)　**1**の規定の適用を受けた個人が**1**の規定の適用がある株式交付により交付を受けた当該株式交付に係る株式交付親会社の株式に係る事業所得の金額、譲渡所得の金額又は雑所得の金額の計算については、次の(一)及び(二)に掲げる金額の合計額を当該株式交付親会社の株式の取得価額とする。（措令25の12の４④）

(一)	次に掲げる場合の区分に応じそれぞれ次に定める金額 イ　当該株式交付により交付を受けた金銭又は金銭以外の資産（当該株式交付親会社の株式を除く。）がある場合　　当該株式交付により譲渡した所有株式の取得価額に当該株式交付に係る株式交付割合を乗じて計算した金額 ロ　イに掲げる場合以外の場合　　当該株式交付により譲渡した所有株式の取得価額
(二)	当該株式交付親会社の株式の交付を受けるために要した費用がある場合には、当該費用の額

（株式交付親会社の株式の占める割合の判定等における株式交付親会社の株式の価額）

(３)　**1**の規定の適用上、**1**の「当該株式交付により交付を受けた当該株式交付親会社の株式の価額が当該株式交付により交付を受けた金銭の額及び金銭以外の資産の価額の合計額のうちに占める割合が100分の80に満たない」かどうかの判定（以下(３)及び(４)において「８割要件の判定」という。）及び(１)に規定する株式交付割合の算定（以下(３)及び(４)において「株式交付割合の算定」という。）における株式交付親会社（会社法第774条の３第１項第１号に規定する株式交付親会社をいう。以下(６)までにおいて同じ。）の株式の価額は、原則として当該株式交付がその効力を生ずる日における価額となるのであるが、８割要件の判定における株式交付親会社の株式の価額は、課税上弊害がない限り、当該株式交付に係る会社法第774条の３第１項の株式交付計画に定められた同項第３号に規定する算定方法における算定基準日の株価を基礎として合理的な手法により算定される価額によることとしても差し支えない。（措通37の13の４－１）

（株式交付親会社の株式の占める割合の判定等の単位）

(４)　**1**の規定の適用上、８割要件の判定及び株式交付割合の算定は、**1**に規定する所有株式の譲渡をした株主ごとに

判定をし、又は算定をすることに留意する。（措通37の13の４－２）

（一株に満たない数の株式の譲渡等による代金が交付された場合の取扱い）

（５）　株式交付親会社が、株式交付により株主に交付しなければならない当該株式交付親会社の株式に一株に満たない端数が生じたため、会社法第234条第１項の規定等によりその端数の合計数に相当する当該株式を他に譲渡し、又は買い取った代金として株主に金銭が交付された場合における**1**の規定の適用については、**二十**(11)に準じて取り扱う。（措通37の13の４－３）

（株式交付により金銭等の交付を受けた場合の譲渡所得等の金額）

（６）　**1**の規定の適用がある株式交付により交付を受けた金銭又は金銭以外の資産（当該株式交付に係る株式交付親会社の株式を除く。）がある場合には、当該株式交付により譲渡した会社法第774条の３第１項第１号に規定する株式交付子会社の株式（以下(６)において「所有株式」という。）のうち、(１)に定める部分の譲渡がなかったものとみなされることから、所有株式の譲渡に係る収入金額及び当該収入金額から控除すべき取得価額は、それぞれ次の算式によって計算した金額となることに留意する。（措通37の13の４－４）

収入金額＝ 株式交付により譲渡した所有株式の価額 －当該所有株式の価額×株式交付割合

取得価額＝ 株式交付により譲渡した所有株式の取得価額 －当該所有株式の取得価額× 株式交付割合

（注）　「株式交付割合」とは、次により計算した割合をいう。

株式交付割合 ＝ 株式交付により交付を受けた株式交付親会社の株式の価額 ／ 株式交付により交付を受けた金銭の額及び金銭以外の資産の価額の合計額（剰余金の配当として交付を受けた金銭の額及び金銭以外の資産の価額の合計額を除く。）

また、このときの株式交付により交付を受けた株式交付親会社の株式の取得価額は、(２)の規定により、次の算式によって計算した金額（株式交付親会社の株式の交付を受けるために要した費用がある場合には、当該費用の額を加算した金額）となる。

株式交付親会社の株式の取得価額 ＝ 株式交付により譲渡した所有株式の取得価額 × 株式交付割合

十六　非課税口座内の少額上場株式等に係る譲渡所得等の非課税

1　非課税口座内の少額上場株式等に係る譲渡所得等の非課税

①　非課税口座内の少額上場株式等に係る譲渡所得等の非課税

金融商品取引業者等（**六３**（一）に規定する金融商品取引業者等をいう。以下**十六**及び**十七**において同じ。）の営業所（(一)に規定する営業所をいう。以下**十六**及び**十七**において同じ。）に非課税口座を開設している居住者又は恒久的施設を有する非居住者が、非課税上場株式等管理契約に基づき当該非課税口座に係る振替口座簿（社債、株式等の振替に関する法律に規定する振替口座簿をいう。以下**十六**及び**十七**において同じ。）に記載若しくは記録がされ、若しくは当該非課税口座に保管の委託がされている(一)に掲げる(一)に規定する上場株式等、非課税累積投資契約に基づき当該非課税口座に係る振替口座簿に記載若しくは記録がされ、若しくは当該非課税口座に保管の委託がされている(二)に掲げる(一)に規定する上場株式等又は特定非課税累積投資契約に基づき当該非課税口座に係る振替口座簿に記載若しくは記録がされ、若しくは当該非課税口座に保管の委託がされている(三)に掲げる(一)に規定する上場株式等若しくは(四)に掲げる(一)に規定する上場株式等（②から④までにおいて「**非課税口座内上場株式等**」と総称する。）のそれぞれ次の(一)から(四)までに定める譲渡（これに類するものとして（１）で定めるものを含むものとし、金融商品取引法第28条第８項第３号イに掲げる取引の方法により行うものを除く。以下**十六**及び**十七**において同じ。）をした場合には、当該譲渡による事業所得、譲渡所得及び雑所得（第六章第一節**一９**の規定に該当する事業所得及び雑所得並びに第二節**二③**の規定に該当する譲渡所得を除く。）については、所得税を課さない。（措法37の14①）

(一)	当該非課税口座に設けられた非課税管理勘定に係る上場株式等（右欄に掲げる株式等、受益権及び投資口をいう。以下**十六**（③を除く。）及び**十七**（**十七１**（２）及び**十七２**（六）を除く。）において同じ。）	当該非課税管理勘定を設けた日から同日の属する年の１月１日以後５年を経過する日までの間に行う当該非課税上場株式等管理契約に基づく譲渡 イ　**一**に規定する株式等（④及び**十七**において「**株式等**」という。）で**一**(一)から同(五)までに掲げるもの（同(四)に掲げる受益権にあっては、公社債投資信託以外の証券投資信託の受益権及び証券投資信託以外の投資信託で公社債等運用投資信託に該当しないものの受益権に限る。）又は新株予約権付社債（資産の流動化に関する法律第131条第１項に規定する転換特定社債及び同法第139条第１項に規定する新優先出資引受権付特定社債を含む。）のうち、**三１**①（１）(一)に掲げる株式等に該当するもの ロ　公社債投資信託以外の証券投資信託でその設定に係る受益権の募集が第四章第二節**五１**③(二)に規定する公募により行われたもの（措法第３条の２に規定する特定株式投資信託を除く。）の受益権 ハ　第四章第二節**五１**③(三)に規定する特定投資法人の投資信託及び投資法人に関する法律第２条第14項に規定する投資口
(二)	当該非課税口座に設けられた累積投資勘定に係る上場株式等で右欄に掲げるもの	当該累積投資勘定を設けた日から同日の属する年の１月１日以後20年を経過する日までの間に行う当該非課税累積投資契約に基づく譲渡 イ　公社債投資信託以外の証券投資信託の受益権のうち、**三１**①（１）(一)に掲げる株式等に該当するもの ロ　(一)ロに掲げる上場株式等
(三)	当該非課税口座に設けられた特定累積投資勘定に係る上場株式等で(二)イ又はロに掲げるもの	当該特定累積投資勘定を設けた日以後に行う当該特定非課税累積投資契約に基づく譲渡
(四)	当該非課税口座に設けられた特定非課税管理勘定に係る上場株式等で(一)イからハまでに掲げるもの	当該特定非課税管理勘定を設けた日以後に行う当該特定非課税累積投資契約に基づく譲渡

（①に規定する譲渡に類するものとして（１）で定めるもの）

（１）　①に規定する譲渡に類するものとして（１）で定めるものは、**三１**②又は同③の規定によりその額及び価額の合計額が同①に規定する上場株式等に係る譲渡所得等に係る収入金額とみなされる金銭及び金銭以外の資産の交付の基因となった**二１**②又は**三１**③(一)から(三)までに規定する事由に基づく上場株式等（①(一)イに規定する株式等（(２)及び④(１)において「株式等」という。）であって①(一)イからハまでに掲げるものをいう。(１)及び(２)を除き、以下**１**から**３**まで、**７**②及び**14**において同じ。）についての当該金銭の額及び当該金銭以外の資産の価額に対応する権利の移転又は消滅とする。（措令25の13①）

（非課税口座内上場株式等に係る譲渡所得等の非課税）

（２）　非課税口座内上場株式等に係る譲渡所得等の非課税は、受入期間（非課税管理勘定、累積投資勘定、特定累積投資勘定又は特定非課税管理勘定（以下**十六**において「非課税管理勘定等」という。）が設けられた日から同日の属する年の12月31日までの間をいう。以下**十六**において同じ。）内に取得した上場株式等の引渡しがあった日から、次に掲げる非課税管理勘定等の区分に応じ、それぞれ次に定める日までの間に生じた譲渡所得等について適用があることに留意する。（措通37の14－１）

⑴　非課税管理勘定　当該勘定が設けられた日の属する年の１月１日から５年を経過した日までの間に当該上場株式等の譲渡による引渡しのあった日（④(一)から(三)までに掲げる事由が生じた日を含む。⑵及び⑶において同じ。）

⑵　累積投資勘定　当該勘定が設けられた日の属する年の１月１日から20年を経過した日までの間に当該上場株式等の譲渡による引渡しのあった日

⑶　特定累積投資勘定又は特定非課税管理勘定　これらの勘定が設けられた日以後、当該上場株式等の譲渡による引渡しのあった日

（注）　非課税口座内上場株式等を有する居住者等が死亡した場合には、その時に遡って非課税上場株式等管理契約、非課税累積投資契約又は特定非課税累積投資契約に基づく譲渡があったものとみなされ、非課税口座から払出しがされることに留意する。

（受入期間内に取得した者から相続等により取得した場合）

（３）　非課税口座内上場株式等に係る譲渡所得等の非課税は、居住者等が①(一)に規定する非課税上場株式等管理契約に基づく譲渡、①(二)に規定する非課税累積投資契約に基づく譲渡又は①(三)若しくは①(四)に規定する特定非課税累積投資契約に基づく譲渡をした場合に限り適用があるため、受入期間内に非課税口座内上場株式等を取得した者から相続、遺贈又は贈与により非課税口座内上場株式等であった上場株式等を取得した相続人、受遺者又は受贈者が、当該非課税口座内上場株式等に係る非課税期間に当該上場株式等を譲渡しても同条の規定の適用はないことに留意する。（措通37の14－２）

（注）１　上記「非課税上場株式等管理契約に基づく譲渡」、「非課税累積投資契約に基づく譲渡」及び「特定非課税累積投資契約に基づく譲渡」には、④の規定による譲渡があったものとみなされるものが含まれることに留意する。②(１)において同じ。

２　相続、遺贈又は贈与により取得した非課税口座内上場株式等であった上場株式等の譲渡による上場株式等に係る譲渡所得等の金額の計算上控除する売上原価の額又は取得費の額については、④(１)(一)から同(四)に定める金額によることに留意する。

３　上記「非課税期間」とは、次に掲げる非課税管理勘定等の区分に応じ、それぞれ次に定める期間をいう。

⑴　非課税管理勘定　当該勘定が設けられた日から同日の属する年の１月１日以後５年を経過した日までの期間

⑵　累積投資勘定　当該勘定が設けられた日から同日の属する年の１月１日以後20年を経過した日までの期間

⑶　特定累積投資勘定又は特定非課税管理勘定　これらの勘定が設けられた日以後の期間

②　非課税口座内上場株式等の譲渡による収入金額がその取得費等に満たない場合の不足額

非課税上場株式等管理契約、非課税累積投資契約又は特定非課税累積投資契約に基づく非課税口座内上場株式等の譲渡による収入金額が当該非課税口座内上場株式等の第四章第八節**二１**に規定する取得費及びその譲渡に要した費用の額の合計額又はその譲渡に係る必要経費に満たない場合におけるその不足額は、所得税に関する法令の規定の適用については、ないものとみなす。（措法37の14②）

（非課税口座内上場株式等に係る譲渡損失）

（１）　非課税口座内上場株式等について①(一)に規定する非課税上場株式等管理契約に基づく譲渡、①(二)に規定する非課税累積投資契約に基づく譲渡又は①(三)若しくは①(四)に規定する特定非課税累積投資契約に基づく譲渡をした場合において生じた譲渡損失の金額は、②の規定により、所得税に関する法令の規定の適用については、ないものとみなされ、**十１**(１)に規定する上場株式等に係る譲渡損失の金額も生じないことから、確定申告により**十１**及び**十２**の規定の適用を受けることはできないことに留意する。（措通37の14－３）

③　非課税口座内上場株式等の譲渡による事業所得等の金額と非課税口座内上場株式等以外の上場株式等の譲渡による事業所得等の金額の区分

①及び②の場合において、居住者又は恒久的施設を有する非居住者が、非課税上場株式等管理契約、非課税累積投資契約又は特定非課税累積投資契約に基づき非課税口座内上場株式等（その者が２以上の非課税口座を有する場合には、それぞれの非課税口座に係る非課税口座内上場株式等。以下この③において同じ。）の譲渡をしたときは、(１)で定めるところにより、当該非課税口座内上場株式等の譲渡による事業所得の金額、譲渡所得の金額又は雑所得の金額と当該非課税口座内上場株式等以外の上場株式等（**三１**①(１)に規定する上場株式等をいう。）の譲渡による事業所得の金額、譲渡所得の金額又は雑所得の金額とを区分して、これらの金額を計算するものとする。（措法37の14③）

（非課税口座内上場株式等の譲渡による事業所得等の金額と非課税口座内上場株式等以外の上場株式等の譲渡による事業所得等の金額の区分の計算）

(１)　居住者又は恒久的施設を有する非居住者が、①に規定する非課税口座内上場株式等（以下**１**から**３**まで、**７**及び**13**において「非課税口座内上場株式等」という。）及び当該非課税口座内上場株式等以外の上場株式等（③に規定する上場株式等をいう。以下(１)及び(２)において同じ。）を有する場合には、当該非課税口座内上場株式等の譲渡（**五２**①に規定する譲渡をいう。以下(１)及び(２)において同じ。）による事業所得の金額、譲渡所得の金額又は雑所得の金額と当該非課税口座内上場株式等以外の上場株式等の譲渡による事業所得の金額、譲渡所得の金額又は雑所得の金額とを区分して、これらの金額を計算するものとする。この場合において、当該居住者又は恒久的施設を有する非居住者の有する同一銘柄の上場株式等のうちに当該非課税口座内上場株式等と当該非課税口座内上場株式等以外の上場株式等とがあるときには、これらの上場株式等については、それぞれその銘柄が異なるものとして、第六章第二節**一**又は第四章第八節**二２**①の規定によりその者のその年分の上場株式等の譲渡による事業所得の金額、譲渡所得の金額又は雑所得の金額の計算上必要経費又は取得費に算入する金額の計算に係る第六章第二節**四２**及び**３**の規定並びに所得税法施行令第二編第一章第四節第三款《有価証券の評価》及び第167条の７《株式交換等による取得株式等の取得価額の計算等》第４項から第７項までの規定並びに**十五１**(２)の規定を適用する。（措令25の13②）

（共通必要経費の額の配分）

(２)　(１)の場合において、上場株式等の譲渡をした日の属する年分の**二１**①に規定する一般株式等の譲渡による事業所得の金額若しくは雑所得の金額又は上場株式等の譲渡による事業所得の金額若しくは雑所得の金額の計算上必要経費に算入されるべき金額のうちに非課税口座内上場株式等の譲渡と当該非課税口座内上場株式等以外の株式等の譲渡の双方に関連して生じた金額（以下(２)において「共通必要経費の額」という。）があるときは、当該共通必要経費の額は、これらの所得を生ずべき業務に係る収入金額その他の(３)で定める基準により当該非課税口座内上場株式等の譲渡に係る必要経費の額と当該非課税口座内上場株式等以外の株式等の譲渡に係る必要経費の額とに配分するものとする。（措令25の13③）

（(２)に規定する(３)で定める基準）

(３)　(２)に規定する(３)で定める基準は、①に規定する非課税口座内上場株式等（以下**１**から**６**まで、**９**、**11**及び**14**において「非課税口座内上場株式等」という。）の譲渡（**五２**①に規定する譲渡をいう。以下(３)において同じ。）による事業所得又は雑所得及び当該非課税口座内上場株式等以外の上場株式等（③に規定する上場株式等をいう。）の譲渡による事業所得又は雑所得を生ずべき業務に係る収入金額その他の基準のうち当該業務の内容及び費用の性質に照らして合理的と認められるものとする。（措規18の15の３①）

④　非課税口座内上場株式等の一部又は全部の払出しがあった場合の取扱い

次の(一)から(三)までに掲げる事由により、非課税管理勘定、累積投資勘定、特定累積投資勘定又は特定非課税管理勘定からの非課税口座内上場株式等の一部又は全部の払出し（振替によるものを含む。以下④において同じ。）があった場合には、当該払出しがあった非課税口座内上場株式等については、その事由が生じた時に、その時における価額として(１)で定める金額（以下④及び**２**において「**払出し時の金額**」という。）により非課税上場株式等管理契約、非課税累積投資契約又は特定非課税累積投資契約に基づく譲渡があったものと、(一)に掲げる移管、返還又は廃止による非課税口座内上場株式等の払出しがあった非課税管理勘定、累積投資勘定、特定累積投資勘定又は特定非課税管理勘定が設けられている非課税口座を開設し、又は開設していた居住者又は恒久的施設を有する非居住者については、当該移管、返還又は廃止による払出しがあった時に、その払出し時の金額をもって当該移管、返還又は廃止による払出しがあった非課税口座内上場株式等の数に相当する数の当該非課税口座内上場株式等と同一銘柄の株式等を取得したものと、(二)に掲げる贈与又は相続若しくは遺贈により払出しがあった非課税口座内上場株式等を取得した者については、当該贈与又は相続若しくは遺贈の時に、その払出し時の金額をもって当該非課税口座内上場株式等と同一銘柄の株式等を取得したものとそれぞれみなして、①から③及び**14**①の規定その他の所得税に関する法令の規定を適用する。(措法37の14④)

(一)	非課税口座から他の株式等の振替口座簿への記載若しくは記録若しくは保管の委託に係る口座（**2**②及び同④において「**他の保管口座**」という。）への移管、非課税管理勘定から当該非課税管理勘定が設けられている非課税口座に係る他の年分の非課税管理勘定への移管、非課税口座内上場株式等に係る有価証券の当該居住者若しくは恒久的施設を有する非居住者への返還又は非課税口座の廃止
(二)	贈与又は相続若しくは遺贈
(三)	非課税上場株式等管理契約、非課税累積投資契約又は特定非課税累積投資契約において定められた方法に従って行われる譲渡以外の譲渡

(④に規定する(1)で定める金額)

(1)　④に規定する(1)で定める金額は、次の(一)から(四)までに掲げる株式等の区分に応じ当該(一)から(四)までに定める金額をその株式等の一単位当たりの価額として計算した金額とする。(措令25の13④)

(一)	取引所売買株式等（その売買が主として金融商品取引所（金融商品取引法第２条第16項に規定する金融商品取引所及びこれに類するもので外国の法令に基づき設立されたものをいう。以下(一)において同じ。）において行われている株式等をいう。以下(一)において同じ。）　金融商品取引所において公表された④(一)から(三)までに掲げる事由（以下(1)において「払出事由」という。）が生じた日（同日の属する年分の所得税につき第六章第四節**一 1**①(二)に掲げる場合に該当して同①の規定の適用を受ける者が同①に規定する国外転出の時に有している株式等にあっては、同(二)に規定する国外転出の予定日から起算して３月前の日。以下(1)において同じ。）における当該取引所売買株式等の最終の売買の価格（公表された当該払出事由が生じた日における最終の売買の価格がない場合には、公表された同日における最終の気配相場の価格とし、その最終の売買の価格及びその最終の気配相場の価格のいずれもない場合には、同日前の最終の売買の価格又は最終の気配相場の価格が公表された日で当該払出事由が生じた日に最も近い日におけるその最終の売買の価格又はその最終の気配相場の価格とする。）に相当する金額
(二)	店頭売買株式等（**二 1**①(5)(二)に規定する店頭売買登録銘柄として登録された株式等をいう。以下(二)において同じ。）　金融商品取引法第67条の19の規定により公表された払出事由が生じた日における当該店頭売買株式等の最終の売買の価格（公表された同日における最終の売買の価格がない場合には、公表された同日における最終の気配相場の価格とし、その最終の売買の価格及びその最終の気配相場の価格のいずれもない場合には、同日前の最終の売買の価格又は最終の気配相場の価格が公表された日で当該払出事由が生じた日に最も近い日におけるその最終の売買の価格又はその最終の気配相場の価格とする。）に相当する金額
(三)	その他価格公表株式等（(一)及び(二)に掲げる株式等以外の株式等のうち、価格公表者（株式等の売買の価格又は気配相場の価格を継続的に公表し、かつ、その公表する価格がその株式等の売買の価格の決定に重要な影響を与えている場合におけるその公表をする者をいう。以下(三)において同じ。）によって公表された売買の価格又は気配相場の価格があるものをいう。以下(三)において同じ。）　価格公表者によって公表された払出事由が生じた日における当該その他価格公表株式等の最終の売買の価格（公表された同日における最終の売買の価格がない場合には、公表された同日における最終の気配相場の価格とし、その最終の売買の価格及びその最終の気配相場の価格のいずれもない場合には、同日前の最終の売買の価格又は最終の気配相場の価格が公表された日で当該払出事由が生じた日に最も近い日におけるその最終の売買の価格又はその最終の気配相場の価格とする。）に相当する金額
(四)	(一)から(三)までに掲げる株式等以外の株式等　その株式等の払出事由が生じた日における価額として合理的な方法により計算した金額

(最終の気配相場の価格)

(2)　(1)(一)から同(三)までに規定する「最終の気配相場の価格」は、その日における最終の売り気配と買い気配の仲値とする。(措通37の14－4)

（２以上の市場に価格が存する場合）

（３）（１）(一)又は同(三)における同一の区分に属する同一銘柄の上場株式等について、（１）(一)又は同(三)に規定する価格が２以上の市場に存する場合には、当該価格が最も高い市場の価格をもって、（１）(一)又は同(三)の金額として差し支えない。

ただし、**2**②イ⑵又はロの規定により、その非課税管理勘定を設けた非課税口座に係る他の年分の非課税管理勘定又は当該非課税口座を開設している金融商品取引業者等の営業所に開設された未成年者口座に設けられた未成年者非課税管理勘定から移管がされる上場株式等の当該移管がされる時の**2**②イに規定する払出し時の金額については、（１）(一)又は同(三)に規定する価格が２以上の市場に存する場合には、当該価格が最も低い市場の価格をもって、（１）(一)又は同(三)の金額として差し支えない。（措通37の14－５）

（非課税期間終了時における非課税口座内上場株式等の移管）

（４）非課税口座に非課税管理勘定が設けられた日の属する年の１月１日から５年を経過した日又は累積投資勘定が設けられた日の属する年の１月１日から20年を経過した日において、当該非課税管理勘定又は累積投資勘定に係る非課税口座内上場株式等が**2**②（３）（**2**④（９）において準用する場合を含む。以下（４）において同じ。）の規定により移管される場合には、次に掲げることに留意する。（措通37の14－５の２）

⑴　当該非課税口座を開設している金融商品取引業者等の営業所に特定口座を開設しており、かつ、当該営業所の長に対し**2**②（３）(二)に規定する「特定口座以外の他の保管口座への非課税口座内上場株式等移管依頼書」（以下⑴において「移管依頼書」という。）の同号に規定する提出（以下⑵において「移管依頼書の提出」という。）をした場合において、当該移管依頼書に記載がされていない当該非課税管理勘定又は累積投資勘定に係る非課税口座内上場株式等は、当該特定口座に移管される。

なお、同一銘柄の非課税口座内上場株式等については、その一部を同号に規定する特定口座以外の他の保管口座（以下⑵において「特定口座以外の他の保管口座」という。）に移管することはできず、移管依頼書にはその全ての数若しくは持分の割合又は価額を記載しなければならない。

⑵　当該非課税口座を開設している金融商品取引業者等の営業所に特定口座を開設しておらず、かつ、当該営業所の長に対し移管依頼書の提出をしない場合には、当該非課税管理勘定又は累積投資勘定に係る非課税口座内上場株式等は、当該営業所に開設している特定口座以外の他の保管口座に移管される。

（株式等に係る譲渡所得等の課税の特例に関する取扱い等の準用）

（５）**十六**の規定の適用に当たっては、次の取扱いを準用する。（措通37の14－25、編者補正）

措通37の10・37の11共－19《株式の範囲》………………………………………………**一**（１）参照。
措通37の11の３－６《取引所売買株式等》…………………………………**六３**（９）(注)７参照。
措通37の11の３－９《価格公表者》………………………………………………**六３**（９）(注)10参照。
措通37の11の３－10《その他価格公表株式等の最終の売買の価格等》……………**六３**（９）(注)11参照。
措通37の12の２－１《売委託》………………………………………………………**十１**（９）参照。

2　用語の意義

十六において、次の①から⑩までに掲げる用語の意義は、当該①から⑩までに定めるところによる。（措法37の14⑤）

①　非課税口座

居住者又は恒久的施設を有する非居住者（その年１月１日において18歳以上である者に限る。）が、第四章第二節**五４**及び**1**の規定の適用を受けるため、その口座を開設しようとする金融商品取引業者等の営業所の長に、（１）で定めるところにより、その口座に設ける勘定の種類、当該金融商品取引業者等の営業所の名称及び所在地、その口座に係る振替口座簿に記載若しくは記録がされ、又はその口座に保管の委託がされている上場株式等の同節**一**に規定する配当等に係る配当所得及び当該上場株式等の譲渡による事業所得、譲渡所得又は雑所得について同節**五４**及び**1**の規定の適用を受ける旨その他の（２）で定める事項を記載した届出書（以下**十六**において「**非課税口座開設届出書**」という。）の提出（当該非課税口座開設届出書の提出に代えて行う電磁的方法（電子情報処理組織を使用する方法その他の情報通信の技術を利用する方法をいう。以下**十六**において同じ。）による当該非課税口座開設届出書に記載すべき事項の提供を含む。**3**①から同⑧まで及び**12**①②において同じ。）をして、当該金融商品取引業者等との間で締結した次のイからハまでに掲げる契約に基づきそれぞれ次のイからハまでに定める期間内に開設された上場株式等の振替口座簿への記載若しくは記録又は保管の委託に係る口座（当該口座において非課税上場株式等管理契約、非課税累積投資契約及び特定非課税累積投資契約に基づく取引以外の

取引に関する事項を扱わないものに限る。）をいう。（措法37の14⑤一）

イ	非課税上場株式等管理契約	平成26年１月１日から令和５年12月31日までの期間
ロ	非課税累積投資契約	平成30年１月１日から令和５年12月31日までの期間
ハ	特定非課税累積投資契約	令和６年１月１日以後の期間

（非課税口座開設届出書の提出）

（1）　居住者又は恒久的施設を有する非居住者（①の口座を開設しようとする年（以下(1)において「口座開設年」という。）の１月１日において18歳以上である者に限る。）が、**1**①に規定する金融商品取引業者等（以下**13**までにおいて「金融商品取引業者等」という。）の営業所（**1**①に規定する営業所をいう。以下**13**までにおいて同じ。）において①の口座を開設しようとする場合には、その口座を開設しようとする金融商品取引業者等の営業所の長に、その口座開設年の１月１日（**3**⑥の規定により⑨に規定する勘定廃止通知書（以下(1)及び**13**(4)において「勘定廃止通知書」という。）、⑩に規定する非課税口座廃止通知書（以下(1)及び**13**(4)において「非課税口座廃止通知書」という。）若しくは**3**⑥に規定する⑦(1)で定める書類を添付して①に規定する非課税口座開設届出書（以下**8**まで及び**13**において「非課税口座開設届出書」という。）の①に規定する提出をする場合、⑨に規定する勘定廃止通知書記載事項（以下(1)において「勘定廃止通知書記載事項」という。）若しくは⑩に規定する非課税口座廃止通知書記載事項（以下(1)において「非課税口座廃止通知書記載事項」という。）を記載して非課税口座開設届出書の提出をする場合又は非課税口座開設届出書の①に規定する提出と併せて行われる電磁的方法による勘定廃止通知書記載事項若しくは非課税口座廃止通知書記載事項の提供をする場合には、その口座開設年の前年の10月１日）からその口座開設年において最初に第四章第二節**五4**及び**1**①から④までの規定の適用を受けようとする②イ若しくは同ロ、④イ又は⑥イ若しくは同ハに掲げる上場株式等を当該口座に受け入れる日（勘定廃止通知書、非課税口座廃止通知書若しくは**3**⑥に規定する⑦(1)で定める書類をを添付して非課税口座開設届出書の①に規定する提出をする場合、勘定廃止通知書記載事項若しくは非課税口座廃止通知書記載事項を記載して非課税口座開設届出書の提出をする場合又は非課税口座開設届出書の提出（①に規定する提出をいう。以下において同じ。）と併せて行われる電磁的方法による勘定廃止通知書記載事項若しくは非課税口座廃止通知書記載事項の提供をする場合には、当該受け入れる日又はその口座開設年の９月30日のいずれか早い日）までに、非課税口座開設届出書の提出をしなければならない。この場合において、当該非課税口座開設届出書が、勘定廃止通知書、非課税口座廃止通知書若しくは**3**⑥に規定する⑦(1)で定める書類が添付されたもの、勘定廃止通知書記載事項若しくは非課税口座廃止通知書記載事項の記載がされたもの又は当該非課税口座開設届出書の提出と併せて行われる電磁的方法による勘定廃止通知書記載事項若しくは非課税口座廃止通知書記載事項の提供があるものであり、かつ、その口座開設年の前年10月１日から同年12月31日までの間に提出がされたものである場合には、当該非課税口座開設届出書は、当該提出がされた日の属する年の翌年１月１日に提出がされたものとみなして、同節**五4**及び**十六**（**3**から**12**までを除く。）の規定を適用するものとし、当該非課税口座廃止通知書の交付又は電磁的方法による非課税口座廃止通知書記載事項の提供の基因となった①に規定する非課税口座（以下**8**まで、**9**及び**13**において「非課税口座」という。）において当該非課税口座を廃止した日の属する年分の③に規定する非課税管理勘定（以下**3**まで並びに**7**②及び同③において「非課税管理勘定」という。）、⑤に規定する累積投資勘定（以下**3**まで並びに**7**②及び同③において「累積投資勘定」という。）、⑦に規定する特定累積投資勘定（以下**3**までにおいて「特定累積投資勘定」という。）又は⑧に規定する特定非課税管理勘定（以下**3**までにおいて「特定非課税管理勘定」という。）に既に上場株式等を受け入れているときは、当該廃止した日から同日の属する年の９月30日までの間は、当該金融商品取引業者等の営業所の長は、当該非課税口座廃止通知書若しくは**5**④後段に規定する**5**④(1)で定める書類が添付され、又は当該非課税口座廃止通知書記載事項の記載がされた非課税口座開設届出書（非課税口座開設届出書の提出と併せて行われる電磁的方法による当該非課税口座廃止通知書記載事項の提供があるものを含む。）を受理することができない。（措令25の13⑤）

（①に規定する(2)で定める事項）

（2）　①に規定する(2)で定める事項は、次の(一)から(七)までに掲げる事項とする。（措規18の15の3②）

(一)	非課税口座開設届出書（①に規定する非課税口座開設届出書をいう。以下(2)において同じ。）の提出（①に規定する提出をいう。以下(2)、**3**①(1)、同②(1)(一)及び同(2)(一)において同じ。）をする者の氏名、生年月日、住所（国内に住所を有しない者にあっては、**3**③(4)(一)及び(二)に掲げる者の区分に応じ当該(一)及び(二)に定める場所。以下**11**まで及び**14**において同じ。）及び個人番号（**3**①(2)の規定に該当する者にあ

	っては、氏名、生年月日及び住所）
(二)	当該非課税口座開設届出書の提出先の金融商品取引業者等（**1**①に規定する金融商品取引業者等をいう。以下**11**まで及び**14**において同じ。）の営業所（①に規定する営業所をいう。以下**7**まで、**9**、**11**及び**14**において同じ。）の名称及び所在地
(三)	非課税上場株式等管理契約（②に規定する非課税上場株式等管理契約をいう。**6**①(1)(六)及び**6**③(1)(四)において同じ。）、非課税累積投資契約（④に規定する非課税累積投資契約をいう。**6**①(1)(六)及び**6**③(1)(四)において同じ。）又は特定非課税累積投資契約（⑥に規定する特定非課税累積投資契約をいう。**6**①(1)(六)及び**6**③(1)(四)において同じ。）に基づき当該口座に係る振替口座簿（**1**①に規定する振替口座簿をいう。）に記載若しくは記録がされ、又は当該口座に保管の委託がされている上場株式等（**1**①(1)に規定する上場株式等をいう。以下**6**まで、**9**及び**11**において同じ。）の第四章第二節**五4**(一)から(四)までに掲げる配当等に係る配当所得及び当該上場株式等の譲渡（**1**①に規定する譲渡をいう。**14**において同じ。）による事業所得、譲渡所得又は雑所得について同節**五4**及び**1**①から同④までの規定の適用を受ける旨
(四)	当該非課税口座開設届出書の提出年月日
(五)	①に規定する非課税口座（以下**11**まで及び**14**において「非課税口座」という。）を開設しようとする日の属する年
(六)	当該非課税口座に設定しようとする勘定の種類
(七)	その他参考となるべき事項

② **非課税上場株式等管理契約**

第四章第二節**五4**（(一)に係る部分に限る。）の規定並びに**1**①（(一)に係る部分に限る。）及び**1**②から④の規定の適用を受けるために**1**①の居住者又は恒久的施設を有する非居住者が金融商品取引業者等と締結した上場株式等の振替口座簿への記載若しくは記録又は保管の委託に係る契約で、その契約書において、上場株式等の振替口座簿への記載若しくは記録又は保管の委託は、当該記載若しくは記録又は保管の委託に係る口座に設けられた非課税管理勘定において行うこと、当該非課税管理勘定においては当該居住者又は恒久的施設を有する非居住者の次のイからハまでに掲げる上場株式等（**6**①の規定による同①(一)に規定する継続適用届出書の提出をした者（④及び⑥において「**継続適用届出書提出者**」という。）が出国（同①に規定する出国をいう。④及び⑥において同じ。）をした日からその者に係る帰国届出書の提出（**6**③に規定する帰国届出書の同③に規定する提出をいう。④及び⑥において同じ。）があった日までの間に取得をしたもの、第四章第五節**四1**イ①本文の規定の適用を受けて取得をしたものその他の(1)で定めるものを除く。）のみを受け入れること、当該非課税管理勘定において振替口座簿への記載若しくは記録又は保管の委託がされている上場株式等の譲渡は当該金融商品取引業者等への売委託による方法、当該金融商品取引業者等に対してする方法その他(2)で定める方法によりすること、当該非課税管理勘定が設けられた日の属する年の1月1日から5年を経過した日において当該非課税管理勘定に係る上場株式等は、ロの移管がされるものを除き、当該非課税管理勘定が設けられた口座から、(3)で定めるところにより他の保管口座に移管されることその他(5)で定める事項が定められているものをいう。（措法37の14⑤二）

イ	次の⑴及び⑵に掲げる上場株式等で、当該口座に非課税管理勘定が設けられた日から同日の属する年の12月31日までの間に受け入れた上場株式等の取得対価の額（購入した上場株式等についてはその購入の代価の額（払込みにより取得をした上場株式等については、その払い込んだ金額。⑥イ及び同ハ(1)並びに**10**①において同じ。）をいい、⑵の移管により受け入れた上場株式等についてはその移管に係る払出し時の金額をいう。④イ並びに⑥イ及び同ハにおいて同じ。）の合計額が120万円（ロに掲げる上場株式等がある場合には、当該上場株式等の移管に係る払出し時の金額を控除した金額）を超えないもの ⑴　当該期間内に当該金融商品取引業者等への買付けの委託（当該買付けの委託の媒介、取次ぎ又は代理を含む。④及び⑥において同じ。）により取得をした上場株式等、当該金融商品取引業者等から取得をした上場株式等又は当該金融商品取引業者等が行う上場株式等の募集（金融商品取引法第2条第3項に規定する有価証券の募集に該当するものに限る。④及び⑥において同じ。）により取得をした上場株式等で、その取得後直ちに当該口座に受け入れられるもの ⑵　他年分非課税管理勘定（当該非課税管理勘定を設けた口座に係る他の年分の非課税管理勘定又は当該金融商品取引業者等の営業所に開設された未成年者口座（**十七2**(一)に規定する未成年者口座をいう。**12**①及び同②において同じ。）に設けられた未成年者非課税管理勘定（**十七2**(三)に規定する非課税管理勘定をいう。）をいう。ロ

	において同じ。）から、（６）で定めるところにより移管がされる上場株式等（ロに掲げるものを除く。）
ロ	他年分非課税管理勘定から、当該他年分非課税管理勘定が設けられた日の属する年の１月１日から５年を経過した日に(９)で定めるところにより移管がされる上場株式等
ハ	イ及びロに掲げるもののほか(10)で定める上場株式等

（②に規定する（１）で定める上場株式等）

（１）　②に規定する（１）で定める上場株式等は、次の(一)から(三)までに掲げる上場株式等とする。（措令25の13⑥）

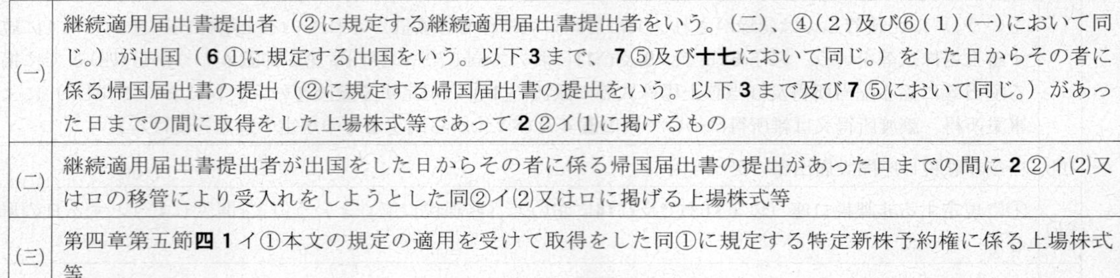

(一)	継続適用届出書提出者（②に規定する継続適用届出書提出者をいう。(二)、④（２）及び⑥（１）(一)において同じ。）が出国（**6**①に規定する出国をいう。以下**3**まで、**7**⑤及び**十七**において同じ。）をした日からその者に係る帰国届出書の提出（②に規定する帰国届出書の提出をいう。以下**3**まで及び**7**⑤において同じ。）があった日までの間に取得をした上場株式等であって**2**②イ⑴に掲げるもの
(二)	継続適用届出書提出者が出国をした日からその者に係る帰国届出書の提出があった日までの間に**2**②イ⑵又はロの移管により受入れをしようとした同②イ⑵又はロに掲げる上場株式等
(三)	第四章第五節**四 1**イ①本文の規定の適用を受けて取得をした同①に規定する特定新株予約権に係る上場株式等

（②及び⑥に規定する（２）で定める方法）

（２）　②及び⑥に規定する（２）で定める方法は、次の(一)及び(二)に掲げる方法とする。（措令25の13⑦）

(一)	上場株式等を発行した法人に対して会社法第192条第１項の規定に基づいて行う同項に規定する単元未満株式の譲渡（**1**①に規定する譲渡をいう。(二)並びに**7**、**13**及び**14**において同じ。）について、会社法第192条第１項に規定する請求を非課税口座を開設する金融商品取引業者等の営業所を経由して行う方法
(二)	**二 1**②(四)又は**三 1**③(一)若しくは同(二)に規定する事由による上場株式等の譲渡について、当該譲渡に係る金銭及び金銭以外の資産の交付が非課税口座を開設する金融商品取引業者等の営業所を経由して行われる方法

（②の非課税管理勘定に係る上場株式等の移管）

（３）　②の非課税管理勘定に係る上場株式等の移管は、居住者又は恒久的施設を有する非居住者が開設している非課税口座に非課税管理勘定が設けられた日の属する年の１月１日から５年を経過した日において、②ロの移管がされるものを除き、次の(一)から(三)までに定めるところにより行われるものとする。この場合において、(一)の特定口座に移管がされる非課税口座内上場株式等と同一銘柄の当該非課税管理勘定に係る非課税口座内上場株式等は、その全てを当該非課税口座から当該特定口座に移管しなければならないものとする。（措令25の13⑧）

(一)	当該非課税管理勘定が設けられた非課税口座が開設されている金融商品取引業者等の営業所に当該居住者又は恒久的施設を有する非居住者が**六 3**(一)に規定する特定口座（以下（３）、（５）、④（９）(一)並びに⑥（３）(一)及び同(二)において「特定口座」という。）を開設している場合には、当該非課税管理勘定に係る非課税口座内上場株式等は、当該非課税口座から当該特定口座に移管されるものとする。
(二)	当該居住者又は恒久的施設を有する非居住者が、(一)に規定する金融商品取引業者等の営業所の長に対し、当該非課税管理勘定に係る非課税口座内上場株式等を特定口座以外の**1**④(一)に規定する他の保管口座（以下(二)及び(三)において「特定口座以外の他の保管口座」という。）に移管することを依頼する旨、移管する当該非課税管理勘定に係る非課税口座内上場株式等の種類、銘柄及び数又は価額その他の（４）で定める事項を記載した書類（以下(二)及び(三)において「特定口座以外の他の保管口座への非課税口座内上場株式等移管依頼書」という。）の提出（当該特定口座以外の他の保管口座への非課税口座内上場株式等移管依頼書の提出に代えて行う電磁的方法による当該特定口座以外の他の保管口座への非課税口座内上場株式等移管依頼書に記載すべき事項を記録した電磁的記録の提供を含む。）をした場合には、(一)の規定にかかわらず、当該特定口座以外の他の保管口座への非課税口座内上場株式等移管依頼書（電磁的方法により提供した当該特定口座以外の他の保管口座への非課税口座内上場株式等移管依頼書に記載すべき事項を記録した電磁的記録を含む。以下

	(二)及び(三)において同じ。）に記載又は記録がされた当該非課税管理勘定に係る非課税口座内上場株式等は、当該非課税口座から当該特定口座以外の他の保管口座への非課税口座内上場株式等移管依頼書に記載又は記録がされた特定口座以外の他の保管口座に移管されるものとする。
(三)	(一)に規定する金融商品取引業者等の営業所に当該居住者又は恒久的施設を有する非居住者が特定口座を開設していない場合には、特定口座以外の他の保管口座への非課税口座内上場株式等移管依頼書に記載又は記録がされていない当該非課税管理勘定に係る非課税口座内上場株式等は、当該非課税口座から当該金融商品取引業者等の営業所に開設されている特定口座以外の他の保管口座に移管されるものとする。

（(3)(二)に規定する(4)で定める事項）

(4)　(3)(二)に規定する(4)で定める事項は、次の(一)から(五)までに掲げる事項とする。(措規18の15の3③)

(一)	(3)(二)に規定する特定口座以外の他の保管口座への非課税口座内上場株式等移管依頼書（(二)において「特定口座以外の他の保管口座への非課税口座内上場株式等移管依頼書」という。）の提出（(3)(二)に規定する提出をいう。(二)において同じ。）をする者の氏名、生年月日及び住所
(二)	当該特定口座以外の他の保管口座への非課税口座内上場株式等移管依頼書の提出先の金融商品取引業者等の営業所の名称及び所在地
(三)	当該非課税口座に設けられた非課税管理勘定（③に規定する非課税管理勘定をいう。以下**10**まで、及び**13**において同じ。）に係る非課税口座内上場株式等を(3)(二)に規定する特定口座以外の他の保管口座に移管することを依頼する旨
(四)	当該移管しようとする非課税口座内上場株式等の種類、銘柄及び数若しくは持分の割合又は価額
(五)	その他参考となるべき事項

（②に規定する(5)で定める事項）

(5)　②に規定する(5)で定める事項は、**1**④(一)から(三)までに掲げる事由により、非課税管理勘定からの非課税口座内上場株式等の全部又は一部の払出し（振替によるものを含むものとし、非課税管理勘定から当該非課税管理勘定が設けられている**2**②の口座に係る他の年分の非課税管理勘定への移管に係るもの、(10)(一)から(十二)までに規定する事由に係るもの及び特定口座への移管に係るものを除く。以下(5)において同じ。）があった場合には、当該非課税管理勘定が設けられている**2**②の口座を開設され、又は開設されていた金融商品取引業者等は、当該口座を開設し、又は開設していた居住者又は恒久的施設を有する非居住者（相続又は遺贈（贈与をした者の死亡により効力を生ずる贈与を含む。以下(5)、④(9)(一)並びに⑥(3)(一)及び同(二)において同じ。）による払出しがあった場合には、当該相続又は遺贈により当該口座に係る非課税口座内上場株式等であった上場株式等を取得した者）に対し、その払出しがあった非課税口座内上場株式等の**1**④に規定する払出し時の金額及び数、その払出しに係る同④(一)から(三)までに掲げる事由及びその事由が生じた日その他参考となるべき事項を通知することとする。(措令25の13⑨)

（②イ(2)に規定する(6)で定めるところにより移管がされる上場株式等）

(6)　②イ(2)に規定する(6)で定めるところにより移管がされる上場株式等は、次の(一)及び(二)に掲げる上場株式等とする。(措令25の13⑩)

(一)	非課税管理勘定を設けた②の口座を開設している居住者又は恒久的施設を有する非居住者が、当該口座が開設されている金融商品取引業者等の営業所の長に対し、当該非課税管理勘定に係る非課税口座内上場株式等を当該口座に係る他の年分の非課税管理勘定に移管することを依頼する旨、移管する非課税口座内上場株式等の種類、銘柄及び数又は価額その他の(7)で定める事項を記載した書類の提出（当該書類の提出に代えて行う電磁的方法による当該書類に記載すべき事項の提供を含む。）をして移管がされる上場株式等
(二)	②イ(2)に規定する未成年者非課税管理勘定（以下(二)において「未成年者非課税管理勘定」という。）を設けた**十七2**(一)に規定する未成年者口座（以下(二)において「未成年者口座」という。）を開設している居住者又は恒久的施設を有する非居住者が、当該未成年者口座が開設されている金融商品取引業者等の営業所の長に対し、当該未成年者非課税管理勘定に係る**十七1**に規定する未成年者口座内上場株式等（以下(二)において「未成年者口座内上場株式等」という。）を②の口座に係る非課税管理勘定に移管することを依頼する旨、移管す

	る未成年者口座内上場株式等の種類、銘柄及び数又は価額その他の(８)で定める事項を記載した書類の提出（当該書類の提出に代えて行う電磁的方法による当該書類に記載すべき事項の提供を含む。）をして移管がされる上場株式等

((６)(一)に規定する(７)で定める事項)

(７)　(６)(一)((９)において準用する場合を含む。(一)において同じ。)に規定する(７)で定める事項は、次の(一)から(五)までに掲げる事項とする。(措規18の15の３④)

(一)	(６)(一)の書類（(二)において「非課税口座内上場株式等移管依頼書」という。）の提出（同(一)に規定する提出をいう。(二)において同じ。）をする者の氏名、生年月日及び住所
(二)	当該非課税口座内上場株式等移管依頼書の提出先の金融商品取引業者等の営業所の名称及び所在地
(三)	当該非課税口座に設けられた非課税管理勘定に係る非課税口座内上場株式等を当該非課税口座に係る他の年分の非課税管理勘定に移管することを依頼する旨及びその移管を希望する年月日
(四)	当該移管しようとする非課税口座内上場株式等の種類、銘柄及び数若しくは持分の割合又は価額並びに当該非課税口座内上場株式等の受入れをする非課税管理勘定が設けられた日の属する年
(五)	その他参考となるべき事項

((６)(二)に規定する(８)で定める事項)

(８)　(６)(三)((９)において準用する場合を含む。(一)において同じ。)に規定する(８)で定める事項は、次の(一)から(五)までに掲げる事項とする。(措規18の15の３⑤)

(一)	(６)(二)の書類（(二)において「未成年者口座非課税口座間移管依頼書」という。）の提出（同(二)に規定する提出をいう。(二)において同じ。）をする者の氏名、生年月日及び住所
(二)	当該未成年者口座非課税口座間移管依頼書の提出先の金融商品取引業者等の営業所の名称及び所在地
(三)	②イ⑵に規定する未成年者口座に設けられた②イ⑵に規定する未成年者非課税管理勘定に係る**十七１**に規定する未成年者口座内上場株式等（(四)において「未成年者口座内上場株式等」という。）を①の口座に係る非課税管理勘定に移管することを依頼する旨及びその移管を希望する年月日
(四)	当該移管しようとする未成年者口座内上場株式等の種類、銘柄及び数若しくは持分の割合又は価額並びに当該未成年者口座内上場株式等の受入れをする非課税管理勘定が設けられた日の属する年
(五)	その他参考となるべき事項

(②ロに規定する(９)で定めるところにより移管がされる上場株式等)

(９)　(６)の規定は、②ロに規定する(９)で定めるところにより移管がされる上場株式等について準用する。この場合において、(６)(一)及び(二)中「移管が」とあるのは、「②ロに規定する５年を経過した日に設けられる非課税管理勘定に移管が」と読み替えるものとする。(措令25の13⑪)

(②ハに規定する(10)で定める上場株式等)

(10)　②ハに規定する(10)で定める上場株式等は、次の(一)から(十二)までに掲げる上場株式等とする。(措令25の13⑫)

(一)	居住者又は恒久的施設を有する非居住者が開設する非課税口座に設けられた非課税管理勘定に係る非課税口座内上場株式等について行われた株式又は投資信託若しくは特定受益証券発行信託の受益権の分割又は併合により取得する上場株式等で、当該株式又は投資信託若しくは特定受益証券発行信託の受益権の分割又は併合に係る上場株式等の当該非課税管理勘定への受入れを、当該非課税口座に係る振替口座簿（①に規定する振替口座簿をいう。以下(10)及び**13**において同じ。）に記載若しくは記録をし、又は当該非課税口座に保管の委託をする方法により行うもの
(二)	居住者又は恒久的施設を有する非居住者が開設する非課税口座に設けられた非課税管理勘定に係る非課税口座内上場株式等について行われた**六３**(８)(六)に規定する株式無償割当て、新株予約権無償割当て又は新投資

	口予約権無償割当てにより取得する上場株式等で、当該株式無償割当て、新株予約権無償割当て又は新投資口予約権無償割当てに係る上場株式等の当該非課税管理勘定への受入れを、当該非課税口座に係る振替口座簿に記載若しくは記録をし、又は当該非課税口座に保管の委託をする方法により行うもの
(三)	居住者又は恒久的施設を有する非居住者が開設する非課税口座に設けられた非課税管理勘定に係る非課税口座内上場株式等を発行した**二１**②(一)に規定する**六３**（８）(七)に規定する合併により取得する同(七)に規定する合併法人の株式（出資を含む。(七)を除き、以下(10)において同じ。）又は**六３**（８）(七)に規定する合併親法人株式で、当該合併法人の株式又は合併親法人株式の当該非課税管理勘定への受入れを、当該非課税口座に係る振替口座簿に記載若しくは記録をし、又は当該非課税口座に保管の委託をする方法により行うもの
(四)	居住者又は恒久的施設を有する非居住者が開設する非課税口座に設けられた非課税管理勘定に係る非課税口座内上場株式等で投資信託の受益権であるものに係る投資信託の**六３**（８）(八)に規定する併合により取得する当該併合に係る新たな投資信託の受益権で、当該併合に係る新たな投資信託の受益権の当該非課税管理勘定への受入れを、当該非課税口座に係る振替口座簿に記載若しくは記録をし、又は当該非課税口座に保管の委託をする方法により行うもの
(五)	居住者又は恒久的施設を有する非居住者が開設する非課税口座に設けられた非課税管理勘定に係る非課税口座内上場株式等を発行した**二１**②(二)に規定する法人の**六３**（８）(九)に規定する分割により取得する同(九)に規定する分割承継法人の株式又は同(九)に規定する分割承継親法人株式で、当該分割承継法人の株式又は分割承継親法人株式の当該非課税管理勘定への受入れを、当該非課税口座に係る振替口座簿に記載若しくは記録をし、又は当該非課税口座に保管の委託をする方法により行うもの
(六)	居住者又は恒久的施設を有する非居住者が開設する非課税口座に設けられた非課税管理勘定に係る非課税口座内上場株式等を発行した**二１**②(三)に規定する法人の行った**六３**（８）(九の二)に規定する株式分配により取得する同(九の二)に規定する完全子法人の株式で、当該完全子法人の株式の当該非課税管理勘定への受入れを、当該非課税口座に係る振替口座簿に記載若しくは記録をし、又は当該非課税口座に保管の委託をする方法により行うもの
(七)	居住者又は恒久的施設を有する非居住者が開設する非課税口座に設けられた非課税管理勘定に係る非課税口座内上場株式等を発行した法人の行った**六３**（８）(十)に規定する株式交換により取得する同(十)に規定する株式交換完全親法人の株式若しくは同(十)に規定する親法人の株式又は同(十)に規定する株式移転により取得する同(十)に規定する株式移転完全親法人の株式で、これらの株式の当該非課税管理勘定への受入れを、当該非課税口座に係る振替口座簿に記載若しくは記録をし、又は当該非課税口座に保管の委託をする方法により行うもの
(八)	居住者又は恒久的施設を有する非居住者が開設する非課税口座に設けられた非課税管理勘定に係る非課税口座内上場株式等である**六３**（８）(十の二)に規定する旧新株予約権等を発行した法人を同(十の二)に規定する被合併法人、分割法人、株式交換完全子法人又は株式移転完全子法人とする同(十の二)に規定する合併等により取得する同(十の二)に規定する合併法人等新株予約権等で、当該取得する合併法人等新株予約権等の当該非課税管理勘定への受入れを、当該非課税口座に係る振替口座簿に記載若しくは記録をし、又は当該非課税口座に保管の委託をする方法により行うもの
(九)	居住者又は恒久的施設を有する非居住者が開設する非課税口座に設けられた非課税管理勘定に係る非課税口座内上場株式等で**二十**（２）(一)に規定する取得請求権付株式、同（２）(二)に規定する取得条項付株式、同（２）(三)に規定する全部取得条項付種類株式又は同（２）(六)に規定する取得条項付新株予約権が付された新株予約権付社債であるものに係るこれらの規定に定める請求権の行使、取得事由の発生又は取得決議により取得する上場株式等で、当該取得する上場株式等の当該非課税管理勘定への受入れを、当該非課税口座に係る振替口座簿に記載若しくは記録をし、又は当該非課税口座に保管の委託をする方法により行うもの
(十)	居住者又は恒久的施設を有する非居住者が開設する非課税口座に設けられた非課税管理勘定に係る非課税口座内上場株式等である新株予約権付社債に付された新株予約権若しくは当該非課税口座内上場株式等について与えられた新株予約権（投資信託及び投資法人に関する法律第２条第17項に規定する新投資口予約権を含み、第六章第一節**一２**③の規定の適用があるものを除く。⑥（８）(一)において同じ。）の行使又は当該非課税口座内上場株式等について与えられた**二十**（２）(五)に規定する取得条項付新株予約権に係る同(五)に定める取得事由の発生若しくは行使により取得する上場株式等（その取得に金銭の払込みを要するものを除く。）で、当該取得する上場株式等の当該非課税管理勘定への受入れを、当該非課税口座に係る振替口座簿に記載若しくく

	は記録をし、又は当該非課税口座に保管の委託をする方法により行うもの
(十一)	居住者又は恒久的施設を有する非居住者が開設する非課税口座に設けられた２以上の非課税管理勘定、累積投資勘定、特定累積投資勘定又は特定非課税管理勘定（当該２以上の非課税管理勘定、累積投資勘定、特定累積投資勘定又は特定非課税管理勘定が同一の非課税口座に設けられている場合の当該２以上の非課税管理勘定、累積投資勘定、特定累積投資勘定又は特定非課税管理勘定に限る。以下(十一)において同じ。）に係る同一銘柄の非課税口座内上場株式等（当該２以上の特定累積投資勘定又は特定非課税管理勘定のみに係る同一銘柄のものを除く。）について生じた(一)から(十)までに規定する事由により取得する当該(一)から(十)までに規定する上場株式等（当該(一)から(十)までの規定により非課税管理勘定、累積投資勘定、特定累積投資勘定又は特定非課税管理勘定に受け入れることができるものを除く。）で、当該２以上の非課税管理勘定、累積投資勘定、特定累積投資勘定又は特定非課税管理勘定のうち最も新しい年に設けられた非課税管理勘定又は累積投資勘定への受入れを、当該非課税口座に係る振替口座簿に記載若しくは記録をし、又は当該非課税口座に保管の委託をする方法により行うもの
(十二)	(一)から(十一)までに掲げるもののほか財務省令で定める上場株式等

(注)　改正後の(10)（(十)に係る部分に限り、⑥(10)において準用する場合を含む。）の規定は、令和６年４月１日以後に同号（⑥(10)において準用する場合を含む。以下において同じ。）に規定する行使又は取得事由の発生により取得する同(十)号に掲げる上場株式等について適用され、同日前に改正前の(10)(十)（⑥(10)において準用する場合を含む。以下において同じ。）に規定する行使又は取得事由の発生により取得する同(十)に掲げる上場株式等については、なお従前の例による。（令６改措令附８）

（取得した上場株式等で非課税管理勘定等に受け入れなかったものがある場合の取扱い）

(11)　(10)(一)から(十二)までに規定する事由により取得した上場株式等で当該(一)から(十二)までに規定する非課税管理勘定又は累積投資勘定に受け入れなかったものがある場合には、当該上場株式等については、当該事由が生じた時に当該非課税管理勘定又は累積投資勘定に受け入れたものと、その受入れ後直ちに当該非課税管理勘定又は累積投資勘定が設けられた非課税口座から**1**④(一)に規定する他の保管口座への移管があったものとそれぞれみなして、**1**①から同④までの規定及び(５)の規定を適用する。（措令25の13⑬）

（購入の範囲）

(12)　②イに規定する「購入」とは、②イ(１)又は④イ若しくは⑥イ若しくはハの規定による金融商品取引業者等への買付けの委託（当該買付けの委託の媒介、取次ぎ又は代理を含む。）による購入又は金融商品取引業者等からの購入に限られることに留意する。（措通37の14－６）

（払込みの範囲）

(13)　②イに規定する「払込み」とは、②イ(１)若しくは④イ若しくは⑥イ若しくはハの規定による上場株式等について金融商品取引業者等が行う金融商品取引法第２条第３項に規定する有価証券の募集に応じて行う払込み又は⑥ハの規定による上場株式等について⑥(８)(一)から同(四)までに掲げる行使若しくは取得事由の発生に伴って行う同(８)に規定する金銭の払込みに限られるため、例えば、第四章第五節**四１**本文の規定を受けて取得した同**1**に規定する特定新株予約権に係る上場株式等は、非課税管理勘定及び特定非課税管理勘定に受け入れることができないことに留意する。（措通37の14－７）

（取得対価の額）

(14)　②イに規定する「取得対価の額」（以下**十六**において「取得対価の額」という。）とは、次のとおりであることに留意する。（措通37の14－８）

(一)　購入した上場株式等については、その購入の代価の額をいい、当該購入に係る委託手数料等の額を含まない。

(二)　払込みにより取得をした上場株式等については、その払い込んだ金額をいい、当該払込みによる取得のために要した費用の額を含まない。

(三)　②イ(２)の移管により受け入れた上場株式等については、**1**④に規定する払出し時の金額をいう。

（非課税口座内上場株式等の取得に要した費用等の取扱い）

(15)　(14)において取得対価の額に含まない委託手数料その他の取得のために要した額は、非課税口座内上場株式等を非課税口座から払出しがあった後に譲渡（**三１**②又は③において上場株式等に係る譲渡所得等の収入金額とみなされるものを含む。）した場合であっても、当該譲渡による上場株式等に係る譲渡所得等の金額の計算上控除する売上原価の額又は取得費の額に算入できないことに留意する。（措通37の14－９）

（非課税管理勘定等に受入れ可能な上場株式等の取得対価の額の合計額の判定）

(16)　非課税管理勘定等に受入れ可能な上場株式等の取得対価の額の合計額の判定は、次のとおり行うことに留意する。（措通37の14－10）

(一)　②イ（１）の規定により非課税管理勘定へ受入れ可能な上場株式等は、受入期間内に受け入れた上場株式等の取得対価の額の合計額が120万円（②ロに掲げる上場株式等がある場合には、当該上場株式等の移管に係る払出し時の金額（**１**④に規定する払出し時の金額をいう。(19)及び(20)において同じ。）を控除した金額。以下(16)において同じ。）を超えないものに限られるのであるが、非課税管理勘定に受け入れられるかどうかの判定は、取引単位により行うこと。

（注）　④イ又は⑥イ若しくはハの規定により累積投資勘定、特定累積投資勘定又は特定非課税管理勘定に受け入れられるかどうかの判定についても同様に取引単位により行う。

(二)　②イ（２）の規定により非課税管理勘定を設けた非課税口座に係る他の年分の非課税管理勘定又は未成年者非課税管理勘定から移管可能な上場株式等は、受入期間内に受け入れた上場株式等の取得対価の額の合計額が120万円を超えないものに限られるのであるが、他の年分の非課税管理勘定又は未成年者非課税管理勘定からの移管により受け入れられるかどうかの判定は、一株（口）単位又は持分の割合により行うこと。

（外貨で表示されている上場株式等に係る取得の対価の額等の邦貨換算）

(17)　非課税口座内上場株式等の取得の対価の額が外貨で表示され当該対価の額を邦貨又は外貨で支払うこととされている場合の邦貨換算については、**四**（６）に準じて取り扱うこととする。ただし、当該非課税口座内上場株式等について**１**④(一)から同(三)に掲げる事由が生じたとき又は②イ（２）若しくはロの移管がされたときの**１**④又は②イに規定する払出し時の金額は、次により邦貨に換算した金額を当該払出し時の金額として取り扱って差し支えない。（措通37の14－11）

(一)　**１**④に規定する払出し時の金額 居住者等が非課税上場株式等管理契約、非課税累積投資契約又は特定非課税累積投資契約を締結した金融商品取引業者等の主要取引金融機関（当該金融商品取引業者等がその外貨に係る対顧客直物電信売相場を公表している場合には、当該金融商品取引業者等）の当該外貨に係る対顧客直物電信売相場により邦貨に換算した金額

(二)　②イに規定する払出し時の金額 居住者等が非課税上場株式等管理契約を締結した金融商品取引業者等の主要取引金融機関（当該金融商品取引業者等がその外貨に係る対顧客直物電信買相場を公表している場合には、当該金融商品取引業者等）の当該外貨に係る対顧客直物電信買相場により邦貨に換算した金額

（他年分非課税管理勘定からの移管の範囲）

(18)　②イ（２）又はロの移管については、その金融商品取引業者等に開設された非課税口座に設けられた非課税管理勘定から、同一の非課税口座に設けられた他の年分の非課税管理勘定への移管又は未成年者非課税管理勘定から、同一の金融商品取引業者等の営業所に開設された非課税口座に設けられた非課税管理勘定への移管に限られることに留意する。したがって、他の金融商品取引業者等に開設された非課税口座に設けられた非課税管理勘定には移管することはできず、また、他の金融商品取引業者等に開設された未成年者口座に設けられた未成年者非課税管理勘定から移管することはできない。（措通37の14－12）

（注）　②イ（２）又はロの移管は、非課税口座を開設している居住者等が、当該非課税口座が開設されている金融商品取引業者等の営業所の長に対し、②（７）(一)から同(五)に掲げる事項を記載した同（７）(一)に規定する非課税口座内上場株式等移管依頼書の同(一)に規定する提出をした場合又は未成年者非課税管理勘定を設けた未成年者口座を開設している居住者等が、当該未成年者口座が開設されている金融商品取引業者等の営業所の長に対し、同（８）(一)から同(五)に掲げる事項を記載した同（８）(一)に規定する未成年者口座非課税口座間移管依頼書の同(一)に規定する提出をした場合に限り移管されることに留意する。

（他年分非課税管理勘定が設けられた日の属する年の１月１日から５年を経過する日以前等に移管される上場株式等）

(19)　非課税管理勘定に係る上場株式等のうち、払出し時の金額の合計額が120万円を超えるものを移管により受け入れることができるのは、他年分非課税管理勘定（当該非課税管理勘定を設けた非課税口座に係る他の年分の非課税管理勘定又は当該非課税口座を開設している金融商品取引業者等の営業所に開設された未成年者口座に設けられた未成年者非課税管理勘定をいう。以下(19)において同じ。）から、当該他年分非課税管理勘定が設けられた日の属する年の１

月１日から５年を経過した日に設けられる非課税管理勘定に移管がされる上場株式等で、当該非課税管理勘定が設けられる日に移管されるものであることから、当該他年分非課税管理勘定が設けられた日の属する年の１月１日から５年を経過する日以前に移管される場合には、払出し時の金額の合計額が120万円を超えるものを移管することはできないことに留意する。（措通37の14－12の２）

（注）この場合に非課税管理勘定に受け入れられるかどうかの判定は、(16)によることに留意する。

（一株（口）に満たない端数の処理）

(20)　居住者等が開設する同一の非課税口座に設けられた２以上の非課税管理勘定等に係る同一銘柄の非課税口座内上場株式等について生ずる②(10)(一)から同(十)までに規定する事由により取得する上場株式等のうち、当該２以上の非課税管理勘定等の同一銘柄の非課税口座内上場株式等の数に応じて取得する当該上場株式等の数に一株（口）に満たない端数が生ずる場合で、当該一株（口）に満たない端数を合計することにより一株（口）になる上場株式等については、次に掲げる場合の区分に応じ、次に定める非課税管理勘定等に受け入れることができることに留意する。

なお、②(10)(一)から同(十一)までの規定による非課税管理勘定等への受入れを行うことができない一株（口）に満たない端数については、当該事由が生じた時に当該非課税管理勘定等に受け入れられたものと、その受入れ後直ちに当該非課税管理勘定等が設けられた非課税口座から**1**④(一)に規定する他の保管口座への移管があったものとみなして、同条第１項及び第２項の規定の適用があることに留意する。この場合において、当該一株（口）に満たない端数に応じて、会社法等の規定により金銭の交付を受けたときは、払出し時の金額と当該金銭の額との差については、**三**の規定その他所得税に関する法令の規定の適用があることに留意する。（措通37の14－13）

(一)　当該同一銘柄の非課税口座内上場株式等が２以上の特定非課税管理勘定のみに係るものの場合　最も新しい年に設けられた特定非課税管理勘定

(二)　当該同一銘柄の非課税口座内上場株式等が２以上の特定累積投資勘定又は特定非課税管理勘定のみに係るものの場合（上記(一)の場合を除く。）　最も新しい年に設けられた特定累積投資勘定

(三)　当該同一銘柄の非課税口座内上場株式等が２以上の非課税管理勘定等に係るものの場合（上記(一)及び(二)の場合を除く。）　最も新しい年に設けられた非課税管理勘定又は累積投資勘定

（継続適用期間中に非課税管理勘定等に受け入れることができない上場株式等）

(21)　②に規定する継続適用届出書提出者（**6**⑤（１）において「継続適用届出書提出者」という。）は、継続適用期間（**6**に規定する出国（**6**①（３）において「出国」という。）をした日からその者に係る**6**③に規定する帰国届出書の同項に規定する提出があった日までの間をいう。以下(21)において同じ。）中において取得をした⑥イ、（１）(一)及び同(二)、④（２）又は⑥（１）(一)に規定する上場株式等を、非課税管理勘定等に受け入れることができないことに留意する。（措通37の14－22）

（注）②ハ、④ロ又は⑥ロ若しくはニに掲げる上場株式等は、継続適用期間中に取得をしたものであっても非課税管理勘定等に受け入れることができる。

③　非課税管理勘定

非課税上場株式等管理契約に基づき振替口座簿への記載若しくは記録又は保管の委託がされる上場株式等につき当該記載若しくは記録又は保管の委託に関する記録を他の取引に関する記録と区分して行うための勘定で、次のイ及びロに掲げる要件を満たすものをいう。（措法37の14⑤三）

イ	当該勘定は、平成26年１月１日から令和５年12月31日までの期間内の各年（累積投資勘定が設けられる年を除く。ロにおいて「**勘定設定期間内の各年**」という。）においてのみ設けられること。
ロ	当該勘定は、勘定設定期間内の各年の１月１日（非課税口座開設届出書（勘定廃止通知書又は非課税口座廃止通知書が添付されたものを除く。⑤ロにおいて同じ。）の①に規定する提出又は（１）で定める書類の提出が年の中途においてされた場合におけるこれらの提出がされた日の属する年にあってはこれらの提出の日とし、勘定廃止通知書又は非課税口座廃止通知書が提出された場合にあっては**5**⑥の規定により同⑥の所轄税務署長から⑥(一)に定める事項の提供があった日（その勘定を設定しようとする年の１月１日前に当該事項の提供があった場合には、同日）とする。）において設けられること。

（③ロ及び⑤ロに規定する（１）で定める書類）

（１）　③ロ及び⑤ロに規定する（１）で定める書類は、**7**②（２）の非課税口座異動届出書とする。（措令25の13⑭）

④　**非課税累積投資契約**

第四章第二節**五４**（(二)に係る部分に限る。）の規定並びに**１**①（(二)に係る部分に限る。）及び**１**②から④の規定の適用を受けるために**１**①の居住者又は恒久的施設を有する非居住者が金融商品取引業者等と締結した累積投資契約（当該居住者又は恒久的施設を有する非居住者が、一定額の同(二)イ又はロに掲げる上場株式等につき、定期的に継続して、当該金融商品取引業者等に買付けの委託をし、当該金融商品取引業者等から取得し、又は当該金融商品取引業者等が行う募集により取得することを約する契約で、あらかじめその買付けの委託又は取得をする上場株式等の銘柄が定められているものをいう。⑥において同じ。）により取得した上場株式等の振替口座簿への記載若しくは記録又は保管の委託に係る契約で、その契約書において、上場株式等の振替口座簿への記載若しくは記録又は保管の委託は、当該記載若しくは記録又は保管の委託に係る口座に設けられた累積投資勘定において行うこと、当該累積投資勘定においては当該居住者又は恒久的施設を有する非居住者の**１**①(二)イ及びロに掲げる上場株式等（当該上場株式等を定期的に継続して取得することにより個人の財産形成が促進されるものとして(１)で定める要件を満たすもの（以下⑥までにおいて「**累積投資上場株式等**」という。）に限り、継続適用届出書提出者が出国をした日からその者に係る帰国届出書の提出があった日までの間に取得をしたものその他の(２)で定めるものを除く。）のうち次のイからハまでに掲げるもののみを受け入れること、当該金融商品取引業者等は、(３)で定めるところにより基準経過日（当該口座に初めて累積投資勘定を設けた日から10年を経過した日及び同日の翌日以後５年を経過した日ごとの日をいう。）における当該居住者又は恒久的施設を有する非居住者の住所その他の(７)で定める事項を確認することとされていること、当該累積投資勘定において振替口座簿への記載若しくは記録又は保管の委託がされている累積投資上場株式等の譲渡は当該金融商品取引業者等への売委託による方法、当該金融商品取引業者等に対してする方法その他(８)で定める方法によりすること、当該累積投資勘定が設けられた日の属する年の１月１日から20年を経過した日において当該累積投資勘定に係る累積投資上場株式等は当該累積投資勘定が設けられた口座から、(９)で定めるところにより他の保管口座に移管されることその他(11)で定める事項が定められているものをいう。（措法37の14⑤四）

イ	当該口座に累積投資勘定が設けられた日から同日の属する年の12月31日までの期間（イにおいて「**受入期間**」という。）内に当該金融商品取引業者等への買付けの委託により取得をした累積投資上場株式等、当該金融商品取引業者等から取得をした累積投資上場株式等又は当該金融商品取引業者等が行う累積投資上場株式等の募集により取得をした累積投資上場株式等のうち、その取得後直ちに当該口座に受け入れられるもので当該受入期間内に受け入れた累積投資上場株式等の取得対価の額の合計額が40万円を超えないもの
ロ	イに掲げるもののほか(12)で定める累積投資上場株式等

（④に規定する(１)で定める要件）

(１)　④に規定する(１)で定める要件は、**１**①(二)イ及びロに掲げる上場株式等で公社債投資信託以外の証券投資信託の受益権であるものの投資信託及び投資法人に関する法律第４条第１項に規定する委託者指図型投資信託約款（当該証券投資信託が外国投資信託（同法第２条第24項に規定する外国投資信託をいう。以下(１)及び⑥(１)(三)ロにおいて同じ。）である場合には、当該委託者指図型投資信託約款に類するもの）に次の定めがあることその他内閣総理大臣が財務大臣と協議して定める要件とする。（措令25の13⑮）

(一)	信託契約期間を定めないこと又は20年以上の信託契約期間が定められていること。
(二)	信託財産は、安定した収益の確保及び効率的な運用を行うためのものとして内閣総理大臣が財務大臣と協議して定める目的により投資する場合を除き、法人税法第61条の５第１項に規定するデリバティブ取引に係る権利に対する投資として運用を行わないこととされていること。
(三)	収益の分配は、１月以下の期間ごとに行わないこととされており、かつ、信託の計算期間（当該証券投資信託が外国投資信託である場合には、収益の分配に係る計算期間）ごとに行うこととされていること。

(注)　内閣総理大臣は、(１)の規定により要件を定め、(１)(二)の規定により目的を定め、⑥(１)(三)イの規定により上場株式等を定め、又は同(三)ロの規定により事項を定めたときは、これを告示する。（措令25の13㊹）

（④に規定する(２)で定める上場株式等）

(２)　④に規定する(２)で定める上場株式等は、継続適用届出書提出者が出国をした日からその者に係る帰国届出書の提出があった日までの間に取得をした上場株式等であって④イに掲げるものとする。（措令25の13⑯）

（非課税口座開設届出書に記載された氏名及び住所の確認）

(3)　④の口座が開設されている金融商品取引業者等の営業所の長は、当該口座を開設している居住者又は恒久的施設を有する非居住者から①(1)に規定する提出を受けた当該口座に係る非課税口座開設届出書に記載された氏名及び住所（国内に住所を有しない者にあっては、**3**③に規定する(4)で定める場所。以下**3**まで及び**7**において同じ。）（当該非課税口座開設届出書の①(1)に規定する提出後、当該氏名又は住所の変更に係る**7**①後段に規定する非課税口座異動届出書（以下(3)及び④(9)(二)ロにおいて「非課税口座異動届出書」という。）の提出（**7**①に規定する提出をいう。④(9)(二)ロにおいて同じ。）があった場合には、当該非課税口座異動届出書（2以上の非課税口座異動届出書の**7**①に規定する提出があった場合には、最後に同①に規定する提出がされた非課税口座異動届出書）に記載又は記録がされた変更後の氏名及び住所。④(9)(二)イにおいて「届出住所等」という。）が、次の(一)及び(二)に掲げる場合の区分に応じ当該(一)及び(二)に定める事項と同じであることを、④に規定する基準経過日（以下(3)及び(5)において「基準経過日」という。）から1年を経過する日までの間（以下(3)及び④(9)(二)において「確認期間」という。）に確認しなければならない。ただし、当該確認期間内に当該居住者又は恒久的施設を有する非居住者から、**7**①の定めるところによりその者に係る非課税口座異動届出書の同①に規定する提出を受けた場合及び当該居住者又は恒久的施設を有する非居住者で**6**①の規定による同①(一)に規定する継続適用届出書（**7**⑤において「継続適用届出書」という。）の提出をしたものから、その者が出国をした日から当該1年を経過する日までの間にその者に係る帰国届出書の提出を受けなかった場合は、この限りでない。（措令25の13⑰）

(一)	当該金融商品取引業者等の営業所の長が、当該居住者又は恒久的施設を有する非居住者からその者の住所等確認書類（住民票の写しその他の(4)で定める書類をいう。以下(一)において同じ。）の提示又はその者の署名用電子証明書等（**六4**に規定する署名用電子証明書その他の同**4**に規定する電磁的記録であって(5)で定めるものをいう。以下(一)において同じ。）の送信を受けて、当該基準経過日における氏名及び住所の告知を受けた場合　　当該住所等確認書類又は署名用電子証明書等に記載又は記録がされた当該基準経過日における氏名及び住所
(二)	当該金融商品取引業者等の営業所の長が、当該居住者又は恒久的施設を有する非居住者に(4)で定めるところにより書類を送付し、当該居住者又は恒久的施設を有する非居住者から当該書類（当該居住者又は恒久的施設を有する非居住者が当該基準経過日における氏名及び住所その他の事項を記載した書類に限る。）の提出を受けた場合　　当該居住者又は恒久的施設を有する非居住者が当該書類に記載した当該基準経過日における氏名及び住所

（(3)(一)に規定する(4)で定める書類）

(4)　(3)(一)に規定する(4)で定める書類は、次に掲げる書類（当該居住者又は恒久的施設を有する非居住者の氏名及び住所の記載のあるものに限る。）とする。（措規18の15の3⑥）

(一)	**六4**(2)(注)2(一)から同(九)に掲げる書類
(二)	戸籍の附票の写し
(三)	国税若しくは地方税の領収証書、納税証明書又は社会保険料（第八章**三2**に規定する社会保険料をいう。）の領収証書（領収日付又は発行年月日の記載のあるもので、その日が金融商品取引業者等の営業所の長に提示する日前6月以内のものに限る。）

（(3)(一)に規定する(5)で定めるもの）

(5)　(3)(一)に規定する(5)で定めるものは、所得税法施行規則第81条の6第7項第2号イに掲げる署名用電子証明書及び同号ロに掲げる情報が記録された電磁的記録とする。（措規18の15の3⑦）

（財務省令で定めるところによる書類の送付）

(6)　(3)（⑥(2)において準用する場合を含む。以下(6)において同じ。）の金融商品取引業者等の営業所の長が(3)の口座を開設している居住者又は恒久的施設を有する非居住者に(3)(二)の書類を送付する場合には、当該金融商品取引業者等の営業所の長は、当該居住者又は恒久的施設を有する非居住者の(3)に規定する届出住所等に係る住所に宛てて、郵便又はこれに準ずるものにより、転送不要郵便物等（その取扱いにおいて転送をしない郵便物又はこれに準ずるものをいう。）として当該書類を送付するものとする。（措規18の15の3⑧）

（④に規定する住所その他の（7）で定める事項）

（7）　④に規定する住所その他の（7）で定める事項は、④の居住者又は恒久的施設を有する非居住者の基準経過日における氏名及び住所とする。（措令25の13⑱）

（④に規定する（8）で定める方法）

（8）　④に規定する（8）で定める方法は、**三1**③の規定によりその金額が同③に規定する上場株式等に係る譲渡所得等に係る収入金額とみなされる同③（一）に規定する事由により交付される金銭及び金銭以外の資産が、非課税口座を開設する金融商品取引業者等の営業所を経由して交付される方法とする。（措令25の13⑲）

（④の累積投資勘定に係る上場株式等の移管）

（9）　②（3）の規定は、④の累積投資勘定に係る上場株式等の移管について準用する。この場合において、②（3）中「②」とあるのは「④」と、「非課税管理勘定」とあるのは「累積投資勘定」と、「係る上場株式等」とあるのは「係る同④に規定する累積投資上場株式等」と、「5年」とあるのは「20年」と、「同④ロの移管がされるものを除き、次に」とあるのは「次に」と読み替えるものとする。（措令25の13⑳）

（（9）において準用する②（3）に規定する（10）で定める事項）

（10）　②（4）の規定は、（9）において準用する②（3）に規定する（10）で定める事項について準用する。この場合において、②（4）（三）中「非課税管理勘定」とあるのは「累積投資勘定」と、「③」とあるのは「⑤」と読み替えるものとする。（措規18の15の3⑨）

（④に規定する移管されることその他（11）で定める事項）

（11）　④に規定する移管されることその他（11）で定める事項は、次の（一）及び（二）に掲げる事項とする。（措令25の13㉑）

（一）	**1**④（一）から（三）までに掲げる事由により、累積投資勘定からの非課税口座内上場株式等の全部又は一部の払出し（振替によるものを含むものとし、（12）において準用する②（10）（一）、同（四）及び同（十一）に規定する事由に係るもの並びに特定口座への移管に係るものを除く。以下（11）において同じ。）があった場合には、当該累積投資勘定が設けられている④の口座が開設され、又は開設されていた金融商品取引業者等は、当該口座を開設し、又は開設していた居住者又は恒久的施設を有する非居住者（相続又は遺贈による払出しがあった場合には、当該相続又は遺贈により当該口座に係る非課税口座内上場株式等であった上場株式等を取得した者）に対し、その払出しがあった非課税口座内上場株式等の**1**④に規定する払出し時の金額及び数、その払出しに係る同④（一）から（三）までに掲げる事由及びその事由が生じた日その他参考となるべき事項を通知すること。
（二）	④の口座が開設されている金融商品取引業者等の営業所の長は、当該口座を開設している居住者又は恒久的施設を有する非居住者について、確認期間内に（3）本文の規定による確認をしなかった場合（（3）ただし書の規定の適用がある場合を除く。）には、当該確認期間の終了の日の翌日以後、当該口座に係る累積投資勘定に④イに掲げる上場株式等を受け入れないこと。ただし、同日以後に、次のイ及びロに掲げる場合に該当することとなった場合には、その該当することとなった日以後は、この限りでない。 イ　当該金融商品取引業者等の営業所の長が、当該居住者又は恒久的施設を有する非居住者の届出住所等につき、（3）（一）及び（二）に掲げる場合の区分に応じ（3）（一）及び（二）に定める氏名及び住所と同じであることを確認した場合 ロ　当該金融商品取引業者等の営業所の長が、当該居住者又は恒久的施設を有する非居住者から、**7**①の定めるところによりその者に係る非課税口座異動届出書の提出を受けた場合

（④ハに規定する（12）で定める累積投資上場株式等）

（12）　②（10）（（一）、（四）及び（十一）に係る部分に限る。）の規定は④ロに規定する（12）で定める累積投資上場株式等（④に規定する累積投資上場株式等をいう。以下（12）において同じ。）について、②（11）の規定は②（10）（一）、同（四）又は同（十一）に規定する事由により取得した累積投資上場株式等で累積投資勘定に受け入れなかったものがある場合について、それぞれ準用する。この場合において、同（一）及び同（四）中「非課税管理勘定」とあるのは「累積投資勘定」と、②（11）中「（5）」とあるのは「④（11）（一）」と読み替えるものとする。（措令25の13㉒）

⑤　**累積投資勘定**

非課税累積投資契約に基づき振替口座簿への記載若しくは記録又は保管の委託がされる累積投資上場株式等につき当該記載若しくは記録又は保管の委託に関する記録を他の取引に関する記録と区分して行うための勘定で、次のイ及びロに掲げる要件を満たすものをいう。(措法37の14⑤五)

イ	当該勘定は、平成30年１月１日から令和５年12月31日までの期間内の各年（非課税管理勘定が設けられる年を除く。ロにおいて「**勘定設定期間内の各年**」という。）においてのみ設けられること。
ロ	当該勘定は、勘定設定期間内の各年の１月１日（非課税口座開設届出書の①に規定する提出又は③(１)で定める書類の提出が年の中途においてされた場合におけるこれらの提出がされた日の属する年にあってはこれらの提出の日とし、勘定廃止通知書又は非課税口座廃止通知書が提出された場合にあっては(９)の規定により(９)の所轄税務署長から(９)(一)に定める事項の提供があった日（その勘定を設定しようとする年の１月１日前に当該事項の提供があった場合には、同日）とする。）において設けられること。

⑥　**特定非課税累積投資契約**

第四章第二節**五４**（(三)及び(四)に係る部分に限る。）の規定並びに**1**①（(三)及び(四)に係る部分に限る。）及び**1**②から④の規定の適用を受けるために**1**①の居住者又は恒久的施設を有する非居住者が金融商品取引業者等と締結した上場株式等の振替口座簿への記載若しくは記録又は保管の委託に係る契約で、その契約書において、上場株式等の振替口座簿への記載若しくは記録又は保管の委託は、当該記載若しくは記録又は保管の委託に係る口座に設けられた特定累積投資勘定又は特定非課税管理勘定において行うこと、当該特定累積投資勘定においては当該居住式又は恒久的施設を有する非居住者の**1**①(三)に掲げる上場株式等（累積投資上場株式に限り、継続適用届出書提出者が出国をした日からその者に係る帰国届出書の提出があった日までの間に取得した上場株式等であってイに掲げるものを除く。以下⑥及び⑦において「**特定累積投資上場株式等**」という。）のうちイ及びロに掲げるもの（イに掲げるものにあっては、累積投資契約により取得したものに限る。）のみを受け入れること、当該特定非課税管理勘定においては当該居住者又は恒久的施設を有する非居住者の**1**①(四)に掲げる上場株式等（継続適用届出書提出者が出国をした日からその者に係る帰国届出書の提出があった日までの間に取得をしたもの、第四章第五節**四１イ**①本文の規定の適用を受けて取得をしたもの、その上場株式等が上場されている金融商品取引法第２条第16項に規定する金融商品取引所の定める規則に基づき、当該金融商品取引所への上場を廃止することが決定された銘柄又は上場を廃止するおそれがある銘柄として指定されているものその他の(１)で定めるものを除く。）のうちハ及びニに掲げるもののみを受け入れること、当該金融商品取引業者等は、(２)で定めるところにより基準経過日（当該口座に初めて特定累積投資勘定を設けた日から10年を経過した日及び同日の翌日以後５年を経過した日ごとの日をいう。）における当該居住者又は恒久的施設を有する非居住者の住所その他の(２)で定める事項を確認することとされていること、当該特定累積投資勘定又は特定非課税管理勘定において振替口座簿への記載若しくは記録又は保管の委託がされている上場株式等の譲渡は当該金融商品取引業者等への売委託による方法、当該金融商品取引業者等に対してする方法その他②(２)で定める方法によりすることその他(３)で定める事項が定められているものをいう。(措法37の14⑤六)

イ	当該口座に特定累積投資勘定が設けられた日から同日の属する年の12月31日までの期間（イにおいて「**受入期間**」という。）内に当該金融商品取引業者等への買付けの委託により取得をした特定累積投資上場株式等、当該金融商品取引業者等から取得をした特定累積投資上場株式等又は当該金融商品取引業者等が行う特定累積投資上場株式等の募集により取得をした特定累積投資上場株式等のうち、その取得後直ちに当該口座に受け入れられるもので当該受入期間内に受け入れた特定累積投資上場株式等の取得対価の額の合計額が120万円を超えないもの（特定累積投資上場株式等を当該口座に受け入れた場合に、当該合計額、同年において当該口座に受け入れているハの上場株式等の取得対価の額の合計額及び特定累積投資勘定基準額（同年の前年12月31日に当該居住者又は恒久的施設を有する非居住者が特定累積投資勘定及び特定非課税管理勘定に受け入れている上場株式等の購入の代価の額に相当する金額として(４)で定める金額をいう。ハ(２)及び(７)において同じ。）の合計額が1,800万円を超えることとなるときにおける当該特定累積投資上場株式等を除く。）
ロ	イに掲げるもののほか(７)で定める特定累積投資上場株式等
ハ	当該口座に特定非課税管理勘定が設けられた日から同日の属する年の12月31日までの期間（ハにおいて「受入期間」という。）内に当該金融商品取引業者等への買付けの委託により取得をした上場株式等、当該金融商品取引業者等から取得をした上場株式等、当該金融商品取引業者等が行う上場株式等の募集により取得をした上場株式等又は当該口座に係る振替口座簿に記載若しくは記録がされ、若しくは当該口座に保管の委託がされている上場株式等につ

	いて与えられた新株予約権の行使により取得をした上場株式等その他の（８）で定めるもののうち、その取得後直ちに当該口座に受け入れられるもので当該受入期間内に受け入れた上場株式等の取得対価の額の合計額が240万円を超えないもの（上場株式等を当該口座に受け入れた場合において、次の⑴又は⑵に掲げる場合に該当することとなるときにおける当該上場株式等を除く。） ⑴　当該合計額及び特定非課税管理勘定基準額（当該属する年の前年12月31日に当該居住者又は恒久的施設を有する非居住者が特定非課税管理勘定に受け入れている上場株式等の購入の代価の額に相当する金額として（９）で定める金額をいう。（７）において同じ。）の合計額が1,200万円を超える場合 ⑵　当該受入期間内に受け入れた上場株式等の取得対価の額の合計額、当該受入期間に係る特定非課税管理勘定が設けられた日の属する年において当該口座に受け入れているイの特定累積投資上場株式等の取得対価の額の合計額及び特定累積投資勘定基準額の合計額が1,800万円を超える場合
ニ	ハに掲げるもののほか（10）で定める上場株式等

（注）　改正後の⑥（（六）ハに係る部分に限る。）の規定は、令和６年４月１日以後に取得をする**１**①（一）に規定する上場株式等について適用され、同日前に取得をした当該上場株式等については、なお従前の例による。（令６改所法等附33①）

（⑥に規定する（１）で定める上場株式等）

（１）　⑥に規定する（１）で定める上場株式等は、次の（一）から（三）までに掲げる上場株式等とする。（措令25の13㉓）

（一）	継続適用届出書提出者が出国をした日からその者に係る帰国届出書の提出があった日までの間に取得をした上場株式等であって⑥ハに掲げるもの
（二）	第四章第五節**四１**①本文の規定の適用を受けて取得をした同①に規定する特定新株予約権に係る上場株式等
（三）	⑥ハに掲げる上場株式等で次のいずれかに該当するもの イ　その上場株式等が上場されている金融商品取引法第２条第16項に規定する金融商品取引所の定める規則に基づき、当該金融商品取引所への上場を廃止することが決定された銘柄又は上場を廃止するおそれがある銘柄として指定されているものその他の内閣総理大臣が財務大臣と協議して定めるもの ロ　公社債投資信託以外の証券投資信託の受益権、投資信託及び投資法人に関する法律第２条第14項に規定する投資口（ロにおいて「投資口」という。）又は特定受益証券発行信託の受益権で、同法第４条第１項に規定する委託者指図型投資信託約款（当該証券投資信託が外国投資信託である場合には、当該委託者指図型投資信託約款に類するもの。ハにおいて「委託者指図型投資信託約款」という。）、同法第67条第１項に規定する規約（当該投資口が同法第２条第25項に規定する外国投資法人の社員の地位である場合には、当該規約に類するもの）又は信託法第３条第１号に規定する信託契約において法人税法第61条の５第１項に規定するデリバティブ取引に係る権利に対する投資（④（１）（二）に規定する目的によるものを除く。）として運用を行うこととされていることその他の内閣総理大臣が財務大臣と協議して定める事項が定められているもの ハ　公社債投資信託以外の証券投資信託の受益権で委託者指図型投資信託約款に④（１）（一）及び同（三）の定めがあるもの以外のもの

（⑥の規定による確認について（２）で定める事項）

（２）　④（３）の規定は⑥の金融商品取引業者等の⑥の規定による確認について、④（７）の規定は⑥に規定する住所その他の（２）で定める事項について、それぞれ準用する。この場合において、④（３）中「④」とあるのは、「⑥」と読み替えるものとする。（措令25の13㉔）

（⑥に規定するその他（３）で定める事項）

（３）　⑥に規定するその他（３）で定める事項は、次の（一）から（三）までに掲げる事項とする。（措令25の13㉕）

（一）	**１**④（一）から（三）までに掲げる事由により、特定累積投資勘定からの非課税口座内上場株式等の全部又は一部の払出し（振替によるものを含むものとし、（７）において準用する②（10）（一）、同（四）及び同（十一）に規定する事由に係るもの並びに特定口座への移管に係るものを除く。以下（一）において同じ。）があった場合には、当該特定累積投資勘定が設けられている⑥の口座を開設され、又は開設されていた金融商品取引業者等は、当該口座を開設し、又は開設していた居住者又は恒久的施設を有する非居住者（相続又は遺贈による払出しがあった場合には、当該相続又は遺贈により当該口座に係る非課税口座内上場株式等であった上場株式等を取得し

	た者）に対し、その払出しがあった非課税口座内上場株式等の1④に規定する払出し時の金額及び数、その払出しに係る同④(一)から(三)までに掲げる事由及びその事由が生じた日その他参考となるべき事項を通知すること。
(二)	1④(一)から(三)までに掲げる事由により、特定非課税管理勘定からの非課税口座内上場株式等の全部又は一部の払出し（振替によるものを含むものとし、(10)において準用する②(10)(一)から(十二)までに規定する事由に係るもの及び特定口座への移管に係るものを除く。以下(二)において同じ。）があった場合には、当該特定非課税管理勘定が設けられている⑥の口座を開設され、又は開設されていた金融商品取引業者等は、当該口座を開設し、又は開設していた居住者又は恒久的施設を有する非居住者（相続又は遺贈による払出しがあった場合には、当該相続又は遺贈により当該口座に係る非課税口座内上場株式等であった上場株式等を取得した者）に対し、その払出しがあった非課税口座内上場株式等の1④に規定する払出し時の金額及び数、その払出しに係る同④(一)から(三)までに掲げる事由及びその事由が生じた日その他参考となるべき事項を通知すること。
(三)	⑥の口座が開設されている金融商品取引業者等の営業所の長は、当該口座を開設している居住者又は恒久的施設を有する非居住者について、(2)において準用する④(3)に規定する確認期間（以下(三)において「確認期間」という。）内に同(3)本文の規定による確認をしなかった場合（同(3)ただし書の規定の適用がある場合を除く。）には、当該確認期間の終了の日の翌日以後、当該口座に係る特定累積投資勘定及び特定非課税管理勘定に⑥イ及びハに掲げる上場株式等を受け入れないこと。ただし、同日以後に、次に掲げる場合に該当することとなった場合には、その該当することとなった日以後は、この限りでない。 イ　当該金融商品取引業者等の営業所の長が、当該居住者又は恒久的施設を有する非居住者の(2)において準用する④(3)に規定する届出住所等につき、同(3)(一)及び同(二)に掲げる場合の区分に応じ同(3)(一)及び同(二)に定める氏名及び住所と同じであることを確認した場合 ロ　当該金融商品取引業者等の営業所の長が、当該居住者又は恒久的施設を有する非居住者から、7①の定めるところによりその者に係る(2)において準用する④(3)に規定する非課税口座異動届出書の同(3)に規定する提出を受けた場合

（⑥イに規定する(4)で定める金額）

(4)　⑥イに規定する(4)で定める金額は、対象非課税口座（⑥の居住者又は恒久的施設を有する非居住者が開設する非課税口座のうち当該非課税口座に特定累積投資勘定及び特定非課税管理勘定が設けられた日の属する年の前年12月31日（以下(4)において「基準日」という。）において⑥の金融商品取引業者等の営業所に開設されている非課税口座をいう。(6)(一)及び同(二)において同じ。）に設けられた特定累積投資勘定及び特定非課税管理勘定に係る非課税口座内上場株式等（(6)において「対象非課税口座内上場株式等」という。）の次の(一)及び(二)に掲げる区分に応じ当該(一)及び(二)に定める金額を合計した金額（(6)及び(9)において「対象非課税口座内上場株式等の購入の代価の額の総額」という。）とする。（措令25の13㉖）

(一)	特定累積投資勘定に係る特定累積投資上場株式等（⑥に規定する特定累積投資上場株式等をいう。以下**十六**において同じ。）	当該特定累積投資上場株式等の購入の代価の額（②イに規定する購入の代価の額をいう。(二)において同じ。）を当該特定累積投資上場株式等の取得価額とみなして、当該特定累積投資上場株式等を銘柄ごとに区分し、基準日に当該特定累積投資勘定に受け入れている当該特定累積投資上場株式等の譲渡があったものとして第六章第二節**四3**から同**11**までの規定に準じて計算した場合に算出される当該特定累積投資上場株式等の取得費の額に相当する金額
(二)	特定非課税管理勘定に係る上場株式等	当該上場株式等の購入の代価の額を当該上場株式等の取得価額とみなして、当該上場株式等を銘柄ごとに区分し、基準日に当該特定非課税管理勘定に受け入れている当該上場株式等の譲渡があったものとして第六章第二節**四3**から同**11**まで並びに**二十**(6)、同(8)及び同(9)の規定に準じて計算した場合に算出される当該上場株式等の取得費の額に相当する金額

（有価証券の評価、資産の譲渡に関する総収入金額並びに必要経費及び取得費の計算規定の読替え）

(5)　(4)(一)及び同(二)の規定により第六章第二節**四3**から同**11**まで並びに**二十**(6)、同(8)及び同(9)の規定に準じて計算する場合には、同**四７**①(一)中「含むものとし、その金銭の払込みによる取得のために要した費用がある場合には、その費用の額を加算した金額」とあるのは「含む。」と、同①(五)中「代価（購入手数料その他その有価証券の購入のために要した費用がある場合には、その費用の額を加算した金額)」とあるのは「代価」と、同**四８**③中「の額(その金銭の払込みによる取得のために要した費用がある場合には、その費用の額を加算した金額)」とあるのは「の額」と、同**四８**④中「取得価額（第四章第二節**二１**(一)《合併の場合のみなし配当》の規定により剰余金の配当、利益の配当、剰余金の分配若しくは金銭の分配として交付を受けたものとみなされる金額又はその合併法人株式若しくは合併親法人株式の取得のために要した費用の額がある場合には、当該交付を受けたものとみなされる金額及び費用の額のうち旧株１株に対応する部分の金額を加算した金額)」とあり、及び同**四８**④(２)中「取得価額（その併合投資信託等の受益権の取得のために要した費用の額がある場合には、当該費用の額のうち旧受益権１口に対応する部分の金額を加算した金額)」とあるのは「取得価額」と、同**四８**⑤中「金額（同**１**(二)《分割型分割の場合のみなし配当》の規定により剰余金の配当若しくは利益の配当として交付を受けたものとみなされる金額又はその分割承継法人株式若しくは分割承継親法人株式の取得のために要した費用の額がある場合には、当該交付を受けたものとみなされる金額及び費用の額のうち分割承継法人株式又は分割承継親法人株式１株に対応する部分の金額を加算した金額)」とあり、及び同**四８**⑥中「金額（同**１**(三)《株式分配の場合のみなし配当》の規定により剰余金の配当若しくは利益の配当として交付を受けたものとみなされる金額又はその完全子法人株式の取得のために要した費用の額がある場合には、当該交付を受けたものとみなされる金額及び費用の額のうち完全子法人株式１株に対応する部分の金額を加算した金額)」とあるのは「金額」と、同**四10**中「取得価額（その合併法人等新株予約権等の取得のために要した費用の額がある場合には、当該費用の額のうち旧新株予約権等１単位に対応する部分の金額を加算した金額)」とあり、**二十**(６)中「取得価額（当該株式交換完全親法人の株式又は親法人の株式の取得に要した費用がある場合には、当該費用の額を加算した金額)」とあり、同(８)中「取得価額（当該株式移転完全親法人の株式の取得に要した費用がある場合には、当該費用の額を加算した金額)」とあり、及び同(９)(一)から同(八)中「取得価額（当該取得をする株式の取得に要した費用がある場合には、当該費用の額を加算した金額)」とあるのは「取得価額」と読み替えるものとする。(措令25の13㉗)

(対象非課税口座内上場株式等の購入の代価の額の総額を計算する場合)

(６)　(４)の規定により対象非課税口座内上場株式等の購入の代価の額の総額を計算する場合には、次に定めるところによる。(措令25の13㉘)

(一)	当該居住者又は恒久的施設を有する非居住者の有する同一銘柄の対象非課税口座内上場株式等のうちに対象非課税口座に設けられた特定累積投資勘定に係る特定累積投資上場株式等と当該対象非課税口座に設けられた特定非課税管理勘定に係る上場株式等とがある場合には、これらの対象非課税口座内上場株式等については、それぞれその銘柄が異なるものとして、(４)の規定を適用する。
(二)	当該居住者又は恒久的施設を有する非居住者が２以上の対象非課税口座を有する場合において、当該居住者又は恒久的施設を有する非居住者の有する同一銘柄の対象非課税口座内上場株式等のうちに対象非課税口座に係る対象非課税口座内上場株式等と当該対象非課税口座以外の対象非課税口座に係る対象非課税口座内上場株式等とがあるときは、これらの対象非課税口座内上場株式等については、それぞれその銘柄が異なるものとして、(４)の規定を適用する。
(三)	当該居住者又は恒久的施設を有する非居住者の有する同一銘柄の上場株式等のうちに対象非課税口座内上場株式等と当該対象非課税口座内上場株式等以外の上場株式等とがある場合には、これらの上場株式等については、それぞれその銘柄が異なるものとして、(４)の規定を適用する。
(四)	対象非課税口座内上場株式等が事業所得又は雑所得の基因となる上場株式等である場合には、当該対象非課税口座内上場株式等を譲渡所得の基因となる上場株式等とみなして、(４)の規定を適用する。

(⑥ロに規定する(７)で定める特定累積投資上場株式等)

(７)　②(10)((一)、(四)及び(十一)に係る部分に限る。)の規定は⑥ロに規定する(７)で定める特定累積投資上場株式等について、②(11)の規定は②(10)(一)、同(四)は同(十一)に規定する事由により取得した特定累積投資上場株式等で特定累積投資勘定に受け入れなかったものがある場合について、それぞれ準用する。この場合において、同(一)及び同(四)中「非課税管理勘定」とあるのは「特定累積投資勘定」と、同(十一)中「のものを除く」とあるのは「のもの（当該２以上の特定非課税管理勘定のみに係る同一銘柄のものを除く。）に限る」と、「非課税管理勘定又は累積投資勘定」とあるのは「特定累積投資勘定」と、②(11)中「非課税管理勘定又は累積投資勘定」とあるのは「特定累積投資勘定」と、「(５)」とあるのは「**2**⑥(３)(一)」と読み替えるものとする。(措令25の13㉙)

(⑥ハに規定する(８)で定める上場株式等)

(８)　⑥ハに規定する(８)で定める上場株式等は、非課税口座を開設している居住者又は恒久的施設を有する非居住者が次の(一)から(四)までに掲げる行使又は取得事由の発生により取得する上場株式等で、金銭の払込み（当該金銭の払込みが当該非課税口座が開設されている金融商品取引業者等の営業所を経由して行われるものに限る。）により取得するもの（当該上場株式等の取得の対価として当該金銭の払込みのみをするものに限る。）とする。(措令25の13㉚)

(一)	当該非課税口座に設けられた非課税管理勘定又は特定非課税管理勘定に係る非課税口座内上場株式等（以下(８)において「特定非課税口座内上場株式等」という。）について与えられた新株予約権の行使
(二)	特定非課税口座内上場株式等である新株予約権付社債に付された新株予約権の行使
(三)	特定非課税口座内上場株式等について与えられた株式（出資を含む。）の割当てを受ける権利（第二章第一節**一**の**8の2**に規定する株主等（以下(三)において「株主等」という。）として与えられた場合（当該特定非課税口座内上場株式等を発行した法人の他の株主等に損害を及ぼすおそれがあると認められる場合を除く。）に限る。）の行使
(四)	特定非課税口座内上場株式等について与えられた**二十**(２)(五)に規定する取得条項付新株予約権に係る同(五)に定める取得事由の発生又は行使

(⑥ハ(1)に規定する(９)で定める金額)

(９)　⑥ハ(1)に規定する(９)で定める金額は、対象非課税口座内上場株式等の購入の代価の額の総額のうち(４)(二)に定める金額に係る部分の金額とする。(措令25の13㉛)

(⑥ニに規定する(10)で定める上場株式等)

(10)　②(10)の規定は⑥ニに規定する(10)で定める上場株式等について、②(11)の規定は②(10)(一)から(十二)までに規定する事由により取得した上場株式等で特定非課税管理勘定に受け入れなかったものがある場合について、それぞれ準用する。この場合において、②(10)(一)から同(十)までの規定中「非課税管理勘定」とあるのは「特定非課税管理勘定」と、②(10)(十一)中「特定累積投資勘定又は特定非課税管理勘定のみ」とあるのは「特定非課税管理勘定のみ」と、「のものを除く」とあるのは「のものに限る」と、「非課税管理勘定又は累積投資勘定」とあるのは「特定非課税管理勘定」と、②(11)中「非課税管理勘定又は累積投資勘定」とあるのは「特定非課税管理勘定」と、「(５)」とあるのは「⑥(３)(二)」と読み替えるものとする。(措令25の13㉜)

(対象非課税口座内上場株式等の購入の代価の額の総額の計算)

(11)　(４)に規定する対象非課税口座内上場株式等の購入の代価の額の総額の計算に当たっては、次の点に留意する。(措通37の14－14)

(一)　第六章第二節**四3**の規定に準じて計算された１単位当たりの金額に１円未満の端数があるときは、その端数を切り捨てるものとする。

(二)　第六章第二節**四**（所得税法令第２編第１章第４節第３款《有価証券の評価》）並びに第五章第三節**二十**(６)、同(８)及び同(９)《株式交換等による取得株式等の取得価額の計算等》の規定に準じて計算する場合には、次のとおり計算する。

イ　第六章第二節**四7**①(一)、同**8**③、同**8**④、同**8**④(２)、同**8**⑤、同**8**⑥及び同**10**に規定する取得のために要した費用がある場合には、当該取得のために要した費用の額を含めずに計算する。

ロ　第五章第三節**二十**(６)、同(８)及び同(９)(一)から(八)までに規定する取得に要した費用がある場合には、当該取得に要した費用の額を含めずに計算する。

ハ　第六章第二節**四7**①(五)に規定する購入のために要した費用がある場合には、当該購入のために要した費用の額を含めずに計算する。

ニ　第六章第二節**四8**④、同**8**⑤及び同**8**⑥に規定する交付を受けたものとみなされる金額がある場合には、当該交付を受けたものとみなされる金額を含めずに計算する。

⑦　**特定累積投資勘定**

特定非課税累積投資契約に基づき振替口座簿への記載若しくは記録又は保管の委託がされる特定累積投資上場株式等につき当該記載若しくは記録又は保管の委託に関する記録を他の取引に関する記録と区分して行うための勘定で、次のイ及びロに掲げる要件を満たすものをいう。（措法37の14⑤七）

イ	当該勘定は、令和６年以後の各年（ロにおいて「**勘定設定期間内の各年**」という。）においてのみ設けられること。
ロ	当該勘定は、勘定設定期間内の各年の１月１日（非課税口座開設届出書の（勘定廃止通知書又は非課税口座廃止通知書その他（１）で定める書類が添付されたもの、⑨に規定する勘定廃止通知書記載事項又は⑩に規定する非課税口座廃止通知書記載事項の記載がされたもの及び当該非課税口座開設届出書の①に規定する提出と併せて行われる電磁的方法による当該勘定廃止通知書記載事項又は当該非課税口座廃止通知書記載事項の提供があるものを除く。**3**①及び**3**②において同じ。）の当該提出が年の中途においてされた場合における当該提出がされた日の属する年にあっては当該提出の日とし、勘定廃止通知書若しくは非課税口座廃止通知書その他（１）で定める書類が提出された場合、当該勘定廃止通知書記載事項若しくは当該非課税口座廃止通知書記載事項の記載がされて非課税口座開設届出書の提出がされた場合又は電磁的方法による当該勘定廃止通知書記載事項若しくは当該非課税口座廃止通知書記載事項の提供がされた場合にあっては**5**⑥の規定により同⑥の所轄税務署長から同⑥(一)に定める事項の提供があった日（その勘定を設定しようとする年の１月１日前に当該事項の提供があった場合には、同日）とする。）において設けられること。

（⑦ロほかに規定する（１）で定める書類）

（１）　⑦ロに規定する勘定廃止通知書又は非課税口座廃止通知書その他（１）で定める書類、同⑦ロに規定する勘定廃止通知書若しくは非課税口座廃止通知書その他（１）で定める書類、**3**⑥、**3**⑦若しくは**4**②(二)に規定する⑦（１）で定める書類、**5**④に規定する勘定廃止通知書若しくは非課税口座廃止通知書その他⑦（１）で定める書類又は**5**⑤に規定する⑦（１）で定める書類は、勘定廃止通知書記載事項（⑨に規定する勘定廃止通知書記載事項をいう。⑨（１）(二)及び**5**⑤（１）(五)イにおいて同じ。）又は非課税口座廃止通知書記載事項（⑩に規定する非課税口座廃止通知書記載事項をいう。⑨（１）(二)、**5**③（１）、**5**④（１）及び**5**⑤（１）において同じ。）の記載がある書類で勘定廃止通知書（⑨に規定する勘定廃止通知書をいう。以下において同じ。）及び非課税口座廃止通知書（⑩に規定する非課税口座廃止通知書をいう。以下において同じ。）に該当しないものとする。（措規18の15の３⑩）

⑧　**特定非課税管理勘定**

特定非課税累積投資契約に基づき振替口座簿への記載若しくは記録又は保管の委託がされる上場株式等につき当該記載若しくは記録又は保管の委託に関する記録を他の取引に関する記録と区分して行うための勘定で、特定累積投資勘定と同時に設けられるものをいう。（措法37の14⑤八）

⑨　**勘定廃止通知書**

居住者又は恒久的施設を有する非居住者が、**4**①から同③までの規定の定めるところにより同①に規定する金融商品取引業者等の営業所の長から交付を受けた書類で、その者の氏名及び生年月日、非課税管理勘定、累積投資勘定又は特定累積投資勘定を廃止した年月日その他の（１）で定める事項（以下において「勘定廃止通知書記載事項」という。）の記載のあるものをいう。（措法37の14⑤九）

（⑨に規定する（１）で定める事項）

（１）　⑨に規定する（１）で定める事項は、次の(一)から(五)までに掲げる事項とする。（措規18の15の３⑪）

(一)	当該勘定廃止通知書に係る金融商品取引業者等変更届出書（**4**①に規定する金融商品取引業者等変更届出書をいう。以下（１）、**4**①（１）及び**4**③（１）において同じ。）の提出（**4**①に規定する提出をいう。(三)及び**4**①（１）において同じ。）をした者（(二)において「提出者」という。）の氏名及び生年月日
(二)	当該提出者からその金融商品取引業者等変更届出書の**4**①に規定する提出の日以前の直近に提出若しくは提供を受けた非課税適用確認書等（所得税法等の一部を改正する法律（令和２年法律第８号）第15条の規定による改正前の租税特別措置法第37条の14第５項第６号に規定する非課税適用確認書、勘定廃止通知書、非課税口座廃止通知書若しくは⑦（１）に規定する⑦（１）で定める書類（非課税口座開設届出書に添付して提出されたこれらの書類を含む。）又は勘定廃止通知書記載事項若しくは非課税口座廃止通知書記載事項の記載がされて非

	課税口座開設届出書の提出がされた場合における当該勘定廃止通知書記載事項若しくは当該非課税口座廃止通知書記載事項若しくは電磁的方法により提供された勘定廃止通知書記載事項若しくは非課税口座廃止通知書記載事項をいう。以下11までにおいて同じ。）に記載若しくは記録がされた整理番号又は３②の規定により提供を受けた整理番号（当該提出者が12①又は同②の規定の適用を受けたものである場合には、これらの規定の適用に係る①に規定する未成年者口座を開設する際に同①に規定する未成年者口座開設届出書に添付して提出された⑦に規定する未成年者非課税適用確認書又は⑧に規定する未成年者口座廃止通知書に記載された整理番号）
(三)	当該金融商品取引業者等変更届出書の提出がされた日の属する次のイ及びロに掲げる期間の区分に応じそれぞれ次のイ及びロに定める事項 イ　１月１日から９月30日までの間　　当該提出の日の属する年分の非課税管理勘定、累積投資勘定（⑤に規定する累積投資勘定をいう。以下11まで及び14において同じ。）、特定累積投資勘定（⑦に規定する特定累積投資勘定をいう。以下11まで及び14において同じ。）又は特定非課税管理勘定（⑧に規定する特定非課税管理勘定をいう。以下11まで及び14において同じ。）の廃止をした旨及び当該廃止をした年月日並びに同日の属する年の翌年分以後の各年において非課税管理勘定、累積投資勘定及び特定累積投資勘定を設けない旨 ロ　10月１日から12月31日までの間　　当該提出の日の属する年の翌年分以後の各年において非課税管理勘定、累積投資勘定及び特定累積投資勘定を設けない旨並びに当該提出がされた年月日
(四)	その他参考となるべき事項

（注）　改正後の（１）の規定は、令和６年４月１日以後に４①に規定する提出を受ける同①に規定する金融商品取引業者等変更届出書について適用され、同日前に同①に規定する提出を受けた同①に規定する金融商品取引業者等変更届出書については、なお従前の例による。（令６改措規附９②）

⑩　非課税口座廃止通知書

居住者又は恒久的施設を有する非居住者が、５①から同③までの規定の定めるところにより５①に規定する金融商品取引業者等の営業所の長から交付を受けた書類で、その者の氏名及び生年月日、非課税口座を廃止した年月日、当該廃止した日の属する年分の非課税管理勘定、累積投資勘定、特定累積投資勘定又は特定非課税管理勘定への上場株式等の受入れの有無その他の（１）で定める事項（以下において「非課税口座廃止通知書記載事項」という。）の記載のあるものをいう。（措法37の14⑤十）

（⑩に規定する（１）で定める事項）

（１）　⑩に規定する（１）で定める事項は、次の(一)から(六)までに掲げる事項とする。（措規18の15の３⑫）

(一)	当該非課税口座廃止通知書に係る非課税口座廃止届出書（５①に規定する非課税口座廃止届出書をいう。以下11まで及び14において同じ。）の提出（５①に規定する提出をいう。５①（１）及び14において同じ。）をした者（(二)において「提出者」という。）の氏名及び生年月日
(二)	当該提出者からその非課税口座廃止届出書の５①に規定する提出の日以前の直近に提出若しくは提供を受けた非課税適用確認書等に記載若しくは記録がされた整理番号又は⑨（１）(二)に規定する提供を受けた整理番号
(三)	当該非課税口座廃止届出書に係る非課税口座が廃止された年月日
(四)	当該非課税口座を廃止した日の属する年分の非課税管理勘定、累積投資勘定、特定累積投資勘定又は特定非課税管理勘定への上場株式等の受入れの有無
(五)	その他参考となるべき事項

（注）　改正後の（１）の規定は、令和６年４月１日以後に５①に規定する提出を受ける同①に規定する非課税口座廃止届出書について適用され、同日前に同①に規定する提出を受けた同①に規定する非課税口座廃止届出書については、なお従前の例による。（令６改措規附９③）

3　非課税口座開設届出書に関する事務

①　非課税口座開設届出書に記載された事項の税務署長への提供

非課税口座開設届出書の提出を受けた２①の金融商品取引業者等の営業所の長は、その提出を受けた後速やかに、当該非課税口座開設届出書に記載された事項その他の（１）で定める事項（既に個人番号を告知している者として（２）で定める者（**3**③において「**番号既告知者**」という。）から提出を受けた非課税口座開設届出書にあっては、当該事項及びその者の個人番号。以下①及び②において「**届出事項**」という。）を、特定電子情報処理組織を使用する方法（(6)で定めるところによりあらかじめ税務署長に届け出て行う情報通信技術を活用した行政の推進等に関する法律第6条第1項に規定する電子情報処理組織を使用する方法として(6)で定める方法をいう。以下**十六**及び**十七**において同じ。）により当該金融商品取引業者等の営業所の所在地の所轄税務署長（②において「**所轄税務署長**」という。）に提供しなければならない。この場合において、当該金融商品取引業者等の営業所の長は、当該非課税口座開設届出書につき帳簿を備え、当該非課税口座開設届出書の提出をした者の各人別に、届出事項を記載し、又は記録しなければならない。（措法37の14⑥）

（①に規定する(1)で定める事項）

(1)　①に規定する(1)で定める事項は、次の(一)から(五)までに掲げる事項とする。（措規18の15の3⑬）

(一)	当該非課税口座開設届出書の提出をした者の氏名、生年月日、住所及び個人番号（(2)の規定に該当する者にあっては、氏名、生年月日及び住所）
(二)	当該非課税口座開設届出書の提出を受けた金融商品取引業者等の営業所の名称及び当該金融商品取引業者等の法人番号
(三)	当該非課税口座開設届出書の提出年月日
(四)	当該非課税口座開設届出書の提出により設定された勘定の種類及びその勘定が設定された非課税口座の記号又は番号
(五)	その他参考となるべき事項

（①に規定する(2)で定める者）

(2)　①に規定する(2)で定める者は、非課税口座開設届出書の提出又は帰国届出書の提出を受ける金融商品取引業者等の営業所の長が、(3)で定めるところにより、当該非課税口座開設届出書の提出又は帰国届出書の提出をする居住者又は恒久的施設を有する非居住者の氏名、住所及び個人番号その他の事項を記載した帳簿（その者の③(2)に規定する書類の提示又はその者の署名用電子証明書等（**六4**に規定する署名用電子証明書等をいう。以下**3**、**7**①及び**十七8**②(9)において同じ。）の送信を受けて作成されたものに限る。）を備えている場合における当該居住者又は恒久的施設を有する非居住者（当該非課税口座開設届出書又は帰国届出書（**6**③に規定する帰国届出書をいう。④(2)、**7**③(2)、**8**及び**13**(4)において同じ。）に記載されるべき事項のうち(5)で定める事項が当該帳簿に記載されている事項のうち(5)で定める事項と異なるものを除く。）とする。（措令25の13㉝）

（(2)の金融商品取引業者等の営業所の長が(2)の規定により帳簿を作成する場合）

(3)　(2)の金融商品取引業者等の営業所の長が(2)の規定により帳簿を作成する場合には、その者は、当該帳簿に次の(一)から(三)までに掲げる事項を記載しなければならない。（措規18の15の3⑭）

(一)	③(2)に規定する書類の提示又は署名用電子証明書等（③に規定する署名用電子証明書等をいう。(二)及び④(1)(二)において同じ。）の送信をした居住者又は恒久的施設を有する非居住者の氏名、住所及び個人番号
(二)	当該提示又は送信を受けた年月日及び当該提示を受けた書類の名称又は署名用電子証明書等の送信を受けた旨
(三)	その他参考となるべき事項

（帳簿の保存）

(4)　(3)の金融商品取引業者等の営業所の長は、(3)の帳簿を、当該帳簿の閉鎖の日の属する年の翌年から5年間保存しなければならない。（措規18の15の3⑮）

（(2)に規定する非課税口座開設届出書又は帰国届出書に記載されるべき事項のうち(5)で定める事項及び(2)に規定する帳簿に記載されている事項のうち(5)で定める事項）

(5)　(2)に規定する非課税口座開設届出書又は帰国届出書に記載されるべき事項のうち(5)で定める事項及び(2)に規定する帳簿に記載されている事項のうち(5)で定める事項は、(2)の居住者又は恒久的施設を有する非居住者の氏

名、住所又は個人番号とする。（措規18の15の３⑯）

（①に規定する（６）で定めるところによりあらかじめ税務署長に届け出て行う電子情報処理組織を使用する方法として（６）で定める方法）

（６）　①の金融商品取引業者等の営業所の長が①に規定する電子情報処理組織を使用して①に規定する届出事項（以下（６）において「届出事項」という。）を①に規定する所轄税務署長に提供しようとする場合における届出その他の手続については、国税関係法令に係る情報通信技術を活用した行政の推進等に関する省令第４条第１項から第３項まで、第６項及び第７項の規定の例によるものとし、①に規定する（６）で定める方法は、同令第５条第１項の定めるところにより届出事項を送信する方法とする。（措規18の15の３⑰）

② **①の届出事項の提供を受けた時前における届出事項の提供の有無の確認**

①の届出事項の提供を受けた所轄税務署長は、当該届出事項に係る非課税口座開設届出書の提出をした居住者又は恒久的施設を有する非居住者（以下②において「**提出者**」という。）についての当該届出事項の提供を受けた時前における当該所轄税務署長又は他の税務署長に対する①の規定による届出事項の提供の有無の確認をするものとし、当該確認をした当該所轄税務署長は、次の(一)及び(二)に掲げる場合の区分に応じ当該(一)及び(二)に定める事項を、当該届出事項に係る非課税口座開設届出書の提出を受けた金融商品取引業者等の営業所の長に、電子情報処理組織（国税庁の使用に係る電子計算機と当該金融商品取引業者等の営業所の長の使用に係る電子計算機とを電気通信回線で接続した電子情報処理組織をいう。）を使用する方法により提供しなければならない。この場合において、(二)に定める事項の提供を受けた当該金融商品取引業者等の営業所の長は、当該提出者に対し、(二)に定める該当する旨及びその理由を通知しなければならない。（措法37の14⑦）

(一)	当該届出事項の提供を受けた時前に当該所轄税務署長及び他の税務署長に対して届出事項の提供がない場合 当該届出事項に係る非課税口座開設届出書が⑤の規定により受理することができないもの及び⑦の規定により提出をすることができないものに該当しない旨その他（１）で定める事項
(二)	当該届出事項の提供を受けた時前に既に当該所轄税務署長又は他の税務署長に対して届出事項の提供がある場合 当該届出事項に係る非課税口座開設届出書が⑤の規定により受理することができないもの又は⑦の規定により提出をすることができないものに該当する旨及びその理由その他（２）で定める事項

（②(一)に規定する（１）で定める事項）

（１）　②(一)に規定する（１）で定める事項は、次の(一)から(三)までに掲げる事項とする。（措規18の15の３⑱）

(一)	当該非課税口座開設届出書の提出をした者の氏名及び生年月日
(二)	整理番号
(三)	その他参考となるべき事項

（②(二)に規定する（２）で定める事項）

（２）　②(二)に規定する（２）で定める事項は、次の(一)及び(二)に掲げる事項とする。（措規18の15の３⑲）

(一)	当該非課税口座開設届出書の提出をした者の氏名、生年月日及び住所
(二)	その他参考となるべき事項

③ **非課税口座開設届出書の提出をする際の書類の提示等**

非課税口座開設届出書の提出をしようとする居住者又は恒久的施設を有する非居住者は、（２）で定めるところにより、その提出をする際、**２**①の金融商品取引業者等の営業所の長に、その者の住民票の写しその他の（２）で定める書類を提示し、又は**六４**に規定する署名用電子証明書等を送信して氏名、生年月日、住所（国内に住所を有しない者にあっては、（４）で定める場所。以下③、⑤及び**14**①において同じ。）及び個人番号（番号既告知者にあっては、氏名、生年月日及び住所。⑤において同じ。）を告知し、当該告知をした事項につき確認を受けなければならない。（措法37の14⑧）

（非課税口座開設届出書の提出又は帰国届出書の提出をする際の書類の提示等）

（1）　金融商品取引業者等の営業所の長に非課税口座開設届出書の提出又は帰国届出書の提出をしようとする居住者又は恒久的施設を有する非居住者は、その非課税口座開設届出書の提出又は帰国届出書の提出をする際、当該金融商品取引業者等の営業所の長に、その者の（2）に規定する書類を提示し、又はその者の署名用電子証明書等を送信して氏名、生年月日、住所及び個人番号（①（2）の規定に該当する者にあっては、氏名、生年月日及び住所。（5）において同じ。）を告知しなければならない。（措令25の13㉞）

（③に規定する（2）で定める書類）

（2）　③（**6**④において準用する場合を含む。）に規定する（2）で定める書類は、これらの規定に規定する居住者又は恒久的施設を有する非居住者の住民票の写し、行政手続における特定の個人を識別するための番号の利用等に関する法律第２条第７項に規定する個人番号カードその他の（3）で定める書類のいずれかの書類とする。（措令25の13㉟）

（（2）に規定する（3）で定める書類）

（3）　**六４**（2）（注）１及び２の規定は、（2）に規定する（3）定める書類について準用する。この場合において、**六４**（2）（注）１（三）中「番号既告知者」とあるのは、「**十六３**①（2）の規定に該当する者」と読み替えるものとする。（措規18の15の３⑳）

（③に規定する（4）で定める場所）

（4）　③に規定する（4）で定める場所は、次の（一）及び（二）に掲げる者の区分に応じ当該（一）及び（二）に定める場所とする。（措規18の15の３㉑）

（一）	国内に居所を有する個人　　当該個人の居所地
（二）	恒久的施設を有する非居住者（（一）に掲げる者を除く。）　　当該非居住者の恒久的施設を通じて行う事業に係る事務所、事業所その他これらに準ずるもの（これらが２以上あるときは、そのうち主たるものとする。）の所在地

（（1）の規定による告知があった場合の確認）

（5）　金融商品取引業者等の営業所の長は、（1）の規定による告知があった場合には、当該告知があった氏名、生年月日、住所及び個人番号が、当該告知の際に提示又は送信を受けた（2）に規定する書類又は署名用電子証明書等に記載又は記録がされた氏名、生年月日、住所及び個人番号と同じであるかどうかを確認しなければならない。（措令25の13㊱）

（確認書類の範囲）

（6）　③に規定する書類（当該書類の写しを含む。（6）及び（7）において「確認書類」という。）には、次に掲げる書類を含むものとする。（措通37の14－15）

（注）　「確認書類」の様式が改訂された場合において、当面の間旧様式を使用することができるとされているときは、「確認書類」には当該旧様式を含むものとする。

⑴　国民健康保険高齢受給者証
（国民健康保険法施行規則　様式第１号の４、様式第１号の４の２、様式第１号の５、様式第１号の５の２）

⑵　国民健康保険特別療養証明書
（国民健康保険法施行規則　様式第２、様式第２の２）

⑶　健康保険特例退職被保険者証
（健康保険法施行規則　様式第９号⑶⑷）

⑷　健康保険高齢受給者証
（健康保険法施行規則　様式第10号⑴⑵）

⑸　健康保険特別療養証明書
（健康保険法施行規則　様式第12号）

⑹　健康保険被保険者受給資格者票
（健康保険法施行規則　様式第16号）

⑺　船員保険高齢者受給者証

（船員保険法施行規則　様式第２号）

⑻　共済組合組合員被扶養者証
（国家公務員共済組合法施行規則　別紙様式第15号）
（地方公務員等共済組合法施行規程　別紙様式第19号）

⑼　共済組合高齢受給者証
（国家公務員共済組合法施行規則　別紙様式第15号の３）
（地方公務員等共済組合法施行規程　別紙様式第20号）

⑽　共済組合特別療養証明書
（国家公務員共済組合法施行規則　別紙様式第24号の２）
（地方公務員等共済組合法施行規程　別紙様式第23号）

⑾　共済組合船員組合員被扶養者証
（国家公務員共済組合法施行規則　別紙様式第40号）
（地方公務員等共済組合法施行規程　別紙様式第41号）

⑿　共済組合任意継続組合員証
（地方公務員等共済組合法施行規程　別紙様式第46号）

⒀　共済組合任意継続組合員被扶養者証
（地方公務員等共済組合法施行規程　別紙様式第46号の２）

⒁　私立学校教職員共済資格喪失後継続給付証明書
（日本私立学校振興・共済事業団共済運営規則　様式第16号）

⒂　自衛官診療証
（防衛省職員療養及び補償実施規則　様式第12）

（郵便等により提示された確認書類によって氏名等を確認する場合）

（７）　金融商品取引業者等の営業所の長は、③（**6**④において準用する場合を含む。）に規定する書類の提示に関し、郵便又は民間事業者による信書の送達に関する法律第２条第６項《定義》に規定する一般信書便事業者若しくは同条第９項に規定する特定信書便事業者による同条第２項に規定する信書便（以下「信書便」という。）により確認書類の提示を受けて、氏名、生年月日、住所（国内に住所を有しない者にあっては、**3**③（４）で定める場所。以下（７）において同じ。）及び個人番号（行政手続における特定の個人を識別するための番号の利用等に関する法律第２条第５項《定義》に規定する個人番号をいう。**十七４**（５）において同じ。））（**3**①に規定する番号既告知者にあっては、氏名、生年月日及び住所）を確認した場合には、当該確認書類又はその写しについては、当該書類の提示をした者の非課税口座が廃止された日の属する年の翌年から５年間保存しておくものとする。（措通37の14－16）

④　**2④（３）本文、同④（９）（二）イ又は③（５）の確認をした場合の確認をした旨の明示**

金融商品取引業者等の営業所の長は、**2**④（３）本文（**2**⑥（２）において準用する場合を含む。）、同④(11)（二）イ、**2**⑥（３）（三）イ又は③（５）の確認をした場合には、（１）で定めるところにより、当該確認に関する帳簿に当該確認をした旨を明らかにしなければならない。（措令25の13㊲）

（確認をした旨の記載）

（１）　金融商品取引業者等の営業所の長は、**2**④（３）本文（**2**⑥（２）において準用する場合を含む。（一）において同じ。）、**2**④(11)（二）イ、**2**⑥（３）（三）イ又は③（５）の規定による確認をした場合には、④の確認に関する帳簿に、その確認をした年月日及び次の（一）及び（二）に掲げる場合の区分に応じ当該（一）及び（二）に定める旨を記載することにより、当該確認をした旨を明らかにしておかなければならない。（措規18の15の３㉒）

（一）	**2**④（３）本文、同④(11)（二）イ又は同⑥（３）（三）イの確認をした場合　　当該確認の際に、同④（３）（一）の規定により提示を受けた同（一）に規定する住所等確認書類の名称若しくは同（一）に規定する署名用電子証明書等の送信を受けた旨又は同（３）（二）の規定により同（二）に規定する書類の提出を受けた旨
（二）	③（５）の確認をした場合　　当該確認の際に、③（１）の規定により提示を受けた書類の名称又は署名用電子証明書等の送信を受けた旨

（③（1）の規定による書類の提示又は署名用電子証明書等の送信を要しない場合）

（2）　居住者又は恒久的施設を有する非居住者が金融商品取引業者等の営業所の長に非課税口座開設届出書の提出又は帰国届出書の提出をしようとする場合において、当該非課税口座開設届出書又は帰国届出書に記載された当該居住者又は恒久的施設を有する非居住者の氏名、生年月日、住所及び個人番号が当該金融商品取引業者等の営業所が備え付ける④の確認に関する帳簿に記載されているときは、当該居住者又は恒久的施設を有する非居住者は、当該金融商品取引業者等の営業所の長に対しては、③（1）の規定による書類の提示又は署名用電子証明書等の送信を要しないものとする。ただし、当該非課税口座開設届出書又は帰国届出書に記載された氏名、住所又は個人番号が、当該帳簿に記載されている当該居住者又は恒久的施設を有する非居住者の氏名、住所又は個人番号と異なるときは、この限りでない。（措令25の13㊳）

⑤　非課税口座開設届出書を受理することができない場合

金融商品取引業者等の営業所の長は、③の告知を受けたものと異なる氏名、生年月日、住所及び個人番号が記載されている非課税口座開設届出書並びに当該金融商品取引業者等に既に非課税口座を開設している居住者又は恒久的施設を有する非居住者から重ねて提出がされた非課税口座開設届出書については、これを受理することができない。（措法37の14⑨）

⑥　勘定廃止通知書又は非課税口座廃止通知書の非課税口座開設届出書への添付

非課税口座を開設し、又は開設していた居住者又は恒久的施設を有する非居住者は、当該非課税口座が開設されている金融商品取引業者等以外の金融商品取引業者等の営業所の長に対し、非課税口座開設届出書の提出をする場合には、勘定廃止通知書若しくは非課税口座廃止通知書その他**2**⑦（1）で定める書類を非課税口座開設届出書に添付し、勘定廃止通知書記載事項若しくは非課税口座廃止通知書記載事項を記載し、又は非課税口座開設届出書の提出と併せて行われる電磁的方法による勘定廃止通知書記載事項若しくは非課税口座廃止通知書記載事項の提供をしなければならない。（措法37の14⑩）

（注）　改正後の⑥の規定は、令和６年４月１日以後に**2**①に規定する提出をする同①に規定する非課税口座開設届出書について適用され、同日前に当該提出をした当該非課税口座開設届出書については、なお従前の例による。（令６改所法等附33②）

⑦　非課税口座開設届出書の提出をすることができない場合

非課税口座を開設し、又は開設していた居住者又は恒久的施設を有する非居住者は、当該非課税口座が開設されている金融商品取引業者等以外の金融商品取引業者等の営業所の長に対し、非課税口座開設届出書（勘定廃止通知書又は非課税口座廃止通知書その他**2**⑦（1）で定める書類が添付されたもの、勘定廃止通知書記載事項又は非課税口座廃止通知書記載事項の記載がされたもの及び当該非課税口座開設届出書の提出と併せて行われる電磁的方法による勘定廃止通知書記載事項又は非課税口座廃止通知書記載事項の提供があるものを除く。）の提出をすることができない。（措法37の14⑪）

（注）　改正後の⑦の規定は、令和６年４月１日以後に**2**①に規定する提出をする同①に規定する非課税口座開設届出書について適用され、同日前に当該提出をした当該非課税口座開設届出書については、なお従前の例による。（令６改所法等附33②）

⑧　⑤又は⑦の規定に該当する場合の口座の取扱い

その非課税口座開設届出書が⑤の規定により受理することができないもの又は⑦の規定により提出をすることができないものに該当する場合には、当該非課税口座開設届出書の提出により開設された上場株式等の振替口座簿への記載若しくは記録又は保管の委託に係る口座は、当該口座の開設の時から非課税口座に該当しないものとして、**2**①の規定その他の所得税に関する法令の規定を適用する。（措法37の14⑫）

（重ねて設けられた非課税管理勘定等で行われた取引の取扱い）

（1）　金融商品取引業者等の営業所の長及び居住者等は、同一年分に非課税管理勘定、累積投資勘定又は特定累積投資勘定（当該特定累積投資勘定と同時に設けられる特定非課税管理勘定を含む。次項において同じ。）を重ねて設けることはできないことから、例えば、誤って同一年分にこれらの勘定が複数設けられた場合は、いずれか一つの勘定のみが**十六**の規定の適用を受ける勘定として取り扱われ、それ以外の勘定で行われた取引については、当初より非課税口座以外の口座（特定口座及び未成年者口座を除く。）での取引として取り扱われることに留意する。（措通37の14－20）

（重ねて設けられた非課税管理勘定等の判定）

（2）　金融商品取引業者等の営業所の長及び居住者等は、同一年分に非課税管理勘定、累積投資勘定又は特定累積投資勘定を重ねて設けることができないことから、同一年分にこれらの勘定が複数設けられた場合は、原則として、次に掲げる日又は時が最も早いいずれか一つの勘定を**十六**の規定の適用を受ける勘定として取り扱うこととする。（措通37の14－21）

(1)　金融商品取引業者等の営業所の長から所轄税務署長が①に規定する届出事項の提供を受けた日又は時

(2)　(1)が同日又は同時である場合には、金融商品取引業者等の営業所の長が**2**①に規定する非課税口座開設届出書の同号に規定する提出（以下(1)において「非課税口座開設届出書の提出」という。）を受けた日

(3)　(1)が同日又は同時であり、かつ(2)が同日である場合には、非課税口座内上場株式等を取得した日

(4)　(1)が同日又は同時であり、かつ(2)及び(3)がいずれも同日である場合には、非課税口座内上場株式等に係る配当等の支払を受けた日又は非課税口座内上場株式等を譲渡した日（**1**④(一)から同(三)に掲げる事由により非課税口座内上場株式等の払出しがあった日を含む。）

(注) 1　複数設けられた非課税管理勘定、累積投資勘定又は特定累積投資勘定が⑤に規定する廃止通知（以下(2)において「廃止通知」という。）の提出又は提供により設けられた場合の上記(1)から(4)までの判定は、当該廃止通知の基因となったこれらの勘定に係る上記(1)から(4)までの日又は時により判定することに留意する。

2　同一年分に廃止通知の提出又は提供により非課税管理勘定、累積投資勘定又は特定累積投資勘定が複数設けられた場合において、その廃止通知に係る**2**⑨に掲げる勘定廃止通知書若しくは**2**⑩に掲げる非課税口座廃止通知書の交付又は**2**①に規定する電磁的方法による**2**⑨に規定する勘定廃止通知書記載事項若しくは**2**⑩に規定する非課税口座廃止通知書記載事項の提供をした金融商品取引業者等の営業所の長が同一であるため、上記(1)から(4)までにより判定できないときは、**5**⑤に規定する提出事項が所轄税務署長に提供された時が最も早いいずれか一つの勘定を**十六**の規定の適用を受ける勘定として取り扱うことに留意する。

3　**12**①の規定に基づき設けられた非課税管理勘定については、同①の規定に基づき、その年１月１日において18歳である年の１月１日に、上記(1)の届出事項の提供及び(2)の非課税口座開設届出書の提出を受けたものとして取り扱うことに留意する。

4　**12**②の規定に基づき設けられた特定累積投資勘定及び特定非課税管理勘定については、同②の規定に基づき、その年１月１日において18歳である年の１月１日に、上記(1)の届出事項の提供及び上記(2)の非課税口座開設届出書の提出を受けたものとして取り扱うことに留意する。

4　金融商品取引業者等変更届出書に関する事務

①　金融商品取引業者等変更届出書の提出

金融商品取引業者等の営業所に非課税口座を開設している居住者又は恒久的施設を有する非居住者が当該非課税口座（以下①及び②において「**変更前非課税口座**」という。）に設けられるべき非課税管理勘定、累積投資勘定、特定累積投資勘定又は特定非課税管理勘定を当該変更前非課税口座以外の非課税口座（以下①において「**他の非課税口座**」という。）に設けようとする場合には、その者は、当該金融商品取引業者等の営業所の長に、当該変更前非課税口座に当該非課税管理勘定、累積投資勘定、特定累積投資勘定又は特定非課税管理勘定が設けられる日の属する年の前年10月１日から同日以後１年を経過する日までの間に、非課税管理勘定、累積投資勘定、特定累積投資勘定又は特定非課税管理勘定を他の非課税口座に設けようとする旨その他の(1)で定める事項を記載した届出書（以下③までにおいて「**金融商品取引業者等変更届出書**」という。）の提出（当該金融商品取引業者等変更届出書の提出に代えて行う電磁的方法による当該金融商品取引業者等変更届出書に記載すべき事項の提供を含む。以下③までにおいて同じ。）をしなければならない。この場合において、当該金融商品取引業者等変更届出書の提出をする日以前に当該非課税管理勘定、累積投資勘定、特定累積投資勘定又は特定非課税管理勘定に既に上場株式等の受入れをしているときは、当該金融商品取引業者等の営業所の長は、当該金融商品取引業者等変更届出書を受理することができない。（措法37の14⑬）

（①に規定する(1)で定める事項）

(1)　①に規定する(1)で定める事項は、次の(一)から(七)までに掲げる事項とする。（措規18の15の３㉓）

(一)	金融商品取引業者等変更届出書の提出をする者の氏名、生年月日及び住所
(二)	当該金融商品取引業者等変更届出書の提出先の金融商品取引業者等の営業所の名称及び所在地
(三)	①に規定する変更前非課税口座（(四)において「変更前非課税口座」という。）に設けられるべき非課税管理勘定、累積投資勘定、特定累積投資勘定又は特定非課税管理勘定を①に規定する他の非課税口座に設けようとする旨
(四)	当該変更前非課税口座の記号又は番号
(五)	(三)の非課税管理勘定、累積投資勘定、特定累積投資勘定又は特定非課税管理勘定の年分
(六)	当該金融商品取引業者等変更届出書の提出年月日
(七)	その他参考となるべき事項

(郵便等により提出された金融商品取引業者等変更届出書等の提出日の取扱い)

（2）　郵便又は信書便により①に規定する金融商品取引業者等変更届出書、**5**①に規定する非課税口座廃止届出書（**6**⑤(1)において「非課税口座廃止届出書」という。）又は**7**②に規定する非課税口座異動届出書の提出があった場合には、金融商品取引業者等の営業所の長がこれらの届出書を収受した日にその提出があったものとして取り扱われることに留意する。(措通37の14－19)

②　金融商品取引業者等変更届出書の提出があった場合

①の規定による金融商品取引業者等変更届出書の提出があった場合には、次の(一)及び(二)に定めるところによる。(措法37の14⑭)

(一)	当該金融商品取引業者等変更届出書に係る非課税管理勘定、累積投資勘定、特定累積投資勘定又は特定非課税管理勘定が既に設けられているときは、当該非課税管理勘定、累積投資勘定、特定累積投資勘定又は特定非課税管理勘定は、当該提出があった時に廃止されるものとする。
(二)	当該金融商品取引業者等変更届出書の提出があった日の属する年の翌年以後の各年においては、当該金融商品取引業者等変更届出書の提出を受けた金融商品取引業者等の営業所の長は、当該変更前非課税口座に新たに非課税管理勘定、累積投資勘定又は特定累積投資勘定を設けることができないものとする。ただし、当該金融商品取引業者等の営業所の長が、同日後に、**5**④の規定により勘定廃止通知書若しくは非課税口座廃止通知書その他**2**⑦(1)で定める書類の提出又は電磁的方法による勘定廃止通知書記載事項若しくは非課税口座廃止通知書記載事項の提供を受け、かつ、当該金融商品取引業者等の営業所の所在地の所轄税務署長から**5**⑥(一)に定める事項の提供を受けた場合は、この限りでない。

③　変更届出事項の所轄税務署長への提供

金融商品取引業者等変更届出書の提出を受けた金融商品取引業者等の営業所の長は、その提出を受けた後速やかに、当該金融商品取引業者等変更届出書の提出をした者の氏名、当該金融商品取引業者等変更届出書の提出を受けた旨、非課税管理勘定、累積投資勘定又は特定累積投資勘定を廃止した年月日その他の(1)で定める事項(以下③及び**5**⑥において「**変更届出事項**」という。)を特定電子情報処理組織を使用する方法により当該金融商品取引業者等の営業所の所在地の所轄税務署長に提供しなければならないものとし、当該変更届出事項の提供をした金融商品取引業者等の営業所の長は、当該金融商品取引業者等変更届出書の提出をした居住者又は恒久的施設を有する非居住者に対し、勘定廃止通知書の交付又は電磁的方法による勘定廃止通知書記載事項の提供をしなければならない。(措法37の14⑮)

(注)　改正後の③の規定は、令和6年4月1日以後に①に規定する提出を受ける同①に規定する金融商品取引業者等変更届出書について適用され、同日前に当該提出を受けた当該金融商品取引業者等変更届出書については、なお従前の例による。(令6改所法等附33③)

(③に規定する(1)で定める事項)

（1）　③に規定する(1)に規定する財務省令で定める事項は、次の(一)から(七)までに掲げる事項とする。(措規18の15の3㉔)

(一)	金融商品取引業者等変更届出書の①に規定する提出（以下(1)において「金融商品取引業者等変更届出書の提出」という。）をした者（(二)において「提出者」という。）の氏名、生年月日及び個人番号
(二)	当該提出者からその金融商品取引業者等変更届出書の提出の日以前の直近に提出若しくは提供を受けた非課税適用確認書等に記載若しくは記録がされた整理番号又は**2**⑨(1)(二)に規定する提供を受けた整理番号
(三)	当該金融商品取引業者等変更届出書の提出を受けた金融商品取引業者等の営業所の名称及び当該金融商品取引業者等の法人番号
(四)	当該金融商品取引業者等変更届出書に記載された非課税管理勘定、累積投資勘定、特定累積投資勘定又は特定非課税管理勘定の年分
(五)	当該金融商品取引業者等変更届出書の提出により当該非課税管理勘定、累積投資勘定、特定累積投資勘定若しくは特定非課税管理勘定を廃止し、又は設けないこととした旨及びその提出年月日
(六)	当該金融商品取引業者等変更届出書の提出を受けた日以前に当該廃止した非課税管理勘定、累積投資勘定、特定累積投資勘定又は特定非課税管理勘定に上場株式等の受入れをしていない旨
(七)	その他参考となるべき事項

5　非課税口座廃止届出書に関する事務

①　非課税口座廃止届出書の提出

非課税口座を開設している居住者又は恒久的施設を有する非居住者が当該非課税口座につき第四章第二節**五４**及び**１**①から同④までの規定の適用を受けることをやめようとする場合には、その者は、当該非課税口座が開設されている金融商品取引業者等の営業所の長に、当該非課税口座を廃止する旨その他の（１）で定める事項を記載した届出書（以下**十六**において「**非課税口座廃止届出書**」という。）の提出（当該非課税口座廃止届出書の提出に代えて行う電磁的方法による当該非課税口座廃止届出書に記載すべき事項の提供を含む。②及び③において同じ。）をしなければならない。（措法37の14⑯）

（①に規定する（１）で定める事項）

（１）　①に規定する（１）で定める事項は、次の㈠から㈤までに掲げる事項とする。（措規18の15の３㉕）

㈠	非課税口座廃止届出書の提出をする者の氏名、生年月日及び住所（その者が継続適用届出書提出者（②に規定する継続適用届出書提出者をいう。**６**①（１）において同じ。）であり、かつ、当該非課税口座廃止届出書の提出の際、帰国（**６**①㈠に規定する帰国をいう。**６**①（１）㈥及び同③（１）㈡並びに**９**（２）㈡、**14**及び措規第18条の15の10において同じ。）をしていないものである場合には、その者の出国（**６**①に規定する出国をいう。同①（１）及び同①（２）並びに**８**（２）㈠、**９**（２）㈡、**14**及び措規第18条の15の10において同じ。）の日の前日の住所）
㈡	当該非課税口座廃止届出書の提出先の金融商品取引業者等の営業所の名称及び所在地
㈢	非課税口座を廃止する旨並びに第四章第二節**五４**及び**１**①から同④までの規定の適用を受けることをやめようとする当該非課税口座の記号又は番号
㈣	当該非課税口座に現に設けられている非課税管理勘定、累積投資勘定又は特定累積投資勘定の年分
㈤	その他参考となるべき事項

②　非課税口座廃止届出書の提出があった場合

非課税口座廃止届出書の提出があった場合には、その提出があった時に当該非課税口座廃止届出書に係る非課税口座が廃止されるものとし、当該非課税口座に受け入れていた上場株式等につき当該提出の時後に支払を受けるべき第四章第二節**五４**に規定する配当等及び当該提出の時後に行う当該上場株式等の譲渡による所得については、同**４**及び**１**①から同③までの規定は、適用しない。（措法37の14⑰）

③　廃止届出事項の提供

非課税口座廃止届出書の提出を受けた金融商品取引業者等の営業所の長は、その提出を受けた後速やかに、当該非課税口座廃止届出書の提出をした者の氏名、非課税口座廃止届出書の提出を受けた旨、非課税口座を廃止した年月日その他の（１）で定める事項（以下③及び⑥において「**廃止届出事項**」という。）を特定電子情報処理組織を使用する方法により当該金融商品取引業者等の営業所の所在地の所轄税務署長に提供しなければならないものとし、当該廃止届出事項の提供をした金融商品取引業者等の営業所の長は、次の㈠及び㈡に掲げる場合の区分に応じ当該㈠及び㈡に定めるときに限り、当該非課税口座廃止届出書の提出をした居住者又は恒久的施設を有する非居住者に対し、非課税口座廃止通知書の交付又は電磁的方法による非課税口座廃止通知書記載事項の提供をしなければならない。（措法37の14⑱）

㈠	当該非課税口座廃止届出書の提出を１月１日から９月30日までの間に受けた場合　　当該提出を受けた日において当該非課税口座に同日の属する年分の非課税管理勘定、累積投資勘定又は特定累積投資勘定が設けられていたとき。
㈡	当該非課税口座廃止届出書の提出を10月１日から12月31日までの間に受けた場合　　当該提出を受けた日において当該非課税口座に同日の属する年分の翌年分の非課税管理勘定、累積投資勘定又は特定累積投資勘定が設けられることとなっていたとき。

（注）　改正後の③の規定は、令和６年４月１日以後に①に規定する提出を受ける同①に規定する非課税口座廃止届出書について適用され、同日前に当該提出を受けた当該非課税口座廃止届出書については、なお従前の例による。（令６改所法等附33④）

（③に規定する（1）で定める事項）

（1）　③に規定する（1）で定める事項は、次の㈠から㈦までに掲げる事項とする。（措規18の15の3㉖）

㈠	非課税口座廃止届出書の①に規定する提出（以下（1）において「非課税口座廃止届出書の提出」という。）をした者（以下（1）において「提出者」という。）の氏名、生年月日及び個人番号
㈡	当該提出者からその非課税口座廃止届出書の提出の日以前の直近に提出若しくは提供を受けた非課税適用確認書等に記載若しくは記録がされた整理番号又は2⑨（1）㈡に規定する提供を受けた整理番号
㈢	当該非課税口座廃止届出書の提出を受けた金融商品取引業者等の営業所の名称及び当該金融商品取引業者等の法人番号
㈣	当該非課税口座廃止届出書の提出により当該非課税口座を廃止した旨及びその提出年月日
㈤	当該提出者に対する非課税口座廃止通知書の交付又は電磁的方法による非課税口座廃止通知書記載事項の提供の有無
㈥	当該提出者に非課税口座廃止通知書を交付し、又は電磁的方法による非課税口座廃止通知書記載事項の提供をする場合には、当該非課税口座を廃止した日の属する年分の非課税管理勘定、累積投資勘定、特定累積投資勘定又は特定非課税管理勘定への上場株式等の受入れの有無
㈦	その他参考となるべき事項

④　勘定廃止通知書又は非課税口座廃止通知書を提出して当該非課税口座に非課税管理勘定、累積投資勘定、特定累積投資勘定又は特定非課税管理勘定を設けようとする場合

金融商品取引業者等の営業所に非課税口座を開設している居住者又は恒久的施設を有する非居住者が勘定廃止通知書若しくは非課税口座廃止通知書その他2⑦（1）で定める書類を提出し、又は電磁的方法による勘定廃止通知書記載事項若しくは非課税口座廃止通知書記載事項の提供をして当該非課税口座に非課税管理勘定、累積投資勘定、特定累積投資勘定又は特定非課税管理勘定を設けようとする場合には、その者は、その設けようとする非課税管理勘定、累積投資勘定、特定累積投資勘定又は特定非課税管理勘定に係る年分の前年10月1日から同日以後1年を経過する日までの間に、当該金融商品取引業者等の営業所の長に、これらの書類を提出し、又は電磁的方法による勘定廃止通知書記載事項若しくは非課税口座廃止通知書記載事項の提供をしなければならない。この場合において、当該非課税口座廃止通知書の交付又は電磁的方法による非課税口座廃止通知書記載事項の提供の基因となった非課税口座において、当該非課税口座を廃止した日の属する年分の非課税管理勘定、累積投資勘定、特定累積投資勘定又は特定非課税管理勘定に既に上場株式等を受け入れているときは、当該廃止した日から同日の属する年の9月30日までの間は、当該金融商品取引業者等の営業所の長は、当該非課税口座廃止通知書その他（1）で定める書類及び電磁的方法により提供された当該非課税口座廃止通知書記載事項を記録した電磁的記録（電子的方式、磁気的方式その他人の知覚によっては認識することができない方式で作られる記録であって、電子計算機による情報処理の用に供されるものをいう。）を受理することができない。（措法37の14⑲）

（注）　改正後の④の規定は、令和6年4月1日以後に2⑦に規定する特定累積投資勘定又は2⑧に規定する特定非課税管理勘定を設けようとする場合について適用され、同日前に改正前の2⑦に規定する特定累積投資勘定又は当該特定非課税管理勘定を設けようとする場合については、なお従前の例による。（令6改所法等附33⑤）

（④後段に規定する（1）で定める書類）

（1）　④後段に規定する（1）で定める書類は、非課税口座廃止通知書記載事項の記載がある書類で非課税口座廃止通知書に該当しないものとする。（措規18の15の3㉗）

⑤　廃止通知書の提出を受けた場合の提出事項の提供

3⑥又は④の勘定廃止通知書又は非課税口座廃止通知書その他2⑦（1）で定める書類（非課税口座開設届出書に添付して提出されるこれらの書類、勘定廃止通知書記載事項又は非課税口座廃止通知書記載事項の記載がされて非課税口座開設届出書の提出がされた場合における当該勘定廃止通知書記載事項又は当該非課税口座廃止通知書記載事項及び電磁的方法により提供された勘定廃止通知書記載事項又は非課税口座廃止通知書記載事項を含む。以下⑤及び⑥において「**廃止通知**」という。）の提出又は提供を受けた金融商品取引業者等の営業所の長は、その提出又は提供を受けた後速やかに、当該提出又は提供をした居住者又は恒久的施設を有する非居住者の氏名、当該廃止通知の提出又は提供を受けた旨、当該廃止通知に係る非課税管理勘定、累積投資勘定若しくは特定累積投資勘定が廃止された年月日又は非課税口座が廃止された年月日（⑥において「**廃止年月日**」と総称する。）その他の（1）で定める事項（以下⑤及び⑥において「**提出事項**」という。）を特定電子情報処理組織を使用する方法により当該金融商品取引業者等の営業所の所在地の所轄税務署長（⑥において「**所轄税務署長**」という。）に提供しなければならない。この場合において、当該金融商品取引業者等の営業所の長は、当該廃止通知につき帳簿を備え、当該廃止通知の提出又は提供をした者の各人別に、提出事項を記載し、又は記録しなければならない。（措法37の14⑳）

（⑤に規定する（１）で定める事項）

（１）　⑤に規定する（１）で定める事項は、次の(一)から(八)までに掲げる事項とする。（措規18の15の３㉘）

(一)	廃止通知（⑤に規定する廃止通知をいう。以下（１）及び⑥（１）(三)において同じ。）の提出又は提供をした者の氏名、生年月日及び個人番号
(二)	当該廃止通知に記載又は記録がされた整理番号
(三)	当該廃止通知に記載又は記録がされた氏名が変更されている場合には、その旨及び当該廃止通知書に記載された氏名
(四)	当該廃止通知の提出又は提供を受けた金融商品取引業者等の営業所の名称及びその提出又は提供の年月日並びに当該金融商品取引業者等の法人番号
(五)	当該廃止通知の提出又は提供を受けた旨並びに当該廃止通知の次のイからハまでに掲げる場合の区分のうちいずれに該当するかの別及び当該場合の区分に応じそれぞれ次のイからハまでに定める事項 イ　**2**⑨（１）(三)イに定める事項の記載又は記録がある勘定廃止通知書（**2**⑦（１）に規定する**2**⑦（１）で定める書類のうち勘定廃止通知書記載事項の記載があるもの、勘定廃止通知書記載事項の記載がされて非課税口座開設届出書の提出がされた場合における当該勘定廃止通知書記載事項及び電磁的方法により提供された勘定廃止通知書記載事項を含む。以下(五)において「勘定廃止通知」という。）の提出又は提供があった場合　当該勘定廃止通知に記載又は記録がされた同(三)イに規定する廃止をした年月日 ロ　同（１）(三)ロに定める事項の記載又は記録がある勘定廃止通知の提出又は提供があった場合　当該勘定廃止通知に記載又は記録がされた同(三)ロに規定する提出年の翌年の１月１日の日付 ハ　非課税口座廃止通知書（**2**⑦（１）に規定する**2**⑦（１）で定める書類のうち非課税口座廃止通知書記載事項の記載があるもの、非課税口座廃止通知書記載事項の記載がされて非課税口座開設届出書の提出がされた場合における当該非課税口座廃止通知書記載事項及び電磁的方法により提供された非課税口座廃止通知書記載事項を含む。ハにおいて「非課税口座廃止通知」という。）の提出又は提供があった場合　当該非課税口座廃止通知に記載又は記録がされた**2**⑩（１）(三)に規定する廃止された年月日
(六)	当該廃止通知の提出又は提供により最初に設けようとする非課税管理勘定、累積投資勘定又は特定累積投資勘定の年分
(七)	当該廃止通知が④の規定により提出又は提供をされたものである場合には、(六)の非課税管理勘定、累積投資勘定又は特定累積投資勘定が設けられる非課税口座の記号又は番号
(八)	その他参考となるべき事項

⑥　提出事項の提供を受けた所轄税務署長による確認

当該提出事項の提供を受けた所轄税務署長は、当該廃止通知の提出又は提供をした居住者又は恒久的施設を有する非居住者（以下⑥において「**提出者**」という。）に係る**4**③又は**5**③の規定による変更届出事項又は廃止届出事項（当該提出事項に係る廃止年月日と同一のものに限る。）の提供の有無を確認するものとし、当該確認をした所轄税務署長は、次の(一)及び(二)に掲げる場合の区分に応じ当該(一)及び(二)に定める事項を、当該提出事項の提供をした金融商品取引業者等の営業所の長に、電子情報処理組織（国税庁の使用に係る電子計算機と当該金融商品取引業者等の営業所の長の使用に係る電子計算機とを電気通信回線で接続した電子情報処理組織をいう。）を使用する方法により提供しなければならない。（措法37の14㉑）

(一)	当該提出者に係る変更届出事項又は廃止届出事項の提供がある場合（(二)に掲げる場合に該当する場合を除く。） 　当該金融商品取引業者等の営業所における当該提出者の非課税口座の開設又は当該営業所に開設された当該提出者の非課税口座への非課税管理勘定、累積投資勘定又は特定累積投資勘定の設定ができる旨その他（１）で定める事項

(二)	当該提出者に係る変更届出事項若しくは廃止届出事項の提供がない場合又は当該提出事項の提供を受けた時前に既に当該所轄税務署長若しくは他の税務署長に対して同一の提出者に係る提出事項（廃止年月日が同一のものに限る。）の提供がある場合　　当該金融商品取引業者等の営業所における当該提出者の非課税口座の開設又は当該営業所に開設された当該提出者の非課税口座への非課税管理勘定、累積投資勘定及び特定累積投資勘定の設定ができない旨並びにその理由その他（２）で定める事項

（⑥(一)及び同(二)に規定する（１）で定める事項）

（１）　⑥(一)及び同(二)に規定する（１）で定める事項は、次の(一)から(四)までに掲げる事項とする。（措規18の15の３㉙）

(一)	⑥に規定する提出者の氏名及び生年月日
(二)	⑤の金融商品取引業者等の営業所の長から提供を受けた⑤に規定する提出事項（(三)において「提出事項」という。）のうち、当該提出者に係る**２**⑨（１）(二)の整理番号及び⑤（１）(六)に規定する非課税管理勘定、累積投資勘定又は特定累積投資勘定の年分
(三)	当該金融商品取引業者等の営業所の長が、⑤の所轄税務署長に対して当該提出事項の提供をする際に、当該提出事項が記載又は記録がされた廃止通知を識別するための記号又は番号を提供している場合には、当該記号又は番号
(四)	その他参考となるべき事項

６　非課税口座を開設している居住者等が出国等する場合の事務

①　非課税口座を開設している居住者等が出国する場合

非課税口座を開設している居住者又は恒久的施設を有する非居住者が出国（居住者にあっては国内に住所及び居所を有しないこととなることをいい、恒久的施設を有する非居住者にあっては恒久的施設を有しないこととなることをいう。以下①及び④並びに⑤において同じ。）により居住者又は恒久的施設を有する非居住者に該当しないこととなる場合には、その者は、その出国の日の前日までに、当該非課税口座が開設されている金融商品取引業者等の営業所の長に次の(一)及び(二)に掲げる場合の区分に応じ当該(一)及び(二)に定める届出書の提出（当該届出書の提出に代えて行う電磁的方法による当該届出書に記載すべき事項の提供を含む。）をしなければならない。（措法37の14㉒）

(一)	帰国（居住者又は恒久的施設を有する非居住者に該当することとなることをいう。③において同じ。）をした後再び当該非課税口座において非課税上場株式等管理契約、非課税累積投資契約又は特定非課税累積投資契約に基づく上場株式等の受入れを行わせようとする居住者（当該出国の日の属する年分の所得税につき第六章第四節**一１**①の規定の適用を受ける者を除く。）又は恒久的施設を有する非居住者で、その者に係る第四章第五節**一**に規定する給与等の支払をする者からの転任の命令その他これに準ずるやむを得ない事由に基因して出国をするものが、引き続き**１**①から同④まで及び第四章第二節**五４**の規定の適用を受けようとする場合　　その旨その他の（１）で定める事項を記載した届出書（②、③及び⑤において「**継続適用届出書**」という。）
(二)	(一)に掲げる場合以外の場合　　出国をする旨その他の（２）で定める事項を記載した届出書

（①(一)に規定する（１）で定める事項）

（１）　①(一)に規定する（１）で定める事項は、次の(一)から(九)までに掲げる事項とする。（措規18の15の３㉚）

(一)	継続適用届出書提出者の氏名、生年月日及び住所
(二)	継続適用届出書提出者に係る①(一)に規定する給与等の支払者（(三)において「給与等の支払者」という。）の名称及び所在地
(三)	給与等の支払者からの転任の命令その他これに準ずる事由により出国をすることとなった事情の詳細
(四)	継続適用届出書提出者が開設している非課税口座の記号又は番号及び当該非課税口座に現に設けられている非課税管理勘定、累積投資勘定又は特定累積投資勘定の区分
(五)	出国をする予定年月日及び出国後の国外における連絡先

(六)	継続適用届出書提出者が帰国をする予定年月日及び帰国をした後再び(四)の非課税口座において非課税上場株式等管理契約、非課税累積投資契約又は特定非課税累積投資契約に基づく上場株式等の受入れを行わせようとする旨
(七)	継続適用届出書提出者が、その出国の日の属する年分の所得税につき第六章第四節**一1**①の規定の適用を受けない旨又は同①の規定の適用を受けないと見込まれる旨
(八)	継続適用届出書提出者が第十五章**四2**の規定による納税管理人の届出をしている場合には、その納税管理人の氏名及び住所
(九)	その他参考となるべき事項

(①(二)に規定する(２)で定める事項)

(２)　①(二)に規定する(２)で定める事項は、次の(一)から(六)までに掲げる事項とする。(措規18の15の３㉛)

(一)	①(二)の届出書（以下(２)及び**13**①(２)(九)において「出国届出書」という。）の提出（①に規定する提出をいう。以下(２)及び**13**①(２)(九)において同じ。）をする者の氏名、生年月日及び住所
(二)	出国届出書の提出をする者が開設している非課税口座の記号又は番号及び当該非課税口座に現に設けられている非課税管理勘定、累積投資勘定又は特定累積投資勘定の区分
(三)	出国をする予定年月日及び出国後の国外における連絡先
(四)	出国届出書の提出をする者が、その出国の日の属する年分の所得税につき第六章第四節**一1**①(二)に掲げる場合に該当して同①の規定の適用を受ける場合には、その旨
(五)	出国届出書の提出をする者が第十五章**四2**の規定による納税管理人の届出をしている場合には、その納税管理人の氏名及び住所
(六)	その他参考となるべき事項

(継続適用届出書の提出をすることができない者)

(３)　①(一)に規定する継続適用届出書の①に規定する提出（⑤(１)において「継続適用届出書の提出」という。）をすることができない第六章第四節**一1**①の規定の適用を受ける者とは、同①の規定の適用対象となる居住者のことをいい、当該居住者が出国の日の属する年分の所得税につき同項の規定の適用を受ける確定申告書の提出をしているかどうかは問わないことに留意する。(措通37の14－23)

②　継続適用届出書の提出をした場合

非課税口座を開設している居住者又は恒久的施設を有する非居住者が①の規定による継続適用届出書の提出をした場合には、その者は、引き続き居住者又は恒久的施設を有する非居住者に該当する者とみなして、**十六**（**3**①から**4**③まで、**5**④から①まで及び**12**を除く。）及び第四章第二節**五4**の規定を適用する。(措法37の14㉓)

③　帰国届出書の提出

①の規定による継続適用届出書の提出をした者が帰国をした後再び①(一)の非課税口座において非課税上場株式等管理契約、非課税累積投資契約又は特定非課税累積投資契約に基づく上場株式等の受入れを行わせようとする場合には、その者は、当該継続適用届出書の提出をした日から起算して５年を経過する日の属する年の12月31日までに、当該継続適用届出書の提出をした金融商品取引業者等の営業所の長に帰国届出書（帰国をした旨、帰国をした年月日、当該非課税口座において非課税上場株式等管理契約、非課税累積投資契約又は特定非課税累積投資契約に基づく上場株式等の受入れを行わせようとする旨その他の(１)で定める事項を記載した届出書をいう。以下⑤までにおいて同じ。）の提出（当該帰国届出書の提出に代えて行う電磁的方法による当該帰国届出書に記載すべき事項の提供を含む。④において同じ。）をしなければならない。(措法37の14㉔)

(③に規定する(１)で定める事項)

(１)　③に規定する(１)で定める事項は、次の(一)から(五)までに掲げる事項とする。(措規18の15の３㉜)

(一)	帰国届出書（③に規定する帰国届出書をいう。(三)並びに**8**(２)(一)及び**14**において同じ。）の提出（③に規

	定する提出をいう。(三)及び14において同じ。）をする者の氏名、生年月日、住所及び個人番号
(二)	帰国をした旨及び帰国をした年月日
(三)	帰国届出書の提出をする者が開設している非課税口座の記号又は番号
(四)	(三)の非課税口座において非課税上場株式等管理契約、非課税累積投資契約又は特定非課税累積投資契約に基づく上場株式等の受入れを行わせようとする旨
(五)	その他参考となるべき事項

④　3③及び同⑤の規定の準用

3③及び同⑤の規定は、帰国届出書の提出をする居住者又は恒久的施設を有する非居住者及び当該帰国届出書の提出を受けた金融商品取引業者等の営業所の長について準用する。この場合において、同⑤中「非課税口座開設届出書並びに当該金融商品取引業者等に既に非課税口座を開設している居住者又は恒久的施設を有する非居住者から重ねて提出がされた非課税口座開設届出書」とあるのは、「帰国届出書」と読み替えるものとする。(措法37の14㉕)

⑤　非課税口座を開設している居住者等が出国により居住者等に該当しないこととなった場合

非課税口座を開設している居住者又は恒久的施設を有する非居住者が出国により居住者又は恒久的施設を有する非居住者に該当しないこととなった場合には、その者は当該出国の時に当該非課税口座が開設されている金融商品取引業者等の営業所の長に非課税口座廃止届出書の**5**①に規定する提出をしたものと、①の規定による継続適用届出書の提出をした者が当該継続適用届出書の提出をした日から起算して５年を経過する日の属する年の12月31日までに③の規定による帰国届出書の提出をしなかった場合には、その者は同日に当該継続適用届出書の提出をした金融商品取引業者等の営業所の長に非課税口座廃止届出書の**5**①に規定する提出をしたものとそれぞれみなして、**5**②及び同③の規定を適用する。(措法37の14㉖)

(継続適用届出書提出者が非課税口座廃止届出書を提出した場合)

(１)　継続適用届出書提出者が、継続適用届出書の提出をした日から起算して５年を経過する日の属する年の12月31日までに当該継続適用届出書の提出をした金融商品取引業者等の営業所の長に非課税口座廃止届出書の**5**①に規定する提出をしている場合は、⑤の規定の適用はないことに留意する。(措通37の14－24)

7　非課税口座異動届出書等に関する事務

①　氏名、住所又は個人番号の変更をした場合の非課税口座移動届出書の提出

非課税口座を開設している居住者又は恒久的施設を有する非居住者がその氏名、住所又は個人番号の変更をした場合には、その者は、遅滞なく、当該非課税口座が開設されている金融商品取引業者等の営業所の長に、その旨その他(１)で定める事項を記載した届出書（以下①及び④において「**非課税口座異動届出書**」という。）の提出（当該非課税口座異動届出書の提出に代えて行う電磁的方法による当該非課税口座異動届出書に記載すべき事項の提供を含む。以下①において同じ。）をしなければならない。この場合において、当該非課税口座異動届出書の提出に当たっては、当該金融商品取引業者等の営業所の長にその者の**3**③(２)に規定する書類（その者の氏名又は住所の変更をした場合にあっては、当該書類又はその者の変更前の氏名若しくは住所及び変更後の氏名若しくは住所を証する住民票の写しその他の(２)で定める書類。以下①において「本人確認等書類」という。）を提示し、又はその者の署名用電子証明書等を送信しなければならないものとし、当該金融商品取引業者等の営業所の長は、当該非課税口座異動届出書（電磁的方法により提供された当該非課税口座異動届出書に記載すべき事項を記録した電磁的記録を含む。以下①において同じ。）に記載され、又は記録されている変更後の氏名、住所又は個人番号が当該本人確認等書類又は署名用電子証明書等に記載又は記録がされた氏名、住所又は個人番号と同一であることの確認をし、かつ、当該非課税口座異動届出書に当該確認をした旨及び当該本人確認等書類の名称又は署名用電子証明書等の送信を受けた旨を記載し、又は記録しなければならない。(措令25の13の２①)

(①に規定する(１)で定める事項)

(１)　①に規定する(１)で定める事項は、次の(一)から(四)までに掲げる事項とする。(措規18の15の４①)

(一)	非課税口座異動届出書（①前段に規定する非課税口座異動届出書をいう。(二)及び(２)において同じ。）の提出（①に規定する提出をいう。(二)及び(２)において同じ。）をする者の氏名、生年月日、住所及び個人番号

	(氏名又は住所の変更をした者にあっては、氏名、生年月日及び住所)
(二)	非課税口座異動届出書の提出先の金融商品取引業者等の営業所に開設されている非課税口座の記号又は番号及び当該非課税口座に現に設けられている非課税管理勘定、累積投資勘定又は特定累積投資勘定の区分
(三)	その変更前の氏名、住所又は個人番号及びその変更後の氏名、住所又は個人番号
(四)	その他参考となるべき事項

(①に規定する(2)で定める書類)

(2)　①に規定する(2)で定める書類は、**六４**(2)(注)２に規定する書類(同(注)２(一)に掲げる書類を除く。)のうち、非課税口座異動届出書の提出をする者の変更前の氏名又は住所の記載がある書類とする。(措規18の15の４②)

②　非課税口座に設けられた勘定を変更しようとする場合の非課税口座移動届出書の提出

非課税口座を開設している居住者又は恒久的施設を有する非居住者が、当該非課税口座にその年に設けられた勘定を変更しようとする場合には、その者は、当該非課税口座が開設されている金融商品取引業者等の営業所の長に、その旨その他(1)で定める事項を記載した届出書(以下②において「非課税口座異動届出書」という。)の提出(当該非課税口座異動届出書の提出に代えて行う電磁的方法による当該非課税口座異動届出書に記載すべき事項の提供を含む。以下②及び(2)において同じ。)をしなければならない。この場合において、当該非課税口座異動届出書の提出をする日以前に当該非課税口座に設けられたその年分の非課税管理勘定又は累積投資勘定に既に上場株式等の受入れをしているときは、当該金融商品取引業者等の営業所の長は、当該非課税口座異動届出書(電磁的方法により提供された当該非課税口座異動届出書に記載すべき事項を記録した電磁的記録を含む。(2)において同じ。)を受理することができない。(措令25の13の２②)

(②に規定する(1)で定める事項)

(1)　②に規定する(1)で定める事項は、次の(一)から(四)までに掲げる事項とする。(措規18の15の４③)

(一)	非課税口座異動届出書(②前段に規定する非課税口座異動届出書をいう。(二)において同じ。)の提出(②に規定する提出をいう。(二)において同じ。)をする者の氏名、生年月日及び住所
(二)	非課税口座異動届出書の提出先の金融商品取引業者等の営業所に開設されている非課税口座の記号又は番号及び当該非課税口座に現に設けられている非課税管理勘定又は累積投資勘定の区分
(三)	非課税口座に係る勘定の変更をしようとする旨及びその変更をしようとする勘定の年分
(四)	その他参考となるべき事項

(非課税管理勘定等の廃止)

(2)　②の規定による非課税口座異動届出書の提出があった場合には、当該非課税口座異動届出書に係る非課税口座に既に設けられているその年分の非課税管理勘定又は累積投資勘定は、当該提出があった時に廃止されるものとする。(措令25の13の２③)

③　非課税口座移管依頼書の提出

非課税口座を開設している居住者又は恒久的施設を有する非居住者が、当該非課税口座が開設されている金融商品取引業者等の営業所(以下④までにおいて「**移管前の営業所**」という。)の長に対して当該非課税口座に関する事務の全部を当該金融商品取引業者等の他の営業所(以下③及び(2)において「**移管先の営業所**」という。)に移管すべきことを依頼し、かつ、その移管がされることとなった場合において、当該非課税口座に係る第四章第二節**五４**に規定する非課税口座内上場株式等の配当等に係る配当所得及び非課税口座内上場株式等の譲渡による所得につき引き続き当該移管先の営業所において同**４**及び**１**①から同④までの規定の適用を受けようとするときは、当該居住者又は恒久的施設を有する非居住者は、当該移管を依頼する際、当該移管前の営業所を経由して、当該移管先の営業所の長に、その旨、その者の氏名、生年月日及び住所その他(1)で定める事項を記載した書類(以下④まで及び**12**(4)において「**非課税口座移管依頼書**」という。)の提出(当該非課税口座移管依頼書の提出に代えて行う電磁的方法による当該非課税口座移管依頼書に記載すべき事項の提供を含む。)をしなければならない。(措令25の13の２④)

(③に規定する(1)で定める事項)

(1)　③に規定する(1)に規定する財務省令で定める事項は、次の(一)から(四)までに掲げる事項とする。(措規18の15の4④)

(一)	移管前の営業所（③に規定する移管前の営業所をいう。(二)において同じ。）の名称及び所在地並びに③に規定する移管先の営業所の名称及び所在地
(二)	移管前の営業所に開設されている非課税口座の記号又は番号及び当該非課税口座に現に設けられている非課税管理勘定、累積投資勘定又は特定累積投資勘定の区分
(三)	③の移管を希望する年月日
(四)	その他参考となるべき事項

(非課税口座移管依頼書が移管先の営業所に受理された場合)

(2)　非課税口座移管依頼書（電磁的方法により提供された当該非課税口座移管依頼書に記載すべき事項を記録した電磁的記録を含む。）が移管先の営業所に受理された場合には、③に規定する移管があった日以後における当該移管があった非課税口座に係る**1**から**13**までの規定の適用については、当該非課税口座に係る移管前の営業所の長がした非課税口座開設届出書又は帰国届出書（電磁的方法により提供された当該非課税口座開設届出書又は帰国届出書に記載すべき事項を記録した電磁的記録を含む。**8**において同じ。）の受理、**6**④において準用する**3**③による確認その他の手続は、当該移管先の営業所の長がしたものとみなす。(措令25の13の2⑤)

④　非課税口座異動届出書又は非課税口座移管依頼書に記載された事項の所轄税務署長への提供

非課税口座異動届出書(氏名又は個人番号の変更に係るものに限る。)の①に規定する提出を受けた①の金融商品取引業者等の営業所の長又は非課税口座移管依頼書の③に規定する提出の際に経由した③に規定する移管前の営業所の長は、その提出を受けた後速やかに、当該非課税口座異動届出書又は非課税口座移管依頼書に記載された事項その他の(1)で定める事項を、特定電子情報処理組織を使用する方法（**3**①に規定する特定電子情報処理組織を使用する方法をいう。**8**(1)において同じ。)により当該金融商品取引業者等の営業所の所在地の所轄税務署長又は移管前の営業所の所在地の所轄税務署長に提供しなければならない。(措令25の13の2⑥)

(④に規定する(1)で定める事項)

(1)　④に規定する(1)で定める事項は、次の(一)及び(二)に掲げる事項とする。(措規18の15の4⑤)

(一)	その提出を受け、又は経由した次のイ及びロに掲げる書類の区分に応じそれぞれ次のイ及びロに定める事項 イ　非課税口座異動届出書（④に規定する非課税口座異動届出書をいう。以下(1)において同じ。)　当該非課税口座異動届出書に係る①(1)(一)から(四)までに掲げる事項及び当該非課税口座異動届出書に係る同(1)(二)の金融商品取引業者等の法人番号 ロ　非課税口座移管依頼書（③に規定する非課税口座移管依頼書をいう。以下(1)において同じ。)　当該非課税口座移管依頼書の提出（③に規定する提出をいう。）をした者の氏名、生年月日、住所及び個人番号、③(1)(一)から(四)までに掲げる事項並びに当該非課税口座移管依頼書に係る③(1)(一)の移管前の営業所に係る金融商品取引業者等の法人番号
(二)	非課税口座異動届出書又は非課税口座移管依頼書に係る非課税口座に現に設けられている非課税管理勘定、累積投資勘定又は特定累積投資勘定を設定する際に提出若しくは提供を受けた**2**⑨(1)(二)に規定する非課税適用確認書等に記載若しくは記録がされた整理番号又は同(二)に規定する提供を受けた整理番号

⑤　継続適用届出書の提出をした場合

非課税口座を開設している居住者又は恒久的施設を有する非居住者が**6**①の規定による継続適用届出書の提出をした場合には、その者が出国をした日からその者に係る帰国届出書の提出があった日までの間は、その者に係る①の氏名、住所若しくは個人番号の変更又は当該非課税口座に係る②の勘定の変更若しくは③に規定する非課税口座に関する事務の全部の移管については、①から④の規定は、適用しない。(措令25の13の2⑦)

8　非課税口座が開設されている金融商品取引業者等において事業譲渡等があった場合

事業の譲渡若しくは合併若しくは分割又は金融商品取引業者等の営業所の新設若しくは廃止若しくは業務を行う区域の変更により、居住者又は恒久的施設を有する非居住者が開設している非課税口座に関する事務の全部が、その事業の譲渡を受けた金融商品取引業者等若しくはその合併により設立した金融商品取引業者等若しくはその合併後存続する金融商品取引業者等若しくはその分割により資産及び負債の移転を受けた金融商品取引業者等の営業所又は同一の金融商品取引業者等の他の営業所（以下**8**において「移管先の営業所」という。）に移管された場合には、当該移管された日以後における当該移管された非課税口座に係る**1**から**13**までの規定の適用については、当該非課税口座に係る移管前の営業所（当該移管先の営業所に当該非課税口座に関する事務を移管した金融商品取引業者等の営業所をいう。）の長がした非課税口座開設届出書又は帰国届出書の受理、**6**④において準用する**3**③の規定による確認その他の手続は、当該移管先の営業所の長がしたものとみなす。（措令25の13の３①）

（必要事項の所轄税務署長への提供）

（１）　**8**の移管先の営業所の長は、その移管があった後速やかに、その旨その他（２）で定める事項を、特定電子情報処理組織を使用する方法により当該移管先の営業所の所在地の所轄税務署長に提供しなければならない。（措令25の13の３②）

（（１）に規定する（２）で定める事項）

（２）　（１）に規定する（２）で定める事項は、次の(一)から(七)までに掲げる事項とする。（措規18の15の５）

(一)	**8**に規定する移管先の営業所（以下（２）において「移管先の営業所」という。）に移管がされた非課税口座を開設している居住者又は恒久的施設を有する非居住者の氏名、生年月日、住所（その者に係る**6**①の規定による継続適用届出書（同①(一)に規定する継続適用届出書をいう。**9**（２）(二)及び**13**において同じ。）の提出（**6**①に規定する提出をいう。**9**（２）(二)及び**14**（２）(一)において同じ。）があった日からその者に係る**6**③の規定による帰国届出書の提出があった日までの間にその移管がされた場合には、その者の出国の日の前日の住所）及び個人番号
(二)	その移管がされた非課税口座に現に設けられている非課税管理勘定、累積投資勘定又は特定累積投資勘定を設定する際に提出若しくは提供がされた**2**⑨（１）(二)に規定する非課税適用確認書等に記載若しくは記録がされた整理番号又は同(二)に規定する提供を受けた整理番号
(三)	その移管がされた非課税口座の当該移管先の営業所における記号又は番号
(四)	当該非課税口座に現に設けられている非課税管理勘定、累積投資勘定又は特定累積投資勘定の区分
(五)	**8**に規定する移管前の営業所の名称、所在地及び当該移管前の営業所に係る金融商品取引業者等の法人番号並びに移管先の営業所の名称、所在地及び当該移管先の営業所に係る金融商品取引業者等の法人番号
(六)	**8**の移管がされた年月日
(七)	その他参考となるべき事項

9　非課税口座開設者死亡届出書

非課税口座を開設している居住者又は恒久的施設を有する非居住者が死亡したときは、その者の相続人（相続人がないときは、（１）で定める者）は、当該居住者又は恒久的施設を有する非居住者が死亡したことを知った日以後遅滞なく、当該非課税口座が開設されている金融商品取引業者等の営業所の長に、その旨その他（２）で定める事項を記載した届出書（以下**9**及び**13**において「**非課税口座開設者死亡届出書**」という。）の提出（当該非課税口座開設者死亡届出書の提出に代えて行う電磁的方法による当該非課税口座開設者死亡届出書に記載すべき事項の提供を含む。）をしなければならない。（措令25の13の５）

（**9**に規定する（１）で定める者）

（１）　**9**に規定する（１）で定める者は、遺贈（贈与をした者の死亡により効力を生ずる贈与を含む。（２）において同じ。）により**9**の居住者又は恒久的施設を有する非居住者が開設していた非課税口座に係る非課税口座内上場株式等であった上場株式等を取得する者（（２）において「受遺者」という。）とする。（措規18の15の７①）

（**9**に規定する（２）で定める事項）

（２）　**9**に規定する（２）で定める事項は、次の(一)から(四)までに掲げる事項とする。（措規18の15の７②）

(一)	非課税口座開設者死亡届出書（**9**に規定する非課税口座開設者死亡届出書をいう。**14**（２）(八)において同じ。）の提出（**9**に規定する提出をいう。）をする相続人又は受遺者の氏名及び住所
(二)	被相続人（遺贈をした者を含む。(三)及び**14**（２）において同じ。）の氏名、生年月日及び死亡の時における住所（その者が**6**①の規定による継続適用届出書の提出をしたものであり、かつ、その者がその死亡の時において帰国をしていなかったものである場合には、その者の出国の日の前日の住所）並びに死亡年月日
(三)	被相続人がその金融商品取引業者等の営業所において開設していた非課税口座の記号又は番号及び当該非課税口座においてその死亡の時に設けられていた非課税管理勘定、累積投資勘定又は特定累積投資勘定の区分
(四)	その他参考となるべき事項

10　基準額提供事項に関する事務

①　基準額提供事項の提供及び帳簿の備付け等

金融商品取引業者等の営業所の長は、令和７年以後の各年の12月31日（以下①において「基準日」という。）において当該営業所に開設されていた非課税口座に設けられた特定累積投資勘定又は特定非課税管理勘定に受け入れている上場株式等がある場合には、当該非課税口座を開設している居住者又は恒久的施設を有する非居住者の氏名及び生年月日、当該上場株式等の購入の代価の額に相当する金額として（１）で定める金額その他の（２）で定める事項（以下①及び②において「基準額提供事項」という。）を、基準日の属する年（②及び③において「基準年」という。）の翌年１月31日までに、（３）で定めるところによりあらかじめ税務署長に届け出て行う情報通信技術を活用した行政の推進等に関する法律第６条第１項に規定する電子情報処理組織を使用する方法として（４）で定める方法により当該金融商品取引業者等の営業所の所在地の所轄税務署長に提供しなければならない。この場合において、当該金融商品取引業者等の営業所の長は、当該基準額提供事項につき帳簿を備え、当該居住者又は恒久的施設を有する非居住者の各人別に、基準額提供事項を記載し、又は記録しなければならない。（措法37の14㉗）

（①に規定する（１）で定める金額）

（１）　①に規定する（１）で定める金額は、①に規定する基準日（以下（１）において「基準日」という。）において①の金融商品取引業者等の営業所に開設されていた非課税口座に設けられた特定累積投資勘定又は特定非課税管理勘定に受け入れている上場株式等の次の(一)及び(二)に掲げる区分に応じ当該(一)又は(二)に定める金額とする。（措令25の13㊴）

(一)	特定累積投資勘定に係る特定累積投資上場株式等	当該基準日に当該特定累積投資勘定に受け入れている当該特定累積投資上場株式等の譲渡があったものとして**2**⑥（４）の規定により計算される同（４）(一)に定める金額のうち当該非課税口座に係る部分の金額
(二)	特定非課税管理勘定に係る上場株式等	当該基準日に当該特定非課税管理勘定に受け入れている当該上場株式等の譲渡があったものとして**2**⑥（４）の規定により計算される同（４）(二)に定める金額のうち当該非課税口座に係る部分の金額

（①に規定する（２）で定める事項）

（２）　①に規定する（２）で定める事項は、次の(一)から(六)までに掲げる事項とする。（措規18の15の３㉝）

(一)	当該非課税口座を開設している居住者又は恒久的施設を有する非居住者の氏名、生年月日及び個人番号
(二)	①の規定による提供の日以前の直近に提出若しくは提供を受けた非課税適用確認書等に記載若しくは記録がされた整理番号又は**2**⑨（１）(二)に規定する提供を受けた整理番号
(三)	当該金融商品取引業者等の営業所の名称及び当該金融商品取引業者等の法人番号
(四)	当該非課税口座に係る特定累積投資勘定に受け入れている上場株式等の①に規定する（１）で定める金額
(五)	当該非課税口座に係る特定非課税管理勘定に受け入れている上場株式等の①に規定する（１）で定める金額

(六)	その他参考となるべき事項

（基準額提供事項を所轄税務署長に提供しようとする場合における届出手続）

(3)　①の金融商品取引業者等の営業所の長が①に規定する電子情報処理組織を使用して①に規定する基準額提供事項（以下**十六**において「基準額提供事項」という。）を①に規定する所轄税務署長に提供しようとする場合における届出その他の手続については、国税関係法令に係る情報通信技術を活用した行政の推進等に関する省令第４条第４項及び第６項の規定の例による。（措規18の15の３㉞）

（①に規定する(4)で定める方法）

(4)　①に規定する(4)で定める方法は、認定電子計算機（①の金融商品取引業者等の営業所の長の使用に係る電子計算機であって国税庁長官の定める基準に適合するものであることにつき国税庁長官の認定を受けたものをいう。）に備えられたファイル（以下(6)までにおいて「特定ファイル」という。）に基準額提供事項を記録し、かつ、①に規定する所轄税務署長に対して、当該特定ファイルに記録された当該基準額提供事項を閲覧し、及び国税庁の使用に係る電子計算機に備えられたファイルに記録する権限を付与する方法とする。（措規18の15の３㉟）

（基準額提供事項を記録する場合におけるその記録に関するファイル形式）

(5)　(4)の規定により特定ファイルに基準額提供事項を記録する場合におけるその記録に関するファイル形式については、国税庁長官が定める。（措規18の15の３㊱）

（基準額提供事項の保存）

(6)　(4)に規定する方法により基準額提供事項の提供を行う者は、特定ファイルに記録した基準額提供事項を国税関係法令に係る情報通信技術を活用した行政の推進等に関する省令第５条の２第３項の定めるところにより保存しなければならない。（措規18の15の３㊲）

（(4)に規定する認定電子計算機に係る認定、当該認定に係る申請その他の手続）

(7)　(4)に規定する認定電子計算機に係る認定、当該認定に係る申請その他の手続については、国税関係法令に係る情報通信技術を活用した行政の推進等に関する省令第５条の２第４項から第11項までの規定の例による。（措規18の15の３㊳）

②　所轄税務署長への基準額提供事項の通知

①の基準額提供事項の提供を受けた①の所轄税務署長は、当該基準額提供事項に係る居住者又は恒久的施設を有する非居住者の非課税口座で当該基準額提供事項に係る基準年の翌年分の特定累積投資勘定が設けられているものが開設されている金融商品取引業者等の営業所の所在地の所轄税務署長が①の所轄税務署長と異なる場合には、当該所在地の所轄税務署長に当該基準額提供事項を通知するものとする。（措法37の14㉘）

③　特定累積投資勘定基準額及び特定非課税管理勘定基準額の提供及び通知

居住者又は恒久的施設を有する非居住者の非課税口座で基準年の翌年分の特定累積投資勘定が設けられているものが開設されている金融商品取引業者等の営業所の所在地の所轄税務署長は、当該特定累積投資勘定及び当該特定累積投資勘定と同時に設けられた特定非課税管理勘定に係る特定累積投資勘定基準額及び特定非課税管理勘定基準額その他の(1)で定める事項を、当該金融商品取引業者等の営業所の長に、電子情報処理組織（国税庁の使用に係る電子計算機と当該金融商品取引業者等の営業所の長の使用に係る電子計算機とを電気通信回線で接続した電子情報処理組織をいう。）を使用する方法により提供しなければならない。この場合において、当該事項の提供を受けた当該金融商品取引業者等の営業所の長は、当該居住者又は恒久的施設を有する非居住者に対し、当該特定累積投資勘定基準額及び特定非課税管理勘定基準額を通知しなければならない。（措法37の14㉙）

（③に規定する(1)で定める事項）

(1)　③に規定する(1)で定める事項は、次に掲げる事項とする。（措規18の15の３㊴）

(一)	当該非課税口座を開設している居住者又は恒久的施設を有する非居住者の氏名及び生年月日

(二)	①の金融商品取引業者等の営業所の長から提供を受けた基準額提供事項のうち当該居住者又は恒久的施設を有する非居住者に係る**2**⑨(1)(二)の整理番号
(三)	③に規定する特定累積投資勘定基準額及び特定非課税管理勘定基準額
(四)	その他参考となるべき事項

11　所轄税務署長の承認

①　金融商品取引業者等の営業所の長が所轄税務署長の承認を受けた場合

金融商品取引業者等の営業所の長が、(1)で定めるところにより**3**①、**4**③、**5**③、同⑤、**10**①その他(4)で定める規定に規定する所轄税務署長（以下①において「**所轄税務署長**」という。）の承認を受けた場合には、当該金融商品取引業者等の営業所の長は、これらの規定にかかわらず、特定電子情報処理組織を使用する方法又は**10**①の方法により、これらの規定により提供すべきこととされている事項（以下①において「**提供事項**」という。）を(5)で定める税務署長に提供することができる。この場合において、当該金融商品取引業者等の営業所の長は、当該提供事項を所轄税務署長に提供したものとみなして、第四章第二節**五 4**及び**十六**の規定を適用する。（措法37の14㉚）

（申請書の提出）

(1)　①の承認を受けようとする金融商品取引業者等の営業所の長は、その名称、所在地及び法人番号、①に規定する提供事項を提供しようとする税務署長その他の(2)で定める事項を記載した申請書を①に規定する所轄税務署長に提出しなければならない。（措令25の13㊵）

((1)に規定する(2)で定める事項)

(2)　(1)に規定する(2)で定める事項は、次の(一)から(四)までに掲げる事項とする。（措規18の15の３㊵）

(一)	(1)の申請書を提出する者の名称、所在地及び法人番号
(二)	①の承認を受けようとする旨
(三)	①に規定する提供事項を提供しようとする税務署長及び当該税務署長に提供しようとする理由
(四)	その他参考となるべき事項

（申請についての承認に関する通知）

(3)　(1)の所轄税務署長は、(1)の申請書の提出があった場合において、その申請につき承認をし、又は承認をしないこととしたときは、その申請をした者に対し、その旨を書面により通知するものとする。（措令25の13㊶）

（①に規定する（4)で定める規定）

(4)　①に規定する（4)で定める規定は、**7**④又は**8**(1)の規定とする。（措令25の13㊷）

（①に規定する(5)で定める税務署長）

(5)　①に規定する(5)で定める税務署長は、(1)の所轄税務署長への申請に基づく(3)又は(6)の規定による承認に係る(2)(三)の税務署長とする。（措規18の15の３㊶）

（承認に関する通知がなかったとき）

(6)　(1)の申請書の提出があった場合において、その申請書の提出の日から２月を経過する日までにその申請につき承認をし、又は承認をしないこととした旨の通知がなかったときは、同日においてその承認があったものとみなす。（措令25の13㊸）

（特定の営業所の長が提供事項を取りまとめて提供する場合の取扱い）

(7)　金融商品取引業者等の営業所の長が、①に規定する提供事項（以下(7)において「提供事項」という。）を提供する場合において、当該提供事項の提供先の税務署長（以下(7)において「提供先税務署長」という。）が同一であるときは、提供先税務署長が同一である金融商品取引業者等の営業所のうち特定の営業所（以下(7)において「特定営業所」という。）の長が当該提供事項を取りまとめて提供して差し支えない。

なお、提供事項が取りまとめて提供された場合は、**3**②及び**5**⑥に規定する電子情報処理組織を使用する方法により提供する提供事項は、当該提供先税務署長から当該特定営業所の長に対して提供されることに留意する。（措通37の14－17）

12　未成年者口座を開設している場合

①　平成29年から令和５年までの各年の１月１日において未成年者口座を開設している場合

居住者又は恒久的施設を有する非居住者が平成29年から令和５年までの各年（その年１月１日において当該居住者又は恒久的施設を有する非居住者が18歳である年に限る。）の１月１日において金融商品取引業者等の営業所に未成年者口座を開設している場合には、当該居住者又は恒久的施設を有する非居住者は同日において当該金融商品取引業者等の営業所の長に非課税口座開設届出書の提出をしたものと、当該居住者又は恒久的施設を有する非居住者は同日に当該金融商品取引業者等と非課税上場株式等管理契約を締結したものと、当該金融商品取引業者等の営業所の長は同日に**3**①に規定する所轄税務署長に同①に規定する届出事項を提供したものとそれぞれみなして、第四章第二節**五4**及び**十六**の規定を適用する。（措法37の14㉛）

②　令和６年から令和10年までの各年の１月１日において未成年者口座を開設している場合

居住者又は恒久的施設を有する非居住者が令和６年以後の各年（その年１月１日において当該居住者又は恒久的施設を有する非居住者が18歳である年に限る。）の１月１日において金融商品取引業者等の営業所に未成年者口座を開設している場合には、当該居住者又は恒久的施設を有する非居住者は同日において当該金融商品取引業者等の営業所の長に非課税口座開設届出書の提出をしたものと、当該居住者又は恒久的施設を有する非居住者は同日に当該金融商品取引業者等と特定非課税累積投資契約を締結したものと、当該金融商品取引業者等の営業所の長は同日に**3**①に規定する所轄税務署長に同①に規定する届出事項を提供したものとそれぞれみなして、第四章第二節**五4**及び**十六**の規定を適用する。（措法37の14㉜）

13　金融商品取引業者等の営業所における非課税口座に関する帳簿書類の整理保存

金融商品取引業者等の営業所の長は、非課税口座開設届出書の提出をして開設された非課税口座に係る非課税口座内上場株式等につき帳簿を備え、各人別に、その非課税口座内上場株式等の振替口座簿への記載若しくは記録又は保管、受入れ及び譲渡（譲渡以外の払出しを含む。）に関する事項を明らかにし、かつ、当該帳簿を財務省令（措規18の15の８）で定めるところにより保存しなければならない。（措令25の13の６①）

（帳簿の備え及びの保存）

（１）　金融商品取引業者等の営業所の長は、**3**②後段若しくは**10**③後段の規定又は**2**②(５)、同④(11)(一)若しくは同⑥(３)(一)若しくは同(二)の規定による通知をしたときは、その旨及びその通知をした事項につき帳簿を備え、各人別に、その事績を明らかにし、かつ、当該帳簿を財務省令（措規18の15の８）で定めるところにより保存しなければならない。（措令25の13の６②）

（帳簿の保存）

（２）　**3**①後段の金融商品取引業者等の営業所の長、**5**⑤後段の金融商品取引業者等の営業所の長、**10**①後段の金融商品取引業者等の営業所の長及び**3**④の金融商品取引業者等の営業所の長は、これらの規定に規定する帳簿を財務省令（措規18の15の８）で定めるところにより保存しなければならない。（措令25の13の６③）

（帳簿の備え及び保存）

（３）　金融商品取引業者等の営業所の長は、**4**③若しくは**5**③又は**7**④若しくは**8**（１）に規定する財務省令で定める事項をこれらの規定に規定する所轄税務署長に提供したときは、その旨及びその提供をした事項につき、帳簿を備え、各人別に、その事績を明らかにし、かつ、当該帳簿を財務省令（措規18の15の８）で定めるところにより保存しなければならない。（措令25の13の６④）

（届出書、通知書、書類及び依頼書の保存）

（４）　金融商品取引業者等の営業所の長は、非課税口座開設届出書、勘定廃止通知書、非課税口座廃止通知書、**4**①に

規定する金融商品取引業者等変更届出書、**5**①に規定する非課税口座廃止届出書、**6**①(一)及び(二)に定める届出書、帰国届出書、**2**④(3)(二)（**2**⑥(2)において準用する場合を含む。(5)において同じ。）に規定する書類、**7**①前段又は**7**②前段に規定する非課税口座異動届出書、非課税口座移管依頼書、非課税口座開設者死亡届出書その他財務省令で定める書類を受理した場合には、財務省令（措規18の15の８）で定めるところにより、これらの届出書、通知書、書類及び依頼書を保存しなければならない。（措令25の13の６⑤）

((4)の届出書、依頼書及び書類の範囲)

(5)　(4)の届出書、依頼書及び書類（**2**④(3)(二)に規定する書類を除く。以下(5)において同じ。）には、電磁的方法により提供されたこれらの届出書、通知書、依頼書又は書類に記載すべき事項を記録した電磁的記録を含むものとする。（措令25の13の６⑥）

14　非課税口座年間取引報告書の作成と提出義務、報告書の提出に関する調査

①　非課税口座年間取引報告書の作成と提出義務

金融商品取引業者等は、その年において当該金融商品取引業者等の営業所に開設されていた非課税口座で非課税管理勘定、累積投資勘定又は特定累積投資勘定が設けられていたものがある場合には、(1)で定めるところにより、当該非課税口座を開設した居住者又は恒久的施設を有する非居住者の氏名及び住所、その年中に当該非課税口座において処理された上場株式等の譲渡の対価の額、当該非課税口座に係る非課税口座内上場株式等の配当等の額その他の(2)で定める事項を記載した報告書を作成し、その年の翌年１月31日までに、当該金融商品取引業者等の当該非課税口座を開設する営業所の所在地の所轄税務署長に提出しなければならない。（措法37の14㉞）

（非課税口座年間取引報告書の記載事項等）

(1)　金融商品取引業者等は、その年において当該金融商品取引業者等の営業所に開設されていた非課税口座で非課税管理勘定、累積投資勘定又は特定累積投資勘定が設けられていたものがある場合には、当該非課税口座を開設した居住者又は恒久的施設を有する非居住者の各人別に、(2)(一)から(十一)までに掲げる事項を記載した報告書（以下**14**において「**非課税口座年間取引報告書**」という。）を非課税口座ごとに作成し、その年の翌年１月31日までに、当該金融商品取引業者等の当該非課税口座が開設されていた営業所の所在地の所轄税務署長に提出しなければならない。（措規18の15の９①）

（①に規定する(2)で定める事項）

(2)　①に規定する(2)で定める事項は、①の非課税口座に係る次の(一)から(十一)までに掲げる事項とする。（措規18の15の９②）

(一)	当該非課税口座を開設していた居住者又は恒久的施設を有する非居住者の氏名、生年月日、住所（その者に係る**6**①の規定による継続適用届出書の提出があった日からその者に係る**6**③の規定による帰国届出書の提出があった日までの間にこの非課税口座年間取引報告書を作成する場合には、その者の出国の日の前日の住所）及び個人番号
(二)	当該非課税管理勘定、累積投資勘定又は特定累積投資勘定の設定の際に提出若しくは提供を受けた**2**⑨(1)(二)に規定する非課税適用確認書等に記載若しくは記録がされた整理番号又は同(二)に規定する提供を受けた整理番号
(三)	当該非課税口座が開設されていた金融商品取引業者等の営業所の名称、所在地及び電話番号並びに当該金融商品取引業者等の法人番号
(四)	当該非課税口座に非課税管理勘定、累積投資勘定又は特定累積投資勘定が設けられた日の属する年中に当該非課税口座に受け入れた**2**②イ⑴若しくは⑵、同④イ又は同⑥イ若しくはハに掲げる上場株式等につき、当該受け入れた非課税口座に係る非課税管理勘定、累積投資勘定、特定累積投資勘定又は特定非課税管理勘定ごとのその年における取得対価の額（同②イに規定する取得対価の額をいう。）の合計額
(五)	その年中に当該非課税口座に係る非課税管理勘定、累積投資勘定、特定累積投資勘定又は特定非課税管理勘定からの払出し（振替によるものを含む。以下(五)において同じ。）があった非課税口座内上場株式等につき、当該非課税管理勘定、累積投資勘定、特定累積投資勘定又は特定非課税管理勘定ごとのその年中の払出しに係

	る当該払出しの次に掲げる場合の区分に応じそれぞれ次に定める金額の合計額 イ　当該払出しが譲渡によるものである場合　　譲渡対価の額 ロ　当該払出しが譲渡以外の事由によるものである場合　　**1**④に規定する払出し時の金額
(六)	その年中に交付した当該非課税口座に係る第四章第二節**五4**に規定する非課税口座内上場株式等の配当等の額の合計額
(七)	その年の**10**①（1）に規定する基準日における同（1）(一)及び同(二)に定める金額
(八)	当該非課税口座につきその年中に非課税口座開設者死亡届出書の**9**に規定する提出があった場合には、当該非課税口座開設者死亡届出書に係る被相続人の死亡年月日
(九)	当該非課税口座につき**6**⑤の規定により非課税口座廃止届出書の提出があったものとみなされることとなる場合には、当該みなされることとなった日及び出国届出書又は継続適用届出書の提出年月日
(十)	当該非課税口座を開設していた者が第十五章**四2**の規定により届け出た納税管理人が明らかな場合には、その氏名及び住所又は居所
(十一)	その他参考となるべき事項

（分割等上場株式等の取得に伴い当該取得の基因となった非課税口座内上場株式等を有しないこととなったとき）

（3）　非課税口座を開設した居住者又は恒久的施設を有する非居住者が分割等上場株式等の取得に伴い当該取得の基因となった非課税口座内上場株式等を有しないこととなったときは、その有しないこととなった日の属する年以後の当該非課税口座に係る非課税口座年間取引報告書には、その有しないこととなった非課税口座内上場株式等に係る（2）(四)に掲げる事項の記載は、要しない。（措規18の15の9③）

（非課税口座年間取引報告書）

（4）　①の報告書（以下（5）及び③（1）において「非課税口座年間取引報告書」という。）にその額その他の事項を記載すべきものとされる上場株式等の譲渡の対価（**二2**（注）3に規定する金銭等及び同（注）4に規定する償還金等を含む。以下（4）において同じ。）の支払（**二2**（注）3及び同（注）4に規定する交付を含む。以下（4）において同じ。）を受ける者（所法第228条第2項に規定する支払を受ける者に該当する者を除く。）、支払をする者及びその交付の取扱者（措法第38条第3項及び第5項に規定する交付の取扱者をいう。）については、**二2**、同**2**（注）3及び（注）4並びに同**3**並びに措法第38条第3項及び第5項のうち当該上場株式等の譲渡の対価に係る部分の規定は、適用しない。（措令25の13の7①）

（上場株式等の配当等に係る部分の規定の不適用）

（5）　非課税口座年間取引報告書にその額その他の事項を記載すべきものとされる第四章第二節**五1**③に規定する上場株式等の配当等の支払を受ける者（所法第228条第1項に規定する支払を受ける者を除く。）、支払をする者及びその支払の取扱者（同**五1**②、同**五1**④及び同**五1**⑥に規定する支払の取扱者をいう。）については、所法第224条及び**二3**並びに同**五1**③(10)から同(12)までのうち当該上場株式等の配当等に係る部分の規定は、適用しない。（措令25の13の7②）

②　非課税口座年間取引報告書の提出に関する調査

国税庁、国税局又は税務署の当該職員は、①の報告書の提出に関する調査について必要があるときは、当該報告書を提出する義務がある者に質問し、その者の非課税口座及び当該非課税口座における上場株式等の取扱いに関する帳簿書類その他の物件を検査し、又は当該物件（その写しを含む。）の提示若しくは提出を求めることができる。（措法37の14㊱）

③　調査において提出された物件の留置き

国税庁、国税局又は税務署の当該職員は、①の報告書の提出に関する調査について必要があるときは、当該調査において提出された物件を留め置くことができる。（措法37の14㊲）

（第十三章第一節**一2**（1）から（3）の規定の準用）

（1）　第十三章第一節**一2**（1）から（3）の規定は、③の規定により物件を留め置く場合について準用する。（措令25の13の7④）

④　身分を示す証明書の携帯等

国税庁、国税局又は税務署の当該職員は、②の規定による質問、検査又は提示若しくは提出の要求をする場合には、その身分を示す証明書を携帯し、関係人の請求があったときは、これを提示しなければならない。（措法37の14㊳）

⑤　当該職員の権限

②及び③の規定による当該職員の権限は、犯罪捜査のために認められたものと解してはならない。（措法37の14㊴）

十七　未成年者口座内の少額上場株式等に係る譲渡所得等の非課税

1　未成年者口座内の少額上場株式等に係る譲渡所得等の非課税

金融商品取引業者等の営業所に未成年者口座を開設している居住者又は恒久的施設を有する非居住者が、次の(一)及び(二)に掲げる未成年者口座内上場株式等（未成年者口座管理契約に基づき当該未成年者口座に係る振替口座簿に記載若しくは記録がされ、又は当該未成年者口座に保管の委託がされている上場株式等をいう。以下**十七**において同じ。）の区分に応じ当該各号に定める期間内に、当該未成年者口座内上場株式等の当該未成年者口座管理契約に基づく譲渡をした場合には、当該譲渡による事業所得、譲渡所得及び雑所得（第六章第一節**一９**《発行法人から与えられた株式を取得する権利の譲渡による収入金額》の規定に該当する事業所得及び雑所得並びに第四章第七節**一１**《保有期間５年以内の山林の伐採又は譲渡による所得》の規定に該当する譲渡所得を除く。）については、所得税を課さない。（措法37の14の２①）

(一)	非課税管理勘定に係る未成年者口座内上場株式等　当該未成年者口座に当該非課税管理勘定を設けた日から同日の属する年の１月１日以後５年を経過する日までの間
(二)	継続管理勘定に係る未成年者口座内上場株式等　当該未成年者口座に当該継続管理勘定を設けた日から当該未成年者口座を開設した者がその年１月１日において18歳である年の前年12月31日までの間

（取得費及びその譲渡に要した費用の額の合計額又はその譲渡に係る必要経費に満たない場合の不足額）

（1）　未成年者口座管理契約に基づく未成年者口座内上場株式等の譲渡による収入金額が当該未成年者口座内上場株式等の第四章第八節**二**《譲渡所得の金額》**1**に規定する取得費及びその譲渡に要した費用の額の合計額又はその譲渡に係る必要経費に満たない場合におけるその不足額は、所得税に関する法令の規定の適用については、ないものとみなす。（措法37の14の２②）

（未成年者口座内上場株式等の譲渡による事業所得の金額等と未成年者口座内上場株式等以外の上場株式等の譲渡による事業所得の金額等との区分）

（2）　**1**及び（1）の場合において、居住者又は恒久的施設を有する非居住者が、未成年者口座管理契約に基づき未成年者口座内上場株式等の譲渡をしたときは、**十六１**③（1）で定めるところにより、当該未成年者口座内上場株式等の譲渡による事業所得の金額、譲渡所得の金額又は雑所得の金額と当該未成年者口座内上場株式等以外の上場株式等（第三節**三**《上場株式等に係る譲渡所得等の申告分離課税》（1）に規定する上場株式等をいう。**2**(六)において同じ。）の譲渡による事業所得の金額、譲渡所得の金額又は雑所得の金額とを区分して、これらの金額を計算するものとする。（措法37の14の２③、措令25の13の８⑳）

（非課税管理勘定又は継続管理勘定からの未成年者口座内上場株式等の一部又は全部の払出しがあった場合）

（3）　次に掲げる事由により、非課税管理勘定又は継続管理勘定からの未成年者口座内上場株式等の一部又は全部の払出し（振替によるものを含む。以下（3）及び**3**(四)において同じ。）があった場合には、当該払出しがあった未成年者口座内上場株式等については、その事由が生じた時に、その時における価額として**十六１**④（1）で定める金額（以下**十七**において「**払出し時の金額**」という。）により未成年者口座管理契約に基づく譲渡があったものと、(一)に掲げる移管若しくは返還又は(三)イに掲げる廃止による未成年者口座内上場株式等の払出しがあった非課税管理勘定又は継続管理勘定が設けられている未成年者口座を開設し、又は開設していた居住者又は恒久的施設を有する非居住者については、当該移管若しくは返還又は廃止による払出しがあった時に、その払出し時の金額をもって当該移管若しくは返還又は廃止による払出しがあった未成年者口座内上場株式等の数に相当する数の当該未成年者口座内上場株式等と同一銘柄の株式等を取得したものと、(二)に掲げる相続若しくは遺贈又は(三)ロに掲げる贈与により払出しがあった未成年者口座内上場株式等を取得した者については、当該相続若しくは遺贈又は贈与の時に、その払出し時の金額をもって当該未成年者口座内上場株式等と同一銘柄の株式等を取得したものとそれぞれみなして、**1**、（1）、（2）及び**8**の②の規定その他の所得税に関する法令の規定を適用する。（措法37の14の２④、措令25の13の８⑳）

(一)	未成年者口座管理契約に従って行う未成年者口座から他の株式等の振替口座簿への記載若しくは記録若しくは保管の委託に係る口座（**2**及び**3**(二)において「**他の保管口座**」という。）への移管、非課税管理勘定から当該非課税管理勘定が設けられている未成年者口座に係る他の年分の非課税管理勘定若しくは継続管理勘定への移管又は未成年者口座内上場株式等に係る有価証券の当該居住者若しくは恒久的施設を有する非居住者への返還
(二)	相続又は遺贈

(三)	次に掲げる事由（当該居住者又は恒久的施設を有する非居住者が、その年３月31日において18歳である年（以下**十七**において「**基準年**」という。）の１月１日又は令和６年１月１日のいずれか早い日以後に生じたものに限る。） イ　未成年者口座の廃止 ロ　贈与 ハ　未成年者口座管理契約において定められた方法に従って行われる譲渡以外の譲渡

（金融商品取引業者等の営業所の長への未成年者口座開設届出書の提出）

（4）　金融商品取引業者等の営業所において**2**(一)の口座を開設しようとする居住者又は恒久的施設を有する非居住者（その口座を開設しようとする年（以下(4)において「**口座開設年**」という。）の１月１日において18歳未満である者又はその年中に出生した者に限る。）は、未成年者口座開設届出書に、未成年者非課税適用確認書又は未成年者口座廃止通知書を添付して、その口座開設年の前年10月１日からその口座開設年において最初に第四章第二節**五５**《未成年者口座内の少額上場株式等に係る配当所得の非課税》及び**1**、(1)から(3)までの規定の適用を受けようとする**2**(二)ロ⑴に掲げる上場株式等を当該口座に受け入れる日（当該未成年者口座廃止通知書を添付する場合には、当該受け入れる日又はその口座開設年の９月30日のいずれか早い日）までに、これをその口座を開設しようとする金融商品取引業者等の営業所の長に提出（**2**(一)に規定する提出をいう。**8**②(9)において同じ。）をしなければならない。この場合において、当該未成年者口座廃止通知書の交付の基因となった未成年者口座において当該未成年者口座を廃止した日の属する年分の非課税管理勘定に既に上場株式等（**十六１**①（一)に規定する上場株式等をいう。**2**⒀、同⒁及び同⒃を除き、以下同じ。）を受け入れているときは、当該廃止した日から同日の属する年の９月30日までの間は、当該金融商品取引業者等の営業所の長は、当該未成年者口座廃止通知書が添付された未成年者口座開設届出書を受理することができない。（措令25の13の８②）

（準用及び読替え規定）

（5）　**十六**の規定は、**十七**の規定を適用する場合について準用する。この場合において、これらの規定中「非課税口座開設届出書」とあるのは「未成年者口座開設届出書」と、「非課税口座異動届出書」とあるのは「未成年者口座異動届出書」と、「非課税口座移管依頼書」とあるのは「未成年者口座移管依頼書」と、「非課税口座開設者死亡届出書」とあるのは「未成年者口座開設者死亡届出書」と、「非課税口座年間取引報告書」とあるのは「未成年者口座年間取引報告書」と、「非課税口座廃止通知書」とあるのは「未成年者口座廃止通知書」と、「非課税口座開設者死亡届出書」とあるのは「未成年者口座開設者死亡届出書」と読み替える。（措令25の13の８⑳、措規18の15の10㉕）

（未成年者口座内上場株式等に係る譲渡所得等の非課税）

（6）　未成年者口座内上場株式等に係る譲渡所得等の非課税は、受入期間（未成年者非課税管理勘定が設けられた日から同日の属する年の12月31日までの間をいう。(8)において同じ。）内に取得した上場株式等の引渡しがあった日から、その日の属する年の１月１日から５年を経過した日（未成年者非課税管理勘定から継続管理勘定に移管がされた上場株式等にあっては、当該継続管理勘定を設けた日から未成年者口座を開設した者がその年の１月１日で18歳である年の１月１日）までの間に当該上場株式等の譲渡による引渡しのあった日（(3)各号に掲げる事由が生じた日を含む。）までの間に生じた譲渡所得等について適用があることに留意する。（措通37の14の２－１）

（注）　未成年者口座内上場株式等を有する居住者等が死亡した場合には、その時に遡って未成年者口座管理契約に基づく譲渡があったものとみなされ、未成年者口座から払出しがされることに留意する。

（未成年者口座内上場株式等に係る譲渡損失）

（7）　未成年者口座内上場株式等について、**1**に規定する未成年者口座管理契約に基づく譲渡（(3)の規定による譲渡があったものとみなされるものを含む。）をした場合において生じた譲渡損失の金額については、**十六１**②(1)の取扱いに準ずる。（措通37の14の２－２）

（注）　未成年者口座を開設している居住者等（以下「未成年者口座開設者」という。）がその年の３月31日において18歳である年（以下「基準年」という。）の前年12月31日又は令和５年12月31日のいずれか早い日までに未成年者口座又は課税未成年者口座につき**3**に規定する契約不履行等事由（以下「契約不履行等事由」という。）が生じたことにより、**3**(一)から同(三)までの規定による譲渡があったものとみなされる場合に生ずる譲渡損失の金額については、**3**(9)(五)参照。

（取得対価の額等の合計額の判定）

（８）　**２**（二）ロ⑴（ⅰ）の規定により未成年者口座へ受入れ可能な上場株式等は、受入期間内に受け入れた上場株式等の取得対価の額（同（二）ロ⑴に規定する取得対価の額をいう。以下（８）において同じ。）の合計額が80万円（同（二）ロ⑵に掲げる上場株式等がある場合には、当該上場株式等の移管に係る払出し時の金額（**１**（３）に規定する払出し時の金額をいう。以下（８）及び（９）において同じ。）を控除した金額。以下（８）において同じ。）を超えないものに限られるのであるが、未成年者口座に受け入れられるかどうかの判定は、取引単位により行うことに留意する。

また、同（二）ロ⑴（ⅱ）又は同（二）ハ⑴の規定により未成年者非課税管理勘定又は継続管理勘定を設けた未成年者口座に係る他の年分の未成年者非課税管理勘定から移管可能な上場株式等は、受入期間（継続管理勘定への移管にあっては、当該継続管理勘定が設けられた日から同日の属する年の12月31日までの間をいう。）内に受け入れた上場株式等の取得対価の額（継続管理勘定への移管にあっては、当該移管に係る払出し時の金額）の合計額が80万円（継続管理勘定への移管にあっては、同（二）ハ⑵に掲げる上場株式等がある場合には、当該上場株式等の移管に係る払出し時の金額を控除した金額）を超えないものに限られるのであるが、他の年分の未成年者非課税管理勘定からの移管により受け入れられるかどうかの判定は、一株（口）単位又は持分の割合により行うことに留意する。（措通37の14の２－３）

（未成年者非課税管理勘定が設けられた日の属する年の１月１日から５年を経過する日以前に移管される上場株式等）

（９）　未成年者非課税管理勘定に係る上場株式等のうち、払出し時の金額の合計額が80万円を超えるものを移管により受け入れることができるのは、他の年分の未成年者非課税管理勘定（未成年者非課税管理勘定又は継続管理勘定を設けた未成年者口座に係る他の年分の未成年者非課税管理勘定をいう。以下（９）において同じ。）から、当該他の年分の未成年者非課税管理勘定が設けられた日の属する年の１月１日から５年を経過する日の翌日に設けられる未成年者非課税管理勘定又は継続管理勘定に移管がされる上場株式等で、その未成年者非課税管理勘定又は継続管理勘定が設けられる日に移管されるものであることから、当該他の年分の未成年者非課税管理勘定が設けられた日の属する年の１月１日から５年を経過する日以前に移管される場合には、払出し時の金額の合計額が80万円を超えるものを移管することはできないことに留意する。（措通37の14の２－３の２）

（注）　この場合に未成年者非課税管理勘定又は継続管理勘定に受け入れられるかどうかの判定は、（８）による。

（外貨で表示されている上場株式等に係る取得の対価の額等の邦貨換算）

(10)　未成年者口座内上場株式等の取得の対価の額が外貨で表示され当該対価の額を邦貨又は外貨で支払うこととされている場合の邦貨換算及び当該未成年者口座内上場株式等について（３）（一）から同（三）までに掲げる事由が生じた場合又は**２**（二）ロ⑴（ⅱ）若しくは同（二）ロ⑵若しくは同（二）ハ⑴若しくは同（二）ハ⑵に規定する移管がされた場合の（３）又は**２**（二）ロ⑴若しくは同（二）ハ⑴に規定する払出し時の金額の邦貨換算については、**十六２**②(17)の取扱いに準ずる。

ただし、基準年の前年12月31日又は令和５年12月31日のいずれか早い日までに未成年者口座又は課税未成年者口座につき契約不履行等事由が生じたことにより、**３**（一）から同（三）までの規定による譲渡があったものとみなされる場合における同（一）の譲渡に係る譲渡価額、同（二）及び同（三）に規定する払出し時の金額は、**四**（６）又は**十六２**②(17)の取扱いに準じ、次により邦貨に換算した金額を当該譲渡価額及び払出し時の金額とする。（措通37の14の２－４）

（一）　**３**（一）の譲渡に係る譲渡価額　当該譲渡に係る約定日における対顧客直物電信買相場により邦貨に換算した金額

（二）　**３**（二）の移管があった時における同（二）に規定する払出し時の金額　当該移管があった日における対顧客直物電信売相場により邦貨に換算した金額

（三）　**３**（三）に規定する払出し時の金額　契約不履行等事由が生じた日における対顧客直物電信買相場により邦貨に換算した金額

（課税未成年者口座の開設及び廃止）

(11)　居住者等が開設する課税未成年者口座は、未成年者口座を開設している金融商品取引業者等の営業所等に開設している口座で特定口座又は預金口座、貯金口座若しくは顧客から預託を受けた金銭その他の資産の管理のための口座(以下(11)において「特定口座等」という。）により構成されるもの（２以上の特定口座が含まれないものに限る。）のうち、当該未成年者口座と同時に設けられるものであることから、未成年者口座の開設時には、特定口座等のいずれかが課税未成年者口座として構成される必要があることに留意する。また、未成年者口座につき**２**（二）トに規定する未成年者口座等廃止事由（以下(11)において「未成年者口座等廃止事由」という。）が生じた場合又は課税未成年者口座につき**2**(六)ホに規定する課税未成年者口座等廃止事由（以下(11)において「課税未成年者口座等廃止事由」という。）が生じた場合には、課税未成年者口座は廃止されるのであるが、課税未成年者口座を構成する口座として設けられた特定口座等は廃止されず、引き続き利用することができることに留意する。（措通37の14の２－５）

(注) 1　「未成年者口座を開設している金融商品取引業者等の営業所等」とは、未成年者口座を開設している金融商品取引業者等の営業所又は当該金融商品取引業者等と**2**(12)に規定する関係にある法人の営業所のことをいうことに留意する。

2　未成年者口座につき未成年者口座等廃止事由が生じたため又は課税未成年者口座につき課税未成年者口座等廃止事由が生じたため課税未成年者口座が廃止される場合で、当該課税未成年者口座が開設されている金融商品取引業者等に当該課税未成年者口座を構成する特定口座と重複して開設されている当該課税未成年者口座を構成する特定口座以外の特定口座があるときは、**六3**(８)(三十二)の規定に基づき、振替の方法により、当該課税未成年者口座に係る上場株式等の全てが、当該課税未成年者口座を構成する特定口座以外の特定口座に受け入れられることに留意する。

（特定口座である課税未成年者口座とそれ以外の特定口座を重複して開設している場合の損益の通算）

(12)　同一の金融商品取引業者等に特定口座である課税未成年者口座と当該口座以外の特定口座を重複して開設している場合には、**六1**の規定により、これらの特定口座における取引はそれぞれ別の口座として計算されるので、これらの特定口座において生じた上場株式等に係る譲渡損益の通算は、確定申告により行うことに留意する。（措通37の14の２－６）

（基準年前に出国する場合の課税未成年者口座の取扱い）

(13)　基準年の前年12月31日までに未成年者口座開設者が出国（**十六6**①に規定する出国をいう。以下(13)において同じ。）により居住者等に該当しないこととなる場合であっても、その出国をする日の前日までに、当該未成年者口座が開設されている金融商品取引業者等の営業所の長に対し、**2**(11)(四)に規定する出国移管依頼書（以下(13)において「出国移管依頼書」という。）の同(二)に規定する提出をした個人は、課税未成年者口座管理契約及びその履行については、その出国の時から帰国（**六6**(１)(二)に規定する帰国をいう。）の時までの間は居住者とみなされることから、出国後であっても、課税未成年者口座内の上場株式等の譲渡の対価又は当該上場株式等に係る配当等として交付を受ける金銭その他の資産（**2**(10)(一)及び同(二)に掲げるものを除く。）は、その受領後直ちに当該課税未成年者口座に預入れ又は預託をしなければならないことに留意する。（措通37の14の２－10）

（未成年者口座に受け入れられない合併等により取得した上場株式等以外の株式等の取得価額等）

(14)　未成年者口座内上場株式等につき**1**(５)において準用する**十六2**②(10)(二)から同(十)までに規定する事由が生じたことにより取得した上場株式等以外の株式等の取得価額は、当該事由が生じたことにより未成年者口座から払い出された未成年者口座内上場株式等の取得価額（その取得の際に支払った委託手数料その他の取得のために要した費用を含む。）を基礎として、第六章第二節**四2**の規定並びに同**5**から同**11**まで及び**二十**(６)から同(９)までの規定を適用して計算することに留意する。また、当該事由が生じたことにより取得をした上場株式等以外の株式等の取得をした日は、**四**(19)の取扱いによることに留意する。（措通37の14の２－11）

（合併等により取得した上場株式等で未成年者口座又は課税未成年者口座内の上場株式等を基因とするものの受入れ）

(15)　基準年の前年12月31日までに、居住者等が開設する未成年者口座及び他の保管口座（(３)(一)に規定する他の保管口座をいう。以下(15)において同じ。）に係る同一銘柄の上場株式等について生ずる**1**(５)の規定において準用する**十六2**②(10)(二)から同(十)までに規定する事由により取得する上場株式等のうち、未成年者口座内上場株式等又は課税未成年者口座内の上場株式等を基因として取得する上場株式等を他の保管口座（課税未成年者口座以外のものに限る。）に受け入れたときは、契約不履行等事由に該当することとなる。（措通37の14の２－12）

(注)　この場合であっても、当該契約不履行等事由が生じた日が令和６年１月１日以後である場合には、**十六3**①の規定の適用はないことに留意する。

（株式等に係る譲渡所得等の課税の特例に関する取扱い等の準用）

(16)　**十七**の規定の適用に当たっては、次の取扱いを準用する。（措通37の14の２－22）

措通37の10・37の11共－19《株式の範囲》 ································ **一**(１)参照。

措通37の11の３－６《取引所売買株式等》 ································ **六3**(９)(注)５参照。

措通37の11の３－９《価格公表者》 ································ **六3**(９)(注)８参照。

措通37の11の３－10《その他価格公表株式等の最終の売買の価格等》 ································ **六3**(９)(注)９参照。

措通37の12の２－１《売委託》……………………………………………………………………………… **十１**（９）参照。
措通37の14－２《受入期間内に取得した者から相続等により取得した場合》……………… **十六１**①（３）参照。
措通37の14－４《最終の気配相場の価格》……………………………………………………………… **十六１**④（２）参照。
措通37の14－５《２以上の市場に価格が存する場合》……………………………………………… **十六１**④（３）参照。
措通37の14－６《購入の範囲》……………………………………………………………………………… **十六２**②（12）参照。
措通37の14－７《払込みの範囲》…………………………………………………………………………… **十六２**②（13）参照。
措通37の14－８《取得対価の額》…………………………………………………………………………… **十六２**②（14）参照。
措通37の14－９《非課税口座内上場株式等の取得に要した費用等の取扱い》…………………… **十六２**②（15）参照。
措通37の14－13《一株（口）に満たない端数の処理》……………………………………………… **十六２**②（20）参照。
措通37の14－15《確認書類の範囲》……………………………………………………………………… **十六３**③（６）参照。
措通37の14－17《特定の営業所の長が提供事項を取りまとめて提供する場合の取扱い》…… **十六11**①（７）参照。

２　用語の意義

十七において、次の㈠から㈩㈡までに掲げる用語の意義は、当該㈠から㈩㈡までに定めるところによる。（措法37の14の２⑤、措令25の13の８①）

㈠	**未成年者口座**　居住者又は恒久的施設を有する非居住者（その年１月１日において18歳未満である者又はその年中に出生した者に限る。）が、第四章第二節**五５**《未成年者口座内の少額上場株式等に係る配当所得の非課税》及び**１**、**１**（１）から同（３）の規定の適用を受けるため、（１）で定めるところにより、その口座を開設しようとする金融商品取引業者等の営業所の名称及び所在地、その口座に係る振替口座簿に記載若しくは記録がされ、又はその口座に保管の委託がされている上場株式等の同節《配当所得》**一**に規定する配当等（㈡において「**配当等**」という。）に係る配当所得及び当該上場株式等の譲渡による事業所得、譲渡所得又は雑所得について同節**五５**及び**１**、**１**（１）から同（３）の規定の適用を受ける旨その他の（１）で定める事項を記載した届出書（以下**十七**において「**未成年者口座開設届出書**」という。）に、未成年者非課税適用確認書又は未成年者口座廃止通知書を添付して、これを当該金融商品取引業者等の営業所の長に提出（当該未成年者口座開設届出書の提出に代えて行う電子情報処理組織を使用する方法その他の情報通信の技術を利用する方法による当該未成年者口座開設届出書に記載すべき事項の提供を含む。**５**、**５**（１）、同（２）及び**８**①において同じ。）をして、当該金融商品取引業者等との間で締結した未成年者口座管理契約に基づき平成28年４月１日から令和５年12月31日までの間に開設された上場株式等の振替口座簿への記載若しくは記録又は保管の委託に係る口座（当該口座において未成年者口座管理契約に基づく取引以外の取引に関する事項を扱わないものに限る。）をいう。
㈡	**未成年者口座管理契約**　第四章第二節**五５**及び**１**、**１**（１）から同（３）の規定の適用を受けるために**１**の居住者又は恒久的施設を有する非居住者が金融商品取引業者等と締結した上場株式等の振替口座簿への記載若しくは記録又は保管の委託に係る契約で、その契約書において、次に掲げる事項が定められているものをいう。 イ　上場株式等の振替口座簿への記載若しくは記録又は保管の委託は、当該記載若しくは記録又は保管の委託に係る口座に設けられた非課税管理勘定又は継続管理勘定において行うこと。 ロ　当該非課税管理勘定においては当該居住者又は恒久的施設を有する非居住者の次に掲げる上場株式等（第四章第五節**四１**《特定の取締役等が受ける新株予約権等の行使による株式の取得に係る経済的利益の非課税等》**イ**①本文の規定の適用を受けて取得をしたものその他の**十六２**②（１）で定めるものを除く。）のみを受け入れること。 ⑴　次に掲げる上場株式等で、当該口座に非課税管理勘定が設けられた日から同日の属する年の12月31日までの間に受け入れた上場株式等の取得対価の額（購入した上場株式等についてはその購入の代価の額をいい、払込みにより取得をした上場株式等についてはその払い込んだ金額をいい、(ii)の移管により受け入れた上場株式等についてはその移管に係る払出し時の金額をいう。**３**（４）㈡において同じ。）の合計額が80万円（⑵に掲げる上場株式等がある場合には、当該上場株式等の移管に係る払出し時の金額を控除した金額）を超えないもの (i)　当該期間内に当該金融商品取引業者等への買付けの委託（当該買付けの委託の媒介、取次ぎ又は代理を含む。）により取得をした上場株式等、当該金融商品取引業者等から取得をした上場株式等又は当該金融商品取引業者等が行う上場株式等の募集（金融商品取引法第２条第３項に規定する有価証券の募集に該当するものに限る。）により取得をした上場株式等で、その取得後直ちに当該口座に受け入れられるもの (ii)　当該非課税管理勘定を設けた口座に係る他の年分の非課税管理勘定から、（２）で定めるところにより移管がされる上場株式等（⑵に掲げるものを除く。） ⑵　当該非課税管理勘定を設けた口座に係る他の年分の非課税管理勘定から、当該他の年分の非課税管理勘定が

設けられた日の属する年の１月１日から５年を経過する日の翌日に（３）で定めるところにより移管がされる上場株式等

⑶　⑴及び⑵に掲げるもののほか**十六２**②⑽で定める上場株式等

ハ　当該継続管理勘定においては当該居住者又は恒久的施設を有する非居住者の次に掲げる上場株式等のみを受け入れること。

⑴　当該口座に継続管理勘定が設けられた日から同日の属する年の12月31日までの間に、当該継続管理勘定を設けた口座に係る非課税管理勘定から、（３）で定めるところにより移管がされる上場株式等（⑵に掲げるものを除く。）で、当該移管に係る払出し時の金額の合計額が80万円（⑵に掲げる上場株式等がある場合には、当該上場株式等の移管に係る払出し時の金額を控除した金額）を超えないもの

⑵　当該継続管理勘定を設けた口座に係る他の年分の非課税管理勘定から、当該他の年分の非課税管理勘定が設けられた日の属する年の１月１日から５年を経過する日の翌日に（３）で定めるところにより移管がされる上場株式等

⑶　⑴及び⑵に掲げるもののほか**十六２**②⑽で定める上場株式等

ニ　当該非課税管理勘定又は継続管理勘定において振替口座簿への記載若しくは記録又は保管の委託がされている上場株式等の譲渡は、当該金融商品取引業者等への売委託による方法、当該金融商品取引業者等に対してする方法その他**十六２**②（２）で定める方法によりすること。

ホ　次に掲げる上場株式等は、それぞれ次に定める移管をすること。

⑴　当該口座に非課税管理勘定が設けられた日の属する年の１月１日から５年を経過する日（（１）において「**５年経過日**」という。）において有する当該非課税管理勘定に係る上場株式等（ロ⑴(ii)若しくは同⑵又はハ⑴若しくは同⑵の移管がされるものを除く。）　次に掲げる場合の区分に応じそれぞれ次に定める移管

(i)　当該５年経過日の属する年の翌年３月31日において当該居住者又は恒久的施設を有する非居住者が18歳未満である場合　当該５年経過日の翌日に**２**（４）で定めるところにより行う当該口座と同時に設けられた課税未成年者口座への移管

(ii)　(i)に掲げる場合以外の場合　当該５年経過日の翌日に**２**（５）で定めるところにより行う他の保管口座への移管

⑵　当該居住者又は恒久的施設を有する非居住者がその年１月１日において18歳である年の前年12月31日において有する継続管理勘定に係る上場株式等　同日の翌日に**２**（６）で定めるところにより行う他の保管口座への移管

ヘ　当該非課税管理勘定又は継続管理勘定に記載若しくは記録又は保管の委託がされる上場株式等は、当該居住者又は恒久的施設を有する非居住者の基準年の前年12月31日までは、次に定めるところによること。

⑴　当該上場株式等の当該口座から他の保管口座で当該口座と同時に設けられた課税未成年者口座以外のものへの移管又は当該上場株式等に係る有価証券の当該居住者若しくは恒久的施設を有する非居住者への返還（災害、疾病その他の（７）で定めるやむを得ない事由（(六)ニにおいて「**災害等事由**」という。）による移管又は返還で当該口座及び課税未成年者口座に記載若しくは記録若しくは保管の委託又は預入れ若しくは預託がされている上場株式等及び金銭その他の資産の全てについて行うもの（以下(二)及び**３**において「**災害等による返還等**」という。）その他（８）で定める事由による移管又は返還を除く。）をしないこと。

⑵　当該上場株式等のニに規定する方法以外の方法による譲渡で（９）で定めるもの又は贈与をしないこと。

⑶　当該上場株式等の譲渡の対価（その額が第三節**三**《上場株式等に係る譲渡所得等の申告分離課税》（３）又は同（４）の規定によりこれらの規定に規定する上場株式等に係る譲渡所得等に係る収入金額とみなされる金銭その他の資産を含む。**３**（４）において同じ。）又は当該上場株式等に係る配当等として交付を受ける金銭その他の資産（⑽で定めるものを除く。(六)のハにおいて「**譲渡対価の金銭等**」という。）は、その受領後直ちに当該課税未成年者口座に預入れ又は預託をすること。

ト　当該口座につきホ若しくはヘに掲げる要件に該当しないこととなる事由又は災害等による返還等が生じた場合には、これらの事由（**６**において「**未成年者口座等廃止事由**」という。）が生じた時に当該口座及び当該口座と同時に設けられた課税未成年者口座を廃止すること。

チ　イからトまでに掲げるもののほか⑾で定める事項

(三)　**非課税管理勘定**　未成年者口座管理契約に基づき振替口座簿への記載若しくは記録又は保管の委託がされる上場株式等につき、当該記載若しくは記録又は保管の委託に関する記録を他の取引に関する記録と区分して行うための勘定で、平成28年から令和５年までの各年（当該居住者又は恒久的施設を有する非居住者が、その年１月１日におい

	て18歳未満である年及び出生した日の属する年に限る。）の１月１日（未成年者非課税適用確認書が年の中途において提出された場合における当該提出された日の属する年にあってはその提出の日とし、未成年者口座廃止通知書が提出された場合にあっては**6**（４）の規定により同（４）の所轄税務署長から同（４）(一)に定める事項の提供があった日（その非課税管理勘定を設定しようとする年の１月１日前に当該事項の提供があった場合には、同日）とする。）に設けられるものをいう。
(四)	**継続管理勘定**　未成年者口座管理契約に基づき振替口座簿への記載若しくは記録又は保管の委託がされる上場株式等につき、当該記載若しくは記録又は保管の委託に関する記録を他の取引に関する記録と区分して行うための勘定で、令和６年から令和10年までの各年（当該居住者又は恒久的施設を有する非居住者が、その年１月１日において18歳未満である年に限る。）の１月１日に設けられるものをいう。
(五)	**課税未成年者口座**　未成年者口座を開設した居住者又は恒久的施設を有する非居住者が、当該未成年者口座を開設している金融商品取引業者等の営業所又は当該金融商品取引業者等と(12)で定める関係にある法人の営業所に開設している口座で、**六**《特定口座内保管上場株式等の譲渡等に係る所得計算等の特例》**3**（１）に規定する特定口座（以下(五)及び(六)において「**特定口座**」という。）又は預金口座、貯金口座若しくは顧客から預託を受けた金銭その他の資産の管理のための口座（これらの口座において課税未成年者口座管理契約に基づく取引以外の取引に関する事項を扱わないものに限る。）により構成されるもの（２以上の特定口座が含まれないものに限る。）のうち、当該未成年者口座と同時に設けられるものをいう。
(六)	**課税未成年者口座管理契約**　第四章第二節**五５**《未成年者口座内の少額上場株式等に係る配当所得の非課税》及び**１**、**１**（１）から同（３）の規定の適用を受ける**１**の居住者又は恒久的施設を有する非居住者が、(五)の特定口座又は預金口座、貯金口座若しくは顧客から預託を受けた金銭その他の資産の管理のための口座により構成される口座を開設する際に未成年者口座を開設する金融商品取引業者等と締結した契約（未成年者口座管理契約と同時に締結されるものに限る。）で、その契約書において、次に掲げる事項が定められているものをいう。 イ　上場株式等の振替口座簿への記載若しくは記録若しくは保管の委託又は金銭その他の資産の預入れ若しくは預託は、**六**《特定口座内保管上場株式等の譲渡等に係る所得計算等の特例》**3**（２）の規定にかかわらず、当該記載若しくは記録若しくは保管の委託又は預入れ若しくは預託に係る口座に設けられた課税管理勘定（課税未成年者口座管理契約に基づき振替口座簿への記載若しくは記録若しくは保管の委託がされる上場株式等又は預入れ若しくは預託がされる金銭その他の資産につき、当該記載若しくは記録若しくは保管の委託又は預入れ若しくは預託に関する記録を他の取引に関する記録と区分して行うための勘定をいう。）において行うこと。 ロ　当該課税管理勘定において振替口座簿への記載若しくは記録又は保管の委託がされている上場株式等の譲渡は、**六**《特定口座内保管上場株式等の譲渡等に係る所得計算等の特例》**3**（２）の規定にかかわらず、当該金融商品取引業者等への売委託による方法、当該金融商品取引業者等に対してする方法その他**十六２**②（２）で定める方法によりすること。 ハ　当該上場株式等に係る譲渡対価の金銭等は、その受領後直ちに当該口座に預入れ又は預託をすること。 ニ　当該口座に記載若しくは記録又は保管の委託がされる上場株式等及び当該口座に預入れ又は預託がされる金銭その他の資産は、当該居住者又は恒久的施設を有する非居住者の基準年の前年12月31日までは、次に定めるところによること。 ⑴　当該上場株式等の当該口座から他の保管口座への移管又は当該上場株式等に係る有価証券の当該居住者若しくは恒久的施設を有する非居住者への返還（災害等事由による移管又は返還で当該口座及び当該口座と同時に設けられた未成年者口座に記載若しくは記録若しくは保管の委託又は預入れ若しくは預託がされている上場株式等及び金銭その他の資産の全てについて行うもの（⑶及びホにおいて「**災害等事由による返還等**」という。）その他(13)で定める事由による移管又は返還を除く。）をしないこと。 ⑵　当該上場株式等のロに規定する方法以外の方法による譲渡で(14)で定めるもの又は贈与をしないこと。 ⑶　当該金銭その他の資産の当該口座からの払出し（当該口座又は未成年者口座に記載若しくは記録又は保管の委託がされる上場株式等の取得のためにする払出し及び当該口座に係る上場株式等につき災害等事由による返還等がされる場合の当該金銭その他の資産の払出しを除く。）をしないこと。 ホ　当該口座につきハ若しくはニに掲げる要件に該当しないこととなる事由又は災害等事由による返還等が生じた場合には、これらの事由（**6**において「**課税未成年者口座等廃止事由**」という。）が生じた時に当該口座及び当該口座と同時に設けられた未成年者口座を廃止すること。 ヘ　当該居住者又は恒久的施設を有する非居住者の基準年の１月１日において、当該口座が開設されている金融商品取引業者等に重複して開設されている当該口座を構成する特定口座以外の特定口座があるときは、同日に当該

	口座を構成する特定口座を廃止すること。 ト　イからヘまでに掲げるもののほか(15)で定める事項
(七)	**未成年者非課税適用確認書**　居住者又は恒久的施設を有する非居住者が、**4**及び**4**（1）から同（3）までの規定の定めるところにより**4**（2）に規定する所轄税務署長から交付を受けた書類で、未成年者口座に非課税管理勘定を設けることができる旨、その者の氏名及び生年月日その他の(注)で定める事項の記載のあるものをいう。 (注)　(七)に規定する(注)で定める事項は、未成年者口座に非課税管理勘定を設けることができる旨及び次に掲げる事項とする。（措規18の15の10⑬） (一)　当該未成年者非課税適用確認書に係る**4**の申請書の提出（**4**に規定する提出をいう。**4**(注)及び**4**（4）において同じ。）をした者の氏名及び生年月日 (二)　**4**の（3）の所轄税務署長が当該未成年者非課税適用確認書を作成した年月日 (三)　整理番号 (四)　その他参考となるべき事項
(八)	**未成年者口座廃止通知書**　居住者又は恒久的施設を有する非居住者が、**6**及び**6**（1）から同（2）までの規定の定めるところにより**6**に規定する金融商品取引業者等の営業所の長から交付を受けた書類で、その者の氏名及び生年月日、未成年者口座を廃止した年月日、当該廃止した日の属する年分の非課税管理勘定への上場株式等の受入れの有無その他の(注)で定める事項の記載のあるものをいう。 (注)　(八)に規定する(注)で定める事項は、次に掲げる事項とする。（措規18の15の10⑭） (一)　当該未成年者口座廃止通知書に係る未成年者口座廃止届出書の提出（**6**に規定する提出をいう。**6**(注)1及び**8**②（2）において同じ。）をした者（(二)において「提出者」という。）の氏名及び生年月日 (二)　当該提出者からその未成年者口座廃止届出書の**6**に規定する提出の日以前の直近に提出を受けた未成年者非課税適用確認書又は未成年者口座廃止通知書に記載された整理番号 (三)　当該未成年者口座廃止届出書に係る未成年者口座が廃止された年月日 (四)　当該未成年者口座を廃止した日の属する年分の非課税管理勘定への上場株式等の受入れの有無 (五)　当該未成年者口座廃止通知書を作成した金融商品取引業者等の営業所の名称及び所在地並びにその作成した年月日 (六)　その他参考となるべき事項
(九)	**振替口座簿又は株式等**　それぞれ**十六1**①に規定する金融商品取引業者等、営業所、振替口座簿又は株式等をいう。
(十)	**未成年者口座内上場株式等**　**1**に規定する未成年者口座内上場株式等をいう。
(十一)	**払出し時の金額又は基準年**　それぞれ**1**（3）に規定する払出し時の金額又は基準年をいう。
(十二)	**契約不履行等事由**　**3**に規定する契約不履行等事由をいう。

（**2**(一)に規定する（1）で定める事項）

（1）　**2**(一)に規定する（1）で定める事項は、次の(一)から(六)までに掲げる事項とする。（措規18の15の10②）

(一)	未成年者口座開設届出書の提出（**2**(一)に規定する提出をいう。以下（1）において同じ。）をする者の氏名、生年月日、住所（国内に住所を有しない者にあっては、**十六3**③（4）(一)及び同(二)に掲げる者の区分に応じ当該(一)又は(二)に定める場所。以下同じ。）及び個人番号（**1**（5）において準用する**十六3**①（2）の規定に該当する者にあっては、氏名、生年月日及び住所）
(二)	当該未成年者口座開設届出書の提出先の金融商品取引業者等の営業所の名称及び所在地
(三)	未成年者口座管理契約に基づき当該口座に係る振替口座簿に記載若しくは記録がされ、又は当該口座に保管の委託がされている上場株式等（**1**（4）に規定する上場株式等をいう。以下同じ。）の第四章第二節**五4**《非課税口座内の少額上場株式等に係る配当所得の非課税》(一)及び同(二)に掲げる配当等に係る配当所得及び当該上場株式等の譲渡（**十六1**①《非課税口座内の少額上場株式等に係る譲渡所得の非課税》に規定する譲渡をいう。）による事業所得、譲渡所得又は雑所得について第四章第二節**五5**《未成年者口座内の少額上場株式等に係る配当所得の非課税》及び**1**、**1**の（1）から（3）までの規定の適用を受ける旨
(四)	当該未成年者口座開設届出書の提出年月日
(五)	未成年者口座を設定しようとする日の属する年
(六)	その他参考となるべき事項

（**2**（二）ロ⑴(ii)に規定する（２）で定めるところにより移管がされる上場株式等）

（２）　**2**（二）ロ⑴(ii)に規定する（２）で定めるところにより移管がされる上場株式等は、非課税管理勘定を設けた**2**（二）イの口座を開設している居住者又は恒久的施設を有する非居住者が、当該口座が開設されている金融商品取引業者等の営業所の長に対し、当該非課税管理勘定に係る未成年者口座内上場株式等を当該口座に係る他の年分の非課税管理勘定に移管することを依頼する旨、移管する未成年者口座内上場株式等の種類、銘柄及び数又は価額その他の（注）で定める事項を記載した書類の提出（当該書類の提出に代えて行う電磁的方法による当該書類に記載すべき事項の提供を含む。）をして移管がされる上場株式等とする。（措令25の13の８③）

（注）（２）（（３）において準用する場合を含む。（一）において同じ。）に規定する（注）で定める事項は、次の（一）から（五）までに掲げる事項とする。（措規18の15の10③）

(一)	（２）の書類（以下（二）において「**未成年者口座内上場株式等移管依頼書**」という。）の提出（（２）に規定する提出をいう。（二）において同じ。）をする者の氏名、生年月日及び住所
(二)	当該未成年者口座内上場株式等移管依頼書の提出先の金融商品取引業者等の営業所の名称及び所在地
(三)	当該未成年者口座に設けられた非課税管理勘定に係る未成年者口座内上場株式等を当該未成年者口座に係る他の年分の非課税管理勘定又は継続管理勘定に移管することを依頼する旨及びその移管を希望する年月日
(四)	当該移管しようとする未成年者口座内上場株式等の種類、銘柄及び数若しくは持分の割合又は価額並びに当該未成年者口座内上場株式等の受入れをする非課税管理勘定又は継続管理勘定が設けられた日の属する年
(五)	その他参考となるべき事項

（**2**（二）ロ⑵並びに同（二）ハ⑴及び同⑵に規定する（３）で定めるところにより移管がされる上場株式等）

（３）　（２）の規定は、**2**（二）ロ⑵並びに同（二）ハ⑴及び同⑵に規定する（３）で定めるところにより移管がされる上場株式等について準用する。この場合において、次の表の左欄に掲げる上場株式等の区分に応じ、（２）中同表の中欄に掲げる字句は、それぞれ同表の右欄に掲げる字句に読み替えるものとする。（措令25の13の８④）

2（二）ロ⑵に規定する（３）で定めるところにより移管がされる上場株式等	して移管が	して同（二）ロ⑵に規定する５年を経過する日の翌日に設けられる非課税管理勘定に移管が
2（二）ハ⑴に規定する（３）で定めるところにより移管がされる上場株式等	他の年分の非課税管理勘定	継続管理勘定
2（二）ハ⑵に規定する政令で定めるところにより移管がされる上場株式等	を開設している居住者又は恒久的施設を有する非居住者が、当該口座が開設されている金融商品取引業者等の営業所の長に対し、当該非課税管理勘定に係る未成年者口座内上場株式等を当該口座に係る他の年分の非課税管理勘定に移管することを依頼する旨、移管する未成年者口座内上場株式等の種類、銘柄及び数又は価額その他の（注）で定める事項を記載した書類の提出（当該書類の提出に代えて行う電磁的方法による当該書類に記載すべき事項の提供を含む。）をして	に同（二）ハ⑵に規定する５年を経過する日の翌日に設けられる継続管理勘定に

（**2**（二）ホ⑴（ｉ）の非課税管理勘定に係る同（二）ホ⑴に規定する上場株式等の移管）

（４）　**2**（二）ホ⑴（ｉ）の非課税管理勘定に係る同（二）ホ⑴に規定する上場株式等の移管は、同（二）ホ⑴に規定する５年経過日（（５）において「５年経過日」という。）の翌日において、次の（一）及び（二）に定めるところにより行われるものとする。この場合において、（一）の特定口座に移管がされる未成年者口座内上場株式等と同一銘柄の当該非課税管理勘定に係る未成年者口座内上場株式等は、その全てを当該未成年者口座から当該特定口座に移管しなければならないものとする。（措令25の13の８⑤）

(一)	当該非課税管理勘定が設けられた未成年者口座と同時に設けられた課税未成年者口座を構成する特定口座（**六3**(一)に規定する特定口座をいう。以下において同じ。）が開設されている場合には、当該非課税管理勘定に係る未成年者口座内上場株式等は、当該未成年者口座から当該特定口座に移管されるものとする。
(二)	(一)に規定する未成年者口座を開設している居住者又は恒久的施設を有する非居住者が、当該未成年者口座が開設されている金融商品取引業者等の営業所の長に対し、当該非課税管理勘定に係る未成年者口座内上場株式等を同号に規定する課税未成年者口座を構成する特定口座以外の**1**(3)(一)に規定する他の保管口座（以下(4)及び(5)において「特定口座以外の他の保管口座」という。）に移管することを依頼する旨、移管する当該非課税管理勘定に係る未成年者口座内上場株式等の種類、銘柄及び数又は価額その他の(注)で定める事項を記載した書類（以下(二)において「特定口座以外の他の保管口座への未成年者口座内上場株式等移管依頼書」という。）の提出（当該特定口座以外の他の保管口座への未成年者口座内上場株式等移管依頼書の提出に代えて行う電磁的方法による当該特定口座以外の他の保管口座への未成年者口座内上場株式等移管依頼書に記載すべき事項を記録した電磁的記録の提供を含む。）をした場合には、(一)の規定にかかわらず、当該特定口座以外の他の保管口座への未成年者口座内上場株式等移管依頼書（電磁的方法により提供した当該特定口座以外の他の保管口座への未成年者口座内上場株式等移管依頼書に記載すべき事項を記録した電磁的記録を含む。）に記載又は記録がされた当該非課税管理勘定に係る未成年者口座内上場株式等は、当該未成年者口座から当該課税未成年者口座を構成する特定口座以外の他の保管口座に移管されるものとする。当該課税未成年者口座を構成する特定口座が開設されていない場合における当該非課税管理勘定に係る未成年者口座内上場株式等についても、同様とする。

(注)　(4)(二)に規定する(注)で定める事項は、次の(一)から(五)までに掲げる事項とする。（措規18の15の10④）

(一)	(4)(二)に規定する特定口座以外の他の保管口座への未成年者口座内上場株式等移管依頼書（(二)において「特定口座以外の他の保管口座への未成年者口座内上場株式等移管依頼書」という。）の提出（(4)(二)に規定する提出をいう。(二)において同じ。）をする者の氏名、生年月日及び住所
(二)	当該特定口座以外の他の保管口座への未成年者口座内上場株式等移管依頼書の提出先の金融商品取引業者等の営業所の名称及び所在地
(三)	当該未成年者口座に設けられた非課税管理勘定に係る未成年者口座内上場株式等を課税未成年者口座を構成する(4)(二)に規定する特定口座以外の他の保管口座に移管することを依頼する旨
(四)	当該移管しようとする未成年者口座内上場株式等の種類、銘柄及び数若しくは持分の割合又は価額
(五)	その他参考となるべき事項

（**2**(二)ホ⑴(ⅱ)の非課税管理勘定に係る同(二)ホ⑴に規定する上場株式等の移管）

(5)　**2**(二)ホ⑴(ⅱ)の非課税管理勘定に係る同(二)ホ⑴に規定する上場株式等の移管は、5年経過日の翌日において、次の(一)から(三)までに定めるところにより行われるものとする。この場合において、(一)の特定口座に移管がされる未成年者口座内上場株式等と同一銘柄の当該非課税管理勘定に係る未成年者口座内上場株式等は、その全てを当該未成年者口座から当該特定口座に移管しなければならないものとする。（措令25の13の8⑥）

(一)	当該非課税管理勘定が設けられた未成年者口座が開設されている金融商品取引業者等の営業所に当該未成年者口座を開設している居住者又は恒久的施設を有する非居住者が特定口座を開設している場合には、当該非課税管理勘定に係る未成年者口座内上場株式等は、当該未成年者口座から当該特定口座に移管されるものとする。
(二)	当該居住者又は恒久的施設を有する非居住者が、(一)に規定する金融商品取引業者等の営業所の長に対し、当該非課税管理勘定に係る未成年者口座内上場株式等を特定口座以外の他の保管口座に移管することを依頼する旨、移管する当該非課税管理勘定に係る未成年者口座内上場株式等の種類、銘柄及び数又は価額その他の(注)で定める事項を記載した書類（以下(二)及び(三)において「特定口座以外の他の保管口座への未成年者口座内上場株式等移管依頼書」という。）の提出（当該特定口座以外の他の保管口座への未成年者口座内上場株式等移管依頼書の提出に代えて行う電磁的方法による当該特定口座以外の他の保管口座への未成年者口座内上場株式等移管依頼書に記載すべき事項を記録した電磁的記録の提供を含む。）をした場合には、(一)の規定にかかわらず、当該特定口座以外の他の保管口座への未成年者口座内上場株式等移管依頼書（電磁的方法により提供した当該特定口座以外の他の保管口座への未成年者口座内上場株式等移管依頼書に記載すべき事項を記録した電磁的記録を含む。以下(二)及び(三)において同じ。）に記載又は記録がされた当該非課税管理勘定に係る未成年者口座内上場株式等は、当該未成年者口座から当該特定口座以外の他の保管口座への未成年者口座内上場株式等

	移管依頼書に記載又は記録がされた特定口座以外の他の保管口座に移管されるものとする。
(三)	(一)に規定する金融商品取引業者等の営業所に当該居住者又は恒久的施設を有する非居住者が特定口座を開設していない場合には、特定口座以外の他の保管口座への未成年者口座内上場株式等移管依頼書に記載又は記録がされていない当該非課税管理勘定に係る未成年者口座内上場株式等は、当該未成年者口座から当該金融商品取引業者等の営業所に開設されている特定口座以外の他の保管口座に移管されるものとする。

(注)　(4)(注)の規定は、(5)(二)((6)において準用する場合を含む。)に規定する(注)で定める事項について準用する。この場合において、(4)(注)(一)中「(4)(二)」とあるのは「(5)(二)」と、(4)(注)(三)中「課税未成年者口座を構成する(4)(二)」とあるのは「(5)(二)」と読み替えるものとする。(措規18の15の10⑤)

((5)の規定の準用)

(6)　(5)の規定は、**2**(二)ホ(2)の継続管理勘定に係る上場株式等の移管について準用する。この場合において、(5)中「**2**(二)ホ(1)(ⅱ)」とあるのは「**2**(二)ホ(2)」と、「非課税管理勘定」とあるのは「継続管理勘定」と、「に係る同(二)ホ(1)に規定する」とあるのは「に係る」と、「5年経過日」とあるのは「居住者又は恒久的施設を有する非居住者がその年1月1日において18歳である年の前年12月31日」と読み替えるものとする。(措令25の13の8⑦)

(**2**(二)へ(1)に規定する災害、疾病その他の(7)で定めるやむを得ない事由)

(7)　**2**(二)へ(1)に規定する災害、疾病その他の(7)で定めるやむを得ない事由は、次の(一)から(五)までに掲げる事由(当該事由が生じたことにつき(注)1で定めるところにより未成年者口座を開設している居住者又は恒久的施設を有する非居住者の納税地の所轄税務署長の確認を受け、当該税務署長から交付を受けた当該確認をした旨の記載がある書面を当該未成年者口座を開設している金融商品取引業者等の営業所の長に当該事由が生じた日から1年を経過する日までに提出した場合における当該事由に限る。)とする。(措令25の13の8⑧)

(一)	当該居住者又は恒久的施設を有する非居住者がその居住の用に供している家屋であってその者又はその者と生計を一にする親族が所有しているものについて、災害により全壊、流失、半壊、床上浸水その他これらに準ずる損害を受けたこと。
(二)	その年の前年12月31日(その年中に出生した者にあってはその年12月31日とし、同年の中途において死亡した者にあってはその死亡の日とする。)において当該居住者又は恒久的施設を有する非居住者を第二章第一節**一**《用語の意義》表内**34**に規定する扶養親族とする者(以下(7)において「扶養者」という。)が、当該扶養者又はその者と生計を一にする親族のためにその年中に支払った第八章**二**《医療費控除》**1**①に規定する医療費の金額の合計額が200万円を超えたこと。
(三)	当該居住者又は恒久的施設を有する非居住者の扶養者が、配偶者と死別し、若しくは離婚したこと又は当該扶養者の配偶者が第二章第一節**一**《用語の意義》表内**30**(3)(一)から同(五)までに掲げる者に該当することとなったこと(これらの事由が生じた日の属する年の12月31日(その扶養者が同年の中途において死亡した場合には、その死亡の日)においてその扶養者が同**30**に規定する寡婦(同**34**に規定する扶養親族を有するものに限る。)又は同**31**に規定するひとり親に該当し、又は該当することが見込まれる場合に限る。)。
(四)	当該居住者若しくは恒久的施設を有する非居住者又はその者の扶養者が、第二章第一節**一**《用語の意義》表内**29**に規定する特別障害者に該当することとなったこと。
(五)	当該居住者又は恒久的施設を有する非居住者の扶養者が、雇用保険法第23条第2項に規定する特定受給資格者若しくは同法第13条第3項に規定する特定理由離職者に該当することとなったこと又は経営の状況の悪化によりその営む事業を廃止したことその他これらに類する事由

(注)1　(7)に規定する所轄税務署長の確認は、(7)に規定する未成年者口座を開設している居住者又は恒久的施設を有する非居住者から当該所轄税務署長への次の(一)から(四)までに掲げる事項を記載した書面による申出((7)の(一)から(五)に掲げる事由が生じた日から11月を経過する日までに行われるものに限る。)を受けて行われるものとする。(措規18の15の10⑥)

(一)	その者の氏名、生年月日及び住所
(二)	現に当該未成年者口座を開設している金融商品取引業者等の営業所の名称及び所在地
(三)	(7)の(一)から(五)に掲げる事由の詳細及びその事由が生じた年月日
(四)	その他参考となるべき事項

2　(注)1の書面には、(7)の(一)から(五)に掲げる事由が生じたことを明らかにする書類を添付しなければならない。(措規18の15の

10⑦）

3　（居住の用に供している家屋）

（7）(一)に規定する「居住の用に供している家屋」とは、未成年者口座開設者が災害があった時において現にその居住の用に供している家屋をいうのであるが、未成年者口座開設者が修学、療養その他のやむを得ない事情により生計を一にする親族と日常の起居を共にしないこととなった場合において、その親族が災害があった時において現にその居住の用に供している家屋であって、当該やむを得ない事情が解消した後は未成年者口座開設者がその親族と共にその家屋に居住することとなるものであったと認められるときは、その家屋は「居住の用に供している家屋」に該当するものとする。（措通37の14の2－7）

4　（医療費の範囲等）

（7）(二)に規定する医療費は、第八章**二1**①に規定する医療費であることから、その金額の判定に当たっては、同**1**①（2）、同**2**②（3）から同（9）までの取扱いを準用することに留意する。（措通37の14の2－8）

（**2**（二)へ⑴に規定する災害等による返還等その他（8）で定める事由）

（8）　**2**（二)へ⑴に規定する災害等による返還等その他（8）で定める事由は、**2**（二)の居住者又は恒久的施設を有する非居住者が開設する**2**（二)イの口座に設けられた非課税管理勘定又は継続管理勘定に係る上場株式等の金融商品取引法第2条第16項に規定する金融商品取引所への上場が廃止されたことその他これに類するものとして(注)で定める事由（⒁及び**3**（4）(二)(注)において「**上場等廃止事由**」という。）による当該口座からの払出しとする。（措令25の13の8⑨）

（注）（8）に規定する(注)で定める事由は、**2**（二)の居住者又は恒久的施設を有する非居住者が開設する**2**（二)イの口座に設けられた非課税管理勘定又は継続管理勘定に係る上場株式等が、**二**《株式等に係る譲渡所得等の申告分離課税》(13)(二)に規定する店頭売買登録銘柄としての登録が取り消されたこととする。（措規18の15の10⑧）

（**2**（二)へ⑵に規定する（9）で定める譲渡）

（9）　**2**（二)へ⑵に規定する（9）で定める譲渡は、**2**（二)の上場株式等の譲渡（**五**《特定管理株式等が価値を失った場合の株式等に係る譲渡所得等の課税の特例》**2**①に規定する譲渡をいう。以下同じ。）であって次の(一)から(五)までに掲げる譲渡以外のもの（当該譲渡の対価に係る金銭その他の資産の交付が、当該口座が開設されている金融商品取引業者等の営業所を経由して行われないものに限る。）とする。（措令25の13の8⑩）

(一)	**二**《一般株式等に係る譲渡所得等の申告分離課税》**1**②(一)、から同(三)まで、同(六)又は同(七)に規定する事由による譲渡
(二)	**三**③(一)に規定する投資信託の終了（同(一)に規定する信託の併合に係るものに限る。）による譲渡
(三)	**十**《上場株式等に係る譲渡損失の損益通算及び繰越控除》**1**（1）(五)又は同(八)に掲げる譲渡
(四)	**二**《一般株式等に係る譲渡所得等の申告分離課税》**1**②（1）(一)に掲げる事由による同(一)に規定する新株予約権の譲渡
(五)	**二十**《株式交換等に係る譲渡所得等の特例》（2）(一)に規定する取得請求権付株式、同（2）(二)に規定する取得条項付株式、同(三)に規定する全部取得条項付種類株式又は同(六)に規定する取得条項付新株予約権が付された新株予約権付社債であるものに係る請求権の行使、取得事由の発生又は取得決議（これらに定める請求権の行使、取得事由の発生又は取得決議を除く。）による譲渡

（注）（措置法令第25条の13の8第7項各号に掲げる譲渡があった場合）

基準年の前年12月31日又は令和5年12月31日のいずれか早い日までに、未成年者口座内上場株式等について（9）(一)から同(五)までに掲げる譲渡があった場合、当該譲渡は**1**に規定する未成年者口座管理契約に基づく譲渡に該当しないのであるから、未成年者口座内上場株式等の当該譲渡による譲渡所得等については、**1**及び**1**（1）の規定の適用はないことに留意する。したがって、未成年者口座内上場株式等の当該譲渡については、**三**の規定その他所得税に関する法令の規定の適用を受け、当該譲渡があった年分において、上場株式等に係る譲渡所得等として課税の対象となるほか、次の点に留意する。（措通37の14の2－9）

(一)　未成年者口座内上場株式等の当該譲渡による譲渡所得等の金額については、**3**（5）の規定による申告不要の適用はなく、未成年者口座内上場株式等以外の上場株式等の譲渡による譲渡所得等の金額に含めて計算する。

(二)　当該未成年者口座内上場株式等の取得の際に支払った委託手数料その他の取得のために要した額は、未成年者口座内上場株式等の当該譲渡による譲渡所得等の金額の計算上控除する売上原価の額又は取得費の額（**3**（9）において「取得費等の額」という。）に算入する。

(三)　未成年者口座内上場株式等の当該譲渡による譲渡所得等の金額の計算上、譲渡損失の金額が生じる場合で、当該譲渡が**十1**(一)から同(十)までに掲げる上場株式等の譲渡に該当するときは、当該譲渡損失の金額については、確定申告により**十1**又は同**2**の規定の適用を受けることができる。

（**2**（二）ヘ⑶に規定する（10）で定める金銭その他の資産）

（10）　**2**（二）ヘ⑶に規定する（10）で定める金銭その他の資産は、次の（一）及び（二）に掲げるものとする。（措令25の13の８⑪）

（一）	上場株式等に係る第四章第二節**五 4**《非課税口座内の少額上場株式等に係る配当所得の非課税》に規定する配当等で、当該口座が開設されている金融商品取引業者等が国内における同**4**に規定する支払の取扱者でないもの
（二）	（９）（一）から同（五）までに掲げる譲渡の対価として交付を受ける金銭その他の資産で、その交付が当該口座が開設されている金融商品取引業者等の営業所を経由して行われないもの

（**2**（二）チに規定する（11）で定める事項）

（11）　**2**（二）チに規定する（11）で定める事項は、次の（一）から（七）までに掲げるものとする。（措令25の13の８⑫）

（一）	非課税管理勘定又は継続管理勘定からの未成年者口座内上場株式等の全部又は一部の払出し（振替によるものを含むものとし、特定口座以外の口座（**十六 2**《用語の意義》①に規定する非課税口座を除く。）への移管に係るものに限る。以下（一）において同じ。）があった場合には、当該非課税管理勘定又は継続管理勘定が設けられている未成年者口座を開設され、又は開設されていた金融商品取引業者等は、当該未成年者口座を開設し、又は開設していた居住者又は恒久的施設を有する非居住者（相続又は遺贈（贈与をした者の死亡により効力を生ずる贈与を含む。以下（一）において同じ。）による払出しがあった場合には、当該相続又は遺贈により当該未成年者口座に係る未成年者口座内上場株式等であった上場株式等を取得した者）に対し、その払出しがあった未成年者口座内上場株式等の払出し時の金額及び数、その払出しに係る事由及びその事由が生じた日その他参考となるべき事項を通知すること。
（二）	非課税管理勘定が設けられている未成年者口座が開設されている金融商品取引業者等の営業所の長は、当該非課税管理勘定が設けられた日の属する年の１月１日から５年を経過する日の翌日において当該未成年者口座に継続管理勘定が設けられる場合には、同日に当該非課税管理勘定に係る未成年者口座内上場株式等を当該非課税管理勘定から当該継続管理勘定に移管すること。
（三）	（一）の未成年者口座を開設している居住者又は恒久的施設を有する非居住者が、当該未成年者口座が開設されている（一）の金融商品取引業者等の営業所の長に対し、（一）の非課税管理勘定に係る未成年者口座内上場株式等を（一）の継続管理勘定に移管しないことを依頼する旨、移管しない当該非課税管理勘定に係る未成年者口座内上場株式等の種類、銘柄及び数又は価額その他の（注）１で定める事項を記載した書類の提出（当該書類の提出に代えて行う電磁的方法による当該書類に記載すべき事項の提供を含む。）をした場合には、当該金融商品取引業者等の営業所の長は、（一）の規定にかかわらず、当該書類（電磁的方法により提供された当該書類に記載すべき事項を記録した電磁的記録を含む。）に記載又は記録がされた当該非課税管理勘定に係る未成年者口座内上場株式等を当該継続管理勘定に移管しないこと。
（四）	未成年者口座を開設している居住者又は恒久的施設を有する非居住者の基準年の前年12月31日までにその者が出国により居住者又は恒久的施設を有する非居住者に該当しないこととなる場合には、その者は、当該未成年者口座が開設されている金融商品取引業者等の営業所の長に、その出国をする日の前日までに、その旨、当該未成年者口座に係る未成年者口座内上場株式等の全てを課税未成年者口座に移管することを依頼する旨その他（注）２で定める事項を記載した書類（以下「**出国移管依頼書**」という。）の提出（当該出国移管依頼書の提出に代えて行う電磁的方法による当該出国移管依頼書に記載すべき事項の提供を含む。以下（11）、（15）及び**8**②（５）において同じ。）をすること。
（五）	出国移管依頼書の提出を受けた当該金融商品取引業者等の営業所の長は、当該出国の時に、当該未成年者口座に係る未成年者口座内上場株式等の全てを当該未成年者口座と同時に設けられた課税未成年者口座に移管すること。
（六）	出国移管依頼書の提出を受けた当該金融商品取引業者等の営業所の長は、当該未成年者口座を開設している居住者又は恒久的施設を有する非居住者が、帰国（**六**《特定口座内保管上場株式等の譲渡に係る所得計算等の特例》**6**（１）（二）に規定する帰国をいう。以下（六）及び（15）において同じ。）をした後、当該金融商品取引業者等の営業所の長に帰国をした旨その他（注）３で定める事項を記載した届出書（以下（11）において「未成年者帰国届出書」という。）の提出（当該未成年者帰国届出書の提出に代えて行う電磁的方法による当該未成年者帰国届

	出書に記載すべき事項の提供を含む。以下(11)において同じ。）をする時までの間は、当該未成年者口座に係る非課税管理勘定に上場株式等を受け入れないこと。
(七)	出国移管依頼書の提出をした者が、その年１月１日においてその者が18歳である年の前年12月31日までに当該出国移管依頼書の提出をした金融商品取引業者等の営業所の長に未成年者帰国届出書の提出をしなかった場合には、当該金融商品取引業者等の営業所の長は、同日の翌日に当該未成年者口座を廃止し、**6**(２)に規定する廃止届出事項を同(２)の規定により同項に規定する所轄税務署長に提供すること。

(注) 1　(11)(三)に規定する(注)１で定める事項は、次の(一)から(五)までに掲げる事項とする。(措規18の15の10⑨)

(一)	(11)(三)の書類の提出（同(三)に規定する提出をいう。(二)において同じ。）をする者の氏名、生年月日及び住所
(二)	(一)の書類の提出先の金融商品取引業者等の営業所の名称及び所在地
(三)	当該未成年者口座に設けられた非課税管理勘定に係る未成年者口座内上場株式等を当該未成年者口座に係る継続管理勘定に移管しないことを依頼する旨
(四)	当該移管しない未成年者口座内上場株式等の種類、銘柄及び数若しくは持分の割合又は価額
(五)	その他参考となるべき事項

2　(11)(四)に規定する(注)２で定める事項は、次の(一)から(七)までに掲げる事項とする。(措規18の15の10⑩)

(一)	出国移管依頼書（(11)(四)に規定する出国移管依頼書をいう。以下(注)１において同じ。）の提出（同(四)に規定する提出をいう。以下(注)２において同じ。）をする者の氏名、生年月日及び住所
(二)	当該出国移管依頼書の提出先の金融商品取引業者等の営業所の名称及び所在地
(三)	(二)の金融商品取引業者等の営業所に開設されている未成年者口座の記号又は番号
(四)	出国をする予定年月日及び帰国をする予定年月日並びに出国後の国外における連絡先
(五)	出国移管依頼書の提出をする者が、その出国の日の属する年分の所得税につき第六章第四節**一 1**①(二)に掲げる場合に該当して同①の規定の適用を受ける場合には、その旨
(六)	出国移管依頼書の提出をする者が第十五章**四**《納税管理人》**2**の規定による納税管理人の届出をしている場合には、その納税管理人の氏名及び住所
(七)	その他参考となるべき事項

3　(11)(六)に規定する(注)３で定める事項は、次の(一)から(四)までに掲げる事項とする。(措規18の15の10⑪)

(一)	(11)(六)に規定する未成年者帰国届出書の同(六)に規定する提出をする者の氏名、生年月日及び住所
(二)	(注)２(二)に掲げる事項
(三)	出国をした年月日及び帰国をした年月日
(四)	その他参考となるべき事項

(**2**(五)に規定する(12)で定める関係)

(12)　**2**(五)に規定する(12)で定める関係は、次の(一)及び(二)に掲げる関係とする。(措令25の13の８⑬)

(一)	**2**(五)の法人と同(五)の金融商品取引業者等との間に同(五)の法人が当該金融商品取引業者等の発行済株式(議決権のあるものに限る。以下(12)おいて同じ。）又は出資（以下(12)において「**発行済株式等**」という。）の総数又は総額の100分の50を超える数又は金額の株式を直接に保有する場合における当該関係
(二)	**2**(五)の金融商品取引業者等との間に(一)に掲げる関係がある法人が当該金融商品取引業者等以外の法人（以下(二)において「他の法人」という。）の発行済株式等の総数又は総額の100分の50を超える数又は金額の株式を直接に保有する場合における当該金融商品取引業者等と当該他の法人の関係

(**2**(六)ニ(1)に規定する災害等事由による返還等その他(13)で定める事由)

(13)　**2**(六)ニ(1)に規定する災害等事由による返還等その他(13)で定める事由は、**2**(六)の居住者又は恒久的施設を有する非居住者が開設している**2**(六)イの口座に設けられた課税管理勘定に係る上場株式等（**1**(２)に規定する上場株式等をいう。(16)において同じ。）の上場等廃止事由による当該口座からの払出しとする。(措令25の13の８⑭)

（**2**(六)ニ⑵に規定する(14)で定める譲渡）

(14)　**2**(六)ニ⑵に規定する(14)で定める譲渡は、**2**(六)の上場株式等の譲渡であって(9)(一)から同(五)までの各号に掲げる譲渡以外のもの（当該譲渡の対価に係る金銭その他の資産の交付が、当該口座が開設されている金融商品取引業者等の営業所を経由して行われないものに限る。）とする。（措令25の13の８⑮）

（**2**(六)トに規定する(15)で定める事項）

(15)　**2**(六)トに規定する(15)で定める事項は、金融商品取引業者等の営業所の長に出国移管依頼書の提出をした個人が当該金融商品取引業者等と締結した課税未成年者口座管理契約及びその履行については、その出国の時から帰国の時までの間は、当該個人を居住者とみなして**2**(五)及び(六)((六)のロ及びヘを除く。)の規定を適用することとする。（措令25の13の８⑯）

(16)　居住者又は恒久的施設を有する非居住者が開設している未成年者口座又は課税未成年者口座を構成する特定口座に係る未成年者口座内上場株式等又は**四**《特定口座内保管上場株式等の譲渡等に係る所得計算の特例》の**1**に規定する特定口座内保管上場株式等につき、**1**(５)において準用する**十六**《非課税口座内の少額上場株式等に係る譲渡所得等の非課税》**2**②(10)(二)から同(十)までに規定する事由が生じたこと又は**六3**(８)(六)から同(十二)までに規定する事由（同(ハ)及び同(ニ)に掲げる事由を除く。）が生じたことにより、当該居住者又は恒久的施設を有する非居住者が上場株式等以外の株式等を取得した場合には、これらの事由が生じたことによる未成年者口座内上場株式等の未成年者口座からの払出し及び特定口座内保管上場株式等の課税未成年者口座からの払出しは**1**(３)(一)、**2**(二)へ若しくは同(六)ニ、**3**(二)又は**3**(４)(一)ロに規定する移管又は返還に該当しないものとして、**十七**及び(16)の規定を適用する。（措令25の13の８⑰）

（非課税期間終了時における未成年者口座内上場株式等の移管）

(17)　未成年者口座に未成年者非課税管理勘定が設けられた日の属する年の１月１日から５年を経過する日の翌日又は未成年者口座開設者がその年１月１日において18歳である年の前年12月31日の翌日において、当該未成年者非課税管理勘定又は継続管理勘定に係る未成年者口座内上場株式等が、(４)から(６)までの規定により移管される場合には、次に掲げることに留意する。（措通37の14の２－４の２）

⑴　**2**(二)ホ⑴(ⅰ)に規定する移管

イ　当該未成年者非課税管理勘定が設けられた未成年者口座と同時に設けられた課税未成年者口座を構成する特定口座を開設しており、かつ、当該未成年者口座を開設している金融商品取引業者等の営業所の長に対し(４)(二)に規定する「特定口座以外の他の保管口座への未成年者口座内上場株式等移管依頼書」(以下(17)において「移管依頼書」という。）の提出（同(二)に規定する提出をいう。ロにおいて同じ。）をした場合において、当該移管依頼書に記載がされていない当該未成年者非課税管理勘定に係る未成年者口座内上場株式等は、当該特定口座に移管される。

なお、同一銘柄の未成年者口座内上場株式等については、その一部を当該課税未成年者口座を構成する(４)(二)に規定する特定口座以外の他の保管口座（以下(17)において「特定口座以外の他の保管口座」という。）に移管することはできず、移管依頼書にはその全ての数若しくは持分の割合又は価額を記載しなければならない。

ロ　当該課税未成年者口座を構成する特定口座を開設していない場合には、当該未成年者非課税管理勘定に係る未成年者口座内上場株式等は、移管依頼書の提出をすることなく、当該課税未成年者口座を構成する特定口座以外の他の保管口座に移管される。

⑵　**2**(二)ホ⑴(ⅱ)又は同ホ⑵に規定する移管

十六1④(４)の取扱いに準ずる。

3　契約不履行等事由が生じた場合

未成年者口座及び課税未成年者口座を開設する居住者又は恒久的施設を有する非居住者の基準年の前年12月31日又は令和５年12月31日のいずれか早い日までに契約不履行等事由（未成年者口座管理契約若しくは課税未成年者口座管理契約若しくはこれらの履行につき**2**(二)ホ若しくは同(二)ヘ若しくは同(六)ハ若しくは同(六)ニに掲げる要件に該当しない事由が生じたこと又は未成年者口座若しくは課税未成年者口座の廃止（災害等による返還等が生じたことによるものを除く。）をしたことをいう。以下**3**、(４)及び**8**③において同じ。）が生じた場合には、次の(一)から(五)までに定めるところにより、この法律及び所得税法の規定を適用する。この場合には、(１)で定めるところにより、(一)から(三)までの規定による未成年者口座内上場株式等の譲渡による事業所得の金額、譲渡所得の金額及び雑所得の金額と当該未成年者口座内上場株式等以外の株式等の譲渡による事業所得の金額、譲渡所得の金額及び雑所得の金額とを区分して、これらの金額を計算するものとする。（措法37の14の２⑥）

(一)	当該未成年者口座の開設の時から契約不履行等事由が生じた時までの間にした未成年者口座内上場株式等の譲渡による事業所得、譲渡所得又は雑所得については**1**及び**1**（１）の規定の適用がなかったものとし、かつ、当該契約不履行等事由が生じた時に、当該未成年者口座内上場株式等の未成年者口座管理契約において定められた方法に従って行われる譲渡以外の譲渡があったものとみなす。
(二)	当該未成年者口座の開設の時から契約不履行等事由が生じた時までの間に他の保管口座又は非課税管理勘定若しくは継続管理勘定への移管（**2**(二)へ⑴に規定する**2**（８）で定める事由による移管を除く。以下(二)及び(四)において同じ。）があった未成年者口座内上場株式等については**1**（３）の規定の適用がなかったものとし、かつ、当該契約不履行等事由が生じた時に、その移管があった時における払出し時の金額により未成年者口座管理契約において定められた方法に従って行われる譲渡以外の譲渡があったものとみなす。
(三)	契約不履行等事由の基因となった未成年者口座内上場株式等及び契約不履行等事由が生じた時における当該未成年者口座に係る未成年者口座内上場株式等については、当該契約不履行等事由が生じた時に、その時における払出し時の金額により未成年者口座管理契約において定められた方法に従って行われる譲渡以外の譲渡があったものとみなす。
(四)	(二)の規定の適用を受ける当該未成年者口座を開設していた居住者又は恒久的施設を有する非居住者については、(二)の移管があった時に、その時における払出し時の金額をもって当該移管による払出しがあった未成年者口座内上場株式等の数に相当する数の当該未成年者口座内上場株式等と同一銘柄の株式等の取得をしたものとみなす。
(五)	(三)の規定の適用を受ける当該未成年者口座を開設していた居住者又は恒久的施設を有する非居住者については、当該契約不履行等事由が生じた時に、その時における払出し時の金額をもって(三)の未成年者口座内上場株式等（**2**(二)へ⑵に規定する譲渡又は贈与がされたものを除く。）の数に相当する数の当該未成年者口座内上場株式等と同一銘柄の株式等の取得をしたものと、(三)の未成年者口座内上場株式等を贈与により取得した者については、当該契約不履行等事由が生じた時に、その時における払出し時の金額をもって当該未成年者口座内上場株式等と同一銘柄の株式等の取得をしたものとそれぞれみなす。

（１）　**十六**《非課税口座内の少額上場株式等に係る譲渡所得等の非課税》**1**③（１）及び同（２）の規定は、未成年者口座及び課税未成年者口座を開設する居住者又は恒久的施設を有する非居住者の基準年の前年12月31日までに当該未成年者口座又は課税未成年者口座につき契約不履行等事由が生じた場合に**3**(一)から同(三)までの規定により未成年者口座内上場株式等の譲渡があったものとみなされたときについて準用する。この場合において、**十六1**③（１）中「①に規定する非課税口座内上場株式等」とあるのは「**十七1**に規定する未成年者口座内上場株式等」と、「「非課税口座内上場株式等」」とあるのは「「未成年者口座内上場株式等」」と、「非課税口座内上場株式等以外」とあるのは「未成年者口座内上場株式等以外」と、「**十六1**③」とあるのは「**十七1**（２）」と、「当該非課税口座内上場株式等の」とあるのは「**3**(一)から同(三)までの規定による未成年者口座内上場株式等の」と、「に当該非課税口座内上場株式等」とあるのは「に当該未成年者口座内上場株式等」と、**十六1**③（２）中「非課税口座内上場株式等」とあるのは「未成年者口座内上場株式等」と読み替えるものとする。（措令25の13の８⑱）

（２）　**十六1**③（３）の規定は、（１）において準用する**十六1**③（２）に規定する(注) １で定める基準について準用する。この場合において、**十六1**③（３）中「①に規定する非課税口座内上場株式等」とあるのは「**十七1**に規定する未成年者口座内上場株式等」と、「当該非課税口座内上場株式等」とあるのは「当該未成年者口座内上場株式等」と読み替えるものとする。（措規18の15の10⑫）

（未成年者口座内上場株式等に係る収入金額が取得費等又はその譲渡に係る必要経費に満たない場合におけるその不足額）

（３）　**3**の場合において、**3**(一)から同(三)までの規定により譲渡があったものとみなされる未成年者口座内上場株式等に係る収入金額が当該未成年者口座内上場株式等の第四章第八節**二**《譲渡所得の金額》**1**に規定する取得費及びその譲渡に要した費用の額の合計額又はその譲渡に係る必要経費に満たない場合におけるその不足額は、所得税に関する法令の規定の適用については、ないものとみなす。（措法37の14の２⑦）

(契約不履行等事由が生じたことによる未成年者口座の廃止の際の金融商品取引業者等による源泉所得税の徴収及び納付義務)

（4）　未成年者口座及び課税未成年者口座を開設する居住者又は恒久的施設を有する非居住者の基準年の前年12月31日又は令和５年12月31日のいずれか早い日までに当該未成年者口座又は課税未成年者口座につき契約不履行等事由が生じた場合には、当該未成年者口座が開設されている金融商品取引業者等は、当該契約不履行等事由が生じたことによる未成年者口座の廃止の際、(一)に掲げる金額から(二)に掲げる金額を控除した金額に100分の15の税率を乗じて計算した金額の所得税を徴収し、その徴収の日の属する月の翌月10日までに、これを国に納付しなければならない。(措法37の14の２⑧)

(一)	次に掲げる金額の合計額 イ　当該未成年者口座を開設した日から当該廃止の日までの間に支払われた当該未成年者口座に係る未成年者口座内上場株式等の譲渡の対価の額の合計額（当該譲渡の対価のうち、その金銭その他の資産を当該未成年者口座と同時に設けられた課税未成年者口座に預入れ又は預託をしなかったものの額を除く。） ロ　当該未成年者口座を開設した日から当該廃止の日までの間に当該未成年者口座から課税未成年者口座に移管がされた上場株式等の当該移管があった時における払出し時の金額の合計額 ハ　当該未成年者口座を廃止した日において当該未成年者口座に係る振替口座簿に記載若しくは記録がされ、又は保管の委託がされている上場株式等の同日における払出し時の金額の合計額
(二)	当該未成年者口座を開設した日から当該未成年者口座を廃止した日までの間において当該未成年者口座に記載若しくは記録又は保管の委託がされた**2**(二)ロ⑴(i)に掲げる上場株式等の取得対価の額及びその取得に要した費用の額並びにその譲渡に要した費用の額の合計額（その譲渡の対価に係る金銭その他の資産を、当該未成年者口座と同時に設けられた課税未成年者口座に預入れ又は預託をしなかった未成年者口座内上場株式等の取得対価の額及びその取得に要した費用の額並びにその譲渡に要した費用の額その他の(注)で定める金額を除く。）

(注)　(4)(二)に規定する(注)で定める金額は、次に掲げる上場株式等の取得対価の額及びその上場株式等の取得に要した費用の額とする。(措令25の13の８⑲)

(一)　上場等廃止事由が生じた上場株式等

(二)　**2**(9)(一)から同(五)までに掲げる譲渡（当該譲渡の対価に係る金銭その他の資産の交付が、当該口座が開設されている金融商品取引業者等の営業所を経由して行われないものに限る。）があった上場株式等

(**3**の規定に基づいて計算された当該未成年者口座内上場株式等の譲渡による事業所得等の金額の確定所得申告等)

（5）　その年分の所得税に係る未成年者口座を有していた居住者又は恒久的施設を有する非居住者で、当該未成年者口座に係る未成年者口座内上場株式等の譲渡につき**3**((一)から(三)までに係る部分に限る。)の規定に基づいて計算された当該未成年者口座内上場株式等の譲渡による事業所得の金額、譲渡所得の金額及び雑所得の金額を有するものは、その年分の所得税については、**三**《上場株式等に係る譲渡所得等の申告分離課税》に規定する上場株式等に係る譲渡所得等の金額若しくは**十**《上場株式等に係る譲渡損失の損益通算及び繰越控除》**1**(1)若しくは同**2**(1)に規定する上場株式等に係る譲渡損失の金額又は第十章第二節**二**《確定申告》**2**に規定する給与所得及び退職所得以外の所得金額若しくは同**2**④に規定する公的年金等に係る雑所得以外の所得金額の計算上当該未成年者口座内上場株式等の譲渡による事業所得の金額、譲渡所得の金額又は雑所得の金額を除外したところにより、同**1**から同**4**まで、同節**三**《死亡または出国の場合の確定申告》**1**から**4**までの規定及び**十**《上場株式等に係る譲渡損失の損益通算及び繰越控除》**3**②(2)(**十四 3**において準用する場合を含む。)において準用する第十章第二節**二**《確定申告》**4**①の規定を適用することができる。(措法37の14の２⑩)

(注)　(契約不履行等事由が生じた場合の課税対象となる未成年者口座内上場株式等に係る譲渡所得等の申告不要の適用を受けた場合の効果)

(5)の規定を適用する場合には、**3**(**3**(一)から同(三)までに係る部分に限る。)の規定に基づいて計算された課税対象となる未成年者口座内上場株式等の譲渡による譲渡所得等の金額は、所得税法及び所得税法令の規定の適用上、次に掲げる金額又は合計額には含まれないことに留意する。(措通37の14の２－16)

(一)　第二章第一節表内**30**イ(2)に規定する「合計所得金額」

(二)　第二章第一節表内**31**(2)に規定する「総所得金額、退職所得金額及び山林所得金額の合計額」

(三)　第十章第二節**二 1**①に規定する「その年分の総所得金額、退職所得金額及び山林所得金額の合計額」

(四)　第十章第二節**二 2**①に規定する「給与所得及び退職所得以外の所得金額」

(五)　第十章第二節**二 2**④に規定する「その年分の公的年金等に係る雑所得以外の所得金額」

((5)に規定する居住者又は恒久的施設を有する非居住者のその年分の所得税について第十二章**一**《国税通則法の規定による更正又は決定》**2**の規定による決定等をする場合におけるこれらの規定の適用)

(6)　(5)に規定する居住者又は恒久的施設を有する非居住者のその年分の所得税について第十二章**一**《国税通則法の規定による更正又は決定》**2**の規定による決定（当該決定に係る第十二章**一**《国税通則法の規定による更正又は決定》**1**又は同**3**の規定による更正を含む。）をする場合におけるこれらの規定の適用については、(5)の規定に該当する未成年者口座内上場株式等の譲渡による事業所得の金額、譲渡所得の金額又は雑所得の金額は、これらの条に規定する課税標準等には含まれないものとする。（措法37の14の２⑪）

（遡及課税が行われる契約不履行等事由の範囲）

(7)　**3**の規定による課税が行われることとなる契約不履行等事由とは、未成年者口座及び課税未成年者口座を開設している居住者等の基準年の前年12月31日又は令和５年12月31日のいずれか早い日までに生じた次の(一)又は(二)に掲げる事由をいうことに留意する。（措通37の14の２－13）

(一)　未成年者口座について生じた次に掲げる事由

イ　未成年者口座に未成年者非課税管理勘定が設けられた日の属する年の１月１日から５年を経過する日において有する当該未成年者非課税管理勘定に係る上場株式等（他の年分の未成年者非課税管理勘定又は継続管理勘定への移管がされるものを除く。）について、**2**(二)ホ⑴(i)に定める課税未成年者口座への移管以外の移管をしたこと。

ロ　未成年者非課税管理勘定又は継続管理勘定に係る上場株式等の未成年者口座から課税未成年者口座以外の口座への移管又は当該上場株式等に係る有価証券の居住者等への返還（災害等による返還等（**2**(二)へ⑴に規定する災害等による返還等をいう。以下(7)において同じ。）及び上場等廃止事由（**2**(8)に規定する上場等廃止事由をいう。以下(7)及び(8)において同じ。）による未成年者口座からの払出しを除く。）をしたこと。

(注)　当該上場株式等が上場されている金融商品取引法第２条第16項に規定する金融商品取引所の定める規則に基づき、当該金融商品取引所への上場を廃止することが決定された銘柄又は上場を廃止するおそれのある銘柄として指定されている期間内に未成年者口座から他の保管口座（課税未成年者口座以外のものに限る。）へ払い出した場合は、契約不履行等事由に該当する（(二)ロにおいて同じ。)。

ハ　当該上場株式等について、未成年者口座管理契約に基づく譲渡以外の譲渡であって**2**(9)(一)から同(五)までに掲げる譲渡以外のもの（当該譲渡の対価に係る金銭その他の資産の交付が、当該未成年者口座が開設されている金融商品取引業者等の営業所を経由して行われないものに限る。）又は贈与をしたこと。

ニ　当該上場株式等に係る譲渡対価の金銭等（**2**(二)へ⑶に規定する譲渡対価の金銭等をいう。以下(7)において同じ。）について、その受領後直ちに課税未成年者口座に預入れ又は預託をしなかったこと。

ホ　未成年者口座の廃止（災害等による返還等が生じたことによるものを除く。）をしたこと。

(二)　課税未成年者口座について生じた次に掲げる事由

イ　**2**(六)イに規定する課税管理勘定に係る上場株式等に係る譲渡対価の金銭等について、その受領後直ちに課税未成年者口座に預入れ又は預託をしなかったこと。

ロ　当該上場株式等の課税未成年者口座から他の保管口座への移管又は当該上場株式等に係る有価証券の居住者等への返還（災害等事由による返還等（**2**(六)ニ⑴に規定する災害等事由による返還等をいう。以下(7)において同じ。）及び上場等廃止事由による課税未成年者口座からの払出しを除く。）をしたこと。

ハ　当該上場株式等について、課税未成年者口座管理契約において定められた方法以外の方法による譲渡であって**2**(9)(一)から同(五)までに掲げる譲渡以外のもの（当該譲渡の対価に係る金銭その他の資産の交付が、当該課税未成年者口座が開設されている金融商品取引業者等の営業所を経由して行われないものに限る。）又は贈与をしたこと。

ニ　課税未成年者口座に預入れ又は預託がされる金銭その他の資産の課税未成年者口座からの払出し（課税未成年者口座又は未成年者口座に係る上場株式等の取得のためにする払出し及び課税未成年者口座に係る上場株式等につき災害等事由による返還等がされる場合の当該金銭その他の資産の払出しを除く。）をしたこと。

ホ　課税未成年者口座の廃止（災害等による返還等が生じたことによるものを除く。）をしたこと。

（契約不履行等事由が生じた場合の課税対象となる未成年者口座内上場株式等）

(8)　基準年の前年12月31日又は令和５年12月31日のいずれか早い日までに契約不履行等事由が生じた場合には、**3**の規定により、次の(一)及び(二)に掲げる未成年者口座内上場株式等につき既に適用を受けていた**1**、**1**(1)及び**1**(3)の規定の適用がなかったものとされ、かつ、次の(一)から(三)までに掲げる未成年者口座内上場株式等（以下「課税対象となる未成年者口座内上場株式等」という。）については、当該契約不履行等事由が生じた時に、それぞれ次の(一)から(三)までに掲げる金額により未成年者口座管理契約において定められた方法に従って行われる譲渡以外の譲渡があったものとみなされ、当該契約不履行等事由が生じた日の属する年分における上場株式等に係る譲渡所得等となり、**三**の規定その他の所得税に関する法令の規定が適用されることに留意する。(措通37の14の２－14)

(一)　未成年者口座の開設の時から当該契約不履行等事由が生じた時までの間に未成年者口座管理契約に基づく譲渡があった未成年者口座内上場株式等　当該譲渡に係る譲渡価額

(二)　未成年者口座の開設の時から当該契約不履行等事由が生じた時までの間に**1**(３)(一)に掲げる移管があった未成年者口座内上場株式等　当該移管があった時における**1**(３)に規定する払出し時の金額((三)において「払出し時の金額」という。)

(三)　当該契約不履行等事由の基因となった未成年者口座内上場株式等及び当該契約不履行等事由が生じた時において有している当該未成年者口座に係る未成年者口座内上場株式等　当該契約不履行等事由が生じた時における払出し時の金額

(注)　**3**の規定により課税されることとなる上記(一)の譲渡及び上記(二)の移管は、**1**及び**1**(１)の規定の適用を受けた譲渡及び**1**(３)(一)の規定の適用があった移管(上場等廃止事由によるものを除く。)に限られるのであるから、これらの規定による非課税の適用を受けていない**2**(９)(一)から同(五)までに掲げる譲渡又は**2**(16)の規定の適用を受ける未成年者口座からの払出しがあった未成年者口座内上場株式等は、課税対象となる未成年者口座内上場株式等には含まれないことに留意する。

(契約不履行等事由が生じた場合の課税対象となる未成年者口座内上場株式等の譲渡による譲渡所得等の金額の計算)

(9)　基準年の前年12月31日又は令和５年12月31日のいずれか早い日までに契約不履行等事由が生じた場合における課税対象となる未成年者口座内上場株式等の譲渡による譲渡所得等の金額の計算に当たっては、次の点に留意する。(措通37の14の２－15)

(一)　未成年者口座の開設の時から当該契約不履行等事由が生じた時までの間にした課税対象となる未成年者口座内上場株式等の譲渡又は移管の日の属する年分並びに当該契約不履行等事由が生じた時に有している未成年者口座内上場株式等を受け入れている未成年者非課税管理勘定又は継続管理勘定の別及び年分にかかわらず、当該契約不履行等事由が生じた日の属する年分において、全ての課税対象となる未成年者口座内上場株式等を対象としてこれらの譲渡損益の金額を合計し、譲渡所得等の金額を計算する。

(注)　課税対象となる未成年者口座内上場株式等のうちに同一銘柄のものがある場合における当該課税対象となる未成年者口座内上場株式等の取得費等の額は、当該課税対象となる未成年者口座内上場株式等を受け入れていた未成年者非課税管理勘定又は継続管理勘定の別及び年分を区分しないで、全ての課税対象となる未成年者口座内上場株式等を対象として計算する。

(二)　未成年者口座内上場株式等及び当該未成年者口座内上場株式等以外の上場株式等を有する場合は、**3**(１)において準用する**十六1**③及び同(２)の規定により、課税対象となる未成年者口座内上場株式等の譲渡による譲渡所得等の金額と当該未成年者口座内上場株式等以外の上場株式等の譲渡による譲渡所得等の金額とを区分して、これらの金額を計算する。

(注)　同一銘柄の上場株式等のうちに課税対象となる未成年者口座内上場株式等と当該未成年者口座内上場株式等以外の上場株式等とがある場合におけるこれらの上場株式等の取得費等の額は、それぞれの銘柄が異なるものとして計算する。

(三)　他の年分の未成年者非課税管理勘定から移管がされた上場株式等が課税対象となる未成年者口座内上場株式等である場合、当該移管がされた上場株式等については**1**(３)の規定は適用されないことから、当該上場株式等の取得価額は、当該移管時の同(３)に規定する払出し時の金額ではなく、その取得時の購入の代価又は払い込んだ金額を基礎として計算する。

(四)　課税対象となる未成年者口座内上場株式等の取得時に支払った委託手数料その他の取得のために要した費用の額がある場合は、取得費等の額に算入する。

(五)　上記により計算した結果生じた譲渡損失の金額は、(３)の規定により、所得税に関する法令の規定の適用については、ないものとみなされ、**十1**(一)に規定する上場株式等に係る譲渡損失の金額も生じないことから、確定申告により**十1**及び同**2**の規定の適用を受けることはできない。

(契約不履行等事由が生じた場合の課税対象となる未成年者口座内上場株式等に係る譲渡所得等の金額を申告した場合の効果)

(10)　**3**(**3**(一)から同(三)までに係る部分に限る。)の規定に基づいて計算された課税対象となる未成年者口座内上場株式等の譲渡による譲渡所得等の金額を上場株式等に係る譲渡所得等の金額に算入したところにより確定申告書を提出した場合には、その後においてその者が更正の請求をし、又は修正申告書を提出する場合においても、当該未成年者口座内上場株式等の譲渡による譲渡所得等の金額を当該上場株式等に係る譲渡所得等の金額の計算上除外することはできないことに留意する。(措通37の14の２－17)

4　未成年者非課税適用確認書交付申請書の金融商品取引業者等の営業所の長への提出

未成年者非課税適用確認書の交付を受けようとする居住者又は恒久的施設を有する非居住者は、その者の氏名、生年月日、住所（国内に住所を有しない者にあっては、**十六３**③(４)で定める場所。以下同じ。）及び個人番号（既に個人番号を告知している者として政令で定める者（(２)において「番号既告知者」という。）にあっては、氏名、生年月日及び住所。(１)及び(１)(注)において同じ。）その他の(注)で定める事項を記載した申請書を、平成28年１月１日から令和５年９月30日までの間に、金融商品取引業者等の営業所の長に提出（当該申請書の提出に代えて行う電子情報処理組織を使用する方法その他の情報通信の技術を利用する方法による当該申請書に記載すべき事項の提供を含む。(１)、(２)及び(３)において同じ。）をしなければならない。（措法37の14の２⑫）

（注）　**４**に規定する(注)で定める事項は、次の(一)から(四)までに掲げる事項とする。（措規18の15の10⑰）

(一)	**４**の申請書の提出をする者の氏名、生年月日、住所及び個人番号（(１)において準用する**十六３**①(２)の規定に該当する者にあっては、氏名、生年月日及び住所）
(二)	**４**の申請書の提出先の金融商品取引業者等の営業所の名称及び所在地
(三)	未成年者非課税適用確認書の交付を受けたい旨
(四)	その他参考となるべき事項

（**４**の申請書を提出する際の、氏名、生年月日、住所及び個人番号の告知義務）

(１)　**４**の申請書の提出をしようとする居住者又は恒久的施設を有する非居住者は、**十六３**③(１)で定めるところにより、その提出をする際、**４**の金融商品取引業者等の営業所の長に、その者の住民票の写しその他の**十六３**③(２)で定める書類を提示し、又は**六**《特定口座内保管上場株式等の譲渡等に係る所得計算等の特例》**４**に規定する署名用電子証明書等を送信して氏名、生年月日、住所及び個人番号を告知し、当該告知をした事項につき確認を受けなければならない。（措法37の14の２⑬、措令25の13の８⑳）

（注）　金融商品取引業者等の営業所の長は、(１)の告知を受けたものと異なる氏名、生年月日、住所及び個人番号が記載されている(１)の申請書については、これを受理することができない。（措法37の14の２⑭）

（**４**の申請書の提出を受けた金融商品取引業者等が負う申請事項の所轄税務署長への提供義務）

(２)　**４**の申請書の提出を受けた**４**の金融商品取引業者等の営業所の長は、その提出を受けた後速やかに、当該申請書に記載された事項（番号既告知者から提出を受けた申請書にあっては、当該事項及びその者の個人番号。以下(２)及び(３)において「**申請事項**」という。）を、特定電子情報処理組織を使用する方法により当該金融商品取引業者等の営業所の所在地の所轄税務署長（(３)において「**所轄税務署長**」という。）に提供しなければならない。この場合において、当該金融商品取引業者等の営業所の長は、当該申請書につき帳簿を備え、当該申請書の提出をした者の各人別に、申請事項を記載し、又は記録しなければならない。（措法37の14の２⑮）

（(２)の申請事項の提供を受けた所轄税務署長における確認事務及び確認書等の交付）

(３)　(２)の申請事項の提供を受けた所轄税務署長は、当該申請事項に係る申請書の提出をした居住者又は恒久的施設を有する非居住者（以下(３)において「**申請者**」という。）についての当該申請事項の提供を受けた時前における当該所轄税務署長又は他の税務署長に対する(２)の規定による申請事項の提供の有無の確認をするものとし、当該確認をした当該所轄税務署長は、次の(一)及び(二)に掲げる場合の区分に応じ次の(一)又は(二)に定める書類又は書面を、当該申請事項に係る申請書の提出を受けた金融商品取引業者等の営業所の長を経由して当該申請者に交付しなければならない。（措法37の14の２⑯）

(一)	当該申請事項の提供を受けた時前に当該所轄税務署長及び他の税務署長に対して申請事項の提供がない場合　未成年者非課税適用確認書
(二)	(一)に掲げる場合以外の場合　未成年者非課税適用確認書の交付を行わない旨その他財務省令で定める事項を記載した書面

（(３)(二)に規定する財務省令で定める事項）

(４)　(３)(二)に規定する財務省令で定める事項は、次に掲げる事項とする。（措規18の15の10⑱）

(一)	**４**の申請書の提出をした者の氏名、生年月日及び住所

(二)	未成年者非課税適用確認書の交付を行わない理由
(三)	その他参考となるべき事項

（郵便等により提示された確認書類によって氏名等を確認する場合）

（5）　金融商品取引業者等の営業所の長は、（1）（**5**において準用する場合を含む。）に規定する書類の提示に関し、郵便又は信書便により確認書類の提示を受けて、氏名、生年月日、住所（国内に住所を有しない者にあっては、**1**（5）で読み替えられた**十六3**③（4）で定める場所。以下（5）において同じ。）及び個人番号（**4**に規定する番号既告知者にあっては、氏名、生年月日及び住所）を確認した場合には、当該確認書類又はその写しについては、次の区分に応じ、当該区分に定める日の属する年の翌年から５年間保存しておくものとする。（措通37の14の２－18）

（一）　未成年者非課税適用確認書の交付申請書に係る確認書類　当該未成年者非課税適用確認書の交付申請書の提出をした者がその年１月１日において18歳である年の前年12月31日

（二）　未成年者口座開設届出書に係る確認書類　未成年者口座開設届出書に係る未成年者口座が廃止された日から５年を経過する日

5　未成年者口座開設届出書の金融商品取引業者等の営業所の長への提出

4（1）及び**4**（1）（注）の規定は、未成年者口座開設届出書の提出をする居住者又は恒久的施設を有する非居住者及び当該未成年者口座開設届出書の提出を受けた金融商品取引業者等の営業所の長について準用する。（措法37の14の２⑰）

（未成年者口座開設届出書の提出ができない場合）

（1）　現に未成年者口座を開設している居住者又は恒久的施設を有する非居住者は、当該未成年者口座が開設されている金融商品取引業者等の営業所の長及び当該金融商品取引業者等の営業所の長以外の金融商品取引業者等の営業所の長に対し、未成年者口座開設届出書の提出をすることはできない。（措法37の14の２⑱）

（未成年者口座開設届出書の提出を受けた金融商品取引業者等の営業所の長が負う所轄税務署長への情報提供義務）

（2）　未成年者非課税適用確認書を添付した未成年者口座開設届出書の提出を受けた金融商品取引業者等の営業所の長は、その提出を受けた後速やかに、その未成年者口座開設届出書の提出をした居住者又は恒久的施設を有する非居住者の氏名、生年月日及び個人番号その他の（注）で定める事項を、特定電子情報処理組織を使用する方法により当該金融商品取引業者等の営業所の所在地の所轄税務署長に提供しなければならない。（措法37の14の２⑲）

（注）　（2）に規定する（注）で定める事項は、次の（一）から（七）までに掲げる事項とする。（措規18の15の10㉑）

(一)	当該未成年者非課税適用確認書の提出をした者の氏名、生年月日、住所及び個人番号
(二)	当該未成年者非課税適用確認書に記載された整理番号
(三)	当該未成年者非課税適用確認書に記載された氏名が変更されている場合には、その旨及び当該未成年者非課税適用確認書に記載された氏名
(四)	当該未成年者非課税適用確認書の提出を受けた金融商品取引業者等の営業所の名称及び当該金融商品取引業者等の法人番号
(五)	当該未成年者非課税適用確認書の提出年月日
(六)	当該未成年者非課税適用確認書の受理後に非課税管理勘定が設定された日又は設定予定年月日及び当該非課税管理勘定が設定された未成年者口座の記号又は番号
(七)	その他参考となるべき事項

（重ねて開設された未成年者口座で行われた取引の取扱い）

（3）　現に未成年者口座を開設している居住者等は、（1）の規定により重ねて未成年者口座を開設することはできないことから、例えば、誤って未成年者口座が複数開設された場合は、それらの未成年者口座のうちいずれか一つの未成年者口座のみが**十七**の規定の適用を受ける未成年者口座として取り扱われ、それ以外の未成年者口座で行われた取引については、当初より未成年者口座以外の口座（特定口座及び非課税口座を除く。）での取引として取り扱われることに留意する。（措通37の14の２－20）

（重ねて開設された未成年者口座の判定）

（4）　現に未成年者口座を開設している居住者等は、（1）の規定により重ねて未成年者口座を開設することはできないことから、例えば、誤って未成年者口座が複数開設された場合は、原則として、次に掲げる時又は日が最も早い未成年者口座を**十七**の規定の適用を受ける未成年者口座として取り扱うこととする。（措通37の14の２－21）

（一）　金融商品取引業者等の営業所の長から所轄税務署長が**4**（2）に規定する申請事項の提供を受けた時

（二）　（一）が同時である場合には、金融商品取引業者等の営業所の長が未成年者非課税適用確認書の提出を受けた日

（三）　（一）が同時であり、かつ（二）が同日である場合には、未成年者口座内上場株式等を取得した日

（四）　（一）が同時であり、かつ（二）及び（三）がいずれも同日である場合には、未成年者口座内上場株式等に係る配当等の支払を受けた日又は未成年者口座内上場株式等を譲渡した日

6　未成年者口座廃止届出書の金融商品取引業者等の営業所の長への提出

未成年者口座を開設している居住者又は恒久的施設を有する非居住者が当該未成年者口座につき第四章第二節**五５**《未成年者口座内の少額上場株式等に係る配当所得の非課税》及び**1**、**1**（1）から同（3）までの規定の適用を受けることをやめようとする場合には、その者は、当該未成年者口座が開設されている金融商品取引業者等の営業所の長に、当該未成年者口座を廃止する旨その他の（注）１で定める事項を記載した届出書（以下（2）までにおいて「**未成年者口座廃止届出書**」という。）の提出（当該未成年者口座廃止届出書の提出に代えて行う電子情報処理組織を使用する方法その他の情報通信の技術を利用する方法による当該未成年者口座廃止届出書に記載すべき事項の提供を含む。以下（2）までにおいて同じ。）をしなければならないものとし、未成年者口座管理契約若しくは課税未成年者口座管理契約又はこれらの履行につき未成年者口座等廃止事由又は課税未成年者口座等廃止事由が生じたことにより未成年者口座が廃止された場合には、これらの事由が生じた時に、当該未成年者口座を開設している居住者又は恒久的施設を有する非居住者が、当該未成年者口座が開設されている金融商品取引業者等の営業所の長に未成年者口座廃止届出書の提出をしたものとみなす。（措法37の14の２⑳）

（注）１　**6**に規定する（注）１で定める事項は、次の（一）から（五）までに掲げる事項とする。（措規18の15の10㉒）

（一）	未成年者口座廃止届出書の提出をする者の氏名、生年月日及び住所
（二）	当該未成年者口座廃止届出書の提出先の金融商品取引業者等の営業所の名称及び所在地
（三）	未成年者口座を廃止する旨並びに第四章第二節**五５**《未成年者口座内の少額上場株式等に係る配当所得の非課税》及び**1**、**1**の（1）から（3）までの規定の適用を受けることをやめようとする当該未成年者口座の記号又は番号
（四）	当該未成年者口座に現に設けられている非課税管理勘定の年分
（五）	その他参考となるべき事項

２　（郵便等により提出された未成年者口座廃止届出書の提出日の取扱い）

郵便又は信書便により**6**に規定する未成年者口座廃止届出書の提出があった場合には、金融商品取引業者等の営業所の長が当該届出書を収受した日にその提出があったものとして取り扱われることに留意する。（措通37の14の２－19）

（未成年者口座廃止届出書提出の時後の非課税規定の不適用）

（1）　未成年者口座廃止届出書の提出があった場合には、その提出があった時に当該未成年者口座廃止届出書に係る未成年者口座が廃止されるものとし、当該未成年者口座に受け入れていた上場株式等につき当該提出の時後に支払を受けるべき第四章第二節**五５**《未成年者口座内の少額上場株式等に係る配当所得の非課税》①に規定する配当等及び当該提出の時後に行う当該上場株式等の譲渡による所得については、同**5**の規定は、適用しない。（措法37の14の２㉑）

（未成年者口座廃止届出書の提出を受けた金融商品取引業者等の営業所の長が負う所轄税務署長への情報提供義務及び届出書提出者への未成年者口座廃止通知書交付義務）

（2）　未成年者口座廃止届出書の提出を受けた金融商品取引業者等の営業所の長は、その提出を受けた後速やかに、当該未成年者口座廃止届出書の提出をした者の氏名及び個人番号、未成年者口座廃止届出書の提出を受けた旨、未成年者口座を廃止した年月日その他の（注）１で定める事項（以下（2）及び（4）において「**廃止届出事項**」という。）を特定電子情報処理組織を使用する方法により当該金融商品取引業者等の営業所の所在地の所轄税務署長に提供しなければならないものとし、当該廃止届出事項の提供をした金融商品取引業者等の営業所の長は、当該未成年者口座廃止届出書（当該居住者又は恒久的施設を有する非居住者がその年１月１日において17歳である年の９月30日又は令和５年９月30日のいずれか早い日までに提出がされたものに限り、当該提出の日の属する年の１月１日において17歳である居住者又は恒久的施設を有する非居住者が開設している未成年者口座で当該未成年者口座に係る同日の属する年分の非課税管理勘定に上場株式等の受入れをしていたものに係る未成年者口座廃止届出書を除く。）の提出をした居住者又は

恒久的施設を有する非居住者に対し、未成年者口座廃止通知書を交付しなければならない。（措法37の14の２㉒）

（注）（２）に規定する（注）１で定める事項は、次の（一）から（七）までに掲げる事項とする。（措規18の15の10㉓）

（一）	未成年者口座廃止届出書の**6**に規定する提出（以下この（注）１において「未成年者口座廃止届出書の提出」という。）をした者（以下（注）において「提出者」という。）の氏名、生年月日及び個人番号
（二）	当該提出者からその未成年者口座廃止届出書の提出の日以前の直近に提出を受けた未成年者非課税適用確認書又は未成年者口座廃止通知書に記載された整理番号
（三）	当該未成年者口座廃止届出書の提出を受けた金融商品取引業者等の営業所の名称及び当該金融商品取引業者等の法人番号
（四）	当該未成年者口座廃止届出書の提出により当該未成年者口座を廃止した旨及びその提出年月日
（五）	当該提出者に対する未成年者口座廃止通知書の交付の有無
（六）	当該提出者に未成年者口座廃止通知書を交付する場合には、当該未成年者口座を廃止した日の属する年分の非課税管理勘定への上場株式等の受入れの有無
（七）	その他参考となるべき事項

（未成年者口座廃止通知書を添付した未成年者口座開設届出書の提出を受けた金融商品取引業者等の営業所の長が負う所轄税務署長への情報提供義務）

（３）　未成年者口座開設届出書に添付して提出される未成年者口座廃止通知書の提出を受けた金融商品取引業者等の営業所の長は、その提出を受けた後速やかに、当該提出をした居住者又は恒久的施設を有する非居住者の氏名及び個人番号、当該未成年者口座廃止通知書の提出を受けた旨、当該未成年者口座廃止通知書に記載された未成年者口座が廃止された年月日（（４）において「**廃止年月日**」という。）その他の（注）で定める事項（以下（３）及び（４）において「**提出事項**」という。）を特定電子情報処理組織を使用する方法により当該金融商品取引業者等の営業所の所在地の所轄税務署長（（４）において「**所轄税務署長**」という。）に提供しなければならない。この場合において、当該金融商品取引業者等の営業所の長は、当該未成年者口座廃止通知書につき帳簿を備え、当該未成年者口座廃止通知書を提出した者の各人別に、提出事項を記載し、又は記録しなければならない。（措法37の14の２㉓）

（注）（３）に規定する（注）で定める事項は、次の（一）から（七）までに掲げる事項とする。（措規18の15の10㉔）

（一）	未成年者口座廃止通知書を提出した者の氏名、生年月日及び個人番号
（二）	当該未成年者口座廃止通知書に記載された整理番号
（三）	当該未成年者口座廃止通知書に記載された氏名が変更されている場合には、その旨及び当該未成年者口座廃止通知書に記載された氏名
（四）	当該未成年者口座廃止通知書の提出を受けた金融商品取引業者等の営業所の名称及びその提出年月日並びに当該金融商品取引業者等の法人番号
（五）	当該未成年者口座廃止通知書の提出を受けた旨及び当該未成年者口座廃止通知書に記載された**2**（八）（注）（三）に規定する廃止された年月日
（六）	当該未成年者口座廃止通知書の提出により最初に設けようとする非課税管理勘定の年分及び当該非課税管理勘定が設けられる未成年者口座の記号又は番号
（七）	その他参考となるべき事項

（当該提出事項の提供を受けた所轄税務署長による廃止届出事項の提供有無確認事務及び金融商品取引業者等の営業所の長への情報提供義務）

（４）　当該提出事項の提供を受けた所轄税務署長は、当該未成年者口座廃止通知書を提出した居住者又は恒久的施設を有する非居住者（以下（４）において「**提出者**」という。）に係る（２）の規定による廃止届出事項（当該提出事項に係る廃止年月日と同一のものに限る。）の提供の有無を確認するものとし、当該確認をした所轄税務署長は、次の（一）又は（二）に掲げる場合の区分に応じ次に定める事項を、当該提出事項の提供をした金融商品取引業者等の営業所の長に、電子情報処理組織（国税庁の使用に係る電子計算機と当該金融商品取引業者等の営業所の長の使用に係る電子計算機とを電気通信回線で接続した電子情報処理組織をいう。）を使用する方法により提供しなければならない。（措法37の14の２㉔）

（一）	当該提出者に係る廃止届出事項の提供がある場合（（二）に掲げる場合に該当する場合を除く。）　当該金融商品取引業者等の営業所における当該提出者の未成年者口座の開設ができる旨その他**十六５**⑥（１）で定める事項

(二)	当該提出者に係る廃止届出事項の提供がない場合又は当該提出事項の提供を受けた時前に既に当該所轄税務署長若しくは他の税務署長に対して同一の提出者に係る提出事項（廃止年月日が同一のものに限る。）の提供がある場合　当該金融商品取引業者等の営業所における当該提出者の未成年者口座の開設ができない旨及びその理由その他**十六５**⑥（１）で定める事項

７　金融商品取引業者等の営業所の長が提供事項を所轄税務署長に提供したとみなす場合

金融商品取引業者等の営業所の長が、**十六11**①（１）で定めるところにより**４**（２）、**５**（２）、**６**（２）、**６**（３）その他**十六11**①（１）で定める規定に規定する所轄税務署長（以下**７**において「**所轄税務署長**」という。）の承認を受けた場合には、当該金融商品取引業者等の営業所の長は、これらの規定にかかわらず、特定電子情報処理組織を使用する方法により、これらの規定により提供すべきこととされている事項（以下**７**において「**提供事項**」という。）を**十六11**①（５）で定める税務署長に提供することができる。この場合において、当該金融商品取引業者等の営業所の長は、当該提供事項を所轄税務署長に提供したものとみなして、第四章第二節**五５**《未成年者口座内の少額上場株式等に係る配当所得の非課税》及び**十七**の規定を適用する。（措法37の14の２㉕）

８　所轄税務署長と金融商品取引業者等の営業所の長との間における連絡事務等

①　所轄税務署長から金融商品取引業者等の営業所の長への提供情報、備付帳簿、出国届その他必要な事項

５から**７**までに定めるもののほか、**４**（３）の所轄税務署長が同（３）の金融商品取引業者等の営業所の長を経由して同（３）に定める書類又は書面の交付をする際に当該所轄税務署長が当該金融商品取引業者等の営業所の長に提供すべき情報に関する事項、金融商品取引業者等が未成年者口座につき備え付けるべき帳簿に関する事項、未成年者口座開設届出書の提出をした個人がその提出後当該未成年者口座開設届出書に記載した事項を変更した若しくは変更する場合又は出国をする場合における届出に関する事項その他**１**から**４**（３）までの規定の適用に関し必要な事項は、政令で定める。（措法37の14の２㉖）

②　金融商品取引業者による未成年者口座年間取引報告書の作成及び提出義務

金融商品取引業者等は、その年において当該金融商品取引業者等の営業所に開設されていた未成年者口座がある場合には、（１）で定めるところにより、当該未成年者口座を開設した居住者又は恒久的施設を有する非居住者の氏名、住所及び個人番号、その年中に当該未成年者口座において処理された上場株式等の譲渡の対価の額、当該未成年者口座に係る未成年者口座内上場株式等の配当等の額その他の（２）で定める事項を記載した報告書を作成し、その年の翌年１月31日までに、当該金融商品取引業者等の当該未成年者口座を開設する営業所の所在地の所轄税務署長に提出しなければならない。（措法37の14の２㉗）

（未成年者口座年間取引報告書）

（１）　金融商品取引業者等は、その年において当該金融商品取引業者等の営業所に開設されていた未成年者口座で非課税管理勘定又は継続管理勘定が設けられていたものがある場合には、当該未成年者口座を開設した居住者又は恒久的施設を有する非居住者の各人別に、（２）に掲げる事項を記載した報告書（以下「**未成年者口座年間取引報告書**」という。）を未成年者口座ごとに作成し、その年の翌年１月31日までに、当該金融商品取引業者等の当該未成年者口座が開設されていた営業所の所在地の所轄税務署長に提出しなければならない。（措規18の15の11①）

（未成年者口座年間取引報告書の記載事項等）

（２）　②に規定する（２）で定める事項は、②の未成年者口座に係る次の（一）から（十三）までに掲げる事項とする。（措規18の15の11②）

(一)	当該未成年者口座を開設していた居住者又は恒久的施設を有する非居住者の氏名、生年月日、住所及び個人番号（**８**③又は同③（１）ただし書の規定により**８**③の居住者又は恒久的施設を有する非居住者に交付する**８**③の報告書にあっては、当該居住者又は恒久的施設を有する非居住者の氏名、生年月日及び住所）
(二)	当該未成年者口座の設定の際に提出を受けた未成年者非課税適用確認書又は未成年者口座廃止通知書に記載された整理番号
(三)	当該未成年者口座が開設されていた金融商品取引業者等の営業所の名称、所在地及び電話番号並びに当該金融

	商品取引業者等の法人番号
(四)	当該未成年者口座に非課税管理勘定又は継続管理勘定が設けられた日の属する年中に当該未成年者口座に受け入れた**2**(二)ロ(1)(i)若しくは同(ii)又は**2**(二)ハ(1)に掲げる上場株式等（以下(四)において「当初取得等上場株式等」という。）及び同(二)ロ(2)又は同(二)ハ(2)に掲げる上場株式等（以下(四)において「満期移管上場株式等」という。）並びに同年以後に当該未成年者口座に受け入れた**1**（2）において準用する**十六2**②(10)(一)から同(十二)に掲げる上場株式等（以下「分割等上場株式等」という。）につき、当該受け入れた未成年者口座に係る非課税管理勘定又は継続管理勘定ごとの種類別及び銘柄別の数又は口数（分割等上場株式等にあっては、当該未成年者口座を開設していた居住者又は恒久的施設を有する非居住者が当該分割等上場株式等の取得に係る**十六2**②(10)(一)から同(十二)に規定する事由が生じた直後に有することとなった当該分割等上場株式等の数又は口数）並びに取得対価の額（**2**(二)ロ(1)に規定する取得対価の額をいい、分割等上場株式等にあっては当該分割等上場株式等の取得の基因となった当初取得等上場株式等又は満期移管上場株式等に係る同(二)ロ(1)に規定する取得対価の額とする。以下同じ。）の合計額並びに当該未成年者口座に係る当初取得等上場株式等及び満期移管上場株式等の取得対価の額の総額
(五)	その年中に当該未成年者口座に係る非課税管理勘定からの払出し（振替によるものを含む。以下同じ。）があった未成年者口座内上場株式等につき、当該非課税管理勘定ごとの次に掲げる事項 イ　当該払出しの事由及びその払出しのあった年月日 ロ　当該払出しのあった未成年者口座内上場株式等の種類別及び銘柄別の数又は口数 ハ　当該払出しの次に掲げる場合の区分に応じそれぞれ次に定める金額 (1)　当該払出しが譲渡以外の事由によるものである場合　**1**（3）に規定する払出し時の金額 (2)　当該払出しが譲渡によるものである場合　譲渡対価の額 ニ　その年中の払出しに係るハ(1)及び(2)に定める金額の総額
(六)	その年中に交付した当該未成年者口座に係る未成年者口座内上場株式等の配当等（第四章第二節**五5**《未成年者口座内の少額上場株式等に係る配当所得の非課税》の①に規定する未成年者口座内上場株式等の配当等をいう。以下同じ。）に関する次に掲げる事項 イ　当該未成年者口座に係る非課税管理勘定又は継続管理勘定ごとの種類別及び銘柄別の未成年者口座内上場株式等の配当等の額の合計額 ロ　当該未成年者口座に係る非課税管理勘定又は継続管理勘定ごとの種類別及び銘柄別の第二章第三節**六**《オープン型の証券投資信託の収益調整金》に掲げる収益の分配の額の合計額 ハ　イに掲げる金額の総額及びロに掲げる金額の総額
(七)	その年中に分割等上場株式等の受入れをした場合には、当該分割等上場株式等の取得に係る**1**（2）において準用する**十六2**②(10)(一)から同(十二)に規定する事由及び当該事由が生じた年月日並びに当該分割等上場株式等の種類及び銘柄（当該分割等上場株式等の種類又は銘柄と当該取得の基因となった未成年者口座内上場株式等の種類又は銘柄とが異なる場合には、当該取得の基因となった未成年者口座内上場株式等の種類及び銘柄並びに当該分割等上場株式等の種類及び銘柄）
(八)及び(九)	削　除
(十)	当該未成年者口座につきその年中に次に掲げる書類の提出があった場合には、その旨及び当該書類の区分に応じそれぞれ次に定める事項 イ　**1**（2）において準用する**十六7**①前段に規定する未成年者口座異動届出書（住所の変更に係るものに限る。）　その提出年月日及び当該未成年者口座異動届出書の提出をした者に係る変更前の住所 ロ　未成年者口座廃止届出書　その提出年月日 ハ　**1**（2）において準用する**十六9**に規定する未成年者口座開設者死亡届出書　その提出年月日及び当該未成年者口座開設者死亡届出書に係る被相続人の死亡年月日
(十一)	（5）の規定により未成年者口座廃止届出書の提出があったものとみなされることとなる場合には、その旨及び当該みなされることとなった日並びに**1**（2）において準用する未成年者出国届出書の提出年月日
(十二)	当該未成年者口座を開設していた者が第十五章**四**《納税管理人》**2**の規定により届け出た納税管理人が明らかな場合には、その氏名及び住所又は居所

(十三)	その他参考となるべき事項

(注)　未成年者口座に非課税管理勘定又は継続管理勘定が設けられた日の属する年の未成年者口座年間取引報告書を作成する場合において、当該居住者又は恒久的施設を有する非居住者が当該非課税管理勘定又は継続管理勘定に係る未成年者口座内上場株式等を取得した時前に、その未成年者口座内上場株式等と種類及び銘柄を同じくする未成年者口座内上場株式等の取得をし、かつ、当該取得をした未成年者口座内上場株式等の全てを既に当該非課税管理勘定又は継続管理勘定から払い出しているときは、これらの未成年者口座内上場株式等は、それぞれその種類及び銘柄が異なるものとして、(2)(四)及び同(五)に掲げる事項を記載するものとする。(措規18の15の11③)

(未成年者出国届出書の提出)

(3)　未成年者口座を開設している居住者又は恒久的施設を有する非居住者の基準年の1月1日以後にその者が出国により居住者又は恒久的施設を有する非居住者に該当しないこととなる場合には、その者は、当該未成年者口座が開設されている金融商品取引業者等の営業所の長に、その出国をする日の前日までに、その旨その他(4)で定める事項を記載した届出書（以下(3)において「未成年者出国届出書」という。）の提出（当該未成年者出国届出書の提出に代えて行う電磁的方法による当該未成年者出国届出書に記載すべき事項の提供を含む。）をしなければならない。(措令25の13の8㉚)

((3)に規定する(4)で定める事項)

(4)　(3)に規定する(4)で定める事項は、次の(一)から(六)までに掲げる事項とする。(措規18の15の10㉗)

(一)	未成年者出国届出書（(3)に規定する未成年者出国届出書をいう。以下(4)及び(2)(十一)において同じ。）の提出（(3)に規定する提出をいう。以下(4)及び同(十一)において同じ。）をする者の氏名、生年月日及び住所
(二)	未成年者出国届出書の提出をする者が開設している未成年者口座の記号又は番号
(三)	出国をする予定年月日及び出国後の国外における連絡先
(四)	未成年者出国届出書の提出をする者が、その出国の日の属する年分の所得税につき第六章第四節**一 1**①(二)に掲げる場合に該当して同①の規定の適用を受ける場合には、その旨
(五)	未成年者出国届出書の提出をする者が第十五章**四 2**の規定による納税管理人の届出をしている場合には、その納税管理人の氏名及び住所
(六)	その他参考となるべき事項

(**6**(1)及び同(2)の規定の適用)

(5)　未成年者口座を開設している居住者又は恒久的施設を有する非居住者が出国により居住者又は恒久的施設を有する非居住者に該当しないこととなった場合（その者が当該出国の日の前日までに出国移管依頼書の提出をして、基準年の1月1日前に出国をした場合を除く。）には、その者は、当該未成年者口座が開設されている金融商品取引業者等の営業所の長に、当該出国の時に**6**に規定する未成年者口座廃止届出書の**6**に規定する提出をしたものとみなして、**6**(1)及び同(2)の規定を適用する。(措令25の13の8㉛)

(**六13**(1)、同(2)及び**六11**(3)の規定の準用)

(6)　**六13**(1)及び同(2)の規定は③(1)の金融商品取引業者等が同(1)の規定により居住者又は恒久的施設を有する非居住者の承諾を得る場合について、**六11**(3)の規定は**三 1**①に規定する上場株式等に係る譲渡所得等を有する居住者又は恒久的施設を有する非居住者で未成年者口座を開設していたものがその年分の**六11**(3)に規定する確定申告書を提出する場合において、その年中に当該未成年者口座に係る未成年者口座内上場株式等の譲渡につき**3**（同(一)から同(三)までに係る部分に限る。）の規定に基づいて計算された当該未成年者口座内上場株式等の譲渡による事業所得の金額、譲渡所得の金額又は雑所得の金額の基因となる上場株式等の譲渡以外の株式等の譲渡がないときについて、それぞれ準用する。(措令25の13の8㉜)

(**六13**(1)(注)の規定の準用)

(7)　**六13**(1)(注)の規定は、(6)において準用する**六13**(1)の規定により③(1)の金融商品取引業者等が同(1)の居住者又は恒久的施設を有する非居住者の承諾を得る場合について準用する。(措規18の15の11⑥)

(注)　上記　　下線部については、令和8年9月1日以後、「18の15の11⑥」が「18の15の11⑦」とされる。(令6改措規附1三)

（8）（5）本文の場合において、（5）の金融商品取引業者等は、（3）の報告書を交付したものとみなす。（措令25の13の8㉕）

（告知事項）

（9）金融商品取引業者等の営業所の長は、**1**（5）において準用する**十六3**③（1）の規定による告知があった場合には、当該告知があった氏名、生年月日、住所及び個人番号が、次の（一）及び（二）に掲げる場合の区分に応じ当該（一）及び（二）に定める事項と同じであるかどうかを確認しなければならない。（措令25の13の8㉖）

（一）**4**の申請書の**4**に規定する提出があった場合　当該告知の際に提示又は送信を受けた**1**（5）において準用する**十六3**③（2）に規定する書類（以下（9）及び（10）において「本人確認等書類」という。）又は署名用電子証明書等に記載又は記録がされた氏名、生年月日、住所及び個人番号

（二）未成年者口座開設届出書の提出があった場合　当該告知の際に提示又は送信を受けた本人確認等書類又は署名用電子証明書等に記載又は記録がされた氏名、生年月日、住所及び個人番号並びに当該未成年者口座開設届出書に添付された未成年者非課税適用確認書に記載された氏名及び生年月日

（交付後に氏名が変更されているとき）

（10）（9）の場合において、（9）（二）の未成年者非課税適用確認書の交付を受けた後にその交付を受けた居住者又は恒久的施設を有する非居住者の氏名が変更されているときは、（9）の金融商品取引業者等の営業所の長については、（9）のうち当該未成年者非課税適用確認書に記載された氏名に係る部分の規定は、適用しない。この場合において、当該金融商品取引業者等の営業所の長は、当該居住者又は恒久的施設を有する非居住者から提示を受けた当該変更前の氏名の記載がある本人確認等書類により、当該氏名に変更を生じた事実及び当該変更前の氏名と当該未成年者非課税適用確認書に記載された氏名が同じであるかどうかを確認しなければならない。（措令25の13の8㉗）

（金融商品取引業者等の営業所の長の確認）

（11）金融商品取引業者等の営業所の長は、（9）又は（10）後段の確認をした場合には、財務省令で定めるところにより、当該確認に関する帳簿に当該確認をした旨を明らかにしなければならない。（措令25の13の8㉘）

（書類等の提供方法）

（12）**4**（2）の金融商品取引業者等の営業所の長から同（2）に規定する申請事項の提供を受けた**4**（3）の所轄税務署長は、当該金融商品取引業者等の営業所の長を経由して同（3）（一）及び（二）に掲げる場合の区分に応じ当該（一）及び（二）に定める書類又は書面の交付をする際、その交付をする当該書類又は書面の別その他の財務省令で定める事項を、電子情報処理組織（国税庁の使用に係る電子計算機と当該金融商品取引業者等の営業所の長の使用に係る電子計算機とを電気通信回線で接続した電子情報処理組織をいう。）を使用する方法により当該金融商品取引業者等の営業所の長に提供するものとする。（措令25の13の8㉙）

③　契約不履行等事由が生じた場合の報告書の交付

3（4）の場合において、同（4）の金融商品取引業者等は、同（4）の契約不履行等事由が生じた日の属する月の翌月末日までに同（4）の居住者又は恒久的施設を有する非居住者に②に規定する報告書を交付しなければならない。（措法37の14の2㉘）

（契約不履行等事由が生じた場合の報告書の電磁的方法による提供）

（1）金融商品取引業者等は、③の規定による報告書の交付に代えて、③に規定する居住者又は恒久的施設を有する非居住者の承諾を得て、当該報告書に記載すべき事項を**六13**に規定する電磁的方法により提供することができる。ただし、当該居住者又は恒久的施設を有する非居住者の請求があるときは、当該報告書をその者に交付しなければならない。（措法37の14の2㉙）

（注）（1）本文の場合において、（1）の金融商品取引業者等は、③の報告書を交付したものとみなす。（措法37の14の2㉚）

④　国税庁、国税局又は税務署の職員による②の報告書の提出に関する調査

国税庁、国税局又は税務署の当該職員は、②の報告書の提出に関する調査について必要があるときは、当該報告書を提出する義務がある者に質問し、その者の未成年者口座及び当該未成年者口座における上場株式等の取扱いに関する帳簿書類その他の物件を検査し、又は当該物件（その写しを含む。）の提示若しくは提出を求めることができる。（措法37の14の

2㉜)

（調査によって提出された物件の留置き）

(1)　国税庁、国税局又は税務署の当該職員は、②の報告書の提出に関する調査について必要があるときは、当該調査において提出された物件を留め置くことができる。(措法37の14の2㉝)

（国税庁、国税局又は税務署の職員による質問等を要求をする場合の身分証明書の携帯と提示）

(2)　国税庁、国税局又は税務署の当該職員は、④の規定による質問、検査又は提示若しくは提出の要求をする場合には、その身分を示す証明書を携帯し、関係人の請求があったときは、これを提示しなければならない。(措法37の14の2㉞)

（④及び④(1)の規定による当該職員の権限の意義）

(3)　④及び④(1)の規定による当該職員の権限は、犯罪捜査のために認められたものと解してはならない。(措法37の14の2㉟)

十八　合併等により外国親法人株式等の交付を受ける場合の課税の特例

1　合併等により外国親法人株式等の交付を受ける場合の課税の特例

恒久的施設を有する非居住者が、その有する株式（出資を含む。以下**十八**及び**十九**において同じ。）につき、その株式を発行した内国法人（法人税法第２条第６号に規定する公益法人等を除く。以下**十八**及び**十九**において同じ。）の特定合併により外国合併親法人の株式（**十九 1**に規定する特定非適格合併により交付を受ける外国合併親法人の株式で租税特別措置法第68条の２の３第５項第１号に規定する特定軽課税外国法人等（(１)及び**2**において「特定軽課税外国法人等」という。）の株式に該当するもの（以下**1**において「課税外国親法人株式」という。）及び当該非居住者が恒久的施設において管理する株式（以下**十八**において「恒久的施設管理株式」という。）に対応して交付を受けるもの（課税外国親法人株式を除く。**3**において「恒久的施設管理合併親法人株式」という。）を除く。以下**1**において「外国合併親法人株式」という。）の交付を受ける場合には、その交付を受ける外国合併親法人株式の価額に相当する金額（第四章第二節**二**《配当等とみなす金額》**1**の規定に該当する部分の金額を除く。）は、その有する株式が一般株式等（**二 1**に規定する一般株式等をいう。(１)、**2**及び**十九**において同じ。）に該当する場合には一般株式等に係る譲渡所得等（**二 1**《株式等に係る譲渡所得等の申告分離課税》に規定する一般株式等に係る譲渡所得等をいう。(１)、(２)及び**十九**において同じ。）に係る収入金額と、その有する株式が上場株式等（**三**(１)に規定する上場株式等をいう。以下**十八**及び**十九**において同じ。）に該当する場合には、上場株式等に係る譲渡所得等（**三**に規定する上場株式等に係る譲渡所得等をいう。(１)、(２)及び**十九**において同じ。）に係る収入金額とみなして、所得税法及びこの章の規定を適用する。（措法37の14の３①）

（外国分割承継親法人の株式の交付を受ける場合のみなし譲渡）

(１)　恒久的施設を有する非居住者が、その有する株式につき、その株式を発行した内国法人の行った特定分割型分割により外国分割承継親法人の株式（**十九 2**に規定する特定非適格分割型分割により交付を受ける外国分割承継親法人の株式で特定軽課税外国法人等の株式に該当するもの（以下(１)において「課税外国親法人株式」という。）及び当該非居住者が恒久的施設管理株式に対応して交付を受けるもの（課税外国親法人株式を除く。**3**において「恒久的施設管理分割承継親法人株式」という。）を除く。以下(１)において「外国分割承継親法人株式」という。）の交付を受ける場合には、その交付を受ける外国分割承継親法人株式の価額に相当する金額（第四章第二節**二 1**の規定に該当する部分の金額を除く。）は、その有する株式が一般株式等に該当する場合には一般株式等に係る譲渡所得等に係る収入金額と、その有する株式が上場株式等に該当する場合には、上場株式等に係る譲渡所得等に係る収入金額とみなして、所得税法及びこの章の規定を適用する。（措法37の14の３②）

（完全外国子会社の株式の交付を受ける場合のみなし譲渡）

(２)　恒久的施設を有する非居住者が、その有する株式につき、その株式を発行した内国法人の行った特定株式分配により外国完全子法人の株式（当該非居住者が恒久的施設管理株式に対応して交付を受けるもの（**3**において「恒久的施設管理完全子法人株式」という。）を除く。以下(２)において「外国完全子法人株式」という。）の交付を受ける場合には、その交付を受ける外国完全子法人株式の価額に相当する金額（第四章第二節**二 1**の規定に該当する部分の金額を除く。）は、その有する株式が一般株式等に該当する場合には一般株式等に係る譲渡所得等に係る収入金額と、その有する株式が上場株式等に該当する場合には上場株式等に係る譲渡所得等に係る収入金額とみなして、同法及びこの章の規定を適用する。（措法37の14の３③）

2　恒久的施設を有する非居住者等が交付を受けた外国親法人株式等の課税の特例

恒久的施設を有する非居住者が、その有する株式（以下**2**において「旧株」という。）につき、その旧株を発行した内国法人の行った特定株式交換により法人税法第２条第12号の６の３に規定する株式交換完全親法人に対し当該旧株の譲渡をし、かつ、外国株式交換完全支配親法人の株式（**十九 3**に規定する特定非適格株式交換により交付を受ける外国株式交換完全支配親法人の株式で特定軽課税外国法人等の株式に該当するもの（以下**2**において「課税外国親法人株式」という。）及び当該非居住者が恒久的施設管理株式に対応して交付を受けるもの（課税外国親法人株式を除く。**3**において「恒久的施設管理株式交換完全支配親法人株式」という。）を除く。以下**2**において「外国株式交換完全支配親法人株式」という。）の交付を受けた場合には、当該旧株のうちその交付を受けた外国株式交換完全支配親法人株式に対応する部分の譲渡については、所得税法第165条第１項の規定により**二十**の規定に準じて計算する場合における同**二十**の規定は、適用しない。（措法37の14の３④）

3　国内事業管理親法人株式の全部又は一部を非居住者の国内において行う事業に係る資産として管理しなくなるものとして一定の行為を行った場合

恒久的施設を有する非居住者が、恒久的施設管理外国株式（特定合併により交付を受ける恒久的施設管理合併親法人株式、特定分割型分割により交付を受ける恒久的施設管理分割承継親法人株式、特定株式分配により交付を受ける恒久的施設管理完全子法人株式及び特定株式交換により交付を受ける恒久的施設管理株式交換完全支配親法人株式をいう。以下**3**において同じ。）の全部又は一部をその交付の時に当該恒久的施設において管理しなくなるものとして（1）で定める行為を行った場合には、その行為に係る恒久的施設管理外国株式について、その交付の時に当該恒久的施設において管理した後、直ちに当該非居住者の恒久的施設と第二章第二節**4**①(一)《国内源泉所得》に規定する事業場等との間で移転が行われたものとみなして、同(一)の規定を適用する。（措法37の14の３⑤）

（事業に係る資産として管理しなくなるものとして（1）で定める行為）

（1）　**3**に規定する（1）で定める行為は、非居住者の第二章第二節**4**①(一)《国内源泉所得》に規定する事業場等に移管する行為その他当該非居住者の恒久的施設を通じて行う事業に係る資産として管理しなくなる行為とする。（措令25の14①）

4　用語の意義

十八において、次の(一)から(八)までに掲げる用語の意義は、当該(一)から(八)までに定めるところによる。（措法37の14の３⑥）

(一)	特定合併	合併で、法人税法第２条第11号に規定する被合併法人の株主等（所得税法第２条第１項第８号の２に規定する株主等をいう。以下**4**において同じ。）に外国合併親法人のうちいずれか一の外国法人の株式以外の資産（当該株主等に対する株式に係る剰余金の配当、利益の配当又は剰余金の分配として交付された金銭その他の資産及び合併に反対する当該株主等に対するその買取請求に基づく対価として交付される金銭その他の資産を除く。）が交付されなかったものをいう。
(二)	外国合併親法人	法人税法第２条第12号に規定する合併法人との間に当該合併法人の発行済株式又は出資（自己が有する自己の株式を除く。以下**4**において「発行済株式等」という。）の全部を直接又は間接に保有する関係として（1）で定める関係がある外国法人をいう。
(三)	特定分割型分割	法人税法第２条第12号の９に規定する分割型分割で、同号イに規定する分割対価資産として外国分割承継親法人のうちいずれか一の外国法人の株式以外の資産が交付されなかったもの（当該株式が同条第12号の２に規定する分割法人の発行済株式等の総数又は総額のうちに占める当該分割法人の各株主等の有する当該分割法人の株式の数又は金額の割合に応じて交付されたものに限る。）をいう。
(四)	外国分割承継親法人	法人税法第２条第12号の３に規定する分割承継法人との間に当該分割承継法人の発行済株式等の全部を直接又は間接に保有する関係として（2）で定める関係がある外国法人をいう。
(五)	特定株式分配	法人税法第２条第12号の15の２に規定する株式分配で、同条第12号の５の２に規定する現物分配法人の株主等に外国完全子法人の株式以外の資産が交付されなかったもの（当該株式が当該現物分配法人の発行済株式等の総数又は総額のうちに占める当該現物分配法人の各株主等の有する当該現物分配法人の株式の数又は金額の割合に応じて交付されたものに限る。）をいう。
(六)	外国完全子法人	法人税法第２条第12号の15の２に規定する完全子法人（外国法人に限る。）をいう。
(七)	特定株式交換	株式交換で、法人税法第２条第12号の６に規定する株式交換完全子法人の株主に外国株式交換完全支配親法人のうちいずれか一の外国法人の株式以外の資産（当該株主に対する剰余金の配当として交付された金銭その他の資産及び株式交換に反対する当該株主に対するその買取請求に基づく対価として交付される金銭その他の資産を除く。）が交付されなかったものをいう。
(八)	外国株式交換完全支配親	法人税法第２条第12号の６の３に規定する株式交換完全親法人との間に当該株式交換完

	法人	全親法人の発行済株式等の全部を直接又は間接に保有する関係として（3）で定める関係がある外国法人をいう。

（**4**（二）に規定する（1）で定める関係）

（1）　**4**（二）に規定する（1）で定める関係は、合併の直前に当該合併に係る同（二）に規定する合併法人と当該合併法人以外の法人との間に当該法人による完全支配関係（法人税法第２条第12号の７の６に規定する完全支配関係をいう。以下（2）及び（3）までにおいて同じ。）がある場合の当該完全支配関係とする。（措令25の14②）

（**4**（四）に規定する（2）で定める関係）

（2）　**4**（四）に規定する（2）で定める関係は、法人税法第２条第12号の９に規定する分割型分割の直前に当該分割型分割に係る同（四）に規定する分割承継法人と当該分割承継法人以外の法人との間に当該法人による完全支配関係がある場合の当該完全支配関係とする。（措令25の14③）

（**4**（八）に規定する（3）で定める関係）

（3）　**4**（八）に規定する（3）で定める関係は、株式交換の直前に当該株式交換に係る同（八）に規定する株式交換完全親法人と当該株式交換完全親法人以外の法人との間に当該法人による完全支配関係がある場合の当該完全支配関係とする。（措令25の14④）

5　計算規定

（特定合併により外国合併親法人株式の交付を受ける場合の外国合併親法人株式の評価額の計算）

（1）　非居住者が、その有する株式（出資を含む。以下**十八**において同じ。）につき、その株式を発行した内国法人の**4**（一）に規定する特定合併により**4**に規定する外国合併親法人株式の交付を受ける場合には、当該外国合併親法人株式の評価額の計算については、所得税法第165条第１項の規定により第六章第二節**四 8**④《合併により取得した株式等の取得価額》の規定に準じて計算する場合における同④の規定は、適用しない。（措令25の14⑤）

（特定分割型分割により外国分割承継親法人株式の交付を受ける場合の外国分割承継親法人株式の評価額の計算）

（2）　非居住者が、その有する株式につき、その株式を発行した内国法人の行った**4**（三）に規定する特定分割型分割により同**1**（1）に規定する外国分割承継親法人株式の交付を受ける場合には、当該外国分割承継親法人株式の評価額の計算については、所得税法第165条第１項の規定により第六章第二節**四 8**⑤《分割型分割により取得した株式等の取得価額》の規定に準じて計算する場合における同⑤の規定は、適用しない。（措令25の14⑥）

（特定株式分配により外国完全子法人株式の交付を受ける場合の外国完全子法人株式の評価額の計算）

（3）　非居住者が、その有する株式につき、その株式を発行した内国法人の行った**4**（五）に規定する特定株式分配により**1**（2）に規定する外国完全子法人株式の交付を受ける場合には、当該外国完全子法人株式の評価額の計算については、所得税法第165条第１項の規定により第六章第二節**四 8**⑥の規定に準じて計算する場合における同⑥の規定は、適用しない。（措令25の14⑦）

（特定株式交換により株式交換完全親法人に対し株式の譲渡をし場合等の外国株式交換完全支配親法人株式に係る事業所得の金額等の計算）

（4）　非居住者が、その有する株式につき、その株式を発行した内国法人の行った**4**（七）に規定する特定株式交換により法人税法第２条第12号の６の３に規定する株式交換完全親法人に対し当該株式の譲渡をし、かつ、**2**に規定する外国株式交換完全支配親法人株式の交付を受けた場合には、当該外国株式交換完全支配親法人株式に係る事業所得の金額、譲渡所得の金額又は雑所得の金額の計算については、所得税法第165条第１項の規定により**二十**（6）の規定に準じて計算する場合における同（6）の規定は、適用しない。（措令25の14⑧）

6　読替え規定

1又は**1**の（1）に規定するその有する株式が上場株式等に該当する場合における**九**《上場株式等に係る譲渡所得の損益通算及び繰越控除》の規定の適用については、同**1**（1）（四）中「又は**三**③（一）から（三）まで」とあるのは「若しくは**三**③（一）

から(三)まで又は**十八 1** 若しくは同 **1**（1）」と、同 **2**（1）中「**1**（1）(一)から(八)まで」とあるのは「**十 1**（1）(一)から(十)まで（同（1）(四)の規定を**十八 6** の規定により読み替えて適用する場合を含む。)」とする。（措法37の14の３⑦）

十九　特定の合併等が行われた場合の株主等の課税の特例

1　特定の合併等が行われた場合の株主等の課税の特例

居住者又は恒久的施設を有する非居住者が、その有する株式につき、その株式を発行した内国法人の特定非適格合併（**十八4**(一)に規定する特定合併のうち、法人税法第２条第12号の８に規定する適格合併に該当しないものをいう。）により外国合併親法人株式（同**4**(二)に規定する外国合併親法人の株式をいう。以下**十九**において同じ。）の交付を受ける場合において、当該外国合併親法人株式が特定軽課税外国法人等（租税特別措置法第68条の２の３第５項第１号に規定する特定軽課税外国法人等をいう。以下**十九**において同じ。）の株式に該当するときは、その交付を受ける外国合併親法人株式の価額に相当する金額（第四章第二節**二**《配当等とみなす金額》**1**の規定に該当する部分の金額を除く。）は、その有する株式が一般株式等に該当する場合には一般株式等に係る譲渡所得等に係る収入金額と、その有する株式が上場株式等に該当する場合には上場株式等に係る譲渡所得等に係る収入金額とみなして、所得税法及びこの章の規定を適用する。（措法37の14の４①）

（外国合併親法人株式が特定軽課税外国法人等の株式に該当するの外国合併親法人株式の評価額の計算）

注　個人が、その有する株式（出資を含む。以下**3**の注までにおいて同じ。）につき、その株式を発行した内国法人の**十九**に規定する特定非適格合併により同**十九**に規定する外国合併親法人株式の交付を受ける場合において、当該外国合併親法人株式が特定軽課税外国法人等（租税特別措置法第68条の２の３第５項第１号に規定する特定軽課税外国法人等をいう。**2**の注及び**3**の注において同じ。）の株式に該当するときは、当該外国合併親法人株式の評価額の計算については、第六章第二節**四8**④の規定は、適用しない。（措令25の14の２①）

2　外国分割承継親法人株式が特定軽課税外国法人の株式に該当するときのその交付を受ける外国分割承継親法人株式の価額に相当する金額

居住者又は恒久的施設を有する非居住者が、その有する株式につき、その株式を発行した内国法人の行った特定非適格分割型分割（**十八4**(三)に規定する特定分割型分割のうち、租税特別措置法第68条の２の３第２項第１号に規定する分割で法人税法第２条第12号の12に規定する適格分割型分割に該当しないものをいう。）により外国分割承継親法人株式（**十八4**(四)に規定する外国分割承継親法人の株式をいう。以下**2**において同じ。）の交付を受ける場合において、当該外国分割承継親法人株式が特定軽課税外国法人等の株式に該当するときは、その交付を受ける外国分割承継親法人株式の価額に相当する金額（第四章第二節**二**《配当等とみなす金額》**1**の規定に該当する部分の金額を除く。）は、その有する株式が一般株式等に該当する場合には、一般株式等に係る譲渡所得等に係る収入金額と、その有する株式が上場株式等に該当する場合には上場株式等に係る譲渡所得等に係る収入金額とみなして、所得税法及びこの章の規定を適用する。（措法37の14の４②）

（外国分割承継親法人株式が特定軽課税外国法人等の株式に該当するときの外国分割承継親法人株式の評価額の計算）

注　個人が、その有する株式につき、その株式を発行した内国法人の行った**2**に規定する特定非適格分割型分割により**2**に規定する外国分割承継親法人株式の交付を受ける場合において、当該外国分割承継親法人株式が特定軽課税外国法人等の株式に該当するときは、当該外国分割承継親法人株式の評価額の計算については、第六章第二節**四8**⑤の規定は、適用しない。（措令25の14の２②）

3　旧株を発行した内国法人の行った特定非適格株式交換により旧株の譲渡をしかつ外国株式交換完全支配親法人株式の交付を受けた場合

居住者又は恒久的施設を有する非居住者が、その有する株式（以下**3**において「旧株」という。）につき、その旧株を発行した内国法人の行った特定非適格株式交換（**十八4**(七)に規定する特定株式交換のうち、法人税法第２条第12号の17に規定する適格株式交換等に該当しないものをいう。）により同条第12号の６の３に規定する株式交換完全親法人に対し当該旧株の譲渡をし、かつ、外国株式交換完全支配親法人株式（同**4**(八)に規定する外国株式交換完全支配親法人の株式をいう。以下**3**において同じ。）の交付を受けた場合において、当該外国株式交換完全支配親法人株式が特定軽課税外国法人等の株式に該当するときは、当該旧株の譲渡については、**二十**（同法第165条第１項の規定により準じて計算する場合を含む。）の規定は、適用しない。（措法37の14の４③）

（外国株式交換完全支配親法人株式が特定軽課税外国法人等の株式に該当するときの外国株式交換完全支配親法人株式に係る事業所得等の金額の計算）

注　個人が、その有する株式につき、その株式を発行した内国法人の行った**3**に規定する特定非適格株式交換により法人税法第２条第12号の６の３に規定する株式交換完全親法人に対し当該株式の譲渡をし、かつ、**3**に規定する外国株式交換完全支配親法人株式の交付を受けた場合において、当該外国株式交換完全支配親法人株式が特定軽課税外国法人等の株式に該当するときは、当該外国株式交換完全支配親法人株式に係る事業所得の金額、譲渡所得の金額又は雑所得の金額の計算については、**二十**（６）（所得税法第165条第１項の規定により準じて計算する場合を含む。）の規定は、適用しない。（措令25の14の２③）

4　読替え規定

1から**3**までの規定の適用がある場合には、次に定めるところによる。（措法37の14の４④）

(一)　**1**又は**2**に規定するその有する株式が上場株式等に該当する場合における**十**の規定の適用については、同**十**の**1**の(１)の(四)中「又は**三**③(一)から(四)まで」とあるのは「若しくは**三**③(一)から(四)まで又は**十九 1**若しくは**2**」と、**十**の**2**の(１)中「**1**(１)(一)から同(十一)」とあるのは「**1**(１)(一)から同(十一)（同(四)の規定を**十九 4**の(一)の規定により読み替えて適用する場合を含む。）」とする。

(二)　**3**に規定する旧株が**十六 1**①に規定する非課税口座内上場株式等又は**十七 1**に規定する未成年者口座内上場株式等に該当する場合におけるこれらの規定の適用については、**十六 1**①中「行うもの」とあるのは、「行うもの及び**十九 3**に規定する特定非適格株式交換による法人税法第２条第12号の６の３に規定する株式交換完全親法人に対する同**3**に規定する旧株の譲渡」とする。

二十　株式交換等に係る譲渡所得等の特例

居住者が、各年において、その有する株式（以下二十において「旧株」という。）につき、その旧株を発行した法人の行った株式交換（当該法人の株主に法人税法第２条第12号の６の３《定義》に規定する株式交換完全親法人（以下二十において「株式交換完全親法人」という。）又は株式交換完全親法人との間に当該株式交換完全親法人の発行済株式若しくは出資（当該株式交換完全親法人が有する自己の株式又は出資を除く。）の全部を直接若しくは間接に保有する関係として(３)で定める関係がある法人のうちいずれか一の法人の株式（出資を含む。以下二十において同じ。）以外の資産（当該株主に対する剰余金の配当として交付された金銭その他の資産及び株式交換に反対する当該株主に対するその買取請求に基づく対価として交付される金銭その他の資産を除く。）が交付されなかったものに限る。）により当該株式交換完全親法人に対し当該旧株の譲渡をし、かつ、当該株式の交付を受けた場合又はその旧株を発行した法人の行った特定無対価株式交換（当該法人の株主に株式交換完全親法人の株式その他の資産が交付されなかった株式交換で、当該法人の株主に対する株式交換完全親法人の株式の交付が省略されたと認められる株式交換として(４)で定めるものをいう。）により当該旧株を有しないこととなった場合には、事業所得、譲渡所得、雑所得又は又は第二節二十三１《贈与等の場合の譲渡所得等の特例》の規定の適用については、これらの旧株の譲渡又は贈与がなかったものとみなす。（法57の４①）

（その旧株を発行した法人の行った株式移転により当該株式移転完全親法人に対し当該旧株の譲渡をし、かつ、当該株式移転完全親法人の株式の交付を受けた場合）

(１)　居住者が、各年において、その有する株式（以下(１)において「旧株」という。）につき、その旧株を発行した法人の行った株式移転（当該法人の株主に法人税法第２条第12号の６の６に規定する株式移転完全親法人（以下(１)において「株式移転完全親法人」という。）の株式以外の資産（株式移転に反対する当該株主に対するその買取請求に基づく対価として交付される金銭その他の資産を除く。）が交付されなかったものに限る。）により当該株式移転完全親法人に対し当該旧株の譲渡をし、かつ、当該株式移転完全親法人の株式の交付を受けた場合には、事業所得、譲渡所得又は雑所得の規定の適用については、当該旧株の譲渡がなかったものとみなす。（法57の４②）

（有価証券の譲渡がなかったものとみなされる場合）

(２)　居住者が、各年において、その有する次の(一)から(六)までに掲げる有価証券を当該(一)から(六)までに定める事由により譲渡をし、かつ、当該事由により当該(一)から(六)までに規定する取得をする法人の株式（出資を含む。以下(２)において同じ。）又は新株予約権の交付を受けた場合（当該交付を受けた株式又は新株予約権の価額が当該譲渡をした有価証券の価額とおおむね同額となっていないと認められる場合を除く。）には、事業所得、譲渡所得又は雑所得の規定の適用については、当該有価証券の譲渡がなかったものとみなす。（法57の４③）

(一)	取得請求権付株式（法人がその発行する全部又は一部の株式の内容として株主等が当該法人に対して当該株式の取得を請求することができる旨の定めを設けている場合の当該株式をいう。）	当該取得請求権付株式に係る請求権の行使によりその取得の対価として当該取得をする法人の株式のみが交付される場合の当該請求権の行使
(二)	取得条項付株式（法人がその発行する全部又は一部の株式の内容として当該法人が一定の事由（以下(二)において「取得事由」という。）が発生したことを条件として当該株式の取得をすることができる旨の定めを設けている場合の当該株式をいう。）	当該取得条項付株式に係る取得事由の発生によりその取得の対価として当該取得をされる株主等に当該取得をする法人の株式のみが交付される場合（その取得の対象となった種類の株式の全てが取得をされる場合には、その取得の対価として当該取得をされる株主等に当該取得をする法人の株式及び新株予約権のみが交付される場合を含む。）の当該取得事由の発生
(三)	全部取得条項付種類株式（ある種類の株式について、これを発行した法人が株主総会その他これに類するものの決議（以下(三)において「取得決議」という。）によってその全部の取得をする旨の定めがある場合の当該種類の株式をいう。）	当該全部取得条項付種類株式に係る取得決議によりその取得の対価として当該取得をされる株主等に当該取得をする法人の株式（当該株式と併せて交付される当該取得をする法人の新株予約権を含む。）以外の資産（当該取得の価格の決定の申立てに基づいて交付される金銭その他の資産を除く。）が交付されない場合の当該取得決議

(四)	新株予約権付社債についての社債	当該新株予約権付社債に付された新株予約権の行使によりその取得の対価として当該取得をする法人の株式が交付される場合の当該新株予約権の行使
(五)	取得条項付新株予約権（新株予約権について、これを発行した法人が一定の事由（以下(五)において「取得事由」という。）が発生したことを条件としてこれを取得することができる旨の定めがある場合の当該新株予約権をいい、当該新株予約権を引き受ける者に特に有利な条件又は金額で交付された当該新株予約権その他の(5)で定めるものを除く。）	当該取得条項付新株予約権に係る取得事由の発生によりその取得の対価として当該取得をされる新株予約権者に当該取得をする法人の株式のみが交付される場合の当該取得事由の発生
(六)	取得条項付新株予約権（新株予約権について、これを発行した法人が一定の事由（以下(六)において「取得事由」という。）が発生したことを条件としてこれを取得することができる旨の定めがある場合の当該新株予約権をいう。）が付された新株予約権付社債	当該取得条項付新株予約権に係る取得事由の発生によりその取得の対価として当該取得をされる新株予約権者に当該取得をする法人の株式のみが交付される場合の当該取得事由の発生

(二十に規定する(3)で定める関係)

(3)　二十《株式交換等に係る譲渡所得等の特例》に規定する(3)で定める関係は、株式交換の直前に当該株式交換に係る二十に規定する株式交換完全親法人（(6)及び(7)において「株式交換完全親法人」という。）と当該株式交換完全親法人以外の法人との間に当該法人による完全支配関係（法人税法第2条第12号の7の6《定義》に規定する完全支配関係をいう。以下(3)において同じ。）がある場合の当該完全支配関係とする。（令167の7①）

(二十に規定する(4)で定めるもの)

(4)　二十に規定する(4)で定めるものは、法人税法施行令第4条の3第18項第2号《適格組織再編成における株式の保有関係等》に規定する株主均等割合保有関係がある株式交換とする。（令167の7②）

(取得条項付新株予約権)

(5)　(2)(五)に規定する(5)で定める新株予約権は、次の(一)及び(二)に掲げる新株予約権とする。（令167の7③）

(一)	新株予約権を引き受ける者に特に有利な条件又は金額により交付された当該新株予約権
(二)	役務の提供その他の行為に係る対価の全部又は一部として交付された新株予約権（(一)に該当するものを除く。）

(株式交換により取得をした株式交換完全親法人の株式に係る事業所得の金額、譲渡所得の金額又は雑所得の金額の計算)

(6)　二十の規定の適用を受けた居住者が二十に規定する株式交換により取得をした株式交換完全親法人の株式（出資を含む。以下(6)及び(7)において同じ。）又は株式交換完全親法人との間に(1)に規定する関係がある法人（以下(6)において「親法人」という。）の株式に係る事業所得の金額、譲渡所得の金額又は雑所得の金額の計算については、当該株式交換により当該株式交換完全親法人に譲渡をした二十に規定する旧株の取得価額（当該株式交換完全親法人の株式又は親法人の株式の取得に要した費用がある場合には、当該費用の額を加算した金額）を当該取得をした当該株式交換完全親法人の株式又は親法人の株式の取得価額とする。（令167の7④）

(旧株を有しないこととなった場合における所有株式に係る当該適格株式交換後の事業所得の金額の計算)

(7)　二十の規定の適用を受けた居住者が二十に規定する特定無対価株式交換により二十に規定する旧株を有しないこととなった場合における所有株式（当該特定無対価株式交換の直後にその居住者が有する当該特定無対価株式交換に係る株式交換完全親法人の株式をいう。以下(7)において同じ。）に係る当該特定無対価株式交換の後の事業所得の金額、譲渡所得の金額又は雑所得の金額の計算については、当該所有株式の当該特定無対価株式交換の直前の取得価額

に当該旧株の当該特定無対価株式交換の直前の取得価額を加算した金額を当該所有株式の取得価額とする。（令167の7⑤）

（株式移転により取得をした株式移転完全親法人の株式に係る事業所得の金額、譲渡所得の金額又は雑所得の金額の計算）

(8)　(1)の規定の適用を受けた居住者が(1)に規定する株式移転により取得をした(1)に規定する株式移転完全親法人の株式に係る事業所得の金額、譲渡所得の金額又は雑所得の金額の計算については、当該株式移転により当該株式移転完全親法人に譲渡をした(1)に規定する旧株の取得価額（当該株式移転完全親法人の株式の取得に要した費用がある場合には、当該費用の額を加算した金額）を当該取得をした当該株式移転完全親法人の株式の取得価額とする。（令167の7⑥）

（(2)(一)から同(六)までに定める事由により取得をした株式又は新株予約権に係る事業所得の金額、譲渡所得の金額又は雑所得の金額の計算）

(9)　(2)の規定の適用を受けた居住者が(2)(一)から同(六)までに規定する事由により取得をした当該(一)から(六)までに定める株式（出資及び投資信託及び投資法人に関する法律第2条第14項《定義》に規定する投資口を含む。以下**二十**において同じ。）又は新株予約権に係る事業所得の金額、譲渡所得の金額又は雑所得の金額の計算については、次の(一)から(八)までに掲げる当該取得をした株式又は新株予約権の区分に応じ当該(一)から(八)までに定める金額を当該取得をした株式又は新株予約権の取得価額とする。（令167の7⑦）

<table>
<tr><td>(一)</td><td>(2)(一)に規定する取得請求権付株式に係る同(一)に定める請求権の行使による当該取得請求権付株式の取得の対価として交付を受けた当該取得をする法人の株式（(2)の規定の適用を受ける場合の当該取得をする法人の株式に限る。）</td><td>当該取得請求権付株式の取得価額（当該取得をする株式の取得に要した費用がある場合には、当該費用の額を加算した金額）</td></tr>
<tr><td>(二)</td><td>(2)(二)に規定する取得条項付株式に係る同(二)に定める取得事由の発生（その取得の対価として当該取得をされる同(二)の株主等に当該取得をする法人の株式のみが交付されたものに限る。）による当該取得条項付株式の取得の対価として交付を受けた当該取得をする法人の株式（(2)の規定の適用を受ける場合の当該取得をする法人の株式に限る。）</td><td>当該取得条項付株式の取得価額（当該取得をする株式の取得に要した費用がある場合には、当該費用の額を加算した金額）</td></tr>
<tr><td>(三)</td><td>(2)(二)に規定する取得条項付株式に係る同(二)に定める取得事由の発生（その取得の対象となった種類の株式の全てが取得され、かつ、その取得の対価として当該取得をされる同(二)の株主等に当該取得をする法人の株式及び新株予約権のみが交付されたものに限る。）による当該取得条項付株式の取得の対価として交付を受けた当該取得をする法人の次に掲げる株式及び新株予約権（(2)の規定の適用を受ける場合の当該取得をする法人の当該株式及び新株予約権に限る。）</td><td>当該株式及び新株予約権の区分に応じそれぞれに定める金額<table><tr><td>イ</td><td>当該取得をする法人の株式</td><td>当該取得条項付株式の取得価額（当該取得をする株式の取得に要した費用がある場合には、当該費用の額を加算した金額）</td></tr><tr><td>ロ</td><td>当該取得をする法人の新株予約権</td><td>零</td></tr></table></td></tr>
<tr><td>(四)</td><td>(2)(三)に規定する全部取得条項付種類株式に係る同(三)に定める取得決議（その取得の対価として当該取得をされる同(三)の株主等に当該取得をする法人の株式以外の資産（当該取得の価格の決定の申立てに基づいて交付される金銭その他の資産を除く。）が交付されなかったものに限る。）による当該全部取得条項付種類株式の取得の対価として交</td><td>当該全部取得条項付種類株式の取得価額（当該取得をする株式の取得に要した費用がある場合には、当該費用の額を加算した金額）</td></tr>
</table>

<table>
<tr><td></td><td>付を受けた当該取得をする法人の株式（(２)の規定の適用を受ける場合の当該取得をする法人の株式に限る。）</td><td colspan="3"></td></tr>
<tr><td rowspan="3">(五)</td><td rowspan="3">(２)(三)に規定する全部取得条項付種類株式に係る同(三)に定める取得決議（その取得の対価として当該取得をされる同(三)の株主等に当該取得をする法人の株式及び新株予約権が交付され、かつ、これら以外の資産（当該取得の価格の決定の申立てに基づいて交付される金銭その他の資産を除く。）が交付されなかったものに限る。）による当該全部取得条項付種類株式の取得の対価として交付を受けた当該取得をする法人の次に掲げる株式及び新株予約権（(２)の規定の適用を受ける場合の当該取得をする法人の当該株式及び新株予約権に限る。）</td><td colspan="3">当該株式及び新株予約権の区分に応じそれぞれに定める金額</td></tr>
<tr><td>イ</td><td>当該取得をする法人の株式</td><td>当該全部取得条項付種類株式の取得価額（当該取得をする株式の取得に要した費用がある場合には、当該費用の額を加算した金額）</td></tr>
<tr><td>ロ</td><td>当該取得をする法人の新株予約権</td><td>零</td></tr>
<tr><td>(六)</td><td>(２)(四)に規定する新株予約権付社債についての社債に係る同(四)に定める新株予約権の行使による当該社債の取得の対価として交付を受けた当該取得をする法人の株式（(２)の規定の適用を受ける場合の当該取得をする法人の株式に限る。）</td><td colspan="3">当該新株予約権付社債の取得価額（当該取得をする株式の取得に要した費用がある場合には、当該費用の額を加算した金額）</td></tr>
<tr><td>(七)</td><td>(２)(五)に規定する取得条項付新株予約権に係る同(五)に定める取得事由の発生による当該取得条項付新株予約権の取得の対価として交付を受けた当該取得をする法人の株式（(２)の規定の適用を受ける場合の当該取得をする法人の株式に限る。）</td><td colspan="3">当該取得条項付新株予約権の取得価額（当該取得をする株式の取得に要した費用がある場合には、当該費用の額を加算した金額）</td></tr>
<tr><td>(八)</td><td>(２)(六)に規定する取得条項付新株予約権が付された新株予約権付社債に係る同(六)に定める取得事由の発生による当該新株予約権付社債の取得の対価として交付を受けた当該取得をする法人の株式（(２)の規定の適用を受ける場合の当該取得をする法人の株式に限る。）</td><td colspan="3">当該新株予約権付社債の取得価額（当該取得をする株式の取得に要した費用がある場合には、当該費用の額を加算した金額）</td></tr>
</table>

（会社法第167条第３項《効力の発生》又は第283条《一に満たない端数の処理》に規定する１株に満たない端数に相当する部分）

(10)　会社法第167条第３項《効力の発生》又は第283条《一に満たない端数の処理》に規定する１株に満たない端数（これに準ずるものを含む。）に相当する部分は、(２)(一)又は同(四)に規定する取得をする法人の株式に含まれるものとする。（令167の７⑧）

（一株に満たない数の株式の譲渡等による代金が交付された場合の取扱い）

(11)　**二十**及び(１)の規定を適用する場合において、**二十**に規定する株式交換完全親法人又は(１)に規定する株式移転完全親法人が、**二十**に規定する株式交換又は(１)に規定する株式移転に際し株主に対し交付しなければならない株式に一株に満たない端数が生じたため、会社法第234条第１項《一に満たない端数の処理》の規定等によりその端数の合計数に相当する株式を他に譲渡し、又は買い取った代金として株主に金銭が交付されたときは、その一株に満たない端数に相当する株式の株主に対して当該株式交換完全親法人又は当該株式移転完全親法人の株式が交付されたものとして取り扱う。

なお、この場合において、その株主に交付された一株に満たない端数に相当する数の株式については(３)から(10)まで（令167の７）の規定による取得価額の計算が行われ、その上で譲渡があったものとして**二**、**三**、第37条の12又は**十四**の規定が適用されることに留意する。

ただし、その交付された金銭が、その交付の状況その他の事由を総合的に勘案して実質的に株主に対して支払う**二**

十又は(１)に規定する旧株の取得の対価であると認められるときは、当該取得の対価として金銭が交付されたものとして取り扱う。(基通57の４－１)

(一に満たない数の株式又は新株予約権の譲渡等による代金が交付された場合の取扱い)

(12)　(２)((２)(一)及び同(四)を除く。以下(12)において同じ。)の規定を適用する場合において、株式、新株予約権又は新株予約権付社債の発行会社が、同(２)に規定する事由により株主又は新株予約権者(以下(12)において「株主等」という。)に対し交付しなければならない株式又は新株予約権(以下(12)において「株式等」という。)に一に満たない端数が生じたため、会社法第234条第１項の規定等によりその端数の合計数に相当する株式等を譲渡し、又は買い取った代金として株主等に金銭が交付されたときは、その一に満たない端数に相当する株式等の株主等に対して当該発行会社の株式等が交付されたものとして取り扱う。

なお、この場合において、その株主等に交付された一に満たない端数の株式等については(３)から(10)までの規定による取得価額の計算が行われ、その上で譲渡があったものとして**二**、**三**、第37条の12又は**十四**の規定が適用されることに留意する。

ただし、その交付された金銭が、その取得の状況その他の事由を総合的に勘案して実質的に株主等に対して支払う(２)(二)に規定する取得条項付株式、(２)(三)に規定する全部取得条項付種類株式、(２)(五)に規定する取得条項付新株予約権又は(２)(六)に規定する取得条項付新株予約権が付された新株予約権付社債の取得の対価であると認められるときは、当該取得の対価として金銭が交付されたものとして取り扱う。(基通57の４－２)

(注)　(２)(一)に規定する取得請求権付株式に係る請求権の行使又は(２)(四)に規定する新株予約権付社債に付された新株予約権の行使により、株式等の発行会社が、株主等に交付する株式の数に一株に満たない端数がある場合において、会社法第167条第３項又は第283条に規定する一株に満たない端数に相当する部分は、(10)の規定により(２)(一)又は同(四)に規定する取得をする法人の株式に含まれることに留意する。

なお、この場合において、その株主等に交付された一株に満たない端数の株式については(３)から(10)までの規定による取得価額の計算が行われ、その上で譲渡があったものとして**二**、**三**又は**十**の規定が適用されることに留意する。

第四節　先物取引に係る雑所得等の課税の特例

一　先物取引に係る雑所得等の課税の特例

1　先物取引に係る雑所得等の申告分離課税

居住者又は恒久的施設を有する非居住者が、次の(一)から(三)までに掲げる取引又は取得をし、かつ、当該(一)から(三)までに掲げる取引又は取得（以下**1**及び**二**において「**先物取引**」という。）の区分に応じ当該(一)から(三)までに定める決済又は行使若しくは放棄若しくは譲渡（以下**1**及び**二**において「**差金等決済**」という。）をした場合には、当該差金等決済に係る当該先物取引による事業所得、譲渡所得及び雑所得については、所得税法の規定にかかわらず、他の所得と区分し、その年中の当該先物取引による事業所得の金額、譲渡所得の金額及び雑所得の金額として(1)で定めるところにより計算した金額（以下**1**において「**先物取引に係る雑所得等の金額**」という。）に対し、先物取引に係る課税雑所得等の金額（先物取引に係る雑所得等の金額（**2**の(4)の(四)の規定により読み替えられた第八章**一**《雑損控除》から同章**十六**《所得控除の順序》までの規定の適用がある場合には、その適用後の金額）をいう。）の100分の15に相当する金額に相当する所得税を課する。この場合において、先物取引に係る雑所得等の金額の計算上生じた損失の金額があるときは、所得税法その他所得税に関する法令の規定の適用については、当該損失の金額は生じなかったものとみなす。（措法41の14①、措令26の23③）

(一)	商品先物取引等（商品取引所法第２条第３項第１号から第４号までに掲げる取引（同号に掲げる取引にあっては、同号イからハまでに掲げる取引を成立させることができる権利に係るものに限る。）で同項に規定する先物取引に該当するもの（同条第９項に規定する商品市場において行われる同条第10項第１号ホに掲げる取引を含む。）又は同条第14項第１号から第５号までに掲げる取引（同項第４号に掲げる取引にあっては、同号イからハまでに掲げる取引を成立させることができる権利に係るものに限る。）で同項に規定する店頭商品デリバティブ取引に該当するもの（同条第23項に規定する商品先物取引業者を相手方として行うものに限る。）をいう。以下(一)において同じ。）	当該商品先物取引等の決済（当該商品先物取引等に係る商品の受渡しが行われることとなるものを除く。）
(二)	金融商品先物取引等（金融商品取引法第２条第21項第１号から第３号までに掲げる取引（同号に掲げる取引にあっては、同項第４号から第６号までに掲げる取引を成立させることができる権利に係るものを除く。）で同項に規定する市場デリバティブ取引（同条第24項第３号の２に掲げる暗号等資産又は同法第29条の２第１項第９号に規定する金融指標に係るものを除く。）に該当するもののうち(2)で定めるもの又は同法第２条第22項第１号から第４号までに掲げる取引（同項第３号に掲げる取引にあっては、同項第５号から第７号までに掲げる取引を成立させることができる権利に係るものを除く。）で同項に規定する店頭デリバティブ取引（同条第24項第３号の２に掲げる暗号等資産又は同法第29条の２第１項第９号に規定する金融指標に係るものを除く。）に該当するもの（第三節**十1**(1)(一)に規定する金融商品取引業者又は登録金融機関を相手方として行うものに限る。）をいう。以下(二)において同じ。）	当該金融商品先物取引等の決済（当該金融商品先物取引等に係る同法第２条第24項に規定する金融商品の受渡しが行われることとなるものを除く。）
(三)	金融商品取引法第２条第１項第19号に掲げる有価証券（同条第８項第３号ロに規定する外国金融商品市場において行う取引であって同条第21項第３号に掲げる取引と類似の取引に係る権利を表示するものを除く。）の取得	平成22年１月１日以後に行う当該有価証券に表示される権利の行使（当該行使により同条第24項に規定する金融商品の受渡しが行われることとなるものを除く。）若しくは放棄又は当該有価証券の譲

		渡（同条第９項に規定する金融商品取引業者への売委託により行う譲渡又は金融商品取引業者に対する譲渡に限る。）

（**1**の規定の適用がある場合の譲渡所得の計算）

注　**1**に規定する差金等決済に係る**1**に規定する先物取引（以下「差金等決済に係る先物取引」という。）による譲渡所得の金額は、次の第四章第八節**二 1**(一)又は同(二)に掲げる所得につき、それぞれその年中の当該所得に係る総収入金額から当該所得の基因となった資産の取得費及びその資産の譲渡に要した費用の額の合計額を控除した残額の合計額（同(一)又は同(二)のうちいずれかの号に掲げる所得に係る総収入金額が当該所得の基因となった資産の取得費及びその資産の譲渡に要した費用の額の合計額に満たない場合には、その不足額に相当する金額を他の号に掲げる所得に係る残額から控除した金額）とする。（措法41の14②二により読み替えられた法33③（下線部分は読み替えられた部分（編者注））

（その年中の当該先物取引による事業所得の金額及び雑所得の金額）

（1）　**1**に規定する先物取引による事業所得の金額、譲渡所得の金額及び雑所得の金額として（1）で定めるところにより計算した金額は、その年中の**1**に規定する先物取引による事業所得の金額、譲渡所得の金額及び雑所得の金額の合計額とする。この場合において、これらの金額の計算上生じた損失の金額があるときは、当該損失の金額は、次の(一)から(三)までに掲げる損失の金額の区分に応じ当該(一)から(三)までに定める所得の金額から控除する。（措令26の23①）

(一)	当該先物取引による事業所得の金額の計算上生じた損失の金額	当該先物取引による譲渡所得の金額及び雑所得の金額
(二)	当該先物取引による譲渡所得の金額の計算上生じた損失の金額	当該先物取引による事業所得の金額及び雑所得の金額
(三)	当該先物取引による雑所得の金額の計算上生じた損失の金額	当該先物取引による事業所得の金額及び譲渡所得の金額

（市場デリバティブ取引に該当するもので（2）で定めるもの）

（2）　**1**の(二)に規定する（2）で定める取引は、次の(一)から(三)までに掲げる取引とする。（措令26の23②）

(一)	平成16年１月１日以後に行う証券取引法等の一部を改正する法律第３条の規定による改正前の証券取引法第２条第20項に規定する有価証券先物取引、同条第21項に規定する有価証券指数等先物取引及び同条第22項に規定する有価証券オプション取引に該当するもの
(二)	平成17年７月１日以後に行う証券取引法等の一部を改正する法律の施行に伴う関係法律の整備等に関する法律第１条の規定による廃止前の金融先物取引法第２条第２項に規定する取引所金融先物取引に該当するもの
(三)	証券取引法等の一部を改正する法律の施行の日（平成19年９月30日）以後に行う金融商品取引法第２条第21項第１号から第３号までに掲げる取引

2　手続及び読替え規定等

（確定申告書への添付書類）

（1）　その年において**1**に規定する先物取引による事業所得、譲渡所得及び雑所得（以下（1）において「先物取引に係る雑所得等」という。）を有する居住者又は恒久的施設を有する非居住者が確定申告書を提出する場合には、（2）で定めるところにより、当該先物取引に係る雑所得等の金額の計算に関する明細書を当該申告書に添付しなければならない。この場合において、第十章第二節**二 1**《確定所得申告》①の規定の適用については、同①中「事業所得」とあるのは、「事業所得（第五章第四節《先物取引に係る雑所得等の課税の特例》**1**に規定する先物取引による事業所得を除く。）」とする。（措令26の23④）

（先物取引に係る雑所得等の金額の計算に関する明細書）

（2）（1）の規定により確定申告書に添付すべき（1）の明細書は、**1**に規定する先物取引による事業所得、譲渡所得又は雑所得のそれぞれについて作成するものとし、当該明細書には、次の(一)又は(二)に掲げる所得の区分に応じ当該(一)又は(二)に定める項目別の金額その他参考となるべき事項を記載しなければならない。（措規19の８①）

(一)	事業所得又は雑所得		次に掲げる項目
		イ	総収入金額については、先物取引（**1**に規定する先物取引をいう。ロ及び**二 2**から同**5**までにおいて同じ。）の差金等決済（同**1**に規定する差金等決済をいう。ロ及び**二 2**から同**5**までにおいて同じ。）に係る利益又は損失の額及びその他の収入の別
		ロ	必要経費については、先物取引の差金等決済に係る先物取引に要した委託手数料（商品取引所法施行規則第105条に規定する手数料等又は金融商品取引業等に関する内閣府令第74条第１項に規定する手数料等をいう。(二)ロにおいて同じ。）及びその他の経費の別
(二)	譲渡所得		次に掲げる項目
		イ	総収入金額については、**1**(三)に規定する有価証券（ロにおいて「有価証券」という。）の譲渡による収入金額及びその他の収入の別
		ロ	取得費及び譲渡に要した費用については、有価証券の取得費、有価証券の譲渡のために要した委託手数料及びその他の経費の別

（**1**の規定の適用がある場合の「予定納税額の減額の承認の申請手続」の読替え）

（3）**1**の規定の適用がある場合における第十章第一節**三 2**《予定納税額の減額の承認の申請手続》①注(二)の規定の適用については、同(二)中「の総所得金額」とあるのは「の総所得金額、第五章第四節《先物取引に係る雑所得等の課税の特例》**1**に規定する先物取引に係る雑所得等の金額」と、「課税総所得金額」とあるのは「課税総所得金額、同**1**に規定する先物取引に係る課税雑所得等の金額」とする。（措規19の８②）

二　先物取引の差金等決済に係る損失の繰越控除

1　先物取引の差金等決済に係る損失の繰越控除

確定申告書（**3**（5）において準用する第十章第二節**二 4**《確定損失申告》①の規定による申告書を含む。以下**1**及び**3**において同じ。）を提出する居住者又は恒久的施設を有する非居住者が、その年の前年以前３年内の各年において生じた先物取引の差金等決済に係る損失の金額（**1**の規定の適用を受けて前年以前において控除されたものを除く。）を有する場合には、**一 1**後段の規定にかかわらず、当該先物取引の差金等決済に係る損失の金額に相当する金額は、注で定めるところにより、当該確定申告書に係る年分の同**1**に規定する先物取引に係る雑所得等の金額を限度として、当該年分の当該先物取引に係る雑所得等の金額の計算上控除する。（措法41の15①）

（先物取引の差金等決済に係る損失の繰越控除）

注　**1**の規定による先物取引の差金等決済に係る損失の金額（**2**に規定する先物取引の差金等決済に係る損失の金額をいう。以下**二**において同じ。）の控除については、次の(一)及び(二)に定めるところによる。（措令26の26①）

(一)	控除する先物取引の差金等決済に係る損失の金額が前年以前３年内の２以上の年に生じたものである場合には、これらの年のうち最も古い年に生じた先物取引の差金等決済に係る損失の金額から順次控除する。
(二)	第七章第二節**二 1**《雑損失の繰越控除》の規定による控除が行われる場合には、まず、**1**の規定による控除を行った後、同節**二 1**《雑損失の繰越控除》の規定による控除を行う。

2　先物取引の差金等決済に係る損失の金額

1に規定する先物取引の差金等決済に係る損失の金額とは、当該居住者又は恒久的施設を有する非居住者が、平成15年１月１日以後に、先物取引の差金等決済をしたことにより生じた損失の金額として（1）で定めるところにより計算した金額のうち、その者の当該差金等決済をした日の属する年分の**一 1**に規定する先物取引に係る雑所得等の金額の計算上控除してもなお控除しきれない部分の金額として（3）で定めるところにより計算した金額をいう。（措法41の15②）

（**2**の先物取引の差金等決済をしたことにより生じた（1）で定めるところにより計算した損失の金額）

（1）　**2**に規定する先物取引の差金等決済をしたことにより生じた損失の金額として（1）で定めるところにより計算した金額は、**一 1**に規定する先物取引の同**1**に規定する差金等決済（（3）において「先物取引の差金等決済」という。）による事業所得の金額、譲渡所得の金額又は雑所得の金額の計算上生じた損失の金額として（2）で定めるところにより計算した金額とする。（措令26の26②）

（平成15年１月１日以後の先物取引の差金等決済による事業所得の金額又は雑所得の金額の計算上生じた（2）で定めるところにより計算した損失の金額）

（2）　（1）に規定する（2）で定めるところにより計算した金額は、**一 1**の規定により先物取引による事業所得の金額、譲渡所得の金額又は雑所得の金額を計算した場合にこれらの金額の計算上生ずる損失の金額に相当する金額とする。（措規19の９①）

（**2**の控除しきれない部分の金額として（3）で定めるところにより計算した金額）

（3）　**2**に規定する控除しきれない部分の金額として（3）で定めるところにより計算した金額は、先物取引の差金等決済をした日の属する年分の**2**に規定する先物取引に係る雑所得等の金額（以下**二**において「先物取引に係る雑所得等の金額」という。）の計算上生じた損失の金額とする。（措令26の26③）

3　申告要件等

1の規定は、**1**に規定する居住者又は恒久的施設を有する非居住者が**2**に規定する先物取引の差金等決済に係る損失の金額が生じた年分の所得税につき当該先物取引の差金等決済に係る損失の金額の計算に関する明細書その他の（2）で定める書類の添付がある確定申告書を提出し、かつ、その後において連続して確定申告書を提出している場合であって、**1**の確定申告書に**1**の規定による控除を受ける金額の計算に関する明細書その他の（3）で定める書類の添付がある場合に限り、適用する。（措法41の15③）

（確定申告書又は損失申告書の記載事項）

（1）　その年の翌年以後又はその年において1の規定の適用を受けようとする場合に提出すべき第十章第二節二1《確定所得申告》①の規定による申告書及び提出することができる同3《還付を受けるための申告》①又は同4《確定損失申告》①の規定による申告書には、同1②《確定申告書の記載事項》若しくは同3①《源泉徴収税額又は予納税額の還付を受けるための申告》又は同4②《損失申告書の記載事項》に掲げる事項のほか、次の(一)から(六)までに掲げる事項を併せて記載しなければならない。（措令26の26④）

(一)	その年において生じた先物取引の差金等決済に係る損失の金額
(二)	その年の前年以前３年内の各年において生じた先物取引の差金等決済に係る損失の金額（1の規定により前年以前において控除されたものを除く。(6)(二)において同じ。）
(三)	その年において生じた先物取引の差金等決済に係る損失の金額がある場合には、その年分の先物取引に係る雑所得等の金額の計算上生じた損失の金額
(四)	(二)に掲げる先物取引の差金等決済に係る損失の金額がある場合には、当該損失の金額を控除しないで計算した場合のその年分の先物取引に係る雑所得等の金額
(五)	1の規定により翌年以後において先物取引に係る雑所得等の金額の計算上控除することができる先物取引の差金等決済に係る損失の金額
(六)	(一)から(五)までに掲げる金額の計算の基礎その他(4)で定める事項

（先物取引の差金等決済に係る損失の金額の計算明細書その他(2)で定める書類）

（2）　3に規定する先物取引の差金等決済に係る損失の金額の計算に関する明細書その他の(2)で定める書類は、次の(一)及び(二)に掲げる書類とする。（措規19の9②）

(一)	2に規定する先物取引の差金等決済に係る損失の金額（以下二において「先物取引の差金等決済に係る損失の金額」という。）の計算に関する明細書（当該先物取引の差金等決済に係る損失の金額の記載があるものに限る。）
(二)	一2(1)に規定する明細書

（控除を受ける金額の計算明細書その他(3)で定める書類）

（3）　3に規定する控除を受ける金額の計算に関する明細書その他の(3)で定める書類は、1の規定によりその年において控除すべき先物取引の差金等決済に係る損失の金額及びその計算の基礎その他参考となるべき事項を記載した明細書とする。（措規19の9③）

（(1)(六)に規定する(4)で定める事項）

（4）　(1)(六)に規定する(4)で定める事項は、1の規定によりその年において控除すべき先物取引の差金等決済に係る損失の金額及びその金額の計算の基礎その他参考となるべき事項とする。（措規19の9④）

（申告書を提出する場合に該当しない場合の損失の繰越控除の適用）

（5）　第十章第二節二4《確定損失申告》（(二)を除く。）の規定は、居住者又は恒久的施設を有する非居住者が、その年の翌年以後において1の規定の適用を受けようとする場合であって、その年の年分の所得税につき同1《確定所得申告》の規定による申告書を提出すべき場合及び同3《還付を受けるための申告》①又は同4《確定損失申告》①の規定による申告書を提出することができる場合のいずれにも該当しない場合について準用する。この場合において、同4①中「第七章第二節一《純損失の繰越控除》1若しくは同2若しくは同節三《雑損失の繰越控除》1の規定の適用を受け、又は第六節三《純損失の繰戻しによる還付の手続等》3⑤の規定による還付を受けようとするときは、第３期において」とあるのは「第五章第四節二1《先物取引の差金等決済に係る損失の繰越控除》の規定の適用を受けようとするときは」と、「②(一)から同(十)までに掲げる」とあるのは「その年において生じた同二2に規定する先物取引の差金等決済に係る損失の金額（以下①において「先物取引の差金等決済に係る損失の金額」という。）、その年の前年以前３年内の各年において生じた先物取引の差金等決済に係る損失の金額その他の同3(6)で定める」と、第十章第二節二4①(一)中「純損失の金額」とあるのは「先物取引の差金等決済に係る損失の金額」と、同①(三)中「純損失の金額及び雑損失の金額」とあるのは「先物取引の差金等決済に係る損失の金額」と、「及び第六節三《純損失の繰戻しによる還付の手続等》**3**⑤の規定により還付を受けるべき金額の計算の基礎となったものを除く。②(二)において同じ」とあるのは「を除く」と、「これらの金額」とあるのは「当該先物取引の差金等決済に係る損失の金額」と、「総所得金額、退職所得金額及び山林所得金額の合計額」とあるのは「同**一 1**《先物取引に係る雑所得等の課税の特例》に規定する先物取引に係る雑所得等の金額」と読み替えるものとする。(措法41の15⑤)

((5)において準用する第十章第二節**二 4**に規定する**3**(6)で定める事項)

(6)　**3**(5)において準用する第十章第二節**二 4**に規定する**3**(6)で定める事項は、次の(一)から(六)までに掲げる事項とする。(措令26の26⑤)

(一)	その年において生じた先物取引の差金等決済に係る損失の金額
(二)	その年の前年以前３年内の各年において生じた先物取引の差金等決済に係る損失の金額
(三)	その年において生じた先物取引の差金等決済に係る損失の金額がある場合には、その年分の総所得金額、退職所得金額及び山林所得金額の合計額又は純損失の金額(第二章第一節**一**表内**25**に規定する純損失の金額をいう。(四)において同じ。)
(四)	(二)に掲げる先物取引の差金等決済に係る損失の金額がある場合には、その年分の総所得金額、退職所得金額及び山林所得金額の合計額並びに当該損失の金額を控除しないで計算した場合のその年分の先物取引に係る雑所得等の金額又は純損失の金額
(五)	**1**の規定により翌年以後において先物取引に係る雑所得等の金額の計算上控除することができる先物取引の差金等決済に係る損失の金額
(六)	(一)から(五)までに掲げる金額の計算の基礎その他(7)で定める事項

((6)(六)に規定する(7)で定める事項)

(7)　(6)(六)に規定する(7)で定める事項は、次の(一)から(五)までに掲げる事項とする。(措規19の９⑤)

(一)	(5)において準用する第十章第二節**二 4**の規定による申告書又は当該申告書を提出することができる場合に該当するときの**5**(5)(六)の規定により読み替えて適用される同**4**《年の中途で出国する場合の確定損失申告》①の規定による申告書を提出する者の氏名、住所（国内に住所がない場合には、居所）及び個人番号（個人番号を有しない者にあっては、氏名及び住所（国内に住所がない場合には、居所））並びに住所地（国内に住所がない場合には、居所地）と納税地とが異なる場合には、その納税地
(二)	(6)(三)の純損失若しくは各種所得の基因となる資産若しくは事業の所在地又は当該純損失若しくは各種所得の生じた場所（各種所得（当該純損失の金額の計算の基礎となった各種所得を含む。以下(二)において同じ。)の生じた場所が当該各種所得に係る収入金額の支払者の居所又は本店若しくは主たる事務所若しくは支店若しくは従たる事務所（以下(二)において「本店等」という。）の所在地となる場合には、当該支払者の氏名又は名称及び住所若しくは居所又は本店等の所在地若しくは法人番号)
(三)	**1**の規定によりその年において控除すべき先物取引の差金等決済に係る損失の金額及びその金額の計算の基礎
(四)	第十章第二節**二 1**②(1)ニから同(1)タまで及び同(1)ソから同(1)ムまでに掲げる事項
(五)	その他参考となるべき事項

(更正の請求による更正により先物取引の差金等決済に係る損失の金額があることとなった場合)

(8)　**3**に規定する「先物取引の差金等決済に係る損失の金額が生じた年分の所得税につき当該先物取引の差金等決済に係る損失の金額の計算に関する明細書その他の(3)で定める書類の添付がある確定申告書を提出」した場合には、**3**に規定する先物取引の差金等決済に係る損失の金額の計算に関する明細書その他の(3)で定める書類（(9)において「明細書等」という。）の添付がなく提出された確定申告書につき通則法第23条《更正の請求》に規定する更正の請求に基づく更正により、新たに**2**に規定する先物取引の差金等決済に係る損失の金額（(9)において「先物取引の差金等決済に係る損失の金額」という。)があることとなった場合も含まれることに留意する。(措通41の15－１)

(更正により先物取引の差金等決済に係る損失の金額が増加した場合)

(9)　先物取引の差金等決済に係る損失の金額が生じた年分の所得税につき**3**の明細書等の添付がある確定申告書を提

出した場合において、先物取引の差金等決済に係る損失の金額が過少であるため更正が行われたときは、その更正後の金額を基として**1**の規定を適用する。（措通41の15－2）

4　他の規定との適用関係

（**1**の適用がある場合における**一**《先物取引に係る雑所得の課税の特例》の規定の適用）

（1）　**1**の規定の適用がある場合における**一**（**一2**（4）を除く。）の規定の適用については、**1**中「計算した金額（」とあるのは、「計算した金額（**二1**《先物取引の差金等決済に係る損失の繰越控除》の規定の適用がある場合には、その適用後の金額。」とする。（措法41の15④）

（**1**の適用がある場合の国税通則法の規定の適用）

（2）　**1**の規定の適用がある場合における国税通則法の規定の適用については、第二章第一節**一**（2）の表内⑥中「又は雑損失の金額」とあるのは「若しくは雑損失の金額又は第五章第四節**二2**《先物取引の差金等決済に係る損失の繰越控除》に規定する先物取引の差金等決済に係る損失の金額」と、「同法」とあるのは「これらの法律」とする。（措法41の15⑥）

5　確定申告書の記載事項の特例その他政令事項

その年の翌年以後又はその年において**1**の規定の適用を受けようとする場合に提出すべき確定申告書の記載事項の特例その他**1**から**4**までの規定の適用に関し必要な事項は、次の（1）から（8）までで定める（措法41の15⑦）

（分離事業・雑所得、長期譲渡所得及び短期譲渡所得の課税の特例の適用がある場合の**3**の（6）の適用関係）

（1）　第四章第二節**五1**③、第五章第一節**一**の**1**、同章第二節**一1**①《土地の譲渡等に係る事業所得等の分離課税》、同章第二節**一**《土地建物等の長期譲渡所得の課税の特例》の**1**又は同節**二**《土地建物等の短期譲渡所得の課税の特例》の①（同**二**③において準用する場合を含む。）又は同章第三節**二1**《申告分離課税》の規定の適用がある場合における**3**の（6）の規定の適用については、同（6）の（三）及び（四）中「総所得金額、」とあるのは「総所得金額、第四章第二節**五1**③に規定する上場株式等に係る配当所得の金額、土地の譲渡等に係る事業所得等の金額、」と、「及び山林所得金額」とあるのは「、山林所得金額、長期譲渡所得の金額、短期譲渡所得の金額及び第三節**二1**に規定する株式等に係る譲渡所得等の金額」とする。（措令26の26⑥）

（**3**の（5）に規定する確定損失申告書を提出する場合の所得控除の証明書、源泉徴収票及び収支内訳書の添付について）

（2）　第十章第二節**二**《確定申告》**1**③、同③、同③（1）、同③（2）、同④及び同⑤の規定は、**3**（5）において準用する第十章第二節**二4**《確定損失申告》の規定による申告書の提出について準用する。この場合において、同**二1**③（2）中「確定申告期限」とあるのは「確定申告期限（当該申告書が第十二章**四7**（3）（二）《延滞税の額の計算の基礎となる期間の特例》に規定する還付請求申告書である場合には、当該申告書の提出があった日）」と、「国税通則法」とあるのは「同法」と読み替えるものとする。（措令26の26⑦）

（**1**の規定の適用がある場合の**一2**（4）の規定の適用により読み替えられた所得税法の規定の適用）

（3）　**1**の規定の適用がある場合における**一2**（4）の規定により読み替えられた所得税法の規定の適用については、同（4）（四）中「これらの規定」とあるのは「第七章第二節**二1**中「総所得金額」とあるのは「総所得金額、先物取引に係る雑所得等の金額」と、第八章**一1**《雑損控除》（一）から（三）まで以外の部分中「総所得金額」とあるのは「総所得金額、先物取引に係る雑所得等の金額（第五章第四節**二1**《先物取引の差金等決済に係る損失の繰越控除》の規定の適用がある場合には、その適用後の金額。以下同じ。）」と、同**1**（一）中「総所得金額」とあるのは「総所得金額、先物取引に係る雑所得等の金額」と、第八章**二**から同章**十六1**までの規定」と、「あるのは、」とあるのは「あるのは」とする。（措令26の26⑧）

（**1**の規定の適用がある場合の租税特別措置法施行令第26条の23第５項により読み替えて適用される所得税法の規定の適用）

（4）　**1**の規定の適用がある場合における租税特別措置法令第26条の23第５項の規定により読み替えて適用される第十章第二節**二1**《確定所得申告》①、同**4**《確定損失申告》①及び同②（三）から（五）まで、同**4**《年の中途で出国をする場合の確定申告等》①及び同②、同章第七節**二1**①、同**二2**①、同章第八節**二3**①、同**4**①、第十二章**二2**《青色申告書に係る更正の特例》、同章**三5**《還付加算金》①(二)並びに同**三9**《予納税額等に係る還付加算金》①(一)ロに規定する先物取引に係る雑所得等の金額は、これらの規定にかかわらず、**1**の規定の適用後の金額とする。(措令26の26⑨)

（**1**又は**3**の(5)の規定の適用がある場合における所得税法の規定の適用）

(5)　**1**又は**3**の(5)の規定の適用がある場合における所得税法の規定の適用については、次の(一)から(十一)まで左欄に掲げる字句を右欄に掲げる字句に読み替えたところによる。(措令26の26⑩)

<table>
<tr><td rowspan="2">(一)</td><td colspan="2">第二章第一節一《用語の定義》表内40《青色申告書》</td></tr>
<tr><td>確定申告書及び</td><td>確定申告書（第五章第四節二《先物取引の差金等決済に係る損失の繰越控除》の3の(5)において準用する第十章第二節二4①の規定による申告書を含む。以下(一)において同じ。）及び</td></tr>
<tr><td rowspan="2">(二)</td><td colspan="2">第六章第一節三《国庫補助金等の総収入金額不算入》1③</td></tr>
<tr><td>確定申告書</td><td>確定申告書（第五章第四節二《先物取引の差金等決済に係る損失の繰越控除》3(5)において準用する第十章第二節二4①の規定による申告書を含む。以下所得税法第233条までにおいて同じ。）</td></tr>
<tr><td rowspan="2">(三)</td><td colspan="2">第十章第二節二3《還付を受けるための申告》②</td></tr>
<tr><td>4①</td><td>4①（第五章第四節二《先物取引の差金等決済に係る損失の繰越控除》3(5)において準用する場合を含む。）</td></tr>
<tr><td rowspan="2">(四)</td><td colspan="2">第十章第二節三2《年の中途で死亡した場合の確定申告等》①から同③</td></tr>
<tr><td>を記載した</td><td>の記載（財務省令で定める記載を含む。）をした</td></tr>
<tr><td rowspan="2">(五)</td><td colspan="2">第十章第二節三4《年の中途で出国する場合の確定申告》①及び同②</td></tr>
<tr><td>事項</td><td>事項その他財務省令で定める事項</td></tr>
<tr><td rowspan="4">(六)</td><td colspan="2">第十章第二節三4《年の中途で出国する場合の確定申告》③及び同④</td></tr>
<tr><td>純損失の金額若しくは雑損失の金額</td><td>純損失の金額、雑損失の金額若しくは第五章第四節二《先物取引の差金等決済に係る損失の繰越控除》2に規定する先物取引の差金等決済に係る損失の金額（第十二章二2《青色申告書に係る更正の特例》において「先物取引に係る差金等決済に係る損失の金額」という。）</td></tr>
<tr><td>の規定による申告書</td><td>の規定による申告書又は第五章第四節二の3の(5)において準用する第十章第二節二4《先物取引の差金等決済に係る確定損失申告書》①の規定による申告書</td></tr>
<tr><td>②の各号に掲げる事項</td><td>二4②に掲げる事項その他財務省令で定める事項又は第五章第四節二3(5)において準用する第十章第二節二4《確定損失申告》①に規定する第五章第四節二3(6)で定める事項</td></tr>
<tr><td rowspan="5">(七)</td><td colspan="2">第十章第八節二《所得税法による更正の請求の特例》1</td></tr>
<tr><td>若しくは(三)</td><td>又は(三)</td></tr>
<tr><td>又は同節二4②(一)</td><td>、同節二4②(一)</td></tr>
<tr><td>若しくは(八)</td><td>又は(八)</td></tr>
<tr><td>に掲げる金額</td><td>その他財務省令で定める規定に掲げる金額</td></tr>
<tr><td>(八)</td><td colspan="2">第十章第八節二《所得税法による更正の請求の特例》2の(一)又は同(二)以外</td></tr>
</table>

本文	若しくは(三)	又は(三)
	又は同節**二4**②(一)若しくは	同節**二4**②(一)又は
	に掲げる金額	その他財務省令で定める規定に掲げる金額

(九)　第十章第八節**二3**①(二)《国外転出をした者が帰国をした場合等の更正の請求の特例》

又は同**4**②(一)若しくは	、同**4**②(一)又は
に掲げる金額	その他財務省令で定める規定に掲げる金額

(十)　第十二章**二2**《青色申告書に係る更正の特例》

純損失の金額	純損失の金額若しくは先物取引の差金等決済に係る損失の金額
の規定の適用	若しくは第五章第四節**二**《先物取引の差金等決済に係る損失の繰越控除》**1**の規定の適用

(十一)　第十二章**二4**《同族会社等の行為又は計算の否認等》の①

若しくは同(三)	又は同(三)
又は同**4**②(一)	、同**4**②(一)
若しくは同(七)	又は同(七)
に掲げる金額	その他財務省令で定める規定に掲げる金額

同**4**①(3)中

若しくは同(三)	又は同(三)
又は同**4**②(一)	、同**4**②(一)
若しくは同(七)	又は同(七)その他財務省令で定める規定

（**1**の規定の適用がある場合又は**3**(5)の規定の適用がある場合の所得税法施行令の規定の適用）

(6)　**一1**の規定の適用があり、かつ、**1**の規定の適用がある場合又は**3**(5)の規定の適用がある場合における所得税法施行令の規定の適用については、租税特別措置法施行令第26条の23第６項の規定にかかわらず、次の表の左欄に掲げる同令の規定中同表の中欄に掲げる字句は、同表の右欄に掲げる字句とする。(措令26の26⑪)

第二章第一節**一**《用語の意義》表内**31**《ひとり親》	総所得金額	総所得金額、第五章第四節**一1**《先物取引に係る雑所得等の課税の特例》に規定する先物取引に係る雑所得等の金額（同節**二1**《先物取引の差金等決済に係る損失の繰越控除》の規定の適用がある場合には、その適用後の金額。以下第八章**十六1**(6)（所得税法施行令第219条）までにおいて「先物取引に係る雑所得等の金額」という。）
第二章第二節**4**(4)(五)	総所得金額	総所得金額、先物取引に係る雑所得等の金額
第六章第二節**二2**表内①(注)1	確定申告書	確定申告書（第五章第四節**二3**(5)《先物取引の差金等決済に係る損失の繰越控除》において準用する第十章第二節**二4**《先物取引の差金等決済の損失に係る確定損失申告書》の規定による申告書を含む。以下所得税法第330条までにおいて同じ。）
第六章第四節**二1**《事業を廃止した場合等の必要経費の特例》表内①イ及び同②イ、同**2**《資産の譲渡代金が回収不能となった場合等	総所得金額	総所得金額、先物取引に係る雑所得等の金額

の所得計算の特例》①イ、第七章第二節**二2**《雑損失の繰越控除の順序》②、第八章**一1**《雑損控除》並びに同章**十五1**《扶養親族の判定の時期等》(6)(二)		
第九章第二節**二1**《外国税額控除》③(2)、同**1**⑥及び同**1**⑦(1)	総所得金額	総所得金額、第五章第四節**一1**《先物取引に係る雑所得等の課税の特例》に規定する先物取引に係る雑所得等の金額
第九章第四節**1**①(二)《年の中途で非居住者が居住者となった場合の税額の計算方法》	総所得金額	総所得金額、第五章第四節**一1**《先物取引に係る雑所得等の課税の特例》に規定する先物取引に係る雑所得等の金額（同節**二1**《先物取引の差金等決済に係る損失の繰越控除》の規定の適用がある場合には、その適用後の金額。以下「先物取引に係る雑所得等の金額」という。）
第九章第四節**1**①(三)	総所得金額	総所得金額、先物取引に係る雑所得等の金額
	課税総所得金額	課税総所得金額、第五章第四節**一1**《先物取引に係る雑所得等の課税の特例》に規定する先物取引に係る課税雑所得等の金額（以下「先物取引に係る課税雑所得等の金額」という。）
第九章第四節**1**①(四)	課税総所得金額	課税総所得金額、先物取引に係る課税雑所得等の金額
	第一節《税率》	第一節《税率》及び第五章第四節**一1**
第九章第四節**1**③(一)及び同(二)	総所得金額	総所得金額、先物取引に係る雑所得等の金額
第九章第四節**1**④(一)イ	総所得金額	総所得金額、第五章第四節**一1**に規定する先物取引に係る雑所得等の金額
第十章第一節**三1**④《申告納税見積額の計算》(一)	総所得金額	総所得金額、第五章第四節**一1**《先物取引に係る雑所得等の課税の特例》に規定する先物取引に係る雑所得等の金額（第五章第四節**二1**《先物取引の差金等決済に係る損失の繰越控除》の規定の適用がある場合には、その適用後の金額。以下「先物取引に係る雑所得等の金額」という。）
	課税総所得金額	課税総所得金額、先物取引に係る課税雑所得等の金額
	第九章第一節《税率》	第九章第一節《税率》及び第五章第四節**一1**
同**三1**④(二)	総所得金額	総所得金額及び先物取引に係る雑所得等の金額
第十章第二節**二1**③**イ**、**ロ**及び**ハ**	において準用する場合	並びに第五章第四節**二5**(2)において準用する場合
第十章第四節**二1**③(二)及び同**4**(二)ロ	課税総所得金額	課税総所得金額、先物取引に係る課税雑所得等の金額
	の規定に準じて	及び第五章第四節**一1**《先物取引に係る雑所得等の課税の特例》の規定に準じて
所得税法施行令第266条第３項	課税総所得金額	課税総所得金額、先物取引に係る課税雑所得等の金額

（**3**(5)の規定の適用がある場合の読替え）

(7)　**3**(5)の規定の適用がある場合における国税通則法第74条の２の規定の適用については、同条第１項第１号イ中「する場合の確定申告)」とあるのは、「する場合の確定申告）若しくは租税特別措置法第41条の15第５項《先物取引の差金等決済に係る損失の繰越控除》において準用する所得税法第123条第１項《先物取引の差金等決済の損失に係る確定損失申告書》」とする。（措令26の26⑫）

（**1**の規定の適用がある場合の租税特別措置法施行令第26条の23第７項の規定により読み替えられた災害被害者に対する租税の減免、徴収猶予等に関する法律第２条の適用）

(8)　**1**の規定の適用がある場合における租税特別措置法施行令第26条の23第７項の規定により読み替えられた災害被害者に対する租税の減免、徴収猶予等に関する法律第２条の規定の適用については、同項中「先物取引に係る雑所得等の金額」とあるのは、「先物取引に係る雑所得等の金額（第五章第四節**二1**の規定の適用がある場合には、その適用後の金額）」とする。（措令26の26⑬）

（記載事項又は規定の読替え）

(9)　次の㈠から㈢までに掲げる記載、事項又は規定は、当該㈠から㈢までに定める記載、事項又は規定とする。（措規19の９⑥）

㈠	**5**(5)㈣の規定により読み替えて適用される第十章第二節**三2**①から同③までに規定する財務省令で定める記載　**3**(1)㈠から同㈥までに掲げる事項の記載
㈡	**5**(5)㈤の規定により読み替えて適用される第十章第二節**三4**①及び同②並びに**5**(5)㈥の規定により読み替えて適用される同節**三4**③に規定する財務省令で定める事項　**3**(1)㈠から同㈥までに掲げる事項の記載
㈢	**5**(5)㈦の規定により読み替えて適用される第十章第八節**二1**、**5**(5)㈧の規定により読み替えて適用される同節**二2**㈠又は㈡以外の部分、**5**(5)㈨の規定により読み替えて適用される同節**二3**①㈡並びに**5**(5)(十一)の規定により読み替えて適用される第十二章**二4**①及び同①の(2)に規定する財務省令で定める規定　**3**(1)㈠若しくは同㈤又は**3**(6)㈠若しくは同㈤

（**1**の規定の適用がある場合の**一2**(3)の規定の適用）

(10)　**1**の規定の適用がある場合における**一2**(3)の規定の適用については、同(3)中「先物取引に係る雑所得等の金額」とあるのは「先物取引に係る雑所得等の金額（同**二1**〔先物取引の差金等決済に係る損失の繰越控除〕の規定の適用がある場合には、その適用後の金額）」と、「同**1**に規定する」とあるのは「同**一1**に規定する」とする。（措規19の９⑦）

6　先物取引の差金等決済に係る支払調書の特例

所得税法第225条第１項第13号に掲げる者は、財務省令で定めるところにより、同号に規定する先物取引（金融商品取引法第２条第24項第３号の２に掲げる暗号等資産又は同法第29条の２第１項第９号に規定する金融指標に係るものを除く。）の第三節**二3**(十三)に規定する差金等決済（以下**6**において「先物取引の差金等決済」という。）に関する調書を同一の居住者又は恒久的施設を有する非居住者に対する１回の先物取引の差金等決済ごとに作成する場合には、同項の規定にかかわらず、当該調書をその先物取引の差金等決済があった日の属する月の翌月末日までに税務署長に提出しなければならない。（措法41の15の２）

第六章　所得金額の計算の通則及び特例

第一節　収入金額

一　通　　則

1　収入金額

その年分の各種所得の金額の計算上収入金額とすべき金額又は総収入金額に算入すべき金額は、別段の定めがあるものを除き、その年において収入すべき金額（金銭以外の物又は権利その他経済的な利益をもって収入する場合には、その金銭以外の物又は権利その他経済的な利益の価額）とする。（法36①）

（収入金額）

（1）　「収入金額とすべき金額」又は「総収入金額に算入すべき金額」は、その収入の基因となった行為が適法であるかどうかを問わない。（基通36－1）

（事業所得等の収入金額とされる保険金等）

（2）　不動産所得、事業所得、山林所得又は雑所得を生ずべき業務を行う居住者が受ける次の(一)及び(二)に掲げるもので、その業務の遂行により生ずべきこれらの所得に係る収入金額に代わる性質を有するものは、これらの所得に係る収入金額とする。（令94①）

(一)	当該業務に係る棚卸資産（譲渡所得の基因とされない棚卸資産に準ずる資産を含む。）、山林、工業所有権その他の技術に関する権利、特別の技術による生産方式若しくはこれらに準ずるもの又は著作権（出版権及び著作隣接権その他これに準ずるものを含む。）につき損失を受けたことにより取得する保険金、損害賠償金、見舞金その他これらに類するもの（山林につき第二節**八1**②《山林の災害等による損失の必要経費算入》の規定に該当する損失を受けたことにより取得するものについては、その損失の金額を超える場合におけるその超える金額に相当する部分に限る。）
(二)	当該業務の全部又は一部の休止、転換又は廃止その他の事由により当該業務の収益の補償として取得する補償金その他これに類するもの

（借地権の設定等に係る対価で譲渡所得の収入金額に含まれないもの）

（3）　資産の譲渡とみなされる行為に該当する借地権の設定行為《第四章第八節**一2①イ**》に係る対価で譲渡所得の収入金額に含まれないものは、事業所得又は雑所得に係る収入金額とし、当該対価につき借地権の設定をした場合の譲渡所得に係る取得費等の計算規定《同節**二3**》に準じて計算した金額は、当該事業所得又は雑所得に係る必要経費に算入する。（令94②）

（譲渡所得の収入金額とされる補償金等）

（4）　契約（契約が成立しない場合に法令によりこれに代わる効果を認められる行政処分その他の行為を含む。）に基づき、又は資産の消滅（価値の減少を含む。以下同じ。）を伴う事業でその消滅に対する補償を約して行うものの遂行により譲渡所得の基因となるべき資産が消滅をしたこと（借地権の設定その他当該資産について物権を設定し又は債権が成立することにより価値が減少したことを除く。）に伴い、その消滅につき一時に受ける補償金その他これに類するものの額は、譲渡所得に係る収入金額とする。（令95）（第四章第八節**一1**（2）《借家人が受ける立退料》参照）

2　物又は権利等の価額

1の金銭以外の物又は権利その他経済的な利益の価額は、当該物若しくは権利を取得し、又は当該利益を享受する時における価額とする。（法36②）

①　譲渡制限付株式の価額等

個人が法人に対して役務の提供をした場合において、当該役務の提供の対価としての譲渡制限付株式であって次の(一)及び(二)に掲げる要件に該当するもの（以下①において「特定譲渡制限付株式」という。）が当該個人に交付されたとき（合併又は**8**（4）(三)に規定する分割型分割に際し当該合併又は分割型分割に係る同(二)に規定する被合併法人又は同(四)に規定する分割法人の当該特定譲渡制限付株式を有する者に対し交付される当該合併又は分割型分割に係る同(一)に規定する合併法人又は同(五)に規定する分割承継法人の譲渡制限付株式その他の（1）で定める譲渡制限付株式（以下①において「承継譲渡制限付株式」という。）が当該個人に交付されたときを含む。）における当該特定譲渡制限付株式又は承継譲渡制限付株式に係る**2**の価額は、当該特定譲渡制限付株式又は承継譲渡制限付株式の譲渡（担保権の設定その他の処分を含む。②(一)において同じ。）についての制限が解除された日（同日前に当該個人が死亡した場合において、当該個人の死亡の時に②(二)に規定する事由に該当しないことが確定している当該特定譲渡制限付株式又は承継譲渡制限付株式については、当該個人の死亡の日）における価額とする。（令84①）

(一)	当該譲渡制限付株式が当該役務の提供の対価として当該個人に生ずる債権の給付と引換えに当該個人に交付されるものであること。
(二)	(一)に掲げるもののほか、当該譲渡制限付株式が実質的に当該役務の提供の対価と認められるものであること。

（①に規定する（1）で定める譲渡制限付株式）

（1）　①に規定する（1）で定める譲渡制限付株式は、次の(一)及び(二)に掲げるものとする。（規19の4①）

(一)	合併により当該合併に係る被合併法人の特定譲渡制限付株式（①に規定する特定譲渡制限付株式をいう。(二)において同じ。）を有する者に対し交付される当該合併に係る合併法人に係る①に規定する譲渡制限付株式（以下において「譲渡制限付株式」という。）又は当該合併の直前に当該合併に係る合併法人と当該合併法人以外の法人との間に当該法人による完全支配関係（法人税法第2条第12号の7の6《定義》に規定する完全支配関係をいう。(二)において同じ。）がある場合における当該法人の譲渡制限付株式
(二)	分割型分割により当該分割型分割に係る分割法人の特定譲渡制限付株式を有する者に対し交付される当該分割型分割に係る分割承継法人の譲渡制限付株式又は当該分割型分割の直前に当該分割型分割に係る分割承継法人と当該分割承継法人以外の法人との間に当該法人による完全支配関係がある場合における当該法人の譲渡制限付株式

（合併法人、被合併法人、分割型分割、分割法人又は分割承継法人）

（2）　（1）及び（2）において、合併法人、被合併法人、分割型分割、分割法人又は分割承継法人とは、それぞれ**8**（4）(一)から同(五)まで（合併等により交付する株式に一に満たない端数がある場合の所得計算）に規定する合併法人、被合併法人、分割型分割、分割法人又は分割承継法人をいう。（規19の4②）

（特定譲渡制限付株式等の譲渡についての制限が解除された場合の所得区分）

（3）　①《譲渡制限付株式の価額等》に規定する特定譲渡制限付株式又は承継譲渡制限付株式（以下（5）までにおいて「特定譲渡制限付株式等」という。）の①に規定する譲渡についての制限（以下（5）までにおいて「譲渡制限」という。）が解除された場合の所得に係る所得区分は、当該特定譲渡制限付株式等を交付した法人（以下（5）までにおいて「交付法人」という。）と当該特定譲渡制限付株式等を交付された者との関係等に応じ、それぞれ次による。（基通23～35共－5の2）

⑴　特定譲渡制限付株式等が、交付法人との間の雇用契約又はこれに類する関係に基因して交付されたと認められる場合は、給与所得とする。ただし、特定譲渡制限付株式等の譲渡制限が、当該特定譲渡制限付株式等を交付された者の退職に基因して解除されたと認められる場合は、退職所得とする。

⑵　特定譲渡制限付株式等が、個人の営む業務に関連して交付されたと認められる場合は、事業所得又は雑所得とする。

⑶　⑴及び⑵以外の場合は、原則として雑所得とする。

(注)　この取扱いは、交付法人が外国法人である場合においても同様であることに留意する。

（特定譲渡制限付株式等を交付された場合の所得の収入すべき時期等）

（4）　交付法人から特定譲渡制限付株式等を交付された場合の当該特定譲渡制限付株式等に係る所得の収入金額の収入すべき時期は、当該特定譲渡制限付株式等の譲渡制限が解除された日（同日前に当該特定譲渡制限付株式等を交付された個人が死亡した場合において、当該個人の死亡の時に②(二)に規定する事由に該当しないことが確定している当該特定譲渡制限付株式等については、当該個人の死亡の日。（5）及び第二節**四 7**①（1）において同じ。）による。（基通23～35共－5の3）

(注) 1　その確定した特定譲渡制限付株式等に係る所得の収入金額については、その死亡した個人の収入金額となることに留意する。

2　②(二)に規定する事由その他の事由により、交付法人が特定譲渡制限付株式等を無償で取得することとなった場合における当該特定譲渡制限付株式等については、課税しない。

（特定譲渡制限付株式等の価額）

（5）　特定譲渡制限付株式等の譲渡制限が解除された日における価額は、次に掲げる場合の区分に応じ、それぞれ次による。（基通23～35共－5の4）

⑴　特定譲渡制限付株式等が金融商品取引所に上場されている場合　当該特定譲渡制限付株式等につき金融商品取引法第130条((総取引高、価格等の通知等))の規定により公表された最終の価格（同日に最終の価格がない場合には、同日前の同日に最も近い日における最終の価格とし、2以上の金融商品取引所に同一の区分に属する最終の価格がある場合には、当該価格が最も高い金融商品取引所の価格とする。以下（5）において同じ。）

⑵　①に規定する承継譲渡制限付株式（以下（5）において「承継譲渡制限付株式」という。）に係る旧株が金融商品取引所に上場されている場合　当該旧株の最終の価格を基準として当該承継譲渡制限付株式につき合理的に計算した価額

⑶　⑴の特定譲渡制限付株式等及び⑵の旧株が金融商品取引所に上場されていない場合において、当該特定譲渡制限付株式等又は当該旧株につき気配相場の価格があるとき　⑴又は⑵の最終の価格を気配相場の価格と読み替えて⑴又は⑵により求めた価額

⑷　⑴から⑶までに掲げる場合以外の場合　次に掲げる区分に応じ、それぞれ次に定める価額

イ　売買実例のあるもの　最近において売買の行われたもののうち適正と認められる価額

ロ　公開途上にある特定譲渡制限付株式等で、当該特定譲渡制限付株式等の上場又は登録に際して特定譲渡制限付株式等の公募又は売出し（以下（5）において「公募等」という。）が行われるもの（イに該当するものを除く。）　金融商品取引所又は日本証券業協会の内規によって行われるブックビルディング方式又は競争入札方式のいずれかの方式により決定される公募等の価格等を参酌して通常取引されると認められる価額

(注)　公開途上にある株式とは、金融商品取引所が株式の上場を承認したことを明らかにした日から上場の日の前日までのその株式及び日本証券業協会が株式を登録銘柄として登録することを明らかにした日から登録の日の前日までのその株式をいう。

ハ　売買実例のないもので交付法人と事業の種類、規模、収益の状況等が類似する他の法人の株式の価額があるもの　当該価額に比準して推定した価額

ニ　イからハまでに該当しないもの　譲渡制限が解除された日又は同日に最も近い日におけるその特定譲渡制限付株式等の交付法人の1株又は1口当たりの純資産価額等を参酌して通常取引されると認められる価額

②　①に規定する譲渡制限付株式の範囲

①に規定する譲渡制限付株式とは、次の(一)及び(二)に掲げる要件に該当する株式（出資、投資信託及び投資法人に関する法律第2条第14項《定義》に規定する投資口その他これらに準ずるものを含む。以下①～③において同じ。）をいう。(令84②)

(一)	譲渡についての制限がされており、かつ、当該譲渡についての制限に係る期間（(二)において「譲渡制限期間」という。）が設けられていること。
(二)	①の個人から役務の提供を受ける法人又はその株式を発行し、若しくは①の個人に交付した法人がその株式を無償で取得することとなる事由（その株式の交付を受けた①の個人が譲渡制限期間内の所定の期間勤務を継続しないこと若しくは当該個人の勤務実績が良好でないことその他の当該個人の勤務の状況に基づく事由又はこれらの法人の業績があらかじめ定めた基準に達しないことその他のこれらの法人の業績その他の指標の状況に基づく事由に限る。）が定められていること。

③　株式等を取得する権利の価額

発行法人から次の(一)から(三)までに掲げる権利で当該権利の譲渡についての制限その他特別の条件が付されているものを与えられた場合（株主等として与えられた場合（当該発行法人の他の株主等に損害を及ぼすおそれがないと認められる場合に限る。）を除く。）における当該権利に係る**2**の価額は、当該権利の行使により取得した株式のその行使の日（(三)に掲げる権利にあっては、当該権利に基づく払込み又は給付の期日（払込み又は給付の期間の定めがある場合には、当該払込み又は給付をした日））における価額から次の(一)から(三)までに掲げる権利の区分に応じ当該(一)から(三)までに定める金額を控除した金額による。（令84③）

(一)	会社法の施行に伴う関係法律の整備等に関する法律第64条《商法の一部改正》の規定による改正前の商法第280条ノ21第１項《新株予約権の有利発行の決議》の決議に基づき発行された同項に規定する新株予約権　当該新株予約権の行使に係る当該新株予約権の取得価額にその行使に際し払い込むべき額を加算した金額
(二)	会社法第238条第２項《募集事項の決定》の決議（同法第239条第１項《募集事項の決定の委任》の決議による委任に基づく同項に規定する募集事項の決定及び同法第240条第１項《公開会社における募集事項の決定の特則》の規定による取締役会の決議を含む。）に基づき発行された新株予約権（当該新株予約権を引き受ける者に特に有利な条件若しくは金額であることとされるもの又は役務の提供その他の行為による対価の全部若しくは一部であることとされるものに限る。）　当該新株予約権の行使に係る当該新株予約権の取得価額にその行使に際し払い込むべき額を加算した金額
(三)	株式と引換えに払い込むべき額が有利な金額である場合における当該株式を取得する権利（(一)及び(二)に掲げるものを除く。）　当該権利の行使に係る当該権利の取得価額にその行使に際し払い込むべき額を加算した金額

（株式等を取得する権利を与えられた場合の所得区分）

（1）　発行法人から③(一)から同(三)までに掲げる権利を与えられた場合（③の規定の適用を受ける場合に限る。）の当該権利の行使による株式（これに準ずるものを含む。以下(4)までにおいて同じ。）の取得に係る所得区分は、次に掲げる場合に応じ、それぞれ次による。（基通23～35共－6）

(一)　③(一)又は同(二)に掲げる権利を与えられた者がこれを行使した場合　　発行法人（外国法人を含む。）と当該権利を与えられた者との関係等に応じ、それぞれ次による。

イ　発行法人と権利を与えられた者との間の雇用契約又はこれに類する関係に基因して当該権利が与えられたと認められるとき　　給与所得とする。ただし、退職後に当該権利の行使が行われた場合において、例えば、権利付与後短期間のうちに退職を予定している者に付与され、かつ、退職後長期間にわたって生じた株式の値上り益に相当するものが主として供与されているなど、主として職務の遂行に関連を有しない利益が供与されていると認められるときは、雑所得とする。

（注）　例えば、第四章第五節**四１**①《特定の取締役等が受ける新株予約権の行使による株式の取得に係る経済的利益の非課税等》に規定する「取締役等」の関係については、雇用契約又はこれに類する関係に該当することに留意する。

ロ　権利を与えられた者の営む業務に関連して当該権利が与えられたと認められるとき　　事業所得又は雑所得とする。

（注）　例えば、第四章第五節**四１**①に規定する「特定従事者」にその者の営む業務に関連して同①に規定する特定新株予約権が与えられた場合（雇用契約又はこれに類する関係にない場合に限る。）において同①の適用がないときは、上記に該当することに留意する。

ハ　イ及びロ以外のとき　　原則として雑所得とする。

(二)　③(三)に掲げる権利を与えられた者がこれを行使した場合　　一時所得とする。ただし、当該発行法人の役員又は使用人に対しその地位又は職務等に関連して株式を取得する権利が与えられたと認められるときは給与所得とし、これらの者の退職に基因して当該株式を取得する権利が与えられたと認められるときは退職所得とする。

（株式と引換えに払い込むべき額が有利な金額である場合）

（2）　③(五)に規定する「株式と引換えに払い込むべき額が有利な金額である場合」とは、その株式と引換えに払い込むべき額を決定する日の現況におけるその発行法人の株式の価額に比して社会通念上相当と認められる価額を下る金額である場合をいうものとする。（基通23～35共－7）

（注）1　社会通念上相当と認められる金額を下る金額であるかどうかは、当該株式の価額と当該株式と引換えに払い込むべき額との差額が当該株式の価額のおおむね10％相当額以上であるかどうかにより判定する。

2　株式と引換えに払い込むべき額を決定する日の現況における株式の価額とは、決定日の価額のみをいうのではなく、決定日前1月間の平均株価等、当該株式と引換えに払い込むべき額を決定するための基礎として相当と認められる価額をいう。

（株主等として与えられた場合）

（3）　③に規定する「株主等として与えられた場合（当該発行法人の他の株主等に損害を及ぼすおそれがないと認められる場合に限る。）」とは、③に規定する権利が株主等のその有する株式の内容及び数に応じて平等に与えられ、かつ、その株主等とその内容の異なる株式を有する株主等との間においても経済的な衡平が維持される場合をいうことに留意する。（基通23～35共－８）

（注）　例えば、他の株主等に損害を及ぼすおそれがないと認められる場合に該当するか否かの判定については、新株予約権無償割当てにつき会社法第322条の種類株主総会の決議があったか否かのみをもって判定するのではなく、その発行法人の各種類の株式の内容、当該新株予約権無償割当ての状況などを総合的に勘案して判断する必要があることに留意する。

（③本文の株式の価額）

（4）　③(一)及び同(二)に掲げる権利の行使の日又は同(三)に掲げる権利に基づく払込み若しくは給付の期日（払込み又は給付の期間の定めがある場合には、当該払込み又は給付をした日。以下（4）において「権利行使日等」という。）における③本文の株式の価額は、次に掲げる場合に応じ、それぞれ次による。（基通23～35共－９）

⑴　これらの権利の行使により取得する株式が金融商品取引所に上場されている場合　　当該株式につき金融商品取引法第130条の規定により公表された最終の価格（同日に最終の価格がない場合には、同日前の同日に最も近い日における最終の価格とし、２以上の金融商品取引所に同一の区分に属する最終の価格がある場合には、当該価格が最も高い金融商品取引所の価格とする。以下（4）において同じ。）とする。

⑵　これらの権利の行使により取得する株式に係る旧株が金融商品取引所に上場されている場合において、当該株式が上場されていないとき　　当該旧株の最終の価格を基準として当該株式につき合理的に計算した価額とする。

⑶　⑴の株式及び⑵の旧株が金融商品取引所に上場されていない場合において、当該株式又は当該旧株につき気配相場の価格があるとき　　⑴又は⑵の最終の価格を気配相場の価格と読み替えて⑴又は⑵により求めた価額とする。

⑷　⑴から⑶までに掲げる場合以外の場合　　次に掲げる区分に応じ、それぞれ次に定める価額とする。

イ　売買実例のあるもの　　最近において売買の行われたもののうち適正と認められる価額

（注）　その株式の発行法人が、会社法第108条第１項《異なる種類の株式》に掲げる事項について内容の異なる種類の株式（以下「種類株式」という。）を発行している場合には、株式の種類ごとに売買実例の有無を判定することに留意する。

ロ　公開途上にある株式で、当該株式の上場又は登録に際して株式の公募又は売出し（以下（4）において「公募等」という。）が行われるもの（イに該当するものを除く。）　　金融商品取引所又は日本証券業協会の内規によって行われるブックビルディング方式又は競争入札方式のいずれかの方式により決定される公募等の価格等を参酌して通常取引されると認められる価額

（注）　公開途上にある株式とは、金融商品取引所が株式の上場を承認したことを明らかにした日から上場の日の前日までのその株式及び日本証券業協会が株式を登録銘柄として登録することを明らかにした日から登録の日の前日までのその株式をいう。

ハ　売買実例のないものでその株式の発行法人と事業の種類、規模、収益の状況等が類似する他の法人の株式の価額があるもの　　当該価額に比準して推定した価額

ニ　イからハまでに該当しないもの　　権利行使日等又は権利行使日等に最も近い日におけるその株式の発行法人の１株又は１口当たりの純資産価額等を参酌して通常取引されると認められる価額

（注）１　上記ニの価額について、次によることを条件に、昭和39年４月25日付直資56・直審（資）17「財産評価基本通達」（法令解釈通達）（以下「財産評価基本通達」という。）の178から189－７まで《取引相場のない株式の評価》の例により算定している場合には、著しく不適当と認められるときを除き、その算定した価額として差し支えない。

⑴　当該株式の価額につき財産評価基本通達179の例により算定する場合（同通達189－３の⑴において同通達179に準じて算定する場合を含む。）において、当該株式を取得した者が発行法人にとって同通達188の⑵に定める「中心的な同族株主」に該当するときは、発行法人は常に同通達178に定める「小会社」に該当するものとしてその例によること。

⑵　その株式の発行法人が土地（土地の上に存する権利を含む。）又は金融商品取引所に上場されている有価証券を有しているときは、財産評価基本通達185に定める「１株当たりの純資産価額（相続税評価額によって計算した金額）」の計算に当たり、これらの資産については、権利行使日等における価額によること。

⑶　財産評価基本通達185の本文に定める「１株当たりの純資産価額（相続税評価額によって計算した金額）」の計算に当たり、同通達186－２により計算した評価差額に対する法人税額等に相当する金額は控除しないこと。

２　その株式の発行法人が、種類株式を発行している場合には、その内容を勘案して当該株式の価額を算定することに留意する。

（注）　この取扱いは、令第354条第２項《新株予約権の行使に関する調書》に規定する「当該新株予約権を発行又は割当てをした株式会社の株式の１株当たりの価額」について準用する。

④　法人等の資産の専属的利用による経済的利益の額

法人又は個人の事業の用に供する資産を専属的に利用することにより個人が受ける経済的利益の額は、その資産の利用につき通常支払うべき使用料その他その利用の対価に相当する額（その利用者がその利用の対価として支出する金額があ

るときは、これを控除した額）とする。（令84の２）

３　経済的利益

１のかっこ書に規定する「金銭以外の物又は権利その他経済的な利益」（以下「**経済的利益**」という。）には、次に掲げるような利益が含まれる。（基通36－15）

(一)　物品その他の資産の譲渡を無償又は低い対価で受けた場合におけるその資産のその時における価額又はその価額とその対価の額との差額に相当する利益

(二)　土地、家屋その他の資産（金銭を除く。）の貸与を無償又は低い対価で受けた場合における通常支払うべき対価の額又はその通常支払うべき対価の額と実際に支払う対価の額との差額に相当する利益

(三)　金銭の貸付け又は提供を無利息又は通常の利率よりも低い利率で受けた場合における通常の利率により計算した利息の額又はその通常の利率により計算した利息の額と実際に支払う利息の額との差額に相当する利益

(四)　(二)及び(三)以外の用役の提供を無償又は低い対価で受けた場合におけるその用役について通常支払うべき対価の額又はその通常支払うべき対価の額と実際に支払う対価の額との差額に相当する利益

(五)　買掛金その他の債務の免除を受けた場合におけるその免除を受けた金額又は自己の債務を他人が負担した場合における当該負担した金額に相当する利益

（広告宣伝用資産の贈与を受けた場合の経済的利益）

（１）　販売業者等が製造業者等から次に掲げるような広告宣伝用の資産（広告宣伝用の看板、ネオンサイン、どん帳のように専ら広告宣伝の用に供されるものを除く。）を無償又はその資産の価額に満たない対価により取得した場合には、その経済的利益の額は、その資産の価額（製造業者等が自己の用に供しないで贈与又は譲渡した資産については、その製造業者等の取得価額）の３分の２に相当する金額から販売業者等がその取得のために支出した金額を控除した金額とし、当該金額（同一の製造業者等から２以上の資産を取得したときは、当該金額の合計額）が30万円以下であるときは、経済的利益の額はないものとする。（基通36－18）

(一)　自動車（自動三輪車及び自動二輪車を含む。）で車体の大部分に一定の色彩を塗装して製造業者等の製品名又は社名を表示し、その広告宣伝を目的としていることが明らかなもの

(二)　陳列棚、陳列ケース、冷蔵庫又は容器で製造業者等の製品名又は社名の広告宣伝を目的としていることが明らかなもの

(三)　展示用モデルハウスのように製造業者等の製品の見本であることが明らかなもの

(注)　広告宣伝用の看板、ネオンサイン、どん帳のように専ら広告宣伝の用に供される資産については、その取得による経済的利益の額はない。

（広告宣伝用資産の取得のために金銭の交付を受けた場合）

（２）　販売業者等が製造業者等から広告宣伝用の資産の取得に充てるため金銭の交付を受けた場合には、上記（１）の取扱いに準ずる。（基通36－19）

（事業の広告宣伝のための賞金を受けた場合の経済的利益の評価）

（３）　所得税法第204条第１項第８号《源泉徴収義務》に規定する広告宣伝のための賞金を受けた場合の経済的利益の額については、令第321条の規定〔金銭以外のものによって賞金の支払を受けた場合はその受けることとなった日において当該金銭以外のものを譲渡するものとした場合にその対価として通常受けるべき価額に相当する金額（当該金銭以外のものと金銭とのいずれかを選択することができる場合には、当該金銭の額）とする〕により評価した金額によって差し支えない。（基通36－20）

（賞品の評価）

（４）　次に掲げる物等に係る（３）に規定する「金銭以外のものを譲渡するものとした場合にその対価として通常受けるべき価額」は、それぞれ次による。（基通205－９）

(一)　公社債、株式又は貸付信託、投資信託若しくは特定受益証券発行信託の受益権　　その受けることとなった日の価額

(二)　商品券　　券面額

(三)　貴石、貴金属、真珠、さんご等若しくはこれらの製品又は書画、骨とう、美術工芸品　　その受けることとなった日の価額

(四)　土地又は建物　　その受けることとなった日の価額

(五)　定期金に関する権利又は信託の受益権　　相続税法第24条若しくは第25条又は昭和39年４月25日付直資56ほか１課共同「財産評価基本通達」の第８章第３節《定期金に関する権利》若しくは同章第５節《信託受益権》に定めるところに準じて評価した価額

(六)　生命保険契約に関する権利　　その受けることとなった日においてその契約を解除したとした場合に支払われることとなる解約返戻金の額（解約返戻金のほかに支払われることとなる前納保険料の金額、剰余金の分配額等がある場合には、これらの金額との合計額）。ただし、その契約に係る保険料でその後に支払うこととなっているものを当該権利の支払者において負担する条件が付されている場合には、その負担することとなっている金額につき(五)に準じて評価した金額を加算した金額

(七)　(一)から(六)までに掲げるもの以外の物　　そのものの通常の小売販売価額（いわゆる現金正価）の60％相当額

（旅行その他の役務の提供と物品とのいずれかを選択できる場合の評価）

（5）　事業の広告宣伝のために賞として支払われるものが旅行その他の役務の提供を内容とするものである場合において、それが物品との選択をすることができることとなっているときは、たとえ旅行その他の役務の提供を受けたためその選択できる物品の支払を受けない場合であっても、その物品の価額をその賞金の額とする。（基通205－11）

（注）　広告宣伝のための賞金として金銭との選択のできない旅行等の役務の提供を受けることによる経済的利益については源泉徴収されない。（令320⑦）

①　給与等に係る経済的利益

（課税しない経済的利益……永年勤続者の記念品等）

（1）　使用者が永年勤続した役員又は使用人の表彰に当たり、その記念として旅行、観劇等に招待し、又は記念品（現物に代えて支給する金銭は含まない。）を支給することにより当該役員又は使用人が受ける利益で、次に掲げる要件のいずれにも該当するものについては、課税しなくて差し支えない。（基通36－21）

(一)　当該利益の額が、当該役員又は使用人の勤続期間等に照らし、社会通念上相当と認められること。

(二)　当該表彰が、おおむね10年以上の勤続年数の者を対象とし、かつ、２回以上表彰を受ける者については、おおむね５年以上の間隔をおいて行われるものであること。

（課税しない経済的利益……創業記念品等）

（2）　使用者が役員又は使用人に対し創業記念、増資記念、工事完成記念又は合併記念等に際し、その記念として支給する記念品（現物に代えて支給する金銭は含まない。）で、次に掲げる要件のいずれにも該当するものについては、課税しなくて差し支えない。ただし、建築業者、造船業者等が請負工事又は造船の完成等に際し支給するものについては、この限りでない。（基通36－22）

(一)　その支給する記念品が社会通念上記念品としてふさわしいものであり、かつ、そのものの価額（処分見込価額により評価した価額）が10,000円以下のものであること。

(二)　創業記念のように一定期間ごとに到来する記念に際し支給する記念品については、創業後相当な期間（おおむね５年以上の期間）ごとに支給するものであること。

（課税しない経済的利益……商品、製品等の値引販売）

（3）　使用者が役員又は使用人に対し自己の取り扱う商品、製品等（有価証券及び食事を除く。）の値引販売をすることにより供与する経済的利益で、次の要件のいずれにも該当する値引販売により供与するものについては、課税しなくて差し支えない。（基通36－23）

(一)　値引販売に係る価額が、使用者の取得価額以上であり、かつ、通常他に販売する価額に比し著しく低い価額（通常他に販売する価額のおおむね70％未満）でないこと。

(二)　値引率が、役員若しくは使用人の全部につき一律に、又はこれらの者の地位、勤続年数等に応じて全体として合理的なバランスが保たれる範囲内の格差を設けて定められていること。

(三)　値引販売をする商品等の数量は、一般の消費者が自己の家事のために通常消費すると認められる程度のものであること。

（注）　食事については、（4）、②（3）及び同（4）参照。

（課税しない経済的利益……残業又は宿日直をした者に支給する食事）

（4）　使用者が、残業又は宿直若しくは日直をした者（その者の通常の勤務時間外における勤務としてこれらの勤務を行った者に限る。）に対し、これらの勤務をすることにより支給する食事については、課税しなくて差し支えない。（基通36－24）

（注）　深夜勤務者に対し、夜食の現物支給に代えて支給する金銭については、１回の深夜勤務につき300円以下のものについては課税しなくて差し支えない。（昭59直所３－８＝893ページの参考通達参照）

（課税しない経済的利益……掘採場勤務者に支給する燃料）

（5）　鉱業を営む使用者が自己の掘採場（これに隣接して設置されている選鉱場、製錬場その他の付属設備を含む。）に勤務する使用人に対し、これらの者の保健衛生のため、社会通念上通常必要な厚生施設の設置に代えて支給すると認められる程度の石炭、薪等の燃料については、課税しなくて差し支えない。（基通36－25）

（課税しない経済的利益……寄宿舎の電気料等）

（6）　使用者が寄宿舎（これに類する施設を含む。以下同じ。）の電気、ガス、水道等の料金を負担することにより、当該寄宿舎に居住する役員又は使用人が受ける経済的利益については、当該料金の額がその寄宿舎に居住するために通常必要であると認められる範囲内のものであり、かつ、各人ごとの使用部分に相当する金額が明らかでない場合に限り、課税しなくて差し支えない。（基通36－26）

（課税しない経済的利益……金銭の無利息貸付け等）

（7）　使用者が役員又は使用人に対し金銭を無利息又は②の(17)により評価した利息相当額に満たない利息で貸し付けたことにより、その貸付けを受けた役員又は使用人が受ける経済的利益で、次に掲げるものについては、課税しなくて差し支えない。（基通36－28）

（一）　災害、疾病等により臨時的に多額な生活資金を要することとなった役員又は使用人に対し、その資金に充てるために貸し付けた金額につき、その返済に要する期間として合理的と認められる期間内に受ける経済的利益

（二）　役員又は使用人に貸し付けた金額につき、使用者における借入金の平均調達金利（例えば、当該使用者が貸付けを行った日の前年中又は前事業年度中における借入金の平均残高に占める当該前年中又は前事業年度中に支払うべき利息の額の割合など合理的に計算された利率をいう。）など合理的と認められる貸付利率を定め、これにより利息を徴している場合に生じる経済的利益

（三）　（一）及び（二）の貸付金以外の貸付金につき受ける経済的利益で、その年（使用者が事業年度を有する法人である場合には、その法人の事業年度）における利益の合計額が5,000円（使用者が事業年度を有する法人である場合において、その事業年度が１年に満たないときは、5,000円にその事業年度の月数（１月未満の端数は１月に切り上げた月数）を乗じて12で除して計算した金額）以下のもの（住宅資金……第四章第五節**四**《給与所得の課税の特例》参照）

（課税しない経済的利益……用役の提供等）

（8）　使用者が役員若しくは使用人に対し自己の営む事業に属する用役を無償若しくは通常の対価の額に満たない対価で提供し、又は役員若しくは使用人の福利厚生のための施設の運営費等を負担することにより、当該用役の提供を受け又は当該施設を利用した役員又は使用人が受ける経済的利益については、当該経済的利益の額が著しく多額であると認められる場合又は役員だけを対象として供与される場合を除き、課税しなくて差し支えない。（基通36－29）

（課税しない経済的利益……使用人等に対し技術の習得等をさせるために支給する金品）

（9）　使用者が自己の業務遂行上の必要に基づき、役員又は使用人に当該役員又は使用人としての職務に直接必要な技術若しくは知識を習得させ、又は免許若しくは資格を取得させるための研修会、講習会等の出席費用又は大学等における聴講費用に充てるものとして支給する金品については、これらの費用として適正なものに限り、課税しなくて差し支えない。（基通36－29の２）

（課税しない経済的利益……使用者が負担するレクリエーションの費用）

(10)　使用者が役員又は使用人のレクリエーションのために社会通念上一般的に行われていると認められる会食、旅行、演芸会、運動会等の行事の費用を負担することにより、これらの行事に参加した役員又は使用人が受ける経済的利益については、使用者が、当該行事に参加しなかった役員又は使用人（使用者の業務の必要に基づき参加できなかった

者を除く。）に対しその参加に代えて金銭を支給する場合又は役員だけを対象として当該行事の費用を負担する場合を除き、課税しなくて差し支えない。（基通36－30）

（注）　上記の行事に参加しなかった者（使用者の業務の必要に基づき参加できなかった者を含む。）に支給する金銭については、給与等として課税することに留意する。

◎所得税基本通達36－30《課税しない経済的利益……使用者が負担するレクリエーション費用》の運用について

……893ページの個別通達参照。（編者注）

（使用者契約の養老保険に係る経済的利益）

(11)　使用者が、自己を契約者とし、役員又は使用人（これらの者の親族を含む。）を被保険者とする養老保険（被保険者の死亡又は生存を保険事故とする生命保険をいい、傷害特約等の特約が付されているものを含むが、(13)に定める定期付養老保険を含まない。以下(15)までにおいて同じ。）に加入してその保険料（第四章第五節《給与所得》**二 1**《確定給付企業年金規約等に基づく掛金等の取扱い》及び同節**二 2**《不適格退職金共済契約等に基づく掛金の取扱い》の規定の適用があるものを除く。以下(11)において同じ。）を支払ったことにより当該役員又は使用人が受ける経済的利益（傷害特約等の特約に係る保険料の額に相当する金額を除く。）については、次に掲げる場合の区分に応じ、それぞれ次により取り扱うものとする。（基通36－31）

(一)　死亡保険金（被保険者が死亡した場合に支払われる保険金をいう。以下(12)までにおいて同じ。）及び生存保険金（被保険者が保険期間の満了の日その他一定の時期に生存している場合に支払われる保険金をいう。以下(11)において同じ。）の受取人が当該使用者である場合　　当該役員又は使用人が受ける経済的利益はないものとする。

(二)　死亡保険金及び生存保険金の受取人が被保険者又はその遺族である場合　　その支払った保険料の額に相当する金額は、当該役員又は使用人に対する給与等とする。

(三)　死亡保険金の受取人が被保険者の遺族で、生存保険金の受取人が当該使用者である場合　　当該役員又は使用人が受ける経済的利益はないものとする。ただし、役員又は特定の使用人（これらの者の親族を含む。）のみを被保険者としている場合には、その支払った保険料額のうち、その２分の１に相当する金額は、当該役員又は使用人に対する給与等とする。

（注）1　傷害特約等の特約に係る保険料を使用者が支払ったことにより役員又は使用人が受ける経済的利益については、(14)参照。

2　上記(三)のただし書については、次によることに留意する。

(一)　保険加入の対象とする役員又は使用人について、加入資格の有無、保険金額等に格差が設けられている場合であっても、それが職種、年齢、勤続年数等に応ずる合理的な基準により、普遍的に設けられた格差であると認められるときは、ただし書を適用しない。

(二)　役員又は使用人の全部又は大部分が同族関係者である法人については、たとえその役員又は使用人の全部を対象として保険に加入する場合であっても、その同族関係者である役員又は使用人については、ただし書を適用する。

（使用者契約の定期保険に係る経済的利益）

(12)　使用者が、自己を契約者とし、役員又は使用人（これらの者の親族を含む。）を被保険者とする定期保険（一定期間内における被保険者の死亡を保険事故とする生命保険をいい、傷害特約等の特約が付されているものを含む。以下(15)までにおいて同じ。）に加入してその保険料を支払ったことにより当該役員又は使用人が受ける経済的利益（傷害特約等の特約に係る保険料の額に相当する金額を除く。）については、次に掲げる場合の区分に応じ、それぞれ次により取り扱うものとする。（基通36－31の２）

(一)　死亡保険金の受取人が当該使用者である場合　　当該役員又は使用人が受ける経済的利益はないものとする。

(二)　死亡保険金の受取人が被保険者の遺族である場合　　当該役員又は使用人が受ける経済的利益はないものとする。ただし、役員又は特定の使用人（これらの者の親族を含む。）のみを被保険者としている場合には、当該保険料の額に相当する金額は、当該役員又は使用人に対する給与等とする。

（注）1　傷害特約等の特約に係る保険料を使用者が支払ったことにより役員又は使用人が受ける経済的利益については、(14)参照。

2　(11)の（注）２の取扱いは、上記(二)のただし書について準用する。

（使用者契約の定期付養老保険に係る経済的利益）

(13)　使用者が、自己を契約者とし、役員又は使用人（これらの者の親族を含む。）を被保険者とする定期付養老保険（養老保険に定期保険を付したものをいう。以下(15)までにおいて同じ。）に加入してその保険料を支払ったことにより当該役員又は使用人が受ける経済的利益（傷害特約等の特約に係る保険料の額に相当する金額を除く。）については、次に掲げる場合の区分に応じ、それぞれ次により取り扱うものとする。（基通36－31の３）

(一)　当該保険料の額が生命保険証券等において養老保険に係る保険料の額と定期保険に係る保険料の額とに区分さ

れている場合　　それぞれの保険料の支払があったものとして、それぞれ(11)又は(12)の例による。

(二)　(一)以外の場合　　(11)の例による。

(注)　傷害特約等の特約に係る保険料を使用者が支払ったことにより役員又は使用人が受ける経済的利益については、(14)参照。

(使用者契約の傷害特約等の特約を付した保険に係る経済的利益)

(14)　使用者が、自己を契約者とし、役員又は使用人（これらの者の親族を含む。）を被保険者とする傷害特約等の特約を付した養老保険、定期保険又は定期付養老保険に加入し、当該特約に係る保険料を支払ったことにより当該役員又は使用人が受ける経済的利益はないものとする。ただし、役員又は特定の使用人（これらの者の親族を含む。）のみを傷害特約等に係る給付金の受取人としている場合には、当該保険料の額に相当する金額は、当該役員又は使用人に対する給与等とする。（基通36－31の４）

(注)　(11)の(注)２の取扱いは、上記ただし書について準用する。

(使用者契約の生命保険契約の転換をした場合)

(15)　使用者がいわゆる契約転換制度によりその加入している養老保険又は定期付養老保険を他の養老保険、定期保険又は定期付養老保険（以下(15)において「**転換後契約**」という。）に転換した場合には、その転換のあった日に転換後契約の責任準備金に充当される部分の金額（(11)から(13)までの取扱いにより、役員又は使用人に対する給与等とされている金額がある場合には当該金額を除く。）に相当する金額の保険料の一時払いをしたものとして、転換後契約の内容に応じて(11)から(13)までの例による。（基通36－31の５）

(生命保険契約に係る取扱いの準用)

(16)　(11)から(15)までの取扱いについては、第八章**五４**(二)に掲げる旧簡易生命保険契約及び同(三)に掲げる生命共済契約等について準用する。（基通36－31の６）

(使用者契約の保険契約等に係る経済的利益)

(17)　使用者が自己を契約者とし、役員又は使用人のために次に掲げる保険契約又は共済契約（当該契約期間の満了に際し満期返戻金、満期共済金等の給付がある場合には、当該給付の受取人を使用者としている契約に限る。）に係る保険料（共済掛金を含む。以下(17)において同じ。）を支払ったことにより当該役員又は使用人が受ける経済的利益については、課税しなくて差し支えない。ただし、役員又は特定の使用人のみを対象として当該保険料を支払うこととしている場合には、その支払った保険料の額（その契約期間の満了に際し満期返戻金、満期共済金等の給付がある場合には、支払った保険料の額から積立保険料に相当する部分の金額を控除した金額）に相当する金額は、当該役員又は使用人に対する給与等とする。（基通36－31の７）

(一)　役員又は使用人（これらの者の親族を含む。）の身体を保険の目的とする第八章**五５**《旧生命保険契約等の範囲》の(四)に掲げる保険契約及び同**６**に規定する介護医療保険契約等

(二)　役員又は使用人（これらの者の親族を含む。）の身体を保険若しくは共済の目的とする損害保険契約又は共済契約

(三)　役員又は使用人に係る第八章**六１**《地震保険料控除》に規定する家屋又は資産（役員又は使用人から賃借している建物等で当該役員又は使用人に使用させているものを含む。）を保険若しくは共済の目的とする損害保険契約又は共済契約

(使用人契約の保険契約等に係る経済的利益)

(18)　使用者が、役員又は使用人が負担すべき次に掲げるような保険料又は掛金を負担する場合には、その負担する金額は、当該役員又は使用人に対する給与等に該当することに留意する。（基通36－31の８）

(一)　役員又は使用人が契約した第八章**五４**に規定する新生命保険契約等、同**５**に規定する旧生命保険契約等及び同**６**に規定する介護医療保険契約等（確定給付企業年金規約及び適格退職年金契約に係るものを除く。(19)において「生命保険契約等」という。）、又は同章**六２**《地震保険料控除の対象となる共済に係る契約の範囲》に規定する損害保険契約等（(19)において「損害保険契約等」という。）に係る保険料又は掛金

(二)　第八章**三**《社会保険料控除》**２**に規定する社会保険料

(三)　第八章**四**《小規模企業共済等掛金控除》**２**に規定する小規模企業共済等掛金

（課税しない経済的利益……使用者が負担する少額な保険料等）

(19)　使用者が役員又は使用人のために次に掲げる保険料又は掛金を負担することにより当該役員又は使用人が受ける経済的利益については、その者につきその月中に負担する金額の合計額が300円以下である場合に限り、課税しなくて差し支えない。ただし、使用者が役員又は特定の使用人（これらの者の親族を含む。）のみを対象として当該保険料又は掛金を負担することにより当該役員又は使用人が受ける経済的利益については、この限りでない。（基通36－32）

(一)　健康保険法、雇用保険法、厚生年金保険法又は船員保険法の規定により役員又は使用人が被保険者として負担すべき保険料

(二)　生命保険契約等又は損害保険契約等に係る保険料又は掛金（(11)から(17)までにより課税されないものを除く。）

（注）　使用者がその月中に負担する金額の合計額が300円以下であるかどうかを判定する場合において、上記の契約のうちに保険料又は掛金の払込みを年払、半年払等により行う契約があるときは、当該契約に係るその月中に負担する金額は、その年払、半年払等による保険料又は掛金の月割額とし、使用者が上記の契約に基づく剰余金又は割戻金の支払を受けたときは、その支払を受けた後に支払った保険料又は掛金の額のうちその支払を受けた剰余金又は割戻金の額に達するまでの金額は、使用者が負担する金額には含まれない。

（使用者が負担する役員又は使用人の行為に基因する損害賠償金等）

(20)　使用者が役員又は使用人の行為に基因する損害賠償金（慰謝料、示談金等他人に与えた損害を補塡するために支出する全てのもの及びこれらに関連する弁護士の報酬等の費用を含む。以下(20)において「損害賠償金」という。）を負担することにより当該役員又は使用人が受ける経済的利益については、次による。（基通36－33）

(一)　その損害賠償金等の基因となった行為が使用者の業務の遂行に関連するものであり、かつ、行為者の故意又は重過失に基づかないものである場合には、その役員又は使用人が受ける経済的利益はないものとする。

(二)　その損害賠償金等の基因となった行為が(一)以外のものである場合には、その負担する金額は、その役員又は使用人に対する給与等とする。ただし、その負担した金額のうちに、その行為者の支払能力等からみてその者に負担させることができないためやむを得ず使用者が負担したと認められる部分の金額がある場合には、当該部分の金額については、(一)の場合に準ずる。

（使用者が負担するゴルフクラブの入会金）

(21)　使用者がゴルフクラブの入会金を負担することにより当該使用者の役員又は使用人が受ける経済的利益については、次に掲げる場合の区分に応じ、それぞれ次による。（基通36－34）

(一)　法人会員として入会した場合　　記名式の法人会員で名義人である特定の役員又は使用人が専ら法人の業務に関係なく利用するため、これらの者が負担すべきものであると認められるときは、その入会金に相当する金額は、当該役員又は使用人に対する給与等とする。

(二)　役員又は使用人が個人会員として入会した場合　　入会金に相当する金額は、当該役員又は使用人に対する給与等とする。ただし、無記名式の法人会員制度がないため役員又は使用人を個人会員として入会させた場合において、その入会が法人の業務の遂行上必要であると認められ、かつ、その入会金を法人が資産に計上したときは、当該役員又は使用人が受ける経済的利益はないものとする。

（注）　この入会金は、ゴルフクラブに入会するために支出する費用であるから、他人の有する会員権を購入した場合には、その購入代価のほか他人の名義を変更するためにゴルフクラブに支出する費用も含まれる。

（使用者が負担するゴルフクラブの年会費等）

(22)　使用者がゴルフクラブの年会費その他の費用を負担することにより当該使用者の役員又は使用人が受ける経済的利益については、次による。（基通36－34の２）

(一)　使用者がゴルフクラブの年会費、年決めロッカー料その他の費用（その名義人を変更するために支出する名義書換料を含み、プレーをする場合に直接要する費用を除く。）を負担する場合には、その入会金が法人の資産として計上されているときは、当該役員又は使用人が受ける経済的利益はないものとし、その入会金が(21)により給与等とされているときは、その負担する金額は、当該役員又は使用人に対する給与等とする。

(二)　使用者が、プレーをする場合に直接要する費用を負担する場合には、その負担する金額は、そのプレーをする役員又は使用人に対する給与等とする。ただし、その費用が使用者の業務の遂行上必要なものであると認められるときは、当該役員又は使用人が受ける経済的利益はないものとする。

（使用者が負担するレジャークラブの入会金等）

(23)　使用者がレジャークラブ（宿泊施設、体育施設その他のレジャー施設を会員に利用させることを目的とするクラ

ブでゴルフクラブ以外のものをいう。）の入会金、年会費その他の費用を負担することにより当該使用者の役員又は使用人が受ける経済的利益については、次による。（基通36－34の３）

(一)　使用者が入会金を負担する場合には、(21)の例による。

(二)　使用者が年会費その他の費用（レジャークラブの利用に応じて支払われる費用を除く。）を負担する場合には、(22)の(一)の例による。

(三)　使用者がレジャークラブの利用に応じて支払われる費用を負担する場合において、その費用が特定の役員又は使用人が負担すべきものであると認められるときは、その負担する金額は、当該役員又は使用人に対する給与等とする。

（使用者が負担する社交団体の入会金等）

(24)　使用者が社交団体（ゴルフクラブ、レジャークラブ、ロータリークラブ及びライオンズクラブを除く。）の入会金、会費その他の費用を負担することにより当該使用者の役員又は使用人が受ける経済的利益については、次による。（基通36－35）

(一)　個人会員として入会した役員又は使用人に係る入会金及び経常会費を負担する場合には、その負担する金額は、当該役員又は使用人に対する給与等とする。ただし、法人会員制度がないため役員又は使用人を個人会員として入会させた場合において、その入会が法人の業務の遂行上必要であると認められるときは、この限りでない。

(二)　経常会費以外の費用を負担する場合には、その費用が使用者の業務の遂行上必要なものであると認められるときは、当該役員又は使用人が受ける経済的利益はないものとし、その費用が特定の役員又は使用人の負担すべきものであると認められるときは、その負担する金額は、当該役員又は使用人に対する給与等とする。

（使用者が負担するロータリークラブ及びライオンズクラブの入会金等）

(25)　使用者がロータリークラブ又はライオンズクラブに対する入会金、会費その他の費用を負担することにより当該使用者の役員又は使用人が受ける経済的利益については、次に掲げる場合の区分に応じ、それぞれ次による。（基通36－35の２）

(一)　入会金又は経常会費を負担する場合　　当該役員又は使用人が受ける経済的利益はないものとする。

(二)　経常会費以外の費用を負担する場合　　当該役員又は使用人が受ける経済的利益はないものとする。ただし、その費用が会員である特定の役員又は使用人の負担すべきものであると認められるときは、その負担する金額は、当該役員又は使用人に対する給与等とする。

②　給与等とされる経済的利益の評価

（有価証券の評価）

（1）　使用者が役員又は使用人に対して支給する有価証券（**2**③(一)から同(五)までに掲げる権利で同③の規定の適用を受けるもの及び株主等として発行法人から与えられた株式（これに準ずるものを含む。）を取得する権利を除く。）については、その支給時の価額により評価する。この場合における支給時の価額については、**2**③（4）《株式等を取得する権利の価額》及び昭和39年４月25日付直資56ほか１課共同「財産評価基本通達」の第８章第２節《公社債》の取扱いに準じて評価する。（基通36－36）

（保険契約等に関する権利の評価）

（2）　使用者が役員又は使用人に対して生命保険契約若しくは損害保険契約又はこれらに類する共済契約（以下「保険契約等」という。）に関する権利を支給した場合には、その支給時において当該保険契約等を解除したとした場合に支払われることとなる解約返戻金の額（解約返戻金のほかに支払われることとなる前納保険料の金額、剰余金の分配額等がある場合には、これらの金額との合計額。以下「支給時解約返戻金の額」という。）により評価する。

ただし、次の保険契約等に関する権利を支給した場合には、それぞれ次のとおり評価する。（基通36－37）

(一)　支給時解約返戻金の額が支給時資産計上額の70％に相当する金額未満である保険契約等に関する権利（法人税基本通達９－３－５の２の取扱いの適用を受けるものに限る。）を支給した場合には、当該支給時資産計上額により評価する。

(二)　復旧することのできる払済保険その他これに類する保険契約等に関する権利（元の契約が法人税基本通達９－３－５の２の取扱いの適用を受けるものに限る。）を支給した場合には、支給時資産計上額に法人税基本通達９－３－７の２の取扱いにより使用者が損金に算入した金額を加算した金額により評価する。

（注）「支給時資産計上額」とは、使用者が支払った保険料の額のうち当該保険契約等に関する権利の支給時の直前において前払部分の保険料として法人税基本通達の取扱いにより資産に計上すべき金額をいい、預け金等で処理した前納保険料の金額、未収の剰余金の分配額等がある場合には、これらの金額を加算した金額をいう。

（食事の評価）

（３）　使用者が役員又は使用人に対し支給する食事については、次に掲げる区分に応じ、それぞれ次に掲げる金額により評価する。（基通36－38）

（一）　使用者が調理して支給する食事　　その食事の材料等に要する直接費の額に相当する金額

（二）　使用者が購入して支給する食事　　その食事の購入価額に相当する金額

（食事の支給による経済的利益はないものとする場合）

（４）　使用者が役員又は使用人に対して支給した食事（①（４）の食事を除く。）につき当該役員又は使用人から実際に徴収している対価の額が、（３）により評価した当該食事の価額の50％相当額以上である場合には、当該役員又は使用人が食事の支給により受ける経済的利益はないものとする。ただし、当該食事の価額からその実際に徴収している対価の額を控除した残額が月額3,500円を超えるときは、この限りでない。（基通36－38の２）

（商品、製品等の評価）

（５）　使用者が役員又は使用人に対して支給する商品、製品等（有価証券及び食事を除く。）の物については、その支給時における次に掲げる価額により評価する。（基通36－39）

（一）　当該物が使用者において通常他に販売するものである場合には、当該使用者の通常の販売価額

（二）　当該物が使用者において通常他に販売するものでない場合には、当該物の通常売買される価額。ただし、当該物が、役員又は使用人に支給するため使用者が購入したものであり、かつ、その購入時からその支給時までの間にその価額にさして変動がないものであるときは、その購入価額によることができる。

（役員に貸与した住宅等に係る通常の賃貸料の額の計算）

（６）　使用者（国、地方公共団体その他これらに準ずる法人（以下(12)において「公共法人等」という。）を除く。以下(11)までにおいて同じ。）がその役員に対して貸与した住宅等（当該役員の居住の用に供する家屋又はその敷地の用に供する土地若しくは土地の上に存する権利をいう。以下(11)までにおいて同じ。）に係る通常の賃貸料の額（月額をいう。以下(16)までにおいて同じ。）は、次に掲げる算式により計算した金額（使用者が他から借り受けて貸与した住宅等で当該使用者の支払う賃借料の額の50％に相当する金額が当該算式により計算した金額を超えるものについては、その50％に相当する金額）とする。ただし、（７）に定める住宅等については、この限りでない。（基通36－40）

$$\left\{\text{その年度の家屋の固定資産税の課税標準額}\times 12\%\left(\begin{array}{l}\text{木造家屋以外}\\\text{の家屋につい}\\\text{ては}10\%\end{array}\right)+\text{その年度の敷地の固定資産税の課税標準額}\times 6\%\right\}\times\frac{1}{12}$$

（注）「敷地の固定資産税の課税標準額」は、固定資産税の負担調整措置により実際に税額計算の基礎とされた課税標準額をいう。（７）において同じ。（編者注）

（注）１　家屋だけ又は敷地だけを貸与した場合には、その家屋だけ又は敷地だけについて上記の取扱いを適用する。

２　上記の算式中「木造家屋以外の家屋」とは、耐用年数省令別表第１に規定する耐用年数が30年を超える住宅用の建物をいい、木造家屋とは、当該耐用年数が30年以下の住宅用の建物をいう。（以下（７）において同じ。）

（小規模住宅等に係る通常の賃貸料の額の計算）

（７）　（６）の住宅等のうち、その貸与した家屋の床面積（２以上の世帯を収容する構造の家屋については、１世帯として使用する部分の床面積。以下（７）において同じ。）が132平方メートル（木造家屋以外の家屋については99平方メートル）以下であるものに係る通常の賃貸料の額は、（６）にかかわらず、次に掲げる算式により計算した金額とする。（基通36－41）

$$\text{その年度の家屋の固定資産税の課税標準額}\times 0.2\%+12\text{円}\times\frac{\text{当該家屋の総床面積（m}^2\text{）}}{3.3\text{（m}^2\text{）}}+\text{その年度の敷地の固定資産税の課税標準額}\times 0.22\%$$

（注）　敷地だけを貸与した場合には、この取扱いは適用しないことに留意する。

（使用者が役員に貸与した住宅等に係る通常の賃貸料の額の計算に当たっての取扱い）

（８）　使用者（国、地方公共団体その他これらに準ずる法人を除く。）がその役員に対して貸与した住宅等（当該役員の居住の用に供する家屋又はその敷地の用に供する土地若しくは土地の上に存する権利をいう。以下同じ。）のうち、家屋の床面積（公的使用に充てられる部分がある場合の当該部分を除く。以下同じ。）が240平方メートルを超えるものについては、当該住宅等の取得価額、支払賃貸料の額、内外装その他の設備の状況等を総合勘案して当該住宅等が社会通念上一般に貸与されているものかどうかを判定する。（平７課所４－４）

当該住宅等が社会通念上一般に貸与されている住宅等と認められない場合の通常の賃貸料の額の計算に当たっては、(６)又は(７)に掲げる算式は適用しないものとする。

(注) 1　社会通念上一般に貸与されている住宅等と認められない場合の通常の賃貸料の額は、**2**の③《法人等の資産の専属的利用による経済的利益の額》の規定が適用されることに留意する。

2　一般に貸与されている住宅等に設置されていないプール等のような設備若しくは施設又は役員個人の嗜好等を著しく反映した設備若しくは施設を有する住宅等については、家屋の床面積が240平方メートル以下であっても、社会通念上一般に貸与されている住宅等に該当しないものとする。

3　家屋の床面積が240平方メートルを超えていることのみをもって、社会通念上一般に貸与されている住宅等と認められないものとして取り扱うことのないよう留意する。

（通常の賃貸料の額の計算に関する細目）

（９）　(６)又は(７)により通常の賃貸料の額を計算するに当たり、次に掲げる場合には、それぞれ次による。（基通36－42）

(一)　例えば、その貸与した家屋が１棟の建物の一部である場合又はその貸与した敷地が１筆の土地の一部である場合のように、固定資産税の課税標準額がその貸与した家屋又は敷地以外の部分を含めて決定されている場合　　当該課税標準額（(７)により計算する場合にあっては、当該課税標準額及び当該建物の全部の床面積）を基として求めた通常の賃貸料の額をその建物又は土地の状況に応じて合理的にあん分するなどにより、その貸与した家屋又は敷地に対応する通常の賃貸料の額を計算する。

(二)　その住宅等の固定資産税の課税標準額が改訂された場合　　その改訂後の課税標準額に係る固定資産税の第１期の納期限の属する月の翌月分から、その改訂後の課税標準額を基として計算する。

(三)　その住宅等が年の中途で新築された家屋のように固定資産税の課税標準額が定められていないものである場合　　当該住宅等と状況の類似する住宅等に係る固定資産税の課税標準額に比準する価額を基として計算する。

(四)　その住宅等が月の中途で役員の居住の用に供されたものである場合　　その居住の用に供された日の属する月の翌月分から、役員に対して貸与した住宅等としての通常の賃貸料の額を計算する。

（通常の賃貸料の額の計算の特例）

(10)　(６)又は(７)により通常の賃貸料の額を計算する場合において、その住宅等が次に掲げるものに該当するときは、その使用の状況を考慮して通常の賃貸料の額を定めるものとする。この場合において、使用者が当該住宅等につきそれぞれ次に掲げる金額をその賃貸料の額として徴収しているときは、その徴収している金額を当該住宅等に係る通常の賃貸料の額として差し支えない。（基通36－43）

(一)　公的使用に充てられる部分がある住宅等　　(６)又は(７)により計算した通常の賃貸料の額の70%以上に相当する金額

(二)　単身赴任者のような者が一部を使用しているにすぎない住宅等　　次の算式により計算した金額以上の金額

$$\text{当該住宅等につき(６)又は(７)により計算した通常の賃貸料の額} \times \frac{50\ (\text{㎡})}{\text{当該家屋の総床面積}\ (\text{㎡})}$$

（住宅等の貸与による経済的利益の有無の判定上のプール計算）

(11)　使用者が住宅等を貸与した全ての役員（第二章第三節**三 3**《非課税とされる職務上必要な給付》の表内④《強制居住者等》に規定する者を除く。以下同じ。）からその貸与した住宅等の状況に応じてバランスのとれた賃貸料を徴収している場合において、その徴収している賃貸料の額の合計額が役員に貸与した全ての住宅等につき(６)から(10)までにより計算した通常の賃貸料の額の合計額以上であるときは、これらの全ての役員につき住宅等の貸与による経済的利益はないものとする。（基通36－44）

（使用人に貸与した住宅等に係る通常の賃貸料の額の計算）

(12)　使用者が使用人（公共法人等の役員を含む。以下(16)までにおいて同じ。）に対して貸与した住宅等（当該使用人の居住の用に供する家屋又はその敷地の用に供する土地若しくは土地の上に存する権利をいう。以下(16)までにおいて同じ。）に係る通常の賃貸料の額は、（７）に掲げる算式により計算した金額とする。この場合において、その計算に関する細目については、(14)に該当する場合を除き、（９）の取扱いに準ずるものとする。（基通36－45）

（無償返還の届出がある場合の通常の賃貸料の額）

(13)　使用者が役員等に対しこれらの者の居住の用に供する家屋の敷地を貸与した場合において、法人税基本通達13－１－７の規定により当該敷地を将来当該役員等が無償で返還することとしているときは、その土地に係る通常の賃貸料の額は、（６）、（７）、(10)及び(12)にかかわらず、法人税基本通達13－１－２に定める相当の地代の額とする。（基通36－45の２）

（通常の賃貸料の額の改算を要しない場合）

(14)　使用者が使用人に対して貸与した住宅等の固定資産税の課税標準額が改訂された場合であっても、その改訂後の課税標準額が現に通常の賃貸料の額の計算の基礎となっている課税標準額に比し20％以内の増減にとどまるときは、現にその計算の基礎となっている課税標準額を基として(12)の取扱いを適用して差し支えない。この場合において、使用者が徴収している賃貸料の額が(16)に該当するものであるときは、使用人（第二章第三節**三３**《非課税とされる職務上必要な給付》の表内④《強制居住者》に規定する者を除く。以下(16)までにおいて同じ。）に貸与した全ての住宅等を一括して、又は１か所若しくは数か所の事業所等ごとの区分により、20％以内であるかどうかを判定して差し支えない。（基通36－46）

（徴収している賃貸料の額が通常の賃貸料の額の50％相当額以上である場合）

(15)　使用者が使用人に対して貸与した住宅等につき当該使用人から実際に徴収している賃貸料の額が、当該住宅等につき(12)により計算した通常の賃貸料の額の50％相当額以上である場合には、当該使用人が住宅等の貸与により受ける経済的利益はないものとする。（基通36－47）

（住宅等の貸与による経済的利益の有無の判定上のプール計算）

(16)　使用者が住宅等を貸与した全ての使用人から、その貸与した住宅等の状況に応じてバランスのとれた賃貸料を徴収している場合において、その徴収している賃貸料の額の合計額が使用人に貸与した全ての住宅等につき(12)により計算した通常の賃貸料の額の合計額の50％相当額以上であるときは、これらの全ての使用人につき住宅等の貸与による経済的利益はないものとする。この場合において、使用人に貸与した全ての住宅等につき一括してこれらの合計額を計算することが困難であるときは、１か所又は数か所の事業所等ごとにその所属する住宅等の全部を基として計算して差し支えない。（基通36－48）

（利息相当額の評価）

(17)　使用者が役員又は使用人に貸し付けた金銭の利息相当額については、当該金銭が使用者において他から借り入れて貸し付けたものであることが明らかな場合には、その借入金の利率により、その他の場合には、貸付けを行った日の属する年の第十章第四節**一３**（注）２《利子税の割合の特例》に規定する利子税特例基準割合による利率により評価する。（基通36－49）

（用役の評価）

(18)　使用者が役員又は使用人に提供した用役については、当該用役につき通常支払われるべき対価の額により評価する。ただし、①の（９）に定める行事に参加した役員又は使用人が受ける経済的利益で、その行事に参加しなかった役員又は使用人（使用者の業務の必要に基づき参加できなかった者を除く。以下同じ。）に対してその参加に代えて金銭が支給される場合に受けるものについては、その参加しなかった役員又は使用人に支給される金銭の額に相当する額とする。（基通36－50）

4　収入金額の収入すべき時期

（利子所得の収入金額の収入すべき時期）

（１）　利子所得の収入金額の収入すべき時期は、**５**《無記名の公社債の利子等の収入金額》に規定するものを除き、それぞれ次に掲げる日によるものとする。（基通36－２）

(一)　定期預金（貯金及び労働基準法第18条又は船員法第34条の規定により管理される労働者又は船員の貯蓄金でこれに類するものを含む。）の利子については、次に掲げる日

イ　その契約により定められた預入期間（以下この(一)において「契約期間」という。）の満了後に支払を受ける利子で、その契約期間が満了するまでの期間に係るものについてはその満了の日、その契約期間が満了した後の期間に係るものについてはその支払を受けた日

ロ　契約期間の満了前に既経過期間に対応して支払又は元本に繰り入れる旨の特約のある利子については、その特約により支払を受けることとなり又は元本に繰り入れられる日

ハ　契約期間の満了前に解約された預金の利子については、その解約の日

(二)　普通預金又は貯蓄預金（(一)のかっこ書に掲げる貯蓄金でこれらに類するものを含む。）の利子については、その約定により支払を受けることとなり又は元本に繰り入れられる日。ただし、その利子計算期間の中途で解約された預金の利子については、その解約の日

(三)　通知預金（(一)のかっこ書に掲げる貯蓄金でこれに類するものを含む。）の利子については、その払出しの日

(四)　合同運用信託、公社債投資信託又は公募公社債等運用投資信託の収益の分配のうち、信託期間中のものについては収益計算期間の満了の日、信託の終了又は解約（一部の解約を含む。）によるものについてはその終了又は解約の日

(五)　公社債の利子については、その利子につき支払開始日と定められた日

（配当所得の収入金額の収入すべき時期）

(2)　配当所得の収入金額の収入すべき時期は、**5**《無記名の公社債の利子等の収入金額》に規定するものを除き、それぞれ次に掲げる日によるものとする。（基通36－4）

(一)　第四章第二節**一**に規定する剰余金の配当、利益の配当、剰余金の分配、金銭の分配又は基金利息（以下(2)において「剰余金の配当等」という。）については、当該剰余金の配当等について定めたその効力を生ずる日。ただし、その効力を生ずる日を定めていない場合には、当該剰余金の配当等を行う法人の社員総会その他正当な権限を有する機関の決議があった日。

また、資産の流動化に関する法律第115条第1項《中間配当》の規定による金銭の分配に係る取締役の決定において、特にその決定の効力発生日（同項に規定する一定の日から3か月内に到来する日に限る。）を定めた場合には、当該効力発生日

(二)　第二章第四節**2**(2)の投資信託（公社債投資信託及び公募公社債等運用投資信託を除く。）の収益の分配のうち、信託期間中のものについては収益計算期間の満了の日、信託の終了又は解約（一部の解約を含む。）によるものについてはその終了又は解約の日

(三)　第四章第二節**二 1**《配当等の額とみなす金額》の規定により配当等とみなされる金額については、それぞれ次に掲げる日

イ　同**1**(一)に掲げる合併によるものについては、その契約において定めたその効力を生ずる日。ただし、新設合併の場合は、新設合併設立会社の設立登記の日

なお、これらの日前に金銭等が交付される場合には、その交付の日

ロ　同**1**(二)に掲げる分割型分割によるものについては、その契約において定めたその効力を生ずる日。ただし、新設分割の場合は、新設分割設立会社の設立登記の日

なお、これらの日前に金銭等が交付される場合には、その交付の日

ハ　同**1**(三)に掲げる株式分配によるものについては、当該株式分配について定めたその効力を生ずる日。ただし、その効力を生ずる日を定めていない場合には、当該株式分配を行う法人の社員総会その他正当な権限を有する機関の決議があった日。

ニ　同**1**(四)に掲げる資本の払戻しによるものについては、資本の払戻しに係る剰余金の配当又は同節**一**に規定する出資等減少分配がその効力を生ずる日

ホ　第四章第二節**二 1**(四)に掲げる解散による残余財産の分配によるものについては、その分配開始の日。ただし、その分配が数回に分割して行われる場合には、それぞれの分配開始の日

ヘ　同**1**(五)に掲げる自己の株式又は出資の取得によるものについては、その法人の取得の日

ト　同**1**(六)に掲げる出資の消却、出資の払戻し、社員その他の出資者の退社若しくは脱退による持分の払戻し又は株式若しくは出資を法人が取得することなく消滅させることによるものについては、これらの事実があった日

チ　同**1**(七)に掲げる組織変更によるものについては、組織変更計画において定めたその効力を生ずる日。ただし、効力を生ずる日前に金銭等が交付される場合には、その交付の日

(四)　いわゆる認定配当とされるもので、その支払をすべき日があらかじめ定められているものについてはその定められた日、その日が定められていないものについては現実にその交付を受けた日（その日が明らかでない場合には、その交付が行われたと認められる事業年度の終了の日）

（不動産所得の総収入金額の収入すべき時期）

（3）　不動産所得の総収入金額の収入すべき時期は、別段の定めのある場合を除き、それぞれ次に掲げる日によるものとする。（基通36－5）

(一)　契約又は慣習により支払日が定められているものについてはその支払日、支払日が定められていないものについてはその支払を受けた日（請求があったときに支払うべきものとされているものについては、その請求の日）

(二)　賃貸借契約の存否の係争等（未払賃貸料の請求に関する係争を除く。）に係る判決、和解等により不動産の所有者等が受けることとなった既往の期間に対応する賃貸料相当額（賃貸料相当額として供託されていたもののほか、供託されていなかったもの及び遅延利息その他の損害賠償金を含む。）については、その判決、和解等のあった日。ただし、賃貸料の額に関する係争の場合において、賃貸料の弁済のため供託された金額については、(一)に掲げる日

(注) 1　当該賃貸料相当額の計算の基礎とされた期間が３年以上である場合には、当該賃貸料相当額に係る所得は、臨時所得に該当する。（第二章第一節**一24**参照）

2　業務を営む賃借人が賃借料の弁済のため供託した金額は、当該賃借料に係る(一)に掲げる日の属する年分の当該業務に係る所得の金額の計算上必要経費に算入することに留意する。

（不動産等の賃貸料に係る不動産所得の収入金額の計上時期について）

（4）　不動産所得とされる不動産等の賃貸料に係る収入金額は、原則として契約上の支払日の属する年分の総収入金額に算入することとしているが、継続的な記帳に基づいて不動産所得の金額を計算しているなどの一定の要件に該当する場合には、下記に定めるところによりその年の貸付期間に対応する賃貸料の額をその年分の総収入金額に算入することができる。（昭48直所２－78）

(一)　不動産等の貸付けが事業として行われている場合

第四章第三節《不動産所得》に規定する不動産等の賃貸料に係る収入金額は、（3）により、原則としてその貸付けに係る契約に定められている賃貸料の支払日の属する年分の総収入金額に算入するのであるが、その者が不動産等の貸付けを事業的規模で行っている場合で、次のいずれにも該当するときは、第四節**三３**①《小規模事業者の収入及び費用の帰属時期》の規定の適用を受ける場合を除き、その賃貸料に係る貸付期間の経過に応じ、その年中の貸付期間に対応する部分の賃貸料の額をその年分の不動産所得の総収入金額に算入すべき金額とすることができる。

イ　不動産所得を生ずべき業務に係る取引について、その者が帳簿書類を備えて継続的に記帳し、その記帳に基づいて不動産所得の金額を計算していること。

ロ　その者の不動産等の賃貸料に係る収入金額の全部について、継続的にその年中の貸付期間に対応する部分の金額をその年分の総収入金額に算入する方法により所得金額を計算しており、かつ、帳簿上当該賃貸料に係る前受収益及び未収収益の経理が行われていること。

ハ　その者の１年を超える期間に係る賃貸料収入については、その前受収益又は未収収益についての明細書を確定申告書に添付していること。

(注)　「不動産等の賃貸料」には、不動産等の貸付けに伴い一時に受ける頭金、権利金、名義書替料、更新料、礼金等は含まれない。

(二)　不動産等の貸付けが事業として行われていない場合

その者が不動産等の貸付けを事業的規模で行っていない場合であっても、上記(一)のイに該当し、かつ、その者の１年以内の期間に係る不動産等の賃貸料の収入金額の全部について上記(一)のロに該当するときは、小規模事業者の収入及び費用の帰属時期の特例の適用を受ける場合を除き、その者の１年以内の期間に係る不動産等の賃貸料の収入金額については、上記(一)の取扱いによることができる。

(三)　計上時期の変更のあった年分の総収入金額の計算

その賃貸料に係る収入金額につき賃貸料の支払日により総収入金額を計算していた者が新たに上記(一)若しくは(二)の取扱いによることとした場合又は上記(一)若しくは(二)の取扱いにより総収入金額を計算することとしていた者が賃貸料の支払日によることとなった場合には、次による。

イ　新たに上記(一)又は(二)の取扱いによることとした年分の前年以前の貸付期間に係る賃貸料の額のうち、支払日が到来していないため当該前年以前の各年分の総収入金額に算入されていない金額がある場合には、その金額は、新たに上記(一)又は(二)の取扱いによることとした年分の総収入金額に算入する。

（注）　前払の賃貸料については、例えば前月払の月額賃貸料の場合には、新たに上記(一)又は(二)の取扱いによることとした年分は、11か月分の賃貸料を総収入金額に算入する。

ロ　上記(一)又は(二)の取扱いによらないこととなった最初の年分の前年以前に支払日が到来している賃貸料の額のうち、その賃貸料に係る貸付期間が経過していないため当該前年以前の各年分の総収入金額に算入されていない金額がある場合には、その金額は、当該最初の年分の総収入金額に算入する。

（頭金、権利金等の収入すべき時期）

(5)　不動産等の貸付け(貸付契約の更新及び地上権等の設定その他他人に不動産等を使用させる行為を含む。以下(6)までにおいて同じ。）をしたことに伴い一時に収受する頭金、権利金、名義書替料、更新料等に係る不動産所得の総収入金額の収入すべき時期は、当該貸付けに係る契約に伴い当該貸付けに係る資産の引渡しを要するものについては当該引渡しのあった日、引渡しを要しないものについては当該貸付けに係る契約の効力発生の日によるものとする。ただし、引渡しを要するものについて契約の効力発生の日により総収入金額に算入して申告があったときは、これを認める。（基通36－6）

（返還を要しなくなった敷金等の収入すべき時期）

(6)　不動産等の貸付けをしたことに伴い敷金、保証金等の名目により収受する金銭等（以下(6)において「敷金等」という。）の額のうち、次に掲げる金額は、それぞれ次に掲げる日の属する年分の不動産所得の金額の計算上総収入金額に算入するものとする。（基通36－7）

(一)　敷金等のうちに不動産等の貸付期間の経過に関係なく返還を要しないこととなっている部分の金額がある場合における当該返還を要しないこととなっている部分の金額　　(5)に定める日

(二)　敷金等のうちに不動産等の貸付期間の経過に応じて返還を要しないこととなる部分の金額がある場合における当該返還を要しないこととなる部分の金額　　当該貸付けに係る契約に定められたところにより当該返還を要しないこととなった日

(三)　敷金等のうちに不動産等の貸付期間が終了しなければ返還を要しないことが確定しない部分の金額がある場合において、その終了により返還を要しないことが確定した金額　　当該不動産等の貸付けが終了した日

（事業所得の総収入金額の収入すべき時期）

(7)　事業所得の総収入金額の収入すべき時期は、別段の定めがある場合を除き、次の収入金額については、それぞれ次に掲げる日によるものとする。（基通36－8）

(一)　棚卸資産の販売（試用販売及び委託販売を除く。）による収入金額については、その引渡しがあった日

(二)　棚卸資産の試用販売による収入金額については、相手方が購入の意思を表示した日。ただし、積送又は配置した棚卸資産について、相手方が一定期間内に返送又は拒絶の意思を表示しない限り特約又は慣習によりその販売が確定することとなっている場合には、その期間の満了の日

(三)　棚卸資産の委託販売による収入金額については、受託者がその委託品を販売した日。ただし、当該委託品についての売上計算書が毎日又は1月を超えない一定期間ごとに送付されている場合において、継続して当該売上計算書が到達した日の属する年分の収入金額としているときは、当該売上計算書の到達の日

(四)　請負による収入金額については、物の引渡しを要する請負契約にあってはその目的物の全部を完成して相手方に引き渡した日、物の引渡しを要しない請負契約にあってはその約した役務の提供を完了した日。ただし、一の契約により多量に請け負った同種の建設工事等についてその引渡量に従い工事代金等を収入する旨の特約若しくは慣習がある場合又は1個の建設工事等についてその完成した部分を引き渡した都度その割合に応じて工事代金等を収入する旨の特約若しくは慣習がある場合には、その引き渡した部分に係る収入金額については、その特約又は慣習により相手方に引き渡した日

(五)　人的役務の提供（請負を除く。）による収入金額については、その人的役務の提供を完了した日。ただし、人的役務の提供による報酬を期間の経過又は役務の提供の程度等に応じて収入する特約又は慣習がある場合におけるその期間の経過又は役務の提供の程度等に対応する報酬については、その特約又は慣習によりその収入すべき事由が生じた日

(六)　資産（金銭を除く。）の貸付けによる賃貸料でその年に対応するものに係る収入金額については、その年の末日（貸付期間の終了する年にあっては、当該期間の終了する日）

(七)　金銭の貸付けによる利息又は手形の割引料でその年に対応するものに係る収入金額については、その年の末日（貸付期間の終了する年にあっては、当該期間の終了する日)。ただし、その者が継続して、次に掲げる区分に応じ、

それぞれ次に掲げる日により収入金額に計上している場合には、それぞれ次に掲げる日

イ　利息を天引きして貸し付けたものに係る利息　　その契約により定められている貸付元本の返済日

ロ　その他の利息　　その貸付けに係る契約の内容に応じ、(3)(一)に掲げる日

ハ　手形の割引料　　その手形の満期日（当該満期日前に当該手形を譲渡した場合には、当該譲渡の日）

（注）　収益補償金、経費補償金等の課税延期……(21)及び(22)参照。（編者注）

（棚卸資産の引渡しの日の判定）

(8)　(7)(一)の場合において、棚卸資産の引渡しの日がいつであるかについては、例えば、出荷した日、船積みをした日、相手方に着荷した日、相手方が検収した日、相手方において使用収益ができることとなった日、検針等により販売数量を確認した日等当該棚卸資産の種類及び性質、その販売に係る契約の内容等に応じその引渡しの日として合理的であると認められる日のうち、その者が継続して収入金額に計上することとしている日によるものとする。（基通36－8の2）

（建設工事等の引渡しの日の判定）

(9)　(7)(四)の場合において、請負契約の内容が建設、造船その他これらに類する工事（以下「建設工事等」という。）を行うことを目的とするものであるときは、その建設工事等の引渡しの日がいつであるかについては、例えば、作業を結了した日、相手方の受入場所へ搬入した日、相手方が検収を完了した日、相手方において使用収益ができることとなった日等当該建設工事等の種類及び性質、契約の内容等に応じその引渡しの日として合理的であると認められる日のうち、その者が継続して収入金額に計上することとしている日によるものとする。（基通36－8の3）

（機械設備等の販売に伴い据付工事を行った場合の収入すべき時期の特例）

(10)　機械設備等を販売したことに伴いその据付工事を行った場合において、その据付工事が相当の規模のものであり、その据付工事に係る対価の額を契約その他に基づいて合理的に区分することができるときは、機械設備等に係る販売代金の額と据付工事に係る対価の額とを区分して、それぞれにつき(7)(一)又は同(四)により収入金額に計上することができるものとする。（基通36－8の4）

（注）　その者がこの取扱いによらない場合には、据付工事に係る対価の額を含む全体の販売代金の額について(7)の(一)による。

（利息制限法の制限超過利子）

(11)　利息制限法に定める制限利率（以下「制限利率」という。）を超える利率により金銭の貸付けを行っている場合におけるその貸付けに係る貸付金から生ずる利子の額の収入すべき時期については(7)(七)によるほか、次に定めるところによるものとする。（基通36－8の5）

(一)　当該貸付金から生ずる利子の額のうち当該年分に係る金額は、原則としてその貸付けに係る約定利率により計算するものとするが、実際に支払を受けた利子の額を除き、その者が継続して制限利率によりその計算を行っている場合には、これを認める。

(二)　当該貸付金から生ずる利子の額のうち実際に支払を受けたものについては、その支払を受けた金額を利子として総収入金額に算入する。

(三)　(一)により当該年分に係る利子の額を計算する場合におけるその計算の基礎となる貸付金の額は、原則としてその貸付けに係る約定元本の額によるものとするが、その者が継続して既に支払を受けた利子の額のうち制限利率により計算した利子の額を超える部分の金額を元本の額に充当したものとして当該貸付金の額を計算している場合には、これを認める。

（注）　この場合には、貸倒引当金の計算の基礎となるその年12月31日における貸金の額についても斉一の方法によるものとする。

（給与所得の収入金額の収入すべき時期）

(12)　給与所得の収入金額の収入すべき時期は、それぞれ次に掲げる日によるものとする。（基通36－9）

(一)　契約又は慣習その他株主総会の決議等により支給日が定められている給与等（次の(二)に掲げるものを除く。）についてはその支給日、その日が定められていないものについてはその支給を受けた日

(二)　役員に対する賞与のうち、株主総会の決議等によりその算定の基礎となる利益に関する指標の数値が確定し支給金額が定められるものその他利益を基礎として支給金額が定められるものについては、その決議等があった日。ただし、その決議等が支給する金額の総額だけを定めるにとどまり、各人ごとの具体的な支給金額を定めていない場合には、各人ごとの支給金額が具体的に定められた日

（三）　給与規程の改訂が既往にさかのぼって実施されたため既往の期間に対応して支払われる新旧給与の差額に相当する給与等で、その支給日が定められているものについてはその支給日、その日が定められていないものについてはその改訂の効力が生じた日

（四）　いわゆる認定賞与とされる給与等で、その支給日があらかじめ定められているものについてはその支給日、その日が定められていないものについては現実にその支給を受けた日（その日が明らかでない場合には、その支給が行われたと認められる事業年度の終了の日）

（注）　経済的利益の額の収入すべき時期……(20)参照。（編者注）

（退職所得の収入金額の収入すべき時期）

(13)　退職所得の収入金額の収入すべき時期は、その支給の基因となった退職の日によるものとする。ただし、次の退職手当等については、それぞれ次に掲げる日によるものとする。（基通36－10）

（一）　役員に支払われる退職手当等で、その支給について株主総会その他正当な権限を有する機関の決議を要するものについては、その役員の退職後その決議があった日。ただし、その決議が退職手当等を支給することだけを定めるにとどまり、具体的な支給金額を定めていない場合には、その金額が具体的に定められた日

（二）　退職給与規程の改訂が既往にさかのぼって実施されたため支払われる新旧退職手当等の差額に相当する退職手当等で、その支給日が定められているものについてはその支給日、その日が定められていないものについてはその改訂の効力が生じた日

（三）　第四章第六節**二**《退職手当等とみなす一時金》に規定する退職手当等とみなされる一時金については、その一時金の支給の基礎となる法令、契約、規程又は規約により定められた給付事由が生じた日

（四）　引き続き勤務する者に支払われる給与で退職手当等とされるもののうち、役員であった勤続期間に係るものについては(一)に掲げる日、使用人であった勤続期間に係るものについては下表の左欄に掲げる区分に応じ、それぞれ同表の右欄に掲げる日

イ	新たに退職給与規程を制定し、又は中小企業退職金共済制度若しくは確定拠出年金制度への移行等相当の理由により従来の退職給与規程を改正した場合において、使用人に対し当該制定又は改正前の勤続期間に係る退職手当等として支払われる給与 （注）1　上記の給与は、合理的な理由による退職金制度の実質的改変により精算の必要から支払われるものに限られるものであって、例えば、使用人の選択によって支払われるものは、これに当たらないことに留意する。 2　使用人が上記の給与を未払金等として計上した場合には、当該給与は現に支払われる時の退職手当金等とする。この場合において、当該給与が2回以上にわたって分割して支払われるときは、(14)《退職所得の収入の時期》の規定の適用があることに留意する。	その支給を受けた日
ロ	使用人から役員になった者に対しその使用人であった勤続期間に係る退職手当等として支払われる給与（退職給与規程の制定又は改正をして、使用人から役員になった者に対しその使用人であった期間に係る退職手当等を支払うこととした場合において、その制定又は改正の時に既に役員になっている者の全員に対し当該退職手当等として支払われる給与で、その者が役員になった時までの期間の退職手当等として相当なものを含む。）	使用人から役員になった日。ただし、左欄のかっこ内の給与については、その制定又は改正の日
ハ	いわゆる定年に達した後引き続き勤務する使用人に対し、その定年に達する前の勤続期間に係る退職手当等として支払われる給与	その定年に達した日
ニ	労働協約等を改正していわゆる定年を延長した場合において、その延長前の定年（以下「旧定年」という。）に達した使用人に対し旧定年に達する前の勤続期間に係る退職手当等として支払われる給与で、その支払をすることにつき相当の理由があると認められるもの	旧定年に達した日
ホ	法人が解散した場合において引き続き役員又は使用人として清算事務に従事する者に対し、その解散前の勤続期間に係る退職手当等として支払われる給与	法人の解散の日

（五）　年金に代えて支払われる一時金で第四章第六節**一**（５）及び同節**二 1**注により退職手当等とされるものについては、当該退職手当等とされるものの給付事由が生じた日

（注）　(14)の規定が適用される退職手当等の課税年分については、(一)から(五)までに掲げる日にかかわらず、(14)の規定によることに留

意する。

（退職所得の収入の時期）

(14)　居住者が一の勤務先を退職することにより２以上の退職手当等の支払を受ける権利を有することとなる場合には、その者の支払を受ける当該退職手当等については、これらのうち最初に支払を受けるべきものの支払を受けるべき日の属する年における収入金額として第四章第六節《退職所得》の規定を適用する。（令77）

（一の退職により２以上の退職手当等の支払を受ける権利を有することとなる場合）

(15)　(14)に規定する「一の勤務先を退職することにより２以上の退職手当等の支払を受ける権利を有することとなる場合」とは、次に掲げるような場合をいう。（基通36－11）

(一)　勤務先を退職することにより、当該勤務先から退職手当等の支払を受けるほか、第四章第六節**二**《退職手当等とみなす一時金》**１**表内①から同③までに掲げる一時金（確定拠出年金法の規定に基づき老齢給付金として支給される一時金を除く。）の支払者からも当該一時金の支払を受けることとなる場合

(二)　退職により退職手当等の支払を受けた者が、その後退職給与規程の改訂等により退職手当等の差額の支払を受けることとなる場合

(注)　上記に掲げる場合であっても、(一)の一時金又は(二)の差額の支給期がその者の死亡後に到来したときは、これらの一時金又は差額については、(14)の規定は適用しない。（第二章第三節**八**（１）《相続財産とされる死亡者の給与等公的年金等及び退職手当等》及び第四章第九節**一１**（２）《遺族が受ける給与等、公的年金等及び退職手当等》参照）

（山林所得又は譲渡所得の総収入金額の収入すべき時期）

(16)　山林所得又は譲渡所得の総収入金額の収入すべき時期は、山林所得又は譲渡所得の基因となる資産の引渡しがあった日によるものとする。ただし、納税者の選択により、当該資産の譲渡に関する契約の効力発生の日（農地法第３条第１項《農地又は採草放牧地の権利移動の制限》若しくは第５条第１項本文《農地又は採草放牧地の転用のための権利移動の制限》の規定による許可（同条第４項の規定により許可があったものとみなされる協議の成立を含む。以下同じ。）を受けなければならない農地若しくは採草放牧地（以下(16)においてこれらを「農地等」という。）の譲渡又は同条第１項第６号の規定による届出をしてする農地等の譲渡については、当該農地等の譲渡に関する契約が締結された日）により総収入金額に算入して申告があったときは、これを認める。（基通36－12）

(注)１　山林所得又は譲渡所得の総収入金額の収入すべき時期は、資産の譲渡の当事者間で行われる当該資産に係る支配の移転の事実（例えば、土地の譲渡の場合における所有権移転登記に必要な書類等の交付）に基づいて判定をした当該資産の引渡しがあった日によるのであるが、当該収入すべき時期は、原則として譲渡代金の決済を了した日より後にはならないのであるから留意する。

２　農地等の譲渡について、農地法第３条又は第５条に規定する許可を受ける前又は届出前に当該農地等の譲渡に関する契約が解除された場合（再売買と認められるものを除く。）には、通則法第23条第２項の規定により、当該契約が解除された日の翌日から２月以内に更正の請求をすることができることに留意する。

（株式等を取得する権利を与えられた場合の所得の収入すべき時期）

(17)　発行法人から**２**③(一)から同(三)までに掲げる権利を与えられた場合の当該権利に係る所得の収入金額の収入すべき時期は、当該権利の行使により取得した株式の取得についての申込みをした日（同③(三)に掲げる権利を与えられた者がこれを行使した場合において、当該権利に係る株式の取得についての申込みをした日が明らかでないときは、当該株式についての申込期限の日）による。（基通23～35共－６の２）

(注)　株式を取得する権利を与えられた者が当該株式の取得について申込みをしなかったこと若しくはその申込みを取り消したこと又は払込みをしなかったことにより失権した場合には、課税しない。

（一時所得の総収入金額の収入すべき時期）

(18)　一時所得の総収入金額の収入すべき時期は、その支払を受けた日によるものとする。ただし、その支払を受けるべき金額がその日前に支払者から通知されているものについては、当該通知を受けた日により、生命保険契約等に基づく一時金又は第四節《所得計算の特例》**五２**④《満期返戻金等の意義》に規定する損害保険契約等に基づく満期返戻金等のようなものについては、その支払を受けるべき事実が生じた日による。（基通36－13）

（雑所得の収入金額又は総収入金額の収入すべき時期）

(19)　雑所得の収入金額又は総収入金額の収入すべき時期は、次に掲げる区分に応じそれぞれ次に掲げる日によるものとする。（基通36－14）

(一)　第四章第十節《雑所得》**二２**《公的年金等の定義》に規定する公的年金等

イ　公的年金等の支給の基礎となる法令、契約、規程又は規約（以下この(一)において「法令等」という。）により定められた支給日

ロ　法令等の改正、改訂が既往にさかのぼって実施されたため既往の期間に対応して支払われる新旧公的年金等の差額で、その支給日が定められているものについてはその支給日、その日が定められていないものについてはその改正、改訂の効力が生じた日

(注)　裁定、改定等の遅延、誤びゅう等により既往にさかのぼって支払われる公的年金等については、法令等により定められた当該公的年金等の計算の対象とされた期間に係る各々の支給日によることに留意する。

(二)　(一)以外のもの

その収入の態様に応じ、他の所得の収入金額又は総収入金額の収入すべき時期の取扱いに準じて判定した日

（経済的利益の額を収入金額等に算入する時期）

(20)　次に掲げる経済的利益の額を収入金額又は総収入金額に算入する時期は、当該経済的利益の額が第四章第八節《譲渡所得》**一2**②《特別の経済的な利益で借地権の設定等による対価とされるもの》**イ**又は同**ロ**の規定により譲渡所得に係る総収入金額に算入されるものである場合を除き、おおむね次に掲げる日によるものとする。（基通36－16）

(一)　土地、家屋その他の資産（金銭を除く。）の貸与を無償又は低い対価で受けた場合における通常支払うべき対価の額又はその通常支払うべき対価の額と実際に支払う対価の額との差額に相当する利益でその月中に受けるもの

各月ごとにその月の末日

(二)　次に掲げる利益でその月中に受けるもの　　各月ごとにその月の末日又は１年を超えない一定期間ごとにその期間の末日

イ　金銭の貸付け又は提供を無利息又は通常の利率よりも低い利率で受けた場合における通常の利率により計算した利息の額又はその通常の利率により計算した利息の額と実際に支払う利息の額との差額に相当する利益

ロ　(一)及びイ以外の用役の提供を無償又は低い対価で受けた場合におけるその用役について通常支払うべき対価の額又はその通常支払うべき対価の額と実際に支払う対価の額との差額に相当する利益

（収益補償金の課税延期）

(21)　収用等に伴い交付を受ける収益補償金のうち第五章第二節《譲渡所得等の課税の特例》**三5**《補償金の意義》(5)により建物の対価補償金とみなす部分以外の金額については、その収用等があった日の属する年分の事業所得等の総収入金額に算入しないで、収用等をされた土地又は建物から立ち退くべき日として定められている日（その日前に立ち退いたときは、その立ち退いた日）の属する年分の事業所得等の総収入金額に算入したい旨を書面をもって申し出たときは、これを認めて差し支えない。収用等があった日の属する年の末日までに支払われないものについても、同様とする。（措通33－32）

（経費補償金等の課税延期）

(22)　経費補償金若しくは移転補償金（対価補償金として取り扱うものを除く。）又は残地保全経費の補償金のうち、収用等のあった日の属する年の翌年１月１日から収用等のあった日以後２年（地下鉄工事のため一旦建物を壊し、工事完成後従前の場所に建築する場合等第五章第二節**三3**《収用等のあった年の翌年以後において代替資産を取得する場合の課税の特例》により取得期限の延長の認められたものについては当該期限）を経過する日までに交付の目的に従って支出することが確実と認められる部分の金額については、同日とその交付の目的に従って支出する日とのいずれか早い日の属する年分の各種所得の金額の計算上総収入金額に算入したい旨を当該収用等のあった日の属する年分の確定申告書を提出する際に、書面をもって申し出たときは、これを認めることに取り扱う。（措通33－33）

（割賦販売等に係る収入金額に含めないことができる利息相当部分）

(23)　割賦販売等（月賦、年賦その他の賦払の方法により対価の支払を受けることを定型的に定めた約款に基づき行われる資産の販売等（棚卸資産の販売若しくは工事の請負又は役務の提供（第四節**三2**①《工事の請負に係る収入及び費用の帰属時期》に規定する長期大規模工事の請負を除く。）をいう。以下(23)において同じ。）及び延払条件が付された資産の販売等をいう。以下(23)において同じ。）又は第四節**三1**①《リース譲渡に係る収入及び費用の帰属時期》に規定するリース譲渡（同①の規定の適用を受けるものを除く。以下(23)において「リース譲渡」という。）を行った場合において、当該割賦販売等又はリース譲渡に係る販売代価又はリース料と賦払期間又はリース期間（第四節**三4**②《リース取引に係る所得の金額の計算》に規定するリース取引に係る契約において定められた同①に規定するリース資産の賃貸借期間をいう。）中の利息に相当する金額とが区分されているときは、当該利息に相当する金額を当該割

賦販売等又はリース譲渡に係る収入金額に含めないことができる。（基通36－８の６）

（注）　延払条件が付された資産の販売等とは、資産の販売等で次に掲げる要件に適合する条件を定めた契約に基づき当該条件により行われるものをいう。

⑴　月賦、年賦その他の賦払の方法により３回以上に分割して対価の支払を受けること。

⑵　その資産の販売等に係る目的物又は役務の引渡し又は提供の期日の翌日から最後の賦払金の支払期日までの期間が２年以上であること。

⑶　当該契約において定められているその資産の販売等の目的物の引渡しの期日までに支払の期日の到来する賦払金の額の合計額がその資産の販売等の対価の額の３分の２以下となっていること。

5　無記名の公社債の利子等の収入金額

無記名の公社債の利子、無記名の株式（無記名の公募公社債等運用投資信託以外の公社債等運用投資信託の受益証券及び無記名の社債的受益権に係る受益証券を含む。所得税法第169条第２号《分離課税に係る所得税の課税標準》、同第224条第１項及び第２項《利子、配当等の受領者の告知》並びに同第225条第１項及び第１項《支払調書及び支払通知書》において「無記名株式等」という。）の剰余金の配当（第四章第二節《配当所得》一に規定する剰余金の配当をいう。）又は無記名の貸付信託、投資信託若しくは特定受益証券発行信託の受益証券に係る収益の分配については、その年分の利子所得の金額又は配当所得の金額の計算上収入金額とすべき金額は、**1**の規定にかかわらず、その年において支払を受けた金額とする。（法36③）

（振替記載等を受けた公社債）

注　社債、株式等の振替に関する法律の規定により振替記載等を受けた公社債及び国債に関する法律又は廃止前の社債等登録法の規定により登録した公社債は、**5**に規定する無記名の公社債には該当しない。（基通36－３）

6　農産物の収穫の場合の総収入金額算入

農業を営む居住者が農産物（米、麦その他の穀物、馬鈴しょ、甘しょ、たばこ、野菜、花、種苗その他のほ場作物、果樹、樹園の生産物又は温室その他特殊施設を用いて生産する園芸作物に限る。）を収穫した場合には、その収穫した時における当該農産物の価額（以下「収穫価額」という。）に相当する金額は、その者のその収穫の日の属する年分の事業所得の金額の計算上、総収入金額に算入する。（法41①、令88）

（注）　当該農産物は、その収穫した時にその収穫価額をもって取得したものとみなす。（法41②）

（農産物の収穫価額）

注　**6**に規定する農産物の収穫価額は、当該農産物の収穫時における生産者販売価額により計算する。（基通41－１）

7　分割対価資産の一部のみを分割法人の株主等に交付する場合の取扱い

分割法人（法人税法第２条第12号の２《定義》に規定する分割法人をいう。以下**7**において同じ。）が分割により交付を受ける同法第２条第12号の９イに規定する分割対価資産（以下**7**において「分割対価資産」という。）の一部のみを当該分割法人の株主等に交付する分割（二以上の法人を分割法人とする分割で法人を設立するものを除く。）が行われた場合には、当該分割により当該株主等が交付を受けた当該分割対価資産については、分割型分割（同号に規定する分割型分割をいう。(1)において同じ。）が行われたものとみなして、法の規定を適用する。（令83①）

（二以上の法人を分割法人とする分割で法人を設立するものが行われた場合）

(1)　二以上の法人を分割法人とする分割で法人を設立するものが行われた場合において、分割法人のうちに、当該分割により交付を受けた分割対価資産の全部又は一部をその株主等に交付した法人があるときは、当該法人を分割法人とする分割型分割が行われたものとみなして、法の規定を適用する。（令83②）

（株主等が交付を受けた株式その他の資産に係る分割型分割により分割承継法人に移転した分割法人の資産及び負債の金額）

(2)　**7**及び**7**(1)の規定の適用がある場合には、**7**及び**7**(1)の株主等が交付を受けた分割対価資産に係る**7**及び**7**(1)の分割型分割により分割承継法人（法人税法第２条第12号の３に規定する分割承継法人をいう。以下(2)において同じ。）に移転した分割法人の資産及び負債の金額は、**7**及び**7**(1)の分割により分割承継法人に移転した当該分割法人の資産及び負債の金額のうち法人税法施行令第123条の７《株式等を分割法人と分割法人の株主等とに交付する分割における移転資産等の按分》の規定により算定された当該分割型分割に係る資産及び負債の金額とする。（令83③）

8　合併等により交付する株式に一に満たない端数がある場合の所得計算

合併に係る合併法人が当該合併により当該合併に係る被合併法人の株主等に交付すべき第二節**四8**④《合併により取得した株式等の取得価額》に規定する合併親法人株式（以下**8**において「合併親法人株式」という。）の数（出資にあっては、金額。(1)から(2)までにおいて同じ。）に一に満たない端数が生ずる場合において、当該端数に応じて金銭が交付されるときは、当該端数に相当する部分は、当該合併親法人株式に含まれるものとして、当該株主等の各年分の事業所得の金額、譲渡所得の金額又は雑所得の金額を計算する。（令83の２①）

（分割承継法人株式等の数に一に満たない端数が生ずる場合において端数に応じて金銭が交付されるときの計算）

(1)　分割型分割に係る分割法人が当該分割型分割によりその株主等に交付すべき当該分割型分割に係る分割承継法人の株式（出資を含む。）又は第二節**四8**⑤《分割型分割により取得した株式等の取得価額》に規定する分割承継親法人株式（以下(1)において「分割承継法人株式等」という。）の数に一に満たない端数が生ずる場合において、当該端数に応じて金銭が交付されるときは、当該端数に相当する部分は、当該分割承継法人株式等に含まれるものとして、当該株主等の各年分の事業所得の金額、譲渡所得の金額又は雑所得の金額を計算する。（令83の２②）

（完全子法人株式の数に一に満たない端数が生ずる場合において端数に応じて金銭が交付されるときの計算）

(2)　株式分配に係る現物分配法人が当該株式分配によりその株主等に交付すべき当該株式分配に係る第二節**四8**⑥《株式分配により取得した株式等の取得価額》に規定する完全子法人株式（以下(2)において「完全子法人株式」という。）の数に一に満たない端数が生ずる場合において、当該端数に応じて金銭が交付されるときは、当該端数に相当する部分は、当該完全子法人株式に含まれるものとして、当該株主等の各年分の事業所得の金額、譲渡所得の金額又は雑所得の金額を計算する。（令83の２③）

（株式交換完全支配親法人株式の数に一に満たない端数が生ずる場合において端数に応じて金銭が交付されるときの計算）

(3)　株式交換に係る株式交換完全親法人が当該株式交換により当該株式交換に係る株式交換完全子法人の株主に交付すべき第五章第三節**二十**《株式交換等に係る譲渡所得等の特例》に規定する政令（同節**二十**(3)）で定める関係がある法人の株式（以下(2)において「株式交換完全支配親法人株式」という。）の数に一に満たない端数が生ずる場合において、当該端数に応じて金銭が交付されるときは、当該端数に相当する部分は、当該株式交換完全支配親法人株式に含まれるものとして、当該株主の各年分の事業所得の金額、譲渡所得の金額又は雑所得の金額を計算する。（令83の２④）

（用語の意義）

(4)　**8**において、用語の意義は、次の(一)から(九)までに定めるところによる。（令83の２⑤）

(一)	合併法人	法人税法第２条第12号《定義》に規定する合併法人をいう。
(二)	被合併法人	法人税法第２条第11号に規定する被合併法人をいう。
(三)	分割型分割	法人税法第２条第12号の９に規定する分割型分割をいう。
(四)	分割法人	法人税法第２条第12号の２に規定する分割法人をいう。
(五)	分割承継法人	法人税法第２条第12号の３に規定する分割承継法人をいう。
(六)	株式分配	法人税法第２条第12号の15の２に規定する株式分配をいう。
(七)	現物分配法人	法人税法第２条第12号の５の２に規定する現物分配法人をいう。
(八)	株式交換完全親法人	法人税法第２条第12号の６の３に規定する株式交換完全親法人をいう。
(九)	株式交換完全子法人	法人税法第２条第12号の６に規定する株式交換完全子法人をいう。

9　発行法人から与えられた株式を取得する権利の譲渡による収入金額

居住者が株式を無償又は有利な価額により取得することができる権利として(1)で定める権利を発行法人から与えられた場合において、当該居住者又は当該居住者の相続人その他の(2)で定める者が当該権利をその発行法人に譲渡したときは、当該譲渡の対価の額から当該権利の取得価額を控除した金額を、その発行法人が支払をする事業所得に係る収入金額、第四章第五節《給与所得》**一**に規定する給与等の収入金額、第四章第六節《退職所得》**一**に規定する退職手当等の収入金額、一時所得に係る収入金額又は雑所得（第四章第十節《雑所得》**二2**に規定する公的年金等に係るものを除く。）に係る収入金額とみなして、所得税法（第五章第三節**二2**《株式等の譲渡の対価の受領者等の告知》、同**3**《支払調書及び支払通知書》及び所得税法第228条《名義人受領の株式等の譲渡の対価の調書》並びにこれらの規定に係る罰則を除く。）の規定を適用する。（法41の２）

（発行法人から与えられた株式を取得する権利の譲渡による収入金額）

（１）　**9**に規定する（１）で定める権利は、**一2**③(一)から同(三)までに掲げる権利で当該権利の行使をしたならば同②の規定の適用のあるもの（(２)において「新株予約権等」という。）とする。（令88の２①）

（(２)で定める者）

（２）　**9**に規定する（２）で定める者は、贈与、相続、遺贈又は譲渡により新株予約権等を取得した者で当該新株予約権等を行使できることとなるものとする。（令88の２②）

（発行法人から与えられた株式を取得する権利を発行法人に譲渡した場合の所得区分）

（３）　**9**に規定する権利をその発行法人に譲渡した場合の当該譲渡に係る所得区分は、**2**③（１）（23～35共－６）の取扱いに準ずる。（基通41の２－１）

〈参考通達〉

深夜勤務に伴う夜食の現物支給に代えて支給する金銭に対する所得税の取扱いについて

標題のことについて下記のとおり定め、昭和59年９月１日以後支給すべきものについて適用することとしたから、これにより取り扱われたい。（昭59直所３－８）

なお、昭和50年５月26日付直法６－５「深夜勤務に伴う夜食の現物支給に代えて支給する金銭に対する所得税の取扱いについて」通達は、昭和59年８月31日をもって廃止する。

記

深夜勤務者（労働協約又は就業規則等により定められた正規の勤務時間による勤務の一部又は全部を午後10時から翌日午前５時までの間において行う者をいう。）に対し、使用者が調理施設を有しないことなどにより深夜勤務に伴う夜食を現物で支給することが著しく困難であるため、その夜食の現物支給に代え通常の給与（労働基準法第37条第１項《時間外、休日及び深夜の割増賃金》の規定による割増賃金その他これに類するものを含む。）に加算して勤務１回ごとの定額で支給する金銭で、その１回の支給額が300円以下のものについては、課税しなくて差し支えないものとする。

所得税基本通達36－30（課税しない経済的利益……使用者が負担するレクリエーションの費用）の運用について

標記通達のうち使用者が、役員又は使用人（以下「従業員等」という。）のレクリエーションのために行う旅行の費用を負担することにより、これらの旅行に参加した従業員等が受ける経済的利益については、下記により取り扱うこととされたい。

なお、この取扱いは、今後処理するものから適用する。（昭63.５.25直法６－９、直所３－13、最終改正平５．５.31課法８－１、課所４－５）

おって、昭和61年12月24日付直法６－13、直所３－21「所得税基本通達36－30（課税しない経済的利益……使用者が負担するレクリエーション費用）の運用について」通達は廃止する。

（趣旨）

慰安旅行に参加したことにより受ける経済的利益の課税上の取扱いの明確化を図ったものである。

記

使用者が、従業員等のレクリエーションのために行う旅行の費用を負担することにより、これらの旅行に参加した従業員等が受ける経済的利益については、当該旅行の企画立案、主催者、旅行の目的・規模・行程、従業員等の参加割合・使用者及び参加従業員等の負担額及び負担割合などを総合的に勘案して実態に即した処理を行うこととするが、次のいずれの要件も満たしている場合には、原則として課税しなくて差し支えないものとする。

（1）　当該旅行に要する期間が４泊５日（目的地が海外の場合には、目的地における滞在日数による。）以内のものであること。

（2）　当該旅行に参加する従業員等の数は全従業員等（工場、支店等で行う場合には、当該工場、支店等の従業員等）の50％以上であること。

二　棚卸資産の自家消費・贈与等

1　棚卸資産等の自家消費の場合の総収入金額算入

居住者が棚卸資産及びこれに準ずる資産として次の①から③までに掲げる資産《譲渡所得の基因とされない棚卸資産に準ずる資産》（山林を除く。）を家事のために消費した場合又は山林を伐採して家事のために消費した場合には、その消費した時におけるこれらの資産の価額に相当する金額は、その者のその消費した日の属する年分の事業所得の金額、山林所得の金額又は雑所得の金額の計算上、総収入金額に算入する。（法39、令81、86）

①	不動産所得、山林所得又は雑所得を生ずべき業務に係る棚卸資産に準ずる資産
②	不動産所得、事業所得、山林所得又は雑所得を生ずべき業務の用に供した減価償却資産で、使用可能期間が１年未満であるもの又は取得価額が10万円未満である少額の減価償却資産に該当するもの（取得価額が10万円未満であるもののうち、その者の業務の性質上基本的に重要なものを除く。）
③	減価償却資産で第二節**五３**《一括償却資産の必要経費算入》の規定の適用を受けたもの（その者の業務の性質上基本的に重要なものを除く。）

（棚卸資産に含まれるもの）

（1）　「棚卸資産に準ずるもの」には、例えば、事業所得を生ずべき事業に係る次に掲げるような資産で一般に販売（家事消費を含む。）の目的で保有されるものが含まれる。（基通２－13）

（一）　飼育又は養殖中の牛、馬、豚、家きん、魚介類等の動物

（二）　定植前の苗木

（三）　育成中の観賞用の植物

（四）　まだ収穫しない水陸稲、麦、野菜等の立毛及び果実

（五）　養殖中ののり、わかめ等の水産植物でまだ採取されないもの

（六）　仕入れ等に伴って取得した空き缶、空き箱、空き瓶等

（注）　仕損じ品、修理用資材、包装荷造用資材も棚卸資産に含まれる。（編者注）

（家事消費又は贈与等をした棚卸資産の価額）

（2）　**1**から**3**までに規定する消費又は贈与、遺贈若しくは譲渡の時における資産の価額に相当する金額は、その消費等をした資産がその消費等をした者の販売用の資産であるときは、当該消費等の時におけるその者の通常他に販売する価額により、その他の資産であるときは、当該消費等の時における通常売買される価額による。（基通39－１）

（家事消費等の総収入金額算入の特例）

（3）　事業を営む者が**1**から**3**までに規定する棚卸資産を自己の家事のために消費した場合又は**2**表内①に規定する贈与若しくは遺贈をした場合において、当該棚卸資産の取得価額以上の金額をもってその備え付ける帳簿に所定の記載を行い、これを事業所得の金額の計算上総収入金額に算入しているときは、当該算入している金額が、（2）に定める価額に比し著しく低額（おおむね70％未満）でない限り、（2）にかかわらず、これを認める。（基通39－２）

（準棚卸資産を家事消費した場合の所得区分）

（4）　**1**に規定する棚卸資産に準ずる資産（以下（4）において「準棚卸資産」という。）を家事のために消費した場合には、当該資産の価額に相当する金額は、当該消費した準棚卸資産の区分に応じ、それぞれ次に掲げる所得の金額の計算上総収入金額に算入する。（基通39－３）

（一）　事業所得を生ずべき事業に係る準棚卸資産　　事業所得

（二）　不動産所得、山林所得又は雑所得を生ずべき業務に係る準棚卸資産　　雑所得

（山林を家事消費した場合の所得区分）

（5）　山林を伐採して家事のために消費した場合には、当該山林の価額に相当する金額は、保有期間が５年を超える山林にあっては、山林所得の金額の計算上総収入金額に算入し、保有期間が５年以内の山林にあっては、その消費した者が製材業者又は立木を売買することを業とする者であるときは事業所得、その他の者であるときは雑所得の金額の計算上総収入金額に算入する。（基通39－４）

（注）　製材業者が保有期間が５年を超える山林を伐採し、製材その他の加工をして家事のために消費した場合には、当該家事のための消費は

山林の家事消費ではなく、棚卸資産の家事消費に当たるのであるが、当該山林が自己の育成に係るものであるときの取扱いについては、(7)参照。

(山林を伐採して事業用の建物等の建築のために使用した場合)

(6)　山林を所有する者がその山林を伐採し、製材その他の加工をして自己の業務の用に供する建物等の建築材料として使用したような場合は、**1**の規定は適用されない。

この場合、当該山林の植林費、取得に要した費用、管理費、伐採費その他その山林の育成に要した費用(償却費以外の費用でその年において債務の確定しないものを除く。)及び当該伐採した立木の搬出費用又は製材費用等の額は当該建物等の取得費又は取得価額に算入する。(基通39－5)

(自己が育成した山林を伐採し製材して販売する場合の所得)

(7)　製材業者が自ら植林して育成した山林(幼齢林を取得して育成した山林を含む。)を伐採し、製材して販売する場合には、植林から製品の販売までの全所得がその販売した時の製材業の所得となるのであるが、植林又は幼齢林の取得から伐採までの所得は、伐採した原木を当該製材業者の通常の原木貯蔵場等に運搬した時の山林所得とし、製材から販売までの所得は、その製品を販売した時の事業所得として差し支えないものとする。この場合において、山林所得の金額は当該運搬した時の当該原木貯蔵場等における原木の価額を基として計算するものとし、事業所得の金額は当該原木の価額に相当する金額を当該原木の取得価額として計算するものとする。(基通23～35共－12)

2　棚卸資産の贈与等の場合の総収入金額算入

次の①又は②に掲げる事由により居住者の有する棚卸資産(事業所得の基因となる山林その他棚卸資産に準ずる資産として**1**の①及び②に掲げる資産、有価証券で事業所得の基因となるもの及び第二節**四12**《暗号資産の譲渡原価等の計算及びその評価の方法》に規定する暗号資産を含む。以下同じ。)の移転があった場合には、当該①又は②に掲げる金額に相当する金額は、その者のその事由が生じた日の属する年分の事業所得の金額又は雑所得の金額の計算上、総収入金額に算入する。(法40①、令87)

①	贈与(相続人に対する贈与で被相続人である贈与者の死亡により効力を生ずるものを除く。)又は遺贈(包括遺贈及び相続人に対する特定遺贈を除く。)　当該贈与又は遺贈の時におけるその棚卸資産の価額
②	著しく低い価額の対価による譲渡　当該対価の額と当該譲渡の時におけるその棚卸資産の価額との差額のうち実質的に贈与をしたと認められる金額

(事業所得の基因となる山林の意義)

(1)　**2**のかっこ内に規定する「事業所得の基因となる山林」とは、製材業者又は立木を売買することを業とする者が保有する山林で、その取得の日以後5年を経過していないものをいうものとする。(基通40－1)

(著しく低い価額の対価による譲渡の意義)

(2)　**2**表内②に規定する「著しく低い価額の対価による譲渡」とは、**2**に規定する棚卸資産の**1**(2)《家事消費又は贈与等をした棚卸資産の価額》に定める価額のおおむね70%に相当する金額に満たない対価により譲渡する場合の当該譲渡をいうものとする。(基通40－2)

(注)　**2**表内②の規定の趣旨は、たとえ譲渡の形式をとっている場合でも、実質的に部分的な贈与をしたと認められる行為は、その実質に着目して課税処理をすることにあるから、棚卸資産を著しく低い対価で譲渡した場合であっても、商品の型崩れ、流行遅れなどによって値引販売が行われることが通常である場合はもちろん、実質的に広告宣伝の一環として、又は金融上の換金処分として行うようなときには、この規定の適用はないことに留意する。

(実質的に贈与をしたと認められる金額)

(3)　**2**表内②に規定する「実質的に贈与をしたと認められる金額」とは、**2**に規定する棚卸資産の**1**(2)《家事消費又は贈与等をした棚卸資産の価額》に定める価額とその譲渡の対価の額との差額に相当する金額をいうのであるが、当該棚卸資産の同(2)に定める価額のおおむね70%に相当する金額からその対価の額を控除した金額として差し支えない。(基通40－3)

3　贈与等により取得した棚卸資産を譲渡した場合の所得金額の計算

居住者が**2**表内①及び同②に掲げる贈与若しくは遺贈又は譲渡により取得した棚卸資産を譲渡した場合における事業所

得の金額、山林所得の金額、譲渡所得の金額又は雑所得の金額の計算については、次の①又は②に定めるところによる。（法40②）

①	**2**表内①に掲げる贈与又は遺贈により取得した棚卸資産については、同①に掲げる金額をもって取得したものとみなす。
②	**2**表内②に掲げる譲渡により取得した棚卸資産については、当該譲渡の対価の額と同②に掲げる金額との合計額をもって取得したものとみなす。

三　国庫補助金等の総収入金額不算入

1　国庫補助金等

①　国庫補助金等の総収入金額不算入

居住者が、各年において**固定資産**（山林を含む。以下**三**において同じ。）の取得又は改良に充てるための国又は地方公共団体の補助金又は給付金その他次の(一)から(八)までに掲げる助成金又は補助金（以下「**国庫補助金等**」という。）の交付を受けた場合（その国庫補助金等の返還を要しないことがその年12月31日（その者がその年の中途において死亡し、又は出国をした場合には、その死亡又は出国の時。以下①及び**2**①において同じ。）までに確定した場合に限る。）において、その年12月31日までにその交付の目的に適合した固定資産の取得又は改良をしたときは、その交付を受けた国庫補助金等の額に相当する金額（その固定資産がその年の前年以前の各年において取得又は改良をした減価償却資産である場合には、当該国庫補助金等の額を基礎として（1）で定めるところにより計算した金額）は、その者の各種所得の金額の計算上、総収入金額に算入しない。（法42①、令89）

(一)	障害者の雇用の促進等に関する法律第49条第２項《納付金関係業務》に基づく独立行政法人高齢・障害・求職者雇用支援機構の同条第１項第２号、第３号及び第５号から第７号までに規定する助成金
(二)	福祉用具の研究開発及び普及の促進に関する法律第７条第１号《国立研究開発法人新エネルギー・産業技術総合開発機構の業務》に基づく国立研究開発法人新エネルギー・産業技術総合開発機構の助成金
(三)	国立研究開発法人新エネルギー・産業技術総合開発機構法第15条第１項第３号《業務の範囲》に基づく国立研究開発法人新エネルギー・産業技術総合開発機構の助成金（外国法人、外国の政府若しくは地方公共団体に置かれる試験研究機関〔試験所、研究所その他これらに類する機関をいう。以下**三**において同じ。〕、国際機関に置かれる試験研究機関若しくは外国の大学若しくはその附属の試験研究機関〔以下**三**において「外国試験研究機関等」という。〕又は外国試験研究機関等の研究員と共同して行う試験研究に関する助成金を除く。）
(四)	特定高度情報通信技術活用システムの開発供給及び導入の促進に関する法律（令和２年法律第37号）第29条第１号《国立研究開発法人新エネルギー・産業技術総合開発機構の業務》に基づく国立研究開発法人新エネルギー・産業技術総合開発機構の助成金
(五)	国立研究開発法人新エネルギー・産業技術総合開発機構法第15条第15号に基づく国立研究開発法人新エネルギー・産業技術総合開発機構の供給確保事業助成金（経済施策を一体的に講ずることによる安全保障の確保の推進に関する法律第31条第３項第１号《安定供給確保支援法人の指定及び業務》に規定する助成金をいう。(七)において同じ。）
(六)	独立行政法人農畜産業振興機構法第10条第２号《業務の範囲》に基づく独立行政法人農畜産業振興機構の補助金
(七)	独立行政法人エネルギー・金属鉱物資源機構法第11条第１項第25号《業務の範囲》に基づく独立行政法人エネルギー・金属鉱物資源機構の供給確保事業助成金
(八)	日本たばこ産業株式会社が日本たばこ産業株式会社法第９条《事業計画》の規定による認可を受けた事業計画に定めるところに従って交付するたばこ事業法第２条第２号《定義》に規定する葉たばこの生産基盤の強化のための助成金

（注）　改正後の①(五)及び(七)の規定は、令和６年分以後の所得税について適用される。（令６改所令附３）

（①に規定する（1）で定めるところにより計算した金額）

（1）　①に規定する（1）で定めるところにより計算した金額は、次の(一)及び(二)に掲げる場合の区分に応じ当該(一)又は(二)に定める金額とする。（令90①）

(一)	①の減価償却資産の取得をした場合	当該減価償却資産に係る①に規定する国庫補助金等（以下（1）及び④において「国庫補助金等」という。）の額に相当する金額に、イに掲げる金額のうちにロに掲げる金額の占める割合を乗じて計算した金額 イ　当該減価償却資産の取得に要した金額 ロ　当該減価償却資産の取得に要した金額から、当該金額を基礎としてその取得の日から当該国庫補助金等の返還を要しないこととなった日までの期間に係る第二節**五４**《減価償却資産の償却費の計算及びその償却の方法》の規定に準じて計算した償却費の額の累積額を控除した金額

(二)	①の減価償却資産の改良をした場合	当該減価償却資産に係る国庫補助金等の額に相当する金額に、イに掲げる金額のうちにロに掲げる金額の占める割合を乗じて計算した金額 イ　当該減価償却資産の改良に要した金額 ロ　当該減価償却資産の改良に要した金額から、当該金額を基礎としてその改良の日から当該国庫補助金等の返還を要しないこととなった日までの期間に係る第二節**五4**の規定に準じて計算した償却費の額の累積額を控除した金額

②　国庫補助金等に代わる固定資産の総収入金額不算入

居住者が各年において国庫補助金等の交付に代わるべきものとして交付を受ける固定資産を取得した場合には、その固定資産の価額に相当する金額は、その者の各種所得の金額の計算上、総収入金額に算入しない。(法42②)

③　適用を受けるための手続

①及び②の規定は、確定申告書にこれらの規定の適用を受ける旨、これらの規定により総収入金額に算入されない金額その他次の(一)から(四)までに掲げる事項の記載がある場合に限り、適用する。(法42③、規20)

(一)	交付を受けた①に規定する国庫補助金等の額及びその交付の目的
(二)	①の規定の適用を受けた固定資産に関する明細
(三)	②に規定する固定資産の取得をした場合にはその取得の事由及びその資産の価額
(四)	その他参考となるべき事項

(注)　税務署長は、確定申告書の提出がなかった場合又は上記の記載がない確定申告書の提出があった場合においても、その提出がなかったこと又はその記載がなかったことについてやむを得ない事情があると認めるときは、①又は②の規定を適用することができる。(法42④)

④　国庫補助金等に係る固定資産の償却費の計算等

①又は②の適用を受けた居住者が①の規定の適用を受けた固定資産又はその取得した②に規定する固定資産について行うべき償却費の計算及びその者がその固定資産を譲渡した場合における事業所得の金額、山林所得の金額、譲渡所得の金額又は雑所得の金額の計算については、次の(一)及び(二)に定めるところによる。(法42⑤、令90②)

(一)	①の規定の適用を受けた固定資産については、その固定資産の取得に要した金額(山林については、植林費の額。(二)及び**2**⑤において同じ。)又は改良費の額に相当する金額からその固定資産に係る国庫補助金等の額に相当する金額を控除した金額をもって取得し、又は改良したものとみなし、当該国庫補助金等の額に相当する金額から①(1)(一)又は同(二)に定める金額を控除した金額に相当する金額は、①(1)(一)ロ又は同(二)ロに規定する期間に係る当該償却費として各年分の不動産所得の金額、事業所得の金額、山林所得の金額又は雑所得の金額の計算上必要経費に算入されなかったものとみなす。
(二)	②に規定する固定資産については、その固定資産の取得に要した金額は、ないものとみなす。

2　条件付国庫補助金等

①　条件付国庫補助金等の総収入金額不算入

居住者が、各年において**固定資産**の取得又は改良に充てるための国庫補助金等の交付を受ける場合において、その国庫補助金等の返還を要しないことがその年12月31日までに確定していないときは、その国庫補助金等の額に相当する金額は、その者のその年分の各種所得の金額の計算上、総収入金額に算入しない。(法43①)

②　返還を要しないことが確定した国庫補助金等

①の適用を受けた居住者が交付を受けた①の国庫補助金等の全部又は一部の返還を要しないことが確定した場合には、その国庫補助金等の額のうちその確定した部分に相当する金額は、その国庫補助金等の交付の目的に適合した固定資産の取得又は改良に充てられた金額のうち次の(一)から(三)に掲げる場合の区分に応じ当該(一)から(三)に定める金額を除き、その者のその確定した日の属する年分の各種所得の金額の計算上、総収入金額に算入する。(法43②、令91①)

(一)	国庫補助金等を減価償却資産の取得に充てた場合	当該国庫補助金等の額のうち返還を要しないことが確定し

	た部分に相当する金額に、イに掲げる金額のうちにロに掲げる金額の占める割合《未償却残額割合》を乗じて計算した金額 イ　当該減価償却資産の取得に要した金額 ロ　当該減価償却資産の取得に要した金額から、当該金額を基礎としてその取得の日から当該国庫補助金等の返還を要しないこととなった日までの期間に係る償却費の額の累積額を控除した金額
(二)	国庫補助金等を減価償却資産の改良に充てた場合　　当該国庫補助金等の額のうち返還を要しないことが確定した部分に相当する金額に、イに掲げる金額のうちにロに掲げる金額の占める割合《未償却残額割合》を乗じて計算した金額 イ　当該減価償却資産の改良に要した金額 ロ　当該減価償却資産の改良に要した金額から、当該金額を基礎としてその改良の日から当該国庫補助金等の返還を要しないこととなった日までの期間に係る償却費の額の累積額を控除した金額
(三)	国庫補助金等を減価償却資産以外の固定資産の取得若しくは改良又は山林の取得に充てた場合　　当該国庫補助金等の額のうち返還を要しないことが確定した部分に相当する金額

③　返還が確定した国庫補助金等

①の適用を受けた居住者が交付を受けた国庫補助金等の全部又は一部の返還をすべきことが確定した場合には、その国庫補助金等の額のうちその確定した部分に相当する金額は、その者のその確定した日の属する年分の各種所得の金額の計算上、必要経費又は支出した金額に算入しない。(法43③)

④　適用を受けるための手続

①の規定は、確定申告書にその規定の適用を受ける旨、①の規定により総収入金額に算入されない金額その他次の(一)から(三)までに掲げる事項の記載がある場合に限り、適用する。(法43④、規21)

(一)	交付を受けた国庫補助金等の額、その交付の目的及びその交付の条件
(二)	(一)の国庫補助金等をもって取得又は改良をしようとする固定資産の取得予定年月日又は改良予定年月日並びにその取得に要する金額の見込額及びその内訳
(三)	その他参考となるべき事項

(注)　税務署長は、確定申告書の提出がなかった場合又は上記の記載がない確定申告書の提出があった場合においても、その提出がなかったこと又はその記載がなかったことについてやむを得ない事情があると認めるときは、①の規定を適用することができる。(法43⑤)

⑤　条件付国庫補助金等に係る固定資産の償却費の計算等

①の国庫補助金等により取得し、又は改良した固定資産について行うべき償却費の計算及びその固定資産を譲渡した場合における事業所得の金額、山林所得の金額、譲渡所得の金額又は雑所得の金額の計算については、当該固定資産は、その取得に要した金額又は改良費の額に相当する金額から当該国庫補助金等の額のうち②の返還を要しないことが確定した部分に相当する金額を控除した金額をもって取得し、又は改良したものとみなし、当該確定した部分に相当する金額から②(一)又は同(二)に定める金額を控除した金額に相当する金額《返還を要しない国庫補助金のうち既往の償却費に相当する部分として総収入金額に算入される金額》は、その取得又は改良の日から当該国庫補助金等の返還を要しないこととなった日までの期間に係る償却費として各年分の不動産所得の金額、事業所得の金額、山林所得の金額又は雑所得の金額の計算上必要経費に算入されなかったものとみなす。(法43⑥、令91②)

3　移転等の支出に充てるための交付金の総収入金額不算入

居住者が、国若しくは地方公共団体からその行政目的の遂行のために必要なその者の資産の移転、移築若しくは除却その他これらに類する行為(固定資産の改良及び資本的支出に係る行為を除く。以下「**資産の移転等**」という。)の費用に充てるため補助金の交付を受け、又は土地収用法等に基づく収用、買取り、換地処分、権利変換、買収若しくは権利の消滅、土地収用法等に基づく資産の使用、取壊し若しくは除去若しくは土地区画整理法等に基づく資産の除却又はマンションの建替え等の円滑化に関する法律第149条《権利消滅期日における権利の帰属等》の規定による同法第153条《補償金》に規定する権利の消滅に伴いその者の資産の移転等の費用に充てるための金額の交付を受けた場合において、その交付を受けた金額をその交付の目的に従って資産の移転等の費用に充てたときは、その費用に充てた金額は、その者の各種所得の金額の計算上、総収入金額に算入しない。ただし、その費用に充てた金額のうち各種所得の金額の計算上必要経費に算入さ

れ又は譲渡に要した費用とされる部分の金額に相当する金額については、この限りでない。(法44、令92、93)

(資産の移転等の費用の範囲)

(1)　**3**の規定を適用する場合において、その交付を受けた金額を資産の移転等に際し通常行われる程度の腐朽又は損傷した部分の取替え又は修復に要する費用、通常行われる程度の模様替え又は造作の変更に要する費用その他これらに準ずる費用に充てたときは、その費用に充てた金額はその交付の目的に従って資産の移転等の費用に充てたものとする。(基通44－1)

(資産の移転、移築の費用に充てるため交付を受けた金額を除却の費用に充てた場合等)

(2)　資産の移転又は移築の費用に充てるために交付を受けた金額をその資産の除却のために支出した場合又は資産の除却の費用に充てるために交付を受けた金額をその資産の移転又は移築のために支出した場合においても、その支出した金額は、**3**の規定の適用上、その交付の目的に従って支出したものとする。(基通44－2)

4　免責許可の決定等により債務免除を受けた場合の経済的利益の総収入金額不算入

居住者が、破産法第252条第1項《免責許可の決定の要件等》に規定する免責許可の決定又は再生計画認可の決定があった場合その他資力を喪失して債務を弁済することが著しく困難である場合にその有する債務の免除を受けたときは、当該免除により受ける経済的な利益の価額については、その者の各種所得の金額の計算上、総収入金額に算入しない。(法44の2①)

(適用範囲)

(1)　**4**の場合において、**4**の債務の免除により受ける経済的な利益の価額のうち**4**の居住者の次の(一)から(五)までに掲げる場合の区分に応じそれぞれに定める金額((一)から(四)までに定める金額にあっては当該経済的な利益の価額がないものとして計算した金額とし、(五)に定める金額にあっては**4**の規定の適用がないものとして総所得金額、退職所得金額及び山林所得金額を計算した場合における金額とする。)の合計額に相当する部分については、**4**の規定は、適用しない。(法44の2②)

(一)	不動産所得を生ずべき業務に係る債務の免除を受けた場合　　当該免除を受けた日の属する年分の不動産所得の金額の計算上生じた損失の金額
(二)	事業所得を生ずべき事業に係る債務の免除を受けた場合　　当該免除を受けた日の属する年分の事業所得の金額の計算上生じた損失の金額
(三)	山林所得を生ずべき業務に係る債務の免除を受けた場合　　当該免除を受けた日の属する年分の山林所得の金額の計算上生じた損失の金額
(四)	雑所得を生ずべき業務に係る債務の免除を受けた場合　　当該免除を受けた日の属する年分の雑所得の金額の計算上生じた損失の金額
(五)	第七章第二節**一 1**又は同**2**《純損失の繰越控除》の規定により、当該債務の免除を受けた日の属する年分の総所得金額、退職所得金額又は山林所得金額の計算上控除する純損失の金額がある場合　　当該控除する純損失の金額

(適用を受けるための手続)

(2)　**4**の規定は、確定申告書に**4**の規定の適用を受ける旨、**4**の規定により総収入金額に算入されない金額その他次の(一)から(四)までに定める事項の記載がある場合に限り、適用する。(法44の2③、規21の2)

(一)	**4**の債務の免除を受けた年月日
(二)	**4**の債務の免除により受ける経済的な利益の価額
(三)	資力を喪失して債務を弁済することが著しく困難である事情の詳細
(四)	その他参考となるべき事項

(注)　税務署長は、確定申告書の提出がなかった場合又は(2)の記載がない確定申告書の提出があった場合においても、その提出がなかったこと又はその記載がなかったことについてやむを得ない事情があると認めるときは、**4**の規定を適用することができる。(法44の2④)

（「資力を喪失して債務を弁済することが著しく困難」である場合の意義）

（3）　**4**に規定する「資力を喪失して債務を弁済することが著しく困難」である場合とは、破産法の規定による破産手続開始の申立て又は民事再生法の規定による再生手続開始の申立てをしたならば、破産法の規定による免責許可の決定又は民事再生法の規定による再生計画認可の決定がされると認められるような場合をいうことに留意する。（基通44の２－１）

5　減額された外国所得税額の総収入金額不算入等

居住者が第九章第二節**二**《外国税額控除》**1**から同**3**までの規定の適用を受けた年の翌年以後７年内の各年においてこれらの規定による控除をされるべき金額の計算の基礎となった同節**二 1**に規定する外国所得税の額が減額された場合には、その減額された金額のうちその減額されることとなった日の属する年分における同節**二**の規定による外国税額控除の適用に係る部分に相当する金額として注で定める金額は、その者の当該年分の不動産所得の金額、事業所得の金額、山林所得の金額、一時所得の金額又は雑所得の金額の計算上、総収入金額に算入しない。この場合において、その減額された金額から当該注で定める金額を控除した金額は、その者の当該年分の雑所得の金額の計算上、総収入金額に算入する。（法44の３）

（減額された外国所得税額のうち総収入金額に算入しないもの）

注　**5**に規定する注で定める金額は、**5**に規定する外国所得税の額が減額された金額のうちその減額されることとなった日の属する年において第九章第二節**二 5**（１）《外国所得税が減額された場合の特例》の規定による同（１）に規定する納付控除対象外国所得税額からの控除又は同**5**（３）の規定による同（３）に規定する控除限度超過額からの控除に充てられることとなる部分の金額に相当する金額とする。（令93の２）

6　転廃業助成金等に係る課税の特例

①　減価補塡金の総収入金額不算入

事業の整備その他の事業活動に関する制限につき、法令の制定、条約その他の国際約束の締結その他これらに準ずるものとして（1）で定める行為（以下「**法令の制定等**」という。）があったことに伴い、その営む事業の廃止又は転換をしなければならないこととなる個人（以下**6**において「**廃止業者等**」という。）が、その事業の廃止又は転換をすることとなることにより国若しくは地方公共団体の補助金（これに準ずるものを含む。）又は**残存事業者等**（当該事業と同種の事業を営む者で当該法令の制定等があった後においても引き続きその事業を営むもの及びその者が構成する団体をいう。）の拠出した補償金で（2）に定めるもの（以下**6**において「**転廃業助成金等**」という。）の交付を受けた場合（当該転廃業助成金等の交付の目的に応じ当該廃止業者等の属する団体その他の者を通じて交付を受けた場合を含む。以下同じ。）には、当該転廃業助成金等のうち、その個人の有する当該事業に係る機械その他の減価償却資産の減価を補塡するための費用として（3）に定めるものに対応する部分（以下**6**において「**減価補塡金**」という。）の金額は、当該減価補塡金の交付を受けた日の属する年分の各種所得の金額の計算上、総収入金額に算入しない。（措法28の３①）

（法令の判定、条約その他の国際約束の締結その他これらに準ずる行為）

（1）　①に規定する法令の判定、条約その他の国際約束の締結その他これらに準ずる行為は、国の施策に基づいて行われる国の行政機関による指導及び国（国の全額出資に係る法人を含む。）からの資金的援助を受けてその業種に属する事業を営む者の相当数が参加して行うその事業に係る設備の廃棄その他これに類する行為とする。（措令18の７①）

（転廃業助成金等の意義）

（2）　転廃業助成金等とは、廃止業者等がその事業の廃止又は転換をすることとなることにより法令の規定に基づき国若しくは地方公共団体から交付される補助金その他これに準ずるものとして財務大臣が指定する補助金又は①に規定する残存事業者等の拠出した補償金として財務大臣が指定する補償金（以下「**補助金等**」という。）とする。（措令18の７②）

（注）　財務大臣の指定した転廃業助成金等は、後掲別表（906ページ）のⅠ欄のとおりである。（編者注）

（減価補塡金の意義）

（3）　減価補塡金とは、（2）の補助金等のうち、その交付の目的が機械その他の減価償却資産の減価を補塡するための費用に充てるべきものとして財務大臣が指定するものとする。（措令18の７③）

（注）　財務大臣の指定した減価補塡金は、後掲別表（906ページ）のⅡ欄のとおりである。（編者注）

②　転廃業助成金の総収入金額不算入

廃止業者等である個人が転廃業助成金等の交付を受けた場合において、当該転廃業助成金等のうちその営む事業の廃止又は転換を助成するための費用として(1)に定めるものに対応する部分（以下**6**において「**転廃業助成金**」という。）の金額の全部又は一部に相当する金額をもってその交付を受けた日の属する年の12月31日までに(2)に定める**資産の取得**（所有権移転外リース取引による取得を除き、建設及び製作を含む。以下**6**において同じ。）**又は改良**（取壊し及び除去を含む。以下同じ。）をしたときは、当該転廃業助成金の金額のうち当該資産の取得又は改良に要した金額に相当する金額は、同年分の各種所得の金額の計算上、総収入金額に算入しない。（措法28の３②）

廃止業者等である個人がその交付を受けた転廃業助成金等のうちに転廃業助成金の金額がある場合において、当該転廃業助成金の金額のうち上記及び③の規定により総収入金額に算入しないこととされた金額以外の部分の金額があるときは、当該金額に相当する金額は、その交付を受けた日の属する年分の一時所得に係る収入金額とする。（措法28の３④）

（転廃業助成金の意義）

(1)　転廃業助成金とは、補助金等のうち、その交付の目的が事業の廃止又は転換を助成するための費用に充てるべきものとして財務大臣が指定するものとする。（措令18の７④）

（注）　財務大臣の指定した転廃業助成金は、後掲別表（906ページ）のⅢ欄のとおりである。（編者注）

（資産の取得又は改良の意義）

(2)　②の資産の取得又は改良とは、②の転廃業助成金の交付を受けた個人の不動産所得の基因となり、又は不動産所得、事業所得若しくは山林所得を生ずべき事業の用に供する固定資産の取得又は改良とする。（措令18の７⑤）

（減価補塡金に相当する転廃業助成金）

(3)　②の転廃業助成金で機械その他の減価償却資産の減価を補塡するための費用に相当する部分の金額が含まれているものの交付を受けた場合には、当該費用に相当する部分の金額のうち、その交付を受ける直前における当該減価償却資産の未償却残額に相当する部分の金額は、その交付を受けた日の属する年分の各種所得の金額の計算上、総収入金額に算入しない。（措通28の３－１）

（注）　当該助成金の交付を受けた場合には、その助成金をまずその対象となった減価償却資産の減価に充てることとするものである。

（助成金の対象となった資産の未償却残額）

(4)　①の減価補塡金又は(3)の転廃業助成金に係る減価償却資産のこれらの補助金の交付を受ける直前における未償却残額のうち、①又は(3)の取扱いにより総収入金額に算入しないこととされるこれらの補助金の額に相当する部分の金額は、その交付を受けた時において、これらの減価償却資産の未償却残額から控除する。（措通28の３－２）

（取壊し等に要した費用）

(5)　(3)の転廃業助成金に係る減価償却資産の取壊し、除却又は譲渡（以下「取壊し等」という。）のために要した費用がある場合には、当該費用の額のうち、②（③を含む。）により総収入金額に算入しないこととされた金額（(3)の取扱いにより総収入金額に算入しないこととされる金額を除く。）に達するまでの部分の金額は、各種所得の金額の計算上、必要経費又は譲渡に要した費用の額に算入しない。（措通28の３－３）

（注）　転廃業助成金について総収入金額に算入しないこととした金額がある場合で、(3)の取扱いによりその助成金の交付の対象となった減価償却資産の減価に充てた後の残額があるときは、その残額については、まずその取壊し等の費用の支出に充てたこととするものである。
　したがって、この助成金をもって他の資産の取得又は改良をした場合は、その減価及び費用の支出に充てた残りの金額のみがその資産の取得価額の圧縮の対象となる。

③　見積りによる転廃業助成金の総収入金額不算入

廃止業者等である個人が交付を受けた転廃業助成金等のうち転廃業助成金の金額の全部又は一部に相当する金額をもってその交付を受けた日の属する年の翌年１月１日からその交付を受けた日後２年を経過する日までの期間（工場等の建設に要する期間が通常２年を超えることその他(1)で定めるやむを得ない事情がある場合には、同年１月１日から当該(1)で定める日までの期間）内に②の資産の取得又は改良をする見込みであり、かつ、(2)に定めるところにより納税地の所轄税務署長の承認を受けた場合には、当該転廃業助成金の金額（その交付を受けた日の属する年分の所得税について②の規定の適用を受けている場合には、②の規定により総収入金額に算入しないこととされた金額を控除した金額）のうち税務署長の承認を受けた当該資産の取得又は改良に要する金額の見積額に相当する金額は、同年分の各種所得の金額の計算上、総収入金額に算入しない。（措法28の３③）

（取得期間の延長が認められる場合と延長期限）

（１）③に規定する（１）で定める「やむを得ない事情がある場合」は、工場、事務所その他の建物、構築物又は機械及び装置で事業の用に供するもの（以下（１）において「工場等」という。）の敷地の用に供するための宅地の造成並びに当該工場等の建設及び移転に要する期間が通常２年を超えると認められる事情その他これに準ずる事情とし、③に規定する（１）で定める期間は、③に規定する交付の日から３年を経過する日までの期間とする。（措令18の７⑥）

（承認申請手続）

（２）③について所轄税務署長の承認を受けようとする者は、その転廃業助成金の金額について③の規定の適用を受けようとする旨、固定資産の取得又は改良をする予定年月日及び当該取得又は改良に要する金額の見積額その他の明細を記載した申請書を、その年分の確定申告書の提出の日（⑥（２）の規定に該当してその日後において⑥に規定する書類を提出する場合には、その提出の日）までに、納税地の所轄税務署長に提出しなければならない。（措規10①）

（取得期間の延長を求める場合の申請手続）

（３）（２）に規定する申請書を提出する者が③に規定するやむを得ない事情がある場合に該当する場合には、当該申請書に係る（２）の規定の適用については、その者は、当該申請書に（２）に規定する事項のほか、（１）に規定する場合に該当する旨及びその事情の詳細並びに（１）に規定する宅地の造成並びに工場等の建設及び移転に要する期間を付記し、かつ、当該付記した事項を明らかにする書類を添付しなければならない。（措規10②）

（固定資産の取得又は改良を証する書類の提出）

（４）③の適用を受けた者は、②（２）に掲げる固定資産の取得又は改良をしたことを証する書類を納税地の所轄税務署長に提出しなければならない。（措令18の７⑨）

④　減価償却等の特例の不適用

個人が②の前段の規定（③において準用する場合を含む。以下同じ。）の適用を受けた場合には、②の前段の規定の適用に係る資産については、第二節**六18**《特別償却等に関する複数の規定の不適用》①各号に掲げる規定は、適用しない。（措法28の３⑪）

⑤　転廃業助成金等に係る減価償却資産の償却費の計算等

①、②の前段又は③の適用を受けた個人が①に定める減価償却資産又は②により取得又は改良した資産について行うべき償却費の計算、その者がこれらの資産を譲渡した場合における譲渡所得の金額の計算その他転廃業助成金等に係る①の規定の適用に関し必要な事項については、次の（１）及び（２）によるものとする。（措法28の３⑫）

（総収入金額不算入とされる金額がないものとみなす場合）

（１）①、②の前段又は③の適用を受けた個人が次の(一)又は(二)に掲げる資産について当該(一)又は(二)に定める日以後の期間に係る償却費の額を計算するとき、又は当該資産につき同日以後譲渡（第四章第八節**一１**《譲渡所得の意義》に定める譲渡をいう。）、相続、遺贈若しくは贈与があった場合において、事業所得の金額、譲渡所得の金額若しくは雑所得の金額を計算するときは、当該資産の取得に要した金額又は改良費の額に相当する金額のうち、①、②の前段又は③により総収入金額に算入しないこととされた金額に相当する金額は、ないものとみなす。（措令18の７⑦）

(一)　①に定める減価償却資産　　当該減価償却資産に係る①に規定する減価補填金の交付を受けた日

(二)　②の前段又は③に定める資産　　当該資産の取得又は改良の日

（総収入金額不算入とされる金額がないものとみなす場合の明細の記載）

（２）（１）(一)又は同(二)に掲げる資産について償却費の額を計算する場合又は事業所得の金額、譲渡所得の金額若しくは雑所得の金額を計算する場合には、確定申告書に当該資産の取得に要した金額又は改良費の額が（１）の規定により計算されている旨及びその計算の明細を記載するものとする。（措令18の７⑧）

⑥　適用を受けるための手続

①、②の前段又は③の規定は、これらの規定の適用を受けようとする年分の確定申告書に、これらの規定の適用を受けようとする旨の記載があり、かつ、これらの規定による各種所得の金額の計算及び①に規定する減価償却資産又は②に規定する資産の取得若しくは改良に関する明細書その他次のイ及びロに掲げる区分に応じ当該イ又はロに定める書類の添付がある場合に限り、適用する。（措法28の３⑤、措規10③）

イ	①の転廃業助成金等の交付を受けた場合（ロに掲げる場合を除く。）　　当該転廃業助成金等の交付をした者の当該交付に関する通知書その他これに準ずる書類（当該交付の年月日、交付の目的及び当該目的別の金額の記載のあるものに限る。ロにおいて「通知書」という。）又はその写し
ロ	①の廃止業者等の属する団体その他の者（以下「交付団体」という。）を通じて転廃業助成金等の交付を受けた場合　　当該交付団体の当該転廃業助成金等の交付の目的に応じ当該転廃業助成金等の交付をしたことを証する書類（当該交付の年月日、交付の目的及び当該目的別の金額の記載のあるものに限る。）又はその写し及び当該交付団体が受けた当該転廃業助成金等に係る通知書の写し

（資産の取得又は改良をしたことを証する書類の提出）

（1）　⑥に規定する確定申告書を提出する者は、②に規定する資産の取得又は改良をしたことを証する書類（当該取得をした資産が土地若しくは土地の上に存する権利又は建物である場合には、これらの資産に関する登記事項証明書）を、次の(一)又は(二)に掲げる場合の区分に応じ当該(一)又は(二)に定める日（(2)に該当してその日後において⑥の書類を提出する場合には、その提出の日）までに、納税地の所轄税務署長に提出しなければならない。（措規10④）

(一)	②により転廃業助成金のうち固定資産の取得、改良に充てた金額の総収入金額不算入の規定の適用を受ける場合　　⑥に規定する確定申告書の提出の日
(二)	③により転廃業助成金のうち資産の取得、改良に要する金額の見積額の総収入金額の不算入の規定の適用を受ける場合　　③に規定する資産の取得又は改良をした日から４月を経過する日

（確定申告書への記載等がない場合の宥恕規定）

（2）　税務署長は、確定申告書の提出がなかった場合又は⑥の記載若しくは添付がない確定申告書の提出があった場合においても、その提出又は記載若しくは添付がなかったことについてやむを得ない事情があると認めるときは、当該記載をした書類並びに⑥に掲げる明細書及び書類の提出があった場合に限り、①、②の前段又は③の規定を適用することができる。（措法28の３⑥）

⑦　見積りによる転廃業助成金に係る修正申告及び更正

③により転廃業助成金のうち資産の取得、改良に要する金額の見積額の総収入金額不算入の適用を受けた者は、次のイ又はロに掲げる場合に該当する場合には、当該イ又はロに定める日から４月以内に転廃業助成金等の交付を受けた日の属する年分の所得税についての修正申告書を提出し、かつ、当該期限内に当該申告書の提出により納付すべき税額を納付しなければならない。（措法28の３⑦）

上記の修正申告書の提出がないときは、納税地の所轄税務署長は、当該申告書に記載すべきであった所得金額、所得税の額その他の事項につき国税通則法第24条《更正》又は第26条《再更正》の規定による更正を行う。（措法28の３⑧）

イ	③の資産の取得又は改良をした場合において、当該資産の取得又は改良に要した金額が税務署長の承認を受けた当該資産の取得又は改良に要する金額の見積額に満たないとき　　当該資産の取得又は改良をした日
ロ	③の期間内に資産の取得又は改良をしなかった場合　　その期間を経過した日

（修正申告書及び更正に対する国税通則法の適用）

（1）　⑦の修正申告書及び更正に対する第十二章**一 1**《更正》又は同**3**《再更正》の規定の適用については、次の(一)から(三)までに定めるところによる。（措法28の３⑨）

(一)	当該修正申告書で⑦の提出期限内に提出されたものについては、第十章第七節**一 4**《修正申告の効力》の規定を適用する場合を除き、これを同章第二節**一 2**《期限内申告》に規定する期限内申告書とみなす。

(二)	当該修正申告書で提出期限後に提出されたもの及び当該更正については、国税通則法第２章から第７章までの規定中「法定申告期限」とあり、及び「法定納期限」とあるのは「租税特別措置法第28条の３第７項に規定する修正申告書の提出期限」と、第十二章**四７**（３）(一)《延滞税の額の計算の基礎となる期間の特例》中「期限内申告書」とあるのは「第二章第一節**一37**に規定する確定申告書」と、同**四７**（４）中「期限内申告書又は期限後申告書」とあるのは「第六章第一節**三６**⑦の規定による修正申告書」と、第十二章**四１**①、同③(二)及び同⑤(二)中「期限内申告書」とあるのは「第二章第一節**一37**に規定する確定申告書」とする。
(三)	第十二章**四７**（３）(二)及び同章**四２**《無申告加算税》の規定は、(二)に規定する修正申告書及び更正には、適用しない。

（資産の取得又は改良に要する金額が見積額に対し過大となった場合の更正の請求）

（２）　③の適用を受けた者は、③に規定する期間内にその資産の取得又は改良をした場合において、当該取得又は改良を要した金額が税務署長の承認を受けた取得又は改良に要する金額の見積額に対して過大となったときは、当該資産の取得又は改良をした日から４月以内に、納税地の所轄税務署長に対し、転廃業助成金等の交付を受けた日の属する年分の所得税についての更正の請求をすることができる。（措法28の３⑩）

〔別表〕転廃業助成金等の指定告示

	Ⅰ 転 廃 業 助 成 金 等	Ⅱ 減価補塡金	Ⅲ 転廃業助成金	告示年月日 告示番号
(一)	根室漁業協同組合が令和２年12月14日に農林水産大臣の認定を受けた中型底はえ縄漁業の再編整備に関する実施計画（Ⅱ欄(二)において「実施計画」という。）に基づき、一般社団法人大日本水産会（明治42年５月19日に社団法人大日本水産会という名称で設立された法人をいう。以下(一)において同じ。）が国際漁業等再編対策事業費補助金の交付を受けて行う国際漁業再編対策事業を実施することに伴い、一般社団法人大日本水産会から交付された減船漁業者救済費交付金（当該減船漁業者救済費交付金と併せ根室漁業協同組合から交付された交付金で、当該減船漁業者救済費交付金と同一の目的を有するものを含む。以下「減船漁業者救済費交付金等」という。）及び不要漁船処理費交付金（当該不要漁船処理費交付金と併せ根室漁業協同組合から交付された交付金で、当該不要漁船処理費交付金と同一の目的を有するものを含む。以下「不要漁船処理費交付金等」という。）とする。	次に掲げるものとする。 (一)　減船漁業者救済費交付金等のうち経費補塡金（漁具の処分に係る損失の額及び購入の代価に基づいて算定される部分に限る。）に相当する部分 (二)　不要漁船処理費交付金等のうち実施計画に従って廃棄をした漁船の当該廃棄の直前における帳簿価額に相当する部分	減船漁業者救済費交付金等のうち経費補塡金以外の部分に相当する部分及び不要漁船処理費交付金等のうちⅡ欄(二)に掲げるもの以外の部分に相当する部分とする。	令3.3.31 財務省告示 第80号 最終改正 令5.3.31 財務省告示 第85号
(二)	一般社団法人全国いか釣り漁業協会（昭和51年５月４日に社団法人全国沖合いかつり漁業協会という名称で設立された法人をいう。）が令和３年１月26日に水産庁長官の承認を受け、令和４年７月29日に水産庁長官の変更の承認を受けたいか釣り漁業の再編整備に関する事業計画（第Ⅱ欄(二)において「事業計画」という。）に基づき、一般財団法人日韓・日中協定対策漁業振興財団（平成10年11月27日に財団法人日韓・日中新協定対策漁業振興財団という名称で設立された法人をいう。以下において同じ。）が韓国・中国等外国漁船操業対策基金事業費補助金の交付を受けて行う漁業再編対策事業を実施することに伴い、一般財団法人日韓・日中協定対策漁業振興財団から交付された減船漁業者救済費助成金及び不要漁船処理費助成金	次に掲げるものとする。 (一)　Ⅰ欄に規定する減船漁業者救済費助成金のうち経費補塡金（漁具の処分に係る損失の額及び購入の代価に基づいて算定される部分に限る。）に相当する部分 (二)　Ⅰ欄に規定する不要漁船処理費助成金のうち事業計画に従って廃棄をした漁船の当該廃棄の直前における償却後の取得価額又は帳簿価額に相当する部分	Ⅰ欄に規定する減船漁業者救済費助成金のうち経費補塡金以外の部分に相当する部分及びⅠ欄に規定する不要漁船処理費助成金のうちⅡ欄(二)に掲げるもの以外の部分に相当する部分	

第二節　必　要　経　費

一　通　　　則

その年分の不動産所得の金額、事業所得の金額又は雑所得の金額（事業所得の金額及び雑所得の金額のうち山林の伐採又は譲渡に係るもの並びに雑所得の金額のうち第四章第十節**二2**《公的年金等の定義》に規定する公的年金等に係るものを除く。）の計算上必要経費に算入すべき金額は、別段の定めがあるものを除き、これらの所得の総収入金額に係る売上原価その他当該総収入金額を得るため直接に要した費用の額及びその年における販売費、一般管理費その他これらの所得を生ずべき業務について生じた費用（償却費以外の費用でその年において債務の確定しないものを除く。）の額とする。（法37①）

1　債務が確定している費用

（売上原価等の費用の範囲）

（1）　**一**に規定する「売上原価その他当該総収入金額を得るため直接に要した費用」は、別段の定めのあるものを除き、その年において債務の確定しているものに限るものとする。（基通37－1）

（必要経費に算入すべき費用の債務確定の判定）

（2）　**一**によりその年分の不動産所得の金額、事業所得の金額、山林所得の金額又は雑所得の金額の計算上必要経費に算入すべき償却費以外の費用で、その年において債務が確定しているものとは、別段の定めがあるものを除き、次に掲げる要件の全てに該当するものとする。（基通37－2）

㈠　その年12月31日（年の中途において死亡し又は出国をした場合には、その死亡又は出国の時。以下同じ。）までに当該費用に係る債務が成立していること。

㈡　その年12月31日までに当該債務に基づいて具体的な給付をすべき原因となる事実が発生していること。

㈢　その年12月31日までにその金額を合理的に算定することができるものであること。

（損害賠償金の必要経費算入の時期）

（3）　業務の遂行に関連して他の者に与えた損害につき賠償をする場合において、その年12月31日までにその賠償すべき額が確定していないときであっても、同日までにその額として相手方に申し出た金額（相手方に対する申出に代えて第三者に寄託した額を含む。）に相当する金額（保険金等により補填されることが明らかな部分の金額を除く。）を当該年分の必要経費に算入したときは、これを認める。（基通37－2の2）

（注）　損害賠償金を年金として支払う場合には、その年金の額は、これを支払うべき日の属する年分の必要経費に算入する。

（翌年以後の期間の賃貸料を一括して収受した場合の必要経費）

（4）　資産の貸付けの対価としてその年分の総収入金額に算入された賃貸料でその翌年以後の貸付期間にわたるものに係る必要経費については、その総収入金額に算入された年において生じた当該貸付けの業務に係る費用又は損失の金額とその年の翌年以後当該賃貸料に係る貸付期間が終了する日までの各年において通常生ずると見込まれる当該業務に係る費用の見積額との合計額をその総収入金額に算入された年分の必要経費に算入することができるものとする。この場合において、当該翌年以後において実際に生じた費用又は損失の金額が当該見積額と異なることとなったときは、その差額をその異なることとなった日の属する年分の必要経費又は総収入金額に算入する。（基通37－3）

2　租 税 公 課

（酒税等の両建経理）

（1）　酒税等は、消費者、利用者等から領収する金額を総収入金額に算入し、申告、更正若しくは決定又は賦課決定（以下(3)において「申告等」という。）により納付する金額を必要経費に算入する。（基通37－4）

（固定資産税等の必要経費算入）

（２）　業務の用に供される資産に係る固定資産税、登録免許税（登録に要する費用を含み、その資産の取得価額に算入されるものを除く。）、不動産取得税、地価税、特別土地保有税、事業所税、自動車取得税等は、当該業務に係る各種所得の金額の計算上必要経費に算入する。（基通37－５）

（注）１　上記の業務の用に供される資産には、相続、遺贈又は贈与により取得した資産を含むものとする。

２　特許権、鉱業権のように登録により権利が発生する資産に係る登録免許税はその資産の取得価額に算入し、船舶、航空機、自動車のように業務の用に供するについて登録を要する資産に係る登録免許税はその資産の取得価額に算入しないことができる。（基通49－３）

３　棚卸資産の取得又は保有に関連して支出する固定資産税、都市計画税、登録免許税（登録に要する費用を含む。）、不動産取得税、地価税、特別土地保有税等は、その取得価額に算入しないことができる。（基通47－18の２）

４　固定資産（業務の用に供されるものを除く。）に係る登録免許税（登録に要する費用を含む。）、不動産取得税等固定資産の取得に伴い納付することとなる租税公課は、当該固定資産の取得費に算入する。（基通38－９）

（その年分の必要経費に算入する租税）

（３）　**１**によりその年分の各種所得の金額の計算上必要経費に算入する国税及び地方税は、その年12月31日（年の中途において死亡し又は出国をした場合には、その死亡又は出国の時。以下（３）において同じ。）までに申告等により納付すべきことが具体的に確定したものとする。ただし、次に掲げる税額については、それぞれ次による。（基通37－６）

（一）　製造場から移出された物品に係る酒税等でその年12月31日までに申告等があったもののうち、同日までに販売されていない物品に係る税額　　当該物品が販売された日の属する年分の必要経費に算入する。

（二）　その年分の総収入金額に算入された酒税等のうち、その年12月31日までに申告期限が到来しない税額　　当該税額として未払金に計上された金額のうち、その年分の確定申告期限までに申告等があった税額に相当する金額は、当該総収入金額に算入された年分の必要経費に算入することができる。

（三）　賦課課税方式による租税のうち納期が分割して定められている税額　　各納期の税額をそれぞれ納期の開始の日又は実際に納付した日の属する年分の必要経費に算入することができる。

（四）　地価税　　地価税法第28条第１項及び第３項並びに同条第５項の規定により読み替えて適用される通則法第35条第２項に定めるそれぞれの納期限の日（同日前に納付した場合には実際に納付した日）の属する年分の必要経費に算入することができる。

（五）　利子税　　納付の日の属する年分の必要経費に算入する。ただし、その年12月31日までの期間に対応する税額を未払金に計上した場合には、当該金額をその年分の必要経費に算入することができる。

（事業を廃止した年分の所得につき課税される事業税の見込控除）

（４）　事業税を課税される事業を営む者が当該事業を廃止した場合における当該廃止した年分の所得につき課税される事業税については、（３）にかかわらず、当該事業税の課税見込額を当該年分の当該事業に係る所得の金額の計算上必要経費に算入することができるものとする。この場合において、当該事業税の課税見込額は、次の算式により計算した金額とする。（基通37－７）

$$\frac{(A \pm B)R}{1+R}$$

A……事業税の課税見込額を控除する前の当該年分の当該事業に係る所得の金額

B……事業税の課税標準の計算上Aの金額に加算し又は減算する金額

R……事業税の税率

（注）　事業を廃止した年分の所得につき課税される事業税について上記の取扱いによらない場合には、当該事業税の賦課決定があった時において、第四節**二１**《事業を廃止した場合等の必要経費の特例》及び第十章第八節**二１**《各種所得の金額に異動を生じた場合の更正の請求の特例》の規定の適用がある。

（受益者負担金の必要経費算入）

（５）　土地改良法、道路法、都市計画法、河川法、港湾法、水防法等の規定により賦課される受益者負担金で業務に係るものは、繰延資産に該当する部分の金額又は土地の価額の増加その他改良費に属する部分の金額を除き、その支出の日の属する年分の当該業務に係る所得の金額の計算上必要経費に算入する。（基通37－８）

（農業協同組合等の賦課金）

（６）　農業協同組合、水産加工業協同組合、中小企業協同組合、商工会議所、医師会等の組合員又は会員が法令又は定款その他これに類するものの規定に基づき業務に関連して賦課される費用は、繰延資産に該当する部分の金額を除き、

その支出の日の属する年分の当該業務に係る所得の金額の計算上必要経費に算入する。(基通37－9)

(汚染負荷量賦課金等)

(7)　次に掲げる賦課金等で業務に係るものは、それぞれ次に定める日の属する年分の当該業務に係る所得の金額の計算上必要経費に算入する。(基通37－9の2)

(一)　公害健康被害の補償等に関する法律第52条第1項《汚染負荷量賦課金の徴収》に規定する汚染負荷量賦課金　当該汚染負荷量賦課金の額につき、汚染負荷量賦課金申告書が提出された日(決定に係る金額については、当該決定の通知があった日)

(二)　公害健康被害の補償等に関する法律第62条第1項《特定賦課金の徴収》に規定する特定賦課金　当該特定賦課金の額につき、決定の通知があった日

(三)　障害者の雇用の促進等に関する法律第53条第1項《障害者雇用納付金の徴収》に規定する障害者雇用納付金　当該障害者雇用納付金の額につき、障害者雇用納付金申告書が提出された日(告知に係る金額については、当該告知があった日)

3　資本的支出と修繕費

不動産所得、事業所得、山林所得又は雑所得を生ずべき業務を行う居住者が、修理、改良その他いずれの名義をもってするかを問わず、その業務の用に供する固定資産について支出する金額で次の①又は②に掲げる金額に該当するもの(そのいずれにも該当する場合には、いずれか多い金額)は、その者のその支出する日の属する年分の不動産所得の金額、事業所得の金額、山林所得の金額又は雑所得の金額の計算上、必要経費に算入しない。(令181)

①	当該支出する金額のうち、その支出により、当該資産の取得の時において当該資産につき通常の管理又は修理をするものとした場合に予測される当該資産の使用可能期間を延長させる部分に対応する金額
②	当該支出する金額のうち、その支出により、当該資産の取得の時において当該資産につき通常の管理又は修理をするものとした場合に予測されるその支出の時における当該資産の価額を増加させる部分に対応する金額

(資本的支出の例示)

(1)　業務の用に供されている固定資産の修理、改良等のために支出した金額のうち当該固定資産の価値を高め、又はその耐久性を増すこととなると認められる部分に対応する金額が資本的支出となるのであるから、例えば、次に掲げるような金額は、原則として資本的支出に該当する。(基通37－10)

(一)　建物の避難階段の取付け等物理的に付加した部分に係る金額

(二)　用途変更のための模様替え等改造又は改装に直接要した金額

(三)　機械の部分品を特に品質又は性能の高いものに取り替えた場合のその取替えに要した金額のうち通常の取替えの場合にその取替えに要すると認められる金額を超える部分の金額

(注)　建物の増築、構築物の拡張、延長等は建物等の取得に当たる。

(ソフトウエアに係る資本的支出と修繕費)

(2)　業務の用に供しているソフトウエアにつきプログラムの修正等を行った場合において、当該修正等が、プログラムの機能上の障害の除去、現状の効用の維持等に該当するときはその修正等に要した費用は修繕費に該当し、新たな機能の追加、機能の向上等に該当するときはその修正等に要した費用は資本的支出に該当することに留意する。(基通37－10の2)

(注)1　既に業務の用に供しているソフトウエア又は購入したパッケージソフトウエア等の仕様を大幅に変更するための費用のうち、**五7イ**(30)(注)2により取得価額になったもの(同(31)により取得価額に算入しないこととしたものを含む。)以外のものは、資本的支出に該当することに留意する。

2　本文の修正等に要した費用(修繕費に該当するものを除く。)又は上記(注)1の費用が研究開発費(自己の業務の用に供するソフトウエアに対する支出に係る研究開発費については、その自己の業務の用に供するソフトウエアの利用により将来の収益獲得又は費用削減にならないことが明らかな場合における当該研究開発費に限る。)に該当する場合には、資本的支出に該当しないこととすることができる。

(修繕費に含まれる費用)

(3)　業務の用に供されている固定資産の修理、改良等のために支出した金額のうち当該固定資産の通常の維持管理のため、又は災害等によりき損した固定資産につきその原状を回復するために要したと認められる部分の金額(当該金

額に係る損失につき**八**《資産損失》**1**①若しくは同③又は第八章**一**《雑損控除》の規定の適用を受けている場合には、当該金額のうち、これらの規定に規定する損失の金額に算入された金額を除く。）が修繕費となるのであるが、次に掲げるような金額は、修繕費に該当する。（基通37－11）

（一）　建物の移えい又は解体移築をした場合（移えい又は解体移築を予定して取得した建物についてした場合を除く。）におけるその移えい又は移築に要した費用の額。ただし、解体移築にあっては、旧資材の70%以上がその性質上再使用できる場合であって、当該旧資材をそのまま利用して従前の建物と同一の規模及び構造の建物を再建築するものに限る。

（二）　機械装置の移設（集中生産を行うなどのための移設〔**五7イ**(26)参照〕を除く。）に要した費用（解体費を含む。）の額

（三）　地盤沈下した土地を沈下前の状態（業務の用に供された時において既に沈下していた土地については、その業務の用に供された時の状態とする。）に回復するために行う地盛りに要した費用の額（その土地の沈下による損失につき**八**《資産損失》**1**①若しくは同③又は第八章**一**《雑損控除》の規定の適用を受けている場合には、当該部分の金額のうち、これらの規定に規定する損失の金額に算入された金額を除く。）

（四）　建物、機械装置等が地盤沈下により海水等の浸害を受けることとなったために行う床上げ、地上げ又は移設に要した費用の額（当該費用に係る損失につき**八**《資産損失》**1**①若しくは同③又は第八章**一**《雑損控除》の規定の適用を受けている場合には、当該費用のうち、これらの規定に規定する損失の金額に算入された金額を除く。）。ただし、その床上工事等が従来の床面の構造、材質等を改良するものである等明らかに改良工事であると認められる場合のその改良部分に対応する金額を除く。

（五）　現に使用している土地の水はけを良くするなどのために行う砂利、砕石等の敷設に要した費用の額及び砂利道又は砂利路面に砂利、砕石等を補充するために要した費用の額

（少額又は周期の短い費用の必要経費算入）

（4）　一の計画に基づき同一の固定資産について行う修理、改良等（以下（7）までにおいて「一の修理、改良等」という。）が次のいずれかに該当する場合において、その修理、改良等のために要した金額を修繕費の額としてその業務に係る所得の金額を計算し、それに基づいて確定申告を行っているときは、（1）にかかわらず、これを認めるものとする。（基通37－12）

（一）　その一の修理、改良等のために要した金額（その一の修理、改良等が２以上の年にわたって行われるときは、各年ごとに要した金額。以下（7）までにおいて同じ。）が20万円に満たない場合

（二）　その修理、改良等がおおむね３年以内の期間を周期として行われることが既往の実績その他の事情からみて明らかである場合

（注）　上記の「同一の固定資産」は、一の設備が２以上の資産によって構成されている場合には当該一の設備を構成する個々の資産とし、送配管、送配電線、伝導装置等のように一定規模でなければその機能を発揮できないものについては、その最小規模として合理的に区分した区分ごととする。以下（7）までにおいて同じ。

（災害の復旧費用の必要経費算入）

（5）　災害により被害を受けた固定資産（以下（5）において「被災固定資産」という。）の被災前の効用を維持するために行う補強工事、排水又は土砂崩れの防止等のために支出した費用の額（当該費用に係る損失につき**八**《資産損失》**1**①若しくは同③又は第八章**一 1**《雑損控除》の規定の適用を受けている場合には、当該費用のうち、これらの規定に規定する損失の額に算入された金額を除く。）を修繕費の額として当該業務に係る所得の金額を計算し、それに基づいて確定申告を行っているときは、（1）にかかわらず、これを認めるものとする。（基通37－12の２）

（注）1　被災固定資産の復旧に代えて資産の取得をし、又は特別の施設（被災固定資産の被災前の効用を維持するためのものを除く。）を設置する場合の当該資産の取得又は特別の施設の設置は新たな資産の取得に該当し、その取得のために支出した金額は、これらの資産の取得の対価及び付随費用となるのであるから、これらの資産の取得価額に含めることに留意する。

2　この取扱いは、不動産所得、事業所得又は山林所得を生ずべき事業に係る繰延資産のうち、まだ必要経費に算入されていない部分につき、当該繰延資産の基因となる固定資産について損壊等の被害があった場合について準用する。

（形式基準による修繕費の判定）

（6）　一の修理、改良等のために要した金額のうちに資本的支出であるか修繕費であるかが明らかでない金額があり、その金額が次のいずれかに該当する場合において、その修理、改良等のために要した金額を修繕費の額としてその業務に係る所得の金額を計算し、それに基づいて確定申告を行っているときは、これを認めるものとする。（基通37－13）

（一）　その金額が60万円に満たない場合

(二)　その金額がその修理、改良等に係る固定資産の前年12月31日における取得価額のおおむね10%相当額以下である場合

(注) 1　前年以前の各年において、**五７ロ**(4)の規定の適用を受けた場合における当該固定資産の取得価額とは、同(4)に規定する一の減価償却資産の取得価額をいうのではなく、同(4)に規定する旧減価償却資産の取得価額と追加償却資産（同(4)に規定する追加償却資産をいう。以下(6)において同じ。）の取得価額の合計額をいうことに留意する。

2　固定資産には、当該固定資産についてした資本的支出が含まれるのであるから、当該資本的支出が**五７ロ**(5)の規定の適用を受けた場合であっても、当該固定資産に係る追加償却資産の取得価額は当該固定資産の取得価額に含まれることに留意する。

(資本的支出と修繕費の区分の特例)

(7)　一の修理、改良等のために要した金額のうちに資本的支出であるか修繕費であるかが明らかでない金額（(4)、(5)、(6)又は(8)の適用があるものを除く。）がある場合において、継続してその金額の30%相当額とその修理、改良等をした固定資産の前年12月31日における取得価額の10%相当額とのいずれか少ない金額を修繕費の額とし、残余の額を資本的支出の額としてその業務に係る所得の金額を計算し、それに基づいて確定申告を行っているときは、これを認めるものとする。(基通37－14)

(注) 1　当該修理、改良等をした固定資産に係る除却損失につき、**八**《資産損失》**１**①又は同③の規定の適用を受ける場合には、上記により計算された修繕費の額であっても、**八１**④(3)《原状回復のための費用》により必要経費に算入されないものがあることに留意する。

2　当該固定資産の前年12月31日における取得価額については、(6)の(二)の(注)による。

(災害の場合の原状回復のための費用の特例)

(8)　災害により損壊した業務の用に供されている固定資産について支出した費用で、その費用の額を修繕その他の原状回復のために支出した部分の額とその他の部分の額とに区分することが困難なものについては、当該損壊により生じた損失につき第八章**一**《雑損控除》の規定の適用を受ける場合を除き、その費用の額の30%相当額を原状回復のために支出した部分の額とし、残余の額を資本的支出の部分の額とすることができる。(基通37－14の２)

(注)　当該損壊により生じた損失につき**八**《資産損失》**１**①又は同③の規定の適用がある場合には、上記により計算された原状回復のために支出した費用の額であっても、**八１**④(3)《原状回復のための費用》により必要経費に算入されないものがあることに留意する。

(機能復旧補償金による固定資産の取得又は改良)

(9)　業務の用に供されている固定資産についての電波障害、日照妨害、風害、騒音等による機能の低下があったことによりその原因者からその機能を復旧するための補償金（第二章第三節**七**《損害賠償金》の規定により非課税とされるものを除く。以下(9)において同じ。）の交付を受けた場合において、当該補償金をもってその交付の目的に適合した固定資産の取得又は改良をしたときは、その取得又は改良に充てた補償金の額のうちその機能復旧のために支出したと認められる部分の金額に相当する金額は、修繕費等として必要経費に算入することができる。

当該補償金の交付に代えて、その原因者から機能復旧のための固定資産の交付を受け、又は当該原因者が当該固定資産の改良を行った場合についても、同様とする。(基通37－14の３)

(注)　当該補償金の交付を受けた日の属する年の12月31日までにその機能復旧のための固定資産の取得又は改良をすることができなかった場合においても、その後速やかにその取得又は改良をすることが確実であると認められるときは、当該補償金の額のうちその取得又は改良に充てることが確実と認められる部分の金額に限り、その取得又は改良をする時まで仮受金として経理することができる。

(地盤沈下による防潮堤、防波堤等の積上費)

(10)　地盤沈下に基因して、業務の用に供されている防潮堤、防波堤、防水堤等の積上工事を行った場合において、数年内に再び積上工事を行わなければならないものであると認められるときは、その積上工事に要した費用を一の減価償却資産として償却することができる。(基通37－15)

(注)　当該減価償却資産の耐用年数については、耐用年数通達２－３－23参照。

(地盤沈下による防潮堤、防波堤等の積上げ費)

耐用年数通達２－３－23　地盤沈下のため、防潮堤、防波堤等の積上げ工事を行った場合におけるその積上げ工事の償却の基礎とする耐用年数は、積上げ工事により積み上げた高さをその工事の完成前５年間における地盤沈下の１年当たり平均沈下高で除して計算した年数(１年未満の端数は、切り捨てる。)による。

(耐用年数を経過した資産についてした修理、改良等)

(11)　耐用年数を経過した減価償却資産について修理、改良等をした場合であっても、その修理、改良等のために支出する金額に係る資本的支出と修繕費の区分については、一般の例によりその判定を行うことに留意する。(基通37－15の２)

（損壊した賃借資産等に係る修繕費）

(12)　居住者が、不動産所得、事業所得又は山林所得（以下(12)において「事業所得等」という。）を生ずべき事業の用に供している賃借資産等（賃借若しくは賃貸をしている又は販売をした土地、建物、機械装置等をいう。）につき、契約により修繕等を行うこととされているものでない場合においても、当該賃借資産等が災害により被害を受けたため、当該賃借資産等の原状回復を行い、その費用の額を修繕費として、事業所得等の金額の計算上必要経費に算入しているときは、これを認めるものとする。（基通37－15の３）

（注）１　この取扱いにより修繕費として取り扱う費用の額は、第三節**５**（１）の災害損失特別勘定への繰入れの対象とはならないことに留意する。

２　当該居住者が、その修繕費の額として、事業所得等の金額の計算上必要経費に算入した金額に相当する金額につき賃貸人等から支払を受けた場合には、その支払を受けた日の属する年分の事業所得等の金額の計算上、総収入金額に算入する。

３　居住者が賃借している第四節**三４**①《リース取引に係る所得の金額の計算》に規定するリース資産が災害により被害を受けたため、契約に基づき支払うこととなる規定損害金（免除される金額及び災害のあった日の属する年の12月31日までに支払った金額を除く。）については、災害のあった日の属する年分において必要経費に算入することができることに留意する。

参考　　**資本的支出と修繕費の区分等の基準**（フローチャート）

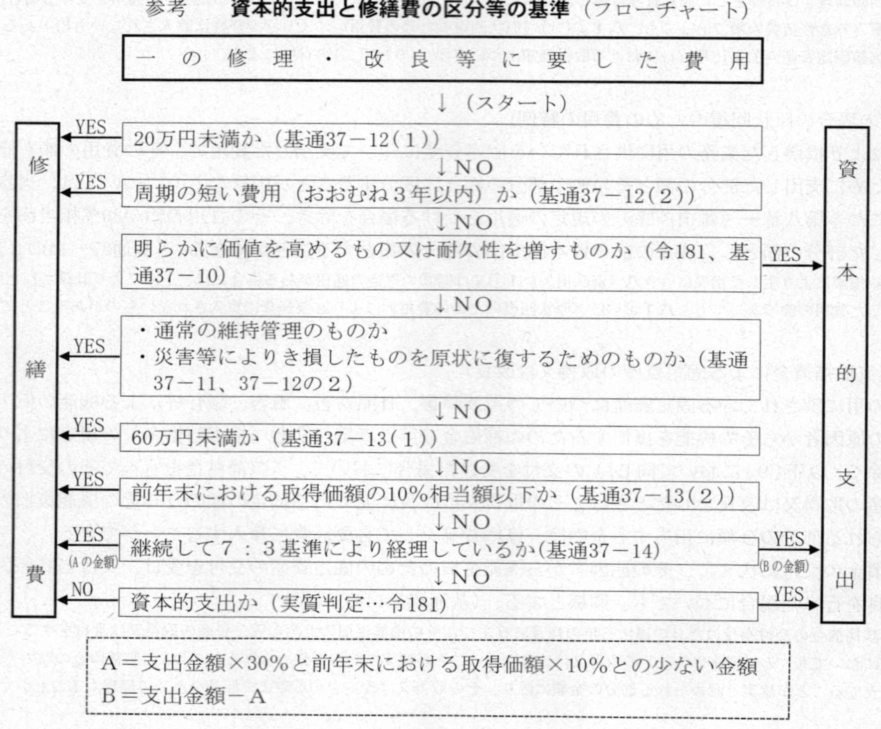

4　海外渡航費

（事業を営む者等の海外渡航費）

（１）　事業を営む者が自己の海外渡航に際して支出する費用は、その海外渡航が当該事業の遂行上直接必要であると認められる場合に限り、その海外渡航のための交通機関の利用、宿泊等の費用（家事上の経費に属するものを除く。）に充てられたと認められる部分の金額を必要経費に算入するものとする。

なお、事業を営む者と生計を一にする親族で**十２**①又は同③《事業に専従する親族がある場合の必要経費の特例等》の適用を受けないものの海外渡航のために事業を営む者が支出した費用又は支給した旅費についても、これに準ずる。（基通37－16）

（使用人に支給する海外渡航旅費）

（２）　事業を営む者がその使用人（事業を営む者と生計を一にする親族で**十２**①又は同③の適用を受けるものを含む。）の海外渡航に際し支給する旅費（支度金を含む。以下（７）までにおいて同じ。）は、その海外渡航が事業を営む者の当該事業の遂行上直接必要であり、かつ、当該渡航のため通常必要と認められる部分の金額に限り、旅費として必要経費に算入する。(基通37－17)

(注)　事業の遂行上直接必要と認められない海外渡航の旅費の額及び当該事業の遂行上直接必要であると認められる海外渡航の旅費の額のうち通常必要と認められる金額を超える部分の金額は、その支給を受ける者に対して支給した給与等又は役務の報酬として必要経費に算入される。ただし、事業専従者に対して支給した給与とされるものの必要経費算入については、**十2**①又は同③の適用がある。

(旅行期間のおおむね全期間を通じて事業の遂行上直接必要と認められる場合)

(3)　(1)又は(2)の場合において、その海外渡航が旅行期間のおおむね全期間を通じ明らかに当該事業の遂行上直接必要であると認められるものであるときは、その海外渡航のためにその事業を営む者が支出した費用又は支給した旅費については、社会通念上合理的な基準によって計算されているなど不当に多額でないと認められる限り、その全額を旅費として必要経費に算入することができる。(基通37－18)

(事業の遂行上直接必要な海外渡航の判定)

(4)　事業を営む者又はその使用人(事業を営む者と生計を一にする親族を含む。以下(7)までにおいて同じ。)の海外渡航が当該事業の遂行上直接必要なものであるかどうかは、その旅行の目的、旅行先、旅行経路、旅行期間等を総合勘案して実質的に判定するものとするが、次に掲げる旅行は、原則として、当該事業の遂行上直接必要な海外渡航に該当しないものとする。(基通37－19)

(一)　観光渡航の許可を得て行う旅行

(二)　旅行あっせんを行う者等が行う団体旅行に応募してする旅行

(三)　同業者団体その他これに準ずる団体が主催して行う団体旅行で主として観光目的と認められるもの

(同伴者の旅費)

(5)　事業を営む者が当該事業の遂行上直接必要と認められる海外渡航に際し、その親族又はその事業に常時従事していない者を同伴した場合において支出したその同伴者に係る費用は、必要経費に算入しないものとする。ただし、その同伴が、例えば、次に掲げる場合のように、明らかにその海外渡航の目的を達するために必要な同伴と認められるときのその旅行について通常必要と認められる費用は、この限りでない。(基通37－20)

(一)　自己が常時補佐を必要とする身体障害者であるため、補佐人を同伴する場合

(二)　国際会議への出席等のために配偶者を同伴する必要がある場合

(三)　その旅行の目的を遂行するため外国語にたんのうな者又は高度の専門的知識を有する者を必要とするような場合に、使用人のうちに適任者がいないため、自己の親族又は臨時に委嘱した者を同伴する場合

(事業の遂行上直接必要と認められる旅行と認められない旅行とを併せて行った場合)

(6)　事業を営む者又はその使用人が海外渡航をした場合において、その海外渡航の旅行期間にわたり当該事業の遂行上直接必要と認められる旅行と認められない旅行とを併せて行ったものであるときは、その海外渡航に際して支出した費用又は支給した旅費を当該事業の遂行上直接必要と認められる旅行の期間と認められない旅行の期間との比等によってあん分し、当該事業の遂行上直接必要と認められる旅行に係る部分の金額は、旅費として必要経費に算入する。ただし、海外渡航の直接の動機が特定の取引先との商談、契約の締結等当該事業の遂行のためであり、その海外渡航を機会に観光を併せて行ったものである場合には、その往復の旅費(当該取引先の所在地等その事業を遂行する場所までのものに限る。)は当該事業の遂行上直接必要と認められる旅費として必要経費に算入し、その海外渡航に際して支出した費用又は支給した旅費の額から当該往復の旅費を控除した残額につき本文の取扱いを適用する。(基通37－21)

(注)　使用人に支給した旅費のうち、旅費として必要経費に算入されない金額については、(2)の(注)参照。

(事業の遂行上直接必要と認められない海外渡航の旅費の特例)

(7)　事業を営む者又はその使用人の海外渡航が(4)に掲げる旅行に該当する場合であっても、その海外渡航の旅行期間内における旅行先、その仕事の内容等からみて、当該事業にとって直接関連があるものがあると認められるときは、その海外渡航に際し支出した費用又は支給した旅費のうち、当該事業に直接関連のある部分の旅行について直接要した部分の金額は、旅費として必要経費に算入する。(基通37－22)

○海外渡航費の取扱いについて（平12.10.11課法２－15・課所４－24・査調４－29）

標題のことについて、その取扱いを下記のとおり定めたから、今後処理するものから、これにより適切に処理されたい。なお、昭和42年８月21日付直法１－242ほか２課共同「海外渡航費の取扱いの実施について」（事務運営指針）は、廃止する。

（趣旨）海外渡航費の取扱いについては、法人税基本通達第９章第７節第２款《海外渡航費》及び所得税基本通達第２編第１章第１節第２款法第37条《必要経費》関係の〔海外渡航費〕において基本的な考え方を明らかにしているところであるが、同業者団体等が主催して実施する海外視察等の機会に併せて観光が行われる場合の海外渡航費の取扱いの処理基準を整備することにより、海外渡航費について統一的な取扱いを図ることとする。

記

（海外渡航費に係る損金算入額又は必要経費算入額の計算）

１　海外渡航費に係る損金算入額又は必要経費算入額の算定に当たっては、次に掲げる事項を具体的に説明する書類その他参考となる資料に基づき、その法人又は個人の海外視察等の動機、参加者の役職、業務関連性等を十分検討する。

（１）　団体旅行の主催者、その名称、旅行目的、旅行日程、参加費用の額等その旅行の内容

（２）　参加者の氏名、役職、住所

（注）　上記（１）を説明する資料については、必要に応じ、団体旅行の主催者等の所在地を所轄する税務署又は国税局を通じて入手する等、事実関係の的確な把握に努める。

（損金算入額又は必要経費算入額の計算の方法）

２　同業者団体等が行う視察等のための団体による海外渡航については、課税上弊害のない限り、その旅行に通常要する費用（その旅行費用の総額のうちその旅行に通常必要であると認められる費用をいう。以下同じ。）の額に、旅行日程の区分による業務従事割合を基礎とした損金又は必要経費算入の割合（以下「損金等算入割合」という。）を乗じて計算した金額を旅費として損金の額又は必要経費の額に算入する。

ただし、次に掲げる場合には、それぞれ次による。

（１）　その団体旅行に係る損金等算入割合が90％以上となる場合　　その旅行に通常要する費用の額の全額を旅費として損金の額又は必要経費の額に算入する。

（２）　その団体旅行に係る損金等算入割合が10％以下となる場合　　その旅行に通常要する費用の額の全額を旅費として損金の額又は必要経費の額に算入しない。

（注）　海外渡航の参加者である使用人に対する給与と認められる費用は、給与として損金の額又は必要経費の額に算入する。ただし、個人の事業専従者に対して支給した給与とされるものの必要経費算入については、**十２**①又は同③の規定の適用がある。

（３）　その海外渡航が業務遂行上直接必要であると認められる場合（「業務従事割合」が50％以上の場合に限る。）

その旅行に通常要する費用の額を「往復の交通費の額（業務を遂行する場所までのものに限る。以下同じ。）」と「その他の費用の額」とに区分し、「その他の費用の額」に損金等算入割合を乗じて計算した金額と「往復の交通費の額」との合計額を旅費として損金の額又は必要経費の額に算入する。

（４）　参加者のうち別行動をとった者等個別事情のある者がいる場合　　当該者については、個別事情を斟酌して業務従事割合の算定を行う。

（損金等算入割合）

３　上記２に定める「損金等算入割合」は、業務従事割合を10％単位で区分したものとするが、その区分に当たり業務従事割合の10％未満の端数については四捨五入する。

（業務従事割合）

４　上記２に定める「業務従事割合」は、旅行日程を「視察等（業務に従事したと認められる日数）」、「観光（観光を行ったと認められる日数）」、「旅行日」及び「その他」に区分し、次の算式により計算した割合とする。

〔算式〕

$$\frac{\text{「視察等の業務に従事したと認められる日数」}}{\text{「視察等の業務に従事したと認められる日数」}+\text{「観光を行ったと認められる日数」}}$$

（日数の区分）

５　業務従事割合の計算の基礎となる日数の区分は、おおむね次による。

（１）　日数区分の単位

日数の区分は、昼間の通常の業務時間（おおむね８時間）を1.0日としてその行動状況に応じ、おおむね0.25日を単位に算出する。ただし、夜間において業務に従事している場合には、これに係る日数を「視察等の業務に従事したと認められる日数」に加算する。

（2）　視察等の日数

視察等の日数は、次に掲げるような視察等でその参加法人又は個人の業種業態、事業内容、事業計画等からみてその法人又は個人の業務上必要と認められるものに係る日数とする。

イ　工場、店舗等の視察、見学又は訪問

ロ　展示会、見本市等への参加又は見学

ハ　市場、流通機構等の調査研究等

ニ　国際会議への出席

ホ　海外セミナーへの参加

ヘ　同業者団体又は関係官庁等の訪問、懇談

（3）　観光の日数

観光の日数には、次に掲げるようなものに係る日数が含まれる。

イ　自由行動時間での私的な外出

ロ　観光に付随して行った簡易な見学、儀礼的な訪問

ハ　ロータリークラブ等その他これに準ずる会議で、私的地位に基づいて出席したもの

（4）　旅行日の日数

旅行日の日数は、原則として、目的地までの往復及び移動に要した日数とするが、現地における移動日等の日数でその内容からみて「視察等の日数」又は「観光の日数」に含めることが相当と認められる日数（観光の日数に含めることが相当と認められる当該移動日等の日数で、土曜日又は日曜日等の休日の日数に含まれるものを除く。）は、それぞれの日数に含める。

（5）　その他の日数

その他の日数は、次に掲げる日数とする。

イ　土曜日又は日曜日等の休日の日数（（4）の旅行日の日数を除く。）

　ただし、これらの日のうち業務に従事したと認められる日数は「視察等の日数」に含め、その旅行の日程からみて当該旅行のほとんどが観光と認められ、かつ、これらの日の前後の行動状況から一連の観光を行っていると認められるような場合には「観光の日数」に含める。

ロ　土曜日又は日曜日等の休日以外の日の日数のうち「視察等」、「観光」及び「旅行日」に区分されない休養、帰国準備等その他の部分の日数

（所轄国税局長との協議）

6　税務署長は、その海外渡航費の額が多額であること、業務関連性の判断が困難であること等の事由により所轄国税局長（沖縄国税事務所長を含む。以下同じ。）と協議することが適当と認められる場合には、所轄国税局長と協議の上その事案に応じた処理を行うものとする。

5　家内労働者等の事業所得等の所得計算の特例

家内労働法第２条第２項に規定する家内労働者に該当する個人、外交員、集金人、電力量計の検針人その他特定の者に対して継続的に人的役務の提供を行うことを業務とする個人（以下**5**において「**家内労働者等**」という。）が事業所得又は雑所得を有する場合において、その年分の事業所得の金額の計算上必要経費に算入すべき金額及び雑所得の金額の計算上必要経費に算入すべき金額の合計額が**55万円**（当該個人が給与所得を有する場合にあっては、55万円から第四章第五節**三1**に規定する給与所得控除額を控除した残額。以下**5**において同じ。）に満たないときは、その年分の事業所得の金額の計算上必要経費に算入する金額又は雑所得の金額の計算上必要経費に算入する金額は、所得税法第37条第１項及び第45条から第57条までの規定にかかわらず、次の㈠又は㈡の区分に応じ、それぞれに掲げる金額とする。この場合において、当該それぞれの金額は、その年分の事業所得に係る総収入金額又は雑所得に係る総収入金額（同章第十節**二2**《公的年金等の定義》に規定する公的年金等に係るものを除く。）を限度とする。（措法27、措令18の２）

㈠	事業所得又は雑所得のいずれかを有する家内労働者等	55万円を事業所得又は雑所得に係る必要経費に算入する金額とする。
㈡	事業所得及び雑所得を有する家内労働者等	イ　55万円のうち、**一**《必要経費》、**二**から**十**まで（所得税法第37条第１項及び第45条から第57条まで）の規定による事業所得の必要経費に相当する金額（雑所得に係る総収入金額〔第四章第十節**二2**《公的年金等の定義》に規定する公的年金等に係るものを除く。〕がロに掲げる金額に満たない場合には、当該満たない部分に相当する金額を加算した金額）に達するまでの部分に相当する金額を事業所

		得に係る必要経費に算入する金額とする。 ロ　55万円のうち、一《必要経費》、二から十まで（所得税法第37条第１項及び第45条から第57条まで）の規定による事業所得の必要経費に相当する金額に達するまでの部分以外の部分に相当する金額を雑所得に係る必要経費に算入する金額とする。

6　有限責任事業組合の事業に係る組合員の事業所得等の所得計算の特例

有限責任事業組合契約に関する法律第３条第１項に規定する有限責任事業組合契約（以下**6**において「組合契約」という。）を締結している組合員である個人が、各年において、当該組合契約に基づいて営まれる事業（以下**6**において「組合事業」という。）から生ずる不動産所得、事業所得又は山林所得を有する場合において当該組合事業によるこれらの所得の損失の金額として(1)で定める金額があるときは、当該損失の金額のうち当該組合事業に係る当該個人の出資の価額を基礎として(2)で定めるところにより計算した金額を超える部分の金額に相当する金額は、その年分の不動産所得の金額、事業所得の金額又は山林所得の金額の計算上、必要経費に算入しない。（措法 27 の２①）

（組合事業による所得の損失の金額として(1)で定める金額）

(1)　**6**に規定する損失の金額として(1)で定める金額は、有限責任事業組合契約に関する法律第３条第１項に規定する有限責任事業組合契約（以下(1)において「組合契約」という。）を締結している組合員である個人のその年分における組合事業（**6**に規定する組合事業をいう。以下(1)において同じ。）から生ずる不動産所得、事業所得又は山林所得に係る総収入金額に算入すべき金額の合計額が当該組合事業から生ずる不動産所得、事業所得又は山林所得に係る必要経費に算入すべき金額の合計額に満たない場合におけるその満たない部分の金額に相当する金額（(5)において「**組合事業による事業所得等の損失額**」という。）とする。（措令18の３①）

（組合事業に係る出資の価額を基礎として(2)で定めるところにより計算した金額）

(2)　**6**に規定する出資の価額を基礎として(2)で定めるところにより計算した金額は、有限責任事業組合契約に関する法律第２条に規定する有限責任事業組合（以下(2)及び(4)において「組合」という。）の計算期間（同法第４条第３項第８号の組合の事業年度の期間をいう。以下(2)において「計算期間」という。）の終了の日の属する年における当該組合契約を締結している組合員である個人の当該組合の組合事業に係る(一)及び(二)に掲げる金額の合計額から(三)に掲げる金額を控除した金額（当該金額が零に満たない場合には、零。(5)及び(8)において「調整出資金額」という。）とする。（措令18の３②）

(一)	その年に計算期間の終了の日が到来する計算期間（その年に計算期間の終了の日が２以上ある場合には、最も遅い終了の日の属する計算期間。(三)において同じ。）の終了の時までに当該個人が当該組合契約に基づいて有限責任事業組合契約に関する法律第11条の規定により出資をした同条の金銭その他の財産の価額で同法第29条第２項の規定により当該組合の会計帳簿に記載された同項の出資の価額の合計額に相当する金額
(二)	その年の前年に計算期間の終了の日が到来する計算期間（その年の前年に計算期間の終了の日が２以上ある場合には、最も遅い終了の日の属する計算期間）以前の各計算期間において当該個人の当該組合の組合事業から生ずる各種所得（第二章第一節一《定義》表内**21**に規定する各種所得をいう。以下(二)において同じ。）に係る収入金額とすべき金額又は総収入金額に算入すべき金額の合計額から各種所得に係る必要経費に算入すべき金額その他の(6)で定める金額の合計額を控除した金額の当該各計算期間における合計額に相当する金額
(三)	その年に計算期間の終了の日が到来する計算期間の終了の時までに当該個人が交付を受けた金銭その他の資産に係る有限責任事業組合契約に関する法律第35条第１項に規定する分配額のうち当該個人がその交付を受けた部分に相当する金額の合計額に相当する金額

（調整出資金額の計算）

(3)　(2)(一)に規定する「その年に計算期間の終了の日が到来する計算期間（…）の終了の時までに当該個人が当該有限責任事業組合契約に基づいて有限責任事業組合契約に関する法律第11条の規定により出資をした同条の金銭その他の財産の価額」とは、実際にその出資が履行されたものをいうことに留意する。（措通27の２－２）

（従前の組合員からその地位の承継をした場合のみなし出資）

（4）　個人が組合契約を締結していた組合員（以下(4)において「従前の組合員」という。）からその地位の承継（当該個人が当該組合契約を締結している場合の(9)で定める承継を含む。）をした場合には、当該承継をした日の直前における当該組合契約に係る組合の貸借対照表（これに類するものを含む。）に計上されている有限責任事業組合契約に関する法律第36条の資産の額から負債の額を控除した残額に、当該組合の各組合員が履行した同法第29条第２項の出資の価額の合計額のうちに当該従前の組合員が履行した同項の出資の価額の占める割合を乗じて計算した金額に相当する額は、当該個人が当該承継をした日に当該組合に出資をしたものとみなして、(2)(一)に規定する出資の価額を計算するものとする。（措令18の３③）

（複数の組合契約を締結している場合の組合事業による事業所得等の損失額及び調整出資金額）

（5）　個人が複数の組合契約を締結している場合の**6**の規定の適用については、組合事業による事業所得等の損失額及び調整出資金額は、各組合契約に係る組合事業ごとに計算するものとする。（措令18の３④）

（必要経費に算入すべき金額その他の(6)で定める金額）

（6）　(2)(二)に規定する必要経費に算入すべき金額その他の(6)で定める金額は、組合契約（有限責任事業組合契約に関する法律第３条第１項に規定する有限責任事業組合契約をいう。以下(6)において同じ。）を締結している組合員である個人の次の(一)から(四)までに掲げる組合事業（**6**に規定する組合事業をいう。以下(6)において同じ。）から生ずる各種所得（第二章第一節**一**《定義》表内**21**《各種所得》に規定する各種所得をいう。(7)及び(11)の(三)において同じ。）の区分に応じ当該(一)から(四)に定める金額とする。（措規９の８①）

(一)	当該個人の組合事業から生ずる配当所得	配当所得の金額の計算上当該組合事業から生ずる配当所得に係る収入金額から控除される第四章第二節**四**《配当所得の金額》**1**に規定する負債の利子の額の合計額
(二)	当該個人の組合事業から生ずる不動産所得、事業所得、山林所得又は雑所得	不動産所得の金額、事業所得の金額、山林所得の金額又は雑所得の金額の計算上当該組合事業から生ずる不動産所得、事業所得、山林所得又は雑所得に係る総収入金額から控除される第四章第三節**二**《不動産所得の金額》、第四章第四節**二**《事業所得の金額》、第四章第七節**二**《山林所得の金額》**1**又は第四章第十節**二**《雑所得の金額》**1**(二)に規定する必要経費の額
(三)	当該個人の組合事業から生ずる譲渡所得	譲渡所得の金額の計算上当該組合事業から生ずる譲渡所得に係る総収入金額から控除される第四章第八節**二**《譲渡所得の金額》**1**に規定する資産の取得費及びその資産の譲渡に要した費用の額の合計額
(四)	当該個人の組合事業から生ずる一時所得	一時所得の金額の計算上当該組合事業から生ずる一時所得に係る総収入金額から控除される第四章第九節**二**《一時所得の金額》に規定する支出した金額の合計額

（所得金額の計算の通則の規定の適用を受けているときの(2)(二)に掲げる金額を計算）

（7）　組合契約を締結している組合員である個人が(2)(二)に掲げる金額を計算する場合において、同(二)の各計算期間における当該個人の組合事業から生ずる各種所得に係る収入金額とすべき金額若しくは総収入金額に算入すべき金額又は各種所得に係る同(二)に規定する必要経費に算入すべき金額その他の(6)で定める金額の計算について所得税法第２編第２章第２節第２款から第10款までの規定及び法第２章の規定の適用を受けているときは、これらの規定を適用して同(二)に掲げる金額を計算するものとする。（措規９の８②）

（組合事業による事業所得等の損失額が調整出資金額を超えるときの必要経費不算入損失額）

（8）　組合契約を締結している組合員である個人がその年分における組合事業から生ずる不動産所得、事業所得又は山林所得を有する場合において、組合事業による事業所得等の損失額（(1)に規定する組合事業による事業所得等の損失額をいう。以下(8)において同じ。）が調整出資金額（(2)に規定する調整出資金額をいう。(12)(二)において同じ。）を超えるときにおける当該個人の不動産所得の金額、事業所得の金額又は山林所得の金額の計算上、**6**の規定により必要経費に算入しないこととされる当該超える部分の金額に相当する金額（以下(8)において「必要経費不算入損失額」という。）は、次の(一)及び(二)に定めるところによる。（措規９の８③）

(一)	当該個人の組合事業による事業所得等の損失額が当該組合事業から生ずる不動産所得、事業所得又は山林所得のうちいずれか一の所得から生じたものであるときは、当該必要経費不算入損失額は当該一の所得から生じた組合事業による事業所得等の損失額から成るものとする。
(二)	当該個人の組合事業による事業所得等の損失額が当該組合事業から生ずる不動産所得、事業所得又は山林所得のうち２以上の所得から生じたものであるときは、当該必要経費不算入損失額を、当該２以上の所得に係るそれぞれの損失額（当該２以上の所得のそれぞれについて、当該組合事業から生ずる総収入金額に算入すべき金額が当該組合事業から生ずる必要経費に算入すべき金額に満たない場合におけるその満たない部分の金額に相当する金額をいう。）によりあん分して計算した金額に相当する金額をもって、当該必要経費不算入損失額は当該２以上の所得のそれぞれから生じた組合事業による事業所得等の損失額から成るものとする。

（組合契約を締結している場合の(９)で定める承継）

(９)　(４)に規定する(９)で定める承継は、(４)の組合契約を締結している組合員である個人が当該組合契約を締結していた他の組合員からその地位の承継をした場合における当該承継とする。（措規９の８④）

（確定申告書の提出と添付書類）

(10)　組合契約を締結している組合員である個人で確定申告書を提出するものは、確定申告書に当該個人の**6**に規定する出資の価額を基礎として計算した金額に関する事項その他の(11)で定める事項を記載した書類を添付しなければならない。ただし、当該添付がない確定申告書の提出があった場合においても、その添付がなかったことにつき税務署長がやむを得ない事情があると認める場合において、当該書類の提出があったときは、この限りでない。（措法27の２②）

（添付書類に記載すべき事項）

(11)　(10)に規定する(11)で定める事項は、次の(一)から(四)までに掲げる事項とする。（措規９の８⑤）

(一)	有限責任事業組合契約に関する法律第２条に規定する有限責任事業組合（以下(一)において「組合」という。）の計算期間（同法第４条第３項第８号に規定する組合の事業年度の期間をいう。）及び当該組合の事業の内容
(二)	調整出資金額及び当該調整出資金額の計算の基礎
(三)	その年における組合事業から生ずる各種所得の金額（第二章第一節**一**表内**22**に規定する各種所得の金額をいう。）並びに当該組合事業から生ずる各種所得に係る収入金額とすべき金額又は総収入金額に算入すべき金額及び(６)の(一)から(四)までに定める金額
(四)	その他参考となるべき事項

（収支内訳書の添付義務）

(12)　組合契約を締結している組合員である個人は、(10)の規定により確定申告書に添付すべき同項の書類のほか、その年分における組合事業から生ずる不動産所得、事業所得又は山林所得につき、第十章第二節**二１④イ**《総収入金額及び必要経費の内訳書の記載事項》の規定に準じて作成し、及び記載した書類をあわせて添付しなければならない。（措規９の８⑥）

（確定申告を提出しない場合の書類の提出）

(13)　組合契約を締結している組合員である個人は、(10)の確定申告書を提出する場合を除き、(14)で定めるところにより、その年中の組合事業による不動産所得、事業所得又は山林所得に係る(10)の書類を、その年の翌年３月15日までに、税務署長に提出しなければならない。（措法27の２③）

（個人の氏名及び住所並びに住所地と納税地とが異なる場合）

(14)　組合契約を締結している組合員である個人は、確定申告書を提出する場合を除き、(13)の規定により、(11)(一)から同(四)までに掲げる事項を記載した書類に当該個人の氏名、住所（国内に住所がない場合には、居所）及び個人番号（個人番号を有しない者にあっては、氏名及び住所（国内に住所がない場合には、居所））並びに住所地（国内に住所がない場合には、居所地）と納税地とが異なる場合には、その納税地を記載し、その年の翌年３月15日までに、

納税地の所轄税務署長に提出しなければならない。（措規９の８⑦）

（複数の有限責任事業組合契約を締結する者等の組合事業に係る事業所得等の計算）

(15)　個人が複数の有限責任事業組合（有限責任事業組合契約に関する法律第２条に規定する有限責任事業組合をいう。以下(15)において同じ。）の組合事業に係る不動産所得、事業所得若しくは山林所得（以下(15)において「事業所得等」という。）を生ずべき業務を営む場合又は事業所得等を生ずべき業務のうちに有限責任事業組合の組合事業に係る事業所得等を生ずべき業務と有限責任事業組合の組合事業以外に係る事業所得等を生ずべき業務を営む場合には、損益計算書又は収支内訳書はそれぞれの業務に係るものの区分ごとに各別に作成するものとする。（措通27の２－１）

7　その他の共通費用

（不動産所得の基因となっていた建物の賃借人に支払った立退料）

（１）　不動産所得の基因となっていた建物の賃借人を立ち退かすために支払う立退料は、当該建物の譲渡に際し支出するもの又は当該建物を取り壊してその敷地となっていた土地等を譲渡するために支出するものを除き、その支出した日の属する年分の不動産所得の金額の計算上必要経費に算入する。（基通37－23）

（技能の習得又は研修等のために支出した費用）

（２）　業務を営む者又はその使用人（業務を営む者の親族でその業務に従事しているものを含む。）が当該業務の遂行に直接必要な技能又は知識の習得又は研修等を受けるために要する費用の額は、当該習得又は研修等のために通常必要とされるものに限り、必要経費に算入する。（基通37－24）

（民事事件に関する費用）

（３）　業務を営む者が当該業務の遂行上生じた紛争又は当該業務の用に供されている資産につき生じた紛争を解決するために支出した弁護士の報酬その他の費用は、次に掲げるようなものを除き、その支出した日の属する年分（山林に関するもので、当該山林の管理費その他その育成に要した費用とされるものは、当該山林の伐採又は譲渡の日の属する年分）の当該業務に係る所得の金額の計算上必要経費に算入する。（基通37－25）

(一)　その取得の時において既に紛争の生じている資産に係る当該紛争又はその取得後紛争を生ずることが予想される資産につき生じた当該紛争に係るもので、これらの資産の取得費とされるもの

(注)　これらの資産の取得費とされるものには、例えば、その所有権の帰属につき紛争の生じている資産を購入し、その紛争を解決してその所有権を完全に自己に帰属させた場合の費用や現に第三者が賃借している資産で、それを業務の用に供するため当該第三者を立ち退かせる必要があるものを購入して当該第三者を立ち退かせた場合の費用がある。

(二)　山林又は譲渡所得の基因となる資産の譲渡に関する紛争に係るもの

(注)　譲渡契約の効力に関する紛争において当該契約が成立することとされた場合の費用は、その資産の譲渡に係る所得の金額の計算上譲渡に要した費用とされる。

(三)　**二２**《租税公課等の必要経費不算入》の規定により必要経費に算入されない同**２**表内①から同④までに掲げる租税公課に関する紛争に係るもの

(四)　他人の権利を侵害したことによる損害賠償金（これに類するものを含む。）で、**二２**《租税公課等の必要経費不算入》により必要経費に算入されない同**２**表内⑦に掲げる損害賠償金等に関する紛争に係るもの

（刑事事件に関する費用）

（４）　業務を営む者が当該業務の遂行に関連する行為について刑罰法令違反の疑いを受けた場合における弁護士の報酬その他その事件の処理のため支出した費用は、当該違反がないものとされ、若しくはその違反に対する処分を受けないこととなり、又は無罪の判決が確定した場合に限り、必要経費に算入する。（基通37－26）

(注)　必要経費に算入される費用は、その違反がないものとされ、若しくは処分を受けないこととなり、又は無罪の判決が確定した日の属する年分とその費用を支出すべきことが確定した日の属する年分とのいずれかの年分の必要経費に算入することができる。

（業務用資産の取得のために要した借入金の利子）

（５）　業務を営んでいる者が当該業務の用に供する資産（（６）において「**業務の用に供される資産**」という。）の取得のために借り入れた資金の利子は、当該業務に係る各種所得の金額の計算上必要経費に算入する。ただし、当該資産の使用開始の日までの期間に対応する部分の金額については、当該資産の取得価額に算入することができる。（基通37－27）

（注）　不動産所得、事業所得、山林所得又は雑所得を生ずべき業務を開始する前に、当該業務の用に供する資産を取得している場合の当該資産の取得のために借り入れた資金の利子のうち当該業務を開始する前の期間に対応するものは、(5)の適用はなく、第四章第八節**二２**①(7)《取得費等に算入する借入金の利子等》の適用があることに留意する。

※　第七章第一節**一４**《不動産所得に係る損益通算の特例》参照（編者注）

（賦払の契約により購入した資産に係る利息等相当部分）

(6)　業務の用に供される資産を賦払の契約により購入した場合において、その契約において購入代価と賦払期間中の利息及び賦払金の回収のための費用等に相当する金額とが明らかに区分されている場合のその利息及び費用等に相当する金額は、当該賦払期間中の各年分の必要経費に算入する。ただし、当該資産の使用開始の日までの期間に対応する部分の金額については、当該資産の取得価額に算入することができる。（基通37－28）

（退職金共済掛金等の必要経費算入の時期）

(7)　**十二１**《確定給付企業年金規約等に基づく掛金等の取扱い》①から同⑥までに掲げる掛金、保険料、事業主掛金又は信託金等（以下「掛金等」という。）は、翌年分以後の掛金等を前納した場合を除き、現実に支払（中小企業退職金共済法第２条第５項に規定する特定業種退職金共済契約に係る掛金については、共済手帳への退職金共済証紙の貼付けを含む。）をした日の属する年分の必要経費に算入する。ただし、その年中において支払期限の到来した掛金等を未払金として計上している場合において、その年分の確定申告期限までに当該掛金等の支払をしたときは、当該支払期限の到来した日の属する年分の必要経費に算入することができる。（基通37－29）

（注）　これらの掛金等について現実に支払をするまで必要経費に算入しないこととするのは、これらの掛金等を所定の期日までに支払わない場合には、その契約が解除され、未払掛金等の支払を要しないこととなるからである。

（前納掛金等の必要経費算入）

(8)　(7)の掛金等を前納した場合において、当該前納した掛金等のうちに翌年以後の期間分の掛金等があるときは、その前納した期間の属するそれぞれの年分の必要経費に算入する金額は、次の算式により計算した金額とする。（基通37－30）

$$\text{前納した掛金等の総額（前納により割引された場合には、その割引後の金額）} \times \frac{\text{前納した掛金等に係るその年中に到来する支払期日の回数}}{\text{前納した掛金等に係る支払期日の総回数}}$$

（短期の前払費用）

(9)　前払費用（一定の契約に基づき継続的に役務の提供を受けるために支出した費用のうちその年12月31日においてまだ提供を受けていない役務に対応するものをいう。以下(9)において同じ。）の額はその年分の必要経費に算入されないのであるが、その者が、前払費用の額でその支払った日から１年以内に提供を受ける役務に係るものを支払った場合において、その支払った額に相当する金額を継続してその支払った日の属する年分の必要経費に算入しているときは、これを認める。（基通37－30の２）

（消耗品費等）

(10)　消耗品その他これに準ずる棚卸資産の取得に要した費用の額は、当該棚卸資産を消費した日の属する年分の必要経費に算入するのであるが、その者が、事務用消耗品、作業用消耗品、包装材料、広告宣伝用印刷物、見本品その他これらに準ずる棚卸資産（各年ごとにおおむね一定数量を取得し、かつ、経常的に消費するものに限る。）の取得に要した費用の額を継続してその取得をした日の属する年分の必要経費に算入している場合には、これを認める。（基通37－30の３）

（注）　この取扱いにより必要経費に算入する金額が製品の製造等のために要する費用としての性質を有する場合には、当該金額は製造原価に算入するのであるから留意する。

（繰延消費税額等につき相続があった場合の取扱い）

(11)　第三節**11**《消費税等に関する各種所得の金額の計算上の取扱い》(6)又は同(7)に規定する繰延消費税額等につきこれらの規定の適用を受けている居住者が死亡し、これらの規定に従い計算される繰延消費税額等の金額のうち、その死亡した日の翌日以後の期間に対応する金額がある場合には、当該金額は当該死亡した者のその死亡した日の属する年分の必要経費に算入するものとする。

ただし、当該死亡した者の業務を承継した者がある場合で、当該死亡した者のその死亡した日の属する年分の必要経費に、当該死亡した者の業務を行っていた期間に対応する繰延消費税額等の金額を算入し、かつ、当該業務を承継した者が、その業務を承継した日以後の業務を行っていた期間に対応する繰延消費税額等の金額を各年分の必要経費に算入している場合は、これを認める。（基通37－30の４）

（採卵用鶏の取得費の取扱い）

(12)　採卵業を営む個人の所得金額の計算上、種卵・ひな・成鶏等を購入するために要した費用、種卵をふ化するために要した費用及びひなを成鶏とするために要した育成費用等については、継続適用を条件としてその購入、育成等をした年分の必要経費の額に算入することができるものとする。（昭57直所５－７）

◎　**資産に係る控除対象外消費税額等の必要経費算入**（令182の２）……第三節11（３）～（９）参照。

二　家事関連費等

1　家事関連費の必要経費不算入

居住者が支出する家事上の経費及びこれに関連する経費で、次の①及び②に掲げる経費以外の経費は、その者の不動産所得の金額、事業所得の金額、山林所得の金額又は雑所得の金額の計算上、必要経費に算入しない。（法45①一、令96）

①	家事上の経費に関連する経費の主たる部分が不動産所得、事業所得、山林所得又は雑所得を生ずべき業務の遂行上必要であり、かつ、その必要である部分を明らかに区分することができる場合における当該部分に相当する経費
②	①に掲げるもののほか、青色申告書を提出することにつき税務署長の承認を受けている居住者に係る家事上の経費に関連する経費のうち、取引の記録等に基づいて、不動産所得、事業所得又は山林所得を生ずべき業務の遂行上直接必要であったことが明らかにされる部分の金額に相当する経費

（主たる部分等の判定等）

（1）　上記①に定める「主たる部分」又は②に定める「業務の遂行上直接必要であったことが明らかにされる部分」は、業務の内容、経費の内容、家族及び使用人の構成、店舗併用の家屋その他の資産の利用状況等を総合勘案して判定する。（基通45－1）

（業務の遂行上必要な部分）

（2）　上記①に定める「主たる部分が不動産所得、事業所得、山林所得又は雑所得を生ずべき業務の遂行上必要」であるかどうかは、その支出する金額のうち当該業務の遂行上必要な部分が50％を超えるかどうかにより判定するものとする。ただし、当該必要な部分の金額が50％以下であっても、その必要である部分を明らかに区分することができる場合には、当該必要である部分に相当する金額を必要経費に算入して差し支えない。（基通45－2）

2　租税公課等の必要経費不算入

居住者が支出し又は納付する次の①から⑬までに掲げるものの額は、その者の不動産所得の金額、事業所得の金額、山林所得の金額又は雑所得の金額の計算上、必要経費に算入せず、①から⑦までに掲げるものは一時所得の金額の計算上、支出した金額にも算入しない。（法45①二～十四、45④）

<table>
<tr><td rowspan="5">①</td><td colspan="4">所得税（不動産所得、事業所得又は山林所得を生ずべき事業を行う居住者が納付する利子税で、その事業についてのこれらの所得に係る所得税の額に対応するものとして次のイからニに掲げる利子税の区分に応じ当該イからニに定めるところにより計算した金額に相当する利子税を除く。）（令97①）</td></tr>
<tr><td>イ</td><td>不動産所得、事業所得又は山林所得を生ずべき事業を行う居住者が納付した確定申告税額の延納に係る利子税</td><td colspan="2">その利子税の額に、その利子税の基礎となった所得税に係る年分の各種所得の金額（給与所得の金額及び退職所得の金額を除く。）の合計額のうちに当該年分の当該事業から生じた不動産所得の金額、事業所得の金額及び山林所得の金額の合計額の占める割合を乗じて計算した金額</td></tr>
<tr><td>ロ</td><td>山林所得を生ずべき事業を行う居住者が納付した延払条件付譲渡に係る所得税額の延納に係る利子税で当該事業から生じた山林所得に係るもの</td><td colspan="2">その利子税の額</td></tr>
<tr><td rowspan="2">ハ</td><td rowspan="2">事業所得を生ずべき事業を行う居住者が納付した第十章第五節二１⑫《国外転出をする場合の譲渡所得等の特例の適用がある場合の納税猶予に係る利子税》の規定による利子税</td><td colspan="2">その利子税の額に、その利子税の基礎となった第四節一１①《国外転出をする場合の譲渡所得等の特例》に規定する国外転出の日の属する年分の当該国外転出をした居住者の所得税に係る(一)に掲げる金額のうちに(二)に掲げる金額の占める割合を乗じて計算した金額</td></tr>
<tr><td>(一)</td><td>第四節一１①、同②及び同③の規定により行われたものとみなされた有価証券等（同１①に規定する有価証券等をいう。以下①において同じ。）の譲渡による事業所得の金額、譲渡所得の金額及び雑所得の金額、未決</td></tr>
</table>

<table>
<tr><td></td><td></td><td></td><td></td><td>済信用取引等（第四節**一１**②に規定する未決済信用取引等をいう。以下①において同じ。）の決済による事業所得の金額及び雑所得の金額並びに未決済デリバティブ取引（第四節**一１**③に規定する未決済デリバティブ取引をいう。以下①において同じ。）の決済による事業所得の金額及び雑所得の金額の合計額</td></tr>
<tr><td></td><td></td><td></td><td>(二)</td><td>第四節**一１**①、同②及び同③の規定により行われたものとみなされた有価証券等の譲渡による事業所得の金額、未決済信用取引等の決済による事業所得の金額及び未決済デリバティブ取引の決済による事業所得の金額の合計額</td></tr>
<tr><td rowspan="3"></td><td rowspan="3">ニ</td><td rowspan="3">事業所得を生ずべき事業を行う居住者が納付した第十章第五節**二２**⑭《贈与等により非居住者に資産が移転した場合の譲渡所得等の特例の適用がある場合の納税猶予に係る利子税》の規定による利子税</td><td colspan="2">その利子税の額に、その利子税の基礎となった第四節**一２**④《贈与等により非居住者に資産が移転した場合の譲渡所得等の特例》に規定する贈与等の日の属する年分の同⑥（１）に規定する適用贈与者又は適用被相続人等の所得税に係る(一)に掲げる金額のうちに(二)に掲げる金額の占める割合を乗じて計算した金額</td></tr>
<tr><td>(一)</td><td>第四節**一２**①、同②及び同③の規定により行われたものとみなされた有価証券等の譲渡による事業所得の金額、譲渡所得の金額及び雑所得の金額、未決済信用取引等の決済による事業所得の金額及び雑所得の金額並びに未決済デリバティブ取引の決済による事業所得の金額及び雑所得の金額の合計額</td></tr>
<tr><td>(二)</td><td>第四節**一２**①、同②及び同③の規定により行われたものとみなされた有価証券等の譲渡による事業所得の金額、未決済信用取引等の決済による事業所得の金額及び未決済デリバティブ取引の決済による事業所得の金額の合計額</td></tr>
<tr><td></td><td colspan="4">（注）１　上記イに規定する各種所得の金額の合計額並びに不動産所得の金額、事業所得の金額及び山林所得の金額の合計額は、イに定める年分の確定申告書（第五章第三節**十**《上場株式等に係る譲渡損失の損益通算及び繰越控除》**３**②（３）において準用する第十章第二節**二４**①《損失申告書を提出することができる場合》の規定による申告書を含む。）に記載されたところによる。（令97②）
２　上記イに規定する割合は、小数点以下２位まで算出し、３位以下を切り上げたところによる。（令97③）</td></tr>
<tr><td>②</td><td colspan="4">所得税以外の国税に係る延滞税、過少申告加算税、無申告加算税、不納付加算税及び重加算税並びに印紙税法の規定による過怠税</td></tr>
<tr><td>③</td><td colspan="4">地方税法の規定による道府県民税及び市町村民税（都民税及び特別区民税を含む。）</td></tr>
<tr><td>④</td><td colspan="4">地方税法の規定による延滞金、過少申告加算金、不申告加算金及び重加算金</td></tr>
<tr><td>⑤</td><td colspan="4">罰金及び科料（通告処分による罰金又は科料に相当するもの及び外国又はその地方公共団体が課する罰金又は科料に相当するものを含む。）並びに過料</td></tr>
<tr><td>⑥</td><td colspan="4">⑤に掲げるものに準ずるものとして地方税法第72条の100第２項《貨物割の賦課徴収等》に規定する貨物割に係る延滞税及び加算税並びに同法附則第９条の４第２項《譲渡割の賦課徴収の特例等》に規定する譲渡割に係る延滞税、利子税及び加算税（令98①）</td></tr>
<tr><td>⑦</td><td colspan="4">**１**の必要経費に算入されない経費に該当する損害賠償金（これに類するものを含む。以下同じ。）のほか、不動産所得、事業所得、山林所得又は雑所得を生ずべき業務に関連して、故意又は重大な過失によって他人の権利を侵害したことにより支払う損害賠償金（令98②）</td></tr>
<tr><td>⑧</td><td colspan="4">国民生活安定緊急措置法の規定による課徴金及び延滞金</td></tr>
<tr><td>⑨</td><td colspan="4">私的独占の禁止及び公正取引の確保に関する法律の規定による課徴金及び延滞金（外国若しくはその地方公共団体又は国際機関が納付を命ずるこれらに類するものを含む。）</td></tr>
<tr><td>⑩</td><td colspan="4">金融商品取引法第６章の２《課徴金》の規定による課徴金及び延滞金</td></tr>
<tr><td>⑪</td><td colspan="4">公認会計士法（昭和23年法律第103号）の規定による課徴金及び延滞金</td></tr>
<tr><td>⑫</td><td colspan="4">不当景品類及び不当表示防止法の規定による課徴金及び延滞金</td></tr>
</table>

⑬	医薬品、医療機器等の品質、有効性及び安全性の確保等に関する法律の規定による課徴金及び延滞金

（注）１　森林環境税及び森林環境譲与税に関する法律（平成31年法律第３号）附則第一条ただし書に規定する規定の施行の日（令和６年１月１日）以後、**２**表内②の次に次の③が加えられる。（平31改所法等附１十三イ）

③	森林環境税及び森林環境譲与税に関する法律（平成31年法律第３号）の規定による森林環境税及び森林環境税に係る延滞金

２　（注）１の改正後の**２**（③に係る部分に限る。）の規定は、個人が（注）１に定める日以後に納付する改正後の**２**表内③に掲げる森林環境税及び森林環境税に係る延滞金について適用する。（平31改所法等附２）

（山林所得を生ずべき事業の意義）

（１）　①の山林所得を生ずべき事業とは、山林の輪伐のみによって通常の生活費を賄うことができる程度の規模において行う山林の経営をいうものとする。（基通45－３）

（必要経費に算入される利子税の計算の基礎となる各種所得の金額）

（２）　**２**表内①イの右欄に掲げる各種所得の金額並びに同①ハ及び同ニに規定する事業所得の金額、譲渡所得の金額又は雑所得の金額とは、いわゆる黒字の金額をいい、また、当該各種所得の金額のうち長期保有資産に係る譲渡所得の金額又は一時所得の金額については、それぞれ50万円（譲渡益又は残額が50万円に満たない場合は、当該譲渡益又は当該残額）の「特別控除額を控除した金額」の２分の１に相当する金額をいうものとする。（基通45－４）

（注）　分離課税の長期譲渡所得又は短期譲渡所得を上記「各種所得の金額」に算入する場合は、措置法に規定する特別控除額を控除した残額による。（編者注、措令20⑦、21⑧）

（２以上の所得を生ずべき事業を営んでいる場合の各種所得の金額の計算上控除する利子税の計算）

（３）　**２**表内①に掲げる不動産所得、事業所得又は山林所得を生ずべき事業のうち２以上の所得を生ずべき事業を営む者が納付する利子税で、不動産所得の金額、事業所得の金額又は山林所得の金額の計算上必要経費に算入するそれぞれの所得に係る利子税の額は、事業所得の金額の計算上必要経費に算入する場合にあっては、当該利子税の額の計算の基礎となった所得税に係る年分の各種所得の金額（給与所得の金額及び退職所得の金額を除くものとし、（２）〔（注）を含む。〕が適用される場合には、その適用後の金額をいう。）の合計額のうちに当該年分の事業所得の金額の占める割合を乗じて計算した金額とし、不動産所得の金額又は山林所得の金額の計算上必要経費に算入する場合にあっては、事業所得の場合に準じ、それぞれ各別に計算した金額とする。（基通45－５）

（注）　必要経費に算入すべき利子税が確定した年において廃業等により不動産所得、事業所得又は山林所得を生ずべき事業を行っていない場合には、当該利子税は必要経費に算入することはできない。

（外国等が課する罰金又は科料に相当するもの）

（４）　**２**表内⑤のかっこ内に規定する「外国又はその地方公共団体が課する罰金又は科料に相当するもの」とは、裁判手続（刑事訴訟手続）を経て外国又はその地方公共団体により課されるものをいう。（基通45－５の２）

（注）　いわゆる司法取引により支払われたものも、裁判手続（刑事訴訟手続）を経て課された罰金又は科料に相当するものに該当することに留意する。

（外国等が納付を命ずる課徴金及び延滞金に類するもの）

（５）　**２**表内⑨に規定する「外国若しくはその地方公共団体又は国際機関が納付を命ずるこれらに類するもの」とは、外国若しくはその地方公共団体又は国際機関が、法令等（市場における公正で自由な競争の実現を目的とするものに限る。）に基づいて納付を命ずるもの（⑤に掲げる罰金及び科料を除く。以下（５）において「外国課徴金」という。）をいう。（基通45－９）

（注）　欧州連合によるカルテル等違反への制裁金は、外国課徴金に該当する。

（使用人の行為に基因する損害賠償金等）

（６）　業務を営む者が使用人（業務を営む者の親族でその業務に従事しているもの〔以下「家族従業員」という。〕を含む。以下同じ。）の行為に基因する損害賠償金（これに類するもの及びこれらに関連する弁護士の報酬等の費用を含む。）を負担した場合には、次によるものとする。（基通45－６）

（一）　当該使用人の行為に関し業務を営む者に故意又は重大な過失がある場合には、当該使用人に故意又は重大な過失がないときであっても、当該業務に係る所得の金額の計算上必要経費に算入しない。

（二）　当該使用人の行為に関し業務を営む者に故意又は重大な過失がない場合には、当該使用人に故意又は重大な過失があったかどうかを問わず、次による。

イ　業務の遂行に関連する行為に基因するものは、当該使用人の従事する業務に係る所得の金額の計算上必要経費に算入する。

ロ　業務の遂行に関連しない行為に基因するものは、家族従業員以外の使用人の行為に関し負担したもので、雇用主としての立場上やむを得ず負担したものについては、当該使用人の従事する業務に係る所得の金額の計算上必要経費に算入し、その他のもの（家族従業員の行為に関し負担したものを含む。）については、必要経費に算入しない。

（損害賠償金に類するもの）

（７）　**２**表内⑦のかっこ内に定める「これに類するもの」には、慰謝料、示談金、見舞金等の名目のいかんを問わず、他人に与えた損害を補塡するために支出する一切の費用が含まれる。（基通45－７）

（重大な過失があったかどうかの判定）

（８）　**２**表内⑦に定める重大な過失があったかどうかは、その者の職業、地位、加害当時の周囲の状況、侵害した権利の内容及び取締法規の有無等の具体的な事情を考慮して、その者が払うべきであった注意義務の程度を判定し、不注意の程度が著しいかどうかにより判定するものとし、次に掲げるような場合には、特別な事情がない限り、それぞれの行為者に重大な過失があったものとする。（基通45－８）

（一）　自動車等の運転者が無免許運転、高速度運転、酔払運転、信号無視その他道路交通法第４章第１節《運転者の義務》に定める義務に著しく違反すること又は雇用者が超過積載の指示、整備不良車両の運転の指示その他同章第３節《使用者等の義務》に定める義務に著しく違反することにより他人の権利を侵害した場合

（二）　劇薬又は爆発物等を他の薬品又は物品と誤認して販売したことにより他人の権利を侵害した場合

3　賄賂又は不正競争防止法に規定する金銭等の必要経費不算入

居住者が供与をする刑法第198条《贈賄》に規定する賄賂又は不正競争防止法第18条第１項（外国公務員等に対する不正の利益の供与等の禁止）に規定する金銭その他の利益に当たるべき金銭の額及び金銭以外の物又は権利その他経済的な利益の価額（その供与に要する費用の額がある場合には、その費用の額を加算した金額）は、その者の不動産所得の金額、事業所得の金額、山林所得の金額又は雑所得の金額の計算上、必要経費に算入しない。（法45②）

4　隠蔽仮装行為に基づく売上原価の額及び費用の額の必要経費不算入

その年において不動産所得、事業所得若しくは山林所得を生ずべき業務を行う居住者又はその年において雑所得を生ずべき業務を行う居住者でその年の前々年分の当該雑所得を生ずべき業務に係る収入金額が300万円を超えるものが、隠蔽仮装行為（その所得の金額又は所得税の額の計算の基礎となるべき事実の全部又は一部を隠蔽し、又は仮装することをいう。）に基づき確定申告書（その申告に係る所得税についての調査があったことにより当該所得税について決定があるべきことを予知して提出された期限後申告書を除く。以下**4**において同じ。）を提出しており、又は確定申告書を提出していなかった場合には、これらの確定申告書に係る年分のこれらの所得の総収入金額に係る売上原価その他当該総収入金額を得るため直接に要した費用の額（資産の販売又は譲渡における当該資産の取得に直接に要した額及び資産の引渡しを要する役務の提供における当該資産の取得に直接に要した額として（１）で定める額を除く。以下**4**において「売上原価の額」という。）及びその年における販売費、一般管理費その他これらの所得を生ずべき業務について生じた費用の額（その居住者がその年分の確定申告書を提出していた場合には、これらの額のうち、その提出した当該確定申告書に記載した第十章第二節**二1**《確定所得申告》②(一)に掲げる金額又は当該確定申告書に係る修正申告書（その申告に係る所得税についての調査があったことにより当該所得税について更正があるべきことを予知した後に提出された修正申告書を除く。）に記載した同章第七節**一**《修正申告》**3**(一)に掲げる課税標準等の計算の基礎とされていた金額を除く。）は、その者の各年分の不動産所得の金額、事業所得の金額、山林所得の金額及び雑所得の金額の計算上、必要経費に算入しない。ただし、次の(一)及び(二)に掲げる場合に該当する当該売上原価の額又は費用の額については、この限りでない。（法45③）

<table>
<tr><td rowspan="2">(一)</td><td colspan="2">次に掲げるものにより当該売上原価の額又は費用の額の基因となる取引が行われたこと及びこれらの額が明らかである場合（災害その他やむを得ない事情により、当該取引に係るイに掲げる帳簿書類の保存をすることができなかったことをその居住者において証明した場合を含む。）</td></tr>
<tr><td>イ</td><td>その居住者が第十一章三1《青色申告者の帳簿書類》又は第十五章一1若しくは同一2《事業所得等を有する者の帳簿書類の備付け等》に規定する財務省令で定めるところにより保存する帳簿書類</td></tr>
</table>

	ロ	イに掲げるもののほか、その居住者がその住所地その他の(２)で定める場所に保存する帳簿書類その他の物件
(二)	(一)イ又は同ロに掲げるものにより、当該売上原価の額又は費用の額の基因となる取引の相手方が明らかである場合その他当該取引が行われたことが明らかであり、又は推測される場合((一)に掲げる場合を除く。)であって、当該相手方に対する調査その他の方法により税務署長が、当該取引が行われ、これらの額が生じたと認める場合	

(必要経費に算入される資産の額)

(１)　**4**に規定する(１)で定める額は、**4**の資産の販売又は譲渡及び資産の引渡しを要する役務の提供に係る不動産所得、事業所得、山林所得又は雑所得の総収入金額に係る売上原価その他当該総収入金額を得るため直接に要した費用の額のうち、これらの資産（**4**(一)及び(二)に掲げる場合に該当する場合における当該(一)及び(二)の取引に係るものを除く。)が次の(一)から(四)までに掲げる資産のいずれに該当するかに応じ当該(一)から(四)までに定める金額とする。(令98の２)

(一)	購入した資産	当該資産の購入の代価（引取運賃、荷役費、運送保険料、購入手数料、関税（関税法（昭和29年法律第61号）第２条第１項第４号の２《定義》に規定する附帯税を除く。）その他当該資産の購入のために要した費用がある場合には、その費用の額を加算した金額）
(二)	自己の製造等（製造、採掘、採取、栽培、養殖その他これらに準ずる行為をいう。以下(二)において同じ。）に係る資産	当該資産の製造等のために直接に要した原材料費の額
(三)	(一)及び(二)に規定する方法以外の方法により取得をした資産((四)に掲げるものを除く。)	その取得の時における当該資産の取得のために通常要する価額
(四)	贈与、相続又は遺贈により取得をした資産（第六章第二節**三4**《棚卸資産の取得価額》②(一)に掲げる棚卸資産又は第五章第二節**二十四3**《贈与等により取得した資産の取得費等》①イに掲げる事由により取得した同**二十四1**《贈与等の場合の譲渡所得等の特例》に規定する資産に限る。以下(四)において「受贈等資産」という。）	当該受贈等資産が当該贈与、相続又は遺贈に係る贈与者又は被相続人において(一)から(四)までに掲げる資産のいずれに該当するかに応じこれらの者におけるそれぞれこれらの号に定める金額

(**4**(一)ロに規定する(２)で定める場所)

(２)　**4**(一)ロ《家事関連費等の必要経費不算入等》に規定する(２)で定める場所は、同号ロの居住者の住所地若しくは居所地又はその営む事業に係る事務所若しくは事業所、雑所得を生ずべき業務を行う場所その他これらに準ずるものの所在地とする。(規21の３)

(「計算の基礎とされていた金額」の意義)

(３)　**4**の「計算の基礎とされていた金額」とは、**4**の居住者（以下(７)までにおいて「居住者」という。）が提出した確定申告書（当該確定申告書に係る**4**に規定する修正申告書を含む。）に記載された不動産所得、事業所得、山林所得若しくは雑所得に係る総収入金額から当該確定申告書に記載されたこれらの所得の金額を差し引いた金額（これらの所得の金額の計算において、損失の金額が生ずる場合には、当該総収入金額に当該損失の金額を加えた金額）を構成する**4**に規定する売上原価の額及び費用の額（以下(７)までにおいて「売上原価の額等」という。）又は青色申告決算書若しくは収支内訳書に記載された売上原価の額等をいうのであるが、これらの書類にこれらの金額の記載がない場合（青色申告決算書及び収支内訳書の提出がない場合を含む。）であっても、当該居住者が保存する帳簿書類その他の物件により、売上原価の額等を明らかにした場合には、当該売上原価の額等を「計算の基礎とされていた金額」と取り扱って差し支えない。(基通45－10)

（帳簿書類その他の物件の意義）

（4）　**4**（一）イ又は同ロに掲げる帳簿書類その他の物件とは、**4**（一）及び同（二）の取引が行われたことを明らかにする、又は推測させる一切の帳簿書類その他の物件で居住者が保存しているものをいうことに留意する。（基通45－11）

（取引が行われたことが推測される場合）

（5）　**4**（二）の取引が行われたことが推測される場合とは、居住者が保存する帳簿書類その他の物件により、その取引が行われたことが推測される場合をいうのであるが、例えば、居住者の所得税に関する調査において、当該居住者が帳簿書類その他の物件の提示又は提出をした場合に、当該帳簿書類その他の物件に、取引の年月日や具体的な内容は記載されているが金額が記載されていないときその他その取引が存在すると見込まれるような事実の記載があるときは、同（二）の取引が行われたことが推測される場合に該当することに留意する。（基通45－12）

（相手方に対する調査その他の方法）

（6）　**4**（二）の「相手方に対する調査その他の方法」には、例えば、次に掲げる方法が該当することに留意する。（基通45－13）

イ　第十三章第一節**一 1**《当該職員の所得税等に関する調査に係る質問検査権》の規定による質問検査権の行使に基づく相手方に対する調査

ロ　同節**一 3**《特定事業者等への報告の求め》の規定による同**3**に規定する特定事業者等への報告の求め

ハ　通則法第74条の12第１項《当該職員の事業者等への協力要請》の規定による同項の事業者又は官公署への協力の求め

ニ　取引の相手方が国税に関する法律その他の法令の規定に基づき所轄税務署長に提出した納税申告書、当該納税申告書に添付された書類その他当該相手方が法令の規定に基づき所轄税務署長に提出した書類の確認

ホ　居住者から提出又は提示のあった取引の相手方が保存する当該取引に関する帳簿書類その他の物件の写しの確認

（注）　イに掲げる相手方に対する調査は、相手方が支配又は管理をする場所（事業所等）等に臨場して行うものに限られず、個々の実情に応じ、相手方に電話をかけ、又は文書を発送して回答を求める方法によることもできることに留意する。なお、相手方が国外にある者である場合には、通常、当該相手方に対し第十三章第一節**一 1**の規定による質問検査権の行使ができないため、イに掲げる方法以外の方法によることとなる。

（所得金額を推計する場合の本規定の適用）

（7）　**4**の規定の適用を受ける居住者について、第十二章**二 3**《推計による更正又は決定》の規定により、所得金額を推計する場合には、同**3**の規定を適用した後の必要経費の額を基礎として所得金額を推計することとなることに留意する。

この場合の必要経費の額は、次に掲げる金額を合計して算出することとする。（基通45－14）

イ　推計した（1）《必要経費に算入される資産の額》に規定する資産の取得に直接要した費用の額

ロ　推計した売上原価の額等（（3）に定める「計算の基礎とされていた金額」に係るものに限る。）

ハ　次に掲げる金額

（イ）　**4**（一）の規定により、明らかとなった売上原価の額等

（ロ）　**4**（二）の規定により、税務署長が生じたと認める売上原価の額等

（注）　事業場への旅費交通費など居住者が営む業務の内容から、確実に生じたと認められる売上原価の額等については、上記ハ（ロ）の金額と取り扱って差し支えない。

5　所得税額から控除する外国税額の必要経費不算入

居住者が控除対象外国所得税の額につき外国税額控除又は源泉徴収税額等の還付の適用を受ける場合には、当該控除対象外国所得税の額は、その者の不動産所得の金額、事業所得の金額、山林所得の金額若しくは雑所得の金額又は一時所得の金額の計算上、必要経費又は支出した金額に算入しない。（法46）

（必要経費算入と税額控除との選択方法）

注　控除対象外国所得税の額について、必要経費若しくは支出した金額に算入するか、又は外国税額控除《第九章第二節**二**》をするか若しくは源泉徴収税額等の還付《第十章第六節**一**》を受けるかどうかの選択は、各年ごとに、その年中に確定した控除対象外国所得税の額の全部について行わなければならないものとする。（基通46－１、編者補正）

（注）　利子所得、配当所得、給与所得、退職所得又は譲渡所得をその計算の基礎とした控除対象外国所得税の額について外国税額控除をするときは、不動産所得、事業所得、山林所得、雑所得又は一時所得をその計算の基礎とした控除対象外国所得税の額についても、必要経費

又は支出した金額に算入することはできない。

三　棚卸資産の評価

1　棚卸資産の範囲

棚卸資産とは、事業所得を生ずべき事業に係る資産（有価証券、**四12**《暗号資産の譲渡原価等の計算及びその評価の方法》に規定する暗号資産及び山林を除く。）で棚卸しをすべきものとして次の①から⑦までに掲げるものをいう。（法２①十六、令３）

①	商品又は製品（副産物及び作業くずを含む。）
②	半製品
③	仕掛品（半成工事を含む。）
④	主要原材料
⑤	補助原材料
⑥	消耗品で貯蔵中のもの
⑦	①から⑥に掲げる資産に準ずるもの

（棚卸資産に含まれるもの）

（1）　⑦に掲げる「①から⑥に掲げる資産に準ずるもの」には、例えば、事業所得を生ずべき事業に係る次に掲げるような資産で一般に販売（家事消費を含む。）の目的で保有されるものが含まれる。（基通２－13）

（一）　飼育又は養殖中の牛、馬、豚、家きん、魚介類等の動物

（二）　定植前の苗木

（三）　育成中の観賞用の植物

（四）　まだ収穫しない水陸稲、麦、野菜等の立毛及び果実

（五）　養殖中ののり、わかめ等の水産植物でまだ採取されないもの

（六）　仕入れ等に伴って取得した空き缶、空き箱、空き瓶等

（注）　仕損じ品、修理用資材、包装荷造用資材等も棚卸資産に含まれる。（編者注）

（棚卸資産とすることができる劣化資産）

（2）　劣化資産のうち、製造工程において生産の流れに参加し、かつ、中間生産物の物理的又は化学的組成となるものについては、これを棚卸資産として経理することができる。（基通49－50）

（注）　次に掲げるものがこれに該当する。

（一）　溶剤及び電解液

（二）　か性ソーダ製造における水銀

（棚卸しの手続）

（3）　棚卸資産については各年の12月31日において実地棚卸しをしなければならないのであるが、その者が、その業種、業態及び棚卸資産の性質等に応じ、その実地棚卸しに代えて部分計画棚卸しその他合理的な方法によりその年12月31日における棚卸資産の在高等を算定することとしている場合には、継続適用を条件としてこれを認める。（基通47－25）

2　棚卸資産の売上原価等の計算及びその評価の方法

居住者の棚卸資産につきその者の事業所得の金額の計算上必要経費に算入する金額を算定する場合におけるその算定の基礎となるその年12月31日（その者が年の中途において死亡し又は出国をした場合には、その死亡又は出国の時。以下**2**、**四2**、**五4**及び**七3**において同じ。）において有する棚卸資産（以下**2**において「期末棚卸資産」という。）の価額は、棚卸資産の取得価額の平均額をもってその年12月31日において有する棚卸資産の評価額とする方法その他の①で定める評価の方法のうちからその者が当該期末棚卸資産について選定した評価の方法により評価した金額（評価の方法を選定しなかった場合又は選定した評価の方法により評価しなかった場合には、評価の方法のうち最終仕入原価法により算出した取得価額による原価法により評価した金額）とする。（法47①、令102①）

（法定評価方法の特例）

注　税務署長は、居住者が棚卸資産につき選定した評価の方法（評価の方法を届け出なかった居住者がよるべきこととされている上記かっこ書の**法定評価方法**を含む。）により評価しなかった場合において、その居住者が行った評価の方法が次の①に定める評価の方法のうちいずれかの方法に該当し、かつ、その行った評価の方法によってもその居住者の各年分の事業所得の金額の計算を適正に行うことができると認めるときは、その行った評価の方法により計算した各年分の事業所得の金額を基礎として更正又は決定をすることができる。（令102②）

① **棚卸資産の評価の方法**

居住者が**その年12月31日**（年の中途において死亡し又は出国をした場合には、その死亡又は出国の時。以下**4**までにおいて同じ。）において有する棚卸資産の評価額の計算上選定をすることができる**2**に規定する①で定める評価の方法は、次の(一)及び(二)に掲げる方法（その年分の所得税について青色申告書を提出することにつき税務署長の承認を受けていない場合には、(一)に掲げる原価法）とする。（令99①）

(一)	**原価法**（期末棚卸資産につき次に掲げる方法のうちいずれかの方法によってその取得価額を算出し、その算出した取得価額をもって当該期末棚卸資産の評価額とする方法をいう。）		
	イ	個　別　法	期末棚卸資産の全部について、その個々の取得価額をその取得価額とする方法をいう。
	ロ	先入先出法	期末棚卸資産をその種類、品質及び型（以下「**種類等**」という。）の異なるごとに区別し、その種類等の同じものについて、当該期末棚卸資産をその年12月31日から最も近い日において取得した種類等を同じくする棚卸資産から順次成るものとみなし、そのみなされた棚卸資産の取得価額をその取得価額とする方法をいう。
	ハ	総 平 均 法	棚卸資産をその種類等の異なるごとに区別し、その種類等の同じものについて、その年１月１日において有していた種類等を同じくする棚卸資産の取得価額の総額とその年中に取得した種類等を同じくする棚卸資産の取得価額の総額との合計額をこれらの棚卸資産の総数量で除して計算した価額をその１単位当たりの取得価額とする方法をいう。
	ニ	移動平均法	棚卸資産をその種類等の異なるごとに区別し、その種類等の同じものについて、当初の１単位当たりの取得価額が、再び種類等を同じくする棚卸資産を取得した場合にはその取得の時において有する当該棚卸資産とその取得した棚卸資産との数量及び取得価額を基礎として算出した平均単価によって改定されたものとみなし、以後種類等を同じくする棚卸資産を取得する都度同様の方法により１単位当たりの取得価額が改定されたものとみなし、その年12月31日から最も近い日において改定されたものとみなされた１単位当たりの取得価額をその１単位当たりの取得価額とする方法をいう。
	ホ	最終仕入原価法	期末棚卸資産をその種類等の異なるごとに区別し、その種類等の同じものについて、その年12月31日から最も近い日において取得したものの１単位当たりの取得価額をその１単位当たりの取得価額とする方法をいう。
	ヘ	売価還元法	期末棚卸資産をその種類等又は通常の差益の率（棚卸資産の通常の販売価額のうちに当該通常の販売価額から当該棚卸資産を取得するために通常要する価額を控除した金額の占める割合をいう。以下同じ。）の異なるごとに区別し、その種類等又は通常の差益の率の同じものについて、その年12月31日における種類等又は通常の差益の率を同じくする棚卸資産の通常の販売価額の総額に**原価の率**（当該通常の販売価額の総額とその年中に販売した当該棚卸資産の対価の総額との合計額のうちにその年１月１日における当該棚卸資産の取得価額の総額とその年中に取得した当該棚卸資産の取得価額の総額との合計額の占める割合をいう。）を乗じて計算した金額をその取得価額とする方法をいう。
(二)	**低価法**（期末棚卸資産をその種類等〔売価還元法により算出した取得価額による原価法により計算した価額を基礎とするものにあっては、種類等又は通常の差益の率。以下(二)において同じ。〕の異なるごとに区別し、その種類等の同じものについて(一)に掲げる方法のうちいずれかの方法により算出した取得価額による原価法により評価した価額とその年12月31日における価額とのうちいずれか低い価額をもってその評価額とする方法をいう。）		

（個別法の選定の制限）

（1）　個別法により算出した取得価額による原価法（当該原価法により評価した価額を基礎とする低価法を含む。）は、棚卸資産のうち通常一の取引によって大量に取得され、かつ、規格に応じて価格が定められているものについては、①にかかわらず、選定することができない。（令99②）

（個別法を選定することができる棚卸資産）

（2）　次に掲げる棚卸資産については、個別法（その評価額を基礎とする低価法を含む。）によりその評価額を計算することができる。（基通47－1）

（一）　商品の取得から販売に至るまでの過程を通じて具体的に個品管理が行われている場合又は製品、半製品若しくは仕掛品の取得から販売若しくは消費までの過程を通じて具体的に個品管理が行われ、かつ、個別原価計算が実施されている場合において、その個品管理を行うこと又は個別原価計算を実施することに合理性があると認められるときにおけるその商品又は製品、半製品若しくは仕掛品

（二）　その性質上専ら(一)の製品又は半製品の製造等の用に供されるものとして保有されている原材料

（月別総平均法等）

（3）　1月ごとに総平均法又は移動平均法により計算した価額を当該月末における棚卸資産の取得価額とみなし、翌月においてこれを繰越価額として順次計算することによりその年12月31日における棚卸資産の取得価額を計算する方法は、それぞれ総平均法又は移動平均法に該当するものとする。（基通47－3）

（半製品又は仕掛品についての売価還元法）

（4）　製造業を営む者が、原価計算を行わないため半製品及び仕掛品について製造工程に応じて製品売価の何％として評価する場合のその評価方法は、売価還元法に該当するものとする。（基通47－4）

（売価還元法の適用区分）

（5）　売価還元法により評価額を計算する場合には、その種類の著しく異なるものを除き、通常の差益の率がおおむね同じ棚卸資産は、これをその計算上の一区分とすることができるものとする。（基通47－5）

（売価還元法により評価額を計算する場合の通常の販売価額の総額の計算）

（6）　売価還元法により評価額を計算する場合における①(一)への右欄に規定する「通常の販売価額の総額」は、その年において販売した棚卸資産について値引き、割戻し等を行い、それを売上金額から控除しているような場合であっても、値引き、割戻し等を考慮しないところの販売価額の総額によることに留意する。（基通47－6）

（売価還元法により評価額を計算する場合のその年中に販売した棚卸資産の対価の総額の計算）

（7）　売価還元法により評価額を計算する場合における①(一)へに規定する「その年中に販売した当該棚卸資産の対価の総額」は、その年において販売した棚卸資産の実際の販売価額の合計額によるのであるが、その年において従業員、特定の顧客等特定の者に対する販売について値引きを行っている場合において、その者に対する販売状況が個別に管理されており、その値引きの額が明らかにされているときは、その値引きの額をその販売価額に加算して計算することができるものとする。（基通47－7）

（原価の率が100％を超える場合の売価還元法の適用）

（8）　売価還元法を適用する場合において、①(一)へに規定する原価の率が100％を超えることとなったときでも、その率により期末棚卸資産の評価額を計算することに留意する。（基通47－8）

（未着品の評価）

（9）　未着品（購入した棚卸資産で運送の途中にあるものをいう。以下(10)において同じ。）につきその取得のために通常要する引取運賃、荷役費その他の付随費用のうちその年12月31日までに支出がされていないためその取得価額に算入されていないものがある場合には、当該未着品については、これと種類、品質及び型（以下（9）、(10)及び**4**①（1）において「種類等」という。）を同じくする棚卸資産があるときであっても、当該棚卸資産とは種類等が異なるものとして①の規定を適用する。（基通47－8の2）

（低価法における低価の事実の判定の単位）

(10)　低価法における低価の事実の判定は、棚卸資産の種類等を同じくするもの（棚卸資産を通常の差益の率の同じものごとに区分して売価還元法を選定している場合には、通常の差益の率の同じものとする。）について行うべきであるが、事業の種類ごとに、かつ、**3**①《評価の方法の選定区分》に規定する棚卸資産の区分ごとに一括して計算することができるものとする。（基通47－9）

（時価）

(11)　棚卸資産について低価法を適用する場合における令第99条第1項第2号に規定する「その年12月31日における価額」は、その年12月31日においてその棚卸資産を売却するものとした場合に通常付される価額（以下(12)において「棚卸資産の年末時価」という。）による。（基通47－10）

（注）　棚卸資産の年末時価は、通常、商品又は製品として売却するものとした場合の売却可能価額から見積追加製造原価（未完成品に限る。）及び見積販売直接経費を控除した正味売却価額によることに留意する。

（前年末において低価法により評価している場合の棚卸資産の取得価額）

(12)　その年の前年12月31日における棚卸資産につき低価法により評価していた場合のその年12月31日における棚卸資産の評価額の計算の基礎となるその棚卸資産の取得価額は、当該低価法による評価額ではなく、当該低価法の基礎として選定している原価法により評価した価額によることに留意する。（基通47－14）

（準棚卸資産に係る必要経費の算入）

(13)　棚卸資産に準ずる資産及び少額の減価償却資産で譲渡所得の基因とならないもの《第四章第八節**一3**《譲渡所得に含まれないもの》(一)イ又は同ロ参照》（山林を除く。）につきその年分の不動産所得、事業所得、山林所得又は雑所得の金額の計算上必要経費に算入する金額は、当該資産につき雑損控除の規定の適用を受ける損失が生じた場合を除き、次の算式により計算した金額とすることができる。この場合において、その年1月1日及び12月31日における当該資産の取得価額は、それぞれの日において有する当該資産でまだ業務の用に供されていないものにつき原価法による評価の方法に準じて計算する。（基通47－15）

その年1月1日において有する当該資産でまだ業務の用に供されていないものの取得価額の合計額	＋	その年中に取得した当該資産の取得価額の合計額	－	その年12月31日において有する当該資産でまだ業務の用に供されていないものの取得価額の合計額

②　棚卸資産の特別な評価の方法

居住者は、その有する棚卸資産の評価額を①に定める評価の方法に代え当該評価の方法以外の評価の方法により計算することについて納税地の所轄税務署長の承認を受けた場合には、当該資産のその承認を受けた日の属する年分以後の各年分の評価額の計算については、その承認を受けた評価の方法を選定することができる。（令99の2①）

（申請書の提出）

(1)　上記の承認を受けようとする居住者は、その採用しようとする評価の方法の内容、その方法を採用しようとする理由、その方法により評価額の計算をしようとする事業の種類及び資産の区分、申請書を提出する者の氏名及び住所（国内に住所がない場合には、居所）その他参考となるべき事項を記載した申請書を納税地の所轄税務署長に提出しなければならない。（令99の2②、規22）

（申請に対する承認又は却下）

(2)　税務署長は、(1)の申請書の提出があった場合には、遅滞なく、これを審査し、その申請に係る評価の方法並びに事業の種類及び資産の区分を承認し、又はその申請に係る評価の方法によってはその居住者の各年分の事業所得の金額の計算が適正に行われ難いと認めるときは、その申請を却下する。（令99の2③）

（承認の取消し）

(3)　税務署長は、(2)の承認をした後、その承認に係る評価の方法によりその承認に係る棚卸資産の評価額の計算をすることを不適当とする特別の事情が生じたと認める場合には、その承認を取り消すことができる。（令99の2④）

（処分の通知）

（4）　税務署長は、（2）又は（3）の処分をするときは、その処分に係る居住者に対し、書面によりその旨を通知する。（令99の2⑤）

（取消処分の効果）

（5）　（3）の処分があった場合には、その処分のあった日の属する年分以後の各年分の事業所得の金額を計算する場合のその処分に係る棚卸資産の評価額の計算についてその処分の効果が生ずるものとする。（令99の2⑥）

（取消処分に係る棚卸資産の評価方法の届出）

（6）　居住者は、（3）の処分を受けた場合には、その処分を受けた日の属する年分の所得税に係る確定申告期限までに、その処分に係る棚卸資産につき、事業の種類及び資産の区分ごとに、①に定める評価の方法のうちそのよるべき方法を書面により納税地の所轄税務署長に届け出なければならない。（令99の2⑦）

3　棚卸資産の評価の方法の選定等

①　評価の方法の選定区分

棚卸資産の評価の方法は、居住者の営む事業の種類ごとに、かつ、商品又は製品（副産物及び作業くずを除く。）、半製品、仕掛品（半成工事を含む。）、主要原材料及び補助原材料その他の棚卸資産の区分ごとに選定しなければならない。（令100①）

（評価方法の選定単位の細分）

注　棚卸資産の評価方法は、事業所別に、又は上記①の棚卸資産の区分を更に細分してその種類の異なるごとその他合理的な区分ごとに選定することができる。（基通47－16）

（注）　①の棚卸資産の区分又はその種類を同じくする棚卸資産のうちに個別法を選定することができるものがある場合には、これを区分して個別法を選定することができる。

②　評価の方法の選定の届出

居住者は、次の（一）又は（二）に掲げる者の区分に応じ当該（一）又は（二）に掲げる日の属する年分の所得税に係る確定申告期限までに、棚卸資産につき、①に定める事業の種類及び資産の区分ごとに、**2**①に掲げる評価の方法のうちそのよるべき方法を書面により納税地の所轄税務署長に届け出なければならない。（令100②）

（一）	新たに事業所得を生ずべき事業を開始した居住者	当該事業を開始した日
（二）	（一）の事業を開始した後新たに他の種類の事業を開始し又は事業の種類を変更した居住者	当該他の種類の事業を開始し又は事業の種類を変更した日

③　評価の方法の変更手続

居住者は、棚卸資産につき選定した評価の方法（その評価の方法を届け出なかった者がよるべきこととされている最終仕入原価法により算出した取得価額による原価法を含む。）を変更しようとするときは、納税地の所轄税務署長の承認を受けなければならない。（令101①）

（評価の方法の変更承認申請書の提出）

（1）　上記の承認を受けようとする居住者は、その新たな評価の方法を採用しようとする年の3月15日までに、その旨、変更しようとする理由その他次の（一）から（五）までに掲げる事項を記載した申請書を納税地の所轄税務署長に提出しなければならない。（令101②、規23）

（一）	申請書を提出する者の氏名及び住所
（二）	その評価の方法を変更しようとする事業の種類並びに商品又は製品（副産物及び作業くずを除く。）、半製品、仕掛品（半成工事を含む。）、主要原材料及び補助原材料その他の棚卸資産の区分
（三）	現によっている評価の方法及びその評価の方法を採用した年月日

(四)	採用しようとする新たな評価の方法
(五)	その他参考となるべき事項

（申請の却下）

（2）　税務署長は、変更承認申請書の提出があった場合において、その申請書を提出した居住者が現によっている評価の方法を採用してから相当期間を経過していないとき、又は変更しようとする評価の方法によってはその者の各年分の事業所得の金額の計算が適正に行われ難いと認めるときは、その申請を却下することができる。（令101③）

（評価方法の変更申請があった場合の「相当期間」）

（3）　いったん採用した棚卸資産の評価の方法は特別の事情がない限り継続して適用すべきものであるから、現によっている評価の方法を変更するために（1）の規定に基づいてその変更承認申請書を提出した場合において、その現によっている評価の方法を採用してから３年を経過していないときは、その変更することについて特別な理由があるときを除き、（2）の相当期間を経過していないときに該当するものとする。（基通47－16の２）

（注）　その変更承認申請書の提出がその現によっている評価の方法を採用してから３年を経過した後になされた場合であっても、その変更することについて合理的な理由がないと認められるときは、その変更を承認しないことができることに留意する。

（承認又は却下の通知）

（4）　税務署長は、変更承認申請書の提出があった場合において、その申請につき承認又は却下の処分をするときは、その申請をした居住者に対し、書面によりその旨を通知する。（令101④）

（みなし承認）

（5）　変更承認申請書の提出があった場合において、その年12月31日までにその申請につき承認又は却下の処分がなかったときは、同日においてその承認があったものとみなす。（令101⑤）

4　棚卸資産の取得価額

①　棚卸資産の取得価額

2①又は同②の規定による棚卸資産の評価額の計算の基礎となる棚卸資産の取得価額は、別段の定めがあるものを除き、次の(一)から(三)までに掲げる資産の区分に応じ当該(一)から(三)までに定める金額とする。（令103①）

(一)	購入した棚卸資産　　次に掲げる金額の合計額 イ　当該資産の購入の代価（引取運賃、荷役費、運送保険料、購入手数料、関税（関税法第２条第１項第４号の２《定義》に規定する附帯税を除く。）その他当該資産の購入のために要した費用がある場合には、その費用の額を加算した金額） ロ　当該資産を消費し、又は販売の用に供するために直接要した費用の額
(二)	自己の製造、採掘、採取、栽培、養殖その他これらに準ずる行為（以下(二)において「**製造等**」という。）に係る棚卸資産 次に掲げる金額の合計額 イ　当該資産の製造等のために要した原材料費、労務費及び経費の額 ロ　当該資産を消費し、又は販売の用に供するために直接要した費用の額
(三)	(一)又は(二)に規定する方法以外の方法により取得した棚卸資産　　次に掲げる金額の合計額 イ　その取得の時における当該資産の取得のために通常要する価額 ロ　当該資産を消費し、又は販売の用に供するために直接要した費用の額

（棚卸資産の取得価額に算入する費用）

（1）　①(一)から同(三)に定める棚卸資産の取得価額に算入する費用の額には、次に掲げるような費用の額が含まれることに留意する。ただし、これらの費用の額の合計額が少額（当該棚卸資産の購入の代価又は製造原価のおおむね３％以内の金額とする。）である場合には、その取得価額に算入しないことができるものとする。（基通47－17）

(一)　買入事務若しくは検収のために要した費用の額又は製造後における検査若しくは検定のために要した費用の額

その他その棚卸資産の整理、選別、手入れ等に要した費用の額

(二)　販売所等又は製造所等から販売所等へ移管するために要した運賃、荷造費等の費用の額

(三)　特別の時期に販売するなどのため長期にわたって保管するために要した費用の額

(注) 1　(一)から(三)までに掲げる費用の額の合計額が少額かどうかについては、年分ごとに、かつ、種類等を同じくする棚卸資産（事業所別に異なる評価方法を選定している場合又は工場別に原価計算を行っている場合には、事業所又は工場ごとの種類等を同じくする棚卸資産とする。）ごとに判定することができる。（種類等とは種類、品質、型をいう＝編者注）

2　棚卸資産を保管するために要した費用（保険料を含む。）のうち(三)に掲げるもの以外のものの額は、その取得価額に算入しないことができる。

（砂利採取地に係る埋戻し費用）

(2)　他の者の有する土地から砂利その他の土石（以下(2)において「砂利等」という。）を採取して販売（原材料等としての消費を含む。）する場合において、当該他の者との契約によりその採取後の跡地を埋め戻して土地を原状に復することを約しているため、その採取を開始した日の属する年以後その埋戻しを行う日の属する年の直前の年までの各年において、継続して次の算式により計算した金額を当該土地から採取した砂利等の取得価額に算入しているときは、これを認めるものとする。（基通47−17の2）

（算式）

$$\left(\text{埋戻しに要する費用の額の見積額} - \text{その年の前年以前において砂利等の取得価額に算入した金額の合計額}\right) \times \frac{\text{その年において当該土地から採取した砂利等の数量}}{\text{当該土地から採取する砂利等の予定数量} - \text{その年の前年以前において採取した砂利等の数量の合計}}$$

(注)　算式の「埋戻しに要する費用の額の見積額」及び「当該土地から採取する砂利等の予定数量」は、その年12月31日の現況により適正に見積るものとする。

（翌年以後において購入代価が確定した場合の調整）

(3)　①(一)に掲げる棚卸資産でその購入した日の属する年においてその代価が確定していないものについては、その見積額によりその取得価額を計算するものとする。この場合において、その翌年以後の年において確定した代価の額がその見積額と異なることとなったときは、その差額は、その確定した日の属する年分の事業所得の金額の計算上総収入金額又は必要経費に算入する。ただし、その差額が多額な場合には、その差額のうち、当該年分に繰り越された棚卸資産に対応する部分は、当該年に取得した棚卸資産の取得価額に加算又は減算し、その他の部分は当該年分の必要経費又は総収入金額に算入する。（基通47−18）

（棚卸資産の取得価額に算入しないことができる費用）

(4)　棚卸資産の取得又は保有に関連して支出する固定資産税、都市計画税、登録免許税（登録に要する費用を含む。）、不動産取得税、地価税、特別土地保有税等は、その取得価額に算入しないことができる。（基通47−18の2）

（製造原価に算入しないことができる費用）

(5)　次に掲げるような費用の額は、①(二)イに掲げる製造等のために要した金額に算入しないことができる。（基通47−19）

(一)　退職給与規程を改正した年において退職給与引当金勘定に繰り入れた金額でその年分の必要経費に算入される金額のうち、その改正後の退職給与規程をその年の前年12月31日における退職給与規程とみなして計算した場合におけるその年分の繰入限度を超える部分の金額

(二)　使用人等に支給した賞与のうち、例えば、創業何周年記念賞与のように特別の場合に支給される賞与であることの明らかなものの額（通常の賞与として支給される金額に相当する金額を除く。）

(三)　試験研究費のうち、基礎研究及び応用研究の費用の額並びに工業化研究に該当することが明らかでないものの費用の額

(四)　措置法に定める特別償却の規定の適用を受ける資産の償却費の額のうち普通償却費に相当する金額以外の部分の金額

(五)　工業所有権等について支払う使用料の額が売上高等に基づいている場合における当該使用料の額及び当該工業所有権等に係る頭金の償却費の額

(六)　工業所有権等について支払う使用料の額が生産数量等を基礎として定められており、かつ、最低使用料の定めがある場合において支払われる使用料の額のうち、生産数量等により計算される使用料の額を超える部分の金額

（七）　複写して販売するための原本となるソフトウエアの償却費の額
（八）　事業税の額
（九）　事業の閉鎖、事業規模の縮小等のために大量に整理した使用人に対し支給する退職給与の額
（十）　生産を相当期間にわたり休止した場合のその休止期間に対応する費用の額
（十一）　障害者の雇用の促進等に関する法律第53条第１項《障害者雇用納付金の徴収及び納付義務》に規定する障害者雇用納付金の額

（少額な製造間接費の配賦）

（6）　少額な製造間接費は、半製品及び仕掛品の製造原価に配賦しないで製品の製造原価だけに配賦することができる。（基通47－20）

（副産物、作業くず又は仕損じ品の評価）

（7）　製品の製造工程から副産物、作業くず又は仕損じ品（以下（7）において「副産物等」という。）が生じた場合には、総製造費用の額から副産物等の評価額の合計額を控除したところにより製品の製造原価の額を計算するのであるが、この場合の副産物等の評価額は、継続して当該副産物等に係る実際原価として合理的に見積もった価額又は通常成立する市場価額によるものとする。ただし、当該副産物等の価額が著しく少額である場合には、備忘価額で評価することができる。（基通47－20の２）

（棚卸資産の取得のために要した借入金の利子）

（8）　棚卸資産の取得のために要した借入金の利子は、棚卸資産の取得価額に算入することができる。（基通47－21）

②　贈与等による棚卸資産の取得価額

次の(一)又は(二)に掲げる棚卸資産の取得価額は、当該(一)又は(二)に定める金額とする。（令103②）

(一)	贈与、相続又は遺贈により取得した棚卸資産（贈与又は遺贈により取得した棚卸資産については、被相続人からの死因贈与又は包括遺贈及び被相続人からの特定遺贈により取得したものに限る。）	被相続人の死亡の時において、当該被相続人が当該資産につきよるべきものとされていた評価の方法により評価した金額
(二)	著しく低い価額の対価による譲渡により取得した棚卸資産	当該譲渡の対価の額と実質的に贈与を受けたと認められる金額との合計額に当該資産を消費し、又は販売の用に供するために直接要した費用の額を加算した金額

③　農産物の取得価額

収穫した時に取得したものとみなされる農産物の取得価額は、その収穫した時の当該農産物の価額《収穫価額》に当該農産物を消費し、又は販売の用に供するために直接要した費用の額を加算した金額とする。（令103③）

④　棚卸資産の取得価額の特例

居住者の有する棚卸資産につき次に掲げる事実が生じた場合には、その事実の生じた日の属する年以後の各年における当該資産の評価額の計算については、その年12月31日における当該資産の価額をもって、①に定める棚卸資産の取得価額とすることができる。（令104）

(一)	当該資産が災害により著しく損傷したこと
(二)	当該資産が著しく陳腐化したこと
(三)	(一)又は(二)に準ずる特別の事実

（棚卸資産の著しい陳腐化の例示）

（1）　④の(二)に掲げる「当該資産が著しく陳腐化したこと」とは、棚卸資産そのものには物質的な欠陥がないにもか

かわらず、経済的な環境の変化に伴ってその価値が著しく減少し、その価額が今後回復しないと認められる状態にあることをいうのであるから、例えば、商品について次のような事実が生じた場合がこれに該当する。（基通47－22）

（一）　いわゆる季節商品で売れ残ったものについて、今後通常の価額では販売することができないことが既往の実績その他の事情に照らして明らかであること。

（二）　当該商品と用途の面ではおおむね同様のものであるが、型式、性能、品質等が著しく異なる新製品が発売されたことにより、当該商品につき今後通常の方法により販売することができないようになったこと。

（棚卸資産の取得価額の特例を適用できる特別の事実の例示）

（2）　④(三)に掲げる「特別の事実」には、破損、型崩れ、棚ざらし、品質変化等により通常の方法によって販売することができなくなったような事実が含まれる。（基通47－23）

（棚卸資産について取得価額の特例を適用できない場合）

（3）　棚卸資産の価額が単に物価変動、過剰生産、建値の変更等の事情によって低下しただけでは、④(一)から同(三)までに掲げる事実に該当しないことに留意する。（基通47－24）

四　有価証券の譲渡原価の計算及びその評価

1　有価証券の範囲

有価証券とは、金融商品取引法第２条《定義》第１項に規定する有価証券その他これに準ずるもので次の①から③までに掲げるものをいう。（法２①十七、令４）

①	金融商品取引法第２条第１項第１号から第15号まで《定義》に掲げる有価証券及び同項第17号に掲げる有価証券（同項第16号に掲げる有価証券の性質を有するものを除く。）に表示されるべき権利（これらの有価証券が発行されていないものに限るものとし、資金決済に関する法律第２条第９項《定義》に規定する特定信託受益権を除く。）
②	合名会社、合資会社又は合同会社の社員の持分、法人税法第２条第７号《定義》に規定する協同組合等の組合員又は会員の持分その他法人の出資者の持分 （注）　法人税法第２条第７号に規定する「協同組合等」とは、法人税法別表第三に掲げる法人をいう。（編者注）
③	株主又は投資主（投資信託及び投資法人に関する法律第２条第16項《定義》に規定する投資主をいう。）となる権利、優先出資者（協同組織金融機関の優先出資に関する法律第13条第１項《優先出資者となる時期等》の優先出資者をいう。）となる権利、特定社員（資産の流動化に関する法律第２条第５項《定義》に規定する特定社員をいう。）又は優先出資社員（同法第26条《社員》に規定する優先出資社員をいう。）となる権利その他法人の出資者となる権利

（金融商品取引法第２条に規定する有価証券）

注　金融商品取引法第２条においては、次のように同法における「有価証券」の意義を定めている。

（定義）

第２条　この法律において「有価証券」とは、次に掲げるものをいう。

（１）　国債証券
（２）　地方債証券
（３）　特別の法律により法人の発行する債券（（４）及び(11)に掲げるものを除く。）
（４）　資産の流動化に関する法律に規定する特定社債券
（５）　社債券（相互会社の社債券を含む。以下同じ。）
（６）　特別の法律により設立された法人の発行する出資証券（（７）、（８）及び(11)に掲げるものを除く。）
（７）　協同組織金融機関の優先出資に関する法律（以下「優先出資法」という。）に規定する優先出資証券
（８）　資産の流動化に関する法律に規定する優先出資証券又は新優先出資引受権を表示する証券
（９）　株券又は新株予約権証券
(10)　投資信託及び投資法人に関する法律に規定する投資信託又は外国投資信託の受益証券
(11)　投資信託及び投資法人に関する法律に規定する投資証券、新投資口予約権証券若しくは投資法人債券又は外国投資証券
(12)　貸付信託の受益証券
(13)　資産の流動化に関する法律に規定する特定目的信託の受益証券
(14)　信託法に規定する受益証券発行信託の受益証券
(15)　法人が事業に必要な資金を調達するために発行する約束手形のうち、内閣府令で定めるもの
(16)　抵当証券法に規定する抵当証券
(17)　外国又は外国の者の発行する証券又は証書で（１）から（９）まで又は(12)から(16)までに掲げる証券又は証書の性質を有するもの（(18)に掲げるものを除く。）
(18)　外国の者の発行する証券又は証書で銀行業を営む者その他の金銭の貸付けを業として行う者の貸付債権を信託する信託の受益権又はこれに類する権利を表示するもののうち、内閣府令で定めるもの
(19)　金融商品市場において金融商品市場を開設する者の定める基準及び方法に従い行う第21項第３号に掲げる取引に係る権利、外国金融商品市場（第８項第３号ロに規定する外国金融商品市場をいう。以下(19)において同じ。）において行う取引であって第21項第３号に掲げる取引と類似の取引（金融商品（第24項第３号の３に掲げるものに限る。）又は金融指標（当該金融商品の価格及びこれに基づいて算出した数値に限る。）に係るものを除く。）に係る権利又は金融商品市場及び外国金融商品市場によらないで行う第22項第３号若しくは第４号に掲げる取引に係る権利（以下「オプション」という。）を表示する証券又は証書

(20)　(１)から(19)までに掲げる証券又は証書の預託を受けた者が当該証券又は証書の発行された国以外の国において発行する証券又は証書で、当該預託を受けた証券又は証書に係る権利を表示するもの

(21)　(１)から(20)までに掲げるもののほか、流通性その他の事情を勘案し、公益又は投資者の保護を確保することが必要と認められるものとして政令で定める証券又は証書

（第２項以下省略）

2　有価証券の原価の計算

居住者の有価証券につきその者の事業所得の金額の計算上必要経費に算入する金額を算定する場合におけるその算定の基礎となるその年12月31日において有する有価証券の価額は、その者が有価証券について選定した評価の方法により評価した金額（評価の方法を選定しなかった場合又は選定した評価の方法により評価しなかった場合には、**6**④《法定評価方法》に規定する評価の方法により評価した金額）とする。（法48①）

3　雑所得又は譲渡所得の基因となる有価証券の譲渡原価等の計算

居住者が２回以上にわたって取得した同一銘柄の有価証券で雑所得又は譲渡所得の基因となるものを譲渡した場合には、その譲渡につきその者のその譲渡の日の属する年分の雑所得の金額の計算上必要経費に算入する金額又はその者の当該年分の譲渡所得の金額の計算上取得費に算入する金額は、当該有価証券を最初に取得した時（その後既に当該有価証券の譲渡をしている場合には、直前の譲渡の時。以下同じ。）から当該譲渡の時までの期間を基礎として、当該最初に取得した時において有していた当該有価証券及び当該期間内に取得した当該有価証券につき**5**①(一)に掲げる総平均法に準ずる方法によって算出した１単位当たりの金額により計算した金額とする。（法48③、令118①）

（注）　**7**から**11**までの定め《有価証券の取得価額》は、上記の所得の基因となる有価証券について準用する。（令118②）

4　信用取引等による株式又は公社債の取得価額

居住者が金融商品取引法第156条の24第１項《免許及び免許の申請》に規定する信用取引若しくは発行日取引（有価証券が発行される前にその有価証券の売買を行う取引であって注で定める取引をいう。）又は同法第28条第８項第３号イ《通則》に掲げる取引の方法による株式又は公社債の売買を行い、かつ、これらの取引による株式の売付けと買付けとにより当該取引の決済を行った場合には、当該売付けに係る株式の取得に要した経費としてその者のその年分の事業所得の金額又は雑所得の金額の計算上必要経費に算入する金額は、**3**及び**5**から**11**までの規定にかかわらず、これらの取引において当該買付けに係る株式を取得するために要した金額とする。（令119）

（発行日取引の範囲）

注　**4**に規定する有価証券が発行される前にその有価証券の売買を行う取引であって注で定める取引は、金融商品取引法第161条の２に規定する取引及びその保証金に関する内閣府令第１条第２項《定義》に規定する発行日取引とする。（規23の４）

5　有価証券の評価の方法

①　選定することができる評価の方法

居住者がその年12月31日（居住者が年の中途において死亡し又は出国をした場合には、その死亡又は出国の時。以下**5**において同じ。）において有する有価証券（以下①において「**期末有価証券**」という。）の評価額の計算上**2**により選定をすることができる評価の方法は、期末有価証券につき次の(一)又は(二)に掲げる方法のうちいずれかの方法によってその取得価額を算出し、その算出した取得価額をもって当該期末有価証券の評価額とする方法とする。（令105①）

(一)	**総平均法**	有価証券をその種類及び銘柄（以下①において「**種類等**」という。）の異なるごとに区別し、その種類等の同じものについて、その年１月１日において有していた種類等を同じくする有価証券の取得価額の総額とその年中に取得した種類等を同じくする有価証券の取得価額の総額との合計額をこれらの有価証券の総数で除して計算した価額をその１単位当たりの取得価額とする方法をいう。
(二)	**移動平均法**	有価証券をその種類等の異なるごとに区別し、その種類等の同じものについて、当初の１単位当たりの取得価額が、種類等を同じくする有価証券を再び取得した場合にはその取得の時において有する当該有価証券とその取得した有価証券との数及び取得価額を基礎として算出した平均単価によって改定されたものとみなし、以後種類等を同じくする有価証券を取得する都度同様の方法により

	１単位当たりの取得価額が改定されたものとみなし、その年12月31日から最も近い日において改定されたものとみなされた１単位当たりの取得価額をその１単位当たりの取得価額とする方法をいう。

（注）　第五章第三節**二１**《一般株式等に係る譲渡所得等の申告分離課税》、同節**三１**《上場株式等に係る譲渡所得等の申告分離課税》の規定の適用を受ける株式等については、①(二)の規定は適用がない。（措令25の８⑧、措令25の９⑪（編者注））

②　株式分割等の事実があった場合の評価額の計算

居住者の有する株式（出資及び投資信託及び投資法人に関する法律第２条第14項《定義》に規定する投資口を含む。）又は投資信託若しくは特定受益証券発行信託の受益権について、その年の中途において**8**から**10**までに規定する事実（以下②において「**事実**」という。）があった場合には、当該事実（その年中に２回以上にわたって事実があった場合には、その年12月31日から最も近い日における事実）があった日をその年１月１日とみなして、その年以後の各年における①に定める当該株式又は受益権の評価額の計算をするものとする。（令105②）

6　有価証券の評価の方法の選定等

①　評価の方法の選定区分

有価証券の評価の方法は、その種類ごとに選定しなければならない。（令106①）

（有価証券の種類）

注　①に規定する有価証券の種類は、おおむね金融商品取引法第２条第１項第１号から第21号まで（第17号を除く。）の各号ごとの区分によるものとし、外国又は外国法人が発行するもので同項第１号から第９号まで及び第12号から第16号までのいずれかの性質を有するものは、これに準じて区分する。

ただし、新株予約権付社債は、同項第５号の社債とは種類の異なる有価証券として区分することとし、外貨建ての有価証券と円貨建ての有価証券又は外国若しくは外国法人の発行する有価証券と国若しくは内国法人の発行する有価証券は、それぞれ種類の異なる有価証券として区分することができる。（基通48－１）

②　評価の方法の届出

居住者は、事業所得の基因となる有価証券を取得した場合（その取得した日の属する年の前年以前においてその有価証券と種類を同じくする有価証券で事業所得の基因となるものにつき評価の方法の選定の届出をすべき場合を除く。）には、同日の属する年分の所得税に係る確定申告期限までに、その有価証券と種類を同じくする有価証券につき、**5**①に掲げる評価の方法のうちそのよるべき方法を書面により納税地の所轄税務署長に届け出なければならない。（令106②）

③　評価の方法の変更手続

居住者は、有価証券につき選定した評価の方法（その評価の方法を届け出なかった者がよるべきこととされている④に規定する評価の方法《総平均法》を含む。）を変更しようとするときは、納税地の所轄税務署長の承認を受けなければならない。（令107①）

（評価の方法の変更承認申請書の提出）

（１）　③の承認を受けようとする居住者は、その新たな評価の方法を採用しようとする年の３月15日までに、その旨、変更しようとする理由その他次の(一)から(五)までに掲げる事項を記載した申請書を納税地の所轄税務署長に提出しなければならない。（令107②、101②、規23）

(一)	申請書を提出する者の氏名及び住所
(二)	その評価の方法を変更しようとする有価証券の種類
(三)	現によっている評価の方法及びその評価の方法を採用した年月日
(四)	採用しようとする新たな評価の方法
(五)	その他参考となるべき事項

（申請の却下）

（２）　税務署長は、変更承認申請書の提出があった場合において、その申請書を提出した居住者が現によっている評価の方法を採用してから相当期間を経過していないとき、又は変更しようとする評価の方法によってはその者の各年分の事業所得の金額の計算が適正に行われ難いと認めるときは、その申請を却下することができる。（令107②、101③）

（評価方法の変更申請があった場合の「相当期間」）

（３）　**三３**《棚卸資産の評価の方法の選定等》③（３）は、有価証券の評価の方法について変更承認申請書の提出があった場合における（２）の規定の適用について準用する。（基通48－７）

（承認又は却下の通知）

（４）　税務署長は、変更承認申請書の提出があった場合において、その申請につき承認又は却下の処分をするときは、その申請をした居住者に対し、書面によりその旨を通知する。（令107②、101④）

（みなし承認）

（５）　変更承認申請書の提出があった場合において、その年12月31日までにその申請につき承認又は却下の処分がなかったときは、同日においてその承認があったものとみなす。（令107②、101⑤）

④　法定評価方法

有価証券の評価の方法を選定しなかった場合又は選定した評価の方法により評価しなかった場合には、**５**①(一)に規定する総平均法により算出した取得価額により評価する。（令108①）

（選定した評価の方法により評価しなかった場合の更正、決定の特例）

注　税務署長は、居住者が有価証券につき選定した評価の方法（その評価の方法を届け出なかった居住者がよるべきこととされている④に規定する評価の方法を含む。以下同じ。）により評価しなかった場合において、その居住者が行った評価の方法がその居住者の選定した評価の方法以外の**５**①に規定する評価の方法に該当し、かつ、その行った評価の方法によってもその居住者の各年分の事業所得の金額の計算を適正に行うことができると認めるときは、その行った評価の方法により計算した各年分の事業所得の金額を基礎として更正又は決定をすることができる。（令108②）

７　有価証券の取得価額

①　有価証券の取得価額

５①の規定による有価証券の評価額の計算の基礎となる有価証券の取得価額は、別段の定めがあるものを除き、次の(一)から(六)までに掲げる有価証券の区分に応じ当該(一)から(六)に定める金額とする。（令109①）

(一)	金銭の払込みにより取得した有価証券（(三)に該当するものを除く。）	その払込みをした金銭の額（新株予約権（投資信託及び投資法人に関する法律第２条第17項《定義》に規定する新投資口予約権を含む。）の行使により取得した有価証券にあっては当該新株予約権の取得価額を含むものとし、その金銭の払込みによる取得のために要した費用がある場合には、その費用の額を加算した金額）
(二)	第一節**一２**①《譲渡制限付株式の価額等》に規定する特定譲渡制限付株式又は承継譲渡制限付株式	その特定譲渡制限付株式又は承継譲渡制限付株式の同①に規定する譲渡についての制限が解除された日（同日前に同①の個人が死亡した場合において、当該個人の死亡の時に同**２**②(二)に規定する事由に該当しないことが確定している当該特定譲渡制

		限付株式又は承継譲渡制限付株式については、当該個人の死亡の日）における価額
(三)	発行法人から与えられた第一節**ー２**③の規定に該当する場合における同③(一)から同③(三)までに掲げる権利の行使により取得した有価証券	その有価証券のその権利の行使の日（同③(三)に掲げる権利の行使により取得した有価証券にあっては、当該権利に基づく払込み又は給付の期日（払込み又は給付の期間の定めがある場合には、当該払込み又は給付をした日））における価額
(四)	発行法人に対し新たな払込み又は給付を要しないで取得した当該発行法人の株式（出資及び投資口（投資信託及び投資法人に関する法律第２条第14項に規定する投資口をいう。**8**①において同じ。）を含む。以下**7**及び**8**において同じ。）又は新株予約権のうち、当該発行法人の株主等として与えられる場合（当該発行法人の他の株主等に損害を及ぼすおそれがないと認められる場合に限る。）の当該株式又は新株予約権	零
(五)	購入した有価証券（(三)に該当するものを除く。）	その購入の代価（購入手数料その他その有価証券の購入のために要した費用がある場合には、その費用の額を加算した金額）
(六)	(一)から(五)までに掲げる有価証券以外の有価証券	その取得の時におけるその有価証券の取得のために通常要する価額

（特定譲渡制限付株式等の価額）

（1）　①(二)《有価証券の取得価額》に規定する特定譲渡制限付株式又は承継譲渡制限付株式のその譲渡についての制限が解除された日における価額は、第一節**ー２**①(5)により求めた価額とする。（基通48－１の２）

（発行法人から与えられた株式等を取得する権利の行使により取得した株式等の価額）

（2）　①(三)に規定する有価証券のその権利の行使の日（第一節**ー２**③《株式等を取得する権利の価額》(三)に掲げる権利の行使により取得した有価証券にあっては、当該権利に基づく払込み又は給付の期日（払込み又は給付の期間の定めがある場合には、当該払込み又は給付をした日））における価額は、同**２**②(4)により求めた価額とする。（基通48－２）

（株主等として与えられる場合）

（3）　①(四)に規定する「株主等として与えられる場合（当該発行法人の他の株主等に損害を及ぼすおそれがないと認められる場合に限る。）」については、第一節**ー２**①(3)の取扱いに準ずる。（基通48－２の２）

（有価証券の購入のために要した費用）

（4）　①(五)に定める「その他その有価証券の購入のために要した費用」とは、有価証券を購入するに当たって支出した謝礼金、交通費、通信費、名義書換料等をいう。（基通48－３）

（新株予約権の行使により取得した株式の取得価額）

（5）　新株予約権の行使により取得した株式（発行法人から与えられた第一節**ー２**③(一)又は同(二)に掲げる新株予約権で同②の規定の適用を受けるものの行使により取得したものを除く。）１株当たりの取得価額は、次の算式により計算した金額によるものとする。（基通48－６の２）

（算式）

$$\text{株式１株当たりの払込金額} + \frac{\text{当該新株予約権の当該行使直前の取得価額}}{\text{当該行使により取得した株式の数}}$$

（新株予約権付社債に係る新株予約権の行使により取得した株式の取得価額）

（6）　新株予約権付社債に係る新株予約権の内容として定められている新株予約権の行使に際して出資される財産の価額が当該新株予約権付社債の発行時の発行法人の株式の価額を基礎として合理的に定められている場合における当該新株予約権の行使により取得した株式1株当たりの取得価額は、次に定める算式により計算した金額によるものとする。（基通48－6の3）

（算式）

$$\text{株式1株につき払い込むべき金額} + \frac{\text{当該払込みに係る新株予約権付社債の当該行使直前の取得価額が当該払込みに係る新株予約権付社債の額面金額を超える場合のその超える部分の金額}}{\text{当該行使により取得した株式の数}}$$

（有価証券の取得価額）

（7）　有価証券を譲渡した場合における事業所得の金額又は雑所得の金額の計算上必要経費に算入する金額は、**一**《通則》及び**四2**《有価証券の原価の計算》の規定に基づいて計算した金額となるのであるが、有価証券の譲渡による収入金額の100分の5に相当する金額を有価証券の取得価額として事業所得の金額又は雑所得の金額を計算しているときは、これを認めて差し支えないものとする。（基通48－8）

（注）　有価証券を譲渡した場合における譲渡所得の金額の計算上収入金額から控除する取得費については、第四章第八節**二2**①(27)（基通38－16）参照。

②　贈与等により取得した有価証券の取得価額

次の(一)又は(二)に掲げる有価証券の取得価額は、当該(一)又は(二)に定める金額とする。（令109②）

(一)	贈与、相続又は遺贈により取得した有価証券（贈与又は遺贈により取得した有価証券については、被相続人からの死因贈与又は包括遺贈及び被相続人からの特定遺贈により取得したものに限る。）	被相続人の死亡の時において、当該被相続人がその有価証券につきよるべきものとされていた評価の方法により評価した金額
(二)	著しく低い価額の対価による譲渡により取得した有価証券	当該譲渡の対価の額と実質的に贈与を受けたと認められる金額との合計額

8　株式分割等があった場合の株式等の取得価額の改訂計算

①　株式の分割又は併合の場合の株式等の取得価額

居住者の有する株式について、その株式（以下「旧株」という。）の分割又は併合があった場合には、その分割又は併合があった日の属する年以後の各年における分割又は併合後の所有株式（旧株を発行した法人の株式で、当該分割又は併合の直後に当該居住者が有するものをいう。以下①において同じ。）の評価額の計算については、その計算の基礎となる分割又は併合後の所有株式の1株（出資及び投資口については、1口。以下**8**において同じ。）当たりの取得価額は、**旧株1株の従前の取得価額**《**9**に定める金額》に旧株の数を乗じてこれを分割又は併合後の所有株式の数で除して計算した金額とし、かつ、その分割又は併合後の所有株式のうちに旧株が含まれているときは、その旧株は、同日において取得されたものとみなす。（令110①）

（算　式）

$$\text{分割又は併合後の所有株式1株当たりの取得価額} = \frac{\text{旧株1株の従前の取得価額}\times\text{旧株の数}}{\text{分割又は併合後の所有株式の数}}$$

②　特定目的信託の受益権の分割又は併合により取得した受益権の取得価額

居住者の有する投資信託又は特定受益証券発行信託の受益権について、その受益権（以下②において「旧受益権」という。）の分割又は併合があった場合には、その分割又は併合があった日の属する年以後の各年における**5**①の規定による分割又は併合後の所有受益権（旧受益権に係る投資信託又は特定受益証券発行信託の受益権で、当該分割又は併合の直後に当該居住者が有するものをいう。以下②において同じ。）の評価額の計算については、その計算の基礎となる分割又は併合後の所有受益権の1口当たりの取得価額は、旧受益権1口の従前の取得価額に旧受益権の口数を乗じてこれを分割又は併合後の所有受益権の口数で除して計算した金額とし、かつ、その分割又は併合後の所有受益権のうちに旧受益権が含まれ

ているときは、その旧受益権は、同日において取得されたものとみなす。（令110②）

③　株主割当てにより取得した株式の取得価額

居住者が、その有する株式（以下③において「旧株」という。）について、その旧株の数に応じて割り当てられた株式を取得した場合（その取得した株式（以下③において「**新株**」という。）について、金銭の払込みを要する場合に限る。）には、その払込みの期日（払込みの期間の定めがある場合には、当該払込みをした日）の属する年以後の各年における**5**①の規定によるこれらの株式の評価額の計算については、その計算の基礎となる旧株及び新株の１株当たりの取得価額は、旧株１株の従前の取得価額と新株１株について払い込んだ金銭の額（その金銭の払込みによる取得のために要した費用がある場合には、その費用の額を加算した金額）に旧株１株について取得した新株の数を乗じて計算した金額との合計額を、旧株１株について取得した新株の数に１を加えた数で除して計算した金額とし、かつ、その旧株は、同日において取得されたものとみなす。（令111①）

（算式）

$$\text{旧株及び新株の１株当たりの取得価額}=\frac{\text{旧株１株の従前の取得価額}+\left\{\text{新株１株の払込金額（その取得費用を含む。）}\times\text{旧株１株につき取得した新株の数}\right\}}{\text{旧株１株につき取得した新株の数}+1}$$

（株式無償割当てにより割り当てられた株式を取得した場合）

注　居住者が、その有する株式（以下注において「旧株」という。）について、その旧株の数に応じてその旧株を発行した法人の株式無償割当て（法人がその法人の株主等に対して新たに払込みをさせないで自己の株式の割当てをすることをいう。以下注において同じ。）により割り当てられた株式を取得した場合（当該旧株と同一の種類の株式を取得した場合に限る。）には、その株式無償割当てがあった日の属する年以後の各年における**5**①の規定による株式無償割当て後の所有株式（旧株を発行した法人の株式で、当該株式無償割当ての直後に当該居住者が有するものをいう。以下注において同じ。）の評価額の計算については、その計算の基礎となる株式無償割当て後の所有株式の１株当たりの取得価額は、旧株１株の従前の取得価額に旧株の数を乗じてこれを株式無償割当て後の所有株式の数で除して計算した金額とし、かつ、その株式無償割当て後の所有株式のうちに旧株が含まれているときは、その旧株は、同日において取得されたものとみなす。（令111②）

（算　式）

$$\text{株式無償割当て後の所有株式１株当たりの取得価額}=\frac{\text{旧株１株の従前の取得価額}\times\text{旧株の数}}{\text{株式無償割当て後の所有株式の数}}$$

④　合併により取得した株式等の取得価額

居住者が、その有する株式（以下④において「旧株」という。）について、その旧株を発行した法人の合併（法人課税信託に係る信託の併合を含むものとし、当該合併に係る第四章第二節**二2**（３）（五）《所有株式に対応する資本金等の額の計算方法等》に規定する被合併法人（（１）において「被合併法人」という。）の株主等に当該合併に係る同条第６項第10号に規定する合併法人（以下④において「合併法人」という。）又は合併法人との間に当該合併法人の発行済株式若しくは出資（自己が有する自己の株式を除く。⑤及び⑤（３）並びに⑥（２）《株式分配により取得した株式等の取得価額》において「発行済株式等」という。）の全部を直接若しくは間接に保有する関係として（注）で定める関係がある法人（以下④において「合併親法人」という。）のうちいずれか一の法人の株式以外の資産（当該株主等に対する株式に係る剰余金の配当、利益の配当又は剰余金の分配として交付がされた金銭その他の資産及び合併に反対する当該株主等に対するその買取請求に基づく対価として交付がされる金銭その他の資産を除く。）が交付されなかったものに限る。）により合併法人からその合併法人の株式又は合併親法人の株式を取得した場合には、その合併のあった日の属する年以後の各年における**5**《有価証券の評価の方法》①の規定による合併法人の株式又は合併親法人の株式の評価額の計算については、その計算の基礎となるその取得した合併法人の株式（以下④において「合併法人株式」という。）又は合併親法人の株式（以下④において「合併親法人株式」という。）の１株当たりの取得価額は、旧株１株の従前の取得価額（第四章第二節**二1**（一）《合併の場合のみなし配当》の規定により剰余金の配当、利益の配当、剰余金の分配若しくは金銭の分配として交付を受けたものとみなされる金額又はその合併法人株式若しくは合併親法人株式の取得のために要した費用の額がある場合には、当該交付を受けたものとみなされる金額及び費用の額のうち旧株１株に対応する部分の金額を加算した金額）を旧株１株について取得した合併法人株式又は合併親法人株式の数で除して計算した金額とする。（令112①）

（算式）

$$\text{取得した合併法人株式又は合併親法人株式１株当たりの取得価額}=\left(\text{旧株１株当たりの従前の取得価額}+\text{合併法人株式又は合併親法人株式１株当たりのみなし配当額}+\text{合併法人株式又は合併親法人株式１株当たりの取得費用の額}\right)\div\frac{\text{取得した合併法人株式又は合併親法人株式の数}}{\text{旧株の数}}$$

（注）　④《合併により取得した株式等の取得価額》に規定する(注)で定める関係は、合併の直前に当該合併に係る法人税法第２条第12号《定義》に規定する合併法人と当該合併法人以外の法人との間に当該法人による完全支配関係（同条第12号の７の６に規定する完全支配関係をいう。以下(注)及び⑤(注)において同じ。）がある場合の当該完全支配関係とする。（規23の２）

（無対価合併が行われた場合の所有株式の評価額の計算）

（1）　居住者の有する株式（以下(1)において「所有株式」という。）について、その所有株式を発行した法人を合併法人とする合併（法人課税信託に係る信託の併合を含むものとし、法人税法施行令第４条の３第２項第１号《適格組織再編成における株式の保有関係等》に規定する無対価合併に該当するもので同項第２号ロに掲げる関係があるものに限る。以下(1)において「無対価合併」という。）が行われた場合には、その無対価合併のあった日の属する年以後の各年における**5**《有価証券の評価方法》①の規定による所有株式の評価額の計算については、その計算の基礎となる所有株式１株当たりの取得価額は、所有株式１株の従前の取得価額に、旧株（当該無対価合併に係る被合併法人の株式でその居住者が当該無対価合併の直前に有していたものをいう。以下(1)において同じ。）１株の従前の取得価額（第四章第二節**二 1**(一)の規定により剰余金の配当、利益の配当又は剰余金の分配として交付を受けたものとみなされる金額がある場合には、当該交付を受けたものとみなされる金額のうち旧株１株に対応する部分の金額を加算した金額）にその旧株の数を乗じてこれをその所有株式の数で除して計算した金額を加算した金額とし、かつ、その所有株式は、同日において取得されたものとみなす。（令112②）

（その旧受益権に係る投資信託等の信託の併合により併合投資信託等からその併合投資信託等の受益権を取得した場合）

（2）　居住者が、その有する投資信託又は特定受益証券発行信託（以下注において「投資信託等」という。）の受益権（以下注において「旧受益権」という。）について、その旧受益権に係る投資信託等の信託の併合（当該信託の併合に係る従前の投資信託等の受益者に当該併合に係る新たな信託である投資信託等（以下注において「併合投資信託等」という。）の受益権以外の資産（信託の併合に反対する当該受益者に対するその買取請求に基づく対価として交付がされる金銭その他の資産を除く。）が交付されなかったものに限る。）により併合投資信託等からその併合投資信託等の受益権を取得した場合には、その信託の併合のあった日の属する年以後の各年における**5**①《選定することができる評価の方法》の規定による併合投資信託等の受益権の評価額の計算については、その計算の基礎となるその取得した併合投資信託等の受益権の１口当たりの取得価額は、旧受益権1口の従前の取得価額（その併合投資信託等の受益権の取得のために要した費用の額がある場合には、当該費用の額のうち旧受益権1口に対応する部分の金額を加算した金額）を旧受益権１口について取得した併合投資信託等の受益権の口数で除して計算した金額とする。（令112③）

⑤　分割型分割により取得した株式等の取得価額

居住者が、その有する株式（以下⑤において「所有株式」という。）について、その所有株式を発行した法人の第四章第二節《配当所得》**一**に規定する分割型分割（法人税法第２条第12号の９イ《定義》に規定する分割対価資産として当該分割型分割に係る同節**二**《配当とみなす金額》**2**(3)(三)《所有株式に対応する資本金等の額の計算方法等》に規定する分割承継法人（以下(3)までにおいて「分割承継法人」という。）又は分割承継法人との間に当該分割承継法人の発行済株式等の全部を直接若しくは間接に保有する関係として(注)で定める関係がある法人（以下(3)までにおいて「分割承継親法人」という。）のうちいずれか一の法人の株式以外の資産が交付されなかったものに限る。以下⑤において同じ。）によりその分割承継法人の株式又は分割承継親法人の株式を取得した場合には、その分割型分割のあった日の属する年以後の各年における**5**《有価証券の評価の方法》①の規定による分割承継法人の株式又は分割承継親法人の株式の評価額の計算については、その計算の基礎となるその取得した分割承継法人の株式（以下⑤において「分割承継法人株式」という。）又は分割承継親法人の株式（以下⑤において「分割承継親法人株式」という。）の１株当たりの取得価額は、所有株式１株の従前の取得価額に当該分割型分割に係る第四章第二節**二 2**(二)に規定する割合（純資産移転割合）を乗じて計算した金額を所有株式１株について取得した分割承継法人株式又は分割承継親法人株式の数で除して計算した金額（同**1**(二)《分割型分割の場合のみなし配当》の規定により剰余金の配当若しくは利益の配当として交付を受けたものとみなされる金額又はその分割承継法人株式若しくは分割承継親法人株式の取得のために要した費用の額がある場合には、当該交付を受けたものとみなされる金額及び費用の額のうち分割承継法人株式又は分割承継親法人株式１株に対応する部分の金額を加算した

金額）とする。（令113①）

（算式）

$$\text{取得した分割承継法人株式又は分割承継親法人の株式1株当たりの取得価額} = \left(\frac{\text{所有株式1株の従前の取得価額} \times \text{純資産移転割合※}}{\text{所有株式1株について取得した分割承継法人株式又は分割承継親法人の株式の数}}\right) + \text{分割承継法人株式又は分割承継親法人の株式1株当たりの分割承継法人の株式の取得費用} + \text{分割承継法人株式又は分割承継親法人の株式1株当たりのみなし配当額}$$

※「純資産移転割合」とは、次により計算した割合（少数点以下３位未満は切上げ）をいう。

$$\text{純資産移転割合} = \frac{\text{分割法人から分割承継法人又は分割承継親法人に移転した資産の帳簿価額} - \text{分割法人から分割承継法人又は分割承継親法人に移転した負債の帳簿価額}}{\text{分割法人の資産の帳簿価額} - \text{分割法人の負債の帳簿価額}}$$

$$\text{所有株式（分割法人の株式）1株当たりの取得価額} = \text{所有株式1株の従前の取得価額} - (\text{所有株式1株の従前の取得価額} \times \text{純資産移転割合})$$

（注）　⑤《分割型分割により取得した株式等の取得価額》に規定する（注）で定める関係は、法人税法第２条第12号の９《定義》に規定する分割型分割の直前に当該分割型分割に係る同条第12号の３に規定する分割承継法人と当該分割承継法人以外の法人との間に当該法人による完全支配関係がある場合の当該完全支配関係とする。（規23の３）

（無対価分割型分割が行われた場合の所有株式の評価額の計算）

（１）　居住者の有する株式（以下（１）において「所有株式」という。）について、その所有株式を発行した法人を分割承継法人とする第四章第二節《配当所得》**一**に規定する分割型分割（法人税法施行令第４条の３第６項第１号イ《適格組織再編成における株式の保有関係等》に規定する無対価分割に該当するもので同項第２号イ⑵に掲げる関係があるものに限る。以下（１）及び（２）において「無対価分割型分割」という。）が行われた場合には、その無対価分割型分割のあった日の属する年以後の各年における**5**《有価証券の評価方法》①の規定による所有株式の評価額の計算については、その計算の基礎となる所有株式１株当たりの取得価額は、所有株式１株の従前の取得価額に、旧株（当該無対価分割型分割に係る第四章第二節**二**《配当とみなす金額》**2**（３）（六）に規定する分割法人（（２）及び（３）において「分割法人」という。）の株式でその居住者が当該無対価分割型分割の直前に有していたものをいう。以下（１）において同じ。）１株の従前の取得価額に当該無対価分割型分割に係る同**2**（二）に規定する割合を乗じて計算した金額にその旧株の数を乗じてこれをその所有株式の数で除して計算した金額（第四章第二節**二1**（二）の規定により剰余金の配当又は利益の配当として交付を受けたものとみなされる金額がある場合には、当該交付を受けたものとみなされる金額のうち所有株式１株に対応する部分の金額を加算した金額）を加算した金額とし、かつ、その所有株式は、同日において取得されたものとみなす。（令113②）

（算式）

$$\text{所有株式1株当たりの取得価額} = \text{所有株式1株の従前の取得価額} + \frac{\text{旧株1株の従前の取得価額} \times \text{純資産移転割合} \times \text{旧株の数}}{\text{所有株式の数}}$$

（分割型分割により分割承継法人の株式その他の資産の交付を受けた場合の所有株式の評価額の計算）

（２）　居住者の有する株式（以下（２）において「所有株式」という。）を発行した法人の第四章第二節《配当所得》**一**に規定する分割型分割によりその居住者が分割承継法人の株式、分割承継親法人の株式その他の資産の交付を受けた場合又は所有株式を発行した法人を分割法人とする無対価分割型分割が行われた場合には、その分割型分割又は無対価分割型分割のあった日の属する年以後の各年における**5**①の規定による所有株式の評価額の計算については、その計算の基礎となる所有株式１株当たりの取得価額は、所有株式１株の従前の取得価額から所有株式１株の従前の取得価額に当該分割型分割又は無対価分割型分割に係る第四章第二節**二2**（二）に規定する割合を乗じて計算した金額を控除した金額とし、かつ、その所有株式は、同日において取得されたものとみなす。（令113③）

（算式）

$$\text{所有株式1株当たりの取得価額} = \text{所有株式1株の従前の取得価額} - (\text{所有株式1株の従前の取得価額} \times \text{純資産移転割合})$$

（分割型分割に係る分割承継法人の株式がその分割法人の株主等の有するその分割法人の株式の数の割合に応じて交付されない場合）

（３）　⑤に規定する分割型分割に係る分割承継法人の株式又は分割承継親法人の株式が当該分割型分割に係る分割法人の発行済株式等の総数又は総額のうちに占める当該分割法人の各株主等の有する当該分割法人の株式の数又は金額の

割合に応じて交付されない場合には、当該分割型分割は、同⑤に規定する分割型分割に該当しないものとする。(令113④)

((2)の所有株式を発行した法人が分割型分割を行った場合の所有株式所有者へのその分割型分割に係る割合の通知義務)

(4)　(2)に規定する所有株式を発行した法人は、(1)に規定する分割型分割を行った場合には、当該所有株式を有していた個人に対し、当該分割型分割に係る(2)に規定する割合を通知しなければならない。(令113⑤)

(その有する特定受益証券発行信託の受益権によりその承継信託の受益権を取得した場合)

(5)　居住者が、その有する特定受益証券発行信託の受益権(以下(5)において「旧受益権」という。)について、その旧受益権に係る特定受益証券発行信託の信託の分割(当該信託の分割に係る分割信託(信託の分割によりその信託財産の一部を受託者を同一とする他の信託又は新たな信託の信託財産として移転する信託をいう。以下(5)及び(7)において同じ。)の受益者に当該信託の分割に係る承継信託(信託の分割により受託者を同一とする他の信託からその信託財産の一部の移転を受ける信託をいう。以下(7)までにおいて同じ。)の受益権以外の資産(信託の分割に反対する当該受益者に対する信託法第103条第6項《受益権取得請求》に規定する受益権取得請求に基づく対価として交付される金銭その他の資産を除く。)が交付されなかったものに限る。以下(5)において同じ。)によりその承継信託の受益権を取得した場合には、その信託の分割のあった日の属する年以後の各年における**5**①の規定による承継信託の受益権の評価額の計算については、その計算の基礎となるその取得した承継信託の受益権(以下(5)において「承継信託受益権」という。)の1口当たりの取得価額は、旧受益権1口の従前の取得価額に(一)に掲げる金額のうちに(二)に掲げる金額の占める割合を乗じて計算した金額を旧受益権1口について取得した承継信託受益権の口数で除して計算した金額(その承継信託受益権の取得のために要した費用の額がある場合には、当該費用の額のうち承継信託受益権1口に対応する部分の金額を加算した金額)とする。(令113⑥)

(一)	当該信託の分割に係る分割信託の当該信託の分割前に終了した計算期間のうち最も新しいものの終了の時の資産の価額として当該分割信託の貸借対照表に記載された金額の合計額からその時の負債の価額として当該貸借対照表に記載された金額の合計額を控除した金額
(二)	当該信託の分割に係る承継信託が当該信託の分割により移転を受けた資産の価額として当該承継信託の帳簿に記載された金額の合計額から当該信託の分割により移転を受けた負債の価額として当該帳簿に記載された金額の合計額を控除した金額(当該金額が(一)に掲げる金額を超える場合には、(一)に掲げる金額

(その有する特定受益証券発行信託の受益権に係る特定受益証券発行信託の信託の分割により承継信託の受益権その他の資産の交付を受けた場合)

(6)　居住者が、その有する特定受益証券発行信託の受益権(以下(6)において「旧受益権」という。)に係る特定受益証券発行信託の信託の分割により承継信託の受益権その他の資産の交付を受けた場合には、その信託の分割のあった日の属する年以後の各年における**5**①の規定による旧受益権の評価額の計算については、その計算の基礎となる旧受益権一口当たりの取得価額は、旧受益権一口の従前の取得価額から旧受益権一口の従前の取得価額に当該信託の分割に係る(5)に規定する割合を乗じて計算した金額を控除した金額とし、かつ、その旧受益権は、同日において取得されたものとみなす。(令113⑦)

(信託の分割に係る承継信託の受益権が受益者の有する当該分割信託の受益権の口数又は価額の割合に応じて交付されない場合)

(7)　(5)に規定する信託の分割に係る承継信託の受益権が当該信託の分割に係る分割信託の受益者の有する当該分割信託の受益権の口数又は価額の割合に応じて交付されない場合には、当該信託の分割は、(5)に規定する信託の分割に該当しないものとする。(令113⑧)

(特定受益証券発行信託の受託者の通知義務)

(8)　(6)に規定する旧受益権に係る特定受益証券発行信託の受託者は、信託の分割を行った場合には、当該旧受益権を有していた個人に対し、当該信託の分割に係る(6)に規定する割合を通知しなければならない。(令113⑨)

⑥　株式分配により取得した株式等の取得価額

居住者が、その有する株式（以下⑥において「所有株式」という。）について、その所有株式を発行した法人の行った第四章第二節**一**《配当所得》に規定する株式分配（法人税法第２条第12号の15の２《定義》に規定する完全子法人（以下において「完全子法人」という。）の株式以外の資産が交付されなかったものに限る。以下⑥において同じ。）によりその完全子法人の株式を取得した場合には、その株式分配のあった日の属する年以後の各年における**5**①《有価証券の評価の方法》の規定による完全子法人の株式の評価額の計算については、その計算の基礎となるその取得した完全子法人の株式（以下⑥において「完全子法人株式」という。）の一株当たりの取得価額は、所有株式一株の従前の取得価額に当該株式分配に係る第四章第二節**二 2**（三）《所有株式に対応する資本金等の額の計算方法等》に規定する割合を乗じて計算した金額を所有株式一株について取得した完全子法人株式の数で除して計算した金額（同**1**（三）《株式分配の場合のみなし配当》の規定により剰余金の配当若しくは利益の配当として交付を受けたものとみなされる金額又はその完全子法人株式の取得のために要した費用の額がある場合には、当該交付を受けたものとみなされる金額及び費用の額のうち完全子法人株式一株に対応する部分の金額を加算した金額）とする。（令113の２①）

（株式その他の資産の交付を受けた場合）

（1）　居住者の有する株式（以下(1)において「所有株式」という。）を発行した法人の行った第四章第二節**一**に規定する株式分配によりその居住者が完全子法人の株式その他の資産の交付を受けた場合には、その株式分配のあった日の属する年以後の各年における**5**①の規定による所有株式の評価額の計算については、その計算の基礎となる所有株式一株当たりの取得価額は、所有株式一株の従前の取得価額から所有株式一株の従前の取得価額に当該株式分配に係る第四章第二節**二 2**（三）に規定する割合を乗じて計算した金額を控除した金額とし、かつ、その所有株式は、同日において取得されたものとみなす。（令113の２②）

（⑥に規定する株式分配に該当しないものとされる場合）

（2）　⑥に規定する株式分配に係る完全子法人の株式が当該株式分配に係る第四章第二節**二 2**（3）（九）に規定する現物分配法人の発行済株式等の総数又は総額のうちに占める当該現物分配法人の各株主等の有する当該現物分配法人の株式の数又は金額の割合に応じて交付されない場合には、当該株式分配は、⑥に規定する株式分配に該当しないものとする。（令113の２③）

（株式分配に係る(1)に規定する割合の通知）

（3）　(1)に規定する所有株式を発行した法人は、第四章第二節**一**に規定する株式分配を行った場合には、当該所有株式を有していた個人に対し、当該株式分配に係る(1)に規定する割合を通知しなければならない。（令113の２④）

⑦　資本の払戻し等があった場合の株式等の取得価額

居住者が、その有する株式（以下⑦において「**旧株**」という。）を発行した法人の資本の払戻し（第四章第二節**二**《配当等とみなす金額》**1**（四）に規定する資本の払戻しをいう。(一)において同じ。）又は解散による残余財産の分配（以下⑦において「払戻し等」という。）として金銭その他の資産を取得した場合には、その払戻し等のあった日の属する年以後の各年における**5**《有価証券の評価の方法》①の規定による旧株の評価額の計算については、その計算の基礎となる旧株１株当たりの取得価額は、旧株１株の従前の取得価額から旧株１株の従前の取得価額に当該払戻し等に係る第四章第二節**二 2**《所有株式に対応する資本金等の額の計算方法等》（四）イに規定する割合（次の(一)及び(二)に掲げる場合には、当該払戻し等に係る当該(一)又は(二)に定める割合。(4)において「払戻等割合」という。）を乗じて計算した金額を控除した金額とし、かつ、その旧株は、同日において取得されたものとみなす。（令114①）

(一)	当該払戻し等が二以上の種類の株式を発行していた法人が行った資本の払戻しである場合	当該旧株に係る第四章第二節**二 2**（四）ロに規定する種類払戻割合
(二)	当該払戻し等が第四章第二節**一**《配当所得》に規定する出資等減少分配である場合	第四章第二節**二 2**（五）に規定する割合

（算式）

旧株１株当たりの取得価額＝旧株１株の従前の取得価額－（旧株１株の従前の取得価額×純資産減少割合※）

※「純資産減少割合」とは、次により計算した割合（少数点以下３位未満は切上げ）をいう。

$$\text{純資産減少割合}=\frac{\text{その資本の払戻しにより減少した資本剰余金の額又はその解散による残余財産の分配により交付した金銭の額及び金銭以外の資産の価額の合計額}}{\text{その法人の資産の帳簿価額}-\text{その法人の負債（新株予約権に係る義務を含む。）の帳簿価額}}$$

（その有する法人の出資につき当該法人の出資の払戻しとして金銭その他の資産を取得した場合のその払戻しのあった日の属する年以後の各年における所有出資の評価額の計算）

（1）　居住者が、その有する法人の出資（口数の定めがないものに限る。以下（1）において「所有出資」という。）につき当該法人の出資の払戻し（以下（1）において「払戻し」という。）として金銭その他の資産を取得した場合には、その払戻しのあった日の属する年以後の各年における**5**①の規定による所有出資の評価額の計算については、その計算の基礎となる所有出資1単位当たりの取得価額は、所有出資1単位の従前の取得価額から所有出資1単位の従前の取得価額に当該払戻しの直前の当該所有出資の金額のうちに当該払戻しに係る出資の金額の占める割合を乗じて計算した金額を控除した金額とし、かつ、当該払戻し後の所有出資は、同日において取得されたものとみなす。（令114②）

（算式）

$$\text{所有出資1単位当たりの取得価額}=\text{所有出資1単位の従前の取得価額}-\left(\text{所有出資1単位の従前の取得価額}\times\frac{\text{払戻しに係る出資の金額}}{\text{払戻し直前の所有出資の金額}}\right)$$

（所有するオープン型の証券投資信託の受益権につきその収益の分配を受けた場合の旧受益権の評価額の計算）

（2）　居住者が、その有するオープン型の証券投資信託の受益権（以下（2）において「旧受益権」という。）につきその収益の分配を受けた場合（当該オープン型の証券投資信託の終了又は当該オープン型の証券投資信託の一部の解約により支払を受ける場合を除くものとし、その収益の分配のうちに第二章第三節**六**《オープン型の証券投資信託の収益調整金》に規定する特別分配金が含まれている場合に限る。）には、その収益の分配のあった日の属する年以後の各年における**5**①の規定による旧受益権の評価額の計算については、その計算の基礎となる旧受益権1口当たりの取得価額は、旧受益権1口の従前の取得価額にその収益の分配の直前においてその居住者の有する旧受益権の数を乗じて計算した金額から当該特別分配金として分配される金額を控除した金額を当該旧受益権の数で除して計算した金額とし、かつ、その旧受益権は、同日において取得されたものとみなす。（令114③）

（算式）

$$\text{旧受益権1口当たりの取得価額}=\frac{\text{旧受益権1口の従前の取得価額}\times\text{その収益の分配の直前における旧受益権の数}-\text{特別分配金}}{\text{旧受益権の数}}$$

（旧受益権に係るオープン型の証券投資信託の一部の解約をした場合の旧受益権の評価額の計算）

（3）　居住者が、その有する投資信託又は特定受益証券発行信託の受益権（以下（3）において「旧受益権」という。）の一部につき当該旧受益権に係る投資信託又は特定受益証券発行信託の一部の解約をした場合には、その一部の解約のあった日の属する年以後の各年における**5**①の規定による旧受益権の評価額の計算については、その計算の基礎となる旧受益権1口当たりの取得価額は、旧受益権1口の従前の取得価額とし、かつ、その旧受益権は、同日において取得されたものとみなす。（令114④）

（旧株を発行した法人の払戻し等を行った場合の⑥の割合の通知義務）

（4）　⑥に規定する旧株を発行した法人は、同⑥に規定する払戻し等を行った場合には、当該払戻し等を受けた個人に対し、当該払戻し等に係る払戻等割合を通知しなければならない。（令114⑤）

9　組織変更があった場合の株式等の取得価額

居住者が、その有する株式（以下**9**において「旧株」という。）を発行した法人の組織変更（当該組織変更をした法人（以下**9**において「組織変更法人」という。）の株主等に当該組織変更法人の株式のみが交付されたものに限る。）により組織変更法人の株式（以下**9**において「新株」という。）を取得した場合には、その組織変更のあった日の属する年以後の各年における**5**①《有価証券の評価の方法》の規定による新株の評価額の計算については、その計算の基礎となるその取得した新株1単位当たりの取得価額は、旧株1単位の従前の取得価額（その新株の取得のために要した費用の額がある場合には、当該費用の額のうち旧株1単位に対応する部分の金額を加算した金額）に旧株の数を乗じてこれを取得した新株の数で除して計算した金額とする。（令115）

（算　式）

新株１単位当たりの取得価額 ＝ （旧株１単位の従前の取得価額（旧株１単位に対応する新株の取得費用の額を含む。）× 旧株の数）／ 新株の数

10　合併等があった場合の新株予約権等の取得価額

居住者が、その有する新株予約権又は新株予約権付社債（以下10において「旧新株予約権等」という。）を発行した法人を被合併法人（法人税法第２条第11号《定義》に規定する被合併法人をいう。）、分割法人（同条第12号の２に規定する分割法人をいう。）、株式交換完全子法人（同条第12号の６に規定する株式交換完全子法人をいう。）又は株式移転完全子法人（同条第12号の６の５に規定する株式移転完全子法人をいう。）とする合併、分割、株式交換又は株式移転（以下10において「合併等」という。）により当該旧新株予約権等に代えて当該合併等に係る合併法人（同法第２条第12号に規定する合併法人をいう。）、分割承継法人（同条第12号の３に規定する分割承継法人をいう。）、株式交換完全親法人（同条第12号の６の３に規定する株式交換完全親法人をいう。）又は株式移転完全親法人（同条第12号の６の６に規定する株式移転完全親法人をいう。）の新株予約権又は新株予約権付社債（以下10において「合併法人等新株予約権等」という。）のみの交付を受けた場合には、その合併等のあった日の属する年以後の各年における５①《有価証券の評価の方法》の規定による合併法人等新株予約権等の評価額の計算については、その計算の基礎となるその取得した合併法人等新株予約権等１単位当たりの取得価額は、旧新株予約権等１単位の従前の取得価額（その合併法人等新株予約権等の取得のために要した費用の額がある場合には、当該費用の額のうち旧新株予約権等１単位に対応する部分の金額を加算した金額）を旧新株予約権等１単位について取得した合併法人等新株予約権等の数で除して計算した金額とする。（令116）

（算　式）

合併法人等新株予約権等１単位当たりの取得価額 ＝ 旧新株予約権等１単位の従前の取得価額（旧新株予約権等１単位に対応する合併法人等新株予約権等の取得費用の額を含む。）／ 旧新株予約権等１単位について取得した合併法人等新株予約権等の数

11　旧株１株の従前の取得価額等

居住者の有する株式又は投資信託若しくは特定受益証券発行信託の受益権について、その年の中途において８から10までに規定する事実（以下11において「事実」という。）があった場合には、これらの規定の適用については、その年１月１日（同日から当該事実があった日までの間に他の事実があった場合には、当該事実の直前の他の事実があった日）から当該事実があった日までの期間を基礎として、当該事実があった日において有するこれらの規定に規定する旧株、旧受益権、所有株式、所有出資又は旧新株予約権等につきその者の採用している評価の方法により計算した当該旧株、旧受益権、所有株式、所有出資又は旧新株予約権等の評価額に相当する金額をもって８から10までに規定する旧株１株、旧受益権１口、所有株式１株、所有出資１単位、旧株１単位又は旧新株予約権等１単位の従前の取得価額とする。（令117）

12　暗号資産の譲渡原価等の計算及びその評価の方法

居住者の暗号資産（資金決済に関する法律第２条第14項《定義》に規定する**暗号資産**をいう。以下12において同じ。）につき一《必要経費》の規定によりその者の事業所得の金額又は雑所得の金額の計算上必要経費に算入する金額を算定する場合におけるその算定の基礎となるその年12月31日において有する暗号資産の価額は、その者が暗号資産について選定した評価の方法により評価した金額（評価の方法を選定しなかった場合又は選定した評価の方法により評価しなかった場合には、評価の方法のうち④で定める方法により評価した金額）とする。（法48の２①）

①　暗号資産の評価の方法

12《暗号資産の譲渡原価等の計算及びその評価の方法》の規定によるその年12月31日（12の居住者が年の中途において死亡し、又は出国をした場合には、その死亡又は出国の時。(二)において同じ。）において有する12に規定する暗号資産（以下①において「期末暗号資産」という。）の評価額の計算上選定をすることができる評価の方法は、期末暗号資産につき次の(一)及び(二)に掲げる方法のうちいずれかの方法によってその取得価額を算出し、その算出した取得価額をもって当該期末暗号資産の評価額とする方法とする。（令119の２①）

(一)	総平均法（暗号資産（12に規定する暗号資産をいう。以下において同じ。）をその種類の異なるごとに区別し、その種類の同じものについて、その年１月１日において有していた種類を同じくする暗号資産の取得価額の総額とその年中に取得をした種類を同じくする暗号資産の取得価額の総額との合計額をこれらの暗号資産の総数量で除して計算した価額をその一単位当たりの取得価額とする方法をいう。）

(二)	移動平均法（暗号資産をその種類の異なるごとに区別し、その種類の同じものについて、当初の一単位当たりの取得価額が、再び種類を同じくする暗号資産の取得をした場合にはその取得の時において有する当該暗号資産とその取得をした暗号資産との数量及び取得価額を基礎として算出した平均単価によって改定されたものとみなし、以後種類を同じくする暗号資産の取得をする都度同様の方法により一単位当たりの取得価額が改定されたものとみなし、その年12月31日から最も近い日において改定されたものとみなされた一単位当たりの取得価額をその一単位当たりの取得価額とする方法をいう。）

（取得の範囲）

（1）　①(一)及び同(二)に規定する取得には、暗号資産を購入し、若しくは売却し、又は種類の異なる暗号資産に交換しようとする際に一時的に必要なこれらの暗号資産以外の暗号資産を取得する場合におけるその取得を含まないものとする。（令119の２②）

（一時的に必要な暗号資産を取得した場合の取扱い）

（2）　(1)に規定する一時的に必要な暗号資産を取得する場合とは、暗号資産を購入し、若しくは売却し、又は種類の異なる暗号資産に交換しようとする際に、その暗号資産（種類の異なる暗号資産との交換にあっては、その有する暗号資産又はその種類の異なる暗号資産）がいずれの暗号資産交換業者（資金決済に関する法律第２条第15項《定義》に規定する暗号資産交換業を行う者をいう。）においても、本邦通貨及び外国通貨　(以下(2)において「本邦通貨等」という。）と直接交換することができないこと（種類の異なる暗号資産との交換にあっては、その有する暗号資産とその種類の異なる暗号資産とが直接交換することができないことを含む。）から、本邦通貨等（種類の異なる暗号資産との交換にあっては、その種類の異なる暗号資産）と直接交換することが可能な他の暗号資産を介在して取引を行うため、一時的に当該他の暗号資産を有することが必要となる場合をいうことに留意する。

この場合において、一時的に必要な暗号資産の譲渡原価の計算における取得価額は、個別法（当該暗号資産について、その個々の取得価額をその取得価額とする方法をいう。）により算出することに留意する。（基通48の２－１）

②　暗号資産の評価の方法の選定

暗号資産の評価の方法は、その種類ごとに選定しなければならない。（令119の３①）

（所轄税務署長への届出）

（1）　居住者は、暗号資産の取得をした場合（その取得をした日の属する年の前年以前においてその暗号資産と種類を同じくする暗号資産につき(1)の規定による届出をすべき場合を除く。）には、同日の属する年分の所得税に係る確定申告期限までに、その暗号資産と種類を同じくする暗号資産につき、①に規定する評価の方法のうちそのよるべき方法を書面により納税地の所轄税務署長に届け出なければならない。（令119の３②）

（①(1)の規定の準用）

（2）　①(1)の規定は、②(1)に規定する取得について準用する。（令119の３③）

（暗号資産の種類）

（3）　②に規定する暗号資産の評価の方法の選定に当たっては、名称の異なる暗号資産は、それぞれ種類の異なる暗号資産として区分することに留意する。（基通48の２－２）

③　暗号資産の評価の方法の変更手続

居住者は、暗号資産につき選定した評価の方法（その評価の方法を届け出なかった者がよるべきこととされている④に規定する評価の方法を含む。）を変更しようとする場合には、納税地の所轄税務署長の承認を受けなければならない。（令119の４①）

（**三３**③(1)から同(5)までの規定の準用）

（1）　**三３**③(1)から同(5)まで《棚卸資産の評価の方法の変更手続》の規定は、③の場合について準用する。この場合において、同(2)中「事業所得の金額」とあるのは、「事業所得の金額又は雑所得の金額」と読み替えるものとする。（令119の４②）

（評価方法の変更申請があった場合の「相当期間」）

（2）　**三3**③（3）の取扱いは、暗号資産の評価の方法について変更承認申請書の提出があった場合における（1）の規定の適用について準用する。（基通48の2－3）

④　暗号資産の法定評価方法

12《暗号資産の譲渡原価等の計算及びその評価の方法》に規定する④で定める方法は、①(一)《暗号資産の評価の方法》に掲げる総平均法により算出した取得価額による評価の方法とする。（令119の5①）

（更正又は決定）

（1）　税務署長は、居住者が暗号資産につき選定した評価の方法（その評価の方法を届け出なかった居住者がよるべきこととされている④に規定する評価の方法を含む。以下（1）において同じ。）により評価しなかった場合において、その居住者が行った評価の方法がその居住者の選定した評価の方法以外の①に規定する評価の方法に該当し、かつ、その行った評価の方法によってもその居住者の各年分の事業所得の金額又は雑所得の金額の計算を適正に行うことができると認めるときは、その行った評価の方法により計算した各年分の事業所得の金額又は雑所得の金額を基礎として更正又は決定をすることができる。（令119の5②）

⑤　暗号資産の取得価額

①《暗号資産の評価の方法》の規定による暗号資産の評価額の計算の基礎となる暗号資産の取得価額は、別段の定めがあるものを除き、次の(一)及び(二)に掲げる暗号資産の区分に応じ当該(一)又は(二)に定める金額とする。（令119の6①）

(一)	購入した暗号資産	その購入の代価（購入手数料その他その暗号資産の購入のために要した費用がある場合には、その費用の額を加算した金額）
<u>(二)</u>	<u>自己が発行することにより取得した暗号資産</u>	<u>その発行のために要した費用の額</u>
<u>(三)</u>	(一)及び(二)に掲げる暗号資産以外の暗号資産	その取得の時におけるその暗号資産の取得のために通常要する価額

（注）　改正後の⑤の規定は、個人が令和5年4月1日以後に取得をする**12**に規定する暗号資産について適用され、個人が同日前に取得をした改正前の**12**に規定する暗号資産については、なお従前の例による。（令5改所令附1、2）

（⑤に規定する取得価額）

（1）　次の(一)及び(二)に掲げる暗号資産の⑤に規定する取得価額は、当該(一)及び(二)に定める金額とする。（令119の6②）

(一)	贈与、相続又は遺贈により取得した暗号資産（第一節**二2**①《棚卸資産の贈与等の場合の総収入金額算入》に掲げる贈与又は遺贈により取得したものを除く。）	被相続人の死亡の時において、当該被相続人がその暗号資産につきよるべきものとされていた評価の方法により評価した金額
(二)	第一節**二2**②に掲げる譲渡により取得した暗号資産	当該譲渡の対価の額と同②に定める金額との合計額

（暗号資産の取得価額）

（2）　暗号資産を売買した場合における事業所得の金額又は雑所得の金額の計算上必要経費に算入する金額は、**一**及び**12**の規定に基づいて計算した金額となるのであるが、暗号資産の売買による収入金額の100分の5に相当する金額を暗号資産の取得価額として事業所得の金額又は雑所得の金額を計算しているときは、これを認めて差し支えないものとする。（基通48の2－4）

⑥　信用取引による暗号資産の取得価額

居住者が暗号資産信用取引（他の者から信用の供与を受けて行う暗号資産の売買をいう。以下⑥において同じ。）の方法による暗号資産の売買を行い、かつ、当該暗号資産信用取引による暗号資産の売付けと買付けとにより当該暗号資産信用取引の決済を行った場合には、当該売付けに係る暗号資産の取得に要した経費としてその者のその年分の事業所得の金額又は雑所得の金額の計算上必要経費に算入する金額は、①から⑤までの規定にかかわらず、当該暗号資産信用取引において当該買付けに係る暗号資産を取得するために要した金額とする。（令119の７）

五　減 価 償 却

1　減価償却資産の範囲

減価償却資産とは、不動産所得若しくは雑所得の基因となり、又は不動産所得、事業所得、山林所得若しくは雑所得を生ずべき業務の用に供される資産で棚卸資産、有価証券及び繰延資産以外の資産のうち次の①から⑨までに掲げるもの（時の経過によりその価値の減少しないものを除く。）をいう。（法２①十九、令６）

①	建物及びその附属設備（暖冷房設備、照明設備、通風設備、昇降機その他建物に附属する設備をいう。）
②	構築物（ドック、橋、岸壁、桟橋、軌道、貯水池、坑道、煙突その他土地に定着する土木設備又は工作物をいう。）
③	機械及び装置
④	船　舶
⑤	航空機
⑥	車両及び運搬具
⑦	工具、器具及び備品（観賞用、興行用その他これらに準ずる用に供する生物を含む。）
⑧	次に掲げる無形固定資産 イ　鉱業権（租鉱権及び採石権その他土石を採掘し又は採取する権利を含む。） ロ　漁業権（入漁権を含む。） ハ　ダム使用権 ニ　水利権 ホ　特許権 ヘ　実用新案権 ト　意匠権 チ　商標権 リ　ソフトウエア ヌ　育成者権 ル　樹木採取権 ヲ　漁港水面施設運営権 ワ　営業権 カ　専用側線利用権（鉄道事業法第２条第１項《定義》に規定する鉄道事業又は軌道法第１条第１項《軌道法の適用対象》に規定する軌道を敷設して行う運輸事業を営む者〔以下⑧において「鉄道事業者等」という。〕に対して鉄道又は軌道の敷設に要する費用を負担し、その鉄道又は軌道を専用する権利をいう。） ヨ　鉄道軌道連絡通行施設利用権（鉄道事業者等が、他の鉄道事業者等、独立行政法人鉄道建設・運輸施設整備支援機構、独立行政法人日本高速道路保有・債務返済機構又は国若しくは地方公共団体に対して当該他の鉄道事業者等、独立行政法人鉄道建設・運輸施設整備支援機構若しくは独立行政法人日本高速道路保有・債務返済機構の鉄道若しくは軌道との連絡に必要な橋、地下道その他の施設又は鉄道若しくは軌道の敷設に必要な施設を設けるために要する費用を負担し、これらの施設を利用する権利をいう。） タ　電気ガス供給施設利用権（電気事業法第２条第１項第８号《定義》に規定する一般送配電事業、同項第10号に規定する送電事業、同項第11号の２に規定する配電事業若しくは同項第14号に規定する発電事業又はガス事業法第２条第５項《定義》に規定する一般ガス導管事業を営む者に対して電気又はガスの供給施設（同条第７項に規定する特定ガス導管事業の用に供するものを除く。）を設けるために要する費用を負担し、その施設を利用して電気又はガスの供給を受ける権利をいう。） レ　水道施設利用権（水道法第３条第５項《用語の定義》に規定する水道事業者に対して水道施設を設けるために要する費用を負担し、その施設を利用して水の供給を受ける権利をいう。） ソ　工業用水道施設利用権（工業用水道事業法第２条第５項《定義》に規定する工業用水道事業者に対して工業用水道施設を設けるために要する費用を負担し、その施設を利用して工業用水の供給を受ける権利をいう。） ツ　電気通信施設利用権（電気通信事業法第９条第１号《電気通信事業の登録》に規定する電気通信回線設備を設置する同法第２条第５号《定義》に規定する電気通信事業者に対して同条第４号に規定する電気通信事業の用に供する同条第２号に規定する電気通信設備の設置に要する費用を負担し、その設備を利用して同条第３号《定義》

	に規定する電気通信役務の提供を受ける権利（電話加入権及びこれに準ずる権利を除く。）をいう。
⑨	次に掲げる生物（⑦に掲げるものに該当するものを除く。） イ　牛、馬、豚、綿羊及びやぎ ロ　かんきつ樹、りんご樹、ぶどう樹、梨樹、桃樹、桜桃樹、びわ樹、くり樹、梅樹、柿樹、あんず樹、すもも樹、いちじく樹、キウイフルーツ樹、ブルーベリー樹及びパイナップル ハ　茶樹、オリーブ樹、つばき樹、桑樹、こりやなぎ、みつまた、こうぞ、もう宗竹、アスパラガス、ラミー、まおらん及びホップ

（注）1　電気事業法等の一部を改正する等の法律附則第50条第１項に規定する指定旧供給区域熱供給を行う事業を営む同項に規定するみなし熱供給事業者に対して当該事業に係る熱供給事業法第２条第４項に規定する熱供給施設を設けるために要する費用を負担し、その施設を利用して同条第１項に規定する熱供給を受ける権利は、**1**の規定の適用については、**1**表内⑧に掲げる無形固定資産とみなす。（平28政令48附２②）

2　（注）１に規定する権利（国外における当該権利に相当するものを含む。）は、第九章第二節**二 4**（６）の規定の適用については、同（６）(一)ハに掲げる無形固定資産とみなす。（平28政令48附２③）

（美術品等についての減価償却資産の判定）

（１）「時の経過によりその価値の減少しない資産」は減価償却資産に該当しないこととされているが、次に掲げる美術品等は「時の経過によりその価値の減少しない資産」と取り扱う。（基通２－14）

（一）古美術品、古文書、出土品、遺物等のように歴史的価値又は希少価値を有し、代替性のないもの

（二）(一)以外の美術品等で、取得価額が１点100万円以上であるもの（時の経過によりその価値が減少することが明らかなものを除く。）

（注）1　時の経過によりその価値が減少することが明らかなものには、例えば、会館のロビーや葬祭場のホールのような不特定多数の者が利用する場所の装飾用や展示用（有料で公開するものを除く。）として個人が取得するもののうち、移設することが困難で当該用途にのみ使用されることが明らかなものであり、かつ、他の用途に転用すると仮定した場合にその設置状況や使用状況から見て美術品等としての市場価値が見込まれないものが含まれる。

2　取得価額が１点100万円未満であるもの（時の経過によりその価値が減少しないことが明らかなものを除く。）は減価償却資産と取り扱う。

〔経過的取扱い…改正通達の適用時期〕

上記の取扱いは、平成27年１月１日以後に取得をする美術品等について適用し、同日前に取得をした美術品等については、なお従前の例による。ただし、個人が、平成27年１月１日に有する美術品等（この法令解釈通達により減価償却資産とされるものに限る。）について、同日から減価償却資産に該当するものとしている場合には、これを認める。

（注）ただし書の取扱いにより減価償却資産に該当するものとしている場合における減価償却に関する規定（**六19**《中小事業者の少額減価償却資産の取得価額の必要経費算入の特例》の規定を含む。）の適用に当たっては、当該減価償却資産を同日において取得をし、かつ、事業の用に供したものとすることができる。

（貴金属の素材の価額が大部分を占める固定資産）

（２）ガラス繊維製造用の白金製溶解炉、光学ガラス製造用の白金製るつぼ、か性カリ製造用の銀製なべのように、素材となる貴金属の価額が取得価額の大部分を占め、かつ、一定期間使用後は素材に還元の上鋳直して再使用することを常態としているものは、減価償却資産に該当しない。（基通２－15）

（注）1　これらの資産の鋳直しに要する費用（地金の補給のために要する費用を含む。）は、鋳直しの時において必要経費に算入する。

2　白金ノズルは減価償却資産に該当するのであるが、これに類する工具で貴金属を主体とするものについても、白金ノズルに準じて減価償却をすることができるものとする。

（現にか働していない資産）

（３）不動産所得、事業所得、山林所得又は雑所得を生ずべき業務の用に供される**1**①から同⑨までに規定する資産は、現にか動していない場合であっても、これらの業務の用に供するために維持補修が行われており、いつでもか動し得る状態にあるときは、減価償却資産に該当する。（基通２－16）

（注）他の場所においてこれらの業務の用に供するために移設中の資産については、その移設期間がその移設のために通常要する期間であると認められる限り、減価償却を継続することができる。

（建設又は製作中の資産）

（４）建設又は製作中の建物、機械及び装置等の資産は、減価償却資産に該当しないのであるが、その完成した部分が不動産所得、事業所得、山林所得又は雑所得を生ずべき業務の用に供されている場合には、その部分は減価償却資産

に該当する。（基通２－17）

（温泉利用権）

（５）　温泉を利用する権利は、１⑧ニに掲げる水利権に準ずる減価償却資産とする。（基通２－18）

（注）　この権利の取得価額については**７イ**《減価償却資産の取得価額》(32)、償却費の計算については**10イ**《減価償却資産の償却費の計算》(13)参照。

（工業所有権の実施権等）

（６）　他の者の有する工業所有権（特許権、実用新案権、意匠権及び商標権をいう。以下同じ。）について実施権又は使用権を取得した場合におけるその取得のために要した金額については、当該工業所有権に準じて取り扱う。（基通２－18の２）

（注）　償却費の計算については、**10イ**《減価償却資産の償却費の計算》(14)参照。

（出 漁 権 等）

（７）　許可漁業の出漁権、繊維工業における織機の登録権利、タクシー業のいわゆるナンバー権のように法令の規定、行政官庁の指導等による規制に基づく許可、認可、登録、割当て等に係る権利は、**１**表内⑧ワに掲げる営業権に該当するものとし、これらの権利に基づいて業務の活動を開始した日において業務の用に供されたものとする。この場合において、これらの権利を取得した者がその取得により可能となった業務の拡大のために必要な設備等を新たに取得することとなるときは、例えば、許可漁業の出漁権については当該許可に基づく出漁の用に供する船舶を発注するなど、当該業務の拡大に具体的に着手した日から業務の用に供されたものとする。（基通２－19）

（注）　これらの権利の取得価額については、**７イ**《減価償却資産の取得価額》(33)参照。

（無形固定資産の業務の用に供した時期）

（８）　**１**表内⑧に掲げる無形固定資産のうち、現に営む業務の遂行上必要な漁業権、工業所有権及び樹木採取権については、その取得の日から業務の用に供されたものとして差し支えない。（基通２－20）

（公共下水道施設の使用のための負担金）

（９）　下水道法第２条第３号《公共下水道の定義》に規定する公共下水道を使用する排水設備の新設又は拡張をする者が、その新設又は拡張により必要となる公共下水道の改築に要する費用を負担して取得する当該公共下水道を使用する権利は、**１**表内⑧レに掲げる水道施設利用権に準ずる減価償却資産とする。（基通２－21）

（注）　公共下水道に係る受益者負担金の取扱いは**七３**《繰延資産の償却費の計算》（５）を参照。（編者注）

（電気通信施設利用権の範囲）

(10)　**１**表内⑧ツに掲げる電気通信施設利用権とは、電気通信事業法施行規則第２条第２項第１号から第３号まで《用語》に規定する電気通信役務の提供を受ける権利のうち電話加入権（加入電話契約に基づき加入電話の提供を受ける権利をいう。）及びこれに準ずる権利を除く全ての権利をいうのであるから、例えば「電信役務」、「専用役務」、「データ通信役務」、「デジタルデータ伝送役務」、「無線呼出し役務」等の提供を受ける権利は、これに該当する。（基通２－22）

２　少額の減価償却資産の取得価額の必要経費算入

居住者が不動産所得、事業所得、山林所得又は雑所得を生ずべき業務の用に供した減価償却資産（**５イ**⑥《平成19年３月31日以前に取得された減価償却資産の償却の方法》及び同**ロ**⑥《平成19年４月１日以後に取得された減価償却資産の償却の方法》に掲げるものを除く。）で、取得価額（減価償却資産の取得価額の規定により計算した価額をいう。**３**において同じ。）が10万円未満であるもの（貸付け（主要な業務として行われるものを除く。）の用に供したものを除く。）又は第六章第二節**一３**①《資本的支出》に規定する使用可能期間が１年未満であるものについては**５**《減価償却資産の償却の方法》から**10**《減価償却資産の償却費の計算》までの規定にかかわらず、その取得価額に相当する金額を、その者のその業務の用に供した年分の不動産所得の金額、事業所得の金額、山林所得の金額又は雑所得の金額の計算上、必要経費に算入する。（令138①）

（少額の減価償却資産の主要な業務として行う貸付けの判定）

（１）　次に掲げる貸付け（（２）の規定に該当する貸付けを除く。）は、**２**に規定する主要な業務として行われる貸付けに

該当するものとする。（規34の２①）

(一)	当該居住者に対して資産の譲渡又は役務の提供を行う者の当該資産の譲渡又は役務の提供の業務の用に専ら供する資産の貸付け
(二)	継続的に当該居住者の経営資源（業務の用に供される設備（その貸付けの用に供する資産を除く。）、業務に関する当該居住者又はその従業者の有する技能又は知識（租税に関するものを除く。）その他これらに準ずるものをいう。）を活用して行い、又は行うことが見込まれる業務としての資産の貸付け
(三)	当該居住者が行う主要な業務に付随して行う資産の貸付け

（主要な業務として行われる貸付けの範囲）

（2）　資産の貸付け後に譲渡人（当該居住者に対して当該資産を譲渡した者をいう。）その他の者が当該資産を買い取り、又は当該資産を第三者に買い取らせることをあっせんする旨の契約が締結されている場合（当該貸付けの対価の額及び当該資産の買取りの対価の額（当該対価の額が確定していない場合には、当該対価の額として見込まれる金額）の合計額が当該居住者の当該資産の取得価額のおおむね100分の90に相当する金額を超える場合に限る。）における当該貸付けは、**2**に規定する主要な業務として行われる貸付けに該当しないものとする。（規34の２②）

（少額の減価償却資産又は一括償却資産であるかどうかの判定）

（3）　**2**又は**3**の規定を適用する場合において、取得価額が10万円未満又は20万円未満であるかどうかは、通常１単位として取引されるその単位、例えば、機械及び装置については１台又は１基ごとに、工具、器具及び備品については１個、１組又は１そろいごとに判定し、構築物のうち例えば枕木、電柱等単体では機能を発揮できないものについては社会通念上一の効用を有すると認められる単位ごとに判定する。（基通49－39）

（一時的に貸付けの用に供した減価償却資産）

（4）　**2**又は**3**の規定の適用上、居住者が減価償却資産を貸付けの用に供したかどうかはその減価償却資産の使用目的、使用状況等を総合勘案して判定されるものであるから、例えば、一時的に貸付けの用に供したような場合において、その貸付けの用に供した事実のみをもって、その減価償却資産がこれらの規定に規定する貸付けの用に供したものに該当するとはいえないことに留意する。（基通49－39の２）

（主要な業務として行われる貸付けの例示）

（5）　（1）及び（2）（**3**（1）において準用する場合を含む。以下（5）において同じ。）の規定の適用上、次に掲げる貸付けには、例えば、それぞれ次に定めるような行為が該当する。（基通49－39の３）

(一)　（1）(一)に掲げる貸付け　居住者が自己の下請業者に対して、当該下請業者の専ら当該居住者のためにする製品の加工等の用に供される減価償却資産を貸し付ける行為

(二)　（1）(二)に掲げる貸付け　小売業を営む居住者がその小売店の駐車場の遊休スペースを活用して自転車その他の減価償却資産を貸し付ける行為

(三)　（1）(三)に掲げる貸付け　不動産貸付業を営む居住者がその貸し付ける建物の賃借人に対して、家具、電気機器その他の減価償却資産を貸し付ける行為

（注）　(一)から(三)までに定める行為であっても、（2）に規定する場合に該当するものは、**2**又は**3**に規定する主要な業務として行われる貸付けに該当しないことに留意する。

（使用可能期間が１年未満の減価償却資産の範囲）

（6）　**2**に規定する使用可能期間が１年未満であるものとは、その者の営む業務の属する業種（例えば、紡績業、鉄鋼業、建設業等の業種）において種類等を同じくする減価償却資産の使用状況、補充状況等を勘案して一般的に消耗性のものとして認識されている減価償却資産で、その者の平均的な使用状況、補充状況等からみてその使用可能期間が１年未満であるものをいう。この場合において、種類等を同じくする減価償却資産のうちに、材質、型式、性能等が著しく異なるため、その使用状況、補充状況等も著しく異なるものがあるときは、当該材質、型式、性能等の異なるものごとに判定することができる。（基通49－40）

（注）　平均的な使用状況、補充状況等は、おおむね過去３年間の平均値を基準として判定する。

（現金主義の場合の少額の減価償却資産の取得価額）

（7）　第四節**三 3**①《小規模事業者等の収入及び費用の帰属時期》の規定の適用を受けている者が**2**に規定する減価償却資産を取得した場合には、当該減価償却資産の取得価額に相当する金額のうちその支出した金額を当該支出した日の属する年分のその業務に係る所得金額の計算上、必要経費に算入する。（基通49－41）

3　一括償却資産の必要経費算入

居住者が不動産所得、事業所得、山林所得又は雑所得を生ずべき業務の用に供した減価償却資産で取得価額が20万円未満であるもの（**5イ**⑥及び同**ロ**⑥に掲げるもの並びに**2**の規定の適用があるものを除く。以下**3**において「対象資産」という。）については、その居住者が当該対象資産（貸付け（主要な業務として行われるものを除く。）の用に供したものを除く。）の全部又は特定の一部を一括したもの（以下**3**及び（2）において「**一括償却資産**」という。）の取得価額の合計額をその業務の用に供した年以後３年間の各年の費用の額とする方法を選択したときは、**5**《減価償却資産の償却の方法》から**10**《減価償却資産の償却費の計算》までの規定にかかわらず、当該一括償却資産につき当該各年分の不動産所得の金額、事業所得の金額、山林所得の金額又は雑所得の金額の計算上必要経費に算入する金額は、当該一括償却資産の取得価額の合計額（（2）及び（3）において「一括償却対象額」という。）を３で除して計算した金額とする。（令139①）

（一括償却資産の主要な業務として行う貸付けの判定）

（1）　**2**（1）及び同（2）の規定は、**3**に規定する主要な業務として行われる貸付けに該当するかどうかの判定について準用する。（規34の３）

（確定申告書への添付要件）

（2）　**3**の規定は、一括償却資産を業務の用に供した日の属する年分の確定申告書に一括償却対象額を記載した書類を添付し、かつ、その計算に関する書類を保存している場合に限り、適用する。（令139②）

（計算明細書の確定申告書への添付）

（3）　居住者は、その年において一括償却対象額につき必要経費に算入した金額がある場合には、その年分の確定申告書に、**3**の規定により必要経費に算入される金額の計算に関する明細書を添付しなければならない。（令139③）

（一括償却資産につき滅失等があった場合の取扱い）

（4）　**3**に規定する一括償却資産につき**3**の規定の適用を受けている場合には、その一括償却資産を業務の用に供した年以後３年間の各年においてその全部又は一部につき滅失、除却等の事実が生じたときであっても、当該各年においてその一括償却資産につき必要経費に算入する金額は、**3**の規定に従い計算される金額となることに留意する。（基通49－40の２）

（注）　一括償却資産の全部又は一部を譲渡した場合についても、同様とする。

（一括償却資産につき相続があった場合の取扱い）

（5）　**3**に規定する一括償却資産につき**3**の規定の適用を受けている居住者が死亡し、当該規定に従い計算される金額のうち、その死亡した日の属する年以後の各年分において必要経費に算入されるべき金額がある場合には、当該金額は当該居住者の死亡した日の属する年分の必要経費に算入するものとする。

ただし、居住者が死亡した日の属する年以後の各年分において必要経費に算入されるべき金額があり、かつ、**3**に規定する業務を承継した者がある場合の当該金額の取扱いは、**3**の規定に従い計算される金額を限度として次によることとして差し支えないものとする。（基通49－40の３）

（一）　当該居住者の死亡した日の属する年
　　当該居住者の必要経費に算入する。

（二）　当該居住者の死亡した日の属する年の翌年以後の各年分
　　当該業務を承継した者の必要経費に算入する。

4　減価償却資産の償却費の計算及びその償却の方法の通則

居住者のその年12月31日において有する減価償却資産につきその償却費として**一**《通則》の規定によりその者の不動産所得の金額、事業所得の金額、山林所得の金額又は雑所得の金額の計算上必要経費に算入する金額は、その取得をした日及びその種類の区分に応じ、償却費が毎年同一となる償却の方法、償却費が毎年一定の割合で逓減する償却の方法その他の**5イ**又は同**ロ**で定める償却の方法の中からその者が当該資産について選定した償却の方法（償却の方法を選定しなかった場合には、**6ハ**に規定する法定償却方法）に基づき**5**以下に定めるところにより計算した金額とする。（法49①）

5　減価償却資産の償却の方法

イ　平成19年３月31日以前に取得された減価償却資産の償却の方法

平成19年３月31日以前に取得された減価償却資産（⑥に掲げる減価償却資産にあっては、当該減価償却資産についての同⑥に規定する改正前リース取引に係る契約が平成20年３月31日までに締結されたもの）の償却費（**4**《減価償却資産の償却費の計算及びその償却の方法の通則》の規定による減価償却資産の償却費をいう。以下**5**において同じ。）の額の計算上選定をすることができる**4**に規定する**5イ**で定める償却の方法は、次の①から⑥に掲げる資産の区分に応じ当該①から⑥に定める方法とする。（令120①）

①	建物（③に掲げるものを除く。）	（イ）　平成10年３月31日以前に取得された建物 (1)　旧定額法 (2)　旧定率法 （ロ）　イに掲げる建物以外の建物　旧定額法
②	有形減価償却資産（①の建物、③の鉱業用減価償却資産及び⑥の国外リース資産を除く。）	（イ）　旧定額法 （ロ）　旧定率法
③	鉱業用減価償却資産（⑤の鉱業権及び⑥の国外リース資産を除く。）	（イ）　旧定額法 （ロ）　旧定率法 （ハ）　旧生産高比例法
④	無形減価償却資産（⑤の鉱業権を除く。）及び生物（器具及び備品に含まれるものを除く。）	旧定額法
⑤	鉱業権	（イ）　旧定額法 （ロ）　旧生産高比例法
⑥	国外リース資産	旧国外リース期間定額法

（注）1　「国外リース資産」とは所得税法施行令の一部を改正する政令（平成19年政令第82号）による改正前の第三節11に規定するリース取引（以下「改正前リース取引」という。）の目的とされている減価償却資産で非居住者又は外国法人に対して賃貸されているもの（これらの者の専ら国内において行う事業の用に供されるものを除く。）をいう。**イ**及び(2)において同じ。）をいう。（旧令120①六）

2　**イ**表内⑥の規定及び(1)(ニ)の規定は、個人が平成10年10月１日以後に締結する同ニに規定する改正前リース取引に係る契約の目的とされている減価償却資産について適用する。（平10改改令附７）

（旧定額法、旧定率法、旧生産高比例法及び旧国外リース期間定額法の意義）

(1)　上記の旧定額法、旧定率法、旧生産高比例法又は旧国外リース期間定額法とは、それぞれ次に掲げる方法をいう。（令120①）

（イ）　**旧定額法**	当該減価償却資産の取得価額からその残存価額を控除した金額にその償却費が毎年同一となるように当該資産の耐用年数に応じた償却率を乗じて計算した金額を各年分の償却費として償却する方法
（ロ）　**旧定率法**	当該減価償却資産の取得価額（第２年目以後の償却の場合にあっては、当該取得価額から既に償却費として各年分の不動産所得の金額、事業所得の金額、山林所得の金額又は雑所得の金額の計算上必要経費に算入された金額を控除した金額）にその償却費が毎年一定の割合で逓減するように当該資産の耐用年数に応じた償却率を乗じて計算した金額を各年分の償却費として償却する方法
（ハ）　**旧生産高比例法**	当該鉱業用減価償却資産の取得価額からその残存価額を控除した金額を当該資産の耐用年数（当該資産の属する鉱区の採掘予定年数がその耐用年数より短い場合には、当該鉱区の採掘予定年数）の期間内における当該資産の属する鉱区の採掘予定数量で除して計算した一定単位当たりの金額に各年における当該鉱区の採掘数量を乗じて計算した金額をその年分の償却費として償却する方法
（ニ）　**旧国外リース期間**	改正前リース取引に係る国外リース資産の取得価額から見積残存価額を控除した残額を、当該改正前リース取引に係る契約において定められている当該国外リース資産の賃貸借の期間の月数で除

定額法	し、これにその年における当該国外リース資産の賃貸借の期間の月数を乗じて計算した金額を各年分の償却費として償却する方法。以下10及び11において同じ。

(鉱業用減価償却資産の範囲及び国外リース資産の見積残存価額)

(２)　鉱業用減価償却資産とは、鉱業経営上直接必要な減価償却資産で鉱業の廃止により著しくその価値を減ずるものをいい、(１)(ニ)に規定する見積残存価額とは、国外リース資産をその賃貸借の終了の時において譲渡するとした場合に見込まれるその譲渡対価の額に相当する金額をいう。(令120②)

(リース期間定額法の月数の端数処理)

(３)　(１)(ニ)の月数は、暦に従って計算し、１月に満たない端数を生じたときは、これを１月とする。(令120③)

(取得の意義)

(４)　**イ**及び**ロ**に規定する取得には、購入や自己の建設によるもののほか、相続、遺贈又は贈与（以下**五７イ**(24)において「相続等」という。）によるものも含まれることに留意する。(基通49－１)

(旧定率法を選定している建物、建物附属設備及び構築物にした資本的支出に係る償却方法)

(５)　**イ**表内①(イ)⑵に規定する旧定率法を選定している建物、建物附属設備及び構築物に資本的支出をした場合において、当該資本的支出につき、**７ロ**(１)の規定を適用せずに、同**ロ**の規定を適用するときには、当該資本的支出に係る償却方法は、次に掲げる資本的支出の区分に応じ、それぞれ次に定める方法によることに留意する。(基通49－１の２)

⑴　**イ**表内③に規定する鉱業用減価償却資産に該当しない建物、建物附属設備及び構築物にした資本的支出　　**ロ**表内①(イ)⑴に規定する定額法

⑵　⑴以外のもの　　**ロ**表内①(イ)⑴に規定する定額法又は同③(イ)⑵に規定する生産高比例法（これらの償却の方法に代えて納税地の所轄税務署長の承認を受けた特別な償却の方法を含む。）のうち選定している方法

(研究開発のためのソフトウエア)

(６)　特定の研究開発にのみ使用するため取得又は製作をしたソフトウエア（研究開発のためのいわば材料となるものであることが明らかなものを除く。）であっても、当該ソフトウエアは減価償却資産に該当することに留意する。(基通49－１の３)

(注)　当該ソフトウエアが耐用年数省令第２条第２号に規定する開発研究の用に供されている場合には、耐用年数省令別表第六に掲げる耐用年数が適用されることに留意する。

(土石採取業の採石用坑道)

(７)　土石採取業における採石用の坑道は、**イ**③又は**ロ**③に規定する鉱業用減価償却資産に該当することに留意する。(基通49－１の３の２)

(鉱業用土地の償却)

(８)　石炭鉱業におけるぼた山の用に供される土地のように鉱業経営上直接必要な土地で鉱業の廃止により著しくその価値が減少するものの取得価額のうち、鉱業を廃止した場合において残存すると認められるその土地の価額を超える部分の金額については、当該土地に係る鉱業権について採用している償却方法に準じて計算される金額を必要経費に算入することができるものとする。(基通49－21)

(土石採取用土地等の償却)

(９)　土石又は砂利を採取する目的で取得した土地については、その取得価額のうち土石又は砂利に係る部分につき旧生産高比例法又は生産高比例法に準ずる方法により計算される金額を必要経費に算入することができる。(基通49－22)

(賃貸借期間等に含まれる再リース期間)

(10)　(１)(ニ)に規定する「賃貸借の期間」には、改正前リース取引（同(１)に規定する改正前リース取引をいう。以下(12)において同じ。)のうち再リースをすることが明らかなものにおける当該再リースに係る賃貸借期間を含むもの

とする。（基通49－30の14）

（注）**ロ**（１）(ニ)に規定する「リース期間」及び**ホ**に規定する「改定リース期間」についても同様とする。

（国外リース資産に係る見積残存価額）

(11)　賃貸人が**イ**の（２）に規定する見積残存価額について、リース料の算定に当たって国外リース資産（**イ**⑥に規定する国外リース資産をいう。以下(12)において同じ。）の取得価額及びその取引に係る付随費用（国外リース資産の取得に要する資金の利子、固定資産税、保険料等その取引に関連して賃貸人が支出する費用をいう。）の額の合計額からリース料として回収することとしている金額の合計額を控除した残額としている場合は、これを認める。（基通49－30の15）

（国外リース資産に係る転貸リースの意義）

(12)　賃貸人が旧リース資産（改正前リース取引の目的とされている減価償却資産をいう。以下(12)において同じ。）を居住者又は内国法人に対して賃貸した後、更に当該居住者又は内国法人が非居住者又は外国法人（以下(12)において「非居住者等」という。）に対して当該旧リース資産を賃貸した場合（非居住者等の専ら国内において行う事業の用に供されている場合を除く。）において、当該旧リース資産の使用状況及び当該賃貸に至るまでの事情その他の状況に照らし、これら一連の取引が実質的に賃貸人から非居住者等に対して直接賃貸したと認められるときは、当該賃貸人の所有する当該旧リース資産は国外リース資産に該当することに留意する。（基通49－30の16）

ロ　平成19年４月１日以後に取得された減価償却資産の償却の方法

平成19年４月１日以後に取得された減価償却資産（⑥に掲げる減価償却資産にあっては、当該減価償却資産についての所有権移転外リース取引に係る契約が平成20年４月１日以後に締結されたもの）の償却費の額の計算上選定をすることができる**4**《減価償却資産の償却費の計算及びその償却の方法の通則》に規定にする**5ロ**で定める償却の方法は、次の①から⑥までに掲げる資産の区分に応じ当該①から⑥に定める方法とする。（令120の２①）

<table>
<tr><td rowspan="3">①</td><td rowspan="3">**五１**表内①及び同②に掲げる減価償却資産（同③及び同⑥に掲げるものを除く。）</td><td colspan="3">次に掲げる区分に応じそれぞれ次に定める方法</td></tr>
<tr><td>(イ)</td><td>平成28年３月31日以前に取得された減価償却資産（建物を除く。）</td><td>⑴　定額法
⑵　定率法</td></tr>
<tr><td>(ロ)</td><td>(イ)に掲げる減価償却資産以外の減価償却資産</td><td>定額法</td></tr>
<tr><td>②</td><td>**五１**表内③から同⑦に掲げる減価償却資産（同③の鉱業用減価償却資産及び同⑥のリース資産を除く。）</td><td colspan="3">(イ)　定額法
(ロ)　定率法</td></tr>
<tr><td rowspan="3">③</td><td rowspan="3">鉱業用減価償却資産（⑤の鉱業権及び⑥のリース資産を除く。）及び生物</td><td colspan="3">次に掲げる区分に応じそれぞれ次に定める方法</td></tr>
<tr><td>(イ)</td><td>平成28年４月１日以後に取得された**五１**表内①及び同②に掲げる減価償却資産</td><td>⑴　定額法
⑵　生産高比例法</td></tr>
<tr><td>(ロ)</td><td>(イ)に掲げる減価償却資産以外の減価償却資産</td><td>⑴　定額法
⑵　定率法
⑶　生産高比例法</td></tr>
<tr><td>④</td><td>**五１**表内⑧に掲げる無形固定資産（⑤の鉱業権及び⑥のリース資産を除く。）</td><td colspan="3">定額法</td></tr>
<tr><td>⑤</td><td>**五１**表内⑧イに掲げる鉱業権</td><td colspan="3">(イ)　定額法
(ロ)　生産高比例法</td></tr>
<tr><td>⑥</td><td>リース資産</td><td colspan="3">リース期間定額法</td></tr>
</table>

（注）⑥の規定及び（１）の(ニ)の規定は、個人が平成20年４月１日以後に締結する同(ニ)に規定する所有権移転外リース取引に係る契約の目的とされている減価償却資産について適用する。（平19改令附12①）

（定額法、定率法、生産高比例法及びリース期間定額法の意義）

（1）　上記の定額法、定率法、生産高比例法又はリース期間定額法とは、それぞれ次の(イ)から(ニ)までに掲げる方法をいう。（令120の２①）

(イ)　**定額法**	当該減価償却資産の取得価額にその償却費が毎年同一となるように当該資産の耐用年数に応じた償却率（(ロ)において「定額法償却率」という。）を乗じて計算した金額を各年分の償却費として償却する方法
(ロ)　**定率法**	当該減価償却資産の取得価額（第２年目以後の償却の場合にあっては、当該取得価額から既に償却費として各年分の不動産所得の金額、事業所得の金額、山林所得の金額又は雑所得の金額の計算上必要経費に算入された金額を控除した金額）にその償却費が毎年１から定額法償却率に２（平成24年３月31日以前に取得された減価償却資産にあっては、2.5）を乗じて計算した割合を控除した割合で逓減するように当該資産の耐用年数に応じた償却率を乗じて計算した金額（当該計算した金額が償却保証額に満たない場合には、改定取得価額にその償却費がその後毎年同一となるように当該資産の耐用年数に応じた改定償却率を乗じて計算した金額）を各年分の償却費として償却する方法をいう。）
(ハ)　**生産高比例法**	当該鉱業用減価償却資産の取得価額を当該資産の耐用年数（当該資産の属する鉱区の採掘予定年数がその耐用年数より短い場合には、当該鉱区の採掘予定年数）の期間内における当該資産の属する鉱区の採掘予定数量で除して計算した一定単位当たりの金額に各年における当該鉱区の採掘数量を乗じて計算した金額をその年分の償却費として償却する方法
(ニ)　**リース期間定額法**	当該リース資産の取得価額（当該取得価額に残価保証額に相当する金額が含まれている場合には、当該取得価額から当該残価保証額を控除した金額）を当該リース資産のリース期間（当該リース資産がリース期間の中途において第五章第二節**二十四３**①《贈与等により取得した資産の取得費等》のイ又はロに掲げる事由以外の事由により移転を受けたものである場合には、当該移転の日以後の期間に限る。）の月数で除して計算した金額にその年における当該リース期間の月数を乗じて計算した金額を各年分の償却費として償却する方法

(注)１　(1)(ニ)の月数は、暦に従って計算し、１月に満たない端数を生じたときは、これを１月とする。（令120の２③）

２　個人が、平成24年分においてその有する減価償却資産（**ロ**表内②又は同③に掲げる減価償却資産に限る。以下(注)２及び(注)３において同じ。）につきそのよるべき償却の方法として(1)(ロ)に規定する定率法（(注)３において「定率法」という。）を選定している場合において、平成24年４月１日から同年12月31日までの間に減価償却資産の取得をするとき（同年分において(注)３の規定の適用を受けるときを除く。）は、当該減価償却資産を同年３月31日以前に取得された資産とみなして、(注)３並びに**ロ**（表内①から同③までに係る部分に限る。）及び**７ロ**《資本的支出があった場合の減価償却資産の取得価額の特例》(4)の規定を適用することができる。（平23.12改所令附２②、平28改所令附18）

３　個人が、平成24年分においてその有する減価償却資産につきそのよるべき償却の方法として定率法を選定している場合において、同年分の所得税に係る確定申告期限までに、次に掲げる事項を記載した届出書を納税地の所轄税務署長に提出したときは、その届出書に記載された(二)に掲げる年分以後の各年分における**ロ**（**ロ**表内①から同③までに係る部分に限る。）及び**７ロ**(4)の規定の適用については、その減価償却資産（(1)(ロ)(二)に掲げる資産及びその届出書に記載された(二)に掲げる年分において(2)表内②イに規定する調整前償却額が同①に規定する償却保証額に満たない資産を除く。）は、平成24年４月１日以降に取得された資産とみなす。（平23.12改所令附２③、平23.12改正所規附２①、平28改所令附18）

(一)　(注)３の規定の適用を受ける旨

(二)　(注)３の規定の適用を受けようとする最初の年分（平成24年分又は平成25年分に限る。）

(三)　(注)３に規定する届出書を提出する者の氏名及び住所（国内に住所がない場合には、居所）その他参考となるべき事項

４　**７ロ**(4)の規定は、個人が平成24年４月１日以後に減価償却資産について支出する金額（同日から同年12月31日までの間に減価償却資産について支出する金額につき同**ロ**の規定により新たに取得したものとされる減価償却資産について(注)２の規定の適用を受ける場合のその支出する金額（以下「経過旧資本的支出額」という。）を除き、同年１月１日から同年３月31日までの間に減価償却資産について支出した金額につき改正前の所得税法施行令（以下「旧令」という。）第127条第１項《資本的支出の取得価額の特例》の規定により新たに取得したものとされる減価償却資産について(注)３の規定の適用を受ける場合のその支出した金額（以下「経過新資本的支出額」という。）を含む。）について適用し、個人が同年４月１日前に減価償却資産について支出した金額（経過旧資本的支出額を含み、経過新資本的支出額を除く。）については、(注)５に規定する場合を除き、なお従前の例による。（平23.12改所令附２④）

５　個人が平成24年１月１日から同年３月31日までの間に減価償却資産について支出した金額（経過旧資本的支出額を含み、経過新資本的支出額を除く。）について旧令第127条第４項又は第５項の規定により平成25年１月１日において新たに取得したものとされる減価償却資産（(注)３の規定の適用を受けるものを除く。以下(注)５において同じ。）に係る**ロ**（**ロ**表内①から同③までに係る部分に限る。）及び**７ロ**(4)の規定の適用については、当該減価償却資産は、平成24年３月31日以前に取得された資産に該当するものとする。（平23.12改所令附２⑤、平28改所令附18）

6　個人の平成25年分における**7ロ**(５)の規定の適用については、平成24年４月１日前に減価償却資産について支出した金額（経過旧資本的支出額を含み、経過新資本的支出額を除く。）に係る旧令第127条第４項に規定する追加償却資産（以下(注)６において「旧追加償却資産」という。）と同日以後に減価償却資産について支出する金額（経過旧資本的支出額を除き、経過新資本的支出額を含む。）に係る**7ロ**(３)に規定する追加償却資産で旧追加償却資産と種類及び耐用年数を同じくするものとは、異なる種類及び耐用年数の資産とみなす。（平23.12改所令附２⑥）

7　個人が平成28年１月１日から同年３月31日までの期間内に減価償却資産について支出した金額について改正後**7ロ**(３)又は同(４)の規定により平成29年１月１日において新たに取得したものとされる減価償却資産に係る改正後の**ロ**（**ロ**表内①又は同③に係る部分に限る。）の規定の適用については、当該減価償却資産は、施行日（平成28年４月１日）前に取得された資産に該当するものとする。（平28改所令附８③）

（用語の意義）

（２）　(１)及び(２)において、次の①から⑦までに掲げる用語の意義は、それぞれに定めるところによる。（令120の２②）

①	**償却保証額**	減価償却資産の取得価額に当該資産の耐用年数に応じた保証率を乗じて計算した金額をいう。
②	**改定取得価額**	次に掲げる場合の区分に応じそれぞれ次に定める金額をいう。 イ　減価償却資産の(１)(ロ)に規定する取得価額に同(ロ)に規定する耐用年数に応じた償却率を乗じて計算した金額（以下②において「調整前償却額」という。）が償却保証額に満たない場合（その年の前年における調整前償却額が償却保証額以上である場合に限る。）　　当該減価償却資産の当該取得価額 ロ　連続する２以上の年において減価償却資産の調整前償却額がいずれも償却保証額に満たない場合　　当該連続する２以上の年のうち最も古い年における(１)(ロ)に規定する取得価額
③	**鉱業用減価償却資産**	**イ**(２)に規定する鉱業用減価償却資産をいう。
④	**リース資産**	所有権移転外リース取引に係る賃借人が取得したものとされる減価償却資産をいう。
⑤	**所有権移転外リース取引**	第四節**三４**《リース取引に係る所得の金額の計算》②に規定するリース取引（以下⑤及び⑦において「リース取引」という。）のうち、次のいずれかに該当するもの（これらに準ずるものを含む。）以外のものをいう。 イ　リース期間終了の時又はリース期間の中途において、当該リース取引に係る契約において定められている当該リース取引の目的とされている資産（以下⑤において「目的資産」という。）が無償又は名目的な対価の額で当該リース取引に係る賃借人に譲渡されるものであること。 ロ　当該リース取引に係る賃借人に対し、リース期間終了の時又はリース期間の中途において目的資産を著しく有利な価額で買い取る権利が与えられているものであること。 ハ　目的資産の種類、用途、設置の状況等に照らし、当該目的資産がその使用可能期間中当該リース取引に係る賃借人によってのみ使用されると見込まれるものであること又は当該目的資産の識別が困難であると認められるものであること。 ニ　リース期間が目的資産の**9**《償却率及び残存価額》**イ**又は同**ロ**に規定する財務省令（別表七又は八）で定める耐用年数に比して相当短いもの（当該リース取引に係る賃借人の所得税の負担を著しく軽減することになると認められるものに限る。）であること。
⑥	**残価保証額**	リース期間終了の時にリース資産の処分価額が所有権移転外リース取引に係る契約において定められている保証額に満たない場合にその満たない部分の金額を当該所有権移転外リース取引に係る賃借人がその賃貸人に支払うこととされている場合における当該保証額をいう。
⑦	**リース期間**	リース取引に係る契約において定められているリース資産の賃貸借の期間をいう。

（所有権移転外リース取引に該当しないリース取引に準ずるものの意義）

（３）（２）表内⑤に規定する「これらに準ずるもの」として同号に規定する所有権移転外リース取引（以下⑿において同じ。）に該当しないものとは、例えば、次に掲げるものをいう。（基通49－30の２）

㈠　リース期間（第四節**三４**②《リース取引の要件》に規定するリース取引（以下（３）、（４）から（７）まで、（９）、⑽、⑿及び⒀において「リース取引」という。）に係る契約において定められたリース資産（同**４**①に規定するリース資産をいう。以下（３）、（４）、（５）、（７）から⒀までにおいて同じ。）の賃貸借期間をいう。以下（４）、（５）、（７）及び（９）から⒁までにおいて同じ。）の終了後、無償と変わらない名目的な再リース料によって再リースをすることがリース取引に係る契約において定められているリース取引（リース取引に係る契約書上そのことが明示されていないリース取引であって、事実上、当事者間においてそのことが予定されていると認められるものを含む。）

㈡　賃貸人に対してそのリース取引に係るリース資産の取得資金の全部又は一部を貸し付けている金融機関等が、賃借人から資金を受け入れ、当該資金をして当該賃借人のリース料等の債務のうち当該賃貸人の借入金の元利に対応する部分の引受けをする構造になっているリース取引

（著しく有利な価額）

（４）リース期間終了の時又はリース期間の中途においてリース資産を買い取る権利が与えられているリース取引について、賃借人がそのリース資産を買い取る権利に基づき当該リース資産を購入する場合の対価の額が、賃貸人において当該リース資産につき**８イ**に規定する財務省令で定める耐用年数（以下（７）、（９）及び⒁において「耐用年数」という。）を基礎として定率法により計算するものとした場合におけるその購入時の未償却残額に相当する金額（当該未償却残額が当該リース資産の取得価額の５％相当額未満の場合には、当該５％相当額）以上の金額とされているときは、当該対価の額が当該権利行使時の公正な市場価額に比し著しく下回るものでない限り、当該対価の額は（２）の⑤のロに規定する「著しく有利な価額」に該当しないものとする。（基通49－30の３）

（専属使用のリース資産）

（５）次に掲げるリース取引は、（２）表内⑤ハに規定する「その使用可能期間中当該リース取引に係る賃借人によってのみ使用されると見込まれるもの」に該当することに留意する。（基通49－30の４）

㈠　建物、建物附属設備又は構築物（建設工事等の用に供する簡易建物、広告用の構築物等で移設が比較的容易に行い得るもの又は賃借人におけるそのリース資産と同一種類のリース資産に係る既往のリース取引の状況、当該リース資産の性質その他の状況からみて、リース期間の終了後に当該リース資産が賃貸人に返還されることが明らかなものを除く。）を対象とするリース取引

㈡　機械装置等で、その主要部分が賃借人における用途、その設置場所の状況等に合わせて特別な仕様により製作されたものであるため、当該賃貸人が当該リース資産の返還を受けて再び他に賃貸又は譲渡することが困難であって、その使用可能期間を通じて当該賃借人においてのみ使用されると認められるものを対象とするリース取引

（専用機械装置等に該当しないもの）

（６）次に掲げる機械装置等を対象とするリース取引は、（５）㈡に定めるリース取引には該当しないものとする。（基通49－30の５）

㈠　一般に配付されているカタログに示された仕様に基づき製作された機械装置等

㈡　その主要部分が一般に配付されているカタログに示された仕様に基づき製作された機械装置等で、その附属部分が特別の仕様を有するもの

㈢　㈠及び㈡に掲げる機械装置等以外の機械装置等で、改造を要しないで、又は一部改造の上、容易に同業者等において実際に使用することができると認められるもの

（形式基準による専用機械装置等の判定）

（７）機械装置等を対象とするリース取引が、当該リース取引に係るリース資産の耐用年数の100分の80に相当する年数（１年未満の端数がある場合には、その端数を切り捨てる。）以上の年数をリース期間とするものである場合は、当該リース取引は（２）表内⑤ハに規定する「その使用可能期間中当該リース取引に係る賃借人によってのみ使用されると見込まれるもの」には該当しないものとして取り扱うことができる。（基通49－30の６）

（識別困難なリース資産）

（8）　（2）表内⑤ハに規定する「当該目的資産の識別が困難であると認められるもの」かどうかは、賃貸人及び賃借人において、そのリース資産の性質及び使用条件等に適合した合理的な管理方法によりリース資産が特定できるように管理されているかどうかにより判定するものとする。（基通49－30の7）

（相当短いものの意義）

（9）　（2）表内⑤ニに規定する「相当短いもの」とは、リース期間が当該リース資産について定められている耐用年数の100分の70（耐用年数が10年以上のリース資産については、100分の60）に相当する年数（1年未満の端数がある場合には、その端数を切り捨てる。）を下回る期間であるものとする。（基通49－30の8）

（注）1　一のリース取引において耐用年数の異なる数種の資産を取引の対象としている場合（当該数種の資産について、同一のリース期間を設定している場合に限る。）において、それぞれの資産につき耐用年数を加重平均した年数（賃借人における取得価額をそれぞれの資産ごとに区分した上で、その金額ウェイトを計算の基礎として算定した年数をいう。）により判定を行っているときは、これを認めるものとする。

2　再リースをすることが明らかな場合には、リース期間に当該再リースの期間を含めて判定する。

（税負担を著しく軽減することになると認められないもの）

(10)　リース取引について、賃借人におけるそのリース資産と同一種類のリース資産に係る既往のリース取引の状況、当該リース資産の性質その他の状況からみて、リース期間の終了後に当該リース資産が賃貸人に返還されることが明らかなものは、（2）表内⑤ニに規定する「当該リース取引に係る賃借人の所得税の負担を著しく軽減することになると認められるもの」には該当しないことに留意する。（基通49－30の9）

（賃借人におけるリース資産の取得価額）

(11)　賃借人におけるリース資産の取得価額は、原則として、そのリース期間中に支払うべきリース料の額の合計額による。ただし、そのリース料の額の合計額のうち利息相当額から成る部分の金額を合理的に区分することができる場合には、当該リース料の額の合計額から当該利息相当額を控除した金額を当該リース資産の取得価額とすることができる。（基通49－30の10）

（注）1　再リース料の額は、原則として、リース資産の取得価額に算入しない。ただし、再リースをすることが明らかな場合には、当該再リース料の額は、リース資産の取得価額に含まれる。

2　リース資産を業務の用に供するために賃借人が支出する付随費用の額は、リース資産の取得価額に含まれる。

3　本文ただし書によりリース料の額の合計額から利息相当額を控除した金額を当該リース資産の取得価額とする場合には、当該利息相当額はリース期間の経過に応じて利息法又は定額法により必要経費の額に算入する。

（リース期間終了の時に賃借人がリース資産を購入した場合の取得価額等）

(12)　賃借人がリース期間終了の時にそのリース取引の目的物であった資産を購入した場合（そのリース取引が（2）の⑤のイ若しくはロに掲げるもの又はこれらに準ずるものに該当する場合を除く。）には、その購入の直前における当該資産の取得価額にその購入代価の額を加算した金額を取得価額とし、当該資産に係るその後の償却費は、次に掲げる区分に応じ、それぞれ次により計算する。（基通49－30の11）

（一）　当該資産に係るリース取引が所有権移転リース取引（所有権移転外リース取引に該当しないリース取引をいう。）であった場合　　引き続き当該資産につき選定している償却の方法により計算する。

（二）　当該資産に係るリース取引が所有権移転外リース取引であった場合　　当該資産と同じ資産の区分である他の減価償却資産（リース資産に該当するものを除く。以下(12)において同じ。）につき選定している償却の方法に応じ、それぞれ次により計算する。

イ　その選定している償却の方法が定額法である場合　　その購入の直前における当該資産の未償却残額にその購入代価の額を加算した金額を取得価額とみなし、当該資産と同じ資産の区分である他の減価償却資産に適用される耐用年数から当該資産に係るリース期間を控除した年数（1年未満の端数がある場合には、その端数を切り捨て、2年に満たない場合には、2年とする。）に応ずる償却率により計算する。

ロ　その選定している償却の方法が定率法である場合　　当該資産と同じ資産の区分である他の減価償却資産に適用される耐用年数に応ずる償却率、改定償却率及び保証率により計算する。

（注）　当該年の中途にリース期間が終了する場合の当該年分の償却費の額は、リース期間終了の日以前の期間につきリース期間定額法により計算した金額とリース期間終了の日後の期間につき（二）により計算した金額との合計額による。

（リース期間の終了に伴い返還を受けた資産の取得価額）

(13)　賃貸人がリース期間の終了に伴いそのリース取引の目的物であった資産につき賃借人から返還を受けた場合には、当該リース期間終了の時に当該資産を取得したものとする。この場合における当該資産の取得価額は、原則として、返還の時の価額によるものとする。ただし、当該リース取引に係る契約において残価保証額の定めがあるときにおける当該資産の取得価額は、当該残価保証額とする。（基通49－30の12）

(注) 1　リース期間の終了に伴い再リースをする場合においても同様とする。

2　残価保証額とは、リース期間終了の時にリース資産の処分価額がリース取引に係る契約において定められている保証額に満たない場合にその満たない部分の金額を当該リース取引に係る賃借人その他の者がその賃貸人に支払うこととされている場合における当該保証額をいう。

（リース期間の終了に伴い取得した資産の耐用年数の見積り等）

(14)　賃貸人がリース期間の終了に伴いそのリース取引の目的物であった資産を賃借人から取得した場合における当該資産の償却費の計算は、次のいずれかの年数によることができる。（基通49－30の13）

(一)　当該資産につき適正に見積もったその取得後の使用可能期間の年数

(二)　次の場合の区分に応じそれぞれ次に定める年数（１年未満の端数がある場合には、その端数を切り捨て、２年に満たない場合は、２年とする。）

イ　当該資産に係るリース期間が当該資産について定められている耐用年数以上である場合　当該耐用年数の20%に相当する年数

ロ　当該資産に係るリース期間が当該資産について定められている耐用年数に満たない場合　当該耐用年数から当該リース期間を控除した年数に、当該リース期間の20%に相当する年数を加算した年数

ハ　減価償却資産の特別な償却の方法

居住者は、その有する生物（器具及び備品に該当するものを除く。）以外の減価償却資産（**ニ**《取替法》又は**ヘ**《特別な償却率による償却の方法》の適用を受けるもの並びに**イ**表内①(ロ)に掲げる建物及び同⑥の国外リース資産並びに**ロ**表内①(ロ)及び同⑥に掲げる減価償却資産を除く。)の償却費の額を当該資産の区分に応じて定められている**イ**表内①から同⑤まで又は**ロ**表内①から同⑤までに定める償却の方法に代え、当該償却の方法以外の償却の方法（同③(イ)に掲げる減価償却資産（(2)において「鉱業用建築物」という。）にあっては、定率法その他これに準ずる方法を除く。以下**ハ**において同じ。）により計算することについて納税地の所轄税務署長の承認を受けた場合には、当該資産のその承認を受けた日の属する年分以後の各年分の償却費の額の計算については、その承認を受けた償却の方法を選定することができる。（令120の３①）

（申請書の提出）

(1)　**ハ**の承認を受けようとする居住者は、次の(一)から(六)までに掲げる事項を記載した申請書を納税地の所轄税務署長に提出しなければならない。（令120の３②、規24）

(一)	申請をする者の氏名及び住所
(二)	その採用しようとする償却の方法の内容
(三)	その方法を採用しようとする理由
(四)	その方法により償却費の額の計算をしようとする資産の種類（償却の方法の選定の単位を設備の種類とされているものについては、設備の種類とし、２以上の事業所又は船舶を有する居住者で事業所又は船舶ごとに償却の方法を選定しようとする場合にあっては、事業所又は船舶ごとのこれらの種類とする。(2)において同じ。）
(五)	その採用しようとする償却の方法が**10ロ**《年の中途で業務の用に供した減価償却資産等の償却費の特例》の①の(一)から(三)のイ又はロのいずれに類するかの別
(六)	その他参考となるべき事項

（申請に対する承認又は却下）

(2)　税務署長は、(1)の申請書の提出があった場合には、遅滞なく、これを審査し、その申請に係る償却の方法及び資産の種類を承認し、又はその申請に係る償却の方法によってはその居住者の各年分の不動産所得の金額、事業所得の金額、山林所得の金額又は雑所得の金額の計算が適正に行われ難いと認めるとき（その申請に係る資産の種類が鉱

業用建築物である場合に当該償却の方法が定率法その他これに準ずる方法であると認めるときを含む。）は、その申請を却下する。（令120の３③）

（承認の取消し）

（3）　税務署長は、**ハ**の承認をした後、その承認に係る償却の方法によりその承認に係る減価償却資産の償却費の額の計算をすることを不適当とする特別の事由が生じたと認める場合には、その承認を取り消すことができる。（令120の３④）

（処分の通知）

（4）　税務署長は、(2)又は(3)の処分をするときは、その処分に係る居住者に対し、書面によりその旨を通知する。（令120の３⑤）

（取消処分の効果）

（5）　(3)の取消処分があった場合には、その処分のあった日の属する年分以後の各年分の不動産所得の金額、事業所得の金額、山林所得の金額又は雑所得の金額を計算する場合のその処分に係る減価償却資産の償却費の額の計算についてその処分の効果が生ずるものとする。（令120の３⑥）

（特別な償却の方法の選定単位）

（6）　特別な償却の方法の選定は、**6イ**《償却の方法の選定区分》に定める区分ごとに行うべきものであるが、減価償却資産の種類の区分ごとに、かつ、耐用年数の異なるものごとに選定して差し支えない。この場合において、機械及び装置以外の減価償却資産の種類は、耐用年数省令に規定する減価償却資産の種類（その種類につき構造若しくは用途又は細目の区分が定められているものについては、その構造若しくは用途又は細目の区分）とし、機械及び装置の種類は、減価償却資産の耐用年数等に関する省令の一部を改正する省令（平成20年財務省令第32号）による改正前の耐用年数省令（以下「旧耐用年数省令」という。）に定める設備の種類（その設備の種類につき細目の区分が定められているものについては、その細目の区分）の区分とする。（基通49－１の７）

（特別な償却の方法の承認）

（7）　**ハ**の規定による特別な償却の方法について申請書の提出があった場合には、その申請に係る償却の方法が、申請に係る減価償却資産の種類、構造、属性、使用状況等からみてその減価償却資産の償却につき適合するものであるかどうか、償却費の計算の基礎となる償却率、生産高、残存価額等が合理的に算定されているかどうかなどを勘案して承認の適否を判定する。この場合において、その方法が次に掲げる条件に該当するものであるときは、これを承認する。（基通49－２）

(一)　その方法が算術級数法のように旧定額法、旧定率法、定額法又は定率法に類するものであるときは、その償却年数が、法定耐用年数より短くないこと。

なお、平成19年３月31日以前に取得した減価償却資産については、その残存価額が取得価額の10％相当額以上であること。

(二)　その方法が生産高、使用時間、使用量等を基礎とするものであるときは、その方法がその減価償却資産の償却につき旧定額法、旧定率法、定額法又は定率法より合理的なものであり、かつ、その減価償却資産に係る総生産高、総使用時間、総使用量等が合理的に計算されるものであること。

なお、平成19年３月31日以前に取得した減価償却資産については、その残存価額が取得価額の10％相当額以上であること。

(三)　その方法が取替法に類するものであるときは、申請に係る減価償却資産の属性、取替状況等が取替法の対象となる減価償却資産に類するものであり、その取得価額の50％相当額に達するまで定額法等により償却することとされていること。

（注）　特別な償却の方法の承認を受けている減価償却資産について資本的支出をした場合には、当該資本的支出は当該承認を受けている特別な償却の方法により償却を行うことができることに留意する。

（特別な償却の方法の承認が取り消された場合の償却の方法の届出）

（8）　居住者は、(3)の処分を受けた場合には、その処分を受けた日の属する年分の所得税に係る確定申告期限までに、その処分に係る減価償却資産につき、**6イ**の償却の方法の選定区分（２以上の事業所又は船舶を有する居住者で事業所又は船舶ごとに償却の方法を選定しようとする場合にあっては、事業所又は船舶ごとの当該区分）ごとに**イ**又は**ロ**の減価償却資産の償却の方法のうちそのよるべき方法を書面により納税地の所轄税務署長に届け出なければならない。ただし、無形減価償却資産については、この限りでない。（令120の３⑦）

（船舶の特別な償却方法による減価償却について）

（９）　昭和51年11月１日付海監第380号による運輸省（現・国土交通省、以下同様）通達「新しい減価償却方法の導入について」に定める「運航距離比例法」は、船舶の償却方法として合理的なものと認められるので、運航距離比例法の適用が認められる下記別表第21号表に掲げる船種に属する船舶について、居住者から（１）に定める申請書の提出があった場合には、下記に留意の上、その方法によっては所得の金額の計算が適正に行われ難いと認められる場合を除き、原則としてその申請を承認することに取り扱われたい。（昭51直法２－40、直所３－29、査調４－３、編者補正）

（一）　当該居住者が撮要日誌（撮要日誌に代えて船用航海日誌の写し又は船舶運航実績報告書を使用している居住者にあっては、当該写し又は報告書）を完備していないとき、又は申請に係る船舶の用途が過去の運航状況等からみて一定していないと認められるときは、「所得の金額の計算が適正に行われ難いと認めるとき」に該当するものとして、その申請を却下する。

（二）　（１）の申請及び（４）の通知は、個々の船舶ごとに行うものとする。

（三）　（１）に規定する申請書には、その申請に係る船舶の船名、船種並びに生涯運航可能距離（既に事業の用に供している船舶の償却方法を運航距離比例法に変更しようとする場合には、その変更年度以後の運航可能距離とし、新たに取得した中古船の償却方法を運航距離比例法による場合には、その取得年度以後の運航可能距離とする。以下同じ。）及びその計算の根拠を併せて記載させるとともに、それらの記載が事実と相違ないことを証明するに足る書類（船舶検査証書、造船契約書、最近における運送契約書等の写し等）及び撮要日誌が完備していることを証する書類を添付させるものとする。

（四）　（４）の通知の書面には、その承認に係る船舶の船名及びその償却限度額の計算の基礎となる生涯運航可能距離を併せて記載するものとする。

（五）　居住者が二以上の船舶の償却について運航距離比例法を採用している場合には、それらの船舶のうちに構造若しくは用途又は細目を同じくするものがあるときでも、個々の船舶ごとに償却限度額を計算するものとする。

（六）　船舶の償却につき運航距離比例法を採用している居住者は、各年分の確定申告書に、運輸省通達別紙（１）のⅡに定める実運航距離報告書（掲載省略）の写しを添付するものとする。

（七）　転用により当該船舶が海運企業財務諸表準則別表第21号表（下掲）に掲げる船種以外の船種に属することとなった場合には、当該居住者から速やかにその旨の届出を徴し、（３）の規定により、遅滞なく当該船舶に係る特別な償却方法の承認を取り消すものとする。

〈参考〉海運企業財務諸表準則（抄）

第36条　船舶の減価償却については、定額法又は定率法（別表第21号表の船舶の種類の欄に掲げる船舶にあっては、定額法、定率法又は運航距離比例法）以外の償却の方法により行うことはできない。

２　前項の運航距離比例法とは、当該船舶の取得価額からその残存価額を控除した金額を当該船舶の生涯運航可能距離で除して計算した一定単位当たりの金額に各事業年度における当該船舶の実運航距離（当該船舶に備え置かれた船用航海日誌に記入された実測距離をいう。）を乗じて計算した金額を当該事業年度の償却限度額として償却する方法をいう。

３　前項の生涯運航可能距離は、当該船舶の最大航海速力（海上試運転における連続最大出力時の速力をいう。）に別表第21号表に掲げる船舶の種類ごとに同表に定める係数を乗じて計算した値とする。

別表第21号表（第36条関係）

船舶の種類		係数
外航船舶等	油送船（総トン数５万トン以上のものに限る。）	81,000
	鉄鉱石専用船	81,000
	石炭専用船	74,000
	自動車専用船	80,000
	コンテナ船	67,000
内航船舶	油送船（ＬＰＧ船を含み、総トン数２千トン未満のものに限る。）	43,000

	特殊タンク船（ＬＰＧ船を除く。）	39,000
	石炭専用船	60,000
	石灰石専用船	51,000
	セメント専用船	52,000
	自動車専用船（総トン数２千トン未満のものに限る。）	67,000

二　取替資産に係る償却の方法の特例

取替資産の償却費の額の計算については、納税地の所轄税務署長の承認を受けた場合には、その採用している**イ**表内②又は**ロ**①若しくは同②に定める償却の方法（旧定額法、旧定率法、定額法又は定率法）に代えて、**取替法**を選定することができる。（令121①）

（取替法の意義）

（1）　取替法とは、次の(一)及び(二)に掲げる金額の合計額を各年分の償却費として償却する方法をいう。（令121②）

(一)	当該取替資産につきその取得価額（その年以前の各年に係る(二)に掲げる新たな資産の取得価額に相当する金額を除くものとし、当該資産が昭和27年12月31日以前に取得された資産である場合には、当該資産に係る昭和28年１月１日における価額として計算した金額（同日現在の相続税評価額）とする。）の100分の50に達するまで旧定額法、旧定率法、定額法又は定率法のうちのその採用している方法により計算した金額
(二)	当該取替資産が使用に耐えなくなったためその年において種類及び品質を同じくするこれに代わる新たな資産と取り替えた場合におけるその新たな資産の取得価額

（取替資産の意義）

（2）　取替資産とは、事業所得を生ずべき事業の用に供される軌条、まくら木その他多量に同一の目的のために使用される減価償却資産で、毎年使用に耐えなくなったこれらの資産の一部がほぼ同数量ずつ取り替えられるもののうち次の(一)から(五)までに掲げるものとする。（令121③、規24の２）

(一)	鉄道設備又は軌道設備に属する構築物のうち、軌条及びその附属品、枕木、分岐器、ボンド、信号機、通信線、信号線、電灯電力線、送配電線、き電線、電車線、第三軌条並びに電線支持物（鉄柱、鉄塔、コンクリート柱及びコンクリート塔を除く。）
(二)	送電設備に属する構築物のうち、木柱、がい子、送電線、地線及び添架電話線
(三)	配電設備に属する構築物のうち、木柱、配電線、引込線及び添架電話線
(四)	電気事業用配電設備に属する機械及び装置のうち、計器、柱上変圧器、保安開閉装置、電力用蓄電器及び屋内配線
(五)	ガス又はコークスの製造設備及びガスの供給設備に属する機械及び装置のうち、鋳鉄ガス導管（口径20.32センチメートル以下のものに限る。）、鋼鉄ガス導管及び需要者用ガス計量器

（取替法採用の承認申請）

（3）　取替法採用の承認を受けようとする居住者は、取替法を採用しようとする年の３月15日までに、次の(一)から(四)までに掲げる事項を記載した申請書を納税地の所轄税務署長に提出しなければならない。（令121④、規25）

(一)	取替法の適用を受けようとする減価償却資産の種類、名称及びその所在する場所
(二)	申請書を提出する者の氏名及び住所
(三)	取替法を採用しようとする年の１月１日（年の中途において事業所得を生ずべき事業を開始した場合には、その日）において見込まれるその適用を受けようとする減価償却資産の種類ごとの数量並びにその取得価額の合計額及び償却後の価額の合計額
(四)	その他参考となるべき事項

（申請の却下）

（4）　税務署長は、（3）の申請書の提出があった場合において、その申請に係る減価償却資産の償却費の計算を取替法によって行う場合にはその居住者の各年分の事業所得の金額の計算が適正に行われ難いと認めるときは、その申請を却下することができる。（令121⑤）

（承認又は却下の処分の通知）

（5）　税務署長は（3）の申請書の提出があった場合において、その申請につき承認又は却下の処分をするときは、その申請をした居住者に対し書面によりその旨を通知する。（令121⑥）

（みなす承認）

（6）　（3）の申請書の提出があった場合において、その申請に係る取替法を採用しようとする年の12月31日（その申請書を提出した居住者がその年の中途において死亡し又は出国をした場合には、その死亡又は出国の時）までにその申請につき承認又は却下の処分がなかったときは、その日又は時においてその承認があったものとみなす。（令121⑦）

ホ　リース賃貸資産の償却の方法の特例

リース賃貸資産（**イ**（1）（ニ）に規定する改正前リース取引の目的とされている減価償却資産（同（ニ）に規定する国外リース資産を除く。）をいう。以下**ホ**において同じ。）については、その採用している**イ**又は**ロ**に規定する償却の方法に代えて、旧リース期間定額法（当該リース賃貸資産の改定取得価額を改定リース期間の月数で除して計算した金額にその年における当該改定リース期間の月数を乗じて計算した金額を各年分の償却費として償却する方法をいう。）を選定することができる。（令121の２①）

（注）　**ホ**《リース賃貸資産の償却の方法の特例》の規定は、平成20年分以後の所得税について適用する。（平19改令附12②）

（旧リース期間定額法を適用を受けようとする場合の届出）

（1）　**ホ**の規定の適用を受けようとする居住者は、**ホ**に規定する旧リース期間定額法を採用しようとする年分の所得税に係る確定申告期限までに、**ホ**の規定の適用を受けようとするリース賃貸資産の**ハ**《減価償却資産の特別な償却の方法》（1）に規定する資産の種類その他（4）で定める事項を記載した届出書を納税地の所轄税務署長に提出しなければならない。（令121の２②）

（改定取得価額）

（2）　**ホ**に規定する改定取得価額とは、**ホ**の規定の適用を受けるリース賃貸資産の当該適用を受ける最初の年の１月１日（当該リース賃貸資産が同日後に賃貸の用に供したものである場合には、当該賃貸の用に供した日）における取得価額（既に償却費としてその年の前年分以前の各年分の不動産所得の金額、事業所得の金額、山林所得の金額又は雑所得の金額の計算上必要経費に算入された金額がある場合には、当該金額を控除した金額）から残価保証額（当該リース賃貸資産の**ホ**に規定する改正前リース取引に係る契約において定められている当該リース賃貸資産の賃貸借の期間（以下（2）において「リース期間」という。）の終了の時に当該リース賃貸資産の処分価額が当該改正前リース取引に係る契約において定められている保証額に満たない場合にその満たない部分の金額を当該改正前リース取引に係る賃借人その他の者がその賃貸人に支払うこととされている場合における当該保証額をいい、当該保証額の定めがない場合には零とする。）を控除した金額をいい、**ホ**に規定する改定リース期間とは、**ホ**の規定の適用を受けるリース賃貸資産のリース期間（当該リース賃貸資産が他の者から移転を受けたもの（第五章第二節**二十四３**①《贈与等により取得した資産の取得費等》イ又は同ロに掲げる事由により移転を受けた**７イ**《減価償却資産の取得価額》（1）に規定する減価償却資産を除く。）である場合には、当該移転の日以後の期間に限る。）のうち**ホ**の規定の適用を受ける最初の年の１月１日以後の期間（当該リース賃貸資産が同日以後に賃貸の用に供したものである場合には、当該リース期間）をいう。（令121の２③）

（端数処理）

（3）　**ホ**の月数は、暦に従って計算し、１月に満たない端数を生じたときは、これを１月とする。（令121の２④）

（旧リース期間定額法を採用する場合の届出書の記載事項）

（4）　（1）に規定する（4）で定める事項は、次の①から③までに掲げる事項とする。（規25の２）

①	（1）に規定する届出書を提出をする者の氏名及び住所

②	**ホ**に規定する旧リース期間定額法を採用しようとする資産の種類（(1)に規定する資産の種類をいう。）ごとの(2)に規定する改定取得価額の合計額
③	その他参考となるべき事項

へ　特別な償却率による償却の方法

減価償却資産（**ロ**表内⑥《減価償却資産の償却の方法》に掲げるリース資産を除く。）のうち、次の①から⑥までに掲げるものの償却費の額の計算については、その採用している**イ**《平成19年３月31日以前に取得された減価償却資産の償却の方法》又は**ロ**《平成19年４月１日以後に取得された減価償却資産の償却の方法》に規定する償却の方法に代えて、当該資産の取得価額に当該資産につき納税地の所轄国税局長の認定を受けた償却率を乗じて計算した金額を各年分の償却費の額として償却する方法を選定することができる。（令122①、規26）

①	漁網、活字に常用されている金属
②	なっ染用銅ロール
③	映画用フィルム（２以上の常設館において順次上映されるものに限る。）
④	非鉄金属圧延用ロール（電線圧延用ロールを除く。）
⑤	短期間にその型等が変更される製品でその生産期間があらかじめ生産計画に基づき定められているものの生産のために使用する金型その他の工具で、当該製品以外の製品の生産のために使用することが著しく困難であるもの
⑥	①から⑤までに掲げる資産に類するもの

（特別な償却率の認定申請）

（1）　**へ**の認定を受けようとする居住者は、次の㈠から㈤までに掲げる事項を記載した申請書に当該認定に係る償却率の算定の基礎となるべき事項を記載した書類を添付し、納税地の所轄税務署長を経由して、これを納税地の所轄国税局長に提出しなければならない。（令122②、規27）

㈠	特別な償却率の適用を受けようとする減価償却資産の種類、名称及びその所在する場所
㈡	申請をする者の氏名及び住所
㈢	申請書を提出する日の属する年の１月１日におけるその適用を受けようとする減価償却資産の種類ごとの数量並びにその取得価額の合計額及び償却後の価額の合計額
㈣	認定を受けようとする償却率
㈤	その他参考となるべき事項

（特別な償却率の認定）

（2）　国税局長は、(1)の申請書の提出があった場合には、遅滞なく、これを審査し、その申請に係る減価償却資産の償却率を認定するものとする。（令122③）

（認定に係る償却率の変更処分）

（3）　国税局長は、償却率の認定をした後、その認定に係る償却率により減価償却資産の償却費の額の計算をすることを不適当とする特別の事由が生じたと認める場合には、その償却率を変更することができる。（令122④）

（償却率の認定又は変更の処分の通知）

（4）　国税局長は、(2)又は(3)の処分をするときは、その認定に係る居住者に対し、書面によりその旨を通知する。（令122⑤）

（償却率の認定又は変更の処分の効果）

（5）　(2)又は(3)の処分があった場合には、その処分のあった日の属する年分以後の各年分の不動産所得の金額、事業所得の金額又は雑所得の金額を計算する場合のその処分に係る減価償却資産の償却費の額の計算についてその処分の効果が生ずるものとする。（令122⑥）

6　減価償却資産の償却の方法の選定等

イ　償却の方法の選定区分

5イ又は同**ロ**の減価償却資産の償却の方法は、**5イ**《平成19年３月31日以前に取得された減価償却資産の償却の方法》表内①から同⑥まで又は**5ロ**《平成19年４月１日以後に取得された減価償却資産の償却の方法》表内①から同⑥までに掲げる減価償却資産ごとに、かつ、**5イ**表内①イ、同②、同③及び同⑤並びに**5ロ**表内①(イ)、同②、同③(イ)、同③(ロ)及び同⑤に掲げる減価償却資産については設備の種類その他の次の①から⑥までに掲げる減価償却資産の区分ごとに選定しなければならない。この場合において、２以上の事業所又は船舶を有する居住者は、事業所又は船舶ごとに償却の方法を選定することができる。(令123①、規28)

①	機械及び装置以外の減価償却資産のうち減価償却資産の耐用年数省令別表第一《機械及び装置以外の有形減価償却資産の耐用年数表》の適用を受けるもの	同表に規定する種類
②	機械及び装置のうち耐用年数省令別表第二《機械及び装置の耐用年数表》の適用を受けるもの	同表に規定する設備の種類
③	汚水処理又はばい煙処理の用に供されている減価償却資産のうち耐用年数省令別表第五《公害防止用減価償却資産の耐用年数表》の適用を受けるもの	同表に規定する種類
④	開発研究の用に供されている減価償却資産のうち耐用年数省令別表第六《開発研究用減価償却資産の耐用年数表》の適用を受けるもの	同表に規定する種類
⑤	坑道及び鉱業権（試掘権を除く。）	当該坑道及び鉱業権に係る耐用年数省令別表第二に規定する設備の種類
⑥	試掘権	当該試掘権に係る耐用年数省令別表第二に規定する設備の種類

(注) 1　上記**イ**の規定は、平成21年分以後の所得税について適用し、平成20年分以前の所得税については、なお従前の例による。(平20改所規附4①)

2　個人が、平成21年分の所得税について、その有する異なる旧区分に属する減価償却資産につき同一の償却の方法を選定している場合（その償却の方法を届け出なかったことにより改正前の**ハ**（旧令第125条《減価償却資産の法定償却方法》）に規定する償却の方法によるべきこととされている場合を含む。）において、当該異なる旧区分に属する減価償却資産が同一の新区分に属することとなったときは、当該同一の新区分に属することとなった減価償却資産につき当該同一の償却の方法を選定したものとみなす。(平20改所規附4②)

3　個人が、平成21年分の所得税について、その有する異なる旧区分に属する減価償却資産であって、そのよるべき償却の方法として異なる償却の方法を選定しているもの（その償却の方法を届け出なかったことにより改正前の**ハ**（旧令第125条）に規定する償却の方法によるべきこととされているものを含む。）が同一の新区分に属することとなった場合において、平成21年分の所得税に係る確定申告期限までに、次に掲げる事項を記載した届出書を納税地の所轄税務署長に提出したときは、当該届出書をもって改正後の**ニ**(１)（新令第124条第２項《減価償却資産の償却の方法の変更手続》）の申請書とみなし、当該届出書の提出をもって同**ニ**(１)の承認があったものとみなす。(平20改所規附4③)

(一)　当該届出書を提出する者の氏名及び住所（国内に住所がない場合には、居所）

(二)　その償却の方法を変更しようとする減価償却資産の種類及び構造若しくは用途、細目又は設備の種類の区分（２以上の事業所又は船舶を有する個人で事業所又は船舶ごとに償却の方法を選定していないものが事業所又は船舶ごとに償却の方法を選定しようとする場合には、事業所又は船舶ごとのこれらの区分）

(三)　現によっている償却の方法及びその償却の方法を採用した年月日

(四)　採用しようとする新たな償却の方法

(五)　その他参考となるべき事項

4　個人が、平成21年分の所得税について、その有する異なる旧区分に属する減価償却資産であって、そのよるべき償却の方法として異なる償却の方法を選定しているもの（その償却の方法を届け出なかったことにより改正前の**ハ**（旧令第125条）に規定する償却の方法によるべきこととされているものを含む。）が同一の新区分に属することとなった場合において、３又は改正後の**ニ**（新令第124条）の規定により償却の方法の変更をしなかったときは、当該新区分に属する減価償却資産につき償却の方法を選定しなかったものとみなして、改正後の**ハ**（新令第125条《減価償却資産の法定償却方法》）の規定を適用する。(平20改所規附4④)

5　この(注)において、次の(一)又は(二)に掲げる用語の意義は、当該(一)又は(二)に定めるところによる。(平20改所規附4⑤)

(一)　旧区分　　減価償却資産の耐用年数等に関する省令の一部を改正する省令（平成20年財務省令第32号。(二)において「耐用年数改正省令」という。）による改正前の減価償却資産の耐用年数等に関する省令（昭和40年大蔵省令第15号）別表第１、別表第２又は別表第５から別表第８まで《有形減価償却資産の耐用年数表》の規定に基づく改正前の**イ**の①から⑧まで（改正前の所得税法施行規則（以下「旧規則」という。）第28条各号《償却の方法の選定の単位》）に定める種類の区分をいい、２以上の事業所又は船舶を有する個人で事業所又は船舶ごとに償却の方法を選定している場合にあっては、事業所又は船舶ごとの当該区分をいう。

(二)　新区分　　耐用年数改正省令による改正後の減価償却資産の耐用年数等に関する省令別表第１、別表第２、別表第５又は別表第６《有形減価償却資産の耐用年数表》の規定に基づく改正後の**イ**の①から⑥まで（改正後の新規則第28条各号）に定める種類の区分をいい、２以上の事業所又は船舶を有する個人で事業所又は船舶ごとに償却の方法を選定しようとする場合にあっては、事業所又は船舶ごとの当該区分をいう。

〈旧区分〉（旧規則28）

①	機械及び装置以外の減価償却資産のうち減価償却資産の耐用年数省令別表第一《機械及び装置以外の有形減価償却資産の耐用年数表》の適用を受けるもの	同表に規定する種類
②	機械及び装置のうち耐用年数省令別表第二《機械及び装置の耐用年数表》の適用を受けるもの	同表に規定する設備の種類
③	汚水処理の用に供されている減価償却資産のうち耐用年数省令別表第五《汚水処理用減価償却資産の耐用年数表》の適用を受けるもの	同表に規定する種類
④	ばい煙処理の用に直接供されている減価償却資産のうち耐用年数省令別表第六《ばい煙処理用減価償却資産の耐用年数表》の適用を受けるもの	同表に規定する種類
⑤	農業及び林業の用に供されている減価償却資産のうち耐用年数省令別表第七《農林業用減価償却資産の耐用年数表》の適用を受けるもの	同表に規定する種類
⑥	開発研究の用に供されている減価償却資産のうち耐用年数省令別表第八《開発研究用減価償却資産の耐用年数表》の適用を受けるもの	同表に規定する種類
⑦	坑道及び鉱業権（試掘権を除く。）	当該坑道及び鉱業権に係る耐用年数省令別表第二に規定する設備の種類
⑧	試掘権	当該試掘権に係る耐用年数省令別表第二に規定する設備の種類

ロ　償却の方法の選定の届出

居住者は、次の①から④に掲げる者の区分に応じ当該①から④に定める日の属する年分の所得税に係る確定申告期限までに、その有する減価償却資産と同一の区分（**イ**に定める区分をいい、２以上の事業所又は船舶を有する居住者で事業所又は船舶ごとに償却の方法を選定しようとする場合にあっては、事業所又は船舶ごとの当該区分をいう。）に属する減価償却資産につき、当該区分ごとに、**5イ**《平成19年３月31日以前に取得された減価償却資産の償却の方法》又は**5ロ**《平成19年４月１日以後に取得された減価償却資産の償却の方法》に定める償却の方法のうちそのよるべき方法を書面により納税地の所轄税務署長に届け出なければならない。ただし、**5イ**表内①(ロ)の平成10年３月31日以前に取得した建物以外の建物、無形減価償却資産（鉱業権を除く。）、生物（器具及び備品に含まれるものを除く。以下同じ。）及び同⑥の国外リース資産並びに**5ロ**表内①(ロ)、同④及び同⑥に掲げる資産についてはこの限りでない。（令123②）

(注)　これらの平成10年３月31日以前に取得した建物以外の建物、無形減価償却資産、生物又は**5イ**⑥の国外リース資産又は平成19年４月１日以後に取得した建物、無形減価償却資産、生物又は**5ロ**⑥のリース資産については、居住者が当該資産を取得した日において**5イ**①ロ、同④又は同⑥並びに**5ロ**①(ロ)、同④又は同⑥に定める償却の方法を選定したものとみなす。（令123⑤）

①	新たに不動産所得、事業所得、山林所得又は雑所得を生ずべき業務を開始した居住者	当該業務を開始した日
②	①の業務を開始した後既にそのよるべき償却の方法を選定している減価償却資産（その償却の方法を届け出なかったことにより**ハ**に規定する法定償却方法によるべきこととされているものを含む。）以外の減価償却資産を取得した居住者	当該資産を取得した日
③	新たに事業所を設けた居住者で、当該事業所に属する減価償却資産につき当該減価償却資産と同一の区分（**イ**に規定する区分をいう。）に属する資産について既に選定している償却の方法と異なる償却の方法を選定しようとするもの又は既に事業所ごとに異なる償却の方法を選定しているもの	新たに事業所を設けた日
④	新たに船舶を取得した居住者で、当該船舶につき当該船舶以外の船舶について既に選定している償却の方法と異なる償却の方法を選定しようとするもの又は既に船舶ごとに異なる償却の方法を選定しているもの	新たに船舶を取得した日

（償却の方法の選定の届出をしていない場合の新償却方法適用資産の取扱い）

（1）　平成19年３月31日以前に取得された減価償却資産（以下(1)において「旧償却方法適用資産」という。）につき既にそのよるべき償却の方法として旧定額法、旧定率法又は旧生産高比例法を選定している場合（その償却の方法を届け出なかったことにより**ハ**に規定する償却の方法によるべきこととされている場合を含むものとし、２以上の事業所又は船舶を有する場合で既に事業所又は船舶ごとに異なる償却の方法を選定している場合を除く。）において、同年４月１日以後に取得された減価償却資産（以下(1)において「新償却方法適用資産」という。）で、同年３月31日以前に取得されるとしたならば当該旧償却方法適用資産と同一の区分（**イ**に規定する区分をいう。）に属するものにつき**ロ**の規定による届出をしていないときは、当該新償却方法適用資産については、当該旧償却方法適用資産につき選定した次の①から③までに掲げる償却の方法の区分に応じ当該①から③までに定める償却の方法（**5ロ**表内③(イ)に掲げる減価償却資産に該当する新償却方法適用資産にあっては、当該旧償却方法適用資産につき選定した①又は③に掲げる償却の方法の区分に応じそれぞれ①又は③に定める償却の方法）を選定したものとみなす。ただし、当該新償却方法適用資産と同一の区分（**イ**に規定する区分をいう。）に属する他の新償却方法適用資産について、**ニ**の承認を受けている場合は、この限りでない。（令123③）

①	旧定額法	定額法
②	旧定率法	定率法
③	旧生産高比例法	生産高比例法

（鉱業用減価償却資産のうち平成28年３月31日以前に取得されたもの（旧選定対象資産）で定額法を選定している場合において、同日以前に取得されるとしたならば当該旧選定対象資産と同一の区分に属するものにつき**ロ**の規定による届出をしていないときの償却の方法）

（2）　**5ロ**表内③に掲げる減価償却資産のうち平成28年３月31日以前に取得されたもの（以下(2)において「旧選定対象資産」という。）につき既にそのよるべき償却の方法として定額法を選定している場合（２以上の事業所又は船舶を有する場合で既に事業所又は船舶ごとに異なる償却の方法を選定している場合を除く。）において、同③(イ)に掲げる減価償却資産（以下(2)において「新選定対象資産」という。）で、同日以前に取得されるとしたならば当該旧選定対象資産と同一の区分（**イ**に規定する区分をいう。以下(2)において同じ。）に属するものにつき**ロ**の規定による届出をしていないときは、当該新選定対象資産については、定額法を選定したものとみなす。ただし、当該新選定対象資産と同一の区分に属する他の新選定対象資産について、**ニ**の承認を受けている場合は、この限りでない。（令123④）

ハ　法定償却方法

居住者がその年12月31日において有する減価償却資産につき償却の方法を選定しなかった場合における法定償却方法は、次の①又は②に掲げる資産の区分に応じ当該①又は②に定める方法とする。（法49①、令125）

<table>
<tr><td rowspan="3">①</td><td rowspan="3">平成19年３月31日以前に取得された減価償却資産</td><td colspan="3">次に掲げる資産の区分に応じそれぞれ次に定める方法</td></tr>
<tr><td>イ</td><td>5イ表内①(イ)及び同②《減価償却資産の償却の方法》に掲げる減価償却資産</td><td>旧定額法</td></tr>
<tr><td>ロ</td><td>5イ表内③及び同⑤に掲げる減価償却資産</td><td>旧生産高比例法</td></tr>
<tr><td rowspan="3">②</td><td rowspan="3">平成19年４月１日以後に取得された減価償却資産</td><td colspan="3">次に掲げる資産の区分に応じそれぞれ次に定める方法</td></tr>
<tr><td>イ</td><td>5ロ表内①(イ)及び同②に掲げる減価償却資産</td><td>定額法</td></tr>
<tr><td>ロ</td><td>5ロ表内③及び同⑤に掲げる減価償却資産</td><td>生産高比例法</td></tr>
</table>

ニ　償却の方法の変更手続

居住者は、減価償却資産につき選定した償却の方法（その償却の方法を届け出なかった者がよるべきこととされている法定償却方法を含む。）を変更しようとするとき（２以上の事業所又は船舶を有する居住者で事業所又は船舶ごとに償却の方法を選定していないものが事業所又は船舶ごとに償却の方法を選定しようとするときを含む。）は、納税地の所轄税務署長の承認を受けなければならない。（令124①）

（償却方法の変更の承認申請）

（1）　償却方法の変更の承認を受けようとする居住者は、その新たな償却の方法を採用しようとする年の3月15日までに、次の(一)から(六)までに掲げる事項を記載した申請書を納税地の所轄税務署長に提出しなければならない。（令124②、規29）

(一)	申請をする者の氏名及び住所
(二)	償却方法の変更承認を受けようとする旨、変更しようとする理由
(三)	その償却方法を変更しようとする減価償却資産の種類及び構造若しくは用途、細目又は設備の種類の区分（2以上の事業所又は船舶を有する居住者で事業所又は船舶ごとに償却の方法を選定していないものが事業所又は船舶ごとに償却の方法を選定しようとする場合にあっては、事業所又は船舶ごとのこれらの区分）
(四)	現によっている償却の方法及びその償却の方法を採用した年月日
(五)	採用しようとする新たな償却の方法
(六)	その他参考となるべき事項

（申請の却下）

（2）　税務署長は、（1）の申請書の提出があった場合において、その申請書を提出した居住者が現によっている償却の方法を採用してから相当期間を経過していないとき、又は変更しようとする償却の方法によってはその者の各年分の不動産所得の金額、事業所得の金額、山林所得の金額又は雑所得の金額の計算が適正に行われ難いと認めるときは、その申請を却下することができる。（令124③）

（償却方法の変更申請があった場合の「相当期間」）

（3）　いったん採用した減価償却資産の償却の方法は特別の事情がない限り継続して適用すべきものであるから、現によっている償却の方法を変更するために（1）の規定に基づいてその変更承認申請書を提出した場合において、その現によっている償却の方法を採用してから3年を経過していないときは、その変更することについて特別な理由があるときを除き、（2）の相当期間を経過していないときに該当するものとする。（基通49－2の2）

(注)　その変更承認申請書の提出がその現によっている償却の方法を採用してから3年を経過した後になされた場合であっても、その変更することについて合理的な理由がないと認められるときは、その変更を承認しないことができることに留意する。

（承認又は却下の通知）

（4）　税務署長は、（1）の申請書の提出があった場合において、その申請につき承認又は却下の処分をするときは、その申請をした居住者に対し、書面によりその旨を通知する。（令124④）

（みなす承認）

（5）　（1）の申請書の提出があった場合において、その新たな償却の方法を採用しようとする年の12月31日（その申請書を提出した居住者がその年の中途において死亡し又は出国をした場合には、その死亡又は出国の時）までにその申請につき承認又は却下の処分がなかったときは、その日又は時においてその承認があったものとみなす。（令124⑤）

7　減価償却資産の取得価額

イ　減価償却資産の取得価額

減価償却資産の取得価額は、**ロ**《資本的支出があった場合の減価償却資産の取得価額の特例》以下の別段の定めがあるものを除き、次の①から⑤に掲げる資産の区分に応じ当該①から⑤に掲げる金額とする。（令126①）

①	購入した減価償却資産	次に掲げる金額の合計額 イ　当該資産の購入の代価（引取運賃、荷役費、運送保険料、購入手数料、関税（関税法第2条第1項第4号の2《定義》に規定する附帯税を除く。）その他当該資産の購入のために要した費用がある場合には、その費用の額を加算した金額） ロ　当該資産を業務の用に供するために直接要した費用の額

②	自己の建設、製作又は製造（以下「建設等」という。）に係る減価償却資産	次に掲げる金額の合計額 イ　当該資産の建設等のために要した原材料費、労務費及び経費の額 ロ　当該資産を業務の用に供するために直接要した費用の額
③	自己が成育させた**牛馬等**（**1**表内⑨イに掲げる動物をいう。）	次に掲げる金額の合計額 イ　成育させるために取得した牛馬等に係る①イ若しくは⑤イに掲げる金額又は種付費及び出産費の額並びに当該取得した牛馬等の成育のために要した飼料費、労務費及び経費の額 ロ　成育させた牛馬等を業務の用に供するために直接要した費用の額
④	自己が成熟させた**果樹等**（**1**表内⑨ロ及び同ハに掲げる植物をいう。）	次に掲げる金額の合計額 イ　成熟させるために取得した果樹等に係る①イ若しくは⑤イに掲げる金額又は種苗費の額並びに当該取得した果樹等の成熟のために要した肥料費、労務費及び経費の額 ロ　成熟させた果樹等を業務の用に供するために直接要した費用の額
⑤	①から④に掲げる方法以外の方法により取得した減価償却資産	次に掲げる金額の合計額 イ　その取得の時における当該資産の取得のために通常要する価額 ロ　当該資産を業務の用に供するために直接要した費用の額

（贈与等により取得した資産の取得費等）

（1）　第五章第二節**二十四3**《贈与等により取得した資産の取得費等》①《みなし譲渡課税の適用を受けない贈与等》に掲げる事由により取得した減価償却資産（第一節**二2**《棚卸資産の贈与等の場合の総収入金額算入》の規定の適用があったものを除く。）の取得価額は、当該減価償却資産を取得した者が引き続き所有していたものとみなした場合における当該減価償却資産の**イ**及び**ロ**（1）の規定による取得価額に相当する金額とする。（令126②）

（注）　製造業者等からの贈与又は低額譲渡により取得した広告宣伝用資産の取得価額は、その資産を取得するために自己が負担した金額と経済的利益として総収入金額に算入されるべき金額との合計額によることに留意する。（経済的利益の額については第一節**一**の**3**の（2）参照）（編者注）

（業務用資産の取得のために要した借入金の利子）

（2）　業務を営んでいる者が当該業務の用に供する資産（（3）において「**業務の用に供される資産**」という。）の取得のために借り入れた資金の利子は、当該業務に係る各種所得の金額の計算上必要経費に算入する。ただし、当該資産の使用開始の日までの期間に対応する部分の金額については、当該資産の取得価額に算入することができる。（基通37－27）

（注）　不動産所得、事業所得、山林所得又は雑所得を生ずべき業務を開始する前に、当該業務の用に供する資産を取得している場合の当該資産の取得のために借り入れた資金の利子のうち当該業務を開始する前の期間に対応するものは、（2）の適用はなく、（8）の適用があることに留意する。

（賦払の契約により購入した資産に係る利息等相当部分）

（3）　業務の用に供される資産を賦払の契約により購入した場合において、その契約において購入代価と賦払期間中の利息及び賦払金の回収のための費用等に相当する金額とが明らかに区分されている場合のその利息及び費用等に相当する金額は、当該賦払期間中の各年分の必要経費に算入する。ただし、当該資産の使用開始の日までの期間に対応する部分の金額については、当該資産の取得価額に算入することができる。（基通37－28）

（土地等と共に取得した建物等の取壊し費用等）

（4）　自己の有する土地の上に存する借地人の建物等を取得した場合又は建物等の存する土地（借地権を含む。以下同じ。）をその建物等と共に取得した場合において、その取得後おおむね１年以内に当該建物等の取壊しに着手するなど、その取得が当初からその建物等を取り壊して土地を利用する目的であることが明らかであると認められるときは、当該建物等の取得に要した金額及び取壊しに要した費用の額の合計額（発生資材がある場合には、その発生資材の価額を控除した残額）は、当該土地の取得費に算入する。（基通38－１）

（所有権等を確保するために要した訴訟費用等）

（５）　取得に関し争いのある資産につきその所有権等を確保するために直接要した訴訟費用、和解費用等の額は、その支出した年分の各種所得の金額の計算上必要経費に算入されたものを除き、資産の取得に要した金額とする。（基通38－２）

（注）　各種所得の金額の計算上必要経費に算入されるものについては、**一**《通則》**７**（３）参照。

（分与財産の取得費）

（６）　民法第768条《財産分与》（同法第749条及び第771条において準用する場合を含む。）の規定による財産の分与により取得した財産は、その取得した者がその分与を受けた時においてその時の価額により取得したこととなることに留意する。（基通38－６）

（代償分割に係る資産の取得費）

（７）　遺産の代償分割に係る資産の取得費については、次による。（基通38－７）

（一）　代償分割により負担した債務に相当する金額は、当該債務を負担した者が当該代償分割に係る相続により取得した資産の取得費には算入されない。

（二）　代償分割により債務を負担した者から当該債務の履行として取得した資産は、その履行があった時においてその時の価額により取得したこととなる。

（取得費等に算入する借入金の利子等）

（８）　固定資産の取得のために借り入れた資金の利子（賦払の契約により購入した固定資産に係る購入代価と賦払期間中の利息及び賦払金の回収費用等に相当する金額とが明らかに区分されている場合におけるその利息及び回収費用等に相当する金額を含む。）のうち、その資金の借入れの日から当該固定資産の**使用開始の日**（当該固定資産の取得後、当該固定資産を使用しないで譲渡した場合においては、当該譲渡の日。以下（13）において同じ。）までの期間に対応する部分の金額は、業務の用に供される資産に係るもので、（２）又は（３）により当該業務に係る各種所得の金額の計算上必要経費に算入されたものを除き、当該固定資産の取得費又は取得価額に算入する。

固定資産の取得のために資金を借り入れる際に支出する公正証書作成費用、抵当権設定登記費用、借入れの担保として締結した保険契約に基づき支払う保険料その他の費用で当該資金の借入れのために通常必要と認められるものについても、同様とする。（基通38－８）

（注）１　その借り入れた資金が購入手数料等固定資産の取得費に算入される費用に充てられた場合には、その充てられた部分の借入金も「固定資産の取得のために借り入れた資金」に該当する。

２　「譲渡の日」は、第一節**－４**（16）《山林所得又は譲渡所得の総収入金額の収入すべき時期》に準じて判定した日による。

（使用開始の日の判定）

（９）　（８）に定める「使用開始の日」は、次により判定する。（基通38－８の２）

（一）　土地については、その使用の状況に応じ、それぞれ次に定める日による。

イ　新たに建物、構築物等の敷地の用に供するものは、当該建物、構築物等を居住の用、事業の用等に供した日

ロ　既に建物、構築物等の存するものは、当該建物、構築物等を居住の用、事業の用等に供した日（当該建物、構築物等が当該土地の取得の日前からその者の居住の用、事業の用等に供されており、かつ、引き続きこれらの用に供されるものである場合においては、当該土地の取得の日）

ハ　建物、構築物等の施設を要しないものは、そのものの本来の目的のための使用を開始した日（当該土地がその取得の日前からその者において使用されているものである場合においては、その取得の日）

（二）　建物、構築物並びに機械及び装置（次の（三）に掲げるものを除く。）については、そのものの本来の目的のための使用を開始した日（当該資産がその取得の日前からその者において使用されているものである場合においては、その取得の日）による。

（三）　書画、骨とう、美術工芸品などその資産の性質上取得の時が使用開始の時であると認められる資産については、その取得の日による。

（借入金により取得した固定資産を使用開始後に譲渡した場合）

（10）　借入金により取得した固定資産を使用した後に譲渡した場合には、当該固定資産の使用開始があった日後譲渡の日までの間に使用しなかった期間があるときであっても、当該使用開始があった日後譲渡の日までの期間に対応する借入金の利子については当該固定資産の取得費又は取得価額に算入しない。（基通38－８の３）

（固定資産を取得するために要した借入金を借り換えた場合）

(11)　固定資産を取得するために要した借入金を借り換えた場合には、借換え前の借入金の額（借換え時までの当該借入金に係る未払利子を含む。）と借換え後の借入金の額とのうちいずれか低い金額は、借換え後もその固定資産の取得資金に充てられたものとして取り扱う。（基通38－８の４）

（借入金で取得した固定資産の一部を譲渡した場合）

(12)　借入金により取得した固定資産の一部を譲渡した場合には、当該固定資産のうち譲渡した部分の取得時の価額が当該固定資産の取得時の価額のうちに占める割合を当該借入金の額に乗じて計算した金額を当該譲渡した固定資産の取得のために借り入れたものとして(８)の取扱いを適用する。（基通38－８の５）

（借入金で取得した固定資産を買換えた場合）

(13)　借入金により取得した固定資産を譲渡し、その譲渡代金をもって他の固定資産を取得した場合には、その借入金（次の(一)から(三)までに掲げる金額のうち最も低い金額に相当する金額に限る。）は、その譲渡の日において、新たに取得した固定資産の取得のために借り入れたものとして取り扱う。

なお、借入金により取得した固定資産の譲渡につき第五章第二節**三**《収用等に伴い代替資産を取得した場合の課税の特例》、同節**四２**《交換取得資産とともに取得した補償金等に係る課税の特例》、同節**十五**《特定の居住用財産の買換え及び交換の特例》、同節**十八１**《特定の事業用資産の買換えの場合の譲渡所得の課税の特例》又は同節**十九**《既成市街地等内にある土地等の中高層耐火建築物等建設のための買換え又は交換の特例》の規定の適用を受ける場合には、新たに取得した固定資産の取得のために借り入れたものとされる借入金の利子のうち当該譲渡した資産（以下(13)において「譲渡資産」という。）の譲渡の日からこれらの規定に規定する代替資産又は買換資産（以下(15)までにおいて「**代替資産等**」という。）の取得の日までの期間に対応する部分の金額は代替資産等の取得に要した金額に算入し、当該借入金の利子のうち、代替資産等の取得の日後使用開始の日までの期間に対応する部分の金額は、同節**六２**《収用交換等により取得した代替資産等の取得価額の計算》、同節**十五８**①《買換資産の取得価額の計算》、同節**十八10**①《買換えに係る特定の事業用資産の譲渡の場合の取得価額の計算等》又は同節**十九８**①《買換資産の取得価額の計算等》の規定により代替資産等の取得価額とされる金額に加算することができるものとする。（基通38－８の６）

(一)　譲渡の日における借入金の残存額（譲渡資産が借入金により取得した固定資産の一部である場合においては、(12)に定めるところにより計算した当該譲渡資産に対応する借入金の残存額。以下(14)において同じ。）

(二)　譲渡資産の譲渡価額

(三)　新たに取得した固定資産の取得価額

（借入金で取得した固定資産を交換した場合等）

(14)　借入金により取得した固定資産を交換により譲渡した場合には、交換の日におけるその借入金の残存額と交換取得資産の価額のうちいずれか低い金額は、その交換の日において、交換取得資産を取得するために借り入れたものとして取り扱う。

第五章第二節**四１**《交換取得資産に係る譲渡所得等の課税の特例》に規定する交換処分等又は同節**五**《換地処分等に伴い資産を取得した場合の課税の特例》に規定する換地処分等があった場合も、同様である。（基通38－８の７）

(注)　固定資産を交換した場合において、交換差金を支払うために借り入れた資金は、交換取得資産の取得のために借り入れたものとして取り扱われることに留意する。

（代替資産等を借入金で取得した場合）

(15)　固定資産を借入金により取得した場合において、当該固定資産を代替資産等として第五章第二節**三**、同節**四２**、同節**十五**、同節**十八１**又は同節**十九**（(13)参照）の規定の適用を受けるときには、当該借入金の利子は代替資産等の取得費又は取得価額に算入しない。ただし、次に掲げる場合に該当する場合には、それぞれ次に掲げる借入金の利子については(８)の取扱いを適用する。（基通38－８の８、編者補正）

(一)　これらの規定の適用を受ける譲渡資産の譲渡の日前に借入金により代替資産等を取得した場合　　その借入れをした日から当該譲渡資産の譲渡の日までの期間に対応する部分の借入金の利子

(二)　譲渡資産の収入金額が代替資産等の取得価額に満たない場合　　その満たない金額に対応する部分の借入金の利子

（被相続人が借入金により取得した固定資産を相続により取得した場合）

(16)　被相続人が借入金により取得した固定資産（既に被相続人が使用していたものを除く。）を相続人が相続又は遺贈により取得した場合において、当該相続人がその借入金を承継したときは、次に掲げる金額のうちいずれか低い金額に相当する借入金は、当該相続人が相続開始の日において、当該固定資産の取得のために借り入れたものとして取り扱う。

なお、被相続人が固定資産を取得するために要した借入金の利子のうち、相続開始の日までの期間に対応する部分の金額は第五章第二節**二十四3**《贈与等により取得した資産の取得費等》の規定により計算した取得費又は取得価額に算入するのであるから留意する。（基通38－８の９）

(一)　当該相続人が承継した借入金の額

(二)　次の算式により計算した金額

$$\text{被相続人が借り入れた資金のうち相続開始の日における残存額} \times \frac{\text{当該固定資産のうち、当該相続人が取得した部分の相続開始の日における価額}}{\text{当該固定資産の相続開始の日における価額}}$$

（非業務用の固定資産に係る登録免許税等）

(17)　固定資産（業務の用に供されるものを除く。以下(17)において同じ。）に係る登録免許税（登録に要する費用を含む。）、不動産取得税等固定資産の取得に伴い納付することとなる租税公課は、当該固定資産の取得費に算入する。（基通38－９）

（注）１　第五章第二節**二十四3**①イに規定する贈与、相続又は遺贈による取得に伴い納付することとなる登録免許税等については、同**3**の②の（２）（基通60－２）参照。

２　業務の用に供される資産に係る登録免許税等については、**一**《通則》**2**（２）及び(24)参照。

（契約解除に伴い支出する違約金）

(18)　いったん締結した固定資産の取得に関する契約を解除して他の固定資産を取得することとした場合に支出する違約金の額は、各種所得の金額の計算上必要経費に算入されたものを除き、当該取得した固定資産の取得費又は取得価額に算入する。（基通38－９の３）

（土地についてした防壁、石垣積み等の費用）

(19)　埋立て、土盛り、地ならし、切土、防壁工事その他土地の造成又は改良のために要した費用の額はその土地の取得費に算入するのであるが、土地についてした防壁、石垣積み等であっても、その規模、構造等からみて土地と区分して構築物とすることが適当と認められるものの費用の額は、土地の取得費に算入しないで、構築物の取得費とすることができる。

上水道又は下水道の工事に要した費用の額についても、同様とする。（基通38－10）

（注）１　専ら建物、構築物等の建設のために行う地質調査、地盤強化、地盛り、特殊な切土等土地の改良のためのものでない工事に要した費用の額は、当該建物、構築物等の取得費に算入する。

２　土地の測量費は、各種所得の金額の計算上必要経費に算入されたものを除き、土地の取得費に算入する。

（土地、建物等の取得に際して支払う立退料等）

(20)　土地、建物等の取得に際し、当該土地、建物等を使用していた者に支払う立退料その他その者を立ち退かせるために要した金額は、当該土地、建物等の取得費又は取得価額に算入する。（基通38－11）

（借地権の取得費）

(21)　借地権の取得費には、土地の賃貸借契約又は転貸借契約（これらの契約の更新及び更改を含む。以下「借地契約」という。）をするに際して借地権の対価として土地所有者又は借地権者に支払った金額のほか、次に掲げる金額を含むものとする。ただし、(一)に掲げる金額が建物等の購入代価のおおむね10％以下の金額であるときは、強いてこれを区分しないで建物等の取得費に含めることができる。（基通38－12）

(一)　土地の上に存する建物等を取得した場合におけるその建物等の購入代価のうち借地権の対価と認められる部分の金額

(二)　賃借した土地の改良のためにした土盛り、地ならし、埋立て等の整地に要した費用の額

(三)　借地契約に当たり支出した手数料その他の費用の額

(四)　建物等を増改築するに当たりその土地の所有者又は借地権者に対して支出した費用の額

（治山工事等の費用）

(22)　天然林を人工林に転換するために必要な地ごしらえ又は治山の工事のために支出した金額は、構築物の取得費に算入されるものを除き、林地の取得費に算入する。（基通38－13）

（電話加入権の取得費）

(23)　電話加入権の取得費には、電気通信事業者との加入電話契約に基づいて支出する工事負担金のほか、屋内配線工事に要した費用等電話機を設置するために支出する費用（当該費用の支出の目的となった資産を自己の所有とする場合のその設置のために支出するものを除く。）が含まれることに留意する。（基通38－14）

（注）　電話加入権は減価償却資産に含まれない。（編者注）

（減価償却資産に係る登録免許税等）

(24)　減価償却資産に係る登録免許税（登録に要する費用を含む。）をその資産の取得価額に算入するかどうかについては、次による。（基通49－３）

（一）　特許権、鉱業権のように登録により権利が発生する資産に係るものは、取得価額に算入する。

（二）　船舶、航空機、自動車のように業務の用に供するについて登録を要する資産に係るものは、取得価額に算入しないことができる。

（三）　(一)及び(二)以外の資産に係るものは、取得価額に算入しない。

（注）１　業務の用に供される資産に係る登録免許税等のうち、取得価額に算入しないものについては、**一２**（２）参照。
２　業務の用に供されない固定資産に係る登録免許税等については、(17)及び第五章第二節**二十四３**②（２）参照。
３　上記の減価償却資産には、相続等により取得した減価償却資産を含むものとする。

（減価償却資産の取得に際して支払う立退料等）

(25)　減価償却資産の取得に際し、当該減価償却資産を使用していた者に支払う立退料その他立ち退かせるために要した金額は、当該減価償却資産の取得価額に算入する。（基通49－４）

（注）　土地及び減価償却資産でない建物等の取得に際して支払う立退料については、(20)参照。

（集中生産を行うなどのための機械装置の移設費）

(26)　集中生産若しくはよりよい立地条件において生産を行うなどのため一の事業場の機械装置を他の事業場に移設した場合又はガスタンク、鍛圧プレス等多額の据付費を要する機械装置を移設した場合（第五章第二節**七**《収用交換等の場合の譲渡所得等の特別控除》に規定する収用交換等に伴い移設した場合を除く。）には、運賃、据付費等その移設に要した費用（移設のための解体の費用を除く。以下「移設費」という。）の額は、その機械装置（当該機械装置に係る資本的支出を含む。以下(26)において同じ。）の取得価額に算入し、当該機械装置の移設直前の未償却残額のうちに含まれている据付費（以下「旧据付費」という。）に相当する金額は、必要経費に算入する。ただし、その移設費の額の合計額が当該機械装置の移設直前の未償却残額の10％に相当する金額以下であるときは、旧据付費に相当する金額を必要経費に算入しないで、その移設費の額を当該移設をした日の属する年分の必要経費に算入することができる。（基通49－５）

（注）　主として新規の生産設備の導入に伴って行う既存の生産設備の配置換えのためにする移設は、原則として集中生産又はよりよい立地条件において生産を行う等のための移設には当たらない。

（採掘権の取得価額）

(27)　試掘権の目的となっている鉱物に係る鉱区につき採掘権を取得した場合には、当該試掘権の未償却残額に相当する金額及び当該採掘権の出願料、登録免許税その他その取得のために直接要した費用の額の合計額を当該採掘権の取得価額とする。（基通49－６）

（自己の研究に基づき取得した工業所有権の取得価額）

(28)　自己の研究の成果に基づき取得した工業所有権の取得価額は、その研究のために特別に支出した費用の額の合計額のうちその取得した年の前年以前において必要経費に算入されなかった部分の金額とし、当該工業所有権の出願料、特許料その他登録のために要する費用の額は、当該取得価額に算入しないことができる。（基通49－７）

（譲渡を受けた出願権に基づき取得した工業所有権の取得価額）

(29)　他から譲渡を受けた出願権（工業所有権に関し特許又は登録を受ける権利をいう。）に基づき取得した工業所有権の取得価額は、その出願権の取得のために要した金額のうち、その工業所有権を取得した年の前年以前において償却費の額に算入されなかった部分の金額と当該工業所有権を取得するために直接要した費用の額との合計額とする。(基通49－8)

(注)　他から譲渡を受けた出願権に係る発明等を業務の用に供した場合には、その出願権は、無形固定資産に準じその出願権の目的たる工業所有権の耐用年数により償却することができる。

(自己の製作に係るソフトウエアの取得価額等)

(30)　自己の製作に係るソフトウエアの取得価額については、**イ**表内②の規定に基づき、当該ソフトウエアの製作のために要した原材料費、労務費及び経費の額並びに当該ソフトウエアを業務の用に供するために直接要した費用の額の合計額となることに留意する。

この場合、その取得価額については適正な原価計算に基づき算定することとなるのであるが、原価の集計、配賦等につき、合理的であると認められる方法により継続して計算している場合には、これを認めるものとする。(基通49－8の2)

(注) 1　他の者から購入したソフトウエアについて、そのソフトウエアの導入に当たって必要とされる設定作業及び自己の仕様に合わせるために行う付随的な修正作業等の費用の額は、当該ソフトウエアの取得価額に算入することに留意する。

2　既に有しているソフトウエア又は購入したパッケージソフトウエア等（以下(注) 2において「既存ソフトウエア等」という。）の仕様を大幅に変更して、新たなソフトウエアを製作するための費用の額は、当該新たなソフトウエアの取得価額になるのであるが、その場合（新たなソフトウエアを製作することに伴い、その製作後既存ソフトウエア等を利用することが見込まれない場合に限る。）におけるその既存ソフトウエア等の残存価額は、当該新たなソフトウエアの製作のために要した原材料費となることに留意する。

3　市場販売目的のソフトウエアにつき、完成品となるまでの間に製品マスターに要した改良又は強化に係る費用の額は、当該ソフトウエアの取得価額に算入することに留意する。

(ソフトウエアの取得価額に算入しないことができる費用)

(31)　次に掲げるような費用の額は、ソフトウエアの取得価額に算入しないことができる。(基通49－8の3)

(一)　自己の製作に係るソフトウエアの製作計画の変更等により、いわゆる仕損じがあったため不要となったことが明らかなものに係る費用の額

(二)　研究開発費の額（自己の業務の用に供するソフトウエアに係る研究開発費の額については、その自己の業務の用に供するソフトウエアの利用により将来の収益獲得又は費用削減にならないことが明らかな場合における当該研究開発費の額に限る。）

(三)　製作等のために要した間接費、付随費用等で、その費用の額の合計額が少額（その製作原価のおおむね３％以内の金額）であるもの

(温泉をゆう出する土地を取得した場合の温泉利用権の取得価額)

(32)　温泉を利用する権利を取得するために、温泉をゆう出する土地を取得した場合における当該温泉を利用する権利の取得価額は、当該土地の取得に要した金額から当該土地に隣接する温泉をゆう出しない土地の価額に比準して計算した当該土地の価額を控除した金額とする。(基通49－9)

(出漁権等の取得価額)

(33) 許可漁業の出漁権、繊維工業における織機の登録権利、タクシー業のいわゆるナンバー権のように法令の規定、行政官庁の指導等による規制に基づく許可、認可、登録、割当て等に係る権利の取得価額には、これらの権利を取得するために直接要した費用のほか、例えば、当該権利に係る事業を廃止する者に対して残存業者が負担する補償金のように当該権利の維持又は保全のために支出した費用の額が含まれる。(基通49－10)

(未成熟の植物から収穫物があった場合等の取得価額の計算)

(34)　**1**《減価償却資産の範囲》の⑨のロ及びハに掲げる植物につき、その植物が成熟するまでの間に次に掲げる事実が生じた場合には、その植物の取得価額の計算については、それぞれ次によるものとする。(基通49－12)

(一)　収穫物が収穫されたこと。　　**7イ**表内④イに掲げる金額から当該収穫物の価額に相当する金額を控除して取得価額を計算する。

(二)　災害等による損害が生じ、又はその損害を防止するための支出をしたこと。　　当該損害を回復するために支出した費用（資本的支出に属する費用を除く。）及び当該損害を防止するために支出した費用を除いて取得価額を計算する。

（減価償却資産について値引き等があった場合）

(35)　業務の用に供する減価償却資産について値引き、割戻し又は割引（以下「値引き等」という。）があった場合には、次の算式により計算した金額の範囲内でその値引き等のあった日の属する年の１月１日における当該減価償却資産の取得価額及び未償却残額を減額することができるものとする。（基通49－12の２）

（算　式）

$$\text{値引き等の額} \times \frac{\text{当該減価償却資産のその年１月１日における未償却残額}}{\text{当該減価償却資産のその年１月１日における取得価額}}$$

（注）１　当該減価償却資産が第一節**三１**①《国庫補助金等の総収入金額不算入》の規定の適用を受ける同①に規定する国庫補助金等に係るもの又は法同**三２**①の規定の適用を受ける同①に規定する国庫補助金等をもって取得されたものである場合には、算式の取得価額及び未償却残額は同**三１**④(一)又は同**三２**⑤の規定により計算した金額によることに留意する。

２　当該減価償却資産についてその年の前年から繰り越された措置法の規定による特別償却額又は割増償却額の償却不足額があるときは、当該償却不足額が生じた時においてその値引き等があったものとした場合に計算される特別償却額又は割増償却額を基礎として当該繰り越された償却不足額を修正するものとする。

３　値引き等の額から取得価額等を減額した額を控除した残額は、値引き等のあった日の属する年分の総収入金額に算入することに留意する。

（遺留分侵害額の請求に基づく金銭の支払に代えて移転を受けた資産の取得費）

(36)　民法第1046条第１項の規定による遺留分侵害額に相当する金銭の支払請求があった場合において、金銭の支払に代えて、その債務の全部又は一部の履行として資産の移転があったときは、その履行を受けた者は、原則として、その履行があった時においてその履行により消滅した債権の額に相当する価額により当該資産を取得したこととなる。（基通38－７の２）

ロ　資本的支出があった場合の減価償却資産の取得価額の特例

居住者が有する減価償却資産（次の**ハ**の規定に該当するものを除く。以下**ロ**において同じ。）について支出する金額のうちに**一**《通則》**３**《資本的支出と修繕費》の規定によりその支出する日の属する年分の不動産所得の金額、事業所得の金額、山林所得の金額又は雑所得の金額の計算上必要経費に算入されなかった金額がある場合には、当該金額を**イ**《減価償却資産の取得価額》の規定による取得価額として、その有する減価償却資産と種類及び耐用年数を同じくする減価償却資産を新たに取得したものとする。（令127①）

（注）　資本的支出があった都度、その資本的支出の金額を取得価額に加算する。（編者注）

（資本的支出があった場合に居住者が**５イ**に規定する償却の方法を採用しているとき）

（１）　**ロ**に規定する場合において、**ロ**に規定する居住者が有する減価償却資産についてそのよるべき償却の方法として**５イ**《減価償却資産の償却の方法》に規定する償却の方法を採用しているときは、**ロ**の規定にかかわらず、**ロ**の支出した金額を当該減価償却資産の**イ**の規定による取得価額に加算することができる。（令127②）

（資本的支出があった場合に居住者が有する減価償却資産がリース資産であるとき）

（２）　**ロ**に規定する場合において、**ロ**に規定する居住者が有する減価償却資産がリース資産（**５ロ**（２）表内④に規定するリース資産をいう。以下（２）において同じ。）であるときは、**ロ**の規定により新たに取得したものとされる減価償却資産は、リース資産に該当するものとする。この場合においては、当該取得したものとされる減価償却資産の**５ロ**（２）⑦に規定するリース期間は、**ロ**の支出した金額を支出した日から当該居住者が有する減価償却資産に係る同⑦に規定するリース期間の終了の日までの期間として、**５ロ**の規定を適用する。（令127③）

（漁港水面施設運営権の存続期間の規定による更新に伴い支出するものであるとき）

（３）　**ロ**に規定する場合において、**ロ**に規定する支出する金額が漁港及び漁場の整備等に関する法律第57条第３項《漁港水面施設運営権の存続期間》の規定による更新に伴い支出するものであるときは、**ロ**中「種類及び耐用年数」とあるのは、「種類」とする。（令127④）

（居住者が有する旧減価償却資産及び追加償却資産についてそのよるべき償却の方法として定率法を採用しているとき）

（４）　居住者のその年の前年分の所得税につき**ロ**に規定する必要経費に算入されなかった金額がある場合において、**ロ**に規定する居住者が有する減価償却資産（平成24年３月31日以前に取得された資産を除く。以下（４）において「旧減価償却資産」という。）及び**ロ**の規定により新たに取得したものとされた減価償却資産（以下**ロ**において「追加償却資産」という。）についてそのよるべき償却の方法として定率法を採用しているときは、**ロ**の規定にかかわらず、その年の１月１日において、同日における旧減価償却資産の**イ**の規定による取得価額（既に償却費としてその年の前年分以前の各年分の不動産所得の金額、事業所得の金額、山林所得の金額又は雑所得の金額の計算上必要経費に算入された金額がある場合には、当該金額を控除した金額。以下**ロ**において「取得価額等」という。）と追加償却資産の取得価額等との合計額を**イ**の規定による取得価額とする一の減価償却資産を、新たに取得したものとすることができる。（令127⑤）

（追加償却資産について、そのよるべき償却の方法として定率法を採用し、かつ、（４）の規定の適用を受けないとき）

（５）　居住者のその年の前年分の所得税につき**ロ**に規定する必要経費に算入されなかった金額がある場合において、当該金額に係る追加償却資産について、そのよるべき償却の方法として定率法を採用し、かつ、（４）の規定の適用を受けないときは、**ロ**及び（４）の規定にかかわらず、その年の１月1日において、当該適用を受けない追加償却資産のうち種類及び耐用年数を同じくするものの同日における取得価額等の合計額を**イ**の規定による取得価額とする一の減価償却資産を、新たに取得したものとすることができる。（令127⑥）

（資本的支出の取得価額の特例の適用関係）

（６）　資本的支出につき、（１）、（４）又は（５）の規定を適用した場合には、当該適用した年の翌年以後において、**10イ**（３）による場合を除き、これらの資本的支出を分離して別々に償却することはできないことに留意する。（基通49－８の４）

ハ　昭和27年12月31日以前に取得した非事業用資産で業務の用に供されたものの取得価額

昭和27年12月31日以前から引き続き所有していた家屋その他使用又は期間の経過により減価する資産で不動産所得、事業所得、山林所得又は雑所得を生ずべき業務の用に供していないものを当該業務の用に供した場合には、当該資産の**イ**に規定する取得価額は、当該資産に係る昭和28年１月１日現在における相続税評価額と当該資産につき昭和28年１月１日から当該業務の用に供された日までの間に支出された設備費及び改良費の額との合計額とする。（令128①、編者補正）

ロ、**ロ**（１）、同（４）及び同（５）の規定は、上記の資産を業務の用に供した後において当該資産につき支出する金額のうちに**ハ**に規定する必要経費に算入されなかった金額がある場合について準用する。（令128②）

8　減価償却資産の耐用年数、償却率等

イ　一般の減価償却資産の耐用年数

減価償却資産の**５イ**《平成19年３月31日以前に取得された減価償却資産の償却の方法》（１）並びに**５ロ**《平成19年４月１日以後に取得された減価償却資産の償却の方法》（１）に規定する耐用年数、**５イ**（１）及び**５ロ**（１）に規定する耐用年数に応じた償却率、同**ロ**（１）に規定する耐用年数に応じた改定償却率、同**ロ**（２）に規定する耐用年数に応じた保証率並びに**５イ**（１）に規定する残存価額については、財務省令で定めるところによる。（令129、耐用年数省令１①）

減価償却資産のうち鉱業権（租鉱権及び採石権その他土石を採掘し又は採取する権利を含む。以下同じ。）、坑道、公共施設等運営権、樹木採取権及び漁港水面施設運営権以外のものの耐用年数は、次のイからニに掲げる資産の区分に応じ当該イからニに掲げる表に定めるところによる。（耐用年数省令１①）

イ	建物及びその附属設備、構築物、船舶、航空機、車両及び運搬具並びに工具、器具及び備品	別表第一（機械及び装置以外の有形減価償却資産の耐用年数表）
ロ	機械及び装置	別表第二（機械及び装置の耐用年数表）
ハ	無形固定資産（鉱業権及び公共施設等運営権を除く。）	別表第三（無形減価償却資産の耐用年数表）
ニ	生物（器具及び備品に該当するものを除く。）	別表第四（生物の耐用年数表）

（注）１　耐用年数省令別表第一～別表第十一は巻末1965ページ参照。（編者注）

２　**５ロ**（１）（注）３の規定の適用を受ける減価償却資産の耐用年数は、**イ**から**ニ**までの規定にかかわらず、これらの規定による耐用年数から当該耐用年数及び未償却割合（（一）に掲げる金額のうちに（二）に掲げる金額の占める割合をいう。）に対応する附則別表（経過年数表）（巻末1994ページ）に定める経過年数を控除した年数（租税特別措置法の減価償却資産に関する特例を定めている規定の適用を受けた減価償却資産にあっては、これと同様の合理的な方法により算出された年数を含む。）とする。（平24.1耐用年数省令の一部を改正する省令附則２②）

(一)　**7イ**《減価償却資産の取得価額》の規定による取得価額

(二)　(一)に掲げる金額から次に掲げる区分に応じそれぞれ次に定める金額を控除した金額

イ　個人　　**5ロ**(1)(注)３の届出書に記載した(二)に掲げる年分の前年分以前の各年分の**5イ**に規定する償却費として当該各年分の不動産所得の金額、事業所得の金額、山林所得の金額又は雑所得の金額の計算上必要経費に算入された金額の累積額

ロ　法人　　省略

3　**5ロ**(1)(注)３の規定の適用を受ける減価償却資産については、当該減価償却資産の**5ロ**(2)表内①に規定する取得価額には、(注)２(二)イ又は同ロに定める金額を含まないものとする。(平24.1耐用年数省令の一部を改正する省令附則２③)

共通事項

(２以上の用途に共用されている資産の耐用年数)

(一)　同一の減価償却資産について、その用途により異なる耐用年数が定められている場合において、減価償却資産が２以上の用途に共通して使用されているときは、その減価償却資産の用途については、その使用目的、使用の状況等より勘案して合理的に判定するものとする。この場合、その判定した用途に係る耐用年数は、その判定の基礎となった事実が著しく異ならない限り、継続して適用する。(耐通１－１－１)

(資本的支出後の耐用年数)

(二)　耐用年数省令に定める耐用年数を適用している減価償却資産について資本的支出をした場合(法人税法施行令第55条第４項《資本的支出の取得価額の特例》の規定の適用がある場合を除く。)には、その資本的支出に係る部分の減価償却資産についても、現に適用している耐用年数により償却費の額を計算することに留意する。

同条第５項及び第６項の規定(**7ロ**参照)により新たに取得したものとされる一の減価償却資産については、同条第５項に規定する旧減価償却資産に現に適用している耐用年数により償却限度額を計算することに留意する。(耐通１－１－２)

(賃借資産についての改良費の耐用年数)

(三)　個人が使用する他人の減価償却資産(次の①の(1)の(四)《他人の建物に対する造作の耐用年数》によるものを除く。)につき支出した資本的支出の金額は、当該減価償却資産の耐用年数により償却する。この場合において、次の①(1)(四)のただし書の取扱いを準用する。(耐通１－１－４)

(貸与資産の耐用年数)

(四)　貸与している減価償却資産の耐用年数は、別表において貸付業用として特掲されているものを除き、原則として、貸与を受けている者のその資産の用途等に応じて判定する。(耐通１－１－５)

(前掲の区分によらない資産の意義等)

(五)　別表第一又は別表第二に掲げる「前掲の区分によらないもの」とは、個人が別表第一に掲げる一の種類に属する減価償却資産又は別表第二の機械及び装置について「構造又は用途」、「細目」又は「設備の種類」ごとに区分しないで、当該一の種類に属する減価償却資産又は機械及び装置の全部を一括して償却する場合のこれらの資産をいい、別表第一に掲げる一の種類に属する減価償却資産又は別表第二の機械及び装置のうち、その一部の資産については区分されて定められた耐用年数を適用し、その他のものについては「前掲の区分によらないもの」の耐用年数を適用することはできないことに留意する。

ただし、当該その他のものに係る「構造又は用途」、「細目」又は「設備の種類」による区分ごとの耐用年数の全てが、「前掲の区分によらないもの」の耐用年数より短いものである場合には、この限りでない。(耐通１－１－６)

(「構築物」又は「器具及び備品」で特掲されていないものの耐用年数)

(六)　「構築物」又は「器具及び備品」(以下「構築物等」という。)で細目が特掲されていないもののうちに、当該構築物等と「構造又は用途」及び使用状況が類似している別表第一に特掲されている構築物等がある場合には、別に定めるものを除き、税務署長の確認を受けて、当該特掲されている構築物等の耐用年数を適用することができる。(耐通１－１－９)

①　機械及び装置以外の有形減価償却資産の耐用年数（別表第一）

（1）　建物の耐用年数の適用関係

（建物の構造の判定）

（一）　建物を構造により区分する場合において、どの構造に属するかは、その主要柱、耐力壁又ははり等その建物の主要部分により判定する。（耐通１－２－１）

（２以上の構造から成る建物）

（二）　一の建物が別表第一の「建物」に掲げる２以上の構造により構成されている場合において、構造別に区分することができ、かつ、それぞれが社会通念上別の建物とみられるもの（例えば、鉄筋コンクリート造３階建の建物の上に更に木造建物を建築して４階建としたようなもの）であるときは、その建物については、それぞれの構造の異なるごとに区分して、その構造について定められた耐用年数を適用する。（耐通１－２－２）

（建物の内部造作物）

（三）　建物の内部に施設された造作については、その造作が建物附属設備に該当する場合を除き、その造作の構造が当該建物の骨格の構造と異なっている場合においても、それを区分しないで当該建物に含めて当該建物の耐用年数を適用する。したがって、例えば、旅館等の鉄筋コンクリート造の建物について、その内部を和風の様式とするため特に木造の内部造作を施設した場合においても、当該内部造作物を建物から分離して、木造建物の耐用年数を適用することはできず、また、工場建物について、温湿度の調整制御、無菌又は無じん空気の汚濁防止、防音、しゃ光、放射線防御等のために特に内部造作物を施設した場合には、当該内部造作物が機械装置とその効用を一にするとみられるときであっても、当該内部造作物は建物に含めることに留意する。（耐通１－２－３）

（他人の建物に対する造作の耐用年数）

（四）　個人が建物を賃借し自己の用に供するため造作した場合（現に使用している用途を他の用途に変えるために造作した場合を含む。）の造作に要した金額は、当該造作が、建物についてされたときは、当該建物の耐用年数、その造作の種類、用途、使用材質等を勘案して、合理的に見積もった耐用年数により、建物附属設備についてされたときは、建物附属設備の耐用年数により償却する。ただし、当該建物について賃借期間の定めがあるもの（賃借期間の更新のできないものに限る。）で、かつ有益費の請求又は買取請求をすることができないものについては、当該賃借期間を耐用年数として償却することができる。（耐通１－１－３）

（注）　同一の建物（一の区画ごとに用途を異にしている場合には、同一の用途に属する部分）についてした造作は、その全てを一の資産として償却するのであるからその耐用年数はその造作全部を総合して見積もることに留意する。

（２以上の用途に使用される建物に適用する耐用年数の特例）

（五）　一の建物を２以上の用途に使用するため、当該建物の一部について特別な内部造作その他の施設をしている場合、例えば、鉄筋コンクリート造の６階建のビルディングのうち１階から５階までを事務所に使用し、６階を劇場に使用するため、６階について特別な内部造作をしている場合には、**共通事項**の(一)《２以上の用途に共用されている資産の耐用年数》にかかわらず、当該建物について別表第一の「建物」の「細目」に掲げる二以上の用途ごとに区分して、その用途について定められている耐用年数をそれぞれ適用することができる。ただし、鉄筋コンクリート造の事務所用ビルディングの地階等に附属して設けられている電気室、機械室、車庫又は駐車場等のようにその建物の機能を果たすに必要な補助的部分（専ら区分した用途に供されている部分を除く。）については、これを用途ごとに区分しないで、当該建物の主たる用途について定められている耐用年数を適用する。（耐通１－２－４）

（下記以外のもの）

（六）　別表第一の「建物」に掲げる「事務所用……及び下記以外のもの」の「下記以外のもの」には、社寺、教会、図書館、博物館の用に供する建物のほか、工場の食堂（(十)に該当するものを除く。）、講堂（学校用のものを除く。）、研究所、設計所、ゴルフ場のクラブハウス等の用に供する建物が該当する。（耐通２－１－１）

（内部造作を行わずに賃貸する建物）

（七）　一の建物のうち、その階の全部又は適宜に区分された場所を間仕切り等をしないで賃貸することとされているもので間仕切り等の内部造作については賃借人が施設するものとされている建物のその賃貸の用に供している部分の用途の判定については、**共通事項**の(四)《貸与資産の耐用年数》にかかわらず、「下記以外のもの」に該当するものとする。(耐通２－１－２)

(店　　舗)

(八)　別表第一の「建物」に掲げる「店舗用」の建物には、いわゆる小売店舗の建物のほか、次の建物(建物の細目欄に特掲されているものを除く。)が該当する。(耐通２－１－３)

イ　サンプル、モデル等を店頭に陳列し、顧客の求めに応じて当該サンプル等に基づいて製造、修理、加工その他のサービスを行うための建物、例えば、洋装店、写真業、理容業、美容業等の用に供される建物

ロ　商品等又はポスター類を陳列してＰＲをするいわゆるショールーム又はサービスセンターの用に供する建物

ハ　遊戯場用又は浴場業用の建物

ニ　金融機関、保険会社又は証券会社がその用に供する営業所用の建物で、常時多数の顧客が出入りし、その顧客と取引を行うための建物

(ボーリング場用の建物)

(九)　ボーリング場用の建物は、別表第一の「建物」に掲げる「体育館用」のものに含まれるものとする。(耐通２－１－５)

(工場構内の附属建物)

(十)　工場の構内にある守衛所、詰所、監視所、タイムカード置場、自転車置場、消火器具置場、更衣所、仮眠所、食堂(簡易なものに限る。)、浴場、洗面所、便所その他これらに類する建物は、工場用の建物としてその耐用年数を適用することができる。(耐通２－１－10)

(ビルの屋上の特殊施設)

(十一)　ビルディングの屋上にゴルフ練習所又は花壇その他通常のビルディングとしては設けることがない特殊施設を設けた場合にはその練習所又は花壇等の特殊施設は、当該ビルディングと区分し、構築物としてその定められている耐用年数を適用することができる。(耐通２－１－22)

(仮設の建物)

(十二)　別表第一の「建物」の「簡易建物」の「仮設のもの」とは、建設業における移動性仮設建物(建設工事現場において、その工事期間中建物として使用するためのもので、工事現場の移動に伴って移設することを常態とする建物をいう。)のように解体、組立てを繰り返して使用することを常態とするものをいう。(耐通２－１－23)

(２)　建物附属設備の耐用年数の適用関係

(木造建物の特例)

(一)　建物の附属設備は、原則として建物本体と区分して耐用年数を適用するのであるが、木造、合成樹脂造又は木骨モルタル造の建物の附属設備については、建物と一括して建物の耐用年数を適用することができる。(耐通２－２－１)

(電 気 設 備)

(二)　別表第一の「建物附属設備」に掲げる「電気設備」の範囲については、それぞれ次による。(耐通２－２－２)

イ　「蓄電池電源設備」とは、停電時に照明用に使用する等のためあらかじめ蓄電池に充電し、これを利用するための設備をいい、蓄電池、充電器及び整流器(回転変流器を含む。)並びにこれらに附属する配線、分電盤等が含まれる。

ロ　「その他のもの」とは、建物に附属する電気設備でイ以外のものをいい、例えば、次に掲げるものがこれに該当する。

〈イ〉　工場以外の建物については、受配電盤、変圧器、蓄電器、配電施設等の電気施設、電灯用配線施設及び照明設備(器具及び備品並びに機械装置に該当するものを除く。以下同じ。)並びにホテル、劇場等が停電時等のために有する内燃力発電設備

〈ロ〉　工場用建物については、電灯用配線施設及び照明設備

（給水設備に直結する井戸等）

（三）　建物に附属する給水用タンク及び給水設備に直結する井戸又は衛生設備に附属する浄化水槽等でその取得価額等からみて強いて構築物として区分する必要がないと認められるものについては、それぞれ、別表第一の「建物附属設備」に掲げる「給排水設備」又は「衛生設備」に含めることができる。（耐通２－２－３）

（冷房、暖房、通風又はボイラー設備）

（四）　別表第一の「建物附属設備」に掲げる「冷房、暖房、通風又はボイラー設備」の範囲については、次による。（耐通２－２－４）

イ　冷却装置、冷風装置等が一つのキャビネットに組み合わされたパッケージドタイプのエヤーコンディショナーであっても、ダクトを通じて相当広範囲にわたって冷房するものは、「器具及び備品」に掲げる「冷房用機器」に該当せず、「建物附属設備」の冷房設備に該当することに留意する。

ロ　「冷暖房設備（冷凍機の出力が22キロワット以下のもの）」には、冷暖房共用のもののほか、冷房専用のものも含まれる。

（注）　冷暖房共用のものには、冷凍機及びボイラーのほか、これらの機器に附属する全ての機器を含めることができる。

ハ　「冷暖房設備」の「冷凍機の出力」とは、冷凍機に直結する電動機の出力をいう。

ニ　浴場業用の浴場ボイラー、飲食店業用のちゅう房ボイラー並びにホテル又は旅館のちゅう房ボイラー及び浴場ボイラーは、建物附属設備に該当しない。

（注）　これらのボイラーには、その浴場設備又はちゅう房設備の該当する業用設備の耐用年数を適用する。

（格納式避難設備）

（五）　別表第一の「建物附属設備」に掲げる「格納式避難設備」とは、火災、地震等の緊急時に機械により作動して避難階段又は避難通路となるもので、所定の場所にその避難階段又は避難通路となるべき部分を収納しているものをいう。（耐通２－２－４の２）

（注）　折り畳み式縄ばしご、救助袋のようなものは器具及び備品に該当することに留意する。

（店用簡易装備）

（六）　別表第一の「建物附属設備」に掲げる「店用簡易装備」とは、主として小売店舗等に取り付けられる装飾を兼ねた造作（例えば、ルーバー、壁板等）、陳列棚（器具及び備品に該当するものを除く。）及びカウンター（比較的容易に取替えのできるものに限り、単に床の上においたものを除く。）等で短期間（おおむね別表第一の「店用簡易装備」に係る法定耐用年数の期間）内に取替えが見込まれるものをいう。（耐通２－２－６）

（可動間仕切り）

（七）　別表第一の「建物附属設備」に掲げる「可動間仕切り」とは、一の事務室等を適宜仕切って使用するために間仕切りとして建物の内部空間に取り付ける資材のうち、取り外して他の場所で再使用することが可能なパネル式若しくはスタッド式又はこれらに類するものをいい、その「簡易なもの」とは、可動間仕切りのうち、その材質及び構造が簡易で、容易に撤去することができるものをいう。（耐通２－２－６の２）

（注）　会議室等に設置されているアコーディオンドア、スライディングドア等で他の場所に移設して再使用する構造になっていないものは、「可動間仕切り」に該当しない。

（前掲のもの以外のものの例示）

（八）　別表第一の「建物附属設備」の「前掲のもの以外のもの」には、例えば、次のようなものが含まれる。（耐通２－２－７）

イ　雪害対策のため建物に設置された融雪装置で、電気設備に該当するもの以外のもの（当該建物への出入りを容易にするため設置するものを含む。）

（注）　構築物に設置する融雪装置は、構築物に含め、公共的施設又は共同的施設に設置する融雪装置の負担金は、繰延資産《公共的施設の負担金等》に該当する。

ロ　危険物倉庫等の屋根の過熱防止のために設置された散水装置

ハ　建物の外窓清掃のために設置された屋上のレール、ゴンドラ支持装置及びこれに係るゴンドラ

ニ　建物に取り付けられた避雷針その他の避雷装置

ホ　建物に組み込まれた書類搬送装置（簡易なものを除く。）

（3）　構築物の耐用年数の適用関係

（構築物の耐用年数の適用）

（一）　構築物については、まず、その用途により判定し、用途の特掲されていない構築物については、その構造の異なるごとに判定する。（耐通１－３－１）

（構築物と機械及び装置の区分）

（二）　次に掲げるもののように生産工程の一部としての機能を有しているものは、構築物に該当せず、機械及び装置に該当するものとする。（耐通１－３－２）

イ　醸成、焼成等の用に直接使用される貯蔵槽、仕込槽、窯等

ロ　ガス貯槽、薬品貯槽又は水槽及び油槽のうち、製造工程中にある中間受槽及びこれに準ずる貯槽で、容量、規模等からみて機械及び装置の一部であると認められるもの

ハ　工業薬品、ガス、水又は油の配管施設のうち、製造工程に属するもの

（注）　タンカーから石油精製工場内の貯蔵タンクまで原油を陸揚げするために施設されたパイプライン等は、構築物に該当する。

（広告用のもの）

（三）　別表第一の「構築物」に掲げる「広告用のもの」とは、いわゆる野立看板、広告塔等のように広告のために構築された工作物（建物の屋上又は他の構築物に特別に施設されたものを含む。）をいう。（耐通２－３－５）

（注）　広告用のネオンサインは、「器具及び備品」の「看板及び広告器具」に該当する。

（緑 化 施 設）

（四）　別表第一の「構築物」に掲げる「緑化施設」とは、植栽された樹木、芝生等が一体となって緑化の用に供されている場合の当該植栽された樹木、芝生等をいい、いわゆる庭園と称されるもののうち、花壇、植樹等植物を主体として構成されているものはこれに含まれるが、ゴルフ場、運動競技場の芝生等のように緑化以外の本来の機能を果たすために植栽されたものは、これに含まれない。（耐通２－３－８の２）

（注）１　緑化施設には、並木、生垣等はもとより、緑化の用に供する散水用配管、排水溝等の土工施設も含まれる。

２　緑化のための土堤等であっても、その規模、構造等からみて緑化施設以外の独立した構築物と認められるものは、当該構築物につき定められている耐用年数を適用する。

（庭　　園）

（五）　別表第一の「構築物」に掲げる「庭園（工場緑化施設に含まれるものを除く。）」とは、泉水、池、灯ろう、築山、あづまや、花壇、植樹等により構成されているもののうち、緑化施設に該当しないものをいう。（耐通２－３－９）

（4）　車両及び運搬具の耐用年数の適用関係

（車両に搭載する機器）

（一）　車両に常時搭載する機器（例えば、ラジオ、メーター、無線通信機器、クーラー、工具、スペアータイヤ等をいう。）については、車両と一括してその耐用年数を適用する。（耐通２－５－１）

（特殊自動車に該当しない建設車両等）

（二）トラッククレーン、ブルドーザー、ショベルローダー、ロードローラー、コンクリートポンプ車等のように人又は物の運搬を目的とせず、作業場において作業することを目的とするものは、「特殊自動車」に該当せず、機械及び装置に該当する。この場合おいて、当該建設車両等の耐用年数の判定は、１－４－２によることに留意する。（耐通２－５－５）

（貨物自動車と乗用自動車との区分）

（三）　貨客兼用の自動車が貨物自動車であるかどうかの区分は、自動車登録規則第13条《自動車登録番号》の規定による自動車登録番号により判定する。（耐通２－５－８）

（5）　工具の耐用年数の適用関係

（測定工具及び検査工具）

（一）　別表第一の「工具」に掲げる「測定工具及び検査工具」とは、ブロックゲージ、基準巻尺、ダイヤルゲージ、粗さ測定器、硬度計、マイクロメーター、限界ゲージ、温度計、圧力計、回転計、ノギス、水準器、小型トランシット、スコヤー、V型ブロック、オシロスコープ、電圧計、電力計、信号発生器、周波数測定器、抵抗測定器、インピーダンス測定器その他測定又は検査に使用するもので、主として生産工程（製品の検査等を含む。）で使用する可搬式のものをいう。（耐通２－６－１）

（建設用の足場材料）

（二）　建設業者等が使用する建設用の金属製の足場材料は、別表第一の「工具」に掲げる「金属製柱及びカッペ」の耐用年数を適用する。（耐通２－６－４）

（6）　器具及び備品の耐用年数の適用関係

（前掲する資産のうち当該資産について定められている前掲の耐用年数によるもの以外のもの及び前掲の区分によらないもの）

（一）　「12　前掲する資産のうち、当該資産について定められている前掲の耐用年数によるもの以外のもの」とは、器具及び備品について「１　家具、電気機器、ガス機器及び家庭用品」から「11　前掲のもの以外のもの」までに掲げる細目のうち、そのいずれか一についてはその区分に特掲されている耐用年数により、その他のものについては一括して償却する場合のその一括して償却するものをいい、「前掲の区分によらないもの」とは、「１」から「11」までの区分によらず、一括して償却する場合のそのよらないものをいう。（耐通２－７－１）

（器具及び備品の耐用年数の選択適用）

（二）　器具及び備品の耐用年数については、**共通事項**の（五）《前掲の区分によらない資産の意義等》にかかわらず、別表第一に掲げる「器具及び備品」の「１」から「11」までに掲げる品目のうちそのいずれか一についてその区分について定められている耐用年数により、その他のものについて一括して「12　前掲する資産のうち、当該資産について定められている前掲の耐用年数によるもの以外のもの及び前掲の区分によらないもの」の耐用年数によることができることに留意する。（耐通１－１－７）

（主として金属製のもの）

（三）　器具及び備品が別表第一の「器具及び備品」の「細目」欄に掲げる「主として金属製のもの」又は「その他のもの」のいずれに該当するかの判定は、耐用年数に最も影響があると認められるフレームその他の主要構造部分の材質が金属製であるかどうかにより行う。（耐通２－７－２）

（冷房用又は暖房用機器）

（四）　別表第一の「器具及び備品」の「１　家具、電気機器、ガス機器及び家庭用品」に掲げる「冷房用又は暖房用機器」には、いわゆるウインドータイプのルームクーラー又はエアーコンディショナー、電気ストーブ等が該当する。（耐通２－７－４）

（注）　パッケージドタイプのエアーコンディショナーで、ダクトを通じて相当広範囲にわたって冷房するものは、「器具及び備品」に該当せず、「建物附属設備」の「冷房、暖房、通風又はボイラー設備」に該当する。

（電子計算機）

（五）　別表第一の「器具及び備品」の「２　事務機器及び通信機器」に掲げる「電子計算機」とは、電子管式又は半導体式のもので、記憶装置、演算装置、制御装置及び入出力装置からなる計算機をいう。（耐通２－７－６）

（注）　電子計算機のうち記憶容量（検査ビットを除く。）が12万ビット未満の主記憶装置（プログラム及びデータが記憶され、中央処理装置から直接アクセスできる記憶装置をいう。）を有するもの（附属の制御装置を含む。）は、計算機として取り扱うことができる。

（自動販売機）

（六）　別表第一の「器具及び備品」の「11　前掲のもの以外のもの」に掲げる「自動販売機」には、自動両替機、自動

理容具等を含み、コインロッカーは含まれない。（耐通２－７－18）

（注）　コインロッカーは、「11　前掲のもの以外のもの」の「主として金属製のもの」に該当する。

②　機械及び装置の耐用年数（別表第二）

（機械及び装置の耐用年数）

（一）　機械及び装置の耐用年数の適用については、機械及び装置を別表第二、別表第五又は別表第六に属するもの（別表第二に属する機械及び装置については、更に設備の種類ごと）に区分し、その耐用年数を適用する。（耐通１－４－１）

（注）　「前掲の区分によらないもの」の意義については、**共通事項**の（五）参照。

（いずれの「設備の種類」に該当するかの判定）

（二）　機械及び装置が一の設備を構成する場合には、当該機械及び装置の全部について一の耐用年数を適用するのであるが、当該設備が別表第二の「設備の種類」に掲げる設備（以下「業用設備」という。）のいずれに該当するかは、原則として、法人の当該設備の使用状況等からいずれの業種用の設備として通常使用しているかにより判定することに留意する。（耐通１－４－２）

（最終製品に基づく判定）

（三）　（二）の場合において、法人が当該設備をいずれの業種用の設備として通常使用しているかは、当該設備に係る製品（役務の提供を含む。以下「製品」という。）のうち最終的な製品（製品のうち中間の工程において生ずる製品以外のものをいう。以下「最終製品」という。）に基づき判定する。

なお、最終製品に係る設備が業用設備のいずれに該当するかの判定は、原則として、日本標準産業分類の分類によることに留意する。（耐通１－４－３）

（中間製品に係る設備に適用する耐用年数）

（四）　（三）の場合において、最終製品に係る一連の設備を構成する中間製品（最終製品以外の製品をいう。以下同じ。）に係る設備の規模が当該一連の設備の規模に占める割合が相当程度であるときは、当該中間製品に係る設備については、最終製品に係る業用設備の耐用年数を適用せず、当該中間製品に係る業用設備の耐用年数を適用する。この場合において、次のいずれかに該当すると認められるときは、当該割合が相当程度であると判定して差し支えない。（耐通１－４－４）

イ　法人が中間製品を他に販売するとともに、自己の最終製品の材料、部品等として使用している場合において、他に販売している数量等の当該中間製品の総生産量等に占める割合がおおむね50％を超えるとき

ロ　法人が工程の一部をもって、他から役務の提供を請け負う場合において、当該工程における稼動状況に照らし、その請負に係る役務の提供の当該工程に占める割合がおおむね50％を超えるとき

（自家用設備に適用する耐用年数）

（五）　次に掲げる設備のように、その設備から生ずる最終製品を専ら用いて他の最終製品が生産等される場合の当該設備については、当該最終製品に係る設備ではなく、当該他の最終製品に係る設備として、その使用状況等から１－４－２の判定を行うものとする。（耐通１－４－５）

イ　製造業を営むために有する発電設備及び送電設備

ロ　製造業を営むために有する金型製造設備

ハ　製造業を営むために有するエレベーター、スタッカー等の倉庫用設備

ニ　道路旅客運送業を営むために有する修理工場設備、洗車設備及び給油設備

（複合的なサービス業に係る設備に適用する耐用年数）

（六）　それぞれの設備から生ずる役務の提供が複合して一の役務の提供を構成する場合の当該設備については、それぞれの設備から生ずる役務の提供に係る業種用の設備の耐用年数を適用せず、当該一の役務の提供に係る業種用の設備の耐用年数を適用する。したがって、例えば、ホテルにおいて宿泊業の業種用の設備の一部として通常使用しているクリーニング設備や浴場設備については、「47 宿泊業用設備」の耐用年数を適用することとなる。（耐通１－４－６）

（減価償却資産の耐用年数等に関する省令別表第二に掲げる「324の２　漁ろう用設備」の範囲について）

（七）　標題のことについて、社団法人大日本水産会から漁ろう用設備の範囲について照会があり、これに対して別添の表一、表二のとおり取り扱うこととしたから了知されたい。

なお、漁船以外の船舶の搭載機器については、他の法令通達等により別に定めているものを除き、原則として、当該船舶と一括してその耐用年数を適用することに留意する。（昭57直法２－８、直所３－11）

表一　漁ろう用設備に該当するもの

機　械　の　名　称	参　　　　考
1　魚群の探知装置	
（1）　魚群探知機	漁船から水中に超音波を発射し、その反射を測定して魚群の規模・方位・距離・魚種・海底の深さ等を探知する装置をいう。
（2）　鯨　探　機	捕鯨船から水中に超音波を発射し、その反射を測定して鯨の方位・距離等を探知する装置をいう。
（3）　海水温度計測装置	漁場の海水温度を計測する装置をいう。
（4）　潮流計測装置	漁場の潮流の方向及び流速を計測する装置をいう。
2　揚網、揚縄、揚綱装置	
（1）　ネットホーラー	刺網・敷網等を引き揚げる装置をいう。
（2）　まき網ウインチ	まき網を引き揚げる装置をいう。
（3）　環巻きウインチ	まき網の環網を巻き締める装置をいう。
（4）　底びき網ウインチ	底びき網を引き揚げる装置をいう。
（5）　棒受け網ウインチ	さんま等を漁獲するため用いられる棒受け網を引き寄せる装置をいう。
（6）　サイドローラー	舷側からローラーを使用して網を引き揚げる装置をいう。
（7）　ラインホーラー	まぐろ・たら・ふぐ・かに等を漁獲するため用いられるはえなわを引き揚げる装置をいう。
（8）　ワイヤーリール・ロープリール	漁ろう用のワイヤーやロープを巻き取る装置をいう。
（9）　捕鯨ウインチ	鯨を舷側等に引き寄せる装置をいう。
（10）　その他の漁ろうウインチ	上記の装置以外のもので漁具及び漁獲物等を引き揚げる装置をいう。例えば、各種漁業種類の漁船に使用されるホイスト、まき網漁船に使用されるトッピングウインチ・バングウインチ・アバ巻きウインチ・大手巻きウインチ・スキフボート吊り揚げウインチ等がある。
3　釣り装置	
（1）　いか釣り機	いかを自動的に釣り揚げる装置をいう。
（2）　かつお釣り機	かつおを自動的に釣り揚げる装置をいう。
（3）　その他の釣り機	たい・ふぐ・その他魚介類を自動的に釣り揚げる装置をいう。
（4）　捕　鯨　砲	銛を発射して鯨に命中させ捕獲する装置をいう。
（5）　撒水装置	魚を表層に集めるため海面に撒水する装置をいう。
4　漁具処理装置	
（1）　網　捌　機	まき網等を揚網するとともにこれを整理する装置をいう。
（2）　はえなわ処理機	船内格納所のはえなわを引き出して投縄し、また揚縄したはえなわを船内格納所に収納する装置をいう。
（3）　漁具搬送装置	漁獲物や漁具をベルトコンベアで移動させる装置をいう。
（4）　捕鯨スプリング装置	鯨に命中した銛のロープを緊張し、又は緩和する装置をいう。
（5）　籠送りリフト	かに籠をリフトにより船尾に移動させる装置をいう。
5　魚体保蔵装置	
（1）　冷凍・冷蔵装置	漁獲物を鮮度保持のために予冷し、冷凍し、又は冷蔵する装置（漁ろう船に設置されたものに限る。以下(4)までにおいて同じ。）をいう。
（2）　グレーズ装置	冷凍された漁獲物をグレーズする（氷衣をつけること）装置をいう。
（3）　造水装置	漁獲物の鮮度保持のために使用する清水を、海水を変換して造る装置（兼用して生活用水を造るものを除く。）をいう。
（4）　製氷装置	漁獲物の鮮度保持のために使用する氷を製造する装置をいう。
6　関連装置	
（1）　強制循環方式活餌蓄養装置	漁ろう用の活餌を蓄養するために魚そう内に海水や空気を送り込む装置をいう。

（2）　餌料粉砕装置 （3）　漁獲物くみとり装置 （4）　漁網操作監視装置	漁ろう用の餌を作るため魚体を粉砕する装置をいう。 フィッシュポンプにより漁獲物を船内にくみとる装置をいう。 海中における漁網の沈降・開口の状況を監視する装置をいう。
7　駆 動 装 置	上記の漁ろう用設備を駆動するために用いられる装置で、次の方式に応じ、それぞれ次に掲げるものをいう。 （1）　機械式（推進機又は補機により漁ろう用設備を直接駆動させる方式）……カウンター軸、チエン装置及びベルト装置 （2）　電機式（電動機により漁ろう用設備を駆動させる方式）……駆動電動機（漁ろう用設備に組み込まれている電動機に限る。） （3）　油圧式（油圧モータにより漁ろう用設備を駆動させる方式）……油圧ポンプ（油圧ポンプに組み込まれている電動機を含む。）・油圧ポンプを駆動するためのクラッチ・増速機・弾性継手、油圧調整装置・油圧配管、減速機及び油圧モータ

表二　漁ろう用設備に該当しないもの

1　航 海 計 器	ＮＮＳＳ装置、ロランＣ受信機、オメガ受信機、デッカ受信機、ファクシミリ、レーダー、方向探知機、位置測定機、音響測深機（魚群探知に兼用するものを除く。）
2　無 線 通 信	無線電信、無線電話
3　衛 生 装 置	ボイラー、造水装置（漁獲物の鮮度保持のための清水だけを造るものを除く。）
4　動 力 装 置	発電機、補機、電動機（漁ろう用設備に組み込まれたものを除く。）
5　そ　の　他	油水分離装置、ウインドラス（揚錨機）、キャプスタン（係船機）、ボート（スキフボートを除く。）吊り上げ装置

③　無形減価償却資産（鉱業権を除く。）の耐用年数（別表第三）

無形減価償却資産（鉱業権を除く。）については、耐用年数省令別表第三に定める耐用年数を適用する。（耐用年数省令１①三）

（注）　鉱業権については**ロ**《鉱業権及び坑道の耐用年数》参照。（編者注）

④　生物の耐用年数（別表第四）

（生物の耐用年数）

（一）　牛馬等及び果樹等については、耐用年数省令別表第四に定める耐用年数を適用する。（耐用年数省令１①四）

（注）　観賞用、興行用その他これらに準ずる用に供する生物については、別表第一の「器具及び備品」の「生物」の耐用年数を適用する。（編者注）

（成熟の年齢又は樹齢）

（二）　**1**表内⑨に掲げる生物の減価償却は、当該生物がその成熟の年齢又は樹齢に達した月（成熟の年齢又は樹齢に達した後に取得したものについては、取得の月）から行うことができる。この場合におけるその成熟の年齢又は樹齢は次によるものとするが、次表に掲げる生物についてその判定が困難な場合には、次表に掲げる年齢又は樹齢によることができる。（基通49－27、49－28）

イ　牛馬等については、通常業務の用に供する年齢とする。ただし、現に業務の用に供するに至った年齢がその年齢後であるときは、現に業務の用に供するに至った年齢とする。

ロ　果樹等については、当該果樹等の償却額を含めて通常の場合におおむね収支相償うに至ると認められる樹齢とする。

種　　類	細　　目	成熟の年齢又は樹齢
牛		満　２　歳
馬	農業使役用	満　２　歳
	小運搬使役用	満　４　歳
	繁殖用	満　３　歳
	種付用	満　４　歳
	競走用	満　２　歳
	その他用	満　２　歳

豚	種付用	満	2	歳
	繁殖用	満	1	歳
綿羊		満	2	歳
かんきつ樹		満	15	年
りんご樹		満	10	年
ぶどう樹		満	6	年
梨樹		満	8	年
桃樹		満	5	年
桜桃樹		満	8	年
びわ樹		満	8	年
くり樹		満	8	年
梅樹		満	7	年
柿樹		満	10	年
あんず樹		満	7	年
すもも樹		満	7	年
いちじく樹		満	5	年
茶樹		満	8	年
オリーブ樹		満	8	年
桑樹	根刈り、中刈り及び高刈り	満	3	年
	立て通し	満	7	年
こりやなぎ		満	3	年
みつまた		満	4	年
こうぞ		満	3	年
ラミー		満	3	年
ホップ		満	3	年

ロ　鉱業権及び坑道の耐用年数

鉱業権、坑道、公共施設等運営権、樹木採取権及び漁港水面施設運営権の耐用年数は、次のイからへまでに掲げる資産の区分に応じ当該イからへまでに定める年数とする。（耐用年数省令１②）

イ	採掘権	当該採掘権に係る鉱区の採掘予定数量を、当該鉱区の最近における年間採掘数量その他当該鉱区に属する設備の採掘能力、当該鉱区において採掘に従事する人員の数等に照らし適正に推計される年間採掘数量で除して計算した数を基礎として納税地の所轄税務署長の認定した年数
ロ	試掘権	次に掲げる試掘権の区分に応じそれぞれ次に定める年数 (イ)　石油、アスファルト又は可燃性天然ガスに係る試掘権　　8年 (ロ)　(イ)に掲げる試掘権以外の試掘権　　5年
ハ	租鉱権及び採石権その他土石を採掘し又は採取する権利	イの規定に準じて計算した数を基礎として納税地の所轄税務署長の認定した年数
ニ	坑道	イの規定に準じて計算した数を基礎として納税地の所轄税務署長の認定した年数
ホ	公共施設等運営権	民間資金等の活用による公共施設等の整備等の促進に関する法律第19条第３項《公共施設等運営権の設定の時期等》の規定により公表された当該公共施設等運営権の同法第17条第３号《公共施設等運営権に関する実施方針における記載事項の追加》に掲げる存続期間の年数
へ	樹木採取権	国有林野の管理経営に関する法律第８条の12第１項《樹木採取権の設定を受ける者の決定等》の設定をする旨の通知において明らかにされた当該樹木採取権の同法第８条の７第２号《公募》に掲げる存続期間の年数
ト	漁港水面施設運営権	漁港及び漁場の整備等に関する法律施行規則第42条《漁港水面施設運営権の設定に係る通知》の規定により通知された当該漁港水面施設運営権の漁港及び漁場の整備

		等に関する法律第52条第２項第３号《漁港水面施設運営権の設定の時期等》に掲げる存続期間（漁港水面施設運営権について同法第57条第３項《漁港水面施設運営権の存続期間》の規定による更新に伴い支出する金額につき次に掲げる規定により新たに取得したものとされる漁港水面施設運営権にあっては、当該更新がされたときに同令第47条《漁港水面施設運営権の存続期間の更新に係る通知》の規定により通知された当該漁港水面施設運営権の同条の存続期間）の年数 (イ)　**7ロ**（３）《資本的支出の取得価額の特例》の規定により読み替えられた同**ロ**の規定 (ロ)　法人税法施行令第55条第４項《資本的支出の取得価額の特例》の規定により読み替えられた同条第１項の規定

(注) 1　ホ及びトに定める年数は、暦に従って計算し、１年に満たない端数を生じたときは、これを切り捨てる。（耐用年数省令１③）

2　上記の＿＿下線部については、令和６年４月１日以後、**ロ**イ中「、アスファルト」が削られ、「８年」が「６年」に改められた。（令６改耐用年数省令附①）

3　（注）２の改正後の**ロ**の規定は、個人の令和７年分以後の所得税について適用され、個人の令和６年分以前の所得税については、なお従前の例による。（令６改耐用年数省令附②）

（採掘権等の耐用年数の認定申請）

（１）　**ロ**のイ、同ハ又は同ニの認定を受けようとする個人は、次の㈠から㈤までに掲げる事項を記載した申請書を納税地の所轄税務署長に提出しなければならない。（耐用年数省令１④）

㈠	申請をする者の氏名、納税地並びに個人番号（行政手続における特定の個人を識別するための番号の利用等に関する法律第２条第５項《定義》に規定する個人番号をいう。）
㈡	申請に係る採掘権、租鉱権等又は坑道（以下「採掘権等」という。）（**ロ**のイ、ハ又はニに掲げる資産をいう。以下**ロ**において同じ。）に係る鉱区その他これに準ずる区域（㈢において「鉱区等」という。）の所在地
㈢	申請に係る採掘権等の鉱区等の採掘予定数量、最近における年間採掘数量、当該鉱区等に属する設備の採掘能力及び当該鉱区等において採掘に従事する人員の数
㈣	認定を受けようとする年数
㈤	その他参考となるべき事項

（耐用年数の認定）

（２）　税務署長は、（１）の申請書の提出があった場合には、遅滞なく、これを審査し、その申請に係る年数を認定するものとする。（耐用年数省令１⑤）

（認定した耐用年数の変更）

（３）　税務署長は、耐用年数の認定をした後、その認定に係る年数により、その認定に係る採掘権等の償却費の額の計算をすることを不適当とする特別の事由が生じたと認める場合には、その年数を変更することができる。（耐用年数省令１⑥）

（認定又は変更の処分の通知）

（４）　税務署長は、（２）又は（３）の処分をするときは、その認定に係る個人に対し、書面によりその旨を通知する。（耐用年数省令１⑦）

（耐用年数の変更処分の効果）

（５）　（３）の変更処分があった場合には、その処分があった日の属する年分以後の各年分の不動産所得の金額、事業所得の金額若しくは雑所得の金額を計算する場合のその処分に係る採掘権等の償却費の額の計算についてその処分の効果が生ずるものとする。（耐用年数省令１⑧）

ハ　特殊の減価償却資産の耐用年数

汚水処理用、ばい煙処理用、農林業用又は開発研究用の減価償却資産

次の(イ)又は(ロ)に掲げる減価償却資産の耐用年数は、**イ**《一般の減価償却資産の耐用年数》にかかわらず、当該(イ)又は(ロ)に掲げる表に定めるところによる。(耐用年数省令２)

(イ)	汚水処理（汚水、坑水、廃水又は廃液の沈殿、ろ過、中和、生物化学的方法、混合、冷却又は乾燥その他これらに類する方法による処理をいう。）又はばい煙処理（大気汚染防止法第２条第１項若しくは第７項《定義等》に規定するばい煙若しくは粉じん又は同法第17条第１項《事故時の措置》に規定する特定物質（ばい煙を除く。）の重力沈降、慣性分離、遠心分離、ろ過、洗浄、電気捕集、音波凝集、吸収、中和、吸着又は拡散の方法その他これらに類する方法による処理をいう。）の用に供されている減価償却資産で別表第五《公害防止用減価償却資産の耐用年数表》に掲げるもの	別表第五
(ロ)	開発研究（新たな製品の製造若しくは新たな技術の発明又は現に企業化されている技術の著しい改善を目的として特別に行われる試験研究をいう。）の用に供されている減価償却資産で別表第六《開発研究用減価償却資産の耐用年数表》に掲げるもの	別表第六

（注）　改正後の減価償却資産の耐用年数等に関する**ハ**の規定は、平成21年分以後の所得税について適用し、平成20年分以前の所得税については、なお従前の例（下表参照）による。（耐年省令附２）

〈改正前〉

(イ)	汚水処理（汚水、坑水、廃水又は廃液の沈殿、ろ過、中和、生物化学的方法、混合、冷却又は乾燥その他これらに類する方法による処理をいう。）の用に供されている減価償却資産で旧別表第五《汚水処理用減価償却資産の耐用年数表》に掲げるもの	旧別表第五
(ロ)	ばい煙処理（大気汚染防止法第２条第１項若しくは第８項《定義等》に規定するばい煙若しくは粉じん又は同法第17条第１項《特定物質に関する事故時の措置》に規定する特定物質（ばい煙を除く。）の重力沈降、慣性分離、遠心分離、ろ過、洗浄、電気捕集、音波凝集、吸収、中和、吸着又は拡散の方法その他これらに類する方法による処理をいう。）の用に供されている減価償却資産で旧別表第六《ばい煙処理用減価償却資産の耐用年数表》に掲げるもの	旧別表第六
(ハ)	第二章第一節**一**表内**35**《特別農業所得者》の①から同③までに掲げる事業、畜産農業又は林業の用に供されている減価償却資産で旧別表第七《農林業用減価償却資産の耐用年数表》に掲げるもの	旧別表第七
(ニ)	開発研究（新たな製品の製造若しくは新たな技術の発明又は現に企業化されている技術の著しい改善を目的として特別に行われる試験研究をいう。）の用に供されている減価償却資産で旧別表第八《開発研究用減価償却資産の耐用年数表》に掲げるもの	旧別表第八

ニ　中古資産の耐用年数等

個人において使用され、又は法人において事業の用に供された減価償却資産（これらの資産のうち試掘権以外の鉱業権及び坑道を除く。以下同じ。）の取得（法人税法第２条第12号の８に規定する適格合併又は第12条の12に規定する適格分割型分割（以下**ニ**において「適格分割型分割」という。）による同条第11号に規定する被合併法人又は同条第12号の２に規定する分割法人からの引継ぎを含む。）をしてこれを個人の業務の用に供した場合における当該資産の耐用年数は、**イ**から**ハ**までの規定にかかわらず、次に掲げる年数によることができる。ただし、当該資産を個人の業務の用に供するために当該資産について支出した**一 3**《資本的支出と修繕費》に規定する金額が当該資産の取得価額の100分の50に相当する金額を超える場合には、(二)に掲げる年数についてはこの限りでない。(耐用年数省令３①)

<table>
<tr><td>(一)</td><td colspan="2">当該資産をその用に供した時以後の使用可能期間（個人が当該資産を取得した後直ちにこれをその業務の用に供しなかった場合には、当該資産を取得した時から引き続き業務の用に供したものとして見込まれる当該取得の時以後の使用可能期間）の年数</td></tr>
<tr><td rowspan="3">(二)</td><td colspan="2">次に掲げる資産（別表第一、別表第二、別表第五又は別表第六までに掲げる減価償却資産であって、(一)の年数を見積もることが困難なものに限る。）の区分に応じそれぞれ次に定める年数（その年数が２年に満たないときは、これを２年とする。）</td></tr>
<tr><td>イ</td><td>法定耐用年数（イに規定する耐用年数をいう。以下(二)において同じ。）の全部を経過した資産　当該資産の法定耐用年数の100分の20に相当する年数</td></tr>
<tr><td>ロ</td><td>法定耐用年数の一部を経過した資産　当該資産の法定耐用年数から経過年数を控除した年数に、経過年数の100分の20に相当する年数を加算した年数</td></tr>
</table>

(注) 1　上記の年数は、暦に従って計算し、1年に満たない端数を生じたときは、これを切り捨てる。(耐用年数省令3⑤)

2　この省令は、平成22年10月1日から施行する。(平成22・3・31・耐用年省令の一部を改正する省令20号附1)

3　改正後の減価償却資産の耐用年数等に関する省令第3条第1項及び第2項《中古資産の耐用年数等》の規定は、平成22年10月1日以後に行われる所得税法等の一部を改正する法律（平成22年法律第6号。以下「改正法」という。）第2条の規定による改正後の法人税法（昭和40年法律第34号）第2条第12号の12又は第12号の15《定義》に規定する適格分割型分割又は適格現物分配について適用し、同日前に行われた改正法第2条の規定による改正前の法人税法第2条第12号の12又は第12号の15《定義》に規定する適格分割型分割又は適格事後設立については、なお従前の例による。(平成22・3・31・耐用年省令の一部を改正する省令20号附2)

(中古資産の耐用年数の見積法及び簡便法)

(1)　中古資産についての二(一)に規定する方法（以下(8)までにおいて「見積法」という。）又は(二)に規定する方法(以下(7)までにおいて「簡便法」という。）による耐用年数の算定は、その事業の用に供した年においてすることができるのであるから、当該年においてその算定をしなかったときは、その後の年においてはその算定をすることができないことに留意する。(耐通1－5－1)

(見積法及び簡便法を適用することができない中古資産)

(2)　個人が中古資産を取得した場合において、当該減価償却資産を事業の用に供するに当たって支出した資本的支出の金額が当該減価償却資産の再取得価額の100分の50に相当する金額を超えるときは、当該減価償却資産については、別表第一、別表第二、別表第五又は別表第六に定める耐用年数によるものとする。(耐通1－5－2)

(中古資産に資本的支出をした後の耐用年数)

(3)　(2)の取扱いは、個人が見積法又は簡便法により算定した耐用年数により減価償却を行っている中古資産につき、各年において資本的支出を行った場合において、一の計画に基づいて支出した資本的支出の金額の合計額又は当該各年中に支出した資本的支出の金額の合計額が、当該減価償却資産の再取得価額の100分の50に相当する金額を超えるときにおける当該減価償却資産及びこれらの資本的支出の当該年における資本的支出をした後の減価償却について準用する。(耐通1－5－3)

(中古資産の耐用年数の見積りが困難な場合)

(4)　二(二)に規定する「(一)の年数を見積もることが困難なもの」とは、その見積りのために必要な資料がないため技術者等が積極的に特別の調査をしなければならないこと又は耐用年数の見積りに多額の費用を要すると認められることにより使用可能期間の年数を見積もることが困難な減価償却資産をいう。(耐通1－5－4)

(経過年数が不明な場合の経過年数の見積り)

(5)　個人がその有する中古資産に適用する耐用年数を簡便法により計算する場合において、その資産の経過年数が不明なときは、その構造、形式、表示されている製作の時期等を勘案してその経過年数を適正に見積もるものとする。(耐通1－5－5)

(資本的支出の額を区分して計算した場合の耐用年数の簡便計算)

(6)　個人がその有する中古資産に適用する耐用年数について、二《中古資産の耐用年数》ただし書の規定により簡便法によることができない場合であっても、個人が次の算式により計算した年数（1年未満の端数があるときは、これを切り捨てた年数とする。）を当該中古資産に係る耐用年数として計算したときには、当該中古資産を事業の用に供するに当たって支出した資本的支出の金額が当該減価償却資産の再取得価額の100分の50に相当する金額を超えるときを除き、これを認める。(耐通1－5－6)

(算　式)

$$\text{当該中古資産の取得価額（資本的支出の額を含む。）} \div \left(\frac{\text{当該中古資産の取得価額（資本的支出の額を含まない。）}}{\text{当該中古資産につき二の(二)の規定により算定した耐用年数}} + \frac{\text{当該中古資産の資本的支出の額}}{\text{当該中古資産に係る法定耐用年数}} \right)$$

(中古資産の耐用年数を簡便法により算定している場合において法定耐用年数が短縮されたときの取扱い)

(7)　個人が、中古資産を取得し、その耐用年数を簡便法により算定している場合において、その取得の日の属する年後の年においてその資産に係る法定耐用年数が短縮されたときには、改正後の耐用年数省令の規定が適用される最初の年において改正後の法定耐用年数を基礎にその資産の耐用年数を簡便法により再計算することを認める。（耐通１－５－７）

（注）　この場合の再計算において用いられる経過年数はその中古資産を取得したときにおける経過年数によることに留意する。

（見積法を適用していた中古資産の耐用年数）

（８）　見積法により算定した耐用年数を適用している中古資産について、法定耐用年数の改正があったときは、その改正後の法定耐用年数を基礎として当該中古資産の使用可能期間の見積り替えをすることはできないのであるが、改正後の法定耐用年数が従来適用していた見積法により算定した耐用年数より短いときは、改正後の耐用年数を適用することができる。（耐通１－７－２）

（転用した生物の耐用年数）

（９）　生物の耐用年数表の「細目」欄に掲げる一の用途から同欄に掲げる他の用途に転用された牛、馬、綿羊及びやぎの耐用年数は、生物の耐用年数及び中古資産の耐用年数にかかわらず、その転用の時以後の使用可能期間の年数による。（耐用年数省令３④）

（注）　上記の年数は、暦に従って計算し、１年に満たない端数を生じたときは、これを切り捨てる。（耐用年数省令３⑤）

（牛馬等の転用後の使用可能期間の見積り）

（10）　牛、馬、綿羊及びやぎを生物の耐用年数表に掲げる一の用途から他の用途に転用したことにより（９）に規定する転用後の使用可能期間の年数を見積もる場合において、その使用可能期間が明らかでないときは、牛については８年、馬については10年、綿羊及びやぎについては６年から転用の日における満年齢（１年未満の端数は切り捨てる。）を控除した年数をそれぞれの使用可能期間の年数とするものとする。（基通49－29）

ホ　耐用年数の短縮

青色申告書を提出する居住者は、その有する減価償却資産が次の①から⑥までに掲げる事由のいずれかに該当する場合において、その該当する減価償却資産の使用可能期間のうちいまだ経過していない期間（以下**ホ**から（３）までにおいて「未経過使用可能期間」という。）を基礎としてその償却費の額を計算することについて納税地の所轄国税局長の承認を受けたときは、当該資産のその承認を受けた日の属する年分以後の各年分の償却費の額の計算については、その承認に係る未経過使用可能期間をもって耐用年数省令で定める耐用年数（以下「法定耐用年数」という。）とみなす。（令130①、規30）

①	当該資産の材質又は製作方法がこれと種類及び構造を同じくする他の減価償却資産の通常の材質又は製作方法と著しく異なることにより、その使用可能期間が法定耐用年数に比して著しく短いこと。	
②	当該資産の存する地盤が隆起し、又は沈下したことにより、その使用可能期間が法定耐用年数に比して著しく短いこととなったこと。	
③	当該資産が陳腐化したことにより、その使用可能期間が法定耐用年数に比して著しく短いこととなったこと。	
④	当該資産がその使用される場所の状況に基因して著しく腐食したことにより、その使用可能期間が法定耐用年数に比して著しく短いこととなったこと	
⑤	当該資産が通常の修理又は手入れをしなかったことに基因して著しく損耗したことにより、その使用可能期間が法定耐用年数に比して著しく短いこととなったこと。	
⑥	①から⑤までに掲げる事由のほか、次に掲げる事由により、当該資産の使用可能期間が法定耐用年数に比して著しく短いこと又は短いこととなったこと。	
	イ	減価償却資産の耐用年数等に関する省令の一部を改正する省令（平成20年財務省令第32号）による改正前の耐用年数省令（以下**ホ**及び**10イ**（１）《種類等を同じくする減価償却資産の償却費》において「旧耐用年数省令」という。）を用いて償却費の額を計算することとした場合に、旧耐用年数省令に定める一の耐用年数を用いて償却費の額を計算すべきこととなる減価償却資産の構成が当該耐用年数を用いて償却費の額を計算すべきこととなる同一種類の他の減価償却資産の通常の構成と著しく異なること。
	ロ	当該資産が機械及び装置である場合において、当該資産の属する設備が旧耐用年数省令別表第二《機械及び装置の耐用年数表》に特掲された設備以外のものであること。

ハ	その他①から⑤まで及び上記イ又はロに掲げる事由に準ずる事由

(注)　改正後のホ《耐用年数の短縮》の規定は、個人が平成24年以後の各年分において同ホの承認を受ける場合のその承認に係る減価償却資産の同ホに規定する償却費の計算について適用し、個人が平成23年以前の各年分において改正前のホの承認を受けた場合のその承認に係る減価償却資産の同ホに規定する償却費の計算については、なお従前の例による。(平23改所令附4①)

(耐用年数短縮の承認申請)

(1)　上記の承認を受けようとする居住者は、次の(一)から(七)までに掲げる事項を記載した申請書に当該資産がホ表内①から同⑥までに掲げる事由のいずれかに該当することを証する書類を添付し、納税地の所轄税務署長を経由して、これを納税地の所轄国税局長に提出しなければならない。(令130②、規31)

(一)	申請をする者の氏名及び住所
(二)	耐用年数短縮の承認を受けようとする減価償却資産の種類及び名称、その所在する場所、その使用可能期間、その未経過使用可能期間
(三)	耐用年数短縮の承認を受けようとする減価償却資産に係る耐用年数省令に定める耐用年数
(四)	承認を受けようとする償却費の額の計算の基礎となるホに規定する未経過使用可能期間の算定の基礎
(五)	耐用年数短縮が認められる事由のいずれに該当するかの別
(六)	当該減価償却資産の使用可能期間が耐用年数省令に定める耐用年数に比して著しく短い事由及びその事実
(七)	その他参考となるべき事項

(申請の承認又は却下)

(2)　国税局長は、(1)の申請書の提出があった場合には、遅滞なく、これを審査し、その申請に係る減価償却資産の使用可能期間及び未経過使用可能期間を認め、若しくはその使用可能期間及び未経過使用可能期間を定めて承認をし、又はその申請を却下する。(令130③)

(承認の取消し又は使用可能期間の伸長)

(3)　国税局長は、短縮の承認をした後、その承認に係る未経過使用可能期間により減価償却資産の償却費の額の計算をすることを不適当とする特別の事由が生じたと認める場合には、その承認を取り消し、又はその承認に係る使用可能期間及び未経過使用可能期間を伸長することができる。(令130④)

(処分の通知)

(4)　国税局長は、(2)又は(3)の処分をするときは、その処分に係る居住者に対し、書面によりその旨を通知する。(令130⑤)

(処分等の効果)

(5)　(2)の承認の処分又は(3)の処分があった場合には、その処分のあった日の属する年分以後の各年分の所得の不動産所得の金額、事業所得の金額、山林所得の金額又は雑所得の金額を計算する場合のその処分に係る減価償却資産の償却費の額の計算についてその処分の効果が生ずるものとする。(令130⑥)

また、青色申告の承認を取り消され又は青色申告を取りやめた場合には、短縮の承認はその青色申告の承認の取消しの基因となった事実のあった日の属する年又はそのやめた年の1月1日において、その効力を失うものとする。この場合において、同日以後に短縮の承認を受けたときは、その承認はなかったものとみなす。(令130⑥⑪)

(更新資産と取り替えた場合)

(6)　青色申告書を提出する居住者が、その有するホの承認に係る減価償却資産の一部についてこれに代わる新たな資産(以下(6)において「更新資産」という。)と取り替えた場合その他の(10)で定める場合において、当該更新資産を取得した日の属する年分の所得税に係る確定申告期限までに、当該更新資産の名称、その所在する場所その他(11)で定める事項を記載した届出書を納税地の所轄税務署長を経由して納税地の所轄国税局長に提出したときは、当該届出書をもって(1)の申請書とみなし、当該届出書の提出をもって同日の属する年の12月31日(その者が年の中途において死亡し又は出国をした場合には、その死亡又は出国の時。(7)において同じ。)においてホの承認があったものとみ

なす。この場合においては、（４）の規定は、適用しない。（令130⑦）

（材質又は製作方法を同じくする減価償却資産を取得した場合）

（７）　青色申告書を提出する居住者が、その有する**ホ**の承認（**ホ**表内①に掲げる事由による承認その他⑿で定める事由による承認に限る。）に係る減価償却資産と材質又は製作方法を同じくする減価償却資産（当該⑿で定める事由による承認の場合には、⑿で定める減価償却資産）を取得した場合において、その取得した日の属する年分の所得税に係る確定申告期限までに、その取得した減価償却資産の名称、その所在する場所その他⒀で定める事項を記載した届出書を納税地の所轄税務署長を経由して納税地の所轄国税局長に提出したときは、当該届出書をもって（１）の申請書とみなし、当該届出書の提出をもって同日の属する年の12月31日において**ホ**の承認があったものとみなす。この場合においては、（４）の規定は、適用しない。（令130⑧）

（減価償却資産につき承認を受けた場合の取得価額）

（８）　青色申告書を提出する居住者が、その有する減価償却資産につき**ホ**の承認を受けた場合には、当該資産の**５イ**（１）（イ）若しくは同（ハ）又は**５ロ**（１）（イ）若しくは同（ハ）若しくは同**ロ**（２）表内①《減価償却資産の償却方法》に規定する取得価額には、当該資産の償却費として当該資産につきその承認を受けた日の属する年の前年分以前の各年分の不動産所得の金額、事業所得の金額、山林所得の金額又は雑所得の金額の計算上必要経費に算入された金額の累積額を含まないものとする。（令130⑨）

（調整前償却額が償却保証額に満たない場合について準用）

（９）　**11イ**の規定は、**ホ**の承認に係る減価償却資産（そのよるべき償却の方法として定率法を採用しているものに限る。）につきその承認を受けた日の属する年分において**ホ**の規定を適用しないで計算した**５ロ**（２）表内②イに規定する調整前償却額が（８）の規定を適用しないで計算した同（２）表内①に規定する償却保証額に満たない場合について準用する。この場合において、**11イ**中「同①のイ又はハに定める金額及び」とあるのは「承認前償却累積額（（８）の規定により取得価額に含まないものとされる金額をいう。）及び」と、「**５**で」とあるのは「**ホ**に規定する未経過使用可能期間の年数で」と読み替えるものとする。（令130⑩）

（耐用年数短縮が届出により認められる資産の更新の場合等）

⑽　（６）に規定する⑽で定める場合は、次の㈠及び㈡に掲げる場合とする。（規32①）

㈠	**ホ**の承認に係る減価償却資産（以下⑽及び⑾において「短縮特例承認資産」という。）の一部の資産について、種類及び品質を同じくするこれに代わる新たな資産と取り替えた場合
㈡	短縮特例承認資産の一部の資産について、これに代わる新たな資産（当該資産の購入の代価（**７イ**表内①イ《減価償却資産の取得価額》に規定する購入の代価をいう。）又は当該資産の建設等（同**イ**表内②に規定する建設等をいう。）のために要した原材料費、労務費及び経費の額並びに当該資産を業務の用に供するために直接要した費用の額の合計額が当該短縮特例承認資産の取得価額の100分の10に相当する金額を超えるものを除く。）と取り替えた場合であって、その取り替えた後の使用可能期間の年数と当該短縮特例承認資産の**ホ**の承認に係る使用可能期間の年数とに差異が生じない場合

（（６）に規定する⑾で定める事項）

⑾　（６）に規定する⑾で定める事項は、次の㈠から㈤までに掲げる事項とする。（規32②）

㈠	（６）に規定する届出書を提出する者の氏名及び住所
㈡	短縮特例承認資産の**ホ**の承認に係る使用可能期間の算定の基礎
㈢	（６）に規定する更新資産に取り替えた後の使用可能期間の算定の基礎
㈣	⑽㈠又は同㈡に掲げる事由のいずれに該当するかの別
㈤	その他参考となるべき事項

（（７）に規定する⑿で定める事由及び減価償却資産）

⑿　（７）に規定する⑿で定める事由は、次の㈠及び㈡に掲げる事由とし、（７）に規定する⑿で定める減価償

却資産は、当該(一)及び(二)に掲げる事由の区分に応じ当該(一)又は(二)に定める減価償却資産とする。（規32③）

(一)	**ホ**表内⑥イ《耐用年数の短縮が認められる事由》に掲げる事由　　当該事由による**ホ**の承認に係る減価償却資産と構成を同じくする減価償却資産
(二)	**ホ**表内⑥ハ（**ホ**表内①及び同⑥イに係る部分に限る。）に掲げる事由　　当該事由による**ホ**の承認に係る減価償却資産と材質若しくは製作方法又は構成に準ずるものを同じくする減価償却資産

（(7)に規定する(13)で定める事項）

(13)　(7)に規定する(13)で定める事項は、次の(一)から(四)までに掲げる事項とする。（規32④）

(一)	(7)に規定する届出書を提出する者の氏名及び住所
(二)	(7)に規定する承認に係る減価償却資産及びその取得した減価償却資産の材質若しくは製作方法若しくは構成又はこれらに準ずるもの
(三)	**ホ**表内①及び(12)(一)又は同(二)に掲げる事由のいずれに該当するかの別
(四)	その他参考となるべき事項

（耐用年数短縮の承認事由の判定）

(14)　減価償却資産が**ホ**表内①から同⑥までに掲げる事由に該当するかどうかを判定する場合において、当該①から⑥までの「使用可能期間が法定耐用年数に比して著しく短いこと」とは、当該減価償却資産の使用可能期間がその法定耐用年数に比しておおむね10%以上短い年数となったことをいうものとする。（基通49－13）

（耐用年数の短縮の対象となる資産の単位）

(15)　**ホ**の規定は、減価償却資産の種類の区分ごとに、かつ、耐用年数の異なるものごとに適用する。この場合において、機械及び装置以外の減価償却資産の種類は、耐用年数省令に規定する減価償却資産の種類（その種類につき構造若しくは用途又は細目の区分が定められているものについては、その構造若しくは用途又は細目の種類の区分）とし、機械及び装置の種類は、旧耐用年数省令に定める設備の種類（その設備の種類につき細目の区分が定められているものについては、その細目の区分）とする。ただし、次に掲げる減価償却資産については、次によることができる。（基通49－14）

(一)　機械及び装置　　2以上の工場に同一の設備の種類に属する設備を有する場合は、工場ごと

(注) 1　「2以上の工場に同一の設備の種類に属する設備を有する場合」には、2以上の工場にそれぞれ一の設備の種類を構成する機械及び装置が独立して存在する場合が該当し、2以上の工場の機械及び装置を合せて一の設備の種類が構成されている場合は、これに該当しない。

2　一の設備を構成する機械及び装置の中に他から貸与を受けている資産があるときは、当該資産を含めないところにより**ホ**の規定を適用する。

(二)　建物、建物附属設備、構築物、船舶、航空機又は無形減価償却資産　　個々の資産ごと

(三)　他に貸与している減価償却資産　　その貸与している個々の資産（当該個々の資産が借主における一の設備を構成する機械及び装置の中に2以上含まれているときは、当該2以上の資産）ごと

（機械及び装置以外の減価償却資産の使用可能期間の算定）

(16)　機械及び装置以外の減価償却資産に係る**ホ**の「使用可能期間」は、**ホ**表内①から同⑥に掲げる事由に該当することとなった減価償却資産の取得後の経過年数とこれらの事由に該当することとなった後の見積年数との合計年数（1年未満の端数は切り捨てる。）とする。この場合における見積年数は、当該減価償却資産につき使用可能期間を算定しようとする時から通常の維持補修を加え、通常の使用条件で使用するものとした場合において、通常予定される効果をあげることができなくなり更新又は廃棄されると見込まれる時期までの年数による。（基通49－15）

（機械及び装置以外の減価償却資産の未経過使用可能期間の算定）

(17)　機械及び装置以外の減価償却資産に係る**ホ**に規定する「未経過使用可能期間」は、当該減価償却資産につき使用可能期間を算定しようとする時から通常の維持補修を加え、通常の使用条件で使用するものとした場合において、通常予定される効果をあげることができなくなり更新又は廃棄されると見込まれる時期までの見積年数（1年未満の端数は切り捨てる。）による。（基通49－15の2）

（機械及び装置の使用可能期間の算定）

(18)　機械及び装置に係る**ホ**の「使用可能期間」は、旧耐用年数省令に定められている設備の種類を同じくする機械及び装置に属する個々の資産の取得価額（再評価を行った資産については、その再評価額とする。ただし、申請の事由が**ホ**表内⑥ロに掲げる事由又はこれに準ずる事由に該当するものである場合には、その再取得価額とする。(19)において同じ。）を償却基礎価額とし、(16)に準じて算定した年数（当該機械及び装置に属する個々の資産のうち**ホ**表内①から同⑥に掲げる事由に該当しないものについては、当該機械及び装置の旧耐用年数省令に定められている耐用年数の算定の基礎となった個別年数とする。(19)において同じ。）を使用可能期間として、(20)に従いその機械及び装置の全部を総合して算定した年数による。（基通49－16）

(10)(二)に規定する「その取り替えた後の使用可能期間」についても、同様とする。

(注)　「機械及び装置の旧耐用年数省令に定められている耐用年数の算定の基礎となった個別年数」とは、「機械装置の個別年数と使用時間表」の「機械及び装置の細目と個別年数」の「同上算定基礎年数」を基礎として見積もられる年数による。ただし、個々の資産の個別耐用年数がこれらの表に掲げられていない場合には、当該資産と種類等を同じくする資産又は当該資産に類似する資産の個別耐用年数を基礎として見積もられる年数とする。

（機械及び装置の未経過使用可能期間の算定）

(19)　機械及び装置に係る**ホ**に規定する「未経過使用可能期間」は、個々の資産の取得価額を償却基礎価額とし、(16)に準じて算定した年数を使用可能期間として、(21)に従って算定した年数による。（基通49－16の２）

（総合償却資産の使用可能期間の算定）

(20)　総合償却資産の使用可能期間は、総合償却資産に属する個々の資産の償却基礎価額の合計額を個々の資産の年要償却額（償却基礎価額を個々の資産の使用可能期間で除した額をいう。以下(21)において同じ。）の合計額で除して得た年数（１年未満の端数がある場合には、その端数を切り捨て、その年数が２年に満たない場合には、２年とする。）とする。（耐通１－６－１）

（総合償却資産の未経過使用可能期間の算定）

(21)　総合償却資産の未経過使用可能期間は、総合償却資産の未経過期間対応償却基礎価額を個々の資産の年要償却額の合計額で除して得た年数（その年数に１年未満の端数がある場合には、その端数を切り捨て、その年数が２年に満たない場合には、２年とする。）による。（耐通１－６－１の２）

(注)１　未経過期間対応償却基礎価額とは、個々の資産の年要償却額に経過期間（資産の取得の時から使用可能期間を算定しようとする時までの期間をいう。）の月数を乗じてこれを12で除して計算した金額の合計額を個々の資産の償却基礎価額の合計額から控除した残額をいう。

２　月数は暦に従って計算し、１月に満たない端数を生じたときは、これを１月とする。

（陳腐化による耐用年数の短縮）

(22)　製造工程の一部の工程に属する機械及び装置が陳腐化したため耐用年数の短縮を承認した場合において、陳腐化した当該機械及び装置の全部を新たな機械及び装置と取り替えたときは、(３)の「不適当とする」特別の事由が生じた場合に該当することに留意する。（耐通１－６－２）

（耐用年数短縮の承認があった後に取得した資産の耐用年数）

(23)　耐用年数の短縮の承認に係る減価償却資産が**ホ**表内⑥ロ《特掲されていない設備の耐用年数の短縮》に掲げる事由又はこれに準ずる事由に該当するものである場合において、その後、その承認の対象となった資産と種類を同じくする資産を取得したときは、その取得した資産についても承認に係る耐用年数を適用する。（基通49－17）

（耐用年数短縮の承認を受けている資産に資本的支出をした場合）

(24)　耐用年数の短縮の承認を受けている減価償却資産（**ホ**表内②に掲げる事由又はこれに準ずる事由に該当するものを除く。）に資本的支出をした場合において、当該減価償却資産及び資本的支出につき、短縮した耐用年数により償却を行うときには、(６)に該当する場合を除き、改めて**ホ**の規定による国税局長の承認を受けることに留意する。（基通49－17の２）

（耐用年数短縮が届出により認められる資産の更新に含まれる資産の取得等）

(25)　**ホ**(10)(二)に規定する「これに代わる新たな資産（………）と取り替えた場合」には、**ホ**表内①に掲げる事由又はこれに準ずる事由により承認を受けた短縮特例承認資産について、次に掲げる事実が生じた場合が含まれるものとする。（基通49－17の３）

(一)　当該短縮特例承認資産の一部の資産を除却することなく、当該短縮特例承認資産に属することとなる資産（その購入の対価又はその資産の建設等のために要した原材料費、労務費及び経費の額並びにその資産を業務の用に供するために直接要した費用の額の合計額が当該短縮特例承認資産の取得価額の10%相当額を超えるものを除く。）を新たに取得したこと

(二)　当該短縮特例承認資産に属することとなる資産を新たに取得することなく、当該短縮特例承認資産の一部の資産を除却したこと

(注)　本文の取扱いの適用を受ける資産についての(6)に規定する届出書の提出は、当該資産を新たに取得した日又は当該一部の資産を除却した日の属する年分に係る申告書の提出期限までに行うこととなる。

（耐用年数の短縮承認を受けていた減価償却資産の耐用年数）

(26)　**ホ**により耐用年数短縮の承認を受けている減価償却資産について、耐用年数の改正があった場合において、改正後の耐用年数が当該承認を受けた耐用年数より短いときは、当該減価償却資産については、改正後の耐用年数によるのであるから留意する。（耐通１－７－３）

9　償却率及び残存価額

イ　旧定額法及び旧定率法の償却率

平成19年３月31日以前に取得された減価償却資産の耐用年数に応じた償却率は、**5イ**《減価償却資産の償却の方法》表内①(イ)⑴に規定する旧定額法（以下において「旧定額法」という。）及び同①(イ)⑵に規定する旧定率法（以下において「旧定率法」という。）の区分に応じそれぞれ別表第七《平成19年３月31日以前に取得をされた減価償却資産の償却率表》（巻末1987ページ）に定めるところによる。（令129、耐用年数省令４①）

(注)　耐用年数省令別表第一～別表第十一は巻末1965ページ参照。（編者注）

ロ　定額法の償却率並びに定率法の償却率、改定償却率及び保証率

平成19年４月１日以後に取得をされた減価償却資産の耐用年数に応じた償却率、改定償却率及び保証率は、次の(一)又は(二)に掲げる区分に応じ(一)又は(二)に定める表に定めるところによる。（令129、耐用年数省令５①）

(一)　定額法（**5ロ**表内①(イ)⑴に規定する定額法をいう。）の償却率　　別表第八（平成19年４月１日以後に取得をされた減価償却資産の定額法の償却率表）

(二)　定率法（**5ロ**表内①イ⑵に規定する定率法をいう。）の償却率、改定償却率及び保証率　　次に掲げる資の区分に応じそれぞれ次に定める表

イ　平成24年３月31日以前に取得をされた減価償却資産　　別表第九（平成19年４月１日から平成24年３月31日までの間に取得をされた減価償却資産の定率法の償却率、改定償却率及び保証率の表）

ロ　平成24年４月１日以後に取得をされた減価償却資産　　別表第十（平成24年４月１日以後に取得をされた減価償却資産の定率法の償却率、改定償却率及び保証率の表）

(注)　耐用年数省令別表第一～別表第十一は巻末1965ページ参照。（編者注）

ハ　残存価額

平成19年３月31日以前に取得をされた減価償却資産の残存価額は、別表第十一《平成19年３月31日以前に取得をされた減価償却資産の残存割合表》の「種類」及び「細目」欄の区分に応じ、同表に定める残存割合を当該減価償却資産の**7イ**《減価償却資産の取得価額》の規定による取得価額に乗じて計算した金額とする。（令129、耐用年数省令６①）

(注)１　耐用年数省令別表第一、別表第二及び別表第五から別表第六までに掲げる有形減価償却資産の残存割合は100分の10、別表第三に掲げる無形減価償却資産、別表第六に掲げるソフトウエア並びに鉱業権及び坑道の残存割合は零である。（耐用年数省令別表第九）

２　**ハ**に規定する減価償却資産のうち牛及び馬の残存価額は、**ハ**の規定にかかわらず、**ハ**に規定する金額と10万円とのいずれか少ない金額とする。（耐用年数省令６②）

10　減価償却資産の償却費の計算

イ　減価償却資産の償却費の計算

居住者の有する減価償却資産につきその償却費としてその者の各年分の不動産所得の金額、事業所得の金額、山林所得

の金額又は雑所得の金額の計算上必要経費に算入する金額は、当該資産につきその者が採用している償却の方法に基づいて計算した金額とする。（令131）

（種類等を同じくする減価償却資産の償却費）

（1）　居住者の有する減価償却資産で耐用年数省令に定める耐用年数（耐用年数短縮の承認を受けた耐用年数を含む。）を適用するものについての各年分の不動産所得の金額、事業所得の金額、山林所得の金額又は雑所得の金額の計算上必要経費に算入される償却費の額は、当該耐用年数に応じ、耐用年数省令に規定する減価償却資産の種類の区分（その種類につき構造若しくは用途、細目又は設備の種類の区分が定められているものについては、その構造若しくは用途、細目又は設備の種類の区分とし、２以上の事業所を有する居住者で事業所ごとに償却の方法を選定している場合にあっては、事業所ごとのこれらの区分とする。）ごとに、かつ、当該耐用年数及びその居住者が採用している償却の方法の異なるものについては、その異なるごとに、当該償却の方法により計算した金額とするものとする。（規33①）

上段の場合において、居住者がその有する機械及び装置の種類の区分について旧耐用年数省令に定められている設備の種類の区分によっているときは、上段に規定する減価償却資産の種類の区分は、旧耐用年数省令に定められている設備の種類の区分とすることができる。（規33②）

居住者がそのよるべき償却の方法として**5ロ**（1）（ロ）に規定する定率法を採用している減価償却資産のうちに平成24年３月31日以前に取得された資産と同年４月１日以後に取得された資産とがある場合には、これらの資産は、それぞれ償却の方法が異なるものとして、上段の規定を適用する。（規33③）

（注）1　個人が、その有する減価償却資産について**5ロ**（1）（注）２の規定の適用を受ける場合には、当該減価償却資産は、平成24年３月31日以前に取得された資産とみなして、（1）の下段の規定を適用する。（平23．12改所規２③、平28改所規15）

2　個人が、その有する減価償却資産について**5ロ**（1）（注）３の規定の適用を受ける場合には、当該減価償却資産は、平成24年４月１日以後に取得された資産とみなして、（1）の下段の規定を適用する。（平23．12改所規２④、平28改所規15）

3　**5ロ**（1）（注）５に規定する新たに取得したものとされる減価償却資産に係る（1）の下段の規定の適用については、当該減価償却資産は平成24年３月31日以前に取得された資産に該当するものとする。（平23．12改所規２⑤、平28改所規15）

（転用資産の償却費の特例）

（2）　減価償却資産（**1**表内⑨の生物を除く。）を年の中途において従来使用されていた用途から他の用途に転用した場合には、その年において転用した減価償却資産の全部についてその転用した日の属する年の１月１日から転用後の耐用年数により償却費を計算することができるものとする。（基通49－18）

（注）1　その年において転用した減価償却資産の一部についてのみこの方法により償却費を計算することはできない。

2　**1**表内⑨に掲げる生物を転用した場合の転用後の償却費の計算については、(12)参照。

3　償却方法として定率法を選定している減価償却資産の転用前の耐用年数よりも転用後の耐用年数が短くなった場合において、転用した最初の年に、転用後の耐用年数による償却費の額が、転用前の耐用年数による償却費の額に満たないときには、転用前の耐用年数により償却費を計算することができることに留意する。

（転用した追加償却資産に係る償却費の計算等）

（3）　**7ロ**（4）の規定の適用を受けた一の減価償却資産を構成する各追加償却資産（同**ロ**（3）に規定する追加償却資産をいう。以下（3）及び**13**（8）において同じ。）のうち従来使用されていた用途から他の用途に転用したものがある場合には、当該転用に係る追加償却資産を一の資産として、転用後の耐用年数により償却費を計算することに留意する。この場合において、当該追加償却資産の取得価額は、**7ロ**（3）の規定の適用を受けた年の１月１日における当該追加償却資産の未償却残額とし、かつ、当該転用した日の属する年の１月１日における当該追加償却資産の未償却残額は、次の場合に応じ、それぞれ次による。（基通49－18の２）

（一）　償却費の額が個々の追加償却資産に合理的に配賦されている場合　　転用した追加償却資産の当該転用した日の属する年の１月１日における未償却残額

（二）　償却費の額が個々の追加償却資産に配賦されていない場合　　転用した日の属する年の１月１日における当該一の減価償却資産の未償却残額に当該一の減価償却資産の取得価額のうちに当該追加償却資産の**7ロ**（3）の規定の適用を受けた年の１月１日における未償却残額の占める割合を乗じて計算した金額

（注）　当該転用が年の中途で行われた場合における当該追加償却資産の償却費の計算については、（2）による。

（部分的に用途を異にする建物の償却）

（4）　一の建物が部分的にその用途を異にしている場合において、その用途を異にする部分がそれぞれ相当の規模のものであり、かつ、その用途の別に応じて償却することが合理的であると認められる事情があるときは、当該建物につきそれぞれの用途を異にする部分ごとに異なる償却の方法を選定することができるものとする。（基通49－18の３）

（定額法を定率法に変更した場合等の償却費の計算）

（5）　減価償却資産の償却方法について、旧定額法を旧定率法に変更した場合又は定額法を定率法に変更した場合には、その後の償却費（**11**の**イ**の規定による償却費を除く。）は、その変更をした年の１月１日における未償却残額又は当該減価償却資産に係る改定取得価額を基礎とし、当該減価償却資産について定められている耐用年数に応ずる償却率、改定償却率又は保証率により計算するものとする。（基通49－19）

（定率法を定額法に変更した場合の償却費の計算等）

（6）　減価償却資産の償却方法について、旧定率法を旧定額法に変更した場合又は定率法を定額法に変更した場合には、その後の償却費（**11イ**の規定による償却費を除く。）は、次の㈠に定める取得価額又は残存価額を基礎とし、次の㈡に定める年数に応ずるそれぞれの償却方法に係る償却率により計算するものとする。（基通49－20）

㈠　取得価額又は残存価額は、その減価償却資産の取得の時期に応じて次のイ又はロに定める価額による。

イ　平成19年３月31日以前に取得した減価償却資産　　その変更した年の１月１日における未償却残額を取得価額とみなし、実際の取得価額の10％相当額を残存価額とする。

ロ　平成19年４月１日以後に取得した減価償却資産　　その変更した年の１月１日における未償却残額を取得価額とみなす。

㈡　耐用年数は、その者の選択により、次のイ又はロに定める年数による。

イ　当該減価償却資産について定められている耐用年数

ロ　当該減価償却資産について定められている耐用年数から選定していた償却方法に応じた経過年数を控除した年数（その年数が２年に満たない場合には、２年）。この場合において、経過年数は、その変更をした年の１月１日における未償却残額を実際の取得価額（同日前の資本的支出の額を含む。）をもって除して得た割合に応ずる当該耐用年数に係る未償却残額割合に対応する経過年数とする。

（注）1　経過年数の計算は、（1）の規定により一の償却計算単位として償却費を計算する減価償却資産ごとに行う。
　　2　経過年数に１年未満の端数がある場合には切り上げる。

（旧定率法を旧定額法に変更した後に資本的支出をした場合等）

（7）　償却方法について、旧定率法を旧定額法に変更した後又は定率法を定額法に変更した後の償却費の計算の基礎となる耐用年数につき（6）の㈡のロによっている減価償却資産について資本的支出をした場合には、その後における当該減価償却資産の償却費の計算の基礎となる耐用年数は、次の場合に応じそれぞれ次に定める年数によるものとする。（基通49－20の２）

㈠　その資本的支出の金額が当該減価償却資産の再取得価額の50％に相当する金額以下の場合　　当該減価償却資産につき現に適用している耐用年数

㈡　㈠以外の場合　　当該減価償却資産について定められている耐用年数

（定率法から定額法に変更した資産の耐用年数改正後の適用年数）

（8）　個人が減価償却資産の償却方法について、旧定率法から旧定額法に又は定率法から定額法に変更し、その償却費の計算につき（6）の㈡のロに定める年数によっている場合において、耐用年数が改正されたときは、次の算式により計算した年数（その年数に１年未満の端数があるときは、その端数を切り捨て、その年数が２年に満たない場合には、２年とする。）により償却費を計算することができる。（耐通１－７－１）

$$\text{耐用年数改正前において適用していた年数} \times \frac{\text{改正後の耐用年数}}{\text{改正前の耐用年数}} = \text{新たに適用する年数}$$

（生産高比例法を定額法に変更した場合等の償却費の計算）

（9）　鉱業用減価償却資産の償却方法について、旧生産高比例法を旧定額法に変更した場合又は生産高比例法を定額法に変更した場合には、その後の償却費（**11イ**の規定による償却費を除く。）は、次の㈠に定める取得価額又は残存価額を基礎とし、次の㈡に定める年数に応ずるそれぞれの償却方法に係る償却率により計算するものとする。（基通49－23）

㈠　取得価額又は残存価額は、当該減価償却資産の取得の時期に応じて次のイ又はロに定める価額による。

イ　平成19年３月31日以前に取得した減価償却資産　　その変更をした年の１月１日における未償却残額を取得価額とみなし、実際の取得価額の10％相当額（鉱業権及び坑道については、ゼロ）を残存価額とする。

ロ　平成19年４月１日以後に取得した減価償却資産　　その変更をした年の１月１日における未償却残額を取得価

額とみなす。

(二)　耐用年数は、次の資産の区分に応じ、次に定める年数による。

イ　鉱業権（試掘権を除く。）及び坑道　　その変更をした年の１月１日以後における採掘予定数量を基礎として**8ロ**《鉱業権及び坑道の耐用年数》イ、同ハ又は同ニの規定により税務署長が認定した年数

ロ　イ以外の鉱業用減価償却資産　　その資産について定められている耐用年数又は次の算式により計算した年数（その年数が２年に満たない場合には、２年）

（算式）

$$法定耐用年数\times\frac{その変更した年の１月１日における当該資産の未償却残額}{当該資産の実際の取得価額}$$

（生産高比例法を定率法に変更した場合等の償却費の計算）

(10)　鉱業用減価償却資産（**5ロ**表内③(イ)に掲げる減価償却資産を除く。）の償却方法について、旧生産高比例法を旧定率法に変更した場合又は生産高比例法を定率法に変更した場合には、その後の償却費（**11イ**の規定による償却費を除く。）は、(5)に準じて計算する。（基通49－24）

（定額法又は定率法を生産高比例法に変更した場合等の償却費の計算）

(11)　鉱業用減価償却資産の償却方法について、旧定額法若しくは旧定率法を旧生産高比例法に変更した場合又は定額法若しくは定率法を生産高比例法に変更した場合には、その後の償却費（**11イ**の規定による償却費を除く。）は、当該減価償却資産の取得の時期に応じて次に定める取得価額、残存価額又は残存耐用年数を基礎として計算する。（基通49－25）

(一)　平成19年３月31日以前に取得した減価償却資産　　その変更をした年の１月１日における未償却残額を取得価額とみなし、実際の取得価額の10％相当額（鉱業権及び坑道については、ゼロ）を残存価額として当該減価償却資産の残存耐用年数（当該減価償却資産の属する鉱区の当該変更をした年の１月１日以後における採掘予定年数がその残存耐用年数より短い場合には、当該鉱区の当該採掘予定年数。以下この項において同じ。）を基礎とする。

(二)　平成19年４月１日以後に取得した減価償却資産　　その変更した年の１月１日における未償却残額を取得価額とみなし、当該減価償却資産の残存耐用年数を基礎とする。

(注)　当該減価償却資産の残存耐用年数は(6)の(二)のロ及び(7)の例による。

（転用後の償却費の計算）

(12)　牛、馬、綿羊及びやぎを転用した場合には、その転用した年の償却費はその転用がなかったものとして計算し、その年の翌年以後の償却費は、その転用した日の属する年の翌年１月１日の未償却残額を取得価額とみなし、実際の取得価額を基として**9ハ**《残存価額》の規定により計算した金額を残存価額として同日後の使用可能期間の年数に応ずる償却率により計算することができる。（基通49－30）

(注)　この取扱いによる場合には、**8ニ**(10)《転用後の使用可能期間》中「転用の日における満年齢」とあるのは、「転用の日の属する年の翌年１月１日における満年齢」と読み替える。

（温泉利用権の償却費の計算）

(13)　温泉を利用する権利（温泉をゆう出する土地の所有者のその土地からゆう出する温泉を利用する権利を除く。）でその温泉の利用につき定められた契約期間が水利権の耐用年数より短いもの（契約期間を延長しない旨の明らかな定めのあるものに限る。）については、当該契約期間を耐用年数として償却費を計算するものとする。（基通49－26）

（工業所有権の実施権等の償却費の計算）

(14)　工業所有権の実施権又は使用権で、その存続期間が当該工業所有権の耐用年数より短いものについては、当該存続期間（１年未満の端数は切り捨てる。）を耐用年数として償却費を計算するものとする。（基通49－26の２）

ロ　年の中途で業務の用に供した減価償却資産等の償却費の特例

①　月割による償却費の計算

居住者の有する減価償却資産（**5イ**表内⑥に掲げる国外リース資産及び**5ロ**表内⑥に掲げるリース資産を除く。）が次の(一)から(三)に掲げる場合に該当することとなったときは、当該資産の償却費としてその該当することとなった日の属す

る年分の不動産所得の金額、事業所得の金額、山林所得の金額又は雑所得の金額の計算上必要経費に算入する金額は、**イ**の規定にかかわらず、当該(一)から(三)に定める金額とする。（令132①）

(一) 減価償却資産が年の中途において不動産所得、事業所得、山林所得又は雑所得を生ずべき業務の用に供された場合（(二)に該当する場合を除く。）	イ	そのよるべき償却の方法として旧定額法、旧定率法、定額法、定率法又は取替法を採用している減価償却資産（取替法を採用しているものについては、**5二**（1）《取替資産に係る償却の方法の特例》(二)に規定する新たな資産に該当するものを除く。以下(二)イ及び(三)イにおいて同じ。）	当該資産につきこれらの方法により計算した**イ**によるその年分の償却費の額に相当する金額を12で除し、これにその業務の用に供された日からその年12月31日（その者が年の中途において死亡し又は出国した場合には、その死亡又は出国の日。以下①において同じ。）までの期間の月数を乗じて計算した金額 （注）　月数は暦に従って計算し、1か月に満たない端数を生じたときは、これを1か月とする。以下(三)までにおいて同じ。（令132②）
	ロ	そのよるべき償却の方法として旧生産高比例法又は生産高比例法を採用している減価償却資産	当該資産につきこれらの方法により計算した**イ**によるその年分の償却費の額に相当する金額をその年における当該資産の属する鉱区の採掘数量で除し、これに当該業務の用に供された日からその年12月31日までの期間における当該鉱区の採掘数量を乗じて計算した金額
	ハ	そのよるべき償却の方法として納税地の所轄税務署長の承認を受けた特別な償却の方法を採用している減価償却資産	当該承認を受けた償却の方法がイ又はロに規定する償却の方法のいずれに類するかに応じイ又はロの規定に準じて計算した金額
(二) 減価償却資産が年の中途において(一)に規定する業務の用以外の用に供された場合	イ	そのよるべき償却の方法として旧定額法、旧定率法、定額法、定率法又は取替法を採用している減価償却資産	当該資産につきこれらの方法により計算した**イ**によるその年分の償却費の額に相当する金額を12で除し、これにその年1月1日（年の中途において当該資産が当該業務の用に供された場合には、当該業務の用に供された日。以下①において同じ。）から当該業務の用以外の用に供された日までの期間の月数を乗じて計算した金額
	ロ	そのよるべき償却の方法として旧生産高比例法又は生産高比例法を採用している減価償却資産	当該資産につきこれらの方法により計算した**イ**によるその年分の償却費の額に相当する金額をその年における当該資産の属する鉱区の採掘数量で除し、これにその年1月1日から当該業務の用以外の用に供された日までの期間における当該鉱区の採掘数量を乗じて計算した金額
	ハ	そのよるべき償却の方法として納税地の所轄税務署長の承認を受けた特別な償却の方法を採用している減価償却資産	当該承認を受けた償却の方法がイ又はロに規定する償却の方法のいずれに類するかに応じイ又はロの規定に準じて計算した金額

区分		償却の方法	償却費の額
(三)　減価償却資産を有する居住者が年の中途において死亡し又は出国する場合（(一)又は(二)に該当する場合を除く。）	イ	そのよるべき償却の方法として旧定額法、旧定率法、定額法、定率法又は取替法を採用している減価償却資産	当該資産につきこれらの方法により計算した**イ**によるその年分の償却費の額に相当する金額を12で除し、これにその年1月1日からその死亡又は出国の日までの期間の月数を乗じて計算した金額
	ロ	そのよるべき償却の方法として旧生産高比例法又は生産高比例法を採用している減価償却資産	当該資産につきこれらの方法により計算した**イ**によるその年分の償却費の額に相当する金額をその年における当該資産の属する鉱区の採掘数量で除し、これにその年1月1日からその死亡又は出国の日までの期間における当該鉱区の採掘数量を乗じて計算した金額
	ハ	そのよるべき償却の方法として納税地の所轄税務署長の承認を受けた特別な償却の方法を採用している減価償却資産	当該承認を受けた償却の方法がイ又はロに規定する償却の方法のいずれに類するかに応じイ又はロの規定に準じて計算した金額

②　年の中途で一部の取壊し等又は資本的支出があった場合の償却費の計算

（一の減価償却資産について一部の取壊し等又は資本的支出があった場合の定額法又は定率法による償却費の計算等）

（1）　年の中途において、一の減価償却資産について一部の取壊し、除却、滅失その他の事由（以下イ及び（2）において「**取壊し等**」という。）により損失が生じた場合又は資本的支出があった場合におけるその年の当該減価償却資産の旧定額法、旧定率法、定額法又は定率法による償却費の額は、それぞれ次に掲げる場合に応じ、それぞれに掲げる金額とする。この場合において、取壊し等があった部分又は資本的支出があった部分の償却費の額は、①の規定に準じて計算した金額とする。（基通49－31）

(一)　一の減価償却資産について一部の取壊し等があった場合

イ　当該減価償却資産につき旧定額法、定額法を選定している場合

次の(イ)及び(ロ)の償却費の額の合計額

(イ)　当該減価償却資産のその年1月1日（当該減価償却資産をその年の中途において取得している場合には、その取得した日。以下イにおいて同じ。）における取得価額のうち資産損失額（その取壊し等があった直前における未償却残額から取壊し等があった直後における当該減価償却資産の価額を控除した残額をいう。以下イにおいて同じ。）に対応する金額を取壊し等があった部分に係る取得価額とみなして計算した償却費の額

この場合において、資産損失額に対応する金額は次の算式により計算する。

$$\text{当該減価償却資産のその年1月1日における取得価額} \times \frac{\text{資産損失額}}{\text{取壊し等直前における当該減価償却資産の未償却残額}}$$

(ロ)　当該減価償却資産のその年1月1日における取得価額から当該取得価額のうち資産損失額に対応する金額を控除した残額を当該減価償却資産の取得価額とみなして計算した償却費の額

ロ　当該減価償却資産につき旧定率法、定率法を選定している場合

次の(イ)及び(ロ)の償却費の額の合計額

(イ)　当該減価償却資産のその年1月1日における未償却残額（当該減価償却資産をその年の中途において取得している場合には、当該減価償却資産の取得価額。以下ロにおいて同じ。）のうち資産損失額に対応する金額を取壊し等があった部分に係るその年1月1日における未償却残額とみなして計算した償却費の額

この場合において、資産損失額に対応する金額は次の算式により計算する。

$$\text{当該減価償却資産のその年1月1日における未償却残額} \times \frac{\text{資産損失額}}{\text{取壊し等直前における当該減価償却資産の未償却残額}}$$

(ロ)　当該減価償却資産のその年1月1日における未償却残額から当該未償却残額のうち資産損失額に対応する金額を控除した残額を当該減価償却資産の未償却残額とみなして計算した償却費の額

(二)　一の減価償却資産について資本的支出があった場合

当該減価償却資産の取得価額を資本的支出の部分とその他の部分とに区分し、それぞれの部分を別個の減価償却資産とみなして各別に計算した償却費の額の合計額

（一の減価償却資産について一部の取壊し等があった場合の翌年以後の償却費の計算の基礎となる取得価額等）

（2）　一部の取壊し等があった一の減価償却資産に係る当該取壊し等があった日の属する年の翌年以後の償却費の額の計算の基礎となる取得価額又は未償却残額は、次に掲げる金額によるものとする。（基通49－32）

（一）　取得価額については、（1）(一)イ(ロ)に掲げる償却費の額の計算の基礎とされた金額

（二）　未償却残額については、（1）(一)ロ(ロ)に掲げる償却費の額の計算の基礎とされた金額から当該償却費の額を控除した残額

ハ　通常の使用時間を超えて使用される機械及び装置の償却費の特例

①　増 加 償 却

青色申告書を提出する居住者が、その有する機械及び装置（そのよるべき償却の方法として旧定額法、旧定率法、定額法又は定率法を採用しているものに限る。）の使用時間がその者の行う不動産所得、事業所得又は山林所得を生ずべき業務の通常の経済事情における当該機械及び装置の平均的な使用時間を超える場合において、当該機械及び装置の当該年分の償却費の額と当該償却費の額に当該機械及び装置の当該平均的な使用時間を超えて使用することによる損耗の程度に応ずるものとして②で定めるところにより計算した**増加償却割合**を乗じて計算した金額との合計額をもって当該機械及び装置の当該年分の償却費の額としようとする旨その他次のイからリまでに掲げる事項を記載した書類を、当該年分の所得税に係る確定申告期限までに、納税地の所轄税務署長に提出し、かつ、当該平均的な使用時間を超えて使用したことを証する書類を保存しているときは、当該機械及び装置の償却費として当該年分の不動産所得の金額、事業所得の金額又は山林所得の金額の計算上必要経費に算入する金額は、**イ**《減価償却資産の償却費の計算》及び**ロ**《年の中途で業務の用に供した減価償却資産等の償却費の計算》の規定にかかわらず、当該合計額とする。ただし、当該増加償却割合が100分の10に満たない場合は、この限りでない。（令133、規34③）

（算式）

$$\text{償却費の額} = \frac{\textbf{イ}\text{及び}\textbf{ロ}\text{による当該}}{\text{年分の償却費の額}} + \frac{\textbf{イ}\text{及び}\textbf{ロ}\text{による当該}}{\text{年分の償却費の額}} \times \text{増加償却割合}$$

イ	届出をする者の氏名及び住所
ロ	増加償却の適用を受けようとする機械及び装置の設備の種類及び名称並びに所在する場所
ハ	届出をする者の営む事業の通常の経済事情における当該機械及び装置の１日当たりの平均的な使用時間
ニ	その年における当該機械及び装置を通常使用すべき日数
ホ	その年における当該機械及び装置のハの平均的な使用時間を超えて使用した時間の合計時間
ヘ	当該機械及び装置の②に定める**１日当たりの超過使用時間**
ト	その年における当該機械及び装置の増加償却割合
チ	当該機械及び装置をハの平均的な使用時間を超えて使用したことを証する書類として保存するものの名称
リ	その他参考となるべき事項

②　増加償却割合の計算

増加償却割合は、平均的な使用時間を超えて使用する機械及び装置につき、1,000分の35にその年における当該機械及び装置の**１日当たりの超過使用時間**の数を乗じて計算した割合（当該割合に小数点以下２位未満の端数があるときは、これを切り上げる。）とする。（規34①）

なお、機械及び装置の**１日当たりの超過使用時間**とは、次のイ又はロに掲げる時間のうちその居住者の選択したいずれかの時間をいう。（規34②）

イ	当該機械及び装置に属する個々の機械及び装置ごとに〈イ〉に掲げる時間に〈ロ〉に掲げる割合を乗じて計算した時間の合計時間 〈イ〉　当該個々の機械及び装置のその年における平均超過使用時間（当該個々の機械及び装置が当該機械及び装置

	の通常の経済事情における１日当たりの平均的な使用時間を超えてその年において使用された場合におけるその超えて使用された時間の合計時間を当該個々の機械及び装置のその年において通常使用されるべき日数で除して計算した時間をいう。ロにおいて同じ。） 〈ロ〉　当該機械及び装置の取得価額（減価償却資産の償却費の計算の基礎となる取得価額をいい、**８ホ**《耐用年数の短縮》（８）の規定の適用がある場合には同（８）の規定の適用がないものとした場合に減価償却資産の償却費の計算の基礎となる取得価額となる金額とする。以下ロにおいて同じ。）のうちに当該個々の機械及び装置の取得価額の占める割合
ロ	当該機械及び装置に属する個々の機械及び装置のその年における平均超過使用時間の合計時間をその年12月31日（その居住者が年の中途において死亡し又は出国をした場合には、その死亡又は出国の時）における当該個々の機械及び装置の総数で除して計算した時間

（参考）

１日当たりの超過使用時間の簡単な計算例を上記イについて示すと、次のとおりである。

個々の機械及び装置名	取得価額 （A）	その年における個々の機械及び装置の超過使用時間の合計 （B）	その年において通常使用されるべき日数 （C）	個々の機械及び装置の平均超過使用時間 $\frac{(B)}{(C)}$ （D）	１日当たりの超過使用時間 $(D)\times\frac{(A)}{(F)}$ （E）
A	20,000千円	2,100時間	300日	7.0時間	5.00時間
B	4,000	2,100	〃	7.0	1.00
C	1,400	1,500	〃	5.0	0.25
D	1,400	—	〃	0	0
E	1,200	1,050	〃	3.5	0.15
計	28,000（F）				6.40

$\frac{35}{1000}\times 6.40 = 0.224 \rightarrow 23\%$……増加償却割合

（増加償却の適用単位）

（１）　増加償却は、機械及び装置につき旧耐用年数省令に定める設備の種類の区分（細目の定めのあるものは、細目の区分）ごとに適用する。ただし、２以上の工場に同一の設備の種類に属する設備を有する場合には、工場ごとに適用することができる。（基通49－33）

（注）　ただし書の「２以上の工場に同一の設備の種類に属する設備を有する場合」の意義は、**８ホ**（15）《耐用年数の短縮の対象となる資産の単位》（一）（注）１による。

（増加償却の適用単位）

（２）　個人が同一工場構内に２以上の棟を有している場合において、一の設備の種類を構成する機械装置が独立して存在する棟があるときは、当該棟ごとに増加償却を適用することができる。（耐通３－１－１）

（中古機械等の増加償却割合）

（３）　同一用途に供される中古機械と新規取得機械のように、省令別表第二に掲げる設備の種類を同じくするが、償却限度額の計算をそれぞれ別個に行う機械装置についても、増加償却の適用単位を同一にするものにあっては、増加償却割合の計算に当たっては、当該設備に含まれる機械装置の全てを通算して一の割合をそれぞれ適用することに留意する。（耐通３－１－２）

（平均超過使用時間の意義）

（４）　増加償却割合の計算の基礎となる平均超過使用時間とは、当該個人の属する業種に係る設備の標準稼働時間（通常の経済事情における機械及び装置の平均的な使用時間をいう。）を超えて使用される個々の機械装置の１日当たりのその超える部分の当該年における平均時間をいう。この場合において、個人が週５日制（機械装置の稼働を休止する日が１週間に２日あることを常態とする操業体制をいう。）を採用している場合における機械装置の標準稼働時間は、当該個人の属する業種における週６日制の場合の機械装置の標準稼働時間に当該標準稼動時間を５で除した数を加算した時間とする。（耐通３－１－３、編者補正）

(注)　各業種に係る設備の標準稼働時間は、耐用年数通達の付表５「通常の使用時間が８時間又は16時間の機械装置」として掲げられている。(編者注)

(機械装置の単位)

(５)　平均超過使用時間の算定は、通常取引される個々の機械装置の単位ごとに行う。(耐通３－１－４)

(標準稼働時間内における休止時間)

(６)　個々の機械装置の日々の超過使用時間の計算に当たっては、標準稼働時間内における個々の機械装置の稼働状況は、超過使用時間の計算に関係のないことに留意する。(耐通３－１－５)

(日曜日等の超過使用時間)

(７)　日曜、祭日等通常休日とされている日（週５日制による日曜日以外の休日とする日を含む。）における機械装置の稼働時間は、その全てを超過使用時間とする。(耐通３－１－６)

(注)１　この取扱いは、機械装置の標準稼働時間が24時間であるものについては適用がない。

(注)２　週５日制による日曜日以外の休日とする日は、通常使用されるべき日数に含めることとされているので留意する。

(日々の超過使用時間の算定方法)

(８)　個々の機械装置の日々の超過使用時間は、個人の企業規模、事業種目、機械装置の種類等に応じて、次に掲げる方法のうち適当と認められる方法により求めたか働時間を基礎として算定するものとするが、この場合に個々の機械装置のか働時間が不明のときは、これらの方法に準じて推計した時間によるものとする。(耐通３－１－７)

(一)　個々の機械装置の従事員について労務管理のため記録された勤務時間を基として算定する方法

(二)　個々の機械装置の従事員が報告した機械装置の使用時間を基として算定する方法

(三)　生産１単位当たりの標準所要時間を生産数量に乗じ、又は単位時間当たり標準生産能力で生産数量を除して得た時間を基として算定する方法

(四)　常時機械装置に運転計の付してあるもの又は「作業時間調」(就業時間中の機械装置の稼働状況を個別に時間集計しているもの）等のあるものについては、それらに記録され、又は記載された時間を基として算定する方法

(五)　当該個人の企業規模等に応じ適当と認められる(一)から(四)までに掲げられている方法に準ずる方法

(日々の超過使用時間の簡便計算)

(９)　機械装置の日々の超過使用時間は、個々の機械装置ごとに算定することを原則とするが、その算定が困難である場合には、一の製造設備を製造単位（同一の機能を果たす機械装置を組織的に、かつ、場所的に集約した単位をいう。）ごとに分割して、その分割された製造単位の超過使用時間をもって当該製造単位に含まれる個々の機械装置の超過使用時間とすることができる。(耐通３－１－８)

(月ごとの計算)

(10)　機械装置の平均超過使用時間は、月ごとに計算することができる。この場合における当該年の機械装置の平均超過使用時間は、月ごとの機械装置の平均超過使用時間の合計時間を12（その居住者が年の中途において死亡し又は出国した場合には、その年の１月１日からその死亡又は出国の日までの期間の月数）で除して得た時間とする。(耐通３－１－９)

(超過使用時間の算定の基礎から除外すべき機械装置)

(11)　次のいずれかに該当する機械装置及びそのか働時間は、日々の超過使用時間の算定の基礎には含めないものとする。(耐通３－１－10)

(一)　受電盤、変圧器、配電盤、配線、配管、貯槽、架台、定盤その他これらに準ずるもので、その構造等からみて常時使用の状態にあることを通常の態様とする機械装置

(二)　熱処理装置、冷蔵装置、発酵装置、熟成装置その他これらに準ずるもので、その用法等からみて長時間の仕掛りを通常の態様とする機械装置

(注)　この取扱いによって除外した機械装置であっても、増加償却の対象になることに留意する。(12)の取扱いを適用した場合も同様とする。

(超過使用時間の算定の基礎から除外することができる機械装置)

(12)　次に掲げる機械装置（(11)に該当するものを除く。）及びそのか働時間は、個人の選択によりその全部について継

続して除外することを条件として日々の超過使用時間の算定の基礎には含めないことができる。(耐通３－１－11)

(一)　電気、蒸気、空気、ガス、水等の供給用機械装置

(二)　試験研究用機械装置

(三)　倉庫用機械装置

(四)　空気調整用機械装置

(五)　汚水、ばい煙等の処理用機械装置

(六)　教育訓練用機械等の生産に直接関連のない機械装置

(貸与を受けている機械及び装置がある場合の増加償却)

(13)　機械及び装置につき１日当たりの超過使用時間を計算する場合において、一の設備を構成する機械及び装置の中に他から貸与を受けている資産が含まれているときは、当該資産の使用時間を除いたところによりその計算を行う。(基通49－33の２)

(通常使用されるべき日数の意義)

(14)　増加償却割合の算定の基礎となる機械装置の通常使用されるべき日数は、当該年の日数から、日曜、祭日等当該個人の営む事業の属する業界において通常休日とされている日数を控除した日数をいう。この場合において、週５日制による日曜日以外の休日とする日は、通常使用されるべき日数に含むものとする。(耐通３－１－12)

二　陳腐化した減価償却資産の償却費の特例（廃止）

青色申告書を提出する居住者が、その有する減価償却資産が技術の進歩その他の理由により著しく**陳腐化**した場合において、当該資産の使用可能期間を基礎として既に不動産所得の金額、事業所得の金額又は山林所得の金額の計算上必要経費に算入された償却費の額を修正することについて納税地の所轄国税局長の承認を受けたときは、その承認に係る資産の償却費としてその承認を受けた日の属する年分の不動産所得の金額、事業所得の金額又は山林所得の金額の計算上必要経費に算入する金額は、当該資産につき次のイからホまでに掲げる割増償却等の適用を受ける場合を除き、**イ**《減価償却資産の償却費の計算》から**ハ**《通常の使用時間を超えて使用される機械及び装置の償却費の特例》までの規定にかかわらず、これらの規定により計算した当該資産の償却費の額と①に掲げる金額から②に掲げる金額を控除した金額との合計額とする。(旧令133の２①)

イ　障害者を雇用する場合の機械等の割増償却等（旧措法13①）

ロ　支援事業所取引金額が増加した場合の３年以内取得資産の割増償却等（旧措法13の２）

ハ　高齢者向け優良賃貸住宅の割増償却（旧措法14①②）

ニ　特定再開発建築物等の割増償却（旧措法14の２）

ホ　倉庫用建物等の割増償却（旧措法15）

①	当該資産のその年１月１日における償却後の取得価額
②	当該資産につきその取得（建設、製作又は製造を含む。）の時から当該承認に係る使用可能期間を基礎としてその年において採用している償却の方法により償却を行ったものとした場合に計算されるその年１月１日における償却後の取得価額

(注)　個人が平成23年以前の各年分において改正前の**二**《陳腐化した減価償却資産の償却費の特例》の承認を受けた場合のその承認に係る減価償却資産の同**二**に規定する償却費の計算については、なお従前の例による。(平23改所令附４②)

(承認申請書の提出)

(１)　**二**の承認を受けようとする居住者は、次に掲げる事項を記載した申請書に当該資産が著しく陳腐化したことを証する書類を添付し、納税地の所轄税務署長を経由して、これを納税地の所轄国税局長に提出しなければならない。(旧令133の２②、旧規35)

(一)　申請をする居住者の氏名及び住所（国内に住所がない場合は居所）

(二)　陳腐化償却の適用を受けようとする減価償却資産の種類、名称、その所在する場所及びその使用可能期間

(三)　当該減価償却資産につき現に償却費の額の計算の基礎としている使用可能期間

(四)　当該減価償却資産につき承認を受けようとする使用可能期間の算定の基礎

(五)　その他参考となるべき事項

（承認又は却下の処分）

（2）　国税局長は、（1）の申請書の提出があった場合には、遅滞なく、これを審査し、その申請に係る減価償却資産の使用可能期間を認め、若しくはその使用可能期間を定めて承認をし、又はその申請を却下する。（旧令133の２③）

（処分の通知）

（3）　国税局長は、（2）の処分をするときは、その処分に係る居住者に対し、書面によりその旨を通知する。（旧令133の２④）

（陳腐化償却を行った資産の旧定率法又は定率法による償却計算）

（4）　居住者が、陳腐化償却の規定の適用を受ける場合において、その適用を受ける減価償却資産の償却の方法として旧定率法又は定率法（取得価額の50％までの償却を旧定率法又は定率法により計算すべきものとされている取替法を含む。）を採用しているときは、**イ**《減価償却資産の償却費の計算》から**ハ**《通常の使用時間を超えて使用される機械及び装置の償却費の特例》までの規定による当該資産の償却費の額は、当該資産のその年１月１日における償却後の取得価額からその年において当該資産の陳腐化による償却費として必要経費に算入される金額を控除した金額を基礎として計算するものとする。（旧令133の２⑤）

（陳腐化による耐用年数短縮の承認を受けた場合の陳腐化償却の適用）

（5）　青色申告書を提出する居住者が、その有する減価償却資産につき**8ホ**表内③《陳腐化を事由とする耐用年数の短縮の承認》を受けたときは、その承認を受けた時において陳腐化一時償却の承認があったものとみなし、かつ、その短縮承認に係る使用可能期間をもって、②の使用可能期間とみなして、陳腐化による償却費の額を計算する。（旧令133の２⑥）

（陳腐化の意義）

（6）　減価償却資産の陳腐化とは、減価償却資産が現実に旧式化し当該減価償却資産の使用によってはコスト高、生産性の低下等により経済的に採算が悪化すること又は流行の変遷、経済的環境の変化等により製品、サービス等に対する需要が減退し、当該減価償却資産の経済的価値が低下すること等のため、その更新又は廃棄が必要とされる状況になったことをいうものとする。（旧基通49－34）

（著しい陳腐化の意義）

（7）　減価償却資産が著しく陳腐化した場合とは、減価償却資産が陳腐化したことにより、その減価償却資産の使用可能期間がその減価償却資産の償却費の計算の基礎としている耐用年数に比しておおむね10％以上短くなった場合をいうものとする。（旧基通49－35）

（陳腐化償却の計算単位）

（8）　陳腐化した減価償却資産の償却費の特例の適用単位については**8ホ**(15)《耐用年数の短縮の対象となる資産の単位》の取扱いに準ずる。（旧基通49－36）

（陳腐化償却の場合の使用可能期間）

（9）　陳腐化償却の場合の「使用可能期間」の計算については、**8ホ**(16)《機械及び装置以外の減価償却資産の使用可能期間の算定》又は**8ホ**(18)《機械及び装置の使用可能期間の算定》の取扱いに準ずる。この場合において、当該減価償却資産の更新又は廃棄の時期が具体的な資金計画、設備投資計画等において明らかにされており、かつ、その計画等が業種、業態、規模等に照らして妥当なものであると認められるときは、その計画等に基づきその使用可能期間を算定する。（旧基通49－37）

（陳腐化資産に資本的支出がある場合の修正未償却残額の計算）

(10)　陳腐化償却の規定を適用する場合において、陳腐化した減価償却資産につきその取得後陳腐化償却の規定を適用する年（以下「適用年」という。）の前年までに資本的支出があるときは、その減価償却資産に係る②に掲げる未償却残額は、次のいずれかに掲げる額又はこれらの額の計算方法に類する方法により計算される額によることができる。（旧基通49－38）

（一）　次のイ及びロに掲げる額の合計額

イ　当初の取得価額につきその承認に係る使用可能期間を基礎として計算される未償却残額

ロ　適用年前の各年ごとに、その支出された資本的支出の額の合計額を一の資本的支出の額とし、かつ、その資本的支出の額が当該各年の１月１日において支出されたものとした場合において、その資本的支出の額につきその承認に係る使用可能期間を基礎として計算される未償却残額の合計額

(二)　次のロに対するイの割合に応ずる当該減価償却資産の耐用年数に係る未償却残額割合に対応する経過年数を求め、次にその承認に係る使用可能期間を耐用年数とした場合のその耐用年数に係る当該経過年数に対応する未償却残高割合を求め、その未償却残額割合をその減価償却資産の取得価額（適用年前の各年に支出された資本的支出の額を加算した金額。以下同じ。）に乗じて計算した金額

イ　当該減価償却資産の適用年の１月１日における未償却残額

ロ　その減価償却資産の取得価額

(注)　経過年数に１年未満の端数がある場合には切り上げる。

ホ　堅牢な建物等の償却費の特例

居住者の有する次のイ及びロに掲げる減価償却資産（**11**表内①の適用を受けるものに限る。）のうち、その償却費としてその年の前年分以前の各年分の不動産所得の金額、事業所得の金額、山林所得の金額又は雑所得の金額の計算上必要経費に算入された金額の累積額がその取得価額（取得価額については、**ハ**②イ参照）の100分の95に相当する金額に達したものが、なおその者のこれらの所得を生ずべき業務の用に供されている場合には、**イ**《減価償却資産の償却費の計算》から**ニ**《陳腐化した減価償却資産の償却費の特例》まで及び**11**にかかわらず、当該資産がなお当該業務の用に供されている間に限り、当該資産の取得価額の100分の５に相当する金額から１円を控除した金額を当該資産の法定耐用年数の10分の３に相当する年数で除して計算した金額は、当該資産の償却費としてその者のその年分以後の各年分の不動産所得の金額、事業所得の金額、山林所得の金額又は雑所得の金額の計算上、必要経費に算入することができる。ただし、当該償却費の額の累積額が当該１円を控除した金額に相当する金額を超えるに至ったときは、その超える部分の金額については、この限りでない。（令134の２①）

イ	鉄骨鉄筋コンクリート造、鉄筋コンクリート造、れんが造、石造又はブロック造の建物
ロ	鉄骨鉄筋コンクリート造、鉄筋コンクリート造、コンクリート造、れんが造、石造又は土造の構築物又は装置

（償却年数の計算）

（1）　**ホ**の法定耐用年数の10分の３に相当する年数を計算する場合において１年未満の端数を生じたときは、これを１年とする。（令134の２②）

（年の中途で業務の用に供した減価償却資産等の償却費の特例規定の準用）

（2）　**ロ**①《月割による償却費の計算》の規定は、**ホ**の規定の適用を受ける減価償却資産について準用する。この場合において**ロ**①の規定中「**イ**の規定にかかわらず」とあるのは、「**ホ**の規定にかかわらず」と読み替えるものとする。（令134の２③）

（償却累積額による償却限度額の特例の償却を行う減価償却資産に資本的支出をした場合）

（3）　**11イ**の規定の適用を受けた減価償却資産について資本的支出をし、**７ロ**（1）の規定を適用した場合には、その適用した後の取得価額及び未償却残額を基礎として減価償却を行うのであるから留意する。（基通49－48）

(注)　**７ロ**（1）の規定を適用した後の未償却残額が、その適用した後の取得価額の５％相当額を超える場合には、**11イ**の規定の適用を受けることができないことに留意する。

（堅牢な建物等に資本的支出をした場合の減価償却）

（4）　**ホ**の規定により償却をしている減価償却資産について、資本的支出をし、**７ロ**（1）の規定を適用した場合には、その後の償却費は、次により計算するものとする。（基通49－48の２）

(一)　**７ロ**（1）の規定を適用した後の未償却残額が当該適用した後の取得価額の５％相当額以下となるときは、当該未償却残額を基礎とし、その時から法定耐用年数の30％に相当する年数により計算する。

(二)　**７ロ**（1）の規定を適用した後の未償却残額が当該適用した後の取得価額の５％相当額を超えるときは、その５％相当額に達するまでは法定耐用年数により計算し、その５％相当額に達した後は**ホ**により法定耐用年数の30％に相当する年数により計算する。

ヘ　非事業用資産を業務の用に供した場合の償却費の計算の特例

①　非事業用資産を業務の用に供した場合の償却費の計算の特例

居住者がその有する家屋その他使用又は期間の経過により減価する資産で不動産所得、事業所得、山林所得又は雑所得を生ずべき業務の用に供していないものを当該業務の用に供した場合（②に該当する場合を除く。）には、当該業務の用に供した後における当該資産の償却費の額は、当該業務の用に供した日に当該資産の譲渡があったものとみなして第四章第八節**二**《譲渡所得の金額》**2**②《減価する資産の取得費》の規定を適用した場合に当該資産の取得費とされる金額に相当する金額を同日における当該資産の償却後の価額として計算するものとし、当該資産の**7イ**《減価償却資産の取得価額》及び**7ロ**(1)《資本的支出の取得価額の特例》の規定に準じて計算した取得価額と当該償却後の価額との差額に相当する金額は、**11**《減価償却資産の償却累積額による償却費の特例》及び**ホ**《堅牢な建物等の償却費の特例》の規定の適用については、当該資産の償却費としてその者の各年分の不動産所得の金額、事業所得の金額、山林所得の金額又は雑所得の金額の計算上必要経費に算入された金額とみなすものとする。（令135）

②　昭和27年12月31日以前に取得した非事業用資産を業務の用に供した場合の償却費の計算の特例

居住者が昭和27年12月31日以前から引き続き所有していた①に規定する資産を同①の業務の用に供した場合には、当該業務の用に供した後における当該資産の償却費の額は、当該業務の用に供した日に当該資産の譲渡があったものとみなして第四章第八節**二**《譲渡所得の金額》**2**④《昭和27年12月31日以前に取得した減価する資産の取得費》の規定を適用した場合に当該資産の取得費とされる金額に相当する金額をその業務の用に供した日における当該資産の償却後の価額として計算するものとし、当該資産の**7ハ**《昭和27年12月31日以前に取得した非事業用資産で業務の用に供されたものの取得価額》の規定による取得価額と当該償却後の価額との差額に相当する金額は、**11**《減価償却資産の償却累積額による償却費の特例》及び**ホ**《堅牢な建物等の償却費の特例》の規定の適用については、当該資産の償却費としてその者の各年分の不動産所得の金額、事業所得の金額、山林所得の金額又は雑所得の金額の計算上必要経費に算入された金額とみなすものとする。（令136）

ト　劣化資産の取得費の必要経費算入

劣化資産（以下(4)までにおいて同じ。）とは、生産設備の本体の一部を構成するものではないが、これと一体となって繰り返し使用される資産で、数量的に減耗し、又は質的に劣化する次のようなものをいい、これらの劣化資産に係る取得価額の必要経費算入等については、(1)から(4)までに定めるところによる。（基通49－49）

(一)　冷媒
(二)　触媒
(三)　熱媒
(四)　吸着材及び脱着材
(五)　溶剤及び電解液
(六)　か性ソーダ製造における水銀
(七)　鋳物製造における砂
(八)　亜鉛鉄板製造における溶融鉛
(九)　アルミニューム電解用の陽極カーボン及び氷晶石

（棚卸資産とすることができる劣化資産）

(1)　劣化資産のうち、製造工程において生産の流れに参加し、かつ、中間生産物の物理的又は化学的組成となるものについては、これを棚卸資産として経理することができる。（基通49－50）

（注）**ト**(五)又は同(六)に掲げるものがこれに該当する。

（一時に取り替える劣化資産の取得価額の必要経費算入）

(2)　劣化資産（(1)により棚卸資産として経理したものを除く。以下(4)までにおいて同じ。）のうち、主として質的に劣化するなどのため一の設備に使用されている数量の全部が一時に取り替えられるものの取得価額については、次により必要経費に算入する。（基通49－51）

(一)　事業の開始又は拡張に際し投入したものについては、その取得価額を資産に計上し、その取得価額から取替えの時における処分見込価額を控除した金額をその投入の時から取替えの時までの期間を基礎として旧定額法、旧生産高比例法、定額法又は生産高比例法に準じて償却する。

（二）　一の設備に使用されている数量の全部を取り替えた場合には、その取替えに際し投入したものの取得価額を資産に計上して(一)により償却し、取り除いたものについてはその未償却残額からその取替えの時における処分見込価額を控除した金額を必要経費に算入する。

（三）　劣化等による減耗分の補充をした場合には、その補充のために投入したものの取得価額をその投入の都度必要経費に算入する。

（一時に取り替えないで随時補充する劣化資産の取得価額の必要経費算入）

（3）　劣化資産のうち、主として数量的に減耗し、その減耗分を補充することにより長期間にわたりおおむね同様な状態において事業の用に供することができるものの取得価額については、継続して同一の方法によるときは、次のいずれかの方法により必要経費に算入することができる。（基通49－52）

（一）　事業の開始又は拡張に際し投入したものの取得価額を資産に計上し、その資産の減耗分の補充のために投入したものの取得価額をその投入の都度必要経費に算入する方法

（二）　事業の開始又は拡張に際し投入したものの取得価額を資産に計上し、その取得価額の50%相当額に達するまで減耗率により計算した減価の額を各年分の必要経費に算入するとともに、その資産の減耗分の補充のために投入したものの取得価額をその投入の都度必要経費に算入する方法

（三）　事業の開始又は拡張に際し投入したものの取得価額を資産に計上し、その資産の減耗分の補充をしたときは、その補充のために投入したものの取得価額を資産に計上するとともに、その投入の直前までに投入した資産の取得価額の累計額のうちの減耗分に対応する金額を必要経費に算入する方法

（四）　各年の12月31日において有する劣化資産を棚卸資産の評価方法に準じて評価する方法

（少額な劣化資産の必要経費算入）

（4）　劣化資産のうち、一の設備に通常使用される劣化資産の取得価額が少額（おおむね60万円未満）なものは、その投入の都度その取得価額を必要経費に算入することができる。（基通49－53）

11　減価償却資産の償却累積額による償却費の特例

居住者の有する次の①又は②に掲げる減価償却資産の償却費としてその者のその年の前年分以前の各年分の不動産所得の金額、事業所得の金額、山林所得の金額又は雑所得の金額の計算上必要経費に算入された金額の累積額と当該減価償却資産につき当該①又は②に規定する償却の方法により計算したその年分の償却費の額に相当する金額との合計額が当該①又は②に掲げる減価償却資産の区分に応じ当該①又は②に定める金額を超える場合には、当該減価償却資産については、**10イ**から同**ハ**までの規定にかかわらず、当該償却費の額に相当する金額からその超える部分の金額を控除した金額をもってその年分の償却費の額とする。（令134①）

		次に掲げる資産の区分に応じそれぞれ次に定める金額	
①	平成19年３月31日以前に取得されたもの（ニ及びホに掲げる減価償却資産にあっては、当該減価償却資産についての**5イ**《減価償却資産の償却の方法》（1）(ニ)に規定する改正前リース取引に係る契約が平成20年３月31日までに締結されたもの）で、そのよるべき償却の方法として旧定額法、旧定率法、旧生産高比例法、旧国外リース期間定額法、同**ハ**《減価償却資産の特別な償却の方法》に規定する償却の方法又は同**ホ**《リース賃貸資産の償却の方法の特例》に規定する旧リース期間定額法を採用しているもの	イ	**1**表内①から同⑦まで《減価償却資産の範囲》に掲げる減価償却資産（坑道並びにニ及びホに掲げる減価償却資産を除く。）　その取得価額（減価償却資産の償却費の額の計算の基礎となる取得価額をいい、**8ホ**《耐用年数の短縮》（8）の規定の適用がある場合には同（8）の規定の適用がないものとした場合に減価償却資産の償却費の計算の基礎となる取得価額となる金額とする。以下**11**及び**10ホ**において同じ。）の100分の95に相当する金額
		ロ	坑道及び**1**表内⑧に掲げる無形固定資産（ホに掲げる減価償却資産を除く。）　その取得価額に相当する金額
		ハ	**1**表内⑨に掲げる生物（ホに掲げる減価償却資産はを除く。）　その取得価額から当該生物に係る**9**《減価償却資産の残存価額等》の**ハ**に規定する残存価額を控除した金額に相当する金額
		ニ	**5イ**《減価償却資産の償却の方法》表内⑥に掲げる減価償却資産　その取得価額から当該減価償却資産に係る同⑥に規定する見積残存価額を控除した金額に相当する金額
		ホ	**5ホ**《リース賃貸資産の償却の方法の特例》の規定の適用を受けて

<table>
<tr><td></td><td></td><td></td><td>いる同ホに規定するリース賃貸資産　その取得価額から当該リース賃貸資産に係る同ホ（２）に規定する残価保証額（当該残価保証額が零である場合には、１円）を控除した金額に相当する金額</td></tr>
<tr><td rowspan="4">②</td><td rowspan="4">平成19年４月１日以後に取得されたもの（ハに掲げる減価償却資産にあっては、当該減価償却資産についての**５ロ**《減価償却資産の償却の方法》（２）⑤に規定する所有権移転外リース取引に係る契約が平成20年４月１日以後に締結されたもの）で、そのよるべき償却の方法として定額法、定率法、生産高比例法、リース期間定額法又は**５ハ**《減価償却資産の特別な償却の方法》に規定する償却の方法を採用しているもの</td><td colspan="2">次に掲げる資産の区分に応じそれぞれ次に定める金額</td></tr>
<tr><td>イ</td><td>**１**表内①から同⑦まで及び同⑨に掲げる減価償却資産（坑道及びハに掲げる減価償却資産を除く。）　その取得価額から１円を控除した金額に相当する金額</td></tr>
<tr><td>ロ</td><td>坑道及び**１**表内⑧に掲げる無形固定資産　その取得価額に相当する金額</td></tr>
<tr><td>ハ</td><td>**５ロ**《減価償却資産の償却の方法》表内⑥に掲げる減価償却資産　その取得価額から当該減価償却資産に係る同**ロ**の⑥に規定する残価保証額を控除した金額に相当する金額</td></tr>
</table>

イ　所得の金額の計算上必要経費に算入された金額の累積額が当該減価償却資産の11の①のイ又はハに定める金額に達している場合

居住者の有する**11**表内①イ又は同ハに掲げる減価償却資産（そのよるべき償却の方法として同①に規定する償却の方法を採用しているものに限る。）の償却費としてその者のその年の前年分以前の各年分の不動産所得の金額、事業所得の金額、山林所得の金額又は雑所得の金額の計算上必要経費に算入された金額の累積額が当該減価償却資産の同①のイ又はハに定める金額に達している場合には、当該減価償却資産については、**10イ**から同**ニ**まで及び**11**の規定にかかわらず、当該減価償却資産の取得価額から**11**表内①イ又は同ハに定める金額及び１円を控除した金額を５で除して計算した金額（当該計算した金額と当該減価償却資産の償却費としてその者のその年の前年分以前の各年分の不動産所得の金額、事業所得の金額、山林所得の金額又は雑所得の金額の計算上必要経費に算入された金額の累積額との合計額が当該減価償却資産の取得価額から１円を控除した金額を超える場合には、その超える部分の金額を控除した金額）をもってその年分の償却費の額とする。（令134②）

ロ　年の中途で業務の用に供した減価償却資産等の償却費の特例》の規定の準用規定

10ロ《年の中途で業務の用に供した減価償却資産等の償却費の特例》の規定は、**イ**の規定の適用を受ける減価償却資産について準用する。この場合において、**10ロ**中「**イ**」とあるのは、「**11イ**」と読み替えるものとする。（令134③）

（注）　**11**《減価償却資産の償却累積額による償却限度額の特例》**イ**又は同**ロ**の規定は、平成20年分以後の所得税について適用する。（平19改令附12②）

12　減価償却資産の償却費の計算の細目

５イ《減価償却資産の償却の方法》から**11**《減価償却資産の償却累積額による償却費の特例》までに定めるもののほか、減価償却資産の償却費の計算に関する細目は、財務省令で定める。（令136の２）

13　減価償却資産の除却等

個人の有する減価償却資産の一部について除却等があった場合における当該除却資産の未償却残額等に関する取扱いは、次による。

（総合償却資産について一部の除却等があった場合の償却費の計算）

（１）　**総合償却資産**（機械及び装置並びに構築物で、当該資産に属する個々の資産の全部につき、その償却の基礎となる価額を個々の資産の全部を総合して定められた耐用年数により償却することとされている減価償却資産をいう。以下（９）までにおいて同じ。）の一部について除却、取壊し又は滅失（以下（６）までにおいて「**除却等**」という。）があった場合には、その後における当該資産に係る償却費の計算の基礎となる取得価額及び未償却残額は、その除却等があった直前の取得価額及び未償却残額から当該除却等に係る個々の資産の取得価額及び未償却残額を控除した金額によることに留意する。（基通49－42）

(注)　除却等があった後、その除却等に係る個々の機械等を補充した場合には、その補充のために要した金額は、その総合償却資産の取得価額に加算される。

(総合償却資産の償却費の計算)

(2)　定額法又は生産高比例法により総合償却資産の償却費の額を計算している場合には、その総合償却資産につき計算された償却費の額を合理的基準により個々の資産に配賦するものとし、その者が合理的基準により配賦をしていないときは、その総合償却資産につき適用される耐用年数を基礎として、個々の資産ごとに償却費の額を計算するものとする。(基通49－42の2)

(総合償却資産の除却価額)

(3)　旧定額法、旧生産高比例法、定額法及び生産高比例法以外の方法により償却費の額を計算している総合償却資産の一部について除却等があった場合に当該総合償却資産の未償却残額から控除する当該除却等に係る個々の資産の未償却残額は、その除却等に係る個々の資産が含まれていた総合償却資産の総合耐用年数を基礎として計算される除却等の時における未償却残額に相当する金額とする。ただし、当該未償却残額に相当する金額が当該個々の資産の通常の使用可能期間を基礎として計算される除却等の時における未償却残額に満たないことが明らかな場合には、当該通常の使用可能期間を基礎として計算される除却等の時における未償却残額に相当する金額とする。(基通49－43)

(注)　個々の資産の通常の使用可能期間とは、機械及び装置については「機械装置の個別年数と使用時間表」の「機械及び装置の細目と個別年数」の「同上算定基礎年数」を基礎として見積もられる耐用年数により、構築物については耐用年数通達付表3又は付表4に定める個別耐用年数による。ただし、その除却等に係る個々の資産がこれらの表に掲げられていない場合には、当該資産と種類等を同じくする資産又は当該資産に類似する資産の個別耐用年数を基礎として見積もられる通常の使用可能期間の年数とする。

なお、個々の資産の属する総合償却資産について耐用年数の短縮の承認を受けているものがある場合には、その承認を受けた耐用年数の算定の基礎となった個々の資産の耐用年数とする。

(個々の資産ごとの償却費が計算されている場合の除却価額の特例)

(4)　旧定額法、旧生産高比例法、定額法及び生産高比例法以外の方法により償却費の額を計算している総合償却資産の一部について除却等があった場合において、その除却等に係る個々の資産が、その総合償却資産につき適用される耐用年数を基礎として償却費を計算をしている資産であるとき、又はその総合償却資産につき計算された償却費を合理的基準により除却等に係る個々の資産に配賦した資産であるときは、その資産に係る未償却残額は、(3)にかかわらず、その計算又は配賦されている償却費を基として計算することができるものとする。(基通49－44)

(個々の資産ごとの取得価額等が明らかでない個別償却資産の除却価額)

(5)　個別償却資産(総合償却資産以外の減価償却資産をいう。以下(9)において同じ。)のうち、多量に保有している工具、器具及び備品のような資産で、個々の資産ごとのその取得時期及び取得価額を明らかにすることが困難なため**10イ**(1)に規定する区分ごとに償却費を計算しているものについて、その一部の除却等があった場合には、当該除却等に係る資産の当該除却等の時における未償却残額は、1円とする。(基通49－45)

(注)　多量に保有する減価償却資産のうちその除却等をした資産と種類、構造又は用途及び細目を同じくするもの(以下(5)において「多量保有資産」という。)の前年の12月31日(以下(5)において「基準時」という。)における未償却残額からその除却等に係る多量保有資産の本文の取扱いによった未償却残額を控除した残額が、次に掲げる算式により計算した金額を超える場合には、その超える部分の金額を当該除却等のあった年の必要経費に算入しているときは、これを認める。

(算式)

$$\frac{\text{当該除却等のあった年の前年中に取得した多量保有資産の取得価額の合計額}}{\text{当該年の前年中に取得した多量保有資産の数量}} \times \text{基準時における多量保有資産の数量のうち除却等の対象とならなかった数量}$$

(除却数量が明らかでない貸与資産の除却数量の推定)

(6)　著しく多量に保有され、かつ、その相当部分が貸与されている資産で、その貸与されているものの実在、除却等の状況を個別に管理することができないためその年において除却等のあったものの全部を確認することができないものについては、過去における除却等の実績を基にするなど、合理的な方法により、その年において除却等のあった数量を推計することができるものとする。(基通49－46)

（個別管理が困難な少額資産の除却処理等の簡便計算）

（7）　その取得価額が少額（おおむね40万円未満）で個別管理が困難な工具又は器具及び備品について、例えば、種類、構造又は用途及び細目、年分並びに償却方法の区分（以下（7）において「種類等の区分」という。）ごとの計算が可能で、その除却数量が明らかにされているものについて、その種類等の区分を同じくするものごとに一括して償却費を計算するとともに、その取得の時期の古いものから順次除却するものとして計算した場合の未償却残額によりその除却価額を計算する方法により継続してその減価償却費の額及び除却価額の計算を行っている場合には、これを認める。（基通49－46の2）

（追加償却資産に係る除却価額）

（8）　**7ロ**（4）の規定の適用を受けた一の減価償却資産を構成する各追加償却資産の一部に除却等があった場合には、当該除却等に係る追加償却資産を一の資産として、その除却等に係る資産の当該除却等の時における未償却残額を計算することに留意する。この場合において、その未償却残額は、**10イ**（3）(一)又は同(二)の取扱いに準じて計算した金額による。（基通49－46の3）

（償却費が一定の金額に達したかどうかの判定）

（9）　**11**表内①イから同ホ及び同②イから同ハに定める金額に達したかどうかは、次に掲げる資産の区分に応じ、それぞれ次に掲げる区分ごとに判定するものとする。（基通49－47）

(一)　旧定額法、旧生産高比例法、定額法又は生産高比例法により償却費の額を計算している総合償却資産又は総合償却資産につき計算された償却費の額を合理的基準により個々の試算に配賦している総合償却資産　　個々の資産

(二)　(一)以外の総合償却資産　　1個の総合償却資産とされる設備又は構築物

(三)　（5）に定める個別償却資産　　**10イ**（1）に規定する区分

(四)　(三)以外の個別償却資産　　個々の資産

（年の中途で譲渡した減価償却資産の償却費の計算）

（10）　年の中途において、一の減価償却資産について譲渡があった場合におけるその年の当該減価償却資産の償却費の額については、当該譲渡の時における償却費の額を譲渡所得の金額の計算上控除する取得費に含めないで、その年分の不動産所得の金額、事業所得の金額、山林所得の金額又は雑所得の金額の計算上必要経費に算入しても差し支えないものとする。（基通49－54）

（注）　当該減価償却資産が**五 1**《減価償却資産の範囲》表内①、同②及び同⑧に掲げる建物及びその附属設備、構築物及び無形固定資産である場合には、当該償却費の額について譲渡所得の金額の計算上控除する取得費に含める場合とその年分の不動産所得の金額、事業所得の金額、山林所得の金額又は雑所得の金額の計算上必要経費に算入する場合では、事業税における所得の計算上の取扱いが異なる場合があることに留意する。

六　特　別　償　却

1　中小事業者が機械等を取得した場合の特別償却……………………所得税額の特別控除は第九章第二節十参照

①　中小事業者の機械等の初年度特別償却

第九章第二節**九**《試験研究を行った場合の所得税額の特別控除》**4**⑥に規定する中小事業者で青色申告書を提出するもの（以下「**中小事業者**」という。）が、平成10年６月１日から令和７年３月31日までの期間（以下「**指定期間**」という。）内に、次の(一)から(五)までに掲げる減価償却資産（(一)から(三)までに掲げる減価償却資産にあっては(１)で定める規模のものに限るものとし、匿名組合契約その他これに類する契約として(２)で定める契約の目的である事業の用に供するものを除く。以下「**特定機械装置等**」という。）でその製作の後事業の用に供されたことのないものを取得し、又は特定機械装置等を製作して、これを国内にある当該中小事業者の営む製造業、建設業その他(３)で定める事業の用（(五)に規定する事業を営む者で(４)で定めるもの以外の者の貸付けの用を除く。以下「**指定事業の用**」という。）に供した場合には、その指定事業の用に供した日の属する年（事業を廃止した日の属する年を除く。以下「**供用年**」という。）の年分における当該中小事業者の事業所得の金額の計算上、当該特定機械装置等の償却費として必要経費に算入する金額は、**五4**《減価償却資産の償却費の計算及び償却の方法の通則》の規定にかかわらず、当該特定機械装置等について同**4**の規定により計算した償却費の額とその取得価額（(五)に掲げる減価償却資産にあっては、当該取得価額に(５)で定める割合を乗じて計算した金額。以下「**基準取得価額**」という。）の100分の30に相当する金額との合計額（以下「**合計償却限度額**」という。）以下の金額で当該中小事業者が必要経費として計算した金額とする。ただし、当該特定機械装置等の償却費として同**4**の規定により必要経費に算入される金額を下ることはできない。（措法10の３①）

(一)	**機械及び装置**（その管理のおおむね全部を他の者に委託するものであることその他の(６)で定める要件に該当するものを除く。）
(二)	**工具**（製品の品質管理の向上等に資するものとして(９)で定めるものに限る。）
(三)	**ソフトウエア**（(10)で定めるものに限る。）
(四)	**車両及び運搬具**（貨物の運送の用に供される自動車で輸送の効率化等に資するものとして(13)で定めるものに限る。）
(五)	(14)で定める海上運送業の用に供される**船舶**（輸送の効率化等に資するものとして(14)で定める船舶にあっては、環境への負荷の状況が明らかにされた船舶として(14)で定めるものに限る。）

（①に規定する(１)で定める規模）

(１)　①に規定する(１)で定める規模のものは、次の(一)から(三)までに掲げる減価償却資産の区分に応じ当該(一)から(三)までに定める規模のものとする。（措令５の５④）

(一)	機械及び装置	１台又は１基（通常１組又は１式をもって取引の単位とされるものにあっては、１組又は１式。(二)において同じ。）の取得価額（**五7**《減価償却資産の取得価額》**イ**表内①から同⑤までの規定により計算した取得価額をいう。以下(１)において同じ。）が160万円以上のもの
(二)	工具	１台又は１基の取得価額が120万円以上のもの（当該中小事業者（①に規定する中小事業者をいう。以下(１)において同じ。）がその年（その年が令和７年である場合には、同年１月１日から同年３月31日までの期間に限る。）において、取得（その製作の後事業の用に供されたことのないものの取得に限る。(三)において同じ。）又は製作をして国内にある当該中小事業者の営む①に規定する指定事業の用に供した①(二)に掲げる工具（１台又は１基の取得価額が30万円以上のものに限る。）の取得価額の合計額が120万円以上である場合の当該工具を含む。）
(三)	ソフトウエア	１のソフトウエアの取得価額が70万円以上のもの（当該中小事業者がその年（その年が令和７年である場合には、同年１月１日から同年３月31日までの期間に限る。）において、取得又は製作をして国内にある当該中小事業者の営む①に規定する指定事業の用に供した①(三)に掲げるソフトウエア（**五2**《少額の減価償却資産の取得価額の損金算入》又は同**3**《一括償却資産の必要経費算入》の規定の適用を受けるものを除く。）の取得価額の合計額が70万円以上である場合の当該ソフトウエアを含む。）

(①に規定する(2)で定める契約)

(2)　①に規定する(2)で定める契約は、次の(一)及び(二)に掲げる契約とする。(措令5の5⑤)

(一)	当事者の一方が相手方の事業のために出資をし、相手方がその事業から生ずる利益を分配することを約する契約
(二)	外国における匿名組合契約又は(一)に掲げる契約に類する契約

(①に規定する(3)で定める事業)

(3)　①に規定する(3)で定める事業は、農業、林業、漁業、水産養殖業、鉱業、卸売業、道路貨物運送業、倉庫業、港湾運送業、ガス業その他(注)で定める事業とする。(措令5の5⑥)

(注)　(3)に規定する(注)で定める事業は、次の(一)から(十二)までに掲げる事業（風俗営業等の規制及び業務の適正化等に関する法律第2条第5項に規定する性風俗関連特殊営業に該当するものを除く。）とする。(措規5の8⑧)

(一)　小売業
(二)　料理店業その他の飲食店業（料亭、バー、キャバレー、ナイトクラブその他これらに類する事業にあっては、生活衛生同業組合の組合員が行うものに限る。）
(三)　一般旅客自動車運送業
(四)　海洋運輸業及び沿海運輸業
(五)　内航船舶貸渡業
(六)　旅行業
(七)　こん包業
(八)　郵便業
(九)　通信業
(十)　損害保険代理業
(十一)　不動産業
(十二)　サービス業（娯楽業（映画業を除く。）を除く。）

(①に規定する(4)で定める者)

(4)　①に規定する(4)で定める者は、内航海運業法第2条第2項第2号に掲げる事業を営む者とする。(措令5の5⑦)

(①に規定する(5)で定める割合)

(5)　①に規定する(5)で定める割合は、100分の75とする。(措令5の5⑧)

(①(一)に規定する(6)で定める要件)

(6)　①(一)に規定する(6)で定める要件は、次の(一)及び(二)に掲げる要件のいずれにも該当することとする。(措令5の5①)

(一)	その管理のおおむね全部を他の者に委託するものであること。
(二)	要する人件費が少額なサービス業として(7)で定める事業（①に規定する中小事業者の主要な事業であるものを除く。）の用に供するものであること。

(注)　(6)(二)に規定する主要な事業に該当するかどうかの判定その他(6)の規定の適用に関し必要な事項は、(8)で定める。(措令5の5⑬)

((6)(二)に規定する(7)で定める事業)

(7)　(6)(二)に規定する(7)で定める事業は、洗濯機、乾燥機その他の洗濯に必要な設備（共同洗濯設備として病院、寄宿舎その他の施設内に設置されているものを除く。）を設け、これを公衆に利用させる事業とする。(措規5の8①)

((6)(二)に規定する主要な事業)

(8)　次の(一)及び(二)に掲げる事業は、(6)(二)に規定する主要な事業に該当するものとする。(措規5の8②)

(一)	継続的に①に規定する中小事業者の経営資源（事業の用に供される不動産、事業に関する従業者の有する技能又は知識（租税に関するものを除く。）その他これらに準ずるものをいう。）を活用して行い、又は行うことが見込まれる事業

(二)	①に規定する中小事業者が行う主要な事業に付随して行う事業

(①(二)に規定する(9)で定めるもの)

(9)　①(二)に規定する(9)で定めるものは、測定工具及び検査工具（電気又は電子を利用するものを含む。）とする。(措規5の8③)

(①(三)に規定する(10)で定めるソフトウエア)

(10)　①(三)に規定する(10)で定めるソフトウエアは、電子計算機に対する指令であって一の結果を得ることができるように組み合わされたもの（これに関連する(11)で定める書類を含むものとし、複写して販売するための原本、開発研究（新たな製品の製造若しくは新たな技術の発明又は現に企業化されている技術の著しい改善を目的として特別に行われる試験研究をいう。）の用に供されるものその他(12)で定めるものを除く。）とする。(措令5の5②)

((10)に規定する(11)で定める書類)

(11)　(10)に規定する(11)で定める書類は、システム仕様書その他の書類とする。(措規5の8④)

((10)に規定する(12)で定めるソフトウエア)

(12)　(10)に規定する(12)で定めるソフトウエアは、次(一)から(五)までに掲げるものとする。(措規5の8⑤)

(一)	サーバー用オペレーティングシステム（ソフトウエア（電子計算機に対する指令であって1の結果を得ることができるように組み合わされたものをいう。以下(12)において同じ。）の実行をするために電子計算機の動作を直接制御する機能を有するサーバー用のソフトウエアをいう。(二)において同じ。）のうち、国際標準化機構及び国際電気標準会議の規格15408に基づき評価及び認証をされたもの（(二)において「認証サーバー用オペレーティングシステム」という。）以外のもの
(二)	サーバー用仮想化ソフトウエア（2以上のサーバー用オペレーティングシステムによる1のサーバー用の電子計算機（当該電子計算機の記憶装置に当該2以上のサーバー用オペレーティングシステムが書き込まれたものに限る。）に対する指令を制御し、当該指令を同時に行うことを可能とする機能を有するサーバー用のソフトウエアをいう。以下(二)において同じ。）のうち、認証サーバー用仮想化ソフトウエア（電子計算機の記憶装置に書き込まれた2以上の認証サーバー用オペレーティングシステムによる当該電子計算機に対する指令を制御するサーバー用仮想化ソフトウエアで、国際標準化機構及び国際電気標準会議の規格15408に基づき評価及び認証をされたものをいう。）以外のもの
(三)	データベース管理ソフトウエア（データベース（数値、図形その他の情報の集合物であって、それらの情報を電子計算機を用いて検索することができるように体系的に構成するものをいう。以下(三)において同じ。）の生成、操作、制御及び管理をする機能を有するソフトウエアであって、他のソフトウエアに対して当該機能を提供するものをいう。）のうち、国際標準化機構及び国際電気標準会議の規格15408に基づき評価及び認証をされたもの以外のもの（以下(三)において「非認証データベース管理ソフトウエア」という。）又は当該非認証データベース管理ソフトウエアに係るデータベースを構成する情報を加工する機能を有するソフトウエア
(四)	連携ソフトウエア（情報処理システム（情報処理の促進に関する法律第2条第3項に規定する情報処理システムをいう。以下(四)において同じ。）から指令を受けて、当該情報処理システム以外の情報処理システムに指令を行うソフトウエアで、次に掲げる機能を有するものをいう。）のうち、イの指令を日本産業規格（産業標準化法第20条第1項に規定する日本産業規格をいう。イにおいて同じ。）X5731－8に基づき認証をする機能及びイの指令を受けた旨を記録する機能を有し、かつ、国際標準化機構及び国際電気標準会議の規格15408に基づき評価及び認証をされたもの以外のもの イ　日本産業規格X0027に定めるメッセージの形式に基づき日本産業規格X4159に適合する言語を使用して記述された指令を受ける機能 ロ　指令を行うべき情報処理システムを特定する機能 ハ　その特定した情報処理システムに対する指令を行うに当たり、当該情報処理システムが実行することができる内容及び形式に指令の付加及び変換を行い、最適な経路を選択する機能
(五)	不正アクセス防御ソフトウエア（不正アクセスを防御するために、あらかじめ設定された次に掲げる通信プロトコルの区分に応じそれぞれ次に定める機能を有するソフトウエアであって、インターネットに対応するもの

	をいう。）のうち、国際標準化機構及び国際電気標準会議の規格15408に基づき評価及び認証をされたもの以外のもの イ　通信路を設定するための通信プロトコル　ファイアウォール機能（当該通信プロトコルに基づき、電気通信信号を検知し、通過させる機能をいう。） ロ　通信方法を定めるための通信プロトコル　システム侵入検知機能（当該通信プロトコルに基づき、電気通信信号を検知し、又は通過させる機能をいう。） ハ　アプリケーションサービスを提供するための通信プロトコル　アプリケーション侵入検知機能（当該通信プロトコルに基づき、電気通信信号を検知し、通過させる機能をいう。）

（①(四)に規定する(13)で定めるもの）

(13)　①(四)に規定する(13)で定めるものは、道路運送車両法施行規則別表第一に規定する普通自動車で貨物の運送の用に供されるもののうち車両総重量（道路運送車両法第40条第３号に規定する車両総重量をいう。）が3.5トン以上のものとする。（措規５の８⑥）

（①(五)に規定する(14)で定める海上運送業、(14)で定める船舶船舶、(14)で定めるもの）

(14)　①(五)に規定する(14)で定める海上運送業は、内航海運業法第２条第２項第１号及び第２号に掲げる事業とし、①(五)に規定する(14)で定める船舶は、総トン数が500トン以上の船舶とし、同(五)に規定する(14)で定めるものは、その船舶に用いられた指定装置等（環境への負荷の低減に資するものとして国土交通大臣が指定する装置（機器及び構造を含む。(注)において同じ。）をいう。）の内容その他の(15)で定める事項を国土交通大臣に届け出たものであることにつき(15)で定めるところにより明らかにされた船舶とする。（措令５の５③）

（注）　国土交通大臣は、(14)の規定により装置を指定したときは、これを告示する。（措令５の５⑫、令和５年国土交通省告示第264号）

（(14)に規定する(15)で定める事項及び(15)で定めるところにより明らかにされた船舶）

(15)　(14)に規定する(15)で定める事項は、次の(一)及び(二)に掲げる事項とし、(14)に規定する(15)で定めるところにより明らかにされた船舶は、①の規定の適用を受けようとする年分の確定申告書に国土交通大臣の当該事項の届出があった旨を証する書類の写しを添付することにより明らかにされた船舶とする。（措規５の８⑦）

(一)	その船舶に用いられた指定装置等（(14)に規定する指定装置等をいう。(二)において同じ。）の内容
(二)	指定装置等（その船舶に用いることができないものを除く。）のうちその船舶に用いられていないものがある場合には、その理由及び当該指定装置等に代わり用いられた装置（機器及び構造を含む。）の内容

（年の中途において中小事業者に該当しなくなった場合の適用）

(16)　個人が年の中途において①に規定する中小事業者（以下**1**関係において「中小事業者」という。）に該当しないこととなった場合においても、その該当しないこととなった日前に取得又は製作（以下①において「取得等」という。）をして①に規定する指定事業の用（以下**1**関係において「指定事業の用」という。）に供した①に規定する特定機械装置等（以下**1**関係において「特定機械装置等」という。）については①の規定の適用があることに留意する。

この場合において、(１)(二)又は同(三)に規定する取得価額の合計額がこれらに規定する金額以上であるかどうかは、その中小事業者に該当していた期間内に取得等をして指定事業の用に供していたものの取得価額の合計額によって判定することに留意する。（措通10の３－１）

（主要な事業であるものの例示）

(17)　(８)の規定の適用上、次に掲げる事業には、例えば、それぞれ次に定めるような行為が該当する。（措通10の３－１の２）

(一)　(８)(一)に掲げる事業　中小事業者がその所有する店舗、事務所等の一画を活用して、いわゆるコインランドリーを利用させる役務を提供する行為

(二)　(８)(二)に掲げる事業　公衆浴場を営む中小事業者がその利用客に対して、いわゆるコインランドリーを利用させる役務を提供する行為

（取得価額の判定単位）

(18)　(1)(一)又は同(二)に掲げる機械及び装置又は工具の１台又は１基の取得価額が160万円以上又は120万円以上であるかどうかについては、通常１単位として取引される単位ごとに判定するのであるが、個々の機械及び装置の本体と同時に設置する自動調整装置又は原動機のような附属機器で当該本体と一体になって使用するものがある場合には、これらの附属機器を含めたところによりその判定を行うことができるものとする。（措通10の３－２）

(注)　(9)に規定する工具の取得価額の合計額が120万円以上であるかどうかについては、同(9)に規定する測定工具及び検査工具の取得価額の合計額により判定することに留意する。

（国庫補助金等の総収入金額不算入の適用を受けた場合の特定機械装置等の取得価額要件の判定）

(19)　(1)(一)から同(三)までに掲げる機械及び装置、工具又はソフトウエアの取得価額が160万円以上、120万円以上又は70万円以上であるかどうかを判定する場合において、当該機械及び装置、工具又はソフトウエアが第一節**三１**①《国庫補助金等の総収入金額不算入》の規定の適用を受ける同**１**①に規定する国庫補助金等に係るもの若しくは同**１**②に規定する国庫補助金等の交付に代わるべきものとして交付を受けるもの又は同**三２**①の規定の適用を受ける同①に規定する国庫補助金等をもって取得されたものであるときは、同**三１**④(一)又は同(二)又は同**三２**⑤の規定により計算した金額に基づいてその判定を行うものとする。（措通10の３－３、編者補正）

（主たる事業でない場合の適用）

(20)　個人の営む事業が指定事業の用に係る事業（以下**１**関係において「指定事業」という。）に該当するかどうかは、当該個人が主たる事業としてその事業を営んでいる必要はないのであるから留意する。（措通10の３－４）

（事業の判定）

(21)　個人の営む事業が指定事業に該当するかどうかは、おおむね日本標準産業分類（総務省）の分類を基準として判定する。（措通10の３－５）

(注)１　(3)の「鉱業」については、日本標準産業分類の「大分類Ｃ　鉱業、採石業、砂利採取業」に分類する事業が該当する。

２　(3)(注)(十二)に掲げる「サービス業」については、日本標準産業分類の「大分類Ｇ　情報通信業」（通信業を除く。）、「小分類693　駐車場業」、「中分類70　物品賃貸業」、「大分類Ｌ　学術研究、専門・技術サービス業」、「中分類75　宿泊業」、「中分類78　洗濯・理容・美容・浴場業」、「中分類79　その他の生活関連サービス業」（旅行業を除く。）、「大分類Ｏ　教育、学習支援業」、「大分類Ｐ　医療、福祉」、「中分類87　協同組合（他に分類されないもの）」及び「大分類Ｒ　サービス業（他に分類されないもの）」（旅行業を除く。）に分類する事業が該当する。

（その他これらの事業に含まれないもの）

(22)　(3)(注)(二)かっこ書の料亭、バー、キャバレー、ナイトクラブに類する事業には、例えば、大衆酒場及びビヤホールのように一般大衆が日常利用する飲食店は含まれないものとする。（措通10の３－６）

（指定事業とその他の事業とに共通して使用される特定機械装置等）

(23)　指定事業とその他の事業とを営む個人が、その取得等をした特定機械装置等をそれぞれの事業に共通して使用している場合には、その全部を指定事業の用に供したものとして①の規定を適用する。（措通10の３－７）

（貸付けの用に供したものに該当しない資産の貸与）

(24)　個人が、その取得等をした特定機械装置等を自己の下請業者に貸与した場合において、当該特定機械装置等が専ら当該個人のためにする製品の加工等の用に供されるものであるときは、当該特定機械装置等は当該個人の営む事業の用に供したものとして**１**の規定を適用する。（措通10の３－８）

②　特別償却不足額の繰越し

①の規定により当該特定機械装置等の償却費として必要経費に算入した金額がその合計償却限度額に満たない場合には、当該特定機械装置等を指定事業の用に供した年の翌年分の事業所得の金額の計算上、当該特定機械装置等の償却費として必要経費に算入する金額は、**五４**の規定にかかわらず、当該特定機械装置等の償却費として同**４**の規定により必要経費に算入する金額とその満たない金額以下の金額で当該中小事業者が必要経費として計算した金額との合計額に相当する金額とすることができる。（措法10の３②）

（特別償却等の適用を受けたものの意義）

（１）　減価償却資産又は繰延資産について①の規定による特別償却額を必要経費に算入していない場合であっても、その年分の確定申告書にその特別償却額の繰越しに関する記載、明細書の添付等があるときは、その減価償却資産又は繰延資産について①の規定の適用を受けたものに該当することに留意する。（措通10の３～15共－１）

（償却不足額の繰越しをする場合の償却限度額の計算）

（２）　①の規定による特別償却額の償却不足額の繰越しをする減価償却資産又は繰延資産につき、そのよるべき償却の方法として旧定率法、定率法又は取替法を採用している場合の償却不足額を生じた年の翌年分の当該減価償却資産又は繰延資産の償却限度額の計算の基礎となる普通償却額は、その償却不足額が既に償却されたものとみなして旧定率法、定率法又は取替法により計算した場合の当該翌年分の普通償却額とする。（措通10の３～15共－２）

③　特別償却の明細書の添付

①及び②の規定は、確定申告書に、これらの規定により必要経費に算入される金額についてのその算入に関する記載があり、かつ、特定機械装置等の償却費の額の計算に関する明細書の添付がある場合に限り、適用する。（措法10の３⑦）

④　所有権移転外リース取引により取得した特定機械装置等の不適用措置（平成20年４月１日～）

①の規定は、中小事業者が所有権移転外リース取引（第四節**三４**②に規定するリース取引のうち所有権が移転しないものとして（１）で定めるものをいう。以下この章において同じ。）により取得した特定機械装置等については、適用しない。（措法10の３⑥）

（④に規定する（１）で定めるもの）

（１）　④に規定する（１）で定めるものは、**五５ロ**（２）⑤に規定する所有権移転外リース取引とする。（措令５の５⑪）

2　地域経済牽引事業の促進区域内において特定事業用機械等を取得した場合の特別償却

……所得税額の特別控除は第九章第二節**十一**参照

①　地域経済牽引事業の促進区域内において特定事業用機械等を取得した場合の特別償却

青色申告書を提出する個人で地域経済牽引事業の促進による地域の成長発展の基盤強化に関する法律第25条に規定する承認地域経済牽引事業者であるものが、企業立地の促進等による地域における産業集積の形成及び活性化に関する法律の一部を改正する法律（平成29年法律第47号）の施行の日（平成29年７月31日）から令和７年３月31日までの期間内に、当該個人の行う同条に規定する承認地域経済牽引事業（以下において「**承認地域経済牽引事業**」という。）に係る地域経済牽引事業の促進による地域の成長発展の基盤強化に関する法律第４条第２項第１号に規定する促進区域（以下において「**促進区域**」という。）内において当該承認地域経済牽引事業に係る承認地域経済牽引事業計画（同法第14条第２項に規定する承認地域経済牽引事業計画をいう。以下において同じ。）に従って**特定地域経済牽引事業施設等**（承認地域経済牽引事業計画に定められた施設又は設備で、(1)で定める規模のものをいう。以下において同じ。）の新設又は増設をする場合において、当該新設若しくは増設に係る特定地域経済牽引事業施設等を構成する機械及び装置、器具及び備品、建物及びその附属設備並びに構築物（以下**2**において「**特定事業用機械等**」という。）でその製作若しくは建設の後事業の用に供されたことのないものを取得し、又は当該新設若しくは増設に係る特定事業用機械等を製作し、若しくは建設して、これを当該承認地域経済牽引事業の用に供したとき（貸付けの用に供した場合を除く。）は、その承認地域経済牽引事業の用に供した日の属する年（事業を廃止した日の属する年を除く。以下において「**供用年**」という。）の年分における当該個人の事業所得の金額の計算上、当該特定事業用機械等の償却費として必要経費に算入する金額は、**五４**《減価償却資産の償却費の計算及び償却の方法の通則》の規定にかかわらず、当該特定事業用機械等について同**４**の規定により計算した償却費の額と特別償却限度額（当該特定事業用機械等の取得価額（その特定事業用機械等に係る一の特定地域経済牽引事業施設等を構成する機械及び装置、器具及び備品、建物及びその附属設備並びに構築物の取得価額の合計額が80億円を超える場合には、80億円にその特定事業用機械等の取得価額が当該合計額のうちに占める割合を乗じて計算した金額。以下において「**基準取得価額**」という。）に次の㈠及び㈡に掲げる減価償却資産の区分に応じ当該㈠又は㈡に定める割合を乗じて計算した金額をいう。）との合計額（②において「**合計償却限度額**」という。）以下の金額で当該個人が必要経費として計算した金額とする。ただし、当該特定事業用機械等の償却費として同**４**の規定により必要経費に算入される金額を下ることはできない。（措法10の４①）

㈠	機械及び装置並びに器具及び備品	100分の40（平成31年４月１日以後に地域経済牽引事業の促進による地域の成長発展の基盤強化に関する法律第13条第４項又は第７項の規定による承認を受けた個人（第九章第二節**十一１**㈠において「特定個人」という。）がその承認地域経済牽引事業（地域の成長発展の基盤強化に著しく資するものとして(2)で定めるものに限る。同㈠において同じ。）の用に供したものについては、100分の50）
㈡	建物及びその附属設備並びに構築物	100分の20

（注）①の規定は、個人が所有権移転外リース取引により取得した特定事業用機械等については、適用しない。（措法10の４④）

（①に規定する(1)で定める規模のもの）

(1)　①に規定する(1)で定める規模のものは、一の承認地域経済牽引事業計画（①に規定する承認地域経済牽引事業計画をいう。）に定められた施設又は設備を構成する第二章第一節**一**表内**19**①から同⑨までに掲げる資産の取得価額（**五７**《減価償却資産の取得価額》**イ**表内①から同⑤までの規定により計算した取得価額をいう。）の合計額が2,000万円以上のものとする。（措令５の５の２①）

（①㈠に規定する(2)で定めるもの）

(2)　①㈠に規定する(2)で定めるものは、地域の成長発展の基盤強化に著しく資するものとして経済産業大臣が財務大臣と協議して定める基準に適合することについて主務大臣（地域経済牽引事業の促進による地域の成長発展の基盤強化に関する法律第43条第２項に規定する主務大臣をいう。）の確認を受けたものとする。（措令５の５の２②、平31経済産業省告示第84号（最終改正令２同省告示第190号））

（注）経済産業大臣は、(2)の規定により基準を定めたときは、これを告示する。（措令５の５の２⑤）

（国庫補助金等をもって取得等した特定地域経済牽引事業施設等の取得価額）

（３）（１）に規定する第二章第一節一表内19①から同⑨までに掲げる資産の取得価額の合計額が2,000万円以上であるかどうかを判定する場合において、その資産が第一節三１①《国庫補助金等の総収入金額不算入》の規定の適用を受ける同①に規定する国庫補助金等に係るもの若しくは同②に規定する国庫補助金等の交付に代わるべきものとして交付を受けるもの又は同三２①の規定の適用を受ける同①に規定する国庫補助金等をもって取得されたものであるときは、同三１④(一)又は同(二)又は同三２⑤の規定により計算した金額に基づいてその判定を行うものとする。（措通10の４－１）

（新増設の範囲）

（４）　①の規定の適用上、次に掲げる特定地域経済牽引事業施設等（①に規定する特定地域経済牽引事業施設等をいう。以下２関係において同じ。）の取得又は製作若しくは建設（以下２関係において「取得等」という。）についても特定地域経済牽引事業施設等の新設又は増設に該当するものとする。（措通10の４－２）

⑴　既存設備が災害により滅失又は損壊したため、その代替設備として取得等をした特定地域経済牽引事業施設等

⑵　既存設備の取替え又は更新のために特定事業用機械等の取得等をした場合で、その取得等により生産能力又は処理能力等が従前に比して相当程度（おおむね30％）以上増加したときにおける当該特定地域経済牽引事業施設等のうちその生産能力又は処理能力等が増加した部分に係るもの

（特別償却等の対象となる建物の附属設備）

（５）　①に規定する建物の附属設備は、当該建物とともに取得又は建設をする場合における建物附属設備に限られることに留意する。（措通10の４－３）

（承認地域経済牽引事業の用に供したものとされる資産の貸与）

（６）　①に規定する承認地域経済牽引事業者（以下２関係において「承認地域経済牽引事業者」という。）が、その取得等をした①に規定する特定事業用機械等（以下２関係において「特定事業用機械等」という。）を自己の下請業者に貸与した場合において、当該特定事業用機械等が①に規定する促進区域内において専ら当該承認地域経済牽引事業者の①に規定する承認地域経済牽引事業（以下２関係において「承認地域経済牽引事業」という。）のためにする製品の加工等の用に供されるものであるときは、当該特定事業用機械等は当該承認地域経済牽引事業者の営む承認地域経済牽引事業の用に供したものとして２の規定を適用する。（措通10の４－４）

（取得価額の合計額が80億円を超えるかどうか等の判定）

（７）　２の規定の適用上、一の特定地域経済牽引事業施設等を構成する機械及び装置、器具及び備品、建物及びその附属設備並びに構築物の取得価額の合計額が80億円を超えるかどうかは、その新設又は増設に係る承認地域経済牽引事業計画（①に規定する承認地域経済牽引事業計画をいう。以下（７）において同じ。）ごとに判定することに留意する。

（１）における一の承認地域経済牽引事業計画に定められた施設又は設備を構成する第二章第一節一表内19①から同⑨までに掲げる資産の取得価額の合計額が2,000万円以上であるかどうかの判定についても、同様とする。（措通10の４－５）

（２以上の年分において事業の用に供した場合の取得価額の計算）

（８）　特定事業用機械等に係る一の特定地域経済牽引事業施設等を構成する機械及び装置、器具及び備品、建物及びその附属設備並びに構築物でその取得価額の合計額が80億円を超えるものを２以上の年分において事業の用に供した場合には、その取得価額の合計額が初めて80億円を超えることとなる年分（以下（８）において「超過年分」という。）における①の規定による特別償却限度額の計算の基礎となる個々の特定事業用機械等の取得価額は、次の算式による。（措通10の４－６）

$$\left(80\text{億円} - \begin{array}{l}\text{超過年分前の各年分におい}\\\text{て事業の用に供した特定事}\\\text{業用機械等の取得価額の合}\\\text{計額（注１）}\end{array}\right) \times \frac{\begin{array}{l}\text{超過年分において事業の用に供した}\\\text{個々の特定事業用機械等の取得価額}\end{array}}{\begin{array}{l}\text{超過年分において事業の用に供した特}\\\text{定事業用機械等の取得価額の合計額}\end{array}}$$

（注）１　超過年分前の各年分において事業の用に供した個々の特定事業用機械等については、その取得価額の調整は行わないことに留意する。

２　承認地域経済牽引事業計画が、地域経済牽引事業の促進による地域の成長発展の基盤強化に関する法律第13条第１項の規定により、同法第２条第１項に規定する地域経済牽引事業を行おうとする者が共同して作成した同法第13条第１項に規定する地域経済牽引事業

計画に係るものである場合には、本文及び算式中「80億円」とあるのは「80億円を承認地域経済牽引事業計画の共同作成者の間で合理的にあん分した金額」とする。

②　特別償却不足額の繰越し

①の規定により当該特定事業用機械等の償却費として必要経費に算入した金額がその合計償却限度額に満たない場合には、当該特定事業用機械等を承認地域経済牽引事業の用に供した年の翌年分の事業所得の金額の計算上、当該特定事業用機械等の償却費として必要経費に算入する金額は、**五４**の規定にかかわらず、当該特定事業用機械等の償却費として同**４**の規定により必要経費に算入する金額とその満たない金額以下の金額で当該個人が必要経費として計算した金額との合計額に相当する金額とすることができる。（措法10の４②）

（特別償却等の適用を受けたものの意義）

（1）　減価償却資産又は繰延資産について①の規定による特別償却額を必要経費に算入していない場合であっても、その年分の確定申告書にその特別償却額の繰越しに関する記載、明細書の添付等があるときは、その減価償却資産又は繰延資産について①の規定の適用を受けたものに該当することに留意する。（措通10の３～15共－１）

（償却不足額の繰越しをする場合の償却限度額の計算）

（2）　①の規定による特別償却額の償却不足額の繰越しをする減価償却資産又は繰延資産につき、そのよるべき償却の方法として旧定率法、定率法又は取替法を採用している場合の償却不足額を生じた年の翌年分の当該減価償却資産又は繰延資産の償却限度額の計算の基礎となる普通償却額は、その償却不足額が既に償却されたものとみなして旧定率法、定率法又は取替法により計算した場合の当該翌年分の普通償却額とする。（措通10の３～15共－２）

③　特別償却の明細書の添付

①及び②の規定は、確定申告書に、これらの規定により必要経費に算入される金額についてのその算入に関する記載があり、かつ、特定事業用機械等の償却費の額の計算に関する明細書の添付がある場合に限り、適用する。（措法10の４⑤）

3　地方活力向上地域等において特定建物等を取得した場合の特別償却

……所得税額の特別控除は第九章第二節十二参照

①　地方活力向上地域等において特定建物等を取得した場合の特別償却

青色申告書を提出する個人で地域再生法の一部を改正する法律の施行の日（平成30年６月１日）から令和８年３月31日までの期間内に地域再生法第17条の２第１項に規定する地方活力向上地域等特定業務施設整備計画（以下①において「**地方活力向上地域等特定業務施設整備計画**」という。）について同条第３項の認定を受けたものが、当該認定を受けた日から同日の翌日以後３年を経過する日まで（同日までに同条第６項の規定により当該認定を取り消されたときは、その取り消された日の前日まで）の間に、当該認定をした同条第１項に規定する認定都道府県知事が作成した同法第８条第１項に規定する認定地域再生計画に記載されている同法第５条第４項第５号イ又はロに掲げる地域（当該認定を受けた地方活力向上地域等特定業務施設整備計画（同法第17条の２第４項の規定による変更の認定があったときは、その変更後のもの。以下①において「**認定地方活力向上地域等特定業務施設整備計画**」という。）が同法第17条の２第１項第２号に掲げる事業に関する地方活力向上地域等特定業務施設整備計画である場合には、同号に規定する地方活力向上地域）内において、当該認定地方活力向上地域等特定業務施設整備計画に記載された同法第５条第４項第５号に規定する特定業務施設（同号に規定する特定業務児童福祉施設のうち当該特定業務施設の新設に併せて整備されるものを含む。以下①において「特定業務施設」という。）に該当する建物及びその附属設備並びに構築物（(１)で定める規模のものに限る。以下**3**において「**特定建物等**」という。）でその建設の後事業の用に供されたことのないものを取得し、又は当該認定地方活力向上地域等特定業務施設整備計画に記載された特定建物等を建設して、これを当該個人の営む事業の用に供した場合（貸付けの用に供した場合を除く。）には、その事業の用に供した日の属する年（事業を廃止した日の属する年を除く。）の年分における当該個人の事業所得の金額の計算上、当該特定建物等の償却費として必要経費に算入する金額は、**五4**《減価償却資産の償却費の計算及び償却の方法の通則》の規定にかかわらず、当該特定建物等について同**4**の規定により計算した償却費の額とその取得価額（その特定建物等に係る一の特定業務施設を構成する建物及びその附属設備並びに構築物の取得価額の合計額が80億円を超える場合には、80億円にその特定建物等の取得価額が当該合計額のうちに占める割合を乗じて計算した金額。以下において「基準取得価額」という。）の100分の15（当該認定地方活力向上地域等特定業務施設整備計画が地域再生法第17条の２第１項第１号に掲げる事業に関するものである場合には、100分の25）に相当する金額との合計額（②において「**合計償却限度額**」という。）以下の金額で当該個人が必要経費として計算した金額とする。ただし、当該特定建物等の償却費として同**4**の規定により必要経費に算入される金額を下ることはできない。（措法10の４の２①）

（注）１　①の規定は、個人が所有権移転外リース取引により取得した特定建物等については、適用しない。（措法10の４の２④）

２　改正後の**3**①の規定は、令和６年４月１日以後に同①に規定する地方活力向上地域等特定業務施設整備計画について同①に規定する認定を受ける個人が取得又は建設をする当該認定に係るこれらの規定に規定する認定地方活力向上地域等特定業務施設整備計画に記載された同①に規定する特定建物等について適用され、同日前に改正前の**3**①に規定する地方活力向上地域等特定業務施設整備計画について同①に規定する認定を受けた個人が取得又は建設をする当該認定に係るこれらの規定に規定する認定地方活力向上地域等特定業務施設整備計画に記載された同①に規定する特定建物等については、なお従前の例による。（令６改所法等附24①）

３　令和６年４月１日から地域再生法の一部を改正する法律（令和６年法律第17号）附則第一条ただし書に規定する規定の施行の日（令和６年４月19日）の前日までの間における改正後の**3**①の規定の適用については、同①中「一の特定業務施設」とあるのは、「一の同号に規定する特定業務施設」とされる。（令６改所法等附24③）

４　上記＿＿下線部の改正後の**3**①の規定は、令和６年４月19日以後に**3**①に規定する地方活力向上地域等特定業務施設整備計画について同①に規定する認定を受ける個人が取得又は建設をする当該認定に係るこれらの規定に規定する認定地方活力向上地域等特定業務施設整備計画に記載された同①に規定する特定建物等について適用され、同日前に改正前の**3**①に規定する地方活力向上地域等特定業務施設整備計画について同①に規定する認定を受けた個人が取得又は建設をする当該認定に係るこれらの規定に規定する認定地方活力向上地域等特定業務施設整備計画に記載された同①に規定する特定建物等については、なお従前の例による。（令６改所法等附24②）

（(１)で定める規模のもの）

(１)　①に規定する(１)で定める規模のものは、一の建物及びその附属設備並びに構築物の取得価額（**五7**《減価償却資産の取得価額》**イ**表内①から同⑤までの規定により計算した取得価額をいう。）の合計額が3,500万円（第九章第二節**九**《試験研究を行った場合の所得税額の特別控除》**4**⑥に規定する中小事業者にあっては、1,000万円）以上のものとする。（措令５の５の３①）

（注）　改正後の(１)の規定は、令和６年４月１日以後に改正後の**3**①に規定する地方活力向上地域等特定業務施設整備計画について同①に規定する認定を受ける個人が取得又は建設をする当該認定に係るこれらの規定に規定する認定地方活力向上地域等特定業務施設整備計画に記載された同①に規定する特定建物等について適用され、同日前に改正前の**3**①に規定する地方活力向上地域等特定業務施設整備計画について同①に規定する認定を受けた個人が取得又は建設をする当該認定に係るこれらの規定に規定する認定地方活力向上地域等特定業務施設整備計画に記載された同①に規定する特定建物等については、なお従前の例による。（令６改措令附３）

（特別償却等の対象となる建物の附属設備）

（2）　①に規定する建物の附属設備は、当該建物とともに取得又は建設（以下**3**において「取得等」という。）をする場合における建物附属設備に限られることに留意する。（措通10の４の２－１）

（中小事業者であるかどうかの判定の時期）

（3）　個人が（1）に規定する中小事業者（以下**3**において「中小事業者」という。）に該当するかどうかは、①に規定する建物及びその附属設備並びに構築物の取得等をした日並びに当該建物及びその附属設備並びに構築物を事業の用に供した日の現況によって判定するものとする。（措通10の４の２－２）

（国庫補助金等の総収入金額不算入の適用を受けた場合の特定建物等の取得価額要件の判定）

（4）　（1）に規定する一の建物及びその附属設備並びに構築物の取得価額の合計額が3,500万円以上（中小事業者にあっては1,000万円以上）であるかどうかを判定する場合において、その一の建物及びその附属設備並びに構築物が第一節**三 1**①《国庫補助金等の総収入金額不算入》の規定の適用を受ける同①に規定する国庫補助金等に係るもの若しくは同②に規定する国庫補助金等の交付に代わるべきものとして交付を受けるもの又は同**三 2**①の規定の適用を受ける同①に規定する国庫補助金等をもって取得されたものであるときは、同**三 1**④㈠又は同㈡又は同**三 2**⑤の規定により計算した金額に基づいてその判定を行うものとする。（措通10の４の２－３）

（取得価額の合計額が80億円を超えるかどうかの判定）

（5）　**3**の規定の適用上、一の特定業務施設（①に規定する特定業務施設をいう。以下同じ。）を構成する建物及びその附属設備並びに構築物の取得価額の合計額が80億円を超えるかどうかは、その特定業務施設が記載された①に規定する認定地方活力向上地域等特定業務施設整備計画ごとに判定することに留意する。（措通10の４の２－４）

（２以上の年分において事業の用に供した場合の取得価額の計算）

（6）　①に規定する特定建物等（以下「特定建物等」という。）に係る一の特定業務施設を構成する建物及びその附属設備並びに構築物でその取得価額の合計額が80億円を超えるものを２以上の年分において事業の用に供した場合には、その取得価額の合計額が初めて80億円を超えることとなる年分（以下「超過年分」という。）における①の規定による①に規定する100分の15に相当する金額の計算の基礎となる個々の特定建物等の取得価額は、次の算式による。（措通10の４の２－５）

$$\left(80\text{億円} - \begin{array}{l}\text{超過年分前の各年分におい}\\\text{て事業の用に供した特定建}\\\text{物等の取得価額の合計額}\\\text{(注)}\end{array}\right) \times \frac{\text{超過年分において事業の用に供した個々の特定建物等の取得価額}}{\text{超過年分において事業の用に供した特定建物等の取得価額の合計額}}$$

（注）　超過年分前の各年分において事業の用に供した個々の特定建物等については、その取得価額の調整は行わないことに留意する。

②　特別償却不足額の繰越し

①の規定により当該特定建物等の償却費として必要経費に算入した金額がその合計償却限度額に満たない場合には、当該特定建物等を事業の用に供した年の翌年分の事業所得の金額の計算上、当該特定建物等の償却費として必要経費に算入する金額は、**五 4**の規定にかかわらず、当該特定建物等の償却費として同**4**の規定により必要経費に算入する金額とその満たない金額以下の金額で当該個人が必要経費として計算した金額との合計額に相当する金額とすることができる。（措法10の４の２②）

（特別償却等の適用を受けたものの意義）

（1）　減価償却資産又は繰延資産について①の規定による特別償却額を必要経費に算入していない場合であっても、その年分の確定申告書にその特別償却額の繰越しに関する記載、明細書の添付等があるときは、その減価償却資産又は繰延資産について①の規定の適用を受けたものに該当することに留意する。（措通10の３～15共－１）

（償却不足額の繰越しをする場合の償却限度額の計算）

（2）　①の規定による特別償却額の償却不足額の繰越しをする減価償却資産又は繰延資産につき、そのよるべき償却の方法として旧定率法、定率法又は取替法を採用している場合の償却不足額を生じた年の翌年分の当該減価償却資産又は繰延資産の償却限度額の計算の基礎となる普通償却額は、その償却不足額が既に償却されたものとみなして旧定率法、定率法又は取替法により計算した場合の当該翌年分の普通償却額とする。（措通10の３～15共－２）

③　特別償却の明細書の添付

①及び②の規定は、確定申告書に、これらの規定により必要経費に算入される金額についてのその算入に関する記載があり、かつ、特定建物等の償却費の額の計算に関する明細書の添付がある場合に限り、適用する。（措法10の４の２⑤）

4　特定中小事業者が特定経営力向上設備等を取得した場合の特別償却

……所得税額の特別控除は第九章第二節**十四**参照

①　特定中小事業者が特定経営力向上設備等を取得した場合の特別償却

特定中小事業者（第九章第二節**九４**⑥に規定する中小事業者で青色申告書を提出するもののうち中小企業等経営強化法第17条第１項の認定（以下において「認定」という。）を受けた同法第２条第６項に規定する特定事業者等に該当するものをいう。以下において同じ。）が、平成29年４月１日から令和７年３月31日までの期間（以下において「**指定期間**」という。）内に、生産等設備を構成する機械及び装置、工具、器具及び備品、建物附属設備並びに(１)で定めるソフトウエアで、同法第17条第３項に規定する**経営力向上設備等**（経営の向上に著しく資するものとして(２)で定めるもので、その特定中小事業者のその認定に係る同条第１項に規定する経営力向上計画（同法第18条第１項の規定による変更の認定があったときは、その変更後のもの）に記載されたものに限る。）に該当するもののうち(３)で定める規模のもの（以下において「**特定経営力向上設備等**」という。）でその製作若しくは建設の後事業の用に供されたことのないものを取得し、又は特定経営力向上設備等を製作し、若しくは建設して、これを国内にある当該特定中小事業者の営む事業の用（**２**①に規定する指定事業の用に限る。以下において「**指定事業の用**」という。）に供した場合には、その指定事業の用に供した日の属する年（事業を廃止した日の属する年を除く。以下において「供用年」という。）の年分における当該特定中小事業者の事業所得の金額の計算上、当該特定経営力向上設備等の償却費として必要経費に算入する金額は、**五４**《減価償却資産の償却費の計算及びその償却の方法の通則》の規定にかかわらず、当該特定経営力向上設備等について同**４**の規定により計算した償却費の額（以下において「**普通償却額**」という。）と特別償却限度額（当該特定経営力向上設備等の取得価額から普通償却額を控除した金額に相当する金額をいう。）との合計額（②において「**合計償却限度額**」という。）以下の金額で当該特定中小事業者が必要経費として計算した金額とする。ただし、当該特定経営力向上設備等の償却費として同**４**の規定により必要経費に算入される金額を下ることはできない。（措法10の５の３①）

（注）　①の規定は、特定中小事業者が所有権移転外リース取引により取得した特定経営力向上設備等については、適用しない。（措法10の５の３⑥）

（①に規定する(１)で定めるソフトウエア）

(１)　①に規定する(１)で定めるソフトウエアは、**２**①(10)に規定するソフトウエアとする。（措令５の６の３①）

（①に規定する(２)で定めるもの）

(２)　①に規定する(２)で定めるものは、中小企業等経営強化法施行規則第16条第２項に規定する経営力向上に著しく資する設備等とする。（措規５の11①）

（①に規定する(３)で定める規模のもの）

(３)　①に規定する(３)で定める規模のものは、機械及び装置にあっては一台又は一基（通常一組又は一式をもって取引の単位とされるものにあっては、一組又は一式。以下(３)において同じ。）の取得価額（**五７**《減価償却資産の取得価額》**イ**表内①から同⑤までの規定により計算した取得価額をいう。以下(３)において同じ。）が160万円以上のものとし、工具、器具及び備品にあっては一台又は一基の取得価額が30万円以上のものとし、建物附属設備にあっては一の建物附属設備の取得価額が60万円以上のものとし、ソフトウエアにあっては一のソフトウエアの取得価額が70万円以上のものとする。（措令５の６の３②）

（特定中小事業者であるかどうかの判定の時期）

(４)　個人が①に規定する特定中小事業者に該当するかどうかは、①に規定する特定経営力向上設備等（以下**４**において「特定経営力向上設備等」という。）の取得又は製作若しくは建設（以下**４**において「取得等」という。）をした日及び当該特定経営力向上設備等を事業の用に供した日の現況によって判定するものとする。（措通10の５の３－１）

（生産等設備の範囲）

(５)　①に規定する生産等設備（以下(５)において「生産等設備」という。）とは、例えば、製造業を営む個人の工場、小売業を営む個人の店舗又は自動車整備業を営む個人の作業場のように、その個人が行う生産活動、販売活動、役務提供活動その他収益を稼得するために行う活動（以下(５)において「生産等活動」という。）の用に直接供される減価償却資産で構成されているものをいう。

したがって、例えば、事務所、寄宿舎等の建物、事務用器具備品、乗用自動車、福利厚生施設のようなものは、これに該当しない。（措通10の５の３－２）

(注)　一棟の建物が事務所用と店舗用に供されている場合など、減価償却資産の一部が個人の生産等活動の用に直接供されるものについては、その全てが事業の用に供されているときには、その全てが生産等設備となることに留意する。

（取得価額の判定単位）

（6）（3）に規定する機械及び装置又は工具、器具及び備品の１台又は１基の取得価額が160万円以上又は30万円以上であるかどうかについては、通常１単位として取引される単位ごとに判定するのであるが、個々の機械及び装置の本体と同時に設置する自動調整装置又は原動機のような附属機器で当該本体と一体になって使用するものがある場合には、これらの附属機器を含めたところによりその判定を行うことができるものとする。（措通10の５の３－４）

（国庫補助金等をもって取得等した特定経営力向上設備等の取得価額）

（7）（3）に規定する機械及び装置、工具、器具及び備品、建物附属設備又はソフトウェアの取得価額が160万円以上、30万円以上、60万円以上又は70万円以上であるかどうかを判定する場合において、その機械及び装置、工具、器具及び備品、建物附属設備又はソフトウェアが第一節**三１**①《国庫補助金等の総収入金額不算入》の規定の適用を受ける同①に規定する国庫補助金等に係るもの若しくは同②に規定する国庫補助金等の交付に代わるべきものとして交付を受けるもの又は同**三２**①の規定の適用を受ける同①に規定する国庫補助金等をもって取得されたものであるときは、同**三１**④(一)又は同(二)又は同**三２**⑤の規定により計算した金額に基づいてその判定を行うものとする。（措通10の５の３－５）

（主たる事業でない場合の適用）

（8）個人の営む事業が①に規定する指定事業の用に係る事業（以下**４**関係において「指定事業」という。）に該当するかどうかは、当該個人が主たる事業としてその事業を営んでいるかどうかを問わないことに留意する。（措通10の５の３－６）

（指定事業とその他の事業とに共通して使用される特定経営力向上設備等）

（9）指定事業とその他の事業とを営む個人が、その取得等をした特定経営力向上設備等をそれぞれの事業に共通して使用している場合には、その全部を指定事業の用に供したものとして**４**の規定を適用する。（措通10の５の３－７）

（貸付けの用に供したものに該当しない資産の貸与）

（10）個人が、その取得等をした特定経営力向上設備等を自己の下請業者に貸与した場合において、当該特定経営力向上設備等が専ら当該個人のためにする製品の加工等の用に供されるものであるときは、当該特定経営力向上設備等は当該個人の営む事業の用に供したものとして**４**の規定を適用する。（措通10の５の３－８）

②　特別償却不足額の繰越し

①の規定により当該特定経営力向上設備等の償却費として必要経費に算入した金額がその合計償却限度額に満たない場合には、当該特定経営力向上設備等を指定事業の用に供した年の翌年分の事業所得の金額の計算上、当該特定経営力向上設備等の償却費として必要経費に算入する金額は、**五４**の規定にかかわらず、当該特定経営力向上設備等の償却費として同**４**の規定により必要経費に算入する金額とその満たない金額以下の金額で当該特定中小事業者が必要経費として計算した金額との合計額に相当する金額とすることができる。（措法10の５の３②）

（特別償却等の適用を受けたものの意義）

（1）減価償却資産又は繰延資産について①の規定による特別償却額を必要経費に算入していない場合であっても、その年分の確定申告書にその特別償却額の繰越しに関する記載、明細書の添付等があるときは、その減価償却資産又は繰延資産について①の規定の適用を受けたものに該当することに留意する。（措通10の３～15共－１）

（償却不足額の繰越しをする場合の償却限度額の計算）

（2）①の規定による特別償却額の償却不足額の繰越しをする減価償却資産又は繰延資産につき、そのよるべき償却の方法として旧定率法、定率法又は取替法を採用している場合の償却不足額を生じた年の翌年分の当該減価償却資産又は繰延資産の償却限度額の計算の基礎となる普通償却額は、その償却不足額が既に償却されたものとみなして旧定率法、定率法又は取替法により計算した場合の当該翌年分の普通償却額とする。（措通10の３～15共－２）

③　**特別償却明細書の添付**

①及び②の規定は、確定申告書に、これらの規定により必要経費に算入される金額についてのその算入に関する記載があり、かつ、特定経営力向上設備等の償却費の額の計算に関する明細書の添付がある場合に限り、適用する。（措法10の５の３⑦）

（特定経営力向上設備等に該当するものであることを証する書類の添付）

（１）　個人が、その取得し、又は製作し、若しくは建設した機械及び装置、工具、器具及び備品、建物附属設備並びにソフトウエア（以下(１)において「機械装置等」という。）につき①の規定の適用を受ける場合には、当該機械装置等につき①の適用を受ける年分の確定申告書に当該機械装置等が①に規定する特定経営力向上設備等に該当するものであることを証する(２)で定める書類を添付しなければならない。（措令５の６の３⑤）

（(１)に規定する(２)で定める書類）

（２）　(１)に規定する(２)で定める書類は、当該個人が受けた中小企業等経営強化法第17条第１項の認定に係る経営力向上に関する命令（平成28年内閣府、総務省、財務省、厚生労働省、農林水産省、経済産業省、国土交通省令第２号）第２条第１項の申請書（当該申請書に係る同法第17条第１項に規定する経営力向上計画につき同法第18条第１項の規定による変更の認定があったときは、当該変更の認定に係る同令第３条第１項の申請書を含む。以下(２)において「認定申請書」という。）の写し及び当該認定申請書に係る認定書（当該変更の認定があったときは、当該変更の認定に係る認定書を含む。）の写しとする。（措規５の11②）

（注）　改正後の(２)の規定の適用については、同(２)に規定する認定申請書には、経営力向上に関する命令の一部を改正する命令（令和６年内閣府、総務省、財務省、厚生労働省、農林水産省、経済産業省、国土交通省令第１号）による改正前の経営力向上に関する命令第２条第２項又は第３条第２項の申請書を含むものとする。（令６改措規附６）

5　認定特定高度情報通信技術活用設備を取得した場合の特別償却

………所得税額の特別控除は第九章第二節**十六**参照

①　認定特定高度情報通信技術活用設備を取得した場合の特別償却

青色申告書を提出する個人で特定高度情報通信技術活用システムの開発供給及び導入の促進に関する法律（令和２年法律第37号）第28条に規定する認定導入事業者であるものが、同法の施行の日（令和２年８月31日）から令和７年３月31日までの期間内に、当該個人の同法第10条第２項に規定する認定導入計画（以下①において「**認定導入計画**」という。）に記載された機械その他の減価償却資産（同法第28条に規定する認定導入計画に従って実施される特定高度情報通信技術活用システムの導入の用に供するためのものであることその他の要件を満たすものとして（1）で定めるものに限る。以下**5**において「**認定特定高度情報通信技術活用設備**」という。）でその製作若しくは建設の後事業の用に供されたことのないものを取得し、又は当該認定導入計画に記載された認定特定高度情報通信技術活用設備を製作し、若しくは建設して、これを国内にある当該個人の事業の用に供した場合（貸付けの用に供した場合を除く。）には、その事業の用に供した日の属する年（事業を廃止した日の属する年を除く。）の年分における当該個人の事業所得の金額の計算上、当該認定特定高度情報通信技術活用設備の償却費として必要経費に算入する金額は、**五４**の規定にかかわらず、当該認定特定高度情報通信技術活用設備について**五４**の規定により計算した償却費の額とその取得価額の100分の30に相当する金額との合計額（②において「**合計償却限度額**」という。）以下の金額で当該個人が必要経費として計算した金額とする。ただし、当該認定特定高度情報通信技術活用設備の償却費として**五４**の規定により必要経費に算入される金額を下ることはできない。（措法10の５の５①）

（注）　①の規定は、個人が所有権移転外リース取引により取得した認定特定高度情報通信技術活用設備については、適用しない。（措法10の５の５④）

（①に規定する（1）で定めるもの）

（1）　①に規定する（1）で定めるものは、機械及び装置、器具及び備品、建物附属設備並びに構築物のうち、次の㈠及び㈡に掲げる要件を満たすものであることについて特定高度情報通信技術活用システムの開発供給及び導入の促進に関する法律（令和２年法律第37号）第34条第１項第６号に定める主務大臣の確認を受けたものとする。（措令５の６の５①）

㈠	特定高度情報通信技術活用システムの開発供給及び導入の促進に関する法律第28条に規定する認定導入計画に従って実施される特定高度情報通信技術活用システムの導入の用に供するために取得又は製作若しくは建設をしたものであること。
㈡	特定高度情報通信技術活用システムの開発供給及び導入の促進に関する法律第２条第１項第１号に掲げる特定高度情報通信技術活用システムを構成する上で重要な役割を果たすものとして（2）で定めるものに該当するものであること。

（認定特定高度情報通信技術活用設備を取得した場合の特別償却）

（2）　（1）の㈡に規定する（2）で定めるものは、次の㈠から㈣までに掲げる減価償却資産とする。（措規５の12の２①）

<table>
<tr><td rowspan="4">㈠</td><td colspan="2">3.6ギガヘルツを超え4.1ギガヘルツ以下又は4.5ギガヘルツを超え4.6ギガヘルツ以下の周波数の電波を使用する無線設備（次のいずれにも該当するものに限る。）</td></tr>
<tr><td>イ</td><td>令和６年３月31日以前に第九章第二節十六１㈠に規定する条件不利地域以外の地域内において事業の用に供する無線設備にあっては、16以上の空中線、位相器及び増幅器を用いて一又は複数の指向性を持つビームパターンを形成し制御する技術を有する無線装置を用いて無線通信を行うために用いられるものであること。</td></tr>
<tr><td>ロ</td><td>総務省・経済産業省関係特定高度情報通信技術活用システムの開発供給及び導入の促進に関する法律施行規則第２条第１号に規定する全国５Ｇシステム（同号イに掲げる設備を製造する事業者と同号ロ又はハに掲げる設備を製造する事業者とが異なる場合に限る。）を構成するものであること。</td></tr>
<tr><td>ハ</td><td>主として第５世代移動通信アクセスサービス（電気通信事業報告規則第１条第２項第13号に規定する第５世代移動通信アクセスサービスをいう。）の用に供することを目的として設置された交換設備と一体</td></tr>
</table>

	として運用されるものであること。
(二)	27ギガヘルツを超え28.2ギガヘルツ以下又は29.1ギガヘルツを超え29.5ギガヘルツ以下の周波数の電波を使用する無線設備（(一)のロ及びハに該当するものに限る。）
(三)	総務省・経済産業省関係特定高度情報通信技術活用システムの開発供給及び導入の促進に関する法律施行規則第２条第２号に規定するローカル５Ｇシステムの無線設備（陸上移動局（電波法施行規則（昭和25年電波監理委員会規則第14号）第４条第１項第12号に規定する陸上移動局をいう。(四)において同じ。）の無線設備にあっては、通信モジュールに限る。）
(四)	専ら(三)に掲げる無線設備（陸上移動局の無線設備を除く。）を用いて行う無線通信の業務の用に供され、当該無線設備と一体として運用される交換設備及び当該無線設備と当該交換設備との間の通信を行うために用いられる伝送路設備（光ファイバを用いたものに限る。）

（貸付けの用に供したものに該当しない資産の貸与）

（３）　①に規定する認定導入事業者（以下**5**において「**認定導入事業者**」という。）が、その取得又は製作若しくは建設（以下**5**において「取得等」という。）をした①に規定する認定特定高度情報通信技術活用設備（以下**5**において「認定特定高度情報通信技術活用設備」という。）を自己の下請業者に貸与した場合において、当該認定特定高度情報通信技術活用設備が専ら当該認定導入事業者のためにする製品の加工等の用に供されるものであるときは、当該認定特定高度情報通信技術活用設備は当該認定導入事業者の営む事業の用に供したものとして取り扱う。（措通10の５の５－１）

②　特別償却不足額の繰越し

①の規定により当該認定特定高度情報通信技術活用設備の償却費として必要経費に算入した金額がその合計償却限度額に満たない場合には、当該認定特定高度情報通信技術活用設備を事業の用に供した年の翌年分の事業所得の金額の計算上、当該認定特定高度情報通信技術活用設備の償却費として必要経費に算入する金額は、**五4**の規定にかかわらず、当該認定特定高度情報通信技術活用設備の償却費として**五4**の規定により必要経費に算入する金額とその満たない金額以下の金額で当該個人が必要経費として計算した金額との合計額に相当する金額とすることができる。（措法10の５の５②）

（特別償却等の適用を受けたものの意義）

（１）　減価償却資産又は繰延資産について①の規定による特別償却額を必要経費に算入していない場合であっても、その年分の確定申告書にその特別償却額の繰越しに関する記載、明細書の添付等があるときは、その減価償却資産又は繰延資産について①の規定の適用を受けたものに該当することに留意する。（措通10の３～15共－１）

（償却不足額の繰越しをする場合の償却限度額の計算）

（２）　①の規定による特別償却額の償却不足額の繰越しをする減価償却資産又は繰延資産につき、そのよるべき償却の方法として旧定率法、定率法又は取替法を採用している場合の償却不足額を生じた年の翌年分の当該減価償却資産又は繰延資産の償却限度額の計算の基礎となる普通償却額は、その償却不足額が既に償却されたものとみなして旧定率法、定率法又は取替法により計算した場合の当該翌年分の普通償却額とする。（措通10の３～15共－２）

③　特別償却明細書の添付

①及び②の規定は、確定申告書に、これらの規定により必要経費に算入される金額についてのその算入に関する記載があり、かつ、認定特定高度情報通信技術活用設備の償却費の額の計算に関する明細書その他の（１）で定める書類の添付がある場合に限り、適用する。（措法10の５の５⑤）

（認定特定高度情報通信技術活用設備を取得した場合の添付書類）

（１）　③に規定する（１）で定める書類は、次の(一)及び(二)に掲げる場合の区分に応じ当該(一)又は(二)に定める書類とする。（措規５の12の２②）

(一)	①の規定の適用を受ける場合	③に規定する明細書及び特定高度情報通信技術活用システムの開発供給及び導入の促進に関する法律（令和２年法律第37号）第34条第１項第６号に定める主務大臣の同法第28条の確認をしたことを証する書類（(二)において「確

		認書」という。）の写し
(二)	②の規定の適用を受ける場合	③に規定する明細書

6　事業適応設備を取得した場合等の特別償却………所得税額の特別控除は第九章第二節十七参照

イ　情報技術事業適応のための特定ソフトウエア等とともに情報技術事業適応設備を取得した場合の特別償却

①　情報技術事業適応のための特定ソフトウエア等とともに情報技術事業適応設備を取得した場合の特別償却

青色申告書を提出する個人で産業競争力強化法第21条の28に規定する認定事業適応事業者（ハ①を除き、以下6において「**認定事業適応事業者**」という。）であるものが、産業競争力強化法等の一部を改正する等の法律（令和３年法律第70号）の施行の日から令和７年３月31日までの期間（以下6において「**指定期間**」という。）内に、産業競争力強化法第21条の16第２項に規定する認定事業適応計画に従って実施される同法第21条の28に規定する情報技術事業適応（以下において「**情報技術事業適応**」という。）の用に供するために特定ソフトウエア（(1)で定めるソフトウエアをいう。以下①において同じ。）の新設若しくは増設をし、又は情報技術事業適応を実施するために利用するソフトウエアのその利用に係る費用（繰延資産となるものに限る。以下6において同じ。）を支出する場合において、当該新設若しくは増設に係る特定ソフトウエア並びに当該特定ソフトウエア若しくはその利用するソフトウエアとともに情報技術事業適応の用に供する機械及び装置並びに器具及び備品（主として産業試験研究（第九章第二節九４①イ⑴に規定する試験研究又は同①イ(2)に規定する同４①⑵で定める試験研究をいう。）の用に供されるものとして(3)で定めるものを除く。以下①及び②において「**情報技術事業適応設備**」という。）でその製作の後事業の用に供されたことのないものを取得し、又は情報技術事業適応設備を製作して、これを国内にある当該個人の事業の用に供したとき（貸付けの用に供した場合を除く。ハ①において同じ。）は、その事業の用に供した日の属する年（事業を廃止した日の属する年を除く。以下6において「**供用年**」という。）の年分における当該個人の事業所得の金額の計算上、当該情報技術事業適応設備の償却費として必要経費に算入する金額は、五４の規定にかかわらず、当該情報技術事業適応設備について同４の規定により計算した償却費の額と特別償却限度額（当該情報技術事業適応設備の取得価額（情報技術事業適応の用に供するために取得又は製作をする特定ソフトウエア並びに当該特定ソフトウエア又は情報技術事業適応を実施するために利用してその利用に係る費用を支出するソフトウエアとともに情報技術事業適応の用に供する機械及び装置並びに器具及び備品の取得価額並びに情報技術事業適応を実施するために利用するソフトウエアのその利用に係る費用の額の合計額（以下6において「**対象資産合計額**」という。）が300億円を超える場合には、300億円に当該情報技術事業適応設備の取得価額が当該対象資産合計額のうちに占める割合を乗じて計算した金額）の100分の30に相当する金額をいう。）との合計額（②において「**合計償却限度額**」という。）以下の金額で当該個人が必要経費として計算した金額とする。ただし、当該情報技術事業適応設備の償却費として五４の規定により必要経費に算入される金額を下ることはできない。（措法10の５の６①）

（注）　上記____下線部については、新たな事業の創出及び産業への投資を促進するための産業競争力強化法等の一部を改正する法律（令和６年法律第45号）の施行の日（令和６年９月２日）以後、6イ①中「第21条の28」が「第21条の35第１項」に、「第21条の16第２項」が「第21条の23第２項」に改められる。（令６改所法等附１十三イ）

（①に規定する(1)で定めるソフトウエア）

(1)　①に規定する(1)で定めるソフトウエアは、電子計算機に対する指令であって一の結果を得ることができるように組み合わされたもの（これに関連する(2)で定める書類を含むものとし、複写して販売するための原本を除く。）とする。（措令５の６の６①）

（特定ソフトウエアの含まれる書類）

(2)　(1)に規定する(2)で定める書類は、システム仕様書その他の書類とする。（措規５の12の３①）

（産業試験研究の用に供されるもの）

(3)　①に規定する(3)で定めるものは、主として①に規定する産業試験研究の用に供される減価償却資産の耐用年数等に関する省令別表第六（1986ページ）の左欄に掲げるソフトウエア、機械及び装置並びに器具及び備品（機械及び装置並びに器具及び備品にあっては、同表の中欄に掲げる固定資産に限る。）とする。（措規５の12の３②）

（事業適応繰延資産に該当するもの）

(4)　①の情報技術事業適応を実施するために利用するソフトウエアのその利用に係る費用のうち繰延資産となるものには、①の情報技術事業適応を実施するためにクラウドを通じて利用するソフトウエアの初期費用で七１③ロに掲げるもの（資産の取得に要した金額とされるべき費用及び同１なお書に規定する前払費用を除き、支出の効果がその支出の日以後１年以上に及ぶものに限る。）が該当する。（措通10の５の６－１）

（貸付けの用に供したものに該当しない資産の貸与）

（5）　①に規定する認定事業適応事業者が、その取得又は製作をした①に規定する情報技術事業適応設備を自己の下請業者に貸与した場合において、当該情報技術事業適応設備が専ら当該認定事業適応事業者のためにする製品の加工等の用に供されるものであるときは、当該情報技術事業適応設備は当該認定事業適応事業者の営む事業の用に供したものとして取り扱う。**ハ**①に規定する認定エネルギー利用環境負荷低減事業適応事業者が、その取得又は製作若しくは建設（以下**6**において「取得等」という。）をした**ハ**①に規定する生産工程効率化等設備（以下**6**において「生産工程効率化等設備」という。）を自己の下請業者に貸与した場合についても、同様とする。（措通10の5の6－2）

②　特別償却不足額の繰越し

①の規定により当該情報技術事業適応設備の償却費として必要経費に算入した金額がその合計償却限度額に満たない場合には、当該情報技術事業適応設備を事業の用に供した年の翌年分の事業所得の金額の計算上、当該情報技術事業適応設備の償却費として必要経費に算入する金額は、**五4**の規定にかかわらず、当該情報技術事業適応設備の償却費として同**4**の規定により必要経費に算入する金額とその満たない金額以下の金額で当該個人が必要経費として計算した金額との合計額に相当する金額とすることができる。（措法10の5の6②）

（特別償却等の適用を受けたものの意義）

（1）　減価償却資産又は繰延資産について①の規定による特別償却額を必要経費に算入していない場合であっても、その年分の確定申告書にその特別償却額の繰越しに関する記載、明細書の添付等があるときは、その減価償却資産又は繰延資産について①の規定の適用を受けたものに該当することに留意する。（措通10の3～15共－1）

（償却不足額の繰越しをする場合の償却限度額の計算）

（2）　①の規定による特別償却額の償却不足額の繰越しをする減価償却資産又は繰延資産につき、そのよるべき償却の方法として旧定率法、定率法又は取替法を採用している場合の償却不足額を生じた年の翌年分の当該減価償却資産又は繰延資産の償却限度額の計算の基礎となる普通償却額は、その償却不足額が既に償却されたものとみなして旧定率法、定率法又は取替法により計算した場合の当該翌年分の普通償却額とする。（措通10の3～15共－2）

ロ　情報技術事業適応のためのソフトウエアに係る費用を支出した場合の特別償却

①　情報技術事業適応のためのソフトウエアに係る費用を支出した場合の特別償却

青色申告書を提出する個人で認定事業適応事業者であるものが、指定期間内に、情報技術事業適応を実施するために利用するソフトウエアのその利用に係る費用を支出した場合には、その支出した日の属する年（事業を廃止した日の属する年を除く。）の年分における当該個人の事業所得の金額の計算上、その支出した費用に係る繰延資産（以下①及び②において「**事業適応繰延資産**」という。）の償却費として必要経費に算入する金額は、**七3**の規定にかかわらず、当該事業適応繰延資産について同**3**の規定により計算した償却費の額と特別償却限度額（当該事業適応繰延資産の額（対象資産合計額が300億円を超える場合には、300億円に当該事業適応繰延資産の額が当該対象資産合計額のうちに占める割合を乗じて計算した金額）の100分の30に相当する金額をいう。）との合計額（②において「**合計償却限度額**」という。）以下の金額で当該個人が必要経費として計算した金額とする。ただし、当該事業適応繰延資産の償却費として**七3**の規定により必要経費に算入される金額を下ることはできない。（措法10の5の6③）

（分割払の事業適応繰延資産）

（1）　個人が①に規定する事業適応繰延資産となる費用を分割して支払うこととしている場合には、たとえその総額が確定しているときであっても、①の特別償却限度額は当該費用を支出した日の属する年において支出した金額を基礎として計算することとなり、当該金額に未払金の額を含めることはできないのであるが、分割して支払う期間が短期間（おおむね3年以内）である場合において、当該金額に未払金の額を含めることとしているときは、これを認める。（措通10の5の6－3）

②　特別償却不足額の繰越し

①の規定により当該事業適応繰延資産の償却費として必要経費に算入した金額がその合計償却限度額に満たない場合には、当該事業適応繰延資産を事業の用に供した年の翌年分の事業所得の金額の計算上、当該事業適応繰延資産の償却費として必要経費に算入する金額は、**七3**の規定にかかわらず、当該事業適応繰延資産の償却費として同**3**の規定により必要

経費に算入する金額とその満たない金額以下の金額で当該個人が必要経費として計算した金額との合計額に相当する金額とすることができる。（措法10の５の６④）

（特別償却等の適用を受けたものの意義）

（１）　減価償却資産又は繰延資産について①の規定による特別償却額を必要経費に算入していない場合であっても、その年分の確定申告書にその特別償却額の繰越しに関する記載、明細書の添付等があるときは、その減価償却資産又は繰延資産について①の規定の適用を受けたものに該当することに留意する。（措通10の３～15共－１）

（償却不足額の繰越しをする場合の償却限度額の計算）

（２）　①の規定による特別償却額の償却不足額の繰越しをする減価償却資産又は繰延資産につき、そのよるべき償却の方法として旧定率法、定率法又は取替法を採用している場合の償却不足額を生じた年の翌年分の当該減価償却資産又は繰延資産の償却限度額の計算の基礎となる普通償却額は、その償却不足額が既に償却されたものとみなして旧定率法、定率法又は取替法により計算した場合の当該翌年分の普通償却額とする。（措通10の３～15共－２）

ハ　エネルギー利用環境負荷低減事業適応のための生産工程効率化等設備を取得した場合の特別償却

①　エネルギー利用環境負荷低減事業適応のための生産工程効率化等設備を取得した場合の特別償却

青色申告書を提出する個人で産業競争力強化法等の一部を改正する等の法律（令和３年法律第70号）の施行の日から令和８年３月31日までの間にされた産業競争力強化法第21条の22第１項の認定に係る同法第21条の23第１項に規定する認定事業適応事業者（その同条第２項に規定する認定事業適応計画（同法第21条の13第２項第３号に規定するエネルギー利用環境負荷低減事業適応に関するものに限る。以下①において「**認定エネルギー利用環境負荷低減事業適応計画**」という。）に当該認定エネルギー利用環境負荷低減事業適応計画に従って行う同法第21条の20第２項第２号に規定するエネルギー利用環境負荷低減事業適応（以下①において「**エネルギー利用環境負荷低減事業適応**」という。）のための措置として同法第２条第13項に規定する生産工程効率化等設備（以下**6**において「**生産工程効率化等設備**」という。）を導入する旨の記載があるものに限る。）であるものが、当該認定の日から同日以後３年を経過する日までの間に、その認定エネルギー利用環境負荷低減事業適応計画に記載された生産工程効率化等設備でその製作若しくは建設の後事業の用に供されたことのないものを取得し、又はその認定エネルギー利用環境負荷低減事業適応計画に記載された生産工程効率化等設備を製作し、若しくは建設して、これを国内にある当該個人の事業の用に供した場合において、当該生産工程効率化等設備につき**イ**①の規定の適用を受けないときは、供用年の年分における当該個人の事業所得の金額の計算上、当該生産工程効率化等設備の償却費として必要経費に算入する金額は、**五４**の規定にかかわらず、当該生産工程効率化等設備について同**４**の規定により計算した償却費の額と特別償却限度額（当該生産工程効率化等設備の取得価額（その認定エネルギー利用環境負荷低減事業適応計画に従って行うエネルギー利用環境負荷低減事業適応のための措置として取得又は製作若しくは建設をする生産工程効率化等設備の取得価額の合計額が500億円を超える場合には、500億円にその事業の用に供した生産工程効率化等設備の取得価額が当該合計額のうちに占める割合を乗じて計算した金額。）の100分の50に相当する金額をいう。）との合計額（②において「**合計償却限度額**」という。）以下の金額で当該個人が必要経費として計算した金額とする。ただし、当該生産工程効率化等設備の償却費として**五４**の規定により必要経費に算入される金額を下ることはできない。（措法10の５の６⑤）

（注）１　改正後の**ハ**①の規定は、個人が令和６年４月１日以後に取得又は製作若しくは建設をする同①に規定する生産工程効率化等設備について適用され、個人が同日前に取得又は製作若しくは建設をした改正前の**ハ**①に規定する生産工程効率化等設備等については、なお従前の例による。（令６改所法等附27①）

２　令和６年４月１日から（注）３に定める日の前日までの間における改正後の**ハ**①の規定の適用については、同①中「第21条の22第１項」とあるのは「第21条の15第１項」と、「第21条の23第１項」とあるのは「第21条の16第１項」と、「第21条の20第２項第２号」とあるのは「第21条の13第２項第３号」とされる。（令６改所法等附27③）

３　上記～～下線部については、新たな事業の創出及び産業への投資を促進するための産業競争力強化法等の一部を改正する法律（令和６年法律第45号）の施行の日（令和６年９月２日）以後、①中「第21条の13第２項第３号」が「第21条の20第２項第２号」に改められる。（令６改所法等附１十三イ）

②　特別償却不足額の繰越し

①の規定により当該生産工程効率化等設備の償却費として必要経費に算入した金額がその合計償却限度額に満たない場合には、当該生産工程効率化等設備を事業の用に供した年の翌年分の事業所得の金額の計算上、当該生産工程効率化等設備の償却費として必要経費に算入する金額は、**五４**の規定にかかわらず、当該生産工程効率化等設備の償却費として同**４**

の規定により必要経費に算入する金額とその満たない金額以下の金額で当該個人が必要経費として計算した金額との合計額に相当する金額とすることができる。（措法10の５の６⑥）

（特別償却等の適用を受けたものの意義）

（１）　減価償却資産又は繰延資産について①の規定による特別償却額を必要経費に算入していない場合であっても、その年分の確定申告書にその特別償却額の繰越しに関する記載、明細書の添付等があるときは、その減価償却資産又は繰延資産についてこれらの規定の適用を受けたものに該当することに留意する。（措通10の３～15共－１）

（償却不足額の繰越しをする場合の償却限度額の計算）

（２）　①の規定による特別償却額の償却不足額の繰越しをする減価償却資産又は繰延資産につき、そのよるべき償却の方法として旧定率法、定率法又は取替法を採用している場合の償却不足額を生じた年の翌年分の当該減価償却資産又は繰延資産の償却限度額の計算の基礎となる普通償却額は、その償却不足額が既に償却されたものとみなして旧定率法、定率法又は取替法により計算した場合の当該翌年分の普通償却額とする。（措通10の３～15共－２）

③　所有権移転外リース取引により取得した情報技術事業適応設備及び生産工程効率化等設備の不適用

イ①及び①の規定は、個人が所有権移転外リース取引により取得した**イ**①に規定する情報技術事業適応設備及び生産工程効率化等設備については、適用しない。（措法10の５の６⑩）

④　特別償却明細書の添付

6の規定は、確定申告書に、これらの規定により必要経費に算入される金額についてのその算入に関する記載があり、かつ、**イ**①に規定する情報技術事業適応設備、**ロ**①に規定する事業適応繰延資産又は生産工程効率化等設備の償却費の額の計算に関する明細書その他の（１）で定める書類の添付がある場合に限り、適用する。（措法10の５の６⑪）

（確定申告書の添付書類）

（１）　④に規定する（１）で定める書類は、次の㈠から㈢までに掲げる場合の区分に応じ当該㈠から㈢までに定める書類とする。（措規５の12の３③）

㈠	**イ**①又は**ロ**①の規定の適用を受ける場合	④に規定する明細書、その適用に係る**イ**①に規定する情報技術事業適応設備又は**ロ**①に規定する事業適応繰延資産が記載された産業競争力強化法施行規則（平成30年内閣府、総務省、財務省、文部科学省、厚生労働省、農林水産省、経済産業省、国土交通省、環境省令第１号）第11条の２第１項に規定する認定申請書（当該認定申請書に係る産業競争力強化法第21条の15第１項に規定する事業適応計画につき同法第21条の16第１項の規定による変更の認定があったときは、当該変更の認定に係る同令第11条の４第１項に規定する変更認定申請書を含む。以下㈠、㈡及び第九章第二節**十七5**（１）において「認定申請書等」という。）の写し及び当該認定申請書等に係る同令第11条の３第１項の認定書（当該変更の認定があったときは、当該変更の認定に係る同令第11条の４第４項の変更の認定書を含む。㈡及び同**5**（１）において「認定書等」という。）の写し並びに当該認定申請書等に係る産業競争力強化法第21条の16第２項に規定する認定事業適応計画（同**5**（１）㈠において「認定事業適応計画」という。）に従って実施される同法第21条の13第２項第２号に規定する情報技術事業適応（同**5**（１）㈠において「情報技術事業適応」という。）に係る同令第11条の19第３項の確認書（同**5**（１）㈠において「確認書」という。）の写し
㈡	**ハ**①の規定の適用を受ける場合	④に規定する明細書、その適用に係る**ハ**①に規定する生産工程効率化等設備が記載された認定申請書等の写し及び当該認定申請書等に係る認定書等の写し
㈢	**イ**②、**ロ**②又は**ハ**②の規定の適用を受ける場合	④に規定する明細書

⑤　適用除外

次の(一)から(三)までに掲げる規定は、当該(一)から(三)までに定める資産については、適用しない。(措法10の５の６⑫)

(一)	イ①の規定	令和５年４月１日前に産業競争力強化法第21条の15第１項の認定の申請がされた同法第21条の16第２項に規定する認定事業適応計画（同日以後に同条第１項の規定による変更の認定の申請がされた場合において、その変更の認定があったときは、その変更後のものを除く。）に従って実施される同法第21条の28に規定する情報技術事業適応（(二)において「旧情報技術事業適応」という。）の用に供するイ①に規定する情報技術事業適応設備で同日以後に取得又は製作をされたもの
(二)	ロ①の規定	旧情報技術事業適応を実施するために利用するソフトウエアのその利用に係る費用で令和５年４月１日以後に支出されたものに係る繰延資産
(三)	ハ①の規定	令和６年４月１日前に産業競争力強化法第21条の22第１項の認定の申請がされた認定エネルギー利用環境負荷低減事業適応計画（同日以後に同法第21条の23第１項の規定による変更の認定の申請がされた場合において、その変更の認定があったときは、その変更後のものを除く。）に記載された生産工程効率化等設備で同日以後に取得又は製作若しくは建設をされたもの

(注)１　改正後の⑤（(三)に係る部分に限る。）の規定は、令和６年分以後の所得税について適用される。(令６改所法等附27②)

２　令和６年４月１日から(注)３に定める日の前日までの間における改正後の⑤の規定の適用については、同⑤(三)中「第21条の22第１項」とあるのは「第21条の15第１項」と、「第21条の23第１項」とあるのは「第21条の16第１項」とされる。(令６改所法等附27③)

３　上記＿＿下線部については、新たな事業の創出及び産業への投資を促進するための産業競争力強化法等の一部を改正する法律（令和６年法律第45号）の施行の日（令和６年９月２日）以後、⑤(一)中「第21条の15第１項」が「第21条の22第１項」に、「第21条の16第２項」が「第21条の23第２項」に、「第21条の28」が「第21条の35第１項」に改められる。(令６改所法等附１十三イ)

7　特定船舶の特別償却

①　特定船舶の初年度特別償却

青色申告書を提出する個人で(1)で定める海上運送業（以下①において「**特定海上運送業**」という。）を営むものが、令和3年4月1日から令和8年3月31日までの間に、特定海上運送業の経営の合理化及び環境への負荷の低減に資するものとして(2)で定める船舶のうち次の(一)から(四)までに掲げるもの（以下**7**において「**特定船舶**」という。）でその製作の後事業の用に供されたことのないものを取得し、又は特定船舶を製作して、これを当該個人の特定海上運送業の用に供した場合（所有権移転外リース取引により取得した当該特定船舶をその用に供した場合又は(3)で定める個人以外のものが貸付けの用に供した場合を除く。）には、その用に供した日の属する年における当該個人の事業所得の金額の計算上、当該特定船舶の償却費として必要経費に算入する金額は、**五4**《減価償却資産の償却費の計算及びその償却の方法の通則》の規定にかかわらず、当該特定船舶について同**4**の規定により計算した償却費の額と特別償却限度額（当該特定船舶の取得価額に当該(一)から(四)までに掲げる船舶の区分に応じ当該(一)から(四)までに定める割合を乗じて計算した金額をいう。）との合計額（②において「**合計償却限度額**」という。）以下の金額で当該個人が必要経費として計算した金額とする。ただし、当該特定船舶の償却費として同**4**の規定により必要経費に算入される金額を下ることはできない。（措法11①）

<table>
<tr><td rowspan="3">(一)</td><td rowspan="3">その個人の海上運送法第39条の5に規定する認定外航船舶確保等計画（以下(一)及び(二)において「認定外航船舶確保等計画」という。）に記載された同法第39条の2第2項第2号に規定する特定外航船舶（以下(一)及び(二)において「特定外航船舶」という。）のうち当該認定外航船舶確保等計画に従って取得し、又は製作された本邦対外船舶運航事業用船舶（同法第39条第2項第3号に規定する本邦対外船舶運航事業者等の営む同法第35条第3項第5号に規定する対外船舶運航事業の用に供するための特定外航船舶をいう。）であることにつき(4)で定めるところにより証明がされたものに該当する外航船舶（本邦と外国との間又は外国と外国との間を往来する船舶をいう。以下①において同じ。）</td><td colspan="3">当該外航船舶が次のイ及びロに掲げる船舶のいずれに該当するかに応じそれぞれ次のイ又はロに定める割合</td></tr>
<tr><td>イ</td><td>その個人の海上運送法第39条の14に規定する認定先進船舶導入等計画（先進船舶（同法第39条の10第1項に規定する先進船舶をいう。イにおいて同じ。）の導入に関するものに限る。）に記載された先進船舶（環境への負荷の低減に著しく資するものとして(5)で定める船舶に限る。(二)イ及び(三)イにおいて「特定先進船舶」という。）</td><td>100分の30（日本船舶（船舶法第1条に規定する日本船舶をいう。以下①において同じ。）に該当するものについては、100分の32）</td></tr>
<tr><td>ロ</td><td>イに掲げる船舶以外の船舶</td><td>100分の27（日本船舶に該当するものについては、100分の29）</td></tr>
<tr><td rowspan="3">(二)</td><td rowspan="3">特定外航船舶のうちその特定外航船舶に係る認定外航船舶確保等計画に従って取得し、又は製作されたものであることにつき(6)で定めるところにより証明がされたものに該当する外航船舶（(一)に掲げる船舶を除く。）</td><td colspan="3">当該外航船舶が次のイ及びロに掲げる船舶のいずれに該当するかに応じそれぞれ次のイ又はロに定める割合</td></tr>
<tr><td>イ</td><td>特定先進船舶</td><td>100分の28（日本船舶に該当するものについては、100分の30）</td></tr>
<tr><td>ロ</td><td>イに掲げる船舶以外の船舶</td><td>100分の25（日本船舶に該当するものについては、100分の27）</td></tr>
<tr><td rowspan="3">(三)</td><td rowspan="3">(一)及び(二)に掲げる船舶以外の外航船舶</td><td colspan="3">当該外航船舶が次のイ及びロに掲げる船舶のいずれに該当するかに応じそれぞれ次のイ又はロに定める割合</td></tr>
<tr><td>イ</td><td>特定先進船舶</td><td>100分の18（日本船舶に該当するものについては、100分の20）</td></tr>
<tr><td>ロ</td><td>イに掲げる船舶以外の船舶</td><td>100分の15（日本船舶に該当するものについては、100分の17</td></tr>
</table>

(四)	外航船舶以外の船舶	100分の16（環境への負荷の低減に著しく資するものとして(5)で定めるものについては、100分の18）

(①に規定する(1)で定める海上運送業)

(1)　①に規定する(1)で定める海上運送業は、海洋運輸業（本邦の港と本邦以外の地域の港との間又は本邦以外の地域の各港間において船舶により人又は物の運送をする事業をいう。(2)(一)及び(4)において同じ。)、沿海運輸業（本邦の各港間において船舶により人又は物の運送をする事業をいう。(2)(二)及び(5)において同じ。）及び船舶貸渡業（海上運送法第2条第7項に規定する船舶貸渡業をいう。(2)及び(3)において同じ。）とする。（措令5の8①）

(①に規定する特定海上運送業の経営の合理化及び環境への負荷の低減に資するものとして(2)で定める船舶)

(2)　①に規定する特定海上運送業の経営の合理化及び環境への負荷の低減に資するものとして(2)で定める船舶は、次の(一)又は(二)に掲げる船舶に該当する鋼船（船舶法第20条の規定に該当するものを除く。）のうち国土交通大臣が財務大臣と協議して指定するものとする。（措令5の8②、平27国土交通省告示第473号（最終改正令5国土交通省告示第625号））

(一)	海洋運輸業の用に供される船舶（船舶のトン数の測度に関する法律第4条第1項に規定する国際総トン数が1万トン以上のものに限るものとし、匿名組合契約（当事者の一方が相手方の事業のために出資をし、相手方がその事業から生ずる利益を分配することを約する契約を含む。）又は外国におけるこれに類する契約（(二)において「匿名組合契約等」という。）の目的である船舶貸渡業の用に供されるもの（その船舶貸渡業を営む個人の①(一)イに規定する認定先進船舶導入等計画に記載された海上運送法第39条の10第1項に規定する先進船舶に該当するものを除く。）で、その貸付けを受けた者の海洋運輸業の用に供されるものを除く。）
(二)	沿海運輸業の用に供される船舶（総トン数が500トン以上のものに限るものとし、匿名組合契約等の目的である船舶貸渡業の用に供されるもので、その貸付けを受けた者の沿海運輸業の用に供されるものを除く。）

(①に規定する(3)で定める個人)

(3)　①に規定する(3)で定める個人は、船舶貸渡業を営む個人とする。（措令5の8③）

(①(一)に規定する(4)で定める証明)

(4)　①(一)に規定する(4)で定めるところにより証明がされたものは、当該個人の①(一)に規定する認定外航船舶確保等計画に従って取得し、又は製作された①(一)に規定する本邦対外船舶運航事業用船舶に該当する船舶で、その該当することにつき、①の規定の適用を受けようとする年分の確定申告書に海上運送法施行規則第42条の7の9第4項の規定により国土交通大臣が当該個人に対して交付する当該船舶に係る同項に規定する確認証の写しを添付することにより証明がされたものとする。（措規5の12の4①）

(①(一)イに規定する(5)で定める船舶)

(5)　①(一)イに規定する(5)で定める船舶は、海洋運輸業の用に供される船舶のうち環境への負荷の低減に著しく資するものとして国土交通大臣が財務大臣と協議して指定するものとする。（措令5の8④、平27国土交通省告示第473号（最終改正令5国土交通省告示第625号））

(①(二) に規定する(6)で定める証明)

(6)　(4)の規定は、①(二)に規定する(6)で定めるところにより証明がされたものについて準用する。この場合において、(4)中「本邦対外船舶運航事業用船舶」とあるのは、「特定外航船舶」と読み替えるものとする。（措規5の12の4②）

(注)　上記(6)の規定は、令和5年7月1日から追加される。（令5財務省令第46号附則）

(①(四)に規定する(7)で定めるもの)

(7)　①(四)に規定する(7)で定めるものは、沿海運輸業の用に供される船舶のうち環境への負荷の低減に著しく資するものとして国土交通大臣が財務大臣と協議して指定するものとする。（措令5の8⑤、平27国土交通省告示第473号（最終改正令5国土交通省告示第625号））

（告示）

（8）　国土交通大臣は、（2）又は（5）、（7）の規定により船舶を指定したときは、これを告示する。（措令5の8⑥）

（海洋運輸業又は沿海運輸業の意義）

（9）　（1）に規定する海洋運輸業又は沿海運輸業（以下（9）において「海洋運輸業又は沿海運輸業」という。）とは、海洋又は沿海における運送営業に限られるから、たとえ海上運送法の規定により船舶運航事業を営もうとする旨の届出をしていても、専ら自家貨物の運送を行う場合には、その営む運送は、海洋運輸業又は沿海運輸業に該当しないことに留意する。（措通11－3）

（注）　海洋運輸業又は沿海運輸業については、日本標準産業分類（総務省）の「小分類451　外航海運業」又は「小分類452　沿海海運業」に分類する事業が該当する。

② **特別償却不足額の繰越し**

①の規定により当該特定船舶の償却費として必要経費に算入した金額がその合計償却限度額に満たない場合には、当該特定船舶を事業の用に供した年の翌年分の事業所得の金額の計算上、当該特定船舶の償却費として必要経費に算入する金額は、**五4**の規定にかかわらず、当該特定船舶の償却費として同**4**の規定により必要経費に算入する金額とその満たない金額《**特別償却不足額**》以下の金額で当該個人が必要経費として計算した金額との合計額に相当する金額とすることができる。（措法11②）

（特別償却等の適用を受けたものの意義）

（1）　減価償却資産又は繰延資産について①の規定による特別償却額を必要経費に算入していない場合であっても、その年分の確定申告書にその特別償却額の繰越しに関する記載、明細書の添付等があるときは、その減価償却資産又は繰延資産について①の規定の適用を受けたものに該当することに留意する。（措通10の3～15共－1）

（償却不足額の繰越しをする場合の償却限度額の計算）

（2）　①の規定による特別償却額の償却不足額の繰越しをする減価償却資産又は繰延資産につき、そのよるべき償却の方法として旧定率法、定率法又は取替法を採用している場合の償却不足額を生じた年の翌年分の当該減価償却資産又は繰延資産の償却限度額の計算の基礎となる普通償却額は、その償却不足額が既に償却されたものとみなして旧定率法、定率法又は取替法により計算した場合の当該翌年分の普通償却額とする。（措通10の3～15共－2）

（被相続人に係る償却不足額の取扱い）

（3）　①の規定の適用を受けている特定船舶を有していた者が、当該特定船舶を事業の用に供した年又はその翌年に死亡した場合において、同①の規定により当該特定船舶の償却費として必要経費に算入した金額が同①に規定する合計償却限度額に満たないときは、その事業を相続（包括遺贈を含む。）により承継した相続人（包括受遺者を含む。）が、その死亡した日の属する年分の所得税につき青色申告書を提出する者であるときに限り、その満たない金額については、②の規定に準じて、当該死亡した者がその事業の用に供した年及びその翌年（青色申告書を提出する年に限る。）における当該相続人の事業所得の金額の計算上、必要経費に算入することができるものとする。（措通11－1）

（償却不足額の処理についての留意事項）

（4）　②の規定は、同②の規定の適用を受けようとする年分について青色申告書を提出する者であり、かつ、①の規定の適用を受けた特定設備等を引き続きその営む事業の用に供している場合に限り適用があることに留意する。（措通11－2）

③ **特別償却の明細書の添付**

①の特別償却及び②の特別償却不足額の繰越しの規定は、確定申告書に、これらの規定により必要経費に算入される金額についてのその算入に関する記載があり、かつ、これらの書類に特定船舶の償却費の額の計算に関する明細書の添付がある場合に限り、適用する。（措法11③）

8　被災代替資産等の特別償却

①　被災代替資産等の特別償却

個人が、特定非常災害の被害者の権利利益の保全等を図るための特別措置に関する法律第２条第１項の規定により特定非常災害として指定された非常災害（以下において「**特定非常災害**」という。）に係る同条第１項の特定非常災害発生日（以下において「**特定非常災害発生日**」という。）から当該特定非常災害発生日の翌日以後５年を経過する日までの間に、次の表の(一)及び(二)の「資産」欄に掲げる減価償却資産で当該特定非常災害に基因して当該個人の事業（事業に準ずるものとして(1)で定めるものを含む。以下において同じ。）の用に供することができなくなった建物（その附属設備を含む。以下において同じ。）、構築物若しくは機械及び装置に代わるものとして(2)で定めるものに該当するものの取得等（取得又は製作若しくは建設をいう。以下において同じ。）をして、これを当該個人の事業の用（機械及び装置にあっては、貸付けの用を除く。）に供した場合（所有権移転外リース取引により取得した同欄に掲げる減価償却資産をその事業の用に供した場合を除く。）又は同欄に掲げる減価償却資産の取得等をして、これを被災区域（当該特定非常災害に基因して事業又は居住の用に供することができなくなった建物又は構築物の敷地及び当該建物又は構築物と一体的に事業の用に供される附属施設の用に供されていた土地の区域をいう。）及び当該被災区域である土地に付随して一体的に使用される土地の区域内において当該個人の事業の用（機械及び装置にあっては、貸付けの用を除く。）に供した場合（所有権移転外リース取引により取得した同欄に掲げる減価償却資産をその事業の用に供した場合を除く。）には、その用に供した日の属する年における当該個人の不動産所得の金額又は事業所得の金額の計算上、これらの減価償却資産（以下において「**被災代替資産等**」という。）の償却費として必要経費に算入する金額は、**五４**《減価償却資産の償却費の計算及びその償却の方法の通則》の規定にかかわらず、当該被災代替資産等について同**４**の規定により計算した償却費の額と特別償却限度額（当該被災代替資産等の取得価額に同表の(一)及び(二)の「資産」欄に掲げる減価償却資産の区分に応じ当該(一)又は(二)の「割合」欄に掲げる割合（当該個人が第九章第二節**九**《試験研究を行った場合の所得税額の特別控除》**４**⑥に規定する中小事業者である場合には、当該各号の「(割合)」欄に掲げる割合）を乗じて計算した金額をいう。）との合計額以下の金額で当該個人が必要経費として計算した金額とする。ただし、当該被災代替資産等の償却費として**五４**の規定により必要経費に算入される金額を下ることはできない。（措法11の２①）

	資　産	割　合	（割　合）
(一)	建物又は構築物（増築された建物又は構築物のその増築部分を含む。）で、その建設の後事業の用に供されたことのないもの	100分の15（当該特定非常災害発生日の翌日から起算して３年を経過した日（以下この表において「**発災後３年経過日**」という。）以後に取得又は建設をしたものについては、100分の10）	100分の18（発災後３年経過日以後に取得又は建設をしたものについては、100分の12）
(二)	機械及び装置でその製作の後事業の用に供されたことのないもの	100分の30（発災後３年経過日以後に取得又は製作をしたものについては、100分の20）	100分の36（発災後３年経過日以後に取得又は製作をしたものについては、100分の24）

（1）　①に規定する事業に準ずるものとして(1)で定めるものは、事業と称するに至らない建物（その附属設備を含む。(2)(一)において同じ。）又は構築物の貸付けその他これに類する行為で相当の対価を得て継続的に行うものとする。（措令６①）

（2）　①に規定する(2)で定める減価償却資産は、次の(一)から(三)までに掲げる減価償却資産の区分に応じ当該(一)から(三)までに定めるものとする。（措令６②）

(一)	建物　当該個人が有する建物で①に規定する特定非常災害（(二)及び(三)において「特定非常災害」という。）に基因して当該個人の事業（①に規定する事業をいう。以下(2)において同じ。）の用に供することができなくなったもの（以下(一)において「被災建物」という。）のその用に供することができなくなった時の直前の用途と同一の用途に供される建物（当該建物の床面積が当該被災建物の床面積の1.5倍を超える場合には、当該被災建物の床面積の1.5倍に相当する部分に限る。）
(二)	構築物　当該個人が有する構築物で特定非常災害に基因して当該個人の事業の用に供することができなくなったもの（以下(二)において「被災構築物」という。）のその用に供することができなくなった時の直前の用途と

	同一の用途に供される構築物（当該構築物の規模が当該被災構築物とおおむね同程度以下のものに限る。）
(三)	機械及び装置　当該個人が有する機械及び装置で特定非常災害に基因して当該個人の事業の用に供することができなくなったもの（以下(三)において「被災機械装置」という。）のその用に供することができなくなった時の直前の用途と同一の用途に供される機械及び装置（当該被災機械装置に比して著しく高額なもの、当該被災機械装置に比して著しく性能が優れているものその他当該被災機械装置に比して著しく仕様が異なるものを除く。）

（同一の用途の判定）

（３）（２）(一)から同(三)に規定する「その用に供することができなくなった時の直前の用途と同一の用途に供される」ものであるかどうかは、その資産の種類に応じ、おおむね次に掲げる区分により判定する。（措通11の２－１）

⑴　建物（その附属設備を含む。以下**8**関係において同じ。）にあっては、住宅の用、店舗又は事務所の用、工場の用、倉庫の用、その他の用の区分

⑵　構築物にあっては、発電用又は送配電用、電気通信事業用、放送用又は無線通信用、農林業用、広告用、競技場用、運動場用、遊園地用又は学校用、緑化施設及び庭園、舗装道路及び舗装路面、その他の区分

⑶　機械及び装置にあっては、耐用年数通達付表10《機械及び装置の耐用年数表（旧別表第２）》に掲げる設備の種類の区分

（注）（２）(一)に規定する被災建物（以下**8**関係において「被災建物」という。）又は当該被災建物に代わるものとして取得等（取得又は製作若しくは建設をいう。以下**8**関係において同じ。）をした建物（以下**8**関係において「被災代替建物」という。）が２以上の用途に併用されている場合において、被災代替建物が被災建物と同一の用途に供されるものであるかどうかは、各々の用途に区分して判定するのであるが、個人が主たる用途により判定しているときは、これを認めて差し支えない。

また、被災建物が用途の異なる２以上の建物である場合において、一の被災代替建物が２以上の用途に併用される建物であるとき、又は一の被災建物が２以上の用途に併用されている場合において、被災代替建物が用途の異なる２以上の建物であるときも、同様とする。

（床面積の意義）

（４）（２）(一)に規定する床面積は、建築基準法施行令第２条第１項第３号《面積、高さ等の算定方法》に規定する床面積によるものとする。（措通11の２－２）

（２以上の被災代替建物を取得した場合の適用）

（５）個人が、一の被災建物に代わるものとして事業の用に供することができなくなった時の直前の用途と同一の用途に供される２以上の被災代替建物の取得等をして事業の用に供する場合において、当該２以上の被災代替建物の床面積の合計面積が当該被災建物の床面積の1.5倍を超えるときは、当該２以上の被災代替建物の床面積のうちいずれを当該被災建物の床面積の1.5倍に相当する部分とするかは、個人の計算によるものとする。（措通11の２－３）

（注）個人が、２以上の年にわたって被災代替建物の取得等をして事業の用に供する場合において、最初に①の規定の適用を受ける年分の①の規定の適用を受ける当該被災代替建物の床面積が被災建物の床面積の1.5倍に満たないときは、その満たない床面積に相当する部分は、翌年以後に取得等をして事業の用に供する被災代替建物に充てることができることに留意する。

（おおむね同程度以下の構築物の意義）

（６）（２）(二)に規定する「おおむね同程度以下のもの」とは、個人が取得等をした構築物の規模が同(二)に規定する被災構築物の規模のおおむね1.3倍程度以下のものをいうものとする。（措通11の２－４）

（貸付けの用に供したものに該当しない資産の貸与）

（７）個人が、その取得等をした機械及び装置を自己の下請業者に貸与した場合において、当該機械及び装置が専ら当該個人のためにする製品の加工等の用に供されるものであるときは、当該機械及び装置は当該個人の営む事業の用に供したものとして**8**の規定を適用する。（措通11の２－５）

（建物等と一体的に事業の用に供される附属施設）

（８）①に規定する「建物又は構築物と一体的に事業の用に供される附属施設」とは、特定非常災害（①に規定する特定非常災害をいう。）に基因して事業又は居住の用に供することができなくなった建物又は構築物と機能的及び地理的な一体性を有して事業の用に供される施設をいうのであるから、例えば、滅失をした工場の構内にある守衛所、詰所、自転車置場、浴場その他これらに類する施設又は滅失をした建物に隣接する駐車場等の施設がこれに該当する。（措通

11の2－6）

（注）　①に規定する附属施設は、当該特定非常災害に基因して事業又は居住の用に供することができなくなったものであるかどうかは問わないことに留意する。

（付随区域）

（9）　①に規定する「被災区域である土地に付随して一体的に使用される土地」とは、当該被災区域である土地と一団をなす土地で当該被災区域である土地の使用に伴って一体的に使用されるものをいうのであるから、例えば、建物を建築する場合において、当該被災区域である土地とともにその建物の敷地の用に供される土地がこれに該当する。（措通11の2－7）

（中小事業者であるかどうかの判定の時期）

（10）　個人が、①に規定する中小事業者に該当する個人であるかどうかは、①に規定する被災代替資産等の取得等をした日及び当該被災代替資産等を事業の用に供した日の現況によって判定するものとする。（措通11の2－8）

②　7②の規定の準用

7《特定船舶の特別償却》②の規定は、①の規定の適用を受ける被災代替資産等の償却費の額を計算する場合について準用する。この場合において、**7**②中「その合計償却限度額」とあるのは、「**8**①本文の規定により必要経費に算入することができる償却費の限度額」と読み替えるものとする。（措法11の2②）

（被相続人に係る償却不足額の取扱い及び償却不足額の処理についての留意事項）

（1）　**7**②（3）及び同②（4）の取扱いは、②の規定を適用する場合について準用する。この場合において、これらの取扱い中「が、その死亡した日の属する年分の所得税につき青色申告書を提出する者であるときに限り、」及び「は、同②の規定の適用を受けようとする年分について青色申告書を提出する者であり、かつ、」とあるのは「は、」と読み替えるものとする。（措通11の2－9）

（特別償却等の適用を受けたものの意義）

（2）　減価償却資産又は繰延資産について①の規定による特別償却額又は割増償却額を必要経費に算入していない場合であっても、その年分の確定申告書にその特別償却額又は割増償却額の繰越しに関する記載、明細書の添付等があるときは、その減価償却資産又は繰延資産について①の規定の適用を受けたものに該当することに留意する。（措通10の3～15共－1）

（償却不足額の繰越しをする場合の償却限度額の計算）

（3）　①の規定による特別償却額又は割増償却額の償却不足額の繰越しをする減価償却資産又は繰延資産につき、そのよるべき償却の方法として旧定率法、定率法又は取替法を採用している場合の償却不足額を生じた年の翌年分の当該減価償却資産又は繰延資産の償却限度額の計算の基礎となる普通償却額は、その償却不足額が既に償却されたものとみなして旧定率法、定率法又は取替法により計算した場合の当該翌年分の普通償却額とする。（措通10の3～15共－2）

③　償却費の額の計算に関する明細書の添付

①及び②の規定は、確定申告書に、これらの規定により必要経費に算入される金額についてのその算入に関する記載があり、かつ、被災代替資産等の償却費の額の計算に関する明細書の添付がある場合に限り、適用する。（措法11の2③）

④　やむを得ない事情があると認められる場合の適用

税務署長は、確定申告書の提出がなかった場合又は③の記載若しくは添付がない確定申告書の提出があった場合においても、その提出又は記載若しくは添付がなかったことについてやむを得ない事情があると認めるときは、当該記載をした書類及び③の明細書の提出があった場合に限り、①又は②の規定を適用することができる。（措法11の2④）

9　特定事業継続力強化設備等の特別償却

①　特定事業継続力強化設備等の特別償却

青色申告書を提出する個人で**九**《試験研究を行った場合の所得税額の特別控除》**4**⑥に規定する中小事業者であるもののうち中小企業の事業活動の継続に資するための中小企業等経営強化法等の一部を改正する法律（令和元年法律第21号）の施行の日から令和７年３月31日までの間に中小企業等経営強化法第56条第１項又は第58条第１項の認定（以下①において「**認定**」という。）を受けた同法第２条第１項に規定する中小企業者に該当するもの（以下①において「**特定中小事業者**」という。）が、その認定を受けた日から同日以後１年を経過する日までの間に、その認定に係る同法第56条第１項に規定する事業継続力強化計画若しくは同法第58条第１項に規定する連携事業継続力強化計画（同法第57条第１項の規定による変更の認定又は同法第59条第１項の規定による変更の認定があったときは、その変更後のもの。以下①において「**認定事業継続力強化計画等**」という。）に係る事業継続力強化設備等（同法第56条第２項第２号ロに規定する事業継続力強化設備等をいう。）として当該認定事業継続力強化計画等に記載された機械及び装置、器具及び備品並びに建物附属設備（機械及び装置並びに器具及び備品の部分について行う改良又は機械及び装置並びに器具及び備品の移転のための工事の施行に伴って取得し、又は製作するものを含み、(注)で定める規模のものに限る。以下③までにおいて「**特定事業継続力強化設備等**」という。）でその製作若しくは建設の後事業の用に供されたことのないものを取得し、又は特定事業継続力強化設備等を製作し、若しくは建設して、これを当該特定中小事業者の事業の用に供した場合（所有権移転外リース取引により取得した当該特定事業継続力強化設備等をその用に供した場合を除く。）には、その用に供した日の属する年における当該特定中小事業者の事業所得の金額の計算上、当該特定事業継続力強化設備等の償却費として必要経費に算入する金額は、**五4**《減価償却資産の償却費の計算及びその償却の方法の通則》の規定にかかわらず、当該特定事業継続力強化設備等について同**4**の規定により計算した償却費の額とその取得価額の100分の18（令和７年４月１日以後に取得又は製作若しくは建設をした当該特定事業継続力強化設備等については、100分の16）に相当する金額との合計額以下の金額で当該特定中小事業者が必要経費として計算した金額とする。ただし、当該特定事業継続力強化設備等の償却費として同**4**の規定により必要経費に算入される金額を下ることはできない。（措法11の３①）

（注）　①に規定する(注)で定める規模のものは、機械及び装置にあっては一台又は一基（通常一組又は一式をもって取引の単位とされるものにあっては、一組又は一式。以下**9**において同じ。）の取得価額（**五7**《減価償却資産の取得価額》**イ**表内①から同⑤までの規定により計算した取得価額をいう。以下**9**において同じ。）が100万円以上のものとし、器具及び備品にあっては一台又は一基の取得価額が30万円以上のものとし、建物附属設備にあっては一の建物附属設備の取得価額が60万円以上のものとする。（措令６の２）

（特定中小事業者であるかどうかの判定の時期）

（１）　個人が①に規定する特定中小事業者に該当するかどうかは、①に規定する特定事業継続力強化設備等（以下**9**において「特定事業継続力強化設備等」という。）の取得又は製作若しくは建設をした日及び当該特定事業継続力強化設備等を事業の用に供した日の現況によって判定するものとする。（措通11の３－１）

（取得価額の判定単位）

（２）　①(注)に規定する機械及び装置又は器具及び備品の１台又は１基の取得価額が100万円以上又は30万円以上であるかどうかについては、通常１単位として取引される単位ごとに判定するのであるが、個々の機械及び装置の本体と同時に設置する自動調整装置又は原動機のような附属機器で当該本体と一体になって使用するものがある場合には、これらの附属機器を含めたところによりその判定を行うことができるものとする。（措通11の３－３）

（国庫補助金等をもって取得等した特定事業継続力強化設備等の取得価額）

（３）　①(注)に規定する機械及び装置、器具及び備品又は建物附属設備の取得価額が100万円以上、30万円以上又は60万円以上であるかどうかを判定する場合において、その機械及び装置、器具及び備品又は建物附属設備が第一節**三1**①の規定の適用を受ける同①に規定する国庫補助金等に係るもの若しくは同**1**②に規定する国庫補助金等の交付に代わるべきものとして交付を受けるもの又は同**三2**①の規定の適用を受ける同①に規定する国庫補助金等をもって取得されたものであるときは、同**三1**④(一)又は同(二)又は同**三2**⑤の規定により計算した金額に基づいてその判定を行うものとする。（措通11の３－４）

②　7②の規定の準用（特別償却不足額の繰越し）

7②の規定は、①の規定の適用を受ける特定事業継続力強化設備等の償却費の額を計算する場合について準用する。この場合において、**7**②中「その合計償却限度額」とあるのは、「**9**①本文の規定により必要経費に算入することができる償

却費の限度額」と読み替えるものとする。（措法11の３②）

（被相続人に係る償却不足額の取扱い及び償却不足額の処理についての留意事項）

（１）　**7**②（３）及び同②（４）の取扱いは、②の規定を適用する場合について準用する。この場合において、これらの取扱い中「青色申告書を提出する者」とあるのは「**9**①に規定する特定中小事業者」と読み替えるものとする。（措通11の３－２）

（特別償却等の適用を受けたものの意義）

（２）　減価償却資産又は繰延資産について①の規定による特別償却額又は割増償却額を必要経費に算入していない場合であっても、その年分の確定申告書にその特別償却額又は割増償却額の繰越しに関する記載、明細書の添付等があるときは、その減価償却資産又は繰延資産について①の規定の適用を受けたものに該当することに留意する。（措通10の３～15共－１）

（償却不足額の繰越しをする場合の償却限度額の計算）

（３）　①の規定による特別償却額又は割増償却額の償却不足額の繰越しをする減価償却資産又は繰延資産につき、そのよるべき償却の方法として旧定率法、定率法又は取替法を採用している場合の償却不足額を生じた年の翌年分の当該減価償却資産又は繰延資産の償却限度額の計算の基礎となる普通償却額は、その償却不足額が既に償却されたものとみなして旧定率法、定率法又は取替法により計算した場合の当該翌年分の普通償却額とする。（措通10の３～15共－２）

③　補助金等をもって取得等した場合の不適用

①の規定は、特定事業継続力強化設備等の取得又は製作若しくは建設に充てるための国又は地方公共団体の補助金又は給付金その他これらに準ずるもの（以下③において「補助金等」という。）の交付を受けた個人が、当該補助金等をもって取得し、又は製作し、若しくは建設した当該補助金等の交付の目的に適合した特定事業継続力強化設備等については、適用しない。（措法11の３③）

④　7③の規定の準用（特別償却の明細書の添付）

7③の規定は、①及び②の規定を適用する場合について準用する。（措法11の３④）

10　環境負荷低減事業活動用資産等の特別償却

①　環境負荷低減事業活動用資産の特別償却

青色申告書を提出する個人で環境と調和のとれた食料システムの確立のための環境負荷低減事業活動の促進等に関する法律（令和４年法律第37号）第19条第１項又は第21条第１項の認定を受けた同法第２条第３項に規定する農林漁業者（当該農林漁業者が団体である場合におけるその構成員等（同項に規定する構成員等をいう。）を含む。）であるものが、同法の施行の日（令和４年７月１日）から令和８年３月31日までの間に、当該認定に係る次に掲げる機械その他の減価償却資産のうち同条第４項に規定する環境負荷の低減に著しく資するものとして(１)で定めるもの（(２)で定める規模のものに限る。以下①及び③において「**環境負荷低減事業活動用資産**」という。）でその製作若しくは建設の後事業の用に供されたことのないものを取得し、又は環境負荷低減事業活動用資産を製作し、若しくは建設して、これを当該個人の同条第４項に規定する環境負荷低減事業活動又は同法第15条第２項第３号に規定する特定環境負荷低減事業活動の用に供した場合(所有権移転外リース取引により取得した当該環境負荷低減事業活動用資産をその用に供した場合を除く。）には、その用に供した日の属する年における当該個人の事業所得の金額の計算上、当該環境負荷低減事業活動用資産の償却費として必要経費に算入する金額は、**五４**の規定にかかわらず、当該環境負荷低減事業活動用資産について同**４**の規定により計算した償却費の額とその取得価額の100分の32（建物及びその附属設備並びに構築物については、100分の16）に相当する金額との合計額以下の金額で当該個人が必要経費として計算した金額とする。ただし、当該環境負荷低減事業活動用資産の償却費として同**４**の規定により必要経費に算入される金額を下ることはできない。(措法11の４①)

(一)	環境と調和のとれた食料システムの確立のための環境負荷低減事業活動の促進等に関する法律第20条第３項に規定する認定環境負荷低減事業活動実施計画に記載された同法第19条第４項に規定する設備等を構成する機械その他の減価償却資産
(二)	環境と調和のとれた食料システムの確立のための環境負荷低減事業活動の促進等に関する法律第22条第３項に規定する認定特定環境負荷低減事業活動実施計画に記載された同法第21条第４項第１号に規定する設備等を構成する機械その他の減価償却資産

(①に規定する(１)で定めるもの)

(１)　①に規定する(１)で定めるものは、機械その他の減価償却資産のうち①に規定する環境負荷の低減に著しく資するものとして農林水産大臣が定める基準に適合するものとする。(措令６の２の２①、令４農林水産省告示第1415号(最終改正令６農林水産省告示第679号))

(注)　農林水産大臣は、(１)の規定により基準を定めたときは、これを告示する。(措令６の２の２⑤)

(①に規定する(２)で定める規模のもの)

(２)　①に規定する(２)で定める規模のものは、一の設備等（①(一)及び同(二)に規定する設備等をいう。）を構成する機械その他の減価償却資産の取得価額（**五７イ**①から同⑤の規定により計算した取得価額をいう。）の合計額が100万円以上のものとする。(措令６の２の２②)

(国庫補助金等の総収入金額不算入の適用を受けた場合の環境負荷低減事業活動用資産の取得価額要件の判定)

(３)　(２)の一の設備等を構成する機械その他の減価償却資産の取得価額の合計額が100万円以上であるかどうかを判定する場合において、その機械その他の減価償却資産が第一節**三１**①の規定の適用を受ける同①に規定する国庫補助金等に係るもの若しくは同**１**②に規定する国庫補助金等の交付に代わるべきものとして交付を受けるもの又は同**三２**①の規定の適用を受ける同①に規定する国庫補助金等をもって取得されたものであるときは、同**三１**④(一)又は同(二)又は同**三２**⑤の規定により計算した金額に基づいてその判定を行うものとする。(措通11の４－１)

②　基盤確立事業用資産の特別償却

青色申告書を提出する個人で環境と調和のとれた食料システムの確立のための環境負荷低減事業活動の促進等に関する法律第39条第１項の認定を受けたものが、同法の施行の日（令和４年７月１日）から令和８年３月31日までの間に、当該認定に係る同法第40条第３項に規定する認定基盤確立事業実施計画に記載された同法第39条第３項第１号に規定する設備等を構成する機械その他の減価償却資産のうち同法第２条第４項に規定する環境負荷の低減を図るために行う取組の効果を著しく高めるものとして(１)で定めるもの（以下②及び③において「**基盤確立事業用資産**」という。）でその製作若しくは建設の後事業の用に供されたことのないものを取得し、又は基盤確立事業用資産を製作し、若しくは建設して、これを当該個人の同条第５項に規定する基盤確立事業（同項第３号に掲げるものに限る。）の用に供した場合（所有権移転外リース取引により取得した当該基盤確立事業用資産をその用に供した場合を除く。）には、その用に供した日の属する年における当該個人の事業所得の金額の計算上、当該基盤確立事業用資産の償却費として必要経費に算入する金額は、**五4**の規定にかかわらず、当該基盤確立事業用資産について同**4**の規定により計算した償却費の額とその取得価額の100分の32（建物及びその附属設備並びに構築物については、100分の16）に相当する金額との合計額以下の金額で当該個人が必要経費として計算した金額とする。ただし、当該基盤確立事業用資産の償却費として同**4**の規定により必要経費に算入される金額を下ることはできない。（措法11の４②）

（②に規定する（１）で定めるもの）

（１）　②に規定する（１）で定めるものは、機械その他の減価償却資産のうち②に規定する環境負荷の低減を図るために行う取組の効果を著しく高めるものとして農林水産大臣が定める基準に適合するものとする。（措令６の２の２③、令４農林水産省告示第1415号（最終改正令６農林水産省告示第679号））

（注）　農林水産大臣は、（１）の規定により基準を定めたときは、これを告示する。（措令６の２の２⑤）

③　７②の規定の準用（特別償却不足額の繰越し）

7②の規定は、①の規定の適用を受ける環境負荷低減事業活動用資産又は②の規定の適用を受ける基盤確立事業用資産の償却費の額を計算する場合について準用する。この場合において、**7**②中「その合計償却限度額」とあるのは、「**10**①本文又は**10**②本文の規定により必要経費に算入することができる償却費の限度額」と読み替えるものとする。（措法11の４③）

（被相続人に係る償却不足額の取扱い及び償却不足額の処理についての留意事項）

（１）　**7**②（３）及び同（４）の取扱いは、**10**の規定を適用する場合について準用する。（措通11の４－２）

④　７③の規定の準用（特別償却の明細書の添付）

7③の規定は、**10**の規定を適用する場合について準用する。（措法11の４④）

（基盤確立事業用資産に該当するものであることを証する書類の添付）

（１）　個人が、その取得し、又は製作し、若しくは建設した機械その他の減価償却資産（以下（１）において「機械等」という。）につき②の規定の適用を受ける場合には、当該機械等につき②の規定の適用を受ける年分の確定申告書に当該機械等が②に規定する基盤確立事業用資産に該当するものであることを証する（２）で定める書類を添付しなければならない。（措令６の２の２④）

（注）　改正後の（１）の規定は、個人が令和６年４月１日以後に取得又は製作若しくは建設をする同（１）に規定する機械等について適用される。（令６改措令附５）

（（１）に規定する（２）で定める書類）

（２）　（１）に規定する（２）で定める書類は、当該個人が受けた環境と調和のとれた食料システムの確立のための環境負荷低減事業活動の促進等に関する法律（㈠において「促進法」という。）第39条第１項の認定に係る次に掲げる書類とする。（措規５の12の５）

㈠	環境と調和のとれた食料システムの確立のための環境負荷低減事業活動の促進等に関する法律に基づく基盤確立事業実施計画の認定等に関する省令（以下㈠において「認定等省令」という。）第１条第１項の申請書に添付された促進法第39条第１項に規定する基盤確立事業実施計画（（１）に規定する機械等が記載されたものに限るものとし、当該基盤確立事業実施計画につき促進法第40条第１項の規定による変更の認定があったときは当該変更の認定に係る認定等省令第３条第１項の申請書に添付された変更後の促進法第39条第１項に規定する基盤確立事業実施計画を含む。）の写し
㈡	認定等省令第１条第１項の申請に係る認定通知書（㈠の変更の認定があったときは、当該変更の認定に係る認定通知書を含む。）の写し

11　生産方式革新事業活動用資産等の特別償却

（注）　農業の生産性の向上のためのスマート農業技術の活用の促進に関する法律（令和６年法律第63号）の施行の日以後、適用。（令６改所法等附１十四、令６改措令附１五）

①　生産方式革新事業活動用資産等の特別償却

青色申告書を提出する個人で農業の生産性の向上のためのスマート農業技術の活用の促進に関する法律（令和６年法律第63号）第８条第３項に規定する認定生産方式革新事業者であるものが、同法の施行の日から令和９年３月31日までの間に、当該認定生産方式革新事業者として行う同法第２条第３項に規定する生産方式革新事業活動（同法第７条第３項に規定する措置を含む。）の用に供するための次の(一)及び(二)に掲げる機械その他の減価償却資産（以下①及び②において「**生産方式革新事業活動用資産等**」という。）でその製作若しくは建設の後事業の用に供されたことのないものを取得し、又は生産方式革新事業活動用資産等を製作し、若しくは建設して、これを当該個人の当該生産方式革新事業活動の用に供した場合（所有権移転外リース取引により取得した当該生産方式革新事業活動用資産等をその用に供した場合を除く。）には、その用に供した日の属する年における当該個人の事業所得の金額の計算上、当該生産方式革新事業活動用資産等の償却費として必要経費に算入する金額は、第六章第二節**五４**の規定にかかわらず、当該生産方式革新事業活動用資産等について同**４**の規定により計算した償却費の額と次の(一)及び(二)に掲げる生産方式革新事業活動用資産等の区分に応じ当該(一)及び(二)に定める金額との合計額以下の金額で当該個人が必要経費として計算した金額とする。ただし、当該生産方式革新事業活動用資産等の償却費として同**４**の規定により必要経費に算入される金額を下ることはできない。（措法11の５①）

(一)	農業の生産性の向上のためのスマート農業技術の活用の促進に関する法律第８条第３項に規定する認定生産方式革新実施計画に記載された同法第７条第４項第１号に規定する設備等を構成する機械及び装置、器具及び備品、建物及びその附属設備並びに構築物のうち、同法第２条第１項に規定する農作業の効率化等を通じた農業の生産性の向上に著しく資するものとして(1)で定めるもの	その取得価額の100分の32（建物及びその附属設備並びに構築物については、100分の16）に相当する金額
(二)	農業の生産性の向上のためのスマート農業技術の活用の促進に関する法律第８条第３項に規定する認定生産方式革新実施計画に記載された同法第７条第４項第２号に規定する設備等を構成する機械及び装置のうち、当該認定生産方式革新実施計画に係る同法第２条第３項に規定する農業者等が行う同項に規定する生産方式革新事業活動の促進に特に資するものとして(2)で定めるもの	その取得価額の100分の25に相当する金額

（①(一)に規定する(1)で定めるもの）

(1)　①(一)に規定する(1)で定めるものは、同(一)に規定する設備等を構成する機械及び装置、器具及び備品、建物及びその附属設備並びに構築物のうち、同(一)に規定する農作業の効率化等を通じた農業の生産性の向上に著しく資するものとして農林水産大臣が定める基準に適合するものとする。（措令６の２の３①）

（注）　農林水産大臣は、(1)の規定により基準を定めたときは、これを告示する。（措令６の２の３③）

（①(二)に規定する(2)で定めるもの）

(2)　①(二)に規定する(2)で定めるものは、同(二)に規定する設備等を構成する機械及び装置のうち、同(二)に規定する農業者等が行う同(二)に規定する生産方式革新事業活動の促進に特に資するものとして農林水産大臣が定める基準に適合するものとする。（措令６の２の３②）

（注）　農林水産大臣は、(2)の規定により基準を定めたときは、これを告示する。（措令６の２の３③）

②　7②の規定の準用（特別償却不足額の繰越し）

7②の規定は、①の規定の適用を受ける生産方式革新事業活動用資産等の償却費の額を計算する場合について準用する。この場合において、**7**②中「その合計償却限度額」とあるのは、「**11**①本文の規定により必要経費に算入することができる償却費の限度額」と読み替えるものとする。（措法11の５②）

③　7③の規定の準用（特別償却の明細書の添付）

7③の規定は、①及び②の規定を適用する場合について準用する。（措法11の５③）

12　特定地域における工業用機械等の特別償却

①　特定地域における工業用機械等の特別償却

青色申告書を提出する個人で次の表の(一)から(三)までの「事業者」欄に掲げる事業者に該当するものが、令和４年４月１日から令和７年３月31日までの期間のうち(１)で定める期間内に、当該(一)から(三)までの「区域」欄に掲げる区域内において当該(一)から(三)までの「事業」欄に掲げる事業の用に供する設備で(２)で定める規模のものの新設又は増設をする場合において、当該新設又は増設に係る当該(一)から(三)までの「資産」欄に掲げる減価償却資産のうち当該区域の振興に資するものとして(３)で定めるもの（特定高度情報通信技術活用システムの開発供給及び導入の促進に関する法律第２条第１項に規定する特定高度情報通信技術活用システム（同項第１号に掲げるものに限る。）にあっては当該個人の**５**①に規定する認定導入計画に記載された同項に規定する認定特定高度情報通信技術活用設備に限るものとし、同表の他の号の規定の適用を受けるものを除く。以下①及び③において「**工業用機械等**」という。）を取得し、又は製作し、若しくは建設して、これを当該区域内において当該個人の当該事業の用に供したとき（所有権移転外リース取引により取得した当該工業用機械等をその用に供した場合を除く。）は、その用に供した日の属する年における当該個人の事業所得の金額の計算上、当該工業用機械等の償却費として必要経費に算入する金額は、**五４**《減価償却資産の償却費の計算及びその償却の方法の通則》の規定にかかわらず、当該工業用機械等について同**４**の規定により計算した償却費の額とその取得価額に当該(一)から(三)までの「割合」欄に掲げる割合を乗じて計算した金額との合計額以下の金額で当該個人が必要経費として計算した金額とする。ただし、当該工業用機械等の償却費として同**４**の規定により必要経費に算入される金額を下ることはできない。(措法12①)

	事業者	区域	事業	資産	割合
(一)	沖縄振興特別措置法第36条に規定する認定事業者	同法第35条の２第１項に規定する提出産業イノベーション促進計画に定められた同法第35条第２項第２号に規定する産業イノベーション促進地域の区域	製造業その他(４)で定める事業	機械及び装置、器具及び備品、建物及びその附属設備並びに構築物のうち、(５)で定めるもの	100分の34（建物及びその附属設備並びに構築物については、100分の20）
(二)	沖縄振興特別措置法第50条第１項に規定する認定事業者	同法第42条第１項に規定する提出国際物流拠点産業集積計画に定められた同法第41条第２項第２号に規定する国際物流拠点産業集積地域の区域	製造業その他(10)で定める事業	機械及び装置並びに工場用の建物その他(11)で定める建物及びその附属設備	100分の50（建物及びその附属設備については、100分の25）
(三)	沖縄振興特別措置法第57条第１項に規定する認定事業者	同法第55条第１項の規定により経済金融活性化特別地区として指定された地区（同条第４項又は第５項の規定により変更があったときは、その変更後の地区）の区域	同法第55条の２第９項に規定する認定経済金融活性化計画に定められた同条第２項第２号に規定する特定経済金融活性化産業に属する事業	機械及び装置、器具及び備品（(９)で定めるものに限る。）並びに建物及びその附属設備	100分の50（建物及びその附属設備については、100分の25）

(①に規定する(１)で定める期間)

(１)　①に規定する(１)で定める期間は、次の(一)から(三)までに掲げる場合の区分に応じ当該(一)から(三)までに定める期間とする。(措令６の３①)

(一)	①の表の(一)の「区域」欄に掲げる区域内において同(一)の「事業」欄に掲げる事業の用に供する設備の新設又は増設（以下(１)において「新増設」と	沖縄振興特別措置法第35条第４項の規定による提出の日（同条第７項の変更により新たに同表の(一)の「区域」欄に掲げる区域に該当することとなった区域については、当該変更に係る同項において準用する同条第４項の規定による提出の日）から令和７年３月31日までの期間（当該期間内に同条第７項の変更により同(一)の「区域」欄に掲げる区域に該当しないこととなった区域については、当該期間の初日から当該変更に係る同項において準用する同条第４項の規定による提出の日までの期間）

	いう。）をする場合	
(二)	①の表の(二)の区域」欄に掲げる区域内において同(二)の「事業」欄に掲げる事業の用に供する設備の新増設をする場合	沖縄振興特別措置法第41条第４項の規定による提出の日（同条第７項の変更により新たに(二)の「区域」欄に掲げる区域に該当することとなった区域については、当該変更に係る同項において準用する同条第４項の規定による提出の日）から令和７年３月31日までの期間（当該期間内に同条第７項の変更により(二)の「区域」欄に掲げる区域に該当しないこととなった区域については、当該期間の初日から当該変更に係る同項において準用する同条第４項の規定による提出の日までの期間）
(三)	①の表の(三)の「区域」欄に掲げる区域内において同(三)の「事業」欄に掲げる事業の用に供する設備の新増設をする場合	沖縄振興特別措置法第55条の２第４項の認定の日（同法第55条第４項の変更により新たに(三)の「区域」欄に掲げる区域に該当することとなった区域についてはその新たに該当することとなった日とし、同法第55条の２第７項の変更により新たに同(三)の「事業」欄に掲げる事業に該当することとなった事業については当該変更に係る同条第８項において準用する同条第４項の認定の日とする。）から令和７年３月31日までの期間（当該期間（以下(三)において「指定期間」という。）内に同法第55条第４項又は第５項の解除又は変更により同表の(三)の「区域」欄に掲げる区域に該当しないこととなった区域については指定期間の初日からその該当しないこととなった日までの期間とし、指定期間内に同法第55条の２第７項の変更により同(三)の「事業」欄に掲げる事業に該当しないこととなった事業については当該初日から当該変更に係る同条第８項において準用する同条第４項の認定の日までの期間とし、指定期間内に同条第10項の規定により同条第９項に規定する認定経済金融活性化計画の認定を取り消された場合には当該初日からその取り消された日までの期間とする。）

（①に規定する事業の用に供する設備で（２）で定める規模のもの）

（２）　①に規定する事業の用に供する設備で（２）で定める規模のものは、次の(一)及び(二)に掲げる事業の区分に応じ当該(一)又は(二)に定める規模のものとする。（措令６の３②）

(一)	①の表の(一)及び(二)の「事業」欄に掲げる事業	次に掲げるいずれかの規模のもの イ　一の生産等設備（ガスの製造又は発電に係る設備を含む。以下（２）及び②（４）において同じ。）で、これを構成する減価償却資産（**五１**①から同⑦までに掲げるものに限る。以下**12**において同じ。）の取得価額（**五７イ**各号の規定により計算した取得価額をいう。以下**12**において同じ。）の合計額が1,000万円を超えるもの ロ　機械及び装置並びに器具及び備品（①の表の(二)の「事業」欄に掲げる事業にあっては、機械及び装置）で、一の生産等設備を構成するものの取得価額の合計額が100万円を超えるもの
(二)	①の表の(三)の「事業」欄に掲げる事業	次に掲げるいずれかの規模のもの イ　一の生産等設備で、これを構成する減価償却資産の取得価額の合計額が500万円を超えるもの ロ　機械及び装置並びに器具及び備品で、一の生産等設備を構成するものの取得価額の合計額が50万円を超えるもの

（①に規定する区域の振興に資するものとして（３）で定めるもの）

（３）　①に規定する区域の振興に資するものとして（３）で定めるものは、次の(一)から(三)までに掲げる個人の区分に応じ当該(一)から(三)までに定める減価償却資産とする。（措令６の３③）

(一)	①の表の(一)の「事業者」欄に掲げる事業者に該当する個人	当該個人の沖縄振興特別措置法第35条の３第８項に規定する認定産業高度化・事業革新措置実施計画に記載された減価償却資産
(二)	①の表の(二)の「事業者」欄に掲げる事業者に該当する個人	当該個人の沖縄振興特別措置法第42条の２第８項に規定する認定国際物流拠点産業集積措置実施計画に記載された減価償却資産
(三)	①の表の(三)の「事業者」欄に	当該個人の沖縄振興特別措置法第55条の４第８項に規定する認定経済金融

	掲げる事業者に該当する個人	活性化措置実施計画に記載された減価償却資産

（①の表の(一)の「事業」欄に規定する(４)で定める事業）

(４)　①の表の(一)の「事業」欄に規定する(４)で定める事業は、道路貨物運送業、倉庫業、卸売業、デザイン業、自然科学研究所に属する事業及び沖縄振興特別措置法施行令第４条第９号に掲げるガス供給業（(５)において「ガス供給業」という。）とする。（措令６の３④）

（①の表の(一)の「資産」欄に規定する(５)で定めるもの）

(５)　①の表の(一)の「資産」欄に規定する(５)で定めるものは、機械及び装置（ガス供給業の用に供されるものにあっては、沖縄振興特別措置法施行令第４条第９号に規定する液化ガス貯蔵設備その他の(６)で定める機械及び装置に限る。）、構築物（液化したガスを貯蔵し、又は利用するためのもの（製造業又はガス供給業の用に供されるものに限る。）で(７)で定めるものに限る。）並びに次の(一)及び(二)に掲げるものとする。（措令６の３⑤）

<table>
<tr><td rowspan="4">(一)</td><td colspan="4">次に掲げる事業の区分に応じそれぞれ次に定める器具及び備品</td></tr>
<tr><td rowspan="3">イ</td><td rowspan="3">製造業及び自然科学研究所に属する事業</td><td colspan="2">次に掲げる器具及び備品</td></tr>
<tr><td>⑴</td><td>専ら開発研究（新たな製品の製造若しくは新たな技術の発明又は現に企業化されている技術の著しい改善を目的として特別に行われる試験研究をいう。）の用に供される器具及び備品として(８)で定めるもの</td></tr>
<tr><td>⑵</td><td>電子計算機その他の(９)で定める器具及び備品</td></tr>
<tr><td></td><td>ロ</td><td>道路貨物運送業、倉庫業、卸売業及びデザイン業</td><td colspan="2">イ⑵に掲げる器具及び備品</td></tr>
<tr><td rowspan="6">(二)</td><td colspan="4">工場用の建物及びその附属設備（ガス供給業の用に供される建物及びその附属設備を除く。）並びに次に掲げる事業の区分に応じそれぞれ次に定める建物及びその附属設備</td></tr>
<tr><td>イ</td><td>道路貨物運送業</td><td colspan="2">車庫用、作業場用又は倉庫用の建物及びその附属設備</td></tr>
<tr><td>ロ</td><td>倉庫業</td><td colspan="2">作業場用又は倉庫用の建物及びその附属設備</td></tr>
<tr><td>ハ</td><td>卸売業</td><td colspan="2">作業場用、倉庫用又は展示場用の建物及びその附属設備</td></tr>
<tr><td>ニ</td><td>デザイン業</td><td colspan="2">事務所用又は作業場用の建物及びその附属設備</td></tr>
<tr><td>ホ</td><td>自然科学研究所に属する事業</td><td colspan="2">研究所用の建物及びその附属設備</td></tr>
</table>

（(５)に規定する(６)で定める機械及び装置）

(６)　(５)に規定する(６)で定める機械及び装置は、ガス業用設備に属する機械及び装置のうち、沖縄振興特別措置法施行令第４条第９号に規定する液化ガス貯蔵設備（(７)において「液化ガス貯蔵設備」という。）及びこれと一体として設置されるものとする。（措規５の13①）

（(５)に規定する(７)で定める構築物）

(７)　(５)に規定する(７)で定める構築物は、ガス貯槽（液化ガス貯蔵設備に該当するものに限る。）及び液化天然ガスを利用するために当該ガス貯槽と一体として設置される送配管とする。（措規５の13②）

（(５)(一)イ⑴に規定する(８)で定めるもの）

(８)　(５)(一)イ⑴に規定する(８)で定めるものは、専ら同(一)イ⑴に規定する開発研究の用に供される減価償却資産の耐用年数等に関する省令別表第６の上欄に掲げる器具及び備品（同表の中欄に掲げる固定資産に限る。）とする。（措規５の13③）

（(５)(一)イ⑵及び①の表の(三)の「資産」欄に規定する(９)で定める器具及び備品）

(９)　(５)(一)イ⑵及び①の表の(三)の「資産」欄に規定する(９)で定める器具及び備品は、次の(一)から(四)までに

掲げるものとする。（措規５の13④）

(一)	電子計算機（計数型の電子計算機（主記憶装置にプログラムを任意に設定できる機構を有するものに限る。）のうち、処理語長が16ビット以上で、かつ、設置時における記憶容量（検査用ビットを除く。）が16メガバイト以上の主記憶装置を有するものに限るものとし、これと同時に設置する附属の入出力装置（入力用キーボード、ディジタイザー、タブレット、光学式読取装置、音声入力装置、表示装置、プリンター又はプロッターに限る。）、補助記憶装置、通信制御装置、伝送用装置（無線用のものを含む。）又は電源装置を含む。）
(二)	デジタル交換設備（専用電子計算機（専ら器具及び備品の動作の制御又はデータ処理を行う電子計算機で、物理的変換を行わない限り他の用途に使用できないものをいう。(三)において同じ。）により発信される制御指令信号に基づきデジタル信号を自動的に交換するための機能を有するものに限るものとし、これと同時に設置する専用の制御装置（当該交換するための機能を制御するものに限る。）、変復調装置、宅内回線終端装置、局内回線終端装置、入出力装置又は符号化装置を含む。）
(三)	デジタルボタン電話設備（専用電子計算機により発信される制御指令信号に基づき専用電話機のボタン操作に従ってデジタル信号を自動的に交換する機構を有するもの及び当該専用電子計算機を同時に設置する場合のこれらのものに限るものとし、これらと同時に設置する専用の変復調装置、宅内回線終端装置、局内回線終端装置又は符号化装置を含む。）
(四)	ＩＣカード利用設備（ＩＣカードとの間における情報の交換並びに当該情報の蓄積及び加工を行うもので、これと同時に設置する専用のＩＣカードリーダライタ、入力用キーボード、タブレット、表示装置、プリンター又はプロッターを含む。）

（①の表の(二)の「事業」欄に規定する(10)で定める事業）

(10)　①の表の(二)の「事業」欄に規定する(10)で定める事業は、(５)(二)イから同ハまでに掲げる事業、沖縄振興特別措置法施行令第４条の２第５号に掲げる無店舗小売業（(11)(一)において「無店舗小売業」という。）、同条第６号に掲げる機械等修理業（(11)(二)において「機械等修理業」という。）、同条第７号に掲げる不動産賃貸業（(11)(三)において「不動産賃貸業」という。）及び同条第９号に掲げる航空機整備業（(11)(四)において「航空機整備業」という。）とする。（措令６の３⑥）

（①の表の(二)の「資産」欄に規定する(11)で定める建物）

(11)　①の表の(二)の「資産」欄に規定する(11)で定める建物は、(５)(二)イから同ハまでに掲げる事業の区分に応じそれぞれ同(二)イから同ハまでに規定する建物及び次の(一)から(四)までに掲げる事業の区分に応じ当該(一)から(四)までに定める建物とする。（措令６の３⑦）

(一)	無店舗小売業	事務所用、作業場用又は倉庫用の建物
(二)	機械等修理業	作業場用又は倉庫用の建物
(三)	不動産賃貸業	倉庫用の建物
(四)	航空機整備業	事務所用、作業場用、格納庫用又は倉庫用の建物

（生産等設備等の範囲）

(12)　(２)(一)、(二)及び②(４)に規定する生産等設備は、①の表の(一)から(三)までの「事業」欄に掲げる製造業若しくは特定経済金融活性化産業に属する事業又は(４)、(10)若しくは②(２)に規定する事業の用に直接供される減価償却資産で構成されているものをいう。したがって、例えば、事務所、寄宿舎等の建物、事務用器具備品、乗用自動車、福利厚生施設のようなものは、これに該当しない。

④(７)、同(10)又は同(12)に規定する設備についても、同様とする。（措通12－１）

（一の生産等設備等の取得価額基準の判定）

(13)　(２)(一)、同(二)又は②(４)の一の生産等設備で、これらを構成する減価償却資産の取得価額の合計額が②に規定する②(４)で定める規模に該当するかどうかについては、当該一の生産等設備を構成する減価償却資産のうちに他の特別償却等の規定（①から③までの規定以外の特別償却等の規定をいう。以下(13)において同じ。）の適用を受けるものがある場合であっても、当該他の特別償却等の規定の適用を受けるものの取得価額を含めたところにより判定することに留意する。

④(７)、同(10)又は同(12)の一の設備を構成する減価償却資産の取得価額の合計額が④の表の各号の「設備」欄に規定する政令で定める規模に該当するかどうかについても、同様とする。(措通12－３)

(国庫補助金等をもって取得等した減価償却資産の取得価額)

(14)　(２)(一)イ又は同(二)イの一の生産等設備で、これを構成する減価償却資産のうちに、第一節**三１**①の規定の適用を受ける同①に規定する国庫補助金等に係るもの若しくは同②に規定する国庫補助金等の交付に代わるべきものとして交付を受けるもの若しくは同**三２**①の規定の適用を受ける同①に規定する国庫補助金等をもって取得されたものがある場合又は第五章第二節**六２**③、同節**十八10**③若しくは同節**十九３**の規定により**12**の規定の適用がないこととされるものがある場合において、(２)(一)イ又は同(二)イに規定する取得価額の合計額が1,000万円又は500万円を超えるかどうかを判定するときは、第一節**三１**④(一)又は同(二)若しくは同**三２**⑤、第五章第二節**六２**、同節**十八10**①又は同節**十九８**①の規定により計算した金額に基づいてその判定を行うものとする。

(２)(一)ロ若しくは同(二)ロの機械及び装置並びに器具及び備品で、一の生産等設備を構成するものの取得価額の合計額が100万円若しくは50万円を超えるかどうか、②(４)の一の生産等設備でこれを構成する減価償却資産の取得価額の合計額が500万円以上であるかどうか又は④(７)、同(10)若しくは同(12)の一の設備を構成する減価償却資産の取得価額の合計額が500万円以上であるかどうかを判定する場合においても、同様とする。(措通12－４)

(特別償却の対象となる資産)

(15)　①に規定する工業用機械等(以下**12**において「工業用機械等」という。)は、事業の用に供する生産等設備の新設又は増設に伴って取得(製作又は建設を含む。以下**12**において同じ。)をしたものをいうのであるから、当該新設又は増設に伴って取得をしたものであれば、いわゆる新品であることを要しないのであるが、当該個人の他の工場又は作業場等から転用したものは含まれないことに留意する。

②に規定する旅館業用建物等(以下**12**において「旅館業用建物等」という。)又は④に規定する産業振興機械等(以下**12**において「産業振興機械等」という。)についても、同様とする。(措通12－６)

(新増設の範囲)

(16)　①の規定の適用上、次に掲げる工業用機械等の取得についても①に規定する新設又は増設に係る工業用機械等の取得に該当するものとする。(措通12－７)

(一)　既存設備が災害により滅失又は損壊したため、その代替設備として取得をした工業用機械等

(二)　既存設備の取替え又は更新のために工業用機械等の取得をした場合で、その取得により生産能力又は処理能力等が従前に比して相当程度(おおむね30％)以上増加したときにおける当該工業用機械等のうちその生産能力又は処理能力等が増加した部分に係るもの

(三)　①の表の(一)から(三)の「区域」欄に掲げる区域において他の者が同表の(一)から(三)の「事業」欄に掲げる事業の用に供していた工業用機械等の取得をした場合における当該工業用機械等

(注)　本文の取扱いは、青色申告書を提出する個人が取得等をした建物及びその附属設備が②に規定する新設又は増設に係る同②の設備を構成する旅館業用建物等に該当するかどうか又は青色申告書を提出する個人が取得等をした機械及び装置、建物及びその附属設備並びに構築物が、④に規定する新設又は増設に係る同④の表の(一)から(四)の「設備」欄に掲げる設備を構成する産業振興機械等に該当するかどうかの判定について、準用する。

(工場用又は作業場用等の建物及びその附属設備の意義)

(17)　①の表の(二)の「資産」欄及び(５)(二)の工場用の建物及びその附属設備には、次に掲げる建物及びその附属設備が含まれるものとする。

同(二)及び(11)の作業場用等の建物及びその附属設備についても、同様とする。(措通12－８)

(一)　工場又は作業場等の構内にある守衛所、詰所、自転車置場、浴場その他これらに類するもので工場用又は作業場用等の建物としての耐用年数を適用するもの及びこれらの建物の附属設備

(二)　発電所又は変電所の用に供する建物及びこれらの建物の附属設備

(注)　倉庫用の建物は、工場用又は作業場用の建物に該当しない。

(開発研究の意義)

(18)　(５)(一)イ(1)に規定する開発研究(以下**12**において「開発研究」という。)とは、次に掲げる試験研究をいう。(措

通12－８の２）

（一）　新規原理の発見又は新規製品の発明のための研究

（二）　新規製品の製造、製造工程の創設又は未利用資源の活用方法の研究

（三）　(一)又は(二)の研究を基礎とし、これらの研究の成果を企業化するためのデータの収集

（四）　現に企業化されている製造方法その他の生産技術の著しい改善のための研究

（専ら開発研究の用に供される器具及び備品）

(19)　（５）(一)イ(1)の「専ら開発研究……の用に供される器具及び備品」とは、耐用年数省令別表第六に掲げる器具及び備品のうち専ら開発研究の用に供されるものをいうのであるから、開発研究を行う施設において事業の用に供されるものであっても、他の目的のために使用されている減価償却資産で必要に応じ開発研究の用に供されるものは、これに該当しないことに留意する。（措通12－８の３）

（委託研究先への資産の貸与）

(20)　個人が、その取得をした器具及び備品を自己の開発研究の委託先に貸与した場合において、当該委託先において当該器具及び備品が専ら当該個人のためにする開発研究の用に供されるものであるときは、当該器具及び備品は当該個人の行う開発研究の用に供したものとして**12**の規定を適用する。（措通12－８の４）

（工場用又は作業場用等とその他の用に共用されている建物の判定）

(21)　事業の用に供されている一の建物が工場用又は作業場用等とその他の用に共用されている場合には、原則としてその用途の異なるごとに区分し、工場用又は作業場用等に供されている部分について①の規定を適用するのであるが、次の場合には、次によることとする。（措通12－９）

（一）　工場用又は作業場用等とその他の用に供されている部分を区分することが困難であるときは、当該建物が主としていずれの用に供されているかにより判定する。

（二）　その他の用に供されている部分が極めて小部分であるときは、その全部が工場用又は作業場用等に供されているものとすることができる。

（特別償却等の対象となる工場用又は作業場用等の建物の附属設備）

(22)　①の表の(一)から(三)の「資産」欄に掲げる建物の附属設備及び（５）(二)に規定する建物の附属設備はこれらの建物と共に取得をする場合における建物附属設備に限られ、②及び④に規定する建物の附属設備はこれらの建物と共に取得をする場合における建物附属設備に限られることに留意する。（措通12－10）

（取得価額の合計額が1,000万円を超えるかどうか等の判定）

(23)　（２）(一)イ若しくは（２）(二)イの一の生産等設備でこれを構成する減価償却資産の取得価額の合計額が1,000万円又は500万円を超えるかどうかは、その新設又は増設に係る事業計画ごとに判定することに留意する。

（２）(一)ロ若しくは（２）(二)ロの機械及び装置並びに器具及び備品で一の生産等設備を構成するものの取得価額の合計額が100万円若しくは50万円を超えるかどうか、②（４）の一の生産等設備でこれを構成する減価償却資産の取得価額の合計額が500万円以上であるかどうか又は④（７）、同(10)若しくは同(12)の一の設備を構成する減価償却資産の取得価額の合計額が500万円以上であるかどうかの判定についても、同様とする。（措通12－11）

（指定事業の範囲）

(24)　個人（①の規定を適用する場合にあっては、①の表の(一)から(三)の「事業者」欄に掲げる事業者（(25)において「認定事業者」という。）であるものに限る。）が同表の(一)から(三)の「区域」欄に掲げる区域、②に規定する離島の地域又は④の表の(一)から(四)の「地区」欄に掲げる地区内（以下(24)において「特定地域内」という。）において行う事業が①の表の(一)から(三)の「事業」欄に掲げる事業、②に規定する旅館業又は④の表の(一)から(四)の「事業」欄に掲げる事業（以下(24)において「指定事業」という。）に該当するかどうかは、当該特定地域内にある事業所ごとに判定する。（措通12－12）

（注）１　例えば、建設業を営む個人が当該特定地域内に建設資材を製造する事業所を有している場合には、当該個人が当該建設資材をその建設業に係る原材料等として消費しているときであっても、当該事業所における事業は指定事業に係る製造業に該当する。

２　指定事業かどうかの判定は、おおむね日本標準産業分類（総務省）の分類を基準として行う。

（指定事業の用に供したものとされる資産の貸与）

(25)　個人（①の規定を適用する場合にあっては、認定事業者であるものに限る。）が、自己の下請業者で①の表の(一)から(三)の「区域」欄に掲げる区域又は④の表の(一)から(四)の「地区」欄に掲げる地区内において、①の表の(一)から(三)の「事業」欄又は④の表の(一)から(四)の「事業」欄に掲げる事業（以下(25)において「製造業等」という。）を営む者に対し、その製造業等の用に供する工業用機械等又は産業振興機械等を貸し付けている場合において、当該工業用機械等又は産業振興機械等が専ら当該個人のためにする製品の加工等の用に供されるものであり、かつ、当該個人が下請業者の当該区域又は地区内において営む製造業等と同種の事業を営むものである場合に限り、その貸し付けている工業用機械等又は産業振興機械等は当該個人の営む製造業等の用に供したものとして取り扱う。（措通12－13）

（注）　自己の計算において原材料等を購入し、これをあらかじめ指示した条件に従って下請加工させて完成品とするいわゆる製造問屋の事業は、①の表の(一)若しくは(二)の「事業」欄又は④の表の(一)から(四)の「事業」欄に掲げる製造業に該当しない。

②　旅館業用建物等の特別償却

青色申告書を提出する個人が、令和４年４月１日から令和７年３月31日までの期間のうち(1)で定める期間内に、沖縄振興特別措置法第３条第３号に規定する離島の地域内において旅館業のうち(2)で定める事業（以下②において「旅館業」という。）の用に供する設備で(4)で定める規模のものの取得等（取得又は製作若しくは建設をいい、建物及びその附属設備にあっては改修（増築、改築、修繕又は模様替をいう。）のための工事による取得又は建設を含む。以下②及び④において同じ。）をする場合において、その取得等をした設備を当該地域内において当該個人の旅館業の用に供したとき（当該地域の振興に資する場合として⑤で定める場合に限る。）は、その用に供した日の属する年における当該個人の事業所得の金額の計算上、当該設備を構成するもののうち⑥で定める建物及びその附属設備（①の規定の適用を受けるもの及び所有権移転外リース取引により取得したものを除く。以下②及び③において「旅館業用建物等」という。）の償却費として必要経費に算入する金額は、**五４**の規定にかかわらず、当該旅館業用建物等について同**４**の規定により計算した償却費の額とその取得価額の100分の８に相当する金額との合計額以下の金額で当該個人が必要経費として計算した金額とする。ただし、当該旅館業用建物等の償却費として同**４**の規定により必要経費に算入される金額を下ることはできない。（措法12②）

（②に規定する(1)で定める期間）

(1)　②に規定する(1)で定める期間は、令和４年４月１日（同日後に②に規定する離島（以下(1)及び(5)において「離島」という。）に該当することとなった地域については、その該当することとなった日）から令和７年３月31日までの期間（当該期間内に離島に該当しないこととなった地域については、当該期間の初日からその該当しないこととなった日までの期間）とする。（措令６の３⑧）

（②に規定する(2)で定める事業）

(2)　②に規定する(2)で定める事業は、旅館業法第２条第２項に規定する旅館・ホテル営業及び同条第３項に規定する簡易宿所営業（これらの事業のうち(3)で定めるものを除く。）とする。（措令６の３⑨）

（(2)に規定する(3)で定める事業）

(3)　(2)に規定する(3)で定める事業は、風俗営業等の規制及び業務の適正化等に関する法律第２条第６項に規定する店舗型性風俗特殊営業に該当する事業とする。（措規５の13⑤）

（②に規定する旅館業の用に供する設備で(4)で定める規模のもの）

(4)　②に規定する旅館業の用に供する設備で(4)で定める規模のものは、一の生産等設備で、これを構成する減価償却資産の取得価額の合計額が500万円以上のものとする。（措令６の３⑩）

（②に規定する(5)で定める場合）

(5)　②に規定する(5)で定める場合は、その個人が離島の地域内において②に規定する旅館業（以下**12**において「旅館業」という。）の用に供した設備について、沖縄振興特別措置法第４条第１項に規定する沖縄振興計画に定められた同条第２項第９号に掲げる事項その他の事項に適合するものである旨の沖縄県知事の確認がある場合とする。（措令６の３⑪）

(②に規定する(6)で定める建物)

(6)　②に規定する(6)で定める建物は、その構造設備が旅館業法第3条第2項に規定する基準に適合する建物とする。(措令6の3⑫)

(確定申告書への書類添付)

(7)　個人が、その取得等(②に規定する取得等をいう。④(1)(一)から同(四)まで及び④(13)において同じ。)をした減価償却資産につき②の規定の適用を受ける場合には、当該減価償却資産につき②の規定の適用を受ける年分の確定申告書に(8)で定める書類を添付しなければならない。(措令6の3⑬)

((7)に規定する(8)で定める書類)

(8)　(7)に規定する(8)で定める書類は、沖縄県知事の(5)に規定する設備について(5)の確認をした旨を証する書類とする。(措規5の13⑥)

③　7②の規定の準用(①の特別償却不足額の繰越し)

7②の規定は、①の規定の適用を受ける工業用機械等又は②の規定の適用を受ける旅館業用建物等の償却費の額を計算する場合について準用する。この場合において、**7**②中「その合計償却限度額」とあるのは、「**12**①本文又は同②本文の規定により必要経費に算入することができる償却費の限度額」と読み替えるものとする。(措法12③)

(特別償却等の適用を受けたものの意義)

(1)　減価償却資産又は繰延資産について①の規定による特別償却額又は割増償却額を必要経費に算入していない場合であっても、その年分の確定申告書にその特別償却額又は割増償却額の繰越しに関する記載、明細書の添付等があるときは、その減価償却資産又は繰延資産について①の規定の適用を受けたものに該当することに留意する。(措通10の3～15共－1)

(償却不足額の繰越しをする場合の償却限度額の計算)

(2)　①の規定による特別償却額又は割増償却額の償却不足額の繰越しをする減価償却資産又は繰延資産につき、そのよるべき償却の方法として旧定率法、定率法又は取替法を採用している場合の償却不足額を生じた年の翌年分の当該減価償却資産又は繰延資産の償却限度額の計算の基礎となる普通償却額は、その償却不足額が既に償却されたものとみなして旧定率法、定率法又は取替法により計算した場合の当該翌年分の普通償却額とする。(措通10の3～15共－2)

(被相続人に係る償却不足額の取扱い及び償却不足額の処理についての留意事項)

(3)　**7**②(3)及び同②(4)の取扱いは、**12**の規定を適用する場合について準用する。(措通12－14)

④　産業振興機械等の特別償却

青色申告書を提出する個人が、平成25年4月1日から令和7年3月31日まで(次の表の(一)の「地区」欄に掲げる地区にあっては、令和3年4月1日から令和9年3月31日まで)の期間のうち(1)で定める期間内に、同表の(一)から(三)までの「地区」欄に掲げる地区内において当該(一)から(三)までの「事業」欄に掲げる事業の用に供する当該(一)から(三)までの「設備」欄に掲げる設備の取得等をする場合において、その取得等をした設備(①若しくは②又は同表の他の号の規定の適用を受けるものを除く。)を当該地区内において当該個人の当該(一)から(三)までの「事業」欄に掲げる事業の用に供したとき(当該地区の産業の振興に資する場合として(3)で定める場合に限る。)は、その用に供した日以後5年以内の日の属する各年分の事業所得の金額の計算上、当該設備を構成するもののうち機械及び装置、建物及びその附属設備並びに構築物(所有権移転外リース取引により取得したものを除く。以下④及び⑤において「**産業振興機械等**」という。)の償却費として必要経費に算入する金額は、その用に供した日以後5年以内でその用に供している期間に限り、**五4**の規定にかかわらず、当該産業振興機械等について同**4**の規定により計算した償却費の額で当該期間に係るものの100分の132(建物及びその附属設備並びに構築物については、100分の148)に相当する金額以下の金額で当該個人が必要経費として計算した金額とする。ただし、当該産業振興機械等の償却費として同**4**の規定により必要経費に算入される金額を下ることはできない。(措法12④)

	地　　区	事　　業	設　　備
(一)	過疎地域の持続的発展の支援に関する特別措置法第2条第1	製造業その他の	当該地区内において営む当

	項に規定する過疎地域のうち(４)で定める地域及びこれに準ずる地域として(５)で定める地域のうち、産業の振興のための取組が積極的に促進されるものとして(６)で定める地区	(７)で定める事業	該事業の用に供される設備で(７)で定める規模のもの
(二)	半島振興法第２条第１項の規定により半島振興対策実施地域として指定された地区のうち、産業の振興のための取組が積極的に促進されるものとして(９)で定める地区（(一)の「地区」欄に掲げる地区に該当する地区を除く。）	製造業その他の(10)で定める事業	当該(９)で定める地区内において営む当該事業の用に供される設備で(10)で定める規模のもの
(三)	離島振興法第２条第１項の規定により離島振興対策実施地域として指定された地区のうち、産業の振興のための取組が積極的に促進されるものとして(11)で定める地区（(一)の地区欄に掲げる地区に該当する地区を除く。）	製造業その他の(12)で定める事業	当該(11)で定める地区内において営む当該事業の用に供される設備で(12)で定める規模のもの

(注)　個人が令和６年４月１日前に②に規定する取得等をした改正前の④に規定する産業振興機械等（同④の表の(四)の右欄に掲げる設備を構成するものに限る。）については、なお従前の例による。（令６改所法等附29①）

（④に規定する(１)で定める期間）

(１)　④に規定する(１)で定める期間は、次の(一)から(三)までに掲げる場合の区分に応じ当該(一)から(三)までに定める期間とする。（措令６の３⑭）

(一)	④の表の(一)の「地区」欄に掲げる地区において同(一)の「事業」欄に掲げる事業の用に供する同(一)の「設備」欄に掲げる設備の取得等をする場合	当該地区に係る過疎地域の持続的発展の支援に関する特別措置法（令和３年法律第19号）第８条第１項（過疎地域の持続的発展の支援に関する特別措置法施行令（令和３年政令第137号）附則第３条第２項（同令附則第４条第２項の規定によりみなして適用する場合を含む。）又は第３項（同令附則第４条第３項の規定によりみなして適用する場合を含む。）においてその例による場合を含む。）の規定により定められた同法第８条第１項に規定する市町村計画（同条第２項第３号及び第４号ロ並びに第４項各号に掲げる事項並びに同条第２項第４号ロに掲げる事項に係る同条第５項の他の市町村との連携に関する事項が記載されたものに限る。以下**12**において「特定過疎地域持続的発展市町村計画」という。）に記載された同法第８条第２項第３号に掲げる計画期間の初日又は当該特定過疎地域持続的発展市町村計画が定められた日のいずれか遅い日から令和９年３月31日までの期間（当該計画期間の末日が同月31日前である場合には、当該いずれか遅い日から当該計画期間の末日までの期間）
(二)	④の表の(二)の「地区」欄に掲げる地区において同(二)の「事業」欄に掲げる事業の用に供する同(二)の「設備」欄に掲げる設備の取得等をする場合	当該地区に係る半島振興法第９条の５第１項に規定する認定産業振興促進計画（同法第９条の２第３項各号に掲げる事項（同項第２号に掲げる事項にあっては、産業の振興に資するものとして(２)で定めるもの）が記載されたものに限る。以下**12**において「認定半島産業振興促進計画」という。）に記載された同法第９条の２第２項第４号に掲げる計画期間の初日から令和７年３月31日までの期間（当該計画期間の末日が同月31日前である場合には当該計画期間とし、同日前に同表の(二)の「地区」欄に規定する半島振興対策実施地域に該当しないこととなった地区については当該初日からその該当しないこととなった日までの期間とし、同月31日前に同法第９条の７第１項の規定により当該認定半島産業振興促進計画に係る同法第９条の５第１項に規定する認定を取り消された場合には当該初日からその取り消された日までの期間とする。）
(三)	④の表の(三)の「地区」欄に掲げる地区において同(三)の「事業」欄に掲げる事業の用に供する同(三)の「設備」欄に掲げる設備の取得等をする場合	当該地区に係る離島振興法第４条第１項の離島振興計画（同条第２項第３号に掲げる事項並びに当該地区に係る同項第５号及び第12号並びに同条第４項各号に掲げる事項が記載されたものに限る。）のうち当該離島振興計画につき当該離島振興計画を定めた都道府県が同条第14項の規定による通知（当該離島振興計画が同条第15項において準用する同条第11項の規定により同項の主務大臣に提出があったものである場合には、同条第15項において準用する同条第14項の規定による通知）を受けたもの（以下において「特定離島振興計画」という。）に記載された同法第４条第２項第３号に掲げる計画期間の初日又は当該特定離島振興計画に係るこれらの通知を受け

		た日のいずれか遅い日から令和７年３月31日までの期間（当該計画期間の末日が同月31日前である場合には当該いずれか遅い日から当該計画期間の末日までの期間とし、同月31日前に同表の(三)の「地区」欄に規定する離島振興対策実施地域に該当しないこととなった地区については当該いずれか遅い日からその該当しないこととなった日までの期間とする。）

（(１)(二)に規定する(２)で定めるもの）

(２)　(１)(二)に規定する(２)で定めるものは、半島振興法施行規則第２条第３号及び第４号に掲げる事項とする。（措規５の13⑦）

（④に規定する(３)で定める場合）

(３)　④に規定する(３)で定める場合は、その個人が④の表の(一)から(三)までの「地区」欄に掲げる地区において当該(一)から(三)までの「事業」欄に掲げる事業の用に供した当該(一)から(三)までの「設備」欄に掲げる設備について、当該地区に係る産業投資促進計画（次の(一)から(三)までに掲げる当該地区の区分に応じ当該(一)から(三)までに定めるものをいう。）に記載された振興の対象となる事業その他の事項に適合するものである旨の当該地区内の市町村の長の確認がある場合とする。（措令６の３⑮）

(一)	④の表の(一)の「地区」欄に掲げる地区	当該地区内の市町村が定める特定過疎地域持続的発展市町村計画
(二)	④の表の(二)の「地区」欄に掲げる地区	当該地区内の市町村が作成する認定半島産業振興促進計画
(三)	④の表の(三)の「地区」欄に掲げる地区	当該地区内の都道府県が定める特定離島振興計画

（④の表の(一)の「地区」欄に規定する過疎地域のうち(４)で定める地域）

(４)　④の表の(一)の「地区」欄に規定する過疎地域のうち(４)で定める地域は、次の(一)及び(二)に掲げる区域とする。（措令６の３⑯）

(一)	④の表の(一)の「地区」欄に規定する過疎地域のうち特定過疎地域（過疎地域の持続的発展の支援に関する特別措置法第42条の規定の適用を受ける区域のうち令和３年３月31日において旧過疎地域自立促進特別措置法第33条第１項の規定の適用を受けていた区域をいう。(二)において同じ。）以外の区域
(二)	特定過疎地域のうち過疎地域の持続的発展の支援に関する特別措置法第42条の規定の適用を受けないものとしたならば同法第３条第１項若しくは第２項（これらの規定を同法第43条の規定により読み替えて適用する場合を含む。）又は第41条第２項の規定の適用を受ける区域

（④の表の(一)の「地区」欄に規定する過疎地域に準ずる地域として(５)で定める地域）

(５)　④の表の(一)の「地区」欄に規定する過疎地域に準ずる地域として(５)で定める地域は、過疎地域の持続的発展の支援に関する特別措置法附則第５条に規定する特定市町村（以下(５)において「特定市町村」という。）の区域（同法附則第６条第１項、第７条第１項又は第８条第１項の規定により特定市町村の区域とみなされる区域を含む。）とする。（措令６の３⑰）

（④の表の(一)の「地区」欄に規定する(６)で定める地区）

(６)　④の表の(一)の「地区」欄に規定する(６)で定める地区は、特定過疎地域持続的発展市町村計画に記載された過疎地域の持続的発展の支援に関する特別措置法第８条第４項第１号に規定する産業振興促進区域内の地区とする。（措令６の３⑱）

（④の表の(一)の「事業」欄に規定する(７)で定める事業及び同(一)の「設備」欄に規定する事業の用に供される設備で(７)で定める規模のもの）

(７)　④の表の(一)の「事業」欄に規定する(７)で定める事業は、製造業、農林水産物等販売業（同(一)の「地区」欄に掲げる地区において生産された農林水産物又は当該農林水産物を原料若しくは材料として製造、加工若しくは調理をしたものを店舗において主に当該地区以外の地域の者に販売することを目的とする事業をいう。)、旅館業及び情報サービス業等（情報サービス業その他の(8)で定める事業をいう。(10)及び(12)において同じ。）のうち、同(一)の「地区」欄に掲げる地区に係る特定過疎地域持続的発展市町村計画に振興すべき業種として定められた事業とし、同(一)の「設備」欄に規定する事業の用に供される設備で(7)で定める規模のものは、一の設備を構成する減価償却資産の取得価額の合計額が500万円以上である場合の当該一の設備とする。(措令6の3⑲)

((7)に規定する(8)で定める事業)

(8)　(7)に規定する(8)で定める事業は、次の(一)から(四)までに掲げる事業とする。(措規5の13⑧)

(一)	情報サービス業
(二)	有線放送業
(三)	インターネット付随サービス業
(四)	次に掲げる業務（情報通信の技術を利用する方法により行うものに限るものとし、(一)から(三)までに掲げる事業に係るものを除く。）及び当該業務により得られた情報の整理又は分析の業務に係る事業 イ　商品、権利若しくは役務に関する説明若しくは相談又は商品若しくは権利の売買契約若しくは役務を有償で提供する契約についての申込み、申込みの受付若しくは締結若しくはこれらの契約の申込み若しくは締結の勧誘の業務 ロ　新商品の開発、販売計画の作成等に必要な基礎資料を得るためにする市場等に関する調査の業務

(④の表の(二)の「地区」欄に規定する(9)で定める地区)

(9)　④の表の(二)の「地区」欄に規定する(9)で定める地区は、認定半島産業振興促進計画に記載された半島振興法第9条の2第2項第1号に規定する計画区域内の地区とする。(措令6の3⑳)

(④の表の(二)の「事業」欄に規定する(10)で定める事業及び同(二)の「設備」欄に規定する事業の用に供される設備で(10)で定める規模のもの)

(10)　④の表の(二)の「事業」欄に規定する(10)で定める事業は、製造業、農林水産物等販売業（同(二)の「地区」欄に掲げる地区において生産された農林水産物又は当該農林水産物を原料若しくは材料として製造、加工若しくは調理をしたものを店舗において主に当該地区以外の地域の者に販売することを目的とする事業をいう。)、旅館業及び情報サービス業等のうち、同(二)の「地区」欄に掲げる地区に係る認定半島産業振興促進計画に記載された事業とし、同(二)の「設備」欄に規定する事業の用に供される設備で(10)で定める規模のものは、一の設備を構成する減価償却資産の取得価額の合計額が500万円以上である場合の当該一の設備とする。(措令6の3㉑)

(④の表の(三)の「地区」欄に規定する(11)で定める地区)

(11)　④の表の(三)の「地区」欄に規定する(11)で定める地区は、特定離島振興計画に記載された離島振興法第4条第4項第1号に掲げる区域内の地区とする。(措令6の3㉒)

(④の表の(三)の「事業」欄に規定する(12)で定める事業及び同(三)の「設備」欄に規定する事業の用に供される設備で(12)で定める規模のもの)

(12)　④の表の(三)の「事業」欄に規定する(12)で定める事業は、製造業、農林水産物等販売業（同(三)の「地区」欄に掲げる地区において生産された農林水産物又は当該農林水産物を原料若しくは材料として製造、加工若しくは調理をしたものを店舗において主に当該地区以外の地域の者に販売することを目的とする事業をいう。)、旅館業及び情報サービス業等のうち、同(三)の「地区」欄に掲げる地区に係る特定離島振興計画に振興すべき業種として定められた事業とし、同(三)の「設備」欄に規定する事業の用に供される設備で(12)で定める規模のものは、一の設備を構成する減価償却資産の取得価額の合計額が500万円以上である場合の当該一の設備とする。(措令6の3㉓)

(確定申告書への書類添付)

(13)　個人が、その取得等をした減価償却資産につき④の規定の適用を受ける場合には、当該減価償却資産につき④の規定の適用を受ける最初の年分の確定申告書に(14)で定める書類を添付しなければならない。(措令6の3㉔)

((13)に規定する(14)で定める書類)

(14)　(13)に規定する(14)で定める書類は、④に規定する産業振興機械等に係る④の表の(一)から(三)までの「設備」欄に掲げる設備が当該設備をその事業の用に供した当該(一)から(三)までの「地区」欄に掲げる地区に係る(3)に規定する産業投資促進計画に記載された事項に適合するものであることにつき、当該地区内の市町村の長が確認した旨を証する書類とする。(措規５の13⑨)

⑤　④の特別償却不足額の繰越し

④の規定の適用を受けた年において④の規定により当該産業振興機械等の償却費として必要経費に算入した金額がその年における④本文の規定により必要経費に算入することができる償却費の限度額に満たない場合には、その年の翌年分の事業所得の金額の計算上、当該産業振興機械等の償却費として必要経費に算入する金額は、**五４**の規定（当該産業振興機械等について④の規定の適用を受けるときは、④の規定を含む。）にかかわらず、当該産業振興機械等の償却費として同**４**の規定により必要経費に算入する金額（その年の翌年において当該産業振興機械等につき④の規定の適用を受ける場合には、当該翌年における④本文の規定により必要経費に算入することができる償却費の限度額に相当する金額とする。）とその満たない金額以下の金額で当該個人が必要経費として計算した金額との合計額に相当する金額とすることができる。(措法12⑤)

⑥　７③の規定の準用（特別償却の明細書の添付）

７③の規定は、①から⑤までの規定を適用する場合について準用する。(措法12⑥)

13　医療用機器等の特別償却

①　特別償却

青色申告書を提出する個人で医療保健業を営むものが、昭和54年４月１日から令和７年３月31日までの間に、医療用の機械及び装置並びに器具及び備品（(１)で定める規模のものに限る。）のうち、高度な医療の提供に資するもの若しくは先進的なものとして(２)で定めるもの（以下①及び④において「**医療用機器**」という。）でその製作の後事業の用に供されたことのないものを取得し、又は医療用機器を製作して、これを当該個人の営む医療保健業の用に供した場合（所有権移転外リース取引により取得した当該医療用機器をその事業の用に供した場合を除く。）には、その用に供した日の属する年における当該個人の事業所得の金額の計算上、当該医療用機器の償却費として必要経費に算入する金額は、**五４**《減価償却資産の償却費の計算及びその償却の方法の通則》にかかわらず、当該医療用機器について同**４**の規定により計算した償却費の額《**普通償却費の額**》とその取得価額の100分の12に相当する金額との合計額《**合計償却限度額**》以下の金額で当該個人が必要経費として計算した金額とする。ただし、当該医療用機器の償却費として同**４**の規定により必要経費に算入される金額を下ることはできない。（措法12の２①）

$$\text{合計償却限度額} = \frac{\text{その年分の}}{\text{普通償却費の額}} + \text{取得価額} \times \frac{12}{100}$$

（注）　**六**《特別償却》の規定により必要経費に算入した金額のうち**十二４**《社会保険診療報酬の所得計算の特例》に規定する社会保険診療につき支払を受けるべき金額に対応する部分の金額は、同**４**に規定する必要経費に算入する金額に含まれるものとする。（措令18）

（医療用の機械及び装置並びに器具及び備品）

(１)　①に規定する規模のものは、１台又は１基（通常１組又は１式をもって取引の単位とされるものにあっては、１組又は１式。③において同じ。）の取得価額（**五７**《減価償却資産の取得価額》**イ**又は同**イ**(１)により計算した取得価額をいう。③において同じ。）が500万円以上の医療用の機械及び装置並びに器具及び備品とする。（措令６の４①）

（①に規定する(２)で定めるもの）

(２)　①に規定する(２)で定めるものは、次の(一)及び(二)に掲げる医療用の機械及び装置並びに器具及び備品とする。（措令６の４②、平21厚生労働省告示第248号（最終改正令５同省告示第166号）、平31同省告示第151号（最終改正令３同省告示第160号））

(一)	医療用の機械及び装置並びに器具及び備品のうち、高度な医療の提供に資するものとして厚生労働大臣が財務大臣と協議して指定するもの（医療法第30条の14第１項に規定する構想区域等内の病院又は診療所における効率的な活用を図る必要があるものとして厚生労働大臣が財務大臣と協議して指定するものにあっては、厚生労働大臣が定める要件を満たすものに限る。）
(二)	医薬品、医療機器等の品質、有効性及び安全性の確保等に関する法律第２条第５項に規定する高度管理医療機器、同条第６項に規定する管理医療機器又は同条第７項に規定する一般医療機器で、これらの規定により厚生労働大臣が指定した日の翌日から２年を経過していないもの（(一)に掲げるものを除く。）

（厚生労働大臣による告示）

(３)　厚生労働大臣は、(２)(一)の規定により機械及び装置並びに器具及び備品を指定し、若しくは要件を定め、②(２)の規定により事項を定め、又は同(２)(一)の規定により機能別の機器の種類を指定したときは、これを告示する。（措令６の４⑦、平21厚生労働省告示第248号（最終改正令５同省告示第166号））

（取得価額の判定単位）

(４)　(１)に規定する医療用の機械及び装置並びに器具及び備品の１台又は１基の取得価額が500万円以上であるかどうかについては、通常１単位として取引される単位ごとに判定するのであるが、個々の機械及び装置の本体と同時に設置する自動調整装置又は原動機のような附属機器で当該本体と一体となって使用するものがある場合には、これらの附属機器を含めたところによりその判定を行うことができるものとする。

②(１)に規定する器具及び備品の１台又は１基の取得価額が30万円以上であるかどうかの判定についても、同様とする。（措通12の２－１）

（国庫補助金等をもって取得等した減価償却資産の取得価額）

（5）（1）に規定する機械及び装置並びに器具及び備品の１台又は１基の取得価額が500万円以上であるかどうかを判定する場合において、当該機械及び装置並びに器具及び備品が第一節**三１**①《国庫補助金等の総収入金額不算入》の規定の適用を受ける同①に規定する国庫補助金等に係るもの若しくは同**１**②に規定する国庫補助金等の交付に代わるべきものとして交付を受けるもの又は同**三２**①の規定の適用を受ける同①に規定する国庫補助金等をもって取得されたものであるときは、同**三１**④(一)又は同(二)又は同**三２**⑤の規定により計算した金額に基づいてその判定を行うものとする。

②(1)に規定する器具及び備品並びにソフトウエアの取得価額が30万円以上であるかどうかを判定する場合においても、同様とする。（措通12の２－２）

（主たる事業でない場合の適用）

（6）①から③までに規定する医療保健業は、個人が主たる事業としてこれらの事業を営んでいる必要はないのであるから留意する。（措通12の２－３）

（事業の判定）

（7）個人の営む事業が①から③までに規定する医療保健業に該当するかどうかは、おおむね日本標準産業分類（総務省）の分類を基準として判定する。（措通12の２－４）

②　勤務時間短縮用設備等を取得等した場合の特別償却

青色申告書を提出する個人で医療保健業を営むものが、平成31年４月１日から令和７年３月31日までの間に、器具及び備品（医療用の機械及び装置を含む。）並びにソフトウエア（(1)で定める規模のものに限る。）のうち、医療法第30条の３第１項に規定する医療提供体制の確保に必要な医師その他の医療従事者の勤務時間の短縮その他の医療従事者の確保に資する措置を講ずるために必要なものとして(2)で定めるもの（①の規定の適用を受けるものを除く。以下②及び④において「**勤務時間短縮用設備等**」という。）でその製作の後事業の用に供されたことのないものを取得し、又は勤務時間短縮用設備等を製作して、これを当該個人の営む医療保健業の用に供した場合（所有権移転外リース取引により取得した当該勤務時間短縮用設備等をその用に供した場合を除く。）には、その用に供した日の属する年における当該個人の事業所得の金額の計算上、当該勤務時間短縮用設備等の償却費として必要経費に算入する金額は、**五４**《減価償却資産の償却費の計算及びその償却の方法の通則》の規定にかかわらず、当該勤務時間短縮用設備等について同**４**の規定により計算した償却費の額とその取得価額の100分の15に相当する金額との合計額以下の金額で当該個人が必要経費として計算した金額とする。ただし、当該勤務時間短縮用設備等の償却費として同**４**の規定により必要経費に算入される金額を下ることはできない。（措法12の２②）

（②に規定する(1)で定める規模のもの）

（1）②に規定する(1)で定める規模のものは、器具及び備品（医療用の機械及び装置を含む。(2)において同じ。）にあっては一台又は一基の取得価額が30万円以上のものとし、ソフトウエアにあっては一のソフトウエアの取得価額が30万円以上のものとする。（措令６の４③）

（②に規定する(2)で定めるもの）

（2）②に規定する(2)で定めるものは、器具及び備品並びに特定ソフトウエアのうち、医療法第30条の21第１項第１号に掲げる事務を実施する都道府県の機関（同条第２項の規定による委託に係る事務（同号に掲げる事務に係るものに限る。）を実施する者を含む。以下(2)において「相談機関」という。）の助言を受けて作成される医師その他の医療従事者の勤務時間を短縮するための計画として医療従事者の勤務時間の実態、勤務時間の短縮のための対策、その対策に有用な設備の機能その他の厚生労働大臣が定める事項が記載された計画（当該相談機関の長（当該相談機関が同条第２項の規定による委託を受けた者である場合には、当該相談機関の長及びその委託をした都道府県知事）による医師の勤務時間の短縮に特に資するものである旨の確認があるもの（記載された当該事項につき変更がある場合には、その変更後の計画に係る当該確認があるもの）に限る。以下(2)において「医師等勤務時間短縮計画」という。）に基づき当該個人が取得し、又は製作するもの（(一)において「計画設備等」という。）として当該医師等勤務時間短縮計画に記載されたもの（次の(一)及び(二)に掲げる要件の全てを満たす場合における当該記載されたものに限る。）とする。（措令６の４④、平31厚生労働省告示第153号）

(一)	当該医師等勤務時間短縮計画に当該計画設備等が医療従事者の勤務時間の短縮に資する機能別の機器の種類として厚生労働大臣が指定するものに該当する旨の記載があること。
(二)	当該医師等勤務時間短縮計画の写しを②の規定の適用を受ける年分の確定申告書に添付すること。

((2)に規定する特定ソフトウエア)

(3)　(2)に規定する特定ソフトウエアとは、電子計算機に対する指令であって一の結果を得ることができるように組み合わされたもの（これに関連する(4)で定める書類を含む。）をいう。(措令6の4⑤)

((3)に規定する(4)で定める書類)

(4)　(3)に規定する(4)で定める書類は、システム仕様書その他の書類とする。(措規5の14)

③　構想適合病院用建物等の取得等をした場合の特別償却

青色申告書を提出する個人で医療保健業を営むものが、平成31年4月1日から令和7年3月31日までの間に、医療法第30条の4第1項に規定する医療計画に係る同法第30条の14第1項に規定する構想区域等（以下③において「**構想区域等**」という。）内において、病院用又は診療所用の建物及びその附属設備のうち当該構想区域等に係る同条第1項の協議の場における協議に基づく病床の機能（同法第30条の3第2項第6号に規定する病床の機能をいう。）の分化及び連携の推進に係るものとして(1)で定めるもの（以下③及び④において「**構想適合病院用建物等**」という。）の取得等（取得又は建設をいい、改修（増築、改築、修繕又は模様替をいう。）のための工事による取得又は建設を含む。）をして、これを当該個人の営む医療保健業の用に供した場合（所有権移転外リース取引により取得した当該構想適合病院用建物等をその用に供した場合を除く。）には、その用に供した日の属する年における当該個人の事業所得の金額の計算上、当該構想適合病院用建物等の償却費として必要経費に算入する金額は、**五4**の規定にかかわらず、当該構想適合病院用建物等について同**4**の規定により計算した償却費の額とその取得価額の100分の8に相当する金額との合計額以下の金額で当該個人が必要経費として計算した金額とする。ただし、当該構想適合病院用建物等の償却費として同**4**の規定により必要経費に算入される金額を下ることはできない。(措法12の2③)

(③に規定する(1)で定めるもの)

(1)　③に規定する(1)で定めるものは、③に規定する構想区域等内において医療保健業の用に供される病院用又は診療所用の建物及びその附属設備のうち次の(一)及び(二)に掲げる要件のいずれかに該当するもので、当該構想区域等に係る③の協議の場における協議に基づく病床の機能区分（医療法第30条の13第1項に規定する病床の機能区分をいう。(二)において同じ。）に応じた病床数の増加に資するものであることについて当該構想区域等に係る都道府県知事のその旨を確認した書類を③の規定の適用を受ける年分の確定申告書に添付することにより証明がされたものとする。(措令6の4⑥)

(一)	医療保健業の用に供されていた病院用又は診療所用の建物及びその附属設備（(二)において「既存病院用建物等」という。）についてその用途を廃止し、これに代わるものとして新たに建設されるものであること。
(二)	その改修（③に規定する改修をいう。）により既存病院用建物等において病床の機能区分のうちいずれかのものに応じた病床数が増加する場合の当該改修のための工事により取得又は建設をされるものであること。

(特別償却の対象となる建物の附属設備)

(2)　③に規定する建物の附属設備は、当該建物とともに取得等（③に規定する「取得等」をいう。）をする場合における建物附属設備に限られることに留意する。(措通12の2－6)

④　7②の規定の準用（特別償却不足額の繰越し）

7②の規定は、①の規定の適用を受ける医療用機器、②の規定の適用を受ける勤務時間短縮用設備等又は③の規定の適用を受ける構想適合病院用建物等の償却費の額を計算する場合について準用する。この場合において、**7②**中「その合計償却限度額」とあるのは、「**13**①本文、同②本文又は同③本文の規定により必要経費に算入することができる償却費の限度額」と読み替えるものとする。(措法12の2④)

（被相続人に係る償却不足額の取扱い及び償却不足額の処理についての留意事項）

（１）　**7**②（３）及び同②（４）の取扱いは、④の規定を適用する場合について準用する。この場合において、これらの取扱い中「青色申告書を提出する者」とあるのは「青色申告書を提出する者で医療保健業を営むもの」と読み替えるものとする。（措通12の２－５）

（特別償却等の適用を受けたものの意義）

（２）　減価償却資産又は繰延資産について①の規定による特別償却額を必要経費に算入していない場合であっても、その年分の確定申告書にその特別償却額の繰越しに関する記載、明細書の添付等があるときは、その減価償却資産又は繰延資産について①の規定の適用を受けたものに該当することに留意する。（措通10の３～15共－１）

（償却不足額の繰越しをする場合の償却限度額の計算）

（３）　①の規定による特別償却額の償却不足額の繰越しをする減価償却資産又は繰延資産につき、そのよるべき償却の方法として旧定率法、定率法又は取替法を採用している場合の償却不足額を生じた年の翌年分の当該減価償却資産又は繰延資産の償却限度額の計算の基礎となる普通償却額は、その償却不足額が既に償却されたものとみなして旧定率法、定率法又は取替法により計算した場合の当該翌年分の普通償却額とする。（措通10の３～15共－２）

⑤　7③の規定の準用（特別償却の明細書の添付）

7③の規定は、①から④までの規定を適用する場合について準用する。（措法12の２⑤）

⑥　特別償却の対象となる医療用機器等の範囲

（平21厚生労働省告示第248号、最終改正令５同省告示第166号）

別表

項	機械等
1	主にがんの検査、治療、療養のために用いられる機械等のうち次に掲げるもの

一　核医学診断用検出器回転型ＳＰＥＣＴ装置	四十四　内視鏡ビデオ画像システム
二　核医学診断用リング型ＳＰＥＣＴ装置	四十五　ビデオ軟性十二指腸鏡
三　核医学診断用ポジトロンＣＴ装置	四十六　ビデオ軟性大腸鏡
四　骨放射線吸収測定装置	四十七　ビデオ軟性腹腔鏡
五　骨放射線吸収測定装置用放射線源	四十八　ビデオ硬性腹腔鏡
六　ＲＩ動態機能検査装置	四十九　ビデオ軟性小腸鏡
七　放射性医薬品合成設備	五十　ビデオ軟性胆道鏡
八　核医学診断用直線型スキャナ	五十一　ビデオ軟性腎盂鏡
九　核医学装置用手持型検出器	五十二　ビデオ軟性尿管腎盂鏡
十　甲状腺摂取率測定用核医学装置	五十三　ビデオ軟性胃十二指腸鏡
十一　核医学装置ワークステーション	五十四　ビデオ軟性口腔鏡
十二　Ｘ線ＣＴ組合せ型ポジトロンＣＴ装置	五十五　ビデオ軟性耳内視鏡
十三　ポジトロンＣＴ組合せ型ＳＰＥＣＴ装置	五十六　ビデオ軟性鼻咽喉鏡
十四　診断用核医学装置及び関連装置吸収補正向け密封線源	五十七　ビデオ軟性胸腔鏡
十五　肺換気機能検査用テクネガス発生装置	五十八　ビデオ軟性子宮鏡
十六　Ｘ線ＣＴ組合せ型ＳＰＥＣＴ装置	五十九　ビデオ軟性神経内視鏡
十七　超電導磁石式乳房用ＭＲ装置	六十　内視鏡ビデオ画像プロセッサ
十八　超電導磁石式全身用ＭＲ装置	六十一　内視鏡用光源・プロセッサ装置
十九　超電導磁石式頭部・四肢用ＭＲ装置	六十二　内視鏡用ビデオカメラ
二十　超電導磁石式循環器用ＭＲ装置	六十三　送気送水機能付内視鏡用光源・プロセッサ装置
二十一　永久磁石式頭部・四肢用ＭＲ装置	六十四　超音波内視鏡観測システム
二十二　永久磁石式全身用ＭＲ装置	六十五　超音波軟性胃十二指腸鏡
二十三　永久磁石式乳房用ＭＲ装置	六十六　超音波軟性十二指腸鏡
二十四　永久磁石式循環器用ＭＲ装置	六十七　超音波軟性気管支鏡
二十五　ＭＲ装置用高周波コイル	六十八　内視鏡用電気手術器
二十六　ＭＲ装置ワークステーション	六十九　内視鏡用モニタ・シールド付電気手術器
二十七　移動型超音波画像診断装置	七十　硬性腹腔鏡
二十八　汎用超音波画像診断装置	七十一　バルーン小腸内視鏡システム
二十九　超音波装置用コンピュータ	七十二　腹腔鏡用ガス気腹装置
三十　超音波装置オペレータ用コンソール	七十三　非中心循環系アフターローディング式ブラキセラピー装置
三十一　超音波頭部用画像診断装置	七十四　定位放射線治療用放射性核種システム
三十二　産婦人科用超音波画像診断装置	七十五　定位放射線治療用加速器システム
三十三　乳房用超音波画像診断装置	七十六　線形加速器システム
三十四　循環器用超音波画像診断装置	七十七　粒子線治療装置
三十五　膀胱用超音波画像診断装置	七十八　放射線治療シミュレータ
三十六　超音波増幅器	七十九　ＰＤＴ半導体レーザ
三十七　超音波プローブポジショニングユニット	八十　放射線治療装置用シンクロナイザ
三十八　内視鏡用テレスコープ	八十一　高周波式ハイパサーミアシステム
三十九　ビデオ軟性気管支鏡	八十二　自動細胞診装置
四十　ビデオ軟性胃内視鏡	八十三　クリオスタットミクロトーム
四十一　ビデオ軟性Ｓ字結腸鏡	八十四　滑走式ミクロトーム
四十二　ビデオ軟性膀胱尿道鏡	八十五　自動染色装置
四十三　ビデオ軟性喉頭鏡	

八十六　検体前処理装置	

2　主に心臓疾患の検査、治療、療養のために用いられる機械等のうち次に掲げるもの

一　人工心肺用システム	八　補助人工心臓駆動装置
二　体外循環装置用遠心ポンプ駆動装置	九　心臓カテーテル用検査装置
三　エキシマレーザ血管形成器	十　ＯＣＴ画像診断装置
四　経皮心筋焼灼術用電気手術ユニット	十一　多相電動式造影剤注入装置
五　アテローム切除アブレーション式血管形成術用カテーテル駆動装置	十二　ホルタ解析装置
六　循環補助用心内留置型ポンプカテーテル用制御装置	十三　心臓運動負荷モニタリングシステム
七　補助循環用バルーンポンプ駆動装置	十四　運動負荷試験用コンピュータ
	十五　体外循環用血液学的パラメータモニタ
	十六　心臓マッピングシステムワークステーション

3　主に糖尿病等の生活習慣病の検査、治療、療養のために用いられる機械等のうち次に掲げるもの

一　眼科用レーザ光凝固装置	十　眼軸長計測機能付レフラクト・ケラトメータ
二　眼科用パルスレーザ手術装置	十一　房水・フレアセルアナライザ
三　眼科用ＰＤＴレーザ装置	十二　光学式眼内寸法測定装置
四　眼科用レーザ光凝固・パルスレーザ手術装置	十三　眼科用電気手術器
五　眼科用レーザ角膜手術装置	十四　白内障・硝子体手術装置
六　視覚誘発反応刺激装置	十五　可搬型手術用顕微鏡（眼科医療又は歯科医療の用に供するものに限る。）
七　眼底カメラ（補償光学技術を用いるものに限る。）	十六　顕微鏡付属品
八　眼撮影装置	
九　瞳孔計機能付き角膜トポグラフィーシステム	

4　主に脳血管疾患又は精神疾患の検査、治療、療養のために用いられる機械等のうち次に掲げるもの

一　患者モニタシステム	六　脳波計
二　セントラルモニタ	七　マップ脳波計
三　解析機能付きセントラルモニタ	八　長時間脳波解析装置
四　不整脈モニタリングシステム	九　機能検査オキシメータ
五　誘発反応測定装置	

5　主に歯科疾患の検査、治療、療養のために用いられる機械等のうち次に掲げるもの

一　歯科用ユニット	八　デジタル式歯科用パノラマ・断層撮影Ｘ線診断装置
二　歯科用オプション追加型ユニット	九　チェアサイド型歯科用コンピュータ支援設計・製造ユニット
三　炭酸ガスレーザ	十　デジタル印象採得装置
四　エルビウム・ヤグレーザ	十一　アーム型Ｘ線ＣＴ診断装置
五　ネオジミウム・ヤグレーザ	十二　歯科技工室設置型コンピュータ支援設計・製造ユニット
六　ネオジミウム・ヤグ倍周波数レーザ	
七　デジタル式歯科用パノラマＸ線診断装置	

6　異常分娩における母胎の救急救命、新生児医療、救急医療、難病、感染症疾患その他高度な医療における検査、治療、療養のために用いられる機械等のうち次に掲げるもの

一　全身用Ｘ線ＣＴ診断装置（４列未満を除く。）	七　透析用監視装置
二　部位限定Ｘ線ＣＴ診断装置（４列未満を除く。）	八　多用途透析装置
三　人体回転型全身用Ｘ線ＣＴ診断装置（４列未満を除く。）	九　多用途血液処理用装置
四　人工腎臓装置	十　超音波手術器
五　個人用透析装置	十一　据置型デジタル式汎用Ｘ線診断装置
六　多人数用透析液供給装置	十二　移動型アナログ式汎用Ｘ線診断装置
	十三　移動型アナログ式汎用一体型Ｘ線診断装置

十四　ポータブルアナログ式汎用一体型Ｘ線診断装置
十五　据置型アナログ式汎用Ｘ線診断装置
十六　据置型アナログ式汎用一体型Ｘ線診断装置
十七　移動型デジタル式汎用Ｘ線診断装置
十八　移動型デジタル式汎用一体型Ｘ線診断装置
十九　移動型アナログ式汎用一体型Ｘ線透視診断装置
二十　移動型デジタル式汎用一体型Ｘ線透視診断装置
二十一　据置型デジタル式汎用Ｘ線透視診断装置
二十二　据置型デジタル式循環器用Ｘ線透視診断装置
二十三　据置型アナログ式乳房用Ｘ線診断装置
二十四　据置型デジタル式乳房用Ｘ線診断装置
二十五　腹部集団検診用Ｘ線診断装置
二十六　胸部集団検診用Ｘ線診断装置
二十七　胸・腹部集団検診用Ｘ線診断装置
二十八　歯科集団検診用パノラマＸ線撮影装置
二十九　単一エネルギー骨Ｘ線吸収測定装置
三十　単一エネルギー骨Ｘ線吸収測定一体型装置
三十一　二重エネルギー骨Ｘ線吸収測定装置七十三　新生児モニタ
三十二　二重エネルギー骨Ｘ線吸収測定一体型装置
三十三　Ｘ線ＣＴ組合せ型循環器Ｘ線診断装置
三十四　コンピューテッドラジオグラフ
三十五　Ｘ線平面検出器出力読取式デジタルラジオグラフ
三十六　Ｘ線平面検出器
三十七　麻酔システム
三十八　閉鎖循環式麻酔システム
三十九　汎用血液ガス分析装置
四十　レーザー処置用能動器具
四十一　前立腺組織用水蒸気デリバリーシステム
四十二　パルスホルミウム・ヤグレーザ
四十三　血球計数装置
四十四　血液凝固分析装置
四十五　ディスクリート方式臨床化学自動分析装置
四十六　酵素免疫測定装置
四十七　免疫発光測定装置
四十八　質量分析装置
四十九　尿沈渣分析装置
五十　血液培養自動分析装置
五十一　微生物分類同定分析装置
五十二　微生物感受性分析装置
五十三　微生物培養装置
五十四　体内式衝撃波結石破砕装置
五十五　体内挿入式レーザ結石破砕装置
五十六　体内挿入式超音波結石破砕装置
五十七　体内挿入式電気水圧衝撃波結石破砕装置
五十八　圧縮波結石破砕装置
五十九　微小火薬挿入式結石破砕装置
六十　体内式結石破砕治療用単回使用超音波トランスデューサアセンブリ
六十一　腎臓ウォータージェットカテーテルシステム
六十二　体内挿入式結石穿孔破砕装置
六十三　Ｘ線透視型体内挿入式結石機械破砕装置
六十四　体外式結石破砕装置
六十五　手術用ロボット手術ユニット
六十六　汎用画像診断装置ワークステーション
六十七　体外衝撃波疼痛治療装置
六十八　中心静脈留置型経皮的体温調節装置システム
六十九　能動型上肢用他動運動訓練装置
七十　気管支サーモプラスティ用カテーテルシステム
七十一　血液照射装置
七十二　睡眠評価装置
七十三　新生児モニタ
七十四　胎児心臓モニタ
七十五　汎用人工呼吸器
七十六　陰圧人工呼吸器
七十七　成人用人工呼吸器
七十八　新生児・小児用人工呼吸器

14　事業再編計画の認定を受けた場合の事業再編促進機械等の割増償却

（注）1　令和6年4月1日以後、14は削られた。（令6改所法等附1、令6改措令附1、令6改措規附1）

2　個人が取得又は製作若しくは建設（以下において「取得等」という。）をした改正前の14①に規定する事業再編促進機械等で令和6年4月1日前に受けた農業競争力強化支援法第18条第1項の認定に係る同法第19条第2項に規定する認定事業再編計画に記載されたもの（個人が同日以後に取得等をする改正前の14①に規定する事業再編促進機械等にあっては、同日の前日において記載されているものに限る。）については、なお従前の例による。（令6改所法等附29②）

①　割増償却

青色申告書を提出する個人で農業競争力強化支援法（平成29年法律第35号）第19条第1項に規定する認定事業再編事業者（同法の施行の日（平成29年8月1日）から令和7年3月31日までの間に同法第18条第1項の認定を受けた個人に限る。）であるものが、当該認定に係る同法第18条第1項に規定する事業再編計画（同法第19条第1項の規定による変更の認定があったときはその変更後のものとし、その事業再編計画に係る同法第2条第5項に規定する事業再編が同項第1号の措置のうち良質かつ低廉な農業資材の供給又は同条第2項に規定する農産物流通等の合理化に特に資するものとして（1）で定めるものを行うものである場合における当該事業再編計画に限る。以下において「**認定事業再編計画**」という。）に係る同法第18条第3項第2号の実施期間内において、当該認定事業再編計画に記載された同条第5項に規定する事業再編促進設備等を構成する機械及び装置、建物及びその附属設備並びに構築物（以下において「**事業再編促進機械等**」という。）でその製作若しくは建設の後事業の用に供されたことのないものを取得し、又は事業再編促進機械等を製作し、若しくは建設して、これを当該個人の事業再編促進対象事業（同法第2条第7項に規定する事業再編促進対象事業をいう。以下において同じ。）の用に供した場合（所有権移転外リース取引により取得した当該事業再編促進機械等をその事業再編促進対象事業の用に供した場合を除く。）には、その事業再編促進対象事業の用に供した日（以下において「**供用日**」という。）以後5年以内の日の属する各年分の事業所得の金額の計算上、当該事業再編促進機械等の償却費として必要経費に算入する金額は、供用日以後5年以内（当該認定事業再編計画について同法第19条第2項又は第3項の規定による認定の取消しがあった場合には、供用日からその認定の取消しがあった日までの期間）でその用に供している期間に限り、**五4**《減価償却資産の償却費の計算及びその償却の方法の通則》の規定にかかわらず、当該事業再編促進機械等について同**4**の規定により計算した償却費の額で当該期間に係るものの100分の135（建物及びその附属設備並びに構築物については、100分の140）に相当する金額以下の金額で、当該個人が必要経費として計算した金額とする。ただし、当該事業再編促進機械等の償却費として同**4**の規定により必要経費に算入される金額を下ることはできない。（旧措法13①）

（①に規定する（1）で定めるもの）

（1）　①に規定する（1）で定めるものは、農業競争力強化支援法第2条第5項第1号の農業生産関連事業の譲渡又は譲受け並びに農業競争力強化支援法施行規則第1条第1項第3号、第4号、第9号及び第10号に掲げる措置とする。（旧措規5の15①）

（確定申告書への必要書類添付）

（2）　個人が、その取得し、又は製作し、若しくは建設した機械及び装置、建物及びその附属設備並びに構築物（以下（2）において「機械等」という。）につき①の規定の適用を受ける場合には、当該機械等につき①の規定の適用を受ける最初の年分の確定申告書に（3）で定める書類を添付しなければならない。（旧措令6の5）

（（2）に規定する（3）で定める書類）

（3）　（2）に規定する（3）で定める書類は、（2）に規定する機械等が記載された農業競争力強化支援法第18条第1項の認定に係る①に規定する事業再編計画（農業競争力強化支援法第19条第1項の規定による変更の認定があったときは、その変更後のもの）のその認定に係る農業競争力強化支援法施行規則第4条第1項の申請書（当該事業再編計画が当該変更後のものである場合には、同令第7条第1項の申請書を含む。）の写し及び当該事業再編計画に係る同令第6条第1項の認定書（当該事業再編計画が当該変更後のものである場合には、同令第7条第4項の認定書を含む。）の写しとする。（旧措規5の15②）

（特別償却の対象となる建物の附属設備の範囲）

（4）　①に規定する建物の附属設備は、当該建物とともに取得又は建設をする建物附属設備に限られることに留意する。（旧措通13－1）

（相続により事業再編促進機械等を承継した者に対する取扱い）

（5）　①に規定する事業再編促進機械等（以下**14**において「事業再編促進機械等」という。）を相続（包括遺贈を含む。以下において同じ。）により取得した者の①の規定の適用については、当該相続により取得した者が、①に規定する事業を当該相続により承継した者であり、かつ、当該相続の開始があった日の属する年分の所得税につき青色申告書を提出できる者で①に規定する認定事業再編事業者（以下**14**において「認定事業再編事業者」という。）に該当するものである場合には、当該相続により取得した者が当該事業再編促進機械等を引き続き有していたものとみなし、①の規定に基づき、当該相続の日の属する年分以後の各年分の償却費の額を計算することができるものとする。

この場合において、当該相続の日の属する年分の当該相続により取得した当該事業再編促進機械等につき必要経費に算入すべき償却費の額の計算に当たっては、**五10ロ**①(一)《年の中途で業務の用に供した減価償却資産等の償却費の特例》の規定に準じて計算する。

また、被相続人の当該事業再編促進機械等に係る償却費の額の計算につき②の規定による償却不足額があるときは、②の規定に準じて償却費の額を計算する。（旧措通13－２）

②　割増償却不足額の繰越し

①の規定の適用を受けた年において①の規定により当該事業再編促進機械等の償却費として必要経費に算入した金額がその年における①本文の規定により必要経費に算入することができる償却費の限度額に満たない場合には、その年の翌年分の事業所得の金額の計算上、当該事業再編促進機械等の償却費として必要経費に算入する金額は、**五４**の規定（当該事業再編促進機械等について①の規定の適用を受けるときは、①の規定を含む。）にかかわらず、当該事業再編促進機械等の償却費として**五４**の規定により必要経費に算入する金額（その年の翌年において当該事業再編促進機械等につき①の規定の適用を受ける場合には、当該翌年における①の規定により必要経費に算入することができる償却費の限度額に相当する金額）とその満たない金額以下の金額で当該個人が必要経費として計算した金額との合計額に相当する金額とすることができる。（旧措法13②）

（償却不足額の処理についての留意事項）

（1）　②の規定は、②の規定の適用を受けようとする年分について青色申告書を提出する認定事業再編事業者であり、かつ、①の規定の適用を受けた事業再編促進機械等を引き続きその営む事業の用に供している場合に限り適用があることに留意する。（旧措通13－３）

（特別償却等の適用を受けたものの意義）

（2）　減価償却資産又は繰延資産について①の規定による特別償却額又は割増償却額を必要経費に算入していない場合であっても、その年分の確定申告書にその特別償却額又は割増償却額の繰越しに関する記載、明細書の添付等があるときは、その減価償却資産又は繰延資産について①の規定の適用を受けたものに該当することに留意する。（措通10の３～15共－１）

（償却不足額の繰越しをする場合の償却限度額の計算）

（3）　①の規定による特別償却額又は割増償却額の償却不足額の繰越しをする減価償却資産又は繰延資産につき、そのよるべき償却の方法として旧定率法、定率法又は取替法を採用している場合の償却不足額を生じた年の翌年分の当該減価償却資産又は繰延資産の償却限度額の計算の基礎となる普通償却額は、その償却不足額が既に償却されたものとみなして旧定率法、定率法又は取替法により計算した場合の当該翌年分の普通償却額とする。（措通10の３～15共－２）

③　7③の規定の準用（特別償却不足額の繰越し）

7《特定船舶の特別償却》③の規定は、①及び②の規定を適用する場合について準用する。（旧措法13③）

15　輸出事業用資産の割増償却

①　輸出事業用資産の割増償却

青色申告書を提出する個人で農林水産物及び食品の輸出の促進に関する法律（令和元年法律第57号）第38条第１項に規定する認定輸出事業者であるものが、農林水産物及び食品の輸出の促進に関する法律等の一部を改正する法律（令和４年法律第49号）の施行の日（令和４年10月１日）から令和８年３月31日までの間に、当該個人の認定輸出事業計画（同条第２項に規定する認定輸出事業計画をいう。）に記載された農林水産物及び食品の輸出の促進に関する法律第37条第３項に規定する施設に該当する機械及び装置、建物及びその附属設備並びに構築物のうち、同法第２条第１項に規定する農林水産物若しくは同条第２項に規定する食品の生産、製造、加工若しくは流通の合理化、高度化その他の改善に資するものとして（1）で定めるもの（開発研究（新たな製品の製造又は新たな技術の発明に係る試験研究として（2）で定めるものをいう。）の用に供されるものを除く。以下①及び②において「**輸出事業用資産**」という。）でその製作若しくは建設の後事業の用に供されたことのないものを取得し、又は輸出事業用資産を製作し、若しくは建設して、これを当該個人の輸出事業（同法第37条第１項に規定する輸出事業をいう。以下①において同じ。）の用に供した場合（所有権移転外リース取引により取得した当該輸出事業用資産をその輸出事業の用に供した場合を除く。）には、その輸出事業の用に供した日（以下①において「供用日」という。）以後５年以内の日の属する各年分（当該輸出事業用資産を輸出事業の用に供していることにつき（3）で定めるところにより証明がされた年分に限る。）の事業所得の金額の計算上、当該輸出事業用資産の償却費として必要経費に算入する金額は、供用日以後５年以内（当該認定輸出事業計画について同法第38条第２項の規定による認定の取消しがあった場合には、供用日からその認定の取消しがあった日までの期間）でその用に供している期間に限り、**五４**の規定にかかわらず、当該輸出事業用資産について同**４**の規定により計算した償却費の額で当該期間に係るものの100分の130（建物及びその附属設備並びに構築物については、100分の135）に相当する金額以下の金額で当該個人が必要経費として計算した金額とする。ただし、当該輸出事業用資産の償却費として同**４**の規定により必要経費に算入される金額を下ることはできない。（措法13①）

（注）　改正後の**15**①の規定は、個人が令和６年４月１日以後に取得等をする同①に規定する輸出事業用資産について適用され、個人が同日前に取得等をした改正前の**15**①に規定する輸出事業用資産については、なお従前の例による。（令６改所法等附29③）

（①に規定する合理化、高度化その他の改善に資するものとして（1）で定めるもの）

（1）　①に規定する合理化、高度化その他の改善に資するものとして（1）で定めるものは、機械及び装置、建物及びその附属設備並びに構築物のうち、①に規定する農林水産物又は①に規定する食品の生産、製造、加工又は流通の合理化、高度化その他の改善に資するものとして農林水産大臣が定める要件を満たすものとする。（措令６の５①、令４農林水産省告示第1476号（最終改正令６同省告示第680号））

（注）　農林水産大臣は、（1）の規定により要件を定めたときは、これを告示する。（措令６の５③）

（①に規定する試験研究として（2）で定めるもの）

（2）　①に規定する試験研究として（2）で定めるものは、次の(一)から(四)までに掲げる試験研究とする。（措令６の５②）

(一)	新たな製品のうち当該個人の既存の製品と構造、品種その他の特性が著しく異なるものの製造を目的として行う試験研究
(二)	新たな製品を製造するために行う新たな資源の利用方法の研究
(三)	新たな製品を製造するために現に企業化されている製造方法その他の生産技術を改善することを目的として行う試験研究
(四)	新たな技術のうち当該個人の既存の技術と原理又は方法が異なるものの発明を目的として行う試験研究

（①に規定する（3）で定めるところにより証明された年分）

（3）　①に規定する（3）で定めるところにより証明がされた年分は、①に規定する輸出事業用資産につき①の規定の適用を受けようとする年分の当該輸出事業用資産に係る農林水産省関係農林水産物及び食品の輸出の促進に関する法律施行規則（令和２年農林水産省令第22号）第８条第１項の証明書の写しを当該年分の確定申告書に添付することにより証明がされた当該年分とする。（措規５の15）

（特別償却の対象となる建物の附属設備の範囲）

（4）　①に規定する建物の附属設備は、当該建物とともに取得又は建設をする場合における建物附属設備に限られることに留意する。（措通13－1）

② **割増償却不足額の繰越し**

①の規定の適用を受けた年において①の規定により当該輸出事業用資産の償却費として必要経費に算入した金額がその年における①本文の規定により必要経費に算入することができる償却費の限度額に満たない場合には、その年の翌年分の事業所得の金額の計算上、当該輸出事業用資産の償却費として必要経費に算入する金額は、第六章第二節**五4**の規定（当該輸出事業用資産について①の規定の適用を受けるときは、①の規定を含む。）にかかわらず、当該輸出事業用資産の償却費として同**4**の規定により必要経費に算入する金額（その年の翌年において当該輸出事業用資産につき①の規定の適用を受ける場合には、当該翌年における①の規定により必要経費に算入することができる償却費の限度額に相当する金額）とその満たない金額以下の金額で当該個人が必要経費として計算した金額との合計額に相当する金額とすることができる。（措法13②）

③　**7③の規定の準用（特別償却の明細書の添付）**

7③の規定は、①及び②の規定を適用する場合について準用する。（措法13③）

（開発研究の意義）

（1）　①に規定する開発研究とは、①（2）(一)から同(四)に掲げる試験研究をいうのであるが、次に掲げるような試験研究を基礎とし、これらの試験研究の成果を企業化するためのデータの収集も含まれることに留意する。（措通13－2）

(一)　新たな製品のうち当該個人の既存の製品と構造、品種その他の特性が著しく異なるものの製造を目的として行う試験研究

(二)　新たな製品を製造するために行う新たな資源の利用方法の研究

(三)　新たな技術のうち当該個人の既存の技術と原理又は方法が異なるものの発明を目的として行う試験研究

（相続により輸出事業用資産を承継した者に対する取扱い）

（2）　①に規定する輸出事業用資産（以下**15**において「輸出事業用資産」という。）を相続（包括遺贈を含む。以下**17**までにおいて同じ。）により取得した者の①の規定の適用については、当該相続により取得した者が、①に規定する事業を当該相続により承継した者であり、かつ、当該相続の開始があった日の属する年分の所得税につき青色申告書を提出できる者で①に規定する認定輸出事業者（以下**15**において「認定輸出事業者」という。）に該当するものである場合には、当該相続により取得した者が当該輸出事業用資産を引き続き有していたものとみなし、①の規定に基づき、当該相続の日の属する年分以後の各年分の償却費の額を計算することができるものとする。

この場合において、当該相続の日の属する年分の当該相続により取得した当該輸出事業用資産につき必要経費に算入すべき償却費の額の計算に当たっては、**五10ロ**①(一)《年の中途で業務の用に供した減価償却資産等の償却費の特例》の規定に準じて計算する。

また、被相続人の当該輸出事業用資産に係る償却費の額の計算につき②の規定による償却不足額があるときは、②の規定に準じて償却費の額を計算する。（措通13－3）

（償却不足額の処理についての留意事項）

（3）　②の規定は、②の規定の適用を受けようとする年分について青色申告書を提出する認定輸出事業者であり、かつ、①の規定の適用を受けた輸出事業用資産を引き続きその営む事業の用に供している場合に限り適用があることに留意する。（措通13－4）

16　特定都市再生建築物の割増償却

①　割増償却

青色申告書を提出する個人が、昭和60年４月１日から令和８年３月31日までの間に、特定都市再生建築物で新築されたものを取得し、又は特定都市再生建築物を新築して、これを当該個人の**事業**（事業と称するに至らない当該特定都市再生建築物の貸付けその他これに類する行為で相当の対価を得て継続的に行うものを含む。以下①において同じ。）の用に供した場合（所有権移転外リース取引により取得した当該特定都市再生建築物をその事業の用に供した場合を除く。）には、その事業の用に供した日以後５年以内の日の属する各年分の不動産所得の金額又は事業所得の金額の計算上、当該特定都市再生建築物の償却費として必要経費に算入する金額は、その事業の用に供した日以後５年以内でその用に供している期間に限り、**五４**《減価償却資産の償却費の計算及びその償却の方法の通則》の規定にかかわらず、当該特定都市再生建築物について同**４**の規定により計算した償却費の額で当該期間に係るもの《**普通償却費の額**》の100分の125（②(一)に掲げる地域内において整備される建築物に係るものについては、100分の150）に相当する金額《**償却限度額**》以下の金額で当該個人が必要経費として計算した金額とする。ただし、当該特定都市再生建築物の償却費として同**４**の規定により必要経費に算入される金額を下ることはできない。（措法14①、措令７①）

$$償却限度額＝普通償却費の額\times\frac{125}{100}\left[\begin{array}{l}②の(一)に掲げる地域内において整備さ\\れる建築物に係るものについては\frac{150}{100}\end{array}\right]$$

②　特定都市再生建築物の範囲

①に規定する特定都市再生建築物とは、次の(一)及び(二)に掲げる地域内において、都市再生特別措置法第25条に規定する認定計画（(一)に掲げる地域については同法第19条の２第11項の規定により公表された同法第19条の10第２項に規定する整備計画及び国家戦略特別区域法第25条第１項の認定を受けた同項に規定する国家戦略民間都市再生事業を定めた同項の区域計画を、(二)に掲げる地域については当該区域計画を、それぞれ含む。）に基づいて行われる都市再生特別措置法第20条第１項に規定する都市再生事業（(１)で定める要件を満たすものに限る。）により整備される建築物で(２)で定めるものに係る建物及びその附属設備をいう。（措法14②）

(一)	都市再生特別措置法第２条第５項に規定する特定都市再生緊急整備地域
(二)	都市再生特別措置法第２条第３項に規定する都市再生緊急整備地域（(一)に掲げる地域に該当するものを除く。）

（都市再生事業の要件）

(１)　上記に規定する(１)で定める要件は、(一)及び(二)又は(一)及び(三)に掲げる要件とする。（措令７②）

(一)	都市再生特別措置法第20条第１項に規定する都市再生事業の施行される土地の区域（以下(二)において「事業区域」という。）内に地上階数10以上又は延べ面積が75,000平方メートル以上の建築物が整備されること。
(二)	事業区域内において整備される公共施設（都市再生特別措置法第２条第２項に規定する公共施設をいう。）の用に供される土地の面積の当該事業区域の面積のうちに占める割合が100分の30以上であること。
(三)	都市再生特別措置法第29条第１項第１号に規定する都市の居住者等の利便の増進に寄与する施設の整備に要する費用の額（当該施設に係る土地等（土地又は土地の上に存する権利をいう。）の取得に必要な費用の額及び借入金の利子の額を除く。）が10億円以上であること。

（都市再生事業により整備される耐火建築物としての証明）

(２)　上記に規定する(２)で定めるものは、上記に規定する都市再生事業により整備される建築基準法第２条第９号の２に規定する耐火建築物で当該都市再生事業に係る都市再生特別措置法第23条に規定する認定事業者、同法第19条の10第２項の規定により同法第20条第１項の認定があったものとみなされた同法第19条の10第２項の実施主体又は国家戦略特別区域法第25条第１項の規定により都市再生特別措置法第21条第１項の計画の認定があったものとみなされた国家戦略特別区域法第25条第１項の実施主体に該当する個人が取得するものであることにつき(３)で定めるところにより証明がされたものとする。（措令７③）

（都市再生事業により整備される耐火建築物としての証明されたもの）

（3）　（2）に規定する（3）で定めるところにより証明されたものは、国土交通大臣の当該建築物が（2）に規定する都市再生整備事業により整備される（2）に規定する耐火建築物で（2）に規定する個人が取得するものである旨を証する書類により証明がされたものとする。（措規6①）

（特定都市再生建築物の範囲）

（4）　①の規定の適用を受けることができる①に規定する特定都市再生建築物（以下**16**の関係において「特定都市再生建築物」という。）は、①に定める期間内に新築されたもので、かつ、新築後使用されたことのないものに限られるのであるから、当該期間内に新築されたものであっても、新築後他の用に使用されていたもの又は他から取得した中古建築物については適用がないことに留意する。（措通14－1）

（特定都市再生建築物に該当する建物附属設備の範囲）

（5）　②に規定する建物附属設備は、その特定都市再生建築物に係る事業計画に基づいて設置される建物附属設備に限られる。（措通14－2）

（用途変更等があった場合の適用）

（6）　①の規定の適用を受けた建築物につき用途変更等があった場合には、その用途変更等があった都度当該建築物が②に定める要件に該当するかどうかを判定することに留意する。（措通14－3）

（注）　用途変更等があったことにより①の規定の適用がないこととなるのは、その用途変更等があった月以後となることに留意する。

（資本的支出）

（7）　①の規定の適用を受けている特定都市再生建築物について資本的支出がされた場合には、当該特定都市再生建築物について①の規定の適用がある期間内に限り、当該資本的支出に係る金額についても①の規定の適用があるものとする。（措通14－4）

（特定都市再生建築物の証明手続）

（8）　個人が、その取得し、又は新築した建築物について①の規定の適用を受ける場合には、当該建築物につき①の適用を受ける最初の年分の確定申告書に（9）で定める書類を添付しなければならない。（措令7④）

（添付書類）

（9）　（8）で定める書類は、次の㈠及び㈡に掲げる書類とする。（措規6②）

㈠	②に規定する⑥（2）で定めるものに係る建築基準法第6条第1項に規定する確認済証の写し及び同法第7条第5項に規定する検査済証の写し
㈡	②（3）の国土交通大臣の証する書類

③　15②の規定の準用（割増償却不足額の繰越し）

15②の規定は、①の規定の適用を受ける①の特定都市再生建築物の償却費の額を計算する場合について準用する。（措法14③）

（特別償却等の適用を受けたものの意義）

（1）　減価償却資産又は繰延資産について①の規定による割増償却額を必要経費に算入していない場合であっても、その年分の確定申告書にその割増償却額の繰越しに関する記載、明細書の添付等があるときは、その減価償却資産又は繰延資産について①の規定の適用を受けたものに該当することに留意する。（措通10の3～15共－1）

（償却不足額の繰越しをする場合の償却限度額の計算）

（2）　①の規定による割増償却額の償却不足額の繰越しをする減価償却資産又は繰延資産につき、そのよるべき償却の方法として旧定率法、定率法又は取替法を採用している場合の割増償却不足額を生じた年の翌年分の当該減価償却資産又は繰延資産の償却限度額の計算の基礎となる普通償却額は、その割増償却不足額が既に償却されたものとみなして旧定率法、定率法又は取替法により計算した場合の当該翌年分の普通償却額とする。（措通10の3～15共－2）

（相続により特定都市再生建築物を承継した者に対する取扱い及び償却不足額の処理についての留意事項）

（3）　**15**③（2）及び同（3）の取扱いは、**16**の規定を適用する場合について準用する。（措通14－5）

④　割増償却の明細書の添付

7《特定船舶の特別償却》③の規定は、①の規定又は③において準用する**15**②の規定を適用する場合について準用する。（措法14④、11③、13②）

17　倉庫用建物等の割増償却

①　割増償却

青色申告書を提出する個人で特定総合効率化計画（流通業務の総合化及び効率化の促進に関する法律第４条第１項に規定する総合効率化計画のうち同条第３項各号に掲げる事項が記載されたものをいう。以下①において同じ。）について同条第１項の認定を受けたものが、昭和49年４月１日から令和８年３月31日までの間に、物資の流通の拠点区域として（1）で定める区域内において、倉庫用の建物及びその附属設備並びに構築物のうち、（2）で定めるもの（その認定に係る特定総合効率化計画（同法第５条第１項の規定による変更の認定があった場合には、その変更後のもの）に記載された同法第２条第３号に規定する特定流通業務施設（以下①において「特定流通業務施設」という。）であるものに限る。以下「**倉庫用建物等**」という。）でその建設の後使用されたことのないものを取得し、又は倉庫用建物等を建設して、これを当該個人の倉庫業法第２条第２項に規定する倉庫業（以下①において「**倉庫業**」という。）の用に供した場合（所有権移転外リース取引により取得した当該倉庫用建物等をその倉庫業の用に供した場合を除く。）には、その倉庫業の用に供した日以後５年以内の日の属する各年分（当該倉庫用建物等が物資の流通の効率化に関する法律第４条第２号に規定する流通業務の省力化に特に資するものとして（3）で定める要件を満たす特定流通業務施設であることにつき（4）で定めるところにより証明がされた年分に限る。）の事業所得の金額の計算上、当該倉庫用建物等の償却費として必要経費に算入する金額は、その倉庫業の用に供した日以後５年以内でその用に供している期間に限り、**五４**《減価償却資産の償却費の計算及びその償却の方法の通則》の規定にかかわらず、当該倉庫用建物等について同**４**の規定により計算した償却費の額で当該期間に係るもの《**普通償却費の額**》の100分の108に相当する金額《償却限度額》以下の金額で当該個人が必要経費として計算した金額とする。ただし、当該倉庫用建物等の償却費として同**４**の規定により必要経費に算入される金額を下ることはできない。（措法15①）

償却限度額＝普通償却費の額×$\frac{108}{100}$

（注）１　改正後の**17**①の規定は、個人が令和６年４月１日以後に取得又は建設をする同①に規定する倉庫用建物等について適用され、個人が同日前に取得又は建設をした改正前の**17**①に規定する倉庫用建物等については、なお従前の例による。（令６改所法等附29④）

２　令和６年４月１日から（注）３に定める日の前日までの間における改正後の**17**①の規定の適用については、同①中「物資の流通の効率化に関する法律第４条第２号」とあるのは、「流通業務の総合化及び効率化の促進に関する法律第２条第２号」とする。（令６改所法等附29⑤）

３　上記＿＿下線部については、流通業務の総合化及び効率化の促進に関する法律及び貨物自動車運送事業法の一部を改正する法律（令和６年法律第23号）の施行の日以後、**17**①中「流通業務の総合化及び効率化の促進に関する法律第４条第１項」が「物資の流通の効率化に関する法律第６条第１項」に、「第５条第１項」が「第７条第１項」に、「第２条第３号」が「第４条第３号」に改められる。（令６改所法等附１十五）

（物質の流通の拠点区域）

（1）　①に規定する（1）で定める区域は、次に掲げる区域又は地区とする。（措令８①、平28国土交通省告示第1107号（最終改正令６同省告示第301号））

(一)	道路法第３条第１号に掲げる高速自動車国道及びこれに類する道路の周辺の地域のうち物資の流通の拠点となる区域として（注）で定める区域
(二)	関税法第２条第１項第11号に規定する開港の区域を地先水面とする地域において定められた港湾法第２条第４項に規定する臨港地区のうち輸出入に係る貨物の流通の拠点となる地区として国土交通大臣が財務大臣と協議して指定する地区（（2）において「特定臨港地区」という。）

（注）　（1）(一)に規定する（注）１で定める区域は、流通業務の総合化及び効率化の促進に関する法律施行規則第２条第１項第１号イに掲げる高速自動車国道のインターチェンジ等の周辺５キロメートルの区域とする。（措規６の２①）

（倉庫用の建物及びその附属設備若しくは構築物）

（2）　①に規定する（2）で定めるものは、倉庫用の建物（その附属設備を含む。（7）及び（5）において同じ。）及び構築物のうち、物資の輸送の合理化に著しく資するものとして国土交通大臣が財務大臣と協議して指定するもの（貯蔵槽倉庫にあっては、特定臨港地区内にあるものに限る。）で、建築基準法第２条第９号の２に規定する耐火建築物（以下（2）において「耐火建築物」という。）又は同条第９号の３に規定する準耐火建築物に該当するもの（冷蔵倉庫又は貯蔵槽倉庫以外の倉庫で階数が２以上のものにあっては、耐火建築物に該当するものに限る。）とする。（措令８②、平28国土交通省告示第1108号（最終改正令６国土交通省告示第300号））

（①に規定する（3）で定める要件）

（3）　①に規定する（3）で定める要件は、貨物の運送の用に供する自動車の運転者の荷待ち及び荷役の時間の短縮その他の①に規定する流通業務の省力化に特に資するものとして国土交通大臣が定める基準に該当することとする。（措令8③、令6国土交通省告示第299号）

（①に規定する（4）で定めるところにより証明がされた年分）

（4）　①に規定する（4）で定めるところにより証明がされた年分は、国土交通大臣又は①に規定する倉庫用建物等の所在地を管轄する地方運輸局長（運輸監理部長を含む。（7）（注）において同じ。）の当該倉庫用建物等が①の規定の適用を受けようとする年分において①に規定する（3）で定める要件を満たす特定流通業務施設に該当するものであることを証する書類を当該年分の確定申告書に添付することにより証明がされた当該年分とする。（措規6の2②）

（国土交通大臣による告示）

（5）　国土交通大臣は、（1）（二）の規定により地区を指定し、（2）までの規定により倉庫用の建物及び構築物を指定し、又は（3）の規定により基準を定めたときは、これを告示（平28国土交通省告示第1107号、第1108号）する。（措令8⑤）

（公共上屋の上に建設した倉庫業用倉庫）

（6）　公共上屋の上に倉庫を建設した場合には、その建設した倉庫について（2）の括弧書きに規定する階数が2以上のもの条件に該当するかどうかを判定することに留意する。（措通15－1）

（注）　公共上屋の上に1階の倉庫を建設した場合には、階数が2以上の倉庫には該当しない。

（確定申告書への添付書類）

（7）　個人が、その取得し、又は建設した建物及び構築物につき①の規定の適用を受ける場合には、当該建物及び構築物につき①の規定の適用を受ける最初の年分の確定申告書に（注）で定める書類を添付しなければならない。（措令8④）

（注）　上記に規定する（注）で定める書類は、①の規定の適用を受けようとする倉庫用の建物（その附属設備を含む。）及び構築物について、国土交通大臣又は当該建物及び構築物の所在地を管轄する地方運輸局長の当該所在地が①に規定する区域内であること並びに当該建物又は構築物が①に規定する倉庫用建物等に該当するものであることを証する書類とする。（措規6の2③）

②　15②の規定の準用（割増償却不足額の繰越し）

15②の規定は、①の規定の適用を受ける倉庫用建物等の償却費の額を計算する場合について準用する。（措法15②）

（特別償却等の適用を受けたものの意義）

（1）　減価償却資産又は繰延資産について①の規定による割増償却額を必要経費に算入していない場合であっても、その年分の確定申告書にその割増償却額の繰越しに関する記載、明細書の添付等があるときは、その減価償却資産又は繰延資産について①の規定の適用を受けたものに該当することに留意する。（措通10の3～15共－1）

（償却不足額の繰越しをする場合の償却限度額の計算）

（2）　①の規定による割増償却額の償却不足額の繰越しをする減価償却資産又は繰延資産につき、そのよるべき償却の方法として旧定率法、定率法又は取替法を採用している場合の割増償却不足額を生じた年の翌年分の当該減価償却資産又は繰延資産の償却限度額の計算の基礎となる普通償却額は、その割増償却不足額が既に償却されたものとみなして旧定率法、定率法又は取替法により計算した場合の当該翌年分の普通償却額とする。（措通10の3～15共－2）

（相続により倉庫用建物等を承継した者に対する取扱い及び償却不足額の処理についての留意事項）

（3）　15③（2）及び同（3）の取扱いは、17の規定を適用する場合について準用する。（措通15－2）

③　7③の規定の準用（特別償却の明細書の添付）

7③の規定は、①の規定又は②において準用する15②の規定を適用する場合について準用する。（措法15③）

18　特別償却等に関する複数の規定の不適用

①　特別償却等に関する複数の規定の不適用

個人の有する減価償却資産がその年において次に掲げる規定のうち２以上の規定の適用を受けることができるものである場合には、当該減価償却資産については、これらの規定のうちいずれか一の規定のみ適用する。(措法19①)

イ　中小事業者が機械等を取得した場合の特別償却又は所得税額の特別控除（措法10の３）
ロ　地域経済牽引事業の促進区域内において特定事業用機械等を取得した場合の特別償却又は所得税額の特別控除（措法10の４）
ハ　地方活力向上地域等において特定建物等を取得した場合の特別償却又は所得税額の特別控除（措法10の４の２）
ニ　特定中小事業者が特定経営力向上設備等を取得した場合の特別償却又は所得税額の特別控除（措法10の５の３）
ホ　認定特定高度情報通信技術活用設備を取得した場合の特別償却又は所得税額の特別控除（措法10の５の５）
ヘ　事業適応設備を取得した場合等の特別償却又は所得税額の特別控除（措法10の５の６）
ト　特定船舶の特別償却（措法11）
チ　被災代替資産等の特別償却（措法11の２）
リ　特定事業継続力強化設備等の特別償却（措法11の３）
ヌ　環境負荷低減事業活動用資産等の特別償却（措法11の４）
ル　生産方式革新事業活動用資産等の特別償却（措法11の５）
ヲ　特定地域における工業用機械等の特別償却（措法12）
ワ　医療用機器等の特別償却（措法12の２）
カ　事業再編計画の認定を受けた場合の事業再編促進機械等の割増償却（旧措法13）
ヨ　輸出事業用資産の割増償却（旧措法13の２）
タ　特定都市再生建築物等の割増償却（措法14）
レ　倉庫用建物等の割増償却（措法15）
ソ　イ～レに掲げるもののほか、減価償却資産に関する特例を定めている規定として注で定める規定

（上記の注で定める規定）

注　イ～レ以外で注で定める規定は、次に掲げる規定とする。(措令10①)

(一)　所得税法等の一部を改正する法律（平成31年法律第６号）附則第32条第４項の規定によりなおその効力を有するものとされる同法第11条の規定による改正前の租税特別措置法第14条の規定

(二)　所得税法等の一部を改正する法律（令和２年法律第８号）附則第60条第４項の規定によりなおその効力を有するものとされる同法第15条の規定による改正前の租税特別措置法第13条の３の規定

(三)　所得税法等の一部を改正する法律（令和３年法律第11号）附則第32条第７項の規定によりなおその効力を有するものとされる同法第７条の規定による改正前の租税特別措置法第12条の規定

②　試験研究を行った場合の所得税額の特別控除の適用を受けた場合の特別償却等に関する規定の不適用

個人の有する減価償却資産の取得価額又は繰延資産の額のうちに第九章第二節**九４**①に規定する試験研究費の額が含まれる場合において、当該試験研究費の額につき同**九１**、同**九２**又は同**九３**の規定の適用を受けたときは、当該減価償却資産又は繰延資産については、①イからソまでに掲げる規定は、適用しない。(措法19②)

③　①のイからソまでに掲げる規定のうちいずれか一の規定の適用を受けた場合のその他の規定の不適用

個人の有する減価償却資産につきその年の前年以前の各年において①のイからソまでに掲げる規定のうちいずれか一の規定の適用を受けた場合には、当該減価償却資産については、当該いずれか一の規定以外の①のイからソまでに掲げる規定は、適用しない。(措法19③)

（注）　改正後の③の規定は、令和７年分以後の所得税について適用される。(令６改所法等附29⑥)

19　中小事業者の少額減価償却資産の取得価額の必要経費算入の特例

中小事業者（第九章第二節**九**《試験研究を行った場合の所得税額の特別控除》**4**⑥に規定する中小事業者で青色申告書を提出するもののうち、事務負担に配慮する必要があるものとして（3）で定めるものをいう。以下**19**において同じ。）が、平成18年4月1日から令和8年3月31日までの間に取得し、又は製作し、若しくは建設し、かつ、当該中小事業者の不動産所得、事業所得又は山林所得を生ずべき業務の用に供した減価償却資産で、その取得価額が30万円未満であるもの（その取得価額が10万円未満であるもの及び**18**①各号《特別償却等に関する複数の規定の不適用》に掲げる規定の適用を受けるものその他（4）で定めるものを除く。以下**19**において「**少額減価償却資産**」という。）については、**五4**《減価償却資産の償却費の計算及びその償却の方法》の規定にかかわらず、当該少額減価償却資産の取得価額に相当する金額を、当該中小事業者のその業務の用に供した年分の不動産所得の金額、事業所得の金額又は山林所得の金額の計算上、必要経費に算入する。この場合において、当該中小事業者のその業務の用に供した年分における少額減価償却資産の取得価額の合計額が300万円（当該業務の用に供した年がその業務を開始した日の属する年又はその業務を廃止した日の属する年である場合には、これらの年については、300万円を12で除し、これにこれらの年において業務を営んでいた期間の月数を乗じて計算した金額。以下**19**において同じ。）を超えるときは、その取得価額の合計額のうち300万円に達するまでの少額減価償却資産の取得価額の合計額を限度とする。（措法28の2①）

(注)　**19**の月数は、暦に従って計算し、1月に満たない端数を生じたときは、これを1月とする。（措法28の2②）

（申告要件）

（1）　**19**の規定は、確定申告書に少額減価償却資産の取得価額に関する明細書の添付がある場合に限り、適用する。（措法28の2③）

（少額減価償却資産の取得価額への不算入）

（2）　**19**の規定の適用を受けた少額減価償却資産について所得税に関する法令の規定を適用する場合には**19**の規定によりその年分の不動産所得の金額、事業所得の金額又は山林所得の金額の計算上必要経費に算入された金額は、当該少額減価償却資産の取得価額に算入しない。（措法28の2④）

（**19**に規定する事務負担に配慮する必要があるものとして（3）で定めるもの）

（3）　**19**に規定する事務負担に配慮する必要があるものとして（3）で定めるものは、常時使用する従業員の数が500人以下の個人とする。（措令18の5①）

（適用除外とされる（4）で定める規定）

（4）　**19**に規定する（4）で定める減価償却資産は、次に掲げる規定の適用を受ける減価償却資産及び貸付け（主要な業務として行われるものを除く。）の用に供した減価償却資産とする。（措令18の5②）

(一)	**五2**《少額の減価償却資産の取得価額の必要経費算入》又は同**3**《一括償却資産の必要経費算入》の規定
(二)	第五章第二節**六2**《収用交換等により取得した代替資産等の取得価額及び取得時期》、同**十八10**《買換えに係る特定の事業用資産の譲渡の場合の取得価額の計算等》①又は同**十九**《既成市街地等内の土地等の買換え》**8**①の規定
(三)	**九8**②《農用地等を取得した場合の課税の特例》**ハ**（2）又は第一節**三6**⑤《転廃業助成金等に係る減価償却資産の償却費の計算等》（1）の規定

（**五2**（1）及び同（2）の規定の準用）

（5）　**五2**（1）及び同（2）の規定は、（4）に規定する主要な業務として行われる貸付けに該当するかどうかの判定について準用する。この場合において、**五2**（1）(一)中「居住者」とあるのは「中小事業者（**六19**《中小事業者の少額減価償却資産の取得価額の必要経費算入の特例》に規定する中小事業者をいう。以下において同じ。）」と、同**2**（1）(二)及び同(三)並びに同**2**（2）中「居住者」とあるのは「中小事業者」と読み替えるものとする。（措規9の9）

（中小事業者であるかどうかの判定の時期）

（6）　青色申告書を提出する個人が**19**に規定する中小事業者（以下**19**において「中小事業者」という。）に該当するかどうかは、原則として、**19**に規定する少額減価償却資産の取得等（取得又は製作若しくは建設をいう。以下（6）において同じ。）をした日及び当該少額減価償却資産を業務の用に供した日の現況により判定する。ただし、その年12月31日において中小事業者に該当する個人が、その年の中小事業者に該当する期間において取得等をして業務の用に供した**19**に規定する少額減価償却資産を対象として**19**の規定の適用を受けている場合には、これを認める。（措通28の２－１）

（常時使用する従業員の範囲）

（7）（3）に規定する「常時使用する従業員の数」は、常用であると日々雇い入れるものであるとを問わず、事務所又は事業所に常時就労している職員、工員等の総数によって判定することに留意する。この場合において、酒造最盛期、野菜缶詰・瓶詰製造最盛期等に数か月程度の期間その労務に従事する者を使用するときは、当該従事する者の数を「常時使用する従業員の数」に含めるものとする。（措通28の２－１の２）

（一時的に貸付けの用に供した減価償却資産）

（8）（4）の規定の適用上、中小事業者が減価償却資産を貸付けの用に供したかどうかはその減価償却資産の使用目的、使用状況等を総合勘案して判定されるものであるから、例えば、一時的に貸付けの用に供したような場合において、その貸付けの用に供した事実のみをもって、その減価償却資産が（4）に規定する貸付けの用に供したものに該当するとはいえないことに留意する。（措通28の２－１の３）

（主要な業務として行われる貸付けの例示）

（9）（5）において読み替えて準用する**五２**（1）及び同（2）の規定の適用上、次に掲げる貸付けには、例えば、それぞれ次に定めるような行為が該当する。（措通28の２－１の４）

（一）**五２**（1）（一）に掲げる貸付け　中小事業者が自己の下請業者に対して、当該下請業者の専ら当該中小事業者のためにする製品の加工等の用に供される減価償却資産を貸し付ける行為

（二）同（1）（二）に掲げる貸付け　小売業を営む中小事業者がその小売店の駐車場の遊休スペースを活用して自転車その他の減価償却資産を貸し付ける行為

（三）同（1）（三）に掲げる貸付け　不動産貸付業を営む中小事業者がその貸し付ける建物の賃借人に対して、家具、電気機器その他の減価償却資産を貸し付ける行為

（注）本文の（一）から（三）までに定める行為であっても、同**２**（2）に規定する場合に該当するものは、（4）に規定する主要な業務として行われる貸付けに該当しないことに留意する。

（取得価額の判定単位）

（10）**19**に規定する少額減価償却資産の取得価額が30万円未満であるかどうかについては、通常１単位として取引されるその単位、例えば、機械及び装置については１台又は１基ごとに、工具、器具及び備品については１個、１組又は１そろいごとに判定し、構築物のうち例えば枕木、電柱等単体では機能を発揮できないものについては、社会通念上一の効用を有すると認められる単位ごとに判定する。（措通28の２－２）

（明細書の添付）

（11）青色申告書を提出する中小事業者が当該年分の確定申告書に添付する第十一章**四１**《青色申告書の添付書類》に規定する明細書（いわゆる「青色申告決算書」）の「減価償却費の計算」欄に次に掲げる事項を記載して提出し、かつ、当該減価償却資産の明細を別途保管している場合には、（1）に規定する「少額減価償却資産の取得価額に関する明細書」の提出を省略して差し支えないものとする。（措通28の２－３）

（一）取得価額30万円未満の減価償却資産について、**19**の規定を適用していること

（二）適用した減価償却資産の取得価額の合計額

（三）適用した減価償却資産の明細は、別途保管していること

20　債務処理計画に基づく減価償却資産等の損失の必要経費算入の特例

①　債務処理計画に基づく減価償却資産等の損失の必要経費算入の特例

青色申告書を提出する個人が、当該個人について策定された債務処理に関する計画で一般に公表された債務処理を行うための手続に関する準則に基づき策定されていることその他の(1)で定める要件を満たすもの（②において「**債務処理計画**」という。）に基づきその有する債務の免除を受けた場合（当該免除により受ける経済的な利益の価額について第一節**三4**《免責許可の決定等により債務免除を受けた場合の経済的利益の総収入金額不算入》の規定の適用を受ける場合を除く。）において、当該個人の不動産所得、事業所得又は山林所得を生ずべき事業の用に供される減価償却資産その他これに準ずる資産で(2)で定めるもの（以下**20**において「**対象資産**」という。）の価額について当該準則に定められた方法により評定が行われているときは、その対象資産の損失の額として(3)で定める金額は、その免除を受けた日の属する年分の不動産所得の金額、事業所得の金額又は山林所得の金額の計算上、必要経費に算入する。ただし、当該必要経費に算入する金額は、①の規定を適用しないで計算した当該年分の不動産所得の金額、事業所得の金額又は山林所得の金額を限度とする。(措法28の2の2①)

(①に規定する(1)で定める要件)

(1)　①に規定する(1)で定める要件は、①の債務処理に関する計画が法人税法施行令第24条の2第1項第1号から第3号まで及び第4号又は第5号に掲げる要件に該当することとする。(措令18の6①)

(①に規定する(2)で定めるもの)

(2)　①に規定する(2)で定めるものは、①の個人の不動産所得、事業所得又は山林所得を生ずべき事業に係る繰延資産のうちまだ必要経費に算入されていない部分及び第三節**11**(6)に規定する繰延消費税額等（以下**20**において「繰延消費税額等」という。）のうちまだ必要経費に算入されていない部分とする。(措令18の6②)

(①に規定する(3)で定める金額)

(3)　①に規定する(3)で定める金額は、次の(一)から(三)までに掲げる資産の区分に応じ当該(一)から(三)までに定める金額とする。(措令18の6③)

(一)	減価償却資産	当該債務の免除を受けた日にその減価償却資産の譲渡があったものとみなして第四章第八節**二2**②の規定（その減価償却資産が昭和27年12月31日以前から引き続き所有していたものである場合には、同**2**④の規定）を適用した場合にその減価償却資産の取得費とされる金額に相当する金額が、①に規定する準則に定められた方法により評定が行われた当該減価償却資産の価額を超える場合のその超える部分の金額
(二)	繰延資産	その繰延資産の額からその償却費として**七3**の規定により当該債務の免除を受けた日の属する年分以前の各年分の不動産所得の金額、事業所得の金額、山林所得の金額又は雑所得の金額（以下**20**において「事業所得等の金額」という。）の計算上必要経費に算入される金額の累積額を控除した金額が、①に規定する準則に定められた方法により評定が行われた当該繰延資産の価額を超える場合のその超える部分の金額
(三)	繰延消費税額等	その繰延消費税額等から第三節**11**(6)又は同**11**(7)の規定により当該債務の免除を受けた日の属する年分以前の各年分の事業所得等の金額の計算上必要経費に算入される金額の累積額を控除した金額が、①に規定する準則に定められた方法により評定が行われた当該繰延消費税額等の価額を超える場合のその超える部分の金額

(償却費の額等の計算)

(4)　①の規定の適用を受けた個人が、減価償却資産若しくは繰延資産につき**五4**若しくは**七3**の規定により①に規定する債務処理計画に基づきその有する債務の免除を受けた日以後の期間に係る償却費の額を計算するとき、繰延消費税額等につき第三節**11**(7)の規定により同日以後の期間に係る事業所得等の金額の計算上必要経費に算入する金額の計算をするとき又は①に規定する対象資産につき同日以後譲渡（第四章第八節**一1**の譲渡をいう。)、相続、遺贈若しくは贈与があった場合において事業所得の金額、譲渡所得の金額若しくは雑所得の金額を計算するときは、①の規定により不動産所得の金額、事業所得の金額又は山林所得の金額の計算上必要経費に算入することとされた金額に相当する金額は、同日において、当該減価償却資産若しくは繰延資産の償却費としてその者の同日の属する年分以前の各年分の事業所得等の金額の計算上必要経費に算入された金額又は当該繰延消費税額等のうち既に第三節11（6）若しくは同11（7）の規定によりその者の同日の属する年分以前の各年分の事業所得等の金額の計算上必要経費に算入された金額とみなすものとする。（措令18の6④）

（債務処理計画の要件）

（5）　①に規定する債務処理計画とは、法人税法施行令第24条の2第1項第1号から第3号まで及び第4号又は第5号に掲げる要件を満たすものをいうことから、民事再生法の規定による再生計画認可の決定が確定した再生計画は、当該債務処理計画には含まれないことに留意する。（措通28の2の2－1）

②　確定申告書への記載及び明細書の添付

①の規定は、確定申告書に、①の規定の適用を受ける旨の記載があり、かつ、①の規定による不動産所得の金額、事業所得の金額又は山林所得の金額の計算、対象資産の種類その他（1）で定める事項を記載した明細書及び債務処理計画に関する書類として（2）で定める書類の添付がある場合に限り、適用する。（措法28の2の2②）

（②に規定する（1）で定める事項）

（1）　②に規定する（1）で定める事項は、次の㈠から㈣までに掲げる事項とする。（措規9の10①）

㈠	①の個人が①に規定する債務処理計画に基づき免除を受けた債務の金額及び当該免除を受けた年月日
㈡	①の規定により不動産所得の金額、事業所得の金額又は山林所得の金額の計算上必要経費に算入される金額及びその計算の明細
㈢	①に規定する対象資産ごとの①（3）㈠から同㈢までに掲げる資産の区分に応じ当該㈠から㈢までに定める金額
㈣	その他参考となるべき事項

（②に規定する（2）で定める書類）

（2）　②に規定する（2）で定める書類は、①に規定する債務処理計画に係る（4）の規定により読み替えられた法人税法施行規則第8条の6第1項各号に掲げる者の当該債務処理計画が①（1）に規定する要件を満たすものであり、かつ、①に規定する対象資産の評定が当該債務処理計画に係る準則に基づき行われている旨並びに当該評定が行われた対象資産の種類及び当該評定が行われた後の当該対象資産の価額を証する書類とする。（措規9の10②）

（計算の明細の記載）

（3）　①の規定の適用に係る①に規定する対象資産につき、償却費の額を計算する場合、事業所得等の金額の計算上必要経費に算入する金額の計算をする場合又は事業所得の金額、譲渡所得の金額若しくは雑所得の金額を計算する場合には、確定申告書に減価償却資産の取得に要した金額、繰延資産の額又は繰延消費税額等が①（4）の規定により計算されている旨及びその計算の明細を記載するものとする。（措令18の6⑤）

（要件に該当するかどうかの判定をする場合の読み替え）

（4）　①の債務処理に関する計画が①（1）に規定する要件に該当するかどうかの判定をする場合には、法人税法施行規則第8条の6第1項第1号中「令第24条の2第1項」とあるのは「租税特別措置法第28条の2の2第1項」と、「内国法人、その役員及び株主等（株主等となると見込まれる者を含む。）並びに」とあるのは「個人及び」と、「当該内国法人」とあるのは「当該個人」と、同項第2号中「内国法人」とあるのは「個人」と、それぞれ読み替えるものとする。（措規9の10③）

③　確定申告書の提出がなかった場合

税務署長は、確定申告書の提出がなかった場合又は②の記載若しくは添付がない確定申告書の提出があった場合においても、その提出又は記載若しくは添付がなかったことについてやむを得ない事情があると認めるときは、当該記載をした書類並びに②の明細書及び②（2）で定める書類の提出があった場合に限り、①の規定を適用することができる。（措法28の2の2③）

七　繰延資産の償却

1　繰延資産の意義

繰延資産とは、不動産所得、事業所得、山林所得又は雑所得を生ずべき業務に関し個人が支出する費用（資産の取得に要した金額とされるべき費用及び前払費用を除く。）のうち支出の効果がその支出の日以後１年以上に及ぶもので次の①から③までに掲げるものをいう。（法２①二十、令７①）

なお、前払費用とは、個人が一定の契約に基づき継続的に役務の提供を受けるために支出する費用のうち、その支出する日の属する年の12月31日（年の中途において死亡し又は出国をした場合には、その死亡又は出国の時）においてまだ提供を受けていない役務に対応するものをいう。（令７②）

①	**開業費**（不動産所得、事業所得又は山林所得を生ずべき事業を開始するまでの間に開業準備のために特別に支出する費用をいう。）
②	**開発費**（新たな技術若しくは新たな経営組織の採用、資源の開発又は市場の開拓のために特別に支出する費用をいう。）
③	①又は②に掲げるもののほか、次に掲げる費用で支出の効果がその支出の日以後１年以上に及ぶもの イ　自己が便益を受ける公共的施設又は共同的施設の設置又は改良のために支出する費用 ロ　資産を賃借し又は使用するために支出する権利金、立退料その他の費用 （注）　土地を賃借し又は使用するために支出するものは、借地権《非償却資産》になることに留意する。（編者注） ハ　役務の提供を受けるために支出する権利金その他の費用 ニ　製品等の広告宣伝の用に供する資産を贈与したことにより生ずる費用 ホ　イからニまでに掲げる費用のほか、自己が便益を受けるために支出する費用

（公共的施設の設置又は改良のために支出する費用）

（1）　**1**表内③イの「自己が便益を受ける公共的施設……の設置又は改良のために支出する費用」とは、次に掲げる費用をいう。（基通２－24）

（一）　自己の必要に基づいて行う道路、堤防、護岸、その他の施設又は工作物（以下「公共的施設」という。）の設置又は改良（以下「設置等」という。）のために要する費用（自己の利用する公共的施設につきその設置等を国又は地方公共団体〔以下「国等」という。〕が行う場合におけるその設置等に要する費用の一部の負担金を含む。）又は自己の有する道路その他の施設又は工作物を国等に提供した場合における当該施設又は工作物の帳簿価額に相当する金額

（注）　国等に資産を提供した場合には、第二章第三節**四3**《国等に対して財産を寄付した場合の譲渡所得等の非課税》の規定により、第五章第二節**二十四1**《贈与等の場合の譲渡所得等の特例》の規定の適用については、当該資産の提供がなかったものとみなされる。

（二）　国等の行う公共的施設の設置等により著しく利益を受ける場合におけるその設置等に要する費用の一部の負担金（土地所有者又は借地権を有する者が土地の価格の上昇に基因して納付するものを除く。）

（注）　市町村等が行う下水道工事に伴い、土地の所有者等が面積割りで納付する受益者負担金は、上記のかっこ書の「土地所有者又は借地権を有する者が土地の価格の上昇に基因して納付するもの」に該当せず、下水道法第19条《工事負担金》に該当するもの（水道施設利用権となる。）を除き上記の繰延資産としてその償却期間は**3**（5）により６年とされる。（編者注）

（三）　鉄道業を営む法人の行う鉄道の建設に当たり支出するその施設に連絡する地下道等の建設に要する費用の一部の負担金

（共同的施設の設置又は改良のために支出する費用）

（2）　**1**表内③イの「自己が便益を受ける………共同的施設の設置又は改良のために支出する費用」とは、その者の所属する協会、組合、商店街等の行う共同的施設の建設又は改良に要する費用の負担金をいう。この場合において、共同的施設の相当部分が貸室に供されるなど協会等の本来の用以外の用に供されているときは、その部分に係る負担金は、協会等に対する寄附金となることに留意する。（基通２－25）

（簡易な施設の負担金の必要経費算入）

（3）　国、地方公共団体、商店街等の行う街路の簡易舗装、街灯、がんぎ等の簡易な施設で主として一般公衆の便益に供されるもののために充てられる負担金は、これを繰延資産としないでその負担金を支出する日の属する年分の必要経費に算入することができる。（基通２－26）

（資産を賃借するための権利金等）

（4）　1表内③ロの繰延資産には、次に掲げるようなものが含まれる。（基通2－27）

（一）　建物を賃借するために支出する権利金、立退料その他の費用

（注）　建物の賃借に際して支払った仲介手数料の額は、その支払った日の属する年分の必要経費に算入することができる。

（二）　電子計算機その他の機器の賃借に伴って支出する引取運賃、関税、据付費その他の費用

（ノーハウの頭金等）

（5）　ノーハウの設定契約に際して支出する一時金又は頭金の費用は、1表内③ハに掲げる費用に該当する。ただし、ノーハウの設定契約において、頭金の全部又は一部を使用料に充当する旨の定めがある場合又は頭金の支払により一定期間は使用料を支払わない旨の定めがある場合には、当該頭金の額のうちその使用料に充当される部分の金額又はその支払わないこととなる使用料の額に相当する部分の金額は、これを繰延資産としないで前払費用として処理することができる。（基通2－28）

（注）　前払費用として処理した頭金の額についてその使用料に充当すべき期間又は使用料を支払わない期間を経過してなお残額があるときは、その残額は当該期間を経過した日の属する年分の必要経費に算入することができる。

（広告宣伝の用に供する資産を贈与したことにより生ずる費用）

（6）　1表内③ニに掲げる「製品等の広告宣伝の用に供する資産を贈与したことにより生ずる費用」とは、自己の製品等の広告宣伝等のため、特約店等に対し広告宣伝用の看板、ネオンサイン、どん帳、陳列棚、自動車のような資産（展示用モデルハウスのように見本としての性格を併せ有するものを含む。以下（6）において同じ。）を贈与した場合（その資産を取得することを条件として金銭を贈与した場合又はその贈与した資産の改良等に充てるために金銭等を贈与した場合を含む。）又は著しく低い対価で譲渡した場合における当該資産の価額又は当該資産の価額からその対価の額を控除した金額に相当する費用をいう。（基通2－29）

（注）　当該資産を自己の用に供しないで贈与又は譲渡したものである場合には、「当該資産の価額」は「当該資産の取得価額」とすることができる。

（スキー場のゲレンデ整備費用）

（7）　積雪地帯におけるスキー場（その土地が主として他の者の所有に係るものに限る。）においてリフト、ロープウェイ等の索道事業を営む者が当該スキー場に係る土地をゲレンデとして整備するために立木の除去、地ならし、沢の埋立て、芝付け等の工事を行った場合には、その工事に要した費用は、1表内③ホに掲げる費用に該当するものとする。当該スキー場において旅館、食堂、土産物店等を経営する者が当該費用の額の全部又は一部を負担した場合のその負担した額についても、同様とする。（基通2－29の2）

（注）1　既存のゲレンデについて支出する次のような費用の額は、その支出した日の属する年分の必要経費に算入することができる。

（1）　おおむねシーズンごとに行う傾斜角度の変更その他これに類する工事のために要する費用

（2）　崩落地の修復、補強等の工事のために要する費用

（3）　シーズンごとに行うブッシュの除去、芝の補植その他これらに類する作業のために要する費用

2　自己の土地をスキー場として整備するための土工工事（他の者の所有に係る土地を有料のスキー場として整備するための土工工事を含む。）に要する費用の額は、構築物の取得価額に算入する。

（出版権の設定の対価）

（8）　著作権法第79条第1項≪出版権の設定≫に規定する出版権の設定の対価として支出した金額は、1表内③ホに掲げる費用に該当するものとする。（基通2－29の3）

（注）　例えば、漫画の主人公を商品のマーク等として使用する等他人の著作物を利用することについて著作権者等の許諾を得るために支出する一時金の費用は、出版権の設定の対価に準じて取り扱う。

（同業者団体等の加入金）

（9）　同業者団体等（社交団体を除く。）に対して支出した加入金（その構成員としての地位を他に譲渡することができることとなっている場合における加入金及び出資の性質を有する加入金を除く。）は、1表内③ホに掲げる費用に該当するものとする。（基通2－29の4）

（職業運動選手等の契約金等）

（10）　職業運動選手等との専属契約をするために支出する契約金等は、1表内③ホに規定する繰延資産に該当するものとする。（基通2－29の5）

(注)　セールスマン、ホステス等の引抜料、仕度金等の額は、その支出をした日の属する年分の必要経費に算入することができる。

(土地改良事業のために支出する受益者負担金に対する所得税の取扱い)

(11)　農業経営者が事業の用に供する耕地の土地改良事業のために支出する受益者負担金の必要経費算入の取扱いが下記のとおり定められ、昭和42年1月1日以後に支出するものからこれによることとされている。(昭43直所4－1、直審(所)6、昭50.12.3付直所5－7により改正)

(注)　この通達にいう土地改良事業とは、特別の定めのある場合を除き、土地改良法の規定に基づかない土地改良事業を含むものとする。

(一)　受益者負担金の必要経費算入の通則

土地改良事業に要する費用で、受益者が負担すべき金額(以下「受益者負担金」という。)のうち、①永久資産(公道その他一般の用に供される道水路を除く。)取得費対応部分は必要経費不算入とし、②減価償却資産及び公道その他一般の用に供される道水路の取得費対応部分は繰延資産に該当するものとしてその償却額を必要経費に算入し、③毎年の維持管理費に相当する金額は支出する年分の必要経費に算入する。

(注)　土地改良事業の工事費用を借入金で支弁している場合における当該借入金の利子金額に対応する受益者負担金は、維持管理費に該当するものであるから留意する。

(二)　永久資産の取得費の範囲

必要経費に算入しない永久資産の取得費対応部分の金額は、土地改良事業の工事費のうち、土地改良施設の敷地等の土地の取得費及び農用地(けい畔を含む。)の整地・造成に要した部分の金額とする。

(注) 1　従来永久資産の取得費とされていた水路・ため池の掘削費用、公道・農道の盛土(整地を含む。)費及びこれらの工事のための測量費は繰延資産に該当するのであるから留意する。

2　農用地の整地・造成に伴って構築したけい畔をコンクリートけい畔とした場合の当該けい畔の築造費は永久資産に該当しないのであるから留意する。

(三)　繰延資産の償却額の必要経費算入の方法

イ　受益者負担金のうち繰延資産に係る資産の取得費対応部分の金額の償却は、原則として、当該資産の取得の時から当該資産の取得に充てた費用の支出効果の及ぶ期間(その施設又は工作物が賦課金を支出した者に専ら利用される場合は、通常その施設又は工作物の耐用年数の70％に相当する年数)にわたり毎年均分償却を行うのであるが、土地改良法の規定に基づいて土地改良区、国、都道府県、市町村及び農業協同組合(以下「土地改良区等」という。)が行う土地改良事業の受益者負担金については、毎年受益者が支出する賦課金のうち、繰延資産対応部分をその年分の償却額として、各受益者の当該支出した年分の所得計算上必要経費に算入しても差し支えない。

(注)　毎年支出する賦課金のうち、繰延資産対応部分をその支出した年分の必要経費に算入することとしたのは、次の理由によるものである。

〈イ〉　一般的に土地改良事業の賦課金の賦課期間は、10年から20年のものが多く、従前の取扱いにおいて減価償却資産について総合した耐用年数により償却する場合の最長の耐用年数とされている20年の70％相当年数(14年)とおおむね一致する期間であること。

〈ロ〉　土地改良事業の工事費に対応する賦課金は、多くの場合、各年の金額に大きな開差がみられないこと。

ロ　上記の賦課金のうち、繰延資産対応部分の金額は、各受益者のその年の賦課金から維持管理費相当部分の金額を控除した金額に、当該土地改良事業の永久資産取得費と繰延資産に係る資産の取得費との合計額に対する繰延資産に係る資産の取得費の割合を乗じて計算する。

この場合の永久資産又は繰延資産に係る資産の取得費の計算に当たっては、国又は地方公共団体等から補助金の交付を受けている場合には、①当該補助金により取得すべき資産を指定されているときは当該指定資産の取得費の計算上、また、②当該補助金により取得すべき資産を指定されていないときは、当該土地改良事業の永久資産と繰延資産に係る資産の取得費に比例して当該補助金の交付を受けたものとして、それぞれの資産の取得費の計算上当該補助金または補助金相当額をそれぞれ控除した金額により計算する。

(注)　農地用の整地等に要する費用について、その費用の支出の受益の範囲が一つの土地改良事業の受益者のうち、特定の受益者に限られるため当該整地等に要する費用に対応する賦課金を当該特定の受益者だけに賦課している場合においては、当該賦課金は一般の賦課金と区分し、当該賦課金につき、上記により繰延資産に係る資産の取得費相当額の計算を行うものとする。

(四)　賦課金の必要経費算入額の区分計算の省略(省略計算)

各年の受益面積の単位当たり賦課金の金額が少額の場合(土地改良事業ごとの賦課金が10アール当たり10,000円未満のときとする。)においては、上記の区分計算を省略し、受益者が支出した賦課金の全額をその年の必要経費に算入しても差し支えない。

なお、10アール当たり賦課金が10,000円以上の場合であっても(一)から(三)までにより計算される必要経費に算入すべき額が10アール当たり10,000円未満であるときには、10アール当たり10,000円を必要経費に算入しても妨げないものとする。

(注)　10アール当たり10,000円未満であるかどうかは、同一の耕地について二以上の土地改良区等からの賦課金がある場合には、その合計

額によるのではなく、一つの土地改良事業を一単位として判定するのであるから留意する。

(五)　従前の取扱いとの調整〔省略〕

(六)　そ　の　他

イ　部落その他相当数の者が共同して行う土地改良事業で、その受益者から負担金を徴し、長期間（おおむね10年以上）にわたって工事費を償還するものに係る当該負担金に対する取扱いについては、上記(三)及び(四)に準ずるものとする。

ロ　個人又は数人が共同して行う土地改良事業に係る支出金額については、上記(一)から(五)までの計算とは別に、一般の例により必要経費となるべき額を計算するのであるが、この場合における永久資産取得費の範囲については上記(二)に準ずるものとする。

2　繰延資産となる費用のうち少額のものの必要経費算入

居住者が支出する**1**表内③に掲げる費用のうちその支出する金額が20万円未満であるものについては、**3**の規定にかかわらず、その支出する金額に相当する金額を、その者のその支出する日の属する年分の不動産所得の金額、事業所得の金額、山林所得の金額又は雑所得の金額の計算上、必要経費に算入する。（令139の２）

（少額の繰延資産であるかどうかの判定）

注　支出する金額が20万円未満であるかどうかは、**1**表内③イに掲げる費用については一の設置計画又は改良計画につき支出する金額（２回以上に分割して支出する場合には、その支出する時において見積もられる支出金額の合計額）、同ロ及びハに掲げる費用については契約ごとに支出する金額、同ニに掲げる費用についてはその支出の対象となる資産の１個又は１組ごとに支出する金額により判定する。（基通50－７）

3　繰延資産の償却費の計算

居住者のその年12月31日における繰延資産につきその償却費としてその者の不動産所得の金額、事業所得の金額、山林所得の金額又は雑所得の金額の計算上必要経費に算入する金額は、その繰延資産に係る支出の効果の及ぶ期間を基礎として次に定めるところにより計算した金額とする。（法50①、令137①）

①	開業費、開発費	その繰延資産の額を60で除し、これにその年において不動産所得、事業所得、山林所得又は雑所得を生ずべき業務を行っていた期間の月数（その年がその繰延資産となる費用を支出した日の属する年である場合には、同日から当該業務を行っていた期間の末日までの期間の月数）を乗じて計算した金額（当該計算した金額が、その繰延資産の額のうち既にこの項の規定により不動産所得の金額、事業所得の金額、山林所得の金額又は雑所得の金額の計算上必要経費に算入された金額以外の金額を超える場合には、当該金額。②において同じ。） 　ただし、居住者が左の繰延資産につきその年分の不動産所得の金額、事業所得の金額、山林所得の金額又は雑所得の金額の計算上必要経費に算入すべき金額として、当該繰延資産の額の範囲内の金額をその年分の確定申告書に記載した場合には、当該繰延資産の償却費の額は上記にかかわらず、当該金額として記載された金額とする。（令137③）
②	①に掲げる繰延資産以外の繰延資産	その繰延資産の額をその繰延資産となる費用の支出の効果の及ぶ期間の月数で除し、これに①に規定する業務を行っていた期間の月数を乗じて計算した金額 $$\text{償却費の額}=\text{繰延資産の額}\times\frac{\text{①に規定するその年において業務を行っていた期間の月数}}{\text{支出の効果の及ぶ期間の月数}}$$

		(注)　償却費の額の計算の基礎となる月数は、暦に従って計算し、1か月に満たない端数を生じたときは、これを1か月とする。①において同じ。(令137②)

(効果の及ぶ期間の測定)

(1)　**3**表内②の「繰延資産となる費用の支出の効果の及ぶ期間」(以下(7)までにおいて「償却期間」という。)は、(4)までに定めるもののほか、固定資産を利用するために支出した繰延資産については当該固定資産の耐用年数を、一定の契約をするに当たり支出した繰延資産についてはその契約期間をそれぞれ基礎として適正に見積もった期間による。(基通50－1)

(繰延資産の償却期間の改訂)

(2)　固定資産を利用するために支出した繰延資産で当該固定資産の耐用年数を基礎として償却期間を算定しているものにつき、その後当該固定資産の耐用年数が改正されたときは、その改正された年以後の当該繰延資産の償却期間は、改正後の耐用年数を基礎として算定した期間による。(基通50－2)

(繰延資産の償却期間)

(3)　**1**表内③の繰延資産のうち、次の表に掲げるものの償却期間は、それぞれ次による。(基通50－3)

種　　　類	細　　　　目	償　却　期　間
公共的施設の設置又は改良のために支出する費用《**1**(1)》	(一)　その施設又は工作物がその負担をした者に専ら使用されるものである場合	その施設又は工作物の耐用年数の70%に相当する年数
	(二)　(一)以外の施設又は工作物の設置又は改良の場合	その施設又は工作物の耐用年数の40%に相当する年数
共同的施設の設置又は改良のために支出する費用《**1**(2)》	(一)　その施設がその負担をした者又は構成員の共同の用に供されるものである場合又は協会等の本来の用に供されるものである場合	イ　施設の建設又は改良に充てられる部分の負担金については、その施設の耐用年数の70%に相当する年数 ロ　土地の取得に充てられる部分の負担金については、45年
	(二)　商店街における共同のアーケード、日よけ、アーチ、すずらん灯等その負担をした者の共同の用に供されるとともに併せて一般公衆の用にも供されるものである場合	5年(その施設について定められている耐用年数が5年より短い場合には、その耐用年数)
建物を賃借するために支出する権利金等《**1**(4)(一)》	(一)　建物の新築に際しその所有者に対して支払った権利金等で当該権利金等の額が当該建物の賃借部分の建設費の大部分に相当し、かつ、実際上その建物の存続期間中賃借できる状況にあると認められるものである場合	その建物の耐用年数の70%に相当する年数
	(二)　建物の賃借に際して支払った(一)以外の権利金等で、契約、慣習等によってその明渡しに際して借家権として転売できることになっているものである場合	その建物の賃借後の見積残存耐用年数の70%に相当する年数
	(三)　(一)及び(二)以外の権利金等である場合	5年(契約による賃借期間が5年未満であり、かつ、契約更新に際して再び権利金等の支払を要することが明らかであるものについては、その賃借期間の年数)

種　　　類	細　　　目	償　却　期　間
電子計算機その他の機器の賃借に伴って支出する費用《**1**（4）（二）》		その機器の耐用年数の70％に相当する年数（その年数が契約による賃借期間を超えるときは、当該賃借期間の年数）
ノーハウの頭金等《**1**（5）》		５年（設定契約の有効期間が５年未満である場合において、契約の更新に際して再び一時金又は頭金の支払を要することが明らかであるときは、当該有効期間の年数
広告宣伝の用に供する資産を贈与したことにより生ずる費用《**1**（6）》		その資産の耐用年数の70％に相当する年数（その年数が５年を超えるときは、５年）
スキー場のゲレンデ整備費用《**1**（7）》		12年
出版権の設定の対価《**1**（8）》		設定契約に定める存続期間（設定契約に存続期間の定めがない場合には、３年）
同業者団体等の加入金《**1**（9）》		５年
職業運動選手等の契約金等《**1**（10）》		契約期間（契約期間の定めがない場合には、３年）

（注）1　道路用地をそのまま又は道路として舗装の上、国又は地方公共団体に提供した場合において、その提供した土地の帳簿価額に相当する金額（舗装費を含む。）が繰延資産となる公共施設の設置又は改良のために支出する費用に該当するときは、その償却期間の計算の基礎となる「その施設又は工作物の耐用年数」は15年として、この表を適用する。

2　償却期間に１年未満の端数があるときは、その端数を切り捨てる。

（港湾しゅんせつ負担金等の償却期間の特例）

（4）　公共的施設の設置又は改良のために支出する費用のうち、企業合理化促進法第８条《産業関連施設の整備》の規定に基づき負担する港湾しゅんせつに伴う受益者負担金及び共同的施設の設置又は改良のために支出する費用のうち負担者又は構成員の属する協会等の本来の用に供される会館等の建設又は改良のために負担するものについては、（3）に定める償却期間が10年を超える場合には、当分の間、（3）にかかわらず、その償却期間を10年とするものとする。（基通50－4）

（公共下水道に係る受益者負担金の償却期間の特例）

（5）　地方公共団体が都市計画事業その他これに準ずる事業として公共下水道を設置する場合において、その設置により著しく利益を受ける土地所有者が都市計画法その他の法令の規定に基づき負担する受益者負担金については、（3）にかかわらずその償却期間を６年とする。（基通50－４の２）

（注）　下水道法第19条《工事負担金》の規定により負担する負担金の取扱いは、**五 1**（9）《公共下水道施設の使用のための負担金》によることに留意する。（無形減価償却資産である水道施設利用権となる。＝編者注）

（分割払の繰延資産）

（6）　**1**表内③に掲げる繰延資産となるべき費用の額を分割して支払うこととしている場合には、たとえその総額が確定しているときであっても、その総額を未払金に計上して償却することはできないものとする。ただし、その分割して支払う期間が短期間（おおむね３年以内）である場合には、この限りでない。（基通50－５）

（長期分割払の負担金の必要経費算入）

（7）　公共的施設又は共同的施設の設置又は改良に係る負担金で繰延資産となるべきものを支出した場合において、当該負担金が次のいずれにも該当するものであるときは、その負担金として支出した金額は、その支出をした日の属する年分の必要経費に算入することができるものとする。（基通50－5の2）

（一）　その負担金の額が、その負担金に係る繰延資産の償却期間に相当する期間以上の期間にわたり分割して徴収されるものであること。

（二）　その分割して徴収される負担金の額がおおむね均等額であること。

（三）　その負担金の徴収がおおむねその支出に係る施設の工事の着工後に開始されること。

（固定資産を利用するための繰延資産の償却の開始の時期）

（8）　繰延資産となるべき費用を支出した場合において、当該費用が固定資産を利用するためのものであり、かつ、当該固定資産の建設等に着手されていないときは、その固定資産の建設等に着手した時から償却する。（基通50－6）

（繰延資産の支出の対象となった資産が滅失した場合等の未償却残額の必要経費算入）

（9）　繰延資産とされた費用の支出の対象となった固定資産又は契約について滅失又は解約等があった場合には、その滅失又は解約等があった日の属する年分の各種所得の金額等の計算上、当該繰延資産のうちまだ必要経費に算入されていない部分の金額は、**八**《資産損失》の規定により必要経費に算入される。（編者注）

（繰延資産の償却額の計算単位）

（10）　繰延資産の償却費の額は、費用の異なるごとに、かつ、その償却期間の異なるごとに計算する。（編者注）

八　資 産 損 失

1　固定資産等の損失

①　事業の用に供される固定資産等の損失の必要経費算入

居住者の営む不動産所得、事業所得又は山林所得を生ずべき事業の用に供される固定資産その他これに準ずる資産（これらの事業に係る繰延資産のうちまだ必要経費に算入されていない部分をいう。）について、取壊し、除却、滅失（当該資産の損壊による価値の減少を含む。）その他の事由により生じた損失の金額（保険金、損害賠償金その他これらに類するものにより補てんされる部分の金額及び資産の譲渡により又はこれに関連して生じたものを除く。）は、その者のその損失の生じた日の属する年分の不動産所得の金額、事業所得の金額又は山林所得の金額の計算上、必要経費に算入する。（法51①、令140）

（建設中の固定資産等）

（1）　①に規定する「事業の用に供される固定資産」又は③に規定する「業務の用に供され又はこれらの所得の基因となる資産」には、その事業又は業務の用に供されることが明らかであると認められる建設（製作又は製造を含む。）中の固定資産も含まれるものとする。（基通51－1）

（親族の有する固定資産について生じた損失）

（2）　不動産所得、事業所得又は山林所得を生ずべき事業を営む者が自己と生計を一にする配偶者その他の親族の有する固定資産又は繰延資産を当該事業の用に供している場合には、当該事業を営む者が当該資産を所有しているものとみなして①の規定を適用することができるものとする。ただし、自己又は自己と生計を一にする配偶者その他の親族が第八章一《雑損控除》**1**の規定の適用を受ける場合は、この限りでない。（基通51－5）

（建物の貸付けが事業として行われているかどうかの判定）

（3）　建物の貸付けが不動産所得を生ずべき事業として行われているかどうかは、社会通念上事業と称するに至る程度の規模で建物の貸付けを行っているかどうかにより判定すべきであるが、次に掲げる事実のいずれか一に該当する場合又は賃貸料の収入の状況、貸付資産の管理の状況等からみてこれらの場合に準ずる事情があると認められる場合には、特に反証がない限り、事業として行われているものとする。（基通26－9）

（一）　貸間、アパート等については、貸与することができる独立した室数がおおむね10以上であること。

（二）　独立家屋の貸付けについては、おおむね５棟以上であること。

（ソフトウエアの除却）

（4）　ソフトウエアにつき物理的な除却、廃棄、消滅等がない場合であっても、次に掲げるように当該ソフトウエアを今後業務の用に供しないことが明らかな事実があるときは、当該ソフトウエアの未償却残高から処分見込価額を控除した金額を必要経費に算入することができる。（基通51－2の3）

（一）　自己の業務の用に供するソフトウエアについて、そのソフトウエアによるデータ処理の対象となる業務が廃止され、当該ソフトウエアを利用しなくなったことが明らかな場合、又はハードウエアやオペレーティングシステムの変更等によって他のソフトウエアを利用することになり、従来のソフトウエアを利用しなくなったことが明らかな場合

（二）　複写して販売するための原本となるソフトウエアについて、新製品の出現、バージョンアップ等により、今後、販売を行わないことが販売流通業者への通知文書等で明らかな場合

②　山林の災害等による損失の必要経費算入

災害又は盗難若しくは横領により居住者の有する山林について生じた損失の金額（保険金、損害賠償金その他これらに類するものにより補てんされる部分の金額を除く。）は、その者のその損失の生じた日の属する年分の事業所得の金額又は山林所得の金額の計算上、必要経費に算入する。（法51③）

（雑所得の基因となる山林の資産損失）

注　保有期間が５年以下である山林（事業所得の基因となる山林を除く。）について生じた②に規定する損失の金額は、山林所得の金額の計算上、必要経費に算入する。（基通51－５の２）

③　事業と称するに至らない程度の業務の用に供される資産等の損失の必要経費算入

居住者の不動産所得若しくは雑所得を生ずべき業務の用に供され又はこれらの所得の基因となる資産（山林及び第四章第八節**三**《生活に通常必要でない資産の災害による損失》に規定する資産を除く。）の損失の金額（保険金、損害賠償金その他これらに類するものにより補てんされる部分の金額、資産の譲渡により又はこれに関連して生じたもの及び①若しくは**2**①又は第八章**一**《雑損控除》**1**に規定するものを除く。）は、それぞれ、その者のその損失の生じた日の属する年分の不動産所得の金額又は雑所得の金額（③の規定を適用しないで計算したこれらの所得の金額とする。）を限度として、当該年分の不動産所得の金額又は雑所得の金額の計算上、必要経費に算入する。（法51④）

（注）　上記の損失額には、非営業用貸金の貸倒損が含まれる。なお、上記①の（3）及び第八章**一1**（3）《事業以外の業務用資産の災害等による損失》参照。（編者注）

④　資産損失の金額

次のイからハに掲げる資産について生じた①から③までに規定する損失の金額の計算の基礎となるその資産の価額は、当該イからハに掲げる金額とする。（令142）

イ	固定資産	当該損失の生じた日にその資産の譲渡があったものとみなして第四章第八節**二2**《譲渡所得の金額の計算上控除する資産の取得費》①又は同②の規定を適用した場合にその資産の取得費とされる金額に相当する金額
ロ	山林	当該損失の生じた日までに支出したその山林の植林費、取得に要した費用、管理費その他その山林の育成に要した費用の額
ハ	繰延資産	その繰延資産の額からその償却費として**七3**《繰延資産の償却費の計算》の規定により当該損失の生じた日の属する年分以前の各年分の不動産所得の金額、事業所得の金額、山林所得の金額又は雑所得の金額の計算上必要経費に算入される金額の累積額を控除した金額

（損失の金額）

（1）　①から③までに規定する損失の金額とは、資産そのものについて生じた損失の金額をいい、当該損失の金額は、当該資産について④又は⑤の規定を適用して計算した金額からその損失の基因となった事実の発生直後における当該資産の価額及び発生資材の価額の合計額を控除した残額に相当する金額とする。（基通51－2）

（有 姿 除 却）

（2）　次に掲げるような固定資産については、たとえ当該資産につき解撤、破砕、廃棄等をしていない場合であっても、当該資産の未償却残額からその処分見込価額を控除した金額を必要経費に算入することができるものとする。（基通51－2の2）

（一）　その使用を廃止し、今後通常の方法により事業の用に供する可能性がないと認められる固定資産

（二）　特定の製品の生産のために専用されていた金型等で、当該製品の生産を中止したことにより将来使用される可能性のほとんどないことがその後の状況等からみて明らかなもの

（原状回復のための費用）

（3）　①又は③に規定する資産が損壊した場合において、当該資産の修繕その他の原状回復のために支出した費用の額があるときは、その費用の額のうち、当該資産について④又は⑤の規定を適用して計算した金額から、当該損壊直後における当該資産の価額を控除した残額に相当する金額までの金額は資本的支出とし、残余の金額を当該支出をした日の属する年分の必要経費に算入するものとする。（基通51－3）（（4）参照）

<計算例>

（設　例）

火災のあった店舗の｛災害直前の帳簿価額　2,905,500円
　　　　　　　　　　災害直後の時価　1,500,000円

火災により取得した保険金　1,000,000円

災害により支出した復旧費　5,000,000円（うち、原状回復のための費用2,000,000円）

（計　算）

災害直前の帳簿価額		災害直後の時価		保険金		資産損失
2,905,500円	－	1,500,000円	－	1,000,000円	＝	405,500円

災害直前の帳簿価額　　災害直後の時価
　2,905,500円　－　1,500,000円　＝　1,405,500円……………………………資本的支出
原状回復費用　　災害直前の帳簿価額　災害直後の時価
　2,000,000円　－　（2,905,500円　－　1,500,000円）　＝　594,500円……修　繕　費
（注）　原状回復後の店舗の帳簿価額（未償却残高）は次のようになる。
災害直後の時価　資本的支出の額　復　旧　費　原状回復費用
1,500,000円　＋　1,405,500円　＋　（5,000,000円　－　2,000,000円）＝　5,905,500円

（災害の場合の原状回復のための費用の特例）

（4）　災害により損壊した業務の用に供されている固定資産について支出した費用で、その費用の額を修繕その他の原状回復のために支出した部分の額とその他の部分の額とに区分することが困難なものについては、当該損壊により生じた損失につき雑損控除の規定の適用を受ける場合を除き、その費用の額の30%相当額を原状回復のために支出した部分の額とし、残余の額を資本的支出の部分の額とすることができる。（基通37－14の2）

（注）　当該損壊により生じた損失につき①又は③の規定の適用がある場合には、上記により計算された原状回復のために支出した費用の額であっても、（3）により必要経費に算入されないものがあることに留意する。

<計算例>

（設　例）　（3）の計算例中、復旧費5,000,000円のうちの原状回復のための支出金額が不明の場合

（計　算）
　復 旧 費
　5,000,000円　×　30%　＝　1,500,000円……………………………………原状回復費用
　復　旧　費　　原状回復費用
　5,000,000円　－　1,500,000円　＝　3,500,000円……………………………………資本的支出①
災害直前の帳簿価額　災害直後の時価
　2,905,500円　－　1,500,000円　＝　1,405,500円……………………………………資本的支出②
　原状回復費用　　資本的支出②
　1,500,000円　－　1,405,500円　＝　94,500円……………………………………修　繕　費
（注）　原状回復後の店舗の帳簿価額（未償却残高）は次のようになる。
資本的支出の額①　災害直後の時価　資本的支出の額②
3,500,000円　＋　1,500,000円　＋　1,405,500円　＝　6,405,500円

（スクラップ化していた資産の譲渡損失）

（5）　①又は③に規定する資産の譲渡により損失が生じた場合において、当該資産が当該譲渡前に既にスクラップ化していたと認められるときは、当該損失の金額は、これらの規定により必要経費に算入すべき当該資産に係る損失の金額とする。（基通51－4）

（保険金、損害賠償金に類するものの範囲）

（6）　①から③までに規定する「その他これらに類するもの」には、次に掲げるようなものが含まれる。（基通51－6）

（一）　損害保険契約又は火災共済契約に基づき被災者が支払を受ける見舞金

（二）　資産の損害の補塡を目的とする任意の互助組織から支払を受ける災害見舞金

（注）　被災者生活再建支援金については、平成19年分以後、損失額から差し引かないように取扱いが変更されている。（編者注）

（保険金等の見込控除）

（7）　①から③までに規定する「保険金、損害賠償金その他これらに類するもの」（以下（7）において「保険金等」という。）の額が損失の生じた年分の確定申告書を提出する時までに確定していない場合には、当該保険金等の見積額に基づいてこれらの規定を適用する。この場合において、後日、当該保険金等の確定額と当該見積額とが異なることとなったときは、そ及して各種所得の金額を訂正するものとする。（基通51－7）

（注）　山林に係る保険金等の額のうち②に規定する損失の金額を超える部分の金額は、第一節**一1**（2）《事業所得等の収入金額とされる保険金等》の規定により、その確定した年分の事業所得の金額又は山林所得の金額の計算上総収入金額に算入される。

（盗難品等の返還を受けた場合のそ及訂正）

（8）　①から③までに規定する資産について盗難又は横領による損失が生じた場合において、当該盗難又は横領に係る資産の返還を受けたときは、そ及して各種所得の金額を訂正する。（基通51－8）

（損失が生じた資産の取得費等）

（9）　資産につき①から③までに規定する損失が生じた場合には、当該資産について④又は⑤の規定を適用して計算した金額から当該損失が発生した直後における当該資産の価額を控除した残額に相当する金額は、次に掲げる資産の区分に応じ、それぞれ次に掲げるところによるものとする。（基通51－9）

（一）　減価償却資産及び繰延資産　　当該損失が生じた時において当該資産の償却費の額に算入された金額とする。

（二）　固定資産（減価償却資産を除く。）　当該資産の取得費から控除する。

（三）　山林　　当該山林の第四章第七節**二２**《山林所得の必要経費》に規定する費用の額から控除する。

⑤　昭和27年12月31日以前に取得した資産の損失の金額の特例

次のイ又はロに掲げる資産について生じた①から③までに規定する損失の金額の計算の基礎となるその資産の価額は、④の規定にかかわらず、当該イ又はロに掲げる金額とする。（令143）

イ	昭和27年12月31日以前から引き続き所有していた固定資産	当該損失の生じた日にその資産の譲渡があったものとみなして第四章第八節**二２**③又は同④《昭和27年12月31日以前に取得した資産の取得費》の規定を適用した場合にその資産の取得費とされる金額に相当する金額
ロ	昭和27年12月31日以前から引き続き所有していた山林	第四章第七節**二２**①《昭和27年12月31日以前に取得した山林の取得費》の規定により計算したその山林の昭和28年１月１日における価額に相当する金額と同日から当該損失の生じた日までの間に支出した管理費その他その山林の育成に要した費用の額との合計額

２　貸倒損失等

①　貸倒損失等の必要経費算入

居住者の営む不動産所得、事業所得又は山林所得を生ずべき事業について、その事業の遂行上生じた売掛金、貸付金、前渡金その他これらに準ずる債権の貸倒れその他当該事業の遂行上生じた次のイからハまでに定める事由により生じた損失の金額は、その者のその損失の生じた日の属する年分の不動産所得の金額、事業所得の金額又は山林所得の金額の計算上、必要経費に算入する。（法51②、令141）

イ	販売した商品の返戻又は値引き（これらに類する行為を含む。）により収入金額が減少することとなったこと
ロ	保証債務の履行に伴う求償権の全部又は一部を行使することができないこととなったこと。
ハ	不動産所得の金額、事業所得の金額若しくは山林所得の金額の計算の基礎となった事実のうちに含まれていた無効な行為により生じた経済的成果がその行為の無効であることに基因して失われ、又はその事実のうちに含まれていた取り消すことのできる行為が取り消されたこと。

（事業の遂行上生じた売掛金、貸付金等に準ずる債権）

（1）　①に規定する「事業の遂行上生じた売掛金、貸付金、前渡金その他これらに準ずる債権」（以下（3）までにおいて「**貸金等**」という。）には、販売業者の売掛金、金融業者の貸付金及びその未収利子、製造業者の下請業者に対して有する前渡金、工事請負業者の工事未収金、自由職業者の役務の提供の対価に係る未収金、不動産貸付業者の未収賃貸料、山林経営業者の山林売却代金の未収金等のほか、次に掲げるようなものも含まれる。（基通51－10）

（一）　自己の事業の用に供する資金の融資を受ける手段として他から受取手形を取得し、その見合いとして借入金を計上し，又は支払手形を振り出している場合のその受取手形に係る債権

（二）　自己の製品の販売強化、企業合理化等のため、特約店、下請先等に貸し付けている貸付金

（三）　事業上の取引のため、又は事業の用に供する建物等の貸借りのために差し入れた保証金、敷金、預け金等の債権

(四)　使用人に対する貸付金又は前払給料、概算払旅費等

(貸金等の全部又は一部の切捨てをした場合の貸倒れ)

(２)　貸金等について次に掲げる事実が発生した場合には、その貸金等の額のうちそれぞれ次に掲げる金額は、その事実の発生した日の属する年分の当該貸金等に係る事業の所得の金額の計算上必要経費に算入する。(基通51－11)

(一)　更生計画認可の決定又は再生計画認可の決定があったこと。　これらの決定により切り捨てられることとなった部分の金額

(二)　特別清算に係る協定の認可の決定があったこと。　この決定により切り捨てられることとなった部分の金額

(三)　法令の規定による整理手続によらない関係者の協議決定で、次に掲げるものにより切り捨てられたこと。　その切り捨てられることとなった部分の金額

イ　債権者集会の協議決定で合理的な基準により債務者の負債整理を定めているもの

ロ　行政機関又は金融機関その他の第三者のあっせんによる当事者間の協議により締結された契約でその内容がイに準ずるもの

(四)　債務者の債務超過の状態が相当期間継続し、その貸金等の弁済を受けることができないと認められる場合において、その債務者に対し債務免除額を書面により通知したこと。　その通知した債務免除額

(回収不能の貸金等の貸倒れ)

(３)　貸金等につき、その債務者の資産状況、支払能力等からみてその全額が回収できないことが明らかになった場合には、当該債務者に対して有する貸金等の全額について貸倒れになったものとしてその明らかになった日の属する年分の当該貸金等に係る事業の所得の金額の計算上必要経費に算入する。この場合において、当該貸金等について担保物があるときは、その担保物を処分した後でなければ貸倒れとすることはできない。(基通51－12)

(注)　保証債務は、現実にこれを履行した後でなければ貸倒れの対象にすることはできないことに留意する。

(一定期間取引停止後弁済がない場合等の貸倒れ)

(４)　債務者について次に掲げる事実が発生した場合には、その債務者に対して有する売掛債権(売掛金、未収請負金その他これらに準ずる債権をいい、貸付金その他これに準ずる債権を含まない。以下(４)において同じ。)の額から備忘価額を控除した残額を貸倒れになったものとして、当該売掛債権に係る事業の所得の金額の計算上必要経費に算入することができる。(基通51－13)

(一)　債務者との取引の停止をした時(最後の弁済期又は最後の弁済の時が当該停止をした時より後である場合には、これらのうち最も遅い時)以後１年以上を経過したこと。(当該売掛債権について担保物のある場合を除く。)

(二)　同一地域の債務者について有する売掛債権の総額がその取立てのために要する旅費その他の費用に満たない場合において、当該債務者に対し支払を督促したにもかかわらず弁済がないこと。

(注)　(一)の取引の停止は、継続的な取引を行っていた債務者につきその資産状況、支払能力等が悪化したため、その後の取引を停止するに至った場合をいうのであるから、例えば、不動産取引のようにたまたま取引を行った債務者に対して有する当該取引に係る売掛債権については、この取扱いの適用はない。

(更生債権者が更生計画の定めるところにより株式を取得した場合)

(５)　更生債権者が更生計画の定めるところにより、新たに払込み又は現物出資をしないで更生会社(新会社を含む。以下(６)において同じ。)が発行する株式を取得した場合において、当該取得した株式の価額の合計額が当該株式の割当ての基礎とされた債権額に満たないときは、その差額に相当する金額を貸倒れとすることができる。(基通51－14)

(更生債権者が更生会社の株式を取得する権利の割当てを受けた場合)

(６)　更生債権者が更生計画の定めるところにより更生会社の株式を取得する権利の割当てを受けた場合において、払込みをしなかったとき又は当該株式を取得する権利の価額が当該割当ての基礎とされた更生債権の金額に満たないときは、それぞれ当該更生債権の金額又は当該更生債権の金額と当該株式を取得する権利の価額との差額を貸倒れとすることができる。(基通51－15)

(更生手続の対象とされなかった更生債権の貸倒れ)

(７)　指定された期限までに裁判所に届け出なかったため更生手続の対象とされなかった更生債権については、その金額をその更生計画の認可の決定のあった日において貸倒れとすることができる。(基通51－16)

（金銭債権の譲渡損失）

（8）　金銭債権を譲渡したことにより生じた損失の金額については、当該損失が当該譲渡により実質的に贈与したと認められる場合に生じたものである場合を除き、当該損失の金額に相当する金額の貸倒れによる損失が生じたものとして、①若しくは**1**③、第四節**二 1**《事業を廃止した場合の必要経費の特例》又は同節**二 2**《資産の譲渡代金が回収不能となった場合等の所得計算の特例》の規定を適用する。（基通51－17）

（返品により減少した収入金額の処理）

（9）　①イに規定する販売した商品の返戻により減少することとなる収入金額は、その商品の返戻につき、その発送した旨の通知を受けた日（その商品の返戻について承諾を必要とする場合には、その承諾をした日）の属する年分の総売上高から控除する。ただし、その者が継続して同一の経理を行うときは、その商品を受け取った日の属する年分の総売上高から控除して差し支えない。（基通51－18）

（農地の転用、移転が不許可になったことなどにより返還した仲介手数料等）

（10）　不動産売買業者の仲介又は譲渡に係る農地についてその転用若しくは移転の許可が得られなかったこと、又はその転用若しくは移転の届出が受理されなかったことにより、その不動産業者が返還した仲介手数料又は譲渡代金は、①のハの規定によりその返還した日の属する年分の事業所得の金額の計算上必要経費に算入することに留意する。（基通51－19）

②　返品債権特別勘定

（返品債権特別勘定の設定）

（1）　出版業を営む者で青色申告書を提出する居住者のうち、常時、その販売する出版業に係る棚卸資産の大部分につき、一定の特約を結んでいるもの（以下（1）において「特定事業者」という。）が、雑誌（週刊誌、旬刊誌、月刊誌等の定期刊行物に限る。以下（2）までにおいて同じ。）の販売に関し、その取次業者又は販売業者（以下（1）においてこれらの者を「販売業者」という。）との間に次の㈠及び㈡に掲げる事項を内容とする特約を結んでいる場合には、その販売した年において（2）に定める繰入限度額以下の金額を返品債権特別勘定に繰り入れ、その繰り入れた金額に相当する金額をその年分の事業所得の金額の計算上必要経費に算入することができる。（基通51－20）

㈠　その年12月31日において販売業者がまだ販売していない雑誌（その年最後の発行に係るものを除く。以下（2）までにおいて「店頭売れ残り品」という。）に係る売掛金に対応する債務を同日において免除すること。

㈡　店頭売れ残り品をその年12月31日において当該特定事業者に帰属させること。

（注）　一定の特約とは、次に掲げる事項を内容とする特約とする。

⑴　販売業者からの求めに応じ、その販売した棚卸資産を当初の販売価額によって無条件に買い戻すこと。

⑵　販売業者において、当該特定事業者から棚卸資産の送付を受けた場合にその注文によるものかどうかを問わずこれを購入すること。

（返品債権特別勘定の繰入限度額）

（2）　返品債権特別勘定の繰入限度額は、次のいずれかの金額とする。（基通51－21）

㈠　その年12月31日における雑誌の販売に係る売掛金（その年最後の発行に係るものを除く。）の帳簿価額の合計額に当該雑誌の返品率を乗じて計算した金額から店頭売れ残り品の同日における価額に相当する金額を控除した金額

㈡　その年12月31日以前2月間における雑誌の販売の対価の額（その年最後の発行に係るものを除く。）の合計額に当該雑誌の返品率を乗じて計算した金額から店頭売れ残り品の同日における価額に相当する金額を控除した金額

（注）　上記㈠及び㈡の返品率とは、その年及びその前年における当該雑誌の販売の対価の額の合計額のうちに（1）（注）⑴に規定する特約に基づく当該雑誌の買戻しに係る対価の額の合計額の占める割合をいう。

（返品債権特別勘定の金額の総収入金額算入）

（3）　返品債権特別勘定の金額は、その繰り入れた年の翌年分の事業所得の金額の計算上総収入金額に算入する。（基通51－22）

（明細書の添付）

（4）　返品債権特別勘定への繰入れを行う場合には、その繰入れを行う年分に係る確定申告書に、返品債権特別勘定の繰入額の計算に関する明細を記載した書類を添付するものとする。（基通51－23）

九　引当金、準備金等

1　貸倒引当金

①　個別評価貸金等による貸倒引当金繰入額の必要経費算入

不動産所得、事業所得又は山林所得を生ずべき事業を営む居住者が、その有する売掛金、貸付金、前渡金その他これらに準ずる金銭債権（債券に表示されるべきものを除く。②において同じ。）で当該事業の遂行上生じたもの（以下①において「**貸金等**」という。）のうち、更生計画認可の決定に基づいて弁済を猶予され、又は賦払により弁済されることその他の（1）で定める事実が生じていることによりその一部につき貸倒れその他これに類する事由による損失が見込まれるもの（当該貸金等に係る債務者に対する他の貸金等がある場合には、当該他の貸金等を含む。以下①及び②において「**個別評価貸金等**」という。）のその損失の見込額として、各年（事業の全部を譲渡し、又は廃止した日の属する年を除く。②において同じ。）において貸倒引当金勘定に繰り入れた金額については、当該金額のうち、その年12月31日（その者が年の中途において死亡した場合には、その死亡の時。②において同じ。）において当該個別評価貸金等の取立て又は弁済の見込みがないと認められる部分の金額を基礎として（1）で定めるところにより計算した金額に達するまでの金額は、その者のその年分の不動産所得、事業所得又は山林所得の金額の計算上、必要経費に算入する。ただし、その者が死亡した場合において、その相続人が当該事業を承継しなかったときは、この限りでない。（法52①）

（個別評価貸金等に係る貸倒引当金勘定への繰入限度額）

（1）　①に規定する（1）で定める事実は、次の(一)から(四)までに掲げる事実とし、①に規定する（1）で定めるところにより計算した金額は、当該(一)から(四)までに掲げる事実の区分に応じ当該(一)から(四)までに定める金額とする。（令144①）

<table>
<tr><td>(一)</td><td>①の居住者がその年12月31日（その者が年の中途において死亡した場合には、その死亡の時。以下（1）において同じ。）において有する貸金等（①に規定する貸金等をいう。以下①において同じ。）につき、当該貸金等に係る債務者について生じた右欄に掲げる事由に基づいてその弁済を猶予され、又は賦払により弁済されること</td><td>当該貸金等の額のうち当該事由が生じた日の属する年の翌年１月１日から５年を経過する日までに弁済されることとなっている金額以外の金額（担保権の実行その他によりその取立て又は弁済（以下（1）において「取立て等」という。）の見込みがあると認められる部分の金額を除く。）<table>
<tr><td>イ</td><td>更生計画認可の決定</td></tr>
<tr><td>ロ</td><td>再生計画認可の決定</td></tr>
<tr><td>ハ</td><td>特別清算に係る協定の認可の決定</td></tr>
<tr><td>ニ</td><td>法人税法施行令第24条の２第１項《再生計画認可の決定に準ずる事実等》に規定する事実が生じたこと。</td></tr>
<tr><td>ホ</td><td>法令の規定による整理手続によらない関係者の協議決定で次に掲げるもの（ニに掲げる事由を除く。）（規35）
（イ）　債権者集会の協議決定で合理的な基準により債務者の負債整理を定めているもの
（ロ）　行政機関、金融機関その他第三者のあっせんによる当事者間の協議により締結された契約でその内容が（イ）に準ずるもの</td></tr>
</table></td></tr>
<tr><td>(二)</td><td>①の居住者がその年12月31日において有する貸金等に係る債務者につき、債務超過の状態が相当期間継続し、かつ、その営む事業に好転の見通しがないこと、災害、経済事情の急変等により多大な損害が生じたことその他の事由が生じていることにより、当該貸金等の一部の金額につきその取立て等の見込みがないと認められること（当該貸金等につき</td><td>当該一部の金額に相当する金額</td></tr>
</table>

<table>
<tr><td></td><td>(一)に掲げる事実が生じている場合を除く。)</td><td></td></tr>
<tr><td>(三)</td><td>①の居住者がその年12月31日において有する貸金等に係る債務者につき右欄に掲げる事由が生じていること（当該貸金等につき、(一)に掲げる事実が生じている場合及び(二)に掲げる事実が生じていることにより①の規定の適用を受けた場合を除く。）</td><td>当該貸金等の額（当該貸金等の額のうち、当該債務者から受け入れた金額があるため実質的に債権とみられない部分の金額及び担保権の実行、金融機関又は保証機関による保証債務の履行その他により取立て等の見込みがあると認められる部分の金額を除く。）の100分の50に相当する金額
<table>
<tr><td>イ</td><td>更生手続開始の申立て</td></tr>
<tr><td>ロ</td><td>再生手続開始の申立て</td></tr>
<tr><td>ハ</td><td>破産手続開始の申立て</td></tr>
<tr><td>ニ</td><td>特別清算開始の申立て</td></tr>
<tr><td>ホ</td><td>次に掲げる事由とする。（規35の２）
（イ）　手形交換所（手形交換所のない地域にあっては、当該地域において手形交換業務を行う銀行団を含む。）による取引停止処分
（ロ）　電子記録債権法第２条第２項《定義》に規定する電子債権記録機関（次に掲げる要件を満たすものに限る。）による取引停止処分
（ｉ）　金融機関（預金保険法第２条第１項各号《定義》に掲げる者をいう。以下(ロ)において同じ。）の総数の100分の50を超える数の金融機関に業務委託（電子記録債権法第58条第１項《電子債権記録業の一部の委託》の規定による同法第51条第１項《電子債権記録業を営む者の指定》に規定する電子債権記録業の一部の委託をいう。(ⅱ)において同じ。）をしていること。
（ⅱ）　電子記録債権法第56条《電子債権記録機関の業務》に規定する業務規程に、業務委託を受けている金融機関はその取引停止処分を受けた者に対し資金の貸付け（当該金融機関の有する債権を保全するための貸付けを除く。）をすることができない旨の定めがあること。</td></tr>
</table></td></tr>
<tr><td>(四)</td><td>①の居住者がその年12月31日において有する貸金等に係る債務者である外国の政府、中央銀行又は地方公共団体の長期にわたる債務の履行遅滞によりその貸金等の経済的な価値が著しく減少し、かつ、その弁済を受けることが著しく困難であると認められること</td><td>当該貸金等の額（当該貸金等の額のうち、これらの者から受け入れた金額があるため実質的に債権とみられない部分の金額及び保証債務の履行その他により取立て等の見込みがあると認められる部分の金額を除く。）の100分の50に相当する金額</td></tr>
</table>

((１)(一)から同(四)までの事由が生じていることを証明する書類の保存がない場合)

（２）　居住者の有する貸金等について（１）(一)から同(四)までに掲げる事実が生じている場合においても、当該事実が生じていることを証する書類その他の（３）で定める書類の保存がされていないときは、当該貸金等に係る（１）の規定の適用については、当該事実は、生じていないものとみなす。（令144②）

((３)で定める書類)

（３）　(２)に規定する（３）で定める書類は、次の(一)及び(二)に掲げる書類とする。（規36）

(一)	（１）(一)から同(四)までに掲げる事実が生じていることを証する書類

(二)	担保権の実行、保証債務の履行その他により取立て又は弁済の見込みがあると認められる部分の金額がある場合には、その金額を明らかにする書類

（書類の保存がなかったことにやむを得ない事情がある場合）

(4)　税務署長は、(2)の書類の保存がない場合においても、その書類の保存がなかったことについてやむを得ない事情があると認めるときは､その書類の保存のなかった貸金等に係る金額につき(2)の規定を適用しないことができる。(令144③)

（その有する売掛金、貸付金等に準ずる金銭債権で事業の遂行上生じたもの）

(5)　①に規定する「その有する売掛金、貸付金、前渡金その他これらに準ずる金銭債権……で当該事業の遂行上生じたもの」には、販売業者の売掛金、金融業者の貸付金及びその未収利子、製造業者の下請業者に対して有する前渡金、工事請負業者の工事未収金、自由職業者の役務の提供の対価に係る未収金、不動産貸付業者の未収賃貸料、山林経営業者の山林売却代金の未収金等のほか、次に掲げるようなものも含まれる。（基通52－1）

(一)　自己の事業の用に供する資金の融資を受ける手段として他から受取手形を取得し、その見合いとして借入金を計上し、又は支払手形を振り出している場合のその受取手形に係る金銭債権

(二)　自己の製品の販売強化、企業合理化等のため、特約店、下請先等に貸し付けている貸付金

(三)　事業上の取引のため、又は事業の用に供する建物等の賃借りのために差し入れた保証金、敷金、預け金等の金銭債権

(四)　使用人に対する貸付金又は前払給料、概算払旅費等

（貸倒損失として計上した金銭債権に係る個別評価による貸倒引当金）

(6)　①の規定の適用に当たり、確定申告書に「個別評価による貸倒引当金に関する明細書」の添付、及び青色申告決算書又は収支内訳書に個別評価による繰入額の記載がない場合であっても、それが貸倒損失を計上したことに基因するものであり、かつ、当該確定申告書及び青色申告決算書又は収支内訳書の提出後にこの明細書が提出されたときは、⑥の規定を適用し、当該貸倒損失の額を当該債務者に係る個別評価による貸倒引当金の繰入額として取り扱うことができるものとする。（基通52－1の2）

(注)　本文の規定は、①の規定に基づく個別評価による貸倒引当金の繰入れに係る必要経費の認容であることから、①の規定の適用に関し、その事由が生じていることを証明する書類の保存がある場合に限られる。

（裏書譲渡をした受取手形）

(7)　事業の遂行上生じた売掛金、貸付金等について取得した受取手形で当該売掛金、貸付金等に係る債務者が振り出し、又は引き受けたものを裏書譲渡（割引を含む。以下③(2)において同じ。）した場合には、当該受取手形に係る売掛金、貸付金等の金銭債権（以下同(2)において「既存債権」という。）を①に規定する貸金等（以下(19)までにおいて「貸金等」という。）に該当するものとして取り扱う。（基通52－2）

（貸倒れに類する事由）

(8)　①に規定する「貸倒れその他これに類する事由」には、貸金等の貸倒れのほか、例えば、事業に係る保証金や前渡金等について返還請求を行った場合における当該返還請求債権が回収不能となったときがこれに含まれる。（基通52－3）

（担保権の実行により取立て等の見込みがあると認められる部分の金額）

(9)　(1)(一)及び同(三)《個別評価貸金等に係る貸倒引当金勘定への繰入限度額》に規定する担保権の実行により取立て等の見込みがあると認められる部分の金額とは、質権、抵当権、所有権留保、信用保険等によって担保されている部分の金額をいうことに留意する。（基通52－5）

（相当期間の意義）

(10)　(1)(二)に規定する「債務者につき、債務超過の状態が相当期間継続し、かつ、その営む事業に好転の見通しがないこと」における「相当期間」とは、「おおむね１年以上」とし、その債務超過に至った事情と業務好転の見通しをみて、同(二)に規定する事由が生じているかどうかを判定するものとする。（基通52－6）

（人的保証に係る回収可能額の算定）

(11)　(1)(二)に規定する「当該貸金等の一部の金額につきその取立て等の見込みがないと認められること（当該貸金等につき同(一)に掲げる事実が生じている場合を除く。）　当該一部の金額に相当する金額」は、その貸金等の額から担保物の処分による回収可能額及び人的保証に係る回収可能額などを控除して算定するのであるが、次に掲げる場合には、人的保証に係る回収可能額の算定上、回収可能額を考慮しないことができる。（基通52－7）

(一)　保証債務の存否に争いのある場合で、そのことにつき相当の理由のあるとき

(二)　保証人が行方不明で、かつ、当該保証人の有する資産について評価額以上の質権、抵当権（以下(11)において「質権等」という。）が設定されていること等により当該資産からの回収が見込まれない場合

(三)　保証人について(1)(三)に掲げる事由が生じている場合

(四)　保証人が生活保護を受けている場合（それと同程度の収入しかない場合を含む。）で、当該保証人の有する資産について評価額以上の質権等が設定されていること等により当該資産からの回収が見込まれないとき。

(五)　保証人が個人であって、次のいずれにも該当する場合

イ　当該保証人が有する資産について評価額以上の質権等が設定されていること等により、当該資産からの回収が見込まれないとき。

ロ　当該保証人のその年分の収入金額が当該保証人に係る保証債務の額の合計額（当該保証人の保証に係る貸金等につき担保物がある場合には当該貸金等の額から当該担保物の価額を控除した金額をいう。以下(11)において同じ。）の５％未満であるとき。

（注）1　当該保証人に係る保証債務の額の合計額には、当該保証人が他の債務者の貸金等につき保証をしている場合には、当該他の債務者の貸金等に係る保証債務の額の合計額を含めることができる。

2　上記ロの当該保証人のその年分の収入金額については、その算定が困難であるときは、その前年分の収入金額とすることができる。

（担保物の処分以外に回収が見込まれない貸金等の個別評価による繰入れ）

(12)　(1)(二)に規定する「その他の事由により、当該貸金等の一部の金額につきその取立て等の見込みがないと認められること（当該貸金等につき、(一)に掲げる事実が生じている場合を除く。）」には、その貸金等の額のうち担保物の処分によって得られると見込まれる金額以外の金額につき回収できないことが明らかになった場合において、その担保物の処分に日時を要すると認められるときが含まれることに留意する。この場合において、同(二)に規定するその取立て等の見込みがないと認められる金額とは、その回収できないことが明らかになった金額をいう。（基通52－8）

（実質的に債権とみられない部分の金額）

(13)　(1)(三)の右欄のかっこ内に規定する「当該貸金等の額のうち、当該債務者から受け入れた金額があるため実質的に債権とみられない部分の金額」とは、次に掲げるような金額がこれに該当する。（基通52－9）

(一)　同一人に対する売掛金又は受取手形と買掛金がある場合のその売掛金又は受取手形の金額のうち、買掛金の金額に相当する金額

(二)　同一人に対する売掛金又は受取手形と買掛金がある場合において、当該買掛金の支払のために他から取得した受取手形を裏書譲渡したときのその売掛金又は受取手形の金額のうち、当該裏書譲渡した手形（支払期日の到来していないものに限る。）の金額に相当する金額

(三)　同一人に対する売掛金とその者から受け入れたその事業に係る保証金がある場合のその売掛金の額のうち、保証金の額に相当する金額

(四)　同一人に対する売掛金とその者から受け入れた借入金がある場合のその売掛金の額のうち、借入金の額に相当する金額

(五)　同一人に対する完成工事の未収金とその者から受け入れた未成工事に対する受入金がある場合のその未収金の額のうち、受入金の額に相当する金額

(六)　同一人に対する貸付金と買掛金がある場合のその貸付金の額のうち、買掛金の額に相当する金額

(七)　使用人に対する貸付金とその使用人から受け入れた預り金がある場合のその貸付金の額のうち、預り金の額に相当する金額

(八)　専ら融資を受ける手段として他から受取手形を取得し、その見合いとして借入金を計上した場合のその受取手形の金額のうち、借入金の額に相当する金額

(九)　同一人に対する未収地代家賃とその者から受け入れた敷金がある場合のその未収地代家賃の額のうち、敷金の

額に相当する金額

（第三者の振り出した手形）

(14)　(１)(三)の規定を適用する場合において、債務者から他の第三者の振り出した手形（債務者の振り出した手形で第三者の引き受けたものを含む。）を受け取っている場合における当該手形の金額に相当する金額は、取立て等の見込みがあると認められる部分の金額に該当することに留意する。（基通52－10）

（手形交換所等の取引停止処分）

(15)　その年の12月31日までに債務者の振り出した手形が不渡りとなり、当該年分に係る確定申告書の提出期限までに当該債務者について(１)(三)ホ(イ)に規定する手形交換所による取引停止処分が生じた場合には、当該年において(１)(三)の規定を適用することができる。

その年の12月31日までに支払期日の到来した電子記録債権法第２条第１項《定義》に規定する電子記録債権に係る債務につき債務者から支払が行われず、当該年分に係る確定申告書の提出期限までに当該債務者について同条第２項に規定する電子債権記録機関（(１)(三)ホ(ロ)(ⅰ)及び同(ⅱ)に掲げる要件を満たすものに限る。）による取引停止処分が生じた場合についても、同様とする。（基通52－11）

（国外にある債務者）

(16)　国外にある債務者について、(１)(一)又は同(三)に掲げる事由に類する事由が生じた場合には、これらの規定の適用があることに留意する。（基通52－12）

（中央銀行の意義）

(17)　(１)(四)に規定する「中央銀行」とは、金融機関でその本店又は主たる事務所の所在する国において、通貨の調節、金融の調整又は信用制度の保持育成の業務その他これに準ずる業務を行うものをいう。（基通52－13）

（繰入れ対象となる公的債務者に対する貸金等）

(18)　(１)(四)に掲げる貸金等は、次に掲げる貸金等とする。

ただし、債務者が外国の地方公共団体である場合において、その貸金等の元本の返済及び利息等の支払に係る債務不履行の原因が当該地方公共団体の属する国の外貨準備高の不足によるものであることが明らかなときは、当該地方公共団体に対する貸金等については、この限りではない。（基通52－14）

(一)　債務者たる外国の政府、中央銀行及び地方公共団体（以下(19)までにおいて「公的債務者」という。）に対して有する貸金等につき債務不履行が生じたため、当該公的債務者との間に貸金等に係る契約において定められているところに従い、当該公的債務者に対して債務不履行宣言を行った場合で、次に掲げる要件のすべてを満たすとき　当該公的債務者に対して有する貸金等の額

イ　当該債務不履行宣言を行った日以後その年12月31日までの間において、当該債務不履行の状態が継続し、かつ、当該公的債務者に対する融資又は当該公的債務者との間で貸金等に係る債務の履行期限の延長に関する契約の締結若しくは物品販売等の取引を行っていないこと。

ロ　その年12月31日において、当該公的債務者に対する融資又は当該公的債務者との間で貸金等に係る債務の履行期限の延長に関する契約の締結若しくは物品販売等の取引を行う具体的な計画を有していないこと。

（注）１　債務不履行宣言とは、債務者に対する貸金等につき債務不履行が生じた場合に、当該貸金等に係る期限の利益の喪失を目的として債権者が行う宣言をいう。

２　他の者が外国の公的債務者に対して債務不履行宣言を行った場合において、当該債務不履行宣言の効果が自己に及ぶことが貸金等に係る契約書において定められているときであっても、当該公的債務者に対して有する貸金等につき債務不履行が生じていないときは、①の(四)に掲げる事由に該当しないことに留意する。

(二)　外国の公的債務者が次に掲げるすべての要件を満たす場合　当該公的債務者に対して有する貸金等のうち元本等の返済及び利息等の支払に係る債務不履行期間がその年12月31日以前３年以上の期間にわたっているものの金額

イ　その年12月31日以前３年間において、当該公的債務者に対する貸金等につき元本等の返済及び利息等の支払がないこと。

ロ　その年12月31日以前３年間において、当該公的債務者に対する融資又は当該公的債務者との間で貸金等に係る債務の履行期限の延長に関する契約の締結若しくは物品販売等の取引を行っていないこと。

ハ　その年12月31日において、当該公的債務者に対する融資又は当該公的債務者との間で貸金等に係る債務の履行

期限の延長に関する契約の締結若しくは物品販売等の取引を行う具体的な計画を有していないこと。

(取立て等の見込みがあると認められる部分の金額)

(19)　(1)(四)のかっこ内に規定する「取立て等の見込みがあると認められる部分の金額」とは、次に掲げる金額をいう。(基通52－15)

(一)　当該貸金等につき他の者（自己が有する当該他の者に対する貸金等につき債務不履行が生じている者を除く。以下(四)において同じ。）により債務の保証が付されている場合の当該保証が付されている部分に相当する金額

(二)　当該貸金等につき債務の履行不能によって生ずる損失をてん補する保険が付されている場合の当該保険が付されている部分に相当する金額

(三)　当該貸金等につき質権、抵当権、所有権留保等によって担保されている場合の当該担保されている部分の金額

(四)　当該公的債務者から他の者が振り出した手形（当該公的債務者の振り出した手形で他の者の引き受けたものを含む。）を受け取っている場合のその手形の金額に相当する金額等実質的に債権と認められない金額

②　一括評価貸金による貸倒引当金繰入額の必要経費算入

青色申告書を提出する居住者で事業所得を生ずべき事業を営むものが、その有する売掛金、貸付金その他これらに準ずる金銭債権で当該事業の遂行上生じたもの（個別評価貸金等を除く。以下②において「**一括評価貸金**」という。）の貸倒れによる損失の見込額として、各年において貸倒引当金勘定に繰り入れた金額については、当該金額のうち、その年12月31日において有する一括評価貸金の額を基礎として(1)で定めるところにより計算した金額《**繰入限度額**》に達するまでの金額は、その者のその年分の事業所得の金額の計算上、必要経費に算入する。

ただし、その者が死亡した場合において、その相続人が当該事業を承継しなかったとき、又はその相続人のうちに、当該事業を承継した者でその死亡の日の属する年分の所得税につき青色申告書を提出することについて税務署長の承認を受けているもの（当該所得税につき青色申告の承認申請書を提出したものを含む。）がない場合は、この限りでない。(法52②、令146)

(一括評価貸金に係る貸倒引当金の繰入限度額)

(1)　一括評価貸金に係る貸倒引当金の繰入限度額は、②の居住者のその年12月31日（その者が年の中途において死亡した場合には、その死亡の時）において有する一括評価貸金（②に規定する一括評価貸金をいう。以下(2)において同じ。）の帳簿価額（当該一括評価貸金のうち当該居住者が当該一括評価貸金に係る債務者から受け入れた金額があるためその全部又は一部が実質的に債権とみられないものにあっては、その債権とみられない部分の金額に相当する金額を控除した残額。(2)において同じ。）の合計額に、その者の営む事業所得を生ずべき事業のうち主たるものが次の(一)又は(二)に掲げる事業のいずれに該当するかに応じ当該(一)又は(二)に定める割合を乗じて計算した金額とする。(令145①)

(一)	金融業以外の事業	1,000分の55
(二)	金融業	1,000分の33

(平成27年1月1日以後引き続き事業所得を生ずべき事業を営んでいる者の一括評価貸金の帳簿価額の計算)

(2)　(1)の一括評価貸金の帳簿価額の計算については、(1)の居住者で平成27年1月1日以後引き続き事業所得を生ずべき事業を営んでいるものは、(1)の規定にかかわらず、その年12月31日（その者が年の中途において死亡した場合には、その死亡の時）における一括評価貸金の額に、平成27年及び平成28年の各年の12月31日における一括評価貸金の額の合計額のうちに当該各年の12月31日における(1)に規定する債権とみられない部分の金額の合計額の占める割合（当該割合に小数点以下3位未満の端数があるときは、これを切り捨てる。）を乗じて計算した金額をもって、(1)に規定する債権とみられない部分の金額に相当する金額とすることができる。(令145②)

$$\text{債権とみられない部分の金額に相当する金額} = \text{その年の12月31日における一括評価貸金の額} \times \frac{\text{分母の各年の12月31日における(1)に規定する債権とみられない部分の金額の合計額}}{\text{平成27年及び平成28年の各年12月31日における一括評価貸金の額の合計額}} \cdots\cdots \text{(小数点以下3位未満の端数は切り捨てる。)}$$

(実質的に債権とみられないものの簡便計算を適用できる場合)

(3)　(2)の規定は、平成27年及び平成28年の各年分の所得税につき青色申告書の提出の承認を受けていたかどうか、又は貸倒引当金勘定を設けていたかどうかに関係なく適用があることに留意する。(基通52－19)

（青色申告の承認を受けている者等の範囲）

（4）　②のただし書及び⑤《死亡の場合の貸倒引当金勘定の金額の処理》(二)に規定する「青色申告書を提出することについて税務署長の承認を受けているもの」又は「青色申告の承認申請書を提出したもの」とは、その死亡の日の属する年分の所得税につき、その被相続人についての準確定申告書（第十章第二節**三２**《年の中途で死亡した場合の確定申告等》に規定する申告書をいう。以下同じ。）の提出期限（その相続人についての当該年分の確定申告書の提出期限が先に到来する場合には、当該提出期限とし、これらの期限が到来する前に被相続人についての準確定申告書を提出する場合には、その提出の日とする。以下⑤の注において「準確定申告書の提出期限」という。）現在において当該承認を受けている者又は当該申請書を提出している者（準確定申告書の提出期限までにその申請を却下された者を除く。）をいうものとする。（基通52－23）

（注）　青色申告者の業務を承継した相続人が提出する青色申告の承認申請書の提出期限については、第十一章**二１**注（基通144－１）参照。

③　貸倒引当金の設定の対象となる貸金の範囲

（売掛金、貸付金に準ずる金銭債権）

（1）　②の「その他これらに準ずる金銭債権」とは、事業所得の総収入金額に算入される資産の譲渡の対価たる未収金、役務の提供の対価たる未収加工料、未収請負金、未収手数料、未収保管料及び貸付金の未収利子等をいう。（編者注）

（裏書譲渡をした受取手形）

（2）　事業の遂行上生じた売掛金、貸付金等の金銭債権について取得した受取手形につき裏書譲渡をした場合には、当該受取手形に係る既存債権が②に規定する貸金に該当するものとして取り扱う。（基通52－16）

（注）　金融業等を営む者が当該事業の遂行上裏書譲渡により取得した受取手形（手形法第18条第１項本文《取立委任裏書》又は同法第19条第１項本文《質入裏書》に規定する裏書により取得したものを除く。）でその取得の原因が既存債権と関係のないものを裏書譲渡をした場合には、その受取手形の金額は、貸金の額に該当しないこととなる。

（貸金に該当しない金銭債権）

（3）　次に掲げるようなものは、事業所得を生ずべき事業の遂行上生じたものであっても貸金には該当しない。（基通52－17）

（一）　保証金、敷金（土地、建物等の賃借等に関連して無利息又は低利率で提供した建設協力金等を含む。）、預け金その他これらに類する金銭債権

（二）　手付金、前渡金等のように資産の取得の代価又は費用の支出に充てるものとして支出した金額

（三）　前払給料、概算払旅費、前渡交際費等のように将来精算される費用の前払として一時的に仮払金、立替金等として支出した金額

（四）　雇用保険法、労働施策の総合的な推進並びに労働者の雇用の安定及び職業生活の充実等に関する法律、障害者の雇用の促進等に関する法律等の法令の規定に基づき交付を受ける給付金等の未収金

（五）　仕入割戻しの未収金

（注）１　仮払金等として計上されている金額については、その実質的な内容に応じて貸金に該当するかどうかを判定することに留意する。

２　これらの債権は、**八２**《貸倒損失等》に定める貸金等には該当するのであるから留意する。（編者注）

（実質的に債権とみられないもの）

（4）　②(1)のかっこ内に規定する「当該貸金に係る債務者から受け入れた金額があるためその全部又は一部が実質的に債権とみられないもの」には、債務者から受け入れた金額と相殺適状にある債権だけでなく、債務者から受け入れた金額と相殺的な性格をもつ債権及び債務者と相互に融資している場合などのその債務者から受け入れた金額に相当する債権も含まれるのであるから、次に掲げるような金額は、貸金の額に含まれない。（基通52－18）

（一）　同一人に対する売掛金又は受取手形と買掛金又は支払手形がある場合のその売掛金又は受取手形の金額のうち、買掛金又は支払手形の金額に相当する金額

（二）　専ら融資を受ける手段として他から受取手形を取得し、その見合いとして借入金を計上し、又は支払手形を振り出した場合のその受取手形の金額のうち、借入金又は支払手形の金額に相当する金額

（三）　①(13)(二)から同(七)までに掲げる場合に該当する貸金の額のうち、それぞれ同(13)(二)から同(七)までに掲げる額に相当する金額

（延払基準を適用した場合の未収金等）

（５）　延払条件付販売等に該当する資産の販売等に係る収入金額及び費用の額につき延払基準の方法により経理している場合には、当該延払条件付販売等により生じた未収金等は、貸金に該当するものとする。この場合において、その年中に履行期日が到来しない部分を未収金等としないで棚卸資産等として経理しているときであっても、その棚卸資産等として経理している金額を貸金の額とするものとする。（旧基通52－19）

（注）　上記（５）は所得税法等の一部を改正する法律（平成30年法律第７号）等の施行に伴い、廃止された。ただし、第四節**三１**①（注）１から（注）６までの規定によりなお効力を有するものとされる改正前の同①の規定の適用を受ける場合については、この改正前の（５）の取扱いによる。

（リース取引に係る貸金）

（６）　第四節**三４**①《リース取引に係る所得の金額の計算》により売買があったものとされたリース取引（同**４**②に規定するリース取引をいう。）に係るリース料のうち、その年12月31日において支払期日の到来していないリース料の額の合計額は貸金に該当するものとする。（基通52－20）

（返品債権特別勘定を設定している場合の貸金の額）

（７）　返品債権特別勘定を設定している場合には、貸金の額は、その年12月31日における返品債権特別勘定の金額に相当する金額を控除した金額による。（基通52－21）

（返品調整引当金勘定を設定している場合の貸金の額）

（８）　返品調整引当金勘定を設定している場合には、貸金の額は、当該返品調整引当金勘定の金額に相当する金額を控除しないところによる。（旧基通52－22）

（注）　上記（８）は所得税法等の一部を改正する法律（平成30年法律第７号）等の施行に伴い、廃止された。ただし、**２**①（注）２から（注）４までの規定によりなお効力を有するものとされる改正前の同①の規定の適用を受ける場合については、この改正前の（８）の取扱いによる。

④　貸倒引当金の総収入金額算入

①及び②の規定によりその繰入れをした年分の不動産所得の金額、事業所得の金額又は山林所得の金額の計算上必要経費に算入された貸倒引当金勘定の金額は、その繰入れをした年の翌年分の不動産所得の金額、事業所得の金額又は山林所得の金額の計算上、総収入金額に算入する。（法52③）

⑤　死亡の場合の貸倒引当金勘定の金額の処理

①又は②の居住者が死亡した場合において、①又は②の規定によりその居住者の死亡の日の属する年分の事業所得の金額の計算上必要経費に算入された貸倒引当金勘定の金額があるときは、当該貸倒引当金勘定の金額は、次の㈠又は㈡に掲げる貸倒引当金勘定の金額の区分に応じ、当該㈠又は㈡に定める相続人の当該年分の事業所得の金額の計算上、総収入金額に算入する。（令147）

㈠	①の規定によりその年分の必要経費に算入された貸倒引当金勘定の金額　　その居住者の相続人のうち、その居住者の①に規定する事業を承継した者
㈡	②の規定によりその年分の必要経費に算入された貸倒引当金勘定の金額　　その居住者の相続人のうち、②に規定する事業を承継した者でその死亡の日の属する年分の所得税につき青色申告書を提出することについて税務署長の承認を受けているもの（当該所得税につき第十一章**二**《青色申告の承認申請》の申請書を提出した者を含む。）

（相続人の青色申告の承認の取消し等があった場合）

注　⑤の㈡に規定する相続人が、準確定申告書の提出期限後に被相続人の死亡の日の属する年分の所得税につき青色申告の承認を取り消され、又は青色申告の承認申請を却下された場合であっても、被相続人についての①本文の規定の適用があり、当該相続人についての⑤の規定の適用があることに留意する。（基通52－24）

⑥　確定申告書への記載等

①及び②の規定は確定申告書〔これに添付する青色申告決算書をいう。＝編者注〕に貸倒引当金勘定に繰り入れた金額の必要経費への算入に関する明細の記載がある場合に限り、適用する。（法52④）

税務署長は、上記の記載がない確定申告書の提出があった場合においても、その記載がなかったことについてやむを得

ない事情があると認めるときは、①又は②の規定を適用することができる。（法52⑤）

2　返品調整引当金（平成30年４月１日以後廃止、令和13年分まで経過措置あり）

①　返品調整引当金繰入額の必要経費算入

青色申告書を提出する居住者で次の(一)に掲げる事業を営むもののうち、常時、その販売する当該事業に係る棚卸資産の大部分につき、次の(二)に掲げる事項を内容とする特約を結んでいるものが、当該棚卸資産の当該特約に基づく買戻しによる損失の見込額として、各年（事業の全部を譲渡し又は廃止した年を除く。）において返品調整引当金勘定に繰り入れた金額については、当該金額のうち、最近における当該棚卸資産の当該特約に基づく買戻しの実績を基礎として②で定めるところにより計算した金額に達するまでの金額は、その者のその年分の事業所得の金額の計算上、必要経費に算入する。

ただし、その者が死亡した場合において、その相続人が当該事業を承継しなかったとき、又はその相続人のうちに、当該事業を承継した者でその死亡の日の属する年分の所得税につき青色申告書を提出することについて税務署長の承認を受けているもの（当該所得税につき青色申告承認申請書を提出したものを含む。）がない場合は、この限りでない。（旧法53①、旧令148、旧令149、旧令151）

(一)	**返品調整引当金勘定を設定することができる事業の範囲**	〈イ〉　出版業 〈ロ〉　出版に係る取次業 〈ハ〉　医薬品（医薬部外品を含む。）、農薬、化粧品、既製服、蓄音機用レコード、磁気音声再生機用レコード又はデジタル式の音声再生機用レコードの製造業 〈ニ〉　〈ハ〉に規定する物品の卸売業
(二)	**返品調整引当金勘定の設定要件**	〈イ〉　その居住者において、販売先からの求めに応じ、その販売した棚卸資産を当初の販売価額によって無条件に買い戻すこと。 〈ロ〉　販売先において、その居住者から棚卸資産の送付を受けた場合にその注文によるものかどうかを問わずこれを購入すること。

(注)１　「**2　返品調整引当金**」の規定は、平成30年４月１日以後、削除された。（平30改所法等附１、平30改所令附１）

２　(注)１の改正法の施行の際現に改正前の①に規定する事業（以下(注)２及び(注)４において「**対象事業**」という。）を営む個人（(注)１の改正法の施行の際現に営まれている対象事業につき平成30年４月１日以後に移転を受ける個人を含む。(注)４において「**経過措置個人**」という。）の平成30年から令和12年までの各年分の事業所得の金額の計算については、①の規定は、なおその効力を有する。この場合において、改正前の①中「②で定めるところにより計算した金額」とあるのは、令和４年分については「②で定めるところにより計算した金額の10分の９に相当する金額」と、令和５年分については「②で定めるところにより計算した金額の10分の８に相当する金額」と、令和６年分については「②で定めるところにより計算した金額の10分の７に相当する金額」と、令和７年分については「②で定めるところにより計算した金額の10分の６に相当する金額」と、令和８年分については「②で定めるところにより計算した金額の10分の５に相当する金額」と、令和９年分については「②で定めるところにより計算した金額の10分の４に相当する金額」と、令和10年分については「②で定めるところにより計算した金額の10分の３に相当する金額」と、令和11年分については「②で定めるところにより計算した金額の10分の２に相当する金額」と、令和12年分については「②で定めるところにより計算した金額の10分の１に相当する金額」とする。（平30改所法等附５①）

３　(注)２の規定によりなおその効力を有するものとされる改正前の①の規定により令和12年分の事業所得の金額の計算上必要経費に算入された返品調整引当金勘定の金額は、令和13年分の事業所得の金額の計算上、総収入金額に算入する。（平30改所法等附５②）

４　改正前の①の規定により平成30年４月１日前に対象事業を営んでいた個人（経過措置個人を除く。）の平成29年分の事業所得の金額の計算上必要経費に算入された返品調整引当金勘定の金額その他これに準ずるものとして(注)６で定める金額は、平成30年分の事業所得の金額の計算上、総収入金額に算入する。（平30改所法等附５③）

５　(注)２《個人の返品調整引当金に関する経過措置》の規定によりなおその効力を有するものとされる改正前の**2**《返品調整引当金》の規定に基づく①、②**イ**、同**ロ**、④《返品調整引当金》の規定は、なおその効力を有する。この場合において、改正前の②**イ**(一)中「第四節**三1**③」とあるのは「第四節**三1**①《リース譲渡に係る収入及び費用の帰属時期》に規定するリース譲渡又は第四節**三1**①(注)１《リース譲渡に係る収入及び費用の帰属の時期に関する経過措置》の規定によりなおその効力を有するものとされる改正前の第四節**三1**③」と、「同**三1**①本文又は同②」とあるのは「同**三1**①本文若しくは同②又は改正前の同**三1**①本文」と、「同**三1**③」とあるのは「同**三1**①に規定するリース譲渡又は改正前の同**三1**③」とする。（平30改所令附８①）

６　(注)４に規定する(注)６で定める金額は、改正前の①の規定により(注)４に規定する個人が平成30年４月１日前に死亡した場合における当該個人の平成30年分の事業所得の金額の計算上必要経費に算入された返品調整引当金勘定の金額とする。（平30改所令附８②）

７　**2**①(１)から同(４)まで、同②**イ**(１)から同(３)まで及び同②**ロ**(１)から同(４)までは、所得税法等の一部を改正する法律（平成30年法律第７号）等の施行に伴い、廃止された。ただし、**2**①(注)２から同(注)４までの規定によりなお効力を有するものとされる改正前の同①の規定の適用を受ける場合については、この法令解釈通達の改正前の**2**①(１)から同(４)まで、同②**イ**(１)から同(３)まで及び同②**ロ**(１)から同(４)までの取扱いによる。

（既製服の製造業の範囲）

（1）　①(一)〈ハ〉に掲げる既製服の製造業には、背広服、制服、婦人子供服等一般に既製服と称されているものの製造業のほか、既製和服、メリヤス製婦人服、スポーツウエアその他通常外衣として着用される既製の衣服の製造業が含まれるものとする。（旧基通53－１）

（磁気音声再生機用レコードの製造業の意義）

（2）　①(一)〈ハ〉に掲げる磁気音声再生機用レコードの製造業とは、いわゆる録音済みのカセットテープの製造業のように、磁気音声再生機用レコードをマザーテープ等から複製により多量に製造する事業をいう。（旧基通53－１の２）

（注）　磁気音声再生機用レコードとは、いわゆるカーステレオ、テープレコーダー等により音声を再生することのできる磁気テープ、磁気シート等で録音済みのものをいう。

（特約の慣習がある場合）

（3）　①(二)に掲げる事項を内容とする慣習があると認められる場合には、文書によらないときであっても、同(二)〈イ〉及び同〈ロ〉に掲げる事項を内容とする特約を結んでいるものとして①の規定を適用するものとする。（旧基通53－１の３）

（青色申告の承認を受けている者等の範囲等）

（4）　①のただし書及び④《死亡の場合の返品調整引当金勘定の金額の処理》に規定する「青色申告書を提出することについて税務署長の承認を受けているもの」及び「青色申告の承認申請書を提出したもの」の範囲並びに相続人の青色申告の承認が取り消され、又は青色申告の承認の申請が却下された場合における①本文の規定の適用については**１**②(４)及び**１**⑤注の取扱いに準ずる。（旧基通53－９）

②　返品調整引当金勘定への繰入限度額

イ　繰入限度額

返品調整引当金勘定への繰入限度額は、①(一)〈イ〉から同〈ニ〉に掲げる事業（以下「**指定事業**」という。）の種類ごとに、次に掲げる方法のうちいずれかの方法により計算した金額の合計額とする。（旧令150①）

(一)	その年12月31日（①の居住者が年の中途において死亡した場合には、その死亡の時）における当該指定事業に係る売掛金（第四節**三１**③に規定する延払条件付販売等に係る棚卸資産で、その収入金額及び費用の額につき、同**三１**①本文又は同②の規定の適用を受けたものに係る売掛金を除く。）の帳簿価額の合計額に当該指定事業に係る棚卸資産（同**三１**③に規定する延払条件付販売等に係る棚卸資産で、その収入金額及び費用の額につき延払基準の適用を受けたものを除く。以下同じ。）の返品率を乗じて計算した金額に、その年における当該指定事業に係る売買利益率を乗じて計算する方法《**売掛金基準**》 繰入限度額＝年末における当該指定事業に係る売掛金（延払基準の適用を受けた売掛金を除く。）の帳簿価額の合計額×当該指定事業に係る棚卸資産の返品率（延払条件付販売資産を除いて計算する。）×当該指定事業に係るその年の売買利益率（延払条件付販売資産を除いて計算する。）
(二)	その年12月31日（①の居住者が年の中途において死亡した場合には、その死亡の時）以前２月間における当該指定事業に係る棚卸資産の販売の対価の額の合計額に当該指定事業に係る棚卸資産の返品率を乗じて計算した金額に、その年における当該指定事業に係る売買利益率を乗じて計算する方法《**売上高基準**》 繰入限度額＝年末以前２月間の当該指定事業に係る棚卸資産（延払条件付販売資産を除く。）の販売の対価の合計額×当該指定事業に係る棚卸資産の返品率（延払条件付販売資産を除いて計算する。）×当該指定事業に係るその年の売買利益率（延払条件付販売資産を除いて計算する。）

（売掛金の範囲）

（1）　**イ**(一)の売掛金には、その売掛金について取得した受取手形（割引又は裏書譲渡をしたものを含む。）を含むものとする。（旧基通53－２）

（返品債権特別勘定を設定している場合の期末売掛金等）

（2）　返品債権特別勘定を設定している場合には、**イ**(一)に規定する売掛金の帳簿価額には**八２**②《返品債権特別勘定》(２)(一)の雑誌の販売に係る売掛金の帳簿価額を、**イ**(二)に規定する対価の額には**ハ２**②(２)(二)の雑誌の販売の対

価の額をそれぞれ含めないことに留意する。（旧基通53－８）

（特約に基づく買戻しがある場合のその年12月31日以前２月間の棚卸資産の販売の対価の額の合計額）

（３）　**イ**(二)に規定する「その年12月31日以前２月間における当該指定事業に係る棚卸資産の販売の対価の額の合計額」は、その指定事業につき特約に基づく棚卸資産の買戻しに係る対価の額がある場合であっても、当該対価の額を控除しないで計算するものとする。（旧基通53－４）

ロ　返品率及び売買利益率の計算

返品調整引当金勘定への繰入限度額の計算の基礎となる返品率及び売買利益率は、それぞれ次の(一)及び(二)により計算する。

(一)	**返　品　率**	**イ**(一)又は同(二)の当該指定事業に係る棚卸資産の返品率とは、その年及びその前年における当該指定事業に係る棚卸資産の販売の対価の額の合計額のうちに①(二)《返品調整引当金勘定の設定要件》に定める特約に基づくその年及びその前年における当該指定事業に係る棚卸資産の買戻しに係る対価の額の合計額に占める割合をいう。（旧令150②） $$\text{返品率}=\frac{\text{その年及びその前年における指定事業に係る棚卸資産の買戻しの額の合計額}}{\text{その年及びその前年における指定事業に係る棚卸資産の売上高の合計額}}$$ (注) 延払基準の適用に係る延払資産を除いて計算することに留意する。（編者注）
(二)	**売買利益率**	**イ**(一)又は同(二)の当該指定事業に係る売買利益率とは、その年における当該指定事業に係る棚卸資産の販売の対価の額の合計額から①(二)に定める特約に基づくその年における当該棚卸資産の買戻しに係る対価の額の合計額を控除した残額のうちに当該販売に係る利益の総額（当該残額がその売上原価の額と販売手数料の額との合計額を超える場合におけるその超える部分の金額をいう。）の占める割合をいう。（旧令150③） $$\text{売買利益率}=\frac{\text{分母の金額}-\left(\text{当該指定事業に係る売上原価}+\text{当該指定事業に係る販売手数料の額}\right)}{\text{当該指定事業に係る売上高（買戻しの額を除く。）}}$$ (注)　延払基準の適用に係る延払資産を除いて計算することに留意する。（編者注）

（割戻しがある場合の棚卸資産の販売の対価の額の合計額等の計算）

（１）　指定事業に係る棚卸資産の販売の対価の額につき割戻しをした金額がある場合における**イ**又は**ロ**の規定の適用については、次による。（旧基通53－３）

(一)　**イ**(二)《売上高基準》に規定する「その年12月31日以前２月間における当該指定事業に係る棚卸資産の販売の対価の額の合計額」は、次の算式により計算した金額を控除した金額による。

（算式）

$$\text{その年において割戻しをした金額の合計額}\times\frac{\text{当該２月間の割戻しを行う前における棚卸資産の販売の対価の額の合計額}}{\text{その年の割戻しを行う前における棚卸資産の販売の対価の額の合計額}}$$

(二)　**ロ**(一)《返品率》に規定する「その年及びその前年における当該指定事業に係る棚卸資産の販売の対価の額の合計額」は、これらの年において割戻しをした金額を控除しないところの金額による。

(三)　**ロ**(二)《売買利益率》に規定する「棚卸資産の販売の対価の額の合計額」は、その年において割戻しをした金額を控除した金額による。

(注)　**イ**(一)《売掛金基準》の規定を適用する場合において、その年12月31日に未払金に計上している割戻しの金額があるときにおいても、当該割戻しの金額は、**イ**(一)の売掛金の帳簿価額の合計額の計算に関係させないことができる。

（物的なかしに基づく返品がある場合の返品率の計算）

（２）　**ロ**(一)《返品率》の「棚卸資産の販売の対価の額」及び「棚卸資産の買戻しに係る対価の額」には、販売した棚卸資産について受け入れた物的なかしに基づく返品の額は含まれないのであるが、返品が物的なかしに基づくものであるかどうか明らかでない場合は、その額を含めたところによりこれらの額を計算して差し支えない。（旧基通53－５）

（売買利益率の計算における広告料収入）

（3）　**ロ**(二)《売買利益率》に規定する売買利益率を計算する場合において、出版業に係る広告料収入があるときは、その広告料収入及びその原価の額は当該出版業に係る棚卸資産の販売の対価の額の合計額及びその売上原価の額に含めないのであるが、その広告料収入に係る原価の額を区分することが困難である場合には、広告料収入及びその原価の額をそれぞれ出版業に係る棚卸資産の販売の対価の額の合計額及びその売上原価の額に含めて計算して差し支えない。（旧基通53－６）

（売買利益率の計算の基礎となる販売手数料の範囲）

（4）　**ロ**(二)《売買利益率》に規定する販売手数料には、使用人である外交員等に対して支払う歩合給、手数料等で所得税法第204条第１項第４号《源泉徴収義務》に規定する報酬等に該当するものも含まれる。（旧基通53－７）

③　返品調整引当金の総収入金額算入

①の規定によりその繰入れをした年分の事業所得の金額の計算上必要経費に算入された返品調整引当金勘定の金額は、その繰入れをした年の翌年分の事業所得の金額の計算上、総収入金額に算入する。（旧法53②）

④　死亡の場合の返品調整引当金勘定の金額の処理

①の居住者が死亡した場合において、①の規定によりその居住者の死亡の日の属する年分の事業所得の金額の計算上必要経費に算入された返品調整引当金勘定の金額があるときは、当該返品調整引当金勘定の金額は、その居住者の相続人のうち、その居住者の①に規定する事業を承継した者でその死亡の日の属する年分の所得税につき青色申告書を提出することについて税務署長の承認を受けているもの（当該所得税につき青色申告の承認申請書を提出したものを含む。）の当該年分の事業所得の金額の計算上、総収入金額に算入する。（旧令152）

⑤　確定申告書への記載等

①の規定は、確定申告書に返品調整引当金勘定に繰り入れた金額の必要経費への算入に関する明細の記載がある場合に限り、適用する。（旧法53③）

税務署長は、上記の記載がない確定申告書の提出があった場合においても、その記載がなかったことについてやむを得ない事情があると認めるときは、①の規定を適用することができる。（旧法53④）

３　退職給与引当金

①　退職給与引当金繰入額の必要経費算入

青色申告書を提出する居住者で事業所得を生ずべき事業を営むもののうち、次の(一)から(三)までに掲げる退職給与規程を定めているものが、その事業に係る使用人（その居住者と生計を一にする配偶者その他の親族を除く。以下同じ。）の退職により支給する退職給与に充てるため、各年において退職給与引当金勘定に繰り入れた金額については、当該金額のうち、その年12月31日（その居住者が年の中途において死亡した場合には、その死亡の時）において在職するその事業に係る使用人の全員が自己の都合により退職するものと仮定して計算した場合に退職給与として支給されるべき金額の見積額のうちその年において増加したと認められる部分の金額を基礎として②で定めるところにより計算した金額《**繰入限度額**》に達するまでの金額は、その居住者のその年分の事業所得の金額の計算上、必要経費に算入する。（法54①、令153）

	労働協約により定められる退職給与の支給に関する規程
(一)	（労働協約による退職給与規程） 注　労働協約による退職給与規程に関しては、次のことに留意する。（基通54－１） （イ）　労働協約により定められた退職給与規程は、労働組合法第５条第１項《労働組合として設立されたものの取扱い》の規定による手続を経ていない労働組合との間に締結したものであっても、これに該当する。 （ロ）　労働協約により定められている退職給与規程は、労働協約による協定事項の一条項（その条項に基づき別に規程が定められている場合のその規程を含む。）として定められているものであると退職給与の支給に関する事項だけの協約によるものであるとを問わないが、労働協約において単に「退職給与の支給については就業規則に定めるところによる」旨だけを規定している場合には、その就業規則における退職給与の支給に関する規定は、これに該当しない。

(二)	**労働基準法第89条《就業規則の作成及び届出の義務》又は船員法第97条第２項《就業規則の作成及び届出》の規定により行政官庁に届け出られた就業規則により定められる退職給与の支給に関する規程** （注）常時10人以上の労働者を使用する使用者は、次の事項について就業規則を作成し、行政官庁に届け出なければならない。これを変更した場合においても同様である。（編者注） １～３　（省略） ３の２　退職手当の定めをする場合においては、適用される労働者の範囲、退職手当の決定、計算及び支払の方法並びに退職手当の支払の時期に関する事項 ４以下　（省略）
(三)	**労働基準法第89条又は船員法第97条の規定の適用を受けない居住者がその作成した退職給与の支給に関する規程をあらかじめ納税地の所轄税務署長に届け出た場合における当該規程** （注）使用者が10人以上であっても就業規則を作成しなかったとき、作成してもこれを行政官庁に届け出なかったとき、又は作成して行政官庁に届け出た場合であっても退職給与規程について定めなかったときは、この(三)によることとなる。（編者注）

（退職給与規程に関する書類の提出）

（1）　新たに①の規定の適用を受けようとする居住者は、その年の前年12月31日における退職給与規程（同日において退職給与規程が定められていない場合には、その後最初に定められた退職給与規程）及びその年12月31日（その者が年の中途で死亡した場合には、その死亡の時）までに退職給与規程が改正された場合にはその改正後のすべての退職給与規程の写しをその年分の所得税に係る確定申告期限までに、納税地の所轄税務署長に提出しなければならない。（令158①）

（退職給与規程につき異動が生じた場合等の退職給与規程に関する書類の提出）

（2）　①の規定の適用を受けた居住者でその後引き続いて①の適用を受けようとするものは、退職給与規程若しくは労働協約のうち退職給与の支給に関する事項について異動を生じたとき、又は新たに退職給与の支給に関する労働協約を結んだときは、速やかに、その旨及び異動後の退職給与規程若しくは労働協約のうち退職給与の支給に関する事項又は新たに結ばれた労働協約の退職給与の支給に関する事項を記載した書類を納税地の所轄税務署長に提出しなければならない。（令158②）

（税務署長に届け出た退職給与規程の改正の効力）

（3）　税務署長にあらかじめ届け出た退職給与の支給に関する規程により退職給与引当金勘定を設けている者が、当該規程を改正したことによりその改正に係る(2)に規定する書類を税務署長に提出する場合において、当該書類をその提出の基因となる事実の生じた年分に係る確定申告書の提出期限までに提出したときは、その提出期限に係る年分以後の各年分における繰入限度額はその提出した書類に記載されたところにより計算する。（基通54－2）

（退職給与規程に係る書面の提出）

（4）　(2)の規定により(2)に規定する書類を提出する場合において、②**ロ**のかっこ書の規定の適用を受けようとするときは、同**ロ**のかっこ書に規定する書面を当該書類に添付する必要があるのであるが、当該書面を当該書類の提出後に提出した場合には、当該書面の提出後最初に到来する確定申告書の提出期限に係る年分以後の各年分につき同**ロ**のかっこ書の規定を適用する。（基通54－2の2）

（労働協約が失効した場合の処理）

（5）　退職給与の支給に関する労働協約の効力が消滅した後新たな退職給与の支給に関する労働協約が結ばれていない場合には、その効力の消滅した後６月は、当該従前の労働協約がなお有効に存続するものとみなして、退職給与引当金に関する規定を適用する。（令159）

②　退職給与引当金勘定への繰入限度額

イ　繰入限度額

退職給与引当金勘定への繰入限度額は、次の(一)及び(二)に掲げる金額のうちいずれか少ない金額とする。（令154①）

(一)	**退職給与**	(イ)に掲げる金額から(ロ)に掲げる金額を控除した金額

	の要支給額の増加額	(イ)	期末退職給与の要支給額	その年12月31日（①の居住者が年の中途において死亡した場合には、その死亡の時。以下**ロ**までにおいて同じ。）において在職する使用人の全員が同日において自己の都合により退職するものと仮定した場合に各使用人につき同日現在において定められている退職給与規程（同一の使用人につき労働協約により定められた規程と就業規則により定められた規程又は税務署長に届け出た規程とが共に適用されることとなっている場合には、労働協約により定められた規程。以下「退職給与規程」という。）により計算される退職給与の額の合計額（以下「**期末退職給与の要支給額**」という。）
		(ロ)	前期末退職給与の要支給額	(イ)に規定する使用人のうちその年の前年12月31日から引き続き在職している者の全員が同日において自己の都合により退職するものと仮定した場合に各使用人につき同日現在において定められている退職給与規程（同日において退職給与規程が定められていない場合には、その後最初に定められた退職給与規程）により計算される退職給与の額の合計額（以下「**前期末退職給与の要支給額**」という。）
(二)	**累積限度余裕額**			累積限度額（期末退職給与の要支給額の100分の20に相当する金額をいう。③**イ**において同じ。）から、その年12月31日におけるその年の前年から繰り越された同**イ**に規定する退職給与引当金勘定の金額（その年における相続〔包括遺贈を含む。〕によって⑤《死亡の場合の退職給与引当金勘定の金額の処理》の**ロ**の規定により当該居住者が有するものとみなされた退職給与引当金勘定の金額がある場合には、当該退職給与引当金勘定の金額を含む。）を控除した金額

（最低限度の支給率が定められていない場合の不適用）

(1)　退職給与規程において、退職給与の支給率又は支給額について「何%以内を支給する」、「減額することができる」のようにその最低限度が定められていない場合には、退職給与引当金の規定の適用はないことに留意する。（基通54－3）

（自己都合により退職する場合の退職給与の額の計算）

(2)　**イ**(一)の自己の都合により退職するものと仮定した場合の退職給与の額を計算する場合において、退職給与規程に自己の都合による退職につき「病気のため」、「結婚のため」などの細目が定められているときは、当該退職給与の額は、そのうちの無条件任意退職の場合の支給率又は支給額により計算する。（基通54－4）

（支給基準等が改正された場合の繰入限度額の計算）

(3)　退職給与の支給基準又は給与ベースの改正が行われた場合には、**イ**(一)(ロ)の規定により計算される前年末退職給与の要支給額は、その改正の効果が前年にさかのぼるかどうかを問わず改正前の支給基準又は給与ベースにより計算する。（基通54－5）

（労働協約による退職給与規程と就業規則による退職給与規程とがある場合の繰入限度額の計算）

(4)　使用人の一部については労働協約による退職給与規程の適用があり、他の使用人については就業規則による退職給与規程の適用がある場合には、**イ**(一)の金額は、退職給与規程の適用の異なる使用人ごとにそれぞれの退職給与規程に基づいて計算する。この場合において、就業規則による退職給与規程の適用がある使用人については、**ロ**の給与総額基準による繰入限度額の制限の規定を適用する。（基通54－6）

(注)　**ロ**を適用する場合のその計算の基礎となる給与の総額は、就業規則による退職給与規程の適用がある使用人に係る給与の合計額に限られる。

（使用人の一部について就業規則による退職給与規程が適用される場合の繰入限度額の計算）

(5)　使用人の一部については労働協約による退職給与規程の適用があり、他の使用人については就業規則による退職給与規程の適用がある場合においても、それぞれの退職給与規程の内容が同一のものであり、かつ、当該労働協約の適用がある使用人の数が、労働組合法第17条《一般的拘束力》に規定する一の工場、事業場に常時使用される同種の労働者の数の75%以上であるときは、就業規則による退職給与規程の適用がある使用人についても、労働協約による退職給与規程の適用があるものとして**イ**及び**ロ**の規定を適用することができるものとする。（基通54－7）

ロ　給与総額基準による繰入限度額の制限

イの場合において、その年12月31日において労働協約による退職給与規程を定めていない居住者（①（１）又は同（２）《退職給与規程に関する書類の提出》の規定により提出する書類〔書類の提出が２回以上あった場合には、最近の時期において提出した当該書類〕に、労働基準法第90条第１項《作成の手続》若しくは船員法第98条《就業規則の作成の手続》の意見を記載した書面及び労働基準法第106条第１項《法令等の周知義務》の労働者への周知若しくは船員法第113条第１項《就業規則等の掲示等》の掲示若しくは備え置きを行った事実の詳細を記載した書面《次の（１）(一)の書面》で①(二)の規程に係るもの又はこれらの書面に準ずる書面《次の（１）(二)の書面》で①(三)の規程に係るものを添付して税務署長に提出した居住者を除く。）については、**イ**(一)に掲げる金額《退職給与の要支給額の増加額》が同日において在職する使用人（日日雇い入れられる者、臨時に期間を定めて雇い入れられる者その他の者で退職給与の支給の対象とならないものを除く。）に係る給料、賃金、賞与及びこれらの性質を有する給与でその年分の事業所得の金額の計算上必要経費に算入されるものの総額の100分の６に相当する金額を超えるときは、**イ**(一)に掲げる金額は、当該給与の総額の100分の６に相当する金額とする。（令154②）

（労働協約以外の場合の給与総額基準不適用）

（１）　退職給与引当金の繰入限度額について、労働協約以外の退職給与規程による場合であっても、その退職給与規程の制定、改正の届出の際に次の(一)及び(二)に掲げる書面を退職給与規程に添付して税務署長に提出した場合には、給与総額基準は適用しない。（令154②、規36の２）

(一)	①の(二)に該当する退職給与規程を有する場合	(イ)	労働基準法第90条第１項若しくは船員法第98条の意見を記載した書面
		(ロ)	労働基準法第106条第１項若しくは船員法第113条の労働者への周知を行った事実を記載した書面
(二)	①の(三)に該当する退職給与規程を有する場合	(イ)	左の退職給与規程の作成又は変更について退職給与の支給の退職となる使用人の全員の意見を記載した書面
		(ロ)	左の退職給与規程の作成又は変更に係る規程を常時各作業場の見やすい場所に掲示し又は備え付ける等の方法によって周知を行っていることの事実の詳細を記載した書面

（労働基準法抜粋）

（２）　労働基準法には、就業規則の作成手続及び法令規則の周知義務について、要旨が次のとおり定められている。

(一)　使用者は、就業規則の作成又は変更について、当該事業場に、労働者の過半数で組織する労働組合がある場合においてはその労働組合、労働者の過半数で組織する労働組合がない場合においては労働者の過半数を代表する者の意見を聴かなければならない。（労働基準法90①）

(二)　使用者は、この法律及びこの法律に基づく命令の要旨、就業規則、一定の協定並びに決議を常時各作業場の見やすい場所に掲示し、又は備え付ける等の方法によって、労働者に周知させなければならない。（同法106①）

（退職給与の支給の対象となる使用人の範囲）

（３）　**ロ**の使用人には、退職給与の支給の対象となる在職年限に達していないため退職給与の支給されない者も含まれる。（基通54－８）

（退職金共済契約等に基づく給付金だけを受ける者）

（４）　④に規定する退職金共済契約等又は適格退職年金契約等に基づく給付金だけの支給を受ける者は、**ロ**のかっこ書に定める「退職給与の支給の対象とならないもの」に該当することに留意する。（基通54－９）

（給与総額に算入する外交員等の報酬等）

（５）　使用人である外交員、集金人等で固定給と歩合給の支払を受ける者に対し退職給与を支給することとしている場合において、退職給与引当金勘定への繰入限度額の計算上当該外交員等と他の使用人とを区分してそれぞれにつき**イ**(一)及び**ロ**の規定を適用するときは、当該外交員等に係る**ロ**の金額《給与総額基準》は、所得税法第204条第１項第４号《源泉徴収義務》に掲げる報酬等とされる金額を給与の額に含めて計算することができる。（基通54－10）

③　退職給与引当金の取崩し

イ　退職等の場合の取崩し

退職給与引当金勘定の金額（①の規定によりその繰入れをした年分の事業所得の金額の計算上必要経費に算入されたものに限るものとし、既に取り崩すべきこととなったものを除く。以下同じ。）を有する居住者は、次の㈠から㈦に定める場合に該当することとなったときは、**ロ**《青色申告の承認の取消し等の場合の取崩し》に該当する場合を除き、当該㈠から㈦に定める退職給与引当金勘定の金額を取り崩さなければならない。（法54②、令155①）

これらにより取り崩すべきこととなった退職給与引当金勘定の金額又はこれらに該当しないで取り崩した退職給与引当金勘定の金額は、それぞれその取り崩すべきこととなった日又は取り崩した日の属する年分の事業所得の金額の計算上、総収入金額に算入する。（法54③）

㈠	**使用人の退職による取崩し**	使用人が退職した場合において、その使用人がその年の前年12月31日において自己の都合により退職するものと仮定した場合に同日現在において定められている退職給与規程により退職給与の支給を受けるべきとき。	その使用人の退職の時における退職給与引当金勘定の金額のうち当該退職給与の額《前年末退職給与の要支給額》に相当する金額に達するまでの金額
㈡	**累積限度超過による取崩し**	その年12月31日（①の居住者が年の中途において死亡した場合には、死亡の時）における累積限度額を超えるに至った場合	同日における退職給与引当金勘定の金額のうちその超える部分の金額に相当する金額《累積限度超過額》
㈢	**退職給与不支給の事実に基づく取崩し**	正当の理由がないのに退職給与規程に基づく退職給与を支給しない事実があった場合	その事実があった日における退職給与引当金勘定の金額
㈣	**規程不存在による取崩し**	①の各号に掲げる退職給与規程のすべてが存在しないこととなった場合	その存在しないこととなった日における退職給与引当金勘定の金額
㈤	**所得税ほ脱目的の規程改正による取崩し**	明らかに所得税を免れる目的で退職給与規程を改正したと認められる事実があった場合	その事実があった日における退職給与引当金勘定の金額
㈥	**事業の全部の譲渡又は廃止の場合の取崩し**	事業所得を生ずべき事業の全部を譲渡し又は廃止した場合	その譲渡又は廃止の日における退職給与引当金勘定の金額
㈦	**目的外取崩し**	退職給与引当金勘定の金額を㈠及び㈡に掲げる場合以外の場合に取り崩した場合	その取り崩した直後における退職給与引当金勘定の金額

（支給基準等がさかのぼって改正された場合の取崩し）

（1）　退職給与の支給基準又は給与ベースの改正が行われた場合には、当該改正が行われた年の12月31日までに退職した使用人に係る㈠に規定する退職給与引当金勘定の金額の取崩しは、その改正の効果が前年にさかのぼるかどうかを問わず、改正前の規程又は給与ベースに基づく前年末退職給与の要支給額による。（基通54－11）

（使用人の退職による退職給与引当金勘定の金額の取崩しに当たっての留意事項）

（2）　**イ**㈠の規定の適用に当たっては、次のことに留意する。（基通54－12）

㈠　退職した使用人に対して退職給与を支給する場合でも、その使用人が前年12月31日において退職給与の受給資格に達しなかったことなどのため前年末退職給与の要支給額がないときは、退職給与引当金勘定の金額を取り崩す必要はないこと。

㈡　使用者の都合により退職させるなどのため前年末退職給与の要支給額を超えて退職給与を支給する場合でも、

その使用人に係る前年末退職給与の要支給額に相当する金額を取り崩せば足りること。

(三)　懲戒解雇などのため退職した使用人に対して退職給与を支給しない場合でも、その使用人に係る前年末退職給与の要支給額があるときは、その要支給額に相当する金額を取り崩さなければならないこと。

(四)　使用人に支給すべき退職給与の額の全部又は一部につき退職金共済契約等若しくは適格退職年金契約等に基づく給付金又は厚生年金基金からの給付金に移行した場合においても、その移行した日の属する年において使用人が退職したときは、その移行前の退職給与規程に基づく当該使用人に係る前年末退職給与の要支給額に相当する金額を取り崩さなければならないこと。

(退職給与を支給しない正当の理由の範囲)

(3)　**イ**(三)の「正当の理由」がある場合には、例えば、使用人に不正があったなどのため解雇した場合のように、社会通念上退職給与を支給しないことが相当であると認められる場合が該当する。(基通54－13)

(要支給額を超えて退職給与引当金を取り崩した場合)

(4)　使用人の退職に伴い、その退職した使用人に係る前年末退職給与の要支給額を超えて退職給与引当金勘定の金額を取り崩した場合であっても、その取り崩した金額が実際に支給した退職給与の額に相当する金額以下であるときは、その取崩しは**イ**(七)の目的外取崩しには該当しないものとする。(基通54－14)

ロ　青色申告の承認の取消し等の場合の取崩し

退職給与引当金勘定の金額を有する居住者が青色申告書の提出の承認を取り消され、又は青色申告書による申告をやめる旨の届出書の提出をした場合には、その取消しの基因となった事実のあった日又はその届出書の提出をした日（その届出書の提出をした日がその申告をやめた年の翌年である場合には、そのやめた年の12月31日）の属する年並びにその翌年及び翌々年において、それぞれ、これらの日における退職給与引当金勘定の金額の３分の１に相当する金額を取り崩さなければならない。ただし、その者がその取消しの基因となった事実のあった日若しくは当該届出書の提出をした日の属する年中又はその翌年中に事業所得を生ずべき事業の全部を譲渡し若しくは廃止し、又は死亡した場合は、当該退職給与引当金勘定の金額の全額を当該譲渡若しくは廃止の日又は死亡の日の属する年において取り崩さなければならない。(令155②)

④　退職金共済契約等を締結している場合の繰入限度額の特例等

居住者が、独立行政法人勤労者退職金共済機構若しくは第四章第六節**二**《退職手当等とみなす一時金》**2**②(5)に規定する特定退職金共済団体が行う退職金共済に関する制度に該当する退職金共済契約その他これに類する契約（以下「退職金共済契約等」という。）若しくは法人税法附則第20条第３項《退職年金等積立金に対する法人税の特例》に規定する適格退職年金契約その他これに類する契約（以下「適格退職年金契約等」という。）を締結している場合、平成25年厚生年金等改正法附則第３条第12号《定義》に規定する厚生年金基金（以下において「厚生年金基金」という。）を設立している場合又は確定給付企業年金法第２条第１項《定義》に規定する確定給付企業年金（以下④において「**確定給付企業年金**」という。）若しくは確定拠出年金法第２条第２項《定義》に規定する企業型年金（以下④において「**確定拠出企業型年金**」という。）を実施している場合における②及び③の適用については、次の(一)から(三)までに定めるところによる。(令156①)

(一)	**退職給与のうちに給付金を含めている場合の期末又は前期末の要支給額の計算**	退職給与規程において使用人に支給する退職給与のうちに退職金共済契約等若しくは適格退職年金契約等に基づく給付金又は確定給付企業年金法第３条第１項《確定給付企業年金の実施》に規定する確定給付企業年金に係る規約（以下④において「**確定給付企業年金規約**」という。）に基づく給付金を含む旨を定めている場合には、当該使用人に係る②**イ**《繰入限度額》(一)(イ)又は同(ロ)《退職給与の要支給額の増加額》に規定する期末退職給与の要支給額又は前期末退職給与の要支給額は、当該使用人が自己の都合により退職するものと仮定した場合に当該退職給与規程により計算される退職給与の額のうち当該退職金共済契約等又は適格退職年金契約等に基づく給付金及び当該確定給付企業年金規約に基づく給付金以外の給与（以下④において「事業主の支給する退職給与」という。）の額による。
(二)	**退職給与規程の改正や退職金共済契約等の変**	次に掲げる場合には、その年12月31日（その居住者が年の中途において死亡した場合には、その死亡の時。以下④において同じ。）において在職する使用人に係る**イ**(一)(ロ)に規定する退職給与の額は、当該使用人につき同日における退職給与規程がその年の前年12月31日において適用されるものとした場合に当該使用人につき支給すべきこととなる事業主の支給する退職給与の額による。

<table>
<tr><td rowspan="2"></td><td rowspan="2">**更等により給付金が支給された場合の退職給与の額**</td><td>イ</td><td>退職給与規程の改正、退職金共済契約等若しくは適格退職年金契約等の変更又は確定給付企業年金規約の変更により、その年12月31日において在職する使用人のうちその年の前年12月31日から引き続き在職しているものに対する退職給与について、同日においては退職給与として支給されることとなっていた金額の全部又は一部がその年12月31日においては退職金共済契約等若しくは適格退職年金契約等に基づく給付金、厚生年金基金からの給付金又は確定給付企業年金規約に基づく給付金として支給されることとなった場合</td></tr>
<tr><td>ロ</td><td>確定拠出企業型年金の実施又は確定拠出年金法第４条第３項《承認の基準等》に規定する企業型年金規約の変更により、退職給与規程を改正し、その年12月31日において在職する使用人のうちその年の前年12月31日から引き続き在職しているものに対する退職給与について、同日においては退職給与として支給されることとなっていた金額の全部又は一部に相当する金額がその年12月31日においては同法第54条第１項《他の制度の資産の移換》の企業型年金の資産管理機関に払い込まれている場合</td></tr>
<tr><td rowspan="4">(三)</td><td rowspan="4">**適格退職年金契約、厚生年金基金又は確定給付企業年金若しくは確定拠出企業型年金への移行に伴う累積限度額の調整**</td><td colspan="2">適格退職年金契約を締結している居住者、厚生年金基金を設立している居住者、又は確定給付企業年金若しくは確定拠出企業型年金を実施している居住者で、その年以前の各年において(二)のイ又はロに掲げる場合に該当することとなったことに伴い、その該当することとなった日の属する年（以下「**移行年**」という。）において(三)を適用しないで計算した場合における③**イ**(二)の累積限度超過額（以下「**調整前累積限度超過額**」という。）が生ずることとなったものについては、調整前累積限度超過額が最初に生ずることとなった年から、その年12月31日におけるその年の前年から繰り越された退職給与引当金勘定の金額（その年における相続〔包括遺贈を含む。〕によって⑤**ロ**の規定により当該居住者が有するものとみなされた退職給与引当金勘定の金額がある場合には、当該退職給与引当金勘定の金額を含む。イにおいて「**繰越退職給与引当金勘定の金額**」という。）が同日における(三)を適用しないで計算した③**イ**(二)の累積限度額（以下「**調整前累積限度額**」という。）以下となる最初の年の前年までの各年の③**イ**(二)の累積限度額は、イ又はロに掲げる金額のうちいずれか少ない金額とする。</td></tr>
<tr><td>イ</td><td>その年12月31日における繰越退職給与引当金勘定の金額</td></tr>
<tr><td>ロ</td><td>その年の調整前累積限度額に、調整前累積限度超過額を７で除してこれに７から(二)イ又は同ロに掲げる場合に該当することとなった日の属する年の翌年１月１日からその年12月31日までの年数に相当する数（その数が７を超えるときは、７。以下(三)において「経過期間の年数」という。）を控除した数を乗じて計算した金額（その該当することとなった日の属する年の翌年からその年までの間に支出した法人税法施行令第156条の２第４号《用語の意義》に規定する過去勤務掛金額その他(注)３で定める金額の合計額が、調整前累積限度超過額に経過期間の年数を乗じて７で除して計算した金額を超える場合には、その超える部分の金額に相当する金額を控除した残額）を加算した金額（その該当することとなった日の属する年については、当該年の調整前累積限度額と調整前累積限度超過額との合計額）
$$\text{その年の調整前累積限度額}+\left\{\left[\text{移行年に生じた調整前累積限度超過額}\times\frac{7-\text{経過年数}}{7}\right]-\left[\text{過去勤務掛金等の額の合計額}-\text{移行年に生じた調整前累積限度超過額}\times\frac{\text{経過年数}}{7}\right]\right\}$$</td></tr>
<tr><td colspan="2">(注) 1　算式中の「経過年数」とは、移行年の翌年１月１日からその年12月31日までの年数をいう。
2　算式中の「過去勤務掛金等の額の合計額」とは、移行年の翌年からその年までの間に支出した厚生年金基金の過去勤務掛金額の合計額又は適格退職年金の過去勤務債務等の額に係る掛金等の合計額をいう。
3　(三)ロに規定する(注)３で定める金額は、確定給付企業年金法施行規則第46条第１項《特別掛金額》に規定する掛金の額、法人税法施行令附則第16条第１項第７号《適格退職年金契約の要件等》に規定する過去勤務債務等の額に係る同項第２号に規定する掛金等の額及び確定拠出年金法施行令第22条第１項第５号《他の制度の資産の移換の基準》に掲げる資産の額とする。（規36の３）</td></tr>
</table>

⑤　死亡の場合の退職給与引当金勘定の金額の処理

イ　死亡した者についての退職給与引当金の総収入金額算入

③**イ**に規定する退職給与引当金勘定の金額（以下**ニ**までにおいて「**退職給与引当金勘定の金額**」という。）を有する居住

者が死亡した場合には、その死亡の時における退職給与引当金勘定の金額のうち次の(一)及び(二)に掲げる金額は、その者のその死亡の日の属する年分の事業所得の金額の計算上、総収入金額に算入する。(令157①)

(一)	その居住者の相続人のうちに、居住者の事業所得を生ずべき事業を承継してその居住者の使用人を引き続き雇用している者でその居住者の死亡の日の属する年分の所得税につき青色申告書を提出することについて税務署長の承認を受けているもの（当該所得税につき青色申告の承認申請書を提出したものを含む。）がない場合には、当該退職給与引当金勘定の金額の全額
(二)	その居住者の相続人のうちに(一)に規定する者がある場合には、当該退職給与引当金勘定の金額から、当該金額にその居住者の死亡の時における期末退職給与の要支給額のうちにその相続人が引き続き雇用する(一)の使用人に係る当該期末退職給与の要支給額の占める割合を乗じて計算した金額を控除した金額 $$\text{総収入金額に算入する額} = \text{退職給与引当金勘定の金額} \times \frac{\text{相続人が引き続き雇用しない使用人に係る死亡日現在の退職給与の要支給額}}{\text{死亡日現在の退職給与の要支給額}}$$

（青色申告の承認を受けている者等の範囲）

注　(一)に規定する「青色申告書を提出することについて税務署長の承認を受けているもの」及び「青色申告の承認申請書を提出したもの」の範囲については、**1**②(４)の取扱いに準ずる。(基通54－15)

ロ　相続人への退職給与引当金の引継ぎ

退職給与引当金勘定の金額を有する居住者が死亡した場合において、**イ**(二)に規定する場合に該当するときは、その死亡の時における退職給与引当金勘定の金額のうち**イ**(二)に掲げる金額以外の部分の金額は、②から④まで及び**イ**の規定の適用については、その居住者の相続人が当該死亡の時において有する退職給与引当金勘定の金額とみなす。(令157②)

ただし、当該相続人が被相続人の死亡の日の属する年分の所得税につき青色申告の承認申請書を提出した者である場合において、その申請が却下されたときは、当該相続人は、その却下の日における上記の引き継いだ退職給与引当金勘定の金額を取り崩さなければならない。(令157③)

ハ　相続人の相続の年における退職給与引当金の繰入れ

相続（包括遺贈を含む。以下**ニ**までにおいて同じ。）により被相続人の事業所得を生ずべき事業を承継した居住者でその相続の日の属する年分の所得税につき青色申告書を提出することについて税務署長の承認を受けているもの（当該所得税につき青色申告承認申請書を提出したもののうちその申請が承認されたものを含む。）が、その年において、被相続人の使用人で引き続き在職するもののうち被相続人から退職給与の支給を受けなかった者の退職による退職給与に充てるため退職給与引当金勘定に繰り入れた金額については、当該被相続人の死亡の日を前期末要支給額を計算する場合の「前年12月31日」とみなし、かつ、被相続人がその死亡の日において退職給与規程を定めていた者である場合には当該退職給与規程を当該前年12月31日現在において定められている退職給与規程とみなして、②**イ**(一)《退職給与の要支給額の増加額》の金額を計算する。(令157④)

ニ　相続の年における退職給与引当金の取崩し

ハに規定する居住者が、その相続の日の属する年において、その被相続人（その死亡の日において**ロ**の本文の規定により当該居住者が有するものとみなされる退職給与引当金勘定の金額があるものに限る。）の使用人で引き続き在職するもののうち当該被相続人から退職給与の支給を受けなかった者の退職につき③**イ**(一)《使用人の退職による取崩し》の規定により取り崩すべき退職給与引当金勘定の金額の計算については、相続の日を③**イ**(一)に規定する「前年12月31日」とみなし、かつ、当該被相続人がその死亡の日において定めていた退職給与規程を当該前年12月31日現在において定められている退職給与規程とみなして③**イ**(一)の前年末退職給与の要支給額を計算するものとする。この場合において、その取り崩すべき退職給与引当金勘定の金額は、**ロ**の本文の規定により当該居住者が有するものとみなされる退職給与引当金勘定の金額を限度とする。(令157⑤)

⑥　確定申告書への記載等

①の規定は、確定申告書に退職給与引当金勘定に繰り入れた金額の必要経費への算入に関する明細の記載がある場合に限り、適用する。(法54④)

税務署長は、上記の記載がない確定申告書の提出があった場合においても、その記載がなかったことについてやむを得

ない事情があると認めるときは、①の規定を適用することができる。（法54⑤）

4　特定船舶に係る特別修繕準備金

①　特定船舶に係る特別修繕準備金積立額の必要経費算入

青色申告書を提出する個人が、各年（事業（当該個人の事業所得を生ずべき事業又は不動産所得を生ずべき業務をいう。以下**4**において同じ。）を廃止した日の属する年を除く。）において、その事業の用に供する船舶安全法第５条第１項第１号の規定による定期検査（以下①において「定期検査」という。）を受けなければならない船舶（総トン数が５トン未満のものを除く。以下**4**において「特定船舶」という。）について行う定期検査を受けるための修繕（以下**4**において「特別の修繕」という。）に要する費用の支出に備えるため、当該特定船舶ごとに、積立限度額以下の金額を特別修繕準備金として積み立てたときは、その積み立てた金額は、その積立てをした年分の不動産所得の金額又は事業所得の金額の計算上、必要経費に算入する。（措法21①）

②　特定船舶に係る特別修繕準備金の積立限度額

①に規定する積立限度額とは、次の(一)から(三)に掲げる場合の区分に応じ当該(一)から(三)に定める金額とする。（措法21②、措令13①～③）

(一)	**①の個人がその特定船舶につきその年12月31日までに特別の修繕を行ったことがある場合**	①の個人の事業（①に規定する事業をいう。以下この表において同じ。）の用に供する特定船舶（①に規定する特定船舶をいう。以下**4**において同じ。）につき最近において行った特別の修繕のために要した費用の額の４分の３に相当する金額を60（当該特定船舶が船舶安全法第10条第１項ただし書に規定する船舶である場合には、72）で除し、これにその年において不動産所得又は事業所得を生ずべき事業を行っていた期間の月数（その年において当該特定船舶の特別の修繕を完了した場合には、その完了の日から当該事業を行っていた期間の末日までの期間の月数）を乗じて計算した金額（当該計算した金額が当該最近において行った特別の修繕のために要した費用の額の４分の３に相当する金額から当該特定船舶に係るその年12月31日における前年から繰り越された特別修繕準備金の金額（その日までに③**イ**又は同**ハ**の規定により総収入金額に算入された、又は算入されるべきこととなった金額がある場合には、当該金額を控除した金額。以下において同じ。）を控除した金額を超える場合には、当該控除した後の金額）とする。ただし、③**ロ**に規定する特別修繕予定日経過準備金額が生じた特定船舶については、当該計算した金額は、同**ロ**に規定する経過した日の属する年から当該特定船舶に係る特別の修繕が完了する日の属する年の前年までの各年においては、ないものとする。
(二)	**①の個人が①の特定船舶につきその年12月31日までに特別の修繕を行ったことがなく、かつ、当該特定船舶と種類、構造、容積量、建造後の経過年数等について状況の類似するその個人の事業の用に供する他の船舶（以下**	当該類似船舶につき最近において行った特別の修繕のために要した費用の額を当該類似船舶の総トン数で除し、これに①の個人の事業の用に供する特定船舶の総トン数を乗じて計算した金額（以下(二)において「**特別修繕費の額**」という。）の４分の３に相当する金額を、60（当該特定船舶が船舶安全法第10条第１項ただし書に規定する船舶である場合には、72）で除し、これにその年において不動産所得又は事業所得を生ずべき事業を行っていた期間の月数（その年において当該特定船舶を取得し、又は建造した場合には、その取得又は建造の日から当該事業を行っていた期間の末日までの期間の月数）を乗じて計算した金額（当該計算した金額が当該特別修繕費の額の４分の３に相当する金額から当該特定船舶に係るその年12月31日における前年から繰り越された特別修繕準備金の金額を控除した金額を超える場合には、当該控除した金額）とする。ただし、③**ロ**に規定する特別修繕予定日経過準備金額が生じた特定船舶については、当該計算した金額は、同**ロ**に規定する経過した日の属する年から当該特定船舶に係る特別の修繕が完了する日の属する年の前年までの各年においては、ないものとする。

	（二）において「類似船舶」という。）につき同日までに特別の修繕を行ったことがある場合	
(三)	**(一)及び(二)に掲げる場合以外の場合**	種類、構造、容積量、建造後の経過年数等についてその個人の事業の用に供する特定船舶と状況の類似する他の船舶につき最近において行われた特別の修繕のために要した費用の額を基礎として、その個人の申請に基づき、納税地の所轄税務署長が認定した金額の４分の３に相当する金額を60（当該特定船舶が船舶安全法第10条第１項ただし書に規定する船舶である場合には、72）で除し、これにその年において不動産所得又は事業所得を生ずべき事業を行っていた期間の月数（その年において当該特定船舶を取得し、又は建造した場合には、その取得又は建造の日から当該事業を行っていた期間の末日までの期間の月数）を乗じて計算した金額（当該計算した金額が当該認定した金額の４分の３に相当する金額から当該特定船舶に係るその年12月31日における前年から繰り越された特別修繕準備金の金額を控除した金額を超える場合には、当該控除した金額）とする。ただし、③**ロ**に規定する特別修繕予定日経過準備金額が生じた特定船舶については、当該計算した金額は、同**ロ**に規定する経過した日の属する年から当該特定船舶に係る特別の修繕が完了する日の属する年の前年までの各年においては、ないものとする。

（月数の計算）

注　繰入限度額の計算の基礎となる月数は、暦に従って計算し、１月に満たない端数を生じたときは、これを１月とする。（措令13④）

③　特別修繕準備金の総収入金額算入

イ　特別の修繕のために要した費用の額を支出した場合の総収入金額算入

①の特別修繕準備金を積み立てている個人が、当該特別修繕準備金に係る特定船舶（以下③において「準備金設定特定船舶」という。）について特別の修繕のために要した費用の額を支出した場合には、その支出をした日における当該準備金設定特定船舶に係る特別修繕準備金の金額（その日までに**イ**若しくは**ハ**の規定により総収入金額に算入された、若しくは算入されるべきこととなった金額又は前年12月31日までに**ロ**の規定により総収入金額に算入された金額がある場合には、これらの金額を控除した金額。以下③において同じ。）のうち当該支出をした金額に相当する金額は、その支出をした日の属する年分の不動産所得の金額又は事業所得の金額の計算上、総収入金額に算入する。（措法21③）

（②の表の(三)の認定を受けようとする個人の申請書等の書類の提出））

（１）　②の表の(三)の認定を受けようとする個人は、①の規定の適用を受けようとする特定船舶の種類、名称及び船籍港その他の次の(一)から(五)までに定める事項を記載した申請書に当該認定に係る金額の算定の基礎となるべき事項を記載した書類を添付し、これを納税地の所轄税務署長に提出しなければならない。（措令13⑤、措規７）

(一)	（１）に規定する申請書を提出する者の氏名及び住所（国内に住所がない場合には、居所）
(二)	（１）の特定船舶と状況の類似する他の船舶の種類及び名称、船籍港、建造の日並びに経過年数並びにその所有者の氏名又は名称
(三)	(二)の他の船舶について最近において行われた①に規定する特別の修繕の完了の日及びその特別の修繕のために要した費用の額
(四)	②の表の(三)の認定を受けようとする金額
(五)	その他参考となるべき事項

（申請書の提出があった場合の税務署長の認定）

（2）　税務署長は、（1）の申請書の提出があった場合には、遅滞なく、これを審査し、その申請に係る金額を認定するものとする。（措令13⑥）

（認定した特別修繕費の金額又は月数の変更）

（3）　税務署長は、②の表の(三)の認定をした後、その認定に係る金額により同表の(三)の特定船舶につき同表の(三)に規定する金額の計算をすることを不適当とする特別の事由が生じたと認める場合には、その金額を変更することができる。（措令13⑦）

（（2）又は（3）の処分をするときの書面による通知）

（4）　税務署長は、（2）又は（3）の処分をするときは、その認定に係る個人に対し、書面によりその旨を通知する。（措令13⑧）

（（2）又は（3）の処分があった場合の効果）

（5）　（2）又は（3）の処分があった場合には、その処分のあった日の属する年以後の各年分の不動産所得の金額又は事業所得の金額を計算する場合のその処分に係る特定船舶についての②の表の(三)に規定する金額の計算につきその処分の効果が生ずるものとする。（措令13⑨）

ロ　5年間均等取崩しによる総収入金額算入

①の特別修繕準備金を積み立てている個人の各年の12月31日において、前年から繰り越された準備金設定特定船舶に係る特別修繕準備金の金額のうちに当該準備金設定特定船舶に係る特別の修繕の完了予定日として注で定める日の属する年の12月31日の翌日から２年を経過したもの（以下**ロ**において「特別修繕予定日経過準備金額」という。）がある場合には、当該特別修繕予定日経過準備金額については、その経過した日の属する年の12月31日における当該準備金設定特定船舶に係る特別修繕準備金の金額の５分の１に相当する金額（当該金額がその年の12月31日における当該準備金設定特定船舶に係る特別修繕準備金の金額を超える場合には、当該特別修繕準備金の金額に相当する金額）を、その年分の不動産所得の金額又は事業所得の金額の計算上、総収入金額に算入する。（措法21④）

（**ロ**に規定する注で定める日）

注　**ロ**に規定する注で定める日は、次の(一)又は(二)に掲げる準備金設定特定船舶（**イ**に規定する準備金設定特定船舶をいう。以下注において同じ。）の区分に応じ当該(一)又は(二)に定める日とする。（措令13⑩）

(一)	特別の修繕を行ったことがある準備金設定特定船舶　　最近において行った特別の修繕が完了した日の翌日から60月（当該準備金設定特定船舶が船舶安全法第10条第１項ただし書に規定する船舶である場合には、72月）を経過する日
(二)	特別の修繕を行ったことがない準備金設定特定船舶　　当該準備金設定特定船舶の取得又は建造の日の翌日から60月（当該準備金設定特定船舶が船舶安全法第10条第１項ただし書に規定する船舶である場合には、72月）を経過する日

ハ　特別修繕の完了や事業の全部の譲渡・廃止等の場合の総収入金額算入

①の特別修繕準備金を積み立てている個人が次の(一)から(四)までに掲げる場合に該当することとなった場合には、当該(一)から(四)までに定める金額に相当する金額は、その該当することとなった日の属する年分の不動産所得の金額又は事業所得の金額の計算上、総収入金額に算入する。（措法21⑤）

(一)	準備金設定特定船舶について特別の修繕が完了した場合	その完了した日における当該準備金設定特定船舶に係る特別修繕準備金の金額
(二)	準備金設定特定船舶について特別の修繕が行われないこととなった場合	その行われないこととなった日における当該準備金設定特定船舶に係る特別修繕準備金の金額
(三)	準備金設定特定船舶をその用に供する事業の全部を譲渡し、又は廃止した場合	その譲渡し、又は廃止した日における特別修繕準備金の金額

(四)	イ、ロ、ハ(一)から同(三)及びニの場合以外の場合において特別修繕準備金の金額を取り崩した場合	その取り崩した日における特別修繕準備金の金額のうちその取り崩した金額に相当する金額

ニ　青色申告承認の取消し等の場合の総収入金額算入

①の特別修繕準備金を積み立てている個人が青色申告書の提出の承認を取り消され、又は青色申告書による申告をやめる旨の届出書の提出をした場合には、その承認の取消しの基因となった事実のあった日又はその届出書の提出をした日（その届出書の提出をした日が青色申告書による申告をやめた年の翌年である場合には、そのやめた年の12月31日）における特別修繕準備金の金額は、その日の属する年分の不動産所得の金額又は事業所得の金額の計算上、総収入金額に算入する。この場合においては、**イ**、**ロ**及び**ハ**の規定は、適用しない。（措法21⑥）

④　確定申告書への記載等

①の規定は、確定申告書に①の規定により必要経費に算入される金額についてのその算入に関する記載があり、かつ、当該確定申告書に①の積み立てた金額の計算に関する明細書の添付がある場合に限り、適用する。（措法21⑦）

⑤　死亡の場合の特別修繕準備金の金額の処理

（事業を承継した者が青色申告者でない場合の総収入金額算入）

（1）　①の特別修繕準備金を積み立てている個人の死亡により当該個人の相続人（包括受遺者を含む。以下同じ。）が当該個人の①の特別修繕準備金に係る事業を承継した場合において、当該相続人が、その死亡の日の属する年分の所得税につき、青色申告書を提出することができる者又は第十一章**二１**の申請書（以下**４**及び**８**において「青色申告書の承認申請書」という。）を提出した者でないときは、その死亡の日における特別修繕準備金の金額は、その被相続人（包括遺贈者を含む。）の当該年分の不動産所得の金額又は事業所得の金額の計算上、総収入金額に算入する。（措法21⑧）

（事業を承継した青色申告者への準備金の引継ぎ）

（2）　（1）に規定する場合において、（1）に規定する相続人が（1）に規定する死亡の日の属する年分の所得税につき、青色申告書を提出することができる者又は青色申告書の承認申請書を提出した者であるときは、その死亡の日における特別修繕準備金の金額は、当該相続人に係る特別修繕準備金の金額とみなす。（措法21⑨）

（相続人の青色申告承認申請が却下された場合の総収入金額算入）

（3）　（2）の規定の適用を受けた者が（2）に規定する個人の死亡の日の属する年分の所得税につき青色申告書の承認申請書を提出した者である場合において、その申請が却下されたときは、その却下の日における（2）の特別修繕準備金の金額は、その者の当該却下の日の属する年分の不動産所得の金額又は事業所得の金額の計算上、総収入金額に算入する。（措法21⑩）

5　その他の準備金

４のほか、租税特別措置法により積立てが認められる準備金には、次のものがある。

特定災害防止準備金	青色申告書を提出する個人で廃棄物の処理及び清掃に関する法律第８条第１項又は第15条第１項の許可を受けたものが、平成10年６月17日から令和４年３月31日までの期間内の日の属する各年（事業を廃止した日の属する年を除く。）において、同法第８条の５第１項に規定する特定一般廃棄物最終処分場又は同法第15条の２の４において準用する同項に規定する特定産業廃棄物最終処分場（以下「特定廃棄物最終処分場」という。）の埋立処分の終了後における維持管理に要する費用の支出に備えるため、当該特定廃棄物最終処分場ごとに、当該特定廃棄物最終処分場につきその年において同法第８条の５第１項及び第２項（これらの規定を同法第15条の２の４において準用する場合を含む。）の規定により独立行政法人環境再生保全機構に維持管理積立金として積み立てた金額（その年において同法第９条の５第３項（同法第15条の４において準用する場合を含む。）の規定による地位の承継があったときは、当該地位の承継につき同法第８条の５第７項（同法第15条の２の４において準用する場合を含む。）の規定により積み立てたものとみなされた金額を含む。）のうち同法第８条の５第１項（同法第15条の２の４において準用する場合を含む。）に規定する通知する額の100分の60に相当する金額以下の金額を特定災

	害防止準備金として積み立てたときは、その積み立てた金額は、その積立てをした年分の事業所得の金額の計算上、必要経費に算入する。(旧措法20①)

(注) 1　**5**については、令和４年４月１日以後、削除された。(令４改所法等附１)

2　令和４年12月31日（以下「基準日」という。）において廃棄物の処理及び清掃に関する法律第８条第１項又は第15条第１項の許可（以下「設置許可」という。）を受けている個人（基準日後に他の者から（注）１の改正前の**5**に規定する特定廃棄物最終処分場（当該他の者が法人又は第二章第一節**ー8**に規定する人格のない社団等である場合には当該特定廃棄物最終処分場に係る設置許可を受けた日が当該他の者の同日の前日を含む事業年度終了の日以前であるものに、当該他の者が個人である場合には当該特定廃棄物最終処分場に係る設置許可を受けた日が基準日以前であるものに、それぞれ限る。）の移転を受ける個人を含む。）の令和５年以後の各年分の事業所得の金額の計算については、(注)１の改正前の**5**の規定は、なおその効力を有する。この場合において、**5**中「令和４年３月31日」とあるのは「令和11年３月31日」と、「100分の60」とあるのは「100分の60（当該年分が、令和７年分であるときは100分の50とし、令和８年分であるときは100分の40とし、令和９年分であるときは100分の30とし、令和10年分であるときは100分の20とし、令和11年分であるときは100分の10とする。）」とする。(令４改所法等附29②)

（必要経費に算入されなかった特定災害防止準備金がある場合）

（1）　個人が特定災害防止準備金を積み立てている特定廃棄物最終処分場（上表②に規定する特定廃棄物最終処分場をいう。）について、既に積み立てた特定災害防止準備金のうちに必要経費に算入されなかった部分の金額がある場合においても、措置法第20条第２項に規定する「維持管理を行う場合において、同項の規定により当該特定廃棄物最終処分場に係る維持管理積立金の取戻しをしたとき」の同条第２項の規定により総収入金額に算入する金額は、必要経費の算入により積み立てられた特定災害防止準備金の金額のうち同項に規定する取戻しをした維持管理積立金の額に達するまでの金額であることに留意する。(旧措通20－１)

6　探鉱準備金

①　探鉱準備金積立額の必要経費算入

青色申告書を提出する個人で鉱業を営むものが、昭和40年４月１日から令和７年３月31日までの期間（(一)において「**指定期間**」という。）内の日の属する各年（事業を廃止した日の属する年を除く。）において、安定的な供給を確保することが特に必要なものとして（1）で定める鉱物（以下「鉱物」という。）に係る**新鉱床探鉱費**の支出に備えるため、次の(一)及び(二)に掲げる金額のうちいずれか低い金額《**積立限度額**》以下の金額を探鉱準備金として積み立てたときは、その積み立てた金額は、その積立てをした年分の事業所得の金額の計算上、必要経費に算入する。(措法22①)

(一)	**採掘収入基準**	当該個人が採掘した鉱物の販売によりその年の指定期間内における収入金額として**イ**に定める金額の100分の12に相当する金額
(二)	**採掘所得基準**	(一)に規定するの収入金額に係る所得の金額として**ロ**に定める金額の100分の50に相当する金額

（安定的な供給を確保することが特に必要な鉱物）

（1）　①に規定する（1）で定める鉱物は、鉱業法第３条第１項に規定する鉱物（国外にある石炭、亜炭及びアスファルトを除く。）及び独立行政法人エネルギー・金属鉱物資源機構法第11条第６項に規定する金属鉱物のうち安定的な供給を確保することが特に必要なものとして経済産業大臣が財務大臣と協議して指定するものとする。(措令14①)

イ　採掘収入金額の計算

①(一)の採掘収入金額は、当該個人が採掘した（1）に定める鉱物に係るその年の指定期間内の次の(一)から(三)までに掲げる収入金額の合計額とする。(措令14②)

(一)	当該鉱物の販売による収入金額
(二)	選鉱後の当該鉱物の販売による収入金額
(三)	当該鉱物を原材料として製造した物品の販売による収入金額のうち(二)に掲げる収入金額に相当する金額〔この金額は、当該物品の販売による収入金額（当該物品の原材料として購入した鉱物又は鉱物に係る鉱さい、銅、鉛その他の金属のくず若しくは粗銅、粗鉛その他これらに準ずるもの〔以下「鉱物等」という。〕がある場合には、当該鉱物等の取得に要した金額を控除した金額）に、(イ)に掲げる金額が(ロ)に掲げる金額のうちに占める割合を乗じて計算した金額（当該計算した金額が当該物品の原材料である選鉱後の当該個人の採掘した鉱物を販売するとした場合にその対価として通常受けるべき金額と著しく異なるときは、その通常受けるべき金額）とする。〕(措規９)

(イ)	当該物品の原材料である当該個人の採掘した鉱物に係るその採掘から選鉱までに要した原材料費、労務費及び経費の額の合計額
(ロ)	当該物品の製造に要した原材料費、労務費及び経費の額の合計額（当該物品の原材料として購入した鉱物等がある場合には、当該鉱物等の取得に要した金額を控除した金額）

$$\text{採掘収入金額とする金額} = \left(\text{製品の販売による収入金額} - \text{原材料として購入した鉱物等の取得に要した金額}\right) \times \frac{\text{原材料である当該個人の採掘した鉱物に係るその採掘から選鉱までに要した原材料費、労務費及び経費の額の合計額}}{\text{製品の製造に要した原材料費、労務費及び経費の額の合計額} - \text{原材料として購入した鉱物等の取得に要した金額}}$$

ロ　採掘所得金額の計算

①(二)の採掘所得金額は、当該個人が採掘した鉱物に係るその年の指定期間内の**イ**の採掘収入金額に係る所得の金額の合計額から当該収入金額に係る損失の金額の合計額を控除した残額とする。（措令14③）

ただし、①に規定する個人がその年（その年の前年において当該個人が①の規定の適用を受けなかった場合におけるその年に限る。以下**ロ**において「特例年」という。）の前々年以前の各年のうち①の規定の適用を受けた最後の年の翌年から当該特例年の前年までの各年（当該最後の年が当該特例年の前々年である場合には、当該前年。以下**ロ**において同じ。）の(一)に掲げる合計額が(二)に掲げる合計額を超える場合における採掘所得金額は、前段の規定にかかわらず、当該採掘所得金額からその超える部分の金額を控除した金額とする。（措令14④）

(一)	当該各年の採掘損失金額（上記前段に規定する採掘収入金額に係る損失の金額の合計額が採掘収入金額に係る所得の金額の合計額を超える場合におけるその超える金額をいう。）の合計額
(二)	当該各年の**ロ**の規定を適用しないで計算した場合における採掘所得金額の合計額

（注）　**ロ**の後段の規定により**ロ**の前段に規定する採掘所得金額から控除する金額のうち令和４年分以前の年分に係る部分の金額は、①に規定する（1）で定める鉱物に国外にある石炭、亜炭及びアスファルトを含むものとして**ロ**の後段の規定により計算した金額とする。（令４改措令等附７②）

②　新鉱床探鉱費の意義

①の新鉱床探鉱費とは、次の(一)から(四)までに掲げるもののために要する費用をいう。（措法22②、措令14⑤）

(一)	探鉱のための地質の調査
(二)	地震探鉱、重力探鉱その他これらに類する探鉱
(三)	探鉱のためのボーリング
(四)	鉱量が推定されていない鉱床につき鉱量を推定するための坑道の掘削（当該推定に必要な範囲内のものに限る）。

③　探鉱準備金の総収入金額算入

イ　据置期間（５年）経過による総収入金額算入

その年の12月31日において、①に規定する個人の前年から繰り越された探鉱準備金の金額（同日までに**ロ**の規定により総収入金額に算入された、若しくは算入されるべきこととなった金額又はその年の前年の12月31日までに**イ**の規定により総収入金額に算入された金額がある場合には、これらの金額を控除した金額。以下**ハ**までにおいて同じ。）のうちにその積立てをした年の翌年１月１日から５年を経過したものがある場合には、その５年を経過した探鉱準備金の金額は、その５年を経過した日の属する年分の事業所得の金額の計算上、総収入金額に算入する。（措法22③）

ロ　廃業等の場合の総収入金額算入

探鉱準備金を積み立てている個人が次の(一)又は(二)に掲げる場合に該当することとなった場合には、当該(一)又は(二)に定める金額に相当する金額は、その該当することとなった日の属する年分の事業所得の金額の計算上、総収入金額に算入する。この場合において、(二)に掲げる場合に該当するときは、探鉱準備金の金額をその積立てをした年別に区分した各金額のうち、その積立てをした年が最も古いものから順次総収入金額に算入されるものとする。（措法22④）

(一)	鉱業を廃止し又は	その廃止し又は譲渡した日における探鉱準備金の金額

	鉱業に係る事業の全部を譲渡した場合	
(二)	**イ**、(一)及び**ハ**の場合以外の場合《目的外》において取り崩した場合	その取り崩した日における探鉱準備金の金額のうちその取り崩した金額に相当する金額

ハ　青色申告の承認の取消し等の場合の総収入金額算入

探鉱準備金を積み立てている個人が青色申告書の提出の承認を取り消され、又は青色申告書による申告をやめる旨の届出書の提出をした場合には、その承認の取消しの基因となった事実のあった日又はその届出書の提出をした日（その届出書の提出をした日が青色申告書による申告をやめた年の翌年である場合には、そのやめた年の12月31日）における探鉱準備金の金額は、その日の属する年分の事業所得の金額の計算上、総収入金額に算入する。この場合においては、**イ**及び**ロ**並びに⑤の規定は適用しない。（措法22⑤）

④　4④の規定の準用（確定申告書への記載等）

4④の規定は、①の規定を適用する場合について準用する。（措法22⑥）

⑤　4⑤(1)から同(3)までの規定の準用（死亡の場合の炭鉱準備金の処理）

4⑤(1)から同(3)までの規定は、①の炭鉱準備金を積み立てている個人の死亡により当該個人の相続人が①の鉱業を承継した場合について準用する。（措法22⑦）

7　新鉱床探鉱費の特別控除

①　新鉱床探鉱費の特別控除

探鉱準備金の金額（**6**③**ハ**の適用を受けるものを除く。）を有する個人が、各年において、**6**①に定める**新鉱床探鉱費**の支出を行った場合又は事業所得の金額の計算上②に定める探鉱用機械設備（(一)において「探鉱用機械設備」という。）の償却費として必要経費に算入する金額がある場合には、その年分の事業所得の金額の計算上、これらの支出又は償却に係る必要経費に算入する金額のほか、次の(一)から(三)までに掲げる金額のうち最も少ない金額に相当する金額は、必要経費に算入する。（措法23①）

(一)	その年において支出する当該新鉱床探鉱費の額に相当する金額（その年において探鉱の実施のために交付される国の補助金がある場合には、当該補助金に相当する金額を控除した金額）とその年の当該探鉱用機械設備の償却費の額との合計額
(二)	その年において**6**③**イ**又は同**ロ**により総収入金額に算入された、又は算入されるべきこととなった探鉱準備金の金額に相当する金額
(三)	その年分の事業所得の金額（①及び青色申告特別控除の規定を適用しないで計算した金額をいう。＝措令15②）

②　探鉱用機械設備の範囲

探鉱用機械設備は、地質及び鉱物の埋蔵の状況の調査、試掘、試掘された鉱物の品質の試験及び鑑定その他探鉱のために使用する機械その他の設備で次の(一)から(六)までに掲げるものとする。（措令15①、措規９の２）

(一)	地質調査等鉱物の埋蔵の状況を調査するために要する試すい機、探鉱機その他これらの機械に附属する機械設備
(二)	探鉱のために必要な道路、橋りょう等を建設するために要するロードローラー、コンクリートミキサー、パワーショベル、くい打機その他の建設用の機械設備
(三)	試掘のために要するロータリーマシン、ドリルパイプ、コンプレッサー、巻上機、エンドレス、ポンプその他の機械設備及びこれらの機械設備に附属する機械設備
(四)	試掘された鉱物の品位等を試験し、又は鑑定するために要する測定器、分析機、ひょう量器、顕微鏡その他の機械

	設備
(五)	探鉱のために要する通信設備、保安設備、送配電設備、変電設備又は索道設備
(六)	(一)から(五)までに掲げる機械設備の修理のために要する旋盤、ボール盤、溶接機、のこぎり盤その他の機械設備

③　確定申告書への記載等

①の規定は、①の規定の適用を受けようとする年分の確定申告書に、①の規定により必要経費に算入される金額についてのその算入に関する記載があり、かつ、当該金額の計算に関する明細書の添付がある場合に限り、適用する。この場合において、①の規定により必要経費に算入される金額は、当該金額として記載された金額に限るものとする。(措法23②)

8　農業経営基盤強化準備金

①　農業経営基盤強化準備金

イ　農業経営基盤強化に要する費用の支出に備えるために積み立てたときの必要経費に算入

青色申告書を提出する個人で農業経営基盤強化促進法第12条第１項に規定する農業経営改善計画に係る同項の認定又は同法第14条の４第１項に規定する青年等就農計画に係る同項の認定を受けたもの（**ハ**(一)及び**ホ**において「**認定農業者等**」という。）（同法第19条第１項に規定する地域計画の区域において農業を担う者として(３)で定めるものに限る。）が、平成19年４月１日から令和７年３月31日までの期間内の日の属する各年（事業を廃止した日の属する年を除く。）において、農業の担い手に対する経営安定のための交付金の交付に関する法律第３条第１項又は第４条第１項に規定する交付金その他これに類するものとして(４)で定める交付金又は補助金（(一)において「交付金等」という。）の交付を受けた場合において、農業経営基盤強化促進法第13条第２項に規定する認定計画又は同法第14条の５第２項に規定する認定就農計画（**ハ**(二)(イ)及び**ホ**において「**認定計画等**」という。）の定めるところに従って行う農業経営基盤強化（同法第12条第２項第２号の農業経営の規模を拡大すること又は同号の生産方式を合理化することをいう。(一)において同じ。）に要する費用の支出に備えるため、次の(一)及び(二)に掲げる金額のうちいずれか少ない金額以下の金額を農業経営基盤強化準備金として積み立てたときは、その積み立てた金額は、その積立てをした年分の事業所得の金額の計算上、必要経費に算入する。(措法24の２①)

(一)	当該交付金等の額のうち農業経営基盤強化に要する費用の支出に備えるものとして(１)で定める金額
(二)	その積立てをした年分の事業所得の金額として(２)で定めるところにより計算した金額

(注)　改正後の**イ**に規定する認定農業者等に該当する個人で基盤強化法等改正法附則第11条第２項に規定する協議の結果において、市町村が適切と認める区域における農業において中心的な役割を果たすことが見込まれる農業者とされたものは、基盤強化法等改正法附則第５条第１項に規定する２年を経過する日までの間は、改正後の**イ**に規定する財務省令で定めるものとみなして、**イ**の規定が適用される。(令４改所法等附30)

((１)で定める金額)

(１)　**イ**(一)に規定する(１)で定める金額は、**イ**に規定する認定計画等に記載された農用地等（②**イ**に規定する農用地等をいう。）の取得に充てるための金額として(５)で定めるところにより証明がされた金額とする。(措令16の２①)

((２)で定めるところにより計算した金額)

(２)　**イ**(二)に規定する(２)で定めるところにより計算した金額は、**イ**及び**ロ**並びに②**イ**並びに第四節**四**《青色申告特別控除制度》**１**及び同**２**の規定を適用しないで計算した場合のその年分の事業所得の金額とする。(措令16の２②)

(**イ**に規定する(３)で定めるもの)

(３)　**イ**に規定する(３)で定めるものは、農業経営基盤強化促進法第19条第８項の規定による公告（以下(３)において「公告」という。）があった同条第１項に規定する地域計画（これを変更した旨の公告があったときは、その変更後のもの）に、農業経営基盤強化促進法施行規則第17条の規定によりその氏名が記載されている認定農業者等（**イ**に規定する認定農業者等をいう。）とする。(措規９の３①)

((４)で定める交付金又は補助金)

(４)　**イ**に規定する(４)で定める交付金又は補助金は、農業経営基盤強化促進法施行規則第25条の２第３号に掲げる交

付金とする。（措規９の３②）

（(５)で定めるところにより証明がされた金額）

（５）（１)に規定する(５)で定めるところにより証明がされた金額は、**イ**の規定の適用を受けようとする年分の確定申告書に、農林水産大臣の**イ**に規定する認定計画等に記載された農用地等（(１)に規定する農用地等をいう。）の取得に充てるための金額である旨を証する書類を添付することにより証明がされたものとする。（措規９の３③）

ロ　前年から繰り越された農業経営基盤強化準備金の金額のうち５年を経過したものがある場合の総収入金額算入

その年の12月31日において、**イ**に規定する個人の前年から繰り越された農業経営基盤強化準備金の金額（同日までに**ハ**の規定により総収入金額に算入された、若しくは算入されるべきこととなった金額又はその年の前年の12月31日までに**ロ**の規定により総収入金額に算入された金額がある場合には、これらの金額を控除した金額。以下①において同じ。）のうちにその積立てをした年の翌年１月１日から５年を経過したものがある場合には、その５年を経過した農業経営基盤強化準備金の金額は、その５年を経過した日の属する年分の事業所得の金額の計算上、総収入金額に算入する。（措法24の２②）

ハ　認定農業者に該当しないこととなった場合、認定が取り消された場合、事業を廃止した場合等

イの農業経営基盤強化準備金を積み立てている個人が次の(一)から(四)までに掲げる場合に該当することとなった場合には、当該(一)から(四)までに定める金額に相当する金額は、その該当することとなった日の属する年分の事業所得の金額の計算上、総収入金額に算入する。この場合において、(二)又は(四)に掲げる場合に該当するときは、(二)(イ)若しくは同(ロ)又は(四)に規定する農業経営基盤強化準備金の金額をその積立てをした年が最も古いものから順次総収入金額に算入されるものとする。（措法24の２③）

(一)	認定農業者等に該当しないこととなった場合	その該当しないこととなった日における農業経営基盤強化準備金の金額
(二)	農用地等（②**イ**に規定する農用地等をいう。(イ)及び(ロ)において同じ。）の取得（②**イ**に規定する取得をいい、同**イ**に規定する特定農業用機械等にあってはその製作又は建設の後事業の用に供されたことのないものの取得に限る。）又は製作若しくは建設（(イ)及び(ロ)において「取得等」という。）をした場合	次の(イ)及び(ロ)に掲げる場合の区分に応じそれぞれ次の(イ)又は(ロ)に定める金額 (イ)　認定計画等の定めるところにより農用地等の取得等をした場合　その取得等をした日における農業経営基盤強化準備金の金額のうちその取得等をした農用地等の取得価額に相当する金額 (ロ)　農用地等（農業用の器具及び備品並びにソフトウエアを除く。(ロ)において同じ。）の取得等をした場合（(イ)に掲げる場合を除く。）　その取得等をした日における農業経営基盤強化準備金の金額のうちその取得等をした農用地等の取得価額に相当する金額
(三)	事業の全部を譲渡し、又は廃止した場合	その譲渡し、又は廃止した日における農業経営基盤強化準備金の金額
(四)	**ロ**、(一)から(三)まで及び**ニ**の場合以外の場合において農業経営基盤強化準備金の金額を取り崩した場合	その取り崩した日における農業経営基盤強化準備金の金額のうちその取り崩した金額に相当する金額

ニ　青色申告の承認の取消し等の場合の総収入金額算入

イの農業経営基盤強化準備金を積み立てている個人が青色申告書の提出の承認を取り消され、又は青色申告書による申告をやめる旨の届出書の提出をした場合には、その承認の取消しの基因となった事実のあった日又はその届出書の提出をした日（その届出書の提出をした日が青色申告書による申告をやめた年の翌年である場合には、そのやめた年の12月31日）における農業経営基盤強化準備金の金額は、その日の属する年分の事業所得の金額の計算上、総収入金額に算入する。この場合においては、**ロ**、**ハ**、**ハ**(２)、**ト**及び**チ**の規定は、適用しない。（措法24の２④）

（推定相続人に農業経営基盤強化準備金に係る事業の全部の譲渡をした場合の**ハ**の規定の適用）

注　**ト**に規定する推定相続人に**イ**の農業経営基盤強化準備金に係る事業の全部の譲渡（当該推定相続人について**チ**に規定する申請が却下された場合に該当する譲渡を除く。）をした**ト**に規定する個人が、**ニ**に規定する場合に該当するときにおけるニの規定の適用については、ニ中「取り消され、又は青色申告書による申告をやめる旨の届出書の提出をした」とあるのは、「取り消された」と、「あった日又はその届出書の提出をした日（その届出書の提出をした日が青色申告書による申告をやめた年の翌年である場合には、そのやめた年の12月31日）」とあるのは「あった日」とする。（措令16の２③）

ホ　4④の規定の準用（確定申告書への記載等）

4④の規定は、イの規定を適用する場合について準用する。（措法24の２⑤）

ヘ　4⑤(1)から同(3)までの規定の準用（死亡の場合の農業経営基盤強化準備金の処理）

4⑤(1)から同(3)までの規定は、イの農業経営基盤強化準備金を積み立てている個人の死亡により当該個人の相続人がイの農業経営基盤強化準備金に係る事業を承継した場合について準用する。（措法24の２⑥）

ト　当該農業経営基盤強化準備金に係る事業の全部を譲り受けた場合

イの農業経営基盤強化準備金を積み立てている個人（第二章第一節一《定義》表内29に規定する特別障害者に該当する者に限る。）の推定相続人（当該農業経営基盤強化準備金に係る認定計画等の認定農業者等である者に限る。）が当該農業経営基盤強化準備金に係る事業の全部を譲り受けた場合（その事業の全部を譲り受けた日の属する年において当該個人がハ(一)、同(二)又は同(四)に掲げる場合に該当する場合を除く。）において、当該推定相続人が、その事業の全部を譲り受けた日の属する年分の所得税につき、青色申告書を提出することができる者又は青色申告書の承認申請書を提出した者であるときは、その事業の全部を譲り受けた日における農業経営基盤強化準備金の金額は、当該推定相続人に係る農業経営基盤強化準備金の金額とみなす。この場合において、当該個人については、ハの規定は、適用しない。（措法24の２⑦）

チ　事業の全部を譲り受けた日の属する年分の所得税の承認申請がを却下されたとき

トに規定する推定相続人が同トに規定する事業の全部を譲り受けた日の属する年分の所得税につき青色申告書の承認申請書を提出した者である場合において、その申請が却下されたときは、ハ及びトの規定にかかわらず、その却下の日におけるトの農業経営基盤強化準備金の金額は、当該推定相続人に係るトに規定する個人の当該事業の全部を譲渡した日の属する年分の事業所得の金額の計算上、総収入金額に算入する。（措法24の２⑧）

リ　確定申告書への記載等

トの規定は、トに規定する推定相続人の確定申告書に、トの規定の適用を受ける旨の記載があり、かつ、当該推定相続人に係るトの個人のイの農業経営基盤強化準備金としてトの規定により積み立てた金額の計算に関する明細書その他農林水産大臣のイに規定する農業経営基盤強化準備金に係るイに規定する交付金等に係る事業の全部を譲渡した者（以下において「譲渡者」という。）がトに規定する特別障害者に該当する者である旨及びその事業の全部を譲り受けた者が当該譲渡者のトに規定する推定相続人である旨を証する書類の添付がある場合に限り、適用する。（措法24の２⑨、措規９の３④）

②　農用地等を取得した場合の課税の特例

イ　農用地等を取得した場合の必要経費算入

①イの農業経営基盤強化準備金の金額（①ニの規定の適用を受けるものを除く。）を有する個人（①イの規定の適用を受けることができる個人を含む。）が、各年において、①イに規定する認定計画等の定めるところにより、農業経営基盤強化促進法第４条第１項第１号に規定する農用地（当該農用地に係る賃借権を含む。以下イにおいて同じ。）の取得（贈与、交換又は法人税法第２条第12号の５の２に規定する現物分配によるもの、所有権移転外リース取引によるものその他(1)で定めるものを除く。以下イにおいて同じ。）をし、農業用の機械及び装置、器具及び備品、建物及びその附属設備、構築物並びにソフトウエア（(2)で定める規模のものに限るものとし、建物及びその附属設備にあっては農業振興地域の整備に関する法律第８条第４項に規定する農用地利用計画において同法第３条第４号に掲げる土地としてその用途が指定された土地に建設される同号に規定する農業用施設のうち当該個人の農業の用に直接供される建物として(3)で定める建物及びその附属設備に限る。以下イ及びハの(1)において「特定農業用機械等」という。）でその製作若しくは建設の後事業の用に供されたことのないものの取得をし、若しくは特定農業用機械等の製作若しくは建設をして、当該農用地又は特定農業用機械等（以下イ及びハ(2)において「農用地等」という。）を当該個人の事業の用に供した場合には、当該農用地等につき、次の(一)及び(二)に掲げる金額のうちいずれか少ない金額以下の金額に相当する金額として(4)で定めるところにより計算した金額は、その年分の事業所得の金額の計算上、必要経費に算入する。（措法24の３①）

<table>
<tr><td rowspan="3">(一)</td><td colspan="2">次の(イ)及び(ロ)に掲げる金額の合計額</td></tr>
<tr><td>(イ)</td><td>その年の前年から繰り越された①イの農業経営基盤強化準備金の金額（その年の前年の12月31日までに①ロ又は①ハの規定により総収入金額に算入された金額がある場合には当該金額を控除した金額）のうち、その年において①ロ又は①ハ（(二)(ロ)に係る部分を除く。）の規定により総収入金額に算入された、又は算入されるべきこととなった金額に相当する金額</td></tr>
<tr><td>(ロ)</td><td>その年において交付を受けた①イに規定する交付金等の額のうち同イの農業経営基盤強化準備金として積み立てられなかった金額として(5)で定める金額</td></tr>
<tr><td>(二)</td><td colspan="2">その年分の事業所得の金額として(6)で定めるところにより計算した金額</td></tr>
</table>

((1)で定める取得)

(1)　**イ**に規定する(1)で定める取得は、代物弁済としての取得とする。(措令16の3①)

(**イ**に規定する(2)で定める規模のもの)

(2)　**イ**に規定する(2)で定める規模のものは、機械及び装置並びに器具及び備品にあっては1台又は1基（通常1組又は1式をもって取引の単位とされるものにあっては、1組又は1式）の取得価額（**五7イ**①から⑤までの規定により計算した取得価額をいう。以下(2)において同じ。）が30万円以上のものとし、建物及びその附属設備にあっては1の建物及びその附属設備の取得価額の合計額が30万円以上のものとし、構築物にあっては1の構築物の取得価額が30万円以上のものとし、ソフトウエアにあっては1のソフトウエアの取得価額が30万円以上のものとする。(措令16の3②)

(3)　**イ**に規定する(3)で定める建物は、農業振興地域の整備に関する法律施行規則第1条第1号及び第2号に掲げる農業用施設を構成する建物とする。(措規9の4①)

((4)で定めるところにより計算した金額)

(4)　**イ**に規定する(4)で定めるところにより計算した金額は、**イ**の各号に掲げる金額のうちいずれか少ない金額に相当する金額（当該金額が農用地等（**イ**に規定する農用地等をいう。以下②において同じ。）の取得に要した金額を超える場合には、当該取得に要した金額に相当する金額）とする。(措令16の3③)

((5)で定める金額)

(5)　**イ**(一)(ロ)に規定する(5)で定める金額は、**イ**に規定する認定計画等に記載された農用地等の取得に充てるための金額であって①**イ**の農業経営基盤強化準備金として積み立てられなかった金額として(7)で定めるところにより証明がされた金額とする。(措令16の3④)

((6)で定めるところにより計算した金額)

(6)　**イ**(二)に規定する(6)で定めるところにより計算した金額は、**イ**並びに①**ロ**並びに第四節**四**《青色申告特別控除制度》**1**及び同**2**の規定を適用しないで計算した場合のその年分の事業所得の金額とする。(措令16の3⑤)

((7)で定めるところにより証明がされた金額)

(7)　(5)に規定する(7)で定めるところにより証明がされた金額は、**イ**の規定の適用を受けようとする年分の確定申告書に、農林水産大臣の**イ**(一)(ロ)に規定する交付金等の額のうち①**イ**の農業経営基盤強化準備金として積み立てられなかった金額である旨を証する書類を添付することにより証明がされたものとする。(措規9の4②)

(取得価額の判定単位)

(8)　(2)に規定する機械及び装置並びに器具及び備品の1台又は1基の取得価額が30万円以上であるかどうかについては、通常一単位として取引される単位ごとに判定するのであるが、個々の機械及び装置の本体と同時に設置する自動調整装置又は原動機のような附属機器で当該本体と一体になって使用するものがある場合には、これらの附属機器を含めたところによりその判定を行うことができるものとする。(措通24の3－1)

（国庫補助金等の総収入金額不算入の適用を受けた場合の特定農業用機械等の取得価額要件の判定）

（9）　（2）に規定する機械及び装置、器具及び備品、建物及びその附属設備、構築物並びにソフトウエアの取得価額が30万円以上であるかどうかを判定する場合において、当該機械及び装置、器具及び備品、建物及びその附属設備、構築物並びにソフトウエアが第一節**三**《国庫補助金等の総収入金額不算入》**1**①の規定の適用を受ける同①に規定する国庫補助金等に係るもの若しくは同②に規定する国庫補助金等の交付に代わるべきものとして交付を受けるもの又は**2**①の規定の適用を受ける同①に規定する国庫補助金等をもって取得されたものであるときは、同**1**④各号又は同**2**⑤の規定により計算した金額に基づいてその判定を行うものとする。（措通24の３－２）

（貸付けの用に供したものに該当しない機械の貸与）

（10）　**イ**に規定する個人が、その取得し、又はその製作若しくは建設した**イ**に規定する特定農業用機械等を他の者に貸与した場合において、当該特定農業用機械等が専ら当該個人のためにする農畜産物の生産の用に供されるものであるときは、当該特定農業用機械等は当該個人の営む事業の用に供したものとして同②の規定を適用する。（措通24の３－３）

（農用地等の取得したものとみなす金額の計算）

（11）　**イ**に規定する農用地等が２以上ある場合において、**ハ**（2）に規定する当該農用地等の取得に要した金額に相当する金額から控除されるべき同（2）に規定するその年分の事業所得の金額の計算上必要経費に算入された金額に相当する金額がいずれの農用地等から充てられたものとするかは、その者の計算によるものとする。（措通24の３－４）

（注）　農用地等の取得価額が同項に規定するその年分の事業所得の金額の計算上必要経費に算入された金額に相当する金額を超える場合には、その超える部分に相当する金額につき当該年分の翌年分以後の年分に繰越しすることができないことに留意する。

ロ　確定申告書への及び記載明細書その他の書類の添付

イの規定は、**イ**の規定の適用を受けようとする年分の確定申告書に、**イ**の規定により必要経費に算入される金額についてのその算入に関する記載があり、かつ、当該金額の計算に関する明細書その他（2）で定める書類の添付がある場合に限り、適用する。（措法24の３②）

（確定申告書への記載又は添付がない場合の宥恕規定）

（1）　税務署長は、**ロ**の記載又は添付がない確定申告書の提出があった場合においても、その記載又は添付がなかったことについてやむを得ない事情があると認めるときは、当該記載をした書類並びに**ロ**の明細書及び（2）で定める書類の提出があった場合に限り、**ロ**の規定を適用することができる。（措法24の３③）

（（2）で定める書類）

（2）　**ロ**に規定する（2）で定める書類は、農林水産大臣の**イ**に規定する認定計画等の定めるところにより取得又は製作若しくは建設をした**イ**に規定する農用地等である旨を証する書類とする。（措規９の４③）

ハ　その他

（特別償却等に関する複数の規定の不適用規定の不適用）

（1）　**イ**の規定の適用を受けた特定農業用機械等については、**六22**《特別償却等に関する複数の規定の不適用》①のイからソまでに掲げる規定は、適用しない。（措法24の３④）

（農用地等についての所得税に関する法令の規定の適用）

（2）　**イ**の規定の適用を受けた農用地等について所得税に関する法令の規定を適用する場合には、当該農用地等については、当該農用地等の取得に要した金額に相当する金額から**イ**の規定によりその年分の事業所得の金額の計算上必要経費に算入された金額に相当する金額を控除した金額をもって取得したものとみなす。（措法24の３⑤、措令16の３⑥）

十　親族が事業から受ける対価

1　事業から対価を受ける親族がある場合の必要経費の特例

居住者と生計を一にする配偶者その他の親族がその居住者の営む不動産所得、事業所得又は山林所得を生ずべき事業に従事したことその他の事由により当該事業から対価の支払を受ける場合には、その対価に相当する金額は、その居住者の当該事業に係る不動産所得の金額、事業所得の金額又は山林所得の金額の計算上、必要経費に算入しないものとし、かつ、その親族のその対価に係る各種所得の金額の計算上必要経費に算入されるべき金額は、その居住者の当該事業に係る不動産所得の金額、事業所得の金額又は山林所得の金額の計算上、必要経費に算入する。この場合において、その親族が支払を受けた対価の額及びその親族のその対価に係る各種所得の金額の計算上必要経費に算入されるべき金額は、当該各種所得の金額の計算上ないものとみなす。（法56）

（親族の資産を無償で事業の用に供している場合）

（1）　不動産所得、事業所得又は山林所得を生ずべき事業を営む居住者と生計を一にする配偶者その他の親族がその有する資産を無償で当該事業の用に供している場合には、その対価の授受があったものとしたならば**1**の規定により当該居住者の営む当該事業に係る所得の金額の計算上必要経費に算入されることとなる金額を当該居住者の営む当該事業に係る所得の金額の計算上必要経費に算入するものとする。（基通56－1）

（親族の有する固定資産について生じた損失）

（2）　不動産所得、事業所得又は山林所得を生ずべき事業を営む者が自己と生計を一にする配偶者その他の親族の有する固定資産又は繰延資産を当該事業の用に供している場合には、当該事業を営む者が当該資産を所有しているものとみなして**八**《資産損失》**1**①の規定を適用することができるものとする。ただし、自己又は自己と生計を一にする配偶者その他の親族が第八章**一**《雑損控除》の規定の適用を受ける場合は、この限りでない。（基通51－5）

2　事業に専従する親族がある場合の必要経費の特例等

①　青色専従者給与の必要経費算入

青色申告書を提出することにつき税務署長の承認を受けている居住者と生計を一にする配偶者その他の親族（年齢15歳未満である者を除く。）で専らその居住者の営む**1**の事業に従事するもの（以下「**青色事業専従者**」という。）が当該事業から②《青色専従者給与に関する届出》の書類に記載されている方法に従いその記載されている金額の範囲内において給与の支払を受けた場合には、**1**の規定にかかわらず、その給与の金額で次の（1）に定める状況に照らしその労務の対価として相当であると認められるもの《**青色専従者給与額**》は、その居住者のその給与の支給に係る年分の当該事業に係る不動産所得の金額、事業所得の金額又は山林所得の金額の計算上必要経費に算入し、かつ、当該青色事業専従者の当該年分の給与所得に係る収入金額とする。（法57①）

（青色事業専従者給与の判定基準等）

（1）　①に規定する（1）で定める状況は、次の(一)から(三)までに掲げる状況とする。（令164①）

(一)	青色事業専従者の労務に従事した期間、労務の性質及びその提供の程度
(二)	その事業に従事する他の使用人が支払を受ける給与の状況及びその事業と同種の事業でその規模が類似するものに従事する者が支払を受ける給与の状況
(三)	その事業の種類及び規模並びにその収益の状況

（親族が事業に専ら従事するかどうかの判定）

（2）　①又は③《事業専従者控除額の必要経費算入》に規定する居住者と生計を一にする配偶者その他の親族が専らその居住者の営むこれらの規定に規定する事業に従事するかどうかの判定は、当該事業に専ら従事する期間がその年を通じて6月を超えるかどうかによる。ただし、①の場合にあっては、次の(一)又は(二)のいずれかに該当するときは、当該事業に従事することができると認められる期間を通じてその2分の1に相当する期間を超える期間当該事業に専ら従事すれば足りるものとする。（令165①）

(一)	当該事業が年の中途における開業、廃業、休業又はその居住者の死亡、当該事業が季節営業であることその他

	の理由によりその年中を通じて営まれなかったこと。
(二)	当該事業に従事する者の死亡、長期にわたる病気、婚姻その他相当の理由によりその年中を通じてその居住者と生計を一にする親族として当該事業に従事することができなかったこと。

（事業に専ら従事する期間に含まれない期間）

（3）（2）の場合において、（2）に規定する親族につき次の(一)から(三)までの一に該当する者である期間があるときは、当該期間は、（2）に規定する事業に専ら従事する期間に含まれないものとする。（令165②）

(一)	学校教育法第１条《学校の範囲》、第124条《専修学校》又は第134条第１項《各種学校》の学校の学生又は生徒である者（夜間において授業を受ける者で昼間を主とする当該事業に従事するもの、昼間において授業を受ける者で夜間を主とする当該事業に従事するもの、同法第124条又は同項の学校の生徒で常時修学しないものその他当該事業に専ら従事することが妨げられないと認められる者を除く。）
(二)	他に職業を有する者（その職業に従事する時間が短い者その他当該事業に専ら従事することが妨げられないと認められる者を除く。）
(三)	老衰その他心身の障害により事業に従事する能力が著しく阻害されている者

（青色事業専従者が事業から給与の支給を受けた場合の贈与税の取扱い）

（4）標題のことについては次に定めるところによる。（昭40直審（資）４）

（青色事業専従者が事業から給与の支給を受けた場合）

(一)　青色申告者と生計を一にする配偶者その他の親族（年齢15歳未満である者を除く。）のうち、専ら当該青色申告者の営む事業で不動産所得、事業所得又は山林所得を生ずべきものに従事する者（以下「青色事業専従者」という。）が当該事業から給与の支給を受けた場合において、その支給を受けた金額がその年における当該青色事業専従者の職務の内容等に照し相当と認められる金額を超えるときは、当該青色事業専従者は当該青色申告者からその超える金額に相当する金額を贈与により取得したものとする。

（職務の内容等にてらし相当と認められる金額の判定）

(二)　(一)において、青色事業専従者が従事する事業から支給を受けた給与の金額が当該青色事業専従者の職務の内容等に照し相当と認められるかどうかは、その年に現実に支給を受けた給与の金額について、当該事業又はその地域における当該事業と同種、同規模の事業に従事する者で、当該青色事業専従者と同性質の職務に従事し、かつ、能力、職務に従事する程度、経験年数その他の給与を定める要因が近似すると認められるものの受ける給与の金額を基として判定するものとする。

②　青色専従者給与に関する届出

その年分以後の各年分の所得税につき①の規定の適用を受けようとする居住者は、その年３月15日まで（その年１月16日以後新たに①の事業を開始した場合には、その事業を開始した日から２月以内）に、青色事業専従者の氏名、その職務の内容及び給与の金額並びにその給与の支給期その他次の(一)から(五)までに掲げる事項を記載した書類を納税地の所轄税務署長に提出しなければならない。（法57②、規36の４①）

(一)	届出書を提出する者の氏名及び住所（国内に住所がない場合には、居所）並びに住所地（国内に住所がない場合には、居所地）と納税地とが異なる場合には、その納税地
(二)	青色事業専従者の(一)に掲げる者との続柄及び年齢
(三)	青色事業専従者が他の業務に従事し又は就学している場合には、その事実
(四)	その事業に従事する他の使用人に対して支払う給与の金額並びにその支給の方法及び形態
(五)	昇給の基準その他参考となるべき事項

(注)１　上記____下線部分については、令和９年１月１日以後、(四)中「並びにその支給の方法及び形態」が削られ、(五)中「昇給の基準」が削られる。（令５改所規附１五）

２　改正後の②の規定は、令和９年分以後の所得税について適用され、令和８年分以前の所得税については、なお従前の例による。（令５改所

規附２）

（青色専従者給与に関する変更の届出）

（１）　②に規定する書類を提出した居住者は、当該書類に記載した事項を変更する場合には、その旨その他（２）に定める必要な事項を記載した書類を納税地の所轄税務署長に提出しなければならない。（令164②）

（青色専従者給与の金額の変更届出書の記載事項）

（２）　②の届出書に記載した青色事業専従者の給与の金額の基準を変更する場合には、遅滞なく、次の(一)から(三)までに掲げる事項を記載した書類を納税地の所轄税務署長に提出しなければならない。（規36の４②）

(一)	変更届出書を提出する者の氏名及び住所（国内に住所がない場合には、居所）並びに住所地（国内に住所がない場合には、居所地）と納税地とが異なる場合には、その納税地
(二)	その変更する内容及びその理由
(三)	その他参考となるべき事項

（年の中途に新たに青色事業専従者を有することとなった場合の届出期限）

（３）　①に規定する居住者がその年１月16日以後新たに青色事業専従者を有することとなった場合には、その者は、その有することとなった日から２月以内に、②に規定する書類を納税地の所轄税務署長に提出するものとする。（規36の４③）

③　事業専従者控除額の必要経費算入

居住者（青色申告者を除く。）と生計を一にする配偶者その他の親族（年齢15歳未満である者を除く。）で専らその居住者の営む不動産所得、事業所得又は山林所得を生ずべき事業に従事するもの（以下「**事業専従者**」という。）がある場合には、その居住者のその年分の当該事業に係る不動産所得の金額、事業所得の金額又は山林所得の金額の計算上、各事業専従者につき、次の(一)及び(二)に掲げる金額のうちいずれか低い金額《**事業専従者控除額**》を必要経費とみなす。（法57③）

この場合において、各事業専従者につき上記により必要経費とみなされた金額は、当該各事業専従者の当該年分の各種所得の金額の計算については、当該各事業専従者の給与所得に係る収入金額とみなす。（法57④）

(一)	次に掲げる事業専従者の区分に応じそれぞれ次に定める金額 イ　その居住者の配偶者である事業専従者　　86万円 ロ　イに掲げる者以外の事業専従者　　50万円
(二)	その年分の当該事業に係る不動産所得の金額、事業所得の金額又は山林所得の金額（③の規定を適用しないで計算した場合の金額とする。）を当該事業に係る事業専従者の数に１を加えた数で除して計算した金額

（所得限度額を計算する場合の山林所得の金額）

（１）　③(二)に規定する山林所得の金額は、第四章第七節**二１**《通則》に規定する残額とする。（令166①）

（２以上の所得を生ずべき事業を営む場合の所得限度額）

（２）　居住者が不動産所得、事業所得又は山林所得のうち２以上の所得を生ずべき事業（事業専従者の従事する事業に限る。）を営む場合における③(二)の規定の適用については、当該事業に係る同(二)に規定する不動産所得の金額、事業所得の金額又は山林所得の金額の合計額及び当該事業に従事するすべての当該事業専従者の数を基礎として(二)に掲げる金額を計算するものとする。（令166②）

（事業が２以上ある場合の所得限度額の計算の基礎となる事業所得等の金額の合計額）

（３）　（２）に規定する事業専従者が従事する事業に係る不動産所得の金額、事業所得の金額又は山林所得の金額の合計額は、これらの所得の金額のうちに赤字の金額がある場合には他の黒字の所得の金額と相殺して計算することに留意する。（基通57－２）

④　**確定申告書への記載等**

③の規定は、確定申告書に③の規定の適用を受ける旨及び③の規定により必要経費とみなされる金額に関する事項の記載がない場合には、適用しない。(法57⑤)

税務署長は、確定申告書の提出がなかった場合又は④の記載がない確定申告書の提出があった場合においても、その提出がなかったこと又はその記載がなかったことについてやむを得ない事情があると認めるときは、③の規定を適用することができる。(法57⑥)

⑤　**２以上の事業に従事した場合の事業専従者給与等の必要経費算入額の計算**

居住者が不動産所得、事業所得又は山林所得のうち２以上の所得を生ずべき事業を営み、かつ、同一の青色事業専従者又は事業専従者が当該２以上の所得を生ずべき事業に従事する場合における当該事業に係る不動産所得の金額、事業所得の金額又は山林所得の金額の計算上①の規定により必要経費に算入される青色専従者給与額又は③の規定により必要経費とみなされる事業専従者控除額は、次の(一)又は(二)に掲げる場合の区分に応じ当該(一)又は(二)に掲げる金額とする。(令167)

(一)	当該青色事業専従者又は事業専従者が当該２以上の所得を生ずべきそれぞれの事業に従事した分量が明らかである場合	当該青色事業専従者又は事業専従者に係る青色専従者給与額又は事業専従者控除額をそれぞれその事業に従事した分量に応じて配分して計算した金額
(二)	当該青色事業専従者又は事業専従者が当該２以上の所得を生ずべきそれぞれの事業に従事した分量が明らかでない場合	当該青色事業専従者又は事業専従者がそれぞれの事業に均等に従事したものとみなして(一)の規定に準じて計算した金額

(変動所得又は臨時所得がある場合の青色専従者給与等の配分)

注　不動産所得又は事業所得を生ずべき事業に係る所得のうちに変動所得又は臨時所得の金額が含まれている場合において、同一の青色事業専従者又は事業専従者が変動所得又は臨時所得に係る事業とその他の所得に係る事業とに従事しているときは、青色専従者給与額又は事業専従者控除額を⑤(一)又は同(二)に規定するところに準じ、それぞれ変動所得又は臨時所得及びその他の所得に配分するものとする。(基通57－3)

⑥　**事業専従者等の年齢の判定時期**

①又は③の場合において、これらの規定に規定する親族の年齢が15歳未満であるかどうかの判定は、その年12月31日（これらの規定に規定する居住者がその年の中途において死亡し又は出国をした場合には、その死亡又は出国の時）の現況による。ただし、当該親族がその当時既に死亡している場合は、当該死亡の時の現況による。(法57⑦)

十一　外貨建取引の換算

1　外貨建取引の換算

居住者が、外貨建取引（外国通貨で支払が行われる資産の販売及び購入、役務の提供、金銭の貸付け及び借入れその他の取引をいう。以下**十一**において同じ。）を行った場合には、当該外貨建取引の金額の円換算額（外国通貨で表示された金額を本邦通貨表示の金額に換算した金額をいう。**2**において同じ。）は当該外貨建取引を行った時における外国為替の売買相場により換算した金額として、その者の各年分の各種所得の金額を計算するものとする。（法57の３①）

（いわゆる外貨建て円払いの取引）

（１）　**1**《外貨建取引の換算》に規定する外貨建取引（以下(１)、(３)、(４)及び**2**(９)において「外貨建取引」という。）は、その取引に係る支払が外国通貨で行われるべきこととされている取引をいうのであるから、例えば、債権債務の金額が外国通貨で表示されている場合であっても、その支払が本邦通貨により行われることとされているものは、ここでいう外貨建取引には該当しないことに留意する。（基通57の３－１）

（当該預貯金に関する契約に基づき預入が行われる当該預貯金の元本に係る金銭により引き続き同一の金融機関に同一の外国通貨で行われる預貯金の預入）

（２）　外国通貨で表示された預貯金を受け入れる銀行その他の金融機関（以下(２)において「金融機関」という。）を相手方とする当該預貯金に関する契約に基づき預入が行われる当該預貯金の元本に係る金銭により引き続き同一の金融機関に同一の外国通貨で行われる預貯金の預入は、**1**に規定する外貨建取引に該当しないものとする。（令167の６②）

（外貨建取引の円換算）

（３）　**1**《外貨建取引の換算》の規定に基づく円換算（**2**の規定の適用を受ける場合の円換算を除く。）は、その取引を計上すべき日（以下(３)において「取引日」という。）における対顧客直物電信売相場（以下(７)までにおいて「電信売相場」という。）と対顧客直物電信買相場（以下(７)までにおいて「電信買相場」という。）の仲値（以下(７)までにおいて「電信売買相場の仲値」という。）による。

ただし、不動産所得、事業所得、山林所得又は雑所得を生ずべき業務に係るこれらの所得の金額（以下(４)までにおいて「不動産所得等の金額」という。）の計算においては、継続適用を条件として、売上その他の収入又は資産については取引日の電信買相場、仕入その他の経費（原価及び損失を含む。以下(３)、(４)及び**2**(９)において同じ。）又は負債については取引日の電信売相場によることができるものとする。（基通57の３－２）

(注)１　電信売相場、電信買相場及び電信売買相場の仲値については、原則として、その者の主たる取引金融機関のものによることとするが、合理的なものを継続して使用している場合には、これを認める。

２　不動産所得等の金額の計算においては、継続適用を条件として、当該外貨建取引の内容に応じてそれぞれ合理的と認められる次のような外国為替の売買相場（以下(７)までにおいて「為替相場」という。）も使用することができる。

（１）　取引日の属する月若しくは週の前月若しくは前週の末日又は当月若しくは当週の初日の電信買相場若しくは電信売相場又はこれらの日における電信売買相場の仲値

（２）　取引日の属する月の前月又は前週の平均相場のように１月以内の一定期間における電信売買相場の仲値、電信買相場又は電信売相場の平均値

３　円換算に係る当該日（為替相場の算出の基礎とする日をいう。以下この(注)３において同じ。）の為替相場については、次に掲げる場合には、それぞれ次によるものとする。以下(７)までにおいて同じ。

（１）　当該日に為替相場がない場合には、同日前の最も近い日の為替相場による。

（２）　当該日に為替相場が２以上ある場合には、その当該日の最終の相場（当該日が取引日である場合には、取引発生時の相場）による。ただし、取引日の相場については、取引日の最終の相場によっているときもこれを認める。

４　本邦通貨により外国通貨を購入し直ちに資産を取得し若しくは発生させる場合の当該資産、又は外国通貨による借入金に係る当該外国通貨を直ちに売却して本邦通貨を受け入れる場合の当該借入金については、現にその支出し、又は受け入れた本邦通貨の額をその円換算額とすることができる。

５　いわゆる外貨建て円払いの取引は、当該取引の円換算額を外貨建取引の円換算の例に準じて見積もるものとする。この場合、その見積額と当該取引に係る債権債務の実際の決済額との間に差額が生じたときは、その差額は当該債権債務の決済をした日の属する年分の各種所得の金額の計算上総収入金額又は必要経費に算入する。

（多通貨会計を採用している場合の外貨建取引の換算）

（４）　不動産所得等の金額の計算において、外貨建取引を取引発生時には外国通貨で記録し、各月末等一定の時点において損益計算書又は収支内訳書の項目を本邦通貨に換算するといういわゆる多通貨会計を採用している場合におい

て、**1**《外貨建取引の換算》の規定の適用に当たり、各月末等の規則性を有する１月以内の一定期間ごとの一定の時点において本邦通貨への換算を行い、当該一定の時点を当該外貨建取引に係る取引発生時であるものとして(３)の取扱いを適用しているときは、これを認める。この場合、円換算に係る為替相場については、当該一定期間を基礎として計算した平均値も使用することができるものとする。(基通57の３－３)

(前渡金等の振替え)

(５)　(３)により円換算を行う場合において、その取引に関して受け入れた前受金又は支払った前渡金があるときは、当該前受金又は前渡金に係る部分については、(３)にかかわらず、当該前受金又は前渡金の帳簿価額をもって収入又は経費の額とし、改めてその収入又は経費の計上を行うべき日における為替相場による円換算を行わないことができるものとする。(基通57の３－５)

(延払基準の適用)

(６)　第四節**三１**③《延払基準の方法》の規定による延払基準の方法を適用する同①に規定するリース譲渡（以下(６)において「リース譲渡」という。）の対価の一部につき前受金を受け入れている場合において、その対価の全額につき(３)により円換算を行い、これを基として延払基準を適用しているときは、当該前受金の帳簿価額と当該前受金についての円換算額との差額に相当する金額は、当該リース譲渡の日の属する年分の事業所得の金の計算上総収入金額又は必要経費に算入し、同④に規定する賦払金割合の算定に含めることに留意する。(基通57の３－６)

(国外で業務を行う者の損益計算書等に係る外貨建取引の換算)

(７)　国外において不動産所得、事業所得、山林所得又は雑所得を生ずべき業務を行う個人で、当該業務に係る損益計算書又は収支内訳書を外国通貨表示により作成している者については、継続適用を条件として、当該業務に係る損益計算書又は収支内訳書の項目（前受金等の収益性負債の収益化額及び減価償却資産等の費用性資産の費用化額を除く。）の全てを当該年の年末における為替相場により換算することができる。(基通57の３－７)

(注)　上記の円換算に当たっては、継続適用を条件として、収入金額及び必要経費の換算につき、その年において当該業務を行っていた期間内における電信売買相場の仲値、電信買相場又は電信売相場の平均値を使用することができる。

2　先物外国為替契約等により円換算額を確定させた外貨建取引の換算

不動産所得、事業所得、山林所得又は雑所得を生ずべき業務を行う居住者が、先物外国為替契約等（外貨建取引によつて取得し、又は発生する資産若しくは負債の金額の円換算額を確定させる契約として(１)で定めるものをいう。以下**2**において同じ。）により外貨建取引によつて取得し、又は発生する資産若しくは負債の金額の円換算額を確定させた場合において、当該先物外国為替契約等の締結の日においてその旨を(２)で定めるところによりその者の当該業務に係る帳簿書類その他の(３)で定める書類に記載したときは、当該資産又は負債については、当該円換算額をもって、**1**の規定により換算した金額として、その者の各年分の不動産所得の金額、事業所得の金額、山林所得の金額又は雑所得の金額を計算するものとする。(法57の３②)

(外貨建資産等の決済時の円換算額を確定させる先物外国為替契約等)

(１)　**2**《先物外国為替契約等により円換算額を確定させた外貨建取引の換算》に規定する(１)で定める契約は、(３)で定める先物外国為替取引に係る契約のうち**2**に規定する資産若しくは負債の決済によって受け取り、若しくは支払う外国通貨の金額の円換算額を確定させる契約（(二)において「先物外国為替契約」という。）又は金融商品取引法第２条第20項《定義》に規定するデリバティブ取引に係る契約のうちその取引の当事者が元本及び利息として定めた外国通貨の金額についてその当事者間で取り決めた外国為替の売買相場に基づき金銭の支払を相互に約する取引に係る契約（次の(一)及び(二)に掲げるいずれかの要件を満たすものに限る。）とする。(規36の８①)

(一)	その契約の締結に伴って支払い、又は受け取ることとなる外貨元本額（その取引の当事者がその取引の元本として定めた外国通貨の金額をいう。以下(１)において同じ。）の円換算額が満了時円換算額（その契約の期間の満了に伴って受け取り、又は支払うこととなる外貨元本額の円換算額をいう。(二)において同じ。）と同額となっていること。
(二)	その契約に係る満了時円換算額がその契約の期間の満了の日を外国為替の売買の日とする先物外国為替契約に係る外国為替の売買相場により外貨元本額を円換算額に換算した金額に相当する金額となっていること。

（**2**に規定する（２）で定めるところにより帳簿書類その他の（３）で定める書類に記載したとき）

（２）　**2**に規定する（２）で定めるところにより帳簿書類その他の（３）で定める書類に記載したときは、**2**に規定する資産若しくは負債の取得若しくは発生に関する（３）に規定する書類に**2**の規定に該当する旨、**2**に規定する先物外国為替契約等（以下（３）までにおいて「先物外国為替契約等」という。）の契約金額、締結の日、履行の日その他参考となるべき事項を記載し、又はその先物外国為替契約等の締結に関する（３）に規定する書類に**2**の規定に該当する旨、その外貨建取引の種類及びその金額その他参考となるべき事項を記載したときとする。（規36の８②）

（**2**に規定する帳簿書類その他の（３）で定める書類）

（３）　**2**に規定する帳簿書類その他の（３）で定める書類は、次の㈠又は㈡に掲げる者の区分に応じ当該㈠又は㈡に定める書類とする。（規36の８③）

㈠	不動産所得、事業所得又は山林所得を生ずべき業務を行う居住者　その者の当該業務に係る**2**に規定する資産若しくは負債の取得若しくは発生に関する帳簿書類又は先物外国為替契約等の締結に関する帳簿書類
㈡	雑所得を生ずべき業務を行う居住者　その者の当該業務に係る**2**に規定する資産若しくは負債の取得若しくは発生に関する書類又は先物外国為替契約等の締結に関する書類

（外貨建取引の換算の特例その他**1**及び**2**の規定の適用に関し必要な事項）

（４）　**2**に定めるもののほか、外貨建取引の換算の特例その他**1**及び**2**の規定の適用に関し必要な事項は、（５）又は**1**（２）で定める。（法57の３③）

（先物外国為替契約により発生時の外国通貨の円換算額を確定させた場合の外貨建資産・負債の換算等）

（５）　不動産所得、事業所得、山林所得又は雑所得を生ずべき業務を行う居住者が、外貨建資産・負債（外貨建取引（**1**《外貨建取引の換算》に規定する外貨建取引をいう。以下（５）において同じ。）によつて取得し、又は発生する資産若しくは負債をいい、**2**の規定の適用を受ける資産又は負債を除く。以下（５）において同じ。）の取得又は発生の基因となる外貨建取引に伴って支払い、又は受け取る外国通貨の金額の円換算額（**1**に規定する円換算額をいう。以下（５）において同じ。）を先物外国為替契約（外貨建取引に伴つて受け取り、又は支払う外国通貨の金額の円換算額を確定させる契約として（６）で定めるものをいう。以下（５）において同じ。）により確定させ、かつ、その先物外国為替契約の締結の日においてその旨を（７）で定めるところによりその者の当該業務に係る帳簿書類その他の（８）で定める書類に記載した場合には、その外貨建資産・負債については、その円換算額をもつて、**1**の規定により換算した金額として、その者の各年分の不動産所得の金額、事業所得の金額、山林所得の金額又は雑所得の金額を計算するものとする。（令167の６①）

（外貨建資産・負債の発生時の外国通貨の円換算額を確定させる先物外国為替契約）

（６）　（５）《先物外国為替契約により発生時の外国通貨の円換算額を確定させた場合の外貨建資産・負債の換算等》に規定する（６）で定める契約は、外国通貨をもつて表示される支払手段（外国為替及び外国貿易法第６条第１項第７号《定義》に規定する支払手段をいう。）又は外貨債権（外国通貨をもつて支払を受けることができる債権をいう。）の売買契約に基づく債権の発生、変更又は消滅に係る取引をその売買契約の締結の日後の一定の時期に一定の外国為替の売買相場により実行する取引（（１）において「先物外国為替取引」という。）に係る契約のうち（５）に規定する外貨建資産・負債の取得又は発生の基因となる外貨建取引（**1**《外貨建取引の換算》に規定する外貨建取引をいう。）に伴って支払い、又は受け取る外国通貨の金額の円換算額（**1**に規定する円換算額をいう。を確定させる契約とする。（規36の７①）

（（５）に規定する（７）で定めるところにより帳簿書類その他の（８）で定める書類に記載した場合）

（７）　（５）に規定する（７）で定めるところにより帳簿書類その他の（８）で定める書類に記載した場合は、（５）に規定する先物外国為替契約（（８）において「先物外国為替契約」という。）の締結の日において、（８）に規定する書類に（５）の規定に該当する旨、（５）に規定する外貨建資産・負債の取得又は発生の基因となる外貨建取引の種類及びその金額その他参考となるべき事項を記載した場合とする。（規36の７②）

（（５）に規定する帳簿書類その他の（８）で定める書類）

（８）　（５）に規定する帳簿書類その他の（８）で定める書類は、次の㈠又は㈡に掲げる者の区分に応じ当該㈠又は

(二)に定める書類とする。(規36の7③)

(一)	不動産所得、事業所得又は山林所得を生ずべき業務を行う居住者　　その者の当該業務に係る先物外国為替契約の締結に関する帳簿書類
(二)	雑所得を生ずべき業務を行う居住者　　その者の当該業務に係る先物外国為替契約の締結に関する書類

(先物外国為替契約等がある場合の収入、経費の換算等)

(9)　外貨建取引に係る売上その他の収入又は仕入その他の経費につき円換算を行う場合において、その計上を行うべき日までに、当該収入又は経費の額に係る本邦通貨の額を先物外国為替契約等(**2**に規定する先物外国為替契約等をいう。以下(9)において同じ。)により確定させているとき(当該先物外国為替契約等の締結の日において、当該個人の帳簿書類に(2)《先物外国為替契約等により円換算額が確定している旨の記載の方法》に規定する記載事項に準ずる事項の記載があるときに限る。)は、その収入又は経費の額については、**1**(3)(**1**(4)により準用して適用する場合を含む。)にかかわらず、その確定させている本邦通貨の額をもってその円換算額とすることができる。この場合、その収入又は経費の額が先物外国為替契約等により確定しているかどうかは、原則として個々の取引ごとに判定するのであるが、外貨建取引の決済約定の状況等に応じ、包括的に先物外国為替契約等を締結してその予約額の全部又は一部を個々の取引に比例配分するなど合理的に振り当てているときは、これを認める。(基通57の3－4)

十二　その他の必要経費

1　確定給付企業年金規約等に基づく掛金等の取扱い

事業を営む個人又は法人が支出した次の表の①から⑥までに掲げる掛金、保険料、事業主掛金又は信託金等は、①から⑥までに規定する被共済者、加入者、受益者等、企業型年金加入者、個人年金加入者又は信託の受益者等に対する給与所得に係る収入金額に含まれないものとする。事業を営む個人が①から⑥までに掲げる掛金、保険料、事業主掛金又は信託金等を支出した場合には、その支出した金額（確定給付企業年金法第56条第２項《掛金の納付》又は法人税法施行令附則第16条第２項《掛金の納付》の規定に基づき、②に掲げる掛金又は③に掲げる掛金若しくは保険料の支出を金銭に代えて同法第56条第２項に規定する株式又は同令附則第16条第２項に規定する株式をもって行った場合には、その時における当該株式の価額）は、その支出した日の属する年分の当該事業に係る不動産所得の金額、事業所得の金額又は山林所得の金額の計算上、必要経費に算入する。（令64①②）

①	独立行政法人勤労者退職金共済機構（平成15年10月１日施行。同日前は「勤労者退職金共済機構」とされる。以下同じ。）又は第四章第六節**二２**②（５）に規定する特定退職金共済団体が行う退職金共済に関する制度に基づいてその被共済者のために支出した掛金（同**1**表内③（２）(二)ロから同ヘまでに掲げる掛金を除くものとし、中小企業退職金共済法第53条の規定により独立行政法人勤労者退職金共済機構に納付した金額を含む。）
②	確定給付企業年金法第３条第１項《確定給付企業年金の実施》に規定する確定給付企業年金に係る規約に基づいて同法第25条第１項《加入者》に規定する加入者のために支出した同法第55条第１項《掛金》の掛金（同法第63条《積立不足に伴う掛金の拠出》、第78条第３項《実施事業所の増減》及び第87条《終了時の掛金の一括拠出》の掛金並びにこれに類する掛金で財務省令で定めるものを含む。）のうち当該加入者が負担した金額以外の部分
③	法人税法附則第20条第３項《退職年金等積立金に対する法人税の特例》に規定する適格退職年金契約に基づいて法人税法施行令附則第16条第１項第２号《適格退職年金契約の要件等》に規定する受益者等のために支出した掛金又は保険料（適格退職年金契約の要件に反して受益者等とされた者に係る掛金及び保険料を除く。）のうち当該受益者等が負担した金額以外の部分 （注）　当該受益者等が負担した金額については、生命保険料控除の対象となる。（所法76③五、編者注）
④	確定拠出年金法第４条第３項《承認の基準等》に規定する企業型年金規約に基づいて同法第２条第８項《定義》に規定する企業型年金加入者のために支出した同法第３条第３項第７号《規約の承認》に規定する事業主掛金（同法第54条第１項《他の制度の資産の移換》の規定により移換した確定拠出年金法施行令第22条第１項第５号《他の制度の資産の移換の基準》に掲げる資産。）
⑤	確定拠出年金法第56条第３項《承認の基準等》に規定する個人型年金規約に基づいて同法第68条の２第１項《中小事業主掛金》の個人型年金加入者のために支出した同項の掛金
⑥	勤労者財産形成促進法第６条の２第１項《勤労者財産形成給付金契約等》に規定する勤労者財産形成給付金契約に基づいて同項第２号に規定する信託の受益者等のために支出した同項第１号に規定する信託金等

2　特定の損失等に充てるための負担金の必要経費算入

①　特定の損失等に充てるための負担金の必要経費算入

居住者が、各年において、農畜産物の価格の変動による損失、漁船が遭難した場合の救済の費用その他の特定の損失又は費用を補てんするための業務を主たる目的とする法人税法等第２条第６号《定義》に規定する公益法人等又は一般社団法人若しくは一般財団法人の当該業務に係る資金のうち短期間に使用されるもので次の(一)から(三)までに掲げる要件のすべてに該当するものとして国税庁長官が指定したものに充てるための負担金を支出した場合には、その支出した金額は、その支出した日の属する年分の事業所得の金額の計算上、必要経費に算入する。（令167の２）

(一)	当該資金に充てるために徴収される負担金の額が当該業務の内容からみて適正であること。
(二)	当該資金の額が当該業務に必要な金額を超えることとなるときは、その負担金の徴収の停止その他必要な措置が講じられることとなっていること。
(三)	当該資金が当該業務の目的に従って適正な方法で管理されていること。

（注）　「国税庁長官が指定したもの」については、掲載を省略した。（編者注）

（負担金の使用期間）

（１）　①の「公益法人等又は一般社団法人若しくは一般財団法人の当該業務に係る資金のうち短期間に使用されるもの」とは、当該公益法人等又は一般社団法人若しくは一般財団法人の定款、業務方法書等において、５年以内の期間を業務期間とし、当該期間内に使用されることが予定されている資金をいうものとする。（基通37－９の３）

（注）１　業務計画期間が経過した場合において、引き続き①の規定の適用を受けようとするときは、改めて①に規定する指定を受ける必要があることに留意する。

２　５年を超える期間に使用されることが予定されているものについては、②《特定の基金に対する負担金等の必要経費算入の特例》の規定により、財務大臣の指定を必要とすることに留意する。

（特定の損失又は費用を補塡するための業務の範囲）

（２）　①の「その他の特定の損失又は費用を補塡するための業務」には、例えば次のようなものが含まれることに留意する。（基通37－９の４）

（一）　水産物又は配合飼料の価格の変動による損失の補塡に係る業務

（二）　行政指導等に基づき公益法人等又は一般社団法人若しくは一般財団法人が行う構造改善事業

（三）　海面の油濁による損失の補塡に係る業務

（負担金の必要経費算入時期）

（３）　①の負担金を支出した場合における当該負担金の必要経費算入時期は、当該負担金を現実に支払った日（国税庁長官の指定前に支払ったものについては、その指定のあった日）の属する年分となることに留意する。（基通37－９の５）

（注）１　当該負担金の支払のための手形の振出し（裏書譲渡を含む。）の日は、現実に支払った日には該当しない。

２　国税庁長官の指定前に支払ったものについては、当該指定の日までの間は仮払金として処理することとなる。

（災害見舞金に充てるために同業団体等へ拠出する分担金等）

（４）　業務を営む者が、その所属する協会、連盟その他の同業団体等（以下（４）において「同業団体等」という。）の構成員の有する業務の用に供されている資産について災害による損失が生じた場合に、その損失の補塡を目的とする構成員相互の扶助等に係る規約等（災害の発生を機に新たに定めたものを含む。）に基づき合理的な基準に従って当該災害発生後に当該同業団体等から賦課され、拠出した分担金等は、その支出した日の属する年分の当該業務に係る所得の金額の計算上必要経費に算入する。（基通37－９の６）

②　特定の基金に対する負担金等の必要経費算入の特例

個人が、各年において、長期間にわたって使用され、又は運用される基金に係る負担金又は掛金で次の(一)から(四)までに掲げるものを支出した場合には、その支出した金額は、その支出した日の属する年分の事業所得の金額の計算上、必要経費に算入する。（措法28①、措令18の４①②）

(一)	中小企業者又は農林漁業者（農林漁業者の組織する団体を含む。）に対する信用の保証をするための業務を法令の規定に基づいて行うことを主たる目的とする信用保証協会、農業信用基金協会及び漁業信用基金協会に対する当該信用の保証をするための業務に係る基金に充てるための負担金
(二)	独立行政法人中小企業基盤整備機構が行う中小企業倒産防止共済法の規定による中小企業倒産防止共済事業に係る基金に充てるための同法第２条第２項に規定する共済契約に係る掛金
(三)	独立行政法人エネルギー・金属鉱物資源機構に設けられた金属鉱業等鉱害対策特別措置法（昭和48年法律第26号）第12条の規定による鉱害防止事業基金に充てるための負担金
(四)	次に掲げる業務（(１)(一)に掲げる要件を満たす基金として財務大臣が指定する基金に係る業務であって、当該基金に充てるために財務大臣が指定する期間内に徴収される負担金に係る業務に限る。）を行うことを主たる目的とする法人税法第２条第６号《定義》に規定する公益法人等若しくは一般社団法人若しくは一般財団法人で、当該特定の業務が国若しくは地方公共団体の施策の実施に著しく寄与し、かつ、公的に運営されていることにつき(１)で定める要件を満たすもの又は当該特定の業務を行う同条第５号に規定する公共法人で(１)で定めるものに対する当該特定の業務に係る基金に充てるための負担金 イ　公害の発生による損失を補塡するための業務又は公害の発生の防止に資するための業務 ロ　商品の価格の安定に資するための業務

ハ	商品の価格の変動による異常な損失を補塡するための業務

（特定の業務を行う公益法人等の要件）

（1）　②(四)に規定する（1）で定める要件を満たすものは、次の(一)から(三)までに掲げる要件の全てを備えているものとして財務大臣が指定する公益法人等（法人税法第2条第6号に規定する公益法人等又は一般社団法人若しくは一般財団法人をいう。以下（1）において同じ。）とする。（措令18の4③）

(一)	当該公益法人等の業務に係る基金が法令の規定に基づいて行われる業務に係るものであること又は当該基金の額の相当部分が国若しくは地方公共団体により交付されているものであること。
(二)	当該公益法人等の業務に係る基金が当該業務の目的以外の目的に使用してはならない旨が当該公益法人等の定款等（法人税法第13条第1項に規定する定款等をいう。(三)において同じ。）において定められていることその他適正な方法で管理されていること。
(三)	当該公益法人等が解散した場合にその残余財産の額（出資の金額に相当する金額を除く。）が国若しくは地方公共団体又は②の(四)の各号に掲げる業務を行うことを主たる目的とする他の公益法人等に帰属する旨が法令又は当該公益法人等の定款等において定められていること。

（財務大臣の指定）

（2）　財務大臣は、②(四)の基金及び期間並びに（1）の公益法人等を指定したときは、これを告示する。（措令18の4④）

（財務大臣が指定した基金及び公益法人等）

（3）　（2）により財務大臣が指示するものは、以下のとおりとする。（平27財務省告示第313号、最終改正令5同省告示第119号）

公益法人等（所在地）	基　金
公益社団法人配合飼料供給安定機構（東京都中野区中央5丁目8番1号）	異常補塡積立基金（令和4年4月28日から令和5年3月31日まで及び同年4月28日から令和6年3月31日までの間に負担金を徴するものに限る。）
生命保険契約者保護機構（東京都千代田区丸の内3丁目4番1号新国際ビル9階）	保険契約者保護資金（平成27年8月7日から令和4年3月31日までの間に負担金を徴するものに限る。）

（②(二)の掛金についての適用除外）

（4）　②（(二)に係る部分に限る。）の規定は、個人の締結していた同(二)に規定する共済契約につき解除があった後同(二)に規定する共済契約を締結した当該個人がその解除の日から同日以後2年を経過する日までの間に当該共済契約について支出する同(二)に掲げる掛金については、適用しない。（措法28②）

（注）　改正後の（4）の規定は、個人の締結していた同（4）に規定する共済契約につき令和6年10月1日以後に解除があった後同（4）に規定する共済契約を締結した当該個人が当該共済契約について支出する同（4）に規定する掛金について適用される。（令6改所法等附30）

（長期間にわたって使用等される基金）

（5）　②に規定する「長期間にわたって使用され、又は運用される基金」とは、当該基金が設置される公益法人等の定款、業務方法書等においてその業務に関し5年を超える期間を業務計画期間として定めている場合の当該業務に使用され、又は運用される基金及びその業務に関し業務計画期間を特に定めないで設置される基金でその業務の性格からみておおむね5年を超えて使用され、又は運用されることが予定されるものをいうものとする。（措通28－1）

（負担金等の必要経費算入時期）

（6）　②に規定する負担金又は掛金（以下（6）において「負担金等」という。）の必要経費算入時期は、個人が当該負担金等を現実に支払った日（財務大臣の指定前に支払ったものについては、その指定のあった日）の属する年分となることに留意する。（措通28－2）

（注）1　当該負担金等の支払のための手形の振出し（裏書譲渡を含む。）の日は、現実に支払った日に該当しない。
　　2　財務大臣の指定前に支払ったものについては、当該指定の日までの間は仮払金として処理することとなる。

（中小企業倒産防止共済事業の前払掛金）

（7）　中小企業倒産防止共済法の規定による共済契約を締結した者が独立行政法人中小企業基盤整備機構に前納した共済契約に係る掛金は、前納の期間が1年以内であるものを除き、②(二)に掲げる掛金に該当しない。（措通28－3）

（負担金等の必要経費算入の申告）

（8）　特定の基金に対する負担金等の必要経費算入の特例は、確定申告書にその必要経費に関する明細書の添付がない場合には適用しない。ただし、当該添付がない確定申告書の提出があった場合においても、その添付がなかったことにつき税務署長がやむを得ない事情があると認める場合において、当該明細書の提出があったときは、この限りでない。（措法28③）

3　借地権等の更新料を支払った場合の必要経費算入

居住者が、不動産所得、事業所得、山林所得又は雑所得を生ずべき業務の用に供する借地権（地上権若しくは土地の賃借権又はこれらの権利に係る土地の転借に係る権利をいう。）又は地役権の存続期間を更新する場合において、その更新の対価（以下「更新料」という。）の支払をしたときは、当該借地権又は地役権の取得費（その取得に要した金額のほか、その更新前に支出した改良費及び更新料の額を含むものとし、その更新前に**3**の規定により必要経費に算入された金額があるときは、当該金額を控除した金額とする。）に、その更新の時における当該借地権又は地役権の価額のうちに当該更新料の額の占める割合を乗じて計算した金額に相当する金額は、その更新のあった日の属する年分の不動産所得の金額、事業所得の金額、山林所得の金額又は雑所得の金額の計算上、必要経費に算入する。（令182）

$$\text{必要経費に算入される金額} = \text{更新前の借地権又は地役権の取得費（従前に支払った更新料の額を含む。）} \times \frac{\text{更新に際し支払った更新料の額}}{\text{更新時における借地権又は地役権の価額}}$$

（注）　更新に際し支払った更新料の額は、借地権又は地役権の取得費に算入されることになる。（編者注）

4　社会保険診療報酬の所得計算の特例

医業又は歯科医業を営む個人が、各年において社会保険診療につき支払を受けるべき金額を有する場合において、当該支払を受けるべき金額が5,000万円以下であり、かつ当該個人が営む医業又は歯科医業から生ずる事業所得に係る総収入金額に算入すべき金額の合計額が7,000万円以下であるときは、その年分の事業所得の計算上、当該社会保険診療に係る費用として必要経費に算入する金額は、所得税法の規定にかかわらず、当該支払を受けるべき金額を次の表の左欄に掲げる金額に区分してそれぞれの金額に同表の右欄に掲げる率を乗じて計算した金額の合計額とする。（措法26①）

2,500万円以下の金額	$\frac{72}{100}$
2,500万円を超え3,000万円以下の金額	$\frac{70}{100}$
3,000万円を超え4,000万円以下の金額	$\frac{62}{100}$
4,000万円を超え5,000万円以下の金額	$\frac{57}{100}$

〔参考〕　社会保険診療報酬に係る経費の速算式（編者注）

社会保険診療報酬の金額（A）	経費速算式
2,500万円以下の場合	A×72%
2,500万円超3,000万円以下の場合	A×70%＋50万円
3,000万円超4,000万円以下の場合	A×62%＋290万円
4,000万円超5,000万円以下の場合	A×57%＋490万円

（社会保険診療）

（1）　**4**に規定する社会保険診療とは、次の(一)から(六)までに掲げる給付又は医療、介護、助産若しくはサービスをいう。（措法26②）

(一)	健康保険法、国民健康保険法、高齢者の医療の確保に関する法律、船員保険法、国家公務員共済組合法（防衛省の職員の給与等に関する法律第22条第１項においてその例によるものとされる場合を含む。以下(一)において同じ。)、地方公務員等共済組合法、私立学校教職員共済法、戦傷病者特別援護法、母子保健法、児童福祉法（昭和22年法律第164号）又は原子爆弾被爆者に対する援護に関する法律の規定に基づく療養の給付（健康保険法、国民健康保険法、高齢者の医療の確保に関する法律、船員保険法、国家公務員共済組合法、地方公務員等共済組合法若しくは私立学校教職員共済法の規定によって入院時食事療養費、入院時生活療養費、保険外併用療養費、家族療養費若しくは特別療養費（国民健康保険法第54条の３第１項又は高齢者の医療の確保に関する法律第82条第１項に規定する特別療養費をいう。以下(一)において同じ。）を支給することとされる被保険者、組合員若しくは加入者若しくは被扶養者に係る療養のうち、当該入院時食事療養費、入院生活療養費、保険外併用療養費、家族療養費若しくは特別療養費の額の算定に係る当該療養に要する費用の額としてこれらの法律の規定により定める金額に相当する部分（特別療養費に係る当該部分にあっては、当該部分であることにつき(7)で定めるところにより証明がされたものに限る。）又はこれらの法律の規定によって訪問看護療養費若しくは家族訪問看護療養費を支給することとされる被保険者、組合員若しくは加入者若しくは被扶養者に係る指定訪問看護を含む。)、更生医療の給付、養育医療の給付、療育の給付又は医療の給付
(二)	生活保護法の規定に基づく医療扶助のための医療、介護扶助のための介護（同法第15条の２第１項第１号に掲げる居宅介護のうち同条第２項に規定する訪問看護、訪問リハビリテーション、居宅療養管理指導、通所リハビリテーション若しくは短期入所療養介護、同条第１項第５号に掲げる介護予防のうち同条第５項に規定する介護予防訪問看護、介護予防訪問リハビリテーション、介護予防居宅療養管理指導、介護予防通所リハビリテーション若しくは介護予防短期入所療養介護又は同条第１項第４号に掲げる施設介護のうち同条第４項に規定する介護保健施設サービス若しくは介護医療院サービスに限る。）若しくは出産扶助のための助産又は中国残留邦人等の円滑な帰国の促進並びに永住帰国した中国残留邦人等及び特定配偶者の自立の支援に関する法律の規定（中国残留邦人等の円滑な帰国の促進及び永住帰国後の自立の支援に関する法律の一部を改正する法律附則第４条第２項において準用する場合を含む。）に基づく医療支援給付のための医療その他の支援給付に係る(3)で定める給付若しくは医療、介護、助産若しくはサービス若しくは中国残留邦人等の円滑な帰国の促進及び永住帰国後の自立の支援に関する法律の一部を改正する法律（平成25年法律第106号）附則第２条第１項若しくは第２項の規定によりなお従前の例によることとされる同法による改正前の中国残留邦人等の円滑な帰国の促進及び永住帰国後の自立の支援に関する法律の規定に基づく医療支援給付のための医療その他の支援給付に係る(4)で定める給付若しくは医療、介護、助産若しくはサービス
(三)	精神保健及び精神障害者福祉に関する法律、麻薬及び向精神薬取締法、感染症の予防及び感染症の患者に対する医療に関する法律又は心神喪失等の状態で重大な他害行為を行った者の医療及び観察等に関する法律の規定に基づく医療
(四)	介護保険法の規定によって居宅介護サービス費を支給することとされる被保険者に係る指定居宅サービス（訪問看護、訪問リハビリテーション、居宅療養管理指導、通所リハビリテーション又は短期入所療養介護に限る。）のうち当該居宅介護サービス費の額の算定に係る当該指定居宅サービスに要する費用の額として同法の規定により定める金額に相当する部分、同法の規定によって介護予防サービス費を支給することとされる被保険者に係る指定介護予防サービス（介護予防訪問看護、介護予防訪問リハビリテーション、介護予防居宅療養管理指導、介護予防通所リハビリテーション又は介護予防短期入所療養介護に限る。）のうち当該介護予防サービス費の額の算定に係る当該指定介護予防サービスに要する費用の額として同法の規定により定める金額に相当する部分又は同法の規定によって施設介護サービス費を支給することとされる被保険者に係る介護保健施設サービス若しくは介護医療院サービスのうち当該施設介護サービス費の額の算定に係る当該介護保健施設サービス若しくは介護医療院サービスに要する費用の額として同法の規定により定める金額に相当する部分
(五)	障害者の日常生活及び社会生活を総合的に支援するための法律の規定によって自立支援医療費を支給することとされる支給認定に係る障害者等に係る指定自立支援医療のうち当該自立支援医療費の額の算定に係る当該指定自立支援医療に要する費用の額として同法の規定により定める金額に相当する部分若しくは同法の規定によって療養介護医療費を支給することとされる支給決定に係る障害者に係る指定療養介護医療（療養介護に係る指定障害福祉サービス事業者等から提供を受ける療養介護医療をいう。）のうち当該療養介護医療費の額の算定に係る当該指定療養介護医療に要する費用の額として同法の規定により定める金額

	に相当する部分又は児童福祉法の規定によって肢体不自由児通所医療費を支給することとされる通所給付決定に係る障害児に係る肢体不自由児通所医療のうち当該肢体不自由児通所医療費の額の算定に係る当該肢体不自由児通所医療に要する費用の額として同法の規定により定める金額に相当する部分若しくは同法の規定によって障害児入所医療費を支給することとされる入所給付決定に係る障害児に係る障害児入所医療のうち当該障害児入所医療費の額の算定に係る当該障害児入所医療に要する費用の額として同法の規定により定める金額に相当する部分
(六)	難病の患者に対する医療等に関する法律の規定によって特定医療費を支給することとされる支給認定を受けた指定難病の患者に係る指定特定医療のうち当該特定医療費の額の算定に係る当該指定特定医療に要する費用の額として同法の規定により定める金額に相当する部分又は児童福祉法の規定によって小児慢性特定疾病医療費を支給することとされる医療費支給認定に係る小児慢性特定疾病児童等に係る指定小児慢性特定疾病医療支援のうち当該小児慢性特定疾病医療費の額の算定に係る当該指定小児慢性特定疾病医療支援に要する費用の額として同法の規定により定める金額に相当する部分

（社会保険診療報酬の所得計算の特例と他の租税特別措置との関係）

（2）　**4**の規定の適用を受ける個人については、租税特別措置法第２章第２節第１款《減価償却の特例》及び第２款《準備金》の規定により必要経費に算入した金額のうち（1）に規定する社会保険診療につき支払を受けるべき金額に対応する部分の金額は、**4**に規定する必要経費に算入する金額に含まれるものとする。（措令18①）

（（3）で定める給付又は医療、介護、助産若しくはサービス）

（3）　（1）（二）に規定する中国残留邦人等の円滑な帰国の促進並びに永住帰国した中国残留邦人等及び特定配偶者の自立の支援に関する法律の規定（中国残留邦人等の円滑な帰国の促進及び永住帰国後の自立の支援に関する法律の一部を改正する法律（平成19年法律第127号）附則第４条第２項において準用する場合を含む。）に基づく医療支援給付のための医療その他の支援給付に係る（3）で定める給付又は医療、介護、助産若しくはサービスは、中国残留邦人等の円滑な帰国の促進並びに永住帰国した中国残留邦人等及び特定配偶者の自立の支援に関する法律（以下（3）において「中国残留邦人等支援法」という。）の規定（中国残留邦人等の円滑な帰国の促進及び永住帰国後の自立の支援に関する法律の一部を改正する法律附則第４条第２項において準用する場合を含む。）に基づく医療支援給付のための医療、介護支援給付のための介護（中国残留邦人等支援法第14条第４項の規定によりその例によることとされる生活保護法の規定に基づく介護扶助のための介護（（1）（二）に規定する生活保護法の規定に基づく介護扶助のための介護をいう。（4）において同じ。）に係るものに限る。）又は出産支援給付（中国残留邦人等の円滑な帰国の促進並びに永住帰国した中国残留邦人等及び特定配偶者の自立の支援に関する法律施行令第20条に規定する出産支援給付をいう。）のための助産とする。（措令18②）

（給付又は医療、介護、助産若しくはサービス）

（4）　（1）（二）に規定する中国残留邦人等の円滑な帰国の促進及び永住帰国後の自立の支援に関する法律の一部を改正する法律（平成25年法律第106号）附則第２条第１項又は第２項の規定によりなお従前の例によることとされる同法による改正前の中国残留邦人等の円滑な帰国の促進及び永住帰国後の自立の支援に関する法律の規定に基づく医療支援給付のための医療その他の支援給付に係る（4）で定める給付又は医療、介護、助産若しくはサービスは、同条第１項又は第２項の規定によりなお従前の例によることとされる中国残留邦人等の円滑な帰国の促進及び永住帰国後の自立の支援に関する法律の一部を改正する法律（平成25年法律第106号）による改正前の中国残留邦人等の円滑な帰国の促進及び永住帰国後の自立の支援に関する法律（以下（4）において「旧中国残留邦人等支援法」という。）の規定に基づく医療支援給付のための医療、介護支援給付のための介護（旧中国残留邦人等支援法第14条第４項の規定によりその例によることとされる生活保護法の規定に基づく介護扶助のための介護に係るものに限る。）又は出産支援給付（中国残留邦人等の円滑な帰国の促進及び永住帰国後の自立の支援に関する法律の一部を改正する法律の施行に伴う関係政令の整備に関する政令第1条の規定による改正前の中国残留邦人等の円滑な帰国の促進及び永住帰国後の自立の支援に関する法律施行令第20条に規定する出産支援給付をいう。）のための助産とする。（措令18③）

（特例の適用条件）

（5）　**4**の規定は、確定申告書に**4**の規定により事業所得の金額を計算した旨の記載がない場合には、適用しない。（措法26③）

（適用条件を欠く確定申告書の提出があった場合の宥恕規定）

（6）　税務署長は、（5）の記載のない確定申告書の提出があった場合においても、その記載がなかったことについてやむを得ない事情があると認めるときは、**4**の規定を適用することができる。（措法26④）

（特別療養費の証明手続）

（7）　（1）(一)に規定する（7）で定めるところにより証明がされた特別療養費に係る部分は、当該部分が同(一)に規定する療養に要する費用の額として同(一)に規定する法律の規定により定める金額に相当する部分であることにつき国民健康保険法施行規則第27条の６第４項の保険者の同項の規定による通知に係る同項の書面又は高齢者の医療の確保に関する法律施行規則第55条第４項の後期高齢者医療広域連合の同項の規定による通知に係る同項の書面の写しを**4**の規定の適用を受けようとする年分の確定申告書に添付することにより証明がされた同(一)に規定する特別療養費に係る部分とする。（措規９の７）

（社会保険診療報酬の範囲）

（8）　医業又は歯科医業を営む者が国民健康保険条例によって保険給付の対象から除かれている療養又は助産についての療養費又は助産費を患者から直接収受する場合におけるその収受する金額は、**4**に規定する保険給付には該当しないのであるから、留意する。（昭33直所５－49、直法１－218）

第三節　収入金額・必要経費の共通事項

1　販売代金の額が確定していない場合の見積り

事業を営む者がその販売に係る棚卸資産を引き渡した場合において、その引渡しの日の属する年の12月31日までにその販売代金の額が確定していないときは、同日の現況によりその金額を適正に見積もるものとする。この場合において、その後確定した販売代金の額が見積額と異なるときは、その差額は、その確定した日の属する年分の総収入金額又は必要経費に算入する。（基通36・37共－1）

2　請負による所得計算（第四節三2工事に係る請負）

①　請負による収入金額の帰属時期

請負による収入金額については、物の引渡しを要する請負契約にあってはその目的物の全部を完成して相手方に引き渡した日、物の引渡しを要しない請負契約にあってはその約した役務の提供を完了した日の属する年の収入金額に算入する。（基通36－8（4）本文）

（未成工事支出金勘定から控除する仮設材料の価額）

（1）　建設工事用の足場、型枠、山留用材、ロープ、シート、危険防止用金網のような仮設材料の取得価額を未成工事支出金勘定の金額に含めている建設業者等が、建設工事等の完了の場合又は他の建設工事等の用に供するためこれらの資材を転送した場合において、当該未成工事支出金勘定の金額から控除すべき仮設材料の価額につき次に掲げる金額のいずれかによっているときは、その計算が継続している限り、これを認める。（基通36・37共－2）

（一）　当該仮設材料の取得価額から損耗等による減価の見積額を控除した金額

（二）　当該仮設材料の損耗等による減価の見積りが困難な場合には、工事の完了又は他の工事現場等への転送の時における当該仮設材料の価額に相当する金額

（三）　当該仮設材料の再取得価額に適正に見積もった残存率を乗じて計算した金額

（注）　この取扱いは、その転送した仮設材料の全てについて適用することを条件とするのであるから留意する。

（木造の現場事務所等の取得に要した金額が未成工事支出金勘定の金額に含まれている場合の処理）

（2）　建設業者等が建設工事等の用に供した現場事務所、労務者用宿舎、倉庫等の仮設建物で木造のものの取得価額をその建設工事等に係る未成工事支出金勘定の金額に含めている場合には、次に掲げる場合に応じ、それぞれ次の金額を当該未成工事支出金勘定の金額から控除し、又は雑収入として計上するものとする。（基通36・37共－2の2）

(一)	当該建設工事等の完成による引渡しの日以前に当該仮設建物を他に譲渡し、又は他の用途に転用した場合	その譲渡価額に相当する金額又はその転用の時における価額に相当する金額
(二)	当該建設工事等が完成して引き渡された際に当該仮設建物が存する場合	その引渡しの時における価額に相当する金額（当該仮設建物が取り壊されるものである場合には、その取壊しによる発生資材の価額として見積もられる金額）

（金属造りの移動性仮設建物の取得価額の特例）

（3）　建設業者等が建設工事等の用に供する金属造りの移動性仮設建物については、その償却費を工事原価に算入する。この場合における当該建物の取得価額は、当該建物の構成部分のうち、その移設に伴い反復して組立て使用されるものの取得のために要した費用の額によることができる。（基通36・37共－3）

（注）　当該建物の取得価額に算入しなかった建物の組立て等の費用、電気配線等の附属設備で他に転用することができないと認められるものの費用及び当該建物の撤去に要する費用は、当該建物を利用して行う工事の工事原価に算入することに留意する。

（請負収益に対応する原価の額）

（4）　請負による収入金額に対応する原価の額には、その請負の目的となった物の完成又は役務の履行のために要した材料費、労務費、外注費及び経費の額の合計額のほか、その受注又は引渡しをするために直接要した全ての費用の額

が含まれることに留意する。（基通36・37共－４）

（注）　建設業を営む者が建設工事等の受注に当たり前渡金保証会社に対して支払う保証料の額は、前渡金を受領するために要する費用であるから、当該建設工事等に係る工事原価の額に算入しないことができる。

（工事収入又は工事原価の額が確定していない場合）

（５）　建設業者等が建設工事等を完成して引き渡した場合には、その工事収入又は工事原価の額が確定していないときにおいても、その引渡しの日の属する年の12月31日の現況により、その金額を適正に見積もって計上するものとする。この場合において、その後確定した工事収入又は工事原価の額が見積額と異なるときは、その差額は、その確定した日の属する年分の総収入金額又は必要経費に算入する。（基通36・37共－４の２）

（値増金の総収入金額算入の時期）

（６）　建設業等者がその工事代金につき、資材の値上がり等に応じて値増金を収入すべきことを契約に定めている場合における値増金は、その建設工事等の引渡しの日の属する年分の工事収入に算入するのであるが、その他の場合における値増金は、その収入すべき金額が確定した日の属する年分の総収入金額に算入する。（基通36・37共－５）

②　部分完成基準

建設請負等について次に掲げるような事実がある場合には、その建設請負等に関する建設工事等の全部が完成しないときにおいても、その年において引き渡した建設工事等の量又は完成した部分に対応する工事収入をその年の収入金額に算入し、その工事収入に対応する工事原価の額をその年の必要経費に算入する。（基通36－８（４）ただし書、編者補正）

イ	一の契約により同種の建設工事等を多量に請け負ったような場合で、その引渡量に従い工事代金等を収入する旨の特約又は慣習がある場合
ロ	１個の建設工事等であっても、その建設工事等の一部が完成し、その完成した部分を引き渡した都度その割合に応じて工事代金等を収入する旨の特約又は慣習がある場合

3　造成団地の分譲による所得計算

一団地の宅地を造成して２以上の年にわたって分譲する場合のその分譲による事業所得又は雑所得に係る収入金額及びその原価の額は、次による。ただし、原価の額の計算につきこれと異なる方法によっている場合においても、その方法が分譲価額に応ずる方法であるなど合理的であると認められるときは、継続的に適用することを条件としてこれを認めるものとする。（基通36・37共－６）

(一)	分譲が完了した年の前年までの各年分	イ　収入金額は、その年において分譲した土地の対価の額の合計額とする。 ロ　その収入金額に係る原価の額は、分譲をした土地の工事区域ごとに次の算式により計算した金額の合計額とする。 （算式） $\left(\begin{array}{l}\text{工事原価}\\\text{の見積額}\end{array}-\begin{array}{l}\text{その年の前年以前において必要経費}\\\text{に算入した工事原価の額の合計額}\end{array}\right)\times\dfrac{\begin{array}{c}\text{その年において譲渡}\\\text{した分譲地の面積}\end{array}}{\begin{array}{l}\text{分譲総予}\\\text{定面積}\end{array}-\begin{array}{l}\text{その年の前年以前において}\\\text{分譲した面積の合計}\end{array}}$ （注）１　算式中「工事原価の見積額」は、その年12月31日の現況によりその工事につき見積もられる工事原価の額とする。 ２　算式中「分譲総予定面積」には、その者の使用する土地の面積を含む。
(二)	分譲が完了した年分	イ　収入金額は、その年において分譲をした土地の対価の額の合計額とする。 ロ　その収入金額に係る原価の額は、全体の工事原価の額（その者の使用する土地に係る工事原価の額を除く。）から既に前年以前において必要経費に算入した原価の額の合計額を控除した金額とする。

（造成に伴って寄附する公共的施設等の建設費の原価算入）

注　一団地の宅地を造成して分譲する場合において、団地経営に必要とされる道路、公園、緑地、水道、排水路、街灯、汚水処理施設等の施設（その敷地に係る土地を含む。）については、たとえその者が将来にわたってこれらの施設を名目的に所有し、又はこれらの施設を公共団体等に帰属させることとしているときであっても、これらの施設の取得に要した費用の額（その者の所有名義とする施設については、これを処分した場合に得られるであろう価額に相当する

金額を控除した金額とする。）は、その工事原価の額に算入する。（基通36・37共－７）

4　出版業の所得計算

（単行本在庫調整勘定の設定）

（1）　出版業を営む者が各年の12月31日において有する単行本のうちにその最終刷後６か月以上を経過したもの（取次業者又は販売業者に寄託しているものを除く。以下（1）において「売れ残り単行本」という。）がある場合には、次の算式により計算した金額に相当する金額以下の金額をその年において単行本在庫調整勘定に繰り入れ、その繰り入れた金額に相当する金額を当該年分の事業所得の金額の計算上必要経費に算入することができるものとする。（基通36・37共－７の２）

（算式）

当該年の12月31日における売れ残り単行本の帳簿価額の合計額 × 次の表の売上比率及び発行部数の各欄の区分に応じた繰入率

売上比率		発行部数		
		2,000部未満	2,000部以上 5,000部未満	5,000部以上
以上	未満	繰入率		
%	%	%	%	%
20%以上		0	0	0
15	20	50	0	0
10	15	60	50	0
8	10	70	60	50
7	8	80	60	60
5	7	80	70	60
4	5	90	70	70
2	4	90	80	70
1	2	100	90	80
0.5	1	100	100	90
0.5%未満		100	100	100

（備考）

1　「売上比率」とは、発行部数に対する当該年の12月31日以前６か月間に販売された部数から当該期間において返品された部数を控除した部数の割合をいう。

2　「発行部数」とは、当該年の12月31日前６か月以前における最終刷の部数をいう。

（注）　繰入率100％を適用する場合には、算式により計算した金額は、当該金額から当該売れ残り単行本の当該年の12月31日における処分見込価額を控除した金額とする。

（単行本在庫調整勘定の金額の総収入金額算入）

（2）　単行本在庫調整勘定の金額は、その繰入れをした年分の翌年分の事業所得の金額の計算上、総収入金額に算入する。（基通36・37共－７の３）

（単行本在庫調整勘定の明細書の添付）

（3）　単行本在庫調整勘定への繰入れを行う場合には、その繰入れを行う年分の確定申告書に単行本在庫調整勘定の繰入額の計算に関する明細を記載した書類を添付しなければならないものとする。（基通36・37共－７の４）

5　災害損失特別勘定

（災害損失特別勘定の設定）

（1）　不動産所得、事業所得又は山林所得（以下（5）までにおいて「事業所得等」という。）を生ずべき事業を営む居住者が、被災資産の修繕等のために要する費用を見積もり、（2）に定める合計額以下の金額を被災年分（災害のあった日の属する年分をいう。以下（5）までにおいて同じ。）において災害損失特別勘定に繰り入れた場合は、その繰り入れた金額については、その者の被災年分の事業所得等の金額の計算上、必要経費に算入することができるものとする。

この場合、当該被災年分の確定申告書に災害損失特別勘定の必要経費算入に関する明細書を添付するものとする。（基通36・37共－７の５）

（注）「被災資産」とは、次に掲げる資産で災害により被害を受けたものをいう（以下（5）までにおいて同じ。）。

⑴　居住者の有する棚卸資産

⑵　居住者の有する固定資産で事業所得等を生ずべき事業の用に供するもの（その者が賃貸をしている資産で、契約により賃借人が修繕等を行うこととされているものを除く。）

⑶　居住者が賃借をしている資産又は販売等をした資産で、契約によりその者が修繕等を行うこととされているもの

⑷　山林

（災害損失特別勘定の繰入額）

（2）　（1）の災害損失特別勘定の繰入額は、被災資産について、災害のあった日から１年を経過する日までに支出すると見込まれる次に掲げる費用その他これらに類する費用（以下（5）までにおいて「修繕費用等」という。）の見積額（災害のあった日の属する年（以下（5）までにおいて「被災年」という。）の翌年の１月１日以後に支出すると見込まれるものに限る。）の合計額（当該被災資産に係る保険金、損害賠償金、補助金その他これらに類するもの（以下（5）までにおいて「保険金等」という。）により補填される金額がある場合には、当該金額の合計額を控除した残額）とする。（基通36・37共－７の６）

⑴　被災資産の滅失、損壊又は価値の減少による当該被災資産の取壊し又は除去の費用その他の付随費用

⑵　土砂その他の障害物を除去するための費用

⑶　被災資産の原状回復のための修繕費（被災資産の被災前の効用を維持するために行う補強工事、排水又は土砂崩れの防止等のために支出する費用を含む。）

⑷　被災資産の損壊又はその価値の減少を防止するための費用

（注）１　法令の規定、地方公共団体の定めた復興計画等により、一定期間修繕等の工事に着手できないこととされている場合における（2）の適用については、「災害のあった日から１年を経過する日」とあるのは、「修繕等の工事に着手できることとなる日から１年を経過する日」とすることができる。

２　第二節**八１**④（2）の適用を受けた資産については、上記⑴及び⑵に掲げる費用に限り災害損失特別勘定への繰入れの対象とすることができることに留意する。

（被災資産の修繕費用等の見積りの方法）

（3）　（2）の修繕費用等の見積額は、その修繕等を行うことが確実な被災資産につき、例えば、次の額によるなど合理的に見積もるものとする。（基通36・37共－７の７）

⑴　建設業者、製造業者等による当該被災資産に係る修繕費用等の見積額

⑵　相当部分が損壊等をした当該被災資産につき、次のイからロを控除した金額

イ　再取得価額又は国土交通省建築物着工統計の工事費予定額から算定した建築価額等を基礎として、当該被災資産の取得の時から被災年の12月31日まで償却を行ったものとした場合に計算される未償却残額

ロ　被災年の12月31日における価額

（災害損失特別勘定の総収入金額算入）

（4）　居住者が、被災資産に係る修繕費用等の額として、被災年分の翌年分の事業所得等の金額の計算上必要経費に算入した金額（保険金等により補填された金額がある場合には、当該金額の合計額を控除した残額）がある場合には、当該必要経費に算入した金額に相当する災害損失特別勘定の金額を取り崩し、当該金額をその者の被災年分の翌年分の事業所得等の金額の計算上、総収入金額に算入する。

また、被災年の翌年の12月31日において災害損失特別勘定の残額（災害損失特別勘定に繰り入れた金額から同日までに総収入金額に算入した金額を控除した残額をいう。（5）において同じ。）を有している場合には、当該残額をその者の被災年分の翌年分の事業所得等の金額の計算上、総収入金額に算入するものとする。

これらの場合、被災年分の翌年分の確定申告書に、災害損失特別勘定の総収入金額算入に関する明細書を添付するものとする。(基通36・37共－7の8)

(修繕等が遅れた場合の災害損失特別勘定の総収入金額算入の特例)

(5)　被災資産に係る修繕等がやむを得ない事情により被災年の翌年の12月31日までに完了しなかったため、同日において災害損失特別勘定の残額を有している場合において、被災年分の翌年分に係る確定申告書の提出期限までに災害損失特別勘定の総収入金額算入年分の延長確認申請書を所轄税務署長に提出し、その確認を受けたときは、(4)にかかわらず、次に掲げる年分に応じ、それぞれ次に定める金額に相当する災害損失特別勘定の金額を取り崩し、当該金額をその者の当該年分の事業所得等の金額の計算上、総収入金額に算入するものとする。この場合においては、各年分の確定申告書に、災害損失特別勘定の総収入金額算入に関する明細書を添付するものとする。(基通36・37共－7の9)

⑴　修繕等が完了すると見込まれる日の属する年分(以下(5)において「修繕完了年分」という。)　当該見込まれる日の属する年の12月31日における災害損失特別勘定の金額

⑵　災害のあった日から2年を経過する日の属する年分以後の各年分(修繕完了年分前の各年分に限る。)　被災資産に係る修繕費用等の額としてその者の当該各年分の事業所得等の金額の計算上必要経費に算入した金額があるときは、当該必要経費に算入した金額(保険金等により補塡される金額がある場合には、当該金額の合計額を控除した残額)

(注)　上記の取扱いの適用を受ける場合には、各年分の災害損失特別勘定の残額から修繕費用等の見込額(翌年の1月1日から当該修繕等が見込まれる日の属する年の12月31日までに支出することが見込まれる修繕費用等の額の合計額(保険金等により補塡される金額がある場合には、当該金額の合計額を控除した残額をいい、災害損失特別勘定の残額を限度とする。)をいう。)を控除した金額を、その者の当該各年分の事業所得等の金額の計算上、総収入金額に算入することとなる。

(繰延資産の基因となった資産について損壊等の被害があった場合)

(6)　(1)から(5)までの取扱いは、災害により第二節**八1**①《固定資産に準ずる資産の範囲》に規定する繰延資産につき、当該繰延資産の基因となる固定資産について損壊等の被害があった場合について準用する。(基通36・37共－7の10)

6　売上割戻し、仕入割戻し

①　売上割戻しの計上時期

販売した棚卸資産に係る売上割戻しの金額を必要経費に算入し、又は売上高から控除する時期は、次の区分に応じ、それぞれ次に掲げる日とする。(基通36・37共－8)

(一)	その算定基準が販売価額又は販売数量によっており、かつ、その算定基準が契約その他の方法により相手方に明示されている売上割戻し	販売した日。ただし、その者が継続して売上割戻しの金額の通知又は支払をした日において必要経費に算入し、又は売上高から控除することとしている場合には、これらの日において必要経費に算入し、又は売上高から控除することができる。
(二)	(一)以外の売上割戻し	その売上割戻しの金額の通知又は支払をした日。ただし、その年12月31日までに、その販売した棚卸資産について売上割戻しを支払うこと及びその売上割戻しの金額の算定基準が内部的に決定されている場合において、その基準により計算した金額をその年において未払金として計上するとともにその年分の確定申告期限までに相手方に通知したときは、継続適用を条件としてその金額をその年分の必要経費に算入し、又は売上高から控除することができる。

(一定期間支払わない売上割戻しの計上時期)

(1)　売上割戻しの金額につき、相手方との契約等により、特約店契約の解約、災害の発生等特別な事実が生ずるときまで、又は5年を超える一定の期間が経過するまで相手方名義の保証金等として預かることとしているため、相手方がその利益の全部又は一部を実質的に享受することができないと認められる場合には、その売上割戻しについては、①にかかわらず、これを現実に支払った日(その日前に実質的に相手方にその利益を享受させることとした場合には、

その享受させることとした日）の属する年分の売上割戻しとする。（基通36・37共－９）

（実質的に利益を享受すること）

（２）　（１）の「相手方がその利益の全部又は一部を実質的に享受すること」とは、次に掲げるような事実があることをいう。（基通36・37共－10）

（一）　相手方との契約等に基づいてその売上割戻しの金額に通常の金利を付けるとともに、その金利相当額について現実に支払っているか、又は相手方からの請求があれば支払うこととしていること。

（二）　相手方との契約等に基づいて保証金等に代えて有価証券その他の財産を提供することができることとしていること。

（三）　保証金等として預かっている金額が売上割戻しの金額のおおむね50％以下であること。

（四）　相手方との契約等に基づいて売上割戻しの金額を相手方名義の預金又は有価証券として保管していること。

②　仕入割戻しの計上時期

購入した棚卸資産に係る仕入割戻しの金額を総収入金額に算入し、又は仕入高から控除する時期は、次に掲げる区分に応じ、それぞれ次に掲げる日とする。（基通36・37共－11）

(一)	その算定基準が購入価額又は購入数量によっており、かつ、その算定基準が契約その他の方法により明示されている仕入割戻し	購入した日
(二)	(一)以外の仕入割戻し	その仕入割戻しの金額の通知を受けた日

（一定期間支払を受けない仕入割戻しの計上時期の特例）

（１）　①（１）の適用がある売上割戻しに対応する仕入割戻しについては、②にかかわらず、現実に支払（買掛金等への充当を含む。）を受けた日（その日前に①（２）により実質的にその利益を享受することとなった場合には、その享受することとなった日）の属する年分の仕入割戻しとする。ただし、棚卸資産を購入した日の属する年分又は相手方から通知を受けた日の属する年分の仕入割戻しとしているときは、これを認める。（基通36・37共－12）

（仕入割戻しを計上しなかった場合の処理）

（２）　購入した棚卸資産に係る仕入割戻しの金額を②又は（１）に定める日の属する年分において計上しなかった場合には、その仕入割戻しの金額は、当該年分の仕入高から控除しないで総収入金額に算入する。（基通36・37共－13）

7　商品引換券等の発行に係る所得計算

（商品引換券等の発行に係る対価の額の収入すべき時期）

（１）　商品の引渡し又は役務の提供（以下この（１）において「商品の引渡し等」という。）を約した証券等（以下（２）までにおいて「商品引換券等」という。）を発行するとともにその対価を受領した場合における当該対価の額は、その商品引換券等を発行した日の属する年分の総収入金額に算入する。ただし、その者が、商品引換券等（その発行に係る年ごとに区分して管理するものに限る。）の発行に係る対価の額をその商品の引渡し等（商品引換券等に係る商品の引渡し等を他の者が行うこととなっている場合における当該商品引換券等と引換えにする金銭の支払を含む。以下この（１）において同じ。）に応じてその商品の引渡し等のあった日の属する年分の総収入金額に算入し、その発行に係る年以後４年を経過した年（同年前に有効期限が到来するものについては、その有効期限の翌日の属する年とする。）の12月31日において商品の引渡し等を了していない商品引換券等に係る対価の額をその12月31日の属する年分の総収入金額に算入することにつきあらかじめ所轄税務署長の確認を受けるとともに、その確認を受けたところにより継続して総収入金額に算入している場合には、これを認める。（基通36・37共－13の２）

（商品引換券等を発行した場合の引換費用）

（２）　商品引換券等を発行するとともにその対価を受領した場合（（１）のただし書の適用を受ける場合を除く。）において、その発行に係る年以後の各年の12月31日において商品の引渡し又は役務の提供（商品引換券等に係る商品の引渡し又は役務の提供を他の者が行うこととなっている場合における当該商品引換券等と引換えにする金銭の支払を含む。以下（２）において「商品の引渡し等」という。）を了していない商品引換券等（有効期限を経過したものを除く。

以下(２)において「未引換券」という。）があるときは、その未引換券に係る商品の引渡し等に要する費用の額の見積額として、次の区分に応じそれぞれ次に掲げる金額に相当する金額を当該各年分の必要経費に算入することができるものとする。この場合において、その必要経費に算入した金額に相当する金額は、翌年分の事業所得の金額の計算上、総収入金額に算入する。（基通36・37共－13の３）

(一)　未引換券をその発行に係る年分ごとに区分して管理する場合　　次の算式により計算した金額

（算式）

その年12月31日における未引換券のうち、その年以前４年以内の各年において発行したものに係る対価の額の合計額 ×原価率

(二)　(一)以外の場合　　次の算式により計算した金額

（算式）

（その年以前４年以内の各年において発行した商品引換券等に係る対価の額の合計額 － 左の各年において商品の引渡し等を行った商品引換券等に係る対価の額の合計額）×原価率

(注)１　(一)及び(二)の算式の「原価率」は、次の区分に応じそれぞれ次により計算した割合とする。

イ　商品の引渡し又は役務の提供を他の者が行うこととなっている場合

$$\frac{\text{分母の商品引換券等と引換えに他の者に支払った金額の合計額}}{\text{その年において回収された商品引換券等に係るその発行の対価の額の合計額}}$$

ロ　イ以外の場合

$$\frac{\text{分母の金額に係るその年分の売上原価又は役務提供の原価の額}}{\text{その引渡し又は提供を約した商品又は役務と種類等を同じくする商品又は役務の販売又は提供に係るその年分の収入金額の合計額}}$$

２　種類等を同じくする商品又は役務に係る商品引換券等のうちにその発行の時期によってその１単位当たりの発行の対価の額の異なるものがあるときは、当該商品引換券等をその１単位当たりの発行の対価の額の異なるものごとに区分して(一)及び(二)の算式並びに原価率の計算を行うことができる。

8　商品等の販売に要する景品等の費用

（抽選券付販売に要する景品等の費用の必要経費算入の時期）

（１）　商品等の抽選券付販売により、当選者に金銭若しくは景品を交付し、又は当選者を旅行、観劇等に招待することとしている場合には、これらに要する費用の額は、当選者から抽選券の引換えの請求があった日又は旅行等を実施した日の属する年分の事業所得の金額の計算上必要経費に算入する。ただし、当選者からの請求を待たないで、金銭又は景品を送付することとしている場合には、抽選の日の属する年分の必要経費に算入することができる。（基通36・37共－14）

（金品引換券付販売に要する費用の必要経費算入の時期）

（２）　商品等の金品引換券付販売により、金品引換券と引換えに金銭又は物品を交付することとしている場合には、その金銭又は物品の代価に相当する額は、その引き換えた日の属する年分の必要経費に算入する。（基通36・37共－15）

（金品引換費用の必要経費算入の時期の特例）

（３）　商品等の金品引換券付販売をした場合において、その金品引換券が販売価額又は販売数量に応ずる点数等で表示されており、かつ、たとえ１枚の呈示があっても金銭又は物品と引き換えることとしているものであるときは、(２)にかかわらず、次の算式により計算した金額をその年において未払金に計上し、これを必要経費に算入することができる。（基通36・37共－16）

１枚又は１点について交付する金銭の額 × その年12月31日現在においてまだ引き換えられていない枚数又は点数（既に引換期間を経過したもの及び前年以前に発行したもので引換期間の定めのないものを除く。）

(注)　算式中「１枚又は１点について交付する金銭の額」は、物品だけの引換えをすることとしている場合には、その物品の取得価額（２以上の物品のうちその一を選択することができることとなっている場合には、その取得価額が最も低いものの取得価額）による。

（金品引換費用の未払金の総収入金額算入）

（4）（3）により必要経費に算入した未払金の額は、その年の翌年分の事業所得の金額の計算上総収入金額に算入する。（基通36・37共－17）

（明細書の添付）

（5）（3）により未払金に計上する場合には、その計上する年分の確定申告書に当該未払金の額の計算の基礎及び金品引換券の引換条件等に関する事項を記載した明細書を添付するものとする。（基通36・37共－18）

9　長期の損害保険契約に係る支払保険料等

（長期の損害保険契約に係る支払保険料）

（1）保険期間が３年以上で、かつ、当該保険期間満了後に満期返戻金を支払う旨の定めのある損害保険契約（これに類する共済に係る契約を含む。以下(6)までにおいて「長期の損害保険契約」という。）で業務の用に供されている建物等に係るものについて保険料（共済掛金を含む。以下(5)までにおいて同じ。）を支払った場合には、当該建物等のうちの業務の用に供されている部分に対応する保険料の金額のうち、積立保険料に相当する部分の金額は保険期間の満了又は保険契約の解除若しくは失効の時までは、当該業務に係る所得の金額の計算上資産として取り扱うものとし、当該対応する保険料の金額のうち、その他の部分の金額は期間の経過に応じて当該業務に係る所得の金額の計算上必要経費に算入する。（基通36・37共－18の２）

（注）支払った保険料の金額のうち、積立保険料に相当する部分の金額とその他の部分の金額との区分は、保険料払込案内書、保険証券添付書類等により区分されているところによる。

（賃借建物等を保険に付した場合の支払保険料）

（2）賃借して業務の用に供している建物等（使用人から賃借しているもので当該使用人に使用させているもの及び自己と生計を一にする配偶者その他の親族の所有するものを除く。）に係る長期の損害保険契約について保険料を支払った場合には、当該保険料については、次に掲げる区分に応じ、それぞれ次による。（基通36・37共－18の３）

(一)　当該業務を営む者が保険契約者となり、当該建物等の所有者が被保険者となっている場合　　(1)による。

(二)　当該建物等の所有者が保険契約者及び被保険者となっている場合　　業務の用に供されている部分の保険料の金額を当該業務に係る所得の金額の計算上必要経費に算入する。

（注）業務を営む者が自己と生計を一にする配偶者その他の親族の所有する建物等を業務の用に供している場合において、当該業務を営む者又は当該建物等を所有する親族が当該建物等に係る長期の損害保険契約の保険料を支払ったときは、当該業務に係る所得の金額の計算上、当該保険料については、第二節**十１**《事業から対価を受ける親族がある場合の必要経費の特例》の規定及び同**十１**(1)の取扱いにより、(1)と同様に取り扱われることとなる。

（使用人の建物等を保険に付した場合の支払保険料）

（3）業務を営む者がその使用人の所有する建物等（使用人から賃借しているもので当該使用人に使用させているものを含み、自己と生計を一にする配偶者その他の親族の所有するものを除く。）に係る長期の損害保険契約について保険料を支払った場合には、当該保険料については、次に掲げる区分に応じ、それぞれ次による。（基通36・37共－18の４）

(一)　当該業務を営む者が保険契約者となり、当該使用人が被保険者となっている場合　　(1)による。

(二)　当該使用人が保険契約者及び被保険者となっている場合　　保険料の全額を当該業務に係る所得の金額の計算上必要経費に算入する。

（注）当該業務を営む者が当該保険料を負担することによりその使用人が受ける利益については、第一節《収入金額》**－３**①(16)及び(17)《基通36－31の７、36－31の８》参照。

（賃借建物等を保険に付している場合の建物等の所有者の所得計算）

（4）賃貸している建物等に係る長期の損害保険契約についてその建物等を賃借している者が保険料を支払っている場合における当該建物等の所有者の当該建物等の賃貸に係る所得の金額の計算上、当該保険料の金額については、次に掲げる区分に応じ、それぞれ次による。（基通36・37共－18の５）

(一)　当該賃借している者が保険契約者となり、当該建物等の所有者が被保険者となっている場合　　保険料の金額のうち積立保険料に相当する部分以外の部分の金額を総収入金額に算入し、当該金額を必要経費に算入する。

(二)　当該建物等の所有者が保険契約者及び被保険者となっている場合　　保険料の全額を総収入金額に算入し、積立保険料に相当する部分以外の部分の金額を必要経費に算入する。

（満期返戻金等の支払を受けた場合の一時所得の金額の計算）

（5）　長期の損害保険契約に基づく満期返戻金若しくは満期共済金又は解約返戻金の支払を受けた場合には、当該満期返戻金若しくは満期共済金又は解約返戻金に係る一時所得の金額の計算に当たっては、当該損害保険契約に係る保険料の総額からそのうちのその者の各年分の各種所得の金額の計算上必要経費に算入している部分の金額を控除した残額を、第四節**五２**②《満期返戻金等に係る一時所得の金額の計算上控除する保険料等》(二)に規定する「保険料又は掛金の総額」として、同(二)の規定を適用する。（基通36・37共－18の６）

（保険事故の発生により保険金の支払を受けた場合の積立保険料の処理）

（6）　保険事故又は共済事故の発生による保険金又は共済金（満期共済金を除く。以下(6)において同じ。）の支払により長期の損害保険契約が失効した場合には、(1)により資産として取り扱うこととしている積立保険料に相当する部分の金額又は(4)(二)により総収入金額に算入することとされている金額のうち積立保険料に相当する部分の金額については、次による。（基通36・37共－18の７）

(一)　その者が所有する建物等（自己と生計を一にする配偶者その他の親族の所有するものを含む。）に係る保険金又は共済金の支払を受けた場合には、各種所得の金額の計算上必要経費又は支出した金額に算入しない。

(二)　(2)(一)又は(3)(一)に該当する長期の損害保険契約につき被保険者が保険金又は共済金の支払を受けた場合には、その業務に係る所得の金額の計算上必要経費に算入する。

10　組合の所得計算

（任意組合等の組合員の組合事業に係る利益等の帰属）

（1）　任意組合等の組合員の当該任意組合等において営まれる事業（以下(3)までにおいて「組合事業」という。）に係る利益の額又は損失の額は、当該任意組合等の利益の額又は損失の額のうち分配割合に応じて利益の分配を受けるべき金額又は損失を負担すべき金額とする。（基通36・37共－19）

ただし、当該分配割合が各組合員の出資の状況、組合事業への寄与の状況などからみて経済的合理性を有していないと認められる場合には、この限りではない。

(注)１　任意組合等とは、民法第667条第１項《組合契約》に規定する組合契約、投資事業有限責任組合契約に関する法律第３条第１項《投資事業有限責任組合契約》に規定する投資事業有限責任組合契約及び有限責任事業組合契約に関する法律第３条第１項《有限責任事業組合契約》に規定する有限責任事業組合契約により成立する組合並びに外国におけるこれらに類するものをいう。以下(3)までにおいて同じ。

２　分配割合とは、組合契約に定める損益分配の割合又は民法第674条《組合員の損益分配の割合》、投資事業有限責任組合契約に関する法律第16条《民法の準用》及び有限責任事業組合契約に関する法律第33条《組合員の損益分配の割合》の規定による損益分配の割合をいう。以下(3)までにおいて同じ。

（任意組合等の組合員の組合事業に係る利益等の帰属の時期）

（2）　任意組合等の組合員の組合事業に係る利益の額又は損失の額は、その年分の各種所得の金額の計算上総収入金額又は必要経費に算入する。（基通36・37共－19の２）

ただし、組合事業に係る損益を毎年１回以上一定の時期において計算し、かつ、当該組合員への個々の損益の帰属が当該損益発生後１年以内である場合には、当該任意組合等の計算期間を基として計算し、当該計算期間の終了する日の属する年分の各種所得の金額の計算上総収入金額又は必要経費に算入するものとする。

（任意組合等の組合員の組合事業に係る利益等の額の計算等）

（3）　(1)及び(2)により任意組合等の組合員の各種所得の金額の計算上総収入金額又は必要経費に算入する利益の額又は損失の額は、次の(一)の方法により計算する。ただし、その者が(一)の方法により計算することが困難と認められる場合で、かつ、継続して次の(二)又は(三)の方法により計算している場合には、その計算を認めるものとする。（基通36・37共－20）

(一)　当該組合事業に係る収入金額、支出金額、資産、負債等を、その分配割合に応じて各組合員のこれらの金額として計算する方法

(二)　当該組合事業に係る収入金額、その収入金額に係る原価の額及び費用の額並びに損失の額をその分配割合に応じて各組合員のこれらの金額として計算する方法

この方法による場合には、各組合員は、当該組合事業に係る取引等について非課税所得、配当控除、確定申告による源泉徴収税額の控除等に関する規定の適用はあるが、引当金、準備金等に関する規定の適用はない。

(三)　当該組合事業について計算される利益の額又は損失の額をその分配割合に応じて各組合員にあん分する方法

この方法による場合には、各組合員は、当該組合事業に係る取引等について、非課税所得、引当金、準備金、配当控除、確定申告による源泉徴収税額の控除等に関する規定の適用はなく、各組合員にあん分される利益の額又は損失の額は、当該組合事業の主たる事業の内容に従い、不動産所得、事業所得、山林所得又は雑所得のいずれか一の所得に係る収入金額又は必要経費とする。

(注)　組合事業について計算される利益の額又は損失の額のその者への報告等の状況、その者の当該組合事業への関与の状況その他の状況からみて、その者において当該組合事業に係る収入金額、支出金額、資産、負債等を明らかにできない場合は、「(1)の方法により計算することが困難と認められる場合」に当たることに留意する。

(匿名組合契約による組合員の所得)

(4)　匿名組合契約（商法第535条《匿名組合契約》の規定による契約をいう。以下(4)及び(5)において同じ。）を締結する者で当該匿名組合契約に基づいて出資をする者（匿名組合契約に基づいて出資をする者のその匿名組合契約に係る地位の承継をする者を含む。以下(4)及び(5)において「匿名組合員」という。）が当該匿名組合契約に基づく営業者から受ける利益の分配は雑所得とする。（基通36・37共－21）

ただし、匿名組合員が当該匿名組合契約に基づいて営業者の営む事業（以下(4)及び(5)において「組合事業」という。）に係る重要な業務執行の決定を行っているなど組合事業を営業者と共に経営していると認められる場合には、当該匿名組合員が当該営業者から受ける利益の分配は、当該営業者の営業の内容に従い、事業所得又はその他の各種所得とする。

(注)1　匿名組合契約に基づく営業者から受ける利益の分配とは、匿名組合員が当該営業者から支払を受けるものをいう（出資の払戻しとして支払を受けるものを除く。）。以下(5)において同じ。

2　営業者から受ける利益の分配が、当該営業の利益の有無にかかわらず一定額又は出資額に対する一定割合によるものである場合には、その分配は金銭の貸付けから生じる所得となる。

なお、当該所得が事業所得であるかどうかの判定については、第四章第四節《事業所得》一(6)参照。

(匿名組合契約による営業者の所得)

(5)　(4)により営業者が匿名組合員に分配する利益の額は、当該営業者の当該組合事業に係る所得の金額の計算上必要経費に算入する。（基通36・37共－21の2）

11　消費税等に関する各種所得の金額の計算上の取扱い

(資産に係る控除対象外消費税額等の必要経費算入)

(1)　(3)から(6)までに規定する資産に係る控除対象外消費税額等とは、居住者が消費税法第19条第1項《課税期間》に規定する課税期間につき同法第30条第1項《仕入れに係る消費税額の控除》の規定の適用を受ける場合で、当該課税期間中に行った同法第2条第1項第9号《定義》に規定する課税資産の譲渡等につき課されるべき消費税の額及び当該消費税の額を課税標準として課されるべき地方消費税の額に相当する金額並びに同法第30条第2項に規定する課税仕入れ等の税額及び当該課税仕入れ等の税額に係る地方消費税の額に相当する金額をこれらに係る取引の対価と区分して取り扱ったときにおける当該課税仕入れ等の税額及び当該課税仕入れ等の税額に係る地方消費税の額に相当する金額の合計額のうち、同条第1項の規定による控除をすることができない金額及び当該控除をすることができない金額に係る地方消費税の額に相当する金額の合計額でそれぞれの資産に係るものをいう。（令182の2⑤）

(税抜経理方式)

(2)　(1)に規定する区分は、(1)に規定する課税資産の譲渡等につき課されるべき消費税の額及び当該消費税の額を課税標準として課されるべき地方消費税の額に相当する金額並びに課税仕入れ等の税額及び当該課税仕入れ等の税額に係る地方消費税の額に相当する金額を、それぞれ仮受消費税等及び仮払消費税等としてこれらに係る取引の対価と区分する方法その他これに準ずる方法により行うものとする。（規38の2②）

(資産に係る控除対象外消費税額等の必要経費算入―課税売上割合80%以上の年)

(3)　居住者の不動産所得、事業所得、山林所得又は雑所得（以下**11**において「**事業所得等**」という。）を生ずべき業務を行う年（消費税法第30条第2項《仕入れに係る消費税額の控除》に規定する課税売上割合に準ずる割合として(4)で定めるところにより計算した割合が100分の80以上である年に限る。）において資産に係る控除対象外消費税額等が生じた場合には、その生じた資産に係る控除対象外消費税額等の合計額については、その年の年分の不動産所得の金額、事業所得の金額、山林所得の金額又は雑所得の金額（以下11において「**事業所得等の金額**」という。）の計算上、必要経費に算入する。（令182の２①）

（課税売上割合に準ずる割合の計算等）

（４）　消費税法施行令第48条第１項《課税売上割合の計算方法》の規定は、（３）に規定する課税売上割合に準ずる割合として計算した割合について準用する。この場合において、消費税法施行令第48条第１項中「課税期間中」とあるのは、「年中」と読み替えるものとする。（規38の２①）

（少額な「資産に係る控除対象外消費税額等」の必要経費算入―課税売上割合80％未満の年）

（５）　居住者の事業所得等を生ずべき業務を行う年（（３）に規定する年を除く。）において生じた資産に係る控除対象外消費税額等が次に掲げる場合に該当する場合には、その該当する資産に係る控除対象外消費税額等の合計額については、その年の年分の事業所得等の金額の計算上、必要経費に算入する。（令182の２②）

（一）　棚卸資産に係るものである場合

（二）　消費税法第５条第１項《納税義務者》に規定する特定課税仕入れに係るものである場合

（三）　20万円未満である場合

（繰延消費税額等の初年度必要経費算入額―課税売上割合80％未満の年）

（６）　居住者の事業所得等を生ずべき業務を行う年において生じた資産に係る控除対象外消費税額等の合計額（（３）又は（５）の規定により必要経費に算入される金額を除く。以下（６）及び（７）において「**繰延消費税額等**」という。）につきその年の年分の事業所得等の金額の計算上必要経費に算入する金額は、当該繰延消費税額等を60で除しこれにその年において当該業務を行っていた期間の月数を乗じて計算した金額の２分の１に相当する金額とする。（令182の２③）

（注）（６）及び（７）の月数は、暦に従って計算し、１月に満たない端数を生じたときは、これを１月とする。（令182の２⑦）

（繰延消費税額等の５年間均分償却）

（７）　居住者のその年の前年以前の事業所得等を生ずべき業務を行う各年において生じた繰延消費税額等につきその年の年分の事業所得等の金額の計算上必要経費に算入する金額は、当該繰延消費税額等を60で除しこれにその年において当該業務を行っていた期間の月数を乗じて計算した金額（当該計算した金額が当該繰延消費税額等のうち既に（６）及び（７）の規定により事業所得等の金額の計算上必要経費に算入された金額以外の金額を超える場合には、当該金額）とする。（令182の２④）

（課税仕入れ等の税額に係る地方消費税の額に相当する金額等）

（８）　（１）に規定する課税仕入れ等の税額に係る地方消費税の額に相当する金額又は控除をすることができない金額に係る地方消費税の額に相当する金額とは、それぞれ地方消費税を税率が100分の2.2（当該課税仕入れ等の税額に係る消費税法第２条第１項第12号に規定する課税仕入れが他の者から受けた同項第９号の２に規定する軽減対象課税資産の譲渡等に係るものである場合及び当該課税仕入れ等の税額に係る同項第11号に規定する課税貨物が同項第11号の２に規定する軽減対象課税貨物に該当するものである場合には、100分の1.76）の消費税であると仮定して消費税に関する法令の規定の例により計算した場合における同法第30条第２項に規定する課税仕入れ等の税額に相当する金額又は同条第１項の規定による控除をすることができない金額に相当する金額をいう。（令182の２⑥）

（適 用 要 件）

（９）　居住者は、その年において（３）から（６）までに規定する資産に係る控除対象外消費税額等の合計額又は（６）若しくは（７）に規定する繰延消費税額等につき必要経費に算入した金額がある場合には、その年分の確定申告書に、これらの規定により必要経費に算入される金額の計算に関する明細書を添付しなければならない。（令182の２⑨）

（消費税法等の施行に伴う所得税の取扱いについて）

（10）　標題のことについては、下記のとおり取扱いが定められている。（平１直所３－８、直資３－６；令５課個２－40最終改正）

（趣　　旨）

消費税法、所得税法及び消費税法の一部を改正する法律（平成６年法律第109号）、地方税法等の一部を改正する法律（平成６年法律第111号）、地方税法等の一部を改正する法律の一部の施行に伴う関係政令の整備等に関する政令（平成９年政令第17号）、社会保障の安定財源の確保等を図る税制の抜本的な改革を行うための消費税法の一部を改正する等の法律（平成24年法律第68号）、社会保障の安定財源の確保等を図る税制の抜本的な改革を行うための地方税法及び地方交付税法の一部を改正する法律（平成24年法律第69号）、所得税法等の一部を改正する法律（平成27年法律第９号）、地方税法等の一部を改正する法律（平成27年法律第２号）、所得税法等の一部を改正する法律（平成28年法律第15号）及び地方税法等の一部を改正する等の法律（平成28年法律第13号）の施行に伴い、所得税の課税所得金額の計算における消費税及び地方消費税の取扱いを明らかにするものである。

記

（用語の意義）

(一)　この通達において、次に掲げる用語の意義は、それぞれ次に定めるところによる。

イ　令　所得税法施行令をいう。

ロ　消法　消費税法をいう。

ハ　消法令　消費税法施行令をいう。

ニ　措置法　租税特別措置法をいう。

ホ　消費税等　消費税及び地方消費税をいう。

ヘ　個人事業者　消法第２条第１項第３号《定義》に規定する個人事業者をいう。

ト　税抜経理方式　消費税等の額とこれに係る取引の対価の額とを区分して経理をする方式をいう。

チ　税込経理方式　消費税等の額とこれに係る取引の対価の額とを区分しないで経理をする方式をいう。

リ　課税期間　消法第19条第１項《課税期間》に規定する課税期間をいう。

ヌ　課税仕入れ等　消法第２条第１項第12号《定義》に規定する課税仕入れ又は同項第２号に規定する保税地域からの同項第11号に規定する課税貨物の引取りをいう。

ル　特定課税仕入れ　消法第５条第１項《納税義務者》に規定する特定課税仕入れをいう。

ヲ　仮受消費税等の額　課税期間中に行った消法第２条第１項第９号に規定する課税資産の譲渡等につき課されるべき消費税の額及び当該消費税の額を課税標準として課されるべき地方消費税の額に相当する金額をこれらに係る取引の対価の額と区分する経理をする場合における当該課されるべき消費税の額及び当該課されるべき地方消費税の額に相当する金額をいう。

ワ　仮払消費税等の額　課税期間中に行った課税仕入れ等に係る消法第30条第２項《仕入れに係る消費税額の控除》に規定する課税仕入れ等の税額及び当該課税仕入れ等の税額に係る地方消費税の額に相当する金額をこれらに係る取引の対価の額と区分する経理をする場合における当該課税仕入れ等の税額及び当該課税仕入れ等の税額に係る地方消費税の額に相当する金額をいう。

カ　控除対象外消費税額等　（１）《資産に係る控除対象外消費税額等の必要経費算入》の「控除をすることができない金額及び当該控除をすることができない金額に係る地方消費税の額に相当する金額の合計額」をいう。

（簡易課税制度が適用される課税期間を含む年の仮払消費税等の額の特例）

(一の二)　個人事業者（消法第９条第１項本文《小規模事業者に係る納税義務の免除》の規定により消費税を納める義務が免除されるものを除く。以下(三の二)までにおいて同じ。）が、簡易課税制度（消法第37条第１項《中小事業者の仕入れに係る消費税額の控除の特例》の規定を適用して消法第45条第１項第２号《課税資産の譲渡等及び特定課税仕入れについての確定申告》に掲げる課税標準額に対する消費税額から控除することができる仕入控除税額を算出する方法をいう。）が適用される課税期間を含む年において、当該個人事業者の行う取引に係る消費税等の経理処理について税抜経理方式によっている場合で、国内において行った消法第２条第１項第12号《定義》に規定する課税仕入れ（特定課税仕入れを除く。）に係る支払対価の額に110分の10（当該課税仕入れが他の者から受けた軽減対象課税資産の譲渡等(同項第９号の２に規定する軽減対象課税資産の譲渡等をいう。)に係るものである場合には、108分の８）を乗じて算出した金額（当該金額に１円未満の端数が生じたときは、当該端数を切り捨て、又は四捨五入した後の金額）を当該課税仕入れに係る取引の対価の額と区分して経理をしているときは、継続適用を条件として、当該金額を仮払消費税等の額とすることができる。

（注）　この取扱いの適用を受ける場合には、所得税に係る法令の規定及び通達の定めの適用についても同様となることに留意する。

（税抜経理方式と税込経理方式の選択適用）

(二)　個人事業者が行う取引に係る消費税等の経理処理につき、当該個人事業者の行う全ての取引について税抜経理方式又は税込経理方式のいずれかの方式に統一していない場合には、その行う全ての取引についていずれかの方式を適用して所得税の課税所得金額を計算するものとする。

(注) 1　不動産所得、事業所得、山林所得又は雑所得（以下「事業所得等」という。）を生ずべき業務のうち２以上の所得を生ずべき業務を行う場合には、当該所得の種類を異にする業務ごとに上記の取扱いによることができるものとする。

2　譲渡所得の基因となる資産の譲渡で消費税が課されるものに係る経理処理については、当該資産をその用に供していた事業所得等を生ずべき業務と同一の方式によるものとする。

3　消費税と地方消費税は同一の方式によるものとする。

(固定資産等及び経費等の経理方式の選択適用)

(二の二)　個人事業者が売上げ等の収入に係る取引について税抜経理方式で経理をしている場合には、(二)《税抜経理方式と税込経理方式の選択適用》にかかわらず、固定資産、繰延資産、棚卸資産及び山林（以下「**固定資産等**」という。）の取得に係る取引又は販売費及び一般管理費等（山林の伐採費及び譲渡に要した費用を含む。以下「**経費等**」という。）の支出に係る取引のいずれか一方の取引について税込経理方式を適用できるほか、固定資産等のうち棚卸資産又は山林の取得に係る取引については、継続適用を条件として固定資産及び繰延資産と異なる方式を選択適用できるものとする。

(注) 1　個々の固定資産等又は個々の経費等ごとに異なる方式を適用しない。

2　消費税と地方消費税について異なる方式を適用しない。

(売上げと仕入れで経理方式が異なる場合の取扱い)

(三)　個人事業者が国内において行う売上げ等の収入に係る取引について税込経理方式で経理をしている場合には、固定資産等の取得に係る取引又は経費等の支出に係る取引の全部又は一部について税抜経理方式で経理をしている場合であっても、(二)《税抜経理方式と税込経理方式の選択適用》にかかわらず、税込経理方式を適用して所得税の課税所得金額を計算することに留意する。

(注)　この取扱いは、消法第６条第１項《非課税》の規定により消費税を課さないこととされている資産の譲渡等のみを行う個人事業者が、固定資産等の取得に係る取引又は経費等の支出に係る取引の全部又は一部について税抜経理方式で経理をしている場合についても同様とする。

(仮受消費税等又は仮払消費税等と異なる金額で経理をした場合の取扱い)

(三の二)　個人事業者が行う取引に係る消費税等の経理処理について税抜経理方式によっている場合において、次に掲げる場合に該当するときは、それぞれ次に定めるところにより所得税の課税所得金額を計算することに留意する。

イ　仮受消費税等の額又は仮払消費税等の額を超える金額を取引の対価の額から区分して経理をしている場合
　その超える部分の金額を売上げ等の収入に係る取引の対価の額又は固定資産等の取得に係る取引若しくは経費等の支出に係る取引の対価の額に含める。

ロ　仮受消費税等の額又は仮払消費税等の額に満たない金額を取引の対価の額から区分して経理をしている場合
　その満たない部分の金額を売上げ等の収入に係る取引の対価の額又は固定資産等の取得に係る取引若しくは経費等の支出に係る取引の対価の額から除く。

(年末一括税抜経理方式)

(四)　税抜経理方式による経理処理は、原則として取引（請求書の交付を含む。）の都度行うのであるが、消法令第46条第２項《課税仕入れに係る消費税額の計算》の規定の適用を受ける場合を除き、その経理処理をその年12月31日において一括して行うことができるものとする。

(免税事業者の消費税の処理)

(五)　消法第９条第１項本文《小規模事業者に係る納税義務の免除》の規定により消費税を納める義務が免除される個人事業者については、その行う取引について税抜経理方式で経理をしている場合であっても、(二)《税抜経理方式と税込経理方式の選択適用》にかかわらず、税込経理方式を適用して所得税の課税所得金額を計算することに留意する。

(特定課税仕入れに係る消費税等の額)

(五の二)　特定課税仕入れの取引については、取引時において消費税等の額に相当する金銭の受払いがないのであるから、税抜経理方式を適用することとなる個人事業者であっても、当該特定課税仕入れの取引の対価の額と区分すべき消費税等の額はないことに留意する。

ただし、個人事業者が当該特定課税仕入れの取引について課されるべき消費税の額及び当該消費税の額を課税標準として課されるべき地方消費税の額に相当する金額を当該取引の対価の額と区分して、例えば、仮受金及び仮払金等としてそれぞれ計上するなど仮勘定を用いて経理をしている場合には、当該仮受金又は仮払金等として経理をした金額はそれぞれ仮受消費税等の額又は仮払消費税等の額に該当するものとして、所得税の課税所得金額を計算することに留意する。

(注)　この取扱いによった場合においても、(二)《税抜経理方式と税込経理方式の選択適用》の適用については、税込経理方式で経理をしたことにはならないことに留意する。

(仮受消費税等及び仮払消費税等の清算)

(六)　税抜経理方式を適用することとなる個人事業者は、課税期間の終了の時における仮受消費税等の額の合計額から仮払消費税等の額の合計額（控除対象外消費税額等に相当する金額を除く。以下(六)において同じ。）を控除した金額と当該課税期間に係る納付すべき消費税等の額とに差額が生じた場合は、当該差額については、当該課税期間を含む年の事業所得等の金額の計算上、総収入金額又は必要経費に算入するものとする。

課税期間の終了の時における仮払消費税等の額の合計額から仮受消費税等の額の合計額を控除した金額と当該課税期間に係る還付を受ける消費税等の額とに差額が生じた場合についても同様とする。

(注)　事業所得等を生ずべき業務のうち２以上の所得を生ずべき業務について税抜経理方式を適用している場合には、税抜経理方式を適用している業務のそれぞれについて、他の税抜経理方式を適用している業務に係る取引がないものとして上記の取扱いを適用するものとする。

(消費税等の必要経費算入の時期)

(七)　税込経理方式を適用することとなる個人事業者が納付すべき消費税等の額は、納税申告書に記載された税額については当該納税申告書が提出された日の属する年の事業所得等の金額の計算上、必要経費に算入し、更正又は決定に係る税額については当該更正又は決定があった日の属する年の事業所得等の金額の計算上、必要経費に算入する。ただし、当該個人事業者が申告期限未到来の当該納税申告書に記載すべき消費税等の額を未払金に計上したときの当該金額については、当該未払金に計上した年の事業所得等の金額の計算上、必要経費に算入することとして差し支えない。

(消費税等の総収入金額算入の時期)

(八)　税込経理方式を適用することとなる個人事業者が還付を受ける消費税等の額は、納税申告書に記載された税額については当該納税申告書が提出された日の属する年の事業所得等の金額の計算上、総収入金額に算入し、更正に係る税額については当該更正のあった日の属する年の事業所得等の金額の計算上、総収入金額に算入する。ただし、当該個人事業者が申告期限未到来の当該納税申告書に記載すべき消費税等の額を未収入金に計上したときの当該金額については、当該未収入金に計上した年の事業所得等の金額の計算上、総収入金額に算入することとして差し支えない。

(少額の減価償却資産の取得価額等の判定)

(九)　第二節**五２**《少額の減価償却資産の取得価額の必要経費算入》、同**３**《一括償却資産の必要経費算入》又は同節**七２**《繰延資産となる費用のうち少額のものの必要経費算入》の規定を適用する場合において、これらの規定における金額基準を満たしているかどうかは、個人事業者がこれらの規定の適用がある減価償却資産に係る取引について適用することとなる税抜経理方式又は税込経理方式に応じ、その適用することとなる方式により算定した取得価額又は支出する金額により判定することに留意する。

措置法に規定する特別償却等において定められている金額基準についても、同様とする。

(資産に係る控除対象外消費税額等の処理)

(十)　(１)《資産に係る控除対象外消費税額等の必要経費算入》に規定する資産に係る控除対象外消費税額等（以下「資産に係る控除対象外消費税額等」という。）については、(１)から(９)までの規定の適用を受け、又は受けないことを選択することができるが、これらの規定の適用を受ける場合には、資産に係る控除対象外消費税額等が生じた年において、その全額についてこれらの規定を適用することになることに留意する。

(注)　事業所得等を生ずべき業務のうち２以上の所得を生ずべき業務について税抜経理方式を適用している場合には、それぞれの業務に係る取引ごとに上記の取扱いを適用するものとする。

（資産の範囲）

（十一）　(1)から(9)まで《資産に係る控除対象外消費税額等の必要経費算入》の資産には、固定資産、棚卸資産、山林のほか繰延資産が含まれるが、前払費用（一定の契約に基づき継続的に役務の提供を受けるために支出した費用のうちその年12月31日においてまだ提供を受けていない役務に対応するものをいう。）は含まれないことに留意する。

（控除される消費税額がない課税仕入れに係る消費税等の処理）

（十一の二）　消法第２条第１項第12号《定義》に規定する課税仕入れ（特定課税仕入れを除く。）のうち、消法令第46条第１項各号《課税仕入れに係る消費税額の計算》に掲げる課税仕入れの区分に応じ当該各号に定める金額があるもの以外のものに係る取引について税抜経理方式で経理をしている場合（一の二《簡易課税制度が適用される課税期間を含む年の仮払消費税等の額の特例》の取扱いの適用を受ける場合を除く。）であっても、その取引の対価の額と区分して経理をした消費税等の額に相当する金額を当該課税仕入れに係る取引の対価の額に含めて所得税の課税所得金額を計算することに留意する。

（注）　この取扱いによった場合においても、(二)《税抜経理方式と税込経理方式の選択適用》の適用については、税込経理方式で経理をしたことにはならないことに留意する。

（控除対象外消費税額等の対象となる消費税法の規定）

（十一の三）　税抜経理方式を適用することとなる個人事業者が国内において行う課税仕入れ等（消法第２条第１項第12号《定義》に規定する課税仕入れ（特定課税仕入れを除く。）のうち、消法令第46条第１項各号《課税仕入れに係る消費税額の計算》に掲げる課税仕入れの区分に応じ当該各号に定める金額があるもの以外のものを除く。）につき、消法第30条第２項《仕入れに係る消費税額の控除》のほか、例えば、次の規定の適用を受ける場合には、当該規定の適用を受ける取引に係る仮払消費税等の額は、控除対象外消費税額等となることに留意する。

⑴　消法第30条第７項及び第10項から第12項まで（同条第７項及び第11項にあっては、ただし書を除く。）

⑵　消法第36条第５項《納税義務の免除を受けないこととなった場合等の棚卸資産に係る消費税額の調整》

（譲渡所得の基因となる資産の譲渡がある場合の処理）

（十二）　譲渡所得の基因となる資産の譲渡で消費税が課されるものがある場合には、当該資産の譲渡を当該資産をその用に供していた事業所得等を生ずべき業務に係る取引に含めて、(六)《仮受消費税等及び仮払消費税等の清算》の取扱いを適用するものとする。

（山林所得の概算経費控除等の取扱い）

（十三）　第四章第七節**二３**《山林所得の概算経費控除》及び同**４**《山林所得に係る森林計画特別控除》の規定を適用する場合におけるこれらの規定に規定する「収入金額」及び「伐採費、運搬費その他の財務省令で定める費用」は、個人事業者が適用している税抜経理方式又は税込経理方式に応じ、その適用している方式により算定する。

第五章第二節**一４**《長期譲渡所得の概算取得費控除》の規定を適用する場合における同**４**に規定する「収入金額」についても同様とする。

（経過的取扱い①…適格請求書発行事業者となる小規模事業者に係る税額控除に関する経過措置を適用する課税期間を含む年の仮払消費税等の額の特例）

所得税法等の一部を改正する法律（平成28年法律第15号）附則第51条の２第１項《適格請求書発行事業者となる小規模事業者に係る税額控除に関する経過措置》の規定の適用を受ける課税期間を含む年において、個人事業者が行う取引に係る消費税等の経理処理について税抜経理方式によっている場合には、継続適用を条件として、(一の二《簡易課税制度が適用される課税期間を含む年の仮払消費税等の額の特例》の取扱いの適用を受けることができる。

（経過的取扱い②…経過措置の適用期間において課税仕入れを行った場合の経理処理）

個人事業者が、次の⑴又は⑵に掲げる課税仕入れ（特定課税仕入れを除く。以下経過的取扱い③までにおいて同じ。）のうち、消法令第46条第１項各号《課税仕入れに係る消費税額の計算》に掲げる課税仕入れの区分に応じ当該各号に定める金額があるもの以外のもの及び次の⑶に掲げる課税仕入れに係る取引につき税抜経理方式を適用する場合((一の二)《簡易課税制度が適用される課税期間を含む年の仮払消費税等の額の特例》の取扱いの適用を受ける場合を除く。）には、当該課税仕入れの次に掲げる区分に応じ、それぞれ次に定める金額を当該取引に係るこの法令解釈通達による改正後の(一)ワ《用語の意義》に規定する仮払消費税等の額とする。

⑴　令和５年10月１日から令和８年９月30日までの間に国内において行った課税仕入れ（⑶に掲げるものを除く。）所得税法施行令等の一部を改正する政令（平成30年政令第131号。以下「平成30年改正令」という。）附則第11条第３項《資産に係る控除対象外消費税額等の必要経費算入に関する経過措置》の規定による読替え後の令第182条の２第５項《資産に係る控除対象外消費税額等の必要経費算入》に規定する当該課税仕入れ等の税額及び当該課税仕入れ等の税額に係る地方消費税の額に相当する金額の合計額

⑵　令和８年10月１日から令和11年９月30日までの間に国内において行った課税仕入れ（⑶に掲げるものを除く。）平成30年改正令附則第11条第４項の規定による読替え後の令第182条の２第５項に規定する当該課税仕入れ等の税額及び当該課税仕入れ等の税額に係る地方消費税の額に相当する金額の合計額

⑶　令和５年10月１日から令和11年９月30日までの間に国内において行った所得税法等の一部を改正する法律（平成28年法律第15号。以下「平成28年改正法」という。）附則第53条の２《請求書等の保存を要しない課税仕入れに関する経過措置》に規定する課税仕入れ（当該課税仕入れに係る支払対価の額が１万円未満であるものに限る。）　当該課税仕入れに係る支払対価の額に110分の10（当該課税仕入れが他の者から受けた軽減対象課税資産の譲渡等（消法第２条第１項第９号の２《定義》に規定する軽減対象課税資産の譲渡等をいう。）に係るものである場合には、108分の８）を乗じて算出した金額（当該金額に１円未満の端数が生じたときは、当該端数を切り捨て、又は四捨五入した後の金額）

(注)　この経過的取扱いの適用を受ける場合には、所得税に係る法令の規定及び通達の定め(この法令解釈通達による改正後の(十一の二)《控除される消費税額がない課税仕入れに係る消費税等の処理》の取扱いを除く。）の適用についても同様となることに留意する。

（経過的取扱い③…経過措置の適用期間において課税仕入れを行った場合の経理処理の特例）

経過的取扱い②《経過措置の適用期間において課税仕入れを行った場合の経理処理》の場合において、経過的取扱い②の取引（経過的取扱い②の⑶に掲げる課税仕入れに係るものを除く。）につき、個人事業者が当該取引の対価の額と区分して経理をした金額がないときは、経過的取扱い②にかかわらず、当該取引に係るこの法令解釈通達による改正後の(一)ワ《用語の意義》に規定する仮払消費税等の額はないものとすることができる。

(注)１　この経過的取扱いの適用を受ける場合には、所得税に係る法令の規定及び通達の定めの適用についても同様となることに留意する。
２　この経過的取扱いの適用を受けた場合においても、この法令解釈通達による改正後の(二)《税抜経理方式と税込経理方式の選択適用》の適用については、税込経理方式で経理をしたことにはならないことに留意する。

（経過的取扱い④…控除対象外消費税額等の対象となる消費税法の規定に関する経過措置）

税抜経理方式を適用することとなる個人が国内において行う課税仕入れ等につき、平成28年改正法附則第53条の２《請求書等の保存を要しない課税仕入れに関する経過措置》の規定の適用を受ける場合におけるこの法令解釈通達による改正後の(十一の三)《控除対象外消費税額等の対象となる消費税法の規定》の取扱いについては、次による。

⑴　この法令解釈通達による改正後の(十一の三)の「各号に定める金額」には、消費税法施行令等の一部を改正する政令（平成30年政令第135号）附則第24条の２第２項《請求書等の保存を要しない課税仕入れの範囲等》の規定による読替え後の消法令第46条第１項第６号《課税仕入れに係る消費税額の計算》に定める金額を含む。

⑵　この法令解釈通達による改正後の(十一の三) ⑴に掲げる規定には、平成28年改正法附則第53条の２の規定による読替え後の消法第30条第７項《仕入れに係る消費税額の控除》（ただし書を除く。）の規定を含む。

12　信用取引に係る所得計算

（信用取引に係る金利等）

（１）　信用取引の方法により株式の買付け若しくは売付けを行う者又は暗号資産信用取引の方法により暗号資産の買付け若しくは売付けを行う者が、当該信用取引又は当該暗号資産信用取引に関し、証券会社に支払うべき、若しくは証券会社から支払を受けるべき金利若しくは品貸料又は他の者（当該暗号資産信用取引に関し、当該売付け又は買付けを行った者に対して信用を供与する者に限る。以下（１）において同じ。）に支払うべき、若しくは他の者から支払を受けるべき金利若しくはいわゆる品貸料に相当する金額は、それぞれ次によるものとする。（基通36・37共－22）

(一)　買付けを行う者が、証券会社に支払うべき金利は、当該買付けに係る株式の取得価額に算入し、証券会社から支払を受けるべき品貸料は、当該買付けに係る株式の取得価額から控除する。

(二)　売付けを行う者が、証券会社から支払を受けるべき金利は当該売付けに係る株式の譲渡による収入金額に算入し、証券会社に支払うべき品貸料は、当該売付けに係る株式の譲渡による収入金額から控除する。

(三)　買付けを行う者が、他の者に支払うべき金利は当該買付けに係る暗号資産の取得価額に算入し、他の者から支

払を受けるべきいわゆる品貸料は当該買付けに係る暗号資産の取得価額から控除する。

(四)　売付けを行う者が、他の者から支払を受けるべき金利は当該売付けに係る暗号資産の売買による収入金額に算入し、他の者に支払うべきいわゆる品貸料は当該売付けに係る暗号資産の売買による収入金額から控除する。

（信用取引に係る配当落調整額等）

(2)　信用取引に関し、株式の買付けを行った者が証券会社から支払を受けるべき次に掲げる金額は、当該買付けに係る株式の取得価額から控除するものとし、株式の売付けを行った者が証券会社に対し支払うべき次に掲げる金額は、当該売付けに係る株式の譲渡による収入金額から控除するものとする。（基通36・37共－23）

(一)　配当落調整額（信用取引に係る株式につき配当が付与された場合において、証券会社が売付けを行った者から徴収し又は買付けを行った者に支払う当該配当に相当する金銭の額をいう。）に相当する金額

(二)　権利処理価額（信用取引に係る株式につき株式分割、株式無償割当て及び会社分割による株式を受ける権利、新株予約権（投資信託及び投資法人に関する法律第２条第17項《定義》に規定する新投資口予約権を含む。以下(二)において同じ。）又は新株予約権の割当てを受ける権利が付与された場合において、証券会社が売付けを行った者から徴収し又は買付けを行った者に支払う当該引受権に相当する金銭の額をいう。）に相当する金額

13 そ の 他

（質屋営業の利息及び流質物）

(1)　質屋営業における利息及び流質物については、次によるものとする。（基通36・37共－１の２）

(一)　貸付金に対する利息については、現実に支払を受けるまでは総収入金額に算入することを要しない。

(二)　流質期限を経過したため流質物を取得した場合には、その流質物の価額に相当する金額を総収入金額に算入し、貸付金額に相当する金額を必要経費に算入する。この場合において、流質物の価額は、貸付金額に相当する金額として差し支えない。

（法令に基づき交付を受ける給付金等の処理）

(2)　雇用保険法、労働施策の総合的な推進並びに労働者の雇用の安定及び職業生活の充実等に関する法律、障害者の雇用の促進等に関する法律等の法令の規定等（以下(3)において「雇用保険法等の規定等」という。）に基づき休業手当、賃金、職業訓練費等の経費を補塡するために交付を受ける給付金等については、その給付の原因となった休業、就業、職業訓練等の事実があった日の属する年分においてその金額が具体的に確定しない場合であっても、その金額を見積もり、当該年分の事業所得の金額の計算上、総収入金額に算入する。この場合において、その給付の対象となった休業手当等を製造原価に算入しているときは、当該給付金額のうち製造原価に算入した休業手当等に対応する金額をその製造原価から控除することができる。（基通36・37共－48）

（法令に基づき交付を受ける奨励金等の収入すべき時期）

(3)　定年の延長、高齢者及び身体障害者の雇用等の雇用の改善を図ったことなどにより雇用保険法等の規定等に基づき交付を受ける奨励金等の額については、その支給決定があった日の属する年分の事業所得の金額の計算上、総収入金額に算入する。（基通36・37共－49）

（商品仲買人の委託手数料に対する所得税の取扱い）

(4)　商品取引所法の規定により登録された商品仲買人の同法の規定による商品の売買取引の委託手数料に対する所得税の取扱いは、次に定めるところによる。（昭28直法１－96、直所１－64）

(一)　商品仲買人たる個人（以下「商品仲買人」という。）が、委託を受けた先物取引による売買取引に対する委託手数料は、当該売買取引の決済のあった日において徴収することとされているので、商品仲買人が当該委託手数料を当該売買取引の決済のあった日の属する年の収入金額に算入したときは、この経理を継続して行っている場合に限り認めるものとすること。

(二)　商品仲買人が委託を受けた先物取引による売買取引に対する委託手数料を、当該売買取引の決済のあった日の属する年の収入金額として経理している場合には、当該受託に要した費用（取引税、取引所定率会費、仲買人定率会費等を含む。）についても、原則として、当該売買取引の決済のあった日を含む年の必要経費に算入するものとする。ただし、当該受託に要した費用の計算が困難である等のためその支出のときの必要経費として経理している場合には、その経理が継続してなされている場合に限り認めるものとすること。

（商品仲買人が農産物商品取引所に対して預託する委託者保護積立金に対する取扱い）

(5)　東京穀物商品取引所、大阪穀物取引所、名古屋穀物商品取引所、神戸穀物商品取引所及び小樽商品取引所（以下「商品取引所」という。）は、商品仲買人の倒産により生ずる委託者の貸倒損失を補てんするため、これらの商品取引所が定める委託者保護積立金規程に基づいて各商品仲買人から委託者保護積立金として一定の金額の預託を受け、商品仲買人の倒産等により受託者の当該商品仲買人に対して有する債権が貸倒れとなる場合においては、各商品仲買人が共同してその弁済をすることとし、各商品仲買人の委託者保護積立金を取り崩して弁済に充てているのであるが、この委託者保護積立金に対する所得税の取扱いは次による。（昭33直法１－152、直所１－62）

(一)　商品仲買人が商品取引所に対して委託者保護積立金として預託する金額は、当該商品取引所に対する預け金として経理すること。したがって、当該預け金は、貸倒引当金勘定の対象となる貸金に算入されないのであるから留意すること。

(二)　商品仲買人が商品取引所に対して預託している委託者保護積立金について生ずる利息は、当該商品仲買人の事業所得の金額の計算上、総収入金額に算入するのであるから留意すること。

(三)　商品仲買人の倒産等により、当該商品仲買人が債務を有している委託者のその債務の弁済に充てるため、商品取引所が当該商品仲買人以外の商品仲買人の委託者保護積立金を取り崩した場合においては、その委託者保護積立金を取り崩して弁済に充てた金額は、当該委託者保護積立金を有していた商品仲買人の当該取崩しの日を含む年分の事業所得の金額の計算上、必要経費に算入すること。

(四)　商品仲買人の倒産等により、当該商品仲買人が債務を有している委託者のその債務の弁済に充てるため、商品取引所が当該倒産等をした商品仲買人の委託者保護積立金を取り崩した場合においては、その委託者保護積立金を取り崩して弁済に充てた金額は、当該倒産等をした商品仲買人が商品取引所から委託者保護積立金の返還を受け、これをもって当該委託者に対する債務を弁済したものとするのであるから留意すること。

(五)　商品仲買人の倒産等により、当該倒産等をした商品仲買人の有する債務の弁済のために他の商品仲買人の委託者保護積立金の取崩しがあった場合においては、当該倒産等をした商品仲買人については、弁済に充てられた金額に相当する債務が消滅するので、その金額に相当する金額を弁済のあった日を含む年分の事業所得の金額の計算上、総収入金額に算入するのであるから留意すること。

(六)　商品仲買人の倒産等により、当該商品仲買人に対して債権を有する委託者が商品取引所から委託者保護積立金を取り崩して支払を受けた金額は、当該商品仲買人に対する債権について弁済された金額とすること。

（個人立幼稚園の所得税法上の税務処理について）

(6)　標題のことについて、全国私立幼稚園連盟及び幼児教育懇話会から照会があり、次のとおり取り扱うこととしたので了知されたい。（昭53直所３－10）

(一)　設置者、園長及び教職員が、幼児教育の充実・発展の目的で研修会、講習会等に参加するのに要した諸経費については、その所要経費全額を必要経費とする。

(二)　上記(一)以外に設置者又は園長の指示により園長若しくは教職員が教育内容の充実の目的で研究活動を行うため必要と思われる費用を一括前渡しした場合には、これを必要経費とすることができる。なお、その使途明細書を決算時までに、園長若しくは教職員から提出させ剰余金が生じた場合、返金したときは、これを設置者の収入とし、返金しないときは、これを園長若しくは教職員の給与収入とする。

(三)　設置者、園長若しくは主たる教職員が、会議・打合わせ等、幼稚園団体の要請による出張に要した費用については、これを必要経費とする。

(四)　我が国における幼児教育の立遅れに鑑み、設置者、園長若しくはその指示による教職員の海外研修を目的とする渡航に要する費用については、これを全額必要経費とする。ただし、幼稚園団体の発行する証明書若しくは旅行スケジュール等、その渡航が教育研修であることを証明する資料を提出し、必要経費とすることの可否についての税務署の判断に資する。

(五)　幼児教育における父母の理解と協力の必要性に鑑み、父母の研修会、講習会、視察旅行等への参加に要した費用及び父母の保育参加等幼稚園の企画する父母研修事業に要した費用で設置者の支出したものについては、これを全額必要経費とする。

(六)　12月31日現在において入園料、保育料、教材費等につき未収入金が生じている場合、その未収入金については、所得税法第52条の規定により、貸倒引当金勘定への繰入れを認める。

(七)　幼稚園においては、その教育に供する建物のうち特に床の減耗が他の部分に比して早く、その取替えのための費用も、前年度末における取得価額の10%を超えることが多いが、幼児に与える危険性の排除、教育環境の確保等のため、その費用を修繕費として全額、当該年分の必要経費とする。

その他の教育用資産（土地を含む。）の補修についても、幼稚園教育の実情に鑑み、これに準ずる。

（八）　保育料、教材費、暖房費、バス維持費、給食費等のうち徴収の目的からみて、翌年１月１日以降の期間に対応する経費相当額であることが明らかなもので、その徴収年に支出されなかった部分については「前受金」として処理し、当該保育料等を徴収した翌年以降の収入金額とすることができる。

第四節　所得計算の特例

一　国外転出をする場合の譲渡所得等の特例

1　国外転出をする場合の譲渡所得等の特例

①　国外転出をする場合の譲渡所得等の特例

国外転出（国内に住所及び居所を有しないこととなることをいう。以下**1**において同じ。）をする居住者が、その国外転出の時において有価証券又は所得税法第174条第９号《内国法人に係る所得税の課税標準》に規定する匿名組合契約の出資の持分（株式を無償又は有利な価額により取得することができる権利を表示する有価証券で第二章第二節**4**①《国内源泉所得》に規定する国内源泉所得を生ずべきものその他の(1)で定める有価証券を除く。以下**1**から**3**《外国転出時課税の規定の適用を受けた場合の譲渡所得等の特例》までにおいて「**有価証券等**」という。）を有する場合には、その者の事業所得の金額、譲渡所得の金額又は雑所得の金額の計算については、その国外転出の時に、次の(一)及び(二)に掲げる場合の区分に応じ当該(一)又は(二)に定める金額により、当該有価証券等の譲渡があったものとみなす。（法60の２①）

(一)	当該国外転出をする日の属する年分の確定申告書の提出の時までに第十五章**四**《納税管理人》**2**の規定による納税管理人の届出をした場合、同**2**の規定による納税管理人の届出をしないで当該国外転出をした日以後に当該年分の確定申告書を提出する場合又は当該年分の所得税につき決定がされる場合　　当該国外転出の時における当該有価証券等の価額に相当する金額
(二)	(一)に掲げる場合以外の場合　　当該国外転出の予定日から起算して３月前の日（同日後に取得をした有価証券等にあっては、当該取得時）における当該有価証券等の価額に相当する金額

((1)で定める有価証券)

(1)　①《国外転出をする場合の譲渡所得等の特例》に規定する(1)で定める有価証券は、次の(一)及び(二)に掲げる有価証券で第二章第二節**4**①(十二)に掲げる所得を生ずべきものとする。（令170①）

(一)	第一節**一2**①《譲渡制限付株式の価額等》に規定する特定譲渡制限付株式又は承継譲渡制限付株式で、同①に規定する譲渡についての制限が解除されていないもの
(二)	第一節**一2**③(一)から同(三)までに掲げる権利で当該権利の行使をしたならば同②の規定の適用のあるものを表示する有価証券

（国外転出時に譲渡又は決済があったものとみなされた対象資産の収入すべき時期）

(2)　対象資産（①に規定する有価証券等（以下「有価証券等」という。）、②に規定する未決済信用取引等（(5)において「未決済信用取引等」という。）及び③に規定する未決済デリバティブ取引（(5)において「未決済デリバティブ取引」という。）をいう。以下同じ。）について、これらの規定により、①に規定する国外転出（以下「国外転出」という。）の時に、譲渡があったものとみなされた場合又は決済したものとみなして算出された利益の額若しくは損失の額が生じたものとみなされた場合における事業所得、譲渡所得又は雑所得（以下「譲渡所得等」という。）に係る総収入金額（**1**の規定の適用を受ける部分の金額に限る。）の収入すべき時期は、その居住者が当該国外転出をした日となることに留意する。（基通60の２－１）

（国外転出直前に譲渡した有価証券等の取扱い）

(3)　国外転出をする居住者が譲渡した有価証券等で当該国外転出の日までに引渡しの行われていないものについては、原則として、①の規定の適用があることに留意する。ただし、納税者の選択により、当該有価証券等の譲渡に関する契約の効力発生の日により実際に譲渡したことによる譲渡所得等として申告があったときは、これを認める。（基通60の２－２）

（注）　国外転出をする居住者が取得した有価証券等で当該国外転出の日までに引渡しを受けていないものについては、原則として、①の規定の適用はないが、納税者の選択により、当該有価証券等の取得に関する契約の効力発生の日を取得をした日として当該有価証券等につい

て①の規定を適用して申告があったときは、これを認める。

（有価証券等の範囲）

（4）　**1**の規定の適用がある有価証券等とは、国外転出の時において、当該国外転出をする居住者が有している有価証券等をいうのであるが、例えば、次に掲げる有価証券など、その譲渡による所得が当該居住者の譲渡所得等として課税されるものについては、当該有価証券等に含まれることに留意する。（基通60の２－３）

（一）　受益者等課税信託（第二章第四節**2**《信託財産に属する資産及び負債並びに信託財産に帰せられる収益及び費用の帰属》に規定する受益者（同**2**（1）の規定により同**2**に規定する受益者とみなされる者を含む。）がその信託財産に属する資産及び負債を有するものとみなされる信託をいう。（5）において同じ。）の信託財産に属する有価証券

（二）　第三節**10**に定める任意組合等の組合財産である有価証券

（三）　質権や譲渡担保の対象となっている有価証券

（デリバティブ取引等の範囲）

（5）　**1**の規定の適用がある未決済信用取引等及び未決済デリバティブ取引（以下（5）において「未決済デリバティブ取引等」という。）とは、国外転出の時において、当該国外転出をする居住者が契約を締結している未決済デリバティブ取引等をいうのであるが、例えば、次に掲げる未決済デリバティブ取引等など、その取引に係る決済による所得が当該居住者の事業所得又は雑所得として課税されるものについては、当該未決済デリバティブ取引等に含まれることに留意する。（基通60の２－４）

（一）　受益者等課税信託に係る信託契約に基づき受託者が行う未決済デリバティブ取引等

（二）　第三節**10**に定める任意組合等の組合事業として行われる未決済デリバティブ取引等

（非課税有価証券の取扱い）

（6）　①及び⑤の規定の適用に当たっては、第五章第三節**十六**《非課税口座内の少額上場株式等に係る譲渡所得等の非課税》に規定する非課税口座内上場株式等、同節**十七 1**《非課税口座内の少額上場株式等に係る譲渡所得等の非課税》に規定する未成年者口座内上場株式等及び第二章第三節**五**《貸付信託の受益権等の譲渡等による所得の課税の特例》の規定により譲渡による所得が非課税とされる有価証券についても、国外転出の時に有している有価証券に含まれることに留意する。（基通60の２－５）

（令第84条第３項各号に掲げる権利で当該権利の行使をしたならば同項の規定の適用のあるもの）

（7）　①に規定する有価証券等の範囲から除かれる（1）（二）に規定する「第一節**一 2**③（一）から同（三）までに掲げる権利で当該権利の行使をしたならば同②の規定の適用のあるもの」には、当該権利のうち、第四章第五節**四 1**①《特定の取締役等が受ける新株予約権の行使による株式の取得に係る経済的利益の非課税等》の規定の適用を受けるものも含まれることに留意する。（基通60の２－６）

（国外転出の時における有価証券等の価額）

（8）　①（一）の国外転出の時における当該有価証券等の価額又は①（二）の国外転出の予定日から起算して３月前の日における当該有価証券等の価額（（9）において「国外転出時の価額」という。）については、原則として、第一節**一 2**③（4）及び第五章第二節**二十四 1**（6）（公社債及び公社債投資信託にあっては、昭和39年４月25日付直資56ほか１課共同「財産評価基本通達」の第８章第２節《公社債》）の取扱いに準じて算定した価額による。（基通60の２－７）

（注）1　①（二）の国外転出の予定日から起算して３月前の日後に取得をした有価証券等の当該取得時の価額については、原則として、当該有価証券等の取得価額によることに留意する。

2　⑦に規定する限定相続等による移転があった場合における当該限定相続等の時における当該有価証券等の価額についても、上記と同様に算定した価額による。

（外貨建ての対象資産の円換算）

（9）　①、②及び③の規定により対象資産の譲渡又は決済をしたものとみなされた場合における譲渡所得等の金額の計算に当たり、外貨建てによる対象資産の国外転出時の価額又は利益の額若しくは損失の額（以下「国外転出時の価額等」という。）を算定する場合における円換算については、第二節**十一 1**（3）に準じて計算するものとする。（基通60の２－８）

（修正申告等をする場合における対象資産の国外転出時の価額等）

(10)　国外転出の日の属する年分の所得税につき、①、②及び③の規定の適用を受けるべき個人が、対象資産の一部についてこれらの規定の適用を受けずに確定申告書を提出している場合において、当該個人が当該対象資産について修正申告をするときは、当該対象資産に係る国外転出時の価額等については、当該確定申告書の提出の際に適用した①、②及び③の(一)及び(二)に掲げる場合の区分に応じ当該(一)又は(二)に定める金額による。ただし、対象資産の全てについて①、②及び③の規定の適用を受けずに確定申告書を提出している場合において、当該個人が当該対象資産について修正申告をするときは、当該対象資産に係る国外転出時の価額等については、①(一)、②(一)又は③(一)に定める金額による。（基通60の２－９）

（注）　税務署長が更正を行う場合の国外転出時の価額等についても同様の取扱いとなることに留意する。

②　国外転出の時において決済していない信用取引等に係る契約を締結している場合の事業所得等の金額の計算

国外転出をする居住者が、その国外転出の時において決済していない金融商品取引法第156条の24第１項《免許及び免許の申請》に規定する信用取引又は発行日取引（有価証券が発行される前にその有価証券の売買を行う取引であって(注)で定める取引をいう。）（以下**1**から**3**までにおいて「**未決済信用取引等**」という。）に係る契約を締結している場合には、その者の事業所得の金額又は雑所得の金額の計算については、その国外転出の時に、次の(一)及び(二)に掲げる場合の区分に応じ当該(一)又は(二)に定める金額の利益の額又は損失の額が生じたものとみなす。（法60の２②）

(一)	①(一)に掲げる場合　　当該国外転出の時に当該未決済信用取引等を決済したものとみなして(1)で定めるところにより算出した利益の額又は損失の額に相当する金額
(二)	①(二)に掲げる場合　　当該国外転出の予定日から起算して３月前の日（同日後に契約の締結をした未決済信用取引等にあっては、当該締結の時）に当該未決済信用取引等を決済したものとみなして(2)で定めるところにより算出した利益の額又は損失の額に相当する金額

（注）　②に規定する(注)で定める取引は、第二節**四**《有価証券の譲渡原価の計算及びその評価》の**4**の注《発行日取引の範囲》に規定する発行日取引とする。（規37の２①）

（②(一)に規定する(1)で定めるところにより算出した利益の額又は損失の額に相当する金額）

(1)　②(一)に規定する(1)で定めるところにより算出した利益の額又は損失の額に相当する金額は、次の(一)及び(二)に掲げる場合の区分に応じ当該(一)又は(二)に定める金額とする。（規37の２②）

(一)	②に規定する信用取引（(二)において「**信用取引**」という。）又は②に規定する発行日取引（(二)において「**発行日取引**」という。）の方法により有価証券の売付けをしている場合　その売付けをした有価証券（①に規定する国外転出（以下「**国外転出**」という。）の時において決済されていないものに限る。）のその売付けに係る対価の額から当該国外転出の時において有している当該有価証券の次に掲げる有価証券の区分に応じそれぞれ次に定める金額に相当する金額（(二)において「**時価評価額**」という。）に当該有価証券の数を乗じて計算した金額を控除した金額 イ　取引所売買有価証券（その売買が主として金融商品取引法第２条第16項《定義》に規定する金融商品取引所（これに類するもので外国の法令に基づき設立されたものを含む。イにおいて「金融商品取引所」という。）の開設する市場において行われている有価証券をいう。イにおいて同じ。）　金融商品取引所において公表された当該国外転出の日におけるその取引所売買有価証券の最終の売買の価格（公表された同日における最終の売買の価格がない場合には、公表された同日における最終の気配相場の価格とし、その最終の売買の価格及びその最終の気配相場の価格のいずれもない場合には、同日前の最終の売買の価格又は最終の気配相場の価格が公表された日で当該国外転出の日に最も近い日におけるその最終の売買の価格又はその最終の気配相場の価格とする。） ロ　店頭売買有価証券（金融商品取引法第２条第８項第10号ハに規定する店頭売買有価証券をいう。ロにおいて同じ。）及び取扱有価証券（同法第67条の18第４号《認可協会への報告》に規定する取扱有価証券をいう。ロにおいて同じ。）　同法第67条の19《売買高、価格等の通知等》の規定により公表された当該国外転出の日におけるその店頭売買有価証券又は取扱有価証券の最終の売買の価格（公表された同日における最終の売買の価格がない場合には、公表された同日における最終の気配相場の価格とし、その最終の売買の価格及びその最終の気配相場の価格のいずれもない場合には、同日前の最終の売買の価格又は最終の気配相場の価格が公表された日で当該国外転出の日に最も近い日におけるその最終の売買の価格又はその最終の気配相場の価格とする。）

	ハ　その他価格公表有価証券（イ及びロに掲げる有価証券以外の有価証券のうち、価格公表者（有価証券の売買の価格又は気配相場の価格を継続的に公表し、かつ、その公表する価格がその有価証券の売買の価格の決定に重要な影響を与えている場合におけるその公表をする者をいう。ハにおいて同じ。）によって公表された売買の価格又は気配相場の価格があるものをいう。ハにおいて同じ。）　価格公表者によって公表された当該国外転出の日における当該その他価格公表有価証券の最終の売買の価格（公表された同日における最終の売買の価格がない場合には、公表された同日における最終の気配相場の価格とし、その最終の売買の価格及びその最終の気配相場の価格のいずれもない場合には、同日前の最終の売買の価格又は最終の気配相場の価格が公表された日で当該国外転出の日に最も近い日におけるその最終の売買の価格又はその最終の気配相場の価格とする。）
(二)	信用取引又は発行日取引の方法により有価証券の買付けをしている場合　その買付けをした有価証券（当該国外転出の時において決済されていないものに限る。）の時価評価額に当該有価証券の数を乗じて計算した金額から当該有価証券のその買付けに係る対価の額を控除した金額

(②(二)に規定する(2)で定めるところにより算出した利益の額又は損失の額に相当する金額)((1)の規定の準用)

(2)　(1)の規定は、②(二)に規定する(2)で定めるところにより算出した利益の額又は損失の額に相当する金額について準用する。この場合において、(1)中「当該国外転出の日」とあるのは、「その②(二)に規定する国外転出の予定日から起算して3月前の日」と読み替えるものとする。(規37の2③)

③　国外転出の時において決済していないデリバティブ取引に係る契約を締結している場合の事業所得等の金額の計算

国外転出をする居住者が、その国外転出の時において決済していない金融商品取引法第2条第20項《定義》に規定するデリバティブ取引（以下**1**から**3**までにおいて「**未決済デリバティブ取引**」という。）に係る契約を締結している場合には、その者の事業所得の金額又は雑所得の金額の計算については、その国外転出の時に、次の(一)及び(二)に掲げる場合の区分に応じ当該(一)又は(二)に定める金額の利益の額又は損失の額が生じたものとみなす。(法60の2③)

(一)	①(一)に掲げる場合　当該国外転出の時に当該未決済デリバティブ取引を決済したものとみなして(1)で定めるところにより算出した利益の額又は損失の額に相当する金額
(二)	①(二)に掲げる場合　当該国外転出の予定日から起算して3月前の日（同日後に契約の締結をした未決済デリバティブ取引にあっては、当該締結の時）に当該未決済デリバティブ取引を決済したものとみなして(2)で定めるところにより算出した利益の額又は損失の額に相当する金額

(③(一)に規定する(1)で定めるところにより算出した利益の額又は損失の額に相当する金額)

(1)　③(一)に規定する(1)で定めるところにより算出した利益の額又は損失の額に相当する金額は、次の(一)から(四)に掲げる取引の区分に応じ当該(一)から(四)に定める金額とする。(規37の2④)

(一)	金融商品取引法第2条第21項に規定する市場デリバティブ取引又は同条第23項に規定する外国市場デリバティブ取引（以下(一)において「市場デリバティブ取引等」という。）　市場デリバティブ取引等につき、同条第16項に規定する金融商品取引所若しくは同条第8項第3号ロに規定する外国金融商品市場における当該国外転出の日の最終の価格により取引を決済したものとした場合に授受される差金に基づく金額又はこれに準ずるものとして合理的な方法により算出した金額
(二)	金融商品取引法第2条第22項に規定する店頭デリバティブ取引（同項第3号、第4号及び第6号に掲げる取引を除く。以下(二)において「先渡取引等」という。）　先渡取引等につき、当該先渡取引等により当事者間で授受することを約した金額（その金額が当該国外転出の時において確定していない場合には、金利、通貨の価格、金融商品市場（同条第14項に規定する金融商品市場をいう。）における相場その他の指標（(三)において「指標」という。）の予想される数値に基づき算出される金額）を当該国外転出の時の現在価値に割り引く合理的な方法により割り引いた金額
(三)	金融商品取引法第2条第22項に規定する店頭デリバティブ取引（同項第3号及び第4号に掲げる取引に限る。以下(三)において「金融商品オプション取引」という。）　金融商品オプション取引につき、当該金融商品オプション取引に係る権利の行使により当事者間で授受することを約した金額（その金額が当該国外転出の時にお

	いて確定していない場合には、当該金融商品オプション取引に係る指標の予想される数値に基づき算出される金額)、当該国外転出の時の当該権利の行使に係る指標の数値及び当該指標の予想される変動率を用いた合理的な方法により算出した金額
(四)	金融商品取引法第２条第20項に規定するデリバティブ取引のうち(一)から(三)に掲げる取引以外の取引　(一)から(三)に定める金額に準ずる金額として合理的な方法により算出した金額

(③(二)に規定する(２)で定めるところにより算出した利益の額又は損失の額に相当する金額)((１)の規定の準用)

(２)　(１)の規定は、③(二)に規定する(２)で定めるところにより算出した利益の額又は損失の額に相当する金額について準用する。この場合において、(１)(一)中「当該国外転出の日」とあるのは「その③(二)に規定する国外転出の予定日から起算して３月前の日（以下「**国外転出前基準日**」という。)」と、(１)(二)及び同(三)中「国外転出の時」とあるのは「国外転出前基準日」と読み替えるものとする。(規37の２⑤)

④　国外転出をする場合の譲渡所得等の特例の適用を受けた個人が、有価証券等の譲渡等をした場合における事業所得等の金額の計算

国外転出の日の属する年分の所得税につき①、②及び③（⑦（⑨において準用する場合を含む。(一)において同じ。）又は⑩の規定により適用する場合を含む。）の規定の適用を受けた個人（その相続人を含む。）が、当該国外転出の時に有していた有価証券等又は契約を締結していた未決済信用取引等若しくは未決済デリバティブ取引の譲渡（これに類するものとして(１)で定めるものを含む。⑦において同じ。）又は決済をした場合における事業所得の金額、譲渡所得の金額又は雑所得の金額の計算については、次の(一)及び(二)に定めるところによる。ただし、同日の属する年分の所得税につき確定申告書の提出及び決定がされていない場合における当該有価証券等、未決済信用取引等及び未決済デリバティブ取引、同日の属する年分の事業所得の金額、譲渡所得の金額又は雑所得の金額の計算上①(一)及び同(二)、②(一)及び同(二)又は③(一)及び同(二)に掲げる場合の区分に応じ①(一)及び同(二)、②(一)及び同(二)又は③(一)及び同(二)に定める金額が総収入金額に算入されていない有価証券等、未決済信用取引等及び未決済デリバティブ取引並びに⑥本文（⑥(１)の規定により適用する場合を含む。）の規定の適用があった有価証券等、未決済信用取引等及び未決済デリバティブ取引については、この限りでない。(法60の２④)

(一)	その有価証券等については、①(一)又は同(二)に定める金額（⑦の規定により①の規定の適用を受けた場合には、当該有価証券等の⑦に規定する譲渡に係る譲渡価額又は限定相続等の時における当該有価証券等の価額に相当する金額）をもって取得したものとみなす。
(二)	その未決済信用取引等又は未決済デリバティブ取引の決済があった場合には、当該決済によって生じた利益の額若しくは損失の額（以下(二)において「決済損益額」という。）から当該未決済信用取引等若しくは未決済デリバティブ取引に係る②(一)又は同(二)若しくは③(一)又は同(二)に定める利益の額に相当する金額を減算し、又は当該決済損益額に当該未決済信用取引等若しくは未決済デリバティブ取引に係る②(一)又は同(二)若しくは③(一)又は同(二)に定める損失の額に相当する金額を加算するものとする。

(譲渡に類するものとして(１)で定めるもの)

(１)　④に規定する譲渡に類するものとして(１)で定めるものは、第五章第三節**二１**②若しくは同③《一般株式等に係る譲渡所得等の課税の特例》又は同節**三１**②若しくは同③《上場株式等に係る譲渡所得の課税の特例》の規定によりその額及び価額の合計額が同節**二１**①に規定する一般株式等に係る譲渡所得等又は同節**三１**①に規定する上場株式等に係る譲渡所得等に係る収入金額とみなされる金銭及び金銭以外の資産の交付の基因となった同節**二１**②若しくは同③(一)から同(四)まで又は同節**三１**③(一)から同(三)までに規定する事由に基づく同節**一**に規定する株式等についての当該金銭の額及び当該金銭以外の資産の価額に対応する権利の移転又は消滅とする。(令170②)

(総収入金額に算入されていない対象資産)

(２)　④ただし書に規定する「同日の属する年分の事業所得の金額、譲渡所得の金額又は雑所得の金額の計算上①(一)及び同(二)、②(一)及び同(二)又は③(一)及び同(二)に掲げる場合の区分に応じ①(一)及び同(二)、②(一)及び同(二)又は③(一)及び同(二)に定める金額が総収入金額に算入されていない有価証券等、未決済信用取引等及び未決済デリバティブ取引」とは、国外転出の日の属する年分の所得税につき確定申告書の提出はしているものの、①から③までの規定の適用を受ける対象資産に係る国外転出時の価額等の全部又は一部が、譲渡所得等に係る総収入金額に算入されていないものをいうことに留意する。（基通60の２－10）

⑤　国外転出をする場合の譲渡所得等の特例を適用しない者

①、②、③及び④の規定は、国外転出をする時に有している有価証券等並びに契約を締結している未決済信用取引等及び未決済デリバティブ取引の当該国外転出をする時における次の(一)及び(二)に掲げる場合の区分に応じ当該(一)又は(二)に定める金額が１億円未満である居住者又は当該国外転出をする日前10年以内に国内に住所若しくは居所を有していた期間として(１)で定める期間の合計が５年以下である居住者については、適用しない。（法60の２⑤）

(一)	①(一)に掲げる場合	①(一)に定める金額、②(一)に定める金額及び③(一)に定める金額の合計額
(二)	①(二)に掲げる場合	①(二)に定める金額、②(二)に定める金額及び③(二)に定める金額の合計額

（国内に住所又は居所を有していた期間として(１)で定める期間）

(１)　⑤に規定する国内に住所又は居所を有していた期間として(１)で定める期間は、次の(一)から(三)までに掲げる期間とする。（令170③）

(一)	国内に住所又は居所を有していた期間（出入国管理及び難民認定法別表第１《在留資格》の上欄の在留資格をもって在留していた期間を除く。）
(二)	①に規定する国外転出（以下「**国外転出**」という。）をした日の属する年分の所得税につき第十章第五節**二１**①《国外転出をする場合の譲渡所得等の特例の適用がある場合の納税猶予》（同②の規定により適用する場合を含む。以下(二)において同じ。）の規定による納税の猶予を受けた個人（その相続人を含む。）に係る同日（同⑬の規定により同⑬に規定する納税猶予分の所得税額に係る納付の義務を承継した場合には、当該承継した日）から当該納税の猶予に係る期限（同①、同⑤、同⑧又は同⑨の規定その他(２)で定める規定による期限のうち最も遅いものに限る。）までの期間（(一)に掲げる期間を除く。）
(三)	贈与、相続又は遺贈により第十章第五節**二２**①《贈与等により非居住者に資産が移転した場合の譲渡所得等の特例の適用がある場合の納税猶予》に規定する対象資産の移転を受けた日の属する年分の所得税につき同①又は同②（これらの規定を同③の規定により適用する場合を含む。以下(三)において同じ。）の規定による納税の猶予を受けた個人（その相続人を含む。）に係る当該贈与の日又は相続の開始の日（同⑮の規定により同⑮に規定する納税猶予分の所得税額に係る納付の義務を承継した場合には、当該承継した日）から当該納税の猶予に係る期限（同①、同②、同⑥、同⑨又は同⑪の規定その他(３)で定める規定による期限のうち最も遅いものに限る。）までの期間（(一)及び(二)に掲げる期間を除く。）

（(２)で定める規定）

(２)　(１)(二)に規定する(２)で定める規定は、次の(一)及び(二)に掲げる規定とする。（規37の２⑥）

(一)	第十章第五節**二１**⑬(２)《国外転出をする場合の譲渡所得等の特例の適用がある場合の納税猶予》において準用する同**２**⑨《贈与等により非居住者に資産が移転した場合の譲渡所得等の特例の適用がある場合の納税猶予》の規定
(二)	第十章第五節**二１**⑬(３)において準用する同**２**⑩において準用する同⑨の規定

（(３)で定める規定）

(３)　(１)(三)に規定する(３)で定める規定は、次の(一)から(三)までに掲げる規定とする。（規37の２⑦）

(一)	第十章第五節**二２**⑩(１)《贈与等により非居住者に資産が移転した場合の譲渡所得等の特例の適用がある場合の納税猶予》において準用する同⑩において準用する同⑨の規定
(二)	第十章第五節**二２**⑮(２)において準用する同⑨の規定
(三)	第十章第五節**二２**⑮(３)において準用する同⑩において準用する同⑨の規定

⑥　国外転出後５年を経過する日までに帰国等をした場合の取扱い

国外転出の日の属する年分の所得税につき①、②及び③の規定の適用を受けるべき個人が、当該国外転出の時に有していた有価証券等又は契約を締結していた未決済信用取引等若しくは未決済デリバティブ取引のうち次の(一)から(三)までに掲げる場合の区分に応じ当該(一)から(三)までに定めるものについては、①、②及び③の居住者の当該年分の事業所得の金額、譲渡所得の金額又は雑所得の金額の計算上これらの規定により行われたものとみなされた有価証券等の譲渡、未決済信用取引等の決済及び未決済デリバティブ取引の決済の全てがなかったものとすることができる。ただし、当該有価証券等の譲渡による事業所得の金額、譲渡所得の金額若しくは雑所得の金額、当該未決済信用取引等の決済による事業所得の金額若しくは雑所得の金額又は当該未決済デリバティブ取引の決済による事業所得の金額若しくは雑所得の金額（以下⑥において「**有価証券等に係る譲渡所得等の金額**」という。）につきその計算の基礎となるべき事実の全部又は一部を隠蔽し、又は仮装し、かつ、その隠蔽し、又は仮装したところに基づき確定申告書を提出し、又は確定申告書を提出していなかったことにより、当該個人の当該国外転出の日から５年を経過する日までに決定若しくは更正がされ、又は期限後申告書若しくは修正申告書を提出した場合（同日までに期限後申告書又は修正申告書の提出があった場合において、その提出が、所得税についての調査があったことにより当該所得税について決定又は更正があることを予知してなされたものでないときを除く。）における当該隠蔽し、又は仮装した事実に基づく有価証券等に係る譲渡所得等の金額に相当する金額については、この限りでない。（法60の２⑥）

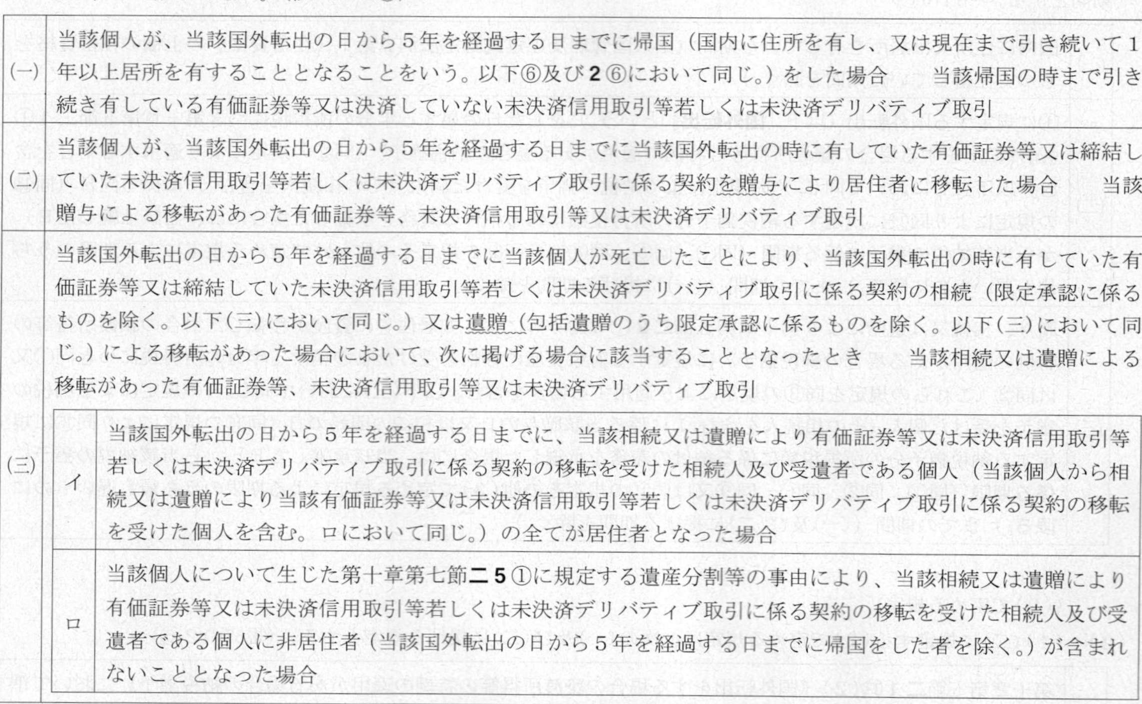

(一)		当該個人が、当該国外転出の日から５年を経過する日までに帰国（国内に住所を有し、又は現在まで引き続いて１年以上居所を有することとなることをいう。以下⑥及び**２**⑥において同じ。）をした場合　当該帰国の時まで引き続き有している有価証券等又は決済していない未決済信用取引等若しくは未決済デリバティブ取引
(二)		当該個人が、当該国外転出の日から５年を経過する日までに当該国外転出の時に有していた有価証券等又は締結していた未決済信用取引等若しくは未決済デリバティブ取引に係る契約を贈与により居住者に移転した場合　当該贈与による移転があった有価証券等、未決済信用取引等又は未決済デリバティブ取引
(三)		当該国外転出の日から５年を経過する日までに当該個人が死亡したことにより、当該国外転出の時に有していた有価証券等又は締結していた未決済信用取引等若しくは未決済デリバティブ取引に係る契約の相続（限定承認に係るものを除く。以下(三)において同じ。）又は遺贈（包括遺贈のうち限定承認に係るものを除く。以下(三)において同じ。）による移転があった場合において、次に掲げる場合に該当することとなったとき　当該相続又は遺贈による移転があった有価証券等、未決済信用取引等又は未決済デリバティブ取引
	イ	当該国外転出の日から５年を経過する日までに、当該相続又は遺贈により有価証券等又は未決済信用取引等若しくは未決済デリバティブ取引に係る契約の移転を受けた相続人及び受遺者である個人（当該個人から相続又は遺贈により当該有価証券等又は未決済信用取引等若しくは未決済デリバティブ取引に係る契約の移転を受けた個人を含む。ロにおいて同じ。）の全てが居住者となった場合
	ロ	当該個人について生じた第十章第七節**二５**①に規定する遺産分割等の事由により、当該相続又は遺贈により有価証券等又は未決済信用取引等若しくは未決済デリバティブ取引に係る契約の移転を受けた相続人及び受遺者である個人に非居住者（当該国外転出の日から５年を経過する日までに帰国をした者を除く。）が含まれないこととなった場合

（注）　上記＿＿下線部については、公益信託に関する法律（令和６年法律第30号）の施行の日以後、⑥(二)中「を贈与」の次に「(公益信託の受託者に対するものを除く。以下(二)において同じ。)」が加えられ、同(三)中「遺贈（」の次に「公益信託の受託者に対するもの及び」が加えられる。（令６改所法等附１九イ）

（国外転出をする場合の譲渡所得等の特例の適用がある場合の納税猶予の適用を受けている場合の⑥の規定の適用）

（1）　国外転出の日の属する年分の所得税につき①、②及び③の規定の適用を受けた個人で第十章第五節**二１**②《国外転出をする場合の譲渡所得等の特例の適用がある場合の納税猶予》の規定により同①の規定による納税の猶予を受けているものに係る⑤の規定の適用については、⑥中「５年」とあるのは、「10年」とする。（法60の２⑦）

⑦　納税猶予に係る期限までに有価証券等の譲渡等があった場合の取扱い

国外転出の日の属する年分の所得税につき①、②及び③の規定の適用を受けた個人で第十章第五節**二１**②（同②の規定により適用する場合を含む。⑩において同じ。）の規定による納税の猶予を受けているもの（その相続人を含む。）が、その納税の猶予に係る第十章第五節**二１**①に規定する満了期準日までに、当該国外転出の時から引き続き有している有価証券等又は決済していない未決済信用取引等若しくは未決済デリバティブ取引に係る契約の譲渡（その譲渡の時における価額より低い価額によりされる譲渡その他の(1)で定めるものを除く。以下⑦及び⑨において同じ。）若しくは決済又は限定相続等（贈与、相続（限定承認に係るものに限る。）又は遺贈（包括遺贈のうち限定承認に係るものに限る。）をいう。以下⑦及び⑨において同じ。）による移転をした場合において、当該譲渡に係る譲渡価額若しくは当該限定相続等の時における当該有価証券等の価額に相当する金額又は当該決済によって生じた利益の額若しくは損失の額若しくは当該限定相続等の時に当該未決済信用取引等を決済したものとみなして(3)で定めるところにより算出した利益の額若しくは損失の額に相当する金額（**2**⑦において「**限定相続等時みなし信用取引等損益額**」という。）若しくは当該限定相続等の時に当該未決済デリバティブ取引を決済したものとみなして(4)で定めるところにより算出した利益の額若しくは損失の額に相当する金額（**2**⑦において「**限定相続等時みなしデリバティブ取引損益額**」という。）が次の(一)から(七)までに掲げる場合に該当するときにおける当該個人の当該国外転出の日の属する年分の所得税に係る①、②及び③の規定の適用については、①中「次の(一)及び(二)に掲げる場合の区分に応じ当該(一)又は(二)に定める金額」とあるのは「当該有価証券等の⑦に規定する譲渡に係る譲渡価額又は限定相続等の時における当該有価証券等の価額に相当する金額」と、②中「次の(一)及び(二)に掲げる場合の区分に応じ当該(一)又は(二)に定める金額の利益の額又は損失の額」とあるのは「⑦に規定する決済によって生じた利益の額若しくは損失の額又は限定相続等時みなし信用取引等損益額」と、③中「次の(一)及び(二)に掲げる場合の区分に応じ当該(一)又は(二)に定める金額の利益の額又は損失の額」とあるのは「⑦に規定する決済によって生じた利益の額若しくは損失の額又は限定相続等時みなしデリバティブ取引損益額」とすることができる。（法60の２⑧）

(一)	当該有価証券等の譲渡に係る譲渡価額又は限定相続等の時における当該有価証券等の価額に相当する金額が当該国外転出の時における①(一)及び同(二)に掲げる場合の区分に応じ当該(一)又は(二)に定める価額に相当する金額（当該国外転出の時後に当該有価証券等を発行した法人の合併、分割その他の(2)で定める事由が生じた場合には、当該金額を基礎として(2)で定めるところにより計算した金額。⑩(一)において同じ。）を下回るとき。
(二)	当該未決済信用取引等の決済によって生じた利益の額に相当する金額又は限定相続等時みなし信用取引等利益額（当該限定相続等の時に当該未決済信用取引等を決済したものとみなして(3)で定めるところにより算出した利益の額に相当する金額をいう。**2**⑦(二)において同じ。）が、国外転出時みなし信用取引等利益額（当該国外転出の時における②(一)及び同(二)に掲げる場合の区分に応じ当該(一)又は(二)に定める利益の額に相当する金額をいう。④並びに⑩(二)及び同(四)において同じ。）を下回るとき。
(三)	信用取引等損失額（当該未決済信用取引等の決済によって生じた損失の額に相当する金額又は限定相続等時みなし信用取引等損失額（当該限定相続等の時に当該未決済信用取引等を決済したものとみなして(3)で定めるところにより算出した損失の額に相当する金額をいう。**2**⑦(三)において同じ。）をいう。(四)において同じ。）が、国外転出時みなし信用取引等損失額（当該国外転出の時における②(一)及び同(二)に掲げる場合の区分に応じ当該各号に定める損失の額に相当する金額をいう。⑩(三)において同じ。）を上回るとき。
(四)	信用取引等損失額が生じた未決済信用取引等につき、国外転出時みなし信用取引等利益額が生じていたとき。
(五)	当該未決済デリバティブ取引の決済によって生じた利益の額に相当する金額又は限定相続等時みなしデリバティブ取引利益額（当該限定相続等の時に当該未決済デリバティブ取引を決済したものとみなして(4)で定めるところにより算出した利益の額に相当する金額をいう。**2**⑦(五)において同じ。）が、国外転出時みなしデリバティブ取引利益額（当該国外転出の時における③(一)及び同(二)に掲げる場合の区分に応じ当該(一)及び(二)に定める利益の額に相当する金額をいう。(七)並びに⑩(五)及び同(七)において同じ。）を下回るとき。
(六)	デリバティブ取引損失額（当該未決済デリバティブ取引の決済によって生じた損失の額に相当する金額又は限定相続等時みなしデリバティブ取引損失額（当該限定相続等の時に当該未決済デリバティブ取引を決済したものとみなして(4)で定めるところにより算出した損失の額に相当する金額をいう。**2**⑦(六)において同じ。）をいう。(七)において同じ。）が、国外転出時みなしデリバティブ取引損失額（当該国外転出の時における③(一)及び同(二)に掲げる場合の区分に応じ当該(一)又は(二)に定める損失の額に相当する金額をいう。⑩(六)において同じ。）を上回るとき。
(七)	デリバティブ取引損失額が生じた未決済デリバティブ取引につき、国外転出時みなしデリバティブ取引利益額が生じていたとき。

((1)で定める譲渡)

(1)　⑦に規定する(1)で定める譲渡は、次の(一)及び(二)に掲げる譲渡とする。（令170④）

(一)	①に規定する有価証券等（以下**1**及び**2**において「**有価証券等**」という。）の譲渡でその譲渡の時における価額より低い価額によりされるもの
(二)	有価証券等の譲渡をすることにより⑦に規定する個人（その相続人を含む。）の国外転出の日の属する年分の所得税の負担を不当に減少させる結果となると認められる場合における当該譲渡

((2)で定める事由、(2)で定めるところにより計算した金額)

(2)　⑦(一)に規定する(2)で定める事由は次の(一)から(十六)までに掲げる事由とし、⑦(一)に規定する(2)で定めるところにより計算した金額は、⑦に規定する個人が国外転出の時に有していた有価証券等（当該国外転出の時後に(一)から(十六)に掲げる事由により取得した有価証券等がある場合には、当該有価証券等）について生じた当該(一)から(十六)までに掲げる事由により取得した有価証券等又は当該事由が生じた時前から引き続き有していた有価証券等に係る当該事由の次の(一)から(十六)までに掲げる区分に応じ当該(一)から(十六)までに定める金額に、⑦(一)の譲渡又は限定相続等があった有価証券等の数を乗じて計算した金額とする。この場合において、有価証券等につき当該事由が生じた時後は、当該(一)から(十六)までに定める金額を当該有価証券等に係る当該(一)から(十六)までに規定する国外転出時評価額とみなす。(令170⑤)

(一)	株式（出資を含む。以下(一)において同じ。）を発行した法人の⑩(一)に掲げる株式交換又は株式移転　次に掲げる場合の区分に応じそれぞれ次に定める金額 イ　当該株式交換により第五章第三節**二十**《株式交換等による取得株式等の取得価額の計算等》(6)に規定する株式交換完全親法人の株式若しくは親法人の株式（以下(一)において「親法人株式等」という。）を取得した場合又は当該株式移転により同(8)に規定する株式移転完全親法人の株式を取得した場合　当該株式交換又は株式移転があった法人が発行した株式の国外転出時評価額（有価証券等をその種類及び銘柄の異なるごとに区分し、当該個人の国外転出の時における**1**①(一)及び同(二)に掲げる場合の区分に応じ当該(一)及び(二)に定める金額を当該国外転出の時において有するその有価証券等の単位数で除して計算した金額をいう。以下(2)において同じ。）を、当該株式交換又は株式移転により当該株式一株（出資については、一口）について取得した当該親法人株式等又は株式移転完全親法人の株式の数で除して計算した金額 ロ　当該株式交換により親法人株式等を取得しなかった場合　当該株式交換に係る親法人株式等の国外転出時評価額に、当該株式交換によって有しないこととなった株式の国外転出時評価額に当該国外転出の時において有する当該株式の数を乗じてこれをその国外転出の時において有する親法人株式等の数で除して計算した金額を加算した金額
(二)	⑪(二)に規定する取得請求権付株式、取得条項付株式、全部取得条項付種類株式、新株予約権付社債、取得条項付新株予約権又は取得条項付新株予約権が付された新株予約権付社債（以下(二)において「取得請求権付株式等」という。）の⑪(二)に規定する請求権の行使、取得事由の発生、取得決議又は行使（以下(二)において「請求権の行使等」という。）　当該請求権の行使等があった取得請求権付株式等の国外転出時評価額を、当該請求権の行使等により当該取得請求権付株式等一単位について取得した株式（出資及び投資信託及び投資法人に関する法律第２条第14項《定義》に規定する投資口を含む。以下(2)において同じ。）又は新株予約権の数で除して計算した金額
(三)	株式又は投資信託若しくは特定受益証券発行信託の受益権の分割又は併合　当該分割又は併合があった株式又は受益権の国外転出時評価額を基礎として第二節**四８**①《株式の分割又は併合の場合の株式等の取得価額》又は同②《特定目的信託の受益権の分割又は併合により取得した受益権の取得価額》の規定に準じて計算した金額
(四)	株式を発行した法人の第二節**四８**③《株主割当てにより取得した株式の取得価額》の注に規定する株式無償割当て（当該株式無償割当てにより当該株式と同一の種類の株式が割り当てられる場合の当該株式無償割当てに限る。）　当該株式無償割当ての基因となった株式の国外転出時評価額を基礎として同③の注の規定に準じて計算した金額
(五)	株式を発行した法人の第二節**四８**④《合併により取得した株式等の取得価額》に規定する合併　当該合併に係る同④に規定する被合併法人の株式の国外転出時評価額を基礎として同④の規定に準じて計算した金額
(六)	株式を発行した法人を第二節**四８**④に規定する合併法人とする同④(1)に規定する無対価合併　当該無対価合併に係る当該合併法人の株式の国外転出時評価額を基礎として同④(1)の規定に準じて計算した金額

(七)	第二節**四8**④(2)に規定する投資信託等（以下(七)において「投資信託等」という。）の受益権に係る投資信託等の同④(2)に規定する信託の併合　当該信託の併合に係る従前の投資信託等の受益権の国外転出時評価額を基礎として同④(2)の規定に準じて計算した金額
(八)	株式を発行した法人の第二節**四8**⑤《分割型分割により取得した株式等の取得価額》に規定する分割型分割　次に掲げる株式の区分に応じそれぞれ次に定める金額 イ　当該分割型分割に係る同⑤に規定する分割承継法人の株式又は同⑤に規定する分割承継親法人の株式　当該分割型分割に係る第四章第二節**二2**《所有株式に対応する資本金等の額の計算方法等》(3)(六)に規定する分割法人（ロ及び(九)ロにおいて「分割法人」という。）の株式の国外転出時評価額を基礎として同⑤の規定に準じて計算した金額 ロ　当該個人が当該分割型分割の前から引き続き有している当該分割型分割に係る分割法人の株式　当該分割法人の株式の国外転出時評価額を基礎として同⑤(2)の規定に準じて計算した金額
(九)	株式を発行した法人を第二節**四8**⑤に規定する分割承継法人とする同⑤(1)に規定する無対価分割型分割　次に掲げる株式の区分に応じそれぞれ次に定める金額 イ　当該無対価分割型分割に係る当該分割承継法人の株式　当該分割承継法人の株式の国外転出時評価額を基礎として同⑤(1)の規定に準じて計算した金額 ロ　当該個人が当該無対価分割型分割の前から引き続き有している当該無対価分割型分割に係る分割法人の株式　当該分割法人の株式の国外転出時評価額を基礎として同⑤(2)の規定に準じて計算した金額
(十)	特定受益証券発行信託の受益権に係る特定受益証券発行信託の第二節**四8**⑤(5)に規定する信託の分割　次に掲げる受益権の区分に応じそれぞれ次に定める金額 イ　当該信託の分割に係る同⑤(5)に規定する承継信託受益権　当該信託の分割に係る同⑤(5)に規定する分割信託（ロにおいて「分割信託」という。）の受益権の国外転出時評価額を基礎として同⑤(5)の規定に準じて計算した金額 ロ　当該個人が当該信託の分割の前から引き続き有している当該信託の分割に係る分割信託の受益権　当該分割信託の受益権の国外転出時評価額を基礎として同⑤(6)の規定に準じて計算した金額
(十の二)	株式を発行した法人の第二節**四8**⑥《株式分配により取得した株式等の取得価額》に規定する株式分配　次のイ及びロに掲げる株式の区分に応じそれぞれ次に定める金額 イ　当該株式分配に係る同⑥に規定する完全子法人の株式　当該株式分配に係る同⑥(2)に規定する現物分配法人（ロにおいて「現物分配法人」という。）の株式の国外転出時評価額を基礎として同⑥の規定に準じて計算した金額 ロ　当該個人が当該株式分配の前から引き続き有している当該株式分配に係る現物分配法人の株式　当該現物分配法人の株式の国外転出時評価額を基礎として同⑥(1)の規定に準じて計算した金額
(十一)	株式を発行した法人の第二節**四8**⑦《資本の払戻し等があった場合の株式等の取得価額》に規定する資本の払戻し又は解散による残余財産の分配　当該個人が当該資本の払戻し又は解散による残余財産の分配の前から引き続き有している当該法人の株式の国外転出時評価額を基礎として同⑦の規定に準じて計算した金額
(十二)	法人の第二節**四8**⑦(1)に規定する所有出資の同⑦(1)に規定する払戻し　当該個人が当該払戻しの前から引き続き有している当該法人の当該所有出資の国外転出時評価額を基礎として同⑦(1)の規定に準じて計算した金額
(十三)	オープン型の証券投資信託の受益権に係る収益の分配（当該オープン型の証券投資信託の終了又は当該オープン型の証券投資信託の一部の解約により支払われるものを除くものとし、その収益の分配のうちに第二章第三節**六**《オープン型の証券投資信託の収益調整金》に規定する特別分配金が含まれているものに限る。）　当該個人が当該収益の分配の前から引き続き有している当該オープン型の証券投資信託の受益権の国外転出時評価額を基礎として第二節**四8**⑦(2)の規定に準じて計算した金額
(十四)	株式を発行した法人の第二節**四9**《組織変更があった場合の株式等の取得価額》に規定する組織変更　当該組織変更をした法人の株式の国外転出時評価額を基礎として同**9**の規定に準じて計算した金額
(十五)	新株予約権（投資信託及び投資法人に関する法律第２条第17項に規定する新投資口予約権を含む。以下(2)において同じ。）又は新株予約権付社債を発行した法人を第二節**四10**《合併等があった場合の新株予約権等の取得価額》に規定する被合併法人、分割法人、株式交換完全子法人又は株式移転完全子法人とする同**10**に規定する

	合併等　当該合併等をした法人の新株予約権又は新株予約権付社債の国外転出時評価額を基礎として同**10**の規定に準じて計算した金額
(十六)	新株予約権の行使　当該行使があった当該新株予約権の国外転出時評価額と当該新株予約権の行使に際して当該新株予約権一個について払込みをした金銭の額との合計額を、当該新株予約権の行使により当該新株予約権一個について取得した有価証券等の数で除して計算した金額

(⑦に規定する未決済信用取引等を決済したものとみなして(３)で定めるところにより算出した利益の額若しくは損失の額に相当する金額、⑦(二)に規定する(３)で定めるところにより算出した利益の額に相当する金額及び⑦(三)に規定する(３)で定めるところにより算出した損失の額に相当する金額)（②の規定の準用）

(３)　②の規定は、⑦に規定する未決済信用取引等を決済したものとみなして(３)で定めるところにより算出した利益の額若しくは損失の額に相当する金額、⑦(二)に規定する(３)で定めるところにより算出した利益の額に相当する金額及び⑦(三)に規定する(３)で定めるところにより算出した損失の額に相当する金額について準用する。この場合において、②中「当該国外転出の日」とあるのは、「その⑦に規定する限定相続等に係る贈与の日又は相続の開始の日」と読み替えるものとする。(規37の２⑧)

(⑦に規定する未決済デリバティブ取引を決済したものとみなして(４)で定めるところにより算出した利益の額若しくは損失の額に相当する金額、⑦(五)に規定する(４)で定めるところにより算出した利益の額に相当する金額及び⑦(六)に規定する(４)で定めるところにより算出した損失の額に相当する金額)（④の規定の準用）

(４)　④の規定は、⑦に規定する未決済デリバティブ取引を決済したものとみなして(４)で定めるところにより算出した利益の額若しくは損失の額に相当する金額、⑦(五)に規定する(４)で定めるところにより算出した利益の額に相当する金額及び⑦(六)に規定する(４)で定めるところにより算出した損失の額に相当する金額について準用する。この場合において、④(一)中「当該国外転出の日」とあるのは「その⑦に規定する限定相続等（以下「**限定相続等**」という。）に係る贈与の日又は相続の開始の日」と、④(二)及び(三)中「国外転出の時」とあるのは「限定相続等の時」と、それぞれ読み替えるものとする。(規37の２⑨)

(読替え規定)

(５)　(２)(三)から同(十五)までの規定により第二節**四８**①、同**８**②、同**８**③注、同**８**④、同**８**④(１)、同**８**④(２)、同**８**⑤、同⑤(１)、同⑤(２)、同⑤(５)及び同⑤(６)、同⑥及び同⑥(１)、同⑦、同⑦(１)、同⑦(２)、同**９**並びに同**10**の規定に準じて計算する場合には、第二節**四８**①中「取得価額は、旧株一株の従前の取得価額」とあるのは「(２)の(三)に規定する国外転出時評価額（以下「国外転出時評価額」という。）は、旧株一株の従前の国外転出時評価額」と、第二節**四８**②及び第二節**四８**③の注中「取得価額」とあるのは「国外転出時評価額」と、第二節**四８**④中「取得価額は、旧株一株の従前の取得価額（第四章第二節**二１**(一)《合併の場合のみなし配当》の規定により剰余金の配当、利益の配当、剰余金の分配若しくは金銭の分配として交付を受けたものとみなされる金額又はその合併法人株式若しくは合併親法人株式の取得のために要した費用の額がある場合には、当該交付を受けたものとみなされる金額及び費用の額のうち旧株一株に対応する部分の金額を加算した金額)」とあるのは「国外転出時評価額は、旧株一株の従前の国外転出時評価額」と、第二節**四８**④(１)中「取得価額は」とあるのは「国外転出時評価額は」と、「取得価額に」とあるのは「国外転出時評価額に」と、「当該無対価合併の直前に有していた」とあるのは「第六章第四節**一１**《国外転出をする場合の譲渡所得等の特例》に規定する国外転出の時において有する」と、取得価額（第四章第二節**二１**(一)の規定により剰余金の配当、利益の配当又は剰余金の分配として交付を受けたものとみなされる金額がある場合には、当該交付を受けたものとみなされる金額のうち旧株式一株に対応する部分の金額を加算した金額)」とあるのは、「国外転出時評価額」と同④(２)中「取得価額は、旧受益権一口の従前の取得価額（その併合投資信託等の受益権の取得のために要した費用の額がある場合には、当該費用の額のうち旧受益権一口に対応する部分の金額を加算した金額)」とあるのは「国外転出時評価額は、旧受益権一口の従前の国外転出時評価額」と、第二節**四８**⑤中「取得価額」とあるのは「国外転出時評価額」と、「金額（第四章第二節**二１**(二)《分割型分割の場合のみなし配当》の規定により剰余金の配当若しくは利益の配当として交付を受けたものとみなされる金額又はその分割承継法人株式若しくは分割承継親法人株式の取得のために要した費用の額がある場合には、当該交付を受けたものとみなされる金額及び費用の額のうち分割承継法人株式又は分割承継親法人株式一株に対応する部分の金額を加算した金額)」とあるのは「金額」と、第二節**四８**⑤(１)中「取得価額」とあるのは「国外転出時評価額」と、「当該無対価分割型分割の直前に有していた」とあるのは「第六章第四節**一１**《国外転出をする場合の譲渡所得等の特例》に規定する国外転出の時において有する」

と、「金額（第四章第二節**二１**(二)の規定により剰余金の配当又は利益の配当として交付を受けたものとみなされる金額がある場合には、当該交付を受けたものとみなされる金額のうち、所有株式一株に対応する部分の金額を加算した金額)」とあるのは「金額」と、同⑤(２)中「取得価額」とあるのは「国外転出時評価額」と、同⑤(５)中「取得価額」とあるのは「国外転出時評価額」と、「金額（その承継信託受益権の取得のために要した費用の額がある場合には、当該費用の額のうち承継信託受益権一口に対応する部分の金額を加算した金額)」とあるのは「金額」と、同⑤(６)中「取得価額」とあるのは「国外転出時評価額」と、同⑥中「取得価額」とあるのは「国外転出時評価額」と、「金額（第四章第二節**二１**(三)《株式分配の場合のみなし配当》の規定により剰余金の配当若しくは利益の配当として交付を受けたものとみなされる金額又はその完全子法人株式の取得のために要した費用の額がある場合には、当該交付を受けたものとみなされる金額及び費用の額のうち完全子法人株式一株に対応する部分の金額を加算した金額)」とあるのは「金額」と、同⑥(１)及び第二節**四８**⑥、同(１)、同(２)の規定中「取得価額」とあるのは「国外転出時評価額」と、第二節**四９**中「取得価額は、旧株一単位の従前の取得価額（その新株の取得のために要した費用の額がある場合には、当該費用の額のうち旧株一単位に対応する部分の金額を加算した金額)」とあるのは「国外転出時評価額は、旧株一単位の従前の国外転出時評価額」と、第二節**四10**中「取得価額は、旧新株予約権等一単位の従前の取得価額（その合併法人等新株予約権等の取得のために要した費用の額がある場合には、当該費用の額のうち旧新株予約権等一単位に対応する部分の金額を加算した金額)」とあるのは「国外転出時評価額は、旧新株予約権等一単位の従前の国外転出時評価額」と読み替えるものとする。（令170⑥）

（対象資産を贈与により居住者に移転した場合の課税取消しと価額下落との関係）

（６）①、②及び③の規定の適用を受けた個人が、国外転出の日から５年を経過する日（第十章第五節**二１**②《国外転出をする場合の譲渡所得等の特例の適用がある場合の納税猶予》の規定により同①の規定による納税猶予を受けている場合には、10年を経過する日）までに当該国外転出の時に有していた対象資産の全部又は一部を贈与により居住者に移転した場合で当該対象資産の当該贈与の時の価額又は利益の額若しくは損失の額が⑦(一)から(七)までに掲げる場合に該当するときは、⑥又は⑦（⑨において準用する場合を含む。）のいずれかの規定の適用を受けることを選択することができることに留意する。ただし、そのいずれかの規定の適用を受けた後においては、たとえ第十章第八節**二３**①又は同②《国外転出をした者が帰国をした場合等の更正の請求の特例》に規定する更正の請求をすることができる期間内であっても、他の一方の規定の適用を受ける旨の変更はできないことに留意する。（基通60の２－11）

（国外転出後に譲渡又は決済をした際の譲渡費用等の取扱い）

（７）⑦（⑨において準用する場合を含む。）の規定は、⑦(一)から同(七)までに掲げる場合に該当するときに、対象資産の国外転出時の価額等を対象資産の実際の譲渡価額又は利益の額若しくは損失の額とすることができる規定であるから、⑦の規定の適用に当たっては、当該国外転出の時後に⑦に規定する譲渡又は決済をした際に実際に要した費用については、当該国外転出の日の属する年分の①、②及び③の規定により譲渡又は決済をしたものとみなされた対象資産に係る譲渡所得等の金額の計算上控除することはできないことに留意する。（基通60の２－12）

⑧　国外転出をする場合の譲渡所得等の特例の適用を受けるべき個人が国外転出の時後に有価証券等の移転をした場合において、その有価証券が国外転出時において有していた有価証券等に該当するかどうかの判定

国外転出の日の属する年分の所得税につき**１**の規定の適用を受けるべき個人（その相続人を含む。）が当該国外転出の時後に譲渡又は⑦に規定する限定相続等により有価証券等の移転をした場合において、その移転をした有価証券等が、その者が当該国外転出の時において有していた有価証券等に該当するかどうかの判定は、まず当該国外転出の時後に取得した同一銘柄の有価証券等（贈与、相続又は遺贈により取得した同一銘柄の有価証券等のうち、当該贈与をした者又は当該相続若しくは遺贈に係る相続人が当該贈与の日又は相続の開始の日の属する年分の所得税につき第十章第五節**二２**①又は同②の規定の適用を受けている場合における当該有価証券等（以下⑧において「猶予適用有価証券等」という。）を除く。）の譲渡又は贈与をし、次に当該個人が当該国外転出の時に有していた有価証券等又は猶予適用有価証券等のうち先に第四節**一１**又は同**２**《贈与等により非居住者に資産が移転した場合の譲渡所得等の特例》の規定の適用があったものから順次譲渡又は贈与をしたものとして行うものとする。（令170⑧）

（⑧に規定する個人が有する有価証券等について⑪の事由が生じた場合の取扱い）

（１）⑧に規定する個人が有する有価証券等（以下(１)において「従前の有価証券等」という。）について⑪(一)から同(三)までに掲げる事由が生じた場合において、当該事由により取得した有価証券等（以下(１)において「取得有価証券等」という。）が⑪の規定により引き続き所有していたものとみなされるときにおける当該従前の有価証券等のうち当該取得有価証券等の取得の基因となった部分は、当該取得有価証券等と同一銘柄の有価証券等とみなして、⑧の規定を適用する。（令170⑨）

⑨　納税管理人の届出をしている場合の⑥の規定の準用

⑦の規定は、国外転出の日の属する年分の所得税につき①、②及び③の規定の適用を受けるべき個人でその国外転出の時までに第十五章**四**《納税管理人》**２**の規定による納税管理人の届出をしているものが、同日の属する年分の所得税に係る確定申告期限までに、同日から引き続き有している有価証券等又は決済していない未決済信用取引等若しくは未決済デリバティブ取引に係る契約の譲渡若しくは決済又は限定相続等による移転をした場合について準用する。（法60の２⑨）

⑩　納税猶予に係る期限が到来した場合の取扱い

国外転出の日の属する年分の所得税につき①、②及び③の規定の適用を受けた個人で第十章第五節**二１**①の規定による納税の猶予を受けているもの（その相続人を含む。）が、同日から５年を経過する日（その者が同②の規定により同①の規定による納税の猶予を受けている場合にあっては、10年を経過する日。以下⑩において同じ。）においてその国外転出の時から引き続き有している有価証券等又は決済していない未決済信用取引等若しくは未決済デリバティブ取引が次の(一)から(七)までに掲げる場合に該当するときにおける当該個人の当該国外転出の日の属する年分の所得税に係る①、②及び③の規定の適用については、これらの規定中「当該国外転出の時」とあり、「当該国外転出の予定日から起算して３月前の日（同日後に取得をした有価証券等にあっては、当該取得時）」とあり、「当該国外転出の予定日から起算して３月前の日（同日後に契約の締結をした未決済信用取引等にあっては、当該締結の時）」とあり、及び「当該国外転出の予定日から起算して３月前の日（同日後に契約の締結をした未決済デリバティブ取引にあっては、当該締結の時）」とあるのは、「当該国外転出の日から５年を経過する日（その者が第十章第五節**二１**②《国外転出をする場合の譲渡所得等の特例の適用がある場合の納税猶予》の規定により同①の規定による納税の猶予を受けている場合にあっては、10年を経過する日）」とすることができる。（法60の２⑩）

(一)	当該５年を経過する日における当該有価証券等の価額に相当する金額が当該国外転出の時における①(一)及び同(二)に掲げる場合の区分に応じ当該(一)又は(二)に定める価額に相当する金額を下回るとき。
(二)	当該５年を経過する日に当該未決済信用取引等を決済したものとみなして(１)で定めるところにより算出した利益の額に相当する金額が、国外転出時みなし信用取引等利益額を下回るとき。
(三)	当該５年を経過する日に当該未決済信用取引等を決済したものとみなして(１)で定めるところにより算出した損失の額に相当する金額（(四)において「５年経過日みなし信用取引等損失額」という。）が、国外転出時みなし信用取引等損失額を上回るとき。
(四)	当該５年経過日みなし信用取引等損失額が生じた未決済信用取引等につき、国外転出時みなし信用取引等利益額が生じていたとき。
(五)	当該５年を経過する日に当該未決済デリバティブ取引を決済したものとみなして(２)で定めるところにより算出した利益の額に相当する金額が、国外転出時みなしデリバティブ取引利益額を下回るとき。
(六)	当該５年を経過する日に当該未決済デリバティブ取引を決済したものとみなして(２)で定めるところにより算出した損失の額に相当する金額（(七)において「５年経過日みなしデリバティブ取引損失額」という。）が、国外転出時みなしデリバティブ取引損失額を上回るとき。
(七)	当該５年経過日みなしデリバティブ取引損失額が生じた未決済デリバティブ取引につき、国外転出時みなしデリバティブ取引利益額が生じていたとき。

（⑩(二)に規定する(１)で定めるところにより算出した利益の額に相当する金額及び⑩(三)に規定する(１)で定めるところにより算出した損失の額に相当する金額）（②(１)の規定の準用）

(１)　②(１)の規定は、⑩(二)に規定する(１)で定めるところにより算出した利益の額に相当する金額及び⑩(三)に規定する(１)で定めるところにより算出した損失の額に相当する金額について準用する。この場合において、②(１)中「当該国外転出の日」とあるのは、「その⑩に規定する５年を経過する日」と読み替えるものとする。（規37の２⑩）

（⑩（五）に規定する（２）で定めるところにより算出した利益の額に相当する金額及び⑩（六）に規定する（２）で定めるところにより算出した損失の額に相当する金額）（③（１）の規定の準用）

（２）　③（１）の規定は、⑩（五）に規定する（２）で定めるところにより算出した利益の額に相当する金額及び⑩（六）に規定する（２）で定めるところにより算出した損失の額に相当する金額について準用する。この場合において、③（１）の（一）中「当該国外転出の日」とあるのは「その⑩に規定する５年を経過する日（以下「５年経過日」という。）」と、③（１）（二）及び同（三）中「国外転出の時」とあるのは「５年経過日」と読み替えるものとする。（規37の２⑪）

（納税猶予期限が繰り上げられた場合等の価額下落の適用除外）

（３）　⑩の規定は、国外転出の日から５年を経過する日（第十章第五節**二１**②の規定により同①の規定による納税猶予の適用を受けている場合にあっては、10年を経過する日）において⑩の規定による納税猶予の適用を受けている個人に限り適用があることに留意する。したがって、例えば、⑨の規定により**１**の規定による納税猶予に係る期限が繰り上げられた場合には、⑩の規定の適用はないことに留意する。（基通60の２－13）

⑪　国外転出の時後に取得した有価証券等であっても、引き続き所有していたものとみなされる場合

⑥、⑥（１）、⑦、⑨及び⑩までの規定の適用については、個人が国外転出の時後に次の（一）から（三）までに掲げる事由により取得した有価証券等は、その者が引き続き所有していたものとみなす。（法60の２⑪）

（一）	**１**の居住者が有する株式を発行した法人の行った第五章第三節**二十**《株式交換等に係る譲渡所得等の特例》に規定する株式交換又は同節**二十**（１）に規定する株式移転
（二）	**１**の居住者が有する第五章第三節**二十**（２）（一）に規定する取得請求権付株式、同（２）（二）に規定する取得条項付株式、同（２）（三）に規定する全部取得条項付種類株式、同（２）（四）に規定する新株予約権付社債、同（２）（五）に規定する取得条項付新株予約権又は同（２）（六）に規定する取得条項付新株予約権が付された新株予約権付社債のこれらに定める請求権の行使、取得事由の発生、取得決議又は行使
（三）	（一）及び（二）に掲げるもののほか、（１）で定める事由

（⑪（三）に規定する（１）で定める事由）

（１）　⑪（三）に規定する（１）で定める事由は、⑦（２）（三）から同（五）まで、同（七）、同（八）、同（十）、同（十の二）及び同（十四）から同（十六）までに掲げる事由とする。（令170⑦）

２　贈与等により非居住者に資産が移転した場合の譲渡所得等の特例

①　贈与等により非居住者に資産が移転した場合の譲渡所得等の特例

居住者の有する有価証券等が、贈与、相続又は遺贈（以下**２**において「贈与等」という。）により非居住者に移転した場合には、その居住者の事業所得の金額、譲渡所得の金額又は雑所得の金額の計算については、別段の定めがあるものを除き、その贈与等の時に、その時における価額に相当する金額により、当該有価証券等の譲渡があったものとみなす。（法60の３①）

（非居住者である相続人等が限定承認をした場合）

（１）　居住者の有する有価証券等が、相続（限定承認に係るものに限る。）又は遺贈（包括遺贈のうち限定承認に係るものに限る。）により非居住者である相続人又は受遺者へ移転した場合には、①の規定の適用はなく、第五章第二節**二十四１**①《贈与等の場合の譲渡所得等の特例》の規定の適用を受けることに留意する。（基通60の３－１）

（遺産分割等の事由により非居住者に移転しないこととなった対象資産）

（２）　①から③までの規定の適用を受けた居住者について生じた第十章第七節**二５**①《遺産分割等があった場合の修正申告の特例》に規定する遺産分割等の事由により、非居住者に移転した対象資産の全部又は一部が非居住者に移転しないこととなった場合におけるその移転しないこととなった対象資産は、同①に規定する修正申告書の提出又は第十章第八節**二６**《遺産分割等があった場合の更正の請求の特例》に規定する更正の請求に基づく更正により、①から③までの規定の適用を受けないものとなることに留意する。したがって、当該居住者がその後において、当該対象資産を譲渡した場合における当該対象資産の取得価額については④の規定は適用されないこととなり、第五章第二節**二十**

四３①イ《贈与等により取得した資産の取得費等》の規定により被相続人から引き継いだ取得価額となることに留意する。（基通60の３－４）

（国外転出をする場合の譲渡所得等の特例に関する取扱いの準用）

（３）　**２**の規定の適用に当たっては、**１**①（３）から同（９）まで及び**１**④（２）、同⑦（６）、同（７）、**１**⑩（３）の取扱いを準用する。（基通60の３－５）

②　未決済信用取引等に係る契約が、贈与等により非居住者に移転した場合の事業所得等の金額の計算

居住者が締結している未決済信用取引等に係る契約が、贈与等により非居住者に移転した場合には、その居住者の事業所得の金額又は雑所得の金額の計算については、その贈与等の時に、当該未決済信用取引等を決済したものとみなして（１）で定めるところにより算出した利益の額又は損失の額に相当する金額が生じたものとみなす。（法60の３②）

（②に規定する（１）で定めるところにより算出した利益の額又は損失の額に相当する金額）（**１**②（１）の規定の準用）

（１）　**１**②（１）規定は、②に規定する（１）で定めるところにより算出した利益の額又は損失の額に相当する金額について準用する。この場合において、**１**②（１）㈠中「①に規定する国外転出（以下「**国外転出**」という。）の時」とあるのは「**２**①に規定する贈与等（以下「**贈与等**」という。）の時」と、「国外転出の時において有している」とあるのは「贈与等により移転のあった」と、「当該国外転出の日」とあるのは「その贈与の日又は相続の開始の日」と、**１**②（１）㈡中「国外転出の時」とあるのは「贈与等の時」と、それぞれ読み替えるものとする。（規37の３①）

③　未決済デリバティブ取引に係る契約が、贈与等により非居住者に移転した場合の事業所得等の金額の計算

居住者が締結している未決済デリバティブ取引に係る契約が、贈与等により非居住者に移転した場合には、その居住者の事業所得の金額又は雑所得の金額の計算については、その贈与等の時に、当該未決済デリバティブ取引を決済したものとみなして（１）で定めるところにより算出した利益の額又は損失の額に相当する金額が生じたものとみなす。（法60の３③）

（③に規定する（１）で定めるところにより算出した利益の額又は損失の額に相当する金額）（**１**③（１）の規定の準用）

（１）　**１**③（１）の規定は、③に規定する（１）で定めるところにより算出した利益の額又は損失の額に相当する金額について準用する。この場合において、**１**③（１）㈠中「国外転出の日」とあるのは「贈与の日又は相続の開始の日」と、**１**③（１）㈡及び同㈢中「国外転出の時」とあるのは「贈与、相続又は遺贈の時」と、それぞれ読み替えるものとする。（規37の３②）

④　贈与等により非居住者に資産が移転した場合の譲渡所得等の特例の適用を受けた居住者から有価証券等の移転を受けた個人が当該有価証券等の譲渡等をした場合における事業所得等の金額の計算

贈与の日又は相続の開始の日（以下**２**において「**贈与等の日**」という。）の属する年分の所得税につき①、②及び③（⑦（⑩において準用する場合を含む。㈠において同じ。）又は⑩の規定により適用する場合を含む。）の規定の適用を受けた居住者から有価証券等又は未決済信用取引等若しくは未決済デリバティブ取引に係る契約の移転を受けた個人（その相続人を含む。）が、当該有価証券等又は未決済信用取引等若しくは未決済デリバティブ取引に係る契約の譲渡（**１**④に規定する譲渡をいう。⑨において同じ。）又は決済をした場合における事業所得の金額、譲渡所得の金額又は雑所得の金額の計算については、次の㈠及び㈡に定めるところによる。ただし、当該贈与等の日の属する年分の所得税につき確定申告書の提出及び決定がされていない場合における当該有価証券等、未決済信用取引等及び未決済デリバティブ取引、当該贈与等の日の属する年分の事業所得の金額、譲渡所得の金額又は雑所得の金額の計算上有価証券等の当該贈与等の時における価額に相当する金額又は未決済信用取引等若しくは未決済デリバティブ取引の利益の額若しくは損失の額に相当する金額が総収入金額に算入されていない当該有価証券等、未決済信用取引等及び未決済デリバティブ取引並びに⑥前段（⑥（１）の規定により適用する場合を含む。）の規定の適用があった有価証券等、未決済信用取引等及び未決済デリバティブ取引については、この限りでない。（法60の３④）

㈠	その有価証券等については、①の贈与等があった時における当該有価証券等の価額に相当する金額（⑦の規定により①の規定の適用を受けた場合には当該有価証券等の⑦に規定する譲渡に係る譲渡価額又は限定相続等の時におけ

	る当該有価証券等の価額に相当する金額とし、⑪の規定により①の規定の適用を受けた場合には⑪に規定する５年を経過する日における当該有価証券等の価額に相当する金額とする。）をもって取得したものとみなす。
(二)	その未決済信用取引等又は未決済デリバティブ取引の決済があった場合には、当該決済によって生じた利益の額若しくは損失の額（以下(二)において「決済損益額」という。）から当該未決済信用取引等若しくは未決済デリバティブ取引に係る②若しくは③に規定する利益の額に相当する金額を減算し、又は当該決済損益額に当該未決済信用取引等若しくは未決済デリバティブ取引に係る②若しくは③に規定する損失の額に相当する金額を加算するものとする。

⑤　贈与等により非居住者に資産が移転した場合の譲渡所得等の特例を適用しない者

①、②、③及び④の規定は、贈与等の時に有している有価証券等並びに契約を締結している未決済信用取引等及び未決済デリバティブ取引の当該贈与等の時における有価証券等の価額に相当する金額並びに未決済信用取引等の②に規定する利益の額若しくは損失の額に相当する金額及び未決済デリバティブ取引の③に規定する利益の額若しくは損失の額に相当する金額の合計額が１億円未満である居住者又は当該贈与等の日前10年以内に国内に住所若しくは居所を有していた期間として(１)で定める期間の合計が５年以下である居住者については、適用しない。（法60の３⑤）

（⑤に規定する国内に住所又は居所を有していた期間として(１)で定める期間）

(１)　⑤に規定する国内に住所又は居所を有していた期間として(１)で定める期間は、**1**⑤(１)(一)から同(三)に掲げる期間とする。（令170の２①）

（贈与等の時に有している対象資産の範囲）

(２)　⑤に規定する贈与等の時に有している対象資産とは、次に掲げる場合の区分に応じそれぞれ次に掲げるものをいうことに留意する。（基通60の３－２）

(一)　贈与（死因贈与を除く。）の場合　　当該贈与の時において贈与者が所有していた対象資産（当該贈与により非居住者に移転した対象資産を含む。）

(二)　相続又は遺贈（死因贈与を含む。）の場合　　当該相続又は遺贈に係る相続開始の時において被相続人が所有していた対象資産（当該相続又は遺贈により居住者に移転した対象資産を含む。）

⑥　受贈者が贈与等の日から５年を経過する日までに帰国等をした場合

贈与等の日の属する年分の所得税につき①、②及び③の規定の適用を受けるべき居住者から、当該贈与等により非居住者である受贈者、相続人又は受遺者に移転した有価証券等又は未決済信用取引等若しくは未決済デリバティブ取引に係る契約のうち、次の(一)から(三)までに掲げる場合の区分に応じ当該(一)から(三)までに定めるものについては、①、②及び③までの居住者の当該年分の事業所得の金額、譲渡所得の金額又は雑所得の金額の計算上これらの規定により行われたものとみなされた有価証券等の譲渡、未決済信用取引等の決済及び未決済デリバティブ取引の決済の全てがなかったものとすることができる。この場合においては、**1**⑥ただし書の規定を準用する。（法60の３⑥）

(一)	当該非居住者である受贈者又は同一の被相続人から相続若しくは遺贈により財産を取得した全ての非居住者（以下(一)において「受贈者等」という。）が、当該贈与等の日から５年を経過する日までに帰国をした場合　　当該受贈者等が当該帰国の時まで引き続き有している有価証券等又は決済していない未決済信用取引等若しくは未決済デリバティブ取引
(二)	当該贈与等に係る非居住者である受贈者、相続人又は受遺者が、当該贈与等の日から５年を経過する日までに当該贈与等により移転を受けた有価証券等又は未決済信用取引等若しくは未決済デリバティブ取引に係る契約を贈与により居住者に移転した場合　　当該贈与による移転があった有価証券等、未決済信用取引等又は未決済デリバティブ取引
(三)	当該贈与等の日から５年を経過する日までに当該贈与等に係る非居住者である受贈者、相続人又は受遺者が死亡したことにより、当該贈与等により移転を受けた有価証券等又は未決済信用取引等若しくは未決済デリバティブ取引に係る契約の相続（限定承認に係るものを除く。以下(三)において同じ。）又は遺贈（包括遺贈のうち限定承認に係るものを除く。以下(三)において同じ。）による移転があった場合において、次に掲げる場合に該当することとなったとき　　当該相続又は遺贈による移転があった有価証券等、未決済信用取引等又は未決済デリバティブ取引

イ	当該贈与等の日から５年を経過する日までに、当該相続又は遺贈により有価証券等又は未決済信用取引等若しくは未決済デリバティブ取引に係る契約の移転を受けた相続人及び受遺者である個人（当該個人から相続又は遺贈により当該有価証券等又は未決済信用取引等若しくは未決済デリバティブ取引に係る契約の移転を受けた個人を含む。ロにおいて同じ。）の全てが居住者となった場合
ロ	当該非居住者について生じた第十章第七節**二５**①《遺産分割等があった場合の修正申告の特例》に規定する遺産分割等の事由により、当該相続又は遺贈により有価証券等又は未決済信用取引等若しくは未決済デリバティブ取引に係る契約の移転を受けた相続人及び受遺者である個人に非居住者（当該贈与等の日から５年を経過する日までに帰国をした者を除く。）が含まれないこととなった場合

（注）　上記＿＿下線部については、公益信託に関する法律（令和６年法律第30号）の施行の日以後、⑥(二)中「を贈与」の次に「（公益信託の受託者に対するものを除く。以下(二)において同じ。）」が加えられ、同(三)中「遺贈（」の次に「公益信託の受託者に対するもの及び」が加えられる。（令６改所法等附１九イ）

（贈与等により非居住者に資産が移転した場合の譲渡所得等の特例の適用がある場合の納税猶予の適用を受けている場合の⑥の規定の適用）

（１）　贈与の日の属する年分の所得税につき①、②及び③までの規定の適用を受けた個人（⑦において「**適用贈与者**」という。）で第十章第五節**二２**③《贈与等により非居住者に資産が移転した場合の譲渡所得等の特例の適用がある場合の納税猶予》の規定により同①の規定による納税の猶予を受けているもの又は相続の開始の日の属する年分の所得税につき①、②及び③までの規定の適用を受けた個人（⑦及び⑪において「**適用被相続人等**」という。）でその者の相続人が第十章第五節**二２**③の規定により同②の規定による納税の猶予を受けているものに係る⑥の規定の適用については、⑥中「５年」とあるのは、「10年」とする。（法60の３⑦）

⑦　猶予適用贈与者がその納税の猶予に係る期限までにその贈与等により非居住者に移転があった有価証券等の譲渡等による移転をした場合

適用贈与者で第十章第五節**二２**①（同③の規定により適用する場合を含む。⑨において同じ。）の規定による納税の猶予を受けているもの（⑨及び⑪において「**猶予適用贈与者**」という。）の受贈者又は適用被相続人等の相続人で第十章第五節**二２**②（同③の規定により適用する場合を含む。⑨において同じ。）の規定による納税の猶予を受けているもの（⑪及び⑫において「**猶予適用相続人**」という。）が、その納税の猶予に係る基準日（第十章第五節**二２**①に規定する贈与満了基準日又は同②に規定する相続等満了基準日をいう。⑨において同じ。）までに、その贈与等により非居住者に移転があった有価証券等又は未決済信用取引等若しくは未決済デリバティブ取引に係る契約の譲渡（**１**⑦に規定する譲渡をいう。以下⑦及び⑩において同じ。）若しくは決済又は**１**⑦に規定する限定相続等（以下⑦、⑨及び⑩において「**限定相続等**」という。）による移転をした場合において、当該譲渡に係る譲渡価額若しくは当該限定相続等の時における当該有価証券等の価額に相当する金額又は当該決済によって生じた利益の額若しくは損失の額若しくは当該限定相続等に係る限定相続等時みなし信用取引等損益額若しくは限定相続等時みなしデリバティブ取引損益額が次の(一)から(七)までに掲げる場合に該当するときにおける当該適用贈与者又は適用被相続人等の当該贈与等の日の属する年分の所得税に係る①、②及び③の規定の適用については、①中「その時における価額に相当する金額」とあるのは「当該有価証券等の⑦に規定する譲渡に係る譲渡価額又は限定相続等の時における当該有価証券等の価額に相当する金額」と、②中「当該未決済信用取引等を決済したものとみなして（１）で定めるところにより算出した利益の額又は損失の額に相当する金額」とあるのは「⑦に規定する決済によって生じた利益の額若しくは損失の額又は限定相続等時みなし信用取引等損益額」と、③中「当該未決済デリバティブ取引を決済したものとみなして（１）で定めるところにより算出した利益の額又は損失の額に相当する金額」とあるのは「⑦に規定する決済によって生じた利益の額若しくは損失の額又は限定相続等時みなしデリバティブ取引損益額」とすることができる。（法60の３⑧）

(一)	当該有価証券等の譲渡に係る譲渡価額又は限定相続等の時における当該有価証券等の価額に相当する金額が当該贈与等の時における当該有価証券等の価額に相当する金額（当該贈与等の時後に**１**⑦(一)に規定する事由が生じた場合には、当該金額を基礎として（１）で定めるところにより計算した金額。⑪(一)において同じ。）を下回るとき。
(二)	当該未決済信用取引等の決済によって生じた利益の額に相当する金額又は限定相続等時みなし信用取引等利益額が、贈与等時みなし信用取引等利益額（当該贈与等の時における②に規定する利益の額に相当する金額をいう。(四)並びに⑩(二)及び同(四)において同じ。）を下回るとき。
(三)	信用取引等損失額（当該未決済信用取引等の決済によって生じた損失の額に相当する金額又は限定相続等時みなし

	信用取引等損失額をいう。(四)において同じ。）が、贈与等時みなし信用取引等損失額（当該贈与等の時における②に規定する損失の額に相当する金額をいう。⑪(三)において同じ。）を上回るとき。
(四)	信用取引等損失額が生じた未決済信用取引等につき、贈与等時みなし信用取引等利益額が生じていたとき。
(五)	当該未決済デリバティブ取引の決済によって生じた利益の額に相当する金額又は限定相続等時みなしデリバティブ取引利益額が、贈与等時みなしデリバティブ取引利益額（当該贈与等の時における③に規定する利益の額に相当する金額をいう。(七)並びに⑪(五)及び同(七)において同じ。）を下回るとき。
(六)	デリバティブ取引損失額（当該未決済デリバティブ取引の決済によって生じた損失の額に相当する金額又は限定相続等時みなしデリバティブ取引損失額をいう。(七)において同じ。）が、贈与等時みなしデリバティブ取引損失額（当該贈与等の時における③に規定する損失の額に相当する金額をいう。⑪(六)において同じ。）を上回るとき。
(七)	デリバティブ取引損失額が生じた未決済デリバティブ取引につき、贈与等時みなしデリバティブ取引利益額が生じていたとき。

（**1**⑦(2)の規定の準用）

(1)　**1**⑦(2)の規定は、⑦(一)に規定する(1)で定めるところにより計算した金額について準用する。この場合において、**1**⑦(2)(一)から同(十六)まで列記以外の部分中「⑦に規定する個人が国外転出の時に有していた」とあるのは「**2**⑦に規定する猶予適用贈与者の受贈者又は猶予適用相続人が**2**①に規定する贈与等（以下「贈与等」という。）により移転を受けた」と、「当該国外転出」とあるのは「当該贈与等」と、「⑦(一)」とあるのは「**2**⑦(一)」と、「国外転出時評価額」とあるのは「贈与等時評価額」と、**1**⑦(2)(一)中「国外転出時評価額」とあるのは「贈与等時評価額」と、「個人の国外転出の時における①(一)及び同(二)に掲げる場合の区分に応じ当該(一)又は(二)に定める金額」とあるのは「贈与等の時における価額に相当する金額」と、「国外転出の時において」とあるのは「贈与等の時において」と、**1**⑦(2)(二)から同(十六)までの規定中「国外転出時評価額」とあるのは「贈与等時評価額」と読み替えるものとする。(令170の2②)

（**1**⑦(5)の規定の準用）

(2)　**1**⑦(5)の規定は、(1)において準用する**1**⑦(2)(三)から同(十五)までの規定により第二節**四 8**①《株式の分割又は併合の場合の株式等の取得価額》、同**8**③《株主割当てにより取得した株式の取得価額》の注、同**8**④《合併により取得した株式等の取得価額》、同**8**⑤《分割型分割により取得した株式等の取得価額》、同⑥及び同⑥(1)《株式分配により取得した株式等の取得価額》、同⑦、同(2)、同(5)及び同(6)、同⑥《資本の払戻し等があった場合の株式等の取得価額》、同(1)、同(2)、同**9**《組織変更があった場合の株式等の取得価額》並びに同**10**《合併等があった場合の新株予約権等の取得価額》の規定に準じて計算する場合について準用する。この場合において、**1**⑦(5)中「(2)(三)」とあるのは「**2**①(1)の規定により読み替えられた(2)(三)」と、「国外転出時評価額」とあるのは「贈与等時評価額」と、「**1**《国外転出をする場合の譲渡所得等の特例》に規定する国外転出」とあるのは「**2**《贈与等により非居住者に資産が移転した場合の譲渡所得等の特例》に規定する贈与等」と読み替えるものとする。(令170の2③)

⑧　贈与等により非居住者に資産が移転した場合の譲渡所得等の特例の適用を受けるべき個人が贈与等の時後に有価証券等の移転をした場合において、その有価証券等が贈与等により取得をした有価証券等に該当するかどうかの判定

1⑧の規定は、贈与の日の属する年分の所得税につき①、②及び③の規定の適用を受けるべき個人の受贈者又は相続の開始の日の属する年分の所得税につき①、②及び③の規定の適用を受けるべき個人の相続人が①に規定する贈与等の時後に譲渡又は⑦に規定する限定相続等により有価証券等の移転をした場合において、その移転をした有価証券等が、これらの者が当該贈与等により取得をした有価証券等に該当するかどうかの判定について準用する。(令170の2⑥)

（⑧に規定する受贈者等が有する有価証券等について**1**⑪に掲げる事由が生じた場合の取扱い）

(1)　⑧に規定する受贈者又は相続人が有する有価証券等（以下(1)において「従前の有価証券等」という。）について**1**⑪(一)、同(二)及び同(三)に掲げる事由が生じた場合において、当該事由により取得した有価証券等（以下(1)において「取得有価証券等」という。）が⑫の規定により引き続き所有していたものとみなされるときにおける当該従前の有価証券等のうち当該取得有価証券等の取得の基因となった部分は、当該取得有価証券等と同一銘柄の有価証券等とみなして、⑧において準用する**1**⑧の規定を適用する。(令170の2⑦)

⑨　猶予適用贈与者から贈与により有価証券等の移転を受けた非居住者がその納税の猶予に係る期限までの間に当該有価証券等の移転をした場合の、その非居住者の当該猶予適用贈与者への譲渡等による移転をした旨等の通知義務

猶予適用贈与者から贈与により有価証券等又は未決済信用取引等若しくは未決済デリバティブ取引に係る契約の移転を受けた非居住者で当該猶予適用贈与者（その相続人を含む。以下⑨において同じ。）からその贈与の日の属する年分の所得税につき第十章第五節**二２**①又は同②の規定による納税の猶予を受けている旨及び当該納税の猶予に係る基準日の通知を受けたもの（その相続人を含む。）が、当該有価証券等又は未決済信用取引等若しくは未決済デリバティブ取引に係る契約を、その贈与の日から当該納税の猶予に係る基準日までの間に、譲渡若しくは決済又は限定相続等による移転をした場合には、その者は、その譲渡若しくは決済又は限定相続等の日（当該限定相続等に係る相続人にあっては、その相続の開始があったことを知った日）から２月以内に、当該猶予適用贈与者に、当該有価証券等又は未決済信用取引等若しくは未決済デリバティブ取引に係る契約の譲渡若しくは決済又は限定相続等による移転をした旨、その譲渡若しくは決済又は限定相続等による移転をした有価証券等又は未決済信用取引等若しくは未決済デリバティブ取引に係る契約の種類、銘柄及び数その他参考となるべき事項を通知しなければならない。（法60の３⑨）

（非居住者からの譲渡等をした旨の通知がなかった場合）

（1）　⑨に規定する非居住者が、猶予適用贈与者（⑦に規定する猶予適用贈与者をいう。以下（1）において同じ。）から贈与を受けた対象資産について⑨に規定する譲渡若しくは決済又は限定相続等による移転をした場合は、⑨の規定による通知がなかったとしても、第十章第五節**二２**⑥《贈与等により非居住者に資産が移転した場合の譲渡所得等の特例の適用がある場合の納税猶予》の規定により当該猶予適用贈与者の同①の規定による納税猶予に係る期限が確定することに留意する。（基通60の３－３）

⑩　贈与等により非居住者に資産が移転した場合の譲渡所得等の特例の適用を受けるべき受贈者が所得税確定申告期限等までに有価証券等の譲渡をしている場合の⑦及び⑨の規定の準用

⑦及び⑨の規定は、次の(一)及び(二)に掲げる者が、それぞれ当該(一)又は(二)に定める期限までに、その贈与等により非居住者に移転があった有価証券等又は未決済信用取引等若しくは未決済デリバティブ取引に係る契約の譲渡若しくは決済又は限定相続等による移転をした場合について準用する。この場合において、⑨中「猶予適用贈与者から」とあるのは「⑩(一)に規定する個人から」と、「受けた非居住者で当該猶予適用贈与者（その相続人を含む。以下⑨において同じ。）からその贈与の日の属する年分の所得税につき第十章第五節**二２**①又は同②の規定による納税の猶予を受けている旨及び当該納税の猶予に係る基準日の通知を受けたもの」とあるのは「受けた非居住者」と、「当該納税の猶予に係る基準日まで」とあるのは「同号に定める期限まで」と、「当該猶予適用贈与者に」とあるのは「当該個人に」と読み替えるものとする。（法60の３⑩）

(一)	贈与の日の属する年分の所得税につき①、②及び③の規定の適用を受けるべき個人の受贈者　当該個人の同日の属する年分の所得税に係る確定申告期限
(二)	相続の開始の日の属する年分の所得税につき①、②及び③の規定の適用を受けるべき個人（当該譲渡若しくは決済又は限定相続等による移転の時において、当該個人から相続又は遺贈により有価証券等又は未決済信用取引等若しくは未決済デリバティブ取引に係る契約の移転を受けた非居住者の全てが（1）で定めるところにより第十五章**四**《納税管理人》**２**の規定による納税管理人の届出をしている場合における当該個人に限る。）の相続人　当該個人の同日の属する年分の所得税に係る確定申告期限

（⑩(二)の規定による納税管理人の届出方法）

（1）　⑩(二)の規定による納税管理人の届出をする場合において、⑩(二)の移転を受けた非居住者が２人以上あるときは、当該届出は、各非居住者が連署による一の書面で行わなければならない。ただし、当該移転を受けた他の非居住者の氏名を付記して各別に行うことを妨げない。（令170の２④）

（(1)ただし書きの方法による場合の通知）

（2）　(1)ただし書の方法により(1)の届出をした非居住者は、遅滞なく、当該移転を受けた他の非居住者に対し、当該届出の際に提出した書面に記載した事項の要領を通知しなければならない。（令170の２⑤）

⑪　納税猶予に係る期限が到来した場合の取扱い

猶予適用贈与者の受贈者又は猶予適用相続人が、その贈与等の日から５年を経過する日（当該猶予適用贈与者又は猶予適用相続人が第十章第五節**二２**③の規定により同①又は同②の規定による納税の猶予を受けている場合にあっては、10年を経過する日。以下⑪において同じ。）においてその贈与等の日から引き続き有している有価証券等又は決済していない未決済信用取引等若しくは未決済デリバティブ取引が次の㈠から㈦までに掲げる場合に該当するときにおける当該猶予適用贈与者又は猶予適用相続人の適用被相続人等の当該贈与等の日の属する年分の所得税に係る①、②及び③の規定の適用については、これらの規定中「その贈与等の時」とあるのは、「当該贈与等の日から５年を経過する日（当該贈与等に係る**２**⑪に規定する猶予適用贈与者又は猶予適用相続人が第十章第五節**二２**③《贈与等により非居住者に資産が移転した場合の譲渡所得等の特例の適用がある場合の納税猶予》の規定により同①又は同②の規定による納税の猶予を受けている場合にあっては、10年を経過する日）」とすることができる。（法60の３⑪）

㈠	当該５年を経過する日における当該有価証券等の価額に相当する金額が当該贈与等の時における当該有価証券等の価額に相当する金額を下回るとき。
㈡	当該５年を経過する日に当該未決済信用取引等を決済したものとみなして（1）で定めるところにより算出した利益の額に相当する金額が、贈与等時みなし信用取引等利益額を下回るとき。
㈢	当該５年を経過する日に当該未決済信用取引等を決済したものとみなして（1）で定めるところにより算出した損失の額に相当する金額（㈣において「５年経過日みなし信用取引等損失額」という。）が、贈与等時みなし信用取引等損失額を上回るとき。
㈣	当該５年経過日みなし信用取引等損失額が生じた未決済信用取引等につき、贈与等時みなし信用取引等利益額が生じていたとき。
㈤	当該５年を経過する日に当該未決済デリバティブ取引を決済したものとみなして（2）で定めるところにより算出した利益の額に相当する金額が、贈与等時みなしデリバティブ取引利益額を下回るとき。
㈥	当該５年を経過する日に当該未決済デリバティブ取引を決済したものとみなして（2）で定めるところにより算出した損失の額に相当する金額（㈦において「５年経過日みなしデリバティブ取引損失額」という。）が、贈与等時みなしデリバティブ取引損失額を上回るとき。
㈦	当該５年経過日みなしデリバティブ取引損失額が生じた未決済デリバティブ取引につき、贈与等時みなしデリバティブ取引利益額が生じていたとき。

（⑪㈡に規定する（1）で定めるところにより算出した利益の額に相当する金額及び⑪㈢に規定する（1）で定めるところにより算出した損失の額に相当する金額）（**1**①（1）の規定の準用）

（1）　**1**①（1）の規定は、⑪㈡に規定する（1）で定めるところにより算出した利益の額に相当する金額及び⑪㈢に規定する（1）で定めるところにより算出した損失の額に相当する金額について準用する。この場合において、**1**①（1）中「当該国外転出の日」とあるのは、「その⑪に規定する５年を経過する日」と読み替えるものとする。（規37の３③）

（⑪㈤に規定する（2）で定めるところにより算出した利益の額に相当する金額及び⑪㈥に規定する（2）で定めるところにより算出した損失の額に相当する金額）（**1**③（1）の規定の準用）

（2）　**1**③（1）の規定は、⑪㈤に規定する（2）で定めるところにより算出した利益の額に相当する金額及び⑪㈥に規定する（2）で定めるところにより算出した損失の額に相当する金額について準用する。この場合において、**1**③（1）㈠中「当該国外転出の日」とあるのは「その⑪に規定する５年を経過する日（以下「**５年経過日**」という。）」と、**1**③（1）㈡及び同㈢中「国外転出の時」とあるのは「５年経過日」と読み替えるものとする。（規37の３④）

⑫　贈与等の日後に取得した有価証券等であっても、引き続き所有していたものとみなされる場合

⑥、⑥（1）、⑦、⑨、⑩及び⑪までの規定の適用については、これらの規定に規定する受贈者、相続人、受遺者又は猶予適用相続人がこれらの規定に規定する贈与等の日後に**1**⑪㈠、同㈡及び同㈢に掲げる事由により取得した有価証券等は、当該受贈者、相続人、受遺者又は猶予適用相続人が引き続き所有していたものとみなす。（法60の３⑫）

3　外国転出時課税の規定の適用を受けた場合の譲渡所得等の特例（二重課税の調整）

①　外国転出時課税の規定の適用を受けた場合の譲渡所得等の特例（二重課税の調整）

居住者が外国転出時課税の規定の適用を受けた有価証券等の**1**④に規定する譲渡をした場合における事業所得の金額、

譲渡所得の金額又は雑所得の金額の計算については、その外国転出時課税の規定により課される外国所得税（第九章第二節**二 1**①《外国税額控除》に規定する外国所得税をいう。②及び④において同じ。）の額の計算において当該有価証券等の譲渡をしたものとみなして当該譲渡に係る所得の金額の計算上収入金額に算入することとされた金額をもって、当該有価証券等の取得に要した金額とする。（法60の４①）

②　外国転出時課税の規定の適用を受けた未決済信用取引等の決済をした場合における事業所得等の金額の計算

居住者が外国転出時課税の規定の適用を受けた未決済信用取引等又は未決済デリバティブ取引の決済をした場合における事業所得の金額又は雑所得の金額の計算については、当該決済によって生じた利益の額若しくは損失の額（以下②において「**決済損益額**」という。）からその外国転出時課税の規定により課される外国所得税の額の計算において当該未決済信用取引等若しくは未決済デリバティブ取引の決済をしたものとみなして算出された利益の額に相当する金額を減算し、又は当該決済損益額に当該外国所得税の額の計算において当該決済をしたものとみなして算出された損失の額に相当する金額を加算する。（法60の４②）

③　外国転出時課税の規定の適用がある場合の収入金額に算入することとされた金額等の円換算額

①又は②の規定の適用がある場合には、①に規定する収入金額に算入することとされた金額及び②に規定する利益の額に相当する金額又は損失の額に相当する金額の第二節**十一 1**《外貨建取引の換算》に規定する円換算額は、④に規定する国外転出に相当する事由その他④（１）で定める事由が生じた時における外国為替の売買相場により換算した金額とする。（令170の３①）

（有価証券等の取得費とされる金額等の円換算）

（１）　③の規定による有価証券等の取得に要した金額（①に規定する収入金額に算入することとされた金額をいう。）及び①に規定する利益の額に相当する金額又は損失の額に相当する金額の第二節**十一 1**《外貨建取引の換算》に規定する円換算については、同**1**（３）に準じて計算するものとする。（基通60の４－１）

④　①及び②に規定する外国転出時課税の規定

①及び②に規定する外国転出時課税の規定とは、外国における**1**①に規定する国外転出に相当する事由その他（１）で定める事由が生じた場合に**1**①、同②及び同③の規定に相当する当該外国の法令の規定によりその有している有価証券等又は契約を締結している未決済信用取引等若しくは未決済デリバティブ取引の譲渡又は決済があったものとみなして外国所得税を課することとされている場合における当該外国の法令の規定をいう。（法60の４③）

（④に規定する（１）で定める事由）

（１）　④に規定する（１）で定める事由は、次の㈠及び㈡に掲げる事由とする。（令170の３②）

㈠	国籍その他これに類するものを有しないこととなること。
㈡	外国が締結した所得に対する租税に関する二重課税の回避のための条約の規定により当該条約の締約国若しくは締約者のうち一方の締約国又は締約者において第九章第二節**三**①《国外転出をする場合の譲渡所得等の特例に係る外国税額控除の特例》に規定する外国所得税を課される者でないものとみなされることとなること又は外国居住者等の所得に対する相互主義による所得税等の非課税等に関する法律第３条第１項各号（双方居住者の取扱い）に掲げる場合に相当する場合その他これに類する場合に該当することにより同法第２条第３号《定義》に規定する外国（同法第５条各号《相互主義》のいずれかに該当しない場合における当該外国を除く。）において同①に規定する外国所得税を課される者でないものとみなされることとなること。

二　事業を廃止した場合等の所得計算の特例

1　事業を廃止した場合等の必要経費の特例

居住者が不動産所得、事業所得又は山林所得を生ずべき事業を廃止した後において、当該事業に係る費用又は損失で当該事業を廃止しなかったとしたならばその者のその年分以後の各年分の不動産所得の金額、事業所得の金額又は山林所得の金額の計算上必要経費に算入されるべき金額が生じた場合には、当該金額は、次の①及び②に定めるところにより、その者のその**廃止した日の属する年分**（同日の属する年においてこれらの所得に係る総収入金額がなかった場合には、当該総収入金額があった最近の年分。以下①及び②において同じ。）又はその前年分の不動産所得の金額、事業所得の金額又は山林所得の金額の計算上、必要経費に算入する。（法63、令179）

<table>
<tr><td>①</td><td>当該必要経費に算入される金額が事業を廃止した日の属する年分の所得金額（次のイ、ロのうち少ない金額）以下である場合
<table><tr><td>イ</td><td>当該必要経費に算入されるべき金額が生じた時の直前において確定している当該廃止した日の属する年分の<u>総所得金額</u>、山林所得金額及び退職所得金額の合計額</td></tr><tr><td>ロ</td><td>イに掲げる金額の計算の基礎とされる不動産所得の金額、事業所得の金額又は山林所得の金額</td></tr></table></td><td>当該必要経費に算入されるべき金額の全部を当該廃止した日の属する年分の不動産所得の金額、事業所得の金額又は山林所得の金額の計算上必要経費に算入する。（令179一）</td></tr>
<tr><td>②</td><td>当該必要経費に算入される金額が事業を廃止した日の属する年分の所得金額（①イ、同ロのうち少ない金額）を超える場合</td><td>当該必要経費に算入されるべき金額のうち、①のイとロのいずれか低い金額に相当する部分の金額については、当該廃止した日の属する年分の不動産所得の金額、事業所得の金額又は山林所得の金額の計算上必要経費に算入し、その超える部分の金額に相当する金額については、次に掲げる金額のうちいずれか低い金額を限度としてその年の前年分の不動産所得の金額、事業所得の金額又は山林所得の金額の計算上必要経費に算入する。（令179二）
<table><tr><td>イ</td><td>当該必要経費に算入されるべき金額が生じた時の直前において確定している当該前年分の<u>総所得金額</u>、山林所得金額及び退職所得金額の合計額</td></tr><tr><td>ロ</td><td>イに掲げる金額の計算の基礎とされる不動産所得の金額、事業所得の金額又は山林所得の金額</td></tr></table></td></tr>
</table>

（注）1　上記**1**表内①及び②の下線部分「総所得金額」には、第八章**一**《雑損控除》**1**（1）と同じく租税特別措置法施行令の読替え規定が含まれる。（編者注）

2　上記の特例により過年分の所得金額、税額を変更する手続は、第十章第八節**二 1**《各種所得の金額に異動を生じた場合の更正の請求の特例》に定めるところによることとなる。（編者注）

（個人事業を引き継いで設立された法人の損金に算入されない退職給与）

（1）　個人事業を引き継いで設立された法人が、個人事業当時から引き続き在職する使用人の退職により退職給与を支給した場合において、その支給した金額のうちに、個人事業当時の事業主の負担すべきものとして当該法人の所得の金額の計算上損金に算入されなかった金額があるときは、その金額については、その事業主が支出した退職給与として**1**の規定を適用する（基通63－1）

（確定している総所得金額等の意義）

（2）　①イ又は②イに規定する当該必要経費に算入されるべき金額が生じた時の直前において確定している当該廃止した日の属する年分（又はその前年分）の総所得金額、山林所得金額及び退職所得金額は、**1**に規定する費用又は損失が生じた時の直前における事業を廃止した日の属する年分（又はその前年分）の確定申告、修正申告、更正若しくは決定又は当該更正若しくは決定についての不服申立てに基づく決定、裁決若しくは判決に係る当該年分の総所得金額、山林所得金額及び退職所得金額をいうのであるが、次に掲げる場合には、それぞれ次によるものとする。（基通63－２）

（一）　**1**に規定する費用又は損失が生じた時までに**1**に規定する事業を廃止した日の属する年分（又はその前年分）について確定申告書の提出及び決定がない場合には、これらの年分について**1**の規定の適用をしないで計算した総所得金額、山林所得金額及び退職所得金額をいう。

（二）　第十章第二節**二２**③《退職所得を有する者が確定所得申告を要しない場合》に規定する所得税に係る退職所得金額で確定申告がされていないものがある場合には、これらの年分の退職所得金額をいう。

（特例を適用した場合における税額の改算）

（３）　**1**の規定を適用した場合における所得税の額の改算に当たっては、**1**の規定により改算を要することとなる各種所得の金額から①又は②の規定により当該各種所得の金額の計算上必要経費に算入されることとなる金額を控除し、その控除後の各種所得の金額を基として第七章《損益通算及び損失の繰越控除》、第八章《所得控除》及び第九章《税額の計算》の規定を適用するものとする。この場合において、**1**の規定を適用したことにより新たに第九章第一節**二**《変動所得及び臨時所得の平均課税》の規定の適用を受けられることとなる者が第十章第八節**二１**《各種所得の金額に異動を生じた場合の更正の請求の特例》の規定により提出した更正の請求書に第九章第一節**二４**《平均課税の適用要件》に規定する事項を記載しているときは、平均課税の規定の適用があるものとする。（基通63－３）

（注）　事業所得に係る源泉徴収の対象となる報酬、料金等が貸倒れとなった場合には、当該報酬、料金等に係る源泉徴収をされるべき所得税の額はなくなるから、第十章第二節《確定申告》**二１**②(五)に規定する源泉徴収をされるべき所得税の額の改算を行う。

2　資産の譲渡代金が回収不能となった場合等の所得計算の特例

①　収入金額又は総収入金額（事業から生じたものを除く。）が回収不能となった場合の所得計算の特例

その年分の各種所得の金額（事業所得の金額を除く。以下①において同じ。）の計算の基礎となる収入金額若しくは総収入金額（不動産所得又は山林所得を生ずべき事業から生じたものを除く。以下①において同じ。）の全部若しくは一部を回収することができないこととなった場合又は(１)で定める事由により当該収入金額若しくは総収入金額の全部若しくは一部を返還すべきこととなった場合には、その回収することができないこととなったもの（②の規定により回収することができないこととなったものとみなされるものを含む。）又は返還すべきこととなったもの（以下①において「**回収不能額等**」という。）のうち、次のイ及びロに掲げる金額のうちいずれか低い金額に達するまでの金額は、当該各種所得の金額の計算上、なかったものとみなす。（法64①、令180②）

イ	回収不能額等が生じた時の直前において確定している①に規定する年分の**総所得金額**（(注)参照)、退職所得金額及び山林所得金額の合計額
ロ	イに掲げる金額の計算の基礎とされる各種所得の金額のうち当該回収不能額等に係るものから、当該回収不能額等に相当する収入金額又は総収入金額がなかったものとした場合に計算される当該各種所得の金額を控除した残額

（注）　「総所得金額」の意義及び①に該当する場合の更正の請求については、**1**の(注)１及び２に同じ。(８)参照。（編者注）

（(１)で定める事由）

（１）　①に規定する(１)で定める事由は、国家公務員退職手当法第２条の３第２項《退職手当の支払》に規定する一般の退職手当の支払を受けた者が同法第15条第１項《退職をした者の退職手当の返納》の規定による処分を受けたことその他これに類する事由とする。（令180①）

（回収不能の判定）

（２）　①に規定する収入金額若しくは総収入金額の全部若しくは一部を回収することができなくなったかどうか、又は②に規定する求償権の全部若しくは一部を行使することができなくなったかどうかの判定については、第二節**八２**①《貸倒損失等の必要経費算入》（２）から同(７)までの取扱いに準ずる。（基通64－１）

（収入金額の返還の意義）

（３）　①に規定する返還とは、退職金等をその支給した者に返還する場合をいうのであるから、子会社に再就職する際、親会社から受けた退職金をその子会社に提供したような場合は、これに当たらない。（基通64－１の２）

（注）　退職金等をその支給者以外の者に提供したことにより、その後その提供先から支給を受ける退職金等の金額がその提供した金額を含め

て計算されている場合における当該退職金等に係る所得の収入金額は、その支給を受けた退職金等の金額からその提供した退職金等の金額を控除して計算する。

（役員が未払賞与等の受領を辞退した場合）

（4）　役員が、次に掲げるような特殊な事情の下において、一般債権者の損失を軽減するためその立場上やむなく、自己が役員となっている法人から受けるべき各種所得の収入金額に算入されるものでまだ支払を受けていないものの全部又は一部の受領を辞退した場合には、当該辞退した金額につき①の規定の適用があるものとする。（基通64－2）

（一）　当該法人が特別清算開始の命令を受けたこと。

（二）　当該法人が破産手続開始の決定を受けたこと。

（三）　当該法人が再生手続開始の決定を受けたこと。

（四）　当該法人が更生手続の開始決定を受けたこと。

（五）　当該法人が事業不振のため会社整理の状態に陥り、債権者集会等の協議決定により債務の切捨てを行ったこと。

（支払者が債務免除を受けた場合の源泉徴収）

（5）　給与等その他の源泉徴収の対象となるものの支払者が、当該源泉徴収の対象となるもので未払のものにつきその支払債務の免除を受けた場合には、当該債務の免除を受けた時においてその支払があったものとして源泉徴収を行うものとする。ただし、当該債務の免除が当該支払者の債務超過の状態が相当期間継続しその支払をすることができないと認められる場合に行われたものであるときは、この限りでない。（基通181～223共－2）

（注）　支払の確定した日から1年を経過した日において支払があったものとみなされた未払の配当等又は役員に対する賞与等につき同日後において上記ただし書に該当する債務の免除が行われても、当該配当等又は賞与等につき源泉徴収をした税額は、当該源泉徴収をした徴収義務者に還付する過誤納金とはならないが、当該免除をした者については①の規定の適用があることに留意する。

（役員が未払賞与等の受領を辞退した場合）

（6）　役員が、次に掲げるような特殊な事情の下において、一般債権者の損失を軽減するためその立場上やむなく、自己が役員となっている法人から受けるべき賞与等その他の源泉徴収の対象となるもので未払のものの受領を辞退した場合には、当該辞退により支払わないこととなった部分については、源泉徴収をしなくて差し支えない。（基通181～223共－3）

（一）　当該法人が特別清算開始の命令を受けたこと。

（二）　当該法人が破産手続開始の決定を受けたこと。

（三）　当該法人が再生手続開始の決定を受けたこと。

（四）　当該法人が更生手続の開始決定を受けたこと。

（五）　当該法人が事業不振のため会社整理の状態に陥り、債権者集会等の協議決定により債務の切捨てを行ったこと。

（各種所得の金額の計算上なかったものとみなされる金額）

（7）　**2**の規定により各種所得の金額の計算上なかったものとみなされる金額は、租税特別措置法施行令第4条の2第9項《上場株式等に係る配当所得等の課税の特例》、第19条第24項《土地の譲渡等に係る事業所得等の課税の特例》、第20条第5項《長期譲渡所得の課税の特例》、第21条第7項《短期譲渡所得の課税の特例》、第25条の8第16項《一般株式等に係る譲渡所得等の課税の特例》、第25条の9第13項《上場株式等に係る譲渡所得等の課税の特例》、第25条の11の2第20項《上場株式等に係る譲渡損失の損益通算及び繰越控除》、第25条の12の3第24項《特定中小会社が発行した株式に係る譲渡損失の繰越控除等》、第26条の23第6項《先物取引に係る雑所得等の金額の計算等》及び第26条の26第11項《先物取引の差金等決済に係る損失の繰越控除》の規定により読み替えられた①の規定により、次に掲げる金額のうち最も低い金額となることに留意する。（基通64－2の2）

（一）　①に規定する回収不能額等

（二）　当該回収不能額等が生じた時の直前において確定している①に規定する年分の総所得金額、土地等に係る事業所得等の金額、短期譲渡所得の金額、長期譲渡所得の金額、上場株式等に係る配当所得の金額、一般株式等に係る譲渡所得等の金額、上場株式等に係る譲渡所得等の金額、先物取引に係る雑所得等の金額、退職所得金額及び山林所得金額の合計額

（三）　当該回収不能額等に係る（二）に掲げる金額の計算の基礎とされる各種所得の金額

（回収不能額等が生じた時の直前において確定している「総所得金額」）

（8）　①イの「総所得金額」とは、当該総所得金額の計算の基礎となった利子所得の金額、配当所得の金額、不動産所

得の金額、事業所得の金額、給与所得の金額、譲渡所得の金額、一時所得の金額及び雑所得の金額（損益通算の規定の適用がある場合には、その適用後のこれらの所得の金額とし、赤字の所得はないものとする。）の合計額（純損失の繰越控除又は雑損失の繰越控除の規定の適用がある場合には、当該合計額から総所得金額等の計算上控除すべき純損失の金額又は雑損失の金額を控除した金額とする。）をいうものとする。（基通64－３）

（注）上記の譲渡所得の金額とは、長期保有資産（第四章第八節**二１**(二)に掲げる所得の基因となる資産をいう。）に係る譲渡所得であっても、２分の１する前の金額をいうことに留意する。また、一時所得の金額についても同様である。

（譲渡所得に関する買換え等の規定との関係）

（９）　譲渡所得の金額の計算につき、第五章第二節**二十三**《固定資産の交換の場合の譲渡所得の特例》又は同節**三**《収用等に伴い代替資産を取得した場合の課税の特例》（同節**四２**《交換取得資産とともに取得した補償金等に係る課税の特例》において準用する場合を含む。）、同節**十五**《特定の居住用財産の買換え及び交換の特例》、同節**十八**《特定の事業用資産の買換え又は交換の特例》、同節**十九**《既成市街地等内にある土地等の中高層耐火建築物等建設のための買換え又は交換の特例》、同節**二十**《特定の交換分合により土地等を取得した場合の課税の特例》若しくは同節**二十一**《特定普通財産とその隣接する土地等の交換の場合の譲渡所得の課税の特例》の規定（⑽までにおいて「買換え等の規定」という。）と**２**の規定の適用を受ける場合には、まず、買換え等の規定を適用し、次に**２**の規定を適用するのであるから留意する。（基通64－３の２）

（買換え等の規定の適用を受ける場合の回収不能額等）

⑽　（９）の場合において、買換え等の規定の適用を受ける譲渡資産に係る譲渡対価のうち回収することができなくなった部分の金額（②に規定する保証債務の履行に伴う求償権のうち当該求償権を行使することができなくなった部分の金額を含む。）が、当該買換え等の規定により当該譲渡資産のうち譲渡があったものとされる部分の収入金額を超えるときは、当該譲渡資産に係る①に規定する「回収不能額等」は、当該収入金額に相当する金額に限られ、当該超える部分の金額は、①に規定する「回収不能額等」に含まれないことに留意する。（基通64－３の３）

（２以上の譲渡資産に係る回収不能額等の各資産への配分）

⑾　①に規定する回収不能額等が２以上の資産の譲渡に係る譲渡所得の収入金額について生じた場合において、当該回収不能額等がいずれの資産の譲渡に係る収入金額について生じたものであるか明らかでないときは、当該回収不能額等を当該回収不能額等に係る各資産の譲渡に係る収入金額の比によりあん分して計算した金額を当該各資産の譲渡に係る収入金額に対応する回収不能額等として、①の規定を適用するものとする。ただし、当該明らかでないときに該当する場合であっても、納税者が２以上の資産のうちいずれか一の資産又は２以上の資産を選択し、当該選択した資産の譲渡に係る収入金額について当該回収不能額等が生じたものとして計算をして申告したときは、その計算を認めて差し支えない。第十章第八節**二１**《各種所得の金額に異動を生じた場合の更正の請求の特例》の規定による更正の請求をする場合においても、同様とする。（基通64－３の４）（編者注＝上記配分方法の図解は次ページのとおり。）

（概算取得費によっている場合の取得費等の計算）

⑿　譲渡所得の金額の計算上控除すべ取得費につき第五章第二節**一４**《長期譲渡所得の概算取得費控除》の規定の適用を受ける場合において、①のロに規定する「回収不能額等に相当する収入金額又は総収入金額がなかったものとした場合」に計算される譲渡所得の金額を計算するときは、当該譲渡所得の金額の計算上控除する取得費は、当該回収不能額等が生じた時の直前において確定している譲渡所得の金額の計算上控除すべき取得費によるものとする。

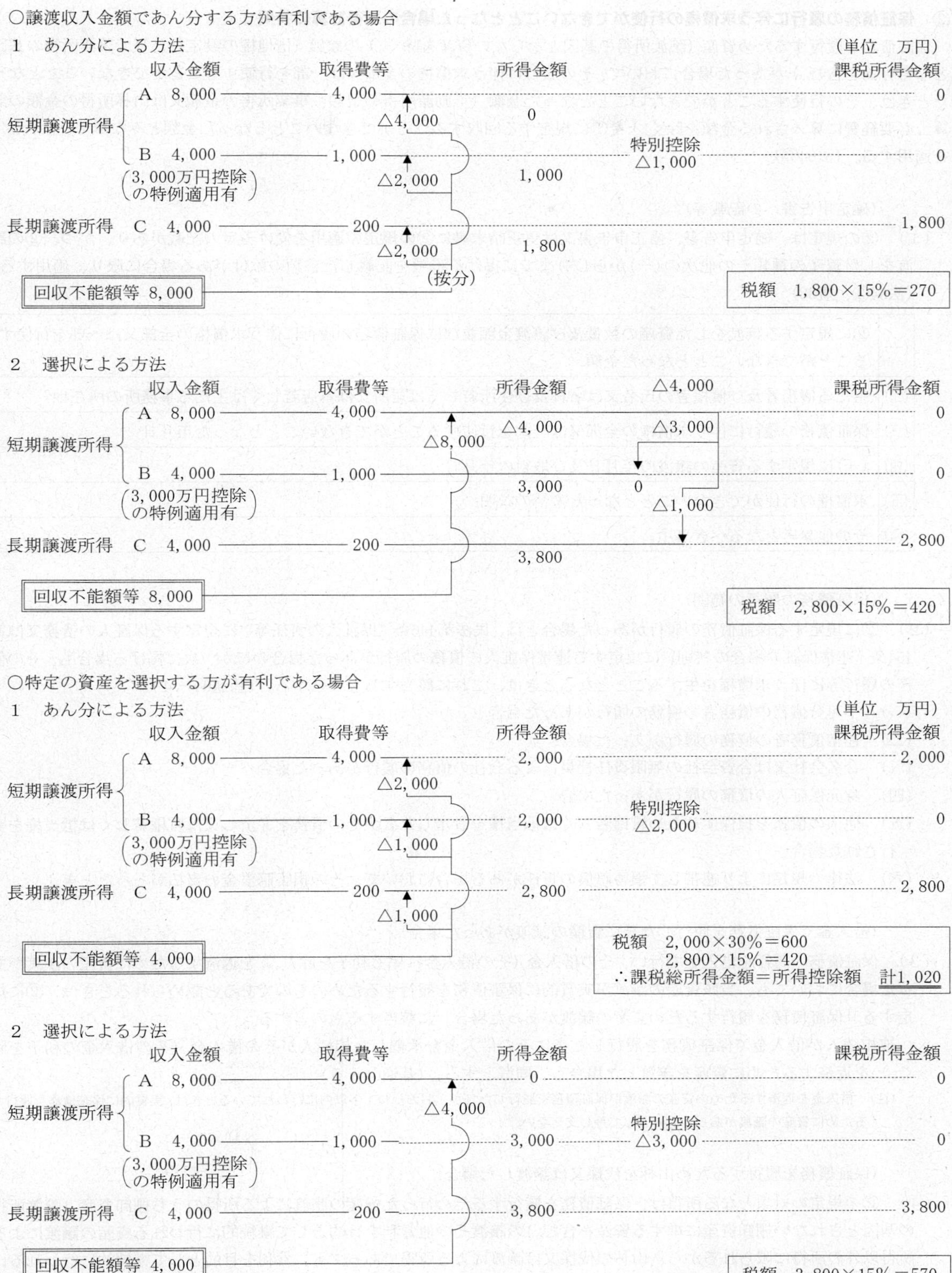

山林所得の金額の計算につき第四章第七節**二 3**《概算経費控除》の規定の適用を受ける場合における山林所得の金額の計算上控除する必要経費についても、また同様とする。(基通64－3の5)

②　保証債務の履行に伴う求償権の行使ができないこととなった場合の所得計算の特例

保証債務を履行するため資産（譲渡所得の基因とならない資産を除く。）の譲渡（借地権の設定行為等で譲渡所得の基因となる行為を含む。）があった場合において、その履行に伴う求償権の全部又は一部を行使することができないこととなったときは、その行使することができないこととなった金額（不動産所得の金額、事業所得の金額又は山林所得の金額の計算上必要経費に算入される金額を除く。）を①に規定する回収することができないこととなった金額とみなして、①の規定を適用する。（法64②）

（確定申告書への記載等）

（1）　②の規定は、確定申告書、修正申告書又は更正請求書に②の規定の適用を受ける旨の記載があり、かつ、②の譲渡をした資産の種類その他次の(一)から(六)までに掲げる事項を記載した書類の添付がある場合に限り、適用する。（法64③、規38）

(一)	②に規定する譲渡をした資産の数量及び譲渡金額並びに保証債務の履行に伴う求償権の全部又は一部を行使することができないこととなった金額
(二)	主たる債務者及び債権者の氏名又は名称及び住所若しくは居所又は本店若しくは主たる事務所の所在地
(三)	保証債務の履行に伴う求償権の全部又は一部を行使することができないこととなった年月日
(四)	(一)に規定する資産の譲渡の年月日及び取得の年月日
(五)	求償権の行使ができないこととなった事情の説明
(六)	その他参考となるべき事項

（保証債務の履行の範囲）

（2）　②に規定する保証債務の履行があった場合とは、民法第446条《保証人の責任等》に規定する保証人の債務又は第454条《連帯保証の場合の特則》に規定する連帯保証人の債務の履行があった場合のほか、次に掲げる場合も、その債務の履行等に伴う求償権を生ずることとなるときは、これに該当するものとする。（基通64－4）

(一)　不可分債務の債務者の債務の履行があった場合

(二)　連帯債務者の債務の履行があった場合

(三)　合名会社又は合資会社の無限責任社員による会社の債務の履行があった場合

(四)　身元保証人の債務の履行があった場合

(五)　他人の債務を担保するため質権若しくは抵当権を設定した者がその債務を弁済し又は質権若しくは抵当権を実行された場合

(六)　法律の規定により連帯して損害賠償の責任がある場合において、その損害賠償金の支払があったとき。

（借入金で保証債務を履行した後に資産の譲渡があった場合）

（3）　保証債務の履行を借入金で行い、その借入金（その借入金に係る利子を除く。）を返済するために資産の譲渡があった場合においても、当該資産の譲渡が実質的に保証債務を履行するためのものであると認められるときは、②に規定する「保証債務を履行するため資産の譲渡があった場合」に該当するものとする。

被相続人が借入金で保証債務を履行した後にその借入金を承継した相続人がその借入金（その借入金の利子を除く。）を返済するために資産を譲渡した場合も、同様とする。（基通64－5）

（注）　借入金を返済するための資産の譲渡が保証債務を履行した日からおおむね１年以内に行われているときは、実質的に保証債務を履行するために資産の譲渡があったものとして差し支えない。

（保証債務を履行するため山林を伐採又は譲渡した場合）

（4）　②の規定の対象となる所得は、保証債務を履行するため行った資産の譲渡による所得のうち棚卸資産（譲渡所得の基因とされない棚卸資産に準ずる資産を含む。）の譲渡その他営利を目的として継続的に行われる資産の譲渡による所得以外の所得に限られるから、山林の伐採又は譲渡による所得であっても、営利を目的として継続的に行われる山林の伐採又は譲渡による所得については、②の規定は適用されない。（基通64－5の２）

（保証債務に係る相続税法第13条と②の規定の適用関係）

（5）　被相続人の保証債務を承継した相続人が、当該保証債務を履行するために資産を譲渡した場合には、当該資産の譲渡は、その保証債務を被相続人の債務として相続税法第13条《債務控除》の規定の適用を受けるときであっても、②に規定する「保証債務を履行するため資産の譲渡があった場合」に該当するものとする。（基通64－5の3）

（確定している総所得金額の意義及び税額の改算）

（6）　①イに規定する「確定している①に規定する年分の総所得金額、退職所得金額及び山林所得金額」の意義及び**2**の規定を適用した場合における所得税の額の改算については、**1**（2）及び同（3）の取扱いに準ずる。（基通64－6）

三　収入及び費用の帰属の時期の特例

1　リース譲渡

①　リース譲渡に係る収入及び費用の帰属時期

居住者が、**4**《リース取引に係る所得の金額の計算》②に規定するリース取引による同①に規定するリース資産の引渡し（以下において「リース譲渡」という。）を行った場合において、そのリース譲渡に係る収入金額及び費用の額につき、そのリース譲渡の日の属する年以後の各年において③に定める**延払基準の方法**により経理したとき（当該リース譲渡につき②の規定の適用を受ける場合を除く。）は、その経理した収入金額及び費用の額は、当該各年分の事業所得の金額の計算上、総収入金額及び必要経費に算入する。ただし、当該リース譲渡に係る収入金額及び費用の額につき、同日の属する年の翌年以後のいずれかの年において当該延払基準の方法により経理しなかった場合は、その経理しなかった年の翌年分以後の年分の事業所得の金額の計算については、本文の適用がないものとし、リース譲渡に係る収入金額及び費用の額（その経理しなかった年の前年分以前の各年分の事業所得の金額の計算上総収入金額及び必要経費に算入されるものを除く。）は、その経理しなかった年分の事業所得の金額の計算上、総収入金額及び必要経費に算入する。（法65①、令189①）

(注) 1　平成30年4月1日前に改正前の旧所得税法第65条第3項に規定する延払条件付販売等（以下**1**において「延払条件付販売等」という。）に該当する改正前の①に規定する資産の販売等（改正後の①に規定するリース譲渡を除く。以下**1**において「**特定資産の販売等**」という。）を行った個人（同日前に行われた延払条件付販売等に該当する特定資産の販売等に係る契約の移転を受けた個人を含む。）の平成30年から令和5年までの各年分の事業所得の金額の計算については、改正前の①（特定資産の販売等に係る部分に限るものとする。）の規定は、なおその効力を有する。（平30改所法等附1、8①）

2　(注) 1の規定によりなおその効力を有するものとされる改正前の①の規定の適用を受ける個人の延払条件付販売等に該当する特定資産の販売等に係る収入金額及び費用の額が次の(一)及び(二)に掲げる場合に該当する場合には、当該収入金額及び費用の額（当該(一)及び(二)に定める年の前年以前の各年分の事業所得の金額の計算上総収入金額及び必要経費に算入されるものを除く。(注) 3においてそれぞれ「**未計上収入金額**」及び「**未計上経費額**」という。）は、当該(一)及び(二)に定める年（(注) 3及び(注) 4において「**基準年**」という。）の年分の事業所得の金額の計算上、総収入金額及び必要経費に算入する。（平30改所法等附8②）

(一)	当該特定資産の販売等に係る収入金額及び費用の額につき平成30年から令和5年までの各年において改正前の①に規定する延払基準の方法により経理しなかった場合　その経理しなかった年
(二)	当該特定資産の販売等に係る収入金額及び費用の額のうち、令和5年までの各年分の事業所得の金額の計算上総収入金額及び必要経費に算入されなかったものがある場合　令和6年

3　改正前の①本文の規定の適用を受ける個人の延払条件付販売等に該当する特定資産の販売等に係る収入金額及び費用の額が(注) 2 (一)及び同(二)に掲げる場合に該当する場合において、当該特定資産の販売等に係る未計上収入金額が当該特定資産の販売等に係る未計上経費額を超えるときは、(注) 2の規定にかかわらず、(一)に掲げる金額（事業を廃止した日の属する年及び(一)に掲げる金額が(二)に掲げる金額を超える年にあっては、(二)に掲げる金額）を、基準年以後の各年分の事業所得の金額の計算上、総収入金額及び必要経費に算入する。（平30改所法等附8③）

(一)	当該未計上収入金額及び未計上経費額を120で除し、これにその年において事業を営んでいた期間の月数を乗じて計算した金額
(二)	イに掲げる金額からロに掲げる金額を控除した金額 イ　当該未計上収入金額及び未計上経費額 ロ　イに掲げる金額のうちその年の前年以前の各年分の事業所得の金額の計算上総収入金額及び必要経費に算入された金額

4　(注) 3の規定は、基準年の年分の所得税に係る確定申告書に(注) 3の規定の適用を受ける旨の記載がある場合に限り、適用される。（平30改所法等附8④）

5　税務署長は、(注) 4の確定申告書の提出がなかった場合又は(注) 4の記載がない確定申告書の提出があった場合においても、その提出がなかったこと又はその記載がなかったことについてやむを得ない事情があると認めるときは、(注) 3の規定を適用することができる。（平30改所法等附8⑤）

6　(注) 3 (一)の月数は、暦に従って計算し、一月に満たない端数を生じたときは、これを切り捨てる。（平30改所法等附8⑥）

7　(注) 1の規定によりなおその効力を有するものとされる改正前の①本文の適用を受けている個人が死亡し、又は出国をする場合における延払条件付販売等に該当する特定資産の販売等に係る収入金額及び費用の額の処理の特例その他(注) 1から(注) 3までの規定の適用に関し必要な事項は、政令で定める。（平30改所法等附8⑦）

（賦払金の支払遅延等により販売した資産を取り戻した場合の処理）

注　相手方の代金の支払遅延等の理由により、リース期間の中途においてリース譲渡をしたリース資産を取り戻した場合には、そのリース資産を取り戻した日の属する年において、まだ支払の行われていないリース料の額の合計額から当該合計額のうちに含まれる利息に相当する金額を控除した金額をもってそのリース資産を取得したものとする。ただし、まだ支払の行われていないリース料の額の合計額又はそのリース資産を取り戻した時における処分見込価額をもって取得したものとして計算して差し支えない。（基通65－8）

②　リース譲渡を行った場合の収入及び費用の帰属時期

居住者が**リース譲渡**を行った場合には、その対価の額を(2)で定めるところにより利息に相当する部分とそれ以外の部分とに区分した場合における当該リース譲渡の日の属する年以後の各年の収入金額及び費用の額として(3)で定める金額は、当該各年分の事業所得の金額の計算上、総収入金額及び必要経費に算入する。(法65②)

(リース譲渡に係る契約の解除又は他の者に対する移転をした場合の処理)

(1)　②の規定の適用を受けている居住者がその適用を受けているリース譲渡に係る契約の解除又は他の者に対する移転をした場合には、そのリース譲渡に係る収入金額及び費用の額（その解除又は移転をした日の属する年の前年分以前の各年分の事業所得の金額の計算上総収入金額及び必要経費に算入されるものを除く。）は、その解除又は移転をした日の属する年分の事業所得の金額の計算上、総収入金額及び必要経費に算入する。(令189②)

(②の対価の額のうち利息に相当する部分の金額)

(2)　②の対価の額のうち利息に相当する部分の金額は、リース譲渡の対価の額からその原価の額を控除した金額の100分の20に相当する金額（(2)において「利息相当額」という。）とする。(令188②)

(②に規定する収入金額として(3)で定める金額)

(3)　②に規定する収入金額として(3)で定める金額は、(一)及び(二)に掲げる金額の合計額とし、②に規定する費用の額として(3)で定める金額は、(三)に掲げる金額とする。(令188③)

(一)	リース譲渡の対価の額から利息相当額を控除した金額（(二)において「元本相当額」という。）をリース期間の月数で除し、これにその年における当該リース期間の月数を乗じて計算した金額
(二)	リース譲渡に係る賦払金の支払を、支払期間をリース期間と、支払日を当該リース譲渡に係る対価の支払の期日と、各支払日の支払額を当該リース譲渡に係る対価の各支払日の支払額と、利息の総額を利息相当額と、元本の総額を元本相当額とし、利率を当該支払期間、支払日、各支払日の支払額、利息の総額及び元本の総額を基礎とした複利法により求められる一定の率として賦払の方法により行うものとした場合にその年におけるリース期間に帰せられる利息の額に相当する金額
(三)	リース譲渡の原価の額をリース期間の月数で除し、これにその年における当該リース期間の月数を乗じて計算した金額

(注)　(3)の月数は、暦に従って計算し、1月に満たない端数を生じたときは、これを1月とする。(令188④)

(確定申告書の提出と明細の記載)

(4)　②の規定は、リース譲渡の日の属する年分の確定申告書に②に規定する収入金額及び費用の額として(3)で定める金額の総収入金額及び必要経費への算入に関する明細の記載がある場合に限り、適用する。(法65③)

(確定申告書の提出や記載がなかった場合の宥恕規定)

(5)　税務署長は、確定申告書の提出がなかった場合又は(4)の記載がない確定申告書の提出があった場合においても、その提出がなかったこと又はその記載がなかったことについてやむを得ない事情があると認めるときは、②の規定を適用することができる。(法65④)

(事業に廃止、死亡等があった場合の収入及び費用の帰属時期)

(6)　リース譲渡に係る収入金額及び費用の額につき②の規定の適用を受けている居住者が④イから同ハまでに掲げる場合に該当することとなったときは、その該当することとなった日の属する年以前の各年においてその者がしたリース譲渡に係る収入金額及び費用の額（当該各年分の事業所得の金額の計算上総収入金額及び必要経費に算入されるものを除く。）は、②の規定にかかわらず、その者の同日の属する年分の事業所得の金額の計算上、総収入金額及び必要経費に算入する。(令191⑤)

(死亡によりリース譲渡に係る事業を承継した相続人がリース譲渡に係る契約の移転を受けたとき)

(7)　リース譲渡に係る収入金額及び費用の額につき②の規定の適用を受けている居住者が死亡した場合において、その者の当該リース譲渡に係る事業を承継した相続人が当該居住者から②の規定の適用を受けているリース譲渡に係る契約の移転を受けたときは、当該死亡の日の属する年以後の各年分における当該相続人の②の規定の適用については、当該リース譲渡に係る対価の額及び原価の額並びにリース期間（③(二)イに規定するリース期間をいう。以下(7)において同じ。）は当該相続人が行ったリース譲渡に係る対価の額及び原価の額並びにリース期間と、当該居住者がした(4)の明細の記載は当該相続人がしたものと、それぞれみなす。(令191⑥)

（死亡により事業を承継した相続人がリース譲渡に係る契約の解除や移転を受けたとき）

(8)　(7)に規定する居住者が死亡した場合において、その者の(7)に規定する事業を承継した相続人が、②の規定の適用を受けているリース譲渡に係る契約の解除又は他の者に対する移転をした場合には、そのリース譲渡に係る収入金額及び費用の額（その居住者の各年分の事業所得の金額又は当該相続人のその年の前年分以前の各年分の事業所得の金額の計算上総収入金額及び必要経費に算入されるものを除く。）は、その該当することとなった年分の事業所得の金額の計算上、総収入金額及び必要経費に算入する。(令191⑦)

（事業に廃止、死亡等があった場合の事業を承継した相続人の準用規定）

(9)　(6)の規定は、(7)の規定の適用を受けている(7)の相続人が④イから同ハまでに掲げる場合に該当することとなった場合について準用する。(令191⑧)

（賦払の方法）

注　改正前の所得税法第65条第３項第１号に規定する「月賦、年賦その他の賦払の方法」とは、支払を受けるべき対価の額の支払期日（以下③の(5)までにおいて「履行期日」という。）が、頭金の履行期日を除き、月、年等で１年以下の期間を単位としておおむね規則的に到来し、かつ、それぞれの履行期日において支払を受けるべき金額が当初において具体的に確定している場合におけるその賦払の方法をいう。(旧基通65－1)

(注)　上記注は所得税法等の一部を改正する法律（平成30年法律第７号）等の施行に伴い、廃止された。ただし、**1**①(注)１から同(注)７までの規定によりなお効力を有するものとされる改正前の同①の規定の適用を受ける場合については、この改正前の注の取扱いによる。

③　延払基準の方法

①に規定する③で定める延払基準の方法は、次の(一)及び(二)に掲げる方法とする。(令188①)

<table>
<tr><td>(一)</td><td colspan="2">①に規定するリース譲渡（以下1において「リース譲渡」という。）の対価の額及びその原価の額（そのリース譲渡に要した手数料の額を含む。）にそのリース譲渡に係る賦払金割合（リース譲渡の対価の額のうちに、当該対価の額に係る賦払金であってその年においてその支払の期日が到来するものの合計額（当該賦払金につき既にその年の前年以前に支払を受けている金額がある場合には、当該金額を除くものとし、その年の翌年以後において支払の期日が到来する賦払金につきその年中に支払を受けた金額がある場合には、当該金額を含む。）の占める割合をいう。）を乗じて計算した金額をその年分の収入金額及び費用の額とする方法</td></tr>
<tr><td rowspan="4">(二)</td><td colspan="2">リース譲渡に係るイ及びロに掲げる金額の合計額をその年分の収入金額とし、ハに掲げる金額をその年分の費用の額とする方法</td></tr>
<tr><td>イ</td><td>当該リース譲渡の対価の額から利息相当額（当該リース譲渡の対価の額のうちに含まれる利息に相当する金額をいう。ロにおいて同じ。）を控除した金額（ロにおいて「元本相当額」という。）をリース資産（①に規定するリース資産をいう。）のリース期間（①に規定するリース取引に係る契約において定められた当該リース資産の賃貸借の期間をいう。以下(二)及び②(3)において同じ。）の月数で除し、これにその年における当該リース期間の月数を乗じて計算した金額</td></tr>
<tr><td>ロ</td><td>当該リース譲渡の利息相当額がその元本相当額のうちその支払の期日が到来していないものの金額に応じて生ずるものとした場合にその年におけるリース期間に帰せられる利息相当額</td></tr>
<tr><td>ハ</td><td>当該リース譲渡の原価の額をリース期間の月数で除し、これにその年における当該リース期間の月数を乗じて計算した金額</td></tr>
</table>

(注)１　④(二)の月数は、暦に従って計算し、１月に満たない端数を生じたときは、これを１月とする。(令188④)

２　①(注)１の規定によりなおその効力を有するものとされる改正前の①《延払条件付販売等に係る収入及び費用の帰属時期》の規定に基づく改正前の①、②(1)から同(3)まで、同(6)から同(9)まで、③、④、⑤及び⑥、⑦《延払条件付販売等に係る収入及び費用の帰属時期》(②(2)及び同(3)、①並びに②(6)から同(9)までの規定を除く。)の規定は、なおその効力を有する。(平30改所令附12①)

３　①(注)１の規定によりなおその効力を有するものとされる改正前の①の規定の適用がある場合における第五章第一節**一 1**《土地の譲渡等に係る事業所得等の課税の特例》の規定の適用については、同節**二**中「又は同②」とあるのは「若しくは同②の規定又は第六章第四節**三 1**①(注)１の規定によりなおその効力を有するものとされる改正前の第六章第四節**三 1**①」と、「同節**三 1**の」とあるのは「第六章第四節**三 1**

又は改正前の同**1**の」とする。（平30改所令附12②）

4　個人が平成30年４月１日前に改正前の所得税法第65条第３項に規定する延払条件付販売等（(注)７において「延払条件付販売等」という。）に該当する①(注)１に規定する特定資産の販売等（以下(注)４及び(注)７において「特定資産の販売等」という。）に係る契約をし、かつ、同日以後に当該特定資産の販売等に係る目的物又は役務の引渡し又は提供をした場合には、①(注)１の規定の適用については、当該特定資産の販売等は、同日前に行われたものとする。（平30改所令附１、12③）

5　①(注)３の規定の適用を受けている個人が死亡した場合において、その個人の事業を相続人が承継したときは、当該相続人のその死亡の日の属する年以後の各年分の事業所得の金額の計算については、当該個人がした(注)４の記載は当該相続人がしたものとみなして、同(注)３の規定を適用する。この場合において、当該相続人の次の(一)及び(二)に掲げる年分における同(注)３の規定の適用については、当該(一)及び(二)に定めるところによる。（平30改所令附12④）

(一)	当該個人の死亡の日の属する年　当該個人の①(注)３の規定の適用に係る同(注)２に規定する未計上収入金額及び未計上経費額（以下(注)５においてそれぞれ「未計上収入金額」及び「未計上経費額」という。）を120で除し、これに当該相続人がその年において当該事業を営んでいた期間の月数を乗じて計算した金額を①(注)３(一)に掲げる金額とし、当該未計上収入金額及び未計上経費額を同(注)３(二)イに掲げる金額とし、当該未計上収入金額及び未計上経費額のうち、当該個人の各年分の事業所得の金額の計算上総収入金額及び必要経費に算入された金額を同(注)３(二)ロに掲げる金額とする。
(二)	当該個人の死亡の日の属する年の翌年以後の各年　当該個人の①(注)３の規定の適用に係る未計上収入金額及び未計上経費額を120で除し、これに当該相続人がその年において当該事業を営んでいた期間の月数を乗じて計算した金額を同(注)３(一)に掲げる金額とし、当該未計上収入金額及び未計上経費額を同(注)３(二)イに掲げる金額とし、当該未計上収入金額及び未計上経費額のうち、当該個人の各年分の事業所得の金額の計算上総収入金額及び必要経費に算入された金額と当該相続人のその年の前年以前の各年分の事業所得の金額の計算上総収入金額及び必要経費に算入された金額との合計額を同(注)３(二)ロに掲げる金額とする。

6　(注)５の月数は、暦に従って計算し、１月に満たない端数を生じたときは、これを切り捨てる。（平30改所令附12⑤）

7　延払条件付販売等に該当する特定資産の販売等に係る収入金額及び費用の額につき①(注)１の規定によりなおその効力を有するものとされる改正前の①本文の規定の適用を受けている個人が死亡した場合において、その個人の事業を相続人が承継し、かつ、当該相続人が当該特定資産の販売等に係る収入金額及び費用の額につき①本文の規定の適用を受けなかったときは、当該相続人（①(注)２及び同(注)３に規定する個人に該当するものを除く。）を①(注)２及び同(注)３に規定する個人とみなして、これらの規定を適用する。この場合において、当該相続人が平成30年から令和５年までの各年において当該特定資産の販売等に係る収入金額及び費用の額につき①(注)２(一)に規定する延払基準の方法により経理したときは、当該相続人は、同(一)に規定する延払基準の方法により経理しなかったものとみなす。（平30改所令附12⑥）

（売買があったものとされたリース取引）

（1）　賃貸人が受取リース料を賃貸料として収入金額に計上しており、かつ、**4**①《リース取引に係る所得の金額の計算》の規定の適用によりリース資産（同①に規定するリース資産をいう。以下において同じ。）の売買があったものとされた場合には、賃貸人はそのリース取引（同①に規定するリース取引をいう。以下(1)において同じ。）に係る収入金額及び費用の額の計算につき、**1**①《リース譲渡に係る収入及び費用の帰属時期》の規定を適用することができる。この場合には、そのリース期間（リース取引に係る契約において定められたリース資産の賃貸借期間をいう。①注において同じ。）中に収受すべきリース料の額の合計額を③に規定する「リース譲渡の対価の額」として取り扱う。（基通65－2）

(注)１　そのリース取引が行われた日の属する年の翌年以後の年分において、当該リース取引について売買があったものとして処理すべきことが明らかになった場合には、当該明らかになった日の属する年の前年以前の各年分についての当該リース取引に係る収入金額及び費用の額は、原則として、③に規定する延払基準の方法により計算した収入金額及び費用の額とする。

２　再リース料の額は、再リースをすることが明らかな場合を除き、リース譲渡（①に規定する「リース譲渡」をいう。以下において同じ。）の対価の額に含めないで、その収受すべき日の属する年分の事業所得の金額の計算上総収入金額に算入する。

３　上記(1)は所得税法等の一部を改正する法律（平成30年法律第７号）等の施行に伴い、改正された。ただし、**1**①(注)１から(注)７までの規定によりなお効力を有するものとされる改正前の同①の規定の適用を受ける場合については、この改正前の(1)の取扱いによる。

（延払損益計算の基礎となる手数料の範囲）

（2）　③の(一)に規定する手数料には、外部に支払う販売手数料のほか、使用人である外交員等に対して支払う歩合給、手数料等で法第204条第１項第４号《源泉徴収義務》に規定する報酬等に該当するものも含まれるが、その支払うべき手数料の額が賦払金の回収の都度その回収高に応じて確定することとなっている場合（頭金又は一定回数までの賦払金の回収を条件として手数料の額が確定することとなっている場合を除く。）における当該手数料を含まないものとする。（基通65－3）

(注)　この場合において、延払損益の計算の基礎となる手数料に含めないものの額は、その額が確定する都度その確定した日の属する年分の必要経費に算入するのであるから留意する。

（前年以前の延払条件付販売等に係る手数料が増加した場合）

（3）　延払条件付販売等に係る手数料の額が頭金若しくは一定回数までの賦払金が回収されることを条件として確定し、又は販売数量等に応じて逓増することとなっているなどのため、その年の前年以前の各年にした延払条件付販売等に係る手数料につき、その年においてその支払うべきことが確定し、又は既に支払った手数料の額が増加した場合には、その確定し又は増加した手数料の額は、その年にした延払条件付販売等に係る手数料に加算して当該延払条件付販売等に係る原価の額を計算することができる。（旧基通65－4）

（注）　上記（3）は所得税法等の一部を改正する法律（平成30年法律第7号）等の施行に伴い、廃止された。ただし、**1**①（注）1から（注）7までの規定によりなお効力を有するものとされる改正前の同①の規定の適用を受ける場合については、この改正前の（3）の取扱いによる。

（延払基準の計算単位）

（4）　③の規定による延払基準の方法による収入金額及び費用の額の計算は、原則としてそのリース譲渡ごとに行うのであるが、継続して差益率のおおむね同じものごとその他合理的な区分ごとに一括してその計算を行っている場合には、これを認める。（基通65－5）

（注）　上記（4）は所得税法等の一部を改正する法律（平成30年法律第7号）等の施行に伴い、改正された。ただし、**1**①（注）1から（注）7までの規定によりなお効力を有するものとされる改正前の同①の規定の適用を受ける場合については、この改正前の（4）の取扱いによる。

（時価以上の価額で資産を下取りした場合の対価の額）

（5）　リース譲渡を行うに当たり、頭金等として相手方の有する資産をその時における価額を超える価額をもって下取りした場合には、その超える部分の金額は、取得した資産の取得価額に含めないで値引きをしてリース譲渡を行ったものとする。（基通65－6）

（注）　上記（5）は所得税法等の一部を改正する法律（平成30年法律第7号）等の施行に伴い、改正された。ただし、**1**①（注）1から（注）7までの規定によりなお効力を有するものとされる改正前の同①の規定の適用を受ける場合については、この改正前の（5）の取扱いによる。

（支払期日前に受領した手形）

（6）　リース譲渡に係る賦払金のうちその年の翌年以後に支払期日の到来するものについて手形を受領した場合には、その受領した手形の金額は、③に規定する支払を受けた金額には含まれない。（基通65－7）

（注）　上記（6）は所得税法等の一部を改正する法律（平成30年法律第7号）等の施行に伴い、改正された。ただし、**1**①（注）1から（注）7までの規定によりなお効力を有するものとされる改正前の同①の規定の適用を受ける場合については、この改正前の（6）の取扱いによる。

（契約の変更があった場合の取扱い）

（7）　①の規定によりその収入金額及び費用の額の計上につき延払基準の方法を適用しているリース譲渡についてその後契約の変更があり、リース料の支払期日又は各支払期日ごとのリース料の額が異動した場合は、その変更後の支払期日及び各支払期日ごとのリース料の額に基づいて①の規定による延払基準の計算を行う。ただし、その変更前に既に支払期日の到来したリース料の額については、この限りでない。（基通65－9）

（注）1　②の規定の適用においても同様とする。

2　上記（7）は所得税法等の一部を改正する法律（平成30年法律第7号）等の施行に伴い、改正された。ただし、**1**①（注）1から（注）7までの規定によりなお効力を有するものとされる改正前の同①の規定の適用を受ける場合については、この改正前の（7）の取扱いによる。

（対価の額又は原価の額に異動があった場合の調整）

（8）　①の規定によりその収入金額及び費用の額の計上につき延払基準の方法を適用しているリース譲渡に係る対価の額又は原価の額につきその後値増し、値引き等があったため当該リース譲渡に係る対価の額又は原価の額に異動を生じた場合には、その異動を生じた日の属する年（以下（8）において「異動年」という。）以後の各年における当該対価の額又は原価の額に係る延払基準の方法の適用については、その異動後の対価の額又は原価の額（異動年の前年以前において計上した部分の金額を除く。）及び異動年の1月1日以後に受けるべきリース料の額の合計額を基礎として（7）によりその計算を行うものとする。ただし、その者が、その値増し、値引き等に係る金額をこれらの事実の生じた日の属する年分の総収入金額又は必要経費に算入するとともに、延払基準の方法についてはその異動前の契約に基づいてその計算を行うこととしているときは、これを認める。（基通65－10）

（注）1　②の規定の適用においても同様とする。

2　上記（8）は所得税法等の一部を改正する法律（平成30年法律第7号）等の施行に伴い、改正された。ただし、**1**①（注）1から（注）7までの規定によりなお効力を有するものとされる改正前の同①の規定の適用を受ける場合については、この改正前の（8）の取扱いによる。

（延払条件付販売等に係る収入金額に含めないことができる利息相当部分）

（9）　①に規定する延払条件付販売等（②に規定するリース譲渡を除く。）に該当する資産の販売等を行った場合において、当該延払条件付販売等に係る契約により販売代価と賦払期間中の利息に相当する金額とが明確、かつ、合理的に区分されているときは、当該利息相当額を当該延払条件付販売等に係る収入金額に含めないことができることに留意する。

延払条件付販売等に該当しない割賦販売等についても同様とする。（旧基通65－11）

（注）　上記（9）は所得税法等の一部を改正する法律（平成30年法律第７号）等の施行に伴い、廃止された。ただし、**1**①(注)１から(注)７までの規定によりなおお効力を有するものとされる改正前の同①の規定の適用を受ける場合については、この改正前の（9）の取扱いによる。

④　事業の廃止、死亡等の場合のリース譲渡に係る収入及び費用の帰属時期

リース譲渡に係る収入金額及び費用の額につき延払基準の適用を受けている居住者が次に掲げる場合に該当することとなったときは、その該当することとなった日の属する年以前の各年においてその者がしたリース譲渡に係る収入金額及び費用の額（当該各年分の事業所得の金額の計算上総収入金額及び必要経費に算入されるものを除く。）は、①の規定にかかわらず、その者の同日の属する年分の事業所得の金額の計算上、総収入金額及び必要経費に算入する。（令191①）

上記の取扱いは、⑤の規定の適用を受けている④の相続人が次のイからハまでに掲げる場合に該当することとなった場合について準用する。（令191④）

イ	その者が死亡した場合において、当該リース譲渡に係る事業を承継した相続人がないとき。
ロ	その者が当該リース譲渡に係る事業の全部を譲渡し、又は廃止した場合
ハ	その者が出国をした場合

⑤　相続人が延払基準の方法により経理した場合の特例

リース譲渡に係る収入金額及び費用の額につき延払基準の適用を受けている居住者が死亡した場合において、その者の当該リース譲渡に係る事業を承継した相続人が当該収入金額及び費用の額につき、当該死亡の日の属する年以後の各年において延払基準の方法により経理したときは、その経理した収入金額及び費用の額は、当該各年分の事業所得の金額の計算上、総収入金額及び必要経費に算入する。この場合において、当該収入金額及び費用の額に係る③(一)の規定の適用については、同(一)中「支払を受けている金額」とあるのは、「支払を受けている金額（既にその死亡した居住者が支払を受けている金額を含む。）」とする。（令191②）

⑥　相続人が延払基準の方法による経理を継続しなかった場合の処理

⑤に規定する居住者が死亡した場合において、その者の⑤に規定する事業を承継した相続人が、当該死亡の日の属する年以後のいずれかの年においてその居住者のリース譲渡に係る収入金額及び費用の額につき延払基準の方法により経理しなかったときは、その居住者のリース譲渡に係る収入金額及び費用の額（その居住者の各年分の事業所得の金額又は当該相続人のその年の前年分以前の各年分の事業所得の金額の計算上総収入金額及び必要経費に算入されるものを除く。）は、その該当することとなった年分の事業所得の金額の計算上、総収入金額及び必要経費に算入する。（令191③）

2　工事に係る請負（請負による所得計算は第一節**一 4**（7）（基通36－８）参照）

①　長期大規模工事の請負に係る収入金額及び費用の帰属時期

居住者が、長期大規模工事（工事（製造及びソフトウエアの開発を含む。以下①において同じ。）のうち、その着手の日から当該工事に係る契約において定められている目的物の引渡しの期日までに期間が１年以上であること、（1）で定める大規模な工事であることその他（2）で定める要件に該当するものをいう。以下**2**において同じ。）の請負をしたときは、その着手の日の属する年からその目的物の引渡しの日の属する年の前年までの各年分の事業所得の金額の計算上、その長期大規模工事の請負に係る収入金額及び費用の額のうち、当該各年分の収入金額及び費用の額として③で定める**工事進行基準**の方法により計算した金額を、総収入金額及び必要経費に算入する。（法66①）

（長期大規模工事）

（1）　①に規定する（1）で定める大規模な工事は、その請負の対価の額（その支払が外国通貨で行われるべきこととされている工事（製造及びソフトウエアの開発を含む。以下同じ。）については、その工事に係る契約の時における外国為替の売買相場による円換算額とする。）が10億円以上の工事とする。（令192①）

（(2)で定める要件）

(2)　①に規定する(2)で定める要件は、当該工事に係る契約において、その請負の対価の額の２分の１以上が当該工事の目的物の引渡しの期日から１年を経過する日後に支払われることが定められていないものであることとする。(令192②)

（請負対価の額が年末において未確定の場合）

(3)　居住者の請負をした工事（当該工事に係る追加の工事を含む。）の請負の対価の額がその年12月31日において確定していないときにおける①の規定の適用については、同日の現況により当該工事につき見積もられる工事の原価の額をその請負の対価の額とみなす。(令192④)

（請負対価の額の引上げ等によりその着手の日の属する年の翌年以後の年において長期大規模工事に該当することとなった場合）

(4)　居住者の請負をした工事（②本文の規定の適用を受けているものを除く。）が、請負の対価の額の引上げその他の事由によりその着手の日の属する年（以下(4)において「着工の年」という。）の翌年以後の年（その工事の目的物の引渡しの日の属する年（以下(4)において「引渡し年」という。）を除く。）において長期大規模工事（①に規定する長期大規模工事をいう。以下同じ。）に該当することとなった場合における①の規定の適用については、③の規定にかかわらず、当該工事の請負に係る既往年分の収入金額及び費用の額（その工事の請負に係る収入金額及び費用の額につき着工の年以後の各年において③に規定する工事進行基準の方法により当該各年分の収入金額及び費用の額を計算することとした場合に着工の年からその該当することとなった日の属する年（以下(4)において「適用開始年」という。）の前年までの各年分の収入金額及び費用の額とされる金額をいう。）は、当該適用開始年から引渡し年の前年までの各年分の当該工事の請負に係る収入金額及び費用の額に含まれないものとすることができる。

ただし、当該工事の請負に係る収入金額及び費用の額につき、次の(一)又は(二)に掲げる場合に該当することとなったときは、当該(一)又は(二)に定める年以後の年分については、この限りでない。(令192⑤)

(一)	当該適用開始年以後のいずれかの年において③に規定する工事進行基準の方法により経理した場合　　その経理した年
(二)	当該適用開始年以後のいずれかの年において本文の規定の適用を受けなかった場合　　その適用を受けなかった年

（年末において着手の日から６月を経過していないもの又は工事進行割合が100分の20に満たないものに係る①の適用について）

(5)　居住者の請負をした長期大規模工事であって、その年の12月31日において、その着手の日から６月を経過していないもの又はその③に規定する進行割合が100分の20に満たないものに係る①の規定の適用については、③の規定にかかわらず、当該長期大規模工事の請負に係るその年分の収入金額及び費用の額は、ないものとすることができる。

ただし、当該長期大規模工事の請負に係る収入金額及び費用の額につき、③に規定する工事進行基準の方法により経理した年以後の年分については、この限りでない。(令192⑥)

（長期大規模工事に着手したかどうかの判定）

(6)　①の規定を適用する場合において、①の居住者が長期大規模工事に着手したかどうかの判定は、当該居住者がその請け負った工事の内容を完成するために行う一連の作業のうち重要な部分の作業を開始したかどうかによるものとする。この場合において、工事の設計に関する作業が当該工事の重要な部分の作業に該当するかどうかは、当該居住者の選択による。(令192⑦)

（(4)の適用を受ける場合の確定申告書への明細書の添付）

(7)　(4)本文の規定は、(4)本文の規定の適用を受けようとする年分の確定申告書に(4)本文の規定の適用を受けようとする工事の名称並びにその工事の請負に係る(4)本文に規定する既往年分の収入金額及び費用の額の計算に関する明細を記載した書類の添付がある場合に限り、適用する。(令192⑧)

（②本文の規定を適用する場合の(3)の規定準用）

(8)　(3)の規定は、②本文の規定を適用する場合（(10)の規定の適用を受ける場合を除く。）について準用する。この場合において、(３)中「①」とあるのは、「②本文の規定の適用を受ける場合における③」と読み替えるものとする。(令192⑨)

(②本文の規定を適用する場合(６)の規定の準用)

(９)　(６)の規定は、②本文の規定を適用する場合における②に規定する工事に着手したかどうかの判定について準用する。(令192⑩)

(請負の対価の額がその着手の日において確定していないものに係る②の規定の適用)

(10)　居住者の請負をした②に規定する工事のうちその請負の対価の額がその着手の日において確定していないものに係る②の規定の適用については、当該請負の対価の額の確定の日を当該工事の着手の日とすることができる。(令192⑪)

(工事の請負の範囲)

(11)　①に規定する工事（以下②(３)までにおいて「工事」という。）の請負には、設計・監理等の役務の提供のみの請負は含まれないのであるが、工事の請負と一体として請け負ったと認められるこれらの役務の提供の請負については、当該工事の請負に含まれることに留意する。(基通66－１)

(契約の意義)

(12)　①に規定する「契約」とは、当事者間における請負に係る合意をいうのであるから、当該契約に関して契約書等の書面が作成されている必要はないのであるから留意する。(基通66－２)

(契約において手形で請負の対価の額が支払われることになっている場合の取扱い)

(13)　(２)に規定する「支払われること」には、契約において定められている支払期日に手形により支払われる場合も含まれることに留意する。(基通66－３)

(長期大規模工事に該当するかどうかの判定単位)

(14)　請け負った工事が①に規定する長期大規模工事に該当するかどうかは、当該工事に係る契約ごとに判定するのであるが、複数の契約書により工事の請負に係る契約が締結されている場合であって、当該契約に至った事情等からみてそれらの契約全体で一の工事を請け負ったと認められる場合には、当該工事に係る契約全体を一の契約として長期大規模工事に該当するかどうかの判定を行うことに留意する。(基通66－４)

(工事の目的物について個々に引渡しが可能な場合の取扱い)

(15)　工事の請負に係る一の契約においてその目的物について個々に引渡しが可能な場合であっても、当該工事が①に規定する長期大規模工事に該当するかどうかは、当該一の契約ごとに判定することに留意する。

ただし、その目的物の性質、取引の内容並びに目的物ごとの請負の対価の額及び原価の額の区分の状況などに照らして、個々に独立した契約が一の契約書に一括して記載されていると認められる工事の請負については、当該個々に独立した契約ごとに長期大規模工事の判定を行うことができる。(基通66－５)

(長期大規模工事に該当しないこととなった場合の取扱い)

(16)　長期大規模工事に該当する工事について、請負の対価の額の減額や工事期間の短縮があったこと等により、その着工の年の翌年以後において長期大規模工事に該当しないこととなった場合であって、その工事について工事進行基準の適用をしないこととしたときであっても、その適用しないこととした年の前年以前の各年分において計上した当該工事の請負に係る収入金額及び費用の額を既往にさかのぼって修正することはしないのであるから留意する。(基通66－６)

(長期大規模工事の着手の日の判定)

(17)　(６)((９)の規定により準用される場合を含む。)に規定する「その請け負った工事の内容を完成するために行う一連の作業のうち重要な部分の作業」を開始した日がいつであるかについては、当該工事の種類及び性質、その工事に係る契約の内容、慣行等に応じてその「重要な部分の作業」を開始した日として合理的であると認められる日のうち継続して判定の基礎としている日によるものとする。(基通66－７)

②　工事の請負に係る収入及び費用の帰属時期

居住者が、工事（その着手の日の属する年（以下②において「着工の年」という。）中にその目的物の引渡しが行われないものに限るものとし、長期大規模工事に該当するものを除く。以下②において同じ。）の請負をした場合において、その工事の請負に係る収入金額及び費用の額につき、着工の年からその工事の目的物の引渡しの日の属する年の前年までの各年において③で定める**工事進行基準**の方法により経理したときは、その経理した収入金額及び費用の額は、当該各年分の事業所得の金額の計算上、総収入金額及び必要経費に算入する。ただし、その工事の請負に係る収入金額及び費用の額につき、着工の年の翌年以後のいずれかの年において当該工事進行基準の方法により経理しなかった場合には、その経理しなかった年の翌年分以後の年分の事業所得の金額の計算については、この限りでない。(法66②)

（工事の請負に係る売掛債権等の額）

（1）　居住者の請負をした工事につきその着手の日からその目的物の引渡しの日の前日までの期間内の日の属する各年分において①又は②本文《工事の請負に係る収入及び費用の帰属時期》の規定の適用を受けている場合には、当該工事に係る(一)に掲げる金額から(二)に掲げる金額を控除した金額を当該工事の請負に係る売掛債権等（売掛金、貸付金その他これらに準ずる金銭債権をいう。）の額として、当該各年分の事業所得の金額を計算する。(令193①)

(一)	当該工事の請負に係る収入金額のうち、①又は②本文に規定する工事進行基準の方法によりその年の前年分以前の各年分の収入金額とされた金額及びその年の年分の収入金額とされる金額の合計額（②ただし書に規定する経理しなかった年の翌年分以後の年分の収入金額を除く。）
(二)	既に当該工事の請負の対価として支払われた金額（当該対価の額でまだ支払われていない金額のうち、当該対価の支払を受ける権利の移転により当該居住者が当該対価の支払を受けない金額を含む。）

（売掛債権等につき貸倒れによる損失が生じた場合の売掛債権等の額の計算）

（2）　(1)の居住者が有する(1)の売掛債権等について、(1)に規定する期間内において、貸倒れにより生じた損失の金額がある場合には、(1)の売掛債権等の額は、(1)に規定する控除した金額から当該損失の金額を控除した金額とする。(規39)

（損失が見込まれる場合の工事進行基準の適用）

（3）　その年の12月31日の現況において見込まれる工事損失の額(その時の現況により見積もられる工事の原価の額が、その請負の対価を超える場合における当該超える部分の金額をいう。)のうち当該工事に関して既に計上した損益の額を差し引いた額（以下「工事損失引当金相当額」という。）を当該年分に係る工事原価の額として計上している場合であっても、そのことをもって、②に定める「工事進行基準の方法により経理したとき」に該当しないとは取り扱わない。(基通66－9)

この場合において、当該工事損失引当金相当額は、②の規定により当該年分において必要経費に算入されることとなる工事の請負に係る費用の額には含まれないことに留意する。

③　工事進行基準の方法

①及び②に規定する③で定める工事進行基準の方法は、工事の請負の対価の額及びその工事原価の額（その年12月31日(年の中途において死亡した場合には、その死亡の時。①(3)及び同(5)において同じ。）の現況によりその工事につき見積もられる工事の原価の額をいう。以下③において同じ。）に同日におけるその工事に係る進行割合（工事原価の額のうちに工事のために既に要した原材料費、労務費その他の経費の額の合計額の占める割合その他の工事の進行の度合を示すものとして合理的と認められるものに基づいて計算した割合をいう。）を乗じて計算した金額から、それぞれその年の前年以前の各年分の収入金額とされた金額及び費用の額とされた金額を控除した金額をその年分の収入金額及び費用の額とする方法とする。(令192③)

④　死亡の場合の工事の請負に係る収入及び費用の帰属時期

（死亡の場合の長期大規模工事の請負に係る収入及び費用の帰属時期）

（1）　長期大規模工事の請負に係る収入金額及び費用の額につき①の規定の適用を受けている居住者が死亡したときは、その長期大規模工事の請負に係る収入金額及び費用の額のうち、その居住者のその長期大規模工事の請負に係る事業を承継した相続人の当該死亡の日の属する年からその長期大規模工事の目的物の引渡しの日の属する年の前年までの各年分の収入金額及び費用の額として①に規定する工事進行基準の方法により計算した収入金額及び費用の額は、当該各年分の事業所得の金額の計算上、総収入金額及び必要経費に算入する。この場合において、当該相続人に係る②及び③の規定の適用については、当該居住者がその死亡前に当該長期大規模工事のために要した経費の額並びに当該居住者についてその死亡前に当該長期大規模工事の請負に係る収入金額及び費用の額とされた金額は、それぞれ当該相続人が当該長期大規模工事のために要した経費の額並びに当該相続人について当該長期大規模工事の請負に係る収入金額及び費用の額とされた金額とみなす。（令194①）

（死亡の場合の工事の請負に係る収入及び費用の帰属時期）

（２）　工事の請負に係る収入金額及び費用の額につき工事進行基準の適用を受けている居住者が死亡した場合において、その居住者のその工事の請負に係る事業を承継した相続人が当該収入金額及び費用の額につき、当該死亡の日の属する年からその工事の目的物の引渡しの日の属する年の前年までの各年において②に規定する工事進行基準の方法により経理したときは、その経理した収入金額及び費用の額は、当該各年分の事業所得の金額の計算上、総収入金額及び必要経費に算入する。この場合において、当該相続人に係る②及び③の規定の適用については、当該居住者がその死亡前に当該工事のために要した経費の額並びに当該居住者についてその死亡前に当該工事の請負に係る収入金額及び費用の額とされた金額は、それぞれ当該相続人が当該工事のために要した経費の額並びに当該相続人について当該工事の請負に係る収入金額及び費用の額とされた金額とみなす。（法66③、令194②）

3　小規模事業者等の現金主義による所得計算

①　小規模事業者等の収入及び費用の帰属時期

青色申告書を提出することにつき税務署長の承認を受けている居住者で不動産所得又は事業所得を生ずべき業務を行うもののうち、**小規模事業者**として次のイ又はロに定める要件に該当するもののその年分の不動産所得の金額又は事業所得の金額（山林の伐採又は譲渡に係るものを除く。）の計算上総収入金額及び必要経費に算入すべき金額は、②に定めるところにより、その業務につきその年において収入した金額及び支出した費用の額とする《**現金主義所得計算**》ことができる。（法67①、令195）

イ	その年の前々年分の不動産所得の金額及び事業所得の金額（第二節**十２**《事業に専従する親族がある場合の必要経費の特例等》の規定を適用しないで計算した場合の金額とする。）の合計額が300万円以下であること。
ロ	既に現金主義所得計算の適用を受けたことがあり、かつ、その後その適用を受けないこととなった者については、再び現金主義所得計算の適用を受けることにつき⑤で定めるところにより納税地の所轄税務署長の承認を受けた者であること。

（前々年分の所得金額の判定）

注　イの「その年の前々年分の不動産所得の金額及び事業所得の金額……の合計額が300万円以下」であるかどうかは、①の規定の適用を受けようとする年の前年末現在において確定しているところにより、また、当該前々年分の不動産所得又は事業所得のいずれかに赤字が生じている場合には、当該赤字の金額は他の黒字の金額と相殺したところにより判定するものとする。ただし、当該前年末現在において確定している金額が300万円を超える者であっても、不服申立てに対する決定等により、③に規定する届出書の提出期限（前年分の所得税につき①の規定の適用を受けていた者については、その年の３月15日）までに300万円以下となった者については、イに規定する要件を満たすものとして差し支えない。（基通67－１）

②　現金主義による所得計算

現金主義による所得計算の適用を選択した小規模事業者のその年分（不動産所得を生ずべき業務及び事業所得を生ずべき業務の全部を譲渡し、若しくは廃止し、又は死亡した日の属する年分を除く。）の①に規定する不動産所得の金額及び事業所得の金額は、次のイ又はロに掲げる総収入金額及び必要経費を基として計算する。（令196①②）

イ	**総収入金額**	第一節**二**《棚卸資産の自家消費・贈与等》及び同節**三**《国庫補助金等の総収入金額不算入》の規定の適用を受けるものを除き、その者の選択により、これらの業務につきその年において収入した金額（金銭以外の物又は権利その他経済的な利益をもって収入した場合には、その金銭以外の物又は権利その他経済的な利益の価額）とすることができる。

ロ	必要経費	償却費並びに第二節八《資産損失》1①及び同③の規定の適用を受けるものを除き、その年において これらの所得の総収入金額を得るために直接支出した費用の額及びその年においてこれらの所得を生ずべき業務について支出した費用の額とする。

（手形又は小切手取引の収入金額又は必要経費算入の時期）

（1）　現金主義による所得計算の適用を受けている者が手形取引又は小切手取引を行った場合における当該取引に係る金額の収入金額又は必要経費の算入については、次によるものとする。（基通67－2）

（一）　手形取引

イ　受取手形にあっては、その手形の支払を受けたものについてはその支払を受けた時にその金額を収入金額に算入し、割引したものについてはその割引した時にその手形金額を収入金額に算入するとともに割引料を必要経費に算入する。この場合において、割引した手形が不渡りとなったことにより遡求に応じて支払ったときは、その支払った時の属する年分の収入金額からその支払った金額に相当する金額を減額する。

ロ　支払手形にあっては、その手形の支払をした時にその金額を必要経費に算入する。

（二）　小切手取引

小切手取引にあっては、その小切手金額をその受取又は振出しの時の収入金額又は必要経費に算入する。この場合において、その小切手が不渡りとなったときは、その不渡りとなった時の属する年分の収入金額又は必要経費からその小切手金額に相当する金額を減額する。

（貸付金等の貸倒損失の必要経費算入）

（2）　現金主義による所得計算の適用を受けている者の事業所得を生ずべき業務の遂行上生じた債権のうち、例えば、金融業者の貸付金の元本のように損益取引以外の取引に係るものの貸倒れによる損失は、当該損失の生じた年分の②のロに規定する必要経費に算入すべき金額に含まれるものとする。（基通67－3）

③　現金主義による所得計算の選択手続

その年分以後の各年分の所得税につき②の選択をする居住者は、その年3月15日まで（その年1月16日以後新たに②に規定する業務を開始した場合には、その業務を開始した日から2月以内）に、②の規定の適用を受けようとする旨その他次のイからニまでに定める事項を記載した届出書を納税地の所轄税務署長に提出しなければならない。（令197①、規40の2①）

イ	届出書を提出する者の氏名及び住所（国内に住所がない場合には、居所）並びに住所地（国内に住所がない場合には、居所地）と納税地とが異なる場合には、その納税地
ロ	その者が①のイ及びロに掲げる要件に該当する事実
ハ	現金主義による所得計算の適用を受けることとなる年の前年12月31日における④のイの売掛金等の額並びに④のロの引当金及び準備金の金額
ニ	その他参考となるべき事項

（業務を承継した相続人が提出する届出書の提出期限の特例）

注　現金主義による所得計算の規定の適用を受けていた被相続人の不動産所得を生ずべき業務又は事業所得を生ずべき業務を承継したことにより、新たに①の業務を開始した相続人が提出する③の届出書については、当該被相続人についての所得税の準確定申告書の提出期限（当該期限がその相続人について青色申告の承認があったとみなされる日《青色申告の承認を受けようとする年の12月31日、その年11月1日以後新たに業務を開始した場合は翌年2月15日》後に到来するときは、その日）までに提出して差し支えない。（基通67－5）

④　現金主義による所得計算の適用を受けないこととなった年分の所得計算

現金主義による所得計算の適用を受ける居住者がその適用を受けないこととなった場合におけるその適用を受けないこととなった年分の不動産所得の金額又は事業所得の金額の計算については、次のイ及びロに定めるところによる。（規40①）

イ	現金主義による所得計算の適用を受けることとなった年の前年12月31日（年の中途において新たに不動産所得又は

	事業所得を生ずべき業務を開始した場合には、当該業務を開始した日。ロにおいて同じ。）における売掛金、買掛金、未収収益、前受収益、前払費用、未払費用その他これらに類する資産及び負債並びに棚卸資産（以下「売掛金等」という。）の額と現金主義による所得計算の適用を受けないこととなった年の１月１日における売掛金等の額との差額に相当する金額は、その適用を受けないこととなった年分の不動産所得の金額又は事業所得との金額の計算上、それぞれ総収入金額又は必要経費に算入する。
ロ	現金主義による所得計算の適用を受けることとなった年の前年12月31日における引当金及び準備金の金額は、それぞれ現金主義による所得計算の適用を受けないこととなった年の前年から繰り越された引当金及び準備金の金額とみなす。

（不動産所得を生ずべき業務及び事業所得を生ずべき業務のいずれか一方を廃止した場合）

（1）　不動産所得を生ずべき業務及び事業所得を生ずべき業務を併せ営んでいた者が、これらの業務のいずれか一方を譲渡し又は廃止した場合には、当該譲渡し又は廃止した業務に係る各種所得の金額の計算については、当該譲渡し又は廃止した年において④の規定を適用することに留意する。（基通67－４）

（現金主義による所得計算の適用をやめた年分の所得計算例）

（2）　現金主義による所得計算の適用をやめた場合には、再び発生主義による所得計算に切り換えることとされるので、④により現金主義と発生主義とのずれを、次の要領で調整することとなる。（編者注）

（計算例）

売掛金等及び引当金等の額		現金主義による所得計算の適用を受けることとなった年の前年12月31日現在の売掛金等及び引当金等	発生主義に切り換えた年の１月１日現在の売掛金等の額	発生主義に切り換えた年の調整金額	
				収入金額に算入する額	必要経費に算入する額
		千円	千円	千円	
資産	売掛金	400	600	200	
	前払費用	10	5	△5	
	棚卸資産	150	180	30	
負債	買掛金	200	300		100千円
	未払費用	20	10		△10
引当金等	貸倒引当金	22		22	
	返品調整引当金	4.5		4.5	
計				251.5	90

（現金主義による所得計算の適用をやめる手続）

（3）　現金主義による所得計算の適用を受ける居住者は、その年分以後の各年分の所得税につき現金主義による所得計算の適用を受けることをやめようとする場合には、その年３月15日までに、その適用を受けることをやめる旨その他次に定める事項を記載した届出書を納税地の所轄税務署長に提出しなければならない。（令197②、規40の２②）

(一)	届出書を提出する者の氏名及び住所（国内に住所がない場合には、居所）並びに住所地（国内に住所がない場合には、居所地）と納税地とが異なる場合には、その納税地
(二)	③の届出書に記載した同③のハに掲げる事項
(三)	その他参考となるべき事項

⑤　再び現金主義による所得計算の適用を受けるための手続

①のロの承認を受けようとする者は、再び現金主義所得計算の適用を受けようとする年の１月31日までに、次のイからハまでに掲げる事項を記載した申請書を、納税地の所轄税務署長に提出しなければならない。（規39の２①）

イ	その申請書を提出する者の氏名及び住所（国内に住所がない場合には、居所）並びに住所地（国内に住所がない場

	合には、居所地）と納税地とが異なる場合には、その納税地
ロ	前に現金主義による所得計算の適用を受けていた期間及びその適用を受けないこととなった事由
ハ	その他参考となるべき事項

（申請書を受理した税務署長の処理）

（1）　税務署長は、⑤の申請書の提出があった場合において、現金主義による所得計算による不動産所得の金額又は事業所得の金額の計算によってはその者のその後の各年分の不動産所得の金額又は事業所得の金額の計算が適正に行われ難いと認めるときは、その申請を却下することができる。（規39の２②）

（承認又は却下の通知）

（2）　税務署長は、（1）の申請書の提出があった場合において、その申請につき承認又は却下の処分をするときは、その申請をした者に対し、書面によりその旨を通知する。（規39の２③）

（承認があったものとみなす場合）

（3）　（1）の申請書の提出があった場合において、再び現金主義による所得計算の適用を受けようとする年の３月15日までにその申請につき承認又は却下の処分がなかったときは、その日においてその承認があったものとみなす。（規39の２④）

⑥　雑所得を生ずべき小規模な業務を行う者の雑所得の金額の計算上総収入金額及び必要経費に算入すべき金額

雑所得を生ずべき業務を行う居住者のうち小規模な業務を行う者として（1）で定める要件に該当するもののその年分の当該雑所得を生ずべき業務に係る雑所得の金額（山林の伐採又は譲渡に係るものを除く。）の計算上総収入金額及び必要経費に算入すべき金額は、（3）で定めるところにより、その業務につきその年において収入した金額及び支出した費用の額とすることができる。（法67②）

（雑所得を生ずべき小規模な業務を行う者の要件）

（1）　⑥に規定する（1）で定める要件は、その年の前々年分の雑所得を生ずべき業務に係る収入金額が300万円以下であることとする。（令196の２）

（前々年分の収入金額の判定）

（2）　（1）に規定する「その年の前々年分の雑所得を生ずべき業務に係る収入金額が300万円以下」であるかどうかは、⑥の規定の適用を受けようとする年の前年末現在において確定しているところにより判定するものとする。ただし、その前年末現在において確定している金額が300万円を超える者であっても、不服申立てに対する決定等により、その年の３月15日までに300万円以下となった者については、（1）に規定する要件を満たすものとして差し支えない。（基通67－６）

（雑所得を生ずべき小規模な業務を行う者の収入及び費用の帰属時期）

（3）　⑥に規定する居住者で（1）に規定する要件に該当するもののその年分（雑所得を生ずべき業務の全部を譲渡し、若しくは廃止し、又は死亡した日の属する年分を除く。）の雑所得を生ずべき業務に係る雑所得の金額（山林の伐採又は譲渡に係るものを除く。）の計算上総収入金額に算入すべき金額は、第一節**一６**、同**９**、同節**二**、同節**三１**から同**５**《収入金額の計算》の規定の適用を受けるものを除き、その者の選択により、その業務につきその年において収入した金額（金銭以外の物又は権利その他経済的な利益をもって収入した場合には、その金銭以外の物又は権利その他経済的な利益の価額）とすることができる。（令196の３①）

（（3）に規定する雑所得を生ずべき業務に係る雑所得の金額の必要経費に算入すべき金額）

（4）　（3）の規定の適用を受ける居住者のその年分の（2）に規定する雑所得を生ずべき業務に係る雑所得の金額の計算上必要経費に算入すべき金額は、償却費及び第二節**八１**《資産損失の必要経費算入》③の規定の適用を受けるものを除き、その年において当該業務に係る雑所得の総収入金額を得るために直接支出した費用の額及びその年において当該業務について支出した費用の額とする。（令196の３②）

（(３)に係る申告書記載要件）

（５）　(３)の選択をする居住者は、(２)の規定の適用を受けようとする年分の確定申告書を提出する場合には、当該申告書にその適用を受ける旨の記載をしなければならない。（令197③）

（⑥の適用を受けないこととなる年分の当該雑所得を生ずべき業務に係る雑所得の金額の計算）

（６）　その年の前年において⑥の規定の適用を受けていた雑所得を生ずべき業務を行う居住者がその年において⑥の規定の適用を受けないこととなる場合におけるその適用を受けないこととなる年分の当該雑所得を生ずべき業務に係る雑所得の金額の計算については、その適用を受けることとなった年の前年12月31日（年の中途において新たに雑所得を生ずべき業務を開始した場合には、当該業務を開始した日）における売掛金、買掛金、未収収益、前受収益、前払費用、未払費用その他これらに類する資産及び負債並びに当該雑所得を生ずべき業務に係る第二節**三１**①～⑦《棚卸資産の範囲》に掲げる資産に準ずる資産（以下(５)において「売掛金等」という。）の額と⑥の規定の適用を受けないこととなる年の１月１日における売掛金等の額との差額に相当する金額は、その適用を受けないこととなる年分の当該雑所得を生ずべき業務に係る雑所得の金額の計算上、それぞれ総収入金額又は必要経費に算入する。（規40②）

（(６)の規定の不適用）

（７）　(６)の場合において、(６)のその年の前年以前５年内の各年のいずれの年においても⑥の規定の適用を受けていたときは、その者の選択により、(６)の規定を適用しないことができる。（規40③）

（(６)及び(７)に係る申告書記載要件）

（８）　(６)及び(７)の規定の適用を受ける居住者は、これらの規定の適用を受けようとする年分の確定申告書を提出する場合には、当該申告書にこれらの規定の適用を受ける旨の記載をしなければならない。（規40④）

４　リース取引に係る所得の金額の計算

①　リース取引に係る所得の金額の計算

居住者がリース取引を行った場合には、そのリース取引の目的となる資産（以下①において「リース資産」という。）の賃貸人から賃借人への引渡しの時に当該リース資産の売買があったものとして、当該賃貸人又は賃借人である居住者の各年分の各種所得の金額を計算する。（法67の２①）

（一連の取引が実質的に金銭の賃借であると認められるときの各種所得の金額を計算）

注　居住者が譲受人から譲渡人に対する賃貸（リース取引に該当するものに限る。）を条件に資産の売買を行った場合において、当該資産の種類、当該売買及び賃貸に至るまでの事情その他の状況に照らし、これら一連の取引が実質的に金銭の貸借であると認められるときは、当該資産の売買はなかったものとし、かつ、当該譲受人から当該譲渡人に対する金銭の貸付けがあったものとして、当該譲受人又は譲渡人である居住者の各年分の各種所得の金額を計算する。（法67の２②）

②　リース取引の要件

①及び①注に規定するリース取引とは、資産の賃貸借（所有権が移転しない土地の賃貸借その他の(１)で定めるものを除く。）で、次の(一)及び(二)に掲げる要件に該当するものをいう。（法67の２③）

(一)	当該賃貸借に係る契約が、賃貸借期間の中途においてその解除をすることができないものであること又はこれに準ずるものであること。
(二)	当該賃貸借に係る賃借人が当該賃貸借に係る資産からもたらされる経済的な利益を実質的に享受することができ、かつ、当該資産の使用に伴って生ずる費用を実質的に負担すべきこととされているものであること。

（(１)で定める資産の賃貸借）

（１）　②に規定する(１)で定める資産の賃貸借は、土地の賃貸借のうち、第四章第八節**一２**①《資産の譲渡とみなされる行為》の規定の適用のあるもの及び次の(一)及び(二)に掲げる要件（これらに準ずるものを含む。）のいずれにも該当しないものとする。（令197の２①）

(一)	当該土地の賃貸借に係る契約において定められている当該賃貸借の期間（以下「賃貸借期間」という。）の終了の時又は当該賃貸借期間の中途において、当該土地が無償又は名目的な対価の額で当該賃貸借に係る賃借人に譲渡されるものであること。
(二)	当該土地の賃貸借に係る賃借人に対し、賃貸借期間終了の時又は賃貸借期間の中途において当該土地を著しく有利な価額で買い取る権利が与えられているものであること。

（実質的に負担すべきこととされているものであることに該当する場合）

（2）　資産の賃貸借につき、その賃貸借期間（当該資産の賃貸借に係る契約の解除をすることができないものとされている期間に限る。）において賃借人が支払う賃借料の金額の合計額がその資産の取得のために通常要する価額（当該資産を業務の用に供するために要する費用の額を含む。）のおおむね100分の90に相当する金額を超える場合には、当該資産の賃貸借は、②の(二)の資産の使用に伴って生ずる費用を実質的に負担すべきこととされているものであることに該当するものとする。（法67の２④、令197の２②）

③　リース取引の意義

（解除をすることができないものに準ずるものの意義）

（1）　②(一)に規定する「これに準ずるもの」とは、例えば、次に掲げるものをいう。（基通67の２－１）

(一)　資産の賃貸借に係る契約に解約禁止条項がない場合であって、賃借人が契約違反をした場合又は解約をする場合において、賃借人が、当該賃貸借に係る賃貸借期間のうちの未経過期間に対応するリース料の額の合計額のおおむね全部（原則として100分の90以上）を支払うこととされているもの

(二)　資産の賃貸借に係る契約において、当該賃貸借期間中に解約をする場合の条項として次のような条件が付されているもの

イ　賃貸借資産（当該賃貸借の目的となる資産をいう。以下(1)及び(2)において同じ。)を更新するための解約で、その解約に伴いより性能の高い機種又はおおむね同一の機種を同一の賃貸人から賃貸を受ける場合は解約金の支払を要しないこと。

ロ　イ以外の場合には、未経過期間に対応するリース料の額の合計額(賃貸借資産を処分することができたときは、その処分価額の全部又は一部を控除した額)を解約金とすること。

（おおむね100分の90の判定等）

（2）　②(2)に規定する「おおむね100分の90」の判定に当たって、次の点については、次のとおり取り扱うことに留意する。（基通67の２－２）

(一)　資産の賃貸借に係る契約等において、賃借人が賃貸借資産を購入する権利を有し、当該権利の行使が確実であると認められる場合には、当該権利の行使により購入するときの購入価額をリース料の額に加算する。この場合、その契約書等に当該購入価額についての定めがないときは、残価に相当する金額を購入価額とする。

（注）　残価とは、賃貸人におけるリース料の額の算定に当たって賃貸借資産の取得価額及びその取引に係る付随費用（賃貸借資産の取得に要する資金の利子、固定資産税、保険料等その取引に関連して賃貸人が支出する費用をいう。）の額の合計額からリース料として回収することとしている金額の合計額を控除した残額をいう。

(二)　資産の賃貸借に係る契約等において、中途解約に伴い賃貸借資産を賃貸人が処分し、未経過期間に対応するリース料の額からその処分価額の全部又は一部を控除した額を賃借人が支払うこととしている場合には、当該全部又は一部に相当する金額を賃借人が支払うこととなる金額に加算する。

（注）　(1)の(一)の判定においても同様とする。

(三)　賃貸借資産の取得者である賃貸人に対し交付された補助金等（当該補助金等の交付に当たり賃借料の減額が条件とされているものに限る。）がある場合には、②(2)の「賃借人が支払う賃借料の金額の合計額」は、当該賃貸借に係る契約等に基づく賃借料の金額の合計額に当該減額相当額を加算した金額による。

（注）　「減額相当額」は、賃借人における賃貸借資産の取得価額には算入しない。

（これらに準ずるものの意義）

（3）　②(1)に規定する「これらに準ずるもの」として同(1)(一)及び同(二)に掲げる要件のいずれにも該当しない土地の賃貸借とは、例えば、次に掲げるものをいう。（基通67の２－３）

(一)　賃貸借期間の終了後、無償と変わらない名目的な賃料によって賃貸借に係る契約の更新をすることが賃貸借に

係る契約において定められている賃貸借（契約書上そのことが明示されていない賃貸借であって、事実上、当事者間においてそのことが予定されていると認められるものを含む。）

（二）　賃貸人に対してその賃貸借に係る土地の取得資金の全部又は一部を貸し付けている金融機関等が、賃借人から資金を受け入れ、当該資金をして当該賃借人の賃借料等の債務のうち当該賃貸人の借入金の元利に対応する部分の引受けをする構造になっている賃貸借

④　金銭の貸借とされるリース取引

（金銭の貸借とされるリース取引の判定）

（1）　①注に規定する「一連の取引」が同注に規定する「実質的に金銭の貸借であると認められるとき」に該当するかどうかは、取引当事者の意図、その資産の内容等から、その資産を担保とする金融取引を行うことを目的とするものであるかどうかにより判定する。したがって、例えば、次に掲げるようなものは、これに該当しないものとする。（基通67の２－４）

（一）　譲渡人が資産を購入し、当該資産をリース取引（③に規定するリース取引をいう。以下（2）において同じ。）に係る契約により賃借するために譲受人に譲渡する場合において、譲渡人が譲受人に代わり資産を購入することに次に掲げるような相当な理由があり、かつ、当該資産につき、立替金、仮払金等として経理し、譲渡人の購入価額により譲受人に譲渡するもの

イ　多種類の資産を導入する必要があるため、譲渡人において当該資産を購入した方が事務の効率化が図られること。

ロ　輸入機器のように通関事務等に専門的知識が必要とされること。

ハ　既往の取引状況に照らし、譲渡人が資産を購入した方が安く購入できること。

（二）　業務の用に供している資産について、当該資産の管理事務の省力化等のために行われるもの

（借入金として取り扱う売買代金の額）

（2）　①の注の規定の適用がある場合において、その資産の売買により譲渡人が譲受人から受け入れた金額は、借入金の額として取り扱い、譲渡人がリース期間（リース取引に係る契約において定められたその資産の賃貸借期間をいう。以下（3）において同じ。）中に支払うべきリース料の額の合計額のうちその借入金の額に相当する金額については、当該借入金の返済をすべき金額（以下（2）において「元本返済額」という。）として取り扱う。この場合において、譲渡人が各年分に支払うリース料の額に係る元本返済額とそれ以外の金額との区分は、通常の金融取引における元本と利息の区分計算の方法に準じて合理的にこれを行うのであるが、譲渡人が当該リース料の額のうちに元本返済額が均等に含まれているものと処理しているときは、これを認める。（基通67の２－５）

（貸付金として取り扱う売買代金の額）

（3）　①注の規定の適用がある場合において、その資産の売買により譲受人が譲渡人に支払う金額は、貸付金の額として取り扱い、譲受人がリース期間中に収受すべきリース料の額の合計額のうちその貸付金の額とした金額に相当する金額については、当該貸付金の返済を受けた金額として取り扱う。この場合において、譲受人が各年分に収受するリース料の額に係る貸付金の返済を受けたものとされる金額とそれ以外の金額との区分は、通常の金融取引における元本と利息の区分計算の方法に準じて合理的にこれを行うのであるが、譲受人が、当該リース料の額のうち貸付金の返済を受けたものとされる金額が均等に含まれているものとして処理しているときは、これを認める。（基通67の２－６）

5　信託に係る所得の金額の計算

①　信託に係る所得の金額の計算

居住者が法人課税信託（法人税法第２条第29号の２ロ《定義》に掲げる信託に限る。）の第二章第四節**2**《信託財産に属する資産及び負債並びに信託財産に帰せられる収益及び費用の帰属》に規定する受益者（同**2**（1）の規定により同**2**に規定する受益者とみなされる者を含むものとし、清算中における受益者を除く。）となったことにより当該法人課税信託が同号ロに掲げる信託に該当しないこととなった場合（同号イ又はハに掲げる信託に該当する場合を除く。）には、その受託法人（第二章第二節**3**（2）《受託法人等に関するこの法律の適用》に規定する受託法人をいう。）からその信託財産に属する資産及び負債をその該当しないこととなった時の直前の帳簿価額を基礎として（1）で定める金額により引継ぎを受けたも

のとして、当該居住者の各年分の各種所得の金額を計算するものとする。（法67の３①）

（（1）で定める金額）

（1）　**5**①《信託に係る所得の金額の計算》に規定する（1）で定める金額は、同①の法人課税信託が法人税法第２条第29号の２ロ《定義》に掲げる信託に該当しないこととなった時の直前における同①に規定する受託法人の同①の信託財産に属する資産及び負債の帳簿価額に相当する金額とする。（令197の３①）

（資産及び負債の引継ぎを受けたものとされた場合の信託財産の帳簿価額）

（2）　**5**①の居住者が同①の規定により資産及び負債の引継ぎを受けたものとされた場合における同①の信託財産に属する資産については、（1）に規定する該当しないこととなった時の直前における（1）に規定する帳簿価額に相当する金額により取得したものとみなして、当該居住者の各年分の各種所得の金額を計算するものとする。この場合において、同①の法人課税信託の同①に規定する受託法人が当該資産を取得した日を当該居住者の当該資産の取得の日とする。（令197の３②）

（引継ぎにより生じた収益の額）

（3）　**5**①の居住者が同①の規定により資産及び負債の引継ぎを受けたものとされた場合におけるその引継ぎにより生じた収益の額は、当該居住者のその引継ぎを受けた日の属する年分の各種所得の金額の計算上、総収入金額に算入しない。（法67の３②）

（引継ぎにより生じた損失の額）

（4）　**5**①の居住者が同①の規定により資産及び負債の引継ぎを受けたものとされた場合におけるその引継ぎにより生じた損失の額は、当該居住者の各年分の各種所得の金額の計算上、生じなかったものとする。（令197の３③）

（収益の額）

（5）　①（3）に規定する収益の額は、①に規定する資産の①の帳簿価額の合計額が①に規定する負債の①の帳簿価額の合計額を超える場合におけるその超える部分の金額に相当する金額とし、（4）に規定する損失の額は、当該資産の帳簿価額の合計額が当該負債の帳簿価額の合計額に満たない場合におけるその満たない部分の金額に相当する金額とする。（令197の３④）

②　適正な対価を負担せずに受益者等となる者であるときの各種所得の金額を計算

信託（第二章第四節**2**のただし書に規定する集団投資信託、退職年金等信託又は法人課税信託を除く。以下**5**において同じ。）の委託者（居住者に限る。以下②において同じ。）がその有する資産を信託した場合において、当該信託の受益者等となる者（法人に限る。以下②において同じ。）が適正な対価を負担せずに受益者等となる者であるときは、当該資産を信託した時において、当該信託の委託者から当該信託の受益者等となる者に対して贈与（当該受益者等となる者が対価を負担している場合には、当該対価の額による譲渡）により当該信託に関する権利に係る資産の移転が行われたものとして、当該信託の委託者の各年分の各種所得の金額を計算するものとする。（法67の３③）

（受益者等とは）

（1）　②から⑤までに規定する受益者等とは、第二章第四節**2**に規定する受益者（同節**2**（1）の規定により同**2**に規定する受益者とみなされる者を含む。）をいう。（法67の３⑦）

（信託に関する権利がその信託に関する権利の全部でない場合）

（2）　②に規定する信託に関する権利が当該信託に関する権利の全部でない場合における②から⑤までの規定の適用については、次の（一）及び（二）に定めるところによる。（令197の３⑤）

（一）	当該信託についての受益者等（（1）に規定する受益者等をいう。以下（2）において同じ。）が一である場合には、当該信託に関する権利の全部を当該受益者等が有するものとみなす。
（二）	当該信託についての受益者等が二以上ある場合には、当該信託に関する権利の全部をそれぞれの受益者等がその有する権利の内容に応じて有するものとみなす。

（受益者等課税信託の委託者がその有する資産を信託した場合の譲渡所得の収入金額等）

（3）　受益者等課税信託（第二章第四節**2**《信託財産に属ずる資産及び負債並びに信託財産に帰せられるに収益及び費用の額》に規定する受益者（同節**2**（1）の規定により同**2**に規定する受益者とみなされる者を含む。以下(3)において「受益者等」という。）がその信託財産に属する資産及び負債を有するものとみなされる信託をいう。以下(3)において同じ。）の委託者（居住者に限る。以下(3)において同じ。）がその有する譲渡所得の基因となる資産を信託し、当該受益者等課税信託の受益者等となる者が法人である場合における②の規定の適用に関しては、次の点に留意する。（基通67の３－１）

（一）　当該法人が対価を負担せずに受益者等課税信託の受益者等となる者であるときは、第五章第二節**二十四1**《贈与等の場合の譲渡所得等の特例》の規定により、当該資産を信託した時における価額に相当する金額を収入金額として当該委託者の譲渡所得の金額を計算する。

（二）　当該法人が対価を負担して受益者等課税信託の受益者等となる者であるときは、当該対価の額を収入金額として当該委託者の譲渡所得の金額を計算する。

なお、この場合において、当該対価の額が第五章第二節**二十四1**②に規定する額であるときは、同**1**の規定が適用される。

（注）　③から⑤までの規定の適用に関しても同様となる。

③　信託に新たに受益者等が存するに至った場合

信託に新たに受益者等が存するに至った場合（②及び⑤の規定の適用がある場合を除く。）において、当該信託の新たな受益者等となる者（法人に限る。以下③において同じ。）が適正な対価を負担せずに受益者等となる者であり、かつ、当該信託の受益者等であった者が居住者であるときは、当該新たに受益者等が存するに至った時において、当該信託の受益者等であった者から当該新たな受益者等となる者に対して贈与（当該受益者等となる者が対価を負担している場合には、当該対価の額による譲渡）により当該信託に関する権利に係る資産の移転が行われたものとして、当該信託の受益者等であった者の各年分の各種所得の金額を計算するものとする。（法67の３④）

④　信託の一部の受益者等が存しなくなった場合

信託の一部の受益者等が存しなくなった場合において、既に当該信託の受益者等である者（法人に限る。以下④において同じ。）が適正な対価を負担せずに当該信託に関する権利について新たに利益を受ける者となる者であり、かつ、当該信託の一部の受益者等であった者が居住者であるときは、当該信託の一部の受益者等が存しなくなった時において、当該信託の一部の受益者等であった者から当該利益を受ける者となる者に対して贈与（当該利益を受ける者となる者が対価を負担している場合には、当該対価の額による譲渡）により当該信託に関する権利に係る資産の移転が行われたものとして、当該信託の一部の受益者等であった者の各年分の各種所得の金額を計算するものとする。（法67の３⑤）

⑤　信託が終了した場合の各種所得の金額を計算

信託が終了した場合において、当該信託の残余財産の給付を受けるべき、又は帰属すべき者となる者（法人に限る。以下⑤において同じ。）が適正な対価を負担せずに当該給付を受けるべき、又は帰属すべき者となる者であり、かつ、当該信託の終了の直前において受益者等であった者が居住者であるときは、当該給付を受けるべき、又は帰属すべき者となった時において、当該受益者等であった者から当該給付を受けるべき、又は帰属すべき者となる者に対して贈与（当該給付を受けるべき、又は帰属すべき者となる者が対価を負担している場合には、当該対価の額による譲渡）により当該信託の残余財産（当該信託の終了の直前においてその者が当該信託の受益者等であった場合には、当該受益者等として有していた当該信託に関する権利に相当するものを除く。）の移転が行われたものとして、当該受益者等であった者の各年分の各種所得の金額を計算するものとする。（法67の３⑥）

（注）　公益信託に関する法律（令和６年法律第30号）の施行の日以後、次の⑥が加えられる。（令６改所法等附１九イ）

⑥　公益信託の委託者がその有する資産を信託した場合の各種所得の金額の計算

公益信託の委託者（居住者に限る。以下⑥において同じ。）がその有する資産を信託した場合には、当該資産を信託した時において、当該公益信託の委託者から当該公益信託の受託者に対して贈与（当該公益信託が信託法第３条第２号《信託の方法》に掲げる方法によってされた場合には、遺贈）により当該資産の移転が行われたものとして、当該公益信託の委託者の各年分の各種所得の金額を計算するものとする。（法67の３⑧）

四　青色申告特別控除制度

1　青色申告特別控除

青色申告書を提出することにつき税務署長の承認を受けている個人のその承認を受けている年分（**2**の規定の適用を受ける年分を除く。）の不動産所得の金額、事業所得の金額又は山林所得の金額は、第四章第三節**二**《不動産所得の金額》、同章第四節**二**《事業所得の金額》又は同章第七節**二**《山林所得の金額》により計算した不動産所得の金額、事業所得の金額又は山林所得の金額から次のイ及びロに掲げる金額のうちいずれか低い金額を控除した金額とする。（措法25の２①）

イ	10万円
ロ	第四章第三節**二**《不動産所得の金額》、同章第四節**二**《事業所得の金額》又は同章第七節**二**《山林所得の金額》により計算した不動産所得の金額、事業所得の金額（第二節**十二4**《社会保険診療報酬の所得計算の特例》の規定の適用がある場合には、同**4**に規定する社会保険診療につき支払を受けるべき金額に対応する部分の金額を除く。**2**のロにおいて同じ。）又は山林所得の金額の合計額

（控除順位）

注　**1**の規定により控除すべき金額は、不動産所得の金額、事業所得の金額又は山林所得の金額から順次控除する。（措法25の２②）

2　青色申告者の帳簿書類を備え付けている場合の青色申告特別控除

青色申告書を提出することにつき税務署長の承認を受けている個人で不動産所得又は事業所得を生ずべき事業を営むもの（**三3**《小規模事業者等の現金主義による所得計算》の規定の適用を受ける者を除く。）が、第十一章**三**《青色申告者の帳簿書類》の規定により、当該事業につき帳簿書類を備え付けてこれにその承認を受けている年分の不動産所得の金額又は事業所得の金額に係る取引を記録している場合（これらの所得の金額に係る一切の取引の内容を詳細に記録している場合として(1)で定める場合に限る。）には、その年分の不動産所得の金額又は事業所得の金額は、第四章第三節**二**《不動産所得の金額》又は同章第四節**二**《事業所得の金額》の規定により計算した不動産所得の金額又は事業所得の金額から次に掲げる金額のうちいずれか低い金額を控除した金額とする。（措法25の２③）

イ	55万円
ロ	第四章第三節**二**《不動産所得の金額》又は同章第四節**二**《事業所得の金額》の規定により計算した不動産所得の金額又は事業所得の金額の合計額

（一切の取引の内容を詳細に記録している場合）

(1)　**2**に規定する一切の取引の内容を詳細に記録している場合として定める場合は、**2**に規定する個人が**2**の不動産所得又は事業所得を生ずべき事業につき備え付ける帳簿書類について、第十一章**三3**《取引の記録等》から同**9**《親族の労務に従事した期間等の記帳》まで及び同**11**《帳簿書類の記載事項等の省略又は変更》の規定に定めるところにより記録し、かつ、作成している場合とする。（措規９の６①）

3　青色申告者の帳簿書類に係る電磁的記録の備付け等を行っている場合の青色申告特別控除

2に規定する個人が**2**に規定する場合に該当する場合において、次の(一)及び(二)に掲げる要件のいずれかを満たすものであるときは、同**2**イ中「55万円」とあるのは、「65万円」として、**2**の規定を適用することができる。（措法25の２④）

(一)	その年における**2**に規定する帳簿書類のうち(1)で定めるものにあっては、(4)で定めるところにより、第十六章**四**又は同章**五**若しくは同**五**(3)に規定する同**五**(5)で定めるところに従い、当該帳簿書類に係る同章**二**(三)に規定する電磁的記録の備付け及び保存又は当該電磁的記録の備付け及び当該電磁的記録の同(六)に規定する電子計算機出力マイクロフィルムによる保存を行っていること（当該帳簿書類に係る当該電磁的記録の備付け及び保存又は当該電磁的記録の備付け及び当該電磁的記録の当該電子計算機出力マイクロフィルムによる保存が、同章**十一**(3)に規定する同**十一**(8)で定める要件を満たしている場合に限る。）。
(二)	その年分の所得税の確定申告書の提出期限までに、情報通信技術を活用した行政の推進等に関する法律第６条第１項の規定により同項に規定する電子情報処理組織を使用して、(5)で定めるところにより、当該確定申告書に記載すべき事項（**2**の規定の適用を受けようとする旨及び**2**の規定による控除を受ける金額の計算に関する事項を含

むｏ）及び**2**に規定する帳簿書類に基づき（5）で定めるところにより作成された貸借対照表、損益計算書その他不動産所得の金額又は事業所得の金額の計算に関する明細書に記載すべき事項に係る情報を送信したこと。

（**3**(一)に規定する（1）で定める帳簿書類）

（1）　**3**(一)に規定する（1）で定める帳簿書類は、第十一章**三5**に規定する仕訳帳及び総勘定元帳とする。（措規９の６②）

（帳簿書類に係る電磁的記録の備付け及び保存等の義務）

（2）　**3**(一)に掲げる要件を満たすものとして**3**の規定により**2**の規定の適用を受けようとする個人（（3）及び（4）において「電子帳簿保存適用個人」という。）は、その年における（1）に規定する帳簿書類につき、最初の記録段階から一貫して第十六章**四**（3）又は同章**五**（3）の定めるところに従って、当該帳簿書類に係る電磁的記録の備付け及び保存（当該備付け及び保存が同章**十一**（8）に規定する要件を満たすものに限る。）又は当該電磁的記録の備付け及び当該電磁的記録の電子計算機出力マイクロフィルム（**3**(一)に規定する電子計算機出力マイクロフィルムをいう。（3）において同じ。）による保存（当該備付け及び当該保存が同章**十一**（8）に規定する要件を満たすものに限る。）をしなければならない。（措規９の６③）

（帳簿書類に係る電磁的記録の電子計算機出力マイクロフィルムによる保存）

（3）　電子帳簿保存適用個人が、同章**五**（5）に規定する場合に該当する場合において、同章**五**（6）において準用する同章**五**（3）の定めるところに従って（1）に規定する帳簿書類に係る電磁的記録の電子計算機出力マイクロフィルムによる保存（同章**十一**（8）に規定する要件を満たすものに限る。）を行っているときは、当該保存をもって、（2）の規定による当該帳簿書類に係る電磁的記録の保存に代えることができる。（措規９の６④）

（適用届出書の提出）

（4）　電子帳簿保存適用個人は、（1）に規定する帳簿書類につき第十六章**十一**（4）に規定する届出書（以下（4）において「適用届出書」という。）の提出をしなければならない。この場合において、当該帳簿書類につき同**十一**（5）に規定する届出書（以下（4）において「適用廃止届出書」という。）の提出があったときは、当該適用廃止届出書の提出があった日の属する年以後の各年分については、当該適用届出書の提出は、なかったものとする。（措規９の６⑤）

（電子申告の義務）

（5）　**3**(二)に掲げる要件を満たすものとして**3**の規定により**2**の規定の適用を受けようとする個人は、その年分の所得税の確定申告書の提出期限までに、同(二)に規定する確定申告書に記載すべき事項及び**2**（1）の帳簿書類に基づき作成された第十一章**四2**(一)から同(三)に掲げる書類に記載すべき事項に係る情報を国税関係法令に係る情報通信技術を活用した行政の推進等に関する省令第５条第１項の定めるところに従って送信しなければならない。（措規９の６⑥）

4　控除順位

2の規定により控除すべき金額は、不動産所得の金額又は事業所得の金額から順次控除する。（措法25の２⑤）

5　申告手続

2（**3**の規定により、**3**(二)に掲げる要件を満たしている者について適用する場合を除く。）の規定は、確定申告書に**2**の規定の適用を受けようとする旨及び**2**の規定による控除を受ける金額の計算に関する事項の記載並びに**2**に規定する帳簿書類に基づき（1）で定めるところにより作成された貸借対照表、損益計算書その他の不動産所得の金額又は事業所得の金額の計算に関する明細書の添付があり、かつ、当該確定申告書をその提出期限までに提出した場合に限り、適用する。（措法25の２⑥）

（確定申告書に添付すべき書類）

（1）　**5**の規定により確定申告書に添付すべき貸借対照表、損益計算書その他不動産所得の金額又は事業所得の金額の計算に関する明細書は、**2**（1）の帳簿書類に基づき作成された第十一章**四2**《青色申告書に添付すべき書類》(一)から同(三)に掲げる書類とする。（措規９の６⑦）

（青色申告特別控除額の計算等）

（2）　**1**又は**2**の規定による青色申告特別控除額の計算等については、次の諸点に留意する。（措通25の２－１）

（一）　**1**ロに規定する不動産所得の金額、事業所得の金額及び山林所得の金額又は**2**ロに規定する不動産所得の金額及び事業所得の金額は、損益通算をする前のいわゆる黒字の所得金額をいうのであるから、これらの所得の金額の計算上生じた損失の金額がある場合には、その損失の金額を除外したところにより**1**ロ又は**2**ロの合計額を計算すること。

（二）　**1**の規定による青色申告特別控除額は、この控除をする前のいわゆる黒字の不動産所得の金額、事業所得の金額又は山林所得の金額から、これらの黒字の金額を限度として順次控除すること。また、**2**の規定による青色申告特別控除額は、この控除をする前のいわゆる黒字の不動産所得の金額又は事業所得の金額から、これらの黒字の金額を限度として順次控除すること。

（三）　第二節**十二4**《社会保険診療報酬の所得計算の特例》の規定の適用を受ける社会保険診療報酬に係る所得がある場合には、**1**ロ又は**2**ロに規定する合計額を計算するときはこれを除外したところによるのであるが、**1**注又は**4**の控除をするときには、当該所得を含めた事業所得の金額から控除すること。

（変動所得の金額又は臨時所得の金額の計算上控除すべき青色申告特別控除額）

（3）　**1**又は**2**の規定の適用を受ける年分の不動産所得又は事業所得のうちに変動所得又は臨時所得がある場合には、不動産所得の金額又は事業所得の金額の計算上控除される青色申告特別控除額に、青色申告特別控除前の不動産所得の金額又は事業所得の金額（第二節**十二4**の規定の適用を受ける社会保険診療報酬に係る所得の金額を除く。）のうちに占める変動所得の金額又は臨時所得の金額の割合を乗じて計算した金額を、変動所得の金額又は臨時所得の金額の計算上、青色申告特別控除額として控除する。（措通25の２－２）

（10万円の青色申告特別控除の控除要件）

（4）　**1**の規定による青色申告特別控除は、確定申告書への記載を要件とするものではないから、**1**の規定の適用を受けることができる者がその控除をしないところで確定申告書を提出している場合であっても、修正申告、更正等によりその控除を受けることができることに留意する。

また、確定申告書に記載されている不動産所得の金額、事業所得の金額又は山林所得の金額が、修正申告又は更正等により異動することとなったため青色申告特別控除額にも異動が生ずることとなった場合には、その異動後の控除額によりこれらの所得の金額を計算することに留意する。（措通25の２－３）

（55万円又は65万円の青色申告特別控除）

（5）　**2**、**3**及び**5**の規定による青色申告特別控除は、確定申告書に記載されている不動産所得の金額又は事業所得の金額が、修正申告又は更正（再更正を含む。）により異動することとなったため当該確定申告書に記載されている青色申告特別控除額にも異動が生ずることとなった場合には、その異動後の控除額によりこれらの所得の金額を計算することに留意する。（措通25の２－４）

（適用届出書の提出期限）

（6）　**3**（一）の規定による青色申告特別控除の適用を受けるためには、**3**（4）に規定する適用届出書を**5**に規定する提出期限までに提出しなければならないことに留意する。（措通25の２－５）

（55万円又は65万円の青色申告特別控除における確定申告書の提出期限の意義）

（7）　**3**（二）及び**5**に規定する「提出期限」とは、第二章第一節**一41**《用語の意義》に規定する確定申告期限をいうことに留意する。（措通25の２－６）

（注）　第二章第一節**一41**に規定する確定申告期限とは、第十章第二節**二1**①《確定所得申告》の規定による申告書の提出期限をいい、年の中途において死亡し、又は出国をした場合には、同節**三2**①《年の中途で死亡した場合の確定申告》又は同**三4**①《年の中途で出国をする場合の確定申告》の規定による申告書の提出期限をいうのであるから、同節**二3**①《還付等を受けるための申告》の規定による申告書その他提出期限のない申告書を提出する者であっても、**2**の規定の適用を受けるためには、その年の確定申告期限までに当該申告書を提出する必要があることに留意する。

五　生命保険契約等に基づく年金等に係る所得の計算

1　生命保険契約等に基づく年金及び一時金に係る所得の金額の計算

①　年金に係る雑所得の金額の計算

③の**生命保険契約等**に基づく年金（第四章第十節**二２**《公的年金等の定義》に規定する公的年金等を除く。以下①において同じ。）の支払を受ける居住者のその支払を受ける年分の当該年金に係る雑所得の金額の計算については、次の(一)から(四)までに定めるところによる。（令183①）

(一)	当該年金の支払開始の日以後に当該年金の支払の基礎となる生命保険契約等に基づき分配を受ける剰余金又は割戻しを受ける割戻金の額は、その年分の雑所得に係る総収入金額に算入する。
(二)	その年に支払を受ける当該年金の額に、イに掲げる金額のうちにロに掲げる金額の占める割合を乗じて計算した金額は、その年分の雑所得の金額の計算上、必要経費に算入する。 イ　次に掲げる年金の区分に応じそれぞれ次に定める金額 〈イ〉　その支払開始の日において支払総額が確定している年金　　当該支払総額 〈ロ〉　その支払開始の日において支払総額が確定していない年金　　第四章第十節**二２**②《確定給付企業年金の額から控除する金額》（１）の規定に準じて計算した支払総額の見込額 ロ　当該生命保険契約等に係る**保険料又は掛金の総額** $\left(\begin{array}{l}\text{その年に支払を}\\\text{受ける年金の額}\end{array}\right)\times\dfrac{\text{（その生命保険契約等に係る保険料又は掛金の総額）}}{\text{（年金の支払総額（又はその見込額））}}=\left(\begin{array}{l}\text{雑所得の金額の計算上必}\\\text{要経費に算入する金額}\end{array}\right)$
(三)	当該生命保険契約等が年金のほか一時金を支払う内容のものである場合には、(二)ロに掲げる保険料又は掛金の総額は、当該生命保険契約等に係る保険料又は掛金の総額に、(二)イ〈イ〉又は同〈ロ〉に定める支払総額又は支払総額の見込額と当該一時金の額との合計額のうちに当該支払総額又は支払総額の見込額の占める割合を乗じて計算した金額とする。 $\left(\begin{array}{l}\text{その生命保険契約等に係る}\\\text{保険料又は掛金の総額}\end{array}\right)\times\dfrac{\text{年金の支払総額（又はその見込額）}}{\left(\begin{array}{l}\text{年金の支払総額（又}\\\text{はその見込額））}\end{array}\right)+\left(\begin{array}{l}\text{一時金}\\\text{の額}\end{array}\right)}=\left(\begin{array}{l}\text{(二)のロ及び算式に代入す}\\\text{る保険料又は掛金の総額}\end{array}\right)$
(四)	(二)又は(三)の割合は、小数点以下２位まで算出し、３位以下を切り上げたところによる。

（年金に代えて支払われる一時金）

（１）　**１**①《年金に係る雑所得の金額の計算》、**２**①《損害保険契約等に基づく年金に係る雑所得の金額の計算》、**３**①《相続等に係る生命保険契約等に基づく年金に係る雑所得の金額の計算》又は**４**①《相続等に係る損害保険契約等に基づく年金に係る雑所得の金額の計算》の規定の対象となる年金の受給資格者に対し当該年金に代えて支払われる一時金のうち、当該年金の受給開始日以前に支払われるものは一時所得の収入金額とし、同日後に支払われるものは雑所得の収入金額とする。ただし、同日後に支払われる一時金であっても、将来の年金給付の総額に代えて支払われるものは、一時所得の収入金額として差し支えない。（基通35－３）

（注）　死亡を給付事由とする生命保険契約等で被相続人が掛金等を負担したものの給付事由が発生した場合において当該契約等に基づく年金の総額に代えて受給開始日以前に支払われる一時金は、第二章第三節**八**（２）（基通９－18《年金の総額に代えて支払われる一時金》）により非課税。（編者補正）

（生命保険契約等又は損害保険契約等に基づく年金に係る所得金額の計算上控除する保険料等）

（２）　①(二)ロ又は**２**①《損害保険契約等に基づく年金に係る雑所得の金額の計算》(二)ロに掲げる保険料又は掛金の総額（④又は**２**③の規定の適用後のもの。）には、以下の保険料又は掛金の額が含まれる。（基通35－４）

（１）　その年金の支払を受ける者が自ら支出した保険料又は掛金

（２）　当該支払を受ける者以外の者が支出した保険料又は掛金であって、当該支払を受ける者が自ら負担して支出したものと認められるもの

（注）　使用者が支出した保険料又は掛金で第一節**一３**①(19)（基通36－32）により給与等として課税されなかったものの額は、上記(２)に含まれる。

②　一時金に係る一時所得の金額の計算

生命保険契約等に基づく一時金（第四章第六節**二１**《退職手当等とみなす一時金》に掲げるものを除く。以下②におい

て同じ。）の支払を受ける居住者のその支払を受ける年分の当該一時金に係る一時所得の金額の計算については、次の(一)から(三)までに定めるところによる。（令183②）

<table>
<tr><td>(一)</td><td colspan="2">当該一時金の支払の基礎となる生命保険契約等に基づき分配を受ける剰余金又は割戻しを受ける割戻金の額で、当該一時金とともに又は当該一時金の支払を受けた後に支払を受けるものは、その年分の一時所得に係る総収入金額に算入する。</td></tr>
<tr><td rowspan="6">(二)</td><td colspan="2">当該生命保険契約等に係る保険料又は掛金（第四章第十節二２②《確定給付企業年金の額から控除する金額》(二)イから同リまでに掲げる資産及び確定拠出年金法第54条第１項《他の制度の資産の移換》、第54条の２第１項《脱退一時金相当額等の移換》又は第74条の２第１項《脱退一時金相当額等の移換》の規定により移換された同法第２条第12項《定義》に規定する個人別管理資産に充てる資産を含む。④において同じ。）の総額は、その年分の一時所得の金額の計算上、支出した金額に算入する。ただし、次に掲げる掛金、金額、企業型年金加入者掛金又は個人型年金加入者掛金の総額については、当該支出した金額に算入しない。</td></tr>
<tr><td>イ</td><td>旧厚生年金保険法第９章《厚生年金基金及び企業年金連合会》の規定に基づく一時金（第四章第六節二１《退職手当等とみなす一時金》②注に規定するものを除く。）に係る同注に規定する加入員の負担した掛金</td></tr>
<tr><td>ロ</td><td>確定給付企業年金法第３条第１項《確定給付企業年金の実施》に規定する確定給付企業年金に係る規約に基づいて支給を受ける一時金（第四章第六節二１《退職手当等とみなす一時金》③に掲げるものを除く。）の額に同章第十節二２②《確定給付企業年金の額から控除する金額》(二)イから同リまでに掲げる資産に係る部分に相当する金額が含まれている場合における当該金額に係る同章第六節二１③に規定する加入者が負担した金額</td></tr>
<tr><td>ハ</td><td>第四章第六節二１③(１)(五)イから同ハまでに掲げる規定に基づいて支給を受ける一時金（同(五)に掲げるものを除く。）の額に同章第十節二２②の(二)のイから同リまでに掲げる資産に係る部分に相当する金額が含まれている場合における当該金額に係る同章第六節二１③(１)(五)に規定する加入者が負担した金額</td></tr>
<tr><td>ニ</td><td>小規模企業共済法第12条第１項《解約手当金》に規定する解約手当金（第四章第六節二１③(１)(三)ロ及び同ハに掲げるものを除く。）に係る同(三)イに規定する小規模企業共済契約に基づく掛金</td></tr>
<tr><td>ホ</td><td>確定拠出年金法附則第２条の２第２項及び第３条第２項《脱退一時金》に規定する脱退一時金に係る同法第３条第３項第７号の２《規約の承認》に規定する企業型年金加入者掛金及び同法第55条第２項第４号《規約の承認》に規定する個人型年金加入者掛金</td></tr>
<tr><td>(三)</td><td colspan="2">当該生命保険契約等が一時金のほか年金を支払う内容のものである場合には、(二)の保険料又は掛金の総額は、当該生命保険契約等に係る保険料又は掛金の総額から、当該保険料又は掛金の総額に①の(三)の割合を乗じて計算した金額を控除した金額に相当する金額とする。</td></tr>
</table>

（生命保険契約等に基づく一時金又は損害保険契約等に基づく満期返戻金等に係る所得金額の計算上控除する保険料等）

注　②(二)又は**２**②(二)に規定する保険料又は掛金の総額（④又は**２**③の規定の適用後のもの。）には、以下の保険料又は掛金の額が含まれる。（基通34－4）

（１）　その一時金又は満期返戻金等の支払を受ける者が自ら支出した保険料又は掛金

（２）　当該支払を受ける者以外の者が支出した保険料又は掛金であって、当該支払を受ける者が自ら負担して支出したものと認められるもの

（注）１　使用者が支出した保険料又は掛金で第一節**一３**①(19)（基通36－32）により給与等として課税されなかったものの額は、上記(２)に含まれる。

２　相続税法の規定により相続、遺贈又は贈与により取得したものとみなされる一時金又は満期返戻金等に係る部分の金額は、上記(２)に含まれない。

③　生命保険契約等の意義

①又は②に規定する**生命保険契約等**とは、次の(一)から(六)までに掲げる契約又は規約をいう。（令183③）

(一)	生命保険契約（保険業法第２条第３項《定義》に規定する生命保険会社又は同条第８項に規定する外国生命保険会社等の締結した保険契約をいう。(三)ロ及び**２**①において同じ。）、旧簡易生命保険契約（第二章第三節**七**表内①《非課税とされる保険金、損害賠償金等》に規定する旧簡易生命保険契約をいう。）及び生命共済に係る契約

<table>
<tr><td>(二)</td><td colspan="3">第四章第六節二《退職手当等とみなす一時金》2①《特定退職金共済団体の要件》(一)に規定する退職金共済契約</td></tr>
<tr><td rowspan="4">(三)</td><td colspan="3">退職年金に関する次に掲げる契約</td></tr>
<tr><td></td><td>イ</td><td>信託契約</td></tr>
<tr><td></td><td>ロ</td><td>生命保険契約</td></tr>
<tr><td></td><td>ハ</td><td>生命共済に係る契約</td></tr>
<tr><td>(四)</td><td colspan="3">確定給付企業年金法第３条第１項に規定する確定給付企業年金に係る規約</td></tr>
<tr><td>(五)</td><td colspan="3">第八章四《小規模企業共済等掛金控除》2(一)に規定する契約</td></tr>
<tr><td>(六)</td><td colspan="3">確定拠出年金法第４条第３項《承認の基準等》に規定する企業型年金規約及び同法第56条第３項《承認の基準等》に規定する個人型年金規約</td></tr>
</table>

④　保険料又は掛金の総額の計算

①及び②に規定する**保険料又は掛金の総額**は、当該生命保険契約等に係る保険料又は掛金の総額から次の(一)から(四)までに掲げる金額を控除して計算するものとする。(令183④)

<table>
<tr><td>(一)</td><td>第四章第六節二2③《特定退職金共済団体の承認の取消し等》の規定による承認の取消しを受けた法人又は同③(1)の規定により承認が失効をした法人に対し③(二)に掲げる退職金共済契約に基づき支出した掛金、確定給付企業年金法第102条第３項若しくは第６項《事業主等又は連合会に対する監督》の規定による承認の取消しを受けた当該取消しに係るこれらの規定に規定する規約型企業年金に係る規約に基づき支出した掛金又は同項の規定による解散の命令を受けた同項に規定する基金の同法第11条第１項《基金の規約で定める事項》に規定する規約に基づき支出した掛金及び法人税法施行令附則第18条第１項《適格退職年金契約の承認の取消し》の規定による承認の取消しを受けた第四章第六節二1③(3)《退職金共済制度等に基づく一時金で退職手当等とみなさないもの》(一)に規定する信託会社等に対し当該取消しに係る同(一)に規定する契約に基づき支出した掛金又は保険料のうち、これらの取消し若しくは命令を受ける前又は当該失効前に支出したものの額((二)に該当するものを除くものとし、これらの掛金又は保険料の額のうちに、第四章第六節二1《退職手当等とみなす一時金》③若しくは同章第十節二2《公的年金等の定義》表内③若しくは第四章第六節二1③(1)(五)若しくは同章十節二2表内④注(五)《公的年金等とされる年金》に規定する加入者の負担した金額((当該金額に同章十節二2②《確定給付企業年金の額から控除する金額》(二)イから同リまでに掲げる資産に係る当該加入者が負担した部分に相当する金額が含まれている場合には、当該金額を控除した金額。)又は第四章第六節二1③(1)(四)若しくは同章第十節二2表内④注(四)に規定する勤務をした者の負担した金額がある場合には、これらの金額を控除した金額とする。)</td></tr>
<tr><td>(二)</td><td>次に掲げる保険料又は掛金(第四章第五節二2《不適格退職金共済制度等に基づく掛金の取扱い》の規定により給与所得の収入金額に含まれるものを除く。)の額
イ　第四章第六節二1《退職手当等とみなす一時金》③(2)《退職金共済制度等に基づく一時金で退職手当等とみなさないもの》(二)又は同③(3)《適格退職年金契約に基づく一時金で退職手当等とみなさないもの》(二)に掲げる給付に係る保険料又は掛金
ロ　旧厚生年金保険法第９章《厚生年金基金及び厚生年金基金連合会》の規定に基づく一時金(第四章第六節二1《退職手当金等とみなす一時金》②注に掲げるものを除く。)に係る掛金(当該掛金の額のうちに同1②注に規定する加入員の負担した金額がある場合には、当該金額を控除した金額に相当する部分に限る。)
ハ　確定給付企業年金法第３条第１項に規定する確定給付企業年金に係る規約に基づいて支給を受ける一時金(第四章第六節二1③に掲げるものを除く。)に係る掛金(当該掛金の額のうちに同③に規定する加入者の負担した金額がある場合には、当該金額を控除した金額に相当する部分に限る。)
ニ　法人税法附則第20条第３項《退職年金等積立金に対する法人税の特例》に規定する適格退職年金契約に基づいて支給を受ける一時金(第四章第六節二1③(1)(四)に掲げるものを除く。)に係る掛金又は保険料(当該掛金又は保険料の額のうちに同(四)に規定する勤務をした者の負担した金額がある場合には、当該金額を控除した金額に相当する部分に限る。)
ホ　第四章第六節二1③(1)(五)のイから同ハまでに掲げる規定に基づいて支給を受ける一時金(同(五)に掲げるものを除く。)に係る掛金(当該掛金の額のうちに同(五)に規定する加入者の負担した金額がある場合には、当該金額を控除した金額に相当する部分に限る。)</td></tr>
</table>

	ヘ　確定拠出年金法附則第２条の２第２項及び第３条第２項に規定する脱退一時金に係る掛金（当該掛金の額のうちに同法第３条第３項第７号の２に規定する企業型年金加入者掛金の額又は同法第55条第２項第４号に規定する個人型年金加入者掛金の額がある場合には、当該金額を控除した金額に相当する部分に限る。） ト　中小企業退職金共済法第16条第１項《解約手当金》に規定する解約手当金又は第四章第六節**二２**②《特定退職金共済団体の承認》（５）に規定する特定退職金共済団体が行うこれに類する給付に係る掛金
(三)	事業を営む個人又は法人が当該個人のその事業に係る使用人又は当該法人の使用人（役員を含む。**2**③(一)において同じ。）のために支出した当該生命保険契約等に係る保険料又は掛金で当該個人のその事業に係る不動産所得の金額、事業所得の金額若しくは山林所得の金額又は当該法人の各事業年度の所得の金額の計算上必要経費又は損金の額に算入されるもののうち、これらの使用人の給与所得に係る収入金額に含まれないものの額（(一)又は(二)に掲げるものを除く。）
(四)	当該年金の支払開始の日前又は当該一時金の支払の日前に当該生命保険契約等に基づく剰余金の分配若しくは割戻金の割戻しを受け、又は当該生命保険契約等に基づき分配を受ける剰余金若しくは割戻しを受ける割戻金をもって当該保険料若しくは掛金の払込みに充てた場合における当該剰余金又は割戻金の額

2　損害保険契約等に基づく年金及び一時金に係る所得の金額の計算

①　損害保険契約等に基づく年金に係る雑所得の金額の計算上控除する保険料等

損害保険契約等（第八章**五５**(四)に掲げる保険契約で生命保険契約以外のもの、同章**六**《地震保険料控除》**２**に掲げる契約及び所得税法施行令第326条第２項各号（第２号を除く。）《生命保険契約等に基づく年金に係る源泉徴収》に掲げる契約をいう。以下①において同じ。）に基づく年金の支払を受ける居住者のその支払を受ける年分の当該年金に係る雑所得の金額の計算については、次の(一)から(三)までに定めるところによる。（令184①）

(一)	当該年金の支払開始の日以後に当該年金の支払の基礎となる損害保険契約等に基づき分配を受ける剰余金又は割戻しを受ける割戻金の額は、その年分の雑所得に係る総収入金額に算入する。
(二)	その年に支払を受ける当該年金の額に、イに掲げる金額のうちロに掲げる金額の占める割合を乗じて計算した金額は、その年分の雑所得の金額の計算上、必要経費に算入する。 イ　次に掲げる年金の区分に応じそれぞれ次に定める金額 （１）　その支払開始の日において支払総額が確定している年金　　当該支払総額 （２）　その支払開始の日において支払総額が確定していない年金　　支払見込期間に応じた支払総額の見込額として(注)で定めるところにより計算した金額 ロ　当該損害保険契約等に係る保険料又は掛金の総額
(三)	(二)に規定する割合は、小数点以下２位まで算出し、３位以下を切り上げたところによる。

(注) 1　(二)イ(２)に規定する(注)で定めるところにより計算した金額は、(二)イ(２)に掲げる年金（有期の年金で契約対象者が保証期間内に死亡した場合にはその死亡した日からその保証期間の終了の日までの期間に相当する部分の金額の支払が行われるものに限る。）の支払の基礎となる損害保険契約等（①に規定する損害保険契約等をいう。以下この(注)において同じ。）において定められているその年額（当該年金の支払開始の日以後に当該損害保険契約等に基づき分配を受ける剰余金又は割戻しを受ける割戻金の額を除く。）に、当該損害保険契約等において定められているその支払期間に係る年数（その年数がその保証期間に係る年数とその契約対象者に係る当該年金の支払開始の日における第四章第十節**三１**《勤労者財産形成基金が支出する信託金等の受益者等の雑所得に係る総収入金額不算入》の所令別表に定める余命年数とのうちいずれか長い年数を超える場合には、そのいずれか長い年数）を乗じて計算した金額とする。を乗じて計算した金額とする。（規38の３①）

2　1において、次の(一)又は(二)に掲げる用語の意義は、当該(一)又は(二)に定めるところによる。（規38の３②）

(一)　契約対象者　　年金の支払の基礎となる損害保険契約等においてその者の生存が支払の条件とされている者をいう。

(二)　保証期間　　有期の年金の支払開始の日以後一定期間をいう。

3　損害保険契約等に基づく年金に係る所得金額の計算上控除する保険料等については、**1**①(２)《生命保険契約等又は損害保険契約等に基づく年金に係る所得金額の計算上控除する保険料等》参照。

②　満期返戻金等に係る一時所得の金額の計算上控除する保険料等

損害保険契約等（①に規定する損害保険契約等及び保険業法第２条第18項《定義》に規定する少額短期保険業者の締結した同条第４項に規定する損害保険会社又は同条第９項に規定する外国損害保険会社等の締結した保険契約（④において「損害保険契約」という。）に類する保険契約をいう。以下②及び③において同じ。）に基づく**満期返戻金等**の支払を受ける居住者のその支払を受ける年分の当該満期返戻金等に係る一時所得の金額の計算については、次の(一)及び(二)に定めるところによる。(令184②)

(一)	当該満期返戻金等の支払の基礎となる損害保険契約等に基づき分配を受ける剰余金又は割戻しを受ける割戻金の額で、当該満期返戻金等とともに又は当該満期返戻金等の支払を受けた後に支払を受けるものは、その年分の一時所得に係る総収入金額に算入する。
(二)	当該損害保険契約等に係る保険料又は掛金の総額は、その年分の一時所得の金額の計算上、支出した金額に算入する。

(注)　損害保険契約等に基づく満期返戻金等に係る所得金額の計算上控除する保険料等については**1**②(注)参照。

③　保険料又は掛金の総額の計算

①又は②に規定する保険料又は掛金の総額は、当該損害保険契約等に係る保険料又は掛金の総額から次の(一)及び(二)に掲げる金額を控除して計算するものとする。(令184③)

(一)	事業を営む個人又は法人が当該個人のその事業に係る使用人又は当該法人の使用人のために支出した当該損害保険契約等に係る保険料又は掛金で当該個人のその事業に係る不動産所得の金額、事業所得の金額若しくは山林所得の金額又は当該法人の各事業年度の所得の金額の計算上必要経費又は損金の額に算入されるもののうち、これらの使用人の給与所得に係る収入金額に含まれないものの額
(二)	当該年金の支払開始の日前又は当該満期返戻金等の支払の日前に当該損害保険契約等に基づく剰余金の分配若しくは割戻金の割戻しを受け、又は当該損害保険契約等に基づき分配を受ける剰余金若しくは割戻しを受ける割戻金をもって当該保険料若しくは掛金の払込みに充てた場合における当該剰余金又は割戻金の額

④　満期返戻金等の意義

②又は③の**満期返戻金等**とは、次の(一)から(三)までに掲げるものをいう。(令184④)

(一)	①に規定する保険契約、第八章**六2**①に掲げる契約又は所得税法第207条第3号に掲げる契約で損害保険契約に該当するもののうち保険期間の満了後満期返戻金を支払う旨の特約がされているものに基づき支払を受ける満期返戻金及び解約返戻金（①に規定する損害保険契約等に基づく年金として当該損害保険契約等の保険期間の満了後に支払われる満期返戻金を除く。)
(二)	建物更生共済契約又は火災共済に係る契約等又は所得税法第207条第3号に掲げる契約で損害保険契約以外のもののうち建物又は動産の共済期間中の耐存を共済事故とする共済に係る契約に基づき支払を受ける共済金（当該建物又は動産の耐存中に当該期間が満了したことによるものに限る。）及び解約返戻金
(三)	保険業法第2条第18項に規定する少額短期保険業者の締結した損害保険契約に類する保険契約のうち返戻金を支払う旨の特約がされているものに基づき支払を受ける返戻金

3　相続等に係る生命保険契約等に基づく年金に係る雑所得の金額の計算

①　相続等に係る生命保険契約等に基づく年金に係る雑所得の金額の計算

1③《生命保険契約等に基づく年金に係る雑所得の金額の計算上控除する保険料等》に規定する生命保険契約等（以下①及び②において「生命保険契約等」という。）に基づく年金（**1**①に規定する年金をいう。以下**3**において同じ。）の支払を受ける居住者が、当該年金（当該年金に係る権利につき所得税法等の一部を改正する法律（平成22年法律第6号）第3条《相続税法の一部改正》の規定による改正前の相続税法（**4**①において「旧相続税法」という。）第24条《定期金に関する権利の評価》の規定の適用があるもの（②において「旧相続税法対象年金」という。）に限る。）に係る保険金受取人等に該当する場合には、当該居住者のその支払を受ける年分の当該年金に係る雑所得の金額の計算については、**1**①の規定にかかわらず、次の(一)から(十一)までに定めるところによる。(令185①)

(一)	その年に支払を受ける確定年金（年金の支払開始の日（その日において年金の支払を受ける者が当該居住者以外の者である場合には、当該居住者が最初に年金の支払を受ける日。以下①及び②において「支払開始日」という。）において支払総額（年金の支払の基礎となる生命保険契約等において定められている年金の総額のうち当該居住者が支払を受ける金額をいい、支払開始日以後に当該生命保険契約等に基づき分配を受ける剰余金又は割戻しを受け

る割戻金の額に相当する部分の金額を除く。以下**3**において同じ。）が確定している年金をいう。以下①及び②において同じ。）の額（(七)の規定により総収入金額に算入される金額を除く。）のうち次に掲げる確定年金の区分に応じそれぞれ次に定める金額は、その年分の雑所得に係る総収入金額に算入する。

イ	残存期間年数（当該居住者に係る支払開始日におけるその残存期間に係る年数をいい、当該年数に１年未満の端数を生じたときは、これを切り上げた年数をいう。以下**3**において同じ。）が10年以下の確定年金	一課税単位当たりの金額（当該確定年金の支払総額に100分の40（残存期間年数が５年以下である場合には、100分の30）を乗じて計算した金額を課税単位数（残存期間年数に当該残存期間年数から１年を控除した年数を乗じてこれを２で除して計算した数をいう。）で除して計算した金額をいう。）に経過年数（支払開始日からその支払を受ける日までの年数をいい、当該年数に１年未満の端数を生じたときは、これを切り捨てた年数をいう。以下①及び②において同じ。）を乗じて計算した金額に係る支払年金対応額（当該計算した金額にその支払を受ける年金の額に係る月数を乗じてこれを12で除して計算した金額をいう。以下①及び②において同じ。）の合計額
ロ	残存期間年数が10年を超え55年以下の確定年金	当該確定年金の支払を受ける日の次に掲げる場合の区分に応じそれぞれ次に定める金額の合計額 （１）　その支払を受ける日が特定期間（その支払開始日から残存期間年数から調整年数を控除した年数を経過する日までの期間をいう。ロにおいて同じ。）内の日である場合　当該確定年金の支払総額を総単位数（残存期間年数から調整年数を控除した年数に当該残存期間年数を乗じて計算した数をいう。）で除して計算した金額（ロにおいて「１単位当たりの金額」という。）に経過年数を乗じて計算した金額に係る支払年金対応額 （２）　その支払を受ける日が特定期間の終了の日後である場合　当該確定年金に係る１単位当たりの金額に残存期間年数から調整年数に１年を加えた年数を控除した年数を乗じて計算した金額に係る支払年金対応額
ハ	残存期間年数が55年を超える確定年金	当該確定年金の支払を受ける日の次に掲げる場合の区分に応じそれぞれ次に定める金額の合計額 （１）　その支払を受ける日が支払開始日から27年を経過する日までの期間内の日である場合　当該確定年金の支払総額を特定単位数（残存期間年数に27を乗じて計算した数をいう。）で除して計算した金額（ハにおいて「１特定単位当たりの金額」という。）に経過年数を乗じて計算した金額に係る支払年金対応額 （２）　その支払を受ける日が支払開始日から27年を経過する日後である場合　当該確定年金に係る１特定単位当たりの金額に26を乗じて計算した金額に係る支払年金対応額

(二)

その年に支払を受ける終身年金（その支払開始日において支払総額が確定していない年金のうち、終身の年金で契約対象者（年金の支払の基礎となる生命保険契約等においてその者の生存が支払の条件とされている者をいう。以下①において同じ。）の生存中に限り支払われるものをいう。以下①及び②において同じ。）の額（(七)の規定により総収入金額に算入される金額を除く。）のうち次に掲げる終身年金の区分に応じそれぞれ次に定める金額は、その年分の雑所得に係る総収入金額に算入する。

イ	支払開始日余命年数（当該契約対象者についての支払開始日における別表に定める余命年数をいう。以下**3**において同じ。）が10年以下の終身年金	当該終身年金の支払を受ける日の次に掲げる場合の区分に応じそれぞれ次に定める金額の合計額 （１）　その支払を受ける日が余命期間（その支払開始日から支払開始日余命年数を経過する日までの期間をいう。以下①及び②(二)において同じ。）内の日である場合　当該終身年金の支払総額見込額（契約年額（年金の支払の基礎となる生命保険契約等において定められている年金の年額のうち当該居住者が支払を受ける金額をいい、支払開始日以後に当該生命保険契約等に基づき分配を受ける剰余金又は割戻しを受ける割戻金の額に相当する部分の金額を除く。以下①及び②において同じ。）に支払開始日余命年数を乗じて計算した金額をいう。以下(二)及び②

<table>
<tr><td rowspan="3"></td><td></td><td></td><td>(二)において同じ。）に100分の40（支払開始日余命年数が５年以下である場合には、100分の30）を乗じて計算した金額を課税単位数（支払開始日余命年数に当該支払開始日余命年数から１年を控除した年数を乗じてこれを２で除して計算した数をいう。）で除して計算した金額（イにおいて「１課税単位当たりの金額」という。）に経過年数を乗じて計算した金額に係る支払年金対応額
（２）　その支払を受ける日が余命期間の終了の日後である場合　　当該終身年金に係る一課税単位当たりの金額に支払開始日余命年数から１年を控除した年数を乗じて計算した金額に係る支払年金対応額</td></tr>
<tr><td>ロ</td><td>支払開始日余命年数が10年を超え55年以下の終身年金</td><td>当該終身年金の支払を受ける日の次に掲げる場合の区分に応じそれぞれ次に定める金額の合計額
（１）　その支払を受ける日が特定期間（その支払開始日から支払開始日余命年数から調整年数を控除した年数を経過する日までの期間をいう。ロにおいて同じ。）内の日である場合　　当該終身年金の支払総額見込額を総単位数（支払開始日余命年数から調整年数を控除した年数に当該支払開始日余命年数を乗じて計算した数をいう。）で除して計算した金額（ロにおいて「１単位当たりの金額」という。）に経過年数を乗じて計算した金額に係る支払年金対応額
（２）　その支払を受ける日が特定期間の終了の日後である場合　　当該終身年金に係る一単位当たりの金額に支払開始日余命年数から調整年数に１年を加えた年数を控除した年数を乗じて計算した金額に係る支払年金対応額</td></tr>
<tr><td>ハ</td><td>支払開始日余命年数が55年を超える終身年金</td><td>当該終身年金の支払を受ける日の次に掲げる場合の区分に応じそれぞれ次に定める金額の合計額
（１）　その支払を受ける日が支払開始日から27年を経過する日までの期間内の日である場合　　当該終身年金の支払総額見込額を特定単位数（支払開始日余命年数に27を乗じて計算した数をいう。）で除して計算した金額（ハにおいて「１特定単位当たりの金額」という。）に経過年数を乗じて計算した金額に係る支払年金対応額
（２）　その支払を受ける日が支払開始日から27年を経過する日後である場合　　当該終身年金に係る１特定単位当たりの金額に26を乗じて計算した金額に係る支払年金対応額</td></tr>
<tr><td>(三)</td><td colspan="3">その年に支払を受ける有期年金（その支払開始日において支払総額が確定していない年金のうち、有期の年金で契約対象者がその期間（以下(三)及び②(三)において「支払期間」という。）内に死亡した場合にはその死亡後の支払期間につき支払を行わないものをいう。以下(三)及び②(三)において同じ。）の額（(七)の規定により総収入金額に算入される金額を除く。）のうち当該有期年金について当該支払期間に係る年数（当該年数に１年未満の端数を生じたときは、これを切り上げた年数。以下(三)及び②(三)において「支払期間年数」という。）を残存期間年数とし、支払総額見込額（当該有期年金の契約年額に当該支払期間に係る月数を乗じてこれを12で除して計算した金額をいう。）を支払総額とする確定年金とみなして(一)の規定の例により計算した金額は、その年分の雑所得に係る総収入金額に算入する。ただし、当該支払期間年数が支払開始日余命年数を超える場合には、当該有期年金について当該有期年金の契約年額に当該支払開始日余命年数を乗じて計算した金額を支払総額見込額（(二)イ(１)に規定する支払総額見込額をいう。）とする終身年金とみなして(二)の規定の例により計算した金額を、その年分の雑所得に係る総収入金額に算入する。</td></tr>
<tr><td rowspan="2">(四)</td><td colspan="3">その年に支払を受ける特定終身年金（その支払開始日において支払総額が確定していない年金のうち、終身の年金で、契約対象者の生存中支払われるほか、当該契約対象者がその支払開始日以後一定期間（以下①及び②において「保証期間」という。）内に死亡した場合にはその死亡後においてもその保証期間の終了の日までその支払が継続されるものをいう。以下(四)及び②(四)において同じ。）の額（(七)の規定により総収入金額に算入される金額を除く。）のうち次に掲げる特定終身年金の区分に応じそれぞれ次に定める金額は、その年分の雑所得に係る総収入金額に算入する。</td></tr>
<tr><td>イ</td><td>ロに掲げる特定終身年金以外の特定終身</td><td>当該特定終身年金の支払を受ける日の次に掲げる場合の区分に応じそれぞれ次に定める金額の合計額</td></tr>
</table>

		年金	（1）　その支払を受ける日が保証期間内の日である場合　　当該特定終身年金について当該保証期間に係る年数（当該年数に１年未満の端数を生じたときは、これを切り上げた年数。以下①及び②において「保証期間年数」という。）を残存期間年数とし、支払総額見込額（当該特定終身年金の契約年額に当該保証期間に係る月数を乗じてこれを12で除して計算した金額をいう。）を支払総額とする確定年金とみなして(一)の規定の例により計算した金額 （2）　その支払を受ける日が保証期間の終了の日後である場合　　当該保証期間の最終の支払の日において支払を受けた特定終身年金の額のうち（1）の規定により雑所得に係る総収入金額に算入するものとされる金額
	ロ	（1）に掲げる金額が（2）に掲げる金額を超える特定終身年金	当該特定終身年金について（1）の終身年金とみなして(二)の規定の例により計算した金額 （1）　余命期間内の各年において当該特定終身年金について当該特定終身年金の契約年額に支払開始日余命年数を乗じて計算した金額を支払総額見込額（(二)イ（1）に規定する支払総額見込額をいう。）とする終身年金とみなして同(二)の規定の例により計算した金額の総額を当該支払総額見込額から控除した金額 （2）　保証期間内の各年において当該特定終身年金についてイ（1）の確定年金とみなして(一)の規定の例により計算した金額の総額をイ（1）に規定する支払総額見込額から控除した金額
(五)	その年に支払を受ける特定有期年金（その支払開始日において支払総額が確定していない年金のうち、有期の年金で契約対象者が保証期間内に死亡した場合にはその死亡後においてもその保証期間の終了の日までその支払が継続されるものをいう。以下(五)及び②(五)において同じ。）の額（(七)の規定により総収入金額に算入される金額を除く。）のうち当該特定有期年金について当該有期の期間（以下(五)及び②(五)において「支払期間」という。）に係る年数（当該年数に１年未満の端数を生じたときは、これを切り上げた年数。以下(五)及び②(五)において「支払期間年数」という。）を残存期間年数とし、支払総額見込額（当該特定有期年金の契約年額に当該支払期間に係る月数を乗じてこれを12で除して計算した金額をいう。）を支払総額とする確定年金とみなして(一)の規定の例により計算した金額は、その年分の雑所得に係る総収入金額に算入する。ただし、当該支払期間年数が支払開始日余命年数を超える場合には、次に掲げる特定有期年金の区分に応じそれぞれ次に定める金額を、その年分の雑所得に係る総収入金額に算入する。		
	イ	ロに掲げる特定有期年金以外の特定有期年金	当該特定有期年金の支払を受ける日の次に掲げる場合の区分に応じそれぞれ次に定める金額の合計額 （1）　その支払を受ける日が保証期間内の日である場合　　当該特定有期年金について保証期間年数を残存期間年数とし、支払総額見込額（当該特定有期年金の契約年額に当該保証期間に係る月数を乗じてこれを12で除して計算した金額をいう。）を支払総額とする確定年金とみなして(一)の規定の例により計算した金額 （2）　その支払を受ける日が保証期間の終了の日後である場合　　当該保証期間の最終の支払の日において支払を受けた特定有期年金の額のうち（1）の規定により雑所得に係る総収入金額に算入するものとされる金額
	ロ	（1）に掲げる金額が（2）に掲げる金額を超える特定有期年金	当該特定有期年金について（1）の終身年金とみなして(二)の規定の例により計算した金額 （1）　余命期間内の各年において当該特定有期年金について当該特定有期年金の契約年額に当該支払開始日余命年数を乗じて計算した金額を支払総額見込額（(二)イ（1）に規定する支払総額見込額をいう。）とする終身年金とみなして同(二)の規定の例により計算した金額の総額を当該支払総額見込額から控除した金額 （2）　保証期間内の各年において当該特定有期年金についてイ（1）の確定年金とみなして(一)の規定の例により計算した金額の総額をイ（1）に規定する支払総額見込額から控除した金額
(六)	その支払を受ける年金につき(一)又は(二)（(三)から(五)までの規定によりその例によることとされる場合を含む。）の規定により計算した支払年金対応額がその支払を受ける年金の額以上である場合には、(一)から(五)まで		

<table>
<tr><td></td><td>の規定にかかわらず、これらの規定により計算した支払年金対応額は、(一)又は(二)に規定する１課税単位当たりの金額、一単位当たりの金額又は１特定単位当たりの金額の整数倍の金額に当該年金の額に係る月数を乗じてこれを12で除して計算した金額のうち当該年金の額に満たない最も多い金額とする。</td></tr>
<tr><td>(七)</td><td>当該年金の支払開始日以後に当該年金の支払の基礎となる生命保険契約等に基づき分配を受ける剰余金又は割戻しを受ける割戻金の額は、その年分の雑所得に係る総収入金額に算入する。</td></tr>
<tr><td>(八)</td><td>その年に支払を受ける当該年金（当該年金の支払開始の日における当該年金の支払を受ける者（(九)において「当初年金受取人」という。）が当該居住者である場合の年金に限る。）の額（(一)から(六)までの規定により総収入金額に算入される部分の金額に限る。）に、イに掲げる金額のうちにロに掲げる金額の占める割合を乗じて計算した金額は、その年分の雑所得の金額の計算上、必要経費に算入する。
<table>
<tr><td>イ</td><td>次に掲げる年金の区分に応じそれぞれ次に定める金額
（１）　その支払開始日において支払総額が確定している年金　　当該支払総額
（２）　その支払開始日において支払総額が確定していない年金　　(二)から(五)までの規定によりその年分の雑所得に係る総収入金額に算入すべきものとされる金額の計算の基礎となるべき支払総額見込額</td></tr>
<tr><td>ロ</td><td>当該生命保険契約等に係る保険料又は掛金の総額</td></tr>
</table></td></tr>
<tr><td>(九)</td><td>その年において支払を受ける当該年金の当初年金受取人が当該居住者以外の者である場合におけるその年分の雑所得の金額の計算上必要経費に算入する金額は、当該年金の額（(一)から(六)までの規定により総収入金額に算入される部分の金額に限る。）に、当該当初年金受取人に係る当該年金の支払開始の日における**1**の①の(二)、又は(八)に規定する割合を乗じて計算した金額とする。</td></tr>
<tr><td>(十)</td><td>当該生命保険契約等が年金のほか一時金を支払う内容のものである場合には、(八)ロに掲げる保険料又は掛金の総額は、当該生命保険契約等に係る保険料又は掛金の総額に、(八)イ（１）又は同（２）に定める支払総額又は支払総額見込額と当該一時金の額との合計額のうちに当該支払総額又は支払総額見込額の占める割合を乗じて計算した金額とする。</td></tr>
<tr><td>(十一)</td><td>(八)及び(十)に規定する割合は、小数点以下２位まで算出し、３位以下を切り上げたところによる。</td></tr>
</table>

（注）　**1**④の規定は、①(八)ロ又は①(十)に規定する保険料又は掛金の総額について準用する。（令185④）

②　年金の支払を受ける居住者が保険金受取人等に該当する場合

生命保険契約等に基づく年金の支払を受ける居住者が、当該年金（旧相続税法対象年金を除く。）に係る保険金受取人等に該当する場合には、当該居住者のその支払を受ける年分の当該年金に係る雑所得の金額の計算については、**1**①の規定にかかわらず、次の(一)から(七)までに定めるところによる。この場合において、必要経費に算入する金額の計算については、①(八)から同(十一)までの規定を準用する。（令185②）

<table>
<tr><td>(一)</td><td>その年に支払を受ける確定年金の額（(七)の規定により総収入金額に算入される金額を除く。）のうち次に掲げる確定年金の区分に応じそれぞれ次に定める金額は、その年分の雑所得に係る総収入金額に算入する。
<table>
<tr><td>イ</td><td>相続税評価割合が100分の50を超える確定年金</td><td>１課税単位当たりの金額（当該確定年金の支払総額に課税割合を乗じて計算した金額を課税単位数（残存期間年数に当該残存期間年数から１年を控除した年数を乗じてこれを２で除して計算した数をいう。）で除して計算した金額をいう。）に経過年数を乗じて計算した金額に係る支払年金対応額の合計額</td></tr>
<tr><td>ロ</td><td>相続税評価割合が100分の50以下の確定年金</td><td>当該確定年金の支払を受ける日の次に掲げる場合の区分に応じそれぞれ次に定める金額の合計額
（１）　その支払を受ける日が特定期間（その支払開始日から特定期間年数を経過する日までの期間をいう。ロにおいて同じ。）内の日である場合　　当該確定年金の支払総額を総単位数（特定期間年数に残存期間年数を乗じて計算した数をいう。）で除して計算した金額（ロにおいて「１単位当たりの金額」という。）に経過年数を乗じて計算した金額に係る支払年金対応額
（２）　その支払を受ける日が特定期間の終了の日後である場合　　当該確定年金に係る一単位当たりの金額に特定期間年数を乗じて計算した金額から１円を控除した金額に係る支払年金対応額</td></tr>
</table></td></tr>
</table>

<table>
<tr><td rowspan="3">(二)</td><td colspan="3">その年に支払を受ける終身年金の額（(七)の規定により総収入金額に算入される金額を除く。）のうち次に掲げる終身年金の区分に応じそれぞれ次に定める金額は、その年分の雑所得に係る総収入金額に算入する。</td></tr>
<tr><td>イ</td><td>相続税評価割合が100分の50を超える終身年金</td><td>当該終身年金の支払を受ける日の次に掲げる場合の区分に応じそれぞれ次に定める金額の合計額
（1）　その支払を受ける日が余命期間内の日である場合　　当該終身年金の支払総額見込額に課税割合を乗じて計算した金額を課税単位数（支払開始日余命年数に当該支払開始日余命年数から1年を控除した年数を乗じてこれを2で除して計算した数をいう。）で除して計算した金額（イにおいて「1課税単位当たりの金額」という。）に経過年数を乗じて計算した金額に係る支払年金対応額
（2）　その支払を受ける日が余命期間の終了の日後である場合　　当該終身年金に係る一課税単位当たりの金額に支払開始日余命年数から一年を控除した年数を乗じて計算した金額に係る支払年金対応額</td></tr>
<tr><td>ロ</td><td>相続税評価割合が100分の50以下の終身年金</td><td>当該終身年金の支払を受ける日の次に掲げる場合の区分に応じそれぞれ次に定める金額の合計額
（1）　その支払を受ける日が特定期間（その支払開始日から特定期間年数を経過する日までの期間をいう。ロにおいて同じ。）内の日である場合　　当該終身年金の支払総額見込額を総単位数（特定期間年数に支払開始日余命年数を乗じて計算した数をいう。）で除して計算した金額（ロにおいて「1単位当たりの金額」という。）に経過年数を乗じて計算した金額に係る支払年金対応額
（2）　その支払を受ける日が特定期間の終了の日後である場合　　当該終身年金に係る一単位当たりの金額に特定期間年数を乗じて計算した金額から1円を控除した金額に係る支払年金対応額</td></tr>
<tr><td>(三)</td><td colspan="3">その年に支払を受ける有期年金の額（(七)の規定により総収入金額に算入される金額を除く。）のうち当該有期年金について支払期間年数を残存期間年数とし、支払総額見込額（当該有期年金の契約年額に支払期間に係る月数を乗じてこれを12で除して計算した金額をいう。）を支払総額とする確定年金とみなして(一)の規定の例により計算した金額は、その年分の雑所得に係る総収入金額に算入する。ただし、当該支払期間年数が支払開始日余命年数を超える場合には、当該有期年金について当該有期年金の契約年額に当該支払開始日余命年数を乗じて計算した金額を支払総額見込額（①(二)イ(1)に規定する支払総額見込額をいう。）とする終身年金とみなして(二)の規定の例により計算した金額を、その年分の雑所得に係る総収入金額に算入する。</td></tr>
<tr><td rowspan="3">(四)</td><td colspan="3">その年に支払を受ける特定終身年金の額（(七)の規定により総収入金額に算入される金額を除く。）のうち当該特定終身年金の支払を受ける日の次に掲げる場合の区分に応じそれぞれ次に定める金額は、その年分の雑所得に係る総収入金額に算入する。ただし、支払開始日余命年数が保証期間年数を超える場合には、当該特定終身年金について当該特定終身年金の契約年額に当該支払開始日余命年数を乗じて計算した金額を支払総額見込額（①(二)イ(1)に規定する支払総額見込額をいう。）とする終身年金とみなして(二)の規定の例により計算した金額を、その年分の雑所得に係る総収入金額に算入する。</td></tr>
<tr><td>イ</td><td>その支払を受ける日が保証期間内の日である場合</td><td>当該特定終身年金について当該保証期間年数を残存期間年数とし、支払総額見込額（当該特定終身年金の契約年額に当該保証期間に係る月数を乗じてこれを12で除して計算した金額をいう。）を支払総額とする確定年金とみなして(一)の規定の例により計算した金額</td></tr>
<tr><td>ロ</td><td>その支払を受ける日が保証期間の終了の日後である場合</td><td>当該保証期間の最終の支払の日において支払を受けた特定終身年金の額のうちイの規定により雑所得に係る総収入金額に算入するものとされる金額</td></tr>
<tr><td>(五)</td><td colspan="3">その年に支払を受ける特定有期年金の額（(七)の規定により総収入金額に算入される金額を除く。）のうち当該特定有期年金について支払期間年数を残存期間年数とし、支払総額見込額（当該特定有期年金の契約年額に支払期間に係る月数を乗じてこれを12で除して計算した金額をいう。）を支払総額とする確定年金とみなして(一)の規定の例により計算した金額は、その年分の雑所得に係る総収入金額に算入する。ただし、当該支払期間年数が支払開始日余命年数を超える場合には、次に掲げる特定有期年金の区分に応じそれぞれ次に定める金額を、その年分の雑所</td></tr>
</table>

得に係る総収入金額に算入する。

イ	ロに掲げる特定有期年金以外の特定有期年金	当該特定有期年金の支払を受ける日の次に掲げる場合の区分に応じそれぞれ次に定める金額の合計額 (1)　その支払を受ける日が保証期間内の日である場合　　当該特定有期年金について保証期間年数を残存期間年数とし、支払総額見込額（当該特定有期年金の契約年額に当該保証期間に係る月数を乗じてこれを12で除して計算した金額をいう。）を支払総額とする確定年金とみなして(一)の規定の例により計算した金額 (2)　その支払を受ける日が保証期間の終了の日後である場合　　当該保証期間の最終の支払の日において支払を受けた特定有期年金の額のうち(1)の規定により雑所得に係る総収入金額に算入するものとされる金額
ロ	支払開始日余命年数が当該保証期間年数を超える特定有期年金	当該特定有期年金について当該特定有期年金の契約年額に当該支払開始日余命年数を乗じて計算した金額を支払総額見込額（①(二)イ(1)に規定する支払総額見込額をいう。）とする終身年金とみなして(二)の規定の例により計算した金額

(六)	その支払を受ける年金につき(一)又は(二)（(三)から(五)までの規定によりその例によることとされる場合を含む。）の規定により計算した支払年金対応額がその支払を受ける年金の額以上である場合には、(一)から(五)までの規定にかかわらず、これらの規定により計算した支払年金対応額は、(一)又は(二)に規定する１課税単位当たりの金額又は１単位当たりの金額の整数倍の金額に当該年金の額に係る月数を乗じてこれを12で除して計算した金額のうち当該年金の額に満たない最も多い金額とする。
(七)	当該年金の支払開始日以後に当該年金の支払の基礎となる生命保険契約等に基づき分配を受ける剰余金又は割戻しを受ける割戻金の額は、その年分の雑所得に係る総収入金額に算入する。

③　用語の意義

3において、次の(一)から(五)までに掲げる用語の意義は、当該(一)から(五)までに定めるところによる。（令185③）

(一)	**保険金受取人等**	次に掲げる者をいう。 イ　相続税法第３条第１項第１号《相続又は遺贈により取得したものとみなす場合》に規定する保険金受取人 ロ　相続税法第３条第１項第５号に規定する定期金受取人となった場合における当該定期金受取人 ハ　相続税法第３条第１項第６号に規定する定期金に関する権利を取得した者 ニ　相続税法第５条第１項《贈与により取得したものとみなす場合》（同条第２項において準用する場合を含む。）に規定する保険金受取人 ホ　相続税法第６条第１項《贈与により取得したものとみなす場合》（同条第２項において準用する場合を含む。）に規定する定期金受取人 ヘ　相続税法第６条第３項に規定する定期金受取人 ト　相続、遺贈又は個人からの贈与により保険金受取人又は定期金受取人となった者
(二)	**調整年数**	残存期間年数又は支払開始日余命年数の次に掲げる場合の区分に応じそれぞれ次に定める年数をいう。 イ　10年を超え15年以下の場合　1年 ロ　15年を超え25年以下の場合　5年 ハ　25年を超え35年以下の場合　13年 ニ　35年を超え55年以下の場合　28年
(三)	**相続税評価割合**	当該居住者に係る年金の支払総額又は支払総額見込額（②(二)から同(五)までの規定によりその年分の雑所得に係る総収入金額に算入すべきものとされる金額の計算の基礎となるべき支払総額見込額をいう。）のうちに当該年金に係る権利について相続税法第24条《定期金に関する権利の評価》の規定によ

<table>
<tr><td></td><td></td><td>り評価された額の占める割合をいう。</td></tr>
<tr><td>(四)</td><td>**課税割合**</td><td>相続税評価割合の次に掲げる場合の区分に応じそれぞれ次に定める割合をいう。
<table>
<tr><td>イ</td><td>相続税評価割合が100分の50を超え100分の55以下の場合</td><td>100分の45</td></tr>
<tr><td>ロ</td><td>相続税評価割合が100分の55を超え100分の60以下の場合</td><td>100分の40</td></tr>
<tr><td>ハ</td><td>相続税評価割合が100分の60を超え100分の65以下の場合</td><td>100分の35</td></tr>
<tr><td>ニ</td><td>相続税評価割合が100分の65を超え100分の70以下の場合</td><td>100分の30</td></tr>
<tr><td>ホ</td><td>相続税評価割合が100分の70を超え100分の75以下の場合</td><td>100分の25</td></tr>
<tr><td>ヘ</td><td>相続税評価割合が100分の75を超え100分の80以下の場合</td><td>100分の20</td></tr>
<tr><td>ト</td><td>相続税評価割合が100分の80を超え100分の83以下の場合</td><td>100分の17</td></tr>
<tr><td>チ</td><td>相続税評価割合が100分の83を超え100分の86以下の場合</td><td>100分の14</td></tr>
<tr><td>リ</td><td>相続税評価割合が100分の86を超え100分の89以下の場合</td><td>100分の11</td></tr>
<tr><td>ヌ</td><td>相続税評価割合が100分の89を超え100分の92以下の場合</td><td>100分の８</td></tr>
<tr><td>ル</td><td>相続税評価割合が100分の92を超え100分の95以下の場合</td><td>100分の５</td></tr>
<tr><td>ヲ</td><td>相続税評価割合が100分の95を超え100分の98以下の場合</td><td>100分の２</td></tr>
<tr><td>ワ</td><td>相続税評価割合が100分の98を超える場合</td><td>零</td></tr>
</table></td></tr>
<tr><td>(五)</td><td>**特定期間年数**</td><td>残存期間年数又は支払開始日余命年数に相続税評価割合の次に掲げる場合の区分に応じそれぞれ次に定める割合を乗じて計算した年数から１年を控除した年数（当該年数に１年未満の端数を生じたときは、これを切り上げた年数）をいう。
<table>
<tr><td>イ</td><td>相続税評価割合が100分の10以下である場合</td><td>100分の20</td></tr>
<tr><td>ロ</td><td>相続税評価割合が100分の10を超え100分の20以下である場合</td><td>100分の40</td></tr>
<tr><td>ハ</td><td>相続税評価割合が100分の20を超え100分の30以下である場合</td><td>100分の60</td></tr>
<tr><td>ニ</td><td>相続税評価割合が100分の30を超え100分の40以下である場合</td><td>100分の80</td></tr>
<tr><td>ホ</td><td>相続税評価割合が100分の40を超え100分の50以下である場合</td><td>1</td></tr>
</table></td></tr>
</table>

（年金に代えて支払われる一時金）

（1）　**1**①、**2**①、**3**又は**4**の規定の対象となる年金の受給資格者に対し当該年金に代えて支払われる一時金のうち、当該年金の受給開始日以前に支払われるものは一時所得の収入金額とし、同日後に支払われるものは雑所得の収入金額とする。ただし、同日後に支払われる一時金であっても、将来の年金給付の総額に代えて支払われるものは、一時所得の収入金額として差し支えない。（基通35－３）

（注）　死亡を給付事由とする生命保険契約等の給付事由が発生した場合において当該生命保険契約等に基づく年金の支払に代えて受給開始日以前に支払われる一時金については、第二章第三節**八**（２）（基通９－18）《年金の総額に代えて支払われる一時金》により非課税。

（年金の種類の判定）

（2）　**3**の規定の適用において、その年に支払を受ける生命保険契約等に基づく年金が**3**に規定する確定年金、終身年金、有期年金、特定終身年金又は特定有期年金であるかどうかは、当該年金の支払を受ける者の当該年金の**3**の①の(一)に規定する支払開始日の現況において判定することに留意する。（基通35－４の２）

4の規定の適用において、その年に支払を受ける損害保険契約等に基づく年金が同**4**に規定する確定型年金又は特定有期型年金であるかどうかの判定も同様であることに留意する。

（保証期間における当初年金受取人の契約年額と当初年金受取人以外の者の契約年額が異なる場合）

（3）　その年に支払を受ける生命保険契約等に基づく年金が**3**①(四)に規定する特定終身年金又は同①(五)に規定する特定有期年金である場合において、支払総額見込額の計算の基礎となる年数が保証期間年数とされるもので、同①(八)に規定する当初年金受取人に係る契約年額と当初年金受取人の死亡後その親族その他の者（以下、（3）において「当初年金受取人以外の者」という。）に係る契約年額とが異なるときにおける**3**の規定の適用については、当該支払総額見込額は、当初年金受取人の契約年額に当初年金受取人に係る支払開始日余命年数を乗じて計算した金額と当初年金受取人以外の者の契約年額に保証期間年数と当該支払開始日余命年数との差に相当する年数を乗じて計算した金額の合計額とする。（基通35－４の３）

4の規定の適用において、その年に支払を受ける損害保険契約等に基づく年金が**4**①(二)に規定する特定有期型年金である場合も同様であることに留意する。

（経過的取扱い）

（４）　この法令解釈通達（１）から（３）までの改正後の取扱いは、平成22年10月20日以後に行う**1**に規定する生命保険契約等に基づく年金に係る雑所得の金額の計算、**2**に規定する損害保険契約等に基づく年金に係る雑所得の金額の計算、**3**に規定する生命保険契約等に基づく年金に係る雑所得の金額の計算又は**4**に規定する損害保険契約等に基づく年金に係る雑所得の金額の計算について適用する。（平22．10．20課個２－25附則）

4　相続等に係る損害保険契約等に基づく年金に係る雑所得の金額の計算

①　相続等に係る損害保険契約等に基づく年金に係る雑所得の金額の計算

2①《損害保険契約等に基づく年金に係る雑所得の金額の計算上控除する保険料等》に規定する損害保険契約等（以下**4**において「損害保険契約等」という。）に基づく年金の支払を受ける居住者が、当該年金（当該年金に係る権利について、旧相続税法第24条《定期金に関する権利の評価》の規定の適用があるもの（②において「旧相続税法対象年金」という。）に限る。）に係る**3**③(一)に規定する保険金受取人等に該当する場合には、当該居住者のその支払を受ける年分の当該年金に係る雑所得の金額の計算については、**2**①の規定にかかわらず、次の(一)から(七)までに定めるところによる。（令186①）

<table>
<tr><td>(一)</td><td>その年に支払を受ける確定型年金（年金の支払開始の日（その日において年金の支払を受ける者が当該居住者以外の者である場合には、当該居住者が最初に年金の支払を受ける日。以下4において「支払開始日」という。）において支払総額（年金の支払の基礎となる損害保険契約等において定められている年金の総額のうち当該居住者が支払を受ける金額をいい、支払開始日以後に当該損害保険契約等に基づき分配を受ける剰余金又は割戻しを受ける割戻金の額に相当する部分の金額を除く。以下①において同じ。）が確定している年金をいう。以下4において同じ。）の額（(四)の規定により総収入金額に算入される金額を除く。）のうち当該確定型年金について3①(一)に規定する確定年金とみなして同(一)の規定の例により計算した金額は、その年分の雑所得に係る総収入金額に算入する。</td></tr>
<tr><td>(二)</td><td>その年に支払を受ける特定有期型年金（その支払開始日において支払総額が確定していない年金のうち、有期の年金で契約対象者（年金の支払の基礎となる損害保険契約等においてその者の生存が支払の条件とされている者をいう。）がその支払開始日以後一定期間（以下(二)において「保証期間」という。）内に死亡した場合にはその死亡した日からその保証期間の終了の日までの期間に相当する部分の金額の支払が行われるものをいう。以下4において同じ。）の額（(四)の規定により総収入金額に算入される金額を除く。）のうち当該特定有期型年金について3①(五)に規定する特定有期年金とみなして同(五)の規定の例により計算した金額は、その年分の雑所得に係る総収入金額に算入する。</td></tr>
<tr><td>(三)</td><td>3①(六)の規定は、(一)又は(二)の規定により計算した金額に係る同①(一)イに規定する支払年金対応額がその支払を受ける年金の額以上である場合について準用する。</td></tr>
<tr><td>(四)</td><td>当該年金の支払開始日以後に当該年金の支払の基礎となる損害保険契約等に基づき分配を受ける剰余金又は割戻しを受ける割戻金の額は、その年分の雑所得に係る総収入金額に算入する。</td></tr>
<tr><td>(五)</td><td>その年に支払を受ける当該年金（当該年金の支払開始の日における当該年金の支払を受ける者（(六)において「当初年金受取人」という。）が当該居住者である場合の年金に限る。）の額（(一)から(三)までの規定により総収入金額に算入される部分の金額に限る。）に、イに掲げる金額のうちにロに掲げる金額の占める割合を乗じて計算した金額は、その年分の雑所得の金額の計算上、必要経費に算入する。
<table><tr><td>イ</td><td>次に掲げる年金の区分に応じそれぞれ次に定める金額
（１）　その支払開始日において支払総額が確定している年金　　当該支払総額
（２）　その支払開始日において支払総額が確定していない年金　　(二)の規定によりその年分の雑所得に係る総収入金額に算入すべきものとされる金額の計算の基礎となるべき支払総額見込額</td></tr></table></td></tr>
</table>

	ロ　当該損害保険契約等に係る保険料又は掛金の総額
(六)	その年において支払を受ける当該年金の当初年金受取人が当該居住者以外の者である場合におけるその年分の雑所得の金額の計算上必要経費に算入する金額は、当該年金の額（(一)から(三)までの規定により総収入金額に算入される部分の金額に限る。）に、当該当初年金受取人に係る当該年金の支払開始の日における**2**①(二)、又は(五)に規定する割合を乗じて計算した金額とする。
(七)	(五)に規定する割合は、小数点以下２位まで算出し、３位以下を切り上げたところによる。

（注）　**2**③規定は、(五)ロに規定する保険料又は掛金の総額について準用する。（令186③）

②　年金の支払を受ける居住者が保険金受取人等に該当する場合

損害保険契約等に基づく年金の支払を受ける居住者が、当該年金（旧相続税法対象年金を除く。）に係る**3**③(一)に規定する保険金受取人等に該当する場合には、当該居住者のその支払を受ける年分の当該年金に係る雑所得の金額の計算については、**2**①の規定にかかわらず、次の(一)から(四)までに定めるところによる。この場合において、必要経費に算入する金額の計算については、①(五)から同(七)までの規定を準用する。（令186②）

(一)	その年に支払を受ける確定型年金の額（(四)の規定により総収入金額に算入される金額を除く。）のうち当該確定型年金について**3**②(一)の確定年金とみなして同(一)の規定の例により計算した金額は、その年分の雑所得に係る総収入金額に算入する。
(二)	その年に支払を受ける特定有期型年金の額（(四)の規定により総収入金額に算入される金額を除く。）のうち当該特定有期型年金について**3**②(五)の特定有期年金とみなして同(五)の規定の例により計算した金額は、その年分の雑所得に係る総収入金額に算入する。
(三)	**3**②(六)の規定は、(一)又は(二)の規定により計算した金額に係る**3**②(一)イの支払年金対応額がその支払を受ける年金の額以上である場合について準用する。
(四)	当該年金の支払開始日以後に当該年金の支払の基礎となる損害保険契約等に基づき分配を受ける剰余金又は割戻しを受ける割戻金の額は、その年分の雑所得に係る総収入金額に算入する。

（注）　**3**③(1)から同(5)までの規定参照。

六　肉用牛の売却による農業所得の課税の特例

①　売却した肉用牛が全て免税対象飼育牛である場合の免税

農業（第二章第一節《定義》**一**表内**35**に規定する事業をいう。）を営む個人が、昭和56年から令和８年までの各年において、次の(一)又は(二)に掲げる売却の方法により当該(一)又は(二)に定める**肉用牛**（注に掲げる牛以外の牛をいう。以下**2**において同じ。）を売却した場合において、その売却した肉用牛が全て**免税対象飼育牛**（家畜改良増殖法第32条の９第１項の規定による農林水産大臣の承認を受けた同項に規定する登録規程に基づく登録のうち肉用牛の改良増殖に著しく寄与するものとして農林水産大臣が財務大臣と協議して指定した(１)の登録がされている肉用牛又はその売却価額が100万円未満（その売却した肉用牛が、(５)で定める交雑牛に該当する場合には80万円未満とし、(５)で定める乳牛に該当する場合には50万円未満とする。）である肉用牛に該当するものをいう。以下②において同じ。）であり、かつ、その売却した肉用牛の頭数の合計が1,500頭以内であるときは、当該個人のその売却をした日の属する年分のその売却により生じた事業所得に対する所得税を免除する。（措法25①③、措令17①⑤）

	売　却　の　方　法	肉　　用　　牛
(一)	家畜取引法第２条第３項に規定する家畜市場、中央卸売市場その他(２)で定める市場において行う売却	①に規定する個人が飼育した肉用牛
(二)	農業協同組合又は農業協同組合連合会のうち、(３)で定めるものに委託して行う売却	①に規定する個人が飼育した生産後１年未満の肉用牛

注　(一)　種雄牛
　　(二)　乳牛の雌のうち子牛の生産の用に供されたもの

（農林水産大臣が指定した登録）

（１）　①に規定する農林水産大臣が指定した登録は次のとおりである。（昭56.4.1農林水産省告示第449号（最終改正令５同省告示第783号）、平23.12.27付け23生畜第2123号農林水産省生産局長通知「肉用牛売却所得の課税の特例措置について」（令5.4.3一部改正））

(一)	(公社)全国和牛登録協会の登録規程に基づく高等登録
(二)	(一社)日本あか牛登録協会の登録規程に基づく高等登録
(三)	(一社)日本短角種登録協会の登録規程に基づく高等登録
(四)	(一社)北海道酪農畜産協会のアンガス・ヘレフォード種登録規程に基づく高等登録

（適用対象となる市場）

（２）　①(一)に規定する(２)で定める市場は、次の(一)から(四)までに掲げる市場とする。（措令17②）

(一)	家畜取引法第27条第１項の規定による届出に係る市場
(二)	地方卸売市場で食用肉の卸売取引のために定期に又は継続して開設されるもののうち、都道府県がその市場における食用肉の卸売取引に係る業務の適正かつ健全な運営を確保するため、その業務につき必要な規制を行うものとして農林水産大臣の認定を受けたもの　（令２農林水産省告示第1202号（最終改正令５同省告示第504号））
(三)	条例に基づき食用肉の卸売取引のために定期に又は継続して開設される市場のうち、当該条例に基づき地方公共団体がその市場における業務の適正かつ健全な運営を確保するため、その開設及び業務につき必要な規制を行うものとして農林水産大臣の認定を受けたもの （平30農林水産省告示第2098号（最終改正令２同省告示第1201号））
(四)	農業協同組合、農業協同組合連合会又は地方公共団体（これらの法人の設立に係る法人でその発行済株式若しくは出資（その有する自己の株式又は出資を除く。）の総数若しくは総額又は拠出された金額の２分の１以上がこれらの法人により所有され、若しくは出資され、又は拠出をされているものを含む。）により食用肉の卸売取引のために定期に又は継続して開設される市場のうち、当該市場における取引価格が中央卸売市場において形成される価格に準拠して適正に形成されるものとして農林水産大臣の認定を受けたもの （平16農林水産省告示第1779号（最終改正令６同省告示第1081号））

（注）　令和６年７月１日現在、上記(二)から(四)の規定により農林水産大臣が認定した市場は別表１から別表３（1235ページ）のとおりである。

（適用対象となる農業協同組合又は同連合会）

（3）　①(二)に規定する適用対象となる農業協同組合又は農業協同組合連合会は、肉用子牛生産安定等特別措置法第６条第２項に規定する指定協会から同法第７条第２項に規定する生産者補給金交付業務に関する事務の委託を受けている農業協同組合又は農業協同組合連合会で農林水産大臣が指定したものとする。（措令17③、平14農林水産省告示第333号（最終改正令６同省告示第407号））

（注）　令和６年７月１日現在、上記規定により農林水産大臣が指定した農業協同組合又は農業協同組合連合会は別表４（1238ページ）のとおりである。

（免除される所得税額の計算）

（4）　①の規定により免除される所得税の額は、その年分の総所得金額に係る所得税の額から①に規定する所得の金額がないものとして計算した場合における総所得金額に係る所得税の額を控除した金額とする。（措令17④）

（(5)で定める乳牛）

（5）　①に規定する(5)で定める交雑牛又は乳牛は、交雑牛にあっては、牛の個体識別のための情報の管理及び伝達に関する特別措置法施行規則第３条第２項第11号に掲げる種別である牛とし、乳牛にあっては同項第８号から第10号までに掲げる種別である牛とする。（措規９の５①）

②　免税対象飼育牛以外の肉用牛の売却による所得がある場合の課税の特例

①に規定する個人が、①に規定する各年において、①(一)又は同(二)に掲げる売却の方法により当該の(一)又は(二)に定める肉用牛を売却した場合において、その売却した肉用牛のうちに免税対象飼育牛に該当しないもの《**免税対象外肉用牛**》に該当しないもの又は免税対象飼育牛に該当する肉用牛の頭数の合計が1,500頭を超える場合の当該超える部分の免税対象飼育牛が含まれているとき（その売却した肉用牛が全て免税対象飼育牛に該当しないものであるときを含む。）は、当該個人のその売却をした日の属する年分の総所得金額に係る所得税の額は、所得税法の規定により計算した所得税の額によらず、次に掲げる金額の合計額とすることができる。（措法25②）

(一)	その年において①(一)又は同(二)に掲げる売却の方法により売却した当該(一)又は(二)に定める肉用牛のうち免税対象飼育牛に該当しないものの売却価額及び免税対象飼育牛に該当する肉用牛の頭数の合計が1,500頭を超える場合における当該超える部分の免税対象飼育牛の売却価額の合計額に100分の５を乗じて計算した金額
(二)	その年において①(一)又は同(二)に掲げる売却の方法により売却した当該(一)又は(二)に定める肉用牛に係る事業所得の金額がないものとみなして計算した場合におけるその年分の総所得金額につき、所得税法の規定により計算した所得税の額に相当する金額

$$\text{その年の総所得金額に係る所得税額} = \left(\text{その年中の免税対象外肉用牛の売却価額の合計額} \times \frac{5}{100}\right) + \left(\text{肉用牛の売却に係る事業所得がないものとした場合の総所得金額に係る通常の所得税額}\right)$$

（免税対象飼育牛の売却価額の計算）

（1）　①に規定する免税対象飼育牛（以下(1)において「免税対象飼育牛」という。）に該当する肉用牛の頭数の合計が1,500頭を超える場合において、②(一)に規定する「当該超える部分の免税対象飼育牛の売却価額」がいずれの免税対象飼育牛の売却価額の合計額であるかは、個人の計算によるものとする。（措通25－１）

（純損失の繰戻しによる還付の請求）

（2）　②に規定する個人（その年の前年分又は前々年分の所得税につき②の規定の適用を受けた者に限る。）に係る第十章第六節**三１**①及び第十章第六節**三１**⑤並びに第十章第六節**三２**①及び第十章第六節**三２**④の規定の適用については、第十章第六節**三１**①(一)中「規定」とあるのは「規定（第六章第四節**六**②《肉用牛の売却による農業所得の課税の特例》の規定を含む。(二)及び第十章第六節**三２**①(一)及び(二)において同じ。）」と、第十章第六節**三１**①(二)中「課税総所得金額」とあるのは「課税総所得金額（第六章第四節**六**②(二)に規定する総所得金額に係る課税総所得金額をいう。第十章第六節**三２**①(二)において同じ。）」とする。（措令17⑤）

（純損失の繰越控除）

（3）　(2)の規定の適用がある場合における第十章第六節**三 1**③(1)及び第十章第六節**三 1**⑤(1)の規定の適用については、第十章第六節**三 1**③(1)中「課税総所得金額、」とあるのは「課税総所得金額（第六章第四節**六**②(二)《肉用牛の売却による農業所得の課税の特例》に規定する総所得金額に係る課税総所得金額をいう。以下第十章第六節**三 1**③(1)及び第十章第六節**三 1**⑤(1)において同じ。)、」と、第十章第六節**三 1**⑤(1)中「規定を」とあるのは「規定（第六章第四節**六**②《肉用牛の売却による農業所得の課税の特例》の規定を含む。）を」とする。（措令17⑥）

（②の特例の適用を選択しないときの留意）

（4）　②に該当する場合において、②の特例の適用を選択しないときは、免税対象肉用牛の売却による所得を含めて一般の例により総合課税されることになることに留意する。（編者注）

③　確定申告書への記載等

①及び②の規定は、確定申告書に、これらの規定の適用を受けようとする旨及びこれらの規定に規定する事業所得の明細に関する事項の記載があり、かつ、これらの規定に規定する肉用牛の売却が①(一)又は同(二)に掲げる売却の方法により行われたこと及びその売却価額その他(1)で定める事項を証する書類の添付がある場合に限り、適用する。

税務署長は、上記の記載若しくは添付がない確定申告書の提出があった場合においても、その記載若しくは添付がなかったことについてやむを得ない事情があると認めるときは、当該記載をした書類及び上記の証する書類の提出があった場合に限り、①又は②の規定を適用することができる。①の規定の適用を受ける者が確定申告書を提出しなかった場合において、その提出がなかったことについてやむを得ない事情があると認めるときも同様とする。（措法25④⑤）

（証 明 事 項）

（1）　③に規定する(1)で定める証明事項は、次の(一)又は(二)に掲げる場合の区分に応じ、当該(一)又は(二)に定める事項とする。（措規９の５②）

(一)	肉用牛の売却が①(一)に規定する市場において行われた場合　　次に掲げる事項 イ　当該肉用牛の売却をした個人の氏名及び住所地並びにその売却年月日 ロ　当該市場の名称及び所在地（当該市場が①(2)各号に掲げる市場である場合には、その旨及び当該各号に掲げる市場に該当することとなった年月日を含む。） ハ　当該肉用牛の種別、生年月日、雌雄の別その他の事項で当該肉用牛が①(一)に掲げる肉用牛に該当することを明らかにする事項
(二)	肉用牛の売却が①(3)に規定する農業協同組合又は農業協同組合連合会に委託して行われた場合　　次に掲げる事項 イ　当該肉用牛の売却の委託をした個人の氏名及び住所地並びにその売却年月日 ロ　当該農業協同組合又は農業協同組合連合会の名称及び所在地並びに①の(3)に規定する農林水産大臣の指定があった年月日 ハ　当該肉用牛の種別、生年月日、雌雄の別その他の事項で当該肉用牛が①の(二)に掲げる生産後１年未満の肉用牛に該当することを明らかにする事項

（登録肉用牛に係る証明事項）

（2）　(1)(一)又は同(二)に規定する肉用牛が①に規定する登録がされているものである場合には、(1)で定める事項は、(1)(一)又は同(二)に定める事項のほか、当該登録の名称並びに登録機関（家畜改良増殖法第32条の９第３項に規定する家畜登録機関をいう。(3)において同じ。）の名称及び所在地とする。（措規９の５③）

（登録肉用牛に係る証明権者）

（3）　(2)の場合において、(2)に規定する登録に係る事項は、当該登録に係る登録機関の長が証するものとする。ただし、(1)(一)の市場の代表者その他の責任者又は(1)(二)の農業協同組合若しくは農業協同組合連合会の代表者が当該登録に係る事項を確認したときは、当該登録に係る事項については、これらの者が交付する③の証する書類に当該登録に係る事項を記載する方法により証することができるものとする。（措規９の５④）

（肉用牛売却所得の課税の特例の取扱いについて）

（4）　標題のことについて、農林水産省畜産課長からの照会があり、下記のとおり取り扱うこととしたから了知されたい。（昭56直所５－６、直法２－10、編者補正）

（一）　農業を営む者の範囲について

本措置を適用する農業を営む者の範囲については、農家所得に占める肉用牛所得の割合の多寡により制限することなく、所得税法施行令第12条第１号及び第２号（第二章第一節━表内**35**①及び同②）に掲げる事業を営む者が肉用牛を飼養し売却した場合はすべてを対象とすることとする。

この場合、同条第１号のその他のほ場作物には栽培する牧草を含むこととする。

（二）　免税対象飼育牛の範囲について

免税措置の対象となる肉用牛は、種雄牛及び子牛の生産の用に供された乳牛の雌以外の牛であって、売却価額が100万円未満のもの又は①（1）で定める登録がなされているものとされている。

イ　種雄牛については、乳牛、肉用牛とも家畜改良増殖法第４条の規定に基づく検査により種畜証明書の交付を受けた雄牛でなければ種雄牛たり得ないこととしている。これら種雄牛は国、県、団体有のものが多くその取引においても市場を通じないものであることから、市場において取引された肉用牛の成牛（雄牛、去勢牛及び雌牛）及び子牛（雄牛、去勢牛及び雌牛）並びに乳牛の成牛（雄牛及び去勢牛）及び子牛（雄牛及び去勢牛）は、本措置の対象とする。

ロ　子牛の生産の用に供された乳牛の雌とは、乳牛の雌であって妊娠牛及び経産牛をいい、体系、家畜市場における上場区分等から判定する。

ハ　なお、肉用牛の飼養期間が極端に短かく、単なる肉用牛の移動を主体とした売却により生じた所得までを本措置の対象とする必要はないので、対象を一定期間以上飼養した肉用牛に限定して差し支えないが、その期間は２か月以上とすることとする。

ニ　また、売却に係る牛が子取り用雌牛で繁殖用に用いられていること等のため固定資産として経理されている場合は当該売却による対価は譲渡所得となるため本措置の対象肉用牛とはしないこととする。

（三）　売却証明書について

③の書類は、次により作成するものとする。

イ　売却証明書の様式は、①の（一）に規定する売却に係る場合は、別紙１により、①の（二）に規定する売却に係る場合は、別紙２によることとする。

ロ　昭和56年４月１日以降に売却したものについては、遡及して証明することとする。

ハ　肉用牛の中央卸売市場、指定市場における売却は、通常市場の荷受機関（卸売人）に売却を委託し、荷受機関は併設と場においてと殺解体のうえ市場において売却することとしている。

このため、肉用牛は市場において枝肉の売却価格とその原皮、内臓等のそれぞれの価格が合算されて肉用牛売却農家又は農業生産法人に支払われることとなる場合と、枝肉価格には、原皮、内臓等の価格が含まれたものとして枝肉を売却する場合との両者があることとなるので、肉用牛売却証明書の売却価額欄には、前者の場合は合算価格を記入することとする。

（四）　農業協同組合連合会に委託して売却した場合について

農林水産大臣の指定を受けた農業協同組合連合会については、その会員たる農業協同組合が農家を代理して委託した場合も本措置の対象とすることとする。

なお、この場合の証明は、農林水産大臣の指定した農業協同組合連合会が行うこととなるが、この場合にあっては、農家を代理した農業協同組合を明らかにすることとする。

別紙様式１　　　　　　　　　　　　　　　　　　　　　　　売却証明書番号

肉用牛売却証明書

<table>
<tr><td>売却者の氏名
（法人にあっては、名称、代表者氏名）</td><td colspan="3"></td><td>住所</td><td colspan="2"></td></tr>
<tr><td>売却年月日</td><td colspan="3">年　月　日</td><td>売却価額※（注１）</td><td colspan="2">外　円
円</td></tr>
<tr><td rowspan="4">売却した市場</td><td colspan="2">市場の名称</td><td colspan="4"></td></tr>
<tr><td colspan="2">市場の所在地</td><td colspan="4"></td></tr>
<tr><td colspan="2">市場の種類
※（注２）</td><td colspan="4">家畜市場、中央卸売市場、臨時市場、認定市場（　　）</td></tr>
<tr><td colspan="2">免税の対象市場に該当することとなった年月日</td><td colspan="4">年　月　日</td></tr>
<tr><td rowspan="6">売却した肉用牛</td><td rowspan="2">種別※（注２）</td><td>黒毛和種、褐毛和種、日本短角種、無角和種
黒毛和種×褐毛和種、和牛間交雑種、肉専用種、交雑種</td><td>雌雄の別</td><td colspan="3">雄、去勢、雌</td></tr>
<tr><td>ホルスタイン種、ジャージー種、乳用種（　　）</td><td>雌雄の別</td><td colspan="3">雄、去勢、雌
（子牛の生産の用に供されたことの　有　無
※（注３））</td></tr>
<tr><td colspan="2">生年月日</td><td colspan="4">年　月　日</td></tr>
<tr><td colspan="2">個体識別番号</td><td colspan="4"></td></tr>
<tr><td colspan="2" rowspan="2">家畜改良増殖法に規定する登録※（注４）

（登録証明書は別添）</td><td colspan="2">登録の名称（番号）</td><td colspan="2">（　第　　号）</td></tr>
<tr><td colspan="2">登録機関の名称
登録機関の所在地</td><td colspan="2"></td></tr>
</table>

上記のとおり売却されたことを証明します。

年　月　日

市場の所在地

市場名

代表者氏名

（中央卸売市場、地方卸売市場にあっては、卸売人の氏名）

用紙　ＪＩＳ　Ｂ６

（裏　面）

この証明書は、租税特別措置法第２５条第１項第１号及び第６７条の３第１項第１号に規定する肉用牛の売却に係る場合のみ発行する。

（注１）「売却価額」欄には、せり売り、入札又は相対取引に係る価格のうち、消費税の軽減税率の対象となる枝肉その他食用に供されるもの（以下「枝肉等」という。）にあっては８パーセント、それ以外のものにあっては10パーセントに相当する金額を上乗せする前の金額の合計額を本書きし、当該８パーセント又は10パーセントに相当する金額の合計額を外書きする。

（注２）該当部分を○でかこむ。その他の場合は（　　）内に記入する。

（注３）ホルスタイン種、ジャージー種又は乳用種の雌の場合は、子牛の生産の用に供されたことの有無を確認し、該当部分を○でかこむ。

上記（注２）及び（注３）において、該当部分を○でかこむこととなっている欄

（注４）租税特別措置法施行令第１７条第１項及び第３９条の２６第１項の規定に基づき農林水産大臣が指定した登録に該当する肉用牛であって、売却価額（枝肉等にあっては８パーセント、それ以外のものにあっては10パーセントに相当する金額を上乗せする前の金額の合計額）が１００万円以上の場合にのみ記入する。

なお、その場合は、当該登録機関が発行する登録証明書の写しを添付のこと。

上記（注２）及び（注３）において、該当部分を○でかこむこととなっている欄について、該当するものを記入することにより発行する場合は、（注２）及び（注３）を以下のとおり書き換えること。

（注２）以下の欄については、該当するものいずれかをそれぞれの欄に記入する。その他の場合は（　　）内を記入の上、欄に記入する。

- 「市場の種類」欄
  家畜市場、中央卸売市場、臨時市場、認定市場、その他（　　）
- 「種別」欄の上段
  黒毛和種、褐毛和種、日本短角種、無角和種、黒毛和種×褐毛和種、和牛間交雑種、肉専用種、交雑種
- 「種別」欄の下段
  ホルスタイン種、ジャージー種、乳用種、その他（　　）
- 「雌雄の別」欄
  雄、去勢、雌

（注３）ホルスタイン種、ジャージー種又は乳用種の雌の場合は、子牛の生産の用に供されたことの有無を確認し、「種別」欄の下段における「雌雄の別」欄に「子牛の生産の用に供されたこと有」又は「子牛の生産の用に供されたこと無」と記入する。

別紙様式２　　　　　　　　　　　　　　　　　　　　　　　売却証明書番号

肉用子牛売却証明書

<table>
<tr><td>売却者の氏名
（法人にあっては、名称、代表者氏名）</td><td colspan="3"></td><td>住　所</td><td></td></tr>
<tr><td>売却年月日</td><td colspan="3">年　　月　　日</td><td>売却価額※（注１）</td><td>外　　円
円</td></tr>
<tr><td rowspan="3">委託をした農業協同組合又は農業協同組合連合会</td><td colspan="2">名　　称</td><td colspan="3"></td></tr>
<tr><td colspan="2">所　在　地</td><td colspan="3"></td></tr>
<tr><td colspan="2">指定年月日
※（注２）</td><td colspan="3">年　　月　　日</td></tr>
<tr><td rowspan="4">売却した肉用子牛</td><td rowspan="2">種別
※（注３）</td><td>黒毛和種、褐毛和種、日本短角種、無角和種
黒毛和種×褐毛和種、和牛間交雑種、肉専用種、交雑種</td><td>雌雄の別</td><td colspan="2">雄、去勢、雌</td></tr>
<tr><td>ホルスタイン種、ジャージー種、乳用種（　　）</td><td>雌雄の別</td><td colspan="2">雄、去勢、雌
（子牛の生産の用に供されたことの　有　無　※（注４））</td></tr>
<tr><td>生年月日</td><td colspan="4">年　　月　　日　（売却時月齢　　月）</td></tr>
<tr><td>個体識別番号</td><td colspan="4"></td></tr>
<tr><td rowspan="2">代理した農業協同組合
※（注５）</td><td colspan="2">名　　称</td><td colspan="3"></td></tr>
<tr><td colspan="2">所　在　地</td><td colspan="3"></td></tr>
</table>

上記肉用子牛の売却につき委託を受け売却したことを証明します。

年　　月　　日

受託者　農協（農協連）所在地

農協（農協連）名

代表者氏名

用紙　ＪＩＳ　Ｂ６

（裏　面）

この証明書は、租税特別措置法第２５条第１項第２号及び第６７条の３第１項第２号に規定する肉用牛の売却に係る場合のみ発行する。

（注１）「売却価額」欄には、せり売り、入札又は相対取引に係る価格の10パーセントに相当する金額を上乗せする前の金額を本書きし、当該10パーセントに相当する金額を外書きする。
（注２）農林水産大臣が指定した年月日を記入する。
（注３）該当部分を○でかこむ。その他の場合は（　　）内に記入する。
（注４）ホルスタイン種、ジャージー種又は乳用種の雌の場合は、子牛の生産の用に供されたことの有無を確認し、該当部分を○でかこむ。
（注５）農業協同組合連合会が証明する場合で、その会員たる農業協同組合が、個人又は農地所有適格法人を代理した場合にのみ記入する。

上記（注３）及び（注４）において、該当部分を○でかこむこととなっている欄について、該当するものを記入することにより発行する場合は、（注３）及び（注４）を以下のとおり書き換えること。

（注３）以下の欄については、該当するものいずれかをそれぞれの欄に記入する。その他の場合は（　）内を記入の上、欄に記入する。

・「種別」欄の上段
黒毛和種、褐毛和種、日本短角種、無角和種、黒毛和種×褐毛和種、和牛間交雑種、肉専用種、交雑種

・「種別」欄の下段
ホルスタイン種、ジャージー種、乳用種、その他（　　）

・「雌雄の別」欄
雄、去勢、雌

（注４）ホルスタイン種、ジャージー種又は乳用種の雌の場合は、子牛の生産の用に供されたことの有無を確認し、「種別」欄の下段における「雌雄の別」欄に「子牛の生産の用に供されたこと有」又は「子牛の生産の用に供されたこと無」と記入する。

別表１　措令第17条第２項第２号の規定により認定を受けた市場

名　　　　称（市場名）	位　　　　置（市場の所在地）	農林水産省告示番号
株式会社茨城県中央食肉公社食肉地方卸売市場	茨城県東茨城郡茨城町大字下土師字高山1975番地	令２．６．22 第1202号 （最終改正 令５．３．31 第504号）
栃木県食肉地方卸売市場	栃木県芳賀郡芳賀町大字稲毛田1921番地７	
群馬県食肉地方卸売市場	群馬県佐波郡玉村町大字上福島1189番地	
川口食肉地方卸売市場	埼玉県川口市領家四丁目７番18号	
山梨食肉地方卸売市場	山梨県笛吹市石和町唐柏1028番地	
岐阜市食肉地方卸売市場	岐阜県岐阜市境川五丁目148番地	
飛騨ミート地方卸売市場	岐阜県高山市八日町327番地	
浜松市食肉地方卸売市場	静岡県浜松市東区上西町986番地	
地方卸売市場東三河食肉流通センター	愛知県豊橋市明海町16番地の１	
四日市市食肉地方卸売市場	三重県四日市市新正４丁目19番３号	
滋賀食肉センター地方卸売市場	滋賀県近江八幡市長光寺町1089番地４	
姫路市食肉地方卸売市場	兵庫県姫路市東郷町1451番地５	
西宮市食肉地方卸売市場	兵庫県西宮市西宮浜２丁目32番地の１	
兵庫県加古川食肉地方卸売市場	兵庫県加古川市志方町志方町533番地	
奈良県食肉地方卸売市場	奈良県大和郡山市丹後庄町475番地の１	
岡山県営食肉地方卸売市場	岡山県岡山市中区桜橋１丁目２番43号	
香川県坂出食肉地方卸売市場	香川県坂出市昭和町２丁目１番９号	
高知県食肉センター地方卸売市場	高知県高知市海老ノ丸13番58号	
佐世保市地方卸売市場食肉市場	長崎県佐世保市干尽町３番地42	

別表２　措令第17条第２項第３号の規定により認定を受けた市場

名　　　　称（市場名）	位　　　　置（市場の所在地）	農林水産省告示番号
名寄市立食肉センター	北海道名寄市字日進105番地14	平30．９．20 第2098号 （最終改正 令２．６．22 第1201号）
米沢市営食肉市場	山形県米沢市万世町片子5379番地の15	
羽曳野市立南食ミートセンター	大阪府羽曳野市向野２丁目４番14号	
徳島市立食肉センター	徳島県徳島市不動本町３丁目1724番地の２	

（注）　平成16年９月30日農林水産省告示第1778号（旧措令第17条第２項第３号の規定に基づき、農林水産大臣が認定する市場として認定した件）は、廃止された。

別表３　措令第17条第２項第４号の規定により認定を受けた市場

名　　　　称（市場名）	位　　　　置（市場の所在地）	農林水産省告示番号
株式会社北海道畜産公社函館工場	北海道函館市西桔梗町555番地の5	平16．９．30 第1779号 （最終改正 令６．６．３ 第1081号）
株式会社北海道畜産公社上川工場	北海道旭川市東鷹栖六線12号5135番地	
株式会社北海道畜産公社十勝工場	北海道帯広市西24条北２丁目１番地の１	
株式会社北海道チクレンミート北見食肉センター	北海道北見市豊田192番地	

名　　　称（市場名）	位　　　置（市場の所在地）	農林水産省告示番号
名古屋食肉市場株式会社道南工場	北海道茅部郡森町字姫川121番地１	平16．9．30 第1779号 （最終改正 令６．６．３ 第1081号）
株式会社北海道畜産公社北見工場	北海道網走郡大空町東藻琴村千草72番地の１	
株式会社北海道畜産公社早来工場	北海道勇払郡安来町遠浅695番地	
北海道池田町食肉センター	北海道中川郡池田町字西１条７丁目11番地の１	
全国農業協同組合連合会青森県本部十和田食肉駐在事務所	青森県十和田市大字三本木字野崎１番地	
全国開拓農業協同組合連合会十和田販売事業所	青森県十和田市大字三本木字野崎１番地	
全国畜産農業協同組合連合会十和田食肉事業所	青森県十和田市大字三本木字野崎１番地	
全国農業協同組合連合会青森県本部百石駐在事務所	青森県上北郡おいらせ町松原2丁目132番地の１	
全国開拓農業協同組合連合会八戸販売事業所	青森県上北郡おいらせ町松原2丁目132番地の１	
全国酪農業協同組合連合会三戸食肉事業所	青森県三戸郡三戸町大字斗内字中堤９番地の１	
株式会社いわちく	岩手県紫波郡紫波町犬渕字南谷地120番地	
株式会社宮城県食肉流通公社	宮城県登米市米山町字桜岡今泉314番地	
株式会社秋田県食肉流通公社	秋田県秋田市河辺神内字堂坂２番地の１	
山形牛枝肉市場	山形県山形市大字中野字的場936番地	
全国農業協同組合連合会山形県本部畜産部（庄内食肉流通センター）	山形県東田川郡庄内町家根合字中荒田21番地の２	
株式会社福島県食肉流通センター	福島県郡山市富久山町久保田字古坦50番地	
茨城県畜産農業協同組合連合会水戸食肉事業所	茨城県水戸市見川町大山台1822番地１	
株式会社全日本農協畜産公社食肉処理センター	茨城県結城市大字結城字大水川原3984番地の１	
全国畜産農業協同組合連合会下妻食肉事業所	茨城県下妻市二本紀1142番地	
全国畜産農業協同組合連合会高崎食肉事業所	群馬県高崎市中里見1729番地	
都城農業協同組合関東事業所	埼玉県本庄市杉山115番地	
全国畜産農業協同組合連合会越谷食肉事業所	埼玉県越谷市増森１丁目12番地	
ＪＡ全農ミートフーズ株式会社東日本営業本部牛肉営業部	埼玉県戸田市早瀬１丁目12番７号	
全国開拓農業協同組合連合会和光販売事業所	埼玉県和光市下新倉６丁目９番20号	
株式会社千葉県食肉公社	千葉県旭市鎌数6354番地の３	
全国農業協同組合連合会神奈川県本部畜産部食肉販売所	神奈川県厚木市酒井900番地	
新潟市食肉センター	新潟県新潟市中区中野小屋字三角野1631番地	
ＪＡ全農にいがた長岡食肉市場	新潟県長岡市新開町2988番地６	
株式会社富山食肉総合センター	富山県射水市新堀28番４号	
全国農業協同組合連合会石川県本部金沢食肉流通センター駐在事務所	石川県金沢市才田町戊327番地	
福井県経済農業共同組合連合会食肉センター	福井県福井市大手３丁目２番18号	

名　　称（市場名）	位　　置（市場の所在地）	農林水産省告示番号
全国農業協同組合連合会長野県本部松本肉蓄販売所	長野県松本市島内9842番地	平16．9．30 第1779号 （最終改正 令６．６．３ 第1081号）
静岡県経済農業協同組合連合会小笠食肉センター	静岡県菊川市赤土1787番地の２	
愛知経済連半田食肉市場	愛知県半田市住吉町３の195の１	
全国農業協同組合連合会三重県本部松阪食肉センター	三重県松阪市市場庄町塔田1172番地の１	
全国畜産農業協同組合連合会三田食肉事業所	兵庫県神戸市北区長尾町宅原11番地	
全国農業協同組合連合会兵庫県本部三田事業所	兵庫県神戸市北区長尾町宅原11番地	
ＪＡ全農ミートフーズ株式会社西日本営業本部牛肉営業部	兵庫県西宮市場尾浜３丁目16番	
株式会社鳥取県食肉センター	鳥取県西伯郡大山町小竹1291番地の１	
株式会社島根県食肉公社	島根県大田市朝山町1677番地の２	
全国畜産農業協同組合連合会三好食肉事業所	徳島県三好郡東みよし町足代890番地３	
高松市食肉卸売市場	香川県高松市郷東町587番地の197	
ＪＡえひめアイパックス株式会社	愛媛県大洲市春賀甲410番地	
全国開拓農業協同組合連合会北九州販売事業所	福岡県北九州市小倉北区末広２丁目３番７号	
ＪＡ全農ミートフーズ株式会社九州営業本部	福岡県太宰府市都府楼南５丁目15番２号	
一般社団法人佐賀県畜産公社	佐賀県多久市南多久町大字下多久4127番地	
全国開拓農業協同組合連合会長崎販売事業所	長崎県諫早市幸町79番35号	
株式会社熊本畜産流通センター	熊本県菊池市七城町林原９番地	
豊野食肉卸売市場株式会社	熊本県宇城市豊野町巣林548番地	
全国開拓農業協同組合連合会人吉販売事業所	熊本県球磨郡錦町大字木上西2180番地１	
株式会社大分県畜産公社	大分県豊後大野市犬飼町田原1580番地の29	
株式会社ミヤチク高崎工場	宮崎県都城市高崎町大牟田4268番地の１	
全国開拓農業協同組合連合会宮崎販売事業所	宮崎県延岡市塩浜町２丁目2052番地の１	
全国畜産農業協同組合連合会小林食肉事業所	宮崎県小林市細野2516番地	
宮崎県経済農業協同組合連合会ＳＥミート宮崎駐在事務所	宮崎県西都市大字富岡1500番地	
全国畜産農業協同組合連合会えびの食肉事業所	宮崎県えびの市大字大河平4633番地	
株式会社ミヤチク都農工場	宮崎県児湯郡都農町大字川北15530番地	
全国開拓農業協同組合連合会鹿児島販売事業所	鹿児島県鹿児島市下福元町7852番地	
株式会社ＪＡ食肉かごしま鹿屋工場	鹿児島県鹿屋市川西町3874番地の７	
株式会社阿久根食肉流通センター	鹿児島県阿久根市塩浜町１丁目10番地	
株式会社ナンチク食肉処理施設	鹿児島県曽於市末吉町二之方1828番地	
株式会社南さつま食肉流通センター	鹿児島県南さつま市加世田内山田123番地１	
全国畜産農業協同組合連合会南九州食肉事業所	鹿児島県志布志市有明町野井倉6965番地	
株式会社ＪＡ食肉かごしま南薩工場	鹿児島県南九州市知覧町南別府22361番地	
全国開拓農業協同組合連合会南九州販売事業所	鹿児島県伊佐市大口宮人字大住519番地の１	
沖縄県農業協同組合八重山地区畜産振興センター（株式会社八重山食肉センター内）	沖縄県石垣市字大浜1368番地３	

名　称（市場名）	位　置（市場の所在地）	農林水産省告示番号
沖縄県農業協同組合農業事業本部畜産部（株式会社宮古食肉センター内）	沖縄県宮古島市上野字野原1190番地187	
沖縄県農業協同組合農業事業本部畜産部（株式会社沖縄県食肉センター内）	沖縄県南城市大里字大城1927番地	

別表４　措令第17条第３項の規定により指定された農業協同組合等

（平14．２．22農林水産省告示第333号、最終改正令６．４．１第698号）

農林水産大臣が指定する農業協同組合又は農業協同組合連合会に対して肉用子牛生産安定等特別措置法第７条第２項に規定する生産者補給金交付業務に関する事務を委託している同法第６条第２項に規定する指定協会が所在する都道府県の地域	農林水産大臣が指定する農業協同組合又は農業協同組合連合会の名称
岩手県、宮城県、山形県、福島県、栃木県、群馬県、東京都、山梨県、長野県、岐阜県、三重県、滋賀県、兵庫県、岡山県、広島県、及び愛媛県	全国農業協同組合連合会
北　海　道	ホクレン農業協同組合連合会道央農業協同組合 北海道チクレン農業協同組合連合会 サツラク農業協同組合 阿寒農業協同組合 帯広市川西農業協同組合 帯広大正農業協同組合 きたみらい農業協同組合 オホーツクはまなす農業協同組合 北ひびき農業協同組合 ふらの農業協同組合 道央農業協同組合 新函館農業協同組合 上川中央農業協同組合 北はるか農業協同組合 るもい農業協同組合 東宗谷農業協同組合 美幌町農業協同組合 津別町農業協同組合 小清水町農業協同組合 佐呂間町農業協同組合 えんゆう農業協同組合 湧別農業協同組合 北オホーツク農業協同組合 とうや湖農業協同組合 門別町農業協同組合 新冠町農業協同組合
	ひだか東農業協同組合 しずない農業協同組合 みついし農業協同組合 音更町農業協同組合 士幌町農業協同組合 上士幌町農業協同組合 鹿追町農業協同組合 新得町農業協同組合 十勝清水町農業協同組合 芽室町農業協同組合 更別村農業協同組合 大樹町農業協同組合 幕別町農業協同組合 十勝畜産農業協同組合 忠類農業協同組合 十勝池田町農業協同組合 豊頃町農業協同組合 本別町農業協同組合 足寄町農業協同組合 陸別町農業協同組合 浦幌町農業協同組合 浜中町農業協同組合 標茶町農業協同組合 道東あさひ農業協同組合 中春別農業協同組合 中標津町農業協同組合 標津町農業協同組合
岩　手　県	岩手中央酪農業協同組合 新岩手農業協同組合
宮　城　県	みやぎ仙南農業協同組合
秋　田　県	秋田たかのす農業協同組合
山　形　県	庄内たがわ農業協同組合
福　島　県	福島県酪農業協同組合

栃木県	栃木県開拓農業協同組合連合会 栃木県酪農業協同組合
群馬県	赤城酪農業協同組合連合会 榛名酪農業協同組合連合会 邑楽館林農業協同組合 北群渋川農業協同組合 甘楽富岡農業協同組合 宮城村農業協同組合 粕川村農業協同組合 佐波伊勢崎農業協同組合 新田みどり農業協同組合 東毛酪農業協同組合
埼玉県	埼玉酪農業協同組合
千葉県	千葉北部農業協同組合連合会
神奈川県	横浜農業協同組合 秦野市農業協同組合
長野県	松本ハイランド農業協同組合 あづみ農業協同組合
静岡県	静岡県経済農業協同組合連合会 静岡県開拓農業協同組合連合会
新潟県	新潟県酪農業協同組合連合会 新潟かがやき農業協同組合 えちご中越農業協同組合 北新潟農業協同組合 魚沼農業協同組合 佐渡農業協同組合
富山県	富山市農業協同組合 なのはな農業協同組合 氷見市農業協同組合 となみ野農業協同組合 いなば農業協同組合 アルプス農業協同組合 みな穂農業協同組合 あおば農業協同組合 いみず野農業協同組合 なんと農業協同組合 福光農業協同組合 魚津市農業協同組合 高岡市農業協同組合
石川県	松任市農業協同組合 石川かほく農業協同組合 能登農業協同組合 内浦町農業協同組合
福井県	福井県経済農業協同組合連合会
岐阜県	岐阜県酪農農業協同組合連合会
三重県	三重県酪農農業協同組合
滋賀県	レーク滋賀農業協同組合 甲賀農業協同組合 グリーン近江農業協同組合
京都府	京都農業協同組合
奈良県	奈良県農業協同組合
鳥取県	鳥取中央農業協同組合 大山乳業農業協同組合
島根県	島根県農業協同組合 三瓶開拓酪農農業協同組合 邑智郡略農農業協同組合
岡山県	おかやま酪農業協同組合 晴れの国岡山農業協同組合
広島県	広島県酪農業協同組合
徳島県	東とくしま農業協同組合
香川県	香川県農業協同組合
福岡県	ふくおか県酪農業協同組合 三潴町農業協同組合 筑紫農業協同組合 筑前あさくら農業協同組合 糸島農業協同組合 粕屋農業協同組合
佐賀県	佐賀県農業協同組合
長崎県	開拓ながさき農業協同組合
熊本県	熊本県経済農業協同組合連合会 熊本県酪農業協同組合連合会 熊本県畜産農業協同組合連合会 肥後開拓農業協同組合
大分県	大分県酪農業協同組合
宮崎県	宮崎県経済農業協同組合連合会 宮崎県乳用牛肥育事業農業協同組合 霧島ビーフ農業協同組合
鹿児島県	鹿児島県開拓畜産農業協同組合 鹿児島県酪農業協同組合

七　居住者の外国関係会社に係る所得の課税の特例

1　居住者の外国関係会社に係る所得の課税の特例

①　居住者に係る特定外国関係会社又は対象外国関係会社の課税対象金額等の総収入金額算入

次の(一)から(四)までに掲げる居住者に係る外国関係会社のうち、特定外国関係会社又は対象外国関係会社に該当するものが、昭和53年4月1日以後に開始する各事業年度（租税特別措置法第2条第2項第19号に規定する事業年度をいう。以下**七1**から同**8**まで及び同**9**(1)において同じ。）において適用対象金額を有する場合には、その適用対象金額のうちその者が直接及び間接に有する当該特定外国関係会社又は対象外国関係会社の株式等（株式又は出資をいう。以下**七1**から同**8**まで及び同**9**(1)において同じ。）の数又は金額につきその請求権（剰余金の配当等（法人税法第23条第1項第1号に規定する剰余金の配当、利益の配当又は剰余金の分配をいう。以下①及び②において同じ。）を請求する権利をいう。以下**七1**から同**8**まで及び同**9**(1)において同じ。）の内容を勘案した数又は金額並びにその者と当該特定外国関係会社又は対象外国関係会社との間の実質支配関係の状況を勘案して(1)で定めるところにより計算した金額（**9**において「課税対象金額」という。）に相当する金額は、その者の雑所得に係る収入金額とみなして当該各事業年度終了の日の翌日から2月を経過する日の属する年分のその者の雑所得の金額の計算上、総収入金額に算入する。（措法40の4①）

(一)	居住者の外国関係会社に係る次のイからハまでに掲げる割合のいずれかが100分の10以上である場合における当該居住者 イ　その有する外国関係会社の株式等の数又は金額（当該外国関係会社と居住者又は内国法人との間に実質支配関係がある場合には、零）及び他の外国法人を通じて間接に有するものとして(4)で定める当該外国関係会社の株式等の数又は金額の合計数又は合計額が当該外国関係会社の発行済株式又は出資（自己が有する自己の株式等を除く。②、**3**①、及び**4**①において「発行済株式等」という。）の総数又は総額のうちに占める割合 ロ　その有する外国関係会社の議決権（剰余金の配当等に関する決議に係るものに限る。ロ及び②(一)イ⑵において同じ。）の数（当該外国関係会社と居住者又は内国法人との間に実質支配関係がある場合には、零）及び他の外国法人を通じて間接に有するものとして(5)で定める当該外国関係会社の議決権の数の合計数が当該外国関係会社の議決権の総数のうちに占める割合 ハ　その有する外国関係会社の株式等の請求権に基づき受けることができる剰余金の配当等の額（当該外国関係会社と居住者又は内国法人との間に実質支配関係がある場合には、零）及び他の外国法人を通じて間接に有する当該外国関係会社の株式等の請求権に基づき受けることができる剰余金の配当等の額として(6)で定めるものの合計額が当該外国関係会社の株式等の請求権に基づき受けることができる剰余金の配当等の総額のうちに占める割合
(二)	外国関係会社との間に実質支配関係がある居住者
(三)	外国関係会社（居住者との間に実質支配関係があるものに限る。）の他の外国関係会社に係る(一)イから同ハまでに掲げる割合のいずれかが100分の10以上である場合における当該居住者（(一)に掲げる居住者を除く。）
(四)	外国関係会社に係る(一)イから同ハまでに掲げる割合のいずれかが100分の10以上である一の同族株主グループ(外国関係会社の株式等を直接又は間接に有する者及び当該株式等を直接又は間接に有する者との間に実質支配関係がある者（当該株式等を直接又は間接に有する者を除く。）のうち、一の居住者又は内国法人、当該一の居住者又は内国法人との間に実質支配関係がある者及び当該一の居住者又は内国法人と(7)で定める特殊の関係のある者（外国法人を除く。）をいう。）に属する居住者（外国関係会社に係る(一)イから同ハまでに掲げる割合又は他の外国関係会社（居住者との間に実質支配関係があるものに限る。）の当該外国関係会社に係る(一)イからハまでに掲げる割合のいずれかが零を超えるものに限るものとし、(一)及び(三)に掲げる居住者を除く。)

（特定外国子会社等の判定時期）

注　①、**3**①又は**4**①の場合において、外国法人が②の(一)に規定する外国関係会社（以下注において「外国関係会社」という。）に該当するかどうかの判定は、当該外国法人の各事業年度終了の時の現況によるものとし、その者が①の(一)又は(二)に掲げる居住者に該当するかどうかの判定は、これらの居住者に係る外国関係会社の各事業年度終了の時の現況による。（措令25の24①、措法40の6）

（課税対象金額の計算等）

(1)　①に規定する(1)で定めるところにより計算した金額は、①(一)から同(四)までに掲げる居住者に係る特定外国関係会社（②(二)に規定する特定外国関係会社をいう。以下(1)及び(2)において同じ。）又は対象外国関係会社（②

(三)に規定する対象外国関係会社をいう。以下(1)及び(2)において同じ。)の各事業年度（租税特別措置法第2条第2項第19号に規定する事業年度をいう。以下において同じ。）の適用対象金額（②(四)に規定する適用対象金額をいう。以下において同じ。）から当該各事業年度の当該適用対象金額に係る次の(一)及び(二)に掲げる金額の合計額（②**ハ**(4)(一)及び**9**①(2)から同(8)までにおいて「調整金額」という。）を控除した残額に、当該各事業年度終了の時における当該居住者の当該特定外国関係会社又は対象外国関係会社に係る請求権等勘案合算割合を乗じて計算した金額とする。（措令25の19①）

(一)	各事業年度の剰余金の処分により支出される金額（その本店若しくは主たる事務所の所在する国若しくは地域（以下において「本店所在地国」という。）若しくは本店所在地国以外の国若しくは地域又はこれらの国若しくは地域の地方公共団体により法人の所得を課税標準として課される税（これらの国若しくは地域又はこれらの国若しくは地域の地方公共団体により課される法人税法施行令第141条第2項各号に掲げる税を含む。）及びこれに附帯して課される法人税法第2条第41号に規定する附帯税（利子税を除く。）に相当する税その他当該附帯税に相当する税に類する税（(二)及び②**ハ**において「法人所得税」という。）の額並びに同法第23条第1項第1号及び第2号に掲げる金額（同法第24条第1項の規定の例によるものとした場合にこれらの号に掲げる金額とみなされる金額に相当する金額を含む。(二)及び②**ハ**において「配当等の額」という。）を除く。）
(二)	各事業年度の費用として支出された金額（法人所得税の額及び配当等の額を除く。）のうち②**ハ**(1)若しくは同(2)の規定により所得の金額の計算上損金の額に算入されなかったため又は同(2)の規定により所得の金額に加算されたため当該各事業年度の適用対象金額に含まれた金額

(課税対象金額に係る雑所得の金額の計算上必要経費に算入すべき金額)

(2)　①の規定によりその総収入金額に算入されることとなる特定外国関係会社又は対象外国関係会社の①に規定する課税対象金額（以下において「課税対象金額」という。）に係る雑所得の金額の計算上必要経費に算入すべき金額は、次の(一)及び(二)に掲げる金額の合計額（当該合計額が①の規定により当該雑所得に係る収入金額とみなされる金額を超える場合には、当該収入金額とみなされる金額に相当する金額）とする。（措令25の19③）

(一)	居住者がその有する当該特定外国関係会社又は対象外国関係会社（当該居住者に係る被支配外国法人に該当するものを除く。以下(一)において「特定外国関係会社等」という。）の株式等（当該居住者が当該特定外国関係会社等に係る間接保有の株式等（(4)に規定する計算した株式等の数又は金額をいう。以下(一)において同じ。）を有する場合における当該間接保有の株式等に係る外国関係会社の株式等（当該居住者が有するものに限るものとし、当該居住者に係る外国関係会社の株式等に該当するものを除く。）を含む。以下(一)において同じ。）を取得するために要した負債の利子でその年中に支払うものの額のうち、その年においてその者が当該特定外国関係会社等の株式等を有していた期間に対応する部分の金額
(二)	当該特定外国関係会社又は対象外国関係会社から受ける第九章第二節**二 1**⑧(3)(二)に規定する剰余金の配当等の額（**9**①又は同①(1)の規定の適用を受ける部分の金額に限る。）に係る同(二)に規定する外国所得税の額でその年中に納付するもの

(課税対象金額に係る雑所得の金額の計算上必要経費に算入される金額の取扱い)

(3)　(2)の規定により課税対象金額に係る雑所得の金額の計算上必要経費に算入される(2)(一)及び同(二)に掲げる金額の合計額は、事業所得又は雑所得の金額の計算上必要経費に算入すべき金額及び第四章第二節**四 1**《配当所得》の規定により配当所得の金額の計算上控除される同**1**に規定する負債の利子の額に含まれないものとする。（措令25の19④）

(①(一)イに規定する間接に有するものとして(4)で定める外国関係会社の株式等の数又は金額)

(4)　①(一)イに規定する間接に有するものとして(4)で定める外国関係会社の株式等の数又は金額は、外国関係会社(②(一)に規定する外国関係会社をいう。以下(4)において同じ。)の発行済株式等に、次の(一)及び(二)に掲げる場合の区分に応じ当該(一)又は(二)に定める割合（当該(一)及び(二)に掲げる場合のいずれにも該当する場合には、当該(一)及び(二)に定める割合の合計割合）を乗じて計算した株式等の数又は金額とする。（措令25の19⑤）

(一)	当該外国関係会社の株主等である他の外国法人（以下(一)において「他の外国法人」という。）の発行済株式等の全部又は一部が居住者等により保有されている場合　当該居住者等の当該他の外国法人に係る持株割合

	(その株主等の有する株式等の数又は金額が当該株式等の発行法人の発行済株式等のうちに占める割合をいい、当該発行法人と居住者又は内国法人との間に実質支配関係がある場合には、零とする。以下(4)において同じ。）に当該他の外国法人の当該外国関係会社に係る持株割合を乗じて計算した割合（当該他の外国法人が二以上ある場合には、二以上の当該他の外国法人につきそれぞれ計算した割合の合計割合)
(二)	当該外国関係会社と他の外国法人（その発行済株式等の全部又は一部が居住者等により保有されているものに限る。以下(二)において「他の外国法人」という。）との間に一又は二以上の外国法人（以下(二)において「出資関連外国法人」という。）が介在している場合であって、当該居住者等、当該他の外国法人、出資関連外国法人及び当該外国関係会社が株式等の保有を通じて連鎖関係にある場合　当該居住者等の当該他の外国法人に係る持株割合、当該他の外国法人の出資関連外国法人に係る持株割合、出資関連外国法人の他の出資関連外国法人に係る持株割合及び出資関連外国法人の当該外国関係会社に係る持株割合を順次乗じて計算した割合(当該連鎖関係が二以上ある場合には、当該二以上の連鎖関係につきそれぞれ計算した割合の合計割合)

((4)の規定の準用)

(5)　(4)の規定は、①(一)ロに規定する間接に有するものとして(5)で定める外国関係会社の議決権の数の計算について準用する。この場合において、(4)中「発行済株式等に」とあるのは「議決権（②(二)に規定する剰余金の配当等に関する決議に係るものに限る。以下(5)において同じ。）の総数に」と、「株式等の数又は金額と」とあるのは「議決権の数と」と、(4)(一)中「発行済株式等の全部」とあるのは「議決権の全部」と、「持株割合」とあるのは「議決権割合」と、「株式等の数又は金額が当該株式等の発行法人の発行済株式等」とあるのは「議決権の数がその総数」と、「発行法人と」とあるのは「議決権に係る法人と」と、(4)(二)中「発行済株式等」とあるのは「議決権」と、「が株式等」とあるのは「が議決権」と、「持株割合」とあるのは「議決権割合」と読み替えるものとする。(措令25の19⑥)

((4)の規定の準用)

(6)　(4)の規定は、①(一)ハに規定する間接に有する外国関係会社の株式等の請求権に基づき受けることができる剰余金の配当等の額として(6)で定めるものの計算について準用する。この場合において、(4)中「発行済株式等に」とあるのは「株式等の請求権に基づき受けることができる剰余金の配当等（②(二)に規定する剰余金の配当等をいう。以下(6)において同じ。）の総額に」と、「株式等の数又は金額と」とあるのは「剰余金の配当等の額と」と、(4)(一)中「発行済株式等の全部」とあるのは「株式等の請求権の全部」と、「持株割合」とあるのは「請求権割合」と、「数又は金額が当該株式等の発行法人の発行済株式等」とあるのは「請求権に基づき受けることができる剰余金の配当等の額がその総額」と、「発行法人と」とあるのは「請求権に係る株式等の発行法人と」と、(4)(二)中「発行済株式等」とあるのは「株式等の請求権」と、「保有を」とあるのは「請求権の保有を」と、「持株割合」とあるのは「請求権割合」と読み替えるものとする。(措令25の19⑦)

(①(四)に規定する一の居住者又は内国法人と(7)で定める特殊の関係のある者)

(7)　①(四)に規定する一の居住者又は内国法人と(7)で定める特殊の関係のある者は、次の(一)に掲げる個人又は(二)に掲げる法人とする。(措令25の19⑧)

(一)	次のイからヘまでに掲げる個人 イ　居住者の親族 ロ　居住者と婚姻の届出をしていないが事実上婚姻関係と同様の事情にある者 ハ　居住者の使用人 ニ　イからハまでに掲げる者以外の者で居住者から受ける金銭その他の資産によって生計を維持しているもの ホ　ロからニまでに掲げる者と生計を一にするこれらの者の親族 ヘ　内国法人の役員（法人税法第2条第15号に規定する役員をいう。以下において同じ。）及び当該役員に係る法人税法施行令第72条各号に掲げる者
(二)	次のイからニまでに掲げる法人 イ　一の居住者又は内国法人（当該居住者又は内国法人と(一)に規定する特殊の関係のある個人を含む。以下(7)において「居住者等」という。）が他の法人を支配している場合における当該他の法人 ロ　一の居住者等及び当該一の居住者等とイに規定する特殊の関係のある法人が他の法人を支配している場

	合における当該他の法人 ハ　一の居住者等及び当該一の居住者等とイ及びロに規定する特殊の関係のある法人が他の法人を支配している場合における当該他の法人 ニ　同一の者とイからハまでに規定する特殊の関係のある二以上の法人のいずれかの法人が一の居住者等である場合における当該二以上の法人のうち当該一の居住者等以外の法人

（法人税法施行令第４条第３項の規定の準用）

（8）　法人税法施行令第４条第３項の規定は、（7）(二)イから同ハまでに掲げる他の法人を支配している場合について準用する。（措令25の19⑨）

②　用語の意義

七１から同**８**までにおいて、次の(一)から(七)までに掲げる用語の意義は、当該(一)から(七)までに定めるところによる。（措法40の４②）

(一)	**外国関係会社**　次のイ及びロに掲げる外国法人をいう。 イ　居住者及び内国法人並びに特殊関係非居住者（居住者又は内国法人と**イ**（１）で定める特殊の関係のある非居住者をいう。）及びロに掲げる外国法人（イにおいて「居住者等株主等」という。）の外国法人に係る次の⑴から⑶までに掲げる割合のいずれかが100分の50を超える場合における当該外国法人 ⑴　居住者等株主等の外国法人（ロに掲げる外国法人を除く。）に係る直接保有株式等保有割合（居住者等株主等の有する当該外国法人の株式等の数又は金額がその発行済株式等の総数又は総額のうちに占める割合をいう。）及び居住者等株主等の当該外国法人に係る間接保有株式等保有割合（居住者等株主等の他の外国法人を通じて間接に有する当該外国法人の株式等の数又は金額がその発行済株式等の総数又は総額のうちに占める割合として**イ**（２）で定める割合をいう。）を合計した割合 ⑵　居住者等株主等の外国法人（ロに掲げる外国法人を除く。）に係る直接保有議決権保有割合（居住者等株主等の有する当該外国法人の議決権の数がその総数のうちに占める割合をいう。）及び居住者等株主等の当該外国法人に係る間接保有議決権保有割合（居住者等株主等の他の外国法人を通じて間接に有する当該外国法人の議決権の数がその総数のうちに占める割合として**イ**（３）で定める割合をいう。）を合計した割合 ⑶　居住者等株主等の外国法人（ロに掲げる外国法人を除く。）に係る直接保有請求権保有割合（居住者等株主等の有する当該外国法人の株式等の請求権に基づき受けることができる剰余金の配当等の額がその総額のうちに占める割合をいう。）及び居住者等株主等の当該外国法人に係る間接保有請求権保有割合（居住者等株主等の他の外国法人を通じて間接に有する当該外国法人の株式等の請求権に基づき受けることができる剰余金の配当等の額がその総額のうちに占める割合として**イ**（４）で定める割合をいう。）を合計した割合 ロ　居住者又は内国法人との間に実質支配関係がある外国法人 ハ　(六)中「外国関係会社（特定外国関係会社に該当するものを除く。）」とあるのを「外国法人」として(六)及び(七)の規定を適用した場合に(七)に規定する外国金融機関に該当することとなる外国法人で、(七)に規定する外国金融機関に準ずるものとして**ホ**（１）で定める部分対象外国関係会社との間に、当該部分対象外国関係会社が当該外国法人の経営管理を行っている関係その他の特殊の関係がある外国法人として**イ**（５）で定める外国法人
(二)	**特定外国関係会社**　次のイからハまでに掲げる外国関係会社をいう。 イ　次のいずれにも該当しない外国関係会社 ⑴　その主たる事業を行うに必要と認められる事務所、店舗、工場その他の固定施設を有している外国関係会社 ⑵　その本店又は主たる事務所の所在する国又は地域（以下②、**３**①及び**４**①において「本店所在地国」という。）においてその事業の管理、支配及び運営を自ら行っている外国関係会社 ⑶　外国子会社（当該外国関係会社とその本店所在地国を同じくする外国法人で、当該外国関係会社の有する当該外国法人の株式等の数又は金額のその発行済株式等の総数又は総額のうちに占める割合が100分の25以上であることその他の**ロ**（１）で定める要件に該当するものをいう。）の株式等の保有を主たる事業とする外国関係会社で、その収入金額のうちに占める当該株式等に係る剰余金の配当等の額の割合が著しく高いことその他の**ロ**（３）で定める要件に該当するもの ⑷　特定子会社（**１**①(一)から同(四)までに掲げる居住者に係る他の外国関係会社で、部分対象外国関係会社に該当するものその他の**ロ**（６）で定めるものをいう。）の株式等の保有を主たる事業とする外国関係会社で、その本店所在地国を同じくする管理支配会社（当該居住者に係る他の外国関係会社のうち、部分対象外国関係会

社に該当するもので、その本店所在地国において、その役員（法人税法第２条第15号に規定する役員をいう。(三)及び(七)並びに**3**①において同じ。）又は使用人がその主たる事業を的確に遂行するために通常必要と認められる業務の全てに従事しているものをいう。⑷及び⑸において同じ。）によってその事業の管理、支配及び運営が行われていること、当該管理支配会社がその本店所在地国で行う事業の遂行上欠くことのできない機能を果たしていること、その収入金額のうちに占める当該株式等に係る剰余金の配当等の額及び当該株式等の譲渡に係る対価の額の割合が著しく高いことその他の**ロ**(７)で定める要件に該当するもの

⑸　その本店所在地国にある不動産の保有、その本店所在地国における石油その他の天然資源の探鉱、開発若しくは採取又はその本店所在地国の社会資本の整備に関する事業の遂行上欠くことのできない機能を果たしている外国関係会社で、その本店所在地国を同じくする管理支配会社によってその事業の管理、支配及び運営が行われていることその他の**ロ**(12)で定める要件に該当するもの

ロ　その総資産の額として**ロ**(23)で定める金額（ロにおいて「総資産額」という。）に対する**3**①(一)から(七)まで及び(八)から同(十)までに掲げる金額に相当する金額の合計額の割合（(六)中「外国関係会社（特定外国関係会社に該当するものを除く。）」とあるのを「外国関係会社」として(六)及び(七)の規定を適用した場合に外国金融子会社等に該当することとなる外国関係会社にあっては総資産額に対する**4**①(一)に掲げる金額に相当する金額又は**4**①(二)から同(四)までに掲げる金額に相当する金額の合計額のうちいずれか多い金額の割合とし、(六)中「外国関係会社（特定外国関係会社に該当するものを除く。）」とあるのを「外国関係会社」として(六)及び**3**①の規定を適用した場合に同①に規定する清算外国金融子会社等に該当することとなる外国関係会社の同①に規定する特定清算事業年度にあっては総資産額に対する同①に規定する特定金融所得金額がないものとした場合の同①(一)から(七)まで及び(八)から同(十)までに掲げる金額に相当する金額の合計額の割合とする。）が100分の30を超える外国関係会社（総資産額に対する有価証券（法人税法第２条第21号に規定する有価証券をいう。同①において同じ。）、貸付金その他**ロ**(24)で定める資産の額の合計額として**ロ**(24)で定める金額の割合が100分の50を超える外国関係会社に限る。）

ハ　次に掲げる要件のいずれにも該当する外国関係会社

⑴　各事業年度の非関連者等収入保険料（関連者（当該外国関係会社に係る①(一)から同(四)までに掲げる居住者、租税特別措置法第66条の６第１項各号に掲げる内国法人その他これらの者に準ずる者として**ロ**(25)で定めるものをいう。⑵において同じ。）以外の者から収入するものとして**ロ**(26)で定める収入保険料をいう。⑵において同じ。）の合計額の収入保険料の合計額に対する割合として**ロ**(27)で定めるところにより計算した割合が100分の10未満であること。

⑵　各事業年度の非関連者等支払再保険料合計額（関連者以外の者に支払う再保険料の合計額を関連者等収入保険料（非関連者等収入保険料以外の収入保険料をいう。⑵において同じ。）の合計額の収入保険料の合計額に対する割合で按分した金額として**ロ**(28)で定める金額をいう。）の関連者等収入保険料の合計額に対する割合として**ロ**(29)で定めるところにより計算した割合が100分の50未満であること。

ニ　租税に関する情報の交換に関する国際的な取組への協力が著しく不十分な国又は地域として財務大臣が指定する国又は地域に本店又は主たる事務所を有する外国関係会社

（注）財務大臣は、②(二)ニの規定により国又は地域を指定したときは、これを告示する。（措法40の４⑭）

㊟　上記＿＿下線部については、令和６年１月１日以後、⑭が⑮とされる。（令５改所法等附１三ニ）

(三)　**対象外国関係会社**　次のイからハまでに掲げる要件のいずれかに該当しない外国関係会社（特定外国関係会社に該当するものを除く。）をいう。

イ　株式等若しくは債券の保有、工業所有権その他の技術に関する権利、特別の技術による生産方式若しくはこれらに準ずるもの（これらの権利に関する使用権を含む。）若しくは著作権（出版権及び著作隣接権その他これに準ずるものを含む。）の提供又は船舶若しくは航空機の貸付けを主たる事業とするもの（次の⑴から⑶までに掲げるものを除く。）でないこと。

⑴　株式等の保有を主たる事業とする外国関係会社のうち当該外国関係会社が他の法人の事業活動の総合的な管理及び調整を通じてその収益性の向上に資する業務として**ロ**(30)で定めるもの（ロにおいて「統括業務」という。）を行う場合における当該他の法人として**ロ**(31)で定めるものの株式等の保有を行うものとして**ロ**(33)で定めるもの

⑵　株式等の保有を主たる事業とする外国関係会社のうち(七)中「部分対象外国関係会社」とあるのを「外国関係会社」として(七)の規定を適用した場合に外国金融子会社等に該当することとなるもの（(七)に規定する外国金融機関に該当することとなるもの及び⑴に掲げるものを除く。）

⑶　航空機の貸付けを主たる事業とする外国関係会社のうちその役員又は使用人がその本店所在地国において

	航空機の貸付けを的確に遂行するために通常必要と認められる業務の全てに従事していることその他の**ロ**(36)で定める要件を満たすもの ロ　その本店所在地国においてその主たる事業（イ⑴に掲げる外国関係会社にあっては統括業務とし、イ⑵に掲げる外国関係会社にあっては**ロ**(37)で定める経営管理とする。ハにおいて同じ。）を行うに必要と認められる事務所、店舗、工場その他の固定施設を有していること並びにその本店所在地国においてその事業の管理、支配及び運営を自ら行っていることのいずれにも該当すること。 ハ　各事業年度においてその行う主たる事業が次の⑴及び⑵に掲げる事業のいずれに該当するかに応じそれぞれ次の⑴又は⑵に定める場合に該当すること。 ⑴　卸売業、銀行業、信託業、金融商品取引業、保険業、水運業、航空運送業又は物品賃貸業（航空機の貸付けを主たる事業とするものに限る。）　その事業を主として当該外国関係会社に係る①(一)から同(四)までに掲げる居住者、租税特別措置法第66条の６第１項各号に掲げる内国法人その他これらの者に準ずる者として**ロ**(38)で定めるもの以外の者との間で行っている場合として**ロ**(39)で定める場合 ⑵　⑴に掲げる事業以外の事業　その事業を主としてその本店所在地国（当該本店所在地国に係る水域で**ロ**(42)で定めるものを含む。）において行っている場合として**ロ**(43)で定める場合
(四)	**適用対象金額**　特定外国関係会社又は対象外国関係会社の各事業年度の決算に基づく所得の金額につき法人税法及びこの法律による各事業年度の所得の金額の計算に準ずるものとして**ハ**(１)で定める基準により計算した金額(以下(四)において「基準所得金額」という。）を基礎として、**ハ**(５)で定めるところにより、当該各事業年度開始の日前７年以内に開始した各事業年度において生じた欠損の金額及び当該基準所得金額に係る税額に関する調整を加えた金額をいう。
(五)	**実質支配関係**　居住者又は内国法人が外国法人の残余財産のおおむね全部を請求する権利を有している場合における当該居住者又は内国法人と当該外国法人との間の関係その他の**ニ**(１)で定める関係をいう。
(六)	**部分対象外国関係会社**　(三)イから同ハまでに掲げる要件の全てに該当する外国関係会社（特定外国関係会社に該当するものを除く。）をいう。
(七)	**外国金融子会社等**　その本店所在地国の法令に準拠して銀行業、金融商品取引業（金融商品取引法第28条第１項に規定する第一種金融商品取引業と同種類の業務に限る。）又は保険業を行う部分対象外国関係会社でその本店所在地国においてその役員又は使用人がこれらの事業を的確に遂行するために通常必要と認められる業務の全てに従事しているもの（以下(七)において「外国金融機関」という。）及び外国金融機関に準ずるものとして**ホ**(１)で定める部分対象外国関係会社をいう。

（用語の意義）

（１）①(１)及び②(１)において、次の(一)から(三)までに掲げる用語の意義は、当該(一)から(三)までに定めるところによる。(措令25の19②)

(一)	**請求権等勘案合算割合**　次のイからハまでに掲げる場合の区分に応じそれぞれ次のイからハまでに定める割合（イ及びハに掲げる場合のいずれにも該当する場合には、それぞれイ及びハに定める割合の合計割合）をいう。 イ　居住者が外国関係会社（②(一)に規定する外国関係会社をいい、被支配外国法人（同(一)ロに掲げる外国法人をいう。以下(１)、①(２)(一)、**イ**(２)及び**ロ**(38)において同じ。）に該当するものを除く。イ及びハにおいて同じ。）の株式等（株式（投資信託及び投資法人に関する法律第２条第14項に規定する投資口を含む。以下において同じ。）又は出資をいう。以下において同じ。）を直接又は他の外国法人を通じて間接に有している場合　当該外国関係会社の発行済株式又は出資（自己が有する自己の株式等を除く。）の総数又は総額（以下において「発行済株式等」という。）のうちにその者の有する当該外国関係会社の請求権等勘案保有株式等の占める割合 ロ　②(一)に規定する外国関係会社が居住者に係る被支配外国法人に該当する場合　100分の100 ハ　居住者に係る被支配外国法人が外国関係会社の株式等を直接又は他の外国法人を通じて間接に有している場合　当該外国関係会社の発行済株式等のうちに当該被支配外国法人の有する当該外国関係会社の請求権等勘案保有株式等の占める割合
(二)	**請求権等勘案保有株式等**　居住者又は当該居住者に係る被支配外国法人（以下(１)及び(４)において「居住者

	等」という。）が有する外国法人の株式等の数又は金額（当該外国法人が請求権（①に規定する請求権をいう。以下において同じ。）の内容が異なる株式等又は実質的に請求権の内容が異なると認められる株式等（以下(1)、**ハ**(4)(二)及び**9**(2)から同(8)までにおいて「請求権の内容が異なる株式等」という。）を発行している場合には、当該外国法人の発行済株式等に、当該居住者等が当該請求権の内容が異なる株式等に係る請求権に基づき受けることができる法人税法第23条第１項第１号に規定する剰余金の配当、利益の配当又は剰余金の分配（(三)において「剰余金の配当等」という。）の額がその総額のうちに占める割合を乗じて計算した数又は金額）及び請求権等勘案間接保有株式等を合計した数又は金額をいう。
(三)	**請求権等勘案間接保有株式等**　外国法人の発行済株式等に、次のイ及びロに掲げる場合の区分に応じそれぞれ次のイ又はロに定める割合（次のイ及びロに掲げる場合のいずれにも該当する場合には、それぞれ次のイ及びロに定める割合の合計割合）を乗じて計算した株式等の数又は金額をいう。 イ　当該外国法人の株主等（法人税法第２条第14号に規定する株主等をいう。以下(三)、(4)(一)及びイ(2)において同じ。）である他の外国法人（イにおいて「他の外国法人」という。）の発行済株式等の全部又は一部が居住者等により保有されている場合　当該居住者等の当該他の外国法人に係る持株割合（その株主等の有する株式等の数又は金額が当該株式等の発行法人の発行済株式等のうちに占める割合（次の⑴及び⑵に掲げる場合に該当する場合には、それぞれ次の⑴又は⑵に定める割合）をいう。以下(三)において同じ。）に当該他の外国法人の当該外国法人に係る持株割合を乗じて計算した割合（当該他の外国法人が二以上ある場合には、二以上の当該他の外国法人につきそれぞれ計算した割合の合計割合） ⑴　当該発行法人が請求権の内容が異なる株式等を発行している場合（⑵に掲げる場合に該当する場合を除く。）　その株主等が当該請求権の内容が異なる株式等に係る請求権に基づき受けることができる剰余金の配当等の額がその総額のうちに占める割合 ⑵　当該発行法人と居住者又は内国法人との間に実質支配関係（②(五)に規定する実質支配関係をいう。以下において同じ。）がある場合　零 ロ　当該外国法人と他の外国法人（その発行済株式等の全部又は一部が居住者等により保有されているものに限る。ロにおいて「他の外国法人」という。）との間に一又は二以上の外国法人（ロにおいて「出資関連外国法人」という。）が介在している場合であって、当該居住者等、当該他の外国法人、出資関連外国法人及び当該外国法人が株式等の保有を通じて連鎖関係にある場合　当該居住者等の当該他の外国法人に係る持株割合、当該他の外国法人の出資関連外国法人に係る持株割合、出資関連外国法人の他の出資関連外国法人に係る持株割合及び出資関連外国法人の当該外国法人に係る持株割合を順次乗じて計算した割合（当該連鎖関係が二以上ある場合には、当該二以上の連鎖関係につきそれぞれ計算した割合の合計割合）

イ　外国関係会社の範囲

（②(一)イに規定する居住者又は内国法人と**イ**(1)で定める特殊の関係のある非居住者）

(1)　②(一)イに規定する居住者又は内国法人と**イ**(1)で定める特殊の関係のある非居住者は、非居住者で、①(7)(一)イから同ヘまでに掲げるものとする。（措令25の19の２①）

（②(一)イ⑴に規定する**イ**(2)で定める割合）

(2)　②(一)イ⑴に規定する**イ**(2)で定める割合は、次の(一)及び(二)に掲げる場合の区分に応じ当該(一)又は(二)に定める割合（当該(一)及び(二)に掲げる場合のいずれにも該当する場合には、当該(一)及び(二)に定める割合の合計割合）とする。（措令25の19の２②）

(一)	②(一)イ⑴の外国法人（以下**イ**(2)において「判定対象外国法人」という。）の株主等である外国法人（被支配外国法人に該当するものを除く。）の発行済株式等の100分の50を超える数又は金額の株式等が居住者等株主等（②(一)イに規定する居住者等株主等をいう。(二)において同じ。）によって保有されている場合　当該株主等である外国法人の有する当該判定対象外国法人の株式等の数又は金額がその発行済株式等のうちに占める割合（当該株主等である外国法人が二以上ある場合には、当該二以上の株主等である外国法人につきそれぞれ計算した割合の合計割合）
(二)	判定対象外国法人の株主等である外国法人（(一)に掲げる場合に該当する(一)の株主等である外国法人及び被支配外国法人に該当するものを除く。）と居住者等株主等との間にこれらの者と株式等の保有を通じて連鎖関係にある一又は二以上の外国法人（被支配外国法人に該当するものを除く。以下(二)において「出資関連外国

法人」という。）が介在している場合（出資関連外国法人及び当該株主等である外国法人がそれぞれその発行済株式等の100分の50を超える数又は金額の株式等を居住者等株主等又は出資関連外国法人（その発行済株式等の100分の50を超える数又は金額の株式等が居住者等株主等又は他の出資関連外国法人によって保有されているものに限る。）によって保有されている場合に限る。）　当該株主等である外国法人の有する当該判定対象外国法人の株式等の数又は金額がその発行済株式等のうちに占める割合（当該株主等である外国法人が二以上ある場合には、当該二以上の株主等である外国法人につきそれぞれ計算した割合の合計割合）

（イ（２）の規定の準用）

（３）　**イ**（２）の規定は、②(一)イ（２）に規定する**イ**（３）で定める割合の計算について準用する。この場合において、**イ**（２）(一)中「②(一)イ⑴」とあるのは「②(一)イ⑵」と、「）の発行済株式等」とあるのは「）の議決権（②（１）(二)に規定する剰余金の配当等に関する決議に係るものに限る。以下**イ**（３）において同じ。）の総数」と、「又は金額の株式等」とあるのは「の議決権」と、「②(一)イ」とあるのは「②(一)イ」と、「株式等の数又は金額がその発行済株式等」とあるのは「議決権の数がその総数」と、**イ**（２）(二)中「株式等の保有」とあるのは「議決権の保有」と、「発行済株式等の100分の50」とあるのは「議決権の総数の100分の50」と、「又は金額の株式等」とあるのは「の議決権」と、「株式等の数又は金額がその発行済株式等」とあるのは「議決権の数がその総数」と読み替えるものとする。（措令25の19の２③）

（イ（２）の規定の準用）

（４）　**イ**（２）の規定は、②(一)イ⑶に規定する**イ**（４）で定める割合の計算について準用する。この場合において、**イ**（２）(一)中「②(一)イ⑴」とあるのは「②(一)イ⑶」と、「）の発行済株式等」とあるのは「）の支払う剰余金の配当等（②（１）(二)に規定する剰余金の配当等をいう。以下**イ**（４）において同じ。）の総額」と、「数又は金額の株式等」とあるのは「金額の剰余金の配当等を受けることができる株式等の請求権」と、「②(一)イ」とあるのは「②(一)イ」と、「数又は金額がその発行済株式等」とあるのは「請求権に基づき受けることができる剰余金の配当等の額がその総額」と、**イ**（２）(二)中「保有を」とあるのは「請求権の保有を」と、「発行済株式等の100分の50を超える数又は金額の株式等」とあるのは「支払う剰余金の配当等の総額の100分の50を超える金額の剰余金の配当等を受けることができる株式等の請求権」と、「数又は金額がその発行済株式等」とあるのは「請求権に基づき受けることができる剰余金の配当等の額がその総額」と読み替えるものとする。（措令25の19の２④）

（②(一)ハに規定する**イ**（５）で定める外国法人）

（５）　②(一)ハに規定する**イ**（５）で定める外国法人は、**ホ**（１）に規定する部分対象外国関係会社に係る租税特別措置法施行令第39条の17第３項第１号イに規定する特定外国金融機関（同号イ⑵に掲げる外国法人に限る。）及び同条第９項第２号に規定する特定外国金融機関（同号ロに掲げる外国法人に限る。）とする。（措令25の19の２⑤）

ロ　特定外国関係会社及び対象外国関係会社の範囲

（②(二)イ⑶に規定する**ロ**（１）で定める要件に該当する外国法人）

（１）　②(二)イ⑶に規定する**ロ**（１）で定める要件に該当する外国法人は、外国法人（外国関係会社（②(一)に規定する外国関係会社をいう。以下**ロ**において同じ。）とその本店所在地国を同じくするものに限る。以下**ロ**（１）において同じ。）の発行済株式等のうちに当該外国関係会社が保有しているその株式等の数若しくは金額の占める割合又は当該外国法人の発行済株式等のうちの議決権のある株式等の数若しくは金額のうちに当該外国関係会社が保有しているその議決権のある株式等の数若しくは金額の占める割合のいずれかが100分の25以上であり、かつ、その状態が当該外国関係会社が当該外国法人から受ける剰余金の配当等（①に規定する剰余金の配当等をいう。以下**ロ**において同じ。）の額の支払義務が確定する日（当該剰余金の配当等の額が法人税法第24条第１項に規定する事由に係る**ロ**（２）で定める剰余金の配当等の額である場合には、同日の前日。以下**ロ**（１）において同じ。）以前６月以上（当該外国法人が当該確定する日以前６月以内に設立された外国法人である場合には、その設立の日から当該確定する日まで）継続している場合の当該外国法人とする。（措令25の19の３①）

（**ロ**（１）に規定する**ロ**（２）で定める剰余金の配当等の額）

（２）　**ロ**（１）に規定する**ロ**（２）で定める剰余金の配当等の額は、法人税法第24条第１項（同項第２号に掲げる分割型分割、同項第３号に掲げる株式分配又は同項第４号に規定する資本の払戻しに係る部分を除く。）の規定の例によるもの

とした場合に同法第23条第１項第１号又は第２号に掲げる金額とみなされる金額に相当する金額とする。（措規18の20①）

（②(二)イ⑶に規定する**ロ**（３）で定める要件に該当する外国関係会社）

（３）　②(二)イ⑶に規定する**ロ**（３）で定める要件に該当する外国関係会社は、外国子会社（②(二)イ⑶に規定する外国子会社をいう。以下**ロ**（３）において同じ。）の株式等の保有を主たる事業とする外国関係会社で、次の(一)及び(二)に掲げる要件の全て（当該事業年度の収入金額が零である場合にあっては、(二)に掲げる要件）に該当するものとする。（措令25の19の３②）

(一)	当該事業年度の収入金額の合計額のうちに占める外国子会社から受ける剰余金の配当等の額（その受ける剰余金の配当等の額の全部又は一部が当該外国子会社の本店所在地国の法令において当該外国子会社の所得の金額の計算上損金の額に算入することとされている剰余金の配当等の額に該当する場合におけるその受ける剰余金の配当等の額を除く。）その他**ロ**（４）で定める収入金額の合計額の割合が100分の95を超えていること。
(二)	当該事業年度終了の時における貸借対照表（これに準ずるものを含む。以下**七**及び**八**において同じ。）に計上されている総資産の帳簿価額のうちに占める外国子会社の株式等その他**ロ**（５）で定める資産の帳簿価額の合計額の割合が100分の95を超えていること。

（注）　改正後の（３）の規定は、**七１**①(一)から(四)までに掲げる居住者の令和７年分以後の各年分の同①に規定する課税対象金額、**七３**①に規定する部分課税対象金額及び同**４**①に規定する金融子会社等部分課税対象金額を計算する場合について適用され、同**１**①(一)から(四)までに掲げる居住者の令和６年分以前の各年分の同①に規定する課税対象金額、**七３**①に規定する部分課税対象金額及び同**４**①に規定する金融子会社等部分課税対象金額を計算する場合については、なお従前の例による。（令６改措令附９）

（**ロ**（３）(一)に規定する**ロ**（４）で定める収入金額）

（４）　**ロ**（３）(一)に規定する**ロ**（４）で定める収入金額は、外国関係会社（②(一)に規定する外国関係会社をいう。以下**ロ**において同じ。）の行う主たる事業に係る業務の通常の過程において生ずる預金又は貯金の利子の額とする。（措規18の20②）

（**ロ**（３）(二)に規定する**ロ**（５）で定める資産の帳簿価額）

（５）　**ロ**（３）(二)に規定する**ロ**（５）で定める資産の帳簿価額は、次の(一)及び(二)に掲げる金額とする。（措規18の20③）

(一)	未収金（次に掲げる金額に係るものに限る。）の帳簿価額 イ　外国子会社（**ロ**（３）に規定する外国子会社をいう。以下**ロ**（５）において同じ。）から受ける剰余金の配当等（①に規定する剰余金の配当等をいう。以下**ロ**において同じ。）の額（その受ける剰余金の配当等の額の全部又は一部が当該外国子会社の本店所在地国（本店又は主たる事務所の所在する国又は地域をいう。以下**七**及び**八**において同じ。）の法令において当該外国子会社の所得の金額の計算上損金の額に算入することとされている剰余金の配当等の額に該当する場合におけるその受ける剰余金の配当等の額を除く。(二)において同じ。） ロ　**ロ**（４）に規定する利子の額
(二)	現金、預金及び貯金（以下この条において「現預金」という。）の帳簿価額（外国子会社から剰余金の配当等の額を受けた日を含む事業年度（租税特別措置法第２条第２項第19号に規定する事業年度をいう。以下この条において同じ。）にあっては当該事業年度において受けた当該剰余金の配当等の額に相当する金額を限度とし、同日を含む事業年度以外の事業年度にあっては零とする。）

（②(二)イ⑷に規定する①(一)から同(四)までに掲げる居住者に係る他の外国関係会社で**ロ**（６）で定めるもの）

（６）　②(二)イ⑷に規定する①(一)から同(四)までに掲げる居住者に係る他の外国関係会社で**ロ**（６）で定めるものは、当該居住者に係る他の外国関係会社（管理支配会社（②(二)イ⑷に規定する管理支配会社をいう。**ロ**（７）及び**ロ**(12)において同じ。）とその本店所在地国を同じくするものに限る。）で、部分対象外国関係会社（②(六)に規定する部分対象外国関係会社をいう。**ロ**(12)(三)イ⑴(ⅱ)において同じ。）に該当するものとする。（措令25の19の３③）

(②(二)イ⑷に規定する**ロ**(7)で定める要件に該当する外国関係会社)

(7)　②(二)イ⑷に規定する**ロ**(7)で定める要件に該当する外国関係会社は、特定子会社(②(二)イ⑷に規定する特定子会社をいう。(六)及び(七)において同じ。)の株式等の保有を主たる事業とする外国関係会社で次の(一)から(七)までに掲げる要件(当該事業年度の収入金額が零である場合にあっては、(六)に掲げる要件を除く。)の全てに該当するものその他**ロ**(8)で定めるものとする。(措令25の19の3④)

(一)	その事業の管理、支配及び運営が管理支配会社によって行われていること。
(二)	管理支配会社の行う事業(当該管理支配会社の本店所在地国において行うものに限る。)の遂行上欠くことのできない機能を果たしていること。
(三)	その事業を的確に遂行するために通常必要と認められる業務の全てが、その本店所在地国において、管理支配会社の役員又は使用人によって行われていること。
(四)	その本店所在地国を管理支配会社の本店所在地国と同じくすること。
(五)	次に掲げる外国関係会社の区分に応じそれぞれ次に定める要件に該当すること。 イ　ロに掲げる外国関係会社以外の外国関係会社　　その本店所在地国の法令においてその外国関係会社の所得(その外国関係会社の属する企業集団の所得を含む。)に対して外国法人税(法人税法第69条第1項に規定する外国法人税をいう。ロ及び**2**(2)において同じ。)を課されるものとされていること。 ロ　その本店所在地国の法令において、その外国関係会社の所得がその株主等(法人税法第2条第14号に規定する株主等をいう。ロにおいて同じ。)である者の所得として取り扱われる外国関係会社　　その本店所在地国の法令において、当該株主等である者(①(一)から同(四)までに掲げる居住者に係る他の外国関係会社に該当するものに限る。)の所得として取り扱われる所得に対して外国法人税を課されるものとされていること。
(六)	当該事業年度の収入金額の合計額のうちに占める次に掲げる金額の合計額の割合が100分の95を超えていること。 イ　当該事業年度の特定子会社から受ける剰余金の配当等の額(その受ける剰余金の配当等の額の全部又は一部が当該特定子会社の本店所在地国の法令において当該特定子会社の所得の金額の計算上損金の額に算入することとされている剰余金の配当等の額に該当する場合におけるその受ける剰余金の配当等の額を除く。) ロ　特定子会社の株式等の譲渡(当該外国関係会社に係る関連者(②(二)ハ⑴に規定する関連者をいう。以下**ロ**(28)までにおいて同じ。)以外の者への譲渡に限るものとし、当該株式等の取得の日から1年以内に譲渡が行われることが見込まれていた場合の当該譲渡及びその譲渡を受けた株式等を当該外国関係会社又は当該外国関係会社に係る関連者に移転することが見込まれる場合の当該譲渡を除く。)に係る対価の額 ハ　その他**ロ**(10)で定める収入金額
(七)	当該事業年度終了の時における貸借対照表に計上されている総資産の帳簿価額のうちに占める特定子会社の株式等その他**ロ**(11)で定める資産の帳簿価額の合計額の割合が100分の95を超えていること。

(注)　改正後の(7)の規定は、**七1**①(一)から(四)までに掲げる居住者の令和7年分以後の各年分の同①に規定する課税対象金額、**七3**①に規定する部分課税対象金額及び同**4**①に規定する金融子会社等部分課税対象金額を計算する場合について適用し、同**1**①(一)から(四)までに掲げる居住者の令和6年分以前の各年分の同①に規定する課税対象金額、**七3**①に規定する部分課税対象金額及び同**4**①に規定する金融子会社等部分課税対象金額を計算する場合については、なお従前の例による。(令6改措令附9)

(**ロ**(7)に規定する**ロ**(8)で定める外国関係会社)

(8)　**ロ**(7)に規定する**ロ**(8)で定める外国関係会社は、被管理支配会社(特定子会社(**ロ**(7)に規定する特定子会社をいう。以下**ロ**(8)において同じ。)の株式又は出資(以下この条において「株式等」という。)の保有を主たる事業とする外国関係会社で、**ロ**(7)(一)から同(七)までに掲げる要件(その事業年度の収入金額が零である場合にあっては、**ロ**(7)(六)に掲げる要件を除く。)の全てに該当するものをいう。以下**ロ**(8)において同じ。)の株式等の保有を主たる事業とする外国関係会社で、次の(一)から(七)までに掲げる要件(その事業年度の収入金額が零である場合にあっては、(六)に掲げる要件を除く。)の全てに該当するものとする。(措規18の20④)

(一)	その事業の管理、支配及び運営が管理支配会社(②(二)イ⑷に規定する管理支配会社をいう。以下**ロ**(8)及び**ロ**(13)(一)において同じ。)によって行われていること。

(二)	管理支配会社の行う事業（当該管理支配会社の本店所在地国において行うものに限る。）の遂行上欠くことのできない機能を果たしていること。
(三)	その事業を的確に遂行するために通常必要と認められる業務の全てが、その本店所在地国において、管理支配会社の役員（法人税法第２条第15号に規定する役員をいう。ロ(19)(三)において同じ。）又は使用人によって行われていること。
(四)	その本店所在地国を管理支配会社の本店所在地国と同じくすること。
(五)	ロ（７）(五)に掲げる要件に該当すること。
(六)	当該事業年度の収入金額の合計額のうちに占める次に掲げる金額の合計額の割合が100分の95を超えていること。 イ　被管理支配会社又は特定子会社から受ける剰余金の配当等の額（その受ける剰余金の配当等の額の全部又は一部が当該被管理支配会社の本店所在地国の法令において当該被管理支配会社の所得の金額の計算上損金の額に算入することとされている剰余金の配当等の額に該当する場合におけるその受ける剰余金の配当等の額及びその受ける剰余金の配当等の額の全部又は一部が当該特定子会社の本店所在地国の法令において当該特定子会社の所得の金額の計算上損金の額に算入することとされている剰余金の配当等の額に該当する場合におけるその受ける剰余金の配当等の額を除く。） ロ　被管理支配会社の株式等の譲渡（当該外国関係会社に係る関連者（②(二)ハ(1)に規定する関連者をいう。以下この条において同じ。）以外の者への譲渡に限るものとし、その取得の日から１年以内に譲渡が行われることが見込まれていた場合の当該譲渡及びその譲渡を受けた株式等を当該外国関係会社又は当該外国関係会社に係る関連者に移転することが見込まれる場合の当該譲渡を除く。ロにおいて同じ。）及び特定子会社の株式等の譲渡に係る対価の額 ハ　その行う主たる事業に係る業務の通常の過程において生ずる預金又は貯金の利子の額
(七)	当該事業年度終了の時における貸借対照表（これに準ずるものを含む。以下この条及び次条において同じ。）に計上されている総資産の帳簿価額のうちに占める次に掲げる金額の合計額の割合が100分の95を超えていること。 イ　被管理支配会社の株式等及び特定子会社の株式等の帳簿価額 ロ　未収金（(六)イから同ハまでに掲げる金額に係るものに限る。）の帳簿価額 ハ　現預金の帳簿価額（(六)イ又は同ロに掲げる金額が生じた日を含む事業年度にあっては当該事業年度に係る(六)イ及び同ロに掲げる金額の合計額に相当する金額を限度とし、同日を含む事業年度以外の事業年度にあっては零とする。）

（ロ（８）で定める外国関係会社の範囲）

(9)　ロ（８）で定める外国関係会社（以下ロ（９）において「他の被管理支配会社」という。）には、当該他の被管理支配会社と①(一)から同(四)までに掲げる居住者との間にこれらの者と株式等の保有を通じて連鎖関係にある一又は二以上の外国関係会社で、他の被管理支配会社に準ずるものを含むものとする。（措規18の20⑤）

（ロ（７）(六)ハに規定するロ(10)で定める収入金額）

(10)　ロ（７）(六)ハに規定するロ(10)で定める収入金額は、その行う主たる事業に係る業務の通常の過程において生ずる預金又は貯金の利子の額とする。（措規18の20⑥）

（ロ（７）(七)に規定するロ(11)で定める資産の帳簿価額）

(11)　ロ（７）(七)に規定するロ(11)で定める資産の帳簿価額は、次の(一)及び(二)に掲げる金額とする。（措規18の20⑦）

(一)	未収金（ロ（７）(六)イ及び同ロに掲げる金額並びにロ(10)に規定する利子の額に係るものに限る。）の帳簿価額
(二)	現預金の帳簿価額（ロ（７）(六)イ又は同ロに掲げる金額が生じた日を含む事業年度にあっては当該事業年度に係る同(六)イ及び同ロに掲げる金額の合計額に相当する金額を限度とし、同日を含む事業年度以外の事業年度にあっては零とする。）

（②(二)イ⑸に規定する**ロ**(12)で定める要件に該当する外国関係会社）

(12)　②(二)イ⑸に規定する**ロ**(12)で定める要件に該当する外国関係会社は、次の(一)から(三)までに掲げる外国関係会社とする。（措令25の19の３⑤）

(一)	特定不動産（その本店所在地国にある不動産（不動産の上に存する権利を含む。以下**ロ**(12)及び**ロ**(43)(一)において同じ。）で、その外国関係会社に係る管理支配会社の事業の遂行上欠くことのできないものをいう。以下(一)において同じ。）の保有を主たる事業とする外国関係会社で次に掲げる要件（当該事業年度の収入金額が零である場合にあっては、ハに掲げる要件を除く。）の全てに該当するものその他**ロ**(13)で定めるもの イ　管理支配会社の行う事業（当該管理支配会社の本店所在地国において行うもので不動産業に限る。）の遂行上欠くことのできない機能を果たしていること。 ロ　**ロ**(７)(一)及び同(三)から同(五)までに掲げる要件の全てに該当すること。 ハ　当該事業年度の収入金額の合計額のうちに占める次に掲げる金額の合計額の割合が100分の95を超えていること。 ⑴　特定不動産の譲渡に係る対価の額 ⑵　特定不動産の貸付け（特定不動産を使用させる行為を含む。）による対価の額 ⑶　その他**ロ**(15)で定める収入金額 ニ　当該事業年度終了の時における貸借対照表に計上されている総資産の帳簿価額のうちに占める特定不動産その他**ロ**(16)で定める資産の帳簿価額の合計額の割合が100分の95を超えていること。
(二)	特定不動産（その本店所在地国にある不動産で、その外国関係会社に係る管理支配会社が自ら使用するものをいう。以下(二)において同じ。）の保有を主たる事業とする外国関係会社で、次に掲げる要件（当該事業年度の収入金額が零である場合にあっては、ロに掲げる要件を除く。）の全てに該当するもの イ　**ロ**(７)(一)から同(五)までに掲げる要件の全てに該当すること。 ロ　当該事業年度の収入金額の合計額のうちに占める次に掲げる金額の合計額の割合が100分の95を超えていること。 ⑴　特定不動産の譲渡に係る対価の額 ⑵　特定不動産の貸付け（特定不動産を使用させる行為を含む。）による対価の額 ⑶　その他**ロ**(17)で定める収入金額 ハ　当該事業年度終了の時における貸借対照表に計上されている総資産の帳簿価額のうちに占める特定不動産その他**ロ**(18)定める資産の帳簿価額の合計額の割合が100分の95を超えていること。
(三)	次に掲げる要件（当該事業年度の収入金額が零である場合にあっては、トに掲げる要件を除く。）の全てに該当する外国関係会社その他**ロ**(19)で定める外国関係会社 イ　その主たる事業が次のいずれかに該当すること。 ⑴　特定子会社（当該外国関係会社とその本店所在地国を同じくする外国法人で、次に掲げる要件の全てに該当するものをいう。以下(三)において同じ。）の株式等の保有 （ⅰ）　当該外国関係会社の当該事業年度開始の時又は終了の時において、その発行済株式等のうちに当該外国関係会社が有するその株式等の数若しくは金額の占める割合又はその発行済株式等のうちの議決権のある株式等の数若しくは金額のうちに当該外国関係会社が有するその議決権のある株式等の数若しくは金額の占める割合のいずれかが100分の10以上となっていること。 （ⅱ）　管理支配会社等（①(一)から同(四)までに掲げる居住者に係る他の外国関係会社のうち、部分対象外国関係会社に該当するもので、その本店所在地国において、その役員又は使用人がその本店所在地国（当該本店所在地国に係る**ロ**(42)に規定する水域を含む。）において行う資源開発等プロジェクト（租税特別措置法施行令第39条の14の３第９項第３号イ⑴(ⅱ)に規定する資源開発等プロジェクトをいう。以下(三)において同じ。）を的確に遂行するために通常必要と認められる業務の全てに従事しているものをいい、当該居住者に係る他の外国関係会社のうち部分対象外国関係会社に該当するものの役員又は使用人とその本店所在地国を同じくする他の外国法人の役員又は使用人がその本店所在地国において共同で資源開発等プロジェクトを的確に遂行するために通常必要と認められる業務の全てに従事している場合の当該他の外国関係会社及び当該他の外国法人を含む。以下(三)において同じ。）の行う当該資源開発等プロジェクトの遂行上欠くことのできない機能を果たしていること。 ⑵　当該外国関係会社に係る関連者以外の者からの資源開発等プロジェクトの遂行のための資金の調達及び特定子会社に対して行う当該資金の提供

	⑶　特定不動産（その本店所在地国にある不動産で、資源開発等プロジェクトの遂行上欠くことのできない機能を果たしているものをいう。以下(三)において同じ。）の保有 ロ　その事業の管理、支配及び運営が管理支配会社等によって行われていること。 ハ　管理支配会社等の行う資源開発等プロジェクトの遂行上欠くことのできない機能を果たしていること。 ニ　その事業を的確に遂行するために通常必要と認められる業務の全てが、その本店所在地国において、管理支配会社等の役員又は使用人によって行われていること。 ホ　その本店所在地国を管理支配会社等の本店所在地国と同じくすること。 ヘ　**ロ**(７)(五)に掲げる要件に該当すること。 ト　当該事業年度の収入金額の合計額のうちに占める次に掲げる金額の合計額の割合が100分の95を超えていること。 ⑴　特定子会社から受ける剰余金の配当等の額（その受ける剰余金の配当等の額の全部又は一部が当該特定子会社の本店所在地国の法令において当該特定子会社の所得の金額の計算上損金の額に算入することとされている剰余金の配当等の額に該当する場合におけるその受ける剰余金の配当等の額を除く。） ⑵　特定子会社の株式等の譲渡（当該外国関係会社に係る関連者以外の者への譲渡に限るものとし、当該株式等の取得の日から１年以内に譲渡が行われることが見込まれていた場合の当該譲渡及びその譲渡を受けた株式等を当該外国関係会社又は当該外国関係会社に係る関連者に移転することが見込まれる場合の当該譲渡を除く。）に係る対価の額 ⑶　特定子会社に対する貸付金（資源開発等プロジェクトの遂行上欠くことのできないものに限る。チにおいて同じ。）に係る利子の額 ⑷　特定不動産の譲渡に係る対価の額 ⑸　特定不動産の貸付け（特定不動産を使用させる行為を含む。）による対価の額 ⑹　その他**ロ**(21)で定める収入金額 チ　当該事業年度終了の時における貸借対照表に計上されている総資産の帳簿価額のうちに占める特定子会社の株式等、特定子会社に対する貸付金、特定不動産その他**ロ**(22)で定める資産の帳簿価額の合計額の割合が100分の95を超えていること。

（注）　改正後の(12)の規定は、**七１**①(一)から(四)までに掲げる居住者の令和７年分以後の各年分の同①に規定する課税対象金額、**七３**①に規定する部分課税対象金額及び同**４**①に規定する金融子会社等部分課税対象金額を計算する場合について適用し、**七１**①(一)から(四)までに掲げる居住者の令和６年分以前の各年分の同①に規定する課税対象金額、**七３**①に規定する部分課税対象金額及び同**４**①に規定する金融子会社等部分課税対象金額を計算する場合については、なお従前の例による。（令６改措令附９）

（**ロ**(12)(一)に規定する**ロ**(13)で定める外国関係会社）

(13)　**ロ**(12)(一)に規定する**ロ**(13)で定める外国関係会社は、被管理支配会社（特定不動産（**ロ**(12)(一)に規定する特定不動産をいう。以下**ロ**(13)及び**ロ**(16)(一)において同じ。）の保有を主たる事業とする外国関係会社で、**ロ**(12)(一)イから同ニまでに掲げる要件（その事業年度の収入金額が零である場合にあっては、同(一)ハに掲げる要件を除く。）の全てに該当するものをいう。以下**ロ**(13)において同じ。）の株式等の保有を主たる事業とする外国関係会社で、次の(一)から(四)までに掲げる要件（その事業年度の収入金額が零である場合にあっては、(三)に掲げる要件を除く。）の全てに該当するものとする。（措規18の20⑧）

(一)	管理支配会社の行う事業（当該管理支配会社の本店所在地国において行うもので、不動産業に限る。）の遂行上欠くことのできない機能を果たしていること。
(二)	**ロ**(８)(一)及び同(三)から同(五)までに掲げる要件の全てに該当すること。
(三)	当該事業年度の収入金額の合計額のうちに占める次に掲げる金額の合計額の割合が100分の95を超えていること。 イ　被管理支配会社から受ける剰余金の配当等の額（その受ける剰余金の配当等の額の全部又は一部が当該被管理支配会社の本店所在地国の法令において当該被管理支配会社の所得の金額の計算上損金の額に算入することとされている剰余金の配当等の額に該当する場合におけるその受ける剰余金の配当等の額を除く。） ロ　被管理支配会社の株式等の譲渡（当該外国関係会社に係る関連者以外の者への譲渡に限るものとし、その取得の日から１年以内に譲渡が行われることが見込まれていた場合の当該譲渡及びその譲渡を受けた株式等を当該外国関係会社又は当該外国関係会社に係る関連者に移転することが見込まれる場合の当該譲渡を除く。）に係る対価の額

	ハ　特定不動産の譲渡に係る対価の額 ニ　特定不動産の貸付け（特定不動産を使用させる行為を含む。）による対価の額 ホ　その行う事業（被管理支配会社の株式等の保有又は特定不動産の保有に限る。(四)ホにおいて同じ。）に係る業務の通常の過程において生ずる預金又は貯金の利子の額
(四)	当該事業年度終了の時における貸借対照表に計上されている総資産の帳簿価額のうちに占める次に掲げる金額の合計額の割合が100分の95を超えていること。 イ　被管理支配会社の株式等の帳簿価額 ロ　未収金（(三)イから同ホまでに掲げる金額に係るものに限る。）の帳簿価額 ハ　特定不動産の帳簿価額 ニ　未収金、前払費用その他これらに類する資産（特定不動産に係るものに限る。）の帳簿価額（ロに掲げる金額を除く。） ホ　その行う事業に係る業務の通常の過程において生ずる現預金の帳簿価額

（ロ(13)で定める外国関係会社の範囲）

(14)　ロ(13)で定める外国関係会社（以下ロ(14)において「他の被管理支配会社」という。）には、当該他の被管理支配会社と①(一)から同(四)までに掲げる居住者との間にこれらの者と株式等の保有を通じて連鎖関係にある一又は二以上の外国関係会社で、他の被管理支配会社に準ずるものを含むものとする。（措規18の20⑨）

（ロ(12)(一)ハ(3)に規定するロ(15)で定める収入金額）

(15)　ロ(12)(一)ハ(3)に規定するロ(15)で定める収入金額は、その行う主たる事業に係る業務の通常の過程において生ずる預金又は貯金の利子の額とする。（措規18の20⑩）

（ロ(12)(一)ニに規定するロ(16)で定める資産の帳簿価額）

(16)　ロ(12)(一)ニに規定するロ(16)で定める資産の帳簿価額は、次の(一)及び(二)に掲げる金額とする。（措規18の20⑪）

(一)	未収金、前払費用その他これらに類する資産（特定不動産に係るものに限る。）の帳簿価額
(二)	その行う主たる事業に係る業務の通常の過程において生ずる現預金の帳簿価額

（ロ(12)(二)ロ(3)に規定するロ(17)で定める収入金額）

(17)　ロ(12)(二)ロ(3)に規定するロ(17)で定める収入金額は、その行う主たる事業に係る業務の通常の過程において生ずる預金又は貯金の利子の額とする。（措規18の20⑫）

（ロ(12)(二)ハに規定するロ(18)で定める資産の帳簿価額）

(18)　ロ(12)(二)ハに規定するロ(18)で定める資産の帳簿価額は、次の(一)及び(二)に掲げる金額とする。（措規18の20⑬）

(一)	未収金、前払費用その他これらに類する資産（ロ(12)(二)に規定する特定不動産に係るものに限る。）の帳簿価額
(二)	その行う主たる事業に係る業務の通常の過程において生ずる現預金の帳簿価額

（ロ(12)(三)に規定するロ(19)で定める外国関係会社）

(19)　ロ(12)(三)に規定するロ(19)で定める外国関係会社は、その関連者以外の者からの資源開発等プロジェクト（ロ(12)(三)イ(1)(ii)に規定する資源開発等プロジェクトをいう。以下ロ(19)、ロ(21)及びロ(22)(三)において同じ。）の遂行のための資金の調達及び被管理支配会社（ロ(12)(三)イ(1)から同(3)までに掲げる事業のいずれかを主たる事業とする外国関係会社で、同(三)ロから同チまでに掲げる要件<u>（その事業年度の収入金額が零である場合にあっては、同(三)トに掲げる要件を除く。）</u>の全てに該当するものをいう。以下ロ(19)において同じ。）に係る特定子会社（ロ(12)(三)イ(1)に規定する特定子会社をいう。以下ロ(19)において同じ。）に対して行う当該資金の提供を主たる事業とする外国関係会社で、次の(一)から(七)までに掲げる要件<u>（その事業年度の収入金額が零である場合にあっては、(六)に掲げ</u>

る要件を除く。）の全てに該当するものとする。（措規18の20⑭）

(一)	その事業の管理、支配及び運営が管理支配会社等（**ロ**(12)(三)イ⑴(ⅱ)に規定する管理支配会社等をいう。以下**ロ**(19)において同じ。）によって行われていること。
(二)	管理支配会社等の行う資源開発等プロジェクトの遂行上欠くことのできない機能を果たしていること。
(三)	その事業を的確に遂行するために通常必要と認められる業務の全てが、その本店所在地国において、管理支配会社等の役員又は使用人によって行われていること。
(四)	その本店所在地国を管理支配会社等の本店所在地国と同じくすること。
(五)	**ロ**(8)(五)に掲げる要件に該当すること。
(六)	当該事業年度の収入金額の合計額のうちに占める次に掲げる金額の合計額の割合が100分の95を超えていること。 イ　被管理支配会社又は特定子会社から受ける剰余金の配当等の額（その受ける剰余金の配当等の額の全部又は一部が当該被管理支配会社の本店所在地国の法令において当該被管理支配会社の所得の金額の計算上損金の額に算入することとされている剰余金の配当等の額に該当する場合におけるその受ける剰余金の配当等の額及びその受ける剰余金の配当等の額の全部又は一部が当該特定子会社の本店所在地国の法令において当該特定子会社の所得の金額の計算上損金の額に算入することとされている剰余金の配当等の額に該当する場合におけるその受ける剰余金の配当等の額を除く。） ロ　被管理支配会社の株式等の譲渡（当該外国関係会社に係る関連者以外の者への譲渡に限るものとし、その取得の日から１年以内に譲渡が行われることが見込まれていた場合の当該譲渡及びその譲渡を受けた株式等を当該外国関係会社又は当該外国関係会社に係る関連者に移転することが見込まれる場合の当該譲渡を除く。ロにおいて同じ。）及び特定子会社の株式等の譲渡に係る対価の額 ハ　被管理支配会社又は被管理支配会社に係る特定子会社に対する貸付金（資源開発等プロジェクトの遂行上欠くことのできないものに限る。(七)ロにおいて同じ。）に係る利子の額 ニ　特定不動産（**ロ**(12)(三)イ⑶に規定する特定不動産をいう。以下**ロ**(19)及び**ロ**(22)(二)において同じ。）の譲渡に係る対価の額 ホ　特定不動産の貸付け（特定不動産を使用させる行為を含む。）による対価の額 へ　資源開発等プロジェクトに係る業務の通常の過程において生ずる預金又は貯金の利子の額
(七)	当該事業年度終了の時における貸借対照表に計上されている総資産の帳簿価額のうちに占める次に掲げる金額の合計額の割合が100分の95を超えていること。 イ　被管理支配会社の株式等及び被管理支配会社に係る特定子会社の株式等の帳簿価額 ロ　被管理支配会社又は被管理支配会社に係る特定子会社に対する貸付金の帳簿価額 ハ　未収金（(六)イから同へまでに掲げる金額に係るものに限る。）の帳簿価額 ニ　特定不動産の帳簿価額 ホ　未収金、前払費用その他これらに類する資産（特定不動産に係るものに限る。）の帳簿価額（ハに掲げる金額を除く。） へ　資源開発等プロジェクトに係る業務の通常の過程において生ずる現預金の帳簿価額

（**ロ**(19)で定める外国関係会社の範囲）

(20)　**ロ**(19)で定める外国関係会社（以下**ロ**(20)において「他の被管理支配会社」という。）には、当該他の被管理支配会社と①(一)から同(四)までに掲げる居住者との間にこれらの者と株式等の保有を通じて連鎖関係にある一又は二以上の外国関係会社で、他の被管理支配会社に準ずるものを含むものとする。（措規18の20⑮）

（**ロ**(12)(三)ト⑹に規定する**ロ**(21)で定める収入金額）

(21)　**ロ**(12)(三)ト⑹に規定する**ロ**(21)で定める収入金額は、資源開発等プロジェクトに係る業務の通常の過程において生ずる預金又は貯金の利子の額とする。（措規18の20⑯）

（**ロ**(12)(三)チに規定する**ロ**(22)で定める資産の帳簿価額）

(22)　**ロ**(12)(三)チに規定する**ロ**(22)で定める資産の帳簿価額は、次の(一)から(三)までに掲げる金額とする。（措規18

の20⑰）

(一)	未収金（**ロ**(12)(三)ト⑴から同⑸までに掲げる金額及び(21)に規定する利子の額に係るものに限る。）の帳簿価額
(二)	未収金、前払費用その他これらに類する資産（特定不動産に係るものに限る。）の帳簿価額（(一)に掲げる金額を除く。）
(三)	資源開発等プロジェクトに係る業務の通常の過程において生ずる現預金の帳簿価額

（②(二)ロに規定する総資産の額として**ロ**(23)で定める金額）

(23)　②(二)ロに規定する総資産の額として**ロ**(23)で定める金額は、外国関係会社の当該事業年度（当該事業年度が残余財産の確定の日を含む事業年度である場合には、当該事業年度の前事業年度。**ロ**(24)において同じ。）終了の時における貸借対照表に計上されている総資産の帳簿価額とする。（措令25の19の３⑥）

（②(二)ロに規定する**ロ**(24)で定める資産の額の合計額として**ロ**(24)で定める金額）

(24)　②(二)ロに規定する**ロ**(24)で定める資産の額の合計額として**ロ**(24)で定める金額は、外国関係会社の当該事業年度終了の時における貸借対照表に計上されている有価証券（法人税法第２条第21号に規定する有価証券をいう。**ロ**(39)(四)及び**3**①(１)から同(43)までにおいて同じ。)、貸付金、法人税法第２条第22号に規定する固定資産（**3**①(１)から同(43)までにおいて「固定資産」といい、無形資産等（**3**①(九)に規定する無形資産等をいう。以下**ロ**(24)及び**3**①(１)から同(43)までにおいて同じ。）を除くものとし、貸付けの用に供しているものに限る。）及び無形資産等の帳簿価額の合計額とする。（措令25の19の３⑦）

（②(二)ハ⑴に規定する**ロ**(25)で定める者）

(25)　②(二)ハ⑴に規定する**ロ**(25)で定める者は、**ロ**(38)(一)から同(三)までの規定中「②(三)ハ⑴に掲げる事業を主として行う外国関係会社」とあるのを「外国関係会社」と、**ロ**(38)(四)及び同(五)中「②(三)ハ⑴に掲げる事業を主として行う外国関係会社に係る①(一)から同(四)まで」とあるのを「外国関係会社に係る①(一)から同(四)まで」と、**ロ**(38)(六)中「②(三)ハ⑴に掲げる事業を主として行う外国関係会社」とあるのを「外国関係会社」と、同(六)イ中「②(三)ハ⑴に掲げる事業を主として行う外国関係会社」とあるのを「外国関係会社」と、同(六)ロ中「②(三)ハ⑴に掲げる事業を主として行う外国関係会社に係る①(一)から同(四)まで」とあるのを「外国関係会社に係る①(一)から同(四)まで」と読み替えた場合における②(二)ハ⑴の外国関係会社に係る**ロ**(38)(一)から同(六)までに掲げる者とする。（措令25の19の３⑧）

（②(二)ハ⑴に規定する**ロ**(26)で定める収入保険料）

(26)　②(二)ハ⑴に規定する**ロ**(26)で定める収入保険料は、外国関係会社に係る関連者以外の者から収入する収入保険料（当該収入保険料が再保険に係るものである場合には、関連者以外の者が有する資産又は関連者以外の者が負う損害賠償責任を保険の目的とする保険に係る収入保険料に限る。）とする。（措令25の19の３⑨）

（②(二)ハ⑴に規定する**ロ**(27)で定めるところにより計算した割合）

(27)　②(二)ハ⑴に規定する**ロ**(27)で定めるところにより計算した割合は、外国関係会社の各事業年度の②(二)ハ⑴に規定する非関連者等収入保険料の合計額を当該各事業年度の収入保険料の合計額で除して計算した割合とする。（措令25の19の３⑩）

（②(二)ハ⑵に規定する**ロ**(28)で定める金額）

(28)　②(二)ハ⑵に規定する**ロ**(28)で定める金額は、(一)に掲げる金額に(二)に掲げる割合を乗じて計算した金額とする。（措令25の19の３⑪）

(一)	外国関係会社が各事業年度において当該外国関係会社に係る関連者以外の者に支払う再保険料の合計額
(二)	外国関係会社の各事業年度の関連者等収入保険料（②(二)ハ⑵に規定する関連者等収入保険料をいう。**ロ**(29)において同じ。）の合計額の収入保険料の合計額に対する割合

（②(二)ハ⑵に規定するロ(29)で定めるところにより計算した割合）

(29)　②(二)ハ⑵に規定するロ(29)で定めるところにより計算した割合は、外国関係会社の各事業年度の②(二)ハ⑵に規定する非関連者等支払再保険料合計額を当該各事業年度の関連者等収入保険料の合計額で除して計算した割合とする。（措令25の19の３⑫）

（②(三)イ⑴に規定するロ(30)で定める業務）

(30)　②(三)イ⑴に規定するロ(30)で定める業務は、外国関係会社が被統括会社（ロ(31)に規定する被統括会社をいう。以下ロ(30)において同じ。）との間における契約に基づき行う業務のうち当該被統括会社の事業の方針の決定又は調整に係るもの（当該事業の遂行上欠くことのできないものに限る。）であって、当該外国関係会社が二以上の被統括会社に係る当該業務を一括して行うことによりこれらの被統括会社の収益性の向上に資することとなると認められるもの（以下ロにおいて「統括業務」という。）とする。（措令25の19の３⑬）

（②(三)イ⑴に規定するロ(31)で定める他の法人）

(31)　②(三)イ⑴に規定するロ(31)で定める他の法人は、次の(一)から(三)までに掲げる法人で、当該法人の発行済株式等のうちに外国関係会社（当該法人に対して統括業務を行うものに限る。以下ロ(31)において同じ。）の有する当該法人の株式等の数又は金額の占める割合及び当該法人の議決権の総数のうちに当該外国関係会社の有する当該法人の議決権の数の占める割合のいずれもが100分の25（当該法人が内国法人である場合には、100分の50）以上であり、かつ、その本店所在地国にその事業を行うに必要と認められる当該事業に従事する者を有するもの（ロ(33)、ロ(41)及びロ(45)において「被統括会社」という。）とする。（措令25の19の３⑭）

(一)	当該外国関係会社及び当該外国関係会社に係る①(一)から同(四)に掲げる居住者並びに当該居住者が当該外国関係会社に係る間接保有の株式等（①(４)に規定する計算した株式等の数又は金額をいう。以下(一)において同じ。）を有する場合における当該間接保有の株式等に係る①(４)(一)に規定する他の外国法人又は同(二)に規定する他の外国法人及び出資関連外国法人（以下ロ(31)において「判定株主等」という。）が法人を支配している場合における当該法人（以下ロ(31)において「子会社」という。）
(二)	判定株主等及び子会社が法人を支配している場合における当該法人（(三)において「孫会社」という。）
(三)	判定株主等並びに子会社及び孫会社が法人を支配している場合における当該法人

（法人税法施行令第４条第３項の規定の準用）

(32)　法人税法施行令第４条第３項の規定は、ロ(31)に掲げる法人を支配している場合について準用する。（措令25の19の３⑮）

（②(三)イ⑴に規定するロ(33)で定める外国関係会社）

(33)　②(三)イ⑴に規定するロ(33)で定める外国関係会社は、一の居住者によってその発行済株式等の全部を直接又は間接に保有されている外国関係会社で次の(一)及び(二)に掲げる要件を満たすもの（以下ロ(33)、ロ(41)及びロ(45)において「統括会社」という。）のうち、株式等の保有を主たる事業とするもの（当該統括会社の当該事業年度終了の時において有する当該統括会社に係る被統括会社の株式等の当該事業年度終了の時における貸借対照表に計上されている帳簿価額の合計額が当該統括会社の当該事業年度終了の時において有する株式等の当該貸借対照表に計上されている帳簿価額の合計額の100分の50に相当する金額を超える場合で、かつ、当該統括会社の当該事業年度終了の時において有する当該統括会社に係る外国法人である被統括会社の株式等の当該事業年度終了の時における貸借対照表に計上されている帳簿価額の合計額の当該統括会社の当該事業年度終了の時において有する当該統括会社に係る被統括会社の株式等の当該貸借対照表に計上されている帳簿価額の合計額に対する割合又は当該統括会社の当該事業年度における当該統括会社に係る外国法人である被統括会社に対して行う統括業務に係る対価の額の合計額の当該統括会社の当該事業年度における当該統括会社に係る被統括会社に対して行う統括業務に係る対価の額の合計額に対する割合のいずれかが100分の50を超える場合における当該統括会社に限る。）とする。（措令25の19の３⑯）

(一)	当該外国関係会社に係る複数の被統括会社（外国法人である二以上の被統括会社を含む場合に限る。）に対して統括業務を行っていること。
(二)	その本店所在地国に統括業務に係る事務所、店舗、工場その他の固定施設及び当該統括業務を行うに必要と認められる当該統括業務に従事する者（専ら当該統括業務に従事する者に限るものとし、当該外国関係会社の役

	員及び当該役員に係る法人税法施行令第72条各号に掲げる者を除く。）を有していること。

(発行済株式等の全部を直接又は間接に保有されているかどうかの判定)

(34)　ロ(33)において、発行済株式等の全部を直接又は間接に保有されているかどうかの判定は、ロ(33)の一の居住者の外国関係会社に係る直接保有株式等保有割合（当該一の居住者の有する外国法人の株式等の数又は金額が当該外国法人の発行済株式等のうちに占める割合をいう。）と当該一の居住者の当該外国関係会社に係る間接保有株式等保有割合（当該一の居住者の外国法人を通じて間接に有する他の外国法人の株式等の数又は金額が当該他の外国法人の発行済株式等のうちに占める割合をいう。）とを合計した割合により行うものとする。(措令25の19の３⑰)

(①(４)の規定の準用)

(35)　①(４)の規定は、ロ(34)に規定する間接に有する他の外国法人の株式等の数又は金額の計算について準用する。この場合において、①(４)中「外国関係会社（②(一)に規定する外国関係会社をいう。以下(４)において同じ。)」とあるのは「外国法人」と、①(４)(一)中「外国関係会社」とあるのは「外国法人」と、「居住者等」とあるのは「一の居住者」と、「いい、当該発行法人と居住者又は内国法人との間に実質支配関係がある場合には、零とする」とあるのは「いう」と、①(４)(二)中「外国関係会社」とあるのは「外国法人」と、「居住者等」とあるのは「一の居住者」と読み替えるものとする。(措令25の19の３⑱)

(②(三)イ(3)に規定するロ(36)で定める要件)

(36)　②(三)イ(3)に規定するロ(36)で定める要件は、次の(一)から(三)までに掲げる要件とする。(措令25の19の３⑲)

(一)	外国関係会社の役員又は使用人がその本店所在地国において航空機の貸付けを的確に遂行するために通常必要と認められる業務の全てに従事していること。
(二)	外国関係会社の当該事業年度における航空機の貸付けに係る業務の委託に係る対価の支払額の合計額の当該外国関係会社の当該事業年度における航空機の貸付けに係る業務に従事する役員及び使用人に係る人件費の額の合計額に対する割合が100分の30を超えていないこと。
(三)	外国関係会社の当該事業年度における航空機の貸付けに係る業務に従事する役員及び使用人に係る人件費の額の合計額の当該外国関係会社の当該事業年度における航空機の貸付けによる収入金額から当該事業年度における貸付けの用に供する航空機に係る償却費の額の合計額を控除した残額（当該残額がない場合には、当該人件費の額の合計額に相当する金額）に対する割合が100分の５を超えていること。

(②(三)ロに規定するロ(37)で定める経営管理)

(37)　②(三)ロに規定するロ(37)で定める経営管理は、同(三)イ(2)に掲げる外国関係会社に係る租税特別措置法施行令第39条の17第３項第１号イに規定する特定外国金融機関及び同条第９項第２号に規定する特定外国金融機関の経営管理とする。(措令25の19の３⑳)

(②(三)ハ(1)に規定するロ(38)で定める者)

(38)　②(三)ハ(1)に規定するロ(38)で定める者は、次の(一)から(六)までに掲げる者とする。(措令25の19の３㉑)

(一)	②(三)ハ(1)に掲げる事業を主として行う外国関係会社に係る租税特別措置法第66条の６第１項各号に掲げる内国法人が通算法人（法人税法第２条第12号の７の２に規定する通算法人をいう。以下(一)及び(三)において同じ。）である場合における他の通算法人
(二)	②(三)ハ(1)に掲げる事業を主として行う外国関係会社に係る租税特別措置法第66条の６第１項各号に掲げる内国法人の発行済株式等の100分の50を超える数又は金額の株式等を有する者（当該外国関係会社に係る①(一)から同(四)まで及び同法第66条の６第１項各号並びに(一)に掲げる者に該当する者を除く。）
(三)	②(三)ハ(1)に掲げる事業を主として行う外国関係会社に係る租税特別措置法第66条の６第１項各号に掲げる内国法人が通算法人である場合における当該内国法人に係る法人税法第２条第12号の６の７に規定する通算親法人の発行済株式等の100分の50を超える数又は金額の株式等を有する者（当該外国関係会社に係る①(一)から同(四)まで及び租税特別措置法第66条の６第１項各号並びに(一)及び(二)に掲げる者に該当する者を除く。）

(四)	②(三)ハ⑴に掲げる事業を主として行う外国関係会社に係る①(一)から同(四)まで又は租税特別措置法第66条の６第１項各号に掲げる者に係る被支配外国法人（(二)及び(三)に掲げる者に該当する者を除く。）
(五)	②(三)ハ⑴に掲げる事業を主として行う外国関係会社に係る①(一)から同(四)まで若しくは租税特別措置法第66条の６第１項各号に掲げる者又はこれらの者に係る被支配外国法人が当該外国関係会社に係る間接保有の株式等（①(４)又は租税特別措置法施行令第39条の14第３項に規定する計算した株式等の数又は金額をいう。以下(五)において同じ。）を有する場合における当該間接保有の株式等に係る①(４)(一)若しくは租税特別措置法施行令第39条の14第３項第１号に規定する他の外国法人又は①(４)(二)若しくは租税特別措置法施行令第39条の14第３項第２号に規定する他の外国法人及び出資関連外国法人
(六)	次のイからハまでに掲げる者と①(四)に規定する①(７)で定める特殊の関係のある者（②(三)ハ⑴に掲げる事業を主として行う外国関係会社に係る①(一)から同(四)まで及び租税特別措置法第66条の６第１項各号並びに(一)から(五)までに掲げる者に該当する者を除く。） イ　②(三)ハ⑴に掲げる事業を主として行う外国関係会社 ロ　②(三)ハ⑴に掲げる事業を主として行う外国関係会社に係る①(一)から同(四)まで又は租税特別措置法第66条の６第１項各号に掲げる者 ハ　(一)から(五)までに掲げる者

(②(三)ハ⑴に規定する**ロ**(39)で定める場合)

(39)　②(三)ハ⑴に規定する**ロ**(39)で定める場合は、外国関係会社の各事業年度において行う主たる事業が次の(一)から(七)までに掲げる事業のいずれに該当するかに応じ当該(一)から(七)までに定める場合とする。(措令25の19の３㉒)

(一)	卸売業　当該各事業年度の棚卸資産（法人税法第２条第20号に規定する棚卸資産をいう。以下(一)及び**3**①(10)(二)において同じ。）の販売に係る収入金額（当該各事業年度において棚卸資産の売買の代理又は媒介に関し受け取る手数料がある場合には、その手数料を受け取る基因となった売買の取引金額を含む。以下(一)において「販売取扱金額」という。）の合計額のうちに関連者（当該外国関係会社に係る①(一)から同(四)まで及び租税特別措置法第66条の６第１項各号並びに**ロ**(38)(一)から同(六)までに掲げる者をいう。以下**ロ**(39)及び**ロ**(40)において同じ。）以外の者との間の取引に係る販売取扱金額の合計額の占める割合が100分の50を超える場合又は当該各事業年度において取得した棚卸資産の取得価額（当該各事業年度において棚卸資産の売買の代理又は媒介に関し受け取る手数料がある場合には、その手数料を受け取る基因となった売買の取引金額を含む。以下(一)において「仕入取扱金額」という。）の合計額のうちに関連者以外の者との間の取引に係る仕入取扱金額の合計額の占める割合が100分の50を超える場合
(二)	銀行業　当該各事業年度の受入利息の合計額のうちに当該受入利息で関連者以外の者から受けるものの合計額の占める割合が100分の50を超える場合又は当該各事業年度の支払利息の合計額のうちに当該支払利息で関連者以外の者に対して支払うものの合計額の占める割合が100分の50を超える場合
(三)	信託業　当該各事業年度の信託報酬の合計額のうちに当該信託報酬で関連者以外の者から受けるものの合計額の占める割合が100分の50を超える場合
(四)	金融商品取引業　当該各事業年度の受入手数料（有価証券の売買による利益を含む。）の合計額のうちに当該受入手数料で関連者以外の者から受けるものの合計額の占める割合が100分の50を超える場合
(五)	保険業　当該各事業年度の収入保険料の合計額のうちに当該収入保険料で関連者以外の者から収入するもの(当該収入保険料が再保険に係るものである場合には、関連者以外の者が有する資産又は関連者以外の者が負う損害賠償責任を保険の目的とする保険に係る収入保険料に限る。）の合計額の占める割合が100分の50を超える場合
(六)	水運業又は航空運送業　当該各事業年度の船舶の運航及び貸付け又は航空機の運航及び貸付けによる収入金額の合計額のうちに当該収入金額で関連者以外の者から収入するものの合計額の占める割合が100分の50を超える場合
(七)	物品賃貸業（航空機の貸付けを主たる事業とするものに限る。）　当該各事業年度の航空機の貸付けによる収入金額の合計額のうちに当該収入金額で関連者以外の者から収入するものの合計額の占める割合が100分の50

	を超える場合

（外国関係会社と当該外国関係会社に係る関連者との間で行われた取引とみなす取引）

(40)　次の(一)及び(二)に掲げる取引は、外国関係会社と当該外国関係会社に係る関連者との間で行われた取引とみなして、**ロ**(39)(一)から同(七)までの規定を適用する。（措令25の19の３㉓）

(一)	外国関係会社と当該外国関係会社に係る関連者以外の者（以下**ロ**(40)において「非関連者」という。）との間で行う取引（以下(一)において「対象取引」という。）により当該非関連者に移転又は提供をされる資産、役務その他のものが当該外国関係会社に係る関連者に移転又は提供をされることが当該対象取引を行った時において契約その他によりあらかじめ定まっている場合における当該対象取引
(二)	外国関係会社に係る関連者と当該外国関係会社に係る非関連者との間で行う取引（以下(二)において「先行取引」という。）により当該非関連者に移転又は提供をされる資産、役務その他のものが当該外国関係会社に係る非関連者と当該外国関係会社との間の取引（以下(二)において「対象取引」という。）により当該外国関係会社に移転又は提供をされることが当該先行取引を行った時において契約その他によりあらかじめ定まっている場合における当該対象取引

（外国関係会社統括会社に該当する場合における**ロ**(39)及び**ロ**(40)の規定の適用）

(41)　外国関係会社（**ロ**(39)(一)に掲げる事業を主たる事業とするものに限る。以下**ロ**(41)において同じ。）が統括会社に該当する場合における**ロ**(39)及び**ロ**(40)の規定の適用については、**ロ**(39)(一)及び**ロ**(40)に規定する関連者には、当該外国関係会社に係る外国法人である被統括会社を含まないものとする。（措令25の19の３㉔）

（②(三)ハ⑵に規定する**ロ**(42)で定める水域）

(42)　②(三)ハ⑵に規定する**ロ**(42)で定める水域は、同(三)ハ⑵に規定する本店所在地国に係る内水及び領海並びに排他的経済水域又は大陸棚に相当する水域とする。（措令25の19の３㉕）

（②(三)ハ⑵に規定する**ロ**(43)で定める場合）

(43)　②(三)ハ⑵に規定する**ロ**(43)で定める場合は、外国関係会社の各事業年度において行う主たる事業（同(三)イ⑴に規定する外国関係会社にあっては、統括業務とし、同(三)イ⑵に掲げる外国関係会社にあっては**ロ**(37)に規定する経営管理とする。以下**ロ**(43)において同じ。）が次の(一)から(四)までに掲げる事業のいずれに該当するかに応じ当該(一)から(四)までに定める場合とする。（措令25の19の３㉖）

(一)	不動産業　主として本店所在地国にある不動産の売買又は貸付け（当該不動産を使用させる行為を含む。）、当該不動産の売買又は貸付けの代理又は媒介及び当該不動産の管理を行っている場合
(二)	物品賃貸業（航空機の貸付けを主たる事業とするものを除く。）　主として本店所在地国において使用に供される物品の貸付けを行っている場合
(三)	製造業　主として本店所在地国において製品の製造を行っている場合（製造における重要な業務を通じて製造に主体的に関与していると認められる場合として**ロ**(44)で定める場合を含む。）
(四)	**ロ**(39)(一)から同(七)まで及び(一)から(三)までに掲げる事業以外の事業　主として本店所在地国において行っている場合

（**ロ**(43)(三)に規定する**ロ**(44)で定める場合）

(44)　**ロ**(43)(三)に規定する**ロ**(44)で定める場合は、外国関係会社がその本店所在地国において行う次の(一)から(七)までに掲げる業務の状況を勘案して、当該外国関係会社がその本店所在地国においてこれらの業務を通じて製品の製造に主体的に関与していると認められる場合とする。（措規18の20⑱）

(一)	工場その他の製品の製造に係る施設又は製品の製造に係る設備の確保、整備及び管理
(二)	製品の製造に必要な原料又は材料の調達及び管理
(三)	製品の製造管理及び品質管理の実施又はこれらの業務に対する監督

(四)	製品の製造に必要な人員の確保、組織化、配置及び労務管理又はこれらの業務に対する監督
(五)	製品の製造に係る財務管理（損益管理、原価管理、資産管理、資金管理その他の管理を含む。）
(六)	事業計画、製品の生産計画、製品の生産設備の投資計画その他製品の製造を行うために必要な計画の策定
(七)	その他製品の製造における重要な業務

（法人が被統括会社に該当するかどうかの判定時期）

(45)　②（(三)に係る部分に限る。）の規定を適用する場合において、法人が被統括会社に該当するかどうかの判定については当該法人に対して統括業務を行う外国関係会社の各事業年度終了の時の現況によるものとし、外国関係会社が統括会社に該当するかどうかの判定については当該外国関係会社の各事業年度終了の時の現況によるものとする。（措令25の19の３㉗）

ハ　適用対象金額の計算

（②(四)に規定する**ハ**（１）で定める基準により計算した金額）

（１）　②(四)に規定する**ハ**（１）で定める基準により計算した金額は、外国関係会社（②(一)に規定する外国関係会社をいい、同(二)号に規定する特定外国関係会社又は同(三)に規定する対象外国関係会社に該当するものに限る。以下**ハ**において同じ。）の各事業年度の決算に基づく所得の金額に係る租税特別措置法施行令第39条の15第１項第１号及び第２号に掲げる金額の合計額から当該所得の金額に係る同項第三号及び同項第五号に掲げる金額の合計額を控除した残額（当該所得の金額に係る同項第一号に掲げる金額が欠損の金額である場合には、当該所得の金額に係る同項第二号に掲げる金額から当該欠損の金額と当該所得の金額に係る同項第三号及び同項第五号に掲げる金額との合計額を控除した残額）とする。（措令25の20①）

（外国関係会社の本店所在地国の法人所得税に関する法令の規定による適用対象金額の計算）

（２）　①(一)から同(四)までに掲げる居住者は、**ハ**（１）の規定にかかわらず、外国関係会社の各事業年度の決算に基づく所得の金額につき、当該外国関係会社の本店所在地国の法人所得税（外国における各対象会計年度（法人税法第15条の２に規定する対象会計年度をいう。）の国際最低課税額に対する法人税に相当する税、法人税法施行令第155条の34第２項第３号に掲げる税及び法人税法第82条第31号に規定する自国内最低課税額に係る税を除く。）に関する法令（当該法人所得税に関する法令が二以上ある場合には、そのうち主たる法人所得税に関する法令）の規定（企業集団等所得課税規定（租税特別措置法施行令第39条の15第６項に規定する企業集団等所得課税規定をいう。（５）(二)及び**２**（２）(二)において同じ。）を除く。以下**ハ**（２）及び**２**（２）(三)において「本店所在地国の法令の規定」という。）により計算した所得の金額（当該外国関係会社と当該外国関係会社に係る租税特別措置法第66条の６第１項各号に掲げる内国法人との間の取引につき同法第66条の４第１項の規定の適用がある場合には、当該取引が同項に規定する独立企業間価格で行われたものとして本店所在地国の法令の規定により計算した場合に算出される所得の金額）に当該所得の金額に係る租税特別措置法施行令第39条の15第２項第１号から第13号までに掲げる金額の合計額を加算した金額から当該所得の金額に係る同項第14号から第16号まで及び第18号に掲げる金額の合計額を控除した残額（本店所在地国の法令の規定により計算した金額が欠損の金額となる場合には、当該計算した金額に係る同項第１号から第13号までに掲げる金額の合計額から当該欠損の金額に当該計算した金額に係る同項第14号から第16号まで及び第18号に掲げる金額の合計額を加算した金額を控除した残額）をもって②(四)に規定する**ハ**（１）で定める基準により計算した金額とすることができる。（措令25の20②）

（注）　改正後の（２）の規定は、**七１**①(一)から(四)までに掲げる居住者の令和７年分以後の各年分の同①に規定する課税対象金額、**七３**①に規定する部分課税対象金額及び同**４**①に規定する金融子会社等部分課税対象金額を計算する場合について適用し、同**１**①(一)から(四)までに掲げる居住者の令和６年分以前の各年分の同①に規定する課税対象金額、**七３**①に規定する部分課税対象金額及び同**４**①に規定する金融子会社等部分課税対象金額を計算する場合については、なお従前の例による。（令６改措令附９）

（控除対象配当等の額がある場合の適用対象金額の計算）

（３）　①(一)から同(四)までに掲げる居住者に係る外国関係会社の各事業年度につき控除対象配当等の額（次の(一)及び(二)までに掲げる場合の区分に応じ当該(一)及び(二)までに定める金額に相当する金額をいう。以下**ハ**（３）において同じ。）がある場合には、②(四)に規定する**ハ**（１）で定める基準により計算した金額は、**ハ**（１）又は**ハ**（２）の規定にかかわらず、これらの規定により計算した金額から当該控除対象配当等の額を控除した残額とする。（措令25の20③）

(一)	当該外国関係会社が当該各事業年度において当該居住者に係る他の外国関係会社（以下**ハ**（３）において「他の特定外国子会社等」という。）から受ける配当等の額が当該他の外国関係会社の当該配当等の額の支払に係る基準日の属する事業年度（以下**ハ**（３）において「基準事業年度」という。）の配当可能金額のうち当該外国関係会社の出資対応配当可能金額を超えない場合であって、当該基準事業年度が課税対象金額の生ずる事業年度である場合　当該配当等の額
(二)	当該外国関係会社が当該各事業年度において当該居住者に係る他の外国関係会社から受ける配当等の額が当該配当等の額に係る基準事業年度の出資対応配当可能金額を超える場合　当該他の外国関係会社の基準事業年度以前の各事業年度の出資対応配当可能金額をそれぞれ最も新しい事業年度のものから順次当該配当等の額に充てるものとして当該配当等の額を当該各事業年度の出資対応配当可能金額に応じそれぞれの事業年度ごとに区分した場合において、課税対象金額の生ずる事業年度の出資対応配当可能金額から充てるものとされた配当等の額の合計額

（用語の意義）

（4）　**ハ**（３）及び**ハ**（４）において、次の(一)及び(二)に掲げる用語の意義は、当該(一)及び(二)に定めるところによる。（措令25の20④）

(一)	**配当可能金額**　外国関係会社の各事業年度の適用対象金額に当該適用対象金額に係るイ及びロに掲げる金額の合計額を加算した金額から当該適用対象金額に係る調整金額を控除した残額をいう。 イ　**ハ**（３）の規定により控除される**ハ**（３）に規定する控除対象配当等の額 ロ　当該外国関係会社に係る租税特別措置法第66条の６第１項各号に掲げる内国法人との間の取引につき同法第66条の４第１項の規定の適用がある場合において**ハ**（１）又は**ハ**（２）の規定による減額をされる所得の金額のうちに当該内国法人に支払われない金額があるときの当該金額
(二)	**出資対応配当可能金額**　外国関係会社の配当可能金額に他の外国関係会社（以下(二)において「他の外国子会社等」という。）の有する当該外国関係会社の株式等の数又は金額が当該外国関係会社の発行済株式等のうちに占める割合（当該外国関係会社が請求権の内容が異なる株式等を発行している場合には、当該他の外国関係会社が当該請求権の内容が異なる株式等に係る請求権に基づき受けることができる配当等の額がその総額のうちに占める割合）を乗じて計算した金額をいう。

（②(四)に規定する欠損の金額及び基準所得金額に係る税額に関する調整を加えた金額）

（5）　②(四)に規定する欠損の金額及び基準所得金額に係る税額に関する調整を加えた金額は、外国関係会社の各事業年度の同(四)に規定する基準所得金額（**ハ**（７）において「基準所得金額」という。）から次の(一)及び(二)に掲げる金額の合計額を控除した残額とする。（措令25の20⑤）

(一)	当該外国関係会社の当該各事業年度開始の日前７年以内に開始した事業年度（昭和53年４月１日前に開始した事業年度、外国関係会社（租税特別措置法第66条の６第２項第２号に規定する特定外国関係会社及び同項第３号に規定する対象外国関係会社を含む。）に該当しなかった事業年度及び**2**(一)及び同(二)に掲げる外国関係会社の区分に応じ当該**2**(一)及び同(二)に定める場合に該当する事実があるときのその該当する事業年度（租税特別措置法第66条の６第５項各号に掲げる外国関係会社の区分に応じ当該各号に定める場合に該当する事実があるときのその該当する事業年度を含む。）を除く。）において生じた欠損金額（**ハ**（５）の規定により当該各事業年度前の事業年度において控除されたものを除く。）の合計額に相当する金額
(二)	当該外国関係会社が当該各事業年度において納付をすることとなる法人所得税の額（法人所得税に関する法令に企業集団等所得課税規定がある場合の当該法人所得税にあっては租税特別措置法施行令第39条の15第２項第８号に規定する個別計算納付法人所得税額とし、当該各事業年度において還付を受けることとなる法人所得税の額がある場合には当該還付を受けることとなる法人所得税の額（法人所得税に関する法令に企業集団等所得課税規定がある場合の当該法人所得税にあっては、同項第15号に規定する個別計算還付法人所得税額）を控除した金額とする。）

（ハ（5）(一)に規定する欠損金額）

（6）　ハ（5）(一)に規定する欠損金額とは、外国関係会社の各事業年度の決算に基づく所得の金額についてハ（1）若しくはハ（2）又はハ（3）の規定を適用した場合において計算される欠損の金額をいう。（措令25の20⑥）

（確定申告書への損金算入に関する明細書の添付）

（7）　ハ（1）の規定により外国関係会社の各事業年度の決算に基づく所得の金額に係る租税特別措置法施行令第39条の15第1項第1号に掲げる金額の計算をする場合において、同号の規定によりその例に準ずるものとされる法人税法第33条（第5項を除く。）及び同法第42条から同法第52条までの規定並びに租税特別措置法第43条、同法第45条の2、同法第52条の2、同法第57条の5、同法第57条の6、同法第57条の8、同法第65条の7から第65条の9まで（同法第65条の7第1項の表の第4号に係る部分に限る。）、同法第67条の12第2項及び同法第67条の13第2項の規定により当該各事業年度において損金の額に算入されることとなる金額があるときは、確定申告書に、当該金額の損金算入に関する明細書の添付がある場合に限り、当該金額を当該各事業年度の基準所得金額の計算上、損金の額に算入する。ただし、税務署長は、確定申告書の提出がなかった場合又は当該損金算入に関する明細書の添付がない確定申告書の提出があった場合において、その提出又は添付がなかったことについてやむを得ない事情があると認めるときは、当該明細書の提出があった場合に限り、この項本文の規定を適用することができる。（措令25の20⑦）

（ハ（7）の規定により確定申告書に添付する明細書）

（8）　ハ（7）の規定により確定申告書に添付する明細書は、法人税法施行規則別表九(二)、同規則別表十一(一)から同規則別表十一(二)まで、同規則別表十二(十)、同規則別表十二(十三)、同規則別表十三(一)から同規則別表十三(三)まで、同規則別表十三(五)、同規則別表十四(一)及び同規則別表十六(一)から同規則別表十六(五)までに定める書式に準じた書式による明細書とする。（措規18の20⑲）

（翌年分以後の各年分においてハ（2）の規定の適用を受けようとする場合等）

（9）　その外国関係会社の各事業年度の決算に基づく所得の金額の計算につきハ（1）の規定の適用を受けた居住者がその適用を受けた年分の翌年分以後の各年分において当該外国関係会社の各事業年度の決算に基づく所得の金額の計算につきハ（2）の規定の適用を受けようとする場合又はその外国関係会社の各事業年度の決算に基づく所得の金額の計算につきハ（2）の規定の適用を受けた居住者がその適用を受けた年分の翌年分以後の各年分において当該外国関係会社の各事業年度の決算に基づく所得の金額の計算につきハ（1）の規定の適用を受けようとする場合には、あらかじめ納税地の所轄税務署長の承認を受けなければならない。（措令25の20⑧）

ニ　実質支配関係の判定

（②(五)に規定するニ（1）で定める関係）

（1）　②(五)に規定するニ（1）で定める関係は、居住者又は内国法人（以下ニ（1）において「居住者等」という。）と外国法人との間に次の(一)及び(二)に掲げる事実その他これに類する事実が存在する場合（当該外国法人の行う事業から生ずる利益のおおむね全部が剰余金の配当、利益の配当、剰余金の分配その他の経済的な利益の給付として当該居住者等（当該居住者等と特殊の関係のある者を含む。）以外の者に対して金銭その他の資産により交付されることとなっている場合を除く。）における当該居住者等と当該外国法人との間の関係（当該関係がないものとして②(一)（イに係る部分に限る。）の規定を適用した場合に居住者及び内国法人並びに同(一)イに規定する特殊関係非居住者と当該外国法人との間に同(一)イ（1）から同（3）までに掲げる割合のいずれかが100分の50を超える関係がある場合における当該居住者等と当該外国法人との間の関係を除く。）とする。（措令25の21①）

(一)	居住者等が外国法人の残余財産のおおむね全部について分配を請求する権利を有していること。
(二)	居住者等が外国法人の財産の処分の方針のおおむね全部を決定することができる旨の契約その他の取決めが存在すること（当該外国法人につき(一)に掲げる事実が存在する場合を除く。）。

（ニ（1）に規定する特殊の関係）

（2）　ニ（1）に規定する特殊の関係とは、次の(一)から(四)までに掲げる関係をいう。（措令25の21②）

(一)	一方の者と他方の者との間に当該他方の者が次のイからホまでに掲げるものに該当する関係がある場合における当該関係

	イ　当該一方の者の親族 ロ　当該一方の者と婚姻の届出をしていないが事実上婚姻関係と同様の事情にある者 ハ　当該一方の者の使用人又は雇主 ニ　イからハまでに掲げる者以外の者で当該一方の者から受ける金銭その他の資産によって生計を維持しているもの ホ　ロからニまでに掲げる者と生計を一にするこれらの者の親族
(二)	一方の者と他方の者との間に当該他方の者が次のイからハまでに掲げる法人に該当する関係がある場合における当該関係（(三)及び(四)に掲げる関係に該当するものを除く。） イ　当該一方の者（当該一方の者と(一)に規定する関係のある者を含む。以下(二)において同じ。）が他の法人を支配している場合における当該他の法人 ロ　当該一方の者及び当該一方の者と特殊の関係（**ニ**(２)（イに係る部分に限る。）に規定する特殊の関係をいう。）のある法人が他の法人を支配している場合における当該他の法人 ハ　当該一方の者及び当該一方の者と特殊の関係（**ニ**(２)（イ及びロに係る部分に限る。）に規定する特殊の関係をいう。）のある法人が他の法人を支配している場合における当該他の法人
(三)	二の法人のいずれか一方の法人が他方の法人の発行済株式等の100分の50を超える数又は金額の株式等を直接又は間接に有する関係
(四)	二の法人が同一の者（当該者が個人である場合には、当該個人及びこれと法人税法第２条第10号に規定する政令で定める特殊の関係のある個人）によってそれぞれその発行済株式等の100分の50を超える数又は金額の株式等を直接又は間接に保有される場合における当該二の法人の関係（(三)に掲げる関係に該当するものを除く。）

（法人税法施行令第４条第３項の規定の準用）

（３）　法人税法施行令第４条第３項の規定は、**ニ**(２)(二)イから同ハまでに掲げる他の法人を支配している場合について準用する。（措令25の21③）

（租税特別措置法施行令第39条の12第２項及び第３項の規定の準用）

（４）　租税特別措置法施行令第39条の12第２項及び第３項の規定は、**ニ**(２)（(三)及び(四)に係る部分に限る。）の規定を適用する場合について準用する。この場合において、同条第２項及び第３項中「100分の50以上の」とあるのは、「100分の50を超える」と読み替えるものとする。（措令25の21④）

ホ　外国金融子会社等の範囲

（②(七)に規定する外国金融機関に準ずるものとして**ホ**(１)で定める部分対象外国関係会社）

（１）　②(七)に規定する外国金融機関に準ずるものとして**ホ**(１)で定める部分対象外国関係会社は、部分対象外国関係会社（②(六)に規定する部分対象外国関係会社をいう。(２)において同じ。）のうち租税特別措置法施行令第39条の17第３項各号に掲げるもの（一の居住者によってその発行済株式等の全部を直接又は間接に保有されているものに限る。）とする。（措令25の22①）

（租税特別措置法施行令第39条の17第６項及び第７項の規定の準用）

（２）　租税特別措置法施行令第39条の17第６項及び第７項の規定は、(１)において部分対象外国関係会社が一の居住者によってその発行済株式等の全部を直接又は間接に保有されているかどうかを判定する場合について準用する。（措令25の22②）

③　国税庁の当該職員等による外国関係会社が②(二)イ(１)又は同(２)に該当することを明らかにする書類その他の資料の提示又は提出の求め

国税庁の当該職員又は居住者の納税地の所轄税務署若しくは所轄国税局の当該職員は、居住者に係る外国関係会社が②(二)イ⑴から同⑸までのいずれかに該当するかどうかを判定するために必要があるときは、当該居住者に対し、期間を定めて、当該外国関係会社が②(二)イ⑴から同⑸までに該当することを明らかにする書類その他の資料の提示又は提出を求めることができる。この場合において、当該書類その他の資料の提示又は提出がないときは、②（(二)イに係る部分に限る。）の規定の適用については、当該外国関係会社は同(二)イ⑴から同⑸までに該当しないものと推定する。（措法40の４

③)

④　国税庁の当該職員等による外国関係会社が②(三)イ(1)から同ハまでに該当することを明らかにする書類その他の資料の提示又は提出の求め

国税庁の当該職員又は居住者の納税地の所轄税務署若しくは所轄国税局の当該職員は、居住者に係る外国関係会社が②(三)イから同ハまでに掲げる要件に該当するかどうかを判定するために必要があるときは、当該居住者に対し、期間を定めて、当該外国関係会社が②(三)イから同ハまでに掲げる要件に該当することを明らかにする書類その他の資料の提示又は提出を求めることができる。この場合において、当該書類その他の資料の提示又は提出がないときは、②((三)又は(六)に係る部分に限る。)の規定の適用については、当該外国関係会社は②(三)イから同ハまでに掲げる要件に該当しないものと推定する。(措法40の4④)

2　1①の規定を適用しない場合

1①の規定は、同①(一)から同(四)までに掲げる居住者に係る次の(一)及び(二)に掲げる外国関係会社につき当該(一)又は(二)に定める場合に該当する事実があるときは、当該(一)又は(二)に掲げる外国関係会社のその該当する事業年度に係る適用対象金額については、適用しない。(措法40の4⑤)

(一)	**特定外国関係会社**　特定外国関係会社の各事業年度の租税負担割合(外国関係会社の各事業年度の所得に対して課される租税の額の当該所得の金額に対する割合として(1)で定めるところにより計算した割合をいう。(二)、**5**及び**6**において同じ。)が100分の27以上である場合
(二)	**対象外国関係会社**　対象外国関係会社の各事業年度の租税負担割合が100分の20以上である場合

(外国関係会社に係る租税負担割合の計算)

(1)　**2**(一)に規定する(1)で定めるところにより計算した割合は、外国関係会社(**1**②(一)に規定する外国関係会社をいう。(2)において同じ。)の各事業年度の所得に対して課される租税の額を当該所得の金額で除して計算した割合とする。(措令25の22の2①)

((1)に規定する割合の計算)

(2)　(1)に規定する割合の計算については、次の(一)から(五)までに定めるところによる。(措令25の22の2②)

(一)	(1)の所得の金額は、租税特別措置法施行令第39条の17の2第2項第1号イ又はロに掲げる外国関係会社の区分に応じそれぞれ同号イ又はロに定める金額とする。
(二)	(1)の租税の額は、外国関係会社の各事業年度の決算に基づく所得の金額につき、その本店所在地国又は本店所在地国以外の国若しくは地域において課される外国法人税の額(外国法人税に関する法令に企業集団等所得課税規定がある場合の当該外国法人税にあっては、企業集団等所得課税規定の適用がないものとした場合に計算される外国法人税の額)とする。
(三)	(二)の外国法人税の額は、その本店所在地国の法令の規定により外国関係会社が納付したものとみなしてその本店所在地国の外国法人税の額から控除されるものを含むものとし、租税特別措置法施行令第39条の17の2第2項第3号イ又はロに掲げる外国関係会社の区分に応じそれぞれ同号イ又はロに定めるものを含まないものとする。
(四)	その本店所在地国の外国法人税の税率が所得の額に応じて高くなる場合には、(二)の外国法人税の額は、これらの税率をこれらの税率のうち最も高い税率であるものとして算定した外国法人税の額とすることができる。
(五)	(1)の所得の金額がない場合又は欠損の金額となる場合には、(1)に規定する割合は、租税特別措置法施行令第39条の17の2第2項第5号イ又はロに掲げる外国関係会社の区分に応じそれぞれ同号イ又はロに定める割合とする。

3　部分課税対象金額の総収入金額算入

①　部分課税対象金額の総収入金額算入

1①(一)から同(四)までに掲げる居住者に係る部分対象外国関係会社（外国金融子会社等に該当するものを除く。以下①及び②において同じ。）が、平成22年４月１日以後に開始する各事業年度において、当該各事業年度に係る次の(一)から(十一)までに掲げる金額（解散により外国金融子会社等に該当しないこととなった部分対象外国関係会社（以下①及び②において「清算外国金融子会社等」という。）のその該当しないこととなった日から同日以後３年を経過する日（当該清算外国金融子会社等の残余財産の確定の日が当該３年を経過する日前である場合には当該残余財産の確定の日とし、その本店所在地国の法令又は慣行その他やむを得ない理由により当該残余財産の確定の日が当該３年を経過する日後である場合には(１)で定める日とする。）までの期間内の日を含む事業年度（②において「特定清算事業年度」という。）にあっては、(一)から(七の二)までに掲げる金額のうち(２)で定める金額（②において「特定金融所得金額」という。）がないものとした場合の次の(一)から(十一)までに掲げる金額。以下①において「特定所得の金額」という。）を有する場合には、当該各事業年度の特定所得の金額に係る部分適用対象金額のうちその者が直接及び間接に有する当該部分対象外国関係会社の株式等の数又は金額につきその請求権の内容を勘案した数又は金額並びにその者と当該部分対象外国関係会社との間の実質支配関係の状況を勘案して(３)で定めるところにより計算した金額（**9**において「部分課税対象金額」という。）に相当する金額は、その者の雑所得に係る収入金額とみなして当該各事業年度終了の日の翌日から２月を経過する日の属する年分のその者の雑所得の金額の計算上、総収入金額に算入する。（措法40の４⑥）

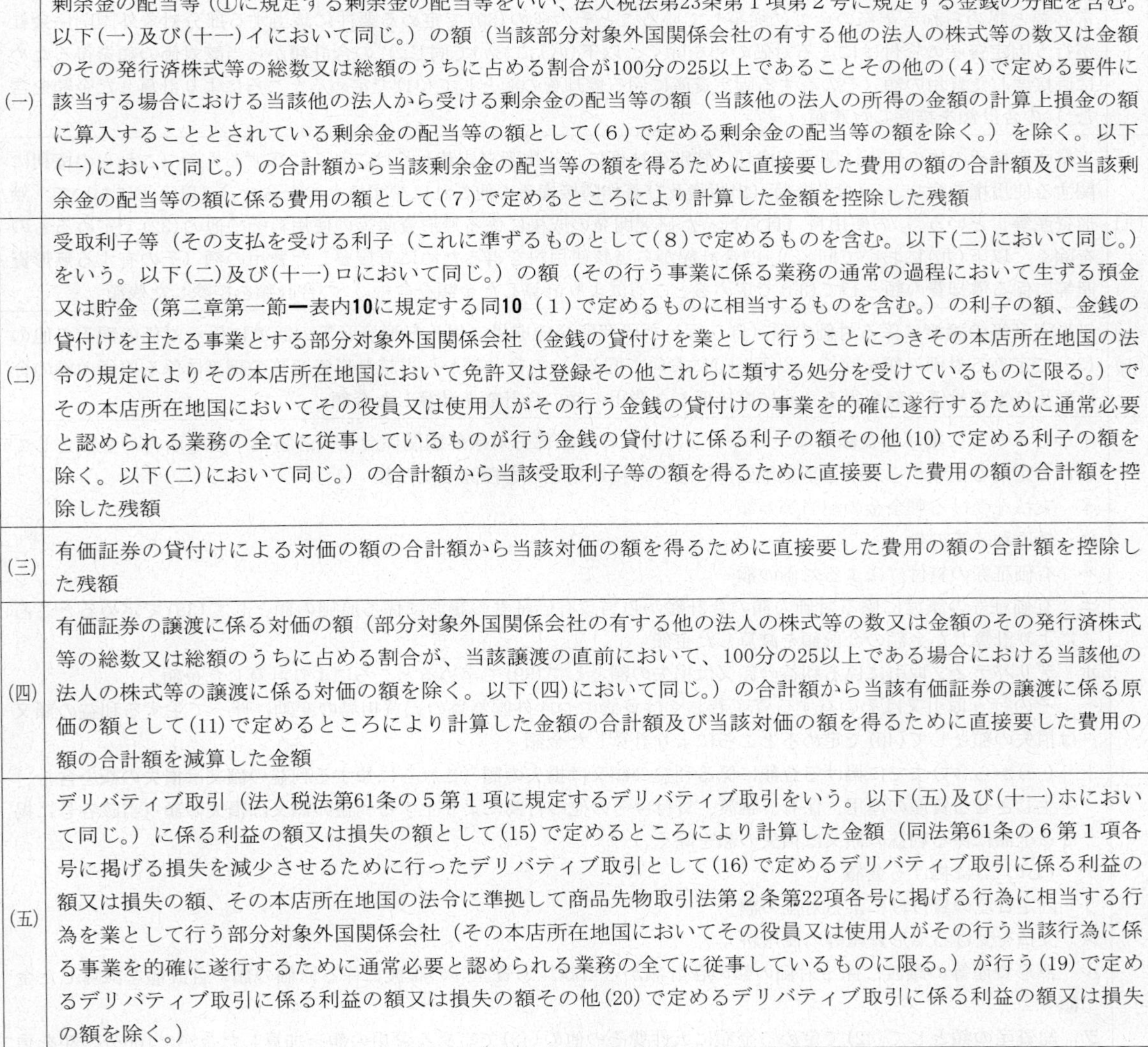

(一)	剰余金の配当等（①に規定する剰余金の配当等をいい、法人税法第23条第１項第２号に規定する金銭の分配を含む。以下(一)及び(十一)イにおいて同じ。）の額（当該部分対象外国関係会社の有する他の法人の株式等の数又は金額のその発行済株式等の総数又は総額のうちに占める割合が100分の25以上であることその他の(４)で定める要件に該当する場合における当該他の法人から受ける剰余金の配当等の額（当該他の法人の所得の金額の計算上損金の額に算入することとされている剰余金の配当等の額として(６)で定める剰余金の配当等の額を除く。）を除く。以下(一)において同じ。）の合計額から当該剰余金の配当等の額を得るために直接要した費用の額の合計額及び当該剰余金の配当等の額に係る費用の額として(７)で定めるところにより計算した金額を控除した残額
(二)	受取利子等（その支払を受ける利子（これに準ずるものとして(８)で定めるものを含む。以下(二)において同じ。）をいう。以下(二)及び(十一)ロにおいて同じ。）の額（その行う事業に係る業務の通常の過程において生ずる預金又は貯金（第二章第一節**一**表内**10**に規定する同**10**（１）で定めるものに相当するものを含む。）の利子の額、金銭の貸付けを主たる事業とする部分対象外国関係会社（金銭の貸付けを業として行うことにつきその本店所在地国の法令の規定によりその本店所在地国において免許又は登録その他これらに類する処分を受けているものに限る。）でその本店所在地国においてその役員又は使用人がその行う金銭の貸付けの事業を的確に遂行するために通常必要と認められる業務の全てに従事しているものが行う金銭の貸付けに係る利子の額その他(10)で定める利子の額を除く。以下(二)において同じ。）の合計額から当該受取利子等の額を得るために直接要した費用の額の合計額を控除した残額
(三)	有価証券の貸付けによる対価の額の合計額から当該対価の額を得るために直接要した費用の額の合計額を控除した残額
(四)	有価証券の譲渡に係る対価の額（部分対象外国関係会社の有する他の法人の株式等の数又は金額のその発行済株式等の総数又は総額のうちに占める割合が、当該譲渡の直前において、100分の25以上である場合における当該他の法人の株式等の譲渡に係る対価の額を除く。以下(四)において同じ。）の合計額から当該有価証券の譲渡に係る原価の額として(11)で定めるところにより計算した金額の合計額及び当該対価の額を得るために直接要した費用の額の合計額を減算した金額
(五)	デリバティブ取引（法人税法第61条の５第１項に規定するデリバティブ取引をいう。以下(五)及び(十一)ホにおいて同じ。）に係る利益の額又は損失の額として(15)で定めるところにより計算した金額（同法第61条の６第１項各号に掲げる損失を減少させるために行ったデリバティブ取引として(16)で定めるデリバティブ取引に係る利益の額又は損失の額、その本店所在地国の法令に準拠して商品先物取引法第２条第22項各号に掲げる行為に相当する行為を業として行う部分対象外国関係会社（その本店所在地国においてその役員又は使用人がその行う当該行為に係る事業を的確に遂行するために通常必要と認められる業務の全てに従事しているものに限る。）が行う(19)で定めるデリバティブ取引に係る利益の額又は損失の額その他(20)で定めるデリバティブ取引に係る利益の額又は損失の額を除く。）

(六)	その行う取引又はその有する資産若しくは負債につき外国為替の売買相場の変動に伴って生ずる利益の額又は損失の額として(22)で定めるところにより計算した金額（その行う事業（(24)で定める取引を行う事業を除く。）に係る業務の通常の過程において生ずる利益の額又は損失の額を除く。）
(七)	(一)から(六)までに掲げる金額に係る利益の額又は損失の額（これらに類する利益の額又は損失の額を含む。）を生じさせる資産の運用、保有、譲渡、貸付けその他の行為により生ずる利益の額又は損失の額（(一)から(六)までに掲げる金額に係る利益の額又は損失の額及び法人税法第61条の６第１項各号に掲げる損失を減少させるために行った取引として(26)で定める取引に係る利益の額又は損失の額を除く。）
(七の二)	イに掲げる金額からロに掲げる金額を減算した金額 イ　収入保険料の合計額から支払った再保険料の合計額を控除した残額に相当するものとして(27)で定める金額 ロ　支払保険金の額の合計額から収入した再保険金の額の合計額を控除した残額に相当するものとして(28)で定める金額
(八)	固定資産（法人税法第２条第22号に規定する固定資産をいい、(29)で定めるものを除く。以下(八)及び(十一)リにおいて同じ。）の貸付け（不動産又は不動産の上に存する権利を使用させる行為を含む。）による対価の額（主としてその本店所在地国において使用に供される固定資産（不動産及び不動産の上に存する権利を除く。）の貸付けによる対価の額、その本店所在地国にある不動産又は不動産の上に存する権利の貸付け（これらを使用させる行為を含む。）による対価の額及びその本店所在地国においてその役員又は使用人が固定資産の貸付け（不動産又は不動産の上に存する権利を使用させる行為を含む。以下(八)及び(十一)リにおいて同じ。）を的確に遂行するために通常必要と認められる業務の全てに従事していることその他の(30)で定める要件に該当する部分対象外国関係会社が行う固定資産の貸付けによる対価の額を除く。以下(八)において同じ。）の合計額から当該対価の額を得るために直接要した費用の額（その有する固定資産に係る償却費の額として(31)で定めるところにより計算した金額を含む。）の合計額を控除した残額
(九)	工業所有権その他の技術に関する権利、特別の技術による生産方式若しくはこれらに準ずるもの（これらの権利に関する使用権を含む。）又は著作権（出版権及び著作隣接権その他これに準ずるものを含む。）（以下①において「無形資産等」という。）の使用料（自ら行った研究開発の成果に係る無形資産等の使用料その他の(32)で定めるものを除く。以下(九)において同じ。）の合計額から当該使用料を得るために直接要した費用の額（その有する無形資産等に係る償却費の額として(33)で定めるところにより計算した金額を含む。）の合計額を控除した残額
(十)	無形資産等の譲渡に係る対価の額（自ら行った研究開発の成果に係る無形資産等の譲渡に係る対価の額その他の(36)で定める対価の額を除く。以下(十)において同じ。）の合計額から当該無形資産等の譲渡に係る原価の額の合計額及び当該対価の額を得るために直接要した費用の額の合計額を減算した金額
(十一)	イからルまでに掲げる金額がないものとした場合の当該部分対象外国関係会社の各事業年度の所得の金額として(37)で定める金額から当該各事業年度に係るヲに掲げる金額を控除した残額 イ　支払を受ける剰余金の配当等の額 ロ　受取利子等の額 ハ　有価証券の貸付けによる対価の額 ニ　有価証券の譲渡に係る対価の額の合計額から当該有価証券の譲渡に係る原価の額として(38)で定めるところにより計算した金額の合計額を減算した金額 ホ　デリバティブ取引に係る利益の額又は損失の額として(39)で定めるところにより計算した金額 ヘ　その行う取引又はその有する資産若しくは負債につき外国為替の売買相場の変動に伴って生ずる利益の額又は損失の額として(40)で定めるところにより計算した金額 ト　(一)から(六)までに掲げる金額に係る利益の額又は損失の額（これらに類する利益の額又は損失の額を含む。）を生じさせる資産の運用、保有、譲渡、貸付けその他の行為により生ずる利益の額又は損失の額（当該各号に掲げる金額に係る利益の額又は損失の額を除く。） チ　(七の二)に掲げる金額 リ　固定資産の貸付けによる対価の額 ヌ　支払を受ける無形資産等の使用料 ル　無形資産等の譲渡に係る対価の額の合計額から当該無形資産等の譲渡に係る原価の額の合計額を減算した金額 ヲ　総資産の額として(42)で定める金額に人件費その他の(43)で定める費用の額を加算した金額に100分の50を乗

	じて計算した金額

(①に規定する(1)で定める日)

(1)　①に規定する(1)で定める日は、清算外国金融子会社等（①に規定する清算外国金融子会社等をいう。(2)及び②(1)において同じ。）の残余財産の確定の日と特定日（①に規定する該当しないこととなった日をいう。(2)において同じ。）以後5年を経過する日とのいずれか早い日とする。（措令25の22の3①）

(①に規定する(2)で定める金額)

(2)　①に規定する(2)で定める金額は、清算外国金融子会社等の特定清算事業年度（①に規定する特定清算事業年度をいう。②(1)において同じ。）に係る①(一)から同(七の二)までに掲げる金額に係る利益の額又は損失の額（特定日の前日に有していた資産若しくは負債又は特定日前に締結した契約に基づく取引に係るものに限る。）の合計額とする。（措令25の22の3②）

(①に規定する(3)で定めるところにより計算した金額)

(3)　①に規定する(3)で定めるところにより計算した金額は、**1**①(一)から同(四)までに掲げる居住者に係る部分対象外国関係会社（**1**②(六)に規定する部分対象外国関係会社をいい、同②(七)に規定する外国金融子会社等に該当するものを除く。以下((10)(四)を除く。）において同じ。）の各事業年度の部分適用対象金額（①に規定する部分適用対象金額をいう。**9**①(2)から同(8)までにおいて同じ。）に、当該各事業年度終了の時における当該居住者の当該部分対象外国関係会社に係る**1**②(1)(一)に規定する請求権等勘案合算割合を乗じて計算した金額とする。（措令25の22の3③）

(①(一)に規定する(4)で定める要件)

(4)　①(一)に規定する(4)で定める要件は、他の法人の発行済株式等のうちに部分対象外国関係会社が保有しているその株式等の数若しくは金額の占める割合又は当該他の法人の発行済株式等のうちの議決権のある株式等の数若しくは金額のうちに当該部分対象外国関係会社が保有している当該株式等の数若しくは金額の占める割合のいずれかが100分の25以上であり、かつ、その状態が当該部分対象外国関係会社が当該他の法人から受ける剰余金の配当等(①(一)に規定する剰余金の配当等をいう。以下(4)及び(6)において同じ。）の額の支払義務が確定する日（当該剰余金の配当等の額が法人税法第24条第1項に規定する事由に係る(5)で定める剰余金の配当等の額である場合には、同日の前日。以下(4)において同じ。）以前6月以上（当該他の法人が当該確定する日以前6月以内に設立された法人である場合には、その設立の日から当該確定する日まで）継続していることとする。（措令25の22の3④）

(**1**②**ロ**(2)の規定の準用)

(5)　**1**②**ロ**(2)の規定は、(4)に規定する(5)で定める剰余金の配当等の額について準用する。（措規18の20⑳）

(①(一)に規定する(6)で定める剰余金の配当等の額)

(6)　①(一)に規定する(6)で定める剰余金の配当等の額は、部分対象外国関係会社が①(一)の他の法人から受ける剰余金の配当等の全部又は一部が当該他の法人の本店所在地国の法令において当該他の法人の所得の金額の計算上損金の額に算入することとされている場合におけるその受ける剰余金の配当等の額とする。（措令25の22の3⑤）

(①(一)に規定する(7)で定めるところにより計算した金額)

(7)　①(一)に規定する(7)で定めるところにより計算した金額は、部分対象外国関係会社が当該事業年度において支払う負債の利子の額の合計額に、(一)に掲げる金額のうちに(二)に掲げる金額の占める割合を乗じて計算した金額(当該負債の利子の額の合計額のうちに①(一)に規定する直接要した費用の額の合計額として同(一)に掲げる金額の計算上控除される金額がある場合には、当該金額を控除した残額）とする。（措令25の22の3⑥）

(一)	当該部分対象外国関係会社の当該事業年度終了の時における貸借対照表に計上されている総資産の帳簿価額
(二)	当該部分対象外国関係会社が当該事業年度終了の時において有する株式等（剰余金の配当等の額（①(一)に規定する剰余金の配当等の額をいう。）に係るものに限る。）の(一)の貸借対照表に計上されている帳簿価額の合計額

(①(二)に規定する支払を受ける利子に準ずるものとして(8)で定めるもの)

(8)　①(二)に規定する支払を受ける利子に準ずるものとして(8)で定めるものは、支払を受ける手形の割引料、法人税法施行令第139条の2第1項に規定する償還有価証券に係る同項に規定する調整差益その他経済的な性質が支払を受ける利子に準ずるもの（法人税法第64条の2第3項に規定するリース取引による同条第1項に規定するリース資産の引渡しを行ったことにより受けるべき対価の額のうちに含まれる利息に相当する金額及び(10)で定める金額を除く。）とする。(措令25の22の3⑦)

((8)に規定する(9)で定める金額)

(9)　(8)に規定する(9)で定める金額は、法人税法第61条の5第1項に規定するその他財務省令で定める取引に相当する取引に係る利益の額又は損失の額とする。(措規18の20㉑))

(①(二)に規定する(10)で定める利子の額)

(10)　①(二)に規定する(10)で定める利子の額は、次の(一)から(四)までに掲げる利子（(8)に規定する支払を受ける利子に準ずるものを含む。以下(10)において同じ。）の額とする。(措令25の22の3⑧)

(一)	割賦販売等（割賦販売法第2条第1項に規定する割賦販売、同条第2項に規定するローン提携販売、同条第3項に規定する包括信用購入あっせん又は同条第4項に規定する個別信用購入あっせんに相当するものをいう。以下(一)において同じ。）を行う部分対象外国関係会社でその本店所在地国においてその役員又は使用人が割賦販売等を的確に遂行するために通常必要と認められる業務の全てに従事しているものが行う割賦販売等から生ずる利子の額
(二)	部分対象外国関係会社（その本店所在地国においてその役員又は使用人がその行う棚卸資産の販売及びこれに付随する棚卸資産の販売の対価の支払の猶予に係る業務を的確に遂行するために通常必要と認められる業務の全てに従事しているものに限る。）が当該部分対象外国関係会社に係る(三)イ及びロに掲げる者以外の者に対して行う棚卸資産の販売の対価の支払の猶予により生ずる利子の額
(三)	部分対象外国関係会社（その本店所在地国においてその行う金銭の貸付けに係る事務所、店舗その他の固定施設を有し、かつ、その本店所在地国においてその役員又は使用人がその行う金銭の貸付けの事業を的確に遂行するために通常必要と認められる業務の全てに従事しているものに限る。以下(二)において同じ。）がその関連者等（次のイからハまでに掲げる者をいい、個人を除く。(三)において同じ。）に対して行う金銭の貸付けに係る利子の額 イ　当該部分対象外国関係会社に係る**1**①(一)から同(四)まで及び租税特別措置法第66条の6第1項各号に掲げる者 ロ　**1**②**ロ**(38)(一)中「②(三)ハ(1)に掲げる事業を主として行う外国関係会社」とあるのを「外国関係会社（**1**②(六)に規定する部分対象外国関係会社に該当するものに限るものとし、同(七)に規定する外国金融子会社等に該当するものを除く。以下(10)において同じ。)」と、**1**②**ロ**(38)(二)から同(五)までの規定中「②(三)ハ(1)に掲げる事業を主として行う外国関係会社」とあり、並びに同(六)中「②(三)ハ(1)に掲げる事業を主として行う外国関係会社」とあり、及び「②(三)ハ(1)に掲げる事業を主として行う外国関係会社」とあるのを「外国関係会社」と、同(四)、同(五)及び同(六)ロ中「①(一)から同(四)まで」とあるのを「①(一)から同(四)まで」と読み替えた場合における当該部分対象外国関係会社に係る**1**②**ロ**(38)(一)から同(六)までに掲げる者 ハ　当該部分対象外国関係会社（**1**②**ロ**(33)に規定する統括会社に該当するものに限る。）に係る同**ロ**(31)に規定する被統括会社
(四)	**1**②(六)に規定する部分対象外国関係会社（同(七)に規定する外国金融子会社等に該当するものを除く。）が当該部分対象外国関係会社に係る関連者等である外国法人（(二)（イからハまでを除く。）に規定する部分対象外国関係会社及び4①に規定する部分対象外国関係会社に限る。）に対して行う金銭の貸付けに係る利子の額

(①(四)に規定する(11)で定めるところにより計算した金額（移動平均法）)

(11)　①(四)に規定する(11)で定めるところにより計算した金額は、法人税法施行令第119条の規定の例によるものとした場合の有価証券の取得価額を基礎として移動平均法（有価証券を銘柄の異なるごとに区別し、銘柄を同じくする有価証券（以下(13)までにおいて「同一銘柄有価証券」という。）の取得をする都度その同一銘柄有価証券のその取得の直前の帳簿価額とその取得をした同一銘柄有価証券の取得価額との合計額をこれらの同一銘柄有価証券の総数で除して平均単価を算出し、その算出した平均単価をもってその一単位当たりの帳簿価額とする方法をいう。）により算出したその有価証券の一単位当たりの帳簿価額に、その譲渡をした有価証券（①(四)に規定する対価の額に係るものに限る。）の数を乗じて計算した金額とする。（措令25の22の３⑨）

（①(四)に規定する(11)で定めるところにより計算した金額（総平均法））

(12)　①の居住者は、(11)の規定にかかわらず、法人税法施行令第119条の規定の例によるものとした場合の有価証券の取得価額を基礎として総平均法（有価証券を銘柄の異なるごとに区別し、同一銘柄有価証券について、事業年度開始の時において有していたその同一銘柄有価証券の帳簿価額と当該事業年度において取得をしたその同一銘柄有価証券の取得価額の総額との合計額をこれらの同一銘柄有価証券の総数で除して平均単価を算出し、その算出した平均単価をもってその一単位当たりの帳簿価額とする方法をいう。）により算出したその有価証券の一単位当たりの帳簿価額に、その譲渡をした有価証券（①(四)に規定する対価の額に係るものに限る。）の数を乗じて計算した金額をもって①(四)に規定する(11)で定めるところにより計算した金額とすることができる。（措令25の22の３⑩）

（(11)及び(12)に規定する同一銘柄有価証券の一単位当たりの帳簿価額の算出の方法）

(13)　(11)及び(12)に規定する同一銘柄有価証券の一単位当たりの帳簿価額の算出の方法は、有価証券の種類ごとに選定するものとする。（措令25の22の３⑪）

（一単位当たりの帳簿価額の算出の方法の変更手続）

(14)　①の居住者は、その有価証券につき選定した一単位当たりの帳簿価額の算出の方法を変更しようとする場合には、あらかじめ納税地の所轄税務署長の承認を受けなければならない。（措令25の22の３⑫）

（①(五)に規定する(15)で定めるところにより計算した金額）

(15)　①(五)に規定する(15)で定めるところにより計算した金額は、部分対象外国関係会社（**1**②(六)に規定する部分対象外国関係会社をいい、**1**②(七)に規定する外国金融子会社等に該当するものを除く。(16)から(23)までにおいて同じ。）の行うデリバティブ取引（法人税法第61条の５第１項に規定するデリバティブ取引をいう。(16)、(20)、(21)及び**八１②ホ**(５)、同**３**①（措規18の20の２）において同じ。）に係る利益の額又は損失の額につき法人税法第61条の５の規定その他法人税に関する法令の規定（同法第61条の６の規定を除く。）の例に準じて計算した場合に算出される金額とする。（措規18の20㉒）

（①(五)に規定する法人税法第61条の６第１項各号に掲げる損失を減少させるために行ったデリバティブ取引として(16)で定めるデリバティブ取引）

(16)　①(五)に規定する法人税法第61条の６第１項各号に掲げる損失を減少させるために行ったデリバティブ取引として(16)で定めるデリバティブ取引は、次の(一)及び(二)に掲げるデリバティブ取引等（同条第４項第１号に掲げる取引をいい、同法第61条の８第２項に規定する先物外国為替契約等に相当する契約に基づくデリバティブ取引及び同法第61条の５第１項に規定するその他財務省令で定める取引に相当する取引を除く。以下(18)までにおいて同じ。）とする。（措規18の20㉓）

(一)	ヘッジ対象資産等損失額（法人税法第61条の６第１項各号に掲げる損失の額に相当する金額をいう。以下(18)までにおいて同じ。）を減少させるために部分対象外国関係会社がデリバティブ取引等を行った場合（当該デリバティブ取引等を行った日において、同条第１項第１号に規定する資産若しくは負債の取得若しくは発生又は当該デリバティブ取引等に係る契約の締結等に関する帳簿書類（その作成に代えての作成がされている場合の当該電磁的記録を含む。(二)において同じ。）に当該デリバティブ取引等につき次のイからニまでに掲げる事項が記載されている場合に限る。）において、当該デリバティブ取引等がヘッジ対象資産等損失額を減少させる効果についてあらかじめ定めた評価方法に従って定期的に確認が行われているときの当該デリバティブ取引等（(二)に掲げるデリバティブ取引等を除く。） イ　そのデリバティブ取引等がヘッジ対象資産等損失額を減少させるために行ったものである旨 ロ　そのデリバティブ取引等によりヘッジ対象資産等損失額を減少させようとする法人税法第61条の６第１項第１号に規定する資産又は負債及び同項第２号に規定する金銭に相当するもの

	ハ　そのデリバティブ取引等の種類、名称、金額及びヘッジ対象資産等損失額を減少させようとする期間 ニ　その他参考となるべき事項
(二)	その有する売買目的外有価証券相当有価証券（法人税法第61条の３第１項第２号に規定する売買目的外有価証券に相当する有価証券（同法第２条第21号に規定する有価証券をいう。(23)(四)(ロ)において同じ。）をいう。以下(二)において同じ。）の価額の変動（同法第61条の９第１項第１号ロに規定する期末時換算法に相当する方法により機能通貨換算額への換算をする売買目的外有価証券相当有価証券の価額の外国為替の売買相場の変動に基因する変動を除く。）により生ずるおそれのある損失の額（以下(二)において「ヘッジ対象有価証券損失額」という。）を減少させるために部分対象外国関係会社がデリバティブ取引等を行った場合（当該デリバティブ取引等を行った日において、当該売買目的外有価証券相当有価証券の取得又は当該デリバティブ取引等に係る契約の締結等に関する帳簿書類に当該デリバティブ取引等につき次のイからハまでに掲げる事項が記載されている場合に限る。）において、当該デリバティブ取引等がヘッジ対象有価証券損失額を減少させる効果についてあらかじめ定めた評価方法に従って定期的に確認が行われているときの当該デリバティブ取引等 イ　その売買目的外有価証券相当有価証券を法人税法施行令第12条の６の規定に準じて評価し、又は機能通貨換算額に換算する旨 ロ　そのデリバティブ取引等によりヘッジ対象有価証券損失額を減少させようとする売買目的外有価証券相当有価証券 ハ　そのデリバティブ取引等の種類、名称、金額及びヘッジ対象有価証券損失額を減少させようとする期間 ニ　その他参考となるべき事項

（部分対象外国関係会社が当該事業年度において行ったデリバティブ取引等のおおむね全部がヘッジ対象資産等損失額を減少させるために行ったものである場合）

(17)　部分対象外国関係会社が当該事業年度において行ったデリバティブ取引等のおおむね全部がヘッジ対象資産等損失額を減少させるために行ったものである場合（次の(一)から(四)までに掲げる要件の全てを満たす場合に限る。）には、当該部分対象外国関係会社に係る①に規定する居住者は、(16)の規定にかかわらず、当該部分対象外国関係会社が当該事業年度において行った全てのデリバティブ取引等をもって、①(五)に規定する法人税法第61条の６第１項各号に掲げる損失を減少させるために行ったデリバティブ取引として財務省令で定めるデリバティブ取引とすることができる。（措規18の20㉔）

(一)	そのデリバティブ取引等によりヘッジ対象資産等損失額を減少させようとする法人税法第61条の６第１項第１号に規定する資産又は負債及び同項第２号に規定する金銭に相当するものの内容、ヘッジ対象資産等損失額を減少させるために行うデリバティブ取引等の方針及びその行うデリバティブ取引等がヘッジ対象資産等損失額を減少させる効果の評価方法に関する書類（その作成に代えて電磁的記録の作成がされている場合における当該電磁的記録を含む。以下(17)において同じ。）を作成していること。
(二)	(一)に規定する書類において、その行うデリバティブ取引等のおおむね全部がヘッジ対象資産等損失額を減少させるために行うことが明らかにされていること。
(三)	(一)に規定する書類において定められた方針に従ってデリバティブ取引等を行うために必要な組織及び業務管理体制が整備されていること。
(四)	その行うデリバティブ取引等がヘッジ対象資産等損失額を減少させる効果について、(一)に規定する書類において定められた評価方法に従って定期的に確認が行われていること。

（部分対象外国関係会社の当該事業年度の前事業年度以前の事業年度に係る部分適用対象金額の計算につき、(17)の規定の適用を受けた居住者の当該部分対象外国関係会社に係る当該事業年度に係る部分適用対象金額の計算）

(18)　部分対象外国関係会社の当該事業年度の前事業年度以前の事業年度に係る部分適用対象金額（①に規定する部分適用対象金額をいう。以下(18)において同じ。）の計算につき、(17)の規定の適用を受けた居住者の当該部分対象外国関係会社に係る当該事業年度に係る部分適用対象金額の計算については、当該部分対象外国関係会社が当該事業年度において行ったデリバティブ取引等のおおむね全部がヘッジ対象資産等損失額を減少させるために行ったものである場合に該当しないこととなった場合又は(17)(一)から同(四)までに掲げる要件のいずれかを満たさないこととなった

場合を除き、(17)の規定の適用があるものとする。(措規18の20㉕)

(①(五)に規定する行為を業として行う同(五)に規定する部分対象外国関係会社が行う同(五)に規定する(19)で定めるデリバティブ取引)

(19)　①(五)に規定する行為を業として行う同(五)に規定する部分対象外国関係会社が行う同(五)に規定する(19)で定めるデリバティブ取引は、商品先物取引法第２条第13項に規定する外国商品市場取引及び同条第14項に規定する店頭商品デリバティブ取引に相当する取引とする。(措規18の20㉖)

(①(五)に規定するその他(20)で定めるデリバティブ取引)

(20)　①(五)に規定するその他(20)で定めるデリバティブ取引は、短期売買商品等（法人税法第61条第１項に規定する短期売買商品等に相当する資産をいう。(21)において同じ。）の価額の変動に伴って生ずるおそれのある損失を減少させるために行ったデリバティブ取引、法人税法第61条の８第２項に規定する先物外国為替契約等に相当する契約に基づくデリバティブ取引及び同法第61条の５第１項に規定するその他財務省令で定める取引に相当する取引とする。(措規18の20㉗)

((16)から(18)までの規定の準用)

(21)　(16)から(18)までの規定は、(20)の短期売買商品等の価額の変動に伴って生ずるおそれのある損失を減少させるために行ったデリバティブ取引について準用する。この場合において、(16)(一)中「ヘッジ対象資産等損失額（法人税法第61条の６第１項各号に掲げる損失」とあるのは「短期売買商品等損失額（短期売買商品等（法人税法第61条第１項に規定する短期売買商品等に相当する資産をいう。以下(18)までにおいて同じ。）の価額の変動に伴って生ずるおそれのある損失」と、「同条第１項第１号に規定する資産若しくは負債の取得若しくは発生」とあるのは「短期売買商品等の取得」と、「ヘッジ対象資産等損失額を減少させる効果」とあるのは「短期売買商品等損失額を減少させる効果」と、(16)(一)イ中「ヘッジ対象資産等損失額」とあるのは「短期売買商品等損失額」と、(16)(一)ロ中「ヘッジ対象資産等損失額」とあるのは「短期売買商品等損失額」と、「法人税法第61条の６第１項第１号に規定する資産又は負債及び同項第２号に規定する金銭に相当するもの」とあるのは「短期売買商品等」と、(16)(一)ハ中「ヘッジ対象資産等損失額」とあるのは「短期売買商品等損失額」と、(17)中「ヘッジ対象資産等損失額を減少させるために行った」とあるのは「短期売買商品等損失額を減少させるために行った」と、「(16)」とあるのは「(21)において準用する(16)」と、(17)(一)中「ヘッジ対象資産等損失額」とあるのは「短期売買商品等損失額」と、「法人税法第61条の６第１項第１号に規定する資産又は負債及び同項第２号に規定する金銭に相当するもの」とあるのは「短期売買商品等」と、(17)(二)及び同(四)中「ヘッジ対象資産等損失額」とあるのは「短期売買商品等損失額」と、(18)中「(17)」とあるのは「(21)において準用する(17)」と、「ヘッジ対象資産等損失額」とあるのは「短期売買商品等損失額」と読み替えるものとする。(措規18の20㉘)

(①(六)に規定する(22)で定めるところにより計算した金額)

(22)　①(六)に規定する(22)で定めるところにより計算した金額は、各事業年度において行う特定通貨建取引の金額又は各事業年度終了の時において有する特定通貨建資産等の金額に係る機能通貨換算額につき法人税法第61条の８、第61条の９及び第61条の10の規定その他法人税に関する法令の規定の例に準じて計算した場合に算出される利益の額又は損失の額とする。(措規18の20㉙)

(用語の意義)

(23)　(16)、(22)及び(23)において、次の(一)から(五)に掲げる用語の意義は、当該(一)から(五)までに定めるところによる。(措規18の20㉚)

(一)	**機能通貨**　部分対象外国関係会社がその会計帳簿の作成に当たり使用する通貨表示の通貨をいう。
(二)	**特定通貨**　機能通貨以外の通貨をいう。
(三)	**特定通貨建取引**　特定通貨で支払が行われる資産の販売及び購入、役務の提供、金銭の貸付け及び借入れ、剰余金の配当その他の取引をいう。
(四)	**特定通貨建資産等**　次のイからニまでに掲げる資産及び負債をいう。 イ　特定通貨建債権（特定通貨で支払を受けるべきこととされている金銭債権をいう。）及び特定通貨建債務（特定通貨で支払を行うべきこととされている金銭債務をいう。）

	ロ　特定通貨建有価証券（その償還が特定通貨で行われる債券、残余財産の分配が特定通貨で行われる株式及びこれらに準ずる有価証券をいう。） ハ　特定通貨建の預金 ニ　特定通貨
(五)	**機能通貨換算額**　特定通貨で表示された金額を機能通貨で表示された金額に換算した金額をいう。

(①(六)に規定する(24)で定める取引)

(24)　①(六)に規定する(24)で定める取引は、外国為替の売買相場の変動に伴って生ずる利益を得ることを目的とする投機的な取引とする。(措令25の22の３⑬)

(①(七)に掲げる金額に係る利益の額又は損失の額)

(25)　次の(一)から(六)までに掲げる金額に係る利益の額又は損失の額（①(一)から同(六)までに掲げる金額に係る利益の額又は損失の額及び法人税法第61条の６第１項各号に掲げる損失を減少させるために行った取引として(26)で定める取引に係る利益の額又は損失の額を除く。）は、①(七)に掲げる金額に係る利益の額又は損失の額に含まれるものとする。(措令25の22の３⑭)

(一)	投資信託の収益の分配の額の合計額から当該収益の分配の額を得るために直接要した費用の額の合計額を控除した残額
(二)	法人税法第61条の３第１項第１号に規定する売買目的有価証券に相当する有価証券（以下(二)において「売買目的有価証券相当有価証券」という。）に係る評価益（当該売買目的有価証券相当有価証券の時価評価金額（同項第１号に規定する時価評価金額に相当する金額をいう。以下(二)において同じ。）が当該売買目的有価証券相当有価証券の期末帳簿価額（同条第２項に規定する期末帳簿価額に相当する金額をいう。以下(二)において同じ。）を超える場合におけるその超える部分の金額をいう。）又は評価損（当該売買目的有価証券相当有価証券の期末帳簿価額が当該売買目的有価証券相当有価証券の時価評価金額を超える場合におけるその超える部分の金額をいう。）
(三)	法人税法第61条の２第20項に規定する有価証券の空売りに相当する取引に係るみなし決済損益額（同法第61条の４第１項に規定するみなし決済損益額に相当する金額をいう。以下(25)において同じ。）
(四)	法人税法第61条の２第21項に規定する信用取引に相当する取引に係るみなし決済損益額
(五)	法人税法第61条の２第21項に規定する発行日取引に相当する取引に係るみなし決済損益額
(六)	法人税法第61条の４第１項に規定する有価証券の引受けに相当する取引に係るみなし決済損益額

((16)から(18)までの規定の準用)

(26)　(16)から(18)までの規定は、①(七)及び(25)に規定する(26)で定める取引について準用する。この場合において、(16)中「同条第４項第１号」とあるのは、「同条第４項第２号及び第３号」と読み替えるものとする。(措規18の20㉛)

(①(七の二)イに規定する(27)で定める金額)

(27)　①(七の二)イに規定する(27)で定める金額は、部分対象外国関係会社の当該事業年度において収入した、又は収入すべきことの確定した収入保険料（当該収入保険料のうちに払い戻した、又は払い戻すべきものがある場合には、その金額を控除した残額）及び再保険返戻金の合計額から当該事業年度において支払った、又は支払うべきことの確定した再保険料及び解約返戻金の合計額を控除した残額とする。(措令25の22の３⑮)

(①(七の二)ロに規定する(28)で定める金額)

(28)　①(七の二)ロに規定する(28)で定める金額は、部分対象外国関係会社の当該事業年度において支払った、又は支払うべきことの確定した支払保険金の額の合計額から当該事業年度において収入した、又は収入すべきことの確定した再保険金の額の合計額を控除した残額とする。(措令25の22の３⑯)

(①(八)に規定する(29)で定める固定資産)

(29)　①(八)に規定する(29)で定める固定資産は、固定資産のうち無形資産等に該当するものとする。(措令25の22の３

⑰)

(①(八)に規定する(30)で定める要件)

(30)　①(八)に規定する(30)で定める要件は、次の(一)から(四)までに掲げる要件とする。(措令25の22の３⑱)

(一)	部分対象外国関係会社の役員又は使用人がその本店所在地国において固定資産（無形資産等に該当するものを除く。以下(30)及び(31)において同じ。）の貸付け（不動産又は不動産の上に存する権利を使用させる行為を含む。以下(30)において同じ。）を的確に遂行するために通常必要と認められる業務の全てに従事していること。
(二)	部分対象外国関係会社の当該事業年度における固定資産の貸付けに係る業務の委託に係る対価の支払額の合計額の当該部分対象外国関係会社の当該事業年度における固定資産の貸付けに係る業務に従事する役員及び使用人に係る人件費の額の合計額に対する割合が100分の30を超えていないこと。
(三)	部分対象外国関係会社の当該事業年度における固定資産の貸付けに係る業務に従事する役員及び使用人に係る人件費の額の合計額の当該部分対象外国関係会社の当該事業年度における固定資産の貸付けによる収入金額から当該事業年度における貸付けの用に供する固定資産に係る償却費の額の合計額を控除した残額（当該残額がない場合には、当該人件費の額の合計額に相当する金額）に対する割合が100分の５を超えていること。
(四)	部分対象外国関係会社がその本店所在地国において固定資産の貸付けを行うに必要と認められる事務所、店舗、工場その他の固定施設を有していること。

(①(八)に規定する(31)で定めるところにより計算した金額)

(31)　①(八)に規定する(31)で定めるところにより計算した金額は、部分対象外国関係会社が有する固定資産（同(八)に規定する対価の額に係るものに限る。(34)及び(35)において同じ。）に係る当該事業年度の償却費の額のうち法人税法第31条の規定の例に準じて計算した場合に算出される同条第１項に規定する償却限度額に達するまでの金額とする。(措令25の22の３⑲)

(①(九)に規定する(32)で定める使用料)

(32)　①(九)に規定する(32)で定める使用料は、次の(一)から(三)までに掲げる無形資産等の区分に応じ、当該(一)から(三)までに定める使用料（**1**①(一)から同(四)までに掲げる居住者が次の(一)から(三)までに定めるものであることを明らかにする書類を保存している場合における当該使用料に限る。）とする。(措令25の22の３⑳)

(一)	部分対象外国関係会社が自ら行った研究開発の成果に係る無形資産等　当該部分対象外国関係会社が当該研究開発を主として行った場合の当該無形資産等の使用料
(二)	部分対象外国関係会社が取得をした無形資産等　当該部分対象外国関係会社が当該取得につき相当の対価を支払い、かつ、当該無形資産等をその事業（株式等若しくは債券の保有、無形資産等の提供又は船舶若しくは航空機の貸付けを除く。(三)において同じ。）の用に供している場合の当該無形資産等の使用料
(三)	部分対象外国関係会社が使用を許諾された無形資産等　当該部分対象外国関係会社が当該許諾につき相当の対価を支払い、かつ、当該無形資産等をその事業の用に供している場合の当該無形資産等の使用料

(①(九)に規定する(33)で定めるところにより計算した金額)

(33)　①(九)に規定する(33)で定めるところにより計算した金額は、部分対象外国関係会社が有する無形資産等(同(九)に規定する使用料に係るものに限る。(34)及び(35)において同じ。）に係る当該事業年度の償却費の額のうち法人税法第31条の規定の例に準じて計算した場合に算出される同条第１項に規定する償却限度額に達するまでの金額とする。(措令25の22の３㉑)

(部分対象外国関係会社の本店所在地国の法令の規定による固定資産又は無形資産等に係る償却費の額の計算)

(34)　①の居住者は、(31)及び(33)の規定にかかわらず、部分対象外国関係会社が有する固定資産又は無形資産等に係る当該事業年度の償却費の額として当該部分対象外国関係会社の**1**②**ハ**(２)に規定する本店所在地国の法令の規定により当該事業年度の損金の額に算入している金額（その特許権等又は船舶等の取得価額（既にした償却の額で各事業年度の損金の額に算入されたものがある場合には、当該金額を控除した金額）を各事業年度の損金の額に算入する金額の限度額として償却する方法を用いて計算されたものについては法人税法第31条の規定の例によるものとした場合に損金の額に算入されることとなる金額に相当する金額）をもって①(八)又は同(九)に規定する(31)又は(33)で定めるところにより計算した金額とすることができる。（措令25の22の３㉒）

((34)の規定の適用を受けようとする場合等の手続)

(35)　その部分対象外国関係会社が有する固定資産若しくは無形資産等に係る償却費の額の計算につき(31)若しくは(33)の規定の適用を受けた居住者がその適用を受けた年分の翌年分以後の各年分において当該償却費の額の計算につき(34)の規定の適用を受けようとする場合又はその部分対象外国関係会社が有する固定資産若しくは無形資産等に係る償却費の額の計算につき(34)の規定の適用を受けた居住者がその適用を受けた年分の翌年分以後の各年分において当該償却費の額の計算につき(31)若しくは(33)の規定の適用を受けようとする場合には、あらかじめ納税地の所轄税務署長の承認を受けなければならない。（措令25の22の３㉓）

((32)の規定の準用)

(36)　(32)（(三)を除く。）の規定は、①(十)に規定する(36)で定める対価の額について準用する。この場合において、(32)中「使用料（」とあるのは「対価の額（」と、「当該使用料」とあるのは「当該対価の額」と、(32)(一)及び同(二)中「使用料」とあるのは「譲渡に係る対価の額」と読み替えるものとする。（措令25の22の３㉔）

(①(十一)に規定する各事業年度の所得の金額として(37)で定める金額)

(37)　①(十一)に規定する各事業年度の所得の金額として(37)で定める金額は、同(十一)イから同ルまでに掲げる金額がないものとした場合の部分対象外国関係会社の各事業年度の決算に基づく所得の金額（当該金額が零を下回る場合には、零）とする。（措令25の22の３㉕）

((18)から(21)までの規定の準用)

(38)　(18)から(21)までの規定は、①(十一)ニに規定する(38)で定めるところにより計算した金額について準用する。（措令25の22の３㉖）

((15)の規定の準用)

(39)　(15)の規定は、①(十一)ホに規定する(39)で定めるところにより計算した金額について準用する。（措規18の20㉜）

((22)及び(23)の規定の準用)

(40)　(22)及び(23)の規定は、①(十一)へに規定する(40)で定めるところにより計算した金額について準用する。（措規18の20㉝）

((25)の規定の準用)

(41)　(25)の規定は、①(十一)トに掲げる金額に係る利益の額又は損失の額について準用する。（措令25の22の３㉗）

(①(十一)ヲに規定する総資産の額として(42)で定める金額)

(42)　①(十一)ヲに規定する総資産の額として(42)で定める金額は、部分対象外国関係会社の当該事業年度（当該事業年度が残余財産の確定の日を含む事業年度である場合には、当該事業年度の前事業年度）終了の時における貸借対照表に計上されている総資産の帳簿価額とする。（措令25の22の３㉘）

(①(十一)ヲに規定する(43)で定める費用の額)

(43)　①(十一)ヲに規定する(43)で定める費用の額は、部分対象外国関係会社の当該事業年度の人件費の額及び当該部分対象外国関係会社の当該事業年度（当該事業年度が残余財産の確定の日を含む事業年度である場合には、当該事業年度の前事業年度）終了の時における貸借対照表に計上されている法人税法第２条第23号に規定する減価償却資産に係る償却費の累計額とする。（措令25の22の３㉙）

②　①に規定する部分適用対象金額

①に規定する部分適用対象金額とは、部分対象外国関係会社の各事業年度の①(一)から同(三)まで、同(八)、同(九)及

び同(十一)に掲げる金額の合計額（清算外国金融子会社等の特定清算事業年度にあっては、特定金融所得金額がないものとした場合の当該①(一)から同(三)まで、同(八)、同(九)及び同(十一)に掲げる金額の合計額）と、当該各事業年度の同(四)から同(七の二)まで及び同(十)に掲げる金額の合計額（当該合計額が零を下回る場合には零とし、清算外国金融子会社等の特定清算事業年度にあっては特定金融所得金額がないものとした場合の同(四)から同(七の二)まで及び同(十)に掲げる金額の合計額（当該合計額が零を下回る場合には、零）とする。）を基礎として当該各事業年度開始の日前７年以内に開始した各事業年度において生じた同(四)から同(七の二)まで及び同(十)に掲げる金額の合計額（当該各事業年度のうち特定清算事業年度に該当する事業年度にあっては、特定金融所得金額がないものとした場合の同(四)から同(七の二)まで及び同(十)に掲げる金額の合計額）が零を下回る部分の金額につき(1)で定めるところにより調整を加えた金額とを合計した金額をいう。(措法40の４⑦)

(②に規定する(1)で定めるところにより調整を加えた金額)

(1)　②に規定する(1)で定めるところにより調整を加えた金額は、部分対象外国関係会社の各事業年度の①(四)から同(七の二)まで及び同(十)に掲げる金額の合計額（当該合計額が零を下回る場合には零とし、清算外国金融子会社等の特定清算事業年度にあっては特定金融所得金額（①に規定する特定金融所得金額をいう。以下(1)において同じ。）がないものとした場合の当該①(四)から同(七の二)まで及び同(十)に掲げる金額の合計額（当該合計額が零を下回る場合には、零）とする。）から当該部分対象外国関係会社の当該各事業年度開始の日前７年以内に開始した事業年度（平成30年４月１日前に開始した事業年度、部分対象外国関係会社又は租税特別措置法第66条の６第２項第６号に規定する部分対象外国関係会社（同項第７号に規定する外国金融子会社等に該当するものを除く。）に該当しなかった事業年度及び**5**(一)に該当する事実がある場合のその該当する事業年度（同法第66条の６第10項第１号に該当する事実がある場合のその該当する事業年度を含む。）を除く。）において生じた部分適用対象損失額（①(四)から同(七の二)まで及び同(十)に掲げる金額の合計額（清算外国金融子会社等の特定清算事業年度にあっては特定金融所得金額がないものとした場合の当該①(四)から同(七の二)まで及び同(十)に掲げる金額の合計額）が零を下回る場合のその下回る額をいい、(1)の規定により当該各事業年度前の事業年度において控除されたものを除く。）の合計額に相当する金額を控除した残額とする。(措令25の22の３㉚)

4　金融子会社等部分課税対象金額の総収入金額算入

①　金融子会社等部分課税対象金額の総収入金額算入

1①(一)から同(四)までに掲げる居住者に係る**部分対象外国関係会社**（外国金融子会社等に該当するものに限る。以下①及び②において同じ。）が、平成22年４月１日以後に開始する各事業年度において、当該各事業年度に係る次の(一)から(五)までに掲げる金額（以下①において「特定所得の金額」という。）を有する場合には、当該各事業年度の特定所得の金額に係る金融子会社等部分適用対象金額のうちその者が直接及び間接に有する当該部分対象外国関係会社の株式等の数又は金額につきその請求権の内容を勘案した数又は金額並びにその者と当該部分対象外国関係会社との間の実質支配関係の状況を勘案して(1)で定めるところにより計算した金額（**9**において「金融子会社等部分課税対象金額」という。）に相当する金額は、その者の雑所得に係る収入金額とみなして当該各事業年度終了の日の翌日から２月を経過する日の属する年分のその者の雑所得の金額の計算上、総収入金額に算入する。(措法40の４⑧)

(一)	一の居住者によってその発行済株式等の全部を直接又は間接に保有されている部分対象外国関係会社で(2)で定める要件を満たすもの（その純資産につき剰余金その他に関する調整を加えた金額として(5)で定める金額（以下(一)において「親会社等資本持分相当額」という。）の総資産の額として(7)で定める金額に対する割合が100分の70を超えるものに限る。）の親会社等資本持分相当額がその本店所在地国の法令に基づき下回ることができない資本の額を勘案して(9)で定める金額を超える場合におけるその超える部分に相当する資本に係る利益の額として(10)で定めるところにより計算した金額
(二)	部分対象外国関係会社について**3**①(八)の規定に準じて計算した場合に算出される同(八)に掲げる金額に相当する金額
(三)	部分対象外国関係会社について**3**①(九)の規定に準じて計算した場合に算出される同(九)に掲げる金額に相当する金額
(四)	部分対象外国関係会社について**3**①(十)の規定に準じて計算した場合に算出される同(十)に掲げる金額に相当する金額

(五)	部分対象外国関係会社について**3**①(十一)の規定に準じて計算した場合に算出される同(十一)に掲げる金額に相当する金額

（金融子会社等部分適用対象金額の計算等）

(1)　①に規定する(1)で定めるところにより計算した金額は、**1**①(一)から同(四)までに掲げる居住者に係る部分対象外国関係会社（①に規定する部分対象外国関係会社をいう。以下において同じ。）の各事業年度の金融子会社等部分適用対象金額（①に規定する金融子会社等部分適用対象金額をいう。**9**①(2)から同(8)までにおいて同じ。）に、当該各事業年度終了の時における当該居住者の当該部分対象外国関係会社に係る**1**②(1)(一)に規定する請求権等勘案合算割合を乗じて計算した金額とする。（措令25の22の4①）

（①(一)に規定する(2)で定める要件を満たす部分対象外国関係会社）

(2)　①(一)に規定する(2)で定める要件を満たす部分対象外国関係会社は、一の居住者によつてその発行済株式等の全部を直接又は間接に保有されている部分対象外国関係会社（部分対象外国関係会社のうち、その設立の日から同日以後5年を経過する日を含む事業年度終了の日までの期間を経過していないもの及びその解散の日から同日以後3年を経過する日を含む事業年度終了の日までの期間を経過していないものを除く。）とする。（措令25の22の4②）

（発行済株式等の全部を直接又は間接に保有されているかどうかの判定）

(3)　(2)において、発行済株式等の全部を直接又は間接に保有されているかどうかの判定は、(2)の一の居住者の部分対象外国関係会社に係る直接保有株式等保有割合（当該一の居住者の有する外国法人の株式等の数又は金額が当該外国法人の発行済株式等のうちに占める割合をいう。）と当該一の居住者の当該部分対象外国関係会社に係る間接保有株式等保有割合とを合計した割合により行うものとする。（措令25の22の4③）

(4)　(3)に規定する間接保有株式等保有割合とは、次の(一)及び(二)に掲げる場合の区分に応じ当該(一)及び(二)に定める割合（当該(一)及び(二)に掲げる場合のいずれにも該当する場合には、当該(一)及び(二)に定める割合の合計割合）とする。（措令25の22の4④）

(一)	部分対象外国関係会社の株主等（法人税法第2条第14号に規定する株主等をいう。以下(4)において同じ。）である外国法人の発行済株式等の全部が一の居住者によって保有されている場合　当該株主等である外国法人の有する当該部分対象外国関係会社の株式等の数又は金額がその発行済株式等のうちに占める割合（当該株主等である外国法人が2以上ある場合には、当該2以上の株主等である外国法人につきそれぞれ計算した割合の合計割合）
(二)	部分対象外国関係会社の株主等である外国法人（(一)に掲げる場合に該当する(一)の株主等である外国法人を除く。）と一の居住者との間にこれらの者と株式等の保有を通じて連鎖関係にある一又は二以上の外国法人（以下(二)において「出資関連外国法人」という。）が介在している場合（出資関連外国法人及び当該株主等である外国法人がそれぞれその発行済株式等の全部を一の居住者又は出資関連外国法人（その発行済株式等の全部が一の居住者又は他の出資関連外国法人によって保有されているものに限る。）によって保有されている場合に限る。）　当該株主等である外国法人の有する当該部分対象外国関係会社の株式等の数又は金額がその発行済株式等のうちに占める割合（当該株主等である外国法人が2以上ある場合には、当該2以上の株主等である外国法人につきそれぞれ計算した割合の合計割合）

（①(一)に規定する純資産につき剰余金その他に関する調整を加えた金額として(5)で定める金額）

(5)　①(一)に規定する純資産につき剰余金その他に関する調整を加えた金額として(5)で定める金額は、部分対象外国関係会社の当該事業年度終了の時における貸借対照表に計上されている総資産の帳簿価額から総負債の帳簿価額を控除した残額から、剰余金その他の(6)で定めるものの額を控除した残額とする。（措令25の22の4⑤）

（(5)に規定する剰余金その他の(6)で定めるものの額）

(6)　(5)に規定する剰余金その他の(6)で定めるものの額は、部分対象外国関係会社（①に規定する部分対象外国関係会社をいう。(8)において同じ。）の(一)から(三)までに掲げる金額の合計額（**1**②(七)規定する外国金融機関に準ずるものとして政令で定める部分対象外国関係会社（(四)おいて「外国金融持株会社等」という。）に該当するものに

あっては、次の(一)から(四)までに掲げる金額の合計額）とする。（措規18の20㉞）

(一)	当該事業年度終了の時における貸借対照表に計上されている利益剰余金の額（当該額が零を下回る場合には、零）
(二)	当該事業年度以前の各事業年度において利益剰余金の額を減少して資本金の額又は出資金の額を増加した場合のその増加した金額
(三)	当該事業年度終了の時における貸借対照表に計上されている利益剰余金の額が零を下回る場合における当該零を下回る額
(四)	当該事業年度終了の時における貸借対照表に計上されている当該外国金融持株会社等に係る租税特別措置法施行令第39条の17第３項第１号イに規定する特定外国金融機関の株式等及び他の外国金融持株会社等（その発行済株式又は出資（自己が有する自己の株式等を除く。）の総数又は総額の100分の50を超える数又は金額の株式等を有するものに限る。）の株式等の帳簿価額

（①(一)に規定する総資産の額として(7)で定める金額）

(7)　①(一)に規定する総資産の額として(7)で定める金額は、部分対象外国関係会社の当該事業年度終了の時における貸借対照表に計上されている総資産の帳簿価額（保険業を行う部分対象外国関係会社にあっては、(8)で定めるものの額を含む。）とする。（措令25の22の４⑥）

（(7)に規定する(8)で定めるものの額）

(8)　(7)に規定する(8)で定めるものの額は、部分対象外国関係会社（保険業を行うものに限る。）が保険契約を再保険に付した場合において、その再保険を付した部分につきその本店所在地国の保険業法に相当する法令の規定により積み立てないこととした同法第116条第１項に規定する責任準備金に相当するものの額及び同法第117条第１項に規定する支払備金に相当するものの額の合計額とする。（措規18の20㉟）

（①(一)に規定する本店所在地国の法令に基づき下回ることができない資本の額を勘案して(9)で定める金額）

(9)　①(一)に規定する本店所在地国の法令に基づき下回ることができない資本の額を勘案して(9)で定める金額は、部分対象外国関係会社の本店所在地国の法令に基づき下回ることができない資本の額の二倍に相当する金額とする。（措令25の22の４⑦）

（①(一)に規定する(10)で定めるところにより計算した金額）

(10)　①(一)に規定する(10)で定めるところにより計算した金額は、部分対象外国関係会社の当該事業年度に係る同(一)に規定する親会社等資本持分相当額から(9)に規定する金額を控除した残額に100分の10を乗じて計算した金額とする。（措令25の22の４⑧）

②　①に規定する金融子会社等部分適用対象金額

①に規定する金融子会社等部分適用対象金額とは、部分対象外国関係会社の各事業年度の次の(一)及び(二)に掲げる金額のうちいずれか多い金額をいう。（措法40の４⑨）

(一)	①(一)に掲げる金額
(二)	①(二)、同(三)及び同(五)に掲げる金額の合計額と、同(四)に掲げる金額（当該金額が零を下回る場合には、零）を基礎として当該各事業年度開始の日前７年以内に開始した各事業年度において生じた同(四)に掲げる金額が零を下回る部分の金額につき(1)で定めるところにより調整を加えた金額とを合計した金額

（②(二)に規定する(1)で定めるところにより調整を加えた金額）

(1)　②(二)に規定する(1)で定めるところにより調整を加えた金額は、部分対象外国関係会社の各事業年度の①(四)に掲げる金額（当該金額が零を下回る場合には、零）から当該部分対象外国関係会社の当該各事業年度開始の日前７年以内に開始した事業年度（平成30年４月１日前に開始した事業年度、部分対象外国関係会社（租税特別措置法第66条の６第８項各号列記以外の部分に規定する部分対象外国関係会社を含む。）に該当しなかった事業年度及び**5**(一)に該当する事実がある場合のその該当する事業年度（同法第66条の６第10項第１号に該当する事実がある場合のその該当する事業年度を含む。）を除く。）において生じた金融子会社等部分適用対象損失額（①(四)に掲げる金額が零を下回る場合のその下回る額をいい、(1)の規定により当該各事業年度前の事業年度において控除されたものを除く。）の合計額に相当する金額を控除した残額とする。（措令25の22の４⑨）

5　3①及び4①の規定を適用しない場合

3①及び**4**①の規定は、①(一)から同(四)までに掲げる居住者に係る部分対象外国関係会社につき次の(一)から(三)までのいずれかに該当する事実がある場合には、当該部分対象外国関係会社のその該当する事業年度に係る部分適用対象金額（**3**②に規定する部分適用対象金額をいう。以下**5**において同じ。）又は金融子会社等部分適用対象金額（**4**②に規定する金融子会社等部分適用対象金額をいう。以下**5**において同じ。）については、適用しない。（措法40の４⑩）

(一)	各事業年度の租税負担割合が100分の20以上であること。
(二)	各事業年度における部分適用対象金額又は金融子会社等部分適用対象金額が2,000万円以下であること。
(三)	各事業年度の決算に基づく所得の金額に相当する金額として(1)で定める金額のうちに当該各事業年度における部分適用対象金額又は金融子会社等部分適用対象金額の占める割合が100分の５以下であること。

（部分適用対象金額又は金融子会社等部分適用対象金額に係る適用除外）

(1)　**5**(三)に規定する(1)で定める金額は、**1**②(六)に規定する部分対象外国関係会社の各事業年度の決算に基づく所得の金額（各事業年度の所得を課税標準として課される**1**①(1)(一)に規定する法人所得税（法人税法施行令第141条第２項第３号に掲げる税を除く。）の額を含む。）とする。（措令25の22の５）

6　申 告 手 続

1①(一)から同(四)までに掲げる居住者は、その者に係る次の(一)及び(二)に掲げる外国関係会社の各事業年度の貸借対照表及び損益計算書その他の(1)で定める書類を当該各事業年度終了の日の翌日から２月を経過する日の属する年分の確定申告書に添付しなければならない。（措法40の４⑪）

(一)	当該各事業年度の租税負担割合が100分の20未満である部分対象外国関係会社（当該部分対象外国関係会社のうち、当該各事業年度において**5**(二)又は同(三)のいずれかに該当する事実があるもの（**7**において「添付不要部分対象外国関係会社」という。）を除く。）
(二)	当該各事業年度の租税負担割合が100分の20未満である対象外国関係会社
(三)	当該各事業年度の租税負担割合が100分の27未満である特定外国関係会社

（**6**に規定する(1)で定める書類）

(1)　**6**に規定する(1)で定める書類は、**6**(一)及び(二)に掲げる外国関係会社（(七)において「添付対象外国関係会社」という。）に係る次の(一)から(七)までに掲げる書類その他参考となるべき事項を記載した書類（これらの書類が電磁的記録で作成され、又はこれらの書類の作成に代えてこれらの書類に記載すべき情報を記録した電磁的記録の作成がされている場合には、これらの電磁的記録に記録された情報の内容を記載した書類）とする。（措規18の20㊱）

(一)	各事業年度の貸借対照表及び損益計算書（これに準ずるものを含む。）
(二)	各事業年度の株主資本等変動計算書、損益金の処分に関する計算書その他これらに準ずるもの
(三)	(一)に掲げるものに係る勘定科目内訳明細書
(四)	本店所在地国の法人所得税（**1**①(1)(一)に規定する法人所得税をいう。以下(四)及び(五)において同じ。)（外国における各対象会計年度（法人税法第15条の２に規定する対象会計年度をいう。）の国際最低課税額に対する法人税に相当する税、法人税法施行令第155条の34第２項第３号に掲げる税及び同法第82条第31号に規定する自国内最低課税額に係る税を除く。以下(四)において同じ。）に関する法令（当該法人所得税に関する法令が二以上ある場合には、そのうち主たる法人所得税に関する法令）により課される税に関する申告書で各事業年度に係るものの写し
(五)	租税特別措置法施行令第39条の15第６項に規定する企業集団等所得課税規定の適用がないものとした場合に計算される法人所得税の額に関する計算の明細を記載した書類及び当該法人所得税の額に関する計算の基礎

	となる書類で各事業年度に係るもの
(六)	各事業年度終了の日における株主等（法人税法第２条第14号に規定する株主等をいう。(七)において同じ。）の氏名及び住所又は名称及び本店若しくは主たる事務所の所在地並びにその有する株式等の数又は金額を記載した書類
(七)	各事業年度終了の日における**6**の居住者に係る添付対象外国関係会社に係る**1**①(４)(一)に規定する他の外国法人の株主等並びに同(二)に規定する他の外国法人及び出資関連外国法人の株主等に係る(五)に掲げる書類

(注)　改正後の(１)の規定は、**6**に規定する居住者の令和７年分以後の各年分の**6**に規定する書類について適用され、**6**に規定する居住者の令和６年分以前の各年分の**6**に規定する書類については、なお従前の例による。（令６改措規附10①）

7　添付不要部分対象外国関係会社の各事業年度の貸借対照表及び損益計算書その他の書類の保存

1①(一)から(四)までに掲げる居住者は、(１)で定めるところにより、その者に係る添付不要部分対象外国関係会社の各事業年度の貸借対照表及び損益計算書その他の(３)で定める書類を保存しなければならない。（措法40の４⑫）

(書類の整理保存義務)

(１)　**7**の居住者は、その者に係る添付不要部分対象外国関係会社（**6**(一)に規定する添付不要部分対象外国関係会社をいう。(２)において同じ。）の(３)において準用する**6**(１)に規定する**6**(１)で定める書類を整理し、起算日から７年間、当該**6**(１)で定める書類を納税地に保存しなければならない。（措規18の20㊲）

((１)に規定する起算日)

(２)　(１)に規定する起算日とは、(１)の添付不要部分対象外国関係会社の各事業年度終了の日の翌日から２月を経過する日の属する年（その年分の所得税につき確定申告書を提出する年に限る。）の翌年３月15日の翌日をいう。（措規18の20㊳）

(**7**に規定する(３)で定める書類)

(３)　**6**(１)の規定は、**7**に規定する(３)で定める書類について準用する。この場合において、**6**(１)中「**6**(一)及び(二)に掲げる外国関係会社」とあるのは「**6**(一)に規定する添付不要部分対象外国関係会社」と、「「添付対象外国関係会社」とあるのは「「添付不要部分対象外国関係会社」と、**6**(１)(七)中「**6**」とあるのは「**7**」と、「添付対象外国関係会社」とあるのは「添付不要部分対象外国関係会社」と読み替えるものとする。（措規18の20㊴）

8　外国信託の受益権を直接又は間接に有する場合及び当該外国信託との間に実質支配関係がある場合

居住者が外国信託（投資信託及び投資法人に関する法律第２条第24項に規定する外国投資信託のうち第68条の３の３第１項に規定する特定投資信託に類するものをいう。以下**8**において同じ。）の受益権を直接又は間接に有する場合（その者に係る**1**②(一)ロに掲げる外国法人を通じて間接に有する場合を含む。）及び当該外国信託との間に実質支配関係がある場合には、当該外国信託の受託者は、当該外国信託の信託資産等（信託財産に属する資産及び負債並びに当該信託財産に帰せられる収益及び費用をいう。以下**8**において同じ。）及び固有資産等（外国信託の信託資産等以外の資産及び負債並びに収益及び費用をいう。）ごとに、それぞれ別の者とみなして、**七**の規定を適用する。（措法40の４⑬）

(１)　法人税法第４条の２第２項及び第４条の３の規定は、**8**の規定を適用する場合について準用する。（措法40の４⑭）

9　特定外国法人から受ける剰余金の配当等の額の控除

①　特定外国法人から受ける剰余金の配当等の額の控除

居住者が外国法人から受ける剰余金の配当等（第四章第二節《配当所得》**一**に規定する剰余金の配当、利益の配当又は剰余金の分配をいう。以下**9**において同じ。）の額がある場合には、当該剰余金の配当等の額のうち当該外国法人に係る次の(一)及び(二)に掲げる金額の合計額に達するまでの金額は、当該居住者の当該剰余金の配当等の額の支払を受ける日（以下**9**において「配当日」という。）の属する年分の当該外国法人から受ける剰余金の配当等の額に係る配当所得の金額の計算上控除する。（措法40の５①）

(一)	外国法人に係る課税対象金額、部分課税対象金額又は金融子会社等部分課税対象金額で、配当日の属する年分において**1**①、**3**①又は**4**①の規定により当該年分の雑所得の金額の計算上総収入金額に算入されるもののうち、当該居住者の有する当該外国法人の直接保有の株式等の数（居住者が有する外国法人の株式の数又は出資の金額をいう。(二)及び(1)の(一)において同じ。）及び当該居住者と当該外国法人との間の実質支配関係（**1**②(五)に規定する実質支配関係をいう。(二)及び(1)(二)において同じ。）の状況を勘案して(2)で定めるところにより計算した金額
(二)	外国法人に係る課税対象金額、部分課税対象金額又は金融子会社等部分課税対象金額で、配当日の属する年の前年以前３年内の各年分において**1**①、**3**①又は**4**①の規定により当該各年分の雑所得の金額の計算上総収入金額に算入されたもののうち、当該居住者の有する当該外国法人の直接保有の株式等の数及び当該居住者と当該外国法人との間の実質支配関係の状況を勘案して(3)で定めるところにより計算した金額（当該各年分において当該外国法人から受けた剰余金の配当等の額（①の規定の適用を受けた部分の金額に限る。以下(二)において同じ。）がある場合には、当該剰余金の配当等の額に相当する金額を控除した残額。以下②において「課税済金額」という。）

（他の外国法人から受ける剰余金の配当等の額があるときの配当所得）

(1)　①の場合において、同①の外国法人が他の外国法人から受ける剰余金の配当等の額があるときは、同①の居住者が同①の外国法人から受ける剰余金の配当等の額から当該剰余金の配当等の額につき同①の規定の適用を受ける部分の金額を控除した金額（当該外国法人に係る次の(一)及び(二)に掲げる金額のうちいずれか少ない金額に達するまでの金額に限る。）は、当該居住者の配当日の属する年分の当該外国法人から受ける剰余金の配当等の額に係る配当所得の金額の計算上控除する。（措法40の５②）

(一)	配当日の属する年及びその年の前年以前２年内の各年において、①の外国法人が他の外国法人から受けた剰余金の配当等の額（当該他の外国法人の**1**①、**3**①又は**4**①の規定の適用に係る事業年度開始の日前に受けた剰余金の配当等の額として(4)で定めるものを除く。）のうち、当該居住者の有する①の外国法人の直接保有の株式等の数に対応する部分の金額として(5)で定める金額（配当日の属する年の前年以前２年内の各年分（(二)のロにおいて「前２年内の各年分」という。）において当該外国法人から受けた剰余金の配当等の額（(1)の規定の適用を受けた金額のうち、当該外国法人が当該他の外国法人から受けた剰余金の配当等の額に対応する部分の金額に限る。以下(1)において「特例適用配当等の額」という。）がある場合には、当該特例適用配当等の額を控除した残額。③において「間接配当等」という。）
(二)	次に掲げる金額の合計額 イ　(一)の他の外国法人に係る課税対象金額、部分課税対象金額又は金融子会社等部分課税対象金額で、配当日の属する年分において**1**①、**3**①又は**4**①の規定により当該年分の雑所得の金額の計算上総収入金額に算入されるもののうち、同(一)の居住者の有する当該他の外国法人の間接保有の株式等の数（居住者が外国法人を通じて間接に有するものとして(6)で定める他の外国法人の株式の数又は出資の金額をいう。ロにおいて同じ。）及び当該居住者と当該他の外国法人との間の実質支配関係の状況を勘案して(7)で定めるところにより計算した金額 ロ　(一)の他の外国法人に係る課税対象金額、部分課税対象金額又は金融子会社等部分課税対象金額で、前２年内の各年分において**1**①、**3**①又は**4**①の規定により前２年内の各年分の雑所得の金額の計算上総収入金額に算入されたもののうち、同(一)の居住者の有する当該他の外国法人の間接保有の株式等の数及び当該居住者と当該他の外国法人との間の実質支配関係の状況を勘案して(8)で定めるところにより計算した金額（前２年内の各年分において①の外国法人から受けた特例適用配当等の額がある場合には、当該特例適用配当等の額を控除した残額。②において「間接課税済金額」という。）

（①(一)に規定する(2)で定める金額）

(2)　①(一)に規定する(2)で定めるところにより計算した金額は、同(一)の外国法人に係る適用対象金額（居住者の同(一)に規定する配当日（以下①において「配当日」という。）の属する年分の雑所得の金額の計算上総収入金額に算入される課税対象金額に係るものに限る。以下(2)において同じ。）から当該外国法人の当該適用対象金額に係る事業年度の調整金額を控除した残額、部分適用対象金額（居住者の配当日の属する年分の雑所得の金額の計算上総収入金額に算入される部分課税対象金額（**3**①に規定する部分課税対象金額をいう。以下**9**及び**10**において同じ。）に係るものに限る。以下(2)において同じ。）又は金融子会社等部分適用対象金額（居住者の配当日の属する年分の雑所得の金額の計算上総収入金額に算入される金融子会社等部分課税対象金額（**4**①に規定する金融子会社等部分課税対象金額をいう。以下**9**及び**10**において同じ。）に係るものに限る。以下(2)において同じ。）に、当該外国法人の当該適用対象金額、部分適用対象金額又は金融子会社等部分適用対象金額に係る事業年度終了の時における発行済株式等のうちに当該事業年度終了の時における当該居住者の有する当該外国法人の請求権等勘案直接保有株式等（居住者が有する外国法人の株式等の数又は金額（次の(一)から(三)までに掲げる場合に該当する場合には、当該(一)から(三)までに定める数又は金額）をいう。(3)において同じ。）の占める割合を乗じて計算した金額とする。（措令25の23①）

(一)	当該外国法人が請求権の内容が異なる株式等を発行している場合（(二)又は(三)に掲げる場合に該当する場合を除く。）　当該外国法人の発行済株式等に、当該居住者が当該請求権の内容が異なる株式等に係る請求権に基づき受けることができる剰余金の配当等（**9**①に規定する剰余金の配当等をいう。以下**9**及び**10**において同じ。）の額がその総額のうちに占める割合を乗じて計算した数又は金額
(二)	当該外国法人の事業年度終了の時において当該外国法人と当該居住者との間に実質支配関係がある場合　当該外国法人の発行済株式等
(三)	当該外国法人の事業年度終了の時において当該外国法人と当該居住者以外の者との間に実質支配関係がある場合　零

(①(二)に規定する(3)で定める金額)

(3)　①(二)に規定する(3)で定めるところにより計算した金額は、同(二)の外国法人の各事業年度の適用対象金額(居住者の配当日の属する年の前年以前３年内の各年分の雑所得の金額の計算上総収入金額に算入された課税対象金額に係るものに限る。以下(3)において同じ。)から当該外国法人の当該適用対象金額に係る各事業年度の調整金額を控除した残額、部分適用対象金額（居住者の配当日の属する年の前年以前３年内の各年分の雑所得の金額の計算上総収入金額に算入された部分課税対象金額に係るものに限る。以下(3)において同じ。）又は金融子会社等部分適用対象金額(居住者の配当日の属する年の前年以前３年内の各年分の雑所得の金額の計算上総収入金額に算入された金融子会社等部分課税対象金額に係るものに限る。以下(3)において同じ。）に、当該外国法人の当該適用対象金額、部分適用対象金額又は金融子会社等部分適用対象金額に係る各事業年度終了の時における発行済株式等のうちに当該各事業年度終了の時における当該居住者の有する当該外国法人の請求権等勘案直接保有株式等の占める割合を乗じて計算した金額の合計額とする。（措令25の23②）

((1)(一)に規定する(4)で定める剰余金の配当等の額)

(4)　(1)(一)に規定する(4)で定める剰余金の配当等の額は、配当日の属する年及びその年の前年以前２年内の各年において同(一)の外国法人が他の外国法人から受けた剰余金の配当等の額であって次の(一)及び(二)に掲げるものとする。（措令25の23③）

(一)	当該他の外国法人の課税対象金額、部分課税対象金額又は金融子会社等部分課税対象金額（(1)の(一)の居住者の配当日の属する年分又は前２年内の各年分（同(一)に規定する前２年内の各年分をいう。(8)において同じ。）の雑所得の金額の計算上総収入金額に算入されたものに限る。(二)において「課税対象金額等」という。）の生ずる事業年度がない場合における当該他の外国法人から受けたもの
(二)	当該他の外国法人の課税対象金額等の生ずる事業年度開始の日（その日が２以上ある場合には、最も早い日）前に受けたもの

((1)(一)に規定する(5)で定める金額)

(5)　(1)(一)に規定する(5)で定める金額は、配当日の属する年及びその年の前年以前２年内の各年において同(一)の外国法人が他の外国法人から受けた剰余金の配当等の額（同(一)に規定する(4)で定める剰余金の配当等の額を除く。）に、同(一)の居住者の配当日の属する年において当該居住者が当該外国法人から受けた剰余金の配当等の額のうち当該配当日の属する年の12月31日に最も近い日に受けたものの支払に係る基準日（以下(5)において「直近配当基準日」という。）における当該外国法人の発行済株式等のうちに直近配当基準日における当該居住者の有する当該外国法人の請求権勘案直接保有株式等（居住者が有する外国法人の株式等の数又は金額（当該外国法人が請求権の内容が異なる株式等を発行している場合には、当該外国法人の発行済株式等に、当該居住者が当該請求権の内容が異なる株式等に係る請求権に基づき受けることができる剰余金の配当等の額がその総額のうちに占める割合を乗じて計算した

数又は金額）をいう。）の占める割合を乗じて計算した金額とする。（措令25の23④）

((1)(二)イに規定する(6)で定める他の外国法人の株式の数又は出資の金額)

(6)　(1)(二)イに規定する(6)で定める他の外国法人の株式の数又は出資の金額は、外国法人の発行済株式等に、居住者の出資関連法人（当該外国法人の株主等（法人税法第２条第14号に規定する株主等をいう。以下(6)及び(9)(二)において同じ。）である他の外国法人をいう。以下(6)及び(9)(一)において同じ。）に係る持株割合（その株主等の有する株式等の数又は金額が当該株式等の発行法人の発行済株式等のうちに占める割合（当該発行法人が請求権の内容が異なる株式等を発行している場合には、その株主等が当該請求権の内容が異なる株式等に係る請求権に基づき受けることができる剰余金の配当等の額がその総額のうちに占める割合）をいう。以下(6)において同じ。）及び当該出資関連法人の当該外国法人に係る持株割合を乗じて計算した株式等の数又は金額とする。（措令25の23⑤）

((1)(二)イに規定する(7)で定める金額)

(7)　(1)(二)イに規定する(7)で定めるところにより計算した金額は、同(二)イの他の外国法人に係る適用対象金額（居住者の配当日の属する年分の雑所得の金額の計算上総収入金額に算入される課税対象金額に係るものに限る。以下(7)において同じ。）から当該他の外国法人の当該適用対象金額に係る事業年度の調整金額を控除した残額、部分適用対象金額（居住者の配当日の属する年分の雑所得の金額の計算上総収入金額に算入される部分課税対象金額に係るものに限る。以下(7)において同じ。）又は金融子会社等部分適用対象金額（居住者の配当日の属する年分の雑所得の金額の計算上総収入金額に算入される金融子会社等部分課税対象金額に係るものに限る。以下(7)において同じ。）に、当該他の外国法人の当該適用対象金額、部分適用対象金額又は金融子会社等部分適用対象金額に係る事業年度終了の時における発行済株式等のうちに当該事業年度終了の時において当該居住者が同(1)(一)の外国法人を通じて間接に有する当該他の外国法人の請求権等勘案間接保有株式等の占める割合を乗じて計算した金額とする。（措令25の23⑥）

((1)(二)ロに規定する(8)で定める金額)

(8)　(1)(二)ロに規定する(8)で定めるところにより計算した金額は、同(二)のロの他の外国法人の各事業年度の適用対象金額（居住者の前２年内の各年分の雑所得の金額の計算上総収入金額に算入された課税対象金額に係るものに限る。以下(8)において同じ。）から当該他の外国法人の当該適用対象金額に係る各事業年度の調整金額を控除した残額、部分適用対象金額（居住者の前２年内の各年分の雑所得の金額の計算上総収入金額に算入された部分課税対象金額に係るものに限る。以下(8)において同じ。）又は金融子会社等部分適用対象金額（居住者の前２年内の各年分の雑所得の金額の計算上総収入金額に算入された金融子会社等部分課税対象金額に係るものに限る。以下(8)において同じ。）に、当該他の外国法人の当該適用対象金額、部分適用対象金額又は金融子会社等部分適用対象金額に係る各事業年度終了の時における発行済株式等のうちに当該各事業年度終了の時において当該居住者が同(1)の(一)の外国法人を通じて間接に有する当該他の外国法人の請求権等勘案間接保有株式等の占める割合を乗じて計算した金額の合計額とする。（措令25の23⑦）

(用語の意義)

(9)　(7)、(8)及び(9)において、次の(一)及び(二)に掲げる用語の意義は、当該(一)及び(二)に定めるところによる。（措令25の23⑧）

(一)	**請求権等勘案間接保有株式等**　外国法人の発行済株式等に、居住者の出資関連法人に係る請求権等勘案保有株式等保有割合及び当該出資関連法人の当該外国法人に係る請求権等勘案保有株式等保有割合を乗じて計算した株式等の数又は金額をいう。
(二)	**請求権等勘案保有株式等保有割合**　株式等の発行法人の株主等の有する株式等の数又は金額が当該発行法人の発行済株式等のうちに占める割合（次のイからハまでに掲げる場合に該当する場合には、それぞれ次に定める割合） イ　当該発行法人が請求権の内容が異なる株式等を発行している場合（ロ又はハに掲げる場合に該当する場合を除く。）　当該株主等が当該請求権の内容が異なる株式等に係る請求権に基づき受けることができる剰余金の配当等の額がその総額のうちに占める割合 ロ　**9**①(1)(一)の他の外国法人の事業年度終了の時において当該発行法人と当該株主等との間に実質支配関係がある場合　100分の100 ハ　**9**①(1)(一)の他の外国法人の事業年度終了の時において当該発行法人と当該株主等以外の者との間に

	実質支配関係がある場合　零

② **申告手続等**

①及び①(1)の規定は、課税済金額又は間接配当等若しくは間接課税済金額に係る年のうち最も古い年以後の各年分(第十章第二節**二 1**①、同節**三 1**①(同**三 2**⑤において準用する場合を含む。)、同**三 2**①、同**三 3**①又は同**三 4**①の規定による申告書を提出しなければならない場合の各年分に限る。)の確定申告書を連続して提出している場合であって、かつ、配当日の属する年分の確定申告書、修正申告書又は更正請求書に①及び①の(1)の規定による控除を受ける剰余金の配当等の額及びその計算に関する明細を記載した書類の添付がある場合に限り、適用する。この場合において、これらの規定により控除される金額は、当該金額として記載された金額を限度とする。(措法40の5③)

10　外国税額控除の控除限度額の調整

1①、**3**①若しくは**4**①又は**9**①若しくは同①(1)の規定の適用を受ける居住者の第九章第二節**二 1**①《外国税額の控除》に規定する控除限度額を計算する場合における同③《控除限度額の計算》の規定の適用については、**1**①、**3**①若しくは**4**の規定によりその総収入金額に算入されることとなる課税対象金額、部分課税対象金額又は金融子会社等部分課税対象金額に係る雑所得の金額は第九章第二節**二 1**①に規定する国外源泉所得に含まれないものとし、**9**①又は同①(1)の規定の適用を受ける外国法人から受ける剰余金の配当等の額に係る配当所得の金額はこれらの規定による控除後の当該配当所得の金額によるものとする。(措令25の24②、措法40の6)

(法人税法施行令の準用規定)

(1)　法人税法施行令第14条の6第1項から第5項まで及び第7項から第11項までの規定は、**8**の規定を**1**から**5**までの規定において適用する場合について準用する。(措令25の24③)

(法人税法第4条の7に規定する受託法人又は法人課税信託の受益者の適用関係)

(2)　(1)に定めるもののほか、法人税法第4条の3に規定する受託法人又は法人課税信託の受益者についての**1**から**10**までの規定の適用に関し必要な事項は、財務省令で定める。(措令25の24④)

八　特殊関係株主等である居住者に係る外国関係法人に係る所得の課税の特例

1　特殊関係株主等である居住者に係る外国関係法人に係る所得の課税の特例

①　特殊関係株主等である居住者に係る特定外国法人の課税対象金額等の総収入金額算入

特殊関係株主等（特定株主等に該当する者並びにこれらの者と（1）及び（2）で定める特殊の関係のある個人及び法人をいう。以下において同じ。）と特殊関係内国法人との間に当該特殊関係株主等が当該特殊関係内国法人の発行済株式又は出資（自己が有する自己の株式又は出資を除く。以下**八1**から同**9**までにおいて「発行済株式等」という。）の総数又は総額の100分の80以上の数又は金額の株式等（株式又は出資をいう。以下**八1**から同**9**までにおいて同じ。）を間接に有する関係として（4）で定める関係（**10**において「特定関係」という。）がある場合において、当該特殊関係株主等と特殊関係内国法人との間に発行済株式等の保有を通じて介在するものとして（5）で定める外国法人（以下**八1**から同**9**までにおいて「外国関係法人」という。）のうち、特定外国関係法人又は対象外国関係法人に該当するものが、平成19年10月１日以後に開始する各事業年度（租税特別措置法第２条第２項第19号に規定する事業年度をいう。以下**八1**から同**9**まで及び同**10**②において同じ。）において適用対象金額を有するときは、その適用対象金額のうち当該特殊関係株主等である居住者の有する当該特定外国関係法人又は対象外国関係法人の直接及び間接保有の株式等の数に対応するものとしてその株式等の請求権（剰余金の配当等（法人税法第23条第１項第１号に規定する剰余金の配当、利益の配当又は剰余金の分配をいう。②(三)イにおいて同じ。）を請求する権利をいう。**3**①及び**4**①において同じ。）の内容を勘案して（7）で定めるところにより計算した金額（**10**において「課税対象金額」という。）に相当する金額は、当該特殊関係株主等である居住者の雑所得に係る収入金額とみなして当該各事業年度終了の日の翌日から２月を経過する日の属する年分の当該居住者の雑所得の金額の計算上、総収入金額に算入する。（措法40の７①）

（特定関係の判定等）

注１　①、**3**①又は**4**①の規定を適用する場合において、内国法人が②(一)に規定する特定内国法人に該当するかどうかの判定については①に規定する特定関係の発生の基因となる事実が生ずる直前の現況によるものとし、その後に特殊関係株主等と特殊関係内国法人との間に当該特定関係があるかどうかの判定及び外国法人が①に規定する外国関係法人（②において「外国関係法人」という。）に該当するかどうかの判定については当該特殊関係内国法人の各事業年度終了の時の現況による。（措令25の31①）

注２　注１の規定により、特殊関係内国法人の各事業年度終了の時において、外国法人が外国関係法人に該当するものと判定された場合には、当該外国関係法人のその判定された日を含む各事業年度の適用対象金額、部分適用対象金額又は金融関係法人部分適用対象金額につき、**八1**から同**9**までの規定を適用する。（措令25の31②）

（特殊関係株主等の範囲等）

（1）　①に規定する（1）で定める特殊の関係のある個人は、次の(一)から(三)までに掲げる個人とする。（措令25の25①）

(一)	特定株主等（②(一)に規定する特定株主等をいう。(二)及び（2）(一)において同じ。）に該当する個人と法人税法施行令第４条第１項に規定する特殊の関係のある個人
(二)	特定株主等に該当する法人の役員（法人税法第２条第15号に規定する役員をいう。以下（1）及び**3**①(9)において同じ。）及び当該役員に係る法人税法施行令第72条各号に掲げる者（(三)において「特殊関係者」という。）
(三)	特殊関係内国法人（②(二)に規定する特殊関係内国法人をいう。以下において同じ。）の役員及び当該役員に係る特殊関係者

（①に規定する（2）で定める特殊の関係のある法人）

（2）　①に規定する（2）で定める特殊の関係のある法人は、次(一)から(三)までに掲げる法人とする。（措令25の25②）

(一)	一の特定株主等（当該特定株主等と（1）(一)又は同(二)に規定する特殊の関係のある個人を含む。）又は一の特殊関係内国法人と（1）(三)に規定する特殊の関係のある個人（以下（2）において「判定株主等」という。）が他の法人を支配している場合における当該他の法人
(二)	判定株主等及びこれと(一)に規定する特殊の関係のある法人が他の法人を支配している場合における当該他の法人
(三)	判定株主等及びこれと(一)及び(二)に規定する特殊の関係のある法人が他の法人を支配している場合における当該他の法人

（法人税法施行令第４条第３項及び第４項の規定の準用）

（３）　法人税法施行令第４条第３項及び第４項の規定は、（２）の規定を適用する場合について準用する。（措令25の25③）

（①に規定する（４）で定める関係）

（４）　①に規定する（４）で定める関係は、①に規定する特殊関係株主等（以下において「特殊関係株主等」という。）と特殊関係内国法人との間に特殊関係株主等の特殊関係内国法人に係る間接保有株式等保有割合（次の(一)及び(二)に掲げる場合の区分に応じ当該(一)又は(二)に定める割合（当該(一)及び(二)に掲げる場合のいずれにも該当する場合には、当該(一)及び(二)に定める割合の合計割合）をいう。）が100分の80以上である関係がある場合における当該関係とする。（措令25の25④）

(一)	特殊関係内国法人の株主等（第二章第一節**一**表内**８の２**に規定する株主等をいう。以下**八**①（１）から同①（８）、同②（１）、同②イ（１）及び同イ（２）において同じ。）である外国法人（特殊関係株主等に該当するものを除く。以下(一)において同じ。）の発行済株式又は出資（自己が有する自己の株式又は出資を除く。）の総数又は総額（以下において「発行済株式等」という。）の100分の80以上の数又は金額の株式等（株式又は出資をいう。以下において同じ。）が特殊関係株主等によって保有されている場合　当該株主等である外国法人の有する特殊関係内国法人の株式等の数又は金額が当該特殊関係内国法人の発行済株式等のうちに占める割合（当該株主等である外国法人が二以上ある場合には、当該二以上の株主等である外国法人につきそれぞれ計算した割合の合計割合）
(二)	特殊関係内国法人の株主等である法人（(一)に掲げる場合に該当する(一)の株主等である外国法人及び特殊関係株主等に該当する法人を除く。）と特殊関係株主等との間にこれらの者と株式等の保有を通じて連鎖関係にある一又は二以上の法人（当該株主等である法人が内国法人であり、かつ、当該一又は二以上の法人の全てが内国法人である場合の当該一又は二以上の内国法人及び特殊関係株主等に該当する法人を除く。以下(二)において「出資関連法人」という。）が介在している場合（出資関連法人及び当該株主等である法人がそれぞれその発行済株式等の100分の80以上の数又は金額の株式等を特殊関係株主等又は出資関連法人（その発行済株式等の100分の80以上の数又は金額の株式等が特殊関係株主等又は他の出資関連法人によって保有されているものに限る。）によって保有されている場合に限る。）　当該株主等である法人の有する特殊関係内国法人の株式等の数又は金額が当該特殊関係内国法人の発行済株式等のうちに占める割合（当該株主等である法人が二以上ある場合には、当該二以上の株主等である法人につきそれぞれ計算した割合の合計割合）

（①に規定する（５）で定める外国法人）

（５）　①に規定する（５）で定める外国法人は、次の(一)から(四)までに掲げる外国法人とする。（措令25の25⑤）

(一)	（４）に規定する間接保有株式等保有割合が100分の80以上である場合における（４）(一)に規定する株主等である外国法人に該当する外国法人
(二)	（４）に規定する間接保有株式等保有割合が100分の80以上である場合における（４）(二)に規定する株主等である法人に該当する外国法人及び(二)に規定する出資関連法人に該当する外国法人
(三)	(一)及び(二)に掲げる外国法人がその発行済株式等の100分の50を超える数又は金額の株式等を直接又は間接に有する外国法人（(一)及び(二)に掲げる外国法人に該当するもの及び特殊関係株主等に該当するものを除く。）
(四)	②**ト**（１）において準用する**七１**②**ホ**（１）に規定する部分対象外国関係会社に係る租税特別措置法施行令第39条の17第３項第１号イに規定する特定外国金融機関（同号イ⑵に掲げる外国法人に限る。）及び同条第９項第２号に規定する特定外国金融機関（同号ロに掲げる外国法人に限る。）

（発行済株式等の100分の50を超える数又は金額の株式等を直接又は間接に有するどうかの判定）

（６）　（５）(三)において発行済株式等の100分の50を超える数又は金額の株式等を直接又は間接に有するどうかの判定は、（５）(一)及び同(二)に掲げる外国法人の他の外国法人（（５）(一)又は同(二)に掲げる外国法人に該当するもの及び特殊関係株主等に該当するものを除く。以下（６）において同じ。）に係る直接保有株式等保有割合（（５）(一)及び同(二)に掲げる外国法人の有する他の外国法人の株式等の数又は金額が当該他の外国法人の発行済株式等のうちに占める割合をいう。）と(５)(一)及び同(二)に掲げる外国法人の当該他の外国法人に係る間接保有株式等保有割合（次の(一)及び(二)に掲げる場合の区分に応じ当該(一)又は(二)に定める割合（当該(一)及び(二)に掲げる場合のいずれにも該当する場合には、当該(一)及び(二)に定める割合の合計割合）をいう。）とを合計した割合により行うものとする。(措令25の25⑥)

(一)	当該他の外国法人の株主等である外国法人の発行済株式等の100分の50を超える数又は金額の株式等が(５)(一)及び同(二)に掲げる外国法人によって保有されている場合　当該株主等である外国法人の有する当該他の外国法人の株式等の数又は金額が当該他の外国法人の発行済株式等のうちに占める割合（当該株主等である外国法人が二以上ある場合には、当該二以上の株主等である外国法人につきそれぞれ計算した割合の合計割合）
(二)	当該他の外国法人の株主等である外国法人（(一)に掲げる場合に該当する(一)の株主等である外国法人を除く。）と(５)(一)及び同(二)に掲げる外国法人との間にこれらの者と株式等の保有を通じて連鎖関係にある一又は二以上の外国法人（以下(二)において「出資関連外国法人」という。）が介在している場合（出資関連外国法人及び当該株主等である外国法人がそれぞれその発行済株式等の100分の50を超える数又は金額の株式等を(５)(一)及び同(二)に掲げる外国法人又は出資関連外国法人（その発行済株式等の100分の50を超える数又は金額の株式等が(５)(一)及び同(二)に掲げる外国法人又は他の出資関連外国法人によって保有されているものに限る。）によって保有されている場合に限る。）　当該株主等である外国法人の有する当該他の外国法人の株式等の数又は金額が当該他の外国法人の発行済株式等のうちに占める割合（当該株主等である外国法人が二以上ある場合には、当該二以上の株主等である外国法人につきそれぞれ計算した割合の合計割合）

(①に規定する(７)で定めるところにより計算した金額)

(７)　①に規定する(７)で定めるところにより計算した金額は、特殊関係株主等である居住者に係る特定外国関係法人(②(三)に規定する特定外国関係法人をいう。以下(７)において同じ。）又は対象外国関係法人（②(四)に規定する対象外国関係法人をいう。以下(７)において同じ。）の各事業年度（租税特別措置法第２条第２項第19号に規定する事業年度をいう。以下において同じ。）の適用対象金額（②(五)に規定する適用対象金額をいう。以下において同じ。）から当該各事業年度の当該適用対象金額に係る**七１**①(１)(一)及び同(二)に掲げる金額に相当する金額の合計額（**10**①(１)において「調整金額」という。）を控除した残額に、当該特定外国関係法人又は対象外国関係法人の当該各事業年度終了の時における発行済株式等のうちに当該各事業年度終了の時における当該特殊関係株主等である居住者の有する当該特定外国関係法人又は対象外国関係法人の請求権勘案保有株式等の占める割合を乗じて計算した金額とする。(措令25の25⑦)

(**七１**①(２)及び同(３)の規定の準用)

(８)　**七１**①(２)及び同(３)の規定は、①の規定によりその総収入金額に算入されることとなる①に規定する課税対象金額に係る雑所得の金額の計算上必要経費に算入すべき金額を計算する場合について準用する。この場合において、**七１**①(２)(一)中「当該居住者に係る被支配外国法人に該当するものを除く。以下」とあるのは「以下」と、「(４)」とあるのは「**八１**②**へ**(１)において準用する**七１**①(４)」と、**七１**①(２)(二)中「第九章第二節**二１**⑧(３)(二)」とあるのは「第九章第二節**二１**⑧(３)(三)」と、「**七９**①」とあるのは「**八10**①」と読み替えるものとする。(措令25の25⑨)

②　用語の意義

この款において、次の(一)から(八)までに掲げる用語の意義は、当該(一)から(八)までに定めるところによる。(措法40の７②)

(一)	**特定株主等**　特定関係が生ずることとなる直前に特定内国法人（当該直前に株主等（第二章第一節**一**表内**８の２**に規定する株主等をいう。）の５人以下並びにこれらと**イ**(１)及び同(２)で定める特殊の関係のある個人及び法人によって発行済株式等の総数又は総額の100分の80以上の数又は金額の株式等を保有される内国法人をいう。(二)において同じ。）の株式等を有する個人及び法人をいう。
(二)	**特殊関係内国法人**　特定内国法人又は特定内国法人からその資産及び負債の大部分の移転を受けたものとして**ロ**(１)で定める内国法人をいう。

(三) **特定外国関係法人**　次のイからハまでに掲げる外国関係法人をいう。

イ　次のいずれにも該当しない外国関係法人

⑴　その主たる事業を行うに必要と認められる事務所、店舗、工場その他の固定施設を有している外国関係法人

⑵　その本店又は主たる事務所の所在する国又は地域（以下②、**3**①及び**4**①において「本店所在地国」という。）においてその事業の管理、支配及び運営を自ら行っている外国関係法人

⑶　外国子法人（当該外国関係法人とその本店所在地国を同じくする外国法人で、当該外国関係法人の有する当該外国法人の株式等の数又は金額のその発行済株式等の総数又は総額のうちに占める割合が100分の25以上であることその他の**ハ**（1）で定める要件に該当するものをいう。）の株式等の保有を主たる事業とする外国関係法人で、その収入金額のうちに占める当該株式等に係る剰余金の配当等の額の割合が著しく高いことその他の**ハ**（1）で定める要件に該当するもの

⑷　特定子法人（特殊関係株主等である居住者に係る他の外国関係法人で、部分対象外国関係法人に該当するものその他の**ハ**（1）で定めるものをいう。）の株式等の保有を主たる事業とする外国関係法人で、その本店所在地国を同じくする管理支配法人（当該居住者に係る他の外国関係法人のうち、部分対象外国関係法人に該当するもので、その本店所在地国において、その役員（法人税法第２条第15号に規定する役員をいう。(八)及び**3**①において同じ。）又は使用人がその主たる事業を的確に遂行するために通常必要と認められる業務の全てに従事しているものをいう。⑷及び⑸において同じ。）によってその事業の管理、支配及び運営が行われていること、当該管理支配法人がその本店所在地国で行う事業の遂行上欠くことのできない機能を果たしていること、その収入金額のうちに占める当該株式等に係る剰余金の配当等の額及び当該株式等の譲渡に係る対価の額の割合が著しく高いことその他の**ハ**（1）で定める要件に該当するもの

⑸　その本店所在地国にある不動産の保有、その本店所在地国における石油その他の天然資源の探鉱、開発若しくは採取又はその本店所在地国の社会資本の整備に関する事業の遂行上欠くことのできない機能を果たしている外国関係法人で、その本店所在地国を同じくする管理支配法人によってその事業の管理、支配及び運営が行われていることその他の**ハ**（1）で定める要件に該当するもの

ロ　その総資産の額として**ハ**（3）で定める金額（ロにおいて「総資産額」という。）に対する**3**①(一)から(七)まで及び(八)から同(十)までに掲げる金額に相当する金額の合計額の割合（(七)中「外国関係法人（特定外国関係法人に該当するものを除く。)」とあるのを「外国関係法人」として(七)及び(八)の規定を適用した場合に外国金融関係法人に該当することとなる外国関係法人にあっては総資産額に対する**4**①(一)に掲げる金額に相当する金額又は**4**①(二)から同(四)までに掲げる金額に相当する金額の合計額のうちいずれか多い金額の割合とし、(七)中「外国関係法人（特定外国関係法人に該当するものを除く。)」とあるのを「外国関係法人」として(七)及び**3**①の規定を適用した場合に同①に規定する清算外国金融関係法人に該当することとなる外国関係法人の同①に規定する特定清算事業年度にあっては総資産額に対する同①に規定する特定金融所得金額がないものとした場合の同①(一)から(七)まで及び(八)から同(十)までに掲げる金額に相当する金額の合計額の割合とする。）が100分の30を超える外国関係法人（総資産額に対する有価証券（法人税法第２条第21号に規定する有価証券をいう。同①において同じ。)、貸付金その他**ハ**（3）で定める資産の額の合計額として**ハ**（3）で定める金額の割合が100分の50を超える外国関係法人に限る。）

ハ　次に掲げる要件のいずれにも該当する外国関係法人

⑴　各事業年度の非関連者等収入保険料（関連者（当該外国関係法人に係る特殊関係内国法人、特殊関係株主等その他これらの者に準ずる者として**ハ**（4）で定めるものをいう。⑵において同じ。）以外の者から収入するものとして**ハ**（5）で定める収入保険料をいう。⑵において同じ。）の合計額の収入保険料の合計額に対する割合として**ハ**（6）で定めるところにより計算した割合が100分の10未満であること。

⑵　各事業年度の非関連者等支払再保険料合計額（関連者以外の者に支払う再保険料の合計額を関連者等収入保険料（非関連者等収入保険料以外の収入保険料をいう。⑵において同じ。）の合計額の収入保険料の合計額に対する割合で按分した金額として**ハ**（7）で定める金額をいう。）の関連者等収入保険料の合計額に対する割合として（8）で定めるところにより計算した割合が100分の50未満であること。

ニ　租税に関する情報の交換に関する国際的な取組への協力が著しく不十分な国又は地域として財務大臣が指定する国又は地域に本店又は主たる事務所を有する外国関係法人

(注)　財務大臣は、②(三)ニの規定により国又は地域を指定したときは、これを告示する。（措法40の７⑮）

㊟　上記～～下線部については、令和６年１月１日以後、⑮が⑯とされる。（令５改所法等附１三ニ）

(四) **対象外国関係法人**　次のイからハまでに掲げる要件のいずれかに該当しない外国関係法人（特定外国関係法人に該当するものを除く。）をいう。

	イ　株式等若しくは債券の保有、工業所有権その他の技術に関する権利、特別の技術による生産方式若しくはこれらに準ずるもの（これらの権利に関する使用権を含む。）若しくは著作権（出版権及び著作隣接権その他これに準ずるものを含む。）の提供又は船舶若しくは航空機の貸付けを主たる事業とするもの（株式等の保有を主たる事業とする外国関係法人のうち(八)中「部分対象外国関係法人」とあるのを「外国関係法人」として(八)の規定を適用した場合に外国金融関係法人に該当することとなるもの（(八)に規定する外国金融機関に該当することとなるものを除く。ロにおいて「特定外国金融持株会社」という。）を除く。）でないこと。 ロ　その本店所在地国においてその主たる事業（特定外国金融持株会社にあっては、**ニ**（１）で定める経営管理。ハにおいて同じ。）を行うに必要と認められる事務所、店舗、工場その他の固定施設を有していること並びにその本店所在地国においてその事業の管理、支配及び運営を自ら行っていることのいずれにも該当すること。 ハ　各事業年度においてその行う主たる事業が次の⑴及び⑵に掲げる事業のいずれに該当するかに応じそれぞれ次の⑴又は⑵に定める場合に該当すること。 ⑴　卸売業、銀行業、信託業、金融商品取引業、保険業、水運業又は航空運送業　その事業を主として当該外国関係法人に係る特殊関係内国法人、特殊関係株主等その他これらの者に準ずる者として**ニ**（２）で定めるもの以外の者との間で行っている場合として**ニ**（３）で定める場合 ⑵　⑴に掲げる事業以外の事業　その事業を主としてその本店所在地国（当該本店所在地国に係る水域で**七１**②(三)**ハ**（２）に規定する同②**ロ**(42)で定めるものを含む。）において行っている場合として**ニ**（４）で定める場合
(五)	**適用対象金額**　特定外国関係法人又は対象外国関係法人の各事業年度の決算に基づく所得の金額につき法人税法及びこの法律による各事業年度の所得の金額の計算に準ずるものとして**ホ**（１）で定める基準により計算した金額（以下(五)において「基準所得金額」という。）を基礎として、**ホ**（２）で定めるところにより、当該各事業年度開始の日前７年以内に開始した各事業年度において生じた欠損の金額及び当該基準所得金額に係る税額に関する調整を加えた金額をいう。
(六)	**直接及び間接保有の株式等の数**　居住者又は内国法人が直接に有する外国法人の株式等の数又は金額及び他の外国法人を通じて間接に有するものとして**へ**（１）で定める当該外国法人の株式等の数又は金額の合計数又は合計額をいう。
(七)	**部分対象外国関係法人**　(四)イから同ハまでに掲げる要件の全てに該当する外国関係法人（特定外国関係法人に該当するものを除く。）をいう。
(八)	**外国金融関係法人**　その本店所在地国の法令に準拠して銀行業、金融商品取引業（金融商品取引法第28条第１項に規定する第一種金融商品取引業と同種類の業務に限る。）又は保険業を行う部分対象外国関係法人でその本店所在地国においてその役員又は使用人がこれらの事業を的確に遂行するために通常必要と認められる業務の全てに従事しているもの（以下(八)において「外国金融機関」という。）及び外国金融機関に準ずるものとして**ト**（１）で定める部分対象外国関係法人をいう。

（１）　①（７）及び②（１）において、次の(一)及び(二)に掲げる用語の意義は、当該(一)及び(二)に定めるところによる。（措令25の25⑧）

(一)	**請求権勘案保有株式等**　居住者が有する外国法人の株式等の数又は金額（当該外国法人が請求権（①に規定する請求権をいう。以下（１）及び**10**①（１）において同じ。）の内容が異なる株式等又は実質的に請求権の内容が異なると認められる株式等（以下（１）及び**10**①（１）において「請求権の内容が異なる株式等」という。）を発行している場合には、当該外国法人の発行済株式等に、当該居住者が当該請求権の内容が異なる株式等に係る請求権に基づき受けることができる法人税法第23条第１項第１号に規定する剰余金の配当、利益の配当又は剰余金の分配（(二)において「剰余金の配当等」という。）の額がその総額のうちに占める割合を乗じて計算した数又は金額）及び請求権勘案間接保有株式等を合計した数又は金額をいう。
(二)	**請求権勘案間接保有株式等**　外国法人の発行済株式等に、次のイ及びロに掲げる場合の区分に応じそれぞれ次のイ又はロに定める割合（次のイ及びロに掲げる場合のいずれにも該当する場合には、それぞれ次のイ及びロに定める割合の合計割合）を乗じて計算した株式等の数又は金額をいう。 イ　当該外国法人の株主等である他の外国法人（イにおいて「他の外国法人」という。）の発行済株式等の全部又は一部が居住者により保有されている場合　当該居住者の当該他の外国法人に係る持株割合（その株主等の有する株式等の数又は金額が当該株式等の発行法人の発行済株式等のうちに占める割合（当該発行法人が請求権の内容が異なる株式等を発行している場合には、その株主等が当該請求権の内容が異なる株式等に

	係る請求権に基づき受けることができる剰余金の配当等の額がその総額のうちに占める割合）をいう。以下(二)において同じ。）に当該他の外国法人の当該外国法人に係る持株割合を乗じて計算した割合（当該他の外国法人が二以上ある場合には、二以上の当該他の外国法人につきそれぞれ計算した割合の合計割合） ロ　当該外国法人と他の外国法人（その発行済株式等の全部又は一部が居住者により保有されているものに限る。ロにおいて「他の外国法人」という。）との間に一又は二以上の外国法人（ロにおいて「出資関連外国法人」という。）が介在している場合であって、当該居住者、当該他の外国法人、出資関連外国法人及び当該外国法人が株式等の保有を通じて連鎖関係にある場合　当該居住者の当該他の外国法人に係る持株割合、当該他の外国法人の出資関連外国法人に係る持株割合、出資関連外国法人の他の出資関連外国法人に係る持株割合及び出資関連外国法人の当該外国法人に係る持株割合を順次乗じて計算した割合（当該連鎖関係が二以上ある場合には、当該二以上の連鎖関係につきそれぞれ計算した割合の合計割合）

イ　特定株主等の範囲等

（②(一)に規定する**イ**（１）で定める特殊の関係のある個人）

（１）　②(一)に規定する**イ**（１）で定める特殊の関係のある個人は、内国法人の株主等と法人税法施行令第４条第１項に規定する特殊の関係のある個人とする。（措令25の26①）

（②(一)に規定する**イ**（２）で定める特殊の関係のある法人）

（２）　②(一)に規定する**イ**（２）で定める特殊の関係のある法人は、次の(一)から(三)までに掲げる法人とする。（措令25の26②）

(一)	内国法人の株主等（当該内国法人が自己の株式等を有する場合の当該内国法人を除く。以下**イ**（２）において「判定株主等」という。）の一人（個人である判定株主等については、その一人及びこれと**イ**（１）に規定する特殊の関係のある個人。以下**イ**（２）において同じ。）が他の法人を支配している場合における当該他の法人
(二)	判定株主等の一人及びこれと(一)に規定する特殊の関係のある法人が他の法人を支配している場合における当該他の法人
(三)	判定株主等の一人及びこれと(一)及び(二)に規定する特殊の関係のある法人が他の法人を支配している場合における当該他の法人

（法人税法施行令第４条第３項及び第４項の規定の準用）

（３）　法人税法施行令第４条第３項及び第４項の規定は、**イ**（２）の規定を適用する場合について準用する。（措令25の26③）

ロ　特殊関係内国法人

（②(二)に規定する**ロ**（１）で定める内国法人）

（１）　②(二)に規定する**ロ**（１）で定める内国法人は、合併、分割、事業の譲渡その他の事由（以下**ロ**（１）において「特定事由」という。）により、②(二)に規定する特定内国法人の当該特定事由の直前の資産及び負債のおおむね全部の移転を受けた内国法人とする。（措令25の26④）

ハ　特定外国関係法人

（準用規定）

（１）　**七１②ロ**（１）の規定は外国関係法人（**１①**に規定する外国関係法人をいう。以下**ハ**において同じ。）に係る**１②**(三)イ⑶に規定する**ハ**（１）で定める要件に該当する外国法人について、**七１②ロ**（３）の規定は**１②**(三)イ⑶に規定する**ハ**（１）で定める要件に該当する外国関係法人について、**七１②ロ**（６）の規定は**１②**(三)イ⑷に規定する特殊関係株主等である居住者に係る他の外国関係法人で**ハ**（１）で定めるものについて、**七１②**（７）の規定は**１②**(三)イ⑷に規定する**ハ**（１）で定める要件に該当する外国関係法人について、**七１②**⑿の規定は**１②**(三)イ⑸に規定する**ハ**（１）で定める要件に該当する外国関係法人について、それぞれ準用する。（編者注：以下省略）（措令25の26⑤）

（準用規定）

（２）　**七１②ロ**（２）の規定は（１）において準用する**七１②ロ**（１）に規定する**七１②ロ**（２）で定める剰余金の配当等の額

について、**七１②ロ**(４)の規定は(１)において準用する**七１②ロ**(３)(一)に規定する**七１②ロ**(２)で定める収入金額について、**七１②ロ**(５)の規定は(１)において準用する**七１②ロ**(３)(二)に規定する**七１②ロ**(５)で定める資産の帳簿価額について、**七１②ロ**(８)及び同(９)の規定は(１)において準用する**七１②ロ**(７)に規定する**七１②ロ**(８)及び同(９)で定める外国関係会社について、**七１②ロ**(10)の規定は(１)において準用する**七１②ロ**(７)(六)ハに規定する**七１②ロ**(10)で定める収入金額について、**七１②ロ**(11)の規定は(１)において準用する**七１②ロ**(７)(七)に規定する**七１②ロ**(11)で定める資産の帳簿価額について、**七１②ロ**(13)及び同(14)の規定は(１)において準用する**七１②ロ**(12)(一)に規定する**七１②ロ**(13)及び同(14)で定める外国関係会社について、**七１②ロ**(15)の規定は(１)において準用する**七１②ロ**(12)(一)ハ⑶に規定する**七１②ロ**(15)で定める収入金額について、**七１②ロ**(16)の規定は(１)において準用する**七１②ロ**(12)(一)ニに規定する**七１②ロ**(16)で定める資産の帳簿価額について、**七１②ロ**(17)の規定は(１)において準用する**七１②ロ**(12)(二)ロ⑶に規定する**七１②ロ**(17)で定める収入金額について、**七１②ロ**(18)の規定は(１)において準用する**七１②ロ**(12)(二)ハに規定する**七１②ロ**(18)で定める資産の帳簿価額について、**七１②ロ**(19)及び同(20)の規定は(１)において準用する**七１②ロ**(12)(三)に規定する**七１②ロ**(19)及び同(20)で定める外国関係会社について、**七１②ロ**(21)の規定は(１)において準用する**七１②ロ**(12)(三)ト⑹に規定する**七１②ロ**(21)で定める収入金額について、**七１②ロ**(22)の規定は(１)において準用する**七１②ロ**(12)(三)チに規定する**七１②ロ**(22)で定める資産の帳簿価額について、それぞれ準用する。（編者注：以下省略）（措規18の20の２①）

(**七１②ロ**(23)の規定の準用)

(３)　**七１②ロ**(23)の規定は外国関係法人に係る②(三)ロに規定する総資産の額として**ハ**(３)で定める金額について、**七１②ロ**(24)の規定は②(三)ロに規定する**ハ**(３)で定める資産の額の合計額として**ハ**(３)で定める金額について、それぞれ準用する。この場合において、**七１②ロ**(24)中「**３**①(九)」とあるのは、「**八３**①(九)」と読み替えるものとする。（措令25の26⑥）

(②(三)ハ⑴に規定する**ハ**(４)で定める者)

(４)　②(三)ハ⑴に規定する**ハ**(４)で定める者は、**ニ**(２)(一)から同(五)までの規定中「②(四)ハ⑴に掲げる事業を主として行う外国関係法人」とあり、並びに**ニ**(２)(六)中「②(四)ハ⑴に掲げる事業を主として行う外国関係法人」とあり、及び同(六)イから同ハまでの規定中「②(四)ハ⑴に掲げる事業を主として行う外国関係法人」とあるのを「外国関係法人」と読み替えた場合における②(三)ハ⑴の外国関係法人に係る**ニ**(２)(一)から同(六)までに掲げる者とする。（措令25の26⑦）

(②(三)ハ⑴に規定する**ハ**(５)で定める収入保険料)

(５)　②(三)ハ⑴に規定する**ハ**(５)で定める収入保険料は、外国関係法人に係る関連者（②(三)ハ⑴に規定する関連者をいう。以下(５)及び(７)(一)において同じ。）以外の者から収入する収入保険料（当該収入保険料が再保険に係るものである場合には、関連者以外の者が有する資産又は関連者以外の者が負う損害賠償責任を保険の目的とする保険に係る収入保険料に限る。）とする。（措令25の26⑧）

(②(三)ハ⑴に規定する**ハ**(６)で定めるところにより計算した割合)

(６)　②(三)ハ⑴に規定する**ハ**(６)で定めるところにより計算した割合は、外国関係法人の各事業年度の②(三)ハ⑴に規定する非関連者等収入保険料の合計額を当該各事業年度の収入保険料の合計額で除して計算した割合とする。（措令25の26⑨）

(②(三)ハ⑵に規定する**ハ**(７)で定める金額)

(７)　②(三)ハ⑵に規定する**ハ**(７)で定める金額は、(一)に掲げる金額に(二)に掲げる割合を乗じて計算した金額とする。（措令25の26⑩）

(一)	外国関係法人が各事業年度において当該外国関係法人に係る関連者以外の者に支払う再保険料の合計額
(二)	外国関係法人の各事業年度の関連者等収入保険料（②(三)ハ⑵に規定する関連者等収入保険料をいう。(８)において同じ。）の合計額の収入保険料の合計額に対する割合

(②(三)ハ⑵に規定する**ハ**(８)で定めるところにより計算した割合)

(８)　②(三)ハ⑵に規定する**ハ**(８)で定めるところにより計算した割合は、外国関係法人の各事業年度の②(三)ハ⑵に規定する非関連者等支払再保険料合計額を当該各事業年度の関連者等収入保険料の合計額で除して計算した割合とする。（措令25の26⑪）

ニ　対象外国関係法人

（②(四)ロに規定する**ニ**（１）で定める経営管理）

（１）　②(四)ロに規定する**ニ**（１）で定める経営管理は、同(四)ロに規定する特定外国金融持株会社に係る租税特別措置法施行令第39条の17第３項第１号イに規定する特定外国金融機関及び同条第９項第２号に規定する特定外国金融機関の経営管理とする。（措令25の26⑫）

（②(四)ハ(1)に規定する**ニ**（２）で定める者）

（２）　②(四)ハ(1)に規定する**ニ**（２）で定める者は、次の(一)から(六)までに掲げる者とする。（措令25の26⑬）

(一)	②(四)ハ(1)に掲げる事業を主として行う外国関係法人に係る特殊関係株主等に該当する内国法人が通算法人（法人税法第２条第12号の７の２に規定する通算法人をいう。以下(一)及び(三)において同じ。）である場合における他の通算法人（当該外国関係法人に係る特殊関係株主等に該当する者を除く。）
(二)	②(四)ハ(1)に掲げる事業を主として行う外国関係法人に係る特殊関係株主等に該当する法人の発行済株式等の100分の50を超える数又は金額の株式等を有する者（当該外国関係法人に係る特殊関係株主等に該当する者及び(一)に掲げる者に該当する者を除く。）
(三)	②(四)ハ(1)に掲げる事業を主として行う外国関係法人に係る特殊関係株主等に該当する内国法人が通算法人である場合における当該内国法人に係る法人税法第２条第12号の６の７に規定する通算親法人の発行済株式等の100分の50を超える数又は金額の株式等を有する者（当該外国関係法人に係る特殊関係株主等に該当する者及び(一)及び(二)に掲げる者に該当する者を除く。）
(四)	②(四)ハ(1)に掲げる事業を主として行う外国関係法人に係る特殊関係株主等に係る外国関係法人
(五)	②(四)ハ(1)に掲げる事業を主として行う外国関係法人に係る特殊関係株主等と特殊関係内国法人との間に介在する①（４）(二)に規定する株主等である法人又は出資関連法人（(一)及び(四)に掲げる者に該当する者を除く。）
(六)	次のイからニまでに掲げる者と①に規定する①（１）及び同（２）で定める特殊の関係のある個人又は法人（②(四)ハ(1)に掲げる事業を主として行う外国関係法人に係る特殊関係内国法人に該当する者及び特殊関係株主等に該当する者並びに(一)から(五)までに掲げる者に該当する者を除く。） イ　②(四)ハ(1)に掲げる事業を主として行う外国関係法人 ロ　②(四)ハ(1)に掲げる事業を主として行う外国関係法人に係る特殊関係内国法人 ハ　②(四)ハ(1)に掲げる事業を主として行う外国関係法人に係る特殊関係株主等に該当する個人又は法人 ニ　(一)から(五)までに掲げる者

（**七１②ロ**(39)及び同(13)の規定の準用）

（３）　**七１②ロ**(39)（(七)を除く。）及び同(40)の規定は、②(四)ハ（１）に規定する**ニ**（３）で定める場合について準用する。この場合において、**七１②ロ**(39)(一)中「①(一)から同(四)まで及び租税特別措置法第66条の６第１項各号並びに**ロ**(38)(一)から同(六)まで」とあるのは、「**八１**②(二)に規定する特殊関係内国法人、**八１**①に規定する特殊関係株主等及び**八１②ニ**（２）(一)から同(六)まで」と読み替えるものとする。（措令25の26⑭）

（**七１②ロ**(43)の規定の準用）

（４）　**七１②ロ**(43)（(三)を除く。）の規定は、②(四)ハ（２）に規定する**ニ**（４）で定める場合について準用する。この場合において、**七１②ロ**(43)(二)中「物品賃貸業（航空機の貸付けを主たる事業とするものを除く。）」とあるのは「物品賃貸業」と、同(四)中「**ロ**(39)(一)から同(七)まで及び(一)から(三)まで」とあるのは「**ロ**(39)(一)から同(六)まで並びに(一)及び(二)」と読み替えるものとする。（措令25の26⑮）

ホ　適用対象金額

（②(五)に規定する**ホ**（１）で定める基準により計算した金額）

（１）　②(五)に規定する**ホ**（１）で定める基準により計算した金額は、外国関係法人（②(三)に規定する特定外国関係法人又は同(四)に規定する対象外国関係法人に該当するものに限る。(2)から(4)までにおいて同じ。)の各事業年度の決算に基づく所得の金額につき、**七1②ハ**(1)(租税特別措置法施行令第39条の15第1項第5号に掲げる金額を控除する部分を除く。)若しくは同(2)(同施行令第39条の15第2項第18号に掲げる金額を控除する部分を除く。)又は**七1②ハ**(3)の規定の例により計算した金額とする。(措令25の26⑯)

(②(五)に規定する欠損の金額及び基準所得金額に係る税額に関する調整を加えた金額)

(2)　②(五)に規定する欠損の金額及び基準所得金額に係る税額に関する調整を加えた金額は、外国関係法人の各事業年度の同(五)に規定する基準所得金額から次の(一)及び(二)に掲げる金額の合計額を控除した残額とする。(措令25の26⑰)

(一)	当該、外国関係法人の当該各事業年度開始の日前7年以内に開始した事業年度(平成19年10月1日前に開始した事業年度、外国関係法人(租税特別措置法第66条の9の2第2項第3号に規定する特定外国関係法人及び同項第4号に規定する対象外国関係法人を含む。)に該当しなかった事業年度及び**2**(一)及び(二)に掲げる外国関係法人の区分に応じ当該(一)及び(二)に定める場合に該当する事実があるときのその該当する事業年度(同法第66条の9の2第5項各号に掲げる外国関係法人の区分に応じ当該各号に定める場合に該当する事実があるときのその該当する事業年度を含む。)を除く。)において生じた欠損金額((2)の規定により当該各事業年度前の事業年度において控除されたものを除く。)の合計額に相当する金額
(二)	当該外国関係法人が当該各事業年度において納付をすることとなる**七1**①(1)(一)に規定する法人所得税(以下(二)において「法人所得税」という。)の額(法人所得税に関する法令に企業集団等所得課税規定(租税特別措置法施行令第39条の15第6項に規定する企業集団等所得課税規定をいう。以下(二)において同じ。)がある場合の当該法人所得税にあっては同施行令第39条の15第2項第8号に規定する個別計算納付法人所得税額とし、当該各事業年度において還付を受けることとなる法人所得税の額がある場合には当該還付を受けることとなる法人所得税の額(法人所得税に関する法令に企業集団等所得課税規定がある場合の当該法人所得税にあっては、同項第15号に規定する個別計算還付法人所得税額)を控除した金額とする。)

((2)(一)に規定する欠損金額)

(3)　(2)(一)に規定する欠損金額とは、外国関係法人の各事業年度の決算に基づく所得の金額について、**ホ**(1)の規定により計算した場合に算出される欠損の金額をいう。(措令25の26⑱)

(**七1**②(7)及び同(9)の規定の準用)

(4)　**七1②ハ**(7)及び同(9)の規定は、外国関係法人の各事業年度の決算に基づく所得の金額につき、**七1②ハ**(1)又は同(2)の規定の例により計算する場合について準用する。(措令25の26⑲)

(**七1②ハ**(8)の規定の準用)

(5)　**七1②ハ**(8)の規定は、(4)において準用する**七1②ハ**(7)に規定する明細書について準用する。(措規18の20の2②)

へ　直接及び間接保有の株式等の数

(**七1**①(4)の規定の準用)

(1)　**七1**①(4)の規定は、**八1**②(六)に規定する間接に有するものとして**へ**(1)で定める外国法人の株式等の数又は金額の計算について準用する。この場合において、**七1**①(4)中「外国関係会社(②(一)に規定する外国関係会社をいう。以下(4)において同じ。)」とあるのは「外国法人」と、**七1**①(4)(一)中「外国関係会社」とあるのは「外国法人」と、「居住者等」とあるのは「居住者又は内国法人」と、「いい、当該発行法人と居住者又は内国法人との間に実質支配関係がある場合には、零とする」とあるのは「いう」と、**七1**①(4)(二)中「外国関係会社」とあるのは「外国法人」と、「居住者等」とあるのは「居住者又は内国法人」と読み替えるものとする。(措令25の26⑳)

ト　外国金融関係法人

(1)　**七1②ホ**(1)から同(3)までの規定は、**八1**②(八)に規定する**ト**(1)で定める部分対象外国関係法人について準用する。(措令25の26㉑)

③　国税庁の当該職員等による外国関係法人が②(三)イ(1)又は同(2)に該当することを明らかにする書類その他の資料の提示又は提出の求め

国税庁の当該職員又は居住者の納税地の所轄税務署若しくは所轄国税局の当該職員は、居住者に係る外国関係法人が②(三)イ⑴から同⑸までのいずれかに該当するかどうかを判定するために必要があるときは、当該居住者に対し、期間を定めて、当該外国関係法人が同号イ⑴から同⑸までに該当することを明らかにする書類その他の資料の提示又は提出を求めることができる。この場合において、当該書類その他の資料の提示又は提出がないときは、②((三)イに係る部分に限る。)の規定の適用については、当該外国関係法人は同号イ⑴から同⑸までに該当しないものと推定する。(措法40の7③)

④　国税庁の当該職員等による外国関係法人が②(四)イから同ハまでに該当することを明らかにする書類その他の資料の提示又は提出の求め

国税庁の当該職員又は居住者の納税地の所轄税務署若しくは所轄国税局の当該職員は、居住者に係る外国関係法人が②(四)イから同ハまでに掲げる要件に該当するかどうかを判定するために必要があるときは、当該居住者に対し、期間を定めて、当該外国関係法人が②(四)イから同ハまでに掲げる要件に該当することを明らかにする書類その他の資料の提示又は提出を求めることができる。この場合において、当該書類その他の資料の提示又は提出がないときは、②((四)又は(七)に係る部分に限る。)の規定の適用については、当該外国関係法人は②(四)イから同ハまでに掲げる要件に該当しないものと推定する。(措法40の7④)

2　1①の規定を適用しない場合

1①の規定は、特殊関係株主等である居住者に係る次の(一)及び(二)に掲げる外国関係法人につき当該(一)及び(二)に定める場合に該当する事実があるときは、当該(一)又は(二)に掲げる外国関係法人のその該当する事業年度に係る適用対象金額については、適用しない。(措法40の7⑤)

(一)	特定外国関係法人　特定外国関係法人の各事業年度の租税負担割合(外国関係法人の各事業年度の所得に対して課される租税の額の当該所得の金額に対する割合として(1)で定めるところにより計算した割合をいう。(二)、**5**及び**6**において同じ。)が100分の27以上である場合
(二)	対象外国関係法人　対象外国関係法人の各事業年度の租税負担割合が100分の20以上である場合

(**七2**(1)及び同(2)の規定の準用)

(1)　**七2**(1)及び同(2)の規定は、**八1**①に規定する外国関係法人に係る同**2**(一)に規定する(1)で定めるところにより計算した割合について準用する。(措令25の26㉒)

3　部分課税対象金額の総収入金額算入

①　部分課税対象金額の総収入金額算入

特殊関係株主等である居住者に係る部分対象外国関係法人(外国金融関係法人に該当するものを除く。以下この項及び次項において同じ。)が、平成22年4月1日以後に開始する各事業年度において、当該各事業年度に係る次の(一)から(十一)までに掲げる金額(解散により外国金融関係法人に該当しないこととなった部分対象外国関係法人(以下①及び②において「清算外国金融関係法人」という。)のその該当しないこととなった日から同日以後3年を経過する日(当該清算外国金融関係法人の残余財産の確定の日が当該3年を経過する日前である場合には当該残余財産の確定の日とし、その本店所在地国の法令又は慣行その他やむを得ない理由により当該残余財産の確定の日が当該3年を経過する日後である場合には(1)で定める日とする。)までの期間内の日を含む事業年度(①及び②において「特定清算事業年度」という。)にあっては、(一)から(七の二)までに掲げる金額のうち(2)で定める金額(①及び②において「特定金融所得金額」という。)がないものとした場合の次の(一)から(十一)までに掲げる金額。以下①において「特定所得の金額」という。)を有する場合には、当該各事業年度の特定所得の金額に係る部分適用対象金額のうち当該特殊関係株主等である居住者の有する当該部分対象外国関係法人の直接及び間接保有の株式等の数に対応するものとしてその株式等の請求権の内容を勘案して(3)で定めるところにより計算した金額(**10**において「部分課税対象金額」という。)に相当する金額は、当該特殊関係株主等である居住者の雑所得に係る収入金額とみなして当該各事業年度終了の日の翌日から2月を経過する日の属する年分の当該居住者の雑所得の金額の計算上、総収入金額に算入する。(措法40の7⑥)

(一)	剰余金の配当等(**1**①に規定する剰余金の配当等をいい、法人税法第23条第1項第2号に規定する金銭の分配を含

	む。以下(一)及び(十一)イにおいて同じ。）の額（当該部分対象外国関係法人の有する他の法人の株式等の数又は金額のその発行済株式等の総数又は総額のうちに占める割合が100分の25以上であることその他の(4)で定める要件に該当する場合における当該他の法人から受ける剰余金の配当等の額（当該他の法人の所得の金額の計算上損金の額に算入することとされている剰余金の配当等の額として(6)で定める剰余金の配当等の額を除く。）を除く。以下(一)において同じ。）の合計額から当該剰余金の配当等の額を得るために直接要した費用の額の合計額及び当該剰余金の配当等の額に係る費用の額として(7)で定めるところにより計算した金額を控除した残額
(二)	受取利子等（その支払を受ける利子（これに準ずるものとして(8)で定めるものを含む。以下(二)において同じ。）をいう。以下(二)及び(十一)ロにおいて同じ。）の額（その行う事業に係る業務の通常の過程において生ずる預金又は貯金（第二章第一節一表内**10**に規定する同(1)で定めるものに相当するものを含む。）の利子の額、金銭の貸付けを主たる事業とする部分対象外国関係法人（金銭の貸付けを業として行うことにつきその本店所在地国の法令の規定によりその本店所在地国において免許又は登録その他これらに類する処分を受けているものに限る。）でその本店所在地国においてその役員又は使用人がその行う金銭の貸付けの事業を的確に遂行するために通常必要と認められる業務の全てに従事しているものが行う金銭の貸付けに係る利子の額その他(9)で定める利子の額を除く。以下(二)において同じ。）の合計額から当該受取利子等の額を得るために直接要した費用の額の合計額を控除した残額
(三)	有価証券の貸付けによる対価の額の合計額から当該対価の額を得るために直接要した費用の額の合計額を控除した残額
(四)	有価証券の譲渡に係る対価の額（当該部分対象外国関係法人の有する他の法人の株式等の数又は金額のその発行済株式等の総数又は総額のうちに占める割合が、当該譲渡の直前において、100分の25以上である場合における当該他の法人の株式等の譲渡に係る対価の額を除く。以下(四)において同じ。）の合計額から当該有価証券の譲渡に係る原価の額として(10)で定めるところにより計算した金額の合計額及び当該対価の額を得るために直接要した費用の額の合計額を減算した金額
(五)	デリバティブ取引（法人税法第61条の５第１項に規定するデリバティブ取引をいう。以下(五)及び(十一)ホにおいて同じ。）に係る利益の額又は損失の額として(12)で定めるところにより計算した金額（同法第61条の６第１項各号に掲げる損失を減少させるために行ったデリバティブ取引として(14)で定めるデリバティブ取引に係る利益の額又は損失の額、その本店所在地国の法令に準拠して商品先物取引法第２条第22項各号に掲げる行為に相当する行為を業として行う部分対象外国関係法人（その本店所在地国においてその役員又は使用人がその行う当該行為に係る事業を的確に遂行するために通常必要と認められる業務の全てに従事しているものに限る。）が行う(15)で定めるデリバティブ取引に係る利益の額又は損失の額その他(16)で定めるデリバティブ取引に係る利益の額又は損失の額を除く。）
(六)	その行う取引又はその有する資産若しくは負債につき外国為替の売買相場の変動に伴って生ずる利益の額又は損失の額として(17)で定めるところにより計算した金額（その行う事業（(18)で定める取引を行う事業を除く。）に係る業務の通常の過程において生ずる利益の額又は損失の額を除く。）
(七)	(一)から(六)までに掲げる金額に係る利益の額又は損失の額（これらに類する利益の額又は損失の額を含む。）を生じさせる資産の運用、保有、譲渡、貸付けその他の行為により生ずる利益の額又は損失の額（当該(一)から(六)までに掲げる金額に係る利益の額又は損失の額及び法人税法第61条の６第１項各号に掲げる損失を減少させるために行った取引として(19)で定める取引に係る利益の額又は損失の額を除く。）
(七の二)	イに掲げる金額からロに掲げる金額を減算した金額 イ　収入保険料の合計額から支払った再保険料の合計額を控除した残額に相当するものとして(21)で定める金額 ロ　支払保険金の額の合計額から収入した再保険金の額の合計額を控除した残額に相当するものとして(21)で定める金額
(八)	固定資産（法人税法第２条第22号に規定する固定資産をいい、(22)で定めるものを除く。以下(八)及び(十一)リにおいて同じ。）の貸付け（不動産又は不動産の上に存する権利を使用させる行為を含む。）による対価の額（主としてその本店所在地国において使用に供される固定資産（不動産及び不動産の上に存する権利を除く。）の貸付けによる対価の額、その本店所在地国にある不動産又は不動産の上に存する権利の貸付け（これらを使用させる行為を含む。）による対価の額及びその本店所在地国においてその役員又は使用人が固定資産の貸付け（不動産又は不動産の上に存する権利を使用させる行為を含む。以下(八)及び(十一)チにおいて同じ。）を的確に遂行するために通常必要と認められる業務の全てに従事していることその他の(23)で定める要件に該当する部分対象外国関係法人

	が行う固定資産の貸付けによる対価の額を除く。以下(八)において同じ。）の合計額から当該対価の額を得るために直接要した費用の額（その有する固定資産に係る償却費の額として(24)で定めるところにより計算した金額を含む。）の合計額を控除した残額
(九)	工業所有権その他の技術に関する権利、特別の技術による生産方式若しくはこれらに準ずるもの（これらの権利に関する使用権を含む。）又は著作権（出版権及び著作隣接権その他これに準ずるものを含む。）（以下①において「無形資産等」という。）の使用料（自ら行った研究開発の成果に係る無形資産等の使用料その他の(25)で定めるものを除く。以下(九)において同じ。）の合計額から当該使用料を得るために直接要した費用の額（その有する無形資産等に係る償却費の額として(26)で定めるところにより計算した金額を含む。）の合計額を控除した残額
(十)	無形資産等の譲渡に係る対価の額（自ら行った研究開発の成果に係る無形資産等の譲渡に係る対価の額その他の(28)で定める対価の額を除く。以下(十)において同じ。）の合計額から当該無形資産等の譲渡に係る原価の額の合計額及び当該対価の額を得るために直接要した費用の額の合計額を減算した金額
(十一)	イからルまでに掲げる金額がないものとした場合の当該部分対象外国関係法人の各事業年度の所得の金額として(29)で定める金額から当該各事業年度に係るヲに掲げる金額を控除した残額 イ　支払を受ける剰余金の配当等の額 ロ　受取利子等の額 ハ　有価証券の貸付けによる対価の額 ニ　有価証券の譲渡に係る対価の額の合計額から当該有価証券の譲渡に係る原価の額として(30)で定めるところにより計算した金額の合計額を減算した金額 ホ　デリバティブ取引に係る利益の額又は損失の額として(31)で定めるところにより計算した金額 ヘ　その行う取引又はその有する資産若しくは負債につき外国為替の売買相場の変動に伴って生ずる利益の額又は損失の額として(32)で定めるところにより計算した金額 ト　(一)から(六)までに掲げる金額に係る利益の額又は損失の額（これらに類する利益の額又は損失の額を含む。）を生じさせる資産の運用、保有、譲渡、貸付けその他の行為により生ずる利益の額又は損失の額（当該(一)から(六)までに掲げる金額に係る利益の額又は損失の額を除く。） チ　(七の二)に掲げる金額 リ　固定資産の貸付けによる対価の額 ヌ　支払を受ける無形資産等の使用料 ル　無形資産等の譲渡に係る対価の額の合計額から当該無形資産等の譲渡に係る原価の額の合計額を減算した金額 ヲ　総資産の額として(34)で定める金額に人件費その他の(34)で定める費用の額を加算した金額に100分の50を乗じて計算した金額

(**七3**①(1)の規定の準用)

(1)　**七3**①(1)の規定は、清算外国金融関係法人（①に規定する清算外国金融関係法人をいう。(2)及び②(1)において同じ。）に係る①に規定する(1)で定める日について準用する。この場合において、**七3**①(1)中「①」とあるのは、「**八3**①」と読み替えるものとする。(措令25の27①)

(**七3**①(2)の規定の準用)

(2)　**七3**①(2)の規定は、清算外国金融関係法人の特定清算事業年度（①に規定する特定清算事業年度をいう。②(1)において同じ。）に係る①(一)から同(十一)以外に規定する(2)で定める金額について準用する。この場合において、**七3**①(2)中「①(一)から同(七の二)まで」とあるのは、「**八3**①(一)から同(七の二)まで」と読み替えるものとする。(措令25の27②)

(部分適用対象金額の計算等)

(3)　①に規定する(3)で定めるところにより計算した金額は、特殊関係株主等である居住者に係る部分対象外国関係法人（**1**②(七)に規定する部分対象外国関係法人をいい、同(八)に規定する外国金融関係法人に該当するものを除く。以下((9)(四)を除く。)において同じ。）の各事業年度の部分適用対象金額（①に規定する部分適用対象金額をいう。以下において同じ。）に、当該部分対象外国関係法人の当該各事業年度終了の時における発行済株式等のうちに当該各事業年度終了の時における当該特殊関係株主等である居住者の有する当該部分対象外国関係法人の**1**②(1)(一)に規定する請求権勘案保有株式等の占める割合を乗じて計算した金額とする。(措令25の27③)

(**七3**①(4)の規定の準用)

(4)　**七3**①(4)の規定は、部分対象外国関係法人が受ける剰余金の配当等(①(一)に規定する剰余金の配当等をいう。(6)において同じ。)の額に係る同(一)に規定する(4)で定める要件について準用する。(措令25の27④)

(**七3**①(5)の規定の準用)

(5)　**七3**①(5)の規定は、(4)において準用する**七3**①(4)に規定する同(5)で定める剰余金の配当等の額について準用する。(措規18の20の2③)

(**七3**①(6)の規定の準用)

(6)　**七3**①(6)の規定は、①(一)に規定する(6)で定める剰余金の配当等の額について準用する。この場合において、**七3**①(6)中「①(一)の」とあるのは、「**八1**①(一)の」と読み替えるものとする。(措令25の27⑤)

(①(一)に規定する(7)で定めるところにより計算した金額)

(7)　①(一)に規定する(7)で定めるところにより計算した金額は、部分対象外国関係法人が当該事業年度において支払う負債の利子の額の合計額につき、**七3**①(7)の規定の例により計算した金額とする。(措令25の27⑥)

(**七3**①(8)の規定の準用)

(8)　**七3**①(8)は、①(二)に規定する支払を受ける利子に準ずるものとして(8)で定めるものについて準用する。(措令25の27⑦)

(①(二)に規定する(9)で定める利子の額)

(9)　①(二)に規定する(9)で定める利子の額は、次の(一)から(四)までに掲げる利子((8)において準用する**七3**①(10)に規定する支払を受ける利子に準ずるものを含む。以下(9)において同じ。)の額とする。(措令25の27⑧)

(一)	割賦販売等(割賦販売法第2条第1項に規定する割賦販売、同条第2項に規定するローン提携販売、同条第3項に規定する包括信用購入あっせん又は同条第4項に規定する個別信用購入あっせんに相当するものをいう。以下(一)において同じ。)を行う部分対象外国関係法人でその本店又は主たる事務所の所在する国又は地域((二)及び(三)並びに次条において「本店所在地国」という。)においてその役員又は使用人が割賦販売等を的確に遂行するために通常必要と認められる業務の全てに従事しているものが行う割賦販売等から生ずる利子の額
(二)	部分対象外国関係法人(その本店所在地国においてその役員又は使用人がその行う棚卸資産(法人税法第2条第20号に規定する棚卸資産をいう。以下(二)において同じ。)の販売及びこれに付随する棚卸資産の販売の対価の支払の猶予に係る業務を的確に遂行するために通常必要と認められる業務の全てに従事しているものに限る。)が当該部分対象外国関係法人に係る(三)イ及びロに掲げる者以外の者に対して行う棚卸資産の販売の対価の支払の猶予により生ずる利子の額
(三)	部分対象外国関係法人(その本店所在地国においてその行う金銭の貸付けに係る事務所、店舗その他の固定施設を有し、かつ、その本店所在地国においてその役員又は使用人がその行う金銭の貸付けの事業を的確に遂行するために通常必要と認められる業務の全てに従事しているものに限る。以下(二)において同じ。)がその関連者等(次のイ及びロに掲げる者をいい、個人を除く。(二)において同じ。)に対して行う金銭の貸付けに係る利子の額 イ　当該部分対象外国関係法人に係る特殊関係内国法人及び特殊関係株主等 ロ　**1**②**ニ**(2)(一)中「②(四)ハ(1)に掲げる事業を主として行う外国関係法人」とあるのを「外国関係法人(**1**②(七)に規定する部分対象外国関係法人に該当するものに限るものとし、同(八)に規定する外国金融関係法人に該当するものを除く。以下**1**②**ニ**(1)において同じ。)」と、**1**②**ニ**(1)(二)から同(五)までの規定中「②(四)ハ(1)に掲げる事業を主として行う外国関係法人」とあり、並びに同(六)中「②(四)ハ(1)に掲げる事業を主として行う外国関係法人」とあり、及び同(六)イから同ハまでの規定中「②(四)ハ(1)に掲げる事業を主として行う外国関係法人」とあるのを「外国関係法人」と読み替えた場合における当該部分対象

	外国関係法人に係る**1**②**ニ**(１)(一)から同(六)までに掲げる者
(四)	**1**②(七)に規定する部分対象外国関係法人（同(八)に規定する外国金融関係法人に該当するものを除く。）が当該部分対象外国関係法人に係る関連者等である外国法人（(二)（イ及びロを除く。）に規定する部分対象外国関係法人及び**4**①に規定する部分対象外国関係法人に限る。）に対して行う金銭の貸付けに係る利子の額

(①(四)に規定する(10)で定めるところにより計算した金額)

(10)　①(四)に規定する(10)で定めるところにより計算した金額は、有価証券（法人税法第２条第21号に規定する有価証券をいう。(11)において同じ。）の①(四)に規定する譲渡に係る原価の額につき、**七３**①(11)又は同(12)の規定の例により計算した金額とする。(措令25の27⑨)

(**七３**①(13)及び**七３**①(14)の規定の準用)

(11)　**七３**①(13)及び**七３**①(14)の規定は、有価証券の(10)に規定する譲渡に係る原価の額につき、(10)の規定により**七３**①(11)又は同(12)の規定の例により計算する場合について準用する。(措令25の27⑩)

(**七３**①(９)の規定の準用)

(12)　**七３**①(９)の規定は、(８)において準用する**七３**①(８)に規定する同(９)で定める金額について準用する。(措規18の20の２④)

(**七３**①(15)の規定の準用)

(13)　**七３**①(15)の規定は、部分対象外国関係法人（**1**②(七)に規定する部分対象外国関係法人をいい、同②(八)に規定する外国金融関係法人に該当するものを除く。以下**八**において同じ。）の行うデリバティブ取引に係る①(五)に規定する(12)で定めるところにより計算した金額について準用する。(措規18の20の２⑤)

(①(五)に規定する法人税法第61条の６第１項各号に掲げる損失を減少させるために行ったデリバティブ取引として(14)で定めるデリバティブ取引)

(14)　①(五)に規定する法人税法第61条の６第１項各号に掲げる損失を減少させるために行ったデリバティブ取引として(14)で定めるデリバティブ取引は、部分対象外国関係法人が行ったデリバティブ取引のうち**七３**①(16)から同(18)までの規定の例によるものとした場合に同法第61条の６第１項各号に掲げる損失を減少させるために行ったデリバティブ取引とされるデリバティブ取引とする。(措規18の20の２⑥)

(**七３**①(19)の規定の準用)

(15)　**七３**①(19)の規定は、①(五)に規定する行為を業として行う同(五)に規定する部分対象外国関係法人が行う同(五)に規定する(15)で定めるデリバティブ取引について準用する。(措規18の20の２⑦)

(①(五)に規定するその他(16)で定めるデリバティブ取引)

(16)　①(五)に規定するその他(16)で定めるデリバティブ取引は、部分対象外国関係法人が行うデリバティブ取引のうち**七３**①(20)及び同(21)の規定の例によるものとした場合に同(20)に規定するデリバティブ取引とされるデリバティブ取引とする。(措規18の20の２⑧)

(**七３**①(22)及び同(23)の規定の準用)

(17)　**七３**①(22)及び同(23)の規定は、①(六)に規定する(17)で定めるところにより計算した金額について準用する。(措規18の20の２⑨)

(**七３**①(24)の規定の準用)

(18)　**七３**①(24)の規定は、①(六)に規定する(18)で定める取引について準用する。(措令25の27⑪)

(①(七)並びに(20)及び(33)において準用する**七３**①(25)に規定する同(26)で定める取引)

(19)　①(七)並びに(20)及び(33)において準用する**七３**①(25)に規定する同(26)で定める取引は、部分対象外国関係法人が行った取引（①(一)から同(六)までに掲げる金額に係る利益の額又は損失の額（これらに類する利益の額又は損失の額を含む。）を生じさせる資産の運用、保有、譲渡、貸付けその他の行為により生ずる利益の額又は損失の額（当該(一)から同(六)までに掲げる金額に係る利益の額又は損失の額を除く。）に係る取引に限る。以下(19)において同じ。）のうち、**七３**①(16)から同(18)までの規定の例によるものとした場合に法人税法第61条の６第１項各号に掲げる損失を減少させるために行った取引とされる取引とする。（措規18の20の２⑩）

（**七３**①(25)の規定の準用）

(20)　**七３**①(25)の規定は、①(七)に掲げる金額に係る利益の額又は損失の額について準用する。この場合において、**七３**①(25)中「①(一)」とあるのは「**八３**①(一)」と、「①(七)」とあるのは「**八３**①(七)」と読み替えるものとする。（措令25の27⑫）

（**七３**①(27)の規定の準用）

(21)　**七３**①(27)の規定は部分対象外国関係法人に係る①(七の二)イに規定する(21)で定める金額について、**七３**①(28)の規定は部分対象外国関係法人に係る同(七の二)ロに規定する(21)で定める金額について、それぞれ準用する。（措令25の27⑬）

（①(八)に規定する(22)で定める固定資産）

(22)　①(八)に規定する(22)で定める固定資産は、法人税法第２条第22号に規定する固定資産のうち無形資産等（同項第９号に規定する無形資産等をいう。(25)及び(26)において同じ。）に該当するものとする。（措令25の27⑭）

（**七３**①(30)の規定の準用）

(23)　**七３**①(30)の規定は、部分対象外国関係法人に係る①(八)に規定する(23)で定める要件について準用する。（措令25の27⑮）

（①(八)に規定する(24)で定めるところにより計算した金額）

(24)　①(八)に規定する(24)で定めるところにより計算した金額は、部分対象外国関係法人が有する固定資産（同(八)に規定する固定資産をいい、同(八)に規定する対価の額に係るものに限る。(27)において同じ。）に係る償却費の額につき、**七３**①(31)の規定の例により計算した金額とする。（措令25の27⑯）

（①(九)に規定する(25)で定める使用料）

(25)　①(九)に規定する(25)で定める使用料は、次の(一)から(三)までに掲げる無形資産等の区分に応じ、当該(一)から(三)までに定める使用料（特殊関係株主等である居住者が当該(一)から(三)までに定めるものであることを明らかにする書類を保存している場合における当該使用料に限る。）とする。（措令25の27⑰）

(一)	部分対象外国関係法人が自ら行った研究開発の成果に係る無形資産等　当該部分対象外国関係法人が当該研究開発を主として行った場合の当該無形資産等の使用料
(二)	部分対象外国関係法人が取得をした無形資産等　当該部分対象外国関係法人が当該取得につき相当の対価を支払い、かつ、当該無形資産等をその事業（株式等若しくは債券の保有、無形資産等の提供又は船舶若しくは航空機の貸付けを除く。(三)において同じ。）の用に供している場合の当該無形資産等の使用料
(三)	部分対象外国関係法人が使用を許諾された無形資産等　当該部分対象外国関係法人が当該許諾につき相当の対価を支払い、かつ、当該無形資産等をその事業の用に供している場合の当該無形資産等の使用料

（①(九)に規定する(26)で定めるところにより計算した金額）

(26)　①(九)に規定する(26)で定めるところにより計算した金額は、部分対象外国関係法人が有する無形資産等（同(九)に規定する使用料に係るものに限る。(27)において同じ。）に係る償却費の額につき、**七３**①(33)の規定の例により計算した金額とする。（措令25の27⑱）

（**七３**①(34)及び同(35)の規定の準用）

(27)　**七３**①(34)及び同(35)の規定は、部分対象外国関係法人が有する固定資産又は無形資産等に係る償却費の額につき、(24)又は(26)の規定により**七３**①(31)又は同(33)の規定の例により計算する場合について準用する。（措令25の27

⑲)

((25)の規定の準用)

(28)　(25)((三)を除く。)の規定は、①(十)に規定する(28)で定める対価の額について準用する。この場合において、(25)中「使用料（」とあるのは「対価の額（」と、「当該使用料」とあるのは「当該対価の額」と、(25)(一)及び同(二)中「使用料」とあるのは「譲渡に係る対価の額」と読み替えるものとする。(措令25の27⑳)

(**七3**①(37)の規定の準用)

(29)　**七3**①(37)の規定は、部分対象外国関係法人に係る①(十一)に規定する各事業年度の所得の金額として(29)で定める金額について準用する。この場合において、**七3**①(37)中「同(十一)イ」とあるのは、「**八3**①(十一)イ」と読み替えるものとする。(措令25の27㉑)

(**七3**①(11)から同(14)までの規定の準用)

(30)　**七3**①(11)から同(14)までの規定は、①(十一)ニに規定する(30)で定めるところにより計算した金額について準用する。(措令25の27㉒)

(**七3**①(15)の規定の準用)

(31)　**七3**①(15)の規定は、部分対象外国関係法人の行うデリバティブ取引に係る①(十一)ホに規定する(31)で定めるところにより計算した金額について準用する。(措規18の20の2⑪)

(**七3**①(22)及び同(23)の規定の準用)

(32)　**七3**①(22)及び同(23)の規定は、①(十一)ヘに規定する(32)で定めるところにより計算した金額について準用する。(措規18の20の2⑫)

(**七3**①(25)の規定の準用)

(33)　**七3**①(25)の規定は、①(十一)トに掲げる金額に係る利益の額又は損失の額について準用する。この場合において、**七3**①(25)中「①(一)」とあるのは「**八3**①(一)」と、「①(七)」とあるのは「**八3**①(七)」と読み替えるものとする。(措令25の27㉓)

(**七3**①(42)の規定及び**七3**①(43)の規定の準用)

(34)　**七3**①(42)の規定は部分対象外国関係法人に係る①(十一)ヲに規定する総資産の額として(34)で定める金額について、**七3**①(43)の規定は部分対象外国関係法人に係る①(十一)ヲに規定する(34)で定める費用の額について、それぞれ準用する。(措令25の27㉔)

②　①に規定する部分適用対象金額

①に規定する部分適用対象金額とは、部分対象外国関係法人の各事業年度の①(一)から同(三)まで、同(八)、同(九)及び同(十一)に掲げる金額の合計額（清算外国金融関係法人の特定清算事業年度にあっては、特定金融所得金額がないものとした場合の同(一)から同(三)まで、同(八)、同(九)及び同(十一)に掲げる金額の合計額）と、当該各事業年度の①(四)から同(七の二)まで及び同(十)に掲げる金額の合計額（当該合計額が零を下回る場合には零とし、清算外国金融関係法人の特定清算事業年度にあっては特定金融所得金額がないものとした場合の同(四)から同(七の二)まで及び同(十)に掲げる金額の合計額（当該合計額が零を下回る場合には、零）とする。）を基礎として当該各事業年度開始の日前７年以内に開始した各事業年度において生じた同(四)から同(七の二)まで及び同(十)に掲げる金額の合計額（当該各事業年度のうち特定清算事業年度に該当する事業年度にあっては、特定金融所得金額がないものとした場合の同(四)から同(七の二)まで及び同(十)に掲げる金額の合計額）が零を下回る部分の金額につき(１)で定めるところにより調整を加えた金額とを合計した金額をいう。(措法40の７⑦)

(②に規定する(１)で定めるところにより調整を加えた金額)

(１)　②に規定する(１)で定めるところにより調整を加えた金額は、部分対象外国関係法人の各事業年度の①(四)から同(七の二)まで及び同(十)に掲げる金額の合計額（当該合計額が零を下回る場合には零とし、清算外国金融関係法人の特定清算事業年度にあっては特定金融所得金額（①に規定する特定金融所得金額をいう。以下(１)において同じ。）

がないものとした場合の当該①(四)から同(七の二)まで及び同(十)に掲げる金額の合計額（当該合計額が零を下回る場合には、零）とする。）から当該部分対象外国関係法人の当該各事業年度開始の日前７年以内に開始した事業年度（平成30年４月１日前に開始した事業年度、部分対象外国関係法人又は租税特別措置法第66条の９の２第２項第７号に規定する部分対象外国関係法人（同項第８号に規定する外国金融関係法人に該当するものを除く。）に該当しなかった事業年度及び**5**(一)に該当する事実がある場合のその該当する事業年度（租税特別措置法第66条の９の２第10項第１号に該当する事実がある場合のその該当する事業年度を含む。）を除く。）において生じた部分適用対象損失額（①(四)から同(七の二)まで及び同(十)に掲げる金額の合計額（清算外国金融関係法人の特定清算事業年度にあっては特定金融所得金額がないものとした場合の当該①(四)から同(七の二)まで及び同(十)に掲げる金額の合計額）が零を下回る場合のその下回る額をいい、(１)の規定により当該各事業年度前の事業年度において控除されたものを除く。）の合計額に相当する金額を控除した残額とする。（措令25の27㉕）

4　金融関係法人部分課税対象金額の総収入金額算入

①　金融関係法人部分課税対象金額の総収入金額算入

特殊関係株主等である居住者に係る部分対象外国関係法人（外国金融関係法人に該当するものに限る。以下①及び②において同じ。）が、平成22年４月１日以後に開始する各事業年度において、当該各事業年度に係る次の(一)から(五)までに掲げる金額（以下①において「特定所得の金額」という。）を有する場合には、当該各事業年度の特定所得の金額に係る金融関係法人部分適用対象金額のうち当該特殊関係株主等である居住者の有する当該部分対象外国関係法人の直接及び間接保有の株式等の数に対応するものとしてその株式等の請求権の内容を勘案して(１)で定めるところにより計算した金額（**10**において「金融関係法人部分課税対象金額」という。）に相当する金額は、当該特殊関係株主等である居住者の雑所得に係る収入金額とみなして当該各事業年度終了の日の翌日から２月を経過する日の属する年分の当該居住者の雑所得の金額の計算上、総収入金額に算入する。（措法40の７⑧）

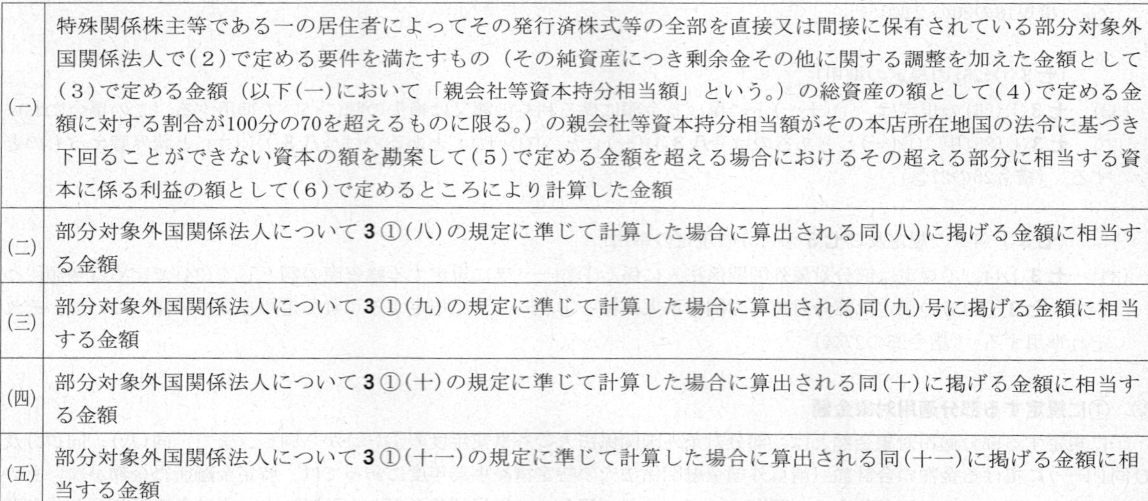

(一)	特殊関係株主等である一の居住者によってその発行済株式等の全部を直接又は間接に保有されている部分対象外国関係法人で(２)で定める要件を満たすもの（その純資産につき剰余金その他に関する調整を加えた金額として(３)で定める金額（以下(一)において「親会社等資本持分相当額」という。）の総資産の額として(４)で定める金額に対する割合が100分の70を超えるものに限る。）の親会社等資本持分相当額がその本店所在地国の法令に基づき下回ることができない資本の額を勘案して(５)で定める金額を超える場合におけるその超える部分に相当する資本に係る利益の額として(６)で定めるところにより計算した金額
(二)	部分対象外国関係法人について**3**①(八)の規定に準じて計算した場合に算出される同(八)に掲げる金額に相当する金額
(三)	部分対象外国関係法人について**3**①(九)の規定に準じて計算した場合に算出される同(九)号に掲げる金額に相当する金額
(四)	部分対象外国関係法人について**3**①(十)の規定に準じて計算した場合に算出される同(十)に掲げる金額に相当する金額
(五)	部分対象外国関係法人について**3**①(十一)の規定に準じて計算した場合に算出される同(十一)に掲げる金額に相当する金額

（金融関係法人部分適用対象金額の計算等）

(１)　①に規定する(１)で定めるところにより計算した金額は、特殊関係株主等である居住者に係る部分対象外国関係法人（①に規定する部分対象外国関係法人をいう。以下において同じ。）の各事業年度の金融関係法人部分適用対象金額（①に規定する金融関係法人部分適用対象金額をいう。**10**において同じ。）に、当該部分対象外国関係法人の当該各事業年度終了の時における発行済株式等のうちに当該各事業年度終了の時における当該特殊関係株主等である居住者の有する当該部分対象外国関係法人の**1**②(１)(一)に規定する請求権勘案保有株式等の占める割合を乗じて計算した金額とする。（措令25の28①）

（**七4**①(２)から(４)の規定の準用）

(２)　**七4**①(２)から(４)の規定は、特殊関係株主等である一の居住者によってその発行済株式等の全部を直接又は間接に保有されている部分対象外国関係法人で①(一)に規定する(２)で定める要件を満たすものについて準用する。

（措令25の28②）

（①(一)に規定する純資産につき剰余金その他に関する調整を加えた金額として(3)で定める金額）

(3)　①(一)に規定する純資産につき剰余金その他に関する調整を加えた金額として(3)で定める金額は、部分対象外国関係法人の当該事業年度終了の時における貸借対照表に計上されている総資産の帳簿価額から総負債の帳簿価額を控除した残額につき、**七4**①(5)の規定の例により調整を加えた金額とする。（措令25の28③）

（①(一)に規定する総資産の額として(4)で定める金額）

(4)　①(一)に規定する総資産の額として(4)で定める金額は、部分対象外国関係法人の総資産の額につき、**七4**①(7)の規定の例により計算した金額とする。（措令25の28④）

（**七4**①(9)の規定の準用）

(5)　**七4**①(9)の規定は、①(一)に規定する部分対象外国関係法人の本店所在地国の法令に基づき下回ることができない資本の額を勘案して(5)で定める金額について準用する。（措令25の28⑤）

（①(一)に規定する(6)で定めるところにより計算した金額）

(6)　①(一)に規定する(6)で定めるところにより計算した金額は、部分対象外国関係法人の当該事業年度に係る同(一)に規定する親会社等資本持分相当額から(5)において準用する**七4**①(9)に規定する金額を控除した残額に100分の10を乗じて計算した金額とする。（措令25の28⑥）

②　①に規定する金融関係法人部分適用対象金額

①に規定する金融関係法人部分適用対象金額とは、部分対象外国関係法人の各事業年度の次の(一)及び(二)に掲げる金額のうちいずれか多い金額をいう。（措法40の7⑨）

(一)	①(一)に掲げる金額
(二)	①(二)、同(三)及び同(五)に掲げる金額の合計額と、同(四)に掲げる金額（当該金額が零を下回る場合には、零）を基礎として当該各事業年度開始の日前7年以内に開始した各事業年度において生じた同(四)に掲げる金額が零を下回る部分の金額につき(1)で定めるところにより調整を加えた金額とを合計した金額

（②(二)に規定する(1)で定めるところにより調整を加えた金額）

(1)　②(二)に規定する(1)で定めるところにより調整を加えた金額は、部分対象外国関係法人の各事業年度の①(四)に掲げる金額（当該金額が零を下回る場合には、零）から当該部分対象外国関係法人の当該各事業年度開始の日前7年以内に開始した事業年度（平成30年4月1日前に開始した事業年度、部分対象外国関係法人（租税特別措置法第66条の9の2第8項各号列記以外の部分に規定する部分対象外国関係法人を含む。）に該当しなかった事業年度及び**5**(一)に該当する事実がある場合のその該当する事業年度（租税特別措置法第66条の9の2第10項第1号に該当する事実がある場合のその該当する事業年度を含む。）を除く。）において生じた金融関係法人部分適用対象損失額（①(四)に掲げる金額が零を下回る場合のその下回る額をいい、(1)の規定により当該各事業年度前の事業年度において控除されたものを除く。）の合計額に相当する金額を控除した残額とする。（措令25の28⑦）

5　3①及び4①の規定を適用しない場合

3①及び**4**①の規定は、特殊関係株主等である居住者に係る部分対象外国関係法人につき次の(一)から(三)までのいずれかに該当する事実がある場合には、当該部分対象外国関係法人のその該当する事業年度に係る部分適用対象金額（**3**②に規定する部分適用対象金額をいう。以下**5**において同じ。）又は金融関係法人部分適用対象金額（**4**②に規定する金融関係法人部分適用対象金額をいう。以下**5**において同じ。）については、適用しない。（措法40の7⑩）

(一)	各事業年度の租税負担割合が100分の20以上であること。
(二)	各事業年度における部分適用対象金額又は金融関係法人部分適用対象金額が2,000万円以下であること。
(三)	各事業年度の決算に基づく所得の金額に相当する金額として(1)で定める金額のうちに当該各事業年度における部分適用対象金額又は金融関係法人部分適用対象金額の占める割合が100分の5以下であること。

（部分適用対象金額又は金融関係法人部分適用対象金額に係る適用除外）

（1）　**5**（三）に規定する（1）で定める金額は、**1**②（七）に規定する部分対象外国関係法人の各事業年度の決算に基づく所得の金額（各事業年度の所得を課税標準として課される**七1**①（一）に規定する法人所得税（法人税法施行令第141条第2項第3号に掲げる税を除く。）の額を含む。）とする。（措令25の29）

6　申告手続

特殊関係株主等である居住者は、当該居住者に係る次の（一）及び（二）に掲げる外国関係法人の各事業年度の貸借対照表及び損益計算書その他の（1）で定める書類を当該各事業年度終了の日の翌日から2月を経過する日の属する年分の確定申告書に添付しなければならない。（措法40の7⑪）

（一）	当該各事業年度の租税負担割合が100分の20未満である部分対象外国関係法人（当該部分対象外国関係法人のうち、当該各事業年度において**5**（二）又は同（三）のいずれかに該当する事実があるもの（**7**において「添付不要部分対象外国関係法人」という。）を除く。）
（二）	当該各事業年度の租税負担割合が100分の20未満である対象外国関係法人
（三）	当該各事業年度の租税負担割合が100分の27未満である特定外国関係法人

（**6**に規定する（1）で定める書類）

（1）　**6**に規定する（1）で定める書類は、**6**（一）及び同（二）に掲げる外国関係法人（以下（1）において「添付対象外国関係法人」という。）に係る次の（一）から（七）までに掲げる書類その他参考となるべき事項を記載した書類（これらの書類が電磁的記録で作成され、又はこれらの書類の作成に代えてこれらの書類に記載すべき情報を記録した電磁的記録の作成がされている場合には、これらの電磁的記録に記録された情報の内容を記載した書類）とする。（措規18の20の2⑬）

（一）	添付対象外国関係法人の各事業年度（租税特別措置法第2条第2項第19号に規定する事業年度をいう。以下（1）において同じ。）の貸借対照表及び損益計算書（これに準ずるものを含む。）
（二）	添付対象外国関係法人の各事業年度の株主資本等変動計算書、損益金の処分に関する計算書その他これらに準ずるもの
（三）	（一）に掲げるものに係る勘定科目内訳明細書
（四）	添付対象外国関係法人の本店所在地国の法人所得税（**七1**①（1）（一）に規定する法人所得税をいう。以下（四）及び（五）において同じ。）（外国における各対象会計年度（法人税法第15条の2に規定する対象会計年度をいう。）の国際最低課税額に対する法人税に相当する税、法人税法施行令第155条の34第2項第3号に掲げる税及び同法第82条第31号に規定する自国内最低課税額に係る税を除く。以下（四）において同じ。）に関する法令（当該法人所得税に関する法令が二以上ある場合には、そのうち主たる法人所得税に関する法令）により課される税に関する申告書で各事業年度に係るものの写し
（五）	租税特別措置法施行令第39条の15第6項に規定する企業集団等所得課税規定の適用がないものとした場合に計算される添付対象外国関係法人の法人所得税の額に関する計算の明細を記載した書類及び当該法人所得税の額に関する計算の基礎となる書類で各事業年度に係るもの
（六）	特殊関係内国法人（**1**②（二）に規定する特殊関係内国法人をいう。以下（六）において同じ。）の各事業年度終了の日における次のイ及びロに掲げる法人の株主等（第二章第一節**一**表内**8の2**に規定する株主等をいう。（七）において同じ。）の氏名及び住所又は名称及び本店若しくは主たる事務所の所在地並びにその有する次に掲げる法人に係る株式（投資信託及び投資法人に関する法律第2条第14項に規定する投資口を含む。）又は出資の数又は金額を記載した書類 イ　特殊関係内国法人 ロ　**1**①（4）（一）に規定する株主等である外国法人並びに同（二）に規定する株主等である法人及び出資関連法人
（七）	添付対象外国関係法人の各事業年度終了の日における次のイ及びロに掲げる法人の株主等に係る（六）に掲げる書類 イ　（六）ロに掲げる法人

	ロ　1①(5)(三)及び同(四)に掲げる外国法人

(注)　改正後の(1)の規定は、6に規定する居住者の令和7年分以後の各年分の6に規定する書類について適用され、6に規定する居住者の令和6年分以前の各年分の6に規定する書類については、なお従前の例による。(令6改措規附10②)

7　添付不要部分対象外国関係法人の各事業年度の貸借対照表及び損益計算書その他の書類の保存

特殊関係株主等である居住者は、(1)で定めるところにより、当該居住者に係る添付不要部分対象外国関係法人の各事業年度の貸借対照表及び損益計算書その他の(3)で定める書類を保存しなければならない。(措法40の7⑫)

(書類の整理保存義務)

(1)　7の特殊関係株主等(1①に規定する特殊関係株主等をいう。)である居住者は、当該居住者に係る添付不要部分対象外国関係法人(6(一)に規定する添付不要部分対象外国関係法人をいう。8において同じ。)の(3)において準用する6(1)に規定する6(1)で定める書類を整理し、起算日から7年間、当該6(1)で定める書類を納税地に保存しなければならない。(措規18の20の2⑭)

((1)に規定する起算日)

(2)　(1)に規定する起算日とは、(1)の添付不要部分対象外国関係法人の各事業年度終了の日の翌日から2月を経過する日の属する年(その年分の所得税につき確定申告書を提出する年に限る。)の翌年3月15日の翌日をいう。(措規18の20の2⑮)

(7に規定する(3)で定める書類)

(3)　6(1)の規定は、7に規定する(3)で定める書類について準用する。この場合において、6(1)中「6(一)及び同(二)に掲げる外国関係法人」とあるのは「6(一)に規定する添付不要部分対象外国関係法人」と、「添付対象外国関係法人」とあるのは「添付不要部分対象外国関係法人」と読み替えるものとする。(措規18の20の2⑯)

8　1①、3①、4①及び6の規定を適用しない場合

特殊関係株主等である居住者に係る外国関係法人が七1②(一)に規定する外国関係会社に該当し、かつ、当該特殊関係株主等である居住者が同①(一)から同(四)までに掲げる居住者に該当する場合には、1①、3①、4①及び6及び7の規定は、適用しない。(措法40の7⑬)

9　外国信託の受益権を直接又は間接に有する場合

特殊関係株主等である居住者が外国信託(投資信託及び投資法人に関する法律第2条第24項に規定する外国投資信託のうち租税特別措置法第68条の3の3第1項に規定する特定投資信託に類するものをいう。以下9において同じ。)の受益権を直接又は間接に有する場合には、当該外国信託の受託者は、当該外国信託の信託資産等(信託財産に属する資産及び負債並びに当該信託財産に帰せられる収益及び費用をいう。以下9において同じ。)及び固有資産等(外国信託の信託資産等以外の資産及び負債並びに収益及び費用をいう。)ごとに、それぞれ別の者とみなして、八の規定を適用する。(措法40の7⑭)

(法人税法第4条の2第2項及び第4条の3の規定の準用)

(1)　法人税法第4条の2第2項及び第4条の3の規定は、9の規定を適用する場合について準用する。(措法40の7⑮)

10　特定外国法人から受ける剰余金の配当等の額の控除

①　特定外国法人から受ける剰余金の配当等の額の控除

特殊関係株主等である居住者が外国法人から受ける剰余金の配当等(第四章第二節《配当所得》一に規定する剰余金の配当、利益の配当又は剰余金の分配をいう。以下10において同じ。)の額がある場合には、当該剰余金の配当等の額のうち当該外国法人に係る次の(一)及び(二)に掲げる金額の合計額に達するまでの金額は、当該居住者の当該剰余金の配当等の額の支払を受ける日(以下10において「配当日」という。)の属する年分の当該外国法人から受ける剰余金の配当等の額に係る配当所得の金額の計算上控除する。(措法40の8①)

(一)	外国法人に係る課税対象金額、部分課税対象金額又は金融関係法人部分課税対象金額で、配当日の属する年分において**1**①、**3**①又は**4**①の規定により当該年分の雑所得の金額の計算上総収入金額に算入されるもののうち、当該居住者の有する当該外国法人の直接保有の株式等の数（**七4**①(一)に規定する直接保有の株式等の数をいう。(二)及び②の(一)において同じ。）に対応する部分の金額として(1)で定める金額
(二)	外国法人に係る課税対象金額、部分課税対象金額又は金融関係法人部分課税対象金額で、配当日の属する年の前年以前3年内の各年分において**1**①、**3**①又は**4**①の規定により当該各年分の雑所得の金額の計算上総収入金額に算入されたもののうち、当該居住者の有する当該外国法人の直接保有の株式等の数に対応する部分の金額として(2)で定める金額（当該各年分において当該外国法人から受けた剰余金の配当等の額（**10**①の規定の適用を受けた部分の金額に限る。以下(二)において同じ。）がある場合には、当該剰余金の配当等の額に相当する金額を控除した残額。以下③において「課税済金額」という。）

（居住者の有する特定外国法人の直接保有の株式等の数に対応する部分の金額として(1)で定める金額）

(1)　①(一)に規定する(1)で定める金額は、同(一)の外国法人に係る適用対象金額（特殊関係株主等である居住者の同(一)に規定する配当日（以下**10**において「配当日」という。）の属する年分の雑所得の金額の計算上総収入金額に算入される課税対象金額（**1**①に規定する課税対象金額をいう。以下**10**において同じ。）に係るものに限る。以下(1)において同じ。）から当該外国法人の当該適用対象金額に係る事業年度の調整金額を控除した残額、部分適用対象金額（特殊関係株主等である居住者の配当日の属する年分の雑所得の金額の計算上総収入金額に算入される部分課税対象金額（**3**①に規定する部分課税対象金額をいう。以下**10**において同じ。）に係るものに限る。以下(1)において同じ。）又は金融関係法人部分適用対象金額（特殊関係株主等である居住者の配当日の属する年分の雑所得の金額の計算上総収入金額に算入される金融関係法人部分課税対象金額（**4**①に規定する金融関係法人部分課税対象金額をいう。以下において同じ。）に係るものに限る。以下(1)において同じ。）に、当該外国法人の当該適用対象金額、部分適用対象金額又は金融関係法人部分適用対象金額に係る事業年度終了の時における発行済株式等のうちに当該事業年度終了の時における当該特殊関係株主等である居住者の有する当該外国法人の請求権勘案直接保有株式等（居住者が有する外国法人の株式等の数又は金額（当該外国法人が請求権の内容が異なる株式等を発行している場合には、当該外国法人の発行済株式等に、当該居住者が当該請求権の内容が異なる株式等に係る請求権に基づき受けることができる**4**①に規定する剰余金の配当等の額がその総額のうちに占める割合を乗じて計算した数又は金額）をいう。(2)において同じ。）の占める割合を乗じて計算した金額とする。（措令25の30①）

（居住者の有する特定外国法人の直接保有の株式等の数に対応する部分の金額として(2)で定める金額）

(2)　①(二)に規定する(2)で定める金額は、同(二)の外国法人の各事業年度の適用対象金額（特殊関係株主等である居住者の配当日の属する年の前年以前3年内の各年分の雑所得の金額の計算上総収入金額に算入された課税対象金額に係るものに限る。以下(2)において同じ。）から当該外国法人の当該適用対象金額に係る各事業年度の調整金額を控除した残額、部分適用対象金額（特殊関係株主等である居住者の配当日の属する年の前年以前3年内の各年分の雑所得の金額の計算上総収入金額に算入された部分課税対象金額に係るものに限る。以下(2)において同じ。）又は金融関係法人部分適用対象金額（特殊関係株主等である居住者の配当日の属する年の前年以前3年内の各年分の雑所得の金額の計算上総収入金額に算入された金融関係法人部分課税対象金額に係るものに限る。以下(2)において同じ。）に、当該外国法人の当該適用対象金額、部分適用対象金額又は金融関係法人部分適用対象金額に係る各事業年度終了の時における発行済株式等のうちに当該各事業年度終了の時における当該特殊関係株主等である居住者の有する当該外国法人の請求権勘案直接保有株式等の占める割合を乗じて計算した金額の合計額とする。（措令25の30②）

②　部分課税対象金額の不適用

①の場合において、同①の外国法人が他の外国法人から受ける剰余金の配当等の額があるときは、同①の居住者が同①の外国法人から受ける剰余金の配当等の額から当該剰余金の配当等の額につき同①の規定の適用を受ける部分の金額を控除した金額（当該外国法人に係る次の(一)及び(二)に掲げる金額のうちいずれか少ない金額に達するまでの金額に限る。）は、当該居住者の配当日の属する年分の当該外国法人から受ける剰余金の配当等の額に係る配当所得の金額の計算上控除する。（措法40の8②）

(一)	配当日の属する年及びその年の前年以前2年内の各年において、①の外国法人が他の外国法人から受けた剰余金の配当等の額（当該他の外国法人の**1**①、**3**①又は**4**①の規定の適用に係る事業年度開始の日前に受けた剰余金の配

	当等の額として(１)で定めるものを除く。）のうち、当該居住者の有するの①の外国法人の直接保有の株式等の数に対応する部分の金額として(２)で定める金額（配当日の属する年の前年以前２年内の各年分（(二)のロにおいて「前２年内の各年分」という。）において当該外国法人から受けた剰余金の配当等の額（②の規定の適用を受けた金額のうち、当該外国法人が当該他の外国法人から受けた剰余金の配当等の額に対応する部分の金額に限る。以下②において「特例適用配当等の額」という。）がある場合には、当該特例適用配当等の額を控除した残額。③において「間接配当等」という。）
(二)	次に掲げる金額の合計額 イ　(一)の他の外国法人に係る課税対象金額、部分課税対象金額又は金融関係法人部分課税対象金額で、配当日の属する年分において**1**①、**3**①又は**4**①の規定により当該年分の雑所得の金額の計算上総収入金額に算入されるもののうち、同(一)の居住者の有する当該他の外国法人の間接保有の株式等の数（**七4**(１)(二)イに規定する間接保有の株式等の数をいう。ロにおいて同じ。）に対応する部分の金額として(３)で定める金額 ロ　(一)の他の外国法人に係る課税対象金額、部分課税対象金額又は金融関係法人部分課税対象金額で、前２年内の各年分において**1**①、**3**①又は**4**①の規定により前２年内の各年分の雑所得の金額の計算上総収入金額に算入されたもののうち、同(一)の居住者の有する当該他の外国法人の間接保有の株式等の数に対応する部分の金額として(４)で定める金額（前２年内の各年分において①の外国法人から受けた特例適用配当等の額がある場合には、当該特例適用配当等の額を控除した残額。③において「間接課税済金額」という。）

（事業年度開始の日前に受けた剰余金の配当等の額として(１)で定めるもの）

(１)　②の(一)に規定する(１)で定める剰余金の配当等の額は、配当日の属する年及びその年の前年以前２年内の各年において同(一)の外国法人が他の外国法人から受けた剰余金の配当等（①に規定する剰余金の配当等をいう。(２)において同じ。）の額であって次の(一)及び(二)に掲げるものとする。（措令25の30③）

(一)	当該他の外国法人の課税対象金額、部分課税対象金額又は金融関係法人部分課税対象金額（②の(一)の居住者の配当日の属する年分又は前２年内の各年分（同(一)に規定する前２年内の各年分をいう。(４)において同じ。）の雑所得の金額の計算上総収入金額に算入されたものに限る。(二)において「課税対象金額等」という。）の生ずる事業年度がない場合における当該他の外国法人から受けたもの
(二)	当該他の外国法人の課税対象金額等の生ずる事業年度開始の日（その日が２以上ある場合には、最も早い日）前に受けたもの

（外国法人の直接保有の株式等の数に対応する部分の金額として(２)で定める金額）

(２)　②(一)に規定する(２)で定める金額は、配当日の属する年及びその年の前年以前２年内の各年において同(一)の外国法人が他の外国法人から受けた剰余金の配当等の額（同(一)に規定する(３)で定める剰余金の配当等の額を除く。）につき、**七9**①(５)の規定の例により計算した金額とする。（措令25の30④）

（他の外国法人の間接保有の株式等の数に対応する部分の金額として(３)で定める金額）

(３)　②(二)イに規定する(３)で定める金額は、同(二)イの他の外国法人に係る適用対象金額（特殊関係株主等である居住者の配当日の属する年分の雑所得の金額の計算上総収入金額に算入される課税対象金額に係るものに限る。以下(３)において同じ。）から当該他の外国法人の当該適用対象金額に係る事業年度の調整金額を控除した残額、部分適用対象金額（特殊関係株主等である居住者の配当日の属する年分の雑所得の金額の計算上総収入金額に算入される部分課税対象金額に係るものに限る。以下(３)において同じ。）又は金融関係法人部分適用対象金額（特殊関係株主等である居住者の配当日の属する年分の雑所得の金額の計算上総収入金額に算入される金融関係法人部分課税対象金額に係るものに限る。以下(３)において同じ。）に、当該他の外国法人の当該適用対象金額、部分適用対象金額又は金融関係法人部分適用対象金額に係る事業年度終了の時における発行済株式等のうちに当該事業年度終了の時において当該特殊関係株主等である居住者が②(一)の外国法人を通じて間接に有する当該他の外国法人の間接保有の株式等の数（②(二)イに規定する間接保有の株式等の数をいう。(４)において同じ。）の占める割合を乗じて計算した金額とする。（措令25の30⑤）

（他の外国法人の間接保有の株式等の数に対応する部分の金額として(６)で定める金額）

(４)　②(二)ロに規定する(６)で定める金額は、同(二)ロの他の外国法人の各事業年度の適用対象金額（特殊関係株主等である居住者の前２年内の各年分の雑所得の金額の計算上総収入金額に算入された課税対象金額に係るものに限る。以下(４)において同じ。)から当該他の外国法人の当該適用対象金額に係る各事業年度の調整金額を控除した残額、部分適用対象金額（特殊関係株主等である居住者の前２年内の各年分の雑所得の金額の計算上総収入金額に算入された部分課税対象金額に係るものに限る。以下(４)において同じ。）又は金融関係法人部分適用対象金額（特殊関係株主等である居住者の前２年内の各年分の雑所得の金額の計算上総収入金額に算入された金融関係法人部分課税対象金額に係るものに限る。以下(４)において同じ。）に、当該他の外国法人の当該適用対象金額、部分適用対象金額又は金融関係法人部分適用対象金額に係る各事業年度終了の時における発行済株式等のうちに当該各事業年度終了の時において当該特殊関係株主等である居住者が②(一)の外国法人を通じて間接に有する当該他の外国法人の間接保有の株式等の数の占める割合を乗じて計算した金額の合計額とする。(措令25の30⑥)

③　**申告手続等**

①及び②の規定は、課税済金額又は間接配当等若しくは間接課税済金額に係る年のうち最も古い年以後の各年分の（第十章第二節**二１**①、同節**三１**①（同**三２**⑤において準用する場合を含む。)、同**三２**①、同**三３**①又は同**三４**①の規定による申告書を提出しなければならない場合の各年分に限る。）確定申告書を連続して提出している場合であって、かつ、配当日の属する年分の確定申告書、修正申告書又は更正請求書に同①及び②の規定による控除を受ける剰余金の配当等の額及びその計算に関する明細を記載した書類の添付がある場合に限り、適用する。この場合において、これらの規定により控除される金額は、当該金額として記載された金額を限度とする。(措法40の８③)

11　その他の事項

特殊関係株主等と特殊関係内国法人との間に**１**①に規定する特定関係があるかどうかの判定に関する事項、**１**及び**４**の規定の適用を受ける居住者の第九章第二節**二１**《外国税額控除》①に規定する控除限度額の計算その他**１**及び**４**の規定の適用に関し必要な事項は、政令で定める。(措法40の９)

(配当控除限度額を計算する場合における第九章第二節**二１**《外国税額控除》③の規定の適用)

(１)　**七10**の規定は、**１**①、**３**①若しくは**４**①又は**10**①若しくは**10**②の規定の適用を受ける居住者の第九章第二節**二１**①に規定する控除限度額を計算する場合における第九章第二節**二１**《外国税額控除》③の規定の適用について準用する。(措令25の31③)

(法人税法施行令の準用)

(２)　法人税法施行令第14条の６第１項から第５項まで及び第７項から第11項までの規定は、**９**の規定を**１**から**11**までの規定において適用する場合について準用する。(措令25の31④)

(その他の必要な事項)

(３)　(２)に定めるもののほか、法人税法第４条の３に規定する受託法人又は法人課税信託の受益者についての**１**から**11**までの規定の適用に関し必要な事項は、財務省令で定める。(措令25の31⑤)

第七章　損益通算及び損失の繰越控除

第一節　損 益 通 算

一　分離課税の所得がない場合の損益通算

1　損益通算の順序

総所得金額、退職所得金額又は山林所得金額を計算する場合において、不動産所得の金額、事業所得の金額、山林所得の金額又は譲渡所得の金額の計算上生じた損失の金額があるときは、（1）で定める順序により、これを他の各種所得の金額から控除する。（法69①）

（(1)で定める順序）

（1）　**1**《損益通算》の（1）で定める順序による控除は、次に定めるところによる。（令198）

①	不動産所得の金額又は事業所得の金額の計算上生じた損失の金額があるときは、これをまず他の利子所得の金額、配当所得の金額、不動産所得の金額、事業所得の金額、給与所得の金額及び雑所得の金額（以下（1）において**「経常所得の金額」**という。）から控除する。
②	譲渡所得の金額の計算上生じた損失の金額があるときは、これをまず一時所得の金額から控除する。
③	①の場合において、①の規定による控除をしてもなお控除しきれない損失の金額があるときは、これを譲渡所得の金額及び一時所得の金額（②の規定による控除が行われる場合には、②の規定による控除後の金額）から順次控除する。この場合において、当該譲渡所得の金額のうちに、第四章第八節**二 1**《譲渡所得の金額》(一)に掲げる所得に係る部分と同(二)に掲げる所得に係る部分とがあるときは、同(一)に掲げる所得に係る部分の譲渡所得の金額からまず控除する。
④	②の場合において、②の規定による控除をしてもなお控除しきれない損失の金額があるときは、これを経常所得の金額（①の規定による控除が行われる場合には、①の規定による控除後の金額）から控除する。
⑤	①又は②の場合において、①から④までの規定による控除をしてもなお控除しきれない損失の金額があるときは、これをまず山林所得の金額から控除し、なお控除しきれない損失の金額があるときは、退職所得の金額から控除する。
⑥	山林所得の金額の計算上生じた損失の金額があるときは、これをまず経常所得の金額（①又は④の規定による控除が行われる場合には、これらの規定による控除後の金額）から控除し、なお控除しきれない損失の金額があるときは、譲渡所得の金額及び一時所得の金額（②又は③の規定による控除が行われる場合には、これらの規定による控除後の金額）から順次控除し、なお控除しきれない損失の金額があるときは、退職所得の金額（⑤の規定による控除が行われる場合には、⑤の規定による控除後の金額）から控除する。この場合においては、③後段の規定を準用する。

（注）　第四章第五節**三 5**①又は同②《所得金額調整控除》の規定の適用がある場合における（1）の規定の適用については、（1）①中、下線部の「給与所得の金額」とあるのは、「給与所得の金額から第四章第五節**三 5**①又は同②《所得金額調整控除》の規定による控除をした残額」とする。（措令26の5②）

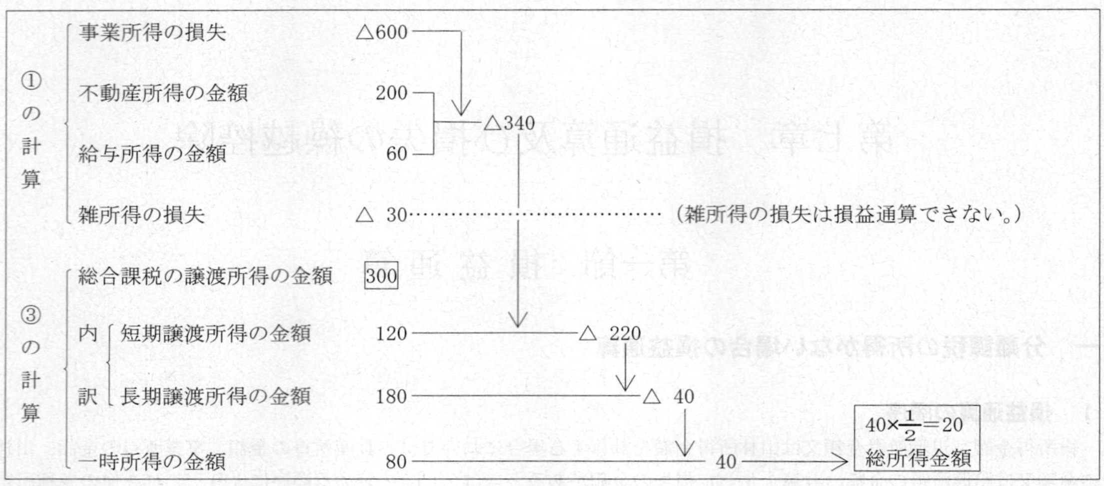

2　生活に通常必要でない資産に係る所得の計算上生じた損失の損益通算の不適用

1の場合において、**1**に規定する損失の金額のうちに生活に通常必要でない資産に係る所得の金額の計算上生じた損失の金額があるときは、当該損失の金額のうち競走馬の譲渡に係る譲渡所得の金額の計算上生じた損失の金額は、競走馬の保有に係る雑所得の金額から控除するものとし、それ以外のもの及び当該控除をしてもなお控除しきれないものは生じなかったものとみなす。（法69②、令200①②）

（注）1　「生活に通常必要でない資産」とは次に掲げるものをいう。（法62①、令178）（災害損失については、第四章第八節《譲渡所得》**三**参照。）

イ　競走馬（その規模、収益の状況その他の事情に照らし事業と認められるものの用に供されるものを除く。）その他射こう的行為の手段となる動産……基通27－7（第四章第四節《事業所得》**一**（7））参照。

ロ　通常自己及び自己と生計を一にする親族が居住の用に供しない家屋で主として趣味、娯楽又は保養の用に供する目的で所有するものその他主として趣味、娯楽、保養又は鑑賞の目的で所有する資産（イ又はハに掲げる動産を除く。）

ハ　生活の用に供する動産で、生活に通常必要とされないもの及び次のいずれかに該当するもの（1個又は1組の価額が30万円を超えるものに限る。）

（一）　貴石、半貴石、貴金属、真珠及びこれらの製品、べっこう製品、さんご製品、こはく製品、ぞうげ製品並びに七宝製品

（二）　書画、こっとう及び美術工芸品

2　事業と認められるものの用に供している競走馬の譲渡損失の損益通算には**2**の制限が適用されない。（編者注）

3　変動所得の損失等の損益通算

1の場合において、不動産所得の金額、事業所得の金額又は山林所得の金額の計算上生じた損失の金額のうちに変動所得の金額の計算上生じた損失の金額（以下「**変動所得の損失の金額**」という。）、第二節**一 3**の被災事業用資産の損失の金額（以下「**被災事業用資産の損失の金額**」という。）又はその他の損失の金額の２以上があるときは、これらの損失の金額の控除の順序については、次の①及び②に定めるところによる。（令199）

①	不動産所得の金額又は事業所得の金額の計算上生じた損失の金額のうちに変動所得の損失の金額、被災事業用資産の損失の金額又はその他の損失の金額の２以上があるときは、まずその他の損失の金額を控除し、次に被災事業用資産の損失の金額及び変動所得の損失の金額を順次控除する。
②	山林所得の金額の計算上生じた損失の金額のうちに被災事業用資産の損失の金額とその他の損失の金額とがあるときは、まずその他の損失の金額を控除し、次に被災事業用資産の損失の金額を控除する。

4　不動産所得に係る損益通算の特例

個人の平成４年分以後の各年分の不動産所得の金額の計算上生じた損失の金額がある場合において、当該年分の不動産所得の金額の計算上必要経費に算入した金額のうちに不動産所得を生ずべき業務の用に供する土地又は土地の上に存する権利（**4**において「**土地等**」という。）を取得するために要した負債の利子の額があるときは、当該損失の金額のうち当該負債の利子の額に相当する部分の金額として（1）で定めるところにより計算した金額は、**1**の規定その他の所得税に関する法令の規定の適用については、生じなかったものとみなす。（措法41の４①）

（損益通算の適用されない金額）

（1）　**4**に規定するところにより計算した金額は、次の(一)又は(二)に掲げる場合の区分に応じ、当該(一)又は(二)に定める金額とする。（措令26の6①）

(一)	その年分の不動産所得の金額の計算上必要経費に算入した土地等を取得するために要した負債の利子の額が当該不動産所得の金額の計算上生じた損失の金額を超える場合　　当該損失の金額
(二)	その年分の不動産所得の金額の計算上必要経費に算入した土地等を取得するために要した負債の利子の額が当該不動産所得の金額の計算上生じた損失の金額以下である場合　　当該損失の金額のうち当該負債の利子の額に相当する金額

（土地等を取得するために要した負債の額）

（2）　個人が不動産所得を生ずべき業務の用に供する土地等を当該土地等の上に建築された建物（その附属設備を含む。）とともに取得した場合（これらの資産を一の契約により同一の者から譲り受けた場合に限る。）において、これらの資産を取得するために要した負債の額がこれらの資産ごとに区分されていないことその他の事情によりこれらの資産の別にその負債の額を区分することが困難であるときは、当該個人は、これらの資産を取得するために要した負債の額がまず当該建物の取得の対価の額に充てられ、次に当該土地等の取得の対価の額に充てられたものとして、**4**に規定する土地等を取得するために要した負債の利子の額に相当する部分の金額を計算することができる。（措令26の6②）

（不動産所得を生ずべき業務の用とそれ以外の用とに併用する建物とともに土地等を取得した場合）

（3）　不動産所得を生ずべき業務の用と当該業務の用以外の用とに併用する建物（その附属設備を含む。以下(5)において同じ。）をその敷地の用に供されている土地等（**4**に規定する土地等をいう。以下(6)までにおいて同じ。）とともに取得した場合における(2)の規定の適用に当たっては、当該建物及び当該土地等の取得の対価の額並びにこれらの資産の取得のために要した負債の額を当該業務の遂行のために必要な部分の額とそれ以外の額とに区分した上、当該業務の遂行のために必要な部分の額を基として(2)の規定を適用するものとする。（措通41の4－1）

（建物及び構築物を土地等とともに取得した場合）

（4）　建物及び構築物をその敷地の用に供されている土地等とともに取得した場合における(2)の規定の適用に当たっては、当該構築物の取得の対価の額を当該建物の取得の対価の額に含めて差し支えない。（措通41の4－2）

（土地等に係る負債の利子の額の計算）

（5）　(2)の規定の適用を受ける場合におけるその年分の同(2)の規定の適用に係る土地等を取得するために要した負債の利子の額は、その年分の不動産所得の金額の計算上必要経費に算入することとなる(2)の規定の適用に係る建物及び土地等を取得するために要した負債の利子の額にこれらの資産を取得するために要した負債の額のうちに(2)の規定により当該土地等の取得の対価の額に充てられたものとされる負債の額の割合を乗じて計算した額となることに留意する。（措通41の4－3）

（組合事業等から生じた不動産所得について第六章第二節**一6**又は**5**の適用がある場合の土地等に係る負債の利子の額の計算）

（6）　第六章第二節**一6**《有限責任事業組合の事業に係る組合員の事業所得等の所得計算の特例》又は**5**《特定組合員等の不動産所得に係る損益通算等の特例》の適用がある場合には、これらの規定により計算した金額に基づいて**4**を適用することに留意する。この場合の(1)(一)又は同(二)の規定の適用におけるその年分の不動産所得の金額の計算上必要経費に算入した土地等を取得するために要した負債の利子の額は、組合事業（第六章第二節**一6**及び**5**(1)(二)に規定する組合事業をいう。）又は受益者等課税信託（第二章第四節**2**《信託財産に属する資産及び負債並びに信託財産に帰せられる収益及び費用の帰属》に規定する受益者（同節**2**(1)の規定により同節**2**に規定する受益者とみなされる者を含む。）がその信託財産に属する資産及び負債を有するものとみなされる信託をいう。）に係る不動産所得を生ずべき業務の区分ごとに、次により計算した金額の合計額とする。（措通41の4－4）

(一)　当該負債の利子の額が、第六章第二節**一6**の規定の適用によりその年分の不動産所得の金額の計算上必要経費に算入しないこととされる金額（以下(6)において「不動産所得の必要経費不算入額」という。）及び**5**の規定の適用により、第四章第三節**二**及び**一1**《損益通算の順序》の規定その他の所得税に関する法令の規定の適用については生じなかったものとみなされる金額（以下(6)において「不動産所得の計算について生じなかったものとみなされる金額」という。）を超える場合　　当該超える部分に相当する額

(二)　当該負債の利子の額が、不動産所得の必要経費不算入額及び不動産所得の計算について生じなかったものとみなされる金額以下である場合　　当該負債の利子はなかったものとする。

5　特定組合員等の不動産所得に係る損益通算等の特例

特定組合員（組合契約を締結している組合員（これに類する者で(2)で定めるものを含む。以下**5**において同じ。）のうち、組合事業に係る重要な財産の処分若しくは譲受け又は組合事業に係る多額の借財に関する業務の執行の決定に関与し、かつ、当該業務のうち契約を締結するための交渉その他の重要な部分を自ら執行する組合員以外のものをいう。）又は特定受益者（信託の第二章第四節**2**に規定する受益者（同節**2**(1)の規定により同節**2**に規定する受益者とみなされる者を含む。）をいう。）に該当する個人が、平成18年以後の各年において、組合事業又は信託から生ずる不動産所得を有する場合においてその年分の不動産所得の金額の計算上当該組合事業又は信託による不動産所得の損失の金額として(5)で定める金額があるときは、当該損失の金額に相当する金額は、第四章第三節**二**《不動産所得の金額》及び**一 1**《損益通算の順序》の規定その他の所得税に関する法令の規定の適用については、生じなかったものとみなす。(措法41の４の２①)

(用語の意義)

(1)　**5**において、次の(一)又は(二)に掲げる用語の意義は、当該(一)又は(二)に定めるところによる。(措法41の４の２②)

(一)	組合契約	民法第667条第１項に規定する組合契約及び投資事業有限責任組合契約に関する法律第３条第１項に規定する投資事業有限責任組合契約並びに外国におけるこれらに類する契約（(6)で定めるものを含む。）をいう。
(二)	組合事業	各組合契約に基づいて営まれる事業をいう。

(組合員に類する者)

(2)　**5**に規定する組合員に類する者で(2)で定めるものは、(1)(一)に規定する組合契約（以下**5**において「組合契約」という。）のうち同(一)に規定する外国におけるこれらに類する契約を締結している者とする。(措令26の６の２①)

(特定組合員に該当するかどうかの判定)

(3)　組合契約を締結している組合員（**5**に規定する組合員をいう。以下(3)及び(4)において同じ。）である個人が、各年において(5)に規定する特定組合員に該当するかどうかは、その年の12月31日（当該個人がその年の中途において死亡し、又は当該組合契約による組合（これに類するものを含む。以下(3)において同じ。）から脱退した場合には、その死亡又は脱退の日とし、当該組合がその年の中途において解散した場合には、その解散の日とする。）において当該個人が当該組合契約を締結した日以後引き続き組合事業（(1)(二)に規定する組合事業をいう。以下**5**において同じ。）に係る重要な財産の処分若しくは譲受け又は当該組合事業に係る多額の借財に関する業務(以下(3)において「重要業務」という。）のすべての執行の決定に関与し、かつ、当該重要業務のうち契約を締結するための交渉その他の重要な部分のすべてを自ら執行しているかどうかにより、判定するものとする。(措令26の６の２②)

(業務執行組合員以外の者に当該組合事業の業務の執行の全部を委任している場合)

(4)　組合契約を締結している組合員である個人が、当該組合契約により組合事業の業務を執行する組合員（以下(4)において「業務執行組合員」という。）又は業務執行組合員以外の者に当該組合事業の業務の執行の全部を委任している場合には、(3)の規定にかかわらず、当該組合事業の業務の執行の全部を委任している組合員である個人は**5**に規定する特定組合員に該当するものとする。(措令26の６の２③)

(損失の金額として(5)で定める金額)

(5)　**5**に規定する損失の金額として(5)で定める金額は、**5**に規定する特定組合員又は特定受益者のその年分における組合事業又は信託から生ずる不動産所得に係る総収入金額に算入すべき金額の合計額が当該組合事業又は信託から生ずる不動産所得に係る必要経費に算入すべき金額の合計額に満たない場合におけるその満たない部分の金額に相当する金額とする。(措令26の６の２④)

((1)(一)に規定する(6)で定める契約)

(6)　(1)(一)に規定する(6)で定める契約は、外国における有限責任事業組合契約（有限責任事業組合契約に関する法律第３条第１項に規定する有限責任事業組合契約をいう。）に類する契約とする。(措令26の６の２⑤)

(確定申告書への添付等)

(7)　その年において組合事業又は信託から生ずる不動産所得を有する個人が確定申告書を提出する場合には、(8)で定めるところにより、当該組合事業又は信託から生ずる不動産所得の金額の計算に関する明細書を当該申告書に添付しなければならない。(措令26の６の２⑥)

(特定組合員等の不動産所得の計算に関する明細書)

(8)　その年において組合事業又は信託から生ずる不動産所得を有する個人は、第十章第二節**二１**《確定所得申告》④の規定により確定申告書に添付すべき同④の書類のほか、当該組合事業又は信託に係る次に掲げる項目別の金額その他参考となるべき事項を記載した(7)の明細書を確定申告書に添付しなければならない。(措規18の24①)

(一)	総収入金額については、当該組合事業又は信託から生ずる不動産所得に係る賃貸料その他の収入の別
(二)	必要経費については、当該組合事業又は信託から生ずる不動産所得に係る減価償却費、貸倒金、借入金利子及びその他の経費の別

(明細書の作成)

(9)　(7)に規定する個人は、(7)の明細書を各組合契約に係る組合事業又は信託ごとに作成するものとする。(措規18の24②)

(複数の組合契約等を締結する者等の組合事業等に係る不動産所得の計算)

(10)　個人が複数の組合契約（(1)(一)に規定する組合契約をいう。)を締結している場合の、**5**に規定する「特定組合員」に該当するかどうかの判定は、各組合契約ごとに行うことに留意する。

また、組合事業（(1)(二)に規定する組合事業をいう。以下(13)までにおいて同じ。）又は受益者等課税信託(第二章第四節**2**《信託財産に属する資産及び負債並びに信託財産に帰せられる収益及び費用の帰属》に規定する受益者(同節**2**(1)の規定により同節**2**に規定する受益者とみなされる者を含む。)がその信託財産に属する資産及び負債を有するものとみなされる信託をいう。)（以下「組合事業等」という。）から生ずる不動産所得の金額の計算は、各組合事業等ごとに行うことに留意する。

なお、**5**に規定する特定組合員又は特定受益者に該当する個人が、複数の組合事業等に係る不動産所得を有する場合又は不動産所得を生ずべき業務のうち組合事業等に係る不動産所得と組合事業等以外に係る不動産所得を有する場合には、損益計算書又は収支内訳書はそれぞれの不動産所得に係るものの区分ごとに各別に作成するものとする。(措通41の４の２－１)

(重要な財産の処分若しくは譲受けの判定)

(11)　**5**に規定する「組合事業に係る重要な財産の処分若しくは譲受け」に該当するかどうかは、組合事業に係る当該財産の価額、当該財産が組合事業に係る財産に占める割合、当該財産の保有又は譲受けの目的、処分又は譲受けの行為の態様及びその組合事業における従来の取扱いの状況等を総合的に勘案して判定する。(措通41の４の２－２)

(多額な借財の判定)

(12)　**5**に規定する「組合事業に係る多額の借財」に該当するかどうかは、組合事業に係る当該借財の額、当該借財が組合事業に係る財産及び経常利益等に占める割合、当該借財の目的並びにその組合事業における従来の取扱いの状況等を総合的に勘案して判定する。(措通41の４の２－３)

(引き続き重要業務のすべての執行の決定に関与する場合)

(13)　組合事業に係る重要業務（措置法令第26条の６の２第２項に規定する重要業務をいう。以下(13)において同じ。）のすべての執行の決定に関与し、かつ、重要業務のうち契約を締結するための交渉その他の重要な部分のすべてを自ら執行する組合員は**5**に規定する特定組合員に該当しないのであるが、当該個人が組合員となった時からその年の12月31日までの間において組合事業に係る重要業務の執行の決定及び当該重要業務のうち契約を締結するための交渉そ

の他の重要な部分の執行を行っていない場合には、当該個人は特定組合員であることに留意する。（措通41の４の２－４）

6　国外中古建物の不動産所得に係る損益通算等の特例

①　国外中古建物の不動産所得に係る損益通算等の特例

個人が、令和３年以後の各年において、国外中古建物から生ずる不動産所得を有する場合においてその年分の不動産所得の金額の計算上国外不動産所得の損失の金額があるときは、当該国外不動産所得の損失の金額に相当する金額は、第四章第三節**二**及び第七章第一節**一１**の規定その他の所得税に関する法令の規定の適用については、生じなかったものとみなす。（措法41の４の３①）

②　用語の意義

6において、次の(一)及び(二)に掲げる用語の意義は、当該(一)及び(二)に定めるところによる。（措法41の４の３②）

(一)	国外中古建物　　個人において使用され、又は法人（第二章第一節**一８**に規定する人格のない社団等を含む。）において事業の用に供された国外にある建物であって、個人が取得をしてこれを当該個人の不動産所得を生ずべき業務の用に供したもの（当該不動産所得の金額の計算上当該建物の償却費として第六章第二節**一**の規定により必要経費に算入する金額を計算する際に所得税法の規定により定められている耐用年数を(１)で定めるところにより算定しているものに限る。）をいう。
(二)	国外不動産所得の損失の金額　　個人の不動産所得の金額の計算上国外中古建物の貸付け（他人（当該個人が非居住者である場合の第二章第二節**４**①(一)に規定する事業場等を含む。以下(二)において同じ。）に国外中古建物を使用させることを含む。）による損失の金額（当該国外中古建物以外の国外にある不動産、不動産の上に存する権利、船舶又は航空機（以下(二)において「国外不動産等」という。）の貸付け（他人に国外不動産等を使用させることを含む。）による不動産所得の金額がある場合には、当該損失の金額を当該国外不動産等の貸付けによる不動産所得の金額の計算上控除してもなお控除しきれない金額）のうち当該国外中古建物の償却費の額に相当する部分の金額として(３)で定めるところにより計算した金額をいう。

（②(一)に規定する耐用年数を(１)で定めるところにより算定している建物）

（１）　②(一)に規定する耐用年数を(１)で定めるところにより算定している建物は、次の(一)及び(二)に掲げる建物とする。（措規18の24の２①）

(一)	当該建物の耐用年数（減価償却資産の耐用年数等に関する省令（以下(１)において「耐用年数省令」という。）に定める耐用年数をいう。以下(１)において同じ。）を耐用年数省令第３条第１項第１号に掲げる年数としているもの（当該建物の同号に規定する使用可能期間（以下(一)において「使用可能期間」という。）につき、次に掲げるいずれかの書類（当該書類が外国語で作成されている場合にはその翻訳文を含むものとし、ハに掲げる書類にあってはイ及びロに掲げる書類によることが困難である場合に限る。）により当該使用可能期間が適当であることの確認ができる建物を除く。） イ　当該建物の使用可能期間を当該建物が所在している国の法令に基づく耐用年数に相当する年数としている旨を明らかにする書類 ロ　不動産鑑定士又は当該建物の所在している国における不動産鑑定士に相当する資格を有する者の当該建物の使用可能期間を見積もった旨を証する書類 ハ　当該建物をその者が取得した際の取引の相手方又は仲介をした者の当該建物の使用可能期間を見積もった旨を証する書類
(二)	当該建物の耐用年数を耐用年数省令第３条第１項第２号に掲げる年数としているもの

（確定申告書への添付等）

（２）　その年において(１)(一)に規定する確認ができる建物を有する個人が確定申告書を提出する場合には、同(一)に規定する書類又はその写しを当該申告書に添付しなければならない。（措規18の24の２②）

(②(二)に規定する(３)定めるところにより計算した金額)

(３)　②(二)に規定する(３)で定めるところにより計算した金額は、その年分の不動産所得の金額の計算上必要経費に算入した②(一)に規定する国外中古建物（以下(５)までにおいて「国外中古建物」という。）ごとの償却費の額のうち次の(一)及び(二)に掲げる場合の区分に応じ当該(一)及び(二)に定める金額の合計額とする。(措令26の６の３①)

(一)	当該償却費の額がその年分の不動産所得の金額の計算上生じた当該国外中古建物の貸付け（②(二)に規定する国外中古建物の貸付けをいう。(二)において同じ。）による損失の金額を超える場合　　当該損失の金額
(二)	当該償却費の額がその年分の不動産所得の金額の計算上生じた当該国外中古建物の貸付けによる損失の金額以下である場合　　当該損失の金額のうち当該償却費の額に相当する金額

(貸付けによる不動産所得がある場合の計算)

(４)　個人のその年分の不動産所得の金額のうちに②(二)に規定する国外不動産等（(一)及び(５)(二)ロにおいて「国外不動産等」という。）の②(二)に規定する貸付けによる不動産所得の金額がある場合における(３)の規定の適用については、(一)に掲げる金額から(二)に掲げる金額を控除した金額（当該金額が零を下回る場合には、零）を(３)に規定する合計額から控除するものとする。(措令26の６の３②)

(一)	当該国外不動産等の②(二)に規定する貸付けによる不動産所得の金額
(二)	イに掲げる金額からロに掲げる金額を控除した金額 イ　(３)(二)に規定する国外中古建物の貸付けによる損失の金額の合計額 ロ　(３)(二)に規定する国外中古建物の償却費の額の合計額

(個人が国外中古建物を有する場合におけるその年分の不動産所得の金額の計算)

(５)　個人が国外中古建物を有する場合におけるその年分の不動産所得の金額の計算については、次の(一)から(三)までに定めるところによる。(措令26の６の３③)

(一)	当該個人が２以上の国外中古建物を有する場合には、これらの国外中古建物ごとに区分して、それぞれ不動産所得の金額を計算するものとする。
(二)	当該個人が不動産所得を生ずべき業務の用に供される２以上の資産を有する場合において、これらの資産が次のイからハまでに掲げる資産の区分のうち異なる２以上の区分の資産に該当するときは、これらの資産を次のイからハまでに掲げる資産ごとに区分して、それぞれ不動産所得の金額を計算するものとする。 イ　国外中古建物 ロ　国外不動産等（イに掲げる資産に該当するものを除く。） ハ　イ及びロに掲げる資産以外の不動産所得を生ずべき業務の用に供される資産
(三)	(一)及び(二)の場合において、その年分の不動産所得の金額の計算上必要経費に算入されるべき金額のうちに２以上の資産についての貸付け（他人（当該個人が非居住者である場合の第二章第二節**4**①(一)に規定する事業場等を含む。）にこれらの資産を使用させることを含む。以下(三)において同じ。）に要した費用の額（以下(三)において「共通必要経費の額」という。）があるときは、当該共通必要経費の額は、これらの資産の貸付けに係る収入金額その他の(６)で定める基準によりこれらの資産の貸付けに係る必要経費の額に配分し、①に規定する国外不動産所得の損失の金額（③(１)において「国外不動産所得の損失の金額」という。）に相当する金額を計算するものとする。

((５)(三)に規定する(６)で定める基準)

(６)　(５)(三)に規定する(６)で定める基準は、同(三)に規定する資産の貸付けによる不動産所得を生ずべき業務の収入金額その他の基準のうち当該資産の貸付けの内容及び費用の性質に照らして合理的と認められるものとする。(措規18の24の２③)

(共通必要経費の額の配分)

(７)　個人が①に規定する国外中古建物を有する場合におけるその年分の不動産所得の金額の計算においては、(５)(一)から(三)に定めるところにより行うのであるが、(５)(三)に規定する共通必要経費の額（以下(７)において

「共通必要経費の額」という。）は、個々の費目ごとに（6）に規定する合理的と認められる基準により配分することに留意する。

ただし、当該個人が継続して次に掲げるいずれかの方法により全ての同一資産共通必要経費の額（共通必要経費の額のうち、同一の２以上の資産（（5）（三）に規定する２以上の資産をいう。以下（7）において同じ。）についての貸付けに要した費用の額の合計額をいう。以下（7）において同じ。）を配分している場合には、これを認めて差し支えないものとする。（措通41の４の３－１）

⑴　同一資産共通必要経費の額に、イに掲げる金額のうちにロに掲げる金額の占める割合を乗じて配分する方法
　イ　当該個人のその年分における当該２以上の資産の貸付けによる不動産所得に係る総収入金額の合計額
　ロ　当該個人の当該２以上の資産のうちそれぞれの資産の貸付けによる不動産所得に係る総収入金額

⑵　同一資産共通必要経費の額に、イに掲げる金額のうちにロに掲げる金額の占める割合を乗じて配分する方法
　イ　当該個人のその年分の当該２以上の資産の取得価額（その資産の業務の用に供した部分に相当する金額に限る。ロにおいて同じ。）の合計額
　ロ　当該個人の当該２以上の資産のうちそれぞれの資産の取得価額

③　①の規定の適用を受けた国外中古建物を譲渡した場合の資産の取得費

譲渡所得の基因となる資産が家屋その他使用又は期間の経過により減価する資産である場合には、第四章第八節《譲渡所得》**二２**①に規定する資産の取得費は、同①に規定する合計額に相当する金額から、その取得の日から譲渡の日までの期間のうち次の（一）及び（二）に掲げる期間の区分に応じ当該（一）及び（二）に掲げる金額の合計額を控除した金額とする。（措法41の４の３③により読み替えられた法38②（下線部は読み替えられた部分（編者注）））

（一）	その資産が不動産所得、事業所得、山林所得又は雑所得を生ずべき業務の用に供されていた期間	第六章第二節**五４**《減価償却資産の償却費の計算及びその償却の方法》の規定により当該期間内の日の属する各年分の不動産所得の金額、事業所得の金額、山林所得の金額又は雑所得の金額の計算上必要経費に算入されるその資産の償却費の額の累積額からその資産につき①の規定により生じなかったものとみなされた損失の金額に相当する金額の合計額を控除した金額
（二）	（一）に掲げる期間以外の期間	第六章第二節**五４**《減価償却資産の償却費の計算及びその償却の方法》の規定に準じて第四章第八節《譲渡所得》**二２**②（二）で定めるところにより計算したその資産の当該期間に係る減価の額

（①の規定により生じなかったとみなされた損失）

（1）　その年分の国外不動産所得の損失の金額に相当する金額の計算につき②（4）の規定の適用があった場合において、①の規定の適用を受けた国外中古建物を譲渡したときにおける③の規定の適用については、その年分の当該国外中古建物につき①の規定により生じなかったものとみなされた損失の金額に相当する金額は、当該国外不動産所得の損失の金額に相当する金額に、その年分の①（3）各号に定める金額の合計額のうちにその年分の当該国外中古建物の償却費の額の同（3）各号に掲げる場合の区分に応じ当該各号に定める金額の占める割合を乗じて計算した金額とする。（措令26の６の３④）

（国外中古建物についての資産損失）

（2）　①の規定の適用を受けた国外中古建物について第六章第二節**八１**①又は同③の規定の適用を受ける場合における同④の規定の適用については、同④イ中「の規定」とあるのは、「（その資産が第七章第一節**一６**①《国外中古建物の不動産所得に係る損益通算等の特例》の規定の適用を受けた同**６**②（一）に規定する国外中古建物である場合には、同③の規定により読み替えて適用される第四章第八節**二２**①又は②）の規定」とする。（措令26の６の３⑤）

（確定申告書への記載事項）

（3）　①の規定の適用を受けた②（一）に規定する国外中古建物を譲渡した場合における第十章第二節**二１**②（十一）の規定の適用については、同（十一）二（八）中「同②の（一）又は同（二）に定める金額の合計額」とあるのは、「第七章第一節**一６**③《国外中古建物の不動産所得に係る損益通算等の特例》の規定により読み替えて適用される第四章第八節**二２**②各号に定める金額の合計額」とする。（措規18の24の２④）

二　分離課税の事業所得等がある場合の損益通算

1　損益通算の順序

総所得金額、退職所得金額又は山林所得金額を計算する場合において、不動産所得の金額、事業所得の金額、山林所得の金額又は譲渡所得の金額の計算上生じた損失の金額があるときは、（1）で定める順序により、これを他の各種所得の金額から控除する。（法69①）

（注）　次のそれぞれの規定の適用がある場合における**1**の規定の適用については、**1**中の下線部は、それぞれ次のように読み替えられる。（措法８の４③二、28の４⑤二、31③二、32④、37の10⑥四、37の11⑥、41の14②三及び措令26の５①による所法69①の読替え（編者注））

適用がある規定	読替え前	読替え後
第四章第二節**五１**③《上場株式等に係る配当所得等の課税の特例》の規定の適用がある場合	各種所得の金額	各種所得の金額（上場株式等に係る配当所得等の金額を除く。）
第五章第二節**一１**《長期譲渡所得の課税の特例》①の規定の適用	譲渡所得の金額	譲渡所得の金額（第五章第二節**一１**《長期譲渡所得の課税の特例》に規定する譲渡による譲渡所得がないものとして計算した金額とする。）
	各種所得の金額	各種所得の金額（長期譲渡所得の金額を除く。）
第五章第二節**二**《短期譲渡所得の課税の特例》①又は同節**二**③の規定の適用がある場合	譲渡所得の金額	譲渡所得の金額（第五章第二節**二**《短期譲渡所得の課税の特例》①又は同節**二**③に規定する譲渡による所得がないものとして計算した金額とする。）
	各種所得の金額	各種所得の金額（短期譲渡所得の金額を除く。）
第五章第三節**二**《一般株式等に係る譲渡所得等の課税の特例》**１**①の規定の適用がある場合	譲渡所得の金額	譲渡所得の金額（事業所得の金額及び譲渡所得の金額にあっては、第五章第三節**二**《一般株式等に係る譲渡所得等の課税の特例》**１**①に規定する一般株式等に係る譲渡所得等がないものとして計算した金額とする。）
	各種所得の金額	各種所得の金額（一般株式等に係る譲渡所得等の金額を除く。）
第五章第三節**三**《上場株式等に係る譲渡所得等の課税の特例》**１**①の規定の適用がある場合	譲渡所得の金額	譲渡所得の金額（事業所得の金額及び譲渡所得の金額にあっては、第五章第三節**三**《上場株式等に係る譲渡所得等の課税の特例》**１**①に規定する上場株式等に係る譲渡所得等がないものとして計算した金額とする。）
	各種所得の金額	各種所得の金額（上場株式等に係る譲渡所得等の金額を除く。）
第五章第四節**一**《先物取引に係る雑所得等の課税の特例》**１**の規定の適用がある場合	譲渡所得の金額	譲渡所得の金額（事業所得の金額及び譲渡所得の金額にあっては、差金等決済に係る先物取引による事業所得及び譲渡所得がないものとして計算した金額とする。）
	各種所得の金額	各種所得の金額（先物取引に係る雑所得等の金額を除く。）
第四章第五節**三５**①又は同②《所得金額調整控除》の規定の適用がある場合	各種所得の金額	各種所得の金額（給与所得の金額にあっては、給与所得の金額から第四章第五節**三５**①又は同②《所得金額調整控除》の規定による控除をした残額）

（（1）で定める順序）

（1）　**1**《損益通算》の（1）で定める順序による控除は、次に定めるところによる。（令198）

①	不動産所得の金額又は事業所得の金額の計算上生じた損失の金額があるときは、これをまず他の利子所得の金額、配当所得の金額、不動産所得の金額、事業所得の金額、給与所得の金額及び雑所得の金額（以下（1）において「**経常所得の金額**」という。）から控除する。
②	譲渡所得の金額の計算上生じた損失の金額があるときは、これをまず一時所得の金額から控除する。
③	①の場合において、①の規定による控除をしてもなお控除しきれない損失の金額があるときは、これを譲渡所得の金額及び一時所得の金額（②の規定による控除が行われる場合には、②の規定による控除後の金額）から順次控除する。この場合において、当該譲渡所得の金額のうちに、第四章第八節**二１**《譲渡所得の金額》(一)に掲げる所得に係る部分と同(二)に掲げる所得に係る部分とがあるときは、同(一)に掲げる所得に係る部分の譲渡所得の金額からまず控除する。
④	②の場合において、②の規定による控除をしてもなお控除しきれない損失の金額があるときは、これを経常所得の金額（①の規定による控除が行われる場合には、①の規定による控除後の金額）から控除する。
⑤	①又は②の場合において、①から④までの規定による控除をしてもなお控除しきれない損失の金額があるときは、これをまず山林所得の金額から控除し、なお控除しきれない損失の金額があるときは、退職所得の金額か

	ら控除する。
⑥	山林所得の金額の計算上生じた損失の金額があるときは、これをまず経常所得の金額（①又は④の規定による控除が行われる場合には、これらの規定による控除後の金額）から控除し、なお控除しきれない損失の金額があるときは、譲渡所得の金額及び一時所得の金額（②又は③の規定による控除が行われる場合には、これらの規定による控除後の金額）から順次控除し、なお控除しきれない損失の金額があるときは、退職所得の金額（⑤の規定による控除が行われる場合には、⑤の規定による控除後の金額）から控除する。この場合においては、③後段の規定を準用する。

(注)　第四章第五節**三５**①又は同②《所得金額調整控除》の規定の適用がある場合における(1)の規定の適用については、(1)①中、下線部の「給与所得の金額」とあるのは、「給与所得の金額から第四章第五節**三５**①又は同②《所得金額調整控除》の規定による控除をした残額)」とする。(措令26の５②)

第二節　損失の繰越控除

一　純損失の繰越控除

1　青色申告者の純損失の繰越控除

確定申告書を提出する居住者のその年の前年以前３年内の各年（その年分の所得税につき青色申告書を提出している年に限る。）において生じた純損失の金額（この**1**の規定により前年以前において控除されたもの及び第十章第六節**三 3**⑤《純損失の繰戻しによる還付》の規定により還付を受けるべき金額の計算の基礎となったものを除く。）がある場合には、当該純損失の金額に相当する金額は、**4**で定めるところにより、当該確定申告書に係る年分の総所得金額、退職所得金額又は山林所得金額の計算上控除する。（法70①）

（純損失の金額）

注　純損失の金額とは、第一節**一**の**1**《損益通算の順序》に規定する損失の金額のうち同節による損益通算をしてもなお控除しきれない部分の金額をいう。（法２①二十五）

2　変動所得の損失及び被災事業用資産の損失の繰越控除

確定申告書を提出する居住者のその年の前年以前３年内の各年において生じた純損失の金額（**1**の規定の適用を受けるもの及び第十章第六節**三 3**⑤の規定により還付を受けるべき金額の計算の基礎となったものを除く。）のうち、当該各年において生じた次の①又は②に掲げる損失の金額に係るもので（１）で定めるものがあるときは、当該（１）で定める純損失の金額に相当する金額は、**4**で定めるところにより、当該申告書に係る年分の総所得金額、退職所得金額又は山林所得金額の計算上控除する。（法70②）

①	変動所得の金額の計算上生じた損失の金額
②	被災事業用資産の損失の金額

（**2**に規定する（１）で定める純損失の金額）

（１）　**2**《被災事業用資産の損失等に係る純損失の繰越控除》に規定する（１）で定める純損失の金額は、**2**に規定するその年の前年以前３年内の各年において生じた純損失の金額のうち、**2**①又は同②に掲げる損失の金額に達するまでの金額（既に**2**の規定によりその年の前年以前において控除されたものを除く。）とする。（令202）

3　被災事業用資産の損失の金額

2表内②に掲げる被災事業用資産の損失の金額とは、棚卸資産又は不動産所得、事業所得又は山林所得を生ずべき事業の用に供される固定資産及びこれらの事業に係る繰延資産のうちまだ必要経費に算入されていない部分若しくは山林（以下「**事業用資産**」という。）の災害による損失の金額（その災害に関連するやむを得ない支出で次の①から③までに掲げるものの金額を含むものとし、保険金、損害賠償金その他これらに類するものにより補塡される部分の金額を除く。）で**2**表内①に掲げる損失の金額に該当しないものをいう。（法70③、令203）

①	災害により事業用資産が滅失し、損壊し又はその価値が減少したことによる当該事業用資産の取壊し又は除去のための費用その他の附随費用
②	災害により事業用資産が損壊し又はその価値が減少した場合その他災害により当該事業用資産を業務の用に供することが困難となった場合において、その災害のやんだ日の翌日から１年を経過した日（大規模な災害の場合その他やむを得ない事情がある場合には、３年を経過した日）の前日までに支出する次に掲げる費用その他これらに類する費用 イ　災害により生じた土砂その他の障害物を除去するための費用 ロ　当該事業用資産の原状回復のための修繕費 ハ　当該事業用資産の損壊又はその価値の減少を防止するための費用
③	災害により事業用資産につき現に被害が生じ、又はまさに被害が生ずるおそれがあると見込まれる場合において、

当該事業用資産に係る被害の拡大又は発生を防止するため緊急に必要な措置を講ずるための費用

（被災事業用資産に含まれるもの）

（1）　**3**の棚卸資産には、不動産所得又は山林所得を生ずべき事業に係る第四章第八節**一3**(一)イ《譲渡所得の基因とされない棚卸資産に準ずる資産》に掲げる資産が含まれるものとする。（基通70－1）

（棚卸資産の被災損失額）

（2）　棚卸資産（まだ収穫しない水陸稲、麦、野菜等の立毛、果実等〔以下(3)において「未収穫農作物」という。〕を除く。）が災害により滅失し又はその価値が減少したために生じた損失の金額は、次に掲げる区分に応じ、それぞれ次に定める金額に相当する金額とする。（基通70－2）

(一)　滅失した棚卸資産　　当該棚卸資産について被災直前において第六章第二節**三2**《棚卸資産の売上原価等の計算及びその評価の方法》の規定に準じて評価した金額

(二)　価値が減少した棚卸資産　　当該棚卸資産につき(一)により評価した金額が被災直後における当該棚卸資産の価額を超える場合における当該超える部分の金額

（未収穫農作物の被災損失額）

（3）　未収穫農作物が災害により枯死、倒伏、流失、冠水等をしたことにより滅失し又はその価値が減少したために生じた損失の金額（災害により農作物が減産し又は収穫皆無となったため生じた損失の金額を含む。）は、当該農作物に係る種苗費の額並びに成熟させるために要した肥料費、労務費及び経費の額（冷害、干害等の自然現象の異変又は害虫その他の生物による災害の発生に伴い農作物の肥培管理のために特別に支出した費用の額を含む。）の合計額が収穫できた部分の農作物の収穫時の価額の合計額を超える場合における当該超える部分の金額に相当する金額とする。（基通70－3）

（固定資産等の損失に関する取扱いの準用）

（4）　**3**の「第六章第二節**八**《資産損失》**1**①又は同②に規定する資産」の災害による損失の金額及び**3**のかっこ内に規定する「その他これらに類するもの」については、基通51－2《損失の金額》及び51－6《保険金、損害賠償金に類するものの範囲》の取扱いに準ずる。（基通70－4）

〈参考〉

基通51－2　第六章第二節**八**《資産損失》**1**①、同②又は同③に規定する損失の金額とは、資産そのものについて生じた損失の金額をいい、当該損失の金額は、当該資産について同④《資産損失の金額》又は同⑤《昭和27年12月31日以前に取得した資産の損失の金額の特例》の規定を適用して計算した金額からその損失の基因となった事実の発生直後における当該資産の価額及び発生資材の価額の合計額を控除した残額に相当する金額とする。

基通51－6　第六章第二節**八**《資産損失》**1**①、同②又は同③に規定する「その他これらに類するもの」には、次に掲げるようなものが含まれる。

(一)　損害保険契約又は火災共済契約に基づき被災者が支払を受ける見舞金

(二)　資産の損害の補てんを目的とする任意の互助組織から支払を受ける災害見舞金

（災害損失特別勘定を設定した場合の被災事業用資産の損失の範囲等）

（5）　不動産所得、事業所得又は山林所得（以下(5)において「事業所得等」という。）を生ずべき事業を営む居住者が、災害のあった日の属する年分において第六章第三節**5**（1）の災害損失特別勘定に繰り入れた金額を有する場合には、当該金額は、**3**に規定する災害による損失の金額(以下(5)において「被災事業用資産の損失の金額」という。）に含まれることに留意する。

この場合において、当該災害のあった日の属する年の翌年以後の各年の1月1日において災害損失特別勘定の金額を有するときには、当該各年分において被災資産に係る修繕費用等（同節**5**(2)に定める「修繕費用等」をいう。）の額として、事業所得等の金額の計算上必要経費に算入した金額(保険金等（同節**5**(2)に定める「保険金等」をいう。）により補填された金額がある場合には、当該金額の合計額を控除した残額をいい、被災事業用資産の損失の金額に該当する部分の金額に限る。）の合計額から当該各年の1月1日における災害損失特別勘定の金額を控除した残額が当該各年分における被災事業用資産の損失の金額となることに留意する。（基通70－4の2）

（災害のあった年の翌年以後に支出した災害関連費用）

（6）　**3**のかっこ内に規定する災害に関連するやむを得ない費用は、基通51－3《原状回復のための費用》により資本的支出とされるものを除き、当該費用を支出した日の属する年分の必要経費とされるのであるから、災害のあった年の翌年以後に支出した当該費用は、災害による資産そのものの損失及び災害のあった年において支出した当該費用とは区分して**2**の規定を適用することに留意する。（基通70－5）

〈参考〉

基通51－3　第六章第二節**八**《資産損失》**1**①又は同③に規定する資産が損壊した場合において、当該資産の修繕その他の原状回復のために支出した費用の額があるときは、その費用の額のうち、当該資産について同④又は同⑤の規定を適用して計算した金額から当該損壊直後における当該資産の価額を控除した残額に相当する金額までの金額は資本的支出とし、残余の金額を当該支出をした日の属する年分の必要経費に算入するものとする。

（災害後１年以内に取壊し等をした資産に係る損失額の特例）

（7）　災害により損壊し又は価値が減少した資産を取壊し又は除去した場合であっても、それが災害後相当な期間使用した後に行われたときは、その資産につき取壊し又は除去により生じた損失はもちろん、その資産の取壊し又は除去に要する費用その他の付随費用も災害損失には含まれないのであるが、災害後おおむね１年以内（大規模な災害の場合その他やむを得ない事情がある場合には、３年以内）に取壊し又は除去したときは、その資産の取壊し又は除去により生じた損失及びその資産の取壊し又は除去に要する費用その他の付随費用の全てを災害損失に含まれるものとして差し支えない。（基通70－6）

（登記登録の抹消費用）

（8）　災害により滅失した被災事業用資産又は損壊し若しくは価値が減少したことにより取壊し若しくは除去した被災事業用資産につき要する登記登録の抹消費用は、**3**表内①に掲げる「その他の附随費用」に含まれるものとする。（基通70－7）

（第三者に対する損害賠償金等）

（9）　次に掲げるような場合において、損害賠償金、見舞金、弔慰金等として支出する費用は、第六章第二節**二2**表内⑦《必要経費に算入されない損害賠償金》に該当するものを除き、**3**に規定する費用に含まれるものとする。（基通70－8）

（一）　災害により事業用の建物又は構築物等が倒壊し、その倒壊により第三者に損害を与えた場合

（二）　災害により事業に関連して保管している第三者の物品について損害が生じた場合

（取壊し、除去等に従事した使用人の給与等）

(10)　災害を受けたことにより使用人を専ら被災事業用資産の取壊し若しくは除去又は原状回復若しくは障害物の除去の作業に従事させることにより支払う給与等は、**3**に規定する費用に含まれる。（基通70－9）

（損壊等を防止するための費用）

(11)　事業用資産の災害による損壊等を予測して事前に当該損壊等を防止するために支出する費用（資本的支出に該当するものを除く。）は、その支出した日の属する年分の必要経費に算入されるのであるが、現実に災害による損壊等の事実が生ずるに至らなかった場合又は当該費用が**3**表内③に掲げる費用に該当しない場合には、当該費用は被災事業用資産の損失とはならないことに留意する。（基通70－10）

（災害関連費用に含まれる被害の発生防止費用）

(12)　**3**表内③に規定する被害の発生を防止するために緊急に必要な措置を講ずるための費用とは、切迫している被害の発生を防止するための応急措置に係る費用のように、その費用の支出の効果がその災害による被害の発生を防止することのみに寄与するものをいうものとする。

したがって、被害の発生を予測して支出する費用であっても、修繕等を施す費用は、原則として、同③に規定する費用には該当しないことに留意する。（基通70－11）

（船舶等の捜索費用）

(13)　災害により行方不明になった船舶若しくは航空機又は牛馬等の事業用資産の捜索費用等は、**3**表内②に規定する「その他これらに類する費用」に含まれるものとする。（基通70－12）

4　純損失の繰越控除の順序

1又は**2**の規定による純損失の金額の控除の順序については、次の①から③までに定めるところによる。（令201①）

<table>
<tr><td>①</td><td colspan="2">控除する純損失の金額が前年以前３年内（二 1から同3まで《特定非常災害に係る純損失の繰越控除の特例》の規定の適用がある場合には、前年以前５年内。②において同じ。）の２以上の年に生じたものである場合には、これらの年のうち最も古い年に生じた純損失の金額から順次控除する。</td></tr>
<tr><td rowspan="5">②</td><td colspan="2">前年以前３年内の一の年において生じた純損失の金額の控除については、次に定めるところによる。</td></tr>
<tr><td>イ</td><td>純損失の金額のうちに総所得金額の計算上生じた損失の部分の金額（第一節一 1表内①から同⑤まで又は同節二表内①から同⑤まで《損益通算の順序》の規定による控除をしてもなお控除しきれない損失の金額をいう。ハにおいて同じ。）があるときは、これをまずその年分の総所得金額等から控除する。</td></tr>
<tr><td>ロ</td><td>純損失の金額のうちに山林所得金額の計算上生じた損失の部分の金額（第一節一 1表内⑥又は同節二表内⑥《損益通算》による控除をしてもなお控除しきれない損失の金額をいう。ニにおいて同じ。）があるときは、これをまずその年分の山林所得金額から控除する。</td></tr>
<tr><td>ハ</td><td>イの規定により控除をしてもなお控除しきれない総所得金額の計算上生じた損失の部分の金額は、その年分の山林所得金額（ロの規定による控除が行われる場合には、当該控除後の金額）から控除し、次に退職所得金額から控除する。</td></tr>
<tr><td>ニ</td><td>ロの規定による控除をしてもなお控除しきれない山林所得金額の計算上生じた損失の部分の金額は、その年分の総所得金額（イの規定による控除が行われる場合には、当該控除後の金額）から控除し、次に退職所得金額（ハの規定による控除が行われる場合には、当該控除後の金額）から控除する。</td></tr>
<tr><td>③</td><td colspan="2">その年分の各種所得の金額の計算上生じた損失の金額があるときは、まず第一節《損益通算》の規定による控除を行った後に1又は2の規定による控除を行う。</td></tr>
</table>

（注）　上表の繰越控除の順序についても分離課税の所得がある場合は措令19㉔により読替えが行われるが、この読替え規定は省略する。（編者注）

（純損失金額の生じた年がその者の有する特例対象純損失金額の生じた年又はその翌年であるときの繰越控除の順序）

（1）　**4**の規定の適用がある場合において、その者の有する他の純損失金額（**二 1**から同**3**までに規定する特定非常災害発生年純損失金額、被災純損失金額及び特定非常災害発生年特定純損失金額（以下（1）及び**四 1**（1）《雑損失の繰越控除》において「特例対象純損失金額」という。）以外の純損失の金額をいう。以下（1）及び**四 1**（1）において同じ。）の生じた年がその者の有する特例対象純損失金額の生じた年又はその翌年であるときは、当該他の純損失金額は当該特例対象純損失金額よりも古い年に生じたものとして**4**の規定による控除を行う。（令201②）

5　純損失の繰越控除の適用要件

1又は**2**の規定は、これらの規定に規定する居住者が純損失の金額が生じた年分の所得税につき確定申告書を提出し、かつ、それぞれその後において連続して確定申告書を提出している場合に限り、適用する。（法70④）

（更正の請求による更正により純損失の金額があることとなった場合）

（1）　**5**に規定する「純損失の金額が生じた年分の所得税につき確定申告書を提出し、」には、提出された確定申告書につき更正の請求に基づく更正により新たに純損失の金額があることとなった場合も含まれることに留意する。（基通70−13）

（更正により純損失の金額が増加した場合）

（2）　純損失の金額が生じた年分の所得税につき確定申告書を提出した場合において、当該確定申告書に記載された純損失の金額又は**2**表内①及び同②に掲げる損失の金額が過少であるため更正が行われたときは、その更正後の金額を基として**1**又は**2**の規定を適用することに留意する。（基通70−14）

（居住者が死亡した場合の繰越控除の適用関係）

（3）　**1**及び**2**に規定する純損失の金額を有する者が死亡した場合には、これらの純損失の金額については、これらの規定の適用はないこととなるのであるから、被相続人の事業を承継した相続人があった場合であっても、当該相続人

の総所得金額、退職所得金額又は山林所得金額の計算上控除することができないことに留意する。（基通70－15）

（注）　被相続人の死亡した日の属する年及びその前年において生じた純損失の金額については、相続人等の純損失の繰戻しによる還付の請求の規定《第十章第六節三２》により当該被相続人の死亡した日の属する年の前年分又は前前年分に繰り戻して還付の請求ができることに留意する。

二　特定非常災害に係る純損失の繰越控除の特例

1　特定非常災害発生年純損失金額又は被災純損失金額を有する場合の純損失の繰越控除の特例

確定申告書を提出する居住者のうち次の(一)又は(二)に掲げる要件のいずれかを満たす者（特定非常災害の被害者の権利利益の保全等を図るための特別措置に関する法律第２条第１項《特定非常災害及びこれに対し適用すべき措置の指定》の規定により特定非常災害として指定された非常災害（**4**及び**四 2**《特定非常災害に係る雑損失の繰越控除の特例》において「**特定非常災害**」という。）に係る同法第２条第１項の特定非常災害発生日の属する年（以下**1**、**2**及び**4**において「**特定非常災害発生年**」という。）の年分の所得税につき青色申告書を提出している者に限る。）が特定非常災害発生年純損失金額（その者の当該特定非常災害発生年において生じた純損失の金額をいう。）又は被災純損失金額（当該特定非常災害発生年において生じたものを除く。以下**1**において同じ。）を有する場合には、当該特定非常災害発生年純損失金額又は当該被災純損失金額の生じた年の翌年以後５年内の各年分における**一**の規定の適用については、**一 1**中「純損失の金額（」とあるのは「純損失の金額で特定非常災害発生年純損失金額（**二 1**に規定する特定非常災害発生年純損失金額をいう。以下**一 1**において同じ。）及び被災純損失金額（**二 1**に規定する被災純損失金額をいう。**一 2**において同じ。）以外のもの（」と、「がある」とあるのは「並びに当該居住者のその年の前年以前５年内において生じた特定非常災害発生年純損失金額（**一 2**の規定により前年以前において控除されたもの及び第十章第六節**三 3**⑤の規定により還付を受けるべき金額の計算の基礎となったものを除く。）がある」と、「当該純損失の金額」とあるのは「当該純損失の金額及び当該特定非常災害発生年純損失金額」と、**一 2**中「純損失の金額（」とあるのは「純損失の金額で被災純損失金額以外のもの（」と、「のうち、」とあるのは「のうち」と、「**一 2**（1）で定めるもの」とあるのは「**一 2**（1）で定めるもの及び当該居住者のその年の前年以前５年内において生じた被災純損失金額（**一 2**の規定により前年以前において控除されたもの及び第十章第六節**三 3**⑤の規定により還付を受けるべき金額の計算の基礎となったものを除く。)」と、「純損失の金額に」とあるのは「純損失の金額及び当該被災純損失金額に」とする。（法70の２①）

(一)	事業資産特定災害損失額の当該居住者の有する事業用固定資産でその者の営む事業所得を生ずべき事業の用に供されるものの価額として（1）で定める金額に相当する金額の合計額のうちに占める割合が10分の１以上であること。
(二)	不動産等特定災害損失額の当該居住者の有する事業用固定資産でその者の営む不動産所得又は山林所得を生ずべき事業の用に供されるものの価額として（1）で定める金額に相当する金額の合計額のうちに占める割合が10分の１以上であること。

（注）　**二**の規定は、令和５年４月１日以後に発生する**1**に規定する特定非常災害について適用される。（令５改所法等附１、３）

（参考）

特定非常災害発生年純損失金額又は被災純損失金額を有する場合の純損失の繰越控除の特例

確定申告書を提出する居住者のその年の前年以前３年内の各年（その年分の所得税につき青色申告書を提出している年に限る。）において生じた純損失の金額で特定非常災害発生年純損失金額（**二 1**に規定する特定非常災害発生年純損失金額をいう。以下**一 1**において同じ。）及び被災純損失金額（**二 1**に規定する被災純損失金額をいう。**一 2**において同じ。）以外のもの（**一 1**の規定により前年以前において控除されたもの及び第十章第六節**三 3**⑤《純損失の繰戻しによる還付》の規定により還付を受けるべき金額の計算の基礎となったものを除く。）並びに当該居住者のその年の前年以前５年内において生じた特定非常災害発生年純損失金額（**一 1**の規定により前年以前において控除されたもの及び第十章第六節**三 3**⑤の規定により還付を受けるべき金額の計算の基礎となったものを除く。）がある場合には、当該純損失の金額及び当該特定非常災害発生年純損失金額に相当する金額は、**一 4**で定めるところにより、当該確定申告書に係る年分の総所得金額、退職所得金額又は山林所得金額の計算上控除する。（法70の２①の規定により読み替えられた法70①。下線部は読み替えられた部分）

特定非常災害発生年純損失金額又は被災純損失金額を有する場合の変動所得の損失及び被災事業用資産の損失の繰越控除の特例

確定申告書を提出する居住者のその年の前年以前３年内の各年において生じた純損失の金額で被災純損失金額以外のもの（**一 1**の規定の適用を受けるもの及び第十章第六節**三 3**⑤の規定により還付を受けるべき金額の計算の基礎となったものを除く。）のうち当該各年において生じた次の①又は②に掲げる損失の金額に係るもので**一 2**（1）で定めるもの及び当該居住者のその年の前年以前５年内において生じた被災純損失金額（**一 2**の規定により前年以前において控除されたもの及び第十章第六節**三 3**⑤の規定により還付を受けるべき金額の計算の基礎となったものを除く。）があるときは、当該**一 2**（1）で定める純損失の金額及び当該被災純損失金額に相当する金額は、**一 4**で定めるところにより、当該申告書に係る年分の総所得金額、退職所得金額又は山林所得金額の計算上控除する。（法70の２①の規定により読み替えられた法70②。下線部は読み替えられた部分）

①	変動所得の金額の計算上生じた損失の金額
②	被災事業用資産の損失の金額

（**1**(一)及び同(二)に規定する(1)で定める金額）

(1)　**1**(一)及び同(二)に規定する(1)で定める金額は、次の(一)又は(二)に掲げる資産の区分に応じ当該(一)又は(二)に定める金額とする。（令203の２①）

(一)	固定資産	**1**に規定する特定非常災害（(二)において「特定非常災害」という。）による損失が生じた日にその資産の譲渡があったものとみなして第四章第八節**二２**①又は同②《譲渡所得の金額の計算上控除する取得費》の規定を適用した場合にその資産の取得費とされる金額に相当する金額
(二)	繰延資産	その繰延資産の額からその償却費として第六章第二節**七３**《繰延資産の償却費の計算及びその償却の方法》の規定により特定非常災害による損失が生じた日の属する年の前年以前の各年分の不動産所得の金額、事業所得の金額又は山林所得の金額の計算上必要経費に算入される金額の累積額を控除した金額

2　特定非常災害発生年特定純損失金額又は被災純損失金額を有する場合の純損失の繰越控除の特例

確定申告書を提出する居住者のうち**1**(一)又は(二)に掲げる要件のいずれかを満たす者（**1**の規定の適用を受ける者を除く。）が特定非常災害発生年特定純損失金額又は被災純損失金額（特定非常災害発生年において生じたものを除く。以下**2**において同じ。）を有する場合には、当該特定非常災害発生年特定純損失金額又は当該被災純損失金額の生じた年の翌年以後５年内の各年分における**一**の規定の適用については、**一１**中「純損失の金額（」とあるのは「純損失の金額で被災純損失金額（**二２**に規定する被災純損失金額をいう。**一２**において同じ。）以外のもの（」と、**一２**中「純損失の金額（」とあるのは「純損失の金額で特定非常災害発生年特定純損失金額（**二２**に規定する特定非常災害発生年特定純損失金額をいう。以下**一２**において同じ。）及び被災純損失金額以外のもの（」と、「のうち、」とあるのは「のうち」と、「(1)で定めるもの」とあるのは「(1)で定めるもの並びに当該居住者のその年の前年以前５年内において生じた特定非常災害発生年特定純損失金額（**一２**の規定により前年以前において控除されたものを除く。）及び被災純損失金額（**一２**の規定により前年以前において控除されたもの及び第十章第六節**三３**⑤の規定により還付を受けるべき金額の計算の基礎となったものを除く。）」と、「純損失の金額に」とあるのは「純損失の金額並びに当該特定非常災害発生年特定純損失金額及び当該被災純損失金額に」とする。（法70の２②）

3　被災純損失金額を有する場合の純損失の繰越控除の特例

確定申告書を提出する居住者（**1**及び**2**の規定の適用を受ける者を除く。）が被災純損失金額を有する場合には、当該被災純損失金額の生じた年の翌年以後５年内の各年分における**一**の規定の適用については、**一１**中「純損失の金額（」とあるのは「純損失の金額で被災純損失金額（**二３**に規定する被災純損失金額をいう。**一２**において同じ。）以外のもの（」と、**一２**中「純損失の金額（」とあるのは「純損失の金額で被災純損失金額以外のもの（」と、「のうち、」とあるのは「のうち」と、「(1)で定めるもの」とあるのは「(1)で定めるもの及び当該居住者のその年の前年以前５年内において生じた被災純損失金額（**一２**の規定により前年以前において控除されたもの及び第十章第六節**三３**⑤の規定により還付を受けるべき金額の計算の基礎となったものを除く。）」と、「純損失の金額に」とあるのは「純損失の金額及び当該被災純損失金額に」とする。（法70の２③）

4　用語の意義

二において、次の(一)から(八)に掲げる用語の意義は、当該(一)から(八)に定めるところによる。（法70の２④）

(一)	**被災純損失金額**	その者のその年において生じた純損失の金額のうち、被災事業用資産特定災害損失合計額（棚卸資産特定災害損失額、固定資産特定災害損失額及び山林特定災害損失額の合計額で、**一２**①に掲げる損失の金額に該当しないものをいう。）に係るものとして(1)で定めるものをいう。
(二)	**事業資産特定災害損失額**	その者の棚卸資産特定災害損失額及びその者の事業所得を生ずべき事業の用に供される事業用固定資産の特定非常災害による損失の金額（特定非常災害に関連するやむを得ない支出で(2)で定めるものの金額を含むものとし、保険金、損害賠償金その他これらに類するものにより補填される部分の金額を除く。以下**4**において同じ。）の合計額をいう。
(三)	**事業用固定資産**	土地及び土地の上に存する権利以外の固定資産等（固定資産その他これに準ずる資産で(3)で定めるものをいう。(七)において同じ。）をいう。
(四)	**不動産等特定**	その者の不動産所得又は山林所得を生ずべき事業の用に供される事業用固定資産の特定非常災害

	災害損失額	による損失の金額の合計額をいう。
(五)	**特定非常災害発生年特定純損失金額**	その者の特定非常災害発生年において生じた純損失の金額のうち、**一２**①及び同②に掲げる損失の金額に係るものとして(４)で定めるものをいう。
(六)	**棚卸資産特定災害損失額**	その者の有する棚卸資産について特定非常災害により生じた損失の金額をいう。
(七)	**固定資産特定災害損失額**	その者の営む不動産所得、事業所得又は山林所得を生ずべき事業の用に供される固定資産等について特定非常災害により生じた損失の金額をいう。
(八)	**山林特定災害損失額**	その者の有する山林について特定非常災害により生じた損失の金額をいう。

(**４**(一)に規定する(１)で定める純損失の金額)

(１)　**４**(一)に規定する(１)で定める純損失の金額は、その者のその年において生じた純損失の金額のうち、その年において生じた同(一)に規定する被災事業用資産特定災害損失合計額に達するまでの金額とする。(令203の２②)

(**４**(二)に規定するやむを得ない支出で(２)で定めるもの)

(２)　**４**(二)に規定するやむを得ない支出で(２)で定めるものは、**一３**①から同③に掲げる費用の支出とする。(令203の２③)

(**４**(三)に規定する(３)で定める資産)

(３)　**４**(三)に規定する(３)で定める資産は、不動産所得、事業所得又は山林所得を生ずべき事業に係る繰延資産のうちまだ必要経費に算入されていない部分とする。(令203の２④)

(**４**(五)に規定する(４)で定める純損失の金額)

(４)　**４**(五)に規定する(４)で定める純損失の金額は、その者の**１**に規定する特定非常災害発生年において生じた純損失の金額のうち、当該特定非常災害発生年において生じた**一２**①及び同②《純損失の繰越控除》に掲げる損失の金額に達するまでの金額とする。(令203の２⑤)

(固定資産等の損失に関する取扱いの準用)

(５)　**４**(二)の事業用固定資産の特定非常災害による損失の金額及び**４**(二)かっこ内に規定する「その他これらに類するもの」については、第六章第二節**八１**④(１)《損失の金額》(基通51－２) 及び同(６)《保険金、損害賠償金に類するものの範囲》(基通51－６) の取扱いに準ずる。(基通70の２－１)

〈参考〉

基通51－２　第六章第二節**八**《資産損失》 **１**①、同②又は同③に規定する損失の金額とは、資産そのものについて生じた損失の金額をいい、当該損失の金額は、当該資産について同④《資産損失の金額》又は同⑤《昭和27年12月31日以前に取得した資産の損失の金額の特例》の規定を適用して計算した金額からその損失の基因となった事実の発生直後における当該資産の価額及び発生資材の価額の合計額を控除した残額に相当する金額とする。

基通51－６　第六章第二節**八**《資産損失》 **１**①、同②又は同③に規定する「その他これらに類するもの」には、次に掲げるようなものが含まれる。

(一)　損害保険契約又は火災共済契約に基づき被災者が支払を受ける見舞金

(二)　資産の損害の補てんを目的とする任意の互助組織から支払を受ける災害見舞金

(棚卸資産に含まれるもの)

(６)　**４**(六)に規定する棚卸資産には、不動産所得又は山林所得を生ずべき事業に係る第四章第八節**一３**(一)《譲渡所得の基因とされない棚卸資産に準ずる資産》に掲げる資産が含まれるものとする。(基通70の２－２)

(棚卸資産の被災損失額等に関する取扱いの準用)

(７)　**４**(六)に規定する棚卸資産特定災害損失額については、**一３**(２)及び同(３)の取扱いに準ずる。(基通70の２－３)

（災害損失特別勘定を設定した場合の被災事業用資産の損失の範囲等）

（８）　不動産所得、事業所得又は山林所得（以下（８）において「事業所得等」という。）を生ずべき事業を営む居住者が、**1**に規定する特定非常災害（以下（８）において「特定非常災害」という。）のあった日の属する年分において、特定非常災害により被害を受けた**4**（三）に規定する固定資産等又は**4**（六）に規定する棚卸資産（以下（８）において「被災資産」という。）について第六章第三節**5**（１）の災害損失特別勘定に繰り入れた金額を有する場合には、当該金額は、**4**（二）に規定する特定非常災害による損失の金額（以下（８）において「特定非常災害による損失の金額」という。）に含まれることに留意する。

この場合において、当該特定非常災害のあった日の属する年の翌年以後の各年の１月１日において災害損失特別勘定の金額を有するときには、当該各年分において被災資産に係る修繕費用等（第六章第三節**5**（２）に定める「修繕費用等」をいう。）の額として、事業所得等の金額の計算上必要経費に算入した金額（保険金等（第六章第三節**5**（２）に定める「保険金等」をいう。）により補填された金額がある場合には、当該金額の合計額を控除した残額をいい、特定非常災害による損失の金額に該当する部分の金額に限る。）の合計額から当該各年の１月１日における災害損失特別勘定の金額を控除した残額が当該各年分における特定非常災害による損失の金額となることに留意する。（基通70の２－４）

三　雑損失の繰越控除

1　雑損失の繰越控除

確定申告書を提出する居住者のその年の前年以前３年内の各年において生じた雑損失の金額（**1**又は第八章**一**《雑損控除》**1**の規定により前年以前において控除されたものを除く。）は、**2**で定めるところにより、当該申告書に係る年分の総所得金額、退職所得金額又は山林所得金額の計算上控除する。**1**の規定による控除は、雑損失の繰越控除という。（法71①⑤）

（注）上記**1**の＿＿下線部「総所得金額」には、第八章**一**《雑損控除》**1**と同じく租税特別措置法の読替え規定が含まれる。（編者注）

（雑損失の金額）

注　雑損失の金額とは、第八章**一**《雑損控除》**1**に規定する損失の金額の合計額が同**1**(一)から同(三)までに掲げる場合の区分に応じ、当該(一)から(三)までに掲げる金額を超える場合におけるその超える部分の金額をいう。（法２①二十六）

2　雑損失の繰越控除の順序

1の規定による雑損失の金額の控除については、次の①及び②に定めるところによる。（令204①）

①	控除する雑損失の金額が前年以前３年内（**四 1**《特定非常災害に係る雑損失の繰越控除の特例》の規定の適用がある場合には、前年以前５年内。②において同じ。）の２以上の年に生じたものである場合には、これらの年のうち最も古い年に生じた雑損失の金額から順次控除する。
②	前年以前３年内の一の年において生じた雑損失の金額で前年以前において控除されなかった部分に相当する金額があるときは、これをその年分の総所得金額、山林所得金額又は退職所得金額から順次控除する。

（注）上記**2**②の＿＿下線部「総所得金額」には、第八章**一**《雑損控除》**1**（1）と同じく租税特別措置法施行令の読替え規定が含まれる。（編者注）

（雑損失の繰越控除及び所得控除の順序）

注　その年の前年以前３年内の各年において生じた雑損失の金額は、その年分の①総所得金額、②土地等に係る事業所得等の金額、③短期譲渡所得の金額（一般所得分）、④短期譲渡所得の金額（軽減所得分）、⑤長期譲渡所得の金額（一般所得分）、⑥長期譲渡所得の金額（特定所得分）、⑦長期譲渡所得の金額（軽課所得分）、⑧上場株式等に係る配当所得等の金額、⑨一般株式等に係る譲渡所得等の金額、⑩上場株式等に係る譲渡所得等の金額、⑪先物取引に係る雑所得等の金額、⑫山林所得金額又は⑬退職所得金額の計算上順次控除（⑤から⑪までにおいては適用税率の高いものから順次控除）するものとする。ただし、長期譲渡所得の金額、上場株式等に係る配当所得等の金額、一般株式等に係る譲渡所得等の金額、上場株式等に係る譲渡所得等の金額又は先物取引に係る雑所得等の金額の間において、納税者がこの取扱いと異なる順序で控除して申告したときは、これを認める。（措通31・32共－４）

また、その年分の所得控除についても、これと同様に取り扱う。

（注）1　短期譲渡所得の金額（一般所得分）とは、第五章第二節**二**①の規定の対象となる土地等又は建物等の譲渡に係るもの（次の２に該当するものを除く。）をいう。

2　短期譲渡所得の金額（軽減所得分）とは、同節**二**③の規定の対象となる土地等の譲渡に係るものをいう。

3　長期譲渡所得の金額（一般所得分）とは、同節**一 1**の規定の対象となる土地等又は建物等の譲渡に係るもの（次の４又は５に該当するものを除く。）をいう。

4　長期譲渡所得の金額（特定所得分）とは、同節**一 2**に規定する優良住宅地等のための譲渡又は同節**一 2**②に規定する確定優良住宅地等予定地のための譲渡に係るものをいう。

5　長期譲渡所得の金額（軽課所得分）とは、同節**一 3**《居住用財産を譲渡した場合の長期譲渡所得の課税の特例》の規定の適用を受ける居住用財産の譲渡に係るものをいう。

3　純損失がある場合等の雑損失の繰越控除

その年の各種所得の金額の計算上生じた損失の金額がある場合又は**一**《純損失の繰越控除》の規定による控除が行われる場合には、まず、第一節の規定による損益通算及び**一**の規定による純損失の繰越控除を行った後、**1**の控除を行う。この場合において、控除する純損失の金額及び雑損失の金額が前年以前３年内（**二 1**から同**3**まで《特定非常災害に係る純損失の繰越控除の特例》又は**四 1**の規定の適用がある場合には、前年以前５年内）の２以上の年に生じたものであるときは、これらの年のうち最も古い年に生じた純損失の金額又は雑損失の金額から順次控除する。（令204②）

4　雑損失の繰越控除の適用要件

1の規定は、同項の居住者が雑損失の金額が生じた年分の所得税につき確定申告書を提出し、かつ、その後において連続して確定申告書を提出している場合に限り、適用する。（法71②）

（更正の請求により雑損失の金額があることとなった場合）

（1）　**4**に規定する「雑損失の金額が生じた年分の所得税につき確定申告書を提出し、」には、提出された確定申告書につき第十章第八節**一**《国税通則法の規定による更正の請求》に規定する更正の請求に基づく更正により新たに雑損失の金額があることとなった場合も含まれることに留意する。（基通71－1）

（更正により雑損失の金額が増加した場合）

（2）　雑損失の金額が生じた年分の所得税につき確定申告書を提出した場合において、当該確定申告書に記載された雑損失の金額が過少であるため更正が行われたときは、その更正後の金額を基として**1**の規定を適用することに留意する。（基通71－2）

四　特定非常災害に係る雑損失の繰越控除の特例

1　特定雑損失金額を有する場合の雑損失の繰越控除の特例

確定申告書を提出する居住者が特定雑損失金額を有する場合には、当該特定雑損失金額の生じた年の翌年以後５年内の各年分における**三**の規定の適用については、**三１**中「雑損失の金額（」とあるのは「雑損失の金額で特定雑損失金額（**四１**に規定する特定雑損失金額をいう。以下**三１**において同じ。）以外のもの（」と、「除く。）は」とあるのは「除く。）及び当該居住者のその年の前年以前５年内において生じた特定雑損失金額（**三１**又は第八章**一１**の規定により前年以前において控除されたものを除く。）は」とする。（法71の２①）

（注）　**四**の規定は、令和５年４月１日以後に発生する**１**に規定する特定非常災害について適用される。（令５改所法等附１、３）

（参考）
特定雑損失金額を有する場合の雑損失の繰越控除の特例
確定申告書を提出する居住者のその年の前年以前３年内の各年において生じた雑損失の金額で特定雑損失金額（**四１**に規定する特定雑損失金額をいう。以下**三１**において同じ。）以外のもの（**三１**又は第八章**一１**の規定により前年以前において控除されたものを除く。）及び当該居住者のその年の前年以前５年内において生じた特定雑損失金額（**三１**又は第八章**一１**の規定により前年以前において控除されたものを除く。）は、**三２**で定めるところにより、当該申告書に係る年分の総所得金額、退職所得金額又は山林所得金額の計算上控除する。（法71の２①により読み替えられた法71①。下線部は読み替えられた部分）

（他の雑損失金額又は他の純損失金額の生じた年がその者の有する特例対象純損失金額若しくは特定雑損失金額の生じた年又はその翌年であるときの繰越控除の順序）

（１）　**三２**及び同**３**の規定の適用がある場合において、その者の有する他の雑損失金額（**四１**に規定する特定雑損失金額（以下（１）及び第八章**一２**⑤《雑損控除の対象となる雑損失の範囲等》において「特定雑損失金額」という。）以外の雑損失の金額をいう。以下（１）及び第八章**一２**⑤において同じ。）又は他の純損失金額の生じた年がその者の有する特例対象純損失金額若しくは特定雑損失金額の生じた年又はその翌年であるときは、当該他の雑損失金額又は当該他の純損失金額は当該特例対象純損失金額又は当該特定雑損失金額よりも古い年に生じたものとして**三２**及び同**３**の規定による控除を行う。（令204③）

2　特定雑損失金額の意義

１に規定する特定雑損失金額とは、雑損失の金額のうち、居住者又はその者と生計を一にする配偶者その他の親族で（１）で定めるものの有する第八章**一１**に規定する資産について特定非常災害により生じた損失の金額（当該特定非常災害に関連するその居住者によるやむを得ない支出で（２）で定めるものの金額を含むものとし、保険金、損害賠償金その他これらに類するものにより補塡される部分の金額を除く。）に係るものをいう。（法71の２②）

（**２**に規定する（１）で定める親族）

（１）　第八章**一１**（１）及び同（２）の規定は、**２**に規定する（１）で定める親族について準用する。この場合において、第八章**一１**（１）中「居住者の」とあるのは「居住者と生計を一にする」と、「する。」とあるのは「する。この場合において、居住者と生計を一にする配偶者その他の親族に該当するかどうかの判定は、第七章第二節**四２**《特定非常災害に係る雑損失の繰越控除の特例》の特定非常災害が発生した日の現況による。」と、第八章**一１**（２）中「**１**」とあるのは「第七章第二節**四１**」と読み替えるものとする。（令204の２①）

（**２**に規定するやむを得ない支出で（２）で定めるもの）

（２）　**２**に規定するやむを得ない支出で（２）で定めるものは、第八章**一２**①（一）から同（三）まで《雑損控除の対象となる雑損失の範囲等》に掲げる支出とする。（令204の２②）

第八章　所得控除

一　雑損控除

1　雑損控除

居住者又はその者と生計を一にする配偶者その他の親族で（1）で定めるものの有する資産（第四章第八節**三**《生活に通常必要でない資産の災害による損失》**1**及び第七章第二節**一 3**《被災事業用資産の損失の金額》に規定する資産を除く。）について災害又は盗難若しくは横領による損失が生じた場合（その災害又は盗難若しくは横領に関連してその居住者が**2**①で定めるやむを得ない支出をした場合を含む。）において、その年における当該損失の金額（当該支出をした金額を含むものとし、保険金、損害賠償金その他これらに類するものにより補てんされる部分の金額を除く。以下「**損失の金額**」という。）の合計額が次の(一)から(三)までに掲げる場合の区分に応じ当該(一)から(三)までに掲げる金額を超えるときは、その超える部分の金額を、その居住者のその年分の総所得金額、退職所得金額又は山林所得金額から控除する。**1**の規定による控除は、雑損控除という。（法72①③）

(一)	その年における損失の金額に含まれる災害関連支出の金額（損失の金額のうち災害に直接関連して支出をした金額として**2**②で定める金額をいう。以下同じ。）が５万円以下である場合（その年における災害関連支出の金額がない場合を含む。）	その居住者のその年分の総所得金額、退職所得金額及び山林所得金額の合計額の10分の１に相当する金額
(二)	その年における損失の金額に含まれる災害関連支出の金額が５万円を超える場合	その年における損失の金額の合計額から災害関連支出の金額のうち５万円を超える部分の金額を控除した金額と(一)に掲げる金額とのいずれか低い金額
(三)	その年における損失の金額がすべて災害関連支出の金額である場合	５万円と(一)に掲げる金額とのいずれか低い金額

〈簡便法〉

上記(一)～(三)のすべての場合に適用できる算式として所得税の確定申告書では次の算式が使用されている。（編者注）

A　その年の損失の金額－総所得金額、退職所得金額及び山林所得金額の**合計額**×10%＝　　円
B　災害関連支出の金額－５万円　＝　　円
｝いずれか多い方の金額＝ 雑損控除額

（総所得金額の読替え）

（注）　次の①から⑦までの規定の適用がある場合、**1**中の「総所得金額」については、それぞれ次のように読み替えられる。（措法８の４③三、31③三、32④、37の10⑥五、37の11⑥、41の14②四による法72①の読替え）（編者注）

①	第四章第二節**五 1**③《上場株式等に係る配当所得等の課税の特例》の規定の適用がある場合	総所得金額、上場株式等に係る配当所得等の金額
②	第五章第二節**一 1**《長期譲渡所得の課税の特例》①の規定の適用がある場合	総所得金額、長期譲渡所得の金額
③	第五章第二節**二**《短期譲渡所得の課税の特例》①又は同節**二**③の規定の適用がある場合	総所得金額、短期譲渡所得の金額
④	第五章第三節**二**《一般株式等に係る譲渡所得等の課税の特例》**1**①の規定の適用がある場合	総所得金額、一般株式等に係る譲渡所得等の金額
⑤	第五章第三節**三**《上場株式等に係る譲渡所得等の課税の特例》**1**①の規定の適用がある場合	総所得金額、上場株式等に係る譲渡所得等の金額
⑥	第五章第四節**一**《先物取引に係る雑所得等の課税の特例》**1**の規定の適用がある場合	総所得金額、先物取引に係る雑所得等の金額

（（１）で定める親族）

（１）　**１**《雑損控除》に規定する（１）で定める親族は、居住者の配偶者その他の親族でその年分の総所得金額、退職所得金額及び山林所得金額の合計額が48万円以下であるものとする。（令205①）

（総所得金額の読替え）

（注）　次の①から⑩までの規定の適用がある場合、（１）中の「総所得金額」については、それぞれ次のように読み替えられる。（措令４の２⑨、20⑤、21⑦、25の８⑯、25の９⑬、25の11の２⑳、25の12の２㉔、26の23⑥、26の26⑪による令205①の読替え）（編者注）

①	第四章第二節**五１**③《上場株式等に係る配当所得等の課税の特例》の規定の適用がある場合	総所得金額、上場株式等に係る配当所得等の金額
②	第五章第二節**一１**《長期譲渡所得の課税の特例》①の規定の適用がある場合	総所得金額、長期譲渡所得の金額
③	第五章第二節**二**《短期譲渡所得の課税の特例》①又は同節**二**③の規定の適用がある場合	総所得金額、短期譲渡所得の金額
④	第五章第三節**二**《一般株式等に係る譲渡所得等の課税の特例》**１**①の規定の適用がある場合	総所得金額、一般株式等に係る譲渡所得等の金額
⑤	第五章第三節**三**《上場株式等に係る譲渡所得等の課税の特例》**１**①の規定の適用がある場合	総所得金額、上場株式等に係る譲渡所得等の金額
⑥	第四章第二節**五１**③《上場株式等に係る配当所得等の課税の特例》若しくは第五章第三節**三**《上場株式等に係る譲渡所得等の課税の特例》**１**①の規定の適用があり、かつ、第五章第三節**十**《上場株式等に係る譲渡損失の損益通算及び繰越控除》**１**若しくは同**２**の規定の適用がある場合又は同**３**②（２）の規定の適用がある場合	総所得金額、上場株式等に係る配当所得等の金額、上場株式等に係る譲渡所得等の金額
⑦	第五章第三節**二**《一般株式等に係る譲渡所得等の課税の特例》**１**①及び同節**三**《上場株式等に係る譲渡所得等の課税の特例》**１**①の規定の適用があり、かつ、同節**十四**《特定中小会社が発行した株式に係る譲渡損失の繰越控除等》**２**①若しくは同**２**②の規定の適用がある場合又は同**３**において準用する同**十３**②（２）の規定の適用がある場合	総所得金額、一般株式等に係る譲渡所得等の金額、上場株式等に係る譲渡所得等の金額
⑧	第五章第四節**一**《先物取引に係る雑所得等の課税の特例》**１**の規定の適用がある場合	総所得金額、先物取引に係る雑所得等の金額
⑨	第五章第四節**一**《先物取引に係る雑所得等の課税の特例》**１**の規定の適用があり、かつ、同節**二**《先物取引の差金等決済に係る損失の繰越控除》**１**の規定の適用がある場合又は同**３**（５）の規定の適用がある場合	総所得金額、先物取引に係る雑所得等の金額

（親族と生計を一にする居住者が２人以上ある場合）

（２）　**１**に規定する親族と生計を一にする居住者が２人以上ある場合における**１**の規定の適用については、当該親族は、これらの居住者のうちいずれか一の居住者の親族にのみ該当するものとし、その親族がいずれの居住者の親族に該当するかについては、次の㈠及び㈡に定めるところによる。（令205②）

㈠	その親族が同一生計配偶者又は扶養親族に該当する場合には、その者を自己の同一生計配偶者又は扶養親族としている居住者の親族とする。	
㈡	その親族が同一生計配偶者又は扶養親族に該当しない場合には、次に定めるところによる。	
	イ	その親族が配偶者に該当する場合には、その夫又は妻である居住者の親族とする。
	ロ	その親族が配偶者以外の親族に該当する場合には、これらの居住者のうち総所得金額、退職所得金額及び山林所得金額の合計額が最も大きい居住者の親族とする。

（雑損控除の適用される親族の判定）

（３）　居住者の配偶者その他の親族が**１**に規定する「その者と生計を一にする配偶者その他の親族……基礎控除の額に相当する金額以下であるもの」に該当するかどうかは、次による。（基通72－４）

㈠　生計を一にする親族であるかどうかは、次に掲げる場合の区分に応じ、それぞれ次に掲げる日の現況により判定する。

イ　資産そのものについて生じた損失につき当該居住者が雑損控除の適用を受けようとする場合　　当該損失が生じた日

ロ　**2**①(一)から同(四)に掲げる支出につき当該居住者が雑損控除の適用を受けようとする場合　　当該損失が生じた日又は現実に当該支出をした日

(二)　当該親族のその年分の総所得金額、退職所得金額及び山林所得金額の合計額が基礎控除の額に相当する金額以下であるかどうかは、(一)イ又は同ロに掲げる場合の区分に応じ、それぞれに掲げる日の属する年の12月31日の現況により判定する。この場合において、当該居住者が年の中途において死亡し又は出国をしたときは、その死亡又は出国の日において見積った当該日の属する年分の当該合計額を基礎として**1**の規定を適用する。

(事業以外の業務用資産の災害等による損失)

(4)　不動産所得、山林所得又は雑所得を生ずべき業務（事業を除く。）の用に供され又はこれらの所得の基因となる資産（譲渡所得の基因とされない棚卸資産に準ずる資産を含み、山林及び生活に通常必要でない資産を除く。）につき災害等による損失が生じた場合において、居住者が当該損失の金額及び**2**①に掲げる支出（資本的支出に該当するものを除く。）の額の全てを当該所得の金額の計算上必要経費に算入しているときは、これを認めるものとする。この場合において、当該損失の金額の必要経費算入については第六章第二節**八**《資産損失》**1**③の規定に準じて取り扱うものとし、**1**の規定の適用はないものとする。（基通72－1）

(注)　この取扱いの適用を受けた資産につき、修繕その他原状回復のため支出した費用の額があるときは、第六章第二節**八1**④（3）《原状回復のための費用》（基通51－3）の適用がある。

2　雑損控除の対象となる損失の金額

①　災害等に関連するやむを得ない支出の範囲

1に規定する「やむを得ない支出」は、次の(一)から(四)までに掲げる支出とする。（令206①）

(一)	災害により**1**に規定する資産（以下「**住宅家財等**」という。）が滅失し、損壊し、又はその価値が減少したことによる当該住宅家財等の取壊し又は除去のための支出その他の付随する支出
(二)	災害により住宅家財等が損壊し、又はその価値が減少した場合その他災害により当該住宅家財等を使用することが困難となった場合において、その災害のやんだ日の翌日から1年を経過した日（大規模な災害の場合その他やむを得ない事情がある場合には、3年を経過した日）の前日までにした次に掲げる支出その他これらに類する支出 イ　災害により生じた土砂その他の障害物を除去するための支出 ロ　当該住宅家財等の原状回復のための支出（当該災害により生じた当該住宅家財等の③に規定する損失の金額に相当する部分の支出を除く。(四)において同じ。） ハ　当該住宅家財等の損壊又はその価値の減少を防止するための支出
(三)	災害により住宅家財等につき現に被害が生じ、又はまさに被害が生ずるおそれがあると見込まれる場合において、当該住宅家財等に係る被害の拡大又は発生を防止するため緊急に必要な措置を講ずるための支出
(四)	盗難又は横領による損失が生じた住宅家財等の原状回復のための支出その他これに類する支出

②　災害関連支出の範囲

1(一)に規定する災害関連支出の金額は、その年においてした①(一)から同(三)までに掲げる支出の金額（保険金、損害賠償金その他これらに類するものにより補填される部分の金額を除く。）とする。（令206②）

③　資産について受けた損失の金額

1の規定を適用する場合において、**1**に規定する資産について受けた損失の金額は、当該損失を生じた時の直前におけるその資産の価額（その資産が次の(一)から(三)までに掲げる資産である場合には、当該価額又は当該(一)から(三)までに掲げる資産の区分に応じ当該(一)から(三)までに定める金額）を基礎として計算するものとする。（令206③）

(一)	第四章第八節**二2**《譲渡所得の金額の計算上控除する取得費》②に規定する資産（(二)及び(三)に掲げるものを除く。）　　当該損失の生じた日にその資産の譲渡があったものとみなして同②の規定（その資産が次に掲げる資産である場合には、次のイからハまでに掲げる資産の区分に応じそれぞれ次のイからハまでに定める規定）を適用した場合にその資産の取得費とされる金額に相当する金額 イ　昭和27年12月31日以前から引き続き所有していた資産　　同**2**④《昭和27年12月31日以前に取得した資産の取得費等》の規定

	ロ　第五章第二節**二十四3**《贈与等により取得した資産の取得費等》①イに掲げる相続又は遺贈により取得した配偶者居住権の目的となっている建物　　同**3**②の規定 ハ　同**3**①イに掲げる相続又は遺贈により取得した配偶者居住権を有する居住者がその後において取得した当該配偶者居住権の目的となっていた建物　　同**3**③(7)《贈与等により取得した資産の取得費等》の規定
(二)	同**3**①イに掲げる相続又は遺贈により取得した配偶者居住権　　当該損失の生じた日に当該配偶者居住権の消滅があったものとみなして同**3**③の規定を適用した場合に当該配偶者居住権の取得費とされる金額に相当する金額
(三)	同**3**①イに掲げる相続又は遺贈により取得した配偶者居住権の目的となっている建物の敷地の用に供される土地（土地の上に存する権利を含む。）を当該配偶者居住権に基づき使用する権利　　当該損失の生じた日に当該権利の消滅があったものとみなして同**3**③の規定を適用した場合に当該権利の取得費とされる金額に相当する金額

（資産について受けた損失の金額の計算）

(1)　③(一)から(三)に掲げる資産について受けた損失の金額は、個々の資産ごとに、次に掲げる金額のいずれかを基礎として計算することに留意する。（基通72－2）

(一)　損失を生じた時の直前におけるその資産の価額

(二)　③(一)から(三)に定めるその資産の取得費とされる金額に相当する金額

（原状回復のための支出と資本的支出との区分の特例）

(2)　災害等により損壊した住宅家財等について支出した金額で、その金額を当該資産の原状回復のための支出の部分の額とその他の部分の額とに区分することが困難なものについては、その金額の30%に相当する額を原状回復のための支出の部分の額とし、残余の額を資本的支出の部分の額とすることができる。（基通72－3）

（注）　上記により計算された原状回復のための支出の額であっても、①の(二)のロかっこ書の規定により**1**に規定する損失の金額に含まれないものがあることに留意する。（第六章第二節**八1**④(3)の計算例参照。編者注）

（災害等関連支出の控除年分）

(3)　①の(一)から(四)に掲げる支出をした場合には、当該支出をした金額はその支出をした日の属する年分の**1**に規定する損失の金額となるのであるが、その年1月1日から3月15日までの間に支出をした金額については、その支出をした日の属する年の前年分（災害等のあった日の属する年以後の年分に限る。）の**1**に規定する損失の金額として確定申告を行っている場合は、これを認めるものとする。（基通72－5）

（注）　当該確定申告を行っている場合には、その支出をした金額は、その支出をした日の属する年分の当該損失の金額に含まれないことに留意する。

（保険金等及び災害等関連支出の範囲等）

(4)　**1**に規定する「保険金、損害賠償金その他これらに類するもの」の範囲等、盗難品等の返還を受けた場合の処理及び①(一)から同(四)に掲げる支出の範囲等については、第六章第二節**一**《通則》**3**(12)、同節**八**《資産損失》**1**④(6)から同(8)まで及び第七章第二節《損失の繰越控除》**一3**(6)から同(13)までの取扱いに準ずる。（基通72－7）

（損失の生じた資産の取得費）

(5)　災害等により住宅家財等が損壊し、又はその価値が減少した場合において、当該事由が生じた直後における当該資産の価額が、当該事由が生じた直前において当該資産の譲渡又は消滅があったものとして計算した当該資産の取得費に相当する金額に満たないこととなったときは、当該満たない部分の金額は、次に掲げる資産の区分に応じ、それぞれ次によるものとする。（基通72－8）

(一)　減価償却資産及び繰延資産　　当該事由が生じた時において当該資産の償却費の額に算入された金額とする。

(二)　(一)以外の資産　　当該資産の取得費から控除する。

④　特定非常災害により生じた損失の金額と他の損失金額とがある場合の雑損失金額の構成

その年において生じた**1**に規定する損失の金額のうちに第七章第二節**四2**に規定する特定非常災害により生じた損失の金額と他の損失金額（当該特定非常災害により生じた損失の金額以外の**1**に規定する損失の金額をいう。）とがある場合におけるその年において生じた雑損失の金額は、当該特定非常災害により生じた損失の金額から順次成るものとする。（令206④）

⑤　④の場合の控除の順序

④の場合において、雑損失の金額のうちに特定雑損失金額と他の雑損失金額とがあるときは、**1**の規定による控除については、他の雑損失金額から順次控除する。（令206⑤）

二　医療費控除

1　医療費控除

①　医療費控除

居住者が、各年において、自己又は自己と生計を一にする配偶者その他の親族に係る医療費を支払った場合において、その年中に支払った当該医療費の金額（保険金、損害賠償金その他これらに類するものにより補てんされる部分の金額を除く。）の合計額がその居住者のその年分の総所得金額、退職所得金額及び山林所得金額の**合計額**の100分の５に相当する金額（当該金額が10万円を超える場合には、10万円）を超えるときは、その超える部分の金額（当該金額が200万円を超える場合には、200万円）を、その居住者のその年分の総所得金額、退職所得金額又は山林所得金額から控除する。（法73①③）

（注）　上記①の下線部「総所得金額」には、**一**《雑損控除》**1**と同じく租税特別措置法の読替え規定が含まれる。（編者注）

（生計を一にする親族に係る医療費）

（1）　「自己と生計を一にする配偶者その他の親族に係る医療費」とは、医療費を支出すべき事由が生じた時又は現実に医療費を支払った時の現況において居住者と生計を一にし、かつ、親族である者に係る医療費をいう。（基通73－１）

（支払った医療費の意義）

（2）　「その年中に支払った当該医療費」とは、その年中に現実に支払った医療費をいうのであるから、未払となっている医療費は現実に支払われるまでは控除の対象とならないことに留意する。（基通73－２）

②　医療費の範囲

①に規定する医療費とは、医師又は歯科医師による診療又は治療、治療又は療養に必要な医薬品の購入その他医療又はこれに関連する人的役務の提供の対価のうち通常必要であると認められる次の(一)から(七)までに掲げるものの対価のうち、その病状その他（1）で定める状況に応じて一般的に支出される水準を著しく超えない部分の金額とする。（法73②、令207）

(一)	医師又は歯科医師による診療又は治療
(二)	治療又は療養に必要な医薬品の購入
(三)	病院、診療所（これに準ずるものとして（2）で定めるものを含む。）又は助産所へ収容されるための人的役務の提供
(四)	あん摩マッサージ指圧師、はり師、きゅう師等に関する法律第３条の２《名簿》に規定する施術者（同法第12条の２第１項《医業類似行為を業とすることができる者》の規定に該当する者を含む。）又は柔道整復師法第２条第１項《定義》に規定する柔道整復師による施術
(五)	保健師、看護師又は准看護師による療養上の世話
(六)	助産師による分べんの介助
(七)	介護福祉士による社会福祉士及び介護福祉士法第２条第２項《定義》に規定する喀痰吸引等又は同法附則第10条第１項《認定特定行為業務従事者に係る特例》に規定する認定特定行為業務従事者による同項に規定する特定行為

（（1）で定める状況）

（1）　②《医療費の範囲》に規定する（1）で定める状況は、次の(一)及び(二)に掲げる状況とする。（規40の３①）

(一)	指定介護老人福祉施設（介護保険法第48条第１項第１号《施設介護サービス費の支給》に規定する指定介護老人福祉施設をいう。（2）において同じ。）及び指定地域密着型介護老人福祉施設（同法第42条の２第１項《地域密着型介護サービス費の支給》に規定する指定地域密着型サービスに該当する同法第８条第22項《定義》に規定する地域密着型介護老人福祉施設入所者生活介護の事業を行う同項に規定する地域密着型介護老人福祉施設をいう。（2）において同じ。）における②(一)から同(七)までに掲げるものの提供の状況
(二)	高齢者の医療の確保に関する法律第18条第１項《特定健康診査等基本指針》に規定する特定健康診査の結果に基づき同項に規定する特定保健指導（当該特定健康診査を行った医師の指示に基づき積極的支援（特定健康診査及び特定保健指導の実施に関する基準（以下(二)において「実施基準」という。）第８条第１項《積極的支

援》に規定する積極的支援をいう。）により行われるものに限る。）を受ける者のうちその結果が次のいずれかの基準に該当する者のその状態 イ　実施基準第１条第１項第５号《特定健康診査の項目》に掲げる血圧の測定の結果が高血圧症と同等の状態であると認められる基準 ロ　実施基準第１条第１項第７号に規定する血中脂質検査の結果が脂質異常症と同等の状態であると認められる基準 ハ　実施基準第１条第１項第８号に掲げる血糖検査の結果が糖尿病と同等の状態であると認められる基準

（注）「介護保険制度下での指定介護老人福祉施設の施設サービスの対価に係る医療費控除の取扱いについて（法令解釈通達）」（平成12年６月８日課所４－９）及び「介護保険制度下での居宅サービスの対価に係る医療費控除の取扱いについて（法令解釈通達）」（平成12年６月８日課所４－11）が発遣されているので留意する。（編者）

（これに準ずるものとして（２）で定めるもの）

（２）②(三)に規定する（２）で定めるものは、指定介護老人福祉施設及び指定地域密着型介護老人福祉施設とする。（規40の３②）

（控除の対象となる医療費の範囲）

（３）次に掲げるもののように、医師、歯科医師、②(四)に規定する施術者又は②(六)に規定する助産師（以下（３）において「医師等」という。）による診療、治療、施術又は分べんの介助（以下「診療等」という。）を受けるため直接必要な費用は、医療費に含まれるものとする。（基通73－３）

(一)　医師等による診療等を受けるための通院費若しくは医師等の送迎費、入院若しくは入所の対価として支払う部屋代、食事代等の費用又は医療用器具等の購入、賃借若しくは使用のための費用で、通常必要なもの

(二)　自己の日常最低限の用をたすために供される義手、義足、松葉づえ、補聴器、義歯等の購入のための費用

(三)　身体障害者福祉法第38条《費用の徴収》、知的障害者福祉法第27条《費用の徴収》若しくは児童福祉法第56条《費用の徴収》又はこれらに類する法律の規定により都道府県知事又は市町村長に納付する費用のうち、医師等による診療等の費用に相当するもの並びに(一)及び(二)の費用に相当するもの

（健康診断及び美容整形手術のための費用）

（４）いわゆる人間ドックその他の健康診断のための費用及び容姿を美化し、又は容ぼうを変えるなどのための費用は、医療費に該当しないことに留意する。ただし、健康診断により重大な疾病が発見され、かつ、当該診断に引続きその疾病の治療をした場合には、当該健康診断のための費用も医療費に該当するものとする。（基通73－４）

（医薬品の購入の対価）

（５）②(二)に規定する医薬品とは、医薬品、医療機器等の品質、有効性及び安全性の確保等に関する法律第２条第１項《医薬品の定義》に規定する医薬品をいうのであるが、同項に規定する医薬品に該当するものであっても、疾病の予防又は健康増進のために供されるものの購入の対価は、医療費に該当しないことに留意する。（基通73－５）

（保健師等以外の者から受ける療養上の世話）

（６）②(五)に掲げる「保健師、看護師又は准看護師による療養上の世話」とは、保健師助産師看護師法第２条《保健師》、第５条《看護師》又は第６条《准看護師》に規定する保健師、看護師又は准看護師がこれらの規定に規定する業務として行う療養上の世話をいうのであるが、これらの者以外の者で療養上の世話を受けるために特に依頼したものから受ける療養上の世話も、これに含まれるものとする。（基通73－６）

（注）この取扱いは、療養上の世話を受けるために特に依頼した家政婦等で保健師等に準ずる者に支払う費用を医療費とする趣旨のものであり、両親など身内の者が病人の世話をする場合にその両親などに対して支払う費用まで医療費として取り扱うものでない。（編者注）

（助産師による分べんの介助）

（７）②(六)に掲げる「助産師による分べんの介助」には、助産師が行う保健師助産師看護師法第３条《助産師》に規定する妊婦、じょく婦又は新生児の保健指導も含まれるものとする。（基通73－７）

（医療費を補塡する保険金等）

（８）①のかっこ内に規定する「保険金、損害賠償金その他これらに類するもの」（以下(10)までにおいて「医療費を補塡する保険金等」という。）には、次に掲げるようなものがあることに留意する。（基通73－８）

（一）　社会保険又は共済に関する法律その他の法令の規定に基づき支給を受ける給付金のうち、健康保険法第87条第２項《療養費》、第97条第１項《移送費》、第101条《出産育児一時金》、第110条《家族療養費》、第112条第１項《家族移送費》、第114条《家族出産育児一時金》、第115条第１項《高額療養費》又は第115条の２第１項《高額介護合算療養費》の規定により支給を受ける療養費、移送費、出産育児一時金、家族療養費、家族移送費、家族出産育児一時金、高額療養費又は高額介護合算療養費のように医療費の支出の事由を給付原因として支給を受けるもの

（二）　損害保険契約又は生命保険契約（これらに類する共済契約を含む。）に基づき医療費の補塡を目的として支払を受ける傷害費用保険金、医療保険金又は入院費給付金等（これらに類する共済金を含む。）

（三）　医療費の補塡を目的として支払を受ける損害賠償金

（四）　その他の法令の規定に基づかない任意の互助組織から医療費の補塡を目的として支払を受ける給付金

（注）　**三２**（４）の承認法人等から支給される附加的給付（一部自己負担の補塡）は医療費を補塡する保険金等に該当する。（編者注）

（医療費を補塡する保険金等に当たらないもの）

（９）　次に掲げるようなものは、医療費を補塡する保険金等に当たらないことに留意する。（基通73－９）

（一）　死亡したこと、重度障害の状態となったこと、療養のため労務に服することができなくなったことなどに基因して支払を受ける保険金、損害賠償金等

（二）　社会保険又は共済に関する法律の規定により支給を受ける給付金のうち、健康保険法第99条第１項《傷病手当金》又は第102条《出産手当金》の規定により支給を受ける傷病手当金又は出産手当金その他これらに類するもの

（三）　使用者その他の者から支払を受ける見舞金等（（８）の(四)に該当するものを除く。）

（医療費を補塡する保険金等の見込控除）

（10）　医療費を補塡する保険金等の額が医療費を支払った年分の確定申告書を提出する時までに確定していない場合には、当該保険金等の見込額に基づいて①の規定を適用する。この場合において、後日、当該保険金等の確定額と当該見込額とが異なることとなったときは、遡及してその医療費控除額を訂正するものとする。（基通73－10）

（おむつに係る費用の医療費控除の取扱いについて）

（11）　標題のことについて厚生省健康政策局長他からの照会があり、下記の「対象者」を対象としてこれらの者の治療を継続的に行っている医師が発行する「おむつ使用証明書」が確定申告の際に掲示された場合には、そのおむつに係る費用（紙おむつの購入費用及び貸おむつの賃借料）は医療費控除の対象とすることとしたので了知されたい。（昭62直所３－12）

記

（一）　対象者

医師の診療時において下記の条件のいずれも満たす者

①　傷病によりおおむね６か月以上にわたり寝たきり状態にあると認められる者

②　当該傷病について医師による治療を継続して行う必要があり、おむつの使用が必要と認められる者

（二）　証明書

（１）　様式………別紙「おむつ使用証明書」（掲載省略）……平13課個２－15改正

（２）　記載者……寝たきり状態の原因となった傷病について継続して治療を行っている医療機関の医師

イ　入院（所）中及び退院（所）時……入院（所）した医療機関の医師が記載する。

ロ　在宅で治療中…………………………継続して治療を行っている医療機関の医師が記載する。

（以下、掲載省略）

（ストマ用装具に係る費用の医療費控除の取扱いについて）

（12）　退院後も継続してストマケアに係る治療を受ける必要があり、当該治療上、適切なストマ用装具を消耗品として使用することが必要不可欠であると医師が認めて証明書（様式省略）を発行した者については、当該ストマ用装具に係る費用は、医療費控除の対象とすることとしたので了知されたい。（平元直所３－12、編者要約）

（温泉利用型健康増進施設《クアハウス》の利用料金の医療費控除の取扱いについて）

（13）　標題のことについて、厚生省から照会があり、昭和63年厚生省告示第273号「健康増進施設認定規程」に基づき、「温泉利用型健康増進施設」として認定を受けた施設（以下「認定施設」という。）において医師の指導により温泉療養を行うために必要な利用料金で、下記の書類によりその旨の証明ができるものについては、医師の治療を受けるた

めに直接必要な費用と認められるので、医療費控除の対象とすることとしたから了知されたい。なお、下記の書類は平成２年４月１日以後発行される。(平２直所３－２、編者要約)

記

1　治療のために患者に認定施設を利用して温泉療養を行わせたあるいは行わせている旨の医師の証明書《温泉療養証明書＝掲載省略》

2　治療のために支払われた同規程第４条各号の設備の利用及び役務の提供の対価であることを明記した認定施設の領収書

(注)　温泉利用を行う施設（以下「温泉利用施設」という。）と有酸素運動を安全かつ適切に行う施設（以下「運動健康増進施設」という。）が異なる場合であっても、これらの施設が一体となって運営するもの（以下「連携型施設」という。）について、施設間の近接性の担保等一定の要件を満たすことで、複数の施設を一の施設とみなし、温泉利用型健康増進施設として認定できるよう、健康増進施設認定規定（昭和63年厚生省告示第273号）において認定基準の緩和が行われた。連携型施設の利用料金の医療費控除の取扱いは次のとおりである。(平成28年６月24日付個人課税課情報第７号)

1　温泉利用施設の利用料金の医療費控除の取扱い

温泉利用施設については、慢性疾患の予防に資するとともに、医師の指導に基づき疾病の治療のための温泉療養を行う場としても十分機能しうると認められるため、医師が患者に治療のために温泉利用施設を利用した温泉療養を行わせ、その旨を「温泉療養証明書」により証明した場合の同施設の利用料金については、医療等の診療等を受けるために直接必要な費用として医療費控除の対象となる。

2　運動健康増進施設の利用料金の医療費控除の取扱い

運動健康増進施設については、温泉療養を行う場合に該当しないことから、同施設の利用料金は、医療費控除の対象とならない。ただし、温泉利用施設と運動健康増進施設を同日に利用した場合には、運動健康増進施設における運動が効果的な温泉療養に繋がると考えられることから、この場合の同施設の利用料金は、温泉療養証明書が発行されれば、医療費控除の対象として差し支えない。

(指定運動療法施設の利用料金に係る医療費控除の取扱いについて)

(14)　標題のことについて、厚生省から照会があり、昭和63年厚生省告示第273号「健康増進施設認定規程」に基づき「疾病の治療のための運動療法を行うに適した施設」として認定を受けた施設（以下「指定運動療法施設」という。）において、医師が治療のために患者に指定運動療法施設を利用した運動療法を行わせた場合で、下記に掲げる書類によりその旨の証明ができるものについては、当該施設の利用料金も医師の治療を受けるために直接必要な費用と認められるので、医療費控除の対象とすることとしたから了知されたい。(平４課所４－６、編者要約)

記

1　疾病の治療のために患者に指定運動療法施設を利用した運動療法を行わせたあるいは行わせている旨の記載のある医師の証明書《運動療法実施証明書＝掲載省略》

2　疾病の治療のために医師が患者に発行した運動療法処方せんに基づく運動療法実施のための指定運動療法施設の利用の対価であることを明記した当該施設の領収書

(介護保険制度下での指定介護老人福祉施設の施設サービスの対価に係る医療費控除の取扱いについて)

(15)　標題のことについて、厚生省から照会があり、介護保険法第48条第１項第１号に規定する指定介護老人福祉施設で提供されるサービスのうち、下記１の対象者について、下記２の対象費用の額を医療費控除の対象とすることとしたから了知されたい。(平12課所４－９、編者要約)（平成17年12月19日付厚労省事務連絡及び平成18年12月１日付厚労省事務連絡により一部改正)

記

1　対象者

要介護度１～５の要介護認定を受け、指定地域密着型介護老人福祉施設又は指定介護老人福祉施設に入所する者

2　対象費用の額

介護費に係る自己負担額、食費に係る自己負担額及び居住費に係る自己負担額として支払った額の２分の１に相当する金額

(介護保険制度下での居宅サービスの対価に係る医療費控除の取扱いについて)

(16)　標題のことについて、厚生省から照会があり、介護保険制度の下で提供される居宅サービスのうち、下記１の対象者について下記２の対象となる居宅サービスに係る３の対象費用の額が「療養上の世話を受けるために特に依頼した者による療養上の世話の対価」として医療費控除の対象とすることとしたから了知されたい。(平12課所４－11、編者要約)（平成17年12月19日付厚労省事務連絡、平成18年12月１日付厚労省事務連絡及び平成28年10月３日付厚労省事務連絡により一部改正)

記

1　対象者　次の（1）及び（2）のいずれの要件も満たす者

（1）　「居宅サービス計画」又は「介護予防サービス計画」に基づき、居宅サービス、地域密着型サービス、介護予防サービス、地域密着型介護予防サービス又は第１号事業（以下「居宅サービス等」という。）を利用すること。

（2）（1）の居宅サービス計画又は介護予防サービス計画に、次に掲げる居宅サービス又は介護予防サービスのいずれかが位置付けられること。

（居宅サービス）

イ　訪問看護　　ロ　訪問リハビリテーション　　ハ　居宅療養管理指導

ニ　通所リハビリテーション　　ホ　短期入所療養介護

（地域密着型サービス）

ヘ　定期巡回・随時対応型訪問介護看護（一体型事業所で訪問看護を利用する場合に限る。）

ト　複合型サービス（上記イからヘに掲げるサービスを含む組合せにより提供されるもの（生活援助中心型の訪問介護の部分を除く。）に限る。）

（介護予防サービス）

チ　介護予防訪問看護　　リ　介護予防訪問リハビリテーション

ヌ　介護予防居宅療養管理指導　　ル　介護予防通所リハビリテーション

ヲ　介護予防短期入所療養介護

（注）イ及びチについては、老人保健法及び医療保険各法の訪問看護療養費の支給に係る訪問看護を含む。

2　対象となる居宅サービス等

1の（2）に掲げる居宅サービス又は介護予防サービスと併せて利用する次に掲げる居宅サービス等

（1）　訪問介護（生活援助が中心である場合を除く。）　（2）　訪問入浴介護　（3）　通所介護

（4）　短期入所生活介護

（5）　定期巡回・随時対応型訪問介護看護（一体型事業所で訪問看護を利用しない場合及び連携型事業所に限る。）

（6）　夜間対応型訪問介護　　（7）　地域密着型通所介護（平成28年４月１日より）

（8）　認知症対応型通所介護　　（9）　小規模多機能型居宅介護

(10)　複合型サービス（上記１（2）イからヘに掲げるサービスを含まない組合せにより提供されるもの（生活援助中心型の訪問介護の部分を除く。）に限る。）

(11)　介護予防訪問介護（平成30年３月31日まで）　　(12)　介護予防訪問入浴介護

(13)　介護予防通所介護（平成30年３月31日まで）　　(14)　介護予防短期入所生活介護

(15)　介護予防認知症対応型通所介護　　(16)　介護予防小規模多機能型居宅介護

(17)　地域支援事業の訪問型サービス（生活援助中心のサービスを除く。）

(18)　地域支援事業の通所型サービス（生活援助中心のサービスを除く。）

（注）　1の（2）のイからヲに掲げる居宅サービス等に係る費用については、1の対象者の要件を満たすか否かに関係なく、利用者の自己負担額全額が医療費控除の対象となる。

3　対象費用の額

2に掲げる居宅サービス等に要する費用に係る自己負担額（所定の規定に基づいて算定した金額）

（非血縁者間骨髄移植のあっせんに係る財団法人骨髄移植推進財団に支払われる患者負担金の医療費控除の取扱いについて）

(17)　標題のことについて、厚生労働省健康局長から照会があり、非血縁者間骨髄移植のあっせんに係る財団法人骨髄移植推進財団に支払われる患者負担金のうち、別紙（省略）に掲げる書類により証明されたものについては、医師による診療又は治療の対価、医療又はこれに関連する人的役務の提供の対価のうち通常必要と認められるものとして医療費控除の対象となるものとしたので了知されたい。（平成15課個２－28、編者要約）

（臓器移植のあっせんに係る社団法人日本臓器移植ネットワークに支払われる患者負担金の医療費控除の取扱いについて）

(18)　標題のことについて、厚生労働省健康局長から照会があり、臓器移植のあっせんに係る社団法人日本臓器移植ネットワークに支払われる患者負担金のうち、別紙（省略）に掲げる書類により証明されたものについては、医師による診療又は治療の対価、医療又はこれに関連する人的役務の提供の対価のうち通常必要と認められるものとして医療費控除の対象となるものとしたので了知されたい。（平成15課個２－31、編者要約）

2　特定一般用医薬品等購入費を支払った場合の医療費控除の特例

①　特定一般用医薬品等購入費を支払った場合の医療費控除の特例

医療保険各法等（高齢者の医療の確保に関する法律第７条第１項に規定する医療保険各法及び高齢者の医療の確保に関する法律をいう。以下①において同じ。）の規定により療養の給付として支給される薬剤（②(一)において「医療用薬剤」という。）との代替性が特に高い一般用医薬品等（医薬品、医療機器等の品質、有効性及び安全性の確保等に関する法律第４条第５項第３号に規定する要指導医薬品及び同項第４号に規定する一般用医薬品をいう。以下②及び③において同じ。）及びその使用による医療保険療養給付費（医療保険各法等の規定による療養の給付に要する費用をいう。②(一)及び同(二)において同じ。）の適正化の効果が著しく高いと認められる一般用医薬品等の使用を推進する観点から、居住者が平成29年１月１日から令和８年12月31日までの間に自己又は自己と生計を一にする配偶者その他の親族に係る特定一般用医薬品等購入費を支払った場合において当該居住者がその年中に健康の保持増進及び疾病の予防への取組として(1)で定める取組を行っているときにおけるその年分の**1**①に規定する医療費控除については、その者の選択により、同①中「各年」とあるのは「平成29年から令和８年までの各年」と、「医療費を」とあるのは「**2**①《特定一般用医薬品等購入費を支払った場合の医療費控除の特例》に規定する特定一般用医薬品等購入費を」と、「医療費の」とあるのは「特定一般用医薬品等購入費の」と、「その居住者のその年分の総所得金額、退職所得金額及び山林所得金額の合計額の100分の５に相当する金額(当該金額が10万円を超える場合には、10万円)」とあるのは「12,000円」と、「200万円」とあるのは「88,000円」として、**1**①の規定を適用することができる。（措法41の17①）

（編者注）

居住者が、平成29年から令和８年までの各年において、自己又は自己と生計を一にする配偶者その他の親族に係る①《特定一般用医薬品等購入費を支払った場合の医療費控除の特例》に規定する特定一般用医薬品等購入費を支払った場合において、その年中に支払った当該特定一般用医薬品等購入費の金額（保険金、損害賠償金その他これらに類するものにより補てんされる部分の金額を除く。）の合計額が12,000円を超えるときは、その超える部分の金額（当該金額が88,000円を超える場合には、88,000円）を、その居住者のその年分の**一 1**の特別控除額控除後の総所得金額、退職所得金額又は山林所得金額から控除する。（措法41の17①により読み替えられた法73①（下線部は読み替えられた部分））

（居住者が行うその年中に健康の保持増進及び疾病の予防への取組として(1)で定める取組）

(1)　①に規定する(1)で定める取組は、法律又は法律に基づく命令（告示を含む。）に基づき行われる健康の保持増進及び疾病の予防への取組として厚生労働大臣が財務大臣と協議して定めるものとする。（措令26の27の２①）

（注）　①(1)の規定により厚生労働大臣が定める健康の保持増進及び疾病の予防への取組は、次に掲げるものとする。（平28厚生労働省告示第181号（最終改正令２同省告示第170号））

(一)　**2**①に規定する医療保険各法等の規定に基づき健康の保持増進のために必要な事業として行われる健康診査又は健康増進法第19条の２の規定に基づき健康増進事業として行われる健康診査

(二)　予防接種法第５条第１項の規定に基づき行われる予防接種（以下(二)において「定期接種」という。）又はインフルエンザに関する特定感染症予防指針第２の２の規定により推進することとされる同法第２条第３項第１号に掲げる疾病に係る予防接種（定期接種を除く。）

(三)　労働安全衛生法第66条第１項の規定に基づき行われる健康診断（同条第５項ただし書の規定により、労働者が事業者の指定した医師が行う健康診断を受けることを希望しない場合において、他の医師の行う同条第１項の規定による健康診断に相当する健康診断を受け、その結果を証明する書面を事業者に提出したときにおける当該健康診断を含む。）、人事院規則10－４《職員の保健及び安全保持》第19条第１項の規定に基づき行われる健康診断若しくは同規則第20条第１項の規定に基づき行われる健康診断（同条第２項第１号に掲げるものに限る。）（同規則第22条第１項の規定により、その検査をもって同規則第19条又は第20条の健康診断における検査に代えることができることとされた医師の検査及び同規則第22条第２項の規定により、その検査をもって同規則第20条の健康診断に代えることができることとされた同規則第21条の２第１項に規定する総合健診を含む。）又は裁判所職員健康安全管理規程第９条の規定に基づき行われる健康診断若しくは同規程第10条の規定に基づき行われる健康診断（人事院規則10－４第20条第２項第１号に掲げるものに限る。）（同規程第12条の規定により、その検査をもって同規程第９条又は第10条の健康診断における検査に代えることができることとされた医師の検査を含む。）

(四)　高齢者の医療の確保に関する法律第20条の規定に基づき行われる特定健康診査（同条ただし書の規定により、加入者が特定健康診査に相当する健康診査を受け、その結果を証明する書面の提出を受けたときにおける当該健康診査及び同法第26条第２項の規定による特定健康診査に関する記録の送付を受けたときにおける当該特定健康診査を含む。）又は同法第24条の規定に基づき行われる特定保健指導

(五)　健康増進法第19条の２の規定に基づき健康増進事業として行われるがん検診

（第九章第四節**1**《年の中途で非居住者が居住者となった場合の税額の計算》の適用がある場合）

(2)　第九章第四節**1**の規定の適用がある場合において、①の規定により**二 1**①の規定を適用するときにおける第九章

第四節１③の規定の適用については、同③(二)中「その者」とあるのは「その者（その年中に第八章二２①(１)《特定一般用医薬品等購入費を支払った場合の医療費控除の特例》に規定する取組を行った者に限る。)」と、「第八章二１《医療費控除》」とあるのは「第八章二２①《特定一般用医薬品等購入費を支払った場合の医療費控除の特例》」と、「医療費の」とあるのは「特定一般用医薬品等購入費の」と、「①(二)に規定する総所得金額、退職所得金額及び山林所得金額の合計額の100分の５に相当する金額（当該金額が10万円を超える場合には、10万円)」とあるのは「12,000円」と、「200万円」とあるのは「88,000円」とする。(措令26の27の２⑥)

(特定一般用医薬品等購入費を支払った場合の医療費控除の特例を適用した場合の効果)

(３)　１①の規定の適用に当たって、その者の選択により２①の規定を適用したところにより確定申告書を提出した場合には、その後においてその者が更正の請求をし、又は修正申告書を提出するときにおいても、当該選択をし適用した同①の規定を適用することに留意する。(措通41の17－１)

(注)　１①の規定の適用に当たって、２①の規定を適用しなかった場合においても同様である。

②　①に規定する特定一般用医薬品等購入費

①に規定する特定一般用医薬品等購入費とは、次の(一)及び(二)に掲げる医薬品（医薬品、医療機器等の品質、有効性及び安全性の確保等に関する法律第２条第１項に規定する医薬品をいう。以下②において同じ。）である一般用医薬品等の購入の対価をいう。(措法41の17②)

<table>
<tr><td rowspan="3">(一)</td><td colspan="2">次に掲げる医薬品のうち、医療用薬剤との代替性が特に高いもの（その使用による医療保険療養給付費の適正化の効果が低いと認められる医薬品を除く。）として(１)で定めるもの</td></tr>
<tr><td>イ</td><td>その製造販売の承認の申請（医薬品、医療機器等の品質、有効性及び安全性の確保等に関する法律第14条第３項の規定による同条第１項の製造販売についての承認の申請又は同法第19条の２第５項において準用する同法第14条第３項の規定による同法第19条の２第１項の製造販売をさせることについての承認の申請をいう。ロ及び(二)において同じ。）に際して既に同法第14条又は第19条の２の承認を与えられている医薬品と有効成分、分量、用法、用量、効能、効果等が明らかに異なる医薬品</td></tr>
<tr><td>ロ</td><td>その製造販売の承認の申請に際してイに掲げる医薬品と有効成分、分量、用法、用量、効能、効果等が同一性を有すると認められる医薬品</td></tr>
<tr><td>(二)</td><td colspan="2">その製造販売の承認の申請に際して(一)に掲げる医薬品と同種の効能又は効果を有すると認められる医薬品（(一)に掲げる医薬品を除く。）のうち、その使用による医療保険療養給付費の適正化の効果が著しく高いと認められるものとして(２)で定めるもの</td></tr>
</table>

(②(一)に規定する(１)で定めるもの)

(１)　②(一)に規定する(１)で定めるものは、②(一)イ又は同ロに掲げる医薬品(②に規定する医薬品をいう。以下(２)、③(１)及び同(２)までにおいて同じ。）である①に規定する一般用医薬品等（医薬品、医療機器等の品質、有効性及び安全性の確保等に関する法律第14条の４第１項第１号に規定する新医薬品に該当するもの及び人の身体に直接使用されることのないものを除く。）のうち、医療用薬剤（①に規定する医療用薬剤をいう。(２)、③(１)及び同(２)において同じ。）との代替性が特に高いもの（その使用による医療保険療養給付費（①に規定する医療保険療養給付費をいう。(２)において同じ。）の適正化の効果が低いと認められる医薬品を除く。）として厚生労働大臣が財務大臣と協議して定めるものとする。(措令26の27の２②)

(注)　②(１)の規定に基づき、厚生労働大臣が定める一般用医薬品等……平28厚生労働省告示第178号（最終改正令６同省告示第５号)

(②(二)に規定する(２)で定めるもの)

(２)　②(二)に規定する(２)で定めるものは、②(一)に掲げる医薬品と同種の効能又は効果を有すると認められる医薬品（同(一)に掲げる医薬品を除く。）である①に規定する一般用医薬品等（人の身体に直接使用されることのないものを除く。）のうち、その使用による医療保険療養給付費の適正化の効果が著しく高いと認められるものとして厚生労働大臣が財務大臣と協議して定めるものとする。(措令26の27の２③)

(注)　(２)の規定に基づき、厚生労働大臣が定める一般用医薬品等……令３厚生労働省告示第251号

③　令和４年１月１日から、同日から令和８年12月30日までの間において(１)で定める日までの期間内に行った①の居住者の一般用医薬品等の購入の対価の支払につき、①の規定を適用する場合における②の規定の適用

令和４年１月１日から、同日から令和８年12月30日までの間において(１)で定める日までの期間内に行った①の居住者の一般用医薬品等の購入の対価の支払につき、①の規定を適用する場合における②の規定の適用については、②(一)中「特に高いもの（その使用による医療保険療養給付費の適正化の効果が低いと認められる医薬品を除く。）」とあるのは、「特に高いもの」とする。（措法41の17③）

（③に規定する(１)で定める日）

（１）　③に規定する(１)で定める日は、令和３年改正前の②に規定する同②(１)で定める医薬品のうち②(一)に掲げる医薬品に該当しないものの製造、輸入、流通又は在庫の状況を勘案し、かつ、医薬品、医療機器等の品質、有効性及び安全性の確保等に関する法律第25条第３号に規定する薬局開設者等その他の関係者又は学識経験を有する者から意見を聴いて、必要かつ適当な期間の末日として厚生労働大臣が財務大臣と協議して定める日（令和７年12月31日）とする。（措令26の27の２④、令３厚生労働省告示第252号）

（③の規定により読み替えて適用される②(一)に規定する(１)で定めるもの）

（２）　③の規定により読み替えて適用される②(一)に規定する(１)で定めるものは、同(一)イ又は同ロに掲げる医薬品である②(１)に規定する一般用医薬品等のうち、医療用薬剤との代替性が特に高いものとして厚生労働大臣が財務大臣と協議して定めるものとする。（措令26の27の２⑤）

（注）（２）の規定に基づき、厚生労働大臣が定める一般用医薬品等……令３厚生労働省告示第253号（最終改正令６同省告示第６号）

④　①の特例の適用を受ける場合の確定申告書への明細書等の添付義務

①の規定により**１**①の規定を適用する場合における第十章第二節**二１**③(１)及び同(２)（これらの規定を同節**二３**③、同節**二４**③、同節**三２**④及び同節**三４**④において準用する場合を含む。）の規定の適用については、第十章第二節**二１**③(１)中「次の(一)及び(二)に掲げる書類」とあるのは「当該居住者がその年中に行った第八章**二２**①《特定一般用医薬品等購入費を支払った場合の医療費控除の特例》に規定する取組（(２)において「取組」という。）の名称、当該申告書に記載した医療費控除を受ける金額の計算の基礎となる同①に規定する特定一般用医薬品等購入費（(２)において「特定一般用医薬品等購入費」という。）の額その他の(１)で定める事項の記載がある明細書」と、第十章第二節**二１**③(２)中「(１)(一)に掲げる書類」とあるのは「(１)に規定する明細書に記載された取組につき当該居住者がその年中にその取組を行ったことを明らかにする書類（当該居住者の氏名、当該居住者が当該取組を行った年その他の(２)で定める事項の記載があるものに限る。）及び当該明細書」と、「医療費に」とあるのは「特定一般用医薬品等購入費に」と、「証する書類」とあるのは「証する書類（その領収をした金額のうち、特定一般用医薬品等購入費に該当するものの金額が明らかにされているものに限る。）」と、「当該書類」とあるのは「これらの書類」とする。（措法41の17④）

（参考）　④による読替え後の第十章第二節**二１**③(１)及び(２)の規定

> （特定一般用医薬品等購入費を支払った場合の医療費控除の特例の適用を受ける場合の確定申告書への特定一般用医薬品等購入費等の記載がある明細書等の添付義務）（読替え後の第十章第二節**二１**③(１)）
>
> 第十章第二節**二１**①の規定による申告書に医療費控除に関する事項の記載をする居住者が当該申告書を提出する場合には、当該居住者がその年中に行った①《特定一般用医薬品等購入費を支払った場合の医療費控除の特例》に規定する取組（次項において「取組」という。）の名称、当該申告書に記載した医療費控除を受ける金額の計算の基礎となる①に規定する特定一般用医薬品等購入費（次項において「特定一般用医薬品等購入費」という。）の額その他の(１)で定める事項の記載がある明細書を当該申告書に添付しなければならない。（措法41の17④により読み替えられた法120④）（下線部分は読み替えられた部分（編者注））
>
> （特定一般用医薬品等購入費を支払った場合の領収証等の提示又は提出の求め）（読替え後の第十章第二節**二１**③(２)）
>
> 税務署長は、前項の申告書の提出があった場合において、必要があると認めるときは、当該申告書を提出した者（以下この項において「医療費控除適用者」という。）に対し、当該申告書に係る確定申告期限の翌日から起算して５年を経過する日（同日前６月以内に第十章第八節《更正の請求》**一１**の規定による更正の請求があった場合には、当該更正の請求があった日から６月を経過する日）までの間、前項に規定する明細書に記載された取組につき当該居住者がその年中にその取組を行ったことを明らかにする書類（当該居住者の氏名、当該居住者が当該取組を行った年その他の(２)で定める事項の記載があるものに限る。）及び当該明細書に記載された特定一般用医薬品等購入費につきこれを領収した者のその領収を証する書類（その領収をした金額のうち、特定一般用医薬品等購入費に該当するものの金額が明らかにされているものに限る。）の提示又は提出を求めることができる。この場合において、この項前段の規定による求めがあったときは、当該医療費控除適用者は、これらの書類を提示し、又は提出しなければならない。（措法41の17④により読み替えられた法120⑤）（下線部分は読み替えられた部分（編者注））

（特定一般用医薬品等購入費の額その他の（1）で定める事項）

（1）　④の規定により読み替えて適用される第十章第二節**二１**③（1）（同節**二３**③、同節**二４**③、同節**三２**④及び同節**三４**④において準用する場合を含む。）に規定する（1）で定める事項は、(一)、(二)及び(六)に掲げる事項並びに確定申告書に記載した**１**①に規定する医療費控除を受ける金額の計算の基礎となる(三)から(五)までに掲げる事項とする。（措規19の10の２①）

(一)	その年中に行った①（1）に規定する取組（(二)及び（2）において「取組」という。）の名称
(二)	当該取組に係る事業を行った保険者、事業者若しくは市町村（特別区を含む。）の名称又は当該取組に係る診察を行った医療機関の名称若しくは医師の氏名
(三)	その年中において支払った①に規定する特定一般用医薬品等購入費（(四)及び(五)において「特定一般用医薬品等購入費」という。）の額
(四)	当該特定一般用医薬品等購入費に係る①（1）、(三)又は(五)の規定により定められたこれらの規定に規定する一般用医薬品等（(五)において「特定一般用医薬品等」という。）の販売を行った者の氏名又は名称
(五)	当該特定一般用医薬品等購入費に係る特定一般用医薬品等の名称
(六)	その他参考となるべき事項

（添付書類への記載事項）

（2）　④の規定により読み替えて適用される第十章第二節**二１**③（2）（同**二３**③、同**二４**③、同**三２**④及び同**三４**④において準用する場合を含む。）に規定する（2）で定める事項は、①の規定により**１**①の規定の適用を受ける居住者の氏名、当該居住者が取組を行った年及びその年における④（1）(二)に掲げる事項とする。（措規19の10の２②）

（告示）

（3）　厚生労働大臣は、①（1）の規定により取組を定め、②（1）、同（2）若しくは③（2）の規定により①に規定する一般用医薬品等を定め、又は③（1）の規定により日を定めたときは、これを告示する。（措令26の27の２⑦）

三　社会保険料控除

1　社会保険料控除

居住者が、各年において、自己又は自己と生計を一にする配偶者その他の親族の負担すべき社会保険料を支払った場合又は給与から控除される場合には、その支払った金額又はその控除される金額を、その居住者のその年分の**一 1**《雑損控除》の特別控除額控除後の総所得金額、退職所得金額又は山林所得金額から控除する。(法74①③)

(注)　上記**1**の下線部「総所得金額」には、**一**《雑損控除》**1**と同じく租税特別措置法の読替え規定が含まれる。(編者注)

(その年に支払った社会保険料又は小規模企業共済等掛金)

(1)　**1**又は**四 1**に規定する「支払った金額」については、次による。(基通74・75－1)

(一)　納付期日が到来した社会保険料又は小規模企業共済等掛金（以下「**社会保険料等**」という。）であっても、現実に支払っていないものは含まれない。

(二)　前納した社会保険料等については、次の算式により計算した金額はその年において支払った金額とする。

$$\text{前納した社会保険料等の総額（前納により割引された場合には、その割引後の金額）} \times \frac{\text{前納した社会保険料等に係るその年中に到来する納付期日の回数}}{\text{前納した社会保険料等に係る納付期日の総回数}}$$

(注)　前納した社会保険料等とは、各納付期日が到来するごとに社会保険料等に充当するものとしてあらかじめ納付した金額で、まだ充当されない残額があるうちに年金等の給付事由が生じたなどにより社会保険料等の納付を要しないこととなった場合に当該残額に相当する金額が返還されることとなっているものをいう。

(前納した社会保険料等の特例)

(2)　前納した社会保険料等のうちその前納の期間が1年以内のもの及び法令に一定期間の社会保険料等を前納することができる旨の規定がある場合における当該規定に基づき前納したものについては、その前納をした者がその前納した社会保険料等の全額をその支払った年の社会保険料等として確定申告書又は給与所得者の保険料控除申告書に記載した場合には、(1)の(二)にかかわらず、その全額をその年において支払った社会保険料等の金額として差し支えない。

なお、この前納した社会保険料等の特例（以下(2)において「特例」という。）を適用せずに確定申告書を提出した場合には、その後において更正の請求をするときにおいても、この特例を適用することはできないことに留意する。(基通74・75－2)

(給与から控除される社会保険料に含まれるもの)

(3)　健康保険、厚生年金保険若しくは雇用保険の保険料又は確定拠出年金法の規定による個人型年金加入者掛金のように通常給与から控除されることとなっているものは、たまたま給与の支払がないなどのため直接本人から徴収し、退職手当等から控除し、又は労働基準法第76条《休業補償》に規定する休業補償のような非課税所得から控除している場合であっても、給与から控除される社会保険料等に含まれるものとする。(基通74・75－3)

(使用者が負担した使用人等の負担すべき社会保険料)

(4)　役員又は使用人が被保険者として負担すべき社会保険料を使用者が負担した場合には、その負担した金額は、役員又は使用人が支払った又は給与から控除される社会保険料の金額には含まれないものとする。ただし、その負担した金額でその役員又は使用人の給与等として課税されたものは、給与から控除される社会保険料の金額に含まれるものとする。(基通74・75－4)

(注)　使用者が役員又は使用人のために負担する少額の社会保険料で給与等として課税されないものは、社会保険料控除の対象とはならないが、使用者が負担した小規模企業共済等掛金は、全て給与等として課税され、小規模企業共済等掛金控除の対象となることに留意する。

2　社会保険料の範囲

1に規定する社会保険料とは、次の(一)から(十六)までに掲げるもの（非課税とされる在勤手当に係るものを除く。）をいう。(法74②、令208)

(一)	健康保険法の規定による被保険者として負担する健康保険の保険料
(二)	国民健康保険法の規定による国民健康保険の保険料又は地方税法の規定による国民健康保険税
(二の二)	高齢者の医療の確保に関する法律の規定による保険料

(三)	介護保険法の規定による介護保険の保険料
(四)	労働保険の保険料の徴収等に関する法律の規定により雇用保険の被保険者として負担する労働保険料
(五)	国民年金法の規定により被保険者として負担する国民年金の保険料及び国民年金基金の加入員として負担する掛金
(六)	独立行政法人農業者年金基金法の規定により被保険者として負担する農業者年金の保険料
(七)	厚生年金保険法の規定により被保険者として負担する厚生年金保険の保険料
(八)	船員保険法の規定により被保険者として負担する船員保険の保険料
(九)	国家公務員共済組合法の規定による掛金
(十)	地方公務員等共済組合法の規定による掛金（特別掛金を含む。）
(十一)	私立学校教職員共済法の規定により加入者として負担する掛金
(十二)	恩給法第59条《恩給納金》（他の法律において準用する場合を含む。）の規定による納金
(十三)	労働者災害補償保険法第４章の２《特別加入》の規定により労働者災害補償保険の保険給付を受けることができることとされた者に係る労働保険の保険料の徴収等に関する法律の規定による保険料
(十四)	地方公共団体の職員が条例の規定により組織する団体（以下(十四)において「互助会」という。）の行う職員の相互扶助に関する制度で次に掲げる要件を備えているものとして（1）に定めるところにより税務署長の承認を受けているものに基づき、その職員が負担する掛金 イ　当該互助会の事業が、地方公務員等共済組合法第53条第１項第２号から第13号まで《短期給付の種類等》に掲げる給付（当該給付に係る同法第61条《療養に関する退職又は死亡後の給付》の規定による給付を含む。）に類する給付のみを行うものであること。 ロ　イに規定する給付に要する費用は、主として当該職員が負担する掛金及び当該地方公共団体の補助金によって充てられるものであること。 ハ　当該互助会への加入資格のある者の全員が加入しているものであること。
(十五)	国家公務員共済組合法等の一部を改正する法律附則第９条から第11条まで《公庫等の復帰希望職員に関する経過措置》の規定による掛金
(十六)	平成25年厚生年金等改正法附則第５条第１項《存続厚生年金基金に係る改正前厚生年金保険法等の効力等》の規定によりなおその効力を有するものとされる旧厚生年金保険法（以下(十六)において「旧効力厚生年金保険法」という。）第138条から第141条まで《費用の負担》の規定により平成25年厚生年金等改正法附則第３条第11号《定義》に規定する存続厚生年金基金の加入員として負担する掛金（旧効力厚生年金保険法第140条第４項《徴収金》の規定により負担する徴収金を含む。）

(注)　控除の対象とならない社会保険料には、①会社等において任意に組織した共済制度に基づく会費等、②療養の給付を受けた人が負担する費用、③給与の支払者が負担した保険料（法定割合を超えて負担するものをいう。ただし、給与として課税されたものは控除される。）、④非課税の在外手当に対する社会保険料などがある。（編者注）

（社会保険料控除の対象となる互助会の範囲）

（1）　(十四)に規定する税務署長の承認を受けようとする互助会は、次の(一)から(六)までに掲げる事項を記載した申請書に当該互助会の設立に係る条例及びその規約並びに当該申請書を提出する日の属する事業年度の直前の事業年度の決算書及び同日の属する事業年度の予算書を添付し、これを当該互助会の主たる事務所の所在地の所轄税務署長に提出しなければならない。（規40の４）

(一)	当該申請書を提出する互助会の名称、主たる事務所の所在地及び法人番号（法人番号を有しないものにあっては、名称及び主たる事務所の所在地）
(二)	互助会の代表者の氏名及び住所又は居所
(三)	(十四)に規定する制度に関する事業の開始年月日
(四)	当該申請書を提出する時において前号に規定する事業に加入することの見込まれる職員の数

(五)	互助会の行う制度が(十四)のイからハまで掲げる要件を備えている事実
(六)	その他参考となるべき事項

(在勤手当に係る保険料、掛金等)

(2) **2**のかっこ内に規定する「非課税となる在勤手当に係るもの」とは、非課税となる在勤手当を含めた給与等の総額について計算される保険料、掛金等の金額から、非課税となる在勤手当を支払わないものとした場合に計算される保険料、掛金等の金額を控除した金額に相当する保険料、掛金等をいうものとする。(基通74・75－5)

(被保険者が負担する療養の費用)

(3) 国民健康保険に基づく療養の給付を受けた者が負担する療養の費用は、告知書等に基づいて保険者(市町村、特別区又は国民健康保険組合をいう。)に納付する場合においても、**2**(二)に掲げる国民健康保険の保険料又は国民健康保険税ではないことに留意する。(基通74・75－6)

(注) 上記により納付した費用は、医療費控除の適用に当たっては、支払った医療費となる。

(みなし社会保険料)

(4) 健康保険法附則第4条第1項又は船員保険法附則第3条第1項に規定する被保険者が健康保険法附則第4条第3項又は船員保険法附則第3条第3項の規定により健康保険法附則第4条第1項又は船員保険法附則第3条第1項に規定する承認法人等に対し支払う金銭の額は、**2**に規定する社会保険料とみなして、所得税法の規定を適用する。(措法41の7②)

四　小規模企業共済等掛金控除

1　小規模企業共済等掛金控除

居住者が、各年において、小規模企業共済等掛金を支払った場合には、その支払った金額を、その者のその年分の総所得金額、退職所得金額又は山林所得金額から控除する。(法75①③)

(注) 1　控除の対象となる掛金の範囲については、三《社会保険料控除》1(1)、同(2)及び同(4)の取扱いがあることに留意する。(編者注)

2　上記1の下線部「総所得金額」には、一《雑損控除》1と同じく租税特別措置法の読替え規定が含まれる。(編者注)

2　小規模企業共済等掛金の範囲

1に規定する小規模企業共済等掛金とは、次の(一)から(三)までに掲げる掛金をいう。(法75②)

(一)	小規模企業共済法第2条第2項《定義》に規定する共済契約(注で定めるものを除く。)に基づく掛金 (小規模企業共済等掛金控除の対象とならない共済契約) 注　上記の注で定める共済契約は、小規模企業共済法及び中小企業事業団法の一部を改正する法律附則第5条第1項の規定により読み替えられた小規模企業共済法第9条第1項各号《共済金》に掲げる事由により共済金が支給されることとなる契約とする。(令208の2)
(二)	確定拠出年金法第3条第3項第7号の2《規約の承認》に規定する企業型年金加入者掛金又は同法第55条第2項第4号《規約の承認》に規定する個人型年金加入者掛金
(三)	次の注に掲げる心身障害者扶養共済制度に係る契約に基づく掛金 (心身障害者扶養共済制度) 注　上記の共済制度は、地方公共団体の条例において精神又は身体に障害のある者(以下「心身障害者」という。)を扶養する者を加入者とし、その加入者が地方公共団体に掛金を納付し、当該地方公共団体が心身障害者の扶養のための給付金を定期に支給することを定めている制度で、次に掲げる要件を備えているものとする。(令20②) イ　心身障害者の扶養のための給付金(その給付金の支給開始前に心身障害者が死亡した場合に加入者に対して支給される弔慰金を含む。)のみを支給するものであること。 ロ　イの給付金の額は、心身障害者の生活のために通常必要とされる費用を満たす金額(イの弔慰金にあっては、掛金の累積額に比して相当と認められる金額)を超えず、かつ、その額について、特定の者につき不当に差別的な取扱いをしないこと。 ハ　イの給付金(イの弔慰金を除く。ニにおいて同じ。)の支給は、加入者の死亡、重度の障害その他地方公共団体の長が認定した特別の事故を原因として開始されるものであること。 ニ　イの給付金の受取人は、心身障害者又はハの事故発生後において心身障害者を扶養するものであること。 ホ　イの給付金に関する経理は、他の経理と区分して行い、かつ、掛金その他の資金が銀行その他の金融機関に対する運用の委託、生命保険への加入その他これらに準ずる方法を通じて確実に運用されるものであること。

五　生命保険料控除

1　一般の生命保険料に係る生命保険料控除

居住者が、各年において、新生命保険契約等に係る保険料若しくは掛金（**4**(一)から同(三)までにまでに掲げる契約に係るものにあっては生存又は死亡に基因して一定額の保険金、共済金その他の給付金（以下**五**において「**保険金等**」という。）を支払うことを約する部分（**3**において「生存死亡部分」という。）に係るものその他(1)で定めるものに限るものとし、**2**に規定する介護医療保険料及び**3**に規定する新個人年金保険料を除く。以下この**1**及び**2**において「**新生命保険料**」という。）又は旧生命保険契約等に係る保険料若しくは掛金（**3**に規定する旧個人年金保険料その他(2)で定めるものを除く。以下**1**において「旧生命保険料」という。）を支払った場合には、次の(一)から(三)までに掲げる場合の区分に応じそれぞれに定める金額を、その居住者のその年分の総所得金額、退職所得金額又は山林所得金額から控除する。（法76①⑪）

(一)	新生命保険料を支払った場合（(三)に掲げる場合を除く。）	次に掲げる場合の区分に応じそれぞれ次に定める金額		
		イ	その年中に支払った新生命保険料の金額の合計額（その年において新生命保険契約等に基づく剰余金の分配若しくは割戻金の割戻しを受け、又は新生命保険契約等に基づき分配を受ける剰余金若しくは割戻しを受ける割戻金をもって新生命保険料の払込みに充てた場合には、当該剰余金又は割戻金の額（新生命保険料に係る部分の金額として(3)で定めるところにより計算した金額に限る。）を控除した残額。以下(一)及び(三)のイにおいて同じ。）が20,000円以下である場合	当該合計額
		ロ	その年中に支払った新生命保険料の金額の合計額が20,000円を超え40,000円以下である場合	20,000円と当該合計額から20,000円を控除した金額の2分の1に相当する金額との合計額
		ハ	その年中に支払った新生命保険料の金額の合計額が40,000円を超え80,000円以下である場合	30,000円と当該合計額から40,000円を控除した金額の4分の1に相当する金額との合計額
		ニ	その年中に支払った新生命保険料の金額の合計額が80,000円を超える場合	40,000円
(二)	旧生命保険料を支払った場合（(三)に掲げる場合を除く。）	次に掲げる場合の区分に応じそれぞれ次に定める金額		
		イ	その年中に支払った旧生命保険料の金額の合計額（その年において旧生命保険契約等に基づく剰余金の分配若しくは割戻金の割戻しを受け、又は旧生命保険契約等に基づき分配を受ける剰余金若しくは割戻しを受ける割戻金をもつて旧生命保険料の払込みに充てた場合には、当該剰余金又は割戻金の額（旧生命保険料に係る部分の金額に限る。）を控除した残額。以下(二)及び(三)のロにおいて同じ。）が25,000円以下である場合	当該合計額
		ロ	その年中に支払った旧生命保険料の金額の合計額が25,000円を超え50,000円以下である場合	25,000円と当該合計額から25,000円を控除した金額の2分の1に相当する金額との合計額
		ハ	その年中に支払った旧生命保険料の金額の合計額が50,000円を超え100,000円以下である場	37,500円と当該合計額から50,000円を控除した金額の4分

			合	の１に相当する金額との合計額
		ニ	その年中に支払った旧生命保険料の金額の合計額が100,000円を超える場合	50,000円
(三)	新生命保険料及び旧生命保険料を支払った場合	その支払った次に掲げる保険料の区分に応じそれぞれ次に定める金額の合計額（当該合計額が40,000円を超える場合には、40,000円）		
		イ	新生命保険料	その年中に支払った新生命保険料の金額の合計額の(一)のイからニまでに掲げる場合の区分に応じそれぞれ同(一)のイからニまでに定める金額
		ロ	旧生命保険料	その年中に支払った旧生命保険料の金額の合計額の(二)のイからニまでに掲げる場合の区分に応じそれぞれ(二)のイからニまでに定める金額

(注)　上記**1**の下線部「総所得金額」には、**一**《雑損控除》**1**と同じく租税特別措置法の読替え規定が含まれる。（編者注）

（新生命保険料の対象となる保険料又は掛金）

（1）　**1**《一般の生命保険料に係る生命保険料控除》に規定する（1）で定める新生命保険契約等に係る保険料又は掛金は、次の(一)及び(二)に掲げる保険料又は掛金とする。（令208の３①）

(一)	**1**(一)に掲げる契約の内容と**6**(一)に掲げる契約の内容とが一体となって効力を有する一の保険契約のうち、同(一)に掲げる契約の内容を主たる内容とする保険契約として金融庁長官が財務大臣と協議して定めるもの（**2**（2）(一)《介護医療保険料の対象となる保険料又は掛金》において「特定介護医療保険契約」という。）以外のものに係る保険料
(二)	**4**(三)に掲げる契約の内容と**6**(二)に掲げる生命共済契約等の内容とが一体となって効力を有する一の共済に係る契約のうち、同(二)に掲げる契約の内容を主たる内容とする共済に係る契約として農林水産大臣が財務大臣と協議して定めるもの（**2**（2）(二)において「特定介護医療共済契約」という。）以外のものに係る掛金

(注) 1　金融庁長官は、（1）(一)の規定により保険契約を定めたときは、これを告示する。（令208の３②）

2　農林水産大臣は、（1）(二)の規定により共済に係る契約を定めたときは、これを告示（4）する。（令208の３③）

（旧生命保険料の対象とならない保険料）

（2）　**1**に規定する（2）で定める旧生命保険契約等に係る保険料又は掛金は、次の(一)及び(二)に掲げる保険料とする。（令208の４）

(一)	一定の偶然の事故によって生ずることのある損害をてん補する旨の特約（**5**(四)に掲げる契約又は**1**に規定する保険金等（**2**（1）《介護医療保険契約等に係る保険金等の支払事由の範囲》及び**4**（3）及び同（4）《生命保険料控除の対象とならない保険契約等》において「保険金等」という。）の支払事由が身体の傷害のみに基因することとされているもの（(二)において「傷害保険契約」という。）を除く。）が付されている保険契約に係る保険料のうち、当該特約に係る保険料
(二)	**5**(四)に掲げる保険契約の内容と**六 2**①に掲げる契約（傷害保険契約を除く。）の内容とが一体となって効力を有する一の保険契約に係る保険料

（新生命保険料等の金額から控除する剰余金等の額）

（3）　**1**(一)イに規定する（3）で定めるところにより計算した金額は、その年において**4**に規定する新生命保険契約等（当該新生命保険契約等が他の保険契約（共済に係る契約を含む。以下（3）において同じ。）に附帯して締結したものである場合には、当該他の保険契約及び当該他の保険契約に附帯して締結した当該新生命保険契約等以外の保険契約を含む。以下（3）において同じ。）に基づき分配を受けた剰余金の額及び割戻しを受けた割戻金の額並びに当該新生命保険契約等に基づき分配を受けた剰余金又は割戻しを受けた割戻金をもって当該新生命保険契約等に係る保険料又は掛金の払込みに充てた金額の合計額に、その年中に支払った当該新生命保険契約等に係る保険料又は掛金の金額の合計額のうちに当該新生命保険契約等に係る**1**に規定する新生命保険料の金額の占める割合を乗じて計算した金額とする。(令208の5①)

(注)　(3)の規定は、**2**(一)に規定する**1**(3)(注)で定めるところにより計算した金額及び**3**(一)イに規定する**1**(3)(注)で定めるところにより計算した金額について準用する。(令208の5②)

(契約の内容を主たる内容とする共済に係る契約として農林水産大臣が財務大臣と協議して定めるものを定める件)

(4)　(1)(二)の規定に基づき、**6**(二)に掲げる契約の内容を主たる内容とする共済に係る契約として農林水産大臣が財務大臣と協議して定めるものを次のように定め、平成24年1月1日から適用する。(平22農林水産省告示第535号(最終改正平28同省告示第864号))

(定義)

第1条　この告示において、次の(一)から(三)までに掲げる用語の意義は、当該各号に定めるところによる。

(一)　組込型共済契約　　**4**(三)に掲げる契約の内容と**6**(二)に掲げる生命共済契約等の内容とが一体となって効力を有する一の共済に係る契約であって、農業協同組合法(昭和22年法律第132号)第10条第1項第10号の事業を行う農業協同組合の締結するものをいう。

(二)　入院給付日額　　治療を直接の目的として被共済者が病院又は診療所に入院したことに関し支払われる1日当たりの共済金又は給付金の額をいう。

(三)　共済掛金積立金　　保険法(平成20年法律第56号)第63条及び第92条に定める保険料積立金であって、農業協同組合法第11条の18に規定する共済金等の給付に充てるべきものをいう。

(介護医療保険契約等を主たる内容とする共済に係る契約の範囲)

第2条　(1)(二)の規定に基づく**6**(二)に掲げる契約の内容を主たる内容とする共済に係る契約として農林水産大臣が財務大臣と協議して定めるものは、組込型共済契約(人の生存に関し一定額の共済金又は給付金を支払う共済に係る契約を除く。)のうち、その共済に係る契約において支払われる死亡共済金又は死亡給付金の額が次のいずれかに該当するものとする。

(一)　その共済に係る契約において支払われる入院給付日額の100倍に相当する額を限度とするもの(入院の原因となる事由を制限するものを除く。)

(二)　その共済に係る契約に係る共済掛金積立金の額又は共済契約者が既に支払ったその共済に係る契約に係る共済掛金の累計額のいずれか大きい額を限度とするもの

(三)　がんに罹患したこと又は常時の介護を要する身体の状態になったことに基因してその共済に係る契約において支払われる共済金又は給付金の額の5分の1に相当する額を限度とするもの

2　介護医療保険料に係る生命保険料控除

居住者が、各年において、介護医療保険契約等に係る保険料又は掛金(病院又は診療所に入院して**二**《医療費控除》**1**②に規定する医療費を支払ったことその他の(1)で定める事由(**5**及び**6**において「医療費等支払事由」という。)に基因して保険金等を支払うことを約する部分に係るものその他(2)で定めるものに限るものとし、新生命保険料を除く。以下**2**において「**介護医療保険料**」という。)を支払った場合には、次の(一)から(四)までに掲げる場合の区分に応じそれぞれに定める金額を、その居住者のその年分の総所得金額、退職所得金額又は山林所得金額から控除する。(法76②)

(一)	その年中に支払った介護医療保険料の金額の合計額(その年において介護医療保険契約等に基づく剰余金の分配若しくは割戻金の割戻しを受け、又は介護医療保険契約等に基づき分配を受ける剰余金若しくは割戻しを受ける割戻金をもって介護医療保険料の払込みに充てた場合には、当該剰余金又は割戻金の額(介護医療保険料に係る部分の金額として**1**(3)(注)で定めるところにより計算した金額に限る。)を控除した残額。以下**2**において同じ。)が20,000円以下である場合	当該合計額
(二)	その年中に支払った介護医療保険料の金額の合計額が20,000円を超え40,000円以下である場合	20,000円と当該合計額から20,000円を控除した金額の2分の1に相当する金額との合計額

(三)	その年中に支払った介護医療保険料の金額の合計額が40,000円を超え80,000円以下である場合	30,000円と当該合計額から40,000円を控除した金額の４分の１に相当する金額との合計額
(四)	その年中に支払った介護医療保険料の金額の合計額が80,000円を超える場合	40,000円

(注)　上記**2**の下線部「総所得金額」には、**一**《雑損控除》 **1**と同じく租税特別措置法の読替え規定が含まれる。(編者注)

(介護医療保険契約等に係る保険金等の支払事由の範囲)

(１)　**2**に規定する(１)で定める事由は、次の(一)から(三)までに掲げる事由とする。(令208の６)

(一)	疾病にかかったこと又は身体の傷害を受けたことを原因とする人の状態に基因して生ずる**2**に規定する医療費その他の費用を支払ったこと。
(二)	疾病若しくは身体の傷害又はこれらを原因とする人の状態(**6**に規定する介護医療保険契約等に係る約款に、これらの事由に基因して一定額の保険金等を支払う旨の定めがある場合に限る。)
(三)	疾病又は身体の傷害により就業することができなくなったこと。

(介護医療保険料の対象となる保険料又は掛金)

(２)　**2**に規定する(２)で定めるものは、次の(一)及び(二)に掲げる保険料又は掛金とする。(令208の７)

(一)	**4**(一)に掲げる契約の内容と**6**(一)に掲げる契約の内容とが一体となって効力を有する一の保険契約のうち、特定介護医療保険契約に係る保険料
(二)	**4**(三)に掲げる契約の内容と**6**(二)に掲げる生命共済契約等の内容とが一体となって効力を有する一の共済に係る契約のうち、特定介護医療共済契約に係る掛金

3　新個人年金保険料に係る生命保険料控除

居住者が、各年において、新個人年金保険契約等に係る保険料若しくは掛金(生存死亡部分に係るものに限る。以下**3**において「**新個人年金保険料**」という。)又は旧個人年金保険契約等に係る保険料若しくは掛金(その者の疾病又は身体の傷害その他これらに類する事由に基因して保険金等を支払う旨の特約が付されている契約にあっては、当該特約に係る保険料又は掛金を除く。以下「**旧個人年金保険料**」という。)を支払った場合には、次の(一)から(三)までに掲げる場合の区分に応じそれぞれに定める金額を、その居住者のその年分の総所得金額、退職所得金額又は山林所得金額から控除する。(法76③⑪)

(一)	新個人年金保険料を支払った場合((三)に掲げる場合を除く。)		次に掲げる場合の区分に応じそれぞれ次に定める金額
	イ	その年中に支払った新個人年金保険料の金額の合計額(その年において新個人年金保険契約等に基づく剰余金の分配若しくは割戻金の割戻しを受け、又は新個人年金保険契約等に基づき分配を受ける剰余金若しくは割戻しを受ける割戻金をもって新個人年金保険料の払込みに充てた場合には、当該剰余金又は割戻金の額(新個人年金保険料に係る部分の金額として**1**(３)(注)で定めるところにより計算した金額に限る。)を控除した残額。以下(一)及び(三)のイにおいて同じ。)が20,000円以下である場合	当該合計額
	ロ	その年中に支払った新個人年金保険料の金額の合計額が20,000円を超え40,000円以下である場合	20,000円と当該合計額から20,000円を控除した金額の２分の１に相当する金額との合計額
	ハ	その年中に支払った新個人年金保険料の金額の合計額が40,000円を超え80,000円以下である場合	30,000円と当該合計額から40,000円を控除した金額の４分の１に相当する金額との合計額
	ニ	その年中に支払った新個人年金保険料の金額の合計額が80,000円を超える場合	40,000円

<table>
<tr><td rowspan="5">(二)</td><td colspan="3">旧個人年金保険料を支払った場合（(三)に掲げる場合を除く。）　次に掲げる場合の区分に応じそれぞれ次に定める金額</td></tr>
<tr><td>イ</td><td>その年中に支払った旧個人年金保険料の金額の合計額（その年において旧個人年金保険契約等に基づく剰余金の分配若しくは割戻金の割戻しを受け、又は旧個人年金保険契約等に基づき分配を受ける剰余金若しくは割戻しを受ける割戻金をもって旧個人年金保険料の払込みに充てた場合には、当該剰余金又は割戻金の額（旧個人年金保険料に係る部分の金額に限る。）を控除した残額。以下(二)及び(三)のロにおいて同じ。）が25,000円以下である場合</td><td>当該合計額</td></tr>
<tr><td>ロ</td><td>その年中に支払った旧個人年金保険料の金額の合計額が25,000円を超え50,000円以下である場合</td><td>25,000円と当該合計額から25,000円を控除した金額の２分の１に相当する金額との合計額</td></tr>
<tr><td>ハ</td><td>その年中に支払った旧個人年金保険料の金額の合計額が50,000円を超え100,000円以下である場合</td><td>37,500円と当該合計額から50,000円を控除した金額の４分の１に相当する金額との合計額</td></tr>
<tr><td>ニ</td><td>その年中に支払った旧個人年金保険料の金額の合計額が100,000円を超える場合</td><td>50,000円</td></tr>
<tr><td rowspan="3">(三)</td><td colspan="3">新個人年金保険料及び旧個人年金保険料を支払った場合　その支払った次に掲げる保険料の区分に応じそれぞれ次に定める金額の合計額（当該合計額が40,000円を超える場合には、40,000円）</td></tr>
<tr><td>イ</td><td>新個人年金保険料</td><td>その年中に支払った新個人年金保険料の金額の合計額の(一)のイからニまでに掲げる場合の区分に応じそれぞれ同(一)のイからニまでに定める金額</td></tr>
<tr><td>ロ</td><td>旧個人年金保険料</td><td>その年中に支払った旧個人年金保険料の金額の合計額の(二)のイからニまでに掲げる場合の区分に応じそれぞれ同(二)イからニまでに定める金額</td></tr>
</table>

(注)　上記**3**の下線部「総所得金額」には、**一**《雑損控除》**1**と同じく租税特別措置法の読替え規定が含まれる。(編者注)

(旧個人年金保険契約等)

(1)　**3**に規定する旧個人年金保険契約等とは、平成23年12月31日以前に締結した**5**(一)から同(三)までに掲げる契約(年金給付契約に限るものとし、失効した同日以前に締結した当該契約が同日後に復活したものを含む。）のうち、**7**(一)から同(三)までに掲げる要件の定めのあるものをいう。(法76⑨)

(旧生命保険契約等又は旧個人年金保険契約等に附帯して新契約を締結した場合)

(2)　平成24年１月１日以後に**5**に規定する旧生命保険契約等又は(1)に規定する旧個人年金保険契約等に附帯して**4**、**6**又は**7**に規定する新契約を締結した場合には、当該旧生命保険契約等又は旧個人年金保険契約等は、同日以後に締結した契約とみなして、**1**から**4**まで、**6**及び**7**の規定を適用する。(法76⑩)

(控除の対象となる生命保険料等)

(3)　**1**に規定する「新生命保険料」、**1**に規定する「旧生命保険料」、**2**に規定する「介護医療保険料」、**3**に規定する「新個人年金保険料」又は**3**に規定する「旧個人年金保険料」に該当するかどうかは、保険料又は掛金を支払った時の現況により判定する。(基通76－1)

(旧個人年金保険契約等の特約に係る保険料等)

(4)　疾病又は身体の傷害その他これらに類する事由に基因して保険金等（**1**に規定する保険金等をいう。）を支払う旨の特約（(8)において「疾病等に係る特約」という。）が付されている旧個人年金保険契約等（**3**(1)に規定する「旧個人年金保険契約等」をいう。(5)、(8)及び(10)において同じ。）に係る保険料又は掛金のうち、当該特約に係る保

険料又は掛金は、旧生命保険料に該当することに留意する。(基通76－2)

(支払った生命保険料等の金額)

(5)　**1**(一)に規定する「支払った新生命保険料の金額」、同(二)に規定する「支払った旧生命保険料の金額」、**2**(一)から同(四)までに規定する「支払った介護医療保険料の金額」、**3**(一)に規定する「支払った新個人年金保険料の金額」又は同(二)に規定する「支払った旧個人年金保険料の金額」については、次による。(基通76－3)

(一)　生命保険契約等(**4**に規定する「新生命保険契約等」((8)において「新生命保険契約等」という。)、**5**に規定する「旧生命保険契約等」((8)において「旧生命保険契約等」という。)、**6**に規定する「介護医療保険契約等」((8)において「介護医療保険契約等」という。)、**7**に規定する「新個人年金保険契約等」((8)及び(10)において「新個人年金保険契約等」という。)及び旧個人年金保険契約等をいう。(7)、(9)及び(10)において同じ。)に基づく保険料又は掛金(以下(8)までにおいて「生命保険料等」という。)で払込期日が到来したものであっても、現実に支払っていないものは含まれない。

(二)　その年中にいわゆる振替貸付けにより生命保険料等の払込みに充当した金額は、その年において支払った金額とする。

(注)1　いわゆる振替貸付けとは、払込期日までに生命保険料等の払込みがない契約を有効に継続させるため、保険約款等に定めるところにより保険会社等が生命保険料等の払込みに充当するために貸付けを行い、その生命保険料等の払込みに充当する処理を行うことをいう。

2　いわゆる振替貸付けにより生命保険料等に充当した金額を後日返済しても、その返済した金額は支払った生命保険料等には該当しない。

(三)　前納した生命保険料等については、次の算式により計算した金額をその年において支払った金額とする。

$$\text{前納した生命保険料等の総額}\left(\begin{array}{l}\text{前納により割引された場合}\\\text{にはその割引後の金額}\end{array}\right)\times\frac{\text{前納した社会保険料等に係るその年中に到来する払込期日の回数}}{\text{前納した生命保険料等に係る払込期日の総回数}}$$

(注)　前納した生命保険料等とは、各払込期日が到来するごとに生命保険料等の払込みに充当するものとしてあらかじめ保険会社等に払い込んだ金額で、まだ充当されない残額があるうちに保険事故が生じたなどにより生命保険料等の払込みを要しないこととなった場合に当該残額に相当する金額が返還されることとなっているものをいう。

(四)　いわゆる団体扱いにより生命保険料等を払い込んだ場合において、生命保険料等の額が減額されるときは、その減額後の額を支払った金額とする。

(使用者が負担した使用人等の負担すべき生命保険料等)

(6)　役員又は使用人の負担すべき生命保険料等を使用者が負担した場合には、その負担した金額は役員又は使用人が支払った生命保険料等の金額には含まれないものとする。ただし、その負担した金額でその役員又は使用人の給与等として課税されたものは、その役員又は使用人が支払った生命保険料等の金額に含まれるものとする。(基通76－4)

(注)　第六章第一節**一3**①(11)から同(16)までにより給与等として課税されない生命保険料等及び同(19)により給与等として課税されない少額の生命保険料等は、いずれも生命保険料控除の対象とはならない。

(保険金等の支払とともに又は保険金等の支払開始の日以後に分配を受ける剰余金等)

(7)　生命保険契約等に基づく剰余金の分配又は割戻金の割戻しで、その契約に基づく生命保険料等の払込みを要しなくなった後において保険金、年金又は共済金等の支払開始の日以後に支払を受けるものは、**1**(一)イ若しくは同(二)イ、**2**(一)又は**3**(一)イ若しくは同(二)イのかっこ内に規定する剰余金の分配又は割戻金の割戻しには該当しないものとする。(基通76－5)

(支払った生命保険料等の金額の合計額の計算)

(8)　2口以上の新生命保険契約等(新個人年金保険契約等を除く。以下(8)において同じ。)を締結している者に係る**1**(一)に規定する「その年中に支払った新生命保険料の金額の合計額」は、例えば、甲生命保険会社と締結したAの契約については剰余金の分配を受けるだけであり、乙生命保険会社と締結したBの契約については新生命保険料を支払っているだけであるような場合、Bの契約について支払った新生命保険料の金額からAの契約について受けた剰余金の額を控除して計算することに留意する。

2口以上の旧生命保険契約等(旧個人年金保険契約等を除き、当該旧個人年金保険契約等に付されている疾病等に係る特約を含む。以下(8)において同じ。)を締結している者に係る**1**(二)に規定する「その年中に支払った旧生命保険料の金額の合計額」の計算、介護医療保険契約等を締結している者に係る**2**(一)に規定する「その年中に支払った介護医療保険料の金額の合計額」の計算、新個人年金保険契約等を締結している者に係る**3**(一)に規定する「その年中に支払った新個人年金保険料の金額の合計額」の計算及び旧個人年金保険契約等（当該旧個人年金保険契約等に付されている疾病等に係る特約を除く。以下(8)において同じ。）を締結している者に係る**3**(二)に規定する「その年中に支払った旧個人年金保険料の金額の合計額」の計算についても、それぞれ同様とする。（基通76－6）

（注） 新生命保険契約等について受けた剰余金又は割戻金（当該剰余金又は割戻金をもって生命保険料等の払込みに充てた場合の当該剰余金又は割戻金を含む。）は、旧生命保険契約等、介護医療保険契約等、新個人年金保険契約等又は旧個人年金保険契約等に係る保険料又は掛金からは控除しないことに留意する。

旧生命保険契約等、介護医療保険契約等、新個人年金保険契約等及び旧個人年金保険契約等について受けた剰余金又は割戻金についても、それぞれ同様とする。

（保険会社等に積み立てられた剰余金等で生命保険料等の金額から控除するもの）

(9) 生命保険契約等に基づき分配又は割戻しを受けるべきことが確定した剰余金又は割戻金で、保険約款等に定めるところにより保険会社等に積み立てておき、契約者から申出のあったときに随時払い戻すこととしているものは、その積み立てた時に分配又は割戻しがあったものとして**1**(一)イ若しくは同(二)イ、**2**(一)又は**3**(一)イ若しくは同(二)イのかっこ内の規定を適用する。（基通76－7）

（生命保険料の金額を超えて剰余金の分配を行うこととなっている場合の取扱い）

(10) 保険約款等に定めるところにより、その年において支払うべき保険料又は掛金の金額を超えて剰余金の分配が行われることとなっているため、**7**(1)(一)ニの要件に該当しない契約であっても、当該契約を締結している保険会社等に新個人年金保険契約等又は旧個人年金保険契約等（以下(10)において「個人年金保険契約等」という。）を締結している場合で、当該保険約款等の定めるところによりその超える部分の剰余金の額を当該個人年金保険契約等に係る一時払の新個人年金保険料又は旧個人年金保険料に充てることとなっているときは、当該契約は同(一)のニの要件に該当するものとして取り扱って差し支えない。

この場合において、**3**(一)イに規定する「その年中に支払った新個人年金保険料の金額の合計額」又は同(二)イに規定する「その年中に支払った旧個人年金保険料の金額の合計額」は、それぞれ同(一)又は同(二)の規定にかかわらず(8)に準じて計算するものとする。（基通76－8）

4 新生命保険契約等の範囲

1に規定する新生命保険契約等とは、平成24年1月1日以後に締結した次の(一)から(十一)までに掲げる契約（失効した同日前に締結した当該契約が同日以後に復活したものを除く。以下**4**において「新契約」という。）若しくは他の保険契約（共済に係る契約を含む。**6**及び**7**において同じ。）に附帯して締結した新契約又は同日以後に確定給付企業年金法第3条第1項第1号《確定給付企業年金の実施》その他(1)で定める規定（**5**において「承認規定」という。）の承認を受けた(四)に掲げる規約若しくは同条第1項第2号その他(2)で定める規定（**5**において「認可規定」という。）の認可を受けた同号に規定する基金（**5**において「基金」という。）の(四)に掲げる規約（以下**4**及び**5**において「新規約」と総称する。）のうち、これらの新契約又は新規約に基づく保険金等の受取人のすべてをその保険料若しくは掛金の払込みをする者又はその配偶者その他の親族とするものをいう。（法76⑤、令210、210の2、昭62大蔵省告示第159号――最終改正平30財務省告示第243号）

(一)	保険業法第2条第3項《定義》に規定する生命保険会社又は同条第8項に規定する外国生命保険会社等の締結した保険契約のうち生存又は死亡に基因して一定額の保険金等が支払われるもの（保険期間が5年に満たない保険契約で(3)に掲げるもの（**5**において「特定保険契約」という。）及び当該外国生命保険会社等が国外において締結したものを除く。）
(二)	郵政民営化法等の施行に伴う関係法律の整備等に関する法律第2条《法律の廃止》の規定による廃止前の簡易生命保険法第3条《政府の保証》に規定する簡易生命保険契約（**5**及び**6**において「旧簡易生命保険契約」という。）のうち生存又は死亡に基因して一定額の保険金等が支払われるもの
(三)	農業協同組合法第10条第1項第10号《共済に関する施設》の事業を行う農業協同組合の締結した生命共済に係る契約（共済期間が5年に満たない生命共済に係る契約で(4)で定めるものを除く。）その他これに類する共済に係る契約（**5**及び**6**において「生命共済契約等」という。）のうち生存又は死亡に基因して一定額の保険金等が支払われるもの
(四)	確定給付企業年金法第3条第1項に規定する確定給付企業年金に係る規約又は法人税法附則第20条第3項《退職年

	金等積立金に対する法人税の特例》に規定する適格退職年金契約
(五)	農業協同組合法第10条第１項第10号の事業を行う農業協同組合連合会の締結した生命共済に係る契約
(六)	水産業協同組合法第11条第１項第12号《事業の種類》若しくは第93条第１項第６号の２《事業の種類》の事業を行う漁業協同組合若しくは水産加工業協同組合又は共済水産業協同組合連合会の締結した生命共済に係る契約（漁業協同組合又は水産加工業協同組合の締結した契約にあっては、(7)で定める要件を備えているものに限る。）
(七)	消費生活協同組合法第10条第１項第４号《事業の種類》の事業を行う消費生活協同組合連合会の締結した生命共済に係る契約
(八)	中小企業等協同組合法第９条の２第７項《事業協同組合及び事業協同小組合》に規定する共済事業を行う同項に規定する特定共済組合、同法第９条の９第１項第３号《協同組合連合会》の事業を行う協同組合連合会又は同条第４項に規定する特定共済組合連合会の締結した生命共済に係る契約
(九)	消費生活協同組合法第10条第１項第４号の事業を行う次に掲げる法人の締結した生命共済に係る契約 イ　神奈川県民共済生活協同組合 ロ　教職員共済生活協同組合 ハ　警察職員生活協同組合 ニ　埼玉県民共済生活協同組合 ホ　全国交通運輸産業労働者共済生活協同組合 ヘ　電気通信産業労働者共済生活協同組合
(十)	生活衛生関係営業の運営の適正化及び振興に関する法律第54条第８号の事業を行う全国理容生活衛生同業組合連合会の締結した年金共済に係る契約
(十一)	法人税法附則第20条第３項《退職年金等積立金に対する法人税の特例》に規定する適格退職年金契約

（承認規定等の範囲）

（1）　**4**に規定する確定給付企業年金法第３条第１項第１号《確定給付企業年金の実施》その他(1)で定める規定は、同法第６条第１項《規約の変更等》(同法第79条第１項若しくは第２項《実施事業所に係る給付の支給に関する権利義務の他の確定給付企業年金への移転》、第81条第２項《基金から規約型企業年金への移行》又は附則第25条第１項《適格退職年金契約に係る権利義務の確定給付企業年金への移転》の規定、平成25年厚生年金等改正法附則第５条第１項《存続厚生年金基金に係る改正前厚生年金保険法等の効力等》の規定によりなおその効力を有するものとされる平成25年厚生年金等改正法第２条《確定給付企業年金法の一部改正》の規定による改正前の確定給付企業年金法（以下において「旧効力確定給付企業年金法」という。）第107条第１項《実施事業所に係る給付の支給に関する権利義務の厚生年金基金への移転》、第110条の２第３項《厚生年金基金の設立事業所に係る給付の支給に関する権利義務の確定給付企業年金への移転》又は第111条第２項《厚生年金基金から規約型企業年金への移行》の規定その他(5)で定める規定に規定する権利義務の移転又は承継に伴う確定給付企業年金法第３条第１項に規定する確定給付企業年金に係る規約((2)において「規約」という。)の変更について承認を受ける場合に限る。)、第74条第４項《規約型企業年金の統合》及び第75条第２項《規約型企業年金の分割》の規定とする。(令208の８①)

（確定給付企業年金法第３条第１項第２号その他(2)で定める規定）

（2）　**4**に規定する確定給付企業年金法第３条第１項第２号その他(2)で定める規定は、同法第16条第１項《基金の規約の変更等》(同法第76条第４項《基金の合併》、第77条第５項《基金の分割》、第79条第１項若しくは第２項、第80条第２項《規約型企業年金から基金への移行》又は附則第25条第１項の規定、旧効力確定給付企業年金法第107条第１項又は第110条の２第３項の規定その他(6)で定める規定に規定する権利義務の移転又は承継に伴う規約の変更について認可を受ける場合に限る。)、第76条第１項及び第77条第１項の規定、旧効力確定給付企業年金法第112条第１項《厚生年金基金から基金への移行》の規定その他(6)で定める規定とする。(令208の８②)

（生命保険料控除の対象とならない保険契約等）

（3）　**4**(一)に規定する(3)で定める保険契約は、保険期間が５年に満たない保険業法第２条第３項《定義》に規定する生命保険会社又は同条第８項に規定する外国生命保険会社等の締結した保険契約のうち、被保険者が保険期間の満了の日に生存している場合に限り保険金等を支払う定めのあるもの又は被保険者が保険期間の満了の日に生存している場合及び当該期間中に災害、感染症の予防及び感染症の患者に対する医療に関する法律第６条第２項若しくは第３項《感染症の定義》に規定する一類感染症若しくは二類感染症その他これらに類する特別の事由により死亡した場合に限り保険金等を支払う定めのあるものとする。(令209①)

((４)で定める生命共済に係る契約)

(４)　**4**(三)に規定する(４)で定める生命共済に係る契約は、共済期間が５年に満たない生命共済に係る契約のうち、被共済者が共済期間の満了の日に生存している場合に限り保険金等を支払う定めのあるもの又は被共済者が共済期間の満了の日に生存している場合及び当該期間中に災害、(３)に規定する感染症その他これらに類する特別の事由により死亡した場合に限り保険金等を支払う定めのあるものとする。(令209②)

((５)で定める規定)

(５)　(１)に規定する(５)で定める規定は、公的年金制度の健全性及び信頼性の確保のための厚生年金保険法等の一部を改正する法律（平成25年法律第63号）第２条《確定給付企業年金法の一部改正》の規定による改正前の確定給付企業年金法((６)において「旧確定給付企業年金法」という。）第107条第１項《実施事業所に係る給付の支給に関する権利義務の厚生年金基金への移転》、第110条の２第３項《厚生年金基金の設立事業所に係る給付の支給に関する権利義務の確定給付企業年金への移転》又は第111条第２項《厚生年金基金から規約型企業年金への移行》の規定とする。(規40の５①)

((６)で定める規定)

(６)　(２)に規定する旧効力確定給付企業年金法第110条の２第３項の規定その他(６)で定める規定は、旧確定給付企業年金法第107条第１項又は第110条の２第３項の規定とし、(２)に規定する旧効力確定給付企業年金法第112条第１項《厚生年金基金から基金への移行》の規定その他(６)で定める規定は、旧確定給付企業年金法第112条第１項の規定とする。(規40の５②)

(漁業協同組合又は水産加工業協同組合の締結した契約における要件)

(７)　**4**(六)に規定する(７)で定める要件は、同(六)に規定する漁業協同組合又は水産加工業協同組合（以下(７)において「組合」という。）が、その締結した生命共済に係る契約により負う共済責任を当該組合を会員とする共済水産業協同組合連合会（その業務が全国の区域に及ぶものに限る。）との契約により連帯して負担していること（当該契約により当該組合はその共済責任についての当該負担部分を有しない場合に限る。）とする。(規40の６)

(勤労者財産形成貯蓄契約等に基づく保険料等の適用除外)

(８)　勤労者財産形成促進法第２条第１号に規定する勤労者が、同法第６条第１項、第２項又は第４項に規定する勤労者財産形成貯蓄契約、勤労者財産形成年金貯蓄契約又は勤労者財産形成住宅貯蓄契約に係る生命保険若しくは損害保険又は生命共済に係る契約に係る生命保険若しくは損害保険の保険料又は生命共済の共済掛金については、生命保険料控除の規定は、適用しない。(措法４の４②)

5　旧生命保険契約等の範囲

1に規定する旧生命保険契約等とは、平成23年12月31日以前に締結した次の(一)から(五)までに掲げる契約（失効した同日以前に締結した当該契約が同日後に復活したものを含む。）又は同日以前に承認規定の承認を受けた(五)に掲げる規約若しくは認可規定の認可を受けた基金の(五)に掲げる規約（新規約を除く。）のうち、これらの契約又は規約に基づく保険金等の受取人のすべてをその保険料若しくは掛金の払込みをする者又はその配偶者その他の親族とするものをいう。(法76⑥)

(一)	**4**(一)に掲げる契約
(二)	旧簡易生命保険契約
(三)	生命共済契約等
(四)	**4**(一)に規定する生命保険会社若しくは外国生命保険会社等又は保険業法第２条第４項に規定する損害保険会社若しくは同条第９項に規定する外国損害保険会社等の締結した疾病又は身体の傷害その他これらに類する事由に基因して保険金等が支払われる保険契約（(一)に掲げるもの、保険金等の支払事由が身体の傷害のみに基因するこ

	ととされているもの、特定保険契約、当該外国生命保険会社等又は当該外国損害保険会社等が国外において締結したものその他注で定めるものを除く。）のうち、医療費等支払事由に基因して保険金等が支払われるもの
(五)	**4**(四)に掲げる規約又は契約

（外国生命保険会社等又は外国損害保険会社等が国外において締結したものその他注で定めるもの）

注　**5**(四)に規定する注で定めるものは、外国への旅行のために住居を出発した後、住居に帰着するまでの期間（**6**注において「海外旅行期間」という。）内に発生した疾病又は身体の傷害その他これらに類する事由に基因して保険金等が支払われる保険契約とする。（令209③）

6　介護医療保険契約等の範囲

2に規定する介護医療保険契約等とは、平成24年１月１日以後に締結した次の(一)及び(二)に掲げる契約（失効した同日前に締結した当該契約が同日以後に復活したものを除く。以下この**6**において「**新契約**」という。）又は他の保険契約に附帯して締結した新契約のうち、これらの新契約に基づく保険金等の受取人のすべてをその保険料若しくは掛金の払込みをする者又はその配偶者その他の親族とするものをいう。（法76⑦）

(一)	**5**(四)に掲げる契約
(二)	疾病又は身体の傷害その他これらに類する事由に基因して保険金等が支払われる旧簡易生命保険契約又は生命共済契約等（**4**(二)及び同(三)に掲げるもの、保険金等の支払事由が身体の傷害のみに基因するものその他注で定めるものを除く。）のうち医療費等支払事由に基因して保険金等が支払われるもの

（保険金等の支払事由が身体の傷害のみに基因するものその他注で定めるもの）

注　**6**(二)に規定する注で定めるものは、海外旅行期間内に発生した疾病又は身体の傷害その他これらに類する事由に基因して保険金等が支払われる**4**(三)に規定する生命共済契約等とする。（令209④）

7　年金給付契約の範囲

3に規定する新個人年金保険契約等とは、平成24年１月１日以後に締結した**4**(一)から同(三)までと同(五)から同(十)までに掲げる契約（年金を給付する定めのあるもので、(1)で定めるもの（**7**において「**年金給付契約**」という。）に限るものとし、失効した同日前に締結した当該契約が同日以後に復活したものを除く。以下**7**において「**新契約**」という。）又は他の保険契約に附帯して締結した新契約のうち、次の(一)から(三)までに掲げる要件の定めのあるものをいう。（法76⑧）

<table>
<tr><td>(一)</td><td colspan="2">当該契約に基づく年金の受取人は、(二)の保険料若しくは掛金の払込みをする者又はその配偶者が生存している場合には、これらの者のいずれかとするものであること。</td></tr>
<tr><td>(二)</td><td colspan="2">当該契約に基づく保険料又は掛金の払込みは、年金支払開始日前10年以上の期間にわたって定期に行うものであること。</td></tr>
<tr><td rowspan="4">(三)</td><td colspan="2">当該契約に基づく(一)に定める個人に対する年金の支払を次のイからハまでのいずれかとするものであること。（令212）</td></tr>
<tr><td>イ</td><td>当該年金の受取人の年齢が60歳に達した日の属する年の１月１日以後の日（60歳に達した日が同年の１月１日から６月30日までの間である場合にあっては、同年の前年７月１日以後の日）で当該契約で定める日以後10年以上の期間にわたって定期に行うものであること。</td></tr>
<tr><td>ロ</td><td>当該年金の受取人が生存している期間にわたって定期に行うものであること。</td></tr>
<tr><td>ハ</td><td>イに定める年金の支払のほか、当該契約に係る被保険者又は被共済者の重度の障害を原因として年金の支払を開始し、かつ、当該年金の支払開始日以後10年以上の期間にわたって、又はその者が生存している期間にわたって定期に行うものであること。</td></tr>
</table>

（年金給付契約の対象となる契約の範囲）

(1)　**7**に規定する年金を給付する定めのある契約は、次の(一)から(四)までに掲げる契約とする。（令211）

<table>
<tr><td>(一)</td><td>4(一)に掲げる契約で年金の給付を目的とするもの（退職年金の給付を目的とするものを除く。）のうち、当該契約の内容（3に規定する特約が付されている契約又は他の保険契約に附帯して締結した契約にあっては、当該特約又は他の保険契約の内容を除く。）が次に掲げる要件を満たすもの
<table>
<tr><td>イ</td><td>当該契約に基づく年金以外の金銭の支払（剰余金の分配及び解約返戻金の支払を除く。）は、当該契約で定める被保険者が死亡し、又は重度の障害に該当することとなった場合に限り行うものであること。</td></tr>
<tr><td>ロ</td><td>当該契約で定める被保険者が死亡し、又は重度の障害に該当することとなった場合に支払う金銭の額は、当該契約の締結の日以後の期間又は支払保険料の総額に応じて逓増的に定められていること。</td></tr>
<tr><td>ハ</td><td>当該契約に基づく年金の支払は、当該年金の支払期間を通じて年1回以上定期に行うものであり、かつ、当該契約に基づき支払うべき年金（年金の支払開始日から一定の期間内に年金受取人が死亡してもなお年金を支払う旨の定めのある契約にあっては、当該一定の期間内に支払うべき年金とする。）の一部を一括して支払う旨の定めがないこと。</td></tr>
<tr><td>ニ</td><td>当該契約に基づく剰余金の金銭による分配（当該分配を受ける剰余金をもって当該契約に係る保険料の払込みに充てられる部分を除く。）は、年金の支払開始日前において行わないもの又は当該剰余金の分配をする日の属する年において払い込むべき当該保険料の金額の範囲内の額とするものであること。</td></tr>
</table></td></tr>
<tr><td>(二)</td><td>4(二)に掲げる旧簡易生命保険契約で年金の給付を目的とするもの（退職年金の給付を目的とするものを除く。）のうち、当該契約の内容（3に規定する特約が付されている契約にあっては、当該特約の内容を除く。）が(一)のイからニまでに掲げる要件を満たすもの</td></tr>
<tr><td>(三)</td><td>4(五)及び同(六)に掲げる生命共済に係る契約（4(三)に規定する農業協同組合の締結した生命共済に係る契約を含む。）で年金の給付を目的とするもの（退職年金の給付を目的とするものを除く。(四)において同じ。）のうち、当該契約の内容（3に規定する特約が付されている契約又は他の生命共済に係る契約に附帯して締結した契約にあっては、当該特約又は他の生命共済に係る契約の内容を除く。(四)ロにおいて同じ。）が(一)イから同ニまでに掲げる要件に相当する要件その他の(2)で定める要件を満たすもの</td></tr>
<tr><td>(四)</td><td>4(七)から同(十)までに掲げる生命共済に係る契約で年金の給付を目的とするもののうち、次に掲げる要件を満たすものとして財務大臣の指定するもの（(4)参照）
<table>
<tr><td>イ</td><td>当該年金の給付を目的とする生命共済に関する事業に関し、適正に経理の区分が行われていること及び当該事業の継続が確実であると見込まれること並びに当該契約に係る掛金の安定運用が確保されていること。</td></tr>
<tr><td>ロ</td><td>当該契約に係る年金の額及び掛金の額が適正な保険数理に基づいて定められており、かつ、当該契約の内容が(一)のイからニまでに掲げる要件に相当する要件を満たしていること。</td></tr>
</table></td></tr>
</table>

（農業協同組合等の締結した年金給付契約の対象となる共済に係る契約の要件の細目）

(2)　(1)(三)で定める要件は次の(一)から(三)までに掲げるものとする。(規40の7①)

(注)　「組合」、「全国連合会」の定義は(3)参照。(編者注)

<table>
<tr><td>(一)</td><td>(1)の(三)に規定する生命共済に係る契約で年金の給付を目的とするもの（退職年金の給付を目的とするものを除く。以下(2)において「年金共済契約」という。）を締結する組合の定める当該年金共済契約に係る共済規程は、当該年金共済契約に係る約款を全国連合会が農林水産大臣の承認を受けて定める約款と同一の内容のものとする旨の定めがあるものであること（全国連合会の締結する年金共済契約に係る共済規程にあっては、農林水産大臣の承認を受けたものであること。）。</td></tr>
<tr><td>(二)</td><td>当該年金共済契約を締結する組合（全国連合会を除く。）が当該年金共済契約により負う共済責任は、当該組合が当該組合を会員とする全国連合会との契約により連帯して負担していること（当該契約により当該組合はその共済責任についての当該負担部分を有しない場合に限る。）。</td></tr>
<tr><td>(三)</td><td>当該年金共済契約に基づく金銭の支払は、次に掲げる要件を満たすものであること。
<table>
<tr><td>イ</td><td>当該年金共済契約に基づく年金以外の金銭の支払（割戻金の割戻し及び解約返戻金を除く。）は、当該年金共済契約で定める被共済者が死亡し、又は重度の障害に該当することとなった場合に限り行うものであること。</td></tr>
</table></td></tr>
</table>

	ロ	当該年金共済契約で定める被共済者が死亡し、又は重度の障害に該当することとなった場合に支払う金銭の額は、当該年金共済契約の締結の日以後の期間又は支払掛金の総額に応じて逓増的に定められていること。
	ハ	当該年金共済契約に基づく年金の支払は、当該年金の支払期間を通じて年１回以上定期に行うものであり、かつ、当該年金共済契約に基づき支払うべき年金（年金の支払開始日から一定の期間内に年金受取人が死亡してもなお年金を支払う旨の定めのある年金共済契約にあっては、当該一定の期間内に支払うべき年金とする。）の一部を一括して支払う旨の定めがないこと。
	ニ	当該年金共済契約に基づく割戻金の金銭による割戻し（当該割戻しを受ける割戻金をもって当該年金共済契約に係る掛金の払込みに充てられる部分を除く。）は、年金の支払開始日前において行わないもの又は当該割戻金の割戻しをする日の属する年において払い込むべき当該掛金の金額の範囲内の額とするものであること。

（用語の意義）

（3）（2）において、次の(一)又は(二)に掲げる用語の意義は、当該(一)又は(二)に定めるところによる。（規40の７②）

(一)	組　　合	農業協同組合法第10条第１項第10号《共済に関する施設》の事業を行う農業協同組合若しくは農業協同組合連合会又は水産業協同組合法第11条第１項第12号《事業の種類》若しくは第93条第１項第６号の２《事業の種類》の事業を行う漁業協同組合若しくは水産加工業協同組合若しくは共済水産業協同組合連合会をいう。
(二)	全国連合会	(一)に規定する農業協同組合連合会又は共済水産業協同組合連合会のうちその業務が全国の区域に及ぶものをいう。

（（1）(四)の規定に基づき財務大臣の指定した個人年金保険契約等に該当する生命共済に係る契約）

（4）（1）(四)の規定により財務大臣の指定した生命共済に係る契約は、下記のとおりである。（昭61大蔵省告示第155号（最終改正平10大蔵省告示第307号））

消費生活協同組合法の事業を行う全国労働者共済生活協同組合連合会又は教職員共済生活協同組合の締結した生命共済に係る契約で年金の給付を目的とするもののうち、同法第26条の３に規定する規約で（2）(一)から同(三)までに掲げる要件及び（1）(一)イから同ニまでに掲げる要件に相当する要件の定めがあるもの（当該要件に反する定めがあるものを除く。）に基づく契約（当該契約に係る年金の額及び掛金の額が適正な保険数理に基づいて定められているものに限る。）

8　控除限度額

1から**3**までの規定によりその居住者のその年分の総所得金額、退職所得金額又は山林所得金額から控除する金額の合計額が120,000円を超える場合には、これらの規定により当該居住者のその年分の総所得金額、退職所得金額又は山林所得金額から控除する金額は、これらの規定にかかわらず、120,000円とする。（法76④）

六　地震保険料控除

1　地震保険料控除

居住者が、各年において、自己若しくは自己と生計を一にする配偶者その他の親族の有する家屋で常時その居住の用に供するもの又はこれらの者の有する第二章第三節**四 1**《非課税所得》に規定する資産を保険又は共済の目的とし、かつ、地震若しくは噴火又はこれらによる津波を直接又は間接の原因とする火災、損壊、埋没又は流失による損害（以下**1**において「**地震等損害**」という。）によりこれらの資産について生じた損失の額をてん補する保険金又は共済金が支払われる損害保険契約等に係る地震等損害部分の保険料又は掛金（以下の(一)又は(二)で定めるものを除く。以下**1**において「**地震保険料**」という。）を支払った場合には、その年中に支払った地震保険料の金額の合計額（その年において損害保険契約等に基づく剰余金の分配若しくは割戻金の割戻しを受け、又は損害保険契約等に基づき分配を受ける剰余金若しくは割戻しを受ける割戻金をもって地震保険料の払込みに充てた場合には当該剰余金又は割戻金の額（地震保険料に係る部分の金額に限る。）を控除した残額とし、その金額が５万円を超える場合には５万円とする。）を、その居住者のその年分の総所得金額、退職所得金額又は山林所得金額から控除する。（法77①③、令213）

<table>
<tr><td>(一)</td><td colspan="2">1に規定する地震等損害により臨時に生ずる費用、1に規定する資産（(二)において「家屋等」という。）の取壊し又は除去に係る費用その他これらに類する費用に対して支払われる保険金又は共済金に係る保険料又は掛金</td></tr>
<tr><td rowspan="3">(二)</td><td colspan="2">1に規定する損害保険契約等（当該損害保険契約等においてイに掲げる額が地震保険に関する法律施行令第２条《保険金額の限度額》に規定する金額以上とされているものを除く。）においてイに掲げる額のロに掲げる額に対する割合が100分の20未満とされている場合における当該損害保険契約等に係る地震等損害部分の保険料又は掛金（(一)に掲げるものを除く。）</td></tr>
<tr><td>イ</td><td>地震等損害により家屋等について生じた損失の額をてん補する保険金又は共済金の額（当該保険金又は共済金の額の定めがない場合にあっては、当該地震等損害により支払われることとされている保険金又は共済金の限度額）</td></tr>
<tr><td>ロ</td><td>火災（地震若しくは噴火又はこれらによる津波を直接又は間接の原因とするものを除く。）による損害により家屋等について生じた損失の額をてん補する保険金又は共済金の額（当該保険金又は共済金の額の定めがない場合にあっては、当該火災による損害により支払われることとされている保険金又は共済金の限度額）</td></tr>
</table>

(注) 1　居住者が、平成19年以後の各年において、平成18年12月31日までに締結した長期損害保険契約等（改正前の**1**に規定する損害保険契約等であって、当該損害保険契約等が保険期間又は共済期間の満了後満期返戻金を支払う旨の特約のある契約その他建物又は動産の共済期間中の耐存を共済事故とする共済に係る契約でこれらの期間が10年以上のものであり、かつ、平成19年１月１日以後に当該損害保険契約等の変更をしていないものに限るものとし、当該損害保険契約等の保険期間又は共済期間の始期（これらの期間の定めのないものにあっては、その効力を生ずる日）が平成19年１月１日以後であるものを除く。以下(注)において同じ。）に係る損害保険料（同**1**に規定する損害保険料をいう。以下(注) 2において同じ。）を支払った場合には、改正後の**1**の規定により控除する金額は、同**1**の規定にかかわらず、次の(一)から(三)までに掲げる場合の区分に応じ当該(一)から(三)までに定める金額として、同**1**の規定を適用することができる。この場合において、同**1**中「保険又は共済」とあるのは「保険若しくは共済」と、「保険金又は共済金」とあるのは「保険金若しくは共済金」と、「又は掛金」とあるのは「若しくは掛金」と、「を支払った場合」とあるのは「又は(注) 2《地震保険料控除に関する経過措置》に規定する長期損害保険契約等に係る(注) 2に規定する損害保険料を支払った場合」とする。（平18改所法等附10②、平18改所令附14①）

<table>
<tr><td>(一)</td><td colspan="3">その年中に支払った地震保険料等（改正後の1に規定する地震保険料（以下(注)において「地震保険料」という。）及び長期損害保険契約等に係る損害保険料（以下(注)において「旧長期損害保険料」という。）をいう。以下(注)において同じ。）に係る契約のすべてが1に規定する損害保険契約等（以下(注) 2及び(注) 3において「損害保険契約等」という。）に該当するものである場合　その年中に支払った当該損害保険契約等に係る地震保険料の金額の合計額（その年において損害保険契約等に基づく剰余金の分配若しくは割戻金の割戻しを受け、又は損害保険契約等に基づき分配を受ける剰余金若しくは割戻しを受ける割戻金をもって地震保険料の払込みに充てた場合には当該剰余金又は割戻金の額（地震保険料に係る部分の金額に限る。）を控除した残額とし、その金額が５万円を超える場合には５万円とする。(三)において同じ。）</td></tr>
<tr><td rowspan="3">(二)</td><td colspan="3">その年中に支払った地震保険料等に係る契約のすべてが長期損害保険契約等に該当するものである場合　次に掲げる場合の区分に応じそれぞれ次に定める金額</td></tr>
<tr><td>イ</td><td>その年中に支払った旧長期損害保険料の金額の合計額（その年において長期損害保険契約等に基づく剰余金の分配若しくは割戻金の割戻しを受け、又は長期損害保険契約等に基づき分配を受ける剰余金若しくは割戻しを受ける割戻金をもって旧長期損害保険料の払込みに充てた場合には、当該剰余金又は割戻金の額を控除した残額。以下(注) 2において同じ。）が１万円以下である場合</td><td>当該合計額</td></tr>
<tr><td>ロ</td><td>その年中に支払った旧長期損害保険料の金額の合計額が１万円を超え２万円以下である場合</td><td>１万円と当該合計額から１万円を控除した金額の２分の１に相</td></tr>
</table>

			当する金額との合計額
	ハ	その年中に支払った旧長期損害保険料の金額の合計額が２万円を超える場合	15,000円
(三)	その年中に支払った地震保険料等に係る契約のうちに(一)に規定する契約と(二)に規定する契約とがある場合　次に掲げる場合の区分に応じそれぞれ次に定める金額		
	イ	その年中に支払った(一)に規定する契約に係る地震保険料の金額の合計額と、その年中に支払った(二)に規定する契約に係る旧長期損害保険料の金額の合計額につき(二)の規定に準じて計算した金額との合計額が５万円以下である場合	当該合計額
	ロ	イにより計算した金額が５万円を超える場合	５万円

2　(注)１(一)から同(三)までに定める金額を計算する場合において、一の損害保険契約等又は一の長期損害保険契約等が(注)１(一)又は同(二)に規定する契約のいずれにも該当するときは、いずれか一の契約のみに該当するものとして、(注)１の規定を適用する。(平18改所法等附10③)

3　(注)３に定めるもののほか、(注)１の規定の適用がある場合における所得税に関する法令の規定の適用に関し必要な事項は、(注)４から(注)６までで定める。(平18改所法等附10④)

4　(注)１の規定の適用がある場合における所得税法の規定の適用については、同法第190条第２号ロ《年末調整》中「第八章**六１**《地震保険料控除》に規定する地震保険料」とあるのは「第八章**六１**(注)１(一)《地震保険料控除に関する経過措置》に規定する地震保険料等」と、「第八章**六**まで」とあるのは「第八章**五**まで及び同**六**(注)１」と、改正後の所得税法第196条第１項《給与所得者の保険料控除申告書》中「地震保険料に」とあるのは「地震保険料等に」と、同項第３号中「**１**《地震保険料控除》に規定する地震保険料」とあるのは「第八章**六１**(注)１(一)《地震保険料控除に関する経過措置》に規定する地震保険料等」と、同条第２項中「地震保険料」とあるのは「地震保険料等」と、同法第198条第５項《給与所得者の源泉徴収に関する申告書の提出時期等の特例》中「地震保険料」とあるのは「地震保険料等」とする。(平18改所令附14②)

㊟　改正後の(注)４《地震保険料控除に関する経過措置》の規定により読み替えて適用される改正後の所得税法第198条第７項《給与所得者の源泉徴収に関する申告書の提出時期等の特例》の規定は、令和２年10月１日以後に提出する所得税法第196条第３項《給与所得者の保険料控除申告書》に規定する給与所得者の保険料控除申告書について適用する。(平30改所令附27)

5　(注)１の規定の適用がある場合における改正後の所得税法施行令の規定の適用については、第九章第四節**１**《年の中途で非居住者が居住者となった場合の税額の計算》③(四)中「同章**六１**《地震保険料控除》に規定する地震保険料」とあるのは「同章**六１**(注)１(一)《地震保険料控除に関する経過措置》に規定する地震保険料等」と、第十章第二節**二１**③**イ**《確定申告書に関する書類の提出又は提示》中「地震保険料」とあるのは「第八章**六１**(注)１(一)《地震保険料控除に関する経過措置》に規定する地震保険料等」と、「「地震保険料」」とあるのは「「地震保険料等」」と、同**イ**(六)中「地震保険料の」とあるのは「地震保険料等の」と、改正後の所得税法施行令第319条第５号《保険料控除申告書に関する書類の提出又は提示》中「地震保険料」とあるのは「地震保険料等」とする。(平18改所令附14③)

6　(注)２の規定の適用がある場合における租税特別措置法（**２**（２））の規定の適用については、同**２**（２）《勤労者財産形成貯蓄契約に基づく生命保険等の差益等の課税の特例》中「の規定」とあるのは、「並びに(注)２の規定」とする。(平18改所令附14④)

7　上記**１**の下線部「総所得金額」には、**一**《雑損控除》**１**と同じく租税特別措置法の読替え規定が含まれる。(編者注)

(賦払の契約により購入した資産)

(１)　賦払の契約により購入した資産で、その契約において代金完済後に所有権を移転する旨の契約が付されているものであっても、常時その居住の用又は日常の生活の用に供しているものは、その者が所有する資産として、**１**の規定を適用することができるものとする。(基通77－１)

(居住の用に供する家屋)

(２)　**１**に規定する居住の用に供する家屋については、次のことに留意する。(基通77－２)

(一)　居住の用と事業等の用とに併用している家屋は、居住の用に供している部分だけが居住の用に供する家屋に該当すること。

(二)　次に掲げるようなもので居住の用に供する家屋と一体として居住の用に供していると認められるものは、居住の用に供する家屋に含まれること。

イ　門、塀又は物置、納屋その他の附属建物

ロ　電気、ガス、暖房又は冷房の設備その他の建物附属設備

(注)　通常の損害保険約款等によれば、イに掲げるものは保険証券等に明記されていない限り保険等の目的に含まれないものとされ、ロに掲げるものは特約のない限り保険等の目的に含まれるものとされている。

(損害保険契約等に基づく責任開始日前に支払った地震保険料)

(３)　損害保険契約等（**２**に規定する損害保険契約等をいう。(３)及び(４)において同じ。）に基づく責任開始日（保険会社等において損害についててん補責任を生ずる日をいう。以下(３)において同じ。）前に支払った当該損害保険契約等に係る地震保険料（**１**に規定する地震保険料をいう。以下(６)までにおいて同じ。）については、現実の支払の日に

よらず、その責任開始日において支払ったものとする。(基通77－3)

(一の契約に基づく地震保険料のうちに控除の対象となるものとならないものとがある場合の区分)

(4) **1**に規定する家屋又は資産(以下(5)までにおいて「居住用資産」という。)と事業用の家屋、商品等とが一括して保険又は共済(以下(4)及び(5)において「保険等」という。)の目的とされている場合のように一の損害保険契約等に基づく保険等の目的とされた資産のうちに居住用資産とそれ以外の資産とが含まれている場合には、その契約に基づいて支払った地震保険料のうち居住用資産に係るものだけが控除の対象となることに留意する。この場合において、保険等の目的とされた資産ごとの地震保険料が保険証券等に明確に区分表示されていないときは、次の算式により計算した金額を居住用資産に係る地震保険料の金額とする。(基通77－5)

(一) 居住の用と事業等の用とに併用する資産が保険等の目的とされた資産に含まれていない場合

$$\text{その契約に基づいて支払った地震保険料の金額} \times \frac{\text{居住用資産に係る保険金額又は共済金額}}{\text{その契約に基づく保険金額又は共済金額の総額}}$$

(二) 居住の用と事業等の用とに併用する資産が保険等の目的とされた資産に含まれている場合

$$\text{居住用資産につき(一)により計算した金額} + \left(\text{その契約に基づいて支払った地震保険料の金額} \times \frac{\text{居住の用と事業等の用とに併用する資産に係る保険金額又は共済金額}}{\text{その契約に基づく保険金額又は共済金額の総額}} \times \text{その資産を居住の用に供している割合} \right)$$

(注) 店舗併用住宅のように居住の用に供している部分が一定しているものについては、次の割合を居住の用に供している割合として差し支えない。

$$\frac{\text{居住の用に供している部分の床面積}}{\text{その家屋の総床面積}}$$

(店舗併用住宅等について支払った地震保険料の特例)

(5) 保険等の目的とされている家屋を、店舗併用住宅のように居住の用と事業等の用とに併用している場合であっても、その家屋の全体のおおむね90%以上を居住の用に供しているときは、その家屋について支払った地震保険料の全額を居住用資産に係る地震保険料の金額として差し支えない。(基通77－6)

(支払った地震保険料の金額等)

(6) **1**に規定する支払った地震保険料の金額、使用者が負担した使用人等の負担すべき地震保険料及び**1**のかっこ内に規定する剰余金又は割戻金については、**五**の**3**の(5)から(9)までの取扱いに準ずる。(基通77－7)

2 損害保険契約等の範囲

1に規定する損害保険契約等とは、次に掲げる契約に附帯して締結されるもの又は当該契約と一体となって効力を有する一の保険契約若しくは共済に係る契約をいう。(法77②、令214)

①	保険業法第2条第4項《定義》に規定する損害保険会社又は同条第9項に規定する外国損害保険会社等の締結した保険契約のうち一定の偶然の事故によって生ずることのある損害をてん補するもの(**五5**(四)に掲げるもの及び当該外国損害保険会社等が国外において締結した損害保険契約を除く。)
②	農業協同組合法第10条第1項第10号《共済に関する施設》の事業を行う農業協同組合の締結した建物更生共済又は火災共済に係る契約
③	農業協同組合法第10条第1項第10号の事業を行う農業協同組合連合会の締結した建物更生共済又は火災共済に係る契約
④	農業災害補償法第83条第1項第7号《任意共済》又は第132条の2第1項《農業共済組合連合会の行う任意共済事業》の事業を行う農業共済組合又は農業共済組合連合会の締結した火災共済その他建物を共済の目的とする共済に係る契約
⑤	水産業協同組合法第11条第1項第12号《事業の種類》若しくは第93条第1項第6号の2《事業の種類》の事業を行う漁業協同組合若しくは水産加工業協同組合又は共済水産業協同組合連合会の締結した建物若しくは動産の共済期間中の耐存を共済事故とする共済又は火災共済に係る契約(漁業協同組合又は水産加工業協同組合の締結した契約にあっては、(1)で定める要件を備えているものに限る。)
⑥	中小企業等協同組合法第9条の9第3項《協同組合連合会》に規定する火災等共済組合の締結した火災共済に係る契約

⑦	消費生活協同組合法第10条第１項第４号《事業の種類》の事業を行う消費生活協同組合連合会の締結した火災共済又は自然災害共済に係る契約
⑧	財務大臣が指定する次に掲げる組合の締結した自然災害共済に係る契約（平18財務省告示第139号（最終改正平30同省告示第244号） イ　教職員共済生活協同組合 ロ　全国交通運輸産業労働者共済生活協同組合 ハ　電気通信産業労働者共済生活協同組合

（漁業協同組合又は水産加工業協同組合の締結した契約における要件）

（1）　**2**⑤に規定する要件は、同⑤に規定する漁業協同組合又は水産加工業協同組合（以下(1)において「組合」という。）が、その締結した建物若しくは動産の共済期間中の耐存を共済事故とする共済に係る契約又は火災共済に係る契約により負う共済責任を当該組合を会員とする共済水産業協同組合連合会（その業務が全国の区域に及ぶものに限る。）との契約により連帯して負担していること（当該契約により当該組合はその共済責任についての当該負担部分を有しない場合に限る。）とする。（規40の８）

（勤労者財産形成貯蓄契約等に基づく保険料等の適用除外）

（2）　勤労者財産形成促進法第２条第１号に規定する勤労者が、同法第６条第１項、第２項又は第４項に規定する勤労者財産形成貯蓄契約、勤労者財産形成年金貯蓄契約又は勤労者財産形成住宅貯蓄契約に係る生命保険若しくは損害保険又は生命共済に係る契約に係る生命保険若しくは損害保険の保険料又は生命共済の共済掛金については、地震保険料控除の規定は、適用しない。（措法４の４②）

七　寄附金控除

1　寄附金控除

居住者が、各年において、特定寄附金を支出した場合において、その年中に支出した特定寄附金の額の合計額（当該合計額がその者のその年分の総所得金額、退職所得金額及び山林所得金額の**合計額**の100分の40に相当する金額を超える場合には、当該100分の40に相当する金額）が2,000円を超えるときは、その超える金額を、その者のその年分の総所得金額、退職所得金額又は山林所得金額から控除する。（法78①④）

（注）1　上記**1**の＿下線部「総所得金額」には、**一**《雑損控除》**1**と同じく租税特別措置法の読替え規定が含まれる。（編者注）

2　上記﹏下線部については、公益信託に関する法律（令和６年法律第30号）の施行の日以後、④が③とされる。（令６改所法等附１九イ）

（支出した場合の意義）

注　**1**に規定する「特定寄附金を支出した場合」とは、**2**に規定する特定寄附金を現実に支払ったことをいうから、当該特定寄附金の支払のための手形の振出し（裏書譲渡を含む。）は、現実の支払には該当しないことに留意する。（基通78－1）

2　特定寄附金の範囲

1に規定する特定寄附金とは、次の(一)から(四)までに掲げる寄附金（学校の入学に関してするものを除く。）をいう。(法78②、令215、217、措法41の18)

<table>
<tr><td>(一)</td><td>国又は地方公共団体に対する寄附金</td><td colspan="2">国又は地方公共団体（港湾法の規定による港務局を含む。）に対する寄附金（その寄附をした者がその寄附によって設けられた設備を専属的に利用することその他特別の利益がその寄附をした者に及ぶと認められるものを除く。）</td></tr>
<tr><td>(二)</td><td>指定寄附金</td><td colspan="2">公益社団法人、公益財団法人その他公益を目的とする事業を行う法人又は団体に対する寄附金（当該法人の設立のためにされる寄附金その他の当該法人の設立前においてされる寄附金で当該法人の設立に関する許可又は認可があることが確実であると認められる場合においてされるものを含む。）のうち、次に掲げる要件を満たすと認められるものとして財務大臣が指定したもの
イ　広く一般に募集されること。
ロ　教育又は科学の振興、文化の向上、社会福祉への貢献その他公益の増進に寄与するための支出で緊急を要するものに充てられることが確実であること。
（注）1　財務大臣の指定は、次に掲げる事項を審査して行うものとする。（令216①）
イ　寄附金を募集しようとする法人又は団体の営む事業の内容及び寄附金の使途
ロ　寄附金の募集の目的及び目標額並びにその募集の区域及び対象
ハ　寄附金の募集期間
ニ　募集した寄附金の管理の方法
ホ　寄附金の募集に要する経費
ヘ　その他当該指定のために必要な事項
2　財務大臣は、寄附金の指定をしたときは、これを告示する。（令216②）</td></tr>
<tr><td rowspan="4">(三)</td><td rowspan="4">公益の増進に著しく寄与する法人に対する寄附金</td><td colspan="2">公共法人（【法別表第一】参照)、公益法人等その他特別の法律により設立された法人のうち、教育又は科学の振興、文化の向上、社会福祉への貢献その他公益の増進に著しく寄与するものとして次に掲げる法人に対する当該法人の主たる目的である業務に関連する寄附金（出資に関する業務に充てられることが明らかなもの及び(一)及び(二)に規定する寄付金に該当するものを除く。）</td></tr>
<tr><td>イ</td><td>独立行政法人</td></tr>
<tr><td>ロ</td><td>地方独立行政法人法第２条第１項《定義》に規定する地方独立行政法人で同法第21条第１号又は第３号から第６号まで《業務の範囲》に掲げる業務（同条第３号に掲げる業務にあっては同号チに掲げる事業の経営に、同条第６号に掲げる業務にあっては地方独立行政法人法施行令第６条第１号又は第３号《公共的な施設の範囲》に掲げる施設の設置及び管理に、それぞれ限るものとする。）を主たる目的とするもの</td></tr>
<tr><td>ハ</td><td>自動車安全運転センター、日本司法支援センター、日本私立学校振興・共済事業団、日本赤十字社及び福島国際研究教育機構</td></tr>
</table>

<table>
<tr><td></td><td></td><td>
<table>
<tr><td>ニ</td><td>公益社団法人及び公益財団法人</td></tr>
<tr><td>ホ</td><td>私立学校法第３条《定義》に規定する学校法人で学校（学校教育法第１条《定義》に規定する学校及び就学前の子どもに関する教育、保育等の総合的な提供の推進に関する法律第２条第７項《定義》に規定する幼保連携型認定こども園をいう。以下ホにおいて同じ。）の設置若しくは学校及び専修学校（学校教育法第124条《専修学校》に規定する専修学校で下記のＡ及びＢのいずれかの課程による教育を行うものをいう。以下ホにおいて同じ。）若しくは各種学校（初等教育又は中等教育を外国語により施すことを目的として設置された学校教育法第134条第１項《各種学校》に規定する各種学校であって、文部科学大臣が財務大臣と協議して定める基準に該当するもの（以下ホにおいて同じ。））の設置を主たる目的とするもの又は私立学校法第64条第４項《私立専修学校等》の規定により設立された法人で専修学校若しくは各種学校の設置を主たる目的とするもの（規40の９①②）
Ａ　学校教育法第125条第１項《専修学校の課程》に規定する高等課程でその修業期間（普通科、専攻科その他これらに準ずる区別された課程があり、一の課程に他の課程が継続する場合には、これらの課程の修業期間を通算した期間をいう。Ｂにおいて同じ。）を通ずる授業時間数が2,000時間以上であるもの
Ｂ　学校教育法第125条第１項に規定する専門課程でその修業期間を通ずる授業時間数が1,700時間以上であるもの</td></tr>
<tr><td>ヘ</td><td>社会福祉法人</td></tr>
<tr><td>ト</td><td>更生保護法人</td></tr>
</table>
（注）（三）に規定する「出資に関する業務に充てられることが明らかなもの」とは、例えば、次のようなものが該当する。（基通78－９）
（一）寄附金の使途を出資業務に限定して募集されたもの
（二）出資業務に使途を指定して行われたもの
</td></tr>
<tr><td>(四)</td><td>政治資金規正法に規定する寄附金</td><td>
個人が、政治資金規正法の一部を改正する法律の施行の日《平成７年１月１日》から令和11年12月31日までの期間（以下「指定期間」という。）内に、政治資金規正法第４条第４項《定義》に規定する政治活動に関する寄附（同法の規定に違反することとなるもの及びその寄附をした者に特別の利益が及ぶと認められるものを除く。以下「政治活動に関する寄附」という。）をした場合には、当該寄附に係る支出金のうち、次に掲げる団体に対するもの（イ又はロに掲げる団体に対する寄附に係る支出金にあっては、当該支出金を支出した年分の所得税につき第九章第二節二十《政治活動に関する寄附をした場合の所得税額の特別控除》の規定の適用を受ける場合には当該支出金を除き、ニ(ロ)に掲げる団体に対する寄付に係る支出金にあってはその団体が推薦し、又は支持する者が、公職選挙法第86条から第86条の４までの規定により同(ロ)の候補者として届出のあった日の属する年及びその前年中にされたものに限る。）で政治資金規正法第12条又は第17条の規定による報告書により報告されたもの及びニ(イ)に規定する公職の候補者として公職選挙法第86条、第86条の３又は第86条の４の規定により届出のあった者に対し当該公職に係る選挙運動に関してされたもので同法第189条の規定による報告書により報告されたもの（措法41の18①、政治資金規正法３、５）
<table>
<tr><td>イ</td><td>次の(イ)又は(ロ)のいずれかに該当する政治団体《政治資金規正法第３条第２項の政党》
<table>
<tr><td>(イ)</td><td>当該政治団体に所属する衆議院議員又は参議院議員を５名以上有するもの</td></tr>
<tr><td>(ロ)</td><td>直近において行われた衆議院議員の総選挙における小選挙区選出議員の選挙若しくは比例代表選出議員の選挙又は直近において行われた参議院議員の通常選挙若しくは当該参議院議員の通常選挙の直近において行われた参議院議員の通常選挙における比例代表選出議員の選挙若しくは選挙区選出議員の選挙における当該政治団体の得票総数が当該選挙における有効投票の総数の100分の２以上であるもの</td></tr>
</table></td></tr>
<tr><td>ロ</td><td>政党のために資金上の援助をする目的を有する団体で、政党が総務大臣に届出をしている政治資金団体</td></tr>
<tr><td>ハ</td><td>政治上の主義若しくは施策を推進し、支持し、研究し、又はこれに反対することを本来の目的とする団体で、衆議院議員若しくは参議院議員が主宰するもの又はその主要な構成員が衆議院</td></tr>
</table>
</td></tr>
</table>

		議員若しくは参議院議員であるもの
ニ		特定の公職の候補者を推薦し、支持し、又はこれに反対することを本来の目的とする団体のうち次に掲げるもの
	(イ)	衆議院議員、参議院議員、都道府県の議会の議員、都道府県知事又は地方自治法第252条の19第１項の指定都市の議会の議員若しくは市長の職（(ロ)において「**公職**」という。）にある者を推薦し、又は支持することを本来の目的とするもの
	(ロ)	特定の公職の候補者（公職選挙法第86条から第86条の４までの規定による届出により公職の候補者となった者をいう。）又は当該公職の候補者となろうとする者を推薦し、又は支持することを本来の目的とするもの（(イ)に掲げるものを除く。）

(注)１　上記＿＿下線部については、私立学校法の一部を改正する法律の施行に伴う関係政令の整備に関する政令（令和６年政令第209号）により、令和７年４月１日以後、(三)ホ中「第64条第４項」を「第152条第５項」に改める。（同法附則①）

２　上記＿＿下線部については、公益信託に関する法律（令和６年法律第30号）の施行の日以後、**2**の(四)が(五)とされ、(三)の次に次の(四)が加えられる。（令６改所法等附１九イ）

(四)	**公益信託に係る信託事務に関連する寄附金**	公益信託の信託財産とするために支出した当該公益信託に係る信託事務に関連する寄附金（出資に関する信託事務に充てられることが明らかなもの及び(一)から(三)までに規定する寄附金に該当するものを除く。）

3　特定公益信託の信託財産とするための支出

居住者が、特定公益信託（公益信託ニ関スル法律第１条《公益信託》に規定する公益信託で信託の終了の時における信託財産がその信託財産に係る信託の委託者に帰属しないこと及びその信託事務の実施につき①で定める要件を満たすものであることについて②で定めるところにより証明されたものをいう。）のうち、その目的が教育又は科学の振興、文化の向上、社会福祉への貢献その他公益の増進に著しく寄与するものとして③で定めるものの信託財産とするために支出した金銭は、**2**に規定する特定寄附金とみなして**1**の規定を適用する。（法78③）

(注)１　上記＿＿下線部については、公益信託に関する法律（令和６年法律第30号）の施行の日以後、**3**が削られる。（令６改所法等附１九イ）

２　個人が(注)１の改正前の**3**に規定する特定公益信託（移行認可を受けたものを除く。）の信託財産とするために支出する金銭については、同**3**の規定は、なおその効力を有する。この場合において、同**3**中「特定公益信託（公益信託ニ関スル法律第１条《公益信託》に規定する公益信託で信託の終了の時における信託財産がその信託財産に係る信託の委託者に帰属しないこと及びその信託事務の実施につき①で定める要件を満たすものであることについて②で定めるところにより証明がされたものをいう。）」とあるのは、「(注)２に規定する特定公益信託」とされる。（令６改所法等附３①）

①　特定公益信託の要件等

3に規定する要件は、次の(一)から(八)までに掲げる事項が信託行為において明らかであり、かつ、受託者が信託会社（金融機関の信託業務の兼営等に関する法律により同法第１条第１項《兼営の認可》に規定する信託業務を営む同項に規定する金融機関を含む。）であることとする。（令217の２①、規40の10①）

(一)	当該公益信託の終了（信託の併合による終了を除く。(二)において同じ。）の場合において、その信託財産が国若しくは地方公共団体に帰属し、又は当該公益信託が類似の目的のための公益信託として継続するものであること。
(二)	当該公益信託は、合意による終了ができないものであること。
(三)	当該公益信託の受託者がその信託財産として受け入れる資産は、金銭に限られるものであること。
(四)	当該公益信託の信託財産の運用は、次に掲げる方法に限られるものであること。 イ　預金又は貯金 ロ　国債、地方債、特別の法律により法人の発行する債券又は貸付信託の受益権の取得 ハ　合同運用信託の信託（貸付信託の受益証券の取得を除く。）
(五)	当該公益信託につき信託管理人が指定されるものであること。
(六)	当該公益信託の受託者がその信託財産の処分を行う場合には、当該受託者は、当該公益信託の目的に関し学識経験を有する者の意見を聴かなければならないものであること。
(七)	当該公益信託の信託管理人及び(六)に規定する学識経験を有する者に対してその信託財産から支払われる報酬の額は、その任務の遂行のために通常必要な費用の額を超えないものであること。

(八)	当該公益信託の受託者がその信託財産から受ける報酬の額は、当該公益信託の信託事務の処理に要する経費として通常必要な額を超えないものであること。

(注) 上記___下線部については、公益信託に関する法律（令和６年法律第30号）の施行の日以後、①が削られる。(令６改所令附１二)

② **特定公益信託の証明手続**

3に規定するところにより証明がされた公益信託は、**3**に定める要件を満たす公益信託であることにつき当該公益信託に係る主務大臣（当該公益信託が③(二)に掲げるものを目的とする公益信託である場合を除き、公益信託ニ関スル法律第11条《主務官庁の権限に属する事務の処理》その他の法令の規定により当該公益信託に係る主務官庁の権限に属する事務を行うこととされた都道府県の知事その他の執行機関を含む。以下**3**において同じ。）の証明を受けたものとする。(令217の２②)

(注) 上記___下線部については、公益信託に関する法律（令和６年法律第30号）の施行の日以後、②が削られる。(令６改所令附１二)

（都道府県が処理することとされている事務）

注 ②又は③の規定により都道府県が処理することとされている事務は、地方自治法第２条第９項第１号《法定受託事務》に規定する第１号法定受託事務とする。(令217の２⑤)

(注)１ 上記___下線部については、公益信託に関する法律（令和６年法律第30号）の施行の日以後、注が削られる。(令６改所令附１二)

２ **3**(注)２の規定によりなおその効力を有するものとされる改正前の**3**の規定に基づく改正前の注の規定は、なおその効力を有する。(令６改所令附４)

③ **主務大臣の認定**

3に規定する特定公益信託は、次の(一)から(十二)までに掲げるものの１又は２以上のものをその目的とする**3**に規定する特定公益信託で、その目的に関し相当と認められる業績が持続できることにつき当該特定公益信託に係る主務大臣の認定を受けたもの（その認定を受けた日の翌日から５年を経過していないものに限る。）とする。(令217の２③)

(一)	科学技術（自然科学に係るものに限る。）に関する試験研究を行う者に対する助成金の支給
(二)	人文科学の諸領域について、優れた研究を行う者に対する助成金の支給
(三)	学校教育法第１条《定義》に規定する学校における教育に対する助成
(四)	学生又は生徒に対する学資の支給又は貸与
(五)	芸術の普及向上に関する業務（助成金の支給に限る。）を行うこと。
(六)	文化財保護法第２条第１項《定義》に規定する文化財の保存及び活用に関する業務（助成金の支給に限る。）を行うこと。
(七)	開発途上にある海外の地域に対する経済協力（技術協力を含む。）に資する資金の贈与
(八)	自然環境の保全のため野生動植物の保護繁殖に関する業務を行うことを主たる目的とする法人で当該業務に関し国又は地方公共団体の委託を受けているもの（これに準ずるものとして注で定めるものを含む。）に対する助成金の支給
(九)	すぐれた自然環境の保全のためその自然環境の保存及び活用に関する業務（助成金の支給に限る。）を行うこと。
(十)	国土の緑化事業の推進（助成金の支給に限る。）
(十一)	社会福祉を目的とする事業に対する助成
(十二)	就学前の子どもに関する教育、保育等の総合的な提供の推進に関する法律第２条第７項《定義》に規定する幼保連携型認定こども園における教育及び保育に対する助成

(注)１ 上記___下線部については、公益信託に関する法律（令和６年法律第30号）の施行の日以後、③が削られる。(令６改所令附１二)

２ **3**(注)２の規定によりなおその効力を有するものとされる改正前の**3**の規定に基づく改正前の③の規定は、なおその効力を有する。この場合において、同③中「主務大臣」とあるのは「主務大臣（当該特定公益信託が(二)に掲げるものをその目的とする公益信託である場合を除き、当該特定公益信託に係る主務官庁の権限に属する事務を行うこととされた都道府県の知事その他の執行機関を含む。④において同じ。)」とされる。(令６改所令附４)

（上記(八)に規定する法人）

注 上記(八)に規定する法人は、自然環境の保全のため野生動植物の保護繁殖に関する業務を行うことを主たる目的と

する法人で次のイからハまでに掲げるものとする。(規40の10②)

イ	その構成員に国若しくは地方公共団体又は公益社団法人若しくは公益財団法人が含まれているもの
ロ	国又は地方公共団体が拠出をしているもの(イに掲げる法人を除く。)
ハ	イ又はロに掲げる法人に類するものとして環境大臣が認めたもの

④ 主務大臣の認定に係る財務大臣との協議

当該公益信託に係る主務大臣は、②の証明又は③の認定をしようとするとき(当該証明がされた公益信託の①(一)から同(八)までに掲げる事項に関する信託の変更を当該公益信託の主務官庁が命じ、又は許可するときを含む。)は、財務大臣に協議しなければならない。(令217の2④)

(注)1 上記＿＿下線部については、公益信託に関する法律(令和6年法律第30号)の施行の日以後、④が削られる。(令6改所令附1二)

2 **3**(注)2の規定によりなおその効力を有するものとされる改正前の**3**の規定に基づく改正前の④の規定は、なおその効力を有する。この場合において、同④中「証明がされた公益信託の①(一)から同(八)まで」とあるのは「公益信託の改正前の①(一)から同(八)まで《特定公益信託の要件等》」とされる。(令6改所令附4)

(入学に関してする寄附金の範囲)

(1) **2**のかっこ内に規定する「学校の入学に関してするもの」とは、自己又は子女等の入学を希望する学校に対してする寄附金で、その納入がない限り入学を許されないこととされるものその他当該入学と相当の因果関係のあるものをいうものとする。この場合において、入学願書受付の開始日から入学が予定される年の年末までの期間内に納入したもの(入学決定後に募集の開始があったもので、新入生以外の者と同一の条件で募集される部分を除く。)は、原則として、「入学と相当の因果関係のあるもの」に該当するものとする。(基通78－2)

(入学に関してする寄附金に該当するもの)

(2) **2**のかっこ内に規定する「入学に関してするもの」については、次のことに留意する。(基通78－3)

(一) 自己又は子女等の入学を希望して支出する寄附金は、入学辞退等により結果的に入学しないこととなった場合においても、これに該当すること。

(二) 自己又は子女等が入学する学校に対して直接支出する寄附金のほか、当該学校と特殊の関係にある団体等に対して支出するものもこれに該当すること。

(国等に対する寄附金)

(3) **2**(一)に規定する国又は地方公共団体に対する寄附金とは、国又は地方公共団体(以下「国等」という。)において採納される寄附金をいうのであるが、国立又は公立の学校等の施設の建設又は拡張等の目的をもって設立された後援会等に対する寄附金であっても、その目的である施設が完成後遅滞なく国等に帰属することが明らかなものは、これに該当する。(基通78－4)

(災害救助法の規定の適用を受ける地域の被災者のための義援金等)

(4) 災害救助法が適用される市町村の区域の被災者のための義援金等の募集を行う募金団体(日本赤十字社、新聞・放送等の報道機関等)に対して拠出した義援金等については、その義援金等が最終的に義援金配分委員会等(災害対策基本法第40条第1項《都道府県地域防災計画》の都道府県地域防災計画又は同法第42条第1項《市町村地域防災計画》の市町村地域防災計画に基づき地方公共団体が組織する義援金配分委員会その他これと目的を同じくする組織で地方公共団体が組織するものをいう。)に対して、拠出されることが募金趣意書等において明らかにされているものであるときは、**2**(一)の地方公共団体に対する寄附金に該当するものとする。(基通78－5)

(注) 海外の災害に際して、募金団体から最終的に日本赤十字社に対して拠出されることが募金趣意書等において明らかにされている義援金等については、特定公益増進法人である日本赤十字社に対する寄附金となることに留意する。

(最終的に国等に帰属しない寄附金)

(5) 国等に対して採納の手続を経て支出した寄附金であっても、その寄附金が特定の団体に交付されることが明らかであるなど最終的に国等に帰属しないと認められるものは、国等に対する寄附金には該当しないことに留意する。(基通78－6)

（公共企業体等に対する寄附金）

（6）　日本中央競馬会等のように全額政府出資により設立された法人又は日本下水道事業団等のように地方公共団体の全額出資により設立された法人に対する寄附金は、国等に対する寄附金には該当しないことに留意する。（基通78－7）

（個人の負担すべき寄附金を法人が支出した場合）

（7）　個人の負担すべき**2**（一）から同（四）に掲げる寄附金を法人が支出した場合において、当該法人又は個人に対する法人税法又は所得税法の適用上当該寄附金が当該個人に対する給与等とされたときは、当該給与等とされた金額は当該個人が支出した寄附金として**2**の規定を適用する。（基通78－8）

（指定寄附金の告示――昭40大蔵省告示第154号・最終改正令5財務省告示第84号）

（8）　**2**（二）により寄附金控除の対象となる指定寄附金が次のように指定され、昭和40年4月1日（（一）から（二）－2までの改正に係るものについては、昭和55年6月12日）以後に支出された寄附金から適用されている。

（一）　国立大学法人法第2条第1項に規定する国立大学法人若しくは同条第3項に規定する大学共同利用機関法人に対して支出された寄附金で同法第22条第1項第1号から第5号まで若しくは同法第29条第1項第1号から第4号までに掲げる業務に充てられるものの全額、独立行政法人国立高等専門学校機構に対して支出された寄附金で独立行政法人国立高等専門学校機構法第12条第1項第1号から第4号までに掲げる業務に充てられるものの全額又は地方独立行政法人法第68条第1項に規定する公立大学法人に対して支出された寄附金で同法第21条第2号に掲げる業務（出資に関するものを除く。）に充てられるものの全額

（一）の2　学校教育法第1条に規定する学校（就学前の子どもに関する教育、保育等の総合的な提供の推進に関する法律（平成18年法律第77号）第2条第7項に規定する幼保連携型認定こども園を含む。以下「学校」という。）又は学校教育法第124条に規定する専修学校（以下「専修学校」という。）で、私立学校法第3条に規定する学校法人（同法第64条第4項の規定により設立された法人を含む。以下「学校法人」という。）が設置するものの校舎その他附属設備（専修学校にあっては、次に掲げる高等課程又は専門課程の教育の用に供されるものに限る。）の受けた災害による被害の復旧のために当該学校法人に対して支出された寄附金の全額

イ　学校教育法第125条第1項に規定する高等課程（その修業期間（普通科、専攻科その他これらに類する区別された課程があり、一の課程に他の課程が継続する場合には、これらの課程の修業期間を通算した期間。以下同じ。）を通ずる授業時間数が2,000時間以上であるものに限る。以下「高等課程」という。）

ロ　学校教育法第125条第1項に規定する専門課程（その修業期間を通ずる授業時間数が1,700時間以上であるものに限る。以下「専門課程」という。）

（二）　学校（学校のうち幼稚園、小学校、中学校、義務教育学校、高等学校、中等教育学校又は特別支援学校の行う教育に相当する内容の教育を行う学校教育法第134条第1項に規定する各種学校でその運営が法令等に従って行われ、かつ、その教育を行うことについて相当の理由があるものと所轄庁（私立学校法第4条に規定する所轄庁をいう。）が文部科学大臣と協議して認めるもののうち、その設置後相当の年数を経過しているもの又は学校を設置している学校法人の設置するものを含む。）又は専修学校で学校法人が設置するものの敷地、校舎その他附属設備（専修学校にあっては、高等課程又は専門課程の教育の用に供されるものに限る。）に充てるために当該学校法人に対してされる寄附金（（一）に該当する寄附金を除く。）であって、当該学校法人が当該寄附金の募集につき財務大臣の承認を受けた日から1年を超えない範囲内で財務大臣が定めた期間内に支出されたものの全額

（二）－2　日本私立学校振興・共済事業団に対して支出された寄附金で、学校法人が設置する学校又は専修学校の教育に必要な費用若しくは基金（専修学校にあっては、高等課程又は専門課程の教育の用に供されるものに限る。）に充てられるものの全額

（二）－3　独立行政法人日本学生支援機構に対して支出された寄附金で、独立行政法人日本学生支援機構法第13条第1項第1号に規定する学資の貸与に充てられるものの全額

（三）　特別の法律により設立された法人又は公益社団法人若しくは公益財団法人で国民経済上重要と認められる科学技術に関する試験研究を主たる目的とするもの（以下「研究法人」という。）の当該試験研究の用に直接供する固定資産の取得のために当該研究法人に対してされる寄附金であって、当該研究法人が当該寄附金の募集につき財務大臣の承認を受けた日から1年を超えない範囲内で財務大臣が定めた期間内に支出されたものの全額（当該試験研究の成果又は当該試験研究に係る施設を特に利用すると認められる者がするものを除く。）

（四）　各都道府県共同募金会に対して社会福祉法第112条の規定により厚生労働大臣が定める期間内に支出された寄附金で、当該各都道府県共同募金会が当該寄附金の募集につき財務大臣の承認を受けたものの全額

（四）－2　社会福祉事業若しくは更生保護事業の用に供される土地、建物及び機械その他の設備の取得若しくは改良

の費用、これらの事業に係る経常的経費又は社会福祉事業に係る民間奉仕活動に必要な基金に充てるために中央共同募金会又は各都道府県共同募金会に対して支出された寄附金（(四)に該当するものを除く。）の全額

(五)　日本赤十字社に対して毎年４月１日から９月30日までの間に支出された寄附金で、日本赤十字社が当該寄附金の募集につき財務大臣の承認を受けたものの全額

（阪神・淡路大震災による災害の復旧のために支出された寄附金）

（9）　**2**(二)の規定に基づき、寄附金控除の対象となる寄附金を次のように指定し、平成７年３月27日以後に支出される寄附金について適用する。なお、阪神・淡路大震災による災害の復旧のために平成７年３月27日から平成18年３月31日までの間に支出された寄附金は、寄附金控除の対象となる寄附金を指定する件（昭和40年４月大蔵省告示第154号）第１号に掲げる寄附金に該当しないものとする。（平７大蔵省告示第58号、最終改正平12大蔵省告示第69号）

(一)　法人税法第２条第５号（定義）に規定する公共法人（地方公共団体及び港湾法の規定による港務局を除く。以下「公共法人」という。）又は同条第６号に規定する公益法人等（以下「公益法人等」という。）が事業の用に供していた建物（その附属設備を含む。）及び構築物並びにこれらと一体的に使用されている土地（公益法人等にあっては、その公益法人等が営む収益事業（同条第13号に規定する収益事業をいう。）以外の事業の用に専ら供されていたものに限る。以下「建物等」という。）につき、当該建物等が阪神・淡路大震災により滅失又は損壊をしたことによりその利用の継続が困難であると主務官庁（所轄庁を含む。以下同じ。）が認めた場合において、当該滅失又は損壊をした建物等の原状回復のために要する費用に充てるために当該公共法人又は公益法人等に対して支出された寄附金（当該寄附金の募集につき、法人税法施行令第76条各号（指定寄附金の指定についての審査事項）に掲げる事項を記載した書類により平成７年３月27日から平成13年３月31日（法令等に基づく建築行為等の制限など同日までに当該申請を行うことができないことについて主務官庁がやむを得ない事情があると認めた場合には、平成13年４月１日から平成15年３月31日までの期間内の日で当該申請を行うことができると見込まれる日として主務官庁が認めた日）までの間に主務官庁に対して申請を行い、当該申請に基づく寄附金の募集が適当であることの認定を受け、かつ、その旨が官報により公告をされた場合におけるその認定を受けた日から同日以後３年を経過する日までの間に支出されたものに限る。）の全額

(二)　社会福祉事業に関する民間奉仕活動を行う団体等が阪神・淡路大震災による被災者の救援活動等に必要な資金に充てるものとして、社会福祉法人全国社会福祉協議会に対して支出された寄附金（平成７年３月27日から平成９年３月31日までの間に支出されたものに限る。）の全額

（東北地方太平洋沖地震等による被災者の救援活動等に必要な資金に充てるものとして支出された寄附金）

(10)　**2**(二)の規定に基づき、寄附金控除の対象となる寄附金又は法人の各事業年度の所得の金額の計算上損金の額に算入する寄附金を次のように指定し、平成23年３月11日以後に支出された寄附金について適用する。

なお、東日本大震災（東日本大震災の被災者等に係る国税関係法律の臨時特例に関する法律（平成23年法律第29号）第２条第１項《定義》に規定する東日本大震災をいう。以下同じ。）による災害の復旧のために平成23年６月10日から令和７年３月31日までの間に支出された寄附金（(四)に掲げるものに該当するものに限る。）は、寄附金控除の対象となる寄附金又は法人の各事業年度の所得の金額の計算上損金の額に算入する寄附金を指定する件（昭和40年４月大蔵省告示第154号）(一)及び(一)の二に掲げる寄附金に該当しないものとする。（平23財務省告示第84号、最終改正平31財務省告示第85号）

(一)　社会福祉事業に関する民間奉仕活動を行う団体等が東日本大震災の被災者に対する救援又は生活再建の支援を行う活動（(二)及び(三)において「被災者支援活動」という。）に必要な資金に充てるものとして、社会福祉法人中央共同募金会に対して支出された寄附金（平成23年３月11日から平成25年12月31日までの間に支出されたものに限る。）の全額

(二)　特定非営利活動促進法第２条第３項《定義》に規定する認定特定非営利活動法人（以下(二)において「認定特定非営利活動法人」という。）、同条第４項に規定する特例認定特定非営利活動法人（以下(二)において「特例認定特定非営利活動法人」という。）又は特定非営利活動促進法の一部を改正する法律（平成23年法律第70号）附則第10条第４項《租税特別措置法の一部改正に伴う経過措置》に規定する旧認定特定非営利活動法人（以下(二)において「旧認定特定非営利活動法人」という。）である法人（以下(二)及び(四)においてこれらの法人を「認定特定非営利活動法人等」という。）の東日本大震災の被災者支援活動（相当の対価又は助成金を得て行われる活動を除く。以下(二)及び(三)において同じ。）に特に必要となる費用（ホにおいて「必要費用」という。）に充てるために当該認定特定非営利活動法人等に対してされる寄附金であって、当該認定特定非営利活動法人等が当該寄附金の募集につき次に掲げる要件を満たすことについて、認定特定非営利活動法人又は特例認定特定非営利活動法人にあっては特定

非営利活動促進法第９条《所轄庁》に規定する所轄庁の、旧認定特定非営利活動法人にあっては主たる事務所の所在地の所轄国税局長の確認を受けた日の翌日から平成25年12月31日までの間に支出されたものの全額

イ　当該認定特定非営利活動法人等が当該被災者支援活動を自ら行うために、当該寄附金の募集を行うことについて相当の理由があること。

ロ　募集要綱（寄附金の使途並びに募集の方法及び期間並びに募集した寄附金の管理の方法を明らかにした書面をいう。）に記載された事項についてインターネットの利用その他適切な方法により公表すること。

ハ　その募集する寄附金に係る会計と他の会計とを区分して経理すること。

ニ　その募集する寄附金の収入の実績並びに当該被災者支援活動に係る活動及び支出の実績について、適時に、インターネットの利用その他適切な方法により公表すること。

ホ　平成26年12月31日が到来した場合、当該被災者支援活動が終了した場合又は不正等の事実があった場合には、それまでに受け入れた当該寄附金の額から当該寄附金のうち当該必要費用に充てられたものの額（同日が到来した場合にあっては、同日後に行う当該被災者支援活動に係る必要費用の額を含む。）を控除した残額について東日本大震災による被害を受けた地方公共団体並びに東日本大震災の被災者の収容及び保護を行う地方公共団体その他これに類する事業を行う地方公共団体に寄附すること。

(三)　公益社団法人又は公益財団法人の東日本大震災の被災者支援活動に特に必要となる費用（ハにおいて「必要費用」という。）に充てるために当該公益社団法人又は公益財団法人に対してされる寄附金であって、当該公益社団法人又は公益財団法人が当該寄附金の募集につき次に掲げる要件を満たすことについて当該公益社団法人又は公益財団法人に係る行政庁（公益社団法人及び公益財団法人の認定等に関する法律第３条《行政庁》に規定する行政庁をいう。）の確認を受けた日の翌日から平成25年12月31日までの間に支出されたものの全額

イ　当該公益社団法人又は公益財団法人が当該被災者支援活動を自ら行うために、当該寄附金の募集を行うことについて相当の理由があること。

ロ　募集要綱（寄附金の使途並びに募集の方法及び期間並びに募集した寄附金の管理の方法を明らかにした書面をいう。）に記載された事項についてインターネットの利用その他適切な方法により公表すること。

ハ　平成26年12月31日が到来した場合、当該被災者支援活動が終了した場合又は不正等の事実があった場合には、それまでに受け入れた当該寄附金の額から当該寄附金のうち当該必要費用に充てられたものの額（同日が到来した場合にあっては、同日後に行う当該被災者支援活動に係る必要費用の額を含む。）を控除した残額について東日本大震災による被害を受けた地方公共団体並びに東日本大震災の被災者の収容及び保護を行う地方公共団体その他これに類する事業を行う地方公共団体に寄附すること。

(四)　法人税法別表第一に掲げる法人（港務局及び地方公共団体を除く。以下(四)において「公共法人」という。）、同法別表第二に掲げる法人、法人税法施行令の一部を改正する政令附則第４条第２項《収益事業の範囲に関する経過措置》に規定する特例民法法人又は認定特定非営利活動法人等（以下(四)においてこれらの法人を「公共・公益法人等」という。）に対して支出された寄附金（その寄附金を募集することについて相当の理由があること及び募集要綱（寄附金の使途並びに募集の目標額、方法及び期間並びに募集した寄附金の管理の方法を明らかにした書面をいう。）に記載された事項についてインターネットの利用その他適切な方法により公表することにつき当該公共・公益法人等が平成23年６月10日から令和２年３月31日までの間に当該公共・公益法人等に係る主務官庁（所轄庁を含む。以下(四)において同じ。）の確認を受けた場合（法令等に基づく建築行為等の制限がある場合において当該主務官庁が令和２年４月１日から令和４年３月31日までの間のいずれかの日を当該確認を受ける期限として定めるときは、同日までに当該確認を受けた場合を含む。）におけるその確認を受けた日の翌日から同日以後３年を経過する日までの間に支出されたものに限る。）で、公共・公益法人等が事業の用に供していた建物（その附属設備を含む。以下(四)において同じ。）及び構築物並びにこれらの敷地の用に供されていた土地その他の固定資産（公共・公益法人等のうち公共法人以外の法人にあっては、その法人が行う同法第２条第13号《定義》に規定する収益事業以外の事業の用に専ら供されていたものに限る。）のうち東日本大震災により滅失又は損壊をしたもの（その利用の継続が困難であることにつき当該公共・公益法人等に係る主務官庁が認めたものに限る。）の原状回復（当該建物及び構築物並びに土地の所在地において原状に復することが困難であり、かつ、当該所在地以外の地域において原状に復することが適当であることにつき当該主務官庁が認めた場合には、当該建物及び構築物並びに土地のその滅失又は損壊の直前の用途と同一の用途に供される建物及び構築物並びに土地（土地の上に存する権利を含む。）の取得を含む。）に要する費用に充てられるものの全額

(五)　全国商工会連合会に対して平成23年３月17日から平成23年12月31日までの間に支出された寄附金で、東日本大震災により被害を受けた地域を地区とする商工会又は都道府県商工会連合会が全国商工会連合会の策定した計画に基づき行うその地区における商工業に関する施設の復旧及び経済の早期の復興を図る事業（商工会法第11条第１号

から第６号まで、第９号及び第10号又は第55条の８第１項第２号から第４号まで《事業の範囲》に掲げるものに該当するものに限る。）に要する費用に充てられるものの全額

（六） 日本商工会議所に対して平成23年３月22日から平成23年12月31日までの間に支出された寄附金で、東日本大震災により被害を受けた地域を地区とする商工会議所が日本商工会議所の策定した計画に基づき行うその地区における商工業に関する施設の復旧及び経済の早期の復興を図る事業（商工会議所法（第９条第３号から第８号まで及び第10号から第18号まで《事業の種類》に掲げるものに該当するものに限る。）に要する費用に充てられるものの全額

（七） 公益財団法人ヤマト福祉財団に対して平成23年６月24日から平成24年６月30日までの間に支出された寄附金で、東日本大震災により被害を受けた地域における農業若しくは水産業その他これらに関連する産業の基盤の整備又は生活環境の整備により当該地域の復旧及び復興を図る事業に要する費用に充てられるものの全額

（平成28年熊本地震による災害の被災者に対する救援又は生活再建の支援を行う活動に必要な資金に充てるものとして、社会福祉法人中央共同募金会に対して支出された寄附金）

(11) **2**(二)の規定に基づき、寄附金控除の対象となる寄附金を次のように指定し、平成28年５月13日以後に支出された寄附金について適用する。（平28財務省告示第158号、最終改正平30財務省告示第352号）

なお、平成28年熊本地震による災害の復旧のために平成28年８月26日から令和６年12月31日までの間に支出された寄附金（(二)に掲げるものに該当するものに限る。）は、寄附金控除の対象となる寄附金又は法人の各事業年度の所得の金額の計算上損金の額に算入する寄附金を指定する件（昭和40年４月大蔵省告示第154号）(一)及び(一)の二に掲げる寄附金に該当しないものとする。

（一） 社会福祉事業に関する民間奉仕活動を行う団体等が平成28年熊本地震による災害の被災者に対する救援又は生活再建の支援を行う活動に必要な資金に充てるものとして、社会福祉法人中央共同募金会に対して支出された寄附金（平成28年５月13日から平成29年３月31日までの間に支出されたものに限る。）の全額

（二） 法人税法別表第一に掲げる法人（港務局及び地方公共団体を除く。以下(二)において「公共法人」という。）、同法別表第二に掲げる法人、法人税法施行令の一部を改正する政令（平成20年政令第156号）附則第４条第２項《収益事業の範囲に関する経過措置》に規定する特例民法法人又は特定非営利活動促進法（平成10年法律第７号）第２条第３項《定義》に規定する認定特定非営利活動法人、同条第４項に規定する特例認定特定非営利活動法人若しくは特定非営利活動促進法の一部を改正する法律（平成23年法律第70号）附則第10条第４項《租税特別措置法の一部改正に伴う経過措置》に規定する旧認定特定非営利活動法人である法人（以下(二)においてこれらの法人を「公共・公益法人等」という。）に対して支出された寄附金（その寄附金を募集することについて相当の理由があること及び募集要綱（寄附金の使途並びに募集の目標額、方法及び期間並びに募集した寄附金の管理の方法を明らかにした書面をいう。）に記載された事項についてインターネットの利用その他適切な方法により公表することにつき当該公共・公益法人等が平成28年８月26日から令和元年12月31日までの間に当該公共・公益法人等に係る主務官庁（所轄庁を含む。以下(二)において同じ。）の確認を受けた場合（法令等に基づく建築行為等の制限がある場合において当該主務官庁が令和２年１月１日から令和３年12月31日までの間のいずれかの日を当該確認を受ける期限として定めるときは、同日までに当該確認を受けた場合を含む。）におけるその確認を受けた日の翌日から同日以後３年を経過する日までの間に支出されたものに限る。）で、公共・公益法人等が事業の用に供していた次のイ及びロに掲げる固定資産（公共・公益法人等のうち公共法人以外の法人にあっては、その法人が行う法人税法第２条第13号《定義》に規定する収益事業以外の事業の用に専ら供されていたものに限る。）の原状回復に要する費用に充てられるものの全額

イ 建物（その附属設備を含む。）及び構築物並びにこれらの敷地の用に供されていた土地で、平成28年熊本地震により滅失又は損壊をしたもの（その利用の継続が困難であることにつき当該公共・公益法人等に係る主務官庁が認めたものに限る。ロにおいて「被災建物等」という。）

ロ 被災建物等以外の固定資産で被災建物等の平成28年熊本地震による滅失又は損壊に伴い滅失又は損壊をしたもの（その利用の継続が困難であることにつき当該公共・公益法人等に係る主務官庁が認めたものに限る。）

（告示第154号に基づく財務大臣の承認を受けた寄附金）

(12) 告示第154号に基づき、財務大臣が承認した寄附金の一覧表を次に掲げる（省略）。

（指定寄附金の告示——昭40大蔵省告示第159号（最終改正令５財務省告示第86号））

(13) **2**(二)の規定により寄附金控除の対象となる指定寄附金が次のように指定されている。

昭和40年５月13日大蔵省告示第159号に基づき指定されたもの

寄附金を受ける法人等の名称（所　在　地）	寄　附　金　の　使　途	指定期間	告示年月日 告示番号
宗教法人六所神社（愛知県岡崎市明大寺町字耳取44番地）	重要文化財として指定されている宗教法人六所神社の建造物の保存修理の費用	平成27. 11. 30 ～28. 11. 29	平成27. 11. 30 第371号
宗教法人高良大社（福岡県久留米市御井町一番地）	重要文化財として指定されている宗教法人高良大社の建造物の保存修理の費用	平成28. １. 29 ～29. １. 28	平成28. 1. 29 第25号
独立行政法人日本学生支援機構（神奈川県横浜市緑区長津田町4259番地）	官民協働海外留学支援制度大学全国コースに係る費用（平成28年度事業分）	平成28. ３. 25 ～28. ９. 30	平成28. 3. 25 第82号
公益社団法人日本獣医師会（東京都港区南青山１丁目１番１号）	熊本地震ペット救援センターの施設改修・整備の費用	平成28. ９. 26 ～29. ３. 25	平成28. 9. 26 第276号
宗教法人松尾大社（京都市西京区嵐山宮町３番地）	重要文化財として指定されている宗教法人松尾大社の建造物の保存修理の費用	平成29. ３. 29 ～30. ３. 28	平成29. 3. 29 第77号
公益財団法人東京オリンピック・パラリンピック競技大会組織委員会（東京都中央区晴海１丁目８番11号）	東京2020オリンピック・パラリンピック競技大会の開催の費用	平成29. ７. 24 ～ 令和３. 12. 31	平成29. 7. 24 第204号
公益財団法人ラグビーワールドカップ2019組織委員会（東京都新宿区霞ヶ丘町４番１号）	ラグビーワールドカップ2019の開催準備費用	平成27. 11. 30 ～30. 11. 29	平成29. 11. 28 第318号
独立行政法人日本学生支援機構（神奈川県横浜市緑区長津田町4259番地）	官民協働海外留学支援制度大学全国コースに係る費用（平成30年度事業分）	平成29. 12. 15 ～30. ９. 28	平成29. 12. 15 第345号
宗教法人醍醐寺（京都府京都市伏見区醍醐伽藍町１番地）	国宝として指定されている宗教法人醍醐寺の醍醐寺文書聖教の保存修理の費用	平成29. 12. 15 ～30. 12. 14	
宗教法人北野天満宮（京都府京都市上京区馬喰町）	重要文化財として指定されている宗教法人北野天満宮の建造物の保存修理の費用	平成30. 10. １ ～ 令和元. ９. 30	平成30. 10. 1 第257号
独立行政法人日本学生支援機構（神奈川県横浜市緑区長津田町4259番地）	官民協働海外留学支援制度大学全国コースに係る費用（平成31年度事業分）	平成31. １. ８ ～ 令和２. ９. 30	平成31. 1. 8 第２号
公益財団法人日本文化興隆財団（東京都渋谷区千駄ヶ谷４丁目５番10号）	天皇陛下御即位30年及び皇太子殿下御即位に伴う奉祝事業の実施に要する費用	平成31. ３. 22 ～ 令和２. ４. 30	平成31. 3. 22 第80号
宗教法人願興寺（岐阜県可児郡御嵩町御嵩1377番地の１）	重要文化財として指定されている宗教法人願興寺の願興寺本堂の保存修理の費用	令和元. ７. １ ～２. ６. 30	令和元. 7. 1 第57号
宗教法人孝恩寺（大阪府貝塚市木積798番地）	国宝として指定されている宗教法人孝恩寺の孝恩寺観音堂の保存修理の費用	令和元. 12. 27 ～２. 12. 26	令和元. 12. 27 第184号
公益社団法人2025年日本国際博覧会協会（大阪府大阪市住之江区南港北１丁目14番16号）	2025年日本国際博覧会開催の費用	令和２. １. 20 ～７. １. 19	令和６. １. 18 第23号
宗教法人萬福寺（京都府宇治市五ケ庄３番割34番地）	重要文化財として指定されている宗教法人萬福寺の建造物の保存修理の費用	令和２. 11. 18 ～３. ３. 31	令和２. 11. 18 第279号
宗教法人聖林寺（奈良県桜井市大字下692番地）	国宝として指定されている宗教法人聖林寺の木心乾漆十一面観音立像の収蔵庫修理の費用	令和３. 11. 11 ～４. ３. 31	令和３. 11. 11 第287号
宗教法人東照宮（群馬県太田市世良田町3119番地１）	重要文化財として指定されている宗教法人東照宮の建造物の保存修理の費用	令和５. ２. 10 ～６. ２. ９	令和５. ２. 10 第41号

公益社団法人2027年国際園芸博覧会協会（神奈川県横浜市中区住吉町１丁目13番地松村ビル本館）	2027年国際園芸博覧会開催の費用	令和５．３．23～７．３．22	令和６．３．22第84号
独立行政法人日本学生支援機構（神奈川県横浜市緑区長津田町4259番地）	官民協働海外留学支援制度大学生等コース（家計基準内）に係る費用（令和５年度事業分）	令和５．３．31～９．30	令和５．３．31第86号
宗教法人西福寺（福井県敦賀市原13号７番地）	重要文化財として指定されている宗教法人西福寺の建造物の保存修理の費用	令和６．２．27～７．２．26	令和６．２．27第56号
独立行政法人日本学生支援機構（神奈川県横浜市緑区長津田町4259番地）	官民協働海外留学支援制度大学生等コース（家計基準内）に係る費用（令和６年度事業分）	令和６．３．29～６．９．30	令和６．３．29第87号

（新型コロナウイルス感染症及びそのまん延防止のための支援を行う活動に必要な資金に充てるものとして、社会福祉法人中央共同募金会に対して支出された寄附金）

(14)　**２**(二)の規定に基づき、寄附金控除の対象となる寄附金又は法人の各事業年度の所得の金額の計算上損金の額に算入する寄附金を次のように指定し、令和２年６月19日以後に支出された寄附金について適用する。（令２財務省告示第152号（最終改正令３財務省告示第44号））

(一)　社会福祉事業に関する民間奉仕活動を行う団体等が新型コロナウイルス感染症（新型コロナウイルス感染症等の影響に対応するための国税関係法律の臨時特例に関する法律（令和２年法律第25号）第２条《定義》に規定する新型コロナウイルス感染症をいう。以下同じ。）及びそのまん延防止のための措置の影響により日常生活に支障を生じていることその他これに類する事実がある者に対する支援を行う活動に必要な資金に充てるものとして、社会福祉法人中央共同募金会に対して支出された寄附金（令和２年６月19日から令和３年１月31日までの間に支出されたものに限る。）の全額

(二)　公益社団法人又は公益財団法人の新型コロナウイルス感染症及びそのまん延防止のための措置の影響により日常生活に支障を生じていることその他これに類する事実がある者に対する支援を行う活動、新型コロナウイルス感染症のまん延防止のための対策を周知する活動、マスクその他の着用することによって新型コロナウイルスにばく露することを防止するための個人用の道具又は消毒液を配布する活動、新型コロナウイルス感染症の患者が療養をするためのテントその他の仮設の施設を設置する活動、新型コロナウイルス感染症の患者の診療に従事する医療従事者の通勤を支援する活動並びに新型コロナウイルス感染症の患者の移送を支援する活動（相当の対価又は助成金を得て行われるものを除く。以下この号及び次号において「新型コロナウイルス感染症対策等支援活動」という。）に特に必要となる費用（ハにおいて「必要費用」という。）に充てるために当該公益社団法人又は公益財団法人に対してされる寄附金であって、当該公益社団法人又は公益財団法人が当該寄附金の募集につき次に掲げる要件を満たすことについて当該公益社団法人又は公益財団法人に係る行政庁（公益社団法人及び公益財団法人の認定等に関する法律（平成18年法律第49号）第３条《行政庁》に規定する行政庁をいう。）の確認を受けた日の翌日から令和３年１月31日までの間に支出されたものの全額

イ　当該公益社団法人又は公益財団法人が当該新型コロナウイルス感染症対策等支援活動を自ら行うために、当該寄附金の募集を行うことについて相当の理由があること。

ロ　募集要綱（寄附金の使途並びに募集の方法及び期間並びに募集した寄附金の管理の方法を明らかにした書面をいう。）に記載された事項についてインターネットの利用その他適切な方法により公表すること。

ハ　令和４年１月31日が到来した場合、当該新型コロナウイルス感染症対策等支援活動が終了した場合又は不正等の事実があった場合には、それまでに受け入れた当該寄附金の額から当該寄附金のうち当該必要費用に充てられたものの額（同日が到来した場合にあっては、同日後に行う当該新型コロナウイルス感染症対策等支援活動に係る必要費用の額を含む。）を控除した残額について地方公共団体に寄附すること。

(三)　特定非営利活動促進法（平成10年法律第７号）第２条第３項《定義》に規定する認定特定非営利活動法人又は同条第４項に規定する特例認定特定非営利活動法人である法人（以下(三)においてこれらの法人を「認定特定非営利活動法人等」という。）の新型コロナウイルス感染症対策等支援活動に特に必要となる費用（ホにおいて「必要費用」という。）に充てるために当該認定特定非営利活動法人等に対してされる寄附金であって、当該認定特定非営利活動法人等が当該寄附金の募集につき次に掲げる要件を満たすことについて同法第９条《所轄庁》に規定する所轄庁の確認を受けた日の翌日から令和３年１月31日までの間に支出されたものの全額

イ　当該認定特定非営利活動法人等が当該新型コロナウイルス感染症対策等支援活動を自ら行うために、当該寄附金の募集を行うことについて相当の理由があること。

ロ　募集要綱（寄附金の使途並びに募集の方法及び期間並びに募集した寄附金の管理の方法を明らかにした書面をいう。）に記載された事項についてインターネットの利用その他適切な方法により公表すること。

ハ　その募集する寄附金に係る会計と他の会計とを区分して経理すること。

ニ　その募集する寄附金の収入の実績並びに当該新型コロナウイルス感染症対策等支援活動に係る活動及び支出の実績について、適時に、インターネットの利用その他適切な方法により公表すること。

ホ　令和４年１月31日が到来した場合、当該新型コロナウイルス感染症対策等支援活動が終了した場合又は不正等の事実があった場合には、それまでに受け入れた当該寄附金の額から当該寄附金のうち当該必要費用に充てられたものの額（同日が到来した場合にあっては、同日後に行う当該新型コロナウイルス感染症対策等支援活動に係る必要費用の額を含む。）を控除した残額について地方公共団体に寄附すること。

（令和６年能登半島地震により滅失又は損壊をした固定資産の原状回復に要する費用に充てられる寄附金）

(15)　**2**(二)の規定に基づき、寄附金控除の対象となる寄附金又は法人の各事業年度の所得の金額の計算上損金の額に算入する寄附金を次のように指定し、令和６年５月27日以後に支出された寄附金について適用する。なお、次に掲げる寄附金は、寄附金控除の対象となる寄附金又は法人の各事業年度の所得の金額の計算上損金の額に算入する寄附金を指定する件（昭和40年４月大蔵省告示第154号）第１号及び第１号の２に掲げる寄附金に該当しないものとする。（令和６年５月27日財務省告示第144号）

法人税法別表第一に掲げる法人（港務局及び地方公共団体を除く。以下「公共法人」という。）、同法別表第二に掲げる法人、法人税法施行令の一部を改正する政令（平成20年政令第156号）附則第４条第２項《収益事業の範囲に関する経過措置》に規定する特例民法法人又は特定非営利活動促進法（平成10年法律第７号）第２条第３項《定義》に規定する認定特定非営利活動法人若しくは同条第４項に規定する特例認定特定非営利活動法人である法人（以下これらの法人を「公共・公益法人等」という。）に対して支出された寄附金（その寄附金を募集することについて相当の理由があること及び募集要綱（寄附金の使途並びに募集の目標額、方法及び期間並びに募集した寄附金の管理の方法を明らかにした書面をいう。）に記載された事項についてインターネットの利用その他適切な方法により公表することにつき当該公共・公益法人等が令和６年５月27日から令和９年12月31日までの間に当該公共・公益法人等に係る主務官庁（所轄庁を含む。以下同じ。）の確認を受けた場合（法令等に基づく建築行為等の制限がある場合において当該主務官庁が令和10年１月１日から令和11年12月31日までの間のいずれかの日を当該確認を受ける期限として定めるときは、同日までに当該確認を受けた場合を含む。）におけるその確認を受けた日の翌日から同日以後３年を経過する日までの間に支出されたものに限る。）で、公共・公益法人等が事業の用に供していた次に掲げる固定資産（公共・公益法人等のうち公共法人以外の法人にあっては、その法人が行う法人税法第２条第13号《定義》に規定する収益事業以外の事業の用に専ら供されていたものに限る。）の原状回復に要する費用に充てられるものの全額

(一)　建物（その附属設備を含む。）及び構築物並びにこれらの敷地の用に供されていた土地で、令和６年能登半島地震により滅失又は損壊をしたもの（その利用の継続が困難であることにつき当該公共・公益法人等に係る主務官庁が認めたものに限る。(二)において「被災建物等」という。）

(二)　被災建物等以外の固定資産で被災建物等の令和６年能登半島地震による滅失又は損壊に伴い滅失又は損壊をしたもの（その利用の継続が困難であることにつき当該公共・公益法人等に係る主務官庁が認めたものに限る。）

4　認定特定非営利活動法人等に寄附をした場合の寄附金控除の特例（詳細は第九章第二節**二十一**参照。また、公益社団法人等に寄附した場合の所得税額の特別控除は同**二十二**参照。）

個人が、租税特別措置法第66条の11の２第３項《認定特定非営利活動法人に対する寄附金の損金算入等の特例》に規定する認定特定非営利活動法人に対し、その認定特定非営利活動法人の行う特定非営利活動促進法第２条第１項に規定する特定非営利活動に係る事業に関連する寄附（その寄附をした者に特別の利益が及ぶと認められるもの及び出資に関する業務に充てられることが明らかなものを除く。）をした場合には、当該寄附に係る支出金は、**2**に規定する特定寄附金とみなして、寄附金控除の適用を受けることができる。（措法41の18の２①）

（注）　認定申請書等の様式制定については、平成13年７月31日付課個１－59にて定められている。（編者補正）

5　特定新規中小会社が発行した株式を取得した場合の課税の特例

居住者又は恒久的施設を有する非居住者が、次の(一)から(五)までに掲げる株式会社（以下**5**において「**特定新規中小会社**」という。）の区分に応じ当該(一)から(五)までに定める株式（以下**5**において「**特定新規株式**」という。）を払込み

（当該株式の発行に際してするものに限る。以下**5**及び(１)において同じ。）により取得（第四章第五節**四１**①本文の規定の適用を受けるものを除く。以下**5**及び(１)において同じ。）をした場合において、当該居住者又は恒久的施設を有する非居住者（当該取得をした日においてその者を判定の基礎となる株主として選定した場合に当該特定新規中小会社が法人税法第２条第10号に規定する同族会社に該当することとなるときにおける当該株主その他の(２)で定める者であったものを除く。）がその年中に当該払込みにより取得をした特定新規株式（その年12月31日において有するものとして(３)で定めるものに限る。以下**5**において「**控除対象特定新規株式**」という。）の取得に要した金額として(４)で定める金額（当該金額の合計額が800万円を超える場合には、800万円）については、**七**《寄附金控除》の規定を適用することができる。この場合において、**七１**中「支出した場合」とあるのは「支出した場合又は**5**《特定新規中小会社が発行した株式を取得した場合の課税の特例》に規定する特定新規株式を同**5**に規定する払込みにより取得（**5**に規定する取得をいう。以下**5**において同じ。）をした場合」と、「の額」とあるのは「の額及びその年中に取得をした**5**に規定する控除対象特定新規株式の取得に要した金額として**5**に規定する(４)で定める金額」と、「控除は」とあるのは「控除（**5**の規定による控除を含む。）は」とする。（措法41の19①、措規19の11⑤）

(一)	中小企業等経営強化法第６条に規定する特定新規中小企業者に該当する株式会社（その設立の日以後の期間が１年未満のものその他の中小企業等経営強化法施行規則第８条第５号イ又はロに該当する株式会社であって、同令第10条第１項第１号に掲げる要件に該当するもの又は同項第２号に掲げる要件に該当するものに限る。）（措規19の11⑤）	当該株式会社により発行される株式
(二)	内国法人のうちその設立の日以後５年を経過していない株式会社（第五章第三節**十二１**(二)に規定する中小企業者に該当する会社であることその他の(５)で定める要件を満たすものに限る。）	当該株式会社により発行される株式で同号イ又はロに掲げるもの
(三)	第五章第三節**十二１**(三)に掲げる指定会社	当該指定会社により発行される株式
(四)	国家戦略特別区域法第27条の５に規定する株式会社	当該株式会社により発行される株式で国家戦略特別区域法及び構造改革特別区域法の一部を改正する法律附則第１条第１号に掲げる規定の施行の日（平成27年９月１日）から令和８年３月31日までの間に発行されるもの
(五)	内国法人のうち地域再生法第16条に規定する事業を行う同条に規定する株式会社	当該株式会社により発行される株式で地域再生法の一部を改正する法律（平成30年法律第38号）の施行の日（平成30年６月１日）から令和８年３月31日までの間に発行されるもの

（注）１　上記＿＿下線部については、令和７年１月１日以後、**5**中「41の19」が「41の18の４」とされる。（令５改所法等附１五ロ）

２　上記＿＿下線部分については、令和７年１月１日以後、**5**中「19の11」が「19の10の６」とされる。（令５改措規附１五）

（参考）　**5**による読替え後の**七１**の規定

１　寄附金控除（５の規定による控除を含む）

居住者が、各年において、特定寄附金を支出した場合又は**5**《特定新規中小会社が発行した株式を取得した場合の課税の特例》に規定する特定新規株式を同**5**に規定する払込みにより取得（**5**に規定する取得をいう。以下**5**において同じ。）をした場合において、その年中に支出した特定寄附金の額及びその年中に取得をした**5**に規定する控除対象特定新規株式の取得に要した金額として**5**に規定する(４)で定める金額の合計額（当該合計額がその者のその年分の総所得金額、退職所得金額及び山林所得金額の合計額の100分の40に相当する金額を超える場合には、当該100分の40に相当する金額）が2,000円を超えるときは、その超える金額を、その者のその年分の総所得金額、退職所得金額又は山林所得金額から控除する。（措法41の19①により読み替えられた法78①）（（下線部分は読み替えられた部分（編者注）））

（特定中小会社が発行した株式の取得に要した金額の控除等の規定の不適用）

(１)　**5**の規定の適用を受けた控除対象特定新規株式及び当該控除対象特定新規株式と同一銘柄の株式で、その適用を受けた年中に払込みにより取得をしたものについては、第五章第三節**十二１**及び同節**十三１**の規定は、適用しない。（措法41の19②）

（注）　上記＿＿下線部については、令和７年１月１日以後、(１)中「41の19」が「41の18の４」とされる。（令５改所法等附１五ロ）

（5の対象から除かれる者）

（2） 5に規定する（2）で定める者は、次の(一)から(八)までに掲げる者とする。（措令26の28の3①）

(一)	5に規定する特定新規株式（以下（2）において「特定新規株式」という。）を払込み（5に規定する払込みをいう。（4）を除き、以下（2）において同じ。）により取得（5に規定する取得をいう。（4）を除き、以下（2）において同じ。）をした日として(注）1で定める日において、(注）2で定める方法により判定した場合に当該特定新規株式を発行した特定新規中小会社（5に規定する特定新規中小会社をいう。以下（2）において同じ。）が法人税法第2条第10号に規定する同族会社に該当することとなるときにおける当該判定の基礎となる株主として(注）3で定める者
(二)	当該特定新規株式を発行した特定新規中小会社の設立に際し、当該特定新規中小会社に自らが営んでいた事業の全部を承継させた個人（以下（2）において「特定事業主であった者」という。）
(三)	特定事業主であった者の親族
(四)	特定事業主であった者と婚姻の届出をしていないが事実上婚姻関係と同様の事情にある者
(五)	特定事業主であった者の使用人
(六)	(三)から(五)までに掲げる者以外の者で、特定事業主であった者から受ける金銭その他の資産によって生計を維持しているもの
(七)	(四)から(六)までに掲げる者と生計を一にするこれらの者の親族
(八)	(一)から(七)までに掲げる者以外の者で、特定新規中小会社との間で当該特定新規株式に係る投資に関する条件を定めた契約として(注）4で定める契約を締結していないもの

(注）1 上記(一)に規定する(注）1で定める日は、次の①又は②に掲げる特定新規株式（5に規定する特定新規株式をいう。以下(注）において同じ。）の区分に応じ当該①又は②に定める日とする。（措規19の11①）

① 特定新規中小会社（5に規定する特定新規中小会社をいう。以下(注）において同じ。）の設立の際に発行された特定新規株式　当該特定新規中小会社の成立の日

② 特定新規中小会社の設立の日後に発行された特定新規株式　当該特定新規株式の払込み（5に規定する払込みをいう。以下(注）において同じ。）の期日（払込みの期間の定めがある場合には、当該払込みをした日）

2 上記(一)に規定する(注）2で定める方法は、会社が法人税法第2条第10号に規定する同族会社（3において「同族会社」という。）に該当するかどうかを判定する場合におけるその判定の方法をいう。（措規19の11②）

3 上記(一)に規定する(注）3で定める者は、当該特定新規株式を発行した特定新規中小会社（同族会社に該当するものに限る。）の株主のうち、その者を法人税法施行令第71条第1項の役員であるとした場合に同項第5号イに掲げる要件を満たすこととなる当該株主とする。（措規19の11③）

4 上記(八)に規定する(注）4で定める契約は、特定新規株式を発行した次の(一)から(四)までに掲げる特定新規中小会社の区分に応じ当該(一)から(四)までに定める契約とする。（措規19の11④）

(一) 5(一)及び同(二)に掲げる株式会社に該当する特定新規中小会社　当該特定新規中小会社との間で締結する特定新規株式に係る投資に関する条件を定めた契約で中小企業等経営強化法施行規則第11条第2項第3号ロに規定する投資に関する契約に該当するもの

(二) 5(三)に掲げる指定会社に該当する特定新規中小会社　当該特定新規中小会社との間で締結する特定新規株式に係る投資に関する条件を定めた契約で第五章第三節十二1(5)(二)に規定する特定株式投資契約に該当するもの

(三) 5(四)に掲げる株式会社に該当する特定新規中小会社　当該特定新規中小会社との間で締結する特定新規株式に係る投資に関する条件を定めた契約で国家戦略特別区域法施行規則第13条第2号ロに規定する特定株式投資契約に該当するもの

(四) 5(五)に掲げる株式会社に該当する特定新規中小会社　当該特定新規中小会社との間で締結する特定新規株式に係る投資に関する条件を定めた契約で地域再生法施行規則第26条第2項第2号ロに規定する投資に関する契約に該当するもの

5 上記＿＿下線部については、令和7年1月1日以後、(注）1から(注）4までの「19の11」が「19の10の6」とされる。（令5改措規附1五）

（その年12月31日において有するものとして（3）で定める特定新規株式）

（3） 5に規定するその年12月31日において有するものとして（3）で定める特定新規株式は、5の居住者又は恒久的施設を有する非居住者がその年中に払込みにより取得をした特定新規株式のうちその年12月31日（その者が年の中途において死亡し、又は第二章第一節一《用語の意義》表内42に規定する出国をした場合には、その死亡又は出国の時。以下5において同じ。）における当該特定新規株式に係る控除対象特定新規株式数（当該特定新規株式の銘柄ごとに、(一)に掲げる数から(二)に掲げる数を控除した残数をいう。）に対応する特定新規株式とする。（措令26の28の3②）

(一)	当該居住者又は恒久的施設を有する非居住者がその年中に払込みにより取得をした特定新規株式の数

(二)	当該居住者又は恒久的施設を有する非居住者がその年中に譲渡（第五章第三節**五２**①に規定する譲渡をいう。）又は贈与をした同一銘柄株式（(一)の特定新規株式及び当該特定新規株式と同一銘柄の他の株式をいう。以下**５**において同じ。）の数

（控除対象特定新規株式の取得に要した金額として（４）で定める金額）

（４）　**５**に規定する控除対象特定新規株式の取得に要した金額として（４）で定める金額は、同（４）の居住者又は恒久的施設を有する非居住者がその年中に（２）(一)に規定する払込みにより同(一)に規定する取得をした特定新規株式の銘柄ごとに、その払込みにより取得をした特定新規株式の同(一)に規定する取得に要した金額（次の(一)又は(二)に掲げる新株予約権の行使により（２）(一)に規定する取得をした当該(一)又は(二)に定める特定新規株式にあっては、当該新株予約権の取得に要した金額を含む。）の合計額を当該取得をした特定新規株式の数で除して計算した金額に前項に規定する控除対象特定新規株式数を乗じて計算した金額とする。（措令26の28の３③）

(一)	**５**(一)に掲げる株式会社に該当する特定新規中小会社に対する払込み（新株予約権の発行に際してするものに限る。(二)において同じ。）により取得をした新株予約権	当該特定新規中小会社により発行される特定新規株式
(二)	**５**(二)に掲げる株式会社に該当する特定新規中小会社に対する払込みにより取得をした新株予約権（第五章第三節**十二１**(二)イに規定する投資事業有限責任組合に係る同(二)イに規定する投資事業有限責任組合契約に従って取得をしたものに限る。）	当該特定新規中小会社により発行される同(二)イに掲げる特定新規株式

（注）　改正後の（４）の規定は、個人が令和６年４月１日以後に（４）(一)に規定する払込みにより取得をする（４）(一)又は(二)に掲げる新株予約権の行使により**５**に規定する取得をする当該(一)又は(二)に定める特定新規株式について適用される。（令６改措令附10①）

（**５**(二)に規定する（５）で定める要件）

（５）　**５**(二)に規定する（５）で定める要件は、次に掲げる要件とする。（措規19の11⑥）

(一)	第五章第三節**十二１**（６）(一)から(三)までに掲げる要件を満たす会社であること。
(二)	次のいずれかの会社であること。 イ　同**十二１**(二)イに規定する投資事業有限責任組合（(10)（注）(一)②において「認定投資事業有限責任組合」という。）を通じ、その発行する特定新規株式を払込みにより取得（**５**に規定する取得をいう。以下（５）及び(10)において同じ。）をしようとする居住者又は恒久的施設を有する非居住者との間で（１）（注）４(一)に定める契約を締結する会社 ロ　同**十二１**(二)ロに規定する第一種少額電子募集取扱業務を行う者（ロ及び(10)（注）(一)③において「認定少額電子募集取扱業者」という。）から積極的な指導を受ける会社であり、かつ、当該認定少額電子募集取扱業者が行う電子募集取扱業務（同**１**(二)ロに規定する電子募集取扱業務をいう。(10)（注）(一)③ロにおいて同じ。）により、その発行する特定新規株式を払込みにより取得をしようとする居住者又は恒久的施設を有する非居住者との間で（１）（注）４(一)に定める契約を締結する会社
(三)	中小企業等経営強化法施行規則第10条第１項第１号に掲げる要件に該当する株式会社又は同項第２号イに該当する株式会社であること。

（注）　上記～～下線部については、令和７年１月１日以後、（５）中「19の11」が「19の10の６」とされる。（令５改措規附１五）

（同一銘柄株式につき分割又は併合があった場合における数及び特定新規株式の数の計算）

（６）　特定新規株式の払込みによる取得の後当該取得の日の属する年12月31日までの期間（以下（６）及び（７）において「取得後期間」という。）内に、当該特定新規株式に係る同一銘柄株式につき分割又は併合があった場合における（３）(一)又は同(二)に掲げる数及び（４）に規定する取得をした特定新規株式の数の計算については、当該分割又は併合の前にされたこれらの規定に規定する取得並びに譲渡及び贈与に係る株式の数は、当該取得並びに譲渡及び贈与がされた株式の数に当該分割又は併合の比率（取得後期間内において二以上の段階にわたる分割又は併合があった場合には、当該取得又は譲渡若しくは贈与がされた後の全ての段階の分割又は併合の比率の積に相当する比率）を乗じて得た数とする。（措令26の28の３④）

（株式無償割当てがあった場合における数及び特定新規株式の数の計算）

（7）　特定新規株式の払込みによる取得後期間内に、当該特定新規株式に係る同一銘柄株式につき会社法第185条に規定する株式無償割当て（当該株式無償割当てにより当該特定新規株式と同一の種類の株式が割り当てられるものに限る。以下（7）において同じ。）があった場合における（3）(一)又は同(二)に掲げる数及び（4）に規定する取得をした特定新規株式の数の計算については、当該株式無償割当ての前にされたこれらの規定に規定する取得並びに譲渡及び贈与に係る株式の数は、当該取得並びに譲渡及び贈与がされた株式の数に当該株式無償割当てにより割り当てられた株式の数（取得後期間内において二以上の段階にわたる株式無償割当てがあった場合には、当該取得又は譲渡若しくは贈与がされた後の全ての段階の株式無償割当てにより割り当てられた株式の数の合計数）を加算した数とする。（措令26の28の3⑤）

（適用控除対象特定新規株式に係る同一銘柄株式一株当たりの取得価額）

（8）　**5**の居住者又は恒久的施設を有する非居住者が、その年中に取得をした控除対象特定新規株式（**5**に規定する控除対象特定新規株式をいう。以下（8）において同じ。）の取得に要した金額として（4）に規定する金額（(二)において「適用対象額」という。）につき**5**の規定の適用を受けた場合には、その適用を受けた年（以下（8）において「適用年」という。）の翌年以後の各年分におけるよう第六章第二節**四2**《有価証券の原価の計算》の規定並びに所得税法施行令第2編第1章第4節第3款及び第五章第三節**二十**（6）から同（9）までの規定並びに同節**十五1**（2）の規定の適用については、これらの規定により当該各年分の必要経費又は取得費に算入すべき金額の計算の基礎となる当該適用年に**5**の規定の適用を受けた控除対象特定新規株式（以下（8）において「適用控除対象特定新規株式」という。）に係る同一銘柄株式一株当たりの第六章第二節**四5**《有価証券の評価の方法》①の規定により算出した取得価額は、(一)に掲げる金額から(二)に掲げる金額を控除した金額とし、当該同一銘柄株式一株当たりの同**3**《雑所得又は譲渡所得の基因となる有価証券の譲渡原価等の計算》の規定により算出した必要経費に算入する金額及び取得費に算入する金額は、当該控除に準じて計算した金額とする。（措令26の28の3⑥）

(一)	当該適用控除対象特定新規株式に係る同一銘柄株式一株当たりの当該適用年の12月31日における第六章第二節**四5**《有価証券の評価の方法》①の規定により算出した取得価額
(二)	当該適用控除対象特定新規株式に係る適用年の次に掲げる場合の区分に応じそれぞれ次に定める金額を当該適用年の12月31日において有する当該適用控除対象特定新規株式に係る同一銘柄株式の数で除して計算した金額 イ　当該適用年において当該適用控除対象特定新規株式以外の適用控除対象特定新規株式（ロにおいて「他の適用控除対象特定新規株式」という。）がない場合　　当該適用控除対象特定新規株式の適用対象額（当該適用対象額が800万円を超える場合には800万円とし、当該適用対象額に当該適用年において支出した特定寄附金等の金額（所得税法第78条第2項に規定する特定寄附金の額及び**3**の規定又は**2**(四)若しくは**4**の規定により当該特定寄附金とみなされたものの額の合計額をいう。以下(二)において同じ。）を加算した金額が、当該居住者又は恒久的施設を有する非居住者の当該適用年の年分の総所得金額、退職所得金額及び山林所得金額の合計額の100分の40に相当する金額（以下(二)において「基準額」という。）を超える場合には、当該基準額から当該特定寄附金等の金額を控除した残額とする。）から2,000円を控除した残額 ロ　当該適用年において他の適用控除対象特定新規株式がある場合　　当該適用控除対象特定新規株式の適用対象額と当該他の適用控除対象特定新規株式の適用対象額との合計額（当該合計額が800万円を超える場合には800万円とし、当該合計額に当該適用年において支出した特定寄附金等の金額の合計額を加算した金額が、当該居住者又は恒久的施設を有する非居住者の当該適用年の年分の基準額を超える場合には当該基準額から当該特定寄附金等の金額の合計額を控除した残額とする。）に当該適用控除対象特定新規株式の適用対象額と当該他の適用控除対象特定新規株式の適用対象額との合計額のうちに占める当該適用控除対象特定新規株式の適用対象額の割合を乗じて計算した金額（ロにおいて「特例対象額」という。）から2,000円（当該他の適用控除対象特定新規株式に係る特例対象額から(二)の規定により控除した金額がある場合には、2,000円から当該金額を控除した残額）を控除した残額

(注) 1　上記＿＿下線部については、公益信託に関する法律（令和六年法律第30号）の施行の日以後、（8）(二)イ中「**3**の規定又は」が削られ、「若しくは」が「又は」に改められる。（令6改措令附1三）

2　**3**（注）2の規定の適用がある場合における（8）の規定の適用については、（8）(二)イ中「**2**(四)又は」とあるのは、「**3**（注）2の規定によりなおその効力を有するものとされる改正前の**3**の規定又は**2**(四)若しくは」とされる。（令6改措令附10②）

（所轄税務署長への通知）

（9） **5**に規定する居住者又は恒久的施設を有する非居住者が、払込みにより取得をした特定新規中小会社の特定新規株式（**5**(一)に定める特定新規株式にあっては平成20年４月１日（同(二)に定める特定新規株式にあっては令和２年４月１日とし、同(三)に定める特定新規株式にあっては平成26年４月１日とし、同(四)に定める特定新規株式にあっては国家戦略特別区域法及び構造改革特別区域法の一部を改正する法律附則第１条第１号に掲げる規定の施行の日（平成27年７月15日）とし、同(五)に定める特定新規株式にあっては地域再生法の一部を改正する法律（平成30年法律第38号）の施行の日（平成30年６月１日）とする。）以後に払込みにより取得をしたものに限る。）に係る同一銘柄株式をその払込みによる取得があった日の属する年の翌年以後の各年において譲渡又は贈与をした場合において、当該特定新規中小会社（当該特定新規中小会社であった株式会社を含む。）が（2）(八)に規定する(注)４で定める契約に基づく当該居住者又は国内に恒久的施設を有する非居住者からの申出その他の事由により当該譲渡又は贈与があったことを知ったときは、当該特定新規中小会社は、その知った日の属する年の翌年１月31日までに、その知った旨その他の同項に規定する特定新規中小会社が同項の居住者又は恒久的施設を有する非居住者につき当該特定新規中小会社の株式の譲渡又は贈与があったことを知った旨、当該譲渡又は贈与をした株式の数及びその年月日その他の事項をその所在地の所轄税務署長に通知しなければならない。（措令26の28の３⑧、措規19の11⑦）

（注） 上記＿＿下線部については、令和７年１月１日以後、（9）中「19の11」が「19の10の６」とされる。（令５改措規附１五）

（添付書類等）

（10） **5**の規定により**七**《寄附金控除》の規定の適用がある場合における**5**の規定による控除を受ける金額の計算の基礎となる金額その他の事項を証する書類についての第十章第二節**二１**③《所得控除の証明書及び源泉徴収票の添付》**イ**の規定の適用については、同**イ**中「添付し、又は当該申告書の提出の際提示しなければ」とあるのは「添付しなければ」と、同**イ**(六)中「特定寄附金の」とあるのは「**5**《特定新規中小会社が発行した株式を取得した場合の課税の特例》に規定する控除対象特定新規株式の取得に要した金額の計算に関する」と、「書類又は当該書類に記載すべき事項を記録した電子証明書等に係る電磁的記録印刷書面」とあるのは「書類」とする。（措令26の28の３⑨）

（注）1 （10）の規定により読み替えられた第十章第二節**二１**③《所得控除の証明書及び源泉徴収票の添付》**イ**(六)に規定する(注)１で定める書類は、次に掲げる書類（(三)に掲げる書類にあっては、**5**に規定する控除対象特定新規株式を取得した日の属する年中の同(三)イからニまでに掲げる事項の記載があるものに限る。）とする。（措規19の11⑧）

(一) 次に掲げる場合の区分に応じそれぞれ次に定める書類

① **5**(一)に掲げる株式会社に該当する特定新規中小会社が発行した特定新規株式につき**5**の規定の適用を受ける場合　当該特定新規中小会社から交付を受けた都道府県知事の当該特定新規株式に係る基準日（（2）(八)(注)１の各号に掲げる特定新規株式の区分に応じ当該各号に定める日をいう。以下(10)において同じ。）においてイ及びロに掲げる事実の確認をした旨を証する書類（ハに掲げる事項の記載があるものに限る。）

イ 当該特定新規中小会社が中小企業等経営強化法施行規則第８条各号（第５号ハ及び第６号ハを除く。）及び第10条第１項各号に掲げる要件に該当するものであること。

ロ 当該居住者又は恒久的施設を有する非居住者による当該特定新規株式の取得が、当該居住者又は恒久的施設を有する非居住者と当該特定新規中小会社との間で締結された第５項に規定する契約に基づき払込みによりされたものであること。

ハ 当該居住者又は恒久的施設を有する非居住者の氏名及び住所（国内に住所を有しない者にあっては、所得税法施行規則第81条第１号又は第２号に定める場所。以下(一)において同じ。）、払込みにより取得がされた当該特定新規株式の数及び当該特定新規株式と引換えに払い込むべき額並びにその払い込んだ金額（当該特定新規株式が（4）(一)に掲げる新株予約権の行使により取得をしたものである場合には、当該新株予約権と引換えに払い込むべき額及びその払い込んだ金額を含む。）

② **5**(二)に掲げる株式会社に該当する特定新規中小会社が発行した第五章第三節**十二１**(二)イに掲げる特定新規株式につき**5**の規定の適用を受ける場合　当該特定新規株式に係る認定投資事業有限責任組合の当該特定新規株式に係る基準日においてイ及びロに掲げる事実の確認をした旨を証する書類（ハに掲げる事項の記載があるものに限る。）並びに当該認定投資事業有限責任組合が同**十二１**（7）の認定を受けたものであることを証する書類の写し

イ 当該特定新規中小会社が（5）各号に掲げる要件に該当するものであること。

ロ 当該居住者又は恒久的施設を有する非居住者による当該特定新規株式の取得が、（5）(二)イの契約に従って当該認定投資事業有限責任組合を通じて払込みによりされたものであること。

ハ 当該居住者又は恒久的施設を有する非居住者の氏名及び住所、払込みにより取得がされた当該特定新規株式の数及び当該特定新規株式と引換えに払い込むべき額並びにその払い込んだ金額（当該特定新規株式が（4）(二)に掲げる新株予約権の行使により取得をしたものである場合には、当該新株予約権と引換えに払い込むべき額及びその払い込んだ金額を含む。）

③ **5**(二)に掲げる株式会社に該当する特定新規中小会社が発行した同**十二１**(二)ロに掲げる特定新規株式につき**5**の規定の適用を受ける場合　当該特定新規株式に係る認定少額電子募集取扱業者の当該特定新規株式に係る基準日においてイ及びロに掲げる事実の確認をした旨を証する書類（ハに掲げる事項の記載があるものに限る。）並びに当該認定少額電子募集取扱業者が同**十二２**(注)の認定を受けたものであることを証する書類の写し

イ 当該特定新規中小会社が（5）各号に掲げる要件に該当するものであること。

ロ 当該居住者又は恒久的施設を有する非居住者による当該特定新規株式の取得が、（5）(二)ロの契約に従って当該認定少額電子

募集取扱業者の行う電子募集取扱業務による払込みによりされたものであること。

ハ　当該居住者又は恒久的施設を有する非居住者の氏名及び住所、払込みにより取得がされた当該特定新規株式の数及び当該特定新規株式と引換えに払い込むべき額並びにその払い込んだ金額

④　**5**(三)に掲げる指定会社に該当する特定新規中小会社が発行した特定新規株式につき**5**の規定の適用を受ける場合　当該特定新規中小会社から交付を受けた沖縄県知事の当該特定新規株式に係る(2)(注)1②に定める日においてイ及びロに掲げる事実を確認した旨を証する書類（ハに掲げる事項の記載があるものに限る。）

イ　当該特定新規中小会社が経済金融活性化措置実施計画及び特定経済金融活性化事業の認定申請及び実施状況の報告等に関する内閣府令第13条各号に掲げる要件に該当するものであること。

ロ　当該居住者又は恒久的施設を有する非居住者による当該特定新規株式の取得が、当該居住者又は恒久的施設を有する非居住者と当該特定新規中小会社との間で締結された(2)(注)4(二)に定める契約に基づき、当該特定新規中小会社の設立の日以後10年以内に払込みによりされたものであること。

ハ　当該居住者又は恒久的施設を有する非居住者の氏名及び住所、払込みにより取得がされた当該特定新規株式の数及び当該特定新規株式と引換えに払い込むべき額並びにその払い込んだ金額

⑤　**5**(四)に掲げる株式会社に該当する特定新規中小会社が発行した特定新規株式につき**5**の規定の適用を受ける場合　当該特定新規中小会社から交付を受けた国家戦略特別区域法第7条第1項第1号に規定する国家戦略特別区域担当大臣の当該特定新規株式に係る(2)(注)1②に定める日においてイからハまでに掲げる事実の確認をした旨を証する書類（ニに掲げる事項の記載があるものに限る。）

イ　当該特定新規中小会社が国家戦略特別区域法第27条の5に規定する株式会社に該当するものであること。

ロ　当該居住者又は恒久的施設を有する非居住者が取得をした株式が、国家戦略特別区域法及び構造改革特別区域法の一部を改正する法律附則第1条第1号に掲げる規定の施行の日（平成27年9月1日）から令和8年3月31日までの間に発行されたものであること。

ハ　当該居住者又は恒久的施設を有する非居住者による当該特定新規株式の取得が、当該居住者又は恒久的施設を有する非居住者と当該特定新規中小会社との間で締結された(2)(注)4(三)に定める契約に基づき払込みによりされたものであること。

ニ　当該居住者又は恒久的施設を有する非居住者の氏名及び住所、払込みにより取得がされた当該特定新規株式の数及び当該特定新規株式と引換えに払い込むべき額並びにその払い込んだ金額

⑥　**5**(五)に掲げる株式会社に該当する特定新規中小会社が発行した特定新規株式につき**5**の規定の適用を受ける場合　当該特定新規中小会社から交付を受けた地域再生法第8条第1項に規定する認定地方公共団体の当該特定新規株式に係る基準日においてイからハまでに掲げる事実の確認をした旨を証する書類（ニに掲げる事項の記載があるものに限る。）

イ　当該特定新規中小会社が、地域再生法施行規則第23条各号に掲げる要件に該当するものであること。

ロ　当該居住者又は恒久的施設を有する非居住者が取得をした株式が、地域再生法の一部を改正する法律の施行の日（平成30年6月1日）から令和8年3月31日までの間に発行されたものであること。

ハ　当該居住者又は恒久的施設を有する非居住者による当該特定新規株式の取得が、当該居住者又は恒久的施設を有する非居住者と当該特定新規中小会社との間で締結された(2)(注)4(四)に定める契約に基づき払込みによりされたものであること。

ニ　当該居住者又は恒久的施設を有する非居住者の氏名及び住所、払込みにより取得がされた当該特定新規株式の数及び当該特定新規株式と引換えに払い込むべき額並びにその払い込んだ金額

(二)　当該特定新規株式を発行した特定新規中小会社の当該特定新規株式を払込みにより取得をした居住者又は恒久的施設を有する非居住者が当該特定新規株式に係る基準日（当該特定新規株式が**5**(三)又は同(四)までに定める株式である場合には、当該特定新規株式に係る(2)(注)1②に定める日）において(2)の(一)から(七)までに掲げる者に該当しないことの確認をした旨を証する書類

(三)　当該特定新規株式を発行した特定新規中小会社（当該特定新規中小会社であった株式会社を含む。）から交付を受けた当該特定新規株式を払込みにより取得をした当該居住者又は恒久的施設を有する非居住者が有する当該特定新規中小会社の株式の当該取得の時（当該取得の時が二以上ある場合には、最初の取得の時）以後の当該株式の異動につき次に掲げる事項がその異動ごとに記載された明細書

イ　異動事由

ロ　異動年月日

ハ　異動した株式の数及び当該異動直後において有する株式の数

ニ　その他参考となるべき事項

(四)　当該居住者又は恒久的施設を有する非居住者と当該特定新規中小会社との間で締結された(2)(注)4各号に掲げる特定新規中小会社の区分に応じ当該各号に定める契約に係る契約書の写し

(五)　(3)に規定する控除対象特定新規株式数の計算に関する明細書（当該控除対象特定新規株式数並びに当該控除対象特定新規株式数に係る(3)の各号に掲げる数の計算に関する明細、当該計算の基礎となった同(一)に規定する特定新規株式の同(一)の取得及び同(二)に規定する譲渡又は贈与のそれぞれの年月日その他参考となるべき事項の記載があるものに限る。）

(六)　(7)に規定する適用控除対象特定新規株式に係る(7)(二)イ又は同ロに掲げる場合の区分に応じ当該イ又はロに定める金額の計算に関する明細書（(4)の控除対象特定新規株式の取得に要した金額（(4)の規定により計算される金額をいう。以下(六)において同じ。）の合計額及びその年中に払込みにより取得をした特定新規株式の銘柄ごとの(4)の控除対象特定新規株式の取得に要した金額の計算に関する明細の記載があるものに限る。）

2　上記＿＿下線部については、令和7年1月1日以後、(10)(注)1中「19の11」が「19の10の6」とされる。(令5改措規附1五)

（参考）　(10)による読替え後の第十章第二節**ニ1**③**イ**の規定

イ　保険料又は特定寄附金の支払に関する書類等

第十章第二節**二 1**③(一)〔同**3**③《還付等を受けるための申告》、**4**③《確定損失申告》、**三 2**④《年の中途で死亡した場合の確定申告》及び同**4**④《年の中途で出国する場合の確定申告》において準用する場合を含む。〕に掲げる居住者は、次の(一)から(六)までに掲げる書類又は電磁的記録印刷書面（電子証明書等に記録された情報の内容を、国税庁長官の定める方法によって出力することにより作成した書面をいう。以下同じ。）を確定申告書に添付しなければならない。ただし、(二)から(五)までに掲げる書類又は電磁的記録印刷書面で所得税法第190条第２号《年末調整》の規定により同号に規定する給与所得控除後の給与等の金額から控除された第八章**三 2**(五)《国民年金等の保険料》に掲げる社会保険料、小規模企業共済等掛金、新生命保険料若しくは旧生命保険料、介護医療保険料、新個人年金保険料若しくは旧個人年金保険料又は地震保険料に係るものについては、この限りでない。(措令28の28の３⑨により読み替えられた令262①)
(下線部分は読み替えられた部分（編者注))

(一)～(五)……省略

(六)	確定申告書に寄附金控除に関する事項を記載する場合にあっては、当該申告書に記載したその控除を受ける金額の計算の基礎となる**七 5**《特定新規中小会社が発行した株式を取得した場合の課税の特例》に規定する控除対象特定新規株式の取得に要した金額の計算に関する明細書その他(注) 1に定める書類

(払込みにより取得した者から贈与等により取得した場合)

(11)　**5**の規定は、**5**に規定する特定新規株式（以下(11)及び(12)において「特定新規株式」という。）を払込みにより取得した者に限り適用があるのであるから、特定新規株式を払込みにより取得した者から当該特定新規株式を贈与、相続又は遺贈により取得した者については、**5**の規定の適用はないことに留意する。(措通41の19－１)

(注)　上記＿＿下線部については、令和７年１月１日以後、「41の19－１」が「41の18の４－１」とされる。(令６課個２－14)

(控除対象特定新規株式数の計算)

(12)　(３)に規定する控除対象特定新規株式数の計算における(３)(二)に規定する譲渡又は贈与には、特定新規株式の払込みによる取得の日以前に行われたその年中の同(二)に規定する同一銘柄株式（以下(13)において「同一銘柄株式」という。）の譲渡又は贈与も含まれるのであるから留意する。(措通41の19－２)

(注)　上記＿＿下線部については、令和７年１月１日以後、「41の19－２」が「41の18の４－２」とされる。(令６課個２－14)

(相続等により取得した場合の取得価額)

(13)　**5**の規定の適用を受けることができる者が年の中途において死亡し、その相続人又は受遺者により、被相続人に係る**5**の規定の適用を受ける旨の第十章第二節**三 2**《年の中途で死亡した場合の確定申告》に規定する申告書が提出された場合には、当該被相続人の死亡のときにおいて(８)の規定に準じて計算した取得価額が当該同一銘柄株式を相続又は遺贈により取得した者の取得価額となることに留意する。(措通41の19－３)

(注)　上記＿＿下線部については、令和７年１月１日以後、「41の19－３」が「41の18の４－３」とされる。(令６課個２－14)

八　障 害 者 控 除（障害者の定義……第二章第一節一表内28参照）

居住者が障害者である場合及び居住者の同一生計配偶者又は扶養親族が障害者である場合には、その居住者のその年分の総所得金額、退職所得金額又は山林所得金額から、その障害者１人につき27万円（その者が特別障害者である場合には、40万円）を控除する。これらの控除を、障害者控除という。（法79①②④）

（注）上記**八**の下線部「総所得金額」には、**一**《雑損控除》**1**と同じく租税特別措置法の読替え規定が含まれる。（編者注）

（居住者等と生計を一にするその他の親族のいずれかとの同居を常況としている扶養親族が特別障害者である場合）

（1）居住者の同一生計配偶者又は扶養親族が特別障害者で、かつ、その居住者又はその居住者の配偶者若しくはその居住者と生計を一にするその他の親族のいずれかとの同居を常況としている者である場合には、**八**の規定にかかわらず、その居住者のその年分の総所得金額、退職所得金額又は山林所得金額から、その特別障害者一人につき75万円を控除する。（法79③）

（障害者控除を受ける場合の配偶者控除等）

（2）障害者である同一生計配偶者又は扶養親族が居住者の控除対象配偶者に該当し、かつ、他の居住者の控除対象扶養親族に該当する場合又は２以上の居住者の控除対象扶養親族に該当する場合において、当該障害者である控除対象配偶者又は控除対象扶養親族につき、一の居住者が配偶者控除又は扶養控除の規定の適用を受け、他の居住者が障害者控除の規定の適用を受けるようなことはできないことに留意する。（基通79－１）

（年の中途で死亡した居住者等の障害者である扶養親族等とされた者に係る障害者控除）

（3）年の中途において死亡し又は出国をした居住者の障害者である同一生計配偶者又は扶養親族について、その居住者が障害者控除の適用を受けた場合であっても、その後その年中において相続人等他の居住者の同一生計配偶者又は扶養親族にも該当するときは、当該他の居住者が自己の障害者である同一生計配偶者又は扶養親族として障害者控除の適用を受けることができることに留意する。（基通79－２）

九　寡婦控除（寡婦の定義……第二章第一節一表内30参照）

居住者が寡婦である場合には、その者のその年分の総所得金額、退職所得金額又は山林所得金額から27万円を控除する。この控除を、寡婦控除という。（法80①②）

（注）上記**九**の下線部「総所得金額」には、**一**《雑損控除》**1**と同じく租税特別措置法の読替え規定が含まれる。（編者注）

（配偶者控除を受ける場合の寡婦控除）

注　年の中途において夫と死別した妻でその年において寡婦に該当するものについては、たとえその者が死別した夫につき配偶者控除の規定の適用を受ける場合であっても、寡婦控除の規定の適用があることに留意する。（基通80－１）

十　ひとり親控除（ひとり親の定義……第二章第一節一表内31参照）

居住者がひとり親である場合には、その者のその年分の総所得金額、退職所得金額又は山林所得金額から35万円を控除する。この控除を、ひとり親控除という。（法81①②）

（注）上記**十**の下線部「総所得金額」には、**一**《雑損控除》**1**と同じく租税特別措置法の読替え規定が含まれる。（編者注）

（配偶者控除を受ける場合のひとり親控除）

注　年の中途において夫又は妻と死別した妻又は夫でその年においてひとり親に該当するものについては、たとえその者が死別した夫又は妻につき配偶者控除の規定の適用を受ける場合であっても、ひとり親控除の規定の適用があることに留意する。（基通81－１）

十一　勤労学生控除（勤労学生の定義……第二章第一節一32参照）

居住者が勤労学生である場合には、その者のその年分の総所得金額、退職所得金額又は山林所得金額から27万円を控除

する。この控除を、勤労学生控除という。(法82①②)

（注） 上記**十一**の下線部「総所得金額」には、**一**《雑損控除》**1**と同じく租税特別措置法の読替え規定が含まれる。（編者注）

十二　配偶者控除（控除対象配偶者の定義……第二章第一節**一**表内**33の2**参照）

居住者が控除対象配偶者を有する場合には、その居住者のその年分の総所得金額、退職所得金額又は山林所得金額から次の(一)から(三)までに掲げる場合の区分に応じ当該(一)から(三)までに定める金額を控除する。この控除を、配偶者控除という。(法83①②)

(一)	その居住者の第二章第一節《定義》**一**表内**30**に規定する合計所得金額（以下**十二**、**十三**及び**十五**《基礎控除》において「合計所得金額」という。）が900万円以下である場合	38万円（その控除対象配偶者が老人控除対象配偶者である場合には、48万円）
(二)	その居住者の合計所得金額が900万円を超え950万円以下である場合	26万円（その控除対象配偶者が老人控除対象配偶者である場合には、32万円）
(三)	その居住者の合計所得金額が950万円を超え1,000万円以下である場合	13万円（その控除対象配偶者が老人控除対象配偶者である場合には、16万円）

（注） 上記**十二**の下線部「総所得金額」には、**一**《雑損控除》**1**と同じく租税特別措置法の読替え規定が含まれる。（編者注）

（年の中途で死亡した居住者等の扶養親族等とされた者に係る扶養控除等）

注　年の中途において死亡し又は出国をした居住者の控除対象配偶者若しくは**十三1**に規定する生計を一にする配偶者（控除対象配偶者を除く。以下「配偶者」という。）又は控除対象扶養親族として控除された者であっても、その後その年中において相続人等他の居住者の控除対象配偶者若しくは配偶者又は控除対象扶養親族にも該当する者については、当該他の居住者が自己の控除対象配偶者若しくは配偶者又は控除対象扶養親族として控除することができることに留意する。(基通83～84－1)

十三　配偶者特別控除

1　配偶者特別控除

居住者が生計を一にする配偶者（第二章第一節《定義》**一**表内**33**に規定する青色事業専従者等を除くものとし、合計所得金額が133万円以下であるものに限る。）で控除対象配偶者に該当しないもの（合計所得金額が1,000万円以下である当該居住者の配偶者に限る。）を有する場合には、その居住者のその年分の総所得金額、退職所得金額又は山林所得金額から次の(一)から(三)までに掲げる場合の区分に応じ当該(一)から(三)までに定める金額を控除する。この控除を、配偶者特別控除という。(法83の2①③)

<table>
<tr><td rowspan="4">(一)</td><td rowspan="4">その居住者の合計所得金額が900万円以下である場合</td><td colspan="3">その居住者の配偶者の次のイからハまでに掲げる区分に応じそれぞれ次のイからハまでに定める金額</td></tr>
<tr><td>イ</td><td>合計所得金額が95万円以下である配偶者</td><td>38万円</td></tr>
<tr><td>ロ</td><td>合計所得金額が95万円を超え130万円以下である配偶者</td><td>38万円からその配偶者の合計所得金額のうち93万１円を超える部分の金額（当該超える部分の金額が５万円の整数倍の金額から３万円を控除した金額でないときは、５万円の整数倍の金額から３万円を控除した金額で当該超える部分の金額に満たないもののうち最も多い金額とする。）を控除した金額</td></tr>
<tr><td>ハ</td><td>合計所得金額が130万円を超える配偶者</td><td>３万円</td></tr>
<tr><td>(二)</td><td>その居住者の合計所得金額が900万円を超え950万円以下である場合</td><td colspan="3">その居住者の配偶者の(一)イからハまでに掲げる区分に応じそれぞれ(一)イからハまでに定める金額の３分の２に相当する金額（当該金額に１万円未満の端数がある場合には、これを切り上げた金額）</td></tr>
</table>

(三)	その居住者の合計所得金額が950万円を超え1,000万円以下である場合	その居住者の配偶者の(一)イからハまでに掲げる区分に応じそれぞれ(一)イからハまでに定める金額の３分の１に相当する金額（当該金額に１万円未満の端数がある場合には、これを切り上げた金額）

（注）　上記**十三**の下線部「総所得金額」には、**一**《雑損控除》**1**と同じく租税特別措置法の読替え規定が含まれる。（編者注）

〔参考〕**配偶者特別控除の早見表**（令和２年分以降）

①　合計所得金額900万円以下の居住者

配偶者の合計所得金額	控除額
48万円超　95万円以下	38万円
95万円超　100万円以下	36万円
100万円超　105万円以下	31万円
105万円超　110万円以下	26万円
110万円超　115万円以下	21万円

配偶者の合計所得金額	控除額
115万円超　120万円以下	16万円
120万円超　125万円以下	11万円
125万円超　130万円以下	６万円
130万円超　133万円以下	３万円

② 合計所得金額900万円超950万円以下の居住者

配偶者の合計所得金額	控除額
48万円超　95万円以下	26万円
95万円超　100万円以下	24万円
100万円超　105万円以下	21万円
105万円超　110万円以下	18万円
110万円超　115万円以下	14万円

配偶者の合計所得金額	控除額
115万円超　120万円以下	11万円
120万円超　125万円以下	８万円
125万円超　130万円以下	４万円
130万円超　133万円以下	２万円

③ 合計所得金額950万円超1,000万円以下の居住者

配偶者の合計所得金額	控除額
48万円超　95万円以下	13万円
95万円超　100万円以下	12万円
100万円超　105万円以下	11万円
105万円超　110万円以下	９万円
110万円超　115万円以下	７万円

配偶者の合計所得金額	控除額
115万円超　120万円以下	６万円
120万円超　125万円以下	４万円
125万円超　130万円以下	２万円
130万円超　133万円以下	１万円

（申告書に記載する配偶者の判定等）

（1）　給与所得者の配偶者控除等申告書を提出する場合において、当該申告書に記載された配偶者が控除対象配偶者又は**1**に規定する生計を一にする配偶者に該当するかどうか等は、当該申告書を提出する日の現況により判定する。この場合において、当該申告書を提出する給与所得者のその年の合計所得金額の見積額及び当該配偶者のその年の合計所得金額の見積額は、当該申告書を提出する日の現況により見積ったその年の合計所得金額による。（基通195の２－１）

（注）　「配偶者」及び「生計を一にする」については、それぞれ第二章第一節**一**表内**33**（１）及び同（２）参照。

2　適用除外

1の規定は、**1**に規定する生計を一にする配偶者が、次の(一)から(三)までに掲げる場合に該当するときは、適用しない。（法83の２②）

(一)	当該配偶者が、**1**に規定する居住者として**1**の規定の適用を受けている場合
(二)	当該配偶者が、給与所得者の扶養控除等申告書又は従たる給与についての扶養控除等申告書に記載された源泉控除対象配偶者がある居住者として第185条第１項第１号若しくは第２号《賞与以外の給与等に係る徴収税額》又は第186条第１項第１号若しくは第２項第１号《賞与に係る徴収税額》の規定の適用を受けている場合（当該配偶者が、その年分の所得税につき、第190条《年末調整》の規定の適用を受けた者である場合又は確定申告書の提出をし、若しくは決定を受けた者である場合を除く。）

(三)	当該配偶者が、公的年金等の受給者の扶養親族等申告書に記載された源泉控除対象配偶者がある居住者として第203条の３第１号から第３号まで《徴収税額》の規定の適用を受けている場合（当該配偶者がその年分の所得税につき確定申告書の提出をし、又は決定を受けた者である場合を除く。）

十四　扶　養　控　除

１　扶養控除（控除対象扶養親族の定義……第二章第一節**一**表内**33**参照）

居住者が控除対象扶養親族を有する場合には、その居住者のその年分の総所得金額、退職所得金額又は山林所得金額から、その控除対象扶養親族１人につき38万円（その者が第二章第一節**一**表内**34の３**に規定する特定扶養親族である場合には63万円とし、その者が老人扶養親族である場合には、48万円）を控除する。この控除を扶養控除という。（法84①②）

（注）１　年の中途で死亡した居住者等の扶養親族とされた者に係る扶養控除の取扱いは、上記**十二**《配偶者控除》の注参照。（編者注）

２　上記**１**の下線部「総所得金額」には、**一**《雑損控除》**１**と同じく租税特別措置法の読替え規定が含まれる。（編者注）

２　同居の老親等に係る扶養控除の特例

居住者の有する第二章第一節**一**表内**34の４**に規定する老人扶養親族が当該居住者又は当該居住者の配偶者の直系尊属で、かつ、当該居住者又は当該配偶者のいずれかと同居を常況としている者である場合には、当該老人扶養親族に係る**１**に規定する扶養控除の額は、**１**の規定にかかわらず、**１**の金額に10万円を加算した金額とする。（措法41の16①）

十五　基　礎　控　除

合計所得金額が2,500万円以下である居住者については、その者のその年分の総所得金額、退職所得金額又は山林所得金額から次の(一)から(三)までに掲げる場合の区分に応じ当該(一)から(三)までに定める金額を控除する。この控除を、基礎控除という。（法86）

(一)	その居住者の合計所得金額が2,400万円以下である場合	48万円
(二)	その居住者の合計所得金額が2,400万円を超え2,450万円以下である場合	32万円
(三)	その居住者の合計所得金額が2,450万円を超え2,500万円以下である場合	16万円

（注）　上記**十五**の下線部「総所得金額」には、**一**《雑損控除》**１**と同じく租税特別措置法の読替え規定が含まれる。（編者注）

各種の人的控除額一覧表

控除の種類			控除額
イ 基礎控除			最高480,000円
ロ 配偶者控除	一般の控除対象配偶者		最高380,000円
	老人控除対象配偶者		最高480,000円
ハ 配偶者特別控除			最高380,000円
ニ 扶養控除	一般の控除対象扶養親族		380,000円
	特定扶養親族		630,000円
	老人扶養親族	同居老親等以外の者	480,000円
		同居老親等	580,000円
ホ 障害者控除	一般の障害者		270,000円
	特別障害者		400,000円
	同居特別障害者		750,000円
ヘ 寡婦控除			270,000円
ト ひとり親控除			350,000円
チ 勤労学生控除			270,000円

十六　扶養親族等の判定の時期等

1　扶養親族等の判定の時期等

八《障害者控除》又は**九**《寡婦控除》、**十**《ひとり親控除》及び**十一**《勤労学生控除》の規定を適用する場合において、居住者が特別障害者若しくはその他の障害者、寡婦、ひとり親又は勤労学生に該当するかどうかの判定は、その年12月31日（その者がその年の中途において死亡し、又は出国をする場合には、その死亡又は出国の時。以下同じ。）の現況による。ただし、その居住者の子がその当時既に死亡している場合におけるその子がその居住者と生計を一にする子（第二章第一節**一**表内**31**《ひとり親》のイに規定する子）に該当するかどうかの判定は、当該死亡の時の現況による。（法85①）

（同居特別障害者若しくはその他の特別障害者又は特別障害者以外の障害者に該当するかどうかの判定）

（1）　**八**の障害者控除の規定を適用する場合において、居住者の同一生計配偶者又は扶養親族が**八**の規定に該当する特別障害者（「**同居特別障害者**」という。）若しくはその他の特別障害者又は特別障害者以外の障害者に該当するかどうかの判定は、その年12月31日の現況による。ただし、その同一生計配偶者又は扶養親族がその当時既に死亡している場合は、当該死亡の時の現況による。（法85②）

（障害者控除等の規定を適用する場合の判定）

（2）　**八**《障害者控除》、**九**《寡婦控除》、**十**《ひとり親控除》、**十一**《勤労学生控除》、**十二**《配偶者控除》、**十三**《配偶者特別控除》及び**十四**《扶養控除》の規定を適用する場合において、その者が居住者の老人控除対象配偶者若しくはその他の控除対象配偶者若しくはその他の同一生計配偶者若しくは**十三 1**《配偶者特別控除》に規定する生計を一にする配偶者又は特定扶養親族、老人扶養親族若しくはその他の控除対象扶養親族若しくはその他の扶養親族に該当するかどうかの判定は、その年12月31日の現況による。ただし、その判定に係る者がその当時既に死亡している場合は、当該死亡の時の現況による。（法85③、措法41の16②）

（一の居住者の配偶者がその居住者の控除対象配偶者に該当し、他の居住者の扶養親族にも該当する場合）

（3）　一の居住者の配偶者がその居住者の同一生計配偶者に該当し、かつ、他の居住者の扶養親族にも該当する場合には、その配偶者は、（4）で定めるところにより、これらのうちいずれか一にのみ該当するものとみなす。（法85④）

（2以上の居住者がある場合の同一生計配偶者の所属）

（4）　（3）の場合において、（3）に規定する配偶者が（3）に規定する同一生計配偶者又は扶養親族のいずれに該当するかは、（3）に規定する居住者の提出するその年分の第十章第一節**三 2**《予定納税額の減額の承認の申請手続》①に規定する申請書、確定申告書又は給与所得者の扶養控除等申告書、従たる給与についての扶養控除等申告書、給与所得者の配偶者控除等申告書若しくは公的年金等の受給者の扶養親族等申告書（以下「**申告書等**」という。）に記載されたところによる。ただし、本文又は後段の規定により、当該配偶者が当該同一生計配偶者又は扶養親族のいずれかとされた後において、当該居住者が提出する申告書等にこれと異なる記載をすることにより、その区分を変更することを妨げない。

なお、この場合において、（4）の居住者が同一人をそれぞれ自己の同一生計配偶者又は扶養親族として申告書等に記載したとき、その他（4）の規定により同一生計配偶者又は扶養親族のいずれに該当するかを定められないときは、その夫又は妻である居住者の同一生計配偶者とする。（令218①②）

（2以上の居住者の扶養親族に該当する者がある場合）

（5）　2以上の居住者の扶養親族に該当する者がある場合には、その者は、（6）で定めるところにより、これらの居住者のうちいずれか一の居住者の扶養親族にのみ該当するものとみなす。（法85⑤）

（2以上の居住者がある場合の扶養親族の所属）

（6）　（5）の場合において、（5）に規定する2以上の居住者の扶養親族に該当する者をいずれの居住者の扶養親族とするかは、これらの居住者の提出するその年分の（4）に規定する申告書等（給与所得者の配偶者控除等申告書を除く。）に記載されたところによる。ただし、本文又は後段の規定により、その扶養親族がいずれか一の居住者の扶養親族に該当するものとされた後において、これらの居住者が提出する申告書等にこれと異なる記載をすることにより、他のいずれか一の居住者の扶養親族とすることを妨げない。

なお、この場合において、2以上の居住者が同一人をそれぞれ自己の扶養親族として申告書等に記載したとき、その他(5)の規定によりいずれの居住者の扶養親族とするかを定められないときは、次の(一)及び(二)に定めるところによる。(令219①②)

(一)	その年において既に一の居住者が申告書等の記載によりその扶養親族としている場合には、当該親族は、当該居住者の扶養親族とする。
(二)	(一)の規定によってもいずれの居住者の扶養親族とするかが定められない扶養親族は、居住者のうち総所得金額、退職所得金額及び山林所得金額の合計額又は当該親族がいずれの居住者の扶養親族とするかを判定すべき時における当該合計額の見積額が最も大きい居住者の扶養親族とする。

(注) 上記(6)(二)の下線部「総所得金額」には、**一**《雑損控除》**1**(1)と同じく租税特別措置法施行令の読替え規定が含まれる。(編者注)

(年の中途において死亡した者等の親族等が扶養親族等に該当するかどうかの判定)

(7) 年の中途において死亡し又は出国をした居住者の配偶者その他の親族(第二章第一節**一**表内**34**《扶養親族》に規定する児童及び老人を含む。以下(7)において「親族等」という。)、がその居住者の同一生計配偶者若しくは**十三 1**に規定する生計を一にする配偶者(控除対象配偶者を除く。以下(7)において「配偶者」という。)又は扶養親族に該当するかどうかの判定に当たっては、次によるものとする。(基通85－1)

(一)	当該親族等がその居住者と生計を一にしていたかどうか、及び親族関係(第二章第一節**一**表内**34**に規定する児童及び老人にあっては、同**34**に規定する関係)にあったかどうかは、その死亡又は出国の時(その年1月1日から当該時までに死亡した親族等については、当該親族等の死亡の時)の現況により判定する。
(二)	当該親族等が同一生計配偶者若しくは配偶者又は扶養親族に該当するかどうかは、その死亡又は出国の時の現況により見積もったその年1月1日から12月31日までの当該親族等の合計所得金額により判定する。

(扶養親族等の所属の変更)

(8) (4)の前段のただし書又は(6)のただし書の規定により同一生計配偶者又は扶養親族(以下(8)において「扶養親族等」という。)の所属を変更しようとする場合には、自己の扶養親族等を増加させようとする者及び減少させようとする者の全員がその所属の変更を記載した(4)に規定する申告書等を提出しなければならないことに留意する。(基通85－2)

(注) したがって、確定申告書の提出によりその所属を変更しようとする場合には、自己の扶養親族等を減少させようとする者のうちに確定申告書の提出を要しない者がいるときであっても、その者を含めた全員が確定申告書を提出しなければならない。

2 居住者が再婚した場合における同一生計配偶者の範囲の特例

年の中途において居住者の配偶者が死亡し、その年中にその居住者が再婚した場合におけるその死亡し、又は再婚した配偶者に係る同一生計配偶者及び**十三 1**に規定する生計を一にする配偶者並びに扶養親族の範囲の特例については次の(一)から(三)までによる。(法85⑥、令220①②③)

(一)	上記の居住者の同一生計配偶者又は**十三 1**に規定する生計を一にする配偶者に該当するものは、その死亡した配偶者又は再婚した配偶者のうち1人に限るものとする。
(二)	(一)の居住者の死亡した配偶者又は再婚した配偶者のうちこれらの配偶者と生計を一にする他の居住者の扶養親族にも該当するものは、(一)の居住者がこれらの配偶者のうちの1人を同一生計配偶者としたときは、その同一生計配偶者とされた者以外の者は当該他の居住者の扶養親族には該当しないものとし、(一)の居住者がこれらの配偶者のいずれをも同一生計配偶者としないときは、これらの配偶者のうちの1人に限り、当該他の居住者の扶養親族に該当するものとする
(三)	(二)の場合において、**1**(4)に規定する申告書等(その年において当該申告書等を提出すべき期限が到来していないときは、その前年分の所得税につき最後に提出した当該申告書等)の記載に従って当該死亡した配偶者が当該他の居住者の扶養親族とされていた場合には、当該死亡した配偶者は、当該他の居住者の扶養親族に該当するものとし、(一)の再婚した配偶者は、(二)の規定にかかわらず、(一)の居住者の同一生計配偶者又はこれらの居住者以外の生計を一にする居住者の扶養親族に該当するものとする。

十七　所得控除の順序

1　所得控除の順序

雑損控除と医療費控除、社会保険料控除、小規模企業共済等掛金控除、生命保険料控除、地震保険料控除、寄附金控除、障害者控除、寡婦控除、ひとり親控除、勤労学生控除、配偶者控除、配偶者特別控除、扶養控除又は基礎控除とを行う場合には、まず雑損控除を行うものとする。（法87①）

2　2以上の所得金額がある場合の所得控除の順序

総所得金額、申告分離課税の上場株式等の配当所得の金額、申告分離課税の一般株式等に係る譲渡所得等の金額、申告分離課税の上場株式等に係る譲渡所得等の金額、先物取引に係る雑所得等の金額、分離課税の事業所得・雑所得の金額、特別控除額控除後の分離課税の長期譲渡所得の金額又は短期譲渡所得の金額、山林所得金額及び退職所得金額のうち、2以上の所得金額がある場合には、所得控除の金額は、まず総所得金額から差し引き、次に分離課税の事業所得・雑所得の金額、特別控除額控除後の分離課税の短期譲渡所得の金額（最低30%課税のもの→最低15%課税のものの順に）、特別控除額控除後の分離課税の長期譲渡所得の金額（その他の土地建物等→優良住宅地の造成等のために譲渡した土地等→居住用財産（措法31の3適用資産）に係る長期譲渡所得の順に）、申告分離課税の上場株式等の配当所得の金額（第五章第三節**十**《上場株式等に係る譲渡損失の損益通算及び繰越控除》の規定の適用がある場合には、その適用後の金額）、申告分離課税の一般株式等に係る譲渡所得等（第五章第三節**十**《上場株式等に係る譲渡損失の損益通算及び繰越控除》又は同節**十四**の**2**《特定中小会社が発行した株式に係る譲渡損失の繰越控除等》の規定の適用がある場合には、その適用後の金額）、申告分離課税の先物取引に係る雑所得等（第五章第四節**二**《先物取引の差金等決済に係る損失の繰越控除》の規定の適用がある場合には、その適用後の金額）の金額の順に差し引き、更に山林所得金額から差し引き、なお引き切れない控除額があるときは最後に退職所得金額から差し引く。（法87②、措法28の4⑤二、31③三、32④、37の10⑥五、37の11⑥、41の14②四、41の15④、措令21⑧、措通31－1、措通32－9、編者補正）

（注）1　上記の各種所得金額は、いずれも、第七章《損益通算及び損失の繰越控除》の規定適用後の金額をいう。ただし、申告分離課税の一般株式等に係る譲渡所得の金額、申告分離課税の上場株式等に係る譲渡所得金額、申告分離課税の上場株式等の配当所得の金額、先物取引に係る雑所得等の金額及び土地建物等に係る分離課税の譲渡所得については他の所得との損益通算の適用はないので留意する。（編者注）

2　所得金額から雑損控除の金額を差し引くことができない場合には、その控除不足額を繰越雑損失の金額として翌年以後3年間に繰り越し、翌年以降の所得の金額の計算に際して差し引くことが認められている。この場合の控除の方法については、第七章第二節**二**《雑損失の繰越控除》**2**を参照。（編者注）

第九章　税額の計算

第一節　税　　率

一　税　　率

居住者に対して課する所得税の額は、その年分の課税総所得金額又は課税退職所得金額をそれぞれ次の表の左欄に掲げる金額に区分してそれぞれの金額に同表の右欄に掲げる税率を乗じて計算した金額を合計した金額と、その年分の課税山林所得金額の５分の１に相当する金額を同表の左欄に掲げる金額に区分してそれぞれの金額に同表の右欄に掲げる税率を乗じて計算した金額を合計した金額に５を乗じて計算した金額との合計額とする。（法89①）

195万円以下の金額	100分の５
195万円を超え330万円以下の金額	100分の10
330万円を超え695万円以下の金額	100分の20
695万円を超え900万円以下の金額	100分の23
900万円を超え1,800万円以下の金額	100分の33
1,800万円を超え4,000万円以下の金額	100分の40
4,000万円を超える金額	100分の45

（注）１　上記税率による所得税の速算表は次のとおり。（編者注）

所得税の速算表

課税総所得金額、調整所得金額又は課税退職所得金額		税率	控除額
から	まで		
千円	千円	%	千円
—	1,949	5	—
1,950	3,299	10	97.5
3,300	6,949	20	427.5
6,950	8,999	23	636
9,000	17,999	33	1,536
18,000	39,999	40	2,796
40,000	—	45	4,796

山林所得の所得税の速算表

課税山林所得金額		税率	控除額
から	まで		
千円	千円	%	千円
—	9,749	5	—
9,750	16,499	10	487.5
16,500	34,749	20	2,137.5
34,750	44,999	23	3,180
45,000	89,999	33	7,680
90,000	199,999	40	13,980
200,000	—	45	23,980

（課税総所得金額、課税退職所得金額又は課税山林所得金額の意義）

注　課税総所得金額、課税退職所得金額又は課税山林所得金額は、それぞれ、第三章第二節《課税標準》の規定による総所得金額、退職所得金額又は山林所得金額から第八章《所得控除》の規定による控除をした残額とする。（法89②）

二　変動所得及び臨時所得の平均課税

1　平均課税

居住者のその年分の変動所得の金額及び臨時所得の金額の合計額（その年分の変動所得の金額が前年分及び前々年分の変動所得の金額の合計額の２分の１に相当する金額以下である場合には、その年分の臨時所得の金額）がその年分の総所得金額の100分の20以上である場合には、その者のその年分の課税総所得金額に係る所得税の額は、次の①及び②に掲げる金額の合計額とする。（法90①）

①	その年分の課税総所得金額に相当する金額から**平均課税対象金額**の５分の４に相当する金額を控除した金額（当該課税総所得金額が平均課税対象金額以下である場合には、当該課税総所得金額の５分の１に相当する金額。以下「**調整所得金額**」という。）をその年分の課税総所得金額とみなして**一**《税率》の規定を適用して計算した税額
②	その年分の課税総所得金額に相当する金額から調整所得金額を控除した金額《特別所得金額》に①に掲げる金額の調整所得金額に対する割合を乗じて計算した金額

〈算　式〉①及び②を算式で示せば次のとおりである。（編者注）

イ　課税総所得金額が平均課税対象金額を超える場合

課税総所得金額－(平均課税対象金額×$\frac{4}{5}$)＝調整所得金額

ロ　課税総所得金額が平均課税対象金額以下の場合

課税総所得金額×$\frac{1}{5}$＝調整所得金額

ハ　課税総所得金額－調整所得金額＝特別所得金額

ニ　調整所得金額に対する税額（「所得税の速算表」を適用して求める。）……Ａ

ホ　$\frac{\text{調整所得金額に対する税額A}}{\text{調整所得金額}}$＝平均税率（２により求める。）

ヘ　特別所得金額×平均税率＝特別所得金額に対する税額……Ｂ

ト　ニの調整所得金額に対する税額Ａ＋ヘの特別所得金額に対する税額Ｂ＝平均課税による課税総所得金額に対する税額

2　平均課税の端数計算等

1②に規定する割合は、小数点以下２位まで算出し、３位以下を切り捨てたところによるものとする。（法90②）

3　平均課税対象金額

1の平均課税対象金額とは、変動所得の金額（前年分又は前々年分の変動所得の金額がある場合には、その年分の変動所得の金額が前年分及び前々年分の変動所得の金額の合計額の２分の１に相当する金額を超える場合のその超える部分の金額）と臨時所得の金額との合計額をいう。（法90③）

$$\left\{\left(\text{その年分の変動所得の金額}\right)-\left(\text{前年分及び前々年分の変動所得の金額の合計額}\right)\times\frac{1}{2}\right\}+(\text{その年分の臨時所得の金額})=\text{平均課税対象金額}$$

（変動所得の金額）

（1）　**1**及び**3**に規定する変動所得の金額は、各種所得の区分にかかわらず、漁獲又はのりの採取から生ずる所得、はまち、まだい、ひらめ、かき、うなぎ、ほたて貝又は真珠（真珠貝を含む。）の養殖から生ずる所得、原稿又は作曲の報酬に係る所得及び著作権の使用料に係る所得の金額の合計額をいい、これらの所得のうちに損失を生じているものがあるときは、これらの所得間においてだけ通算を行った後の金額をいう。（基通90－２）

（変動所得に係る必要経費）

（2）　変動所得に係る必要経費には、事業所得の金額又は雑所得の金額の計算上必要経費に算入される金額のうち、変動所得に係る貸倒引当金、退職給与引当金等の各勘定への繰入額及び資産損失の金額も含まれる。（基通90－３）

（変動所得に係る引当金等の繰戻金等）

（3）　前年以前の各年分の事業所得である変動所得の金額の計算上必要経費に算入された貸倒引当金、退職給与引当金等の各勘定への繰入額のうち、その年分の事業所得の金額の計算上総収入金額に算入すべき金額は、その年分の事業所得である変動所得の金額の計算上総収入金額に算入することに留意する。（基通90－４）

（変動所得に係る必要経費の区分計算）

（4）　事業所得又は雑所得に係る必要経費のうち、変動所得に係る部分とそれ以外の部分との区分が明らかでないものについては、それぞれの費用又は損失の種類、性質等に応じ、収入金額の比、差益金額の比、使用割合その他の適切な基準により、変動所得に係る部分の必要経費とそれ以外の部分の必要経費とに区分するものとする。（基通90－5）

（その年分の変動所得が赤字である場合の平均課税の適用の有無の判定及び平均課税対象金額の計算）

（5）　**1**の規定によりその年分の変動所得の金額及び臨時所得の金額の合計額がその年分の総所得金額の20%以上であるかどうかの判定を行う場合及びその年分の変動所得の金額と臨時所得の金額との合計額により**3**に規定する平均課税対象金額を計算する場合において、その年分の変動所得が赤字である場合には、その年分の臨時所得の金額がこれらの規定に規定する合計額となる。（基通90－6）

（前年分及び前々年分のいずれかの年分の変動所得が赤字である場合の平均額）

（6）　前年分又は前々年分のいずれかの年分の変動所得が赤字である場合における**1**又は**3**に規定する「前年分及び前々年分の変動所得の金額の合計額の２分の１に相当する金額」は、当該いずれかの年分の変動所得の赤字を他の年分の変動所得の金額と通算した後の黒字の金額の２分の１に相当する金額とする。（基通90－7）

（前年分及び前々年分の変動所得の金額が異動した場合の処理）

（7）　その年分の変動所得につき**1**の規定の適用を受けている者の前年分又は前々年分の変動所得の金額に異動が生じた場合には、その年分につき、**二**に規定する平均課税の適用の有無の再判定を行い、所得税の額を訂正することに留意する。（基通90－8）

（注）　前年分又は前々年分の変動所得の金額の異動に伴いその年分の所得税の額が減少することとなる場合には、第十章第八節**一**《国税通則法の規定による更正の請求》に規定する期間を経過しているときでも、同節**二2**《前年分の所得税額等の更正等に伴う更正の請求の特例》の規定により更正の請求ができることに留意する。

（変動所得の金額又は臨時所得の金額の計算上控除すべき青色申告特別控除額）

（8）　青色申告特別控除の適用を受ける年分の不動産所得又は事業所得のうちに変動所得又は臨時所得がある場合には、不動産所得の金額又は事業所得の金額の計算上控除される青色申告特別控除額に、青色申告特別控除前の不動産所得の金額又は事業所得の金額（第六章第二節**十二4**《社会保険診療報酬の所得計算の特例》の規定の適用を受ける社会保険診療報酬に係る所得の金額を除く。）のうちに占める変動所得の金額又は臨時所得の金額の割合を乗じて計算した金額を、変動所得の金額又は臨時所得の金額の計算上、青色申告特別控除額として控除する。（措通25の２－２）

◎分離課税とされる権利金等と平均課税（措通28の４－52）……………第五章第一節**一3**（２）参照。

（端数計算）

（9）　**1**の規定を適用する場合における第十五章**五1**《国税の課税標準の端数計算》の規定の適用については、課税総所得金額及び調整所得金額のそれぞれを同**1**に規定する課税標準とするものとする。（基通90－9）

（注）　したがって、まず課税総所得金額の1,000円未満の端数を切り捨て、次に調整所得金額の1,000円未満の端数を切り捨てることに留意する。

4　平均課税の適用要件

平均課税の規定は、確定申告書、修正申告書又は更正請求書に平均課税の適用を受ける旨の記載があり、かつ、**1**の①及び②に掲げる金額の合計額の計算に関する明細を記載した書類の添付がある場合に限り、適用する。（法90④）

（変動所得及び臨時所得がある場合の平均課税の適用）

注　**1**の規定は、その年分の変動所得及び臨時所得の全部について適用されるのであるから、その年分の確定申告書、修正申告書又は更正請求書に変動所得又は臨時所得のうちのいずれか一方だけについて**4**に規定する事項を記載している場合であっても、他方の所得についても**1**の規定の適用があることに留意する。（基通90－10）

第二節　税額控除

一　配当控除

1　配当控除

居住者が剰余金の配当（第四章第二節《配当所得》一に規定する剰余金の配当をいう。以下一において同じ。）、利益の配当（同節一に規定する利益の配当をいう。以下一において同じ。）、剰余金の分配（同節一に規定する剰余金の分配をいう。以下一において同じ。）、金銭の分配（同節一に規定する金銭の分配をいう。以下一において同じ。）又は証券投資信託の収益の分配（第二章第三節**六**《オープン型の証券投資信託の収益調整金》に掲げるものを含まない。以下一において同じ。）に係る**配当所得**（外国法人から受けるこれらの金額に係るもの（外国法人の国内にある営業所、事務所その他これらに準ずるものに信託された証券投資信託の収益の分配に係るものを除く。）を除く。以下一において同じ。）を有する場合には、その居住者のその年分の**所得税額**（前節《税率》の規定による所得税の額をいう。以下一において同じ。）から、次の①から③までに掲げる場合の区分に応じ当該①から③までに定める金額を控除する。一の規定による控除は、**配当控除**という。（所法92①③）

<table>
<tr><td rowspan="3">①</td><td rowspan="3">その年分の課税総所得金額が1,000万円以下である場合</td><td colspan="3">次に掲げる配当所得の区分に応じそれぞれ次に定める金額の合計額</td></tr>
<tr><td>イ</td><td>剰余金の配当、利益の配当、剰余金の分配及び金銭の分配（以下1において「剰余金の配当等」という。）に係る配当所得</td><td>当該配当所得の金額に100分の10を乗じて計算した金額</td></tr>
<tr><td>ロ</td><td>証券投資信託の収益の分配に係る配当所得</td><td>当該配当所得の金額に100分の５を乗じて計算した金額</td></tr>
<tr><td rowspan="3">②</td><td rowspan="3">その年分の課税総所得金額が1,000万円を超え、かつ、当該課税総所得金額から証券投資信託の収益の分配に係る配当所得の金額を控除した金額が1,000万円以下である場合</td><td colspan="3">次に掲げる配当所得の区分に応じそれぞれ次に定める金額の合計額</td></tr>
<tr><td>イ</td><td>剰余金の配当等に係る配当所得</td><td>当該配当所得の金額に100分の10を乗じて計算した金額</td></tr>
<tr><td>ロ</td><td>証券投資信託の収益の分配に係る配当所得</td><td>当該配当所得の金額のうち、当該課税総所得金額から1,000万円を控除した金額に相当する金額については100分の2.5を、その他の金額については100分の５をそれぞれ乗じて計算した金額の合計額</td></tr>
<tr><td rowspan="3">③</td><td rowspan="3">①及び②に掲げる場合以外の場合</td><td colspan="3">次に掲げる配当所得の区分に応じそれぞれ次に定める金額の合計額</td></tr>
<tr><td>イ</td><td>剰余金の配当等に係る配当所得</td><td>当該配当所得の金額のうち、当該課税総所得金額から1,000万円とロに掲げる配当所得の金額との合計額を控除した金額に達するまでの金額については100分の５を、その他の金額については100分の10をそれぞれ乗じて計算した金額の合計額</td></tr>
<tr><td>ロ</td><td>証券投資信託の収益の分配に係る配当所得</td><td>当該配当所得の金額に100分の2.5を乗じて計算した金額</td></tr>
</table>

（注）1　次のそれぞれの規定の適用がある場合における**1**の規定の適用については、**1**中の下線部は、それぞれ次のように読み替えられる。（措法8の4③四、31③四、32④、37の10⑥六、37の11⑥、41の14②五による所法92①の読替え（編者注））

適用がある規定	読替え前	読替え後
第四章第二節**五**１③《上場株式	ものを除く。）	ものを除く。）及び第四章第二節**五**１③《上場株式等に係る配当所得等の課税の特例》

等に係る配当所得等の課税の特例》の規定の適用がある場合		に規定する上場株式等の配当等に係る配当所得(同③の規定の適用を受けようとするものに限る。)
	前節《税率》	前節《税率》及び第四章第二節**五 1**③
	課税総所得金額	課税総所得金額及び第四章第二節**五 1**③に規定する上場株式等に係る課税配当所得等の金額の合計額
第五章第二節**一 1**《長期譲渡所得の課税の特例》①の規定の適用	前節《税率》	前節《税率》及び第五章第二節**一 1**《長期譲渡所得の課税の特例》①
	課税総所得金額	課税総所得金額及び第五章第二節**一 1**①に規定する課税長期譲渡所得金額の合計額
第五章第二節**二**《短期譲渡所得の課税の特例》①又は同節**二**③の規定の適用がある場合	前節《税率》	前節《税率》及び第五章第二節**二**《短期譲渡所得の課税の特例》①又は同節**二**③
	課税総所得金額	課税総所得金額及び第五章第二節**二**①又は同節**二**③に規定する課税短期譲渡所得金額の合計額
第五章第三節**二**《一般株式等に係る譲渡所得等の課税の特例》**1**①の規定の適用がある場合	前節《税率》	前節《税率》及び第五章第三節**二**《一般株式等に係る譲渡所得等の課税の特例》**1**①
	課税総所得金額	課税総所得金額及び第五章第三節**二 1**①に規定する一般株式等に係る課税譲渡所得等の金額の合計額
第五章第三節**三**《上場株式等に係る譲渡所得等の課税の特例》**1**①の規定の適用がある場合	前節《税率》	前節《税率》及び第五章第三節**三**《上場株式等に係る譲渡所得等の課税の特例》**1**①
	課税総所得金額	課税総所得金額及び第五章第三節**三 1**①に規定する上場株式等に係る課税譲渡所得等の金額の合計額
第五章第四節**一**《先物取引に係る雑所得等の課税の特例》**1**の規定の適用がある場合	前節《税率》	前節《税率》及び第五章第四節**一**《先物取引に係る雑所得等の課税の特例》**1**
	課税総所得金額	課税総所得金額及び第五章第四節**一 1**に規定する先物取引に係る課税雑所得等の金額の合計額

2　措法８の２《私募公社債等運用投資信託等の収益の分配に係る配当所得の分離課税等》、措法８の３《国外で発行された投資信託等の収益の分配に係る配当所得の分離課税等》により分離課税とされる証券投資信託の収益の分配に係る配当所得は、①の課税総所得金額に含まれない。(編者注)

(特定株式投資信託の収益の分配に係る配当控除)

注　個人の各年分の総所得金額のうちに特定株式投資信託（**2**(三)に規定する外国株価指数連動型特定株式投資信託を除く。）の収益の分配に係る配当所得がある場合には、**1**の配当所得と同様に配当控除を行う。(措法９③)

2　配当控除の適用除外

個人の各年分の総所得金額のうちに次の(一)から(七)までに掲げる配当等（第四章第二節《配当所得》**一**に規定する配当等をいう。以下**2**及び**3**において同じ。）に係る配当所得がある場合には、当該配当所得については、**1**の規定は、適用しない。(措法９①)

(一)	第四章第二節第**五 1**《配当所得の分離課税等》①の規定の適用を受ける同①(一)又は同(二)に掲げる受益権（投資信託及び投資法人に関する法律第２条第24項に規定する外国投資信託（(二)において「外国投資信託」という。)の受益権を除く。）の収益の分配に係る配当等
(二)	第四章第二節**五 1**②の規定の適用を受ける同②に規定する国外私募公社債等運用投資信託等の配当等（同**1**①(一)に掲げる受益権（外国投資信託の受益権に限る。）の収益の分配に係るものを除く。）
(三)	特定株式投資信託のうちその信託財産を外国株価指数（外国法人の株式についての株価指数として(2)で定めるものをいう。）に採用されている銘柄の外国法人の株式に投資を行うもの（**1**注において「外国株価指数連動型特定株式投資信託」という。）の収益の分配に係る配当等
(四)	外貨建等証券投資信託（証券投資信託のうちその信託財産を主として外貨建資産（外国通貨で表示される株式、債券、その他の資産をいう。以下(四)において同じ。）又は主として株式（投資信託及び投資法人に関する法律第２条第14項に規定する投資口を除く。以下(四)において同じ。）以外の資産に運用する証券投資信託として(3)で定めるものをいう。**3**において同じ。）のうち特に外貨建資産又は株式以外の資産への運用の割合が高い証券投資信託として(3)で定めるもの（**3**において「特定外貨建等証券投資信託」という。）の収益の分配に係る配当等（(一)から(三)までに掲げるものを除く。）
(五)	次に掲げる信託から支払を受けるべき配当等（(一)又は(二)に掲げるものを除く。） イ　投資信託及び投資法人に関する法律第２条第３項に規定する投資信託のうち、法人課税信託に該当するもの

		（その設定に係る受益権の募集が機関投資家私募（同法第４条第２項第12号に規定する適格機関投資家私募のうち(4)で定める者のみを相手方として行うものをいう。以下(五)において同じ。）により行われたもののうち、その募集が主として国内において行われ、かつ、投資信託約款（同法第４条第１項に規定する委託者指図型投資信託約款又は同法第49条第１項に規定する委託者非指図型投資信託約款をいう。）にその募集が機関投資家私募である旨の記載がなされて行われたものに限る。）
	ロ	特定目的信託
(六)	特定目的会社（資産の流動化に関する法律第２条第３項に規定する特定目的会社をいう。第四章第二節**五１**⑥(3)(二)において同じ。）から支払を受けるべき配当等	
(七)	投資信託及び投資法人に関する法律第２条第12項に規定する投資法人から支払を受けるべき配当等	

(注)　租税特別措置法第８条の４《上場株式等に係る配当所得等の課税の特例》の適用を受けた上場株式等に係る配当所得等については**1**の規定も適用されない。（措法８の４①後段）（編者注）

（**2**(一)から同(七)まで以外の配当等に係る配当所得がある場合の**1**の規定の適用）

(1)　**2**の規定の適用がある場合において、**2**(一)から同(七)までに掲げる配当等以外の配当等に係る配当所得があるときにおける**1**の規定の適用については、**1**中「ものを除く。)」とあるのは、「ものを除く。）及び**2**(一)から同(七)まで《配当控除の特例》に掲げる配当等に係るもの」と読み替えるものとする。（措法９②）

(注)　措法８の５《確定申告を要しない配当所得等》の規定により確定申告の対象としなかった配当所得も**1**による配当控除の対象とされない。（措法８の５①）

（外国法人の株式についての株価指数として(2)で定めるもの）

(2)　**2**(三)に規定する外国法人の株式についての株価指数として(2)で定めるものは、金融商品取引法第２条第８項第３号ロに規定する外国金融商品市場に上場されている外国法人の株式について多数の銘柄の価格の水準を総合的に表した指数とする。（措令４の４①）

（外貨建資産又は主として株式以外の資産に運用する(3)で定める証券投資信託）

(3)　**2**(四)に規定する信託財産を主として外貨建資産又は主として株式以外の資産に運用する証券投資信託として(3)で定めるものは、証券投資信託のうち投資信託及び投資法人に関する法律第４条第１項に規定する委託者指図型投資信託約款（これに類する書類を含む。以下(3)において「約款」という。）において当該証券投資信託の信託財産の全部又は一部を外貨建資産（同(四)に規定する外貨建資産をいう。以下(3)において同じ。）又は株式（同(四)に規定する株式をいう。以下(3)において同じ。）以外の資産に運用する旨が記載され、かつ、当該外貨建資産の額が当該信託財産の総額のうちに占める割合（以下(3)において「外貨建資産割合」という。）及び当該株式以外の資産の額が当該信託財産の総額のうちに占める割合（以下(3)において「非株式割合」という。）のいずれもが100分の50以下に定められているもの以外のものとし、**2**(四)に規定する特に外貨建資産又は株式以外の資産への運用割合が高い証券投資信託として(3)で定めるものは、同(四)に規定する外貨建等証券投資信託のうちその約款において外貨建資産割合及び非株式割合のいずれもが100分の75以下に定められているも以外のものとする。（措令４の４②）

（配当控除の特例）

(4)　**2**(五)イに規定する(4)で定める者は、次の(一)から(三)までに掲げるものとする。ただし、(二)に掲げる者以外の者については金融商品取引法第２条に規定する定義に関する内閣府令（平成５年大蔵省令第14号。以下(4)において「定義内閣府令」という。）第10条第１項ただし書の規定により金融庁長官が指定する者を除き、(二)に掲げる者については同項ただし書の規定により金融庁長官が指定する者に限る。（措規４の６）

(一)	定義内閣府令第10条第１項第１号から第９号まで、第11号から第14号まで、第16号から第22号まで、第25号及び第26号に掲げる者
(二)	定義内閣府令第10条第１項第15号に掲げる者
(三)	定義内閣府令第10条第１項第23号に掲げる者（同号イに掲げる要件に該当する者に限る。）のうち次に掲げる者 イ　有価証券報告書（金融商品取引法第24条第１項に規定する有価証券報告書をいう。以下(三)において同じ。）を提出している者で、定義内閣府令第10条第１項第23号の届出を行った日以前の直近に提出した有価

<table>
<tr><td></td><td>証券報告書に記載された当該有価証券報告書に係る事業年度及び当該事業年度の前事業年度の貸借対照表（企業内容等の開示に関する内閣府令（昭和48年大蔵省令第５号）第１条第20号の４に規定する外国会社（以下(三)において「外国会社」という。）である場合には、財務諸表等の用語、様式及び作成方法に関する規則（昭和38年大蔵省令第59号。以下(三)において「財務諸表等規則」という。）第１条第１項に規定する財務書類）における財務諸表等規則第17条第１項第６号に掲げる有価証券（外国会社である場合には、同号に掲げる有価証券に相当するもの）の金額及び財務諸表等規則第32条第１項第１号に掲げる投資有価証券（外国会社である場合には、同号に掲げる投資有価証券に相当するもの）の金額の合計額が100億円以上であるもの
ロ　海外年金基金（企業年金基金又は企業年金連合会に類するもので次に掲げる要件の全てを満たすものをいう。）によりその発行済株式の全部を保有されている内国法人（資産の流動化に関する法律（平成10年法律第105号）第２条第３項に規定する特定目的会社及び投資信託及び投資法人に関する法律第２条第12項に規定する投資法人を除く。ハにおいて同じ。）
⑴　外国の法令に基づいて組織されていること。
⑵　外国において主として退職年金、退職手当その他これらに類する報酬を管理し、又は給付することを目的として運営されること。
ハ　定義内閣府令第10条第１項第26号に掲げる者によりその発行済株式の全部を保有されている内国法人</td></tr>
</table>

3　一般外貨建等証券投資信託の収益の分配に係る配当所得がある場合の配当控除の特例

個人の各年分の総所得金額のうちに一般外貨建等証券投資信託の分配（特定外貨建等証券投資信託以外の外貨建等証券投資信託の収益の分配に係る配当等（**2**(一)から同(三)までに掲げるものを除く。）をいう。）に係る配当所得がある場合には、当該個人に対する**1**の規定の適用については、**1**①から同③までは、次の①から③までのとおりとする。（措法９④）

<table>
<tr><td rowspan="3">①</td><td colspan="3">その年分の課税総所得金額、申告分離課税の上場株式等に係る課税配当所得等の金額、分離課税の課税事業所得等の金額及び分離課税の課税長期譲渡所得、課税短期譲渡所得金額の金額、申告分離課税の一般株式等及び上場株式等に係る課税譲渡所得等の金額又は申告分離課税の先物取引に係る課税雑所得等の金額の合計額（以下「課税総所得金額等の合計額」という。）が1,000万円以下である場合　　次に掲げる配当所得の区分に応じそれぞれに定める金額の合計額</td></tr>
<tr><td>イ</td><td>剰余金の配当、利益の配当、剰余金の分配、特定投資信託の収益の分配及び特定目的信託の収益の分配（以下1において「剰余金の配当等」という。）に係る配当所得</td><td>当該配当所得の金額に100分の10を乗じて計算した金額</td></tr>
<tr><td>ロ</td><td>証券投資信託の収益の分配に係る配当所得</td><td>当該配当所得の金額に100分の５を乗じて計算した金額（当該証券投資信託の収益の分配に係る配当所得のうちに3に規定する一般外貨建等証券投資信託の収益の分配（以下3において「一般外貨建等証券投資信託の収益の分配」という。）に係る配当所得があるときは、当該証券投資信託の収益の分配に係る配当所得の金額のうち、当該一般外貨建等証券投資信託の収益の分配に係る配当所得の金額については100分の2.5を、その他の金額については100分の５をそれぞれ乗じて計算した金額の合計額）</td></tr>
<tr><td rowspan="3">②</td><td colspan="3">その年分の課税総所得金額等の合計額が1,000万円を超え、かつ、当該課税総所得金額等の合計額から証券投資信託の収益の分配に係る配当所得の金額を控除した金額が1,000万円以下である場合　　次に掲げる配当所得の区分に応じそれぞれ次に定める金額の合計額</td></tr>
<tr><td>イ</td><td>剰余金の配当等に係る配当所得</td><td>当該配当所得の金額に100分の10を乗じて計算した金額</td></tr>
<tr><td>ロ</td><td>証券投資信託の収益の分配に係る配当所得</td><td>当該配当所得の金額のうち、当該課税総所得金額等の合計額から1,000万円を控除した金額に相当する</td></tr>
</table>

<table>
<tr><td></td><td></td><td></td><td>金額については100分の2.5を、その他の金額については100分の５をそれぞれ乗じて計算した金額の合計額（当該証券投資信託の収益の分配に係る配当所得のうちに一般外貨建等証券投資信託の収益の分配に係る配当所得がある場合には、その年分の課税総所得金額等の合計額から当該一般外貨建等証券投資信託の収益の分配に係る配当所得の金額を控除した金額が1,000万円以下であるときは、当該一般外貨建等証券投資信託の収益の分配に係る配当所得の金額のうち、当該課税総所得金額等の合計額から1,000万円を控除した金額に相当する金額については100分の1.25を、その他の金額については100分の2.5を、当該証券投資信託の収益の分配に係る配当所得の金額のうち当該証券投資信託の収益の分配に係る配当所得の金額から当該一般外貨建等証券投資信託の収益の分配に係る配当所得の金額を控除した金額については100分の５をそれぞれ乗じて計算した金額の合計額とし、その年分の課税総所得金額等の合計額から当該一般外貨建等証券投資信託の収益の分配に係る配当所得の金額を控除した金額が1,000万円を超えるときは、当該証券投資信託の収益の分配に係る配当所得の金額のうち当該一般外貨建等証券投資信託の収益の分配に係る配当所得の金額については100分の1.25を、当該証券投資信託の収益の分配に係る配当所得の金額から当該一般外貨建等証券投資信託の収益の分配に係る配当所得の金額を控除した金額のうち、当該課税総所得金額等の合計額から1,000万円と当該一般外貨建等証券投資信託の収益の分配に係る配当所得の金額との合計額を控除した金額に相当する金額については100分の2.5を、その他の金額については100分の５をそれぞれ乗じて計算した金額の合計額とする。）</td></tr>
<tr><td rowspan="3">③</td><td colspan="3">①及び②に掲げる場合以外の場合　　次に掲げる配当所得の区分に応じそれぞれ次に定める金額の合計額</td></tr>
<tr><td>イ</td><td>剰余金の配当等に係る配当所得</td><td>当該配当所得の金額のうち、当該課税総所得金額等の合計額から1,000万円とロに掲げる配当所得の金額との合計額を控除した金額に達するまでの金額については100分の５を、その他の金額については100分の10をそれぞれ乗じて計算した金額の合計額</td></tr>
<tr><td>ロ</td><td>証券投資信託の収益の分配に係る配当所得</td><td>当該配当所得の金額に100分の2.5を乗じて計算した金額（当該証券投資信託の収益の分配に係る配当所得のうちに一般外貨建等証券投資信託の収益の分配に係る配当所得があるときは、当該証券投資信託の収益の分配に係る配当所得の金額のうち、当該一般外貨建等証券投資信託の収益の分配に係る配当所得の金額については100分の1.25を、その他の金額については100分の2.5をそれぞれ乗じて計算した金額の合計額）</td></tr>
</table>

4　配当控除の控除順序等

1の規定による控除をすべき金額は、課税総所得金額に係る所得税額、課税山林所得金額に係る所得税額又は課税退職所得金額に係る所得税額から順次控除する。この場合において、当該控除をすべき金額がその年分の所得税額をこえるときは、当該控除をすべき金額は、当該所得税額に相当する金額とする。（法92②）

（注）1　次のそれぞれの規定の適用がある場合における**4**の規定の適用については、**4**中の下線部は、それぞれ次のように読み替えられる。（措法8の4③四、31③四、32④、37の10⑥六、37の11⑥、41の14②五による法92①の読替え（編者注））

適用がある規定	読替え前	読替え後
第四章第二節**五 1**③《上場株式等に係る配当所得等の課税の特例》の規定の適用がある場合	課税総所得金額に係る所得税額	課税総所得金額に係る所得税額、第四章第二節**五 1**③《上場株式等に係る配当所得等の課税の特例》の規定による所得税の額
第五章第二節**一 1**《長期譲渡所得の課税の特例》①の規定の適用	課税総所得金額に係る所得税額	課税総所得金額に係る所得税額、第五章第二節**一 1**《長期譲渡所得の課税の特例》①に規定する課税長期譲渡所得金額に係る所得税額
第五章第二節**二**《短期譲渡所得の課税の特例》①又は同節**二**③の規定の適用がある場合	課税総所得金額に係る所得税額	課税総所得金額に係る所得税額、第五章第二節**二**《短期譲渡所得の課税の特例》①又は同節**二**③に規定する課税短期譲渡所得金額に係る所得税額
第五章第三節**二**《一般株式等に係る譲渡所得等の課税の特例》**1**①の規定の適用がある場合	課税総所得金額に係る所得税額	課税総所得金額に係る所得税額、第五章第三節**二**《一般株式等に係る譲渡所得等の課税の特例》**1**①の規定による所得税の額
第五章第三節**三**《上場株式等に係る譲渡所得等の課税の特例》**1**①の規定の適用がある場合	課税総所得金額に係る所得税額	課税総所得金額に係る所得税額、第五章第三節**三**《上場株式等に係る譲渡所得等の課税の特例》**1**①の規定による所得税の額
第五章第四節**一**《先物取引に係る雑所得等の課税の特例》**1**の規定の適用がある場合	課税総所得金額に係る所得税額	課税総所得金額に係る所得税額、第五章第四節**一**《先物取引に係る雑所得等の課税の特例》**1**に規定する先物取引に係る課税雑所得等の金額に係る所得税額

2　上記**4**については、措法41㊱、41の3の3④、41の18④、41の18の2④、41の18の3③、41の19の2④、41の19の3⑱、41の19の4⑨に読み替える規定がある。（編者注）

5　分配時調整外国税相当額控除

①　分配時調整外国税相当額控除

居住者が各年において所得税法第176条第3項《信託財産に係る利子等の課税の特例》に規定する集団投資信託の収益の分配を受ける場合には、当該収益の分配に係る分配時調整外国税（同項に規定する外国の法令により課される所得税に相当する税で政令（令300①で定めるものをいう。）の額で同項又は第180条の2第3項《信託財産に係る利子等の課税の特例》の規定により当該収益の分配に係る所得税の額から控除された金額のうち当該居住者が支払を受ける収益の分配に対応する部分の金額として(1)で定める金額に相当する金額（②において「**分配時調整外国税相当額**」という。）は、その年分の所得税の額から控除する。（法93①）

（注）　第九章第四節**3**《特定の基準所得金額の課税の特例》の規定の適用がある場合における第九章第二節**一 5**の規定の適用については、同**5**①中「その年分の所得税の額」とあるのは「その年分の所得税の額及び第九章第四節**3**《特定の基準所得金額の課税の特例》の規定による所得税の額」とされる。（措法41の19⑤一）（令和7年分以後の所得税について適用（令5改所法等附36））

（分配時調整外国税相当額）

(1)　①《分配時調整外国税相当額控除》に規定する(1)で定める金額は、居住者が支払を受ける集団投資信託（所得税法第176条第3項《信託財産に係る利子等の課税の特例》に規定する集団投資信託をいう。以下(1)において同じ。）の収益の分配に係る次の(一)及び(二)に掲げる金額の合計額とする。（令220の2）

(一)	所得税法第176条第3項の規定により当該収益の分配に係る所得税の額から控除すべき外国所得税（所得税法施行令第300条第1項《信託財産に係る利子等の課税の特例》に規定する外国所得税をいう。(二)において同じ。）の額に、当該収益の分配（所得税法第181条《源泉徴収義務》又は同法第212条《源泉徴収義務》の規定により所得税を徴収されるべきこととなる部分（第二章第三節**六**《非課税所得》に掲げるもののみに対応する部分を除く。）に限る。以下(一)において同じ。）の額の総額のうちに当該居住者が支払を受ける収益の分配の額の占める割合を乗じて計算した金額（当該金額が所得税法第176条第3項の規定による控除をしないで計算した場合の当該収益の分配に係る所得税の額に当該収益の分配の計算期間の末日において計算した当該収益

	の分配に係る集団投資信託の同法第300条第９項に規定する外貨建資産割合を乗じて計算した金額を超える場合には、当該外貨建資産割合を乗じて計算した金額）
(二)	所得税法第180条の２第３項《信託財産に係る利子等の課税の特例》の規定により当該収益の分配に係る所得税の額から控除すべき外国所得税の額に、当該収益の分配（同法第181条又は同法第212条の規定により所得税を徴収されるべきこととなる部分（第二章第三節**六**に掲げるもののみに対応する部分を除く。）に限る。以下(二)において同じ。）の額の総額のうちに当該居住者が支払を受ける収益の分配の額の占める割合を乗じて計算した金額（当該金額が同法第180条の２第３項の規定による控除をしないで計算した場合の当該収益の分配に係る所得税の額に当該収益の分配の計算期間の末日において計算した当該収益の分配に係る集団投資信託の同法第306条の２第７項《信託財産に係る利子等の課税の特例》に規定する外貨建資産割合を乗じて計算した金額を超える場合には、当該外貨建資産割合を乗じて計算した金額）

（分配時調整外国税相当額の控除する年分）

（2）　居住者が①に規定する集団投資信託の収益の分配の支払を受ける場合には、当該収益の分配に係る①に規定する分配時調整外国税相当額は、当該収益の分配に係る収入金額の収入すべき時期の属する年分の所得税の額から控除することに留意する。（基通93－１）

（注）　この取扱いは、恒久的施設を有する非居住者が所得税法第165条の５の３第１項に規定する集団投資信託の収益の分配の支払を受ける場合について準用する。

②　申告書添付書類等

①の規定は、確定申告書、修正申告書又は更正請求書に①の規定による控除の対象となる分配時調整外国税相当額、控除を受ける金額及び当該金額の計算に関する明細を記載した書類その他財務省令（規40の10の２）で定める書類の添付がある場合に限り、適用される。この場合において、①の規定により控除される金額は、当該明細を記載した書類に当該分配時調整外国税相当額として記載された金額を限度とする。（法93②）

③　控除順序等

4の規定は、①の規定により控除する金額について準用する。（法93③）

（注）　第九章第四節**3**《特定の基準所得金額の課税の特例》の規定の適用がある場合における第九章第二節**一 5**の規定の適用については、同**5**③中「準用する」とあるのは「準用する。この場合において、**4**中「課税総所得金額に係る所得税額」とあるのは「課税総所得金額に係る所得税額、第九章第四節**3**《特定の基準所得金額の課税の特例》の規定による所得税の額」と、「の所得税額」とあるのは「の所得税額（当該所得税の額を含む。以下**4**において同じ。）」と読み替えるものとする」とされる。（措法41の19⑤一）（令和７年分以後の所得税について適用（令５改所法等附36））

二　外国税額控除

1　外国税額控除

①　外国税額控除

居住者が各年において外国所得税（外国の法令により課される所得税に相当する税で②で定めるものをいう。以下において同じ。）を納付することとなる場合には、第一節**一**《税率》から本節**一5**《分配時調整外国税相当額控除》までの規定により計算した**その年分の所得税の額**のうち、その年において生じた国外所得金額（国外源泉所得に係る所得のみについて所得税を課するものとした場合に課税標準となるべき金額に相当するものとして③で定める金額をいう。）に対応するものとして⑦で定めるところにより計算した金額（以下「**控除限度額**」という。）を限度として、その外国所得税の額（居住者の通常行われる取引と認められないものとして⑧で定める取引に基因して生じた所得に対して課される外国所得税の額、居住者の所得税に関する法令の規定により所得税が課されないこととなる金額を課税標準として外国所得税に関する法令により課されるものとして⑧（２）で定める外国所得税の額その他⑧（５）で定める外国所得税の額を除く。以下**二**において「**控除対象外国所得税の額**」という。）を**その年分の所得税の額**から控除する。（法95①）

（注）　次のそれぞれの規定の適用がある場合における①の規定の適用については、①中の下線部「その年分の所得税の額」は、それぞれ次のように読み替えられる。（措法８の４③四、31③四、32④、37の10⑥六、37の11⑥、41の14②五、41の19⑤一による法95①の読替え（編者注））

第四章第二節**五１**③《上場株式等に係る配当所得等の課税の特例》の規定の適用がある場合	その年分の所得税の額及び第四章第二節**五１**③《上場株式等に係る配当所得等の課税の特例》の規定による所得税の額の
第五章第二節**一１**《長期譲渡所得の課税の特例》①の規定の適用	その年分の所得税の額及び第五章第二節**一１**《長期譲渡所得の課税の特例》①の規定による所得税の額
第五章第二節**二**《短期譲渡所得の課税の特例》①又は同節**二**③の規定の適用がある場合	その年分の所得税の額及び、第五章第二節**二**《短期譲渡所得の課税の特例》①又は同節**二**③の規定による所得税の額
第五章第三節**二**《一般株式等に係る譲渡所得等の課税の特例》**１**①の規定の適用がある場合	その年分の所得税の額及び第五章第三節**二**《一般株式等に係る譲渡所得等の課税の特例》**１**①の規定による所得税の額
第五章第三節**三**《上場株式等に係る譲渡所得等の課税の特例》**１**①の規定の適用がある場合	その年分の所得税の額及び第五章第三節**三**《上場株式等に係る譲渡所得等の課税の特例》**１**①の規定による所得税の額
第五章第四節**一**《先物取引に係る雑所得等の課税の特例》**１**の規定の適用がある場合	その年分の所得税の額及び第五章第四節**一**《先物取引に係る雑所得等の課税の特例》**１**の規定による所得税の額
第九章第四節**３**《特定の基準所得金額の課税の特例》の規定の適用がある場合	その年分の所得税の額及び第九章第四節**３**《特定の基準所得金額の課税の特例》の規定による所得税の額

②　外国所得税の範囲

外国所得税は、外国の法令に基づき外国又はその地方公共団体により個人の所得を課税標準として課される税とする。（令221①）

（外国所得税に含まれるもの）

（１）　外国又はその地方公共団体により課される次のイからニまでに掲げる税は、外国所得税に含まれるものとする。（令221②）

イ	超過所得税その他個人の所得の特定の部分を課税標準として課される税
ロ	個人の所得又はその特定の部分を課税標準として課される税の附加税
ハ	個人の所得を課税標準として課される税と同一の税目に属する税で、個人の特定の所得につき、徴税上の便宜のため、所得に代えて収入金額その他これに準ずるものを課税標準として課されるもの
ニ	個人の特定の所得につき、所得を課税標準とする税に代え、個人の収入金額その他これに準ずるものを課税標準として課される税

（外国所得税に含まれない外国又はその地方公共団体により課される税）

（２）　外国又はその地方公共団体により課される次のイからニまでに掲げる税は、外国所得税に含まれないものとする。（令221③）

イ	税を納付する者が、当該税の納付後、任意にその金額の全部又は一部の還付を請求することができる税
ロ	税の納付が猶予される期間を、その税の納付をすることとなる者が任意に定めることができる税
ハ	複数の税率の中から税の納付をすることとなる者と外国若しくはその地方公共団体又はこれらの者により税率の合意をする権限を付与された者との合意により税率が決定された税（当該複数の税率のうち最も低い税率（当該最も低い税率が当該合意がないものとした場合に適用されるべき税率を上回る場合には当該適用されるべき税率）を上回る部分に限る。）
ニ	外国所得税に附帯して課される附帯税に相当する税その他これに類する税

（国外株式等の配当等について確定申告を省略した場合の外国所得税の額）

（３）　措置法第９条の２第５項の規定により同法第８条の５第１項（第四章第二節**五2**）の規定《確定申告を要しない配当所得》の適用を受ける国外株式の配当等につきその支払の際に徴収された同法第９条の２第３項（同**1**④）に規定する外国所得税の額がある場合における**1**の規定の適用については、当該外国所得税の額は**1**に規定する外国所得税の額に該当しないものとみなす。（措令４の５⑪）

（注）　上記＿＿下線部については、令和５年10月１日以後、「⑪」が「⑫」とされる。（令４改措令等附１三）

（国外で発行された公社債等の利子及び国外で発行された証券投資信託の収益の分配に係る配当）

（４）　措置法第３条の３《国外で発行された公社債等の利子所得の分離課税等》及び同法第８条の３《国外で発行された証券投資信託の収益の分配に係る配当所得の分離課税等》の適用を受けた利子・配当に係る外国所得税の額《源泉徴収税額から控除》は**1**の規定の適用についてはないものとみなす。（措法３の３④、８の３④、編者補正）

（外国所得税の一部につき控除申告をした場合の取扱い）

（５）　居住者が、その年において納付する外国所得税の額（①に規定する控除対象外国所得税の額に限る。以下（５）において同じ。）の一部につき①の規定の適用を受ける場合には、第六章第二節**二5**《所得税額から控除する外国税額の必要経費不算入》の規定により当該外国所得税の額の全部が必要経費又は支出した金額に算入されないことに留意する。（基通95－１）

（源泉徴収の外国所得税等）

（６）　我が国における利子、配当等に対する所得税のように、所得に代えて収入金額又はこれに一定の割合を乗じて計算した金額を課税標準として源泉徴収される税は、（１）ハに掲げる税に該当するが、外国法人から剰余金の配当若しくは利益の配当又は剰余金の分配（以下（６）において「配当等」という。）の支払を受けるに当たり、当該外国法人の当該配当等の額の支払の基礎となった所得の金額に対して課される外国法人税の額に充てるために当該配当等の額から控除される金額は、（１）ハに掲げる税に該当しないことに留意する。（基通95－２）

（外国税額控除の適用時期）

（７）　①又は**2**①の規定による外国税額控除は、外国所得税を納付することとなる日の属する年分において適用があるのであるが、居住者が継続してその納付することが確定した外国所得税の額につき、実際に納付した日の属する年分においてこれらの項を適用している場合には、これを認める。（基通95－３）

（注）　上記の「納付することとなる日」とは、申告、賦課決定等の手続により外国所得税について具体的にその納付すべき租税債務が確定した日をいう。

（予定納付等をした外国所得税についての外国税額控除の適用時期）

（８）　居住者がいわゆる予定納付又は見積納付等（以下（８）において「予定納付等」という。）をした外国所得税の額についても（７）に定める年分において①又は**2**①の規定を適用することとなるのであるが、当該居住者が、継続して、当該外国所得税の額をその予定納付等に係る年分の外国所得税について確定申告又は賦課決定等があった日の属する年分においてこれらの項の規定を適用している場合には、これを認める。（基通95－４）

（外国所得税の換算）

（９）　**二**の規定を適用する場合の外国所得税の額については、次の区分に応じ、それぞれ次に掲げる外国為替の売買相場により邦貨に換算した金額による。（基通95－28）

(一)　源泉徴収による外国所得税　源泉徴収により納付することとなる利子、配当、使用料等（以下(9)において「配当等」という。）に係る外国所得税については、当該配当等の額の換算に適用する外国為替の売買相場により換算した金額とする。

(二)　(一)以外による外国所得税　源泉徴収以外の方法により納付することとなる外国所得税については、第六章第二節**十一 1**《外貨建取引の換算》に規定する外貨建取引に係る経費の金額の換算に適用する外国為替の売買相場により換算した金額とする。

(非永住者の外国税額控除の対象となる外国所得税の範囲)

(10)　非永住者が第二章第二節**4**《課税所得の範囲》表内②に規定する所得以外の所得に対して外国又はその地方公共団体により課された税は、**二**の対象とされる外国所得税には該当しないのであるから、当該税については**二**の規定の適用はないことに留意する。(基通95−29)

③　国外所得金額

1①《外国税額控除》に規定する③で定める金額は、居住者の各年分の次の(一)及び(二)に掲げる国外源泉所得（**1**①に規定する国外源泉所得をいう。以下同じ。）に係る所得の金額の合計額（当該合計額が零を下回る場合には、零）とする。(令221の２)

(一)	**4**(一)に掲げる国外源泉所得
(二)	**4**(二)から同(十七)までに掲げる国外源泉所得（**4**(二)から同(十四)まで、同(十六)及び同(十七)に掲げる国外源泉所得にあっては、**4**(一)に掲げる国外源泉所得に該当するものを除く。）

(国外事業所等帰属所得に係る所得の金額)

(１)　居住者の各年分の③(一)に掲げる国外源泉所得（以下④及び⑤《特定の内部取引に係る国外事業所等帰属所得に係る所得の金額の計算》において「**国外事業所等帰属所得**」という。）に係る所得の金額は、居住者のその年の国外事業所等（**4**(一)《外国税額控除》に規定する国外事業所等をいう。以下④及び⑤において同じ。）を通じて行う事業に係る所得のみについて所得税を課するものとした場合に課税標準となるべき金額とする。(令221の３①)

(注)　(国外事業所等帰属所得に係る所得の金額の計算)

(１)《国外事業所等帰属所得に係る所得の金額の計算》に規定する「国外事業所等（**4**(一)《外国税額控除》に規定する国外事業所等をいう。以下④及び⑤において同じ。）を通じて行う事業に係る所得のみについて所得税を課するものとした場合に課税標準となるべき金額」とは、現地における外国所得税の課税上その課税標準とされた所得の金額そのものではなく、その年分において生じた(１)に規定する国外事業所等帰属所得（以下**二**関係において「国外事業所等帰属所得」という。）に係る所得の計算につき法（措置法その他所得税に関する法令で法以外のものを含む。）の規定を適用して計算した場合におけるその年分の課税標準となるべき所得の金額をいう。(基通95−5)

注　非永住者に係る調整国外所得金額の計算の基礎となる国外所得金額は、国内において支払われ、又は国外から送金されたものに限られることに留意する。

(国外事業所等帰属所得に係る所得の金額の計算上その年分の課税標準となるべき金額)

(２)　居住者の各年分の国外事業所等帰属所得に係る所得の金額の計算上その年分の課税標準となるべき金額は、別段の定めがあるものを除き、居住者の国外事業所等を通じて行う事業につき、居住者の各年分の所得の金額の計算に関する所得税に関する法令の規定に準じて計算した場合にその年分の<u>総所得金額</u>、退職所得金額及び山林所得金額となる金額とする。(令221の３②)

(注)　上記(２)の下線部「総所得金額」には、第八章**一**《雑損控除》**1**(１)と同じく租税特別措置法施行令の読替え規定が含まれる。(編者注)

(国外事業所等帰属所得に係る所得の金額につき、《必要経費》の規定に準じて計算する場合)

(３)　居住者の各年分の国外事業所等帰属所得に係る所得の金額につき、(２)の規定により第六章第二節《必要経費》の規定に準じて計算する場合には、同節**一**に規定する販売費、一般管理費その他同節**一**に規定する所得を生ずべき業務について生じた費用及び第四章第七節**二**《山林所得の金額》**2**に規定する山林の植林費、取得に要した費用、管理費、伐採費その他その山林の育成又は譲渡に要した費用のうち内部取引（**4**(一)に規定する内部取引をいう。以下(１)から(９)、④(１)及び⑤(１)から同(３)までにおいて同じ。）に係るものについては、債務の確定しないものを含むものとする。(令221の３③)

（国外事業所等帰属所得に係る所得の金額につき、《貸倒引当金》の規定に準じて計算する場合）

（4）　居住者の各年分の国外事業所等帰属所得に係る所得の金額につき、（2）の規定により第六章第二節**九 1**《貸倒引当金》の規定に準じて計算する場合には、同**1**①及び同②に規定する金銭債権には、当該居住者の国外事業所等と事業場等（**4**（一）に規定する事業場等をいう。（1）から（9）、④（1）及び⑤（1）から同（3）までにおいて同じ。）との間の内部取引に係る金銭債権に相当するものは、含まれないものとする。（令221の３④）

（国外事業所等と事業場等との間で当該国外事業所等における資産の購入その他資産の取得に相当する内部取引がある場合）

（5）　居住者の国外事業所等と事業場等との間で当該国外事業所等における資産の購入その他資産の取得に相当する内部取引がある場合には、その内部取引の時にその内部取引に係る資産を取得したものとして、（2）の規定により準じて計算することとされる居住者の各年分の所得の金額の計算に関する所得税に関する法令の規定を適用する。（令221の３⑤）

（共通費用の額の配分）

（6）　（1）の規定を適用する場合において、居住者のその年分の不動産所得の金額、事業所得の金額又は雑所得の金額（事業所得の金額及び雑所得の金額のうち山林の伐採又は譲渡に係るものを除く。）の計算上必要経費に算入された金額のうちに第六章第二節《必要経費》**一**に規定する販売費、一般管理費その他の費用で国外事業所等帰属所得に係る所得を生ずべき業務とそれ以外の業務の双方に関連して生じたものの額（以下（6）及び（7）において「**共通費用の額**」という。）があるときは、当該共通費用の額は、これらの業務に係る収入金額、資産の価額、使用人の数その他の基準のうちこれらの業務の内容及び費用の性質に照らして合理的と認められる基準により国外事業所等帰属所得に係る所得の金額の計算上の必要経費として配分するものとする。（令221の３⑥）

（注）　（国外事業所等帰属所得に係る所得の金額の計算における共通費用の額の配賦）
（6）に規定する共通費用の額については、個々の業務ごと、かつ、個々の費目ごとに（6）に規定する合理的と認められる基準により国外事業所等帰属所得に係る所得を生ずべき業務（以下この（注）において「国外業務」という。）に配分するのであるが、全ての共通費用の額を一括して、その年分の不動産所得に係る総収入金額、事業所得に係る総収入金額又は雑所得に係る総収入金額のうち国外業務に係る収入金額の占める割合を用いて国外事業所等帰属所得に係る所得の金額の計算上必要経費の額として配分すべき金額を計算して差し支えない。（基通95－８）

（共通費用の額の配分に関する書類の作成義務）

（7）　（6）の規定による共通費用の額の配分を行った居住者は、当該配分の計算の基礎となる事項を記載した書類その他の（8）で定める書類を作成しなければならない。（令221の３⑦）

（（7）に規定する（8）で定める書類）

（8）　（7）に規定する（8）で定める書類は、次の（一）から（三）までに掲げる書類とする。（規40の11）

（一）	（6）に規定する共通費用の額の配分の基礎となる費用の明細及び内容を記載した書類
（二）	（6）に規定する合理的と認められる基準により配分するための計算方法の明細を記載した書類
（三）	（二）の計算方法が合理的であるとする理由を記載した書類

（計算明細書の添付義務）

（9）　**1**①から**3**①までの規定の適用を受ける居住者は、確定申告書、修正申告書又は更正請求書にその年分の国外事業所等帰属所得に係る所得の金額の計算に関する明細を記載した書類を添付しなければならない。（令221の３⑧）

（複数の国外事業所等を有する場合の取扱い）

（10）　居住者の国外事業所等（**4**（一）に規定する国外事業所等をいう。以下（10）において同じ。）が複数ある場合には、当該国外事業所等ごとに国外事業所等帰属所得を認識し当該国外事業所等帰属所得に係る所得の金額の計算を行うことに留意する。（基通95－６）

（注）　一の外国に事業活動の拠点が複数ある場合には、当該一の外国の複数の事業活動の拠点全体を一の国外事業所等として本文の認識及び計算を行うことに留意する。

（国外事業所等帰属所得に係る所得の金額を計算する場合の準用）

(11)　居住者の国外事業所等帰属所得に係る所得の金額を計算するに当たっては、次に掲げる場合の区分に応じ、それぞれ次に掲げる取扱いを準用する。（基通95－７）

(一)　**4**(一)に規定する内部取引から生ずる国外事業所等帰属所得に係る所得の金額を計算する場合　基通165－４《内部取引から生ずる恒久的施設帰属所得に係る各種所得の金額の計算》、165－５《必要経費の額等に算入できない保証料》、165－７《必要経費の額に算入できない償却費等》及び165－８《販売費等及び育成費等の必要経費算入》の取扱い

(二)　(６)の規定により共通費用の額を配分する場合　基通165－10《事業場配賦経費の配分の基礎となる費用の意義》の取扱い

(三)　④《国外事業所等に帰せられるべき純資産に対応する負債の利子》の規定により、国外事業所等帰属所得に係る所得の金額の計算上必要経費の額に算入されないこととなる金額を計算する場合　基通165の３－１《恒久的施設に係る資産等の帳簿価額の平均的な残高の意義》、165の３－２《総資産の帳簿価額の平均的な残高及び総負債の帳簿価額の平均的な残高の意義》、165の３－４《恒久的施設に帰せられる資産の意義》、165の３－５《比較対象者の純資産の額の意義》及び165の３－７《短期の前払利息》から165の３－10《原価に算入した負債の利子の額の調整》までの取扱い

（国外事業所等帰属所得に係る所得の金額の計算における引当金の取崩額等）

(12)　その年の前年以前の各年分においてその繰入額又は積立額を国外事業所等帰属所得に係る所得の金額の計算上必要経費の額に算入した引当金又は準備金の取崩し等による収入金額がある場合には、当該収入金額のうちその繰入れをし、又は積立てをした年分において国外事業所等帰属所得に係る所得の金額の計算上必要経費の額に算入した金額に対応する部分の金額を当該取崩し等に係る年分の国外事業所等帰属所得に係る所得の金額の計算上、収入金額に算入する。（基通95－９）

(注)　その年分において個人の死亡により被相続人から引継ぎを受けた引当金又は準備金の取崩し等による収入金額がある場合には、当該収入金額のうち当該被相続人においてその繰入れをし、又は積立てをした年分の国外事業所等帰属所得に係る所得の金額の計算上必要経費の額に算入した金額に対応する部分の金額についても、同様とする。

（国外事業所等帰属所得を認識する場合の準用）

(13)　第二章第二節**4**①(注)１から同(注)４までの取扱いは、国外事業所等帰属所得を認識する場合について準用する。（基通95－17）

④　国外事業所等に帰せられるべき純資産に対応する負債の利子

居住者の各年の国外事業所等を通じて行う事業に係る負債の利子（手形の割引料その他経済的な性質が利子に準ずるものを含む。(１)において同じ。）の額のうち、当該国外事業所等に係る純資産の額（その年分の当該国外事業所等に係る資産の帳簿価額の平均的な残高として合理的な方法により計算した金額からその年分の当該国外事業所等に係る負債の帳簿価額の平均的な残高として合理的な方法により計算した金額を控除した残額をいう。）が当該国外事業所等に帰せられるべき純資産の額に満たない場合におけるその満たない金額に対応する部分の金額は、その居住者のその年分の国外事業所等帰属所得に係る所得の金額の計算上、必要経費に算入しない。（令221の４①）

（④に規定する負債の利子の額）

(１)　④に規定する負債の利子の額は、次の(一)から(三)までに掲げる金額の合計額とする。（令221の４②）

(一)	国外事業所等を通じて行う事業に係る負債の利子の額（(二)及び(三)に掲げる金額を除く。）
(二)	内部取引において居住者の国外事業所等から当該居住者の事業場等に対して支払う利子に該当することとなるものの金額
(三)	③(６)に規定する共通費用の額のうち同(６)の規定により国外事業所等帰属所得に係る所得の金額の計算上の必要経費として配分した金額に含まれる負債の利子の額

（④に規定する国外事業所等に帰せられるべき純資産の額）

(２)　④に規定する国外事業所等に帰せられるべき純資産の額は、次の(一)及び(二)に掲げるいずれかの方法により計算した金額とする。（令221の４③）

(一)	資本配賦法（居住者のイに掲げる金額からロに掲げる金額を控除した残額に、ハに掲げる金額のニに掲げる金額に対する割合を乗じて計算した金額をもって国外事業所等に帰せられるべき純資産の額とする方法をいう。） イ　当該居住者のその年の総資産の帳簿価額の平均的な残高として合理的な方法により計算した金額 ロ　当該居住者のその年の総負債の帳簿価額の平均的な残高として合理的な方法により計算した金額 ハ　当該居住者のその年12月31日（その者がその年の中途において死亡し又は出国をした場合には、その死亡又は出国の時。以下(２)、(６)及び(９)において同じ。）における当該国外事業所等に帰せられる資産の額について、取引の相手方の契約不履行その他の(３)で定める理由により発生し得る危険（以下(２)及び(６)において「**発生し得る危険**」という。）を勘案して計算した金額 ニ　当該居住者のその年12月31日における総資産の額について、発生し得る危険を勘案して計算した金額
(二)	同業個人比準法（居住者のその年12月31日における国外事業所等に帰せられる資産の額について発生し得る危険を勘案して計算した金額に、イに掲げる金額のロに掲げる金額に対する割合を乗じて計算した金額をもって国外事業所等に帰せられるべき純資産の額とする方法をいう。） イ　比較対象者（当該居住者の国外事業所等を通じて行う主たる事業と同種の事業を国外事業所等所在地国（当該国外事業所等が所在する国又は地域をいう。以下(二)及び(９)(二)において同じ。）において行う個人（当該個人が国外事業所等所在地国に住所又は居所を有する個人以外の個人である場合には、当該国外事業所等所在地国の国外事業所等を通じて当該同種の事業を行うものに限る。）で、その同種の事業に係る事業規模その他の状況が類似するものをいう。以下(二)及び(９)(二)において同じ。）のその年の前年以前３年内の各年のうちいずれかの年（当該比較対象者の純資産の額の総資産の額に対する割合が当該同種の事業を行う個人の当該割合に比して著しく高い場合として(４)で定める場合に該当する年を除く。以下(二)及び(９)の(二)において「**比較対象年**」という。）の12月31日において貸借対照表に計上されている当該比較対象者の純資産の額（当該比較対象者が国外事業所等所在地国に住所又は居所を有する個人以外の個人である場合には、当該個人の国外事業所等（当該国外事業所等所在地国に所在するものに限る。）に係る純資産の額） ロ　比較対象者の比較対象年の12月31日における総資産の額（当該比較対象者が国外事業所等所在地国に住所又は居所を有する個人以外の個人である場合には、当該個人の国外事業所等（当該国外事業所等所在地国に所在するものに限る。）に係る資産の額）について、発生し得る危険を勘案して計算した金額

（発生し得る危険の範囲）

(３)　(２)(一)ハに規定する(３)で定める理由により発生し得る危険は、次の(一)から(四)までに掲げるものとする。（規40の12）

(一)	取引の相手方の契約不履行により発生し得る危険
(二)	保有する有価証券等（有価証券その他の資産及び取引をいう。）の価格の変動により発生し得る危険
(三)	事務処理の誤りその他日常的な業務の遂行上発生し得る危険
(四)	(一)から(三)に掲げるものに類する危険

（同業個人比準法を用いた国外事業所等に帰せられるべき純資産の額の計算）

(４)　(２)(二)イに規定する(４)で定める場合は、(一)に掲げる割合が(二)に掲げる割合のおおむね２倍を超える場合とする。（規40の13①）

(一)	イに掲げる金額のロに掲げる金額に対する割合 イ　(２)(二)に規定する居住者に係る比較対象者（(２)(二)イに規定する比較対象者をいう。以下(一)において同じ。）のその年12月31日において貸借対照表に計上されている純資産の額（当該比較対象者が国外事業所等所在地国（(２)(二)イに規定する国外事業所等所在地国をいう。以下(４)及び(５)において同じ。）に住所又は居所を有する個人以外の個人である場合には、当該個人の国外事業所等（**4**(一)《外国税額控除》に規定する国外事業所等をいい、当該国外事業所等所在地国に所在するものに限る。以下(４)において同じ。）に係る純資産の額） ロ　イの比較対象者のその年12月31日において貸借対照表に計上されている総資産の額（当該比較対象者が国外事業所等所在地国に住所又は居所を有する個人以外の個人である場合には、当該個人の当該国外事業所等に係る資産の額）

(二)	(2)(二)に規定する居住者の国外事業所等を通じて行う主たる事業と同種の事業を国外事業所等所在地国において行う個人の平均的な純資産の額の平均的な総資産の額に対する割合

(平均的な純資産の額の平均的な総資産の額に対する割合)

(5)　(4)(二)の平均的な純資産の額の平均的な総資産の額に対する割合は、同(二)に規定する同種の事業を国外事業所等所在地国において行う個人の貸借対照表（同(二)の居住者のその年の前年以前3年内の各年に係るものに限る。）に基づき合理的な方法により計算するものとする。(規40の13②)

(危険勘案資産額を計算することが困難な常況にあると認められる場合)

(6)　(2)(一)ハ若しくは同ニに掲げる金額又は(2)(二)に規定する居住者のその年12月31日における国外事業所等に帰せられる資産の額について発生し得る危険を勘案して計算した金額（以下(6)及び(7)において「**危険勘案資産額**」という。）に関し、居住者の行う事業の特性、規模その他の事情により、その年分以後の各年分の確定申告期限までに当該危険勘案資産額を計算することが困難な常況にあると認められる場合には、その年7月1日から12月31日までの間の一定の日における(2)(一)ハ若しくは(2)(二)に規定する居住者の国外事業所等に帰せられる資産の額又は(2)(一)ニに規定する居住者の総資産の額について発生し得る危険を勘案して計算した金額をもって当該危険勘案資産額とすることができる。(令221の4④)

(危険勘案資産額の計算日の特例の適用に関する届出書の提出)

(7)　(6)の規定は、(6)の規定の適用を受けようとする最初の年の翌年3月15日までに、納税地の所轄税務署長に対し、(6)に規定する確定申告期限までに危険勘案資産額を計算することが困難である理由、(6)に規定する一定の日その他の(8)で定める事項を記載した届出書を提出した場合に限り、適用する。(令221の4⑤)

(7)に規定する(8)で定める事項

(8)　(7)に規定する(8)で定める事項は、次の(一)から(五)までに掲げる事項とする。(規40の14)

(一)	(6)の規定の適用を受けようとする居住者の氏名及び住所
(二)	(6)の規定の適用を受けようとする最初の年
(三)	(6)に規定する一定の日
(四)	(6)に規定する確定申告期限までに(6)に規定する危険勘案資産額を計算することが困難である理由
(五)	その他参考となるべき事項

(資本配賦簡便法又は簿価資産資本比率比準法の適用)

(9)　(2)(一)及び同(二)に規定する居住者は、(2)の規定にかかわらず、同(一)に定める方法は(一)に掲げる方法とし、同(二)に定める方法は(二)に掲げる方法とすることができる。(令221の4⑥)

(一)	資本配賦簡便法（(2)(一)イに掲げる金額から同ロに掲げる金額を控除した残額に、イに掲げる金額のロに掲げる金額に対する割合を乗じて計算する方法をいう。） イ　当該居住者のその年12月31日における当該国外事業所等に帰せられる資産の帳簿価額 ロ　当該居住者のその年12月31日において貸借対照表に計上されている総資産の帳簿価額
(二)	簿価資産資本比率比準法（当該居住者のその年の国外事業所等に帰せられる資産の帳簿価額の平均的な残高として合理的な方法により計算した金額に、イに掲げる金額のロに掲げる金額に対する割合を乗じて計算する方法をいう。） イ　比較対象者の比較対象年の12月31日において貸借対照表に計上されている純資産の額（当該比較対象者が国外事業所等所在地国に住所又は居所を有する個人以外の個人である場合には、当該個人の国外事業所等（当該国外事業所等所在地国に所在するものに限る。）に係る純資産の額） ロ　比較対象者の比較対象年の12月31日において貸借対照表に計上されている総資産の額（当該比較対象者が国外事業所等所在地国に住所又は居所を有する個人以外の個人である場合には、当該個人の国外事業所等（当該国外事業所等所在地国に所在するものに限る。）に係る資産の額）

（その年の前年分の国外事業所等に帰せられるべき純資産の額を資本配賦法等又は同業個人比準法等により計算した居住者のその年分の当該国外事業所等に帰せられるべき純資産の額を計算する場合の同業個人比準法等又は資本配賦法等の適用）

(10)　その年の前年分の国外事業所等に帰せられるべき純資産の額（④に規定する国外事業所等に帰せられるべき純資産の額をいう。以下(10)において同じ。）を資本配賦法等（(２)(一)又は(９)(一)に掲げる方法をいう。以下(10)において同じ。）により計算した居住者がその年分の当該国外事業所等に帰せられるべき純資産の額を計算する場合には、当該居住者の当該国外事業所等を通じて行う事業の種類の変更その他これに類する事情がある場合に限り同業個人比準法等（(２)(二)又は(９)(二)に掲げる方法をいう。以下(10)この項において同じ。）により計算することができるものとし、その年の前年分の国外事業所等に帰せられるべき純資産の額を同業個人比準法等により計算した居住者がその年分の当該国外事業所等に帰せられるべき純資産の額を計算する場合には、当該居住者の当該国外事業所等を通じて行う事業の種類の変更その他これに類する事情がある場合に限り資本配賦法等により計算することができるものとする。（令221の４⑦）

（④に規定する満たない金額に対応する部分の金額）

(11)　④に規定する満たない金額に対応する部分の金額は、④に規定する負債の利子の額に、④に規定する国外事業所等に帰せられるべき純資産の額から(一)に掲げる金額を控除した残額（当該残額が(二)に掲げる金額を超える場合には、(二)に掲げる金額）の(二)に掲げる金額に対する割合を乗じて計算した金額とする。（令221の４⑧）

(一)	当該居住者のその年分の当該国外事業所等に係る④に規定する純資産の額
(二)	当該居住者のその年分の当該国外事業所等に帰せられる負債（④に規定する利子の支払の基因となるものその他資金の調達に係るものに限る。）の帳簿価額の平均的な残高として合理的な方法により計算した金額

（④及び(２)(一)の帳簿価額）

(12)　④及び(２)(一)の帳簿価額は、当該居住者がその会計帳簿に記載した資産又は負債の金額によるものとする。（令221の４⑨）

（国外事業所等に帰せられるべき純資産に対応する負債の利子の必要経費不算入に関する書類の保存）

(13)　④の規定は、確定申告書、修正申告書又は更正請求書に④の規定により必要経費に算入されない金額及びその計算に関する明細を記載した書類の添付があり、かつ、国外事業所等に帰せられるべき純資産の額の計算の基礎となる事項を記載した書類その他の(14)で定める書類の保存がある場合に限り、適用する。（令221の４⑩）

（(13)に規定する(14)で定める書類）

(14)　(13)に規定する(14)で定める書類は、次の(一)から(三)までに掲げる書類とする。（規40の15）

(一)	居住者が(２)(二)に定める方法又は(９)(二)に掲げる方法を用いてその年分の国外事業所等に帰せられるべき純資産の額（④に規定する国外事業所等に帰せられるべき純資産の額をいう。(三)において同じ。）を計算する場合における当該居住者に係る(２)(二)イに規定する比較対象者の選定に係る事項を記載した書類並びに当該比較対象者の同イ及び同ロに掲げる金額又は(９)(二)イ及び同ロに掲げる金額の基礎となる書類
(二)	その年の(６)に規定する危険勘案資産額の計算の根拠を明らかにする事項を記載した書類
(三)	(一)及び(二)に掲げるもののほか国外事業所等に帰せられるべき純資産の額の計算の基礎となる事項を記載した書類

（(13)の書類の保存がない場合の④の規定の適用）

(15)　税務署長は、④の規定により必要経費に算入されない金額の全部又は一部につき(13)の書類の保存がない場合においても、当該書類の保存がなかったことについてやむを得ない事情があると認めるときは、当該書類の提出があった場合に限り、④の規定を適用することができる。（令221の４⑪）

⑤　特定の内部取引に係る国外事業所等帰属所得に係る所得の金額の計算

(１)　居住者の国外事業所等と事業場等との間で資産（**4**(三)又は同(五)《外国税額控除》に掲げる国外源泉所得を生

ずべき資産に限る。以下(1)において同じ。)の当該国外事業所等による取得又は譲渡に相当する内部取引があった場合には、当該内部取引は当該資産の内部取引の直前の価額に相当する金額により行われたものとして、当該居住者の各年分の国外事業所等帰属所得に係る所得の金額を計算する。(令221の5①)

(特定の内部取引の直前の価額)

(2)　(1)に規定する直前の価額に相当する金額とは、居住者の国外事業所等と事業場等との間の内部取引が次の(一)及び(二)に掲げる内部取引のいずれに該当するかに応じ、当該(一)及び(二)に定める金額とする。(令221の5②)

(一)	国外事業所等による資産の取得に相当する内部取引　当該内部取引の時に当該内部取引に係る資産の他の者への譲渡があったものとみなして当該資産の譲渡により生ずべきその者の各年分の事業所得の金額、山林所得の金額、譲渡所得の金額又は雑所得の金額を計算するとした場合に当該資産の譲渡に係る原価の額とされる金額に相当する金額
(二)	国外事業所等による資産の譲渡に相当する内部取引　当該内部取引の時に当該内部取引に係る資産の他の者への譲渡があったものとみなして当該資産の譲渡により生ずべきその者の各年分の国外事業所等帰属所得に係る所得の金額を計算するとした場合に当該資産の譲渡に係る原価の額とされる金額に相当する金額

((1)の規定の適用がある場合の居住者の国外事業所等と事業場等との間の内部取引に係る当該資産の当該国外事業所等における取得価額)

(3)　(1)の規定の適用がある場合の居住者の国外事業所等と事業場等との間の内部取引(当該国外事業所等による資産の取得に相当する内部取引に限る。以下(3)において同じ。)に係る当該資産の当該国外事業所等における取得価額は、(2)(一)に定める金額(当該内部取引による取得のために要した費用がある場合には、その費用の額を加算した金額)とする。(令221の5③)

⑥　その他の国外源泉所得に係る所得の金額の計算

③(二)《国外所得金額》に掲げる国外源泉所得に係る所得の金額は、同(二)に掲げる国外源泉所得に係る所得のみについて各年分の所得税を課するものとした場合に課税標準となるべきその年分の総所得金額、退職所得金額及び山林所得金額の合計額に相当する金額とする。(令221の6①)

(注)1　上記⑥の下線部「総所得金額」には、第八章一《雑損控除》1(1)と同じく租税特別措置法施行令の読替え規定が含まれる。(編者注)

2　(その他の国外源泉所得に係る所得の金額の計算)

⑥《その他の国外源泉所得に係る所得の金額の計算》に規定する「国外源泉所得に係る所得のみについて各年分の所得税を課するものとした場合に課税標準となるべきその年分の総所得金額、退職所得金額及び山林所得金額の合計額に相当する金額」とは、現地における外国所得税の課税上その課税標準とされた所得の金額そのものではなく、その年分において生じた③《国外所得金額》(二)に掲げる国外源泉所得(以下二関係において「その他の国外源泉所得」という。)に係る所得の計算につき法(措置法その他所得税に関する法令で法以外のものを含む。)の規定を適用して計算した場合におけるその年分の課税標準となるべき所得の金額をいう。(基通95－10)

(共通費用の額の配分)

(1)　居住者のその年分の不動産所得の金額、事業所得の金額又は雑所得の金額(事業所得の金額及び雑所得の金額のうち山林の伐採又は譲渡に係るものを除く。)の計算上必要経費に算入された金額のうちに第六章第二節《必要経費》一に規定する販売費、一般管理費その他の費用で③の(二)に掲げる所得を生ずべき業務とそれ以外の業務の双方に関連して生じたものの額(以下(1)及び(2)において「**共通費用の額**」という。)があるときは、当該共通費用の額は、これらの業務に係る収入金額、資産の価額、使用人の数その他の基準のうちこれらの業務の内容及び費用の性質に照らして合理的と認められる基準により同号に掲げる国外源泉所得に係る所得の金額の計算上の必要経費として配分するものとする。(令221の6②)

(注)　(その他の国外源泉所得に係る所得の金額の計算における共通費用の額の配賦)

(1)に規定する共通費用の額については、個々の業務ごと、かつ、個々の費目ごとに(1)に規定する合理的と認められる基準によりその他の国外源泉所得に係る所得を生ずべき業務(以下この(注)において「国外業務」という。)に配分するのであるが、全ての共通費用の額を一括して、その年分の不動産所得に係る総収入金額、事業所得に係る総収入金額又は雑所得に係る総収入金額のうちに国外業務に係る収入金額の占める割合を用いてその他の国外源泉所得に係る所得の金額の計算上必要経費の額として配分すべき金額を計算して差し支えない。(基通95－11)

（共通費用の額の配分に関する書類の作成義務）

（２）　（１）の規定による共通費用の額の配分を行った居住者は、当該配分の計算の基礎となる事項を記載した書類その他の（３）で定める書類を作成しなければならない。（令221の６③）

（③（８）《共通費用の額の配分に関する書類》の規定の準用）

（３）　（２）に規定する（３）で定める書類は次の（一）から（三）までに掲げる書類とする。（規40の16）

（一）	共通費用の額の配分の基礎となる費用の明細及び内容を記載した書類
（二）	合理的と認められる基準により配分するための計算方法の明細を記載した書類
（三）	（二）の計算方法が合理的であるとする理由を記載した書類

（計算明細書の添付義務）

（４）　**1**①から**3**①まで《外国税額控除》の規定の適用を受ける居住者は、確定申告書、修正申告書又は更正請求書にその年分の③の（二）に掲げる国外源泉所得に係る所得の金額の計算に関する明細を記載した書類を添付しなければならない。（令221の６④）

（その他の国外源泉所得に係る所得の金額の計算における引当金の取崩額等）

（５）　その年の前年以前の各年分においてその繰入額又は積立額をその他の国外源泉所得に係る所得の金額の計算上必要経費の額に算入した引当金又は準備金の取崩し等による収入金額がある場合には、当該収入金額のうちその繰入れをし、又は積立てをした年分においてその他の国外源泉所得に係る所得の金額の計算上必要経費の額に算入した金額に対応する部分の金額を当該取崩し等に係る年分のその他の国外源泉所得に係る所得の金額の計算上、収入金額に算入する。（基通95－12）

（注）　その年分において個人の死亡により被相続人から引継ぎを受けた引当金又は準備金の取崩し等による収入金額がある場合には、当該収入金額のうち当該被相続人においてその繰入れをし、又は積立てをした年分のその他の国外源泉所得に係る所得の金額の計算上必要経費の額に算入した金額に対応する部分の金額についても、同様とする。

⑦　控除限度額の計算

外国税額の**控除限度額**は、①の居住者のその年分の所得税の額（**二**の規定を適用しないで計算した場合の所得税の額とし、附帯税の額を除く。）に、その年分の所得総額のうちにその年分の調整国外所得金額の占める割合を乗じて計算した金額とする。（令222①）

$$\text{控除限度額} = \left(\begin{array}{c}\text{その年分の}\\\text{所得税の額}\end{array}\right) \times \frac{\text{（その年分の調整国外所得金額）}}{\text{（その年分の所得総額）}}$$

（その年分の所得総額の計算）

（１）　⑦に規定するその年分の所得総額は、第七章第二節**一 1**若しくは同**2**《純損失の繰越控除》又は同節**三 1**《雑損失の繰越控除》の規定を適用しないで計算した場合のその年分の総所得金額、退職所得金額及び山林所得金額の合計額（（２）において「その年分の所得総額」という。）とする。（令222②）

（注）　上記（１）の下線部「総所得金額」には、第八章**一**《雑損控除》**1**（１）と同じく租税特別措置法施行令の読替え規定が含まれる。（編者注）

（⑦に規定するその年分の調整国外所得金額）

（２）　⑦に規定するその年分の調整国外所得金額とは、第七章第二節《損失の繰越控除》**一**《純損失の繰越控除》**1**若しくは同**2**又は同節**二**《雑損失の繰越控除》の規定を適用しないで計算した場合のその年分の①に規定する国外所得金額（非永住者については、当該国外所得金額のうち、国内において支払われ、又は国外から送金された国外源泉所得に係る部分に限る。以下同じ。）をいう。ただし、当該国外所得金額がその年分の所得総額に相当する金額を超える場合には、その年分の所得総額に相当する金額とする。（令222③）

⑧　外国税額控除の対象とならない外国所得税の額

①に規定する⑧で定める取引は、次の（一）及び（二）に掲げる取引とする。（令222の２①）

（一）	居住者が、当該居住者が金銭の借入れをしている者又は預入を受けている者と特殊の関係のある者に対し、その借

<table>
<tr><td></td><td colspan="2">り入れられ、又は預入を受けた金銭の額に相当する額の金銭の貸付けをする取引（当該貸付けに係る利率その他の条件が、その借入れ又は預入に係る利率その他の条件に比し、特に有利な条件であると認められる場合に限る。）</td></tr>
<tr><td rowspan="3">(二)</td><td colspan="2">貸付債権その他これに類する債権を譲り受けた居住者が、当該債権に係る債務者（当該居住者に対し当該債権を譲渡した者（以下(二)において「譲渡者」という。）と特殊の関係のある者に限る。）から当該債権に係る利子の支払を受ける取引（当該居住者が、譲渡者に対し、当該債権から生ずる利子の額のうち譲渡者が当該債権を所有していた期間に対応する部分の金額を支払う場合において、その支払う金額が、次に掲げる額の合計額に相当する額であるときに限る。）</td></tr>
<tr><td>イ</td><td>当該債権から生ずる利子の額から当該債務者が住所又は本店若しくは主たる事務所を有する国又は地域において当該居住者が当該利子につき納付した外国所得税の額を控除した額のうち、譲渡者が当該債権を所有していた期間に対応する部分の額</td></tr>
<tr><td>ロ</td><td>当該利子に係る外国所得税の額（我が国が租税条約（第二章第一節一表内8の4ただし書《定義》に規定する条約をいう。以下(二)及び(３)において同じ。）を締結している条約相手国等（租税条約の我が国以外の締約国又は締約者をいう。以下(二)及び(３)(四)において同じ。）の法律又は当該租税条約の規定により軽減され、又は免除された当該条約相手国等の租税の額で当該租税条約の規定により当該居住者が納付したものとみなされるものの額を含む。）のうち、譲渡者が当該債権を所有していた期間に対応する部分の額の全部又は一部に相当する額</td></tr>
</table>

（⑧に規定する特殊の関係のある者）

（1）　⑧に規定する特殊の関係のある者とは、次の(一)から(三)までに掲げる者をいう。（令222の２②）

<table>
<tr><td>(一)</td><td colspan="2">法人税法施行令第４条《同族関係者の範囲》に規定する個人又は法人</td></tr>
<tr><td rowspan="4">(二)</td><td colspan="2">次に掲げる事実その他これに類する事実が存在することにより二の者のいずれか一方の者が他方の者の事業の方針の全部又は一部につき実質的に決定できる関係にある者</td></tr>
<tr><td>イ</td><td>当該他方の者の役員の２分の１以上又は代表する権限を有する役員が、当該一方の者の役員若しくは使用人を兼務している者又は当該一方の者の役員若しくは使用人であった者であること。</td></tr>
<tr><td>ロ</td><td>当該他方の者がその事業活動の相当部分を当該一方の者との取引に依存して行っていること。</td></tr>
<tr><td>ハ</td><td>当該他方の者がその事業活動に必要とされる資金の相当部分を当該一方の者からの借入れにより、又は当該一方の者の保証を受けて調達していること。</td></tr>
<tr><td>(三)</td><td colspan="2">その者の⑧に規定する居住者に対する債務の弁済につき、⑧(一)に規定する居住者が金銭の借入れをしている者若しくは預入を受けている者が保証をしている者又は⑧(二)に規定する譲渡者が保証をしている者</td></tr>
</table>

（課税標準として外国所得税に関する法令により課されるものとして⑧(２)で定める外国所得税の額）

（2）　①に規定する居住者の所得税に関する法令の規定により所得税が課されないこととなる金額を課税標準として外国所得税に関する法令により課されるものとして⑧(２)で定める外国所得税の額は、次の(一)から(五)までに掲げる外国所得税の額とする。（令222の２③）

(一)	第四章第二節**二**《配当等とみなす金額》**1**の各号に掲げる事由により交付を受ける金銭の額及び金銭以外の資産の価額に対して課される外国所得税の額（当該交付の基因となつた同**1**に規定する法人の株式又は出資の取得価額を超える部分の金額に対して課される部分を除く。）
(二)	国外事業所等（**4**(一)に規定する国外事業所等をいう。以下(二)及び(四)において同じ。）から事業場等（**4**(一)に規定する事業場等をいう。(四)において同じ。）への支払につき当該国外事業所等の所在する国又は地域において当該支払に係る金額を課税標準として課される外国所得税の額
(三)	居住者が有する株式又は出資を発行した外国法人の本店又は主たる事務所の所在する国又は地域の法令に基づき、当該外国法人に係る租税の課税標準等（第十章第二節**一1**表内イから同ハまで《定義》に掲げる事項をいう。）又は税額等（同ニから同ヘまでに掲げる事項をいう。）につき更正又は決定に相当する処分（当該居住者との間の取引に係るものを除く。）があった場合において、当該処分が行われたことにより増額された当該外国法人の所得の金額に相当する金額に対し、これを第四章第二節**一**《配当所得》に規定する剰余金の配当、利益

	の配当又は剰余金の分配の額に相当する金銭の支払とみなして課される外国所得税の額その他の他の者の所得の金額に相当する金額に対し、これを居住者（当該居住者と当該他の者との間に当該居住者が当該他の者（法人に限る。）の株式又は出資を直接又は間接に保有する関係その他の(3)で定める関係がある場合における当該居住者に限る。）の所得の金額とみなして課される外国所得税の額
(四)	居住者の国外事業所等の所在する国又は地域（以下(四)において「国外事業所等所在地国」という。）において課される外国所得税（当該国外事業所等所在地国において当該居住者の国外事業所等（当該国外事業所等所在地国に所在するものに限る。以下(四)において同じ。）を通じて行う事業から生ずる所得に対して課される他の外国所得税の課税標準となる所得の金額に相当する金額に、当該居住者と他の者との間に親族関係、当該居住者が当該他の者の発行済株式又は出資の総数又は総額の100分の50を超える数又は金額の株式又は出資を直接又は間接に保有する関係その他の(4)で定める関係がある場合における当該他の者（当該国外事業所等所在地国に住所若しくは居所、本店若しくは主たる事務所その他これらに類するもの又は当該国外事業所等所在地国の国籍その他これに類するものを有するものを除く。）及び当該居住者の事業場等（当該国外事業所等所在地国に所在するものを除く。）（以下(四)において「関連者等」という。）への支払に係る金額並びに当該居住者の国外事業所等が当該居住者の関連者等から取得した資産に係る償却費の額のうち当該他の外国所得税の課税標準となる所得の金額の計算上必要経費に算入される金額を加算することその他これらの金額に関する調整を加えて計算される所得の金額につき課されるものに限る。）の額（当該他の外国所得税の課税標準となる所得の金額に相当する金額に係る部分を除く。）
(五)	第四章第二節**五４**《非課税口座内の少額上場株式等に係る配当所得の非課税》に規定する非課税口座内上場株式等の配当等又は同**５**①《未成年者口座内の少額上場株式等に係る配当所得の非課税》に規定する未成年者口座内上場株式等の配当等に対して課される外国所得税の額

（所得税が課されないこととなる金額を課税標準として課される外国所得税の額の範囲）

(3)　(2)(三)《外国税額控除の対象とならない外国所得税の額》に規定する(3)で定める関係は、同(三)の居住者と同(三)の他の者との間に次の(一)から(七)までに掲げる関係がある場合における当該関係とする。（規40の17①）

(一)	一方の者が他方の者（法人に限る。(二)において同じ。）の株式又は出資を保有する関係
(二)	一方の者が他方の者の残余財産について分配を請求する権利を保有する関係（(一)に掲げる関係に該当するものを除く。）
(三)	一方の者が他方の者の財産の処分の方針を決定することができる旨の契約その他の取決めを締結している関係がある場合における当該一方の者と当該他方の者との間の関係（(一)及び(二)に掲げる関係に該当するものを除く。）
(四)	一方の者と他方の者（次に掲げる者のいずれかに該当するものに限る。）との間の関係（(一)から(三)に掲げる関係に該当するものを除く。） イ　当該一方の者が、その株式若しくは出資を保有する関係、その残余財産について分配を請求する権利を保有する関係又はその財産の処分の方針を決定することができる旨の契約その他の取決めを締結している関係にある者 ロ　イ又はハに掲げる者が、その株式若しくは出資を保有する関係、その残余財産について分配を請求する権利を保有する関係又はその財産の処分の方針を決定することができる旨の契約その他の取決めを締結している関係にある者 ハ　ロに掲げる者が、その株式若しくは出資を直接若しくは間接に保有する関係、その残余財産について分配を請求する権利を保有する関係又はその財産の処分の方針を決定することができる旨の契約その他の取決めを締結している関係にある者
(五)	一方の者が他方の者と資産の販売等（資産の販売、資産の購入、役務の提供その他の取引をいう。以下(五)において同じ。）に係る取引関係（当該一方の者と当該他方の者との間にこれらの者と資産の販売等に係る取引関係を通じて連鎖関係にある一又は二以上の者が介在している場合における当該取引関係を含む。以下(五)において同じ。）にある場合（当該他方の者が当該取引関係を通じて行う資産の販売等から生ずる所得のうちに当該一方の者が当該取引関係を通じて行った資産の販売等から生ずる所得に係る部分がある場合に限る。）における当該一方の者と当該他方の者との間の関係（(一)から(四)に掲げる関係に該当するものを除く。）

(六)	連鎖関係者（一方の者との間に(四)中「他方の者」とあるのを「他の者」と、「関係（(三)から(五)に掲げる関係に該当するものを除く。)」とあるのを「関係」と読み替えた場合に(四)に掲げる関係がある者をいう。）と他方の者との間に(五)中「一方の者が他方の者」とあるのを「(七)に規定する連鎖関係者が他方の者」と、「当該一方の者」とあるのを「当該連鎖関係者」と読み替えた場合に(五)に掲げる関係があるときにおける当該一方の者と当該他方の者との間の関係
(七)	その他(一)から(六)に掲げる関係に準ずる関係

((2)(四)に規定する(4)で定める関係)

(4)　(2)(四)に規定する(4)で定める関係は、同(四)の居住者と同(四)の他の者との間に親族関係、当該居住者が当該他の者の発行済株式又は出資の総数又は総額の100分の50を超える数又は金額の株式又は出資を直接又は間接に保有する関係その他の関係がある場合に、当該居住者の国外事業所等（**4**(一)《外国税額控除》に規定する国外事業所等をいう。以下(4)において同じ。）の所在する国又は地域（以下(4)において「国外事業所等所在地国」という。）の外国所得税（①に規定する外国所得税をいう。以下(4)において同じ。）に関する法令の規定により、当該居住者の国外事業所等（当該国外事業所等所在地国に所在するものに限る。以下(4)において同じ。）から当該居住者の関連者等（当該他の者（当該国外事業所等所在地国に住所若しくは居所、本店若しくは主たる事務所その他これらに類するもの又は当該国外事業所等所在地国の国籍その他これに類するものを有するものを除く。）及び当該居住者の**4**(一)に規定する事業場等（当該国外事業所等所在地国に所在するものを除く。）をいう。以下(4)において同じ。）への支払に係る金額及び当該居住者の国外事業所等が当該居住者の関連者等から取得した資産に係る償却費の額のうち当該国外事業所等所在地国において当該居住者の国外事業所等を通じて行う事業から生ずる所得に対して課される他の外国所得税の課税標準となる所得の金額の計算上必要経費に算入される金額を当該他の外国所得税の課税標準となる所得の金額に相当する金額に加算することその他これらの金額に関する調整を加えて当該国外事業所等所在地国の外国所得税の課税標準となる所得の金額を計算することとされているときにおける当該関係とする。（規40の17②）

(①に規定するその他⑧(5)で定める外国所得税の額)

(5)　①に規定するその他⑧(5)で定める外国所得税の額は、次の(一)から(五)までに掲げる外国所得税の額とする。（令222の2④）

(一)	居住者がその年以前の年において非居住者であった期間内に生じた所得に対して課される外国所得税の額
(二)	外国法人から受ける第六章第四節**七 8**《居住者の外国関係会社に係る所得の課税の特例》①に規定する剰余金の配当等の額（以下(二)において「剰余金の配当等の額」といい、同①又は同①(1)の規定の適用を受ける部分の金額に限る。）に係る外国所得税の額（剰余金の配当等の額を課税標準として課される外国所得税の額及び剰余金の配当等の額の計算の基礎となった外国法人の所得のうち居住者に帰せられるものとして計算される金額を課税標準として当該居住者に対して課される外国所得税の額に限る。）
(三)	外国法人から受ける第六章第四節**八 9**①《特殊関係株主等である居住者に係る外国関係法人に係る所得の課税の特例》に規定する剰余金の配当等の額（以下(三)において「剰余金の配当等の額」といい、同①又は同②の規定の適用を受ける部分の金額に限る。）に係る外国所得税の額（剰余金の配当等の額を課税標準として課される外国所得税の額及び剰余金の配当等の額の計算の基礎となった外国法人の所得のうち居住者に帰せられるものとして計算される金額を課税標準として当該居住者に対して課される外国所得税の額に限る。）
(四)	我が国が租税条約を締結している条約相手国等又は外国（外国居住者等の所得に対する相互主義による所得税等の非課税等に関する法律第２条第３号《定義》に規定する外国をいい、同法第５条各号《相互主義》のいずれかに該当しない場合における当該外国を除く。以下(四)において同じ。）において課される外国所得税の額のうち、当該租税条約の規定（当該外国所得税の軽減又は免除に関する規定に限る。）により当該条約相手国等において課することができることとされる額を超える部分に相当する金額若しくは免除することとされる額に相当する金額又は当該外国において、同条第１号に規定する所得税等の非課税等に関する規定により当該外国に係る同法第２条第３号に規定する外国居住者等の同法第５条第１号に規定する対象国内源泉所得に対して所得税を軽減し、若しくは課さないこととされる条件と同等の条件により軽減することとされる部分に相当する金額若しくは免除することとされる額に相当する金額
(五)	居住者の所得に対して課される外国所得税の額で租税条約の規定において**1**から**3**までの規定による控除をさ

	れるべき金額の計算に当たって考慮しないものとされるもの

2　繰越控除限度額による外国税額控除

①　控除限度超過額が生じた場合の繰越控除限度額による外国税額控除

居住者が各年において納付することとなる控除対象外国所得税の額がその年の控除限度額と**地方税控除限度額**（道府県民税からの外国所得税額の控除限度額《地方税法施行令７の19③》と市町村民税からの外国所得税額の控除限度額《同令48の９の２④》との合計額をいう。）との合計額を超える場合において、その年の前年以前３年内の各年（以下**3**までにおいて「**前３年以内の各年**」という。）の控除限度額のうちその年に繰り越される部分として②に定める金額（以下「**繰越控除限度額**」という。）があるときは、②に定めるところにより、その繰越控除限度額を限度として、その超える部分の金額を**その年分の所得税の額**から控除する。（法95②、令223）

（注）１　繰越控除限度額による外国税額控除は、各年において外国税額控除を適用する場合に、その年において納付することとなる外国所得税の額がその年の控除限度額に満たないときは、その満たない金額を控除余裕額として３年間繰り越すことを認め、その後の年において外国所得税の額に控除限度超過額を生じたときにその繰り越された控除余裕額《繰越控除限度額》の範囲内で所得税の額から控除することができることとしたものである。（編者注）

２　道府県民税からの外国所得税額の控除限度額は、**1**③の控除限度額の100分の12（平成18年12月31日までの100分の10）に相当する金額とし、市町村民税からの外国所得税額の控除限度額は、**1**③の控除限度額の100分の18（平成18年12月31日までの100分の20）に相当する金額とする。（地方税法施行令７の19③、同令48の９の２④）

３　上記①中の下線部「その年分の所得税の額」については、**二 1**①と同じく租税特別措置法施行令の読替え規定が含まれる。（編者注）

②　繰越控除限度額の計算

①の繰越控除限度額は、前年以前３年内の各年の国税の控除余裕額（(3)の額をいう。）又は地方税の控除余裕額（(4)の額をいう。）を、最も古い年のものから順次に、かつ、同一年のものについては国税の控除余裕額及び地方税の控除余裕額の順に、その年の控除限度超過額に充てるものとした場合に当該控除限度超過額に充てられることとなる当該国税の控除余裕額の合計額に相当する金額とする。（令224①）

（外国所得税を必要経費に算入した場合の控除余裕額の繰越しの打切り）

(1)　②の場合において、前３年以内の各年のうちいずれかの年において納付することとなった**1**①に規定する控除対象外国所得税の額（以下②及び**4**において「控除対象外国所得税の額」という。）を納付することとなった年の不動産所得の金額、事業所得の金額、山林所得の金額若しくは雑所得の金額の計算上必要経費に算入し、又は一時所得の金額の計算上支出した金額に算入した場合には、当該年以前の各年の国税の控除余裕額及び地方税の控除余裕額は、②に規定する国税の控除余裕額及び地方税の控除余裕額に含まれないものとして②の規定を適用する。（令224②）

（注）　控除余裕額は、外国所得税の額につき外国税額控除の適用を継続する間は繰越しが認められるが、途中で外国所得税の額につき必要経費算入を選択したときは、以後その繰越しは認めない。（編者注）

（控除余裕額の繰越しの計算）

(2)　①の繰越控除限度額による外国税額控除の適用を受けることができる年後の各年に係る②による繰越控除限度額の計算及び**3**②による繰越外国所得税額の計算については、②により当該適用を受けることができる年の控除限度超過額に充てられることとなる国税の控除余裕額及び地方税の控除余裕額並びにこれらの金額の合計額に相当する金額の当該控除限度超過額は、ないものとみなす。（令224③）

（注）　その年において繰越控除限度額による外国税額控除の適用を受けることができる金額の全部又は一部につきその適用を受けなかった場合でも、その適用を受けることができた金額を翌年以後に繰り越すことができない。（編者注）

（国税の控除余裕額の意義）

(3)　国税の控除余裕額とは、その年において納付することとなる控除対象外国所得税の額がその年の国税の控除限度額（**1**①の控除限度額をいう。以下同じ。）に満たない場合における当該国税の控除限度額から当該控除対象外国所得税の額を控除した金額に相当する金額をいう。（令224④）

（注）　国税の控除余裕額が生じた年においては、地方税の控除限度額の全額が地方税の控除余裕額として残ることになる。（編者注）

（地方税の控除余裕額の意義）

(4)　地方税の控除余裕額とは、次のイ又はロに掲げる場合の区分に応じ当該イ又はロに掲げる金額をいう。（令224⑤）

イ	その年において納付することとなる控除対象外国所得税の額がその年の国税の控除限度額を超えない場合	その年の地方税の控除限度額（①に規定する合計額をいう。以下同じ。）に相当する金額
ロ	その年において納付することとなる控除対象外国所得税の額がその年の国税の控除限度額を超え、かつ、その超える部分の金額がその年の地方税の控除限度額に満たない場合	当該地方税の控除限度額から当該超える部分の金額を控除した金額に相当する金額

（控除限度超過額の意義）

（5）　控除限度超過額とは、その年において納付することとなる控除対象外国所得税の額がその年の国税の控除限度額と地方税の控除限度額との合計額を超える場合におけるその超える部分の金額に相当する金額をいう。（令224⑥）

3　繰越外国所得税額の控除

①　控除余裕額が生じた場合の繰越外国所得税額の控除

居住者が各年において納付することとなる控除対象外国所得税の額がその年の控除限度額に満たない場合において、その前３年以内の各年において納付することとなった控除対象外国所得税の額のうちその年に繰り越される部分として②に定める金額（以下「**繰越控除対象外国所得税額**」という。）があるときは、②に定めるところにより、当該控除限度額からその年において納付することとなる控除対象外国所得税の額を控除した残額を限度として、その繰越控除対象外国所得税額を<u>**その年分の所得税の額**</u>から控除する。（法95③）

（注）1　繰越控除対象外国所得税額の控除は、各年において納付することとなる外国所得税の額がその年の国税及び地方税の控除限度額並びに前３年以内の繰越控除限度額により控除しきれなかった場合に、その控除しきれなかった部分の金額を繰越控除対象外国所得税額として３年間繰り越し、その後の控除余裕額が生じた年において控除できることとしたものである。

2　上記①中の下線部「その年分の所得税の額」については、**二１**①と同じく租税特別措置法施行令の読替え規定が含まれる。（編者注）

②　繰越控除対象外国所得税額等の計算

①の繰越控除対象外国所得税額は、前３年以内の各年の控除限度超過額（**2**②(5)の控除限度超過額をいう。以下同じ。）を最も古い年のものから順次その年の国税の控除余裕額（同(3)の国税の控除余裕額をいう。以下②において同じ。）に充てるものとした場合に当該国税の控除余裕額に充てられることとなる当該控除限度超過額の合計額に相当する金額とする。（令225①）

（外国所得税の額につき必要経費算入を選択した場合の控除限度超過額の繰越しの打切り）

（1）　②の場合において、前３年以内の各年のうちいずれかの年において納付することとなった外国所得税の当該いずれかの年の不動産所得の金額、事業所得の金額、山林所得の金額若しくは雑所得の金額の計算上必要経費に算入し又は一時所得の金額の計算上支出した金額に算入したときは、その算入した年以前の年の控除限度超過額は、②の控除限度超過額に含まれないものとする。（令225②、編者補正）

（注）　**2**の②の(1)と同様に、途中で外国所得税の額につき必要経費算入を選択したときは、以後控除限度超過額の繰越しは認めないものである。（編者注）

（控除限度超過額の繰越しの計算）

（2）　①の繰越控除対象外国所得税額の控除の適用を受けることができる年後の各年に係る②及び**2**②の適用については、当該適用を受けることができる年の国税の控除余裕額に充てられることとなる控除限度超過額及びこれに相当する金額の当該国税の控除余裕額は、ないものとみなす。（令225③）

（注）　その年において繰越外国所得税額の控除の適用を受けることができる金額の全部又は一部につきその適用を受けなかった場合でも、その適用を受けることができた金額を翌年以後に繰り越すことはできない。（編者注）

（地方税における繰越外国所得税額等の控除の適用を受けた年後の各年の控除余裕額の繰越し計算）

（3）　地方税法施行令第７条の19第２項《道府県民税からの外国所得税額の控除》の規定の適用を受けることができる年（同令第48条の９の２第２項《市町村民税からの外国所得税額の控除》の規定の適用をも受けることができる年を除く。）又は同令第48条の９の２第２項の規定の適用を受けることができる年後の各年に係る②及び**2**②の適用については、それぞれ、同令第７条の19第２項又は第48条の９の２第２項の規定により当該適用を受けることができる年において課された外国の所得税等の額とみなされる金額に相当する控除限度超過額（当該控除限度超過額のうちに②により当該適用を受けることができる年の国税の控除余裕額に充てられることとなるものがある場合には、当該充てられることとなる部分を除く。）及びこれに相当する金額の当該適用を受けることができる年の**2**②（4）の地方税の控除余裕額は、ないものとみなす。（令225④）

4　国外源泉所得の範囲

1に規定する国外源泉所得とは、次の(一)から(十七)までに掲げるものをいう。（法95④）

(一)	居住者が国外事業所等（国外にある恒久的施設に相当するものその他の(イ)で定めるものをいう。以下において同じ。）を通じて事業を行う場合において、当該国外事業所等が当該居住者から独立して事業を行う事業者であるとしたならば、当該国外事業所等が果たす機能、当該国外事業所等において使用する資産、当該国外事業所等と当該居住者の事業場等（当該居住者の事業に係る事業場その他これに準ずるものとして(ロ)で定めるものであって当該国外事業所等以外のものをいう。以下において同じ。）との間の内部取引その他の状況を勘案して、当該国外事業所等に帰せられるべき所得（当該国外事業所等の譲渡により生ずる所得を含み、(十五)に該当するものを除く。） （イ）　(一)に規定する国外にある恒久的施設に相当するものその他の(イ)で定めるものは、我が国が租税条約（第二章第一節**一**表内**8の4**ただし書《定義》に規定する条約をいい、その条約の我が国以外の締約国又は締約者（以下(イ)において「条約相手国等」という。）内にある恒久的施設に相当するものに帰せられる所得に対して租税を課することができる旨の定めのあるものに限る。以下(イ)において同じ。）を締結している条約相手国等については当該租税条約の条約相手国等内にある当該租税条約に定める恒久的施設に相当するものとし、外国（外国居住者等の所得に対する相互主義による所得税等の非課税等に関する法律第２条第３号《定義》に規定する外国をいい、同法第５条各号《相互主義》のいずれかに該当しない場合における当該外国を除く。以下(イ)において同じ。）については当該外国にある外国居住者等の所得に対する相互主義による所得税等の非課税等に関する法律第２条第６号に規定する国内事業所等に相当するものとし、その他の国又は地域については当該国又は地域にある恒久的施設に相当するものとする。（令225の２①） （ロ）　(一)に規定する事業場その他これに準ずるものとして(ロ)で定めるものは、次に掲げるものとする。（令225の２②） 一　第二章第一節**一**表内**8の4**イに規定する事業を行う一定の場所に相当するもの 二　第二章第一節**一**表内**8の4**ロに規定する建設若しくは据付けの工事又はこれらの指揮監督の役務の提供を行う場所に相当するもの 三　第二章第一節**一**表内**8の4**ハに規定する自己のために契約を締結する権限のある者に相当する者 四　前三号に掲げるものに準ずるもの
(二)	国外にある資産の運用又は保有により生ずる所得 （注）1　次に掲げる資産の運用又は保有により生ずる所得は、(二)の国外源泉所得に含まれるものとする。（令225の３①） 一　外国の国債若しくは地方債若しくは外国法人の発行する債券又は外国法人の発行する金融商品取引法第２条第１項第15号《定義》に掲げる約束手形に相当するもの 二　非居住者に対する貸付金に係る債権で当該非居住者の行う業務に係るもの以外のもの 三　国外にある営業所、事務所その他これらに準ずるもの又は国外において契約の締結の代理をする者を通じて締結した保険契約（保険業法第２条第６項《定義》に規定する外国保険業者、同条第３項に規定する生命保険会社、同条第４項に規定する損害保険会社又は同条第18項に規定する少額短期保険業者の締結した保険契約をいう。）その他これに類する契約に基づく保険金の支払又は剰余金の分配（これらに準ずるものを含む。）を受ける権利 2　金融商品取引法第２条第23項に規定する外国市場デリバティブ取引又は同条第22項に規定する店頭デリバティブ取引の決済により生ずる所得は、(二)の国外源泉所得に含まれないものとする。（令225の３②） 3　（振替公社債等の運用又は保有） 第二章第二節**4**①（2）（注）1の取扱いは、（注1）一に掲げる債券の範囲について準用する。（基通95－18）
(三)	国外にある資産の譲渡により生ずる所得として(イ)で定めるもの （イ）　(三)に規定する国外にある資産の譲渡により生ずる所得として(イ)で定めるものは、次に掲げる資産の譲渡（三に掲げる資産については、伐採又は譲渡）により生ずる所得とする。（令225の４①） 一　国外にある不動産 二　国外にある不動産の上に存する権利、国外における鉱業権又は国外における採石権 三　国外にある山林 四　外国法人の発行する株式又は外国法人の出資者の持分で、その外国法人の発行済株式又は出資の総数又は総額の一定割合以上に相当する数又は金額の株式又は出資を所有する場合にその外国法人の本店又は主たる事務所の所在する国又は地域においてその譲渡による所得に対して外国所得税が課されるもの 五　不動産関連法人の株式（出資及び投資信託及び投資法人に関する法律第２条第14項《定義》に規定する投資口を含む。六及び(ロ)において同じ。） 六　国外にあるゴルフ場の所有又は経営に係る法人の株式を所有することがそのゴルフ場を一般の利用者に比して有利な条件で継続的に利用する権利を有する者となるための要件とされている場合における当該株式 七　国外にあるゴルフ場その他の施設の利用に関する権利 （ロ）　(イ)の五に規定する不動産関連法人とは、その有する資産の価額の総額のうちに次に掲げる資産の価額の合計額の占める割合が100分の50以上である法人をいう。（令225の４②）

	一　国外にある土地等（土地若しくは土地の上に存する権利又は建物及びその附属設備若しくは構築物をいう。以下(ロ)において同じ。） 二　その有する資産の価額の総額のうちに国外にある土地等の価額の合計額の占める割合が100分の50以上である法人の株式 三　二又は四に掲げる株式を有する法人（その有する資産の価額の総額のうちに国外にある土地等並びに二、三及び四に掲げる株式の価額の合計額の占める割合が100分の50以上であるものに限る。）の株式（二に掲げる株式に該当するものを除く。） 四　三に掲げる株式を有する法人（その有する資産の価額の総額のうちに国外にある土地等並びに二、三及び四に掲げる株式の価額の合計額の占める割合が100分の50以上であるものに限る。）の株式（二及び三に掲げる株式に該当するものを除く。）
(四)	国外において人的役務の提供を主たる内容とする事業で(注)１で定めるものを行う者が受ける当該人的役務の提供に係る対価 (注)１　(四)に規定する(注)１で定める事業は、次に掲げる事業とする。(令225の５) 一　映画若しくは演劇の俳優、音楽家その他の芸能人又は職業運動家の役務の提供を主たる内容とする事業 二　弁護士、公認会計士、建築士その他の自由職業者の役務の提供を主たる内容とする事業 三　科学技術、経営管理その他の分野に関する専門的知識又は特別の技能を有する者の当該知識又は技能を活用して行う役務の提供を主たる内容とする事業（機械設備の販売その他事業を行う者の主たる業務に付随して行われる場合における当該事業及び第二章第一節一表内**8の4**ロに規定する建設又は据付けの工事の指揮監督の役務の提供を主たる内容とする事業を除く。） ２　（機械設備の販売等に付随して行う技術役務の提供） 第二章第二節**4**①(8)(注)４の取扱いは、(注１)三に掲げる「科学技術、経営管理その他の分野に関する専門的知識又は特別の技能を有する者の当該知識又は技能を活用して行う役務の提供を主たる内容とする事業」から除かれる「機械設備の販売その他事業を行う者の主たる業務に付随して行われる場合における当該事業」の範囲について準用する。(基通95−19)
(五)	国外にある不動産、国外にある不動産の上に存する権利若しくは国外における採石権の貸付け（地上権又は採石権の設定その他他人に不動産、不動産の上に存する権利又は採石権を使用させる一切の行為を含む。）、国外における租鉱権の設定又は非居住者若しくは外国法人に対する船舶若しくは航空機の貸付けによる対価 (注)　（船舶又は航空機の貸付け） (五)に掲げる船舶又は航空機の貸付けによる対価とは、船体又は機体の賃貸借であるいわゆる裸用船（機）契約に基づいて支払を受ける対価をいい、乗組員とともに船体又は機体を利用させるいわゆる定期用船（機）契約又は航海用船（機）契約に基づいて支払を受ける対価は、これに該当しない。(基通95−20) ㊟１　いわゆる定期用船（機）契約又は航海用船（機）契約に基づいて支払を受ける対価は、(十五)の運送の事業に係る所得に該当する。 ２　居住者が非居住者又は外国法人に対する船舶又は航空機の貸付け（いわゆる裸用船（機）契約によるものに限る。）に基づいて支払を受ける対価は、たとえ当該非居住者又は外国法人が当該貸付けを受けた船舶又は航空機を専ら国内において事業の用に供する場合であっても、(五)に掲げる国外源泉所得に該当することに留意する。
(六)	第四章第一節《利子所得》一に規定する利子等及びこれに相当するもののうち次に掲げるもの イ　外国の国債若しくは地方債又は外国法人の発行する債券の利子 ロ　国外にある営業所、事務所その他これらに準ずるもの（以下において「営業所」という。）に預け入れられた預金又は貯金（第二章第一節一《用語の定義》表内**10**に規定する同**10**(1)で定めるものに相当するものを含む。）の利子 ハ　国外にある営業所に信託された合同運用信託若しくはこれに相当する信託、公社債投資信託又は公募公社債等運用投資信託若しくはこれに相当する信託の収益の分配 (注)　（振替公社債等の利子） 第二章第二節**4**①(2)(注)１の取扱いは、(六)イに規定する債券の範囲について準用する。(基通95−21)
(七)	第四章第二節《配当所得》一に規定する配当等及びこれに相当するもののうち次に掲げるもの イ　外国法人から受ける同一に規定する剰余金の配当、利益の配当若しくは剰余金の分配又は同一に規定する金銭の分配若しくは基金利息に相当するもの ロ　国外にある営業所に信託された投資信託（公社債投資信託並びに公募公社債等運用投資信託及びこれに相当する信託を除く。）又は特定受益証券発行信託若しくはこれに相当する信託の収益の分配
(八)	国外において業務を行う者に対する貸付金（これに準ずるものを含む。）で当該業務に係るものの利子（債券の買戻又は売戻条件付売買取引として(イ)で定めるものから生ずる差益として(ロ)で定めるものを含む。） (イ)　(八)に規定する債券の買戻又は売戻条件付売買取引として(イ)で定めるものは、債券をあらかじめ約定した期日にあらかじめ約定した価格で（あらかじめ期日及び価格を約定することに代えて、その開始以後期日及び価格の約定をすることができる場合にあっては、その開始以後約定した期日に約定した価格で）買い戻し、又は売り戻すことを約定して譲渡し、又は購入し、かつ、当該約定に基づき当該債券と同種及び同量の債券を買い戻し、又は売り戻す取引（(ロ)において「債券現先取引」という。）とする。(令225の６①) (ロ)　(八)に規定する差益として(ロ)で定めるものは、国外において業務を行う者との間で行う債券現先取引で当該業務に係るものにおいて、債券を購入する際の当該購入に係る対価の額を当該債券と同種及び同量の債券を売り戻す際の当該売戻しに係る対価の額が上回る場合における当該売戻しに係る対価の額から当該購入に係る対価の額を控除した金額に相当する差益とする。(令225の６②) (ハ)　(八)の規定の適用については、非居住者又は外国法人の業務の用に供される船舶又は航空機の購入のためにその非居住者又は外国法人

	に対して提供された貸付金は、同号の規定に該当する貸付金とし、居住者又は内国法人の業務の用に供される船舶又は航空機の購入のためにその居住者又は内国法人に対して提供された貸付金は、同号の規定に該当する貸付金以外の貸付金とする。（令225の６③） （注）　（貸付金に準ずるもの） 第二章第二節**４**①(注)13の取扱いは、(八)に規定する「国外において業務を行う者に対する貸付金」に準ずるものの範囲について準用する。（基通95－22）
(九)	国外において業務を行う者から受ける次に掲げる使用料又は対価で当該業務に係るもの イ　工業所有権その他の技術に関する権利、特別の技術による生産方式若しくはこれらに準ずるものの使用料又はその譲渡による対価 ロ　著作権（出版権及び著作隣接権その他これに準ずるものを含む。）の使用料又はその譲渡による対価 ハ　機械、装置その他(イ)で定める用具の使用料 (イ)　(九)のハに規定する(イ)で定める用具は、車両及び運搬具、工具並びに器具及び備品とする。（令225の７①） (ロ)　(九)の規定の適用については、(九)のロ又はハに規定する資産で非居住者又は外国法人の業務の用に供される船舶又は航空機において使用されるものの使用料は、(九)の規定に該当する使用料とし、当該資産で居住者又は内国法人の業務の用に供される船舶又は航空機において使用されるものの使用料は、(九)の規定に該当する使用料以外の使用料とする。（令225の７②） （注）１　（工業所有権等の意義） 第二章第二節**４**②(注)２の取扱いは、(九)イに規定する「工業所有権その他の技術に関する権利、特別の技術による生産方式若しくはこれらに準ずるもの」（(注２)において「工業所有権等」という。）の意義について準用する。（基通95－23） ２　（使用料の意義） 第二章第二節**４**①(注)17の取扱いは、(九)イの工業所有権等の使用料又は(九)ロの著作権の使用料の意義について準用する。（基通95－24） ３　（備品の範囲） 第二章第二節**４**①(十一)ハ(注)の取扱いは、(九)ハ(イ)に規定する器具及び備品の範囲について準用する。（基通95－25）
(十)	次に掲げる給与、報酬又は年金 イ　俸給、給料、賃金、歳費、賞与又はこれらの性質を有する給与その他人的役務の提供に対する報酬のうち、国外において行う勤務その他の人的役務の提供（内国法人の役員として国外において行う勤務その他の(イ)で定める人的役務の提供を除く。）に基因するもの ロ　外国の法令に基づく保険又は共済に関する制度で第四章第六節**二１**《退職手当等とみなす一時金》表内①及び同②に規定する法律の規定による社会保険又は共済に関する制度に類するものに基づいて支給される年金（これに類する給付を含む。） ハ　第四章第六節**一**《退職所得》に規定する退職手当等のうちその支払を受ける者が非居住者であった期間に行った勤務その他の人的役務の提供（内国法人の役員として非居住者であった期間に行った勤務その他の(ロ)で定める人的役務の提供を除く。）に基因するもの (イ)　(十)のイに規定する(イ)で定める人的役務の提供は、次に掲げる勤務その他の人的役務の提供とする。（令225の８①） 一　内国法人の役員としての勤務で国外において行うもの（当該役員としての勤務を行う者が同時にその内国法人の使用人として常時勤務を行う場合の当該役員としての勤務を除く。） 二　居住者又は内国法人が運航する船舶又は航空機において行う勤務その他の人的役務の提供（国外における寄航地において行われる一時的な人的役務の提供を除く。） (ロ)　(十)のハに規定する(ロ)で定める人的役務の提供は、(イ)の一及び二に掲げる勤務その他の人的役務の提供で当該勤務その他の人的役務の提供を行う者が非居住者であった期間に行ったものとする。（令225の８②） （注）　（給与所得及び退職所得に係る国外源泉所得の所得の金額の計算） (十)に掲げる国外源泉所得のうち第四章第五節《給与所得》**三１**に規定する給与所得及び第四章第六節《退職所得》**三**に規定する退職所得に係るものの所得の金額は、それぞれ次の区分に応じ、次の算式により計算した金額とする。（基通95－26） （１）　給与所得 $$\text{給与所得の金額} \times \frac{\text{給与等の総額のうちその源泉が国外にあるものの金額}}{\text{給与等の総額}}$$ （２）　退職所得 $$\text{退職所得の金額} \times \frac{\text{退職手当等の総額のうちその源泉が国外にあるものの金額}}{\text{退職手当等の総額}}$$
(十一)	国外において行う事業の広告宣伝のための賞金として(注)で定めるもの （注）　(十一)に規定する(注)で定める賞金は、国外において事業を行う者から当該事業の広告宣伝のために賞として支払を受ける金品その他の経済的な利益（旅行その他の役務の提供を内容とするもので、金品との選択をすることができないものとされているものを除く。）とする。（令225の９）
(十二)	国外にある営業所又は国外において契約の締結の代理をする者を通じて締結した保険業法第２条第６項《定義》に規定する外国保険業者の締結する保険契約その他の年金に係る契約で(注)で定めるものに基づいて受ける年金（年

	金の支払の開始の日以後に当該年金に係る契約に基づき分配を受ける剰余金又は割戻しを受ける割戻金及び当該契約に基づき年金に代えて支給される一時金を含む。） （注）（十二）に規定する（注）で定める契約は、保険業法第２条第６項《定義》に規定する外国保険業者、同条第３項に規定する生命保険会社若しくは同条第４項に規定する損害保険会社の締結する保険契約又はこれに類する共済に係る契約であって、年金を給付する定めのあるものとする。（令225の10）
(十三)	次に掲げる給付補填金、利息、利益又は差益 イ　第二章第二節**4**（８）《内国法人に係る所得税の課税標準》（三）に掲げる給付補填金のうち国外にある営業所が受け入れた定期積金に係るもの ロ　同（四）に掲げる給付補填金に相当するもののうち国外にある営業所が受け入れた同（四）に規定する掛金に相当するものに係るもの ハ　同（五）に掲げる利息に相当するもののうち国外にある営業所を通じて締結された同（五）に規定する契約に相当するものに係るもの ニ　同（六）に掲げる利益のうち国外にある営業所を通じて締結された同（六）に規定する契約に係るもの ホ　同（七）に掲げる差益のうち国外にある営業所が受け入れた預金又は貯金に係るもの ヘ　同（八）に掲げる差益に相当するもののうち国外にある営業所又は国外において契約の締結の代理をする者を通じて締結された同（八）に規定する契約に相当するものに係るもの
(十四)	国外において事業を行う者に対する出資につき、匿名組合契約（これに準ずる契約として（注）で定めるものを含む。）に基づいて受ける利益の分配 （注）（十四）に規定する（注）で定める契約は、当事者の一方が相手方の事業のために出資をし、相手方がその事業から生ずる利益を分配することを約する契約とする。（令225の11）
(十五)	国内及び国外にわたって船舶又は航空機による運送の事業を行うことにより生ずる所得のうち国外において行う業務につき生ずべき所得として（注）１で定めるもの （注）１　（十五）に規定する（注）１で定める所得は、居住者が国内及び国外にわたって船舶又は航空機による運送の事業を行うことにより生ずる所得のうち、船舶による運送の事業にあっては国外において乗船し又は船積みをした旅客又は貨物に係る収入金額を基準とし、航空機による運送の事業にあってはその国外業務（国外において行う業務をいう。以下（注）１において同じ。）に係る収入金額又は経費、その国外業務の用に供する固定資産の価額その他その国外業務が当該運送の事業に係る所得の発生に寄与した程度を推測するに足りる要因を基準として判定したその居住者の国外業務につき生ずべき所得とする。（令225の12） ２　（国際海上運輸業における運送原価の計算） （十五）の国内及び国外にわたって船舶による運送の事業（以下この（注２）において「国際海上運輸業」という。）を行うことにより生ずる所得のうち国外において行う業務につき生ずべき所得に係る所得の金額を計算する場合におけるその原価の額は、原則として個々の運送ごとに計算するのであるが、継続して次の算式により計算した金額を当該運送の原価の額として差し支えない。（基通95－13） （算式） $\text{国際海上運輸業に係るその年分の運送の原価の額の合計額} \times \frac{\text{分母の金額のうち同号に規定する「国外において行う業務」に係るもの}}{\text{国際海上運輸業に係るその年分の運送収入の額の合計額}}$
(十六)	第二章第一節**一**表内**8の4**ただし書に規定する条約（以下において「租税条約」という。）の規定により当該租税条約の我が国以外の締約国又は締約者（以下において「相手国等」という。）において租税を課することができることとされる所得のうち（注）で定めるもの （注）（十六）に規定する（注）で定めるものは、（十六）に規定する相手国等において外国所得税が課される所得とする。（令225の13）
(十七)	（一）から（十六）までに掲げるもののほかその源泉が国外にある所得として（注）で定めるもの （注）（十七）に規定する（注）で定める所得は、次に掲げる所得とする。（令225の14） 一　国外において行う業務又は国外にある資産に関し受ける保険金、補償金又は損害賠償金（これらに類するものを含む。）に係る所得 二　国外にある資産の法人からの贈与により取得する所得 三　国外において発見された埋蔵物又は国外において拾得された遺失物に係る所得 四　国外において行う懸賞募集に基づいて懸賞として受ける金品その他の経済的な利益（旅行その他の役務の提供を内容とするもので、金品との選択ができないものとされているものを除く。）に係る所得 五　二、三及び四に掲げるもののほか、国外においてした行為に伴い取得する一時所得 六　一から五に掲げるもののほか、国外において行う業務又は国外にある資産に関し供与を受ける経済的な利益に係る所得

（内部取引）

（１）　**4**（一）に規定する内部取引とは、居住者の国外事業所等と事業場等との間で行われた資産の移転、役務の提供その他の事実で、独立の事業者の間で同様の事実があったとしたならば、これらの事業者の間で、資産の販売、資産の購入、役務の提供その他の取引（資金の借入れに係る債務の保証、保険契約に係る保険責任についての再保険の引受けその他これらに類する取引として(2)で定めるものを除く。）が行われたと認められるものをいう。（法95⑤）

（債務の保証等に類する取引）

(2)　(1)に規定する(2)で定める取引は、資金の借入れその他の取引に係る債務の保証（債務を負担する行為であって債務の保証に準ずるものを含む。）とする。（令225の15）

（租税条約において異なる定めがある場合）

(3)　租税条約において国外源泉所得（**1**に規定する国外源泉所得をいう。以下において同じ。）につき**4**及び**4**(1)の規定と異なる定めがある場合には、その租税条約の適用を受ける居住者については、これらの規定にかかわらず、国外源泉所得は、その異なる定めがある限りにおいて、その租税条約に定めるところによる。（法95⑥）

（内部取引から所得が生ずる旨を定める租税条約以外の租税条約の相手国等に国外事業所等が所在するとき）

(4)　居住者の**4**(一)に掲げる所得を算定する場合において、当該居住者の国外事業所等が、租税条約（当該居住者の同(一)に掲げる所得に対して租税を課することができる旨の定めのあるものに限るものとし、同(一)に規定する内部取引から所得が生ずる旨の定めのあるものを除く。）の相手国等に所在するときは、同(一)に規定する内部取引には、当該居住者の国外事業所等と事業場等との間の利子（これに準ずるものとして(5)で定めるものを含む。）の支払に相当する事実その他(6)で定める事実は、含まれないものとする。（法95⑦）

（注）　（利子の範囲）

基通165の３－８《負債の利子の額の範囲》の取扱いは、(4)に規定する利子の範囲について準用する。（基通95－27）

（内部取引に含まれない事実の範囲等）

(5)　(4)に規定する利子に準ずるものとして(5)で定めるものは、手形の割引料その他経済的な性質が利子に準ずるものとする。（令225の16①）

((4)に規定する(6)で定める事実)

(6)　(4)に規定する(6)で定める事実は、次の(一)及び(二)に掲げる事実とする。（令225の16②）

(一)	次に掲げるものの使用料の支払に相当する事実 イ　工業所有権その他の技術に関する権利、特別の技術による生産方式又はこれらに準ずるもの ロ　著作権（出版権及び著作隣接権その他これに準ずるものを含む。） ハ　第二章第一節**一**表内**19**⑧イから同ツまでに掲げる無形固定資産（国外における同⑧カから同ツまでに掲げるものに相当するものを含む。）
(二)	(一)のイからハまでに掲げるものの譲渡又は取得に相当する事実

（事業場等のために棚卸資産を購入する業務及びそれ以外の業務を行う場合）

(7)　居住者の国外事業所等が、租税条約（居住者の国外事業所等が事業場等のために棚卸資産を購入する業務及びそれ以外の業務を行う場合に、その棚卸資産を購入する業務から生ずる所得が、その国外事業所等に帰せられるべき所得に含まれないとする定めのあるものに限る。）の相手国等に所在し、かつ、当該居住者の国外事業所等が事業場等のために棚卸資産を購入する業務及びそれ以外の業務を行う場合には、当該国外事業所等のその棚卸資産を購入する業務から生ずる**4**(一)に掲げる所得は、ないものとする。（法95⑧）

5　外国所得税の額が減額された場合の減額に係る年の規定の適用

居住者が納付することとなった外国所得税の額の全部又は一部につき**1**①から**3**①までの規定の適用を受けた年の翌年以後７年内の各年において当該外国所得税の額が減額された場合におけるその減額されることとなった日の属する年のこれらの規定の適用については、次の(1)又は(2)で定めるところによる。（法95⑨）

（外国所得税が減額された場合の特例）

(1)　居住者が納付することとなった外国所得税の額につき**1**①から**3**①まで《外国税額控除》の規定の適用を受けた

年の翌年以後７年内の各年において当該外国所得税の額が減額された場合には、当該居住者のその減額されることとなった日の属する年（以下二において「減額に係る年」という。）については、当該減額に係る年において当該居住者が納付することとなる控除対象外国所得税の額（(３)において「納付控除対象外国所得税額」という。）から減額控除対象外国所得税額に相当する金額を控除し、その控除後の金額につき**１**①から**３**①までの規定を適用する。（令226①）

（(１)に規定する減額控除対象外国所得税額）

（２）(１)に規定する減額控除対象外国所得税額とは、居住者の減額に係る年において外国所得税の額の減額がされた金額のうち、(一)に掲げる金額から(二)に掲げる金額を控除した残額に相当する金額をいう。（令226②）

(一)	当該外国所得税の額のうち居住者の**１**①から**３**①までの規定の適用を受けた年において控除対象外国所得税の額とされた部分の金額
(二)	当該減額がされた後の当該外国所得税の額につき当該居住者の**１**①から**３**①までの規定の適用を受けた年において同①の規定を適用したならば控除対象外国所得税の額とされる部分の金額

（控除限度超過額の控除順序）

（３）(１)の場合において、減額に係る年の納付控除対象外国所得税額がないとき、又は当該納付控除対象外国所得税額が(２)に規定する減額控除対象外国所得税額（以下(３)において「減額控除対象外国所得税額」という。）に満たないときは、減額に係る年の前年以前３年内の各年の**２**②(５)に規定する控除限度超過額（**２**②(２)又は**３**②(２)若しくは同(３)の規定により減額に係る年の前年以前の各年においてないものとみなされた部分の金額を除く。以下(３)において「控除限度超過額」という。）から、それぞれ当該減額控除対象外国所得税額の全額又は当該減額控除対象外国所得税額のうち当該納付控除対象外国所得税額を超える部分の金額に相当する金額を控除し、その控除後の金額につき**３**①の規定を適用する。この場合において、２以上の年につき控除限度超過額があるときは、まず最も古い年の控除限度超過額から当該控除を行い、なお控除しきれない金額があるときは順次新しい年の控除限度超過額から当該控除を行う。（令226③）

（外国所得税が減額された場合の特例の適用時期）

（４）(１)、(２)及び(３)の規定は、**１**①、**２**①及び**３**①の規定の適用を受けた外国所得税につき、その外国所得税が減額されることとなった日の属する年分において適用があるのであるが、実際に還付金を受領した日の属する年分において(１)、(２)及び(３)を適用している場合には、これを認める。（基通95－14）

（注）上記の「減額されることとなった日」とは、減額されることとなった外国所得税に係る還付金の支払通知書等の受領により外国所得税について具体的にその減額されることとなった金額が確定した日をいう。

（外国所得税が減額された場合の邦貨換算）

（５）居住者が納付した外国所得税の額が減額されたため、これにつき(１)、(２)及び(３)の規定の適用を受ける場合におけるその減額に係る還付金の金額は、第六章第二節**十一１**(３)に定めるところにより邦貨に換算した金額によることとする。（基通95－15）

（外国所得税額に増額があった場合）

（６）居住者が外国所得税の額につき**１**①、**２**①及び**３**①の規定の適用を受けた場合において、その適用を受けた年分後の年分に当該外国所得税の額の増額があったときは、当該増額した外国所得税の額は、当該増額のあった日の属する年分において新たに生じたものとして**１**①、**２**①及び**３**①の規定を適用する。（基通95－16）

６　外国税額控除の適用要件

①	**外国税額控除の申告及び添付書類等**	**１**による外国税額控除は、確定申告書、修正申告書又は更正請求書（②において「申告書等」という。）に**１**の規定による控除を受けるべき金額及びその計算に関する明細を記載した書類、控除対象外国所得税の額を課されたことを証する書類その他(１)で定める書類（以下において「明細書」という。）の添付がある場合に限り、適用する。この場合において、控除をされるべき金額の計算の基礎となる控除対象外国所得税の額その他の(２)で定める金額は、税務署長において特別の事情があると認める場合を除くほか、当該明細書に当該金額として記載された金額を限度とする。（法95⑩）

②	繰越控除限度額又は繰越外国所得税額による外国税額控除の申告及び添付書類等	**2**及び**3**は、繰越控除限度額又は繰越控除対象外国所得税額に係る年のうち最も古い年以後の各年分の申告書等に当該各年の控除限度額及び当該各年において納付することとなった控除対象外国所得税の額を記載した書類の添付があり、かつ、これらの適用を受けようとする年分の申告書等にこれらによる控除を受けるべき金額及び繰越控除限度額又は繰越控除対象外国所得税額の計算の基礎となるべき事項を記載した書類その他(３)で定める書類の添付がある場合に限り、適用する。この場合において、これらによる控除をされるべき金額の計算の基礎となる当該各年の控除限度額及び当該各年において納付することとなった控除対象外国所得税の額その他の(５)で定める金額は、税務署長において特別の事情があると認める場合を除くほか、当該各年分の申告書等にこの項前段の規定により添付された書類に当該計算の基礎となる金額として記載された金額を限度とする。(法95⑪)

(外国税額控除を受けるための書類等)

(１)　**6**表内①に規定する(１)で定める書類は、次の(一)から(三)までに掲げる書類とする。(規41①)

(一)	その適用を受けようとする外国の法令により課される税の名称及び金額、その税を納付することとなった日及びその納付の日又は納付予定日、その税を課する外国又はその地方公共団体の名称並びにその税が**1**②に規定する外国所得税((二)において「外国所得税」という。)に該当することについての説明を記載した書類
(二)	**5**の規定の適用がある場合には、**5**(１)に規定する減額に係る年において減額された外国所得税の額につきその減額された金額及びその減額されることとなった日並びに当該外国所得税の額が当該減額に係る年の前年以前の各年において**1**①から**3**①まで《外国税額控除》の規定による控除をされるべき金額の計算の基礎となったことについての説明及び**5**(１)に規定する減額控除対象外国所得税額の計算に関する明細を記載した書類
(三)	(一)に規定する税を課されたことを証するその税に係る申告書の写し又はこれに代わるべきその税に係る書類及びその税が既に納付されている場合にはその納付を証する書類

(注)　(外国所得税を課されたことを証する書類等)

(１)(三)の「税を課されたことを証するその税に関する申告書の写し又はこれに代わるべきその税に関する書類及びその税が既に納付されている場合にはその納付を証する書類」には、申告書の写し又は現地の税務官署が発行する納税証明書等のほか、更正若しくは決定に係る通知書、賦課決定通知書、納税告知書、源泉徴収の外国所得税に係る源泉徴収票その他これらに準ずる書類又はこれらの書類の写しが含まれる。(基通95－30)

(**6**表内①に規定する(２)で定める金額)

(２)　**6**表内①に規定する(２)で定める金額は、**1**①に規定する控除対象外国所得税の額((５)(二)において「控除対象外国所得税の額」という。)とする。ただし、**5**の規定の適用がある場合には、同(１)に規定する控除後の金額とする。(規41②)

(繰越し又は繰戻しによる外国税額控除を受けるための書類)

(３)　**6**表内②に規定する(３)で定める書類は、**1**①の規定による控除を受けるべき金額がない場合において**2**①の規定の適用を受けようとするときにおける(１)(一)から同(三)までに掲げる書類に相当する書類とする。(規42①)

(繰越控除限度額又は繰越控除対象外国所得税額の計算の基礎となるべき事項の記載)

(４)　**6**表内②に規定する繰越控除限度額又は繰越控除対象外国所得税額の計算の基礎となるべき事項の記載　は、次の(一)から(四)までに掲げる計算に関する明細を示してしなければならない。(規42②)

(一)	その年の**2**②(３)若しくは同(４)《繰越控除限度額等》に規定する国税の控除余裕額若しくは地方税の控除余裕額(以下(４)において「控除余裕額」という。)又は同(５)に規定する控除限度超過額(以下(４)において「控除限度超過額」という。)に関する計算
(二)	その年の前年以前３年内の各年の控除余裕額又は控除限度超過額(これらの金額が当該各年分の**6**表内①に規定する申告書等に添付された同②の規定による書類に当該各年の控除余裕額又は控除限度超過額として記載された金額と異なる場合には、これらの金額とその記載された金額とのうちいずれか低い金額)に関する計算
(三)	(二)の控除余裕額又は控除限度超過額のうち**2**②(２)又は**3**②(２)若しくは同(３)《繰越控除対象外国所得税

	額等》の規定によりないものとみなされる部分の金額及び当該控除余裕額又は控除限度超過額からそのないものとみなされた部分の金額を控除した残額に関する計算
(四)	その年の控除限度超過額又は控除余裕額及び(三)に規定する残額を基礎として計算した**2**①に規定する繰越控除限度額（(5)(一)において「繰越控除限度額」という。）又は**3**①に規定する繰越控除対象外国所得税額（(5)(一)において「繰越控除対象外国所得税額」という。）に関する計算

（**6**表内②に規定する(5)で定める金額）

(5)　**6**表内②に規定する(5)で定める金額は、次の(一)及び(二)に掲げる金額とする。(規42③)

(一)	繰越控除限度額又は繰越控除対象外国所得税額に係る年のうち最も古い年以後の各年（(二)において「繰越控除限度額等に係る各年」という。）の**1**①に規定する控除限度額
(二)	繰越控除限度額等に係る各年において納付することとなった控除対象外国所得税の額（当該繰越控除限度額等に係る各年において**5**の規定の適用があった場合には、同(1)《外国所得税が減額された場合の特例》に規定する控除後の金額）

(外国税額控除の控除順序)

(6)　**一4**前段《配当控除の控除順序等》の規定は、**1**①から**3**①までの控除をすべき金額について準用する。(法95⑭)

(注)　第九章第四節**3**《特定の基準所得金額の課税の特例》の規定の適用がある場合には、第九章第二節二の規定の適用については、同節二**6**(6)中「準用する」とあるのは「準用する。この場合において、**一4**前段中「課税総所得金額に係る所得税額」とあるのは、「課税総所得金額に係る所得税額、第九章第四節**3**《特定の基準所得金額の課税の特例》の規定による所得税の額」と読み替えるものとする」とされる。(措法41の19⑤一)（令和７年分以後の所得税について適用（令５改所法等附36））

7　明細を記載した書類の作成

①　**1**①から**3**①までの規定の適用を受ける居住者は、当該居住者が他の者との間で行った取引のうち、当該居住者のその年の**1**①に規定する国外所得金額の計算上、当該取引から生ずる所得が当該居住者の国外事業所等に帰せられるものについては、財務省令で定めるところにより、当該国外事業所等に帰せられる取引に係る明細を記載した書類その他の(1)で定める書類を作成しなければならない。(法95⑫)

(国外事業所等帰属外部取引に関する書類)

(1)　①に規定する(1)で定める書類は、次の(一)から(四)までに掲げる書類とする。(規42の２)

(一)	①に規定する居住者の国外事業所等（**4**(一)に規定する国外事業所等をいう。以下(1)及び②(1)において同じ。）に帰せられる取引（以下(1)において「国外事業所等帰属外部取引」という。）の内容を記載した書類
(二)	①の居住者の国外事業所等及び事業場等（**4**(一)に規定する事業場等をいう。以下(1)及び②(1)において同じ。）が国外事業所等帰属外部取引において使用した資産の明細並びに当該国外事業所等帰属外部取引に係る負債の明細を記載した書類
(三)	①の居住者の国外事業所等及び事業場等が国外事業所等帰属外部取引において果たす機能（リスク（為替相場の変動、市場金利の変動、経済事情の変化その他の要因による当該国外事業所等帰属外部取引に係る利益又は損失の増加又は減少の生ずるおそれをいう。以下(三)において同じ。）の引受け及び管理に関する人的機能、資産の帰属に係る人的機能その他の機能をいう。(四)において同じ。）並びに当該機能に関連するリスクに係る事項を記載した書類
(四)	①の居住者の国外事業所等及び事業場等が国外事業所等帰属外部取引において果たした機能に関連する部門並びに当該部門の業務の内容を記載した書類

②　**1**①から**3**①までの規定の適用を受ける居住者は、当該居住者の事業場等と国外事業所等との間の資産の移転、役務の提供その他の事実が**4**(一)に規定する内部取引に該当するときは、(1)で定めるところにより、当該事実に係る明細を記載した書類その他の財務省令で定める書類を作成しなければならない。(法95⑬)

（内部取引に関する書類）

（1）　②に規定する（1）で定める書類は、次の(一)から(五)までに掲げる書類とする。（規42の3）

(一)	②の居住者の国外事業所等と事業場等との間の**4**(一)に規定する内部取引（以下(1)において「内部取引」という。）に該当する資産の移転、役務の提供その他の事実を記載した注文書、契約書、送り状、領収書、見積書その他これらに準ずる書類若しくはこれらに相当する書類又はその写し
(二)	②の居住者の国外事業所等及び事業場等が内部取引において使用した資産の明細並びに当該内部取引に係る負債の明細を記載した書類
(三)	②の居住者の国外事業所等及び事業場等が内部取引において果たす機能（リスク（為替相場の変動、市場金利の変動、経済事情の変化その他の要因による当該内部取引に係る利益又は損失の増加又は減少の生ずるおそれをいう。以下(三)において同じ。）の引受け及び管理に関する人的機能、資産の帰属に係る人的機能その他の機能をいう。(四)において同じ。）並びに当該機能に関連するリスクに係る事項を記載した書類
(四)	②の居住者の国外事業所等及び事業場等が内部取引において果たした機能に関連する部門並びに当該部門の業務の内容を記載した書類
(五)	その他内部取引に関連する事実（資産の移転、役務の提供その他内部取引に関連して生じた事実をいう。）が生じたことを証する書類

8　租税条約によるみなし外国税額の控除

居住者の外国に源泉がある所得のうち、特定の所得について、我が国がこれらの外国と締結した租税条約に、当該条約又はこれらの外国の法令に基づき当該外国がその課すべき外国所得税を軽減又は免除した場合におけるその軽減又は免除された額をその居住者が納付したものとみなして外国税額控除を行う旨の定めがある場合には、その居住者は、その納付したものとみなされる外国所得税の額（これを「**みなし外国税額**」という。）につき外国税額控除の適用を受けることができる。（各租税条約参照）

（みなし外国税額の控除の申告手続）

注　居住者は、上記のみなし外国税額について外国税額の控除の適用を受けようとする場合には、その適用を受けようとする年分の確定申告書、修正申告書又は更正請求書に、控除を受けるべきみなし外国税額の計算の明細を記載し、かつ、これを証明する書類を添付しなければならない。（租税条約等の実施に伴う所得税法、法人税法及び地方税法の特例等に関する法律の施行に関する省令10）

三　国外転出をする場合の譲渡所得等の特例に係る外国税額控除の特例

①　国外転出をする場合の譲渡所得等の特例に係る外国税額控除の特例

国外転出（第六章第四節**一**《国外転出をする場合の譲渡所得等の特例》**1**①に規定する国外転出をいう。以下①及び②において同じ。）の日の属する年分の所得税につき同①から同③までの規定の適用を受けた個人で第十章第五節**二1**①《国外転出をする場合の譲渡所得等の特例の適用がある場合の納税猶予》（同②の規定により適用する場合を含む。）の規定による納税の猶予を受けているもの（その相続人を含む。）が、その納税の猶予に係る同①に規定する満了基準日までに、当該国外転出の時から引き続き有している有価証券等（同①に規定する有価証券等をいう。以下①及び②において同じ。）又は決済していない未決済信用取引等（同②に規定する未決済信用取引等をいう。以下①及び②において同じ。）若しくは未決済デリバティブ取引（同③に規定する未決済デリバティブ取引をいう。以下①及び②において同じ。）に係る契約の譲渡（同④に規定する譲渡をいう。以下①及び②において同じ。）若しくは決済又は限定相続等（同⑦に規定する限定相続等をいう。以下①及び②において同じ。）による移転をした場合において、当該譲渡若しくは決済又は限定相続等による移転により生ずる所得に係る外国所得税（**二1**①に規定する外国所得税をいい、個人が住所を有し、一定の期間を超えて居所を有し、又は国籍その他これに類するものを有することにより当該住所、居所又は国籍その他これに類するものを有する国又は地域において課されるものに限る。以下①において同じ。）を納付することとなるとき（当該外国所得税に関する法令において、当該外国所得税の額の計算に当たって第六章第四節**一**の規定の適用を受けたことを考慮しないものとされている場合に限る。）は、当該外国所得税の額のうち当該有価証券等又は未決済信用取引等若しくは未決済デリバティブ取引に係る契約の譲渡若しくは決済又は限定相続等による移転により生ずる所得に対応する部分の金額として（１）で定めるところにより計算した金額は、その者が当該国外転出の日の属する年において納付することとなるものとみなして、**二1**の規定を適用する。（法95の２①）

（①に規定する（１）で定めるところにより計算した金額）

（１）　①（②において準用する場合を含む。以下同じ。）に規定する（１）で定めるところにより計算した金額は、有価証券等（第六章第四節**一**《国外転出をする場合の譲渡所得等の特例》**1**①に規定する有価証券等をいう。⑤及び⑤（１）において同じ。）又は同②に規定する未決済信用取引等若しくは同③に規定する未決済デリバティブ取引に係る契約（以下（１）及び③において「**対象資産**」という。）の譲渡（同④に規定する譲渡をいう。（二）及び⑤において同じ。）若しくは決済又は限定相続等（同⑦に規定する限定相続等をいう。⑤において同じ。）による移転（以下（１）において「**譲渡等**」という。）により生ずる所得に対して課される外国所得税（①に規定する外国所得税をいう。以下（１）において同じ。）に関する法令の規定により当該外国所得税の課税標準の計算の基礎となる期間の所得に対して課される外国所得税の額から、当該対象資産の譲渡等により生ずる所得（第二章第二節**4**⑥（一）及び同（二）《非居住者に対する課税の方法》に掲げる非居住者の区分に応じ当該各号に定める国内源泉所得に該当するものを除く。）がないものとした場合における当該期間の所得に対して課される外国所得税の額を控除した金額（次の（一）及び（二）に掲げる場合にあっては、当該各号に掲げる場合の区分に応じ当該（一）又は（二）に定める金額）とする。（令226の２①）

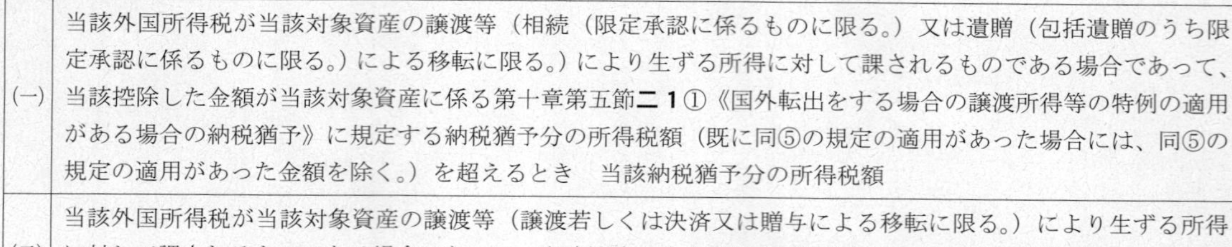

（一）	当該外国所得税が当該対象資産の譲渡等（相続（限定承認に係るものに限る。）又は遺贈（包括遺贈のうち限定承認に係るものに限る。）による移転に限る。）により生ずる所得に対して課されるものである場合であって、当該控除した金額が当該対象資産に係る第十章第五節**二1**①《国外転出をする場合の譲渡所得等の特例の適用がある場合の納税猶予》に規定する納税猶予分の所得税額（既に同⑤の規定の適用があった場合には、同⑤の規定の適用があった金額を除く。）を超えるとき　当該納税猶予分の所得税額
（二）	当該外国所得税が当該対象資産の譲渡等（譲渡若しくは決済又は贈与による移転に限る。）により生ずる所得に対して課されるものである場合であって、当該控除した金額が当該対象資産に係る第十章第五節**二1**⑤に規定する同⑤の（２）で定めるところにより計算した金額を超えるとき　当該計算した金額

（外国税額控除を受けるための書類の規定の適用）

（２）　①（②において準用する場合を含む。）の規定の適用がある場合における**二6**（１）《外国税額控除を受けるための書類等》の規定の適用については、同（１）（一）中「名称並びに」とあるのは「名称、」と、「**1**②」とあるのは「**三**①《国外転出をする場合の譲渡所得等の特例に係る外国税額控除の特例》」と、「ロ」とあるのは「以下イ及びロ」と、「説明」とあるのは「説明並びに当該外国所得税に関する法令において、当該外国所得税の額の計算に当たって第六章第四節**一**《国外転出をする場合の譲渡所得等の特例》の規定の適用を受けたことを考慮しないものとされている旨」とする。（規43）

（納税猶予期限が繰り上げられた場合等の外国税額控除の適用除外）

（3）　①の規定は、①に規定する国外転出の日から①に規定する有価証券等又は未決済信用取引等若しくは未決済デリバティブ取引に係る契約の譲渡若しくは決済又は限定相続等による移転の日まで引き続き第十章第五節**二1**①（同②の規定により適用する場合を含む。以下(3)において同じ。）《国外転出をする場合の譲渡所得等の特例の適用がある場合の納税猶予》の規定による納税猶予の適用を受けている個人に限り適用があることに留意する。したがって、例えば、同⑨の規定により同①の規定による納税猶予に係る期限が繰り上げられた場合には、①の規定の適用はないことに留意する。（基通95の2－1）

（外国税額控除に関する取扱いの適用）

（4）　**二5**(4)、同(5)、同(6)、**二1**②(9)及び**二6**(1)(注)の取扱いは、①の規定により**二1**《外国税額控除》の規定を適用する場合にも適用があることに留意する。（基通95の2－2）

②　国外転出の日の属する年の外国税額控除限度額の計算

①の規定の適用がある場合における国外転出（第六章第四節**一1**①に規定する国外転出をいう。④において同じ。）の日の属する年の**二1**《外国税額控除》に規定する控除限度額の計算については、同節**一1**①から同③まで（これらの規定を同**1**⑥（同**1**⑧において準用する場合を含む。）の規定により読み替えて適用する場合を含む。）の規定により行われたものとみなされた対象資産の譲渡又は決済により生ずる所得は、**二1**③《国外所得金額》の(一)及び同(二)に掲げる国外源泉所得に該当するものとして、同③の規定を適用する。（令226の2②）

③　納税猶予に係る期限が到来した場合の取扱い

第六章第四節**一1**⑪の規定は、①の規定の適用について準用する。（令226の2③）

④　国外転出の日の属する年分の所得税につき国外転出をする場合の譲渡所得等の特例に係る外国税額控除の特例の規定の適用を受ける個人が当該国外転出の時後に有価証券等の譲渡又は限定相続等による移転をした場合において、その有価証券等が国外転出の時において有していた有価証券等に該当するかどうかの判定

第六章第四節**一1**⑧の規定は、国外転出の日の属する年分の所得税につき①の規定の適用を受ける個人（その相続人を含む。）が当該国外転出の時後に有価証券等の譲渡又は限定相続等による移転をした場合において、その譲渡又は限定相続等による移転をした有価証券等が、その者が当該国外転出の時において有していた有価証券等に該当するかどうかの判定について準用する。（令226の2④）

（④に規定する個人が有する有価証券等について第六章第四節**一1**⑪に掲げる事由が生じた場合の取扱い）

（1）　第六章第四節**一1**⑧(1)の規定は、④に規定する個人が有する有価証券等（以下(1)において「**従前の有価証券等**」という。）について③において準用する同⑪に掲げる事由が生じた場合において、当該事由により取得した有価証券等（以下(1)において「**取得有価証券等**」という。）が同⑪の規定により引き続き所有していたものとみなされるときにおける当該従前の有価証券等のうち当該取得有価証券等の取得の基因となった部分について準用する。（令226の2⑤）

⑤　国外転出の時までに納税管理人の届出をしているものが有価証券等の移転をした場合の①の規定の準用

①の規定は、国外転出の日の属する年分の所得税につき第六章第四節**一1**①から同③までの規定の適用を受けるべき個人でその国外転出の時までに第十五章**四**《納税管理人》**2**の規定による納税管理人の届出をしているものが、同日の属する年分の所得税に係る確定申告期限までに、同日から引き続き有している有価証券等又は決済していない未決済信用取引等若しくは未決済デリバティブ取引に係る契約の譲渡若しくは決済又は限定相続等による移転をした場合について準用する。（法95の2②）

四　住宅借入金等を有する場合の特別税額控除

1　住宅借入金等を有する場合の所得税額の特別控除

個人が、国内において、居住用家屋の新築等（居住用家屋（住宅の用に供する家屋で①**イ**で定めるものをいう。以下において同じ。）の新築又は居住用家屋で建築後使用されたことのないものの取得（配偶者その他その者と特別の関係がある者からの取得で（1）で定めるもの及び贈与によるものを除く。以下において同じ。）をいう。以下において同じ。）、**買取再販住宅の取得**（建築後使用されたことのある家屋で耐震基準（地震に対する安全性に係る規定又は基準として同**ロ**（1）で定めるものをいう。以下同じ。）に適合するものとして同**ロ**（1）で定めるもの（以下「**既存住宅**」という。）のうち宅地建物取引業法第２条第３号に規定する宅地建物取引業者が特定増改築等をした家屋で同**ロ**（2）で定めるものの当該宅地建物取引業者からの取得をいう。以下において同じ。）、既存住宅の取得（買取再販住宅の取得を除く。）又はその者の居住の用に供する家屋で同**ニ**で定めるものの増改築等（以下「**住宅の取得等**」という。）をして、これらの家屋（当該増改築等をした家屋については、当該増改築等に係る部分。以下において同じ。）を平成19年１月１日から令和７年12月31日までの間にその者の居住の用に供した場合（これらの家屋をその新築の日若しくはその取得の日又はその増改築等の日から６月以内にその者の居住の用に供した場合に限る。）において、その者が当該住宅の取得等に係る次ページに掲げる借入金又は債務（利息に対応するものを除く。以下「**住宅借入金等**」という。）の金額を有するときは、当該居住の用に供した日の属する年（以下「**居住年**」という。）以後10年間（居住年が令和４年又は令和５年であり、かつ、その居住に係る住宅の取得等が居住用家屋の新築等又は買取再販住宅の取得に該当するものである場合には、13年間）の各年（同日以後その年の12月31日〔その者が死亡した日の属する年にあっては、同日。以下同じ。〕まで引き続きその居住の用に供している年に限る。以下「**適用年**」という。）のうち、その者のその年分の所得税に係るその年の第二章第一節《定義》**一**表内**30**の合計所得金額が2,000万円以下である年については、その年分の所得税の額から、**住宅借入金等特別税額控除額**を控除する。（措法41①）

（注）　**1**及び**4**の規定は、個人が、**1**の居住用家屋若しくは既存住宅又は**4**の認定住宅等をその居住の用に供した日の属する年分又はその翌年分の所得税について**八1**《認定住宅等の新築等をした場合の所得税額の特別控除》又は同**2**の規定の適用を受ける場合には、当該個人の**1**に規定する10年間の各年分の所得税については、適用しない。（措法41㉖）

（配偶者その他その者と特別の関係がある者からの取得）

（1）　**1**に規定する（1）で定める取得は、**1**に規定する既存住宅若しくは**15**に規定する要耐震改修住宅又は**1**に規定する住宅の取得等とともにする当該住宅の取得等に係る家屋の敷地の用に供される土地若しくは当該土地の上に存する権利（以下「土地等」という。）の取得で次の(一)から(四)までに掲げる者（その取得の時において個人と生計を一にしており、その取得後も引き続き当該個人と生計を一にする者に限る。）からの取得とする。（措令26②）

(一)	当該個人の親族
(二)	当該個人と婚姻の届出をしていないが事実上婚姻関係と同様の事情にある者
(三)	(一)及び(二)に掲げる者以外の者で当該個人から受ける金銭その他の資産によって生計を維持しているもの
(四)	(一)から(三)までに掲げる者と生計を一にするこれらの者の親族

（住宅の取得等に関し、補助金等の交付を受ける場合又は住宅取得等資金の贈与を受けた場合）

（2）　**1**の個人の住宅借入金等（**1**に規定する住宅借入金等をいう。以下**四**において同じ。）の金額の合計額が、**1**に規定する住宅の取得等（当該住宅借入金等に当該住宅の取得等とともにする当該住宅の取得等に係る家屋の敷地の用に供される土地等の取得に係る住宅借入金等が含まれる場合には、当該土地等の取得を含む。以下（2）において同じ。）に係る対価の額又は費用の額（当該住宅の取得等に関し、補助金等（国又は地方公共団体から交付される補助金又は給付金その他これらに準ずるものをいう。以下（2）及び**4**（11）において同じ。）の交付を受ける場合又は住宅取得等資金（租税特別措置法法第70条の２第２項第５号又は第70条の３第３項第５号に規定する住宅取得等資金をいう。以下（2）及び**4**（11）において同じ。）の贈与を受けた場合には、当該住宅の取得等に係る対価の額又は費用の額から当該補助金等の額又は当該住宅取得等資金の額（租税特別措置法第70条の２第１項の規定又は相続税法第21条の12第１項の規定の適用を受けた部分の金額に限る。**4**（11）において同じ。）を控除した金額。以下（2）において同じ。）を超える場合における**1**の規定の適用については、当該住宅借入金等の金額の合計額は、当該対価の額又は費用の額に達するまでの金額とする。（措令26⑥））

〈住宅借入金等の範囲（措法41①)〉

㈠【住宅の取得等に係る借入金】

当該住宅の取得等に要する資金に充てるために（1）に規定する金融機関、独立行政法人住宅金融支援機構、地方公共団体その他当該資金の貸付けを行う（2）で定める者から借り入れた借入金（当該住宅の取得等とともにする当該住宅の取得等に係る家屋の敷地の用に供される土地又は当該土地の上に存する権利（以下**1**において「土地等」という。）の取得に要する資金に充てるためにこれらの者から借り入れた借入金として（4）で定めるものを含む。）及び当該借入金に類する債務で（5）で定めるもののうち、契約において償還期間が10年以上の割賦償還の方法により返済することとされているもの

（金融機関の範囲）

（1）　上記の金融機関とは、銀行、信用金庫、労働金庫、信用協同組合、農業協同組合、農業協同組合連合会、漁業協同組合、漁業協同組合連合会、水産加工業協同組合、水産加工業協同組合連合会、株式会社商工組合中央金庫、生命保険会社、損害保険会社、信託会社（信託業法第３条又は第53条第１項の免許を受けたものに限る。)、農林中央金庫、信用金庫連合会、労働金庫連合会、共済水産業協同組合連合会、信用協同組合連合会、株式会社日本政策投資銀行及び株式会社日本貿易保険とする。（措法８①、措令２の36、措令３の３①）

（住宅資金の貸付けを行う者）

（2）　上記の資金の貸付けを行う（2）で定める者は、貸金業法第２条第２項に規定する貸金業者で住宅の用に供する家屋の建築又は購入に必要な資金の長期の貸付けの業務を行うもの、沖縄振興開発金融公庫、国家公務員共済組合、国家公務員共済組合連合会、日本私立学校振興・共済事業団、地方公務員共済組合、独立行政法人北方領土問題対策協会及び厚生年金保険法等の一部を改正する法律附則第48条第１項に規定する指定基金とする。（措令26⑧、措規18の21②）

（住宅資金の長期融資を業とする貸金業を営む法人）

（3）　（2）に規定する「貸金業者で住宅の用に供する家屋の建築又は購入に必要な資金の長期の貸付けの業務を行うもの」には、専ら住宅資金の長期の貸付けを行うもののほか、貸金業者で、その業務の一部として住宅資金の長期の貸付けを行うものも含まれる。（措通41－14）

（「借入金」の範囲）

（4）　上記に規定する（4）で定める借入金は、次に掲げる借入金とする。（措令26⑨、措規18の21③④⑤）

イ	**1**に規定する居住用家屋で建築後使用されたことのないもの若しくは**1**に規定する既存住宅又は**4**に規定する認定住宅等で建築後使用されたことのないもの若しくは**4**に規定する認定住宅等である**1**に規定する既存住宅とともにこれらの家屋の敷地の用に供されていた土地等の取得をした場合における当該取得に要する資金に充てるために、（1）に規定する金融機関（以下（4）及び（5）のホにおいて「金融機関」という。)、独立行政法人住宅金融支援機構、地方公共団体又は（2）に規定する者から借り入れた借入金のうち当該土地等の取得に要する資金に係る部分
ロ	その新築をした**1**に規定する居住用家屋又は**4**に規定する認定住宅等の敷地の用に供する土地等をその新築の日前に取得した場合における当該居住用家屋又は当該認定住宅等の新築及び当該土地等の取得に要する資金に充てるために、独立行政法人住宅金融支援機構、沖縄振興開発金融公庫、独立行政法人北方領土問題対策協会から借り入れた借入金（借入金の受領が当該新築の工事の着工の日後にされたものに限る。ハにおいて同じ。）のうち当該土地等の取得に要する資金に係る部分
ハ	その新築をした**1**に規定する居住用家屋又は**4**に規定する認定住宅等の敷地の用に供する土地等をその新築の日前に取得した場合における当該居住用家屋又は当該認定住宅等の新築及び当該土地等の取得に要する資金に充てるために、国家公務員共済組合、地方公務員共済組合（以下ハにおいて「国家公務員共済組合等」という。）から借り入れた借入金で当該国家公務員共済組合等が勤労者財産形成促進法第15条第２項の規定により行う同項の住宅資金の貸付けに係るもののうち当該土地等の取得に要する資金に係る部分
ニ	その新築をした**1**に規定する居住用家屋又は**4**に規定する認定住宅等の敷地の用に供する土地等を、地方公共団体、独立行政法人都市再生機構、地方住宅供給公社又は土地開発公社（以下ニにおいて「地方公共団体等」という。）との間で締結された住宅建設の用に供する宅地の分譲に係る契約（次に掲げる

<table>
<tr>
<td rowspan="3">(一)</td>
<td></td>
<td>事項の全てが定められているものに限る。）に従って、当該地方公共団体等からその新築の日前に取得した場合における当該土地等の取得に要する資金に充てるために、金融機関、地方公共団体、（２）に規定する貸金業者、国家公務員共済組合、国家公務員共済組合連合会、日本私立学校振興・共済事業団、地方公務員共済組合及び（２）に規定する指定基金から借り入れた借入金（ハに掲げる借入金に該当するものを除く。）
<table>
<tr><td>(イ)</td><td>当該宅地を譲り受けた者が、その譲受けの日後一定期間内に当該譲り受けた宅地の上に住宅の用に供する家屋を建築することを条件として、当該宅地を譲り受けるものであること。</td></tr>
<tr><td>(ロ)</td><td>当該地方公共団体等は、当該宅地を譲り受けた者が(イ)の条件に違反したときは、当該宅地の分譲に係る契約を解除し、又は当該譲渡をした宅地を買い戻すことができること。</td></tr>
</table>
</td>
</tr>
<tr>
<td>ホ</td>
<td>その新築をした1に規定する居住用家屋又は4に規定する認定住宅等の敷地の用に供する土地等を、宅地建物取引業法第２条第３号に規定する宅地建物取引業者（以下「宅地建物取引業者」という。）との間で締結された住宅建設の用に供する宅地の分譲に係る契約（次に掲げる事項の全てが定められているものに限る。）に従って、当該宅地建物取引業者からその新築の日前に取得した場合（(イ)に掲げる事項に従って当該居住用家屋又は当該認定住宅等の新築の工事の請負契約が成立している場合に限る。）における当該土地等の取得に要する資金に充てるために、金融機関、地方公共団体、（２）に規定する貸金業者、国家公務員共済組合、国家公務員共済組合連合会、日本私立学校振興・共済事業団、地方公務員共済組合及び(２)に規定する指定基金から借り入れた借入金(ハに掲げる借入金に該当するものを除く。)
<table>
<tr><td>(イ)</td><td>当該宅地の分譲に係る契約の締結の日以後３月以内に当該宅地を譲り受けた者と当該宅地建物取引業者又は当該宅地建物取引業者の当該宅地の販売に係る代理人である者との間において当該宅地を譲り受けた者が当該譲り受けた宅地の上に建築をする住宅の用に供する家屋の建築工事の請負契約が成立することが、当該宅地の分譲に係る契約の成立の条件とされていること。</td></tr>
<tr><td>(ロ)</td><td>(イ)の条件が成就しなかったときは、当該宅地の分譲に係る契約は成立しないものであること。</td></tr>
</table>
</td>
</tr>
<tr>
<td>ヘ</td>
<td>その新築をした1に規定する居住用家屋又は4に規定する認定住宅等の敷地の用に供する土地等をその新築の日前２年以内に取得した場合における当該土地等の取得に要する資金に充てるために、次の(イ)又は(ロ)に掲げる者から借り入れた借入金で当該(イ)又は(ロ)に掲げる者の区分に応じそれぞれ(イ)又は(ロ)に定める要件を満たすもの（ハからホまでに掲げる借入金に該当するものを除く。）
<table>
<tr><td>(イ)</td><td>金融機関、地方公共団体又は(２)に規定する貸金業者　　これらの者の当該借入金に係る債権を担保するために当該居住用家屋若しくは当該認定住宅等を目的とする抵当権の設定がされたこと又は当該借入金に係る債務を保証する者若しくは当該借入金に係る債務の不履行により生じた損害を塡補することを約する保険契約を締結した保険者の当該保証若しくは塡補に係る求償権を担保するために当該居住用家屋若しくは当該認定住宅等を目的とする抵当権の設定がされたこと。</td></tr>
<tr><td>(ロ)</td><td>国家公務員共済組合、国家公務員共済組合連合会、日本私立学校振興・共済事業団、地方公務員共済組合及び(２)に規定する指定基金　　(ⅰ)又は(ⅱ)に掲げる要件
<table>
<tr><td>(ⅰ)</td><td>これらの者の当該借入金に係る債権を担保するために当該居住用家屋若しくは当該認定住宅を目的とする抵当権の設定がされたこと又は当該借入金に係る債務を保証する者若しくは当該借入金に係る債務の不履行により生じた損害を塡補することを約する保険契約を締結した保険者の当該保証若しくは塡補に係る求償権を担保するために当該居住用家屋若しくは当該認定住宅等を目的とする抵当権の設定がされたこと。</td></tr>
<tr><td>(ⅱ)</td><td>当該借入金が、当該借入金を借り入れた者がその取得をする土地等の上に一定期間内にその者の居住の用に供する住宅を建築することを条件として、当該土地等の取得に要する資金に充てるために貸し付けられたものであり、かつ、当該土地等の取得及び当該住宅の建築が当該貸付けの条件に従ってされたことにつき当該国家公務員共済組合、国家公務員共済組合連合会、日本私立学校振興・共済事業団、地方公務員共済組合及び(２)に規定する指定基金の確認を受けているものであること。</td></tr>
</table>
</td></tr>
</table>
</td>
</tr>
</table>

（借入金に類する債務）

（5）　上記の借入金に類する債務で（5）で定めるものは、次に掲げる債務とする。（措令26⑩）

(一)

イ	**1**に規定する住宅の取得等又は**4**に規定する認定住宅等の新築等の工事を建設業法第２条第３項に規定する建設業者（以下「**建設業者**」という。）に請け負わせた個人が、当該住宅の取得等又は当該認定住宅等の新築等の工事を請け負わせた建設業者から当該住宅の取得等又は当該認定住宅等の新築等の工事の請負代金の全部又は一部に充てるために借り入れた借入金
ロ	**1**に規定する居住用家屋で建築後使用されたことのないもの若しくは**1**に規定する既存住宅又は**4**に規定する認定住宅等で建築後使用されたことのないもの若しくは**4**に規定する認定住宅等である**1**に規定する既存住宅を宅地建物取引業者から取得した個人が、これらの家屋の譲渡をした当該宅地建物取引業者からこれらの家屋の取得（これらの家屋の取得とともにした当該宅地建物取引業者からのこれらの家屋の敷地の用に供されていた土地等の取得を含む。）の対価の全部又は一部に充てるために借り入れた借入金
ハ	**1**に規定する居住用家屋若しくは**4**に規定する認定住宅等の新築をし、又は当該居住用家屋若しくは当該認定住宅等で建築後使用されたことのないものの取得をした個人が、(一)（2）に規定する貸金業者又は宅地建物取引業者である法人で住宅の用に供する家屋の新築の工事の請負代金又は取得（当該家屋の取得とともにする当該家屋の敷地の用に供されていた土地等の取得を含む。）の対価の全部又は一部を当該家屋の新築をし、又は取得をした者に代わって当該家屋の新築の工事を請け負った建設業者又は当該家屋の譲渡（当該家屋の譲渡とともにする当該家屋の敷地の用に供されていた土地等の譲渡を含む。）をした者に支払をすることを業とするものから、当該個人が新築をし、又は取得をした当該居住用家屋又は当該認定住宅等の新築の工事の請負代金又は取得（これらの家屋の取得とともにしたこれらの家屋の譲渡をした者からのこれらの家屋の敷地の用に供されていた土地等の取得を含む。）の対価の全部又は一部の支払を受けたことにより当該法人に対して負担する債務
ニ	次に掲げる資金に充てるために勤労者財産形成促進法第９条第１項に規定する事業主団体又は福利厚生会社から借り入れた借入金（(ロ)に掲げる資金に係るものについては、当該借入金の受領が(ロ)の新築の工事の着工の日後にされたものに限る。）で、当該事業主団体又は福利厚生会社が独立行政法人勤労者退職金共済機構から貸付けを受けた同項の資金に係るもの (イ)　**1**に規定する居住用家屋又は**4**に規定する認定住宅等の新築に要する資金（(ロ)に掲げる資金を除く。） (ロ)　その新築をした**1**に規定する居住用家屋又は**4**に規定する認定住宅等の敷地の用に供する土地等をその新築の日前に取得した場合における当該居住用家屋又は当該認定住宅等の新築及び当該土地等の取得に要する資金 (ハ)　**1**に規定する居住用家屋で建築後使用されたことのないもの若しくは**1**に規定する既存住宅又は**4**に規定する認定住宅等で建築後使用されたことのないもの若しくは**4**に規定する認定住宅等である**1**に規定する既存住宅の取得をした場合（これらの家屋とともにこれらの家屋の敷地の用に供されていた土地等の取得をした場合を含む。）におけるこれらの取得に要する資金 (ニ)　**1**に規定する増改築等に要する資金
ホ	**1**に規定する住宅の取得等又は**4**に規定する認定住宅等の新築取得等に要する資金に充てるために個人が金融機関、独立行政法人住宅金融支援機構又は(一)（2）に規定する貸金業者（以下ホにおいて「当初借入先」という。）から借り入れた(一)に規定する借入金又は当該当初借入先に対して負担するハに掲げる債務に係る債権の譲渡があった場合において、当該個人が、当該当初借入先から当該債権の譲渡（(イ)で定める要件を満たすものに限る。）を受けた特定債権者（当該当初借入先との間で当該債権の管理及び回収に係る業務の委託に関する契約（(イ)で定めるものに限る。）を締結し、かつ、当該契約に従って当該当初借入先に対して当該債権の管理及び回収に係る業務の委託をしている法人をいう。）に対して有する当該債権に係る借入金又は債務

（ホに規定する(イ)で定める要件を満たす債権の譲渡）

（イ）　ホに規定する(イ)で定める要件は、当該譲渡の直前における当該譲渡がされた債権に係る借入金又は債務の償還期間についての条件と当該譲渡の直後における当該債権に係る借入金又は債務の償還期間についての条件とが同一であることとし、ホに規定する(イ)で定める契約は、ホの当初借入先からホの譲渡を受けたホに規定する債権の全部につき、当該当初借入先にその管理及び回収に係る業務を委託することが定められている契約とする。(措規18の21⑥)

(明細書の添付)

(ロ)　1の規定による控除を受けようとする者は、確定申告書に1の規定による控除を受ける金額の計算に関する明細書を添付しなければならない。この場合において、当該金額の計算の基礎となった1に規定する住宅借入金等（以下において「住宅借入金等」という。）につき4(15)の規定の適用を初めて受けようとする者は、次の(一)及び(二)に掲げる場合の区分に応じ当該(一)又は(二)に定める事項(当該(一)及び(二)に掲げる場合のいずれにも該当する場合には、当該(一)及び(二)に定める事項の全て）を当該明細書に記載しなければならない。(措規18の21⑦)

(一)	4(16)の規定による判定をする時の現況において、その者が年齢40歳未満であって配偶者を有する4(15)に規定する特例対象個人（以下(一)及び(二)において「特例対象個人」という。）である場合又はその者が年齢40歳以上であって年齢40歳未満の配偶者を有する特例対象個人である場合	これらの配偶者（以下(一)及び16(一)ヌにおいて「対象配偶者」という。）の氏名、生年月日及び個人番号（個人番号を有しない者にあっては、氏名及び生年月日）並びに当該対象配偶者が4(16)の規定による判定をする時の現況において非居住者である場合には、その旨
(二)	4(16)の規定による判定をする時の現況において、その者が年齢19歳未満の第二章第一節一34に規定する扶養親族（以下(二)及び16(一)ヌにおいて「対象扶養親族」という。）を有する特例対象個人である場合	当該対象扶養親族の氏名、生年月日、当該特例対象個人との続柄及び個人番号（個人番号を有しない者にあっては、氏名、生年月日及び当該特例対象個人との続柄）並びに当該対象扶養親族が4(16)の規定による判定をする時の現況において非居住者である場合には、その旨

(二)【住宅の取得等に係る賦払債務】

建設業者に対する当該住宅の取得等の工事の請負代金に係る債務又は宅地建物取引業者、独立行政法人都市再生機構、地方住宅供給公社その他居住用家屋の分譲を行う(1)で定める者に対する当該住宅の取得等（当該住宅の取得等とともにする当該住宅の取得等に係る家屋の敷地の用に供される土地等の取得として(2)で定めるものを含む。）の対価に係る債務（当該債務に類する債務で(3)で定めるものを含む。）で、契約において賦払期間が10年以上の割賦払の方法により支払うこととされているもの

(居住用家屋の分譲を行う者)

(1)　上記の居住用家屋の分譲を行う(1)で定める者は、地方公共団体及び日本勤労者住宅協会とする。(措令26⑪)

(土地等の取得の範囲)

(2)　上記に規定する土地等の取得は、次に掲げる土地等の取得とする。(措令26⑫)

イ	宅地建物取引業者、独立行政法人都市再生機構、地方住宅供給公社又は(1)に規定する者から1に規定する居住用家屋で建築後使用されたことのないもの若しくは1に規定する既存住宅又は4に規定する認定住宅等で建築後使用されたことのないもの若しくは4に規定する認定住宅等である1に規定する既存住宅とともにこれらの家屋の敷地の用に供されていた土地等の取得をした場合における当該土地等の取得
ロ	その新築をした1に規定する居住用家屋又は4に規定する認定住宅等の敷地の用に供する土地等を、独立行政法人都市再生機構、地方住宅供給公社又は地方公共団体（以下ロにおいて「独立行政法人都市再生機構等」という。）との間で締結された住宅建設の用に供する宅地の分譲に係る契約（次に掲げる事項の全てが定められているものに限る。）に従って、当該独立行政法人都市再生機構等からその新築の日前に取得した場合における当該土地等の取得 (イ)　当該宅地を譲り受けた者が、その譲受けの日後一定期間内に当該譲り受けた宅地の上に住宅の用に供する家屋を建築することを条件として、当該宅地を譲り受けるものであること。

(ロ)	当該独立行政法人都市再生機構等は、当該宅地を譲り受けた者が(イ)の条件に違反したときは、当該宅地の分譲に係る契約を解除し、又は当該譲渡をした宅地を買い戻すことができること。	

(二)

（住宅の取得等の対価に係る債務に類する債務の範囲）

（3）　上記に規定する債務に類する債務は、次に掲げる債務とする。（措令26⑬）

イ	雇用保険法等の一部を改正する法律（平成19年法律第30号）附則第87条の規定による改正前の勤労者財産形成促進法第９条第１項第１号に規定する事業主団体又は福利厚生会社から取得した**1**に規定する居住用家屋の取得（当該居住用家屋の取得とともにした当該事業主団体又は福利厚生会社からの当該居住用家屋の敷地の用に供されていた土地等の取得を含む。）の対価に係る債務で当該事業主団体又は福利厚生会社が独立行政法人雇用・能力開発機構から貸付けを受けた同号の資金により建設し、又は取得した当該居住用家屋（当該居住用家屋の敷地の用に供される土地等を含む。）に係るもののうち、当該資金に係る部分
ロ	その新築をした**1**に規定する居住用家屋又は**4**に規定する認定住宅等の敷地の用に供する土地等を、土地開発公社との間で締結された住宅建設の用に供する宅地の分譲に係る契約（次に掲げる事項の全てが定められているものに限る。）に従って、当該土地開発公社からその新築の日前に取得した場合における当該土地等の取得の対価に係る債務 (イ)　当該宅地を譲り受けた者が、その譲受けの日後一定期間内に当該譲り受けた宅地の上に住宅の用に供する家屋を建築することを条件として、当該宅地を譲り受けるものであること。 (ロ)　当該土地開発公社は、当該宅地を譲り受けた者が(イ)の条件に違反したときは、当該宅地の分譲に係る契約を解除し、又は当該譲渡をした宅地を買い戻すことができること。

(三)【既存住宅に係る承継債務】

独立行政法人都市再生機構、地方住宅供給公社その他の(1)で定める法人を当事者とする当該既存住宅の取得（当該既存住宅の取得とともにする当該既存住宅の敷地の用に供されていた土地等の取得として(1)で定めるものを含む。）に係る債務の承継に関する契約に基づく当該法人に対する当該債務で、当該承継後の当該債務の賦払期間が10年以上の割賦払の方法により支払うこととされているもの

（その他(1)で定める法人）

（1）　上記のその他(1)で定める法人は、独立行政法人都市再生機構、地方住宅供給公社及び日本勤労者住宅協会とし、上記に規定する(1)で定める土地等の取得は、**1**に規定する既存住宅又は**4**に規定する認定住宅等である**1**に規定する既存住宅の取得とともにしたこれらの家屋の譲渡をした者からのこれらの家屋の敷地の用に供されていた土地等の取得とする。（措令26⑭）

(四)【使用者からの借入金又は債務】

当該住宅の取得等に要する資金に充てるために第四章第五節《給与所得》一に規定する給与等又は同章第六節《退職所得》一に規定する退職手当等の支払を受ける個人に係る使用者（当該個人が法人税法第２条第15号に規定する役員その他(1)で定める者に該当しない場合における当該支払をする者をいう。以下(四)において同じ。）から借り入れた借入金（当該住宅の取得等とともにする当該住宅の取得等に係る家屋の敷地の用に供される土地等の取得に要する資金に充てるために当該個人に係る使用者から借り入れた借入金として(2)で定めるものを含む。）又は当該個人に係る使用者に対する当該住宅の取得等（当該住宅の取得等とともにする当該住宅の取得等に係る家屋の敷地の用に供される土地等の取得として(3)で定めるものを含む。）の対価に係る債務（これらの借入金又は債務に類する債務で(4)で定めるものを含む。）で、契約において償還期間又は賦払期間が10年以上の割賦償還又は割賦払の方法により返済し、又は支払うこととされているもの

（法人税法第２条第15号に規定する役員その他(1)で定める者）

（1）　上記に規定する(1)で定める者は、次に掲げる者とする。（措令26⑮）

イ	(四)に規定する役員又は使用者（(四)に規定する使用者をいう。(2)から(4)までにおいて同じ。）である個人（以下(1)において「役員等」という。）の親族
ロ	役員等と婚姻の届出をしていないが事実上婚姻関係と同様の事情にある者

(四)【使用者からの借入金又は債務】

ハ	イ又はロに掲げる者以外の者で役員等からの贈与により取得した金銭その他の資産によって生計を維持しているもの
ニ	ロ又はハに掲げる者の親族

（「借入金」の範囲）

(2)　上記に規定する(2)で定める借入金は、次に掲げる借入金とする。（措令26⑯）

イ	**1**に規定する居住用家屋で建築後使用されたことのないもの若しくは**1**に規定する既存住宅又は**4**に規定する認定住宅等で建築後使用されたことのないもの若しくは**4**に規定する認定住宅等である**1**に規定する既存住宅とともにこれらの家屋の敷地の用に供されていた土地等の取得をした場合における当該取得に要する資金に充てるために、使用者から借り入れた借入金のうち当該土地等の取得に要する資金に係る部分
ロ	その新築をした**1**に規定する居住用家屋又は**4**に規定する認定住宅等の敷地の用に供する土地等をその新築の日前に取得した場合における当該居住用家屋又は当該認定住宅等の新築及び当該土地等の取得に要する資金に充てるために、使用者から借り入れた借入金（借入金の受領が当該新築の工事の着工の日後にされたものに限る。）で当該使用者が独立行政法人勤労者退職金共済機構から貸付けを受けた勤労者財産形成促進法第９条第１項の資金に係るもののうち、当該土地等の取得に要する資金に係る部分
ハ	その新築をした**1**に規定する居住用家屋又は**4**に規定する認定住宅等の敷地の用に供する土地等を、地方公共団体、独立行政法人都市再生機構、地方住宅供給公社又は土地開発公社（以下ハにおいて「地方公共団体等」という。）との間で締結された(一)(４)ニの契約に従って、当該地方公共団体等からその新築の日前に取得した場合における当該土地等の取得に要する資金に充てるために、使用者から借り入れた借入金（ロに掲げる借入金に該当するものを除く。）
ニ	その新築をした**1**に規定する居住用家屋又は**4**に規定する認定住宅等の敷地の用に供する土地等を、宅地建物取引業者との間で締結された(一)(４)ホの契約に従って、当該宅地建物取引業者からその新築の日前に取得した場合（同ホの(イ)に掲げる事項に従って当該居住用家屋又は当該認定住宅等の新築の工事の請負契約が成立している場合に限る。）における当該土地等の取得に要する資金に充てるために、使用者から借り入れた借入金（ロに掲げる借入金に該当するものを除く。）
ホ	その新築をした**1**に規定する居住用家屋又は**4**に規定する認定住宅等の敷地の用に供する土地等をその新築の日前２年以内に取得した場合における当該土地等の取得に要する資金に充てるために、使用者から借り入れた借入金で(イ)又は(ロ)に掲げる要件を満たすもの（ロからニまでに掲げる借入金に該当するものを除く。） (イ)　当該使用者の当該借入金に係る債権を担保するために当該居住用家屋若しくは当該認定住宅等を目的とする抵当権の設定がされたこと又は当該借入金に係る債務を保証する者若しくは当該借入金に係る債務の不履行により生じた損害を塡補することを約する保険契約を締結した保険者の当該保証若しくは塡補に係る求償権を担保するために当該居住用家屋若しくは当該認定住宅等を目的とする抵当権の設定がされたこと。 (ロ)　当該借入金が、当該借入金を借り入れた者がその取得をする土地等の上に一定期間内にその者の居住の用に供する住宅を建築することを条件として、当該土地等の取得に要する資金に充てるために貸し付けられたものであり、かつ、当該土地等の取得及び当該住宅の建築が当該貸付けの条件に従ってされたことにつき当該使用者の確認を受けているものであること。

（「土地等の取得」の範囲）

(3)　上記に規定する土地等の取得は、次に掲げる土地等の取得とする。（措令26⑰）

イ	使用者から**1**に規定する居住用家屋で建築後使用されたことのないもの若しくは**1**に規定する既存住宅又は**4**に規定する認定住宅等で建築後使用されたことのないもの若しくは**4**に規定する認定住宅等である**1**に規定する既存住宅とともにこれらの家屋の敷地の用に供されていた土地等の取得をした場

<table>
<tr><td></td><td colspan="2">合における当該土地等の取得</td></tr>
<tr><td rowspan="3">ロ</td><td colspan="2">その新築をした1に規定する居住用家屋又は4に規定する認定住宅等の敷地の用に供する土地等を、使用者からその新築の日前２年以内に取得した場合（(イ)又は(ロ)に掲げる要件を満たす場合に限る。）における当該土地等の取得</td></tr>
<tr><td>(イ)</td><td>当該使用者の当該土地等の譲渡の対価に係る債権を担保するために当該居住用家屋若しくは当該認定住宅等を目的とする抵当権の設定がされたこと又は当該土地等の取得の対価に係る債務を保証する者若しくは当該土地等の取得の対価に係る債務の不履行により生じた損害を塡補することを約する保険契約を締結した保険者の当該保証若しくは塡補に係る求償権を担保するために当該居住用家屋若しくは当該認定住宅を目的とする抵当権の設定がされたこと。</td></tr>
<tr><td>(ロ)</td><td>当該土地等の譲渡が、当該土地等を譲り受けた者が当該譲り受けた土地等の上に一定期間内にその者の居住の用に供する住宅を建築することを条件としてされたものであり、かつ、当該住宅の建築が当該譲渡の条件に従ってされたことにつき当該使用者の確認を受けているものであること。</td></tr>
</table>

（(4)で定める債務）

(4)　上記の(4)で定める債務は、**1**に規定する住宅の取得等又は**4**に規定する認定住宅等の新築取得等をした個人が、使用者に代わって当該住宅の取得等又は当該認定住宅等の新築取得等に要する資金の貸付けを行っていると認められる一般社団法人又は一般財団法人で国土交通大臣が財務大臣と協議して指定した者から借り入れた次に掲げる借入金とする。（措令26⑱）

<table>
<tr><td>イ</td><td colspan="2">1に規定する居住用家屋又は4に規定する認定住宅等の新築に要する資金に充てるための借入金</td></tr>
<tr><td>ロ</td><td colspan="2">その新築をした1に規定する居住用家屋又は4に規定する認定住宅等の敷地の用に供する土地等を、地方公共団体、独立行政法人都市再生機構、地方住宅供給公社又は土地開発公社（以下ロにおいて「地方公共団体等」という。）との間で締結された(一)(4)ニの契約に従って、当該地方公共団体等からその新築の日前に取得した場合における当該土地等の取得に要する資金に充てるための借入金</td></tr>
<tr><td>ハ</td><td colspan="2">その新築をした1に規定する居住用家屋又は4に規定する認定住宅等の敷地の用に供する土地等を、宅地建物取引業者との間で締結された(一)(4)ホの契約に従って、当該宅地建物取引業者からその新築の日前に取得した場合（同ホ(イ)に掲げる事項に従って当該居住用家屋又は当該認定住宅等の新築の工事の請負契約が成立している場合に限る。）における当該土地等の取得に要する資金に充てるための借入金</td></tr>
<tr><td rowspan="3">ニ</td><td colspan="2">その新築をした1に規定する居住用家屋又は4に規定する認定住宅等の敷地の用に供する土地等をその新築の日前２年以内に取得した場合における当該土地等の取得に要する資金に充てるための借入金で(イ)又は(ロ)に掲げる要件を満たすもの（ロ及びハに掲げる借入金に該当するものを除く。）</td></tr>
<tr><td>(イ)</td><td>当該借入金の貸付けをした者の当該借入金に係る債権を担保するために当該居住用家屋若しくは当該認定住宅等を目的とする抵当権の設定がされたこと又は当該借入金に係る債務を保証する者若しくは当該借入金に係る債務の不履行により生じた損害を塡補することを約する保険契約を締結した保険者の当該保証若しくは塡補に係る求償権を担保するために当該居住用家屋若しくは当該認定住宅等を目的とする抵当権の設定がされたこと。</td></tr>
<tr><td>(ロ)</td><td>当該借入金が、当該借入金を借り入れた者がその取得をする土地等の上に一定期間内にその者の居住の用に供する住宅を建築することを条件として、当該土地等の取得に要する資金に充てるために貸し付けられたものであり、かつ、当該土地等の取得及び当該住宅の建築が当該貸付けの条件に従ってされたことにつき当該借入金の貸付けをした者の確認を受けているものであること。</td></tr>
<tr><td>ホ</td><td colspan="2">1に規定する居住用家屋で建築後使用されたことのないもの若しくは1に規定する既存住宅又は4に規定する認定住宅等で建築後使用されたことのないもの若しくは4に規定する認定住宅等である1に規定する既存住宅の取得をした場合（これらの家屋とともにこれらの家屋の敷地の用に供されていた土地等の取得をした場合を含む。）におけるこれらの取得に要する資金に充てるための借入金</td></tr>
<tr><td>ヘ</td><td colspan="2">1に規定する増改築等に要する資金に充てるための借入金</td></tr>
</table>

（国土交通大臣が指定した法人）

（５）　（４）及び**五３**①（８）の規定に基づき、**１**（四）に規定する使用者に代わって**１**に規定する住宅の取得等若しくは**４**に規定する認定住宅の新築等又は**五１**①、同②若しくは同③に規定する住宅の増改築等に要する資金の貸付けを行っていると認められる法人を次のように指定する。（令２国土交通省告示第708号）

法　人　名	所　在　地
一般財団法人北海道公立学校教職員互助会	北海道札幌市中央区北一条西６丁目２番地
一般財団法人北海道警察職員互助会	北海道札幌市中央区北二条西７丁目北海道警察本部内
一般財団法人岩手県警察職員互助会	岩手県盛岡市内丸８番10号
一般財団法人宮城県職員互助会	宮城県仙台市青葉区本町３丁目８番１号
一般財団法人秋田県教育関係職員互助会	秋田県秋田市山王３丁目１番１号
一般財団法人山形県教職員互助会	山形県山形市松波２丁目８番１号
一般財団法人原子力機構互助会	茨城県那珂郡東海村白方白根２番地４
一般財団法人埼玉県教職員互助会	埼玉県さいたま市浦和区高砂３丁目15番１号
一般財団法人千葉県公立学校教職員互助会	千葉県千葉市中央区市場町１番１号
一般財団法人首都高速道路厚生会	東京都千代田区霞が関１丁目４番１号
一般財団法人道路厚生会	東京都千代田区紀尾井町３番地12
一般財団法人日本放送協会共済会	東京都渋谷区宇田川町41番１号
一般財団法人神奈川県警友会	神奈川県横浜市中区海岸通２丁目４番
一般財団法人神奈川県教育福祉振興会	神奈川県横浜市中区日本大通33
一般財団法人都市再生共済会	神奈川県横浜市中区本町６丁目50番地１
一般財団法人神奈川県厚生福利振興会	神奈川県横浜市中区山下町１番地
一般財団法人新潟県教職員互助会	新潟県新潟市中央区新光町４番地１
一般財団法人新潟県職員互助会	新潟県新潟市中央区新光町７番地２
一般財団法人富山県教職員厚生会	富山県富山市千歳町１丁目５番１号
一般財団法人石川県教職員互助会	石川県金沢市鞍月１丁目１番地
一般財団法人石川県警察職員互助会	石川県金沢市鞍月１丁目１番地
一般財団法人石川県職員互助会	石川県金沢市鞍月１丁目１番地
一般財団法人山梨県職員互助会	山梨県甲府市丸の内１丁目６番１号
一般財団法人山梨県教職員互助組合	山梨県甲府市丸の内３丁目33番地７号
一般財団法人山梨県高等学校教職員互助会	山梨県甲府市丸の内３丁目33番地７号
一般財団法人静岡県警察職員互助会	静岡県静岡市葵区追手町９番６号
一般財団法人静岡県教職員互助組合	静岡県静岡市葵区駿府町１番12号
一般財団法人大阪府職員互助会	大阪府大阪市中央区大手前３丁目１番43号
一般財団法人阪神高速先進技術研究所	大阪府大阪市中央区南本町４丁目５番７号
一般財団法人兵庫県学校厚生会	兵庫県神戸市中央区北長狭通４丁目７番34号
一般財団法人兵庫県職員互助会	兵庫県神戸市中央区下山手通５丁目10番１号
一般財団法人奈良県職員互助会	奈良県奈良市登大路町30番地
一般財団法人奈良県教職員互助組合	奈良県奈良市法蓮町757奈良県奈良総合庁舎内
一般財団法人岡山県教育職員互助組合	岡山県岡山市北区内山下２丁目４番６号岡山県教育庁内
一般財団法人広島県職員互助会	広島県広島市中区基町10番52号広島県庁内
一般財団法人山口県教職員互助会	山口県山口市滝町１番１号
一般財団法人徳島県市町村職員互助会	徳島県徳島市幸町３丁目55番地
一般財団法人香川県職員互助会	香川県高松市番町４丁目１番10号
一般財団法人福岡県警察職員互助会	福岡県福岡市博多区東公園７番７号
一般財団法人佐賀県教職員互助会	佐賀県佐賀市城内１丁目１番59号
一般財団法人長崎県職員互助会	長崎県長崎市尾上町３番１号
一般財団法人熊本県職員互助会	熊本県熊本市中央区水前寺６丁目18番１号
一般財団法人大分県教職員互助会	大分県大分市大字下郡496番地38
一般財団法人大分県職員互助会	大分県大分市大手町３丁目１番１号大分県庁内

一般社団法人宮崎県教職員互助会	宮崎県宮崎市老松１丁目２番２号
一般財団法人鹿児島県職員互助会	鹿児島県鹿児島市鴨池新町10番１号
一般財団法人鹿児島県教職員互助組合	鹿児島県鹿児島市照国町11番35号
一般社団法人沖縄県市町村職員互助会	沖縄県那覇市旭町116番37号沖縄県市町村自治会館

（注）１　この告示は、令和２年７月１日から施行する。（同告示附則１）
　　　２　平成19年国土交通省告示第409号は、廃止する。（同告示附則２）

（併用住宅の場合の控除対象債務）

（３）　**1**の個人が新築をし、若しくは取得をした**1**に規定する居住用家屋若しくは既存住宅（その者の住宅借入金等にこれらの家屋の敷地の用に供する土地等の取得に係る住宅借入金等が含まれる場合には、これらの家屋及び当該土地等）又は**1**に規定する増改築等をした家屋の当該増改築等に係る部分のうちにその者の居住の用以外の用に供する部分がある場合における**1**の規定の適用については、次に定めるところによる。（措令26⑦）

(一)	当該居住用家屋又は既存住宅のうちにその者の居住の用以外の用に供する部分がある場合には、当該居住用家屋の新築若しくは取得又は当該既存住宅の取得に係る住宅借入金等の金額は、当該金額に、これらの家屋の①**イ**(一)又は同(二)に規定する床面積のうちに当該居住の用に供する部分の床面積の占める割合を乗じて計算した金額とする。
(二)	当該土地等のうちにその者の居住の用以外の用に供する部分がある場合には、当該土地等の取得に係る住宅借入金等の金額は、当該金額に、当該土地等の面積（土地にあっては当該土地の面積（①**イ**(二)に掲げる家屋の敷地の用に供する土地については、その１棟の家屋の敷地の用に供する土地の面積に当該家屋の床面積のうちにその者の区分所有する部分の床面積の占める割合を乗じて計算した面積。以下において同じ。）をいい、土地の上に存する権利にあっては当該土地の面積をいう。以下(二)及び**4**(12)(二)において同じ。）のうちに当該居住の用に供する部分の土地等の面積の占める割合を乗じて計算した金額とする。
(三)	当該増改築等に係る部分のうちにその者の居住の用以外の用に供する部分がある場合には、当該増改築等に係る住宅借入金等の金額は、当該金額に、当該増改築等に要した費用の額のうちに当該居住の用に供する部分の当該増改築等に要した費用の額の占める割合を乗じて計算した金額とする。

（用語の意義）

（４）　この**四**関係の取扱いにおいて、次に掲げる用語の意義は、それぞれ次に定めるところによる。（措通41－１）

(一)　居住用家屋　**1**に規定する居住用家屋をいう。
(二)　居住用家屋の新築等　**1**に規定する居住用家屋の新築等をいう。
(三)　買取再販住宅の取得　**1**に規定する買取再販住宅の取得をいう。
(四)　既存住宅の取得　**1**に規定する既存住宅の取得をいう。
(五)　増改築等　**1**に規定する増改築等をいう。
(六)　住宅の取得等　**1**に規定する住宅の取得等をいう。
(七)　住宅借入金等　**1**(一)から同(四)までに掲げる借入金又は債務をいう。
(八)　敷地の取得　**1**(一)から同(四)までに規定する敷地の用に供される又は供されていた土地等の取得をいう。
(九)　認定住宅等　**4**に規定する認定住宅等をいう。
(十)　認定住宅等の新築等　**4**に規定する認定住宅等の新築等をいう。
(十一)　買取再販認定住宅等の取得　**4**に規定する買取再販認定住宅等の取得をいう。
(十二)　認定住宅等の新築取得等　**4**に規定する認定住宅等の新築取得等をいう。
(十三)　認定住宅等借入金等　**4**に規定する認定住宅等借入金等をいう。
(十四)　住宅の新築取得等　住宅の取得等及び認定住宅等の新築取得等をいう。
(十五)　居住日　住宅の新築取得等をして当該住宅の新築取得等に係る家屋を居住の用に供した日をいう。
(十六)　居住年　居住日の属する年をいう。
(十七)　控除適用期間　居住年以後10年間（居住年が平成19年若しくは平成20年で**3**①の規定を適用する場合には15年間とし、居住年が令和４年若しくは令和５年であり、かつ、その居住に係る住宅の新築取得等が居住用家屋の新築等若しくは買取再販住宅の取得に該当するものである場合、居住年が令和４年から令和７年までの各年であり、かつ、その居住に係る住宅の新築取得等が認定住宅等の新築等若しくは買取再販認定住宅等の取得に該当するものである場合又は居住日が令和元年10月１日から令和２年12月31日までの期間内で**5**若しくは**6**の規定を適用する場合には13年間とする。）をいう。

(十八)　家屋の取得対価の額　住宅の新築取得等に係る家屋の建築工事の請負代金又は取得の対価の額をいう。

(十九)　敷地の取得対価の額　敷地の取得の対価の額をいう。

(二十)　家屋等の取得対価の額　家屋の取得対価の額及び敷地の取得対価の額の合計額をいう。

(二十一)　増改築等に要した費用の額　増改築等に係る工事に要した費用の額をいう。

(居住の用に供した場合)

(５)　**1**、**3**①、**4**、**5**及び**6**に規定する「その者の居住の用に供した場合」とは、住宅の新築取得等をした者が、現にその居住の用に供した場合をいうのであるが、その者が、転勤、転地療養その他のやむを得ない事情により、配偶者、扶養親族その他その者と生計を一にする親族と日常の起居を共にしていない場合において、その住宅の新築取得等をした日から６月以内にその家屋（増改築等をした家屋については、その増改築等に係る部分。以下（７）までにおいて同じ。）をこれらの親族がその居住の用に供したときで、当該やむを得ない事情が解消した後はその者が共にその家屋に居住することとなると認められるときは、これに該当するものとする。（措通41－１の２）

(引き続き居住の用に供している場合)

(６)　**1**、**3**①、**4**、**5**及び**6**に規定する「引き続きその居住の用に供している」とは、住宅の新築取得等をした者が現に引き続きその居住の用に供していることをいうのであるが、これに該当するかどうかの判定に当たっては、次による。（措通41－２）

(一)　その者が、転勤、転地療養その他のやむを得ない事情により、配偶者、扶養親族その他のその者と生計を一にする親族と日常の起居を共にしないこととなった場合において、その家屋をこれらの親族が引き続きその居住の用に供しており、当該やむを得ない事情が解消した後はその者が共にその家屋に居住することとなると認められるときは、その者がその家屋を引き続き居住の用に供しているものとする。

(二)　災害により、その家屋が控除適用期間内に一部損壊した場合において、その損壊部分の補修工事等のため一時的にその者がその家屋を居住の用に供しないこととなる期間があったときは、その期間もその者が引き続き居住の用に供しているものとする。

(注)　その家屋が、上記(二)の一時的に居住の用に供しない場合ではなく、災害により居住の用に供することができなくなった場合には、**14**の規定の適用があることに留意する。

(新築の日又は増改築等の日)

(７)　自己が居住の用に供するためにいわゆる建築工事請負契約により新築をし、又は増改築等をした家屋に係る**1**に規定する「新築の日」又は「増改築の日」とは、その者が請負人から当該家屋の引渡しを受けた日をいうものとして取り扱って差し支えない。（措通41－５）

(土地等の取得の日)

(８)　**1**の(一)から同(四)までに規定する土地又は当該土地の上に存する権利（以下「土地等」という。）の取得の日は、当該土地等の引渡しを受けた日による。（措通41－６）

(借地権者等が取得した底地の取得時期等)

(９)　借地権その他の土地の上に存する権利（以下「借地権等」という。）を有する者が当該権利の設定されている土地（以下「底地」という。）を取得した場合には、その土地の取得の日は、当該底地に相当する部分とその他の部分とを各別に判定するものとする。

底地を有する者がその土地に係る借地権等を取得した場合も、同様とする。（措通41－７）

(一定期間の意義)

(10)　**1**(一)（４）ニ（イ）、同（４）ヘ（ロ）（ⅱ）、**1**(二)（２）ロ（イ）、同(二)（３）ロ（イ）、**1**(四)（２）ホ（ロ）、同(四)（３）ロ（ロ）、又は同(四)（４）ニ（ロ）に規定する「一定期間」とは、それぞれに掲げる住宅建設の用に供する宅地の分譲に係る契約の事項、貸付けの条件又は譲渡の条件において定められている期間をいうことに留意する。（措通41－８）

(住宅借入金等の金額の合計額等が家屋等の取得の対価の額等を超える場合)

(11)　(2)又は**4**(11)の規定は、住宅借入金等の金額の合計額が(2)に規定する「住宅の取得等に係る対価の額又は費用の額」を超える場合又は認定住宅等借入金等の金額の合計額が**4**(11)に規定する「認定住宅等の新築取得等に係る対価の額」を超える場合に適用されるのであるが、次に掲げる場合には、その合計額のうちそれぞれ次に定める金額((2)若しくは**4**(11)に規定する補助金等の交付を受ける場合又は(2)若しくは**4**(11)に規定する住宅取得等資金の贈与を受けた場合には当該補助金等の額又は当該住宅取得等資金の額を控除した金額）に達するまでの部分の金額が当該住宅借入金等の金額の合計額又は当該認定住宅等借入金等の金額の合計額となることに留意する。(措通41－23)

(一)　住宅の新築取得等（増改築等を除く。以下(11)及び(17)において同じ。）に係る住宅借入金等の金額の合計額又は認定住宅等借入金等の金額の合計額が、当該住宅の新築取得等に係る家屋の取得対価の額を超える場合　　家屋の取得対価の額

(二)　住宅の新築取得等及び敷地の取得の両方に係る住宅借入金等の金額の合計額又は認定住宅等借入金等の金額の合計額が、当該住宅の新築取得等に係る家屋等の取得対価の額を超える場合　　家屋等の取得対価の額

(三)　敷地の取得に係る住宅借入金等の金額の合計額又は認定住宅等借入金等の金額の合計額が、当該敷地の取得対価の額を超える場合　　敷地の取得対価の額

(四)　増改築等に係る住宅借入金等の金額の合計額が、当該増改築等に要した費用の額を超える場合　　増改築等に要した費用の額

(注) 1　住宅借入金等の金額の合計額又は認定住宅等借入金等の金額の合計額が家屋の取得対価の額、家屋等の取得対価の額、敷地の取得対価の額又は増改築等に要した費用の額（以下(12)において「家屋の取得の対価の額等」という。）を超えるかどうかの判定は、**1**又は**4**の規定の適用を受ける各年ごとに、かつ、個々の住宅の新築取得等、敷地の取得又は増改築等ごとに行うのであるが、その判定を行う場合の住宅借入金等の金額の合計額又は認定住宅等借入金等の金額の合計額は、これらの規定の適用を受ける各年ごとの12月31日における現実の住宅借入金等の金額の残高の合計額又は認定住宅等借入金等の金額の残高の合計額をいう。

2　家屋の取得の対価の額等には、その家屋（増改築等をした家屋については、当該増改築等に係る部分。以下**四**関係において同じ。）又は敷地のうちにその者の居住の用以外の用に供される部分がある場合における当該居住の用以外の用に供される部分に対応する家屋の取得の対価の額等が含まれる。

(家屋の取得対価の額の範囲)

(12)　「家屋の取得対価の額」には、次に掲げる金額を含むものとする。(措通41－24)

(一)　その家屋と一体として取得した当該家屋の電気設備、給排水設備、衛生設備及びガス設備等の附属設備の取得の対価の額

(二)　その家屋の取得の日以後居住の用に供する日前にした当該家屋に係る修繕に要した費用の額又は**15**に規定する要耐震改修住宅の**15**に規定する耐震改修に要した費用の額

(三)　その家屋が①**イ**(二)に規定する区分所有に係るものである場合には、当該家屋に係る廊下、階段その他その共用に供されるべき部分のうち、その者の持分に係る部分の取得の対価の額

(注)　割賦払の方法により支払うこととされている債務に係る利息（遅延利息を含む。）や割賦事務手数料に相当する金額のようなものは、家屋の取得対価の額には含まれないことに留意する。

(敷地の取得対価の額の範囲)

(13)　「敷地の取得対価の額」には、次に掲げる金額を含むものとする。(措通41－25)

(一)　埋立て、土盛り、地ならし、切土、防壁工事その他の土地の造成又は改良のために要した費用の額

(二)　土地等と一括して建物等を取得した場合における当該建物等の取壊し費用の額（発生資材がある場合には、その発生資材の価額を控除した残額。ただし、土地等の取得後おおむね1年以内に当該建物等の取壊しに着手するなど、その取得が当初からその建物等を取り壊して家屋を新築することが明らかであると認められる場合に限る。）

(注)　当該取壊し前に当該建物等を居住の用に供して**1**、**3**又は**4**の規定の適用を受けている場合には、当該家屋の新築に係る**1**、**3**又は**4**の規定の適用において、当該土地等の取得は敷地の取得に該当しないことに留意する。

(家屋等の取得対価の額等の特例)

(14)　門、塀等の構築物、電気器具、家具セット等の器具、備品又は車庫等の建物（以下「構築物等」という。）を家屋又は敷地の取得がある場合の当該敷地と併せて同一の者から取得等をしている場合で、当該構築物等の取得等の対価の額がきん少と認められるときは、(12)及び(13)にかかわらず、当該構築物等の取得等の対価の額を家屋の取得対価の額、家屋等の取得対価の額又は敷地の取得対価の額に含めて差し支えない。(措通41－26)

（補助金等）

(15)　①**ハ**並びに(２)及び**4**(11)に規定する補助金等（以下「補助金等」という。）は、次によるものとする。（措通41－26の２）

⑴　国又は地方公共団体から直接交付される補助金等のほか、国又は地方公共団体から補助金等の交付事務の委託を受けた法人を通じて交付されるものも含まれる。

⑵　補助金等は、補助金又は給付金等の名称にかかわらず、住宅の取得等と相当の因果関係のあるものをいうものとする。この場合、住宅借入金等又は認定住宅等借入金等の利子の支払に充てるために交付されるいわゆる利子補給金はこれに該当しない。

（注）1　補助金等には、金銭で交付されるもののほか、金銭以外の物又は権利その他経済的な利益をもって交付されるものも含まれる。

2　補助金等は、租税特別措置法第42条若しくは第43条に規定する国庫補助金等に該当するか否かを問わないこと又はこれらの規定を適用するか否かを問わないことに留意する。

3　(13)から(15)までにより家屋の取得対価の額等に含まれるものの取得等に関し交付される補助金又は給付金等も補助金等に該当する。

（補助金等の見込控除）

(16)　補助金等の交付を受ける場合において、当該交付を受ける額が**四**の規定の適用を受ける確定申告書を提出する時までに確定していない場合には、当該交付を受ける額の見込額に基づいて**四**の規定を適用する。この場合において、後日、当該交付を受ける額の確定額と当該見込額とが異なることとなったときは、遡及して当該控除の額を訂正するものとする。（措通41－26の３）

（家屋及び土地等について補助金等の交付を受ける場合）

(17)　補助金等が、住宅の新築取得等又は敷地の取得に関し交付を受けるものがある場合の家屋の取得対価の額又は敷地の取得対価の額から控除されるべき補助金等の額に相当する額は、次によるものとする。（措通41－26の４）

⑴　住宅の新築取得等に関し交付を受ける補助金等の額に相当する部分の額は、次の算式により計算した額に相当する部分とする。

$$\text{当該住宅の新築取得等に関し専ら交付を受ける補助金等の額} + \text{当該住宅の新築取得等又は敷地の取得に関し交付を受ける補助金等の額} \times \frac{\text{当該家屋の取得対価の額}}{\text{当該家屋の取得対価の額及び当該敷地の取得対価の額}}$$

⑵　敷地の取得に関し交付を受ける補助金等の額に相当する部分の額は、次の算式により計算した額に相当する部分とする。

$$\text{当該敷地の取得に関し専ら交付を受ける補助金等の額} + \text{当該住宅の新築取得等又は敷地の取得に関し交付を受ける補助金等の額} \times \frac{\text{当該敷地の取得対価の額}}{\text{当該家屋の取得対価の額及び当該敷地の取得対価の額}}$$

（注）　当該家屋が①**イ**(二)に規定する区分所有に係るもので、家屋及びその敷地の居住の用に供する部分の割合が同じで、かつ、(11)(二)に掲げる住宅の新築取得等及び敷地の取得の両方に係る住宅借入金等又は認定住宅等借入金等を有する場合には、当該家屋等の取得対価の額等の合計額から、交付を受ける当該補助金等の額の合計額を控除する。

（店舗併用住宅等の居住部分の判定）

(18)　自己の居住の用に供する家屋のうちに居住の用以外の用に供する部分がある場合には、当該家屋に係る(３)(一)又は同(二)に規定するその居住の用に供する部分及び当該家屋の敷地の用に供する土地等のうちその居住の用に供する部分は、次により判定するものとする。（措通41－27）

(一)　当該家屋のうちその居住の用に供する部分は、次の算式により計算した面積に相当する部分とする。

$$\text{当該家屋のうちその居住の用に専ら供する部分の床面積　A} + \text{当該家屋のうちその居住の用と居住の用以外の用とに併用する部分の床面積　B} \times \frac{A}{A + \text{居住の用以外の用に供する部分の床面積}}$$

(二)　当該土地等のうちその居住の用に供する部分は、次の算式により計算した面積に相当する部分とする。

$$\text{当該土地等のうちその居住の用に専ら供する部分の面積} + \text{当該土地等のうちその居住の用と居住の用以外の用とに併用する部分の面積} \times \frac{\text{当該家屋の床面積のうち(一)の算式により計算した面積}}{\text{当該家屋の床面積}}$$

（定期借地権等の設定の時における保証金等に係る敷地の取得の対価の額）

(19)　借地権（借地借家法第22条《定期借地権》及び第24条《建物譲渡特約付借地権》に規定する借地権（以下「定期借地権等」という。）の設定に際し、借地権者から借地権設定者に対し、保証金、敷金などその名称のいかんを問わず借地契約の終了の時に返還を要するものとされる金銭等（以下「保証金等」という。））の預託があった場合において、その保証金等につき定期借地権等を設定した日の属する月における基準年利率（昭和39年４月25日付直資56ほか１課共同「財産評価基本通達（法令解釈通達）」の27－３（定期借地権等の設定の時における借地権者に帰属する経済的利益の総額の計算）の(２)に掲げる年利率をいう。以下同じ。）未満の利率（以下「約定利率」という。）による利息の支払があるとき又は支払うべき利息がないときには、次の算式により計算した金額が、**1**(一)から同(四)までに規定する土地等の取得に要する資金に該当するものとする。（措通41－28）

（算　式）

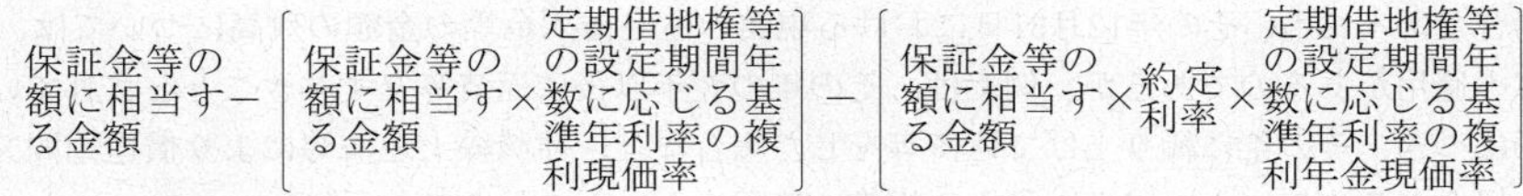

（自己の居住の用に供される部分の床面積若しくは土地等の面積又は増改築等に要した費用の額）

(20)　(３)の規定は、その家屋又は当該家屋の敷地の用に供される土地等のうちにその者の居住の用以外の用に供される部分がある場合に適用されるのであるが、(18)により計算したその者の居住の用に供される部分の床面積若しくは土地等の面積又は増改築等に要した費用の額がその家屋の床面積若しくは土地等の面積又は増改築等に要した費用の額のおおむね90パーセント以上に相当する面積又は金額であるときは、(３)の規定にかかわらず、その家屋の床面積若しくは土地等の面積又は増改築等に要した費用の額の全部がその者の居住の用に供する部分の床面積若しくは土地等の面積又は増改築等に要した費用の額に該当するものとして**1**又は**3**①の規定を適用することができるものとする。（措通41－29）

（共済会等からの借入金）

(21)　**1**(四)に規定する使用者（以下「使用者」という。）の役員又は使用人をもって組織した団体で、これらの者の親睦又は福利厚生に関する事業を主として行っているもの（以下「共済会等」という。）の構成員（同(四)に規定する「第四章第五節《給与所得》**一**に規定する給与等又は同章第六節《退職所得》**一**に規定する退職手当等の支払を受ける個人」に限る。）が、その構成員である地位に基づいて共済会等から借り入れた住宅の新築取得等（当該住宅の新築取得等とともにする敷地の取得がある場合には、当該敷地の取得を含む。）に係る借入金は、その共済会等の行う事業が使用者の事業の一部であると認められる場合に限り、使用者から借り入れた借入金に該当するものとする。（措通41－15）

（注）　共済会等の行う事業が、使用者の事業の一部と認められるかどうかは、所得税基本通達２－８及び２－９（50、51ページ）の取扱いによる。

（借入金等の借換えをした場合）

(22)　住宅の新築取得等（敷地の取得を含む。以下同じ。）に係る借入金又は債務（以下「当初の借入金等」という。）の金額を有している場合において、当該当初の借入金等を消滅させるために新たな借入金を有することとなるとき（以下「**借入金等の借換えをした場合**」という。）は、当該新たな借入金が当初の借入金等を消滅させるためのものであることが明らかであり、かつ、当該新たな借入金を新築等又は増改築等のための資金に充てるものとしたならば**1**(一)又は同(四)に規定する要件を満たしているときに限り、当該新たな借入金は同(一)又は同(四)に掲げる借入金に該当するものとする。（措通41－16）

（割賦償還の方法等）

(23)　**1**(一)から同(四)に規定する「割賦償還の方法」又は「割賦払の方法」とは、返済又は支払（以下「**返済等**」という。）をすべき借入金又は債務の金額の返済等の期日が月、年等で１年以下の期間を単位としておおむね規則的に到来し、かつ、それぞれの返済等の期日において返済等をすべき金額が当初において具体的に確定している場合におけるその返済等の方法をいう。（措通41－17）

（返済等をすべき期日において返済等をすべき金額の明示がない場合）

(24)　借入金又は債務の金額に係る契約において、例えば、「毎月○○円を支払い、賞与等のある月には任意の金額を支払う。」又は「毎月○○円以上を支払う。」のように、それぞれの返済等をすべき期日において、返済等をすべき金額があらかじめ明示されていない部分がある場合又は返済等をすべき最低金額のみが明示されている場合においても、あらかじめ明示されている部分の金額の返済等の方法が(20)による割賦償還の方法又は割賦払の方法（以下「割賦償還等の方法」という。）により行われることとされているときは、当該契約に係る返済等の方法は割賦償還等の方法に該当するものとする。（措通41－18）

（繰上返済等をした場合）

(25)　住宅借入金等、**3**①の規定の適用を受ける場合の住宅借入金等（(28)において「特例住宅借入金等」という。)、認定住宅等借入金等、**5**の規定の適用を受ける場合の住宅借入金等（(28)において「特別特定住宅借入金等」という。）又は**6**の規定の適用を受ける場合の住宅借入金等（(28)において「認定特別特定住宅借入金等」という。）の金額に係る契約において、その年の翌年以後に返済等をすべきこととされている住宅借入金等の金額につき、その年に繰り上げて返済等をした場合であっても、その年12月31日における現実の住宅借入金等の金額の残高については、**1**、**3**①、**4**、**5**又は**6**の規定の適用があるのであるが、例えば、その年の翌年以後に返済等をすべきこととされている住宅借入金等の金額の全額につき、その年に繰り上げて返済等をした場合など、当該繰上返済等により償還期間又は割賦期間が10年未満となる場合のその年についてはこれらの規定の適用はないものとする。（措通41－19）

（注）　借入金等の借換えをした場合には、(22)の適用がある場合があることに留意する。

（住宅の新築取得等に係る住宅借入金等の金額等）

(26)　住宅借入金等の金額は、その元本の金額をいうのであるから、利息（遅延利息を含む。）や割賦事務手数料に相当する金額のようなものは含まれないことに留意する。（措通41－20）

（著しく低い金利による利息である住宅借入金等）

(27)　次の(一)又は(二)に掲げる住宅借入金等につき次の(一)又は(二)に定める金額が、支払うべき利息の額の算定方法に従い、その算定の基礎とされた当該住宅借入金等の額及び利息の計算期間を基として②(１)(一)及び同(二)に規定する「基準利率」により計算した利息の額の年額に相当する金額に満たない場合には、当該住宅借入金等は、同(１)(一)又は同(二)に規定する場合に該当する。（措通41－21）

(一)　使用者から借り入れた住宅借入金等　　当該住宅借入金等に係るその年において支払うべき利息の額の合計額に相当する金額

(二)　使用者からいわゆる利子補給金の支払を受けている住宅借入金等　　当該住宅借入金等に係るその年において支払うべき利息の額の合計額からその年において支払を受けた利子補給金の額（当該支払うべき利息の額に対応するものをいう。）の合計額を控除した残額

（注）　借入金等の借換えをした場合には、(22)の適用があることに留意する。ただし、年の中途において、同一の使用者との間で上記(一)に掲げる住宅借入金等の借換えが行われている場合は、当初の借入金等も「基準利率により計算した利息の額の年額」及び「その年において支払うべき利息の額の合計額」の計算に含まれる。

（その年12月31日における住宅借入金等の金額）

(28)　**2**に規定するその年12月31日における住宅借入金等の金額の合計額、**3**①に規定するその年12月31日における特例住宅借入金等の金額の合計額、**4**に規定するその年12月31日における認定住宅等借入金等の金額の合計額、**5**に規定するその年12月31日における特別特定住宅借入金等の金額の合計額及び**6**に規定するその年12月31日における認定特別特定住宅借入金等の金額の合計額は、その年12月31日における現実の住宅借入金等の金額の残高、特例住宅借入金等の金額の残高、認定住宅等借入金等の金額の残高、特別特定住宅借入金等の金額の残高又は認定特別特定住宅借入金等の金額の残高を基として計算された金額をいうものとする。（措通41－22）

（注）　1511ページの「住宅取得資金に係る借入金の年末残高等証明書」（以下「借入金の年末残高等証明書」という。）及び1519ページの「住宅取得資金に係る借入金等の年末残高等調書」（以下**16**(17)において「借入金の年末残高等調書」という。）の「年末残高」欄は、**16**(17)により、その年12月31日における住宅借入金等の金額の予定額が記載される場合があることに留意する。

（土地等の取得に係る住宅借入金等の金額に居住用家屋の新築に係る金額が含まれない場合）

(29)　**1**に規定する個人が、**1**に規定する適用年の12月31日（その者が死亡した日の属する年にあっては、同日。以下(29)において同じ。）において、**1**(一)(４)ニから同ヘまでに掲げる借入金、同(二)(２)ロに掲げる土地等の取得の対価に係る債務、同(二)(３)ハに掲げる債務、同(四)(２)ハから同ホまでに掲げる借入金、同(四)(３)ロに掲げる土地等の取得の対価に係る債務又は同(四)(４)に規定する借入金（同(四)(４)ロから同ニまでに掲げる借入金に係るものに限る。）に係る住宅借入金等の金額（以下(29)において「土地等の取得に係る住宅借入金等の金額」という。）を有

する場合であって、これらの借入金又は債務に係る同(一)(４)ニから同ヘまで、同(二)(２)ロ、同(二)(３)ロ、同(四)(２)ハから同ホまで、同(四)(３)ロ又は同(４)ロから同ニまでに規定する土地等の上にその者が新築をしたこれらの規定に規定する居住用家屋又は認定住宅等の当該新築に係る住宅借入金等の金額を有しない場合には、当該適用年の12月31日における当該土地等の取得に係る住宅借入金等の金額は有していないものとみなして、**1**の規定を適用する。(措令26⑲)

①　居住用家屋、既存住宅及び増改築等の対象家屋の範囲

イ　居住用家屋

1に規定する居住用家屋は、個人がその居住の用に供する次の(一)及び(二)に掲げる家屋（その家屋の床面積の２分の１以上に相当する部分が専ら当該居住の用に供されるものに限る。）とし、その者がその居住の用に供する家屋を２以上有する場合には、これらの家屋のうち、その者が主としてその居住の用に供すると認められる一の家屋に限るものとする。(措令26①)

(一)	１棟の家屋で床面積が50平方メートル以上であるもの
(二)	１棟の家屋で、その構造上区分された数個の部分を独立して住居その他の用途に供することができるものにつきその各部分を区分所有する場合には、その者の区分所有する部分の床面積が50平方メートル以上であるもの

(家屋の床面積)

(１)　**イ**(一)、**7**(１)(一)及び**ハ**(４)(三)イに規定する家屋の床面積は、各階ごとに壁その他の区画の中心線で囲まれた部分の水平投影面積（登記簿上表示される床面積）による。(措通41－10)

(区分所有する部分の床面積)

(２)　**イ**(二)、**7**(１)(二)及び**ハ**(４)(三)ロに規定する「その者の区分所有する部分の床面積」とは、建物の区分所有等に関する法律第２条第３項に規定する専有部分の床面積をいうのであるが、当該床面積は、登記簿上表示される壁その他の区画の内側線で囲まれた部分の水平投影面積による。(措通41－11)

(注)　専有部分の床面積には、数個の専有部分に通ずる廊下、階段室、エレベーター室、共用の便所及び洗面所、屋上等の部分の面積は含まれない。

(店舗併用住宅等の場合の床面積基準の判定)

(３)　自己の居住の用以外の用に供される部分がある家屋又は共有物である家屋が**イ**(一)若しくは同(二)、**7**(１)(一)若しくは同(二)又は**ハ**(４)(三)イ若しくは同ロの床面積基準に該当するかどうかの判定に当たっては、次のことに留意する。(措通41－12)

(一)　その家屋（**イ**(二)、**7**(１)(二)又は**ハ**(４)(三)ロに規定する家屋にあっては、その者の区分所有する部分。以下(３)において同じ。）の一部がその者の居住の用以外の用に供される場合には、当該居住の用以外の用に供される部分の床面積を含めたその家屋全体の床面積により判定する。

(二)　その家屋が共有物である場合には、その家屋の床面積にその者の持分割合を乗じて計算した面積ではなく、その家屋全体の床面積により判定する。

(住宅の取得等に係る家屋の敷地の判定)

(４)　取得した土地等が**1**(一)から同(四)に規定する住宅の取得等に係る家屋の敷地の用に供される又は供されていた土地等に該当するかどうかは、社会通念に従い、当該土地等が居住用家屋と一体として利用されている土地等であるかどうかにより判定する。(措通41－13)

(信託の受益者が適用を受ける場合)

(５)　受益者等課税信託（第二章第四節**2**に規定する受益者（同節**2**(１)の規定により同節**2**に規定する受益者とみなされる者を含む。以下同じ。）がその信託財産に属する資産及び負債を有するものとみなされる信託をいう。以下同じ。）の受益者が、居住用家屋又は認定住宅等で当該信託の信託財産に属するものについて住宅の新築取得等をした場合における**四**の規定の適用については、次に留意する。(措通41－32)

(一)　当該居住用家屋又は当該認定住宅等が、区分建物の各部分の２以上に相当するものであり、かつ、当該２以上

の部分のうちに当該受益者の居住の用に供される部分とそれ以外の用に供される部分とがあるときは、当該受益者の居住の用に供される部分が区分所有登記又は信託契約書において区分所有されていることが確認されない限り、**イ**に規定する「その家屋の床面積の２分の１以上に相当する部分が専ら当該居住の用に供されるもの」に該当するかどうか、又は**イ**(一)又は同(二)に規定する床面積の要件に適合するかどうかについては、当該受益者の有する権利の目的となっている各部分の全部の床面積の合計を基礎として判定することに留意する。

(二)　当該居住用家屋又は当該認定住宅等が居住の用に供されているかどうかは、当該受益者の有する権利に応じてこれらの家屋を有しているものとされる受益者について判定することに留意する。

(三)　住宅借入金等には、当該信託財産に属する居住用家屋又は認定住宅等の住宅の新築取得等に係る借入金又は債務が含まれる。

(注)　受益者等課税信託の受益者となったことによる住宅の新築取得等があった場合において、その住宅の新築取得等に係る上記の借入金又は債務が**1**(一)から同(四)までに規定する「償還期間が10年以上」のもの又は「賦払期間が10年以上」のものに該当するかどうかについては、当該受益者となった時において残存する償還期間又は賦払期間を基礎として判定することに留意する。

(四)　**四**の規定の適用を受けようとする受益者は、確定申告書に添付する**16**及び**16**（３）（注）１に規定する登記事項証明書、工事の請負契約書の写しその他の書類の添付に当たっては、次に留意する。

イ　住宅の新築取得等をした家屋の登記事項証明書は、当該家屋が当該信託財産に属するものであることが記載されたものとする。

ロ　売買契約書の写し、請負契約書の写し、借入金の年末残高等証明書その他の書類（上記イに掲げる書類を除く。）で、信託の受託者の名義が記されているものについては、これらの書類が当該信託の受益者の住宅の新築取得等に係るものである旨の証明を受託者から受けたものであることに留意する。

ハ　借入金の年末残高等証明書に記載されている「住宅借入金等の金額」又は「居住用家屋の取得の対価等の額又は増改築等に要した費用の額」が、受益者が居住の用に供している家屋に係る部分とそれ以外の信託財産の構成物に係る部分とから成るものであるときは、上記ロによる受託者の証明は、当該受益者が居住の用に供している家屋に係る部分のみを明記して行うものとする。

ロ　買取再販住宅とされる既存住宅の範囲（耐震基準、既存住宅、特定増改築等、新築後経過年数）

（**1**に規定する地震に対する安全性に係る規定又は基準として同**ロ**（１）で定めるもの及び**1**に規定する建築後使用されたことのある家屋で耐震基準に適合するものとして同**ロ**（１）で定めるもの）

（1）　**1**に規定する地震に対する安全性に係る規定又は基準として同**ロ**（１）で定めるものは、建築基準法施行令第三章及び第五章の四の規定又は国土交通大臣が財務大臣と協議して定める地震に対する安全性に係る基準とし、**1**に規定する建築後使用されたことのある家屋で耐震基準に適合するものとして同**ロ**（１）で定めるものは、個人がその居住の用に供する家屋（その床面積の２分の１以上に相当する部分が専ら当該居住の用に供されるものに限る。）で、**イ**(一)及び同(二)のいずれかに該当するものであること及び次の(一)及び(二)に掲げる要件のいずれかに該当するものであることにつき（３）で定めるところにより証明がされたもの又は確認を受けたもののうち建築後使用されたことのあるものとし、その者がその居住の用に供する家屋を二以上有する場合には、これらの家屋のうち、その者が主としてその居住の用に供すると認められる一の家屋に限るものとする。（措令26③）

(一)	昭和57年１月１日以後に建築されたものであること。
(二)	**1**に規定する耐震基準に適合するものであること。

(注) 1　国土交通大臣が財務大臣と協議して定める地震に対する安全性に係る基準

ロの規定に基づき、国土交通大臣が財務大臣と協議して定める地震に対する安全性に係る基準を次のように定めたので告示する。（平17国土交通省告示第393号（最終改正令５同省告示第284号））

ロに規定する国土交通大臣が財務大臣と協議して定める地震に対する安全性に係る基準は、平成18年国土交通省告示第185号において定める地震に対する安全上耐震関係規定に準ずるものとして国土交通大臣が定める基準とする。

2　国土交通大臣が財務大臣と協議して定める書類

ロ（２）(一)の規定に基づき、国土交通大臣が財務大臣と協議して定める書類を次のように定めたので告示する。（平21国土交通省告示第685号（最終改正令６同省告示第317号））

第五章第二節**十一２**①（２）(二)イ⑷及び同ハ⑷並びに同節**十五１**（１）(一)（注）２、**ロ**（３）(一)ロ及び**21**④（３）(一)イに規定する国土交通大臣が財務大臣と協議して定める書類は、次に掲げる書類のいずれかとする。

(一)　第五章第二節**十一１**③の規定の適用を受けようとする者が譲渡した同⑤に規定する被相続人居住用家屋（以下「被相続人居住用家屋」という。）又は同節**十五１**、**1**若しくは**21**④の規定の適用を受けようとする者が取得した建築後使用されたことのある住宅の用に供する家屋（以下「既存居住用住宅」という。）が建築基準法施行令（昭和25年政令第338号）第３章及び第５章の４の規定又は第五章第二節**十一１**③(３)、同節**十五１**(１)(一)ロ及び**ロ**に規定する国土交通大臣が財務大臣と協議して定める地震に対する安全性に係る基準に適合するものである旨を建築士（建築士法（昭和25年法律第202号）第23条の３第１項の規定により登録された建築士事務所に属する建築士に限るものとし、これらの家屋が、同法第３条第１項各号に掲げる建築物であるときは１級建築士に、同法第３条の２第１項各号に掲げる建築物であるときは１級建築士又は２級建築士に限るものとする。）、建築基準法（昭和25年法律第201号）第77条の21第１項に規定する指定確認検査機関、住宅の品質確保の促進等に関する法律（平成11年法律第81号）第５条第１項に規定する登録住宅性能評価機関又は特定住宅瑕疵担保責任の履行の確保等に関する法律（平成19年法律第66号）第17条第１項の規定による指定を受けた同項に規定する住宅瑕疵担保責任保険法人（以下「保険法人」という。）が別表の書式により証する書類（次に掲げる家屋の区分に応じそれぞれ次に定める期間内に当該証明のための家屋の調査が終了したものに限る。）

イ　被相続人居住用家屋　次に掲げる場合の区分に応じそれぞれ次に定める期間

（１）　当該被相続人居住用家屋の譲渡が第五章第二節**十一１**③(一)に掲げる譲渡である場合　　当該被相続人居住用家屋の譲渡の日前２年以内

（２）　当該被相続人居住用家屋の譲渡が第五章第二節**十一１**③(三)に掲げる譲渡である場合　　当該被相続人居住用家屋が同③に規定する耐震基準に適合させるための工事（当該譲渡の日から同日の属する年の翌年２月15日までの間に完了したものに限る。）の完了の日から当該譲渡をした日の属する年分の第二章第一節**一37**に規定する確定申告書の提出の日までの期間

ロ　既存居住用家屋（ハに掲げるものを除く。）　　当該既存居住用家屋の取得の日前２年以内

ハ　第五章第二節**十五１**の規定の適用を受けようとする場合における既存居住用家屋で同**１**(１)(一)ロに規定する耐火建築物に該当しないもの　　当該既存居住用家屋の取得の日の２年前の日から同**１**に規定する譲渡の日の属する年の12月31日（同**十五２**において準用する同**十五１**の規定の適用を受ける場合にあっては、同**十五２**に規定する取得期限）までの期間

(二)　第五章第二節**十一１**③の規定の適用を受けようとする者が譲渡した被相続人居住用家屋又は同節**十五１**、**１**若しくは**21**④の規定の適用を受けようとする者が取得した既存居住用家屋について交付された住宅の品質確保の促進等に関する法律第６条第３項に規定する建設住宅性能評価書の写し（(一)イからハまでに掲げる家屋の区分に応じそれぞれ(一)イからハまでに定める期間内に評価されたもので、平成13年国土交通省告示第1346号別表２－１の１－１耐震等級（構造躯体の倒壊等防止）に係る評価が等級１、等級２又は等級３であるものに限る。）

(三)　第五章第二節**十五１**、**１**又は**21**④の規定の適用を受けようとする者が取得した既存居住用家屋について交付された既存住宅売買瑕疵担保責任保険契約（次のイ及びロに掲げる要件に適合する保険契約であって、(一)ロ及びハに掲げる家屋の区分に応じそれぞれ(一)ロ及びハに定める期間内に締結されたものに限る。）が締結されていることを証する書類

イ　特定住宅瑕疵担保責任の履行の確保等に関する法律第19条第２号の規定に基づき保険法人が引受けを行うものであること。

ロ　既存居住用家屋の構造耐力上主要な部分（住宅の品質確保の促進等に関する法律施行令第５条第１項に規定する構造耐力上主要な部分をいう。以下同じ。）に瑕疵（住宅の品質確保の促進等に関する法律第２条第５項に規定する瑕疵（構造耐力に影響のないものを除く。）をいう。以下同じ。）がある場合において、次の(１)又は(２)に掲げる場合の区分に応じ、それぞれ(１)又は(２)に掲げる損害を填補するものであること。

（１）　宅地建物取引業者（特定住宅瑕疵担保責任の履行の確保等に関する法律第２条第４項に規定する宅地建物取引業者をいう。以下同じ。）が売主である場合　　既存住宅売買瑕疵担保責任（既存居住用家屋の売買契約において、宅地建物取引業者が負うこととされている民法第415条、第541条、第542条、第562条及び第563条に規定する担保の責任をいう。）を履行することによって生じた当該宅地建物取引業者の損害

（２）　宅地建物取引業者以外の者が売主である場合　　既存住宅売買瑕疵保証責任（保証者（既存居住用家屋の構造耐力上主要な部分に瑕疵がある場合において、買主に生じた損害を填補することを保証する者をいう。以下同じ。）が負う保証の責任をいう。）を履行することによって生じた保証者の損害

別表　耐震基準適合証明書(1448ページ参照)

（**１**に規定する特定増改築等をした家屋で同**ロ**(２)で定めるもの）

(２)　**１**に規定する特定増改築等をした家屋で同**ロ**(２)で定めるものは、**１**に規定する既存住宅のうち新築された日から起算して10年を経過したものとする。（措令26④）

（**ロ**(１)に規定する(３)で定めるところにより証明がされた家屋又は確認を受けた家屋）

(３)　**ロ**(１)に規定する(３)で定めるところにより証明がされた家屋は(一)に掲げる家屋とし、**ロ**(１)に規定する(３)で定めるところにより確認を受けた家屋は(二)に掲げる家屋とする。（措規18の21①）

<table>
<tr><td rowspan="2">(一)</td><td colspan="3">当該家屋がイ(一)又は同(二)のいずれかに該当するものであること及びロ(１)(一)又は同(二)に掲げる要件のいずれかに該当するものであることにつき、次のイ及びロに掲げる場合の区分に応じそれぞれ次のイ又はロに定める書類により証明がされたもの</td></tr>
<tr><td>イ</td><td>当該家屋がイ(一)又は同(二)のいずれかに該当するもの及びロ(１)(一)に掲げる要件に該当するものである場合</td><td>登記事項証明書（当該家屋が当該イ(一)又は同(二)のいずれかに該当するものであることが当該登記事項証明書に記載された事項によって明らかでないときは、当該登記事項証明書及びイ(一)又は同(二)のいずれかに該当するものであることを明らかにする書類（(二)イにおいて「床面積要件疎明書類」という。））</td></tr>
</table>

	ロ	当該家屋が**イ**(一)又は同(二)のいずれかに該当するもの及び**ロ**(１)(二)に掲げる要件に該当するものである場合	イに規定する登記事項証明書及び当該家屋が国土交通大臣が財務大臣と協議して定める耐震基準（**1**に規定する耐震基準をいう。**16**(四)ロ⑵及び**15**(３)において同じ。）に適合する家屋である旨を証する書類（(二)ロにおいて「耐震基準に適合する旨を証する書類」という。）
(二)	当該家屋が**イ**(一)又は同(二)のいずれかに該当するものであること及び**ロ**(１)(一)又は同(二)に掲げる要件のいずれかに該当するものであることにつき、次に掲げる場合の区分に応じそれぞれ次に定める情報及び書類により税務署長の確認を受けたもの		
	イ	当該家屋が**イ**(一)又は同(二)のいずれかに該当するもの及び**ロ**(１)(一)に掲げる要件に該当するものである場合	**1**の規定による控除を受けようとする者が提出をした書類に記載がされた当該家屋に係る不動産識別事項等（情報通信技術を活用した行政の推進等に関する法律施行令第５条の表の第３号の下欄のイ⑵又は⑶に掲げる事項をいう。ロにおいて同じ。）により税務署長が入手し、又は参照した当該家屋の登記事項証明書に係る情報（当該家屋が当該**イ**(一)又は同(二)のいずれかに該当するものであることが当該登記事項証明書に係る情報によって明らかでないときは、当該登記事項証明書に係る情報及びその者が提出をした床面積要件疎明書類）
	ロ	当該家屋が**イ**(一)又は同(二)のいずれかに該当するもの及び**ロ**(１)(二)に掲げる要件に該当するものである場合	**1**の規定による控除を受けようとする者が提出をした書類に記載がされた当該家屋に係る不動産識別事項等により税務署長が入手し、又は参照した当該家屋の**イ**に規定する登記事項証明書に係る情報及びその者が提出をした耐震基準に適合する旨を証する書類

ハ　増改築等の範囲

1に規定する特定増改築等とは、**1**に規定する宅地建物取引業者が家屋（**1**の当該宅地建物取引業者からの取得前２年以内に当該宅地建物取引業者が取得をしたものに限る。）につき行う増築、改築その他の(１)で定める工事（当該工事と併せて行う当該家屋と一体となって効用を果たす設備の取替え又は取付けに係る工事を含む。）であって、当該工事に要した費用の総額が当該家屋の**1**の個人に対する譲渡の対価の額の100分の20に相当する金額（当該金額が300万円を超える場合には、300万円）以上であることその他の(３)で定める要件を満たすものをいい、**1**に規定する増改築等とは、当該個人が所有している家屋につき行う増築、改築その他の(１)で定める工事（当該工事と併せて行う当該家屋と一体となって効用を果たす設備の取替え又は取付けに係る工事を含む。）で当該工事に要した費用の額（当該工事の費用に関し補助金等（国又は地方公共団体から交付される補助金又は給付金その他これらに準ずるものをいう。以下**ハ**において同じ。）の交付を受ける場合には、当該工事に要した費用の額から当該補助金等の額を控除した金額）が100万円を超えるものであることその他の(４)で定める要件を満たすもの（**七**《既存住宅に係る特定の改修工事をした場合の所得税額の特別控除》**1**、同**2**、同**3**①、同**4**①②③、同**5**①及び同**6**までの規定の適用を受けるものを除く。）をいう。（措法41㉒）

((１)で定める工事)

(１)　**ハ**に規定する宅地建物取引業者が家屋につき行う増築、改築その他の(１)で定める工事は、租税特別措置法施行令第42条の２の２第２項各号に掲げる工事で当該工事に該当するものであることにつき(２)で定めるところにより証明がされたものとし、**ハ**に規定する個人が所有している家屋につき行う増築、改築その他の(１)で定める工事は、次の(一)から(六)までに掲げる工事で当該工事に該当するものであることにつき(５)で定めるところにより証明がされたものとする。（措令26㉝）

(一)	増築、改築、建築基準法第２条第14号に規定する大規模の修繕又は同条第15号に規定する大規模の模様替	
(二)	一棟の家屋でその構造上区分された数個の部分を独立して住居その他の用途に供することができるもののうちその者が区分所有する部分について行う次に掲げるいずれかの修繕又は模様替（(一)に掲げる工事に該当するものを除く。）	
	イ	その区分所有する部分の床（建築基準法第２条第５号に規定する主要構造部（以下(二)において「主要構造部」という。）である床及び最下階の床をいう。）の過半又は主要構造部である階段の過半について行う修繕又は模様替

	ロ	その区分所有する部分の間仕切壁（主要構造部である間仕切壁及び建築物の構造上重要でない間仕切壁をいう。）の室内に面する部分の過半について行う修繕又は模様替（その間仕切壁の一部について位置の変更を伴うものに限る。）
	ハ	その区分所有する部分の主要構造部である壁の室内に面する部分の過半について行う修繕又は模様替（当該修繕又は模様替に係る壁の過半について遮音又は熱の損失の防止のための性能を向上させるものに限る。）
(三)	家屋（(二)の家屋にあっては、その者が区分所有する部分に限る。）のうち居室、調理室、浴室、便所その他の室で国土交通大臣が財務大臣と協議して定めるもの〔居室、調理室、浴室、便所、洗面所、納戸、玄関及び廊下〕の一室の床又は壁の全部について行う修繕又は模様替（(一)及び(二)に掲げる工事に該当するものを除く。）（平５建設省告示第1931号（最終改正令４国土交通省告示第439号））	
(四)	家屋について行う建築基準法施行令第３章《構造強度》及び第５章の４《建築設備等》の規定又は国土交通大臣が財務大臣と協議して定める地震に対する安全性に係る基準に適合させるための修繕又は模様替（(一)から(三)までに掲げる工事に該当するものを除く。）（平14国土交通省告示第271号（平７建設省告示第2090号）（最終改正令４国土交通省告示第440号））	
(五)	家屋について行う国土交通大臣が財務大臣と協議して定める**五１**①に規定する高齢者等が自立した日常生活を営むのに必要な構造及び設備の基準に適合させるための修繕又は模様替（(一)から(四)までに掲げる工事に該当するものを除く。）（平19国土交通省告示第407号（最終改正令６同省告示第308号）（1557ページの【住宅告示１】参照））	
(六)	家屋について行う国土交通大臣が財務大臣と協議して定めるエネルギーの使用の合理化に著しく資する修繕若しくは模様替又はエネルギーの使用の合理化に相当程度資する修繕若しくは模様替（(一)から(五)までに掲げる工事に該当するものを除く。）（平20国土交通省告示第513号（最終改正令５国土交通省告示第1072号））	

（(２)で定めるところにより証明がされた工事）

(２)　(１)に規定する宅地建物取引業者が家屋について行う増築、改築その他の(１)で定める工事で当該工事に該当するものとして(２)で定めるところにより証明がされた工事は、当該工事が租税特別措置法施行令第42条の２の２第２項各号に掲げる工事に該当するものであることにつき、国土交通大臣が財務大臣と協議して定める書類により証明がされたものとする。（措規18の21⑱、令４国土交通省告示第423号）

（**ハ**に規定する工事に要した費用の総額が家屋の個人に対する譲渡の対価の額の100分の20に相当する金額以上であることその他の(３)で定める要件）

(３)　**ハ**に規定する工事に要した費用の総額が家屋の個人に対する譲渡の対価の額の100分の20に相当する金額以上であることその他の(３)で定める要件は、次の(一)及び(二)に掲げる要件とする。（措令26㉞）

(一)	**ハ**に規定する特定増改築等に係る工事に要した費用の総額が**ハ**に規定する家屋の**１**の個人に対する譲渡の対価の額の100分の20に相当する金額（当該金額が300万円を超える場合には、300万円）以上であること。	
(二)	次に掲げる要件のいずれかを満たすこと。	
	イ	租税特別措置法施行令第42条の２の２第２項第１号から第６号までに掲げる工事に要した費用の額の合計額が100万円を超えること。
	ロ	同令第42条の２の２第２項第４号から第７号までのいずれかに掲げる工事に要した費用の額がそれぞれ50万円を超えること。

（増改築等の工事の要件）

(４)　**ハ**に規定する工事に要した費用の額が100万円を超えるものであることその他の(４)で定める要件を満たすものは、次の(一)から(四)までに掲げる要件を満たす工事とする。（措令26㉟）

(一)	**ハ**に規定する増改築等に係る工事（(二)から(四)までにおいて「増改築等工事」という。）に要した**ハ**に規定する費用の額が100万円を超えること。

(二)	増改築等工事をした家屋の当該工事に係る部分のうちにその者の居住の用以外の用に供する部分がある場合には、当該居住の用に供する部分に係る当該工事に要した費用の額が当該工事に要した費用の額の２分の１以上であること。
(三)	増改築等工事をした家屋が、その者のその居住の用に供される次に掲げる家屋（その家屋の床面積の２分の１以上に相当する部分が専ら当該居住の用に供されるものに限る。）のいずれかに該当するものであること。 イ　１棟の家屋で床面積が50平方メートル以上であるもの ロ　(１)の(二)の家屋につきその各部分を区分所有する場合には、その者の区分所有する部分の床面積が50平方メートル以上であるもの
(四)	増改築等工事をした家屋が、その者が主としてその居住の用に供すると認められるものであること。

((５)で定める証明手続)

(５)　(１)に規定する個人が所有している家屋につき行う増築、改築その他の(１)で定める工事で当該工事に該当するものとして(５)で定めるところにより証明がされた工事は、当該工事が(１)(一)から同(六)までに掲げる工事に該当するものであることにつき、次の(一)から(六)までに掲げる工事の区分に応じ当該(一)から(六)までに定める書類により証明がされたものとする。（措規18の21⑲）

(一)	(１)(一)に掲げる工事　当該工事に係る建築基準法第６条第１項に規定する確認済証の写し若しくは同法第７条第５項に規定する検査済証の写し又は当該工事が国土交通大臣が財務大臣と協議して定める同(一)に掲げる工事に該当する旨を証する書類
(二)	(１)(二)に掲げる工事　当該工事が国土交通大臣が財務大臣と協議して定める同(二)のイからハまでに掲げるいずれかの工事に該当する旨を証する書類
(三)	(１)(三)に掲げる工事　当該工事が国土交通大臣が財務大臣と協議して定める同(三)に掲げる工事に該当する旨を証する書類
(四)	(１)(四)に掲げる工事　当該工事が国土交通大臣が財務大臣と協議して定める同(四)に掲げる工事に該当する旨を証する書類
(五)	(１)(五)に掲げる工事　当該工事が国土交通大臣が財務大臣と協議して定める同(五)に掲げる工事に該当する旨を証する書類
(六)	(１)(六)に掲げる工事　当該工事が国土交通大臣が財務大臣と協議して定める同(六)に掲げる工事に該当する旨を証する書類

(注)　国土交通大臣が定める証明書の様式（昭63建設省告示第1274号（最終改正令６国土交通省告示第306号））……1450ページ参照。

(宅地建物取引業者からの取得の日等)

(６)　**ハ**に規定する特定増改築等（以下(６)において「特定増改築等」という。）に該当するかどうかについては、次により判定することに留意する。（措通41－29の４）

(一)　**１**に規定する個人が**１**に規定する宅地建物取引業者から特定増改築等をした家屋を取得した日及び当該宅地建物取引業者が当該家屋を取得した日については、それぞれ当該家屋に係る登記事項証明書において当該家屋の取得に係る売買が行われた日として記載されている日とする。

(二)　工事に要した費用の総額及び家屋の譲渡の対価の額については、それぞれ消費税額及び地方消費税額の合計額に相当する額を含めた金額とする。

(一般社団法人若しくは一般財団法人を指定し居室、調理室、浴室、便所その他の室を定めた場合の国土交通大臣の告示)

(７)　国土交通大臣は、**ロ**の規定により基準を定め、**１**(四)(４)の規定により一般社団法人若しくは一般財団法人を指定し、**４**(７)若しくは同(９)の規定により基準を定め、(１)(三)の規定により居室、調理室、浴室、便所その他の室を定め、同(四)の規定により基準を定め、又は同(五)若しくは同(六)の規定により修繕若しくは模様替を定めたときは、これを告示する。（措令26㊵、平21国土交通省告示第685号（最終改正令６同省告示第317号））

（参考）建築基準法第２条《定義》

この法律において次の各号に掲げる用語の意義は、それぞれ当該各号に定めるところによる。（以下抄録）

五　主要構造部　　壁、柱、床、はり、屋根又は階段をいい、建築物の構造上重要でない間仕切壁、間柱、附け柱、揚げ床、最下階の床、廻り舞台の床、小ばり、ひさし、局部的な小階段、屋外階段その他これらに類する建築物の部分を除くものとする。

十四　大規模の修繕　　建築物の主要構造部の一種以上について行う過半の修繕をいう。

十五　大規模の模様替　　建築物の主要構造部の一種以上について行う過半の模様替をいう。

建築基準法第６条《建築確認の申請及び確認》　　建築主は、建築確認を要する建築物の建築（増築、改築を含む。）及びこれらの建築物についての大規模の修繕又は大規模の模様替をしようとする場合には、建築確認申請書を提出して建築主事の確認を受けなければならない。ただし、防火地域及び準防火地域外において建築物を増築し、改築し、又は移転しようとする場合で、その増築、改築又は移転に係る部分の床面積の合計が10平方メートル以内のものについては、この限りでない。（編者において要約）

二　増改築等の対象家屋

1に規定するその者の居住の用に供する家屋で①**ニ**で定めるもの《増改築等の対象家屋》は、個人がその居住の用に供する家屋とし、その者がその居住の用に供する家屋を２以上有する場合には、これらの家屋のうち、その者が主としてその居住の用に供していると認められる一の家屋に限るものとする。（措令26⑤）

〔令和６年４月１日以後〕

別表

耐震基準適合証明書

<table>
<tr><td rowspan="2">証明申請者</td><td>住所</td><td></td></tr>
<tr><td>氏名</td><td></td></tr>
<tr><td colspan="2">家屋番号及び所在地</td><td></td></tr>
<tr><td colspan="2">家屋調査日</td><td>年　月　日</td></tr>
<tr><td colspan="2">適合する耐震基準</td><td>1　建築基準法施行令第３章及び第５章の４の規定
2　地震に対する安全性に係る基準</td></tr>
</table>

上記の家屋が租税特別措置法施行令

(イ)　第23条第３項
(ロ)　第24条の２第３項第１号
(ハ)　第26条第３項
(ニ)　第40条の４の２第３項
(ホ)　第40条の５第２項

に定める地震に対する安全性に係る基準に適合することを証明します。

<table>
<tr><td>証明年月日</td><td>年　月　日</td></tr>
</table>

1．証明者が建築士事務所に属する建築士の場合

<table>
<tr><td rowspan="3">証明を行った建築士</td><td>氏名</td><td colspan="3">印</td></tr>
<tr><td rowspan="2">一級建築士、二級建築士又は木造建築士の別</td><td rowspan="2"></td><td>登録番号</td><td></td></tr>
<tr><td>登録を受けた都道府県名(二級建築士又は木造建築士の場合)</td><td></td></tr>
<tr><td rowspan="4">証明を行った建築士の属する建築士事務所</td><td>名称</td><td colspan="3"></td></tr>
<tr><td>所在地</td><td colspan="3"></td></tr>
<tr><td colspan="3">一級建築士事務所、二級建築士事務所又は木造建築士事務所の別</td><td></td></tr>
<tr><td colspan="3">登録年月日及び登録番号</td><td></td></tr>
</table>

2．証明者が指定確認検査機関の場合

<table>
<tr><td rowspan="4">証明を行った指定確認検査機関</td><td colspan="2">名称</td><td colspan="3">印</td></tr>
<tr><td colspan="2">住所</td><td colspan="3"></td></tr>
<tr><td colspan="2">指定年月日及び指定番号</td><td colspan="3"></td></tr>
<tr><td colspan="2">指定をした者</td><td colspan="3"></td></tr>
<tr><td rowspan="5">調査を行った建築士又は建築基準適合判定資格者</td><td colspan="2">氏名</td><td colspan="3"></td></tr>
<tr><td rowspan="2">建築士の場合</td><td rowspan="2">一級建築士、二級建築士又は木造建築士の別</td><td rowspan="2"></td><td>登録番号</td><td></td></tr>
<tr><td>登録を受けた都道府県名(二級建築士又は木造建築士の場合)</td><td></td></tr>
<tr><td rowspan="2">建築基準適合</td><td rowspan="2">一級建築基準適合判定資格</td><td rowspan="2"></td><td>登録番号</td><td></td></tr>
<tr><td>登録を受けた地方整備局等名</td><td></td></tr>
</table>

<table>
<tr><td></td><td>判定資格者の場合</td><td>者又は二級建築基準適合判定資格者の別</td><td></td><td></td><td></td></tr>
</table>

3．証明者が登録住宅性能評価機関の場合

<table>
<tr><td rowspan="4">証明を行った登録住宅性能評価機関</td><td colspan="2">名　　　称</td><td colspan="3">印</td></tr>
<tr><td colspan="2">住　　　所</td><td colspan="3"></td></tr>
<tr><td colspan="2">登録年月日及び登録番号</td><td colspan="3"></td></tr>
<tr><td colspan="2">登録をした者</td><td colspan="3"></td></tr>
<tr><td rowspan="5">調査を行った建築士又は建築基準適合判定資格者</td><td colspan="2">氏　　　名</td><td colspan="3"></td></tr>
<tr><td rowspan="2">建築士の場合</td><td rowspan="2">一級建築士、二級建築士又は木造建築士の別</td><td rowspan="2"></td><td>登　録　番　号</td><td></td></tr>
<tr><td>登録を受けた都道府県名（二級建築士又は木造建築士の場合）</td><td></td></tr>
<tr><td rowspan="2">建築基準適合判定資格者の場合</td><td rowspan="2">一級建築基準適合判定資格者又は二級建築基準適合判定資格者の別</td><td rowspan="2"></td><td>登　録　番　号</td><td></td></tr>
<tr><td>登録を受けた地方整備局等名</td><td></td></tr>
</table>

4．証明者が住宅瑕疵担保責任保険法人の場合

<table>
<tr><td rowspan="3">証明を行った住宅瑕疵担保責任保険法人</td><td colspan="2">名　　　称</td><td colspan="3">印</td></tr>
<tr><td colspan="2">住　　　所</td><td colspan="3"></td></tr>
<tr><td colspan="2">指 定 年 月 日</td><td colspan="3"></td></tr>
<tr><td rowspan="5">調査を行った建築士又は建築基準適合判定資格者</td><td colspan="2">氏　　　名</td><td colspan="3"></td></tr>
<tr><td rowspan="2">建築士の場合</td><td rowspan="2">一級建築士、二級建築士又は木造建築士の別</td><td rowspan="2"></td><td>登　録　番　号</td><td></td></tr>
<tr><td>登録を受けた都道府県名（二級建築士又は木造建築士の場合）</td><td></td></tr>
<tr><td rowspan="2">建築基準適合判定資格者の場合</td><td rowspan="2">一級建築基準適合判定資格者又は二級建築基準適合判定資格者の別</td><td rowspan="2"></td><td>登　録　番　号</td><td></td></tr>
<tr><td>登録を受けた地方整備局等名</td><td></td></tr>
</table>

（用紙　日本産業規格　Ａ４）

〔令和６年４月１日以後〕

別表第二

増改築等工事証明書

<table>
<tr><td rowspan="2">証明申請者</td><td>住　所</td><td></td></tr>
<tr><td>氏　名</td><td></td></tr>
<tr><td colspan="2">家屋番号及び所在地</td><td></td></tr>
<tr><td colspan="2">工事完了年月日</td><td></td></tr>
</table>

Ⅰ．所得税額の特別控除

１．償還期間が10年以上の住宅借入金等を利用して増改築等をした場合（住宅借入金等特別税額控除）

（１）実施した工事の種別

<table>
<tr><td>第１号工事</td><td colspan="3">□1　増築　　□2　改築　　□3　大規模の修繕　　□4　大規模の模様替</td></tr>
<tr><td>第２号工事</td><td colspan="3">１棟の家屋でその構造上区分された数個の部分を独立して住居その他の用途に供することができるもののうちその者が区分所有する部分について行う次のいずれかに該当する修繕又は模様替
□1　床の過半の修繕又は模様替　　□2　階段の過半の修繕又は模様替
□3　間仕切壁の過半の修繕又は模様替　　□4　壁の過半の修繕又は模様替</td></tr>
<tr><td>第３号工事</td><td colspan="3">次のいずれか一室の床又は壁の全部の修繕又は模様替
□1　居室　□2　調理室　□3　浴室　□4　便所　□5　洗面所　□6　納戸
□7　玄関　□8　廊下</td></tr>
<tr><td>第４号工事
（耐震改修工事）</td><td colspan="3">次の規定又は基準に適合させるための修繕又は模様替
□1　建築基準法施行令第３章及び第５章の４の規定
□2　地震に対する安全性に係る基準</td></tr>
<tr><td>第５号工事
（バリアフリー改修工事）</td><td colspan="3">高齢者等が自立した日常生活を営むのに必要な構造及び設備の基準に適合させるための次のいずれかに該当する修繕又は模様替
□1　通路又は出入口の拡幅　□2　階段の勾配の緩和　□3　浴室の改良
□4　便所の改良　□5　手すりの取付　□6　床の段差の解消
□7　出入口の戸の改良　□8　床材の取替</td></tr>
<tr><td rowspan="4">第６号工事
（省エネ改修工事）</td><td rowspan="4">全ての居室の全ての窓の断熱改修工事を実施した場合</td><td colspan="2">エネルギーの使用の合理化に著しく資する次のいずれかに該当する修繕若しくは模様替又はエネルギーの使用の合理化に相当程度資する次のいずれかに該当する修繕若しくは模様替
□1　全ての居室の全ての窓の断熱性を高める工事
□2　全ての居室の全ての窓の断熱性を相当程度高める工事
□3　全ての居室の全ての窓の断熱性を著しく高める工事</td></tr>
<tr><td colspan="2">上記１から３のいずれかと併せて行う次のいずれかに該当する修繕又は模様替
□4　天井等の断熱性を高める工事　□5　壁の断熱性を高める工事
□6　床等の断熱性を高める工事</td></tr>
<tr><td>地域区分</td><td>□1　１地域　□2　２地域　□3　３地域　□4　４地域
□5　５地域　□6　６地域　□7　７地域　□8　８地域</td></tr>
<tr><td>改修工事前の住宅が相当する断熱性能等級</td><td>□1　等級１　□2　等級２　□3　等級３</td></tr>
</table>

<table>
<tr><td rowspan="15"></td><td rowspan="4"></td><td rowspan="4">認定低炭素建築物新築等計画に基づく工事の場合</td><td colspan="3">次に該当する修繕又は模様替
□1　窓

上記１と併せて行う次のいずれかに該当する修繕又は模様替
□2　天井等　□3　壁　□4　床等</td></tr>
<tr><td>低炭素建築物新築等計画の認定主体</td><td colspan="2"></td></tr>
<tr><td>低炭素建築物新築等計画の認定番号</td><td colspan="2">第　　　号</td></tr>
<tr><td>低炭素建築物新築等計画の認定年月日</td><td colspan="2">年　月　日</td></tr>
<tr><td rowspan="11">改修工事後の住宅の一定の省エネ性能が証明される場合</td><td rowspan="8">住宅性能評価書により証明される場合</td><td colspan="3">エネルギーの使用の合理化に著しく資する次に該当する修繕若しくは模様替又はエネルギーの使用の合理化に相当程度資する次に該当する修繕若しくは模様替
□1　窓の断熱性を高める工事

上記１と併せて行う次のいずれかに該当する修繕又は模様替
□2　天井等の断熱性を高める工事
□3　壁の断熱性を高める工事
□4　床等の断熱性を高める工事</td></tr>
<tr><td>地域区分</td><td colspan="2">□1　１地域　□2　２地域　□3　３地域
□4　４地域　□5　５地域　□6　６地域
□7　７地域　□8　８地域</td></tr>
<tr><td>改修工事前の住宅が相当する断熱等性能等級</td><td colspan="2">□1　等級１　□2　等級２　□3　等級３</td></tr>
<tr><td>改修工事後の住宅の断熱等性能等級</td><td colspan="2">□1　断熱等性能等級２
□2　断熱等性能等級３
□3　断熱等性能等級４以上</td></tr>
<tr><td rowspan="2">住宅性能評価書を交付した登録住宅性能評価機関</td><td>名　称</td><td></td></tr>
<tr><td>登録番号</td><td>第　　　号</td></tr>
<tr><td colspan="2">住宅性能評価書の交付番号</td><td>第　　　号</td></tr>
<tr><td colspan="2">住宅性能評価書の交付年月日</td><td>年　月　日</td></tr>
<tr><td rowspan="3">増改築による長期優良住宅建築等計画の認定により証明される場合</td><td colspan="3">エネルギーの使用の合理化に著しく資する次に該当する修繕若しくは模様替又はエネルギーの使用の合理化に相当程度資する次に該当する修繕若しくは模様替
□1　窓の断熱性を高める工事

上記１と併せて行う次のいずれかに該当する修繕又は模様替
□2　天井等の断熱性を高める工事
□3　壁の断熱性を高める工事
□4　床等の断熱性を高める工事</td></tr>
<tr><td>地域区分</td><td colspan="2">□1　１地域　□2　２地域　□3　３地域
□4　４地域　□5　５地域　□6　６地域
□7　７地域　□8　８地域</td></tr>
<tr><td>改修工事前の住宅が相当する断熱等性能等級</td><td colspan="2">□1　等級１　□2　等級２　□3　等級３</td></tr>
</table>

<table>
<tr><td rowspan="4"></td><td rowspan="4"></td><td rowspan="4"></td><td>改修工事後の住宅の断熱等性能等級</td><td colspan="2">□1　断熱等性能等級３
□2　断熱等性能等級４以上</td></tr>
<tr><td colspan="2">長期優良住宅建築等計画の認定主体</td><td></td></tr>
<tr><td colspan="2">長期優良住宅建築等計画の認定番号</td><td>第　　　　号</td></tr>
<tr><td colspan="2">長期優良住宅建築等計画の認定年月日</td><td>年　　月　　日</td></tr>
</table>

（2）実施した工事の内容

（3）実施した工事の費用の額等

<table>
<tr><td colspan="2">①　第１号工事～第６号工事に要した費用の額</td><td>円</td></tr>
<tr><td colspan="2">②　第１号工事～第６号工事に係る補助金等の交付の有無</td><td>□有　　□無</td></tr>
<tr><td>「有」の場合</td><td>交付される補助金等の額</td><td>円</td></tr>
<tr><td colspan="2">③　①から②を差し引いた額（100万円を超える場合）</td><td>円</td></tr>
</table>

２．償還期間が５年以上の住宅借入金等を利用して高齢者等居住改修工事等（バリアフリー改修工事）、特定断熱改修工事等若しくは断熱改修工事等（省エネ改修工事）、特定多世帯同居改修工事等又は特定耐久性向上改修工事等を含む増改築等をした場合（特定増改築等住宅借入金等特別税額控除（工事完了後、令和３年12月31日までに入居したものに限る。））

（１）実施した工事の種別

<table>
<tr><td>高齢者等居住改修工事等（バリアフリー改修工事：２％控除分）</td><td colspan="4">高齢者等が自立した日常生活を営むのに必要な構造及び設備の基準に適合させるための次のいずれかに該当する増築、改築、修繕又は模様替
□1　通路又は出入口の拡幅　□2　階段の勾配の緩和　□3　浴室の改良
□4　便所の改良　□5　手すりの取付　□6　床の段差の解消
□7　出入口の戸の改良　□8　床材の取替</td></tr>
<tr><td rowspan="9">特定断熱改修工事等（省エネ改修工事：２％控除分）</td><td rowspan="7">全ての居室の全ての窓の断熱改修工事を実施した場合</td><td colspan="3">エネルギーの使用の合理化に著しく資する次のいずれかに該当する増築、改築、修繕又は模様替
□1　全ての居室の全ての窓の断熱性を高める工事
□2　全ての居室の全ての窓の断熱性を相当程度高める工事
□3　全ての居室の全ての窓の断熱性を著しく高める工事

上記１から３のいずれかと併せて行う次のいずれかに該当する増築、改築、修繕又は模様替
□4　天井等の断熱性を高める工事　□5　壁の断熱性を高める工事
□6　床等の断熱性を高める工事</td></tr>
<tr><td colspan="2">地域区分</td><td>□１　１地域　□２　２地域　□３　３地域　□４　４地域
□５　５地域　□６　６地域　□７　７地域　□８　８地域</td></tr>
<tr><td colspan="2">改修工事前の住宅が相当する断熱等性能等級</td><td>□１　等級１　□２　等級２　□３　等級３</td></tr>
<tr><td rowspan="4">認定低炭素建築物新築等計画に基づく工事の場合</td><td colspan="2">次に該当する修繕又は模様替
□1　窓

上記１と併せて行う次のいずれかに該当する修繕又は模様替
□2　天井等　□3　壁　□4　床等</td></tr>
<tr><td>低炭素建築物新築等計画の認定主体</td><td></td></tr>
<tr><td>低炭素建築物新築等計画の認定番号</td><td>第　　　号</td></tr>
<tr><td>低炭素建築物新築等計画の認定年月日</td><td>年　　月　　日</td></tr>
<tr><td rowspan="2">改修工事後の住宅の一定の省エネ性能が証明される場合</td><td rowspan="2">住宅性能評価書により証明される場合</td><td colspan="2">エネルギーの使用の合理化に著しく資する次に該当する増築、改築、修繕又は模様替
□1　窓の断熱性を高める工事

上記１と併せて行う次のいずれかに該当する増築、改築、修繕又は模様替
□2　天井等の断熱性を高める工事
□3　壁の断熱性を高める工事
□4　床等の断熱性を高める工事</td></tr>
<tr><td>地域区分</td><td>□1　1地域　□2　2地域　□3　3地域
□4　4地域　□5　5地域　□6　6地域
□7　7地域　□8　8地域</td></tr>
</table>

<table>
<tr><td rowspan="14"></td><td rowspan="14"></td><td rowspan="5"></td><td>改修工事前の住宅が相当する断熱等性能等級</td><td colspan="2">□1　等級１　□2　等級２　□3　等級３</td></tr>
<tr><td>改修工事後の住宅の省エネ性能</td><td colspan="2">□1　断熱等性能等級４
□2　一次エネルギー消費量等級４以上及び断熱等性能等級３</td></tr>
<tr><td rowspan="2">住宅性能評価書を交付した登録住宅性能評価機関</td><td>名　　称</td><td></td></tr>
<tr><td>登録番号</td><td>第　　　　号</td></tr>
<tr><td colspan="2">住宅性能評価書の交付番号</td><td>第　　　　号</td></tr>
<tr><td colspan="2">住宅性能評価書の交付年月日</td><td>年　　月　　日</td></tr>
<tr><td rowspan="7">増改築による長期優良住宅建築等計画の認定により証明される場合</td><td colspan="3">エネルギーの使用の合理化に著しく資する次に該当する増築、改築、修繕又は模様替
□1　窓の断熱性を高める工事

上記１と併せて行う次のいずれかに該当する増築、改築、修繕又は模様替
□2　天井等の断熱性を高める工事
□3　壁の断熱性を高める工事
□4　床等の断熱性を高める工事</td></tr>
<tr><td>地域区分</td><td colspan="2">□1　１地域　□2　２地域　□3　３地域
□4　４地域　□5　５地域　□6　６地域
□7　７地域　□8　８地域</td></tr>
<tr><td>改修工事前の住宅が相当する断熱等性能等級</td><td colspan="2">□1　等級１　□2　等級２　□3　等級３</td></tr>
<tr><td>改修工事後の住宅が相当する省エネ性能</td><td colspan="2">□1　断熱等性能等級４
□2　一次エネルギー消費量等級４以上及び断熱等性能等級３</td></tr>
<tr><td colspan="2">長期優良住宅建築等計画の認定主体</td><td></td></tr>
<tr><td colspan="2">長期優良住宅建築等計画の認定番号</td><td>第　　　　号</td></tr>
<tr><td colspan="2">長期優良住宅建築等計画の認定年月日</td><td>年　　月　　日</td></tr>
</table>

<table>
<tr><td rowspan="3">断熱改修工事等（省エネ改修工事：１％控除分）</td><td colspan="2">エネルギーの使用の合理化に相当程度資する次のいずれかに該当する増築、改築、修繕又は模様替
□1　全ての居室の全ての窓の断熱性を高める工事
□2　全ての居室の全ての窓の断熱性を相当程度高める工事
□3　全ての居室の全ての窓の断熱性を著しく高める工事

上記１から３のいずれかと併せて行う次のいずれかに該当する増築、改築、修繕又は模様替
□4　天井等の断熱性を高める工事　□5　壁の断熱性を高める工事
□6　床等の断熱性を高める工事</td></tr>
<tr><td>地域区分</td><td>□1　１地域　□2　２地域　□3　３地域　□4　４地域
□5　５地域　□6　６地域　□7　７地域　□8　８地域</td></tr>
<tr><td>改修工事前の住宅が相当する断熱等性能等級</td><td>□1　等級１　□2　等級２</td></tr>
</table>

<table>
<tr><td rowspan="4"></td><td rowspan="4">認定低炭素建築物新築等計画に基づく工事の場合</td><td colspan="2">次に該当する修繕又は模様替
□1　窓

上記１と併せて行う次のいずれかに該当する修繕又は模様替
□2　天井等　□3　壁　□4　床等</td></tr>
<tr><td>低炭素建築物新築等計画の認定主体</td><td></td></tr>
<tr><td>低炭素建築物新築等計画の認定番号</td><td>第　　　号</td></tr>
<tr><td>低炭素建築物新築等計画の認定年月日</td><td>年　月　日</td></tr>
<tr><td>特定多世帯同居改修工事等（２％控除分）</td><td colspan="3">他の世帯との同居をするのに必要な設備の数を増加させるための次のいずれかに該当する増築、改築、修繕又は模様替
□1　調理室を増設する工事　□2　浴室を増設する工事　□3　便所を増設する工事
□4　玄関を増設する工事

<table>
<tr><th></th><th>調理室の数</th><th>浴室の数</th><th>便所の数</th><th>玄関の数</th></tr>
<tr><td>改修工事前</td><td></td><td></td><td></td><td></td></tr>
<tr><td>改修工事後</td><td></td><td></td><td></td><td></td></tr>
</table></td></tr>
<tr><td>特定耐久性向上改修工事等（２％控除分）</td><td colspan="3">特定断熱改修工事等と併せて行う構造の腐食、腐朽及び摩損を防止し、又は維持保全を容易にするための次のいずれかに該当する増築、改築、修繕又は模様替
□1　小屋裏の換気工事　□2　小屋裏点検口の取付工事
□3　外壁の通気構造等工事　□4　浴室又は脱衣室の防水工事
□5　土台の防腐・防蟻工事　□6　外壁の軸組等の防腐・防蟻工事
□7　床下の防湿工事　□8　床下点検口の取付工事
□9　雨どいの取付工事　□10　地盤の防蟻工事
□11　給水管、給湯管又は排水管の維持管理又は更新の容易化工事

<table>
<tr><td>第１号工事</td><td>□1　増築　□2　改築　□3　大規模の修繕　□4　大規模の模様替</td></tr>
<tr><td>第２号工事</td><td>１棟の家屋でその構造上区分された数個の部分を独立して住居その他の用途に供することができるもののうちその者が区分所有する部分について行う修繕又は模様替
□1　床の過半の修繕又は模様替
□2　階段の過半の修繕又は模様替
□3　間仕切壁の過半の修繕又は模様替
□4　壁の過半の修繕又は模様替</td></tr>
<tr><td>第３号工事</td><td>次のいずれか一室の床又は壁の全部の修繕又は模様替
□1　居室　□2　調理室　□3　浴室　□4　便所
□5　洗面所　□6　納戸　□7　玄関　□8　廊下</td></tr>
<tr><td>長期優良住宅建築等計画の認定主体</td><td></td></tr>
<tr><td>長期優良住宅建築等計画の認定番号</td><td>第　　　号</td></tr>
<tr><td>長期優良住宅建築等計画の認定年月日</td><td>年　月　日</td></tr>
</table></td></tr>
</table>

上記と併せて行う第１号工事～第４号工事（１％控除分）	第１号工事	□1　増築　□2　改築　□3　大規模の修繕　□4　大規模の模様替
	第２号工事	１棟の家屋でその構造上区分された数個の部分を独立して住居その他の用途に供することができるもののうちその者が区分所有する部分について行う修繕又は模様替 □1　床の過半の修繕又は模様替 □2　階段の過半の修繕又は模様替 □3　間仕切壁の過半の修繕又は模様替 □4　壁の過半の修繕又は模様替
	第３号工事	次のいずれか一室の床又は壁の全部の修繕又は模様替 □1　居室　□2　調理室　□3　浴室　□4　便所 □5　洗面所　□6　納戸　□7　玄関　□8　廊下
	第４号工事	次の規定又は基準に適合させるための修繕又は模様替 □1　建築基準法施行令第３章及び第５章の４の規定 □2　地震に対する安全性に係る基準

（2）実施した工事の内容

（3）実施した工事の費用の額等

①　高齢者等居住改修工事等、特定断熱改修工事等又は断熱改修工事等、特定多世帯同居改修工事等、特定耐久性向上改修工事等及び第１号工事～第４号工事に要した費用の額		円
②　高齢者等居住改修工事等の費用の額等（２％控除分）		
ア　高齢者等居住改修工事等に要した費用の額		円
イ　高齢者等居住改修工事等に係る補助金等の交付の有無		□有　□無
「有」の場合	交付される補助金等の額	円
ウ　アからイを差し引いた額（50万円を超える場合）		円
③　特定断熱改修工事等の費用の額等（２％控除分）		
ア　特定断熱改修工事等に要した費用の額		円
イ　特定断熱改修工事等に係る補助金等の交付の有無		□有　□無
「有」の場合	交付される補助金等の額	円
ウ　アからイを差し引いた額（50万円を超える場合）		円
④　特定多世帯同居改修工事等の費用の額等（２％控除分）		
ア　特定多世帯同居改修工事等に要した費用の額		円
イ　特定多世帯同居改修工事等に係る補助金等の交付の有無		□有　□無
「有」の場合	交付される補助金等の額	円
ウ　アからイを差し引いた額（50万円を超える場合）		円
⑤　特定耐久性向上改修工事等の費用の額等（２％控除分）		
ア　特定耐久性向上改修工事等に要した費用の額		円
イ　特定耐久性向上改修工事等に係る補助金等の交付の有無		□有　□無
「有」の場合	交付される補助金等の額	円
ウ　アからイを差し引いた額（50万円を超える場合）		円
⑥　②ウ、③ウ、④ウ及び⑤ウの合計額		円
⑦　断熱改修工事等の費用の額等（１％控除分）		
ア　断熱改修工事等に要した費用の額		円
イ　断熱改修工事等に係る補助金等の交付の有無		□有　□無
「有」の場合	交付される補助金等の額	円
ウ　アからイを差し引いた額（50万円を超える場合）		円

3．住宅耐震改修、高齢者等居住改修工事等（バリアフリー改修工事）、一般断熱改修工事等（省エネ改修工事）、多世帯同居改修工事等、耐久性向上改修工事等又は子育て対応改修工事等を含む増改築等をした場合（住宅耐震改修特別税額控除又は住宅特定改修特別税額控除）

（1）実施した工事の種別

<table>
<tr><td>①住宅耐震改修</td><td colspan="4">次の規定又は基準に適合させるための増築、改築、修繕又は模様替
□1　建築基準法施行令第３章及び第５章の４の規定
□2　地震に対する安全性に係る基準</td></tr>
<tr><td>②高齢者等居住改修工事等（バリアフリー改修工事）</td><td colspan="4">高齢者等が自立した日常生活を営むのに必要な構造及び設備の基準に適合させるための次のいずれかに該当する増築、改築、修繕又は模様替
□1　通路又は出入口の拡幅　□2　階段の勾配の緩和　□3　浴室の改良
□4　便所の改良　□5　手すりの取付　□6　床の段差の解消
□7　出入口の戸の改良　□8　床材の取替</td></tr>
<tr><td rowspan="18">③一般断熱改修工事等（省エネ改修工事）</td><td rowspan="6">窓の断熱改修工事を実施した場合</td><td colspan="3">エネルギーの使用の合理化に資する増築、改築、修繕又は模様替
□1　窓の断熱性を高める工事
上記１と併せて行う次のいずれかに該当する増築、改築、修繕又は模様替
□2　天井等の断熱性を高める工事　□3　壁の断熱性を高める工事
□4　床等の断熱性を高める工事</td></tr>
<tr><td>地域区分</td><td colspan="2">□1　１地域　□2　２地域　□3　３地域　□4　４地域
□5　５地域　□6　６地域　□7　７地域　□8　８地域</td></tr>
<tr><td rowspan="4">認定低炭素建築物新築等計画に基づく工事の場合</td><td colspan="2">次に該当する修繕又は模様替
□1　窓
上記１と併せて行う次のいずれかに該当する修繕又は模様替
□2　天井等　□3　壁　□4　床等</td></tr>
<tr><td>低炭素建築物新築等計画の認定主体</td><td></td></tr>
<tr><td>低炭素建築物新築等計画の認定番号</td><td>第　　号</td></tr>
<tr><td>低炭素建築物新築等計画の認定年月日</td><td>年　　月　　日</td></tr>
<tr><td colspan="2">太陽熱利用冷温熱装置の型式</td><td colspan="2"></td></tr>
<tr><td colspan="2">潜熱回収型給湯器の型式</td><td colspan="2"></td></tr>
<tr><td colspan="2">ヒートポンプ式電気給湯器の型式</td><td colspan="2"></td></tr>
<tr><td colspan="2">燃料電池コージェネレーションシステムの型式</td><td colspan="2"></td></tr>
<tr><td colspan="2">ガスエンジン給湯器の型式</td><td colspan="2"></td></tr>
<tr><td colspan="2">エアコンディショナーの型式</td><td colspan="2"></td></tr>
<tr><td colspan="2">太陽光発電設備の型式</td><td colspan="2"></td></tr>
<tr><td colspan="2">安全対策工事</td><td colspan="2">□有　□無</td></tr>
<tr><td colspan="2">陸屋根防水基礎工事</td><td colspan="2">□有　□無</td></tr>
<tr><td colspan="2">積雪対策工事</td><td colspan="2">□有　□無</td></tr>
<tr><td colspan="2">塩害対策工事</td><td colspan="2">□有　□無</td></tr>
<tr><td colspan="2">幹線増強工事</td><td colspan="2">□有　□無</td></tr>
</table>

<table>
<tr><td colspan="2">④多世帯同居改修工事等</td><td colspan="5">他の世帯との同居をするのに必要な設備の数を増加させるための次のいずれかに該当する増築、改築、修繕又は模様替
□1　調理室を増設する工事　□2　浴室を増設する工事　□3　便所を増設する工事
□4　玄関を増設する工事</td></tr>
<tr><td colspan="2"></td><td></td><td>調理室の数</td><td>浴室の数</td><td>便所の数</td><td>玄関の数</td></tr>
<tr><td colspan="2"></td><td>改修工事前</td><td></td><td></td><td></td><td></td></tr>
<tr><td colspan="2"></td><td>改修工事後</td><td></td><td></td><td></td><td></td></tr>
<tr><td colspan="2">⑤耐久性向上改修工事等</td><td colspan="5">対象住宅耐震改修又は対象一般断熱改修工事等と併せて行う構造の腐食、腐朽及び摩損を防止し、又は維持保全を容易にするための次のいずれかに該当する増築、改築、修繕又は模様替
□ 1　小屋裏の換気工事　□ 2　小屋裏点検口の取付工事
□ 3　外壁の通気構造等工事　□ 4　浴室又は脱衣室の防水工事
□ 5　土台の防腐・防蟻工事　□ 6　外壁の軸組等の防腐・防蟻工事
□ 7　床下の防湿工事　□ 8　床下点検口の取付工事
□ 9　雨どいの取付工事　□10　地盤の防蟻工事
□ 11　給水管、給湯管又は排水管の維持管理又は更新の容易化工事</td></tr>
<tr><td colspan="2"></td><td colspan="3">長期優良住宅建築等計画の認定主体</td><td colspan="2"></td></tr>
<tr><td colspan="2"></td><td colspan="3">長期優良住宅建築等計画の認定番号</td><td colspan="2">第　　　　号</td></tr>
<tr><td colspan="2"></td><td colspan="3">長期優良住宅建築等計画の認定年月日</td><td colspan="2">年　　月　　日</td></tr>
<tr><td colspan="2">⑥子育て対応改修工事等</td><td colspan="5">子育てに係る特例対象個人の負担を軽減するための次のいずれかに該当する増築、改築、修繕又は模様替
□1　住宅内における子どもの事故を防止するための工事
□2　対面式キッチンへの交換工事　□3　開口部の防犯性を高める工事
□4　収納設備を増設する工事　□5　開口部・界壁・界床の防音性を高める工事
□6　間取り変更工事</td></tr>
<tr><td rowspan="4">上記と併せて行う第1号工事～第6号工事</td><td>第1号工事</td><td colspan="5">□1　増築　□2　改築　□3　大規模の修繕　□4　大規模の模様替</td></tr>
<tr><td>第2号工事</td><td colspan="5">1棟の家屋でその構造上区分された数個の部分を独立して住居その他の用途に供することができるもののうちその者が区分所有する部分について行う次のいずれかに該当する修繕又は模様替
□1　床の過半の修繕又は模様替　□2　階段の過半の修繕又は模様替
□3　間仕切壁の過半の修繕又は模様替　□4　壁の過半の修繕又は模様替</td></tr>
<tr><td>第3号工事</td><td colspan="5">次のいずれか一室の床又は壁の全部の修繕又は模様替
□1　居室　□2　調理室　□3　浴室　□4　便所　□5　洗面所　□6　納戸
□7　玄関　□8　廊下</td></tr>
<tr><td>第4号工事
（耐震改修工事）
※①の工事を実施していない場合のみ選択</td><td colspan="5">次の規定又は基準に適合させるための修繕又は模様替
□1　建築基準法施行令第3章及び第5章の4の規定
□2　地震に対する安全性に係る基準</td></tr>
</table>

<table>
<tr><td rowspan="1"></td><td>第５号工事
（バリアフリー改修工事）
※②の工事を実施していない場合のみ選択</td><td colspan="4">高齢者等が自立した日常生活を営むのに必要な構造及び設備の基準に適合させるための次のいずれかに該当する修繕又は模様替

□1　通路又は出入口の拡幅　□2　階段の勾配の緩和　□3　浴室の改良
□4　便所の改良　□5　手すりの取付　□6　床の段差の解消
□7　出入口の戸の改良　□8　床材の取替</td></tr>
<tr><td rowspan="9"></td><td rowspan="9">第６号工事
（省エネ改修工事）
※③の工事を実施していない場合のみ選択</td><td rowspan="3">全ての居室の全ての窓の断熱改修工事を実施した場合</td><td colspan="3">エネルギーの使用の合理化に著しく資する次のいずれかに該当する修繕若しくは模様替又はエネルギーの使用の合理化に相当程度資する次のいずれかに該当する修繕若しくは模様替
□1　全ての居室の全ての窓の断熱性を高める工事
□2　全ての居室の全ての窓の断熱性を相当程度高める工事
□3　全ての居室の全ての窓の断熱性を著しく高める工事

上記１から３のいずれかと併せて行う次のいずれかに該当する修繕又は模様替
□4　天井等の断熱性を高める工事　□5　壁の断熱性を高める工事
□6　床等の断熱性を高める工事</td></tr>
<tr><td>地域区分</td><td colspan="2">□1　１地域　□2　２地域　□3　３地域
□4　４地域　□5　５地域　□6　６地域
□7　７地域　□8　８地域</td></tr>
<tr><td>改修工事前の住宅が相当する断熱等性能等級</td><td colspan="2">□1　等級１　□2　等級２　□3　等級３</td></tr>
<tr><td rowspan="4"></td><td rowspan="4">認定低炭素建築物新築等計画に基づく工事の場合</td><td colspan="2">次に該当する修繕又は模様替
□1　窓

上記１と併せて行う次のいずれかに該当する修繕又は模様替
□2　天井等　□3　壁　□4　床等</td></tr>
<tr><td>低炭素建築物新築等計画の認定主体</td><td></td></tr>
<tr><td>低炭素建築物新築等計画の認定番号</td><td>第　　　号</td></tr>
<tr><td>低炭素建築物新築等計画の認定年月日</td><td>年　　月　　日</td></tr>
<tr><td rowspan="2">改修工事の住宅の一定の省エネ性能が証明される場合</td><td rowspan="2">住宅性能評価書により証明される場合</td><td colspan="2">エネルギーの使用の合理化に著しく資する次に該当する修繕若しくは模様替又はエネルギーの使用の合理化に相当程度資する次に該当する修繕若しくは模様替
□1　窓の断熱性を高める工事</td></tr>
<tr><td colspan="2">上記１と併せて行う次のいずれかに該当する修繕又は模様替
□2　天井等の断熱性を高める工事
□3　壁の断熱性を高める工事
□4　床等の断熱性を高める工事</td></tr>
</table>

				地域区分		□1　１地域　□2　２地域 □3　３地域　□4　４地域 □5　５地域　□6　６地域 □7　７地域　□8　８地域
				改修工事前の住宅が相当する断熱等性能等級		□1　等級１　□2　等級２　□3　等級３
				改修工事後の住宅の断熱等性能等級		□1　断熱等性能等級２ □2　断熱等性能等級３ □3　断熱等性能等級４以上
				住宅性能評価書を交付した登録住宅性能評価機関	名　　称	
					登録番号	第　　　　　号
				住宅性能評価書の交付番号		第　　　　　号
				住宅性能評価書の交付年月日		年　　月　　日
			増改築による長期優良住宅建築等計画の認定により証明される場合	エネルギーの使用の合理化に著しく資する次のいずれかに該当する修繕若しくは模様替又はエネルギーの使用の合理化に相当程度資する次に該当する修繕若しくは模様替 □1　窓の断熱性を高める工事 上記１と併せて行う次のいずれかに該当する修繕又は模様替 □2　天井等の断熱性を高める工事 □3　壁の断熱性を高める工事 □4　床等の断熱性を高める工事		
				地域区分		□1　１地域　□2　２地域 □3　３地域　□4　４地域 □5　５地域　□6　６地域 □7　７地域　□8　８地域
				改修工事前の住宅が相当する断熱等性能等級		□1　等級１　□2　等級２　□3　等級３
				改修工事後の住宅の断熱等性能等級		□1　断熱等性能等級３ □2　断熱等性能等級４以上
				長期優良住宅建築等計画の認定主体		
				長期優良住宅建築等計画の認定番号		第　　　　　号
				長期優良住宅建築等計画の認定年月日		年　　月　　日

（2）実施した工事の内容

（3）実施した工事の費用の額等

①　住宅耐震改修			
	ア　当該住宅耐震改修に係る標準的な費用の額		円
	イ　当該住宅耐震改修に係る補助金等の交付の有無		□有　　□無
	「有」の場合	交付される補助金等の額	円
	ウ　アからイを差し引いた額		円
	エ　ウと250万円のうちいずれか少ない金額		円
	オ　ウからエを差し引いた額		円
②　高齢者等居住改修工事等			
	ア　当該高齢者等居住改修工事等に係る標準的な費用の額		円
	イ　当該高齢者等居住改修工事等に係る補助金等の交付の有無		□有　　□無
	「有」の場合	交付される補助金等の額	円
	ウ　アからイを差し引いた額（50万円を超える場合）		円
	エ　ウと200万円のうちいずれか少ない金額		円
	オ　ウからエを差し引いた額		円

<table>
<tr><td colspan="4">③　一般断熱改修工事等</td></tr>
<tr><td></td><td colspan="2">ア　当該一般断熱改修工事等に係る標準的な費用の額</td><td>円</td></tr>
<tr><td></td><td colspan="2">イ　当該一般断熱改修工事等に係る補助金等の交付の有無</td><td>□有　□無</td></tr>
<tr><td></td><td>「有」の場合</td><td>交付される補助金等の額</td><td>円</td></tr>
<tr><td></td><td colspan="2">ウ　アからイを差し引いた額（50万円を超える場合）</td><td>円</td></tr>
<tr><td></td><td colspan="2">エ　ウと250万円（太陽光発電設備設置工事を伴う場合は350万円）のうちいずれか少ない金額</td><td>円</td></tr>
<tr><td></td><td colspan="2">オ　ウからエを差し引いた額</td><td>円</td></tr>
<tr><td colspan="4">④　多世帯同居改修工事等</td></tr>
<tr><td></td><td colspan="2">ア　当該多世帯同居改修工事等に係る標準的な費用の額</td><td>円</td></tr>
<tr><td></td><td colspan="2">イ　当該多世帯同居改修工事等に係る補助金等の交付の有無</td><td>□有　□無</td></tr>
<tr><td></td><td>「有」の場合</td><td>交付される補助金等の額</td><td>円</td></tr>
<tr><td></td><td colspan="2">ウ　アからイを差し引いた額（50万円を超える場合）</td><td>円</td></tr>
<tr><td></td><td colspan="2">エ　ウと250万円のうちいずれか少ない金額</td><td>円</td></tr>
<tr><td></td><td colspan="2">オ　ウからエを差し引いた額</td><td>円</td></tr>
<tr><td colspan="4">⑤　耐久性向上改修工事等（対象住宅耐震改修又は対象一般断熱改修工事等のいずれかと併せて行う場合）</td></tr>
<tr><td></td><td colspan="2">ア　当該住宅耐震改修又は当該一般断熱改修工事等に係る標準的な費用の額</td><td>円</td></tr>
<tr><td></td><td colspan="2">イ　当該住宅耐震改修又は当該一般断熱改修工事等に係る補助金等の交付の有無</td><td>□有　□無</td></tr>
<tr><td></td><td>「有」の場合</td><td>交付される補助金等の額</td><td>円</td></tr>
<tr><td></td><td colspan="2">ウ　アからイを差し引いた額（50万円を超える場合）</td><td>円</td></tr>
<tr><td></td><td colspan="2">エ　当該耐久性向上改修工事等に係る標準的な費用の額</td><td>円</td></tr>
<tr><td></td><td colspan="2">オ　当該耐久性向上改修工事等に係る補助金等の交付の有無</td><td>□有　□無</td></tr>
<tr><td></td><td>「有」の場合</td><td>交付される補助金等の額</td><td>円</td></tr>
<tr><td></td><td colspan="2">カ　エからオを差し引いた額（50万円を超える場合）</td><td>円</td></tr>
<tr><td></td><td colspan="2">キ　ウ及びカの合計額</td><td>円</td></tr>
<tr><td></td><td colspan="2">ク　キと250万円（対象一般断熱改修工事等に太陽光発電設備設置工事を伴う場合は350万円）のうちいずれか少ない金額</td><td>円</td></tr>
<tr><td></td><td colspan="2">ケ　キからクを差し引いた額</td><td>円</td></tr>
</table>

⑥　耐久性向上改修工事等（対象住宅耐震改修及び対象一般断熱改修工事等の両方と併せて行う場合）

ア　当該住宅耐震改修に係る標準的な費用の額		円
イ　当該住宅耐震改修に係る補助金等の交付の有無		□有　□無
「有」の場合	交付される補助金等の額	円
ウ　アからイを差し引いた額（50万円を超える場合）		円
エ　当該一般断熱改修工事等に係る標準的な費用の額		円
オ　当該一般断熱改修工事等に係る補助金等の交付の有無		□有　□無
「有」の場合	交付される補助金等の額	円
カ　エからオを差し引いた額（50万円を超える場合）		円
キ　当該耐久性向上改修工事等に係る標準的な費用の額		円
ク　当該耐久性向上改修工事等に係る補助金等の交付の有無		□有　□無
「有」の場合	交付される補助金等の額	円
ケ　キからクを差し引いた額（50万円を超える場合）		円
コ　ウ、カ及びケの合計額		円
サ　コと500万円（太陽光発電設備設置工事を伴う場合は600万円）のうちいずれか少ない金額		円
シ　コからサを差し引いた額		円

⑦　子育て対応改修工事等

ア　当該子育て対応改修工事等に係る標準的な費用の額		円
イ　当該子育て対応改修工事等に係る補助金等の交付の有無		□有　□無
「有」の場合	交付される補助金等の額	円
ウ　アからイを差し引いた額（50万円を超える場合）		円
エ　ウと250万円のうちいずれか少ない金額		円
オ　ウからエを差し引いた額		円

⑧　①ウ、②ウ、③ウ、④ウ及び⑦ウの合計額		円
⑨　①エ、②エ、③エ、④エ及び⑦エの合計額		円
⑩　①オ、②オ、③オ、④オ及び⑦オの合計額		円
⑪　②ウ、④ウ、⑤キ及び⑦ウの合計額		円
⑫　②エ、④エ、⑤ク及び⑦エの合計額		円
⑬　②オ、④オ、⑤ケ及び⑦オの合計額		円
⑭　②ウ、④ウ、⑥コ及び⑦ウの合計額		円
⑮　②エ、④エ、⑥サ及び⑦エの合計額		円
⑯　②オ、④オ、⑥シ及び⑦オの合計額		円
⑰　⑨、⑫又は⑮のうちいずれか多い額（10%控除分）		円
⑱　⑧、⑪又は⑭のうちいずれか多い額		円
⑲　⑩、⑬又は⑯のうち⑱の金額に係る額		円
⑳　①、②、③、④、⑤、⑥又は⑦の改修工事と併せて行われた第１号工事～第６号工事		
ア　①、②、③、④、⑤、⑥又は⑦の改修工事と併せて行われた第１号工事～第６号工事に要した費用の額		円
イ　⑳の改修に係る補助金等の交付の有無	□有　□無	
「有」の場合　交付される補助金等の額		円
ウ　アからイを差し引いた額		円
㉑　⑱の金額と⑲及び⑳ウの合計額のうちいずれか少ない額		円
㉒　1,000万円から⑰を引いた残りの額（０円未満となる場合は０円）		円
㉓　㉑と㉒の金額のうちいずれか少ない額（５％控除分）		円

4．償還期間が10年以上の住宅借入金等を利用して特定の増改築等がされた住宅用家屋を取得した場合
（買取再販住宅の取得に係る住宅借入金等特別税額控除）

（1）実施した工事の種別

<table>
<tr><td>第１号工事</td><td colspan="5">□1　増築　□2　改築　□3　大規模の修繕　□4　大規模の模様替</td></tr>
<tr><td>第２号工事</td><td colspan="5">共同住宅等の区分所有する部分について行う次に掲げるいずれかの修繕又は模様替
□1　床の過半の修繕又は模様替　□2　階段の過半の修繕又は模様替
□3　間仕切壁の過半の修繕又は模様替　□4　壁の過半の修繕又は模様替</td></tr>
<tr><td>第３号工事</td><td colspan="5">次のいずれか一室の床又は壁の全部の修繕又は模様替
□1　居室　□2　調理室　□3　浴室　□4　便所　□5　洗面所　□6　納戸
□7　玄関　□8　廊下</td></tr>
<tr><td>第４号工事
（耐震改修工事）</td><td colspan="5">次の規定又は基準に適合させるための修繕又は模様替
□1　建築基準法施行令第３章及び第５章の４の規定
□2　地震に対する安全性に係る基準</td></tr>
<tr><td>第５号工事
（バリアフリー改修工事）</td><td colspan="5">バリアフリー化のための次のいずれかに該当する修繕又は模様替
□1　通路又は出入口の拡幅　□2　階段の勾配の緩和　□3　浴室の改良
□4　便所の改良　□5　手すりの取付　□6　床の段差の解消
□7　出入口の戸の改良　□8　床材の取替</td></tr>
<tr><td rowspan="9">第６号工事
（省エネ改修工事）</td><td rowspan="2">全ての居室の全ての窓の断熱改修工事を実施した場合</td><td colspan="4">省エネルギー化のための修繕又は模様替
□1　全ての居室の全ての窓の断熱性を高める工事
上記１と併せて行う次のいずれかに該当する修繕又は模様替
□2　天井等の断熱性を高める工事　□3　壁の断熱性を高める工事
□4　床等の断熱性を高める工事</td></tr>
<tr><td>地域区分</td><td colspan="3">□1　１地域　□2　２地域　□3　３地域　□4　４地域
□5　５地域　□6　６地域　□7　７地域　□8　８地域</td></tr>
<tr><td rowspan="7">改修工事後の住宅の一定の省エネ性能が証明される場合</td><td rowspan="7">住宅性能評価書により証明される場合</td><td colspan="3">省エネルギー化のための次に該当する修繕又は模様替
□1　窓の断熱性を高める工事
上記１と併せて行う次のいずれかに該当する修繕又は模様替
□2　天井等の断熱性を高める工事
□3　壁の断熱性を高める工事
□4　床等の断熱性を高める工事</td></tr>
<tr><td>地域区分</td><td colspan="2">□1　１地域　□2　２地域　□3　３地域
□4　４地域　□5　５地域　□6　６地域
□7　７地域　□8　８地域</td></tr>
<tr><td>改修工事後の住宅の省エネ性能</td><td colspan="2">□1　断熱等性能等級４以上
□2　一次エネルギー消費量等級４以上及び断熱等性能等級３</td></tr>
<tr><td rowspan="2">住宅性能評価書を交付した登録住宅</td><td>名　称</td><td></td></tr>
<tr><td>登録番号</td><td>第　　号</td></tr>
<tr><td colspan="2">住宅性能評価書の交付番号</td><td>第　　号</td></tr>
<tr><td colspan="2">住宅性能評価書の交付年月日</td><td>年　月　日</td></tr>
</table>

<table>
<tr><td rowspan="6"></td><td rowspan="6"></td><td rowspan="6">増改築による長期優良住宅建築等計画の認定により証明される場合</td><td colspan="2">省エネルギー化のための次に該当する修繕又は模様替
□1　窓の断熱性を高める工事

上記１と併せて行う次のいずれかに該当する修繕又は模様替
□2　天井等の断熱性を高める工事
□3　壁の断熱性を高める工事
□4　床等の断熱性を高める工事</td></tr>
<tr><td>地域区分</td><td>□1　１地域　□2　２地域　□3　３地域
□4　４地域　□5　５地域　□6　６地域
□7　７地域　□8　８地域</td></tr>
<tr><td>改修工事後の住宅省エネ性能</td><td>□1　断熱等性能等級４以上
□2　一次エネルギー消費量等級４以上及び断熱等性能等級３</td></tr>
<tr><td>長期優良住宅建築等計画の認定主体</td><td></td></tr>
<tr><td>長期優良住宅建築等計画の認定番号</td><td>第　　　号</td></tr>
<tr><td>長期優良住宅建築等計画の認定年月日</td><td>年　　月　　日</td></tr>
<tr><td>第７号工事（給排水管・雨水の浸入を防止する部分に係る工事）</td><td colspan="4">□1　給水管に係る修繕又は模様替
□2　排水管に係る修繕又は模様替
□3　雨水の浸入を防止する部分に係る修繕又は模様替</td></tr>
</table>

（2）実施した工事の内容

（3）実施した工事の費用の額

①　特定の増改築等に要した費用の総額

第１号工事～第７号工事に要した費用の総額	円

②　特定の増改築等のうち、第１号工事～第６号工事に要した費用の額

第１号工事～第６号工事に要した費用の額	円

③　特定の増改築等のうち、第４号工事、第５号工事、第６号工事又は第７号工事に要した費用の額

ア　第４号工事に要した費用の額	円
イ　第５号工事に要した費用の額	円
ウ　第６号工事に要した費用の額	円
エ　第７号工事に要した費用の額	円

Ⅱ．固定資産税の減額

1－1．地方税法施行令附則第12条第19項に規定する基準に適合する耐震改修をした場合

工事の内容	□1　地方税法施行令附則第12条第19項に規定する基準に適合する耐震改修

1－2．地方税法附則第15条の9の2第1項に規定する耐震改修をした家屋が認定長期優良住宅に該当することとなった場合

<table>
<tr><td rowspan="2">工事の種別及び内容</td><td colspan="2">地震に対する安全性の向上を目的とした増築、改築、修繕又は模様替
□1　増築　□2　改築　□3　修繕　□4　模様替</td></tr>
<tr><td>工事の内容</td><td></td></tr>
</table>

耐震改修を含む工事の費用の額（全体工事費）	円
上記のうち耐震改修の費用の額	円
長期優良住宅建築等計画の認定主体	
長期優良住宅建築等計画の認定番号	第　号
長期優良住宅建築等計画の認定年月日	年　月　日

2．熱損失防止改修工事等をした場合又は熱損失防止改修工事等をした家屋が認定長期優良住宅に該当することとなった場合

<table>
<tr><td rowspan="11">工事の種別及び内容</td><td rowspan="4">断熱改修工事</td><td>必須となる改修工事</td><td colspan="2">窓の断熱性を高める改修工事</td></tr>
<tr><td rowspan="3">上記と併せて行った改修工事</td><td colspan="2">□1　天井等の断熱性を高める改修工事</td></tr>
<tr><td colspan="2">□2　壁の断熱性を高める改修工事</td></tr>
<tr><td colspan="2">□3　床等の断熱性を高める改修工事</td></tr>
<tr><td colspan="2" rowspan="6">断熱改修工事と併せて行った右記4から9までに掲げる設備の取替え又は取付けに係る工事</td><td>□4　太陽熱利用冷温熱装置</td><td>型式：</td></tr>
<tr><td>□5　潜熱回収型給湯器</td><td>型式：</td></tr>
<tr><td>□6　ヒートポンプ式電気給湯器</td><td>型式：</td></tr>
<tr><td>□7　燃料電池コージェネレーションシステム</td><td>型式：</td></tr>
<tr><td>□8　エアコンディショナー</td><td>型式：</td></tr>
<tr><td>□9　太陽光発電設備</td><td>型式：</td></tr>
<tr><td>工事の内容</td><td colspan="3"></td></tr>
</table>

<table>
<tr><td colspan="3">熱損失防止改修工事等を含む工事の費用の額（全体工事費）</td><td>円</td></tr>
<tr><td colspan="4">上記のうち熱損失防止改修工事等の費用の額</td></tr>
<tr><td></td><td colspan="2">ア　断熱改修工事に係る費用の額</td><td>円</td></tr>
<tr><td></td><td colspan="2">イ　断熱改修工事に係る補助金等の交付の有無</td><td>□ 有　□ 無</td></tr>
<tr><td></td><td>「有」の場合</td><td>ウ　交付される補助金等の額</td><td>円</td></tr>
<tr><td></td><td colspan="2">①　アからウを差し引いた額</td><td>円</td></tr>
<tr><td></td><td colspan="2">エ　断熱改修工事と併せて行った４から９までに掲げる設備の取替え又は取付けに係る工事の費用の額</td><td>円</td></tr>
<tr><td></td><td colspan="2">オ　エの工事に係る補助金等の交付の有無</td><td>□ 有　□ 無</td></tr>
<tr><td></td><td>「有」の場合</td><td>カ　交付される補助金等の額</td><td>円</td></tr>
<tr><td></td><td colspan="2">②　エからカを差し引いた金額</td><td>円</td></tr>
<tr><td colspan="4">工事費用の確認（下記③又は④のいずれかの該当するチェックボックスにレ点を入れること）</td></tr>
<tr><td></td><td colspan="2">③　①の金額が60万円を超える</td><td>□ 左記に該当する</td></tr>
<tr><td></td><td colspan="2">上記③に該当しない場合
④　①の金額が50万円を超え、かつ、①と②の合計額が60万円を超える</td><td>□ 左記に該当する</td></tr>
<tr><td colspan="4">上記工事が行われ、認定長期優良住宅に該当することとなった場合</td></tr>
<tr><td></td><td colspan="2">長期優良住宅建築等計画の認定主体</td><td></td></tr>
<tr><td></td><td colspan="2">長期優良住宅建築等計画の認定番号</td><td>第　　号</td></tr>
<tr><td></td><td colspan="2">長期優良住宅建築等計画の認定年月日</td><td>年　月　日</td></tr>
</table>

上記の工事が租税特別措置法若しくは租税特別措置法施行令に規定する工事に該当すること又は上記の工事が地方税法若しくは地方税法施行令に規定する工事に該当すること若しくは上記の工事が行われ地方税法附則第15条の９の２に規定する認定長期優良住宅に該当することとなったことを証明します。

証明年月日	年　　月　　日

（1）証明者が建築士事務所に属する建築士の場合

<table>
<tr><td rowspan="3">証明を行った建築士</td><td>氏　　名</td><td colspan="3">印</td></tr>
<tr><td rowspan="2">一級建築士、二級建築士又は木造建築士の別</td><td rowspan="2"></td><td>登録番号</td><td></td></tr>
<tr><td>登録を受けた都道府県名（二級建築士又は木造建築士の場合）</td><td></td></tr>
<tr><td rowspan="4">証明を行った建築士の属する建築士事務所</td><td>名　　称</td><td colspan="3"></td></tr>
<tr><td>所　在　地</td><td colspan="3"></td></tr>
<tr><td colspan="3">一級建築士事務所、二級建築士事務所又は木造建築士事務所の別</td><td></td></tr>
<tr><td colspan="3">登録年月日及び登録番号</td><td></td></tr>
</table>

（2）証明者が指定確認検査機関の場合

<table>
<tr><td rowspan="4">証明を行った指定確認検査機関</td><td colspan="2">名　　称</td><td colspan="3">印</td></tr>
<tr><td colspan="2">住　　所</td><td colspan="3"></td></tr>
<tr><td colspan="2">指定年月日及び指定番号</td><td colspan="3"></td></tr>
<tr><td colspan="2">指定をした者</td><td colspan="3"></td></tr>
<tr><td rowspan="5">調査を行った建築士又は建築基準適合判定資格者</td><td colspan="2">氏　　名</td><td colspan="3"></td></tr>
<tr><td rowspan="2">建築士の場合</td><td rowspan="2">一級建築士、二級建築士又は木造建築士の別</td><td rowspan="2"></td><td>登録番号</td><td></td></tr>
<tr><td>登録を受けた都道府県名（二級建築士又は木造建築士の場合）</td><td></td></tr>
<tr><td rowspan="2">建築基準適合判定資格者の場合</td><td rowspan="2">一級建築基準適合判定資格者又は二級建築基準適合判定資格者の別</td><td rowspan="2"></td><td>登録番号</td><td></td></tr>
<tr><td>登録を受けた地方整備局等名</td><td></td></tr>
</table>

（3）証明者が登録住宅性能評価機関の場合

<table>
<tr><td rowspan="4">証明を行った登録住宅性能評価機関</td><td colspan="2">名　　称</td><td colspan="3">印</td></tr>
<tr><td colspan="2">住　　所</td><td colspan="3"></td></tr>
<tr><td colspan="2">登録年月日及び指定番号</td><td colspan="3"></td></tr>
<tr><td colspan="2">登録をした者</td><td colspan="3"></td></tr>
<tr><td rowspan="5">調査を行った建築士又は建築基準適合判定資格者</td><td colspan="2">氏　　名</td><td colspan="3"></td></tr>
<tr><td rowspan="2">建築士の場合</td><td rowspan="2">一級建築士、二級建築士又は木造建築士の別</td><td rowspan="2"></td><td>登　録　番　号</td><td></td></tr>
<tr><td>登録を受けた都道府県名（二級建築士又は木造建築士の場合）</td><td></td></tr>
<tr><td rowspan="2">建築基準適合判定資格者の場合</td><td rowspan="2">一級建築基準適合判定資格者又は二級建築基準適合判定資格者の別</td><td rowspan="2"></td><td>登　録　番　号</td><td></td></tr>
<tr><td>登録を受けた地方整備局等名</td><td></td></tr>
</table>

（4）証明者が住宅瑕疵担保責任保険法人の場合

<table>
<tr><td rowspan="3">証明を行った住宅瑕疵担保責任保険法人</td><td colspan="2">名　　称</td><td colspan="3">印</td></tr>
<tr><td colspan="2">住　　所</td><td colspan="3"></td></tr>
<tr><td colspan="2">指　定　年　月　日</td><td colspan="3"></td></tr>
<tr><td rowspan="5">調査を行った建築士又は建築基準適合判定資格者</td><td colspan="2">氏　　名</td><td colspan="3"></td></tr>
<tr><td rowspan="2">建築士の場合</td><td rowspan="2">一級建築士、二級建築士又は木造建築士の別</td><td rowspan="2"></td><td>登　録　番　号</td><td></td></tr>
<tr><td>登録を受けた都道府県名（二級建築士又は木造建築士の場合）</td><td></td></tr>
<tr><td rowspan="2">建築基準適合判定資格者の場合</td><td rowspan="2">一級建築基準適合判定資格者又は二級建築基準適合判定資格者の別</td><td rowspan="2"></td><td>登　録　番　号</td><td></td></tr>
<tr><td>登録を受けた地方整備局等名</td><td></td></tr>
</table>

（用紙　日本産業規格　Ａ４）

②　無利息又は著しく低い金利による利息となる場合の借入金等の適用除外

住宅借入金等には、当該住宅借入金等が無利息又は著しく低い金利による利息であるものとなる場合として(1)で定める場合における当該住宅借入金等を含まないものとする。(措法41㉓)

(借入金等が無利息又は著しく低い金利による利息であるものとなる場合)

(1)　②に規定する(1)で定める場合は、次の(一)から(三)までに掲げる場合とする。(措令26㊱)

(一)	第四章第五節《給与所得》**一**に規定する給与等又は同章第六節《退職所得》**一**に規定する退職手当等の支払を受ける個人（以下(2)までにおいて「**給与所得者等**」という。）が**1**(四)に規定する使用者（当該使用者が構成員となっている勤労者財産形成促進法第9条第1項に規定する事業主団体を含む。以下(2)までにおいて「**使用者等**」という。）から使用人である地位に基づいて貸付けを受けた同(四)に掲げる借入金又は債務につき支払うべき利息がない場合又は当該利息の利率が独立行政法人住宅金融支援機構若しくは銀行の住宅に係る貸付金の利率その他の住宅資金の貸付けに係る金利の水準を勘案して(注)で定める利率（(二)において「**基準利率**」という。）に達しない利率である場合
(二)	給与所得者等が住宅借入金等に係る利息に充てるために使用者等から使用人である地位に基づいて支払を受けた金額がその充てるものとされる当該利息の額と同額である場合又は当該利息の額から当該支払を受けた金額を控除した残額が当該利息の額の算定の方法に従いその算定の基礎とされた住宅借入金等の額及び利息の計算期間を基として基準利率により計算した利息の額に相当する金額に満たないこととなる場合
(三)	給与所得者等が使用者等から使用人である地位に基づいて**1**に規定する居住用家屋若しくは既存住宅若しくは**4**に規定する認定住宅等（これらの家屋の敷地の用に供されていた土地等を含む。）又は**1**に規定する居住用家屋若しくは**4**に規定する認定住宅等の敷地の用に供する土地等を著しく低い価額の対価により譲り受けた場合として(2)で定める場合

(注)　(1)(一)に規定する(注)で定める利率は、年0.2%の利率とする。(措規18の21⑳)

(低額譲受けとして(2)で定める場合)

(2)　(1)(三)に規定する(2)で定める場合は、給与所得者等が、使用者等から使用人である地位に基づいて**1**に規定する居住用家屋で建築後使用されたことのないもの若しくは**1**に規定する既存住宅若しくは**4**に規定する認定住宅等で建築後使用されたことのないもの若しくは**4**に規定する認定住宅等である既存住宅（これらの家屋の敷地の用に供されていた土地等を含む。以下(2)において「居住用家屋等」という。）又はその新築をした**1**に規定する居住用家屋若しくは**4**に規定する認定住宅等の敷地の用に供する土地等をその譲受けの時における当該居住用家屋等又は当該土地等の価額の2分の1に相当する金額に満たない価額で譲り受けた場合とする。(措規18の21㉑)

2　住宅借入金等特別税額控除額

1に規定する住宅借入金等特別税額控除額は、その年12月31日における住宅借入金等の金額の合計額（当該合計額が借入限度額を超える場合には、当該借入限度額）に控除率を乗じて計算した金額（当該金額に100円未満の端数があるときは、これを切り捨てる。）とする。(措法41②)

(借入限度額)

(1)　**2**に規定する**借入限度額**は、次の(一)から(五)までに掲げる場合の区分に応じ当該(一)から(五)までに定める金額とする。(措法41③)

(一)	居住年が平成21年又は平成22年である場合	5,000万円
(二)	居住年が平成23年又は平成26年から令和3年までの各年である場合（居住年が平成26年から令和3年までの各年である場合には、その居住に係る住宅の取得等が**特定取得**に該当するものであるときに限る。）	4,000万円
(三)	居住年が平成24年、令和4年又は令和5年である場合（居住年が令和4年又は令和5年である場合には、その居住に係る住宅の取得等が居住用家屋の新築等又は買取再販住宅の取得に該当するものであるときに限る。）	3,000万円
(四)	居住年が平成19年である場合	2,500万円

(五)	居住年が平成20年又は平成25年から令和７年までの各年である場合（居住年が平成26年から令和３年までの各年である場合にはその居住に係る住宅の取得等が特定取得に該当するもの以外のものであるときに限り、居住年が令和４年又は令和５年である場合にはその居住に係る住宅の取得等が居住用家屋の新築等又は買取再販住宅の取得に該当するもの以外のものであるときに限る。）	2,000万円

（控除率）

（2）　**2**に規定する**控除率**は、次の(一)から(三)までに掲げる場合の区分に応じそれぞれに定める割合とする。（措法41④）

<table>
<tr><td rowspan="3">(一)</td><td colspan="2">居住年が平成19年又は平成20年である場合
　次に掲げる場合の区分に応じそれぞれ次に定める割合</td></tr>
<tr><td>イ</td><td>適用年が居住年又は居住年の翌年以後５年以内の各年である場合　１パーセント</td></tr>
<tr><td>ロ</td><td>適用年が居住年から６年目に該当する年以後の各年である場合　0.5パーセント</td></tr>
<tr><td>(二)</td><td colspan="2">居住年が平成21年から令和３年までの各年である場合　１パーセント</td></tr>
<tr><td>(三)</td><td colspan="2">居住年が令和４年から令和７年までの各年である場合　0.7パーセント</td></tr>
</table>

（特定取得）

（3）　（1）に規定する**特定取得**とは、個人の住宅の取得等に係る対価の額又は費用の額に含まれる消費税額及び地方消費税額の合計額に相当する額が、当該住宅の取得等に係る消費税法第２条第１項第９号に規定する課税資産の譲渡等（以下において「課税資産の譲渡等」という。）につき社会保障の安定財源の確保等を図る税制の抜本的な改革を行うための消費税法の一部を改正する等の法律（平成24年法律第68号）第２条又は第３条の規定による改正後の消費税法（以下において「**新消費税法**」という。）第29条に規定する税率により課されるべき消費税額及び当該消費税額を課税標準として課されるべき地方消費税額の合計額に相当する額である場合における当該住宅の取得等をいう。（措法41⑤）

（参考）　令和６年分以後の確定申告において適用のある住宅借入金等特別控除を一覧表にすると、次ページの表のとおりである。（編者注）

【参考】住宅借入金等特別控除一覧表（措法41、新型コロナ税特法６、６の２）（平成26年から令和７年居住分）

イ　一般住宅（ロ以外の住宅）の場合

居住年	控除期間	借入限度額	控除率	各年の控除限度額
平成26年１月～平成26年３月	10年	2,000万円	１％	20万円
平成26年４月～令和元年９月30日				
特定取得の場合	10年	4,000万円	１％	40万円
特定取得以外の場合	10年	2,000万円	１％	20万円
令和元年10月１日～令和２年12月31日				
特別特定取得の場合	13年	4,000万円	１％	【１～10年目】 40万円 【11～13年目】 次のいずれか少ない額 ①年末残高等〔上限4,000万円〕×１％ ②（住宅取得等対価の額－消費税額）〔上限4,000万円〕×２％÷３
特定取得の場合	10年	4,000万円	１％	40万円
特定取得以外の場合	10年	2,000万円	１％	20万円
令和３年１月１日～令和３年12月31日				
特別特定取得				
特別特例取得又は特例特別特例取得の場合 契約期間 ＜新築（注文住宅）＞ 令和２年10月１日から令和３年９月30日まで ＜分譲住宅又は中古住宅の取得、増改築等＞ 令和２年12月１日から令和３年11月30日まで	13年	4,000万円	１％	【１～10年目】 40万円 【11～13年目】 次のいずれか少ない額 ①年末残高等〔上限4,000万円〕×１％ ②（住宅取得等対価の額－消費税額）〔上限4,000万円〕×２％÷３
新型コロナウイルス感染症等の影響により、令和２年12月31日までに入居できなかった場合 契約期間 ＜新築（注文住宅）＞ 平成31年４月１日から令和２年９月30日まで ＜分譲住宅又は中古住宅の取得、増改築等＞ 平成31年４月１日から令和２年11月30日まで				
特定取得の場合	10年	4,000万円	１％	40万円
特定取得以外の場合	10年	2,000万円	１％	20万円
令和４年１月１日～令和５年12月31日				
特別特例取得又は特例特別特例取得の場合 契約期間 ＜新築（注文住宅）＞ 令和２年10月１日から令和３年９月30日まで ＜分譲住宅又は中古住宅の取得、増改築等＞ 令和２年12月１日から令和３年11月30日まで 居住期間 令和４年１月１日から令和４年12月31日までに入居	13年	4,000万円	１％	【１～10年目】 40万円 【11～13年目】 次のいずれか少ない額 ①年末残高等〔上限4,000万円〕×１％ ②（住宅取得等対価の額－消費税額）〔上限4,000万円〕×２％÷３
新築等、買取再販住宅の取得	13年	3,000万円	0.7％	21万円
中古住宅の取得、増改築等	10年	2,000万円	0.7％	14万円
令和６年１月１日～令和７年12月31日 ※特定居住用家屋の新築等の場合には適用なし	10年	2,000万円	0.7％	14万円

ロ　認定住宅、ＺＥＨ水準省エネ住宅又は省エネ基準適合住宅の場合

居住年	控除期間	借入限度額	控除率	各年の控除限度額
平成26年１月～平成26年３月	10年	3,000万円	１％	30万円
平成26年４月～令和元年９月30日				
特定取得の場合	10年	5,000万円	１％	50万円
特定取得以外の場合	10年	3,000万円	１％	30万円
令和元年10月１日～令和２年12月31日				
特別特定取得の場合	13年	5,000万円	１％	【１～10年目】 50万円 【11～13年目】 次のいずれか少ない額 ①年末残高等〔上限5,000万円〕×１％ ②（住宅取得等対価の額－消費税額）〔上限5,000万円〕×２％÷３
特定取得の場合	10年	5,000万円	１％	50万円
特定取得以外の場合	10年	3,000万円	１％	30万円
令和３年１月１日～令和３年12月31日				
特別特定取得				
特別特例取得又は特例特別特例取得の場合 契約期間 ＜新築（注文住宅）＞ 令和２年10月１日から令和３年９月30日まで ＜分譲住宅又は中古住宅の取得、増改築等＞ 令和２年12月１日から令和３年11月30日まで 新型コロナウイルス感染症等の影響により、令和２年12月31日までに入居できなかった場合 契約期間 ＜新築（注文住宅）＞ 平成31年４月１日から令和２年９月30日まで ＜分譲住宅又は中古住宅の取得、増改築等＞ 平成31年４月１日から令和２年11月30日まで	13年	5,000万円	１％	【１～10年目】 50万円 【11～13年目】 次のいずれか少ない額 ①年末残高等〔上限5,000万円〕×１％ ②（住宅取得等対価の額－消費税額）〔上限5,000万円〕×２％÷３
特定取得の場合	10年	5,000万円	１％	50万円
特定取得以外の場合	10年	3,000万円	１％	30万円
令和４年１月１日～令和５年12月31日				
新築等・買取再販住宅の取得				
認定住宅 特別特例取得又は特例特別特例取得の場合 契約期間 ＜新築（注文住宅） 令和２年10月１日から令和３年９月30日まで ＜分譲住宅又は中古住宅の取得＞ 令和２年12月１日から令和３年11月30日まで 居住期間 令和４年１月１日から令和４年12月31日までに入居	13年	5,000万円	１％	【１～10年目】 50万円 【11～13年目】 次のいずれか少ない額 ①年末残高等〔上限5,000万円〕×１％ ②（住宅取得等対価の額－消費税額）〔上限5,000万円〕×２％÷３
認定住宅 特別特例取得又は特例特別特例取得以外の場合	13年	5,000万円	0.7％	35万円
ＺＥＨ水準省エネ住宅	13年	4,500万円	0.7％	31.5万円
省エネ基準適合住宅	13年	4,000万円	0.7％	28万円
中古住宅の取得、増改築等				
特別特例取得又は特例特別特例取得の場合 契約期間 令和２年12月１日から令和３年11月30日まで 居住期間 令和４年１月１日から令和４年12月31日までに入居	13年	5,000万円	１％	【１～10年目】 50万円 【11～13年目】 次のいずれか少ない額 ①年末残高等〔上限5,000万円〕×１％ ②（住宅取得等対価の額－消費税額）〔上限5,000万円〕×２％÷３
特別特例取得又は特例特別特例取得以外の場合	10年	3,000万円	0.7％	21万円

令和６年１月１日～令和６年12月31日				
新築等・買取再販住宅の取得				
特例対象個人が取得等する場合				
認定住宅	13年	5,000万円	0.7%	35万円
ＺＥＨ水準省エネ住宅	13年	4,500万円	0.7%	31.5万円
省エネ基準適合住宅	13年	4,000万円	0.7%	28万円
特例対象個人が取得等する場合以外の場合				
認定住宅	13年	4,500万円	0.7%	31.5万円
ＺＥＨ水準省エネ住宅	13年	3,500万円	0.7%	24.5万円
省エネ基準適合住宅	13年	3,000万円	0.7%	21万円
中古住宅の取得	10年	3,000万円	0.7%	21万円
令和７年１月１日～令和７年12月31日				
新築等・買取再販住宅の取得				
認定住宅	13年	4,500万円	0.7%	31.5万円
ＺＥＨ水準省エネ住宅	13年	3,500万円	0.7%	24.5万円
省エネ基準適合住宅	13年	3,000万円	0.7%	21万円
中古住宅の取得	10年	3,000万円	0.7%	21万円

(注)　上記に掲げる用語の意義は次のとおり。

用語	意義
特定取得	住宅の取得等をした家屋の対価の額又は費用の額に含まれる消費税額等合計額（消費税及び地方消費税の合計額に相当する額をいう。以下同じ。）の全額が、８％又は10%の税率により課されるべき消費税額等合計額である場合におけるその住宅の取得等をいう（措法41⑤)。
特定取得以外	「特定取得以外の場合」における「特定取得以外」とは、住宅の取得等に係る消費税額等合計額のうちに、８％又は10%以外の税率により課された消費税額等合計額が含まれている場合が該当する。
特別特定取得	住宅の取得等をした家屋の対価の額又は費用の額に含まれる消費税額等合計額の全額が、10%の税率により課されるべき消費税額等である場合におけるその住宅の取得等をいう（措法41⑯)。
特別特例取得	その住宅の取得等が「特別特定取得」に該当する場合で、当該住宅の取得等に係る契約が次の期間内に締結されているものをいう（新型コロナ税特法６の２②、新型コロナ税特令４の２①)。 ・　新築（注文住宅）の場合……令和２年10月１日から令和３年９月30日までの期間 ・　分譲住宅、中古住宅の取得、増改築等の場合……令和２年12月１日から令和３年11月30日までの期間
特例特別特例取得	「特別特例取得」に該当する場合で、床面積が40㎡以上50㎡未満の住宅の取得等をいう（新型コロナ税特法６の２④⑩、新型コロナ税特令４の２②⑭)。
住宅取得等対価の額	「住宅取得等対価の額」は、国又は地方公共団体から交付される補助金又は給付金その他これらに準ずるもの及び住宅取得等資金の贈与の額を控除せずに計算した金額をいう（措令26⑥)。
新築等	「新築等・買取再販住宅の取得」における「新築等」とは、居住用家屋の新築又は居住用家屋で建築後使用されたことのないものをいう（措法41①)。
買取再販住宅	「新築等・買取再販住宅の取得」における「買取再販住宅」とは、宅地建物取引業者が特定増改築等をした既存住宅を、その宅地建物取引業者の取得の日から２年以内に取得した場合の既存住宅（その取得の時点において、その既存住宅が新築された日から起算して10年を経過したものに限る。）をいう（措法41①)。
中古住宅	既存住宅のうち、買取再販住宅以外の既存住宅をいう。 ・　「既存住宅」とは、建築後使用されたことのある家屋で、次のいずれかに該当するものとして証明等がされたものをいう（措令26③)。 ①　昭和57年１月１日以後に建築されたものであること ②　耐震基準に適合するものであること なお、入居年が令和３年以前である場合又は入居年が令和４年である場合かつ中古住宅の取得で特別特例取得又は特例特別特例取得に該当する場合は、耐震基準又は経過年数基準（耐火住宅25年、非耐火住宅20年）に適合するものに限る（旧措法41①、新型コロナ税特法６の２①)。
認定住宅	認定長期優良住宅及び認定低炭素住宅をいう。 ・　「認定長期優良住宅」とは、長期優良住宅の普及の促進に関する法律に規定する認定長期優良住宅に該当するものとして証明がされたものをいう（措法41⑩一)。

	・「認定低炭素住宅」とは、都市の低炭素化の促進に関する法律に規定する低炭素建築物に該当する家屋及び同法の規定により低炭素建築物とみなされる特定建築物に該当するものとして証明がされたものをいう（措法41⑩二）。
ＺＥＨ水準省エネ住宅（特定エネルギー消費性能向上住宅）	認定住宅以外の家屋でエネルギーの使用の合理化に著しく資する住宅の用に供する家屋（断熱等性能等級５以上及び一次エネルギー消費量等級６以上の家屋）に該当するものとして証明がされたものをいう（措法41⑩三）。
省エネ基準適合住宅（エネルギー消費性能向上住宅）	認定住宅及び特定エネルギー消費性能向上住宅以外の家屋で、エネルギーの使用の合理化に資する住宅の用に供する家屋（断熱等性能等級４以上及び一次エネルギー消費量等級４以上の家屋）に該当するものとして証明がされたものをいう（措法41⑩四）。
特定居住用家屋	ＺＥＨ水準省エネ住宅又は省エネ基準適合住宅のいずれにも該当しない家屋で、次のいずれにも該当しないものをいう（措法41㉗）。 ・　その家屋が令和５年12月31日以前に建築確認を受けているものであること ・　その家屋が令和６年６月30日以前に建築されたものであること
特例対象個人	個人で、年齢40歳未満であって配偶者を有する者、年齢40歳以上であって年齢40歳未満の配偶者を有する者又は年齢19歳未満の第二章第一節**一**表内**34**に規定する扶養親族を有する者をいう（措法41⑬）。

3　特例住宅借入金等に係る住宅借入金等特別税額控除額の特例

①　平成19年1月1日から平成20年12月31日までの特例住宅借入金等に係る住宅借入金等特別税額控除額の特例

居住者が、住宅の取得等をし、かつ、当該住宅の取得等をした居住用家屋若しくは既存住宅又は**1**の増改築等をした家屋を平成19年1月1日から平成20年12月31日までの間に**1**の定めるところによりその者の居住の用に供した場合において、当該居住の用に供した日の属する年（以下において「**居住年**」という。）以後15年間の各年（同日以後その年の12月31日まで引き続きその居住の用に供している年に限る。以下において「**特例適用年**」という。）において当該住宅の取得等に係る住宅借入金等（以下において「**特例住宅借入金等**」という。）の金額を有するときは、その者の選択により、当該特例適用年における**1**に規定する住宅借入金等特別税額控除額は、**2**の規定にかかわらず、その年12月31日における特例住宅借入金等の金額の合計額（当該合計額が特例借入限度額を超える場合には、当該特例借入限度額）に特例控除率を乗じて計算した金額（当該金額に100円未満の端数があるときは、これを切り捨てる。）として、**四**の規定を適用することができる。この場合において、**1**中「10年間（居住年が令和4年又は令和5年であり、かつ、その居住に係る住宅の取得等が居住用家屋の新築等又は買取再販住宅の取得に該当するものである場合には、13年間)」とあり、及び**10**中「**1**に規定する10年間」とあるのは「15年間」と、**11**①中「**1**に規定する10年間」とあるのは「15年間」と、**13**①、**13**②、及び**14**中「10年間（**1**に規定する10年間をいう。)」とあるのは「15年間」とする。(措法41⑥)

(特例借入限度額)

（1）　①に規定する特例借入限度額は、居住年が平成19年である場合には2,500万円とし、居住年が平成20年である場合には2,000万円とする。(措法41⑦)

(特例控除率)

（2）　①に規定する特例控除率は、特例適用年が居住年又は居住年の翌年以後9年以内の各年である場合には0.6パーセントとし、特例適用年が居住年から10年目に該当する年以後の各年である場合には0.4パーセントとする。(措法41⑧)

②　2以上の住宅の取得等をし同一の年中にその者の居住の用に供した場合

①に規定する居住者が、2以上の住宅の取得等をし、かつ、これらの住宅の取得等をした①の居住用家屋若しくは既存住宅又は増改築等をした家屋を同一の年中に**1**の定めるところによりその者の居住の用に供した場合には、①に規定する選択は、これらの住宅の取得等に係る住宅借入金等の金額の全てについてしなければならないものとする。(措法41⑨)

(住宅借入金等特別控除の控除額に係る特例を適用した場合の効果)

注　**四**の規定の適用に当たって、その者の選択により**3**①又は**4**の規定を適用したところにより確定申告書を提出した場合には、その後においてその者が更正の請求をし、若しくは修正申告書を提出するとき又は当該確定申告書を提出した年分以外の特例適用年（**3**①に規定する特例適用年をいう。）又は認定住宅等特例適用年（**4**に規定する認定住宅等特例適用年をいう。）に係る年分において**四**の規定を適用するときにおいても、当該選択を適用した**3**①又は**4**の規定を適用することに留意する。(措通41－33)

(注)　**四**の規定の適用に当たって、**3**①又は**4**の規定を適用しなかった場合においても同様である。

4　認定住宅等の住宅借入金等に係る所得税額の特別控除

個人が、国内において、認定住宅等の新築等（認定住宅等（次の(一)から(四)までに掲げる家屋をいう。以下において同じ。）の新築又は認定住宅等で建築後使用されたことのないものの取得をいう。以下において同じ。)、買取再販認定住宅等の取得（認定住宅等である既存住宅のうち宅地建物取引業法第2条第3号に規定する宅地建物取引業者が**1**の特定増改築等をした家屋で**1**①**ロ**(2)で定めるものの当該宅地建物取引業者からの取得をいう。以下において同じ。）又は認定住宅等である既存住宅の取得で買取再販認定住宅等の取得に該当するもの以外のもの（以下において「**認定住宅等の新築取得等**」という。）をして、これらの認定住宅等を平成21年6月4日（(二)に掲げる家屋にあっては都市の低炭素化の促進に関する法律の施行の日とし、(三)又は(四)に掲げる家屋にあっては令和4年1月1日とする。）から令和7年12月31日までの間に**1**の定めるところによりその者の居住の用に供した場合において、当該居住の用に供した日の属する年（以下において「居住年」という。）以後10年間（同日の属する年が令和4年から令和7年までの各年であり、かつ、その居住に係る住宅の取得等が認定住宅等の新築等又は買取再販認定住宅等の取得に該当するものである場合には、13年間）の各年（同日以後その年の12月31日まで引き続きその居住の用に供している年に限る。以下において「**認定住宅等特例適用年**」という。）において当該認定住宅等の新築取得等に係る住宅借入金等（以下において「**認定住宅等借入金等**」という。）の金額を有するときは、その者の選択により、当該認定住宅等特例適用年における**1**に規定する住宅借入金等特別税額控除額は、**2**の規定にかかわらず、その年12月31日における認定住宅等借入金等の金額の合計額（当該合計額が認定住宅等借入限度額を超える場合には、当該認定住宅等借入限度額）に認定住宅等控除率を乗じて計算した金額（当該金額に100円未満の端数があるときは、これを切り捨てる。）として、**4**から**18**までの規定を適用することができる。（措法41⑩）

この場合において、**10**中「**1**に」とあるのは「**4**に」と、**11**①中「の**1**」とあるのは「の**4**」と、**9**（注）中「の**1**」とあるのは「の**4**」と、**13**①中「（**1**」とあるのは「（**4**」と、**13**②及び**14**中「（**1**」とあるのは「（**4**」とする。

(一)	住宅の用に供する長期優良住宅の普及の促進に関する法律第11条第１項に規定する認定長期優良住宅に該当する家屋で(３)で定めるもの
(二)	住宅の用に供する都市の低炭素化の促進に関する法律第２条第３項に規定する低炭素建築物に該当する家屋で(４)で定めるもの又は同法第16条の規定により低炭素建築物とみなされる同法第９条第１項に規定する特定建築物に該当する家屋で(５)で定めるもの
(三)	特定エネルギー消費性能向上住宅（(一)及び(二)に掲げる家屋以外の家屋で、エネルギーの使用の合理化に著しく資する住宅の用に供する家屋として(７)で定めるものをいう。(１)及び(15)(二)において同じ。）
(四)	エネルギー消費性能向上住宅（(一)から(三)に掲げる家屋以外の家屋で、エネルギーの使用の合理化に資する住宅の用に供する家屋として(９)で定めるものをいう。(１)及び(15)(三)において同じ。）

（認定住宅等借入限度額）

（１）　**4**に規定する認定住宅等借入限度額は、次の(一)から(五)までに掲げる場合の区分に応じ当該(一)から(五)までに定める金額とする。（措法41⑪）

(一)	居住年が平成21年から平成23年までの各年又は平成26年から令和５年までの各年である場合（居住年が平成26年から令和３年までの各年である場合にはその居住に係る住宅の取得等が特定取得（**2**(３)に規定する特定取得をいう。(五)において同じ。）に該当するものであるときに限り、居住年が令和４年又は令和５年である場合には、その居住に係る家屋が認定住宅（**4**(一)又は同(二)に掲げる家屋をいう。以下(１)及び(15)(一)において同じ。）であり、かつ、その居住に係る住宅の取得等が認定住宅等の新築等又は買取再販認定住宅等の取得に該当するものであるときに限る。）	5,000万円
(二)	居住年が令和４年から令和７年までの各年である場合（居住年が令和４年又は令和５年である場合には、その居住に係る家屋が特定エネルギー消費性能向上住宅であり、かつ、その居住に係る住宅の取得等が認定住宅等の新築等又は買取再販認定住宅等の取得に該当するものであるときに限り、居住年が令和６年又は令和７年である場合には、その居住に係る家屋が認定住宅であり、かつ、その居住に係る住宅の取得等が認定住宅等の新築等又は買取再販認定住宅等の取得に該当するものであるときに限る。）	4,500万円
(三)	居住年が平成24年、令和４年又は令和５年である場合（居住年が令和４年又は令和５年である場合には、その居住に係る家屋がエネルギー消費性能向上住宅であり、かつ、その居住に係る住宅の取得等が認定住宅等の新築等又は買取再販認定住宅等の取得に該当するものであるときに限る。）	4,000万円
(四)	居住年が令和６年又は令和７年である場合（その居住に係る家屋が特定エネルギー消費性能向上住宅であり、かつ、その居住に係る住宅の取得等が認定住宅等の新築等又は買取再販認定住宅等の取得に該当するものであるときに限る。）	3,500万円
(五)	居住年が平成25年から令和７年までの各年である場合（居住年が平成26年から令和３年までの各年である場合にはその居住に係る住宅の取得等が特定取得に該当するもの以外のものであるときに限り、居住年が令和４年又は令和５年である場合にはその居住に係る住宅の取得等が認定住宅等の新築等又は買取再販認定住宅等の取得に該当するもの以外のものであるときに限り、居住年が令和６年又は令和７年である場合には、その居住に係る家屋がエネルギー消費性能向上住宅であるとき、又はその居住に係る家屋が認定住宅若しくは特定エネルギー消費性能向上住宅であり、かつ、その居住に係る住宅の取得等が認定住宅等の新築等若しくは買取再販認定住宅等の取得に該当するもの以外のものであるときに限る。）	3,000万円

（認定住宅等控除率）

（2）　**4**に規定する認定住宅等控除率は、居住年が平成21年から平成23年までの各年である場合には1.2パーセントとし、居住年が平成24年から令和３年までの各年である場合には１パーセントとし、居住年が令和４年から令和７年までの各年である場合には0.7パーセントとする。（措法41⑫）

（認定等住宅に該当する家屋）

（3）　**4**(一)に規定する認定長期優良住宅に該当する家屋で（3）で定めるものは、個人がその居住の用に供する**1**①**イ**(一)又は同(二)に掲げる家屋（その家屋の床面積の２分の１以上に相当する部分が専ら当該居住の用に供されるものに限る。）で、長期優良住宅の普及の促進に関する法律第11条第１項に規定する認定長期優良住宅に該当するものであることにつき(13)で定めるところにより証明がされたものとし、その者がその居住の用に供する家屋を２以上有する場合には、これらの家屋のうち、その者が主としてその居住の用に供すると認められる一の家屋に限るものとする。（措令26⑳）

（低炭素建築物に該当する家屋）

（4）　**4**(二)に規定する低炭素建築物に該当する家屋で（4）で定めるものは、個人がその居住の用に供する**1**①**イ**(一)又は同(二)に掲げる家屋（その家屋の床面積の２分の１以上に相当する部分が専ら当該居住の用に供されるものに限る。）で、都市の低炭素化の促進に関する法律第２条第３項に規定する低炭素建築物（（5）において「低炭素建築物」という。）に該当するものであることにつき(14)で定めるところにより証明がされたものとし、その者がその居住の用に供する家屋を二以上有する場合には、これらの家屋のうち、その者が主としてその居住の用に供すると認められる一の家屋に限るものとする。（措令26㉑）

（特定建築物に該当する家屋）

（5）　**4**(二)に規定する特定建築物に該当する家屋で（5）で定めるものは、個人がその居住の用に供する**1**①**イ**(一)又は同(二)に掲げる家屋（その家屋の床面積の２分の１以上に相当する部分が専ら当該居住の用に供されるものに限る。）で、都市の低炭素化の促進に関する法律第16条の規定により低炭素建築物とみなされる同法第12条に規定する認定集約都市開発事業（当該認定集約都市開発事業に係る同条に規定する認定集約都市開発事業計画が（6）で定める要件を満たすものであるものに限る。）により整備される特定建築物（同法第９条第１項に規定する特定建築物をいう。）に該当するものであることにつき当該個人の申請に基づき当該家屋の所在地の市町村長又は特別区の区長により証明がされたものとし、その者がその居住の用に供する家屋を二以上有する場合には、これらの家屋のうち、その者が主としてその居住の用に供すると認められる一の家屋に限るものとする。（措令26㉒）

（（6）で定める要件）

（6）　（5）（**8**（1）において準用する場合を含む。以下（6）において同じ。）に規定する（6）で定める要件は、（5）に規定する認定集約都市開発事業計画に係る認定が、当該計画に係る都市の低炭素化の促進に関する法律第９条第１項に規定する集約都市開発事業により整備される同項に規定する特定建築物全体を対象として同法第10条第１項又は第11条第１項の規定により受けた認定であることとする。（措規18の21⑮）

（**4**(三)に規定するエネルギーの使用の合理化に著しく資する住宅の用に供する家屋として（7）で定めるもの）

（7）　**4**(三)に規定するエネルギーの使用の合理化に著しく資する住宅の用に供する家屋として（7）で定めるものは、個人がその居住の用に供する**1**①**イ**(一)又は同(二)に掲げる家屋（その家屋の床面積の２分の１以上に相当する部分が専ら当該居住の用に供されるものに限る。）で、エネルギーの使用の合理化に著しく資する住宅の用に供する家屋として国土交通大臣が財務大臣と協議して定める基準に適合するものであることにつき（8）で定めるところにより証明がされたものとし、その者がその居住の用に供する家屋を二以上有する場合には、これらの家屋のうち、その者が主としてその居住の用に供すると認められる一の家屋に限るものとする。（措令26㉓、令４国土交通省告示第456号）

（（7）に規定する（8）で定めるところにより証明がされた家屋）

（8）　（7）（**8**（1）において準用する場合を含む。以下（8）において同じ。）に規定する（8）で定めるところにより証明がされた家屋は、当該家屋が（7）に規定するエネルギーの使用の合理化に著しく資する住宅の用に供する家屋として国土交通大臣が財務大臣と協議して定める基準に適合するものであることにつき、国土交通大臣が財務大臣と協議して定める書類により証明がされたものとする。（措規18の21⑯、令４国土交通省告示第455号（最終改正令６同省告示第314号））（住宅省エネルギー性能証明書（1489ページ参照））

（**4**(四)に規定するエネルギーの使用の合理化に資する住宅の用に供する家屋として(9)で定めるもの）

(9)　**4**(四)に規定するエネルギーの使用の合理化に資する住宅の用に供する家屋として(9)で定めるものは、個人がその居住の用に供する**1**①**イ**(一)又は同(二)に掲げる家屋（その家屋の床面積の２分の１以上に相当する部分が専ら当該居住の用に供されるものに限る。）で、エネルギーの使用の合理化に資する住宅の用に供する家屋として国土交通大臣が財務大臣と協議して定める基準に適合するものであることにつき(10)で定めるところにより証明がされたものとし、その者がその居住の用に供する家屋を二以上有する場合には、これらの家屋のうち、その者が主としてその居住の用に供すると認められる一の家屋に限るものとする。（措令26㉔、令４国土交通省告示第456号）

（(9)に規定する(10)で定めるところにより証明がされた家屋）

(10)　(9)（**8**(1)において準用する場合を含む。以下(10)において同じ。）に規定する(10)で定めるところにより証明がされた家屋は、当該家屋が(9)に規定するエネルギーの使用の合理化に資する住宅の用に供する家屋として国土交通大臣が財務大臣と協議して定める基準に適合するものであることにつき、国土交通大臣が財務大臣と協議して定める書類により証明がされたものとする。（措規18の21⑰、令４国土交通省告示第455号（最終改正令６同省告示第314号））（住宅省エネルギー性能証明書（1489ページ参照））

（認定住宅等の新築取得等に関し補助金等の交付を受ける場合又は住宅取得等資金の贈与を受けた場合）

(11)　**4**の個人の認定住宅等借入金等（**4**に規定する認定住宅等借入金等をいう。以下(11)及び(12)において同じ。）の金額の合計額が、**4**に規定する認定住宅等の新築取得等（当該認定住宅等借入金等に当該認定住宅等の新築取得等とともにする当該認定住宅等の新築取得等に係る認定住宅等の敷地の用に供される土地等の取得に係る認定住宅等借入金等が含まれる場合には、当該土地等の取得を含む。以下(11)において同じ。）に係る対価の額（当該認定住宅等の新築取得等に関し、補助金等の交付を受ける場合又は住宅取得等資金の贈与を受けた場合には、当該認定住宅等の新築取得等に係る対価の額から当該補助金等の額又は当該住宅取得等資金の額を控除した金額。以下(11)において同じ。）を超える場合における**4**の規定の適用については、当該認定住宅等借入金等の金額の合計額は、当該対価の額に達するまでの金額とする。（措令26㉕）

（認定借入金等に当該認定住宅等の敷地の用に供する土地等の取得に係る認定住宅等借入金等が含まれる場合）

(12)　**4**の個人が新築をし、又は取得をした**4**に規定する認定住宅等（その者の認定住宅等借入金等に当該認定住宅等の敷地の用に供する土地等の取得に係る認定住宅等借入金等が含まれる場合には、当該認定住宅等及び当該土地等）のうちにその者の居住の用以外の用に供する部分がある場合における**4**の規定の適用については、次の(一)及び(二)に定めるところによる。（措令26㉖）

(一)	当該認定住宅等のうちにその者の居住の用以外の用に供する部分がある場合には、当該認定住宅等の新築又は取得に係る認定住宅等借入金等の金額は、当該金額に、当該認定住宅等の**1**①イ(一)又は同(二)に規定する床面積のうちに当該居住の用に供する部分の床面積の占める割合を乗じて計算した金額とする。
(二)	当該土地等のうちにその者の居住の用以外の用に供する部分がある場合には、当該土地等の取得に係る認定住宅等借入金等の金額は、当該金額に、当該土地等の面積のうちに当該居住の用に供する部分の土地等の面積の占める割合を乗じて計算した金額とする。

（認定長期優良住宅に該当するものであることにつき証明がされた家屋）

(13)　(3)（**8**(1)において準用する場合を含む。以下(13)において同じ。）に規定する(13)で定めるところにより証明がされた家屋は、当該家屋が(3)に規定する認定長期優良住宅に該当するものであることにつき、次の(一)及び(二)に掲げる書類により証明がされたものとする。（措規18の21⑬）

(一)	当該家屋に係る長期優良住宅の普及の促進に関する法律施行規則（平成21年国土交通省令第３号）第６条に規定する通知書（長期優良住宅の普及の促進に関する法律第８条第１項の変更の認定があった場合には、同令第９条に規定する通知書。以下(一)において「認定通知書」という。）の写し（同法第10条の承継があった場合には、認定通知書及び同令第15条に規定する通知書の写し）
(二)	当該家屋に係る租税特別措置法施行規則第26条《特定認定長期優良住宅の所有権の保存登記等の税率の軽減を受けるための手続》第１項若しくは第２項に規定する証明書若しくはその写し又は当該家屋が国土交通大臣が財務大臣と協議して定める長期優良住宅の普及の促進に関する法律第９条第１項に規定する認定長期優良住

	宅建築等計画に基づき建築された家屋に該当する旨を証する書類（平21国土交通省告示第833号（最終改正令6同省告示第310号））（認定長期優良住宅建築証明書（1485ページ参照））

（認定低炭素住宅に該当するものであることにつき証明がされた家屋）

(14)　（4）（**8**（1）において準用する場合を含む。以下(14)において同じ。）に規定する(14)で定めるところにより証明がされた家屋は、当該家屋が（4）に規定する低炭素建築物に該当するものであることにつき、次の(一)及び(二)に掲げる書類により証明がされたものとする。（措規18の21⑭）

(一)	当該家屋に係る都市の低炭素化の促進に関する法律施行規則（平成24年国土交通省令第86号）第43条第２項に規定する通知書（都市の低炭素化の促進に関する法律第55条第１項の変更の認定があった場合には、同令第46条の規定により読み替えられた同令第43条第２項に規定する通知書）の写し
(二)	当該家屋に係る第26条の２第１項若しくは第３項に規定する証明書若しくはその写し又は当該家屋が国土交通大臣が財務大臣と協議して定める都市の低炭素化の促進に関する法律第56条に規定する認定低炭素建築物新築等計画に基づき建築された家屋に該当する旨を証する書類（平24国土交通省告示第1383号（最終改正令6同省告示第311号））（認定低炭素住宅建築証明書（1487ページ参照））

(注)　（7）（**8**（1）において準用する場合を含む。）の規定に基づき、エネルギーの使用の合理化に著しく資する住宅の用に供する家屋として国土交通大臣が財務大臣と協議して定める基準を次のように定め、及び（9）（**8**（1）において準用する場合を含む。）の規定に基づき、エネルギーの使用の合理化に資する住宅の用に供する家屋として国土交通大臣が財務大臣と協議して定める基準を次のように定めたので告示する。（令4国土交通省告示第456号）

1　（7）（**8**（1）において準用する場合を含む。）に規定するエネルギーの使用の合理化に著しく資する住宅の用に供する家屋として国土交通大臣が財務大臣と協議して定める基準は、次の(一)及び(二)に掲げる家屋の区分に応じ当該(一)及び(二)に定めるものとする。

(一)	居住用家屋の新築等（**1**に規定する居住用家屋の新築等をいう。以下同じ。）に係る家屋	評価方法基準（平成13年国土交通省告示第1347号）第５の５の５－１⑶の等級５以上の基準（評価方法基準第５の５の５－１⑶ハに規定する結露の発生を防止する対策に関する基準を除く。）及び評価方法基準第５の５の５－２⑶の等級６以上の基準
(二)	既存住宅（**1**に規定する既存住宅をいう。以下同じ。）	評価方法基準第５の５の５－１⑷の等級５以上の基準（評価方法基準第５の５の５－１⑷ハに規定する結露の発生を防止する対策に関する基準を除く。）及び評価方法基準第５の５の５－２⑷の等級６以上の基準

2　（9）（**8**（1）において準用する場合を含む。）に規定するエネルギーの使用の合理化に資する住宅の用に供する家屋として国土交通大臣が財務大臣と協議して定める基準は、次の(一)及び(二)に掲げる家屋の区分に応じ当該(一)及び(二)に定めるものとする。

(一)	居住用家屋の新築等に係る家屋	評価方法基準第５の５の５－１⑶の等級４以上の基準（評価方法基準第５の５の５－１⑶ハに規定する結露の発生を防止する対策に関する基準を除く。）及び評価方法基準第５の５の５－２⑶の等級４以上の基準
(二)	既存住宅	評価方法基準第５の５の５－１⑷の等級４以上の基準（評価方法基準第５の５の５－１⑷ハに規定する結露の発生を防止する対策に関する基準を除く。）及び評価方法基準第５の５の５－２⑷の等級４以上の基準

（特例対象個人が**4**の規定を適用する場合の認定住宅等借入限度額）

(15)　個人で、年齢40歳未満であって配偶者を有する者、年齢40歳以上であって年齢40歳未満の配偶者を有する者又は年齢19歳未満の第二章第一節**一**表内**34**に規定する扶養親族を有する者（以下(15)において「特例対象個人」という。）が、**4**の規定を適用する場合（認定住宅等の新築等又は買取再販認定住宅等の取得をし、かつ、当該認定住宅等の新築等をした認定住宅等（**8**の規定により認定住宅等とみなされる**8**に規定する特例認定住宅等を含む。）又は買取再販認定住宅等の取得をした家屋を令和６年１月１日から同年12月31日までの間に**1**の定めるところにより当該特例対象個人の居住の用に供した場合に限る。）における（1）に規定する認定住宅等借入限度額は、（1）の規定にかかわらず、次の(一)から(三)までに掲げる場合の区分に応じ当該(一)から(三)までに定める金額とすることができる。（措法41⑬）

(一)	その居住に係る家屋が認定住宅である場合	5,000万円
(二)	その居住に係る家屋が特定エネルギー消費性能向上住宅である場合	4,500万円
(三)	その居住に係る家屋がエネルギー消費性能向上住宅である場合	4,000万円

（特例対象個人に該当するかどうかの判定）

(16)　(15)の個人若しくは配偶者の年齢が40歳未満であるかどうか若しくは(15)の扶養親族の年齢が19歳未満であるかどうか又はその者が(15)の個人の配偶者若しくは(15)の扶養親族に該当するかどうかの判定は、令和６年12月31日（これらの者が年の中途において死亡した場合には、その死亡の時）の現況によるものとする。（措法41⑭）

（一の個人の扶養親族等が他の個人の扶養親族に該当する場合）

(17)　一の個人の配偶者が他の個人の年齢19歳未満の扶養親族にも該当する場合又は２以上の個人の年齢19歳未満の扶養親族に該当する者がある場合において、(15)の規定の適用を受けるに当たっては、これらの個人はいずれも配偶者又は年齢19歳未満の扶養親族を有することとなることに留意する。（措通41－29の２）

（年の中途において死亡した者の親族等が扶養親族に該当するかどうかの判定）

(18)　年の中途において死亡した個人の親族（第二章第一節**一34**《扶養親族》に規定する児童を含む。以下(18)において「親族等」という。）がその個人の(15)に規定する年齢19歳未満の扶養親族に該当するかどうかは、その死亡の時の現況により見積もったその年１月１日から12月31日までの当該親族等の合計所得金額により判定する。（措通41－29の３）

〔令和6年4月1日以後〕

別表

認定長期優良住宅建築証明書

<table>
<tr><td rowspan="2">証明申請者</td><td>住所</td><td></td></tr>
<tr><td>氏名</td><td></td></tr>
<tr><td colspan="2">家屋番号及び所在地</td><td></td></tr>
<tr><td colspan="2">建築工事終了日</td><td>年　月　日</td></tr>
<tr><td colspan="2">家屋調査日</td><td>年　月　日</td></tr>
<tr><td colspan="2">長期優良住宅建築等計画の認定主体</td><td></td></tr>
<tr><td colspan="2">長期優良住宅建築等計画の認定番号</td><td>第　号</td></tr>
<tr><td colspan="2">長期優良住宅建築等計画の認定年月日</td><td>年　月　日</td></tr>
</table>

工事が完了した建築物に係る上記の家屋について上記の認定長期優良住宅建築等計画に基づき建築された家屋であることを証明します。

年　月　日

<table>
<tr><td rowspan="6">証明を行った建築士、指定確認検査機関又は登録住宅性能評価機関</td><td>氏名又は名称</td><td colspan="4">印</td></tr>
<tr><td rowspan="2">一級建築士、二級建築士又は木造建築士の別</td><td rowspan="2"></td><td>登録番号</td><td colspan="2"></td></tr>
<tr><td>登録を受けた都道府県名（二級建築士又は木造建築士の場合）</td><td colspan="2"></td></tr>
<tr><td rowspan="3">指定確認検査機関又は登録住宅性能評価機関の場合</td><td colspan="2">住所</td><td colspan="2"></td></tr>
<tr><td colspan="2">指定・登録年月日及び指定・登録番号</td><td colspan="2"></td></tr>
<tr><td colspan="2">指定をした者（指定確認検査機関の場合）</td><td colspan="2"></td></tr>
<tr><td rowspan="4">建築士が証明を行った場合の当該建築士の属する建築士事務所</td><td>名称</td><td colspan="4"></td></tr>
<tr><td>所在地</td><td colspan="4"></td></tr>
<tr><td colspan="3">一級建築士事務所、二級建築士事務所又は木造建築士事務所の別</td><td colspan="2"></td></tr>
<tr><td colspan="3">登録年月日及び登録番号</td><td colspan="2"></td></tr>
</table>

<table>
<tr><td rowspan="5">指定確認検査機関が証明を行った場合の調査を行った建築士又は建築基準適合判定資格者</td><td colspan="2">氏　　　名</td><td colspan="3"></td></tr>
<tr><td rowspan="2">建築士の場合</td><td rowspan="2">一級建築士、二級建築士又は木造建築士の別</td><td rowspan="2"></td><td>登　　録　　番　　号</td><td></td></tr>
<tr><td>登録を受けた都道府県名（二級建築士又は木造建築士の場合）</td><td></td></tr>
<tr><td colspan="3" rowspan="2">建築基準適合判定資格者の場合</td><td>登　　録　　番　　号</td><td></td></tr>
<tr><td>登録を受けた地方整備局等名</td><td></td></tr>
<tr><td rowspan="5">登録住宅性能評価機関が証明を行った場合の調査を行った建築士又は建築基準適合判定資格者検定合格者</td><td colspan="2">氏　　　名</td><td colspan="3"></td></tr>
<tr><td rowspan="2">建築士の場合</td><td rowspan="2">一級建築士、二級建築士又は木造建築士の別</td><td rowspan="2"></td><td>登　　録　　番　　号</td><td></td></tr>
<tr><td>登録を受けた都道府県名（二級建築士又は木造建築士の場合）</td><td></td></tr>
<tr><td colspan="2" rowspan="2">建築基準適合判定資格者検定合格者の場合</td><td colspan="2">合格通知日付又は合格証書日付</td><td></td></tr>
<tr><td colspan="2">合格通知番号又は合格証書番号</td><td></td></tr>
</table>

（用紙　日本産業規格　Ａ４）

〔令和６年４月１日以後〕

別表

認定低炭素住宅建築証明書

証明申請者	住所	
	氏名	
家屋番号及び所在地		
建築工事終了日		年　月　日
家屋調査日		年　月　日
低炭素建築物新築等計画の認定主体		
低炭素建築物新築等計画の認定番号		第　　号
低炭素建築物新築等計画の認定年月日		年　月　日

工事が完了した建築物に係る上記の家屋について上記の認定低炭素建築物新築等計画に基づき建築された家屋であることを証明します。

年　月　日

証明を行った建築士、指定確認検査機関又は登録住宅性能評価機関	氏名又は名称			㊞
	一級建築士、二級建築士又は木造建築士の別		登録番号	
			登録を受けた都道府県名（二級建築士又は木造建築士の場合）	
	指定確認検査機関又は登録住宅性能評価機関の場合	住所		
		指定・登録年月日及び指定・登録番号		
		指定をした者（指定確認検査機関の場合）		
建築士が証明を行った場合の当該建築士の属する建築士事務所	名称			
	所在地			
	一級建築士事務所、二級建築士事務所又は木造建築士事務所の別			
	登録年月日及び登録番号			

<table>
<tr><td rowspan="5">指定確認検査機関が証明を行った場合の調査を行った建築士又は建築基準適合判定資格者</td><td>氏　　　　名</td><td colspan="4"></td></tr>
<tr><td rowspan="2">建築士の場合</td><td rowspan="2">一級建築士、二級建築士又は木造建築士の別</td><td rowspan="2"></td><td>登　　録　　番　　号</td><td></td></tr>
<tr><td>登録を受けた都道府県名（二級建築士又は木造建築士の場合）</td><td></td></tr>
<tr><td colspan="3" rowspan="2">建築基準適合判定資格者の場合</td><td>登　　録　　番　　号</td><td></td></tr>
<tr><td>登録を受けた地方整備局等名</td><td></td></tr>
<tr><td rowspan="5">登録住宅性能評価機関が証明を行った場合の調査を行った建築士又は建築基準適合判定資格者検定合格者</td><td>氏　　　　名</td><td colspan="4"></td></tr>
<tr><td rowspan="2">建築士の場合</td><td rowspan="2">一級建築士、二級建築士又は木造建築士の別</td><td rowspan="2"></td><td>登　　録　　番　　号</td><td></td></tr>
<tr><td>登録を受けた都道府県名（二級建築士又は木造建築士の場合）</td><td></td></tr>
<tr><td colspan="2" rowspan="2">建築基準適合判定資格者検定合格者の場合</td><td colspan="2">合格通知日付又は合格証書日付</td><td></td></tr>
<tr><td colspan="2">合格通知番号又は合格証書番号</td><td></td></tr>
</table>

（用紙　日本産業規格　Ａ４）

〔令和６年４月１日以後〕

別表

住宅省エネルギー性能証明書

<table>
<tr><td rowspan="2">証明申請者</td><td>住所</td><td colspan="2"></td></tr>
<tr><td>氏名</td><td colspan="2"></td></tr>
<tr><td colspan="2">家屋番号及び所在地</td><td colspan="2"></td></tr>
<tr><td colspan="2">家屋調査日</td><td colspan="2">年　月　日</td></tr>
<tr><td rowspan="2">省エネルギー性能</td><td>居住用家屋の新築等に係る家屋</td><td colspan="2">□①租税特別措置法施行令第26条第23項（同条第32項において準用する場合を含む。以下同じ。）に規定するエネルギーの使用の合理化に著しく資する住宅の用に供する家屋に該当
※次の全ての基準に適合する住宅用の家屋
・評価方法基準第５の５の５－１（３）の等級５以上の基準（結露の発生を防止する対策に関する基準を除く。）
・評価方法基準第５の５の５－２（３）の等級６以上の基準

□②租税特別措置法施行令第26条第24項（同条第32項において準用する場合を含む。以下同じ。）に規定するエネルギーの使用の合理化に資する住宅の用に供する家屋に該当
※次の全ての基準に適合する住宅用の家屋（①に該当する場合を除く。）
・評価方法基準第５の５の５－１（３）の等級４以上の基準（結露の発生を防止する対策に関する基準を除く。）
・評価方法基準第５の５の５－２（３）の等級４以上の基準</td></tr>
<tr><td>既存住宅</td><td colspan="2">□③租税特別措置法施行令第26条第23項に規定するエネルギーの使用の合理化に著しく資する住宅の用に供する家屋に該当
※次の全ての基準に適合する住宅用の家屋
・評価方法基準第５の５の５－１（４）の等級５以上の基準（結露の発生を防止する対策に関する基準を除く。）
・評価方法基準第５の５の５－２（４）の等級６以上の基準

□④租税特別措置法施行令第26条第24項に規定するエネルギーの使用の合理化に資する住宅の用に供する家屋に該当
※次の全ての基準に適合する住宅用の家屋（③に該当する場合を除く。）
・評価方法基準第５の５の５－１（４）の等級４以上の基準（結露の発生を防止する対策に関する基準を除く。）
・評価方法基準第５の５の５－２（４）の等級４以上の基準</td></tr>
</table>

上記の住宅の用に供する家屋が租税特別措置法施行令第26条第23項に規定するエネルギーの使用の合理化に著しく資する住宅の用に供する家屋又は同条第24項に規定するエネルギーの使用の合理化に資する住宅の用に供する家屋として国土交通大臣が財務大臣と協議して定める基準に適合することを証明します。

証明年月日	年　月　日

<table>
<tr><td rowspan="7">証明を行った建築士、指定確認検査機関、登録住宅性能評価機関又は住宅瑕疵担保責任保険法人</td><td>氏名又は名称</td><td colspan="4">印</td></tr>
<tr><td rowspan="2">一級建築士、二級建築士又は木造建築士の別</td><td colspan="2" rowspan="2"></td><td>登録番号</td><td></td></tr>
<tr><td>登録を受けた都道府県名（二級建築士又は木造建築士の場合）</td><td></td></tr>
<tr><td rowspan="4">指定確認検査機関、登録住宅性能評価機関又は住宅瑕疵担保責任保険法人の場合</td><td colspan="3">住所</td><td></td></tr>
<tr><td colspan="3">指定・登録年月日</td><td></td></tr>
<tr><td colspan="3">指定・登録番号（指定確認検査機関又は登録住宅性能評価機関の場合）</td><td></td></tr>
<tr><td colspan="3">指定をした者（指定確認検査機関の場合）</td><td></td></tr>
<tr><td rowspan="4">建築士が証明を行った場合の当該建築士の属する建築士事務所</td><td>名称</td><td colspan="4"></td></tr>
<tr><td>所在地</td><td colspan="4"></td></tr>
<tr><td>一級建築士事務所、二級建築士事務所又は木造建築士事務所の別</td><td colspan="4"></td></tr>
<tr><td>登録年月日及び登録番号</td><td colspan="4"></td></tr>
<tr><td rowspan="5">指定確認検査機関が証明を行った場合の調査を行った建築士又は建築基準適合判定資格者</td><td>氏名</td><td colspan="4"></td></tr>
<tr><td rowspan="2">建築士の場合</td><td rowspan="2">一級建築士、二級建築士又は木造建築士の別</td><td rowspan="2"></td><td>登録番号</td><td></td></tr>
<tr><td>登録を受けた都道府県名（二級建築士又は木造建築士の場合）</td><td></td></tr>
<tr><td rowspan="2">建築基準適合判定資格者の場合</td><td rowspan="2">一級建築基準適合判定資格者又は二級建築基準適合判定資格者の別</td><td rowspan="2"></td><td>登録番号</td><td></td></tr>
<tr><td>登録を受けた地方整備局等名</td><td></td></tr>
<tr><td rowspan="5">登録住宅性能評価機関が証明を行った場合の調査を行った建築士又は建築基準適合判定資格者</td><td>氏名</td><td colspan="4"></td></tr>
<tr><td rowspan="2">建築士の場合</td><td rowspan="2">一級建築士、二級建築士又は木造建築士の別</td><td rowspan="2"></td><td>登録番号</td><td></td></tr>
<tr><td>登録を受けた都道府県名（二級建築士又は木造建築士の場合）</td><td></td></tr>
<tr><td rowspan="2">建築基準適合判定資格者の場合</td><td rowspan="2">一級建築基準適合判定資格者又は二級建築基準適合判定資格者の別</td><td rowspan="2"></td><td>登録番号</td><td></td></tr>
<tr><td>登録を受けた地方整備局等名</td><td></td></tr>
<tr><td rowspan="5">住宅瑕疵担保責任保険法人が証明を行った場合の調査を行った建築士又は建築基準適合判定資格者</td><td>氏名</td><td colspan="4"></td></tr>
<tr><td rowspan="2">建築士の場合</td><td rowspan="2">一級建築士、二級建築士又は木造建築士の別</td><td rowspan="2"></td><td>登録番号</td><td></td></tr>
<tr><td>登録を受けた都道府県名（二級建築士又は木造建築士の場合）</td><td></td></tr>
<tr><td rowspan="2">建築基準適合判定資格者の場合</td><td rowspan="2">一級建築基準適合判定資格者又は二級建築基準適合判定資格者の別</td><td rowspan="2"></td><td>登録番号</td><td></td></tr>
<tr><td>登録を受けた地方整備局等名</td><td></td></tr>
</table>

（用紙　日本産業規格　Ａ４）

5　住宅の取得等で特別特定取得に該当するものの特例

個人が、住宅の取得等で**特別特定取得**に該当するものをし、かつ、当該住宅の取得等をした居住用家屋若しくは既存住宅又は**1**の増改築等をした家屋（当該増改築等に係る部分に限る。）を令和元年10月１日から令和２年12月31日までの間に**1**の定めるところによりその者の居住の用に供した場合（当該増改築等に係る**五1**①に規定する増改築等住宅借入金等の金額、同**1**②に規定する断熱改修住宅借入金等の金額又は同**1**③に規定する多世帯同居改修住宅借入金等の金額につき、同**1**①、同**1**②又は同**1**③の規定により**四**の規定の適用を受けた場合を除く。）において、当該居住の用に供した日の属する年（以下**5**及び**6**において「**居住年**」という。）から10年目に該当する年以後居住年から12年目に該当する年までの各年（同日以後その年の12月31日まで引き続きその居住の用に供している年に限る。以下**5**及び**9**において「**特別特定適用年**」という。）において当該住宅の取得等に係る住宅借入金等（以下**5**において「**特別特定住宅借入金等**」という。）の金額を有するときは、当該特別特定適用年を**1**に規定する適用年とし、その年12月31日における特別特定住宅借入金等の金額の合計額（当該合計額が4,000万円を超える場合には、4,000万円）に１パーセントを乗じて計算した金額（当該金額が控除限度額を超える場合には控除限度額とし、当該金額に100円未満の端数があるときはこれを切り捨てる。）を当該特別特定適用年における**1**に規定する住宅借入金等特別税額控除額として、**四**、**9**及び**18**の規定を適用することができる。この場合において、**1**中「10年間（居住年が令和４年又は令和５年であり、かつ、その居住に係る住宅の取得等が居住用家屋の新築等又は買取再販住宅の取得に該当するものである場合には、13年間）」とあり、及び**10**中「**1**に規定する10年間」とあるのは「13年間」と、**11**中「**1**に規定する10年間」とあるのは「13年間」と、**9**(注)中「**1**に規定する10年間」とあり、並びに**13**①、**13**②及び**14**中「10年間（**1**に規定する10年間をいう。）」とあるのは「13年間」とする。（措法41⑮）

（**5**に規定する特別特定取得の意義）

（1）　**5**に規定する特別特定取得とは、個人の住宅の取得等に係る対価の額又は費用の額に含まれる消費税額及び地方消費税額の合計額に相当する額が、当該住宅の取得等に係る課税資産の譲渡等につき社会保障の安定財源の確保等を図る税制の抜本的な改革を行うための消費税法の一部を改正する等の法律（平成24年法律第68号）第３条の規定による改正後の消費税法第29条に規定する税率により課されるべき消費税額及び当該消費税額を課税標準として課されるべき地方消費税額の合計額に相当する額である場合における当該住宅の取得等をいう。（措法41⑯）

（**5**の控除限度額）

（2）　**5**の控除限度額は、当該住宅の取得等で特別特定取得（(1)に規定する特別特定取得をいう。**6**及び**6**(2)において同じ。）に該当するものに係る対価の額又は費用の額から当該住宅の取得等に係る対価の額又は費用の額に含まれる消費税額及び地方消費税額の合計額に相当する額を控除した残額として(3)で定める金額(当該金額が4,000万円を超える場合には、4,000万円）に２パーセントを乗じて計算した金額を３で除して計算した金額とする。（措法41⑰）

((2)に規定する(3)で定める金額)

（3）　(2)に規定する(3)で定める金額は、**1**に規定する住宅の取得等で特別特定取得（(1)に規定する特別特定取得をいう。**6**(3)において同じ。）に該当するものに係る対価の額又は費用の額（**5**の個人が当該住宅の取得等をした**5**に規定する居住用家屋若しくは既存住宅又は増改築等をした家屋のうちにその者の居住の用以外の用に供する部分がある場合には、当該住宅の取得等に係る対価の額又は費用の額に、次の(一)及び(二)に掲げる家屋の区分に応じ当該(一)又は(二)に定める割合を乗じて計算した金額。以下(3)において同じ。）から当該住宅の取得等に係る対価の額又は費用の額に含まれる消費税額及び地方消費税額の合計額に相当する額を控除した残額とする。（措令26㉗）

(一)	当該居住用家屋又は既存住宅	これらの家屋の**1**①**イ**(一)及び同(二)に規定する床面積のうちに当該居住の用に供する部分の床面積の占める割合
(二)	当該増改築等をした家屋	当該増改築等に要した費用の額のうちに当該居住の用に供する部分の当該増改築等に要した費用の額の占める割合

6　認定住宅等の取得等で特別特定取得に該当するものの特例

個人が、認定住宅等の新築等で**特別特定取得**に該当するものをし、かつ、当該認定住宅等の新築等をした家屋を令和元年10月１日から令和２年12月31日までの間に**1**の定めるところによりその者の居住の用に供した場合（居住年から９年目に該当する年において当該認定住宅等の新築等に係る**4**に規定する認定住宅等借入金等の金額につき、**4**の規定により**四**、**9**又は**18**の規定の適用を受けている場合その他の(1)で定める場合に限る。）において、居住年から10年目に該当する年以後居住年から12年目に該当する年までの各年（当該居住の用に供した日以後その年の12月31日まで引き続きその居住の用に供している年に限る。以下**6**及び**9**において「**認定住宅特別特定適用年**」という。）において当該認定住宅等の新築等に係る住宅借入金等（以下**6**において「**認定特別特定住宅借入金等**」という。）の金額を有するときは、**5**の規定にかかわらず、当該認定住宅特別特定適用年を**1**に規定する適用年とし、その年12月31日における認定特別特定住宅借入金等の金額の合計額（当該合計額が5,000万円を超える場合には、5,000万円）に１パーセントを乗じて計算した金額（当該金額が認定住宅控除限度額を超える場合には認定住宅控除限度額とし、当該金額に100円未満の端数があるときはこれを切り捨てる。）を当該認定住宅特別特定適用年における**1**に規定する住宅借入金等特別税額控除額として、**四**、**9**及び**18**の規定を適用することができる。この場合において、**1**中「10年間（居住年が令和４年又は令和５年であり、かつ、その居住に係る住宅の取得等が居住用家屋の新築等又は買取再販住宅の取得に該当するものである場合には、13年間）」とあり、及び**10**中「**1**に規定する10年間」とあるのは「13年間」と、**11**中「**1**に規定する10年間」とあるのは「13年間」と、**9**(注)中「**1**に規定する10年間」とあり、並びに**13**①、**13**②及び**14**中「10年間（**1**に規定する10年間をいう。）」とあるのは「13年間」とする。（措法41⑱）

（**6**に規定する（１）で定める場合）

（１）　**6**に規定する（１）で定める場合は、次の(一)から(三)までに掲げる場合とする。（措令26㉘）

(一)	**6**の個人が**6**に規定する居住年（以下（１）において「居住年」という。）から９年目に該当する年において**6**に規定する認定住宅等の新築等（以下（１）において「認定住宅等の新築等」という。）に係る**6**に規定する認定住宅等借入金等（以下（１）において「認定住宅等借入金等」という。）の金額につき、**4**の規定により**四**又は**9**若しくは**18**の規定の適用を受けている場合
(二)	**6**の個人が居住年又はその翌年以後８年内のいずれかの年において認定住宅等の新築等に係る認定住宅等借入金等の金額につき、**4**の規定により**四**又は**9**若しくは**18**の規定の適用を受けていた場合（(一)に掲げる場合に該当する場合を除く。）
(三)	**6**の個人が居住年以後10年間の各年において認定住宅等の新築等に係る認定住宅等借入金等の金額につき、**四**の規定の適用を受けていなかった場合であって、居住年から10年目に該当する年以後居住年から12年目に該当する年までの各年のいずれかの年において当該認定住宅等の新築等に係る**6**に規定する認定特別特定住宅借入金等の金額につき、その者の選択により、**6**の規定の適用を受けようとする場合

（**6**の認定住宅控除限度額）

（２）　**6**の認定住宅控除限度額は、当該認定住宅等の新築等で特別特定取得に該当するものに係る対価の額から当該認定住宅等の新築等に係る対価の額に含まれる消費税額及び地方消費税額の合計額に相当する額を控除した残額として（３）で定める金額（当該金額が5,000万円を超える場合には、5,000万円）に２パーセントを乗じて計算した金額を３で除して計算した金額とする。（措法41⑲）

（（２）に規定する（３）で定める金額）

（３）　（２）に規定する（３）で定める金額は、**4**に規定する認定住宅等の新築等で特別特定取得に該当するものに係る対価の額（**6**の個人が当該認定住宅等の新築等をした家屋のうちにその者の居住の用以外の用に供する部分がある場合には、当該認定住宅等の新築等に係る対価の額に、当該家屋の**1**①**イ**(一)及び同(二)に規定する床面積のうちに当該居住の用に供する部分の床面積の占める割合を乗じて計算した金額。以下（３）において同じ。）から当該認定住宅等の新築等に係る対価の額に含まれる消費税額及び地方消費税額の合計額に相当する額を控除した残額とする。（措令26㉙）

7　特例居住用家屋の新築等をした場合の適用

個人が、国内において、小規模居住用家屋（住宅の用に供する家屋のうち小規模なものとして（１）で定めるものをいう。**8**において同じ。）で令和５年12月31日以前に建築基準法第６条第１項の規定による確認（**8**において「建築確認」という。）を受けているもの（以下**7**において「特例居住用家屋」という。）の新築又は特例居住用家屋で建築後使用されたことのないものの取得（以下**7**において「**特例居住用家屋の新築等**」という。）をした場合には、当該特例居住用家屋の新築等は**1**に規定する居住用家屋の新築等に該当するものと、当該特例居住用家屋は居住用家屋とそれぞれみなして、**1**、**13**②及び**14**の規定を適用することができる。ただし、**1**に規定する適用年のうち、その者のその年分の所得税に係るその年の第二章第一章**一30**の合計所得金額が1,000万円を超える年については、この限りでない。（措法41⑳）

（**7**に規定する住宅の用に供する家屋のうち小規模なものとして（1）で定めるもの）

（1）　**7**に規定する住宅の用に供する家屋のうち小規模なものとして（1）で定めるものは、個人がその居住の用に供する次の(一)及び(二)に掲げる家屋（その家屋の床面積の２分の１以上に相当する部分が専ら当該居住の用に供されるものに限る。）とし、その者がその居住の用に供する家屋を二以上有する場合には、これらの家屋のうち、その者が主としてその居住の用に供すると認められる一の家屋に限るものとする。（措令26㉚）

(一)	一棟の家屋で床面積が40平方メートル以上50平方メートル未満であるもの
(二)	一棟の家屋で、その構造上区分された数個の部分を独立して住居その他の用途に供することができるものにつきその各部分を区分所有する場合には、その者の区分所有する部分の床面積が40平方メートル以上50平方メートル未満であるもの

（**1**（3）の規定の準用）

（2）　**1**（3）（(三)に係る部分を除く。）の規定は、**7**の個人が新築をし、又は取得をした**7**に規定する特例居住用家屋のうちにその者の居住の用以外の用に供する部分がある場合について準用する。この場合において、**1**（3）中「**1**」とあるのは「**7**」と、「、若しくは」とあるのは「、又は」と、「居住用家屋若しくは既存住宅」とあるのは「特例居住用家屋」と、「にこれらの家屋」とあるのは「に当該特例居住用家屋」と、「これらの家屋及び」とあるのは「当該特例居住用家屋及び」と、「又は**1**に規定する増改築等をした家屋の当該増改築等に係る部分のうち」とあるのは「のうち」と、**1**（3）(一)中「居住用家屋又は既存住宅」とあるのは「特例居住用家屋」と、「居住用家屋の新築若しくは取得又は当該既存住宅の取得」とあるのは「特例居住用家屋の新築又は取得」と、「これらの家屋の①**イ**(一)又は同(二)」とあるのは「当該特例居住用家屋の**7**（1）(一)及び同(二)」と、**1**（3）(二)中「①**イ**(二)」とあるのは「**7**（1）(二)」と読み替えるものとする。（措令26㉛）

8　特例認定住宅等の新築等をした場合の適用

個人が、国内において、特例認定住宅等（小規模居住用家屋に該当する家屋で次の(一)から(四)までに掲げるもののうち令和６年12月31日以前に建築確認を受けているものをいう。以下**8**において同じ。）の新築又は特例認定住宅等で建築後使用されたことのないものの取得（以下**8**において「**特例認定住宅等の新築等**」という。）をした場合には、当該特例認定住宅等の新築等は**4**に規定する認定住宅等の新築等に該当するものと、当該特例認定住宅等は**4**に規定する認定住宅等と、当該特例認定住宅等で(一)又は(二)に掲げるものは**4**（1）(一)に規定する認定住宅と、当該特例認定住宅等で(三)に掲げるものは**4**(三)に規定する特定エネルギー消費性能向上住宅と、当該特例認定住宅等で(四)に掲げるものは**4**(四)に規定するエネルギー消費性能向上住宅とそれぞれみなして、**4**、**13**②及び**14**の規定を適用することができる。ただし、**4**に規定する認定住宅等特例適用年のうち、その者のその年分の所得税に係るその年の第二章第一章**一30**の合計所得金額が1,000万円を超える年については、この限りでない。（措法41㉑）

(一)	住宅の用に供する長期優良住宅の普及の促進に関する法律第11条第１項に規定する認定長期優良住宅に該当する家屋で（1）で定めるもの
(二)	住宅の用に供する都市の低炭素化の促進に関する法律第２条第３項に規定する低炭素建築物に該当する家屋で（1）で定めるもの又は同法第16条の規定により低炭素建築物とみなされる同法第９条第１項に規定する特定建築物に該当する家屋で（1）で定めるもの
(三)	(一)及び(二)に掲げる家屋以外の家屋で、エネルギーの使用の合理化に著しく資する住宅の用に供する家屋として（1）で定めるもの
(四)	(一)から(三)までに掲げる家屋以外の家屋で、エネルギーの使用の合理化に資する住宅の用に供する家屋として（1）で定めるもの

（準用規定）

（1）　**4**（3）の規定は**8**(一)に規定する認定長期優良住宅に該当する家屋で（1）で定めるものについて、**4**（4）の規定は**8**(二)に規定する低炭素建築物に該当する家屋で（1）で定めるものについて、**4**（5）の規定は**8**(二)に規定する特定建築物に該当する家屋で（1）で定めるものについて、**4**（7）の規定は**8**(三)に規定するエネルギーの使用の合理化に著しく資する住宅の用に供する家屋として（1）で定めるものについて、**4**（9）の規定は**8**(四)に規定するエネルギーの使用の合理化に資する住宅の用に供する家屋として（1）で定めるものについて、**4**(12)の規定は**8**の個人が新築をし、又は取得をした**8**に規定する特例認定住宅等のうちにその者の居住の用以外の用に供する部分がある場合について、それぞれ準用する。この場合において、**4**（３）中「**4**（一）」とあるのは「**8**（一）」と、「**1**①**イ**（一）又は同(二)」とあるのは「**7**（１）(一)又は同(二)」と、**4**（４）及び**4**（５）中「**4**（二）」とあるのは「**8**（二）」と、「**1**①**イ**（一）又は同(二)」とあるのは「**7**（１）(一)又は同(二)」と、「）で」とあるのは「）で令和５年12月31日以前に建築確認を受けているもののうち」と、**4**（７）中「**4**（三）」とあるのは「**8**（三）」と、「**1**①**イ**（一）又は同(二)」とあるのは「**7**（１）(一)又は同(二)」と、「）で」とあるのは「）で令和５年12月31日以前に建築確認を受けているもののうち」と、**4**（９）中「**4**（四）」とあるのは「**8**（四）」と、「**1**①**イ**（一）又は同(二)」とあるのは「**7**（１）(一)又は同(二)」と、**4**(12)中「**4**」とあるのは「**8**」と、「認定住宅等（」とあるのは「特例認定住宅等（」と、「認定住宅等の敷地」とあるのは「特例認定住宅等の敷地」と、「認定住宅等及び」とあるのは「特例認定住宅等及び」と、**4**(12)(一)中「当該認定住宅等」とあるのは「当該特例認定住宅等」と、「**1**①**イ**（一）又は同(二)」とあるのは「**7**（１）(一)又は同(二)」と読み替えるものとする。（措令26㉜）

9　適用年において２以上の居住年に係る住宅の取得等に係る住宅借入金等の金額を有する場合

個人が、**1**に規定する適用年（特例適用年、認定住宅等特例適用年、特別特定適用年又は認定住宅特別特定適用年を含む。以下において同じ。）において、２以上の住宅の取得等に係る住宅借入金等の金額を有する場合には、当該適用年における**1**の住宅借入金等特別税額控除額は、**2**、**3**、**4**、**5**及び**6**の規定にかかわらず、当該適用年の12月31日における住宅借入金等の金額につき異なる住宅の取得等ごとに区分をし、当該区分をした住宅の取得等に係る住宅借入金等の金額の次の(一)から(五)までに掲げる区分に応じそれぞれに定める金額の合計額とする。ただし、当該合計額が**控除限度額**を超えるときは、当該適用年における**1**の住宅借入金等特別税額控除額は、当該控除限度額とする。（措法41の２①）

(一)	**3**①に規定する特例住宅借入金等の金額（**3**①の規定により**四**又は**18**の規定の適用を受けるものに限る。以下**9**において同じ。）	当該特例住宅借入金等の金額につき**3**前段の規定に準じて計算した金額
(二)	**4**に規定する認定住宅等借入金等の金額（**4**の規定により**四**又は**18**の規定の適用を受けるものに限る。以下**9**において同じ。）	当該認定住宅等借入金等の金額につき**4**前段の規定に準じて計算した金額
(三)	**5**に規定する特別特定住宅借入金等の金額（**5**の規定により**四**又は**18**の規定の適用を受けるものに限る。以下**四**において同じ。）	当該特別特定住宅借入金等の金額につき**5**前段の規定に準じて計算した金額
(四)	**6**に規定する認定特別特定住宅借入金等の金額（**6**の規定により**四**又は**18**の規定の適用を受けるものに限る。以下**四**において同じ。）	当該認定特別特定住宅借入金等の金額につき**6**前段の規定に準じて計算した金額
(五)	(一)から(四)までに掲げる住宅借入金等の金額以外の住宅借入金等の金額（以下**9**において「他の住宅借入金等の金額」という。）	当該他の住宅借入金等の金額につき**2**の規定に準じて計算した金額

（注）　**1**及び**4**の規定は、個人が、**1**の居住用家屋若しくは既存住宅又は**4**の認定住宅等をその居住の用に供した日の属する年分又はその翌年分の所得税について**八**《認定長期優良住宅の新築等をした場合の所得税額の特別控除》の**1**又は**2**の規定の適用を受ける場合には、当該個人の**1**に規定する10年間の各年分の所得税については、適用しない。（措法41㉖）

（控除限度額）

（１）　**9**ただし書の控除限度額は、個人が適用年において有する住宅借入金等の金額の次の(一)から(五)までに掲げる区分に応じそれぞれに定める金額に相当する金額のうち最も多い金額とする。（措法41の２②）

(一)	特例住宅借入金等の金額	特例住宅借入金等の金額に係る居住年につき**3**①（１）の規定により定められた特例借入限度額に同（２）の規定により当該適用年につき定められた特例控除率を乗じて計算した金額（二以上の住宅の取得等に係る特例住宅借入金等の金額を有する場合には、これらの特例住宅借入金等の金額ごとに、これらの特例住宅借入金等の金額に係る居住年につき同（１）の規定により定められた特例借入限度額に同（２）の規定により当該適用年につき定められた特例控除率を乗じてそれぞれ計算した金額のうち最も多い金額）
(二)	認定住宅等借入金等の金額	認定住宅等借入金等の金額に係る居住年につき**4**（１）又は**4**(15)の規定により定められた認定住宅等借入限度額に同（２）の規定により当該適用年につき定められた認定住宅等控除率を乗じて計算した金額（二以上の住宅の取得等に係る認定住宅等借入金等の金額を有する場合には、これらの認定住宅等借入金等の金額ごとに、これらの認定住宅等借入金等の金額に係る居住年につき同（１）又は**4**(15)の規定により定められた認定住宅等借入限度額に同（２）の規定により当該適用年につ

		き定められた認定住宅等控除率を乗じてそれぞれ計算した金額のうち最も多い金額）
(三)	特別特定住宅借入金等の金額	26万6,600円
(四)	認定特別特定住宅借入金等の金額	33万3,300円
(五)	他の住宅借入金等の金額	他の住宅借入金等の金額に係る居住年につき**2**（1）の規定により定められた借入限度額に同（2）の規定により当該適用年につき定められた控除率を乗じて計算した金額（二以上の住宅の取得等に係る他の住宅借入金等の金額を有する場合には、これらの他の住宅借入金等の金額ごとに、これらの他の住宅借入金等の金額に係る居住年につき同（1）の規定により定められた借入限度額に同（2）の規定により当該適用年につき定められた控除率を乗じてそれぞれ計算した金額のうち最も多い金額）

（同一の年に二以上の住宅の取得等をし、居住日が同一の年に属するものがある場合）

（2）　二以上の住宅の取得等をし、かつ、これらの住宅の取得等をした**1**に規定する居住用家屋、既存住宅若しくは増改築等をした家屋又は**4**に規定する認定住宅等を**1**の定めるところによりその者の居住の用に供した日（以下（2）において「居住日」という。）が同一の年に属するものがある場合には、当該居住日が同一の年に属する住宅の取得等を一の住宅の取得等（次の(一)から(四)までに掲げる場合には、それぞれに定める区分をした住宅の取得等ごとにそれぞれ一の住宅の取得等）として、**1**から**8**まで又は**9**及び**9**（1）の規定を適用する。（措法41の2③）

(一)	当該居住日の属する年が平成21年から平成25年までの各年である場合において、当該二以上の住宅の取得等のうちに、認定住宅等借入金等の金額に係るものと他の住宅借入金等の金額に係るものとがあるとき	認定住宅等借入金等の金額に係る住宅の取得等と他の住宅借入金等の金額に係る住宅の取得等とに区分をした住宅の取得等
(二)	当該居住日の属する年が平成26年から平成30年までの各年又は令和3年である場合において、当該二以上の住宅の取得等のうちに、**2**（3）に規定する特定取得（以下(二)及び(三)イにおいて「特定取得」という。）に該当するものと特定取得に該当するもの以外のものとがあるとき	特定取得に該当する住宅の取得等と特定取得に該当するもの以外の住宅の取得等とに区分をした住宅の取得等（当該区分をした住宅の取得等のうちに認定住宅等借入金等の金額に係るものと他の住宅借入金等の金額に係るものとがあるときは、当該区分をした住宅の取得等を認定住宅等借入金等の金額に係る住宅の取得等と他の住宅借入金等の金額に係る住宅の取得等とに区分をした住宅の取得等）
(三)	当該居住日の属する年が令和元年又は令和2年である場合において、次に掲げる場合に該当するとき	次に掲げる場合の区分に応じそれぞれ次に定める住宅の取得等 イ　当該二以上の住宅の取得等のうちに、特定取得に該当するものと特定取得に該当するもの以外のものとがある場合　　特定取得に該当する住宅の取得等と特定取得に該当するもの以外の住宅の取得等とに区分をした住宅の取得等（当該区分をした住宅の取得等のうちに認定住宅等借入金等の金額に係るものと他の住宅借入金等の金額に係るものとがあるときは、当該区分をした住宅の取得等を認定住宅等借入金等の金額に係る住宅の取得等と他の住宅借入金等の金額に係る住宅の取得等とに区分をした住宅の取得等）

		ロ　当該二以上の住宅の取得等のうちに、特別特定住宅借入金等の金額に係るものと認定特別特定住宅借入金等の金額に係るものとがある場合　　特別特定住宅借入金等の金額に係る住宅の取得等と認定特別特定住宅借入金等の金額に係る住宅の取得等とに区分をした住宅の取得等
(四)	当該居住日の属する年が令和４年から令和７年までの各年である場合において、当該二以上の住宅の取得等のうちに、居住用家屋の新築等又は買取再販住宅の取得に該当するものと居住用家屋の新築等又は買取再販住宅の取得に該当するもの以外のものとがあるとき	居住用家屋の新築等又は買取再販住宅の取得に該当する住宅の取得等と居住用家屋の新築等又は買取再販住宅の取得に該当するもの以外の住宅の取得等とに区分をした住宅の取得等（当該区分をした住宅の取得等のうちに認定住宅等借入金等の金額に係るものと他の住宅借入金等の金額に係るものとがあるときは、当該区分をした住宅の取得等を認定住宅等借入金等の金額に係る住宅の取得等と他の住宅借入金等の金額に係る住宅の取得等とに区分をした住宅の取得等）

10　居住用財産の譲渡所得の課税の特例等の適用を受けた者の適用除外

1の規定は、個人が、**1**の居住用家屋若しくは既存住宅若しくは増改築等をした家屋の当該増改築等に係る部分又は**4**の認定住宅等をその居住の用に供した日の属する年分の所得税について第五章第二節**一 3**《居住用財産を譲渡した場合の長期譲渡所得の課税の特例》、同節**十一 1**《居住用財産の譲渡所得の特別控除》①（同③の規定により適用する場合を除く。**11**①において同じ。）、同節**十五**《特定の居住用財産の買換え又は交換の特例》若しくは同節**十九**《既成市街地等内にある土地等の中高層耐火建築物等の建設のための買換え及び交換の特例》の規定の適用を受ける場合又はその居住の用に供した日の属する年の前年分若しくは前々年分の所得税についてこれらの規定の適用を受けている場合には、当該個人の**1**に規定する10年間の各年分の所得税については、適用しない。（措法41㉔）

11　第２年目以後に居住用財産の譲渡所得の課税の特例等の適用を受けることとなる者の適用除外

①　特別控除の不適用

1の居住用家屋若しくは既存住宅若しくは増改築等をした家屋の当該増改築等に係る部分又は**4**の認定住宅等をその居住の用に供した個人が、当該居住の用に供した日の属する年の翌年以後３年以内の各年中に当該居住の用に供した当該居住用家屋及び既存住宅並びに当該増改築等をした家屋並びに当該居住の用に供した当該認定住宅等並びにこれらの家屋の敷地の用に供されている土地（当該土地の上に存する権利を含む。）以外の資産（第五章第二節**一 3**《居住用財産を譲渡した場合の長期譲渡所得の課税の特例》①に規定する居住用財産、同節**十一**《居住用財産の譲渡所得の特別控除》**1**に規定する資産又は**十五**《特定の居住用財産の買換え又は交換の特例》**1**に規定する譲渡資産に該当するものに限る。）の譲渡をした場合において、その者が当該譲渡につき同節**一 3**、**十一 1**①、**十五**又は**十九**の規定の適用を受けるときは、当該個人の**1**に規定する10年間の各年分の所得税については、**1**の規定は、適用しない。（措法41㉕）

②　住宅借入金等を有する場合の所得税額の特別控除の適用を受けた者が居住用財産の譲渡所得の課税の特例等を受けることとなる場合の修正申告等

イ　修正申告又は期限後申告

①に規定する資産の譲渡をした個人で①の規定に該当することとなった者が当該譲渡をした日の属する年の前３年以内の各年分の所得税につき**1**又は**18**《年末調整に係る住宅借入金等を有する場合の所得税額の特別控除》の規定の適用を受けている場合には、その者は、当該譲渡をした日の属する年分の所得税の確定申告期限までに、当該前３年以内の各年分の所得税についての修正申告書（第十章第二節**二 1**②《確定申告書を提出すべき場合》又は同**2**①《給与所得を有する者が確定所得申告を要しない場合》の規定により確定申告書を提出していない者にあっては、期限後申告書）を提出し、かつ、当該期限内にこれらの申告書の提出により納付すべき税額を納付しなければならない。（措法41の３①）

ロ　修正申告等がなかった場合の更正又は決定

イの規定によりこれらの申告書を提出すべき者がこれらの申告書を提出しなかった場合には、納税地の所轄税務署長は、これらの申告書に記載すべきであった所得金額、所得税の額その他の事項につき第十二章**一 1**《更正》若しくは同**3**《再更正》の規定による更正又は同**2**《決定》の規定による決定を行う。（措法41の３②）

（修正申告書等に対する国税通則法の適用関係）

（１）　**イ**の規定による修正申告書及び**ロ**の更正（当該申告書を提出すべき者に係るものに限る。）に対する国税通則法の規定の適用については、次に定めるところによる。（措法41の３③）

㈠　当該修正申告書で**イ**に規定する提出期限内に提出されたものについては、国税通則法第20条《修正申告の効力》の規定を適用する場合を除き、これを同法第17条第２項《期限内申告》に規定する期限内申告書とみなす。

㈡　当該修正申告書で**イ**に規定する提出期限後に提出されたもの及び当該更正については、国税通則法第２章から第７章までの規定中「法定申告期限」とあり、及び「法定納期限」とあるのは「第九章第二節**四11②イ**に規定する修正申告書の提出期限」と、第十二章**四 7**（３）㈠《延滞税の額の計算の基礎となる期間の特例》中「期限内申告書」とあるのは、「第二章第一節表内**37**に規定する確定申告書」と、同**7**（４）中「期限内申告書又は期限後申告書」とあるのは「第九章第二節**四11②イ**の規定による修正申告書」と、同章**四 1**①、同③㈡及び⑤㈡中「期限内申告書」とあるのは「第二章第一節**一37**に規定する確定申告書」とする。

㈢　第十二章**四 7**（３）㈡及び同章**四 2**《無申告加算税》の規定は、㈡に規定する修正申告書及び更正には適用しない。

（期限後申告書等に対する国税通則法の適用関係）

（２）　**イ**の規定による期限後申告書及び**ロ**の更正（当該申告書を提出すべき者に係るものに限る。）又は決定に対する国税通則法の規定の適用については、次の㈠及び㈡に定めるところによる。（措法41の３④）

㈠	当該期限後申告書で**イ**に規定する提出期限内に提出されたものについては、これを国税通則法第17条第２項に規定する期限内申告書とみなす。
㈡	当該期限後申告書で**イ**に規定する提出期限後に提出されたもの及び当該更正又は決定については、国税通則法第２章から第７章までの規定中「法定申告期限」とあり、及び「法定納期限」とあるのは、「租税特別措置法第41条の３第１項に規定する期限後申告書の提出期限」とする。

12　特定居住用家屋の適用除外

個人が、国内において、住宅の用に供する家屋でエネルギーの使用の合理化に資する家屋に該当するもの以外のものとして（１）で定めるもの（以下**12**において「**特定居住用家屋**」という。）の新築又は特定居住用家屋で建築後使用されたことのないものの取得をして、当該特定居住用家屋を令和６年１月１日以後に**1**の定めるところによりその者の居住の用に供した場合には、当該個人の**1**に規定する10年間の各年分の所得税については、**1**の規定は、適用しない。（措法41㉗）

（**12**に規定する（１）で定める家屋）

（１）　**12**に規定する（１）で定める家屋は、**4**（９）に規定する基準に適合するもの以外のもので、次の㈠及び㈡に掲げる要件のいずれにも該当しないものとする。（措令26㊲）

㈠	当該家屋が令和５年12月31日以前に建築基準法第６条第１項の規定による確認を受けているものであること。
㈡	当該家屋が令和６年６月30日以前に建築されたものであること。

13　転勤者等の再入居に係る住宅借入金等特別控除制度の再適用

①　転勤者等の再入居に係る住宅借入金等特別控除制度の再適用

1の規定の適用を受けていた個人が、その者に係る第四章第五節《給与所得》**一**に規定する給与等の支払をする者（②において「給与等の支払者」という。）からの転任の命令に伴う転居その他これに準ずるやむを得ない事由に基因してその適用に係る**1**の居住用家屋若しくは既存住宅若しくは増改築等をした家屋（当該増改築等に係る部分に限る。）又は**4**の認定住宅等をその者の居住の用に供しなくなったことにより**1**の規定の適用を受けられなくなった後、これらの家屋（当該増改築等をした家屋については、当該増改築等に係る部分。以下①において同じ。）を再びその者の居住の用に供した場合における**1**の規定の適用については、**1**に規定する居住年以後10年間（**1**に規定する10年間をいう。）の各年のうち、その者がこれらの家屋を再び居住の用に供した日の属する年（その年において、これらの家屋を賃貸の用に供していた場合には、その年の翌年）以後の各年（同日以後その年の12月31日（その者が死亡した日の属する年にあっては、同日）まで引き続きその居住の用に供している年に限る。）は、**1**に規定する適用年とみなす。（措法41㉘）

（適用手続）

（1）　①の規定は、①の個人が、①の家屋をその居住の用に供しなくなる日までに①に規定する事由その他の（3）で定める事項を記載した届出書（**18**④の規定により同④の証明書（これに類するものとして（4）で定める書類を含む。）の交付を受けている場合には、当該証明書のうち同日の属する年以後の各年分に係るものの添付があるものに限る。）を当該家屋の所在地の所轄税務署長に提出しており、かつ、①の規定の適用を受ける最初の年分の確定申告書に当該家屋を再びその居住の用に供したことを証する書類その他の（5）で定める書類（（2）において「**再居住に関する証明書類**」という。）の添付がある場合に限り、適用する。（措法41㉙）

（届出書の提出及び再居住に関する証明書類の添付がなかった場合の宥恕規定）

（2）　税務署長は、（1）の届出書の提出がなかった場合又は再居住に関する証明書類の添付がない確定申告書の提出があった場合においても、その提出又は添付がなかったことについてやむを得ない事情があると認めるときは、当該届出書及び再居住に関する証明書類の提出があった場合に限り、①の規定を適用することができる。①の規定の適用を受ける者が確定申告書を提出しなかった場合において、税務署長がその提出がなかったことについてやむを得ない事情があると認めるときも、同様とする。（措法41㉚）

（転任の命令等により居住しないこととなる届出書）

（3）　（1）に規定する（3）で定める事項は、次の㈠から㈦までに掲げる事項とする。（措規18の21㉒）

㈠	（1）に規定する届出書を提出する者の氏名及び住所（国内に住所がない場合には、居所）
㈡	その者に係る①に規定する給与等の支払者（以下（3）において「給与等の支払者」という。）の名称及び所在地
㈢	その者に係る給与等の支払者からの転任の命令に伴う転居その他これに準ずるやむを得ない事由により①の家屋をその者の居住の用に供しないこととなった事情の詳細
㈣	㈢の家屋をその者の居住の用に供しなくなる年月日
㈤	㈢の家屋をその者の居住の用に供しなくなる日以後に居住する場所及びその者に係る給与等の支払者の名称及び所在地
㈥	㈢の家屋を最初にその者の居住の用に供した年月日
㈦	その他参考となるべき事項

（特別控除証明書に類する書類）

（4）　（1）に規定する**18**④の証明書に類する（4）で定める書類は、①の個人が**18**④に規定する証明書とともに**18**①に規定する申告書の交付を受けている場合の当該申告書とする。（措規18の21㉓）

（再居住に関する証明書類）

（5）　（1）に規定する再び居住の用に供したことを証する書類その他の（5）で定める書類は、（1）の家屋を居住の用に供しなくなった年月日、当該家屋を再び居住の用に供することとなった年月日その他参考となるべき事項を記載した**1**の表〈住宅借入金等の範囲〉内㈠（ロ）に規定する明細書（及び**16**（3）又は同（8）ただし書の規定により同（3）に規定する書類の交付を受けた場合には、当該明細書及び同（3）に規定する書類又は当該書類に記載すべき事項を記録した電子証明書等に係る電磁的記録印刷書面）とする。（措規18の21㉔）

②　転勤者等の再入居に係る住宅借入金等特別控除制度の適用

個人が、住宅の取得等又は認定住宅等の新築取得等（**14**において「住宅の新築取得等」という。）をし、かつ、当該住宅の取得等をした**1**の居住用家屋若しくは既存住宅若しくは増改築等をした家屋（当該増改築等に係る部分に限る。）又は当該認定住宅等の新築取得等をした家屋を**1**の定めるところによりその者の居住の用に供した場合において、当該居住の用に供した日以後その年の12月31日までの間に、その者に係る給与等の支払者からの転任の命令に伴う転居その他これに準ずるやむを得ない事由（(1)において「**特定事由**」という。）に基因してこれらの家屋（当該増改築等をした家屋については、当該増改築等に係る部分。以下②において同じ。）をその者の居住の用に供しなくなった後、これらの家屋を再びその者の居住の用に供したときは、**1**に規定する居住年以後10年間（**1**に規定する10年間をいう。）の各年のうち、その者がこれらの家屋を再び居住の用に供した日の属する年（その年において、これらの家屋を賃貸の用に供していた場合には、その年の翌年）以後の各年（同日以後その年の12月31日（その者が死亡した日の属する年にあっては、同日）まで引き続きその居住の用に供している年に限る。）は、**1**に規定する適用年とみなして、**1**の規定を適用することができる。（措法41㉛）

（再居住等に関する証明書類の添付）

(1)　②の規定は、②の個人が、②の規定の適用を受ける最初の年分の確定申告書に、②の規定により**1**の規定の適用による控除を受ける金額についてのその控除に関する記載があり、かつ、当該金額の計算に関する明細書、②の家屋を特定事由が生ずる前において居住の用に供していたことを証する書類、当該家屋を再びその居住の用に供したことを証する書類、登記事項証明書その他の(3)で定める書類（(2)において「再居住等に関する証明書類」という。）の添付がある場合に限り、適用する。（措法41㉜）

（確定申告書の提出等がなかった場合の宥恕規定）

(2)　税務署長は、確定申告書の提出がなかった場合又は(1)の記載若しくは再居住等に関する証明書類の添付がない確定申告書の提出があった場合においても、その提出又は記載若しくは添付がなかったことについてやむを得ない事情があると認めるときは、当該記載をした書類及び再居住等に関する証明書類の提出があった場合に限り、②の規定を適用することができる。（措法41㉝）

（(1)に規定する(3)で定める書類）

(3)　(1)に規定する(3)で定める書類は、次の(一)から(四)までに掲げる書類又は電磁的記録印刷書面とする。（措規18の21㉕）

(一)	②の家屋を②に規定する特定事由（以下(3)において「特定事由」という。）が生ずる前において居住の用に供した年月日、その後において居住の用に供しなくなった年月日、当該家屋を再び居住の用に供することとなった年月日その他参考となるべき事項を記載した<u>**1**の表〈住宅借入金等の範囲〉内(一)(ロ)に規定する明細書</u>
(二)	特定事由が生ずる前において居住の用に供した②の家屋の**16**の(一)から(五)までに掲げる場合の区分に応じそれぞれに定める書類
(三)	**16**(3)又は同(8)ただし書の規定により**16**(3)に規定する書類の交付を受けた場合には、当該書類又は当該書類に記載すべき事項を記録した電子証明書等に係る電磁的記録印刷書面
(四)	その者に係る特定事由により②の家屋をその者の居住の用に供しないこととなったことを明らかにする書類

（居住の用に供しなくなった場合）

(4)　①及び②に規定する「その者の居住の用に供しなくなった」とは、住宅の新築取得等をした者が現に居住の用に供しなくなったことをいうのであるが、①及び②に規定する給与等の支払者から転任の命令に伴う転居その他これに準ずるやむを得ない事由に基づいてその者が居住の用に供しなくなった後も、配偶者、扶養親族その他その者と生計を一にする親族がその家屋を引き続き居住の用に供していた場合で、これらの親族がその者と共に居住することに伴い転居してその家屋を居住の用に供しなくなったときは、これに該当するものとする。（措通41－3）

（再び居住の用に供した場合）

(5)　①及び②に規定する「再びその者の居住の用に供したこと」とは、住宅の新築取得等をした者が現に再び当該住宅の新築取得等に係る家屋を居住の用に供したことをいうのであるが、その者の配偶者、扶養親族その他その者と生計を一にする親族が再びその居住の用に供したときで、①及び②に規定する「給与等の支払者からの転任の命令に伴う転居その他これに準ずるやむを得ない事由」が解消した後はその者が共にその家屋に居住することとなると認めら

れるときは、これに該当するものとする。（措通41－４）

14　従前家屋が災害により居住の用に供することができなくなった場合の特例

従前家屋（住宅の新築取得等をして1の定めるところにより引き続きその個人の居住の用に供していた家屋をいう。以下14において同じ。）が災害により居住の用に供することができなくなった場合において、1に規定する居住年以後10年間（1に規定する10年間をいう。）の各年のうち、その居住の用に供することができなくなった日の属する年以後の各年（次の(一)から(三)までに掲げる年以後の各年を除く。）は、1に規定する適用年とみなして、1の規定を適用することができる。（措法41㉞）

(一)	当該従前家屋若しくはその敷地の用に供されていた土地若しくは当該土地の上に存する権利（以下(一)及び(二)において「従前土地等」という。）又は当該従前土地等にその居住の用に供することができなくなった日以後に建築した建物若しくは構築物を同日以後に事業の用若しくは賃貸の用又は当該個人と生計を一にする次のイからニまでに掲げる者に対する無償による貸付けの用に供した場合（災害に際し被災者生活再建支援法が適用された市町村（特別区を含む。）の区域内に所在する従前家屋をその災害により居住の用に供することができなくなった者（(三)において「再建支援法適用者」という。）が当該従前土地等に同日以後に新築をした家屋の当該新築に係る住宅借入金等若しくは当該従前家屋につき同日以後に行う1①ハに規定する増改築等に係る住宅借入金等についてその年において1の規定の適用を受ける場合又は当該従前土地等に同日以後に新築をした認定住宅等についてその年において八1若しくは同2の規定の適用を受ける場合を除く。）における当該事業の用若しくは賃貸の用又は貸付けの用に供した日の属する年 イ　当該個人の親族 ロ　当該個人と婚姻の届出をしていないが事実上婚姻関係と同様の事情にある者 ハ　イ及びロに掲げる者以外の者で当該個人から受ける金銭その他の資産によって生計を維持しているもの ニ　イからハまでに掲げる者と生計を一にするこれらの者の親族
(二)	当該従前家屋又は従前土地等の譲渡をした日の属する年分の所得税について第五章第二節十六1①又は同節十七1①の規定の適用を受ける場合における当該譲渡の日の属する年
(三)	当該個人（再建支援法適用者を除く。）が当該従前家屋に係る住宅借入金等以外の住宅借入金等について当該従前家屋を居住の用に供することができなくなった日の属する年以後最初に1の規定の適用を受けた年又は認定住宅等について同日の属する年以後最初に八1若しくは同2の規定の適用を受けた年

（災害の意義）

（１）　14に規定する災害とは、第二章第一節一表内27《定義》に規定する災害をいう。（措通41－29の５）

（引き続きその個人の居住の用に供していた家屋）

（２）　1の定めるところにより居住の用に供した家屋が、その居住の用に供した日の属する年において、災害により居住の用に供することができなくなった場合であっても、その災害のあった日まで引き続きその個人の居住の用に供していた家屋は、14に規定する従前家屋（(４)において「従前家屋」という。）に該当することに留意する。（措通41－29の６）

（災害により居住の用に供することができなくなった場合）

（３）　14に規定する「災害により居住の用に供することができなくなった場合」とは、災害により、客観的にみてその家屋が一般的に居住の用に供することができない状態になった事実がある場合をいう。

したがって、例えば、り災証明書に記載された損害の程度が一部損壊である場合は、他に客観的にみて災害によりその家屋が一般的に居住の用に供することができない状態になった事実がない限り、「災害により居住の用に供することができなくなった場合」に該当しないことに留意する。（措通41－29の７）

（従前家屋の登記事項証明書）

（４）　16(一)リに規定する「従前家屋の登記事項証明書」は、従前家屋が災害により居住の用に供することができなくなったことを明らかにするための書類として確定申告書に添付することとされているものであるから、当該登記事項証明書は、原則として、従前家屋の閉鎖登記記録に係る登記事項証明書であることを要することに留意する。（措通41

－29の８）

15　要耐震改修住宅の取得をした場合

個人が、建築後使用されたことのある家屋で耐震基準に適合するもの以外のものとして（１）で定めるもの（以下「**要耐震改修住宅**」という。）の取得をした場合において、当該要耐震改修住宅の取得の日までに同日以後当該要耐震改修住宅の耐震改修（地震に対する安全性の向上を目的とした増築、改築、修繕又は模様替をいう。以下同じ。）を行うことにつき建築物の耐震改修の促進に関する法律第17条第１項の申請その他（２）で定める手続をし、かつ、当該要耐震改修住宅をその者の居住の用に供する日（当該取得の日から６月以内の日に限る。）までに当該耐震改修（**六１**①又は**七４**①若しくは同**４**③の規定の適用を受けるものを除く。）により当該要耐震改修住宅が耐震基準に適合することとなったことにつき（３）で定めるところにより証明がされたときは、当該要耐震改修住宅の取得は既存住宅の取得と、当該要耐震改修住宅は既存住宅とそれぞれみなして、**１**、**５**、**13**②及び**14**の規定を適用することができる。（措法41㉟）

（（１）で定める家屋）

（１）　**15**に規定する（１）で定める家屋は、個人がその居住の用に供する家屋（その床面積の２分の１以上に相当する部分が専ら当該居住の用に供されるものに限る。）で、**１**①**イ**（一）又は同（二）のいずれかに該当するものであることにつき（４）で定めるところにより証明がされたもの又は確認を受けたもののうち建築後使用されたことのあるもの（**１**①**ロ**（１）（一）及び同（二）に掲げる要件に該当するもの以外のものに限る。）とし、その者がその居住の用に供する家屋を二以上有する場合には、これらの家屋のうち、その者が主としてその居住の用に供すると認められる一の家屋に限るものとする。（措令26㊳）

（（２）で定める手続）

（２）　**15**に規定する（２）で定める手続は、**15**に規定する要耐震改修住宅の取得の日までに同日以後当該要耐震改修住宅の耐震改修を行うことにつき国土交通大臣が財務大臣と協議して定める書類に基づいて行う申請とする。（措規18の21㉗、平26国土交通省告示第430号（最終改正令６同省告示第326号））

（（３）で定めるところにより証明がされたとき）

（３）　**15**に規定する（３）で定めるところにより証明がされたときは、**15**に規定する要耐震改修住宅がその者の居住の用に供する日までに耐震改修（**六１**①又は**七４**①若しくは同**４**③の規定の適用を受けるものを除く。）により耐震基準に適合することとなったことにつき国土交通大臣が財務大臣と協議して定める書類により証明がされたときとする。（措規18の21㉘、平26国土交通省告示第431号（最終改正令６同省告示第327号））

（（４）で定めるところにより証明がされた家屋）

（４）　（１）に規定する（４）で定めるところにより証明がされた家屋又は確認を受けた家屋は、当該家屋が**１**①**イ**（一）又は同（二）のいずれかに該当するものであることにつき、**１**①**ロ**（３）（一）イに規定する登記事項証明書により証明がされたもの又は同（３）（二）イに規定する登記事項証明書に係る情報により税務署長の確認を受けたものとする。（措規18の21㉙）

16　住宅借入金等を有する場合の所得税額の特別控除の適用要件

１の規定は、確定申告書に**１**の規定による控除を受ける金額についてのその控除に関する記載があり、かつ、確定申告書に**１**の表〈住宅借入金等の範囲〉内（一）（ロ）に規定する明細書（当該金額の計算の基礎となった住宅借入金等の金額に係る（３）又は（８）ただし書の規定により（３）に規定する書類の交付を受けた場合には、当該明細書及び（３）に規定する書類又は当該書類に記載すべき事項を記録した電子証明書等に係る電磁的記録印刷書面（電子証明書等に記録された情報の内容を、国税庁長官の定める方法によって出力することにより作成した書面をいう。以下において同じ。））のほか、次の（一）から（五）までに掲げる場合の区分に応じそれぞれに定める書類の添付があった場合に限り、適用する。（措法41㊱、措規18の21⑧）

（一）	その者のその居住の用に供する家屋が、新築をした**１**に規定する居住用家屋（**７**の規定により当該居住用家屋とみなされた**７**に規定する特例居住用家屋を含む。）又は**４**に規定する認定住宅等（**８**の規定により当該認定住宅等とみなされた**８**に規定する特例認定住宅等を含む。）である場合　　次に掲げる書類	
	イ	当該居住用家屋又は当該認定住宅等の登記事項証明書、新築の工事の請負契約書の写し、**１**（２）又は**４**（11）

に規定する補助金等の額（以下**16**において「補助金等の額」という。）を証する書類、**1**（２）又は**4**(11)に規定する住宅取得等資金の額（以下**16**において「住宅取得等資金の額」という。）を証する書類の写しその他の書類で次に掲げる事項（これらの家屋が令和５年１月１日以後に**1**の定めるところによりその者の居住の用に供したものである場合には、⑸に掲げる事項を除く。）を明らかにする書類

⑴　当該居住用家屋又は当該認定住宅等を新築したこと。

⑵　当該居住用家屋又は当該認定住宅等を新築した年月日

⑶　当該居住用家屋又は当該認定住宅等の新築に係る**1**（２）又は**4**(11)に規定する対価の額

⑷　当該居住用家屋又は当該認定住宅等の床面積（①**イ**(一)又は同(二)に規定する床面積をいう。以下**16**において同じ。）が50平方メートル以上（これらの家屋が**7**の規定により当該居住用家屋とみなされた**7**に規定する特例居住用家屋又は**8**の規定により当該認定住宅等とみなされた**8**に規定する特例認定住宅等に該当する家屋である場合には、40平方メートル以上50平方メートル未満）であること。

⑸　当該居住用家屋又は当該認定住宅等に係る**1**に規定する住宅の取得等（以下**16**において「住宅の取得等」という。）が**2**（３）に規定する特定取得（以下**16**において「特定取得」という。）又は**5**（１）に規定する特別特定取得（以下**16**において「特別特定取得」という。）に該当する場合には、その該当する事実

ロ　その住宅借入金等（当該住宅借入金等が特定借入金等（**1**(一)（５）ホに掲げる借入金又は債務をいう。）である場合には、当該特定借入金等に係る当初の住宅借入金等（同(一)（５）ホの当初借入先から借り入れた借入金又は債務をいう。））に当該居住用家屋又は当該認定住宅等の敷地の用に供する土地又は当該土地の上に存する権利（以下**16**において「土地等」という。）の取得に係る住宅借入金等（以下**四**において「**土地等の取得に係る住宅借入金等**」という。）が含まれる場合には、当該土地等の登記事項証明書又はこれに準ずる書類で、当該土地等を取得したこと及び当該土地等を取得した年月日を明らかにするもののほか、次に掲げる土地等の取得に係る住宅借入金等の区分に応じそれぞれ次に定める書類

⑴　**1**(一)（４）ロ若しくはハに掲げる借入金、**1**(一)（５）ニに掲げる借入金（同ニ(ロ)に掲げる資金に係るものに限る。）又は**1**(四)（２）ロに掲げる借入金　　当該土地等の分譲に係る契約書又はこれに類する書類で、当該土地等の取得の対価の額を明らかにするものの写し

⑵　**1**(一)（４）ニに掲げる借入金、**1**(二)（２）ロに掲げる土地等の取得の対価に係る債務、**1**(二)（３）ロに掲げる債務、**1**(四)（２）ハに掲げる借入金又は**1**(四)（４）ロに掲げる借入金　　当該土地等に係るこれらの規定に規定する契約に係る契約書又はこれに類する書類で、当該土地等の取得の対価の額及び当該契約において**1**(一)（４）ニ(イ)及び同(ロ)、**1**(二)（２）ロ(イ)及び同(ロ)又は**1**(二)（３）ロ(イ)及び同(ロ)に掲げる事項が定められていることを明らかにするものの写し

⑶　**1**(一)（４）ホに掲げる借入金、**1**(四)（２）ニに掲げる借入金又は**1**(四)（４）ハに掲げる借入金　　当該土地等に係るこれらの規定に規定する契約に係る契約書又はこれに類する書類で、当該土地等の取得の対価の額及び当該契約において**1**(一)（４）ホ(イ)及び同(ロ)に掲げる事項が定められていることを明らかにするものの写し

⑷　**1**(一)（４）ヘに掲げる借入金（同ヘ(イ)に掲げる者から借り入れたものに限る。）　　次に掲げる書類

（ｉ）　当該土地等の分譲に係る契約書又はこれに類する書類で、当該土地等の取得の対価の額を明らかにするものの写し

（ⅱ）　**1**(一)（４）ヘ(イ)の抵当権の設定に係る当該居住用家屋又は当該認定住宅等の登記事項証明書又はこれに準ずる書類

⑸　**1**(一)（４）ヘに掲げる借入金（同ヘ(ロ)に掲げる者から借り入れたものに限る。）、**1**(四)（２）ホに掲げる借入金、**1**(四)（３）ロに掲げる土地等の取得の対価に係る債務又は**1**(四)（４）ニに掲げる借入金　　当該土地等の分譲に係る契約書又はこれに類する書類で、当該土地等の取得の対価の額を明らかにするものの写しのほか、次に掲げる場合の区分に応じそれぞれ次に定める書類

（ｉ）　当該土地等の取得に係る住宅借入金等につき**1**(一)（４）ヘ(ロ)（ｉ）、**1**(四)（２）ホ(イ)、**1**(四)（３）ロ(イ)又は**1**(四)（４）ニ(イ)の抵当権の設定がされている場合　　当該抵当権の設定に係る当該居住用家屋又は当該認定住宅等の登記事項証明書又はこれに準ずる書類

（ⅱ）　**1**(一)（４）ヘ(ロ)（ⅱ）、**1**(四)（２）ホ(ロ)、**1**(四)（３）ロ(ロ)又は**1**(四)（４）ニ(ロ)の確認がされた場合（（ｉ）に掲げる場合に該当する場合を除く。）　　それぞれ**1**(一)（４）ヘ(ロ)（ⅱ）に規定する国家公務員共済組合その他財務省令で定めるもの、**1**(四)（２）ホ(ロ)若しくは**1**(四)（３）ロ(ロ)に規定する使用者又は**1**(四)（４）ニ(ロ)の貸付けをした者の当該確認をした旨を証する書類

<table>
<tr><td>ハ</td><td>その家屋が4(一)に規定する認定長期優良住宅に該当する家屋である場合には、4(13)(一)及び同(二)に掲げる書類</td></tr>
<tr><td>ニ</td><td>その家屋が4(二)に規定する低炭素建築物に該当する家屋である場合には、4(14)(一)及び同(二)に掲げる書類</td></tr>
<tr><td>ホ</td><td>その家屋が4(二)に規定する特定建築物に該当する家屋である場合には、4(５)に規定する市町村長又は特別区の区長の同(５)の規定による証明書</td></tr>
<tr><td>ヘ</td><td>その家屋が4(三)に規定する特定エネルギー消費性能向上住宅に該当する家屋である場合には、4(８)に規定する書類</td></tr>
<tr><td>ト</td><td>その家屋が4(四)に規定するエネルギー消費性能向上住宅に該当する家屋である場合には、4(10)に規定する書類</td></tr>
<tr><td>チ</td><td>その家屋が令和６年１月１日以後に1の定めるところによりその者の居住の用に供したものである場合には、国土交通大臣が財務大臣と協議して定める書類で当該家屋が12に規定する特定居住用家屋に該当するもの以外のものであることを明らかにする書類（当該家屋が次に掲げる家屋のいずれかに該当する場合には、当該書類及び次に掲げる家屋の区分に応じそれぞれ次に定める書類）
<table>
<tr><td>⑴</td><td>7の規定により当該居住用家屋とみなされる7に規定する特例居住用家屋</td><td>当該家屋が令和５年12月31日以前に建築基準法第６条第１項の規定による確認（⑵において「建築確認」という。）を受けているものであることを証する書類</td></tr>
<tr><td>⑵</td><td>8の規定により当該認定住宅等とみなされる8に規定する特例認定住宅等</td><td>当該家屋が令和６年12月31日以前に建築確認を受けているものであることを証する書類</td></tr>
</table></td></tr>
<tr><td>リ</td><td>14(一)に規定する再建支援法適用者が、14に規定する従前家屋に係る住宅借入金等について14の規定により1の規定の適用を受ける年において、当該従前家屋に係る住宅借入金等以外の住宅借入金等について1の規定の適用を受ける場合には、市町村長又は特別区の区長の当該従前家屋に係る災害による被害の状況その他の事項を証する書類（その写しを含む。）、当該従前家屋の登記事項証明書その他の書類で当該従前家屋が災害により居住の用に供することができなくなったことを明らかにする書類</td></tr>
<tr><td>ヌ</td><td>その者が4(15)の規定の適用を受ける場合において、その者の対象配偶者及び対象扶養親族の全てが4(16)の規定による判定をする時の現況において非居住者であるとき（その者の令和６年分の所得税につき、所得税法第190条第２号《年末調整》の規定により同号に規定する給与所得控除後の給与等の金額から当該対象配偶者に係る同号ハに規定する障害者控除の額に相当する金額若しくは同号ニに規定する配偶者控除の額若しくは配偶者特別控除の額に相当する金額若しくは当該対象扶養親族に係る同号ハに規定する障害者控除の額若しくは扶養控除の額に相当する金額が控除された場合又は当該対象配偶者について同法第194条第４項《給与所得者の扶養控除等申告書》、第195条第４項《従たる給与についての扶養控除等申告書》若しくは第203条の６第３項《公的年金等の受給者の扶養親族等申告書》の規定により⑴に掲げる書類を提出し、若しくは提示した場合を除く。）は、当該対象配偶者に係る⑴に掲げる書類又は当該対象扶養親族に係る次に掲げる書類（その者の同年分の所得税につき、当該対象扶養親族について同法第194条第４項、第195条第４項又は第203条の６第３項の規定により⑴に掲げる書類を提出し、又は提示した場合には、⑵に掲げる書類）
⑴　当該対象配偶者又は当該対象扶養親族に係る次に掲げるいずれかの書類であって、当該対象配偶者又は当該対象扶養親族がその者の親族に該当する旨を証するもの（当該書類が外国語で作成されている場合には、その翻訳文を含む。）
（ｉ）　戸籍の附票の写しその他の国又は地方公共団体が発行した書類及び旅券（出入国管理及び難民認定法第２条第５号に規定する旅券をいう。）の写し
（ii）　外国政府又は外国の地方公共団体が発行した書類（当該対象配偶者又は当該対象扶養親族の氏名、生年月日及び住所又は居所の記載があるものに限る。）
⑵　次に掲げるいずれかの書類であって、その者が令和６年において当該対象扶養親族の生活費又は教育費に充てるための支払を必要の都度、当該対象扶養親族に行ったことを明らかにするもの（当該書類が外国語で作成されている場合には、その翻訳文を含む。）
（ｉ）　第十八章—2(三)に規定する金融機関の書類又はその写しで、当該金融機関が行う為替取引によっ</td></tr>
</table>

		てその者から当該対象扶養親族に支払をしたことを明らかにするもの (ⅱ)　第十章第二節**二１**③**ロ**（２）(二)に規定するクレジットカード等購入あっせん業者の書類又はその写しで、同(二)に規定するクレジットカード等を当該対象扶養親族が提示し又は通知して、特定の販売業者から商品若しくは権利を購入し、又は同(二)に規定する特定の役務提供事業者から有償で役務の提供を受けたことにより支払うこととなる当該商品若しくは権利の代金又は当該役務の対価に相当する額の金銭をその者から受領し、又は受領することとなることを明らかにするもの (ⅲ)　資金決済に関する法律第２条第12項に規定する電子決済手段等取引業者（同法第62条の８第２項の規定により同法第２条第12項に規定する電子決済手段等取引業者とみなされる者（(ⅲ)において「みなし電子決済手段等取引業者」という。）を含む。(ⅲ)において「電子決済手段等取引業者」という。）の書類又はその写しで、当該電子決済手段等取引業者がその者の依頼に基づいて行う同条第５項に規定する電子決済手段（(ⅲ)において「電子決済手段」という。）の移転によってその者から当該対象扶養親族に支払をしたことを明らかにするもの（みなし電子決済手段等取引業者の書類又はその写しにあっては、当該みなし電子決済手段等取引業者が発行する電子決済手段に係るものに限る。）
(二)		その者のその居住の用に供する家屋が、**1**に規定する居住用家屋（**7**の規定により当該居住用家屋とみなされた**7**に規定する特例居住用家屋を含む。）又は**4**に規定する認定住宅等（**8**の規定により当該認定住宅等とみなされた**8**に規定する特例認定住宅等を含む。）でで建築後使用されたことのないものである場合　　次に掲げる書類
	イ	当該居住用家屋又は当該認定住宅等（これらの家屋とともにこれらの家屋の敷地の用に供されていた土地等の取得をした場合には、これらの家屋及び当該土地等。⑴から⑶までにおいて同じ。）の登記事項証明書、売買契約書の写し、補助金等の額を証する書類、住宅取得等資金の額を証する書類の写しその他の書類で次に掲げる事項（これらの家屋が令和５年１月１日以後に**1**の定めるところによりその者の居住の用に供したものである場合には、⑸に掲げる事項を除く。）を明らかにする書類 ⑴　当該居住用家屋又は当該認定住宅等を取得したこと ⑵　当該居住用家屋又は当該認定住宅等を取得した年月日 ⑶　当該居住用家屋又は当該認定住宅等の取得に係る**1**（２）又は**4**(11)に規定する対価の額 ⑷　当該居住用家屋又は当該認定住宅等の床面積が50平方メートル以上（これらの家屋が**7**の規定により当該居住用家屋とみなされた**7**に規定する特例居住用家屋又は**8**の規定により当該認定住宅等とみなされた**8**に規定する特例認定住宅等に該当する家屋である場合には、40平方メートル以上50平方メートル未満）であること ⑸　当該居住用家屋又は当該認定住宅等に係る住宅の取得等が特定取得又は特別特定取得に該当する場合には、その該当する事実
	ロ	その家屋が**4**(一)に規定する認定長期優良住宅に該当する家屋である場合には、**4**(13)(一)及び同(二)に掲げる書類（その家屋が長期優良住宅の普及の促進に関する法律第10条第２号ロに掲げる住宅に該当する家屋である場合には、**4**(13)(一)に掲げる書類）
	ハ	その家屋が**4**(二)に規定する低炭素建築物に該当する家屋である場合には、**4**(14)(一)及び同(二)に掲げる書類
	ニ	その家屋が**4**(二)に規定する特定建築物に該当する家屋である場合には、**4**（５）に規定する市町村長又は特別区の区長の同（５）の規定による証明書
	ホ	その家屋が**4**(三)に規定する特定エネルギー消費性能向上住宅に該当する家屋である場合には、**4**（８）に規定する書類
	ヘ	その家屋が**4**(四)に規定するエネルギー消費性能向上住宅に該当する家屋である場合には、**4**(10)に規定する書類
	ト	(一)チからヌまでに掲げる書類
(三)		その者のその居住の用に供する家屋が**1**に規定する既存住宅（(四)に規定する要耐震改修住宅を除く。）である場合　　次に掲げる書類
	イ	当該既存住宅（当該既存住宅とともに当該既存住宅の敷地の用に供されていた土地等の取得をした場合には、当該既存住宅及び当該土地等。⑴から⑶までにおいて同じ。）の**1**①**ロ**（３）(一)イ又は同ロに定める書

		類、**1①ロ**（3）(二)イ又は同ロに規定する書類、売買契約書の写し、補助金等の額を証する書類、住宅取得等資金の額を証する書類の写しその他の書類で次に掲げる事項（当該既存住宅が令和5年1月1日以後に**1**の定めるところによりその者の居住の用に供したものである場合には、⑸に掲げる事項を除く。）を明らかにする書類 ⑴　当該既存住宅を取得したこと。 ⑵　当該既存住宅を取得した年月日 ⑶　当該既存住宅の取得に係る**1**（2）に規定する対価の額 ⑷　当該既存住宅の床面積が50平方メートル以上であること。 ⑸　当該既存住宅に係る住宅の取得等が特定取得又は特別特定取得に該当する場合には、その該当する事実
	ロ	当該既存住宅の取得の対価に係る債務が**1**(三)に規定する債務の承継に関する契約に基づく債務である場合には、当該債務の承継に関する契約に係る契約書の写し
	ハ	当該既存住宅が**4**に規定する認定住宅等に該当する家屋である場合には、次に掲げる場合の区分に応じそれぞれ次に定める書類 ⑴　当該既存住宅に係る住宅の取得等が**4**に規定する買取再販認定住宅等の取得である場合　　次に掲げる場合の区分に応じそれぞれ次に定める書類 （ⅰ）　当該既存住宅が**4**(一)に規定する認定長期優良住宅に該当する家屋である場合　　**4**(13)(一)及び同(二)に掲げる書類（その家屋が長期優良住宅の普及の促進に関する法律第10条第2号ロに掲げる住宅に該当する家屋である場合には、**4**(13)(一)に掲げる書類） （ⅱ）　当該既存住宅が**4**(二)に規定する低炭素建築物に該当する家屋である場合　　**4**(14)(一)及び同(二)に掲げる書類 （ⅲ）　当該既存住宅が**4**(二)に規定する特定建築物に該当する家屋である場合　　**4**（5）に規定する市町村長又は特別区の区長の同項の規定による証明書 （ⅳ）　当該既存住宅が**4**(三)に規定する特定エネルギー消費性能向上住宅に該当する家屋である場合　　**4**（8）に規定する書類 （ⅴ）　当該既存住宅が**4**(四)に規定するエネルギー消費性能向上住宅に該当する家屋である場合　　**4**(10)に規定する書類 ⑵　⑴に掲げる場合以外の場合　　⑴（ⅰ）から（ⅴ）までに定める書類のうちいずれかの書類
	ニ	当該既存住宅に係る住宅の取得等が**1**に規定する買取再販住宅の取得又は**4**に規定する買取再販認定住宅等の取得である場合には、**7**に規定する書類
	ホ	(一)リ及びヌに掲げる書類
(四)		その者のその居住の用に供する家屋が**15**に規定する要耐震改修住宅（**15**の規定により**1**に規定する既存住宅とみなされるものに限る。）である場合　　次に掲げる書類
	イ	当該要耐震改修住宅（当該要耐震改修住宅とともに当該要耐震改修住宅の敷地の用に供されていた土地等の取得をした場合には、当該要耐震改修住宅及び当該土地等。⑴から⑶までにおいて同じ。）の**1①ロ**（3）(一)イに規定する登記事項証明書、同(一)ロに規定する書類、売買契約書の写し、補助金等の額を証する書類、住宅取得等資金の額を証する書類の写しその他の書類で次に掲げる事項（当該要耐震改修住宅が令和5年1月1日以後に**1**の定めるところによりその者の居住の用に供したものである場合には、⑸に掲げる事項を除く。）を明らかにする書類 ⑴　当該要耐震改修住宅を取得したこと。 ⑵　当該要耐震改修住宅を取得した年月日 ⑶　当該要耐震改修住宅の取得に係る**1**（2）に規定する対価の額 ⑷　当該要耐震改修住宅の床面積が50平方メートル以上であること。 ⑸　当該要耐震改修住宅に係る住宅の取得等が特定取得又は特別特定取得に該当する場合には、その該当する事実
	ロ	当該要耐震改修住宅の耐震改修（地震に対する安全性の向上を目的とした増築、改築、修繕又は模様替をいう。以下同じ。）に係る建築物の耐震改修の促進に関する法律施行規則別記第5号様式に規定する認定申請書又は**15**（2）に規定する書類の写し、同（3）に規定する書類、請負契約書の写し、補助金等の額を証する書類、住宅取得等資金の額を証する書類の写しその他の書類で次に掲げる事項を明らかにする書類

		⑴　当該要耐震改修住宅の取得の日までに同日以後当該要耐震改修住宅の耐震改修を行うことにつき**15**に規定する申請その他**15**（２）で定める手続をしたこと。 ⑵　当該要耐震改修住宅をその者の居住の用に供する日までに耐震改修により当該要耐震改修住宅が耐震基準に適合することとなったこと。 ⑶　当該耐震改修をした年月日 ⑷　当該耐震改修に要した**1**（２）に規定する費用の額
	ハ	当該要耐震改修住宅の取得の対価に係る債務が**1**（三）に規定する債務の承継に関する契約に基づく債務である場合には、当該債務の承継に関する契約に係る契約書の写し
	ニ	（一）リに掲げる書類
(五)		その者のその居住の用に供する家屋が**1**に規定する増改築等をした家屋である場合　　次に掲げる書類
	イ	当該増改築等をした家屋の登記事項証明書又は当該増改築等をした家屋の床面積《増築の場合は増築後の床面積＝編者注》が50平方メートル以上であることを証する書類若しくはその写し
	ロ	当該増改築等に係る工事の請負契約書の写し、補助金等の額を証する書類、住宅取得等資金の額を証する書類の写しその他の書類で次に掲げる事項（当該増改築等をした家屋が令和５年１月１日以後に**1**の定めるところによりその者の居住の用に供したものである場合には、⑶に掲げる事項を除く。）を明らかにする書類 ⑴　当該増改築等をした年月日 ⑵　当該増改築等に要した**1**（２）に規定する費用の額 ⑶　当該増改築等に係る住宅の取得等が特定取得又は特別特定取得に該当する場合には、その該当する事実
	ハ	**1①ハ**（５）（一）から同（六）までに掲げる工事の区分に応じ当該（一）から（六）に定める書類
	ニ	（一）リに掲げる書類

（注）　**16**（一）チに規定する国土交通大臣が財務大臣と協議して定める書類は、**1**に規定する居住用家屋（**7**の規定により当該居住用家屋とみなされた**7**に規定する特例居住用家屋を含む。）又は**4**に規定する認定住宅等（**8**の規定により当該認定住宅等とみなされた**8**に規定する特例認定住宅等を含む。）に係る次の（一）から（三）までに掲げる書類のいずれかとする。（令４国土交通省告示第422号（最終改正令６同省告示329号））

（一）	建築基準法第６条第１項に規定する確認済証の写し又は同法第７条第５項に規定する検査済証の写し（令和５年12月31日以前に同法第６条第１項の規定による確認を受けたことを証するものに限る。）
（二）	登記事項証明書（当該家屋が令和６年６月30日以前に建築されたことを証するものに限る。）
（三）	**4**（５）に規定する市町村長若しくは特別区の区長の**4**（５）の規定による証明書、**4**（13）（一）及び同（二）に掲げる書類（その家屋が長期優良住宅の普及の促進に関する法律第10条第２号ロに掲げる住宅に該当する家屋である場合には同（一）に掲げる書類）、**4**（14）（一）及び同（二）に掲げる書類又は**4**（８）若しくは**4**（10）に規定する書類

（２以上の書類により個人の対象配偶者等に該当する旨が証明される場合の親族関係書類）

（１）　**16**（一）ヌ⑴に規定する書類（以下（１）において「親族関係書類」という。）について、国若しくは地方公共団体又は外国政府若しくは外国の地方公共団体が発行した２以上の書類により非居住者である対象配偶者（**1**（一）（５）の（ロ）（一）に規定する対象配偶者をいう。以下（１）において同じ。）又は対象扶養親族（同（ロ）（二）に規定する対象扶養親族をいう。以下（１）及び（２）において同じ。）が特例対象個人（**4**（15）に規定する特例対象個人をいう。（２）において同じ。）の親族に該当する旨が証明される場合における当該２以上の書類は、親族関係書類に該当することに留意する。（措通41－30の２）

（注）　**16**（一）ヌ⑴（ⅱ）に掲げる書類について、外国政府又は外国の地方公共団体が発行した２以上の書類により対象配偶者又は対象扶養親族の氏名、生年月日及び住所又は居所が明らかとなる場合における当該２以上の書類は、同（一）ヌ⑴（ⅱ）に掲げる書類に該当することに留意する。

（その年に３回以上の支払を行った特例対象個人の送金関係書類の提出又は提示）

（２）　特例対象個人が非居住者である対象扶養親族の生活費又は教育費に充てるための支払を、その年に当該対象扶養親族に３回以上行った場合の**16**（一）ヌ⑵に規定する書類（以下⑵において「送金関係書類」という。）の提出又は提示については、その年の全ての送金関係書類の提出又は提示に代えて、次に掲げる事項を記載した明細書の提出及び当該対象扶養親族のその年の最初と最後の当該支払に係る送金関係書類の提出又は提示として差し支えない。

また、特例対象個人は提出又は提示しなかった送金関係書類を保管するものとし、税務署長は必要があると認める

場合には当該送金関係書類を提出又は提示させることができるものとする。（措置41－30の３）

(一)　特例対象個人の氏名及び住所

(二)　支払を受けた対象扶養親族の氏名

(三)　支払日

(四)　支払方法（**16**(一)ヌ⑵(ⅰ)、(ⅱ)又は(ⅲ)の支払方法の別）

(五)　支払額

（注）　支払日とは、次に掲げる書類の区分に応じそれぞれ次に定める日をいう。

⑴　**16**(一)ヌ⑵(ⅰ)に掲げる書類　特例対象個人が対象扶養親族に生活費又は教育費に充てるための金銭を送金した日

⑵　**16**(一)ヌ⑵(ⅱ)に掲げる書類　対象扶養親族がこれらの号に規定する特定の販売業者又は特定の役務提供事業者に同(一)ヌ⑵(ⅱ)に規定するクレジットカード等の提示又は通知をした日

⑶　**16**(一)ヌ⑵(ⅲ)に掲げる書類　特例対象個人の依頼に基づいて同(一)ヌ⑵(ⅲ)に規定する電子決済手段の移転がされた日

（高床式住宅に該当する場合の確定申告書添付書類）

（３）　その者のその居住の用に供する家屋が、**1**に規定する居住用家屋若しくは既存住宅（**16**(四)に規定する要耐震改修住宅を除く。）、**4**に規定する認定住宅等又は**16**(四)に規定する要耐震改修住宅に該当する住宅で建築基準法施行規則別記第２号様式の副本に規定する高床式住宅に該当するものであるときは、当該家屋が**1**①**イ**(一)又は同(二)に掲げる家屋に該当することを明らかにするために**16**(一)イ、同(二)イ、同(三)イ又は同(四)イの規定により添付する書類は、当該家屋に係る建築基準法第６条第１項に規定する確認済証の写し又は同法第２条第35号に規定する特定行政庁の当該家屋が当該高床式住宅に該当するものである旨を証する書類で床面積の記載があるものとすることができる。（措規18の21⑨）

（**16**に規定する電子証明書等）

（４）　**16**及び**13**①（５）及び同②（３）に規定する電子証明書等とは、電磁的記録でその記録された情報について電子署名（電子署名及び認証業務に関する法律第２条第１項に規定する電子署名をいう。以下（４）において同じ。）が行われているもの及び当該電子署名に係る電子証明書（電子署名を行った者を確認するために用いられる事項が当該者に係るものであることを証明するために作成された電磁的記録であって、国税関係法令に係る情報通信技術を活用した行政の推進等に関する省令第２条第１項第２号イからハまでに掲げるもののいずれかに該当するものをいう。）をいう。（措規18の21㉖）

（住宅借入金等に係る借入金の年末残高等証明書）

（５）　住宅借入金等に係る債権者（当該債権者が**1**の表の(一)（５）ホに規定する特定債権者（以下（５）及び（６）において「特定債権者」という。）である場合には当該特定債権者に係る同ホの当初借入先（同ホに規定する契約に従い同ホの債権の管理及び回収に係る業務を行っているものに限る。（６）において同じ。）とし、当該住宅借入金等が（７）で定めるものである場合（以下（５）において「**転貸貸付け等の場合**」という。）には当該債権者に準ずる者として（７）で定める者とする。以下において同じ。）は、令和５年１月１日前に**1**の定めるところにより居住の用に供する家屋について**1**又は**18**①の規定の適用を受けようとする個人から、当該個人がこれらの規定の適用を受けようとする年の12月31日（その者が死亡した日の属する年にあっては、同日）における当該住宅借入金等の金額その他の事項を証する書類で財務省令で定めるもの《住宅取得資金に係る借入金の年末残高等証明書》の交付の申請（転貸貸付け等の場合には、（８）で定めるところにより行う申請）があった場合には、当該書類を交付しなければならない。（措令26の２①）

（注）１　財務省令（措規18の22②）で定める書類は1511ページ様式参照。（編者注）

２　改正後の**19**（１）に規定する債権者が**19**②（注）２に規定する困難である旨その他の同②（注）３で定める事項を記載した届出書を提出した場合には、当該債権者（**18**④（注）において「特例適用債権者」という。）が**19**②（注）２に規定する困難である事情が解消した旨その他の同②（注）４で定める事項を記載した届出書（**18**④（注）において「解消届出書」という。）を提出する日までの間における改正後の（５）の規定の適用については、（５）中「令和５年１月１日前に**1**の定めるところにより居住の用に供する家屋について**1**又は」とあるのは、「**1**又は」とされる。（令４改措令等附10②）

（（５）の規定による交付をした当初借入先の通知義務）

（６）　（５）の規定による交付をした当初借入先は、当該当初借入先の本店又は主たる事務所の所在地の所轄税務署長を通じて国税庁長官に対し、その交付をした日の属する年の翌年１月31日までに、その交付をした（５）の書類に記載した住宅借入金等の金額に係る特定債権者の名称、所在地及び法人番号その他（９）で定める事項を書面により通知しなければならない。（措令26の２②）

（転貸貸付けに係る借入金等の範囲と債権者に準ずる者）

（7）（5）に規定する（7）で定める住宅借入金等は次の(一)及び(二)に掲げる住宅借入金等とし、（5）に規定する（7）で定める債権者に準ずる者は独立行政法人勤労者退職金共済機構とする。（措規18の22①）

(一)	勤労者財産形成促進法第９条第１項に規定する事業主、事業主団体又は福利厚生会社から借り入れた借入金で、当該事業主、事業主団体又は福利厚生会社が独立行政法人勤労者退職金共済機構から貸付けを受けた同項の資金に係るもの
(二)	雇用保険法等の一部を改正する法律（平成19年法律第30号）附則第87条の規定による改正前の勤労者財産形成促進法（以下(二)において「旧勤労者財産形成促進法」という。）第９条第１項第１号に規定する事業主、事業主団体若しくは福利厚生会社又は日本勤労者住宅協会から取得した**1**に規定する居住用家屋の取得（当該居住用家屋の取得とともにしたこれらの者からの当該居住用家屋の敷地の用に供されていた土地等の取得を含む。）の対価に係る債務で当該事業主、事業主団体若しくは福利厚生会社又は日本勤労者住宅協会が独立行政法人勤労者退職金共済機構から貸付けを受けた旧勤労者財産形成促進法第９条第１項第１号又は第２号の資金により建設し、又は取得した当該居住用家屋（当該居住用家屋の敷地の用に供される土地等を含む。）に係るもののうち、当該資金に係る部分

（転貸貸付けに係る証明書交付申請手続）

（8）（5）に規定する転貸貸付け等の場合における（7）(一)又は同(二)に掲げる住宅借入金等に係る（5）に規定する書類の交付の申請は、（7）に規定する事業主、事業主団体若しくは福利厚生会社又は日本勤労者住宅協会を経由して行うものとする。（措規18の22③）

（特定債権者の名称及び所在地その他（9）で定める事項）

（9）（6）に規定する（9）で定める事項は、（6）の当初借入先が特定債権者（（6）に規定する特定債権者をいう。以下（9）において同じ。）に対して債権の譲渡（**1**の表の(一)（5）ホの債権の譲渡（当該債権の譲渡が２以上ある場合には、その２以上の債権の譲渡）をいう。）をした（6）に規定する交付をした日の属する年の12月31日における当該債権の額の合計額（当該債権の譲渡が異なる特定債権者に対して行われた場合には、それぞれの特定債権者に係る当該譲渡をした当該債権の額の合計額）とする。（措規18の22④）

（電磁的方法による記載事項の提供）

(10)（5）の住宅借入金等に係る債権者は、（5）の規定による書類の交付に代えて、（5）に規定する個人の承諾を得て、当該書類に記載すべき事項を電磁的方法（電子情報処理組織を使用する方法その他の情報通信の技術を利用する方法であって(11)で定めるものをいう。(14)及び(16)において同じ。）により提供することができる。ただし、当該個人の請求があるときは、（5）に定めるところにより、当該書類を当該個人に交付しなければならない。（措令26の２③）

（(10)に規定する(11)で定める方法）

(11)　(10)に規定する(11)で定める方法は、次の(一)及び(二)に掲げる方法とする。（措規18の22⑤）

(一)	電子情報処理組織を使用する方法のうち次に掲げるもの イ　送信者等（送信者又は当該送信者との契約によりファイルを自己の管理する電子計算機に備え置き、これを受信者若しくは当該送信者の用に供する者をいう。ロにおいて同じ。）の使用に係る電子計算機と受信者等（受信者又は当該受信者との契約により受信者ファイル（専ら当該受信者の用に供せられるファイルをいう。(12)及び(15)において同じ。）を自己の管理する電子計算機に備え置く者をいう。イにおいて同じ。）の使用に係る電子計算機とを接続する電気通信回線を通じてその提供すべき事項に係る情報（(12)及び(15)において「記載情報」という。）を送信し、受信者等の使用に係る電子計算機に備えられた受信者ファイルに記録する方法 ロ　送信者等の使用に係る電子計算機に備えられた受信者ファイルに記録された記載情報を電気通信回線を通じて提供を受ける者の閲覧に供する方法
(二)	光ディスク、磁気ディスクその他これらに準ずる方法により一定の事項を確実に記録しておくことができる物をもって調製する受信者ファイルに記載情報を記録したものを交付する方法

((11)(一)及び同(二)に掲げる方法の要件)

(12)　(11)(一)及び同(二)に掲げる方法は、次の(一)及び(二)に掲げる基準に適合するものでなければならない。(措規18の22⑥)

(一)	受信者ファイルに記録されている記載情報について、提供を受ける者が電子計算機の映像面への表示及び書面への出力ができるようにするための措置を講じていること。
(二)	(11)(一)に掲げる方法（受信者の使用に係る電子計算機に備えられた受信者ファイルに記載情報を記録する方法を除く。）にあっては、提供を受ける者に対し、記載情報を受信者ファイルに記録する旨又は記録した旨を通知するものであること。ただし、提供を受ける者が当該記載情報を閲覧していたことを確認したときは、この限りでない。

(みなす規定)

(13)　(10)の場合において、(10)の住宅借入金等に係る債権者は、(５)に規定する書類を交付したものとみなす。(措令26の２④)

(電磁的方法による記載事項の提供を行うときの承諾)

(14)　(５)の住宅借入金等に係る債権者は、(10)の規定により(５)に規定する書類に記載すべき事項を提供しようとするときは、(15)で定めるところにより、あらかじめ、(10)の個人に対し、その用いる電磁的方法の種類及び内容を示し、書面又は電磁的方法による承諾を得なければならない。(措令26の２⑤)

(電磁的方法による記載事項の提供を行うときの承諾)

(15)　(14)の住宅借入金等に係る債権者は、(14)の規定により、あらかじめ、(14)に規定する個人に対し、次の(一)及び(二)に掲げる事項を示し、(14)に規定する書面又は電磁的方法による承諾を得なければならない。(措規18の22⑦)

(一)	(11)(一)及び同(二)に掲げる方法のうち当該住宅借入金等に係る債権者が使用するもの
(二)	記載情報の受信者ファイルへの記録の方式

(電磁的方法による提供を受けない旨の申出があったときの取扱い)

(16)　(14)の規定による承諾を得た(14)の住宅借入金等に係る債権者は、(14)の個人から書面又は電磁的方法により(10)の規定による電磁的方法による提供を受けない旨の申出があったときは、当該個人に対し、(10)の書類に記載すべき事項の提供を電磁的方法によってしてはならない。ただし、当該個人が再び(14)の規定による承諾をした場合は、この限りでない。(措令26の２⑥)

(読み替え規定)

(17)　(10)本文の規定の適用がある場合における(６)の規定の適用については、(６)中「(５)の規定による交付」とあるのは「(10)の規定による提供」と、「交付をした日」とあるのは「提供をした日」と、「その交付をした(５)の書類に記載した」とあるのは「(10)の書類に記載すべき事項として提供した」とする。(措令26の２⑦)

(建設業者等の交付する借入金の年末残高等証明書)

(18)　**1**(二)から同(四)までに掲げる債務に係る債権者（**1**(一)(５)イ又は同ロに掲げる借入金に係る債権者及び上記(７)(二)に掲げる債務に係る同(二)の資金の貸付けを行う独立行政法人勤労者退職金共済機構を含む。)が交付する住宅取得資金に係る借入金の年末残高等証明書（以下「**借入金の年末残高等証明書**」という。）を確定申告書に添付する場合には、**16**(一)イ⑶若しくは同ロ、同(二)イ⑶、同(三)イ⑶若しくは同(四)イ⑶に規定する対価の額又は同(四)ロ⑷若しくは同(五)ロ⑵に規定する費用の額を明らかにする書類又はその写し（**16**に規定する補助金等の額を証する書類又は住宅取得等資金の額を証する書類の写しを除く。）の添付を要しないものとする。(措通41－30)

(注)　当該債権者が交付する借入金の年末残高等証明書には、租税特別措置法施行規則第18条の22第２項第２号の規定により、その家屋の取得対価の額、家屋等の取得対価の額、敷地の取得対価の額又は増改築等に要した費用の額を記載しなければならないこととされている。

(借入金の年末残高等証明書等の交付等)

(19)　租税特別措置法施行規則第18条の22第２項第２号に規定する「その年12月31日における住宅借入金等の金額」は、

その年12月31日における現実の住宅借入金等の金額の残高をいうのである（**1**(28)参照）が、借入金の年末残高等調書（**19**②に規定する適用申請書の提出を受けた日の属する年に係るものを除く。）の提出及び借入金の年末残高等証明書の交付に当たっては、その年12月31日までに返済等を行うこととされている金額を控除した残額（以下(19)において「年末残高の予定額」という。）によって提出又は交付をすることを認めるものとする。

この場合において交付をする当該借入金の年末残高等証明書には、借入金等の年末残高の予定額である旨を付記するものとする。（措通41－31）

（確定申告書への記載等がない場合等の宥恕規定）

(20)　税務署長は、確定申告書の提出がなかった場合又は**16**の記載若しくは添付がない確定申告書の提出があった場合においても、その提出又は記載若しくは添付がなかったことについてやむを得ない事情があると認めるときは、当該記載をした書類並びに**16**の明細書及び登記事項証明書その他の書類の提出があった場合に限り、**1**の規定を適用することができる。（措法41㊲）

（第２年目以後の申告書記載条件）

(21)　**1**に規定する居住の用に供した日（以下(21)において「居住日」という。）の属する年分又はその翌年以後８年内（居住日の属する年が平成19年又は平成20年で**3**①の規定により**四**の規定の適用を受ける場合には13年内とし、居住日の属する年が令和４年若しくは令和５年であり、かつ、その居住に係る**1**に規定する住宅の取得等が**1**に規定する居住用家屋の新築等、**1**に規定する買取再販住宅の取得、**4**に規定する認定住宅等の新築等若しくは**4**に規定する買取再販認定住宅等の取得に該当するものである場合、居住日の属する年が令和６年若しくは令和７年であり、かつ、その居住に係る**1**に規定する住宅の取得等が**4**に規定する認定住宅等の新築等若しくは**4**に規定する買取再販認定住宅等の取得に該当するものである場合又は**5**若しくは**6**の規定により**四**の規定の適用を受ける場合には11年内とする。以下(21)において同じ。）のいずれかの年分の所得税につき**1**の規定の適用を受けた個人が、その適用を受けた年分の翌年分以後の各年分の所得税につき**1**の規定による控除を受けようとする場合には、当該控除を受けようとする年分の所得税に係る確定申告書に、**16**(一)から同(五)に定める書類を添付して当該居住日の属する年分又はその翌年以後８年内のいずれかの年分の所得税につき**1**の規定の適用を受けている旨及びその居住の用に供した年月日（**13**①又は**13**②の規定の適用を受けている場合には、当該いずれかの年分の所得税につき**1**及び**13**①又は**13**②の規定の適用を受けている旨並びに**13**①（３）(六)に掲げる年月日又は同②（３）(一)の居住の用に供した年月日及び**13**①（５）又は同②（３）(一)の再び居住の用に供することとなった年月日）を記載することにより**16**(一)から同(五)に定める書類の添付に代えることができる。（措規18の21⑩）

（注）　第２年目以後においても（４）の住宅取得資金に係る借入金の年末残高等証明書の添付はこれを省略することができないことに留意する。（編者注）

（修正申告等と控除限度額）

(22)　その年分の確定申告書に記載されている所得税の額から控除しきれなかった住宅借入金等を有する場合の所得税額の特別控除の金額がある場合において、その後修正申告、更正等により所得税の額が増額されるときは、**1**により計算した金額までの金額は、増額された所得税の額から控除できるものであることに留意する。（編者注）

（住宅借入金等特別控除の控除額に係る特例の規定を適用した場合の効果）

(23)　**四**の規定の適用に当たって、その者の選択により**3**①又は**4**の規定を適用したところにより確定申告書を提出した場合には、その後においてその者が更正の請求をし、若しくは修正申告書を提出するとき又は当該確定申告書を提出した年分以外の特例適用年又は認定住宅等特例適用年に係る年分において**四**の規定を適用するときにおいても、当該選択をし適用した**3**①又は**4**の規定を適用することに留意する。（措通41－33）

（注）　**四**の規定の適用に当たって、**3**①又は**4**の規定を適用しなかった場合においても同様である。

17　住宅借入金等を有する場合の所得税額の特別控除の控除順序等

一 1《配当控除》及び**四 1**《住宅借入金等を有する場合の所得税額の特別控除》の規定による控除をすべき金額は、課税総所得金額に係る所得税額、課税山林所得金額に係る所得税額又は課税退職所得金額に係る所得税額から順次控除する。この場合において、これらの控除をすべき金額の合計額がその年分の所得税額をこえるときは、当該控除をすべき金額は、当該所得税額に相当する金額とする。（措法41㊳により準用して読み替えられた法92②（＿＿下線部は読み替えられた部分（編者注）））

1の規定により控除すべき金額は、**1**に規定する各年分の**一 1**に規定する所得税額から控除する。（措令26㊴）

〔措規別表第八(一)〕

住宅取得資金に係る借入金の年末残高等証明書

住宅取得資金の借入れ等をしている者	住所	
	氏名	
住宅借入金等の内訳		1　住宅のみ　　2　土地等のみ　　3　住宅及び土地等
住宅借入金等の金額	年末残高	円
	当初金額	年　月　日 円
償還期間又は賦払期間		年　月から 年　月まで　の　年　月間
居住用家屋の取得の対価等の額又は増改築等に要した費用の額		円
(摘要)		

租税特別措置法施行令第26条の２第１項の規定により、　　年　　月　　日における租税特別措置法第41条第１項に規定する住宅借入金等の金額、同法第41条の３の２第１項に規定する増改築等住宅借入金等の金額、同条第５項に規定する断熱改修住宅借入金等の金額又は同条第８項に規定する多世帯同居改修住宅借入金等の金額等について、上記のとおり証明します。

令和　　年　　月　　日

(住宅借入金等に係る債権者等)

所在地

名　称

(事業免許番号等　　　　　　　　　　　　　　　　　　)

(備考)

1　「住宅取得資金の借入れ等をしている者」の「住所」及び「氏名」の欄には、施行令第26条の２第１項の規定によりこの証明書の交付を受ける者の住所（国内に住所がない場合には、居所）及び氏名をこの証明書を作成する日の現況により記載すること。

2　「住宅借入金等の内訳」の欄には、この証明書により証明をする住宅借入金等（法第41条第１項各号に規定する住宅借入金等又は法第41条の３の２第３項各号に規定する増改築等住宅借入金等をいう。以下この表において同じ。）の法第41条第１項に規定する住宅の取得等若しくは同条第10項に規定する認定住宅等の新築取得等若しくは法第41条の３の２第１項、第５項若しくは第８項に規定する住宅の増改築等（以下この表において「住宅の増改築等」という。）に係るもの、当該住宅の取得等若しくは当該認定住宅等の新築取得等若しくは当該住宅の増改築等に係る土地若しくは当該土地の上に存する権利（以下この表において「土地等」という。）の取得に係るもの又は当該住宅の取得等若しくは当該認定住宅等の新築取得等若しくは当該住宅の増改築等及び当該土地等の取得に係るものの別に応じ、該当する番号を○で囲むこと。

3　「住宅借入金等の金額」の欄には、当該住宅借入金等の金額のその年12月31日（その者が死亡した日の属する年にあっては、同日。以下この表において同じ。）における残高等について、次により記載すること。

(1)　「住宅借入金等の金額」の「年末残高」の欄には、当該住宅借入金等の金額のその年12月31日における残高を記載するものとする。

(2)　「住宅借入金等の金額」の「当初金額」の欄には、当該住宅借入金等（当該住宅借入金等が第18条の21第８項第１号ロ又は第18条の23の２の２第11項第３号に規定する特定借入金等（以下この表において「特定借入金等」という。）である場合には、当該特定借入金等に係る第18条の21第８項第１号ロに規定する当初の住宅借入金等及び第18条の23の２の２第11項第３号に規定する当初の増改築等住宅借入金等、断熱改修住宅借入金等又は多世帯同居改修住宅借入金等（以下この表において「当初の住宅借入金等」という。））のその借入れをした金額又はその債務の額として負担をした金額及び当該住宅借入金等（当該住宅借入金等が特定借入金等である場合には、当該特定借入金等に係る当初の住宅借入金等）に係る契約を締結した日の年月日を記載するものとする。

4　「償還期間又は賦払期間」の欄には、当該住宅借入金等（当該住宅借入金等が特定借入金等である場合には、当該特定借入金等に係る当初の住宅借入金等）に係る契約において定められている法第41条第１項各号又は第41条の３の２第３項各号に規定する償還期間又は賦払期間について記載すること（当該住宅借入金等が同項第４号に掲げる借入金である場合にあつては「(摘要)」欄に「死亡時一括償還」と記載すること）。

5　「居住用家屋の取得の対価等の額又は増改築等に要した費用の額」の欄には、当該住宅借入金等に係る債権者が法第41条第１項第２号から第４号までに掲げる債務に係る債権者（施行令第26条第10項第１号又は第２号に掲げる借入金に係る債権者及び第18条の22第１項第２号に掲げる債務に係る独立行政法人勤労者退職金共済機構を含む。）又は法第41条の３の２第３項第２号若しくは第３号に掲げる債務に係る債権者（施行令第26条の４第12項第１号に掲げる借入金に係る債権者を含む。）である場合には、法第41条第１項に規定する居住用家屋の新築の工事の請負代金若しくは建築後使用されたことのない当該居住用家屋若しくは同項に規定する既存住宅の取得の対価の額若しくは同項に規定する増改築等に要した費用の額若しくは同条第10項に規定する認定住宅等の新築の工事の請負代金若しくは建築後使用されたことのない当該認定住宅等の取得の対価の額又は住宅の増改築等に要した費用の額を記載すること。

18　年末調整に係る住宅借入金等を有する場合の所得税額の特別控除

①　年末調整に係る住宅借入金等を有する場合の所得税額の特別控除

1に規定する居住の用に供した日（以下**18**において「居住日」という。）の属する年分又はその翌年以後８年内（居住日の属する年が平成19年又は平成20年で**3**の規定により**四**の規定の適用を受ける場合には13年内とし、居住日の属する年が令和４年若しくは令和５年であり、かつ、その居住に係る住宅の取得等が居住用家屋の新築等、買取再販住宅の取得、認定住宅等の新築等若しくは買取再販認定住宅等の取得に該当するものである場合、居住日の属する年が令和６年若しくは令和７年であり、かつ、その居住に係る住宅の取得等が認定住宅等の新築等若しくは買取再販認定住宅等の取得に該当するものである場合又は**5**若しくは**6**の規定により**四**の規定の適用を受ける場合には11年内とする。）のいずれかの年分の所得税につき**1**の規定の適用を受けた個人が、当該居住日の属する年の翌年以後９年内（当該居住日の属する年が平成19年又は平成20年で**3**の規定により**四**の規定の適用を受ける場合には14年内とし、当該居住日の属する年が令和４年若しくは令和５年であり、かつ、その居住に係る住宅の取得等が居住用家屋の新築等、買取再販住宅の取得、認定住宅等の新築等若しくは買取再販認定住宅等の取得に該当するものである場合、当該居住日の属する年が令和６年若しくは令和７年であり、かつ、その居住に係る住宅の取得等が認定住宅等の新築等若しくは買取再販認定住宅等の取得に該当するものである場合又は**5**若しくは**6**の規定により**四**の規定の適用を受ける場合には12年内とする。）の各年に所得税法第190条《年末調整》の規定の適用を受ける同条に規定する給与等（以下**18**において「給与等」という。）の支払を受けるべき場合において、①の規定の適用を受けようとする旨、その年の第二章第一節**一**表内**30**の合計所得金額等（以下「合計所得金額等」という。）の見積額その他次の(一)から(六)までに掲げる事項を記載した給与所得者の住宅借入金等特別控除申告書をその給与等の支払者を経由してその給与等に係る所得税の納税地の所轄税務署長に提出したときは、その年のその給与等に対する年末調整の規定の適用については、その税額《年末調整による年税額》は、当該税額に相当する金額から**1**の規定による控除をされる金額に相当する金額（当該申告書に記載された金額に限るものとし、当該金額が当該税額を超える場合には、当該税額に相当する金額とする。）を控除した金額に相当する金額とする。（措法41の２の２①、措規18の23①、編者補正）

(一)	給与所得者の住宅借入金等特別控除申告書を提出する者の氏名及び住所（国内に住所がない場合には、居所）
(二)	**18**の規定の適用を受けようとする旨
(三)	①の規定の適用を受けようとする年の①に規定する合計所得金額等の見積額
(四)	①の規定による控除を受けようとする金額及びその金額の計算に関する明細
(五)	(四)の金額の計算の基礎となった住宅借入金等の金額（**1**（３）(一)から同(三)に規定する場合に該当するときは、当該住宅借入金等の金額及びこれらの規定により**1**に規定する住宅借入金等の金額とされる金額）
(六)	その他参考となるべき事項

（注）　転職等により、前年以前にこの特別控除証明書を添付して提出した特別控除申告書の経由先と異なる場合には、従来どおり、税務署長に申請してこの特別控除証明書の交付を受けた上、特別控除申告書にこれを添付しなければならない。（編者注）

（特別控除証明書の添付）

（１）　①に規定する申告書を提出しようとする者は、当該申告書に、④の規定により交付を受けた④の証明書又は当該証明書に記載すべき事項を記録した電子証明書等（**16**（２）に規定する電子証明書等をいう。以下において同じ。）に係る電磁的記録印刷書面（①(四)の金額の計算の基礎となった住宅借入金等の金額に係る**16**（３）又は同（８）ただし書の規定により**16**（３）に規定する書類の交付を受けた者が①に規定する申告書を提出しようとする場合には、当該証明書又は当該証明書に記載すべき事項を記録した電子証明書等に係る電磁的記録印刷書面及び当該書類又は当該書類に記載すべき事項を記録した電子証明書等に係る電磁的記録印刷書面）を添付しなければならない。（措規18の23②）

（注）　改正後の（１）（**五 1**(27)の規定により読み替えて適用する場合を含む。）の規定は、令和６年１月１日以後に提出する改正後の①（改正後の**五 1**(12)の規定により読み替えて適用する場合を含む。）に規定する申告書について適用され、同日前に提出した改正前の①（改正前の**五 1**(12)の規定により読み替えて適用する場合を含む。）に規定する申告書については、なお従前の例による。（令４改措規等附５②）

（特別控除証明書の添付の省略）

（２）　適用個人（**1**に規定する居住の用に供した日（以下（２）及び⑤（２）において「居住日」という。）の属する年（以下（２）において「居住年」という。）の翌年以後８年内（居住日の属する年が平成19年又は平成20年で**3**①の規定により**四**の規定の適用を受ける場合には13年内とし、居住日の属する年が令和４年若しくは令和５年であり、かつ、その居住に係る**1**に規定する住宅の取得等が**1**に規定する居住用家屋の新築等、**1**に規定する買取再販住宅の取得、**4**に規定する認定住宅等の新築等若しくは**4**に規定する買取再販認定住宅等の取得に該当するものである場合、居住日の属する年が令和６年若しくは令和７年であり、かつ、その居住に係る**1**に規定する住宅の取得等が**4**に規定する認定住宅等の新築等若しくは**4**に規定する買取再販認定住宅等の取得に該当するものである場合又は**5**若しくは**6**の規定により**四**の規定の適用を受ける場合には11年内とする。以下（２）において同じ。）のいずれかの年分の所得税につき①の規定の適用を受けた個人をいう。）が、その適用を受けた年分の翌年分以後の各年分の所得税につき①の規定による控除を受けようとする場合において、①に規定する申告書をその適用を受けた年分に係る当該申告書の提出の際に経由した①の給与等の支払者を経由して提出するときは、その提出する申告書に、（１）の証明書又は当該証明書に記載すべき事項を記録した電子証明書等に係る電磁的記録印刷書面を添付して当該居住年の翌年以後８年内のいずれかの年分の所得税につき**1**の規定の適用を受けている旨を記載することにより（１）の証明書又は当該証明書に記載すべき事項を記録した電子証明書等に係る電磁的記録印刷書面の添付に代えることができる。（措規18の23③）

（個人番号又は法人番号の付記）

（３）　①に規定する申告書を受理した①に規定する給与等の支払者は、当該申告書（③の規定の適用により当該給与等の支払者が提供を受けた当該申告書に記載すべき事項を含む。）に当該給与等の支払者（個人を除く。）の法人番号を付記するものとする。（措規18の23④）

（申告書の保存）

（４）　①に規定する給与等の支払者が適用個人から①に規定する申告書を受理した場合には、当該申告書を、①に規定する税務署長が当該給与等の支払者に対しその提出を求めるまでの間、当該給与等の支払者が保存するものとする。ただし、当該申告書に係る②に規定する提出期限の属する年の翌年１月10日の翌日から７年を経過する日後においては、この限りでない。（措規18の23⑤）

②　給与所得者の住宅借入金等特別控除申告書の提出制限

①に規定する申告書は、①の給与等の支払者からその年最後に給与等の支払を受ける日の前日までに、①（１）で定めるところにより、④の規定により交付された証明書その他の書類を添付して、提出しなければならないものとし、同日においてその者のその年の合計所得金額等の見積額が2,000万円（居住日の属する年が令和４年から令和７年までの各年であり、かつ、その居住に係る住宅の取得等が**7**の規定により居住用家屋の新築等に該当するものとみなされた**7**に規定する特例居住用家屋の新築等又は**8**の規定により認定住宅等の新築等に該当するものとみなされた**8**に規定する特例認定住宅等の新築等である場合には、1,000万円）を超えるときは提出することができないものとする。（措法41の２の２②）

（申告書が税務署長に提出されたものとみなす日）

（１）　①の場合において、①に規定する申告書をその提出の際に経由すべき給与等の支払者が受け取ったときは、当該申告書は、その受け取った日に①に規定する税務署長に提出されたものとみなす。（措法41の２の２③）

（年末調整前に借入金の年末残高等証明書の交付が受けられなかった場合）

（２）　①の規定の適用を受けようとする者が、①に規定する申告書の②に規定する提出しなければならない日までに、住宅取得資金に係る借入金の年末残高等証明書（以下「借入金の年末残高等証明書」という。）の交付を受けられないため、**1**、**3**、**4**、**5**又は**6**の規定の適用を受けなかった場合において、翌年１月31日までに借入金の年末残高等証明書を添付して給与所得者の住宅借入金等特別控除申告書を提出したときは、その提出を受けた給与等の支払者は、その提出に係る給与等につき**1**、**3**、**4**、**5**又は**6**の規定を適用したところにより年末調整の再計算を行って差し支えない。（措通41の２の２－１）

（注）　住宅借入金等特別控除は、上記によらないで確定申告により控除を受けることもできることに留意する。

（信託の受益者が適用を受ける場合）

（３）　**1**の規定の適用を受けた受益者等課税信託（第二章第四節**2**に規定する受益者（同節**2**（１）規定により同節**2**に規定する受益者とみなされる者を含む。以下同じ。）がその信託財産に属する資産及び負債を有するものとみなされる信託をいう。）の受益者が、**18**の規定の適用を受けるに当たっては、**1**①**イ**（５）(一)、同(四)ロ及び同ハの取扱いを準用する。（措通41の２の２－２）

③　電磁的方法による申告書に記載すべき事項等の提供

居住日の属する年分又はその翌年以後８年内（居住日の属する年が平成19年又は平成20年で**3**①の規定により**四**の規定の適用を受ける場合には13年内とし、居住日の属する年が令和４年若しくは令和５年であり、かつ、その居住に係る住宅の取得等が居住用家屋の新築等、買取再販住宅の取得、認定住宅等の新築等若しくは買取再販認定住宅等の取得に該当するものである場合、居住日の属する年が令和６年若しくは令和７年であり、かつ、その居住に係る住宅の取得等が認定住宅等の新築等若しくは買取再販認定住宅等の取得に該当するものである場合又は**5**若しくは**6**の規定により**四**の規定の適用を受ける場合には11年内とする。）のいずれかの年分の所得税につき**1**の規定の適用を受けた個人は、①に規定する申告書の提出の際に経由すべき給与等の支払者が所得税法第198条第２項に規定する政令で定める要件を満たす場合には、当該申告書の提出に代えて、当該給与等の支払者に対し、当該申告書に記載すべき事項を電磁的方法（同項に規定する電磁的方法をいう。⑤(１)において同じ。）により提供することができる。この場合においては、同条第２項後段の規定を準用する。（措法41の２の２④）

（注）　③の規定の適用がある場合における②(１)の規定の適用については、同(１)中「申告書を」とあるのは「申告書に記載すべき事項を」と、「受け取った」とあるのは「提供を受けた」とする。（措法41の２の２⑤）

④　税務署長の特別控除証明書の交付

税務署長は、**居住日**の属する年分又はその翌年以後８年内（居住日の属する年が平成19年又は平成20年で**3**①の規定により**四**の規定の適用を受ける場合には13年内とし、居住日の属する年が令和４年若しくは令和５年であり、かつ、その居住に係る住宅の取得等が居住用家屋の新築等、買取再販住宅の取得、認定住宅等の新築等若しくは買取再販認定住宅等の取得に該当するものである場合、居住日の属する年が令和６年若しくは令和７年であり、かつ、その居住に係る住宅の取得等が認定住宅等の新築等若しくは買取再販認定住宅等の取得に該当するものである場合又は**5**若しくは**6**の規定により**四**の規定の適用を受ける場合には11年内とする。）のいずれかの年分の所得税につき**1**の規定の適用を受けた個人から④に規定する証明書の交付の申請があった場合には、次の(一)又は(二)に掲げる場合の区分に応じそれぞれに定める事項について調査し、その調査したところにより、その申請をした者に対し当該(一)又は(二)に定める事項についての証明書を交付しなければならない。（措法41の２の２⑦、措令26の２⑧）

(一)	居住日の属する年が令和３年以前の各年である場合	次に掲げる事項 イ　当該居住の用に供した年月日 ロ　その適用に係る**1**(２)に規定する住宅の取得等に係る同(２)に規定する対価の額若しくは費用の額又は**4**(11)に規定する認定住宅等の新築取得等に係る同(11)に規定する対価の額 ハ　その適用に係る**1**(３)に規定する居住用家屋若しくは既存住宅若しくは増改築等をした家屋の当該増改築等に係る部分の同(３)(一)から同(三)に規定する割合又は**4**(12)に規定する認定住宅等の同(12)(一)及び同(二)に規定する割合 ニ　その適用に係る住宅の取得等（**1**に規定する住宅の取得等をいう。(二)において同じ。）又は認定住宅等の新築等が**2**(３)に規定する特定取得に該当するものである場合には、その旨 ホ　その住宅借入金等の金額につき**4**の規定により**1**から**17**までの規定の適用を受けた場合には、その旨 ヘ　その住宅借入金等の金額につき**5**の規定により**1**から**17**までの規定の適用を受けた場合又は**1**から**17**までの規定の適用を受けることができると見込まれる場合には、その旨及び**5**(２)に規定する控除限度額 ト　その住宅借入金等の金額につき**6**の規定により**1**から**17**までの規定の適用を受けた場合又は**1**から**17**までの規定の適用を受けることができると見込まれる場合には、その旨及び**6**(２)に規定する認定住宅控除限度額 チ　その適用に係る住宅借入金等が連帯債務である場合には、その者のその負担部分の割合 リ　その他参考となるべき事項
(二)	居住日の属する年が令和４年以後の各年である場合	次に掲げる事項（居住日の属する年が令和４年である場合には、ロに掲げる事項を除く。） イ　(一)イからハまで、チ及びリに掲げる事項 ロ　その年の12月31日（その者が死亡した日の属する年にあっては、同日）における住宅借入金等の金額 ハ　その適用に係る住宅の取得等が**1**に規定する居住用家屋の新築等又は買取再販住宅の取得に該当するもの以外のものである場合には、その旨

		ニ　その住宅借入金等の金額につき**4**の規定により**1**から**17**までの規定の適用を受けた場合には、その旨、その居住に係る住宅の取得等が認定住宅等の新築等、買取再販認定住宅等の取得又は**4**に規定する認定住宅等である**1**に規定する既存住宅の取得で買取再販認定住宅等の取得に該当するもの以外のもののいずれに該当するかの別及びその適用に係る**4**に規定する認定住宅等が**4**(一)から同(四)までに掲げる家屋（**8**の規定によりみなして適用される家屋を含む。）のいずれに該当するかの別（当該住宅の取得等が認定住宅等の新築等又は買取再販認定住宅等の取得である場合に限る。） ホ　その住宅借入金等の金額につき**4**(15)の規定の適用を受けた場合には、その旨 ヘ　その住宅借入金等の金額につき**7**又は**8**の規定により**1**から**17**までの規定の適用を受けた場合には、その旨

（注）　特例適用債権者から借り入れた**19**①(1)に規定する住宅借入金等（以下において「特例適用住宅借入金等」という。）の金額を有する**19**①の個人で当該特例適用住宅借入金等の金額につき改正後の**1**から**17**までの規定の適用を受けたものが、その適用に係る改正後の④に規定する証明書の交付の申請を行う場合には、当該特例適用債権者が解消届出書を提出する日までの間における同④の規定の適用については、同④(二)ロ中「の金額」とあるのは、「((注)に規定する特例適用住宅借入金等を除く。）の金額」とする。（令４改措令等附10③）

⑤　年末調整により住宅借入金等を有する場合の所得税額の特別控除を受けた者が確定申告する場合の書類の添付省略

①の規定の適用を受けた個人が、その適用に係る年分の所得税につき**1**の規定の適用を受ける場合には、**16**の規定にかかわらず、**16**の明細書、登記事項証明書その他の書類（その年が**1**に規定する居住年に該当する**1**に規定する住宅の取得等に係る住宅借入金等につき**1**の規定の適用を受ける場合には、これらの書類のうち**16**(一)から同(五)までに定める書類）の添付を要しないものとする。（措令26の２⑨、措規18の22⑧）

（電磁的方法による提供）

(1)　居住日の属する年分（令和元年から令和７年までの各年分に限る。以下(1)において「居住年分」という。）又は当該居住年分の翌年以後８年内（居住日の属する年が令和４年若しくは令和５年であり、かつ、その居住に係る住宅の取得等が居住用家屋の新築等、買取再販住宅の取得、認定住宅等の新築等若しくは買取再販認定住宅等の取得に該当するものである場合、居住日の属する年が令和６年若しくは令和７年であり、かつ、その居住に係る住宅の取得等が認定住宅等の新築等若しくは買取再販認定住宅等の取得に該当するものである場合又は**5**若しくは**6**の規定により**四**の規定の適用を受ける場合には、11年内）のいずれかの年分の所得税につき**1**の規定の適用を受けた個人は、③の規定により①に規定する申告書に記載すべき事項を電磁的方法により提供する場合には、②の規定による書類の提出に代えて、(2)で定めるところにより、当該申告書の提出の際に経由すべき給与等の支払者に対し、当該書類に記載されるべき事項を電磁的方法により提供することができる。この場合において、当該個人は、②の規定により当該申告書に当該書類を添付して、提出したものとみなす。（措法41の２の２⑧）

（電子証明書等の提供）

(2)　居住年分（(1)に規定する居住年分をいう。）又は当該居住年分の翌年以後８年内（居住日の属する年が令和４年若しくは令和５年であり、かつ、その居住に係る**1**に規定する住宅の取得等が**1**に規定する居住用家屋の新築等、**1**に規定する買取再販住宅の取得、**4**に規定する認定住宅等の新築等若しくは**4**に規定する買取再販認定住宅等の取得に該当するものである場合、居住日の属する年が令和６年若しくは令和７年であり、かつ、その居住に係る**1**に規定する住宅の取得等が**4**に規定する認定住宅等の新築等若しくは**4**に規定する買取再販認定住宅等の取得に該当するものである場合又は**5**若しくは**6**の規定により**四**の規定の適用を受ける場合には、11年内）のいずれかの年分の所得税につき**1**の規定の適用を受けた個人は、①に規定する申告書の提出の際に経由すべき給与等の支払者に対し、④の証明書又は①(四)の金額の計算の基礎となった住宅借入金等の金額に係る**16**(3)に規定する書類の添付に代えて、当該証明書又は書類に記載されるべき事項を③に規定する電磁的方法により提供するときは、当該証明書又は書類に記載されるべき事項が記録された電子証明書等を当該申告書に記載すべき事項と併せて提供しなければならない。（措規18の23⑥）

19　住宅取得資金に係る借入金等の年末残高等調書

①　適用申請書の提出

令和５年１月１日以後に居住の用に供する家屋について**1**又は**18**①の規定の適用を受けようとする個人は、住宅借入金等（**1**に規定する住宅借入金等をいう。以下③までにおいて同じ。）に係る債権者（当該住宅借入金等に係る債権者その他の（1）で定める者をいう。②において同じ。）に、当該個人の氏名及び住所、個人番号その他の（2）で定める事項（②において「申請事項」という。）を記載した書類（以下①及び②において「**適用申請書**」という。）の提出（当該適用申請書の提出に代えて行う電磁的方法（電子情報処理組織を使用する方法その他の情報通信の技術を利用する方法をいう。）による当該適用申請書に記載すべき事項の提供を含む。）をしなければならない。（措法41の２の３①）

（①に規定する（1）で定める者）

（1）　①に規定する（1）で定める者は、①に規定する住宅借入金等に係る**16**（3）に規定する債権者とする。（措令26の３①）

（①に規定する（2）で定める事項）

（2）　①に規定する（2）で定める事項は、次の（一）及び（二）に掲げる事項とする。（措規18の23の２①）

（一）	②に規定する適用申請書の提出をする者（②（2）（一）及び同（二）において「提出者」という。）の氏名、生年月日、住所（国内に住所がない場合には、居所。②（2）（一）において同じ。）及び個人番号
（二）	その他参考となるべき事項

（注）　①に規定する債権者のうち、当該債権者の氏名又は名称及び住所若しくは居所又は本店若しくは主たる事務所の所在地、②の調書に個人番号（行政手続における特定の個人を識別するための番号の利用等に関する法律第２条第５項に規定する個人番号をいう。以下（注）において同じ。）を記載することが困難である旨その他参考となるべき事項を記載した届出書を令和６年１月31日までに②に規定する所轄税務署長に提出したもの（以下「特定債権者」という。）は、当該特定債権者が当該税務署長に、当該特定債権者の氏名又は名称及び住所若しくは居所又は本店若しくは主たる事務所の所在地、その困難である事情が解消した旨その他参考となるべき事項を記載した届出書を提出する日までの間（以下「特例対象期間」という。）は、②の規定により提出する調書には、個人番号の記載に代えて、債務者識別番号（②に規定する適用申請書の提出をした者を特定するために必要な番号をいう。）を記載することができる。この場合において、当該特例対象期間における（2）（一）の規定の適用については、同（一）中「、住所」とあるのは「及び住所」と、「。）及び個人番号」とあるのは「。）」とされる。（令４改措規等附５⑤）

②　適用申請書の提出を受けた債権者の義務

適用申請書の①に規定する提出（以下②において「適用申請書の提出」という。）を受けた債権者は、その適用申請書の提出を受けた日の属する年以後10年内（①の個人が①の家屋を居住の用に供した日の属する年が令和５年であり、かつ、その居住に係る**1**に規定する住宅の取得等が**1**に規定する居住用家屋の新築等又は買取再販住宅の取得に該当するものである場合その他の（1）で定める場合には、（1）で定める期間）の各年の10月31日（その適用申請書の提出を受けた日の属する年にあっては、その翌年１月31日）までに、申請事項及び当該適用申請書の提出をした個人のその年の12月31日（その者が死亡した日の属する年にあっては、同日）における住宅借入金等の金額その他の（2）で定める事項を記載した調書を作成し、当該債権者の住所若しくは居所又は本店若しくは主たる事務所の所在地の所轄税務署長に提出しなければならない。この場合において、当該債権者は、当該適用申請書につき帳簿を備え、当該適用申請書の提出をした個人の各人別に、申請事項を記載し、又は記録しなければならない。（措法41の２の３②）

（注）１　②の調書の書式は、別表第八㈡による。（措規18の23の２③）（1519ページ参照）

２　①に規定する債権者のうち②に規定する10月31日に②の調書を提出することが困難である旨その他の（注）３で定める事項を記載した届出書を令和６年１月31日までに②に規定する所轄税務署長に提出したものは、その者が当該税務署長にその困難である事情が解消した旨その他の（注）４で定める事項を記載した届出書を提出する日までの間は、**19**の規定にかかわらず、②の規定による調書の提出を要しない。（令４改所法等附34③）

３　（注）２に規定する困難である旨その他の（注）３で定める事項は、次の（一）から（三）までに掲げる事項とする。（令４改措規等附５③）

（一）	（注）２の規定による困難である旨を記載した届出書を提出する①に規定する債権者の氏名又は名称及び住所若しくは居所又は本店若しくは主たる事務所の所在地
（二）	②に規定する10月31日に②の調書を提出することが困難である旨
（三）	その他参考となるべき事項

４　（注）２に規定する困難である事情が解消した旨その他の（注）４で定める事項は、次の（一）から（三）までに掲げる事項とする。（令４改措規等附５④）

（一）	（注）２の規定による困難である事情が解消した旨を記載した届出書を提出する①に規定する債権者の氏名又は名称及び住所若しくは居所又は本店若しくは主たる事務所の所在地
（二）	（注）３（二）の困難である事情が解消した旨

(三)	その他参考となるべき事項

(②に規定する(1)で定める場合及び②に規定する(1)で定める期間)

(1)　②に規定する(1)で定める場合は、次の(一)及び(二)に掲げる場合とし、②に規定する(1)で定める期間は、当該(一)及び(二)に掲げる場合の区分に応じ当該(一)又は(二)に定める期間（①の個人が①に規定する住宅借入金等の金額を有しないこととなった場合には、当該金額を有しないこととなった日の属する年の前年までの期間）とする。(措令26の３②)

(一)		①の個人が①の家屋を居住の用に供した日（以下(1)において「居住日」という。）の属する年が令和５年であり、かつ、その居住に係る**1**に規定する住宅の取得等が**1**に規定する居住用家屋の新築等、**1**に規定する買取再販住宅の取得、**4**に規定する認定住宅等の新築等若しくは**4**に規定する買取再販認定住宅等の取得に該当するものである場合又は居住日の属する年が令和６年若しくは令和７年であり、かつ、その居住に係る**1**に規定する住宅の取得等が**4**に規定する認定住宅等の新築等若しくは**4**に規定する買取再販認定住宅等の取得に該当するものである場合　　次に掲げる場合の区分に応じそれぞれ次に定める期間
	イ	適用申請書の提出（②に規定する適用申請書の提出をいう。以下(1)において同じ。）を受けた日と①の個人が①の家屋を居住の用に供する予定年月日（以下(1)において「居住予定日」という。）が同一の年に属する場合　　当該適用申請書の提出を受けた日の属する年以後13年内
	ロ	居住予定日の属する年が適用申請書の提出を受けた日の属する年の翌年である場合、居住予定日が明らかでない場合又は居住予定日の属する年の翌年に居住した事実が判明した場合　　当該適用申請書の提出を受けた日の属する年以後14年内
	ハ	適用申請書の提出を受けた日の属する年が居住日の属する年の翌年以後である場合　　13年から、居住日の属する年から適用申請書の提出を受けた日の属する年の前年までの期間を控除した期間
(二)		(一)に掲げる場合以外の場合（適用申請書の提出を受けた日と居住予定日が同一の年に属する場合を除く。）　次に掲げる場合の区分に応じそれぞれ次に定める期間
	イ	居住予定日の属する年が適用申請書の提出を受けた日の属する年の翌年である場合、居住予定日が明らかでない場合又は居住予定日の属する年の翌年に居住した事実が判明した場合　　当該適用申請書の提出を受けた日の属する年以後11年内
	ロ	適用申請書の提出を受けた日の属する年が居住日の属する年の翌年以後である場合　　10年から、居住日の属する年から適用申請書の提出を受けた日の属する年の前年までの期間を控除した期間

(②に規定する(2)で定める事項)

(2)　②に規定する(2)で定める事項は、次の(一)から(五)までに掲げる事項とする。(措規18の23の２②)

(一)	提出者の氏名、生年月日、住所及び個人番号
(二)	その年の12月31日（提出者が死亡した日の属する年にあっては、同日）における住宅借入金等の金額
(三)	その住宅借入金等（当該住宅借入金等が特定借入金等である場合には、当該特定借入金等に係る当初の住宅借入金等。(四)において同じ。）のその借入れをした金額又はその債務の額として負担をした金額
(四)	その住宅借入金等に係る契約において定められている**1**(一)から同(四)に規定する償還期間又は賦払期間
(五)	その他参考となるべき事項

(契約書の写しの添付省略)

(3)　②に規定する適用申請書の提出をした個人は、その旨を**1**の表〈住宅借入金等の範囲〉内(一)(ロ)に規定する明細書に記載することにより契約書の写し(**16**(一)イ、同(四)ロ及び同(五)ロに規定する請負契約書の写し並びに同(二)イ、同(三)イ及び同(四)イに規定する売買契約書の写しをいう。(4)において同じ。）の添付に代えることができる。(措規18の21⑪)

(注)　(3)の規定は、令和６年１月１日以後に令和５年分以後の所得税に係る確定申告書を提出する場合について適用され、同日前に確定申

告書を提出した場合及び同日以後に令和４年分以前の所得税に係る確定申告書を提出する場合については、なお従前の例による。（令４改措規等附５①）

（契約書の写しの提示又は提出の求め）

（４）　税務署長は、（３）の明細書の添付がある確定申告書の提出があった場合において、必要があると認めるときは、当該確定申告書を提出した者（以下（４）において「控除適用者」という。）に対し、当該確定申告書に係る確定申告期限（当該確定申告書が第十二章**四７**（３）（二）に規定する還付請求申告書である場合には、当該確定申告書の提出があった日）の翌日から起算して５年を経過する日（同日前６月以内に更正の請求があった場合には、当該更正の請求があった日から６月を経過する日）までの間、契約書の写しの提示又は提出を求めることができる。この場合において、（４）前段の規定による求めがあったときは、当該控除適用者は、当該契約書の写しを提示し、又は提出しなければならない。（措規18の21⑫）

（注）　（４）の規定は、令和６年１月１日以後に令和５年分以後の所得税に係る確定申告書を提出する場合について適用され、同日前に確定申告書を提出した場合及び同日以後に令和４年分以前の所得税に係る確定申告書を提出する場合については、なお従前の例による。（令４改措規等附５①）

③　国税庁、国税局又は税務署の当該職員による調査

（質問、検査、物件の提示若しくは提出の求め）

（１）　国税庁、国税局又は税務署の当該職員は、②の調書の提出に関する調査について必要があるときは、当該調書を提出する義務がある者に質問し、その者の住宅借入金等に関する帳簿書類その他の物件を検査し、又は当該物件（その写しを含む。）の提示若しくは提出を求めることができる。（措法41の２の３③）

（物件の留め置き）

（２）　国税庁、国税局又は税務署の当該職員は、②の調書の提出に関する調査について必要があるときは、当該調査において提出された物件を留め置くことができる。（措法41の２の３④）

（注）　第十三章**一２**（１）から（３）の規定は、（２）の規定により物件を留め置く場合について準用する。（措令26の３④）

（身分証明書の携帯、提示）

（３）　国税庁、国税局又は税務署の当該職員は、（１）の規定による質問、検査又は提示若しくは提出の要求をする場合には、その身分を示す証明書を携帯し、関係人の請求があったときは、これを提示しなければならない。（措法41の２の３⑤）

（当該職員の権限）

（４）　（１）及び（２）の規定による当該職員の権限は、犯罪捜査のために認められたものと解してはならない。（措法41の２の３⑥）

（措規別表第八(二)）

別表第八（二）

令和　　年分　住宅取得資金に係る借入金等の年末残高等調書

住宅取得資金の借入れ等をしている者	住所（居所）		生年月日	明治　大正　昭和　平成　令和 年　月　日
	氏名		個人番号	
住宅借入金等の内訳		1　住宅のみ　2　土地等のみ　3　住宅及び土地等		
住宅借入金等の金額	年末残高	円		
	当初金額	円		
償還期間又は賦払期間		年　月間		
（摘要）				
提出者	住所（居所）又は所在地			
	氏名又は名称	（電話）	個人番号又は法人番号	

（用紙　日本産業規格　Ａ６）

備　考

1　この調書は、法第41条の２の３第２項の調書について使用すること。

2　この調書の記載の要領は、次による。

(1)　「住所（居所）」及び「個人番号」の欄には、この調書を作成する日の現況による住所（国内に住所がない場合には、居所）及び行政手続における特定の個人を識別するための番号の利用等に関する法律第２条第５項に規定する個人番号を記載すること。

(2)　「生年月日」の欄には、該当する年号を○で囲み、その年月日を記載すること。

(3)　「住宅借入金等の内訳」の欄には、住宅借入金等（法第41条第１項各号に規定する住宅借入金等をいう。以下この表において同じ。）の同項に規定する住宅の取得等若しくは同条第10項に規定する認定住宅等の新築取得等に係るもの、当該住宅の取得等若しくは当該認定住宅等の新築取得等に係る土地若しくは当該土地の上に存する権利（以下この表において「土地等」という。）の取得に係るもの又は当該住宅の取得等若しくは当該認定住宅等の新築取得等及び当該土地等の取得に係るものの別に応じ、該当する番号を○で囲むこと。

(4)　「住宅借入金等の金額」の欄には、当該住宅借入金等の金額のその年の12月31日（その者が死亡した日の属する年にあつては、同日。以下この表において同じ。）における残高等について、次により記載すること。

イ　「住宅借入金等の金額」の「年末残高」の欄には、当該住宅借入金等の金額のその年の12月31日における残高を記載するものとする。

ロ　「住宅借入金等の金額」の「当初金額」の欄には、当該住宅借入金等（当該住宅借入金等が第18条の21第８項第１号ロに規定する特定借入金等（以下この表において「特定借入金等」という。）である場合には、当該特定借入金等に係る同号ロに規定する当初の住宅借入金等（以下この表において「当初の住宅借入金等」という。））のその借入れをした金額又はその債務の額として負担をした金額を記載するものとする。

(5)　「償還期間又は賦払期間」の欄には、当該住宅借入金等（当該住宅借入金等が特定借入金等である場合には、当該特定借入金等に係る当初の住宅借入金等）に係る契約において定められている法第41条第１項各号に規定する償還期間又は賦払期間について記載すること。

（注）　①に規定する債権者のうち、当該債権者の氏名又は名称及び住所若しくは居所又は本店若しくは主たる事務所の所在地、②の調書に個人番号（行政手続における特定の個人を識別するための番号の利用等に関する法律第２条第５項に規定する個人番号をいう。以下(注)において同じ。)を記載することが困難である旨その他参考となるべき事項を記載した届出書を令和６年１月31日までに②に規定する所轄税務署長に提出したもの（以下「特定債権者」という。）は、当該特定債権者が当該税務署長に、当該特定債権者の氏名又は名称及び住所若しくは居所又は本店若しくは主たる事務所の所在地、その困難である事情が解消した旨その他参考となるべき事項を記載した届出書を提出する日までの間（以下「特例対象期間」という。）は、②の規定により提出する調書には、個人番号の記載に代えて、債務者識別番号（②に規定する適用申請書の提出をした者を特定するために必要な番号をいう。）を記載することができる。この場合において、当該特例対象期間における新措規別表第八(二)に定める書式の適用については、新措規別表第八(二)の表中「個人番号」とあるのは「債務者識別番号」と、同表の備考２(1)中「個人番号」とあるのは「債務者識別番号」と、「行政手続における特定の個人を識別するための番号の利用等に関する法律第２条第５項」とあるのは「租税特別措置法施行規則等の一部を改正する省令（令和４年財務省令第23号）附則第５条第５項」とされる。（令４改措規等附５⑤）

20　住宅借入金等を有する場合の所得税額の特別控除に係る既存住宅の取得後の居住の用に供する期限等の特例（新型コロナ税特法）

①　その居住の用に供する前に既存住宅の特定増改築等をした場合の特例

第二章第一節**一 1**に規定する国内（**21**④及び同⑤において「国内」という。）において令和４年度改正前の**1**に規定する既存住宅（以下①及び(１)において「**既存住宅**」という。）の取得（**1**に規定する取得をいう。以下②までにおいて同じ。）をし、かつ、当該既存住宅をその居住の用に供する前に当該既存住宅の特定増改築等をした個人が、新型コロナウイルス感染症及びそのまん延防止のための措置の影響により当該既存住宅をその取得の日から６月以内にその者の居住の用に供することができなかった場合において、当該既存住宅を令和３年12月31日までにその者の居住の用に供したとき（当該既存住宅を当該特定増改築等の日から６月以内にその者の居住の用に供した場合に限る。）は、**1**に規定する住宅借入金等特別税額控除額については、**1**中「これらの家屋をその新築の日若しくはその取得の日又はその増改築等の日」とあるのは「その既存住宅をその取得に係る**20**①(１)に規定する特定増改築等の日」と、「2,000万円」とあるのは「3,000万円」と、**18**②中「2,000万円（居住日の属する年が令和４年から令和７年までの各年であり、かつ、その居住に係る住宅の取得等が**7**の規定により居住用家屋の新築等に該当するものとみなされた**7**に規定する特例居住用家屋の新築等又は**8**の規定により認定住宅等の新築等に該当するものとみなされた**8**に規定する特例認定住宅等の新築等である場合には、1,000万円)」とあるのは「3,000万円」として、**四**の規定を適用する。（新型コロナ税特法６①）

（①に規定する特定増改築等）

(１)　①に規定する特定増改築等とは、個人が取得をした既存住宅につき行う増築、改築、修繕又は模様替のうち、当該増築、改築、修繕又は模様替に係る契約が(２)で定める日までに締結されているものをいう。（新型コロナ税特法６②）

（(１)に規定する(２)で定める日）

(２)　(１)に規定する(２)で定める日は、個人が①に規定する既存住宅の取得（①に規定する取得をいう。②(１)及び③(２)において同じ。）をした日から５月を経過する日又は法の施行の日（令和２年４月30日）から２月を経過する日のいずれか遅い日とする。（新型コロナ税特令４①）

（読み替え規定）

(３)　①の規定により**四**の規定の適用を受ける場合における**16**及び**16**(18)の規定の適用については、**16**中「、当該」とあるのは「当該」と、「場合」とあるのは「場合であって、財務省令で定めるところにより新型コロナウイルス感染症等の影響に対応するための国税関係法律の臨時特例に関する法律第２条に規定する新型コロナウイルス感染症及びそのまん延防止のための措置の影響により①に規定する既存住宅をその取得（①に規定する取得をいう。）の日から６月以内にその者の居住の用に供することができなかったことその他の(４)で定める事実を証する書類として(５)で定める書類又はこれに代わるべき書類で(６)で定める書類の添付がある場合」と、**16**(18)中「並びに**16**」とあるのは「、**16**」と、「その他の書類」とあるのは「その他の書類並びに**16**の財務省令で定める書類」とする。（新型コロナ税特令４④）

（(４)で定める事実）

(４)　(３)の規定により読み替えて適用される**16**に規定する(４)で定める事実は、次の(一)及び(二)に掲げる事実とする。（新型コロナ税特規４①）

(一)	①の個人が新型コロナウイルス感染症及びそのまん延防止のための措置の影響により①に規定する既存住宅((二)及び(５)において「既存住宅」という。)をその取得（①に規定する取得をいう。(５)、②(３)及び②(４)において同じ。）の日から６月以内にその者の居住の用に供することができなかったこと。
(二)	(一)の既存住宅につき行った増築、改築、修繕又は模様替が(１)に規定する特定増改築等（(５)において「特定増改築等」という。）に該当すること。

（(５)で定める書類）

(５)　(３)の規定により読み替えて適用される**16**に規定する(４)で定める事実を証する書類として(５)で定める書類は、次の(一)及び(二)に掲げる事実の区分に応じ当該(一)及び(二)に定める書類とする。（新型コロナ税特規４②）

(一)	(4)(一)に掲げる事実　同(一)の既存住宅の特定増改築等に係る工事を請け負った建設業法第２条第３項に規定する建設業者（②(4)及び③(6)において「建設業者」という。）その他の者から交付を受けた次に掲げる事項の記載がある書類その他の書類で当該事実が生じたことを明らかにするもの イ　新型コロナウイルス感染症及びそのまん延防止のための措置の影響により(4)(一)の個人が当該既存住宅の取得をした日から６月以内に当該特定増改築等に係る工事が完了しなかった旨 ロ　当該特定増改築等をした年月日
(二)	(4)(二)に掲げる事実　同(二)の特定増改築等に係る工事の請負契約書の写しその他の書類で当該特定増改築等に係る契約の締結をした年月日を明らかにするもの

((6)で定める書類)

(6)　(3)の規定により読み替えて適用される**16**に規定するこれに代わるべき書類で(6)で定める書類は、次の(一)及び(二)に掲げる事実の区分に応じ当該(一)及び(二)に定める書類とする。（新型コロナ税特規４③）

(一)	(4)(一)に掲げる事実　同(一)の個人の当該事実の詳細を記載した書類
(二)	(4)(二)に掲げる事実　(5)(二)に定める書類

(読み替え規定)

(7)　①の規定により**四**の規定の適用を受ける場合における**18**⑤の規定の適用については、同⑤中「**16**」とあるのは「**20**①(3)の規定により読み替えられた**16**」と、「の添付」とあるのは「及び**20**①(3)の規定により読み替えられた**16**の財務省令で定める書類の添付」とする。（新型コロナ税特令４⑤）

(確定申告書への書類の添付)

(8)　①の規定により**四**の規定の適用を受けようとする者は、第二章第一節**一37**に規定する確定申告書（②(7)及び③(9)並びに**21**において「確定申告書」という。）に(5)又は(6)に規定する書類を添付しなければならない。（新型コロナ税特規４④）

(読み替え規定)

(9)　**1**に規定する居住の用に供した日（以下(9)、②(8)及び③(10)並びに**21**において「居住日」という。）の属する年分又はその翌年以後８年内（**5**の規定により**四**の規定の適用を受ける場合には、居住日の属する年分又はその翌年以後11年内）のいずれかの年分の所得税につき①の規定により**四**の規定の適用を受けた個人が、その適用を受けた年分の翌年分以後の各年分の所得税につき①の規定により**四**の規定の適用を受けようとする場合における**16**(19)の規定の適用については、同(19)中「**5**若しくは**6**の規定により**四**」とあるのは「**5**の規定により**四**」と、「**1**の規定の適用を受けた」とあるのは「**20**①の規定により**四**の規定の適用を受けた」と、「**1**の」とあるのは「同①の規定により**1**の」と、「書類を」とあるのは「書類及び**20**①(5)又は同①(6)に規定する書類を」と、「**1**の規定の適用を受けている旨及び」とあるのは「**20**①の規定により**四**の規定の適用を受けている旨並びに」と、「書類の」とあるのは「書類及び**20**①(5)又は同①(6)に規定する書類の」とする。（新型コロナ税特規４⑤）

②　要耐震改修住宅の取得をし、耐震改修を行う場合の特例

15に規定する要耐震改修住宅の取得をし、その取得の日までに同日以後当該要耐震改修住宅の**15**に規定する耐震改修を行うことにつき**15**に規定する申請その他財務省令で定める手続をし、かつ、当該耐震改修に係る契約を(1)で定める日までに締結している個人が、新型コロナウイルス感染症及びそのまん延防止のための措置の影響により当該耐震改修をして当該要耐震改修住宅をその取得の日から６月以内にその者の居住の用に供することができなかった場合において、当該耐震改修をして当該要耐震改修住宅を令和３年12月31日までにその者の居住の用に供したとき（当該要耐震改修住宅を当該耐震改修の日から６月以内にその者の居住の用に供した場合に限る。）は、**1**に規定する住宅借入金等特別税額控除額については、**1**中「これらの家屋をその新築の日若しくはその取得の日又はその増改築等の日」とあるのは「その既存住宅をその取得に係る**20**②に規定する耐震改修の日」と、「2,000万円」とあるのは「3,000万円」と、**15**中「当該取得の日」とあるのは「当該要耐震改修住宅の当該耐震改修の日」と、**18**②中「2,000万円（居住日の属する年が令和４年から令和７年までの各年であり、かつ、その居住に係る住宅の取得等が**7**の規定により居住用家屋の新築等に該当するものとみなされた**7**に規定する特例居住用家屋の新築等又は**8**の規定により認定住宅等の新築等に該当するものとみなされた**8**に規定する特例認定住宅等の新築等である場合には、1,000万円)」とあるのは「3,000万円」として、**四**の規定を適用する。(新型コロナ税特法6③)

(②に規定する(1)で定める日)

(1)　②に規定する(1)で定める日は、個人が②に規定する要耐震改修住宅の取得をした日から5月を経過する日又は法の施行の日(令和2年4月30日)から2月を経過する日のいずれか遅い日とする。(新型コロナ税特令4②)

(読み替え規定)

(2)　②の規定により**四**の規定の適用を受ける場合における**16**及び**16**(18)の規定の適用については、**16**中「、当該」とあるのは「当該」と、「場合」とあるのは「場合であって、財務省令で定めるところにより新型コロナウイルス感染症等の影響に対応するための国税関係法律の臨時特例に関する法律第2条に規定する新型コロナウイルス感染症及びそのまん延防止のための措置の影響により**15**に規定する耐震改修をして**15**に規定する要耐震改修住宅をその取得(**1**に規定する取得をいう。)の日から6月以内にその者の居住の用に供することができなかったことその他の(3)で定める事実を証する書類として(4)で定める書類又はこれに代わるべき書類で(5)で定める書類の添付がある場合」と、**16**(18)中「並びに**16**」とあるのは「、**16**」と、「その他の書類」とあるのは「その他の書類並びに**16**の財務省令で定める書類」とする。(新型コロナ税特令4⑥)

((3)で定める事実)

(3)　(2)の規定により読み替えて適用される**16**に規定する(3)で定める事実は、次の(一)及び(二)に掲げる事実とする。(新型コロナ税特規4⑥)

(一)	②の個人が新型コロナウイルス感染症及びそのまん延防止のための措置の影響により②に規定する耐震改修((二)及び(4)において「耐震改修」という。)をして②に規定する要耐震改修住宅((4)において「要耐震改修住宅」という。)をその取得の日から6月以内にその者の居住の用に供することができなかったこと。
(二)	(一)の耐震改修に係る契約を(1)に規定する日までに締結していること。

((4)で定める書類)

(4)　(2)の規定により読み替えて適用される**16**に規定する(3)で定める事実を証する書類として(4)で定める書類は、次の(一)及び(二)に掲げる事実の区分に応じ当該(一)及び(二)に定める書類とする。(新型コロナ税特規4⑦)

(一)	(3)(一)に掲げる事実　　同(一)の要耐震改修住宅の耐震改修に係る工事を請け負った建設業者その他の者から交付を受けた次に掲げる事項の記載がある書類その他の書類で当該事実が生じたことを明らかにするもの イ　新型コロナウイルス感染症及びそのまん延防止のための措置の影響により(3)(一)の個人が当該要耐震改修住宅の取得をした日から6月以内に当該耐震改修に係る工事が完了しなかった旨 ロ　当該耐震改修をした年月日
(二)	(3)(二)に掲げる事実　　同(二)の耐震改修に係る工事の請負契約書の写しその他の書類で当該耐震改修に係る契約の締結をした年月日を明らかにするもの

((5)で定める書類)

(5)　(2)の規定により読み替えて適用される**16**に規定するこれに代わるべき書類で(5)で定める書類は、次の(一)及び(二)に掲げる事実の区分に応じ当該(一)及び(二)に定める書類とする。(新型コロナ税特規4⑧)

(一)	(3)(一)に掲げる事実　　同(一)の個人の当該事実の詳細を記載した書類
(二)	(3)(二)に掲げる事実　　(4)(二)に定める書類

(読み替え規定)

(6)　②の規定により**四**の規定の適用を受ける場合における**18**⑤の規定の適用については、同⑤中「**16**」とあるのは「**20**②(2)の規定により読み替えられた**16**」と、「の添付」とあるのは「及び**20**②(2)の規定により読み替えられた**16**の財務省令で定める書類の添付」とする。(新型コロナ税特令4⑦)

（確定申告書への書類の添付）

（7）　②の規定により**四**の規定の適用を受けようとする者は、確定申告書に（4）又は（5）に規定する書類を添付しなければならない。（新型コロナ税特規４⑨）

（読み替え規定）

（8）　居住日の属する年分又はその翌年以後８年内（**5**の規定により**四**の規定の適用を受ける場合には、居住日の属する年分又はその翌年以後11年内）のいずれかの年分の所得税につき②の規定により**四**の規定の適用を受けた個人が、その適用を受けた年分の翌年分以後の各年分の所得税につき②の規定により**四**の規定の適用を受けようとする場合における**16**(19)の規定の適用については、同(19)中「**5**若しくは**6**の規定により**四**」とあるのは「**5**の規定により**四**」と、「**1**の規定の適用を受けた」とあるのは「**20**②の規定により**四**の規定の適用を受けた」と、「**1**の」とあるのは「同②の規定により**1**の」と、「書類を」とあるのは「書類及び**20**②（4）又は同②（5）に規定する書類を」と、「**1**の規定の適用を受けている旨及び」とあるのは「**20**②の規定により**四**の規定の適用を受けている旨並びに」と、「書類の」とあるのは「書類及び**20**②（4）又は同②（5）に規定する書類の」とする。（新型コロナ税特規４⑩）

③　住宅の取得等で特例取得に該当するものを取得した場合の特例

1に規定する住宅の取得等で特例取得に該当するもの若しくは**4**に規定する認定住宅等の新築等で特例取得に該当するものをした個人が、新型コロナウイルス感染症及びそのまん延防止のための措置の影響によりこれらの特例取得をした家屋を令和２年12月31日までにその者の居住の用に供することができなかった場合において、これらの特例取得をした家屋を令和３年１月１日から同年12月31日までの間に**1**（①又は②の規定により適用する場合を含む。）の定めるところによりその者の居住の用に供したときは、**1**に規定する住宅借入金等特別税額控除額については、**1**中「2,000万円」とあるのは「3,000万円」と、**5**及び**6**中「令和２年12月31日」とあるのは「令和３年12月31日」と、**18**②中「2,000万円（居住日の属する年が令和４年から令和７年までの各年であり、かつ、その居住に係る住宅の取得等が**7**の規定により居住用家屋の新築等に該当するものとみなされた**7**に規定する特例居住用家屋の新築等又は**8**の規定により認定住宅等の新築等に該当するものとみなされた**8**に規定する特例認定住宅等の新築等である場合には、1,000万円)」とあるのは「3,000万円」として、**四**の規定を適用する。（新型コロナ税特法６④）

（③に規定する特例取得）

（1）　③に規定する特例取得とは、**5**（1）に規定する特別特定取得のうち、当該特別特定取得に係る契約が（2）で定める日までに締結されているものをいう。（新型コロナ税特法６⑤）

（（1）に規定する（2）で定める日）

（2）　（1）に規定する（2）で定める日は、③に規定する住宅の取得等又は認定住宅等の新築等の次の㈠及び㈡に掲げる区分に応じ当該㈠及び㈡に定める日とする。（新型コロナ税特令４③）

㈠	**1**に規定する居住用家屋の新築又は**4**（1）㈠に規定する認定住宅の新築　令和２年９月30日
㈡	**1**に規定する居住用家屋で建築後使用されたことのないもの若しくは①（2）に規定する既存住宅の取得、**1**に規定する居住の用に供する家屋で同**ニ**で定めるものの増改築等（**1**①**ハ**に規定する増改築等をいう。）又は**4**（1）㈠に規定する認定住宅で建築後使用されたことのないものの取得　　令和２年11月30日

（読み替え規定）

（3）　③の規定により**四**の規定の適用を受ける場合における**9**の規定の適用については、**9**（2）㈡中「各年又は令和３年」とあるのは「各年」と、同（2）㈢中「又は令和２年」とあるのは「から令和３年までの各年」とする。（新型コロナ税特法６⑥）

（読み替え規定）

（4）　③の規定により**四**の規定の適用を受ける場合における**16**及び**16**(18)の規定の適用については、**16**中「、当該」とあるのは「当該」と、「場合」とあるのは「場合であって、財務省令で定めるところにより新型コロナウイルス感染症等の影響に対応するための国税関係法律の臨時特例に関する法律第２条に規定する新型コロナウイルス感染症及びそのまん延防止のための措置の影響により**20**③（1）に規定する特例取得をした家屋を令和２年12月31日までにその者の居住の用に供することができなかったことその他の（5）で定める事実を証する書類として（6）で定める書類又はこれに代わるべき書類で（７）で定める書類の添付がある場合」と、16(18)中「並びに16」とあるのは「、16」と、「その他の書類」とあるのは「その他の書類並びに16の財務省令で定める書類」とする。（新型コロナ税特令４⑧）

（（５）で定める事実）

（５）　（４）の規定により読み替えて適用される16に規定する（５）で定める事実は、次の(一)及び(二)に掲げる事実とする。（新型コロナ税特規４⑪）

(一)	③の個人が新型コロナウイルス感染症及びそのまん延防止のための措置の影響により（１）に規定する特例取得（（二)及び（６）において「特例取得」という。）をした家屋を令和２年12月31日までにその者の居住の用に供することができなかったこと。
(二)	③に規定する住宅の取得等、認定住宅の新築等又は住宅の新築取得等が特例取得に該当すること。

（（６）で定める書類）

（６）　（４）の規定により読み替えて適用される16に規定する（５）で定める事実を証する書類として（６）で定める書類は、次の(一)及び(二)に掲げる事実の区分に応じ当該(一)及び(二)に定める書類とする。（新型コロナ税特規４⑫）

(一)	（５）(一)に掲げる事実　　同(一)の特例取得に係る家屋の新築の工事その他の工事を請け負った建設業者、当該家屋の分譲を行う宅地建物取引業法第２条第３号に規定する宅地建物取引業者その他の者から交付を受けた次に掲げる事項の記載がある書類その他の書類で当該事実が生じたことを明らかにするもの イ　新型コロナウイルス感染症及びそのまん延防止のための措置の影響により令和２年12月31日までに、当該家屋の新築の工事その他の工事が完了しなかった旨又は当該家屋を引き渡すことができなかった旨 ロ　当該家屋の新築の工事その他の工事をした年月日又は当該家屋を引き渡した年月日
(二)	（５）(二)に掲げる事実　　同(二)の特例取得に係る家屋の新築の工事その他の工事の請負契約書の写し、売買契約書の写しその他の書類で当該特例取得に係る契約の締結をした年月日を明らかにするもの

（（７）で定める書類）

（７）　（４）の規定により読み替えて適用される16に規定するこれに代わるべき書類で（７）で定める書類は、次の(一)及び(二)に掲げる事実の区分に応じ当該(一)及び(二)に定める書類とする。（新型コロナ税特規４⑬）

(一)	（５）(一)に掲げる事実　　同(一)の個人の当該事実の詳細を記載した書類
(二)	（５）(二)に掲げる事実　　（６）(二)に定める書類

（読み替え規定）

（８）　③の規定により四の規定の適用を受ける場合における18⑤の規定の適用については、同⑤中「16」とあるのは「20③（４）の規定により読み替えられた16」と、「の添付」とあるのは「及び20③（４）の規定により読み替えられた16の財務省令で定める書類の添付」とする。（新型コロナ税特令４⑨）

（確定申告書への書類の添付）

（９）　③の規定により四の規定の適用を受けようとする者は、確定申告書に（６）又は（７）に規定する書類を添付しなければならない。（新型コロナ税特規４⑭）

（読み替え規定）

(10)　居住日の属する年分又はその翌年以後11年内のいずれかの年分の所得税につき③の規定により四の規定の適用を受けた個人が、その適用を受けた年分の翌年分以後の各年分の所得税につき③の規定により四の規定の適用を受けようとする場合における16(19)の規定の適用については、同(19)中「８年内（居住日の属する年が平成19年又は平成20年で３①の規定により四の規定の適用を受ける場合には13年内とし、居住日の属する年が令和４年若しくは令和５年であり、かつ、その居住に係る１に規定する住宅の取得等が１に規定する居住用家屋の新築等、１に規定する買取再販住宅の取得、４に規定する認定住宅等の新築等若しくは４に規定する買取再販認定住宅等の取得に該当するものである場合、居住日の属する年が令和６年若しくは令和７年であり、かつ、その居住に係る１に規定する住宅の取得等が４に規定する認定住宅等の新築等若しくは４に規定する買取再販認定住宅等の取得に該当するものである場合又は

5若しくは**6**の規定により**四**の規定の適用を受ける場合には11年内とする。以下(19)において同じ。)」とあるのは「11年内」と、「**1**の規定の適用を受けた」とあるのは「**20**③の規定により**四**の規定の適用を受けた」と、「**1**の」とあるのは「同③の規定により**1**の」と、「書類を」とあるのは「書類及び**20**③(６)又は同③(７)に規定する書類を」と、「８年内の」とあるのは「11年内の」と、「**1**の規定の適用を受けている旨及び」とあるのは「**20**③の規定により**1**の規定の適用を受けている旨並びに」と、「書類の」とあるのは「書類及び**20**③(６)又は同③(７)に規定する書類の」とする。(新型コロナ税特規４⑮)

(新型コロナウイルス感染症等の影響の範囲)

(11)　①、②又は③の規定の適用に当たっては、新型コロナウイルス感染症及びそのまん延防止のための措置の影響(以下「新型コロナウイルス感染症等の影響」という。)により、これらに規定する既存住宅、要耐震改修住宅又は家屋(以下「既存住宅等」という。)を③の期日までに居住の用に供することができなかった事情が必要となるのであるが、例えば次のような事情がこれに該当することに留意する。(新型コロナ税特通６－１)

⑴　建設業法第２条第３項《定義》に規定する建設業者、宅地建物取引業法第２条第３号《用語の定義》に規定する宅地建物取引業者その他の者(以下「建設業者等」という。)が新型コロナウイルス感染症等の影響により営業又は工事等を自粛していたこと又は①、②又は③の適用を受ける個人(以下「適用個人」という。)が新型コロナウイルス感染症にかかったこと若しくは新型コロナウイルス感染症等の影響により外出を自粛していたことなどにより、次に掲げる契約の締結が遅延したこと

イ　同条第２項に規定する特定増改築等に係る契約

ロ　同条第３項に規定する耐震改修に係る契約

ハ　同条第５項に規定する特例取得に係る契約

⑵　新型コロナウイルス感染症等の影響による住宅設備機器の納入の遅れに基因して、建設業者等による特例増改築等若しくは耐震改修に係る工事の完了又は特例取得をした家屋の引渡しなどが遅延したこと

⑶　適用個人が新型コロナウイルス感染症にかかったこと又は新型コロナウイルス感染症等の影響により外出を自粛していたことなどにより、既存住宅等を居住の用に供することが遅れたこと

21　住宅借入金等を有する場合の所得税額の特別控除に係る居住の用に供する期間等の特例(新型コロナ税特法)

①　特別特例取得に該当する住宅の取得等をした場合の居住の用に供する期間等の特例

1に規定する住宅の取得等で**特別特例取得**に該当するもの若しくは**4**に規定する認定住宅等の新築等で特別特例取得に該当するものをした個人が、これらの特別特例取得をした家屋を令和３年１月１日から令和４年12月31日までの間に**1**(令和３年１月１日から同年12月31日までの間にあっては、**20**①又は同③の規定により適用する場合を含む。)の定めるところによりその者の居住の用に供した場合には、**1**に規定する住宅借入金等特別税額控除額については、**1**中「家屋で耐震基準(地震に対する安全性に係る規定又は基準として**ロ**(１)で定めるものをいう。以下同じ。)に適合するものとして同**ロ**(１)で定めるもの」とあるのは「家屋(耐震基準(**21**④に規定する耐震基準をいう。以下同じ。)又は経過年数基準(**21**④に規定する経過年数基準をいう。以下同じ。)に適合するものに限る。)で同**ロ**(１)で定めるもの」と、「令和４年又は令和５年」とあるのは「令和５年」と、「2,000万円」とあるのは「3,000万円」と、**2**(１)(二)中「令和３年」とあるのは「令和４年」と、同(１)(三)中「、令和４年又は令和５年」とあるのは「又は令和５年」と、「が令和４年又は令和５年」とあるのは「が令和５年」と、同(１)(五)中「令和３年」とあるのは「令和４年」と、「令和４年又は令和５年」とあるのは「令和５年」と、**2**(２)(二)中「令和３年」とあるのは「令和４年」と、同(２)(三)中「令和４年」とあるのは「令和５年」と、**4**中「令和４年から」とあるのは「令和５年から」と、**4**(１)(一)中「令和３年」とあるのは「令和４年」と、「令和４年又は令和５年」とあるのは「令和５年」と、同(１)(二)中「令和４年から」とあるのは「令和５年から」と、「令和４年又は令和５年」とあるのは「令和５年」と、同(１)(三)中「、令和４年又は令和５年」とあるのは「又は令和５年」と、「が令和４年又は令和５年」とあるのは「が令和５年」と、同(１)(五)中「令和３年」とあるのは「令和４年」と、「令和４年又は令和５年」とあるのは「令和５年」と、**4**(２)中「令和３年」とあるのは「令和４年」と、「令和４年」とあるのは「令和５年」と、**5**及び**6**中「令和２年12月31日」とあるのは「令和４年12月31日」と、「令和４年又は令和５年」とあるのは「令和５年」と、**15**中「家屋で耐震基準に適合するもの以外のものとして(１)で定めるもの」とあるのは「家屋(耐震基準又は経過年数基準に適合するもの以外のものに限る。)で(１)で定めるもの」として、**四**の規定を適用する。(新型コロナ税特法６の２①)

②　**特別特例取得の意義**

①に規定する**特別特例取得**とは、**5**（1）に規定する特別特定取得のうち、当該特別特定取得に係る契約が（1）で定める期間内に締結されているものをいう。（新型コロナ税特法６の２②）

（②に規定する（1）で定める期間）

（1）　②に規定する（1）で定める期間は、①に規定する住宅の取得等又は認定住宅等の新築等の次の㈠及び㈡に掲げる区分に応じ当該㈠又は㈡に定める期間とする。（新型コロナ税特令４の２①）

㈠	**1**に規定する居住用家屋の新築又は**4**（1）㈠に規定する認定住宅の新築　　令和２年10月１日から令和３年９月30日までの期間
㈡	**1**に規定する居住用家屋で建築後使用されたことのないもの若しくは**20**①に規定する既存住宅の取得（**20**①に規定する取得をいう。以下㈡において同じ。）、**1**に規定する居住の用に供する家屋で**1**①**ニ**で定めるものの増改築等（**1**①**ハ**に規定する増改築等をいう。）又は**4**（1）㈠に規定する認定住宅で建築後使用されたことのないものの取得　　令和２年12月１日から令和３年11月30日までの期間

③　**①の規定により１の規定の適用を受ける場合における９及び18の規定の適用**

①の規定により**1**の規定の適用を受ける場合における**9**及び**18**の規定の適用については、**9**（2）㈡中「各年又は令和３年」とあるのは「各年」と、同（2）㈢中「又は令和２年」とあるのは「から令和４年までの各年」と、**18**②中「2,000万円（居住日の属する年が令和４年から令和７年までの各年であり、かつ、その居住に係る住宅の取得等が**7**の規定により居住用家屋の新築等に該当するものとみなされた**7**に規定する特例居住用家屋の新築等又は**8**の規定により認定住宅等の新築等に該当するものとみなされた**8**に規定する特例認定住宅等の新築等である場合には、1,000万円）」とあるのは「3,000万円」と、**18**⑤（1）中「令和４年若しくは令和５年」とあるのは「令和５年」とする。（新型コロナ税特法６の２③）

④　**特例特別特例取得に該当する特例住宅の取得等をした場合の居住の用に供する期間等の特例**

個人が、国内において、住宅の用に供する家屋で（1）で定めるもの（以下④において「**特例居住用家屋**」という。）の新築若しくは特例居住用家屋で建築後使用されたことのないもの若しくは建築後使用されたことのある家屋（耐震基準（改正前の**1**に規定する耐震基準をいう。⑥において同じ。）又は経過年数基準（**1**に規定する経過年数基準をいう。⑥において同じ。）に適合するものに限る。）で（2）で定めるもの（以下④において「**特例既存住宅**」という。）の取得（配偶者その他その者と特別の関係がある者からの取得で（4）で定めるもの及び贈与によるものを除く。以下**21**において同じ。）又はその者の居住の用に供する家屋で（5）で定めるものの特例増改築等（以下④において「**特例住宅の取得等**」という。）で、**特例特別特例取得**に該当するものをした場合には、当該特例住宅の取得等で特例特別特例取得に該当するものは①に規定する住宅の取得等で特別特例取得に該当するものと、当該特例居住用家屋は**1**に規定する居住用家屋と、当該特例既存住宅は**1**に規定する既存住宅と、当該特例増改築等で特例特別特例取得に該当するものをした家屋（当該特例増改築等で特例特別特例取得に該当するものに係る部分に限る。）は**1**に規定する増改築等をした家屋とそれぞれみなして、①の規定を適用することができる。ただし、**1**に規定する適用年又は**5**に規定する特別特定適用年のうち、その者のその年分の所得税に係るその年の第二章第一節**一**表内**30**の合計所得金額が1,000万円を超える年については、この限りでない。（新型コロナ税特法６の２④）

（④に規定する住宅の用に供する家屋で（1）で定めるもの）

（1）　④に規定する住宅の用に供する家屋で（1）で定めるものは、個人がその居住の用に供する次の㈠又は㈡に掲げる家屋（その家屋の床面積の２分の１以上に相当する部分が専ら当該居住の用に供されるものに限る。）とし、その者がその居住の用に供する家屋を２以上有する場合には、これらの家屋のうち、その者が主としてその居住の用に供すると認められる一の家屋に限るものとする。（新型コロナ税特令４の２②）

㈠	一棟の家屋で床面積が40平方メートル以上50平方メートル未満であるもの
㈡	一棟の家屋で、その構造上区分された数個の部分を独立して住居その他の用途に供することができるものにつきその各部分を区分所有する場合には、その者の区分所有する部分の床面積が40平方メートル以上50平方メートル未満であるもの

（注）1　（1）㈠に規定する家屋の床面積は、各階ごとに壁その他の区画の中心線で囲まれた部分の水平投影面積（登記簿上表示される床面積）による。（新型コロナ税特通６の２－1）

2　(1)(二)に規定する「その者の区分所有する部分の床面積」とは、建物の区分所有等に関する法律第２条第３項《定義》に規定する専有部分の床面積をいうのであるが、当該床面積は、登記簿上表示される壁その他の区画の内側線で囲まれた部分の水平投影面積による。(新型コロナ税特通６の２－２)

㊟　専有部分の床面積には、数個の専有部分に通ずる廊下、階段室、エレベーター室、共用の便所及び洗面所、屋上等の部分の面積は含まれない。

3　自己の居住の用以外の用に供される部分がある家屋又は共有物である家屋が(1)の床面積基準に該当するかどうかの判定に当たっては、次のことに留意する。(新型コロナ税特通６の２－３)

(一)　その家屋((1)(二)に規定する家屋にあっては、その者の区分所有する部分。以下同じ。)の一部がその者の居住の用以外の用に供される場合には、当該居住の用以外の用に供される部分の床面積を含めたその家屋全体の床面積により判定する。

(二)　その家屋が共有物である場合には、その家屋の床面積にその者の持分割合を乗じて計算した面積ではなく、その家屋全体の床面積により判定する。

(④に規定する建築後使用されたことのある家屋で(2)で定めるもの)

(2)　④に規定する建築後使用されたことのある家屋で(2)で定めるものは、個人がその居住の用に供する家屋(その床面積の２分の１以上に相当する部分が専ら当該居住の用に供されるものに限る。)で、(1)(一)及び同(二)のいずれかに該当するものであること及び④に規定する耐震基準又は経過年数基準に適合するものであることにつき(3)で定めるところにより証明がされたもの又は確認を受けたもののうち建築後使用されたことのあるものとし、その者がその居住の用に供する家屋を２以上有する場合には、これらの家屋のうち、その者が主としてその居住の用に供すると認められる一の家屋に限るものとする。(新型コロナ税特令４の２③)

((2)に規定する(3)で定めるところにより証明がされた家屋及び(3)で定めるところにより確認を受けた家屋)

(3)　(2)に規定する(3)で定めるところにより証明がされた家屋は(一)に掲げる家屋とし、(2)に規定する(3)で定めるところにより確認を受けた家屋は(二)に掲げる家屋とする。(新型コロナ税特規４の２①)

(一)	当該家屋が(1)(一)又は同(二)のいずれかに該当するものであること及び耐震基準(④に規定する耐震基準をいう。イ、(二)及び⑥(4)において同じ。)又は経過年数基準(④に規定する経過年数基準をいう。ロ及び(二)において同じ。)に適合するものであることにつき、次に掲げる場合の区分に応じそれぞれ次に定める書類により証明がされたもの イ　当該家屋が(1)(一)又は同(二)のいずれかに該当するもの及び耐震基準に適合するものである場合 登記事項証明書(当該家屋が当該(一)又は(二)のいずれかに該当するものであることが当該登記事項証明書に記載された事項によって明らかでないときは、当該登記事項証明書及び当該(一)又は(二)のいずれかに該当するものであることを明らかにする書類((二)イにおいて「床面積要件疎明書類」という。))及び当該家屋が国土交通大臣が財務大臣と協議して定める耐震基準に適合する家屋である旨を証する書類((二)イにおいて「耐震基準に適合する旨を証する書類」という。) ロ　当該家屋が(1)(一)又は同(二)のいずれかに該当するもの及び経過年数基準に適合するものである場合 イに規定する登記事項証明書
(二)	当該家屋が(1)(一)又は同(二)のいずれかに該当するものであること及び耐震基準又は経過年数基準に適合するものであることにつき、次に掲げる場合の区分に応じそれぞれ次に定める情報及び書類により税務署長の確認を受けたもの イ　当該家屋が(1)(一)又は同(二)のいずれかに該当するもの及び耐震基準に適合するものである場合 ④の規定による①の規定により**1**の規定による控除を受けようとする者が提出をした書類に記載がされた当該家屋に係る不動産識別事項等(情報通信技術を活用した行政の推進等に関する法律施行令第５条の表の第３号の下欄のイ⑵又は⑶に掲げる事項をいう。ロにおいて同じ。)により税務署長が入手し、又は参照した当該家屋の登記事項証明書に係る情報(当該家屋が(1)(一)又は同(二)のいずれかに該当するものであることが当該登記事項証明書に係る情報によって明らかでないときは、当該登記事項証明書に係る情報及びその者が提出をした床面積要件疎明書類)及びその者が提出をした耐震基準に適合する旨を証する書類 ロ　当該家屋が(1)(一)又は同(二)のいずれかに該当するもの及び経過年数基準に適合するものである場合 ④の規定による①の規定により**1**の規定による控除を受けようとする者が提出をした書類に記載がされた当該家屋に係る不動産識別事項等により税務署長が入手し、又は参照した当該家屋のイに規定する登記事項証明書に係る情報

（④に規定する(4)で定める取得）

(4)　④に規定する(4)で定める取得は、④に規定する特例既存住宅若しくは⑥に規定する特例要耐震改修住宅又は④に規定する特例住宅の取得等で特例特別特例取得（⑨に規定する特例特別特例取得をいう。以下(4)において同じ。）に該当するものとともにする当該特例住宅の取得等で特例特別特例取得に該当するものに係る家屋の敷地の用に供される土地若しくは当該土地の上に存する権利の取得で次の(一)から(四)までに掲げる者（その取得の時において個人と生計を一にしており、その取得後も引き続き当該個人と生計を一にする者に限る。）からの取得とする。（新型コロナ税特令４の２④）

(一)	当該個人の親族
(二)	当該個人と婚姻の届出をしていないが事実上婚姻関係と同様の事情にある者
(三)	(一)及び(二)に掲げる者以外の者で当該個人から受ける金銭その他の資産によって生計を維持しているもの
(四)	(一)から(三)までに掲げる者と生計を一にするこれらの者の親族

（④に規定するその者の居住の用に供する家屋で(5)で定めるもの）

(5)　④に規定するその者の居住の用に供する家屋で(5)で定めるものは、個人がその居住の用に供する家屋とし、その者がその居住の用に供する家屋を２以上有する場合には、これらの家屋のうち、その者が主としてその居住の用に供すると認められる一の家屋に限るものとする。（新型コロナ税特令４の２⑤）

⑤　特例認定住宅の新築等で特例特別特例取得に該当するものをした場合の居住の用に供する期間等の特例

個人が、国内において、**特例認定住宅**（住宅の用に供する長期優良住宅の普及の促進に関する法律第11条第１項に規定する認定長期優良住宅（同法第10条第２号イに掲げる住宅に限る。）に該当する家屋で(1)で定めるもの又は住宅の用に供する都市の低炭素化の促進に関する法律第２条第３項に規定する低炭素建築物に該当する家屋で(3)で定めるもの若しくは同法第16条の規定により低炭素建築物とみなされる同法第９条第１項に規定する特定建築物に該当する家屋で(5)で定めるものをいう。以下⑤において同じ。）の新築又は特例認定住宅で建築後使用されたことのないものの取得（以下⑤において「**特例認定住宅の新築等**」という。）で、特例特別特例取得に該当するものをした場合には、当該特例認定住宅の新築等で特例特別特例取得に該当するものは①に規定する認定住宅等の新築等で特別特例取得に該当するものと、当該特例認定住宅は**4**(1)(一)に規定する認定住宅とそれぞれみなして、①の規定を適用することができる。ただし、**4**に規定する認定住宅等特例適用年又は**6**に規定する認定住宅特別特定適用年のうち、その者のその年分の所得税に係るその年の第二章第一節**一**表内**30**の合計所得金額が1,000万円を超える年については、この限りでない。（新型コロナ税特法６の２⑤）

（⑤に規定する認定長期優良住宅に該当する家屋で(1)で定めるもの）

(1)　⑤に規定する認定長期優良住宅に該当する家屋で(1)で定めるものは、個人がその居住の用に供する④(1)(一)及び同(二)に掲げる家屋（その家屋の床面積の２分の１以上に相当する部分が専ら当該居住の用に供されるものに限る。）で、長期優良住宅の普及の促進に関する法律第11条第１項に規定する認定長期優良住宅（同法第10条第２号イに掲げる住宅に限る。）に該当するものであることにつき(2)で定めるところにより証明がされたものとし、その者がその居住の用に供する家屋を２以上有する場合には、これらの家屋のうち、その者が主としてその居住の用に供すると認められる一の家屋に限るものとする。（新型コロナ税特令４の２⑥）

（(1)に規定する(2)で定めるところにより証明がされた家屋）

(2)　(1)に規定する(2)で定めるところにより証明がされた家屋は、当該家屋が(1)に規定する認定長期優良住宅に該当するものであることにつき、次の(一)及び(二)に掲げる書類により証明がされたものとする。（新型コロナ税特規４の２②）

(一)	当該家屋に係る長期優良住宅の普及の促進に関する法律施行規則第６条に規定する通知書（長期優良住宅の普及の促進に関する法律第８条第１項の変更の認定があった場合には、同令第９条に規定する通知書。以下(一)において「認定通知書」という。）の写し（同法第10条の承継があった場合には、認定通知書及び同令第15条に規定する通知書の写し）
(二)	当該家屋に係る租税特別措置法施行規則第26条第１項若しくは第２項に規定する証明書若しくはその写し又は当該家屋が国土交通大臣が財務大臣と協議して定める長期優良住宅の普及の促進に関する法律第９条第１

	項に規定する認定長期優良住宅建築等計画に基づき建築された家屋に該当する旨を証する書類

（⑤に規定する低炭素建築物に該当する家屋で（3）で定めるもの）

（3）　⑤に規定する低炭素建築物に該当する家屋で（3）で定めるものは、個人がその居住の用に供する④（1）（一）及び同（二）に掲げる家屋（その家屋の床面積の２分の１以上に相当する部分が専ら当該居住の用に供されるものに限る。）で、都市の低炭素化の促進に関する法律第２条第３項に規定する低炭素建築物（（5）において「低炭素建築物」という。）に該当するものであることにつき（4）で定めるところにより証明がされたものとし、その者がその居住の用に供する家屋を２以上有する場合には、これらの家屋のうち、その者が主としてその居住の用に供すると認められる一の家屋に限るものとする。（新型コロナ税特令４の２⑦）

（（3）に規定する（4）で定めるところにより証明がされた家屋）

（4）　（3）に規定する（4）で定めるところにより証明がされた家屋は、当該家屋が（3）に規定する低炭素建築物に該当するものであることにつき、次の（一）及び（二）に掲げる書類により証明がされたものとする。（新型コロナ税特規４の２③）

（一）	当該家屋に係る都市の低炭素化の促進に関する法律施行規則第43条第２項に規定する通知書（都市の低炭素化の促進に関する法律第55条第１項の変更の認定があった場合には、同令第46条の規定により読み替えられた同令第43条第２項に規定する通知書）の写し
（二）	当該家屋に係る租税特別措置法施行規則第26条の２第１項若しくは第３項に規定する証明書若しくはその写し又は当該家屋が国土交通大臣が財務大臣と協議して定める都市の低炭素化の促進に関する法律第56条に規定する認定低炭素建築物新築等計画に基づき建築された家屋に該当する旨を証する書類

（⑤に規定する特定建築物に該当する家屋で（5）で定めるもの）

（5）　⑤に規定する特定建築物に該当する家屋で（5）で定めるものは、個人がその居住の用に供する④（1）（一）及び同（二）に掲げる家屋（その家屋の床面積の２分の１以上に相当する部分が専ら当該居住の用に供されるものに限る。）で、都市の低炭素化の促進に関する法律第16条の規定により低炭素建築物とみなされる同法第12条に規定する認定集約都市開発事業（当該認定集約都市開発事業に係る同条に規定する認定集約都市開発事業計画が（6）で定める要件を満たすものであるものに限る。）により整備される特定建築物（同法第９条第１項に規定する特定建築物をいう。）に該当するものであることにつき当該個人の申請に基づき当該家屋の所在地の市町村長又は特別区の区長により証明がされたものとし、その者がその居住の用に供する家屋を２以上有する場合には、これらの家屋のうち、その者が主としてその居住の用に供すると認められる一の家屋に限るものとする。（新型コロナ税特令４の２⑧）

（（5）に規定する（6）で定める要件）

（6）　（5）に規定する（6）で定める要件は、（5）に規定する認定集約都市開発事業計画に係る認定が、当該計画に係る都市の低炭素化の促進に関する法律第９条第１項に規定する集約都市開発事業により整備される（5）に規定する特定建築物全体及びその者のその居住の用に供する家屋に係る当該特定建築物の住戸の部分を対象として同法第10条第１項又は第11条第１項の規定により受けた認定であることとする。（新型コロナ税特規４の２④）

⑥　特例要耐震改修住宅の取得で特例特別特例取得に該当するものをし、耐震改修をした場合の居住の用に供する期間等の特例

個人が、建築後使用されたことのある家屋（耐震基準又は経過年数基準に適合するもの以外のものに限る。）で（1）で定めるもの（以下⑥において「**特例要耐震改修住宅**」という。）の取得で特例特別特例取得に該当するものをした場合において、当該特例要耐震改修住宅の取得で特例特別特例取得に該当するものの日までに同日以後当該特例要耐震改修住宅の耐震改修（地震に対する安全性の向上を目的とした増築、改築、修繕又は模様替をいう。以下⑥において同じ。）を行うことにつき建築物の耐震改修の促進に関する法律第17条第１項の申請その他（3）で定める手続をし、かつ、当該特例要耐震改修住宅をその者の居住の用に供する日（当該特例要耐震改修住宅の取得で特例特別特例取得に該当するものの日から６月以内の日に限る。）までに当該耐震改修（**六１①**の規定の適用を受けるものを除く。）により当該特例要耐震改修住宅が耐震基準に適合することとなったことにつき（4）で定めるところにより証明がされたときは、当該特例要耐震改修住宅の取得で特例特別特例取得に該当するものは④に規定する特例既存住宅の取得で特例特別特例取得に該当するものと、当該特

例要耐震改修住宅は④に規定する特例既存住宅とそれぞれみなして、④の規定を適用することができる。（新型コロナ税特法６の２⑥）

（⑥に規定する（１）で定める家屋）

（１）　⑥に規定する（１）で定める家屋は、個人がその居住の用に供する家屋（その床面積の２分の１以上に相当する部分が専ら当該居住の用に供されるものに限る。）で、④（１）（一）又は同（二）のいずれかに該当するものであることにつき（２）で定めるところにより証明がされたもの又は確認を受けたもののうち建築後使用されたことのあるもの（④に規定する耐震基準又は経過年数基準に適合するもの以外のものに限る。）とし、その者がその居住の用に供する家屋を２以上有する場合には、これらの家屋のうち、その者が主としてその居住の用に供すると認められる一の家屋に限るものとする。（新型コロナ税特令４の２⑨）

（（１）に規定する（２）で定めるところにより証明がされた家屋又は確認を受けた家屋）

（２）　（１）に規定する（２）で定めるところにより証明がされた家屋又は確認を受けた家屋は、当該家屋が④（１）（一）又は同（二）のいずれかに該当するものであることにつき、④（３）（一）イに規定する登記事項証明書により証明がされたもの又は同（３）（二）イに規定する登記事項証明書に係る情報により税務署長の確認を受けたものとする。（新型コロナ税特規４の２⑤）

（⑥に規定する（３）で定める手続）

（３）　⑥に規定する（３）で定める手続は、特例要耐震改修住宅（⑥に規定する特例要耐震改修住宅をいう。以下**17**において同じ。）の取得（④に規定する取得をいう。⑪（12）（一）及び⑪（13）（一）において同じ。）で特例特別特例取得（⑨に規定する特例特別特例取得をいう。⑪（７）において同じ。）に該当するものの日までに同日以後当該特例要耐震改修住宅の耐震改修（⑥に規定する耐震改修をいう。（４）、⑪（12）（一）、同（二）、⑪（13）（一）及び同（二）において同じ。）を行うことにつき国土交通大臣が財務大臣と協議して定める書類に基づいて行う申請とする。（新型コロナ税特規４の２⑥）

（⑥に規定する（４）で定めるところにより証明がされたとき）

（４）　⑥に規定する（４）で定めるところにより証明がされたときは、特例要耐震改修住宅がその者の居住の用に供する日までに耐震改修（**六１**①の規定の適用を受けるものを除く。）により耐震基準に適合することとなったことにつき、国土交通大臣が財務大臣と協議して定める書類により証明がされたときとする。（新型コロナ税特規４の２⑦）

⑦　⑥に規定する特例要耐震改修住宅の取得で特例特別特例取得に該当するものをした個人が、新型コロナウイルス感染症及びそのまん延防止のための措置の影響により当該耐震改修をして当該特例要耐震改修住宅をその取得の日から６月以内にその者の居住の用に供することができなかった場合の、居住の用に供する期間等の特例

⑥に規定する特例要耐震改修住宅の取得で特例特別特例取得に該当するものをし、当該特例要耐震改修住宅の取得で特例特別特例取得に該当するものの日までに同日以後当該特例要耐震改修住宅の⑥に規定する耐震改修を行うことにつき⑥に規定する申請その他⑥（３）で定める手続をし、かつ、当該耐震改修に係る契約を（１）で定める日までに締結している個人が、新型コロナウイルス感染症及びそのまん延防止のための措置の影響により当該耐震改修をして当該特例要耐震改修住宅をその取得の日から６月以内にその者の居住の用に供することができなかった場合において、当該耐震改修をして当該特例要耐震改修住宅を令和３年12月31日までにその者の居住の用に供したとき（当該特例要耐震改修住宅を当該耐震改修の日から６月以内にその者の居住の用に供した場合に限る。）は、①中「令和４年12月31日までの間に**１**（令和３年１月１日から同年12月31日までの間にあっては、**20**①又は同②の規定により適用する場合を含む。）」とあるのは「同年12月31日までの間に⑦」と、「「令和４年又は令和５年」とあるのは「令和５年」と、「2,000万円」とあるのは「3,000万円」と、**２**（１）（二）中「令和３年」とあるのは「令和４年」と、同（１）（三）中「、令和４年又は令和５年」とあるのは「又は令和５年」と、「が令和４年又は令和５年」とあるのは「が令和５年」と、同（１）（五）中「令和３年」とあるのは「令和４年」と、「令和４年又は令和５年」とあるのは「令和５年」と、**２**（２）（二）中「令和３年」とあるのは「令和４年」と、同（２）（三）中「令和４年」とあるのは「令和５年」と、**４**中「令和４年から」とあるのは「令和５年から」と、**４**（１）（一）中「令和３年」とあるのは「令和４年」と、「令和４年又は令和５年」とあるのは「令和５年」と、同（１）（二）中「令和４年から」とあるのは「令和５年から」と、「令和４年又は令和５年」とあるのは「令和５年」と、同（１）（三）中「、令和４年又は令和５年」とあるのは「又は令和５年」と、「が令和４年又は令和５年」とあるのは「が令和５年」と、同（１）（五）中「令和３年」とあるのは「令和４年」と、「令和４年又は令和５年」とあるのは「令和５年」と、**４**（２）中「令和３年」とあるの

は「令和４年」と、「令和４年」とあるのは「令和５年」と、**5**及び**6**中「令和２年12月31日」とあるのは「令和４年12月31日」と、「令和４年又は令和５年」とあるのは「令和５年」と、**15**中「家屋で耐震基準に適合するもの以外のものとして(１)で定めるもの」とあるのは「家屋（耐震基準又は経過年数基準に適合するもの以外のものに限る。）で(１)で定めるもの」」とあるのは「「これらの家屋をその新築の日若しくはその取得の日又はその増改築等の日」とあるのは「その既存住宅をその取得に係る⑦に規定する耐震改修の日」と、**5**中「令和２年12月31日」とあるのは「令和３年12月31日」」と、③中「及び**18**の規定」とあるのは「の規定」と、「から令和４年」とあるのは「から令和３年」と、「と、**18**②中「2,000万円（居住日の属する年が令和４年から令和７年までの各年であり、かつ、その居住に係る住宅の取得等が**7**の規定により居住用家屋の新築等に該当するものとみなされた**7**に規定する特例居住用家屋の新築等又は**8**の規定により認定住宅等の新築等に該当するものとみなされた**8**に規定する特例認定住宅等の新築等である場合には、1,000万円)」とあるのは「3,000万円」と、**18**⑤(１)中「令和４年若しくは令和５年」とあるのは「令和５年」とする」とあるのは「とする」と、⑥中「特例要耐震改修住宅の取得で特例特別特例取得に該当するものの日から」とあるのは「耐震改修の日から」として、**21**の規定を適用する。（新型コロナ税特法６の２⑧）

(⑦に規定する(１)で定める日)

(１)　⑦に規定する(１)で定める日は、個人が⑦に規定する特例要耐震改修住宅の取得で特例特別特例取得に該当するものをした日から５月を経過する日とする。（新型コロナ税特令４の２⑪）

⑧　特例増改築等の意義

④に規定する**特例増改築等**とは、当該個人が所有している家屋につき行う増築、改築その他の(１)で定める工事（当該工事と併せて行う当該家屋と一体となって効用を果たす設備の取替え又は取付けに係る工事を含む。）で当該工事に要した費用の額（当該工事の費用に関し補助金等（国又は地方公共団体から交付される補助金又は給付金その他これらに準ずるものをいう。以下⑧において同じ。）の交付を受ける場合には、当該工事に要した費用の額から当該補助金等の額を控除した金額）が100万円を超えるものであることその他の(２)で定める要件を満たすものをいう。（新型コロナ税特法６の２⑨）

(⑧に規定する(１)で定める工事)

(１)　⑧に規定する(１)で定める工事は、**1**①**ハ**(１)(一)から同(六)に掲げる工事とする。（新型コロナ税特令４の２⑫）

(⑧に規定する(２)で定める要件を満たすもの)

(２)　⑧に規定する(２)で定める要件を満たすものは、次の(一)から(四)までに掲げる要件を満たす工事とする。（新型コロナ税特令４の２⑬）

(一)	⑧に規定する工事に要した⑧に規定する費用の額が100万円を超えること。
(二)	⑧に規定する工事をした家屋の当該工事に係る部分のうちにその者の居住の用以外の用に供する部分がある場合には、当該居住の用に供する部分に係る当該工事に要した費用の額が当該工事に要した費用の額の２分の１以上であること。
(三)	⑧に規定する工事をした家屋が、その者のその居住の用に供される次に掲げる家屋（その家屋の床面積の２分の１以上に相当する部分が専ら当該居住の用に供されるものに限る。）のいずれかに該当するものであること。 イ　一棟の家屋で床面積が40平方メートル以上50平方メートル未満であるもの ロ　一棟の家屋で、その構造上区分された数個の部分を独立して住居その他の用途に供することができるものにつきその各部分を区分所有する場合には、その者の区分所有する部分の床面積が40平方メートル以上50平方メートル未満であるもの
(四)	⑧に規定する工事をした家屋が、その者が主としてその居住の用に供すると認められるものであること。

(注)１　(２)(三)イに規定する家屋の床面積は、各階ごとに壁その他の区画の中心線で囲まれた部分の水平投影面積（登記簿上表示される床面積）による。（新型コロナ税特通６の２－１）

２　(２)(三)ロに規定する「その者の区分所有する部分の床面積」とは、建物の区分所有等に関する法律第２条第３項《定義》に規定する専有部分の床面積をいうのであるが、当該床面積は、登記簿上表示される壁その他の区画の内側線で囲まれた部分の水平投影面積による。（新型コロナ税特通６の２－２）

㊟　専有部分の床面積には、数個の専有部分に通ずる廊下、階段室、エレベーター室、共用の便所及び洗面所、屋上等の部分の面積は含まれない。

３　自己の居住の用以外の用に供される部分がある家屋又は共有物である家屋が(２)(三)の床面積基準に該当するかどうかの判定に当たっては、次のことに留意する。（新型コロナ税特通６の２－３）

（1）　その家屋（(2)(三)ロに規定する家屋にあっては、その者の区分所有する部分。以下同じ。）の一部がその者の居住の用以外の用に供される場合には、当該居住の用以外の用に供される部分の床面積を含めたその家屋全体の床面積により判定する。

（2）　その家屋が共有物である場合には、その家屋の床面積にその者の持分割合を乗じて計算した面積ではなく、その家屋全体の床面積により判定する。

⑨　特例特別特例取得の意義

④から⑦までに規定する**特例特別特例取得**とは、個人の④に規定する特例住宅の取得等又は⑥に規定する特例要耐震改修住宅の取得に係る対価の額又は費用の額に含まれる消費税額及び地方消費税額の合計額に相当する額が、当該特例住宅の取得等又は当該特例要耐震改修住宅の取得に係る**2**（3）に規定する課税資産の譲渡等につき**5**（1）に規定する税率により課されるべき消費税額及び当該消費税額を課税標準として課されるべき地方消費税額の合計額に相当する額である場合における当該特例住宅の取得等又は当該特例要耐震改修住宅の取得のうち、当該特例住宅の取得等又は当該特例要耐震改修住宅の取得に係る契約が(1)で定める期間内に締結されているものをいう。(新型コロナ税特法6の2⑩)

（⑨に規定する(1)で定める期間）

（1）　⑨に規定する(1)で定める期間は、④に規定する特例住宅の取得等、⑤に規定する特例認定住宅の新築等又は⑥に規定する特例要耐震改修住宅の取得（④に規定する取得をいう。(二)において同じ。）の次の(一)及び(二)に掲げる区分に応じ当該(一)又は(二)に定める期間とする。(新型コロナ税特令4の2⑭)

(一)	④に規定する特例居住用家屋の新築又は⑤に規定する特例認定住宅の新築　　令和２年10月１日から令和３年９月30日までの期間
(二)	④に規定する特例居住用家屋で建築後使用されたことのないもの若しくは④に規定する特例既存住宅の取得、④に規定する居住の用に供する家屋で④(5)で定めるものの特例増改築等（⑧に規定する特例増改築等をいう。)、⑤に規定する特例認定住宅で建築後使用されたことのないものの取得又は⑥に規定する特例要耐震改修住宅の取得　　令和２年12月１日から令和３年11月30日までの期間

⑩　④から⑦までの規定による①の規定により1の規定の適用を受ける場合における18の規定の適用

④から⑦までの規定による①の規定により**1**の規定の適用を受ける場合における**18**の規定の適用については、**18**②中「2,000万円（居住日の属する年が令和４年から令和７年までの各年であり、かつ、その居住に係る住宅の取得等が**7**の規定により居住用家屋の新築等に該当するものとみなされた**7**に規定する特例居住用家屋の新築等又は**8**の規定により認定住宅等の新築等に該当するものとみなされた**8**に規定する特例認定住宅等の新築等である場合には、1,000万円)」とあるのは、「1,000万円」とする。(新型コロナ税特法6の2⑪)

⑪　申告要件及び添付書類等

（①の規定により**四**の規定の適用を受ける場合における**16**及び**16**(18)の規定の適用）

（1）　①の規定により**四**の規定の適用を受ける場合における**16**及び**16**(18)の規定の適用については、**16**中「、当該」とあるのは「当該」と、「場合」とあるのは「場合であって、財務省令で定めるところにより**21**①に規定する住宅の取得等、認定住宅等の新築等又は住宅の新築取得等が**21**②に規定する特別特例取得に該当する事実を証する書類として(2)で定める書類の添付がある場合」と、**16**(18)中「並びに**16**」とあるのは「、**16**」と、「その他の書類」とあるのは「その他の書類並びに**16**で定める書類」とする。(新型コロナ税特令4の2⑮)

（(1)の規定により読み替えて適用される**16**に規定する特別特例取得に該当する事実を証する書類として(2)で定める書類）

（2）　(1)の規定により読み替えて適用される**16**に規定する特別特例取得に該当する事実を証する書類として(2)で定める書類は、②に規定する特別特例取得に係る家屋の新築の工事その他の工事の請負契約書の写し、売買契約書の写しその他の書類で当該特別特例取得に係る契約の締結をした年月日を明らかにするものとする。(新型コロナ税特規4の2⑧)

（①の規定により**四**の規定の適用を受ける場合における**18**⑤の規定の適用）

（3）　①の規定により**四**の規定の適用を受ける場合における**18**⑤の規定の適用については、同⑤中「**16**」とあるのは「**21**

⑪(１)の規定により読み替えられた**16**」と、「の添付」とあるのは「及び同⑪(１)の規定により読み替えられた**16**の財務省令で定める書類の添付」とする。(新型コロナ税特令４の２⑯)

(確定申告書への書類添付)

(４)　①の規定により**四**の規定の適用を受けようとする者は、確定申告書に(２)に規定する書類を添付しなければならない。(新型コロナ税特規４の２⑨)

(居住日の属する年分又はその翌年以後11年内のいずれかの年分の所得税につき①の規定により**四**の規定の適用を受けた個人が、その適用を受けた年分の翌年分以後の各年分の所得税につき①の規定により**四**の規定の適用を受けようとする場合における**16**(19)の規定の適用)

(５)　居住日の属する年分又はその翌年以後11年内のいずれかの年分の所得税につき①の規定により**四**の規定の適用を受けた個人が、その適用を受けた年分の翌年分以後の各年分の所得税につき①の規定により**四**の規定の適用を受けようとする場合における**16**(19)の規定の適用については、同(19)中「８年内（居住日の属する年が平成19年又は平成20年で**３**①の規定により**四**の規定の適用を受ける場合には13年内とし、居住日の属する年が令和４年若しくは令和５年であり、かつ、その居住に係る**１**に規定する住宅の取得等が**１**に規定する居住用家屋の新築等、**１**に規定する買取再販住宅の取得、**４**に規定する認定住宅等の新築等若しくは**４**に規定する買取再販認定住宅等の取得に該当するものである場合、居住日の属する年が令和６年若しくは令和７年であり、かつ、その居住に係る**１**に規定する住宅の取得等が**４**に規定する認定住宅等の新築等若しくは**４**に規定する買取再販認定住宅等の取得に該当するものである場合又は**５**若しくは**６**の規定により**四**の規定の適用を受ける場合には11年内とする。以下(19)において同じ。)」とあるのは「11年内」と、「**１**の規定の適用を受けた」とあるのは「**21**①の規定により**四**の規定の適用を受けた」と、「**１**の」とあるのは「**21**①の規定により**１**の」と、「書類を」とあるのは「書類及び**21**⑪(２)に規定する書類を」と、「８年内の」とあるのは「11年内の」と、「**１**の規定の適用を受けている旨及び」とあるのは「**21**①の規定により**四**の規定の適用を受けている旨並びに」と、「書類の」とあるのは「書類及び**21**⑪(２)に規定する書類の」とする。(新型コロナ税特規４の２⑩)

(④から⑥までの規定による①の規定により**四**の規定の適用を受ける場合における**16**及び**16**(18)の規定の適用)

(６)　④から⑥までの規定による①の規定により**四**の規定の適用を受ける場合における**16**及び**16**(18)の規定の適用については、**16**中「、当該」とあるのは「当該」と、「場合」とあるのは「場合であって、財務省令で定めるところにより**21**④に規定する特例住宅の取得等、同⑤に規定する特例認定住宅の新築等、同⑥に規定する特例要耐震改修住宅の同④に規定する取得が⑨に規定する特例特別特例取得に該当する事実を証する書類として(７)で定める書類の添付がある場合」と、**16**(18)中「並びに**16**」とあるのは「、**16**」と、「その他の書類」とあるのは「その他の書類並びに**16**で定める書類」とする。(新型コロナ税特令４の２⑰)

((６)の規定により読み替えて適用される**16**に規定する特例特別特例取得に該当する事実を証する書類として(７)で定める書類)

(７)　(６)の規定により読み替えて適用される**16**に規定する特例特別特例取得に該当する事実を証する書類として(７)で定める書類は、特例特別特例取得に係る家屋の新築の工事その他の工事の請負契約書の写し、売買契約書の写しその他の書類で当該特例特別特例取得に係る契約の締結をした年月日を明らかにするものとする。(新型コロナ税特規４の２⑪)

(④から⑥までの規定による①の規定により**四**の規定の適用を受ける場合における**18**⑤の規定の適用)

(８)　④から⑥までの規定による①の規定により**四**の規定の適用を受ける場合における**18**⑤の規定の適用については、同⑤中「**16**」とあるのは「**21**⑪(６)の規定により読み替えられた**16**」と、「の添付」とあるのは「及び同⑪(６)の規定により読み替えられた**16**で定める書類の添付」とする。(新型コロナ税特令４の２⑱)

(確定申告書への書類添付)

(９)　④から⑦までの規定による①の規定により**四**の規定の適用を受けようとする者は、確定申告書に(７)に規定する書類を添付しなければならない。(新型コロナ税特規４の２⑫)

(居住日の属する年分又はその翌年以後11年内のいずれかの年分の所得税につき④から⑥までの規定による①の規定により**四**の規定の適用を受けた個人が、その適用を受けた年分の翌年分以後の各年分の所得税につき①の規定により**1**の規定の適用を受けようとする場合における**16**(19)の規定の適用)

(10)　居住日の属する年分又はその翌年以後11年内のいずれかの年分の所得税につき④から⑥までの規定による①の規定により**四**の規定の適用を受けた個人が、その適用を受けた年分の翌年分以後の各年分の所得税につき①の規定により**1**の規定の適用を受けようとする場合における**16**(19)の規定の適用については、同(19)中「８年内（居住日の属する年が平成19年又は平成20年で**3**①の規定により**四**の規定の適用を受ける場合には13年内とし、居住日の属する年が令和４年若しくは令和５年であり、かつ、その居住に係る**1**に規定する住宅の取得等が**1**に規定する居住用家屋の新築等、**1**に規定する買取再販住宅の取得、**4**に規定する認定住宅等の新築等若しくは**4**に規定する買取再販認定住宅等の取得に該当するものである場合、居住日の属する年が令和６年若しくは令和７年であり、かつ、その居住に係る**1**に規定する住宅の取得等が**4**に規定する認定住宅等の新築等若しくは**4**に規定する買取再販認定住宅等の取得に該当するものである場合又は**5**若しくは**6**の規定により**四**の規定の適用を受ける場合には11年内とする。以下(19)において同じ。)」とあるのは「11年内」と、「**1**の規定の適用を受けた」とあるのは「**21**④から同⑥までの規定による同①の規定により**四**の規定の適用を受けた」と、「**1**の」とあるのは「**21**①の規定により**1**の」と、「書類を」とあるのは「書類及び**21**⑪(７)に規定する書類を」と、「８年内の」とあるのは「11年内の」と、「**1**の規定の適用を受けている旨及び」とあるのは「**21**④から同⑥までの規定による同①の規定により**四**の規定の適用を受けている旨並びに」と、「書類の」とあるのは「書類及び**21**⑪(７)に規定する書類の」とする。(新型コロナ税特規４の２⑬)

(⑦の規定による①の規定により**四**の規定の適用を受ける場合における**16**及び**16**(18)の規定の適用)

(11)　⑦の規定による①の規定により**四**の規定の適用を受ける場合における**16**及び**16**(18)の規定の適用については、**16**中「、当該」とあるのは「当該」と、「場合」とあるのは「場合であって、財務省令で定めるところにより新型コロナウイルス感染症等の影響に対応するための国税関係法律の臨時特例に関する法律第２条に規定する新型コロナウイルス感染症及びそのまん延防止のための措置の影響により**21**⑦に規定する耐震改修をして同⑦に規定する特例要耐震改修住宅をその取得(同④に規定する取得をいう。)の日から６月以内にその者の居住の用に供することができなかったことその他の(12)で定める事実を証する書類として(13)で定める書類又はこれに代わるべき書類で(14)で定める書類の添付がある場合」と、**16**(18)中「並びに**16**」とあるのは「、**16**」と、「その他の書類」とあるのは「その他の書類並びに**16**で定める書類」とする。(新型コロナ税特令４の２⑲)

((11)の規定により読み替えて適用される**16**に規定する(12)で定める事実)

(12)　(11)の規定により読み替えて適用される**16**に規定する(12)で定める事実は、次の(一)及び(二)に掲げる事実とする。(新型コロナ税特規４の２⑭)

(一)	⑦の個人が新型コロナウイルス感染症及びそのまん延防止のための措置の影響により耐震改修をして特例要耐震改修住宅をその取得の日から６月以内にその者の居住の用に供することができなかったこと。
(二)	(一)の耐震改修に係る契約を⑦(１)に規定する日までに締結していること。

((11)の規定により読み替えて適用される**16**に規定する(12)で定める事実を証する書類として(13)で定める書類)

(13)　(11)の規定により読み替えて適用される**16**に規定する(12)で定める事実を証する書類として(13)で定める書類は、次の(一)及び(二)に掲げる事実の区分に応じ当該(一)又は(二)に定める書類とする。(新型コロナ税特規４の２⑮)

(一)	(12)(一)に掲げる事実　　(12)(一)の特例要耐震改修住宅の耐震改修に係る工事を請け負った建設業法第２条第３項に規定する建設業者その他の者から交付を受けた次に掲げる事項の記載がある書類その他の書類で当該事実が生じたことを明らかにするもの イ　新型コロナウイルス感染症及びそのまん延防止のための措置の影響により(12)(一)の個人が当該特例要耐震改修住宅の取得をした日から６月以内に当該耐震改修に係る工事が完了しなかった旨 ロ　当該耐震改修をした年月日
(二)	(12)(二)に掲げる事実　　(12)(二)の耐震改修に係る工事の請負契約書の写しその他の書類で当該耐震改修に係る契約の締結をした年月日を明らかにするもの

((11)の規定により読み替えて適用される**16**に規定するこれに代わるべき書類で(14)で定める書類)

(14)　(11)の規定により読み替えて適用される**16**に規定するこれに代わるべき書類で(14)で定める書類は、次の(一)及び(二)に掲げる事実の区分に応じ当該(一)又は(二)に定める書類とする。(新型コロナ税特規４の２⑯)

(一)	(12)(一)に掲げる事実	(12)(一)の個人の当該事実の詳細を記載した書類
(二)	(12)(二)に掲げる事実	(13)(二)に定める書類

(⑦の規定による①の規定により**四**の規定の適用を受ける場合における**18**⑤の規定の適用)

(15)　⑦の規定による①の規定により**四**の規定の適用を受ける場合における**18**⑤の規定の適用については、同⑤中「**16**」とあるのは「**21**⑪(11)の規定により読み替えられた**16**」と、「の添付」とあるのは「及び同⑪(11)の規定により読み替えられた**16**で定める書類の添付」とする。(新型コロナ税特令４の２⑳)

(確定申告書への書類添付)

(16)　⑦の規定による①の規定により**四**の規定の適用を受けようとする者は、確定申告書に(13)又は(14)に規定する書類を添付しなければならない。(新型コロナ税特規４の２⑰)

(居住日の属する年分又はその翌年以後11年内のいずれかの年分の所得税につき⑦の規定による①の規定により**四**の規定の適用を受けた個人が、その適用を受けた年分の翌年分以後の各年分の所得税につき①の規定により**四**の規定の適用を受けようとする場合における**16**(19)の規定の適用))

(17)　居住日の属する年分又はその翌年以後11年内のいずれかの年分の所得税につき⑦の規定による①の規定により**四**の規定の適用を受けた個人が、その適用を受けた年分の翌年分以後の各年分の所得税につき①の規定により**四**の規定の適用を受けようとする場合における**16**(19)の規定の適用については、同(19)中「８年内（居住日の属する年が平成19年又は平成20年で**3**①の規定により**四**の規定の適用を受ける場合には13年内とし、居住日の属する年が令和４年若しくは令和５年であり、かつ、その居住に係る**1**に規定する住宅の取得等が**1**に規定する居住用家屋の新築等、**1**に規定する買取再販住宅の取得、**4**に規定する認定住宅等の新築等若しくは**4**に規定する買取再販認定住宅等の取得に該当するものである場合、居住日の属する年が令和６年若しくは令和７年であり、かつ、その居住に係る**1**に規定する住宅の取得等が**4**に規定する認定住宅等の新築等若しくは**4**に規定する買取再販認定住宅等の取得に該当するものである場合又は**5**若しくは**6**の規定により**四**の規定の適用を受ける場合には11年内とする。以下(19)において同じ。)」とあるのは「11年内」と、「**1**の規定の適用を受けた」とあるのは「**21**⑦の規定による同①の規定により**四**の規定の適用を受けた」と、「**1**の」とあるのは「**21**①の規定により**1**の」と、「書類を」とあるのは「書類及び**21**⑪(13)又は同(14)に規定する書類を」と、「８年内の」とあるのは「11年内の」と、「**1**の規定の適用を受けている旨及び」とあるのは「**21**⑦の規定による同①の規定により**四**の規定の適用を受けている旨並びに」と、「書類の」とあるのは「書類及び**21**⑪(13)又は同(14)に規定する書類の」とする。(新型コロナ税特規４の２⑱)

(④から⑦までの規定による①の規定により**四**の適用を受ける場合における**1**(３)、**4**(12)、**5**(３)若しくは**6**(３)の規定の適用)

(18)　④から⑦までの規定による①の規定により**四**の規定の適用を受ける場合における**1**(３)、**4**(12)、**5**(３)若しくは**6**(３)の規定の適用については、**1**(３)(一)中「①**イ**(一)又は同(二)」とあるのは「**21**④(１)(一)又は同(二)」と、**1**(３)(二)中「①**イ**(二)」とあるのは「**21**④(１)(二)」と、**4**(12)(一)、**5**(３)(一)及び**6**(３)中「**1**①**イ**(一)又は同(二)」とあるのは「**21**④(１)(一)又は同(二)」とする。(新型コロナ税特令４の２㉑)

(④から⑦までの規定による①の規定により**四**の規定の適用を受けようとする場合における**16**及び**16**(１)の規定の適用)

(19)　④から⑦までの規定による①の規定により**四**の規定の適用を受けようとする場合における**16**及び**16**(１)の規定の適用については、**16**(一)イ⑷中「①**イ**(一)又は同(二)」とあるのは「**21**④(１)(一)又は同(二)」と、「50平方メートル以上（これらの家屋が**7**の規定により当該居住用家屋とみなされた**7**に規定する特例居住用家屋又は**8**の規定により当該認定住宅等とみなされた**8**に規定する特例認定住宅等に該当する家屋である場合には、40平方メートル以上50平方メートル未満)」とあるのは「40平方メートル以上50平方メートル未満」と、**16**(一)ハ中「**4**(13)(一)及び同(二)」とあるのは「**21**⑤(２)(一)及び同(二)」と、**16**(一)ニ中「**4**(14)(一)及び同(二)」とあるのは「**21**⑤(４)(一)及び(二)」と、**16**(一)ホ中「**4**(５)」とあるのは「**21**⑤(５)」と、**16**(二)イ⑷中「50平方メートル以上（これらの家屋が**7**の規定により当該居住用家屋とみなされた**7**に規定する特例居住用家屋又は**8**の規定により当該認定住宅等とみなされた**8**に規定する特例認定住宅等に該当する家屋である場合には、40平方メートル以上50平方メートル未満）」とあるのは「40平方メートル以上50平方メートル未満」と、**16**(二)ロ中「**4**(13)(一)及び同(二)」とあるのは「**21**⑤(２)(一)及び同(二)」と、**16**(二)ハ中「**4**(14)(一)及び同(二)」とあるのは「**21**⑤(４)(一)及び同(二)」と、**16**(二)ニ中「**4**(５)」とあるのは「**21**⑤(５)」と、**16**(三)中「要耐震改修住宅」とあるのは「特例要耐震改修住宅」と、**16**(三)イ中「**1**①**ロ**(３)(一)イ又は同ロ」とあるのは「**21**④(３)(一)イ又は同ロ」と、**16**(三)イ⑷中「50平方メートル以上」とあるのは「40平方メートル以上50平方メートル未満」と、**16**(四)中「**15**に規定する要耐震改修住宅（**15**の規定により**1**に規定する既存住宅とみなされるものに限る。）」とあるのは「**21**⑥に規定する特例要耐震改修住宅（同⑥の規定により同④に規定する特例既存住宅とみなされるものに限る。）」と、**16**(四)イ中「要耐震改修住宅（当該要耐震改修住宅とともに当該要耐震改修住宅」とあるのは「特例要耐震改修住宅（当該特例要耐震改修住宅とともに当該特例要耐震改修住宅」と、「、当該要耐震改修住宅」とあるのは「、当該特例要耐震改修住宅」と、「**1**①**ロ**(３)(一)イ」とあるのは「**21**④(３)(一)イ」と、「同(一)ロ」とあるのは「同(３)(二)イ」と、「要耐震改修住宅が」とあるのは「特例要耐震改修住宅が」と、**16**(四)イ⑴から⑶までの規定中「要耐震改修住宅」とあるのは「特例要耐震改修住宅」と、**16**(四)イ⑷中「要耐震改修住宅」とあるのは「特例要耐震改修住宅」と、「50平方メートル以上」とあるのは「40平方メートル以上50平方メートル未満」と、**16**(四)イ⑸中「要耐震改修住宅」とあるのは「特例要耐震改修住宅」と、**16**(四)ロ中「要耐震改修住宅の耐震改修（」とあるのは「特例要耐震改修住宅の耐震改修（」と、**16**(四)ロ⑴中「要耐震改修住宅」とあるのは「特例要耐震改修住宅」と、「**15**」とあるのは「**21**⑥」と、**16**(四)ロ⑵中「要耐震改修住宅」とあるのは「特例要耐震改修住宅」と、「耐震基準」とあるのは「**21**④に規定する耐震基準」と、同ハ中「要耐震改修住宅」とあるのは「特例要耐震改修住宅」と、**16**(五)イ中「50平方メートル以上」とあるのは「40平方メートル以上50平方メートル未満」と、**16**(１)中「要耐震改修住宅」とあるのは「特例要耐震改修住宅」と、「**1**①**イ**(一)又は同(二)」とあるのは「**21**④(１)(一)又は同(二)」とする。（新型コロナ税特規４の２⑲）

（④から⑦までの規定による①の規定により**四**の規定の適用を受けた①の個人から**18**④に規定する証明書の交付の申請があった場合における**18**④の規定の適用）

(20)　④から⑦までの規定による①の規定により**四**の規定の適用を受けた①の個人から**18**④に規定する証明書の交付の申請があった場合における**18**④の規定の適用については、**18**④中「令和４年若しくは令和５年」とあるのは「令和５年」と、「事項に」とあるのは「事項及び**21**④から同⑦までの規定による同①の規定により**四**の規定の適用を受けた同①の個人であることに」と、**18**④(一)中「令和３年」とあるのは「令和４年」と、**18**④(一)ハ中「**1**(３)」とあるのは「**21**⑪(18)の規定により読み替えられた**1**(３)」と、**18**④(二)中「令和４年以後」とあるのは「令和５年以後」と、「事項（居住日の属する年が令和４年である場合には、ロに掲げる事項を除く。）」とあるのは「事項」とする。（新型コロナ税特令４の２㉒）

五　特定の増改築等に係る住宅借入金等を有する場合の所得税額の特別控除の控除額に係る特例

1　特定の増改築等に係る住宅借入金等を有する場合の所得税額の特別控除の控除額に係る特例

①　特定増改築等住宅借入金等

個人で、年齢50歳以上である者、介護保険法第19条第１項に規定する要介護認定（以下において「**要介護認定**」という。）を受けている者、同条第２項に規定する要支援認定（以下において「**要支援認定**」という。）を受けている者、第二章第一節**一**表内**28**に掲げる障害者（以下において「**障害者**」という。）に該当する者又は当該個人の親族（当該親族が、年齢65歳以上である者、要介護認定を受けている者、要支援認定を受けている者又は障害者に該当する者（以下において「**高齢者等**」という。）である場合に限る。）と同居を常況としている者（以下において「特定個人」という。）が、当該特定個人の居住の用に供する家屋で、その特定個人がその居住の用に供する家屋を２以上有する場合には、これらの家屋のうち、その者が主としてその居住の用に供すると認められる一の家屋（以下において「居住用の家屋」という。）の増改築等（以下において「**住宅の増改築等**」という。）をして、当該家屋（当該住宅の増改築等に係る部分に限る。）を平成19年４月１日から令和３年12月31日までの間に**四１**に定めるところによりその者の居住の用に供した場合において、当該居住の用に供した日の属する年（以下において「**居住年**」という。）以後５年間の各年（同日以後その年の12月31日（その者が死亡した日の属する年にあっては、同日。以下において同じ。）まで引き続きその居住の用に供している年に限る。以下において「**増改築等特例適用年**」という。）において当該住宅の増改築等に係る増改築等住宅借入金等の金額を有するときは、その者の選択により、当該増改築等特例適用年における**四１**に規定する住宅借入金等特別税額控除額は、②及び③、**四２**及び同**３**並びに同**９**の規定にかかわらず、その年12月31日における特定増改築等住宅借入金等の金額の合計額（当該合計額が特定増改築等限度額を超える場合には、当該特定増改築等限度額。以下①において同じ。）の２パーセントに相当する金額とその年12月31日における増改築等住宅借入金等の金額の合計額（当該合計額が1,000万円を超える場合には、1,000万円）から当該特定増改築等住宅借入金等の金額の合計額を控除した残額の１パーセントに相当する金額との合計額（当該合計額に100円未満の端数があるときは、これを切り捨てる。）として、**四**及び**四18**の規定を適用することができる。（措法41の３の２①、措令26の４①）

②　特定断熱改修住宅借入金等

個人が、当該個人の居住用家屋の増改築等（以下において「住宅の増改築等」という。）をして、当該居住用の家屋（当該住宅の増改築等に係る部分に限る。）を平成20年４月１日から令和３年12月31日までの間に**四１**に定めるところによりその者の居住の用に供した場合において、当該居住の用に供した日の属する年（(4)(二)ロにおいて「居住年」という。）以後５年間の各年（同日以後その年の12月31日まで引き続きその居住の用に供している年に限る。以下②において「増改築等特例適用年」という。）において当該住宅の増改築等に係る断熱改修住宅借入金等の金額を有するときは、その者の選択により、当該増改築等特例適用年における**四１**に規定する住宅借入金等特別税額控除額は、**１**①及び同③、**四２**及び同**３**並びに同**９**の規定にかかわらず、その年12月31日における特定断熱改修住宅借入金等の金額の合計額（当該合計額が①に規定する特定増改築等限度額を超える場合には、当該特定増改築等限度額。以下②において同じ。）の２パーセントに相当する金額とその年12月31日における断熱改修住宅借入金等の金額の合計額（当該合計額が1,000万円を超える場合には、1,000万円）から当該特定断熱改修住宅借入金等の金額の合計額を控除した残額の１パーセントに相当する金額との合計額（当該合計額に100円未満の端数があるときは、これを切り捨てる。）として、**四**及び**四18**の規定を適用することができる。（措法41の３の２⑤）

③　特定多世帯同居改修住宅借入金等

個人が、当該個人の居住用の家屋の増改築等（以下において「住宅の増改築等」という。）をして、当該居住用の家屋（当該住宅の増改築等に係る部分に限る。）を平成28年４月１日から令和３年12月31日までの間に**四１**に定めるところによりその者の居住の用に供した場合において、当該居住の用に供した日の属する年以後５年間の各年（同日以後その年の12月31日まで引き続きその居住の用に供している年に限る。以下において「増改築等特例適用年」という。）において当該住宅の増改築等に係る多世帯同居改修住宅借入金等の金額を有するときは、その者の選択により、当該増改築等特例適用年における**四１**に規定する住宅借入金等特別税額控除額は、①、②、**四２**及び同**３**並びに同**９**の規定にかかわらず、その年12月31日における特定多世帯同居改修住宅借入金等の金額の合計額（当該合計額が250万円を超える場合には、250万円。以下において同じ。）の２パーセントに相当する金額とその年12月31日における多世帯同居改修住宅借入金等の金額の合計額（当該合計額が1,000万円を超える場合には、1,000万円）から当該特定多世帯同居改修住宅借入金等の金額の合計額を控除した残額の１パーセントに相当する金額との合計額（当該合計額に100円未満の端数があるときは、これを切り捨てる。）

として、**四**及び**四18**の規定を適用することができる。(措法41の３の２⑧)

(特定増改築限度額)

(１)　①に規定する特定増改築等限度額は、次の(一)又は(二)に掲げる場合の区分に応じそれぞれに定める金額とする。(措法41の３の２④)

(一)	居住年が平成26年から令和３年までの各年である場合（その居住に係る住宅の増改築等が特定取得に該当するものである場合に限る。)	250万円
(二)	(一)に掲げる場合以外の場合	200万円

(個人及び個人の親族の年齢の判定)

(２)　①の個人の年齢が50歳以上であるかどうか又は①の個人の親族の年齢が65歳以上であるかどうかの判定は、居住年の12月31日（これらの者が年の中途において死亡した場合には、その死亡の時。以下同じ。）の年齢によるものとし、①の個人が高齢者等と同居を常況としているかどうかの判定は、居住年の12月31日の現況によるものとする。(措法41の３の２⑫)

(増改築等特例適用年における住宅借入金等特別税額控除額)

(３)　①、②又は③に規定する個人が、増改築等特例適用年（①、②又は③に規定する増改築等特例適用年をいう。以下において同じ。）において、二以上の住宅の増改築等（①、②又は③に規定する住宅の増改築等をいう。以下において同じ。）に係る①に規定する増改築等住宅借入金等の金額（①の規定により**四**又は**四18**の規定の適用を受けるものに限る。以下において同じ。)、②に規定する断熱改修住宅借入金等の金額（②の規定により**四**又は**四18**の規定の適用を受けるものに限る。以下において同じ。）又は③に規定する多世帯同居改修住宅借入金等の金額（③の規定により**四**又は**四18**の規定の適用を受けるものに限る。以下において同じ。）を有する場合には、当該増改築等特例適用年における**四１**に規定する住宅借入金等特別税額控除額は、①、②又は③の規定にかかわらず、当該増改築等特例適用年の12月31日における当該増改築等住宅借入金等の金額、当該断熱改修住宅借入金等の金額又は当該多世帯同居改修住宅借入金等の金額につき異なる住宅の増改築等ごとに区分をし、当該区分をした住宅の増改築等に係る住宅借入金等の金額の次の(一)から(三)までに掲げる区分に応じそれぞれに定める金額の合計額とする。ただし、当該合計額が控除限度額を超えるときは、当該増改築等特例適用年における**四１**の住宅借入金等特別税額控除額は、当該控除限度額とする。(措法41の３の２⑬)

(一)	当該増改築等住宅借入金等の金額	当該増改築等住宅借入金等の金額につき①の規定に準じて計算した金額
(二)	当該断熱改修住宅借入金等の金額	当該断熱改修住宅借入金等の金額につき②の規定に準じて計算した金額
(三)	当該多世帯同居改修住宅借入金等の金額	当該多世帯同居改修住宅借入金等の金額につき③の規定に準じて計算した金額

(控除限度額)

(４)　(３)ただし書の控除限度額は、個人が(３)に規定する増改築等特例適用年において有する住宅借入金等の次の(一)又は(二)に掲げる場合の区分に応じそれぞれに定める金額に相当する金額とする。(措法41の３の２⑭)

(一)	当該住宅借入金等の全てについて、その居住年（①又は②に規定する居住年をいう。(６)(一)イにおいて同じ。）が平成19年から平成25年までの各年である住宅の増改築等（①又は②に規定する住宅の増改築等をいう。(６)(一)イ、(７)(一)及び(８)において同じ。）に係る増改築等	①又は②に規定する増改築等特例適用年の12月31日における①に規定する特定増改築等住宅借入金等の金額及び②に規定する特定断熱改修住宅借入金等の金額の合計額（当該合計額が200万円を超える場合には、200万円。以下(一)において「特例借入合計額」という。）の２パーセントに相当する金額と当該増改築等特例適用年の12月31日における増改築等住宅借入金等の金額及び断熱改修住宅借入金等の金額の合計額（当該合計額が1,000万円を超える場合には、1,000万円）から当該特例借入合計額を控除した残額の１パーセントに相当する金額との合計額（当該合計額に100円未満の端数があるときは、これを切り捨てる。）

<table>
<tr><td></td><td>住宅借入金等（①に規定する増改築等住宅借入金等をいう。(6)(一)イにおいて同じ。）及び断熱改修住宅借入金等（②に規定する断熱改修住宅借入金等をいう。(6)(一)イにおいて同じ。）である場合</td><td colspan="3"></td></tr>
<tr><td rowspan="4">(二)</td><td rowspan="4">(一)に掲げる場合以外の場合</td><td colspan="3">次に掲げる住宅借入金等の金額の区分に応じそれぞれ次に定める金額に相当する金額のうち最も多い金額</td></tr>
<tr><td>イ</td><td>増改築等住宅借入金等の金額</td><td>当該増改築等住宅借入金等の金額に係る居住年につき(1)の規定により定められた特定増改築等限度額の２パーセントに相当する金額と1,000万円から当該特定増改築等限度額を控除した残額の１パーセントに相当する金額との合計額（二以上の住宅の増改築等に係る増改築等住宅借入金等の金額を有する場合には、これらの増改築等住宅借入金等の金額ごとに、これらの増改築等住宅借入金等の金額に係る居住年につき(1)の規定により定められた特定増改築等限度額の２パーセントに相当する金額と1,000万円から当該特定増改築等限度額を控除した残額の１パーセントに相当する金額とをそれぞれ合算した金額のうち最も多い金額）</td></tr>
<tr><td>ロ</td><td>断熱改修住宅借入金等の金額</td><td>当該断熱改修住宅借入金等の金額に係る居住年につき(1)の規定により定められた特定増改築等限度額の２パーセントに相当する金額と1,000万円から当該特定増改築等限度額を控除した残額の１パーセントに相当する金額との合計額（二以上の住宅の増改築等に係る断熱改修住宅借入金等の金額を有する場合には、これらの断熱改修住宅借入金等の金額ごとに、これらの断熱改修住宅借入金等の金額に係る居住年につき(1)の規定により定められた特定増改築等限度額の２パーセントに相当する金額と1,000万円から当該特定増改築等限度額を控除した残額の１パーセントに相当する金額とをそれぞれ合算した金額のうち最も多い金額）</td></tr>
<tr><td>ハ</td><td>多世帯同居改修住宅借入金等の金額</td><td>12万５千円</td></tr>
</table>

（増改築等特例適用年に他の住宅借入金等の金額を有する場合）

（5）　①、②又は③に規定する個人が、増改築等特例適用年において、増改築等住宅借入金等の金額、断熱改修住宅借入金等の金額又は多世帯同居改修住宅借入金等の金額及び当該増改築等住宅借入金等の金額、断熱改修住宅借入金等の金額又は多世帯同居改修住宅借入金等の金額に係る住宅の増改築等以外の**四１**に規定する住宅の取得等（以下(5)において「**他の住宅取得等**」という。）に係る同**１**に規定する住宅借入金等（当該他の住宅取得等をした同**１**に規定する居住用家屋若しくは既存住宅若しくは増改築等をした家屋（当該増改築等に係る部分に限る。）に係る同**１**に規定する適用年若しくは同**３**に規定する特例適用年又は同**４**に規定する認定住宅等に係る同**４**に規定する認定住宅等特例適用年に係るものに限る。以下「**他の住宅借入金等**」という。）の金額を有する場合には、増改築等特例適用年における同**１**の住宅借入金等特別税額控除額は、①、②、③及び(3)並びに**四２**、同**３**及び同**４**並びに同**９**の規定にかかわらず、当該増改築等特例適用年の12月31日における当該増改築等住宅借入金等の金額、当該断熱改修住宅借入金等の金額又は当該多世帯同居改修住宅借入金等の金額及び当該他の住宅借入金等の金額につき、増改築等住宅借入金等の金額、断熱改修住宅借入金等の金額又は多世帯同居改修住宅借入金等の金額と他の住宅借入金等の金額とに区分をし、当該区分をした当該増改築等住宅借入金等の金額、当該断熱改修住宅借入金等の金額又は当該多世帯同居改修住宅借入金等の金額と当該他の住宅借入金等の金額ごとに次の(一)又は(二)の規定によりそれぞれ計算した当該(一)又は(二)に掲げる金額の合計額とする。ただし、当該合計額が控除限度額を超えるときは、当該増改築等特例適用年における**四1**の住宅借入金等特別税額控除額は、当該控除限度額とする。(措法41の３の２⑮)

<table>
<tr><td>(一)</td><td>当該増改築等住宅借入金等の金額、当該断熱改修住宅借入金等の金額又は当該多世帯同居改修住宅借入金等の金額につき異なる住宅の増改築等（当該異なる住宅の増改築等のうちに(7)に規定する居住日が同一の年に属する住宅の増改築等（以下(一)において「同一年住宅増改築等」という。）がある場合には、当該同一年住宅増改築等を一の住宅の増改築等（(7)(一)又は同(二)に掲げる場合には、当該(一)又は(二)に定める区分をした住宅の増改築等ごとに一の住宅の増改築等）とする。）ごとに区分をし、当該区分をした住宅の増改築等に係る住宅借入金等の金額の次に掲げる区分に応じそれぞれ次に定める金額の合計額（(4)(一)に掲げる場合において、当該合計額が同(一)に定める金額を超えるときは、当該金額）
<table>
<tr><td>イ</td><td>当該増改築等住宅借入金等の金額</td><td>(3)(一)に定める金額</td></tr>
<tr><td>ロ</td><td>当該断熱改修住宅借入金等の金額</td><td>(3)(二)に定める金額</td></tr>
<tr><td>ハ</td><td>当該多世帯同居改修住宅借入金等の金額</td><td>(3)(三)に定める金額</td></tr>
</table></td></tr>
<tr><td>(二)</td><td>当該他の住宅借入金等の金額につき異なる他の住宅取得等（当該異なる他の住宅取得等のうちに四9(2)に規定する居住日が同一の年に属する他の住宅取得等（以下(二)において「同一年住宅取得等」という。）がある場合には、当該同一年住宅取得等を一の他の住宅取得等（同(2)(一)から同(四)までに掲げる場合には、それぞれに定める区分をした住宅の取得等ごとに一の他の住宅取得等）とする。）ごとに区分をし、当該区分をした他の住宅取得等に係る他の住宅借入金等の金額の次に掲げる区分に応じそれぞれ次に定める金額の合計額
<table>
<tr><td>イ</td><td>四3に規定する特例住宅借入金等の金額（同3の規定により四又は四18の規定の適用を受けるものに限る。以下(二)及び(6)(二)イにおいて同じ。）</td><td>当該特例住宅借入金等の金額につき四3前段の規定に準じて計算した金額</td></tr>
<tr><td>ロ</td><td>四4に規定する認定住宅等借入金等の金額（同4の規定により四又は四18の規定の適用を受けるものに限る。以下(二)及び(6)(二)ロにおいて同じ。）</td><td>当該認定住宅等借入金等の金額につき四4前段の規定に準じて計算した金額</td></tr>
<tr><td>ハ</td><td>イ及びロに掲げる他の住宅借入金等の金額以外の他の住宅借入金等の金額</td><td>当該他の住宅借入金等の金額につき四2の規定に準じて計算した金額</td></tr>
</table></td></tr>
</table>

(控除限度額)

(6)　(5)ただし書の控除限度額は、個人が増改築等特例適用年において有する住宅借入金等の金額又は他の住宅借入金等の金額の次の(一)及び(二)に掲げる区分に応じ当該(一)又は(二)に定める金額に相当する金額のうちいずれか多い金額とする。(措法41の３の２⑯)

<table>
<tr><td>(一)</td><td>住宅借入金等の金額　　住宅借入金等の次のイ及びロに掲げる場合の区分に応じそれぞれ次のイ又はロに定める金額
イ　増改築等住宅借入金等及び断熱改修住宅借入金等の全てについて、その居住年が平成19年から平成25年までの各年である住宅の増改築等に係る増改築等住宅借入金等及び断熱改修住宅借入金等である場合　(4)(一)に定める金額
ロ　イに掲げる場合以外の場合　　次の(イ)から(ハ)までに掲げる住宅借入金等の金額の区分に応じそれぞれ次の(イ)から(ハ)までに定める金額に相当する金額のうちいずれか多い金額
(イ)　増改築等住宅借入金等の金額　　(4)(二)イに定める金額
(ロ)　断熱改修住宅借入金等の金額　　(4)(二)ロに定める金額
(ハ)　多世帯同居改修住宅借入金等の金額　　(4)(二)ハに定める金額</td></tr>
<tr><td>(二)</td><td>他の住宅借入金等の金額　次のイからハまでに掲げる他の住宅借入金等の金額の区分に応じそれぞれ次のイ</td></tr>
</table>

	からハまでに定める金額に相当する金額のうち最も多い金額 イ　特例住宅借入金等の金額　**四９**（１）(一)に定める金額 ロ　認定住宅等借入金等の金額　**四９**（１）(二)に定める金額 ハ　（５）(二)ハに掲げる他の住宅借入金等の金額　**四９**（１）(五)に定める金額

（二以上の住宅の増改築等をし、居住日が同一の年に属するものがある場合）

（７）　二以上の住宅の増改築等をし、かつ、これらの住宅の増改築等をした居住用の家屋を**四１**の定めるところによりその者の居住の用に供した日（以下(5)において「居住日」という。）が同一の年に属するものがある場合には、当該居住日が同一の年に属する住宅の増改築等を一の住宅の増改築等（次の(一)又は(二)に掲げる場合には、それぞれに定める区分をした住宅の増改築等ごとにそれぞれ一の住宅の増改築等）として、①、②、③、(３)又は(４)の規定を適用する。（措法41の３の２⑰）

(一)	当該居住日の属する年が平成19年から平成25年までの各年である場合において、当該二以上の住宅の増改築等のうちに、増改築等住宅借入金等の金額に係るものと断熱改修住宅借入金等の金額に係るものとがあるとき	増改築等住宅借入金等の金額に係る住宅の増改築等と断熱改修住宅借入金等の金額に係る住宅の増改築等とに区分をした住宅の増改築等
(二)	当該居住日の属する年が平成26年から令和３年までの各年である場合において、当該二以上の住宅の増改築等のうちに、特定取得に該当するものと特定取得に該当するもの以外のものとがあるとき	特定取得に該当する住宅の増改築等と特定取得に該当するもの以外の住宅の増改築等とに区分をした住宅の増改築等（当該区分をした住宅の増改築等のうちに増改築等住宅借入金等の金額に係るものと、断熱改修住宅借入金等の金額に係るもの又は多世帯同居改修住宅借入金等の金額に係るものとに区分をした場合において２以上の区分に係るものがあるときは、特定取得に該当する住宅の増改築等と特定取得に該当するもの以外の住宅の増改築等とに区分をした住宅の増改築等を増改築等住宅借入金等の金額に係る住宅の増改築等、断熱改修住宅借入金等の金額に係る住宅の増改築等又は多世帯同居改修住宅借入金等の金額に係る住宅の増改築等とに区分をした住宅の増改築等）

（特定取得）

（８）　(１)及び(７)に規定する特定取得とは、個人の住宅の増改築等に係る費用の額に含まれる消費税額及び地方消費税額の合計額に相当する額が、当該住宅の増改築等に係る課税資産の譲渡等につき新消費税法第29条に規定する税率により課されるべき消費税額及び当該消費税額を課税標準として課されるべき地方消費税額の合計額に相当する額である場合における当該住宅の増改築等をいう。（措法41の３の２⑱）

（住宅の取得等に関し補助金等の交付を受ける場合）

（９）　①、②又は③の個人の増改築等住宅借入金等（①に規定する増改築等住宅借入金等をいう。以下**五**において同じ。）の金額断熱改修住宅借入金等（②に規定する断熱改修住宅借入金等をいう。以下**五**において同じ。）の金額又は多世帯同居改修住宅借入金等（③に規定する多世帯同居改修住宅借入金等をいう。以下において同じ。）の金額の合計額が、①、②又は③、に規定する住宅の増改築等（当該増改築等住宅借入金等、当該断熱改修住宅借入金等又は当該多世帯同居改修住宅借入金等に当該住宅の増改築等とともにする当該住宅の増改築等に係る家屋の敷地の用に供される土地又は当該土地の上に存する権利（以下**五**において「土地等」という。）の取得に係る増改築等住宅借入金等、断熱改修住宅借入金等又は多世帯同居改修住宅借入金等が含まれる場合には、当該土地等の取得を含む。以下**五**において同じ。）に要した費用の額（当該住宅の増改築等の費用に関し補助金等（国又は地方公共団体から交付される補助金又は給付金その他これらに準ずるものをいう。以下(９)において同じ。）の交付を受ける場合には、当該住宅の増改築等に要した費用の額から当該補助金等の額を控除した金額。以下(９)において同じ。）を超える場合における①、②又は③の規定の適用については、当該増改築等住宅借入金等の金額、当該断熱改修住宅借入金等の金額又は当該多世帯同居改修住宅借入金等の金額の合計額は、当該費用の額に達するまでの金額とする。（措令26の４②）

（増改築等に係る部分のうちに居住の用以外の用に供する部分がある場合）

(10)　①、②又は③の個人が①、②又は③に規定する住宅の増改築等（以下**五**において「住宅の増改築等」という。）をした家屋の当該住宅の増改築等に係る部分（その者の増改築等住宅借入金等、断熱改修住宅借入金等又は多世帯同居改修住宅借入金等に当該家屋の当該住宅の増改築等に係る部分の敷地の用に供する土地等の取得に係る増改築等住宅借入金等、断熱改修住宅借入金等又は多世帯同居改修住宅借入金等が含まれる場合には、当該家屋の当該住宅の増改築等に係る部分及び当該土地等）のうちにその者の居住の用以外の用に供する部分がある場合における①、②又は③の規定の適用については、次の(一)及び(二)に定めるところによる。（措令26の４③）

(一)	当該住宅の増改築等に係る部分のうちにその者の居住の用以外の用に供する部分がある場合には、当該住宅の増改築等に係る増改築等住宅借入金等の金額、断熱改修住宅借入金等の金額又は多世帯同居改修住宅借入金等の金額は、当該増改築等住宅借入金等の金額、当該断熱改修住宅借入金等の金額又は当該多世帯同居改修住宅借入金等の金額に、当該住宅の増改築等に要した費用の額のうちに当該居住の用に供する部分の当該住宅の増改築等に要した費用の額の占める割合を乗じて計算した金額とする。
(二)	当該土地等のうちにその者の居住の用以外の用に供する部分がある場合には、当該土地等の取得に係る増改築等住宅借入金等の金額、断熱改修住宅借入金等の金額又は多世帯同居改修住宅借入金等の金額は、当該増改築等住宅借入金等の金額又は当該断熱改修住宅借入金等の金額に、当該土地等の面積（土地にあっては当該土地の面積をいい、土地の上に存する権利にあっては当該土地の面積をいう。以下(二)において同じ。）のうちに当該居住の用に供する部分の土地等の面積の占める割合を乗じて計算した金額とする。

（同一年中に２以上の増改築等をした場合）

(11)　①、②又は③に規定する個人が、２以上の住宅の増改築等をし、かつ、これらの住宅の増改築等をした家屋（これらの住宅の増改築等に係る部分に限る。）を同一の年中に①、②又は③の定めるところによりその者の居住の用に供した場合には、①、②又は③に規定する選択は、これらの住宅の増改築等に係る①に規定する増改築等住宅借入金等の金額、②に規定する断熱改修住宅借入金等の金額又は③に規定する多世帯同居改修住宅借入金等の金額の全てについてしなければならないものとする。（措法41の３の２⑲）

（**四**又は**四18**の規定の適用を受ける場合の読替規定）

(12)　①、②又は③の規定により**四**又は**四18**の規定の適用を受ける場合におけるこれらの規定の適用については、**四１**中「10年間（居住年が令和４年又は令和５年であり、かつ、その居住に係る住宅の取得等が居住用家屋の新築等又は買取再販住宅の取得に該当するものである場合には、13年間）」とあるのは「５年間」と、「2,000万円」とあるのは「3,000万円」と、**10**中「**１**に規定する10年間」とあるのは「５年間」と、**四11**①中「**１**に規定する10年間」とあるのは「５年間」と、「**11**①」とあるのは「**１**」と、**四13**①、**四13**②及び**四14**中「10年間（**１**に規定する10年間をいう。）」とあるのは「５年間」と、同**18**中「（以下**18**において「居住日」という。）の属する」とあるのは「の属する」と、「８年内（居住日の属する年が平成19年又は平成20年で**四３**の規定により**四**の規定の適用を受ける場合には13年内とし、居住日の属する年が令和４年若しくは令和５年であり、かつ、その居住に係る住宅の取得等が居住用家屋の新築等、買取再販住宅の取得、認定住宅等の新築等若しくは買取再販認定住宅等の取得に該当するものである場合、居住日の属する年が令和６年若しくは令和７年であり、かつ、その居住に係る住宅の取得等が認定住宅等の新築等若しくは買取再販認定住宅等の取得に該当するものである場合又は**５**若しくは**６**の規定により**四**の規定の適用を受ける場合には11年内とする。」とあるのは「３年内」と、「個人が、当該居住日」とあるのは「個人が、同日」と、「９年内（当該居住日の属する年が平成19年又は平成20年で**四３**の規定により**四**の規定の適用を受ける場合には14年内とし、当該居住日の属する年が令和４年若しくは令和５年であり、かつ、その居住に係る住宅の取得等が居住用家屋の新築等、買取再販住宅の取得、認定住宅等の新築等若しくは買取再販認定住宅等の取得に該当するものである場合、当該居住日の属する年が令和６年若しくは令和７年であり、かつ、その居住に係る住宅の取得等が認定住宅等の新築等若しくは買取再販認定住宅等の取得に該当するものである場合又は**５**若しくは**６**の規定により**四**の規定の適用を受ける場合には12年内とする。」とあるのは「４年内」と、**四18**②中「2,000万円（居住日の属する年が令和４年から令和７年までの各年であり、かつ、その居住に係る住宅の取得等が**７**の規定により居住用家屋の新築等に該当するものとみなされた**７**に規定する特例居住用家屋の新築等又は**８**の規定により認定住宅等の新築等に該当するものとみなされた**８**に規定する特例認定住宅等の新築等である場合には、1,000万円）」とあるのは「3,000万円」と、**四18**③中「居住日の属する年分」とあるのは「**四１**に規定する居住の用に供した日の属する年分」と、「８年内（居住日の属する年が平成19年又は平成20年で**３**①の規定により**四**の規定の適用を受ける場合には、13年内とし、居住日の属する年が令和４年若しくは令和５

年であり、かつ、その居住に係る住宅の取得等が居住用家屋の新築等、買取再販住宅の取得、認定住宅等の新築等若しくは買取再販認定住宅等の取得に該当するものである場合、居住日の属する年が令和６年若しくは令和７年であり、かつ、その居住に係る住宅の取得等が認定住宅等の新築等若しくは買取再販認定住宅等の取得に該当するものである場合又は**5**若しくは**6**の規定により**四**の規定の適用を受ける場合には11年内とする。)」とあるのは「３年内」と、**四18**④中「８年内（居住日の属する年が平成19年又は平成20年で**四３**の規定により**四**の規定の適用を受ける場合には13年内とし、居住日の属する年が令和４年若しくは令和５年であり、かつ、その居住に係る住宅の取得等が居住用家屋の新築等、買取再販住宅の取得、認定住宅等の新築等若しくは買取再販認定住宅等の取得に該当するものである場合、居住日の属する年が令和６年若しくは令和７年であり、かつ、その居住に係る住宅の取得等が認定住宅等の新築等若しくは買取再販認定住宅等の取得に該当するものである場合又は**5**若しくは**6**の規定により**四**の規定の適用を受ける場合には11年内とする。」とあるのは「３年内」と、「から当該居住日」とあるのは「から当該居住の用に供した日」と、**四18**⑤(１)中「居住日の属する年分」とあるのは「**四１**に規定する居住の用に供した日の属する年分」と、「令和７年まで」とあるのは「令和３年まで」と、「８年内（居住日の属する年が令和４年若しくは令和５年であり、かつ、その居住に係る住宅の取得等が居住用家屋の新築等、買取再販住宅の取得、認定住宅等の新築等若しくは買取再販認定住宅等の取得に該当するものである場合、居住日の属する年が令和６年若しくは令和７年であり、かつ、その居住に係る住宅の取得等が認定住宅等の新築等若しくは買取再販認定住宅等の取得に該当するものである場合又は**5**若しくは**6**の規定により**四**の規定の適用を受ける場合には、11年内)」とあるのは「３年内」とする。(措法41の３の２⑳)

（**四**の読替規定の適用）

(13)　①に規定する特定個人が①の規定により**四**の規定の適用を受けようとする場合における**四16**及び**四16**(18)の規定の適用については、**四16**中「、当該」とあるのは「当該」と、「場合」とあるのは「場合であって、**五１**④(16)に掲げるところによりその者が**五１**に規定する特定個人に該当する事実を証する書類として**五１**④(16)に掲げる書類の添付がある場合」と、**四16**(18)中「並びに**四16**」とあるのは「、**四16**」と、「その他の書類」とあるのは「その他の書類並びに**四16**に規定する**五１**④(16)に掲げる書類」とする。(措令26の４㉓)

（**四**の規定の適用を受ける場合の読替規定の適用）

(14)　①、②又は③の規定により**四**の規定の適用を受ける場合における**四16**規定の適用については、同(３)中「住宅借入金等に」とあるのは「**五１**①に規定する増改築等住宅借入金等、同②に規定する断熱改修住宅借入金等又は同③に規定する多世帯同居改修住宅借入金等に」と、「**1**の表の(一)(５)ホ」とあるのは「**五３**(３)(四)」と、「当該住宅借入金等が」とあるのは「当該増改築等住宅借入金等、当該断熱改修住宅借入金等又は当該多世帯同居改修住宅借入金等が」と、「当該住宅借入金等の」とあるのは「当該増改築等住宅借入金等の金額、当該断熱改修住宅借入金等の金額又は当該多世帯同居改修住宅借入金等の」と、**四16**(４)中「住宅借入金等」とあるのは「**五１**①に規定する増改築等住宅借入金等の金額、同②に規定する断熱改修住宅借入金等の金額又は同③に規定する多世帯同居改修住宅借入金等」と、**四16**(８)、同(11)、同(12)及び同(14)の規定中「住宅借入金等」とあるのは「増改築等住宅借入金等、断熱改修住宅借入金等又は多世帯同居改修住宅借入金等」と、**四18**④中「８年内（居住日の属する年が平成19年又は平成20年で**３**①の規定により**四**の規定の適用を受ける場合には13年内とし、居住日の属する年が令和４年若しくは令和５年であり、かつ、その居住に係る住宅の取得等が居住用家屋の新築等、買取再販住宅の取得、認定住宅等の新築等若しくは買取再販認定住宅等の取得に該当するものである場合、居住日の属する年が令和６年若しくは令和７年であり、かつ、その居住に係る住宅の取得等が認定住宅等の新築等若しくは買取再販認定住宅等の取得に該当するものである場合又は**5**若しくは**6**の規定により**四**の規定の適用を受ける場合には11年内とする。)」とあるのは「３年内」と、**四18**④(一)ロ中「**1**(２)」とあるのは「**五１**(９)」と、「住宅の取得等に係る」とあるのは「住宅の増改築等に要した」と、「対価の額若しくは費用の額又は**4**(11)に規定する認定住宅等の新築取得等に係る同(11)に規定する対価の額」とあるのは「費用の額及び**五３**①若しくは同②に規定する合計額又は同③の費用の額」と、同**18**④(一)ハ中「**1**(４)」とあるのは「**五１**①、同②又は同③」と、「居住用家屋若しくは既存住宅若しくは増改築等」とあるのは「住宅の増改築等」と、「当該増改築等に係る部分の同(４)(一)から同(三)までに規定する割合又は**4**(12)に規定する認定住宅等」とあるのは「**五１**(10)に規定する住宅の増改築等に係る部分」と、同④(一)ニ中「住宅の取得等（**1**」とあるのは「**五１**①、同②又は同③」と、「住宅の取得等をいう。(二)において同じ。)又は認定住宅等の新築等が**2**(３)」とあるのは「住宅の増改築等が**五１**①(８)」と、同④(一)ホ中「その住宅借入金等」とあるのは「その**五１**①に規定する増改築等住宅借入金等の金額、同②に規定する断熱改修住宅借入金等の金額又は同③に規定する多世帯同居改修住宅借入金等」と、「**4**」とあるのは「**五１**①、同②又は同③」と、「**4**」とあるのは「**四**」と、同④(一)チ中「住宅借入金等」とあるのは「**五１**①に規定する増改築等住宅借入金等、同②に規定する断熱改修住宅借入金等又は同③に規定する多世帯同居改修住宅借入金等」と、**四18**⑤中「所得税につき」とあるのは「所得税につき**五１**①の規定により」と、「**16**」とあるのは「**五１**(13)の規定により読み替えられた**四16**」と、「の添付」とあるのは「及び**五１**(13)の規定により読み替えられた**四16**に規定する(16)で定める書類の添付」とする。（措令26の４㉔）

（要介護認定、要支援認定を受けている者又は障害者に該当する者の判定）

(15)　①に規定する個人又は個人と同居を常況としている親族が介護保険法第19条第１項に規定する要介護認定（以下において「要介護認定」という。）若しくは同条第２項に規定する要支援認定（以下において「要支援認定」という。）を受けている者又は第二章第一節**一**表内**28**に規定する障害者（以下において「障害者」という。）に該当する者であるかどうかの判定は、①に規定する住宅の増改築等をして、その家屋（その増改築等に係る部分に限る。）を居住の用に供した日の属する年の12月31日（これらの者が年の中途において死亡した場合には、その死亡の時。また、これらの者が年の中途において要介護認定若しくは要支援認定を受けている者又は障害者に該当する者に当たらないこととなった場合には、その当たらないこととなった時の直前の時。）の現況によることに留意する。

なお、当該判定の時において要介護認定又は要支援認定を受けていない者であっても、当該認定を申請中であり、①の規定の適用を受けようとする確定申告書を提出するときまでに当該申請に基づき当該認定を受けた者は、当該判定の時において要介護認定又は要支援認定を受けている者として差し支えない。（措通41の３の２－１）

（要介護認定及び要支援認定に係る書類）

(16)　(13)の規定により読み替えられた**四16**に規定する書類は、①の規定の適用を受けようとする者が①に規定する要介護認定（以下(16)、(17)(四)及び**七７**（２）(二)において「要介護認定」という。）又は①に掲げる要支援認定（以下において「要支援認定」という。）を受けている者である場合には、その者の介護保険の被保険者証の写しとし、その者が要介護認定又は要支援認定を受けている親族と同居を常況としている者である場合には、当該親族の介護保険の被保険者証の写しとする。（措規18の23の２の２⑩）

（**１**に掲げる書類の添付書類）

(17)　①、②又は③の規定により**四１**の規定による控除を受けようとする者は、確定申告書に①、②又は③の規定による控除を受ける金額の計算に関する明細書及び当該金額の計算の基礎となった増改築等住宅借入金等（①に規定する増改築等住宅借入金等をいう。以下**五**において同じ。）の金額、断熱改修住宅借入金等（②に規定する断熱改修住宅借入金等をいう。以下**五**において同じ。）の金額又は多世帯同居改修住宅借入金等（③に規定する多世帯同居改修住宅借入金等をいう。以下**五**において同じ。）の金額に係る(14)の規定により読み替えられた**四16**（３）若しくは同（８）ただし書きの規定により交付を受けた同（３）に規定する書類又は当該書類に記載すべき事項を記録した電子証明書等に係る電磁的記録印刷書面のほか、次の(一)から(五)までに掲げる書類を添付しなければならない。（措規18の23の２の２⑪）

(一)	その者の住宅の増改築等をした家屋の登記事項証明書又は当該住宅の増改築等をした家屋の床面積（**２**①（２）(三)、**２**②（２）(三)又は**２**③（１）(三)に規定する床面積をいう。）が50平方メートル以上であることを明らかにする書類若しくはその写し
(二)	その者の住宅の増改築等に係る工事の請負契約書の写し、（９）に規定する補助金等の額を証する書類、**２**①（３）又は同②（４）に規定する書類その他の書類で次のイからニまでに掲げる事項を明らかにする書類 イ　当該住宅の増改築等をした年月日 ロ　当該住宅の増改築等に要した（９）に規定する費用の額 ハ　**２**①に規定する高齢者等居住改修工事等に要した**２**①に規定する費用の額、**２**①(二)に規定する特定断熱改修工事等に要した同(二)に規定する費用の額、**２**①(三)に規定する特定多世帯同居改修工事等に要した同(三)に規定する費用の額、**２**①(四)に規定する特定耐久性向上改修工事等（(五)において「特定耐久性向上改修工事等」という。）に要した**２**①(四)に規定する費用の額（(五)において「特定耐久性向上改修工事等の費用の額」という。）又は**２**②に規定する断熱改修工事等に要した同②に規定する費用の額 ニ　当該住宅の増改築等が（８）に規定する特定取得に該当する場合には、その該当する事実
(三)	その増改築等住宅借入金等、断熱改修住宅借入金等又は多世帯同居改修住宅借入金等（当該増改築等住宅借入金等、断熱改修住宅借入金等又は多世帯同居改修住宅借入金等が特定借入金等〔**３**①（３）(四)に掲げる借入金又は債務をいう。(23)(三)において同じ。〕である場合には、当該特定借入金等に係る当初の増改築等借入金等、断熱改修住宅借入金等又は多世帯同居改修住宅借入金等〔**３**①（３）(四)の当初借入先から借り入れた借入金又は債務をいう。(23)(三)において同じ。〕。以下(三)において同じ。）に当該住宅の増改築等に係る家屋の

	敷地の用に供する土地等の取得に係る増改築等住宅借入金等、断熱改修住宅借入金等又は多世帯同居改修住宅借入金等（以下(三)において「土地等の取得に係る増改築等住宅借入金等」という。）が含まれる場合には、当該土地等の登記事項証明書又はこれに準ずる書類で、当該土地等を取得したこと及び当該土地等を取得した年月日を明らかにするもののほか、次のイからホまでに掲げる土地等の取得に係る住宅借入金等の区分に応じそれぞれ次のイからホまでに定める書類 イ　**3**①(2)(一)若しくは同(二)に掲げる借入金、同**3**①(3)(三)に掲げる借入金（同(三)ロに掲げる資金に係るものに限る。）又は同**3**①(6)(一)に掲げる借入金　当該土地等の分譲に係る契約書又はこれに類する書類で、当該土地等の取得の対価の額（当該土地等の取得に関し、(9)に規定する補助金等の交付を受ける場合には、当該対価の額から当該補助金等の額を控除した金額。以下(三)において同じ。）を明らかにするものの写し ロ　**3**①(2)(三)に掲げる借入金、同(4)に掲げる土地等の取得の対価に係る債務、同(5)に掲げる債務、同(6)(二)に掲げる借入金又は同(8)(二)に掲げる借入金　当該土地等に係るこれらの規定に規定する契約に係る契約書又はこれに類する書類で、当該土地等の取得の対価の額及び当該契約において同(2)(三)イ及び同ロ、**3**①(4)(一)及び同(二)又は**3**①(5)(一)及び同(二)に掲げる事項が定められていることを明らかにするものの写し ハ　**3**①(2)(四)に掲げる借入金、同(6)(三)に掲げる借入金又は同(8)(三)に掲げる借入金　当該土地等に係るこれらの規定に規定する契約に係る契約書又はこれに類する書類で、当該土地等の取得の対価の額及び当該契約において同(2)(四)イ及び同ロに掲げる事項が定められていることを明らかにするものの写し ニ　**3**①(2)(五)に掲げる借入金（同(五)イに掲げる者から借り入れたものに限る。）　次の(イ)及び(ロ)に掲げる書類 (イ)　当該土地等の分譲に係る契約書又はこれに類する書類で、当該土地等の取得の対価の額を明らかにするものの写し (ロ)　**3**①(2)(五)イの抵当権の設定に係る当該家屋の登記事項証明書又はこれに準ずる書類 ホ　**3**①(2)(五)に掲げる借入金（同(五)ロに掲げる者から借り入れたものに限る。）、同(6)(四)に掲げる借入金、同(7)に掲げる土地等の取得の対価に係る債務又は同(8)(四)に掲げる借入金　当該土地等の分譲に係る契約書又はこれに類する書類で、当該土地等の取得の対価の額を明らかにするものの写しのほか、次に掲げる場合の区分に応じそれぞれ次に定める書類 (イ)　当該土地等の取得に係る住宅借入金等につき**3**①(2)(五)ロ(イ)、同(6)(四)イ、同(7)(一)又は同(8)(四)イの抵当権の設定がされている場合　当該抵当権の設定に係る当該家屋の登記事項証明書又はこれに準ずる書類 (ロ)　**3**①(2)(五)ロ(ロ)、同(6)(四)ロ、同(7)(二)又は同(8)(四)ロの確認がされた場合（(イ)に掲げる場合に該当する場合を除く。）　それぞれ同(2)(五)ロ(ロ)に掲げる国家公務員共済組合その他財務省令で定めるもの、同(6)(四)ロ若しくは同(7)(二)に掲げる使用者又は同(8)(四)ロの貸付けをした者の当該確認をした旨を証する書類
(四)	その者が要介護認定若しくは要支援認定を受けている者又はその者が要介護認定若しくは要支援認定を受けている親族と同居を常況としている者に該当する**1**①に規定する特定個人として同①の規定により**四1**の規定の適用を受ける場合には、(16)に規定する書類
(五)	特定耐久性向上改修工事等の費用の額に係る増改築等住宅借入金等又は断熱改修住宅借入金等につき**1**①又は同②の規定により**四1**の規定の適用を受ける場合には、特定耐久性向上改修工事等をした家屋に係る**四4**(13)(一)に規定する認定通知書の同(一)に規定する写し

（住宅借入金等を有する場合の所得税額の特別控除に関する取扱いの準用）

(18)　**五**の規定の適用に当たっては、**四**（措通41－1の2から41－19、41－22及び41－25から41－32）の取扱いを準用する。（措通41の3の2－5）

（年末調整に係る住宅借入金等を有する場合の所得税額の特別控除に関する取扱いの準用）

(19)　**五**の規定の適用に当たっては、**四18**②(2)及び同(3)の取扱いを準用する。（措通41の3の2－6）

（読替規定の準用）

(20)　(17)に定めるもののほか、①、②又は③の規定により**四**又は**四18**《年末調整に係る住宅借入金等を有する場合の所得税額の特別控除》の規定の適用を受ける場合における**四**の規定の適用については、**四16**(19)中「８年内（居住日の属する年が平成19年又は平成20年で**3**①の規定により**四**の規定の適用を受ける場合には13年内とし、居住日の属する年が令和４年若しくは令和５年であり、かつ、その居住に係る**1**に規定する住宅の取得等が**1**に規定する居住用家屋の新築等、**1**に規定する買取再販住宅の取得、**4**に規定する認定住宅等の新築等若しくは**4**に規定する買取再販認定住宅等の取得に該当するものである場合、居住日の属する年が令和６年若しくは令和７年であり、かつ、その居住に係る**1**に規定する住宅の取得等が**4**に規定する認定住宅等の新築等若しくは**4**に規定する買取再販認定住宅等の取得に該当するものである場合又は**5**若しくは**6**の規定により**四**の規定の適用を受ける場合には11年内とする。以下(19)において同じ。)」とあるのは「３年内」と、「**1**の」とあるのは「**五1**の①、②又は③の規定により**四1**の」と、「**16**(一)から同(五)に定める」とあるのは「**五1**(17)(一)から同(五)までに掲げる」と、「８年内の」とあるのは「３年内の」とする。（措規18の23の２の２⑫）

（(14)の読替規定の適用）

(21)　(14)の規定により読み替えられた**四16**(３)に規定する同(５)で定める増改築等住宅借入金等、断熱改修住宅借入金等又は多世帯同居改修住宅借入金等は、勤労者財産形成促進法第９条第１項に規定する事業主、事業主団体又は福利厚生会社から借り入れた借入金で、当該事業主、事業主団体又は福利厚生会社が独立行政法人勤労者退職金共済機構から貸付けを受けた同項の資金に係る増改築等住宅借入金等、断熱改修住宅借入金等又は多世帯同居改修住宅借入金等とする。（措規18の23の２の２⑬）

（(14)の読替規定の準用）

(22)　(14)の規定により読み替えられた**四16**(３)に規定する同(５)で定める債権者に準ずる者は、独立行政法人勤労者退職金共済機構とする。（措規18の23の２の２⑭）

（(14)の読替規定の適用）

(23)　(14)の規定により読み替えられた**四16**(３)に規定する財務省令で定める書類は、次の(一)から(五)までに掲げる事項を記載した書類とする。（措規18の23の２の２⑮）

(一)	当該書類の交付を受けようとする者の氏名及び住所（国内に住所がない場合には、居所）
(二)	その年12月31日（その者が死亡した日の属する年にあっては、同日）における増改築等住宅借入金等の金額、断熱改修住宅借入金等の金額又は多世帯同居改修住宅借入金等の金額（その増改築等住宅借入金等、断熱改修住宅借入金等又は多世帯同居改修住宅借入金等が**3**①(二)若しくは同(三)に掲げる債務又は**3**①(３)(一)に掲げる借入金である場合には、当該増改築等住宅借入金等の金額、当該断熱改修住宅借入金等の金額又は当該多世帯同居改修住宅借入金等の金額及び住宅の増改築等〔当該住宅の増改築等に係る家屋の敷地の用に供する土地等の取得を含む。〕に要した費用の額）
(三)	その増改築等住宅借入金等、断熱改修住宅借入金等又は多世帯同居改修住宅借入金等（当該増改築等住宅借入金等、断熱改修住宅借入金等又は多世帯同居改修住宅借入金等が特定借入金等である場合には、当該特定借入金等に係る当初の増改築等住宅借入金等、断熱改修住宅借入金等又は多世帯同居改修住宅借入金等。(四)において同じ。）のその借入れをした金額又はその債務の額として負担をした金額及び当該増改築等住宅借入金等、断熱改修住宅借入金等又は多世帯同居改修住宅借入金等に係る契約を締結した年月日
(四)	その増改築等住宅借入金等、断熱改修住宅借入金等又は多世帯同居改修住宅借入金等に係る契約において定められている**3**①(一)から同(三)までに掲げる償還期間又は賦払期間（当該増改築等住宅借入金等が同(四)に掲げる借入金である場合には、死亡時に一括償還をする方法である旨）
(五)	その他参考となるべき事項

（読替規定の適用）

(24)　(21)から(23)までに定めるもののほか、①、②又は③の規定により**四**又は**四18**の規定の適用を受ける場合における**四16**及び同**18**の規定の適用については、**四16**(６)中「(５)(一)又は同(二)に掲げる住宅借入金等」とあるのは「**五1**(21)に規定する増改築等住宅借入金等、断熱改修住宅借入金等又は多世帯同居改修住宅借入金等」と、「、(５)に」

とあるのは、「、**五 1**(21)に」と、「若しくは福利厚生会社又は日本勤労者住宅協会」とあるのは「又は福利厚生会社」と、**四16**(7)中「**1**の表の(一)(5)ホ」とあるのは「**五 3**(3)(四)」と、**四16**(13)中「(12)の住宅借入金等」とあるのは「**五 1**(17)に規定する増改築等住宅借入金等、断熱改修住宅借入金等又は多世帯同居改修住宅借入金等」と、「(12)の」とあるのは「**四16**(12)の」と、**四18**⑤中「**16**(一)から同(五)までに定める」とあるのは「**五 1**(17)(一)から同(五)までに掲げる」とする。(措規18の23の2の2⑯)

(**四18**の規定の準用)

(25)　①、②又は③の規定により**四18**の適用を受ける場合における同**18**①に掲げる(一)から(六)までに掲げる事項は、次の(一)から(六)までに掲げる事項とする。(措規18の23の2の2⑰)

(一)	**四18**に掲げる申告書を提出する者の氏名及び住所（国内に住所がない場合には、居所）
(二)	**四18**の規定の適用を受けようとする旨
(三)	**四18**の①の規定の適用を受けようとする年の同①に掲げる合計所得金額の見積額
(四)	**四18**の①の規定による控除を受けようとする金額及びその金額の計算に関する明細
(五)	(八)の金額の計算の基礎となった増改築等住宅借入金等の金額、断熱改修住宅借入金等の金額又は多世帯同居改修住宅借入金等の金額（(8)に掲げる場合に該当するときは、当該増改築等住宅借入金等の金額又は断熱改修住宅借入金等の金額及び(8)の規定により増改築等住宅借入金等の金額、断熱改修住宅借入金等の金額又は多世帯同居改修住宅借入金等の金額とされる金額）
(六)	その他参考となるべき事項

(個人番号又は法人番号の付記)

(26)　①、②又は③の規定により**四18**の規定の適用を受ける場合における同**18**①に規定する申告書を受理した同①に規定する給与等の支払者は、当該申告書（同③の規定の適用により当該給与等の支払者が提供を受けた当該申告書に記載すべき事項を含む。）に当該給与等の支払者（個人を除く。）の法人番号を付記するものとする。(措規18の23の2の2⑱)

(規定の読替え)

(27)　(25)に定めるもののほか、①、②又は③の規定により**四18**の適用を受ける場合における同**18**の規定の適用については、同**18**①(1)中「①(四)」とあるのは「**五 1**(25)(四)」と、「住宅借入金等」とあるのは「**五 1**(17)に規定する増改築等住宅借入金等の金額、断熱改修住宅借入金等の金額若しくは多世帯同居改修住宅借入金等」と、同**18**①(2)中「8年内（居住日の属する年が平成19年又は平成20年で**3**①の規定により**四**の規定の適用を受ける場合には13年内とし、居住日の属する年が令和4年若しくは令和5年であり、かつ、その居住に係る**1**に規定する住宅の取得等が**1**に規定する居住用家屋の新築等、**1**に規定する買取再販住宅の取得、**4**に規定する認定住宅等の新築等若しくは**4**に規定する買取再販認定住宅等の取得に該当するものである場合、居住日の属する年が令和6年若しくは令和7年であり、かつ、その居住に係る**1**に規定する住宅の取得等が**4**に規定する認定住宅等の新築等若しくは**4**に規定する買取再販認定住宅等の取得に該当するものである場合又は**5**若しくは**6**の規定により**四**の規定の適用を受ける場合には11年内とする。以下(2)において同じ。)」とあるのは「3年内」と、「8年内の」とあるのは「3年内の」と、**四18**⑤(2)中「8年内（居住日の属する年が令和4年若しくは令和5年であり、かつ、その居住に係る**1**に規定する住宅の取得等が**1**に規定する居住用家屋の新築等、**1**に規定する買取再販住宅の取得、**4**に規定する認定住宅等の新築等若しくは**4**に規定する買取再販認定住宅等の取得に該当するものである場合、居住日の属する年が令和6年若しくは令和7年であり、かつ、その居住に係る**1**に規定する住宅の取得等が**4**に規定する認定住宅等の新築等若しくは**4**に規定する買取再販認定住宅等の取得に該当するものである場合又は**5**若しくは**6**の規定により**四**の規定の適用を受ける場合には、11年内)」とあるのは「3年内」と、「①(四)」とあるのは「**五 1**(25)(四)」と、「住宅借入金等」とあるのは「**五 1**(17)に規定する増改築等住宅借入金等の金額、断熱改修住宅借入金等の金額若しくは多世帯同居改修住宅借入金等」と、「係る**16**(3)」とあるのは「係る**四16**(3)」とする。(措規18の23の2の2⑲)

(特定増改築等住宅借入金等特別控除の規定を適用した場合の効果)

(28)　**四**の規定の適用に当たって、その者の選択により①、②又は③の規定を適用したところにより確定申告書を提出した場合には、その後においてその者が更正の請求をし、若しくは修正申告書を提出するとき又は当該確定申告書を提出した年分以外の増改築等特例適用年（①、②又は③に規定する増改築等特例適用年をいう。）に係る年分において**四**の規定を適用するときにおいても、当該選択をし適用した①、②又は③の規定を適用することに留意する。（措通41の3の2－4）

（注）**四**の規定の適用に当たって、①、②又は③の規定を適用しなかった場合においても同様である。

2　特定の増改築等の範囲

①　1①に掲げる増改築等

1①に掲げる増改築等とは、当該特定個人が所有している家屋につき行う次の(一)から(四)までに掲げる工事（当該工事と併せて当該家屋につき高齢者等が自立した日常生活を営むのに必要な構造及び設備の基準に適合させるための改修工事で(1)で定めるもの（当該改修工事が行われる構造又は設備と一体となって効用を果たす設備の取替え又は取付けに係る改修工事を含む。以下において「**高齢者等居住改修工事等**」という。）を行うものに限るものとし、当該工事と併せて行う当該家屋と一体となって効用を果たす設備の取替え又は取付けに係る工事を含むものとする。以下において「**特定工事**」という。）で当該高齢者等居住改修工事等に要した費用の額（当該特定工事の費用に関し補助金等（国又は地方公共団体から交付される補助金又は給付金その他これらに準ずるものをいう。以下において同じ。）の交付を受ける場合には、当該高齢者等居住改修工事等に要した費用の額から当該補助金等の額を控除した金額）が50万円を超えるものであることその他の(2)に規定する要件を満たすもの（**七**《既存住宅に係る特定の改修工事をした場合の所得税額の特別控除》の**1**、同**2**、同**3**①、同**4**①②③まで及び同**6**までの規定の適用を受けるものを除く。）をいう。（措法41の3の2②）

(一)	当該家屋につき行う増築、改築その他の(3)で定める工事（(二)、(三)又は(四)に掲げるものを除く。）
(二)	当該家屋につき行うエネルギーの使用の合理化に著しく資する改修工事で(4)で定めるもの（当該改修工事が行われる構造又は設備と一体となって効用を果たす設備の取替え又は取付けに係る改修工事を含む。以下において「**特定断熱改修工事等**」という。）で当該特定断熱改修工事等に要した費用の額（当該特定断熱改修工事等の費用に関し補助金等の交付を受ける場合には、当該特定断熱改修工事等に要した費用の額から当該補助金等の額を控除した金額。）が50万円を超えるもの
(三)	当該家屋につき行う他の世帯との同居をするのに必要な設備の数を増加させるための改修工事で(5)で定めるもの（当該改修工事が行われる設備と一体となって効用を果たす設備の取替え又は取付けに係る改修工事を含む。以下(三)、**3**、②(二)、**3**②及び③において「**特定多世帯同居改修工事等**」という。）で当該特定多世帯同居改修工事等に要した費用の額（当該特定多世帯同居改修工事等の費用に関し補助金等の交付を受ける場合には、当該特定多世帯同居改修工事等に要した費用の額から当該補助金等の額を控除した金額。②(二)において同じ。）が50万円を超えるもの
(四)	(二)に掲げる改修工事と併せて当該家屋につき行う構造の腐食、腐朽及び摩損を防止し、又は維持保全を容易にするための改修工事で(6)で定めるもの（当該改修工事が行われる構造又は設備と一体となって効用を果たす設備の取替え又は取付けに係る改修工事を含む。以下(四)、**3**①、②(三)及び**3**②において「**特定耐久性向上改修工事等**」という。）で当該特定耐久性向上改修工事等に要した費用の額（当該特定耐久性向上改修工事等の費用に関し補助金等の交付を受ける場合には、当該特定耐久性向上改修工事等に要した費用の額から当該補助金等の額を控除した金額。②(三)において同じ。）が50万円を超えるもの

（特定の増改築等に併せて行われる改修工事）

(1)　①に規定する構造及び設備の基準に適合させるための改修工事で(1)で定めるものは、家屋について行う国土交通大臣が財務大臣と協議して定める**1**①に規定する高齢者等が自立した日常生活を営むのに必要な構造及び設備の基準に適合させるための増築、改築、修繕又は模様替に該当するものであることにつき、当該増築、改築、修繕又は模様替に該当する旨を証する書類により証明がされた工事とする。（措令26の4④、平19国土交通省告示第407号（最終改正令6同省告示第308号）(1557ページの【住宅告示1】参照)、措規18の23の2の2①、昭63建設省告示第1274号（最終改正令6国土交通省告示第306号））

（特定の増改築等の工事の要件）

(2)　①に規定する要件を満たすものは、次の(一)から(四)までに掲げる要件を満たす工事とする。（措令26の4⑤）

(一)	①に規定する高齢者等居住改修工事等に要した①に規定する費用の額が50万円を超えること。

(二)	①に規定する特定工事をした家屋の当該特定工事に係る部分のうちにその者の居住の用以外の用に供する部分がある場合には、当該居住の用に供する部分に係る当該特定工事に要した費用の額が当該特定工事に要した費用の額の２分の１以上であること。
(三)	①に規定する特定工事をした家屋が、その者のその居住の用に供される次に掲げる家屋（その家屋の床面積の２分の１以上に相当する部分が専ら当該居住の用に供されるものに限る。）のいずれかに該当するものであること。 イ　一棟の家屋で床面積が50平方メートル以上であるもの ロ　一棟の家屋でその構造上区分された数個の部分を独立して居住その他の用途に供することができるものにつきその各部分を区分所有する場合には、その者の区分所有する部分の床面積が50平方メートル以上であるもの
(四)	①に規定する特定工事をした家屋が、その者が主としてその居住の用に供すると認められるものであること。

(①(一)及び②(一)及び③に規定する(３)で定める工事)

(３)　①(一)及び②(一)及び③に規定する(３)で定める工事は、**四１①ハ**(１)(一)から同(六)までに掲げる工事で当該工事に該当するものであることにつき、同**ハ**(５)(一)から(六)までに定める書類により証明がされたものとする。(措令26の４⑥、措規18の23の２の２②)

((４)で定める改修工事)

(４)　①(二)に規定する(４)で定める改修工事は、家屋について行う国土交通大臣が財務大臣と協議して定めるエネルギーの使用の合理化に著しく資する増築、改築、修繕又は模様替に該当するものであることにつき、当該増築、改築、修繕又は模様替に該当するものであることにつきその該当する旨を証する書類により証明がされたものとする。(措令26の４⑦、平20国土交通省告示第513号（最終改正令４国土交通省告示第443号)、措規18の23の２の２①、昭63建設省告示第1274号（最終改正令６国土交通省告示第306号))

(①(三)に規定する(５)で定める改修工事)

(５)　①(三)に規定する(５)で定める改修工事は、家屋について行う国土交通大臣が財務大臣と協議して定める他の世帯との同居をするのに必要な設備の数を増加させるための増築、改築、修繕又は模様替で当該増築、改築、修繕又は模様替に該当するものであることにつき、当該増築、改築、修繕又は模様替に該当する旨を証する書類により証明がされたものとする。(措令26の４⑧、平28国土交通省告示第585号（最終改正令６同省告示第312号）(1589ページの【住宅告示９】参照)、措規18の23の２の２①、昭63建設省告示第1274号（最終改正令６国土交通省告示第306号))

(**２**①(四)に規定する(６)で定める改修工事)

(６)　**２**①(四)に規定する(６)で定める改修工事は、家屋について行う国土交通大臣が財務大臣と協議して定める構造の腐食、腐朽及び摩損を防止し、又は維持保全を容易にするための増築、改築、修繕又は模様替（**四１①ハ**(１)(一)から同(三)までのいずれかに該当する工事であって、長期優良住宅の普及の促進に関する法律第９条第１項に規定する認定長期優良住宅建築等計画に基づくものに限る。以下(６)において同じ。）であることにつき、当該増築、改築、修繕又は模様替に該当する旨を証する書類により証明がされたものとする。(措令26の４⑨、平29国土交通省告示第279号（最終改正令６同省告示第313号）(1589ページの【住宅告示10】参照)、措規18の23の２の２①、昭63建設省告示第1274号（最終改正令６国土交通省告示第306号))

(高齢者等居住改修工事等の範囲)

(７)　①に規定する高齢者等居住改修工事等とは、平成19年３月30日国土交通省告示第407号に掲げる工事（以下(７)において「本体工事」という。）及び当該本体工事と同時に行う本体工事が行われる構造又は設備と一体となって効用を果たす設備の取替え又は取付けに係る改修工事（以下(７)において「一体工事」という。）をいうのであるが、エレベーターの設置その他の単独で行われることも通常想定される工事で、本体工事と併せて行うことが必ずしも必要でないものは当該一体工事には含まれないことに留意する。(措通41の３の２－３)

②　１の②に規定する増改築等

１の②に規定する増改築等とは、当該個人が所有している家屋につき行う次の(一)から(三)までに掲げる工事（当該工事と併せて当該家屋につき特定断熱改修工事等又は特定断熱改修工事等以外のエネルギーの使用の合理化に相当程度資する改修工事で（1）で定めるもの（当該改修工事が行われる構造又は設備と一体となって効用を果たす設備の取替え又は取付けに係る改修工事を含む。以下②において「**断熱改修工事等**」という。）を行うものに限るものとし、当該工事と併せて行う当該家屋と一体となって効用を果たす設備の取替え又は取付けに係る工事を含むものとする。以下②及び**3**②において「**特定工事**」という。）で当該特定断熱改修工事等又は断熱改修工事等に要した費用の額（当該特定工事の費用に関し補助金等の交付を受ける場合には、当該特定断熱改修工事等又は断熱改修工事等に要した費用の額から当該補助金等の額を控除した金額）が50万円を超えるものであることその他の（2）で定める要件を満たすもの（**七1**から同**5**までの規定の適用を受けるものを除く。）をいう。（措法41の３の２⑥）

(一)	当該家屋につき行う増築、改築その他の①（3）で定める工事（(二)又は(三)に掲げるものを除く。）
(二)	当該家屋につき行う特定多世帯同居改修工事等で当該特定多世帯同居改修工事等に要した費用の額が50万円を超えるもの
(三)	**2**①(二)に掲げる改修工事と併せて当該家屋につき行う特定耐久性向上改修工事等で当該特定耐久性向上改修工事等に要した費用の額が50万円を超えるもの

（②に規定する（1）で定める改修工事）

（1）　②に規定する（1）で定める改修工事は、家屋について行う国土交通大臣が財務大臣と協議して定めるエネルギーの使用の合理化に相当程度資する増築、改築、修繕又は模様替で当該増築、改築、修繕又は模様替に該当する旨を証する書類により証明がされたものとする。（措令26の４⑲、平20国土交通省告示第513号（最終改正令４同省告示第443号）、措規18の23の２の２①、昭63建設省告示第1274号（最終改正令６国土交通省告示第306号））

（②に規定する（2）で定める要件）

（2）　②に規定する（2）で定める要件を満たすものは、次の(一)から(四)までに掲げる要件を満たす工事とする。（措令26の４⑳）

(一)	**2**①(二)に規定する特定断熱改修工事等又は②に規定する断熱改修工事等に要した②に規定する費用の額が50万円を超えること。
(二)	②に規定する特定工事をした家屋の当該特定工事に係る部分のうちにその者の居住の用以外の用に供する部分がある場合には、当該居住の用に供する部分に係る当該特定工事に要した費用の額が当該特定工事に要した費用の額の２分の１以上であること。
(三)	②に規定する特定工事をした家屋が、その者のその居住の用に供される次のイ及びロに掲げる家屋（その家屋の床面積の２分の１以上に相当する部分が専ら当該居住の用に供されるものに限る。）のいずれかに該当するものであること。 イ　一棟の家屋で床面積が50平方メートル以上であるもの ロ　一棟の家屋でその構造上区分された数個の部分を独立して住居その他の用途に供することができるものにつきその各部分を区分所有する場合には、その者の区分所有する部分の床面積が50平方メートル以上であるもの
(四)	②に規定する特定工事をした家屋が、その者が主としてその居住の用に供すると認められるものであること。

③　1③に規定する増改築等

1③に規定する増改築等とは、当該個人が所有している家屋につき行う増築、改築その他の①（3）で定める工事（当該工事と併せて当該家屋につき特定多世帯同居改修工事等を行うものに限るものとし、当該工事と併せて行う当該家屋と一体となって効用を果たす設備の取替え又は取付けに係る工事を含むものとする。以下③において「特定工事」という。）で当該特定多世帯同居改修工事等に要した費用の額（当該特定工事の費用に関し補助金等の交付を受ける場合には、当該特定多世帯同居改修工事等に要した費用の額から当該補助金等の額を控除した金額。**3**③において同じ。）が50万円を超えるものであることその他の（1）で定める要件を満たすもの（**七1**から同**5**までの規定の適用を受けるものを除く。）をいう。（措法41の３の２⑨）

（③に規定する（１）で定める要件を満たすもの）

（１）　③に規定する（１）で定める要件を満たすものは、次の(一)から(四)までに掲げる要件を満たす工事とする。（措令26の４㉑）

(一)	③に規定する特定多世帯同居改修工事等に要した③に規定する費用の額が50万円を超えること。
(二)	③に規定する特定工事をした家屋の当該特定工事に係る部分のうちにその者の居住の用以外の用に供する部分がある場合には、当該居住の用に供する部分に係る当該特定工事に要した費用の額が当該特定工事に要した費用の額の２分の１以上であること。
(三)	③に規定する特定工事をした家屋が、その者のその居住の用に供される次のイ及びロに掲げる家屋（その家屋の床面積の２分の１以上に相当する部分が専ら当該居住の用に供されるものに限る。）のいずれかに該当するものであること。 イ　一棟の家屋で床面積が50平方メートル以上であるもの ロ　一棟の家屋でその構造上区分された数個の部分を独立して住居その他の用途に供することができるものにつきその各部分を区分所有する場合には、その者の区分所有する部分の床面積が50平方メートル以上であるもの
(四)	③に規定する特定工事をした家屋が、その者が主としてその居住の用に供すると認められるものであること。

3　特定の増改築等住宅借入金等の範囲

①　１①に掲げる増改築等借入金

１①に掲げる増改築等住宅借入金等とは、当該個人の当該住宅の増改築等に係る次の(一)から(四)までに掲げる借入金又は債務（利息に対応するものを除く。以下「住宅借入金等」という。）をいい、同①に規定する特定増改築等住宅借入金等の金額とは、当該増改築等住宅借入金等の金額のうち当該住宅の高齢者等居住改修工事等に要した費用の額、特定断熱改修工事等に要した費用の額、特定多世帯同居改修工事等に要した費用の額及び特定耐久性向上改修工事等に要した費用の額の合計額（当該特定工事の費用に関し補助金等の交付を受ける場合には、当該合計額から当該補助金等の額を控除した金額）に相当する部分の金額をいう。ただし、この増改築等住宅借入金等、断熱改修住宅借入金等又は多世帯同居改修住宅借入金等には、無利息又は著しい低い金利による利息であるものとなる場合として(10)で定める場合における当該増改築等住宅借入金等、当該断熱改修住宅借入金等又は当該多世帯同居改修住宅借入金等は含まれない。（措法41の３の２③⑪）

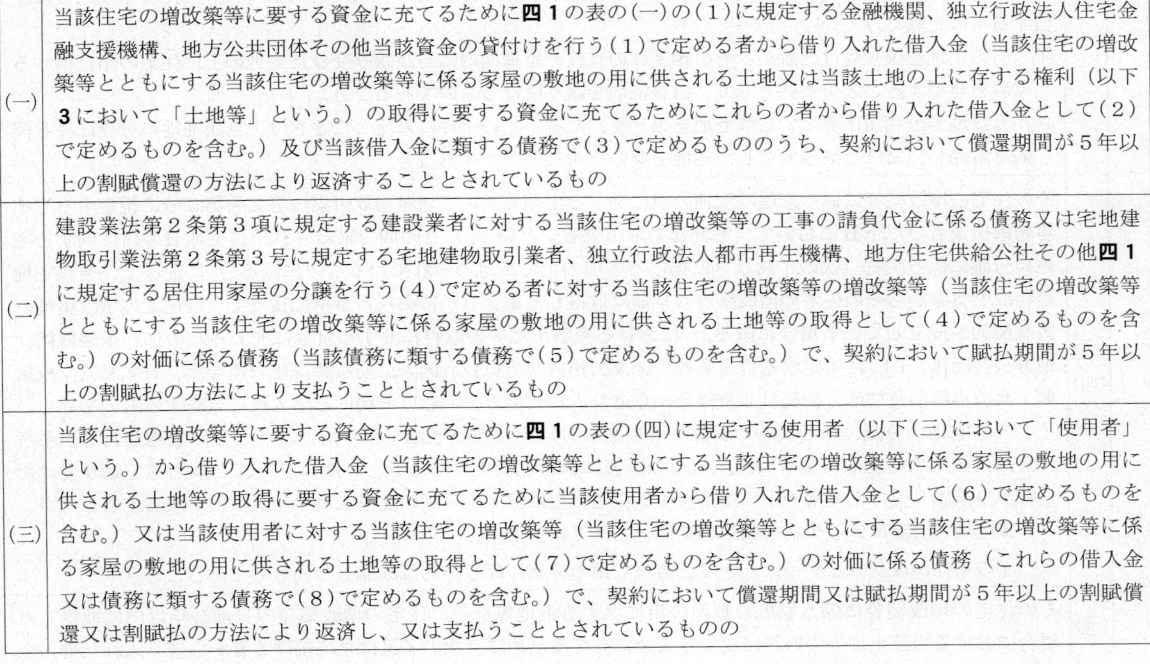

(一)	当該住宅の増改築等に要する資金に充てるために**四１**の表の(一)の（１）に規定する金融機関、独立行政法人住宅金融支援機構、地方公共団体その他当該資金の貸付けを行う（１）で定める者から借り入れた借入金（当該住宅の増改築等とともにする当該住宅の増改築等に係る家屋の敷地の用に供される土地又は当該土地の上に存する権利（以下**3**において「土地等」という。）の取得に要する資金に充てるためにこれらの者から借り入れた借入金として（２）で定めるものを含む。）及び当該借入金に類する債務で（３）で定めるもののうち、契約において償還期間が５年以上の割賦償還の方法により返済することとされているもの
(二)	建設業法第２条第３項に規定する建設業者に対する当該住宅の増改築等の工事の請負代金に係る債務又は宅地建物取引業法第２条第３号に規定する宅地建物取引業者、独立行政法人都市再生機構、地方住宅供給公社その他**四１**に規定する居住用家屋の分譲を行う（４）で定める者に対する当該住宅の増改築等の増改築等（当該住宅の増改築等とともにする当該住宅の増改築等に係る家屋の敷地の用に供される土地等の取得として（４）で定めるものを含む。）の対価に係る債務（当該債務に類する債務で（５）で定めるものを含む。）で、契約において賦払期間が５年以上の割賦払の方法により支払うこととされているもの
(三)	当該住宅の増改築等に要する資金に充てるために**四１**の表の(四)に規定する使用者（以下(三)において「使用者」という。）から借り入れた借入金（当該住宅の増改築等とともにする当該住宅の増改築等に係る家屋の敷地の用に供される土地等の取得に要する資金に充てるために当該使用者から借り入れた借入金として（６）で定めるものを含む。）又は当該使用者に対する当該住宅の増改築等（当該住宅の増改築等とともにする当該住宅の増改築等に係る家屋の敷地の用に供される土地等の取得として（７）で定めるものを含む。）の対価に係る債務（これらの借入金又は債務に類する債務で（８）で定めるものを含む。）で、契約において償還期間又は賦払期間が５年以上の割賦償還又は割賦払の方法により返済し、又は支払うこととされているものの

(四)	当該住宅の増改築等に要する資金に充てるために独立行政法人住宅金融支援機構から借り入れた借入金で、契約において当該個人であって当該借入金に係る債務を有する者（２人以上の個人が共同で借り入れた場合にあっては、当該２人以上の個人の全て）の死亡時に一括償還をする方法により支払うこととされているもの

（資金の貸付けを行う者）

（1）　①(一)に規定する資金の貸付けを行う（1）で定める者は、貸金業法第２条第２項に規定する貸金業者で住宅の増改築等に必要な資金の長期の貸付けの業務を行うもの、沖縄振興開発金融公庫、国家公務員共済組合、国家公務員共済組合連合会、日本私立学校振興・共済事業団、地方公務員共済組合及び独立行政法人北方領土問題対策協会とする。（措令26の４⑩、措規18の23の２の２③）

（特定の増改築等に係る借入金等の範囲）

（2）　①(一)に規定する（2）で定める借入金は、次の(一)から(五)までに掲げる借入金とする。（措令26の４⑪、措規18の23の２の２④⑤⑥）

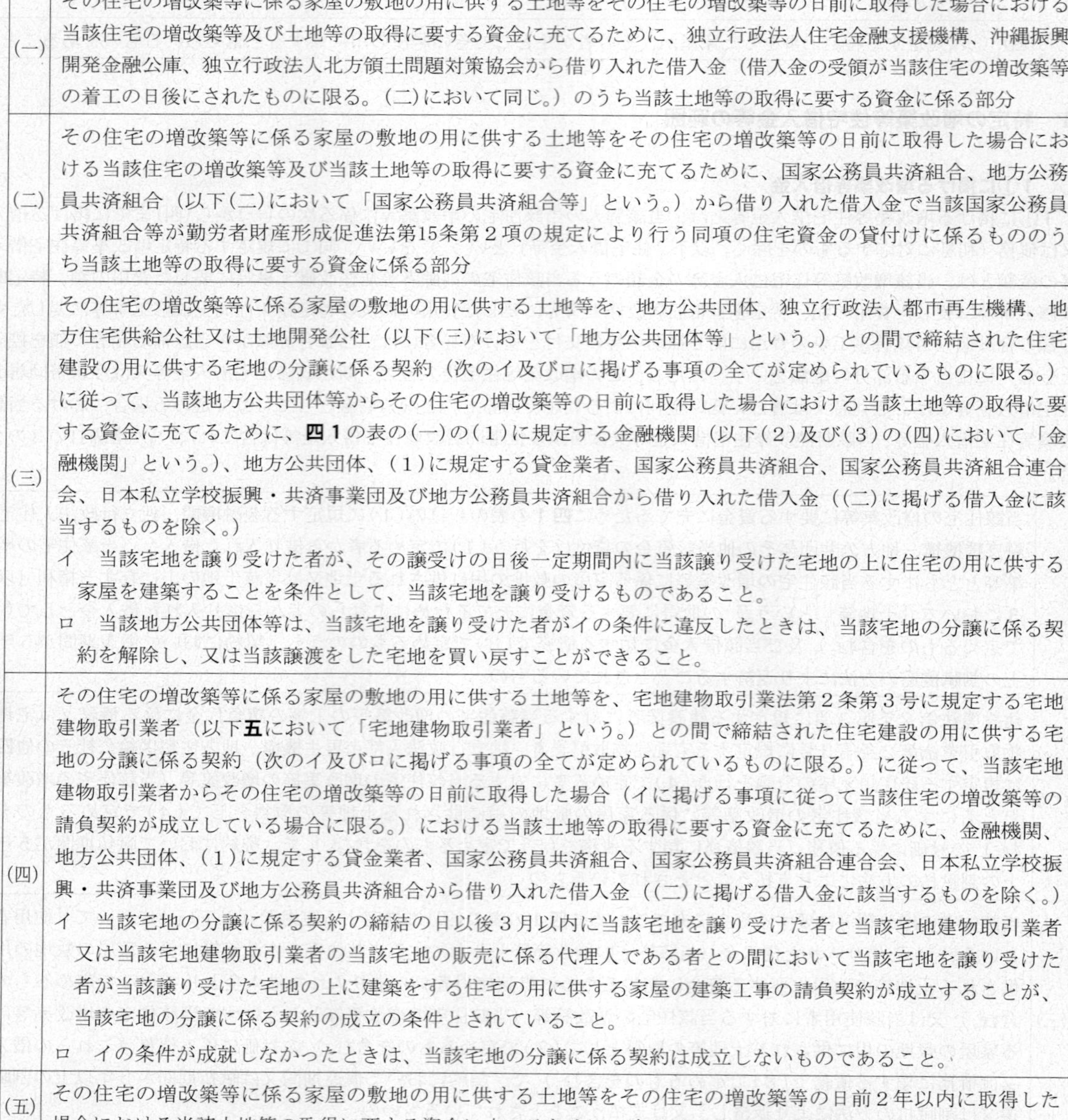

(一)	その住宅の増改築等に係る家屋の敷地の用に供する土地等をその住宅の増改築等の日前に取得した場合における当該住宅の増改築等及び土地等の取得に要する資金に充てるために、独立行政法人住宅金融支援機構、沖縄振興開発金融公庫、独立行政法人北方領土問題対策協会から借り入れた借入金（借入金の受領が当該住宅の増改築等の着工の日後にされたものに限る。(二)において同じ。）のうち当該土地等の取得に要する資金に係る部分
(二)	その住宅の増改築等に係る家屋の敷地の用に供する土地等をその住宅の増改築等の日前に取得した場合における当該住宅の増改築等及び当該土地等の取得に要する資金に充てるために、国家公務員共済組合、地方公務員共済組合（以下(二)において「国家公務員共済組合等」という。）から借り入れた借入金で当該国家公務員共済組合等が勤労者財産形成促進法第15条第２項の規定により行う同項の住宅資金の貸付けに係るもののうち当該土地等の取得に要する資金に係る部分
(三)	その住宅の増改築等に係る家屋の敷地の用に供する土地等を、地方公共団体、独立行政法人都市再生機構、地方住宅供給公社又は土地開発公社（以下(三)において「地方公共団体等」という。）との間で締結された住宅建設の用に供する宅地の分譲に係る契約（次のイ及びロに掲げる事項の全てが定められているものに限る。）に従って、当該地方公共団体等からその住宅の増改築等の日前に取得した場合における当該土地等の取得に要する資金に充てるために、**四１**の表の(一)の（1）に規定する金融機関（以下（2）及び（3）の(四)において「金融機関」という。）、地方公共団体、（1）に規定する貸金業者、国家公務員共済組合、国家公務員共済組合連合会、日本私立学校振興・共済事業団及び地方公務員共済組合から借り入れた借入金（(二)に掲げる借入金に該当するものを除く。） イ　当該宅地を譲り受けた者が、その譲受けの日後一定期間内に当該譲り受けた宅地の上に住宅の用に供する家屋を建築することを条件として、当該宅地を譲り受けるものであること。 ロ　当該地方公共団体等は、当該宅地を譲り受けた者がイの条件に違反したときは、当該宅地の分譲に係る契約を解除し、又は当該譲渡をした宅地を買い戻すことができること。
(四)	その住宅の増改築等に係る家屋の敷地の用に供する土地等を、宅地建物取引業法第２条第３号に規定する宅地建物取引業者（以下**五**において「宅地建物取引業者」という。）との間で締結された住宅建設の用に供する宅地の分譲に係る契約（次のイ及びロに掲げる事項の全てが定められているものに限る。）に従って、当該宅地建物取引業者からその住宅の増改築等の日前に取得した場合（イに掲げる事項に従って当該住宅の増改築等の請負契約が成立している場合に限る。）における当該土地等の取得に要する資金に充てるために、金融機関、地方公共団体、（1）に規定する貸金業者、国家公務員共済組合、国家公務員共済組合連合会、日本私立学校振興・共済事業団及び地方公務員共済組合から借り入れた借入金（(二)に掲げる借入金に該当するものを除く。） イ　当該宅地の分譲に係る契約の締結の日以後３月以内に当該宅地を譲り受けた者と当該宅地建物取引業者又は当該宅地建物取引業者の当該宅地の販売に係る代理人である者との間において当該宅地を譲り受けた者が当該譲り受けた宅地の上に建築をする住宅の用に供する家屋の建築工事の請負契約が成立することが、当該宅地の分譲に係る契約の成立の条件とされていること。 ロ　イの条件が成就しなかったときは、当該宅地の分譲に係る契約は成立しないものであること。
(五)	その住宅の増改築等に係る家屋の敷地の用に供する土地等をその住宅の増改築等の日前２年以内に取得した場合における当該土地等の取得に要する資金に充てるために、次のイ又はロに掲げる者から借り入れた借入金

	で当該イ又はロに掲げる者の区分に応じそれぞれイ又はロに定める要件を満たすもの（(二)から(四)までに掲げる借入金に該当するものを除く。） イ　金融機関、地方公共団体又は(１)に規定する貸金業者　これらの者の当該借入金に係る債権を担保するために当該家屋を目的とする抵当権の設定がされたこと又は当該借入金に係る債務を保証する者若しくは当該借入金に係る債務の不履行により生じた損害を塡補することを約する保険契約を締結した保険者の当該保証若しくは塡補に係る求償権を担保するために当該家屋を目的とする抵当権の設定がされたこと。 ロ　国家公務員共済組合、国家公務員共済組合連合会、日本私立学校振興・共済事業団及び地方公務員共済組合　(イ)又は(ロ)に掲げる要件 (イ)　これらの者の当該借入金に係る債権を担保するために当該家屋を目的とする抵当権の設定がされたこと又は当該借入金に係る債務を保証する者若しくは当該借入金に係る債務の不履行により生じた損害を塡補することを約する保険契約を締結した保険者の当該保証若しくは塡補に係る求償権を担保するために当該家屋を目的とする抵当権の設定がされたこと。 (ロ)　当該借入金が、当該借入金を借り入れた者がその取得をする土地等の上に一定期間内にその者の居住の用に供する住宅の建築をすることを条件として、当該土地等の取得に要する資金に充てるために貸し付けられたものであり、かつ、当該土地等の取得及び当該住宅の建築が当該貸付け条件に従ってされたことにつき当該国家公務員共済組合、国家公務員共済組合連合会、日本私立学校振興・共済事業団及び地方公務員共済組合の確認を受けているものであること。

（借入金に類する債務の範囲）

(３)　①(一)に規定する(３)で定める債務は、次の(一)から(四)までに掲げる債務とする。（措令26の４⑫、措規18の23の２の２⑦⑧）

(一)	住宅の増改築等を建設業法第２条第３項に規定する建設業者（以下(一)及び(二)において「建設業者」という。）に請け負わせた個人が、当該住宅の増改築等を請け負わせた建設業者から当該住宅の増改築等の請負代金の全部又は一部に充てるために借り入れた借入金
(二)	住宅の増改築等をした個人が、(１)に規定する貸金業者又は宅地建物取引業者である法人で住宅の増改築等の請負代金の全部又は一部を当該住宅の増改築等をした者に代わって当該住宅の増改築等を請け負った建設業者に支払をすることを業とするものから、当該個人が当該住宅の増改築等をした家屋の住宅の増改築等の請負代金の全部又は一部の支払を受けたことにより当該法人に対して負担する債務
(三)	次に掲げる資金に充てるために勤労者財産形成促進法第９条第１項に規定する事業主団体又は福利厚生会社から借り入れた借入金（ロに掲げる資金に係るものについては、当該借入金の受領がロの住宅の増改築等の着工の日後にされたものに限る。）で、当該事業主団体又は福利厚生会社が独立行政法人雇用・能力開発機構から貸付けを受けた同項の資金に係るもの イ　住宅の増改築等に要する資金（ロに掲げる資金を除く。） ロ　その住宅の増改築等に係る家屋の敷地の用に供する土地等をその住宅の増改築等の日前に取得した場合における当該住宅の増改築等及び当該土地等の取得に要する資金
(四)	住宅の増改築等に要する資金に充てるために個人が金融機関、独立行政法人住宅金融支援機構又は(１)に規定する貸金業者（以下(四)において「当初借入先」という。）から借り入れた①(一)に規定する借入金又は当該当初借入先に対して負担する(二)に掲げる債務に係る債権の譲渡があった場合において、当該個人が、当該当初借入先から当該債権の譲渡（当該譲渡の直前における当該譲渡がされた債権に係る借入金又は債務の償還期間についての条件と当該譲渡の直後における当該債権に係る借入金又は債務の償還期間についての条件とが同一である要件を満たすものに限る。）を受けた特定債権者（当該当初借入先との間で当該債権の管理及び回収に係る業務の委託に関する契約（当初借入先から譲渡を受けた債権の全部につき、当該当初借入先にその管理及び回収に係る業務を委託することが定められている契約に限る。）を締結し、かつ、当該契約に従って当該当初借入先に対して当該債権の管理及び回収に係る業務の委託をしている法人をいう。）に対して有する当該債権に係る借入金又は債務

（土地等の取得）

(４)　**3**①(二)に規定する居住用家屋の分譲を行う(４)で定める者は、日本勤労者住宅協会とし、同(二)に規定する土地等の取得は、その住宅の増改築等に係る家屋の敷地の用に供する土地等を、独立行政法人都市再生機構又は地方住宅供給公社（以下(4)において「独立行政法人都市再生機構等」という。）との間で締結された住宅建設の用に供する宅地の分譲に係る契約（次の(一)及び(二)に掲げる事項の全てが定められているものに限る。）に従って、当該独立行政法人都市再生機構等からその住宅の増改築等の日前に取得した場合における当該土地等の取得とする。（措令26の4⑬）

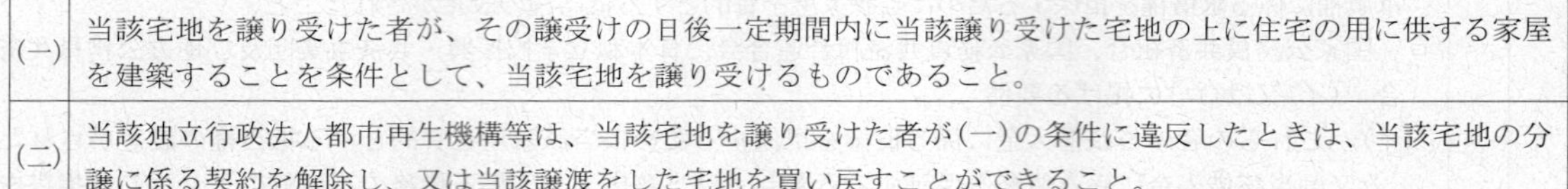

(一)	当該宅地を譲り受けた者が、その譲受けの日後一定期間内に当該譲り受けた宅地の上に住宅の用に供する家屋を建築することを条件として、当該宅地を譲り受けるものであること。
(二)	当該独立行政法人都市再生機構等は、当該宅地を譲り受けた者が(一)の条件に違反したときは、当該宅地の分譲に係る契約を解除し、又は当該譲渡をした宅地を買い戻すことができること。

（増改築等の対価に係る債務）

(5)　**3**①(二)に規定する(5)で定める債務は、その住宅の増改築等に係る家屋の敷地の用に供する土地等を、土地開発公社との間で締結された住宅建設の用に供する宅地の分譲に係る契約（次の(一)及び(二)に掲げる事項の全てが定められているものに限る。）に従って、当該土地開発公社からその住宅の増改築等の日前に取得した場合における当該土地等の取得の対価に係る債務とする。（措令26の4⑭）

(一)	当該土地を譲り受けた者が、その譲受けの日後一定期間内に当該譲り受けた宅地の上に住宅の用に供する家屋を建築することを条件として、当該宅地を譲り受けるものであること。
(二)	当該土地開発公社は、当該宅地を譲り受けた者が(一)の条件に違反したときは、当該宅地の分譲に係る契約を解除し、又は当該譲渡をした宅地を買い戻すことができること。

（土地等の取得資金に充てるため使用者から借り入れた借入金）

(6)　**3**①(三)に規定する(6)で定める借入金は、次の(一)から(四)までに掲げる借入金とする。（措令26の4⑮）

(一)	その住宅の増改築等に係る家屋の敷地の用に供する土地等をその住宅の増改築等の日前に取得した場合における当該住宅の増改築等及び当該土地等の取得に要する資金に充てるために、**3**①(三)に規定する使用者（以下「使用者」という。）から借り入れた借入金（借入金の受領が当該住宅の増改築等の着工の日後にされたものに限る。）で当該使用者が独立行政法人勤労者退職金共済機構から貸付けを受けた勤労者財産形成促進法第９条第１項の資金に係るもののうち、当該土地等の取得に要する資金に係る部分
(二)	その住宅の増改築等に係る家屋の敷地の用に供する土地等を、地方公共団体、独立行政法人都市再生機構、地方住宅供給公社又は土地開発公社（以下(二)において「地方公共団体等」という。）との間で締結された(2)(三)の契約に従って、当該地方公共団体等からその住宅の増改築等の日前に取得した場合における当該土地等の取得に要する資金に充てるために、使用者から借り入れた借入金（(一)に掲げる借入金に該当するものを除く。）
(三)	その住宅の増改築等に係る家屋の敷地の用に供する土地等を、宅地建物取引業者との間で締結され(2)(四)の契約に従って、当該宅地建物取引業者からその住宅の増改築等の日前に取得した場合（同イに掲げる事項に従って当該住宅の増改築等の請負契約が成立している場合に限る。）における当該土地等の取得に要する資金に充てるために、使用者から借り入れた借入金（(一)に掲げる借入金に該当するものを除く。）
(四)	その住宅の増改築等に係る家屋の敷地の用に供する土地等をその住宅の増改築等の日前２年以内に取得した場合における当該土地等の取得に要する資金に充てるために、使用者から借り入れた借入金でイ又はロに掲げる要件を満たすもの（(一)から(三)までに掲げる借入金に該当するものを除く。） イ　当該使用者の当該借入金に係る債権を担保するために当該家屋を目的とする抵当権の設定がされたこと又は当該借入金に係る債務を保証する者若しくは当該借入金に係る債務の不履行より生じた損害を填補することを約する保険契約を締結した保険者の当該保証若しくは填補に係る求償権を担保するために当該家屋を目的とする抵当権の設定がされたこと。 ロ　当該借入金が、当該借入金を借り入れた者がその取得をする土地等の上に一定期間内にその者の居住の用に供する住宅を建築することを条件として、当該土地等の取得に要する資金に充てるために貸し付けられたものであり、かつ、当該土地等の取得及び当該住宅の建築が当該貸付けの条件に従ってされたことにつき当該使用者の確認を受けているものであること。

（家屋の敷地の用に供する土地等の取得）

（7）　3①(三)に規定する（7）で定める土地等の取得は、その住宅の増改築等に係る家屋の敷地の用に供する土地等を、使用者からその住宅の増改築等の日前2年以内に取得した場合（次の(一)及び(二)に掲げる要件を満たす場合に限る。）における当該土地等の取得とする。（措令26の4⑯）

(一)	当該使用者の当該土地等の譲渡の対価に係る債権を担保するために当該家屋を目的とする抵当権の設定がされたこと又は当該土地等の取得の対価に係る債務の保証をする者若しくは当該土地等の取得の対価に係る債務の不履行により生じた損害を塡補することを約する保険契約を締結した保険者の当該保証若しくは塡補に係る求償権を担保するために当該家屋を目的とする抵当権の設定がされたこと。
(二)	当該土地等の譲渡が、当該土地等を譲り受けた者が当該譲り受けた土地等の上に一定期間内にその者の居住の用に供する住宅を建築することを条件としてされたものであり、かつ、当該住宅の建築が当該譲渡の条件に従ってされたことにつき当該使用者の確認を受けているものであること。

（借入金又は債務に類する債務）

（8）　3①(三)に規定する（8）で定める債務は、住宅の増改築等をした個人が、使用者に代わって当該住宅の増改築等に要する資金の貸付けを行っていると認められる一般社団法人又は一般財団法人で国土交通大臣が財務大臣と協議して指定した者（1434ページ（5）参照）から借り入れた次の(一)から(四)までに掲げる借入金とする。（措令26の4⑰）

(一)	住宅の増改築等に要する資金に充てるための借入金
(二)	その住宅の増改築等に係る家屋の敷地の用に供する土地等を、地方公共団体、独立行政法人都市再生機構、地方住宅供給公社又は土地開発公社（以下(二)において「地方公共団体等」という。）との間で締結された（2）(三)の契約に従って、当該地方公共団体等からその住宅の増改築等の日前に取得した場合における当該土地等の取得に要する資金に充てるための借入金
(三)	その住宅の増改築等に係る家屋の敷地の用に供する土地等を、宅地建物取引業者との間で締結された（2）(四)の契約に従って、当該宅地建物取引業者からその住宅の増改築等の日前に取得した場合（同(四)イに掲げる事項に従って当該住宅の増改築等の請負契約が成立している場合に限る。）における当該土地等の取得に要する資金に充てるための借入金
(四)	その住宅の増改築等に係る家屋の敷地の用に供する土地等をその住宅の増改築等の日前2年以内に取得した場合における当該土地等の取得に要する資金に充てるための借入金でイ又はロに掲げる要件を満たすもの（(二)及び(三)に掲げる借入金に該当するものを除く。） イ　当該借入金の貸付けをした者の当該借入金に係る債権を担保するために当該家屋を目的とする抵当権の設定がされたこと又は当該借入金に係る債務を保証する者若しくは当該借入金に係る債務の不履行より生じた損害を塡補することを約する保険契約を締結した保険者の当該保証若しくは塡補に係る求償権を担保するために当該家屋を目的とする抵当権の設定がされたこと。 ロ　当該借入金が、当該借入金を借り入れた者がその取得をする土地等の上に一定期間内にその者の居住の用に供する住宅を建築することを条件として、当該土地等の取得に要する資金に充てるために貸し付けられたものであり、かつ、当該土地等の取得及び当該住宅の建築が当該貸付けの条件に従ってされたことにつき当該借入金の貸付けをした者の確認を受けているものであること。

（増改築等特例適用年の土地等の増改築等住宅借入金等の適用）

（9）　1①、同②又は同③に規定する個人が、1①、同②又は同③に規定する増改築等特例適用年の12月31日（その者が死亡した日の属する年にあっては、同日。以下（9）において同じ。）において、（2）(三)から同(五)までに掲げる借入金、（4）に規定する土地等の取得の対価に係る債務、（5）に掲げる土地等の取得の対価に係る債務、（6）(二)から同(四)までに規定する借入金、（7）に規定する土地等の取得の対価に係る債務又は（8）に規定する借入金（（8）(二)から同(四)までに規定する借入金に係るものに限る。）に係る増改築等住宅借入金等の金額、断熱改修住宅借入金等の金額又は多世帯同居改修住宅借入金等の金額（以下（9）において「土地等の取得に係る住宅借入金等の金額」という。）を有する場合であって、これらの借入金又は債務に係る（2）(三)から同(五)まで、（4）、（5）、（6）(二)から同(四)まで、（7）又は（8）(二)から同(四)までに規定する土地等の上にその者が住宅の増改築等をしたこれらの規定に規定する住宅の増改築等に係る家屋の当該住宅の増改築等に係る増改築等住宅借入金等の金額、断熱改修住宅借入金等の金額又は多世帯同居改修住宅借入金等の金額を有しない場合には、当該増改築等特例適用年の12月31日における当該土地等の取得に係る住宅借入金等の金額は有していないものとみなして、**1**①、同②又は同③の規定を適用する。（措令26の４⑱）

（増改築等住宅借入金等に含まれないもの）

(10)　①に規定する(10)で定める場合は、次の(一)から(三)までに掲げる場合とする。（措令26の４㉒）

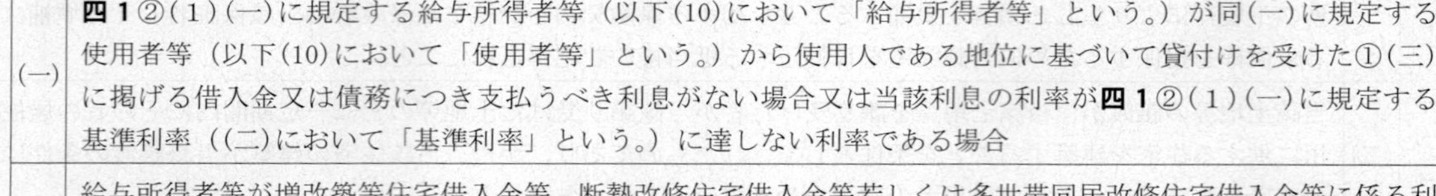

(一)	**四１**②（１）(一)に規定する給与所得者等（以下(10)において「給与所得者等」という。）が同(一)に規定する使用者等（以下(10)において「使用者等」という。）から使用人である地位に基づいて貸付けを受けた①(三)に掲げる借入金又は債務につき支払うべき利息がない場合又は当該利息の利率が**四１**②（１）(一)に規定する基準利率（(二)において「基準利率」という。）に達しない利率である場合
(二)	給与所得者等が増改築等住宅借入金等、断熱改修住宅借入金等若しくは多世帯同居改修住宅借入金等に係る利息に充てるため使用者等から使用人である地位に基づいて支払を受けた金額がその充てるものとされる当該利息の額と同額である場合又は当該利息の額から当該支払を受けた金額を控除した残額が当該利息の額の算定の方法に従いその算定の基礎とされた増改築等住宅借入金等の金額、断熱改修住宅借入金等の金額若しくは多世帯同居改修住宅借入金等の金額及び利息の計算期間を基として基準利率により計算した利息の額に相当する金額に満たないこととなる場合
(三)	給与所得者等が使用者等から使用人である地位に基づいて住宅の増改築等に係る家屋の敷地の用に供する土地等を著しく低い価額の対価により譲り受けた場合として(11)に掲げる場合

（土地等を著しく低い価額の対価により譲り受けた場合）

(11)　(10)の(三)に規定する(11)で定める場合は、**四１**②（１）(一)に規定する給与所得者等が、同(一)に規定する使用者等から使用人である地位に基づいて**1**①、同②又は同③に規定する住宅の増改築等（以下「住宅の増改築等」という。）に係る家屋の敷地の用に供する土地又は当該土地の上に存する権利（以下「土地等」という。）をその譲受けの時における当該土地等の価額の２分の１に相当する金額に満たない価額で譲り受けた場合とする。（措規18の23の２の２⑨）

（増築、改築、修繕若しくは模様替又は一般社団法人若しくは一般財団法人の指定告示）

(12)　国土交通大臣は、**2**①（１）、同（４）から同（６）、若しくは**2**②（１）の規定により増築、改築、修繕若しくは模様替を定め、又は**3**①（８）の規定により一般社団法人若しくは一般財団法人を指定したときは、これを告示する。（措令26の４㉖）

（増改築等住宅借入金等の金額の合計額等が住宅の増改築等に要した費用等の額を超える場合）

(13)　**1**③（９）の規定は、同（９）に規定する増改築等住宅借入金等の金額の合計額、断熱改修住宅借入金等の金額の合計額又は多世帯同居改修住宅借入金等の金額の合計額（以下(13)において「増改築等住宅借入金等の金額の合計額等」という。）が同（９）に規定する住宅の増改築等に要した費用の額を超える場合に適用されるのであるが、次に掲げる場合には、その合計額のうちそれぞれ次に定める金額（同（９）に規定する補助金等の交付を受ける場合又は**四１**（２）に規定する住宅取得等資金の贈与を受けた場合には当該補助金等の額又は当該住宅取得等資金の額を控除した金額）に達するまでの部分の金額が当該増改築等住宅借入金等の金額の合計額等となることに留意する。（措通41の３の２－２）

⑴　**1**①、同②又は同③に規定する住宅の増改築等（以下(13)において「住宅の増改築等」という。）に係る増改築等住宅借入金等の金額の合計額等が、当該住宅の増改築等に要した費用の額（以下(13)において「住宅の増改築等に要した費用の額」という。）を超える場合　　住宅の増改築等に要した費用の額

⑵　住宅の増改築等及び敷地の取得の両方に係る増改築等住宅借入金等の金額の合計額等が、当該住宅の増改築等に要した費用の額と当該敷地の取得の対価の額（以下(13)において「敷地の取得対価の額」という。）との合計額（以下(13)において「住宅の増改築等に要した費用の額等」という。）を超える場合　　住宅の増改築等に要した費用の額等

⑶　敷地の取得に係る増改築等住宅借入金等の金額の合計額等が、当該敷地の取得対価の額を超える場合　　敷地の取得対価の額

(注) 1　増改築等住宅借入金等の金額の合計額等が住宅の増改築等に要した費用の額、住宅の増改築等に要した費用の額等又は敷地の取得対価の額（以下(13)において「増改築等の額等」という。）を超えるかどうかの判定は、1①、同②又は同③の規定の適用を受ける各年ごとに、かつ、個々の住宅の増改築等又は敷地の取得ごとに行うのであるが、その判定を行う場合の増改築等住宅借入金等の金額の合計額等は、同①、同②又は同③の規定の適用を受ける各年ごとの12月31日における現実の増改築等住宅借入金等の金額の合計額等の残高をいう。

2　増改築等の額等には、その家屋の当該住宅の増改築等に係る部分又は敷地のうちにその者の居住の用以外の用に供される部分がある場合における当該居住の用以外の用に供される部分に対応する増改築等の額等が含まれる。

②　1②に規定する断熱改修住宅借入金等

1②に規定する断熱改修住宅借入金等とは、当該個人の当該住宅の増改築等に係る**3**①(一)から同(三)までに掲げる借入金又は債務（利息に対応するものを除く。）をいい、**1**②に規定する特定断熱改修住宅借入金等の金額とは、当該断熱改修住宅借入金等の金額のうち当該住宅の特定断熱改修工事等に要した費用の額、特定多世帯同居改修工事等に要した費用の額及び特定耐久性向上改修工事等に要した費用の額の合計額（当該特定工事の費用に関し補助金等の交付を受ける場合には、当該合計額から当該補助金等の額を控除した金額）に相当する部分の金額をいう。（措法41の３の２⑦）

③　1③に規定する多世帯同居改修住宅借入金等

1③に規定する多世帯同居改修住宅借入金等とは、当該個人の当該住宅の増改築等に係る**3**①(一)から同(三)までに掲げる借入金又は債務（利息に対応するものを除く。）をいい、**1**③に規定する特定多世帯同居改修住宅借入金等の金額とは、当該多世帯同居改修住宅借入金等の金額のうち当該住宅の特定多世帯同居改修工事等に要した費用の額に相当する部分の金額をいう。（措法41の３の２⑩）

【住宅告示１】 **四１**①**ハ**(１)(五)及び**五２**①(１)及び**七１**(５)の規定に基づき、国土交通大臣が財務大臣と協議して定める**五１**①に規定する高齢者等が自立した日常生活を営むのに必要な構造及び設備の基準に適合させるための増築、改築、修繕又は模様替を次のように定めたので告示する。（平19国土交通省告示第407号、最終改正令６同省告示第308号）

四１①**ハ**(１)(五)に規定する国土交通大臣が財務大臣と協議して定める**五１**①に規定する高齢者等が自立した日常生活を営むのに必要な構造及び設備の基準に適合させるための修繕又は模様替並びに**五２**①(１)及び**七１**(５)に規定する国土交通大臣が財務大臣と協議して定める**五１**①に規定する高齢者等が自立した日常生活を営むのに必要な構造及び設備の基準に適合させるための増築、改築、修繕又は模様替は、次のいずれかに該当する工事とする。

一　介助用の車いすで容易に移動するために通路又は出入口の幅を拡張する工事

二　階段の設置（既存の階段の撤去を伴うものに限る。）又は改良によりその勾配を緩和する工事

三　浴室を改良する工事であって、次のいずれかに該当するもの

　イ　入浴又はその介助を容易に行うために浴室の床面積を増加させる工事

　ロ　浴槽をまたぎ高さの低いものに取り替える工事

　ハ　固定式の移乗台、踏み台その他の高齢者等の浴槽の出入りを容易にする設備を設置する工事

　ニ　高齢者等の身体の洗浄を容易にする水栓器具を設置し又は同器具に取り替える工事

四　便所を改良する工事であって、次のいずれかに該当するもの

　イ　排泄又はその介助を容易に行うために便所の床面積を増加させる工事

　ロ　便器を座便式のものに取り替える工事

　ハ　座便式の便器の座高を高くする工事

五　便所、浴室、脱衣室その他の居室及び玄関並びにこれらを結ぶ経路に手すりを取り付ける工事

六　便所、浴室、脱衣室その他の居室及び玄関並びにこれらを結ぶ経路の床の段差を解消する工事（勝手口その他屋外に面する開口の出入口及び上がりかまち並びに浴室の出入口にあっては、段差を小さくする工事を含む。）

七　出入口の戸を改良する工事であって、次のいずれかに該当するもの

　イ　開戸を引戸、折戸等に取り替える工事

　ロ　開戸のドアノブをレバーハンドル等に取り替える工事

　ハ　戸に戸車その他の戸の開閉を容易にする器具を設置する工事

八　便所、浴室、脱衣室その他の居室及び玄関並びにこれらを結ぶ経路の床の材料を滑りにくいものに取り替える工事

六　既存住宅の耐震改修をした場合の所得税額の特別控除

1　既存住宅の耐震改修をした場合の所得税額の特別控除

①　既存住宅の耐震改修をした場合の所得税額の特別控除

個人が、平成26年４月１日から令和７年12月31日までの間に、その者の居住の用に供する家屋（昭和56年５月31日以前に建築されたもので(１)で定めるものに限る。**2**①において「居住用の家屋」という。）の耐震改修（地震に対する安全性の向上を目的とした増築、改築、修繕又は模様替をいう。）として(４)で定めるところにより証明がされたもの（以下**1**及び**2**①並びに**七4**①及び**七6**において「住宅耐震改修」という。）をした場合には、その者のその年分の所得税の額から、当該住宅耐震改修に係る耐震工事の標準的な費用の額として(２)で定める金額（当該住宅耐震改修の費用に関し補助金等(国又は地方公共団体から交付される補助金又は給付金その他これらに準ずるものをいう。以下①並びに**七1**①から**七5**①まで及び**七6**において同じ。）の交付を受ける場合には当該金額から当該補助金等の額を控除した金額（以下①並びに**七4**①、**七4**③及び**七6**において「耐震改修標準的費用額」という。）とし、当該耐震改修標準的費用額が250万円を超える場合には250万円とする。**七6**において「控除対象耐震改修標準的費用額」という。）の10パーセントに相当する金額（当該金額に100円未満の端数があるときはこれを切り捨てる。）を控除する。（措法41の19の２①）

（(１)で定める家屋）

(１)　**1**①に規定する(１)で定める家屋は、昭和56年５月31日以前に建築された家屋であって、その者の居住の用に供する家屋とし、その者がその居住の用に供する家屋を２以上有する場合には、これらの家屋のうち、その者が主としてその居住の用に供すると認められる一の家屋に限るものとする。（措令26の28の４①）

（耐震工事の標準的な費用の額として(２)で定める金額）

(２)　**1**①に規定する(２)で定める金額は、その者が行った同①に規定する住宅耐震改修につき国土交通大臣が財務大臣と協議して当該住宅耐震改修の内容に応じて定める金額の合計額とする。（措令26の28の４②、平21国土交通省告示第383号（最終改正令４同省告示第726号）、1560ページの【住宅告示２】参照）

（国土交通大臣が財務大臣と協議して当該住宅耐震改修の内容に応じて定める金額）

(３)　国土交通大臣は、(２)の規定により金額を定めたときは、これを告示する。（措令26の28の４④）

（**1**①に規定する(４)で定めるところにより証明された耐震改修）

(４)　**1**①に規定する(４)で定めるところにより証明がされた耐震改修は、同①に規定する耐震改修をした家屋が建築基準法施行令第三章及び第五章の四の規定又は国土交通大臣が財務大臣と協議して定める地震に対する安全性に係る基準に適合するものであることにつき、当該家屋の所在地の地方公共団体の長の国土交通大臣が財務大臣と協議して定める書類又は**2**①(５)(一)から同(四)までに掲げる者の国土交通大臣が財務大臣と協議して定める書類により証明がされたものとする。（措規19の11の２①、平18国土交通省告示第464号（最終改正令６同省告示第307号））

2　特別控除の申告要件等

①　特別控除の申告要件

1①の規定は、確定申告書に、同①の規定による控除を受ける金額についてのその控除に関する記載があり、かつ、当該金額の計算に関する明細書及び同①に規定する家屋の所在地の地方公共団体の長その他(２)で定める者の居住用の家屋が同①の住宅耐震改修をした家屋である旨その他の(３)で定める事項を証する書類その他(４)で定める書類（(１)において「耐震改修証明書」という。）の添付がある場合に限り、適用する。（措法41の19の２②）

（確定申告書の提出がなかった場合、記載若しくは添付がない確定申告書の提出があった場合の宥恕規定）

(１)　税務署長は、確定申告書の提出がなかった場合又は**2**①の記載若しくは添付がない確定申告書の提出があった場合においても、その提出又は記載若しくは添付がなかったことについてやむを得ない事情があると認めるときは、当該記載をした書類並びに同①の明細書及び耐震改修証明書の提出があった場合に限り、**1**①の規定を適用することができる。（措法41の19の２③）

（地方公共団体の長その他（２）で定める者）

（２）　**2**①に規定する（２）で定める者は、次の(一)から(四)までに掲げる者とする。（措規19の11の２②）

(一)	住宅の品質確保の促進等に関する法律第５条第１項に規定する登録住宅性能評価機関（**八１**（５）(一)イにおいて「登録住宅性能評価機関」という。）
(二)	建築基準法第77条の21第１項に規定する指定確認検査機関（**八１**（５）(一)ロにおいて「指定確認検査機関」という。）
(三)	建築士（建築士法第23条の３第１項の規定により登録された建築士事務所に属する建築士に限る。**八１**（５）(一)ハにおいて同じ。）
(四)	特定住宅瑕疵担保責任の履行の確保等に関する法律第17条第１項の規定による指定を受けた同項に規定する住宅瑕疵担保責任保険法人（**八１**（５）(四)ロにおいて「住宅瑕疵担保責任保険法人」という。）

（（３）で定める事項）

（３）　**2**①に規定する（３）で定める事項は、次の(一)から(五)までに掲げる事項とする。（措規19の11の２③）

(一)	その者の**1**①に規定する居住用の家屋が同①に規定する住宅耐震改修（以下（３）、（４）並びに**七７**(一)及び**七７**（１）(八)において「住宅耐震改修」という。）をした家屋である旨
(二)	当該住宅耐震改修に係る**1**①（２）に規定する合計額
(三)	当該住宅耐震改修の費用に関し**1**①に規定する補助金等（以下(三)及び**七７**（１）において「補助金等」という。）の交付を受ける場合には、当該補助金等の額
(四)	当該住宅耐震改修に係る**1**①に規定する控除対象耐震改修標準的費用額（**七７**（１）(八)ホにおいて「控除対象耐震改修標準的費用額」という。）
(五)	当該住宅耐震改修をした年月日

（（４）で定める書類）

（４）　**2**①に規定する（４）で定める書類は、当該住宅耐震改修をした家屋の登記事項証明書その他の書類で当該家屋が昭和56年５月31日以前に建築されたものであることを明らかにする書類とする。（措規19の11の２④）

（税額控除の控除順序等）

（５）　**一１**《配当控除》及び**六１**①《既存住宅の耐震改修をした場合の所得税額の特別控除》の規定による控除をすべき金額は、課税総所得金額に係る所得税額、課税山林所得金額に係る所得税額又は課税退職所得金額に係る所得税額から順次控除する。この場合において、これらの控除をすべき金額の合計額がその年分の所得税額をこえるときは、当該控除をすべき金額は、当該所得税額に相当する金額とする。（措法41の19の２④により準用して読み替えられた法92②（下線部は読み替えられた部分（編者注）））

（税額控除の控除要領）

（６）　**1**①の規定による控除をすべき金額は、同①に規定するその年分の**一１**に規定する所得税額から控除する。（措令26の28の４③）

（適用年分）

（７）　**1**の規定は、同**1**に規定する「住宅耐震改修」が完了した日の属する年分の所得税について適用することに留意する。（措通41の19の２－１）

（住宅借入金等を有する場合の所得税額の特別控除に関する取扱いの準用）

（８）　**六**の規定の適用に当たっては、**四１**(15)及び同(16)の取扱いを準用する。（措通41の19の２－２）

【住宅告示２】 １①(２)の規定に基づき、国土交通大臣が財務大臣と協議して住宅耐震改修の内容に応じて定める金額を定める件（平21国土交通省告示第383号・最終改正令４同省告示第726号）

１①(２)の規定に基づき、国土交通大臣が財務大臣と協議して住宅耐震改修の内容に応じて定める金額を次のように定めたので、同(３)の規定により、告示する。

１①(２)の規定に基づき、１①に規定する住宅耐震改修に係る耐震工事の標準的な費用の額として国土交通大臣が財務大臣と協議して当該住宅耐震改修の内容に応じて定める金額は、次の表の左欄に掲げる住宅耐震改修の内容の区分に応じ、それぞれ同表の中欄に定める額に、右欄の数値を乗じて得た金額（当該住宅耐震改修を行った同①に規定する家屋が一棟の家屋でその構造上区分された数個の部分を独立して住居その他の用途に供することができるものである場合又は当該家屋が共有物である場合には、当該金額に、当該住宅耐震改修に要した費用の額のうちにその者が負担する費用の割合を乗じて計算した金額）とする。

木造の住宅（以下「木造住宅」という。）の基礎に係る耐震改修	15,400円	当該家屋の建築面積 （単位　平方メートル）
木造住宅の壁に係る耐震改修	22,500円	当該家屋の床面積 （単位　平方メートル）
木造住宅の屋根に係る耐震改修	19,300円	当該耐震改修の施工面積 （単位　平方メートル）
木造住宅の基礎、壁又は屋根に係るもの以外の耐震改修	33,000円	当該家屋の床面積 （単位　平方メートル）
木造住宅以外の住宅の壁に係る耐震改修	75,500円	当該家屋の床面積 （単位　平方メートル）
木造住宅以外の住宅の柱に係る耐震改修のうち、鉄板その他の補強材を柱に巻き付けるもの（以下「柱巻補強工事」という。）	1,434,500円	当該耐震改修の箇所数
木造住宅以外の住宅の柱に係る耐震改修のうち、柱巻補強工事以外のもの	33,100円	当該耐震改修の箇所数
木造住宅以外の住宅の免震工事	591,500円	当該耐震改修の箇所数
木造住宅以外の住宅の壁若しくは柱に係るもの又は免震工事以外の耐震改修	20,700円	当該家屋の床面積 （単位　平方メートル）

別表（平18国土交通省告示第464号（最終改正令６同省告示第307号））

●地方公共団体の長が証する書類

（令和４年４月１日以後）

別表

住 宅 耐 震 改 修 証 明 申 請 書

申 請 者　　住 所
電 話
氏 名
家屋の所在地

上記家屋に係る住宅耐震改修が完了した日
年　　月　　日

イ　上記家屋が（1）の要件を満たすこと及び当該家屋に係る住宅耐震改修（租税特別措置法第41条の19の２第１項に規定する住宅耐震改修をいう。以下同じ。）の費用の額が（2）の額であったことについて証明願います。

（1）	住宅耐震改修をした家屋であること		
（2）	(イ)　当該住宅耐震改修に係る耐震工事の標準的な費用の額		円
	(ロ)　当該住宅耐震改修に係る補助金等の交付の有無		有　　無
	「有」の場合	交付される補助金等の額	円
	(ハ)　(イ)から(ロ)を差し引いた金額		円
	(ニ)　(ハ)又は250万円のいずれか少ない金額（10％控除分）		円
	(ホ)　(ハ)から（ニ）を差し引いた金額		円
	(ヘ)　1000万円から(ニ)を差し引いた金額		円
	(ト)　(ホ)又は(ヘ)のいずれか少ない金額（５％控除分）		円

ロ　上記家屋において、地方税法施行令附則第12条第19項に規定する基準に適合する耐震改修が行われたことを証明願います。

住宅耐震改修証明書

上記家屋が(1)の要件を満たすこと及び当該家屋に係る住宅耐震改修の費用の額が(2)の額であったこと又は上記家屋において地方税法施行令附則第12条第19項に規定する基準に適合する耐震改修が行われたことについて証明します。

証明年月日	年　　　月　　　日

証明を行った地方公共団体の長	印

（用紙　日本産業規格　Ａ４）

七　既存住宅に係る特定の改修工事をした場合の所得税額の特別控除

1　既存住宅に係る特定の改修工事をした場合の所得税額の特別控除

五1①に規定する特定個人（以下**七**において「**特定個人**」という。）が、当該特定個人の所有する同①に規定する居住用の家屋（以下**七**において「**居住用の家屋**」という。）について**高齢者等居住改修工事等**（当該高齢者等居住改修工事等の標準的な費用の額として(3)で定める金額（当該高齢者等居住改修工事等の費用に関し補助金等の交付を受ける場合には、当該金額から当該補助金等の額を控除した金額。以下**1**及び**6**において「標準的費用額」という。）が50万円を超えるものであることその他の(4)で定める要件を満たすものに限る。以下**1**及び**6**において「対象高齢者等居住改修工事等」という。）をして、当該居住用の家屋（当該対象高齢者等居住改修工事等に係る部分に限る。以下**1**において同じ。）を平成26年4月1日から令和7年12月31日までの間にその者の居住の用に供した場合（当該居住用の家屋を当該対象高齢者等居住改修工事等の日から6月以内にその者の居住の用に供した場合に限る。）には、当該特定個人のその居住の用に供した日の属する年分の所得税の額から、標準的費用額（当該標準的費用額が200万円を超える場合には、200万円とする。**6**において「控除対象標準的費用額」という。）の10パーセントに相当する金額（当該金額に100円未満の端数があるときは、これを切り捨てる。）を控除する。（措法41の19の3①）

（高齢者等居住改修工事等）

(1)　**1**に規定する高齢者等居住改修工事等とは、特定個人が所有している家屋につき行う**五1**①に規定する高齢者等が自立した日常生活を営むのに必要な構造及び設備の基準に適合させるための改修工事で(5)で定めるものをいう。（措法41の19の3⑩）

（特定個人がその年の前年以前3年内の各年分の所得税について**1**の規定の適用を受けている場合の適用除外）

(2)　**1**の規定は、特定個人がその年の前年以前3年内の各年分の所得税について**1**の規定の適用を受けている場合には、適用しない。ただし、当該各年分の所得税について**1**の規定の適用を受けた居住用の家屋と異なる居住用の家屋について**1**に規定する対象高齢者等居住改修工事等をした場合その他(6)で定める場合は、この限りでない。（措法41の19の3⑮）

（高齢者等居住改修工事等の標準的な費用の額）

(3)　**1**に規定する(3)で定める金額は、その者が行った(1)に規定する高齢者等居住改修工事等（以下において「高齢者等居住改修工事等」という。）につき国土交通大臣が財務大臣と協議して当該高齢者等居住改修工事等の内容に応じて定める金額（当該高齢者等居住改修工事等をした家屋の当該高齢者等居住改修工事等に係る部分のうちにその者の居住の用以外の用に供する部分がある場合には、当該金額に、当該高齢者等居住改修工事等に要した費用の額のうちに当該居住の用に供する部分に係る当該高齢者等居住改修工事等に要した費用の額の占める割合を乗じて計算した金額）の合計額とする。（措令26の28の5①、平21国土交通省告示第384号（最終改正令4同省告示第447号）（1576ページの【住宅告示3】参照））

(注)　国土交通大臣は、(3)の規定により金額を定めたときは、これを告示する。（措令26の28の5②）

（(4)で定める要件）

(4)　**1**に規定する(4)で定める要件を満たすものは、次の(一)から(四)までに掲げる要件を満たす工事とする。（措令26の28の5③）

(一)	高齢者等居住改修工事等の**1**に規定する標準的費用額が50万円を超えること。
(二)	高齢者等居住改修工事等をした家屋の当該高齢者等居住改修工事等に係る部分のうちにその者の居住の用以外の用に供する部分がある場合には、当該居住の用に供する部分に係る当該高齢者等居住改修工事等に要した費用の額が当該高齢者等居住改修工事等に要した費用の額の2分の1以上であること。
(三)	高齢者等居住改修工事等をした家屋が、その者のその居住の用に供される次に掲げる家屋（その家屋の床面積の2分の1以上に相当する部分が専ら当該居住の用に供されるものに限る。）のいずれかに該当するものであること。 イ　一棟の家屋で床面積が50平方メートル以上であるもの ロ　一棟の家屋でその構造上区分された数個の部分を独立して住居その他の用途に供することができるもの

	につきその各部分を区分所有する場合には、その者の区分所有する部分の床面積が50平方メートル以上であるもの
(四)	高齢者等居住改修工事等をした家屋が、その者が主としてその居住の用に供すると認められるものであること。

((5)で定める改修工事)

(5)　(1)に規定する(5)で定める改修工事は、家屋について行う国土交通大臣が財務大臣と協議して定める(1)に規定する高齢者等が自立した日常生活を営むのに必要な構造及び設備の基準に適合させるための増築、改築、修繕又は模様替に該当するものであることにつき国土交通大臣が財務大臣と協議して定める書類により証明がされたものとする。(措令26の28の5⑱、措規19の11の3②、昭63建設省告示第1274号(最終改正令6国土交通省告示第306号))

(注)　国土交通大臣は、(5)の規定により増築、改築、修繕又は模様替を定めたときは、これを告示する。(措令26の28の5⑳、平19国土交通省告示第407号(最終改正令6同省告示第308号))

(居住用の家屋と異なる居住用の家屋について高齢者等居住改修工事等をした場合)

(6)　(2)に規定する(6)で定める場合は、その年分の所得税につき、**1**の規定の適用を受けようとする**1**に規定する特定個人(その適用を受けようとする**1**に規定する対象高齢者等居住改修工事等(以下において「対象高齢者等居住改修工事等」という。)について介護保険法施行規則第76条第2項の規定の適用を受けた者に限る。)が、その年の前年以前3年内の各年分の所得税につき、**1**の規定の適用を受けている場合とする。(措規19の11の3⑨)

(7)　**2**、**4**②及び同③の規定は、個人がその年の前年以前3年内の各年分の所得税についてこれらの規定の適用を受けている場合には、適用しない。ただし、当該各年分の所得税についてこれらの規定の適用を受けた居住用の家屋と異なる居住用の家屋について**2**に規定する対象一般断熱改修工事等をした場合は、この限りでない。(措法41の19の3⑯)

2　居住用の家屋の一般断熱改修工事等に係る部分の所得税額の控除

個人が、当該個人の所有する居住用の家屋について一般断熱改修工事等(当該一般断熱改修工事等の標準的な費用の額として(2)で定める金額(当該一般断熱改修工事等の費用に関し補助金等の交付を受ける場合には当該金額から当該補助金等の額を控除した金額。以下**2**及び**4**から**6**までにおいて「断熱改修標準的費用額」という。)が50万円を超えるものであることその他の(3)で定める要件を満たすものに限る。以下**2**及び**4**から**6**までにおいて「対象一般断熱改修工事等」という。)をして、当該居住用の家屋(当該対象一般断熱改修工事等に係る部分に限る。以下**2**において同じ。)を平成26年4月1日から令和7年12月31日までの間にその者の居住の用に供した場合(当該居住用の家屋を当該対象一般断熱改修工事等の日から6月以内にその者の居住の用に供した場合に限る。)には、当該個人のその居住の用に供した日の属する年分の所得税の額から、断熱改修標準的費用額(当該断熱改修標準的費用額が250万円(対象一般断熱改修工事等として(4)(三)に掲げる工事を行う場合にあっては、350万円。以下**2**において同じ。)を超える場合には、250万円とする。**6**において「控除対象断熱改修標準的費用額」という。)の10パーセントに相当する金額(当該金額に100円未満の端数があるときは、これを切り捨てる。)を控除する。(措法41の19の3②)

(合計所得金額の限度額)

(1)　**1**、**2**、**3**①、**4**①から同③まで及び**5**の規定は、特定個人、個人又は特例対象個人のその年分の所得税に係る第二章第一節**一30**《寡婦》の合計所得金額が2,000万円を超える場合には、適用しない。(措法41の19の3⑨)

(注)　改正後の(1)の規定は、**1**に規定する特定個人又は個人が、当該特定個人又は個人の所有する**1**に規定する居住用の家屋について**1**に規定する対象高齢者等居住改修工事等、**2**に規定する対象一般断熱改修工事等、**3**①に規定する対象多世帯同居改修工事等又は**4**①に規定する対象住宅耐震改修若しくは対象耐久性向上改修工事等をして、当該居住用の家屋を令和6年1月1日以後に当該特定個人又は個人の居住の用に供する場合について適用され、改正前の**1**に規定する特定個人又は個人が、当該特定個人又は個人の所有する**1**に規定する居住用の家屋について**1**に規定する対象高齢者等居住改修工事等、**2**に規定する対象一般断熱改修工事等、**3**①に規定する対象多世帯同居改修工事等又は**4**①に規定する対象住宅耐震改修若しくは対象耐久性向上改修工事等をして、当該居住用の家屋を同日前に当該特定個人又は個人の居住の用に供した場合については、なお従前の例による。(令6改所法等附35)

(一般断熱改修工事等の標準的な費用の額)

(2)　**2**に規定する(2)で定める金額は、その者が行った(4)に規定する一般断熱改修工事等(以下において「一般断熱改修工事等」という。）のうち、（4）の(一)に掲げる工事にあっては国土交通大臣が、同(二)に掲げる工事にあっては国土交通大臣及び経済産業大臣が、同(三)に掲げる工事にあっては経済産業大臣が、財務大臣とそれぞれ協議して当該一般断熱改修工事等の内容に応じて定める金額（当該一般断熱改修工事等をした家屋の当該一般断熱改修工事等に係る部分のうちにその者の居住の用以外の用に供する部分がある場合には、当該金額に、当該一般断熱改修工事等に要した費用の額のうちに当該居住の用に供する部分に係る当該一般断熱改修工事等に要した費用の額の占める割合を乗じて計算した金額）の合計額とする。（措令26の28の5④、平21経済産業省・国土交通省告示第4号（最終改正令6同省告示第1号）（1577ページの【住宅告示4】参照））

（注）　国土交通大臣は、（3）の規定により金額を定めたときは、これを告示する。（措令26の28の5⑤）

（標準的費用額が50万円を超えるものであることその他の要件）

（3）　**2**に規定する（3）で定める要件を満たすものは、次の(一)から(四)までに掲げる要件を満たす工事とする。（措令26の28の5⑥）

(一)	一般断熱改修工事等の**2**に規定する断熱改修標準的費用額が50万円を超えること。
(二)	一般断熱改修工事等をした家屋の当該一般断熱改修工事等に係る部分のうちにその者の居住の用以外の用に供する部分がある場合には、当該居住の用に供する部分に係る当該一般断熱改修工事等に要した費用の額が当該一般断熱改修工事等に要した費用の額の2分の1以上であること。
(三)	一般断熱改修工事等をした家屋が、その者のその居住の用に供される**1**の（4）の(三)のイ又はロに掲げる家屋（その家屋の床面積の2分の1以上に相当する部分が専ら当該居住の用に供されるものに限る。）のいずれかに該当するものであること。
(四)	一般断熱改修工事等をした家屋が、その者が主としてその居住の用に供すると認められるものであること。

（一般断熱改修工事等）

（4）　**2**に規定する一般断熱改修工事等とは、次の(一)から(三)までに掲げる工事をいう。（措法41の19の3⑪）

(一)	個人が所有している家屋につき行うエネルギーの使用の合理化に資する改修工事で（5）で定めるもの
(二)	(一)に掲げる工事が行われる構造又は設備と一体となって効用を果たすエネルギーの使用の合理化に著しく資する設備として（6）で定めるものの取替え又は取付けに係る工事
(三)	(一)に掲げる工事と併せて行う当該家屋と一体となって効用を果たす太陽光を電気に変換する設備として（7）で定める設備の取替え又は取付けに係る工事

（エネルギーの使用の合理化に資する改修工事）

（5）　（4）(一)に規定する（5）で定める改修工事は、家屋について行う国土交通大臣が財務大臣と協議して定めるエネルギーの使用の合理化に資する増築、改築、修繕又は模様替で当該増築、改築、修繕又は模様替に該当するものであることにつき、国土交通大臣が財務大臣と協議して定める書類により証明がされたものとする。（措令26の28の5⑲、平21国土交通省告示第379号（最終改正令6同省告示第309号）、措規19の11の3③、昭63建設省告示第1274号（最終改正令6国土交通省告示第306号））

（注）　国土交通大臣は、（5）の規定により増築、改築、修繕又は模様替を定めたときは、これを告示（1586ページの【住宅告示5】参照）する。（措令26の28の5⑳）

（（6）で定める設備）

（6）　（4）(二)に規定する（6）で定める設備は、（4）(一)に掲げる工事が行われる構造又は設備と一体となって効用を果たすエネルギーの使用の合理化に著しく資する設備として国土交通大臣及び経済産業大臣が財務大臣と協議して指定するもので当該設備に該当するものであることにつき国土交通大臣が財務大臣と協議して定める書類により証明がされたものとする。（措令26の28の5㉑、平25経済産業省・国土交通省告示第5号（最終改正令6同省告示第2号）、措規19の11の3④、昭63建設省告示第1274号（最終改正令6国土交通省告示第306号））

（注）　国土交通大臣及び経済産業大臣は、（6）の規定により設備を指定したときは、これを告示（1587ページの【住宅告示6】参照）する。（措令26の28の5㉒）

（当該家屋と一体となって効用を果たす太陽光を電気に変換する設備）

（7）　（4）(三)に規定する（7）で定める設備は、（4）(一)に掲げる工事が行われた家屋と一体となって効用を果たす太陽光を電気に変換する設備として経済産業大臣が財務大臣と協議して指定するもので当該設備に該当するものであることにつき国土交通大臣が財務大臣と協議して定める書類により証明がされたものとする。（措令26の28の５㉓、措規19の11の３⑤、平21経済産業省告示第68号（最終改正令６同省告示第63号））

（注）　経済産業大臣は、（7）の規定により設備を指定したときは、これを告示（1588ページの【住宅告示７】参照）する。（措令26の28の５㉔）

（高齢者等居住改修工事等の日等）

（8）　自己が居住の用に供するためにいわゆる建築工事請負契約により工事をした家屋に係る次に掲げる日は、その者が請負人からそれぞれ次に定める工事に係る部分につき引渡しを受けた日として取り扱って差し支えない。（措通41の19の３－１）

⑴　**1**に規定する対象高齢者等居住改修工事等の日　**1**に規定する対象高齢者等居住改修工事等（**7**（6）において「対象高齢者等居住改修工事等」という。）

⑵　**2**に規定する対象一般断熱改修工事等の日　**2**に規定する対象一般断熱改修工事等（**7**（6）において「対象一般断熱改修工事等」という。）

⑶　**3**①に規定する対象多世帯同居改修工事等の日　**3**①に規定する対象多世帯同居改修工事等（**7**（6）において「対象多世帯同居改修工事等」という。）

⑷　**4**①に規定する対象耐久性向上改修工事等の日　**4**①に規定する対象耐久性向上改修工事等（**7**（6）において「対象耐久性向上改修工事等」という。）

⑸　**5**①に規定する対象子育て対応改修工事等の日　**5**①に規定する対象子育て対応改修工事等（**7**（6）において「対象子育て対応改修工事等」という。）

3　居住用の家屋の多世帯同居改修工事等に係る部分の所得税額の控除

①　居住用の家屋の多世帯同居改修工事等に係る部分の所得税額の控除

個人が、当該個人の所有する居住用の家屋について多世帯同居改修工事等（当該多世帯同居改修工事等の標準的な費用の額として（1）で定める金額（当該多世帯同居改修工事等の費用に関し補助金等の交付を受ける場合には当該金額から当該補助金等の額を控除した金額。以下①及び**6**において「多世帯同居改修標準的費用額」という。）が50万円を超えるものであることその他の（2）で定める要件を満たすものに限る。以下①及び**6**において「対象多世帯同居改修工事等」という。）をして、当該居住用の家屋（当該対象多世帯同居改修工事等に係る部分に限る。以下①において同じ。）を平成28年４月１日から令和７年12月31日までの間にその者の居住の用に供した場合（当該居住用の家屋を当該対象多世帯同居改修工事等の日から６月以内にその者の居住の用に供した場合に限る。）には、当該個人のその居住の用に供した日の属する年分の所得税の額から、多世帯同居改修標準的費用額（当該多世帯同居改修標準的費用額が250万円を超える場合には、250万円とする。**6**において「控除対象多世帯同居改修標準的費用額」という。）の10パーセントに相当する金額（当該金額に100円未満の端数があるときは、これを切り捨てる。）を控除する。（措法41の19の３③）

（多世帯同居改修工事等の標準的な費用の額として（1）で定める金額）

（1）　①に規定する（1）で定める金額は、その者が行った②に規定する多世帯同居改修工事等（以下（1）及び（2）において「多世帯同居改修工事等」という。）につき国土交通大臣が財務大臣と協議して当該多世帯同居改修工事等の内容に応じて定める金額（当該多世帯同居改修工事等をした家屋の当該多世帯同居改修工事等に係る部分のうちにその者の居住の用以外の用に供する部分がある場合には、当該金額に、当該多世帯同居改修工事等に要した費用の額のうちに当該居住の用に供する部分に係る当該多世帯同居改修工事等に要した費用の額の占める割合を乗じて計算した金額）の合計額とする。（措令26の28の５⑦、平28国土交通省告示第586号（最終改正令４同省告示第452号）（1588ページの【住宅告示８】参照））

（注）　国土交通大臣は、（1）の規定により金額を定めたときは、これを告示する。（措令26の28の５⑧）

（①に規定する（2）で定める要件を満たすもの）

（2）　①に規定する（2）で定める要件を満たすものは、次の(一)から(四)までに掲げる要件を満たす工事とする。（措令26の28の５⑨）

(一)	多世帯同居改修工事等の①に規定する多世帯同居改修標準的費用額が50万円を超えること。
(二)	多世帯同居改修工事等をした家屋の当該多世帯同居改修工事等に係る部分のうちにその者の居住の用以外の用に供する部分がある場合には、当該居住の用に供する部分に係る当該多世帯同居改修工事等に要した費用の額が当該多世帯同居改修工事等に要した費用の額の２分の１以上であること。
(三)	多世帯同居改修工事等をした家屋が、その者のその居住の用に供される**1**(５)(三)イ又は同ロに掲げる家屋(その家屋の床面積の２分の１以上に相当する部分が専ら当該居住の用に供されるものに限る。)のいずれかに該当するものであること。
(四)	多世帯同居改修工事等をした家屋が、その者が主としてその居住の用に供すると認められるものであること。

②　①に規定する多世帯同居改修工事等

①に規定する多世帯同居改修工事等とは、個人が所有している家屋につき行う他の世帯との同居をするのに必要な設備の数を増加させるための改修工事で(１)で定めるものをいう。(措法41の19の３⑫)

(②に規定する(１)で定める改修工事)

(１)　②に規定する(１)で定める改修工事は、家屋について行う国土交通大臣が財務大臣と協議して定める他の世帯との同居をするのに必要な設備の数を増加させるための増築、改築、修繕又は模様替で当該増築、改築、修繕又は模様替に該当するものであることにつき、国土交通大臣が財務大臣と協議して定める書類により証明がされたものとする。(措令26の28の５㉕、措規19の11の３⑥、昭63建設省告示第1274号(最終改正令６国土交通省告示第306号))

(注)　国土交通大臣は、(１)の規定により増築、改築、修繕又は模様替を定めたときは、これを告示(1589ページの【住宅告示９】参照)する。(措令26の28の５㉘)

③　①の規定を適用しない場合

①の規定は、個人がその年の前年以前３年内の各年分の所得税について①の規定の適用を受けている場合には、適用しない。ただし、当該各年分の所得税について①の規定の適用を受けた居住用の家屋と異なる居住用の家屋について①に規定する対象多世帯同居改修工事等をした場合は、この限りでない。(措法41の19の３⑰)

4　住宅耐震改修等と併せて行う耐久性向上改修工事等に係る部分の所得税額の控除

①　住宅耐震改修と併せて行う耐久性向上改修工事等に係る部分の所得税額の控除

個人が、住宅耐震改修(耐震改修標準的費用額が50万円を超えるものであることその他の(１)で定める要件を満たすものに限る。以下①、③及び**6**において「対象住宅耐震改修」という。)と併せて当該個人の所有する居住用の家屋について耐久性向上改修工事等(当該耐久性向上改修工事等の標準的な費用の額として(２)で定める金額(当該耐久性向上改修工事等の費用に関し補助金等の交付を受ける場合には当該金額から当該補助金等の額を控除した金額。以下**6**までにおいて「耐久性向上改修標準的費用額」という。)が50万円を超えるものであることその他の(３)で定める要件を満たすものに限る。以下**6**までにおいて「対象耐久性向上改修工事等」という。)をして、当該居住用の家屋(当該対象住宅耐震改修及び当該対象耐久性向上改修工事等に係る部分に限る。以下①において同じ。)を平成29年４月１日から令和７年12月31日までの間にその者の居住の用に供した場合(当該居住用の家屋を当該対象耐久性向上改修工事等の日から６月以内にその者の居住の用に供した場合に限る。②及び③において同じ。)には、**2**又は**六1**①の規定の適用を受ける場合を除き、当該個人のその居住の用に供した日の属する年分の所得税の額から、耐震改修標準的費用額及び耐久性向上改修標準的費用額の合計額(当該合計額が250万円を超える場合には、250万円とする。**6**において「控除対象耐震耐久性向上改修標準的費用額」という。)の10パーセントに相当する金額(当該金額に100円未満の端数があるときは、これを切り捨てる。)を控除する。(措法41の19の３④)

(①に規定する耐震改修標準的費用額が50万円を超えるものであることその他の(１)で定める要件を満たすもの)

(１)　①に規定する耐震改修標準的費用額が50万円を超えるものであることその他の(１)で定める要件を満たすものは、次の(一)から(四)までに掲げる要件を満たす工事とする。(措令26の28の５⑩)

(一)	①の住宅耐震改修(以下(１)において「住宅耐震改修」という。)の①の耐震改修標準的費用額が50万円を超えること。

(二)	住宅耐震改修をした家屋の当該住宅耐震改修に係る部分のうちにその者の居住の用以外の用に供する部分がある場合には、当該居住の用に供する部分に係る当該住宅耐震改修に要した費用の額が当該住宅耐震改修に要した費用の額の２分の１以上であること。
(三)	住宅耐震改修をした家屋が、その者のその居住の用に供される**1**(５)(三)イ又は同ロに掲げる家屋（その家屋の床面積の２分の１以上に相当する部分が専ら当該居住の用に供されるものに限る。）のいずれかに該当するものであること。
(四)	住宅耐震改修をした家屋が、その者が主としてその居住の用に供すると認められるものであること。

(①に規定する(２)で定める金額)

(２)　①に規定する(２)で定める金額は、その者が行った(４)に規定する耐久性向上改修工事等（以下(２)及び(３)において「耐久性向上改修工事等」という。）につき国土交通大臣が財務大臣と協議して当該耐久性向上改修工事等の内容に応じて定める金額（当該耐久性向上改修工事等をした家屋の当該耐久性向上改修工事等に係る部分のうちにその者の居住の用以外の用に供する部分がある場合には、当該金額に、当該耐久性向上改修工事等に要した費用の額のうちに当該居住の用に供する部分に係る当該耐久性向上改修工事等に要した費用の額の占める割合を乗じて計算した金額）の合計額とする。(措令26の28の５⑪、平29国土交通省告示第280号（最終改正令４同省告示第727号))

(注)　国土交通大臣は、(２)の規定により金額を定めたときは、これを告示（1593ページの【住宅告示11】参照）する。(措令26の28の５⑫)

(①に規定する耐久性向上改修標準的費用額が50万円を超えるものであることその他の(３)で定める要件を満たすもの)

(３)　①に規定する耐久性向上改修標準的費用額が50万円を超えるものであることその他の(３)で定める要件を満たすものは、次の(一)から(四)までに掲げる要件を満たす工事とする。(措令26の28の５⑬)

(一)	耐久性向上改修工事等の①に規定する耐久性向上改修標準的費用額が50万円を超えること。
(二)	耐久性向上改修工事等をした家屋の当該耐久性向上改修工事等に係る部分のうちにその者の居住の用以外の用に供する部分がある場合には、当該居住の用に供する部分に係る当該耐久性向上改修工事等に要した費用の額が当該耐久性向上改修工事等に要した費用の額の２分の１以上であること。
(三)	耐久性向上改修工事等をした家屋が、その者のその居住の用に供される１(５)(三)イ又は同ロに掲げる家屋（その家屋の床面積の２分の１以上に相当する部分が専ら当該居住の用に供されるものに限る。）のいずれかに該当するものであること。
(四)	耐久性向上改修工事等をした家屋が、その者が主としてその居住の用に供すると認められるものであること。

(①に規定する耐久性向上改修工事等)

(４)　①に規定する耐久性向上改修工事等とは、個人が所有している家屋につき行う構造の腐食、腐朽及び摩損を防止し、又は維持保全を容易にするための改修工事で(５)で定めるものをいう。(措法41の19の３⑬)

((４)に規定する(５)で定める改修工事)

(５)　(４)に規定する(５)で定める改修工事は、家屋について行う国土交通大臣が財務大臣と協議して定める構造の腐食、腐朽及び摩損を防止し、又は維持保全を容易にするための増築、改築、修繕又は模様替（長期優良住宅の普及の促進に関する法律第９条第１項に規定する認定長期優良住宅建築等計画に基づくものに限る。以下(５)において同じ。）で当該増築、改築、修繕又は模様替に該当するものであることにつき(６)で定めるところにより証明がされたものとする。(措令26の28の５㉖、平29国土交通省告示第279号（最終改正令６同省告示第313号))

(注)　国土交通大臣は、(５)の規定により増築、改築、修繕又は模様替えを定めたときは、これを告示（1589ページの【住宅告示10】参照）する。(措令26の28の５㉘)

((６)で定めるところにより証明がされたもの)

(６)　(５)に規定する(６)で定めるところにより証明がされた増築、改築、修繕又は模様替は、当該増築、改築、修繕又は模様替が(５)に規定する国土交通大臣が財務大臣と協議して定める構造の腐食、腐朽及び摩損を防止し、又は維持保全を容易にするための増築、改築、修繕又は模様替に該当するものであることにつき、国土交通大臣が財務大臣と協議して定める書類により証明がされたものとする。（措規19の11の３⑦、昭63建設省告示第1274号（最終改正令６国土交通省告示第306号））

②　一般断熱改修工事等と併せて行う耐久性向上改修工事等に係る部分の所得税額の控除

個人が、対象一般断熱改修工事等と併せて当該個人の所有する居住用の家屋について対象耐久性向上改修工事等をして、当該居住用の家屋（当該対象一般断熱改修工事等及び当該対象耐久性向上改修工事等に係る部分に限る。）を平成29年４月１日から令和７年12月31日までの間にその者の居住の用に供した場合には、**２**若しくは**４**①又は**六１**①の規定の適用を受ける場合を除き、当該個人のその居住の用に供した日の属する年分の所得税の額から、断熱改修標準的費用額及び耐久性向上改修標準的費用額の合計額（当該合計額が250万円（対象一般断熱改修工事等として**２**（４）(三)に掲げる工事を行う場合にあっては、350万円。以下②において同じ。）を超える場合には、250万円とする。**６**において「控除対象断熱耐久性向上改修標準的費用額」という。）の10パーセントに相当する金額（当該金額に100円未満の端数があるときは、これを切り捨てる。）を控除する。（措法41の19の３⑤）

③　住宅耐震改修及び一般断熱改修工事等と併せて行う耐久性向上改修工事等を行った場合の所得税額の控除限度額

個人が、対象住宅耐震改修及び対象一般断熱改修工事等と併せて当該個人の所有する居住用の家屋について対象耐久性向上改修工事等をして、当該居住用の家屋（当該対象住宅耐震改修及び対象一般断熱改修工事等並びに当該対象耐久性向上改修工事等に係る部分に限る。）を平成29年４月１日から令和７年12月31日までの間にその者の居住の用に供した場合には、**２**、**４**①、同②又は**六１**①の規定の適用を受ける場合を除き、当該個人のその居住の用に供した日の属する年分の所得税の額から、耐震改修標準的費用額、断熱改修標準的費用額及び耐久性向上改修標準的費用額の合計額（当該合計額が500万円（対象一般断熱改修工事等として**２**（４）(三)に掲げる工事を行う場合にあっては、600万円。以下③において同じ。）を超える場合には、500万円とする。**６**において「控除対象耐震断熱耐久性向上改修標準的費用額」という。）の10パーセントに相当する金額（当該金額に100円未満の端数があるときは、これを切り捨てる。）を控除する。（措法41の19の３⑥）

５　居住用の家屋の子育て対応改修工事等に係る部分の所得税額の控除

①　居住用の家屋の子育て対応改修工事等に係る部分の所得税額の控除

四４(15)に規定する特例対象個人（以下において「特例対象個人」という。）が、当該特例対象個人の所有する居住用の家屋について子育て対応改修工事等（当該子育て対応改修工事等の標準的な費用の額として（２）で定める金額（当該子育て対応改修工事等の費用に関し補助金等の交付を受ける場合には、当該金額から当該補助金等の額を控除した金額。以下①及び**６**において「子育て対応改修標準的費用額」という。）が50万円を超えるものであることその他の（３）で定める要件を満たすものに限る。以下①及び**６**において「対象子育て対応改修工事等」という。）をして、当該居住用の家屋（当該対象子育て対応改修工事等に係る部分に限る。以下①において同じ。）を令和６年４月１日から同年12月31日までの間にその者の居住の用に供した場合（当該居住用の家屋を当該対象子育て対応改修工事等の日から６月以内にその者の居住の用に供した場合に限る。）には、当該特例対象個人の令和６年分の所得税の額から、子育て対応改修標準的費用額（当該子育て対応改修標準的費用額が250万円を超える場合には、250万円とする。**６**において「控除対象子育て対応改修標準的費用額」という。）の10パーセントに相当する金額（当該金額に100円未満の端数があるときは、これを切り捨てる。）を控除する。（措法41の19の３⑦）

（①に規定する（２）で定める金額）

（１）　①に規定する（２）で定める金額は、その者が行った②に規定する子育て対応改修工事等（以下（１）及び（２）において「子育て対応改修工事等」という。）につき国土交通大臣が財務大臣と協議して当該子育て対応改修工事等の内容に応じて定める金額（当該子育て対応改修工事等をした家屋の当該子育て対応改修工事等に係る部分のうちにその者の居住の用以外の用に供する部分がある場合には、当該金額に、当該子育て対応改修工事等に要した費用の額のうちに当該居住の用に供する部分に係る当該子育て対応改修工事等に要した費用の額の占める割合を乗じて計算した金額）の合計額とする。（措令26の28の５⑭、令６国土交通省告示第304号）

(注)　国土交通大臣は、（１）の規定により金額を定めたときは、これを告示（1595ページの【住宅告示12】参照）する。（措令26の28の５⑮）

（①に規定する（３）で定める要件を満たすもの）

（２）　①に規定する（３）で定める要件を満たすものは、次の(一)から(四)までに掲げる要件を満たす工事とする。（措令26の28の５⑯）

(一)	子育て対応改修工事等の①に規定する子育て対応改修標準的費用額が50万円を超えること。
(二)	子育て対応改修工事等をした家屋の当該子育て対応改修工事等に係る部分のうちにその者の居住の用以外の用に供する部分がある場合には、当該居住の用に供する部分に係る当該子育て対応改修工事等に要した費用の額が当該子育て対応改修工事等に要した費用の額の２分の１以上であること。
(三)	子育て対応改修工事等をした家屋が、その者のその居住の用に供される**１**（４）(三)イ又はロに掲げる家屋（その家屋の床面積の２分の１以上に相当する部分が専ら当該居住の用に供されるものに限る。）のいずれかに該当するものであること。
(四)	子育て対応改修工事等をした家屋が、その者が主としてその居住の用に供すると認められるものであること。

②　①に規定する子育て対応改修工事等

①に規定する子育て対応改修工事等とは、特例対象個人が所有している家屋につき行う子育てに係る特例対象個人の負担を軽減するための改修工事で(１)で定めるものをいう。（措法41の19の３⑭）

(②に規定する(１)で定める改修工事)

（１）　②に規定する(１)で定める改修工事は、家屋について行う国土交通大臣が財務大臣と協議して定める子育てに係る②の特例対象個人の負担を軽減するための増築、改築、修繕又は模様替で当該増築、改築、修繕又は模様替に該当するものであることにつき(２)で定めるところにより証明がされたものとする。（措令26の28の５㉗、令６国土交通省告示第305号）

（注）　国土交通大臣は、（１）の規定により増築、改築、修繕又は模様替を定めたときは、これを告示（1596ページの【住宅告示13】参照）する。（措令26の28の５㉘）

((１)に規定する(２)で定めるところにより証明がされた増築、改築、修繕又は模様替)

（２）　(１)に規定する(２)で定めるところにより証明がされた増築、改築、修繕又は模様替は、当該増築、改築、修繕又は模様替が(１)に規定する国土交通大臣が財務大臣と協議して定める子育てに係る②の特例対象個人の負担を軽減するための増築、改築、修繕又は模様替に該当するものであることにつき、国土交通大臣が財務大臣と協議して定める書類により証明がされたものとする。（措規19の11の３⑧）

６　既存住宅の耐震改修又は特定の改修工事と併せて増改築工事をした場合の所得税額の控除

個人が、当該個人の所有する居住用の家屋について住宅耐震改修、対象高齢者等居住改修工事等、対象一般断熱改修工事等、対象多世帯同居改修工事等、対象住宅耐震改修、対象耐久性向上改修工事等又は対象子育て対応改修工事等をして、当該居住用の家屋を令和４年１月１日から令和７年12月31日までの間にその者の居住の用に供した場合には、**１**から**４**まで又は**六１**①の規定の適用を受ける場合に限り、当該個人のその居住の用に供した日の属する年分の所得税の額から次の(一)から(四)までに掲げる場合の区分に応じ当該(一)から(四)までに定める金額(当該金額が1,000万円から当該住宅耐震改修、対象高齢者等居住改修工事等、対象一般断熱改修工事等、対象多世帯同居改修工事等、対象住宅耐震改修、対象耐久性向上改修工事等又は対象子育て対応改修工事等に係る控除対象耐震改修標準的費用額、控除対象標準的費用額、控除対象断熱改修標準的費用額、控除対象多世帯同居改修標準的費用額、控除対象耐震耐久性向上改修標準的費用額、控除対象断熱耐久性向上改修標準的費用額、控除対象耐震断熱耐久性向上改修標準的費用額及び控除対象子育て対応改修標準的費用額の合計額を控除した金額を超える場合には、当該合計額を控除した金額）の５パーセントに相当する金額（当該金額に100円未満の端数があるときは、これを切り捨てる。）を控除する。（措法41の19の３⑧）

(一)	**六１**①又は**１**から**３**①まで若しくは**６**の規定の適用を受ける場合（(二)から(四)までに掲げる場合を除く。）	次に掲げる金額の合計額（当該合計額が当該住宅耐震改修、対象高齢者等居住改修工事等、対象一般断熱改修工事等、対象多世帯同居改修工事等及び対象子育て対応改修工事等に係る耐震改修標準的費用額、標準的費用額、断熱改修標準的費用額、多世帯同居改修標準的費用額及び子育て対応改修標準的費用額の合計額（以下(一)において「標準的費用合計額」という。）を超える場合には、当該標準的費用合計額）	
		イ	当該住宅耐震改修に係る耐震改修標準的費用額から250万円を控除した金額
		ロ	当該対象高齢者等居住改修工事等に係る標準的費用額から200万円を控除した金額
		ハ	当該対象一般断熱改修工事等に係る断熱改修標準的費用額から250万円（対象一般断熱改修

			工事等として２（４）（三）に掲げる工事を行う場合にあっては、350万円）を控除した金額
		ニ	当該対象多世帯同居改修工事等に係る多世帯同居改修標準的費用額から250万円を控除した金額
		ホ	当該対象子育て対応改修工事等に係る子育て対応改修標準的費用額から250万円を控除した金額
		ヘ	当該住宅耐震改修、対象高齢者等居住改修工事等、対象一般断熱改修工事等、対象多世帯同居改修工事等又は対象子育て対応改修工事等と併せて当該個人の所有する居住用の家屋について行われた増築、改築その他の（１）で定める工事に要した費用の額（当該工事の費用に関し補助金等の交付を受ける場合には、当該工事に要した費用の額から当該補助金等の額を控除した金額）
(二)	４①の規定の適用を受ける場合		次に掲げる金額の合計額（当該合計額が当該対象高齢者等居住改修工事等、対象多世帯同居改修工事等、対象住宅耐震改修、対象耐久性向上改修工事等及び対象子育て対応改修工事等に係る標準的費用額、多世帯同居改修標準的費用額、耐震改修標準的費用額、耐久性向上改修標準的費用額及び子育て対応改修標準的費用額の合計額（以下(二)において「標準的費用合計額」という。）を超える場合には、当該標準的費用合計額）
		イ	当該対象住宅耐震改修及び対象耐久性向上改修工事等に係る耐震改修標準的費用額及び耐久性向上改修標準的費用額の合計額から250万円を控除した金額
		ロ	(一)ロ、ニ及びホに掲げる金額
		ハ	当該対象高齢者等居住改修工事等、対象多世帯同居改修工事等、対象住宅耐震改修、対象耐久性向上改修工事等及び対象子育て対応改修工事等と併せて当該個人の所有する居住用の家屋について行われた増築、改築その他の（１）で定める工事に要した費用の額（当該工事の費用に関し補助金等の交付を受ける場合には、当該工事に要した費用の額から当該補助金等の額を控除した金額）
(三)	４②の規定の適用を受ける場合		次に掲げる金額の合計額（当該合計額が当該対象高齢者等居住改修工事等、対象一般断熱改修工事等、対象多世帯同居改修工事等、対象耐久性向上改修工事等及び対象子育て対応改修工事等に係る標準的費用額、断熱改修標準的費用額、多世帯同居改修標準的費用額、耐久性向上改修標準的費用額及び子育て対応改修標準的費用額の合計額（以下(三)において「標準的費用合計額」という。）を超える場合には、当該標準的費用合計額）
		イ	当該対象一般断熱改修工事等及び対象耐久性向上改修工事等に係る断熱改修標準的費用額及び耐久性向上改修標準的費用額の合計額から250万円（対象一般断熱改修工事等として２（４）（三）に掲げる工事を行う場合にあっては、350万円）を控除した金額
		ロ	(一)ロ、ニ及びホに掲げる金額
		ハ	当該対象高齢者等居住改修工事等、対象一般断熱改修工事等、対象多世帯同居改修工事等、対象耐久性向上改修工事等及び対象子育て対応改修工事等と併せて当該個人の所有する居住用の家屋について行われた増築、改築その他の（１）で定める工事に要した費用の額（当該工事の費用に関し補助金等の交付を受ける場合には、当該工事に要した費用の額から当該補助金等の額を控除した金額）
(四)	４③の規定の適用を受ける場合		次に掲げる金額の合計額（当該合計額が当該対象住宅耐震改修、対象高齢者等居住改修工事等、対象一般断熱改修工事等、対象多世帯同居改修工事等、対象耐久性向上改修工事等及び対象子育て対応改修工事等に係る耐震改修標準的費用額、標準的費用額、断熱改修標準的費用額、多世帯同居改修標準的費用額、耐久性向上改修標準的費用額及び子育て対応改修標準的費用額の合計額（以下(四)において「標準的費用合計額」という。）を超える場合には、当該標準的費用合計額）
		イ	当該対象住宅耐震改修、対象一般断熱改修工事等及び対象耐久性向上改修工事等に係る耐震改修標準的費用額、断熱改修標準的費用額及び耐久性向上改修標準的費用額の合計額から500万円（対象一般断熱改修工事等として２（４）（三）に掲げる工事を行う場合にあっては、

		600万円）を控除した金額
	ロ	(一)ロ、ニ及びホに掲げる金額
	ハ	当該対象住宅耐震改修、対象高齢者等居住改修工事等、対象一般断熱改修工事等、対象多世帯同居改修工事等、対象耐久性向上改修工事等及び対象子育て対応改修工事等と併せて当該個人の所有する居住用の家屋について行われた増築、改築その他の（1）で定める工事に要した費用の額（当該工事の費用に関し補助金等の交付を受ける場合には、当該工事に要した費用の額から当該補助金等の額を控除した金額）

（**6**(一)ヘ、(二)ハ、(三)ハ又は(四)ハに規定する（1）で定める工事）

（1）　**6**(一)ヘ、(二)ハ、(三)ハ又は(四)ハに規定する（1）で定める工事は、**四1**①ハ（1）(一)から同(六)に掲げる工事（**六1**①に規定する住宅耐震改修又は**1**に規定する対象高齢者等居住改修工事等、**2**に規定する対象一般断熱改修工事等、**3**①に規定する対象多世帯同居改修工事等、**4**①に規定する対象住宅耐震改修若しくは対象耐久性向上改修工事等若しくは**5**に規定する対象子育て対応改修工事等に該当するものを除く。）で当該工事に該当するものであることにつき（2）で定めるところにより証明がされたものとする。（措令26の28の5⑰）

（（1）に規定する（2）で定めるところにより証明がされた工事）

（2）　（1）に規定する（2）で定めるところにより証明がされた工事は、当該工事が（1）に規定する工事に該当するものであることにつき、国土交通大臣が財務大臣と協議して定める書類により証明がされたものとする。（措規19の11の3①、昭63建設省告示第1274号（最終改正令6国土交通省告示第306号））

7　申告要件等

1から**6**までの規定は、確定申告書に、これらの規定による控除を受ける金額についてのその控除に関する記載があり、かつ、当該金額の計算に関する明細書及び住宅の品質確保の促進等に関する法律第5条第1項に規定する登録住宅性能評価機関（**八1**（4）において「登録住宅性能評価機関」という。）その他の次の(一)及び(二)に掲げる場合の区分に応じ当該(一)又は(二)に定める者の居住用の家屋が**1**に規定する対象高齢者等居住改修工事等、**2**に規定する対象一般断熱改修工事等、**3**①に規定する対象多世帯同居改修工事等、**4**①に規定する対象住宅耐震改修と併せて行う同①に規定する対象耐久性向上改修工事等、**4**②の対象一般断熱改修工事等と併せて行う同②の対象耐久性向上改修工事等、**4**③の対象住宅耐震改修及び対象一般断熱改修工事等と併せて行う同③の対象耐久性向上改修工事等又は**5**①に規定する対象子育て対応改修工事等が行われた家屋である旨その他の（1）で定める事項を証する書類その他（2）で定める書類（（3）において「増改築等工事証明書」という。）の添付がある場合に限り、適用する。（措法41の19の3⑱、措規19の11の3⑩）

(一)	（1）(八)に掲げる事項（住宅耐震改修に係る部分に限る。）を証する場合　　**六1**①（4）の家屋の所在地の地方公共団体の長又は**六2**①（5）(一)から同(四)に掲げる者
(二)	（1）(一)から同(十)までに掲げる事項を証する場合（(一)に掲げる場合を除く。）　　**六2**①（5）(一)から同(四)に掲げる者

（（1）で定める事項）

（1）　**7**に規定する（1）で定める事項は、次の(一)から(十)までに掲げる場合の区分に応じ当該(一)から(十)までに定める事項とする。（措規19の11の3⑪）

(一)	**1**の規定の適用を受ける場合　次に掲げる事項 イ　その者の**1**に規定する居住用の家屋（以下（1）において「居住用家屋」という。）が対象高齢者等居住改修工事等をした家屋である旨 ロ　当該対象高齢者等居住改修工事等に係る**1**（3）に規定する合計額 ハ　当該対象高齢者等居住改修工事等の費用に関し補助金等の交付を受ける場合には、当該補助金等の額 ニ　当該対象高齢者等居住改修工事等に係る**1**に規定する控除対象標準的費用額（以下（1）において「控除対象標準的費用額」という。） ホ　当該対象高齢者等居住改修工事等をした年月日

(二)	**2**の規定の適用を受ける場合　次に掲げる事項 イ　その者の居住用家屋が**2**に規定する対象一般断熱改修工事等（以下(1)及び(2)(一)において「対象一般断熱改修工事等」という。）をした家屋である旨 ロ　当該対象一般断熱改修工事等に係る**2**(2)に規定する合計額（(五)ロ及び(六)ロにおいて「断熱改修合計額」という。） ハ　当該対象一般断熱改修工事等の費用に関し補助金等の交付を受ける場合には、当該補助金等の額 ニ　当該対象一般断熱改修工事等に係る**2**に規定する控除対象断熱改修標準的費用額（(八)ホにおいて「控除対象断熱改修標準的費用額」という。） ホ　当該対象一般断熱改修工事等をした年月日
(三)	**3**①の規定の適用を受ける場合　次に掲げる事項 イ　その者の居住用家屋が**3**①に規定する対象多世帯同居改修工事等（以下(1)及び(2)(一)において「対象多世帯同居改修工事等」という。）をした家屋である旨 ロ　当該対象多世帯同居改修工事等に係る**3**①(1)に規定する合計額 ハ　当該対象多世帯同居改修工事等の費用に関し補助金等の交付を受ける場合には、当該補助金等の額 ニ　当該対象多世帯同居改修工事等に係る**3**①に規定する控除対象多世帯同居改修標準的費用額（以下(1)において「控除対象多世帯同居改修標準的費用額」という。） ホ　当該対象多世帯同居改修工事等をした年月日
(四)	**4**①の規定の適用を受ける場合　次に掲げる事項 イ　その者の居住用家屋が**4**①に規定する対象住宅耐震改修（以下(1)及び(2)(一)において「対象住宅耐震改修」という。）と併せて行う同①に規定する対象耐久性向上改修工事等（以下(1)及び(2)(一)において「対象耐久性向上改修工事等」という。）をした家屋である旨 ロ　当該対象住宅耐震改修に係る**六1**①(2)に規定する合計額（(六)ロにおいて「耐震改修合計額」という。）及び当該対象耐久性向上改修工事等に係る**4**①(2)に規定する合計額（(五)ロ及び(六)ロにおいて「耐久性向上改修合計額」という。） ハ　当該対象住宅耐震改修又は当該対象耐久性向上改修工事等の費用に関し補助金等の交付を受ける場合には、当該補助金等の額 ニ　当該対象住宅耐震改修及び当該対象耐久性向上改修工事等に係る**4**①に規定する控除対象耐震耐久性向上改修標準的費用額（(九)ホにおいて「控除対象耐震耐久性向上改修標準的費用額」という。） ホ　当該対象住宅耐震改修と併せて当該対象耐久性向上改修工事等をした年月日
(五)	**4**②の規定の適用を受ける場合　次に掲げる事項 イ　その者の居住用家屋が対象一般断熱改修工事等と併せて行う対象耐久性向上改修工事等をした家屋である旨 ロ　当該対象一般断熱改修工事等に係る断熱改修合計額及び当該対象耐久性向上改修工事等に係る耐久性向上改修合計額 ハ　当該対象一般断熱改修工事等又は当該対象耐久性向上改修工事等の費用に関し補助金等の交付を受ける場合には、当該補助金等の額 ニ　当該対象一般断熱改修工事等及び当該耐久性向上改修工事等に係る**4**②に規定する控除対象断熱耐久性向上改修標準的費用額（(十)ホにおいて「控除対象断熱耐久性向上改修標準的費用額」という。） ホ　当該対象一般断熱改修工事等と併せて当該対象耐久性向上改修工事等をした年月日
(六)	**4**③の規定の適用を受ける場合　次に掲げる事項 イ　その者の居住用家屋が対象住宅耐震改修及び対象一般断熱改修工事等と併せて行う対象耐久性向上改修工事等をした家屋である旨 ロ　当該対象住宅耐震改修に係る耐震改修合計額、当該対象一般断熱改修工事等に係る断熱改修合計額及び当該対象耐久性向上改修工事等に係る耐久性向上改修合計額 ハ　当該対象住宅耐震改修、当該対象一般断熱改修工事等又は当該対象耐久性向上改修工事等の費用に関し補助金等の交付を受ける場合には、当該補助金等の額 ニ　当該対象住宅耐震改修、当該対象一般断熱改修工事等及び当該対象耐久性向上改修工事等に係る**4**③に規定する控除対象耐震断熱耐久性向上改修標準的費用額（(十一)ホにおいて「控除対象耐震断熱耐久性向上改修標準的費用額」という。）

	ホ　当該対象住宅耐震改修及び対象一般断熱改修工事等と併せて当該対象耐久性向上改修工事等をした年月日
(七)	5①の規定の適用を受ける場合　次に掲げる事項 イ　その者の居住用家屋が5①に規定する対象子育て対応改修工事等（以下(1)及び(2)(一)において「対象子育て対応改修工事等」という。）をした家屋である旨 ロ　当該対象子育て対応改修工事等に係る5①(1)に規定する合計額 ハ　当該対象子育て対応改修工事等の費用に関し補助金等の交付を受ける場合には、当該補助金等の額 ニ　当該対象子育て対応改修工事等に係る5①に規定する控除対象子育て対応改修標準的費用額（以下(1)において「控除対象子育て対応改修標準的費用額」という。） ホ　当該対象子育て対応改修工事等をした年月日
(八)	6(一)の規定の適用を受ける場合　次に掲げる事項 イ　その者の居住用家屋が住宅耐震改修、対象高齢者等居住改修工事等、対象一般断熱改修工事等、対象多世帯同居改修工事等又は対象子育て対応改修工事等をした家屋である旨 ロ　6(一)イからホまでに掲げる金額の合計額 ハ　6(一)ヘに掲げる金額 ニ　6(一)に規定する標準的費用合計額 ホ　1,000万円から当該住宅耐震改修、対象高齢者等居住改修工事等、対象一般断熱改修工事等、対象多世帯同居改修工事等又は対象子育て対応改修工事等に係る控除対象耐震改修標準的費用額、控除対象標準的費用額、控除対象断熱改修標準的費用額、控除対象多世帯同居改修標準的費用額及び控除対象子育て対応改修標準的費用額の合計額を控除した金額 ヘ　当該住宅耐震改修、対象高齢者等居住改修工事等、対象一般断熱改修工事等、対象多世帯同居改修工事等又は対象子育て対応改修工事等をした年月日
(九)	6(二)の規定の適用を受ける場合　次に掲げる事項 イ　その者の居住用家屋が対象高齢者等居住改修工事等、対象多世帯同居改修工事等、対象住宅耐震改修、対象耐久性向上改修工事等又は対象子育て対応改修工事等をした家屋である旨 ロ　6(二)イ及びロに掲げる金額の合計額 ハ　6(二)ハに掲げる金額 ニ　6(二)に規定する標準的費用合計額 ホ　1,000万円から当該対象高齢者等居住改修工事等、対象多世帯同居改修工事等、対象住宅耐震改修、対象耐久性向上改修工事等又は対象子育て対応改修工事等に係る控除対象標準的費用額、控除対象多世帯同居改修標準的費用額、控除対象耐震耐久性向上改修標準的費用額及び控除対象子育て対応改修標準的費用額の合計額を控除した金額 ヘ　当該対象高齢者等居住改修工事等、対象多世帯同居改修工事等、対象住宅耐震改修、対象耐久性向上改修工事等又は対象子育て対応改修工事等をした年月日
(十)	6(三)の規定の適用を受ける場合　次に掲げる事項 イ　その者の居住用家屋が対象高齢者等居住改修工事等、対象一般断熱改修工事等、対象多世帯同居改修工事等、対象耐久性向上改修工事等又は対象子育て対応改修工事等をした家屋である旨 ロ　6(三)イ及びロに掲げる金額の合計額 ハ　6(三)ハに掲げる金額 ニ　6(三)に規定する標準的費用合計額 ホ　1,000万円から当該対象高齢者等居住改修工事等、対象一般断熱改修工事等、対象多世帯同居改修工事等、対象耐久性向上改修工事等又は対象子育て対応改修工事等に係る控除対象標準的費用額、控除対象多世帯同居改修標準的費用額、控除対象断熱耐久性向上改修標準的費用額及び控除対象子育て対応改修標準的費用額の合計額を控除した金額 ヘ　当該対象高齢者等居住改修工事等、対象一般断熱改修工事等、対象多世帯同居改修工事等、対象耐久性向上改修工事等又は対象子育て対応改修工事等をした年月日
(十一)	6(四)の規定の適用を受ける場合　次に掲げる事項 イ　その者の居住用家屋が対象住宅耐震改修、対象高齢者等居住改修工事等、対象一般断熱改修工事等、対象

多世帯同居改修工事等、対象耐久性向上改修工事等又は対象子育て対応改修工事等をした家屋である旨

ロ　6(四)イ及びロに掲げる金額の合計額

ハ　6(四)ハに掲げる金額

ニ　6(四)に規定する標準的費用合計額

ホ　1,000万円から当該対象住宅耐震改修、対象高齢者等居住改修工事等、対象一般断熱改修工事等、対象多世帯同居改修工事等、対象耐久性向上改修工事等又は対象子育て対応改修工事等に係る控除対象標準的費用額、控除対象多世帯同居改修標準的費用額、控除対象耐震断熱耐久性向上改修標準的費用額及び控除対象子育て対応改修標準的費用額の合計額を控除した金額

ヘ　当該対象住宅耐震改修、対象高齢者等居住改修工事等、対象一般断熱改修工事等、対象多世帯同居改修工事等、対象耐久性向上改修工事等又は対象子育て対応改修工事等をした年月日

（登録住宅性能評価機関その他の金額を明らかにする特定改修等証明書）

（2）　7に規定する（2）で定める書類は、次の(一)から(四)までに掲げる書類とする。（措規19の11の3⑫）

(一)	当該対象高齢者等居住改修工事等、当該対象一般断熱改修工事等、当該対象多世帯同居改修工事等、特定耐久性向上改修工事等（対象住宅耐震改修と併せて行う対象耐久性向上改修工事等、対象一般断熱改修工事等と併せて行う対象耐久性向上改修工事等又は対象住宅耐震改修及び対象一般断熱改修工事等と併せて行う対象耐久性向上改修工事等をいう。(四)において同じ。）又は当該対象子育て対応改修工事等をした家屋の登記事項証明書その他の書類で当該家屋の床面積（1（4）(三)イ又は同ロに規定する床面積をいう。）が50平方メートル以上であることを明らかにする書類
(二)	その者が要介護認定若しくは要支援認定を受けている者又はその者が要介護認定若しくは要支援認定を受けている親族と同居を常況としている者に該当する1に規定する特定個人として1の規定の適用を受ける場合には、五1③(16)に規定する書類
(三)	1（6）に規定する場合に該当することにより1の規定の適用を受ける場合には、当該対象高齢者等居住改修工事等について介護保険法施行規則第76条第2項の規定の適用を受けたことを証する書類
(四)	4①、同②及び同③の規定の適用を受ける場合には、特定耐久性向上改修工事等をした家屋に係る四4(13)(一)に規定する認定通知書の同(一)に規定する写し
(五)	その者が5に規定する特例対象個人（以下(五)において「特例対象個人」という。）として6の規定の適用を受ける場合には、次に掲げる場合の区分に応じそれぞれ次に定める事項（イ及びロに掲げる場合のいずれにも該当する場合には、イ及びロに定める事項の全て）を記載した明細書 イ　その者が四1の表〈住宅借入金等の範囲〉内(一)(ロ)(一)に規定する対象配偶者（イ及び(六)において「対象配偶者」という。）を有する特例対象個人である場合：当該対象配偶者の氏名、生年月日及び個人番号（個人番号を有しない者にあっては、氏名及び生年月日）並びに当該対象配偶者が令和6年12月31日（当該対象配偶者が年の中途において死亡した場合には、その死亡の時）において非居住者である場合には、その旨 ロ　その者が四1の表〈住宅借入金等の範囲〉内(一)(ロ)(二)に規定する対象扶養親族（ロ及び(六)において「対象扶養親族」という。）を有する特例対象個人である場合：当該対象扶養親族の氏名、生年月日、当該特例対象個人との続柄及び個人番号（個人番号を有しない者にあっては、氏名、生年月日及び当該特例対象個人との続柄）並びに当該対象扶養親族が令和6年12月31日（当該対象扶養親族が年の中途において死亡した場合には、その死亡の時）において非居住者である場合には、その旨
(六)	(五)の場合において、その者の対象配偶者及び対象扶養親族の全てが令和6年12月31日（当該対象配偶者又は当該対象扶養親族が年の中途において死亡した場合には、その死亡の時）において非居住者であるとき（その者の令和6年分の所得税につき、所得税法第190条第2号の規定により同号に規定する給与所得控除後の給与等の金額から当該対象配偶者に係る同号ハに規定する障害者控除の額に相当する金額若しくは同号ニに規定する配偶者控除の額若しくは配偶者特別控除の額に相当する金額若しくは当該対象扶養親族に係る同号ハに規定する障害者控除の額若しくは扶養控除の額に相当する金額が控除された場合又は当該対象配偶者につい

て同法第194条第４項、第195条第４項若しくは第203条の６第３項の規定により四16(一)ヌ(1)に掲げる書類を提出し、若しくは提示した場合を除く。）は、四16(一)ヌに規定する書類

（確定申告書の提出又は記載がなかった場合宥恕規定）

（３）　税務署長は、確定申告書の提出がなかった場合又は**6**の記載若しくは添付がない確定申告書の提出があった場合においても、その提出又は記載若しくは添付がなかったことについてやむを得ない事情があると認めるときは、当該記載をした書類並びに**6**の明細書及び増改築等工事証明書の提出があった場合に限り、**1**から**6**までの規定を適用することができる。（措法41の19の３⑲）

（税額控除の控除順序等）

（４）　**一１**《配当控除》並びに**七１**、**２**、**３**①、**４**①、同②、同③、**５**①及び**６**《既存住宅に係る特定の改修工事をした場合の所得税額の特別控除》の規定による控除をすべき金額は、課税総所得金額に係る所得税額、課税山林所得金額に係る所得税額又は課税退職所得金額に係る所得税額から順次控除する。この場合において、これらの控除をすべき金額の合計額がその年分の所得税額をこえるときは、当該控除をすべき金額は、当該所得税額に相当する金額とする。（措法41の19の３⑳によって読み替えられた法92②（下線部は読み替えられた部分（編者注）））

（税額控除の控除要領）

（５）　**1**から**6**までの規定による控除をすべき金額は、これらの規定に規定するその年分の**一１**《配当控除》に規定する所得税額から控除する。（措令26の28の５㉙）

（住宅特定改修特別税額控除の規定を適用した場合の効果）

（６）　**１**、**２**又は**３**①、**４**①、同②、同③及び**５**①に規定する「居住用の家屋」について対象高齢者等居住改修工事等、対象一般断熱改修工事等、対象多世帯同居改修工事等、対象耐久性向上改修工事等又は対象子育て対応改修工事等をしたことにつき、これらの規定を適用したところにより確定申告書を提出した場合には、その後においてその者が更正の請求をし、又は修正申告書を提出するときにおいても、当該適用をしたこれらの規定を適用することに留意する。（措通41の19の３－２）

（注）　**１**、**２**又は**３**①、**４**①、同②、同③及び**５**①の規定を適用しなかった場合においても同様である。

（住宅借入金等を有する場合の所得税額の特別控除に関する取扱い等の準用）

（７）　**七**の規定の適用に当たっては、**四１**（５）、同**１**①**イ**（１）から同（３）、同**１**(15)、同(16)、同**４**(17)、同(18)、同**16**（１）、同（２）及び同**１**①**イ**（５）並びに**五１**③(15)及び同**２**①（７）の取扱いを準用する。（措通41の19の３－３）

【住宅告示３】 **1**（３）の規定に基づき、国土交通大臣が財務大臣と協議して高齢者等居住改修工事等の内容に応じて定める金額を定める件（平21国土交通省告示第384号、最終改正令４同省告示第447号）

1（３）の規定に基づき、国土交通大臣が財務大臣と協議して高齢者等居住改修工事等の内容に応じて定める金額を次のように定めたので、同(３)の注の規定により、告示する。

1（３）の規定に基づき、**1**に規定する高齢者等居住改修工事等の標準的な費用の額として国土交通大臣が財務大臣と協議して当該高齢者等居住改修工事等の内容に応じて定める金額は、次の表の左欄に掲げる高齢者等居住改修工事等の内容の区分に応じ、それぞれ同表の中欄に定める額に、右欄の数値を乗じて得た金額（当該左欄に掲げる高齢者等居住改修工事等をした家屋の当該高齢者等居住改修工事等に係る部分のうちにその者の居住の用以外の用に供する部分がある場合には、当該金額に、当該高齢者等居住改修工事等に要した費用の額のうちに当該居住の用に供する部分に係る当該高齢者等居住改修工事等に要した費用の額の占める割合を乗じて計算した金額）とする。

平成19年国土交通省告示第407号（以下単に「告示」という。）一に掲げる工事のうち、通路の幅を拡張するもの	166,100円	当該工事の施工面積（単位　平方メートル）
告示一に掲げる工事のうち、出入口の幅を拡張するもの	189,200円	当該工事の箇所数
告示二に掲げる工事	585,000円	当該工事の箇所数

告示三イに掲げる工事	471,700円	当該工事の施工面積（単位　平方メートル）
告示三ロに掲げる工事	529,100円	当該工事の箇所数
告示三ハに掲げる工事	27,700円	当該工事の箇所数
告示三ニに掲げる工事	56,900円	当該工事の箇所数
告示四イに掲げる工事	260,600円	当該工事の施工面積（単位　平方メートル）
告示四ロに掲げる工事	359,700円	当該工事の箇所数
告示四ハに掲げる工事	298,900円	当該工事の箇所数
告示五に掲げる工事のうち、長さが150センチメートル以上の手すりを取り付けるもの	19,600円	当該手すりの長さ（単位　メートル）
告示五に掲げる工事のうち、長さが150センチメートル未満の手すりを取り付けるもの	32,800円	当該工事の箇所数
告示六に掲げる工事のうち、玄関、勝手口その他屋外に面する開口の出入口及び上がりかまちの段差を解消するもの並びに段差を小さくするもの（以下「玄関等段差解消等工事」という。）	43,900円	当該工事の箇所数
告示六に掲げる工事のうち、浴室の出入口の段差を解消するもの及び段差を小さくするもの（以下「浴室段差解消等工事」という。）	96,000円	当該工事の施工面積（単位　平方メートル）
告示六に掲げる工事のうち、玄関等段差解消等工事及び浴室段差解消等工事以外のもの	35,100円	当該工事の施工面積（単位　平方メートル）
告示七イに掲げる工事	149,700円	当該工事の箇所数
告示七ロに掲げる工事	13,800円	当該工事の箇所数
告示七ハに掲げる工事のうち、戸に開閉のための動力装置を設置するもの（以下「動力設置工事」という。）	447,500円	当該工事の箇所数
告示七ハに掲げる工事のうち、戸を吊戸方式に変更するもの（以下「吊戸工事」という。）	134,600円	当該工事の箇所数
告示七ハに掲げる工事のうち、戸に戸車を設置する工事その他の動力設置工事及び吊戸工事以外のもの	26,400円	当該工事の箇所数
告示八に掲げる工事	19,800円	当該工事の施工面積（単位　平方メートル）

附　則　個人が、**1**に規定する高齢者等居住改修工事等をした**1**に規定する居住用の家屋（当該高齢者等居住改修工事等に係る部分に限る。）を令和２年１月１日前に**1**の定めるところによりその者の居住の用に供した場合については、なお従前の例による。

【住宅告示４】2（２）の規定に基づき、国土交通大臣又は経済産業大臣が財務大臣とそれぞれ協議して定める金額を定める告示（平21経済産業省・国土交通省告示第４号、最終改正令６同省告示第１号）

2（２）の規定に基づき、国土交通大臣又は経済産業大臣が財務大臣とそれぞれ協議して定める金額を次のように定めたので、同（２）の（注）の規定により、告示する。

一　**2**（２）の規定に基づき、**2**に規定する一般断熱改修工事等の標準的な費用の額のうち、**2**（４）(一)に規定するエネルギーの使用の合理化に資する改修工事の標準的な費用の額として国土交通大臣が財務大臣と協議して定める金額は、次の表の左欄に掲げる工事の種別及び地域区分（建築物エネルギー消費性能基準等を定める省令における算出方法等に係る事項（平成28年国土交通省告示第265号）別表第10に掲げる地域の区分をいう。）に応じそれぞれ同表の中欄に定める額に、次のイ又はロに掲げる工事の種別に応じ当該イ又はロに定める床面積の合計及び同表の右欄に定める割合を乗じて得た金額（一般断熱改修工事等を行った家屋の当該一般断熱改修工事等に係る部分のうちにその者の居住の用以外の用に供する部分がある場合には、当該金額に、当該一般断熱改修工事等に要した費用の額のうちに当該居住の用に供する部分に係る当該一般断熱改修工事等に要した費用の額の占める割合を乗じて計算した金額（当該一般断熱改修工事等を行った家屋が一棟の家屋でその構造上区分された数個の部分を独立して住居その他の用途に供することができるものであって、その家屋の個人がその各部分を区分所有する場合には、当該金額に、当該一般断熱改修工事等に要した費用のうちにその者が負担する費用の割合を乗じて計算した金額））とする。

イ　平成21年国土交通省告示第379号（以下において単に「告示」という。）第１項第１号アに規定する窓の断熱性を高める工事及び同号イに規定する窓の日射遮蔽性を高める工事　一般断熱改修工事等を行った家屋の床面積

ロ　告示第１項第１号ウに規定する天井等の断熱性を高める工事、同号エに規定する壁の断熱性を高める工事及び同号オに規定する床等の断熱性を高める工事　一般断熱改修工事等を行った家屋の当該一般断熱改修工事等に係る部分の床面積

工事の種別及び地域区分	単位当たりの金額	割合
告示第１項第１号アに規定する窓の断熱性を高める工事及び同号イに規定する窓の日射遮蔽性を高める工事のうち、ガラスの交換（１から８地域まで）	床面積１平方メートルにつき6,300円	外気に接する窓（既存の窓の室内側に設置する既存の窓と一体となった窓を含む。この欄において同じ。）のうち左欄に掲げる工事を行ったものの面積の合計を、外気に接する全ての窓の面積の合計で除した割合
告示第１項第１号アに規定する窓の断熱性を高める工事のうち、内窓の新設又は交換（１、２及び３地域）	床面積１平方メートルにつき11,300円	
告示第１項第１号アに規定する窓の断熱性を高める工事のうち、内窓の新設（４、５、６及び７地域）	床面積１平方メートルにつき8,100円	
告示第１項第１号アに規定する窓の断熱性を高める工事のうち、サッシ及びガラスの交換（１、２、３及び４地域）	床面積１平方メートルにつき19,000円	
告示第１項第１号アに規定する窓の断熱性を高める工事のうち、サッシ及びガラスの交換（５、６及び７地域）	床面積１平方メートルにつき15,000円	
告示第１項第１号ウに規定する天井等の断熱性を高める工事（１から８地域まで）	床面積１平方メートルにつき2,700円	1
告示第１項第１号エに規定する壁の断熱性を高める工事（１から８地域まで）	床面積１平方メートルにつき19,400円	1
告示第１項第１号オに規定する床等の断熱性を高める工事（１、２及び３地域）	床面積１平方メートルにつき5,800円	1
告示第１項第１号オに規定する床等の断熱性を高める工事（４、５、６及び７地域）	床面積１平方メートルにつき4,600円	1

二　**2**（2）の規定に基づき、**2**に規定する一般断熱改修工事等の標準的な費用の額のうち、**2**（4）(二)に規定する工事（以下「エネルギー使用合理化設備設置工事」という。）の標準的な費用の額として国土交通大臣及び経済産業大臣が財務大臣と協議して定める金額は、次の表の左欄に掲げる工事の種類に応じそれぞれ同表の右欄に定める額に、エネルギー使用合理化設備設置工事の箇所数（平成25年経済産業省・国土交通省告示第５号（二において単に「告示」という。）第１項第１号に規定する太陽熱利用冷温熱装置については集熱器の面積の合計）を乗じて得た金額（エネルギー使用合理化設備設置工事を行った家屋の当該エネルギー使用合理化設備設置工事に係る部分のうちにその者の居住の用以外の用に供する部分がある場合には、当該金額に、当該エネルギー使用合理化設備設置工事に要した費用の額のうちに当該居住の用に供する部分の当該エネルギー使用合理化設備設置工事に要した費用の額が占める割合を乗じて計算した金額（当該エネルギー使用合理化設備設置工事を行った家屋が一棟の家屋でその構造上区分された数個の部分を独立して住居その他の用途に供することができるものであって、その家屋の個人がその各部分を区分所有する場合には、当該金額に、当該エネルギー使用合理化設備設置工事に要した費用のうちにその者が負担する費用の割合を乗じて計算した金額））とする。

工事の種類	単位当たりの金額
告示第１項第１号に規定する太陽熱利用冷温熱装置の設置工事	集熱器１平方メートルにつき151,600円
告示第１項第２号に規定する太陽熱利用冷温熱装置の設置工事	１件につき365,400円
告示第２項に規定する潜熱回収型給湯器の設置工事	１件につき49,700円
告示第３項に規定するヒートポンプ式電気給湯器の設置工事	１件につき412,200円
告示第４項に規定する燃料電池コージェネレーションシステムの設置工事	１件につき789,800円
告示第５項に規定するエアコンディショナーの設置工事	１件につき88,600円

三　**2**（2）の規定に基づき、**2**に規定する一般断熱改修工事等の標準的な費用の額のうち、**2**（4）(三)に規定する工事（以

下「太陽光発電設備設置工事」という。）の標準的な費用の額として経済産業大臣が財務大臣と協議して定める金額は、42万5,500円（次の表の左欄に掲げる種類の工事を併せて行う場合には、同表の右欄に定める費用を加算した額）に当該太陽光発電設備設置工事で設置する太陽電池モジュール（平成21年経済産業省告示第68号に規定する太陽電池モジュールをいう。）の出力を乗じて得た金額（幹線増強工事（単相二線式の引込線を単相三線式に増強し、併せて分電盤を交換する工事をいう。）を併せて行う場合には、当該金額に10万6,800円を加算した金額）とする（太陽光発電設置工事を行った家屋の当該太陽光発電設備設置工事に係る部分のうちにその者の居住の用以外の用に供する部分がある場合には、当該金額に、当該太陽光発電設備設置工事に要した費用の額のうちに当該居住の用に供する部分の当該太陽光発電設備設置工事に要した費用の額が占める割合を乗じて計算した金額（当該太陽光発電設備設置工事を行った家屋が一棟の家屋でその構造上区分された数個の部分を独立して住居その他の用途に供することができるものであって、その家屋の個人がその各部分を区分所有する場合には、当該金額に、当該太陽光発電設備設置工事に要した費用のうちにその者が負担する費用の割合を乗じて計算した金額）とする。）。

工事の種類	費　用
安全対策工事（急勾配の屋根面又は３階建以上の家屋の屋根面に太陽光発電設備設置工事をする場合に、当該太陽光発電設備設置工事に従事する者並びに当該太陽光発電設備設置工事で設置する設備及び工具の落下を防止するために必要となる足場を組み立てる工事をいう。）	37,600円
陸屋根防水基礎工事（陸屋根の家屋の屋根面に太陽光発電設備設置工事をする場合に、当該陸屋根に架台の基礎を設置する部分を掘削して行う基礎工事及び防水工事をいう。）	55,000円
積雪対策工事（太陽光発電設備設置工事で設置する設備が積雪荷重に対して構造耐力上安全であるように太陽電池モジュール及び架台を補強する工事をいう。）	27,800円
塩害対策工事（太陽光発電設備設置工事で設置する設備に対する塩害を防止するために必要となる防錆工事をいう。）	9,000円

附　則

1　この告示は、令和６年４月１日から施行する。

2　この告示は、個人が、当該個人の所有する改正後の**1**に規定する居住用の家屋について**2**に規定する対象一般断熱改修工事等をして、当該居住用の家屋を令和６年１月１日以後に当該個人の居住の用に供する場合について適用し、個人が、当該個人の所有する改正前の**1**に規定する居住用の家屋について**2**に規定する対象一般断熱改修工事等をして、当該居住用の家屋を同日前に当該個人の居住の用に供した場合については、なお従前の例による。

【参考】建築物エネルギー消費性能基準等を定める省令における算出方法等に係る事項（平成28年国土交通省告示第265号、最終改正令４国土交通省告示第1104号）別表第10に掲げる地域の区分

（別表第10）

地域の区分	都道府県名	市町村
1	北海道	夕張市、士別市、名寄市、伊達市（旧大滝村に限る。）、留寿都村、喜茂別町、愛別町、上川町、美瑛町、南富良野町、占冠村、下川町、美深町、音威子府村、中川町、幌加内町、猿払村、浜頓別町、中頓別町、枝幸町（旧歌登町に限る。）、津別町、訓子府町、置戸町、佐呂間町、遠軽町、滝上町、興部町、西興部村、雄武町、上士幌町、中札内村、更別村、幕別町（旧忠類村に限る。）、大樹町、豊頃町、足寄町、陸別町、標茶町、弟子屈町、鶴居村、別海町、中標津町
2	北海道	札幌市、小樽市、旭川市、釧路市、帯広市、北見市、岩見沢市、網走市、留萌市、苫小牧市、稚内市、美唄市、芦別市、江別市、赤平市、紋別市、三笠市、根室市、千歳市、滝川市、砂川市、歌志内市、深川市、富良野市、登別市、恵庭市、伊達市（旧伊達市に限る。）、北広島市、石狩市、北斗市、当別町、新篠津村、木古内町、七飯町、鹿部町、森町、八雲町（旧八雲町に限る。）、長万部町、今金町、せたな町、島牧村、寿都町、黒松内町、蘭越町、ニセコ町、真狩村、京極町、倶知安町、共和町、岩内町、泊村、神恵内村、積丹町、古平町、仁木町、余市町、赤井川村、南幌町、奈井江町、上砂川町、由仁町、長沼町、栗山町、月形町、浦臼町、新十津川町、妹背牛町、秩父別町、雨竜町、北竜町、沼田町、鷹栖町、東神楽町、当麻町、比布町、東川町、上富良野町、中富良野町、和寒町、剣淵町、増毛町、小平町、苫前町、羽幌町、初山別村、遠別町、天塩町、枝幸町（旧枝幸町に限る。）、豊富町、礼文町、利尻町、利尻富士町、幌延町、美幌町、斜里町、清里町、小清水町、

		湧別町、大空町、豊浦町、壮瞥町、白老町、厚真町、洞爺湖町、安平町、むかわ町、日高町、平取町、新冠町、浦河町、様似町、えりも町、新ひだか町、音更町、士幌町、鹿追町、新得町、清水町、芽室町、広尾町、幕別町（旧幕別町に限る。）、池田町、本別町、浦幌町、釧路町、厚岸町、浜中町、白糠町、標津町、羅臼町
	青森県	平川市（旧碇ヶ関村に限る。）
	岩手県	八幡平市（旧安代町に限る。）、葛巻町、岩手町、西和賀町、九戸村
	秋田県	小坂町
	福島県	檜枝岐村、南会津町（旧舘岩村、旧伊南村、旧南郷村に限る。）
	栃木県	日光市（旧栗山村に限る。）
	群馬県	嬬恋村、草津町、片品村
	長野県	塩尻市（旧楢川村に限る。）、川上村、南牧村、南相木村、北相木村、軽井沢町、木祖村、木曽町（旧開田村に限る。）
3	北海道	函館市、室蘭市、松前町、福島町、知内町、八雲町（旧熊石町に限る。）、江差町、上ノ国町、厚沢部町、乙部町、奥尻町
	青森県	青森市、弘前市、八戸市、黒石市、五所川原市、十和田市、三沢市、むつ市、つがる市、平川市（旧尾上町、旧平賀町に限る。）、平内町、今別町、蓬田村、外ヶ浜町、西目屋村、藤崎町、大鰐町、田舎館村、板柳町、鶴田町、中泊町、野辺地町、七戸町、六戸町、横浜町、東北町、六ヶ所村、おいらせ町、大間町、東通村、風間浦村、佐井村、三戸町、五戸町、田子町、南部町、階上町、新郷村
	岩手県	盛岡市、花巻市、久慈市、遠野市、二戸市、八幡平市（旧西根町、旧松尾村に限る。）、一関市（旧大東町、旧藤沢町、旧千厩町、旧東山町、旧室根村に限る。）、滝沢市、雫石町、紫波町、矢巾町、住田町、岩泉町、田野畑村、普代村、軽米町、野田村、洋野町、一戸町
	宮城県	七ヶ宿町
	秋田県	能代市（旧二ツ井町に限る。）、横手市、大館市、湯沢市、鹿角市、大仙市、北秋田市、仙北市、上小阿仁村、藤里町、美郷町、羽後町、東成瀬村
	山形県	新庄市、長井市、尾花沢市、南陽市、西川町、朝日町、大江町、大石田町、金山町、最上町、舟形町、真室川町、鮭川村、戸沢村、高畠町、川西町、小国町、飯豊町
	福島県	二本松市（旧東和町に限る。）、下郷町、只見町、南会津町（旧田島町に限る。）、北塩原村、磐梯町、猪苗代町、柳津町、三島町、金山町、昭和村、鮫川村、平田村、小野町、川内村、葛尾村、飯舘村
	栃木県	日光市（旧足尾町に限る。）
	群馬県	上野村、長野原町、高山村、川場村
	石川県	白山市（旧白峰村に限る。）
	山梨県	北杜市（旧小淵沢町に限る。）、笛吹市（旧芦川村に限る。）、忍野村、山中湖村、鳴沢村、小菅村、丹波山村
	長野県	上田市（旧真田町、旧武石村に限る。）、岡谷市、小諸市、大町市、茅野市、佐久市、小海町、佐久穂町、御代田町、立科町、長和町、富士見町、原村、辰野町、平谷村、売木村、上松町、王滝村、木曽町（旧木曽福島町、旧日義村、旧三岳村に限る。）、麻績村、生坂村、朝日村、筑北村、白馬村、小谷村、高山村、山ノ内町、野沢温泉村、信濃町、小川村、飯綱町
	岐阜県	飛騨市、郡上市（旧高鷲村に限る。）、下呂市（旧小坂町、旧馬瀬村に限る。）、白川村
	奈良県	野迫川村
	広島県	廿日市市（旧吉和村に限る。）、
4	青森県	鰺ヶ沢町、深浦町
	岩手県	宮古市、大船渡市、北上市、一関市（旧一関市、旧花泉町、旧川崎村に限る。）、陸前高田市、釜石市、奥州市、金ケ崎町、平泉町、大槌町、山田町

宮城県	石巻市、塩竈市、気仙沼市、白石市、名取市、角田市、岩沼市、登米市、栗原市、東松島市、大崎市、蔵王町、大河原町、村田町、柴田町、川崎町、丸森町、亘理町、松島町、七ヶ浜町、利府町、大和町、大郷町、富谷市、大衡村、色麻町、加美町、涌谷町、美里町、女川町、南三陸町
秋田県	秋田市、能代市（旧能代市に限る。）、男鹿市、由利本荘市、潟上市、三種町、八峰町、五城目町、八郎潟町、井川町、大潟村
山形県	山形市、米沢市、鶴岡市、酒田市（旧八幡町、旧松山町、旧平田町に限る。）、寒河江市、上山市、村山市、天童市、東根市、山辺町、中山町、河北町、大蔵村、白鷹町、三川町、庄内町、遊佐町
福島県	会津若松市、白河市、須賀川市、喜多方市、二本松市（旧二本松市、旧安達町、旧岩代町に限る。）、田村市、伊達市、本宮市、桑折町、国見町、川俣町、大玉村、鏡石町、天栄村、西会津町、会津坂下町、湯川村、会津美里町、西郷村、泉崎村、中島村、矢吹町、棚倉町、矢祭町、塙町、石川町、玉川村、浅川町、古殿町、三春町
茨城県	城里町（旧七会村に限る。）、大子町
栃木県	日光市（旧日光市、旧今市市、旧藤原町に限る。）、那須塩原市、塩谷町、那須町
群馬県	高崎市（旧倉渕村に限る。）、桐生市（旧黒保根村に限る。）、沼田市、神流町、南牧村、中之条町、東吾妻町、昭和村、みなかみ町
埼玉県	秩父市（旧大滝村に限る。）
東京都	檜原村、奥多摩町
新潟県	小千谷市、十日町市、村上市、魚沼市、南魚沼市、阿賀町、湯沢町、津南町、関川村
石川県	白山市（旧河内村、旧吉野谷村、旧鳥越村、旧尾口村に限る。）
福井県	池田町
山梨県	甲府市（旧上九一色村に限る。）、富士吉田市、北杜市（旧明野村、旧須玉町、旧高根町、旧長坂町、旧大泉村、旧白州町に限る。）、甲州市（旧大和村に限る。）、道志村、西桂町、富士河口湖町
長野県	長野市、松本市、上田市（旧上田市、旧丸子町に限る。）、諏訪市、須坂市、伊那市、駒ヶ根市、中野市、飯山市、塩尻市（旧塩尻市に限る。）、千曲市、東御市、安曇野市、青木村、下諏訪町、箕輪町、飯島町、南箕輪村、中川村、宮田村、松川町、高森町、阿南町、阿智村、根羽村、下條村、天龍村、泰阜村、豊丘村、大鹿村、南木曽町、大桑村、山形村、池田町、松川村、坂城町、小布施町、木島平村、栄村
岐阜県	高山市、中津川市（旧長野県木曽郡山口村、旧坂下町、旧川上村、旧加子母村、旧付知町、旧福岡町、旧蛭川村に限る。）、本巣市（旧根尾村に限る。）、郡上市（旧八幡町、旧大和町、旧白鳥町、旧明宝村、旧和良村に限る。）、下呂市（旧萩原町、旧下呂町、旧金山町に限る。）、東白川村
愛知県	豊田市（旧稲武町に限る。）、設楽町（旧津具村に限る。）、豊根村
兵庫県	香美町（旧村岡町、旧美方町に限る。）
奈良県	奈良市（旧都祁村に限る。）、五條市（旧大塔村に限る。）、曽爾村、御杖村、黒滝村、天川村、川上村
和歌山県	高野町
鳥取県	若桜町、日南町、日野町
島根県	飯南町、吉賀町
岡山県	津山市（旧阿波村に限る。）、真庭市（旧湯原町、旧美甘村、旧川上村、旧八束村、旧中和村に限る。）、新庄村、西粟倉村、吉備中央町
広島県	庄原市（旧総領町、旧西城町、旧東城町、旧口和町、旧高野町、旧比和町に限る。）、安芸太田町、世羅町、神石高原町
愛媛県	新居浜市（旧別子山村に限る。）、久万高原町
高知県	いの町（旧本川村に限る。）、梼原町

5	宮城県	仙台市、多賀城市、山元町
	秋田県	にかほ市
	山形県	酒田市（旧酒田市に限る。）
	福島県	福島市、郡山市、いわき市、相馬市、南相馬市、広野町、楢葉町、富岡町、大熊町、双葉町、浪江町、新地町
	茨城県	水戸市、土浦市（旧新治村に限る。）、石岡市、結城市、下妻市、常総市、常陸太田市、高萩市、北茨城市、笠間市、取手市、牛久市、つくば市、ひたちなか市、常陸大宮市、那珂市、筑西市、坂東市、稲敷市、かすみがうら市、桜川市、行方市、鉾田市、つくばみらい市、小美玉市、茨城町、大洗町、城里町（旧常北町、旧桂村に限る。）、東海村、美浦村、阿見町、河内町、八千代町、五霞町、境町、利根町
	栃木県	宇都宮市、栃木市、鹿沼市、小山市、真岡市、大田原市、矢板市、さくら市、那須烏山市、下野市、上三川町、益子町、茂木町、市貝町、芳賀町、壬生町、野木町、高根沢町、那珂川町
	群馬県	桐生市（旧新里村に限る。）、渋川市、富岡市、安中市、みどり市、榛東村、吉岡町、下仁田町、甘楽町、板倉町
	埼玉県	秩父市（旧秩父市、旧吉田町、旧荒川村に限る。）、飯能市、日高市、毛呂山町、越生町、滑川町、嵐山町、小川町、川島町、吉見町、鳩山町、ときがわ町、横瀬町、皆野町、長瀞町、小鹿野町、東秩父村、美里町、神川町、寄居町
	千葉県	印西市、富里市、栄町、神崎町
	東京都	青梅市、羽村市、あきる野市、瑞穂町、日の出町
	神奈川県	山北町、愛川町、清川村
	新潟県	新潟市、長岡市、三条市、柏崎市、新発田市、加茂市、見附市、燕市、糸魚川市、妙高市、五泉市、上越市、阿賀野市、佐渡市、胎内市、聖籠町、弥彦村、田上町、出雲崎町、刈羽村、粟島浦村
	富山県	富山市、高岡市、魚津市、氷見市、滑川市、黒部市、砺波市、小矢部市、南砺市、射水市、舟橋村、上市町、立山町、入善町、朝日町
	石川県	七尾市、輪島市、珠洲市、加賀市、羽咋市、かほく市、白山市（旧美川町、旧鶴来町に限る。）、能美市、川北町、津幡町、内灘町、志賀町、宝達志水町、中能登町、穴水町、能登町
	福井県	大野市、勝山市、あわら市、坂井市、永平寺町、南越前町、若狭町
	山梨県	甲府市（旧中道町に限る。）、都留市、山梨市、大月市、韮崎市、南アルプス市、北杜市（旧武川村に限る。）、甲斐市、笛吹市（旧春日居町、旧石和町、旧御坂町、旧一宮町、旧八代町、旧境川村に限る。）、上野原市、甲州市（旧塩山市、旧勝沼町に限る。）、中央市、市川三郷町、早川町、身延町、富士川町
	長野県	飯田市、喬木村
	岐阜県	大垣市（旧上石津町に限る。）、中津川市（旧中津川市に限る。）、美濃市、瑞浪市、恵那市、郡上市（旧美並村に限る。）、土岐市、関ケ原町、坂祝町、富加町、川辺町、七宗町、八百津町、白川町、御嵩町
	静岡県	御殿場市、小山町、川根本町
	愛知県	設楽町（旧設楽町に限る。）、東栄町
	三重県	津市（旧美杉村に限る。）、名張市、いなべ市（旧北勢町、旧藤原町に限る。）、伊賀市
	滋賀県	大津市、彦根市、長浜市、栗東市、甲賀市、野洲市、湖南市、高島市、東近江市、米原市、日野町、竜王町、愛荘町、豊郷町、甲良町、多賀町
	京都府	福知山市、綾部市、宮津市、亀岡市、京丹後市、南丹市、宇治田原町、笠置町、和束町、南山城村、京丹波町、与謝野町
	大阪府	豊能町、能勢町

	兵庫県	豊岡市、西脇市、三田市、加西市、丹波篠山市、養父市、丹波市、朝来市、宍粟市、加東市、猪名川町、多可町、市川町、神河町、上郡町、佐用町、新温泉町（旧温泉町に限る。）
	奈良県	生駒市、宇陀市、山添村、平群町、吉野町、大淀町、下市町、十津川村、下北山村、上北山村、東吉野村
	和歌山県	田辺市（旧龍神村に限る。）、かつらぎ町（旧花園村に限る。）、日高川町（旧美山村に限る。）
	鳥取県	倉吉市、智頭町、八頭町、三朝町、南部町、江府町
	島根県	益田市（旧美都町、旧匹見町に限る。）、雲南市、奥出雲町、川本町、美郷町、邑南町、津和野町
	岡山県	津山市（旧津山市、旧加茂町、旧勝北町、旧久米町に限る。）、高梁市、新見市、備前市、真庭市（旧北房町、旧勝山町、旧落合町、旧久世町に限る。）、美作市、和気町、鏡野町、勝央町、奈義町、久米南町、美咲町
	広島県	府中市、三次市、庄原市（旧庄原市に限る。）、東広島市、廿日市市（旧佐伯町に限る。）、安芸高田市、熊野町、北広島町
	山口県	下関市（旧豊田町に限る。）、萩市（旧むつみ村、旧福栄村に限る。）、美祢市
	徳島県	三好市、上勝町
	愛媛県	大洲市（旧肱川町、旧河辺村に限る。）、内子町（旧小田町に限る。）
	高知県	本山町、大豊町、土佐町、大川村、いの町（旧吾北村に限る。）、仁淀川町
	福岡県	東峰村
	熊本県	八代市（旧泉村に限る。）、阿蘇市、南小国町、小国町、産山村、高森町、南阿蘇村、山都町、水上村、五木村
	大分県	佐伯市（旧宇目町に限る。）、由布市（旧湯布院町に限る。）、九重町、玖珠町
	宮崎県	椎葉村、五ヶ瀬町
6	茨城県	日立市、土浦市（旧新治村を除く。）、古河市、龍ケ崎市、鹿嶋市、潮来市、守谷市、神栖市
	栃木県	足利市、佐野市
	群馬県	前橋市、高崎市（旧倉渕村を除く。）、桐生市（旧桐生市に限る。）、伊勢崎市、太田市、館林市、藤岡市、玉村町、明和町、千代田町、大泉町、邑楽町
	埼玉県	さいたま市、川越市、熊谷市、川口市、行田市、所沢市、加須市、本庄市、東松山市、春日部市、狭山市、羽生市、鴻巣市、深谷市、上尾市、草加市、越谷市、蕨市、戸田市、入間市、朝霞市、志木市、和光市、新座市、桶川市、久喜市、北本市、八潮市、富士見市、三郷市、蓮田市、坂戸市、幸手市、鶴ヶ島市、吉川市、ふじみ野市、白岡市、伊奈町、三芳町、上里町、宮代町、杉戸町、松伏町
	千葉県	千葉市、銚子市、市川市、船橋市、木更津市、松戸市、野田市、茂原市、成田市、佐倉市、東金市、旭市、習志野市、柏市、市原市、流山市、八千代市、我孫子市、鴨川市、鎌ケ谷市、君津市、富津市、浦安市、四街道市、袖ケ浦市、八街市、白井市、南房総市、匝瑳市、香取市、山武市、いすみ市、大網白里市、酒々井町、多古町、東庄町、九十九里町、芝山町、横芝光町、一宮町、睦沢町、長生村、白子町、長柄町、長南町、大多喜町、御宿町、鋸南町
	東京都	東京23区、八王子市、立川市、武蔵野市、三鷹市、府中市、昭島市、調布市、町田市、小金井市、小平市、日野市、東村山市、国分寺市、国立市、福生市、狛江市、東大和市、清瀬市、東久留米市、武蔵村山市、多摩市、稲城市、西東京市
	神奈川県	横浜市、川崎市、相模原市、平塚市、鎌倉市、小田原市、茅ヶ崎市、逗子市、秦野市、厚木市、大和市、伊勢原市、海老名市、座間市、南足柄市、綾瀬市、葉山町、寒川町、大磯町、二宮町、中井町、大井町、松田町、開成町、箱根町、真鶴町、湯河原町
	石川県	金沢市、白山市（旧松任市に限る。）、小松市、野々市市
	福井県	福井市、敦賀市、小浜市、鯖江市、越前市、越前町、美浜町、高浜町、おおい町

山梨県	甲府市（旧甲府市に限る。）、南部町、昭和町
岐阜県	岐阜市、大垣市（旧大垣市、旧墨俣町に限る。）、多治見市、関市、羽島市、美濃加茂市、各務原市、可児市、山県市、瑞穂市、本巣市（旧本巣町、旧真正町、旧糸貫町に限る。）、海津市、岐南町、笠松町、養老町、垂井町、神戸町、輪之内町、安八町、揖斐川町、大野町、池田町、北方町
静岡県	浜松市、熱海市、三島市、富士宮市、島田市、掛川市、袋井市、裾野市、湖西市、伊豆市、菊川市、伊豆の国市、西伊豆町、函南町、長泉町、森町
愛知県	名古屋市、岡崎市、一宮市、瀬戸市、半田市、春日井市、豊川市、津島市、碧南市、刈谷市、豊田市（旧稲武町を除く。）、安城市、西尾市、蒲郡市、犬山市、常滑市、江南市、小牧市、稲沢市、新城市、東海市、大府市、知多市、知立市、尾張旭市、高浜市、岩倉市、豊明市、日進市、田原市、愛西市、清須市、北名古屋市、弥富市、みよし市、あま市、長久手市、東郷町、豊山町、大口町、扶桑町、大治町、蟹江町、飛島村、阿久比町、東浦町、南知多町、美浜町、武豊町、幸田町
三重県	津市（旧津市、旧久居市、旧河芸町、旧芸濃町、旧美里村、旧安濃町、旧香良洲町、旧一志町、旧白山町に限る。）、四日市市、伊勢市、松阪市、桑名市、鈴鹿市、尾鷲市、亀山市、鳥羽市、いなべ市（旧員弁町、旧大安町に限る。）、志摩市、木曽岬町、東員町、菰野町、朝日町、川越町、多気町、明和町、大台町、玉城町、度会町、大紀町、南伊勢町、紀北町
滋賀県	近江八幡市、草津市、守山市
京都府	京都市、舞鶴市、宇治市、城陽市、向日市、長岡京市、八幡市、京田辺市、木津川市、大山崎町、久御山町、井手町、精華町、伊根町
大阪府	大阪市、堺市、岸和田市、豊中市、池田市、吹田市、泉大津市、高槻市、貝塚市、守口市、枚方市、茨木市、八尾市、泉佐野市、富田林市、寝屋川市、河内長野市、松原市、大東市、和泉市、箕面市、柏原市、羽曳野市、門真市、摂津市、高石市、藤井寺市、東大阪市、泉南市、四條畷市、交野市、大阪狭山市、阪南市、島本町、忠岡町、熊取町、田尻町、太子町、河南町、千早赤阪村
兵庫県	神戸市、姫路市、尼崎市、明石市、西宮市、洲本市、芦屋市、伊丹市、相生市、加古川市、赤穂市、宝塚市、三木市、高砂市、川西市、小野市、南あわじ市、淡路市、たつの市、稲美町、播磨町、福崎町、太子町、香美町（旧村岡町、旧美方町を除く。）、新温泉町（旧浜坂町に限る。）
奈良県	奈良市（旧都祁村を除く。）、大和高田市、大和郡山市、天理市、橿原市、桜井市、五條市（旧大塔村を除く。）、御所市、香芝市、葛城市、三郷町、斑鳩町、安堵町、川西町、三宅町、田原本町、高取町、明日香村、上牧町、王寺町、広陵町、河合町
和歌山県	海南市、橋本市、有田市、田辺市（旧本宮町に限る。）、紀の川市、岩出市、紀美野町、かつらぎ町（旧花園村を除く。）、九度山町、湯浅町、広川町、有田川町、日高町、由良町、日高川町（旧川辺町、旧中津村に限る。）、上富田町、北山村
鳥取県	鳥取市、米子市、境港市、岩美町、湯梨浜町、琴浦町、北栄町、日吉津村、大山町、伯耆町
島根県	松江市、浜田市、出雲市、益田市（旧益田市に限る。）、大田市、安来市、江津市、海士町、西ノ島町、知夫村、隠岐の島町
岡山県	岡山市、倉敷市、玉野市、笠岡市、井原市、総社市、瀬戸内市、赤磐市、浅口市、早島町、里庄町、矢掛町
広島県	広島市、呉市、竹原市、三原市、尾道市、福山市、大竹市、廿日市市（旧佐伯町、旧吉和村を除く。）、江田島市、府中町、海田町、坂町、大崎上島町
山口県	宇部市、山口市、萩市（旧萩市、旧川上村、旧田万川町、旧須佐町、旧旭村に限る。）、防府市、下松市、岩国市、光市、長門市、柳井市、周南市、山陽小野田市、周防大島町、和木町、上関町、田布施町、平生町、阿武町
徳島県	徳島市、鳴門市、吉野川市、阿波市、美馬市、勝浦町、佐那河内村、石井町、神山町、那賀町、牟岐町、松茂町、北島町、藍住町、板野町、上板町、つるぎ町、東みよし町
香川県	全ての市町

	愛媛県	今治市、八幡浜市、西条市、大洲市（旧大洲市、旧長浜町に限る。）、伊予市、四国中央市、西予市、東温市、上島町、砥部町、内子町（旧内子町、旧五十崎町に限る。）、伊方町、松野町、鬼北町
	高知県	香美市、馬路村、いの町（旧伊野町に限る。）、佐川町、越知町、日高村、津野町、四万十町、三原村、黒潮町
	福岡県	北九州市、大牟田市、久留米市、直方市、飯塚市、田川市、柳川市、八女市、筑後市、大川市、行橋市、豊前市、中間市、小郡市、筑紫野市、春日市、大野城市、宗像市、太宰府市、古賀市、福津市、うきは市、宮若市、嘉麻市、朝倉市、みやま市、糸島市、那珂川市、宇美町、篠栗町、須恵町、久山町、水巻町、岡垣町、遠賀町、小竹町、鞍手町、桂川町、筑前町、大刀洗町、大木町、広川町、香春町、添田町、糸田町、川崎町、大任町、赤村、福智町、苅田町、みやこ町、吉富町、上毛町、築上町
	佐賀県	全ての市町
	長崎県	佐世保市、松浦市、対馬市、雲仙市（旧小浜町に限る。）、東彼杵町、川棚町、波佐見町、佐々町
	熊本県	八代市（旧坂本村、旧東陽村に限る。）、人吉市、荒尾市、玉名市、山鹿市、菊池市、合志市、美里町、玉東町、南関町、和水町、大津町、菊陽町、西原村、御船町、益城町、甲佐町、錦町、多良木町、湯前町、相良村、山江村、球磨村、あさぎり町
	大分県	大分市（旧野津原町に限る。）、別府市、中津市、日田市、臼杵市、津久見市、竹田市、豊後高田市、杵築市、宇佐市、豊後大野市、由布市（旧挾間町、旧庄内町に限る。）、国東市、姫島村、日出町
	宮崎県	小林市、えびの市、高原町、西米良村、諸塚村、美郷町、高千穂町、日之影町
	鹿児島県	伊佐市、湧水町
7	千葉県	館山市、勝浦市
	東京都	大島町、利島村、新島村、神津島村、三宅村、御蔵島村、八丈町、青ヶ島村
	神奈川県	横須賀市、藤沢市、三浦市
	静岡県	静岡市、沼津市、伊東市、富士市、磐田市、焼津市、藤枝市、下田市、御前崎市、牧之原市、東伊豆町、河津町、南伊豆町、松崎町、清水町、吉田町
	愛知県	豊橋市
	三重県	熊野市、御浜町、紀宝町
	大阪府	岬町
	和歌山県	和歌山市、御坊市、田辺市（旧龍神村、旧本宮町を除く。）、新宮市、美浜町、印南町、みなべ町、白浜町、すさみ町、那智勝浦町、太地町、古座川町、串本町
	山口県	下関市（旧豊田町を除く。）
	徳島県	小松島市、阿南市、美波町、海陽町
	愛媛県	松山市、宇和島市、新居浜市（旧新居浜市に限る。）、松前町、愛南町
	高知県	高知市、室戸市、安芸市、南国市、土佐市、須崎市、宿毛市、土佐清水市、四万十市、香南市、東洋町、奈半利町、田野町、安田町、北川村、芸西村、中土佐町、大月町
	福岡県	福岡市、志免町、新宮町、粕屋町、芦屋町
	長崎県	長崎市、島原市、諫早市、大村市、平戸市、壱岐市、五島市、西海市、雲仙市（旧小浜町を除く。）、南島原市、長与町、時津町、小値賀町、新上五島町
	熊本県	熊本市、八代市（旧八代市、旧千丁町、旧鏡町に限る。）、水俣市、宇土市、上天草市、宇城市、天草市、長洲町、嘉島町、氷川町、芦北町、津奈木町、苓北町
	大分県	大分市（旧野津原町を除く。）、佐伯市（旧宇目町を除く。）
	宮崎県	宮崎市、都城市、延岡市、日南市、日向市、串間市、西都市、三股町、国富町、綾町、高鍋町、新富町、木城町、川南町、都農町、門川町

	鹿児島県	鹿児島市、鹿屋市、枕崎市、阿久根市、出水市、指宿市、西之表市、垂水市、薩摩川内市、日置市、曽於市、霧島市、いちき串木野市、南さつま市、志布志市、南九州市、姶良市、三島村、十島村、さつま町、長島町、大崎町、東串良町、錦江町、南大隅町、肝付町、中種子町、南種子町、屋久島町
8	東京都	小笠原村
	鹿児島県	奄美市、大和村、宇検村、瀬戸内町、龍郷町、喜界町、徳之島町、天城町、伊仙町、和泊町、知名町、与論町
	沖縄県	全ての市町村
備考　この表に掲げる区域は、令和元年５月１日における行政区画によって表示されたものとする。ただし、括弧内に記載する区域は、平成13年８月１日における旧行政区画によって表示されたものとする。		

【住宅告示５】２（５）の規定に基づき、エネルギーの使用の合理化に資する増築、改築、修繕又は模様替を定める告示（平21国土交通省告示第379号、最終改正令６同省告示第309号）

２（５）の規定に基づき、エネルギーの使用の合理化に資する増築、改築、修繕又は模様替を次のように定めたので、同（５）の(注)の規定により、告示する。

２（５）に規定する国土交通大臣が財務大臣と協議して定めるエネルギーの使用の合理化に資する増築、改築、修繕又は模様替を次のように定める。

（１）　**２**（５）に規定する国土交通大臣が財務大臣と協議して定めるエネルギーの使用の合理化に資する増築、改築、修繕又は模様替は、次の(一)及び(二)に掲げる要件の全てに該当する工事とする。

(一)	次のアに定める工事又は次のアに定める工事と併せて行う次のウからオまでに定める工事（地域区分（建築物エネルギー消費性能基準等を定める省令における算出方法等に係る事項（平成28年国土交通省告示第265号）別表第10に掲げる地域の区分をいう。以下同じ。）が８地域の場合にあっては、次のイに定める工事又は次のイに定める工事と併せて行う次のウからオまでに定める工事）であること。 ア　窓の断熱性を高める工事（外気に接する窓（既存の窓の室内側に設置する既存の窓と一体となった窓を含む。以下同じ。）の断熱性を高める工事で、窓の熱貫流率（内外の温度差１度の場合において１平方メートル当たり貫流する熱量をワットで表した数値であって、当該部位を熱の貫流する方向に構成している材料の種類及び厚さ、熱橋（構造部材、下地材その他断熱構造を貫通する部分であって、断熱性能が周囲の部分より劣るものをいう。以下同じ。）により貫流する熱量等を勘案して算出したものをいう。以下同じ。）が、地域区分に応じ、施工後に新たに住宅部分の外壁、窓等を通しての熱の損失の防止に関する基準及び一次エネルギー消費量に関する基準（平成28年国土交通省告示第266号。以下「住宅仕様基準」という。）第１項(3)イの表に掲げる基準値以下となるものをいう。） イ　窓の日射遮蔽性を高める工事（外気に接する窓の日射遮蔽性を高める工事で、窓の建具、付属部材（紙障子、外付けブラインド（窓の直近室外側に設置され、金属製スラット等の可変により日射調整機能を有するブラインドをいう。）及びその他これらと同等以上の日射遮蔽性能を有し、窓に建築的に取り付けられるものをいう。）及びひさし、軒等（オーバーハング型の日除けで、外壁からの出寸法がその下端から窓下端までの高さの0.3倍以上のものをいう。）が、建築物の種類に応じ、施工後に新たに住宅仕様基準第１項(3)ロの表の８の項の右欄に掲げる事項に該当するもの（この場合において、同欄中「開口部」とあるのは「窓」とする。）又はこれと同等以上の性能を有するものとなるものをいう。） ウ　天井等の断熱性を高める工事（屋根（小屋裏又は天井裏が外気に通じているものを除く。以下同じ。）、屋根の直下の天井又は外気等（外気又は外気に通じる床裏、小屋裏若しくは天井裏をいう。以下同じ。）に接する天井の断熱性を高める工事（住宅仕様基準第１項(1)に掲げる部分以外の部分（以下「断熱構造とする部分以外の部分」という。）の工事を除く。）で、鉄筋コンクリート造、組積造その他これらに類する構造（以下「鉄筋コンクリート造等」という。）の住宅にあっては熱橋となる部分を除いた熱貫流率が、その他の住宅にあっては熱橋となる部分（壁に設けられる横架材を除く。）による低減を勘案した熱貫流率が、それぞれ建築物の種類、構造、構法又は工法、部位、断熱材の施工法及び地域区分に応じ、施工後に新たに住宅仕様基準第１項(2)イの表に掲げる基準値以下となるもの又は各部位の断熱材の熱抵抗が、建築物の種類、構造、構法又は工法、

	部位、断熱材の施工法及び地域区分に応じ、施工後に新たに住宅仕様基準第１項⑵ロ（イ）の表に掲げる基準値以上となるものをいう。） エ　壁の断熱性を高める工事（外気等に接する壁の断熱性を高める工事（断熱構造とする部分以外の部分の工事を除く。）で、鉄筋コンクリート造等の住宅にあっては熱橋となる部分を除いた熱貫流率が、その他の住宅にあっては熱橋となる部分（壁に設けられる横架材を除く。）による低減を勘案した熱貫流率が、それぞれ建築物の種類、構造、構法又は工法、部位、断熱材の施工法及び地域区分に応じ、施工後に新たに住宅仕様基準第１項⑵イの表に掲げる基準値以下となるもの又は断熱材の熱抵抗が、建築物の種類、構造、構法又は工法、部位、断熱材の施工法及び地域区分に応じ、施工後に新たに住宅仕様基準第１項⑵ロ（イ）の表に掲げる基準値以上となるもの（鉄骨造の住宅の壁であって充填断熱工法（屋根にあっては屋根組材の間、天井にあっては天井面、壁にあっては柱、間柱、たて枠の間及び外壁と内壁との間、床にあっては床組材の間に断熱施工する方法をいう。）のものにあっては、壁に施工する断熱材の熱抵抗が、建築物の種類、外装材（鉄骨柱及び梁の外気側において、鉄骨柱又は梁に直接接続する面状の材料をいう。）の熱抵抗、断熱材を施工する箇所の区分、鉄骨柱が存する部分以外の壁の断熱層（断熱材で構成される層をいう。）を貫通する金属製下地部材の有無及び地域区分に応じ、住宅仕様基準第１項⑵ロ（ロ）の表に掲げる基準値以上となるもの）をいう。） オ　床等の断熱性を高める工事（外気等に接する床（地盤面をコンクリートその他これに類する材料で覆ったもの又は床裏が外気に通じないもの（以下「土間床等」という。）を除く。）の断熱性を高める工事（外周が外気等に接する土間床等の外周部分の基礎の断熱性を高める工事を含み、断熱構造とする部分以外の部分の工事を除く。）で、鉄筋コンクリート造等の住宅にあっては熱橋となる部分を除いた熱貫流率が、その他の住宅にあっては熱橋となる部分（壁に設けられる横架材を除く。）による低減を勘案した熱貫流率が、それぞれ建築物の種類、構造、構法又は工法、部位、断熱材の施工法及び地域区分に応じ、施工後に新たに住宅仕様基準第１項⑵イの表に掲げる基準値以下となるもの又は各部位の断熱材の熱抵抗が、建築物の種類、構造、構法又は工法、部位、断熱材の施工法及び地域区分に応じ、施工後に新たに住宅仕様基準第１項⑵ロ（イ）の表に掲げる基準値以上となるものをいう。）
(二)	(一)ウからオまでに定める工事にあっては、発泡剤としてフロン類（フロン類の使用の合理化及び管理の適正化に関する法律（平成13年法律第64号）第２条第１項に規定するフロン類をいう。）を用いた断熱材を用いない工事であること。

附　則　この告示は、令和６年４月１日から施行する。

【住宅告示６】２（６）の規定に基づき、国土交通大臣及び経済産業大臣が財務大臣と協議して指定する設備を定める件（平25経済産業省・国土交通省告示第５号、最終改正令６同省告示第２号）

２（６）の規定に基づき、同（４）(一)に掲げる工事が行われる構造又は設備と一体となって効用を果たすエネルギーの使用の合理化に著しく資する設備として国土交通大臣及び経済産業大臣が財務大臣と協議して指定する設備を次のように定めたので告示する。

２（６）の規定に基づき、同（４）(一)に掲げる工事が行われる構造又は設備と一体となって効用を果たすエネルギーの使用の合理化に著しく資する設備として国土交通大臣及び経済産業大臣が財務大臣と協議して指定する設備は、次のとおりとする。

１　次に掲げる太陽熱利用冷温熱装置

一　冷暖房等及び給湯の用に供するもののうち、産業標準化法（昭和24年法律第185号）に基づく日本産業規格（以下「日本産業規格」という。）Ａ4112に適合するもの（蓄熱槽を有する場合にあっては、日本産業規格Ａ4113に適合する太陽蓄熱槽を有するものに限る。）

二　給湯の用に供するもののうち、日本産業規格Ａ4111に適合するもの

２　潜熱回収型給湯器（ガス又は灯油の消費量が70キロワット以下のものであり、かつ、日本産業規格Ｓ2109又はＳ3031に定める試験方法により測定した場合における熱効率が90パーセント以上のものに限る。）

３　ヒートポンプ式電気給湯器（定格加熱能力を定格消費電力で除して算出した数値の平均値が3.5以上のものに限る。）

４　燃料電池コージェネレーションシステム（発電及び給湯の用に供するものであって、固体高分子形の燃料電池を用いたもののうち日本産業規格Ｃ62282－３－201に定める試験方法により測定した場合における、定格出力が0.5キロワット以上1.5キロワット以下、廃熱回収流体の発電ユニット出口温度が50度以上、発電効率が35パーセント以上及び総合効率

が85パーセント以上のもの又は固体酸化物形の燃料電池を用いたもののうち日本産業規格Ｃ62282－３－201に定める試験方法により測定した場合における、定格出力が0.5キロワット以上1.5キロワット以下、廃熱回収流体の発電ユニット出口温度が60度以上、発電効率が40パーセント以上及び総合効率が85パーセント以上のものに限る。)

５　エアコンディショナー（エネルギーの使用の合理化及び非化石エネルギーへの転換等に関する法律施行令（昭和54年政令第267号）第18条第２号に掲げるエアコンディショナーのうち、日本産業規格Ｃ9901に定める省エネルギー基準達成率が107パーセント以上のものに限る。）

附　則　この告示は、個人が、当該個人の所有する改正後の**1**に規定する居住用の家屋について**2**に規定する対象一般断熱改修工事等をして、当該居住用の家屋を令和６年１月１日以後に当該個人の居住の用に供する場合について適用し、個人が、当該個人の所有する改正前の**1**に規定する居住用の家屋について**2**に規定する対象一般断熱改修工事等をして、当該居住用の家屋を同日前に当該個人の居住の用に供した場合については、なお従前の例による。

【住宅告示７】 **2**（７）の規定に基づき、**2**（４）(一)に規定する同（４）(一)に掲げる工事と併せて行うその家屋と一体となって効用を果たす太陽光の利用に資する設備として経済産業大臣が財務大臣と協議して指定する設備に係る件（平21経済産業省告示第68号、最終改正令６同省告示第63号）

2（７）の規定に基づき、**2**（４）(一)に掲げる工事が行われた家屋と一体となって効用を果たす太陽光を電気に変換する設備として経済産業大臣が財務大臣と協議して指定する設備を次のように定めたので告示する。

2（７）の規定に基づき、**2**（４）(一)に掲げる工事が行われた家屋と一体となって効用を果たす太陽光を電気に変換する設備として経済産業大臣が財務大臣と協議して指定する設備は、太陽光発電設備（太陽光エネルギーを直接電気に変換するもの（次の各号のいずれにも該当するものに限る。以下「太陽電池モジュール」という。）で、これと同時に設置する専用の架台、制御装置、直交変換装置、系統連系用保護装置、接続箱、直流側開閉器、交流側開閉器又は余剰電力販売用電力量計を含む。）とする。

一　当該太陽電池モジュールの公称最大出力の合計値が10キロワット未満であるもの

二　当該太陽電池モジュールの変換効率（太陽光エネルギーを電気に変換する割合をいう。）が、次の表の上欄に掲げる太陽電池モジュールの種類ごとに、それぞれ当該下欄に定める値以上であるもの

太陽電池モジュールの種類	変換効率の値
シリコン結晶系	13.5パーセント
シリコン薄膜系	7.0パーセント
化合物系	8.0パーセント

三　当該太陽電池モジュールの性能及び安全性についての認証を財団法人電気安全環境研究所（昭和38年２月22日に財団法人日本電気協会電気用品試験所という名称で設立された法人をいう。）から受けているもの又は当該認証を受けた太陽電池モジュールと同等以上の性能及び安全性を有するもの

四　当該太陽電池モジュールの公称最大出力の80パーセント以上の出力が製造事業者（太陽電池モジュールを製造する事業者をいう。以下この号において同じ。）によって出荷後10年以上の期間にわたって保証されているもの及び当該太陽電池モジュールの保守点検の業務を製造時業者又は販売事業者（太陽電池モジュールを販売する事業者をいう。）が実施する体制を整備しているもの

【住宅告示８】 **3**①（１）の規定に基づき、国土交通大臣が財務大臣と協議して多世帯同居改修工事等の内容に応じて定める金額を次のように定めたので、同（１）(注)の規定により、告示する。（平28国土交通省告示第586号、最終改正令４同省告示第452号）

3①（１）の規定に基づき、**3**①に規定する多世帯同居改修工事等の標準的な費用の額として国土交通大臣が財務大臣と協議して当該多世帯同居改修工事等の内容に応じて定める金額は、次の表の左欄に掲げる多世帯同居改修工事等の内容の区分に応じそれぞれ同表の右欄に定める額に、当該工事の箇所数を乗じて得た金額（当該左欄に掲げる多世帯同居改修工事等をした家屋の当該多世帯同居改修工事等に係る部分のうちにその者の居住の用以外の用に供する部分がある場合には、当該金額に、当該多世帯同居改修工事等に要した費用の額のうちに当該居住の用に供する部分に係る当該多世帯同居改修工事等に要した費用の額の占める割合を乗じて計算した金額）とする。

【住宅告示７】（平成28年国土交通省告示第585号。以下単に「告示」という。）第一号に掲げる工事（同号に規定するミニキッチンを設置するものを除く。）	1,622,000円
告示第一号に掲げる工事のうち、同号に規定するミニキッチンを設置するもの	476,100円
告示第二号に掲げる工事のうち、浴槽及び給湯設備を設置するもの	1,373,800円
告示第二号に掲げる工事のうち、浴槽を設置するもの（浴槽及び給湯設備を設置するものを除く。）	855,400円
告示第二号に掲げる工事のうち、シャワーを設置するもの（浴槽を設置するものを除く。）	584,100円
告示第三号に掲げる工事	526,200円
告示第四号に掲げる工事のうち、地上階に玄関を増設するもの	658,700円
告示第四号に掲げる工事のうち、地上階以外の階に玄関を増設するもの	1,254,100円

【住宅告示９】 **五２**①（５）及び**七３**②（１）の規定に基づき、国土交通大臣が財務大臣と協議して定める他の世帯との同居をするのに必要な設備の数を増加させるための増築、改築、修繕又は模様替を定める件（平28国土交通省告示第585号、最終改正令６同省告示第312号）

五２①（５）及び**七３**②（１）に規定する国土交通大臣が財務大臣と協議して定める他の世帯との同居をするのに必要な設備の数を増加させるための増築、改築、修繕又は模様替は、次のいずれかに該当する工事（**五２**①（三）に規定する特定多世帯同居改修工事等又は**七３**①に規定する多世帯同居改修工事等をした家屋（以下「多世帯同居改修家屋」という。）のうちその者の居住の用に供する部分に調理室、浴室、便所又は玄関のうちいずれか２以上の室がそれぞれ複数ある場合に限る。）とする。

一　調理室を増設する工事（多世帯同居改修家屋のうちその者の居住の用に供する部分に、ミニキッチン（台所流し、こんろ台その他調理のために必要な器具又は設備が一体として組み込まれた既製の小型ユニットをいう。）を設置する調理室以外の調理室がある場合に限る。）

二　浴室を増設する工事（多世帯同居改修家屋のうちその者の居住の用に供する部分に、浴槽を設置する浴室がある場合に限る。）

三　便所を増設する工事

四　玄関を増設する工事

【住宅告示10】 **五２**①（６）及び**七４**①（５）の規定に基づき、国土交通大臣が財務大臣と協議して定める構造の腐食、腐朽及び摩損を防止し、又は維持保全を容易にするための増築、改築、修繕又は模様替を次のように定めたので告示する。（平29国土交通省告示第279号、最終改正令６同省告示第313号）

五２①（６）及び**七４**①（５）に規定する国土交通大臣が財務大臣と協議して定める構造の腐食、腐朽及び摩損を防止し、又は維持保全を容易にするための増築、改築、修繕又は模様替を次のように定める。

（１）　この告示において、次の（一）から（五）までに掲げる用語の意義は、それぞれ当該（一）から（五）までに定めるところによる。

（一）	長期使用構造等基準　長期使用構造等とするための措置及び維持保全の方法の基準（平成12年国土交通省告示第209号）をいう。
（二）	軸組等　軸組、枠組その他これらに類する部分（木質の下地材を含み、室内側に露出した部分を含まない。）をいう。
（三）	通気構造等　通気層を設けた構造（壁体内に通気経路を設けた構造で、外壁仕上げと軸組等の間に中空層が設けられている等軸組等が雨水に接触することを防止するための有効な措置が講じられているものをいう。）又は軒の出が90cm以上である真壁構造（柱が直接外気に接する構造をいう。）をいう。
（四）	認定長期優良住宅建築等計画　長期優良住宅の普及の促進に関する法律（平成20年法律第87号）第９条第１項に規定する認定長期優良住宅建築等計画をいう。
（五）	主要接合部等　設備機器と専用配管との接合部、専用配管のバルブ及びヘッダー、専用配管と共用配管との接合部並びに共用配管のバルブをいう。

（２）　**五２**①（６）及び**七４**①（５）に規定する国土交通大臣が財務大臣と協議して定める構造の腐食、腐朽及び摩損を防止し、又は維持保全を容易にするための増築、改築、修繕又は模様替は、次の(一)から(十一)までのいずれかに該当する工事（(一)、(二)、(七)及び(八)に掲げる工事にあっては木造又は鉄骨造の住宅について行う工事に、(三)から(六)まで、(九)及び(十)に掲げる工事にあっては木造の住宅について行う工事に限る。）とする。

(一)	小屋裏（屋根断熱工法を用いていることその他の措置が講じられていることにより、室内と同等の温熱環境にあると認められるものを除く。以下(一)及び別表１において同じ。）の換気性を高める工事（施工後に新たに別表１に掲げる基準のいずれかに適合することとなるものに限る。）であって、次のイからハまでのいずれかに該当するもの イ　小屋裏の壁のうち屋外に面するものに換気口を取り付ける工事 ロ　軒裏に換気口を取り付ける工事 ハ　小屋裏の頂部に排気口を取り付ける工事
(二)	小屋裏の状態を確認するための点検口を天井又は小屋裏の壁に取り付ける工事（施工後に新たに別表２に掲げる基準に適合することとなるものに限るものとし、施工前に長期使用構造等基準第３の１（２）[２]に掲げる基準に適合している鉄骨造の住宅について行うものを除く。）
(三)	外壁を通気構造等とする工事（施工後に新たに別表３に掲げる基準に適合することとなるものに限るものとし、施工前に別表６に規定する外壁の軸組等の部分が評価方法基準（平成13年国土交通省告示第1347号）第５の３の３－１（３）イ[１]ａ（ⅱ）又は（ⅲ）に掲げる基準に適合している住宅について行うものを除く。）
(四)	浴室又は脱衣室の防水性を高める工事（施工後に新たに別表４に掲げる基準に適合することとなるものに限るものとし、施工前に別表４に規定する浴室及び脱衣室の壁の軸組等及び床組並びに浴室の天井が評価方法基準第５の３の３－１（３）イ[１]ａ（ⅰ）から（ⅲ）までに掲げる基準のいずれかに適合している住宅について行うものを除く。）であって、次のイからハまでのいずれかに該当するもの イ　浴室を日本産業規格Ａ4416に規定する浴室ユニット又はこれと同等の防水上有効な措置が講じられたものとする工事 ロ　脱衣室の壁に耐水性を有する化粧合板その他の防水上有効な仕上材を取り付ける工事 ハ　脱衣室の床に塩化ビニル製のシートその他の防水上有効な仕上材を取り付ける工事
(五)	土台の防腐又は防蟻のために行う工事であって、次のイ又はロのいずれかに該当するもの イ　土台に防腐処理又は防蟻処理をする工事（施工後に新たに別表５－１に掲げる基準に適合することとなるものに限るものとし、施工前に別表５－１に規定する土台が評価方法基準第５の３の３－１（３）イ[１]ｂ（ⅱ）又は（ⅲ）に掲げる基準に適合している住宅について行うものを除く。） ロ　土台に接する外壁の下端に水切りを取り付ける工事（施工後に新たに別表５－２に掲げる基準に適合することとなるものに限る。）
(六)	外壁の軸組等に防腐処理又は防蟻処理をする工事（施工後に新たに別表６に掲げる基準に適合することとなるものに限るものとし、施工前に別表６に規定する外壁の軸組等の部分が評価方法基準第５の３の３－１（３）イ[１]ａ（ⅰ）(ロ)から(ニ)までのいずれか又は評価方法基準第５の３の３－１（３）イ[１]ａ（ⅱ）若しくは（ⅲ）に掲げる基準に適合している住宅について行うものを除く。）
(七)	床下の防湿性を高める工事（施工後に新たに別表７に掲げる基準のいずれかに適合することとなるものに限る。）であって、次のイ又はロのいずれかに該当するもの イ　床下をコンクリートで覆う工事（(10)ロに掲げる工事に該当するものを除く。） ロ　床下を厚さ0.1㎜以上の防湿フィルム又はこれと同等の防湿性を有する材料で覆う工事
(八)	床下の状態を確認するための点検口を床に取り付ける工事（施工後に新たに別表８に掲げる基準に適合することとなるものに限るものとし、施工前に長期使用構造等基準第３の１（２）[２]に掲げる基準に適合している鉄骨造の住宅について行うものを除く。）
(九)	高さが400㎜以上の基礎が有する機能（土台又は外壁下端への軒先から流下する水のはね返りを防止するものに限る。）を代替する雨どいを軒又は外壁に取り付ける工事（認定長期優良住宅建築等計画に仕様に応じた維持管理のために必要な点検間隔が記載されている場合であって、かつ、施工後に新たに別表９に掲げる基準に適合することとなるものに限るものとし、施工前に地面から基礎上端まで又は地面から土台下端までの高さが400㎜以上である住宅について行うものを除く。）

(十)	地盤の防蟻のために行う工事（施工後に新たに別表10に掲げる基準に適合することとなるものに限るものとし、北海道、青森県、岩手県、秋田県、宮城県、山形県、福島県、新潟県、富山県、石川県若しくは福井県の区域内に存する住宅又は施工前に地盤が評価方法基準第５の３の３－１（３）イ［１］ｄ（ｉ）若しくは（iii）に掲げる基準に適合している住宅について行うものを除く。）であって、次のいずれかに該当するもの イ　防蟻に有効な土壌処理をする工事 ロ　地盤をコンクリートで覆う工事（認定長期優良住宅建築等計画に仕様に応じた維持管理のために必要な点検間隔が記載されている場合に限る。）
(十一)	給水管、給湯管又は排水管の維持管理又は更新の容易性を高める工事であって、次のイからハまでのいずれかに該当するもの イ　給水管又は給湯管を維持管理上有効な位置に取り替える工事（施工後に新たに別表11第１号から第５号までに掲げる基準に適合することとなるものに限る。） ロ　排水管を維持管理上又は更新上有効なもの及び位置に取り替える工事（施工後に新たに別表11(一)から同(十一)までに掲げる基準に適合することとなるものに限る。） ハ　給水管、給湯管又は排水管の主要接合部等を点検し又は排水管を清掃するための開口を床、壁又は天井に設ける工事（給水管、給湯管若しくは排水管の主要接合部等又は排水管の掃除口が仕上材等により隠蔽されている場合であって、かつ、施工後に新たに別表11第12号に掲げる基準に適合することとなるものに限るものとし、(二)又は(八)に掲げる工事に該当するものを除く。）

別表１（(２)(一)関係）

(一)	小屋裏の壁のうち屋外に面するものに換気上有効な位置に２以上の換気口が設けられ、かつ、換気口の有効面積の天井面積に対する割合が300分の１以上であること
(二)	軒裏に換気上有効な位置に２以上の換気口が設けられ、かつ、換気口の有効面積の天井面積に対する割合が250分の１以上であること
(三)	軒裏又は小屋裏の壁のうち屋外に面するものに給気口が設けられ、小屋裏の壁で屋外に面するものに換気上有効な位置に排気口が給気口と垂直距離で90cm以上離して設けられ、かつ、給気口及び排気口の有効面積の天井面積に対する割合がそれぞれ900分の１以上であること
(四)	軒裏又は小屋裏の壁のうち屋外に面するものに給気口が設けられ、小屋裏の頂部に排気塔その他の器具を用いて排気口が設けられ、かつ、給気口の有効面積の天井面積に対する割合が900分の１以上であり、排気口の有効面積の天井面積に対する割合が1600分の１以上であること
(五)	軒裏又は小屋裏の壁のうち屋外に面するものの換気上有効な位置に２以上の換気口が設けられ、かつ、小屋組部材が湿潤状態にないこと（認定長期優良住宅建築等計画に仕様に応じた維持管理のために必要な点検間隔が記載されている場合に限る。）

別表２（(２)(二)関係）

区分された小屋裏空間（人通孔等により接続されている場合は、接続されている小屋裏空間を１の小屋裏空間とみなす。）ごとに点検口が設けられていること。

別表３（(２)(三)関係）

外壁のうち地面からの高さ１ｍ以内の部分が通気構造等となっていること。

別表４（(２)(四)関係）

浴室及び脱衣室の壁の軸組等（室内側に露出した部分を含む。）及び床組（１階の浴室廻りで布基礎の上にコンクリートブロックを積み上げて腰壁とした部分又はコンクリート造の腰高布基礎とした部分を除くものとし、浴室又は脱衣室が地上２階以上の階にある場合にあっては下地材を含む。）並びに浴室の天井が、次の(一)又は(二)のいずれかに適合していること。

(一)	防水上有効な仕上げが施されていること
(二)	日本産業規格Ａ4416に規定する浴室ユニットであること又はこれと同等の防水上有効な措置が講じられていること

別表５－１（(２)(五)イ関係）

土台（認定長期優良住宅建築等計画に仕様に応じた維持管理のために必要な点検間隔が記載されている場合にあっては、

床下空間に露出している部分及び当該認定長期優良住宅建築等計画に基づく工事において露出する部分に限る。以下別表５－１及び別表５－２において同じ。）が次の(一)及び(二)に掲げる区分に応じ、それぞれ当該(一)又は(二)に定める基準に適合していること。

(一)	北海道又は青森県の区域内に存する住宅以外の住宅　土台に構造用製材規格等（製材の日本農林規格（平成19年農林水産省告示第1083号）及び枠組壁工法構造用製材及び枠組壁工法構造用たて継ぎ材の日本農林規格（昭和49年農林省告示第600号）をいう。(二)において同じ。）に規定する保存処理の性能区分のうちＫ３以上の防腐処理及び防蟻処理（日本産業規格Ｋ1570に規定する木材保存剤又はこれと同等の薬剤を用いたＫ３以上の薬剤の浸潤度及び吸収量を確保する工場処理その他これと同等の性能を有する処理を含む。）が施されていること
(二)	北海道又は青森県の区域内に存する住宅　土台に構造用製材規格等に規定する保存処理の性能区分のうちＫ２以上の防腐処理（日本産業規格Ｋ1570に規定する木材保存剤又はこれと同等の薬剤を用いたＫ２以上の薬剤の浸潤度及び吸収量を確保する工場処理その他これと同等の性能を有する処理を含む。）が施されていること

別表５－２（(２)(五)ロ関係）

土台に接する外壁の下端に水切りが設けられていること。

別表６（(２)第(六)関係）

外壁の軸組等のうち地面からの高さ１ｍ以内の部分（認定長期優良住宅建築等計画に仕様に応じた維持管理のために必要な点検間隔が記載されている場合にあっては、床下空間に露出している部分及び当該認定長期優良住宅建築等計画に基づく工事において露出する部分に限る。）が、防腐及び防蟻（北海道又は青森県の区域内に存する住宅にあっては防腐。以下別表６において同じ。）に有効な薬剤が塗布され、加圧注入され、浸漬され、若しくは吹き付けられたもの又は防腐及び防蟻に有効な接着剤が混入されたものであること。

別表７（(２)(七)関係）

(一)	床下が厚さ60㎜以上のコンクリート、厚さ0.1㎜以上の防湿フィルムその他これらと同等の防湿性を有する材料で覆われていること
(二)	床下がひび割れ等による隙間が生じていないコンクリートで覆われ、かつ、床下木部が湿潤状態にないこと（認定長期優良住宅建築等計画に仕様に応じた維持管理のために必要な点検間隔が記載されている場合に限る。）

別表８（(２)(八)関係）

(一)	区分された床下空間（人通孔等により接続されている場合は、接続されている床下空間を１の床下空間とみなす。）ごとに点検口が設けられていること
(二)	点検口から目視等により床下空間の各部分の点検を行うことができること（床下空間の有効高さが330㎜未満である場合（浴室の床下等当該床下空間の有効高さを330㎜未満とすることがやむを得ないと認められる部分について、当該部分の点検を行うことができ、かつ、当該部分以外の床下空間の点検に支障をきたさない場合を除く。）に限る。）

別表９（(２)(九)関係）

土台又は外壁下端への軒先から流下する水のはね返りを防止する措置が講じられていること。

別表10（(２)(十)関係）

基礎の内周部及びつか石の周囲の地盤が、次の(一)又は(二)のいずれかに適合していること。

(一)	防蟻に有効な土壌処理が施されていること
(二)	基礎とその内周部の地盤上に一様に打設されたコンクリートで覆われ、かつ、当該コンクリートにひび割れ等による隙間が生じていないこと

別表11（(２)(十一)関係）

(一)	配管（特定配管及び共同住宅等においてパイプスペースから住戸内への引き込み部分がシンダーコンクリート等へ埋め込まれている専用配管であって現状支障なく使用できているものを除く。）がコンクリート内に埋め込まれていないこと（壁、柱、床、はり又は基礎の立ち上がり部分を貫通する場合を除く。）
(二)	地中に埋設された配管（特定配管及び一戸建ての住宅（人の居住の用以外の用途に供する部分を有しないものに限る。）において床下から屋外へ接続する部分が基礎下に設けられている配管であって現状支障なく使用できている

	ものを除く。）の上にコンクリートが打設されていないこと（当該コンクリートが住宅の外部に存する土間床コンクリートその他の構造躯体に影響を及ぼすことが想定されないものである場合及び他の法令（条例を含む。）の規定により凍結のおそれがあるとして配管を地中に埋設する場合を除く。）
(三)	共同住宅等の専用配管のうち認定長期優良住宅建築等計画に基づく工事を行う住戸に係る部分が当該工事を行う住戸以外の住戸その他の室（当該工事を行う住戸と一体となって使用される室を除く。）の専用部分に設置されていないこと
(四)	共用配管（維持管理の円滑な実施のために必要な措置が講じられているものを除く。）が共用部分、住棟外周部、バルコニーその他これらに類する部分に露出していること又は専用部分に立ち入らないで補修（共用の排水管にあっては補修及び更新）が行える開口を持つパイプスペース内に設けられていること（共用の排水管にあっては、共用部分の仕上材等の軽微な除去により当該排水管を更新できる場合を含む。）
(五)	共用配管の横主管がピット若しくは１階床下空間内又はピロティ等の共用部分に設けられ、かつ、人通孔その他の当該横主管に人が到達できる経路（専用部分に立ち入らないで到達できるものに限るものとし、共用の排水管にあっては共用部分の仕上材等の軽微な除去により到達できるものを含む。）が設けられていること
(六)	排水管（継手及びヘッダーを含む。）の内面が清掃に支障を及ぼさないように平滑で、かつ、当該排水管が清掃に支障を及ぼすようなたわみ、抜けその他変形が生じないように設置されていること
(七)	専用の排水管（便所の排水管で当該便所に隣接する排水ます又は共用立管に接続するものを除く。）が掃除口又は清掃が可能な措置が講じられたトラップを有するものであること
(八)	共用の排水管のうち、立管にあっては最上階又は屋上、最下階及び３階以内おきの中間階又は15m以内ごとに、横主管にあっては15m以内ごとであって、管の曲がりが連続すること、管が合流すること等により管の清掃に支障が生じやすい部分がある場合には支障なく当該部分の清掃が行える位置にそれぞれ掃除口が設けられていること
(九)	共用の排水管の切断工事を軽減する措置が講じられ、かつ、共用の排水管がコンクリートの床等を貫通する部分に共用の排水管の撤去の際のはつり工事を軽減する措置が講じられていること又は共用の排水管の近傍等に別に新たな共用の排水管を設置することができる空間、スリーブ等が設けられていること
(十)	共用の排水管の接続替えを容易に行うための措置が講じられていること
(十一)	共用の排水管の撤去、接続替えその他更新のための空間が確保されていること
(十二)	配管の主要接合部等を点検するために必要な開口又は排水管の掃除口による清掃を行うために必要な開口が仕上材等に設けられていること

備　考

1　「配管」とは、給水管、給湯管及び排水管をいう。

2　「特定配管」とは、配管のうち、認定長期優良住宅建築等計画にこの表の第１号及び第２号に掲げる基準（特定配管を除く部分を除く。）に適合するよう将来更新することが記載されており、現状支障なく使用できているものをいう。

3　「共同住宅等」とは、共同住宅、長屋その他の一戸建ての住宅（人の居住の用以外の用途に供する部分を有しないものに限る。）以外の住宅をいう。

【住宅告示11】４①（２）の規定に基づき、国土交通大臣が財務大臣と協議して耐久性向上改修工事等の内容に応じて定める告示（平29国土交通省告示第280号、最終改正令４同省告示第727号）

４①（２）の規定に基づき、**４**①に規定する耐久性向上改修工事等の標準的な費用の額として国土交通大臣が財務大臣と協議して当該耐久性向上改修工事等の内容に応じて定める金額は、次の表の左欄に掲げる耐久性向上改修工事等の内容の区分に応じそれぞれ同表の中欄に定める額に、右欄の数値を乗じて得た金額（当該左欄に掲げる耐久性向上改修工事等をした家屋の当該耐久性向上改修工事等に係る部分のうちにその者の居住の用以外の用に供する部分がある場合には、当該金額に、当該耐久性向上改修工事等に要した費用の額のうちに当該居住の用に供する部分に係る当該耐久性向上改修工事等に要した費用の額の占める割合を乗じて計算した金額（当該耐久性向上改修工事等を行った家屋が一棟の家屋でその構造上区分された数戸の部分を独立して住居その他の用途に供することができるものであって、その家屋の個人がその各部分を区分所有する場合には、当該金額に、当該耐久性向上改修工事等に要した費用のうちにその者が負担する費用の割合を乗じて計算した額））とする。

平成29年国土交通省告示第279号（以下単に「告示」という。）第２項第１号イに掲げる工事	20,900円	当該工事の箇所数
告示第２項第１号ロに掲げる工事（軒裏に通気孔を有する天井板を取り付けるものを除く。）	7,800円	当該工事の箇所数
告示第２項第１号ロに掲げる工事のうち、軒裏に通気孔を有する天井板を取り付けるもの	5,900円	当該工事の施工面積（単位　平方メートル）
告示第２項第１号ハに掲げる工事	47,400円	当該工事の箇所数
告示第２項第２号に掲げる工事	18,300円	当該工事の箇所数
告示第２項第３号に掲げる工事	14,200円	当該工事の施工面積（単位　平方メートル）
告示第２項第４号イに掲げる工事	896,900円	当該工事の箇所数
告示第２項第４号ロに掲げる工事（壁にビニルクロスを取り付けるものを除く。）	12,800円	当該工事の施工面積（単位　平方メートル）
告示第２項第４号ロに掲げる工事のうち、壁にビニルクロスを取り付けるもの	5,400円	当該工事の施工面積（単位　平方メートル）
告示第２項第４号ハに掲げる工事（床に耐水性を有するフローリングを取り付けるものを除く。）	6,600円	当該工事の施工面積（単位　平方メートル）
告示第２項第４号ハに掲げる工事のうち、床に耐水性を有するフローリングを取り付けるもの	12,000円	当該工事の施工面積（単位　平方メートル）
告示第２項第５号イに掲げる工事	2,100円	当該工事の施工面積（単位　平方メートル）
告示第２項第５号ロに掲げる工事	2,400円	当該工事の施工長さ（単位　メートル）
告示第２項第６号に掲げる工事	2,100円	当該工事の施工面積（単位　平方メートル）
告示第２項第７号イに掲げる工事	12,700円	当該工事の施工面積（単位　平方メートル）
告示第２項第７号ロに掲げる工事	1,300円	当該工事の施工面積（単位　平方メートル）
告示第２項第８号に掲げる工事	27,800円	当該工事の箇所数
告示第２項第９号に掲げる工事	3,900円	当該工事の施工長さ（単位　メートル）
告示第２項第10号イに掲げる工事	3,100円	当該工事の施工面積（単位　平方メートル）
告示第２項第10号ロに掲げる工事	12,700円	当該工事の施工面積（単位　平方メートル）
告示第２項第11号イに掲げる工事（共用の給水管を取り替えるものを除く。）	9,500円	当該工事の施工長さ（単位　メートル）
告示第２項第11号イに掲げる工事のうち、共用の給水管を取り替えるもの	22,600円	当該工事の施工長さ（単位　メートル）
告示第２項第11号ロに掲げる工事（共同住宅等の排水管を取り替えるものを除く。）	9,800円	当該工事の施工長さ（単位　メートル）
告示第２項第11号ロに掲げる工事のうち、共同住宅等の排水管（専用の排水管を除く。）を取り替えるもの	16,800円	当該工事の施工長さ（単位　メートル）
告示第２項第11号ロに掲げる工事のうち、共同住宅等の専用の排水管（施工前に他住戸等の専用部分に設置されているものを除く。）を取り替えるもの	15,600円	当該工事の施工長さ（単位　メートル）
告示第２項第11号ロに掲げる工事のうち、共同住宅等の専用の排水管（施工前に他住戸等の専用部分に設置されているものに限る。）を取り替えるもの	176,000円	当該工事の施工長さ（単位　メートル）

告示第２項第11号ハに掲げる工事のうち、開口を床（共用部の床を除く。）に設けるもの	25,000円	当該工事の箇所数
告示第２項第11号ハに掲げる工事のうち、開口を壁又は天井（共用部の壁又は天井を除く。）に設けるもの	17,700円	当該工事の箇所数
告示第２項第11号ハに掲げる工事のうち、開口を共用部の床、壁又は天井に設けるもの	132,300円	当該工事の箇所数

備　考

1　「共同住宅等」とは、共同住宅、長屋その他の一戸建ての住宅（人の居住の用以外の用途に供する部分を有しないものに限る。）以外の住宅をいう。

2　「他住戸等」とは、工事を行う住戸以外の住戸その他の室（当該工事を行う住戸と一体となって使用される室を除く。）をいう。

【住宅告示12】５①(１)の規定に基づき、国土交通大臣が財務大臣と協議して子育て対応改修工事等の内容に応じて定める金額を定める告示（令６国土交通省告示第304号）

(一)　５①(１)の規定に基づき、５①に規定する子育て対応改修工事等の標準的な費用の額のうち、令和６年国土交通省告示第305号（以下単に「告示」という。）(一)から(五)までに掲げる工事の標準的な費用の額として国土交通大臣が財務大臣と協議して定める金額は、次の表の左欄に掲げる工事の内容の区分に応じ、それぞれ同表の中欄に定める額に、右欄の数値を乗じて得た金額（当該左欄に掲げる工事をした家屋の当該工事に係る部分のうちにその者の居住の用以外の用に供する部分がある場合には、当該金額に、当該工事に要した費用の額のうちに当該居住の用に供する部分に係る当該工事に要した費用の額の占める割合を乗じて計算した金額）とする。

告示(一)イに掲げる工事	11,000円	当該工事の箇所数
告示(一)ロに掲げる工事（日本産業規格Ａ五九一七に規定する衝撃緩和型畳床（以下単に「衝撃緩和型畳床」という。）に取り替えるものを除く。）	7,000円	当該工事の施工面積（単位　平方メートル）
告示(一)ロに掲げる工事のうち、衝撃緩和型畳床に取り替えるもの	8,300円	当該工事の施工面積（単位　平方メートル）
告示(一)ハに掲げる工事のうち、バルコニーに手すりを取り付けるもの	13,500円	当該手すりの長さ（単位　メートル）
告示(一)ハに掲げる工事のうち、二階以上の窓に手すりを取り付けるもの	20,300円	当該手すりの本数
告示(一)ハに掲げる工事のうち、廊下又は階段（開放されている側に限る。）に手すりを取り付けるもの	36,300円	当該手すりの長さ（単位　メートル）
告示(一)ニに掲げる工事	104,500円	当該工事の箇所数
告示(一)ホに掲げる工事（据付工事以外の工事を伴うものを除く。）	15,000円	当該工事の箇所数
告示(一)ホに掲げる工事のうち、据付工事以外の工事を伴うもの	115,000円	当該工事の箇所数
告示(一)へに掲げる工事のうち、同へ(1)に掲げる基準に適合するコンセントに取り替えるもの	4,000円	当該工事の箇所数
告示(一)へに掲げる工事のうち、同へ(2)に掲げる基準に適合するコンセントに取り替えるもの	7,100円	当該工事の箇所数
告示(二)に掲げる工事	1,477,200円	当該工事の箇所数
告示(三)に掲げる工事のうち、住戸の出入口として使用される開口部の戸を取り替えるもの	396,500円	当該工事の箇所数
告示(三)に掲げる工事のうち、サッシ及びガラスを取り替えるもの	57,400円	当該開口部の面積（単位　平方メートル）
告示(三)に掲げる工事のうち、面格子を取り付けるもの	55,400円	当該工事の箇所数
告示(四)に掲げる工事	163,900円	当該収納設備の水平投影面積（単位　平方メートル）

告示(五)イに掲げる工事	52,400円	当該窓の面積 （単位　平方メートル）
告示(五)ロに掲げる工事	17,400円	当該工事の施工面積 （単位　平方メートル）
告示(五)ハに掲げる工事	39,900円	当該工事の施工面積 （単位　平方メートル）

(二)　**5**①(1)の規定に基づき、**5**①に規定する子育て対応改修工事等の標準的な費用の額のうち、告示(六)に掲げる工事の標準的な費用の額として国土交通大臣が財務大臣と協議して定める金額は、次のイ又はロに掲げる工事の内容の区分に応じ、当該イ又はロに定める金額（当該イ又はロに掲げる工事をした家屋の当該工事に係る部分のうちにその者の居住の用以外の用に供する部分がある場合には、当該金額に、当該工事に要した費用の額のうちに当該居住の用に供する部分に係る当該工事に要した費用の額の占める割合を乗じて計算した金額）とする。

イ　告示(六)に掲げる工事（ロに該当する工事を除く。）　159,400円に間仕切壁（同(六)に規定する間仕切壁をいう。ロにおいて同じ。）の位置の変更に係る箇所数を乗じて得た金額

ロ　告示(六)に掲げる工事のうち、間仕切壁の位置の変更以外の修繕又は模様替を伴う工事　1平方メートル当たり26,800円に当該工事の施工面積を乗じて得た金額（次の表の左欄に掲げる場合には、当該金額に、同表の右欄に定める額を加算した金額）

告示(六)ロ又はハに掲げる工事として、調理室の位置を変更する場合	1,346,900円
告示(六)ロに掲げる工事として、浴室の位置を変更する場合	971,100円
告示(六)ロに掲げる工事として、便所の位置を変更する場合	402,100円
告示(六)ロに掲げる工事として、洗面所の位置を変更する場合	481,200円

【住宅告示13】 **5**②(1)の規定に基づき、国土交通大臣が財務大臣と協議して定める子育てに係る特例対象個人の負担を軽減するための増築、改築、修繕又は模様替について定める告示（令6国土交通省告示第305号）

5②(1)に規定する国土交通大臣が財務大臣と協議して定める子育てに係る特例対象個人の負担を軽減するための増築、改築、修繕又は模様替は、次のいずれかに該当する工事とする。

(一)　住宅内における子どもの事故を防止するために行う工事であって、次のいずれかに該当するもの

イ　壁又は柱の出隅を子どもの衝突による事故の防止に資する構造のものに改良する工事

ロ　床仕上げ材を子どもの転倒による事故の防止に資する構造のものに取り替える工事（(五)ハに該当する工事を除く。）

ハ　転落防止のための手すりを取り付ける工事（施工後に新たに評価方法基準（平成13年国土交通省告示第1347号）第5の9の9－1⑶イ④のｂからｄまでに掲げる基準に適合することとなるものに限る。）

ニ　戸を子どもの指の挟み込みによる事故の防止に資する構造のものに取り替える工事

ホ　乳幼児が危険な場所に進入することを防止するための柵を取り付ける工事

ヘ　コンセントを乳幼児の感電による事故の防止に資するものとして次に掲げる基準のいずれかに適合するものに取り替える工事

⑴　その差込口が開閉する構造であること。

⑵　乳児の手が届かない高さにあること。

(二)　キッチン（台所流し、こんろ台その他調理のために必要な器具又は設備が一体として組み込まれた既製のユニットをいう。以下(二)において同じ。）を対面式のもの（調理をしながら居室を見渡すことができる構造のキッチンをいう。）に取り替える工事（(六)ハに該当する工事を除く。）

(三)　開口部を侵入防止対策上有効な措置が講じられたものとする工事（施工後に新たに評価方法基準第5の10の10－1⑵イ⑤に規定する侵入防止対策上有効な措置が講じられた開口部となるものに限る。）

(四)　棚その他の収納設備を増設する工事

(五)　開口部、界壁又は界床の防音性を高める工事であって、次のいずれかに該当するもの

イ　窓の防音性を高める工事（施工後に新たに評価方法基準第5の8の8－4⑶ロ②に掲げる基準に適合し、又はこれと同等の防音性を有することとなるものに限り、(三)に該当する工事を除く。）

ロ　界壁に防音上有効な下地材又は仕上げ材を取り付ける工事

ハ　床仕上げ構造（評価方法基準第５の８の８－１⑵イ③に規定する床仕上げ構造をいう。）を重量床衝撃音（評価方法基準第５の８の８－１⑵イ①に規定する重量床衝撃音をいう。）又は軽量床衝撃音（評価方法基準第５の８の８－２⑵イに規定する軽量床衝撃音をいう。）の低減に資するものとするための工事

（六）　間仕切壁（建築基準法第２条第５号に規定する主要構造部である間仕切壁及び建築物の構造上重要でない間仕切壁をいう。）の位置の変更をする工事であって、次のいずれかに該当するもの

イ　居間及び食事室に該当しない居室のうち専ら子どもの就寝、学習、遊びその他の用に供される居室を増設する工事

ロ　調理室及び洗濯機、乾燥機その他の洗濯に必要な設備が設けられた洗面所、脱衣所その他の室を近接させる工事

ハ　調理をしながら居室を見渡しやすい構造とする工事

八　認定住宅等の新築等をした場合の所得税額の特別控除

1　認定住宅等の新築等をした場合の所得税額の特別控除

個人が、国内において、**四4**(一)から同(三)までに掲げる家屋（以下「**認定住宅等**」という。）の新築又は認定住宅等で建築後使用されたことのないものの取得（同**1**に規定する取得をいう。(4)において同じ。）をして、これらの認定住宅等を長期優良住宅の普及の促進に関する法律の施行の日（平成21年６月４日）から令和７年12月31日までの間にその者の居住の用に供した場合（これらの認定住宅等をその新築の日又はその取得の日から６月以内にその者の居住の用に供した場合に限る。）には、その者のその居住の用に供した日（以下「**居住日**」という。）の属する年分の所得税の額から、これらの認定住宅等について講じられた構造及び設備に係る標準的な費用の額として(2)で定める金額(当該金額が650万円を超える場合には、650万円）の10パーセントに相当する金額（当該金額に100円未満の端数があるときは，これを切り捨てる。以下「**税額控除限度額**」という。）を控除する。この場合において、当該税額控除限度額が、その者のその年分の所得税の額を超えるときは、その控除を受ける金額は、当該所得税の額を限度とする。（措法41の19の４①）

(合計所得金額が2,000万円を超える場合の不適用)

(1)　**1**の規定は、個人の**1**の規定の適用を受けようとする年分の所得税に係る第二章第一節**一30**《寡婦》の合計所得金額が2,000万円を超える場合には、適用しない。（措法41の19の４③）

(注)　改正後の(1)の規定は、個人が、認定住宅等（**1**に規定する認定住宅等をいう。以下において同じ。）の新築又は認定住宅等で建築後使用されたことのないものの改正後の**1**に規定する取得をして、当該認定住宅等を令和６年１月１日以後にその者の居住の用に供する場合について適用され、個人が、認定住宅等の新築又は認定住宅等で建築後使用されたことのないものの改正前の**1**に規定する取得をして、当該認定住宅等を同日前にその者の居住の用に供した場合については、なお従前の例による。（令６改所法等附36）

(認定住宅等について講じられた構造及び設備に係る標準的な費用の額)

(2)　**1**に規定する(2)で定める金額は、**1**又は**2**の個人が新築をし、又は取得をした**1**に規定する認定住宅等（以下(2)において「認定住宅等」という。）について講じられた構造及び設備に係る標準的な費用の額として国土交通大臣が財務大臣と協議して定める金額(当該認定住宅等のうちにその者の居住の用以外の用に供する部分がある場合には、当該金額に、当該認定住宅等の床面積（当該認定住宅等が一棟の家屋でその構造上区分された数個の部分を独立して住居その他の用途に供することができるものであって、その者がその各部分を区分所有する場合には、その者の区分所有する部分の床面積とする。以下(2)において同じ。）のうちに当該居住の用に供する部分の床面積の占める割合を乗じて計算した金額）とする。（措令26の28の６①、平21国土交通省第385号（最終改正令４同省告示第448号）、1603ページの【住宅告示14】参照））

(注)　国土交通大臣は、(2)の規定により金額を定めたときは、これを告示する。（措令26の28の６③）

(新築の日)

(3)　自己が居住の用に供するためにいわゆる建築工事請負契約により新築をした家屋に係る**1**に規定する「新築の日」とは、その者が請負人から当該家屋の引渡しを受けた日をいうものとして取り扱って差し支えない。（措通41の19の４－１）

(申告要件等)

(4)　**1**の規定は、確定申告書に、**1**の規定による控除を受ける金額についてのその控除に関する記載があり、かつ、当該金額の計算に関する明細書及び登録住宅性能評価機関その他の(5)で定める者の個人が新築又は取得をした家屋が**1**に規定する認定住宅等に該当する家屋である旨その他の(6)で定める事項を証する書類その他(7)で定める書類（以下「**認定住宅等証明書**」という。）の添付がある場合に限り、適用する。（措法41の19の４⑤）

((4)に規定する(5)で定める者)

(5)　(4)に規定する(5)で定める者は、次の(一)から(三)までに掲げる個人が新築又は取得（**1**に規定する取得をいう。(7)において同じ。）をした**1**に規定する認定住宅等（(6)において「認定住宅等」という。）に該当する家屋の区分に応じ当該(一)から(三)までに定める者とする。（措規19の11の４①）

(一)	**四4**(一)に規定する認定長期優良住宅（(7)(一)において「認定長期優良住宅」という。）に該当する家屋 次に掲げる者 イ　登録住宅性能評価機関

	ロ　指定確認検査機関 ハ　建築士 ニ　当該家屋の所在地の市町村長又は特別区の区長 ホ　当該家屋の所在地の長期優良住宅の普及の促進に関する法律第２条第６項に規定する所管行政庁
(二)	**四４**(二)に規定する低炭素建築物（(７)(二)において「低炭素建築物」という。）に該当する家屋　　次に掲げる者 イ　(一)イからハまでに掲げる者 ロ　当該家屋の所在地の市町村長又は特別区の区長
(三)	**四４**(二)に規定する特定建築物（(７)(三)において「特定建築物」という。）に該当する家屋　　当該家屋の所在地の市町村長又は特別区の区長
(四)	**四４**(三)に規定する特定エネルギー消費性能向上住宅（(７)(四)において「特定エネルギー消費性能向上住宅」という。）に該当する家屋　　次に掲げる者 イ　(一)イからハまでに掲げる者 ロ　住宅瑕疵担保責任保険法人

（(６)で定める事項）

(６)　(４)に規定する(６)で定める事項は、その者のその居住の用に供する家屋が認定住宅等に該当する家屋である旨とする。（措規19の11の４②）

（(７)で定める書類）

(７)　(４)に規定する(７)で定める書類は、次の(一)から(四)までに掲げる場合の区分に応じそれぞれに定める書類とする。（措規19の11の４③）

(一)	その者のその居住の用に供する家屋が認定長期優良住宅に該当する家屋である場合		次に掲げる書類
		イ	**四４**(13)(一)に掲げる書類
		ロ	当該家屋の登記事項証明書、当該家屋の新築の工事の請負契約書の写し、当該家屋で建築後使用されたことのないものの取得に係る売買契約書の写しその他の書類で次に掲げる事項を明らかにする書類 ⑴　当該家屋の新築又は取得をしたこと。 ⑵　当該家屋の新築又は取得をした年月日 ⑶　当該家屋の床面積（**四１①イ**(一)及び(二)に規定する床面積をいう。以下(７)において同じ。）が50平方メートル以上であること。
		ハ	**四14**(一)に規定する再建支援法適用者が、同**14**に規定する従前家屋に係る住宅借入金等について同**14**の規定により**四１**の規定の適用を受ける年において、**八１**の規定の適用を受ける場合には、市町村長又は特別区の区長の当該従前家屋に係る災害による被害の状況その他の事項を証する書類（その写しを含む。）、当該従前家屋の登記事項証明書その他の書類で当該従前家屋が災害により居住の用に供することができなくなったことを明らかにする書類
(二)	その者のその居住の用に供する家屋が低炭素建築物に該当する家屋である場合		次に掲げる書類
		イ	**四４**(14)(一)に掲げる書類
		ロ	当該家屋の登記事項証明書、当該家屋の新築の工事の請負契約書の写し、当該家屋で建築後使用されたことのないものの取得に係る売買契約書の写しその他の書類で次に掲げる事項を明らかにする書類 ⑴　当該家屋の新築又は取得をしたこと。 ⑵　当該家屋の新築又は取得をした年月日 ⑶　当該家屋の床面積が50平方メートル以上であること。

		ハ	(一)ハに掲げる書類
(三)	その者のその居住の用に供する家屋が特定建築物に該当する家屋である場合	次に掲げる書類	
		イ	当該家屋の登記事項証明書、当該家屋の新築の工事の請負契約書の写し、当該家屋で建築後使用されたことのないものの取得に係る売買契約書の写しその他の書類で次の(1)から(3)までに掲げる事項を明らかにする書類 (1)　当該家屋の新築又は取得をしたこと。 (2)　当該家屋の新築又は取得をした年月日 (3)　当該家屋の床面積が50平方メートル以上であること。
		ロ	(一)ハに掲げる書類
(四)	その者のその居住の用に供する家屋が特定エネルギー消費性能向上住宅に該当する家屋である場合	次に掲げる書類	
		イ	当該家屋の登記事項証明書、当該家屋の新築の工事の請負契約書の写し、当該家屋で建築後使用されたことのないものの取得に係る売買契約書の写しその他の書類で次の(1)から(3)までに掲げる事項を明らかにする書類 (1)　当該家屋の新築又は取得をしたこと。 (2)　当該家屋の新築又は取得をした年月日 (3)　当該家屋の床面積が50平方メートル以上であること。
		ロ	(一)ハに掲げる書類

（確定申告書の提出又は記載若しくは添付がなかった場合の宥恕規定）

（8）　税務署長は、確定申告書の提出がなかった場合又は（4）の記載若しくは添付がない確定申告書の提出があった場合においても、その提出又は記載若しくは添付がなかったことについてやむを得ない事情があると認めるときは、当該記載をした書類並びに（4）の明細書及び認定住宅等証明書の提出があった場合に限り、**1**の規定を適用することができる。（措法41の19の４⑦）

2　控除未済税額控除額の控除

個人がその年において、その年の前年（当該前年分の所得税につき第五章第三節**十１**《上場株式等に係る譲渡損失の損益通算及び繰越控除》に規定する確定申告書を提出している場合に限る。）における税額控除限度額のうち**1**の規定による控除をしてもなお控除しきれない金額を有する場合又はその年の前年分の所得税につき当該確定申告書を提出すべき場合及び提出することができる場合のいずれにも該当しない場合には、その者のその年分の所得税の額から、当該控除しきれない金額に相当する金額又はその年の前年における税額控除限度額（以下**2**において「控除未済税額控除額」という。）を控除する。この場合において、当該控除未済税額控除額が、その者のその年分の所得税の額を超えるときは、その控除を受ける金額は、当該所得税の額を限度とする。（措法41の19の４②）

（合計所得金額が2,000万円を超える場合の不適用）

（1）　**2**の規定は、個人の居住日の属する年分又はその翌年分の所得税に係る第二章第一節**一**表内**30**《寡婦》の合計所得金額が2,000万円を超える場合には、適用しない。（措法41の19の４④）

（注）　改正後の（1）の規定は、個人が、認定住宅等（**1**に規定する認定住宅等をいう。以下において同じ。）の新築又は認定住宅等で建築後使用されたことのないものの改正後の**1**に規定する取得をして、当該認定住宅等を令和６年１月１日以後にその者の居住の用に供する場合について適用され、個人が、認定住宅等の新築又は認定住宅等で建築後使用されたことのないものの改正前の**1**に規定する取得をして、当該認定住宅等を同日前にその者の居住の用に供した場合については、なお従前の例による。（令６改所法等附36）

（控除額の計算に関する記載若しくは明細書の添付）

（2）　**2**の規定は、その適用を受けようとする年分の確定申告書に**2**に規定する控除未済税額控除額の明細書の添付があり、かつ、当該年分の確定申告書に、**2**の規定による控除を受ける金額についてのその控除に関する記載及び当該金額の計算に関する明細書（その適用を受けようとする年分の前年分の所得税につき第五章第三節**十１**に規定する確定申告書を提出すべき場合及び提出することができる場合のいずれにも該当しない場合には、当該明細書及び認定住宅等証明書）の添付がある場合に限り、適用する。（措法41の19の４⑥）

（注）（2）の規定により1（7）に規定する書類を提出する場合における同（7）の規定の適用については、（7）(一)ハ中「八1」とあるのは、「八2」とする。（措規19の11の4④）

（2の規定の適用を受けようとする場合の1（8）の規定の準用）

（3）　1（8）の規定は、2の規定の適用を受けようとする場合について準用する。この場合において、1（8）中「（4）」とあるのは「2（2）」と、「の明細書及び認定住宅等証明書」とあるのは「に規定する控除未済税額控除額の明細書及び控除を受ける金額の計算に関する明細書」と、「1」とあるのは「2」と読み替えるものとする。（措法41の19の4⑧）

（税額控除の控除順序等）

（4）　一1《配当控除》並びに八1及び同2《認定住宅等の新築等をした場合の所得税額の特別控除》の規定による控除をすべき金額は、課税総所得金額に係る所得税額、課税山林所得金額に係る所得税額又は課税退職所得金額に係る所得税額から順次控除する。この場合において、当該控除をすべき金額がその年分の所得税額をこえるときは、当該控除をすべき金額は、当該所得税額に相当する金額とする。（措法41の19の4⑨によって読み替えられた法92②（下線部は読み替えられた部分（編者注）））

（税額控除の控除要領）

（5）　1及び2の規定による控除をすべき金額は、これらの規定に規定するその年分の一1《配当控除》に規定する所得税額から控除する。（措令26の28の6②）

（重複適用の禁止）

（6）　1及び2の規定は、個人が、1の認定住宅等をその居住の用に供した日の属する年分の所得税について、第五章第二節一3《居住用財産を譲渡した場合の長期譲渡所得の課税の特例》若しくは同節十一《居住用財産の譲渡所得の3,000万円の特別控除》①（同③の規定により適用する場合を除く。（7）において同じ。）の規定の適用を受ける場合又はその居住の用に供した日の属する年の前年分若しくは前々年分の所得税についてこれらの規定の適用を受けている場合には、適用しない。（措法41の19の4⑪）

（認定住宅等の敷地の用に供されている土地以外の資産の譲渡をした場合の不適用）

（7）　1の認定住宅等をその居住の用に供した個人が、当該居住の用に供した日の属する年の翌年以後3年以内の各年中に当該居住の用に供した当該認定住宅等及び当該認定住宅等の敷地の用に供されている土地（当該土地の上に存する権利を含む。）以外の資産（第五章第二節一3①に規定する居住用財産又は同節十一1①に規定する資産に該当するものに限る。）の譲渡をした場合において、その者が当該譲渡につき第五章第二節一3又は同節十一1①の規定の適用を受けるときは、1及び2の規定は、適用しない。（措法41の19の4⑫）

（前年分又は前々年分の所得税についての修正申告書の提出等）

（8）　（7）に規定する資産の譲渡をした個人で（7）の規定に該当することとなった者が当該譲渡をした日の属する年の前3年以内の各年分の所得税につき1又は2の規定の適用を受けている場合には、その者は、当該譲渡をした日の属する年分の所得税の確定申告期限までに、当該前3年以内の各年分の所得税についての修正申告書を提出し、かつ、当該期限内に当該修正申告書の提出により納付すべき税額を納付しなければならない。（措法41の19の4⑬）

（修正申告書を提出すべき者が当該修正申告書を提出しなかった場合）

（9）　（8）の規定により修正申告書を提出すべき者が当該修正申告書を提出しなかった場合には、納税地の所轄税務署長は、当該修正申告書に記載すべきであった所得金額、所得税の額その他の事項につき第十二章一1《更正》又は同3《再更正》の規定による更正を行う。（措法41の19の4⑭）

（修正申告書及び更正に対する国税通則法の規定の適用）

（10）　（8）の規定による修正申告書及び（9）の更正に対する国税通則法の規定の適用については、次の(一)から(三)までに定めるところによる。（措法41の19の4⑮）

(一)	当該修正申告書で（8）に規定する提出期限内に提出されたものについては、第十章第七節一4《修正申告の効

	力》の規定を適用する場合を除き、これを同章第二節**一2**《期限内申告》に規定する期限内申告書とみなす。
(二)	当該修正申告書で(8)に規定する提出期限後に提出されたもの及び当該更正については、国税通則法第2章から第7章までの規定中「法定申告期限」とあり、及び「法定納期限」とあるのは「第九章第二節**八2**(9)に規定する修正申告書の提出期限」と、第十二章**四7**(3)(一)中「期限内申告書」とあるのは「第二章第一節**一37**に規定する確定申告書」と、同**四7**(4)中「期限内申告書又は期限後申告書」とあるのは「第九章第二節**八2**(9)の規定による修正申告書」と、第十二章**四1**①、同③(二)及び同⑤(二)中「期限内申告書」とあるのは「第二章第一節**一37**に規定する確定申告書」とする。
(三)	第十二章**四7**(3)(二)及び同**四2**の規定は、(二)に規定する修正申告書及び更正には、適用しない。

（認定住宅等新築等特別税額控除の規定を適用した場合の効果）

(11)　認定住宅等の新築又は認定住宅等で建築後使用されたことのないものの取得をしたことにつき、**1**の規定を適用したところにより確定申告書を提出した場合には、その後においてその者が更正の請求をし、又は修正申告書を提出するときにおいても、**1**の規定を適用することに留意する。（措通41の19の4－2）

（注）同**1**の規定を適用しなかった場合においても同様である。

（住宅借入金等を有する場合の所得税額の特別控除に関する取扱いの準）

(12)　**八**の規定の適用に当たっては、**四1**(5)、同**1①イ**(1)から(3)、同**1**(19)、同**1**(21)及び同**1①イ**(5)の取扱いを準用する。（措通41の19の4－3）

（税額控除等の順序）

(13)　税額控除等は、次に掲げる順序により行うものとする。（措通41の19の4－4）

⑴　第六章第四節**六**①の規定による肉用牛の売却による農業所得の免税
⑵　**一1**の規定による配当控除
⑶　**九**の規定による試験研究を行った場合の所得税額の特別控除
⑷　**十**の規定による中小事業者が機械等を取得した場合の所得税額の特別控除
⑸　**十一**の規定による地域経済牽引事業の促進区域内において特定事業用機械等を取得した場合の所得税額の特別控除
⑹　**十二**の規定による地方活力向上地域等において特定建物等を取得した場合の所得税額の特別控除
⑺　**十三**の規定による地方活力向上地域等において雇用者の数が増加した場合の所得税額の特別控除
⑻　**十四**の規定による特定中小事業者が特定経営力向上設備等を取得した場合の所得税額の特別控除
⑼　**十五**の規定による給与等の支給額が増加した場合の所得税額の特別控除
⑽　**十六**の規定による認定特定高度情報通信技術活用設備を取得した場合の所得税額の特別控除
⑾　**十七**の規定による事業適応設備を取得した場合等の所得税額の特別控除
⑿　**四**の規定による住宅借入金等を有する場合の所得税額の特別控除（**五**の規定による特定の増改築等に係る住宅借入金等を有する場合の所得税額の特別控除の控除額に係る特例を含む。）
⒀　**二十二**の規定による公益社団法人等に寄附をした場合の所得税額の特別控除
⒁　**二十一**の規定による認定特定非営利活動法人等に寄附をした場合の所得税額の特別控除
⒂　**二十**の規定による政治活動に関する寄附をした場合の所得税額の特別控除
⒃　**六**の規定による既存住宅の耐震改修をした場合の所得税額の特別控除
⒄　**七**の規定による既存住宅に係る特定の改修工事をした場合の所得税額の特別控除
⒅　**八**の規定による認定住宅等の新築等をした場合の所得税額の特別控除
⒆　災害被害者に対する租税の減免、徴収猶予等に関する法律第2条の規定による所得税の額の軽減又は免除
⒇　**一5**①及び所得税法第165条の5の3の規定による分配時調整外国税相当額控除
(21)　**二**及び所得税法第165条の6の規定による外国税額控除
(22)　第五節**1**の規定による令和6年分における所得税額の特別控除

【住宅告示14】 1（2）の規定に基づき、国土交通大臣が財務大臣と協議して認定住宅の構造の区分に応じて定める金額を定める件（平21国土交通省告示第385号、最終改正令４同省告示第448号）

1（2）の規定に基づき、国土交通大臣が財務大臣と協議して認定住宅等の構造の区分に応じて定める金額を次のように定めたので、同（2）の（注）の規定により、告示する。

1（2）の規定に基づき、**1**に規定する認定住宅等（以下「認定住宅等」という。）について講じられた構造及び設備に係る標準的な費用の額として国土交通大臣が財務大臣と協議して定める金額は、床面積１平方メートルにつき45,300円に、当該認定住宅等の床面積（当該認定住宅等が一棟の家屋でその構造上区分された数個の部分を独立して住居その他の用途に供することができるものであって、その者がその各部分を区分所有する場合には、その者の区分所有する部分の床面積とする。以下同じ。）を乗じて得た金額（**1**又は**2**の個人が新築をし、又は取得をした認定住宅等のうちにその者の居住の用以外の用に供する部分がある場合には、当該金額に、当該認定住宅等の床面積のうちに当該居住の用に供する部分の床面積の占める割合を乗じて計算した金額）とする。

附　則　この告示は、個人が、認定住宅等（改正後の**1**に規定する認定住宅等をいう。以下同じ。）の新築又は認定住宅等で建築後使用されたことのないものの同**1**に規定する取得をして、当該認定住宅等を令和４年１月１日以後にその者の居住の用に供する場合について適用し、個人が、認定住宅（改正前の**1**に規定する認定住宅をいう。以下同じ。）の新築又は認定住宅で建築後使用されたことのないものの同**1**に規定する取得をして、当該認定住宅を同日前にその者の居住の用に供した場合については、なお従前の例による。

九　試験研究を行った場合の所得税額の特別控除

1　試験研究を行った場合の所得税額の特別控除

青色申告書を提出する個人のその年分（事業を廃止した日の属する年分を除く。）において、試験研究費の額がある場合には、その年分の総所得金額に係る所得税の額から、（1）で定めるところにより、当該年分の試験研究費の額に次の(一)及び(二)に掲げる場合の区分に応じ当該(一)又は(二)に定める割合（当該割合に小数点以下3位未満の端数があるときはこれを切り捨てた割合とし、当該(一)又は(二)に定める割合が100分の10を超えるときは100分の10とする。）を乗じて計算した金額（以下1において「**税額控除限度額**」という。）を控除する。この場合において、当該税額控除限度額が、控除上限額（当該個人のその年分の調整前事業所得税額の100分の25に相当する金額をいう。）を超えるときは、その控除を受ける金額は、当該控除上限額を限度とする。（措法10①）

(一)	(二)に掲げる場合以外の場合	100分の11.5から、100分の12から増減試験研究費割合を減算した割合に0.25を乗じて計算した割合を減算した割合（当該割合が100分の1未満であるときは、100分の1）
(二)	その年が事業を開始した日の属する年（相続又は包括遺贈により当該事業を承継した日の属する年を除く。以下九において「開業年」という。）である場合又は比較試験研究費の額が零である場合	100分の8.5

（注）1　上記＿＿下線部については、令和8年4月1日以後、1(一)中「(二)に掲げる場合以外の場合」が「増減試験研究費割合が零以上である場合（(三)に掲げる場合を除く。）」に、「増減試験研究費割合」が「当該増減試験研究費割合」に改められ、「(当該割合が100分の1未満であるときは、100分の1)」が削られ、同(二)が同(三)とされ、同(一)の次に次の(二)が加えられる。（令6改所法等附1七）

<table>
<tr><td rowspan="3">(二)</td><td rowspan="3">増減試験研究費割合が零に満たない場合（(三)に掲げる場合を除く。）</td><td colspan="3">100分の8.5から、その満たない部分の割合に25分の8.5（次に掲げる年分にあっては、それぞれ次に定める割合）を乗じて計算した割合を減算した割合（当該割合が零に満たないときは、零）</td></tr>
<tr><td>イ</td><td>令和11年以前の年分</td><td>30分の8.5</td></tr>
<tr><td>ロ</td><td>令和12年分及び令和13年分</td><td>27.5分の8.5</td></tr>
</table>

2　改正後の1の規定は、令和9年分以後の所得税について適用され、令和8年分以前の所得税については、なお従前の例による。（令6改所法等附22①）

（1の規定による控除をすべき金額）

（1）　1の規定による控除をすべき金額は、その年分の一4に規定する課税総所得金額に係る所得税額から控除する。この場合において、当該所得税額から控除をすべき一1に規定する配当控除の額があるときは、まず当該配当控除の額を控除し、次に1の規定による控除をすべき金額を控除する。（措令5の3①）

①　令和4年から令和8年までの各年分における1の規定の適用

1の青色申告書を提出する個人の令和4年から令和8年までの各年分における1の規定の適用については、1の税額控除限度額は、1の規定にかかわらず、次の(一)及び(二)に掲げる年分の区分に応じ当該(一)又は(二)に定める金額とする。（措法10②）

<table>
<tr><td rowspan="3">(一)</td><td rowspan="3">(二)に掲げる年分以外の年分</td><td colspan="3">当該年分の試験研究費の額に次に掲げる場合の区分に応じそれぞれ次に定める割合（当該割合に小数点以下3位未満の端数があるときはこれを切り捨てた割合とし、それぞれ次に定める割合が100分の14を超えるときは100分の14とする。）を乗じて計算した金額</td></tr>
<tr><td>イ</td><td>増減試験研究費割合が100分の12を超える場合（ハに掲げる場合を除く。）</td><td>100分の11.5に、当該増減試験研究費割合から100分の12を控除した割合に0.375を乗じて計算した割合を加算した割合</td></tr>
<tr><td>ロ</td><td>増減試験研究費割合が100分の12以下である場合（ハに掲げる場合を除く。）</td><td>100分の11.5から、100分の12から当該増減試験研究費割合を減算した割合に0.25を乗じて計算した割合を減算した割合（当該割合が100分の1未満であるときは、100分の1）</td></tr>
</table>

		ハ	その年が開業年である場合又は比較試験研究費の額が零である場合	100分の8.5
(二)	試験研究費割合が100分の10を超える年分	当該年分の試験研究費の額に次に掲げる割合を合計した割合（当該割合に小数点以下３位未満の端数があるときはこれを切り捨てた割合とし、当該合計した割合が100分の14を超えるときは100分の14とする。）を乗じて計算した金額		
		イ	(一)イから同ハまでに掲げる場合の区分に応じそれぞれ同イから同ハまでに定める割合	
		ロ	イに掲げる割合に控除割増率（当該試験研究費割合から100分の10を控除した割合に0.5を乗じて計算した割合（当該割合が100分の10を超えるときは、100分の10）をいう。）を乗じて計算した割合	

②　令和６年から令和８年までの各年分の控除上限額の特例

1の青色申告書を提出する個人の令和６年から令和８年までの各年分のうち次の(一)から(三)までに掲げる年分における**1**の規定の適用については、**1**の控除上限額は、**1**の規定にかかわらず、当該個人のその年分の調整前事業所得税額の100分の25に相当する金額に、当該調整前事業所得税額に当該(一)から(三)までに定める割合（(一)及び(三)に掲げる年分のいずれにも該当する年分にあっては、(一)に定める割合と(三)に定める割合とのうちいずれか高い割合）を乗じて計算した金額を加算した金額とする。（措法10③）

(一)	増減試験研究費割合が100分の４を超える年分（開業年の年分及び比較試験研究費の額が零である年分を除く。）	当該増減試験研究費割合から100分の４を控除した割合に0.625を乗じて計算した割合（当該割合に小数点以下３位未満の端数があるときはこれを切り捨てた割合とし、当該計算した割合が100分の５を超えるときは100分の５とする。）
(二)	増減試験研究費割合が零に満たない場合のその満たない部分の割合が100分の４を超える年分（開業年の年分、比較試験研究費の額が零である年分及び(三)に掲げる年分を除く。）	零から、当該満たない部分の割合から100分の４を控除した割合に0.625を乗じて計算した割合（当該割合に小数点以下３位未満の端数があるときはこれを切り捨てた割合とし、当該計算した割合が100分の５を超えるときは100分の５とする。）を減算した割合
(三)	試験研究費割合が100分の10を超える年分	当該試験研究費割合から100分の10を控除した割合に２を乗じて計算した割合（当該割合に小数点以下３位未満の端数があるときはこれを切り捨てた割合とし、当該計算した割合が100分の10を超えるときは100分の10とする。）

2　中小事業者が試験研究を行った場合の所得税額の特別控除

中小事業者で青色申告書を提出するもののその年分（**1**の規定の適用を受ける年分及び事業を廃止した日の属する年分を除く。）において、試験研究費の額がある場合には、その年分の総所得金額に係る所得税の額から、(1)で定めるところにより、当該年分の試験研究費の額の100分の12に相当する金額（以下**2**において「**中小事業者税額控除限度額**」という。）を控除する。この場合において、当該中小事業者税額控除限度額が、中小事業者控除上限額（当該中小事業者のその年分の調整前事業所得税額の100分の25に相当する金額をいう。）を超えるときは、その控除を受ける金額は、当該中小事業者控除上限額を限度とする。（措法10④）

（**2**の規定による控除をすべき金額）

(1)　**2**の規定による控除をすべき金額は、その年分の**一4**に規定する課税総所得金額に係る所得税額から控除する。この場合において、当該所得税額から控除をすべき**一1**に規定する配当控除の額があるときは、まず当該配当控除の額を控除し、次に**2**の規定による控除をすべき金額を控除する。（措令５の３②）

（中小事業者であるかどうかの判定）

(2)　個人が**2**に規定する中小事業者に該当するかどうかは、その年12月31日の現況によって判定するものとする。

また、**4**⑦(2)又は同(10)の規定の適用上、個人が中小事業者に該当するかどうかの判定は、**4**⑦(1)(二)又は同(八)に規定する契約又は協定の締結時の現況によるものとする。（措通10－12）

①　令和４年から令和８年までの各年分の中小事業者税額控除限度額の特例

２の中小事業者で青色申告書を提出するものの令和４年から令和８年までの各年分のうち次の㈠から㈢までに掲げる年分における**２**の規定の適用については、**２**の中小事業者税額控除限度額は、**２**の規定にかかわらず、当該年分の試験研究費の額に、100分の12に当該㈠から㈢までに定める割合を加算した割合（当該割合に小数点以下３位未満の端数があるときはこれを切り捨てた割合とし、当該加算した割合が100分の17を超えるときは100分の17とする。）を乗じて計算した金額とする。（措法10⑤）

㈠	増減試験研究費割合が100分の12を超える年分（開業年の年分、比較試験研究費の額が零である年分及び試験研究費割合が100分の10を超える年分を除く。）	当該増減試験研究費割合から100分の12を控除した割合に0.375を乗じて計算した割合
㈡	試験研究費割合が100分の10を超える年分（開業年の年分及び比較試験研究費の額が零である年分のいずれにも該当しない年分で増減試験研究費割合が100分の12を超える年分を除く。）	100分の12に控除割増率（当該試験研究費割合から100分の10を控除した割合に0.5を乗じて計算した割合（当該割合が100分の10を超えるときは、100分の10）をいう。）を乗じて計算した割合
㈢	増減試験研究費割合が100分の12を超え、かつ、試験研究費割合が100分の10を超える年分（開業年の年分及び比較試験研究費の額が零である年分を除く。）	次に掲げる割合を合計した割合 イ　㈠に定める割合 ロ　イに掲げる割合に㈡に規定する控除割増率を乗じて計算した割合 ハ　㈡に定める割合

②　令和４年から令和８年までの各年分の中小事業者控除上限額の特例

２の中小事業者で青色申告書を提出するものの令和４年から令和８年までの各年分のうち次の㈠及び㈡に掲げる年分における**２**の規定の適用については、**２**の中小事業者控除上限額は、**２**の規定にかかわらず、当該中小事業者のその年分の調整前事業所得税額の100分の25に相当する金額に当該㈠又は㈡に定める金額を加算した金額とする。（措法10⑥）

㈠	増減試験研究費割合が100分の12を超える年分（開業年の年分及び比較試験研究費の額が零である年分を除く。）	当該調整前事業所得税額の100分の10に相当する金額
㈡	試験研究費割合が100分の10を超える年分（㈠に掲げる年分を除く。）	当該調整前事業所得税額に当該試験研究費割合から100分の10を控除した割合に２を乗じて計算した割合（当該割合に小数点以下３位未満の端数があるときはこれを切り捨てた割合とし、当該計算した割合が100分の10を超えるときは100分の10とする。）を乗じて計算した金額

３　特別試験研究費の額に係る所得税額の特別控除の特例

青色申告書を提出する個人のその年分（事業を廃止した日の属する年分を除く。）において、特別試験研究費の額（その年において**１**又は**２**の規定の適用を受ける場合には、これらの規定によりその年分の総所得金額に係る所得税の額から控除する金額の計算の基礎となった特別試験研究費の額を除く。以下**３**において同じ。）がある場合には、その年分の総所得金額に係る所得税の額から、（１）で定めるところにより、次の㈠から㈢までに掲げる金額の合計額（以下**３**において「**特別研究税額控除限度額**」という。）を控除する。この場合において、当該特別研究税額控除限度額が、当該個人のその年分の調整前事業所得税額の100分の10に相当する金額を超えるときは、その控除を受ける金額は、当該100分の10に相当する金額を限度とする。（措法10⑦）

㈠	その年分の特別試験研究費の額のうち国の試験研究機関、大学その他これらに準ずる者（以下㈠において「特別試験研究機関等」という。）と共同して行う試験研究又は特別試験研究機関等に委託する試験研究に係る試験研究費の額として（２）で定める金額の100分の30に相当する金額
㈡	その年分の特別試験研究費の額のうち他の者と共同して行う試験研究又は他の者に委託する試験研究であって、革

	新的なもの又は国立研究開発法人その他これに準ずる者における研究開発の成果を実用化するために行うものに係る試験研究費の額として（２）で定める金額の100分の25に相当する金額
(三)	その年分の特別試験研究費の額のうち(一)及び(二)に規定する（２）で定める金額以外の金額の100分の20に相当する金額

（**3**の規定による控除をすべき金額）

（１）　**3**の規定による控除をすべき金額は、その年分の**一４**に規定する課税総所得金額に係る所得税額から控除する。この場合において、当該所得税額から控除をすべき**一１**に規定する配当控除の額があるときは、まず当該配当控除の額を控除し、次に**3**の規定による控除をすべき金額を控除する。（措令５の３③）

（**3**(一)に規定する（２）で定める金額及び**3**(二)に規定する（２）で定める金額）

（２）　**3**(一)に規定する（２）で定める金額は、その年分の**3**に規定する特別試験研究費の額のうち**4**⑦（１）(一)、同(二)、同(七)及び同(八)に掲げる試験研究に係る**4**⑦に規定する特別試験研究費の額に相当する金額（以下（２）において「特別試験研究機関等研究費の額」という。）とし、**3**(二)に規定する（２）で定める金額は、その年分の**3**に規定する特別試験研究費の額（当該特別試験研究機関等研究費の額を除く。）のうち**4**⑦（１）(三)、同(四)、同(十)及び同(十一)に掲げる試験研究に係る**4**⑦に規定する特別試験研究費の額に相当する金額とする。（措令５の３④）

4　用語の意義

九において、次の①から⑧までに掲げる用語の意義は、当該①から⑧までに定めるところによる。（措法10⑧）

①　試験研究費の額

次に掲げる金額の合計額（当該金額に係る費用に充てるため他の者（当該個人が非居住者である場合の第二章第二節**4**①(一)に規定する事業場等を含む。）から支払を受ける金額がある場合には、当該金額を控除した金額）をいう。（措法10⑧一）

イ	次に掲げる費用の額（第六章第二節**一**の事業所得の総収入金額に係る売上原価その他当該総収入金額を得るため直接に要した費用の額に該当するものを除く。）で各年分の事業所得の金額の計算上必要経費に算入されるもの	
	⑴	製品の製造又は技術の改良、考案若しくは発明に係る試験研究（新たな知見を得るため又は利用可能な知見の新たな応用を考案するために行うものに限る。）のために要する費用（研究開発費として経理をした金額のうち、ロに規定する固定資産（第二章第一節**一18**に規定する固定資産をいう。以下①において同じ。）の取得に要した金額とされるべき費用の額又はロに規定する繰延資産となる費用の額がある場合における当該固定資産又は繰延資産の償却費、除却による損失及び譲渡による損失を除く。⑵において同じ。）で（１）で定めるもの
	⑵	対価を得て提供する新たな役務の開発に係る試験研究として（２）で定める試験研究のために要する費用で（４）で定めるもの
ロ	イ⑴又は⑵に掲げる費用の額（事業所得の金額に係るものに限る。）で各年分において研究開発費として経理をした金額のうち、棚卸資産（第二章第一節**一16**に規定する棚卸資産をいう。⑧において同じ。）若しくは固定資産（事業の用に供する時においてイ⑴に規定する試験研究又はイ⑵に規定する（２）で定める試験研究の用に供する固定資産を除く。）の取得に要した金額とされるべき費用の額又は繰延資産（イ⑴に規定する試験研究又はイ⑵に規定する（２）で定める試験研究のために支出した費用に係る繰延資産を除く。）となる費用の額	

（注）１　上記＿＿下線部については、令和７年４月１日以後、①(一)中「、当該金額を控除した金額」が「当該金額を控除した金額とし、当該個人が居住者である場合の当該個人の第九章第二節**二４**(一)に規定する国外事業所等を通じて行う事業に係る費用の額を除く。」に改められる。（令６改所法等附１五）

２　改正後の①の規定は、令和８年分以後の所得税について適用され、令和７年分以前の所得税については、なお従前の例による。（令６改所法等附22②）

（①イ⑴に規定する（１）で定めるもの）

（１）　①イ⑴に規定する（１）で定めるものは、①イ⑴に規定する費用で次の(一)から(三)までに掲げるものとする。（措令５の３⑤）

(一)	その試験研究を行うために要する原材料費、人件費（専門的知識をもって当該試験研究の業務に専ら従事する者に係るものに限る。）及び経費
(二)	他の者（当該個人が非居住者である場合の第二章第四節**4**①(一)に規定する事業場等を含む。(4)(二)において同じ。）に委託をして試験研究を行う当該個人の当該試験研究のために当該委託を受けた者に対して支払う費用
(三)	技術研究組合法第９条第１項の規定により賦課される費用

(①イ⑵に規定する(２)で定める試験研究)

(２)　①イ⑵に規定する(２)で定める試験研究は、対価を得て提供する新たな役務の開発を目的として次の(一)から(三)までに掲げるものの全てが行われる場合における当該(一)から(三)までに掲げるもの（当該役務の開発を目的として、(一)イの方法によって情報を収集し、又は同イに掲げる情報を取得する場合には、その収集又は取得を含む。）とする。(措令５の３⑥)

(一)	次に掲げる情報について、一定の法則を発見するために行われる分析として(３)で定めるもの	
	イ	大量の情報を収集する機能を有し、その機能の全部又は主要な部分が自動化されている機器又は技術を用いる方法によって収集された情報
	ロ	イに掲げるもののほか、当該個人が有する情報で、当該法則の発見が十分見込まれる量のもの
(二)	(一)の分析により発見された法則を利用した当該役務の設計	
(三)	(二)の設計に係る(二)に規定する法則が予測と結果とが一致することの蓋然性が高いものであることその他妥当であると認められるものであること及び当該法則を利用した当該役務が当該目的に照らして適当であると認められるものであることの確認	

((２)(一)に規定する(３)で定めるもの)

(３)　(２)(一)に規定する(３)で定めるものは、同(一)の情報の解析に必要な確率論及び統計学に関する知識並びに情報処理（情報処理の促進に関する法律第２条第１項に規定する情報処理をいう。）に関して必要な知識を有すると認められる者（(５)において「情報解析専門家」という。）により情報の解析を行う専用のソフトウエア（情報の解析を行う機能を有するソフトウエアで、当該専用のソフトウエアに準ずるものを含む。）を用いて行われる分析とする。(措規５の６①)

(①イ⑵に規定する(４)で定めるもの)

(４)　①イ⑵に規定する(４)で定めるものは、①イ⑵に規定する費用で次の(一)及び(二)に掲げるものとする。(措令５の３⑦)

(一)	その試験研究を行うために要する原材料費、人件費（(２)(一)の分析を行うために必要な専門的知識をもって当該試験研究の業務に専ら従事する者として(５)で定める者に係るものに限る。以下(一)において同じ。）及び経費（外注費にあっては、これらの原材料費及び人件費に相当する部分並びに当該試験研究を行うために要する経費に相当する部分（外注費に相当する部分を除く。）に限る。）
(二)	他の者に委託をして試験研究を行う当該個人の当該試験研究のために当該委託を受けた者に対して支払う費用（(一)に規定する原材料費、人件費及び経費に相当する部分に限る。）

((４)(一)に規定する(５)で定める者)

(５)　(４)(一)に規定する(５)で定める者は、情報解析専門家でその専門的な知識をもって(２)に規定する試験研究の業務に専ら従事するものとする。(措規５の６②)

(試験研究の意義)

(６)　①イ⑴に規定する試験研究とは、事物、機能、現象などについて新たな知見を得るため又は利用可能な知見の新たな応用を考案するために行う創造的で体系的な調査、収集、分析その他の活動のうち自然科学に係るものをいい、新製品の製造又は新技術の改良、考案若しくは発明に限らず、現に生産中の製品の製造又は既存の技術の改良、考案若しくは発明も含まれる。(措通10－1)

(試験研究に含まれないもの)

(7)　①イ⑴に規定する試験研究には、例えば、次に掲げる活動は含まれない。(措通10－2)

⑴　人文科学及び社会科学に係る活動

⑵　リバースエンジニアリング(既に実用化されている製品又は技術の構造や仕組み等に係る情報を自己の製品又は技術にそのまま活用することのみを目的として、当該情報を解析することをいう。)その他の単なる模倣を目的とする活動

⑶　事務員による事務処理手順の変更若しくは簡素化又は部署編成の変更

⑷　既存のマーケティング手法若しくは販売手法の導入等の販売技術若しくは販売方法の改良又は販路の開拓

⑸　性能向上を目的としないことが明らかな開発業務の一部として行うデザインの考案

⑹　⑸により考案されたデザインに基づき行う設計又は試作

⑺　製品に特定の表示をするための許可申請のために行うデータ集積等の臨床実験

⑻　完成品の販売のために行うマーケティング調査又は消費者アンケートの収集

⑼　既存の財務分析又は在庫管理の方法の導入

⑽　既存製品の品質管理、完成品の製品検査、環境管理

⑾　生産調整のために行う機械設備の移転又は製造ラインの配置転換

⑿　生産方法、量産方法が技術的に確立している製品を量産化するための試作

⒀　特許の出願及び訴訟に関する事務手続

⒁　地質、海洋又は天体等の調査又は探査に係る一般的な情報の収集

⒂　製品マスター完成後の市場販売目的のソフトウエアに係るプログラムの機能上の障害の除去等の機能維持に係る活動

⒃　ソフトウエア開発に係るシステム運用管理、ユーザードキュメントの作成、ユーザーサポート及びソフトウエアと明確に区分されるコンテンツの制作

(新たな役務の意義)

(8)　①イ⑵に規定する試験研究は新たに提供する役務に係るものに限られるのであるから、①イ⑵の「新たな役務」に該当するかどうかは、その役務を提供する個人にとって従前に提供していない役務に該当するかどうかにより判定する。(措通10－3)

(従前に提供している役務がある場合の新たな役務の判定)

(9)　個人が従前に提供している役務がある場合において、当該個人が提供する役務が①イ⑵の「新たな役務」に該当するかどうかについては、例えば、当該個人が提供する役務が従前に提供している役務と比較して新たな内容が付加されている場合又は当該個人が提供する役務の提供方法が従前と比較して新たなものである場合には、「新たな役務」に該当する。(措通10－4)

(サービス設計工程の全てが行われるかどうかの判定)

(10)　サービス設計工程((2)(一)から同(三)までに掲げるものをいう。以下(10)において同じ。)の全てが行われるかどうかは、個人がサービス設計工程の全てを実行することを試験研究の計画段階において決定しているかどうかにより判定する。したがって、サービス設計工程の全てがその年に完了していない場合又はその年において試験研究が中止になった場合であっても、個人がサービス設計工程の全てを実行することを試験研究の計画段階で決定しているときには、その試験研究はサービス設計工程の全てが行われる試験研究に該当することに留意する。(措通10－5)

(注)　サービス設計工程の全てを実行することの判定については、当該個人がその全部又は一部を委託により行うかどうかは問わないことに留意する。

(試験研究費の額に含まれる人件費の額)

(11)　①に規定する試験研究費の額(以下**九**関係において「試験研究費の額」という。)に含まれる人件費の額は、専門的知識をもって試験研究の業務に専ら従事する者((4)(一)に規定する費用にあっては、(5)に規定する情報解析専門家でその専門的な知識をもって(2)に規定する試験研究の業務に専ら従事する者)に係るものをいうのであるから、

たとえ研究所等に専属する者に係るものであっても、例えば、事務職員、守衛、運転手等のように試験研究に直接従事していない者に係るものは、これに含まれないことに留意する。（措通10－６）

（試験研究の用に供する資産の減価償却費）

(12)　試験研究費の額には、個人が自ら行う製品の製造若しくは技術の改良、考案若しくは発明に係る試験研究又は対価を得て提供する新たな役務の開発を目的として（２）(一)から同(三)までに掲げるものの全てが行われる場合における当該（２）(一)から同(三)までに掲げるもの（当該役務の開発を目的として、（２）(一)イの方法によって情報を収集し、又は同(一)イの情報を取得する場合には、その収集又は取得を含む。）の用に供する資産に係る減価償却費の額が含まれる。（措通10－７）

（試験研究用固定資産の除却損の額）

(13)　試験研究用固定資産の除却損の額のうち、災害、研究項目の廃止等に基づき臨時的、偶発的に発生するものは試験研究費の額に含まれないのであるが、試験研究の継続過程において通常行われる取替更新に基づくものは試験研究費の額に含まれる。（措通10－８）

（他の者から支払を受ける金額の範囲）

(14)　**九**の規定の適用上、試験研究費の額の計算上控除される①の「他の者……から支払を受ける金額」には、次に掲げる金額を含むものとする。（措通10－10）

⑴　国等からその試験研究費の額に係る費用に充てるために交付を受けた補助金（第六章第一節**三１**①又は同**三２**①の規定の適用を受ける国庫補助金等を除く。）の額

⑵　国立研究開発法人科学技術振興機構と締結した新技術開発委託契約に定めるところにより、同機構から返済義務の免除を受けた開発費の額（当該免除とともに金銭の支払をした場合には支払った金銭を控除した額）から引き渡した物件の未償却残額を控除した金額

⑶　委託研究費の額

（注）　同**三２**①の規定の適用を受ける国庫補助金等の額は、その交付を受けた日の属する年分においては「他の者から支払を受ける金額」には含めないものとし、同**三２**②の規定により総収入金額に算入すべき金額を、当該国庫補助金等の返還を要しないことが確定した日の属する年分において「他の者から支払を受ける金額」に含める。

②　増減試験研究費割合

増減試験研究費の額（**１**又は**２**の規定の適用を受けようとする年（以下**４**において「適用年」という。）の年分の試験研究費の額から比較試験研究費の額を減算した金額をいう。）の当該比較試験研究費の額に対する割合をいう。（措法10⑧二）

③　比較試験研究費の額

適用年前３年以内の各年分の試験研究費の額（当該各年のうちに事業を開始した日の属する年がある場合には、当該年については、当該年の試験研究費の額に12を乗じてこれを当該年において事業を営んでいた期間の月数で除して計算した金額）の合計額を当該適用年前３年以内の各年（事業を開始した日の属する年以後の年に限る。）の年数で除して計算した金額をいう。（措法10⑧三）

（注）　③の月数は、暦に従って計算し、１月に満たない端数を生じたときは、これを１月とする。（措法10⑨）

（**１**又は**２**の規定の適用を受けようとする個人が事業所得を生ずべき事業を基準年以後に相続又は包括遺贈により承継した者である場合における③に規定する比較試験研究費の額の計算における③の試験研究費の額）

（１）　**１**又は**２**の規定の適用を受けようとする個人が事業所得を生ずべき事業を基準年（②に規定する適用年（以下**九**において「適用年」という。）の３年前の年をいう。以下（１）において同じ。）以後に相続又は包括遺贈により承継した者である場合における③に規定する比較試験研究費の額の計算における③の試験研究費の額については、基準年から適用年の前年までの各年分の試験研究費の額は、次の(一)及び(二)に定めるところによる。（措令５の３⑫）

(一)	当該個人が基準年から適用年の前年までの各年のうちのいずれかの年において当該事業を承継した者である場合には、被相続人（包括遺贈者を含む。以下**九**において同じ。）の当該各年分の試験研究費の額は、当該個人の当該各年分の試験研究費の額とする。
(二)	当該個人が適用年において当該事業を承継した者である場合には、被相続人の基準年から適用年の前年までの各年分の試験研究費の額に、当該事業を承継した日から適用年の12月31日までの期間の月数を乗じてこれを12

	で除して計算した金額は、当該個人の当該各年分の試験研究費の額とする。

（注）（1）(二)の月数は、暦に従って計算し、1月に満たない端数を生じたときは、これを切り捨てる。（措令5の3⑯）

（試験研究費の額の範囲が改正された場合の取扱い）

（2）　試験研究費の額の範囲が改正された場合には、③に規定する「適用年前3年以内の各年分」（(3)において「比較年」という。）の試験研究費の額についてもその改正後の規定により計算するものとする。（措通10－9）

（試験研究費の額の統一的計算）

（3）　**九**の規定の適用上、適用年（②に規定する「適用年」をいう。）及び比較年の試験研究費の額を計算する場合の共通経費の配分基準等については、継続して同一の方法によるべきものであることに留意する。（措通10－11）

④　調整前事業所得税額

事業所得の金額に係る所得税の額として(1)で定める金額をいう。（措法10⑧四）

（④に規定する所得税の額として(1)で定める金額）

（1）　④に規定する所得税の額として(1)で定める金額は、**1**、**2**及び**3**並びに**十1**及び同**2**、**十一1**、**十二1**、**十三1**及び同**2**、**十四1**及び同**2**、**十五1**及び同**2**、**十六1**、**十七1**、同**2**、同**3**、**四1**、第五節**1**、**二十**、**二十一**、**二十二**、**六**、**七1**、同**2**、同**3**①、同**4**①②③、同**5**①及び同**6**並びに**八1**及び同**2**の規定並びに**一5**、**二**、第165条の5の3及び第165条の6の規定を適用しないで計算したその年分の総所得金額に係る所得税の額に利子所得の金額、配当所得の金額、不動産所得の金額、事業所得の金額、給与所得の金額（第四章第五節**三5**①又は同②の規定の適用がある場合には、当該給与所得の金額からこれらの規定による控除をした残額）、譲渡所得の金額（第四章第八節**二1**(二)に掲げる所得に係る部分については、その金額の2分の1に相当する金額）、一時所得の金額の2分の1に相当する金額及び雑所得の金額の合計額のうちに事業所得の金額の占める割合を乗じて計算した金額とする。（措令5の3⑧）

（注）上記＿＿下線部については、令和6年4月1日以後、（1）中「**十五1**及び同**2**」が「**十五1**、同**2**、同**3**及び同**4**」に改められた。（令6改措令附1）（令和7年分以後適用（令6改所法等附26①））

（調整前事業所得税額の計算の基礎となる各種所得の金額）

（2）　(1)に規定する「……利子所得の金額、配当所得の金額、……及び雑所得の金額」とは、いわゆる黒字の金額をいうことに留意する。（措通10－16）

⑤　試験研究費割合

適用年の年分の試験研究費の額の平均売上金額に対する割合をいう。（措法10⑧五）

⑥　中小事業者

中小事業者に該当する個人として(1)で定めるものをいう。（措法10⑧六）

（⑥に規定する(1)で定めるもの）

（1）　⑥に規定する(1)で定めるものは、常時使用する従業員の数が1,000人以下の個人とする。（措令5の3⑨）

（常時使用する従業員の範囲）

（2）　(1)に規定する「常時使用する従業員の数」は、常用であると日々雇い入れるものであるとを問わず、常時就労している職員、工員等の総数によって判定することに留意する。この場合において、酒造最盛期、野菜缶詰・瓶詰製造最盛期等に数か月程度の期間にわたり労務者を使用するときは、当該使用する労務者の数を「常時使用する従業員の数」に含めるものとする。（措通10－13）

⑦　特別試験研究費の額

試験研究費の額のうち国の試験研究機関、大学その他の者と共同して行う試験研究、国の試験研究機関、大学その他の者に委託する試験研究、中小企業者（租税特別措置法第42条の4第19項第7号に規定する中小企業者をいう。）からその有する知的財産権（知的財産基本法第2条第2項に規定する知的財産権及び外国におけるこれに相当するものをいう。）の設定又は許諾を受けて行う試験研究、その用途に係る対象者が少数である医薬品に関する試験研究、高度専門知識等（専門的な知識、技術又は経験であって高度のものをいう。）を有する者に対して人件費を支出して行う試験研究その他の(1)で定める試験研究に係る試験研究費の額として(2)で定めるものをいう。（措法10⑧七）

（⑦に規定する(1)で定める試験研究）

(1)　⑦に規定する(1)で定める試験研究は、次の(一)から(十五)までに掲げる試験研究とする。（措令5の3⑩）

<table>
<tr><td>(一)</td><td>次に掲げる者（以下(1)において「特別研究機関等」という。）と共同して行う試験研究で、当該特別研究機関等との契約又は協定（当該契約又は協定において、当該試験研究に要する費用の分担及びその明細並びに当該試験研究の成果の帰属及びその公表に関する事項が定められているものに限る。）に基づいて行われるもの
<table>
<tr><td>イ</td><td>科学技術・イノベーション創出の活性化に関する法律第2条第8項に規定する試験研究機関等</td></tr>
<tr><td>ロ</td><td>国立研究開発法人</td></tr>
<tr><td>ハ</td><td>福島国際研究教育機構</td></tr>
</table></td></tr>
<tr><td>(二)</td><td>大学等（学校教育法第1条に規定する大学若しくは高等専門学校（これらのうち構造改革特別区域法第12条第2項に規定する学校設置会社が設置するものを除く。）又は国立大学法人法第2条第4項に規定する大学共同利用機関をいう。以下(1)において同じ。）と共同して行う試験研究で、当該大学等との契約又は協定（当該契約又は協定において、当該試験研究における当該個人及び当該大学等の役割分担及びその内容、当該個人及び当該大学等が当該試験研究に要する費用を分担する旨及びその明細、当該大学等が当該費用の額のうち当該個人が負担した額を確認する旨及びその方法、当該試験研究の成果が当該個人及び当該大学等に帰属する旨及びその内容並びに当該大学等による当該成果の公表に関する事項その他(2)で定める事項が定められているものに限る。）に基づいて行われるもの</td></tr>
<tr><td>(三)</td><td>特定新事業開拓事業者（産業競争力強化法第2条第6項に規定する新事業開拓事業者のうちその設立の日以後の期間が15年未満であることその他の(3)で定める要件を満たすものをいい、特別研究機関等、大学等及び次に掲げるものを除く。以下(1)において同じ。）と共同して行う試験研究で、当該特定新事業開拓事業者との契約又は協定（当該契約又は協定において、当該試験研究における当該個人及び当該特定新事業開拓事業者の役割分担及びその内容、当該個人及び当該特定新事業開拓事業者が当該試験研究に要する費用を分担する旨及びその明細、当該特定新事業開拓事業者が当該費用の額のうち当該個人が負担した額を確認する旨及びその方法並びに当該試験研究の成果が当該個人及び当該特定新事業開拓事業者に帰属する旨及びその内容その他(4)で定める事項が定められているものに限る。）に基づいて行われるもの
<table>
<tr><td>イ</td><td>当該個人がその発行済株式又は出資（その有する自己の株式又は出資を除く。）の総数又は総額の100分の25以上を有している法人（当該法人が法人税法第2条第12号の6の7に規定する通算親法人である場合には、他の通算法人（同条第12号の7の2に規定する通算法人をいう。）を含む。）</td></tr>
<tr><td>ロ</td><td>当該個人との間に法人税法第2条第12号の7の5に規定する当事者間の支配の関係がある法人</td></tr>
</table></td></tr>
<tr><td>(四)</td><td>成果活用促進事業者（科学技術・イノベーション創出の活性化に関する法律第34条の6第1項の規定により出資を受ける同項第3号に掲げる者その他これに準ずる者で(5)で定めるものをいい、特別研究機関等、大学等、特定新事業開拓事業者並びに(三)イ及び同ロに掲げるものを除く。以下(1)において同じ。）と共同して行う試験研究（当該成果活用促進事業者の行う同条第1項第3号ハに掲げる研究開発その他これに準ずる研究開発として(6)で定めるもの（(十一)において「成果実用化研究開発」という。）に該当するものに限る。）で、当該成果活用促進事業者との契約又は協定（当該契約又は協定において、当該試験研究における当該個人及び当該成果活用促進事業者の役割分担及びその内容、当該個人及び当該成果活用促進事業者が当該試験研究に要する費用を分担する旨及びその明細、当該成果活用促進事業者が当該費用の額のうち当該個人が負担した額を確認する旨及びその方法並びに当該試験研究の成果が当該個人及び当該成果活用促進事業者に帰属する旨及びその内容その他(7)で定める事項が定められているものに限る。）に基づいて行われるもの</td></tr>
<tr><td>(五)</td><td>他の者（特別研究機関等、大学等、特定新事業開拓事業者、成果活用促進事業者並びに(三)イ及び同ロに掲げるものを除く。）と共同して行う試験研究で、当該他の者との契約又は協定（当該契約又は協定において、当該試験研究における当該個人及び当該他の者の役割分担及びその内容、当該個人及び当該他の者が当該試験研究に要する費用を分担する旨及びその明細、当該他の者が当該費用の額のうち当該個人が負担した額を確認する旨及びその方法並びに当該試験研究の成果が当該個人及び当該他の者に帰属する旨及びその内容その他(8)で</td></tr>
</table>

<table>
<tr><td></td><td colspan="2">定める事項が定められているものに限る。）に基づいて行われるもの</td></tr>
<tr><td>(六)</td><td colspan="2">技術研究組合の組合員が協同して行う技術研究組合法第３条第１項第１号に規定する試験研究で、当該技術研究組合の定款若しくは規約又は同法第13条第１項に規定する事業計画（当該定款若しくは規約又は事業計画において、当該試験研究における当該個人及び当該個人以外の当該技術研究組合の組合員の役割分担及びその内容その他(９)で定める事項が定められているものに限る。）に基づいて行われるもの</td></tr>
<tr><td>(七)</td><td colspan="2">特別研究機関等に委託する試験研究で、当該特別研究機関等との契約又は協定（当該契約又は協定において、当該試験研究に要する費用の額及びその明細並びに当該試験研究の成果の帰属及びその公表に関する事項が定められているものに限る。）に基づいて行われるもの</td></tr>
<tr><td>(八)</td><td colspan="2">大学等に委託する試験研究で、当該大学等との契約又は協定（当該契約又は協定において、当該試験研究における分担すべき役割として当該個人が当該試験研究に要する費用を負担する旨及びその明細、当該大学等が当該費用の額を確認する旨及びその方法並びに当該試験研究の成果の帰属及びその公表に関する事項その他(10)で定める事項が定められているものに限る。）に基づいて行われるもの</td></tr>
<tr><td>(九)</td><td colspan="2">特定中小企業者等（⑥に規定する中小事業者で青色申告書を提出するもの及び租税特別措置法第42条の４第19項第７号に規定する中小企業者で法人税法第２条第36号に規定する青色申告書を提出するもの（(十三)において「中小事業者等」という。）、同法別表第二に掲げる法人その他試験研究を行う機関として(11)で定めるものをいい、特別研究機関等、大学等、(三)イ及び同ロに掲げるもの並びに当該個人が非居住者である場合の第二章第二節**4**①(一)に規定する事業場等を除く。以下(九)及び(十三)において同じ。）のうち試験研究を行うための拠点を有することその他の(12)で定める要件を満たすものに委託する試験研究（委任契約その他の(13)で定めるものに該当する契約又は協定（以下(１)において「委任契約等」という。）により委託するもので、その委託に基づき行われる業務が試験研究に該当するものに限る。以下(十二)までにおいて同じ。）で、当該特定中小企業者等とのその委託に係る委任契約等（当該委任契約等において、その委託する試験研究における分担すべき役割として当該個人が当該試験研究に要する費用を負担する旨及びその明細、当該特定中小企業者等が当該費用の額を確認する旨及びその方法並びに当該試験研究の成果が当該個人に帰属する旨その他(14)で定める事項が定められているものに限る。）に基づいて行われるもの（当該試験研究の主要な部分について当該特定中小企業者等が再委託を行うもの及び(十)から(十二)までに掲げる試験研究に該当するものを除く。）</td></tr>
<tr><td rowspan="3">(十)</td><td colspan="2">特定新事業開拓事業者に委託する試験研究のうち次に掲げる要件のいずれかを満たすもので、当該特定新事業開拓事業者とのその委託に係る委任契約等（当該委任契約等において、その委託する試験研究における分担すべき役割として当該個人が当該試験研究に要する費用を負担する旨及びその明細、当該特定新事業開拓事業者が当該費用の額を確認する旨及びその方法並びに当該試験研究の成果が当該個人に帰属する旨その他(17)で定める事項が定められているものに限る。）に基づいて行われるもの（当該試験研究の主要な部分について当該特定新事業開拓事業者が再委託を行うものを除く。）</td></tr>
<tr><td>イ</td><td>その委託する試験研究の成果を活用して当該個人が行おうとする試験研究が工業化研究として(15)で定めるもの（以下(１)において「工業化研究」という。）に該当しないものであること（その委託に係る委任契約等において、当該特定新事業開拓事業者に委託する試験研究が当該個人の工業化研究以外の試験研究に該当するものである旨が定められている場合に限る。）。</td></tr>
<tr><td>ロ</td><td>その委託する試験研究が主として当該特定新事業開拓事業者の有する知的財産権等（⑦に規定する知的財産権その他これに準ずるものとして(16)で定めるもの及びこれらを活用した機械その他の減価償却資産をいう。以下(十二)までにおいて同じ。）を活用して行うものであること（その委託に係る委任契約等において、その活用する知的財産権等が当該特定新事業開拓事業者の有するものである旨及び当該知的財産権等を活用して行う試験研究の内容が定められている場合に限る。）。</td></tr>
<tr><td>(十一)</td><td colspan="2">成果活用促進事業者に委託する試験研究のうち次に掲げる要件のいずれかを満たすもの（当該成果活用促進事業者の行う成果実用化研究開発に該当するものに限る。）で、当該成果活用促進事業者とのその委託に係る委任契約等（当該委任契約等において、その委託する試験研究における分担すべき役割として当該個人が当該試験研究に要する費用を負担する旨及びその明細、当該成果活用促進事業者が当該費用の額を確認する旨及びその方法並びに当該試験研究の成果が当該個人に帰属する旨その他(18)で定める事項が定められているものに限る。）に基づいて行われるもの（当該試験研究の主要な部分について当該成果活用促進事業者が再委託を行うものを除く。）</td></tr>
</table>

<table>
<tr><td rowspan="2"></td><td>イ</td><td colspan="2">その委託する試験研究の成果を活用して当該個人が行おうとする試験研究が工業化研究に該当しないものであること（その委託に係る委任契約等において、当該成果活用促進事業者に委託する試験研究が当該個人の工業化研究以外の試験研究に該当するものである旨が定められている場合に限る。）。</td></tr>
<tr><td>ロ</td><td colspan="2">その委託する試験研究が主として当該成果活用促進事業者の有する知的財産権等を活用して行うものであること（その委託に係る委任契約等において、その活用する知的財産権等が当該成果活用促進事業者の有するものである旨及び当該知的財産権等を活用して行う試験研究の内容が定められている場合に限る。）。</td></tr>
<tr><td rowspan="3">(十二)</td><td colspan="3">他の者（特別研究機関等、大学等、特定新事業開拓事業者、成果活用促進事業者並びに(三)イ及び同ロに掲げるものを除く。）に委託する試験研究のうち次に掲げる要件のいずれかを満たすもので、当該他の者とのその委託に係る委任契約等（当該委任契約等において、その委託する試験研究における分担すべき役割として当該個人が当該試験研究に要する費用を負担する旨及びその明細、当該他の者が当該費用の額を確認する旨及びその方法並びに当該試験研究の成果が当該個人に帰属する旨その他(19)で定める事項が定められているものに限る。）に基づいて行われるもの</td></tr>
<tr><td>イ</td><td colspan="2">その委託する試験研究の成果を活用して当該個人が行おうとする試験研究が工業化研究に該当しないものであること（その委託に係る委任契約等において、当該他の者に委託する試験研究が当該個人の工業化研究以外の試験研究に該当するものである旨が定められている場合に限る。）。</td></tr>
<tr><td>ロ</td><td colspan="2">その委託する試験研究が主として当該他の者の有する知的財産権等を活用して行うものであること（その委託に係る委任契約等において、その活用する知的財産権等が当該他の者の有するものである旨及び当該知的財産権等を活用して行う試験研究の内容が定められている場合に限る。）。</td></tr>
<tr><td>(十三)</td><td colspan="3">特定中小企業者等（中小事業者等に限る。）からその有する知的財産権（⑦に規定する知的財産権をいう。以下(十三)において同じ。）の設定又は許諾を受けて行う試験研究で、当該特定中小企業者等との契約又は協定（当該契約又は協定において、当該知的財産権の設定又は許諾の期間及び条件、当該個人が当該特定中小企業者等に対して支払う当該知的財産権の使用料の明細（当該試験研究の進捗に応じて当該知的財産権の使用料を支払う場合には、その旨を含む。）その他(20)で定める事項が定められているものに限る。）に基づいて行われるもの</td></tr>
<tr><td>(十四)</td><td colspan="3">医薬品、医療機器等の品質、有効性及び安全性の確保等に関する法律第２条第16項に規定する希少疾病用医薬品、希少疾病用医療機器若しくは希少疾病用再生医療等製品又は同法第77条の４に規定する特定用途医薬品、特定用途医療機器若しくは特定用途再生医療等製品に関する試験研究で、国立研究開発法人医薬基盤・健康・栄養研究所法第15条第１項第２号の規定による助成金の交付を受けてその対象となった期間に行われるもの</td></tr>
<tr><td rowspan="7">(十五)</td><td colspan="3">次に掲げる要件の全てを満たす試験研究</td></tr>
<tr><td rowspan="3">イ</td><td colspan="2">当該個人の使用人である次に掲げる者（ロ(1)及びハにおいて「新規高度研究業務従事者」という。）に対して人件費を支出して行う試験研究であること。</td></tr>
<tr><td>(1)</td><td>博士の学位を授与された者（外国においてこれに相当する学位を授与された者を含む。）で、その授与された日から５年を経過していないもの</td></tr>
<tr><td>(2)</td><td>他の者（(三)イ及び同ロに掲げるものを除く。）の役員（法人税法第２条第15号に規定する役員をいう。(2)において同じ。）又は使用人として10年以上専ら研究業務に従事していた者で、当該個人の使用人（当該個人に係る(三)イ及び同ロに掲げる法人の役員又は使用人を含む。）となった日から５年を経過していないもの</td></tr>
<tr><td rowspan="3">ロ</td><td colspan="2">当該個人のその年分の新規高度人件費割合（(1)に掲げる金額が(2)に掲げる金額のうちに占める割合をいう。ロにおいて同じ。）をその年の前年分の新規高度人件費割合で除して計算した割合が1.03以上である場合又は当該個人のその年の前年分の新規高度人件費割合が零である場合（その年分又は当該前年分の(2)に掲げる金額が零である場合を除く。）にその年において行う試験研究（工業化研究に該当するものを除く。）であること。</td></tr>
<tr><td>(1)</td><td>試験研究費の額（工業化研究に該当する試験研究に係る試験研究費の額を除く。）のうち新規高度研究業務従事者に対する人件費の額</td></tr>
<tr><td>(2)</td><td>試験研究費の額のうち当該個人の使用人である者に対する人件費の額</td></tr>
</table>

ハ		次に掲げる要件のいずれかに該当する試験研究であること。
	(1)	その内容に関する提案が広く一般に又は広く当該個人の使用人に募集されたこと。
	(2)	その内容がその試験研究に従事する新規高度研究業務従事者から提案されたものであること。
	(3)	その試験研究に従事する者が広く一般に又は広く当該個人の使用人に募集され、当該試験研究に従事する新規高度研究業務従事者がその募集に応じた者であること。

((1)(二)に規定する(2)で定める事項)

(2)　(1)(二)に規定する(2)で定める事項は、次の(一)から(八)までに掲げる事項（当該個人が⑥に規定する中小事業者である場合には、(一)及び(三)から(八)までに掲げる事項）とする。(措規５の６③)

(一)	当該試験研究の目的及び内容
(二)	当該試験研究に要する費用の見込額（50万円を超えるものに限る。）
(三)	当該試験研究の実施期間
(四)	当該試験研究に係る(1)(二)に規定する大学等（以下**九**において「大学等」という。）の名称及び所在地並びに当該大学等の長の氏名
(五)	当該試験研究の実施場所
(六)	当該試験研究の用に供される設備の明細
(七)	当該試験研究に直接従事する研究者の氏名
(八)	当該試験研究に係る定期的な進捗状況に関する報告の内容及び方法

((1)(三)に規定する(3)で定める要件)

(3)　(1)(三)に規定する(3)で定める要件は、研究開発型新事業開拓事業者（経済産業省関係産業競争力強化法施行規則第２条第３号に掲げるものをいう。）であること（当該新事業開拓事業者（同項第３号に規定する新事業開拓事業者をいう。）と共同して行う試験研究又は当該新事業開拓事業者に委託する試験研究に係る①に規定する試験研究費の額が生じた年分の確定申告書に当該新事業開拓事業者に係る国内外における経営資源活用の共同化に関する調査に関する省令第４条第４項の規定による経済産業大臣の証明に係る書類の写しとして当該新事業開拓事業者から交付を受けたものの添付がある場合に限る。）とする。(措規５の６④)

((1)(三)に規定する(4)で定める事項)

(4)　(1)(三)に規定する(4)で定める事項は、次の(一)から(七)までに掲げる事項とする。(措規５の６⑤)

(一)	当該試験研究の目的及び内容
(二)	当該試験研究の実施期間
(三)	当該試験研究に係る(1)(三)に規定する特定新事業開拓事業者（(17)(三)及び(23)において「特定新事業開拓事業者」という。）の名称及び代表者の氏名並びに本店の所在地
(四)	当該試験研究の実施場所
(五)	当該試験研究の用に供される設備の明細
(六)	当該試験研究に直接従事する研究者の氏名
(七)	当該試験研究に係る定期的な進捗状況に関する報告の内容及び方法

((1)(四)に規定する(5)で定める者)

(5)　(1)(四)に規定する(5)で定める者は、次の(一)から(三)までに掲げるもの（**3**の規定の適用を受ける年分の確定申告書に当該(一)から(三)までに定める書類の添付がある場合における当該(一)から(三)までに掲げるものに限る。）とする。(措規５の６⑥)

(一)	研究開発成果活用促進事業者（特別研究開発法人（科学技術・イノベーション創出の活性化に関する法律別表第三に掲げる法人をいう。以下(5)において同じ。）から同法第34条の６第１項の規定により出資を受ける同項第３号に掲げる者に該当する法人（当該特別研究開発法人から初めて受けた出資の直前において、その資本金の額又は出資金の額が５億円未満であるものに限る。）をいう。以下(一)において同じ。）のうちその役員（取締役、執行役、会計参与及び監査役をいう。(二)及び(三)において同じ。）が大学等又は特別研究開発法人の職員として当該大学等を設置する法人又は当該特別研究開発法人に雇用されているもの（これらの法人からその雇用関係を証する書類の交付を受けている場合における当該研究開発成果活用促進事業者に限る。）	当該研究開発成果活用促進事業者の株主名簿等の写し等（株主名簿の写しその他の書類で株主又は社員の氏名又は名称及び住所又は事務所の所在地が確認できる書類をいう。(二)及び(三)において同じ。）のうちその出資をした特別研究開発法人が株主等（第二章第一節**一８の２**に規定する株主等をいう。(二)及び(三)において同じ。）として記載されている書類及び当該雇用関係を証する書類の写し
(二)	国立大学等成果活用促進事業者（国立大学法人法第２条第１項に規定する国立大学法人から同法第22条第１項第８号に掲げる業務として出資を受ける同号に規定する者又は同法第２条第３項に規定する大学共同利用機関法人から同法第29条第１項第７号に掲げる業務として出資を受ける同号に規定する者に該当する法人（当該国立大学法人又は大学共同利用機関法人から初めて受けた出資の直前において、その資本金の額又は出資金の額が５億円未満であるものに限る。）をいう。以下(二)において同じ。）のうちその役員が大学等又は特別研究開発法人の職員として当該大学等を設置する法人又は当該特別研究開発法人に雇用されているもの（これらの法人からその雇用関係を証する書類の交付を受けている場合における当該国立大学等成果活用促進事業者に限る。）	当該国立大学等成果活用促進事業者の株主名簿等の写し等のうち当該国立大学法人又は大学共同利用機関法人が株主等として記載されている書類及び当該雇用関係を証する書類の写し
(三)	公立大学成果活用促進事業者（地方独立行政法人法第68条第１項に規定する公立大学法人から同法第21条第２号に掲げる業務として出資を受ける同号に規定する者に該当する法人（当該公立大学法人から初めて受けた出資の直前において、その資本金の額又は出資金の額が５億円未満であるものに限る。）をいう。以下(三)において同じ。）のうちその役員が大学等又は特別研究開発法人の職員として当該大学等を設置する法人又は当該特別研究開発法人に雇用されているもの（これらの法人からその雇用関係を証する書類の交付を受けている場合における当該公立大学成果活用促進事業者に限る。）	当該公立大学成果活用促進事業者の株主名簿等の写し等のうち当該公立大学法人が株主等として記載されている書類及び当該雇用関係を証する書類の写し

((1)(四)に規定する(6)で定める研究開発)

(6)　(1)(四)に規定する(6)で定める研究開発は、次の(一)及び(二)に掲げる研究開発とする。(措規５の６⑦)

(一)	国立大学法人法施行令第３条第２項第１号に掲げる事業として行う研究開発
(二)	地方独立行政法人法施行令第４条第２号ロに掲げる研究開発

((1)(四)に規定する(7)で定める事項)

(7)　(1)(四)に規定する(7)で定める事項は、次の(一)から(八)までに掲げる事項とする。(措規５の６⑧)

(一)	当該試験研究の目的及び内容
(二)	当該試験研究が(1)(四)に規定する成果活用促進事業者（以下**九**において「成果活用促進事業者」という。）の行う同(四)に規定する成果実用化研究開発（(18)(二)において「成果実用化研究開発」という。）に該当する旨
(三)	当該試験研究の実施期間

(四)	当該試験研究に係る成果活用促進事業者の名称及び代表者の氏名並びに本店の所在地
(五)	当該試験研究の実施場所
(六)	当該試験研究の用に供される設備の明細
(七)	当該試験研究に直接従事する研究者の氏名
(八)	当該試験研究に係る定期的な進捗状況に関する報告の内容及び方法

((1)(五)に規定する(8)で定める事項)

(8)　(1)(五)に規定する(8)で定める事項は、次の(一)から(七)までに掲げる事項とする。(措規５の６⑨)

(一)	当該試験研究の目的及び内容
(二)	当該試験研究の実施期間
(三)	当該試験研究に係る(1)(五)に規定する他の者（(23)(四)において「他の者」という。）の氏名又は名称及び代表者（第二章第一節**−8**に規定する人格のない社団等で代表者の定めがなく、管理人の定めがあるものについては、管理人。以下において同じ。）の氏名並びに住所又は本店若しくは主たる事務所の所在地
(四)	当該試験研究の実施場所
(五)	当該試験研究の用に供される設備の明細
(六)	当該試験研究に直接従事する研究者の氏名
(七)	当該試験研究に係る定期的な進捗状況に関する報告の内容及び方法

((1)(六)に規定する(9)で定める事項)

(9)　(1)(六)に規定する(9)で定める事項は、次の(一)から(三)までに掲げる事項とする。(措規５の６⑩)

(一)	当該試験研究の目的及び内容
(二)	当該試験研究の実施期間
(三)	当該試験研究の実施場所

((1)(八)に規定する(10)で定める事項)

(10)　(1)(八)に規定する(10)で定める事項は、次の(一)から(五)までに掲げる事項（当該個人が⑥に規定する中小事業者である場合には、(一)及び(三)から(五)までに掲げる事項）とする。(措規５の６⑪)

(一)	当該試験研究の目的及び内容
(二)	当該試験研究に要する費用の見込額（50万円を超えるものに限る。）
(三)	当該試験研究の実施期間
(四)	当該試験研究に係る大学等の名称及び所在地並びに当該大学等の長の氏名
(五)	当該試験研究に係る定期的な進捗状況に関する報告の内容及び方法

((1)(九)に規定する機関として(11)で定めるもの)

(11)　(1)(九)に規定する機関として(11)で定めるものは、医薬品、医療機器等の品質、有効性及び安全性の確保等に関する法律第２条第15項に規定する指定薬物及び同法第76条の４に規定する医療等の用途を定める省令第２条第１号イからニまでに掲げるものとする。(措規５の６⑫)

((1)(九)に規定する(12)で定める要件)

(12)　(1)(九)に規定する(12)で定める要件は、次の(一)及び(二)に掲げる要件とする。(措規５の６⑬)

(一)	当該試験研究を行うために必要な拠点を有していること。
(二)	(一)の拠点において、当該試験研究を行うために必要な設備を有していること。

((１)(九)に規定するその他の(13)で定めるもの)

(13)　(１)(九)に規定するその他の(13)で定めるものは、当事者の一方が法律行為をすることその他の事務を相手方に委託する契約又は協定（(一)から(三)までに掲げる要件の全てを満たすもの及び(四)又は(五)に掲げる要件を満たすものを除く。）とする。(措規５の６⑭)

(一)	当該事務を履行することに対する報酬を支払うこととされていないこと（当該報酬の支払に係る債務（当該事務を処理するのに必要と認められる費用の弁償に係る債務を含む。）がその契約若しくは協定に基づく他の報酬又はその契約若しくは協定に基づき引き渡す物品の対価の支払に係る債務と区分されていないことを含む。)。
(二)	当該事務の履行により得られる成果に対する報酬、仕事の結果に対する報酬又は物品の引渡しの対価を支払うこととされていること。
(三)	当該事務に着手する時において当該事務の履行により得られる成果の内容が具体的に特定できていること（当該成果を得ること、仕事を完成すること又は物品を引き渡すことを主たる目的としている場合を含む。)。
(四)	その委託の終了後における当該事務の経過及び結果の報告を要しないこととされていること。
(五)	当該事務を履行することに対する報酬の支払及び当該事務を処理するのに必要と認められる費用の弁償を要しないこととされていること。

((１)(九)に規定する(14)で定める事項)

(14)　(１)(九)に規定する(14)で定める事項は、次の(一)から(五)までに掲げる事項とする。(措規５の６⑮)

(一)	当該試験研究の目的及び内容
(二)	当該試験研究の実施期間
(三)	当該試験研究に係る(１)(九)に規定する特定中小企業者等（以下**九**において「特定中小企業者等」という。）の氏名又は名称及び代表者その他これに準ずる者の氏名並びに住所又は本店若しくは主たる事務所の所在地
(四)	当該試験研究の主要な部分について再委託を行わない旨
(五)	当該試験研究に係る定期的な進捗状況に関する報告の内容及び方法

((１)(十)イに規定する工業化研究として(15)で定めるもの)

(15)　(１)(十)イに規定する工業化研究として(15)で定めるものは、当該個人が行おうとする試験研究（次の(一)及び(二)に掲げる試験研究を除く。）のうち当該試験研究に係る①イ⑴又は同⑵に掲げる費用の額を第六章第二節**三４**（同**４**①(二)に係る部分に限る。）の規定により第二章第一節**一16**に規定する棚卸資産の取得価額に算入することとなるものとする。(措規５の６⑯)

(一)	当該個人にとって、基礎研究（特別な応用又は用途を直接に考慮することなく、仮説及び理論を形成するため又は現象及び観察可能な事実に関して新しい知識を得るために行われる理論的又は実験的な試験研究をいう。）又は応用研究（特定の目標を定めて実用化の可能性を確かめる試験研究又は既に実用化されている方法に関して新たな応用方法を探索する試験研究をいう。）に該当することが明らかである試験研究
(二)	当該個人にとって、工業化研究（(一)に規定する基礎研究及び応用研究並びに実際の経験から得た知識を活用し、付加的な知識を創出して、新たな製品等（製品、半製品、役務の提供、技術の提供、装置、仕組み、工程その他これらに準ずるもの及びこれらの素材をいう。以下(二)において同じ。）の創出又は製品等の改良を目的とする試験研究をいう。）に該当しないことが明らかである試験研究

((１)(十)ロに規定する知的財産権に準ずるものとして(16)で定めるもの)

(16)　(１)(十)ロに規定する知的財産権に準ずるものとして(16)で定めるものは、同(十)ロに規定する知的財産権以外の資産のうち、特別の技術による生産方式その他これに準ずるもの（以下(16)において「技術的知識等財産」という。）を利用する権利で受託者が対価を支払って当該個人以外の者（以下(16)において「第三者」という。）から設定又は許諾を受けたもの及び受託者が対価を得て技術的知識等財産の第三者による利用につき設定し、又は許諾して当該第三者にその利用をさせている当該技術的知識等財産とする。(措規５の６⑰)

（注）（特別の技術による生産方式その他これに準ずるものの意義）

(16)に規定する「特別の技術による生産方式その他これに準ずるもの」とは、知的財産権以外で、生産その他業務に関し繰り返し使用し得るまでに形成された創作、すなわち、特別の原料、処方、機械、器具、工程によるなど独自の考案又は方法を用いた生産についての方式、これに準ずる秘けつ、秘伝その他特別に技術的価値を有する知識及び意匠等をいう。したがって、ノウハウはもちろん、機械、設備等の設計及び図面等に化体された生産方式、デザインもこれに含まれるが、技術の動向、製品の販路、特定の品目の生産高等の情報又は機械、装置、原材料等の材質等の鑑定若しくは性能の調査、検査等は、これに該当しない。（措通10－17）

((1)(十)に規定する(17)で定める事項)

(17)　(1)(十)に規定する(17)で定める事項は、次の(一)から(五)までに掲げる事項とする。（措規5の6⑱）

(一)	当該試験研究の目的及び内容
(二)	当該試験研究の実施期間
(三)	当該試験研究に係る特定新事業開拓事業者の名称及び代表者の氏名並びに本店の所在地
(四)	当該試験研究の主要な部分について再委託を行わない旨
(五)	当該試験研究に係る定期的な進捗状況に関する報告の内容及び方法

((1)(十一)に規定する(18)で定める事項)

(18)　(1)(十一)に規定する(18)で定める事項は、次の(一)から(六)までに掲げる事項とする。（措規5の6⑲）

(一)	当該試験研究の目的及び内容
(二)	当該試験研究が成果活用促進事業者の行う成果実用化研究開発に該当する旨
(三)	当該試験研究の実施期間
(四)	当該試験研究に係る成果活用促進事業者の名称及び代表者の氏名並びに本店の所在地
(五)	当該試験研究の主要な部分について再委託を行わない旨
(六)	当該試験研究に係る定期的な進捗状況に関する報告の内容及び方法

((1)(十二)に規定する(19)で定める事項)

(19)　(1)(十二)に規定する(19)で定める事項は、次の(一)から(四)までに掲げる事項とする。（措規5の6⑳）

(一)	当該試験研究の目的及び内容
(二)	当該試験研究の実施期間
(三)	当該試験研究に係る(1)(十二)に規定する他の者（(23)(九)において「他の者」という。）の氏名又は名称及び代表者の氏名並びに住所又は本店若しくは主たる事務所の所在地
(四)	当該試験研究に係る定期的な進捗状況に関する報告の内容及び方法

((1)(十三)に規定する(20)で定める事項)

(20)　(1)(十三)に規定する(20)で定める事項は、次の(一)から(三)までに掲げる事項とする。（措規5の6㉑）

(一)	(1)(十三)に規定する知的財産権（(二)及び(24)において「知的財産権」という。）の設定又は許諾が当該個人が行う試験研究のためである旨並びにその試験研究の目的及び内容
(二)	当該知的財産権の設定又は許諾をする特定中小企業者等（(1)(九)に規定する中小事業者等（(24)において「中小事業者等」という。）に限る。）の氏名又は名称及び代表者の氏名並びに住所又は本店若しくは主たる事務所の所在地
(三)	当該試験研究に係る定期的な進捗状況に関する報告の内容及び方法並びに技術に関する情報の共有の方法

(⑦に規定する(21)で定めるもの)

(21)　⑦に規定する(21)で定めるものは、次の(一)から(五)までに掲げる試験研究の区分に応じ当該(一)から(五)までに定める試験研究費の額とする。（措令5の3⑪）

(一)	(１)(一)、同(七)及び同(十四)に掲げる試験研究	当該試験研究に係る試験研究費の額（①に規定する試験研究費の額をいう。以下**九**において同じ。）であることにつき(22)で定めるところにより証明がされたもの
(二)	(１)(二)から同(五)まで及び同(八)から同(十二)までに掲げる試験研究	当該試験研究に係る試験研究費の額として当該個人が負担するものであることにつき(23)で定めるところにより証明がされたもの
(三)	(１)(六)に掲げる試験研究	当該試験研究に係る①(１)(三)に掲げる費用の額
(四)	(１)(十三)に掲げる試験研究	当該試験研究に係る①イ⑴又は同⑵に掲げる費用のうち(１)(十三)の特定中小企業者等に対して支払う同(十三)に規定する知的財産権の使用料に係る試験研究費の額として(24)で定めるところにより証明がされたもの（(一)又は(二)に定める試験研究費の額に該当する金額を除く。）
(五)	(１)(十五)に掲げる試験研究	当該試験研究に係る同(十五)ロ⑴に掲げる金額として(25)で定めるところにより証明がされたもの（(一)又は(二)に定める試験研究費の額に該当する金額を除く。）

((21)(一)に規定する(22)で定めるところにより証明がされた試験研究費の額)

(22)　(21)(一)に規定する(22)で定めるところにより証明がされた試験研究費の額は、次の(一)から(三)までに掲げる試験研究の区分に応じ当該(一)から(三)までに定める金額で、当該金額が生じた年分の確定申告書に当該(一)から(三)までの認定に係る書類の写しを添付することにより証明がされた金額とする。（措規５の６㉒）

(一)	(１)(一)に掲げる試験研究	**3**の規定の適用を受けようとする個人の申請に基づき、当該個人の各年分の①に規定する試験研究費の額（(二)及び(三)において「試験研究費の額」という。）のうち当該試験研究に要した費用（当該試験研究に係る(１)(一)に規定する契約又は協定において当該個人が負担することとされている費用に限る。）に係るものとして当該試験研究に係る(１)(一)イに規定する試験研究機関等（以下(一)及び(二)において「試験研究機関等」という。）の長若しくは当該試験研究機関等の属する国家行政組織法第３条の行政機関((二)において「行政機関」という。）に置かれる地方支分部局の長、(１)(一)ロに掲げる国立研究開発法人の独立行政法人通則法第14条第１項に規定する法人の長（(二)において「国立研究開発法人の長」という。）又は福島国際研究教育機構理事長が認定した金額
(二)	(１)(七)に掲げる試験研究	**3**の規定の適用を受けようとする個人の申請に基づき、試験研究費の額のうち当該試験研究に要した費用の額（当該試験研究に係る(１)(七)に規定する契約又は協定において定められている金額を限度とする。）に係るものとして当該試験研究に係る試験研究機関等の長若しくは当該試験研究機関等の属する行政機関に置かれる地方支分部局の長、国立研究開発法人の長又は福島国際研究教育機構理事長が認定した金額
(三)	(１)(十四)に掲げる試験研究	試験研究費の額のうち、**3**の規定の適用を受けようとする個人の申請に基づき当該試験研究に要した費用の額として国立研究開発法人医薬基盤・健康・栄養研究所理事長が認定した金額に係るもの

((21)(二)に規定する(23)で定めるところにより証明がされた試験研究費の額)

(23)　(21)(二)に規定する(23)で定めるところにより証明がされた試験研究費の額は、次の(一)から(九)までに掲げる試験研究の区分に応じ当該(一)から(九)までに定める金額で、当該金額が生じた年分の確定申告書に当該(一)から(九)までの監査及び確認に係る書類の写しを添付することにより証明がされた金額とする。（措規５の６㉓）

(一)	(１)(二)に掲げる試験研究	当該個人の各年分の①に規定する試験研究費の額（以下(23)において「試験研究費の額」という。）のうち当該試験研究に要した費用であって当該個人が(１)(二)に規定する契約又は協定に基づいて負担したものに係るものであることにつき、監査（専門的な知識及び経験を有する者が行う検査及び適正であることの証明を

		いう。以下(23)及び(24)において同じ。）を受け、かつ、当該大学等の確認を受けた金額
(二)	（１）(三)に掲げる試験研究	試験研究費の額のうち当該試験研究に要した費用であって当該個人が（１）(三)に規定する契約又は協定に基づいて負担したものに係るものであることにつき、監査を受け、かつ、当該特定新事業開拓事業者の確認を受けた金額
(三)	（１）(四)に掲げる試験研究	試験研究費の額のうち当該試験研究に要した費用であって当該個人が（１）(四)に規定する契約又は協定に基づいて負担したものに係るものであることにつき、監査を受け、かつ、当該成果活用促進事業者の確認を受けた金額
(四)	（１）(五)に掲げる試験研究	試験研究費の額のうち当該試験研究に要した費用であって当該個人が（１）(五)に規定する契約又は協定に基づいて負担したものに係るものであることにつき、監査を受け、かつ、当該他の者の確認を受けた金額
(五)	（１）(八)に掲げる試験研究	試験研究費の額のうち当該試験研究に要した費用であって当該個人が（１）(八)に規定する契約又は協定に基づいて負担したものに係るものであることにつき、監査を受け、かつ、当該大学等の確認を受けた金額
(六)	（１）(九)に掲げる試験研究	試験研究費の額のうち当該試験研究に要した費用であって当該個人が（１）(九)に規定する委託に係る委任契約等に基づいて負担したものに係るものであることにつき、監査を受け、かつ、当該特定中小企業者等の確認を受けた金額
(七)	（１）(十)に掲げる試験研究	試験研究費の額のうち当該試験研究に要した費用であって当該個人が（１）(十)に規定する委託に係る委任契約等に基づいて負担したものに係るものであることにつき、監査を受け、かつ、当該特定新事業開拓事業者の確認を受けた金額
(八)	（１）(十一)に掲げる試験研究	試験研究費の額のうち当該試験研究に要した費用であって当該個人が（１）(十一)に規定する委託に係る委任契約等に基づいて負担したものに係るものであることにつき、監査を受け、かつ、当該成果活用促進事業者の確認を受けた金額
(九)	（１）(十二)に掲げる試験研究	試験研究費の額のうち当該試験研究に要した費用であって当該個人が（１）(十二)に規定する委託に係る委任契約等に基づいて負担したものに係るものであることにつき、監査を受け、かつ、当該他の者の確認を受けた金額

（(21)(四)に規定する(24)で定めるところにより証明がされた試験研究費の額）

(24)　(21)(四)に規定する(24)で定めるところにより証明がされた試験研究費の額は、当該個人の各年分の①イ⑴又は同⑵に掲げる費用のうち（１）(十三)に掲げる試験研究に係る知的財産権の使用料であって当該個人が特定中小企業者等（中小事業者等に限る。）に対して支払ったものに係る①に規定する試験研究費の額であることにつき、監査を受け、かつ、当該特定中小企業者等の確認を受けた金額で、当該金額を支出した年分の確定申告書に当該監査及び確認に係る書類の写しを添付することにより証明がされた金額とする。（措規５の６㉔）

（注）　（知的財産権の使用料及び新規高度研究業務従事者に対する人件費）

個人が特定中小企業者等からその有する知的財産権の設定又は許諾を受けて行う試験研究に係る試験研究費の額（(22)又は(23)の試験研究費の額に該当するものを除く。）のうち(24)の試験研究費の額に該当する知的財産権の使用料の額以外のものについては、**3**の規定の適用はないが、**1**又は**2**の規定の適用はあることに留意する。

個人が行う（１）(十五)の要件を満たす試験研究に係る試験研究費の額（(22)又は(23)の試験研究費の額に該当するものを除く。）のうち(25)の試験研究費の額に該当する人件費の額以外のものについても、同様とする。（措通10－15）

（(21)(五)に規定する(25)で定めるところにより証明がされた試験研究費の額）

(25)　(21)(五)に規定する(25)で定めるところにより証明がされた試験研究費の額は、当該個人の各年分の（１）(十五)ロ⑴に掲げる金額であって同(十五)に掲げる試験研究に係るものであることにつき、当該金額を支出した年分の確定申告書に次の(一)から(四)までに掲げる事項を記載した書類を添付し、かつ、(三)に規定する者が同(十五)イに規定する新規高度研究業務従事者（(三)において「新規高度研究業務従事者」という。）であることを明らかにする書類その他の当該試験研究が同(十五)イから同ハまでに掲げる要件に該当することを明らかにする書類を保存することにより証明がされた金額とする。（措規５の６㉕）

(一)	当該試験研究の目的及び内容

(二)	当該試験研究の実施期間
(三)	当該試験研究に係る新規高度研究業務従事者の氏名及び役職
(四)	当該試験研究に係る当該年分の(１)(十五)ロ(1)に掲げる金額

(年の中途において他の者等に該当しなくなった場合の適用)

(26)　(１)(三)から同(五)まで又は同(九)から同(十三)までの規定の適用上、個人と共同し若しくは個人から委託を受けて試験研究を行う者又は個人から同(十三)に規定する知的財産権（以下において「知的財産権」という。）の使用料の支払を受ける者が、年の中途において(１)(三)若しくは同(十)に規定する特定新事業開拓事業者（以下(26)において「特定新事業開拓事業者」という。)、(１)(四)若しくは同(十一)に規定する成果活用促進事業者（以下(26)において「成果活用促進事業者」という。)、(１)(五)若しくは同(十二)に規定する他の者（以下(26)において「他の者」という。）又は(１)(九)若しくは同(十三)に規定する特定中小企業者等（以下において「特定中小企業者等」という。）のいずれにも該当しないこととなった場合には、当該個人のその該当しないこととなった日以後の期間に係る当該試験研究のために要する費用又は知的財産権の使用料の額は、⑦に規定する特別試験研究費の額（以下(26)において「特別試験研究費の額」という。）に該当しないことに留意する。(措通10－14)

(注)　個人と共同し若しくは個人から委託を受けて試験研究を行う者又は個人から知的財産権の使用料の支払を受ける者が、当該試験研究に係る契約又は協定の締結時において特定新事業開拓事業者、成果活用促進事業者、他の者又は特定中小企業者等のいずれにも該当しない場合には、たとえその後にこれらの者に該当することとなったときであっても、当該個人の当該試験研究のために要する費用又は知的財産権の使用料の全額が、特別試験研究費の額に該当しないことに留意する。

(学位の意義)

(27)　(１)(十五)イ(１)の学位は、その学位を授与された者が、その学位を得るための研究活動の過程で習得した専門的知識をもって同(十五)ハの試験研究に従事する場合における当該学位をいうのであるから留意する。(措通10－18)

(新規高度研究業務従事者であることを明らかにする書類)

(28)　(25)に規定する「(三)に規定する者が……新規高度研究業務従事者……であることを明らかにする書類」には、当該個人の使用人が次に掲げる区分のいずれに該当するかに応じ、例えば、次に定めるような書類が該当する。(措通10－19)

(一)　(１)(十五)イ(１)の博士の学位を授与された者　当該学位に係る学位記の写し

(二)　同(十五)イ(２)の他の者の役員又は使用人として10年以上専ら研究業務に従事していた者　その者により作成された職務経歴書（当該他の者の名称並びに当該他の者において従事していた研究業務の内容及びその従事期間が記載されているものに限る。）

⑧　平均売上金額

適用年の年分及び当該適用年前３年以内の各年分の売上金額（棚卸資産の販売による収入金額その他の(１)で定める金額をいう。）の平均額として(２)で定めるところにより計算した金額をいう。(措法10⑧八)

(⑧に規定する(１)で定める金額)

(１)　⑧に規定する(１)で定める金額は、①ロに規定する棚卸資産の販売その他事業として継続して行われる資産の譲渡及び貸付け並びに役務の提供に係る収入金額とする。(措令５の３⑬)

(⑧に規定する(２)で定めるところにより計算した金額)

(２)　⑧に規定する(２)で定めるところにより計算した金額は、適用年の年分の売上金額（⑧に規定する売上金額をいう。以下(２)及び(３)において同じ。）及び当該適用年前３年以内の各年（事業を開始した日の属する年以後の年に限る。以下(２)において同じ。）の年分の売上金額（当該各年のうち事業を開始した日の属する年については、当該年分の売上金額に12を乗じてこれを当該年において事業を営んでいた期間の月数で除して計算した金額）の合計額を当該適用年及び当該各年の年数で除して計算した金額とする。(措令５の３⑭)

(注)　(２)の月数は、暦に従って計算し、１月に満たない端数を生じたときは、これを切り捨てる。(措令５の３⑯)

（**1**又は**2**の規定の適用を受けようとする個人が事業所得を生ずべき事業を基準年以後に相続又は包括遺贈により承継した者である場合における(2)の規定の適用）

（3）　**1**又は**2**の規定の適用を受けようとする個人が事業所得を生ずべき事業を基準年（適用年の３年前の年をいう。以下(3)において同じ。）以後に相続又は包括遺贈により承継した者である場合における(2)の規定の適用については、次に定めるところによる。（措令５の３⑮）

(一)	当該個人が基準年から適用年の前年までの各年のうちのいずれかの年において当該事業を承継した者である場合には、被相続人の当該各年分の売上金額は当該個人の当該各年分の売上金額に該当するものと、当該各年において当該被相続人が事業を営んでいた期間は当該各年において当該個人が事業を営んでいた期間に該当するものと、それぞれみなす。
(二)	当該個人が適用年において当該事業を承継した者である場合には、被相続人の基準年から適用年の前年までの各年分の売上金額（当該各年のうち当該被相続人が事業を開始した日の属する年については、被相続人の当該年分の売上金額に12を乗じてこれを当該年において被相続人が事業を営んでいた期間の月数で除して計算した金額）に当該事業を承継した日から適用年の12月31日までの期間の月数を乗じてこれを12で除して計算した金額は当該個人の当該各年分の売上金額に該当するものと、当該各年において当該被相続人が事業を営んでいた期間は当該各年において当該個人が事業を営んでいた期間に該当するものと、それぞれみなす。

（注）（3）(二)の月数は、暦に従って計算し、１月に満たない端数を生じたときは、これを切り捨てる。（措令５の３⑯）

5　確定申告書等への計算明細書の添付

1、**2**及び**3**の規定は、確定申告書（これらの規定により控除を受ける金額を増加させる修正申告書又は更正請求書を提出する場合には、当該修正申告書又は更正請求書を含む。）にこれらの規定による控除の対象となる試験研究費の額又は特別試験研究費の額、控除を受ける金額及び当該金額の計算に関する明細を記載した書類の添付がある場合に限り、適用する。この場合において、これらの規定により控除される金額の計算の基礎となる試験研究費の額又は特別試験研究費の額は、確定申告書に添付された書類に記載された試験研究費の額又は特別試験研究費の額を限度とする。（措法10⑩）

十　中小事業者が機械等を取得した場合の所得税額の特別控除

1　中小事業者が機械等を取得した場合の所得税額の特別控除………特別償却制度は第六章第二節六１参照

九《試験研究を行った場合の所得税額の特別控除》**４**⑥に規定する中小事業者で青色申告書を提出するものが、平成10年６月１日から令和７年３月31日までの期間（以下「**指定期間**」という。）内に、次の(一)から(五)までに掲げる減価償却資産（(一)から(三)までに掲げる減価償却資産にあっては(1)で定める規模のものに限るものとし、匿名組合契約その他これに類する契約として(2)で定める契約の目的である事業の用に供するものを除く。以下「**特定機械装置等**」という。）でその製作の後事業の用に供されたことのないものを取得し、又は特定機械装置等を製作して、これを国内にある当該中小事業者の営む製造業、建設業その他(3)で定める事業の用（(五)に規定する事業を営む者で(4)で定めるもの以外の者の貸付けの用を除く。以下「**指定事業の用**」という。）に供した場合において、当該特定機械装置等につき第六章第二節**六１**《中小企業者が機械等を取得した場合等の特別償却》の規定の適用を受けないときは、その指定事業の用に供した日の属する年（事業を廃止した日の属する年を除く。以下「**供用年**」という。）の年分の総所得金額に係る所得税の額から、(5)で定めるところにより、その指定事業の用に供した当該特定機械装置等の取得価額（(五)に掲げる減価償却資産にあっては、当該取得価額に(6)で定める割合を乗じて計算した金額。以下「**基準取得価額**」という。）の合計額の100分の７に相当する金額（以下「**税額控除限度額**」という。）を控除する。この場合において、当該中小事業者の供用年における税額控除限度額が、当該中小事業者の当該供用年の年分の**調整前事業所得税額**（**九４**④に規定する調整前事業所得税額をいう。以下において同じ。）の100分の20に相当する金額を超えるときは、その控除を受ける金額は、当該100分の20に相当する金額を限度とする。（措法10の３①③）

(一)	**機械及び装置**（その管理のおおむね全部を他の者に委託するものであることその他(7)で定める要件に該当するものを除く。）
(二)	**工具**（製品の品質管理の向上等に資するものとして(10)で定めるものに限る。）
(三)	**ソフトウエア**（(11)で定めるものに限る。）
(四)	**車両及び運搬具**（貨物の運送の用に供される自動車で輸送の効率化等に資するものとして(14)で定めるものに限る。）
(五)	(15)で定める海上運送業の用に供される**船舶**（輸送の効率化等に資するものとして(15)で定める船舶にあっては、環境への負荷の状況が明らかにされた船舶として(15)で定めるものに限る。）

（１に規定する(1)で定める規模）

(1)　１に規定する(1)で定める規模のものは、次の(一)から(三)までに掲げる減価償却資産の区分に応じ当該(一)から(三)までに定める規模のものとする。（措令５の５④）

(一)	機械及び装置	１台又は１基（通常１組又は１式をもって取引の単位とされるものにあっては、１組又は１式。(二)において同じ。）の取得価額（第六章第二節**五７**《減価償却資産の取得価額》**イ**表内①から同⑤までの規定により計算した取得価額をいう。以下(1)において同じ。）が160万円以上のもの
(二)	工具	１台又は１基の取得価額が120万円以上のもの（当該中小事業者（**１**に規定する中小事業者をいう。以下(1)において同じ。）がその年（その年が令和７年である場合には、同年１月１日から同年３月31日までの期間に限る。）において、取得（その製作の後事業の用に供されたことのないものの取得に限る。(三)において同じ。）又は製作をして国内にある当該中小事業者の営む**１**に規定する指定事業の用に供した**１**(二)に掲げる工具（１台又は１基の取得価額が30万円以上のものに限る。）の取得価額の合計額が120万円以上である場合の当該工具を含む。）
(三)	ソフトウエア	１のソフトウエアの取得価額が70万円以上のもの（当該中小事業者がその年（その年が令和７年である場合には、同年１月１日から同年３月31日までの期間に限る。）において、取得又は製作をして国内にある当該中小事業者の営む**１**に規定する指定事業の用に供した**１**(三)に掲げるソフトウエア（第六章第二節**五２**《少額の減価償却資産の取得価額の損金算入》又は同**３**《一括償却資産の必要経費算入》の規定の適用を受けるものを除く。）の取得価額の合計額が70万円以上である場合の当該ソフトウエアを含む。）

（**1**に規定する（2）で定める契約）

（2）　**1**に規定する（2）で定める契約は、次の(一)及び(二)に掲げる契約とする。（措令5の5⑤）

(一)	当事者の一方が相手方の事業のために出資をし、相手方がその事業から生ずる利益を分配することを約する契約
(二)	外国における匿名組合契約又は前号に掲げる契約に類する契約

（**1**に規定する（3）で定める事業）

（3）　**1**に規定する（3）で定める事業は、農業、林業、漁業、水産養殖業、鉱業、卸売業、道路貨物運送業、倉庫業、港湾運送業、ガス業その他（注）で定める事業とする。（措令5の5⑥）

（注）（3）に規定する（注）で定める事業は、次の(一)から(十二)までに掲げる事業（風俗営業等の規制及び業務の適正化等に関する法律第2条第5項に規定する性風俗関連特殊営業に該当するものを除く。）とする。（措規5の8⑧）

(一)　小売業

(二)　料理店業その他の飲食店業（料亭、バー、キャバレー、ナイトクラブその他これらに類する事業にあっては、生活衛生同業組合の組合員が行うものに限る。）

(三)　一般旅客自動車運送業

(四)　海洋運輸業及び沿海運輸業

(五)　内航船舶貸渡業

(六)　旅行業

(七)　こん包業

(八)　郵便業

(九)　通信業

(十)　損害保険代理業

(十一)　不動産業

(十二)　サービス業（娯楽業（映画業を除く。）を除く。）

（**1**に規定する（4）で定める者）

（4）　**1**に規定する（4）で定める者は、内航海運業法第2条第2項第2号に掲げる事業を営む者とする。（措令5の5⑦）

（税額控除の控除要領）

（5）　**1**の控除をすべき金額は、その年分の**一**《配当控除》**4**に規定する課税総所得金額に係る所得税額から控除する。この場合において、当該所得税額から控除をすべき**一1**に規定する配当控除の額があるときは、まず当該配当控除の額を控除し、次に**1**による控除をすべき金額を控除する。（措令5の5⑨）

（**1**に規定する（6）で定める割合）

（6）　**1**に規定する（6）で定める割合は、100分の75とする。（措令5の5⑧）

（**1**(一)に規定する（7）で定める要件）

（7）　**1**(一)に規定する（7）で定める要件は、次の(一)及び(二)に掲げる要件のいずれにも該当することとする。（措令5の5①）

(一)	その管理のおおむね全部を他の者に委託するものであること。
(二)	要する人件費が少額なサービス業として（8）で定める事業（**1**に規定する中小事業者の主要な事業であるものを除く。）の用に供するものであること。

（注）（7）(二)に規定する主要な事業に該当するかどうかの判定その他（7）の規定の適用に関し必要な事項は、（9）で定める。（措令5の5⑬）

（（7）(二)に規定する（8）で定める事業）

（8）　（7）(二)に規定する（8）で定める事業は、洗濯機、乾燥機その他の洗濯に必要な設備（共同洗濯設備として病院、寄宿舎その他の施設内に設置されているものを除く。）を設け、これを公衆に利用させる事業とする。（措規5の8①）

((７)(二)に規定する主要な事業)

(９)　次の(一)及び(二)に掲げる事業は、(７)(二)に規定する主要な事業に該当するものとする。(措規５の８②)

(一)	継続的に**1**に規定する中小事業者の経営資源（事業の用に供される不動産、事業に関する従業者の有する技能又は知識（租税に関するものを除く。）その他これらに準ずるものをいう。）を活用して行い、又は行うことが見込まれる事業
(二)	**1**に規定する中小事業者が行う主要な事業に付随して行う事業

(**1**(二)に規定する(10)で定めるもの)

(10)　**1**(二)に規定する(10)で定めるものは、測定工具及び検査工具（電気又は電子を利用するものを含む。）とする。(措規５の８③)

(**1**(三)に規定する(11)で定めるソフトウエア)

(11)　**1**(三)に規定する(11)で定めるソフトウエアは、電子計算機に対する指令であって一の結果を得ることができるように組み合わされたもの（これに関連する(12)で定める書類を含むものとし、複写して販売するための原本、開発研究（新たな製品の製造若しくは新たな技術の発明又は現に企業化されている技術の著しい改善を目的として特別に行われる試験研究をいう。）の用に供されるものその他(13)で定めるものを除く。）とする。(措令５の５②)

((11)に規定する(12)で定める書類)

(12)　(11)に規定する(12)で定める書類は、システム仕様書その他の書類とする。(措規５の８④)

((11)に規定する(13)で定めるソフトウエア)

(13)　(11)に規定する(13)で定めるソフトウエアは、次(一)から(五)までに掲げるものとする。(措規５の８⑤)

(一)	サーバー用オペレーティングシステム（ソフトウエア（電子計算機に対する指令であって１の結果を得ることができるように組み合わされたものをいう。以下(13)において同じ。）の実行をするために電子計算機の動作を直接制御する機能を有するサーバー用のソフトウエアをいう。(二)において同じ。）のうち、国際標準化機構及び国際電気標準会議の規格15408に基づき評価及び認証をされたもの（(二)において「認証サーバー用オペレーティングシステム」という。）以外のもの
(二)	サーバー用仮想化ソフトウエア（２以上のサーバー用オペレーティングシステムによる１のサーバー用の電子計算機（当該電子計算機の記憶装置に当該２以上のサーバー用オペレーティングシステムが書き込まれたものに限る。）に対する指令を制御し、当該指令を同時に行うことを可能とする機能を有するサーバー用のソフトウエアをいう。以下(二)において同じ。）のうち、認証サーバー用仮想化ソフトウエア（電子計算機の記憶装置に書き込まれた２以上の認証サーバー用オペレーティングシステムによる当該電子計算機に対する指令を制御するサーバー用仮想化ソフトウエアで、国際標準化機構及び国際電気標準会議の規格15408に基づき評価及び認証をされたものをいう。）以外のもの
(三)	データベース管理ソフトウエア（データベース（数値、図形その他の情報の集合物であって、それらの情報を電子計算機を用いて検索することができるように体系的に構成するものをいう。以下(三)において同じ。）の生成、操作、制御及び管理をする機能を有するソフトウエアであって、他のソフトウエアに対して当該機能を提供するものをいう。）のうち、国際標準化機構及び国際電気標準会議の規格15408に基づき評価及び認証をされたもの以外のもの（以下(三)において「非認証データベース管理ソフトウエア」という。）又は当該非認証データベース管理ソフトウエアに係るデータベースを構成する情報を加工する機能を有するソフトウエア
(四)	連携ソフトウエア（情報処理システム（情報処理の促進に関する法律第２条第３項に規定する情報処理システムをいう。以下(四)において同じ。）から指令を受けて、当該情報処理システム以外の情報処理システムに指令を行うソフトウエアで、次に掲げる機能を有するものをいう。）のうち、イの指令を日本産業規格（産業標準化法第20条第１項に規定する日本産業規格をいう。イにおいて同じ。）Ｘ5731－８に基づき認証をする機能及びイの指令を受けた旨を記録する機能を有し、かつ、国際標準化機構及び国際電気標準会議の規格15408に基づき評価及び認証をされたもの以外のもの イ　日本産業規格Ｘ0027に定めるメッセージの形式に基づき日本産業規格Ｘ4159に適合する言語を使用して記

	述された指令を受ける機能 ロ　指令を行うべき情報処理システムを特定する機能 ハ　その特定した情報処理システムに対する指令を行うに当たり、当該情報処理システムが実行することができる内容及び形式に指令の付加及び変換を行い、最適な経路を選択する機能
(五)	不正アクセス防御ソフトウエア（不正アクセスを防御するために、あらかじめ設定された次に掲げる通信プロトコルの区分に応じそれぞれ次に定める機能を有するソフトウエアであって、インターネットに対応するものをいう。）のうち、国際標準化機構及び国際電気標準会議の規格15408に基づき評価及び認証をされたもの以外のもの イ　通信路を設定するための通信プロトコル　ファイアウォール機能（当該通信プロトコルに基づき、電気通信信号を検知し、通過させる機能をいう。） ロ　通信方法を定めるための通信プロトコル　システム侵入検知機能（当該通信プロトコルに基づき、電気通信信号を検知し、又は通過させる機能をいう。） ハ　アプリケーションサービスを提供するための通信プロトコル　アプリケーション侵入検知機能（当該通信プロトコルに基づき、電気通信信号を検知し、通過させる機能をいう。）

（**1**(四)に規定する(14)で定めるもの）

(14)　**1**(四)に規定する(14)で定めるものは、道路運送車両法施行規則別表第一に規定する普通自動車で貨物の運送の用に供されるもののうち車両総重量（道路運送車両法第40条第３号に規定する車両総重量をいう。）が3.5トン以上のものとする。（措規５の８⑥）

（**1**(五)に規定する(15)で定める海上運送業、(15)で定める船舶船舶、(15)で定めるもの）

(15)　**1**(五)に規定する(15)で定める海上運送業は、内航海運業法第２条第２項第１号及び第２号に掲げる事業とし、**1**(五)に規定する(15)で定める船舶は、総トン数が500トン以上の船舶とし、同(五)に規定する(15)で定めるものは、その船舶に用いられた指定装置等（環境への負荷の低減に資するものとして国土交通大臣が指定する装置（機器及び構造を含む。(注)において同じ。）をいう。）の内容その他の(16)で定める事項を国土交通大臣に届け出たものであることにつき(16)で定めるところにより明らかにされた船舶とする。（措令５の５③）

(注)　国土交通大臣は、(15)の規定により装置を指定したときは、これを告示する。（措令５の５⑫、令和５年国土交通省告示第264号）

（(15)に規定する(16)で定める事項及び(16)で定めるところにより明らかにされた船舶）

(16)　(15)に規定する(16)で定める事項は、次の(一)及び(二)に掲げる事項とし、(15)に規定する(16)で定めるところにより明らかにされた船舶は、**1**の規定の適用を受けようとする年分の確定申告書に国土交通大臣の当該事項の届出があった旨を証する書類の写しを添付することにより明らかにされた船舶とする。（措規５の８⑦）

(一)	その船舶に用いられた指定装置等（(15)に規定する指定装置等をいう。(二)において同じ。）の内容
(二)	指定装置等（その船舶に用いることができないものを除く。）のうちその船舶に用いられていないものがある場合には、その理由及び当該指定装置等に代わり用いられた装置（機器及び構造を含む。）の内容

（申 告 手 続）

(17)　**1**の規定は、確定申告書（**1**の規定により控除を受ける金額を増加させる修正申告書又は更正請求書を提出する場合には、当該修正申告書又は更正請求書を含む。）に**1**の規定による控除の対象となる特定機械装置等の取得価額、控除を受ける金額及び当該金額の計算に関する明細を記載した書類の添付がある場合に限り、適用する。この場合において、**1**の規定により控除される金額の計算の基礎となる特定機械装置等の取得価額は、確定申告書に添付された書類に記載された特定機械装置等の取得価額を限度とする。（措法10の３⑧）

（年の中途において中小事業者に該当しなくなった場合の適用）

(18)　個人が年の中途において**1**に規定する中小事業者（以下**十**関係において「中小事業者」という。）に該当しないこととなった場合においても、その該当しないこととなった日前に取得又は製作（以下**十**関係において「取得等」という。）をして**1**に規定する指定事業の用（以下**十**関係において「指定事業の用」という。）に供した**1**に規定する特定機械装置等（以下**十**関係において「特定機械装置等」という。）については、**1**の規定の適用があることに留意する。

この場合において(1)(二)又は同(三)に規定する特定機械装置等に係る取得価額の合計額がこれらに規定する金額以上であるかどうかは、その中小事業者に該当していた期間内に取得等をして指定事業の用に供していたものの取得価額の合計額によって判定することに留意する。(措通10の3－1)

(主要な事業であるものの例示)

(19)　(9)の規定の適用上、次に掲げる事業には、例えば、それぞれ次に定めるような行為が該当する。(措通10の3－1の2)

(一)　(9)(一)に掲げる事業　中小事業者がその所有する店舗、事務所等の一画を活用して、いわゆるコインランドリーを利用させる役務を提供する行為

(二)　(9)(二)に掲げる事業　公衆浴場を営む中小事業者がその利用客に対して、いわゆるコインランドリーを利用させる役務を提供する行為

(取得価額の判定単位)

(20)　(1)(一)又は同(二)に掲げる機械及び装置又は工具の1台又は1基の取得価額が160万円以上又は120万円以上であるかどうかについては、通常1単位として取引される単位ごとに判定するのであるが、個々の機械及び装置の本体と同時に設置する自動調整装置又は原動機のような附属機器で当該本体と一体になって使用するものがある場合には、これらの附属機器を含めたところによりその判定を行うことができるものとする。(措通10の3－2)

(注)　(10)に規定する工具の取得価額の合計額が120万円以上であるかどうかについては、同(10)に規定する測定工具及び検査器具の取得価額の合計額により判定することに留意する。

(国庫補助金等の総収入金額不算入の適用を受けた場合の特定機械装置等の取得価額要件の判定)

(21)　(1)(一)から同(三)に掲げる機械及び装置、工具又はソフトウェアの取得価額が160万円以上、120万円以上又は70万円以上であるかどうかを判定する場合において、当該機械及び装置、工具、器具及び備品又はソフトウェアが第六章第一節**三**　**1**①《国庫補助金等の総収入金額不算入》の規定の適用を受ける同**1**①に規定する国庫補助金等に係るもの若しくは同**1**②に規定する国庫補助金等の交付に代わるべきものとして交付を受けるもの又は同**三**　**2**①の規定の適用を受ける同①に規定する国庫補助金等をもって取得されたものであるときは、同**三**　**1**④(一)又は同(二)又は同**三**　**2**⑤の規定により計算した金額に基づいてその判定を行うものとする。(措通10の3－3)

(主たる事業でない場合の適用)

(22)　個人の営む事業が指定事業の用に係る事業(以下**十**関係において「指定事業」という。)に該当するかどうかは、当該個人が主たる事業としてその事業を営んでいる必要はないのであるから留意する。(措通10の3－4)

(事業の判定)

(23)　個人の営む事業が指定事業に該当するかどうかは、おおむね日本標準産業分類(総務省)の分類を基準として判定する。(措通10の3－5)

(注)1　(3)の「鉱業」については、日本標準産業分類の「大分類C　鉱業、採石業、砂利採取業」に分類する事業が該当する。

2　(3)(注)(十二)に掲げる「サービス業」については、日本標準産業分類の「大分類G　情報通信業」(通信業を除く。)、「小分類693　駐車場業」、「中分類70　物品賃貸業」、「大分類L　学術研究、専門・技術サービス業」、「中分類75　宿泊業」、「中分類78　洗濯・理容・美容・浴場業」、「中分類79　その他の生活関連サービス業」(旅行業を除く。)、「大分類O　教育、学習支援業」、「大分類P　医療、福祉」、「中分類87　協同組合(他に分類されないもの)」及び「大分類R　サービス業(他に分類されないもの)」(旅行業を除く。)に分類する事業が該当する。

(その他これらの事業に含まれないもの)

(24)　(3)(注)(二)かっこ書の料亭、バー、キャバレー、ナイトクラブに類する事業には、例えば、大衆酒場及びビヤホールのように一般大衆が日常利用する飲食店は含まれないものとする。(措通10の3－6)

(指定事業とその他の事業とに共通して使用される特定機械装置等又は特定機械等)

(25)　指定事業とその他の事業とを営む個人が、その取得等をした特定機械装置等をそれぞれの事業に共通して使用している場合には、その全部を指定事業の用に供したものとして**1**の規定を適用する。(措通10の3－7)

（貸付けの用に供したものに該当しない資産の貸与）

(26)　個人が、その取得等をした特定機械装置等を自己の下請業者に貸与した場合において、当該特定機械装置等が専ら当該個人のためにする製品の加工等の用に供されるものであるときは、当該特定機械装置等は当該個人の営む事業の用に供したものとして**1**の規定を適用する。（措通10の３－８）

（特定機械装置等の対価につき値引きがあった場合の税額控除限度額の計算）

(27)　**1**の規定の適用を受けた特定機械装置等の対価の額について、特定機械装置等を指定事業の用に供した日の属する年（以下(26)において「供用年」という。）の翌年以後の年において値引きがあった場合には、供用年に遡って当該値引きのあった特定機械装置等に係る**1**に規定する税額控除限度額の修正を行うものとする。（措通10の３－９）

（国庫補助金等の総収入金額不算入の適用を受ける場合の取得価額）

(28)　**十1**に規定する税額控除限度額（以下「税額控除限度額等」という。）を計算する場合における**十1**に規定する特定機械装置等（以下「税額控除対象機械装置等」という。）の取得価額は、次に掲げる場合には、それぞれ次に定める金額による。（措通10の３～15共－３）

(一)　個人が取得又は製作若しくは建設（以下「取得等」という。）をした税額控除対象機械装置等につき、当該取得等をして事業の用に供した年（以下「供用年」という。）に係る年分において第六章第一節**三**《国庫補助金等の総収入金額不算入》**1**①又は同**2**①の規定の適用を受ける場合　同**1**④又は同**2**⑤の規定により計算した金額

(二)　個人が取得等をした税額控除対象機械装置等につき、供用年後の年分において第六章第一節**三**《国庫補助金等の総収入金額不算入》**1**①又は同**2**①の規定の適用を受けることが予定されている場合　同章第二節**五**《減価償却》**7イ**各号に掲げる金額から同章第一節**三**《国庫補助金等の総収入金額不算入》**1**①に規定する国庫補助金等の交付予定金額（同**2**①の規定の適用を受けることが予定されている場合には、国庫補助金等の交付金額で返還を要しないことが確定していないもの）を控除した金額

（注）1　(二)の国庫補助金等の交付予定金額は、供用年の12月31日において見込まれる金額による。

2　個人が税額控除対象機械装置等の供用年において税額控除限度額等の計算の基礎となる取得価額を(二)に定める金額によることなく第六章第二節**五**《減価償却》**7イ**各号に掲げる金額に基づき税額控除限度額等を計算して申告をしている場合において、供用年後の年分において同章第一節**三**《国庫補助金等の総収入金額不算入》**1**①又は同**2**①の規定の適用を受けるときは、供用年に遡って税額控除限度額等の計算の基礎となった取得価額から(二)の国庫補助金等の交付予定金額を控除した金額に基づき税額控除限度額等を修正することに留意する。

2　繰越税額控除限度超過額の控除

青色申告書を提出する個人が、その年（事業を廃止した日の属する年を除く。）において繰越税額控除限度超過額を有する場合には、その年分の総所得金額に係る所得税の額から、（2）に定めるところにより、当該繰越税額控除限度超過額に相当する金額を控除する。この場合において、当該個人のその年における繰越税額控除限度超過額が当該個人のその年分の調整前事業所得税額の100分の20に相当する金額（その年においてその指定事業の用に供した特定機械装置等につき**1**の規定によりその年分の総所得金額に係る所得税の額から控除される金額又は**十五1**《特定中小事業者が特定経営力向上設備等を取得した場合の所得税額の特別控除》の規定によりその年分の総所得金額に係る所得税の額から控除される金額がある場合には、これらの金額を控除した残額）を超えるときは、その控除を受ける金額は、当該100分の20に相当する金額を限度とする。（措法10の３④）

（繰越税額控除限度超過額の意義）

（1）　**2**の繰越税額控除限度超過額とは、当該個人のその年の前年（当該前年分の所得税につき青色申告書を提出している場合に限る。）における税額控除限度額のうち、**1**の規定による控除をしてもなお控除しきれない金額をいう。（措法10の３⑤）

（繰越税額控除限度超過額の控除要領）

（2）　**2**の規定による控除をすべき金額は、その年分の**一**《配当控除》**4**に規定する課税総所得金額に係る所得税額から控除する。この場合において、当該所得税額から控除をすべき**一1**に規定する配当控除の額並びに**1**及び**十四1**の規定による控除をすべき金額があるときは、まず当該配当控除の額及びこれらの規定による控除をすべき金額を控除し、次に**2**の規定による控除をすべき金額を控除する。（措令５の５⑩）

（申 告 手 続）

（3）　**2**の規定は、供用年及びその翌年分の確定申告書に**2**に規定する繰越税額控除限度超過額の明細書の添付があり、かつ、当該翌年分の確定申告書（**2**の規定により控除を受ける金額を増加させる修正申告書又は更正請求書を提出する場合には、当該修正申告書又は更正請求書を含む。）に**2**の規定による控除の対象となる**2**に規定する繰越税額控除限度超過額、控除を受ける金額及び当該金額の計算に関する明細を記載した書類の添付がある場合に限り、適用する。（措法10の３⑨）

十一　地域経済牽引事業の促進区域内において特定事業用機械等を取得した場合の所得税額の特別控除……特別償却制度は第六章第二節六２参照

１　地域経済牽引事業の促進区域内において特定事業用機械等を取得した場合の所得税額の特別控除

青色申告書を提出する個人で地域経済牽引事業の促進による地域の成長発展の基盤強化に関する法律第25条に規定する承認地域経済牽引事業者であるものが、企業立地の促進等による地域における産業集積の形成及び活性化に関する法律の一部を改正する法律（平成29年法律第47号）の施行の日（平成29年７月31日）から令和７年３月31日までの期間（以下において「**指定期間**」という。）内に、当該個人の行う同条に規定する承認地域経済牽引事業（以下において「**承認地域経済牽引事業**」という。）に係る地域経済牽引事業の促進による地域の成長発展の基盤強化に関する法律第４条第２項第１号に規定する促進区域（以下において「**促進区域**」という。）内において当該承認地域経済牽引事業に係る承認地域経済牽引事業計画（同法第14条第２項に規定する承認地域経済牽引事業計画をいう。以下において同じ。）に従って**特定地域経済牽引事業施設等**（承認地域経済牽引事業計画に定められた施設又は設備で、（１）で定める規模のものをいう。以下において同じ。）の新設又は増設をする場合において、当該新設若しくは増設に係る特定地域経済牽引事業施策等を構成する機械及び装置器具及び備品、建物及びその附属設備並びに構築物（以下「**特定事業用機械等**」という。）でその製作若しくは建設の後事業の用に供されたことのないものを取得し、又は当該新設若しくは増設に係る特定事業用機械等を製作し、若しくは建設して、これを当該承認地域経済牽引事業の用に供したとき（貸付けの用に供した場合を除く。以下において同じ。）は、当該特定事業用機械等につき第六章第二節**六２**の規定の適用を受ける場合を除き、その承認地域経済牽引事業の用に供した日の属する年（事業を廃止した日の属する年を除く。以下において「**供用年**」という。）の年分の総所得金額に係る所得税の額から、(11)で定めるところにより、その承認地域経済牽引事業の用に供した当該特定事業用機械等の取得価額（その特定事業用機械等に係る一の特定地域経済牽引事業施設等を構成する機械及び装置、器具及び備品、建物及びその附属設備並びに構築物の取得価額の合計額が80億円を超える場合には、80億円にその特定事業用機械等の取得価額が当該合計額のうちに占める割合を乗じて計算した金額。以下において「**基準取得価額**」という。）に次の(一)及び(二)に掲げる減価償却資産の区分に応じ当該(一)又は(二)に定める割合を乗じて計算した金額の合計額（以下**１**において「**税額控除限度額**」という。）を控除する。この場合において、当該個人の供用年における税額控除限度額が、当該個人の当該供用年の年分の**九**《試験研究を行った場合の所得税額の特別控除》**４**④に規定する調整前事業所得税額の100分の20に相当する金額を超えるときは、その控除を受ける金額は、当該100分の20に相当する金額を限度とする。（措法10の４①③）

(一)	機械及び装置並びに器具及び備品	100分の４（特定個人（平成31年４月１日以後に地域経済牽引事業の促進による地域の成長発展の基盤強化に関する法律第13条第４項又は第７項の規定による承認を受けた個人をいう。）がその承認地域経済牽引事業（地域の成長発展の基盤強化に著しく資するものとして（２）で定めるものに限る。）の用に供したものについては、100分の５（その承認地域経済牽引事業が地域の事業者に対して著しい経済的効果を及ぼすものとして（３）で定めるものである場合には、100分の６）とする。）
(二)	建物及びその附属設備並びに構築物	100分の２

（注）　改正後の**１**の規定は、個人が令和６年４月１日以後に取得又は製作若しくは建設をする**１**に規定する特定事業用機械等について適用され、個人が同日前に取得又は製作若しくは建設をした**１**に規定する特定事業用機械等については、なお従前の例による。（令６改所法等附23）

（**１**に規定する（１）で定める規模のもの）

（１）　**１**に規定する（１）で定める規模のものは、一の承認地域経済牽引事業計画（**１**に規定する承認地域経済牽引事業計画をいう。）に定められた施設又は設備を構成する第二章第一節**一**表内**19**①から同⑨までに掲げる資産の取得価額（第六章第二節**五７**《減価償却資産の取得価額》**イ**の表内①から⑤までの規定により計算した取得価額をいう。）の合計額が2,000万円以上のものとする。（措令５の５の２①）

（**１**(一)に規定する（２）で定めるもの）

（２）　**１**(一)に規定する（２）で定めるものは、地域の成長発展の基盤強化に著しく資するものとして経済産業大臣が財務大臣と協議して定める基準に適合することについて主務大臣（地域経済牽引事業の促進による地域の成長発展の基盤強化に関する法律第43条第２項に規定する主務大臣をいう。（３）において同じ。）の確認を受けたものとする。（措令５の５の２②、平31経済産業省告示第84号（最終改正令２同省告示第190号））

（注）　経済産業大臣は、（２）の規定により基準を定めたときは、これを告示する。（措令５の５の２⑤）

（1(一)に規定する(3)で定めるもの）

(3)　1(一)に規定する(3)で定めるものは、地域の事業者に対して著しい経済的効果を及ぼすものとして経済産業大臣が財務大臣と協議して定める基準に適合することについて主務大臣（地域経済牽引事業の促進による地域の成長発展の基盤強化に関する法律第43条第2項に規定する主務大臣をいう。）の確認を受けたものとする。（措令5の5の2④）

（注）　経済産業大臣は、(3)の規定により基準を定めたときは、これを告示する。（措令5の5の2⑤）

（国庫補助金等をもって取得等した特定地域経済牽引事業施設等の取得価額）

(4)　(1)に規定する第二章第一節**一**表内**19**①から同⑨までに掲げる資産の取得価額の合計額が2,000万円以上であるかどうかを判定する場合において、その資産が第六章第一節**三1**①の規定の適用を受ける同①に規定する国庫補助金等に係るもの若しくは同②に規定する国庫補助金等の交付に代わるべきものとして交付を受けるもの又は同**三2**①の規定の適用を受ける同①に規定する国庫補助金等をもって取得されたものであるときは、同**三1**④(一)又は同(二)又は同**三2**⑤の規定により計算した金額に基づいてその判定を行うものとする。（措通10の4－1）

（新増設の範囲）

(5)　**1**の規定の適用上、次に掲げる特定地域経済牽引事業施設等（**1**に規定する特定地域経済牽引事業施設等をいう。以下**十一**関係において同じ。）の取得又は製作若しくは建設（以下**十一**関係において「取得等」という。）についても特定地域経済牽引事業施設等の新設又は増設に該当するものとする。（措通10の4－2）

⑴　既存設備が災害により滅失又は損壊したため、その代替設備として取得等をした特定地域経済牽引事業施設等

⑵　既存設備の取替え又は更新のために特定事業用機械等の取得等をした場合で、その取得等により生産能力又は処理能力等が従前に比して相当程度（おおむね30%）以上増加したときにおける当該特定地域経済牽引事業施設等のうちその生産能力又は処理能力等が増加した部分に係るもの

（特別償却等の対象となる建物の附属設備）

(6)　**1**に規定する建物の附属設備は、当該建物とともに取得又は建設をする場合における建物附属設備に限られることに留意する。（措通10の4－3）

（承認地域経済牽引事業の用に供したものとされる資産の貸与）

(7)　**1**に規定する承認地域経済牽引事業者（以下**十一**関係において「承認地域経済牽引事業者」という。）が、その取得等をした**1**に規定する特定事業用機械等（以下**十一**関係において「特定事業用機械等」という。）を自己の下請業者に貸与した場合において、当該特定事業用機械等が**1**に規定する促進区域内において専ら当該承認地域経済牽引事業者の**1**に規定する承認地域経済牽引事業（以下**十一**関係において「承認地域経済牽引事業」という。）のためにする製品の加工等の用に供されるものであるときは、当該特定事業用機械等は当該承認地域経済牽引事業者の営む承認地域経済牽引事業の用に供したものとして**十一**の規定を適用する。（措通10の4－4）

（取得価額の合計額が80億円を超えるかどうか等の判定）

(8)　**十一**の規定の適用上、一の特定地域経済牽引事業施設等を構成する機械及び装置、器具及び備品、建物及びその附属設備並びに構築物の取得価額の合計額が80億円を超えるかどうかは、その新設又は増設に係る承認地域経済牽引事業計画（**1**に規定する承認地域経済牽引事業計画をいう。以下(8)において同じ。）ごとに判定することに留意する。

(1)における一の承認地域経済牽引事業計画に定められた施設又は設備を構成する第二章第一節**一**表内**19**①から同⑨までに掲げる資産の取得価額の合計額が2,000万円以上であるかどうかの判定についても、同様とする。（措通10の4－5）

（2以上の年分において事業の用に供した場合の取得価額の計算）

(9)　特定事業用機械等に係る一の特定地域経済牽引事業施設等を構成する機械及び装置、器具及び備品、建物及びその附属設備並びに構築物でその取得価額の合計額が80億円を超えるものを2以上の年分において事業の用に供した場合には、その取得価額の合計額が初めて80億円を超えることとなる年分（以下(9)において「超過年分」という。）における**1**の規定による税額控除限度額の計算の基礎となる個々の特定事業用機械等の取得価額は、次の算式による。（措通10の4－6）

$$\left(80億円 - \begin{array}{l}超過年分前の各年分に\\おいて事業の用に供し\\た特定事業用機械等の\\取得価額の合計額(注1)\end{array}\right) \times \frac{\begin{array}{l}超過年分において事業の用に供した\\個々の特定事業用機械等の取得価額\end{array}}{\begin{array}{l}超過年分において事業の用に供した特\\定事業用機械等の取得価額の合計額\end{array}}$$

(注) 1　超過年分前の各年分において事業の用に供した個々の特定事業用機械等については、その取得価額の調整は行わないことに留意する。

2　承認地域経済牽引事業計画が、地域経済牽引事業の促進による地域の成長発展の基盤強化に関する法律第13条第１項の規定により、同法第２条第１項に規定する地域経済牽引事業を行おうとする者が共同して作成した同法第13条第１項に規定する地域経済牽引事業計画に係るものである場合には、本文及び算式中「80億円」とあるのは「80億円を承認地域経済牽引事業計画の共同作成者の間で合理的にあん分した金額」とする。

(国庫補助金等の総収入金額不算入の適用を受ける場合の取得価額)

(10)　**十一 1**に規定する税額控除限度額（以下「税額控除限度額等」という。）を計算する場合における**十一 1**に規定する特定事業用機械等（以下「税額控除対象機械装置等」という。）の取得価額は、次に掲げる場合には、それぞれ次に定める金額による。(措通10の３～15共－３)

(一)　個人が取得又は製作若しくは建設（以下「取得等」という。）をした税額控除対象機械装置等につき、当該取得等をして事業の用に供した年（以下「供用年」という。）に係る年分において第六章第一節**三**《国庫補助金等の総収入金額不算入》**1**①又は同**2**①の規定の適用を受ける場合　同**1**④又は同**2**⑤の規定により計算した金額

(二)　個人が取得等をした税額控除対象機械装置等につき、供用年後の年分において第六章第一節**三**《国庫補助金等の総収入金額不算入》**1**①又は同**2**①の規定の適用を受けることが予定されている場合　同章第二節**五**《減価償却》**7イ**各号に掲げる金額から同章第一節**三**《国庫補助金等の総収入金額不算入》**1**①に規定する国庫補助金等の交付予定金額（同**2**①の規定の適用を受けることが予定されている場合には、国庫補助金等の交付金額で返還を要しないことが確定していないもの）を控除した金額

(注) 1　(二)の国庫補助金等の交付予定金額は、供用年の12月31日において見込まれる金額による。

2　個人が税額控除対象機械装置等の供用年において税額控除限度額等の計算の基礎となる取得価額を(二)に定める金額によることなく第六章第二節**五**《減価償却》**7イ**各号に掲げる金額に基づき税額控除限度額等を計算して申告をしている場合において、供用年後の年分において同章第一節**三**《国庫補助金等の総収入金額不算入》**1**①又は同**2**①の規定の適用を受けるときは、供用年に遡って税額控除限度額等の計算の基礎となった取得価額から(二)の国庫補助金等の交付予定金額を控除した金額に基づき税額控除限度額等を修正することに留意する。

(特定事業用機械等の対価につき値引きがあった場合の税額控除限度額の計算)

(11)　**1**の規定の適用を受けた特定事業用機械等の対価の額について、個人が当該特定事業用機械等の取得等をして事業の用に供した年（以下「供用年」という。）の翌年以後の年において値引きがあった場合には、供用年に遡って当該値引きのあった特定事業用機械等に係る**1**に規定する税額控除限度額の修正を行うものとする。(措通10の４－７)

(税額控除限度額の控除要領)

(12)　**1**の規定による控除をすべき金額は、その年分の**一**《配当控除》**4**に規定する課税総所得金額に係る所得税額から控除する。この場合において、当該所得税額から控除をすべき同**1**に規定する配当控除の額があるときは、まず当該配当控除の額を控除し、次に**1**の規定による控除をすべき金額を控除する。(措令５の５の２③)

2　申告手続

1の規定は、確定申告書（**1**の規定により控除を受ける金額を増加させる修正申告書又は更正請求書を提出する場合には、当該修正申告書又は更正請求書を含む。）に**1**の規定による控除の対象となる特定事業用機械等の取得価額、控除を受ける金額及び当該金額の計算に関する明細を記載した書類の添付がある場合に限り、適用する。この場合において、**1**の規定により控除される金額の計算の基礎となる特定事業用機械等の取得価額は、確定申告書に添付された書類に記載された特定事業用機械等の取得価額を限度とする。(措法10の４⑥)

十二　地方活力向上地域等において特定建物等を取得した場合の所得税額の特別控除

……特別償却制度は第六章第二節六３参照

１　地方活力向上地域等において特定建物等を取得した場合の所得税額の特別控除

青色申告書を提出する個人で地域再生法の一部を改正する法律の施行の日（平成27年８月10日）から令和８年３月31日までの期間（以下において「**指定期間**」という。）内に地域再生法第17条の２第１項に規定する地方活力向上地域等特定業務施設整備計画（以下**１**において「**地方活力向上地域等特定業務施設整備計画**」という。）について同条第３項の認定を受けたものが、当該認定を受けた日から同日の翌日以後３年を経過する日まで（同日までに同条第６項の規定により当該認定を取り消されたときは、その取り消された日の前日まで）の間に、当該認定をした同条第１項に規定する認定都道府県知事（以下**１**において「**認定都道府県知事**」という。）が作成した同法第８条第１項に規定する認定地域再生計画（以下**１**において「**認定地域再生計画**」という。）に記載されている同法第５条第４項第５号イ又はロに掲げる地域（当該認定を受けた地方活力向上地域等特定業務施設整備計画（同法第17条の２第４項の規定による変更の認定があったときは、その変更後のもの。以下**１**において「**認定地方活力向上地域等特定業務施設整備計画**」という。）が同法第17条の２第１項第２号に掲げる事業に関する地方活力向上地域等特定業務施設整備計画（以下**１**において「**拡充型計画**」という。）である場合には、同号に規定する地方活力向上地域）内において、当該認定地方活力向上地域等特定業務施設整備計画に記載された同法第５条第４項第５号に規定する特定業務施設に該当する建物及びその附属設備並びに構築物（(１)で定める規模のものに限る。以下「**特定建物等**」という。）でその建設の後事業の用に供されたことのないものを取得し、又は当該認定地方活力向上地域等特定業務施設整備計画に記載された特定建物等を建設して、これを当該個人の営む事業の用に供した場合（貸付けの用に供した場合を除く。）において、当該特定建物等につき第六章第二節**六３**《地方活力向上地域等において特定建物等を取得した場合の特別償却》の規定の適用を受けないときは、その事業の用に供した日の属する年（事業を廃止した日の属する年を除く。以下「**供用年**」という。）の年分の総所得金額に係る所得税の額から、(２)で定めるところにより、その事業の用に供した当該特定建物等の取得価額（その特定建物等に係る一の特定業務施設を構成する建物及びその附属設備並びに構築物の取得価額の合計額が80億円を超える場合には、80億円にその特定建物等の取得価額が当該合計額のうちに占める割合を乗じて計算した金額。「基準取得価額」という。）の100分の４（当該認定地方活力向上地域等特定業務施設整備計画が同法第17条の２第１項第１号に掲げる事業に関するものである場合には、100分の７）に相当する金額の合計額（以下**１**において「**税額控除限度額**」という。）を控除する。この場合において、当該個人の供用年における税額控除限度額が、当該個人の当該供用年の年分の**九**《試験研究費の特別税額控除》**４**④に規定する調整前事業所得税額の100分の20に相当する金額を超えるときは、その控除を受ける金額は、当該100分の20に相当する金額を限度とする。（措法10の４の２③①）

（注）１　改正後の**１**の規定は、令和６年４月１日以後に同**１**に規定する地方活力向上地域等特定業務施設整備計画について同**１**に規定する認定を受ける個人が取得又は建設をする当該認定に係るこれらの規定に規定する認定地方活力向上地域等特定業務施設整備計画に記載された同**１**に規定する特定建物等について適用され、同日前に改正前の**１**に規定する地方活力向上地域等特定業務施設整備計画について同**１**に規定する認定を受けた個人が取得又は建設をする当該認定に係るこれらの規定に規定する認定地方活力向上地域等特定業務施設整備計画に記載された同**１**に規定する特定建物等については、なお従前の例による。（令６改所法等附24①）

２　令和６年４月１日から（注）３に規定する規定の施行の日の前日までの間における改正後の**１**の規定の適用については、同**１**中「一の特定業務施設」とあるのは、「一の同号に規定する特定業務施設」とされる。（令６改所法等附24③）

３　上記﹏﹏下線部については、地域再生法の一部を改正する法律（令和６年法律第17号）附則第１条ただし書に規定する規定の施行の日以後、**１**中「規定する特定業務施設」の次に「（同号に規定する特定業務児童福祉施設のうち当該特定業務施設の新設に併せて整備されるものを含む。以下**１**において「特定業務施設」という。）」が加えられる。（令６改所法等附１十二）

４　（注）３の規定による改正後の**１**の規定は、（注）３に定める日以後に同**１**に規定する地方活力向上地域等特定業務施設整備計画について同**１**に規定する認定を受ける個人が取得又は建設をする当該認定に係るこれらの規定に規定する認定地方活力向上地域等特定業務施設整備計画に記載された同**１**に規定する特定建物等について適用され、同日前に（注）３の規定による改正前の**１**に規定する地方活力向上地域等特定業務施設整備計画について同**１**に規定する認定を受けた個人が取得又は建設をする当該認定に係るこれらの規定に規定する認定地方活力向上地域等特定業務施設整備計画に記載された同**１**に規定する特定建物等については、なお従前の例による。（令６改所法等附24②）

((１)で定める規模のもの)

(１)　**１**に規定する(１)で定める規模のものは、一の建物及びその附属設備並びに構築物の取得価額（第六章第二節**五７**《減価償却資産の取得価額》**イ**表内①から同⑤までの規定により計算した取得価額をいう。）の合計額が3,500万円（**九４**⑥に規定する中小事業者にあっては、1,000万円）以上のものとする。（措令５の５の３①）

（注）　改正後の(１)の規定は、令和６年４月１日以後に改正後の**１**に規定する地方活力向上地域等特定業務施設整備計画について同**１**に規定する認定を受ける個人が取得又は建設をする当該認定に係るこれらの規定に規定する認定地方活力向上地域等特定業務施設整備計画に記載された同**１**に規定する特定建物等について適用され、同日前に改正前の**１**に規定する地方活力向上地域等特定業務施設整備計画について同**１**に規定する認定を受けた個人が取得又は建設をする当該認定に係るこれらの規定に規定する認定地方活力向上地域等特定業務

施設整備計画に記載された同**1**に規定する特定建物等については、なお従前の例による。（令６改措令附３）

（税額控除限度額の控除要領）

（2）　**1**の規定による控除をすべき金額は、その年分の**一**《配当控除》**4**に規定する課税総所得金額に係る所得税額から控除する。この場合において、当該所得税額から控除をすべき**1**に規定する配当控除の額があるときは、まず当該配当控除の額を控除し、次に**1**の規定による控除をすべき金額を控除する。（措令５の５の３②）

（特別償却等の対象となる建物の附属設備）

（3）　**1**に規定する建物の附属設備は、当該建物とともに取得又は建設（以下**十二**において「取得等」という。）をする場合における建物附属設備に限られることに留意する。（措通10の４の２－１）

（中小事業者であるかどうかの判定の時期）

（4）　個人が（1）に規定する中小事業者（以下**十二**において「中小事業者」という。）に該当するかどうかは、**1**に規定する建物及びその附属設備並びに構築物の取得等をした日並びに当該建物及びその附属設備並びに構築物を事業の用に供した日の現況によって判定するものとする。（措通10の４の２－２）

（国庫補助金等の総収入金額不算入の適用を受けた場合の特定建物等の取得価額要件の判定）

（5）　（1）に規定する一の建物及びその附属設備並びに構築物の取得価額の合計額が3,500万円以上（中小事業者にあっては1,000万円以上）であるかどうかを判定する場合において、その一の建物及びその附属設備並びに構築物が第六章第一節**三 1**①の規定の適用を受ける同①に規定する国庫補助金等に係るもの若しくは同②に規定する国庫補助金等の交付に代わるべきものとして交付を受けるもの又は同**三 2**①の規定の適用を受ける同①に規定する国庫補助金等をもって取得されたものであるときは、同**三 1**④（一）又は同（二）又は同**三 2**⑤の規定により計算した金額に基づいてその判定を行うものとする。（措通10の４の２－３）

（取得価額の合計額が80億円を超えるかどうかの判定）

（6）　**十二**の規定の適用上、一の特定業務施設（**1**に規定する特定業務施設をいう。以下同じ。）を構成する建物及びその附属設備並びに構築物の取得価額の合計額が80億円を超えるかどうかは、その特定業務施設が記載された**1**に規定する認定地方活力向上地域等特定業務施設整備計画ごとに判定することに留意する。（措通10の４の２－４）

（２以上の年分において事業の用に供した場合の取得価額の計算）

（7）　**1**に規定する特定建物等（以下「特定建物等」という。）に係る一の特定業務施設を構成する建物及びその附属設備並びに構築物でその取得価額の合計額が80億円を超えるものを２以上の年分において事業の用に供した場合には、その取得価額の合計額が初めて80億円を超えることとなる年分（以下「超過年分」という。）における**1**の規定による税額控除限度額の計算の基礎となる個々の特定建物等の取得価額は、次の算式による。（措通10の４の２－５）

$$\left(80\text{億円} - \begin{array}{l}\text{超過年分前の各年分に}\\\text{おいて事業の用に供し}\\\text{た特定建物等の取得価}\\\text{額の合計額（注）}\end{array}\right) \times \frac{\text{超過年分において事業の用に供した個々の特定建物等の取得価額}}{\text{超過年分において事業の用に供した特定建物等の取得価額の合計額}}$$

（注）　超過年分前の各年分において事業の用に供した個々の特定建物等については、その取得価額の調整は行わないことに留意する。

（国庫補助金等の総収入金額不算入の適用を受ける場合の取得価額）

（8）　**十二 1**に規定する税額控除限度額（以下「税額控除限度額等」という。）を計算する場合における**十二 1**に規定する特定建物等（以下「税額控除対象機械装置等」という。）の取得価額は、次に掲げる場合には、それぞれ次に定める金額による。（措通10の３～15共－３）

（一）　個人が取得又は製作若しくは建設（以下「取得等」という。）をした税額控除対象機械装置等につき、当該取得等をして事業の用に供した年（以下「供用年」という。）に係る年分において第六章第一節**三**《国庫補助金等の総収入金額不算入》**1**①又は同**2**①の規定の適用を受ける場合　同**1**④又は同**2**⑤の規定により計算した金額

（二）　個人が取得等をした税額控除対象機械装置等につき、供用年後の年分において第六章第一節**三**《国庫補助金等の総収入金額不算入》**1**①又は同**2**①の規定の適用を受けることが予定されている場合　同章第二節**五**《減価償却》**7イ**各号に掲げる金額から同章第一節**三**《国庫補助金等の総収入金額不算入》**1**①に規定する国庫補助金等の交付

予定金額（同**2**①の規定の適用を受けることが予定されている場合には、国庫補助金等の交付金額で返還を要しないことが確定していないもの）を控除した金額

(注)１　(二)の国庫補助金等の交付予定金額は、供用年の12月31日において見込まれる金額による。

２　個人が税額控除対象機械装置等の供用年において税額控除限度額等の計算の基礎となる取得価額を(二)に定める金額によることなく第六章第二節**五**《減価償却》**7イ**各号に掲げる金額に基づき税額控除限度額等を計算して申告をしている場合において、供用年後の年分において同章第一節**三**《国庫補助金等の総収入金額不算入》**1**①又は同**2**①の規定の適用を受けるときは、供用年に遡って税額控除限度額等の計算の基礎となった取得価額から(二)の国庫補助金等の交付予定金額を控除した金額に基づき税額控除限度額等を修正することに留意する。

（特定建物等の対価につき値引きがあった場合の税額控除限度額の計算）

(9)　**1**の規定の適用を受けた特定建物等の対価の額について、個人が当該特定建物等の取得等をして事業の用に供した年（以下「供用年」という。）の翌年以後の年において値引きがあった場合には、供用年に遡って当該値引きのあった特定建物等に係る**1**に規定する税額控除限度額の修正を行うものとする。（措通10の４の２－６）

2　申告手続

1の規定は、確定申告書（**1**の規定により控除を受ける金額を増加させる修正申告書又は更正請求書を提出する場合には、当該修正申告書又は更正請求書を含む。）に**1**の規定による控除の対象となる特定建物等の取得価額、控除を受ける金額及び当該金額の計算に関する明細を記載した書類の添付がある場合に限り、適用する。この場合において、**1**の規定により控除される金額の計算の基礎となる特定建物等の取得価額は、確定申告書に添付された書類に記載された特定建物等の取得価額を限度とする。（措法10の４の２⑥）

十三　地方活力向上地域等において雇用者の数が増加した場合の所得税額の特別控除

1　地方活力向上地域等において雇用者の数が増加した場合の所得税額の特別控除

青色申告書を提出する個人で地域再生法第17条の２第４項に規定する認定事業者（地域再生法の一部を改正する法律（平成27年法律第49号）の施行の日（平成27年８月10日）から令和８年３月31日までの間に同条第１項に規定する地方活力向上地域等特定業務施設整備計画（**2**及び**3**において「**地方活力向上地域等特定業務施設整備計画**」という。）について同条第３項の認定（**2**及び**3**において「**計画の認定**」という。）を受けた個人に限る。**2**において「**認定事業者**」という。）であるものが、適用年において、(一)に掲げる要件を満たす場合には、当該個人の当該適用年の年分の総所得金額に係る所得税の額から、（1）で定めるところにより、(二)に掲げる金額（以下**1**において「税額控除限度額」という。）を控除する。この場合において、当該税額控除限度額が、当該個人の当該適用年の年分の調整前事業所得税額（**九4**④に規定する調整前事業所得税額をいう。**2**において同じ。）の100分の20に相当する金額を超えるときは、その控除を受ける金額は、当該100分の20に相当する金額を限度とする。（措法10の５①）

(一)	雇用保険法第５条第１項に規定する適用事業を行い、かつ、他の法律により業務の規制及び適正化のための措置が講じられている事業として（2）で定めるものを行っていないこと。	
(二)	次に掲げる金額の合計額	
	イ	30万円に、当該個人の当該適用年の地方事業所基準雇用者数（当該地方事業所基準雇用者数が当該適用年の基準雇用者数を超える場合には、当該基準雇用者数。ロにおいて同じ。）のうち当該適用年の特定新規雇用者数に達するまでの数（イにおいて「特定新規雇用者基礎数」という。）を乗じて計算した金額（当該適用年の移転型特定新規雇用者数がある場合には、20万円に、当該特定新規雇用者基礎数のうち当該移転型特定新規雇用者数に達するまでの数を乗じて計算した金額を加算した金額）
	ロ	20万円に、当該個人の当該適用年の地方事業所基準雇用者数から当該適用年の新規雇用者総数を控除した数のうち当該適用年の特定非新規雇用者数に達するまでの数（ロにおいて「特定非新規雇用者基礎数」という。）を乗じて計算した金額（当該適用年の移転型地方事業所基準雇用者数から当該適用年の移転型新規雇用者総数を控除した数のうち当該適用年の移転型特定非新規雇用者数に達するまでの数（ロにおいて「移転型特定非新規雇用者基礎数」という。）が零を超える場合には、20万円に、当該特定非新規雇用者基礎数のうち当該移転型特定非新規雇用者基礎数に達するまでの数を乗じて計算した金額を加算した金額）

（注）1　**1**の規定は、**十二1**の規定の適用を受ける年分については、適用しない。（措法10の５④）

2　改正後の**1**の規定は、令和６年４月１日以後に同**1**に規定する地方活力向上地域等特定業務施設整備計画について同**1**に規定する計画の認定を受ける個人の当該地方活力向上地域等特定業務施設整備計画について適用され、同日前に改正前の**1**に規定する地方活力向上地域等特定業務施設整備計画について同**1**に規定する計画の認定を受けた個人の当該地方活力向上地域等特定業務施設整備計画については、なお従前の例による。（令６改所法等附25）

（税額控除の控除要領）

（1）　**1**の規定による控除をすべき金額は、その年分の**一**《配当控除》**4**に規定する課税総所得金額に係る所得税額から控除する。この場合において、当該所得税額から控除をすべき**一1**に規定する配当控除の額があるときは、まず当該配当控除の額を控除し、次に**1**の規定による控除をすべき金額を控除する。（措令５の６①）

（**1**(一)に規定する（2）で定めるもの）

（2）　**1**(一)に規定する（2）で定めるものは、雇用保険法第５条第１項に規定する適用事業のうち風俗営業等の規制及び業務の適正化等に関する法律第２条第１項に規定する風俗営業又は同条第５項に規定する性風俗関連特殊営業に該当するものとする。（措令５の６②）

2　1(一)に掲げる要件を満たす場合の拡充措置

青色申告書を提出する個人で認定事業者（地域再生法第17条の２第１項第１号に掲げる事業に関する地方活力向上地域等特定業務施設整備計画について計画の認定を受けた個人に限る。）であるもののうち、**1**の規定の適用を受ける又は受けたもの（**十二1**までの規定の適用を受ける年においてその適用を受けないものとしたならば**1**の規定の適用があるもの（以下**2**において「要件適格個人」という。）を含む。）が、その適用を受ける年（要件適格個人にあっては、**十二1**までの規定の適用を受ける年）以後の各適用年（当該地方活力向上地域等特定業務施設整備計画に係る基準日の属する年以後の各年で基準雇用者数又は地方事業所基準雇用者数が零に満たない年以後の各年を除く。）において、**1**(一)に掲げる要件を満たす場合には、当該個人の当該適用年の年分の総所得金額に係る所得税の額から、（1）で定めるところにより、40万円に当該個人の当該適用年の地方事業所特別基準雇用者数を乗じて計算した金額（当該計画の認定に係る特定業務施設が同法第５条第４項第５号ロに規定する準地方活力向上地域内にある場合には、30万円に当該特定業務施設に係る当該個人の当該適用年の地方事業所特別基準雇用者数を乗じて計算した金額。以下**2**において「**地方事業所特別税額控除限度額**」という。）を控除する。この場合において、当該地方事業所特別税額控除限度額が、当該個人の当該適用年の年分の調整前事業所得税額の100分の20に相当する金額（当該適用年において**1**の規定により当該適用年の年分の総所得金額に係る所得税の額から控除される金額又は**十二 1**の規定により当該適用年の年分の総所得金額に係る所得税の額から控除される金額がある場合には、これらの金額を控除した残額）を超えるときは、その控除を受ける金額は、当該100分の20に相当する金額を限度とする。（措法10の５②）

（税額控除の控除要領）

（1）　**2**の規定による控除をすべき金額は、その年分の**一 4**に規定する課税総所得金額に係る所得税額から控除する。この場合において、当該所得税額から控除をすべき**一 1**に規定する配当控除の額並びに**1**及び**十二 1**の規定による控除をすべき金額があるときは、まず当該配当控除の額及びこれらの規定による控除をすべき金額を控除し、次に**2**の規定による控除をすべき金額を控除する。（措令５の６③）

3　用語の意義

十三において、次の(一)から(十五)までに掲げる用語の意義は、当該(一)から(十五)までに定めるところによる。（措法10の５③）

(一)	**特定業務施設**	地域再生法第５条第４項第５号に規定する特定業務施設で、同法第17条の２第６項に規定する認定地方活力向上地域等特定業務施設整備計画に係る計画の認定をした同条第１項に規定する認定都道府県知事が作成した同法第８条第１項に規定する認定地域再生計画に記載されている同号イ又はロに掲げる地域（当該認定地方活力向上地域等特定業務施設整備計画が同法第17条の２第１項第２号に掲げる事業に関するものである場合には、同号に規定する地方活力向上地域）において当該認定地方活力向上地域等特定業務施設整備計画に従って整備されたものをいう。
(二)	**基準日**	地方活力向上地域等特定業務施設整備計画について計画の認定を受けた個人の当該計画の認定を受けた日（当該地方活力向上地域等特定業務施設整備計画が特定業務施設の新設に係るものである場合には、当該特定業務施設を事業の用に供した日）をいう。
(三)	**適用年**	地方活力向上地域等特定業務施設整備計画について計画の認定を受けた個人の当該地方活力向上地域等特定業務施設整備計画に係る基準日の属する年以後３年内の各年（事業を開始した日の属する年（相続又は包括遺贈により当該事業を承継した日の属する年を除く。）及び事業を廃止した日の属する年を除く。）をいう。
(四)	**雇用者**	個人の使用人（当該個人と（1）で定める特殊の関係のある者を除く。(四)において同じ。）のうち一般被保険者（雇用保険法第60条の２第１項第１号に規定する一般被保険者をいう。）に該当するものをいう。
(五)	**高年齢雇用者**	個人の使用人のうち高年齢被保険者（雇用保険法第37条の２第１項に規定する高年齢被保険者をいう。）に該当するものをいう。
(六)	**基準雇用者数**	適用年の12月31日における雇用者の数から当該適用年の前年の12月31日における雇用者（当該適用年の12月31日において高年齢雇用者に該当する者を除く。）の数を減算した数をいう。
(七)	**地方事業所基準雇用者数**	地方活力向上地域等特定業務施設整備計画について計画の認定を受けた個人（当該地方活力向上地域等特定業務施設整備計画に係る基準日が適用年の前々年の１月１日から当該適用年の12月31日までの期間内であるものに限る。）の当該計画の認定に係る特定業務施設（以下**3**において「適用対象特定業務施設」という。）のみを当該個人の事業所とみなした場合における基準雇用者数として（2）で定めるところにより証明がされた数をいう。
(八)	**特定雇用者**	次に掲げる要件を満たす雇用者をいう。 イ　その個人との間で労働契約法第17条第１項に規定する有期労働契約以外の労働契約を締結して

			いること。
		ロ	短時間労働者及び有期雇用労働者の雇用管理の改善等に関する法律第２条第１項に規定する短時間労働者でないこと。
(九)	**特定新規雇用者数**	適用年（当該適用年が計画の認定を受けた日の属する年である場合には、同日から当該適用年の12月31日までの期間）に新たに雇用された特定雇用者で当該適用年の12月31日において適用対象特定業務施設に勤務するものの数として（３）で定めるところにより証明がされた数をいう。	
(十)	**移転型特定新規雇用者数**	適用年（当該適用年が計画の認定を受けた日の属する年である場合には、同日から当該適用年の12月31日までの期間）に新たに雇用された特定雇用者で当該適用年の12月31日において移転型適用対象特定業務施設（地域再生法第17条の２第１項第１号に掲げる事業に関する地方活力向上地域等特定業務施設整備計画について計画の認定を受けた個人の当該計画の認定に係る適用対象特定業務施設をいう。以下**３**において同じ。）に勤務するものの数として（４）で定めるところにより証明がされた数をいう。	
(十一)	**新規雇用者総数**	適用年（当該適用年が計画の認定を受けた日の属する年である場合には、同日から当該適用年の12月31日までの期間）に新たに雇用された雇用者で当該適用年の12月31日において適用対象特定業務施設に勤務するもの（(十一)及び(十五)において「新規雇用者」という。）の総数として（５）で定めるところにより証明がされた数をいう。	
(十二)	**特定非新規雇用者数**	適用年（当該適用年が計画の認定を受けた日の属する年である場合には、同日から当該適用年の12月31日までの期間）において他の事業所から適用対象特定業務施設に転勤した特定雇用者（新規雇用者を除く。）で当該適用年の12月31日において当該適用対象特定業務施設に勤務するものの数として（６）で定めるところにより証明がされた数をいう。	
(十三)	**移転型地方事業所基準雇用者数**	移転型適用対象特定業務施設のみを個人の事業所とみなした場合における基準雇用者数として（７）で定めるところにより証明がされた数をいう。	
(十四)	**移転型新規雇用者総数**	適用年（当該適用年が計画の認定を受けた日の属する年である場合には、同日から当該適用年の12月31日までの期間）に新たに雇用された雇用者で当該適用年の12月31日において移転型適用対象特定業務施設に勤務するものの総数として（８）で定めるところにより証明がされた数をいう。	
(十五)	**移転型特定非新規雇用者数**	適用年（当該適用年が計画の認定を受けた日の属する年である場合には、同日から当該適用年の12月31日までの期間）において他の事業所から移転型適用対象特定業務施設に転勤した特定雇用者（新規雇用者を除く。）で当該適用年の12月31日において当該移転型適用対象特定業務施設に勤務するものの数として（９）で定めるところにより証明がされた数をいう。	
(十六)	**地方事業所特別基準雇用者数**	地方活力向上地域等特定業務施設整備計画（地域再生法第17条の２第１項第１号に掲げる事業に関するものに限る。）について計画の認定を受けた個人（当該地方活力向上地域等特定業務施設整備計画に係る基準日が適用年の前々年の１月１日から当該適用年の12月31日までの期間内であるものに限る。）の当該適用年及び当該適用年前の各年のうち、当該基準日の属する年以後の各年のイに掲げる数のうちロに掲げる数に達するまでの数の合計数をいう。	
		イ	当該個人の当該計画の認定に係る特定業務施設のみを当該個人の事業所とみなした場合における基準雇用者数として(10)で定めるところにより証明がされた数
		ロ	当該個人の当該計画の認定に係る特定業務施設のみを当該個人の事業所と、当該個人の特定雇用者のみを当該個人の雇用者と、それぞれみなした場合における基準雇用者数として(10)で定めるところにより証明がされた数

（**３**(四)に規定する（１）で定める特殊の関係のある者）

（１）　**３**(四)に規定する（１）で定める特殊の関係のある者は、次の(一)から(四)までに掲げる者とする。(措令５の６④)

(一)	当該個人の親族
(二)	当該個人と婚姻の届出をしていないが事実上婚姻関係と同様の事情にある者

(三)	(一)及び(二)に掲げる者以外の者で当該個人から受ける金銭その他の資産（第四章第五節一に規定する給与等に該当しないものに限る。）によって生計の支援を受けているもの
(四)	(二)及び(三)に掲げる者と生計を一にするこれらの者の親族

（3(七)に規定する(2)で定めるところにより証明がされた数）

(2)　3(七)に規定する(2)で定めるところにより証明がされた数は、適用対象特定業務施設（同(七)に規定する適用対象特定業務施設をいう。以下において同じ。）のみを個人の事業所とみなした場合における基準雇用者数（同(六)に規定する基準雇用者数をいう。以下十三において同じ。）の計算の基礎となる雇用者（同(四)に規定する雇用者をいう。以下十三において同じ。）の数について記載された(11)で定める書類を確定申告書に添付することにより証明がされた当該基準雇用者数とする。（措令5の6⑤）

（3(九)に規定する(3)で定めるところにより証明がされた数）

(3)　3(九)に規定する(3)で定めるところにより証明がされた数は、同(三)に規定する適用年（当該適用年が計画の認定（1に規定する計画の認定をいう。以下において同じ。）を受けた日の属する年である場合には、同日から当該適用年の12月31日までの期間）に新たに雇用された特定雇用者（3(八)に規定する特定雇用者をいう。以下十三において同じ。）で当該適用年の12月31日において適用対象特定業務施設に勤務するものの数について記載された(11)で定める書類を確定申告書に添付することにより証明がされた当該特定雇用者の数とする。（措令5の6⑥）

（3(十)に規定する(4)で定めるところにより証明がされた数）

(4)　3(十)に規定する(4)で定めるところにより証明がされた数は、同(三)に規定する適用年（当該適用年が計画の認定を受けた日の属する年である場合には、同日から当該適用年の12月31日までの期間）に新たに雇用された特定雇用者で当該適用年の12月31日において移転型適用対象特定業務施設（同(十)に規定する移転型適用対象特定業務施設をいう。以下十三において同じ。）に勤務するものの数について記載された(12)で定める書類を確定申告書に添付することにより証明がされた当該特定雇用者の数とする。（措令5の6⑦）

（3(十一)に規定する(5)で定めるところにより証明がされた数）

(5)　3(十一)に規定する(5)で定めるところにより証明がされた数は、同(三)に規定する適用年（当該適用年が計画の認定を受けた日の属する年である場合には、同日から当該適用年の12月31日までの期間）に新たに雇用された雇用者で当該適用年の12月31日において適用対象特定業務施設に勤務するもの（以下十三において「新規雇用者」という。）の総数について記載された(11)で定める書類を確定申告書に添付することにより証明がされた当該新規雇用者の総数とする。（措令5の6⑧）

（3(十二)に規定する(6)で定めるところにより証明がされた数）

(6)　3(十二)に規定する(6)で定めるところにより証明がされた数は、同(三)に規定する適用年（当該適用年が計画の認定を受けた日の属する年である場合には、同日から当該適用年の12月31日までの期間）において他の事業所から適用対象特定業務施設に転勤した特定雇用者（新規雇用者を除く。）で当該適用年の12月31日において当該適用対象特定業務施設に勤務するものの数について記載された(11)で定める書類を確定申告書に添付することにより証明がされた当該特定雇用者の数とする。（措令5の6⑨）

（3(十三)に規定する(7)で定めるところにより証明がされた数）

(7)　3(十三)に規定する(7)で定めるところにより証明がされた数は、移転型適用対象特定業務施設のみを個人の事業所とみなした場合における基準雇用者数の計算の基礎となる雇用者の数について記載された(12)で定める書類を確定申告書に添付することにより証明がされた当該基準雇用者数とする。（措令5の6⑩）

（3(十四)に規定する(8)で定めるところにより証明がされた数）

(8)　3(十四)に規定する(8)で定めるところにより証明がされた数は、同(三)に規定する適用年（当該適用年が計画の認定を受けた日の属する年である場合には、同日から当該適用年の12月31日までの期間）に新たに雇用された雇用者で当該適用年の12月31日において移転型適用対象特定業務施設に勤務するものの総数について記載された(12)で定める書類を確定申告書に添付することにより証明がされた当該雇用者の総数とする。（措令5の6⑪）

（**3**(十五)に規定する(9)で定めるところにより証明がされた数）

(9)　**3**(十五)に規定する(9)で定めるところにより証明がされた数は、同(三)に規定する適用年（当該適用年が計画の認定を受けた日の属する年である場合には、同日から当該適用年の12月31日までの期間）において他の事業所から移転型適用対象特定業務施設に転勤した特定雇用者（新規雇用者を除く。）で当該適用年の12月31日において当該移転型適用対象特定業務施設に勤務するものの数について記載された(12)で定める書類を確定申告書に添付することにより証明がされた当該特定雇用者の数とする。（措令5の6⑫）

（**3**(十六)イに規定する(10)で定めるところにより証明された数及び**3**(十六)ロに規定する(10)で定めるところにより証明された数）

(10)　**3**(十六)イに規定する(10)で定めるところにより証明がされた数は、同(十六)イに規定する地方活力向上地域等特定業務施設整備計画について計画の認定を受けた同(十六)に規定する個人の当該計画の認定に係る特定業務施設(同(一)に規定する特定業務施設をいう。以下(10)において同じ。)のみを当該個人の事業所とみなした場合における基準雇用者数の計算の基礎となる雇用者の数について記載された(13)で定める書類を確定申告書に添付することにより証明がされた当該基準雇用者数とし、**3**(十六)ロに規定する(10)で定めるところにより証明がされた数は、当該特定業務施設のみを当該個人の事業所と、当該個人の特定雇用者のみを当該個人の雇用者と、それぞれみなした場合における基準雇用者数の計算の基礎となる雇用者の数について記載された(13)で定める書類を確定申告書に添付することにより証明がされた当該基準雇用者数とする。（措令5の6⑬）

（(2)、(3)、(5)及び(6)に規定する(11)で定める書類）

(11)　(2)、(3)、(5)及び(6)に規定する(11)で定める書類は、**1**の規定の適用を受けようとする個人の事業所（当該個人が二以上の事業所を有する場合には、当該二以上の事業所のうち主たる事業所。以下**十三**において同じ。）の所在地を管轄する都道府県労働局又は公共職業安定所の長が当該個人に対して交付する労働施策の総合的な推進並びに労働者の雇用の安定及び職業生活の充実等に関する法律施行規則附則第8条第3項に規定する雇用促進計画の達成状況を確認した旨を記載した書類（当該個人の雇用促進計画（同条第1項に規定する雇用促進計画をいう。以下**十三**において同じ。）の達成状況のうち当該個人が受けた**1**に規定する計画の認定（以下**十三**において「計画の認定」という。）に係る特定業務施設（**3**(一)に規定する特定業務施設をいう。(12)及び(13)において同じ。）に係るものが確認できるものに限る。）の写しとする。（措規5の9①）

（(4)及び(7)から(9)までに規定する(12)で定める書類）

(12)　(4)及び(7)から(9)までに規定する(12)で定める書類は、**1**の規定の適用を受けようとする個人の事業所の所在地を管轄する都道府県労働局又は公共職業安定所の長が当該個人に対して交付する労働施策の総合的な推進並びに労働者の雇用の安定及び職業生活の充実等に関する法律施行規則附則第8条第3項に規定する雇用促進計画の達成状況を確認した旨を記載した書類（**1**に規定する地方活力向上地域等特定業務施設整備計画（地域再生法第17条の2第1項第1号に掲げる事業に関するものに限る。）について計画の認定を受けた当該個人の雇用促進計画の達成状況のうち当該計画の認定に係る特定業務施設に係るものが確認できるものに限る。）の写しとする。（措規5の9②）

（(10)に規定する(13)で定める書類）

(13)　(10)に規定する(13)で定める書類は、**2**の規定の適用を受けようとする個人の事業所の所在地を管轄する都道府県労働局又は公共職業安定所の長が当該個人に対して交付する労働施策の総合的な推進並びに労働者の雇用の安定及び職業生活の充実等に関する法律施行規則附則第8条第3項に規定する雇用促進計画の達成状況を確認した旨を記載した書類（**3**(十六)に規定する地方活力向上地域等特定業務施設整備計画について計画の認定を受けた当該個人の雇用促進計画の達成状況のうち当該計画の認定に係る特定業務施設に係るものが確認できるものに限る。）の写しとする。（措規5の9③）

4　離職者がいないことの証明要件

1及び**2**の規定は、これらの規定の適用を受けようとする年並びにその前年及び前々年において、これらの規定に規定する個人に離職者（当該個人の雇用者又は高年齢雇用者であった者で、当該個人の都合によるものとして(1)で定める理由によって離職（雇用保険法第4条第2項に規定する離職をいう。）をしたものをいう。）がいないことにつき(2)で定めるところにより証明がされた場合に限り、適用する。（措法10の5⑤）

（**4**に規定する（1）で定める理由）

（1）　**4**に規定する（1）で定める理由は、**1**又は**2**の規定の適用を受けようとする個人の都合による労働施策の総合的な推進並びに労働者の雇用の安定及び職業生活の充実等に関する法律施行規則附則第８条第２項第４号に規定する労働者の解雇とする。（措規５の９④）

（**4**に規定する（2）で定めるところにより証明がされた場合）

（2）　**4**に規定する（2）で定めるところにより証明がされた場合は、**4**に規定する離職者がいないかどうかが確認できる（3）で定める書類を確定申告書に添付することにより証明がされた場合とする。（措令５の６⑭）

（（2）に規定する（3）で定める書類）

（3）　（2）に規定する（3）で定める書類は、**1**又は**2**に規定する個人の事業所の所在地を管轄する都道府県労働局又は公共職業安定所の長が当該個人に対して交付する労働施策の総合的な推進並びに労働者の雇用の安定及び職業生活の充実等に関する法律施行規則附則第８条第３項に規定する雇用促進計画の達成状況を確認した旨を記載した書類（当該個人の雇用促進計画の達成状況及び**4**に規定する離職者がいないかどうかが確認できるものに限る。）の写しとする。（措規５の９⑤）

5　申告手続等

1及び**2**の規定は、確定申告書（これらの規定により控除を受ける金額を増加させる修正申告書又は更正請求書を提出する場合には、当該修正申告書又は更正請求書を含む。）にこれらの規定による控除の対象となる地方事業所基準雇用者数又は地方事業所特別基準雇用者数、控除を受ける金額及び当該金額の計算に関する明細を記載した書類の添付がある場合に限り、適用する。この場合において、これらの規定により控除される金額の計算の基礎となる地方事業所基準雇用者数又は地方事業所特別基準雇用者数は、確定申告書に添付された書類に記載された地方事業所基準雇用者数又は地方事業所特別基準雇用者数を限度とする。（措法10の５⑥）

（**2**の規定の適用を受ける場合の書類添付要件）

（1）　個人が**2**に規定する地方活力向上地域等特定業務施設整備計画（以下（1）において「地方活力向上地域等特定業務施設整備計画」という。）につき**2**の規定の適用を受ける場合には、当該地方活力向上地域等特定業務施設整備計画につき**2**の規定の適用を受ける年分の確定申告書に当該地方活力向上地域等特定業務施設整備計画に係る基準日の属する年以後の各年が当該個人の基準雇用者数又は**3**（七）に規定する地方事業所基準雇用者数が零に満たない年に該当しないことが確認できる（2）で定める書類を添付しなければならない。（措令５の６⑮）

（（1）に規定する（2）で定める書類）

（2）　（1）に規定する（2）で定める書類は、（1）に規定する地方活力向上地域等特定業務施設整備計画に係る基準日（**3**（二）に規定する基準日をいう。）の属する年以後の各年に係る**3**（11）及び**4**（3）又は**3**（13）及び**4**（3）に規定する書類の写しとする。（措規５の９⑥）

十四　特定中小事業者が特定経営力向上設備等を取得した場合の所得税額の特別控除

……特別償却制度は第六章第二節**六４**参照

１　特定中小事業者が特定経営力向上設備等を取得した場合の所得税額の特別控除

特定中小事業者（**九**《試験研究を行った場合の所得税額の特別控除》**４**⑥に規定する中小企業者で青色申告書を提出するもののうち中小企業等経営強化法第17条第１項の認定（以下において「**認定**」という。）を受けた同法第２条第６項に規定する特定事業者等に該当するものをいう。以下において同じ。）が、平成29年４月１日から令和７年３月31日までの期間（以下において「**指定期間**」という。）内に、生産等設備を構成する機械及び装置、工具、器具及び備品、建物附属設備並びに(１)で定めるソフトウエアで、同法第17条第３項に規定する**経営力向上設備等**（経営の向上に著しく資するものとして(２)で定めるもので、その特定中小事業者のその認定に係る同条第１項に規定する経営力向上計画（同法第18条第１項の規定による変更の認定があったときは、その変更後のもの）に記載されたものに限る。）に該当するもののうち(３)で定める規模のもの（以下において「**特定経営力向上設備等**」という。）でその製作若しくは建設の後事業の用に供されたことのないものを取得し、又は特定経営力向上設備等を製作し、若しくは建設して、これを国内にある当該特定中小事業者の営む事業の用（**十１**に規定する指定事業の用に限る。以下において「**指定事業の用**」という。）に供した場合において、当該特定経営力向上設備等につき第六章第二節**六４**の規定の適用を受けないときは、その指定事業の用に供した日の属する年（事業を廃止した日の属する年を除く。以下において「**供用年**」という。）の年分の総所得金額に係る所得税の額から、(４)で定めるところにより、その指定事業の用に供した当該特定経営力向上設備等の取得価額の100分の10に相当する金額の合計額（以下において「**税額控除限度額**」という。）を控除する。この場合において、当該特定中小事業者の供用年における税額控除限度額が、当該特定中小事業者の当該供用年の年分の調整前事業所得税額（**九４**④に規定する調整前事業所得税額をいう。**２**において同じ。）の100分の20に相当する金額（**十１**の規定により当該供用年の年分の総所得金額に係る所得税の額から控除される金額がある場合には、当該金額を控除した残額）を超えるときは、その控除を受ける金額は、当該100分の20に相当する金額を限度とする。（措法10の５の３①③）

（**１**に規定する(１)で定めるソフトウエア）

(１)　**１**に規定する(１)で定めるソフトウエアは、**十１**(11)に規定するソフトウエアとする。（措令５の６の３①）

（**１**に規定する(２)で定めるもの）

(２)　**１**に規定する(２)で定めるものは、中小企業等経営強化法施行規則第16条第２項に規定する経営力向上に著しく資する設備等とする。（措規５の11①）

（**１**に規定する(３)で定める規模のもの）

(３)　**１**に規定する(３)で定める規模のものは、機械及び装置にあっては一台又は一基（通常一組又は一式をもって取引の単位とされるものにあっては、一組又は一式。以下(３)において同じ。）の取得価額（第六章第二節**五７**《減価償却資産の取得価額》**イ**①から同⑤までの規定により計算した取得価額をいう。以下(３)において同じ。）が160万円以上のものとし、工具、器具及び備品にあっては一台又は一基の取得価額が30万円以上のものとし、建物附属設備にあっては一の建物附属設備の取得価額が60万円以上のものとし、ソフトウエアにあっては一のソフトウエアの取得価額が70万円以上のものとする。（措令５の６の３②）

（**１**の規定による控除をすべき金額の控除の順序）

(４)　**１**の規定による控除をすべき金額は、その年分の**一**《配当控除》**４**に規定する課税総所得金額に係る所得税額から控除する。この場合において、当該所得税額から控除をすべき同**１**に規定する配当控除の額及び**十１**の規定による控除をすべき金額があるときは、まず当該配当控除の額及び同**１**の規定による控除をすべき金額を控除し、次に**１**の規定による控除をすべき金額を控除する。（措令５の６の３③）

（特定中小事業者であるかどうかの判定の時期）

(５)　個人が**１**に規定する特定中小事業者に該当するかどうかは、**１**に規定する特定経営力向上設備等（以下**十四**関係において「特定経営力向上設備等」という。）の取得又は製作若しくは建設（以下**十四**関係において「取得等」という。）をした日及び当該特定経営力向上設備等を事業の用に供した日の現況によって判定するものとする。（措通10の５の３－１）

（生産等設備の範囲）

(6)　**1**に規定する生産等設備（以下(6)において「生産等設備」という。）とは、例えば、製造業を営む個人の工場、小売業を営む個人の店舗又は自動車整備業を営む個人の作業場のように、その個人が行う生産活動、販売活動、役務提供活動その他収益を稼得するために行う活動（以下(6)において「生産等活動」という。）の用に直接供される減価償却資産で構成されているものをいう。

したがって、例えば、事務所、寄宿舎等の建物、事務用器具備品、乗用自動車、福利厚生施設のようなものは、これに該当しない。（措通10の５の３－２）

(注)　一棟の建物が事務所用と店舗用に供されている場合など、減価償却資産の一部が個人の生産等活動の用に直接供されるものについては、その全てが事業の用に供されているときには、その全てが生産等設備となることに留意する。

（取得価額の判定単位）

(7)　(3)に規定する機械及び装置又は工具、器具及び備品の１台又は１基の取得価額が160万円以上又は30万円以上であるかどうかについては、通常１単位として取引される単位ごとに判定するのであるが、個々の機械及び装置の本体と同時に設置する自動調整装置又は原動機のような附属機器で当該本体と一体になって使用するものがある場合には、これらの附属機器を含めたところによりその判定を行うことができるものとする。（措通10の５の３－４）

（国庫補助金等をもって取得等した特定経営力向上設備等の取得価額）

(8)　(3)に規定する機械及び装置、工具、器具及び備品、建物附属設備又はソフトウェアの取得価額が160万円以上、30万円以上、60万円以上又は70万円以上であるかどうかを判定する場合において、その機械及び装置、工具、器具及び備品、建物附属設備又はソフトウェアが第六章第一節**三 1**①の規定の適用を受ける同①に規定する国庫補助金等に係るもの若しくは同②に規定する国庫補助金等の交付に代わるべきものとして交付を受けるもの又は同**三 2**①の規定の適用を受ける同①に規定する国庫補助金等をもって取得されたものであるときは、同**三 1**④(一)又は同(二)又は同**三 2**⑤の規定により計算した金額に基づいてその判定を行うものとする。（措通10の５の３－５）

（主たる事業でない場合の適用）

(9)　個人の営む事業が**1**に規定する指定事業の用に係る事業（以下**十四**関係において「指定事業」という。）に該当するかどうかは、当該個人が主たる事業としてその事業を営んでいるかどうかを問わないことに留意する。（措通10の５の３－６）

（指定事業とその他の事業とに共通して使用される特定経営力向上設備等）

(10)　指定事業とその他の事業とを営む個人が、その取得等をした特定経営力向上設備等をそれぞれの事業に共通して使用している場合には、その全部を指定事業の用に供したものとして**十四**の規定を適用する。（措通10の５の３－７）

（貸付けの用に供したものに該当しない資産の貸与）

(11)　個人が、その取得等をした特定経営力向上設備等を自己の下請業者に貸与した場合において、当該特定経営力向上設備等が専ら当該個人のためにする製品の加工等の用に供されるものであるときは、当該特定経営力向上設備等は当該個人の営む事業の用に供したものとして**十四**の規定を適用する。（措通10の５の３－８）

（国庫補助金等の総収入金額不算入の適用を受ける場合の取得価額）

(12)　**十四 1**に規定する税額控除限度額（以下「税額控除限度額等」という。）を計算する場合における**十四 1**に規定する特定経営力向上設備等（以下「税額控除対象機械装置等」という。）の取得価額は、次に掲げる場合には、それぞれ次に定める金額による。（措通10の３～15共－３）

(一)　個人が取得又は製作若しくは建設（以下「取得等」という。）をした税額控除対象機械装置等につき、当該取得等をして事業の用に供した年（以下「供用年」という。）に係る年分において第六章第一節**三**《国庫補助金等の総収入金額不算入》 **1**①又は同**2**①の規定の適用を受ける場合　同**1**④又は同**2**⑤の規定により計算した金額

(二)　個人が取得等をした税額控除対象機械装置等につき、供用年後の年分において第六章第一節**三**《国庫補助金等の総収入金額不算入》**1**①又は同**2**①の規定の適用を受けることが予定されている場合　同章第二節**五**《減価償却》**7イ**各号に掲げる金額から同章第一節**三**《国庫補助金等の総収入金額不算入》 **1**①に規定する国庫補助金等の交付予定金額（同**2**①の規定の適用を受けることが予定されている場合には、国庫補助金等の交付金額で返還を要しないことが確定していないもの）を控除した金額

（注）1　(二)の国庫補助金等の交付予定金額は、供用年の12月31日において見込まれる金額による。

2　個人が税額控除対象機械装置等の供用年において税額控除限度額等の計算の基礎となる取得価額を(二)に定める金額によることなく第六章第二節**五**《減価償却》**7イ**各号に掲げる金額に基づき税額控除限度額等を計算して申告をしている場合において、供用年後の年分において同章第一節**三**《国庫補助金等の総収入金額不算入》**1**①又は同**2**①の規定の適用を受けるときは、供用年に遡って税額控除限度額等の計算の基礎となった取得価額から(二)の国庫補助金等の交付予定金額を控除した金額に基づき税額控除限度額等を修正することに留意する。

（特定経営力向上設備等の対価につき値引きがあった場合の税額控除限度額の計算）

(13)　**1**の規定の適用を受けた特定経営力向上設備等の対価の額について、個人が当該特定経営力向上設備等の取得等をして事業の用に供した年（以下「供用年」という。）の翌年以後の年において値引きがあった場合には、供用年に遡って当該値引きのあった特定経営力向上設備等に係る**1**に規定する税額控除限度額の修正を行うものとする。(措通10の5の3－9)

2　繰越税額控除限度超過額の控除

青色申告書を提出する個人が、その年（事業を廃止した日の属する年を除く。）において繰越税額控除限度超過額を有する場合には、その年分の総所得金額に係る所得税の額から、（1）で定めるところにより、当該繰越税額控除限度超過額に相当する金額を控除する。この場合において、当該個人のその年における繰越税額控除限度超過額が当該個人のその年分の調整前事業所得税額の100分の20に相当する金額(その年においてその指定事業の用に供した特定経営力向上設備等につき**1**の規定によりその年分の総所得金額に係る所得税の額から控除される金額又は**十1**及び同**2**の規定によりその年分の総所得金額に係る所得税の額から控除される金額がある場合には、これらの金額を控除した残額）を超えるときは、その控除を受ける金額は、当該100分の20に相当する金額を限度とする。(措法10の５の３④)

（繰越税額控除限度超過額の控除）

（1）　**2**の規定による控除をすべき金額は、その年分の**一4**に規定する課税総所得金額に係る所得税額から控除する。この場合において、当該所得税額から控除をすべき同**一1**に規定する配当控除の額並びに**十1**及び同**3**並びに**十四1**の規定による控除をすべき金額があるときは、まず当該配当控除の額及びこれらの規定による控除をすべき金額を控除し、次に**2**の規定による控除をすべき金額を控除する。(措令５の６の３④)

（繰越税額控除限度超過額の意義）

（2）　**2**に規定する繰越税額控除限度超過額とは、当該個人のその年の前年（当該前年分の所得税につき青色申告書を提出している場合に限る。）における税額控除限度額のうち、**1**の規定による控除をしてもなお控除しきれない金額をいう。(措法10の５の３⑤)

3　申告手続等

1の規定は、確定申告書（**1**の規定により控除を受ける金額を増加させる修正申告書又は更正請求書を提出する場合には、当該修正申告書又は更正請求書を含む。）に**1**の規定による控除の対象となる特定経営力向上設備等の取得価額、控除を受ける金額及び当該金額の計算に関する明細を記載した書類の添付がある場合に限り、適用する。この場合において、**1**の規定により控除される金額の計算の基礎となる特定経営力向上設備等の取得価額は、確定申告書に添付された書類に記載された特定経営力向上設備等の取得価額を限度とする。(措法10の５の３⑧)

（特定経営力向上設備等に該当するものであることを証する書類の添付）

（1）　個人が、その取得し、又は製作し、若しくは建設した機械及び装置、工具、器具及び備品、建物附属設備並びにソフトウエア（以下(1)において「機械装置等」という。）につき**1**の規定の適用を受ける場合には、当該機械装置等につき**1**の適用を受ける年分の確定申告書に当該機械装置等が**1**に規定する特定経営力向上設備等に該当するものであることを証する(2)で定める書類を添付しなければならない。(措令５の６の３⑤)

（(1)に規定する(2)で定める書類）

（2）　(1)に規定する(2)で定める書類は、当該個人が受けた中小企業等経営強化法第17条第１項の認定に係る経営力向上に関する命令（平成28年内閣府、総務省、財務省、厚生労働省、農林水産省、経済産業省、国土交通省令第２号）第２条第１項の申請書（当該申請書に係る同法第17条第１項に規定する経営力向上計画につき同法第18条第１項の規定による変更の認定があったときは、当該変更の認定に係る同令第３条第１項の申請書を含む。以下(2)において「認定申請書」という。）の写し及び当該認定申請書に係る認定書（当該変更の認定があったときは、当該変更の認定に係る認定書を含む。）の写しとする。（措規５の11②）

（注）　改正後の（2）の規定の適用については、（2）に規定する認定申請書には、経営力向上に関する命令の一部を改正する命令（令和６年内閣府、総務省、財務省、厚生労働省、農林水産省、経済産業省、国土交通省令第１号）による改正前の経営力向上に関する命令第２条第２項又は第３条第２項の申請書を含むものとする。（令６改措規附６）

（**2**の規定の適用を受ける場合の添付書類）

（3）　**2**の規定は、供用年及びその翌年分の確定申告書に**2**に規定する繰越税額控除限度超過額の明細書の添付があり、かつ、当該翌年分の確定申告書（**2**の規定により控除を受ける金額を増加させる修正申告書又は更正請求書を提出する場合には、当該修正申告書又は更正請求書を含む。）に**2**の規定による控除の対象となる**2**に規定する繰越税額控除限度超過額、控除を受ける金額及び当該金額の計算に関する明細を記載した書類の添付がある場合に限り、適用する。（措法10の５の３⑨）

十五　給与等の支給額が増加した場合の所得税額の特別控除

令和６年分までの規定（令和７年分以後については1656ページ）

１　給与等の支給額が増加した場合の所得税額の特別控除

青色申告書を提出する個人が、令和５年及び令和６年の各年（令和５年以後に事業を開始した個人のその開始した日の属する年及びその事業を廃止した日の属する年を除く。）において国内雇用者に対して給与等を支給する場合において、その年において当該個人の継続雇用者給与等支給額からその継続雇用者比較給与等支給額を控除した金額の当該継続雇用者比較給与等支給額に対する割合（(一)において「継続雇用者給与等支給増加割合」という。）が100分の３以上であるときは、当該個人のその年分の総所得金額に係る所得税の額から、(１)で定めるところにより、当該個人のその年の控除対象雇用者給与等支給増加額（その年において**十三**の規定の適用を受ける場合には、**十三**の規定による控除を受ける金額の計算の基礎となった者に対する給与等の支給額として(２)で定めるところにより計算した金額を控除した残額）に100分の15（その年において次の(一)又は(二)に掲げる要件を満たす場合には、100分の15に当該(一)又は(二)に定める割合（その年において次の(一)及び(二)に掲げる要件の全てを満たす場合には、当該(一)及び(二)に定める割合を合計した割合）を加算した割合）を乗じて計算した金額（以下**１**において「税額控除限度額」という。）を控除する。この場合において、当該税額控除限度額が、当該個人のその年分の調整前事業所得税額（**九４④**に規定する調整前事業所得税額をいう。**２**において同じ。）の100分の20に相当する金額を超えるときは、その控除を受ける金額は、当該100分の20に相当する金額を限度とする。（旧措法10の５の４①）

(一)	継続雇用者給与等支給増加割合が100分の４以上であること	100分の10
(二)	当該個人のその年分の事業所得の金額の計算上必要経費に算入される教育訓練費の額（その教育訓練費に充てるため他の者（その個人が非居住者である場合の第二章第二節**４①**(一)に規定する事業場等を含む。**３③**において同じ。）から支払を受ける金額がある場合には、当該金額を控除した金額。**２**(二)及び**３⑦**において同じ。）からその比較教育訓練費の額を控除した金額の当該比較教育訓練費の額に対する割合が100分の20以上であること	100分の５

（税額控除の控除要領）

(１)　**１**の規定による控除をすべき金額は、その年分の**一**《配当控除》**４**に規定する課税総所得金額に係る所得税額から控除する。この場合において、当該所得税額から控除をすべき**一１**に規定する配当控除の額があるときは、まず当該配当控除の額を控除し、次に**１**の規定による控除をすべき金額を控除する。（旧措令５の６の４①）

（**１**に規定する(２)で定めるところにより計算した金額）

(２)　**１**に規定する(２)で定めるところにより計算した金額は、**１**の個人の**１**の規定の適用を受けようとする年（以下(２)において「適用年」という。）に係る**３⑤**イに規定する雇用者給与等支給額を当該適用年の12月31日における**十三３**(三)に規定する雇用者の数で除して計算した金額に次の(一)及び(二)に掲げる数を合計した数（当該合計した数が地方事業所基準雇用者数（**十三１**(二)イに規定する地方事業所基準雇用者数をいう。以下(２)において同じ。）を超える場合には、当該地方事業所基準雇用者数）を乗じて計算した金額の100分の20に相当する金額とする。（旧措令５の６の４②）

<table>
<tr><td>(一)</td><td colspan="2">当該個人が当該適用年において十三１の規定の適用を受ける場合における当該適用年の特定新規雇用者基礎数（同１(二)イに規定する特定新規雇用者基礎数をいう。(二)イにおいて同じ。）と当該適用年の特定非新規雇用者基礎数（同１(二)ロに規定する特定非新規雇用者基礎数をいう。(二)ロにおいて同じ。）とを合計した数</td></tr>
<tr><td rowspan="3">(二)</td><td colspan="2">当該個人が当該適用年において十三２の規定の適用を受ける場合における当該適用年の十三３(十二)に規定する移転型地方事業所基準雇用者数から当該個人が当該適用年において十三１の規定の適用を受ける場合における当該適用年の次に掲げる数を合計した数を控除した数</td></tr>
<tr><td>イ</td><td>特定新規雇用者基礎数のうち十三３(九)に規定する移転型特定新規雇用者数に達するまでの数</td></tr>
<tr><td>ロ</td><td>特定非新規雇用者基礎数のうち十三１(二)ロに規定する移転型特定非新規雇用者基礎数に達するまでの数</td></tr>
</table>

（注）　令和６年分以前の所得税については、改正前の（２）の規定は、なおその効力を有する。この場合において、同年分における（２）の規定の適用については、「**十三３**（三）」とあるのは「**十三３**（四）」と、（２）(二)中「**十三３**（十二）に規定する移転型地方事業所基準雇用者数」とあるのは「**十三３**（十六）イに掲げる数のうち同（十六）ロに掲げる数に達するまでの数」と、同(二)イ中「**十三３**（九）」とあるのは「**十三３**（十）」とする。（令６改措令附４②）

2　中小事業者の給与等の支給額が増加した場合の所得税額の特別控除

九４⑥に規定する中小事業者で青色申告書を提出するもの（以下**２**において「中小事業者」という。）が、令和元年から令和６年までの各年（**１**の規定の適用を受ける年、令和元年以後に事業を開始した中小事業者のその開始した日の属する年及びその事業を廃止した日の属する年を除く。）において国内雇用者に対して給与等を支給する場合において、その年において当該中小事業者の雇用者給与等支給額からその比較雇用者給与等支給額を控除した金額の当該比較雇用者給与等支給額に対する割合（(一)において「雇用者給与等支給増加割合」という。）が100分の1.5以上であるときは、当該中小事業者のその年分の総所得金額に係る所得税の額から、（１）で定めるところにより、当該中小事業者のその年の控除対象雇用者給与等支給増加額（その年において**十三**の規定の適用を受ける場合には、**十三**の規定による控除を受ける金額の計算の基礎となった者に対する給与等の支給額として（２）で定めるところにより計算した金額を控除した残額）に100分の15（その年において次の(一)又は(二)に掲げる要件を満たす場合には、100分の15に当該(一)又は(二)に定める割合（その年において次の(一)及び(二)に掲げる要件の全てを満たす場合には、当該(一)及び(二)に定める割合を合計した割合）を加算した割合）を乗じて計算した金額（以下**２**において「中小事業者税額控除限度額」という。）を控除する。この場合において、当該中小事業者税額控除限度額が、当該中小事業者のその年分の調整前事業所得税額の100分の20に相当する金額を超えるときは、その控除を受ける金額は、当該100分の20に相当する金額を限度とする。（旧措法10の５の４②）

(一)	雇用者給与等支給増加割合が100分の2.5以上であること	100分の15
(二)	当該中小事業者のその年分の事業所得の金額の計算上必要経費に算入される教育訓練費の額からその比較教育訓練費の額を控除した金額の当該比較教育訓練費の額に対する割合が100分の10以上であること	100分の10

（税額控除の控除要領）

（１）　**２**の規定による控除をすべき金額は、その年分の**一４**に規定する課税総所得金額に係る所得税額から控除する。この場合において、当該所得税額から控除をすべき**一１**に規定する配当控除の額があるときは、まず当該配当控除の額を控除し、次に**２**の規定による控除をすべき金額を控除する。（旧措令５の６の４③）

（**１**（２）の規定の準用）

（２）　**１**（２）の規定は、**２**に規定する（２）で定めるところにより計算した金額について準用する。この場合において、**１**（２）中「**１**の個人」とあるのは「**２**に規定する中小事業者」と、**１**（２）(一)及び(二)中「当該個人」とあるのは「当該中小事業者」と読み替えるものとする。（旧措令５の６の４④）

（中小事業者であるかどうかの判定の時期）

（３）　**２**に規定する中小事業者に該当するかどうかは、その年12月31日の現況によって判定するものとする。（旧措通10の５の４－１）

3　用語の意義

十五において、次の①から⑨までに掲げる用語の意義は、当該①から⑨までに定めるところによる。（旧措法10の５の４③）

（注）　**３**の月数は、暦に従って計算し、１月に満たない端数を生じたときは、これを１月とする。（旧措法10の５の４④）

①　国内雇用者

個人の使用人（当該個人と（１）で定める特殊の関係のある者を除く。）のうち当該個人の有する国内の事業所に勤務する雇用者として（２）で定めるものに該当するものをいう。（旧措法10の５の４③一）

(①に規定する(1)で定める特殊の関係のある者)

(1)　①に規定する(1)で定める特殊の関係のある者は、次の(一)から(四)までに掲げる者とする。(旧措令5の6の4⑤)

(一)	当該個人の親族
(二)	当該個人と婚姻の届出をしていないが事実上婚姻関係と同様の事情にある者
(三)	(一)及び(二)に掲げる者以外の者で当該個人から受ける金銭その他の資産（給与等（②に規定する給与等をいう。以下(1)において同じ。）に該当しないものに限る。）によって生計の支援を受けているもの
(四)	(二)及び(三)に掲げる者と生計を一にするこれらの者の親族

(①に規定する(2)で定めるもの)

(1)　①に規定する(2)で定めるものは、当該個人の国内に所在する事業所につき作成された労働基準法第108条に規定する賃金台帳に記載された者とする。(旧措令5の6の4⑥)

② **給与等**

第四章第五節**一**に規定する給与等をいう。(旧措法10の5の4③二)

(給与等の範囲)

(1)　②の給与等とは、第四章第五節**一**に規定する給与等（以下**十五**関係において「給与等」という。）をいうのであるが、例えば、労働基準法第108条に規定する賃金台帳に記載された支給額（非課税とされる通勤手当等の額を含む。）のみを対象として③及び④並びに⑧及び⑨の「給与等の支給額」を計算するなど、合理的な方法により継続して給与等の支給額を計算している場合には、これを認める。(旧措通10の5の4－2)

③ **継続雇用者給与等支給額**

継続雇用者（個人の各年（以下**3**において「適用年」という。）及び当該適用年の前年の各月分のその個人の給与等の支給を受けた国内雇用者として(1)で定めるものをいう。④において同じ。）に対する当該適用年の給与等の支給額（その給与等に充てるため他の者から支払を受ける金額（国又は地方公共団体から受ける雇用保険法第62条第1項第1号に掲げる事業として支給が行われる助成金その他これに類するものの額を除く。）がある場合には、当該金額を控除した金額。以下**3**において同じ。）として(3)で定める金額をいう。(旧措法10の5の4③三)

(③に規定する(1)で定めるもの)

(1)　③に規定する(1)で定めるものは、個人の①に規定する国内雇用者（雇用保険法第60条の2第1項第1号に規定する一般被保険者に該当する者に限るものとし、高年齢者等の雇用の安定等に関する法律第9条第1項第2号に規定する継続雇用制度の対象である者として(2)で定める者を除く。以下(1)において「国内雇用者」という。）のうち、当該個人の国内雇用者として適用年（③に規定する適用年をいう。以下(1)及び④(1)において同じ。）及び当該適用年の前年において事業を営んでいた期間内の各月分の当該個人の給与等の支給を受けたものとする。(旧措令5の6の4⑦)

((1)に規定する(2)で定める者)

(2)　(1)に規定する(2)で定める者は、当該個人の就業規則において(1)に規定する継続雇用制度を導入している旨の記載があり、かつ、次の(一)及び(二)に掲げる書類のいずれかにその者が当該継続雇用制度に基づき雇用されている者である旨の記載がある場合のその者とする。(旧措規5の12①)

(一)	雇用契約書その他これに類する雇用関係を証する書類
(二)	①(2)に規定する賃金台帳

(③に規定する(3)で定める金額)

(3)　③に規定する(3)で定める金額は、⑧に規定する雇用者給与等支給額のうち③に規定する継続雇用者（④(1)において「継続雇用者」という。）に係る金額とする。(旧措令5の6の4⑧)

（他の者から支払を受ける金額の範囲）

（４）　③の規定の適用上、給与等の支給額から控除する「他の者……から支払を受ける金額」とは、次に掲げる金額が該当する。（旧措通10の５の４－３）

⑴　補助金、助成金、給付金又は負担金その他これらに準ずるもの（以下**十五**関係において「補助金等」という。）の要綱、要領又は契約において、その補助金等の交付の趣旨又は目的がその交付を受ける個人の給与等の支給額に係る負担を軽減させることであることが明らかにされている場合のその補助金等の交付額

⑵　⑴以外の補助金等の交付額で、資産の譲渡、資産の貸付け及び役務の提供に係る反対給付としての交付額に該当しないもののうち、その算定方法が給与等の支給実績又は支給単価（雇用契約において時間、日、月、年ごとにあらかじめ決められている給与等の支給額をいう。）を基礎として定められているもの

（雇用安定助成金額の範囲）

（５）　③の「国又は地方公共団体から受ける雇用保険法第62条第１項第１号に掲げる事業として支給が行われる助成金その他これに類するものの額」とは、次のものが該当する。（旧措通10の５の４－４）

⑴　雇用調整助成金、産業雇用安定助成金又は緊急雇用安定助成金の額

⑵　⑴に上乗せして支給される助成金の額その他の⑴に準じて地方公共団体から支給される助成金の額

（資産の取得価額に算入された給与等）

（６）　③の「給与等の支給額」は、その年分の事業所得の金額の計算上必要経費に算入されるものが対象になるのであるが、例えば、自己の製造等に係る棚卸資産の取得価額に算入された給与等の額や自己の製作に係るソフトウエアの取得価額に算入された給与等の額について、個人が継続してその給与等を支給した日の属する年分の「給与等の支給額」に含めて計算することとしている場合には、その計算を認める。（旧措通10の５の４－５）

④　**継続雇用者比較給与等支給額**

③の個人の継続雇用者に対する適用年の前年の給与等の支給額として（１）で定める金額をいう。（旧措法10の５の４③四）

（④に規定する（１）で定める金額）

（１）　④に規定する（１）で定める金額は、④の個人の適用年の前年に係る給与等支給額（個人のその年分の事業所得の金額の計算上必要経費に算入される国内雇用者（①に規定する国内雇用者をいう。⑥（１）㈠から同㈢及び⑨（２）において同じ。）に対する給与等の支給額（③に規定する支給額をいう。⑨（２）において同じ。）をいう。以下⑨（１）までにおいて同じ。）のうち継続雇用者に係る金額（当該個人が当該適用年の前年において事業を開始した場合には、当該適用年の前年に係る給与等支給額のうち継続雇用者に係る金額に12を乗じてこれを当該適用年の前年において事業を営んでいた期間の月数で除して計算した金額）とする。（旧措令５の６の４⑨）

（注）（１）の月数は、暦に従って計算し、１月に満たない端数を生じたときは、これを１月とする。（旧措令５の６の４⑰）

（継続雇用者比較給与等支給額が零である場合）

（２）　**1**の規定の適用を受けようとする個人のその適用を受けようとする年に係る④に規定する継続雇用者比較給与等支給額が零である場合には、**1**に規定する継続雇用者給与等支給増加割合が100分の３以上であるときに該当しないものとする。（旧措令５の６の４⑱）

（他の者から支払を受ける金額の範囲）

（３）　④の規定の適用上、給与等の支給額から控除する「他の者……から支払を受ける金額」とは、次に掲げる金額が該当する。（旧措通10の５の４－３）

⑴　補助金等の要綱、要領又は契約において、その補助金等の交付の趣旨又は目的がその交付を受ける個人の給与等の支給額に係る負担を軽減させることであることが明らかにされている場合のその補助金等の交付額

⑵　⑴以外の補助金等の交付額で、資産の譲渡、資産の貸付け及び役務の提供に係る反対給付としての交付額に該当しないもののうち、その算定方法が給与等の支給実績又は支給単価（雇用契約において時間、日、月、年ごとにあらかじめ決められている給与等の支給額をいう。）を基礎として定められているもの

（雇用安定助成金額の範囲）

（4）　④の「国又は地方公共団体から受ける雇用保険法第62条第１項第１号に掲げる事業として支給が行われる助成金その他これに類するものの額」とは、次のものが該当する。（旧措通10の５の４－４）

⑴　雇用調整助成金、産業雇用安定助成金又は緊急雇用安定助成金の額

⑵　⑴に上乗せして支給される助成金の額その他の⑴に準じて地方公共団体から支給される助成金の額

（資産の取得価額に算入された給与等）

（5）　④の「給与等の支給額」は、その年分の事業所得の金額の計算上必要経費に算入されるものが対象になるのであるが、例えば、自己の製造等に係る棚卸資産の取得価額に算入された給与等の額や自己の製作に係るソフトウエアの取得価額に算入された給与等の額について、個人が継続してその給与等を支給した日の属する年分の「給与等の支給額」に含めて計算することとしている場合には、その計算を認める。（旧措通10の５の４－５）

⑤　控除対象雇用者給与等支給増加額

個人の雇用者給与等支給額からその比較雇用者給与等支給額を控除した金額（当該金額が当該個人の調整雇用者給与等支給増加額（イに掲げる金額からロに掲げる金額を控除した金額をいう。）を超える場合には、当該調整雇用者給与等支給増加額）をいう。（旧措法10の５の４③五）

イ	雇用者給与等支給額（当該雇用者給与等支給額の計算の基礎となる給与等に充てるための雇用安定助成金額（国又は地方公共団体から受ける雇用保険法第62条第１項第１号に掲げる事業として支給が行われる助成金その他これに類するものの額をいう。以下⑤において同じ。）がある場合には、当該雇用安定助成金額を控除した金額）
ロ	比較雇用者給与等支給額（当該比較雇用者給与等支給額の計算の基礎となる給与等に充てるための雇用安定助成金額がある場合には、当該雇用安定助成金額を控除した金額）

（他の者から支払を受ける金額の範囲）

（1）　⑤の規定の適用上、給与等の支給額から控除する「他の者……から支払を受ける金額」とは、次に掲げる金額が該当する。（旧措通10の５の４－３）

⑴　補助金等の要綱、要領又は契約において、その補助金等の交付の趣旨又は目的がその交付を受ける個人の給与等の支給額に係る負担を軽減させることであることが明らかにされている場合のその補助金等の交付額

⑵　⑴以外の補助金等の交付額で、資産の譲渡、資産の貸付け及び役務の提供に係る反対給付としての交付額に該当しないもののうち、その算定方法が給与等の支給実績又は支給単価（雇用契約において時間、日、月、年ごとにあらかじめ決められている給与等の支給額をいう。）を基礎として定められているもの

（雇用安定助成金額の範囲）

（2）　⑤の「国又は地方公共団体から受ける雇用保険法第62条第１項第１号に掲げる事業として支給が行われる助成金その他これに類するものの額」とは、次のものが該当する。（旧措通10の５の４－４）

⑴　雇用調整助成金、産業雇用安定助成金又は緊急雇用安定助成金の額

⑵　⑴に上乗せして支給される助成金の額その他の⑴に準じて地方公共団体から支給される助成金の額

⑥　教育訓練費

個人がその国内雇用者の職務に必要な技術又は知識を習得させ、又は向上させるために支出する費用で（1）で定めるものをいう。（旧措法10の５の４③六）

（⑥に規定する（1）で定める費用）

（1）　⑥に規定する（1）で定める費用は、次の㈠から㈢までに掲げる場合の区分に応じ当該㈠から㈢までに定める費用とする。（旧措令５の６の４⑩）

㈠	個人がその国内雇用者に対して教育、訓練、研修、講習その他これらに類するもの（以下（1）において「教育訓練等」という。）を自ら行う場合	次に掲げる費用 イ　当該教育訓練等のために講師又は指導者（当該個人の使用人である者を除く。）に対して支払う報酬その他の（2）で定める費用

		ロ　当該教育訓練等のために施設、設備その他の資産を賃借する場合におけるその賃借に要する費用その他これに類する(3)で定める費用
(二)	個人から委託を受けた他の者（当該個人が非居住者である場合の第二章第二節**4**①(一)に規定する事業場等を含む。以下(二)及び(三)において同じ。）が当該個人の国内雇用者に対して教育訓練等を行う場合	当該教育訓練等のために当該他の者に対して支払う費用
(三)	個人がその国内雇用者を他の者が行う教育訓練等に参加させる場合	当該他の者に対して支払う授業料その他の(4)で定める費用

((1)(一)イに規定する(2)で定める費用)

(2)　(1)(一)イに規定する(2)で定める費用は、(1)(一)に規定する教育訓練等（以下「教育訓練等」という。）のために(1)(一)イに規定する講師又は指導者（以下(2)において「講師等」という。）に対して支払う報酬、料金、謝金その他これらに類するもの及び講師等の旅費（教育訓練等を行うために要するものに限る。）のうち個人（(1)(一)に規定する個人をいう。以下(2)において同じ。）が負担するもの並びに教育訓練等に関する計画又は内容の作成について当該教育訓練等に関する専門的知識を有する者（当該個人の使用人である者を除く。）に委託している場合の当該専門的知識を有する者に対して支払う委託費その他これに類するものとする。（旧措規５の12②）

((1)(一)ロに規定する(3)で定める費用)

(3)　(1)(一)ロに規定する(3)で定める費用は、コンテンツ（文字、図形、色彩、音声、動作若しくは映像又はこれらを組み合わせたものをいう。以下(3)において同じ。）の使用料（コンテンツの取得に要する費用に該当するものを除く。）とする。（旧措規５の12③）

((1)(三)に規定する(4)で定める費用)

(4)　(1)(三)に規定する(4)で定める費用は、授業料、受講料、受験手数料その他の同(三)の他の者が行う教育訓練等に対する対価として支払うものとする。（旧措規５の12④）

((1)(一)から同(三)に定める費用の明細を記載した書類の保存)

(5)　個人が、**1**(二)又は**2**(二)に掲げる要件を満たすものとして**1**又は**2**の規定の適用を受ける場合には、これらの規定の適用に係る(1)(一)から同(三)に定める費用の明細を記載した書類として(6)で定める書類を保存しなければならない。（旧措令５の６の４⑪）

((5)に規定する(6)で定める書類)

(6)　(5)に規定する(6)で定める書類は、**1**又は**2**の規定の適用を受けようとする年分の事業所得の金額の計算上必要経費に算入される**1**(二)に規定する教育訓練費の額及びその年における⑦に規定する比較教育訓練費の額に関する次の(一)から(四)までに掲げる事項を記載した書類とする。（旧措規５の12⑤）

(一)	(1)(一)から同(三)に定める費用に係る教育訓練等の実施時期
(二)	当該教育訓練等の内容
(三)	当該教育訓練等の対象となる①に規定する国内雇用者の氏名
(四)	その費用を支出した年月日、内容及び金額並びに相手先の氏名又は名称

(調整対象年に係る教育訓練費の額)

(7)　**1**又は**2**の規定の適用を受けようとする個人が次の(一)又は(二)に掲げる場合に該当する場合のその適用を受けようとする年（以下(7)において「適用年」という。）の当該個人の⑦に規定する比較教育訓練費の額の計算における⑦の教育訓練費の額については、当該個人の当該(一)又は(二)に規定する調整対象年に係る教育訓練費の額（個人のその年分の事業所得の金額の計算上必要経費に算入される**1**(二)に規定する教育訓練費の額をいう。⑨(2)を除き、

以下において同じ。）は、当該(一)又は(二)に定めるところによる。（旧措令５の６の４⑫）

(一)	適用年において当該個人の事業所得を生ずべき事業（以下(７)及び⑨(２)において「承継事業」という。）を相続（包括遺贈を含む。(二)及び⑨(２)において同じ。）により承継した場合	当該個人の適用年の前年の１月１日（当該適用年の前年において事業を開始した当該個人にあっては、当該事業を開始した日。(二)において同じ。）から12月31日までの期間（以下(一)において「調整対象年」という。）に係る教育訓練費の額については、当該個人の当該調整対象年に係る教育訓練費の額に、当該個人の当該調整対象年において事業を営んでいた月に係る被相続人（包括遺贈者を含む。(二)及び(８)において同じ。）の月別教育訓練費の額を合計した金額に当該個人が当該承継事業を承継した日から当該適用年の12月31日までの期間の月数を乗じてこれを12で除して計算した金額を加算する。
(二)	適用年の前年の１月１日から12月31日までの期間（以下(二)において「調整対象年」という。）において承継事業を相続により承継した場合	当該個人の当該調整対象年に係る教育訓練費の額については、当該個人の当該調整対象年に係る教育訓練費の額に当該個人の当該調整対象年において事業を営んでいた月（当該承継事業を承継した日の属する月以後の月を除く。）に係る被相続人の月別教育訓練費の額を合計した金額を加算する。

（注）（７）の月数は、暦に従って計算し、１月に満たない端数を生じたときは、これを１月とする。（旧措令５の６の４⑰）

（(７)に規定する月別教育訓練費の額）

（８）　(７)に規定する月別教育訓練費の額とは、その被相続人の(７)(一)及び(二)に規定する調整対象年の教育訓練費の額を当該調整対象年において当該被相続人が事業を営んでいた期間の月数で除して計算した金額を当該調整対象年において(７)の個人が事業を営んでいた月に係るものとみなしたものをいう。（旧措令５の６の４⑬）

（注）（８）の月数は、暦に従って計算し、１月に満たない端数を生じたときは、これを１月とする。（旧措令５の６の４⑰）

⑦　比較教育訓練費の額

個人の適用年の前年分の事業所得の金額の計算上必要経費に算入される教育訓練費の額（当該個人が当該適用年の前年において事業を開始した場合には、当該適用年の前年の教育訓練費の額に12を乗じてこれを当該適用年の前年において事業を営んでいた期間の月数で除して計算した金額）をいう。（旧措法10の５の４③七）

（比較教育訓練費の額が零である場合）

（１）　**1**又は**2**の規定の適用を受けようとする個人のその適用を受けようとする年に係る⑦に規定する比較教育訓練費の額が零である場合における**1**又は**2**の規定の適用については、次の(一)及び(二)に掲げる場合の区分に応じ当該(一)又は(二)に定めるところによる。（旧措令５の６の４⑳）

(一)	その年に係る教育訓練費の額が零である場合	**1**(二)及び**2**(二)に掲げる要件を満たさないものとする。
(二)	(一)に掲げる場合以外の場合	**1**(二)及び**2**(二)に掲げる要件を満たすものとする。

⑧　雇用者給与等支給額

個人の適用年の年分の事業所得の金額の計算上必要経費に算入される国内雇用者に対する給与等の支給額をいう。（旧措法10の５の４③八）

（他の者から支払を受ける金額の範囲）

（１）　⑧の規定の適用上、給与等の支給額から控除する「他の者……から支払を受ける金額」とは、次に掲げる金額が該当する。（旧措通10の５の４－３）

⑴　補助金等の要綱、要領又は契約において、その補助金等の交付の趣旨又は目的がその交付を受ける個人の給与等の支給額に係る負担を軽減させることであることが明らかにされている場合のその補助金等の交付額

⑵　⑴以外の補助金等の交付額で、資産の譲渡、資産の貸付け及び役務の提供に係る反対給付としての交付額に該当しないもののうち、その算定方法が給与等の支給実績又は支給単価（雇用契約において時間、日、月、年ごとにあらかじめ決められている給与等の支給額をいう。）を基礎として定められているもの

（資産の取得価額に算入された給与等）

（2）　⑧の「給与等の支給額」は、その年分の事業所得の金額の計算上必要経費に算入されるものが対象になるのであるが、例えば、自己の製造等に係る棚卸資産の取得価額に算入された給与等の額や自己の製作に係るソフトウエアの取得価額に算入された給与等の額について、個人が継続してその給与等を支給した日の属する年分の「給与等の支給額」に含めて計算することとしている場合には、その計算を認める。（旧措通10の5の4－5）

⑨　比較雇用者給与等支給額

個人の適用年の前年分の事業所得の金額の計算上必要経費に算入される国内雇用者に対する給与等の支給額（当該適用年の前年において事業を営んでいた期間の月数と当該適用年において事業を営んでいた期間の月数とが異なる場合には、その月数に応じ（1）で定めるところにより計算した金額）をいう。（旧措法10の5の4③九）

（⑨に規定する（1）で定めるところにより計算した金額）

（1）　⑨に規定する（1）で定めるところにより計算した金額は、⑨の適用年の前年に係る給与等支給額に12を乗じてこれを当該適用年の前年において事業を営んでいた期間の月数で除して計算した金額とする。（旧措令5の6の4⑭）

（注）（1）の月数は、暦に従って計算し、1月に満たない端数を生じたときは、これを1月とする。（旧措令5の6の4⑰）

（適用年の前年又は当該適用年において承継事業を相続により承継した場合の比較雇用者給与等支給額の計算）

（2）　**1**又は**2**の規定の適用を受けようとする個人のその適用を受けようとする年（以下（2）において「適用年」という。）の前年又は当該適用年において承継事業を相続により承継した場合の当該個人の当該適用年における⑨に規定する比較雇用者給与等支給額の計算における当該個人の適用年の前年分の事業所得の金額の計算上必要経費に算入される⑨の給与等の支給額（当該適用年において事業を営んでいた期間の月数と当該適用年の前年において事業を営んでいた期間の月数とが異なる場合には、（1）の給与等支給額）については、給与等支給額（個人のその年分の事業所得の金額の計算上必要経費に算入される国内雇用者に対する給与等の支給額をいう。）を⑥（7）の教育訓練費の額と、当該個人の当該適用年の前年を⑥（7）（一）及び同（二）に規定する調整対象年と、それぞれみなした場合における⑥（7）（一）及び同（二）に掲げる場合の区分に応じ当該（一）及び同（二）に定めるところによる。（旧措令5の6の4⑮）

（注）（2）の月数は、暦に従って計算し、1月に満たない端数を生じたときは、これを1月とする。（旧措令5の6の4⑰）

（雇用安定助成金額があるときの比較雇用者給与等支給額の計算）

（3）　**1**又は**2**の規定の適用を受けようとする個人が次の（一）又は（二）に掲げる場合に該当する場合において、当該（一）又は（二）に定める金額の計算の基礎となる給与等に充てるための⑤イに規定する雇用安定助成金額があるときは、⑤ロに掲げる金額は、当該（一）又は（二）に定める金額から当該雇用安定助成金額を控除して計算した⑨に規定する比較雇用者給与等支給額とする。（旧措令5の6の4⑯）

（一）	⑨の適用年の前年において事業を営んでいた期間の月数と当該適用年において事業を営んでいた期間の月数とが異なる場合	（1）の給与等支給額
（二）	（2）の規定によりみなされた⑥（7）の規定の適用を受ける場合	（2）の給与等支給額

（注）（3）の月数は、暦に従って計算し、1月に満たない端数を生じたときは、これを1月とする。（旧措令5の6の4⑰）

（比較雇用者給与等支給額が零である場合）

（4）　**2**の規定の適用を受けようとする**2**に規定する中小事業者のその適用を受けようとする年に係る⑨に規定する比較雇用者給与等支給額が零である場合には、**2**に規定する雇用者給与等支給増加割合が100分の1.5以上であるときに該当しないものとする。（旧措令5の6の4⑲）

（他の者から支払を受ける金額の範囲）

（5）　⑨の規定の適用上、給与等の支給額から控除する「他の者……から支払を受ける金額」とは、次に掲げる金額が該当する。（旧措通10の5の4－3）

⑴　補助金等の要綱、要領又は契約において、その補助金等の交付の趣旨又は目的がその交付を受ける個人の給与等の支給額に係る負担を軽減させることであることが明らかにされている場合のその補助金等の交付額

⑵　⑴以外の補助金等の交付額で、資産の譲渡、資産の貸付け及び役務の提供に係る反対給付としての交付額に該当しないもののうち、その算定方法が給与等の支給実績又は支給単価（雇用契約において時間、日、月、年ごとにあ

らかじめ決められている給与等の支給額をいう。）を基礎として定められているもの

（資産の取得価額に算入された給与等）

（6）　⑨の「給与等の支給額」は、その年分の事業所得の金額の計算上必要経費に算入されるものが対象になるのであるが、例えば、自己の製造等に係る棚卸資産の取得価額に算入された給与等の額や自己の製作に係るソフトウエアの取得価額に算入された給与等の額について、個人が継続してその給与等を支給した日の属する年分の「給与等の支給額」に含めて計算することとしている場合には、その計算を認める。（旧措通10の５の４－５）

4　確定申告書への計算明細書の添付要件

1及び**2**の規定は、確定申告書（これらの規定により控除を受ける金額を増加させる修正申告書又は更正請求書を提出する場合には、当該修正申告書又は更正請求書を含む。）にこれらの規定による控除の対象となる控除対象雇用者給与等支給増加額（**1**の規定の適用を受けようとする場合には、継続雇用者給与等支給額及び継続雇用者比較給与等支給額を含む。）、控除を受ける金額及び当該金額の計算に関する明細を記載した書類の添付がある場合に限り、適用する。この場合において、**1**及び**2**の規定により控除される金額の計算の基礎となる控除対象雇用者給与等支給増加額は、確定申告書に添付された書類に記載された控除対象雇用者給与等支給増加額を限度とする。（旧措法10の５の４⑤）

十五　給与等の支給額が増加した場合の所得税額の特別控除

（注）　改正後の**十五**（**4**を除く。）の規定は、令和７年分以後の所得税について適用され、令和６年分以前の所得税については、なお従前の例による。（令６改所法等附26①）

1　給与等の支給額が増加した場合の所得税額の特別控除

青色申告書を提出する個人が、令和５年から令和９年までの各年（令和５年以後に事業を開始した個人のその開始した日の属する年及びその事業を廃止した日の属する年を除く。）において国内雇用者に対して給与等を支給する場合において、その年において当該個人の継続雇用者給与等支給額からその継続雇用者比較給与等支給額を控除した金額の当該継続雇用者比較給与等支給額に対する割合（(一)において「継続雇用者給与等支給増加割合」という。）が100分の３以上であるとき（その年12月31日において当該個人の常時使用する従業員の数が2,000人を超える場合には、給与等の支給額の引上げの方針、下請中小企業振興法第２条第４項に規定する下請事業者その他の取引先との適切な関係の構築の方針その他の（1）で定める事項を公表している場合として（2）で定める場合に限る。）は、当該個人のその年分の総所得金額に係る所得税の額から、（3）で定めるところにより、当該個人のその年の控除対象雇用者給与等支給増加額（その年において**十三**の規定の適用を受ける場合には、**十三**の規定による控除を受ける金額の計算の基礎となった者に対する給与等の支給額として（4）で定めるところにより計算した金額を控除した残額）に100分の10（その年において次の(一)から(三)までに掲げる要件を満たす場合には、100分の10に当該(一)から(三)までに定める割合（その年において次の(一)から(三)までのうち二以上の号に掲げる要件を満たす場合には、当該二以上の号に定める割合を合計した割合）を加算した割合）を乗じて計算した金額（以下**1**において「税額控除限度額」という。）を控除する。この場合において、当該税額控除限度額が、当該個人のその年分の調整前事業所得税額（**九4**④に規定する調整前事業所得税額をいう。**2**、**3**及び**4**において同じ。）の100分の20に相当する金額を超えるときは、その控除を受ける金額は、当該100分の20に相当する金額を限度とする。（措法10の５の４①）

<table>
<tr><td>(一)</td><td colspan="2">継続雇用者給与等支給増加割合が100分の４以上であること</td><td>100分の５（継続雇用者給与等支給増加割合が100分の５以上である場合には100分の10とし、継続雇用者給与等支給増加割合が100分の７以上である場合には100分の15とする。）</td></tr>
<tr><td rowspan="3">(二)</td><td colspan="2">次のイ及びロに掲げる要件の全てを満たすこと</td><td rowspan="3">100分の５</td></tr>
<tr><td>イ</td><td>当該個人のその年分の事業所得の金額の計算上必要経費に算入される教育訓練費の額（その教育訓練費に充てるため他の者（その個人が非居住者である場合の第二章第二節4①(一)に規定する事業場等を含む。5③において同じ。）から支払を受ける金額がある場合には、当該金額を控除した金額。以下十五において同じ。）からその比較教育訓練費の額を控除した金額の当該比較教育訓練費の額に対する割合が100分の10以上であること。</td></tr>
<tr><td>ロ</td><td>当該個人のその年分の事業所得の金額の計算上必要経費に算入される教育訓練費の額の当該個人の雇用者給与等支給額に対する割合が100分の0.05以上であること。</td></tr>
<tr><td rowspan="3">(三)</td><td colspan="2">その年12月31日において次のイ又はロに掲げる者のいずれかに該当すること</td><td rowspan="3">100分の５</td></tr>
<tr><td>イ</td><td>次世代育成支援対策推進法第15条の３第１項に規定する特例認定一般事業主</td></tr>
<tr><td>ロ</td><td>女性の職業生活における活躍の推進に関する法律第13条第１項に規定する特例認定一般事業主</td></tr>
</table>

（**1**に規定する（1）で定める事項）

（1）　**1**に規定する（1）で定める事項は、**5**②に規定する給与等（以下**十五**において「給与等」という。）の支給額の引上げの方針、**1**に規定する下請事業者その他の取引先との適切な関係の構築の方針その他の事業上の関係者との関係の構築の方針に関する事項として厚生労働大臣、経済産業大臣及び国土交通大臣が定める事項とする。（措令５の６の４①、令４厚生労働省・経済産業省・国土交通省告示第１号（最終改正令６同省告示第１号））

（注）　厚生労働大臣、経済産業大臣及び国土交通大臣は、（1）の規定により事項を定めたときは、これを告示する。（措令５の６の４㉖）

（**1**に規定する（2）で定める場合）

（2）　**1**に規定する（2）で定める場合は、**1**の規定の適用を受ける年分の確定申告書に、**1**の個人がインターネットを利用する方法により（1）に規定する事項を公表していることについて届出があった旨を経済産業大臣が証する書類の写しの添付がある場合とする。（措令５の６の４②、令６経済産業省告示第68号）

（**1**の規定による控除をすべき金額）

（3）　**1**の規定による控除をすべき金額は、その年分の**一4**に規定する課税総所得金額に係る所得税額から控除する。この場合において、当該所得税額から控除をすべき同**1**に規定する配当控除の額があるときは、まず当該配当控除の額を控除し、次に**1**の規定による控除をすべき金額を控除する。（措令５の６の４③）

（**1**に規定する（4）で定めるところにより計算した金額）

（4）　**1**に規定する（4）で定めるところにより計算した金額は、**1**の個人の**1**の規定の適用を受けようとする年（以下（4）において「適用年」という。）に係る**5**⑤イに規定する雇用者給与等支給額を当該適用年の12月31日における**十三3**（四）に規定する雇用者の数で除して計算した金額に次に掲げる数を合計した数（当該合計した数が地方事業所基準雇用者数（同**1**（二）イに規定する地方事業所基準雇用者数をいう。以下（4）において同じ。）を超える場合には、当該地方事業所基準雇用者数）を乗じて計算した金額の100分の20に相当する金額とする。（措令５の６の４④）

<table>
<tr><td>(一)</td><td colspan="2">当該個人が当該適用年において十三1の規定の適用を受ける場合における当該適用年の特定新規雇用者基礎数（同1（二）イに規定する特定新規雇用者基礎数をいう。（二）イにおいて同じ。）と当該適用年の特定非新規雇用者基礎数（同1（二）ロに規定する特定非新規雇用者基礎数をいう。（二）ロにおいて同じ。）とを合計した数</td></tr>
<tr><td rowspan="3">(二)</td><td colspan="2">当該個人が当該適用年において十三2の規定の適用を受ける場合における当該適用年の同3（十六）イに掲げる数のうち同（十六）ロに掲げる数に達するまでの数から当該個人が当該適用年において十三1の規定の適用を受ける場合における当該適用年の次に掲げる数を合計した数を控除した数</td></tr>
<tr><td>イ</td><td>特定新規雇用者基礎数のうち十三3（十）に規定する移転型特定新規雇用者数に達するまでの数</td></tr>
<tr><td>ロ</td><td>特定非新規雇用者基礎数のうち十三1（二）ロに規定する移転型特定非新規雇用者基礎数に達するまでの数</td></tr>
</table>

（注）　**十三1**（注）２の規定によりなお従前の例によることとされる場合における改正前の**十三**の規定の適用がある年分における改正後の（4）（**2**（2）において準用する場合を含む。（一）及び（二）において同じ。）及び**十五1**（2）（注）の規定によりなおその効力を有するものとされる改正前の**十五1**（2）（**十五2**（2）において準用する場合を含む。（一）及び（二）において同じ。）の規定の適用については、次の（一）及び（二）に掲げる数をもって、当該（一）又は（二）に定める数とみなす。（令６改措令附４③）

<table>
<tr><td>(一)</td><td>改正前の十三1（二）イに規定する地方事業所基準雇用者数</td><td>改正後の（4）に規定する地方事業所基準雇用者数及び改正前の十五1（2）に規定する地方事業所基準雇用者数</td></tr>
<tr><td>(二)</td><td>令和６年４月１日前に改正前の十三1に規定する計画の認定を受けた同1に規定する地方活力向上地域等特定業務施設整備計画に係る改正前の十五1（2）（一）及び（二）（同2（2）において準用する場合を含む。）の規定の例により計算した同（2）（一）及び（二）に掲げる数</td><td>当該地方活力向上地域等特定業務施設整備計画に係る改正後の（4）（一）及び（二）に掲げる数及び改正前の十五1（2）（一）及び（二）に掲げる数</td></tr>
</table>

（常時使用する従業員の範囲）

（5）　**1**及び**5**⑨の「常時使用する従業員の数」は、常用であると日々雇い入れるものであるとを問わず、事務所又は事業所に常時就労している職員、工員等の総数によって判定することに留意する。この場合において、繁忙期に数か月程度の期間その労務に従事する者を使用するときは、当該従事する者の数を「常時使用する従業員の数」に含めるものとする。（措通10の５の４－１）

2　特定個人の給与等の支給額が増加した場合の所得税額の特別控除

青色申告書を提出する個人が、令和７年から令和９年までの各年（**1**の規定の適用を受ける年、令和７年以後に事業を開始した個人のその開始した日の属する年及びその事業を廃止した日の属する年を除く。）において国内雇用者に対して給与等を支給する場合で、かつ、その年12月31日において特定個人に該当する場合において、その年において当該個人の継続雇用者給与等支給額からその継続雇用者比較給与等支給額を控除した金額の当該継続雇用者比較給与等支給額に対する割合（㈠において「継続雇用者給与等支給増加割合」という。）が100分の３以上であるときは、当該個人のその年分の総所得金額に係る所得税の額から、（1）で定めるところにより、当該個人のその年の控除対象雇用者給与等支給増加額（その年において**十三**の規定の適用を受ける場合には、**十三**の規定による控除を受ける金額の計算の基礎となった者に対する給与等の支給額として（2）で定めるところにより計算した金額を控除した残額）に100分の10（その年において次の㈠から㈢までに掲げる要件を満たす場合には、100分の10に当該㈠から㈢までに定める割合（その年において次の㈠から㈢までのうち二以上の号に掲げる要件を満たす場合には、当該二以上の号に定める割合を合計した割合）を加算した割合）を乗じて計算した金額（以下**2**において「特定税額控除限度額」という。）を控除する。この場合において、当該特定税額控除限度額が、当該個人のその年分の調整前事業所得税額の100分の20に相当する金額を超えるときは、その控除を受ける金額は、当該100分の20に相当する金額を限度とする。（措法10の５の４②）

<table>
<tr><td>㈠</td><td colspan="2">継続雇用者給与等支給増加割合が100分の４以上であること</td><td>100分の15</td></tr>
<tr><td rowspan="3">㈡</td><td colspan="2">次のイ及びロに掲げる要件の全てを満たすこと</td><td rowspan="3">100分の５</td></tr>
<tr><td>イ</td><td>当該個人のその年分の事業所得の金額の計算上必要経費に算入される教育訓練費の額からその比較教育訓練費の額を控除した金額の当該比較教育訓練費の額に対する割合が100分の10以上であること。</td></tr>
<tr><td>ロ</td><td>当該個人のその年分の事業所得の金額の計算上必要経費に算入される教育訓練費の額の当該個人の雇用者給与等支給額に対する割合が100分の0.05以上であること。</td></tr>
<tr><td rowspan="4">㈢</td><td colspan="2">次のイからハまでに掲げる要件のいずれかを満たすこと</td><td rowspan="4">100分の５</td></tr>
<tr><td>イ</td><td>その年12月31日において次世代育成支援対策推進法第15条の３第１項に規定する特例認定一般事業主に該当すること。</td></tr>
<tr><td>ロ</td><td>その年において女性の職業生活における活躍の推進に関する法律第９条の認定を受けたこと（同法第４条の女性労働者に対する職業生活に関する機会の提供及び同条の雇用環境の整備の状況が特に良好な場合として（3）で定める場合に限る。）。</td></tr>
<tr><td>ハ</td><td>その年12月31日において女性の職業生活における活躍の推進に関する法律第13条第１項に規定する特例認定一般事業主に該当すること。</td></tr>
</table>

（**2**の規定による控除をすべき金額）

（1）　**2**の規定による控除をすべき金額は、その年分の**一４**に規定する課税総所得金額に係る所得税額から控除する。この場合において、当該所得税額から控除をすべき同**1**に規定する配当控除の額があるときは、まず当該配当控除の額を控除し、次に**2**の規定による控除をすべき金額を控除する。（措令５の６の４⑤）

（**2**に規定する（2）で定めるところにより計算した金額）

（2）　**1**（4）の規定は、**2**に規定する（1）で定めるところにより計算した金額について準用する。この場合において、**1**（4）中「**1**の個人」とあるのは、「**2**の個人」と、読み替えるものとする。（措令５の６の４⑥）

（**2**㈢ロに規定する（3）で定める場合）

（3）　**2**㈢ロに規定する（3）で定める場合は、同㈢ロの認定が女性の職業生活における活躍の推進に関する法律に基づく一般事業主行動計画等に関する省令第８条第１項第３号に規定する事業主の類型に係るものである場合（その年12月31日までに女性の職業生活における活躍の推進に関する法律第11条の規定により当該認定が取り消された場合を除く。）とする。（措規５の12①）

3　中小事業者の給与等の支給額が増加した場合の所得税額の特別控除

九４⑥に規定する中小事業者で青色申告書を提出するもの（以下**３**において「中小事業者」という。）が、令和元年から令和９年までの各年（**１**又は**２**の規定の適用を受ける年、令和元年以後に事業を開始した中小事業者のその開始した日の属する年及びその事業を廃止した日の属する年を除く。）において国内雇用者に対して給与等を支給する場合において、その年において当該中小事業者の雇用者給与等支給額からその比較雇用者給与等支給額を控除した金額の当該比較雇用者給与等支給額に対する割合（(一)において「雇用者給与等支給増加割合」という。）が100分の1.5以上であるときは、当該中小事業者のその年分の総所得金額に係る所得税の額から、（1）で定めるところにより、当該中小事業者のその年の控除対象雇用者給与等支給増加額（その年において**十三**の規定の適用を受ける場合には、**十三**の規定による控除を受ける金額の計算の基礎となった者に対する給与等の支給額として（2）で定めるところにより計算した金額を控除した残額）に100分の15（その年において次の(一)から(三)までに掲げる要件を満たす場合には、100分の15に当該(一)から(三)までに定める割合（その年において次の(一)から(三)までのうち二以上の号に掲げる要件を満たす場合には、当該二以上の号に定める割合を合計した割合）を加算した割合）を乗じて計算した金額（以下**３**及び**５**⑪において「中小事業者税額控除限度額」という。）を控除する。この場合において、当該中小事業者税額控除限度額が、当該中小事業者のその年分の調整前事業所得税額の100分の20に相当する金額を超えるときは、その控除を受ける金額は、当該100分の20に相当する金額を限度とする。（措法10の５の４③）

(一)	雇用者給与等支給増加割合が100分の2.5以上であること		100分の15
(二)	次のイ及びロに掲げる要件の全てを満たすこと		100分の10
	イ	当該中小事業者のその年分の事業所得の金額の計算上必要経費に算入される教育訓練費の額からその比較教育訓練費の額を控除した金額の当該比較教育訓練費の額に対する割合が100分の５以上であること。	
	ロ	当該中小事業者のその年分の事業所得の金額の計算上必要経費に算入される教育訓練費の額の当該中小事業者の雇用者給与等支給額に対する割合が100分の0.05以上であること。	
(三)	次のイからニまでに掲げる要件のいずれかを満たすこと		100分の５
	イ	その年において次世代育成支援対策推進法第13条の認定を受けたこと（同法第２条に規定する次世代育成支援対策の実施の状況が良好な場合として（3）で定める場合に限る。）。	
	ロ	その年12月31日において次世代育成支援対策推進法第15条の３第１項に規定する特例認定一般事業主に該当すること。	
	ハ	その年において女性の職業生活における活躍の推進に関する法律第９条の認定を受けたこと（同法第４条の女性労働者に対する職業生活に関する機会の提供及び同条の雇用環境の整備の状況が良好な場合として（4）で定める場合に限る。）。	
	ニ	その年12月31日において女性の職業生活における活躍の推進に関する法律第13条第１項に規定する特例認定一般事業主に該当すること。	

（**３**の規定による控除をすべき金額）

（1）　**３**の規定による控除をすべき金額は、その年分の**一４**に規定する課税総所得金額に係る所得税額から控除する。この場合において、当該所得税額から控除をすべき同**１**に規定する配当控除の額があるときは、まず当該配当控除の額を控除し、次に**３**の規定による控除をすべき金額を控除する。（措令５の６の４⑦）

（**３**に規定する（2）で定めるところにより計算した金額）

（2）　**１**（4）の規定は、**３**に規定する（2）で定めるところにより計算した金額について準用する。この場合において、**1**（4）中「**1**の個人」とあるのは「**3**に規定する中小事業者」と、**1**（4）(一)及び(二)中「当該個人」とあるのは「当該中小事業者」と、読み替えるものとする。（措令5の6の4⑥）

（**3**(三)イに規定する（3）で定める場合）

（3）　**3**(三)イに規定する（3）で定める場合は、同(三)イの認定が次の(一)又は(二)に掲げるものである場合（その年12月31日までに次世代育成支援対策推進法第15条の規定により当該認定が取り消された場合を除く。）とする。（措規5の12②）

(一)	次世代育成支援対策推進法施行規則第4条第1項第1号に規定する事業主の類型に係るもの（次世代育成支援対策推進法施行規則の一部を改正する省令（令和3年厚生労働省令第185号）附則第2条第2項の規定に基づきなお従前の例により行った次世代育成支援対策推進法第13条の申請（(二)において「認定申請」という。）に基づき受けたものを除く。）
(二)	次世代育成支援対策推進法施行規則第4条第1項第2号に規定する事業主の類型に係るもの（次世代育成支援対策推進法施行規則の一部を改正する省令（令和3年厚生労働省令第185号）附則第2条第2項の規定に基づきなお従前の例により行った認定申請に基づき受けたもの及び同条第3項の規定により次世代育成支援対策推進法施行規則第4条第1項第2号イに規定する要件を満たしているものとみなされて受けたものを除く。）

（**3**(三)ハに規定する（4）で定める場合）

（4）　**3**(三)ハに規定する（4）で定める場合は、同(三)ハの認定が女性の職業生活における活躍の推進に関する法律に基づく一般事業主行動計画等に関する省令第8条第1項第2号又は第3号に規定する事業主の類型に係るものである場合（その年12月31日までに女性の職業生活における活躍の推進に関する法律第11条の規定により当該認定が取り消された場合を除く。）とする。（措規5の12③）

（中小事業者であるかどうかの判定の時期）

（5）　**3**に規定する中小事業者に該当するかどうかは、その年12月31日の現況によって判定するものとする。（措通10の5の4－2）

（注）　**4**の規定の適用に当たっては、**4**の規定の適用を受ける年の12月31日において中小事業者に該当する必要はないが、**5**⑪に規定する繰越税額控除限度超過額の生じた年の12月31日において中小事業者に該当する必要があることに留意する。

4　繰越税額控除限度超過額の控除

青色申告書を提出する個人の各年（事業を廃止した日の属する年を除く。）において当該個人の雇用者給与等支給額がその比較雇用者給与等支給額を超える場合において、当該個人が繰越税額控除限度超過額を有するときは、その年分の総所得金額に係る所得税の額から、（1）で定めるところにより、当該繰越税額控除限度超過額に相当する金額を控除する。この場合において、当該個人のその年における繰越税額控除限度超過額が当該個人のその年分の調整前事業所得税額の100分の20に相当する金額（その年において**1**、**2**又は**3**の規定によりその年分の総所得金額に係る所得税の額から控除される金額がある場合には、当該金額を控除した残額）を超えるときは、その控除を受ける金額は、当該100分の20に相当する金額を限度とする。（措法10の5の4④）

（注）　改正後の**十五4**の規定は、個人の令和7年分以後において生ずる**5**⑪に規定する控除しきれない金額について適用される。（令6改所法等附26②）

（**4**の規定による控除をすべき金額）

（1）　**4**の規定による控除をすべき金額は、その年分の**一4**に規定する課税総所得金額に係る所得税額から控除する。この場合において、当該所得税額から控除をすべき同**1**に規定する配当控除の額及び**1**、**2**又は**3**の規定による控除をすべき金額があるときは、まず当該配当控除の額及びこれらの規定による控除をすべき金額を控除し、次に**4**の規定による控除をすべき金額を控除する。（措令5の6の4⑧）

5　用語の意義

十五において、次の①から⑪までに掲げる用語の意義は、当該①から⑪までに定めるところによる。（措法10の5の4⑤）

（注）　**5**の月数は、暦に従って計算し、１月に満たない端数を生じたときは、これを１月とする。（措法10の５の４⑥）

①　国内雇用者

個人の使用人（当該個人と（１）で定める特殊の関係のある者を除く。）のうち当該個人の有する国内の事業所に勤務する雇用者として（２）で定めるものに該当するものをいう。（措法10の５の４⑤一）

（①に規定する（１）で定める特殊の関係のある者）

（１）　①に規定する（１）で定める特殊の関係のある者は、次に掲げる者とする。（措令５の６の４⑨）

(一)	当該個人の親族
(二)	当該個人と婚姻の届出をしていないが事実上婚姻関係と同様の事情にある者
(三)	(一)及び(二)に掲げる者以外の者で当該個人から受ける金銭その他の資産（給与等に該当しないものに限る。）によって生計の支援を受けているもの
(四)	(二)及び(三)に掲げる者と生計を一にするこれらの者の親族

（①に規定する（２）で定めるもの）

（２）　①に規定する（２）で定めるものは、当該個人の国内に所在する事業所につき作成された労働基準法第108条に規定する賃金台帳に記載された者とする。（措令５の６の４⑩）

②　給与等

第四章第五節**一**に規定する給与等をいう。（措法10の５の４⑤二）

（給与等の範囲）

（１）　②の給与等とは、第四章第五節**一**に規定する給与等（以下**十五**関係において「給与等」という。）をいうのであるが、例えば、労働基準法第108条に規定する賃金台帳に記載された支給額（非課税とされる通勤手当等の額を含む。）のみを対象として③及び④並びに⑧及び⑩の「給与等の支給額」を計算するなど、合理的な方法により継続して給与等の支給額を計算している場合には、これを認める。（措通10の５の４－３）

③　継続雇用者給与等支給額

継続雇用者（個人の各年（以下**5**において「適用年」という。）及び当該適用年の前年の各月分のその個人の給与等の支給を受けた国内雇用者として（１）で定めるものをいう。④において同じ。）に対する当該適用年の給与等の支給額（その給与等に充てるため他の者から支払を受ける金額（国又は地方公共団体から受ける雇用保険法第62条第１項第１号に掲げる事業として支給が行われる助成金その他これに類するものの額及び役務の提供の対価として支払を受ける金額を除く。以下③において「補填額」という。）がある場合には、当該補填額を控除した金額。以下**5**において同じ。）として（３）で定める金額をいう。（措法10の５の４⑤三）

（③に規定する（１）で定めるもの）

（１）　③に規定する（１）で定めるものは、個人の①に規定する国内雇用者（雇用保険法第60条の２第１項第１号に規定する一般被保険者に該当する者に限るものとし、高年齢者等の雇用の安定等に関する法律第９条第１項第２号に規定する継続雇用制度の対象である者として（２）で定める者を除く。以下**5**において「国内雇用者」という。）のうち、当該個人の国内雇用者として適用年（③に規定する適用年をいう。以下**5**において同じ。）及び当該適用年の前年において事業を営んでいた期間内の各月分の当該個人の給与等の支給を受けたものとする。（措令５の６の４⑪）

（（１）に規定する（２）で定める者）

（２）　（１）に規定する（２）で定める者は、当該個人の就業規則において（１）に規定する継続雇用制度を導入している旨の記載があり、かつ、次の(一)及び(二)に掲げる書類のいずれかにその者が当該継続雇用制度に基づき雇用されている者である旨の記載がある場合のその者とする。（措規５の12④）

(一)	雇用契約書その他これに類する雇用関係を証する書類

(二)	①(2)に規定する賃金台帳

(③に規定する(3)で定める金額)

(3)　③に規定する(3)で定める金額は、⑧に規定する雇用者給与等支給額のうち③に規定する継続雇用者(④(1)において「継続雇用者」という。)に係る金額とする。(措令5の6の4⑫)

(補填額の範囲)

(4)　③から⑤まで、⑧及び⑩の規定の適用上、給与等の支給額から控除する「補填額」には、補助金等(補助金、助成金、給付金又は負担金その他これらに類する性質を有するものをいい、国又は地方公共団体から受ける雇用保険法第62条第1項第1号に掲げる事業として支給が行われる助成金その他これに類するものを除く。以下同じ。)のうち次に掲げるものの交付額が該当する。(措通10の5の4－4)

(一)　補助金等の要綱、要領又は契約において、その補助金等の交付の趣旨又は目的がその交付を受ける個人の給与等の支給額に係る負担を軽減させることであることが明らかにされているもの

(二)　(一)に掲げるもののほか、補助金等の交付額の算定方法が給与等の支給実績又は支給単価(雇用契約において時間、日、月、年ごとにあらかじめ決められている給与等の支給額をいう。)を基礎として定められているもの

(注)1　補助金等には、役務の提供に対する対価の性質を有するものは含まれないことに留意する。

2　例えば、看護職員処遇改善評価料の額及び介護職員処遇改善加算の額のように、イからハまでに掲げる報酬の額その他これらに類する公定価格(法令又は法令に基づく行政庁の命令、許可、認可その他の処分に基づく価格をいう。)が設定されている取引における取引金額に含まれる額は、役務の提供に対する対価の性質を有するため本文の「補填額」に該当しない。

イ　健康保険法その他法令の規定に基づく診療報酬の額

ロ　介護保険法その他法令の規定に基づく介護報酬の額

ハ　障害者の日常生活及び社会生活を総合的に支援するための法律その他法令の規定に基づく障害福祉サービス等報酬の額

(雇用安定助成金額の範囲)

(5)　③及び⑤イの「国又は地方公共団体から受ける雇用保険法第62条第1項第1号に掲げる事業として支給が行われる助成金その他これに類するものの額」には、次のものが該当する。(措通10の5の4－5)

(一)　雇用調整助成金、産業雇用安定助成金又は緊急雇用安定助成金の額

(二)　(一)に上乗せして支給される助成金の額その他の(一)に準じて地方公共団体から支給される助成金の額

(資産の取得価額に算入された給与等)

(6)　③及び④並びに⑧及び⑩の「給与等の支給額」は、その年分の事業所得の金額の計算上必要経費に算入されるものが対象になるのであるが、例えば、自己の製造等に係る棚卸資産の取得価額に算入された給与等の額や自己の製作に係るソフトウエアの取得価額に算入された給与等の額について、個人が継続してその給与等を支給した日の属する年分の「給与等の支給額」に含めて計算することとしている場合には、その計算を認める。(措通10の5の4－6)

④　**継続雇用者比較給与等支給額**

③の個人の継続雇用者に対する適用年の前年の給与等の支給額として(1)で定める金額をいう。(措法10の5の4⑤四)

(④に規定する(1)で定める金額)

(1)　④に規定する(1)で定める金額は、④の個人の適用年の前年に係る給与等支給額(個人のその年分の事業所得の金額の計算上必要経費に算入される国内雇用者(①に規定する国内雇用者をいう。⑥(1)(一)から(三)まで及び⑩(2)において同じ。)に対する給与等の支給額(③に規定する支給額をいう。⑩(2)において同じ。)をいう。以下において同じ。)のうち継続雇用者に係る金額(当該個人が当該適用年の前年において事業を開始した場合には、当該適用年の前年に係る給与等支給額のうち継続雇用者に係る金額に12を乗じてこれを当該適用年の前年において事業を営んでいた期間の月数で除して計算した金額)とする。(措令5の6の4⑬)

(注)　(1)の月数は、暦に従って計算し、1月に満たない端数を生じたときは、これを1月とする。(措令5の6の4㉑)

⑤　**控除対象雇用者給与等支給増加額**

個人の雇用者給与等支給額からその比較雇用者給与等支給額を控除した金額（当該金額が当該個人の調整雇用者給与等支給増加額（イに掲げる金額からロに掲げる金額を控除した金額をいう。）を超える場合には、当該調整雇用者給与等支給増加額）をいう。（措法10の５の４⑤五）

イ	雇用者給与等支給額（当該雇用者給与等支給額の計算の基礎となる給与等に充てるための雇用安定助成金額（国又は地方公共団体から受ける雇用保険法第62条第１項第１号に掲げる事業として支給が行われる助成金その他これに類するものの額をいう。以下⑤において同じ。）がある場合には、当該雇用安定助成金額を控除した金額）
ロ	比較雇用者給与等支給額（当該比較雇用者給与等支給額の計算の基礎となる給与等に充てるための雇用安定助成金額がある場合には、当該雇用安定助成金額を控除した金額）

⑥　**教育訓練費**

個人がその国内雇用者の職務に必要な技術又は知識を習得させ、又は向上させるために支出する費用で（1）で定めるものをいう。（措法10の５の４⑤六）

（⑥に規定する（1）で定める費用）

（1）　⑥に規定する（1）で定める費用は、次の㈠から㈢までに掲げる場合の区分に応じ当該㈠から㈢までに定める費用とする。（措令５の６の４⑭）

<table>
<tr><td rowspan="3">㈠</td><td rowspan="3">個人がその国内雇用者に対して教育、訓練、研修、講習その他これらに類するもの（以下（1）において「教育訓練等」という。）を自ら行う場合</td><td colspan="2">次に掲げる費用</td></tr>
<tr><td>イ</td><td>当該教育訓練等のために講師又は指導者（当該個人の使用人である者を除く。）に対して支払う報酬その他の（2）で定める費用</td></tr>
<tr><td>ロ</td><td>当該教育訓練等のために施設、設備その他の資産を賃借する場合におけるその賃借に要する費用その他これに類する（3）で定める費用</td></tr>
<tr><td>㈡</td><td>個人から委託を受けた他の者（当該個人が非居住者である場合の第二章第二節4①㈠に規定する事業場等を含む。以下㈡及び㈢において同じ。）が当該個人の国内雇用者に対して教育訓練等を行う場合</td><td colspan="2">当該教育訓練等のために当該他の者に対して支払う費用</td></tr>
<tr><td>㈢</td><td>個人がその国内雇用者を他の者が行う教育訓練等に参加させる場合</td><td colspan="2">当該他の者に対して支払う授業料その他の（4）で定める費用</td></tr>
</table>

（（1）㈠イに規定する（2）で定める費用）

（2）　（1）㈠イに規定する（2）で定める費用は、同㈠に規定する教育訓練等（以下**十五**において「教育訓練等」という。）のために同㈠イに規定する講師又は指導者（以下（2）において「講師等」という。）に対して支払う報酬、料金、謝金その他これらに類するもの及び講師等の旅費（教育訓練等を行うために要するものに限る。）のうち個人（同㈠に規定する個人をいう。以下（2）において同じ。）が負担するもの並びに教育訓練等に関する計画又は内容の作成について当該教育訓練等に関する専門的知識を有する者（当該個人の使用人である者を除く。）に委託している場合の当該専門的知識を有する者に対して支払う委託費その他これに類するものとする。（措規５の12⑤）

（（1）㈠ロに規定する（3）で定める費用）

（3）　（1）㈠ロに規定する（3）で定める費用は、コンテンツ（文字、図形、色彩、音声、動作若しくは映像又はこれらを組み合わせたものをいう。以下（3）において同じ。）の使用料（コンテンツの取得に要する費用に該当するものを除く。）とする。（措規５の12⑥）

((１)(三)に規定する(４)で定める費用)

(４)　(１)(三)に規定する(４)で定める費用は、授業料、受講料、受験手数料その他の同(三)の他の者が行う教育訓練等に対する対価として支払うものとする。(措規５の12⑦)

((１)(一)から(三)までに定める費用の明細を記載した書類の保存)

(５)　個人が、**１**(二)、**２**(二)又は**３**(二)に掲げる要件を満たすものとして**１**、**２**又は**３**の規定の適用を受ける場合には、これらの規定の適用に係る(１)(一)から(三)までに定める費用の明細を記載した書類として(６)で定める書類を保存しなければならない。(措令５の６の４⑮)

((５)に規定する(６)で定める書類)

(６)　(５)に規定する(６)で定める書類は、**１**、**２**又は**３**の規定の適用を受けようとする年分の事業所得の金額の計算上必要経費に算入される**１**(二)イに規定する教育訓練費の額及びその年における⑦に規定する比較教育訓練費の額に関する次に掲げる事項を記載した書類とする。(措規５の12⑧)

(一)	(１)(一)から(三)までに定める費用に係る教育訓練等の実施時期
(二)	当該教育訓練等の内容
(三)	当該教育訓練等の対象となる①に規定する国内雇用者の氏名
(四)	その費用を支出した年月日、内容及び金額並びに相手先の氏名又は名称

⑦　比較教育訓練費の額

個人の適用年の前年分の事業所得の金額の計算上必要経費に算入される教育訓練費の額（当該個人が当該適用年の前年において事業を開始した場合には、当該適用年の前年の教育訓練費の額に12を乗じてこれを当該適用年の前年において事業を営んでいた期間の月数で除して計算した金額）をいう。(措法10の５の４⑤七)

(調整対象年に係る教育訓練費の額)

(１)　**１**、**２**又は**３**の規定の適用を受けようとする個人が次の(一)及び(二)に掲げる場合に該当する場合のその適用を受けようとする年（以下(１)において「適用年」という。）の当該個人の⑦に規定する比較教育訓練費の額の計算における⑦の教育訓練費の額については、当該個人の当該(一)又は(二)に規定する調整対象年に係る教育訓練費の額（個人のその年分の事業所得の金額の計算上必要経費に算入される**１**(二)イに規定する教育訓練費の額をいう。⑩(２)を除き、以下**十五**において同じ。）は、当該(一)又は(二)に定めるところによる。(措令５の６の４⑯)

(一)	適用年において当該個人の事業所得を生ずべき事業（以下(７)及び⑩(２)において「承継事業」という。）を相続（包括遺贈を含む。(二)及び⑩(２)において同じ。）により承継した場合	当該個人の適用年の前年の１月１日（当該適用年の前年において事業を開始した当該個人にあっては、当該事業を開始した日。(二)において同じ。）から12月31日までの期間（以下(一)において「調整対象年」という。）に係る教育訓練費の額については、当該個人の当該調整対象年に係る教育訓練費の額に、当該個人の当該調整対象年において事業を営んでいた月に係る被相続人（包括遺贈者を含む。(二)及び(２)において同じ。）の月別教育訓練費の額を合計した金額に当該個人が当該承継事業を承継した日から当該適用年の12月31日までの期間の月数を乗じてこれを12で除して計算した金額を加算する。
(二)	適用年の前年の１月１日から12月31日までの期間（以下(二)において「調整対象年」という。）において承継事業を相続により承継した場合	当該個人の当該調整対象年に係る教育訓練費の額については、当該個人の当該調整対象年に係る教育訓練費の額に当該個人の当該調整対象年において事業を営んでいた月（当該承継事業を承継した日の属する月以後の月を除く。）に係る被相続人の月別教育訓練費の額を合計した金額を加算する。

(注)　(１)の月数は、暦に従って計算し、１月に満たない端数を生じたときは、これを１月とする。(措令５の６の４㉑)

((1)に規定する月別教育訓練費の額)

(2)　(1)に規定する月別教育訓練費の額とは、その被相続人の(1)(一)又は同(二)に規定する調整対象年の教育訓練費の額を当該調整対象年において当該被相続人が事業を営んでいた期間の月数で除して計算した金額を当該調整対象年において(1)の個人が事業を営んでいた月に係るものとみなしたものをいう。(措令5の6の4⑰)

(注)　(2)の月数は、暦に従って計算し、1月に満たない端数を生じたときは、これを1月とする。(措令5の6の4㉑)

⑧　**雇用者給与等支給額**

個人の適用年の年分の事業所得の金額の計算上必要経費に算入される国内雇用者に対する給与等の支給額をいう。(措法10の5の4⑤八)

⑨　**特定個人**

常時使用する従業員の数が2,000人以下の個人をいう。(措法10の5の4⑤九)

⑩　**比較雇用者給与等支給額**

個人の適用年の前年分の事業所得の金額の計算上必要経費に算入される国内雇用者に対する給与等の支給額（当該適用年の前年において事業を営んでいた期間の月数と当該適用年において事業を営んでいた期間の月数とが異なる場合には、その月数に応じ(1)で定めるところにより計算した金額）をいう。(措法10の5の4⑤十)

(⑩に規定する(1)で定めるところにより計算した金額)

(1)　⑩に規定する(1)で定めるところにより計算した金額は、⑩の適用年の前年に係る給与等支給額に12を乗じてこれを当該適用年の前年において事業を営んでいた期間の月数で除して計算した金額とする。(措令5の6の4⑱)

(注)　(1)の月数は、暦に従って計算し、1月に満たない端数を生じたときは、これを1月とする。(措令5の6の4㉑)

(適用年の前年又は当該適用年において承継事業を相続により承継した場合の比較雇用者給与等支給額の計算)

(2)　**1**、**2**、**3**又は**4**の規定の適用を受けようとする個人のその適用を受けようとする年（以下(2)において「適用年」という。）の前年又は当該適用年において承継事業を相続により承継した場合の当該個人の当該適用年における⑩に規定する比較雇用者給与等支給額の計算における当該個人の適用年の前年分の事業所得の金額の計算上必要経費に算入される⑩の給与等の支給額（当該適用年において事業を営んでいた期間の月数と当該適用年の前年において事業を営んでいた期間の月数とが異なる場合には、(1)の給与等支給額）については、給与等支給額(個人のその年分の事業所得の金額の計算上必要経費に算入される国内雇用者に対する給与等の支給額をいう。)を⑦(1)の教育訓練費の額と、当該個人の当該適用年の前年を⑦(1)(一)及び(二)に規定する調整対象年と、それぞれみなした場合における同(1)(一)及び(二)に掲げる場合の区分に応じ当該(一)及び(二)に定めるところによる。(措令5の6の4⑲)

(注)　(2)の月数は、暦に従って計算し、1月に満たない端数を生じたときは、これを1月とする。(措令5の6の4㉑)

(雇用安定助成金額があるときの比較雇用者給与等支給額の計算)

(3)　**1**、**2**又は**3**の規定の適用を受けようとする個人が次の(一)又は(二)に掲げる場合に該当する場合において、当該(一)又は(二)に定める金額の計算の基礎となる給与等に充てるための⑤イに規定する雇用安定助成金額があるときは、同⑤ロに掲げる金額は、当該(一)又は(二)に定める金額から当該雇用安定助成金額を控除して計算した⑩に規定する比較雇用者給与等支給額とする。(措令5の6の4⑳)

(一)	⑩の適用年の前年において事業を営んでいた期間の月数と当該適用年において事業を営んでいた期間の月数とが異なる場合	(1)の給与等支給額
(二)	(2)の規定によりみなされた⑦(1)の規定の適用を受ける場合	(2)の給与等支給額

(注)　(3)の月数は、暦に従って計算し、1月に満たない端数を生じたときは、これを1月とする。(措令5の6の4㉑)

(**1**又は**2**の規定の適用を受けようとする個人の継続雇用者比較給与等支給額が零である場合)

(4)　**1**又は**2**の規定の適用を受けようとする個人のその適用を受けようとする年に係る④に規定する継続雇用者

比較給与等支給額が零である場合には、**1**又は**2**に規定する継続雇用者給与等支給増加割合が100分の３以上であるときに該当しないものとする。（措令５の６の４㉒）

（**3**の規定の適用を受けようとする中小事業者の比較雇用者給与等支給額が零である場合）

（5）　**3**の規定の適用を受けようとする**3**に規定する中小事業者のその適用を受けようとする年に係る比較雇用者給与等支給額（⑩に規定する比較雇用者給与等支給額をいう。（6）において同じ。）が零である場合には、**3**に規定する雇用者給与等支給増加割合が100分の1.5以上であるときに該当しないものとする。（措令５の６の４㉓）

（**4**の規定の適用を受けようとする個人の比較雇用者給与等支給額が零である場合）

（6）　**4**の規定の適用を受けようとする個人のその適用を受けようとする年に係る比較雇用者給与等支給額が零である場合には、**4**に規定する雇用者給与等支給額がその比較雇用者給与等支給額を超える場合に該当しないものとする。（措令５の６の４㉔）

（**1**、**2**又は**3**の規定の適用を受けようとする個人の比較教育訓練費の額が零である場合）

（7）　**1**、**2**又は**3**の規定の適用を受けようとする個人のその適用を受けようとする年に係る⑦に規定する比較教育訓練費の額が零である場合における**1**、**2**又は**3**の規定の適用については、次の(一)及び(二)に掲げる場合の区分に応じ当該(一)又は(二)に定めるところによる。（措令５の６の４㉕）

(一)	その年に係る教育訓練費の額が零である場合	**1**（二）イ、**2**（二）イ及び**3**（二）イに掲げる要件を満たさないものとする。
(二)	(一)に掲げる場合以外の場合	**1**（二）イ、**2**（二）イ及び**3**（二）イに掲げる要件を満たすものとする。

⑪　繰越税額控除限度超過額

個人の適用年の前年以前５年内の各年（当該適用年まで連続して青色申告書を提出している場合の各年に限る。）における中小事業者税額控除限度額のうち、**3**の規定による控除をしてもなお控除しきれない金額（既に**4**の規定により当該適用年の前年以前４年内の各年分の総所得金額に係る所得税の額から控除された金額がある場合には、当該金額を控除した残額）の合計額をいう。（措法10の５の４⑤十一）

6　確定申告書への計算明細書の添付要件

1、**2**又は**3**の規定は、確定申告書（これらの規定により控除を受ける金額を増加させる修正申告書又は更正請求書を提出する場合には、当該修正申告書又は更正請求書を含む。）にこれらの規定による控除の対象となる控除対象雇用者給与等支給増加額（**1**又は**2**の規定の適用を受けようとする場合には、継続雇用者給与等支給額及び継続雇用者比較給与等支給額を含む。）、控除を受ける金額及び当該金額の計算に関する明細を記載した書類の添付がある場合に限り、適用する。この場合において、**1**、**2**又は**3**の規定により控除される金額の計算の基礎となる控除対象雇用者給与等支給増加額は、確定申告書に添付された書類に記載された控除対象雇用者給与等支給増加額を限度とする。（措法10の５の４⑦）

7　繰越税額控除限度超過額の控除を受ける場合の明細書の添付要件

4の規定は、**3**の規定の適用を受けた年以後の各年分の確定申告書に繰越税額控除限度超過額の明細書の添付がある場合で、かつ、**4**の規定の適用を受けようとする年分の確定申告書（**4**の規定により控除を受ける金額を増加させる修正申告書又は更正請求書を提出する場合には、当該修正申告書又は更正請求書を含む。）に**4**の規定による控除の対象となる繰越税額控除限度超過額、控除を受ける金額及び当該金額の計算に関する明細を記載した書類の添付がある場合に限り、適用する。（措法10の５の４⑧）

十六　認定特定高度情報通信技術活用設備を取得した場合の所得税額の特別控除

……特別償却制度は第六章第二節**六5**参照

1　認定特定高度情報通信技術活用設備を取得した場合の所得税額の特別控除

青色申告書を提出する個人で特定高度情報通信技術活用システムの開発供給及び導入の促進に関する法律第28条に規定する認定導入事業者であるものが、同法の施行の日（令和２年８月31日）から令和７年３月31日までの期間（**1**において「**指定期間**」という。）内に、当該個人の同法第10条第２項に規定する認定導入計画（**1**において「**認定導入計画**」という。）に記載された機械その他の減価償却資産（同法第26条に規定する認定導入計画に従って実施される特定高度情報通信技術活用システムの導入の用に供するためのものであることその他の要件を満たすものとして（1）で定めるものに限る。以下**十六**において「**認定特定高度情報通信技術活用設備**」という。）でその製作若しくは建設の後事業の用に供されたことのないものを取得し、又は当該認定導入計画に記載された認定特定高度情報通信技術活用設備を製作し、若しくは建設して、これを国内にある当該個人の事業の用に供した場合（貸付けの用に供した場合を除く。）において、当該認定特定高度情報通信技術活用設備につき**1**の規定の適用を受けないときは、その事業の用に供した日の属する年（事業を廃止した日の属する年を除く。**1**において「**供用年**」という。）の年分の総所得金額に係る所得税の額から、（3）で定めるところにより、その事業の用に供した当該認定特定高度情報通信技術活用設備の取得価額に100分の15（次の(一)から(三)までに掲げる認定特定高度情報通信技術活用設備については、当該(一)から(三)までに定める割合）を乗じて計算した金額の合計額（以下**1**において「**税額控除限度額**」という。）を控除する。この場合において、当該個人の供用年における税額控除限度額が、当該個人の当該供用年の年分の**九**《試験研究を行った場合の所得税額の特別控除》**4**④に規定する調整前事業所得税額の100分の20に相当する金額を超えるときは、その控除を受ける金額は、当該100分の20に相当する金額を限度とする。（措法10の５の５③①）

<table>
<tr><td rowspan="11">(一)</td><td colspan="2">令和４年４月１日から令和５年３月31日までの間に条件不利地域（次に掲げる地域をいう。(二)において同じ。）以外の地域内において事業の用に供した認定特定高度情報通信技術活用設備（電波法第27条の12第１項に規定する特定基地局（同項第１号に係るものに限る。）の無線設備に限る。(二)において「特定基地局用認定設備」という。）</td><td rowspan="11">100分の９</td></tr>
<tr><td>イ</td><td>離島振興法第２条第１項の規定により離島振興対策実施地域として指定された地域</td></tr>
<tr><td>ロ</td><td>奄美群島振興開発特別措置法第１条に規定する奄美群島</td></tr>
<tr><td>ハ</td><td>豪雪地帯対策特別措置法第２条第１項の規定により豪雪地帯として指定された地域</td></tr>
<tr><td>ニ</td><td>辺地に係る公共的施設の総合整備のための財政上の特別措置等に関する法律第２条第１項に規定する辺地</td></tr>
<tr><td>ホ</td><td>山村振興法第７条第１項の規定により振興山村として指定された地域</td></tr>
<tr><td>ヘ</td><td>小笠原諸島振興開発特別措置法第４条第１項に規定する小笠原諸島</td></tr>
<tr><td>ト</td><td>半島振興法第２条第１項の規定により半島振興対策実施地域として指定された地域</td></tr>
<tr><td>チ</td><td>特定農山村地域における農林業等の活性化のための基盤整備の促進に関する法律第２条第１項に規定する特定農山村地域</td></tr>
<tr><td>リ</td><td>沖縄振興特別措置法第３条第１号に規定する沖縄</td></tr>
<tr><td>ヌ</td><td>過疎地域の持続的発展の支援に関する特別措置法第２条第１項に規定する過疎地域</td></tr>
<tr><td>(二)</td><td colspan="2">令和５年４月１日から令和６年３月31日までの間に事業の用に供した認定特定高度情報通信技術活用設備</td><td>100分の９（条件不利地域以外の地域内において事業の用に供した特定基地局用認定設備については、100分の５）</td></tr>
<tr><td>(三)</td><td colspan="2">令和６年４月１日から令和７年３月31日までの間に事業の用に供した認定特定高度情報通信技術活用設備</td><td>100分の３</td></tr>
</table>

（**1**に規定する（1）で定めるもの）

（1）　**1**に規定する（1）で定めるものは、機械及び装置、器具及び備品、建物附属設備並びに構築物のうち、次の(一)及び(二)に掲げる要件を満たすものであることについて特定高度情報通信技術活用システムの開発供給及び導入の促進に関する法律（令和２年法律第37号）第34条第１項第６号に定める主務大臣の確認を受けたものとする。（措令５の６の５①）

(一)	特定高度情報通信技術活用システムの開発供給及び導入の促進に関する法律第28条に規定する認定導入計画に従って実施される特定高度情報通信技術活用システムの導入の用に供するために取得又は製作若しくは建設をしたものであること。
(二)	特定高度情報通信技術活用システムの開発供給及び導入の促進に関する法律第２条第１項第１号に掲げる特定高度情報通信技術活用システムを構成する上で重要な役割を果たすものとして（2）で定めるものに該当するものであること。

（認定特定高度情報通信技術活用設備を取得した場合の所得税額の特別控除）

（2）　（1）の(二)に規定する（2）で定めるものは、次に掲げる減価償却資産とする。（措規５の12の２①）

<table>
<tr><td rowspan="4">(一)</td><td colspan="2">3.6ギガヘルツを超え4.1ギガヘルツ以下又は4.5ギガヘルツを超え4.6ギガヘルツ以下の周波数の電波を使用する無線設備（次のいずれにも該当するものに限る。）</td></tr>
<tr><td>イ</td><td>令和６年３月31日以前に1(一)に規定する条件不利地域以外の地域内において事業の用に供する無線設備にあっては、16以上の空中線、位相器及び増幅器を用いて一又は複数の指向性を持つビームパターンを形成し制御する技術を有する無線装置を用いて無線通信を行うために用いられるものであること。</td></tr>
<tr><td>ロ</td><td>総務省・経済産業省関係特定高度情報通信技術活用システムの開発供給及び導入の促進に関する法律施行規則第２条第１号に規定する全国５Ｇシステム（同号イに掲げる設備を製造する事業者と同号ロ又はハに掲げる設備を製造する事業者とが異なる場合に限る。）を構成するものであること。</td></tr>
<tr><td>ハ</td><td>主として第５世代移動通信アクセスサービス（電気通信事業報告規則第１条第２項第13号に規定する第５世代移動通信アクセスサービスをいう。）の用に供することを目的として設置された交換設備と一体として運用されるものであること。</td></tr>
<tr><td>(二)</td><td colspan="2">27ギガヘルツを超え28.2ギガヘルツ以下又は29.1ギガヘルツを超え29.5ギガヘルツ以下の周波数の電波を使用する無線設備（(一)ロ及びハに該当するものに限る。）</td></tr>
<tr><td>(三)</td><td colspan="2">総務省・経済産業省関係特定高度情報通信技術活用システムの開発供給及び導入の促進に関する法律施行規則（令和２年総務省・経済産業省令第２号）第２条第２号に規定するローカル５Ｇシステムの無線設備（陸上移動局（電波法施行規則（昭和25年電波監理委員会規則第14号）第４条第１項第12号に規定する陸上移動局をいう。(四)において同じ。）の無線設備にあっては、通信モジュールに限る。）</td></tr>
<tr><td>(四)</td><td colspan="2">専ら(三)に掲げる無線設備（陸上移動局の無線設備を除く。）を用いて行う無線通信の業務の用に供され、当該無線設備と一体として運用される交換設備及び当該無線設備と当該交換設備との間の通信を行うために用いられる伝送路設備（光ファイバを用いたものに限る。）</td></tr>
</table>

（税額控除の控除要領）

（3）　**1**の規定による控除をすべき金額は、その年分の**一 4**に規定する課税総所得金額に係る所得税額から控除する。この場合において、当該所得税額から控除をすべき同**1**に規定する配当控除の額があるときは、まず当該配当控除の額を控除し、次に**1**の規定による控除をすべき金額を控除する。（措令５の６の５②）

（貸付けの用に供したものに該当しない資産の貸与）

（4）　**1**に規定する認定導入事業者（以下**十六**関係において「**認定導入事業者**」という。）が、その取得又は製作若しくは建設（以下**十六**関係において「取得等」という。）をした**1**に規定する認定特定高度情報通信技術活用設備（以下**十六**関係において「認定特定高度情報通信技術活用設備」という。）を自己の下請業者に貸与した場合において、当該認定特定高度情報通信技術活用設備が専ら当該認定導入事業者のためにする製品の加工等の用に供されるものであるときは、当該認定特定高度情報通信技術活用設備は当該認定導入事業者の営む事業の用に供したものとして取り扱う。

（措通10の５の５－１）

（国庫補助金等の総収入金額不算入の適用を受ける場合の取得価額）

（５）　**十六１**に規定する税額控除限度額（以下「税額控除限度額等」という。）を計算する場合における**十六１**に規定する認定特定高度情報通信技術活用設備（以下「税額控除対象機械装置等」という。）の取得価額は、次に掲げる場合には、それぞれ次に定める金額による。（措通10の３～15共－３）

（一）　個人が取得又は製作若しくは建設（以下「取得等」という。）をした税額控除対象機械装置等につき、当該取得等をして事業の用に供した年（以下「供用年」という。）に係る年分において第六章第一節**三**《国庫補助金等の総収入金額不算入》**１**①又は同**２**①の規定の適用を受ける場合　同**１**④又は同**２**⑤の規定により計算した金額

（二）　個人が取得等をした税額控除対象機械装置等につき、供用年後の年分において第六章第一節**三**《国庫補助金等の総収入金額不算入》**１**①又は同**２**①の規定の適用を受けることが予定されている場合　同章第二節**五**《減価償却》**７イ**各号に掲げる金額から同章第一節**三**《国庫補助金等の総収入金額不算入》**１**①に規定する国庫補助金等の交付予定金額（同**２**①の規定の適用を受けることが予定されている場合には、国庫補助金等の交付金額で返還を要しないことが確定していないもの）を控除した金額

（注）１　（二）の国庫補助金等の交付予定金額は、供用年の12月31日において見込まれる金額による。

２　個人が税額控除対象機械装置等の供用年において税額控除限度額等の計算の基礎となる取得価額を（二）に定める金額によることなく第六章第二節**五**《減価償却》**７イ**各号に掲げる金額に基づき税額控除限度額等を計算して申告をしている場合において、供用年後の年分において同章第一節**三**《国庫補助金等の総収入金額不算入》**１**①又は同**２**①の規定の適用を受けるときは、供用年に遡って税額控除限度額等の計算の基礎となった取得価額から（二）の国庫補助金等の交付予定金額を控除した金額に基づき税額控除限度額等を修正することに留意する。

２　申告手続

１の規定は、確定申告書（**１**の規定により控除を受ける金額を増加させる修正申告書又は更正請求書を提出する場合には、当該修正申告書又は更正請求書を含む。）に**１**の規定による控除の対象となる認定特定高度情報通信技術活用設備の取得価額、控除を受ける金額及び当該金額の計算に関する明細を記載した書類その他財務省令で定める書類の添付がある場合に限り、適用する。この場合において、**１**の規定により控除される金額の計算の基礎となる認定特定高度情報通信技術活用設備の取得価額は、確定申告書に添付された書類に記載された認定特定高度情報通信技術活用設備の取得価額を限度とする。（措法10の５の５⑥）

（注）　**２**に規定する財務省令で定める書類は、確認書の写しとする。（措規５の12の２③）

十七　事業適応設備を取得した場合等の所得税額の特別控除……特別償却制度は第六章第二節六６参照

１　情報技術事業適応のための特定ソフトウエア等とともに情報技術事業適応設備を取得した場合の所得税額の特別控除

青色申告書を提出する個人で産業競争力強化法第21条の28に規定する認定事業適応事業者（以下**十七**において「**認定事業適応事業者**」という。）であるものが、産業競争力強化法等の一部を改正する等の法律（令和３年法律第70号）の施行の日から令和７年３月31日までの期間（以下**十七**において「**指定期間**」という。）内に、産業競争力強化法第21条の16第２項に規定する認定事業適応計画に従って実施される同法第21条の28に規定する情報技術事業適応（以下において「**情報技術事業適応**」という。）の用に供するために特定ソフトウエア（(（1）で定めるソフトウエアをいう。）の新設若しくは増設をし、又は情報技術事業適応を実施するために利用するソフトウエアのその利用に係る費用（繰延資産となるものに限る。以下**十七**において同じ。）を支出する場合において、当該新設若しくは増設に係る特定ソフトウエア並びに当該特定ソフトウエア若しくはその利用するソフトウエアとともに情報技術事業適応の用に供する機械及び装置並びに器具及び備品（主として産業試験研究（**九４**①イ⑴に規定する試験研究又は同①イ⑵に規定する同**４**①（２）で定める試験研究をいう。）の用に供されるものとして（４）で定めるもの（**１**において「**産業試験研究用資産**」という。）を除く。以下**１**において「**情報技術事業適応設備**」という。）でその製作の後事業の用に供されたことのないものを取得し、又は情報技術事業適応設備を製作して、これを国内にある当該個人の事業の用に供したとき（貸付けの用に供した場合を除く。**３**において同じ。）は、当該情報技術事業適応設備につき第六章第二節**六６イ**①又は同**ハ**①の規定の適用を受ける場合を除き、その事業の用に供した日の属する年（事業を廃止した日の属する年を除く。以下**十七**において「**供用年**」という。）の年分の総所得金額に係る所得税の額から、（２）で定めるところにより、その事業の用に供した当該情報技術事業適応設備の取得価額（情報技術事業適応の用に供するために取得又は製作をする特定ソフトウエア並びに当該特定ソフトウエア又は情報技術事業適応を実施するために利用してその利用に係る費用を支出するソフトウエアとともに情報技術事業適応の用に供する機械及び装置並びに器具及び備品の取得価額並びに情報技術事業適応を実施するために利用するソフトウエアのその利用に係る費用の額の合計額（以下**十七**において「**対象資産合計額**」という。）が300億円を超える場合には、300億円に当該情報技術事業適応設備の取得価額が当該対象資産合計額のうちに占める割合を乗じて計算した金額）の100分の３（情報技術事業適応のうち産業競争力強化法第２条第１項に規定する産業競争力の強化に著しく資するものとして（５）で定めるものの用に供する情報技術事業適応設備については、100分の５）に相当する金額の合計額（以下**１**において「税額控除限度額」という。）を控除する。この場合において、当該個人の供用年における税額控除限度額が、当該個人の当該供用年の年分の調整前事業所得税額（**九４**④に規定する調整前事業所得税額をいう。**２**及び**３**において同じ。）の100分の20に相当する金額を超えるときは、その控除を受ける金額は、当該100分の20に相当する金額を限度とする。（措法10の５の６①⑦）

（注）　上記＿＿下線部については、新たな事業の創出及び産業への投資を促進するための産業競争力強化法等の一部を改正する法律（令和６年法律第45号）の施行の日（令和６年９月２日）以後、１中「第21条の28」が「第21条の35第１項」に、「第21条の16第２項」が「第21条の23第２項」に改められる。（令６改所法等附１十三イ）

（**１**に規定する（１）で定めるソフトウエア）

（１）　**１**に規定する（１）で定めるソフトウエアは、電子計算機に対する指令であって一の結果を得ることができるように組み合わされたもの（これに関連する（２）で定める書類を含むものとし、複写して販売するための原本を除く。）とする。（措令５の６の６①）

（特定ソフトウエアの含まれる書類）

（２）　（１）に規定する（２）で定める書類は、システム仕様書その他の書類とする。（措規５の12の３①）

（**１**の規定による控除をすべき金額）

（３）　**１**の規定による控除をすべき金額は、その年分の**一４**に規定する課税総所得金額に係る所得税額から控除する。この場合において、当該所得税額から控除をすべき**一１**に規定する配当控除の額があるときは、まず当該配当控除の額を控除し、次に**１**の規定による控除をすべき金額を控除する。（措令５の６の６②）

（産業試験研究の用に供されるもの）

（４）　**１**に規定する（４）で定めるものは、主として**１**に規定する産業試験研究の用に供される減価償却資産の耐用年数等に関する省令別表第六（1986ページ）の左欄に掲げるソフトウエア、機械及び装置並びに器具及び備品（機械及び装置並びに器具及び備品にあっては、同表の中欄に掲げる固定資産に限る。）とする。（措規５の12の３②）

（**1**に規定する(5)で定めるもの）

(5)　**1**に規定する(5)で定めるものは、**1**に規定する情報技術事業適応のうち産業競争力強化法第２条第１項に規定する産業競争力の強化に著しく資するものとして経済産業大臣が定める基準に適合するものであることについて主務大臣（同法第147条第１項第６号に定める大臣をいう。）の確認を受けたものとする。（措令５の６の６③、令和３年経済産業省告示第165号（最終改正令５同省告示第51号））

(注)　上記____下線部については、新たな事業の創出及び産業への投資を促進するための産業競争力強化法等の一部を改正する法律（令和６年法律第45号）の施行の日（令和６年９月２日）以後、(5)中「第147条第１項第６号」が「第147条第１項第７号」に改められる。（令６改措令附１四）

（事業適応繰延資産に該当するもの）

(6)　**1**の情報技術事業適応を実施するために利用するソフトウエアのその利用に係る費用のうち繰延資産となるものには、**1**の情報技術事業適応を実施するためにクラウドを通じて利用するソフトウエアの初期費用で第六章第二節**七** **1**③ロに掲げるもの（資産の取得に要した金額とされるべき費用及び同**1**なお書に規定する前払費用を除き、支出の効果がその支出の日以後１年以上に及ぶものに限る。）が該当する。（措通10の５の６－１）

（貸付けの用に供したものに該当しない資産の貸与）

(7)　**1**に規定する認定事業適応事業者が、その取得又は製作をした**1**に規定する情報技術事業適応設備を自己の下請業者に貸与した場合において、当該情報技術事業適応設備が専ら当該認定事業適応事業者のためにする製品の加工等の用に供されるものであるときは、当該情報技術事業適応設備は当該認定事業適応事業者の営む事業の用に供したものとして取り扱う。第六章第二節**六６ハ**①に規定する認定エネルギー利用環境負荷低減事業適応事業者が、その取得又は製作若しくは建設（以下**十七**において「取得等」という。）をした同①に規定する生産工程効率化等設備（以下**十七**関係において「生産工程効率化等設備」という。）を自己の下請業者に貸与した場合についても、同様とする。（措通10の５の６－２）

（国庫補助金等の総収入金額不算入の適用を受ける場合の取得価額）

(8)　**十七１**に規定する税額控除限度額（以下「税額控除限度額等」という。）を計算する場合における**十七１**に規定する情報技術事業適応設備（以下「税額控除対象機械装置等」という。）の取得価額は、次に掲げる場合には、それぞれ次に定める金額による。（措通10の３～15共－３）

(一)　個人が取得又は製作若しくは建設（以下「取得等」という。）をした税額控除対象機械装置等につき、当該取得等をして事業の用に供した年（以下「供用年」という。）に係る年分において第六章第一節**三**《国庫補助金等の総収入金額不算入》**1**①又は同**2**①の規定の適用を受ける場合　同**1**④又は同**2**⑤の規定により計算した金額

(二)　個人が取得等をした税額控除対象機械装置等につき、供用年後の年分において第六章第一節**三**《国庫補助金等の総収入金額不算入》**1**①又は同**2**①の規定の適用を受けることが予定されている場合　同章第二節**五**《減価償却》**7イ**各号に掲げる金額から同章第一節**三**《国庫補助金等の総収入金額不算入》**1**①に規定する国庫補助金等の交付予定金額（同**2**①の規定の適用を受けることが予定されている場合には、国庫補助金等の交付金額で返還を要しないことが確定していないもの）を控除した金額

(注)１　(二)の国庫補助金等の交付予定金額は、供用年の12月31日において見込まれる金額による。

２　個人が税額控除対象機械装置等の供用年において税額控除限度額等の計算の基礎となる取得価額を(二)に定める金額によることなく第六章第二節**五**《減価償却》**7イ**各号に掲げる金額に基づき税額控除限度額等を計算して申告をしている場合において、供用年後の年分において同章第一節**三**《国庫補助金等の総収入金額不算入》**1**①又は同**2**①の規定の適用を受けるときは、供用年に遡って税額控除限度額等の計算の基礎となった取得価額から(二)の国庫補助金等の交付予定金額を控除した金額に基づき税額控除限度額等を修正することに留意する。

2　情報技術事業適応のためのソフトウエアに係る費用を支出した場合の所得税額の特別控除

青色申告書を提出する個人で認定事業適応事業者であるものが、指定期間内に、情報技術事業適応を実施するために利用するソフトウエアのその利用に係る費用を支出した場合において、その支出した費用に係る繰延資産（以下**2**において「**事業適応繰延資産**」という。）につき第六章第二節**六６ロ**①の規定の適用を受けないときは、その支出した日の属する年（事業を廃止した日の属する年を除く。**2**において「**支出年**」という。）の年分の総所得金額に係る所得税の額から、(1)で定めるところにより、当該事業適応繰延資産の額（対象資産合計額が300億円を超える場合には、300億円に当該事業適応繰延資産の額が当該対象資産合計額のうちに占める割合を乗じて計算した金額）の100分の３（情報技術事業適応のうち産業競争力強化法第２条第１項に規定する産業競争力の強化に著しく資するものとして(2)で定めるものを実施するため

に利用するソフトウエアのその利用に係る費用に係る事業適応繰延資産については、100分の５）に相当する金額の合計額（以下**２**において「**繰延資産税額控除限度額**」という。）を控除する。この場合において、当該個人の支出年における繰延資産税額控除限度額が、当該個人の当該支出年の年分の調整前事業所得税額の100分の20に相当する金額（**１**の規定により当該支出年の年分の総所得金額に係る所得税の額から控除される金額がある場合には、当該金額を控除した残額）を超えるときは、その控除を受ける金額は、当該100分の20に相当する金額を限度とする。（措法10の５の６③⑧）

（**２**の規定による控除をすべき金額）

（１）　**２**の規定による控除をすべき金額は、その年分の**一４**に規定する課税総所得金額に係る所得税額から控除する。この場合において、当該所得税額から控除をすべき**一１**に規定する配当控除の額及び**１**の規定による控除をすべき金額があるときは、まず当該配当控除の額及び**１**の規定による控除をすべき金額を控除し、次に**２**の規定による控除をすべき金額を控除する。（措令５の６の６④）

（**２**に規定する（２）で定めるもの）

（２）　**２**に規定する（２）で定めるものは、**１**に規定する情報技術事業適応のうち産業競争力強化法第２条第１項に規定する産業競争力の強化に著しく資するものとして経済産業大臣が定める基準に適合するものであることについて主務大臣（同法第147条第１項第６号に定める大臣をいう。）の確認を受けたものとする。（措令５の６の６③、令和３年経済産業省告示第165号（最終改正令５同省告示第51号））

（注）　上記～～下線部については、新たな事業の創出及び産業への投資を促進するための産業競争力強化法等の一部を改正する法律（令和６年法律第45号）の施行の日（令和６年９月２日）以後、（２）中「第147条第１項第６号」が「第147条第１項第７号」に改められる。（令６改措令附１四）

（分割払の事業適応繰延資産）

（３）　個人が**２**に規定する事業適応繰延資産となる費用を分割して支払うこととしている場合には、たとえその総額が確定しているときであっても、**２**の繰延資産税額控除限度額は当該費用を支出した日の属する年において支出した金額を基礎として計算することとなり、当該金額に未払金の額を含めることはできないのであるが、分割して支払う期間が短期間（おおむね３年以内）である場合において、当該金額に未払金の額を含めることとしているときは、これを認める。（措通10の５の６－３）

３　エネルギー利用環境負荷低減事業適応のための生産工程効率化等設備を取得した場合の所得税額の特別控除

青色申告書を提出する個人で産業競争力強化法等の一部を改正する等の法律（令和３年法律第70号）の施行の日から令和８年３月31日までの間にされた産業競争力強化法第21条の22第１項の認定に係る産業競争力強化法第21条の16第１項に規定する認定事業適応事業者（その同条第２項に規定する認定事業適応計画（同法第21条の13第２項第３号に規定するエネルギー利用環境負荷低減事業適応に関するものに限る。以下**３**において「**認定エネルギー利用環境負荷低減事業適応計画**」という。）に当該認定エネルギー利用環境負荷低減事業適応計画に従って行う同号に規定するエネルギー利用環境負荷低減事業適応（以下**３**において「**エネルギー利用環境負荷低減事業適応**」という。）のための措置として同法第２条第13項に規定する生産工程効率化等設備又は同条第14項に規定する需要開拓商品生産設備（以下**十七**において「**生産工程効率化等設備**」という。）を導入する旨の記載があるものに限る。**３**において「**認定エネルギー利用環境負荷低減事業適応事業者**」という。）であるものが、当該認定の日から同日以後３年を経過する日までの間に、その認定エネルギー利用環境負荷低減事業適応計画に記載された生産工程効率化等設備でその製作若しくは建設の後事業の用に供されたことのないものを取得し、又はその認定エネルギー利用環境負荷低減事業適応計画に記載された生産工程効率化等設備を製作し、若しくは建設して、これを国内にある当該個人の事業の用に供した場合において、当該生産工程効率化等設備につき第六章第二節**六６イ**①、同**ハ**①又は**１**の規定の適用を受けないときは、供用年の年分の総所得金額に係る所得税の額から、（１）で定めるところにより、その事業の用に供した当該生産工程効率化等設備の取得価額（その認定エネルギー利用環境負荷低減事業適応計画に従って行うエネルギー利用環境負荷低減事業適応のための措置として取得又は製作若しくは建設をする生産工程効率化等設備等の取得価額の合計額が500億円を超える場合には、500億円にその事業の用に供した生産工程効率化等設備等の取得価額が当該合計額のうちに占める割合を乗じて計算した金額。**３**において「**基準取得価額**」という。）に次の(一)から(三)までに掲げる生産工程効率化等設備の区分に応じ当該(一)から(三)までに定める割合を乗じて計算した金額の合計額（以下**３**において「**生産工程効率化等設備税額控除限度額**」という。）を控除する。この場合において、当該個人の供用年における生産工程効率化等設備等税額控除限度額が、当該個人の当該供用年の年分の調整前事業所得税額の100

分の20に相当する金額（**1**及び**2**の規定により当該供用年の年分の総所得金額に係る所得税の額から控除される金額がある場合には、当該金額を控除した残額）を超えるときは、その控除を受ける金額は、当該100分の20に相当する金額を限度とする。（措法10の５の６⑤⑨）

<table>
<tr><td>(一)</td><td colspan="2">**九4**⑥に規定する中小事業者（(二)において「中小事業者」という。）が事業の用に供した生産工程効率化等設備のうちエネルギーの利用による環境への負荷の低減に著しく資するものとして(２)で定めるもの</td><td>100分の14</td></tr>
<tr><td rowspan="3">(二)</td><td colspan="2">次のイ及びロに掲げる生産工程効率化等設備</td><td rowspan="3">100分の10</td></tr>
<tr><td>イ</td><td>中小事業者が事業の用に供した生産工程効率化等設備のうち(一)に掲げるもの以外のもの</td></tr>
<tr><td>ロ</td><td>中小事業者以外の個人が事業の用に供した生産工程効率化等設備のうちエネルギーの利用による環境への負荷の低減に特に著しく資するものとして(２)で定めるもの</td></tr>
<tr><td>(三)</td><td colspan="2">(一)及び(二)に掲げるもの以外の生産工程効率化等設備</td><td>100分の５</td></tr>
</table>

（注）１　改正後の**3**の規定は、個人が令和６年４月１日以後に取得又は製作若しくは建設をする**3**に規定する生産工程効率化等設備について適用され、個人が同日前に取得又は製作若しくは建設をした改正前の**3**に規定する生産工程効率化等設備等については、なお従前の例による。（令６改所法等附27①）

２　令和６年４月１日から(注)３に定める日の前日までの間における改正後の**3**の規定の適用については、同**3**中「第21条の22第１項」とあるのは「第21条の15第１項」とされる。（令６改所法等附27③）

３　上記～～下線部については、新たな事業の創出及び産業への投資を促進するための産業競争力強化法等の一部を改正する法律（令和６年法律第45号）の施行の日（令和６年９月２日）以後、**3**中「第21条の13第２項第３号」が「第21条の20第２項第２号」に改められる。（令６改所法等附１十三イ）

（**3**の規定による控除をすべき金額）

（１）　**3**の規定による控除をすべき金額は、その年分の**一4**に規定する課税総所得金額に係る所得税額から控除する。この場合において、当該所得税額から控除をすべき**一1**に規定する配当控除の額並びに**1**及び**2**の規定による控除をすべき金額があるときは、まず当該配当控除の額及びこれらの規定による控除をすべき金額を控除し、次に**3**の規定による控除をすべき金額を控除する。（措令５の６の６⑤）

（**3**(一)に規定する(２)で定めるもの及び**3**(二)ロ）

（２）　**3**(一)に規定する(２)で定めるものは、**3**に規定する生産工程効率化等設備のうちエネルギーの利用による環境への負荷の低減に著しく資するものとして経済産業大臣が定める基準に適合するものとし、**3**(二)ロに規定する(２)で定めるものは、**3**に規定する生産工程効率化等設備のうちエネルギーの利用による環境への負荷の低減に特に著しく資するものとして経済産業大臣が定める基準に適合するものとする。（措令５の６の６⑥、令３経済産業省告示第170号（最終改正令６同省告示第60号）、令６経済産業省告示第61号）

（中小事業者であるかどうかの判定の時期）

（３）　**3**(一)に規定する中小事業者に該当するかどうかは、生産工程効率化等設備の取得等をした日及び当該生産工程効率化等設備を事業の用に供した日の現況による。（措通10の５の６－４）

（国庫補助金等の総収入金額不算入の適用を受ける場合の取得価額）

（４）　**十七3**に規定する生産工程効率化等設備税額控除限度額（以下「税額控除限度額等」という。）を計算する場合における**十七3**に規定する生産工程効率化等設備（以下「税額控除対象機械装置等」という。）の取得価額は、次に掲げる場合には、それぞれ次に定める金額による。（措通10の３～15共－３）

(一)　個人が取得又は製作若しくは建設（以下「取得等」という。）をした税額控除対象機械装置等につき、当該取得等をして事業の用に供した年（以下「供用年」という。）に係る年分において第六章第一節**三**《国庫補助金等の総収入金額不算入》**1**①又は同**2**①の規定の適用を受ける場合　同**1**④又は同**2**⑤の規定により計算した金額

(二)　個人が取得等をした税額控除対象機械装置等につき、供用年後の年分において第六章第一節**三**《国庫補助金等の総収入金額不算入》**1**①又は同**2**①の規定の適用を受けることが予定されている場合　同章第二節**五**《減価償却》**7イ**各号に掲げる金額から同章第一節**三**《国庫補助金等の総収入金額不算入》**1**①に規定する国庫補助金等の交付予定金額（同**2**①の規定の適用を受けることが予定されている場合には、国庫補助金等の交付金額で返還を要しないことが確定していないもの）を控除した金額

(注) 1　(二)の国庫補助金等の交付予定金額は、供用年の12月31日において見込まれる金額による。

2　個人が税額控除対象機械装置等の供用年において税額控除限度額等の計算の基礎となる取得価額を(二)に定める金額によることなく第六章第二節**五**《減価償却》**7イ**各号に掲げる金額に基づき税額控除限度額等を計算して申告をしている場合において、供用年後の年分において同章第一節**三**《国庫補助金等の総収入金額不算入》**1**①又は同**2**①の規定の適用を受けるときは、供用年に遡って税額控除限度額等の計算の基礎となった取得価額から(二)の国庫補助金等の交付予定金額を控除した金額に基づき税額控除限度額等を修正することに留意する。

4　適用除外

次の(一)から(三)までに掲げる規定は、当該(一)から(三)までに定める資産については、適用しない。(措法10の5の6⑫)

(一)	**1**の規定	令和５年４月１日前に産業競争力強化法第21条の15第１項の認定の申請がされた同法第21条の16第２項に規定する認定事業適応計画（同日以後に同条第１項の規定による変更の認定の申請がされた場合において、その変更の認定があったときは、その変更後のものを除く。）に従って実施される同法第21条の28に規定する情報技術事業適応（(二)において「旧情報技術事業適応」という。）の用に供する**1**に規定する情報技術事業適応設備で同日以後に取得又は製作をされたもの
(二)	**2**の規定	旧情報技術事業適応を実施するために利用するソフトウエアのその利用に係る費用で令和５年４月１日以後に支出されたものに係る繰延資産
(三)	**3**の規定	令和６年４月１日前に産業競争力強化法第21条の22第１項の認定の申請がされた認定エネルギー利用環境負荷低減事業適応計画（同日以後に同法第21条の23第１項の規定による変更の認定の申請がされた場合において、その変更の認定があったときは、その変更後のものを除く。）に記載された生産工程効率化等設備で同日以後に取得又は製作若しくは建設をされたもの

(注) 1　改正後の**4**（(三)に係る部分に限る。）の規定は、令和６年分以後の所得税について適用される。(令６改所法等附27②)

2　令和６年４月１日から(注) ３に定める日の前日までの間における改正後の**4**の規定の適用については、同**4**(三)中「第21条の22第１項」とあるのは「第21条の15第１項」と、「第21条の23第１項」とあるのは「第21条の16第１項」とされる。(令６改所法等附27③)

3　上記﹏﹏下線部については、新たな事業の創出及び産業への投資を促進するための産業競争力強化法等の一部を改正する法律（令和６年法律第45号）の施行の日（令和６年９月２日）以後、**4**(一)中「第21条の15第１項」が「第21条の22第１項」に、「第21条の16第２項」が「第21条の23第２項」に、「第21条の28」が「第21条の35第１項」に改められる。(令６改所法等附１十三イ)

5　申告手続

1から**3**までの規定は、確定申告書（これらの規定により控除を受ける金額を増加させる修正申告書又は更正請求書を提出する場合には、当該修正申告書又は更正請求書を含む。）にこれらの規定による控除の対象となる**1**に規定する情報技術事業適応設備の取得価額、**2**に規定する事業適応繰延資産の額又は生産工程効率化等設備の取得価額、控除を受ける金額及び当該金額の計算に関する明細を記載した書類その他(1)で定める書類の添付がある場合に限り、適用する。この場合において、**1**から**3**までの規定により控除される金額の計算の基礎となる**1**に規定する情報技術事業適応設備の取得価額、**2**に規定する事業適応繰延資産の額又は生産工程効率化等設備の取得価額は、確定申告書に添付された書類に記載された**1**に規定する情報技術事業適応設備の取得価額、**2**に規定する事業適応繰延資産の額又は生産工程効率化等設備の取得価額を限度とする。(措法10の5の6⑬)

(確定申告書の添付書類)

(1)　**5**に規定する(1)で定める書類は、次の(一)及び(二)に掲げる場合の区分に応じ当該(一)及び(二)に定める書類とする。(措規5の12の3④)

(一)	**1**又は**2**の規定の適用を受ける場合	その適用に係る**1**に規定する情報技術事業適応設備又は**2**に規定する事業適応繰延資産が記載された認定申請書等の写し及び当該認定申請書等に係る認定書等の写し並びに当該認定申請書等に係る認定事業適応計画に従って実施される情報技術事業適応に係る確認書の写し
(二)	**3**の規定の適用を受ける場合	その適用に係る第六章第二節**六6ハ**①に規定する生産工程効率化等設備が記載された認定申請書等の写し及び当該認定申請書等に係る認定書等の写し

十八　所得税の額から控除される特別控除の特例

1　所得税の額から控除される特別控除の特例

個人がその年において次の(一)から(十三)までに掲げる規定のうち２以上の規定の適用を受けようとする場合において、その適用を受けようとする規定による税額控除可能額（当該(一)から(十三)までに掲げる規定の区分に応じ当該(一)から(十三)までに定める金額をいう。）の合計額が当該個人のその年分の**九**《試験研究を行った場合の所得税額の特別控除》**4**④に規定する調整前事業所得税額の100分の90に相当する金額を超えるときは、当該(一)から(十三)までに掲げる規定にかかわらず、その超える部分の金額（以下**十八**において「調整前事業所得税額超過額」という。）は、当該個人のその年分の総所得金額に係る所得税の額から控除しない。この場合において、当該調整前事業所得税額超過額は、次の(一)から(十三)までに定める金額のうち控除可能期間が最も長いものから順次成るものとする。（措法10の６①）

(一)	**九 1** の規定	同 **1** に規定する税額控除限度額のうち同 **1** の規定による控除をしても控除しきれない金額を控除した金額
(二)	**九 2** の規定	同 **2** に規定する中小事業者税額控除限度額のうち同 **2** の規定による控除をしても控除しきれない金額を控除した金額
(三)	**九 3** の規定	同 **3** に規定する特別研究税額控除限度額のうち同 **3** の規定による控除をしても控除しきれない金額を控除した金額
(四)	**十**《中小企業者が機械等を取得した場合の所得税額の特別控除》**1** 又は同 **2** の規定	それぞれ同 **1** に規定する税額控除限度額のうち同 **1** の規定による控除をしても控除しきれない金額を控除した金額又は同 **2** に規定する繰越税額控除限度超過額のうち同 **2** の規定による控除をしても控除しきれない金額を控除した金額
(五)	**十一**《地域経済牽引事業の促進区域内において特定事業用機械等を取得した場合の所得税額の特別控除》**1** の規定	同 **1** に規定する税額控除限度額のうち同 **1** の規定による控除をしても控除しきれない金額を控除した金額
(六)	**十二**《地方活力向上地域等において特定建物等を取得した場合の所得税額の特別控除》 **1** の規定	同 **1** に規定する税額控除限度額のうち同 **1** の規定による控除をしても控除しきれない金額を控除した金額
(七)	**十三**《地方活力向上地域等において雇用者の数が増加した場合の所得税額の特別控除》 **1** 又は同 **2** の規定	それぞれ同 **1** に規定する税額控除限度額のうち同 **1** の規定による控除をしても控除しきれない金額を控除した金額又は同 **2** に規定する地方事業所特別税額控除限度額のうち同 **2** の規定による控除をしても控除しきれない金額を控除した金額
(八)	**十四**《特定中小事業者が特定経営力向上設備等を取得した場合の所得税額の特別控除》 **1** 又は同 **2** の規定	それぞれ同 **1** に規定する税額控除限度額のうち同 **1** の規定による控除をしても控除しきれない金額を控除した金額又は同 **2** に規定する繰越税額控除限度超過額のうち同 **2** の規定による控除をしても控除しきれない金額を控除した金額
(九)	**十五**《給与等の支給額が増加した場合の所得税額の特別控除》**1** から同 **4** までの規定	それぞれ同 **1** に規定する税額控除限度額のうち同 **1** の規定による控除をしても控除しきれない金額を控除した金額、同 **2** に規定する特定税額控除限度額のうち同 **2** の規定による控除をしても控除しきれない金額を控除した金額、同 **3** に規定する中小事業者税額控除限度額のうち同 **3** の規定による控除をしても控除しきれない金額を控除した金額又は同 **4** に規定する繰越税額控除限度超過額のうち同 **4** の規定による控除をしても控除しきれない金額を控除した金額
(十)	**十六**《認定特定高度情報通信技術活用設備を取得した場合の所得税額の特別控除》 **1** の規定	同 **1** に規定する税額控除限度額のうち同 **1** の規定による控除をしても控除しきれない金額を控除した金額
(十一)	**十七**《事業適応設備を取得した場合等の所得税額の特別控除》**1** から **3** まで	それぞれ同 **1** に規定する税額控除限度額のうち同 **1** の規定による控除をしても控除しきれない金額を控除した金額、同 **2** に規定する繰延資産税額控

	の規定	除限度額のうち同2の規定による控除をしても控除しきれない金額を控除した金額又は同3に規定する生産工程効率化等設備税額控除限度額のうち同3の規定による控除をしても控除しきれない金額を控除した金額
(十二)	(一)から(十一)までに掲げるもののほか、所得税の額の計算に関する特例を定めている規定として(4)で定める規定	(一)から(十一)までの各号に定める金額に類するものとして(4)で定める金額

(控除可能期間)

(1)　**1**に規定する控除可能期間とは、**1**の規定の適用を受けた年の翌年1月1日から、**1**(一)から同(十四)までに定める金額について繰越税額控除に関する規定（当該(一)から(十四)までに定める金額を当該(一)から(十四)までに掲げる規定による控除をしても控除しきれなかった金額とみなした場合に適用される**十3**又は**十四2**の規定その他これらに類する所得税の繰越税額控除に関する規定として政令で定める規定をいう。(2)及び(3)において同じ。）を適用したならば、その年分の総所得金額に係る所得税の額から控除することができる最終の年の12月31日までの期間をいう。(措法10の6②)

(注)　上記____下線部については、令和6年4月1日以後、(1)中「又は**十四2**」が「、**十四2**又は**十五4**」に改められた。(令6改所法等附1)（令和7年分以後適用（令6改所法等附26①))

(超過年の翌年以後の各年分において調整前事業所得税額超過額を構成することとされた部分に相当する金額)

(2)　**1**の個人の**1**の規定の適用を受けた年（以下(2)及び(3)において「超過年」という。）の翌年以後の各年分（超過年の翌年からその年までの各年分の所得税につき青色申告書を提出している場合の各年分に限る。）において、**1**(一)から同(十四)までに定める金額のうち**1**後段の規定により調整前事業所得税額超過額を構成することとされた部分に相当する金額は、当該超過年における当該(一)から(十四)までに掲げる規定による控除をしても控除しきれなかった金額として、**十3**(1)又は**十四2**(2)の規定を適用したならばこれらの規定に規定する繰越税額控除限度超過額に該当するものその他これに類するものとして政令で定める金額に限り、繰越税額控除に関する規定を適用する。(措法10の6③)

(注)　上記____下線部については、令和6年4月1日以後、(2)中「又は**十四2**(2)」が「、**十四2**(2)又は**十五5⑪**」に改められた。(令6改所法等附1)（令和7年分以後適用（令6改所法等附26①))

(確定申告書への添付等)

(3)　(2)の規定は、超過年の年分及びその翌年以後の各年分の確定申告書に調整前事業所得税額超過額の明細書の添付がある場合で、かつ、(2)の規定の適用を受けようとする年分の確定申告書（(2)の規定により適用する繰越税額控除に関する規定により控除を受ける金額を増加させる修正申告書又は更正請求書を提出する場合には、当該修正申告書又は更正請求書を含む。）に(2)の規定により適用する繰越税額控除に関する規定による控除の対象となる調整前事業所得税額超過額、控除を受ける金額及び当該金額の計算に関する明細を記載した書類の添付がある場合に限り、適用する。(措法10の6④)

(控除可能期間同じくするものがあるときの税額控除可能額)

(4)　**1**の後段の規定により**1**に規定する調整前事業所得税額超過額を構成することとなる部分に相当する金額を判定する場合において、**1**(一)から同(十四)までに掲げる規定のうち異なる規定による税額控除可能額（**1**に規定する税額控除可能額をいう。以下(4)において同じ。）で、**1**に規定する控除可能期間（以下(4)において「控除可能期間」という。）を同じくするものがあるときは、当該税額控除可能額について**1**に規定する個人が選択した順に控除可能期間が長いものとして、**1**の後段の規定を適用する。(措令5の7①)

(控除可能期間の判定)

(5)　個人が**1**に規定する調整前事業所得税額超過額を有する場合において、**1**(一)から同(十四)までに定める金額を構成する(1)の繰越税額控除に関する規定に規定する繰越税額控除限度超過額の控除可能期間((1)に規定する控除可能期間をいう。）については、当該繰越税額控除限度超過額が生じた年分ごとに判定するものとする。(措通10の6−1)

(注)　繰越税額控除限度超過額とは、**1**(一)から同(十四)までに規定する繰越税額控除限度超過額及び繰越中小企業者税額控除限度超過額を

いう。

2　特定税額控除規定の適用除外

個人（**九4**⑥に規定する中小事業者を除く。(一)及び(二)において同じ。）が、令和元年から令和９年までの各年（以下**2**及び(7)において「対象年」という。）において**1**(一)、同(三)、同(五)、同(十)又は同(十一)に掲げる規定（以下**2**及び(7)において「**特定税額控除規定**」という。）の適用を受けようとする場合において、当該対象年において次の(一)及び(二)に掲げる要件のいずれにも該当しないとき（当該対象年が事業を開始した日の属する年、相続又は包括遺贈により事業を承継した日の属する年及び事業の譲渡又は譲受けをした日の属する年のいずれにも該当しない場合であって、当該対象年の年分の事業所得の金額が当該対象年の前年分の事業所得の金額以下である場合として(4)で定める場合を除く。）は、当該特定税額控除規定は、適用しない。（措法10の６⑤）

(一)	当該個人の**十五3**③に規定する継続雇用者給与等支給額がその同**3**④に規定する継続雇用者比較給与等支給額を超えること。
(二)	イに掲げる金額がロに掲げる金額の100分の30に相当する金額を超えること。 イ　当該個人が当該対象年において取得等（取得又は製作若しくは建設をいい、相続、遺贈、贈与、交換又は法人税法第２条第12号の５の２に規定する現物分配による取得その他(2)で定める取得を除く。）をした国内資産（国内にある当該個人の事業の用に供する機械及び装置その他の資産で(3)で定めるものをいう。）で当該対象年の12月31日において有するものの取得価額の合計額 ロ　当該個人がその有する減価償却資産につき当該対象年の年分の事業所得の金額の計算上、その償却費として必要経費に算入した金額の合計額

(注) 1　上記____下線部については、令和６年４月１日以後、**2**(二)中「100分の30」の次に「((一)イ⑴及び⑵に掲げる場合のいずれにも該当する場合には、100分の40)」が加えられ、**2**(一)が次のように改められた。（令６改所法等附１）

<table>
<tr><td rowspan="3">(一)</td><td colspan="3">次に掲げる場合の区分に応じそれぞれ次に定める要件に該当すること。</td></tr>
<tr><td>イ</td><td>次に掲げる場合のいずれにも該当する場合
⑴　当該対象年の12月31日において当該個人の常時使用する従業員の数が2,000人を超える場合
⑵　当該対象年が事業を開始した日の属する年、相続若しくは包括遺贈により事業を承継した日の属する年及び事業の譲渡若しくは譲受けをした日の属する年のいずれにも該当しない場合であって当該対象年の前年分の事業所得の金額が零を超える場合として(1)で定める場合又は当該対象年が事業を開始した日の属する年、相続若しくは包括遺贈により事業を承継した日の属する年若しくは事業の譲渡若しくは譲受けをした日の属する年に該当する場合</td><td>当該個人の十五5③に規定する継続雇用者給与等支給額(ロにおいて「継続雇用者給与等支給額」という。）からその同5④に規定する継続雇用者比較給与等支給額（以下(一)において「継続雇用者比較給与等支給額」という。）を控除した金額の当該継続雇用者比較給与等支給額に対する割合が100分の１以上であること。</td></tr>
<tr><td>ロ</td><td>イに掲げる場合以外の場合</td><td>当該個人の継続雇用者給与等支給額がその継続雇用者比較給与等支給額を超えること。</td></tr>
</table>

2　改正後の**2**（(一)及び(二)に係る部分に限る。）の規定は、令和７年分以後の所得税について適用され、令和６年分以前の所得税については、なお従前の例による。（令６改所法等附28）

令和７年分以後適用（令６改措令附１、28）

（**2**(一)イ⑵に規定する(1)で定める場合）

(1)　**2**(一)イ⑵に規定する(1)で定める場合は、(4)(二)に掲げる金額が零を超える場合とする。（措令５の７③）

（**2**(二)イに規定する(2)で定める取得）

(2)　**2**(二)イに規定する(2)で定める取得は、代物弁済としての取得とする。（措令５の７④）

（**2**(二)イに規定する(3)で定めるもの）

(3)　**2**(二)イに規定する(3)で定めるものは、第二章第一節**一16**に規定する棚卸資産、有価証券及び繰延資産以外の資産のうち第六章第二節**五1**①から⑨までに掲げるもの（時の経過によりその価値の減少しないものを除く。）とする。（措令５の７⑤）

（２各号列記以外の部分に規定する（４）で定める場合）

（４）　２各号列記以外の部分に規定する（４）で定める場合は、(一)に掲げる金額が(二)に掲げる金額以下である場合とする。（措令５の７⑥）

(一)	２に規定する対象年（(二)及び(６)において「対象年」という。）の年分の基準所得金額
(二)	対象年の前年分の基準所得金額（当該対象年の前年において事業を開始した場合には、当該基準所得金額に12を乗じてこれを当該対象年の前年において事業を営んでいた期間の月数で除して計算した金額）

（注）（４）(二)の月数は、暦に従って計算し、１月に満たない端数を生じたときは、これを１月とする。（措令５の７⑦）

（（４）に規定する基準所得金額）

（５）　（４）に規定する基準所得金額とは、第六章第四節**四１**及び同**２**《青色申告特別控除》の規定を適用しないで計算した場合のその年分の事業所得の金額をいう。（措令５の７⑧）

（継続雇用者給与等支給額及び継続雇用者比較給与等支給額が零である場合）

（６）　２に規定する個人の対象年に係る２(一)イに規定する継続雇用者給与等支給額及び同(一)イに規定する継続雇用者比較給与等支給額が零である場合には、同(一)イ又は同ロに定める要件に該当するものとする。（措令５の７⑩）

（特定税額控除規定の適用を受ける場合の添付書類）

（７）　２に規定する個人が対象年において特定税額控除規定の適用を受ける場合（２(一)及び同(二)に掲げる要件のいずれかに該当することにより２の規定の適用がない場合に限る。）における**九５**、**十一１**(10)、**十六２**及び**十七５**の規定の適用については、これらの規定により添付すべき書類は、これらの規定に規定する書類及び２(一)及び同(二)に掲げる要件のいずれかに該当することを明らかにする書類とする。（措法10の６⑥）

（中小事業者であるかどうかの判定の時期）

（８）　個人が２に規定する中小事業者に該当するかどうかは、その年の12月31日の現況によって判定するものとする。（措通10の６－２）

（常時使用する従業員の範囲）

（９）　２(一)イ⑴の「常時使用する従業員の数」は、常用であると日々雇い入れるものであるとを問わず、事務所又は事業所に常時就労している職員、工員等の総数によって判定することに留意する。この場合において、繁忙期に数か月程度の期間その労務に従事する者を使用するときは、当該従事する者の数を「常時使用する従業員の数」に含めるものとする。（措通10の６－３）

（国内資産の内外判定）

(10)　２(二)イに規定する国内資産（以下**十八**関係において「国内資産」という。）に該当するかどうかは、その資産が個人の事業の用に供される場所が国内であるかどうかにより判定するのであるが、例えば次に掲げる第六章第二節**五１**⑧に掲げる無形固定資産が事業の用に供される場所については、原則として、次に掲げる無形固定資産の区分に応じそれぞれ次に定める場所による。（措通10の６－５）

⑴　鉱業権（租鉱権及び採石権その他土石を採掘し又は採取する権利（以下(10)において「採石権等」という。）を含む。）　　鉱業権に係る鉱区（租鉱権にあってはこれに係る租鉱区、採石権等にあってはこれらに係る採石場）の所在する場所

⑵　特許権、実用新案権、意匠権、商標権若しくは育成者権（これらの権利を利用する権利を含む。）又は営業権　　これらの権利が使用される場所

⑶　ソフトウエア　　そのソフトウエアが組み込まれている資産の所在する場所

（注）　一の資産について、国内及び国外のいずれの事業の用にも供されている場合には、当該一の資産は国内資産に該当するものとして取り扱う。

（国内資産の判定時期）

(11)　国内資産に該当するかどうかの判定は、適用年の12月31日の現況により行うのであるが、個人の有する資産が同日において当該個人の事業の用に供されていない場合であっても、その後国内における当該個人の事業の用に供され

ることが見込まれるときには、当該資産は国内資産に該当することに留意する。（措通10の６－６）

（資本的支出）

(12)　個人の有する国内資産につき資本的支出を行った場合における当該資本的支出に係る金額は、**2**(二)イに掲げる金額に含まれるものとする。（措通10の６－７）

（国庫補助金等をもって取得等した国内資産の取得価額）

(13)　個人の有する国内資産のうちに第六章第一節**三 1**①の規定の適用を受ける同①に規定する国庫補助金等に係るもの若しくは同**1**②に規定する国庫補助金等の交付に代わるべきものとして交付を受けるもの又は同**三 2**①の規定の適用を受ける同①に規定する国庫補助金等をもって取得されたものがある場合における**2**(二)イの「国内資産……で当該対象年の12月31日において有するものの取得価額」は、同**三 1**④(一)又は同(二)又は同**三 2**⑤の規定にかかわらず、その国内資産の実際の取得価額によるものとする。（措通10の６－８）

十九　特別償却に関する複数の規定の不適用

1　特別償却等に関する複数の規定の不適用

個人の有する減価償却資産がその年において次に掲げる規定のうち２以上の規定の適用を受けることができるものである場合には、当該減価償却資産については、これらの規定のうちいずれか一の規定のみ適用する。（措法19①）

①　中小事業者が機械等を取得した場合の特別償却又は所得税額の特別控除（措法10の３）
②　地域経済牽引事業の促進区域内において特定事業用機械等を取得した場合の特別償却又は所得税額の特別控除（措法10の４）
③　地方活力向上地域等において特定建物等を取得した場合の特別償却又は所得税額の特別控除（措法10の４の２）
④　特定中小事業者が特定経営力向上設備等を取得した場合の特別償却又は所得税額の特別控除（措法10の５の３）
⑤　認定特定高度情報通信技術活用設備を取得した場合の特別償却又は所得税額の特別控除（措法10の５の５）
⑥　事業適応設備を取得した場合等の特別償却又は所得税額の特別控除（措法10の５の６）
⑦　特定船舶の特別償却（措法11）
⑧　被災代替資産等の特別償却（措法11の２）
⑨　特定事業継続力強化設備等の特別償却（措法11の３）
⑩　環境負荷低減事業活動用資産等の特別償却（措法11の４）
⑪　生産方式革新事業活動用資産等の特別償却（措法11の５）
⑫　特定地域における工業用機械等の特別償却（措法12）
⑬　医療用機器等の特別償却（措法12の２）
⑭　事業再編計画の認定を受けた場合の事業再編促進機械等の割増償却（旧措法13）
⑮　輸出事業用資産の割増償却（旧措法13の２）
⑯　特定都市再生建築物等の割増償却（措法14）
⑰　倉庫用建物等の割増償却（措法15）
⑱　①～⑰に掲げるもののほか、減価償却資産に関する特例を定めている規定として注で定める規定

（上記の注で定める規定）

注　①～⑰以外で注で定める規定は、次に掲げる規定とする。（措令10）

(一)　所得税法等の一部を改正する法律（平成31年法律第６号）附則第32条第４項の規定によりなおその効力を有するものとされる同法第11条の規定による改正前の租税特別措置法第14条の規定
(二)　所得税法等の一部を改正する法律（令和２年法律第８号）附則第60条第４項の規定によりなおその効力を有するものとされる同法第15条の規定による改正前の租税特別措置法第13条の３の規定
(三)　所得税法等の一部を改正する法律（令和３年法律第11号）附則第32条第７項の規定によりなおその効力を有するものとされる同法第７条の規定による改正前の租税特別措置法第12条の規定

2　試験研究を行った場合の所得税額の特別控除の適用を受けた場合の特別控除等に関する規定の不適用

個人の有する減価償却資産の取得価額又は繰延資産の額のうちに**九４**①に規定する試験研究費の額が含まれる場合において、当該試験研究費の額につき**九１**、同**２**又は同**３**の規定の適用を受けたときは、当該減価償却資産又は繰延資産については、**１**各号に掲げる規定は、適用しない。（措法19②）

令和７年分以後適用（令６改所法等附29⑥）

3　１の①から⑱までに掲げる規定のうちいずれか一の規定の適用を受けた場合のその他の規定の不適用

個人の有する減価償却資産につきその年の前年以前の各年において**１**の①から⑱までに掲げる規定のうちいずれか一の規定の適用を受けた場合には、当該減価償却資産については、当該いずれか一の規定以外の**１**の①から⑱までに掲げる規定は、適用しない。（措法19③）

二十　政治活動に関する寄附をした場合の所得税額の特別控除

……所得控除制度は第八章七２(四)参照

個人が指定期間（平成７年１月１日から令和11年12月31日までの期間）内に支出した次のイ又はロに掲げる団体に対する政治活動に関する寄附に係る支出金で、政治資金規正法第12条又は第17条の規定による報告書により報告されたもの（以下「**政党等に対する寄附金**」という。）については、その年中に支出した当該政党等に対する寄附金の額の合計額（当該合計額にその年中に支出した特定寄附金等の金額（第八章**七２**《特定寄附金の範囲》に規定する特定寄附金の額及び同**３**の規定又は同**２**(四)の規定により当該特定寄附金とみなされたものの額並びに**二十一**に規定する特定非営利活動に関する寄附金の額並びに第八章**七５**に規定する控除対象特定新規株式の取得に要した金額として同**５**に規定する同**５**(４)で定める金額の合計額をいう。以下**二十**において同じ。）を加算した金額が、当該個人のその年分の総所得金額、退職所得金額及び山林所得金額の合計額の100分の40に相当する金額を超える場合には、当該100分の40に相当する金額から当該特定寄附金等の金額を控除した残額）が2,000円（その年中に支出した当該特定寄附金等の金額がある場合には、2,000円から当該特定寄附金等の金額を控除した残額）を超える場合には、その年分の所得税の額（指定期間内の年分の**一**《配当控除》**１**に規定する所得税額）から、その超える金額の100分の30に相当する金額（当該金額に100円未満の端数があるときは、これを切り捨てる。）を控除する。この場合において、当該控除する金額が、当該個人のその年分の所得税の額の100分の25に相当する金額を超えるときは、当該控除する金額は、当該100分の25に相当する金額（当該金額に100円未満の端数があるときは、これを切り捨てる。）を限度とする。（措法41の18②、措令26の27の３②）

イ	次の(イ)又は(ロ)のいずれかに該当する政治団体《政治資金規正法第３条第２項の政党》	
	(イ)	当該政治団体に所属する衆議院議員又は参議院議員を５名以上有するもの
	(ロ)	直近において行われた衆議院議員の総選挙における小選挙区選出議員の選挙若しくは比例代表選出議員の選挙又は直近において行われた参議院議員の通常選挙若しくは当該参議院議員の通常選挙の直近において行われた参議院議員の通常選挙における比例代表選出議員の選挙若しくは選挙区選出議員の選挙における当該政治団体の得票総数が当該選挙における有効投票の総数の100分の２以上であるもの
ロ	政党のために資金上の援助をする目的を有する団体で、政党が総務大臣に届出をしている政治資金団体《政治資金規正法第５条第１項第２号に掲げる政治資金団体》	

（注）「総所得金額」には、第八章**一**《雑損控除》**１**と同じく租税特別措置法の読替規定が含まれる。（編者注）

〔（その年中に支出した政党等に対する寄附金の額の合計額）－2,000円〕×30%（100円未満の端数は切捨て）

（注）１　算式中の「その年中に支出した政党等に対する寄附金の額の合計額」については、その年分の所得金額の合計額の40%相当額が限度とされる。

ただし、寄附金控除の適用を受ける特定寄附金等の金額がある場合で、政党等に対する寄附金の額の合計額にその特定寄附金等の金額の合計額を加算した金額がその年分の所得金額の合計額の40%相当額を超えるときは、その40%相当額からその特定寄附金等の金額の合計額を控除した残額とされる。

２　算式中の「2,000円」については、寄附金控除の額がある場合には「０」とされ、寄附金控除の適用を受けるべき特定寄附金等の金額が2,000円以下の場合には2,000円からその特定寄附金等の金額の合計額を控除した金額とされる。

３　上記＿＿下線部については、公益信託に関する法律（令和６年法律第30号）の施行の日以後、**二十**中「同**３**の規定又は」が削られる。（令６改所法等附１九へ）

４　第八章**七３**(注)２の規定の適用がある場合における改正後の**二十**の規定の適用については、改正後の**二十**中「及び同**２**(四)」とあるのは「及び第八章**七３**(注)２の規定によりなおその効力を有するものとされる改正前の同**３**の規定又は同**２**(四)」とされる。（令６改所法等附３②）

（総所得金額、退職所得金額及び山林所得金額の合計額の100分の40に相当する金額）

（１）**二十**に規定する総所得金額、退職所得金額及び山林所得金額の合計額の100分の40に相当する金額は、第四章第二節**五１**③《上場株式等に係る配当所得等の課税の特例》（措法８の４③三）、第五章第一節《土地の譲渡等に係る事業所得等の課税の特例》（措法28の４⑤二）、同章第二節**一１**《長期譲渡所得の課税の特例》（措法31③三）（同章第二節**二**《短期譲渡所得の課税の特例》（措法32④）において準用する場合を含む。）、同章第三節**二１**《一般株式等に係る譲渡所得等の課税の特例》（措法37の10⑥五）（同章第三節**三１**《上場株式等に係る譲渡所得等の課税の特例》（措法37の11⑥）において準用する場合を含む。）又は同章第四節**一１**《先物取引に係る雑所得等の課税の特例》（措法41の14②四）の規定の適用がある場合には、これらの規定により読み替えらえた第八章**七１**《寄附金控除》の100分の40に相

当する金額とする。（措令26の27の３①）

（税額控除の控除順序等）

（２）　**一１**《配当控除》及び**二十**《政治活動に関する寄附をした場合の所得税額の特別控除》の規定による控除をすべき金額は、課税総所得金額に係る所得税額、課税山林所得金額に係る所得税額又は課税退職所得金額に係る所得税額から順次控除する。この場合において、これらの控除をすべき金額の合計額がその年分の所得税額をこえるときは、当該控除をすべき金額は、当該所得税額に相当する金額とする。（措法41の18④によって読み替えられた法92②（下線部は読み替えられた部分（編者注）））

（申 告 手 続）

（３）　**二十**の規定は、確定申告書に、**二十**の規定による控除を受ける金額についてのその控除に関する記載があり、かつ、（４）で定めるところにより、当該金額の計算に関する明細書、当該計算の基礎となる金額その他の事項を証する類の添付がある場合に限り、適用する。（措法41の18③）

（添 付 書 類）

（４）　**二十**の規定による控除を受けようとする者は、確定申告書に**二十**の規定による控除を受ける金額の計算に関する明細書並びに総務大臣又は都道府県の選挙管理委員会の当該控除を受ける**二十**に規定する政党等に対する寄附金が政治資金規正法第12条又は第17条の規定による報告書により報告されたものである旨及びその政党等に対する寄附金を受領したものが**二十**イ又は同ロに掲げる団体である旨を証する書類で当該報告書により報告された次の㈠から㈣までに掲げる事項の記載があるもの又は当該書類に記載すべき事項を記録した電子証明書等（第十章第二節**二１③イ**（４）に規定する電子証明書等をいう。**二十一**（３）及び**二十二**(21)において同じ。）に係る電磁的記録印刷書面（第十章第二節**二１③イ**に規定する電磁的記録印刷書面をいう。**二十一**（３）及び**二十二**(21)において同じ。）を添付しなければならない。（措規19の10の３）

㈠	その政党等に対する寄附金を支出した者の氏名及び住所
㈡	その政党等に対する寄附金の額
㈢	その政党等に対する寄附金を受領した団体がその受領した年月日
㈣	その政党等に対する寄附金を受領した団体の名称及び主たる事務所の所在地

（政治活動に関する寄附をした場合の所得税額の特別控除の適用）

（５）　**二十**に規定する政党等に対する寄附金については、**二十**の規定の適用を受け、又は受けないことを選択することができるが、**二十**の規定の適用を受ける場合には、その年中に支出した政党等に対する寄附金の全額について**二十**の規定を適用しなければならないことに留意する。（措通41の18－１）

（その年分の所得税の額の100分の25に相当する金額の意義）

（６）　**二十**に規定する「その年分の所得税の額の100分の25に相当する金額」は、租税特別措置法第２章第２節第１款の所得税額の特別控除の規定並びに同章第５節、第５節の２及び第６節の所得税額の特別控除の規定、**一**、**二**及び所得税法第165条の６《非居住者に係る外国税額の控除》の規定並びに第三節**２**の規定を適用しないで計算したその年分の所得税の額の100分の25に相当する全額をいうものとする。（措通41の18－２）

二十一　認定特定非営利活動法人等に寄附をした場合の寄附金控除の特例又は所得税額の特別控除……所得控除制度は第八章**七４**参照

個人が認定特定非営利活動法人等（特定非営利活動促進法第２条第３項に規定する認定特定非営利活動法人及び同条第４項に規定する仮認定特定非営利活動法人をいう。以下**二十一**において同じ。）に対して支出した当該認定特定非営利活動法人等の行う特定非営利活動に係る事業に関連する寄附に係る支出金（以下(１)において「特定非営利活動に関する寄附金」という。）については、その年中に支出した当該特定非営利活動に関する寄附金の額の合計額（当該合計額にその年中に支出した特定寄附金等の金額（第八章**七２**《特定寄附金の範囲》に規定する特定寄附金の額及び同**３**《特定公益信託の信託財産とするための支出》の規定又は同**２**《特定寄附金の範囲》(四)の規定により当該特定寄附金とみなされたもの及び出資に関する業務に充てられることが明らかなものの額並びに同**５**《特定新規中小会社が発行した株式を取得した場合の課税の特例》に規定する控除対象特定新規株式の取得に要した金額として同**５**に規定する同**５**(４)で定める金額の合計額をいう。以下(１)において同じ。）を加算した金額が、当該個人のその年分の総所得金額、退職所得金額及び山林所得金額の合計額の100分の40に相当する金額を超える場合には、当該100分の40に相当する金額から当該特定寄附金等の金額を控除した残額）が2,000円（その年中に支出した当該特定寄附金等の金額がある場合には、2,000円から当該特定寄附金等の金額を控除した残額）を超える場合には、その年分の所得税の額（その年分の**一**《配当控除》**１**に規定する所得税額）から、その超える金額の100分の40に相当する金額（当該金額に100円未満の端数があるときは、これを切り捨てる。）を控除する。この場合において、当該控除する金額が、当該個人のその年分の所得税の額の100分の25に相当する金額（**二十一**の規定の適用がある場合には、当該100分の25に相当する金額から**二十一**の規定により控除する金額を控除した残額。以下(１)において同じ。）を超えるときは、当該控除する金額は、当該100分の25に相当する金額（当該金額に100円未満の端数があるときは、これを切り捨てる。）を限度とする。（措法41の18の２①②、措令26の28②）

（注）１　上記____下線部については、公益信託に関する法律（令和６年法律第30号）の施行の日以後、**二十一**中「同**３**の規定又は」が削られる。（令６改所法等附１九へ）

２　第八章**七３**(注)２の規定の適用がある場合における改正後の**二十一**の規定の適用については、改正後の**二十一**中「及び同**２**(四)」とあるのは「及び第八章**七３**(注)２の規定によりなおその効力を有するものとされる改正前の第八章**七３**の規定又は同**２**(四)」とされる。（令６改所法等附３②）

（総所得金額、退職所得金額及び山林所得金額の合計額の100分の40に相当する金額）

(１)　**二十一**に規定する総所得金額、退職所得金額及び山林所得金額の合計額の100分の40に相当する金額は、第四章第二節**五１**③《上場株式等に係る配当所得等の課税の特例》（措法８の４③三）、第五章第一節《土地の譲渡等に係る事業所得等の課税の特例》（措法28の４⑤二）、同章第二節**一１**《長期譲渡所得の課税の特例》（措法31③三）（同章第二節**二**《短期譲渡所得の課税の特例》（措法32④）において準用する場合を含む。）、同章第三節**二１**《一般株式等に係る譲渡所得等の課税の特例》（措法37の10⑥五）（同章第三節**三１**《上場株式等に係る譲渡所得等の課税の特例》（措法37の11⑥）において準用する場合を含む。）又は同章第四節**一１**《先物取引に係る雑所得等の課税の特例》（措法41の14②四）の規定の適用がある場合には、これらの規定により読み替えられた第八章**七１**《寄附金控除》に規定する100分の40に相当する金額とする。（措令26の28①）

（申告書への記載と明細書等の添付）

(２)　**二十一**の規定は、確定申告書に、**二十一**の規定による控除を受ける金額についてのその控除に関する記載があり、かつ、(３)で定めるところにより、当該金額の計算に関する明細書、当該計算の基礎となる金額その他の事項を証する書類の添付がある場合に限り、適用する。（措法41の18の２③）

（添付する明細書等）

(３)　**二十一**の規定による控除を受けようとする者は、確定申告書に**二十一**の規定による控除を受ける金額の計算に関する明細書及びその寄附金を受領した認定特定非営利活動法人（**二十一**に規定する認定特定非営利活動法人をいう。以下**二十一**及び**二十二**において同じ。）の次の(一)から(四)までに掲げる事項を証する書類（その寄附金を支出した者の氏名及び住所の記載があるものに限る。）又は当該書類に記載すべき事項を記録した電子証明書等に係る電磁的記録印刷書面を添付しなければならない。（措規19の10の４）

(一)	その寄附金の額
(二)	その寄附金を受領した旨及びその受領した年月日

(三)	その寄附金が当該認定特定非営利活動法人の**二十一**に規定する特定非営利活動に係る事業に関連する寄附に係る支出金に該当するものである旨
(四)	その寄附金を受領した認定特定非営利活動法人の名称

(税額控除の控除順序等)

（4）　**一1**《配当控除》及び**二十一**《認定特定非営利活動法人等に寄附をした場合の所得税額の特別控除》の規定による控除をすべき金額は、課税総所得金額に係る所得税額、課税山林所得金額に係る所得税額又は課税退職所得金額に係る所得税額から順次控除する。この場合において、これらの控除をすべき金額の合計額がその年分の所得税額をこえるときは、当該控除をすべき金額は、当該所得税額に相当する金額とする。(措法41の18の２④によって読み替えられた法92②)（下線部は読み替えられた部分（編者注)))

(認定特定非営利活動法人等に寄附をした場合の所得税額の特別控除の適用)

（5）　(1)に規定する特定非営利活動に関する寄附金（以下(5)において「特定非営利活動に関する寄附金」という。）については、(1)の規定の適用を受け、又は受けないことを選択することができるが、(1)の規定の適用を受ける場合には、その年中に支出した特定非営利活動に関する寄附金の全額について(1)の規定を適用しなければならないことに留意する。(措通41の18の２－１)

(その年分の所得税の額の100分の25に相当する金額の意義)

（6）　(1)に規定する「その年分の所得税の額の100分の25に相当する金額」の意義については、**二十**(6)の取扱いを準用する。(措通41の18の２－２)

二十二　公益社団法人等に寄附をした場合の所得税額の特別控除

個人が支出した第八章**七２**《特定寄附金の範囲》に規定する特定寄附金のうち、次の㈠から㈢に掲げるもの（同**１**《寄附金控除》の規定の適用を受けるものを除く。以下**二十二**において「**税額控除対象寄附金**」という。）については、その年中に支出した税額控除対象寄附金の額の合計額（その年中に支出した特定寄附金等の金額（第八章**七２**《特定寄附金の範囲》に規定する特定寄附金の額及び同**３**《特定公益信託の信託財産とするための支出》の規定又は同**２**《特定寄附金の範囲》㈣若しくは**二十一**の規定により当該特定寄附金とみなされたものの額並びに第八章**七５**《特定新規中小会社が発行した株式を取得した場合の課税の特例》に規定する控除対象特定新規株式の取得に要した金額として同**５**に規定する同**５**（４）で定める金額の合計額をいう。以下**二十二**において同じ。）が、当該個人のその年分の総所得金額、退職所得金額及び山林所得金額の合計額の100分の40に相当する金額を超える場合には、当該100分の40に相当する金額から所得控除対象寄附金の額（当該特定寄附金等の金額から税額控除対象寄附金の額の合計額を控除した残額をいう。以下**二十二**において同じ。）を控除した残額）が2,000円（その年中に支出した当該所得控除対象寄附金の額がある場合には、2,000円から当該所得控除対象寄附金の額を控除した残額）を超える場合には、その年分の所得税の額から、その超える金額の100分の40に相当する金額（当該金額に100円未満の端数があるときは、これを切り捨てる。）を控除する。この場合において、当該控除する金額が、当該個人のその年分の所得税の額の100分の25に相当する金額を超えるときは、当該控除する金額は、当該100分の25に相当する金額（当該金額に100円未満の端数があるときは、これを切り捨てる。）を限度とする。（措法41の18の３①）

㈠	次に掲げる法人（その運営組織及び事業活動が適正であること並びに市民から支援を受けていることにつき（１）で定める要件を満たすものに限る。）に対する寄附金 イ　公益社団法人及び公益財団法人 ロ　私立学校法第３条に規定する学校法人及び同法第64条第４項の規定により設立された法人 ハ　社会福祉法人 ニ　更生保護法人
㈡	次に掲げる法人（その運営組織及び事業活動が適正であること並びに市民から支援を受けていることにつき（４）で定める要件を満たすものに限る。）に対する寄附金のうち、学生等に対する修学の支援のための事業に充てられることが確実であるものとして（５）で定めるもの イ　国立大学法人 ロ　公立大学法人 ハ　独立行政法人国立高等専門学校機構及び独立行政法人日本学生支援機構
㈢	次のイからハまでに掲げる法人（その運営組織及び事業活動が適正であること並びに市民から支援を受けていることにつき（４）で定める要件を満たすものに限る。）に対する寄附金のうち、学生又は不安定な雇用状態にある研究者に対するこれらの者が行う研究への助成又は研究者としての能力の向上のための事業に充てられることが確実であるものとして（６）で定めるもの イ　国立大学法人及び大学共同利用機関法人 ロ　公立大学法人 ハ　独立行政法人国立高等専門学校機構

（注）１　上記＿＿下線部については、私立学校法の一部を改正する法律（令和５年法律第21号）により、令和７年４月１日以後、㈠中「第64条第４項」が「第152条第５項」に改められる。（同法附則１、17）

２　上記＿＿下線部については、公益信託に関する法律（令和６年法律第30号）の施行の日以後、**二十二**中「同**３**の規定又は」が削られ、「若しくは**二十一**」が「又は**二十一**」に改められる。（令６改所法等附１九へ）

３　第八章**七３**（注）２の規定の適用がある場合における改正後の**二十二**の規定の適用については、改正後の**二十二**中「同**２**㈣又は」とあるのは「第八章**七３**（注）２の規定によりなおその効力を有するものとされる改正前の第八章**七３**の規定又は同**２**㈣若しくは」とされる。（令６改所法等附３②）

（その運営組織及び事業活動が適正であること並びに市民から支援を受けていることの要件）

（１）　**二十二**㈠に規定する（１）で定める要件は、次の㈠から㈣までに掲げる法人の区分に応じ当該㈠から㈣までに定める要件とする。（措令26の28の２①）

㈠	**二十二**㈠イに掲げる法人　　次に掲げる要件	
	イ	次に掲げる要件のいずれかを満たすこと。

		①　実績判定期間における経常収入金額のうちに寄附金収入金額の占める割合が５分の１以上であること（(３)で定める要件を満たす法人にあっては、実績判定期間における経常収入金額のうちに寄附金収入金額及び実績判定期間内の日を含む各事業年度における社員から受け入れた会費の額に当該法人の当該各事業年度の公益目的事業比率（公益社団法人及び公益財団法人の認定等に関する法律第15条に規定する公益目的事業比率をいう。）を乗じて計算した金額の合計額のうち寄附金収入金額に達するまでの金額の合計額の占める割合が５分の１以上であること。）。 ②　実績判定期間内の日を含む各事業年度における判定基準寄附者の数（当該各事業年度において個人である判定基準寄附者と生計を一にする他の判定基準寄附者がいる場合には、当該判定基準寄附者と当該他の判定基準寄附者とを一人とみなした数。以下（１）及び（２）において同じ。）（当該各事業年度のうち当該法人の公益目的事業費用等の額の合計額が１億円に満たない事業年度（当該公益目的事業費用等の額の合計額が零である場合の当該事業年度を除く。②において「特定事業年度」という。）にあっては、当該特定事業年度における当該判定基準寄附者の数に１億を乗じてこれを当該公益目的事業費用等の額の合計額（当該合計額が1,000万円に満たない場合には、1,000万）で除して得た数とする。(四)イ②において同じ。）の合計数に12を乗じてこれを当該実績判定期間の月数で除して得た数が100以上であり、かつ、当該各事業年度における当該判定基準寄附者からの(10)（五）に規定する寄附金の同(五)に規定する額（(二)イ②、(三)イ②及び(四)イ②並びに（４）(一)イ②及び同(二)イ②において「判定基準寄附金額」という。）の総額に12を乗じてこれを当該実績判定期間の月数で除して得た金額が30万円以上であること。
	ロ	次に掲げる書類について閲覧の請求があった場合には、正当な理由がある場合を除き、（７）で定めるところにより、これを閲覧させること。 ①　公益社団法人及び公益財団法人の認定等に関する法律第21条第４項に規定する財産目録等 ②　役員報酬又は従業員給与の支給に関する規程 ③　寄附金に関する事項その他の（８）で定める事項を記載した書類 ④　寄附金を充当する予定の具体的な事業の内容を記載した書類
	ハ	（９）で定めるところにより、実績判定期間内の日を含む各事業年度の寄附者名簿（各事業年度に当該法人が受け入れた寄附金の支払者ごとに当該支払者の氏名又は名称及びその住所又は事務所の所在地並びにその寄附金の額及び受け入れた年月日を記載した書類をいう。）を作成し、これを保存していること。

二十二(一)ロに掲げる法人　　次に掲げる要件

(二)	イ	次に掲げる要件のいずれかを満たすこと。 ①　実績判定期間における経常収入金額のうちに寄附金収入金額（学校の入学に関する寄附金の額を除く。）の占める割合が５分の１以上であること。 ②　実績判定期間内の日を含む各事業年度における判定基準寄附者の数（当該各事業年度のうち次に掲げる事業年度にあっては、それぞれ次に定める数（次に掲げる事業年度のいずれにも該当する場合には、次の(ⅰ)及び(ⅱ)に定める数のうちいずれか多い数）とする。(三)イ②において同じ。の合計数に12を乗じてこれを当該実績判定期間の月数で除して得た数が100以上であり、かつ、当該各事業年度における当該判定基準寄附者からの判定基準寄附金額の総額に12を乗じてこれを当該実績判定期間の月数で除して得た金額が30万円以上であること。 (ⅰ)　当該法人が設置する特定学校等の定員等の総数が5,000に満たない事業年度（当該定員等の総数が零である場合の当該事業年度を除く。(ⅰ)において「特定事業年度」という。）　当該特定事業年度における当該判定基準寄附者の数に5,000を乗じてこれを当該定員等の総数（当該定員等の総数が500に満たない場合には、500）で除して得た数 (ⅱ)　当該法人の公益目的事業費用等の額の合計額が１億円に満たない事業年度（当該合計額が零である場合の当該事業年度を除く。(ⅱ)において「特定事業年度」という。）　当該特定事業年度における当該判定基準寄附者の数に１億を乗じてこれを当該公益目的事業費用等の額の合計額（当該合計額が1,000万円に満たない場合には、1,000万）で除して得た数
	ロ	次に掲げる書類について閲覧の請求があった場合には、正当な理由がある場合を除き、（７）で定めるところにより、これを閲覧させること。

<table>
<tr><td rowspan="2"></td><td></td><td>①　私立学校法第30条第１項に規定する寄附行為及び同法第47条第２項に規定する財産目録等
②　(一)ロ②から同④までに掲げる書類</td></tr>
<tr><td>ハ</td><td>(一)ハに掲げる要件</td></tr>
<tr><td rowspan="4">(三)</td><td colspan="2">**二十二**(一)ハに掲げる法人　　次に掲げる要件</td></tr>
<tr><td>イ</td><td>次に掲げる要件のいずれかを満たすこと。
①　実績判定期間における経常収入金額のうちに寄附金収入金額の占める割合が５分の１以上であること。
②　実績判定期間内の日を含む各事業年度における判定基準寄附者の数の合計数に12を乗じてこれを当該実績判定期間の月数で除して得た数が100以上であり、かつ、当該各事業年度における当該判定基準寄附者からの判定基準寄附金額に規定する額の総額に12を乗じてこれを当該実績判定期間の月数で除して得た金額が30万円以上であること。</td></tr>
<tr><td>ロ</td><td>次に掲げる書類について閲覧の請求があった場合には、正当な理由がある場合を除き、(７)で定めるところにより、これを閲覧させること。
①　社会福祉法第34条の２第１項に規定する定款、同法第45条の32第１項に規定する計算書類等及び同法第45条の34第１項各号に掲げる書類
②　(一)ロ②から同④までに掲げる書類</td></tr>
<tr><td>ハ</td><td>(一)ハに掲げる要件</td></tr>
<tr><td rowspan="4">(四)</td><td colspan="2">**二十二**(一)ニに掲げる法人　　次に掲げる要件</td></tr>
<tr><td>イ</td><td>次に掲げる要件のいずれかを満たすこと。
①　実績判定期間における経常収入金額のうちに寄附金収入金額の占める割合が５分の１以上であること。
②　実績判定期間内の日を含む各事業年度における判定基準寄附者の数の合計数に12を乗じてこれを当該実績判定期間の月数で除して得た数が100以上でであり、かつ、当該各事業年度における当該判定基準寄附者からの判定基準寄附金額の総額に12を乗じてこれを当該実績判定期間の月数で除して得た金額が30万円以上あること。</td></tr>
<tr><td>ロ</td><td>次に掲げる書類について閲覧の請求があった場合には、正当な理由がある場合を除き、(７)で定めるところにより、これを閲覧させること。
①　更生保護事業法第11条第１項に規定する定款、同法第16条第１項に規定する役員の氏名及び役職を記載した名簿並びに同法第29条第１項の書類
②　(一)のロの②から④までに掲げる書類</td></tr>
<tr><td>ハ</td><td>(一)のハに掲げる要件</td></tr>
</table>

(注)１　(１)(一)イ②、(二)イ②、(三)イ②及び(四)イ②並びに(４)(一)イ②、同(二)イ②及び同(三)イ②の月数は、暦に従って計算し、１月に満たない端数を生じたときは、これを１月とする。(措令26の28の２⑦)

㊟　上記～～下線部については、令和７年４月１日以後、(注)１中「(三)イ②及び(四)イ②」が「(四)イ②及び(五)イ②」に改められる。(令６改措令附１二)

２　上記～～下線部については、７年４月１日以後、(１)(一)イ②中「(四)イ②」が「(五)イ②」に、「(三)イ②」が「(三)イ①、(四)イ②」に改められ、同(一)ハ中「いう」の次に「。(三)ロ③において同じ」が加えられ、(１)(二)中「掲げる法人」の次に「(特例法人を除く。)」が加えられ、同(二)イ②中「(三)イ②」が「(四)イ②」に改められ、(１)(四)が同(五)とされ、同(三)が同(四)とされ、同(二)の次に次の(三)が加えられる。(令６改措令附１二)

<table>
<tr><td rowspan="3">(三)</td><td colspan="2">特例法人　次に掲げる要件のいずれかを満たすこと。</td></tr>
<tr><td>イ</td><td>(二)に定める要件</td></tr>
<tr><td>ロ</td><td>次に掲げる要件
①　特例実績判定期間内の日を含む各事業年度における特例判定基準寄附者の数（当該各事業年度において個人である特例判定基準寄附者と生計を一にする他の特例判定基準寄附者がいる場合には、当該特例判定基準寄附者と当該他の特例判定基準寄附者とを一人とみなした数。(ⅰ)及び(ⅱ)において同じ。)(当該各事業年度のうち次に掲げる事業年度にあっては、それぞれ次に定める数（次に掲げる事業年度のいずれにも該当する場合には、次に定める数のうちいずれか多い数）とする。）が100以上であり、かつ、当該各事業年度における当該特例判定基準寄附者からの判定基準寄附金額が30万円以上であること。</td></tr>
</table>

（ｉ）　当該特例法人が設置する特定学校等の定員等の総数が5,000に満たない事業年度（当該定員等の総数が零である場合の当該事業年度を除く。（ｉ）において「特定事業年度」という。）　当該特定事業年度における当該特例判定基準寄附者の数に5,000を乗じてこれを当該定員等の総数（当該定員等の総数が500に満たない場合には、500）で除して得た数

（ⅱ）　当該特例法人の公益目的事業費用等の額の合計額が１億円に満たない事業年度（当該合計額が零である場合の当該事業年度を除く。（ⅱ）において「特定事業年度」という。）　当該特定事業年度における当該特例判定基準寄附者の数に１億を乗じてこれを当該公益目的事業費用等の額の合計額（当該合計額が1,000万円に満たない場合には、1,000万）で除して得た数

②　(二)ロに掲げる要件

③　(10)で定めるところにより、特例実績判定期間内の日を含む各事業年度の寄附者名簿を作成し、これを保存していること。

（実績判定期間に国の補助金等がある場合における割合の計算）

（２）　当該法人の実績判定期間に国の補助金等がある場合における（１）(一)イ①、同(二)イ①、同(三)イ①又は同(四)イ①に規定する割合の計算については、当該国の補助金等の金額のうち寄附金収入金額（（１）(二)又は（４）(一)、同(二)若しくは同(三)に掲げる法人にあっては、学校の入学に関する寄附金の額を除く。以下（２）において同じ。）に達するまでの金額は、当該寄附金収入金額に加算することができるものとする。この場合において、当該国の補助金等の金額は、経常収入金額に含めるものとする。（措令26の28の２⑤）

（注）　上記＿＿下線部については、令和７年４月１日以後、（２）中「同(三)イ①又は同(４)イ①」が「同(四)イ①又は同(五)イ①」に改められ、「（１）(二)」の次に「若しくは同(三)」が加えられる。（令６改措令附１二）

（（１）(一)イ①に規定する（３）で定める要件）

（３）　（１）(一)イ①に規定する（３）で定める要件は、次の(一)から(三)までに掲げる要件とする。（措規19の10の５①）

(一)	社員の会費の額が合理的と認められる基準により定められていること。
(二)	社員の議決権が平等であること。
(三)	社員（役員（法人税法第２条第15号に規定する役員をいう。以下において同じ。）及び役員と親族関係を有する者（当該役員の配偶者及び３親等以内の親族をいう。以下において同じ。）並びに役員と特殊の関係のある者（次に掲げる者をいう。以下において同じ。）を除く。）の数が20人以上であること。 イ　当該役員と婚姻の届出をしていないが事実上婚姻関係と同様の事情にある者 ロ　当該役員の使用人及び使用人以外の者で当該役員から受ける金銭その他の財産によつて生計を維持しているもの ハ　イ又はロに掲げる者と親族関係を有する者でこれらの者と生計を一にしているもの

（**二十二**(二)及び同(三)に規定する（４）で定める要件）

（４）　**二十二**(二)及び同(三)に規定する（４）で定める要件は、次の(一)から(三)までに掲げる法人の区分に応じ当該(一)から(三)までに定める要件とする。（措令26の28の２②）

(一)	**二十二**(二)イ及び同(三)イに掲げる法人　　次に掲げる要件	
	イ	次の①及び②に掲げる要件のいずれかを満たすこと。 ①　（１）(二)イ①に掲げる要件 ②　実績判定期間内の日を含む各事業年度における判定基準寄附者の数（当該各事業年度のうち当該法人（**二十二**(三)イに掲げる大学共同利用機関法人を除く。）が設置する特定学校等の定員等の総数が5,000に満たない事業年度（当該定員等の総数が零である場合の当該事業年度を除く。②において「特定事業年度」という。）にあっては、当該特定事業年度における当該判定基準寄附者の数に5,000を乗じてこれを当該定員等の総数（当該定員等の総数が500に満たない場合には、500）で除して得た数とする。(二)イ②において同じ。）の合計数に12を乗じてこれを当該実績判定期間の月数で除して得た数が100以上であり、かつ、当該各事業年度における当該判定基準寄附者からの判定基準寄附金額の総額に12を乗じてこれを当該実績判定期間の月数で除して得た金額が30万円以上であること。

<table>
<tr><td rowspan="2"></td><td>ロ</td><td>次の①及び②に掲げる書類について閲覧の請求があった場合には、正当な理由がある場合を除き、(7)で定めるところにより、これを閲覧させること。
①　国立大学法人法第35条の２において準用する独立行政法人通則法第38条第１項に規定する財務諸表並びに同条第２項に規定する事業報告書、決算報告書、監査報告及び会計監査報告
②　(1)(一)ロ②から同④までに掲げる書類</td></tr>
<tr><td>ハ</td><td>(1)(一)ハに掲げる要件</td></tr>
<tr><td rowspan="4">(二)</td><td colspan="2">**二十二**(二)ロ及び同(三)ロに掲げる法人　　次に掲げる要件</td></tr>
<tr><td>イ</td><td>次の①及び②に掲げる要件のいずれかを満たすこと。
①　(1)(二)イ①に掲げる要件
②　実績判定期間内の日を含む各事業年度における判定基準寄附者の数の合計数に12を乗じてこれを当該実績判定期間の月数で除して得た数が100以上であり、かつ、当該各事業年度における当該判定基準寄附者からの判定基準寄附金額の総額に12を乗じてこれを当該実績判定期間の月数で除して得た金額が30万円以上であること。</td></tr>
<tr><td>ロ</td><td>次の①及び②に掲げる書類について閲覧の請求があった場合には、正当な理由がある場合を除き、(7)で定めるところにより、これを閲覧させること。
①　地方独立行政法人法第８条第１項に規定する定款、同法第12条に規定する役員の氏名及び役職を記載した名簿並びに同法第34条第１項に規定する財務諸表並びに同条第２項に規定する事業報告書、決算報告書及び監査報告
②　(1)(一)ロ②から同④までに掲げる書類</td></tr>
<tr><td>ハ</td><td>(1)(一)ハに掲げる要件</td></tr>
<tr><td rowspan="4">(三)</td><td colspan="2">**二十二**(二)ハ及び同(三)ハに掲げる法人　　次に掲げる要件</td></tr>
<tr><td>イ</td><td>次の①及び②に掲げる要件のいずれかを満たすこと。
①　(1)(二)イ①に掲げる要件
②　実績判定期間内の日を含む各事業年度における判定基準寄附者の数の合計数に12を乗じてこれを当該実績判定期間の月数で除して得た数が100以上であること。</td></tr>
<tr><td>ロ</td><td>次の①及び②に掲げる書類について閲覧の請求があった場合には、正当な理由がある場合を除き、(7)で定めるところにより、これを閲覧させること。
①　独立行政法人通則法第38条第１項に規定する財務諸表並びに同条第２項に規定する事業報告書、決算報告書及び監査報告
②　(1)(一)ロ②から同④までに掲げる書類</td></tr>
<tr><td>ハ</td><td>(1)(一)ハに掲げる要件</td></tr>
</table>

(**二十二**(二)に規定する(5)で定める寄附金)

(5)　**二十二**(二)に規定する(5)で定める寄附金は、その寄附金が学生等に対する修学の支援のための事業に充てられることが確実であり、かつ、その事業活動が適正なものとして同(二)イ又は同ハに掲げる法人に対する寄附金にあっては文部科学大臣が、同(二)ロに掲げる法人に対する寄附金にあっては文部科学大臣及び総務大臣が、財務大臣とそれぞれ協議して定める要件を満たすことにつき、文部科学大臣及び総務大臣が財務大臣とそれぞれ協議して定める方法により確認されたものとする。(措令26の28の２③)

(注)　文部科学大臣及び総務大臣は、(5)又は(6)の要件及び方法を定めたときは、これを告示する。(措令26の28の２⑩、平28総務省・文部科学省告示第２号、最終改正令６同省告示第１号)

(**二十二**(三)に規定する(6)で定める寄附金)

(6)　**二十二**(三)に規定する(6)で定める寄附金は、その寄附金が学生又は不安定な雇用状態にある研究者に対するこれらの者が行う研究への助成又は研究者としての能力の向上のための事業に充てられることが確実であり、かつ、その事業活動が適正なものとして同(三)イ又は同ハに掲げる法人に対する寄附金にあっては文部科学大臣が、同(三)ロに掲げる法人に対する寄附金にあっては文部科学大臣及び総務大臣が、財務大臣とそれぞれ協議して定める要件を満たすことにつき、文部科学大臣及び総務大臣が財務大臣とそれぞれ協議して定める方法により確認されたものとする。(措令26の28の２④、令２総務省・文部科学省告示第１号、最終改正令６同省告示第２号)

(書類の閲覧に係る事務)

(７)　**二十二**(１)(一)ロ、同(二)ロ、同(三)ロ若しくは同(四)ロ又は(４)(一)ロ、同(二)ロ若しくは同(三)ロの規定による閲覧に係る事務は、これらの規定に規定する書類を公益社団法人及び公益財団法人の認定等に関する法律第21条第１項、私立学校法第33条の２若しくは第47条第２項（これらの規定を同法第64条第５項において準用する場合を含む。)、社会福祉法第34条の２第１項、第45条の32第１項若しくは第45条の34第１項、更生保護事業法第29条第１項、国立大学法人法第35条の２において準用する独立行政法人通則法第38条第３項、地方独立行政法人法第34条第３項又は独立行政法人通則法第38条第３項の規定に準じて当該法人の主たる事務所に備え置き、これを行うものとする。(措規19の10の５②)

(注)　上記＿下線部については、令和７年４月１日以後、(７)中「同(三)ロ若しくは同(四)ロ」が「同(四)ロ若しくは同(五)ロ」に改められる。(令６改措規附１二)

(二十二(１)(一)ロ③に規定する(８)で定める事項)

(８)　**二十二**(１)(一)ロ③に規定する(８)で定める事項は、次に掲げる事項とする。(措規19の10の５③)

(一)	当該法人の役員若しくは役員と親族関係を有する者又は役員と特殊の関係のある者で、当該事業年度（租税特別措置法第２条第２項第19号に規定する事業年度をいう。(９)において同じ。）における当該法人に対する寄附金の額の合計額が20万円以上であるものの氏名並びにその寄附金の額及び受領年月日
(二)	支出した寄附金の額並びにその相手先及び支出年月日

(注)　上記＿下線部については、令和７年４月１日以後、(８)(一)中「(９)」の次に「及び(17)」が加えられる。(令６改措規附１二)

(寄附者名簿の保存義務)

(９)　**二十二**(１)(一)ハに規定する寄附者名簿は、当該法人が寄附金の受入れをした事業年度ごとに作成するものとし、当該事業年度終了の日の翌日以後３月を経過する日から５年間、当該法人の主たる事務所の所在地に保存しなければならない。(措規19の10の５④)

令和７年４月１日以後適用（令６改措規附１二)

((９)の規定の準用)

(10)　(９)の規定は、(１)(三)ロ③に規定する寄附者名簿について準用する。(措規19の10の５⑤)

(用語の意義)

(11)　(１)、(２)及び(11)において、次の(一)から(九)までに掲げる用語の意義は、当該(一)から(九)までに定めるところによる。(措令26の28の２⑥)

(一)	**実績判定期間**　当該法人の直前に終了した事業年度終了の日以前５年内に終了した各事業年度のうち最も古い事業年度開始の日から当該終了の日までの期間をいう。
(二)	**経常収入金額**　総収入金額から国の補助金等、臨時的な収入その他の(12)で定めるものの額を控除した金額をいう。
(三)	**寄附金収入金額**　受け入れた寄附金の額の総額から１者当たり基準限度超過額（同一の者からの寄附金の額のうち(13)で定める金額を超える部分の金額をいう。）その他の(14)で定める寄附金の額の合計額を控除した金額をいう。
(四)	**事業年度**　租税特別措置法第２条第２項第19号に規定する事業年度をいう。
(五)	**判定基準寄附者**　当該法人の実績判定期間内の日を含む各事業年度における同一の者からの寄附金（寄附者の氏名又は名称その他の(注)１で定める事項が明らかな寄附金に限るものとし、学校の入学に関するものその他の(16)で定めるものを除く。以下(五)において同じ。）の額（当該同一の者が個人である場合には、当該各事業年度におけるその者と生計を一にする者からの寄附金の額を加算した金額）が3,000円以上である場合の当

	該同一の者（当該法人の法人税法第２条第15号に規定する役員である者及び当該役員と生計を一にする者を除く。）をいう。
(六)	**公益目的事業費用等**　公益社団法人及び公益財団法人の認定等に関する法律第２条第４号に規定する公益目的事業に係る費用、私立学校法第26条第３項（同法第64条第５項において準用する場合を含む。）に規定する私立学校の経営に関する会計に係る業務として行う事業に係る費用、社会福祉法第２条第１項に規定する社会福祉事業に係る費用又は更生保護事業法第２条第１項に規定する更生保護事業に係る費用をいう。
(七)	**特定学校等**　次に掲げる施設をいう。 イ　第八章**七**《寄附金控除》**2**(三)ホに規定する学校、専修学校及び各種学校 ロ　児童福祉法第６条の２の２第１項に規定する障害児通所支援事業（同条第２項に規定する児童発達支援又は同条第３項に規定する放課後等デイサービスを行う事業に限る。）、同法第６条の３第１項に規定する児童自立生活援助事業、同条第２項に規定する放課後児童健全育成事業、同条第８項に規定する小規模住居型児童養育事業又は同条第10項に規定する小規模保育事業が行われる施設 ハ　児童福祉法第37条に規定する乳児院、同法第38条に規定する母子生活支援施設、同法第39条第１項に規定する保育所、同法第41条に規定する児童養護施設、同法第42条第１号に規定する福祉型障害児入所施設、同条第２号に規定する医療型障害児入所施設、同法第43条の２に規定する情緒障害児短期治療施設及び同法第44条に規定する児童自立支援施設
(八)	**定員等**　収容定員、利用定員、入所定員その他これらに類するものとして(注)２で定めるものをいう。
(九)	**国の補助金等**　国等（国、地方公共団体、法人税法別表第一に掲げる独立行政法人、地方独立行政法人、国立大学法人、大学共同利用機関法人及び我が国が加盟している国際機関をいう。以下(九)において同じ。）からの補助金その他国等が反対給付を受けないで交付するものをいう。

(注) 1　(11)(五)に規定する(注)１で定める事項は、寄附者の氏名又は名称及びその住所又は主たる事務所の所在地とする。（措規19の10の5⑨）

㊟　上記____下線部については、令和７年４月１日以後、(注)１中、「19の10の５⑨」が「19の10の５⑩」とされる。（令６改措規附１二）

2　(11)(八)に規定する(注)２で定めるものは、児童福祉法施行規則第１条の17第３号に掲げる委託児童の定員及び同令第36条の12第３号に掲げる入居定員とする。（措規19の10の５⑪）

㊟　上記____下線部については、令和７年４月１日以後、(注)２中「(11)(八)」が「(11)(九)」に改められ、「19の10の５⑪」が「19の10の５⑬」とされる。（令６改措規附１二）

3　上記____下線部については、令和７年４月１日以後、(11)(五)中「(五)」の次に「及び(十一)」が、「金額」の次に「。(十一)において同じ。」が加えられ、(11)(九)が同(十二)とされ、同(八)が同(九)とされ、同号の次に次の(十)(十一)が加えられる。（令６改措令附１二）

(十)	**特例実績判定期間**　特例法人の直前に終了した事業年度終了の日以前２年内に終了した各事業年度のうち最も古い事業年度開始の日から当該終了の日までの期間をいう。
(十一)	**特例判定基準寄附者**　特例法人の特例実績判定期間内の日を含む各事業年度における同一の者からの寄附金の額が3,000円以上である場合の当該同一の者（当該特例法人の法人税法第２条第15号に規定する役員である者及び当該役員と生計を一にする者を除く。）をいう。

(11)(七)が同(八)とされ、同(六)の次に次の(七)が加えられる。（令６改措令附１二）

(七)	**特例法人**　二十二(一)ロに掲げる法人のうち、当該法人の直前に終了した事業年度が令和６年４月１日から令和11年４月１日までの間に開始する事業年度であること、私立学校法第148条第２項（同法第152条第６項において準用する場合を含む。）に規定する中期事業計画その他これに準ずる計画であって当該法人の経営の改善に資すると認められるものを作成していることその他(17)で定める要件に該当するものをいう。

((11)(二)に規定する(12)で定めるもの)

(12)　(11)(二)に規定する(12)で定めるものは、次の(一)から(八)までに掲げるものとする。（措規19の10の５⑤）

(一)	(11)(九)に規定する国の補助金等
(二)	委託の対価としての収入で(11)(九)に規定する国等から支払われるもの
(三)	法律又は政令の規定に基づき行われる事業でその対価の全部又は一部につき、その対価を支払うべき者に代わり国又は地方公共団体が負担することとされている場合のその負担部分

(四)	資産の売却による収入で臨時的なもの
(五)	遺贈（贈与者の死亡により効力を生ずる贈与を含む。）により受け入れた寄附金、法第70条第10項に規定する贈与により受け入れた寄附金その他贈与者の被相続人に係る相続の開始のあったことを知った日の翌日から10月以内に当該相続により当該贈与者が取得した財産の全部又は一部を当該贈与者からの贈与（贈与者の死亡により効力を生ずる贈与を除く。）により受け入れた寄附金のうち、一者当たり基準限度超過額（(11)(三)に規定する一者当たり基準限度超過額をいう。(14)(一)において同じ。）に相当する部分
(六)	実績判定期間（(11)(一)に規定する実績判定期間をいう。(14)(二)において同じ。）における同一の者から受け入れた寄附金の額の合計額が1,000円に満たないもの
(七)	寄附者（当該法人に寄附をした者をいう。以下**二十二**において同じ。）の氏名又は名称及びその住所又は主たる事務所の所在地が明らかな寄附金以外の寄附金
(八)	休眠預金等交付金関係助成金（民間公益活動を促進するための休眠預金等に係る資金の活用に関する法律第19条第２項第３号イに規定する実行団体若しくは同号ロに規定する資金分配団体からの助成金（同法第８条に規定する休眠預金等交付金に係る資金をその原資に含むものに限る。）又は同法第21条第１項に規定する指定活用団体からの助成金（同法第８条に規定する休眠預金等交付金に係る資金を原資とするものに限る。）をいう。(13)、(14)(四)及び(16)(二)において同じ。）

（注）　上記＿＿下線部については、令和７年４月１日以後、(12)(一)及び同(二)中「(11)(九)」が「(11)(十二)」に改められ、(12)(五)中「19の10の５⑤」が「19の10の５⑥」とされる。（令６改措規附１二）

（同一の者からの寄附金の額のうち(13)で定める金額）

(13)　(11)(三)に規定する(13)で定める金額は、受け入れた寄附金の額の総額（当該総額のうちに休眠預金等交付金関係助成金の額が含まれている場合には、当該休眠預金等交付金関係助成金の額の総額を控除した金額とする。以下(13)において「受入寄附金総額」という。）の100分の10（寄附者が所得税法施行令第217条各号に掲げる法人又は認定特定非営利活動法人である場合にあっては、受入寄附金総額の100分の50）に相当する金額とする。（措規19の10の５⑥）

（注）　上記＿＿下線部については、令和７年４月１日以後、「19の10の５⑥」が「19の10の５⑦」とされる。（令６改措規附１二）

（一者当たり基準限度超過額その他の(14)で定める寄附金の額）

(14)　(11)(三)に規定する(14)で定める寄附金の額は、次の(一)から(四)までに掲げる金額とする。（措規19の10の５⑦）

(一)	受け入れた寄附金の額のうち一者当たり基準限度超過額に相当する部分
(二)	実績判定期間における同一の者から受け入れた寄附金の額の合計額が1,000円に満たない場合の当該合計額
(三)	寄附者の氏名又は名称及びその住所又は主たる事務所の所在地が明らかな寄附金以外の寄附金の額
(四)	休眠預金等交付金関係助成金の額の総額

（注）　上記＿＿下線部については、令和７年４月１日以後、「19の10の５⑦」が「19の10の５⑧」とされる。（令６改措規附１二）

（当該役員と親族関係を有する者又は当該役員と特殊の関係のある者があるとき）

(15)　(11)(二)に規定する経常収入金額及び同(三)に規定する寄附金収入金額を算出する場合において、役員が寄附者であって、他の寄附者のうちに当該役員と親族関係を有する者又は当該役員と特殊の関係のある者があるときは、これらの者は当該役員と同一の者とみなす。（措規19の10の５⑧）

（注）　上記＿＿下線部については、令和７年４月１日以後、「19の10の５⑧」が「19の10の５⑨」とされる。（令６改措規附１二）

（(11)(五)に規定する(16)で定める寄附金）

(16)　(11)(五)に規定する(16)で定める寄附金は、次に掲げる寄附金とする。（措規19の10の５⑩）

(一)	学校の入学に関する寄附金
(二)	休眠預金等交付金関係助成金

（注）　上記＿＿下線部については、令和７年４月１日以後、「19の10の５⑩」が「19の10の５⑪」とされる。（令６改措規附１二）

令和７年４月１日以後適用（令６改措規附１二）

（(11)(七)に規定する(17)で定める要件）

(17)　(11)(七)に規定する(17)で定める要件は、同(七)に規定する法人の直前に終了した事業年度終了の日以前２年内に終了した各事業年度のうち最も古い事業年度開始の日から起算して５年前の日以後に、私立学校法第４条に規定する所轄庁から当該法人に係る(21)(一)ロに規定する書類が発行されていないこととする。（措規19の10の５⑫）

（総所得金額、退職所得金額及び山林所得金額の合計額の100分の40に相当する金額）

(18)　**二十二**に規定する総所得金額、退職所得金額及び山林所得金額の合計額の100分の40に相当する金額は、第四章第二節**五１**③《上場株式等に係る配当所得等の課税の特例》（措法８の４③三）、第五章第一節《土地の譲渡等に係る事業所得等の課税の特例》（措法28の４⑤二）、同章第二節**一１**《長期譲渡所得の課税の特例》（措法31③三）（同章第二節**二**《短期譲渡所得の課税の特例》（措法32④）において準用する場合を含む。）、同章第三節**二１**《一般株式等に係る譲渡所得等の課税の特例》（措法37の10⑥五）（同章第三節**三１**《上場株式等に係る譲渡所得等の課税の特例》（措法37の11⑥）において準用する場合を含む。）又は同章第四節**一１**《先物取引に係る雑所得等の課税の特例》（措法41の14②四）の規定の適用がある場合には、これらの規定により読み替えられた第八章**七１**《寄附金控除》に規定する100分の40に相当する金額とする。（措令26の28の２⑧）

（控除をすべき金額）

(19)　**二十二**の規定による控除をすべき金額は、**二十二**に規定するその年分の**一**《配当控除》**１**に規定する所得税額から控除する。（措令26の28の２⑨）

（申告書への記載と明細書等の添付）

(20)　**二十二**の規定は、確定申告書に、**二十二**の規定による控除を受ける金額についてのその控除に関する記載があり、かつ、(21)で定めるところにより、当該金額の計算に関する明細書、当該計算の基礎となる金額その他の事項を証する書類の添付がある場合に限り、適用する。（措法41の18の３②）

（添付する明細書及び書類）

(21)　**二十二**の規定による控除を受けようとする者は、確定申告書に**二十二**の規定による控除を受ける金額の計算に関する明細書及び次の(一)から(三)に掲げる法人の区分に応じ、当該(一)から(三)に定める書類又はこれらの書類に記載すべき事項を記録した電子証明書等に係る電磁的記録印刷書面を添付しなければならない。（措規19の10の５⑫）

(一)	**二十二**(一)イからニまでに掲げる法人　次に掲げる書類 イ　その寄附金を受領した法人の次に掲げる事項を証する書類（寄附者の氏名及び住所の記載があるものに限る。） ⑴　その寄附金の額 ⑵　その寄附金を受領した旨及びその受領した年月日 ⑶　その寄附金が当該法人の主たる目的である業務に関連する第八章**七２**(三)に規定する寄附金である旨 ⑷　その寄附金を受領した法人の名称 ロ　公益社団法人及び公益財団法人の認定等に関する法律第３条に規定する行政庁、私立学校法第４条若しくは社会福祉法第30条に規定する所轄庁又は法務大臣若しくは更生保護事業法第62条に規定する地方更生保護委員会の当該法人が**二十二**(１)に規定する要件を満たすものであることを証する書類（当該寄附金を支出する日以前５年内に発行されたものに限る。）の写しとして当該法人から交付を受けたもの
(二)	**二十二**(二)イからハまでに掲げる法人　次に掲げる書類 イ　その寄附金を受領した法人の次に掲げる事項を証する書類（寄附者の氏名及び住所の記載があるものに限る。） ⑴　(一)イ⑴、⑵及び⑷に掲げる事項 ⑵　その寄附金が当該法人の行う(５)に規定する学生等に対する修学の支援のための事業に充てられる寄附金である旨 ロ　文部科学大臣（公立大学法人にあっては、文部科学大臣及び総務大臣（地方独立行政法人法第７条の規定

	により都道府県知事の認可を受けた公立大学法人にあっては、当該認可をした都道府県知事)。(三)ロにおいて同じ。)の次に掲げる書類の写しとして当該法人から交付を受けたもの ⑴　当該法人が(４)に規定する要件を満たすものであることを証する書類（当該寄附金を支出する日以前５年内に発行されたものに限る。） ⑵　当該寄附金が(５)の要件を満たすことにつき(５)の確認をしたことを証する書類（当該寄附金を支出する日の属する年の１月１日に発行されたものに限る。）
(三)	**二十二**(三) イからハまでに掲げる法人　　次に掲げる書類 イ　その寄附金を受領した法人の次の⑴及び⑵に掲げる事項を証する書類（寄附者の氏名及び住所の記載があるものに限る。） ⑴　(一)イ⑴、⑵及び⑷に掲げる事項 ⑵　その寄附金が当該法人の行う(６)に規定する学生又は不安定な雇用状態にある研究者に対するこれらの者が行う研究への助成又は研究者としての能力の向上のための事業に充てられる寄附金である旨 ロ　文部科学大臣の次の⑴及び⑵に掲げる書類の写しとして当該法人から交付を受けたもの ⑴　当該法人が(４)に規定する要件を満たすものであることを証する書類（当該寄附金を支出する日以前５年内に発行されたものに限る。） ⑵　当該寄附金が(６)の要件を満たすことにつき(６)の確認をしたことを証する書類（当該寄附金を支出する日の属する年の１月１日に発行されたものに限る。）

(注)　上記＿＿下線部については、令和７年４月１日以後、(21)(一)イ中「その寄附金を受領した法人の次に掲げる事項を」が「次に掲げる事項をその寄附金を受領した法人が」に改められ、同(一)ロ中「公益社団法人及び公益財団法人の認定等に関する法律」が「当該法人が(１)に規定する要件を満たすものであることを公益社団法人及び公益財団法人の認定等に関する法律」に、「の当該法人が**二十二**(１)に規定する要件を満たすものであることを証する」が「が証する」に改められ、(21)(二)イ中「その寄附金を受領した法人の」が削られ、「証する」が「その寄附金を受領した法人が証する」に改められ、同(二)ロ中「文部科学大臣（公立大学法人にあっては、文部科学大臣及び総務大臣（地方独立行政法人法第７条の規定により都道府県知事の認可を受けた公立大学法人にあっては、当該認可をした都道府県知事)。(三)ロにおいて同じ。）の」が削られ、同(二)ロ⑴中「証する」が「文部科学大臣（公立大学法人にあっては、文部科学大臣及び総務大臣（地方独立行政法人法第７条の規定により都道府県知事の認可を受けた公立大学法人にあっては、当該認可をした都道府県知事)。⑵及び(三)ロにおいて同じ。）が証する」に改められ、同(二)ロ⑵中「証する」が「文部科学大臣が証する」に改められ、(21)(三)イ中「その寄附金を受領した法人の」が削られ、「証する」が「その寄附金を受領した法人が証する」に改められ、同(三)ロ中「文部科学大臣の」が削られ、同(三)ロ⑴及び⑵中「証する」が「文部科学大臣が証する」に改められ、「19の10の５⑫」が「19の10の５⑭」とされる。（令６改措規附１二）

（税額控除の控除順序等）

(22)　**一１**《配当控除》及び**二十二**《公益社団法人等に寄附をした場合の所得税額の特別控除》の規定による控除をすべき金額は、課税総所得金額に係る所得税額、課税山林所得金額に係る所得税額又は課税退職所得金額に係る所得税額から順次控除する。この場合において、これらの控除をすべき金額の合計額がその年分の所得税額をこえるときは、当該控除をすべき金額は、当該所得税額に相当する金額とする。（措法41の18の３③によって読み替えられた法92②（下線部は読み替えられた部分（編者注)))

（公益社団法人等に寄附をした場合の所得税額の特別控除の適用）

(23)　**二十二**に規定する税額控除対象寄附金（以下(23)において「税額控除対象寄附金」という。）については、**二十二**の規定の適用を受け、又は受けないことを選択することができるが、**二十二**の規定の適用を受ける場合には、その年中に支出した税額控除対象寄附金の全額について**二十二**の規定を適用しなければならないことに留意する。（措通41の18の３－１）

（その年分の所得税の額の100分の25に相当する金額の意義）

(24)　**二十二**に規定する「その年分の所得税の額の100分の25に相当する金額」の意義については、**二十**(７)の取扱いを準用する。（措通41の18の３－２）

第三節　災害被害者に対する租税の減免
（申告所得税関係）

1　目　　的

震災、風水害、落雷、火災その他これらに類する災害（以下「**災害**」という。）による被害者の納付すべき国税の軽減若しくは免除、その課税標準の計算若しくは徴収の猶予又は災害を受けた物品について納付すべき国税の徴収若しくは還付に関する特例については、他の法律に特別の定めがある場合を除くほか、この法律の定めるところによる。（災免法１）

2　所得税の軽減又は免除

災害により自己（自己と生計を一にする配偶者その他の親族でその年分の総所得金額、退職所得金額及び山林所得金額並びに分離課税の土地等に係る事業所得及び雑所得の金額、分離課税の長期譲渡所得又は短期譲渡所得の金額（分離課税の譲渡所得については特別控除額控除前の金額をいう。）、申告分離課税の上場株式等に係る配当所得の金額、申告分離課税の一般株式等に係る譲渡所得等の金額、申告分離課税の上場株式等に係る譲渡所得等の金額及び分離課税の先物取引に係る雑所得等の金額の合計額が基礎控除の額に相当する金額以下である者を含む。）の所有に係る住宅又は家財につき生じた損害金額（保険金、損害賠償金等により補てんされた金額を除く。以下同じ。）がその住宅又は家財の価額の10分の５以上である者で、被害を受けた年分の総所得金額、退職所得金額及び山林所得金額並びに分離課税の土地等に係る事業所得及び雑所得の金額、分離課税の長期譲渡所得又は短期譲渡所得の金額から特別控除額を控除した残額、申告分離課税の上場株式等に係る配当所得の金額及び申告分離課税の一般株式等に係る譲渡所得等の金額、申告分離課税の上場株式等に係る譲渡所得等の金額（第五章第三節**十**《上場株式等に係る譲渡損失の損益通算及び繰越控除》又は同節**十四**《特定中小会社が発行した株式に係る譲渡損失の繰越控除等》**2**の規定の適用がある場合には、その適用後の金額）、申告分離課税の先物取引に係る雑所得等の金額（第五章第四節**二**《先物取引の差金等決済に係る損失の繰越控除》の適用がある場合には、その適用後の金額）**合計額**（以下第三節において「**合計所得金額**」という。）が1,000万円以下である者（当該災害による損失額について第八章**一**《雑損控除》の規定の適用を受けない者に限る。）に対しては、当該年分の所得税の額（延滞税、利子税、過少申告加算税、無申告加算税及び重加算税の額を除く。）を、次の区分により軽減し又は免除する。（措令４の２⑩、19㉕～25の12の２㉔、26の23⑦により読み替えられた災免法２、災免令１）

合計所得金額が500万円以下であるとき	当該所得税の額の全部
合計所得金額が750万円以下であるとき	当該所得税の額の10分の５
合計所得金額が750万円を超えるとき	当該所得税の額の10分の2.5

（災害の範囲）

（1）　**2**の「災害」には、次に掲げるものが含まれる。（編者注）

（一）　震災、風水害、冷害、雪害、干害、落雷、噴火その他の自然現象の異変による災害

（二）　火災、鉱害、火薬類の爆発、交通事故その他の人為による異常な災害

（三）　害虫、害獣その他の生物による異常な災害

（住宅の意義）

（2）　**2**の「住宅」とは、自己又は**2**に定める親族が常時起居する家屋をいうものとし、次のように取り扱うこと。（昭27直所１－101「２」）

（一）　常時起居する家屋である以上は、必ずしも生活の本拠であることを必要としない。したがって、例えば、２か所以上の家屋に自己又は**2**に定める親族が常時起居しているときは、そのいずれをも住宅とすること。

（二）　現に起居している家屋であっても、常時起居しない別荘のようなものは、住宅としないこと。

（三）　常時起居している家屋に附属する倉庫、物置等の附属建物は、住宅に含めること。

（共用住宅の取扱い）

（3）　一箇の建物で起居の用と起居以外の用とに共用されているものについては、起居の用に供されている部分と起居以外の用に供されている部分とが棟を異にする等、せつ然と区別されている場合にあっては当該起居の用に供されている部分のみを住宅として取り扱い、その他の場合にあっては当該建物の主要な部分が起居の用に供されているものであるときは住宅とし、主要な部分が起居以外の用に供されているものであるときは住宅でないものとして取り扱うこと。但し、本文後段の場合においても、当該建物がその者及び扶養親族の起居する建物のうちの主たるものである場合においては、当該建物の主要な部分が起居以外の用に供されている場合であっても、当該建物自体に損害を受けた場合に限り、当該建物の全部を住宅として取り扱うも妨げないものとすること。（昭27直所１－101「３」）

（家財の意義）

（4）　**2**の「家財」とは、その者（その者の**2**に定める親族を含む。）の日常生活に通常必要な家具、什器、衣服、書籍その他の家庭用動産をいうものとし、書画、骨とう、娯楽品等で生活に必要な程度を超えるものは含まれないものとすること。（昭27直所１－101「４」）

（親族であるかどうかの判定）

（5）　**2**に規定する「親族」とは、被害時において納税義務者と生計を一にする親族で、その年分の合計所得金額が基礎控除の額に相当する金額以下の者をいうものとし、被害時後婚姻その他の事由により生計を一にしなくなり、又は確定申告に際し他の納税義務者の扶養親族として扶養控除を受ける場合であっても、**2**の規定の適用については、**2**に規定する親族として取り扱うものとすること。（昭27直所１－101「５」、編者補正）

（損害金額の判定）

（6）　災害による損害金額が住宅又は家財の価額の10分の５以上であるかどうかは、その者及びその者の**2**に定める親族の所有する住宅（(2)に該当するもの）の全部又は家財（(4)に該当するもの）の全部につき、各別に判定すべきものであるから留意すること。（昭27直所１－101「６」）

（その年２以上の災害があった場合の損害金額の判定）

（7）　災害による損害金額が住宅又は家財の価額の10分の５以上であるかどうかは、一災害ごとに判定すべきものであるが、その年中に数回にわたり被害を受け災害ごとの損害金額が住宅又は家財の価額の10分の５に満たない場合においても、その累積額が住宅又は家財の価額の10分の５以上である場合においては、その累積額が10分の５以上に達したときの災害により住宅又は家財の価額の10分の５以上の被害を受けたものとして取り扱うも妨げないものとすること。なおこの場合においては、損害金額が10分の５以上であるかどうかの判定の基礎となるその者及びその者の**2**に定める親族の所有する住宅又は家財の価額は、最初に被害を受けた時に所有していた住宅又は家財の価額によるものとすること。（昭27直所１－101「７」）

（時価による評価）

（8）　住宅又は家財について生じた損害の額並びにその損害金額がその住宅又は家財の価額の10分の５以上であるかどうかは、被害時の時価により算定するものとすること。（昭27直所１－101「８」）

（減免と雑損控除との関係）

（9）　**2**のかっこ内に規定する「当該災害による損失額について第八章**—**《雑損控除》の規定の適用を受けない者に限る。」とは、同一の災害により生じた損失額について同一時点において雑損控除と**2**に規定する減免とをともに受けることができないという趣旨であるから、次の諸点に留意すること。（昭27直所１－101「９」）

（一）　（法改正により省略）

（二）　一の災害により生じた損失額について雑損控除を受ける場合であっても、他の災害により住宅又は家財についてその価額の10分の５以上の損害を受けた場合においては、当該一の災害により生じた損失額について雑損控除を受けるとともに、当該他の災害により住宅又は家財について生じた損失額について**2**の規定による減免を受けることができるものであること。

（三）　ある災害による損失額に基づいて源泉徴収税額の徴収の猶予又は還付を受けている場合においても、その後予定納税額の減額の申請をする場合又はその後生じた他の災害による損失額に基づいて再び**2**の規定による減額の申請をする場合においては、そのある災害による損失額を雑損控除に振り替えることができ、また、予定納税額の減額の申請に際し、その災害により生じた損失額に基づいて雑損控除を受けている場合においても、その後に生じた災害による損失額とを通ずるときは、**2**に規定する減免の条件に該当することとなる場合においては、そのある災害により生じた損失額を**2**に規定する減免に振り替えることができるものであること。

(四)　予定納税額の減額の申請に際し、ある災害による損失額に基づいて雑損控除と**2**の規定による減免とのいずれを受けている場合においても、確定申告に際し、雑損控除と減免とのいずれを受けるかは納税義務者の自由に選択し得るものであること。

3　減免申請の手続

①　確定申告書への記載等

2の規定の適用を受けようとする者は、確定申告書、修正申告書又は更正請求書（以下「申告書等」という。）に、その旨、被害の状況及び損害金額を記載して、当該申告書等を納税地の所轄税務署長に提出しなければならない。（災免令２①）

②　給与等について徴収猶予又は還付を受けた者の年末調整省略と確定申告

災免法の規定によりその年分の給与所得に係る給与等につき所得税法183条の規定による徴収を猶予され、又はその年分の給与所得に係る給与等につき同条の規定により徴収された税額の還付を受けた者（その相続人を含む。）は、その年分の所得税につき確定申告書を提出しなければならない。この場合において、第十章第二節**二 2**《確定所得申告を要しない場合》及び所得税法第190条《年末調整》の規定は、これを適用しない。（災免法３⑥）

4　予定納税額の減額承認申請

予定納税額の納付をなすべき者がその年７月１日以後の日に災害により被害を受け、当該被害のあった日においてその年分の合計所得金額の見積額を計算した場合において**2**の規定の適用を受けることができることとなり、かつ、その計算した合計所得金額の見積額を基礎とし、**2**の規定を適用して計算した所得税の額が第１期において納付すべき予定納税額の計算の基礎となった予定納税基準額又は申告納税見積額に比し減少することとなったときは、その者は、当該災害のあった日から２月以内に、政府に対し、第１期又は第２期において納付すべき予定納税額の減額に係る承認を申請することができる。この場合の予定納税額の減額申請手続については、第十章第一節**三 2**から同**4**まで《予定納税額の減額の承認の申請手続等》の規定を準用する。（災免法３①）

（災害のあった時期と減額申請できる予定納税額）

（１）　**4**による申請は、**4**に規定する第１期の納期限前に災害があった場合には、第十章第一節**三 1**①《予定納税額の減額の承認の申請》の規定に準じ、当該納期限後に災害があった場合には同②《第２期分予定納税額の減額の承認の申請》の規定に準じ、それぞれするものとする。（災免令３）

（予定納税額の減額承認の申請ができる場合）

（２）　**4**の規定による予定納税額の減額の申請は、次に掲げる条件を具備する場合でなければ、これをすることができないことに留意すること。（昭27．7．25付直所１－101（例規）「15」、編者補正）

(一)　予定納税額を納付しなければならない者であること。

(二)　その年７月２日から12月31日までの間に災害により被害を受けたこと。

(三)　当該災害のあった日においてその年分の合計所得金額の見積額を計算した場合において**2**の規定の適用を受けることができること。すなわち、

イ　当該災害によりその者又はその者の**2**に定める親族の所有に係る住宅又は家財について被害を受けたこと。

ロ　その住宅又は家財について受けた損害金額（保険金、損害賠償金等により補てんされた金額を除く。）が当該住宅又は家財の価額の10分の５以上であること。

ハ　当該災害のあった日の現況により計算したその年分の合計所得金額の見積額が1,000万円以下であること。

(四)　当該災害のあった日の現況により計算した合計所得金額の見積額を基礎とし、**2**の規定を適用して計算した申告納税見積額が第１期分又は第２期分の予定納税額の計算の基礎となった予定納税基準額又は申告納税見積額に比し減少すること。

（予定納税額の減額の申請があった場合のその年分の申告納税見積額の計算）

（３）　**4**の規定による予定納税額の減額の申請があった場合におけるその年分の所得金額の見積額を基礎とするその年

分の申告納税見積額の計算は、災害のやんだ日の現況によるその年分の所得金額の見積額を基礎として所得税法及び**2**の定めるところに従い行うべきものであるから、次の諸点に留意すること。（昭27直所１－101「17」）

(一)　純損失若しくは雑損失の繰越控除、各種の所得控除及び税額控除は、災害のやんだ日の現況により行うべきものであること。

(二)　当該請求者の災害後のその年分の申告納税見積額は、まず、所得税法に定めるところに従い、源泉徴収税額等控除前の所得税額を計算し、次いで**2**の規定による減免を行い、更に減免後の所得税額からその年分の所得につき源泉徴収し、又はされるべき税額を控除して計算するものであること。

（予定納税額の減額の申請の内容）

（4）　**4**の規定による予定納税額の減額の申請は、その者が特別農業所得者であるかどうかにより、また、当該災害のあった時期のいかんにより、その申請をすることのできる内容が次のように異なるのであるから留意すること。（昭27.7.25付直所１－101（例規）「18」、編者補正）

(一)　その者が特別農業所得者以外の者である場合には、次によること。

イ　当該災害のあった日がその年７月２日以後第１期分の予定納税額の納期限前までの間であるときは、第１期分及び第２期分の予定納税額を、それぞれ、災害があった日の現況における申告納税見積額の３分の１に相当する金額に減額することを請求することができる。

ロ　当該災害のあった日が第１期の納期限後その年12月31日までの間であるときは、第２期分の予定納税額を、災害があった日の現況における申告納税見積額から第１期分の予定納税額を控除した残額の２分の１に相当する金額に減額することを請求することができる。（この場合において、災害があった日の現況における申告納税見積額が第１期分の予定納税額以下となるときは、第１期分の予定納税額を災害があった日の現況における申告納税見積額に減額するも妨げないものとする。）

(二)　その者が特別農業所得者である場合には、その年11月２日から12月31日までの間に災害があったときは、第２期分の予定納税額を、災害があった日の現況における申告納税見積額の２分の１に相当する金額に減額することを請求することができる。

第四節　その他の税額計算の特例

1　年の中途で非居住者が居住者となった場合の税額の計算

その年12月31日（その年の中途において死亡した場合には、その死亡の日）において居住者である者でその年において非居住者であった期間を有するもの又はその年の中途において出国をする居住者でその年１月１日からその出国の日までの間に非居住者であった期間を有するものに対して課する所得税の額は、第三章第二節《課税標準》から前節までの規定により計算した所得税の額によらず、居住者であった期間内に生じた第二章第二節**4**《課税所得の範囲》表内①に掲げる所得（非永住者であった期間がある場合には、当該期間については、同節**4**表内②に掲げる所得）並びに非居住者であった期間内に生じた同節**4**⑥《非居住者に対する課税の方法》に掲げる非居住者の区分に応ずる同⑥（一）及び同(二)並びに同節**4**⑦(一)及び同(二)に掲げる国内源泉所得に係る所得を基礎として①から⑤までに定めるところにより計算した金額による。（法102）

①　年の中途で非居住者が居住者となった場合の税額の計算方法

1に規定するところにより計算した金額は、**1**に規定する居住者につき次の(一)から(六)までに定める順序により計算した所得税の額とする。（令258①）

(一)	その者がその年において居住者であった期間（以下「**居住者期間**」という。）内に生じた第二章第二節**4**①《課税所得の範囲》に掲げる所得（居住者期間のうちにその者が非永住者であった期間がある場合には、当該所得及び当該期間内に生じた同**4**②に掲げる所得。④及び⑤において同じ。）及びその者がその年において非居住者であった期間（以下「**非居住者期間**」という。）内に生じた第二章第二節**4**⑥(一)及び同(二)《非居住者に対する課税の方法》に掲げる非居住者の区分に応じ当該⑥(一)及び同(二)に定める国内源泉所得に係る所得を、第四章《各種所得の金額の計算》の規定に準じてそれぞれ各種所得に区分し、その各種所得ごとに所得の金額を計算する。
(二)	(一)の所得の金額（(一)の規定により区分した各種所得のうちに、同種の各種所得で居住者期間内に生じたものと非居住者期間内に生じたものとがある場合には、それぞれの各種所得に係る所得の金額の合計額）を基礎とし、第三章第二節《課税標準》及び第七章《損益通算及び損失の繰越控除》の規定に準じて、総所得金額、退職所得金額及び山林所得金額を計算する。
(三)	第八章《所得控除》の規定に準じ(二)の総所得金額、退職所得金額又は山林所得金額から基礎控除その他の控除をして課税総所得金額、課税退職所得金額又は課税山林所得金額を計算する。
(四)	(三)の課税総所得金額、課税退職所得金額又は課税山林所得金額を基礎とし、第一節《税率》の規定に準じて所得税の額を計算する。
(五)	その者がその年において第二節《税額控除》（法第165条第１項《総合課税に係る所得税の課税標準、税額等の計算》の規定により同節の規定に準じて計算する場合を含む。）の規定により配当控除、分配時調整外国税相当額控除及び外国税額控除を受けることができる場合に相当する場合には、(四)の所得税の額からこれらの控除を行い、控除後の所得税の額を計算する。
(六)	その者が非居住者期間内に支払を受けるべき第二章第二節**4**⑦(一)及び同(二)に掲げる非居住者の区分に応じ当該⑦(一)及び同(二)に定める国内源泉所得がある場合には、当該国内源泉所得につき所得税法第169条《分離課税に係る所得税の課税標準》及び第170条《分離課税に係る所得税の税率》の規定を適用して所得税の額を計算し、当該所得税の額を前号の控除後の所得税の額に加算する。

(注)１　次のそれぞれの規定の適用がある場合における①の適用については、上記①中の下線部は、それぞれ次のように読み替えられる。（措令４の２⑨、20⑤、21⑦、25の８⑯、25の11の２⑳、25の12の３㉔、26の23⑥、26の26⑪による令258①の読替え（編者注））

適用がある規定	読替え前	読替え後
第四章第二節**五１**③《上場株式等に係る配当所得等の課税の特例》の規定の適用がある場合	総所得金額	総所得金額、上場株式等に係る配当所得等の金額
	して課税総所得金額	して課税総所得金額、第四章第二節**五１**③《上場株式等に係る配当所得等の課税の特例》に規定する上場株式等に係る課税配当所得等の金額（以下「上場株式等に係る課税配当所得等の金額」という。）

	の課税総所得金額	の課税総所得金額、上場株式等に係る課税配当所得等の金額
	第一節《税率》	第一節《税率》及び第四章第二節**五１**③
第五章第二節**一１**《長期譲渡所得の課税の特例》①の規定の適用がある場合	総所得金額	総所得金額、長期譲渡所得の金額
	して課税総所得金額	して課税総所得金額、第五章第二節**一１**《長期譲渡所得の課税の特例》①に規定する課税長期譲渡所得金額（以下「課税長期譲渡所得金額」という。）
	の課税総所得金額	の課税総所得金額、課税長期譲渡所得金額
	第一節《税率》	第一節税率》及び第五章第二節**一１**①
第五章第二節**二**《短期譲渡所得の課税の特例》①（同③において準用する場合を含む。）の規定の適用がある場合	総所得金額	総所得金額、短期譲渡所得の金額
	して課税総所得金額	して課税総所得金額、第五章第二節**二**《短期譲渡所得の課税の特例》①（同③において準用する場合を含む。）に規定する課税短期譲渡所得金額（以下「課税短期譲渡所得金額」という。）
	の課税総所得金額	の課税総所得金額、課税短期譲渡所得金額
	第一節《税率》	第一節《税率》及び第五章第二節**二**①（同③において準用する場合を含む。）
第五章第三節**二１**《一般株式等に係る譲渡所得等の課税の特例》①の規定の適用がある場合	総所得金額	総所得金額、一般株式等に係る譲渡所得等の金額
	して課税総所得金額	して課税総所得金額、第五章第三節**二１**《一般株式等に係る譲渡所得等の課税の特例》①に規定する一般株式等に係る課税譲渡所得等の金額（以下「一般株式等に係る課税譲渡所得等の金額」という。）
	の課税総所得金額	の課税総所得金額、一般株式等に係る課税譲渡所得等の金額
	第一節《税率》	第一節《税率》及び第五章第三節**二１**①
第四章第二節**五１**③若しくは第五章第三節**二１**①の規定の適用があり、かつ、第五章第三節**十１**若しくは同**２**《上場株式等に係る譲渡損失の損益通算及び繰越控除》の規定の適用がある場合又は同(２)の規定の適用がある場合	総所得金額	総所得金額、第四章第二節**五１**③《上場株式等に係る配当所得等の課税の特例》に規定する上場株式等に係る配当所得等の金額（第五章第三節**十１**又は同**２**《上場株式等に係る譲渡損失の損益通算及び繰越控除》の規定の適用がある場合には、その適用後の金額。以下において「上場株式等に係る配当所得等の金額」という。）、第五章第三節**二１**①《上場株式等に係る譲渡所得等の課税の特例》に規定する上場株式等に係る譲渡所得等の金額（第五章第三節**十２**の規定の適用がある場合には、その適用後の金額。以下において「上場株式等に係る譲渡所得等の金額」という。）
	課税総所得金額	課税総所得金額、第四章第二節**五１**③に規定する上場株式等に係る課税配当所得等の金額（以下「上場株式等に係る課税配当所得等の金額」という。）、第五章第三節**二１**①に規定する上場株式等に係る課税譲渡所得等の金額（以下「上場株式等に係る課税譲渡所得等の金額」という。）
	第一節《税率》	第一節《税率》並びに第四章第二節**五１**③及び第五章第三節**二１**①
第五章第三節**二１**①又は同節**三１**①の規定の適用があり、かつ、同節**十四２**①若しくは同②の規定の適用がある場合又は同節**十四３**において準用する同節**十３**②(２)の規定の適用がある場合	総所得金額	総所得金額、第五章第三節**二１**①《一般株式等に係る譲渡所得等の課税の特例》に規定する一般株式等に係る譲渡所得等の金額（同節**十三２**②《特定中小会社が発行した株式に係る譲渡損失の繰越控除等》の規定の適用がある場合には、その適用後の金額。以下において「一般株式等に係る譲渡所得等の金額」という。）、第五章第三節**三１**①《上場株式等に係る譲渡所得等の課税の特例》に規定する上場株式等に係る譲渡所得等の金額（同節**十三２**①若しくは同②の規定の適用がある場合には、その適用後の金額。以下において「上場株式等に係る譲渡所得等の金額」という。）
	課税総所得金額	課税総所得金額、第五章第三節**二１**①に規定する一般株式等に係る課税譲渡所得等の金額（以下「一般株式等に係る課税譲渡所得等の金額」という。）、第五章第三節**三１**①に規定する上場株式等に係る課税譲渡所得等の金額（以下「上場株式等に係る課税譲渡所得等の金額」という。）
	第一節《税率》	第一節《税率》並びに第五章第三節**二１**①及び同節**三１**①
第五章第四節**一１**《先物取引に係る雑所得等の課税の特例》の規定の適用がある場合	総所得金額	総所得金額、先物取引に係る雑所得等の金額
	して課税総所得金額	して課税総所得金額、第五章第四節**一１**《先物取引に係る雑所得等の課税の特例》に規定する先物取引に係る課税雑所得等の金額（以下「先物取引に係る課税雑所得等の金額」という。）
	の課税総所得金	の課税総所得金額、先物取引に係る課税雑所得等の金額

	額	
	第一節《税率》	第一節《税率》及び第五章第四節**一 1**
第五章第四節**一 1**の規定の適用があり、かつ、同節**二 1**の規定の適用がある場合又は同**二 3**（5）の規定の適用がある場合	総所得金額	総所得金額、第五章第四節**一 1**《先物取引に係る雑所得等の課税の特例》に規定する先物取引に係る雑所得等の金額（同節**二 1**《先物取引の差金等決済に係る損失の繰越控除》の規定の適用がある場合には、その適用後の金額。以下において「先物取引に係る雑所得等の金額」という。）
	課税総所得金額	課税総所得金額、第五章第四節**一 1**に規定する先物取引に係る課税雑所得等の金額（以下「先物取引に係る課税雑所得等の金額」という。）
	第一節《税率》	第一節《税率》及び第五章第四節**一 1**

2　第九章第四節**3**《特定の基準所得金額の課税の特例》の規定の適用がある場合には、①の規定の適用については、①(二)中「第三節《課税標準、損益通算及び損失の繰越控除》」とあるのは「第三節《課税標準、損益通算及び損失の繰越控除》並びに第九章第四節**3**《特定の基準所得金額の課税の特例》」と、「山林所得金額」とあるのは「山林所得金額並びに同**3**に規定する基準所得金額」と、①(四)中「又は課税山林所得金額」とあるのは「若しくは課税山林所得金額又は(二)の基準所得金額」と、「第二編第三章第一節《税率》」とあるのは「第二編第三章第一節《税率》及び第九章第四節**3**」とする。（措令26の28の３の２⑤一）（令和７年分以後の所得税について適用（令５改措令附１五））

②　居住者期間と非居住者期間の双方にわたって生じた所得の計算

①の(一)の規定により各種所得ごとに所得の金額を計算する場合において、給与所得、退職所得、第四章第十節**二 2**に規定する公的年金等に係る雑所得又は山林所得、譲渡所得若しくは一時所得で居住者期間内及び非居住者期間内の双方にわたって生じたものがあるときは、これらの所得に係る給与所得控除額、同章第五節**三 3**《簡易給与所得表》若しくは同**4**《給与所得者の特定支出の控除の特例》の規定による給与所得の金額、退職所得控除額、第四章第十節**二 3**に規定する公的年金等控除額又は同章第七節《山林所得》、同章第八節《譲渡所得》若しくは同章第九節《一時所得》に規定する特別控除額は、居住者期間内及び非居住者期間内に生じたこれらの所得をそれぞれ合算した所得につき計算する。（令258②）

③　所得控除の額の計算

①(三)により①(三)に規定する基礎控除その他の控除を行う場合には、これらの控除のうち次の(一)から(四)に掲げるものについては、当該(一)から(四)に定める金額を控除する。（令258③）

(一)	雑損控除	第八章**一 1**《雑損控除》に規定する損失の金額で居住者期間内に生じたものと当該損失の金額で非居住者期間内に生じたもの（所得税法施行令第292条第１項第13号《恒久的施設帰属所得についての総合課税に係る所得税の課税標準等の計算》の規定に該当する損失の金額に限る。）との合計額が同**1**(一)から同(三)に掲げる場合の区分に応じ当該(一)から(三)に定める金額（①(二)に規定する総所得金額、退職所得金額及び山林所得金額の合計額の10分の１に相当する金額を同**1**(一)に掲げる金額とした場合における当該(一)から(三)に掲げる金額とする。）を超える場合におけるその超える部分の金額
(二)	医療費控除	その者が居住者期間内に支払った第八章**二 1**《医療費控除》に規定する医療費の金額が①(二)に規定する総所得金額、退職所得金額及び山林所得金額の合計額の100分の５に相当する金額（当該金額が10万円を超える場合には、10万円）を超える場合におけるその超える部分の金額（当該金額が200万円を超える場合には、200万円）
(三)	社会保険料控除及び小規模企業共済等掛金控除	その者が居住者期間内に支払った又はその給与から控除される第八章**三 2**《社会保険料の範囲》に規定する社会保険料の金額及びその者が居住者期間内に支払った又はその給与から控除される同章**四 2**《小規模企業共済等掛金の範囲》に規定する小規模企業共済等掛金の額
(四)	生命保険料控除及び地震保険料控除	その者が居住者期間内に支払った第八章**五 1**《生命保険料控除》に規定する新生命保険料及び旧生命保険料、同**2**に規定する介護医療保険料、同**3**に規定する新個人年金保険料及び旧個人年金保険料並びに同章**六 1**《地震保険料控除》に規定する地震保険料につき同章**五 1**《生命保険料控除》又は同**2**《地震保険料控除》の規定を適用した金額

（注）　①(注)のそれぞれの規定の適用がある場合における③の適用については、上記③(一)及び(二)中「総所得金額」とあるのは、それぞれ①(注)と同様に租税特別措置法施行令による読替えがある。（編者注）

④　分配時調整外国税相当額控除の適用関係

①(五)の規定により分配時調整外国税相当額控除を行う場合において、その者が非居住者期間内に支払を受けた所得税法第165条の5の3第1項《非居住者に係る分配時調整外国税相当額の控除》に規定する集団投資信託の収益の分配に係る同項に規定する分配時調整外国税相当額があるときは、その者の居住者期間内に生じた第二章第二節**4**①に掲げる所得の金額及び非居住者期間内に生じた同節**4**⑥(一)イに掲げる国内源泉所得（以下において「恒久的施設帰属所得」という。）に係る所得の金額について第九章第一節**一 1**から同章第二節**一 1**まで《税率及び配当控除》の規定により計算したその年分の所得税の額に相当する金額を限度として、その者の各年に係る分配時調整外国税相当額（同章第二節**一 5**《分配時調整外国税相当額控除》に規定する分配時調整外国税相当額で居住者期間に係るもの及び所得税法第165条の5の3第1項に規定する分配時調整外国税相当額で非居住者期間に係るものの合計額をいう。）を①(四)の所得税の額から控除する。（令258④）

⑤　外国税額控除の適用関係

①(五)の規定により外国税額控除を行う場合において、その者の非居住者期間内に生じた恒久的施設帰属所得があるときは、次の(一)から(三)までに定めるところによる。（令258⑤）

<table>
<tr><td rowspan="3">(一)</td><td colspan="2">その者の居住者期間内に生じた第二章第二節4《課税所得の範囲》表内①に掲げる所得の金額及び非居住者期間内に生じた恒久的施設帰属所得に係る所得の金額について第一節一 1から同章第二節一 5までの規定により計算したその年分の所得税の額にその年分のイに掲げる金額のうちにその年分のロに掲げる金額の占める割合を乗じて計算した金額（以下⑤において「控除限度額」という。）を限度として、その者が各年において納付することとなる控除対象外国所得税合計額（第二節《税額控除》二《外国税額控除》1①に規定する控除対象外国所得税の額で居住者期間内に生じた第二章第二節4《課税所得の範囲》表内①に掲げる所得につき課されるもの及び所得税法第165条の6第1項《非居住者に係る外国税額の控除》に規定する控除対象外国所得税の額で非居住者期間内に生じた恒久的施設帰属所得につき課されるものの合計額をいう。以下⑤において同じ。）を①(四)の所得税の額から控除する。</td></tr>
<tr><td>イ</td><td>居住者期間内に生じた第二章第二節4《課税所得の範囲》表内①に掲げる所得及び非居住者期間内に生じた恒久的施設帰属所得に係る所得について、第七章第二節《損失の繰越控除》一 1若しくは同2《純損失の繰越控除》又は同節《損失の繰越控除》二《雑損失の繰越控除》1の規定を適用しないで計算した場合のその年分の<u>総所得金額</u>、退職所得金額及び山林所得金額の合計額</td></tr>
<tr><td>ロ</td><td>居住者期間内に生じた国外源泉所得（第二節二 1①に規定する国外源泉所得をいう。ロにおいて同じ。）に係る所得について第七章第二節《損失の繰越控除》一 1若しくは同2《純損失の繰越控除》又は同節《損失の繰越控除》二《雑損失の繰越控除》1の規定を適用しないで計算した場合の第二節《税額控除》二《外国税額控除》1①に規定する国外所得金額（非永住者については、当該国外所得金額のうち、国内において支払われ、又は国外から送金された国外源泉所得に係る部分に限る。）に相当する金額及び非居住者期間内に生じた所得税法第165条の6第1項に規定する国外源泉所得に係る所得について第七章第二節《損失の繰越控除》一 1若しくは同2《純損失の繰越控除》又は同節《損失の繰越控除》二《雑損失の繰越控除》1の規定を適用しないで計算した場合の所得税法第165条の6第1項に規定する国外所得金額に相当する金額の合計額（当該合計額がイに掲げる合計額に相当する金額を超える場合には、当該合計額に相当する金額）</td></tr>
<tr><td>(二)</td><td colspan="2">その者が各年において納付することとなる控除対象外国所得税合計額がその年の控除限度額と地方税控除限度額（地方税法施行令第7条の19第3項《外国の所得税等の額の控除》の規定による限度額と同令第48条の9の2第4項《外国の所得税等の額の控除》の規定による限度額との合計額をいう。）との合計額を超える場合において、その年の前年以前3年内の各年（次号において「前3年以内の各年」という。）の所得税法第165条の6第1項に規定する控除限度額のうち同条第2項に規定する繰越控除限度額があるときは、当該繰越控除限度額を第二節《税額控除》二《外国税額控除》2①に規定する繰越控除限度額とみなして、同条の規定を適用する。</td></tr>
<tr><td>(三)</td><td colspan="2">その者が各年において納付することとなる控除対象外国所得税合計額がその年の控除限度額に満たない場合において、その前3年以内の各年において納付することとなった所得税法第165条の6第1項に規定する控除対象外国所得税の額のうち同条第3項に規定する繰越控除対象外国所得税額があるときは、当該繰越控除対象外国所得税額を第二節《税額控除》二《外国税額控除》3①に規定する繰越控除対象外国所得税額とみなして、同条の規定を適用する。</td></tr>
</table>

（注）　①(注)のそれぞれの規定の適用がある場合における⑤の適用については、上記⑤(一)イ中「総所得金額」とあるのは、それぞれ①(注)と同様に租税特別措置法施行令による読替えがある。（編者注）

2　確定申告書の提出がない場合の税額の特例

第十章第二節**二 1**《確定所得申告》、同節**三 2**《年の中途で死亡した場合の確定申告等》①又は同節**三 4**《年の中途で出国をする場合の確定申告等》①の規定による申告書を提出する義務がない居住者に対して課する所得税の額は、第三章第二節《課税標準》から前節まで及び**1**の規定により計算した所得税の額によらず、その者のその年分の所得税に係る第十章第二節**二 1**②(七)注に規定する予納税額及びその年分の所得税につき源泉徴収をされた又はされるべき税額の合計額による。ただし、その者が確定申告書を提出した場合は、この限りでない。（法103）

（令和７年１月１日以後適用）（令５改所法等附１五ロ、令５改措令附１五、令５改措規附１五）

3　特定の基準所得金額の課税の特例

個人でその者のその年分の基準所得金額が３億3,000万円を超えるもの（③において「**特例対象者**」という。）については、当該超える部分の金額の100分の22.5に相当する金額からその年分の基準所得税額を控除した金額に相当する所得税を課する。（措法41の19①）

①　基準所得金額

3に規定する基準所得金額とは、次の(一)から(八)までに掲げる金額の合計額をいう。（措法41の19②）

(一)	第四章第二節**五 2**の規定の適用がないものとして計算した第三章第二節に規定する総所得金額、退職所得金額及び山林所得金額の合計額（(二)から(八)までに掲げる金額を除く。）
(二)	第四章第二節**五 2**の規定の適用がないものとして計算した第四章第二節**五 1**③に規定する上場株式等に係る配当所得等の金額（同③の規定の適用を受けるものに限る。）
(三)	第五章第一節**一 1**に規定する土地の譲渡等に係る事業所得等の金額（同**1**の規定の適用を受けるものに限る。）
(四)	第五章第二節**一 1**①に規定する長期譲渡所得の金額（特別控除に関する規定（第五章第二節**七 1**、同節**八 1**、同節**九 1**、同節**十 1**、同節**十一 1**①、同節**十二 1**又は同節**十三 1**の規定その他（１）で定める規定をいう。以下(四)及び(五)において同じ。）の適用がある場合には、当該特別控除に関する規定による控除をした金額）
(五)	第五章第二節**二**①に規定する短期譲渡所得の金額（特別控除に関する規定の適用がある場合には、当該特別控除に関する規定による控除をした金額）
(六)	第五章第三節**二 1**①に規定する一般株式等に係る譲渡所得等の金額
(七)	第五章第三節**八**の規定の適用がないものとして計算した同節**三 1**①に規定する上場株式等に係る譲渡所得等の金額
(八)	第五章第四節**一 1**に規定する先物取引に係る雑所得等の金額

（①(四)に規定する（１）で定める規定）

（１）　①(四)に規定する（１）で定める規定は、次の(一)から(四)までに掲げる規定とする。（措令26の28の３の２①）

(一)	小笠原諸島振興開発特別措置法第41条第１項（同条第３項において準用する場合を含む。）の規定
(二)	東日本大震災の被災者等に係る国税関係法律の臨時特例に関する法律第11条の５第１項から第３項までの規定によりみなして適用する第五章第二節**七 1**、同節**八 1**若しくは同節**九 1**の規定又は東日本大震災の被災者等に係る国税関係法律の臨時特例に関する法律第11条の６第１項の規定によりみなして適用する第五章第二節**九 1**の規定
(三)	沖縄の復帰に伴う国税関係法令の適用の特別措置等に関する政令第34条の２第１項又は第34条の３第１項の規定によりみなして適用する第五章第二節**七 1**の規定
(四)	東日本大震災の被災者等に係る国税関係法律の臨時特例に関する法律施行令第13条の３第４項の規定によりみなして適用する第五章第二節**七 1**の規定

② **基準所得税額**

①に規定する基準所得税額とは、次の(一)から(三)までに掲げる者の区分に応じ当該(一)から(三)までに定める所得税の額（第二章第一節**一**表内**46**に規定する附帯税の額を除く。）をいう。（措法41の19③）

(一)	非永住者（第二章第一節**一**表内**4**に規定する非永住者をいう。(二)において同じ。）以外の居住者	第二章第二節**4**表内①に定める所得につき、①の規定の適用がないものとして所得税法その他の所得税の税額の計算に関する法令の規定（第九章第二節**5**及び第九章第二節**二1**の規定を除く。(二)において同じ。）により計算した所得税の額（第四章第一節**三1**①の規定その他の(1)で定める規定により計算した所得税の額を除く。(二)において同じ。）
(二)	非永住者	第二章第二節**4**表内②に定める所得につき、①の規定の適用がないものとして所得税法その他の所得税の税額の計算に関する法令の規定により計算した所得税の額

（②(一)に規定する(1)で定める規定）

(1)　②(一)に規定する(1)で定める規定は、第四章第一節**三1**①、同②、第四章第二節**五1**①、同②、同章第九節**三**、同節**四**、同章第十節**四**及び同節**五**の規定とする。（措令26の28の3の2②）

③ **第四章第二節五2及び同3並びに第五章第三節八及び同(1)の規定の不適用**

特例対象者のうち①の規定により課する所得税の額がある者のその年分の第四章第二節**五2**(一)から同(七)に掲げる利子等若しくは配当等又は第五章第三節**八**(一)及び同(二)に掲げる金額については、第四章第二節**五2**及び同**3**並びに第五章第三節**八**及び同(1)の規定は、適用しない。（措法41の19④）

④ **①の規定の適用がある場合の所得税法の規定の適用**

①の規定の適用がある場合には、次に定めるところによる。（措法41の19⑤）

(一)	①の個人のその年分の所得税（③の規定の適用があるものに限る。）について修正申告書を提出する場合における第十章第七節**一1**又は同**2**の規定の適用については、第三章第二節及び第九章第一節**一**並びに所得税法第165条の規定にかかわらず、第十章第七節**一1**又は同**2**に規定する課税標準等及び税額等の計算においては、その者がその年中に支払を受けるべき特定上場株式等の配当等（第四章第二節**五1**③(1)に規定する特定上場株式等の配当等をいう。以下(一)及び(二)において同じ。）に係る配当所得について第四章第二節**五1**③の規定の適用があるものとする。ただし、その者がその年中に支払を受けるべき特定上場株式等の配当等に係る配当所得について第三章第二節及び第九章第一節**一**並びに所得税法第165条の規定の適用を受けた場合には、当該配当所得については、この限りでない。
(二)	①の個人のその年分の所得税（③の規定の適用があるものに限る。）について第十二章**一1**若しくは同**3**の規定による更正又は同**2**の規定による決定をする場合における同**1**、同**2**及び同**3**の規定の適用については、その者がその年中に支払を受けるべき特定上場株式等の配当等に係る配当所得について第四章第二節**五1**③の規定の適用があるものとして第十二章**一1**、同**2**及び同**3**に規定する課税標準等及び税額等を計算する。ただし、その者がその年中に支払を受けるべき特定上場株式等の配当等に係る配当所得について第三章第二節及び第九章第一節**一**並びに所得税法第165条の規定の適用を受けた場合には、当該配当所得については、この限りでない。

（注）　**3**の規定は、令和7年分以後の所得税について適用される。（令5改所法等附36）

第五節　令和６年分における特別税額控除

1　令和６年分における所得税額の特別控除

居住者の令和６年分の所得税については、その者のその年分の所得税の額から、令和６年分特別税額控除額を控除する。ただし、その者のその年分の所得税に係るその年の合計所得金額（第二章第一節**一**表内**30**の合計所得金額をいう。以下この節において同じ。）が1,805万円を超える場合については、この限りでない。（措法41の３の３①）

（**1**の規定による控除をすべき金額）

（１）　**1**の規定による控除をすべき金額は、令和６年分の第二節**一 1**に規定する所得税額から控除する。（措令26の４の２）

①　1に規定する令和６年分特別税額控除額

1に規定する令和６年分特別税額控除額は、居住者について３万円（同一生計配偶者（第二章第一節**一**表内**33**に規定する同一生計配偶者をいい、居住者に限る。以下この節において同じ。）又は扶養親族（第二章第一節一表内**34**に規定する扶養親族をいい、居住者に限る。以下この節において同じ。）を有する居住者については、３万円に当該同一生計配偶者又は当該扶養親族１人につき３万円を加算した金額）とする。（措法41の３の３②）

（一の居住者の配偶者がその居住者の同一生計配偶者に該当し、かつ、他の居住者の扶養親族にも該当するとき）

（１）　①の場合において、一の居住者の配偶者がその居住者の同一生計配偶者（①に規定する同一生計配偶者をいう。以下**1**において同じ。）に該当し、かつ、他の居住者の扶養親族（①に規定する扶養親族をいう。以下**1**において同じ。）にも該当するときは、その配偶者は、次の㈠及び㈡に定めるところにより、これらのうちいずれか一にのみ該当するものとみなす。（措令26の４の３①）

㈠	当該配偶者が当該同一生計配偶者又は当該扶養親族のいずれに該当するかは、これらの居住者の提出するその年分の第八章**十六 1**（４）に規定する申告書等（租税特別措置法第41条の３の７第５項《令和６年６月以後に支払われる給与等に係る特別控除の額の控除等》に規定する申告書及び同法第41条の３の８第４項《令和６年における年末調整に係る特別控除の額の控除等》に規定する申告書を含む。以下（１）において「申告書等」という。）に記載されたところによる。ただし、本文又は㈡の規定により、当該配偶者が当該同一生計配偶者又は当該扶養親族のいずれかとされた後において、これらの居住者が提出する申告書等にこれと異なる記載をすることにより、その区分を変更することを妨げない。
㈡	㈠の場合において、㈠の居住者が同一人をそれぞれ自己の同一生計配偶者又は扶養親族として申告書等に記載したとき、その他㈠の規定により同一生計配偶者又は扶養親族のいずれに該当するかを定められないときは、その夫又は妻である居住者の同一生計配偶者とする。

（二以上の居住者の扶養親族に該当する者があるとき）

（２）　①の場合において、二以上の居住者の扶養親族に該当する者があるときは、その者は、次の㈠及び㈡に定めるところにより、これらの居住者のうちいずれか一の居住者の扶養親族にのみ該当するものとみなす。（措令26の４の３②）

㈠	当該二以上の居住者の扶養親族に該当する者をいずれの居住者の扶養親族とするかは、これらの居住者の提出するその年分の第八章**十六 1**（６）に規定する申告書等（租税特別措置法第41条の３の７第５項に規定する申告書及び同法第41条の３の８第４項に規定する申告書を含む。以下（２）において「申告書等」という。）に記載されたところによる。ただし、本文又は㈡の規定により、その扶養親族がいずれか一の居住者の扶養親族に該当するものとされた後において、これらの居住者が提出する申告書等にこれと異なる記載をすることにより、他のいずれか一の居住者の扶養親族とすることを妨げない。
㈡	㈠の場合において、二以上の居住者が同一人をそれぞれ自己の扶養親族として申告書等に記載したとき、その他㈠の規定によりいずれの居住者の扶養親族とするかを定められないときは、次に定めるところによる。

イ	その年において既に一の居住者が申告書等の記載によりその扶養親族としている場合には、当該親族は、当該居住者の扶養親族とする。
ロ	イの規定によってもいずれの居住者の扶養親族とするかが定められない扶養親族は、居住者のうち第八章**十六**１（６）(二)に規定する合計額又は当該親族がいずれの居住者の扶養親族とするかを判定すべき時における当該合計額の見積額が最も大きい居住者の扶養親族とする。

（年の中途において居住者の配偶者が死亡し、その年中にその居住者が再婚したとき）

（３）　①の場合において、年の中途において居住者の配偶者が死亡し、その年中にその居住者が再婚したときにおけるその死亡し、又は再婚した配偶者のうちその居住者の同一生計配偶者に該当するものは、その死亡した配偶者又は再婚した配偶者のうち一人に限るものとする。（措令26の４の３③）

（一の居住者の配偶者がその居住者の同一生計配偶者に該当し、かつ、他の居住者の扶養親族にも該当する場合等の場合）

（４）　一の居住者の配偶者がその居住者の同一生計配偶者に該当し、かつ、他の居住者の扶養親族にも該当する場合、二以上の居住者の扶養親族に該当する者がある場合又は年の中途において居住者の配偶者が死亡し、その年中にその居住者が再婚した場合において、いずれかの居住者（以下（４）において「対象居住者」という。）が、その年分の所得税につき、同一生計配偶者若しくは扶養親族に係る第八章**八**、**九**、**十**、**十二**若しくは**十四**の規定（以下（４）において「対象規定」という。）の適用を受けるとき、又は所得税法第190条《年末調整》に規定する過不足の額の計算上、同一生計配偶者に係る同条第２号ハに掲げる障害者控除の額若しくは同号ニに掲げる配偶者控除の額に相当する金額若しくは扶養親族に係る同号ハに掲げる障害者控除の額、寡婦控除の額、ひとり親控除の額若しくは扶養控除の額に相当する金額の控除を受けるとき（これらの控除を受ける者がその年分の所得税につき確定申告書の提出をし、又は第十二章**一２**の規定による決定を受けた者である場合を除く。）における①の規定の適用については、当該対象規定の適用又は当該対象居住者が受けたこれらの控除に係る同一生計配偶者又は扶養親族は、(１)及び(２)の規定にかかわらず、これらの居住者のうち当該対象居住者の同一生計配偶者又は扶養親族にのみ該当するものとみなす。(措令26の４の３④)

②　同一生計配偶者又は扶養親族に該当するかどうかの判定

１及び同①の場合において、その者が同一生計配偶者又は扶養親族に該当するかどうかの判定は、その年12月31日（その居住者がその年の中途において死亡し、又は出国（第二章第一節**一**表内**42**に規定する出国をいう。以下②において同じ。）をする場合には、その死亡又は出国の時）の現況による。ただし、その判定に係る者がその当時既に死亡している場合は、その死亡の時の現況による。（措法41の３の３③）

③　税額控除の控除順序等

第二節**一１**及び**１**の規定による控除をすべき金額は、課税総所得金額に係る所得税額、課税山林所得金額に係る所得税額又は課税退職所得金額に係る所得税額から順次控除する。この場合において、これらの控除をすべき金額の合計額がその年分の所得税額をこえるときは、これらの控除をすべき金額の合計額は、当該所得税額に相当する金額とする。（措法41の３の３④によって読み替えられた法92②（　　下線部分は読み替えられた部分（編者注））

④　適用関係

１の規定による控除は、第二節**一１**、同**５**、同節**二**、**三**、**四１**の規定その他の（１）で定める規定の適用がある場合には、これらの規定を適用した後に行うものとする。（措法41の３の３⑦）

（④に規定する（１）で定める規定）

（１）　④に規定する（１）で定める規定は、第二節**一１**、同**５**、同節**二**、**三**、**九１**、同**２**及び同**３**、**十１**及び同**２**、**十一**、**十二**、**十三１**及び同**２**、**十四１**及び同**２**、**十五１**、同**２**、同**３**及び同**４**、**十六１**、**十七１**、同**２**及び同**３**、第六章第四節**六**①、第二節**四１**、**二十**、**二十一**、**二十二**、**六１**①、**七１**、同**２**、同**３**①、同**４**①、同**４**②、同**４**③、同**５**①及び同**６**、**八１**、同**２**の規定並びに第三節の規定とする。（措規18の23の３）

（注）　上記　下線部については令和７年分以後適用。（令６改所法等附26①）

2　令和６年分の所得税に係る予定納税額の納期等の特例

居住者の令和６年分の所得税に係る予定納税額（第二章第一節**一**表内**36**に規定する予定納税額をいう。以下において同じ。）の納期及び予定納税額の減額の承認の申請の期限については、次の(一)及び(二)に定めるところによる。（措法41の３の４）

(一)	第十章第一節**一１**の規定の適用については、同**１**中「同月31日」とあるのは、「９月30日」とする。
(二)	第十章第一節**三１**の規定の適用については、同**１**①中「その年７月15日」とあるのは「その年７月31日」と、同**１**③中「経過した日」とあるのは「経過した日（同①の申請の期限に係る同日が令和６年７月31日以前である場合には、同日）」とする。

（参考：第十章第一節**一**）

1　予定納税額の納付

居住者（第十章第一節**二１**《特別農業所得者の予定納税額の納付》の規定による納付をすべき者を除く。）は、①に掲げる金額から②に掲げる金額を控除した金額（以下第十章において「予定納税基準額」という。）が15万円以上である場合には、第１期（その年７月１日から9月30日までの期間をいう。以下第十章において同じ。）及び第２期（その年11月１日から同月30日までの期間をいう。以下第十章において同じ。）において、それぞれその予定納税基準額の３分の１に相当する金額の所得税を国に納付しなければならない。（措法41の３の４一により読み替えられた法104①（＿＿下線部分は読み替えられた部分）

①	・・・省　略・・・
②	・・・省　略・・・

（参考：第十章第一節**三１**）

①　予定納税額の減額の承認の申請

予定納税額の納付をすべき居住者は、その年６月30日の現況による第十章第一節**三１**④の申告納税見積額が予定納税基準額に満たないと見込まれる場合には、その年７月31日までに、納税地の所轄税務署長に対し、第１期及び第２期において納付すべき予定納税額の減額に係る承認を申請することができる。（措法41の３の４二により読み替えられた法111①（＿＿下線部分は読み替えられた部分））

③　申請期限の延長

第十章第一節**一３**又は**二３**《予定納税額等の通知》の税務署長の通知に係る書面がそれぞれその年６月15日（特別農業所得者については10月15日）までに発せられなかった場合には、第十章第一節**三１**①、同②の申請の期限は、その通知に係る書面が発せられた日から起算して１月を経過した日（同①の申請の期限に係る同日が令和６年７月31日以前である場合には、同日）まで延期されるものとする。（措法41の３の４二により読み替えられた法111③（＿＿下線部分は読み替えられた部分））

（令和６年分の所得税の予定納税額の減額承認申請に係る申告納税見積額の計算の特例）

（1）　居住者の令和６年分の所得税につき**２**(二)の規定により読み替えて適用される第十章第一節**三１**①又は同②の規定による申請をしようとする場合における同④に規定する申告納税見積額の計算については、同④（1）(二)中「所得税の額」とあるのは、「所得税の額（租税特別措置法第41条の３の７から第41条の３の９まで《令和６年６月以後に支払われる給与等に係る特別控除の額の控除等》の規定の適用がないものとした場合における源泉徴収をされる所得税の額をいう。）」とする。（措令26の４の４）

3　令和６年分の所得税に係る予定納税に係る特別控除の額の控除

居住者（第十章第一節**二１**①及び同②に掲げる居住者を除く。）の令和６年分の所得税に係る**２**(一)の規定により読み替えて適用される第十章第一節**一１**の規定により同**１**に規定する第１期（**4**（2）(一)及び同（3）(一)において「第１期」という。）において納付すべき所得税の額は、当該所得税の額に相当する金額から予定納税特別控除額を控除した金額に相当する金額とする。（措法41の３の５①）

（特別農業所得者の予定納税に係る特別控除の額の控除）

（１）　第十章第一節**二１**①及び同②に掲げる居住者の令和６年分の所得税に係る同**１**の規定により同節**一１**に規定する第２期（**４**（２）(二)、同（３）及び同（５）において「第２期」という。）において納付すべき所得税の額は、当該所得税の額に相当する金額から予定納税特別控除額を控除した金額に相当する金額とする。（措法41の３の５②）

（予定納税特別控除額）

（２）　**３**及び（１）に規定する予定納税特別控除額は、３万円とする。（措法41の３の５③）

（**３**及び（１）の規定の適用がある場合における所得税に関する法令の規定の適用）

（３）　**３**及び（１）の規定の適用がある場合における所得税法その他の所得税に関する法令の規定の適用については、**３**の規定による控除をした後の金額に相当する金額は第十章第一節**一１**の規定により納付すべき所得税の額と、（１）の規定による控除をした後の金額に相当する金額は同節**二１**の規定により納付すべき所得税の額とみなす。（措法41の３の５④）

４　令和６年分の所得税の予定納税額の減額の承認の申請の特例

居住者（**１**①に規定する令和６年分特別税額控除額の金額が３万円を超えると見込まれ、かつ、令和６年分の所得税に係るその年の合計所得金額が1,805万円以下であると見込まれる者に限る。）の令和６年分の所得税につき予定納税額から減額の承認に係る予定納税特別控除額の控除を受けようとする場合における**２**(二)の規定により読み替えて適用される第十章第一節**三１**①又は同②の規定による申請については、同①中「申告納税見積額が予定納税基準額」とあるのは「申告納税見積額から第九章第五節**４**（６）《令和６年分の所得税の予定納税額の減額の承認の申請の特例》に規定する減額の承認に係る予定納税特別控除額を控除した金額が予定納税基準額から同節**３**（２）《令和６年分の所得税に係る予定納税に係る特別控除の額の控除》に規定する予定納税特別控除額を控除した金額」と、「第１期及び第２期」とあるのは「第１期又は第２期」と、同②中「申告納税見積額が」とあるのは「申告納税見積額から第九章第五節**４**（６）に規定する減額の承認に係る予定納税特別控除額を控除した金額が」と、同②(一)中「(①」とあるのは「から第九章第五節**３**（２）に規定する予定納税特別控除額を控除した金額（①」と、「申告納税見積額」とあるのは「申告納税見積額から同節**４**（６）に規定する減額の承認に係る予定納税特別控除額を控除した金額」と、同②(二)中「予定納税基準額」とあるのは「予定納税基準額から第九章第五節**３**（２）に規定する予定納税特別控除額を控除した金額」として、第十章第一節**三１**の規定を適用することができる。（措法41の３の６①）

（参考：第十章第一節**三１**）

①　**予定納税額の減額の承認の申請**

予定納税額の納付をすべき居住者は、その年６月30日の現況による第十章第一節**三１**④の申告納税見積額から第九章第五節**４**（６）《令和６年分の所得税の予定納税額の減額の承認の申請の特例》に規定する減額の承認に係る予定納税特別控除額を控除した金額が予定納税基準額から同節**３**（２）《令和６年分の所得税に係る予定納税に係る特別控除の額の控除》に規定する予定納税特別控除額を控除した金額に満たないと見込まれる場合には、その年７月15日までに、納税地の所轄税務署長に対し、第１期又は第２期において納付すべき予定納税額の減額に係る承認を申請することができる。（措法41の３の６①により読み替えられた法111①（____下線部分は読み替えられた部分））

②　**第２期分予定納税額の減額の承認の申請**

次の(一)又は(二)に掲げる居住者は、その年10月31日の現況による第十章第一節**三１**④の申告納税見積額から第九章第五節**４**（６）に規定する減額の承認に係る予定納税特別控除額を控除した金額が当該(一)又は(二)に掲げる金額に満たないと見込まれる場合には、その年11月15日までに、納税地の所轄税務署長に対し、第２期において納付すべき予定納税額の減額に係る承認を申請することができる。（措法41の３の６①により読み替えられた法111②（____下線部分は読み替えられた部分））

(一)	第十章第一節**一１**の規定による納付をすべき居住者	予定納税基準額から第九章第五節**３**（２）に規定する予定納税特別控除額を控除した金額（①の承認を受けた居住者については、その承認に係る申告納税見積額から同節**４**（６）に規定する減額の承認に係る予定納税特別控除額を控除した金額）
(二)	第十章第一節**二１**の規定による納付をす	予定納税基準額から第九章第五節**３**（２）に規定する予定納税特別控除額を控除した金額

	べき居住者	

（予定納税額の減額の承認の申請に対する処分）

（1）　**4**の規定の適用がある場合における第十章第一節**三 3**の規定の適用については、同**3**①中「という。）」とあるのは「という。）及び減額の承認に係る予定納税特別控除額（第九章第五節**4**（6）《令和６年分の所得税の予定納税額の減額の承認の申請の特例》に規定する減額の承認に係る予定納税特別控除額をいう。以下において同じ。）」と、「若しくは申告納税見積額」とあるのは「若しくは申告納税見積額及び減額の承認に係る予定納税特別控除額」と、同**3**②(一)及び同(二)中「申告納税見積額が」とあるのは「申告納税見積額から減額の承認に係る予定納税特別控除額を控除した金額が」と、「予定納税基準額又は申告納税見積額」とあるのは「予定納税基準額から第九章第五節**3**（2）《令和６年分の所得税に係る予定納税に係る特別控除の額の控除》に規定する予定納税特別控除額を控除した金額又は申告納税見積額から減額の承認に係る予定納税特別控除額を控除した金額」と、同**3**③中「その認めた申告納税見積額及び当該申告納税見積額」とあるのは「その認めた申告納税見積額及び減額の承認に係る予定納税特別控除額並びにこれらの金額」と、「その定めた申告納税見積額及び当該申告納税見積額」とあるのは「その定めた申告納税見積額及び減額の承認に係る予定納税特別控除額並びにこれらの金額」と、同**3**④中「申告納税見積額」とあるのは「申告納税見積額から減額の承認に係る予定納税特別控除額を控除した金額」と、「予定納税基準額を」とあるのは「予定納税基準額から第九章第五節**3**（2）に規定する予定納税特別控除額を控除した金額を」とする。（措法41の３の６②）

（参考：第十章第一節**三 3**）

①　予定納税額の減額の承認の申請に対する処分

税務署長は第十章第一節**三 2**①の申請書の提出があった場合には、その調査により、その申請に係る同①に規定する申告納税見積額（以下「申告納税見積額」という。）及び減額の承認に係る予定納税特別控除額（第九章第五節**4**（6）《令和６年分の所得税の予定納税額の減額の承認の申請の特例》に規定する減額の承認に係る予定納税特別控除額をいう。以下において同じ。）を認め、若しくは申告納税見積額及び減額の承認に係る予定納税特別控除額を定めて、第十章第一節**三 1**①若しくは同②の承認をし、又はその申請を却下する。（措法41の３の６②により読み替えられた法113①（＿＿下線部分は読み替えられた部分））

②　予定納税額の減額の承認をしなければならない場合

税務署長は第十章第一節**三 2**①の予定納税額の減額承認申請書の提出があった場合において、次の(一)及び(二)のいずれか一に該当するときは、その承認をしなければならない。（措法41の３の６②により読み替えられた法113②（＿＿下線部分は読み替えられた部分））

(一)	その申請に係る申告納税見積額の計算の基準となる日までに生じた事業の全部若しくは一部の廃止、休止若しくは転換、失業、災害、盗難若しくは横領による損害又は医療費の支払により、同日の現況による申告納税見積額から減額の承認に係る予定納税特別控除額を控除した金額がその承認により減額されるべき予定納税額の計算の基礎となった予定納税基準額から第九章第五節**3**（2）《令和６年分の所得税に係る予定納税に係る特別控除の額の控除》に規定する予定納税特別控除額を控除した金額又は申告納税見積額から減額の承認に係る予定納税特別控除額を控除した金額に満たなくなると認められる場合
(二)	(一)に掲げる場合のほか、その申請に係る申告納税見積額の計算の基準となる日の現況による申告納税見積額から減額の承認に係る予定納税特別控除額を控除した金額がその承認により減額されるべき予定納税額の計算の基礎となった予定納税基準額から第九章第五節**3**（2）《令和６年分の所得税に係る予定納税に係る特別控除の額の控除》に規定する予定納税特別控除額を控除した金額又は申告納税見積額から減額の承認に係る予定納税特別控除額を控除した金額の10分の７に相当する金額以下となると認められる場合

③　処分の通知

①の処分をした税務署長は、その申請書を提出した居住者に対し、その認めた申告納税見積額及び減額の承認に係る予定納税特別控除額並びにこれらの金額に基づき計算した予定納税額を通知し、又は理由を付して、その定めた申告納税見積額及び減額の承認に係る予定納税特別控除額並びにこれらの金額に基づき計算した予定納税額を通知し若しくは却下の旨を通知する。（措法41の３の６②により読み替えられた法113③（＿＿下線部分は読み替えられた部分））

④　**承認がなかったものとみなされる場合**

第十章第一節**三１**①又は同②の(二)の規定による申請に基づき①の承認があった場合において、③の規定により通知された申告納税見積額から減額の承認に係る予定納税特別控除額を控除した金額が第十章第一節**一２**ただし書又は同章**二２**《予定納税額の計算の基準日等》ただし書の規定により計算した予定納税基準額から第九章第五節**３**（２）に規定する予定納税特別控除額を控除した金額を超えることとなったときは、その承認は、なかったものとみなす。（措法41の３の６②により読み替えられた法113④（＿＿下線部分は読み替えられた部分））

（減額の承認があった場合の予定納税額）

（２）　令和６年分の所得税につき**２**(二)の規定により読み替えて適用される第十章第一節**三１**①の規定による申請をした居住者が同①の承認を受けた場合における同**三４**①の規定の適用については、次の(一)及び(二)に定めるところによる。（措法41の３の６③）

(一)	第１期において納付すべき予定納税額は、第十章第一節**三４**①に規定する３分の１に相当する金額から予定納税特別控除額（**３**（２）に規定する予定納税特別控除額をいう。（５）において同じ。）（**４**の規定の適用がある場合には、減額の承認に係る予定納税特別控除額）を控除した金額に相当する金額（**４**に規定する合計所得金額が1,805万円を超えると見込まれる場合には、当該３分の１に相当する金額）とする。この場合において、当該減額の承認に係る予定納税特別控除額が当該３分の１に相当する金額を超えるときは、当該控除をする金額は、当該３分の１に相当する金額とする。
(二)	(一)の場合において、減額の承認に係る予定納税特別控除額を(一)の３分の１に相当する金額から控除してもなお控除しきれない金額（以下(二)において「控除未済予定納税特別控除額」という。）があるときは、第２期において納付すべき予定納税額は、第十章第一節**三４**①に規定する３分の１に相当する金額から当該控除未済予定納税特別控除額を控除した金額に相当する金額とする。この場合において、当該控除未済予定納税特別控除額が当該３分の１に相当する金額を超えるときは、当該控除をする金額は、当該３分の１に相当する金額とする。

（第２期分予定納税額の減額の承認を受けた場合の予定納税額）

（３）　令和６年分の所得税につき第十章第一節**三１**②の規定による申請をした同②(一)に掲げる居住者が同②の承認を受けた場合における同**三４**②の規定の適用については、第２期において納付すべき予定納税額は、次の(一)及び(二)に掲げる場合の区分に応じ当該(一)又は(二)に定める金額とする。（措法41の３の６④）

(一)	**４**の規定により減額の承認に係る予定納税特別控除額を**２**(一)の規定により読み替えて適用される第十章第一節**一１**①の規定により第１期において納付すべき所得税の額に相当する金額（以下(一)において「控除前第１期予定納税額」という。）から控除してもなお控除しきれない金額その他の（４）で定める金額（以下(一)において「控除未済等予定納税特別控除額」という。）がある場合	同節**三４**②の申告納税見積額から控除前第１期予定納税額を控除した金額の２分の１に相当する金額から当該控除未済等予定納税特別控除額（当該控除未済等予定納税特別控除額が当該２分の１に相当する金額を超える場合には、当該２分の１に相当する金額）を控除した金額に相当する金額
(二)	(一)に掲げる場合以外の場合	(一)の２分の１に相当する金額

（（３）(一)に規定する（４）で定める金額）

（４）　（３）(一)に規定する（４）で定める金額は、第２期（第十章第一節**一１**に規定する第２期をいう。以下において同じ。）において**４**の規定の適用がある場合における減額の承認に係る予定納税特別控除額（（６）に規定する減額の承認に係る予定納税特別控除額をいう。以下において同じ。）（第１期（**２**(一)の規定により読み替えて適用される第十章第一節**一１**に規定する第１期をいう。以下において同じ。）及び第２期において**４**の規定の適用がなく、かつ、第１期において**３**の規定の適用を受けていない場合には、予定納税特別控除額（**３**（２）に規定する予定納税特別控除額をいう。以下において同じ。）に相当する金額）から、第１期において（３）(一)に規定する控除前第１期予定納税額から控除することができた予定納税特別控除額（第１期において、**４**の規定の適用がある場合には減額の承認に係る予定納税特別控除額とし、**４**及び**３**の規定の適用を受けていない場合には零とする。）に係る金額を控除した金額（当該金額が零に満たない場合及び（３）の居住者の令和６年分の所得税に係るその年の合計所得金額（第二章第一節**一**表内**30**の合計所得金額をいう。）が1,805万円を超えると見込まれる場合には、零）とする。（措規18の23の４）

（減額の承認を受けた特別農業所得者が納付すべき第２期分予定納税額）

（５）　令和６年分の所得税につき第十章第一節**三１**②の規定による申請をした同②（二）に掲げる居住者が同②の承認を受けた場合における同**三４**③の規定の適用については、第２期において納付すべき予定納税額は、同③に規定する２分の１に相当する金額から予定納税特別控除額（**４**の規定の適用がある場合には、減額の承認に係る予定納税特別控除額）（当該減額の承認に係る予定納税特別控除額が当該２分の１に相当する金額を超える場合には、当該２分の１に相当する金額）を控除した金額に相当する金額（**４**に規定する合計所得金額が1,805万円を超えると見込まれる場合には、当該２分の１に相当する金額）とする。（措法41の３の６⑤）

（**４**及び**４**（２）、同（３）、同（５）に規定する減額の承認に係る予定納税特別控除額）

（６）　**４**及び**４**（２）、同（３）、同（５）に規定する減額の承認に係る予定納税特別控除額とは、**２**（二）の規定により読み替えて適用される第十章第一節**三１**①又は同②の規定による申請に係る同④に規定する申告納税見積額の計算の基準となる日の現況による**１**①に規定する令和６年分特別税額控除額の見積額をいう。（措法41の３の６⑥）

第十章　申告、納付及び還付

第一節　予 定 納 税

一　予 定 納 税

1　予定納税額の納付

居住者（**二 1**《特別農業所得者の予定納税額の納付》の規定による納付をすべき者を除く。）は、①に掲げる金額から②に掲げる金額を控除した金額（以下第十章において「**予定納税基準額**」という。）が15万円以上である場合には、**第 1 期**（その年７月１日から同月31日までの期間をいう。以下第十章において同じ。）及び**第 2 期**（その年11月１日から同月30日までの期間をいう。以下第十章において同じ。）において、それぞれその予定納税基準額の３分の１に相当する金額の所得税を国に納付しなければならない。（法104①）

（注）　上記の予定納税基準額の３分の１に相当する金額に100円未満の端数があるときは、その端数を切り捨てる。（法104③）

①	前年分の課税総所得金額に係る所得税の額（当該課税総所得金額の計算の基礎となった各種所得の金額のうちに譲渡所得の金額、一時所得の金額、雑所得の金額又は雑所得に該当しない**臨時所得の金額**〔第七章《損益通算及び損失の繰越控除》の規定を適用した後の金額とし、第九章第一節**二**《変動所得及び臨時所得の平均課税》の規定により平均課税の適用を受けたものに限る＝令259①〕がある場合には、下記（1）に定めるところにより、これらの金額がなかったものとみなして計算した額とし、同年分の所得税について第九章第三節 **2**《所得税の軽減又は免除》の規定の適用があった場合には、同 **2** の規定の適用がなかったものとして計算した額とする。）
②	前年分の課税総所得金額の計算の基礎となった各種所得につき源泉徴収をされた又はされるべきであった所得税の額（当該各種所得のうちに一時所得、雑所得又は雑所得に該当しない臨時所得がある場合には、これらの所得につき源泉徴収をされた又はされるべきであった所得税の額を控除した額）

（注）　次のそれぞれの規定の適用がある場合における所得税法の規定の適用については、上記 **1** 中の下線部は、それぞれ次のように読み替えられる。（措令４の２⑧による法104①の読替え（編者注））

適用がある規定	読替え前	読替え後
第四章第二節**五 1**③《上場株式等に係る配当所得等の課税の特例》の規定の適用がある場合	課税総所得金額に係る所得税の額	課税総所得金額に係る所得税の額及び第四章第二節**五 1**③《上場株式等に係る配当所得等の課税の特例》に規定する上場株式等に係る課税配当所得等の金額（以下「上場株式等に係る課税配当所得等の金額」という。）に係る所得税の額の合計額
	課税総所得金額の	課税総所得金額又は上場株式等に係る課税配当所得等の金額の

（臨時所得又は変動所得があった場合の前年分所得税の額）

（1）　前年分の総所得金額のうちに第七章《損益通算及び損失の繰越控除》の規定を適用して計算した後の変動所得（雑所得に該当するものに限る。）の金額又は臨時所得の金額があった場合において、同年分の所得税につき平均課税の適用を受けているときは、当該変動所得の金額又は臨時所得の金額を同年分の所得税に係る平均課税対象金額から控除した残額を同年分の平均課税対象金額とみなして、上記①に掲げる所得税の額を計算する。ただし、当該変動所得の金額又は臨時所得の金額が当該平均課税対象金額以上であるときは、同年分の当該平均課税対象金額は、ないものとみなす。（令259②）

（予定納税基準額を計算する場合の諸控除）

（2）　予定納税基準額を計算する場合における所得控除及び税額控除並びに第四章第五節**三 5**①又は同**5**②《所得金額調整控除》の規定による所得金額調整控除は、前年分の課税総所得金額の計算の基礎となった各種所得の金額のうちに譲渡所得の金額、一時所得の金額、雑所得の金額又は雑所得に該当しない①に規定する臨時所得の金額（第九章第一節二の規定の適用を受けたものに限る。以下２(３)において同じ。）がある場合においても、これらの控除額を改算しないで、予定納税基準額の計算の基礎となる所得の金額等からそのまま控除するものとする。（基通104－１）

（災害による期限の延長）

（３）　第十五章三３《災害等による期限の延長》の規定による納付に関する期限の延長（以下「期限延長」という。）により、上記に規定する居住者が上記の規定により第１期又は第２期において納付すべき予定納税額の納期限がその年12月31日後となる場合は、当該期限延長に係る予定納税額は、ないものとする。（法104②）

（第２期の予定納税額がないものとされた場合の第１期の予定納税額の取扱い）

（４）　(３)に規定する期限延長により、第２期において納付すべき予定納税額の納期限がその年12月31日後となる場合（第１期において納付すべき予定納税額（以下「第１期予定納税額」という。）の納期限がその年12月31日後となる場合を除く。）には、第１期予定納税額はないものとされないことに留意する。（基通104－２）

２　予定納税基準額の計算の基準日等

１の規定を適用する場合において、予定納税基準額の計算については、その年５月15日において確定しているところによるものとし、居住者であるかどうかの判定は、その年６月30日の現況によるものとする。ただし、予定納税基準額の計算は、その年５月16日から７月31日までの間におけるいずれかの日において確定したところにより計算した金額が本文の規定により計算した金額を下ることとなった場合は、その日（その日が２以上ある場合には、その計算した金額が最も小さいこととなる日）において確定したところによるものとする。（法105）

（「確定しているところ」の意義）

（１）　２の「その年５月15日において確定しているところ」とは、確定申告若しくは修正申告又は更正若しくは決定等の処分によりその年５月15日において定まっているところをいうのであるから、確定申告に対して更正の請求がされ、又は更正若しくは決定等の処分に対して再調査の請求若しくは審査請求等がされている場合においても、その判定をすべき日までにあった確定申告若しくは修正申告又は更正若しくは決定等のうち、最終のものにより定まっているところによるべきことに留意する。（基通105－１）

（居住者でなくなった場合の予定納税の義務）

（２）　１の規定を適用する場合には、居住者であるかどうかはその年の６月30日を経過する時の現況により判定すべきものであるから、当該時の現況において居住者に該当しない次に掲げる者は、たとえ予定納税額等の通知がされている場合であっても、予定納税額を納付する義務はないことに留意する。（基通105－２）

（一）　当該時までに死亡した者

（二）　当該時までに非居住者となった者（当該時の現況において総合課税を受ける非居住者（第二章第二節４⑥《非居住者に対する課税の方法》の規定の適用を受ける非居住者をいう。(３)において同じ。）を除く。）

（前年に非居住者であった者が居住者となった場合等における予定納税基準額の計算）

（３）　その年の前年において、総合課税を受ける非居住者であった者又は居住者であった者が、その年６月30日を経過する時の現況によれば、それぞれ居住者又は総合課税を受ける非居住者に該当する場合における１に規定する予定納税基準額の計算については、次に掲げるところによることに留意する。（基通105－３）

（一）　その年の前年を通じて総合課税を受ける非居住者であった者が、その年６月30日を経過する時の現況によれば、居住者に該当することとなった場合　　１及び２の規定により、前年分の総合課税の基礎となった課税総所得金額（譲渡所得の金額、一時所得の金額、雑所得の金額又は雑所得に該当しない臨時所得の金額を除く。以下(３)において同じ。）に係る所得税の額を基礎として計算する。

（二）　その年の前年を通じて居住者であった者が、その年６月30日を経過する時の現況によれば、総合課税を受ける非居住者に該当することとなった場合　　所得税法第166条《申告、納付及び還付》において準用する１及び２の規定により、前年分の課税総所得金額に係る所得税の額を基礎として計算する。

（三）　その年の前年に総合課税を受ける非居住者であった期間と居住者であった期間とがある者が、その年６月30日を経過する時の現況によれば、居住者に該当し、又は総合課税を受ける非居住者に該当することとなった場合　　１及び２の規定により、又は所得税法第166条において準用する１及び２の規定により、非居住者であった期間に生じた所得で前年分の総合課税に係る所得税の基礎となったもの及び居住者であった期間に生じた所得の合計額に基づき計算した課税総所得金額に係る所得税の額を基礎として計算する。

3　予定納税額等の通知

税務署長は、**1**の予定納税額の納付をすべき居住者についてその年５月15日の現況によりその予定納税基準額を計算し、その年６月15日（同日において当該居住者が第１期において納付すべき予定納税額の納期限が第十五章**三 3**《災害等による期限の延長》の規定により延長され、又は延長される見込みである場合には、その年７月31日（同**3**の規定により当該納期限が延長された場合には、その延長された当該納期限）の１月前の日）までに、その者に対し、その予定納税基準額並びに第１期及び第２期において納付すべき予定納税額を書面により通知する。（法106①）

税務署長は、予定納税基準額が**2**のただし書の規定により計算されるべきこととなった場合には、その居住者に対し、書面によりその旨を通知する。（法106②）

（予定納税額等の通知の所轄庁）

（1）　上記の通知は、予定納税額を納付すべき居住者からその者の前年分の所得税につき確定申告書の提出を受け、又は当該所得税につき決定をした税務署長（その後当該所得税の納税地に異動があった場合には、その居住者の前年分の所得税につき確定申告書の提出を受け、又は当該所得税につき更正若しくは決定をした税務署長及びこれらの事実があったことを知っている税務署長のうち、最近の納税地を所轄する税務署長）が行う。（法106③、令260）

（注）　上記に規定する税務署長は、**3**の居住者が**1**の規定により第１期において納付すべき予定納税額について**1**（３）の規定の適用がある場合には、**3**の規定にかかわらず、これらの規定による通知を要しない。（法106④）

（予定納税額等の通知の性格）

（2）　**3**の予定納税額等の通知は、国税に関する法律に基づく処分ではないから、再調査の請求又は審査請求の対象とはならない。（基通106－１）

（注）　当該通知の額に違算その他の誤びゅうがあった場合には、納税者の請求等がなくても、訂正しなければならないことに留意する。

（納税地の異動があった場合の予定納税額等の通知を行うべき税務署長）

（3）　前年分の所得税につき確定申告書を提出し、又は決定を受けた後その者の納税地に異動があった場合における予定納税額等の通知は、次に掲げる区分に応じ、それぞれ次に掲げる税務署長が行うことに留意する。（基通106－２）

（一）　予定納税額等の通知前において既に納税地の異動に伴う転出入の処理が行われている場合　　転入の引受けをした税務署長

（二）　（一）以外の場合　　前年分の所得税につき確定申告書若しくは修正申告書の提出を受け、又は更正若しくは決定をした税務署長のうち最近にこれらの行為をした税務署長

二　特別農業所得者の予定納税の特例

1　特別農業所得者の予定納税額の納付

次表に掲げる居住者は、予定納税基準額が15万円以上である場合には、第２期において、その予定納税基準額の２分の１に相当する金額の所得税を国に納付しなければならない。(法107①)

(注)　予定納税基準額の２分の１に相当する金額に100円未満の端数があるときは、その端数を切り捨てる。(法107③)

①	前年において特別農業所得者であった居住者
②	**4**の規定により、その年において特別農業所得者であると見込まれることについて税務署長の承認を受けた居住者

(災害による期限の延長)

注　第十五章**三３**《災害等による期限の延長》の規定による納付に関する期限の延長（以下「期限延長」という。）により、上記に規定する居住者が上記の規定により第２期において納付すべき予定納税額の納期限がその年12月31日後となる場合は、当該期限延長に係る予定納税額は、ないものとする。(法107②)

2　特別農業所得者に係る予定納税基準額の計算の基準日等

1の規定を適用する場合において、前年において特別農業所得者であったかどうかの判定又は予定納税基準額の計算については、それぞれその年５月１日又はその年９月15日において確定しているところによるものとし、居住者であるかどうかの判定は、その年10月31日の現況によるものとする。ただし、予定納税基準額の計算は、その年９月16日から11月30日までの間におけるいずれかの日において確定したところにより計算した金額が本文の規定により計算した金額を下ることとなった場合は、その日（その日が２以上ある場合には、その計算した金額が最も小さいこととなる日）において確定したところによるものとする。(法108)

(予定納税基準額の計算の基準日等)

注　上記の「その年５月１日又はその年９月15日において確定しているところ」の意義、**1**の規定を適用する場合における居住者であるかどうかの判定及び前年に非居住者であった者が居住者となった場合等における**1**に規定する予定納税額の計算については、**一２**(１)から同(３)までの取扱いに準ずる。(基通108－１)

3　特別農業所得者に対する予定納税額等の通知

税務署長は、**1**の規定による納付をすべき居住者についてその年９月15日の現況によりその予定納税基準額を計算し、その年10月15日（同日において当該居住者が第２期において納付すべき予定納税額の納期限が第十五章**三３**《災害等による期限の延長》の規定により延長され、又は延長される見込みである場合には、その年11月30日（同**3**の規定により当該納期限が延長された場合には、その延長された当該納期限）の１月前の日）までに、その者に対し、その予定納税基準額及び第２期において納付すべき予定納税額を書面により通知する。(法109①)

税務署長は、予定納税基準額が**2**のただし書の規定により計算されるべきこととなった場合には、その居住者に対し、書面によりその旨を通知する。(法109②)

(特別農業所得者に対する予定納税額等の通知の所轄庁)

(１)　上記の通知は、特別農業所得者に対する予定納税額の納付をすべき居住者からその者の前年分の所得税につき確定申告書の提出を受け、又は当該所得税につき決定をした税務署長（その後当該所得税の納税地に異動があった場合には、**一３**(１)のかっこ書に定める税務署長）が行う。(法109③、令260)

(注)　上記に規定する税務署長は、**3**の居住者が**1**の規定により第２期において納付すべき予定納税額について**1**注の規定の適用がある場合には、**3**の規定にかかわらず、これらの規定による通知を要しない。(法109④)

(予定納税額等の通知)

(２)　**3**の予定納税額等の通知については、**一３**(２)及び同(３)の取扱いに準ずる。(基通109－１)

4　特別農業所得者の申請

①　特別農業所得者であると見込まれる者の申請

前年において特別農業所得者でなかった居住者（その判定は、その年５月１日において確定しているところによるものとする。）は、その年５月１日の現況において、その年において特別農業所得者であると見込まれる場合には、その見込みについて、納税地の所轄税務署長の承認を求めることができる。（法110①④）

②　承認申請書の提出

①の承認を求めようとする居住者は、その年５月15日までに、その年において特別農業所得者であると見込まれる事由その他次の注に掲げる事項を記載した申請書を納税地の所轄税務署長に提出しなければならない。（法110②）

（特別農業所得者の申請書に記載すべき事項）

注　上記に規定する特別農業所得者が申請書に記載すべき事項は、上記の事由のほか次の㈠から㈢までに掲げる事項とする。（規45）

㈠	申請書を提出する者の氏名及び住所（国内に住所がない場合には、居所）並びに住所地（国内に住所がない場合には、居所地）と納税地とが異なる場合には、その納税地
㈡	その年分の総所得金額の見積額、その年中の第二章第一節**一**表内**35**《特別農業所得者》に規定する農業所得の金額の見積額及び当該農業所得の金額の見積額のうちその年９月１日以後に生ずる部分の金額の見積額
㈢	その他参考となるべき事項

③　税務署長の処分

税務署長は②の申請書の提出があった場合において、承認又は却下の処分をするときは、その申請者に対し、書面によりその旨を通知する。この場合において、却下の処分の通知をするときは、その理由を付記しなければならない。（法110③）

三　予定納税額の減額

1　予定納税額の減額の承認の申請

①　予定納税額の減額の承認の申請

予定納税額の納付をすべき居住者は、その年６月30日の現況による④の申告納税見積額が予定納税基準額に満たないと見込まれる場合には、その年７月15日までに、納税地の所轄税務署長に対し、第１期及び第２期において納付すべき予定納税額の減額に係る承認を申請することができる。（法111①）

②　第２期分予定納税額の減額の承認の申請

次の(一)又は(二)に掲げる居住者は、その年10月31日の現況による④の申告納税見積額が当該(一)又は(二)に掲げる金額に満たないと見込まれる場合には、その年11月15日までに、納税地の所轄税務署長に対し、第２期において納付すべき予定納税額の減額に係る承認を申請することができる。（法111②）

(一)	**一１**の規定による納付をすべき居住者	予定納税基準額（①の承認を受けた居住者については、その承認に係る申告納税見積額）
(二)	**二１**の規定による納付をすべき居住者	予定納税基準額

（予定納税額を増額する通知をした場合の減額承認の申請の期限）

注　当初の予定納税額に計算誤り等があったため、当初通知した予定納税額を増額する訂正通知をした場合には、その訂正通知がその年６月15日（特別農業所得者については、10月15日）までに発せられた場合を除き、その予定納税額の減額承認申請の期限は、その訂正通知が発せられた日から起算して１月を経過した日まで延期されるものとする。（基通111－２）

③　申請期限の延長

一３又は**二３**《予定納税額等の通知》の税務署長の通知に係る書面がそれぞれその年６月15日（特別農業所得者については10月15日）までに発せられなかった場合には、上記①、②の申請の期限は、その通知に係る書面が発せられた日から起算して１月を経過した日まで延期されるものとする。（法111③）

④　申告納税見積額の計算

①又は②に規定する**申告納税見積額**とは、その年分の課税総所得金額<u>及び課税山林所得金額の見積額につき第九章《税額の計算》第一節、同章第二節**一**から同**三**まで</u>の規定に準じて計算した所得税の額から、<u>当該課税総所得金額の</u>見積額の計算の基礎となった各種所得につき源泉徴収をされる所得税の額の見積額を控除した金額として(１)で定めるところにより計算した金額をいう。（法111④）

（注）　次のそれぞれの規定の適用がある場合における所得税法の規定の適用については、上記④中の下線部は、それぞれ次のように読み替えられる。（措令４の２⑧、20④、21⑦、25の８⑮、25の９⑬、26の23⑤、26の28の３の２④一による法111④の読替え（編者注））

適用がある規定	読替え前	読替え後
第四章第二節**五１**③《上場株式等に係る配当所得等の課税の特例》の規定の適用がある場合	及び課税山林所得金額の見積額につき第九章《税額の計算》第一節、同章第二節**一**から同**三**まで	、上場株式等に係る課税配当所得等の金額及び課税山林所得金額の見積額につき第九章《税額の計算》第一節、同章第二節**一**から同**三**まで及び第四章第二節**五１**③《上場株式等に係る配当所得等の課税の特例》
	当該課税総所得金額の	当該課税総所得金額及び上場株式等に係る課税配当所得等の金額
第五章第二節**一１**《長期譲渡所得の課税の特例》①の規定の適用がある場合	及び課税山林所得金額の見積額につき第九章《税額の計算》第一節、同章第二節**一**から同**三**まで	、第五章第二節**一１**《長期譲渡所得の課税の特例》①に規定する課税長期譲渡所得金額（以下「課税長期譲渡所得金額」という。）及び課税山林所得金額の見積額につき第九章《税額の計算》第一節、同章第二節**一**から同**三**まで及び第五章第二節**一１**①
第五章第二節**二**《短期譲渡所得の課税の特例》①（同③において準用する場合を含む。）の規定の適用がある場合	及び課税山林所得金額の見積額につき第九章《税額の計算》第一節、同章第二節**一**から同**三**まで	、第五章第二節**二**《短期譲渡所得の課税の特例》①（同③において準用する場合を含む。）に規定する課税短期譲渡所得金額（以下「課税短期譲渡所得金額」という。）及び課税山林所得金額の見積額につき第九章《税額の計算》第一節、同章第二節**一**から同**三**まで及び第五章

		第二節二①（同③において準用する場合を含む。）
第五章第三節二１《一般株式等に係る譲渡所得等の課税の特例》①の規定の適用がある場合	及び課税山林所得金額の見積額につき第九章《税額の計算》第一節、同章第二節一から同三まで	、第五章第三節二１《一般株式等に係る譲渡所得等の課税の特例》①に規定する一般株式等に係る課税譲渡所得等の金額（以下「一般株式等に係る課税譲渡所得等の金額」という。）及び課税山林所得金額の見積額につき第九章《税額の計算》第一節、同章第二節一から同三まで及び第五章第三節二１①
	当該課税総所得金額	当該課税総所得金額及び一般株式等に係る課税譲渡所得等の金額
第五章第三節三１《上場株式等に係る譲渡所得等の課税の特例》①の規定の適用がある場合	及び課税山林所得金額の見積額につき第九章《税額の計算》第一節、同章第二節一から同三まで	、第五章第三節三１《上場株式等に係る譲渡所得等の課税の特例》①に規定する上場株式等に係る課税譲渡所得等の金額（以下「上場株式等に係る課税譲渡所得等の金額」という。）及び課税山林所得金額の見積額につき第九章《税額の計算》第一節、同章第二節一から同三まで及び第五章第三節三１①
	当該課税総所得金額	当該課税総所得金額及び上場株式等に係る課税譲渡所得等の金額
第五章第四節一１《先物取引に係る雑所得等の課税の特例》の規定の適用がある場合	及び課税山林所得金額の見積額につき第九章《税額の計算》第一節、同章第二節一から同三まで	、第五章第四節一１《先物取引に係る雑所得等の課税の特例》に規定する先物取引に係る課税雑所得等の金額（以下「先物取引に係る課税雑所得等の金額」という。）及び課税山林所得金額の見積額につき第九章《税額の計算》第一節、同章第二節一から同三まで及び第五章第四節一１
第九章第四節３《特定の基準所得金額の課税の特例》の規定の適用がある場合	の見積額につき第九章《税額の計算》第一節、同章第二節一から同三まで	並びに第九章第四節３《特定の基準所得金額の課税の特例》に規定する基準所得金額の見積額につき第九章《税額の計算》第一節、同章第二節一から同三まで及び第九章第四節３

（(1)で定めるところにより計算した金額）

(1)　④に規定する(1)で定めるところにより計算した金額は、(一)に掲げる金額から(二)に掲げる金額を控除した金額とする。（令261）

(一)	その年分の総所得金額及び山林所得金額の見積額からその年分の第八章《所得控除》に規定する控除の額の見積額を第八章十七《所得控除の順序》の規定に準じて控除した後の金額をそれぞれ課税総所得金額又は課税山林所得金額とみなして、第九章第一節《税率》の規定を適用して計算した場合の所得税の額から同章第二節《税額控除》一から同節三までの規定による控除の額を同節一４《税額控除の順序等》の規定に準じて控除した後の所得税の額
(二)	(一)に掲げる総所得金額の計算の基礎となった各種所得につき源泉徴収をされる所得税の額の見積額

（注）１　次のそれぞれの規定の適用がある場合における所得税法施行令の規定の適用については、上記(1)(一)中の下線部は、それぞれ次のように読み替えられる。（措令４の２⑨、20⑤、21⑦、25の８⑯、25の９⑬、26の23⑥による令261(一)の読替え（編者注））

適用がある規定	読替え前	読替え後
第四章第二節五１③《上場株式等に係る配当所得等の課税の特例》の規定の適用がある場合	総所得金額	総所得金額、上場株式等に係る配当所得等の金額
	課税総所得金額	課税総所得金額、上場株式等に係る課税配当所得等の金額
	第九章第一節《税率》	第九章第一節《税率》及び第四章第二節五１③《上場株式等に係る配当所得等の課税の特例》
第五章第二節一１《長期譲渡所得の課税の特例》①の規定の適用がある場合	総所得金額	総所得金額、長期譲渡所得の金額
	課税総所得金額	課税総所得金額、課税長期譲渡所得金額
	第九章第一節《税率》	第九章第一節《税率》及び第五章第二節一１《長期譲渡所得の課税の特例》①
第五章第二節二《短期譲渡所得の課税の特例》①（同③において準用する場合を含む。）の規定の適用がある場合	総所得金額	総所得金額、短期譲渡所得の金額
	課税総所得金額	課税総所得金額、課税短期譲渡所得金額
	第九章第一節《税率》	第九章第一節《税率》及び第五章第二節二《短期譲渡所得の課税の特例》①（同③において準用する場合を含む。）
第五章第三節二１《一般株式等に係る譲渡所得等の課税の特例》①の規定の適用がある場合	総所得金額	総所得金額、一般株式等に係る譲渡所得等の金額
	課税総所得金額	課税総所得金額、一般株式等に係る課税譲渡所得等の金額
	第九章第一節《税率》	第九章第一節《税率》及び第五章第三節二１《一般株式等に係る譲渡所得等の課税の特例》①

第五章第三節**三 1**《上場株式等に係る譲渡所得等の課税の特例》①の規定の適用がある場合	総所得金額	総所得金額、上場株式等に係る譲渡所得等の金額
	課税総所得金額	課税総所得金額、上場株式等に係る課税譲渡所得等の金額
	第九章第一節《税率》	第九章第一節《税率》及び第五章第三節**三 1**《上場株式等に係る譲渡所得等の課税の特例》①
第五章第四節**一 1**《先物取引に係る雑所得等の課税の特例》の規定の適用がある場合	総所得金額	総所得金額、先物取引に係る雑所得等の金額
	課税総所得金額	課税総所得金額、先物取引に係る課税雑所得等の金額
	第九章第一節《税率》	第九章第一節《税率》及び第五章第四節**一 1**《先物取引に係る雑所得等の課税の特例》

2　次のそれぞれの規定の適用がある場合における所得税法施行令の規定の適用については、上記(1)(二)中の下線部は、それぞれ次のように読み替えられる。(措令25の8⑯、25の9⑬による令261(二)の読替え（編者注))

第五章第三節**二 1**《一般株式等に係る譲渡所得等の課税の特例》①の規定の適用がある場合	総所得金額	総所得金額及び一般株式等に係る譲渡所得等の金額
第五章第三節**三 1**《上場株式等に係る譲渡所得等の課税の特例》①の規定の適用がある場合	総所得金額	総所得金額及び上場株式等に係る譲渡所得等の金額

3　第九章第四節**3**《特定の基準所得金額の課税の特例》の規定の適用がある場合における上記(1)(一)の規定の適用については、同(一)中の下線部の「所得税の額から」とあるのは、「所得税の額並びにその年分の第九章第四節**3**《特定の基準所得金額の課税の特例》に規定する基準所得金額の見積額（退職所得金額に係る部分を除く。）につき同**3**の規定に準じて計算した所得税の額から」とする。(措令26の28の3の2⑤二)（令和7年分以後の所得税について適用（令5改措令附1五))

(注)　上記④及び(1)の「課税総所得金額」は、第五章第三節**十**《上場株式等に係る譲渡損失の損益通算及び繰越控除》、**十四**《特定中小会社が発行した株式に係る譲渡損失の繰越控除等》**2**の規定又は第五章第四節**二**《先物取引の差金等決済に係る損失の繰越控除》の規定の適用がある場合には、その適用後の金額をいうものとされる。(編者注)

(申告納税見積額の計算)

(2)　④の申告納税見積額の計算の基礎となるその年分の所得金額の見積額、所得控除額の見積額及び所得税の額の見積額については、それぞれ次による。(基通111－3)

(一)　所得金額の見積額

その年分の収入金額又は総収入金額及び必要経費については、その年6月30日（②に規定する者については、その年10月31日。以下この注においてこれらの日を「**基準日**」という。）までの実績額及び基準日後その年12月31日までの見積額の合計額によるものとし、これらの金額の計算に当たっては、所得税法及びその他の法令の規定により確定申告書の提出を要件として適用される特例でその適用を受けると見込まれるものは、その特例を適用したところにより計算した金額とする。

(二)　所得控除額の見積額

イ　雑損控除額の見積額については、基準日までに生じた損失の金額及び同日までに支出した第八章**一 2**《雑損控除の対象となる損失の金額》①に掲げる支出の金額並びに同日後その年12月31日までに支出することが確実と認められる同①(一)から同(四)までに掲げる支出の金額の合計額（保険金、損害賠償金等により補塡される部分の金額を除く。）を基礎として計算する。この場合において、配偶者その他の親族の資産につき生じた損失の金額が雑損控除の対象になるかどうかは、居住者と生計を一にするかどうかについては災害等のあった時の現況により、所得の金額が基礎控除額以下であるかどうかについては(一)により判定したところによる。

ロ　医療費控除額の見積額については、基準日までに支払った医療費の額及び同日後その年12月31日までに支払うことが確実と認められる医療費の額の見積額の合計額（保険金、損害賠償金等により補塡される部分の金額を除く。）を基礎として計算する。

ハ　社会保険料控除額、小規模企業共済等掛金控除額、生命保険料控除額又は地震保険料控除の見積額については、それぞれ基準日までに支払ったこれらの保険料又は掛金の額及び同日後その年12月31日までに支払うことが確実と認められるこれらの保険料又は掛金の額の見積額の合計額（その年中に支払を受けるべき剰余金等の見積額を除く。）を基礎として計算する。

ニ　寄附金控除額の見積額については、基準日までに支出した特定寄附金の額及び同日後その年12月31日までに支出することが確実と認められる特定寄附金の額の見積額の合計額を基礎として計算する。

ホ　障害者控除額、寡婦控除額、ひとり親控除額、勤労学生控除額、配偶者控除額、配偶者特別控除額又は扶養控除額の見積額は、生計を一にするかどうかについては基準日の現況により、合計所得金額については(一)により、年齢についてはその年12月31日の現況により判定したところにより計算する。

（三）　所得税の額の見積額

所得税の額の見積額については、所得税法及びその他の法令の規定により確定申告書の提出を要件として適用される特例でその適用を受けると見込まれるものは、その特例を適用したところにより計算した額とする。

2　予定納税額の減額の承認の申請手続

①　申請書の提出

1①又は同②の申請をしようとする居住者は、これらの規定に規定する申告納税見積額、その申請の理由その他次の（１）に掲げる事項を記載した申請書を納税地の所轄税務署長に提出しなければならない。（法112①）

（予定納税額の減額承認申請書の記載事項）

（１）　**2**の承認申請書に記載すべき事項は、次の(一)から(九)までに掲げる事項とする。（規46）

<table>
<tr><td>(一)</td><td colspan="3">申請書を提出する者の氏名及び住所（国内に住所がない場合には、居所）並びに住所地（国内に住所がない場合には、居所地）と納税地とが異なる場合には、その納税地</td></tr>
<tr><td>(二)</td><td colspan="3">その年分の総所得金額及び山林所得金額並びに課税総所得金額及び課税山林所得金額の見積額</td></tr>
<tr><td>(三)</td><td colspan="3">平均課税の適用を受けようとする場合には、その年分の変動所得及び臨時所得の金額の見積額並びに平均課税対象金額の見積額</td></tr>
<tr><td>(四)</td><td colspan="3">(二)、(三)に掲げるもののほか、申請書に記載された申告納税見積額の計算の基礎</td></tr>
<tr><td>(五)</td><td colspan="3">その年分の予定納税基準額</td></tr>
<tr><td rowspan="4">(六)</td><td colspan="3">次に掲げる場合の区分に応じ、それぞれ次に掲げる金額</td></tr>
<tr><td>イ</td><td>第１期分の減額の申請をする場合</td><td>1①の申告納税見積額の３分の１に相当する金額</td></tr>
<tr><td>ロ</td><td>第２期分の減額の申請をする場合（ハの場合を除く。）</td><td>1②に規定する申告納税見積額から一 1により第１期において納付すべき予定納税額（令和６年分の所得税につき当該居住者が当該申請をする場合には、第九章第五節4（３）(一)《令和６年分の所得税の予定納税額の減額の承認の申請の特例》に規定する控除前第一期予定納税額）を控除した金額の２分の１に相当する金額</td></tr>
<tr><td>ハ</td><td>特別農業所得者が減額の申請をする場合</td><td>1②の申告納税見積額の２分の１に相当する金額</td></tr>
<tr><td>(七)</td><td colspan="3">令和６年分の所得税につき1①又は同②の規定による申請をする場合において、第九章第五節3若しくは同3（１）《令和６年分の所得税に係る予定納税に係る特別控除の額の控除》又は同4の規定の適用があるときは、同3（２）に規定する予定納税特別控除額又は同4（６）に規定する減額の承認に係る予定納税特別控除額</td></tr>
<tr><td>(八)</td><td colspan="3">第九章第五節4（３）(一)に規定する控除未済等予定納税特別控除額がある場合には、当該控除未済等予定納税特別控除額</td></tr>
<tr><td>(九)</td><td colspan="3">その他参考となるべき事項</td></tr>
</table>

（注）　次のそれぞれの規定の適用がある場合、上記（１）(二)中の＿＿下線部はそれぞれ次のように読み替えられる。（措規４の３②、13の２、13の５②、18の９③、18の10③、19の８②、19の11①一による所規46二の読替え）

<table>
<tr><th>適用がある規定</th><th>読替え前</th><th>読替え後</th></tr>
<tr><td rowspan="2">第四章第二節五 1③《上場株式等に係る配当所得等の課税の特例》の規定の適用がある場合</td><td>の総所得金額</td><td>の総所得金額、第四章第二節五 1③《上場株式等に係る配当所得等の課税の特例》に規定する上場株式等に係る配当所得等の金額</td></tr>
<tr><td>課税総所得金額</td><td>課税総所得金額、同③に規定する上場株式等に係る課税配当所得等の金額</td></tr>
<tr><td>第五章第二節一 1《長期譲渡所得の課税の特例》①の規定の適用がある場合</td><td>の総所得金額</td><td>の総所得金額、第五章第二節一 1《長期譲渡所得の課税の特例》①（同節一 2《優良住宅地の造成等のために土地等を譲渡した場合の長期譲渡所得の課税の特例》又は同節一 3《居住用財産を譲渡した場合の長</td></tr>
</table>

		期譲渡所得の課税の特例》の規定により適用される場合を含む。）に規定する長期譲渡所得の金額
	課税総所得金額	課税総所得金額、同項に規定する課税長期譲渡所得金額
第五章第二節二《短期譲渡所得の課税の特例》①（同③におい準用する場合を含む。）の規定の適用がある場合	の総所得金額	の総所得金額、第五章第二節二《短期譲渡所得の課税の特例》①（同③において準用する場合を含む。）に規定する短期譲渡所得の金額
	課税総所得金額	課税総所得金額、同①に規定する課税短期譲渡所得金額
第五章第三節二１《一般株式等に係る譲渡所得等の課税の特例》①の規定の適用がある場合	の総所得金額	の総所得金額、第五章第三節二１《一般株式等に係る譲渡所得等の課税の特例》①に規定する一般株式等に係る譲渡所得等の金額
	課税総所得金額	課税総所得金額、同①に規定する一般株式等に係る課税譲渡所得等の金額
第五章第三節三１《上場株式等に係る譲渡所得等の課税の特例》①の規定の適用がある場合	の総所得金額	の総所得金額、第五章第三節三１《上場株式等に係る譲渡所得等の課税の特例》①に規定する上場株式等に係る譲渡所得等の金額
	課税総所得金額	課税総所得金額、同①に規定する上場株式等に係る課税譲渡所得等の金額
第五章第四節一１《先物取引に係る雑所得等の課税の特例》の規定の適用がある場合	の総所得金額	の総所得金額、第五章第四節一１《先物取引に係る雑所得等の課税の特例》に規定する先物取引に係る雑所得等の金額
	課税総所得金額	課税総所得金額、同１に規定する先物取引に係る課税雑所得等の金額
第九章第四節３《特定の基準所得金額の課税の特例》の規定の適用がある場合	見積額	見積額並びに第九章第四節３《特定の基準所得金額の課税の特例》に規定する基準所得金額の見積額（退職所得金額に係る部分を除く。

②　申請書の添付書類

①の申請書には、取引の記録等に基づいて①の申告納税見積額の計算の基礎となる事実を記載した書類を添付しなければならない。（法112②）

3　予定納税額の減額の承認の申請に対する処分

①　予定納税額の減額の承認の申請に対する処分

税務署長は予定納税額の減額承認申請書の提出があった場合には、その調査により、その申請に係る申告納税見積額を認め、若しくは申告納税見積額を定めて、**1**①若しくは同②の承認をし、又はその申請を却下する。（法113①）

②　予定納税額の減額の承認をしなければならない場合

税務署長は**2**①の予定納税額の減額承認申請書の提出があった場合において、次の(一)及び(二)のいずれか一に該当するときは、その承認をしなければならない。（法113②）

(一)	その申請に係る申告納税見積額の計算の基準となる日までに生じた事業の全部若しくは一部の廃止、休止若しくは転換、失業、災害、盗難若しくは横領による損害又は医療費の支払により、同日の現況による申告納税見積額がその承認により減額されるべき予定納税額の計算の基礎となった予定納税基準額又は申告納税見積額に満たなくなると認められる場合
(二)	(一)に掲げる場合のほか、その申請に係る申告納税見積額の計算の基準となる日の現況による申告納税見積額がその承認により減額されるべき予定納税額の計算の基礎となった予定納税基準額又は申告納税見積額の10分の７に相当する金額以下となると認められる場合

(減額承認の基準)

（1）　予定納税額の減額の承認は、上記(一)に掲げる場合に該当する場合を除き、申告納税見積額が予定納税基準額（既に予定納税額の減額の承認を受けている場合には、その承認に係る申告納税見積額。以下同じ。）の70パーセントに相当する金額以下となると認められないときには必ずしもこれを与えることを要しないのであるが、婚姻、出生、生命保険への加入、特定寄附金の支出等による所得控除額の増加等のような簡明な原因によってその申告納税見積額が予定納税基準額に満たなくなると認められる場合には、その承認を与えるものとする。（基通113－1）

③　**処分の通知**

①の処分をした税務署長は、その申請書を提出した居住者に対し、その認めた申告納税見積額及び当該申告納税見積額に基づき計算した予定納税額を通知し、又は理由を付して、その定めた申告納税見積額及び当該申告納税見積額に基づき計算した予定納税額を通知し若しくは却下の旨を通知する。(法113③)

④　**承認がなかったものとみなされる場合**

1①又は同②の(二)の規定による申請に基づき①の承認があった場合において、③の規定により通知された申告納税見積額が**一 2**《予定納税額の計算の基準日等》ただし書又は**二 2**《予定納税額の計算の基準日等》ただし書の規定により計算した予定納税基準額を超えることとなったときは、その承認は、なかったものとみなす。(法113④)

4　予定納税額の減額の承認があった場合の予定納税額の特例

①　**減額の承認があった場合の予定納税額**

1①による予定納税額の減額の承認の申請をした居住者がその承認を受けた場合には、その者がその年分の所得税につき第１期及び第２期において納付すべき予定納税額は、その承認をした税務署長から通知された申告納税見積額の３分の１に相当する金額とする。(法114①)

②　**第２期分予定納税額の減額の承認を受けた場合の予定納税額**

1②により第２期分予定納税額の減額の承認申請をした同②(一)に掲げる者がその承認を受けた場合には、その者がその年分の所得税につき第２期において納付すべき予定納税額は、その承認をした税務署長から通知された申告納税見積額から第１期において納付すべき予定納税額を控除した金額の２分の１に相当する金額とする。(法114②)

(第２期の予定納税額の減額の承認があった場合の第１期の予定納税額の計算)

(1)　**1**②による第２期の予定納税額の減額の承認の申請をした同②(一)に掲げる者がその承認を受けた場合には、第１期予定納税額にはその影響がないものであるから、たとえその承認に係る申告納税見積額が第１期予定納税額に満たないこととなったときであっても、第１期予定納税額は減額されないことに留意する。(基通114－１)

③　**減額の承認を受けた特別農業所得者が納付すべき第２期分予定納税額**

1②による予定納税額の減額の承認申請をした同②(二)に掲げる特別農業所得者がその承認を受けた場合には、その者がその年分の所得税につき第２期において納付すべき予定納税額は、その承認をした税務署長から通知された申告納税見積額の２分の１に相当する金額とする。(法114③)

④　**予定納税額の端数計算等**

①から③までの場合において予定納税額に100円未満の端数があるときは、その端数を切り捨てるものとし、申告納税見積額が15万円に満たないときは、これらの規定による予定納税額は、ないものとする。(法114④)

四　予定納税額の納付及び徴収に関する特例

1　出国をする場合の予定納税額の納期限の特例

予定納税額を納付すべき居住者は、その納期限前に出国をする場合には、これらの規定にかかわらず、その出国後に当該納期限の到来する予定納税額に相当する所得税を、その出国の時までに国に納付しなければならない。(法115)

2　予定納税額に対する督促の特例

税務署長は予定納税額（**1**により納付すべきこととなったものを除く。）の通知に係る書面を納期限の１月前までに発しなかった場合には、その通知に係る書面を発した日から起算して１月を経過した日後でなければ、これらの規定により納付すべき予定納税額について国税通則法第37条《督促》の規定による督促をすることができない。(法116)

3　予定納税額の滞納処分の特例

予定納税額（その予定納税額に係る延滞税を含む。）については、滞納処分を行う場合においても、その年分の所得税に係る確定申告期限（その日においてその年分の所得税につき源泉徴収税額等の還付又は予納税額の還付の規定による還付金がある場合には、その還付金につき充当をする日）までは、滞納処分による財産の換価は、することができない。(法117)

4　予定納税額の徴収猶予

税務署長は、予定納税額の減額承認申請書の提出があった場合において、相当の理由があると認めるときは、その申請書に係る予定納税額の全部又は一部の徴収を猶予することができる。(法118)

5　予定納税額に係る延滞税の特例

次の(一)から(三)に掲げる予定納税額について延滞税の額の計算をする場合には、当該(一)から(三)に掲げる期間は、その計算の基礎となる期間に算入しないものとする。(法119)

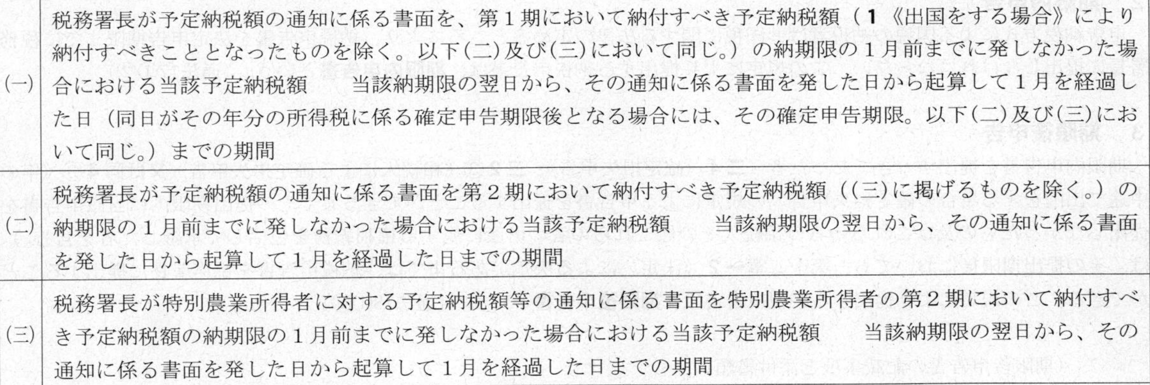

(一)	税務署長が予定納税額の通知に係る書面を、第１期において納付すべき予定納税額（**1**《出国をする場合》により納付すべきこととなったものを除く。以下(二)及び(三)において同じ。）の納期限の１月前までに発しなかった場合における当該予定納税額　　当該納期限の翌日から、その通知に係る書面を発した日から起算して１月を経過した日（同日がその年分の所得税に係る確定申告期限後となる場合には、その確定申告期限。以下(二)及び(三)において同じ。）までの期間
(二)	税務署長が予定納税額の通知に係る書面を第２期において納付すべき予定納税額（(三)に掲げるものを除く。）の納期限の１月前までに発しなかった場合における当該予定納税額　　当該納期限の翌日から、その通知に係る書面を発した日から起算して１月を経過した日までの期間
(三)	税務署長が特別農業所得者に対する予定納税額等の通知に係る書面を特別農業所得者の第２期において納付すべき予定納税額の納期限の１月前までに発しなかった場合における当該予定納税額　　当該納期限の翌日から、その通知に係る書面を発した日から起算して１月を経過した日までの期間

第二節　確定申告

一　国税通則法に定める規定

1　納税申告書

納税申告書とは、申告納税方式による国税に関し国税に関する法律の規定により次のイからへまでに掲げるいずれかの事項その他当該事項に関し必要な事項を記載した申告書をいい、国税に関する法律の規定による国税の還付金の還付を受けるための申告書でこれらのいずれかの事項を記載したものを含むものとする。（通法２六）

イ	課税標準
ロ	課税標準から控除する金額
ハ	所得税法に規定する純損失の金額又は雑損失の金額でその年以前において生じたもののうち、翌年以後の年分の所得の金額の計算上順次繰り越して控除し、又は前年分の所得に係る還付金の額の計算の基礎とすることができるもの （注）　法人税及び相続税に関する項目（(２)及び(３)）は省略した。（編者注）
ニ	納付すべき税額
ホ	還付金の額に相当する税額
へ	ニの税額の計算上控除する金額又は還付金の額の計算の基礎となる税額

2　期限内申告

申告納税方式による国税の納税者は、国税に関する法律の定めるところにより、納税申告書を法定申告期限までに税務署長に提出しなければならない。この規定により提出する納税申告書は、**期限内申告書**という。（通法17①②）

3　期限後申告

期限内申告書を提出すべきであった者（**二４**《確定損失申告》、**三２**③《相続人による確定損失申告》又は同**４**③《年の中途で出国をする場合の確定損失申告》の規定による申告書を提出することができる者でその提出期限内に当該申告書を提出しなかったもの及びこれらの者の相続人その他これらの者の財産に属する権利義務を包括して承継した者を含む。）は、その提出期限後においても、第十二章**一２**《決定》による決定があるまでは、納税申告書を税務署長に提出することができる。この規定により提出する納税申告書は、**期限後申告書**という。（通法18①②）

（期限後申告書の記載事項と添付書類）

注　期限後申告書には、その申告に係る国税の期限内申告書に記載すべきものとされている事項を記載し、その期限内申告書に添付すべきものとされている書類があるときは当該書類を添付しなければならない。（通法18③）

4　納税申告書の提出先等

①　納税地の所轄税務署長に対する提出

納税申告書は、その提出の際におけるその国税の納税地（以下**４**において「**現在の納税地**」という。）を所轄する税務署長に提出しなければならない。（通法21①）

②　現在の納税地の所轄税務署長以外のものへの提出

所得税、法人税、地方法人税、相続税、贈与税、地価税、課税資産の譲渡等に係る消費税又は電源開発促進税に係る納税申告書については、当該申告書に係る課税期間が開始した時（課税期間のない国税については、その納税義務の成立の時）以後にその納税地に異動があった場合において、納税者が当該異動に係る納税地を所轄する税務署長で現在の納税地を所轄する税務署長以外のものに対し当該申告書を提出したときは、その提出を受けた税務署長は当該申告書を受理することができる。この場合においては、当該申告書は、現在の納税地を所轄する税務署長に提出されたものとみなす。（通法

21②)

③　現在の納税地の所轄税務署長への申告書の送付

②の納税申告書を受理した税務署長は、当該申告書を現在の納税地を所轄する税務署長に送付し、かつ、その旨をその提出をした者に通知しなければならない。（通法21③）

5　郵送等に係る納税申告書の提出時期

納税申告書（当該申告書に添付すべき書類その他当該申告書の提出に関連して提出するものとされている書類を含む。）その他国税庁長官が定める書類が郵便又は信書便により提出された場合には、その郵便物又は信書便物の通信日付印により表示された日（その表示がないとき、又はその表示が明瞭でないときは、その郵便物又は信書便物について通常要する送付日数を基準とした場合にその日に相当するものと認められる日）にその提出がされたものとみなす。（通法22）

二　確定申告

1　確定所得申告

①　確定申告書を提出すべき場合

居住者は、その年分の総所得金額、退職所得金額及び山林所得金額の合計額が第八章《所得控除》の規定による雑損控除その他の控除の額の合計額を超える場合において、当該総所得金額、退職所得金額又は山林所得金額からこれらの控除の額を第八章**十七**《所得控除の順序》の規定に準じて控除した後の金額をそれぞれ課税総所得金額、課税退職所得金額又は課税山林所得金額とみなして第九章第一節《税率》の規定を適用して計算した場合の所得税の額の合計額が配当控除の額を超えるとき（②(三)に掲げる所得税の額の計算上控除しきれなかった外国税額控除の額がある場合、②(四)に掲げる金額の計算上控除しきれなかった同(四)に規定する源泉徴収税額がある場合又は②(五)に掲げる金額の計算上控除しきれなかった予納税額がある場合を除く。）は、**4**《確定損失申告》①の規定による申告書を提出する場合を除き、第三期（その年の翌年２月16日から３月15日までの期間をいう。以下において同じ。）において、税務署長に対し、②に掲げる事項を記載した申告書を提出しなければならない。この場合において、その年において支払を受けるべき第四章第五節**一**《給与所得》に規定する給与等で所得税法第190条《年末調整》の規定の適用を受けたものを有する居住者が、当該申告書を提出するときは、②に掲げる事項のうち②(１)で定めるものについては、②(２)で定める記載によることができる。(法120①)

（注）1　次の①から⑧までの規定の適用がある場合の所得税法の適用については、上記①中下線部は、それぞれ次のように読み替えられる。（措法41の２の２⑥二、措令４の２⑧、20④、21⑦、25の８⑮、25の９⑬、26の23⑤による法120①の読替え（編者注））

	適用がある規定	読替え前	読替え後
①	第九章第二節**四18**《年末調整に係る住宅借入金等を有する場合の所得税額の特別控除》①の規定の適用がある場合	配当控除の額	配当控除の額と第九章第二節**四18**《年末調整に係る住宅借入金等を有する場合の所得税額の特別控除》①の規定により控除される金額との合計額
②	第四章第二節**五１**③《上場株式等に係る配当所得等の課税の特例》の規定の適用がある場合	、その年分の総所得金額	、その年分の総所得金額、第四章第二節**五１**③《上場株式等に係る配当所得等の課税の特例》に規定する上場株式等に係る配当所得等の金額（以下「上場株式等に係る配当所得等の金額」という。）
		当該総所得金額	当該総所得金額、上場株式等に係る配当所得等の金額
		課税総所得金額	課税総所得金額、上場株式等に係る課税配当所得等の金額
		第九章第一節《税率》	第九章第一節《税率》及び第四章第二節**五１**③
③	第五章第二節**一１**《長期譲渡所得の課税の特例》①の規定の適用がある場合	、その年分の総所得金額	、その年分の総所得金額、第五章第二節**一１**《長期譲渡所得の課税の特例》①（同**2**《優良住宅地の造成等のために土地等を譲渡した場合の長期譲渡所得の課税の特例》又は同**3**《居住用財産を譲渡した場合の長期譲渡所得の課税の特例》の規定により適用される場合を含む。以下同じ。）に規定する長期譲渡所得の金額（同節**七１**、同節**八１**、同節**九１**、同節**十１**、同節**十一１**①、同節**十二１**又は同節**十三１**《収用等の場合の特別控除等》の規定により控除される金額がある場合にあっては、当該長期譲渡所得の金額から当該控除される金額を控除した金額（以下「特別控除後の長期譲渡所得の金額」という。）)
		当該総所得金額	当該総所得金額、特別控除後の長期譲渡所得の金額
		課税総所得金額	課税総所得金額、課税長期譲渡所得金額
		第九章第一節《税率》	第九章第一節《税率》及び第五章第二節**一１**①
④	第五章第二節**二**《短期譲渡所得の課税の特例》①（同③において準用する場合を含む。）の規定の適用がある場合	、その年分の総所得金額	、その年分の総所得金額、第五章第二節**二**《短期譲渡所得の課税の特例》①（同③において準用する場合を含む。以下同じ。）に規定する短期譲渡所得の金額（同節**七１**、同節**八１**、同節**九１**、同節**十１**、同節**十一１**①、同節**十二１**又は同節**十三１**《収用等の場合の特別控除等》の規定により控除される金額がある場合にあっては、当該短期譲渡所得の金額から当該控除される金額を控除した金額（以下「特別控除後の短期譲渡所得の金額」という。))
		当該総所得金額	当該総所得金額、特別控除後の短期譲渡所得の金額
		課税総所得金額	課税総所得金額、課税短期譲渡所得金額
		第九章第一節《税率》	第九章第一節《税率》及び第五章第二節**二**①

⑤	第五章第三節二１《一般株式等に係る譲渡所得等の課税の特例》①の規定の適用がある場合	、その年分の総所得金額	、その年分の総所得金額、第五章第三節二１《一般株式等に係る譲渡所得等の課税の特例》①に規定する一般株式等に係る譲渡所得等の金額（以下「一般株式等に係る譲渡所得等の金額」という。）
		当該総所得金額	当該総所得金額、一般株式等に係る譲渡所得等の金額
		課税総所得金額	課税総所得金額、一般株式等に係る課税譲渡所得等の金額
		第九章第一節《税率》	第九章第一節《税率》及び第五章第三節二１①
⑥	第五章第三節三１《上場株式等に係る譲渡所得等の課税の特例》①の規定の適用がある場合	、その年分の総所得金額	、その年分の総所得金額、第五章第三節三１《上場株式等に係る譲渡所得等の課税の特例》①に規定する上場株式等に係る譲渡所得等の金額（以下「上場株式等に係る譲渡所得等の金額」という。）
		当該総所得金額	当該総所得金額、上場株式等に係る譲渡所得等の金額
		課税総所得金額	課税総所得金額、上場株式等に係る課税譲渡所得等の金額
		第九章第一節《税率》	第九章第一節《税率》及び第五章第三節三１①
⑦	第五章第四節一１《先物取引に係る雑所得等の課税の特例》の規定の適用がある場合	、その年分の総所得金額	、その年分の総所得金額、第五章第四節一１《先物取引に係る雑所得等の課税の特例》に規定する先物取引に係る雑所得等の金額（以下「先物取引に係る雑所得等の金額」という。）
		当該総所得金額	当該総所得金額、先物取引に係る雑所得等の金額
		課税総所得金額	課税総所得金額、先物取引に係る課税雑所得等の金額
		第九章第一節《税率》	第九章第一節《税率》及び第五章第四節一１

2　居住者の令和６年分の所得税の確定申告書の提出に係る①の規定の適用については、①中「配当控除の額」とあるのは、「配当控除の額と第九章第五節１《令和６年分における所得税額の特別控除》の規定により控除される金額との合計額」とする。（措法41の３の３⑤）

㊟　(注) ２の規定は、令和６年６月１日以後に提出する確定申告書に係る同年分の所得税について適用される。（令６改所法等附34①）

（総所得金額、退職所得金額及び山林所得金額の合計額の意義）

（1）　①に規定する「その年分の総所得金額（中略）、退職所得金額及び山林所得金額の合計額」とは、法及びその他の法令の規定により確定申告書の提出又は確定申告書への記載若しくは明細書等の添付を要件として適用される特例等は、全て適用しないで計算した総所得金額、退職所得金額及び山林所得金額の合計額をいうものとする。（基通120－１）

（２月15日以前に提出された確定申告書の受理）

（2）　その年分の確定申告書（３《還付等を受けるための申告》に規定する申告書を除く。）がその年の翌年２月15日以前に提出された場合には、当該申告書は期限内申告書に該当するものとする。（基通120－２）

（記載事項の一部を欠いた申告書が提出された場合）

（3）　②に規定する記載事項の一部を欠いた確定申告書又はその申告書に記載されたところによれば①の規定に該当しない者から提出された申告書は、一に規定する納税申告書に該当するものとする。したがって、当該申告書に係る年分の課税標準等又は税額等につきその後に行う処分は、決定ではなく、更正となることに留意する。（基通120－３）

(注)　第十八章第二節６《課税標準及び税額の申告》(一)から同(七)まで及び同６(5)に規定する記載事項に関しても同様とする。

（同一人から２以上の申告書が提出された場合）

（4）　法定申告期限内に同一人から１に規定する申告書、３《還付等を受けるための申告》に規定する申告書又は４《確定損失申告》に規定する申告書のうち種類を異にするものが２以上又は種類を同じくするものが２以上提出された場合には、特段の申出（法定申告期限内における申出に限る。）がない限り、当該２以上の申告書のうち最後に提出された申告書をもって、それぞれの規定により提出された申告書とする。（基通120－４）

(注)　……省略

②　確定申告書の記載事項

（法120①②、令264、規47）

(一)	その年分の総所得金額、退職所得金額及び山林所得金額並びに所得控除の額並びに課税総所得金額、課税退職所得金額及び課税山林所得金額又は純損失の金額

(二)	変動所得及び臨時所得の平均課税の規定の適用を受ける場合には、その年分の変動所得の金額及び臨時所得の金額並びに平均課税対象金額
(三)	(一)に掲げる課税総所得金額、課税退職所得金額及び課税山林所得金額につき第九章《税額の計算》第一節、同章第二節**一**から同**三**までの規定及び同節の税額控除の規定並びに同章第五節の特別税額控除の適用を受ける場合は、その規定を適用して計算した所得税の額
(四)	(一)に掲げる総所得金額若しくは退職所得金額又は純損失の金額の計算の基礎となった各種所得につき源泉徴収をされた又はされるべき所得税の額（源泉分離課税に係るものを除き、当該所得税の額のうちに、**三4**《年の中途で出国をする場合の確定申告》の規定による申告書を提出したことにより、又は当該申告書に係る所得税につき更正を受けたことにより還付される金額その他第二章第二節**4**①《国内源泉所得》(六)に掲げる対価につき法第212条第１項《源泉徴収義務》の規定により源泉徴収をされた所得税の額のうち、所得税法第215条《非居住者の人的役務の提供による給与等に係る源泉徴収の特例》の規定により徴収が行われたものとみなされる第二章第二節**4**①《国内源泉所得》(十二)イ又は同ハに掲げる給与又は報酬に対応する金額がある場合には、当該金額を控除した金額。以下「**源泉徴収税額**」という。）がある場合には、(三)に掲げる所得税の額からその源泉徴収税額を控除した金額
(五)	その年分の予納税額がある場合には、(三)に掲げる所得税の額（源泉徴収税額がある場合には、(四)に掲げる金額）から当該予納税額を控除した金額 （予納税額の範囲） 注　予納税額とは、次に掲げる税額の合計額（当該税額のうちに、**三4**《年の中途で出国する場合の確定申告》の規定による申告書を提出したことにより、又は当該申告書に係る所得税につき更正を受けたことにより還付される金額がある場合には、当該金額を控除した金額）をいう。）（法120②） イ　予定納税額 ロ　その年において**三4**①の規定に該当して、第三節**3**《出国の場合の確定申告による納付》又は同節**4**《期限後申告等による納付》の規定により納付した又は納付すべき所得税の額
(六)	(一)に掲げる総所得金額の計算の基礎となった各種所得の金額のうちに譲渡所得の金額、一時所得の金額、雑所得の金額、雑所得に該当しない変動所得の金額又は雑所得に該当しない臨時所得の金額がある場合には、これらの金額及び一時所得、雑所得又は雑所得に該当しない臨時所得について源泉徴収をされた又はされるべき所得税の額
(七)	その年において特別農業所得者である場合には、その旨
(八)	(一)から(六)までに掲げる金額の計算の基礎その他次のイからムに掲げる事項（規47③）

イ	申告書を提出する者の氏名、住所（国内に住所がない場合には、居所）及び個人番号（個人番号を有しない者にあっては、氏名及び住所（国内に住所がない場合には、居所））並びに住所地（国内に住所がない場合には、居所地）と納税地とが異なる場合には、その納税地
ロ	確定申告書を提出すべき者等が死亡した場合又は年の中途で死亡した場合の申告書を提出する場合には、これらの規定に規定する死亡をした者の氏名及びその死亡の時における住所（国内に住所がない場合には、居所）並びに住所地（国内に住所がない場合には、居所地）と納税地とが異なる場合には、その納税地
ハ	各種所得の基因となる資産若しくは事業の所在地又は当該各種所得の生ずる場所（当該各種所得の生ずる場所が当該各種所得に係る収入金額の支払者の住所若しくは居所又は本店若しくは主たる事務所若しくは支店若しくは従たる事務所（以下ハにおいて「本店等」という。）の所在地となる場合には、当該支払者の氏名又は名称及び住所若しくは居所又は本店等の所在地若しくは法人番号）
ニ	各種所得のうち譲渡所得の基因となった資産につき次に掲げる事項（当該資産についてル又はカに掲げる事項を記載する場合にあっては、(ロ)及び(ハ)に掲げる事項とし、ヲ又はワに掲げる事項を記載する場合にあっては(ロ)に掲げる事項とする。） (イ)　当該資産の種類及び数量並びに当該資産の譲渡の年月日及び取得の年月日 (ロ)　当該資産の譲渡による収入金額並びに当該資産の第四章第八節**二**《譲渡所得》**1**に規定する取得費及びその譲渡に要した費用の額 (ハ)　当該資産が第四章第八節**二2**②《減価する資産の取得費》の規定に該当するもの（(ニ)又は(ホ)に規定する資産を除く。）である場合には、同②の(一)又は同(二)に定める金額の合計額 (ニ)　当該資産が第五章第二節**二十四3**《贈与等により取得した資産の取得費等》①イに掲げる相続又は遺贈により取得した配偶者居住権である場合には、当該配偶者居住権の消滅について同**3**③(2)《贈与等

	により取得した資産の取得費等》の規定により計算した金額 (ホ)　当該資産が同３①イに掲げる相続又は遺贈により取得した配偶者居住権の目的となっている建物の敷地の用に供される土地（土地の上に存する権利を含む。）を当該配偶者居住権に基づき使用する権利である場合には、当該権利の消滅について同３③(４)の規定により計算した金額
ホ	国庫補助金等の総収入金額不算入又は条件付国庫補助金等の総収入金額不算入の規定の適用を受けようとする場合には、それぞれその旨及び収入金額に算入されない金額の明細等
ヘ	その年分の事業所得の金額の計算上必要経費に算入した金額の計算の基礎となった棚卸資産の価額の評価につき選定した評価の方法の種類、当該基礎となった有価証券の価額の評価につき選定した有価証券の評価の方法の種類又は当該基礎となった第六章第二節**四12**《暗号資産の譲渡原価等の計算及びその評価の方法》に規定する暗号資産の価額の評価につき選定した同**12**に規定する評価の方法の種類
ト	その年分の不動産所得の金額、事業所得の金額、山林所得の金額又は雑所得の金額の計算上必要経費に算入した償却費の額の計算につき選定した償却の方法の種類
チ	貸倒引当金又は退職給与引当金の規定の適用を受けようとする場合には、これらの引当金の金額の必要経費算入に関する明細
リ	事業専従者控除額《第六章第二節**十２**③》の規定の適用を受けようとする場合には、同③に規定する事業専従者の氏名及び個人番号並びにこれに関する事項
ヌ	給与所得者の特定支出の控除《第四章第五節**三４**》の規定の適用を受けようとする場合には、同**４**④に規定する事項
ル	固定資産の交換の場合の譲渡所得の特例《第五章第二節**二十三**》の適用を受けようとする場合には、その旨及び特例の適用に関する明細
ヲ	第六章第四節**一１**①から同③まで《国外転出をする場合の譲渡所得等の特例》の規定の適用がある場合には、次に掲げる事項 (イ)　当該適用に係る第六章第四節**一１**①に規定する国外転出の日又はその予定日 (ロ)　当該適用に係る第六章第四節**一１**①に規定する有価証券等、同②に規定する未決済信用取引等に係る契約又は同③に規定する未決済デリバティブ取引に係る契約（ワにおいて「対象資産」という。）の種類別及び名称又は銘柄別の数量、同①(一)及び同(二)、同②(一)及び同(二)又は同③(一)及び同(二)に掲げる金額、取得費並びに取得又は取引開始の年月日
ワ	第六章第四節**一２**①から同③まで《贈与等により非居住者に資産が移転した場合の譲渡所得等の特例》の規定の適用がある場合には、次に掲げる事項 (イ)　当該適用に係る贈与の日又は相続の開始の日 (ロ)　当該適用に係る対象資産の移転を受けた受贈者、相続人又は受遺者の氏名及び住所又は居所 (ハ)　当該適用に係る対象資産の種類別及び名称又は銘柄別の数量、第六章第四節**一２**①に規定する贈与等の時における価額に相当する金額又は同②若しくは同③に規定する利益の額若しくは損失の額に相当する金額、取得費並びに取得又は取引開始の年月日 (ニ)　第七節**二４**①から同③までの規定に該当してこれらの規定に規定する申告書を提出する場合には、これらの規定の適用がある旨、当該適用に係る同①に規定する遺産分割等の事由の別及び当該遺産分割等の事由が生じた年月日
カ	第六章第四節**二１**《事業を廃止した場合の必要経費の特例》に規定する事業を廃止した場合の必要経費の特例又は同**２**に規定する資産の譲渡代金が回収不能となった場合等の所得計算の特例の適用を受けようとする場合には、これらの規定の適用に関する事項
ヨ	リース譲渡、工事進行基準又は小規模事業者等の収入及び費用の帰属時期の特例の適用を受けようとする場合には、その旨
タ	第七章第二節《損失の繰越控除》の純損失の繰越控除の規定によりその年において控除すべき純損失の金額又は同節の雑損失の繰越控除の規定によりその年において控除すべき雑損失の金額及びこれらの金額の計算の基礎
レ	変動所得及び臨時所得の平均課税の規定の適用を受けようとする場合には、その旨及びその計算に関する明細

ソ	**4**②《損失申告書の記載事項》(二)、同(四)又は同(五)に掲げる金額及びその計算の基礎
ツ	雑損控除、医療費控除、社会保険料控除、小規模企業共済等掛金控除、生命保険料控除、地震保険料控除、寄附金控除、障害者控除、寡婦控除、ひとり親控除、勤労学生控除又は配当控除に関する事項
ネ	控除対象配偶者又は第八章**十三 1**《配偶者特別控除》に規定する生計を一にする配偶者の氏名、生年月日及び個人番号（個人番号を有しない者にあっては、氏名及び生年月日）並びにこれらの者が③**ロ**に規定する国外居住配偶者である場合には、その旨
ナ	控除対象扶養親族の氏名、生年月日、申告者との続柄及び個人番号（個人番号を有しない者にあっては、氏名、生年月日及び当該控除対象扶養親族を有する居住者との続柄）並びにその者が③**ハ**に規定する国外居住扶養親族である場合には、その旨及び控除対象扶養親族に該当する事実
ラ	分配時調整外国税相当額控除又は外国税額控除に関する規定の適用を受けようとする場合には、これらの控除を受けるべき金額及びその計算に関する明細
ム	第九章第五節**1**《令和６年分における所得税額の特別控除》の規定の適用がある場合には、次に掲げる事項 (イ)　第九章第五節**1**①に規定する令和６年分特別税額控除額（(ロ)及び(ハ)において「令和６年分特別税額控除額」という。） (ロ)　令和６年分特別税額控除額に係る第九章第五節**1**①に規定する同一生計配偶者を有する場合には、当該同一生計配偶者の氏名、生年月日及び個人番号（個人番号を有しない者にあっては、氏名及び生年月日）並びに当該同一生計配偶者が控除対象配偶者でない場合には、その旨 (ハ)　令和６年分特別税額控除額に係る第九章第五節**1**①に規定する扶養親族を有する場合には、当該扶養親族の氏名、生年月日、当該扶養親族を有する居住者との続柄及び個人番号（個人番号を有しない者にあっては、氏名、生年月日及び当該扶養親族を有する居住者との続柄）
ウ	その他参考となるべき事項

(注)１　次の①から⑧までの規定の適用がある場合の所得税法の適用については、上記②中下線部は、それぞれ次のように読み替えられる。（措令4の2⑧、19㉓、20④、21⑦、25の8⑮、25の9⑬、26の23⑤、26の28の3の2④二による法120①の読替え（編者注））

	適用がある規定	読替え前	読替え後
①	第四章第二節**五 1**③《上場株式等に係る配当所得等の課税の特例》の規定の適用がある場合	総所得金額、退職所得金額及び山林所得金額並びに	総所得金額、上場株式等に係る配当所得等の金額、退職所得金額及び山林所得金額並びに
		第九章《税額の計算》第一節、同章第二節**一**から同**三**まで	第九章《税額の計算》第一節、同章第二節**一**から同**三**まで及び第四章第二節**五 1**③《上場株式等に係る配当所得等の課税の特例》
		総所得金額若しくは	総所得金額、上場株式等に係る配当所得等の金額若しくは
②	第五章第一節**一**《土地等の譲渡に係る事業所得等の課税の特例》**1**の規定の適用がある場合	総所得金額、退職所得金額及び山林所得金額並びに	総所得金額、土地等に係る事業所得等の金額、退職所得金額及び山林所得金額並びに
		第九章《税額の計算》第一節、同章第二節**一**から同**三**まで	第九章《税額の計算》第一節、同章第二節**一**から同**三**まで及び第五章第一節**一**《土地等の譲渡に係る事業所得等の課税の特例》**1**
③	第五章第二節**一 1**《長期譲渡所得の課税の特例》①の規定の適用がある場合	総所得金額、退職所得金額及び山林所得金額並びに	総所得金額、特別控除後の長期譲渡所得の金額、退職所得金額及び山林所得金額並びに
		第九章《税額の計算》第一節、同章第二節**一**から同**三**まで	第九章《税額の計算》第一節、同章第二節**一**から同**三**まで及び第五章第二節**一 1**《長期譲渡所得の課税の特例》①
④	第五章第二節**二**《短期譲渡所得の課税の特例》①（同③において準用する場合を含む。）の規定の適用がある場合	総所得金額、退職所得金額及び山林所得金額並びに	総所得金額、特別控除後の短期譲渡所得の金額、退職所得金額及び山林所得金額並びに
		第九章《税額の計算》第一節、同章第二節**一**から同**三**まで	第九章《税額の計算》第一節、同章第二節**一**から同**三**まで及び第五章第二節**二**《短期譲渡所得の課税の特例》①
⑤	第五章第三節**二 1**《一般株式等に係る譲渡所得等の課	総所得金額、退職所得金額及び山林所得金額並びに	総所得金額、一般株式等に係る譲渡所得等の金額、退職所得金額及び山林所得金額並びに

	税の特例》①の規定の適用がある場合	第九章《税額の計算》第一節、同章第二節**一**から同**三**まで	第九章《税額の計算》第一節、同章第二節**一**から同**三**まで及び第五章第三節**二 1**《一般株式等に係る譲渡所得等の課税の特例》①
		総所得金額若しくは	総所得金額、一般株式等に係る譲渡所得等の金額若しくは
		総所得金額の	総所得金額又は一般株式等に係る譲渡所得等の金額の
⑥	第五章第三節**三 1**《上場株式等に係る譲渡所得等の課税の特例》①の規定の適用がある場合	総所得金額、退職所得金額及び山林所得金額並びに	総所得金額、上場株式等に係る譲渡所得等の金額、退職所得金額及び山林所得金額並びに
		第九章《税額の計算》第一節、同章第二節**一**から同**三**まで	第九章《税額の計算》第一節、同章第二節**一**から同**三**まで及び第五章第三節**三 1**《上場株式等に係る譲渡所得等の課税の特例》①
		総所得金額若しくは	総所得金額、上場株式等に係る譲渡所得等の金額若しくは
		総所得金額の	総所得金額又は上場株式等に係る譲渡所得等の金額の
⑦	第五章第四節**一 1**《先物取引に係る雑所得等の課税の特例》の規定の適用がある場合	総所得金額、退職所得金額及び山林所得金額並びに	総所得金額、先物取引に係る雑所得等の金額、退職所得金額及び山林所得金額並びに
		第九章《税額の計算》第一節、同章第二節**一**から同**三**まで	第九章《税額の計算》第一節、同章第二節**一**から同**三**まで及び第五章第四節**一 1**《先物取引に係る雑所得等の課税の特例》
⑧	第九章第四節**3**《特定の基準所得金額の課税の特例》の規定の適用がある場合	純損失の金額	純損失の金額並びに第九章第四節**3**《特定の基準所得金額の課税の特例》に規定する基準所得金額（(三)において「基準所得金額」という。）
		課税山林所得金額につき第九章《税額の計算》第一節、同章第二節**一**から同**三**まで	課税山林所得金額並びに基準所得金額につき第九章《税額の計算》第一節、同章第二節**一**から同**三**まで及び第九章第四節**3**

2　上記②の規定は、第九章第二節**四**、**六**から**十七**まで及び**二十**から**二十二**まで並びに同章第五節（措法41㊴、41の19の２⑤、41の19の３㉑、41の19の４⑩、10⑫、10の３⑩、10の４⑦、10の４の２⑦、10の５⑧、10の５の３⑩、10の５の４⑦、10の５の５⑦、10の５の６⑭、措令５の７②、措法41の18⑤、41の18の２⑤、41の18の３④、41の３の３⑥）による読み替え規定がある。（下線部は読み替えられた部分（編者注））

（①に規定する②(１)で定める事項）

(１)　①《確定所得申告》に規定する②(１)で定める事項は、第八章**三 1**から同章**六 1**まで《社会保険料控除等》、同章**八**から同章**十四 1**まで《障害者控除等》及び同章**十五**《基礎控除》の規定による控除のうち居住者のその年分の所得税に係るこれらの控除の額が①に規定する給与等に係る所得税法第190条第２号《年末調整》に規定する給与所得控除後の給与等の金額から控除された同号イからホまでに掲げる金額と同額であるものに係る当該控除の金額、当該控除の金額の計算の基礎及び②表内(十一)ツから同ナまでに掲げる事項とする。(規47①)

（①後段の規定による②(２)で定める記載）

(２)　①後段の規定による①の申告書の記載は、(１)に規定する同額である第八章**三 1**から同章**六 1**まで、同章**八**から同章**十四 1**まで及び同章**十五**の規定による控除については、これらの控除の額（これらの控除の額の合計額が①に規定する給与所得控除後の給与等の金額から控除された所得税法第190条第２号イからホまでに掲げる金額の合計額と同額である場合にあっては、当該合計額）の記載とする。(規47②)

（(１)及び(２)の規定の準用）

(３)　(１)及び(２)の規定は、**3**③、**三 2**④及び**三 4**④並びに**三 1**③後段《死亡の場合の確定申告の特例》において準用する①後段に規定する②(１)で定める事項及び①後段の規定による①の申告書の記載について、それぞれ準用する。(規47④)

③　所得控除の証明書及び源泉徴収票の添付

次の(一)から(三)に掲げる居住者が①の規定による申告書を提出する場合には、**イ**から**ニ**までに定めるところにより、当該(一)から(三)に定める書類を当該申告書に添付し、又は当該申告書の提出の際提示しなければならない。(法120③)

(一)	申告書に雑損控除、社会保険料控除（第八章**三 2**(五)《国民年金等の保険料》に掲げる社会保険料に係るものに限

	る。)、小規模企業共済等掛金控除、生命保険料控除、地震保険料控除又は寄附金控除に関する事項の記載をする居住者　　これらの控除を受ける金額の計算の基礎となる金額その他の事項を証する書類
(二)	②の規定による申告書に、第八章《所得控除》**十六**《扶養親族等の判定の時期》**1**(1)若しくは同(2)の規定による判定をする時の現況において非居住者である親族に係る障害者控除、配偶者控除又は配偶者特別控除に関する事項の記載をする居住者　　これらの控除に係る非居住者である親族が当該居住者の親族に該当する旨を証する書類及び当該非居住者である親族が当該居住者と生計を一にすることを明らかにする書類
(三)	①の規定による申告書に、第八章**十六 1**(2)の規定による判定をする時の現況において非居住者である親族に係る扶養控除に関する事項の記載をする居住者　　扶養控除に係る非居住者である親族が当該居住者の親族に該当する旨を証する書類及び当該非居住者である親族が当該居住者と生計を一にすることを明らかにする書類並びに当該非居住者である親族が年齢30歳以上70歳未満の者である場合（当該非居住者である親族が障害者である場合を除く。）には第二章第一節**一**（定義）**34の 2** ロ(1)に掲げる者に該当する旨を証する書類又は同ロ(3)に掲げる者に該当することを明らかにする書類
(四)	申告書に、第二章第一節**一**表内**32**②又は同③に掲げる者に係る勤労学生控除に関する事項の記載をする居住者　　これらの者に該当する旨を証する書類

(注) 1　第九章第二節《税額控除》の適用を受けるものは、確定申告書に所要の記載をし、それぞれの規定による添付書類を③に準じて添付する。(編者注)

2　学術、技芸の習得のため国外に居住することとなった親族が、③(二)又は同(三)に規定する非居住者である親族に該当するかどうかについては、第二章第一節**二 2**(3)《学術、技芸を習得する者の住所の判定》により判定することに留意する。(基通120－6)

（医療費控除の適用を受ける場合の確定申告書への医療費の額等の記載がある明細書等の添付義務）

(1)　**二 1**①の規定による申告書に医療費控除に関する事項の記載をする居住者が当該申告書を提出する場合には、次の(一)及び(二)に掲げる書類を当該申告書に添付しなければならない。(法120④)

<table>
<tr><td>(一)</td><td>当該申告書に記載した医療費控除を受ける金額の計算の基礎となる第八章二 1②《医療費控除》に規定する医療費（(2)において「医療費」という。）の額その他の(注)で定める事項（以下(1)において「控除適用医療費の額等」という。）の記載がある明細書（(二)に掲げる書類が当該申告書に添付された場合における当該書類に記載された控除適用医療費の額等に係るものを除く。）

(注)　(一)に規定する(注)で定める事項は、確定申告書に記載した医療費控除を受ける金額の計算の基礎となる次の(一)から(四)までに掲げる事項とする。(規47の2⑫)
<table>
<tr><td>(一)</td><td>その年中において支払った第八章二 1②《医療費控除》に規定する医療費（(二)及び(三)において「医療費」という。）の額</td></tr>
<tr><td>(二)</td><td>当該医療費に係る第八章二 1②(一)から同(七)まで《医療費の範囲》に掲げるもの（(三)において「診療等」という。）を受けた者の氏名</td></tr>
<tr><td>(三)</td><td>当該医療費に係る診療等を行った病院、診療所その他の者の名称又は氏名</td></tr>
<tr><td>(四)</td><td>その他参考となるべき事項</td></tr>
</table></td></tr>
<tr><td>(二)</td><td>高齢者の医療の確保に関する法律第7条第2項《定義》に規定する保険者若しくは同法第48条《広域連合の設立》に規定する後期高齢者医療広域連合又は社会保険診療報酬支払基金若しくは国民健康保険法第45条第5項《保険医療機関等の診療報酬》に規定する国民健康保険団体連合会の当該居住者が支払った医療費の額を通知する書類として(注)で定める書類で、控除適用医療費の額等の記載があるもの

(注)　(二)に規定する(注)で定める書類は、次の(一)から(八)までに掲げる書類又は当該書類に記載すべき事項を記録した電子証明書等（イ(4)に規定する電子証明書等をいう。）に係る電磁的記録印刷書面（イに規定する電磁的記録印刷書面をいう。）とする。(規47の2⑬)
<table>
<tr><td>(一)</td><td>健康保険法施行規則第112条の2《医療費の通知》の保険者の同条各号に掲げる事項が記載された書類</td></tr>
<tr><td>(二)</td><td>国民健康保険法施行規則第32条の7の2《医療費の通知》の保険者の同条各号に掲げる事項が記載された書類</td></tr>
<tr><td>(三)</td><td>高齢者の医療の確保に関する法律施行規則第82条の2《医療費の通知》の後期高齢者医療広域連合の同条各号に掲げる事項が記載された書類</td></tr>
<tr><td>(四)</td><td>船員保険法施行規則第155条の2《医療費の通知》の協会の同条各号に掲げる事項が記載された書類</td></tr>
<tr><td>(五)</td><td>国家公務員共済組合法施行規則第113条の3の2《医療費の通知》の組合の同条各号に掲げる事項が記載された書類</td></tr>
<tr><td>(六)</td><td>地方公務員等共済組合法施行規程第119条の5《医療費の通知》の組合の同条各号に掲げる事項が記載された書類</td></tr>
</table></td></tr>
</table>

	(七)	私立学校教職員共済法施行規則第16条の４《医療費の通知》の事業団の同条各号に掲げる事項が記載された書類
	(八)	社会保険診療報酬支払基金又は(１)(二)に規定する国民健康保険団体連合会の前各号に掲げる書類に記載すべき事項が記載された書類

(注)　(一)(注)及び(二)(注)の規定は、**3**③《還付等を受けるための申告》、**4**③《確定損失申告》、**三 2**④《年の中途で死亡した場合の確定申告》及び同**4**④《年の中途で出国をする場合の確定申告》において準用する(１)の規定により確定申告書に添付すべき同(一)(注)及び同(二)(注)に規定する書類について、それぞれ準用する。(規47の２⑭)

(医療費についての領収証等の提示又は提出の求め)

(２)　税務署長は、(１)の申告書の提出があった場合において、必要があると認めるときは、当該申告書を提出した者(以下(２)において「医療費控除適用者」という。)に対し、当該申告書に係る確定申告期限の翌日から起算して５年を経過する日（同日前６月以内に第八節《更正の請求》**一 1**の規定による更正の請求があった場合には、当該更正の請求があった日から６月を経過する日）までの間、(１)(一)に掲げる書類に記載された医療費につきこれを領収した者のその領収を証する書類の提示又は提出を求めることができる。この場合において、(２)前段の規定による求めがあったときは、当該医療費控除適用者は、当該書類を提示し、又は提出しなければならない。(法120⑤)

イ　保険料又は特定寄附金の支払に関する書類等

上記③(一)〔**3**③《還付等を受けるための申告》、**4**③《確定損失申告》、**三 2**④《年の中途で死亡した場合の確定申告》及び同**4**④《年の中途で出国する場合の確定申告》において準用する場合を含む。〕に掲げる居住者は、次の(一)から(六)までに掲げる書類又は電磁的記録印刷書面（電子証明書等に記録された情報の内容を、国税庁長官の定める方法によって出力することにより作成した書面をいう。以下同じ。）を確定申告書に添付し、又は当該申告書の提出の際提示しなければならない。ただし、(二)から(五)までに掲げる書類又は電磁的記録印刷書面で所得税法第190条第２号《年末調整》の規定により同号に規定する給与所得控除後の給与等の金額から控除された第八章**三 2**(五)《国民年金等の保険料》に掲げる社会保険料、小規模企業共済等掛金、新生命保険料若しくは旧生命保険料、介護医療保険料、新個人年金保険料若しくは旧個人年金保険料又は地震保険料に係るものについては、この限りでない。(令262①)

(一)	確定申告書に雑損控除に関する事項を記載する場合にあっては、当該申告書に記載したその控除を受ける金額の計算の基礎となる第八章**一**《雑損控除》**2**①に規定する災害等に関連するやむを得ない支出をした金額につきこれを領収した者のその領収を証する書類	
(二)	確定申告書に社会保険料控除（第八章**三 2**(五)に掲げる社会保険料に係るものに限る。）に関する事項を記載する場合にあっては、当該申告書に記載した当該社会保険料の金額を証する書類又は当該書類に記載すべき事項を記録した電子証明書等に係る電磁的記録印刷書面	
(三)	確定申告書に小規模企業共済等掛金控除に関する事項を記載する場合にあっては、当該申告書に記載した小規模企業共済等掛金の額を証する書類又は当該書類に記載すべき事項を記録した電子証明書等に係る電磁的記録印刷書面	
(四)	確定申告書に生命保険料控除に関する事項を記載する場合にあっては、当該申告書に記載したその控除を受ける金額の計算の基礎となる次に掲げる保険料の金額その他(１)で定める事項を証する書類又は当該書類に記載すべき事項を記録した電子証明書等に係る電磁的記録印刷書面（ロに掲げる金額に係るものにあっては、当該金額が9,000円を超える第八章**五 5**に規定する旧生命保険契約等（ロにおいて「旧生命保険契約等」という。）に係るものに限る。）	
	イ	新生命保険料の金額（その年において当該新生命保険料の金額に係る第八章**五 4**に規定する新生命保険契約等に基づく剰余金の分配若しくは割戻金の割戻しを受け、又は当該新生命保険契約等に基づき分配を受ける剰余金若しくは割戻しを受ける割戻金をもって当該新生命保険料の払込みに充てた場合には、当該剰余金又は割戻金の額（当該新生命保険料に係る部分の金額として第八章**五 1**(３)《新生命保険料等の金額から控除する剰余金等の額》の定めるところにより計算した金額に限る。）を控除した残額）
	ロ	旧生命保険料の金額（その年において当該旧生命保険料の金額に係る旧生命保険契約等に基づく剰余金の分配若しくは割戻金の割戻しを受け、又は当該旧生命保険契約等に基づき分配を受ける剰余金若しくは割戻しを受ける割戻金をもって当該旧生命保険料の払込みに充てた場合には、当該剰余金又は割戻金の額（当該旧生命保険料に係る部分の金額に限る。）を控除した残額）

ハ	介護医療保険料の金額（その年において当該介護医療保険料の金額に係る第八章**五6**に規定する介護医療保険契約等に基づく剰余金の分配若しくは割戻金の割戻しを受け、又は当該介護医療保険契約等に基づき分配を受ける剰余金若しくは割戻しを受ける割戻金をもって当該介護医療保険料の払込みに充てた場合には、当該剰余金又は割戻金の額（当該介護医療保険料に係る部分の金額として第八章**五1**（3）(注)において準用する同(3)の定めるところにより計算した金額に限る。）を控除した残額）
ニ	新個人年金保険料の金額（その年において当該新個人年金保険料の金額に係る第八章**五7**に規定する新個人年金保険契約等に基づく剰余金の分配若しくは割戻金の割戻しを受け、又は当該新個人年金保険契約等に基づき分配を受ける剰余金若しくは割戻しを受ける割戻金をもって当該新個人年金保険料の払込みに充てた場合には、当該剰余金又は割戻金の額（当該新個人年金保険料に係る部分の金額として第八章**五1**（3）(注)において準用する同(3)の定めるところにより計算した金額に限る。）を控除した残額）
ホ	旧個人年金保険料の金額（その年において当該旧個人年金保険料の金額に係る第八章**五3**（1）に規定する旧個人年金保険契約等に基づく剰余金の分配若しくは割戻金の割戻しを受け、又は当該旧個人年金保険契約等に基づき分配を受ける剰余金若しくは割戻しを受ける割戻金をもって当該旧個人年金保険料の払込みに充てた場合には、当該剰余金又は割戻金の額（当該旧個人年金保険料に係る部分の金額に限る。）を控除した残額）

(五)	確定申告書に地震保険料控除に関する事項を記載する場合にあっては、当該申告書に記載したその控除を受ける金額の計算の基礎となる地震保険料の金額その他(2)に定める事項を証する書類又は当該書類に記載すべき事項を記録した電子証明書等に係る電磁的記録印刷書面
(六)	確定申告書に寄附金控除に関する事項を記載する場合にあっては、当該申告書に記載したその控除を受ける金額の計算の基礎となる特定寄附金の明細書その他(3)に定める書類又は当該書類に記載すべき事項を記録した電子証明書等に係る電磁的記録印刷書面

（生命保険料控除に関する証明事項）

(1)　**イ**(四)に規定する生命保険料控除に関する証明事項は、次の(一)から(五)までに掲げる保険料の区分に応じ当該(一)から(五)までに定める事項とする。（規47の2①）

(一)	第八章**五1**《生命保険料控除》に規定する新生命保険料	当該新生命保険料に係る同**4**に規定する新生命保険契約等の保険契約者若しくは共済契約者の氏名又は確定給付企業年金、退職年金若しくは退職一時金の受取人の氏名及び当該新生命保険契約等に係る保険料又は掛金が同**1**に規定する新生命保険料に該当する旨
(二)	第八章**五1**に規定する旧生命保険料	当該旧生命保険料に係る同**5**に規定する旧生命保険契約等の保険契約者若しくは共済契約者の氏名又は確定給付企業年金、退職年金若しくは退職一時金の受取人の氏名及び当該生命保険契約等に係る保険料又は掛金が同**1**に規定する旧生命保険料に該当する旨
(三)	第八章**五2**に規定する介護医療保険料	当該介護医療保険料に係る同**6**に規定する介護医療保険契約等の保険契約者又は共済契約者の氏名及び当該介護医療保険契約等に係る保険料又は掛金が同**2**に規定する介護医療保険料に該当する旨
(四)	第八章**五3**に規定する新個人年金保険料	当該新個人年金保険料に係る同**7**に規定する新個人年金保険契約等の種類、保険契約者又は共済契約者の氏名、年金受取人の氏名及び生年月日、当該年金の支払開始日及び支払期間並びに当該新個人年金保険契約等に係る保険料又は掛金の払込期間及び当該保険料又は掛金が同**3**に規定する新個人年金保険料に該当する旨
(五)	第八章**五3**に規定する旧個人年金保険料	当該旧個人年金保険料に係る同**3**（1）に規定する旧個人年金保険契約等の種類、保険契約者又は共済契約者の氏名、年金受取人の氏名及び生年月日、当該年金の支払開始日及び支払期間並びに当該旧個人年金保険契約等に係る保険料又は掛金の払込期間及び当該保険料又は掛金が同**3**に規定する旧個人年金保険料に該当する旨

（地震保険料控除に関する証明事項）

（2）　**イ**(五)に規定する地震保険料に関する証明事項は、第八章**六 1**《地震保険料控除》に規定する地震保険料に係る損害保険契約等の保険契約者又は共済契約者の氏名並びに保険又は共済の種類及びその目的並びに当該損害保険契約等に係る保険料又は掛金が同**1**に規定する地震保険料に該当する旨とする。（規47の２②）

（寄附金控除に関する証明事項）

（3）　**イ**(六)に規定する書類は、次の(一)から(四)までに定める書類とする。（規47の２③）

(一)	(二)から(四)まで以外の寄附金 イ　次に掲げるいずれかの書類 ⑴　当該特定寄附金を受領した者の受領した旨（当該受領した者が第八章**七 2**(三)《公益の増進に著しく寄与する法人の範囲》に掲げる法人に該当する場合には、当該特定寄附金が当該法人の主たる目的である業務に関連する同(三)に規定する寄附金である旨を含む。）、当該特定寄附金の額及びその受領した年月日を証する書類 ⑵　特定事業者（地方公共団体と特定寄附金の仲介に関する契約を締結している者であって特定寄附金が支出された事実を適正かつ確実に管理することができると認められるものとして国税庁長官が指定したものをいう。）の地方公共団体が当該特定寄附金を受領した旨、当該地方公共団体の名称、当該特定寄附金の額及び当該特定寄附金を受領した年月日を証する書類 ロ　当該特定寄附金を受領した者が第八章**七 2**(三)ロに掲げる法人に該当する場合には、地方独立行政法人法第６条第３項《財産的基礎》に規定する設立団体のその旨を証する書類（当該特定寄附金を支出する日以前５年内に発行されたものに限る。）の写しとして当該法人から交付を受けたもの ハ　当該特定寄附金を受領した者が第八章**七 2**(三)ホに掲げる法人に該当する場合には、私立学校法第４条《所轄庁》に規定する所轄庁のその旨を証する書類（当該特定寄附金を支出する日以前５年内に発行されたものに限る。）の写しとして当該法人から交付を受けたもの
(二)	特定公益信託の信託財産とするための支出金 イ　特定公益信託の信託財産とするために支出した金銭の受領をした当該特定公益信託の受託者のその受領をした金銭が当該特定公益信託の信託財産とするためのものである旨、当該金銭の額及びその受領した年月日を証する書類 ロ　主務大臣の認定に係る書類（当該書類に記載されている当該認定の日が当該特定公益信託の信託財産とするために支出する日以前５年内であるものに限る。）の写しとして当該特定公益信託の受託者から交付を受けたもの
(三)	政治資金規正法に規定する寄附金 総務大臣、都道府県の選挙管理委員会、中央選挙管理会又は第八章**七 2**(四)ニ(イ)に規定する指定都市の選挙管理委員会の当該特定寄附金が政治資金規正法第12条《報告書の提出》若しくは第17条《解散の届出等》又は公職選挙法第189条《選挙運動に関する収入及び支出の報告書の提出》の規定による報告書により報告されたものである旨及びその特定寄附金を受領したものが同(四)イから同ニまでに掲げる団体又は同(四)ニ(イ)に規定する公職の候補者として公職選挙法第86条《衆議院小選挙区選出議員の選挙における候補者の立候補の届出等》、第86条の３《参議院比例代表選出議員の選挙における名簿による立候補の届出等》又は第86条の４《衆議院議員又は参議院比例代表選出議員の選挙以外の選挙における候補者の立候補の届出等》の規定により届出のあった者（以下(三)において「届出のあった公職の候補者」という。）である旨を証する書類で当該報告書により報告された又は政治資金規正法第６条から第７条まで《政治団体の届出等》若しくは公職選挙法第86条から第86条の４まで《立候補の届出等》の規定により届出のあった次に掲げる事項の記載があるもの イ　その特定寄附金を支出した者の氏名及び住所 ロ　その特定寄附金の額 ハ　その特定寄附金を受領した団体又は届出のあった公職の候補者がその受領した年月日 ニ　その特定寄附金を受領した団体又は届出のあった公職の候補者の名称又は氏名及び主たる事務所の所在地又は住所 ホ　その特定寄附金を受領した団体が第八章**七 2**(四)ハに掲げる団体に該当する場合には、当該団体の主宰者又は主要な構成員である衆議院議員若しくは参議院議員の氏名 ヘ　その特定寄附金を受領した団体が第八章**七 2**(四)ニに掲げる団体に該当する場合には、当該団体が推薦

	し、又は支持する者の氏名（当該団体が同(四)ニ(ロ)に掲げる団体に該当する場合には、当該団体が推薦し、又は支持する者の氏名、その者が同(ロ)に規定する特定の公職の候補者に該当することとなった年月日及び当該特定の公職の候補者となった選挙名） ト　その特定寄附金を受領した者が届出のあった公職の候補者に該当する場合には、その者が届出のあった公職の候補者に該当することとなった年月日及び当該届出のあった公職の候補者となった選挙名
(四)	第八章**七4**《認定特定非営利活動法人に寄附をした場合の寄附金控除の特例又は所得税額の特別控除》の規定により特定寄附金とみなされるもの　　当該特定寄附金を受領した同**4**に規定する認定特定非営利活動法人等の受領した旨（当該特定寄附金が当該認定特定非営利活動法人等の行う同**4**に規定する特定非営利活動に係る事業に関連する寄附に係る支出金である旨を含む。）、当該特定寄附金の額及びその受領した年月日を証する書類

（**イ**に規定する電子証明書等）

（4）　**イ**に規定する電子証明書等とは、電磁的記録（電子的方式、磁気的方式その他人の知覚によっては認識することができない方式で作られる記録であって、電子計算機による情報処理の用に供されるものをいう。以下(4)において同じ。）でその記録された情報について電子署名（電子署名及び認証業務に関する法律第２条第１項《定義》に規定する電子署名をいう。以下(4)において同じ。）が行われているもの及び当該電子署名に係る電子証明書（電子署名を行った者を確認するために用いられる事項が当該者に係るものであることを証明するために作成された電磁的記録であって国税関係法令に係る情報通信技術を活用した行政の推進等に関する省令第２条第１項第２号イからハまで《定義》に掲げるもののいずれかに該当するものをいう。）をいう。（令262②、規47の２④）

ロ　③(二)に規定する記載がされる親族に係る次に掲げる書類の添付義務

③(二)（**3**③、**4**③、**三2**④及び同**4**④において準用する場合を含む。）に掲げる居住者は、③(二)に規定する記載がされる親族に係る次の(一)及び(二)に掲げる書類を、当該記載がされる障害者控除に係る障害者（確定申告書に控除対象配偶者又は控除対象扶養親族として記載がされる者を除く。以下**ロ**において「**国外居住障害者**」という。）又は当該記載がされる控除対象配偶者若しくは配偶者特別控除に係る配偶者（以下**ロ**において「**国外居住配偶者**」という。）の各人別に確定申告書に添付し、又は当該申告書の提出の際提示しなければならない。ただし、所得税法第190条第２号《年末調整》の規定により同号に規定する給与所得控除後の給与等の金額から控除された当該国外居住障害者に係る障害者控除の額に相当する金額若しくは当該国外居住配偶者に係る配偶者控除若しくは配偶者特別控除の額に相当する金額に係る次に掲げる書類又は当該給与等の金額から控除されたこれらの相当する金額に係る国外居住障害者若しくは国外居住配偶者以外の者について所得税法第194条第４項《給与所得者の扶養控除等申告書》、第195条第４項《従たる給与についての扶養控除等申告書》若しくは第203条の６第３項《公的年金等の受給者の扶養親族等申告書》の規定により提出し、若しくは提示した(一)に掲げる書類については、この限りでない。（令262③）

(一)	次に掲げる者の区分に応じ次に定める旨を証する書類として(1)で定めるもの (イ)　国外居住障害者　当該国外居住障害者が当該居住者の親族に該当する旨 (ロ)　国外居住配偶者　当該国外居住配偶者が当該居住者の配偶者に該当する旨
(二)	当該国外居住障害者又は国外居住配偶者が当該居住者と生計を一にすることを明らかにする書類として(2)で定めるもの

(注)　上記＿＿下線部については、令和７年１月１日以後、**ロ**ただし書中「第194条第４項」が「第194条第５項」に、「第195条第４項」が「第195条第５項」に改められる。（令５改所令附１一イ）

（確定所得申告書に添付すべき書類等）

（1）　**ロ**(一)に規定する(1)で定める書類は、同(一)(イ)又は同(ロ)に掲げる者に係る次の(一)及び(二)に掲げるいずれかの書類であって、同(一)(イ)又は同(ロ)に掲げる者の区分に応じ同(一)(イ)又は同(ロ)に定める旨を証するもの（当該書類が外国語で作成されている場合には、その翻訳文を含む。）とする。（規47の２⑤）

(一)	戸籍の附票の写しその他の国又は地方公共団体が発行した書類及び旅券（出入国管理及び難民認定法第２条第５号《定義》に規定する旅券をいう。**ハ**(1)(一)において同じ。）の写し
(二)	外国政府又は外国の地方公共団体が発行した書類（**ロ**(一)(イ)又は同(ロ)に掲げる者の氏名、生年月日及び住所又は居所の記載があるものに限る。）

(送金関係書類)

（2）　**ロ**(二)に規定する(2)で定める書類は、次の(一)から(三)までに掲げる書類であって、**ロ**の居住者がその年において**ロ**に規定する国外居住障害者又は国外居住配偶者（以下(2)において「**国外居住障害者等**」という。）の生活費又は教育費に充てるための支払を必要の都度、各人に行ったことを明らかにするもの（当該書類が外国語で作成されている場合には、その翻訳文を含む。）とする。（規47の2⑥）

(一)	内国税の適正な課税の確保を図るための国外送金等に係る調書の提出等に関する法律第2条第3号《定義》に規定する金融機関の書類又はその写しで、当該金融機関が行う為替取引によって当該居住者から当該国外居住障害者等に支払をしたことを明らかにするもの
(二)	クレジットカード等購入あっせん業者（それを提示し又は通知して、特定の販売業者から商品若しくは権利を購入し、又は特定の役務提供事業者（役務の提供の事業を営む者をいう。以下(二)及び**ハ**(2)(二)において同じ。）から有償で役務の提供を受けることができるカードその他の物又は番号、記号その他の符号（以下(二)及び**ハ**(2)(二)において「**クレジットカード等**」という。）をこれにより商品若しくは権利を購入しようとする者又は役務の提供を受けようとする者（以下(二)において「**利用者たる顧客**」という。）に交付し又は付与し、当該利用者たる顧客が当該クレジットカード等を提示し又は通知して特定の販売業者から商品若しくは権利を購入し、又は特定の役務提供事業者から有償で役務の提供を受けたときは、当該販売業者又は役務提供事業者に当該商品若しくは権利の代金又は当該役務の対価に相当する額の金銭を直接に又は第三者を経由して交付するとともに、当該利用者たる顧客から、あらかじめ定められた時期までに当該代金若しくは当該対価の合計額の金銭を受領し、又はあらかじめ定められた時期ごとに当該合計額を基礎としてあらかじめ定められた方法により算定して得た額の金銭を受領する業務を行う者をいう。**ハ**(2)(二)において同じ。）の書類又はその写しで、クレジットカード等を当該国外居住障害者等が提示し又は通知して、特定の販売業者から商品若しくは権利を購入し、又は特定の役務提供事業者から有償で役務の提供を受けたことにより支払うこととなる当該商品若しくは権利の代金又は当該役務の対価に相当する額の金銭を当該居住者から受領し、又は受領することとなることを明らかにするもの
(三)	資金決済に関する法律第2条第12項《定義》に規定する電子決済手段等取引業者（同法第62条の8第2項《電子決済手段を発行する者に関する特例》の規定により同法第2条第12項に規定する電子決済手段等取引業者とみなされる者（以下(三)及び**ハ**(2)(三)において「みなし電子決済手段等取引業者」という。）を含む。以下(三)及び**ハ**(2)(三)において「電子決済手段等取引業者」という。）の書類又はその写しで、当該電子決済手段等取引業者が当該居住者の依頼に基づいて行う同条第5項に規定する電子決済手段（以下(三)及び**ハ**(2)(三)において「電子決済手段」という。）の移転によって当該居住者から当該国外居住障害者等に支払をしたことを明らかにするもの（みなし電子決済手段等取引業者の書類又はその写しにあっては、当該みなし電子決済手段等取引業者が発行する電子決済手段に係るものに限る。）

(2以上の書類により居住者の親族に該当する旨が証明される場合の親族関係書類)

（3）　(1)《確定所得申告書に添付すべき書類等》に規定する書類（以下(3)において「親族関係書類」という。）について、国若しくは地方公共団体又は外国政府若しくは外国の地方公共団体が発行した2以上の書類により国外居住親族（**ロ**に規定する国外居住障害者若しくは国外居住配偶者又は**ハ**に規定する国外居住扶養親族をいう。以下において同じ。）が確定申告書を提出する居住者の親族に該当する旨が証明される場合における当該2以上の書類は、親族関係書類に該当することに留意する。（基通120－7）

(注)　(1)の(二)に掲げる書類について、外国政府又は外国の地方公共団体が発行した2以上の書類により国外居住親族の氏名、生年月日及び住所又は居所が明らかとなる場合における当該2以上の書類は、同(二)に掲げる書類に該当することに留意する。

(送金関係書類の範囲)

（4）　(2)(一)及び同(二)に掲げる書類（以下(5)までにおいて「送金関係書類」という。）は、(2)の居住者がその年において国外居住親族の生活費又は教育費に充てるための支払を、必要の都度、各人別に行ったことを明らかにするものをいうのであるから、居住者が一の国外居住親族に対して他の国外居住親族の生活費又は教育費に充てるための支払を行った場合における当該支払に係る送金関係書類については、他の国外居住親族に係る送金関係書類には該当しないことに留意する。（基通120－8）

（その年に３回以上の支払を行った居住者の送金関係書類の提出又は提示）

（５）　居住者が国外居住親族の生活費又は教育費に充てるための支払を、その年に同一の国外居住親族に３回以上行った場合の送金関係書類の提出又は提示については、その年の全ての送金関係書類の提出又は提示に代えて、次に掲げる事項を記載した明細書の提出及び各国外居住親族のその年の最初と最後の当該支払に係る送金関係書類の提出又は提示として差し支えない。ただし、その国外居住親族が第二章第一節**一34の２**の（注）１ロ⑶に掲げる者に該当するものとして確定申告書に扶養控除に関する事項を記載する場合において、その各国外居住親族のその年の最初と最後の当該支払の金額の合計額が38万円未満であるときは、当該明細書の提出及びその各国外居住親族のその年の最初と最後の当該支払に係る送金関係書類の提出又は提示に加えて、その各国外居住親族のその年の当該支払の金額の合計額が38万円以上であることが明らかとなる送金関係書類の提出又は提示とする。

また、居住者は提出又は提示しなかった送金関係書類を保管するものとし、税務署長は必要があると認める場合には当該送金関係書類を提出又は提示させることができるものとする。（基通120－９）

イ　居住者の氏名及び住所

ロ　支払を受けた国外居住親族の氏名

ハ　支払日

ニ　支払方法（（２）各号又は**ハ**（２）各号の支払方法の別）

ホ　支払額

（注）　支払日とは、次に掲げる書類の区分に応じそれぞれ次に定める日をいう。

⑴　（２）(一)又は**ハ**（２）(一)に掲げる書類　居住者が国外居住親族に生活費又は教育費に充てるための金銭を送金した日

⑵　（２）(二)又は**ハ**（２）(二)に掲げる書類　国外居住親族が（２）(二)　又は**ハ**（２）(二)に規定する特定の販売業者又は特定の役務提供事業者に（２）(二)又は**ハ**（２）(二)に規定するクレジットカード等の提示又は通知をした日

⑶　（２）(三)又は**ハ**（２）(三)に掲げる書類　居住者の依頼に基づいてこれらに規定する電子決済手段の移転がされた日

ハ　国外居住親族に関する書類

③(三)（**3**③、**4**③、**三２**④及び**三４**④において準用する場合を含む。）に掲げる居住者は、同(三)に規定する記載がされる控除対象扶養親族（以下**ハ**において「**国外居住扶養親族**」という。）の各人別に次の(一)から(三)までに掲げる場合の区分に応じ当該(一)から(三)までに定める書類を確定申告書に添付し、又は当該申告書の提出の際提示しなければならない。ただし、所法第190条第二号の規定により同号に規定する給与所得控除後の給与等の金額から控除された扶養控除の額に相当する金額に係る当該国外居住扶養親族の次の(一)から(三)までに掲げる場合の区分に応じ当該(一)から(三)までに定める書類又は当該給与等の金額から控除された当該扶養控除の額に相当する金額に係る国外居住扶養親族以外の者の次の(一)から(三)までに掲げる場合の区分に応じ当該(一)から(三)までに定める書類のうち、法第194条第４項、第195条第４項若しくは第203条の６第３項の規定により提出し、若しくは提示した(一)イ、(二)イ若しくはハ若しくは(三)イに掲げる書類については、この限りでない。（令262④）

(一)	(二)及び(三)に掲げる場合以外の場合　　次のイ又はロに掲げる書類 イ　当該国外居住扶養親族が当該居住者の配偶者以外の親族に該当する旨を証する書類として（１）で定めるもの ロ　当該国外居住扶養親族が当該居住者と生計を一にすることを明らかにする書類として（２）で定めるもの
(二)	当該国外居住扶養親族が第二章第一節**一**表内**34の2**《定義》ロ（１）に掲げる者に該当するものとして扶養控除に関する事項を記載する場合　　次のイからハまでに掲げる書類 イ　(一)イに掲げる書類 ロ　(一)ロに掲げる書類 ハ　当該国外居住扶養親族が同**34の２**ロ⑴に掲げる者に該当する旨を証する書類として（３）で定めるもの
(三)	当該国外居住扶養親族が同**34の２**ロ⑶に掲げる者に該当するものとして扶養控除に関する事項を記載する場合　次のイ又はロに掲げる書類 イ　(一)イに掲げる書類 ロ　当該国外居住扶養親族が同**34の２**ロ⑶に掲げる者に該当することを明らかにする書類として（４）で定めるもの

（注）　上記＿＿下線部については、令和７年１月１日以後、**ハ**ただし書中「第194条第４項」が「第194条第５項」に、「第195条第４項」が「第195条第５項」に改められる。（令５改所令附１一イ）

（**ハ**(一)イに規定する(1)で定める書類）

(1)　**ハ**(一)イに規定する(1)で定める書類は、**ハ**に規定する国外居住扶養親族（以下(4)までにおいて「**国外居住扶養親族**」という。）に係る次の(一)及び(二)に掲げるいずれかの書類であって、当該国外居住扶養親族が**ハ**の居住者の配偶者以外の親族に該当する旨を証するもの（当該書類が外国語で作成されている場合には、その翻訳文を含む。）とする。（規47の２⑦）

(一)	戸籍の附票の写しその他の国又は地方公共団体が発行した書類及び旅券の写し
(二)	外国政府又は外国の地方公共団体が発行した書類（当該国外居住扶養親族の氏名、生年月日及び住所又は居所の記載があるものに限る。）

（**ハ**(一)ロに規定する(2)で定める書類）

(2)　**ハ**(一)ロに規定する(2)で定める書類は、次の(一)から(三)までに掲げる書類であって、**ハ**の居住者がその年において国外居住扶養親族の生活費又は教育費に充てるための支払を必要の都度、各人に行ったことを明らかにするもの（当該書類が外国語で作成されている場合には、その翻訳文を含む。）とする。（規47の２⑧）

(一)	第十八章**ー２**(三)に規定する金融機関の書類又はその写しで、当該金融機関が行う為替取引によって当該居住者から当該国外居住扶養親族に支払をしたことを明らかにするもの
(二)	クレジットカード等購入あっせん業者の書類又はその写しで、クレジットカード等を当該国外居住扶養親族が提示し又は通知して、特定の販売業者から商品若しくは権利を購入し、又は特定の役務提供事業者から有償で役務の提供を受けたことにより支払うこととなる当該商品若しくは権利の代金又は当該役務の対価に相当する額の金銭を当該居住者から受領し、又は受領することとなることを明らかにするもの
(三)	電子決済手段等取引業者の書類又はその写しで、当該電子決済手段等取引業者が当該居住者の依頼に基づいて行う電子決済手段の移転によって当該居住者から当該国外居住扶養親族に支払をしたことを明らかにするもの（みなし電子決済手段等取引業者の書類又はその写しにあっては、当該みなし電子決済手段等取引業者が発行する電子決済手段に係るものに限る。）

（**ハ**(二)ハに規定する(3)で定める書類）

(3)　**ハ**(二)ハに規定する(3)で定める書類は、外国政府又は外国の地方公共団体が発行した国外居住扶養親族に係る次の(一)及び(二)に掲げるいずれかの書類であって、当該国外居住扶養親族が外国における出入国管理及び難民認定法別表第一の四の表《在留資格》の留学の在留資格に相当する資格をもって当該外国に在留することにより国内に住所及び居所を有しなくなった旨を証するもの（当該書類が外国語で作成されている場合には、その翻訳文を含む。）とする。（規47の２⑨）

(一)	外国における査証に類する書類の写し
(二)	外国における出入国管理及び難民認定法第19条の３《中長期在留者》に規定する在留カードに相当する書類の写し

（**ハ**(三)ロに規定する(4)で定める書類）

(4)　**ハ**(三)ロに規定する(4)で定める書類は、(2)に規定する(2)で定める書類であって、**ハ**の居住者から国外居住扶養親族である各人へのその年における(2)に規定する支払の金額の合計額が38万円以上であることを明らかにするものとする。（規47の２⑩）

（２以上の書類により居住者の親族に該当する旨が証明される場合の親族関係書類）

(5)　(1)に規定する書類（以下(5)において「親族関係書類」という。）について、国若しくは地方公共団体又は外国政府若しくは外国の地方公共団体が発行した２以上の書類により国外居住親族（**ロ**に規定する国外居住障害者若しくは国外居住配偶者又は**ハ**に規定する国外居住扶養親族をいう。以下において同じ。）が確定申告書を提出する居住者の親族に該当する旨が証明される場合における当該２以上の書類は、親族関係書類に該当することに留意する。（基通120－7）

（注）　(1)(二)に掲げる書類について、外国政府又は外国の地方公共団体が発行した２以上の書類により国外居住親族の氏名、生年月日及び

住所又は居所が明らかとなる場合における当該２以上の書類は、(1)(二)に掲げる書類に該当することに留意する。

（送金関係書類の範囲）

（6）　(2)又は(4)に規定する書類（以下において「送金関係書類」という。）は、これらの項の居住者がその年において国外居住親族の生活費又は教育費に充てるための支払を、必要の都度、各人別に行ったことを明らかにするものをいうのであるから、居住者が一の国外居住親族に対して他の国外居住親族の生活費又は教育費に充てるための支払を行った場合における当該支払に係る送金関係書類については、他の国外居住親族に係る送金関係書類には該当しないことに留意する。（基通120－８）

（その年に３回以上の支払を行った居住者の送金関係書類の提出又は提示）

（7）　居住者が国外居住親族の生活費又は教育費に充てるための支払を、その年に同一の国外居住親族に３回以上行った場合の送金関係書類の提出又は提示については、その年の全ての送金関係書類の提出又は提示に代えて、次に掲げる事項を記載した明細書の提出及び各国外居住親族のその年の最初と最後の当該支払に係る送金関係書類の提出又は提示として差し支えない。

ただし、その国外居住親族が第二章第一節**一34の２**の(注)１ロ⑶に掲げる者に該当するものとして確定申告書に扶養控除に関する事項を記載する場合において、その各国外居住親族のその年の最初と最後の当該支払の金額の合計額が38万円未満であるときは、当該明細書の提出及びその各国外居住親族のその年の最初と最後の当該支払に係る送金関係書類の提出又は提示に加えて、その各国外居住親族のその年の当該支払の金額の合計額が38万円以上であることが明らかとなる送金関係書類の提出又は提示とする。

また、居住者は提出又は提示しなかった送金関係書類を保管するものとし、税務署長は必要があると認める場合には当該送金関係書類を提出又は提示させることができるものとする。（基通120－９）

イ　居住者の氏名及び住所

ロ　支払を受けた国外居住親族の氏名

ハ　支払日

ニ　支払方法（**ロ**(2)各号又は(2)各号の支払方法の別）

ホ　支払額

(注)　支払日とは、次に掲げる書類の区分に応じそれぞれ次に定める日をいう。

⑴　**ロ**(2)(一)又は(2)(一)に掲げる書類　居住者が国外居住親族に生活費又は教育費に充てるための金銭を送金した日

⑵　**ロ**(2)(二)又は(2)(二)に掲げる書類　国外居住親族が**ロ**(2)(二)又は(2)(二)に規定する特定の販売業者又は特定の役務提供事業者に**ロ**(2)(二)又は(2)(二)に規定するクレジットカード等の提示又は通知をした日

⑶　(2)(三)又は**ハ**(2)(三)に掲げる書類　居住者の依頼に基づいてこれらに規定する電子決済手段の移転がされた日

二　私立各種学校等の生徒に係る勤労学生控除に関する書類

③(四)（**3**③、**4**③、**三２**④及び同**4**④において準用する場合を含む。）に掲げる居住者は、同③の(二)に規定する勤労学生に該当する旨を証する書類として次に掲げる場合の区分に応じ当該各号に定めるものを確定申告書に添付し、又は当該申告書の提出の際提示しなければならない。ただし、所得税法第190条《年末調整》第２号の規定により同条に規定する給与所得控除後の給与等の金額から勤労学生控除の額に相当する金額が控除された勤労学生については、この限りでない。（令262⑤、規47の２⑪）

(一)　その者が、第二章第一節**一**表内**32**《定義》②に規定する専修学校又は各種学校（以下(一)において「専修学校等」という。）の生徒である場合　　次のイ又はロに掲げる書類

イ	当該専修学校等の設置する課程が、第二章第一節**一**表内**32**②ロ(イ)《勤労学生の範囲》に掲げる課程である場合には同(イ)に掲げる事項に、同②ロ(ロ)に掲げる課程である場合には同(ロ)に掲げる事項に該当するものである旨を文部科学大臣が証する書類（当該専修学校等の設置をする者が同②イ(ロ)に掲げる者である場合には、当該書類及び当該専修学校等が同(ロ)に規定する文部科学大臣が定める基準を満たすものである旨を文部科学大臣が証する書類）の写しとして当該専修学校等の長から交付を受けたもの
ロ	同②ロ(イ)に掲げる課程を履修する者である場合には同(イ)に掲げる事項に、同②ロ(ロ)に掲げる課程を履修する者である場合には同(ロ)に掲げる事項に該当する課程を履修する者である旨をイの専修学校等の長が証する書類

(二)　その者が、第二章第一節**一**表内**32**《定義》③に規定する職業訓練法人の行う同③に規定する認定職業訓練を受ける者である場合　　次のイ又はロに掲げる書類

イ	当該職業訓練法人の行う当該認定職業訓練の課程が同②ロ(ロ)に掲げる事項に該当するものである旨を厚生労働大臣が証する書類の写しとして当該職業訓練法人の代表者から交付を受けたもの
ロ	同②ロ(ロ)に掲げる事項に該当する課程を履修する者である旨をイの職業訓練法人の代表者が証する書類

④　事業所得等に係る総収入金額及び必要経費の内訳書の添付

その年において不動産所得、事業所得若しくは山林所得を生ずべき業務を行う居住者が①の規定による申告書を提出する場合（当該申告書が青色申告書である場合を除く。）又はその年において雑所得を生ずべき業務を行う居住者でその年の前々年分の当該業務に係る収入金額が1,000万円を超えるものが①の規定による申告書を提出する場合には、**イ**及び**ロ**に定めるところにより、これらの所得に係るその年中の総収入金額及び必要経費の内容を記載した書類《収支内訳書》を当該申告書に添付しなければならない。（法120⑥）

（前々年分の収入金額の判定）

（1）　④に規定する「その年の前々年分の当該業務に係る収入金額が1,000万円を超える」かどうかは、その年分の確定申告書を提出する時までに確定しているところにより判定するものとする。（基通120－4の2）

（農業と農業以外の業務を営む場合の収支内訳書の作成）

（2）　事業所得を生ずべき業務のうち農業と農業以外の業務を営む場合には、収支内訳書は各別に作成するものとする。（基通120－5）

（注）　不動産所得、事業所得、山林所得又は雑所得を生ずべき業務に係る収支内訳書は、各別に作成することに留意する。

イ　総収入金額及び必要経費の内訳書の記載事項

④の規定により確定申告書に添付すべき④の書類は、不動産所得、事業所得若しくは山林所得又は雑所得を生ずべき業務に係る雑所得のそれぞれについて作成するものとし、当該書類には、不動産所得、事業所得若しくは山林所得又は雑所得を生ずべき業務に係る雑所得の金額の計算上総収入金額及び必要経費に算入される金額を、次の(一)又は(二)に規定する項目の別に区分し当該項目別の金額を記載しなければならない。この場合において、その業種、業態、規模等の状況からみて当該項目により難い項目については、当該項目に準ずる他の項目によることができるものとする。（規47の3①）

(一)	総収入金額については、商品製品等の売上高（加工その他の役務の給付等売上と同様の性質を有する収入金額を含む。）、農産物（第六章第一節**一 6**《農産物の収穫の場合の総収入金額算入》に規定する農産物をいう。以下**イ**において同じ。）の売上高及び年末において有する農産物の収穫した時の価額の合計額、賃貸料、山林の伐採又は譲渡による売上高、家事消費の高並びにその他の収入の別
(二)	必要経費については、商品製品等の売上原価、年初において有する農産物の棚卸高、雇人費、小作料、外注工賃、減価償却費、貸倒金、地代家賃、利子割引料及びその他の経費の別

ロ　還付申告、確定損失申告等の場合への準用

イの規定は、**3**③《還付等を受けるための申告》、**4**③《確定損失申告》、**三 2**④《年の中途で死亡した場合の確定申告等》及び同**4**④《年の中途で出国をする場合の確定申告等》において準用する④の規定により確定申告書に添付すべき④の書類について、それぞれ準用する。（規47の3②）

⑤　非永住者であった期間を有する居住者が①の申告書を提出する場合

その年において非永住者であった期間を有する居住者が①の規定による申告書を提出する場合には、その者の国籍、国内に住所又は居所を有していた期間その他の(1)で定める事項を記載した書類を当該申告書に添付しなければならない。（法120⑦）

（非永住者であった期間を有する居住者の確定申告書に添付すべき書類の記載事項）

（1）　⑤に規定する(1)で定める事項は、次の(一)から(五)までに掲げる事項とする。（規47の4①）

(一)	⑤の申告書を提出する者の氏名、国籍及び住所又は居所
(二)	その年の前年以前10年内の各年において、国内に住所又は居所を有することとなった日及び有しないこととな

	った日並びに国内に住所又は居所を有していた期間
(三)	その年において非永住者（第二章第一節一4《定義》に規定する非永住者をいう。以下(三)及び(四)において同じ。)、非永住者以外の居住者及び非居住者であったそれぞれの期間
(四)	その年において非永住者であった期間内に生じた次に掲げる金額 イ　第二章第二節4表内②《課税所得の範囲》に規定する国外源泉所得（ロにおいて、「国外源泉所得」という。）以外の所得の金額 ロ　イに規定する国外源泉所得の金額並びに当該金額のうち、国内において支払われた金額及び国外から送金された金額
(五)	その他参考となるべき事項

（還付申告、確定損失申告等の場合への準用）

（2）（1）の規定は、3③《還付等を受けるための申告》、4③《確定損失申告》、三2④《年の中途で死亡した場合の確定申告》及び同4④《年の中途で出国をする場合の確定申告》において準用する⑤の規定により確定申告書に添付すべき⑤の書類に記載する同⑤に規定する（1）で定める事項について、それぞれ準用する。（規47の4②）

2　確定所得申告を要しない場合

①　給与所得を有する者が確定所得申告を要しない場合

その年において給与所得を有する居住者で、その年中に支払を受けるべき給与等の金額が**2,000万円**以下であるものは、次の(一)又は(二)のいずれかに該当する場合には、1①の規定にかかわらず、その年分の**課税総所得金額**及び課税山林所得金額に係る所得税については、同①の規定による申告書を提出することを要しない。ただし、不動産その他の資産をその給与所得に係る給与等の支払者の事業の用に供することによりその対価の支払を受ける場合その他の②に定める場合は、この限りでない。（法121①）

(一)	一の給与等の支払者から給与等の支払を受け、かつ、当該給与等の全部について給与所得に係る源泉徴収義務又は年末調整の規定による所得税の徴収をされた又はされるべき場合において、その年分の利子所得の金額、配当所得の金額、不動産所得の金額、事業所得の金額、山林所得の金額、譲渡所得の金額（分離課税の長期譲渡所得又は短期譲渡所得にあっては特別控除後の金額)、一時所得の金額及び雑所得の金額の合計額（以下「**給与所得及び退職所得以外の所得金額**」（（5）参照）という。）が20万円以下であるとき。	
(二)	2以上の給与等の支払者から給与等の支払を受け、かつ、当該給与等の全部について給与所得の源泉徴収義務又は年末調整の規定による所得税の徴収をされた又はされるべき場合において、イ又はロに該当するとき。	
	イ	従たる給与等の支払者から支払を受けるその年分の給与所得に係る給与等の金額とその年分の給与所得及び退職所得以外の所得金額との合計額が20万円以下であるとき。
	ロ	イに該当する場合を除き、その年分の給与所得に係る給与等の金額が150万円と社会保険料控除の額、小規模企業共済等掛金控除の額、生命保険料控除の額、地震保険料控除の額、障害者控除の額、寡婦控除の額、ひとり親控除の額、勤労学生控除の額、配偶者控除の額、配偶者特別控除の額及び扶養控除の額との合計額以下で、かつ、その年分の給与所得及び退職所得以外の所得金額が20万円以下であるとき。

（注）　上記①中の下線部「課税総所得金額」には、二1①と同じく租税特別措置法施行令の読替え規定が含まれる。（編者注）

（確定所得申告を要しない者から提出された確定申告書）

（1）　申告書に記載されたところによれば2の規定に該当することとなる者から提出された次に掲げる申告書は、4《確定損失申告》の規定に該当するものを除き、当該申告書の記載内容に応じ、それぞれ次に掲げる申告書に該当するものとする。（基通121－1）

（一）　還付金の額（3《還付等を受けるための申告》に掲げる金額をいう。）が記載されている申告書　　3の規定により提出された申告書

（二）　(一)以外の申告書　　1《確定所得申告》の規定により提出された申告書

（確定所得申告を要しない者から提出された確定申告書の撤回）

（2）　申告書に記載されたところによれば**2**の規定に該当することとなる者から提出された申告書で第３期分の税額が記載されているものにつき、これらの者から当該申告書を撤回したい旨の書面による申出があったときは、その申出の日に当該申告書の撤回があったものとし、当該申告書に係る既納の第３期分の税額を還付する。（基通121－２）

（注）1　申告書を撤回した者は、改めて確定申告書を提出するまでの間は、無申告者となることに留意する。

2　当該第３期分の税額に係る過誤納金については、その撤回の日に更正の請求に基づく更正があったものとして還付加算金の規定を適用するものとする。

（一の給与等の支払者から給与等の支払を受ける場合）

（3）　①(一)に規定する一の給与等の支払者から給与等の支払を受ける場合とは、その年中の同一時点においては２以上の給与等の支払者から給与等の支払を受けることがない場合をいうのであるが、２以上の給与等の支払者から給与等の支払を受ける場合であっても、当該給与等の全部について所得税法第190条《年末調整》の規定が適用されるときは、これに該当するものとする。（基通121－４）

（確定所得申告を要しない規定が適用されない給与所得者）

（4）　次に掲げる者については、その年中に支払を受けるべき給与等の金額の合計額が①の本文に規定する金額以下である場合であっても、①の規定は適用されないことに留意する。（基通121－５）

(一)　所得税法第184条《源泉徴収を要しない給与等の支払者》の規定により源泉徴収をすることを要しない常時２人以下の家事使用人のみに対し給与等の支払をする者から給与等又は退職手当等の支払を受ける居住者

(二)　国際慣例により源泉徴収をする義務がないものとされる在日大公使館又は在日外交官から給与等又は退職手当等の支払を受ける居住者

(三)　国外において給与等又は退職手当等の支払を受ける居住者

（給与所得及び退職所得又は公的年金等に係る雑所得以外の所得金額の計算）

（5）　①(一)に規定する「給与所得及び退職所得以外の所得金額」又は④に規定する「公的年金等に係る雑所得以外の所得金額」とは、所得税法及びその他の法令の規定により確定申告書の提出又は確定申告書への記載若しくは明細書等の添付を要件として適用される特例等を適用しないで計算した総所得金額、退職所得金額及び山林所得金額の合計額から、給与所得の金額及び退職所得の金額の合計額又は公的年金等に係る雑所得の金額及び退職所得の金額の合計額を控除した金額をいうものとする。（基通121－６）

②　給与所得以外の所得が少額であっても確定申告書の提出を要する場合

次の(一)から(四)までに掲げる者がその者に係る(一)に規定する法人から、給与等のほか、当該法人の事業に係る貸付金の利子又は不動産、動産、営業権その他の資産を当該事業の用に供することによる対価の支払を受ける場合には、①の本文の規定を適用しない。（法121①ただし書、令262の２）

(一)	所得税法第157条第１項第１号に規定する同族会社である法人の役員
(二)	(一)の役員の親族であり又はあった者
(三)	(一)の役員とまだ婚姻の届出をしないが事実上婚姻関係と同様の事情にあり又はあった者
(四)	(一)の役員から受ける金銭その他の資産によって生計を維持している者

（役員から受ける金銭その他の資産によって生計を維持している者の意義）

注　(四)に規定する「役員から受ける金銭その他の資産によって生計を維持している者」とは、同族会社の役員から給付を受ける金銭その他の資産又はその給付を受けた金銭その他の資産の運用によって生ずる収入を日常生活の資の主要部分としている者をいう。（基通121－３）

③　退職所得を有する者が確定所得申告を要しない場合

その年において退職所得を有する居住者は、次の(一)又は(二)のいずれかに該当する場合には、**1**①の規定にかかわらず、その年分の課税退職所得金額に係る所得税については、**1**①の規定による申告書を提出することを要しない。（法121②）

(一)	その年分の退職手当等の全部について「退職所得の受給に関する申告書」を提出した場合の退職所得に係る源泉徴収の規定による所得税の徴収をされた又はされるべき場合
(二)	(一)に該当する場合を除き、その年分の課税退職所得金額につき第九章第一節**一**《税率》の規定を適用して計算した所得税の額がその年分の退職所得に係る退職手当等につき源泉徴収をされた又はされるべき所得税の額以下である場合

④　公的年金等の収入金額が400万円以下である者の申告不要制度

その年において第四章第十節《雑所得》**二 2**に規定する公的年金等（以下④において「公的年金等」という。）に係る雑所得を有する居住者で、その年中の公的年金等の収入金額が400万円以下であるものが、その公的年金等の全部（所得税法第203条の７《源泉徴収を要しない公的年金等》の規定の適用を受けるものを除く。）について所得税法第203条の２《公的年金等に係る源泉徴収義務》の規定による所得税の徴収をされた又はされるべき場合において、その年分の公的年金等に係る雑所得以外の所得金額（利子所得の金額、配当所得の金額、不動産所得の金額、事業所得の金額、給与所得の金額、山林所得の金額、譲渡所得の金額（分離課税の長期譲渡所得又は短期譲渡所得にあっては特別控除後の金額）、一時所得の金額及び公的年金等に係る雑所得以外の雑所得の金額の合計額をいう。）が20万円以下であるときは、**1**①の規定にかかわらず、その年分の課税総所得金額又は課税山林所得金額に係る所得税については、同①の規定による申告書を提出することを要しない。（法121③）

（注）1　第四章第五節**三 5**《所得金額調整控除》②の規定の適用がある場合における上記④の規定の適用については、④中下線部の「給与所得の金額」とあるのは、「給与所得の金額から第四章第五節**三 5**《所得金額調整控除》②の規定による控除をした残額」とされる。（措法41の３の11⑥）

2　上記④中の下線部「課税総所得金額」には、**二 1**①と同じく租税特別措置法施行令の読替え規定が含まれる。（編者注）

3　還付等を受けるための申告

①　源泉徴収税額又は予納税額の還付を受けるための申告

居住者は、その年分の所得税につき(一)から(四)までに掲げる金額《外国税額控除、源泉徴収税額又は予納税額の控除不足額》がある場合には、**4**①による申告書を提出することができる場合を除き、第六節の規定による源泉徴収税額等の還付又は予納税額の還付を受けるため、税務署長に対し、**1**②の各号《確定所得申告》に掲げる事項のほか、次に掲げる事項を記載した申告書を提出することができる。（法122①）

(一)	**1**②(三)に掲げる所得税の額の計算上控除しきれなかった外国税額控除の額がある場合には、その控除しきれなかった金額
(二)	**1**②(四)に掲げる金額の計算上控除しきれなかった同号に規定する源泉徴収税額がある場合には、その控除しきれなかった金額
(三)	**1**②(五)に掲げる金額の計算上控除しきれなかった同(五)注に規定する予納税額がある場合には、その控除しきれなかった金額
(四)	(一)から(三)に掲げる金額の計算の基礎その他(１)で定める事項

（還付を受けるための申告書の記載事項）

(１)　①(四)に規定する(１)で定める事項は、①(一)から同(三)までに掲げる金額又はこれらの金額の計算の基礎に関し、参考となるべき事項とする。（規47の５）

②　外国税額控除不足額がある場合の申告

居住者は、**1**①の規定による申告書を提出すべき場合及び同①又は**4**①の規定による申告書を提出することができる場合に該当しない場合においても、その年の翌年分以後の各年分の所得税について外国税額控除の規定の適用を受けるため必要があるときは、税務署長に対し、**1**②(一)から同(十一)に掲げる事項を記載した申告書を提出することができる。（法122②）

③　申告書の添付書類

1①後段の規定は①及び②の規定による申告書の記載事項について、**1**③から同⑤までの規定は①又は②の規定による申告書の提出について、それぞれ準用する。この場合において、**1**③(２)中「確定申告期限」とあるのは「確定申告期限(当該申告書が第十二章**四 7**(３)《延滞税の額の計算の基礎となる期間の特例》(二)に規定する還付請求申告書である場合には、当該申告書の提出があった日)」と読み替えるものとする。(法122③)

(還付等を受けるための申告書に係る更正の請求)

(１)　**3**に規定する申告書についても第八節**一**《更正の請求》の規定の適用があることに留意する。この場合において同**一 1**に規定する「当該申告書に係る国税の法定申告期限」とあるのは、「当該申告書を提出した日」と読み替えるものとする。(基通122－１)

(相続人が提出する還付を受けるための申告書の記載事項)

(２)　①に規定する申告書を提出することができる者がその年の翌年１月１日以後当該申告書を提出しないで死亡した場合において、その相続人が当該申告書を提出しようとするときは、当該申告書に**三 1**③《死亡の場合の申告書の記載事項》に規定する事項を記載し、同**1**④に規定するところにより提出することに留意する。(基通124・125－１)

4　確定損失申告

①　損失申告書を提出することができる場合(確定損失申告)

居住者は、次の(一)から(三)までのいずれかに該当する場合において、その年の翌年以後において第七章第二節**一**《純損失の繰越控除》**1**若しくは同**2**若しくは同節**三**《雑損失の繰越控除》**1**の規定の適用を受け、又は第六節**三**《純損失の繰戻しによる還付の手続等》**3**⑤の規定による還付を受けようとするときは、第三期において、税務署長に対し、②(一)から同(十)までに掲げる事項を記載した申告書を提出することができる。(法123①)

(一)	その年において生じた純損失の金額がある場合
(二)	その年において生じた雑損失の金額がその年分の総所得金額、退職所得金額及び山林所得金額の合計額を超える場合
(三)	その年の前年以前３年内(第七章第二節**二 1**から同**3**まで《特定非常災害に係る純損失の繰越控除の特例》又は同節**四 1**《特定非常災害に係る雑損失の繰越控除の特例》の規定の適用がある場合には、前年以前５年内。②(二)において同じ。)の各年において生じた純損失の金額及び雑損失の金額(第七章第二節**一 1**若しくは同**2**又は同節**三 1**の規定により前年以前において控除されたもの及び第六節**三**《純損失の繰戻しによる還付の手続等》**3**⑤の規定により還付を受けるべき金額の計算の基礎となったものを除く。②(二)において同じ。)の合計額が、これらの金額を控除しないで計算した場合のその年分の総所得金額、退職所得金額及び山林所得金額の合計額を超える場合

(注) 1　第五章第二節**十六**《居住用財産の買換え等の場合の譲渡損失の繰越控除》**3**の規定の適用がある場合には、上記①の規定の適用については、①中下線部の「の規定の」とあるのは「若しくは第五章第二節**十六**《居住用財産の買換え等の場合の譲渡損失の繰越控除》**3**の規定の」と、「又は同節**三 1**」とあるのは「若しくは同節**三 1**又は第五章第二節**十六 3**」とされる。(措法41の５⑫三)

2　第五章第二節**十七**《特定居住用財産の譲渡損失の繰越控除》**3**の規定の適用がある場合には、上記①の規定の適用については、①中下線部の「の規定の」とあるのは「若しくは第五章第二節**十七**《特定居住用財産の譲渡損失の繰越控除》**3**の規定の」と、「又は同節**三 1**」とあるのは「若しくは同節**三 1**又は第五章第二節**十七 3**」とされる。(措法41の５の２⑫三)

3　上記①中の下線部「総所得金額」には、**二 1**①と同じく租税特別措置法施行令の読替え規定が含まれる。(編者注)

4　《特定中小会社が発行した株式に係る譲渡損失の繰越控除等》の適用については、第五章第三節**十四**参照。

5　《上場株式等に係る譲渡損失の損益通算及び繰越控除》の適用については第五章第三節**十**参照。

②　損失申告書の記載事項

①の規定による申告書の記載事項は、次の(一)から(十)までに掲げる事項とする。(法123②)

(一)	その年において生じた純損失の金額及び雑損失の金額
(二)	その年の前年以前３年内の各年において生じた純損失の金額及び雑損失の金額
(三)	その年において生じた雑損失の金額がある場合には、その年分の総所得金額、退職所得金額及び山林所得金額の合計額
(四)	(二)に掲げる純損失の金額又は雑損失の金額がある場合には、これらの金額を控除しないで計算した場合のその年分の総所得金額(分離課税の譲渡所得にあっては特別控除前の金額)、退職所得金額及び山林所得金額の合計額

<table>
<tr><td>(五)</td><td colspan="2">第七章第二節一１若しくは同２又は同節三１の規定により翌年以後において総所得金額、退職所得金額及び山林所得金額の計算上控除することができる純損失の金額及び雑損失の金額</td></tr>
<tr><td>(六)</td><td colspan="2">その年において第九章第二節二《外国税額控除》の規定による控除をされるべき金額がある場合には、当該金額</td></tr>
<tr><td>(七)</td><td colspan="2">(一)に掲げる純損失の金額又は(三)若しくは(四)に掲げる総所得金額若しくは退職所得金額の計算の基礎となった各種所得に係る二１《確定所得申告》②(四)に規定する源泉徴収税額がある場合には、当該源泉徴収税額</td></tr>
<tr><td>(八)</td><td colspan="2">その年分の二１②(五)注に規定する予納税額がある場合には、当該予納税額</td></tr>
<tr><td rowspan="6">(九)</td><td colspan="2">(一)から(五)までに掲げる金額の計算の基礎その他次に掲げる事項（規48①）</td></tr>
<tr><td>イ</td><td>①、三２③《相続人による確定損失申告》又は三４③《年の中途で出国する場合の確定損失申告》の規定による申告書を提出する者の氏名、住所（国内に住所がない場合には、居所）及び個人番号（個人番号を有しない者にあっては、氏名及び住所（国内に住所がない場合には、居所））並びに住所地（国内に住所がない場合には、居所地）と納税地とが異なる場合には、その納税地</td></tr>
<tr><td>ロ</td><td>三１《確定申告書を提出すべき者等が死亡した場合の確定申告》②又は三２《年の中途で死亡した場合の確定申告》③の規定に該当してこれらの規定に規定する申告書を提出する場合には、これらの規定に規定する死亡をした者の氏名及びその死亡の時における住所（国内に住所がない場合には、居所）並びに住所地（国内に住所がない場合には、居所地）と納税地とが異なる場合にはその納税地</td></tr>
<tr><td>ハ</td><td>(一)の純損失若しくは雑損失若しくは各種所得の基因となる資産若しくは事業の所在地又は当該純損失若しくは雑損失若しくは各種所得の生じた場所（各種所得（当該純損失の金額の計算の基礎となった各種所得を含む。以下ハにおいて同じ。）の生じた場所が当該各種所得に係る収入金額の支払者の住所若しくは居所又は本店若しくは主たる事務所若しくは支店若しくは従たる事務所（以下ハにおいて「本店等」という。）の所在地となる場合には、当該支払者の氏名又は名称及び住所若しくは居所又は本店等の所在地若しくは法人番号）</td></tr>
<tr><td>ニ</td><td>１②《確定申告書の記載事項》１②(十一)ニから同タまで及び同ツから同ムまでに掲げる事項</td></tr>
<tr><td>ホ</td><td>その他参考となるべき事項</td></tr>
<tr><td>(十)</td><td colspan="2">その年において支払を受けるべき第四章第五節一《給与所得》に規定する給与等で所得税法第190条《年末調整》の規定の適用を受けたものを有する居住者の第八章三１から同章六１まで《社会保険料控除等》、同章八から同章十四１まで《障害者控除等》の規定による控除のうちその年分の所得税に係るこれらの控除の額が当該給与等に係る所得税法第190条第２号に規定する給与所得控除後の給与等の金額から控除された同号イからニまでに掲げる金額と同額であるものに係る１②(十一)ツから同ナまでに掲げる事項については、(九)ニの規定にかかわらず、(九)イ又は同ロに規定する申告書への記載を要しないものとする。（規48②）</td></tr>
</table>

(注) 1　第五章第二節**十六**《居住用財産の買換え等の場合の譲渡損失の繰越控除》**3**の規定の適用がある場合には、上記②の規定の適用については、②(五)中下線部の「又は同節**二１**」とあるのは「若しくは同節**二１**又は第五章第二節**十六３**」とする。（措法41の５⑫三）

2　第五章第二節**十七**《特定居住用財産の譲渡損失の繰越控除》**3**の規定の適用がある場合には、上記②の規定の適用については、②(五)中下線部の「又は同節**二１**」とあるのは「若しくは同節**二１**又は第五章第二節**十七３**」とする。（措法41の５の２⑫三）

3　上記②中の下線部「総所得金額」には、**二１**①と同じく租税特別措置法施行令の読替え規定が含まれる。（編者注）

③　損失申告書の添付書類

1③から同⑤までの規定は、①の規定による申告書の提出について準用する。この場合において、**1**③(2)中「確定申告期限」とあるのは「確定申告期限（当該申告書が《延滞税の額の計算の基礎となる期間の特例》(二)に規定する還付請求申告書である場合には、当該申告書の提出があった日）」と読み替えるものとする。（法123③）

三　死亡又は出国の場合の確定申告

1　確定申告書を提出すべき者等が死亡した場合の確定申告

①　その年の翌年１月１日以後、確定申告書を提出しないで死亡した場合

二１《確定所得申告》の規定による申告書を提出すべき居住者がその年の翌年１月１日から当該申告書の提出期限までの間に当該申告書を提出しないで死亡した場合には、その相続人は、②の規定による申告書を提出する場合を除き、③及び④で定めるところにより、その相続の開始があったことを知った日の翌日から４月を経過した日の前日（同日前に当該相続人が出国をする場合には、その出国の時。以下②において同じ。）までに、税務署長に対し、当該申告書を提出しなければならない。（法124①）

（提出期限後に死亡した場合の相続人の申告）

注　**二１**《確定所得申告》に規定する申告書を提出すべき者又は同**4**《確定損失申告》に規定する申告書を提出することができる者がこれらの申告書を提出しないでこれらの申告書の提出期限後に死亡した場合には、①及び②の規定の適用はなく、相続人が提出するこれらの申告書は、期限後申告書となることに留意する。（基通124・125－２）

（注）　被相続人につき災害その他やむを得ない理由があったため国税通則法第11条《災害等による期限の延長》の規定によりこれらの申告書の提出期限が延長されていた場合において、その者がその延長された提出期限までの間に死亡したときは、その相続人が①及び②の規定によりこれらの申告書を提出することとなることに留意する。

②　その年の翌年１月１日以後、損失申告書を提出しないで死亡した場合

二４《確定損失申告》の規定による損失申告書を提出することができる居住者がその年の翌年１月１日から当該申告書の提出期限までの間に当該申告書を提出しないで死亡した場合には、その相続人は、③及び④で定めるところにより、その相続の開始があったことを知った日の翌日から４月を経過した日の前日までに、税務署長に対し、当該申告書を提出することができる。（法124②）

③　死亡の場合の申告書の記載事項

①若しくは②又は**2**①から同③まで《年の中途で死亡した場合の確定申告》の規定による申告書には、**二１**②《確定所得申告》又は**二３**①《還付等を受けるための申告》(一)から同(四)までに掲げる事項のほか、次の(一)から(三)までに掲げる事項を併せて記載しなければならない。この場合において、①又は②の規定による申告書については、**二１**①後段の規定を準用する。（令263①、規49①）

(一)	各相続人の氏名、住所（国内に住所がない場合には、居所。以下(一)において同じ。）及び個人番号（個人番号を有しない者にあっては、氏名及び住所）、被相続人との続柄、民法第900条から第902条まで《法定相続分・代襲相続人の相続分・遺言による相続分の指定》の規定によるその相続分並びに相続又は遺贈によって得た財産の価額
(二)	相続人が限定承認をした場合には、その旨
(三)	相続人が２人以上ある場合には、**二１**②(三)に掲げる所得税の額（同②(四)に規定する源泉徴収税額があり、かつ、同②(五)に規定する予納税額がない場合には、同②(四)に掲げる金額とし、同②(五)に規定する予納税額がある場合には、同②(五)に掲げる金額とする。）を(一)の各相続人の相続分により按分して計算した額に相当する所得税の額

（注）　(一)から(三)までに掲げる事項は、実務上確定申告書の付表として「死亡した者の＿＿年分の所得税の確定申告書付表（兼相続人の代表者指定届出書）」に記載する。（編者注）

（按分税額の端数計算）

注　(三)に掲げる額（復興特別所得税に関する省令第３条第２項において準用する場合を含む。）は、所得税の確定金額及び復興特別所得税の確定金額の合計額に第十八章第二節**13**（１）の規定を適用した後の金額を③(一)の各相続人の相続分により按分して計算した額に相当する額とする。

この場合において、当該相当する額に100円未満の端数がある場合又はその全額が100円未満である場合は、その端数金額又はその全額を切り捨てる。（基通124・125－３）

④　相続人が２人以上いる場合の申告

③の申告書を提出する場合において、相続人が２人以上いるときは、当該申告書は、各相続人が連署による一の書面で提出しなければならない。ただし、他の相続人の氏名を付記して各別に提出することを妨げない。

上記ただし書の方法により申告書を提出した相続人は、遅滞なく、他の相続人に対し、当該申告書に記載した事項の要領を通知しなければならない。（令263②③）

（注）④ただし書の方法により④に規定する申告書を提出する場合には、当該申告書には、③(一)に掲げる事項のうち④のただし書の規定により氏名を付記する他の相続人の個人番号は、記載することを要しない。（規49②）

2　年の中途で死亡した場合の確定申告等

①　相続人による確定所得申告

居住者が年の中途において死亡した場合において、その者のその年分の所得税について**二１**《確定所得申告》の規定による申告書を提出しなければならない場合に該当するときは、その相続人は、③の規定による申告書を提出する場合を除き、**１**③及び同④に定めるところにより、その相続の開始があったことを知った日の翌日から４月を経過した日の前日（同日前に当該相続人が出国をする場合には、その出国の時。以下⑤までにおいて同じ。）までに、税務署長に対し、当該所得税について**二１**②《確定申告書の記載事項》(一)から同(十一)に掲げる事項その他**１**③(一)から同(三)に掲げる事項を記載した申告書を提出しなければならない。（法125①）

②　相続人による還付等を受けるための申告

居住者が年の中途において死亡した場合において、その者のその年分の所得税について**二３**①又は同②《還付等を受けるための申告》の規定による申告書を提出することができる場合に該当するときは、その相続人は、③の規定による申告書を提出することができる場合を除き、**１**③及び同④に定めるところにより、税務署長に対し、当該所得税について**二１**②《確定申告書の記載事項》(一)から同(十一)に掲げる事項その他**１**③(一)から同(三)及び**二３**①(一)から同(四)に掲げる事項を記載した申告書を提出することができる。（法125②）

③　相続人による確定損失申告

居住者が年の中途において死亡した場合において、その者のその年分の所得税について**二４**《確定損失申告》①の規定による申告書を提出することができる場合に該当するときは、その相続人は、**１**③及び同④に定めるところにより、その相続の開始があったことを知った日の翌日から４月を経過した日の前日までに、税務署長に対し、当該所得税について**二４**②《損失申告書の記載事項》(一)から同(十)までに掲げる事項その他**１**③(一)及び同(二)に掲げる事項を記載した申告書を提出することができる。（法125③）

④　申告書の添付書類

二１①後段の規定は①又は②の規定による申告書の記載事項について、同③から同⑤までの規定は①から③までの規定による申告書の提出について、それぞれ準用する。この場合において、**二１**③（２）中「確定申告期限」とあるのは「確定申告期限（当該申告書が第十二章**四７**（３）《延滞税の額の計算の基礎となる期間の特例》(二)に規定する還付請求申告書である場合には、当該申告書の提出があった日）」と読み替えるものとする。（法125④）

⑤　相続人が申告書の提出期限前に死亡した場合

１①又は同②の規定は、①の規定による申告書を提出すべき者又は③の規定による申告書を提出することができる者がこれらの申告書の提出期限前にこれらの申告書を提出しないで死亡した場合についてそれぞれ準用する。（法125⑤）

（年の中途で死亡した場合における所得控除）

注　**２**の規定により確定申告書を提出する場合において、次に掲げる所得控除額については、それぞれ次によるものとする。（基通124・125－４）

(一)　雑損控除額　　死亡の日までに生じた損失の金額及び同日までに支出した第八章**一２**《雑損控除の対象となる損失の金額》①に掲げる支出の金額の合計額（保険金、損害賠償金等により補填される部分の金額を除く。）を基礎として計算する。

(二)　医療費控除額　　死亡の日までに支払った医療費の合計額（保険金、損害賠償金等により補填される部分の金額を除く。）を基礎として計算する。

(三)　社会保険料控除額、小規模企業共済等掛金控除額、生命保険料控除額及び地震保険料控除額　　死亡の日までに支払ったこれらの保険料又は掛金のそれぞれの合計額（同日までに支払を受ける剰余金等の額に相当する金額を除く。）を基礎として計算する。

(四)　寄附金控除額　　死亡の日までに支出した特定寄附金の額の合計額を基礎として計算する。

(注)　年の中途において死亡した者の配偶者その他の親族等がその者の同一生計配偶者若しくは配偶者特別控除の対象となる生計を一にする配偶者又は扶養親族に該当するかどうかの判定については、第八章**十六1**《扶養親族等の判定の時期等》の注参照。

3　確定申告書を提出すべき者等が出国する場合の確定申告

①　その年の翌年1月1日以後出国する場合の確定所得申告

二1《確定所得申告》の規定による申告書を提出すべき居住者は、その年の翌年1月1日から当該申告書の提出期限までの間に出国をする場合には、同**4**《確定損失申告》の規定による損失申告書を提出する場合を除き、その出国の時までに、税務署長に対し、当該申告書を提出しなければならない。（法126①）

(注)　居住者が納税管理人を届け出て国内に住所及び居所を有しないこととなる場合は、出国には当たらないことに留意する。（編者注。法2①四十二）

②　その年の翌年1月1日以後出国する場合の確定損失申告

二4《確定損失申告》の規定による損失申告書を提出することができる居住者は、その年の翌年1月1日から2月15日までの間に出国をする場合には、当該期間内においても、税務署長に対し、当該申告書を提出することができる。（法126②）

4　年の中途で出国をする場合の確定申告等

①　年の中途で出国をする場合の確定所得申告

居住者は、年の中途において出国をする場合において、その年1月1日からその出国の時までの間における総所得金額、退職所得金額及び山林所得金額について、**二1**《確定所得申告》の規定による申告書を提出しなければならない場合に該当するときは、③の規定による申告書を提出する場合を除き、その出国の時までに、税務署長に対し、その時の現況により**二1**②《確定申告書の記載事項》に掲げる事項を記載した申告書を提出しなければならない。（法127①）

②　年の中途で出国をする場合の還付を受けるための申告

居住者は、年の中途において出国をする場合において、その年1月1日からその出国の時までの間における総所得金額、退職所得金額及び山林所得金額について、**二3**①《還付等を受けるための申告》の規定による申告書を提出することができる場合に該当するときは、③の規定による申告書を提出することができる場合を除き、税務署長に対し、その時の現況により**二1**②《確定申告書の記載事項》及び**二3**①(一)から(四)までに掲げる事項を記載した申告書を提出することができる。（法127②）

③　年の中途で出国をする場合の確定損失申告

居住者は、年の中途において出国をする場合において、その年1月1日からその出国の時までの間における純損失の金額若しくは雑損失の金額又はその年の前年以前3年内（第七章第二節**二1**から同**3**まで《特定非常災害に係る純損失の繰越控除の特例》又は同節**四1**《特定非常災害に係る雑損失の繰越控除の特例》の規定の適用がある場合には、前年以前5年内）の各年において生じたこれらの金額について、**二4**《確定損失申告》の規定による申告書を提出することができる場合に該当するときは、その出国の時までに、税務署長に対し、その時の現況により**二4**②《損失申告書の記載事項》に掲げる事項を記載した申告書を提出することができる。（法127③）

④　申告書の添付書類

二1①後段の規定は①又は②の規定による申告書の記載事項について、同③から同⑤までの規定は①から③までの規定による申告書の提出について、それぞれ準用する。この場合において、**二1**③(2)中「確定申告期限」とあるのは「確定申告期限（当該申告書が第十二章**四7**(3)《延滞税の額の計算の基礎となる期間の特例》(二)に規定する還付請求申告書である場合には、当該申告書の提出があった日)」と読み替えるものとする。（法127④）

（年の中途で出国をする場合における所得控除）

注　①から④までの規定により確定申告書を提出する場合における所得控除額の計算については、**2**⑤注の取扱いに準ずる。（基通127－1）

第三節　納　　付

1　確定申告による納付

第二節**二 1**《確定所得申告》①の規定による申告書（同節**三 1**《確定申告書を提出すべき者等が死亡した場合の確定申告》①又は同節**三 3**《確定申告書を提出すべき者等が出国をする場合の確定申告》①の規定に該当して提出すべきものを除く。）を提出した居住者は、当該申告書に記載した同節**二 1**②(三)**《確定所得申告に係る所得税額》**に掲げる金額（同②(四)に規定する源泉徴収税額があり、かつ、同②(五)に規定する予納税額がない場合には、同②(四)に掲げる金額とし、同②(五)に規定する予納税額がある場合には、同②(五)に掲げる金額とする。以下**3**までにおいて同じ。）があるときは、第３期において、当該金額に相当する所得税を国に納付しなければならない。（法128）

（納付の手続）

(1)　国税を納付しようとする者は、その税額に相当する金銭に納付書（納税告知書の送達を受けた場合には、納税告知書）を添えて、これを日本銀行（国税の収納を行う代理店を含む。）又はその国税の収納を行う税務署の職員に納付しなければならない。ただし、(2)で定めるところによりあらかじめ税務署長に届け出た場合に(3)で定める方法(4)において「特定納付方法」により納付することを妨げない。（通法34①）

((2)で定めるところによりあらかじめ税務署長に届け出た場合)

(2)　(1)ただし書《納付の手続》に規定する(2)で定めるところによりあらかじめ税務署長に届け出た場合は、次の(一)又は(二)のいずれかに該当する場合とする。（通規１の３①）

(一)	(11)《口座振替納付に係る通知等》に規定する納税者が、(11)に規定する通知の依頼をするものとして税務署長に届け出た場合
(二)	電子情報処理組織を使用する方法により国税を納付しようとする者が、国税関係法令に係る情報通信技術を活用した行政の推進等に関する省令第４条第１項《事前届出等》の規定により税務署長に届け出た場合又は同令第８条第１項《電子情報処理組織による国税の納付手続》に規定する事項の入力及び当該事項の情報の送信をするものとして税務署長に届け出た場合

((1)ただし書に規定する(3)で定める方法)

(3)　(1)ただし書に規定する(3)で定める方法は、次の(一)及び(二)に掲げる場合の区分に応じ当該(一)又は(二)に定める方法とする。（通規１の３②）

(一)	(2)(一)の届出があった場合	(11)に規定する金融機関が、(12)(一)の規定による送付がされた同(一)に規定する記録媒体（(12)(二)の規定による送信がされた同(二)に規定する電磁的記録を含む。）を添えて国税を納付する方法
(二)	(2)(二)の届出があった場合	国税関係法令に係る情報通信技術を活用した行政の推進等に関する省令第８条第１項の規定により国税を納付する方法

（特定納付方法による国税の納付）

(4)　特定納付方法（電子情報処理組織を使用する方法として(5)で定める方法に限る。）による国税（法定申告期限と同時に法定納期限が到来するものに限るものとし、源泉徴収等による国税を含む。）の納付の手続のうち(6)で定めるものが法定納期限に行われた場合（その税額が(7)で定める金額以下である場合に限る。）において、(8)で定める日までにその納付がされたときは、その納付は法定納期限においてされたものとみなして、延納及び附帯税に関する規定を適用する。（通法34②）

((4)に規定する(5)で定める方法)

(5)　(4)に規定する(5)で定める方法は、(3)(二)に定める方法のうち国税関係法令に係る情報通信技術を活用した行政の推進等に関する省令第４条第２項の入出力用プログラム又はこれと同様の機能を有するもののみを使用して国税の納付の手続を行う方法とする。（通規１の３③）

（(４)に規定する(６)で定める国税の納付の手続）

(６)　(４)に規定する(６)で定める国税の納付の手続は、国税関係法令に係る情報通信技術を活用した行政の推進等に関する省令第５条第１項《電子情報処理組織による申請等》の規定による同項に規定する申請等（国税に関する法律の規定（(４)に規定する国税に関する部分に限る。）により第二節**一２**《期限内申告》に規定する期限内申告書又は同令第８条第２項に規定する計算書に記載すべきこととされている事項の情報の送信に限る。）と同時に行われる同令第８条第１項の規定による納付書（(１)に規定する納付書をいう。(10)、(12)(一)及び**５**（注）２《納付委託の対象》において同じ。）に記載すべきこととされている事項の情報の送信とする。（通規１の３④）

（(４)に規定する(７)で定める金額）

(７)　(４)に規定する(７)で定める金額は、１億円とする。（通規１の３⑤）

（注）　令和６年４月１日から令和10年３月31日までの間における改正後の(７)の規定の適用については、(７)中「１億円」とあるのは、令和６年４月１日から令和８年３月31日までの間については「1,000万円」と、同年４月１日から令和10年３月31日までの間については「3,000万円」とする。（令５改通規附②）

（(４)に規定する(８)で定める日）

(８)　(４)に規定する(８)で定める日は、法定納期限の翌日（同日が日曜日、国民の祝日に関する法律に規定する休日その他一般の休日又は第十五章**三２**《期限の特例》に規定する日に当たるときは、これらの日の翌日。以下(８)において同じ。）とする。ただし、災害その他やむを得ない理由によりその法定納期限の翌日までに納付することができないと国税庁長官が認めるときは、その承認する日とする。（通令６の３）

（国外に住所又は居所を有するもの国税の納付）

(９)　国税を納付しようとする者でこの法律の施行地外の地域に住所又は居所を有するもの（以下(９)において「国外納付者」という。）は、(１)の規定にかかわらず、(10)で定めるところにより、金融機関の営業所、事務所その他これらに類するもの（この法律の施行地外の地域にあるものに限る。以下(９)において「国外営業所等」という。）を通じてその税額に相当する金銭をその国税の収納を行う税務署の職員の預金口座（国税の納付を受けるために開設されたものに限る。）に対して払込みをすることにより納付することができる。この場合において、その国税の納付は、当該国外納付者が当該金融機関の国外営業所等を通じて送金した日においてされたものとみなして、延納、物納及び附帯税に関する規定を適用する。（通法34⑤）

（国外納付者の納付書等の提出義務）

(10)　(９)に規定する国外納付者は、(９)の規定により国税を納付する場合には、国税局長又は税務署長に対し、納付書及び金融機関の(９)に規定する国外営業所等を通じて送金したことを証する書類（以下(10)において「納付書等」という。）の提出（当該納付書等の提出に代えて行う電子情報処理組織を使用する方法その他の情報通信の技術を利用する方法による当該納付書等に記載すべきこととされている事項の情報の提供を含む。）をしなければならない。（通規１の３⑥）

（口座振替納付に係る通知等）

(11)　税務署長は、預金又は貯金の払出しとその払い出した金銭による国税の納付をその預金口座又は貯金口座のある金融機関に委託して行おうとする納税者から、その納付に必要な事項の当該金融機関に対する通知で(９)で定めるものの依頼があった場合には、その納付が確実と認められ、かつ、その依頼を受けることが国税の徴収上有利と認められるときに限り、その依頼を受けることができる。（通法34の２①）

（口座振替納付に係る通知）

(12)　(11)に規定する(12)で定めるものは、次の(一)又は(二)のいずれかの方法による通知とする。（通規１の４）

(一)	納付書記載事項（国税を納付しようとする者の氏名又は名称、当該国税に係る税目及び税額その他の納付書に記載すべきこととされている事項をいう。以下同じ。）を記載した納付書又は納付書記載事項を記録した記録媒体を送付する方法

(二)	納付書記載事項に係る電磁的記録（**5**(18)に規定する電磁的記録をいう。同(2)及び第十四章**三15**①(1)において同じ。）を電子情報処理組織を使用して送信する方法

(口座振替納付に係る納付期限)

(13)　期限内申告書の提出により納付すべき税額の確定した国税でその提出期限と同時に納期限の到来するものが、(11)の通知に基づき、当該納付書が金融機関に到達した日から２取引日を経過した最初の取引日（災害その他やむを得ない理由によりその日までに納付することができないと税務署長が認める場合には、その承認する日）までに納付された場合には、その納付の日が納期限後である場合においても、その納付は納期限においてされたものとみなして延納及び延滞税に関する規定を適用する。(通法34の２②、通令７①)

(注)　上記の取引日とは、金融機関の休日以外の日をいう。(通令７②)

2　死亡の場合の確定申告による納付

第二節**三１**《確定申告書を提出すべき者等が死亡した場合の確定申告》①（同節**三２**《年の中途で死亡した場合の確定申告等》⑤において準用する場合を含む。）又は同節**三２**①の規定に該当してこれらの規定に規定する申告書を提出した者は、これらの申告書に記載した同節**二１**②(三)に掲げる確定所得申告に係る所得税額があるときは、これらの申告書の提出期限までに、当該金額に相当する所得税を国税通則法第５条《相続による国税の納付義務の承継》に定めるところにより国に納付しなければならない。(法129)

3　出国の場合の確定申告による納付

第二節**三３**《確定申告書を提出すべき者等が出国をする場合の確定申告》①又は同節**三４**《年の中途で出国をする場合の確定申告等》①の規定に該当してこれらの規定に規定する申告書を提出した居住者は、これらの申告書に記載した同節**二１**②(三)に掲げる確定所得申告に係る所得税額があるときは、これらの申告書の提出期限までに、当該金額に相当する所得税を国に納付しなければならない。(法130)

4　期限後申告、修正申告又は更正、決定による納付

次の(一)又は(二)の左欄に掲げる金額に相当する所得税の納税者は、その所得税を当該(一)又は(二)の右欄に定める日（延納に係る国税その他国税に関する法律に別段の納期限の定めがある国税については、当該法律に定める納期限）までに国に納付しなければならない。(通法35②)

(一)	期限後申告書の提出により納付すべきものとしてこれに記載した税額又は修正申告書に記載した第七節**一３**(二)に掲げる金額（その修正申告書の提出により納付すべき税額が新たにあることとなった場合には、当該納付すべき税額）	その期限後申告書又は修正申告書を提出した日
(二)	更正通知書に記載された第十二章**一５**②(三)イから同ハまでに掲げる金額（その更正により納付すべき税額が新たにあることとなった場合には、当該納付すべき税額）又は決定通知書に記載された納付すべき税額	その更正通知書又は決定通知書が発せられた日の翌日から起算して１か月を経過する日

(加算税の納付)

(1)　過少申告加算税、無申告加算税又は重加算税に係る賦課決定通知書を受けた者は、当該通知書に記載された金額の過少申告加算税、無申告加算税又は重加算税を当該通知書が発せられた日の翌日から起算して１か月を経過する日までに納付しなければならない。(通法35③)

(相続による国税の納付義務の承継)

(2)(一)　相続（包括遺贈を含む。以下同じ。）があった場合には、相続人（包括受遺者を含む。以下同じ。）又は民法第951条の法人は、その被相続人（包括遺贈者を含む。以下同じ。）に課されるべき、又はその被相続人が納付し、若しくは徴収されるべき国税（その滞納処分費を含む。以下同じ。）を納めるべき義務を承継する。この場合において、相続人が限定承認をしたときは、その相続人は、相続によって得た財産の限度においてのみその国税を納付する責に任ずる。(通法５①)

(二)　(一)の前段の場合において、相続人が２人以上あるときは、各相続人が(一)の前段の規定により承継する国税の額は、(一)の国税の額を民法第900条から第902条まで《法定相続分・代襲相続人の相続分・遺言による相続分の指定》の規定によるその相続分により按分して計算した額とする。（通法５②）

(三)　(二)の場合において、相続人のうち相続によって得た財産の価額が(二)の規定により計算した国税の額を超える者があるときは、その相続人は、その超える価額を限度として、他の相続人が(一)及び(二)の規定により承継する国税を納付する責に任ずる。（通法５③）

5　納付受託者に対する納付の委託

国税を納付しようとする者は、その税額が(注)１で定める金額以下である場合であって、次の(一)又は(二)のいずれかに該当するときは、納付受託者（(３)に規定する納付受託者をいう。以下において同じ。）に納付を委託することができる。（通法34の３①）

(一)	国税通則法第34条第１項《納付の手続》に規定する納付書で(注)２で定めるものに基づき納付しようとするとき。
(二)	電子情報処理組織を使用して行う納付受託者に対する通知で(注)３で定めるものに基づき納付しようとするとき。

(注)１　**5**に規定する(注)１で定める金額以下である場合は、次の(一)から(三)に掲げる場合とする。（通規２①）

(一)	**5**（(一)に係る部分に限る。）の規定により国税を納付しようとする金額が30万円以下である場合
(二)	**5**（(二)に係る部分に限る。）の規定により国税を納付しようとする金額が1,000万円未満であり、かつ、当該国税を納付しようとする者のクレジットカードによって決済することができる金額以下である場合
(三)	**5**（(二)に係る部分に限る。）の規定により国税を納付しようとする金額が30万円（税関長が課する国税を納付しようとする金額にあっては、100万円）以下であり、かつ、当該国税を納付しようとする者が使用する資金決済に関する法律第３条第５項《定義》に規定する第三者型前払式支払手段による取引その他これに類する為替取引（(注)３(二)において「第三者型前払式支払手段による取引等」という。）によって決済することができる金額以下である場合

２　**5**(一)に規定する(注)２で定めるものは、次の(一)及び(二)のいずれかに該当する納付書であり、かつ、バーコードの記載があるものとする。（通規２②）

(一)	国税局、税務署又は税関の職員から交付され、又は送付された納付書
(二)	**5**（(一)に係る部分に限る。）に規定する納付受託者により作成された納付書

３　**5**(二)に規定する(注)３で定めるものは、次の(一)及び(二)に掲げる場合の区分に応じ当該(一)又は(二)に定める事項の通知とする。（通規２③）

(一)	(注)１(二)に規定するクレジットカードを使用する方法により国税を納付する場合　次に掲げる事項 イ　納付書記載事項 ロ　当該クレジットカードの番号及び有効期限その他当該クレジットカードを使用する方法による決済に関し必要な事項
(二)	第三者型前払式支払手段による取引等により国税を納付する場合　次に掲げる事項 イ　納付書記載事項 ロ　当該第三者型前払式支払手段による取引等に係る業務を行う者の名称その他当該第三者型前払式支払手段による取引等による決済に関し必要な事項

（納付受託者に納付しようとする税額に相当する金銭を交付したとき）

（１）　次の(一)又は(二)に掲げるときは、当該(一)又は(二)に定める日に当該(一)又は(二)に規定する国税の納付があったものとみなして、延納、物納及び附帯税に関する規定を適用する。（通法34の３②）

(一)	国税を納付しようとする者が、**5**(一)の納付書を添えて、納付受託者に納付しようとする税額に相当する金銭の交付をしたとき　当該交付をした日
(二)	国税を納付しようとする者が**5**(二)の通知に基づき当該国税を納付しようとする場合において、納付受託者が当該国税を納付しようとする者の委託を受けたとき　当該委託を受けた日

（納付受託の手続）

（２）　納付受託者は、**5**（(一)に係る部分に限る。）の規定により国税を納付しようとする者の委託に基づき当該国税の額に相当する金銭の交付を受けたときは、これを受領し、当該国税を納付しようとする者に、払込金受領証を交付しなければならない。納付受託者は、**5**（(二)に係る部分に限る。）の規定により国税を納付しようとする者の委託を受けたときは、当該国税を納付しようとする者に、その旨を電子情報処理組織を使用して通知しなければならない。また、当該納付受託者は、それぞれこれらの規定に規定する委託を受けた国税に係る払込取扱票又は納付書記載事項に係る電磁的記録を保存しなければならない。（通規７①②③）

（納付受託者の納付事務）

（３）　国税の納付に関する事務（以下（３）及び(14)において「納付事務」という。）を適正かつ確実に実施することができると認められる者であり、かつ、(一)又は(二)で定める要件に該当する者として国税庁長官が指定するもの（以下「納付受託者」という。）は、国税を納付しようとする者の委託を受けて、納付事務を行うことができる。上記の規定による国税庁長官又は財務大臣の指定を受けようとする者は、その名称、住所又は事務所の所在地及び行政手続における特定の個人を識別するための番号の利用等に関する法律第２条第15項《定義》に規定する法人番号（同項に規定する法人番号を有しない者にあっては、その名称及び住所又は事務所の所在地）を記載した申出書を国税庁長官又は財務大臣に提出しなければならない。（通法34の４①、通令７の２、通規３、４①）

(一)	納付受託者（（３）規定する納付受託者をいう。(11)、(20)《権限の委任》及び第十二章**四２**⑦(注)《期限内申告書を提出する意思等があったと認められる場合》において同じ。）として納付事務（（３）に規定する納付事務をいう。(二)において同じ。）を行うことが国税の徴収の確保及び納税者の便益の増進に寄与すると認められること。
(二)	納付事務を適正かつ確実に遂行するに足りる経理的及び技術的な基礎を有するものとして次のイ又はロに掲げる者の区分に応じ当該イ又はロに定めるものであること。 イ　**5**（(一)に係る部分に限る。）に規定する納付受託者　公租公課又は公共料金（日本国内において供給される電気、ガス及び水道水その他これらに準ずるものに係る料金をいう。）の納付又は収納に関する事務処理の実績を有する者その他これらの者に準じて国税の納付に関する事務を適正かつ確実に遂行することができると認められる者であること。 ロ　**5**（(二)に係る部分に限る。）に規定する納付受託者　地方自治法第231条の２の３第１項《指定納付受託者》に規定する指定納付受託者として道府県税又は都税の納付に関する事務処理の実績を有する者その他これらの者に準じて国税の納付に関する事務を適正かつ確実に遂行することができると認められる者であること。

（定款、法人の登記事項証明書並びに最終の貸借対照表、損益計算書及び事業報告等の添付）

（４）　（３）の申出書には、定款、法人の登記事項証明書並びに最終の貸借対照表、損益計算書及び事業報告又はこれらに準ずるもの（以下（４）において「定款等」という。）を添付しなければならない。ただし、国税庁長官又は財務大臣が、インターネットにおいて識別するための文字、記号その他の符号又はこれらの結合をその使用に係る電子計算機に入力することによって、自動公衆送信装置（著作権法第２条第１項第９号の５イ（定義）に規定する自動公衆送信装置をいう。）に記録されている情報のうち定款等の内容を閲覧し、かつ、当該電子計算機に備えられたファイルに当該情報を記録することができる場合については、この限りでない。（通規４②）

（申出書の提出があった場合等の通知義務）

（５）　国税庁長官又は財務大臣は、（３）の申出書の提出があった場合において、その申出につき指定をしたときはその旨を、指定をしないこととしたときはその旨及びその理由を当該申出書を提出した者に通知しなければならない。（通規４③）

（納付受託者の指定）

（６）　国税庁長官又は財務大臣は、（３）の規定による指定をしたときは、納付受託者の名称、住所又は事務所の所在地その他国税庁長官又は財務大臣がこの規定による指定をした日を公示しなければならない。（通法34の４②、通規５）

（納付受託者の名称等の変更の届出）

（７）　納付受託者（（３）に規定する納付受託者をいう。以下同じ。）は、その名称、住所又は事務所の所在地を変更しようとするときは、（８）の規定により、変更しようとする日の前日から起算して60日前の日又はその変更を決定した日の翌日から起算して14日後の日のいずれか早い日までに、その旨を記載した届出書を国税庁長官又は財務大臣に提出しなければならない。（通規６）

（納付受託者の名称、住所又は事務所の所在地を変更）

（８）　納付受託者は、その名称、住所又は事務所の所在地を変更しようとするときは、あらかじめ、その旨を国税庁長官に届け出なければならない。（通法34の４③）

（届出に係る事項の公示）

（９）　国税庁長官は、（８）の規定による届出があったときは、当該届出に係る事項を公示しなければならない。（通法34の４④）

（納付受託者の納付）

(10)　納付受託者は、次の（一）又は（二）のいずれかに該当するときは、(11)で定める日までに当該（一）又は（二）に規定する委託を受けた国税を納付しなければならない。（通法34の５①）

（一）	**5**（（一）に係る部分に限る。）の規定により国税を納付しようとする者の委託に基づき当該国税の額に相当する金銭の交付を受けたとき。
（二）	**5**（（二）に係る部分に限る。）の規定により国税を納付しようとする者の委託を受けたとき。

（(10)に規定する(11)で定める日）

(11)　(10)に規定する(11)で定める日は、次の（一）及び（二）に掲げる区分に応じ、当該（一）及び（二）に定める日の翌日から起算して11取引日（（３）に規定する取引日をいう。以下同じ。）を経過した最初の取引日（災害その他やむを得ない理由によりその日までに納付することができないと国税庁長官が認める場合には、その承認する日）とする。（通令７の３）

（一）	納付受託者が（**5**（一）に係る部分に限る。）の規定により国税を納付しようとする者の委託に基づき当該国税の額に相当する金銭の交付を受けたとき　当該交付を受けた日
（二）	納付受託者が**5**（**5**（二）に係る部分に限る。）の規定により国税を納付しようとする者の委託を受けたとき　当該委託を受けた日

（国税を納付しようとする者の委託に基づき国税の額に相当する金銭の交付を受けたとき）

(12)　納付受託者は、次の（一）又は（二）のいずれかに該当するときは、遅滞なく、(13)で定めるところにより、その旨及び（一）の場合にあっては交付、（二）の場合にあっては委託を受けた年月日を国税庁長官に報告しなければならない。（通法34の５②）

（一）	**5**（（一）に係る部分に限る。）の規定により国税を納付しようとする者の委託に基づき当該国税の額に相当する金銭の交付を受けたとき。
（二）	**5**（（二）に係る部分に限る。）の規定により国税を納付しようとする者の委託を受けたとき。

（(12)の規定により、国税庁長官に報告しなければならない事項）

(13)　納付受託者は、(12)の規定により、次の（一）及び（二）に掲げる事項を国税庁長官又は財務大臣に報告しなければならない。（通規８）

<table>
<tr><td>（一）</td><td colspan="2">報告の対象となった期間並びに当該期間において5の規定により国税を納付しようとする者の委託を受けた件数、合計額及び納付年月日</td></tr>
<tr><td rowspan="3">（二）</td><td colspan="2">（一）の期間において受けた（一）の委託に係る次に掲げる事項</td></tr>
<tr><td>イ</td><td>納付書記載事項</td></tr>
<tr><td>ロ</td><td>国税を納付しようとする者から5（（一）に係る部分に限る。）の規定による委託に基づき金銭の交付を受け、又は5（（二）に係る部分に限る。）の規定により委託を受けた年月日</td></tr>
</table>

（(11)で定める日までに完納しないとき）

(14)　納付受託者が(10)の国税を(10)に規定する(11)で定める日までに完納しないときは、納付受託者の住所又は事務

所の所在地を管轄する税務署長は、国税の保証人に関する徴収の例によりその国税を納付受託者から徴収する。(通法34の５③)

(納税者からの不徴収となる場合)

(15)　税務署長は、(10)の規定により納付受託者が納付すべき国税については、当該納付受託者に対して国税通則法第40条《滞納処分》の規定による処分をしてもなお徴収すべき残余がある場合でなければ、その残余の額について当該国税に係る納税者から徴収することができない。(通法34の５④)

(納付受託者の帳簿保存等の義務)

(16)　納付受託者は、財務省令で定めるところにより、帳簿を備え付け、これに納付事務に関する事項を記載し、及びこれを保存しなければならない。(通法34の６①)

(報告すべき事項、報告の期限その他必要な事項を明示するものの報告)

(17)　国税庁長官又は財務大臣は、(３)から(21)までの規定を施行するため必要があると認めるときは、その必要な限度で、納付受託者に対し、報告を求めるときは、報告すべき事項、報告の期限その他必要な事項を明示するものを、納付受託者に対し、報告をさせることができる。(通法34の６②、通規９)

(職員の納付受託者の事務所へ立ち入り及び帳簿書類等の検査・質問)

(18)　国税庁長官は、(３)から(21)の規定を施行するため必要があると認めるときは、その必要な限度で、その職員に、納付受託者の事務所に立ち入り、納付受託者の帳簿書類（その作成又は保存に代えて電磁的記録（電子的方式、磁気的方式その他の人の知覚によっては認識することができない方式で作られる記録であって、電子計算機による情報処理の用に供されるものをいう。）の作成又は保存がされている場合における当該電磁的記録を含む。以下同じ。）その他必要な物件を検査させ、又は関係者に質問させることができる。

なお、上記の権限は、納付受託者の住所又は事務所の所在地を管轄する国税局長に委任するものとする。ただし、国税庁長官が自らその権限を行うことを妨げない。(通法34の６③、通令７の４)

(立入検査職員の身分を示す証明書を携帯及び提示)

(19)　(18)の規定により立入検査を行う職員は、その身分を示す証明書を携帯し、かつ、関係者の請求があるときは、これを提示しなければならない。(通法34の６④)

(立ち入り及び帳簿書類等の検査・質問の権限の範囲)

(20)　(18)に規定する権限は、犯罪捜査のために認められたものと解してはならない。(通法34の６⑤)

(立ち入り及び帳簿書類等の検査・質問の権限の範囲)

(21)　国税庁長官は、(18)に規定する権限を国税局長に委任することができる。(通法34の６⑥、通令７の４)

(納付受託者の指定の取消し)

(22)　国税庁長官は、(３)《納付受託者》の規定による指定を受けた者が次の(一)から(四)までのいずれかに該当するときは、その指定を取り消すことができる。(通法34の７①)

(一)	(３)に規定する指定の要件に該当しなくなったとき。
(二)	(11)《納付受託者の納付》又は(17)の規定による報告をせず、又は虚偽の報告をしたとき。
(三)	(16)の規定に違反して、帳簿を備え付けず、帳簿に記載せず、若しくは帳簿に虚偽の記載をし、又は帳簿を保存しなかったとき。
(四)	(18)の規定による立入り若しくは検査を拒み、妨げ、若しくは忌避し、又は(18)の規定による質問に対して陳述をせず、若しくは虚偽の陳述をしたとき。

(納付受託者の指定取消の通知)

(23)　国税庁長官又は財務大臣は、(22)《納付受託者の指定の取消し》の規定による指定の取消しをしたときは、その

旨及びその理由を当該指定の取消しを受けた者に通知しなければならない。（通規10）

（取り消した旨の公示）

(24)　国税庁長官は、(22)の規定により指定を取り消したときは、その旨を公示しなければならない。（通法34の７②）

第四節　延　　納

一　確定申告税額の延納

1　確定申告税額の延納

第二節**二 1**《確定所得申告》①の規定による申告書を提出した居住者が第三節**1**《確定申告による納付》の規定により納付すべき所得税の額（**二 2**《延払条件付譲渡に係る延納の手続等》①に規定する申請書を提出する場合には、当該所得税の額からその申請書に記載した同項の延納を求めようとする所得税の額を控除した額）の２分の１に相当する金額以上の所得税を第三節**1**の規定による納付の期限までに国に納付したときは、その者は、その残額についてその納付した年の５月31日までの期間、その納付を延期することができる。（法131①）

2　確定申告税額の延納の手続

1の規定は、**1**に規定する申告書を提出した居住者が、**1**に規定する納付の期限までに納税地の所轄税務署長に対し、第三節**1**《確定申告による納付》の規定により納付すべき税額、当該税額のうち当該期限までに納付する金額その他次の(一)から(三)までに掲げる事項を記載した延納届出書を提出した場合に限り、適用する。（法131②、規50）

(一)	延納届出書を提出する者の氏名及び住所（国内に住所がない場合には、居所）並びに住所地（国内に住所がない場合には、居所地）と納税地とが異なる場合には、その納税地
(二)	延納をしようとする所得税の額
(三)	その他参考となるべき事項

（注）　「延納届出書」の提出は、実務上は確定申告書の下部の「延納届出額」欄に所要の事項を記載することによって、その提出は省略できる。（編者注）

3　延納税額に対する利子税の納付

1の規定の適用を受ける居住者は、**1**の規定による延納に係る所得税の額に、その延納の期間の日数に応じ、年7.3％の割合を乗じて計算した金額に相当する利子税をその延納に係る所得税に併せて納付しなければならない。（法131③）（利子税額の端数計算…第十五章**五 1**及び同**2**参照。）

（注）1　**3**に規定する利子税の年7.3％の割合は、各年の利子税特例基準割合が年7.3％の割合に満たない場合には、その年中においては、当該利子税特例基準割合とする。（措法93①）

2　（注）1に規定する利子税特例基準割合とは、平均貸付割合（各年の前々年の９月から前年の８月までの各月における短期貸付けの平均利率（当該各月において銀行が新たに行った貸付け（貸付期間が１年未満のものに限る。）に係る利率の平均をいう。）の合計を12で除して計算した割合として各年の前年の11月30日までに財務大臣が告示する割合（令和６年は0.4％）をいう。以下同じ。）に年0.5％の割合を加算した割合をいう。（措法93②、令５財務省告示第289号）

二　延払条件付譲渡に係る所得税額の延納

1　延払条件付譲渡に係る所得税額の延納

税務署長は、居住者が山林所得又は譲渡所得の基因となる資産の②に定める**延払条件付譲渡**をした場合において、次の(一)から(三)までに掲げる要件のすべてを満たすときは、(一)に規定する申告書に係る第三節**1**《確定申告による納付》又は同節**2**《死亡の場合の確定申告による納付》の規定により納付すべき所得税の額（③の**延払条件付譲渡に係る税額**が当該所得税の額に満たない場合には、その延払条件付譲渡に係る税額）の全部又は一部につき、その者（その相続人を含む。）の申請により、５年以内の延納を許可することができる。（法132①）

(一)	その延払条件付譲渡をした日の属する年分の所得税に係る第二節**二 1**《確定所得申告》の規定による申告書（第二節**三 3**《確定申告書を提出すべき者等が出国をする場合の確定申告》の規定に該当して提出すべきものを除く。）又は第二節**三 2**《年の中途で死亡した場合の確定申告等》の規定による申告書をこれらの申告書の提出期限までに提出したこと。
(二)	延払条件付譲渡に係る税額が(一)に規定する申告書に記載された**確定所得申告に係る所得税額**（第二節**二 1**②(三)に掲げる所得税額をいう。以下同じ。）に掲げる所得税の額の２分の１に相当する金額を超えること。
(三)	延払条件付譲渡に係る税額が30万円を超えること。

①　担保の徴取

税務署長は、**1**の規定による延納の許可をする場合には、その延納に係る所得税の額に相当する担保を徴さなければならない。ただし、その延納に係る所得税につき、その額が100万円以下でその延納の期間が３年以下である場合又は当該期間が３月以下である場合は、この限りでない。（法132②）

②　延払条件付譲渡の意義

延払条件付譲渡とは、次の(一)から(三)までに掲げる要件に適合する条件を定めた契約に基づき当該条件により行われる譲渡をいう。（法132③、令265）

(一)	月賦、年賦その他の賦払の方法により３回以上に分割して対価の支払を受けること。
(二)	その譲渡の目的物の引渡しの期日の翌日から最後の賦払金の支払の期日までの期間が２年以上であること。
(三)	当該契約において定められているその譲渡の目的物の引渡しの期日までに支払の期日の到来する賦払金の額の合計額がその譲渡の対価の額の３分の２以下となっていること

（延払条件付譲渡に係る譲渡に含まれるもの）

注　②に規定する譲渡には、借地権の設定等の行為で資産の譲渡とみなされる行為が含まれるものとする。（基通132－1）

③　延払条件付譲渡に係る税額

延払条件付譲渡に係る税額とは、**1**(一)に規定する申告書に記載された確定所得申告に係る所得税額のうち、その延払条件付譲渡に係る契約において定められている支払の期日が譲渡の日の属する年の翌年以後に到来する延払条件付譲渡に係る賦払金の額（譲渡の日の属する年において既に支払を受けたものを除く。）の合計額に対応する山林所得の金額又は譲渡所得の金額に係る部分の金額として次の(一)に掲げる金額から(二)に掲げる金額を控除して計算した金額をいう。（法132④、令266①）

<table>
<tr><td>(一)</td><td colspan="2">1(一)に規定する申告書に記載された確定所得申告に係る所得税額</td></tr>
<tr><td rowspan="2">(二)</td><td colspan="2">(一)に規定する申告書に記載された第二節二 1②(一)に掲げる課税総所得金額、課税退職所得金額及び課税山林所得金額から、これらの金額の計算の基礎となった譲渡所得の金額（第四章第八節二 1(二)《譲渡所得の金額》に掲げる所得に係る部分については、その金額の２分の１に相当する金額）又は山林所得の金額に、イに掲げる金額のうちにロに掲げる金額の占める割合を乗じて計算した金額を控除した金額につき第九章第一節及び同章第二節一から同節三まで《税額の計算》の規定に準じて計算した所得税の額</td></tr>
<tr><td>イ</td><td>当該課税総所得金額又は課税山林所得金額の計算の基礎となった譲渡所得又は山林所得に係る総収入金額</td></tr>
</table>

ロ	上記本文に規定する賦払金の額の合計額

（注）　次のそれぞれの規定の適用がある場合における③、（１）、４（１）の規定の適用については、③、（１）、４（１）中の下線部は、それぞれ次のように読み替えられる。（措令４の２⑨、20⑤、21⑦、25の８⑯、25の９⑬、25の11の２⑳、25の12の３㉔、措令26の23⑥、26の26⑪による令266①の読替え）（編者注））

適用がある規定	読替え前	読替え後
第四章第二節五１③《上場株式等に係る配当所得等の課税の特例》の規定の適用がある場合	課税総所得金額	課税総所得金額、上場株式等に係る課税配当所得等の金額
	の規定に準じて	及び第四章第二節五１③《上場株式等に係る配当所得等の課税の特例》の規定に準じて
第五章第二節一１《長期譲渡所得の課税の特例》の規定の適用がある場合	課税総所得金額	課税総所得金額、課税長期譲渡所得金額
	２分の１に相当する金額	２分の１に相当する金額とし、長期譲渡所得の金額については、特別控除後の長期譲渡所得の金額とする。
	の規定に準じて	及び第五章第二節一１《長期譲渡所得の課税の特例》①の規定に準じて
	とがあるときは、それぞれ	及び第五章第二節一１《長期譲渡所得の課税の特例》①の規定の適用がある部分とがあるときは、これらのそれぞれ
第五章第二節二①《短期譲渡所得の課税の特例》（同③において準用する場合を含む。）の規定の適用がある場合	課税総所得金額	課税総所得金額、課税短期譲渡所得金額
	２分の１に相当する金額	２分の１に相当する金額とし、短期譲渡所得の金額については、特別控除後の短期譲渡所得の金額とする。
	の規定に準じて	及び第五章第二節二①《短期譲渡所得の課税の特例》の規定に準じて
	とがあるときは、それぞれ	及び第五章第二節二①の規定の適用がある部分とがあるときは、これらのそれぞれ
第五章第三節二１①《一般株式等に係る譲渡所得等の課税の特例》の規定の適用がある場合	課税総所得金額	課税総所得金額、一般株式等に係る課税譲渡所得等の金額
	の規定に準じて	及び第五章第三節二１①《一般株式等に係る譲渡所得等の課税の特例》の規定に準じて
第五章第三節三１①《上場株式等に係る譲渡所得等の課税の特例》の規定の適用がある場合	課税総所得金額	課税総所得金額、上場株式等に係る課税譲渡所得等の金額
	の規定に準じて	及び第五章第三節三１①《上場株式等に係る譲渡所得等の課税の特例》の規定に準じて
第四章第二節五１③若しくは第五章第三節三１①《上場株式等に係る譲渡損失の損益通算及び繰越控除》の規定	課税総所得金額	課税総所得金額、上場株式等に係る課税配当所得等の金額、上場株式等に係る課税譲渡所得等の金額
	の規定に準じて	並びに第四章第二節五１③《上場株式等に係る配当所得等の課税の特例》及び第五章第三節三１①《上場株式等に係る譲渡所得等の課税の特例》の規定に準じて
第五章第三節二１①又は第五章第三節三１①の規定の適用があり、かつ、第五章第三節十四２①若しくは同②の規定の適用がある場合又は同③において準用する第五章第三節十３②（２）の規定の適用がある場合	課税総所得金額	課税総所得金額、一般株式等に係る課税譲渡所得等の金額、上場株式等に係る課税譲渡所得等の金額
	の規定に準じて	並びに第五章第三節二１①《一般株式等に係る譲渡所得等の課税の特例》及び第五章第三節三１①《上場株式等に係る譲渡所得等の課税の特例》の規定に準じて
第五章第四節一１《先物取引に係る雑所得等の金額の計算等》の規定の適用がある場合	課税総所得金額	課税総所得金額、先物取引に係る課税雑所得等の金額
	の規定に準じて	及び第五章第四節一１《先物取引に係る雑所得等の課税の特例》の規定に準じて
第五章第四節一１の規定の適用があり、かつ、第五章第四節二１の規定の適用がある場合又は第五章第四節二３（５）の規定の適用がある場合	課税総所得金額	課税総所得金額、先物取引に係る課税雑所得等の金額
	の規定に準じて	及び第五章第四節一１《先物取引に係る雑所得等の課税の特例》の規定に準じて

（③（二）又は４（１）（二）に掲げる所得税の額を計算する場合におけるこれらの規定に定める控除）

（１）　③（二）又は４（１）（二）に掲げる所得税の額を計算する場合におけるこれらの規定に定める控除については、次に定めるところによる。（令266③）

(一)	その年分の譲渡所得の金額のうちに第四章第八節**二 1**(一)に掲げる所得に係る部分と同(二)に掲げる所得に係る部分とがあるときは、それぞれにつき③(二)又は**4**(1)(二)の規定を適用して控除すべき金額を計算する。
(二)	控除すべき譲渡所得に係る金額は、課税総所得金額、課税山林所得金額又は課税退職所得金額から順次控除する。
(三)	控除すべき山林所得に係る金額は、課税山林所得金額、課税総所得金額又は課税退職所得金額から順次控除する。
(四)	③(二)又は**4**(1)(二)に規定する割合は、小数点以下2位まで算出し、3位以下を切り上げたところによる。

(注)　上記(1)の下線部分については、③と同様、租税特別措置法施行令による読替えがある。(編者注)

(確定所得申告に係る所得税額(第二節**二 1**②(三)))－(翌年以後に支払期の到来する賦払金に対応する所得(A)がなかったものとして計算したその年分の所得税額)＝(延払条件付譲渡に係る所得税の額)

(A)＝(その年分の譲渡所得の金額又は山林所得の金額)×(翌年以後に支払期の到来する賦払金の額)／(その年分の譲渡所得又は山林所得の総収入金額)(小数点3位以下切上げ)

(注)　この(A)の金額は、譲渡所得の場合は総合長期・短期、分離長期・短期の4種類に区分して計算する。

2　延払条件付譲渡に係る所得税額の延納の手続等

①　延納許可申請書の提出

延納の許可を申請しようとする居住者は、その延納を求めようとする所得税に係る第三節**1**又は同節**2**に規定する納付の期限までに、延納を求めようとする所得税の額及び期間（2回以上に分割して納付しようとする場合には、各分納税額ごとに延納を求めようとする期間及びその額）その他次の(一)から(六)までに掲げる事項を記載した申請書に担保の提供に関する書類を添付し、これを納税地の所轄税務署長に提出しなければならない。(法133①、規51)

(一)	申請書を提出する者の氏名及び住所（国内に住所がない場合には、居所）並びに住所地（国内に住所がない場合には、居所地）と納税地とが異なる場合には、その納税地
(二)	第三節**1**又は同節**2**の規定により納付すべき所得税の額（延払条件付譲渡に係る税額が当該所得税の額に満たない場合には、その延払条件付譲渡に係る税額）
(三)	(二)の延払条件付譲渡に係る税額の計算に関する明細
(四)	(一)の申請書を提出する者に係る**1**の各号に掲げる要件の全てに該当する事実及び当該申請書に係る**1**に規定する延払条件付譲渡が**1**②に掲げる条件に該当する事実
(五)	**1**①の規定により担保を提供する場合には、その担保の種類並びにその担保として提供する財産の内容、数量、価額及びその所在場所（その担保が保証人の保証である場合には、その保証人の氏名又は名称及び住所若しくは居所又は本店若しくは主たる事務所の所在地）
(六)	その他参考となるべき事項

②　税務署長の処理

税務署長は、①の申請書の提出があった場合には、その提出をした居住者及びその申請に係る事項について**1**(一)から同(三)までに掲げる要件を満たすかどうか、その申請書に記載された延納に係る所得税の額若しくは延納の期間又は各分納税額に係る延納の期間若しくはその額が**1**に規定する延払条件付譲渡に係る契約において定められている賦払金の支払の期日及びその賦払金の額に照らし相当であるかどうかその他必要な事項を調査し、その調査したところにより、その申請に係る所得税の額の全部若しくは一部につきその申請に係る条件若しくはこれを変更した条件により延納の許可をし、又はその申請を却下する。(法133②)

(担保の変更)

(1)　税務署長は、②の延納の許可をする場合において、その申請をした居住者の提供しようとする担保が適当でないと認めるときは、その変更を求めることができる。この場合において、その者がその変更の求めに応じなかったときはその申請を却下することができる。(法133③)

（申請に対する処分の通知）

(2)　税務署長は、①の申請に係る延納の許可又は却下の処分をするときは、その申請をした居住者に対し、書面により、その延納の許可に係る所得税の額及び延納の条件又は却下の旨及びその理由を通知する。（法133④）

（申請があった場合の徴収猶予）

(3)　税務署長は、①の申請書の提出があった場合において、相当の理由があると認めるときは、その申請に係る所得税の額の全部又は一部の徴収を猶予することができる。（法133⑤）

（物上保証人等の保証を国税の担保として徴する場合の取扱いについて）

(4)　国税に関する法律の規定に基づき、納税者から国税の担保を徴する場合（増担保の徴取及び担保の変更をする場合を含む。以下同じ。）において、その担保が第三者の所有財産又は保証人の保証であるときは、その第三者又は保証人（以下「物上保証人等」という。）が納税者とともに出署して、担保を提供するために必要な手続をしたこと等により、担保を提供する意思が明らかに認められる場合を除き、納税者及び物上保証人等に対して、下記によりその担保財産の提供又は保証が真実であることを確認したうえ、担保を徴することに取り扱われたい。

なお、担保として提供された財産につき、根抵当権変更の登記を嘱託する場合において、登記上利害関係を有する第三者があるため、不動産登記法第56条〈権利変更登記の申請〉（現行　不動産登記法第66条）の規定により、納税者から、その第三者の承諾書の提出を受けたときにおいても、その第三者に対してはこれに準じて確認されたい。

おって、既に物上保証人等の財産又は保証を国税の担保として徴しているもののうち、この確認をする必要があると認められるものについても同様とする。（昭42徴徴２－９（例規）ほか５課共同、編者補正）

（理由）担保を徴するに当たって、物上保証人等がした担保財産の提供又は保証が真実であることを確認しておくことにより、担保の提供につき、後日、実印の盗用等を理由とする争いが生ずることのないようにするためである。

記

(一)　確認する事項

イ　物上保証人等が、納税者の国税の担保として、その財産の提供又は保証をすることにつき、納税者に対して承諾を与えていること。この場合において、担保する国税（附帯税を含む。）の額についても承諾を与えていること。

ロ　担保提供書、抵当権設定登記承諾書、納税保証書、委任状、供託書正本等の担保を提供するために必要な書類が、納税者から提出されたものであるときは、これらの書類は真正に成立（作成名義人による作成）したものであること。この場合において、これらの書類のうち、物上保証人等が作成すべき又は関係機関（市町村等。以下同じ。）から交付を受けるべき書類を、納税者が作成し、又は関係機関から交付を受けて提出したものであるときは、納税者が物上保証人等から書類の作成等につき委任を受けていること。

ハ　ロに掲げる書類が納税者以外の者から提出されたものであるときは、これらの書類は、納税者以外の者が、納税者から委任を受けて提出したものであること。この場合においても、これらの書類が真正に成立したものであることの確認を必要とするのであるから、留意すること。

(二)　確認の方法……省略。

3　延払条件付譲渡に係る所得税額の延納条件の変更

①　延納条件の変更の申請

延納の許可を受けた居住者は、延払条件付譲渡に係る契約において定められている賦払金の支払の期日の変更その他の事由が生じたことにより当該許可に係る延納の条件について変更を求めようとする場合には、その変更を求めようとする条件その他次の(一)から(四)までに掲げる事項を記載した申請書を納税地の所轄税務署長に提出することができる。（法134①、規52）

(一)	申請書を提出する者の氏名及び住所（国内に住所がない場合には、居所）並びに住所地（国内に住所がない場合には、居所地）と納税地とが異なる場合には、その納税地
(二)	延納の条件の変更を求めようとする理由
(三)	**1**により延納の許可を受けた所得税の額及び期間（２回以上に分割して納付する場合には、各分納税額に係る延納の期間及びその額）

(四)	その他参考となるべき事項

② **延納条件の変更申請に対する税務署長の処理と通知**

2②《税務署長の処理》及び同②(２)《申請に対する処分の通知》の規定は、①の申請書の提出があった場合について準用する。(法134②)

③ **税務署長の職権による延納条件の変更**

税務署長は、延払条件付譲渡に係る契約において定められている賦払金の支払の期日の変更、その支払の期日前における当該賦払金の支払その他の事由が生じたことにより当該許可に係る延納の条件を変更する必要があると認める場合には、延納の期間の短縮その他延納の条件の変更をすることができる。この場合においては、国税通則法第49条第２項及び第３項《納税の猶予の取消し等の場合の弁明の聴取及び通知》の規定を準用する。(法134③)

4 延払条件付譲渡に係る所得税額の延納の取消し

税務署長は、延払条件付譲渡に係る所得税額の延納の許可を受けた居住者が次の(一)から(四)までに掲げる場合に該当することとなったときは、その延納の許可を取り消すことができる。(法135①、令266②)

(一)	その延納に係る所得税の額（その所得税の額に係る**5**の規定による利子税及び延滞税に相当する額を含む。）を滞納し、その他延納の条件に違反したとき。
(二)	その者が提出した**1**(一)に規定する申告書に係る所得税につき修正申告書の提出又は更正があった場合において、その申告又は更正があった後における第十章第二節**二 1**②(三)《確定所得申告に係る所得税額》に掲げる所得税の額（以下(二)において「修正後の年税額」という。）を基礎として**1**③に規定する延払条件付譲渡に係る税額の計算に準じて(１)で定めるところにより計算した金額が、修正後の年税額の２分の１に相当する金額以下となり、又は30万円以下となったとき。
(三)	その延納に係る担保につき国税通則法第51条第１項《担保の変更等》の規定による命令に応じなかったとき。
(四)	その延納に係る担保物につき国税通則法第２条第10号《定義》に規定する強制換価手続が開始されたとき。

（**4**(二)に規定する(１)で定めるところにより計算した金額）

(１)　**4**(二)《延払条件付譲渡に係る所得税額の延納の取消し》に規定する(１)で定めるところにより計算した金額は、(一)に掲げる金額から(二)に掲げる金額を控除した金額とする。(令266②)

<table>
<tr><td>(一)</td><td colspan="2">4(二)に規定する修正後の年税額</td></tr>
<tr><td rowspan="3">(二)</td><td colspan="2">4(二)に規定する申告又は更正があった後におけるその年分の<u>課税総所得金額</u>、課税退職所得金額及び課税山林所得金額から、これらの金額の計算の基礎となった譲渡所得の金額（第四章第八節二 1(二)に掲げる所得に係る部分については、その金額の<u>２分の１に相当する金額</u>）又は山林所得の金額に、イに掲げる金額のうちにロに掲げる金額の占める割合を乗じて計算した金額を控除した金額につき第九章第一節及び同章第二節一から同節三まで<u>の規定に準じて</u>計算した所得税の額</td></tr>
<tr><td>イ</td><td>当該<u>課税総所得金額</u>又は課税山林所得金額の計算の基礎となった譲渡所得又は山林所得に係る総収入金額</td></tr>
<tr><td>ロ</td><td>当該申告又は更正があった後における1③に規定する賦払金の額の合計額</td></tr>
</table>

(注)１　(１)の下線部分については、**1**③と同様、租税特別措置法施行令による読替えがある。(編者注)

２　(１)(二)に掲げる所得税の額を計算する場合におけるこれらの規定に定める控除については、**1**③(１)（令266③）参照。(編者注)

（国税通則法の適用）

(２)　国税通則法第49条第２項《納税の猶予の取消し等の場合の弁明の聴取》の規定は、上記(一)又は同(三)の規定により延納の許可を取り消す場合について準用する。(法135②)

（取消処分の通知）

（3）　税務署長は、**4**の規定により延納の許可を取り消す場合には、当該延納の許可を受けた居住者に対し、書面によりその旨及びその理由を通知する。（法135③）

5　延払条件付譲渡に係る所得税額の延納に係る利子税

①　延納税額に係る利子税

延納の許可を受けた居住者は、次の(一)から(三)に掲げる場合の区分に応じ当該(一)から(三)に掲げる金額に相当する利子税を、当該(一)から(三)に規定する納付すべき分納税額（(三)の場合にあっては、(三)に規定する延納税額）に相当する所得税にあわせて納付しなければならない。（法136①）

(一)	その延納の許可に係る所得税の額（以下「延納税額」という。）のうちに分納税額がある場合において、第１回に納付すべき分納税額を納付するとき　　延納税額を基礎とし、その延納税額に係る第三節**1**《確定申告による納付》又は同節**2**《死亡の場合の確定申告による納付》の規定による納付の期限の翌日から当該分納税額の延納に係る納期限までの日数に応じ、年7.3％の割合を乗じて計算した金額
(二)	延納税額のうちに分納税額がある場合において、第２回以後に納付すべき分納税額を納付するとき　　延納税額から前回までの分納税額の合計額を控除した所得税の額を基礎とし、前回の分納税額の延納に係る納期限の翌日からその回の分納税額の延納に係る納期限までの日数に応じ、年7.3％の割合を乗じて計算した金額
(三)	(一)及び(二)に掲げる場合以外の場合　　延納税額を基礎とし、その延納税額に係る第三節**1**又は**2**の規定による納付の期限の翌日から当該延納税額の延納に係る納期限までの日数に応じ、年7.3％の割合を乗じて計算した金額

（注）1　①に規定する利子税の年7.3％の割合は、各年の利子税特例基準割合が年7.3％の割合に満たない場合には、その年中においては、当該利子税特例基準割合とする。（措法93①）

2　（注）1に規定する利子税特例基準割合とは、平均貸付割合（各年の前々年の９月から前年の８月までの各月における短期貸付けの平均利率（当該各月において銀行が新たに行った貸付け（貸付期間が１年未満のものに限る。）に係る利率の平均をいう。）の合計を12で除して計算した割合として各年の前年の11月30日までに財務大臣が告示する割合（令和６年は0.4％）をいう。以下同じ。）に年0.5％の割合を加算した割合をいう。（措法93②、令５財務省告示第289号）

②　収用交換等の5,000万円控除の適用を受けた譲渡所得等に対応する延納利子税の免除……第五章第二節七5（措法33の4⑦）参照。

③　延納の許可の取消しを受けた場合の利子税の計算期間

延納の許可を受けた居住者が**4**①の規定によりその許可を取り消された場合には、その者については、その取消しがあった時以後に納付すべきであった分納税額の合計額又は延納税額をその取消しがあった時に延納に係る納期限が到来した分納税額又は延納税額とみなして、①の規定を適用する。（法136②）

6　延納税額に係る延滞税の特例

延納の許可があった場合における所得税に係る延滞税については、その所得税の額のうち**5**①(一)に規定する延納税額とその他のものとに区分し、当該延納税額のうちに分納税額があるときは更に各分納税額ごとに区分して、それぞれの税額ごとに国税通則法の延滞税に関する規定を適用する。（法137）

第五節　納税の猶予

一　納税の猶予

1　納税の猶予の要件等

①　震災、風水害、落雷、火災その他これらに類する災害により納税者がその財産につき相当な損失を受けた場合

税務署長（国税通則法43条第１項ただし書、第４項若しくは第４項《国税の徴収の所轄庁》又は同法第44条第１項《更生手続等が開始した場合の徴収の所轄庁の特例》の規定により税関長又は国税局長が国税の徴収を行う場合には、その税関長又は国税局長。以下第五節において「**税務署長等**」という。）は、震災、風水害、落雷、火災その他これらに類する災害により納税者がその財産につき相当な損失を受けた場合において、その者がその損失を受けた日以後１年以内に納付すべき国税で次の(一)から(三)までに掲げるものがあるときは、(１)で定めるところにより、その災害のやんだ日から２月以内にされたその者の申請に基づき、その納期限（納税の告知がされていない源泉徴収等による国税については、その法定納期限）から１年以内の期間（(三)に掲げる国税については、(２)で定める期間）を限り、その国税の全部又は一部の納税を猶予することができる。（通法46①）

(一)	次に掲げる国税の区分に応じ、それぞれ次に定める日以前に納税義務の成立した国税（消費税及び(３)で定めるものを除く。）で、納期限（納税の告知がされていない源泉徴収等による国税については、その法定納期限）がその損失を受けた日以後に到来するもののうち、その申請の日以前に納付すべき税額の確定したもの イ　源泉徴収等による国税並びに申告納税方式による消費税等（保税地域からの引取りに係るものにあっては、石油石炭税法第17条第３項《引取りに係る原油等についての石油石炭税の納付等》の規定により納付すべき石油石炭税に限る。）、航空機燃料税、電源開発促進税及び印紙税　　その災害のやんだ日の属する月の末日 ロ　イに掲げる国税以外の国税　　その災害のやんだ日
(二)	その災害のやんだ日以前に課税期間が経過した課税資産の譲渡等に係る消費税でその納期限がその損失を受けた日以後に到来するもののうちその申請の日以前に納付すべき税額の確定したもの
(三)	予定納税に係る所得税その他(４)で定める国税でその納期限がその損失を受けた日以後に到来するもの

（納税の猶予の期間）

(１)　国税局長、税務署長又は税関長は、①の規定による納税の猶予の申請があった場合には、その申請をした納税者の財産のうちその申請の基因となった災害により被害のあった財産の損失の状況及び当該財産の種類を勘案して、その猶予期間を定めるものとする。（通令13①）

（(２)で定める期間）

(２)　①に規定する(２)で定める期間は、次に掲げる国税の区分に応じ当該各号に定める期間以内の期間とする。（通令13②）

(一)	予定納税に係る所得税　　その年分の所得税に係る第二章第一節**41**《定義》に規定する確定申告期限までの期間
(二)	(４)(一)に掲げる法人税　　その事業年度の法人税法第74条第１項《確定申告》、第89条《退職年金等積立金に係る確定申告》（同法第145条の５《外国法人に対する準用》において準用する場合を含む。）若しくは第144条の６第１項若しくは第２項《確定申告》の規定による申告書の提出期限又はその連結事業年度の同法第81条の22第１項《連結確定申告》の規定による申告書の提出期限までの期間
(三)	(４)(二)に掲げる地方法人税　　その課税事業年度の地方法人税法第19条第１項又は第６項《確定申告》の規定による申告書の提出期限までの期間
(四)	(４)(三)に掲げる消費税　　その課税期間の消費税法第45条第１項《課税資産の譲渡等及び特定課税仕入れについての確定申告》の規定による申告書の提出期限までの期間

（注）　上記～～下線部については、国税通則法施行令の一部を改正する政令（令和５年政令第210号）により、令和６年４月１日以後、（二）中「外国法人に対する準用」を「申告及び納付」に改める。（同法附則）

（納税の猶予の特例となる国税）

（3）　①(一)に規定する（3）で定める国税は、次の(一)から(四)までに掲げる国税とする。（通令14①）

(一)	自動車重量税（①の申請の日以前に納税の告知がされたものを除く。）
(二)	国際観光旅客税法第18条第１項《国際観光旅客等による納付》の規定により納付すべき国際観光旅客税（①の申請の日以前に納税の告知がされたものを除く。）
(三)	国税通則法第15条第３項第５号《納税義務の成立及びその納付すべき税額の確定》に掲げる印紙税
(四)	登録免許税（①の申請の日以前に納税の告知がされたもの及び登録免許税法第24条第１項《免許等の場合の納付の特例》に規定する登録免許税を除く。）

（（4）で定める国税）

（4）　①(三)に規定する（4）で定める国税は、次の(一)から(三)までに掲げる国税とする。（通令14②）

(一)	法人税法第２条第30号、第31号の２若しくは第33号《定義》に規定する中間申告書、連結中間申告書若しくは退職年金等積立金中間申告書の提出又は当該申告書の提出がなかったことによる決定により納付すべき法人税及び当該法人税に係る修正申告書の提出又は更正により納付すべき法人税
(二)	地方法人税法第２条第15号《定義》に規定する地方法人税中間申告書若しくは同法第16条第10項《中間申告》の規定による申告書の提出又は当該申告書の提出がなかったことによる決定により納付すべき地方法人税及び当該地方法人税に係る修正申告書の提出又は更正により納付すべき地方法人税
(三)	消費税法第42条第１項、第４項又は第６項《課税資産の譲渡等及び特定課税仕入れについての中間申告》の規定による申告書の提出により納付すべき消費税及び当該消費税に係る修正申告書の提出又は更正により納付すべき消費税

②　前項の規定の適用を受ける場合以外の場合

税務署長等は、次の(一)から(五)までのいずれかに該当する事実がある場合（①の規定の適用を受ける場合を除く。）において、その該当する事実に基づき、納税者がその国税を一時に納付することができないと認められるときは、その納付することができないと認められる金額を限度として、納税者の申請に基づき、１年以内の期間を限り、その納税を猶予することができる。①の規定による納税の猶予をした場合において、①の災害を受けたことにより、その猶予期間内に猶予をした金額を納付することができないと認めるときも、同様とする。（通法46②）

(一)	納税者がその財産につき、震災、風水害、落雷、火災その他の災害を受け、又は盗難にかかったこと。
(二)	納税者又はその者と生計を一にする親族が病気にかかり、又は負傷したこと。
(三)	納税者がその事業を廃止し、又は休止したこと。
(四)	納税者がその事業につき著しい損失を受けたこと。
(五)	(一)から(四)のいずれかに該当する事実に類する事実があったこと。

③　税額に相当する国税を一時に納付することができない理由があると認められる場合

税務署長等は、次の(一)から(三)までに掲げる国税（延納に係る国税を除く。）の納税者につき、当該(一)から(三)までに定める税額に相当する国税を一時に納付することができない理由があると認められる場合には、その納付することができないと認められる金額を限度として、その国税の納期限内にされたその者の申請（税務署長等においてやむを得ない理由があると認める場合には、その国税の納期限後にされた申請を含む。）に基づき、その納期限から１年以内の期間を限り、その納税を猶予することができる。（通法46③）

(一)	申告納税方式による国税（その附帯税を含む。）　　その法定申告期限から１年を経過した日以後に納付すべき税額が確定した場合における当該確定した部分の税額

(二)	賦課課税方式による国税（その延滞税を含み、第十二章**四5**《加算税の税目》に規定する加算税及び過怠税を除く。）　その課税標準申告書の提出期限（当該申告書の提出を要しない国税については、その納税義務の成立の日）から１年を経過した日以後に納付すべき税額が確定した場合における当該確定した部分の税額
(三)	源泉徴収等による国税（その附帯税を含む。）　その法定納期限から１年を経過した日以後に納税告知書の送達があった場合における当該告知書に記載された納付すべき税額

④　納税猶予期間内の分割納付

税務署長等は、②及び③の規定による納税の猶予をする場合には、その猶予に係る国税の納付については、その猶予をする期間内において、その猶予に係る金額をその者の財産の状況その他の事情からみて合理的かつ妥当なものに分割して納付させることができる。この場合においては、分割納付の各納付期限及び各納付期限ごとの納付金額を定めるものとする。（通法46④）

⑤　担　保

税務署長等は、②又は③の規定による納税の猶予をする場合には、その猶予に係る金額に相当する担保を徴さなければならない。ただし、その猶予に係る税額が100万円以下である場合、その猶予の期間が３月以内である場合又は担保を徴することができない特別の事情がある場合は、この限りでない。（通法46⑤）

⑥　滞納処分により差し押さえた財産がある場合の担保の額

税務署長等は、⑤の規定により担保を徴する場合において、その猶予に係る国税につき滞納処分により差し押さえた財産（租税条約等（租税条約等の実施に伴う所得税法、法人税法及び地方税法の特例等に関する法律第２条第２号《定義》に規定する租税条約等をいう。以下⑥において同じ。）の規定に基づき当該租税条約等の相手国等（同法第２条第３号に規定する相手国等をいう。以下同じ。）に共助対象国税（同法第11条の２第１項《国税の徴収の共助》に規定する共助対象国税をいう。以下⑥において同じ。）の徴収の共助又は徴収のための財産の保全の共助を要請した場合における当該相手国等が当該共助対象国税について当該相手国等の法令に基づき差押えに相当する処分をした財産及び担保の提供を受けた財産を含む。）があるときは、その担保の額は、その猶予をする金額からその財産の価額を控除した額を限度とする。（通法46⑥）

⑦　納税猶予期間の延長

税務署長等は、②又は③の規定により納税の猶予をした場合において、その猶予をした期間内にその猶予をした金額を納付することができないやむを得ない理由があると認めるときは、納税者の申請に基づき、その期間を延長することができる。ただし、その期間は、既にその者につきこれらの規定により納税の猶予をした期間とあわせて２年を超えることができない。（通法46⑦）

⑧　延長された納税猶予期間内の分割納付

④の規定は、税務署長等が、⑦の規定により②又は③の規定による納税の猶予をした期間を延長する場合について準用する。（通法46⑧）

⑨　納付金額の変更

税務署長等は、④（⑧において準用する場合を含む。）の規定によりその猶予に係る金額を分割して納付させる場合において、納税者が**3**①《納税の猶予の通知等》の規定により通知された分割納付の各納付期限ごとの納付金額をその納付期限までに納付することができないことにつきやむを得ない理由があると認めるとき又は**5**①《納税の猶予の取消し》の規定により猶予期間を短縮したときは、その分割納付の各納付期限及び各納付期限ごとの納付金額を変更することができる。（通法46⑨）

2　納税の猶予の申請手続等

①　1①の規定による納税の猶予の申請をする場合

1①の規定による納税の猶予の申請をしようとする者は、同①の災害によりその者がその財産につき相当な損失を受けたことの事実の詳細、当該猶予を受けようとする金額及びその期間その他の政令（通令15の２①）で定める事項を記載し

た申請書に、当該事実を証するに足りる書類を添付し、これを税務署長等に提出しなければならない。(通法46の２①)

② １②の規定による納税の猶予の申請をしようとする場合

1②の規定による納税の猶予の申請をしようとする者は、同②(一)から(五)のいずれかに該当する事実があること及びその該当する事実に基づきその国税を一時に納付することができない事情の詳細、当該猶予を受けようとする金額及びその期間、分割納付の方法により納付を行うかどうか（分割納付の方法により納付を行う場合にあっては、分割納付の各納付期限及び各納付期限ごとの納付金額を含む。）その他の政令（通令15の２②）で定める事項を記載した申請書に、当該該当する事実を証するに足りる書類、財産目録、担保の提供に関する書類その他の政令（通令15の２③）で定める書類を添付し、これを税務署長等に提出しなければならない。(通法46の２②)

③ １③の規定による納税の猶予の申請をしようとする場合

1③の規定による納税の猶予の申請をしようとする者は、同③(一)から(三)に定める税額に相当する国税を一時に納付することができない事情の詳細、当該猶予を受けようとする金額及びその期間、分割納付の方法により納付を行うかどうか（分割納付の方法により納付を行う場合にあっては、分割納付の各納付期限及び各納付期限ごとの納付金額を含む。）その他の政令（通令15の２④）で定める事項を記載した申請書に、財産目録、担保の提供に関する書類その他の政令（通令15の２⑤）で定める書類を添付し、これを税務署長等に提出しなければならない。(通法46の２③)

④ １⑦の規定による猶予の期間の延長を申請しようとする場合

1⑦の規定による猶予の期間の延長を申請しようとする者は、猶予期間内にその猶予を受けた金額を納付することができないやむを得ない理由、猶予期間の延長を受けようとする期間、分割納付の方法により納付を行うかどうか（分割納付の方法により納付を行う場合にあっては、分割納付の各納付期限及び各納付期限ごとの納付金額を含む。）その他の政令（通令15の２⑥）で定める事項を記載した申請書に、財産目録、担保の提供に関する書類その他の政令（通令15の２⑤）で定める書類を添付し、これを税務署長等に提出しなければならない。(通法46の２④)

⑤ 申請書に添付すべき書類を提出することが困難である場合

①、②又は④の規定により添付すべき書類（政令（通令15の２⑦）で定める書類を除く。）については、これらの規定にかかわらず、**1**①若しくは同②（(一)、(二)又は(五)（②(一)又は同(二)に該当する事実に類する事実に係る部分に限る。）に係る部分に限る。）の規定による納税の猶予又はその猶予の期間の延長をする場合において、当該申請者が当該添付すべき書類を提出することが困難であると税務署長等が認めるときは、添付することを要しない。(通法46の２⑤)

⑥ 税務署長等による調査

税務署長等は、①から④までの規定による申請書の提出があった場合には、当該申請に係る事項について調査を行い、**1**の規定による納税の猶予若しくはその猶予の期間の延長をし、又はその納税の猶予若しくはその猶予の延長を認めないものとする。(通法46の２⑥)

⑦ 申請書等の訂正等の求め

税務署長等は、①から④までの規定による申請書の提出があった場合において、これらの申請書についてその記載に不備があるとき又はこれらの申請書に添付すべき書類についてその記載に不備があるとき若しくはその提出がないときは、当該申請者に対して当該申請書の訂正又は当該添付すべき書類の訂正若しくは提出を求めることができる。(通法46の２⑦)

⑧ 申請書等の訂正等の求めの理由通知

税務署長等は、⑦の規定により申請書の訂正又は添付すべき書類の訂正若しくは提出を求める場合においては、その旨及びその理由を記載した書面により、これを当該申請者に通知する。(通法46の２⑧)

⑨ 訂正等をした申請書等の提出期限

⑦の規定により申請書の訂正又は添付すべき書類の訂正若しくは提出を求められた当該申請者は、⑧の規定による通知を受けた日の翌日から起算して20日以内に当該申請書の訂正又は当該添付すべき書類の訂正若しくは提出をしなければならない。この場合において、当該期間内に当該申請書の訂正又は当該添付すべき書類の訂正若しくは提出をしなかったときは、当該申請者は、当該期間を経過した日において当該申請を取り下げたものとみなす。(通法46の２⑨)

⑩　税務署長等が納税の猶予又はその猶予の延長を認めないことができる場合

税務署長等は、①から④までの規定による申請書の提出があった場合において、当該申請者について**1**①から同③まで又は同⑦の規定に該当していると認められるときであっても、次の㈠から㈢までのいずれかに該当するときは、**1**の規定による納税の猶予又はその猶予の延長を認めないことができる。（通法46の２⑩）

㈠	**5**①《納税の猶予の取消し》に掲げる場合に該当するとき。
㈡	当該申請者が、⑪の規定による質問に対して答弁せず、若しくは偽りの答弁をし、⑪の規定による検査を拒み、妨げ、若しくは忌避し、又は⑪の規定による物件の提示若しくは提出の要求に対し、正当な理由がなくこれに応じず、若しくは偽りの記載若しくは記録をした帳簿書類その他の物件（その写しを含む。）を提示し、若しくは提出したとき。
㈢	不当な目的で**1**の規定による納税の猶予又はその猶予の期間の延長の申請がされたとき、その他その申請が誠実にされたものでないとき。

⑪　調査の際の質問又は検査

税務署長等は、⑥の規定による調査をするため必要があると認めるときは、その必要な限度で、その職員に、当該申請者に質問させ、その者の帳簿書類その他の物件を検査させ、当該物件（その写しを含む。）の提示若しくは提出を求めさせ、又は当該調査において提出された物件を留め置かせることができる。（通法46の２⑪）

⑫　質問又は検査を行う場合の身分証の携帯又は提示

⑪の規定により質問、検査又は提示若しくは提出の要求を行う職員は、その身分を示す証明書を携帯し、関係者の請求があったときは、これを提示しなければならない。（通法46の２⑫）

⑬　調査の際の質問又は検査の権限

⑪に規定する権限は、犯罪捜査のために認められたものと解してはならない。（通法46の２⑬）

3　納税の猶予の通知等

①　納税の猶予をしたときの通知

税務署長等は、**1**の規定による納税の猶予（以下「**納税の猶予**」という。）をし、又はその猶予の期間を延長したとき（**1**⑨の規定により分割納付の各納付期限及び各納付期限ごとの納付金額を変更したときを含む。）は、その旨、猶予に係る金額、猶予期間、分割して納付させる場合の当該分割納付の各納付期限及び各納付期限ごとの納付金額（同⑨の規定による変更をした場合には、その変更後の各納付期限及び各納付期限ごとの納付金額）その他必要な事項を納税者に通知しなければならない。（通法47①）

②　納税の猶予等を認めない場合の通知

税務署長等は、１①から同④までの規定による申請書の提出があった場合において、納税の猶予又はその猶予の延長を認めないときは、その旨を納税者に通知しなければならない。（通法47②）

4　納税の猶予の効果

①　新たに督促及び滞納処分の執行不可

税務署長等は、納税の猶予をしたときは、その猶予期間内は、その猶予に係る金額に相当する国税につき、新たに督促及び滞納処分（交付要求を除く。）をすることができない。（通法48①）

②　差押えの解除

税務署長等は、納税の猶予をした場合において、その猶予に係る国税につき既に滞納処分により差し押さえた財産があるときは、その猶予を受けた者の申請に基づき、その差押えを解除することができる。（通法48②）

③　滞納処分の執行ができる場合

税務署長等は、納税の猶予をした場合において、その猶予に係る国税につき差し押さえた財産のうちに天然果実を生ずるもの又は有価証券、債権若しくは国税徴収法第72条第１項《特許権等の差押手続》に規定する無体財産権等があるときは、①の規定にかかわらず、その取得した天然果実又は同法第24条第５項第２号《譲渡担保権者の物的納税責任》に規定する第三債務者等から給付を受けた財産で金銭以外のものにつき滞納処分を執行し、その財産に係る同法第129条第１項《配当の原則》に規定する換価代金等をその猶予に係る国税に充てることができる。（通法48③）

④　③の場合において第三債務者等から給付を受けた財産のうちに金銭があるとき

③の場合において、③の第三債務者等から給付を受けた財産のうちに金銭があるときは、①の規定にかかわらず、当該金銭をその猶予に係る国税に充てることができる。（通法48④）

5　納税の猶予の取消し

①　納税の猶予の取消し又は猶予期間の短縮

納税の猶予を受けた者が次の(一)から(六)までのいずれかに該当する場合には、税務署長等は、その猶予を取り消し、又は猶予期間を短縮することができる。（通法49①）

(一)	国税通則法第38条第１項各号《繰上請求》のいずれかに該当する事実がある場合において、その者がその猶予に係る国税を猶予期間内に完納することができないと認められるとき。
(二)	**3**①《納税の猶予の通知等》の規定により通知された分割納付の各納付期限ごとの納付金額をその納付期限までに納付しないとき（税務署長等がやむを得ない理由があると認めるときを除く。）。
(三)	その猶予に係る国税につき提供された担保について税務署長等が国税通則法第51条第１項《担保の変更等》の規定によってした命令に応じないとき。
(四)	新たにその猶予に係る国税以外の国税を滞納したとき（税務署長等がやむを得ない理由があると認めるときを除く。）。
(五)	偽りその他不正な手段によりその猶予又はその猶予の期間の延長の申請がされ、その申請に基づきその猶予をし、又はその猶予期間の延長をしたことが判明したとき。
(六)	(一)から(五)までに掲げる場合を除き、その者の財産の状況その他の事情の変化によりその猶予を継続することが適当でないと認められるとき。

②　納税の猶予の取消し又は猶予期間の短縮をする場合の弁明

税務署長等は、①の規定により納税の猶予を取り消し、又は猶予期間を短縮する場合には、国税通則法第38条第１項各号のいずれかに該当する事実があるときを除き、あらかじめ、その猶予を受けた者の弁明を聞かなければならない。ただし、その者が正当な理由がなくその弁明をしないときは、この限りでない。（通法49②）

③　納税の猶予の取消し又は猶予期間の短縮の通知

税務署長等は、①の規定により納税の猶予を取り消し、又は猶予期間を短縮したときは、その旨を納税者に通知しなければならない。（通法49③）

二　国外転出をする場合の譲渡所得等の特例の適用がある場合の納税猶予

1　国外転出をする場合の譲渡所得等の特例の適用がある場合の納税猶予

①　国外転出をする場合の譲渡所得等の特例の適用がある場合の納税猶予

第六章第四節**一 1**①《国外転出をする場合の譲渡所得等の特例》に規定する国外転出（以下**1**において「**国外転出**」という。）をする居住者でその国外転出の時に有している同①に規定する有価証券等又は契約を締結している同②に規定する未決済信用取引等若しくは同③に規定する未決済デリバティブ取引（以下①及び③において「**対象資産**」という。）につきこれらの規定の適用を受けたもの（その相続人を含む。）が当該国外転出の日の属する年分の所得税で第三節**1**《確定申告による納付》又は同節**2**《死亡の場合の確定申告による納付》の規定により納付すべきものの額のうち、当該対象資産（当該年分の所得税に係る確定申告期限まで引き続き有し、又は決済をしていないものに限る。以下①、⑤及び⑥において「**適用資産**」という。）に係る納税猶予分の所得税額（(一)に掲げる金額から(二)に掲げる金額を控除した金額をいう。以下**1**において同じ。）に相当する所得税については、当該居住者が、当該国外転出の時までに第十五章**四 2**《納税管理人》の規定による納税管理人の届出をし、かつ、（1）で定めるところにより当該年分の所得税に係る確定申告期限までに当該納税猶予分の所得税額に相当する担保を供した場合に限り、第三節**1**又は同節**2**の規定にかかわらず、同日から満了基準日（当該国外転出の日から５年を経過する日又は帰国等の場合（第六章第四節**一 1**⑥(一)又は同(三)に掲げる場合その他（5）で定める場合をいう。②において同じ。）に該当することとなった日のいずれか早い日をいう。⑤において同じ。）の翌日以後４月を経過する日まで、その納税を猶予する。（法137の２①）

(一)	当該国外転出の日の属する年分の第二節**二 1**《確定所得申告》②(三)に掲げる金額
(二)	当該適用資産につき第六章第四節**一 1**①から同③までの規定の適用がないものとした場合における当該国外転出の日の属する年分の第二節**二 1**②(三)に掲げる金額

（担保を供する場合の手続）

（1）　①の規定の適用を受けようとする個人が担保を供する場合の手続については、国税通則法施行令第16条《担保の提供手続》に定める手続によるほか、⑪(二)に規定する非上場株式等（以下（1）、（3）及び**2**において「非上場株式等」という。）を担保として供する場合には、当該個人が当該非上場株式等を担保として供することを約する書類その他の（2）で定める書類を納税地の所轄税務署長に提出する方法によるものとする。（令266の２①）

（（1）に規定する（2）で定める書類）

（2）　（1）に規定する（2）で定める書類は、⑪(二)《国外転出をする場合の譲渡所得等の特例の適用がある場合の納税猶予》に規定する非上場株式等（以下（2）において「非上場株式等」という。）の次の(一)及び(二)に掲げる区分に応じ当該(一)又は(二)に定める書類とする。（規52の２①）

<table>
<tr><td rowspan="4">(一)</td><td rowspan="4">(二)に掲げる非上場株式等以外のもの</td><td colspan="2">次に掲げる書類</td></tr>
<tr><td>イ</td><td>①の規定の適用を受けようとする個人が非上場株式等である株式に質権の設定をすることについて承諾した旨を記載した書類（当該個人が自署したものに限るものとし、ロ⑴に掲げる書類を提出する場合には自己の印を押しているものに限る。）</td></tr>
<tr><td>ロ</td><td>次に掲げるいずれかの書類
⑴　イの個人の印に係る印鑑証明書
⑵　イの個人の自署に係る領事官（領事官の職務を行う大使館若しくは公使館の長又はその事務を代理する者を含む。(二)ロ⑵において同じ。）が証する書類</td></tr>
<tr><td>ハ</td><td>当該非上場株式等に係る株式会社が交付した会社法第149条第１項《株主名簿の記載事項を記載した書面の交付等》の書面（当該株式会社の代表権を有する者が自署し、自己の印を押しているものに限る。）及び当該株式会社の代表権を有する者の印に係る印鑑証明書</td></tr>
<tr><td rowspan="2">(二)</td><td rowspan="2">合名会社、合資会社又は</td><td colspan="2">次に掲げる書類</td></tr>
<tr><td>イ</td><td>①の規定の適用を受けようとする個人が非上場株式等である当該合名会社、合資会社又は</td></tr>
</table>

合同会社に係る非上場株式等			合同会社の社員の持分に質権の設定をすることについて承諾した旨を記載した書類（当該個人が自署したものに限るものとし、ロ(1)に掲げる書類を提出する場合には自己の印を押しているものに限る。）
	ロ		次に掲げるいずれかの書類
		(1)	イの個人の印に係る印鑑証明書
		(2)	イの個人の自署に係る領事官が証する書類
	ハ		当該合名会社、合資会社又は合同会社がイの質権の設定について承諾したことを証する書類で次に掲げるいずれかのもの
		(1)	当該質権の設定について承諾した旨が記載された公正証書
		(2)	当該質権の設定について承諾した旨が記載された私署証書で登記所又は公証人役場において日付のある印章が押されているもの（当該合名会社、合資会社又は合同会社の印を押しているものに限る。）及び当該合名会社、合資会社又は合同会社の印に係る印鑑証明書
		(3)	当該質権の設定について承諾した旨が記載された書類（当該合名会社、合資会社又は合同会社の印を押しているものに限る。）で郵便法第48条第１項《内容証明》の規定により内容証明を受けたもの及び当該合名会社、合資会社又は合同会社の印に係る印鑑証明書

（担保を解除したときの書類の返還）

（３）　税務署長は、（１）の規定により非上場株式等が担保として供されている場合において、当該担保を解除したときは、当該個人が当該非上場株式等を担保として供することを約する書類その他の（４）で定める書類を当該個人に返還しなければならない。（令266の２②）

（（３）に規定する（４）で定める書類）

（４）　（３）に規定する（４）で定める書類は、（２）(一)イ及びハ又は（２）(二)イ及びハに掲げる書類とする。（規52の２②）

（５）　①に規定する（５）で定める場合は、①に規定する国外転出（以下「**国外転出**」という。）の日から５年を経過する日（②の規定により①の規定による納税の猶予を受けている場合には、10年を経過する日）までに①（②の規定により適用する場合を含む。⑤（３）において同じ。）の規定による納税の猶予を受けている個人が死亡したことにより、当該国外転出の時に有していた第六章第四節**一１**①《国外転出をする場合の譲渡所得等の特例》に規定する有価証券等又は締結していた同②に規定する未決済信用取引等若しくは同③に規定する未決済デリバティブ取引に係る契約の相続（限定承認に係るものに限る。）又は遺贈（包括遺贈のうち限定承認に係るものに限る。）による移転があった場合とする。（令266の２③）

（納税猶予分の所得税額に100円未満の端数があるとき）

（６）　①に規定する納税猶予分の所得税額に100円未満の端数があるとき、又はその全額が100円未満であるときは、その端数金額又はその全額を切り捨てる。（令266の２④）

（修正申告等に係る所得税額の納税猶予）

（７）　①（②の規定により適用する場合を含む。以下（７）において同じ。）の規定は、第六章第四節**一１**①《国外転出をする場合の譲渡所得等の特例》に規定する国外転出（以下「**国外転出**」という。）の日の属する年分についての期限後申告若しくは修正申告又は更正若しくは決定に係る納付すべき所得税の額については、原則として、①の適用がないことに留意する。

ただし、修正申告又は更正があった場合で、当該修正申告又は更正が期限内申告において第六章第四節**一１**①から同③までの規定の適用を受けた対象資産（同①に規定する有価証券等、同②に規定する未決済信用取引等及び同③に規定する未決済デリバティブ取引をいう。）に係るこれらの規定に定める価額若しくは利益の額若しくは損失の額、取得費又は税額計算の誤りのみに基づいてされるときにおける当該修正申告又は更正により納付すべき所得税の額（附帯税を除く。）については、当初から①の適用があることとして取り扱う。

この場合において、当該修正申告書の提出又は更正により①の規定の適用を受ける①に規定する納税猶予分の所得税額（以下「**納税猶予分の所得税額**」という。）及び当該所得税額に係る利子税の額に相当する担保については、当該修正申告書の提出の日の翌日又は当該更正に係る通知書が発せられた日の翌日から起算して１月を経過する日までに提供しなければならないこととして取り扱う。（基通137の２－１）

（適用資産の譲渡又は贈与による移転をした日の意義）

（8）　第六章第四節**一１**①に規定する有価証券が①に規定する適用資産（以下「**適用資産**」という。）である場合における⑤の譲渡又は贈与による移転をした日とは、当該譲渡又は贈与の効力が生じた日をいうのであるが、具体的には次に掲げる区分に応じそれぞれ次に定める日であることに留意する。（基通137の２－２）

(一)　社債、株式等の振替に関する法律に規定する振替口座簿（以下(４)において「**振替口座簿**」という。）に記載又は記録がされるもの　　振替口座簿に記載又は記録がされた日

(二)　有価証券の発行のあるもの　　有価証券の交付を行った日

(三)　有価証券の発行のないもの（(一)に該当するものを除く。）　　契約の効力発生の日

（注）　ただし、書面によらない贈与を行った場合には、株主名簿の名義変更の日とする。

（担保の提供等）

（9）　①の規定による担保の提供については、通則法第50条《担保の種類》から第54条《担保の提供等に関する細目》までの規定の適用があることに留意する。

ただし、⑪(二)に規定する非上場株式等（(10)及び(11)において「非上場株式等」という。）を担保として提供する場合には、⑪(二)及び(三)の規定並びに(１)及び(３)の規定の適用があることに留意する（基通137の２－７）。

（非上場株式等が担保提供された場合）

(10)　非上場株式等を担保として提供を受け質権を設定した場合には、納税猶予期間中においては、当該非上場株式等から生じる配当その他の利益処分については、税務署長はその支払又は引渡し等を受けないことに留意する。（基通137の２－８）。

（取引相場のない株式の納税猶予の担保）

(11)　第六章第四節**一１**①の規定により課税された取引相場のない株式（非上場株式等に該当するものを除く。以下(11)において同じ。）を納税猶予の担保として提供する旨の申出があった場合において、次のいずれかに該当する事由があるときは、当該株式を納税猶予の担保として認めることができる。（基通137の２－９）

(一)　第六章第四節**一１**①の規定により課税された財産のほとんどが取引相場のない株式であり、かつ、当該株式以外に納税猶予の担保として提供すべき適当な財産がないと認められること。

(二)　取引相場のない株式以外に財産があるが、当該財産が他の債務の担保となっており、納税猶予の担保として提供することが適当でないと認められること。

（納税猶予分の所得税額に相当する担保）

(12)　①に規定する「当該納税猶予分の所得税額に相当する担保」とは、納税猶予に係る所得税の本税の額と当該本税に係る納税猶予期間中の利子税の額との合計額に相当する担保をいうことに留意する。

なお、この場合の当該本税に係る納税猶予期間中の利子税の額は、①の規定の適用に係る所得税の納税者の国外転出の日から５年４月（②の規定により納税猶予期限の延長を受けた納税者については10年４月）を経過する日までを納税猶予期間として計算した額によるものとして取り扱うことに留意する。（基通137の２－10）

②　納税の猶予に係る期限の延長

①の規定の適用を受ける個人が、国外転出の日から５年を経過する日（同日前に帰国等の場合に該当することとなった場合には、その該当することとなった日の前日）までに、①の規定による納税の猶予に係る期限の延長を受けたい旨その他(１)で定める事項を記載した届出書を、納税地の所轄税務署長に提出した場合には、①中「５年」とあるのは、「10年」とする。（法137の２②）

（1）　②に規定する（1）で定める事項は、次の㈠から㈣までに掲げる事項とする。（規52の２③）

㈠	②の届出書を提出する者の氏名及び住所（国内に住所がない場合には、居所。以下同じ。）
㈡	第六章第四節**一１**①《国外転出をする場合の譲渡所得等の特例》に規定する国外転出（以下**１**において「**国外転出**」という。）をした年月日
㈢	第六章第四節**一１**⑥㈠に規定する帰国をする予定年月日（当該帰国をする予定がない場合には、その旨）
㈣	その他参考となるべき事項

③　確定申告書への明細その他書類の添付

①（②の規定により適用する場合を含む。以下**１**において同じ。）の規定は、①の規定の適用を受けようとする個人の確定申告書に、①の規定の適用を受けようとする旨の記載があり、かつ、第六章第四節**一１**①から同③までの規定により行われたものとみなされた対象資産の譲渡又は決済の明細及び納税猶予分の所得税額の計算に関する明細その他（1）で定める事項を記載した書類の添付がある場合に限り、適用する。（法137の２③）

（1）　③に規定する（1）で定める事項は、第二節**二１**②（十一）ヲ（イ）及び同（ロ）に掲げる事項その他参考となるべき事項とする。（規52の２④）

④　やむを得ない事情により確定申告書の提出がなかった場合等の取扱い

税務署長は、③の確定申告書の提出がなかった場合又は③の記載若しくは添付がない確定申告書の提出があった場合においても、その提出又は記載若しくは添付がなかったことについてやむを得ない事情があると認めるときは、当該記載をした書類及び③の（1）で定める書類の提出があった場合に限り、①の規定を適用することができる。（法137の２④）

⑤　国外転出の時において有していた適用資産の譲渡等をした場合の納税猶予期限の確定

①の規定の適用を受けている個人が、①の規定による納税の猶予に係る満了基準日までに、国外転出の時において有していた適用資産の譲渡（これに類するものとして（1）で定めるものを含む。**2**⑥において同じ。）若しくは決済又は贈与による移転をしたことその他政令で定める事由が生じた場合には、これらの事由が生じた適用資産に係る納税猶予分の所得税額のうちこれらの事由が生じた適用資産に対応する部分の額として（2）で定めるところにより計算した金額に相当する所得税については、①の規定にかかわらず、これらの事由が生じた日から４月を経過する日をもって①の規定による納税の猶予に係る期限とする。（法137の２⑤）

（1）　第六章第四節**一１**④（1）の規定は、⑤に規定する譲渡に類するものとして（1）で定めるものについて準用する。（令266の２⑤）

（2）　⑤に規定する（2）で定めるところにより計算した金額は、㈠に掲げる金額から㈡に掲げる金額を控除した金額（当該金額が零を下回る場合には、零）とする。この場合において、当該計算した金額に100円未満の端数があるとき、又はその全額が100円未満であるときは、その端数金額又はその全額を切り捨てる。（令266の２⑥）

㈠	①に規定する納税猶予分の所得税額（既に⑤の規定の適用があった場合には、⑤の規定の適用があった金額を除く。）
㈡	当該国外転出の日の属する年分の第二節**二１**《確定所得申告》②㈢に掲げる金額から同①に規定する適用資産（既に⑤の事由が生じたものを除く。（3）において同じ。）につき第六章第四節**一１**①から同③までの規定の適用がないものとした場合における当該年分の第二節**二１**②㈢に掲げる金額を控除した金額（当該金額が零を下回る場合には、零）

（適用資産の種類等を記載した書類の提出義務）

（3）　①の規定による納税の猶予に係る①に規定する満了基準日までに⑤の個人が国外転出の時において有していた適用資産につき⑤の事由が生じた場合には、当該個人は、当該事由が生じた適用資産の種類、名称又は銘柄及び単位数並びに（2）の規定による金額の計算に関する明細その他参考となるべき事項を記載した書類を、当該事由が生じた日から４月を経過する日までに、納税地の所轄税務署長に提出しなければならない。（令266の２⑦）

（納税猶予分の所得税額の一部について納税猶予の期限が確定する場合の所得税の額の計算）

（4）　⑤の規定により、納税猶予分の所得税額の一部について①（②の規定により適用する場合を含む。以下同じ。）の規定による納税猶予に係る期限（以下「**納税猶予の期限**」という。）が確定する場合における所得税の額の計算は、⑤に規定する事由が生じた日ごとに、次の算式により行うのであるから留意する。

なお、これにより算出された金額に100円未満の端数があるとき又はその全額が100円未満であるときは、その端数金額又はその全額を切り捨て、その切り捨てた金額は、納税猶予分の所得税額として残るのであるから留意する。（基通137の２－３）

（計算式）

［納税猶予分の所得税額（A）－既に一部確定した所得税の額がある場合には、当該所得税の額（B）］－［納税猶予する前の納付すべき所得税の額（C）－適用資産（既に確定事由が生じたものを除く。）につき第六章第四節**一１**①から同③までの規定の適用がないものとした場合における納付すべき所得税の額（D）］

（注）1　上記算式中の（A）の金額は、①の規定による納税猶予の適用を受けた当初の納税猶予分の所得税額をいう。

2　上記算式中の（B）の金額は、既に⑤の規定の適用があった金額の合計額をいう。

3　上記算式中の（C）の金額は、国外転出の日の属する年分の第二節**二１**《確定所得申告》②の（三）に掲げる金額（第六章第四節**一１**①から同③までの規定の適用により譲渡又は決済があったものとされた金額を含めて計算した所得税の額）をいう。

4　上記算式中の（D）の金額は、適用資産（既に⑤の事由が生じたものを除く。）につき第六章第四節**一１**①から同③までの規定の適用がないものとした場合における当該年分の第二節**二１**《確定所得申告》②の（三）に掲げる金額をいう。また、適用資産から除かれる既に⑤の事由が生じたものについては、今回、⑤の事由が生じたものも含めて、第六章第四節**一１**①から同③までの規定の適用があるものとして計算することに留意する。なお、（C）－（D）の金額が零を下回る場合には、零とする。

5　上記算式中の（A）の金額、（C）の金額及び（D）の金額は、第六章第四節**一１**⑥（同（二）に該当する場合に限る。）及び同⑦の規定の適用がある場合はその適用後の金額により算出された金額となることに留意する。

6　上記計算式により算出された金額が零を下回る場合には、零とする。

（納税猶予の任意の取りやめ）

（5）　①の規定による納税猶予の適用を受けている個人から、①に規定する満了基準日前に、所轄税務署長に対し①の規定による納税猶予の適用を取りやめる旨の書面による申出があり、かつ、その納税猶予分の所得税額に相当する所得税の全部の納付があった場合は、その全部の納付があった時に、納税猶予の期限が確定し、当該納税猶予の規定の適用は終了することに留意する。（基通137の２－４）

（注）　納税猶予の適用を任意で取りやめた場合は、第六章第四節**一１**⑩の適用はないことに留意する。

⑥　継続適用届出書の提出義務

①の規定の適用を受ける個人は、①の規定の適用に係る国外転出の日の属する年分の所得税に係る確定申告期限から納税猶予分の所得税額に相当する所得税の全部につき①、⑤、⑧又は⑨の規定による納税の猶予に係る期限が確定する日までの間の各年の12月31日において有し、又は契約を締結している適用資産につき、引き続き①の規定の適用を受けたい旨その他（1）で定める事項を記載した届出書（⑦から⑩までにおいて「**継続適用届出書**」という。）を、同日の属する年の翌年３月15日（⑦から⑩までにおいて「**提出期限**」という。）までに、納税地の所轄税務署長に提出しなければならない。（法137の２⑥）

（1）　⑥に規定する（1）で定める事項は、次の（一）から（四）までに掲げる事項とする。（規52の２⑤）

（一）	⑥に規定する継続適用届出書を提出する者の氏名及び住所
（二）	国外転出をした年月日及び当該国外転出の時における国内の住所
（三）	①に規定する適用資産のうち、その年12月31日（その者が年の中途において死亡した場合には、その死亡の時。**２**⑦（1）（三）において同じ。）まで引き続き有しているものの種類別及び名称又は銘柄別の数量及び第六章第四節**一１**①（一）及び同（二）、同②（一）及び同（二）又は同③（一）及び同（二）に掲げる金額
（四）	その他参考となるべき事項

⑦　やむを得ない事情により継続適用届出書の提出等がなかった場合の取扱い

継続適用届出書が提出期限までに提出されなかった場合においても、⑥に規定する税務署長が提出期限までにその提出がなかったことについてやむを得ない事情があると認めるときは、当該継続適用届出書の提出があった場合に限り、当該継続適用届出書が提出期限までに提出されたものとみなす。（法137の２⑦）

⑧　継続適用届出書が提出期限までに提出されない場合の納税猶予期限の確定

継続適用届出書が提出期限までに納税地の所轄税務署長に提出されない場合には、当該提出期限における納税猶予分の所得税額（既に⑤の規定の適用があった場合には、⑤の規定の適用があった金額を除く。⑨において同じ。）に相当する所得税については、①の規定にかかわらず、当該提出期限から４月を経過する日（当該提出期限から当該４月を経過する日までの間に当該所得税に係る個人が死亡した場合には、当該個人の相続人が当該個人の死亡による相続の開始があったことを知った日から６月を経過する日）をもって①の規定による納税の猶予に係る期限とする。（法137の２⑧）

⑨　納税の猶予に係る期限の繰上げ

税務署長は、次の(一)から(三)までに掲げる場合には、納税猶予分の所得税額に相当する所得税に係る①の規定による納税の猶予に係る期限を繰り上げることができる。この場合においては、国税通則法第49条第２項及び第３項《納税の猶予の取消し》の規定を準用する。（法137の２⑨）

(一)	①の規定の適用を受ける個人が①に規定する担保について国税通則法第51条第１項《担保の変更等》の規定による命令に応じない場合
(二)	当該個人から提出された継続適用届出書に記載された事項と相違する事実が判明した場合
(三)	(一)及び(二)に掲げる場合のほか、当該個人が第十五章**四１**に規定する納税管理人を解任したことその他の(１)で定める事由が生じた場合

(１)　⑨(三)に規定する(１)で定める事由は、①の規定の適用を受ける個人が第十五章**四１**《納税管理人》に規定する納税管理人を解任し、又は当該納税管理人につき死亡、解散その他(２)で定める事実（以下(１)において「死亡等事実」という。）が生じた場合において、その解任の日から４月を経過する日又は当該個人が当該納税管理人につき死亡等事実の生じたことを知った日から６月を経過する日までに第十五章**四２**の規定による納税管理人の届出をしなかったこととする。（令266の２⑧）

(２)　(１)に規定する(２)で定める事実は、第十五章**四１**《納税管理人》に規定する納税管理人が破産手続開始の決定又は後見開始の審判を受けたこととする。（規52の２⑥）

（増担保命令等に応じない場合の納税猶予の期限の繰上げ）

(３)　⑨の規定により、増担保命令等に応じないため納税猶予の期限を繰り上げる場合には、当該担保不足に対応する納税猶予税額だけでなく納税猶予税額の全額（既に⑤の規定により、納税猶予の期限が確定しているものを除く。）について納税猶予の期限を繰り上げることに留意する。（基通137の２－11）

⑩　所得税並びに当該所得税に係る利子税及び延滞税の徴収を目的とする国の権利の時効

納税猶予分の所得税額に相当する所得税並びに当該所得税に係る利子税及び延滞税の徴収を目的とする国の権利の時効については、⑪(四)の規定により読み替えて適用される国税通則法第73条第４項《時効の完成猶予及び更新》の規定の適用がある場合を除き、継続適用届出書の提出があった時から当該継続適用届出書の提出期限までの間は完成せず、当該提出期限の翌日から新たにその進行を始めるものとする。（法137の２⑩）

⑪　①の規定による納税の猶予がされた場合における所得税法並びに国税通則法及び国税徴収法の規定の適用

①の個人が①の規定の適用を受けようとし、又は①の規定による納税の猶予がされた場合におけるこの法律並びに国税通則法及び国税徴収法の規定の適用については、次の(一)から(六)までに定めるところによる。（法137の２⑪）

(一)	①の規定の適用があった場合における所得税に係る延滞税については、その所得税の額のうち納税猶予分の所得税額とその他のものとに区分し、更に当該納税猶予分の所得税額を(五)に規定する納税の猶予に係る期限が異なるものごとに区分して、それぞれの税額ごとに国税通則法の延滞税に関する規定を適用する。
(二)	①の規定の適用を受けようとする個人が非上場株式等（株式で金融商品取引法第２条第16項《定義》に規定する金融商品取引所に上場されていないことその他(１)で定める要件を満たすもの及び合名会社、合資会社又は合同会社の社員の持分で(２)で定める要件を満たすものをいう。**２**⑬(二)において同じ。）を担保として供する場合には、国税通則法第50条第２号《担保の種類》中「有価証券で税務署長等（国税に関する法律の規定により国税庁長官又は国税局長が担保を徴するものとされている場合には、国税庁長官又は国税局長。以下**１**及び**２**において同じ。）が確

	実と認めるもの」とあるのは、「有価証券及び合名会社、合資会社又は合同会社の社員の持分（質権その他の担保権の目的となっていないことその他の(３)で定める要件を満たすものに限る。)」とする。
(三)	①の規定による納税の猶予を受けた所得税については、国税通則法第52条第４項《担保の処分》中「認めるときは、税務署長等」とあるのは「認めるとき（①《国外転出をする場合の譲渡所得等の特例の適用がある場合の納税猶予》の規定による納税の猶予の担保として⑪(二)に規定する非上場株式等が提供された場合には、当該認めるとき、又は当該非上場株式等を換価に付しても買受人がないとき）は、税務署長等」と、国税徴収法第48条第１項《超過差押及び無益な差押の禁止》中「財産は」とあるのは「財産（①《国外転出をする場合の譲渡所得等の特例の適用がある場合の納税猶予》の規定による納税の猶予の担保として⑪(二)に規定する非上場株式等が提供された場合において、当該非上場株式等を換価に付しても買受人がないときにおける当該担保を提供した個人の他の財産を除く。）は」とする。
(四)	①の規定による納税の猶予を受けた所得税については、国税通則法第64条第１項《利子税》及び第73条第４項中「延納」とあるのは、「延納（①《国外転出をする場合の譲渡所得等の特例の適用がある場合の納税猶予》の規定による納税の猶予を含む。)」とする。
(五)	①の規定による納税の猶予に係る期限（⑤、⑧又は⑨の規定による当該期限を含む。）は、国税通則法及び国税徴収法中法定納期限又は納期限に関する規定を適用する場合には、所得税法の規定による延納に係る期限に含まれるものとする。
(六)	①、⑤、⑧又は⑨の規定に該当する所得税については、第四節《延納》の規定は、適用しない。

(⑪(二)に規定するその他(１)で定める要件)

(１)　⑪(二)に規定するその他(１)で定める要件は、次の(一)から(五)までに掲げる要件とする。(規52の２⑦)

(一)	当該株式が金融商品取引法第２条第16項《定義》に規定する金融商品取引所に類するものであって外国に所在するものに上場がされていないこと。
(二)	当該株式が金融商品取引法第67条の11第１項《店頭売買有価証券登録原簿への登録》に規定する店頭売買有価証券登録原簿（(三)において「店頭売買有価証券登録原簿」という。）に登録がされていないこと。
(三)	当該株式が店頭売買有価証券登録原簿に類するものであって外国に備えられるものに登録がされていないこと。
(四)	当該株式に係る株式会社が会社法第117条第７項《株式の価格の決定等》に規定する株券発行会社以外の株式会社であること。
(五)	(３)に規定する要件を満たすものであること。

(⑪(二)に規定する合名会社、合資会社又は合同会社の社員の持分で(２)で定める要件)

(２)　(１)(一)、同(三)及び同(五)の規定は、⑪(二)に規定する合名会社、合資会社又は合同会社の社員の持分で(２)で定める要件について準用する。(規52の２⑧)

(⑪(二)の規定により読み替えて適用する国税通則法第50条第２号《担保の種類》に規定する(３)で定める要件)

(３)　⑪(二)の規定により読み替えて適用する国税通則法第50条第２号《担保の種類》に規定する(３)で定める要件は、当該有価証券及び社員の持分について、質権の設定がされていないこと、差押えがされていないことその他の当該有価証券及び社員の持分について担保の設定又は処分の制限（民事執行法その他の法令の規定による処分の制限をいう。）がされていないこと及び譲渡についての制限が解除されていることとする。(規52の２⑨)

⑫　利子税の納付義務

①の規定の適用を受ける個人は、次の(一)から(四)までに掲げる場合のいずれかに該当する場合には、当該(一)から(四)までに規定する所得税に相当する金額を基礎とし、当該所得税に係る第三節**１**又は同節**２**の規定による納付の期限の翌日から当該(一)から(四)までに定める納税の猶予に係る期限までの期間に応じ、年7.3パーセントの割合を乗じて計算した金額に相当する利子税を、当該(一)から(四)までに規定する所得税に併せて納付しなければならない。(法137の２⑫)

(一)	①の規定の適用があった場合	①に規定する所得税に係る①の規定による納税の猶予に係る期限

(二)	⑤の規定の適用があった場合　⑤に規定する⑤の（２）で定めるところにより計算した金額に相当する所得税に係る⑤の規定による納税の猶予に係る期限
(三)	⑧の規定の適用があった場合　⑧に規定する所得税に係る⑧の規定による納税の猶予に係る期限
(四)	⑨の規定の適用があった場合　⑨に規定する所得税に係る⑨の規定により繰り上げられた納税の猶予に係る期限

⑬　①の規定の適用を受ける国外転出をした者が死亡した場合の納付義務の承継

①の規定の適用に係る納税の猶予に係る期限までに①の規定の適用を受ける国外転出をした者が死亡した場合には、当該国外転出をした者に係る納税猶予分の所得税額に係る納付の義務は、当該国外転出をした者の相続人が承継する。（法137の２⑬）

（猶予承継相続人への**1**の規定の適用）

（１）　⑬の規定により納付の義務を承継した⑬の相続人（以下「**猶予承継相続人**」という。）については、①の規定の適用を受けた者とみなして、**1**の規定を適用する。（令266の２⑨）

（非居住者である猶予承継相続人の納税管理人の届出義務）

（２）　非居住者である猶予承継相続人は、既に第十五章**四2**の規定による納税管理人の届出をしている場合を除き、その相続の開始があったことを知った日の翌日から４月以内に、同**2**の規定による納税管理人の届出をしなければならない。この場合において、**2**②（２）及び同②（３）の規定は当該届出をすべき非居住者である猶予承継相続人が２人以上あるときに当該納税管理人の届出をする場合について、**2**⑧、同⑨及び同⑭（(三)に係る部分に限る。）の規定は当該納税管理人の届出が当該期限までに行われなかった場合について、それぞれ準用する。（令266の２⑩）

（居住者である猶予承継相続人が国外転出をする場合の**2**⑩の規定の準用）

（３）　**2**⑩及び同⑭（(三)に係る部分に限る。）の規定は、居住者である猶予承継相続人が国外転出をする場合について準用する。（令266の２⑪）

（猶予承継相続人が②の届出書等を提出する場合の**2**⑦（３）及び同（４）の規定の準用）

（４）　**2**⑦（３）及び同（４）の規定は、猶予承継相続人が②の届出書、⑥に規定する継続適用届出書又は⑤（３）の書類を提出する場合について準用する。（令266の２⑫）

（納税猶予適用者が死亡した場合の納税猶予分の所得税額に係る納付義務の承継）

（５）　①の規定の適用を受けて国外転出をした者が納税猶予の期限までに死亡した場合には、当該国外転出をした者に係る納税猶予分の所得税額に係る納付の義務は、⑬の規定により、当該国外転出をした者の相続人が承継することになるのであるから、当該相続人は、その相続又は遺贈により適用資産を取得したかどうかにかかわらず、当該国外転出をした者に係る納税猶予分の所得税額に係る納付の義務を承継することに留意する。この場合において、相続人が２人以上あるときは、各相続人が⑬の規定により承継する納税猶予分の所得税額は、第三節**4**（２）《相続による国税の納付義務の承継》(二)の規定に基づき計算した額となることに留意する。（基通137の２－５）

（猶予承継相続人に確定事由が生じた場合）

（６）　⑬の規定により納税猶予分の所得税額に係る納付の義務を承継した同項の相続人（以下（６）において「**猶予承継相続人**」という。）が承継した納税猶予分の所得税額（以下（６）において「**承継猶予税額**」という。）の全部又は一部につき、納税猶予の期限が確定する事由が生じた場合には、全ての猶予承継相続人に係る承継猶予税額の全部又は一部についてその期限が確定することに留意する。したがって、例えば、適用資産を相続した猶予承継相続人の一人が適用資産の一部を譲渡した場合には、⑤の規定により、その譲渡した適用資産に対応する部分の所得税について納税猶予の期限が確定し、全ての猶予承継相続人は、当該期限が確定した所得税の額のうち第三節**4**（２）(二)の規定に基づき計算した額を納付する必要があることに留意する。（基通137の２－６）

2　贈与等により非居住者に資産が移転した場合の譲渡所得等の特例の適用がある場合の納税猶予

①　贈与により非居住者に資産が移転した場合の譲渡所得等の特例の適用がある場合の納税猶予

贈与（贈与をした者の死亡により効力を生ずる贈与を除く。以下①において同じ。）により非居住者に移転した第六章第四節**一２**①《贈与等により非居住者に資産が移転した場合の譲渡所得等の特例》に規定する有価証券等又は同②に規定する未決済信用取引等若しくは同③に規定する未決済デリバティブ取引に係る契約（以下**２**において「**対象資産**」という。）につきこれらの規定の適用を受けた者（その相続人を含む。）が当該贈与の日の属する年分の所得税で第三節《納付》の規定により納付すべきものの額のうち、当該対象資産（当該年分の所得税に係る確定申告期限まで引き続き有し、又は決済をしていないものに限る。以下①、⑥及び⑦において「**適用贈与資産**」という。）に係る贈与納税猶予分の所得税額（(一)に掲げる金額から(二)に掲げる金額を控除した金額をいう。以下①及び④において同じ。）に相当する所得税については、当該適用を受けた者が、（1）で定めるところにより当該年分の所得税に係る確定申告期限までに当該贈与納税猶予分の所得税額に相当する担保を供した場合に限り、同節の規定にかかわらず、当該贈与の日から贈与満了基準日（当該贈与の日から５年を経過する日又は受贈者帰国等の場合（第六章第四節**一２**⑥(一)又は同(三)に掲げる場合その他（5）で定める場合をいう。③(一)において同じ。）に該当することとなった日のいずれか早い日をいう。⑥において同じ。）の翌日以後４月を経過する日まで、その納税を猶予する。（法137の３①）

(一)	当該贈与の日の属する年分の第二節**二１**《確定所得申告》②(三)に掲げる金額
(二)	当該適用贈与資産につき第六章第四節**一２**①から同③までの規定の適用がないものとした場合における当該贈与の日の属する年分の第二節**二１**《確定所得申告》②(三)に掲げる金額

（担保を供する場合の手続）

（1）　①の規定の適用を受けようとする者が担保を供する場合の手続については、国税通則法施行令第16条《担保の提供手続》に定める手続によるほか、非上場株式等を担保として供する場合には、その者が当該非上場株式等を担保として供することを約する書類その他の（2）で定める書類を納税地の所轄税務署長に提出する方法によるものとする。（令266の３①）

（（1）に規定する（2）で定める書類）

（2）　**1**①（2）の規定は、（1）（②（1）において準用する場合を含む。）に規定する（2）で定める書類について準用する。（規52の３①）

（担保を解除したときの書類の返還）

（3）　税務署長は、（1）の規定により非上場株式等が担保として供されている場合において、当該担保を解除したときは、その者が当該非上場株式等を担保として供することを約する書類その他の（4）で定める書類をその者に返還しなければならない。（令266の３②）

（（3）に規定する（4）で定める書類）

（4）　**1**①（4）の規定は、（3）（②（1）において準用する場合を含む。）に規定する（4）で定める書類について準用する。（規52の３②）

（5）　①に規定する（5）で定める場合は、①に規定する贈与の日から５年を経過する日（③の規定により①の規定による納税の猶予を受けている場合には、10年を経過する日）までに当該贈与に係る非居住者である受贈者が死亡したことにより、当該贈与により移転を受けた第六章第四節**一２**①に規定する有価証券等（以下「**有価証券等**」という。）又は同②に規定する未決済信用取引等（以下「**未決済信用取引等**」という。）若しくは同③に規定する未決済デリバティブ取引（以下「**未決済デリバティブ取引**」という。）に係る契約の相続（限定承認に係るものに限る。）又は遺贈（包括遺贈のうち限定承認に係るものに限る。）による移転があった場合とする。（令266の３③）

（贈与等納税猶予分の所得税額に100円未満の端数があるとき）

（6）　①に規定する贈与納税猶予分の所得税額若しくは②に規定する相続等納税猶予分の所得税額又はこれらの金額の合計額に100円未満の端数があるとき、又はその全額が100円未満であるときは、その端数金額又はその全額を切り捨てる。（令266の３⑩）

（国外転出をする場合の譲渡所得等の特例の適用がある場合の納税猶予に関する取扱いの準用）

（7）　**2**の規定の適用に当たっては、**1**①(7)から同(12)まで、**1**⑤(4)、同(5)、**1**⑨(3)、⑬(5)、同(6)の取扱いを準用する。（基通137の3－2）

②　相続又は遺贈により非居住者に資産が移転した場合の譲渡所得等の特例の適用がある場合の納税猶予

相続又は遺贈（贈与をした者の死亡により効力を生ずる贈与を含む。以下②において同じ。）により非居住者に移転した対象資産につき第六章第四節**一2**①から同③までの規定の適用を受けた者（④において「**適用被相続人等**」という。）の全ての相続人が当該相続の開始の日の属する年分の所得税で第三節**2**《死亡の場合の確定申告による納付》の規定により納付すべきものの額のうち、当該対象資産（当該年分の所得税に係る確定申告期限（第七節**二4**①の規定による期限後申告書を提出する場合にあっては、同①に規定する提出期限。以下②及び⑦において同じ。）まで引き続き有し、又は決済をしていないものに限る。以下②、⑥及び⑦において「**適用相続等資産**」という。）に係る相続等納税猶予分の所得税額（(一)に掲げる金額から(二)に掲げる金額を控除した金額をいう。以下②及び④において同じ。）に相当する所得税については、当該相続人が(5)で定めるところにより当該相続等納税猶予分の所得税額に相当する担保を供し、かつ、当該年分の所得税に係る確定申告期限までに当該相続又は遺贈により当該対象資産を取得した非居住者の全てが(2)で定めるところにより第十五章**四2**《納税管理人》の規定による納税管理人の届出をした場合に限り、第三節**2**の規定にかかわらず、当該相続の開始の日から相続等満了基準日（当該相続の開始の日から5年を経過する日又は相続人帰国等の場合（第六章第四節**一2**⑥(一)又は同(三)に掲げる場合その他(4)で定める場合をいう。③(一)において同じ。）に該当することとなった日のいずれか早い日をいう。⑥において同じ。）の翌日以後4月を経過する日まで、その納税を猶予する。（法137の3②）

(一)	当該相続の開始の日の属する年分の第二節**二1**《確定所得申告》②(三)に掲げる金額（当該金額につき第七節**二5**①《遺産分割等があった場合の修正申告の特例》の規定による修正申告書の提出があった場合には、その申告後の金額）
(二)	当該適用相続等資産につき第六章第四節**一2**①から同③までの規定の適用がないものとした場合における当該相続の開始の日の属する年分の第二節**二1**《確定所得申告》②(三)に掲げる金額

（担保を提供する場合の手続及び担保を解除した場合の書類の返還）

（1）　①(1)の規定は②の規定の適用を受けようとする相続人が非上場株式等を担保として供する場合について、①(3)の規定は税務署長が当該担保を解除した場合について、それぞれ準用する。（令266の3⑤）

（納税管理人の届出をする場合において資産を取得した非居住者が2人以上あるときの連署による届出義務）

（2）　②の規定による納税管理人の届出をする場合において、②に規定する対象資産を取得した非居住者が2人以上あるときは、当該届出は、各非居住者が連署による一の書面で行わなければならない。ただし、当該取得した他の非居住者の氏名を付記して各別に行うことを妨げない。（令266の3⑥）

（付記して各別に届け出た場合の他の非居住者に対する要領の通知義務）

（3）　(2)ただし書の方法により(2)の届出をした非居住者は、遅滞なく、当該取得した他の非居住者に対し、当該届出の際に提出した書面に記載した事項の要領を通知しなければならない。（令266の3⑦）

（4）　②に規定する(4)で定める場合は、相続の開始の日から5年を経過する日（③の規定により②の規定による納税の猶予を受けている場合には、10年を経過する日。⑥(1)において同じ。）までに当該相続又は遺贈（②に規定する遺贈をいう。以下(4)及び⑥(1)において同じ。）に係る非居住者である受贈者、相続人又は受遺者の全てが死亡したことにより、当該相続又は遺贈により移転を受けた有価証券等又は未決済信用取引等若しくは未決済デリバティブ取引に係る契約の全てについて相続(限定承認に係るものに限る。)又は遺贈(包括遺贈のうち限定承認に係るものに限る。)による移転があった場合とする。（令266の3⑨）

（相続等納税猶予分の所得税額に相当する担保の提供）

（5）　②に規定する適用被相続人等の相続人は、次の(一)又は(二)に掲げる期限までに、それぞれ当該(一)又は(二)に定める相続等納税猶予分の所得税額に相当する担保を供さなければならない。（令266の3④）

(一)	②に規定する相続の開始の日の属する年分の所得税に係る②に規定する確定申告期限	②に規定する相続等納

	税猶予分の所得税額（(二)に定める相続等納税猶予分の所得税額を除く。）
(二)	当該相続の開始の日の属する年分の所得税に係る第七節**二５**①の規定による修正申告書の同①に規定する提出期限　当該修正申告書の提出により増加した②に規定する相続等納税猶予分の所得税額

（遺産分割等があった場合の修正申告等に係る所得税額の納税猶予）

（6）　第七節**二４**①《遺産分割等があった場合の期限後申告等の特例》に規定する期限後申告又は同５①に規定する修正申告に係る納付すべき所得税の額に係る②（③の規定により適用する場合を含む。）の規定の適用については、同**4**①の規定による期限後申告書又は同**5**①の規定による修正申告書の提出期限までに当該期限後申告書又は修正申告書が提出され、かつ、（5）の規定に基づき、当該期限後申告書又は修正申告書の提出期限までに当該期限後申告又は修正申告により②の規定の適用を受ける②に規定する相続等納税猶予分の所得税額及び当該所得税額に係る利子税の額に相当する担保の提供があった場合に限り、②の規定の適用があることに留意する。ただし、当該期限後申告書又は修正申告書の提出及び当該担保の提供が②に規定する相続等満了基準日後となる場合は、②の規定の適用はないことに留意する。（基通137の３－１）

③　納税の猶予に係る期限の延長

次の(一)及び(二)に掲げる者が、それぞれ当該(一)及び(二)に定める日又は期限までに、①及び②の規定による納税の猶予に係る期限の延長を受けたい旨その他(１)で定める事項を記載した届出書を、納税地の所轄税務署長に提出した場合には、これらの規定中「５年」とあるのは、「10年」とする。（法137の３③）

(一)	①及び②の規定の適用を受けている者　贈与の日又は相続の開始の日から５年を経過する日（同日前に受贈者帰国等の場合又は相続人帰国等の場合に該当することとなった場合には、その該当することとなった日の前日）
(二)	第七節**二４**①の規定による期限後申告書の提出期限が相続の開始の日から５年を経過する日後である者　当該提出期限

（1）　③に規定する(１)で定める事項は、次の(一)から(五)までに掲げる事項とする。（規52の３③）

(一)	③の届出書を提出する者の氏名及び住所
(二)	①又は②の規定の適用に係る贈与又は相続の開始があった年月日（③(二)号に掲げる者にあっては、当該年月日及び当該相続に係る第七節**二４**①《遺産分割等があった場合の期限後申告等の特例》に規定する遺産分割等の事由が生じた年月日）
(三)	当該贈与に係る受贈者の氏名及び住所若しくは居所又は当該相続若しくは遺贈に係る被相続人若しくは遺贈者の氏名及び死亡の時における住所若しくは居所
(四)	当該贈与又は相続を受けた非居住者が**1**②(１)(三)に規定する帰国をする予定年月日（当該帰国をする予定がない場合には、その旨）
(五)	その他参考となるべき事項

④　確定申告書への記載及び書類添付

①又は②（これらの規定を③の規定により適用する場合を含む。以下**2**において同じ。）の規定は、①の規定の適用を受けようとする者の提出した確定申告書又は②の規定の適用を受けようとする相続人が提出した適用被相続人等の確定申告書に、これらの規定の適用を受けようとする旨の記載があり、かつ、第六章第四節**一２**①から同③までの規定により行われたものとみなされた対象資産の譲渡又は決済の明細及び贈与納税猶予分の所得税額又は相続等納税猶予分の所得税額(以下**2**において「**納税猶予分の所得税額**」という。）の計算に関する明細その他(１)で定める事項を記載した書類の添付がある場合に限り、適用する。（法137の３④）

（1）　④に規定する(１)で定める事項は、第二節**二１**②(十一)ワ(イ)から同(ニ)までに掲げる事項その他参考となるべき事項とする。（規52の３④）

⑤　やむを得ない事情があって確定申告書の提出がなかった場合等の取扱い

税務署長は、④の確定申告書の提出がなかった場合又は④の記載若しくは添付がない確定申告書の提出があった場合においても、その提出又は記載若しくは添付がなかったことについてやむを得ない事情があると認めるときは、当該記載をした書類及び④（1）で定める書類の提出があった場合に限り、①又は②の規定を適用することができる。（法137の3⑤）

（②の規定を受けようとする旨の記載又は必要書類の添付がない修正申告書の提出があった場合についての⑤の規定の準用）

（1）　②に規定する適用被相続人等の相続人は、②に規定する相続の開始の日の属する年分の所得税につき第七節**二5**①の規定による修正申告書を提出する場合において、当該修正申告書の提出により増加した②に規定する相続等納税猶予分の所得税額につき②（③の規定により適用する場合を含む。以下（1）において同じ。）の規定の適用を受けようとするときは、当該修正申告書に、②の規定の適用を受けようとする旨の記載をし、かつ、第六章第四節**一2**から同**2**②までの規定により行われたものとみなされた①に規定する対象資産の譲渡又は決済の明細及び当該修正申告書の提出により増加した当該相続等納税猶予分の所得税額の計算に関する明細その他（2）で定める事項を記載した書類を添付しなければならない。この場合において、⑤の規定は、当該記載又は添付がない修正申告書の提出があった場合について準用する。（令266の3⑪）

（（1）に規定する（2）で定める事項）

（2）　（1）に規定する（2）で定める事項は、第二節**二1**②（十一）ワ（イ）から同（ニ）までに掲げる事項で（1）の修正申告書の提出に係るもの並びに（1）に規定する適用被相続人等について生じた第七節**二5**①《遺産分割等があった場合の修正申告の特例》に規定する遺産分割等の事由の別及び当該遺産分割等の事由が生じた年月日とする。（規52の3⑤）

⑥　贈与等により移転を受けた資産を譲渡等により移転した場合の納税の猶予に係る期限の確定

①に規定する贈与を受けた非居住者又は②の規定の適用を受けた相続人である非居住者が、これらの規定による納税の猶予に係る贈与満了基準日又は相続等満了基準日までに、贈与、相続又は遺贈により移転を受けた適用贈与資産又は適用相続等資産の譲渡若しくは決済又は贈与による移転をしたことその他（1）で定める事由が生じた場合には、これらの事由が生じた適用贈与資産又は適用相続等資産に係る納税猶予分の所得税額のうちこれらの事由が生じた適用贈与資産又は適用相続等資産に対応する部分の額として（2）で定めるところにより計算した金額に相当する所得税については、これらの規定にかかわらず、これらの事由が生じた日から4月を経過する日をもってこれらの規定による納税の猶予に係る期限とする。（法137の3⑥）

（1）　⑥に規定する（1）で定める事由は、相続の開始の日から5年を経過する日までに⑥の相続又は遺贈に係る非居住者である受贈者、相続人又は受遺者が死亡したことにより、当該相続又は遺贈により移転を受けた有価証券等又は未決済信用取引等若しくは未決済デリバティブ取引に係る契約の一部について相続（限定承認に係るものに限る。）又は遺贈（包括遺贈のうち限定承認に係るものに限る。）による移転があったこととする。（令266の3⑫）

（2）　⑥に規定する（2）で定めるところにより計算した金額は、㈠に掲げる金額から㈡に掲げる金額を控除した金額（当該金額が零を下回る場合には、零）とする。この場合において、当該計算した金額に100円未満の端数があるとき、又はその全額が100円未満であるときは、その端数金額又はその全額を切り捨てる。（令266の3⑬）

㈠	④に規定する納税猶予分の所得税額（既に⑥の規定の適用があった場合には、⑥の規定の適用があった金額を除く。）
㈡	当該贈与の日又は相続の開始の日（（3）において「**贈与等の日**」という。）の属する年分の第二節**二1**《確定所得申告》②（三）に掲げる金額から①に規定する適用贈与資産又は②に規定する適用相続等資産（これらの資産について既に⑥の事由が生じたものを除く。⑦（2）において同じ。）につき第六章第四節**一2**①から同③までの規定の適用がないものとした場合における当該年分の同号に掲げる金額を控除した金額（当該金額が零を下回る場合には、零）

（3）　贈与等の日の属する年分の所得税につき**1**①《国外転出をする場合の譲渡所得等の特例の適用がある場合の納税猶予》の規定の適用があり、かつ、①の規定の適用がある場合には、**1**⑤（2）の規定にかかわらず、（2）の規定を準用する。この場合において、（2）㈠中「④」とあるのは「**1**①及び同④」と、「所得税額」とあるのは「所得税額の

合計額」と、「⑥」とあるのは「**1**⑤又は同⑥」と、「⑥」とあるのは「これら」と、(２)(二)中「当該贈与の日」とあるのは「当該国外転出（第六章第四節**一 1**①に規定する国外転出をいう。）の日、贈与の日」と、「①に規定する適用贈与資産又は」とあるのは「**1**①に規定する適用資産（既に**1**⑤の事由が生じたものを除く。）につき第六章第四節**一 1**①から同③の規定の適用がないものとし、かつ、①に規定する適用贈与資産若しくは」と、それぞれ読み替えるものとする。(令266の３⑭)

⑦　継続適用届出書の提出義務

①の規定の適用を受ける者又は②の規定の適用を受ける相続人（以下**2**において「**適用贈与者等**」という。）は、これらの規定の適用に係る贈与の日又は相続の開始の日の属する年分の所得税に係る確定申告期限から納税猶予分の所得税額に相当する所得税の全部につき①、②、⑥、⑨（⑩において準用する場合を含む。以下**2**において同じ。）又は⑪の規定による納税の猶予に係る期限が確定する日までの間の各年の12月31日において有し、又は契約を締結している適用贈与資産又は適用相続等資産につき、引き続き①又は②の規定の適用を受けたい旨その他(１)で定める事項を記載した届出書（⑧から⑫までにおいて「**継続適用届出書**」という。）を、同日の属する年の翌年３月15日（⑧、⑨及び⑫において「**提出期限**」という。）までに、(２)で定めるところにより、納税地の所轄税務署長に提出しなければならない。(法137の３⑦)

(１)　⑦に規定する(１)で定める事項は、次の(一)から(四)までに掲げる事項とする。(規52の３⑥)

(一)	⑦に規定する継続適用届出書を提出する者の氏名及び住所
(二)	①又は②の規定の適用に係る贈与又は相続の開始があった年月日
(三)	①に規定する適用贈与資産又は②に規定する適用相続等資産のうち、その年12月31日まで引き続き有しているものの種類別及び名称又は銘柄別の数量及び第六章第四節**一 2**①《贈与等により非居住者に資産が移転した場合の譲渡所得等の特例》に規定する贈与等の時における価額に相当する金額又は同②若しくは同③に規定する利益の額若しくは損失の額に相当する金額
(四)	その他参考となるべき事項

(⑥の事由が生じた場合の参考となるべき事項を記載した書類の提出義務)

(２)　①又は②（これらの規定を③の規定により適用する場合を含む。）の規定による納税の猶予に係る①に規定する贈与満了基準日又は②に規定する相続等満了基準日までに贈与、相続又は遺贈により移転を受けた適用贈与資産又は適用相続等資産について⑥の事由が生じた場合には、⑦に規定する適用贈与者等は、当該事由が生じた適用贈与資産又は適用相続等資産の種類、名称又は銘柄及び単位数並びに⑥(２)（⑥(３)において準用する場合を含む。）の規定による金額の計算に関する明細その他参考となるべき事項を記載した書類を、当該事由が生じた日から４月を経過する日までに、納税地の所轄税務署長に提出しなければならない。(令266の３⑮)

(相続人が２人以上あるときの継続適用届出書等を提出する場合の連署義務)

(３)　③の届出書、⑦に規定する継続適用届出書又は⑦(２)の書類（以下(３)及び(４)において「**継続適用届出書等**」という。)を提出する場合において、②の規定の適用を受ける相続人が２人以上あるときは、当該継続適用届出書等は、各相続人が連署による一の書面で提出しなければならない。ただし、他の相続人の氏名を付記して各別に提出することを妨げない。(令266の３⑯)

(付記して各別に届け出た場合の他の相続人に対する要領の通知義務)

(４)　(３)ただし書の方法により継続適用届出書等を提出した(３)の相続人は、遅滞なく、他の相続人に対し、当該継続適用届出書等に記載した事項の要領を通知しなければならない。(令266の３⑰)

⑧　やむを得ない事情により継続適用届出書の提出がなかった場合の取扱い

継続適用届出書が提出期限までに提出されなかった場合においても、⑦に規定する税務署長が提出期限までにその提出がなかったことについてやむを得ない事情があると認めるときは、当該継続適用届出書の提出があった場合に限り、当該継続適用届出書が提出期限までに提出されたものとみなす。(法137の３⑧)

⑨　継続適用届出書が提出期限までに提出されない場合の納税の猶予に係る期限の確定

継続適用届出書が提出期限までに納税地の所轄税務署長に提出されない場合には、当該提出期限における納税猶予分の所得税額（既に⑥の規定の適用があった場合には、⑥の規定の適用があった金額を除く。）に相当する所得税については、①又は②の規定にかかわらず、当該提出期限から４月を経過する日（当該提出期限から当該４月を経過する日までの間に当該所得税に係る適用贈与者等が死亡した場合には、当該適用贈与者等の相続人が当該適用贈与者等の死亡による相続の開始があったことを知った日から６月を経過する日）をもってこれらの規定による納税の猶予に係る期限とする。（法137の３⑨）

⑩　国外転出をしようとする場合の納税管理人の届出義務

①の規定の適用を受けている者が第六章第四節**一１**①《国外転出をする場合の譲渡所得等の特例》に規定する国外転出をしようとする場合には、当該国外転出の時までに、第十五章**四２**の規定による納税管理人の届出をしなければならない。この場合において、⑧及び⑨の規定は、当該納税管理人の届出が当該国外転出の時までになかった場合について準用する。（法137の３⑩）

（１）　⑩の規定は、②に規定する適用被相続人等の相続人である居住者が第六章第四節**一１**①《国外転出をする場合の譲渡所得等の特例》に規定する国外転出（⑮（３）において「**国外転出**」という。）をしようとする場合について準用する。（令266の３⑧）

⑪　納税の猶予に係る期限の繰上げ

税務署長は、次の（一）から（三）までに掲げる場合には、納税猶予分の所得税額（既に⑥の規定の適用があった場合には、⑥の規定の適用があった金額を除く。）に相当する所得税に係る①又は②の規定による納税の猶予に係る期限を繰り上げることができる。この場合においては、国税通則法第49条第２項及び第３項《納税の猶予の取消し》の規定を準用する。（法137の３⑪）

(一)	適用贈与者等が①又は②に規定する担保について国税通則法第51条第１項《担保の変更等》の規定による命令に応じない場合
(二)	適用贈与者等から提出された継続適用届出書に記載された事項と相違する事実が判明した場合
(三)	(一)及び(二)に掲げる場合のほか、適用贈与者等が第十五章**四１**に規定する納税管理人を解任したことその他の（１）で定める事由が生じた場合

（１）　⑪(三)に規定する（１）で定める事由は、同(三)の適用贈与者等が第十五章**四１**《納税管理人》に規定する納税管理人を解任し、又は当該納税管理人につき**１**⑨（１）に規定する死亡等事実が生じた場合において、その解任の日から４月を経過する日又は当該適用贈与者等が当該納税管理人につき当該死亡等事実の生じたことを知った日から６月を経過する日までに第十五章**四２**の規定による納税管理人の届出をしなかったこととする。（令266の３⑱）

⑫　所得税に係る利子税及び延滞税の徴収を目的とする国の権利の時効

納税猶予分の所得税額に相当する所得税並びに当該所得税に係る利子税及び延滞税の徴収を目的とする国の権利の時効については、⑬の(四)の規定により読み替えて適用される国税通則法第73条第４項《時効の完成猶予及び更新》の規定の適用がある場合を除き、継続適用届出書の提出があった時から当該継続適用届出書の提出期限までの間は完成せず、当該提出期限の翌日から新たにその進行を始めるものとする。（法137の３⑫）

⑬　①又は②の規定による納税の猶予がされた場合における所得税法並びに国税通則法及び国税徴収法の規定の適用

①の者又は②の相続人がこれらの規定の適用を受けようとし、又はこれらの規定による納税の猶予がされた場合におけるこの法律並びに国税通則法及び国税徴収法の規定の適用については、次の(一)から(六)までに定めるところによる。（法137の３⑬）

(一)	①又は②の規定の適用があった場合における所得税に係る延滞税については、その所得税の額のうち納税猶予分の所得税額とその他のものとに区分し、更に当該納税猶予分の所得税額を(五)に規定する納税の猶予に係る期限が異なるものごとに区分して、それぞれの税額ごとに国税通則法の延滞税に関する規定を適用する。

(二)	①の規定の適用を受けようとする者又は②の規定の適用を受けようとする相続人が非上場株式等を担保として供する場合には、国税通則法第50条第２号《担保の種類》中「有価証券で税務署長等（国税に関する法律の規定により国税庁長官又は国税局長が担保を徴するものとされている場合には、国税庁長官又は国税局長。以下**2**において同じ。）が確実と認めるもの」とあるのは、「有価証券及び合名会社、合資会社又は合同会社の社員の持分（質権その他の担保権の目的となっていないことその他の（1）で定める要件を満たすものに限る。）」とする。
(三)	①又は②の規定による納税の猶予を受けた所得税については、国税通則法第52条第４項《担保の処分》中「認めるときは、税務署長等」とあるのは「認めるとき（①又は②《贈与等により非居住者に資産が移転した場合の譲渡所得等の特例の適用がある場合の納税猶予》の規定による納税の猶予の担保として**1**⑪(二)《国外転出をする場合の譲渡所得等の特例の適用がある場合の納税猶予》に規定する非上場株式等が提供された場合には、当該認めるとき、又は当該非上場株式等を換価に付しても買受人がないとき）は、税務署長等」と、国税徴収法第48条第１項《超過差押及び無益な差押の禁止》中「財産は」とあるのは「財産（①又は②《贈与等により非居住者に資産が移転した場合の譲渡所得等の特例の適用がある場合の納税猶予》の規定による納税の猶予の担保として**1**⑪(二)《国外転出をする場合の譲渡所得等の特例の適用がある場合の納税猶予》に規定する非上場株式等が提供された場合において、当該非上場株式等を換価に付しても買受人がないときにおける当該担保を提供した⑦に規定する適用贈与者等の他の財産を除く。）は」とする。
(四)	①又は②の規定による納税の猶予を受けた所得税については、国税通則法第64条第１項《利子税》及び第73条第４項中「延納」とあるのは、「延納（①又は②《贈与等により非居住者に資産が移転した場合の譲渡所得等の特例の適用がある場合の納税猶予》の規定による納税の猶予を含む。）」とする。
(五)	①又は②の規定による納税の猶予に係る期限（⑥、⑨又は⑪の規定による当該期限を含む。）は、国税通則法及び国税徴収法中法定納期限又は納期限に関する規定を適用する場合には、所得税法の規定による延納に係る期限に含まれるものとする。
(六)	①、②、⑥、⑨又は⑪の規定に該当する所得税については、前節の規定は、適用しない。

（⑬(二)の規定により読み替えて適用する国税通則法第50条第２号《担保の種類》に規定する（1）で定める要件）

（1）　⑬(二)の規定により読み替えて適用する国税通則法第50条第２号《担保の種類》に規定する（1）で定める要件は、**1**⑪（3）に規定する要件とする。（規52の3⑦）

⑭　利子税の納付義務

適用贈与者等は、次の(一)から(四)までに掲げる場合のいずれかに該当する場合には、当該(一)から(四)までに規定する所得税に相当する金額を基礎とし、当該所得税に係る第三節又は第七節**二4**①の規定による納付の期限の（当該所得税のうち同**5**①の規定による修正申告書を提出したことにより納付すべき所得税の額（既に⑭の規定の適用があった所得税の額を除く。）に達するまでの部分に相当する金額の所得税にあっては、同**5**①の規定による納付の期限。以下⑭において「納付期限」という。）翌日から当該(一)から(四)までに定める納税の猶予に係る期限までの期間に応じ、年7.3パーセントの割合を乗じて計算した金額に相当する利子税を、当該(一)から(四)までに規定する所得税に併せて納付しなければならない。この場合において、当該所得税につき納付期限が２以上ある場合には、これらの納付期限のうち最も新しいものに係る所得税から順次納税の猶予に係る期限が到来したものとして、利子税の額を計算するものとする。（法137の３⑭）

(一)	①又は②の規定の適用があった場合　これらの規定に規定する所得税に係るこれらの規定による納税の猶予に係る期限
(二)	⑥の規定の適用があった場合　⑥に規定する⑥（2）で定めるところにより計算した金額に相当する所得税に係る⑥の規定による納税の猶予に係る期限
(三)	⑨の規定の適用があった場合　⑨に規定する所得税に係る⑨の規定による納税の猶予に係る期限
(四)	⑪の規定の適用があった場合　⑪に規定する所得税に係る⑪の規定により繰り上げられた納税の猶予に係る期限

⑮　適用贈与者等が死亡した場合の納付義務の承継

①又は②の規定の適用に係る納税の猶予に係る期限までにその適用贈与者等が死亡した場合には、当該適用贈与者等に係る納税猶予分の所得税額に係る納付の義務は、当該適用贈与者等の相続人が承継する。この場合において、必要な事項

は、(１)で定める。(法137の３⑮)

(猶予承継相続人への**２**の規定の適用)

(１)　⑮の規定により納付の義務を承継した⑮に規定する適用贈与者等の相続人(以下「**猶予承継相続人**」という。)については、①の規定の適用を受けた者又は②の規定の適用を受けた相続人とみなして、**２**の規定を適用する。(令266の３⑲)

(非居住者である猶予承継相続人の納税管理人の届出義務)

(２)　非居住者である猶予承継相続人は、既に第十五章**四２**の規定による納税管理人の届出をしている場合を除き、その相続の開始があったことを知った日の翌日から４月以内に、同**２**の規定による納税管理人の届出をしなければならない。この場合において、②(２)及び同(３)の規定は当該届出をすべき非居住者である猶予承継相続人が２人以上あるときに当該納税管理人の届出をする場合について、⑧、⑨及び⑭((三)に係る部分に限る。)の規定は当該納税管理人の届出が当該期限までに行われなかった場合について、それぞれ準用する。(令266の３⑳)

(居住者である猶予承継相続人が国外転出をする場合の⑩の規定の準用)

(３)　⑩及び⑭((三)に係る部分に限る。)の規定は、居住者である猶予承継相続人が国外転出をする場合について準用する。(令266の３㉑)

(猶予承継相続人が③の届出書等の書類を提出する場合の⑦の(３)及び⑦の(４)の規定の準用)

(４)　⑦(３)及び同(４)の規定は、猶予承継相続人が③の届出書、⑦に規定する継続適用届出書又は⑦(２)の書類を提出する場合について準用する。(令266の３㉒)

三　納税の猶予の特例（新型コロナ税特法）

新型コロナウイルス感染症及びそのまん延防止のための措置の影響により令和２年２月１日以後に納税者の事業につき相当な収入の減少があったことその他これに類する事実がある場合には、当該事実がある場合は、**一１**①に規定する震災、風水害、落雷、火災その他これらに類する災害により納税者がその財産につき相当な損失を受けた場合に該当するものとみなして、同①の規定その他納税の猶予に関する法令の規定を適用することができる。この場合において、次の表の左欄に掲げる規定中同表の中欄に掲げる字句は、同表の右欄に掲げる字句とする。（新型コロナ税特法３①）

一１①	震災、風水害、落雷、火災その他これらに類する災害により納税者がその財産につき相当な損失を受けた場合において、その者がその損失を受けた日以後１年以内に納付すべき国税で次の(一)から(三)までに掲げるものがある	新型コロナウイルス感染症（新型コロナウイルス感染症等の影響に対応するための国税関係法律の臨時特例に関する法律（令和２年法律第25号）第２条《定義》に規定する新型コロナウイルス感染症をいう。）及びそのまん延防止のための措置の影響により令和２年２月１日以後に納税者の事業につき相当な収入の減少があったことその他これに類する事実がある場合において、その者が特定日（納税の猶予の対象となる国税の期日として（1）で定める日をいう。以下**三**において同じ。）までに納付すべき国税で次に掲げるものの全部又は一部を一時に納付することが困難であると認められる
	その災害のやんだ日から２月以内にされたその者の申請に基づき、その納期限（納税の告知がされていない源泉徴収等による国税については、その法定納期限）	その国税の納期限（納税の告知がされていない源泉徴収等による国税については、その法定納期限。以下**三**（各号を除く。）において同じ。）内にされたその者の申請（税務署長等においてやむを得ない理由があると認める場合には、その国税の納期限後にされた申請を含む。）に基づき、その納期限
一１①(一)	その損失を受けた日	令和２年２月１日
一１①(一)イ及び同ロ	その災害のやんだ日	特定日
一１①(二)	その災害のやんだ日	特定日
	その損失を受けた日	令和２年２月１日
一１①(三)	その損失を受けた日	令和２年２月１日
一２①	同①の災害によりその者がその財産につき相当な損失を受けたことの事実	新型コロナウイルス感染症等の影響による事業収入の減少等の事実があること及びその国税の全部又は一部を一時に納付することが困難である事情
	事実を証するに足りる書類	新型コロナウイルス感染症等の影響による事業収入の減少等の事実を証するに足りる書類、財産目録その他の（2）で定める書類

（納税の猶予の特例の対象となる国税の期日等）

（1）　**三**の規定により読み替えて適用する**一１**①に規定する（1）で定める日は、令和３年２月１日とする。（新型コロナ税特令２①）

（（2）で定める書類）

（2）　**三**の規定により読み替えて適用する**一２**①に規定する（2）で定める書類は、次の(一)から(三)までに掲げる書類とする。（新型コロナ税特令２②）

(一)	**三**の規定により読み替えて適用する**一２**①に規定する新型コロナウイルス感染症等の影響による事業収入の減少等の事実を証するに足りる書類
(二)	財産目録その他の資産及び負債の状況を明らかにする書類
(三)	猶予を受けようとする日前の収入及び支出の実績並びに同日以後の収入及び支出の見込みを明らかにする書類

第六節　還　　付

一　源泉徴収税額の還付

1　源泉徴収税額等の還付

①　源泉徴収税額等の控除不足額の還付

確定申告書の提出があった場合において、当該申告書に第二節**二３**《還付等を受けるための申告》①(一)若しくは同(二)又は同節**二４**《確定損失申告》②(六)若しくは同(七)《外国税額、源泉徴収税額》に掲げる金額の記載があるときは、税務署長は、当該申告書を提出した者に対し、当該金額に相当する所得税を還付する。(法138①)

②　納付されていない源泉徴収税額

①の場合において、①の確定申告書又は損失申告書に記載された源泉徴収税額の控除不足額又は源泉徴収税額のうちにまだ納付されていないものがあるときは、①の規定による還付金の額のうちその納付されていない部分の金額に相当する金額については、その納付があるまでは、還付しない。(法138②)

2　還付手続等

①　還付金に関する事項の申告書への記載

１①《源泉徴収税額等の還付》又は**二１**①若しくは同②《予納税額等の還付》の還付金の還付を受けようとする者は、確定申告書に次の(一)から(三)までに掲げる事項を記載しなければならない。(令267①)

(一)	当該還付金の支払を受けようとする銀行又は郵便局（簡易郵便局法第２条《定義》に規定する郵便窓口業務を行う日本郵便株式会社の営業所であって郵政民営化法第94条《定義》に規定する郵便貯金銀行を銀行法第２条第16項《定義等》に規定する所属銀行とする同条第14項に規定する銀行代理業の業務を行うものをいう。）の名称及び所在地
(二)	当該還付金の額のうちにまだ納付されていない**１**②に規定する源泉徴収税額に相当する金額があるときは、当該金額
(三)	その他参考となるべき事項

②　源泉徴収税額の明細書の添付

①の規定による記載をした確定申告書を提出する場合において、その年中の各種所得につき源泉徴収をされた所得税の額があるときは、当該申告書に、当該所得税の額が源泉徴収をされた事実の説明となるべき次の(一)から(十二)までに掲げる事項を記載した明細書を添付しなければならない。(令267②、規53①)

(注)　上記の明細書の提出は、確定申告書等の「源泉徴収税額」欄に所要事項を記入するとともに、③により支払調書等を添付することをもってこれに代えることとされている。(編者注)

(一)	第四章第一節**二**注《利子所得及び配当所得に係る源泉徴収義務》の規定により徴収された所得税の額（源泉分離課税に係るものを除く。）がある場合には、公社債、預貯金、合同運用信託、株式（投資信託及び投資法人に関する法律第２条第14項《定義》に規定する投資口を含む。）、出資、基金（保険業法第30条の３第１項《基金の払込み》に規定する基金をいう。）、投資信託又は特定受益証券発行信託の受益権及び社債的受益権（第二章第二節**３**(2)(四)《受託法人等に関するこの法律の適用》に規定する社債的受益権をいう。以下同じ。）について、その支払者及び種類ごとにその元本又は数量、利子等又は配当等の収入金額及び徴収された所得税の額並びにその支払者の氏名又は名称及び住所若しくは居所又は本店若しくは主たる事務所の所在地若しくは法人番号
(二)	所得税法第183条《給与所得に係る源泉徴収義務》、第190条《年末調整に係る源泉徴収義務》、第192条《年末調整に係る不足額の源泉徴収義務》及び第199条《退職所得に係る源泉徴収義務》の規定により徴収された所得税の額がある場合には、給与等又は退職手当等について、その支払者及び種類ごとに、その収入金額（退職所得とみなされる退職一時金については、その金額のうち退職手当等の支払を受けたものとみなされる額に相当する金額）、そ

	の徴収された所得税の額並びにその支払者の氏名又は名称及び住所若しくは居所又は本店若しくは主たる事務所の所在地若しくは法人番号
(三)	所得税法第203条の２《源泉徴収義務》の規定により徴収された所得税の額がある場合には、公的年金等について、その支払者及び種類ごとに、その収入金額（所得税法第203条の５第２号又は第３号《公的年金等から控除される社会保険料がある場合等の徴収税額の計算》に規定する年金については、その金額のうち同号の規定により公的年金等の支払を受けたものとみなされる額に相当する金額）、その徴収された所得税の額並びにその支払者の名称及び主たる事務所の所在地又は法人番号
(四)	所得税法第204条《報酬、料金等に係る源泉徴収義務》、第207条《生命保険契約等に基づく年金に係る源泉徴収義務》又は第210条《匿名組合契約等の利益の分配に係る源泉徴収義務》の規定により徴収された所得税の額がある場合には、これらの規定に規定する報酬、料金、契約金、賞金、年金又は利益の分配について、その支払者及び種類ごとに、その金額（賞金のうち金銭以外のもので支払われたものについては所得税法施行令第321条《金銭以外のもので支払われる賞金の価額》の規定により計算した金額とし、年金についてはその年金の年額からその年金に係る同令第326条第３項《生命保険契約等に基づく年金の額から控除する掛金額の計算》の規定により計算した金額を控除した金額とする。）、その徴収された所得税の額並びにその支払者の氏名又は名称及び住所若しくは居所又は本店若しくは主たる事務所の所在地若しくは法人番号
(五)	所得税法第212条第１項《非居住者の所得に係る源泉徴収義務》の規定により徴収された所得税の額（同法第215条《非居住者の人的役務の提供による給与等に係る源泉徴収の特例》の規定により所得税の徴収が行われたものとみなされるものを含み、所得税法施行令第264条《各種所得につき源泉徴収された所得税等の額から控除する所得税の額》に規定する金額を除く。）がある場合には、同項に規定する国内源泉所得についてその支払者及び種類ごとに、その国内源泉所得の金額（同法第213条第１項第１号ロ《非居住者の所得に係る徴収税額》に掲げる賞金のうち金銭以外のもので支払われたものについては同令第329条第１項《金銭以外のもので支払われる賞金の価額等》の規定により計算した金額とし、同法第213条第１項第１号ハに掲げる年金についてはその年金の年額からその年金に係る同令第329条第２項の規定により計算した金額を控除した残額とする。）、その徴収された所得税の額並びにその支払者の氏名又は名称及び住所若しくは居所又は本店若しくは主たる事務所の所在地若しくは法人番号
(六)	第四章第一節**三１**②後段《国外で発行された公社債等の利子所得の分離課税等》（同②前段に規定する国外一般公社債等の利子等に係る部分を除く。）、同章第二節**五１**②《国外で発行された投資信託等の収益の分配に係る配当所得の分離課税等》（同②ロに係る部分に限る。）、同④《国外で発行された株式の配当所得の源泉徴収等の特例》又は同⑥《上場株式等の配当等に係る源泉徴収義務等の特例》の規定により徴収された所得税の額がある場合には、措法第３条の３第２項に規定する国外公社債等の利子等、同②に規定する国外投資信託等の配当等、同④に規定する国外株式の配当等又は同⑥に規定する上場株式等の配当等（(七)に規定する未成年者口座内上場株式等の配当等を除く。以下(六)において「配当等」という。）について、その支払者又はこれらの規定に規定する支払の取扱者及び種類ごとに、その元本又は数量、配当等の収入金額及び徴収された所得税の額（第五章第三節**九４**《源泉徴収選択口座内配当等に係る所得計算及び源泉徴収等の特例》の適用がある場合には、その適用後の金額）並びにその支払者の名称及び本店若しくは主たる事務所の所在地又はその支払の取扱者の名称及びその者の事務所、事業所その他これらに準ずるものでその支払事務を取り扱うもの（(八)において「事務所等」という。）の所在地若しくは法人番号
(七)	第四章第二節**五５**《未成年者口座内の少額上場株式等に係る配当所得の非課税》②に規定する契約不履行等事由が生じたことにより同①の規定の適用がなかったものとみなされた同①に規定する未成年者口座内上場株式等の配当等について、当該未成年者口座内上場株式等の配当等に係る同①に規定する非課税口座が開設されていた同①に規定する金融商品取引業者等の営業所（同①に規定する営業所をいう。）ごとに、その未成年者口座内上場株式等の配当等の額、当該未成年者口座内上場株式等の配当等につき第四章第二節**五**《配当所得の課税の特例》**１**②、同④又は同⑥の規定により徴収された所得税の額並びにその金融商品取引業者等の営業所の名称及び所在地又は法人番号
(八)	第五章第三節**七**《特定口座内保管上場株式等の譲渡による所得等に対する源泉徴収等の特例》の規定により徴収された所得税の額がある場合には、同節**六３**(一)《特定口座内保管上場株式等の譲渡等に係る所得計算等の特例》に規定する特定口座に係る同**１**に規定する特定口座内保管上場株式等の譲渡及び当該特定口座において処理された同**２**に規定する信用取引等の第五章第三節**七１**に規定する差金決済について、その特定口座が開設されている同節**六３**(一)に規定する金融商品取引業者等の営業所（同(一)に規定する営業所をいう。）ごとに、当該特定口座内保

	管上場株式等の譲渡に係る収入金額及び当該信用取引等による同節**三１**①《上場株式等に係る譲渡所得等の課税の特例》に規定する上場株式等の譲渡に係る収入金額の合計額、その徴収された所得税の額並びにその金融商品取引業者等の営業所の名称及び所在地又は法人番号
(九)	第五章第三節**十七**《未成年者口座内の少額上場株式等に係る譲渡所得等の非課税》**３**（４）の規定により徴収された所得税の額がある場合には、同**２**(一)に規定する未成年者口座が開設されていた同号に規定する金融商品取引業者等の営業所（同号に規定する営業所をいう。）ごとに、同**３**（４）(一)に掲げる金額から同**３**（４）(二)に掲げる金額を控除した金額、その徴収された所得税の額並びにその金融商品取引業者等の営業所の名称及び所在地又は法人番号
(十)	租税特別措置法第41条の12の２第２項から第４項まで《割引債の差益金額に係る源泉徴収等の特例》の規定により徴収された所得税の額がある場合には、同条第２項に規定する割引債の償還金、同条第３項に規定する特定割引債の同項の償還金又は同条第１項第２号に規定する国外割引債の償還金（以下(八)において「償還金」という。）について、その支払者又は同条第３項に規定する特定割引債取扱者若しくは同条第１項第２号に規定する国外割引債取扱者及び種類ごとに、その償還金の額、徴収された所得税の額並びにその支払者の名称及び本店若しくは主たる事務所の所在地又はその特定割引債取扱者若しくは国外割引債取扱者の名称及びその事務所等の所在地若しくは法人番号
(十一)	(一)から(六)に掲げる所得税の額のうちその納付期日が到来していないものがある場合には、その税額
(十二)	その他参考となるべき事項

③　支払調書、源泉徴収票等が添付されている源泉徴収税額の明細の記載省略

確定申告書に第五章第三節**二３**《支払調書》に規定する調書の写し、所得税法第225条第２項若しくは第３項ただし書に規定する通知書若しくは同項本文の規定による提供を受けた当該通知書に記載すべき事項を書面に出力したもの、第四章第二節**五１**③(10)、同(11)若しくは同(12)ただし書《上場株式等に係る配当所得等の課税の特例》に規定する通知書若しくは同項本文の規定による提供を受けた当該通知書に記載すべき事項を書面に出力したもの、第五章第三節**六11**若しくは同**13**ただし書に規定する報告書若しくは同**13**本文の規定による提供を受けた当該報告書に記載すべき事項を書面に出力したもの、第五章第三節**十七８**③若しくは同③（１）ただし書に規定する報告書若しくは同③（１）本文の規定による提供を受けた当該報告書に記載すべき事項を書面に出力したもの、租税特別措置法第41条の12の２第８項、第９項若しくは第10項ただし書に規定する通知書若しくは同項本文の規定による提供を受けた当該通知書に記載すべき事項を書面に出力したもの又は同法第226条第１項から第３項若しくは第４項ただし書《源泉徴収票》に規定する源泉徴収票若しくは同項本文の規定による提供を受けた当該源泉徴収票に記載すべき事項を書面に出力したものが添付されている場合においては、②に規定する明細書には、②(一)から同(十二)までに掲げる事項のうち当該調書の写し又はこれらの通知書、報告書若しくは源泉徴収票（以下③において「通知書等」という。）若しくは当該通知書等に記載すべき事項を書面に出力したものに記載されている事項は、記載することを要しない。（規53②）

④　未納付の源泉徴収税額につき納付があった場合の届出

①(二)に掲げる金額を記載した確定申告書を提出した者は、①(二)に規定する源泉徴収税額の納付があった場合には、遅滞なく、その納付の日、その納付された源泉徴収税額その他必要な事項を記載した届出書を納税地の所轄税務署長に提出しなければならない。（令267③）

⑤　税務署長の還付又は充当手続

税務署長は、①の還付金に係る金額の記載がある確定申告書の提出があった場合には、当該金額が過大であると認められる事由がある場合を除き、遅滞なく、**１**①又は**二１**《予定納税額の還付》①若しくは同②の還付又は充当の手続をしなければならない。（令267④）

⑥　相続人が２人以上ある場合の還付金に関する記載

被相続人に係る①の還付金の還付を受けようとする相続人が２人以上ある場合において、当該還付金に係る確定申告書を第二節**三１**④本文の規定により連署による一の書面で提出するときは、当該申告書には、当該還付金の額を各人別に記載しなければならない。（令267⑤）

3　還付すべき源泉徴収税額の充当

①　源泉徴収税額の充当の順序

1①の源泉徴収税額に係る還付金（これに係る還付加算金を含む。②において同じ。）を未納の国税及び滞納処分費に充当する場合には、次の(一)及び(二)の順序により充当するものとする。（令268①）

(一)	その年分の未納の所得税で修正申告書の提出又は更正により納付すべきもの（第二節**二 1**②(七)の注に掲げる予納税額（以下「**予定納税額等**」という。）を除く。）があるときは、当該所得税に充当する。
(二)	(一)の充当をしてもなお還付すべき金額があるときは、その他の未納の国税及び滞納処分費に充当する。

②　予納税額の還付金と源泉徴収税額の還付金とがある場合の充当の順序

その年分の所得税に係る**1**①の規定による還付金と**二 1**①又は同②の規定による還付金（これに係る還付加算金を含む。以下同じ。）とがある場合において、これらの還付金をその年分の所得税で未納のものに充当するときは、次の(一)又は(二)に掲げる場合の区分に応じ当該(一)又は(二)に掲げる還付金からまず充当するものとする。（令268③）

(一)	①の(一)に規定する所得税に充当する場合	**1**①の規定による還付金
(二)	**予定納税額等**に充当する場合	**二 1**①又は同②の還付金

4　還付加算金

①　源泉徴収税額の還付金に係る還付加算金の計算期間

1①の還付金について還付加算金を計算する場合には、その計算の基礎となる第二章第一節**一**表内**48**(注) 1《還付加算金》の期間は、次の(一)又は(二)に掲げる場合の区分に応じ当該(一)又は(二)に掲げる日（同日後に納付された**1**②の未納の源泉徴収税額に係る還付金については、その納付の日）の翌日からその還付のための支払決定をする日又はその還付金につき充当をする日（同日前に充当をするのに適することとなった日がある場合には、その適することとなった日）までの期間とする。（法138③）

(一)	**1**①の確定申告書がその確定申告期限までに提出された場合	その確定申告期限
(二)	**1**①の確定申告書がその確定申告期限後に提出された場合	その提出の日

②　充当される還付金の計算除外

1①の還付金を同①の確定申告書に係る年分の所得税で未納のものに充当する場合には、その還付金の額のうちその充当する金額については、還付加算金を付さないものとし、その充当される部分の所得税については、延滞税を免除するものとする。（法138④）

二　予納税額の還付

1　予納税額の還付

①　予納税額の還付

確定申告書の提出があった場合において、当該申告書に第二節**二３**《還付等を受けるための申告》①(三)又は同節**二４**《確定損失申告》②(八)に掲げる金額の記載があるときは、税務署長は、当該申告書を提出した者に対し、当該金額に相当するこれらの規定に規定する予納税額（以下「**予納税額**」という。）を還付する。(法139①)

②　予納税額に係る延滞税のうち還付金に対応するものの還付

税務署長は、①による還付金の還付をする場合において、①の確定申告書に係る年分の予納税額について納付された延滞税があるときは、その額のうち、①の規定により還付される予納税額に対応するものとして計算した金額（次の(一)に掲げる金額から(二)に掲げる金額を控除した金額をいう。）を併せて還付する。(法139②、令270)

<table>
<tr><td>(一)</td><td colspan="2">一３①(一)に規定する予定納税額等について納付された延滞税の額の合計額（当該延滞税のうちに既に②又は第十二章三《更正等に伴う還付》８《還付する予納税額に係る延滞税の還付》の規定により還付されるべきこととなったものがある場合には、その還付されるべきこととなった延滞税の額を除く。）</td></tr>
<tr><td rowspan="4">(二)</td><td colspan="2">当該予定納税額等（①又は第十二章三６《決定による予定納税額の控除不足額の還付》の規定による還付金をもって充当される部分の金額を除く。）のうち次に定める順序により(一)の確定申告書に記載された第二節二１②(三)《確定所得申告に係る所得税額》に掲げる金額（同②(四)に規定する源泉徴収税額がある場合には同②(四)に掲げる金額とし、３①(一)の充当をされる所得税がある場合には当該所得税の額を加算した金額とする。）に達するまで順次求めた各予定納税額等につき国税に関する法律の規定により計算される延滞税の額の合計額</td></tr>
<tr><td>イ</td><td>当該予定納税額等のうち法定納期限を異にするものについては、その法定納期限の早いものを先順位とする。</td></tr>
<tr><td>ロ</td><td>法定納期限を同じくする予定納税額等のうち確定の日を異にするものについては、その確定の日の早いものを先順位とする。</td></tr>
<tr><td>ハ</td><td>法定納期限及び確定の日を同じくする予定納税額等のうち納付の日を異にするものについては、その納付の日の早いものを先順位とする。</td></tr>
</table>

2　還付手続等

予定納税額の還付手続等は**一２**《源泉徴収税額の還付手続等》の規定による。(令267)

①の**還付金に関する事項の申告書への記載**（令267①）

⑤の**税務署長の還付又は充当手続**（令267④）

⑥の**相続人が２人以上ある場合の還付金の記載**（令267⑤）

3　還付すべき予納税額の充当

①　予納税額の充当の順序

1①又は同②の還付金（これに係る還付加算金を含む。）を未納の国税及び滞納処分費に充当する場合には、次の(一)から(三)の順序により充当するものとする。(令268②)

(一)	その年分の未納の所得税で修正申告書の提出又は更正により納付すべきもの（予定納税額等を除く。）があるときは、当該所得税に充当する。
(二)	(一)の充当をしてもなお還付すべき金額がある場合において、その年分の予定納税額等で未納のものがあるときは、当該未納の予定納税額等に充当する。この場合において、法定納期限を異にする未納の予定納税額等があるときは、その未納の予定納税額等のうち当該法定納期限がその還付の日に最も近いものから順次当該還付すべき金額に達するまで遡って求めたものに充当する。
(三)	(一)又は(二)の充当をしてもなお還付すべき金額があるときは、その他の未納の国税及び滞納処分費に充当する。

②　源泉徴収税額の還付金と予納税額の還付金とがある場合の充当の順序

一3《還付すべき源泉徴収税額の充当》②の規定による。（令268③）

4　還付加算金

①　予納税額の還付金に係る還付加算金の計算期間

1①の還付金について還付加算金を計算する場合には、その計算の基礎となる第二章第一節**一**表内**48**(注) 1《還付加算金》の期間は、**1**①により還付をすべき予納税額の納付の日（その予納税額がその納期限前に納付された場合には、その納期限）の翌日からその還付のための支払決定をする日又はその還付金につき充当をする日（同日前に充当をするのに適することとなった日がある場合には、その適することとなった日）までの期間とする。ただし、**1**①の確定申告書がその確定申告期限後に提出された場合には、その確定申告期限の翌日からその提出された日までの日数は、当該期間に算入しない。（法139③）

②　納期限等の異なる2以上の予納税額がある場合の還付加算金の計算

1①の還付金について還付加算金の額を計算する場合には、同①に規定する確定申告書に係る年分の予定納税額等（既に①若しくは第十二章**三9**《予納税額等に係る還付加算金》①の還付加算金の額の計算の基礎とされた部分の金額があり、又は**1**①若しくは第十二章**三**《更正等又は決定に伴う還付》**7**による還付金をもって充当をされる部分の金額がある場合には、これらの金額を除く。以下②において「**予定納税額等**」という。）のうち次の(一)から(三)までに定める順序により当該還付金の額（当該還付金をもって**3**①(一)又は同(二)の充当をする場合には、当該充当をする還付金の額を控除した金額）に達するまで順次遡って求めた各予定納税額等を①に規定する還付をすべき予納税額として、同①の規定を適用する。（令269）

(一)	当該予定納税額等のうち法定納期限を異にするものについては、その法定納期限の遅いものを先順位とする。
(二)	法定納期限を同じくする予定納税額等のうち確定の日を異にするものについては、その確定の日の遅いものを先順位とする。
(三)	法定納期限及び確定の日を同じくする予定納税額等のうち納付の日を異にするものについては、その納付の日の遅いものを先順位とする。

③　充当される還付金の計算除外

1①の還付金をその額の計算の基礎とされた予納税額に係る年分の所得税で未納のものに充当する場合には、その還付金の額のうちその充当する金額については、還付加算金を付さないものとし、その充当される部分の所得税については延滞税を免除するものとする。（法139④）

④　延滞税に係る還付金の計算除外

1の②の延滞税に係る還付金については、還付加算金は、付さない。（法139⑤）

三　純損失の繰戻しによる還付の請求

1　純損失の繰戻しによる還付の請求

①　純損失の繰戻しによる還付の請求

青色申告書を提出する居住者は、その年において生じた純損失の金額がある場合には、当該申告書の提出と同時に、納税地の所轄税務署長に対し、(一)に掲げる金額から(二)に掲げる金額を控除した金額に相当する所得税の還付を請求することができる。(法140①)

(一)	その年の前年分の課税総所得金額、課税退職所得金額及び課税山林所得金額につき第九章第一節《税率》の規定を適用して計算した所得税の額
(二)	その年の前年分の課税総所得金額、課税退職所得金額及び課税山林所得金額から当該純損失の金額の全部又は一部を控除した金額につき第九章第一節《税率》の規定に準じて計算した所得税の額

(注)　第九章第四節**3**《特定の基準所得金額の課税の特例》の規定の適用がある場合における①の規定の適用については、①(一)中「所得税の額」とあるのは「所得税の額((二)において「調整前所得税額」という。)並びに同年分の第九章第四節**3**《特定の基準所得金額の課税の特例》①の規定による所得税の額の合計額」と、①(二)中「所得税の額」とあるのは「所得税の額(以下(二)において「調整所得税額」という。)並びに調整基準所得金額(同年分の第九章第四節**3**に規定する基準所得金額から当該控除した純損失の金額を控除した金額をいう。)を同年分の同**3**に規定する基準所得金額と、調整基準所得税額(調整前所得税額から当該調整所得税額を控除した金額を同年分の同**3**に規定する基準所得税額から控除した金額をいう。)を同年分の同**3**に規定する基準所得税額とそれぞれみなして同**3**の規定を適用して計算した所得税の額の合計額」とされる。(措令26の28の３の２④三)(令和７年分以後の所得税について適用(令５改措令附１五))

(青色申告書を提出する居住者の意義)

(１)　①に規定する「青色申告書を提出する居住者」には、第二節**三 1**《確定申告書を提出すべき者等が死亡した場合の確定申告》①又は同②の規定に該当して青色申告書を提出する相続人も含まれることに留意する。この場合において、当該相続人が提出する**3**①《還付請求書の提出》に規定する還付請求書(以下「**還付請求書**」という。)の記載事項等については、**3**②《相続人が２人以上ある場合の還付請求の手続》及び**3**④《相続人による還付請求の場合の還付請求書の記載事項》の規定に準ずるものとする。(基通140・141－1)

②　繰戻しによる還付税額の限度額

①の場合において、①に規定する控除した金額に相当する所得税の額がその年の前年分の課税総所得金額、課税退職所得金額及び課税山林所得金額に係る所得税の額(附帯税の額を除く。)をこえるときは、①の還付の請求をすることができる金額は、当該所得税の額に相当する金額を限度とする。(法140②)

(注)　第九章第四節**3**《特定の基準所得金額の課税の特例》の規定の適用がある場合における②の規定の適用については、②中「係る所得税の額」とあるのは「係る所得税の額並びに第九章第四節**3**の規定による所得税の額の合計額」と、「当該所得税の額」とあるのは「当該合計額」とされる。(措令26の28の３の２④三)(令和７年分以後の所得税について適用(令５改措令附１五))

(還付金の限度額となる前年分の所得税の額)

(１)　①(一)及び同(二)に掲げる所得税の額は、各種の税額控除前の所得税の額をいうのであるが、②に規定する還付金の限度額となる前年分の所得税の額(附帯税を除く。)は、第二節**二 1**②(三)《確定所得申告》に掲げる各種の税額控除後の所得税の額をいうことに留意する。(基通140・141－2)

(繰戻しによる還付請求書が青色申告書と同時に提出されなかった場合)

(２)　還付請求書が青色申告書と同時に提出されなかった場合でも、同時に提出されなかったことについて税務署長においてやむを得ない事情があると認めるときは、これを同時に提出されたものとして①又は**2**①の規定を適用して差し支えない。(基通140・141－3)

(端数計算)

(３)　①(一)及び同(二)又は**2**①(一)及び同(二)に掲げる所得税の額を計算するに当たっては、第十五章**五 1**《国税の課税標準の端数計算》①及び同**2**《国税の確定金額の端数計算》①の規定を準用する。(基通140・141－4)

③　純損失の控除順序

①(二)に掲げる金額を計算する場合において、同(二)の課税総所得金額、課税退職所得金額又は課税山林所得金額のうちいずれから先に純損失の金額を控除するか、及び前年において第九章第一節**二**《変動所得及び臨時所得の平均課税》の規定の適用があった場合において同節**二 3**に規定する平均課税対象金額と課税総所得金額から当該平均課税対象金額を控除した金額とのうちいずれから先に純損失の金額を控除するかについては、(1)で定める。(法140③)

(①(二)又は**2**①(二)に掲げる金額を計算する場合の純損失の繰越順序)

(1)　①(二)《純損失の繰戻しによる還付の請求》又は**2**①(二)《相続人等の純損失の繰戻しによる還付の請求》に掲げる金額を計算する場合において、純損失の金額の全部又は一部を前年分の課税総所得金額、課税退職所得金額及び課税山林所得金額から控除するときは、次の(一)から(六)までに定めるところによる。(令271①)

(一)	控除しようとする純損失の金額のうちに第七章第二節**一 4**②イ《純損失の繰越控除》に規定する総所得金額の計算上生じた損失の部分の金額がある場合には、これをまず前年分の課税総所得金額から控除する。
(二)	控除しようとする純損失の金額のうちに第七章第二節**一 4**②ロに規定する山林所得金額の計算上生じた損失の部分の金額がある場合には、これをまず前年分の課税山林所得金額から控除する。
(三)	(一)の規定による控除をしてもなお控除しきれない総所得金額の計算上生じた損失の部分の金額は、前年分の課税山林所得金額((二)の規定による控除が行われる場合には、当該控除後の金額)から控除し、次に課税退職所得金額から控除する。
(四)	(二)の規定による控除をしてもなお控除しきれない山林所得金額の計算上生じた損失の部分の金額は、前年分の課税総所得金額((一)の規定による控除が行われる場合には、当該控除後の金額)から控除し、次に課税退職所得金額((三)の規定による控除が行われる場合には、当該控除後の金額)から控除する。
(五)	(一)又は(三)の場合において、総所得金額の計算上生じた損失の部分の金額のうちに、第七章第一節**一 3**《変動所得の損失等の損益通算》に規定する変動所得の損失の金額とその他の損失の金額とがあるときは、まずその他の損失の金額を控除し、次に変動所得の損失の金額を控除する。
(六)	(一)又は(四)の場合において、前年に第九章第一節**二 1**《変動所得及び臨時所得の平均課税》の規定の適用があったときは、同年分の課税総所得金額から控除しようとする純損失の金額のうち、第七章第一節**一 3**に規定する変動所得の損失の金額は、まず同年分の第九章第一節**二 3**に規定する平均課税対象金額から控除するものとし、当該変動所得以外の各種所得の金額の計算上生じた損失の部分の金額は、まず同年分の課税総所得金額のうち当該平均課税対象金額以外の部分の金額から控除するものとする。

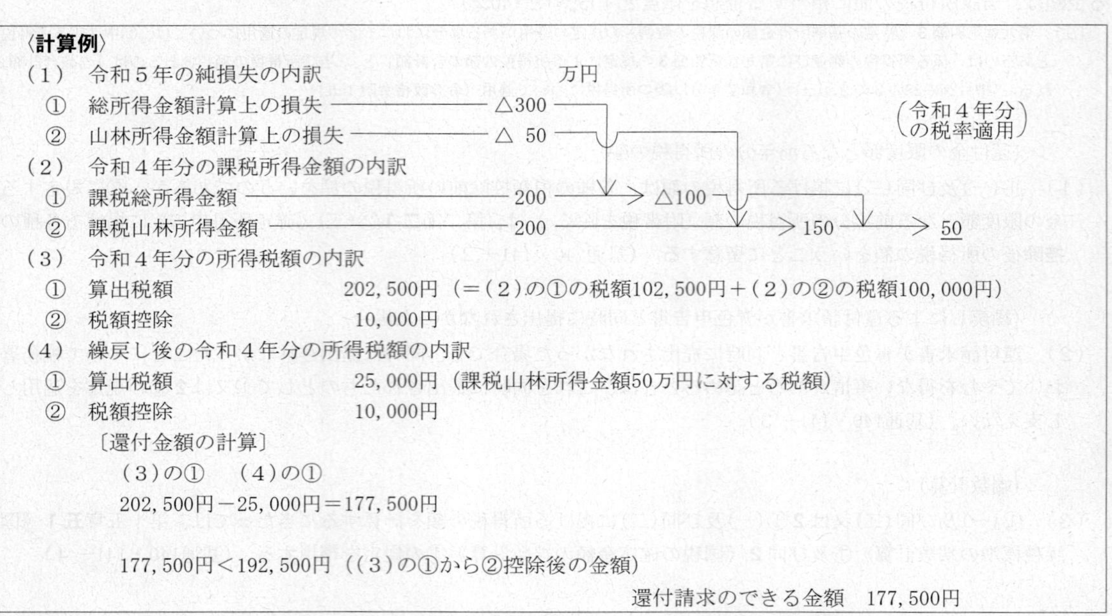

〈計算例〉

(1)　令和5年の純損失の内訳　　万円
①　総所得金額計算上の損失 ―― △300
②　山林所得金額計算上の損失 ―― △ 50
(2)　令和4年分の課税所得金額の内訳
①　課税総所得金額 ―― 200 → △100
②　課税山林所得金額 ―― 200 → 150 → 50
(令和4年分の税率適用)
(3)　令和4年分の所得税額の内訳
①　算出税額　202,500円(=(2)の①の税額102,500円+(2)の②の税額100,000円)
②　税額控除　10,000円
(4)　繰戻し後の令和4年分の所得税額の内訳
①　算出税額　25,000円(課税山林所得金額50万円に対する税額)
②　税額控除　10,000円

〔還付金額の計算〕
(3)の①　(4)の①
202,500円－25,000円＝177,500円

177,500円＜192,500円((3)の①から②控除後の金額)

還付請求のできる金額　177,500円

（被災純損失金額と当該被災純損失金額以外の純損失の金額とがある場合の控除の順序）

（2）　③の規定の適用がある場合において、その年において生じた純損失の金額のうちに、第七章第二節**二**《特定非常災害に係る純損失の繰越控除の特例》**4**（一）に規定する被災純損失金額と当該被災純損失金額以外の純損失の金額（**二1**に規定する特定非常災害発生年純損失金額に該当するものを除く。）とがある場合における**3**⑤《純損失の繰戻しによる還付の手続等》の規定により還付を受けるべき金額の計算の基礎となる純損失の金額は、当該被災純損失金額以外の純損失の金額から順次成るものとして（1）の規定による控除を行う。（令271②）

④　青色申告書の期限内提出要件

①の規定は、①の居住者がその年の前年分の所得税につき青色申告書を提出している場合であって、その年分の青色申告書をその提出期限までに提出した場合（税務署長においてやむを得ない事情があると認める場合には、当該申告書をその提出期限後に提出した場合を含む。）に限り、適用する。（法140④）

⑤　事業の全部の譲渡又は廃止等があった場合の繰戻しの特例

居住者につき事業の全部の譲渡又は廃止その他これらに準ずる事実で事業の全部の相当期間の休止又は重要部分の譲渡で、これらの事実が生じたことにより前年において生じた純損失の金額につき純損失の繰越控除の規定の適用を受けることが困難となると認められるものが生じた場合において、当該事実が生じた日の属する年の前年において生じた純損失の金額（純損失の繰越控除の規定により同日の属する年において控除されたもの及び**3**⑤の規定により純損失の繰戻しによる還付を受けるべき金額の計算の基礎となったものを除く。）があるときは、その者は、同日の属する年の前年分及び前々年分の所得税につき青色申告書を提出している場合に限り、同日の属する年分の所得税に係る確定申告期限までに、納税地の所轄税務署長に対し、当該純損失の金額につき①から③までの規定に準じて（1）で定めるところにより計算した金額に相当する所得税の還付を請求することができる。（法140⑤、令272①）

（事業廃止等の場合の純損失の繰戻しによる還付請求税額）

（1）　⑤又は**2**④《相続人等による純損失の繰戻しによる還付の請求》の規定により還付を請求することができる金額は、これらの規定に規定する事実が生じた日の属する年の前前年分の課税総所得金額、課税退職所得金額及び課税山林所得金額並びにこれらにつき第九章第一節《税率》の規定を適用して計算した所得税の額並びに同日の属する年の前年において生じた⑤又は**2**④に規定する純損失の金額を基礎とし、①から③まで及び**2**①から同③まで並びに③（1）及び同（2）の規定に準じて計算した金額とする。この場合において、既に当該前前年分の所得税につき①又は**2**①の規定の適用があったときは、当該前前年分の課税総所得金額、課税退職所得金額及び課税山林所得金額に相当する金額からその適用に係る純損失の金額を控除した金額をもって当該課税総所得金額、課税退職所得金額及び課税山林所得金額とみなし、かつ、当該前前年分の所得税の額に相当する金額からその適用により還付された金額を控除した金額をもって当該所得税の額とみなす。（令272②）

（注）　第九章第四節**3**《特定の基準所得金額の課税の特例》の規定の適用がある場合における（1）の規定の適用については、（1）中「計算した所得税の額」とあるのは「計算した所得税の額並びに同年分の第九章第四節**3**《特定の基準所得金額の課税の特例》に規定する基準所得金額（以下「基準所得金額」という。）及び同**3**に規定する基準所得税額並びに同**3**の規定による所得税の額」と、「課税山林所得金額に」とあるのは「課税山林所得金額並びに基準所得金額に」と、「とみなし」とあるのは「並びに基準所得金額とみなし」とする。（措令26の28の3の2⑤三）（令和7年分以後の所得税について適用（令5改措令附1五））

2　相続人等の純損失の繰戻しによる還付の請求

①　相続人等の純損失の繰戻しによる還付の請求

第二節**三2**①、同③又は同⑤《年の中途で死亡した場合の確定申告》の規定に該当してこれらの規定に規定する申告書（青色申告書に限る。）を提出する者は、当該申告書に記載すべきその年において生じた純損失の金額がある場合には、**1**③（1）で定めるところにより、当該申告書の提出と同時に、当該申告書に係る所得税の納税地の所轄税務署長に対し、（一）に掲げる金額から（二）に掲げる金額を控除した金額に相当する所得税の還付を請求することができる。（法141①）

（一）	第二節**三2**①又は同③に規定する死亡をした居住者のその年の前年分の課税総所得金額、課税退職所得金額及び課税山林所得金額につき第九章第一節《税率》の規定を適用して計算した所得税の額
（二）	（一）に規定する死亡をした居住者のその年の前年分の課税総所得金額、課税退職所得金額及び課税山林所得金額から当該純損失の金額の全部又は一部を控除した金額につき第九章第一節《税率》の規定に準じて計算した所得税の額

(注)　第九章第四節**3**《特定の基準所得金額の課税の特例》の規定の適用がある場合における①の規定の適用については、①(一)中「所得税の額」とあるのは「所得税の額（(二)において「調整前所得税額」という。）並びに同年分の第九章第四節**3**《特定の基準所得金額の課税の特例》の規定による所得税の額の合計額」と、①(二)中「所得税の額」とあるのは「所得税の額（以下(二)において「調整所得税額」という。）並びに調整基準所得金額（同年分の第九章第四節**3**に規定する基準所得金額から当該控除した純損失の金額を控除した金額をいう。）を同年分の同**3**に規定する基準所得金額と、調整基準所得税額（調整前所得税額から当該調整所得税額を控除した金額を同年分の同**3**に規定する基準所得税額から控除した金額をいう。）を同年分の同**3**に規定する基準所得税額とそれぞれみなして同**3**の規定を適用して計算した所得税の額の合計額」とする。（措令26の28の３の２④四）（令和７年分以後の所得税について適用（令５改措令附１五））

②　繰戻しによる還付税額の限度額及び純損失の控除順序

1②及び同③の規定は、①の場合について準用する。（法141②）

③　青色申告書の期限内提出要件

①の規定は、①(一)に規定する死亡をした居住者がその年の前年分の所得税につき青色申告書を提出している場合であって、①に規定する申告書を提出する者が当該申告書をその提出期限までに提出した場合（税務署長においてやむを得ない事情があると認める場合には、当該申告書をその提出期限後に提出した場合を含む。）に限り、適用する。（法141③）

④　前年分の損失に係る繰戻しの特例

居住者が死亡した場合において、その死亡の日の属する年の前年において生じたその者に係る純損失の金額（純損失の繰越控除の規定により同日の属する年において控除されたもの及び**3**⑤により還付を受けるべき金額の計算の基礎となったものを除く。）があるときは、その相続人は、その居住者の同日の属する年の前年分及び前前年分の所得税につき青色申告書が提出されている場合に限り、**1**⑤注に定めるところにより、その居住者の同日の属する年分の所得税に係る確定申告期限までに、当該所得税の納税地の所轄税務署長に対し、当該純損失の金額につき①及び②の規定に準じて計算した金額に相当する所得税の還付を請求することができる。（法141④）

3　純損失の繰戻しによる還付の手続等

①　還付請求書の提出

1及び**2**の規定による還付の請求をしようとする者は、その還付を受けようとする所得税の額、その計算の基礎その他③又は④に定める事項を記載した**還付請求書**をこれらの規定に規定する税務署長に提出しなければならない。（法142①）

②　相続人が２人以上ある場合の還付請求の手続

2《相続人等の純損失の繰戻しによる還付の請求》の①又は④の規定による還付の請求をする場合において、相続人が２人以上あるときは、当該請求に係る①の還付請求書は、各相続人が連署による一の書面で提出しなければならない。ただし、他の相続人の氏名を付記して各別に提出することを妨げない。

上記ただし書の方法により還付請求書を提出した相続人は、遅滞なく、他の相続人に対し、当該請求書に記載した事項の要領を通知しなければならない。（令273①②）

(注)　②ただし書《相続人等による還付の請求》の方法により②の請求書を提出する場合には、当該請求書には、③の(一)に掲げる事項のうち②ただし書の規定により氏名を付記する他の相続人の個人番号は、記載することを要しない。（規54③）

③　還付請求書の記載事項及び添付書類

1①又は同⑤の規定による還付の請求をする場合における①の還付請求書に記載すべき事項は、次の(一)から(五)までに掲げる事項とする。（規54①）

(一)	還付請求書を提出する者の氏名、住所（国内に住所がない場合には、居所）及び個人番号（個人番号を有しない者にあっては、氏名及び住所（国内に住所がない場合には、居所）。④の(一)において同じ。）並びに住所地（国内に住所がない場合には、居所地）と納税地とが異なる場合には、その納税地
(二)	還付請求書に係る純損失の金額を生じた年の前年分の総所得金額等、退職所得金額又は山林所得金額に係る所得税の額
(三)	**1**①若しくは同⑤の純損失の繰戻しによる還付の適用を受けようとする純損失の金額
(四)	還付請求書に係る青色申告書がその提出期限後に提出された場合において、当該請求書を提出しようとするときは、当該青色申告書がその提出期限までに提出されなかった事情の詳細

(五)	その他参考となるべき事項

(注)　第九章第四節**3**《特定の基準所得金額の課税の特例》の規定の適用がある場合における③(二)の規定の適用については、同(二)中「所得税の額」とあるのは、「所得税の額及び第九章第四節**3**《特定の基準所得金額の課税の特例》の規定による所得税の額」とする。(措規19の11①二)(令和７年分以後の所得税について適用（令５改措規附１五))

④　相続人による還付請求の場合の還付請求書の記載事項

2①又は同④の規定による還付の請求をする場合における①の還付請求書に記載すべき事項は、③(一)から同(五)までに掲げる事項のほか、次の(一)から(四)までに掲げる事項とする。(規54②)

(一)	各相続人の氏名、住所（国内に住所がない場合には、居所）及び個人番号並びに被相続人との続柄
(二)	**2**①又は同④の純損失の繰戻しによる還付の適用を受けようとする純損失の金額
(三)	**2**①又は同④に規定する死亡をした者の氏名及びその死亡の時における住所（国内に住所がない場合には、居所）並びに住所地（国内に住所がない場合には、居所地）と納税地とが異なる場合には、その納税地
(四)	相続人が２人以上ある場合には、各相続人別の還付を受けようとする所得税の額

⑤　税務署長の還付請求書の処理

税務署長は、①の還付請求書の提出があった場合には、その請求の基礎となった純損失の金額その他必要な事項について調査し、その調査したところにより、その請求をした者に対し、その請求に係る金額を限度として所得税を還付し、又は請求の理由がない旨を書面により通知する。(法142②)

（その年分に生じた純損失の金額又は前年分の総所得金額が異動した場合）

注　⑤の規定により所得税の額を還付した後において、その年分に生じた純損失の金額又は前年分の課税総所得金額、課税退職所得金額若しくは課税山林所得金額に異動が生じた場合には、次に掲げる場合に応じ、それぞれ次によるものとする。この場合において、還付すべき税額を増額し又は減額するときは、還付請求書について更正することに留意する。(基通142－1)

(一)　その年分に生じた純損失の金額が異動した場合

イ　純損失の金額が増加した場合

当該増加した部分の純損失の金額は繰戻しをすることができないものとし、当該金額については、純損失の繰越控除の規定を適用する。

ロ　純損失の金額が減少した場合

既に還付した金額のうち、当該減少した部分の純損失の金額に対応する部分の金額を徴収する。ただし、純損失の金額の一部を繰り戻している場合には、まず、純損失の繰越控除の対象となる純損失の金額を減額し、なお減額しきれない部分の金額があるときに限り、当該減額しきれない部分の金額に対応する還付金の額を徴収する。

(二)　前年分の課税総所得金額、課税退職所得金額又は課税山林所得金額が異動した場合

イ　所得金額が増加した場合

当該増加した後の所得金額及び既に還付した金額の計算の基礎とされた純損失の金額を基として、**1**①から同③まで及び**2**①から同③までの規定により計算した金額と既に還付した金額との差額を還付する。

ロ　所得金額が減少した場合

当該減少した後の所得金額及び既に還付した金額の計算の基礎とされた純損失の金額を基として、**1**①から同③まで又は**2**①から同③までの規定により計算した金額と既に還付した金額との差額を徴収する。この場合において、当該差額を徴収することにより繰戻しの利益を受けないこととなった部分の純損失の金額については、純損失の繰越控除の規定を適用する。

⑥　還付加算金の計算期間

⑤の還付金について還付加算金を計算する場合には、その計算の基礎となる第二章第一節**一**表内**48**(注)１《還付加算金》の期間は、**1**又は**2**の規定による還付の請求がされた日（**1**①又は**2**①の規定による還付の請求がされた日がこれらの規定に規定する申告書の提出期限前である場合には、その提出期限）の翌日以後３月を経過した日からその還付のための支払決定をする日又はその還付金につき充当をする日（同日前に充当をするのに適することとなった日がある場合には、その適することとなった日）までの期間とする。(法142③)

第七節　修正申告

一　修 正 申 告

1　修 正 申 告

納税申告書を提出した者（その相続人その他当該提出した者の財産に属する権利義務を包括して承継した者（法人が分割をした場合にあっては、国税通則法第７条の２第４項《信託に係る国税の納付義務の承継》の規定により当該分割をした法人の国税を納める義務を承継した法人に限る。）を含む。以下第八節**一**の**1**及び同**2**《更正の請求》において同じ。）は、次の(一)から(四)までの一に該当する場合には、その申告について第十二章《更正又は決定及び加算税等》の規定による更正があるまでは、その申告に係る課税標準等又は税額等を修正する納税申告書を税務署長に提出することができる。(通法19①)

この規定により提出する納税申告書は、修正申告書という。(通法19③)

(一)	先の納税申告書の提出により納付すべきものとしてこれに記載した税額に不足額があるとき。
(二)	先の納税申告書に記載した純損失等の金額が過大であるとき。
(三)	先の納税申告書に記載した還付金の額に相当する税額が過大であるとき。
(四)	先の納税申告書に当該申告書の提出により納付すべき税額を記載しなかった場合において、その納付すべき税額があるとき。

2　更正又は決定を受けた者の修正申告

第十二章《更正又は決定及び加算税等》の規定による更正又は決定を受けた者（その相続人その他当該更正又は決定を受けた者の財産に属する権利義務を包括して承継した者（法人が分割をした場合にあっては、国税通則法第７条の２第４項《信託に係る国税の納付義務の承継》の規定により当該分割をした法人の国税を納める義務を承継した法人に限る。）を含む。第八節**一2**において同じ。）は、次の(一)から(四)までの一に該当する場合には、その更正又は決定について第十二章**一3**《再更正》の規定による更正があるまでは、その更正又は決定に係る課税標準等又は税額等を修正する納税申告書を税務署長に提出することができる。(通法19②)

この規定により提出する納税申告書は、修正申告書という。(通法19③)

(一)	その更正又は決定により納付すべきものとしてその更正又は決定に係る更正通知書又は決定通知書に記載された税額に不足額があるとき。
(二)	その更正に係る更正通知書に記載された純損失等の金額が過大であるとき。
(三)	その更正又は決定に係る更正通知書又は決定通知書に記載された還付金の額に相当する税額が過大であるとき。
(四)	納付すべき税額がない旨の更正を受けた場合において、納付すべき税額があるとき。

3　修正申告書の記載事項及び添付書類

修正申告書には、次の(一)から(四)までに掲げる事項を記載し、その申告に係る国税の期限内申告書に添付すべきものとされている書類があるときは当該書類に記載すべき事項のうちその申告に係るものを記載した書類を添付しなければならない。(通法19④)

<table>
<tr><td>(一)</td><td colspan="2">その申告後の課税標準等及び税額等</td></tr>
<tr><td rowspan="4">(二)</td><td colspan="2">その申告に係る次に掲げる金額</td></tr>
<tr><td>イ</td><td>その申告前の納付すべき税額がその申告により増加するときは、その増加する部分の税額</td></tr>
<tr><td>ロ</td><td>その申告前の還付金の額に相当する税額がその申告により減少するときは、その減少する部分の税額</td></tr>
<tr><td>ハ</td><td>純損失の繰戻し等による還付金額に係る還付加算金があるときは、その還付加算金のうちロに掲げる税額に</td></tr>
</table>

	対応する部分の金額
(三)	その申告前の納付すべき税額及び還付金の額に相当する税額
(四)	(一)から(三)までに掲げるもののほか、当該期限内申告書に記載すべきものとされている事項でその申告に係るものその他参考となるべき事項

4　修正申告の効力

修正申告書で既に確定した納付すべき税額を増加させるものの提出は、既に確定した納付すべき税額に係る部分の国税についての納税義務に影響を及ぼさない。（通法20）

二　期限後申告及び修正申告等の特例

1　国外転出をした者が帰国をした場合等の修正申告の特例

①　国外転出をした者が帰国をした場合等の修正申告の特例

第六章第四節**一 1**①《国外転出をする場合の譲渡所得等の特例》に規定する国外転出の日の属する年分の所得税につき確定申告書を提出し、又は決定を受けた者（その相続人を含む。）は、当該確定申告書又は決定に係る年分の総所得金額のうちに同⑥本文（同⑥(１)の規定により適用する場合を含む。）の規定の適用がある同⑥に規定する有価証券等に係る譲渡所得等の金額が含まれていることにより、当該国外転出の日の属する年分の所得税につき**一 1**(一)から同(四)まで又は同**2**(一)から同(四)まで《修正申告》の事由が生じた場合には、第六章第四節**一 1**⑥(一)から同(三)までに掲げる場合に該当することとなった日から４月以内に限り、税務署長に対し、修正申告書を提出することができる。（法151の２①）

②　①の規定による修正申告書の提出があった場合における国税通則法の規定の適用

①の規定による修正申告書の提出があった場合における国税通則法の規定の適用については、第十二章**一 8**《国税の更正、決定等の期間制限》中「法定申告期限」とあり、及び同法第72条第１項《国税の徴収権の消滅時効》中「法定納期限」とあるのは、「第十章第七節**二 1**①《国外転出をした者が帰国をした場合等の修正申告の特例》の規定により修正申告書を提出した日」とする。（法151の２②）

2　非居住者である受贈者等が帰国をした場合等の修正申告の特例

①　非居住者である受贈者等が帰国をした場合等の修正申告の特例

第六章第四節**一 2**①《贈与等により非居住者に資産が移転した場合の譲渡所得等の特例》に規定する有価証券等又は同②に規定する未決済信用取引等若しくは同③に規定する未決済デリバティブ取引に係る契約を贈与、相続又は遺贈により非居住者に移転をした日の属する年分の所得税につき確定申告書を提出し、又は決定を受けた者（その相続人を含む。）は、当該確定申告書又は決定に係る年分の総所得金額のうちに同⑥前段（同⑥(１)の規定により適用する場合を含む。）の規定の適用がある当該有価証券等の譲渡による事業所得の金額、譲渡所得の金額若しくは雑所得の金額、当該未決済信用取引等の決済による事業所得の金額若しくは雑所得の金額又は当該未決済デリバティブ取引の決済による事業所得の金額若しくは雑所得の金額が含まれていることにより、当該贈与の日又は相続の開始の日の属する年分の所得税につき**一 1**(一)から同(四)まで又は同**2**(一)から同(四)まで《修正申告》の事由が生じた場合には、第六章第四節**一 2**⑥(一)から(三)までに掲げる場合に該当することとなった日から４月以内に限り、税務署長に対し、修正申告書を提出することができる。（法151の３①）

②　①の規定による修正申告書の提出があった場合における国税通則法の規定の適用

①の規定による修正申告書の提出があった場合における国税通則法の規定の適用については、第十二章**一 8**《国税の更正、決定等の期間制限》中「法定申告期限」とあり、及び同法第72条第１項《国税の徴収権の消滅時効》中「法定納期限」とあるのは、「第十章第七節**二 2**①《非居住者である受贈者等が帰国をした場合等の修正申告の特例》の規定により修正申告書を提出した日」とする。（法151の３②）

3　相続により取得した有価証券等の取得費の額に変更があった場合等の修正申告の特例

①　有価証券等の譲渡をした場合

居住者が相続又は遺贈により取得した第六章第四節**一 1**①《国外転出をする場合の譲渡所得等の特例》に規定する有価証券等の譲渡をした場合において、当該譲渡の日以後に当該相続又は遺贈に係る被相続人の当該相続の開始の日の属する年分の所得税につき、同⑥本文（同**一 1**⑥(１)の規定により適用する場合を含む。②において同じ。）若しくは第六章第四節**一 2**《贈与等により非居住者に資産が移転した場合の譲渡所得等の特例》の⑥前段（同⑥(１)の規定により適用する場合を含む。②において同じ。）の規定の適用があったこと又は**5**①《遺産分割等があった場合の修正申告の特例》の規定による修正申告書の提出若しくは第八節**二 6**《遺産分割等があった場合の更正の請求の特例》の規定による更正の請求に基づく更正（当該請求に対する処分に係る不服申立て又は訴えについての決定若しくは裁決又は判決を含む。以下①、②及び同**5**②《相続により取得した有価証券等の取得費の額に変更があった場合等の更正の請求の特例》において同じ。）があったことにより、次の(一)又は(二)に掲げる場合に該当し、かつ、当該居住者の当該譲渡の日の属する年分の所得税につき一《修正申告》１(一)から同(四)まで又は同２(一)から同(四)までの事由が生じた場合には、当該居住者（その相続人を含む。）は、それぞれ次の(一)及び(二)に定める日から４月以内に、当該譲渡の日の属する年分の所得税についての修正申告書を提出し、かつ、当該期限内に当該申告書の提出により納付すべき税額を納付しなければならない。(法151の４①)

(一)	第六章第四節一１④ただし書の規定の適用により当該有価証券等の譲渡による事業所得の金額、譲渡所得の金額又は雑所得の金額の計算上必要経費又は取得費として控除すべき金額が減少した場合　当該被相続人の所得税につき１①《国外転出をした者が帰国をした場合等の修正申告の特例》の規定による修正申告書を提出した日又は第八節二３①《国外転出をした者が帰国をした場合等の更正の請求の特例》の規定による更正の請求に基づく更正があった日
(二)	第六章第四節一２④ただし書の規定の適用があったこと又は同③本文の規定が適用されないこととなったことにより、当該有価証券等の譲渡による事業所得の金額、譲渡所得の金額又は雑所得の金額の計算上必要経費又は取得費として控除すべき金額が減少した場合　当該被相続人の所得税につき２①若しくは５①の規定による修正申告書を提出した日又は第八節二４①《非居住者である受贈者等が帰国をした場合等の更正の請求の特例》若しくは同６の規定による更正の請求に基づく更正があった日

②　未決済信用取引等又は未決済デリバティブ取引の決済をした場合

居住者が相続又は遺贈によりその契約の移転を受けた第六章第四節一１②に規定する未決済信用取引等又は同③に規定する未決済デリバティブ取引の決済をした場合において、当該決済の日以後に当該相続又は遺贈に係る被相続人の当該相続の開始の日の属する年分の所得税につき、同⑥本文若しくは第六章第四節一２⑥前段の規定の適用があったこと又は５①の規定による修正申告書の提出若しくは第十章第八節二６①の規定による更正の請求に基づく更正があったことにより、次の(一)及び(二)に掲げる場合に該当し、かつ、当該居住者の当該決済の日の属する年分の所得税につき一１(一)から同(四)まで又は同２(一)から同(四)までの事由が生じた場合には、当該居住者（その相続人を含む。）は、それぞれ次の(一)又は(二)に定める日から４月以内に、当該決済の日の属する年分の所得税についての修正申告書を提出し、かつ、当該期限内に当該申告書の提出により納付すべき税額を納付しなければならない。(法151の４②)

(一)	第六章第四節一１④ただし書の規定の適用により当該未決済信用取引等又は未決済デリバティブ取引の決済による事業所得の金額又は雑所得の金額の計算上減算すべき利益の額に相当する金額が減少した場合　当該被相続人の所得税につき１①の規定による修正申告書を提出した日又は第八節二３の①の規定による更正の請求に基づく更正があった日
(二)	第六章第四節一２④ただし書の規定の適用があったこと又は同③本文の規定が適用されないこととなったことにより、当該未決済信用取引等又は未決済デリバティブ取引の決済による事業所得の金額又は雑所得の金額の計算上減算すべき利益の額に相当する金額が減少した場合　当該被相続人の所得税につき２①若しくは５①の規定による修正申告書を提出した日又は第八節二４①若しくは同６の規定による更正の請求に基づく更正があった日

③　修正申告書の提出がないとき

①(一)及び同(二)又は②(一)及び同(二)に掲げる場合に該当することとなった場合において、修正申告書の提出がないときは、納税地の所轄税務署長は、当該申告書に記載すべきであった所得金額、所得税の額その他の事項につき更正を行う。(法151の４③)

④　修正申告書及び更正に対する国税通則法の規定の適用

①又は②の規定による修正申告書及び前項の更正に対する国税通則法の規定の適用については、次の(一)から(三)までに定めるところによる。(法151の４④)

(一)	当該修正申告書で①又は②に規定する提出期限内に提出されたものについては、一４《修正申告の効力》の規定を適用する場合を除き、これを第二節一２《期限内申告》に規定する期限内申告書とみなす。
(二)	当該修正申告書で①又は②に規定する提出期限後に提出されたもの及び当該更正については、国税通則法第二章から第七章まで《国税の納付義務の確定等》の規定中「法定申告期限」とあり、及び「法定納期限」とあるのは「第十章第七節二３①又は同②《相続により取得した有価証券等の取得費の額に変更があった場合等の修正申告の特例》に規定する修正申告書の提出期限」と、同法第61条第１項第１号《延滞税の額の計算の基礎となる期間の特例》中「期限内申告書」とあるのは「所得税法第２条第１項第37号《定義》に規定する確定申告書」と、第十二章四７(４)

	中「期限内申告書又は期限後申告書」とあるのは「第十章第七節**二 3** ①又は同②《相続により取得した有価証券等の取得費の額に変更があった場合等の修正申告の特例》の規定による修正申告書」と、第十二章**四 1** ①、同③(二)及び⑤(二)《過少申告加算税》中「期限内申告書」とあるのは「第二章第一節**一**表内**37**《定義》に規定する確定申告書」とする。
(三)	第十二章**四 7**（3）(二)及び同**2**《無申告加算税》の規定は、(二)に規定する修正申告書及び更正には、適用しない。

4　遺産分割等があった場合の期限後申告等の特例

①　遺産分割等があった場合の期限後申告等の特例

第二節**三 2**《年の中途で死亡した場合の確定申告》①の規定による申告書の提出期限後に生じた**5**①に規定する遺産分割等の事由（以下**4**において「遺産分割等の事由」という。）により第六章第四節**一 2**①《贈与等により非居住者に資産が移転した場合の譲渡所得等の特例》の規定が適用されたため新たに第二節**三 2**①の規定による申告書を提出すべき要件に該当することとなった居住者の相続人は、当該遺産分割等の事由が生じた日から４月以内に、当該居住者の死亡の日の属する年分の期限後申告書を提出し、かつ、当該期限内に当該期限後申告書の提出により納付すべき税額を納付しなければならない。（法151の５①）

②　相続人による還付等を受けるための申告書の提出の特例

遺産分割等の事由が生じたことにより第六章第四節**一 2**①の規定が適用されたため新たに第二節**三 2**②の規定による申告書を提出することができる要件に該当することとなった居住者の相続人は、当該遺産分割等の事由が生じた後に、当該居住者の死亡の日の属する年分の同**2**②の規定による申告書を提出することができる。（法151の５②）

③　相続人による確定損失申告書の提出の特例

第二節**三 2**③の規定による申告書の提出期限後に生じた遺産分割等の事由により第六章第四節**一 2**①の規定が適用されたため新たに第二節**三 2**③の規定による申告書を提出することができる要件に該当することとなった居住者の相続人は、当該居住者の死亡の日の属する年分の期限後申告書を提出することができる。（法151の５③）

④　納税地の所轄税務署長による決定

①の規定により期限後申告書を提出すべき者が当該期限後申告書を提出しなかった場合には、納税地の所轄税務署長は、当該期限後申告書に記載すべきであった所得金額、所得税の額その他の事項につき決定を行う。（法151の５④）

⑤　①の規定による期限後申告書及び④の決定に対する国税通則法の規定の適用

①の規定による期限後申告書及び④の決定に対する国税通則法の規定の適用については、次の(一)及び(二)に定めるところによる。（法151の５⑤）

(一)	当該期限後申告書で①に規定する提出期限内に提出されたものについては、これを第二節**一 2**《期限内申告》に規定する期限内申告書とみなす。
(二)	当該期限後申告書で①に規定する提出期限後に提出されたもの及び当該決定については、第十章第二節から第十二章まで（編者注：国税通則法第二章から第七章まで《国税の納付義務の確定等》（通法15から同法74まで））の規定中「法定申告期限」とあり、及び「法定納期限」とあるのは、「第十章第七節二４①《遺産分割等があった場合の期限後申告等の特例》に規定する期限後申告書の提出期限」とする。

⑥　還付金の国に対する請求権の消滅

①から③までの規定による申告書を提出することによる還付金の国に対する請求権は、遺産分割等の事由が生じた日から５年間行使しないことによって、時効により消滅する。（法151の５⑥）

5　遺産分割等があった場合の修正申告の特例

①　遺産分割等があった場合の修正申告の特例

相続の開始の日の属する年分の所得税につき第六章第四節**一 2**①から同③まで《贈与等により非居住者に資産が移転し

た場合の譲渡所得等の特例》の規定の適用を受けた居住者について生じた次の(一)から(四)までに掲げる事由（以下①において「**遺産分割等の事由**」という。）により、非居住者に移転した相続又は遺贈に係る同①に規定する有価証券等又は同②に規定する未決済信用取引等若しくは同③に規定する未決済デリバティブ取引に係る契約（(一)において「対象資産」という。）が増加し、又は減少したことに基因して、当該居住者の当該相続の開始の日の属する年分の所得税につき**一 1** (一)から同(四)又は同 **2** (一)から同(四)《修正申告》の事由が生じた場合には、その相続人は、当該遺産分割等の事由が生じた日から４月以内に、当該相続の開始の日の属する年分の所得税についての修正申告書を提出し、かつ、当該期限内に当該申告書の提出により納付すべき税額を納付しなければならない。（法151の６①）

(一)	相続又は遺贈に係る対象資産について民法（第904条の２《寄与分》を除く。）の規定による相続分又は包括遺贈の割合に従って非居住者に移転があったものとして第六章第四節**一 2** ①から同③までの規定の適用がされていた場合において、その後当該対象資産の分割が行われ、当該分割により非居住者に移転した対象資産が当該相続分又は包括遺贈の割合に従って非居住者に移転したものとされた対象資産と異なることとなったこと。
(二)	民法第787条《認知の訴え》又は第892条から第894条まで《推定相続人の廃除等》の規定による認知、相続人の廃除又はその取消しに関する裁判の確定、同法第884条《相続回復請求権》に規定する相続の回復、同法第919条第２項《相続の承認及び放棄の撤回及び取消し》の規定による相続の放棄の取消しその他の事由により相続人に異動を生じたこと。
(三)	遺贈に係る遺言書が発見され、又は遺贈の放棄があったこと。
(四)	(一)から(三)までに規定する事由に準ずるものとして(１)で定める事由が生じたこと。

(①(四)に規定する(１)で定める事由)

(１)　①(四)に規定する(１)で定める事由は、次の(一)及び(二)に掲げる事由とする。（令273の２）

(一)	相続又は遺贈により取得した財産についての権利の帰属に関する訴えについての判決があったこと。
(二)	条件付の遺贈について、条件が成就したこと。

(「民法の規定による相続分」の意義)

(２)　①(一)に規定する「民法（第904条の２《寄与分》を除く。）の規定による相続分」とは、民法第900条《法定相続分》から第902条《遺言による相続分の指定》まで及び第903条《特別受益者の相続分》までに規定する相続分をいうことに留意する。（基通151の６－１）

(「その他の事由により相続人に異動が生じたこと」の意義)

(３)　①(二)に規定する「その他の事由により相続人に異動が生じたこと」とは、民法第886条《相続に関する胎児の権利能力》に規定する胎児の出生、相続人に対する失踪の宣告又はその取消し等により相続人に異動を生じた場合をいうことに留意する。（基通151の６－２）

(「判決があったこと」の意義)

(４)　(１)(一)に規定する「判決があったこと」とは、判決の確定をいい、具体的には、次に掲げる場合の区分に応じ、それぞれ次に掲げる日に判決があったこととなることに留意する。（基通151の６－３）

⑴　敗訴の当事者が上訴をしない場合　その上訴期間を経過した日

⑵　全部敗訴の当事者が上訴期間経過前に上訴権を放棄した場合　その上訴権を放棄した日

⑶　両当事者がそれぞれ上訴権を有し、かつ、それぞれ別々に上訴権を放棄した場合　その上訴権の放棄があった日のうちいずれか遅い日

⑷　上告審の判決のように上訴が許されない場合　その判決の言渡しがあった日

②　納税地の所轄税務署長による決定

①の規定に該当することとなった場合において、修正申告書の提出がないときは、納税地の所轄税務署長は、当該申告書に記載すべきであった所得金額、所得税の額その他の事項につき更正を行う。（法151の６②）

③　3④の規定の準用

3《相続により取得した有価証券等の取得費の額に変更があった場合等の修正申告の特例》④の規定は、①の規定による修正申告書又は②の更正について準用する。この場合において、同④(一)及び(二)中「①又は②に規定する提出期限」とあるのは「第十章第七節**二5**①《遺産分割等があった場合の修正申告の特例》に規定する提出期限」と、同号中「第十章第七節**二3**①又は同②《相続により取得した有価証券等の取得費の額に変更があった場合等の修正申告の特例》」とあるのは「第十章第七節**二5**①《遺産分割等があった場合の修正申告の特例》」と読み替えるものとする。(法151の6③)

第八節　更　正　の　請　求

一　国税通則法の規定による更正の請求

1　法定申告期限から５年以内に行う更正の請求

納税申告書を提出した者は、次の(一)から(三)までのいずれかに該当する場合には、当該申告書に係る国税の法定申告期限から５年以内に限り、税務署長に対し、その申告に係る課税標準等又は税額等（当該課税標準等又は税額等に関し第十二章**一 1**《更正》又は同**3**《再更正》による更正があった場合には、当該更正後の課税標準等又は税額等）につき更正をすべき旨の請求をすることができる。（通法23①）

(一)	当該申告書に記載した課税標準等若しくは税額等の計算が国税に関する法律の規定に従っていなかったこと又は当該計算に誤りがあったことにより、当該申告書の提出により納付すべき税額（当該税額に関し更正があった場合には、当該更正後の税額）が過大であるとき。
(二)	(一)に規定する理由により、当該申告書に記載した純損失等の金額（当該金額に関し更正があった場合には、当該更正後の金額）が過少であるとき、又は当該申告書（当該申告書に関し更正があった場合には、更正通知書）に純損失等の金額の記載がなかったとき。
(三)	(一)に規定する理由により、当該申告書に記載した還付金の額に相当する税額（当該税額に関し更正があった場合には、当該更正後の税額）が過少であるとき、又は当該申告書（当該申告書に関し更正があった場合には、更正通知書）に還付金の額に相当する税額の記載がなかったとき。

（注）　令和６年６月１日前に同年分の所得税につき第二節**三 2**又は同**三 4**の規定による確定申告書を提出した者及び同日前に同年分の所得税につき第二章第一節**一**表内**44**に規定する決定を受けた者は、当該確定申告書に記載された事項又は当該決定に係る事項（これらの事項につき同日前に同表内**43**に規定する更正があった場合には、その更正後の事項）につき改正後の第九章第五節の規定の適用により異動を生ずることとなったときは、その異動を生ずることとなった事項について、同日から５年以内に、税務署長に対し、**1**の更正の請求をすることができる。（令６改所法等附34②）

2　判決等があった日から２月以内に行う更正の請求

納税申告書を提出した者又は第十二章**一 2**《決定》による決定を受けた者は、次の(一)から(三)のいずれか該当する場合（納税申告書を提出した者については、当該(一)から(三)に定める期間の満了する日が**1**に規定する期間の満了する日後に到来する場合に限る。）には、**1**の規定にかかわらず、当該(一)から(三)に定める期間において、その該当することを理由として**1**の規定による更正の請求（以下「**更正の請求**」という。）をすることができる。（通法23②、通令６①）

<table>
<tr><td>(一)</td><td colspan="2">その申告、更正又は決定に係る課税標準等又は税額等の計算の基礎となった事実に関する訴えについての判決（判決と同一の効力を有する和解その他の行為を含む。）により、その事実が当該計算の基礎としたところと異なることが確定したとき　　その確定した日の翌日から起算して２月以内</td></tr>
<tr><td>(二)</td><td colspan="2">その申告、更正又は決定に係る課税標準等又は税額等の計算に当たってその申告をし、又は決定を受けた者に帰属するものとされていた所得その他課税物件が他の者に帰属するものとする当該他の者に係る国税の更正又は決定があったとき　　当該更正又は決定があった日の翌日から起算して２月以内</td></tr>
<tr><td rowspan="4">(三)</td><td colspan="2">その他当該国税の法定申告期限後に生じた(一)又は(二)に類するやむを得ない理由として次のイからニまでに掲げる理由があるとき　　当該理由が生じた日の翌日から起算して２月以内</td></tr>
<tr><td>イ</td><td>その申告、更正又は決定に係る課税標準等、又は税額等の計算の基礎となった事実のうちに含まれていた行為の効力に係る官公署の許可その他の処分が取り消されたこと。</td></tr>
<tr><td>ロ</td><td>その申告、更正又は決定に係る課税標準等又は税額等の計算の基礎となった事実に係る契約が、解除権の行使によって解除され、若しくは当該契約の成立後生じたやむを得ない事情によって解除され、又は取り消されたこと。</td></tr>
<tr><td>ハ</td><td>帳簿書類の押収その他やむを得ない事情により、課税標準等又は税額等の計算の基礎となるべき帳簿書類その他の記録に基づいて国税の課税標準等又は税額等を計算することができなかった場合において、その後、</td></tr>
</table>

		当該事情が消滅したこと。
	ニ	わが国が締結した所得に対する租税に関する二重課税の回避又は脱税の防止のための条約に規定する権限のある当局間の協議により、その申告、更正又は決定に係る課税標準等又は税額等に関し、その内容と異なる内容の合意が行われたこと。
	ホ	その申告、更正又は決定に係る課税標準等又は税額等の計算の基礎となった事実に係る国税庁長官が発した通達に示されている法令の解釈その他の国税庁長官の法令の解釈が、更正又は決定に係る審査請求若しくは訴えについての裁決若しくは判決に伴って変更され、変更後の解釈が国税庁長官により公表されたことにより、当該課税標準等又は税額等が異なることとなる取扱いを受けることとなったことを知ったこと。

3　更正の請求書の記載事項

更正の請求をしようとする者は、その請求に係る更正後の課税標準等又は税額等、その更正の請求をする理由、当該請求をするに至った事情の詳細、当該請求に係る更正前の納付すべき税額及び還付金の額に相当する税額その他参考となるべき事項を記載した更正請求書を税務署長に提出しなければならない。（通法23③）

4　更正の請求書の添付書類

更正の請求をしようとする者は、その更正の請求をする理由が課税標準たる所得が過大であることその他その理由の基礎となる事実が一定期間の取引に関するものであるときは、その取引の記録等に基づいてその理由の基礎となる事実を証明する書類を更正請求書に添付しなければならない。その更正の請求をする理由の基礎となる事実が一定期間の取引に関するもの以外のものである場合において、その事実を証明する書類があるときも、また同様とする。（通令６②）

5　更正の請求に対する処理

①　更正の請求に対する処理と通知

税務署長は、更正の請求があった場合には、その請求に係る課税標準等又は税額等について調査し、更正をし、又は更正をすべき理由がない旨をその請求をした者に通知する。（通法23④）

②　更正の請求があった場合の徴収猶予

更正の請求があった場合においても、税務署長は、その請求に係る納付すべき国税（その滞納処分費を含む。以下同じ。）の徴収を猶予しない。ただし、税務署長において相当の理由があると認めるときは、その国税の全部又は一部の徴収を猶予することができる。（通法23⑤）

6　納税申告書に関する規定の準用

第二節の**一４**《納税申告書の提出先等》及び同**５**《郵送等に係る納税申告書の提出時期》の規定は、更正の請求について準用する。（通法23⑦）

二　所得税法による更正の請求の特例等

1　各種所得の金額に異動を生じた場合の更正の請求の特例

確定申告書を提出し、又は決定を受けた居住者（その相続人を含む。）は、当該申告書又は決定に係る年分の各種所得の金額につき次の(一)から(四)までに掲げる事実が生じたことにより、一1(一)から同(三)までに掲げる事由が生じたときは、当該事実が生じた日の翌日から2月以内に限り、税務署長に対し、当該申告書又は決定に係る第二節二1②(一)若しくは同(三)から同(五)まで《確定申告書の記載事項》、同節二3①(一)から同(三)まで《源泉徴収税額又は予納税額の還付を受けるための申告》又は同節二4②(一)、同(五)、同(七)若しくは同(八)《損失申告書の記載事項》に掲げる金額（当該金額につき修正申告書の提出又は更正があった場合には、その申告又は更正後の金額）について、一1による更正の請求をすることができる。この場合においては、更正請求書には、一3に規定する事項のほか、当該事実が生じた日を記載しなければならない。（法152、令274）

(一)	第六章第四節二1《事業を廃止した場合の必要経費の特例》に規定する事実
(二)	第六章第四節二2《資産の譲渡代金が回収不能となった場合等の所得計算の特例》に規定する事実
(三)	確定申告書を提出し、又は決定を受けた居住者の当該申告書又は決定に係る年分の各種所得の金額（事業所得の金額並びに事業から生じた不動産所得の金額及び山林所得の金額を除く。(四)において同じ。）の計算の基礎となった事実のうちに含まれていた無効な行為により生じた経済的成果がその行為の無効であることに基因して失われたこと。
(四)	(三)に掲げる者の当該年分の各種所得の金額の計算の基礎となった事実のうちに含まれていた取り消すことのできる行為が取り消されたこと。

（事業を廃止した年の前年分の所得税に係る更正請求書の提出期限）

注　第六章第四節二1《事業を廃止した場合の必要経費の特例》の規定により事業の廃止後に生じた必要経費に算入すべき金額を、当該事業を廃止した日の属する年の前年分の不動産所得の金額、事業所得の金額又は山林所得の金額の計算上必要経費に算入する場合において、当該必要経費に算入すべき金額が生じた日の翌日から2月を経過する日が当該事業を廃止した日の属する年分の確定申告書の提出期限前となるときは、1に規定する更正請求書は、当該提出期限までに提出して差支えないものとする。（基通152－1）

2　前年分の所得税額等の更正等に伴う更正の請求の特例

確定申告書に記載すべき第二節二1②(一)若しくは同(三)から同(五)まで《確定申告書の記載事項》、同節二3①(一)から同(三)まで《源泉徴収税額又は予納税額の還付を受けるための申告》又は同節二4②(一)若しくは同(五)から同(八)まで《確定損失申告》に掲げる金額につき、修正申告書を提出し、又は更正若しくは決定を受けた居住者（その相続人を含む。）は、その修正申告書の提出又は更正若しくは決定に伴い次の(一)又は(二)に掲げる場合に該当することとなるときは、その修正申告書を提出した日又はその更正若しくは決定の通知を受けた日の翌日から2月以内に限り、税務署長に対し、当該(一)又は(二)に規定する金額につき一1による更正の請求（3から7まで《国外転出をした者が帰国をした場合等の更正の請求の特例等》、第十二章三1、同2、同4又は同5《更正等による源泉徴収税額等の還付》及び同6から同9《更正等による予納税額の還付》において「更正の請求」という。）をすることができる。この場合においては、更正請求書には、一3に規定する事項のほか、その修正申告書を提出した日又はその更正若しくは決定の通知を受けた日を記載しなければならない。（法153）

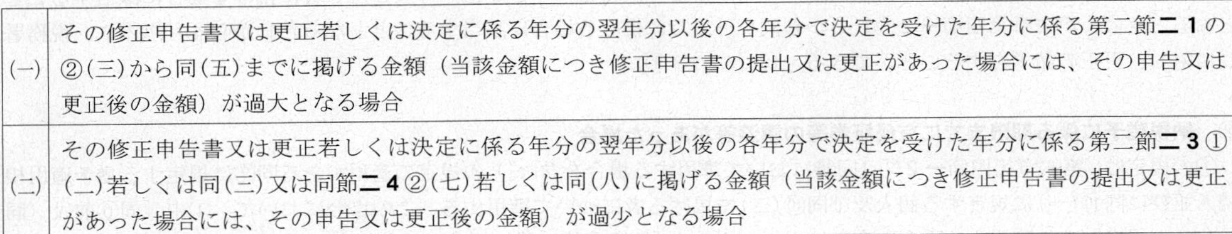

(一)	その修正申告書又は更正若しくは決定に係る年分の翌年分以後の各年分で決定を受けた年分に係る第二節二1の②(三)から同(五)までに掲げる金額（当該金額につき修正申告書の提出又は更正があった場合には、その申告又は更正後の金額）が過大となる場合
(二)	その修正申告書又は更正若しくは決定に係る年分の翌年分以後の各年分で決定を受けた年分に係る第二節二3①(二)若しくは同(三)又は同節二4②(七)若しくは同(八)に掲げる金額（当該金額につき修正申告書の提出又は更正があった場合には、その申告又は更正後の金額）が過少となる場合

3　国外転出をした者が帰国をした場合等の更正の請求の特例

①　国外転出をした者が帰国をした場合等の更正の請求の特例

第六章第四節**一 1**①《国外転出をする場合の譲渡所得等の特例》に規定する国外転出の日の属する年分の所得税につき確定申告書を提出し、又は決定を受けた者（その相続人を含む。）は、当該確定申告書又は決定に係る年分の総所得金額のうちに同⑥本文（同⑥(1)の規定により適用する場合を含む。）の規定の適用がある同⑥に規定する有価証券等に係る譲渡所得等の金額が含まれていることにより、当該年分の所得税につき次の(一)及び(二)に掲げる場合に該当することとなるときは、同⑥(一)から同(三)までに掲げる場合に該当することとなった日から４月以内に、税務署長に対し、更正の請求をすることができる。（法153の２①）

(一)	第二節**二 1**②(三)から同(五)まで《確定所得申告》に掲げる金額（当該金額につき修正申告書の提出又は更正があった場合には、その申告又は更正後の金額）が過大となる場合
(二)	第二節**二 3**①(一)から同(三)まで《源泉徴収税額又は予納税額の還付を受けるための申告》又は同**4**②(一)若しくは同(五)から同(八)まで《確定損失申告》に掲げる金額（当該金額につき修正申告書の提出又は更正があった場合には、その申告又は更正後の金額）が過少となる場合

②　納税猶予に係る期限までに有価証券等の譲渡等があった場合

①の規定は、第六章第四節**一 1**⑦（同第六章第四節**一 1**⑨において準用する場合を含む。）の規定の適用がある個人について準用する。この場合において、①中「同⑥本文（同⑥(1)の規定により適用する場合を含む。）」とあるのは「第六章第四節**一 1**⑦（同⑨において準用する場合を含む。）」と、「同⑥(一)から同(三)までに掲げる場合に該当することとなった日」とあるのは「同**1**⑦又は同⑨に規定する譲渡若しくは決済又は限定相続等による移転の日」と読み替えるものとする。（法153の２②）

③　納税猶予に係る期限が到来した場合

①の規定は、第六章第四節**一 1**⑩の規定の適用がある個人について準用する。この場合において、①中「同⑥本文（同⑥(1)の規定により適用する場合を含む。）」とあるのは「第六章第四節**一 1**⑩」と、「同⑥(一)から同(三)までに掲げる場合に該当することとなった日」とあるのは「同日から５年を経過する日（その者が第五節**一 1**《国外転出をする場合の譲渡所得等の特例の適用がある場合の納税猶予》②の規定により同①の規定による納税の猶予を受けている場合にあっては、10年を経過する日）」と読み替えるものとする。（法153の２③）

4　非居住者である受贈者等が帰国をした場合等の更正の請求の特例

①　非居住者である受贈者等が帰国をした場合等の更正の請求の特例

第六章第四節**一 2**①《贈与等により非居住者に資産が移転した場合の譲渡所得等の特例》に規定する有価証券等又は同②に規定する未決済信用取引等若しくは同③に規定する未決済デリバティブ取引に係る契約を贈与、相続又は遺贈により非居住者に移転をした日の属する年分の所得税につき確定申告書を提出し、又は決定を受けた者（その相続人を含む。）は、当該確定申告書又は決定に係る年分の総所得金額のうちに同⑥前段（同⑥(1)の規定により適用する場合を含む。）の規定の適用がある当該有価証券等の譲渡による事業所得の金額、譲渡所得の金額若しくは雑所得の金額、当該未決済信用取引等の決済による事業所得の金額若しくは雑所得の金額又は当該未決済デリバティブ取引の決済による事業所得の金額若しくは雑所得の金額が含まれていることにより、当該年分の所得税につき**3**①(一)及び同(二)に掲げる場合に該当することとなるときは、第六章第四節**一 2**⑥(一)から同(三)までに掲げる場合に該当することとなった日から４月以内に、税務署長に対し、更正の請求をすることができる。（法153の３①）

②　納税猶予に係る期限までに有価証券等の譲渡等があった場合

①の規定は、第六章第四節**一 2**⑦（同⑩において準用する場合を含む。）の規定の適用がある同⑦に規定する猶予適用相続人並びに同⑩(一)に規定する個人及び同⑩(二)に掲げる者について準用する。この場合において、①中「同⑥前段（同⑥(1)の規定により適用する場合を含む。）」とあるのは「第六章第四節**一 2**⑦（同⑩において準用する場合を含む。）」と、「第六章第四節**一 2**⑥(一)から同(三)までに掲げる場合に該当することとなった日」とあるのは「第六章第四節**一 2**⑦又は同⑩に規定する譲渡若しくは決済又は限定相続等による移転の日」と読み替えるものとする。（法153の３②）

③　納税猶予に係る期限が到来した場合

①の規定は、第六章第四節**一２**⑪の規定の適用がある同⑪に規定する猶予適用贈与者又は猶予適用相続人の適用被相続人等について準用する。この場合において、①中「同⑥前段（同⑥の（１）の規定により適用する場合を含む。）」とあるのは「第六章第四節**一２**⑪」と、「第六章第四節**一２**⑥(一)から同(三)までに掲げる場合に該当することとなった日」とあるのは「当該贈与の日又は相続の開始の日から５年を経過する日（当該贈与、相続又は遺贈に係る第六章第四節**一２**⑪に規定する猶予適用贈与者又は猶予適用相続人が第五節**一２**《贈与等により非居住者に資産が移転した場合の譲渡所得等の特例の適用がある場合の納税猶予》の規定により同①又は同②の規定による納税の猶予を受けている場合にあっては、10年を経過する日）」と読み替えるものとする。（法153の３③）

5　相続により取得した有価証券等の取得費の額に変更があった場合等の更正の請求の特例

①　有価証券等の譲渡をした場合

居住者が相続又は遺贈により取得した第六章第四節**一１**①《国外転出をする場合の譲渡所得等の特例》に規定する有価証券等の譲渡をした場合において、当該譲渡の日以後に当該相続又は遺贈に係る被相続人の当該相続の開始の日の属する年分の所得税につき、同⑥本文（同⑥（１）の規定により適用する場合を含む。②において同じ。）若しくは第六章第四節**一２**⑥前段《贈与等により非居住者に資産が移転した場合の譲渡所得等の特例》（同⑥（１）の規定により適用する場合を含む。②において同じ。）の規定の適用があったこと又は第七節**二５**①《遺産分割等があった場合の修正申告の特例》の規定による修正申告書の提出若しくは**6**の規定による更正の請求に基づく更正があったことにより、次の各号に掲げる場合に該当し、かつ、当該居住者の当該譲渡の日の属する年分の所得税につき**3**①(一)及び同(二)《国外転出をした者が帰国をした場合等の更正の請求の特例》に掲げる場合に該当することとなるときは、当該居住者（その相続人を含む。）は、それぞれ次の(一)及び(二)に定める日から４月以内に、税務署長に対し、当該譲渡の日の属する年分の所得税について更正の請求をすることができる。（法153の４①）

(一)	第六章第四節**一１**④ただし書の規定の適用により当該有価証券等の譲渡による事業所得の金額、譲渡所得の金額又は雑所得の金額の計算上必要経費又は取得費として控除すべき金額が増加した場合　当該被相続人の所得税につき第七節**二１**①《国外転出をした者が帰国をした場合等の修正申告の特例》の規定による修正申告書を提出した日又は**3**①の規定による更正の請求に基づく更正があった日
(二)	第六章第四節**一２**④ただし書の規定の適用があったこと又は同③本文の規定が適用されないこととなったことにより、当該有価証券等の譲渡による事業所得の金額、譲渡所得の金額又は雑所得の金額の計算上必要経費又は取得費として控除すべき金額が増加した場合　当該被相続人の所得税につき第七節**二２**①《非居住者である受贈者等が帰国をした場合等の修正申告の特例》若しくは同**5**①の規定による修正申告書を提出した日又は**4**①若しくは**6**の規定による更正の請求に基づく更正があった日

②　未決済信用取引等又は未決済デリバティブ取引の決済をした場合

居住者が相続又は遺贈によりその契約の移転を受けた第六章第四節**一１**②に規定する未決済信用取引等又は同③に規定する未決済デリバティブ取引の決済をした場合において、当該決済の日以後に当該相続又は遺贈に係る被相続人の当該相続の開始の日の属する年分の所得税につき、同**1**⑥本文若しくは第六章第四節**一２**⑥前段の規定の適用があったこと又は第七節**二５**①の規定による修正申告書の提出若しくは**6**の規定による更正の請求に基づく更正があったことにより、次の各号に掲げる場合に該当し、かつ、当該居住者の当該決済の日の属する年分の所得税につき**3**①(一)及び(二)に掲げる場合に該当することとなるときは、当該居住者（その相続人を含む。）は、それぞれ次の(一)及び(二)に定める日から４月以内に、税務署長に対し、当該決済の日の属する年分の所得税について更正の請求をすることができる。（法153の４②）

(一)	第六章第四節**一１**④ただし書の規定の適用により当該未決済信用取引等又は未決済デリバティブ取引の決済による事業所得の金額又は雑所得の金額の計算上加算すべき損失の額に相当する金額が減少した場合　当該被相続人の所得税につき第七節**二１**①の規定による修正申告書を提出した日又は**3**①の規定による更正の請求に基づく更正があった日
(二)	第六章第四節**一２**④ただし書の規定の適用があったこと又は同③本文の規定が適用されないこととなったことにより、当該未決済信用取引等又は未決済デリバティブ取引の決済による事業所得の金額又は雑所得の金額の計算上加算すべき損失の額に相当する金額が減少した場合　当該被相続人の所得税につき第七節**二２**①若しくは同**5**①の規定による修正申告書を提出した日又は**4**①若しくは**6**の規定による更正の請求に基づく更正があった日

6　遺産分割等があった場合の更正の請求の特例

相続の開始の日の属する年分の所得税につき第六章第四節**一2**から同**2**②まで《贈与等により非居住者に資産が移転した場合の譲渡所得等の特例》の規定の適用を受けた居住者について生じた第七節**二5**①《遺産分割等があった場合の修正申告の特例》に規定する遺産分割等の事由により、非居住者に移転した相続又は遺贈に係る同①に規定する対象資産が減少し、又は増加したことに基因して、当該居住者の当該相続の開始の日の属する年分の所得税につき**3**①(一)及び同(二)《国外転出をした者が帰国をした場合等の更正の請求の特例》に掲げる場合に該当することとなるときは、その相続人は、当該遺産分割等の事由が生じた日から４月以内に、税務署長に対し、更正の請求をすることができる。(法153の５)

7　国外転出をした者が外国所得税を納付する場合の更正の請求の特例

第六章第四節**一1**①《国外転出をする場合の譲渡所得等の特例》に規定する国外転出の日の属する年分の所得税につき確定申告書を提出した者（その相続人を含む。）は、第九章第二節**三**《国外転出をする場合の譲渡所得等の特例に係る外国税額控除の特例》①（同②において準用する場合を含む。）の規定の適用がある同①に規定する外国所得税を納付することとなることにより、当該年分の所得税につき**3**①(一)《国外転出をした者が帰国をした場合等の更正の請求の特例》に掲げる場合に該当することとなる」ときは、当該外国所得税を納付することとなる日から４月以内に、税務署長に対し、更正の請求をすることができる。(法153の６①)

（**3**の更正の請求の適用がある場合の**7**の更正の請求の取扱い）

(1)　第六章第四節**一1**①から同③まで《国外転出をする場合の譲渡所得等の特例》の規定の適用を受けた個人が、第六章第四節**一1**⑦（同⑨において準用する場合を含む。）及び第九章第二節**三**《国外転出をする場合の譲渡所得等の特例に係る外国税額控除の特例》①の規定の適用を受ける場合には、**3**《国外転出をした者が帰国をした場合等の更正の請求の特例》の②の規定による更正の請求と別に**7**の規定による更正の請求ができることに留意する。(基通153の６－１)

(注)　**3**の②の規定による更正の請求は、第六章第四節**一1**⑦又は同⑨に規定する譲渡若しくは決済又は限定相続等による移転の日から４月以内にすることができ、**7**の規定による更正の請求は、**7**に規定する外国所得税を納付することとなる日から４月以内にすることができることに留意する。

（外国所得税を納付することとなる日の意義）

(2)　**7**に規定する「外国所得税を納付することとなる日」とは、申告、賦課決定等の手続により外国所得税について具体的にその納付すべき租税債務が確定した日をいうのであるが、実際に外国所得税を納付した日を「外国所得税を納付することとなる日」として取り扱って差し支えない。(基通153の６－２)

第十一章　青 色 申 告

一　青 色 申 告

不動産所得、事業所得又は山林所得を生ずべき業務を行う居住者は、納税地の所轄税務署長の承認を受けた場合には、確定申告書及び当該申告書に係る修正申告書を青色の申告書（以下「**青色申告書**」という。）により提出することができる。（法143、2①四十）

（業務を行う居住者）

注　上記の「不動産所得、事業所得又は山林所得を生ずべき業務を行う居住者」とは、不動産所得の基因となる資産を貸付け（地上権の設定その他他人に当該資産を使用させることを含む。）、事業所得を生ずべき事業を経営し、又は山林を保有している居住者をいうことに留意する。（基通143－1）

二　青色申告の承認申請

1　青色申告の承認の申請

その年分以後の各年分の所得税につき青色申告の承認を受けようとする居住者は、その年３月15日まで（その年１月16日以後新たに**一**に規定する業務を開始した場合には、その業務を開始した日から２月以内）に、当該業務に係る所得の種類その他次の(一)から(五)までに掲げる事項を記載した申請書《**青色申告承認申請書**》を納税地の所轄税務署長に提出しなければならない。（法144、規55）

(一)	申請書を提出する者の氏名及び住所（国内に住所がない場合には、居所）並びに住所地（国内に住所がない場合には、居所地）と納税地とが異なる場合には、その納税地
(二)	申請書を提出した後最初に青色申告書を提出しようとする年
(三)	**五１**《青色申告の承認の取消し》の規定により青色申告書の提出の承認を取り消され、又は**五２**①《青色申告の取りやめ》の規定により青色申告書による申告書の提出をやめる旨の届出書を提出した後再び(一)の申請書を提出しようとする場合には、その取消しに係る通知を受けた日又は取りやめの届出書の提出をした日
(四)	その年１月16日以後新たに**一**に規定する業務を開始した場合には、その開始した年月日
(五)	その他参考となるべき事項

（注）１　上記＿＿下線部については、令和９年１月１日以後、(三)及び(四)が削られ、(五)が(三)とされる。（令５改所規附１五）

２　改正後の**１**の規定は、令和９年分以後の所得税につき**一**の承認を受けようとする場合について適用され、令和８年分以前の所得税につき**一**の承認を受けようとする場合については、なお従前の例による。（令５改所規附５）

（業務を承継した相続人が提出する承認申請書の提出期限）

注　青色申告書を提出することにつき税務署長の承認を受けていた被相続人の業務を相続したことにより新たに**一**に規定する業務を開始した相続人が提出する**１**に規定する申請書については、当該被相続人についての所得税の準確定申告書の提出期限（当該期限が**４**《青色申告書の承認があったものとみなす場合》の規定により青色申告の承認があったとみなされる日後に到来するときは、その日）までに提出して差し支えない。（基通144－１）

2　青色申告の承認申請の却下

税務署長は、青色申告承認申請書の提出があった場合において、その申請書を提出した居住者につき次の(一)から(三)までのいずれかに該当する事実があるときは、その申請を却下することができる。（法145）

(一)	その年分以後の各年分の所得税につき青色申告の承認を受けようとする年における**一**の業務に係る帳簿書類の備付け、記録又は保存が**三１**《青色申告者の帳簿書類》に規定するところに従って行われていないこと。

(二)	その備え付ける(一)に規定する帳簿書類に取引の全部又は一部を隠ぺいし又は仮装して記載し又は記録していることその他不実の記載又は記録があると認められる相当の理由があること。
(三)	青色申告の承認の取消しの通知を受け、又は青色申告の取りやめの届出書の提出をした日以後１年以内にその申請書を提出したこと。

3　青色申告の承認等の通知

税務署長は、青色申告承認申請書の提出があった場合において、その申請につき承認又は却下の処分をするときは、その申請をした居住者に対し、書面によりその旨を通知する。（法146）

4　青色申告の承認があったものとみなす場合

青色申告承認申請書の提出があった場合において、その年分以後の各年分の所得税につき青色申告の承認を受けようとする年の12月31日（その年11月１日以後新たに**一**の業務を開始した場合には、その年の翌年２月15日）までにその申請につき承認又は却下の処分がなかったときは、その日においてその承認があったものとみなす。（法147）

三　青色申告者の帳簿書類

1　青色申告者の帳簿書類

一の青色申告の承認を受けている居住者（以下「**青色申告者**」という。）は、**2**から**11**までに定めるところにより、**一**の業務につき帳簿書類を備え付けてこれに不動産所得の金額、事業所得の金額及び山林所得の金額に係る取引を記録し、かつ、当該帳簿書類を保存しなければならない。納税地の所轄税務署長は、必要があると認めるときは、青色申告の承認を受けている居住者に対し、その者の業務に係る帳簿書類について必要な指示をすることができる。（法148①②）

2　青色申告者の備え付けるべき帳簿書類

青色申告者は**1**の規定により、その不動産所得、事業所得又は山林所得を生ずべき業務につき備え付ける帳簿書類については、**3**から**11**までに定めるところによらなければならない。ただし、当該帳簿書類については、**3**から**6**まで、**8**《貸借対照表及び損益計算書》及び**11**《帳簿書類の記載事項等の省略又は変更》の規定に定めるところに代えて、財務大臣の定める簡易な記録の方法《**簡易簿記の方法**》及び記載事項によることができる。（規56①）

（注）　財務大臣は上記ただし書の定めをしたときは、これを告示する。（編者注＝告示内容は**12**参照）（規56③）

（現金主義所得計算の場合の棚卸の省略）

注　第六章第四節**三３**《小規模事業者等の現金主義所得計算》の規定の適用を受ける青色申告者は、上記の規定にかかわらず、**7**の規定による棚卸資産の棚卸を行うことを要しない。（規56②）

3　取引の記録等

青色申告者は、青色申告書を提出することができる年分の不動産所得の金額、事業所得の金額及び山林所得の金額が正確に計算できるように次の(一)から(三)までに掲げる資産、負債及び資本に影響を及ぼす一切の取引（以下「**取引**」という。）を正規の簿記の原則に従い、整然と、かつ、明りょうに記録し、その記録に基づき、貸借対照表及び損益計算書を作成しなければならない。（規57①）

(一)	不動産所得	その不動産所得を生ずべき不動産等の貸付けに係る資産、負債及び資本
(二)	事 業 所 得	その事業所得を生ずべき事業に係る資産、負債及び資本
(三)	山 林 所 得	その山林所得を生ずべき業務に係る資産、負債及び資本

4　家事費等の区分整理

青色申告者は、取引のうち事業所得、不動産所得及び山林所得に係る総収入金額又は必要経費に算入されない収入又は支出を含むものについては、そのつどその総収入金額又は必要経費に算入されない部分の金額を除いて記録しなければならない。ただし、そのつど区分整理し難いものは年末において、一括して区分整理することができる。（規57②）

5　取引に関する帳簿及び記載事項

青色申告者は、すべての取引を借方及び貸方に仕訳する帳簿（**6**において「仕訳帳」という。）、すべての取引を勘定科目の種類別に分類して整理計算する帳簿（**6**において「総勘定元帳」という。）その他必要な帳簿を備え、財務大臣の定める取引に関する事項を記載しなければならない。（規58①）

（注）財務大臣は、上記の定めをしたときは、これを告示する。（規58②）

6　仕訳帳及び総勘定元帳の記載方法

青色申告者は、仕訳帳には、取引の発生順に、取引の年月日、内容、勘定科目及び金額を記載しなければならない。青色申告者は、総勘定元帳には、その勘定ごとに、記載の年月日、相手方の勘定科目及び金額を記載しなければならない。（規59①②）

7　決　　算

①　年 末 棚 卸

青色申告者（第十章第二節**三 2** ①から同③まで《年の中途で死亡した場合の確定申告等》の規定の適用がある場合には、同①の規定による申告書を提出すべき者又は同②若しくは同③の規定による申告書を提出することができる者）は、毎年12月31日（同節**三 2** 又は同**4**《年の中途で出国をする場合の確定申告等》の規定の適用がある場合には、青色申告者の死亡の日又は出国の時。**8**において同じ。）において棚卸資産の棚卸しその他決算のために必要な事項の整理を行い、その事績を明瞭に記録しなければならない。（規60①）

②　年初又は開業時の棚卸

その年において新たに青色申告者となった者は、その年１月１日（年の中途において新たに不動産所得、事業所得又は山林所得を生ずべき業務を開始した場合には、当該業務を開始した日）において、棚卸資産（事業所得の基因となる有価証券及び第六章第二節**四12**《暗号資産の譲渡原価等の計算及びその評価の方法》に規定する暗号資産を含む。以下**7**において同じ。）の棚卸し及び諸勘定科目についての必要な整理を行い、その事績を明瞭に記録しなければならない。（規60②）

③　棚卸表の作成

①及び②に規定する棚卸しを行う場合には、棚卸表を作成し、棚卸資産の種類、品質、型等の異なるごとに、数量、単価及び金額を記載しなければならない。この場合において、棚卸資産に付すべき単価は、第六章第二節**三 2** ①《棚卸資産の評価の方法》に規定する評価の方法若しくは同**2** ②《棚卸資産の特別な評価の方法》の規定により税務署長の承認を受けた評価の方法、同節**四 5** ①《有価証券の評価の方法》に規定する評価の方法又は同**四12**①《暗号資産の評価の方法》に規定する評価の方法のうちその青色申告者が選定した方法（同節**三 3** ③《棚卸資産の評価の方法の変更手続》、同節**四 6** ③《有価証券の評価の方法の変更手続》又は同**四12**③《暗号資産の評価の方法の変更手続》の規定により評価の方法の変更につき税務署長の承認を受けた場合には、その承認を受けた方法とし、同節**三 2**《棚卸資産の法定評価方法》、同節**四 6** ④《有価証券の法定評価方法》又は同**四12**④《暗号資産の法定評価方法》の規定の適用を受ける青色申告者については、これらの規定によりその者が用いるべきものとして定められた方法とする。）により計算した価額を記載するものとする。（規60③）

8　貸借対照表及び損益計算書

7 ①に規定する青色申告者は、毎年12月31日において、財務大臣の定める科目に従い、貸借対照表及び損益計算書を作成しなければならない。（規61①）

（注）財務大臣は、上記の定めをしたときは、これを告示する。（規61②）

（２以上の業務を営む場合の損益計算書及び貸借対照表の作成）

注　不動産所得、事業所得若しくは山林所得を生ずべき業務のうち２以上の業務を営む場合又は事業所得を生ずべき業務のうち農業と農業以外の業務を営む場合には、損益計算書はそれぞれの業務に係るものの区分ごとに各別に作成し、貸借対照表は全ての業務に係るものを合併して作成するものとする。（基通148－1）

9　親族の労務に従事した期間等の記帳

税務署長が必要があると認める場合には、青色申告者でその者と生計を一にする親族に給与の支払をする者に対し、帳簿を備え、その親族の労務に従事した期間、労務の性質その他その労務の事績を明らかにする事項の記載を命ずることができる。（規62）

10　帳簿書類の整理保存

7①に規定する青色申告者は、次の(一)から(三)までに掲げる帳簿及び書類を整理し、起算日から７年間（(三)に掲げる書類のうち、現金預金取引等関係書類に該当する書類以外のものにあっては、５年間)、これをその者の住所地若しくは居所地又はその営む事業に係る事務所、事業所その他これらに準ずるものの所在地に保存しなければならない。（規63①）

(一)	**5**に規定する帳簿並びに当該青色申告者の資産、負債及び資本に影響を及ぼす一切の取引に関して作成されたその他の帳簿
(二)	棚卸表、貸借対照表及び損益計算書並びに計算、整理又は決算に関して作成されたその他の書類
(三)	取引に関して相手方から受け取った注文書、契約書、送り状、領収書、見積書その他これらに準ずる書類及び自己の作成したこれらの書類でその写しのあるものはその写し

（小規模事業者の特例）

（1）　**10**の青色申告者で、その年３月15日における前々年分の不動産所得の金額及び事業所得の金額の合計額（第六章第四節**三３**《小規模事業者の現金主義による所得計算》①イに規定する合計額をいい、第十章第二節**三２**《年の中途で死亡した場合の確定申告等》の規定の適用がある場合には、これらの規定に規定する居住者に係る当該合計額とする。）が同イに規定する金額《300万円》以下であるものは、**10**の規定にかかわらず、その年において作成し、又は受領した**10**(三)に掲げる書類については、起算日から５年間を超えて保存することを要しない。（規63②）

（現金預金取引等関係書類の範囲）

（2）　**10**に規定する現金預金取引等関係書類とは、**10**(三)に掲げる書類のうち、現金の収受若しくは払出し又は預貯金の預入若しくは引出しに際して作成されたもの及び帳簿に**5**に規定する取引に関する事項を個別に記載することに代えて日々の合計金額の一括記載をした場合における当該一括記載に係る取引に関する事項を確認するための書類をいう。（規63③）

（保存期間の起算日）

（3）　**10**及び(1)に規定する起算日とは、帳簿についてはその閉鎖の日の属する年の翌年３月15日の翌日をいい、書類についてはその作成又は受領の日の属する年の翌年３月15日の翌日をいう。（規63④）

（保存方法の特例）

（4）　**10**(一)から同(三)までに掲げる帳簿及び書類のうち次の表の(一)又は(二)の左欄に掲げるものについての当該(一)又は(二)の中欄に掲げる期間における**10**の規定による保存については、当該(一)又は(二)の右欄に掲げる方法によることができる。（規63⑤）

(一)	**10**(三)に掲げる書類のうち国税庁長官が定めるもの（平10国税庁告示第１号）	(3)に規定する起算日以後３年を経過した日から当該起算日以後５年を経過する日までの期間	財務大臣の定める方法(**12**)
(二)	**10**(一)から同(三)までに掲げる帳簿及び書類	(3)に規定する起算日から５年を経過した日以後の期間	財務大臣の定める方法(**12**)

11　帳簿書類の記載事項等の省略又は変更

青色申告者は、その業種、業態、規模等により、**5**から**9**までの規定により難いときは、納税地の所轄税務署長の承認を受け、これらの規定に規定する記載事項の一部を省略し又は変更することができる。（規64）

12　青色申告者の帳簿書類の記載事項等に関する告示（昭42大蔵省告示第112号、最終改正令２財務省告示第77号）

①　青色申告者の帳簿書類の記載事項

5《取引に関する帳簿及び記載事項》（所得税法施行規則第67条《申告、納付及び還付》において準用する場合を含む。）に規定する取引に関する事項は、おおむね別表第１（本ページ）各号の表の第１欄に定めるところによる。

②　貸借対照表等に記載する科目

8《貸借対照表及び損益計算書》（所得税法施行規則第67条《申告、納付及び還付》において準用する場合を含む。）に規定する科目は、おおむね別表第２（1830ページ）各号の表の第一欄に定めるところによる。

③　簡易簿記の方法

2のただし書《簡易簿記の方法》（所得税法施行規則第67条において準用する場合を含む。）に規定する記録の方法及び記載事項は、次に定めるところによる。

(一)　**2**（所得税法施行規則第67条において準用する場合を含む。以下(一)において同じ。）に規定する青色申告者で**2**ただし書の規定の適用を受けるものは、青色申告書を提出することができる年分の不動産所得の金額、事業所得の金額及び山林所得の金額が正確に計算できるように、必要な帳簿を備え、その取引を別表第１（本ページ）各号の表の第二欄に定めるところにより、整然と、かつ、明瞭に記録しなければならない。ただし、第六章第四節**三３**《小規模事業者等の現金主義による所得計算》（所得税法第165条第１項《総合課税に係る所得税の課税標準、税額等の計算》の規定により準じて計算する場合を含む。）の規定の適用を受ける者の事業所得又は不動産所得に係る取引については、別表第１の**１**又は**２**の表の第三欄に定めるところにより記録することができる。

(二)　(一)の青色申告者は、(一)の取引のうち不動産所得、事業所得及び山林所得に係る総収入金額又は必要経費に算入されない収入又は支出を含むものについては、その都度その総収入金額又は必要経費に算入されない金額を除いて記録しなければならない。ただし、その都度区分整理し難いものは、年末において一括して区分整理することができる。

(三)　(一)の青色申告者（第十章第二節**三２**①から同③まで《年の中途で死亡した場合の確定申告》（これらの規定を所得税法第166条《申告、納付及び還付》において準用する場合を含む。以下(三)において同じ。）の規定の適用がある場合には、所得税法第125条第１項の規定による申告書を提出すべき者又は同②若しくは③の規定による申告書を提出することができる者）は、毎年12月31日（同**２**又は同**３**《年の中途で出国をする場合の確定申告》（これらの規定を所得税法第166条において準用する場合を含む。）の規定の適用がある場合には、その死亡の日又は出国の時）において、その記録に基づき、別表第２各号の表の第二欄に定める科目に従い、損益計算書を作成しなければならない。

別表第１　青色申告者の帳簿の記載事項

１　事業所得の部

（イ）　一般の部

区分	第一欄		第二欄		第三欄	
	記載事項	備考	記載事項	備考	記載事項	備考
(一)　現金出納等に関する事項	現金取引の年月日、事由、出納先及び金額並びに日々の残高	少額な取引については、その科目ごとに、日々の合計金額のみを一括記載することができる。	第一欄に同じ。	（1）　少額な取引又は保存している伝票、領収書等によりその内容を確認できる取引については、現金売上、雑収入及びその他の入金並びに現金仕入、仕入以外の費用及びそ	（1）　第一欄に同じ。 （2）　現金以外の収入、支出及び家事消費等についても現金の出納に準じて記載するものとする。	（1）　第一欄に同じ。 （2）　たな卸資産の家事消費等については、年末において、消費等をしたものの種類別に、その合計金額を見積もり、当

区分	第一欄		第二欄		第三欄	
	記載事項	備考	記載事項	備考	記載事項	備考
				の他の出金に区分して、それぞれ日々の合計金額のみを一括記載することができる。 （2） いわゆる時貸又は時借の入出金は、現金売上又は現金仕入として記載することができる。		該合計金額のみを一括記載することができる。
(二) 当座預金の預入及び引出しに関する事項	預金の口座別に、取引の年月日、事由、支払先及び金額	―	―	―	―	―
(三) 手形（融通手形を除く。）上の債権債務に関する事項	受取手形及び支払手形別に、取引の年月日、事由、相手方及び金額	―	―	―	―	―
(四) 売掛金（未収加工料その他売掛金と同様の性質を有するものを含む。）に関する事項	売上先その他取引の相手方別に、取引の年月日、品名その他行った給付の内容、数量、単価及び金額	保存している納品書控、請求書控等によりその内容を確認できる取引については、その相手方別に、日々の合計金額のみを一括記載することができる。	第一欄に同じ。	（1） 第一欄に同じ。 （2） いわゆる時貸については、日々の記載を省略し、現実に代金を受け取った時に現金売上として記載することができる。この場合には、年末における時貸の残高を記載するものとする。	―	―
(五) 買掛金（未払加工料その他買掛金と同様の性質を有するものを含む。）に関	仕入先その他取引の相手方別に、取引の年月日、品名その他受けた給付の内容、数量、単価	保存している納品書、請求書等によりその内容を確認できる取引については、その相手方別	第一欄に同じ。	（1） 第一欄に同じ。 （2） いわゆる時借については、日々の記載を省略し、	―	―

区　分	第一欄		第二欄		第三欄	
	記載事項	備　考	記載事項	備　考	記載事項	備　考
する事項	及び金額	に、日々の合計金額のみを一括記載することができる。		現実に代金を支払った時に現金仕入として記載することができる。この場合には、年末における時借の残高を記載するものとする		
(六)　(二)から(五)までに掲げるもの以外の債権債務に関する事項	貸付金、借入金、預け金、預り金、仮払金、仮受金、未収入金、未払金、事業主貸、事業主借のように、それぞれ適宜な科目に区分して、それぞれその取引の年月日、事由、相手方及び金額	事業主貸については、月決め事業主貸とその他の事業主貸とに区分して記載することができる。	—	—	—	—
(七)　減価償却資産（繰延資産を含む。）に関する事項	その資産の種類ごとに、それぞれその取得又は支出の年月日、取得又は支出の相手方、数量、取得価額又は支出金額及びその年の年初の償却後の価額並びにその年中におけるその他の取引の年月日、事由、相手方及び金額	—	第一欄に同じ。	年末において、その年中の取引を一括記載することができる。	第二欄に同じ。	第二欄に同じ。
(八)　(一)から(四)まで、(六)及び(七)に掲げるもの以外の資産（棚卸資産を除く。）に関する事項	取引の年月日、事由、相手方、数量及び金額	—	—	—	—	—
(九)　引当金及び準備金に関	引当金、準備金について、その	—	第一欄に同じ。	—	—	—

区分	第一欄		第二欄		第三欄	
	記載事項	備考	記載事項	備考	記載事項	備考
する事項	科目ごとに区分して、それぞれその取引の年月日、事由及び金額その他その計算に関する事項					
(十) 元入金に関する事項	取引の年月日、事由及び金額	—	—	—	—	—
(十一) 売上(加工その他の役務の給付等売上と同様の性質を有するもの及び家事消費等を含む。)に関する事項	取引の年月日、売上先その他の相手方、品名その他給付の内容、数量、単価及び金額並びに日々の売上の合計金額	(1) 保存している納品書控、請求書控等によりその内容を確認できる取引については、その相手方別に、日々の合計金額のみを一括記載することができる。 (2) 少額な現金売上げについては、日々の合計金額のみを一括記載することができる。	第一欄に同じ。	(1) 第一欄に同じ。 (2) 小売その他これに類するものを行う者の現金売上については、日々の合計金額のみを一括記載することができる。 (3) いわゆる時貸については、日々の記載を省略し、現実に代金を受け取った時に現金売上として記載することができる。この場合には、年末における時貸の残高を記載するものとする。 (4) たな卸資産の家事消費等については、年末において、消費等をしたものの種類別に、その合計金額を見積もり、当該合計金額のみを一括記載することができる。	—	—

区　分	第一欄		第二欄		第三欄	
	記載事項	備考	記載事項	備考	記載事項	備考
(十二)　(十一)に掲げるもの以外の収入に関する事項	受取利息、雑収入のように、それぞれ適宜な科目に区分して、それぞれその取引の年月日、事由、相手方及び金額	少額な雑収入等については、その科目ごとに、日々の合計金額のみを一括記載することができる。	第一欄に同じ。	(1)　第一欄に同じ。 (2)　現実に入金した時に記載することができる。この場合には、年末における雑収入等の未収額及び前受額を記載するものとする。	—	—
(十三)　仕入に関する事項	取引の年月日、仕入先その他の相手方、品名その他給付の内容、数量、単価及び金額並びに日々の仕入の合計金額	(1)　保存している納品書、請求書等によりその内容を確認できる取引については、その相手方別に、日々の合計金額のみを一括記載することができる。 (2)　少額な現金仕入については、日々の合計金額のみを一括記載することができる。	第一欄に同じ。	(1)　第一欄に同じ。 (2)　いわゆる時借については、日々の記載を省略し、現実に代金を支払った時に現金仕入として記載することができる。この場合には、年末における時借りの残高を記載するものとする。	—	—
(十四)　(十三)に掲げるもの以外の費用に関する事項	雇人費、青色専従者給与額、福利厚生費、外注工賃、動力費、消耗品費、修繕費、減価償却費、繰延資産の償却費、貸倒金、地代家賃、保険料、旅費通信費、水道光熱費、手数料、荷造運賃、広告宣伝費、公租公課、接待交際費、利子割引料、雑費のよう	少額な費用については、その科目ごとに、日々の合計金額のみを一括記載することができる。	第一欄に準じそれぞれ適宜な科目に区分して、それぞれその取引の年月日、事由、支払先及び金額	(1)　第一欄に同じ。 (2)　現実に出金した時に記載することができる。この場合には、年末における費用の未払額及び前払額を記載するものとする。	—	—

区分	第一欄		第二欄		第三欄	
	記載事項	備考	記載事項	備考	記載事項	備考
	に、それぞれ適宜な科目に区分して、それぞれその取引の年月日、事由、支払先及び金額					

（ロ） 農業の部

区分	第一欄		第二欄		第三欄	
	記載事項	備考	記載事項	備考	記載事項	備考
(一) 現金出納等に関する事項	現金取引の年月日、事由、出納先及び金額並びに日々の残高	少額な取引については、その科目ごとに、日々の合計金額のみを一括記載することができる。	第一欄に同じ。	少額な取引又は保存している伝票、領収書等によりその内容を確認できる取引については、現金売上、雑収入及びその他の入金並びに費用及びその他の出金に区分して、それぞれ日々の合計金額のみを一括記載することができる。	(1) 第一欄に同じ。 (2) 現金以外の収入、支出及び家事消費等についても現金の出納に準じて記載するものとする。	(1) 第一欄に同じ。 (2) 農産物（第六章第一節**—6**の農産物をいう。以下この表及び別表第２第１号(ロ)の表において同じ。）、繭、畜産物等の家事消費等については、年末において、消費等をしたものの種類別に、その合計金額を見積もり、当該合計金額のみを一括記載することができる。
(二) 債権債務に関する事項	預金、貸付金、借入金、未収入金及び未払金、現金の家計支出及び農産物等の家計仕向（事業主貸）並びに家計持出（事業主借）のように、	(1) 米穀、野菜等の家計仕向については、月末ごとに、その月の合計金額のみを一括記載することができる。	未収入金及び未払金について、その取引の相手方別に、それぞれその取引の年月日、品名その他給付の内容、数量、単価及び金額	第一欄の(3)に同じ。	—	—

区　分	第一欄		第二欄		第三欄	
	記載事項	備考	記載事項	備考	記載事項	備考
	それぞれ適宜な科目に区分して、それぞれその取引の年月日、事由、相手方及び金額	(2)　事業主貸((1)に関する部分を除く。)については、月決め事業主貸とその他の事業主貸とに区分して記載することができる。 (3)　未収入金及び未払金に関する取引で、保存している納品書控、請求書等によりその内容を確認できるものについては、その相手方別に、日々の合計金額のみを一括記載することができる。				
(三)　減価償却資産（繰延資産を含む。）に関する事項	その資産の種類ごとに、それぞれその取得又は支出の年月日、取得又は支出の相手方、数量、取得価額又は支出金額及びその年の年初の償却後の価額並びにその年中におけるその他の取引の年月日、事由、相手方及び金額	未成育の牛馬等又は未成熟の果樹等を成育又は成熟させるために要した費用については、年末において一括記載することができる。	第一欄に同じ。	(1)　第一欄に同じ。 (2)　年末において、その年中の取引を一括記載することができる。	第二欄に同じ。	第二欄に同じ。
(四)　(一)から(三)までに掲げるもの以外の資産（たな卸資産を除く。）に関する事項	取引の年月日、事由、相手方、数量及び金額	―	―	―	―	―

区　分	第　一　欄		第　二　欄		第　三　欄	
	記載事項	備　考	記載事項	備　考	記載事項	備　考
(五) 資本に関する事項	元入金、貸倒引当金のように区分して、それぞれその取引の年月日、事由及び金額	—	引当金、準備金について、その取引の年月日、事由及び金額	—	—	—
(六) 収入に関する事項						
(1) 農産物の収穫に関する事項	収穫の年月日、農産物の種類、数量、単価及び金額	—	収穫の年月日、農産物の種類及び数量	次に掲げる農産物については、収穫に関する事項の記載を省略することができる。 イ　家事消費等に充てる程度しか栽培していない者の収穫する野菜、果物その他これらに類する農産物 ロ　イの者以外の者の収穫する野菜、果物その他これらに類する農産物で収穫後直ちに家事消費等に充てるもの ハ　桑葉、わら、くわがらその他これらに類する農産物で事業用消費又は家事消費等に充てることを常例としているもの	—	—
(2) 農産物、繭、畜産物等の売上、家事消費等に関する事項	取引の年月日、売上先その他取引の相手方、品名その他給付の内容、数量、単価及び金額	(1)　保存している納品書控、請求書控等によりその内容を確認できる取引につ	第一欄に同じ。	(1)　第一欄の(1)及び(2)に同じ。 (2)　掛売上の取引で保存している納品書	—	—

区　分	第一欄		第二欄		第三欄	
	記載事項	備考	記載事項	備考	記載事項	備考
		いては、その相手方別に、日々の合計金額のみを一括記載することができる。 （2）少額な現金売上については、日々の合計金額のみを一括記載することができる。 （3）米穀、野菜等の家事消費等については、月末ごとに、家事消費等をしたものの種類別にその合計を見積もり、それぞれその合計数量及び合計金額のみを一括記載することができる。		控、請求書控等によりその内容を確認できるものについては、日々の記載を省略し、現実に代金を受け取った時に現金売上として記載することができる。この場合には年末における売掛金の残高を記載するものとする。 （3）農産物の事業用消費若しくは家事消費等又は繭、畜産物等の家事消費等については、年末において、消費等をしたものの種類別にその合計を見積もり、それぞれその合計数量及び合計金額のみを一括記載することができる。		
(七) 費用に関する事項 （1）農産物の収穫価額に関する事項	収穫の年月日、農産物の種類、数量、単価及び金額	—	収穫の年月日、農産物の種類及び数量	次に掲げる農産物については、収穫に関する事項の記載を省略することができる。 イ　家事消費等に充てる程度しか栽培していない者の収穫する野菜、	—	—

<table>
<tr><th rowspan="2">区　分</th><th colspan="2">第　一　欄</th><th colspan="2">第　二　欄</th><th colspan="2">第　三　欄</th></tr>
<tr><th>記載事項</th><th>備　考</th><th>記載事項</th><th>備　考</th><th>記載事項</th><th>備　考</th></tr>
<tr><td></td><td></td><td></td><td></td><td>果物その他これらに類する農産物
ロ　イの者以外の者の収穫する野菜、果物その他これらに類する農産物で収穫後直ちに家事消費等に充てるもの
ハ　桑葉、わら、くわがらその他これらに類する農産物で事業用消費又は家事消費等に充てることを常例としているもの</td><td></td><td></td></tr>
<tr><td>（2）　種苗代、肥料代等の費用に関する事項</td><td>種苗代、肥料代、飼料代、小作料、雇人費、青色専従者給与額、農具費、減価償却費、繰延資産の償却費、貸倒金、公租公課、雑費のように、それぞれ適宜な科目に区分して、それぞれその取引の年月日、事由、支払先及び金額</td><td>（1）　少額な費用については、その科目ごとに、日々の合計金額のみを一括記載することができる。
（2）　まだ収穫しない農産物、未成育の牛馬等又は未成熟の果樹等について要した費用は、年末においてその整理を行う。</td><td>第一欄に準じそれぞれ適宜な科目に区分して、それぞれその取引の年月日、事由、支払先及び金額</td><td>（1）　第一欄に同じ。
（2）　自ら収穫した農産物で肥料、飼料等として自己の農業に消費するものの事業用消費については、その科目ごとに、年末において、消費したものの種類別にその合計を見積もり、それぞれその合計数量及び合計金額のみを一括記載することができる。
（3）　現実に代金を支払った時に記載することができる。この場合</td><td>—</td><td>—</td></tr>
</table>

区　分	第一欄		第二欄		第三欄	
	記載事項	備考	記載事項	備考	記載事項	備考
				には、年末における費用の未払額及び前払額を記載するものとする。		

2　不動産所得の部

区　分	第一欄		第二欄		第三欄	
	記載事項	備考	記載事項	備考	記載事項	備考
(一)　現金出納等に関する事項	現金取引の年月日、事由、出納先及び金額並びに日々の残高	少額な取引については、その科目ごとに、日々の合計金額のみを一括記載することができる。	第一欄に同じ。	少額な取引又は保存している伝票、領収書等によりその内容を確認できる取引については、賃貸料、雑収入及びその他の入金並びに費用及びその他の出金に区分して、それぞれ日々の合計金額のみを一括記載することができる。	(1)　第一欄に同じ。 (2)　現金以外の収入、支出についても現金の出納に準じて記載するものとする。	第一欄に同じ。
(二)　当座預金の預入及び引出しに関する事項	預金の口座別に、取引の年月日、事由、支払先及び金額	—	—	—	—	—
(三)　手形（融通手形を除く。）上の債権債務に関する事項	受取手形及び支払手形別に、取引の年月日、事由、相手方及び金額	—	—	—	—	—
(四)　(二)及び(三)に掲げるもの以外の債権債務に関する事項	未収賃貸料、預金、貸付金、借入金、未収入金、未払金、事業主貸、事業主借のように、それぞれ適宜な科目に区分して、それぞれその取引の年月日、事由、相手方及び金額	事業主貸については、月決め事業主貸とその他の事業主貸とに区分して記載することができる。	未収賃貸料その他これに準ずる未収入金について、その取引の相手方別に、それぞれその取引の年月日、事由及び金額	—	—	—

区分	第一欄		第二欄		第三欄	
	記載事項	備考	記載事項	備考	記載事項	備考
(五) 減価償却資産（繰延資産を含む。）に関する事項	その資産の種類ごとに、それぞれその取得又は支出の年月日、取得又は支出の相手方、数量、取得価額又は支出金額及びその年の年初の償却後の価額並びにその年中におけるその他の取引の年月日、事由、相手方及び金額	—	第一欄に同じ。	年末において、その年中の取引を一括記載することができる。	第二欄に同じ。	第二欄に同じ。
(六) (一)から(五)までに掲げるもの以外の資産に関する事項	取引の年月日、事由、相手方、数量及び金額	—	—	—	—	—
(七) 資本に関する事項	元入金、貸倒引当金のように区分して、それぞれその取引の年月日、事由及び金額	—	貸倒引当金について、その取引の年月日、事由及び金額	—	—	—
(八) 収入に関する事項	賃貸料、雑収入のように、それぞれ適宜な科目に区分して、それぞれその取引の年月日、事由、相手方及び金額	—	第一欄に同じ。	—	—	—
(九) 費用に関する事項	雇人費、青色専従者給与額、修繕費、減価償却費、繰延資産の償却費、地代、保険料、消耗品費、貸倒金、広告宣伝費、公租公課、雑費のように、それぞれ適宜な科目に区分して、それぞれその取引の年月日、事由、支	少額な費用については、その科目ごとに、日々の合計金額のみを一括記載することができる。	第一欄に準じそれぞれ適宜な科目に区分して、それぞれその取引の年月日、事由、支払先及び金額	（1） 第一欄に同じ。 （2） 現実に出金した時に記載することができる。この場合には、年末における費用の未払額及び前払額を記載するものとする。	—	—

区　分	第　一　欄		第　二　欄		第　三　欄	
	記載事項	備　考	記載事項	備　考	記載事項	備　考
	払先及び金額					

3　山林所得の部

区　分	第　一　欄		第　二　欄	
	記　載　事　項	備　考	記　載　事　項	備　考
(一)　現金の出納に関する事項	取引の年月日、事由、出納先及び金額並びに日々の残高	少額な取引については、その科目ごとに、日々の合計金額のみを一括記載することができる。	第一欄に同じ。	少額な取引又は保存している伝票、領収証等によりその内容を確認できる取引については、現金売上、雑収入及びその他の入金並びに費用及びその他の出金に区分して、それぞれ日々の合計金額のみを一括記載することができる。
(二)　債権債務に関する事項	預金、貸付金、借入金、未収入金、未払金、事業主貸、事業主借のように、それぞれ適宜な科目に区分して、それぞれその取引の年月日、事由、相手方及び金額	（1）　事業主貸については、月決め事業主貸とその他事業主貸とに区分して記載することができる。 （2）　未収入金及び未払金に関する取引で、保存している納品書控、請求書控等によりその内容を確認できるものについては、その相手方別に、日々の合計金額のみを一括記載することができる。	未収入金及び未払金について、その取引の相手方別に、それぞれその取引の年月日、品名その他給付の内容、数量、単価及び金額	第一欄に同じ。
(三)　減価償却資産（繰延資産を含む。）に関する事項	その資産の種類ごとに、それぞれその取得又は支出の年月日、取得又は支出の相手方、数量、取得価額又は支出金額及びその年の年初の償却後の価額並びにその年中におけるその他の取引の年月日、事由、相手方及び金額	—	第一欄に同じ。	年末において、その年中の取引を一括記載することができる。
(四)　(一)から(三)までに掲げるもの以外の資	取引の年月日、事由、相手方、数量及び金額	—	—	—

区　分	第一欄		第二欄	
	記載事項	備考	記載事項	備考
産に関する事項				
(五)　元入金に関する事項	取引の年月日、事由及び金額	—	—	—
(六)　山林の伐採、譲渡、家事消費等の収入に関する事項	取引の年月日、売上げ先その他の相手方、品名、数量、単価及び金額	保存している納品書控、請求書控等によりその内容を確認できる取引については、その相手方別に、日々の合計金額のみを一括記載することができる。	第一欄に同じ。	(1)　第一欄に同じ。 (2)　山林の家事消費等については、年末において、消費等をしたものの種類別に、その合計金額を見積もり、当該合計金額のみを一括記載することができる。
(七)　費用に関する事項	植林費、取得費、管理費、伐採費、運搬費、雇人費、青色専従者給与額、利子割引料、減価償却費、繰延資産の償却費、貸倒金、公租公課、雑費のように、それぞれ適宜な科目に区分して、それぞれその取引の年月日、事由、支払先及び金額	(1)　少額な費用については、その科目ごとに、日々の合計金額のみを一括記載することができる。 (2)　まだ伐採又は譲渡をしない山林について要した費用は、年末においてその整理を行う。	第一欄に準じそれぞれ適宜な科目に区分して、それぞれその取引の年月日、事由、支払先及び金額	(1)　第一欄に同じ。 (2)　現実に出金した時に記載することができる。この場合には、年末における費用の未払額及び前払額を記載するものとする。

別表第２　青色申告者の貸借対照表及び損益計算書に記載する科目

１　事業所得の部

(イ)　一般の部

区分		第一欄	第二欄
貸借対照表に記載する科目	資産の部	現金、当座預金、預金、受取手形、売掛金、未収入金、仮払金、貸付金、有価証券、商品、製品、半製品、仕掛品、原材料、貯蔵品、建物、構築物、機械及び装置、船舶、車両及び運搬具、工具、器具及び備品、土地、建設仮勘定、借地権、鉱業権、漁業権、特許権、実用新案権、意匠権、商標権、営業権、開業費、開発費、公共施設負担金、事業主貸、当年欠損金等	—
	負債及び資本(純資産)の部	支払手形、買掛金、未払金、未払税金、仮受金、借入金、貸倒引当金、退職給与引当金、事業主借、元入金、当年利益金等	—
損益計算書に記載する科目	収入の部	商品製品等売上高、雑収入、年末商品製品原材料等たな卸高、当年欠損金等	第一欄に準じた適宜な科目
	必要経費の部	年初商品製品原材料等たな卸高、商品原材料等仕入高、雇人費、青色専従者給与額、福利厚生費、外注工賃、動力費、消耗品費、修繕費、減価償却費、繰延資産の償却費、貸倒金、地代家賃、保険料、旅費通信費、水道光熱費、手数料、荷造運賃、広告宣伝費、公租公課、接待交際費、利子割引料、雑費、貸倒引当金繰入額、	第一欄に準じた適宜な科目

		退職給与引当金繰入額、当年利益金等	

（ロ）　農業の部

区	分	第一欄	第二欄
貸借対照表に記載する科目	資産の部	現金、預金、売掛金、未収入金、貸付金、農産物、繭、畜産物、立毛、仕立中の果樹、育成中の牛馬、肥料その他の貯蔵品、建物、車両及び運搬具、農具、農業用の牛馬、果樹、土地、土地改良事業受益者負担金、事業主貸、当年欠損金等	—
	負債及び資本(純資産)の部	買掛金、未払金、未払税金、借入金、貸倒引当金、事業主借、元入金、当年利益金等	—
損益計算書に記載する科目	収入の部	農産物収穫高、農産物等の売上及び家事消費等の高、雑収入、年末農産物肥料等たな卸高、当年欠損金等	第一欄に準じた適宜な科目
	必要経費の部	年初農産物肥料等たな卸高、種苗代、肥料代、飼料代、小作料、雇人費、青色専従者給与額、農具費、減価償却費、繰延資産の償却費、貸倒金、公租公課、雑費、農産物収穫高、貸倒引当金繰入額、当年利益金等	第一欄に準じた適宜な科目

2　不動産所得の部

区	分	第一欄	第二欄
貸借対照表に記載する科目	資産の部	現金、預金、受取手形、未収賃貸料、未収入金、貸付金、貯蔵品、建物、構築物、船舶、工具、器具及び備品、土地、借地権、公共施設負担金、事業主貸、当年欠損金等	—
	負債及び資本(純資産)の部	支払手形、未払金、未払税金、借入金、事業主借、元入金、当年利益金等	—
損益計算書に記載する科目	収入の部	賃貸料、雑収入、当年欠損金等	第一欄に準じた適宜な科目
	必要経費の部	雇人費、青色専従者給与額、修繕費、減価償却費、繰延資産の償却費、地代、保険料、消耗品費、貸倒金、広告宣伝費、公租公課、雑費、当年利益金等	第一欄に準じた適宜な科目

3　山林所得の部

区	分	第一欄	第二欄
貸借対照表に記載する科目	資産の部	現金、預金、未収入金、貸付金、山林、建物、構築物、機械及び装置、車両及び運搬具、工具、器具及び備品、土地、事業主貸、当年欠損金等	—
	負債及び資本(純資産)の部	未払金、未払税金、借入金、事業主借、元入金、当年利益金等	—
損益計算書に記載する科目	収入の部	山林の伐採譲渡及び家事消費等の高、雑収入、当年欠損金等	第一欄に準じた適宜な科目
	必要経費の部	植林費、取得費、管理費、伐採費、運搬費、雇人費、青色専従者給与額、利子割引料、減価償却費、繰延資産の償却費、貸倒金、公租公課、雑費、当年利益金等	第一欄に準じた適宜な科目

四　青色申告書に添付すべき書類

1　青色申告書の添付書類

青色申告書には、**2**で定めるところにより、貸借対照表、損益計算書その他不動産所得の金額、事業所得の金額若しくは山林所得の金額又は純損失の金額の計算に関する明細書を添付しなければならない。(法149)

2　青色申告書に添付すべき書類

1の規定により青色申告書に添付すべき書類は、次の(一)から(三)までに掲げるもの（当該(一)から(三)までに掲げるものが電磁的記録（電子的方式、磁気的方式その他の人の知覚によっては認識することができない方式で作られる記録であって、電子計算機による情報処理の用に供されるものをいう。以下**2**において同じ。）で作成され、又は当該(一)から(三)までに掲げるものの作成に代えて当該(一)から(三)までに掲げるものに記載すべき情報を記録した電磁的記録の作成がされている場合には、これらの電磁的記録に記録された情報の内容を記載した書類）とする。(規65①)

(一)	貸借対照表及び損益計算書
(二)	不動産所得の金額、事業所得の金額又は山林所得の金額の計算に関する明細書（事業所得の金額のうちに変動所得の金額又は臨時所得の金額がある場合には、当該変動所得の金額又は臨時所得の金額とその他の事業所得の金額とに区分し、不動産所得の金額のうちに臨時所得の金額がある場合には、当該臨時所得の金額とその他の不動産所得の金額とに区分した明細書）
(三)	純損失の金額の計算に関する明細書

3　簡易簿記の方法による場合の貸借対照表の添付の省略

三2《青色申告者の備え付けるべき帳簿書類》のただし書の規定の適用を受ける青色申告者は、**2**の規定にかかわらず、貸借対照表を青色申告書に添付することを要しない。(規65②)

五　青色申告の取消し又は取りやめ

1　青色申告の承認の取消し

青色申告の承認を受けた居住者につき次の(一)から(三)までのいずれかに該当する事実がある場合には、納税地の所轄税務署長は、当該(一)から(三)までに掲げる年までさかのぼって、その承認を取り消すことができる。この場合において、その取消しがあったときは、その居住者の当該年分以後の各年分の所得税につき提出したその承認に係る青色申告書は、青色申告書以外の申告書とみなす。(法150①)

(一)	その年における**一**に規定する業務に係る帳簿書類の備付け、記録又は保存が**三2**から同**11**までに規定するところに従って行われていないこと　　その年
(二)	その年における(一)に規定する帳簿書類について**三1**後段の規定による税務署長の指示に従わなかったこと その年
(三)	その年における(一)に規定する帳簿書類に取引の全部又は一部を隠ぺいし又は仮装して記載し又は記録し、その他その記載又は記録した事項の全体についてその真実性を疑うに足りる相当の理由があること　　その年

（青色申告の承認の取消しの通知）

(1)　税務署長は、青色申告の承認の取消しの処分をする場合には、取消しに係る居住者に対し、書面によりその旨を通知する。この場合において、その書面には、その取消しの処分の基因となった事実が上記(一)から(三)のいずれに該当するかを附記しなければならない。(法150②)

（青色申告の承認を取り消した場合の事業専従者控除）

(2)　既に確定申告書の提出又は第十二章**一2**《決定》による決定のあった年分につき青色申告書の提出の承認を取り消した場合には、当該年分の不動産所得の金額、事業所得の金額又は山林所得の金額の計算上青色事業専従者としてその給与について必要経費算入（第六章第二節**十2**①参照）の適用を受けていた親族で同節**十2**③に規定する事業専従者に該当する者については、同**2**④申告書記載の宥恕規定に規定する「やむを得ない事情がある」ものとして事業

専従者控除を認めるものとする。（基通150－１）

２　青色申告の取りやめ等

①　青色申告の取りやめ

青色申告の承認を受けている居住者は、その年分以後の各年分の所得税につき青色申告書の提出をやめようとするときは、その年の翌年３月15日までに、その申告をやめようとする年その他次の(一)から(四)までに掲げる事項を記載した届出書を納税地の所轄税務署長に提出しなければならない。この場合において、その届出書の提出があったときは、当該年分以後の各年分の所得税については、その承認は、その効力を失うものとする。（法151①、規66）

(一)	届出書を提出する者の氏名及び住所（国内に住所がない場合には、居所）並びに住所地（国内に住所がない場合には、居所地）と納税地とが異なる場合には、その納税地
(二)	青色申告書の提出の承認を受けた日又はその承認があったものとみなされた日
(三)	青色申告書の提出をやめようとする理由
(四)	その他参考となるべき事項

（注）１　上記＿＿下線部については、令和８年１月１日以後、①中「年の翌年３月15日」が「年分の所得税に係る確定申告期限」に改められる。（令５改所法等附１六イ）

２　上記＿＿下線部については、令和８年１月１日以後、(二)及び(三)が削られ、(四)が(二)とされる。（令５改所規附１四）

３　改正後の①の規定は、令和８年分以後の所得税につき青色申告書の提出をやめようとする場合について適用され、令和７年分以前の所得税につき青色申告書の提出をやめようとする場合については、なお従前の例による。（令５改所法等附５、令５改所規附６）

②　業務の廃止等の場合の承認効果の失効

青色申告の承認を受けている居住者が一に規定する業務の全部を譲渡し又は廃止した場合には、その譲渡し又は廃止した日の属する年の翌年分以後の各年分の所得税については、その承認は、その効力を失うものとする。（法151②）

（注）１　上記＿＿下線部については、令和８年１月１日以後、②中「又は」が「、又は」に改められる。（令５改所法等附１六イ）

２　改正後の②の規定は、令和８年分以後の所得税につき青色申告書の提出をやめようとする場合について適用され、令和７年分以前の所得税につき青色申告書の提出をやめようとする場合については、なお従前の例による。（令５改所法等附５）

第十二章　更正又は決定及び加算税等

一　国税通則法の規定による更正又は決定

1　更　　正

税務署長は、納税申告書の提出があった場合において、その納税申告書に記載された課税標準等又は税額等の計算が国税に関する法律の規定に従っていなかったとき、その他当該課税標準等又は税額等がその調査したところと異なるときは、その調査により、当該申告書に係る課税標準等又は税額等を更正する。（通法24）

2　決　　定

税務署長は、納税申告書を提出する義務があると認められる者が当該申告書を提出しなかった場合には、その調査により、当該申告書に係る課税標準等及び税額等を決定する。ただし、決定により納付すべき税額及び還付金の額に相当する税額が生じないときは、この限りでない。（通法25）

3　再　更　正

税務署長は、**1**、**2**又は**3**の規定による更正又は決定をした後、その更正又は決定をした課税標準等又は税額等が過大又は過少であることを知ったときは、その調査により、当該更正又は決定に係る課税標準等又は税額等を更正する。（通法26）

4　国税庁又は国税局の職員の調査に基づく更正又は決定

1から**3**までの場合において、国税庁又は国税局の当該職員の調査があったときは、税務署長は、当該調査したところに基づき、これらの規定による更正又は決定をすることができる。（通法27）

5　更正又は決定の手続

①　更正通知書、決定通知書の送達

1から**3**までの規定による更正又は決定（以下「更正又は決定」という。）は、税務署長が更正通知書又は決定通知書を送達して行う。（通法28①）

②　更正通知書の記載事項

更正通知書には、次の(一)から(三)までに掲げる事項を記載しなければならない。この場合において、その更正が国税庁又は国税局の当該職員の調査に基づくものであるときは、その旨を附記しなければならない。（通法28②）

(一)	その更正前の課税標準等及び税額等	
(二)	その更正後の課税標準等及び税額等	
(三)	その更正に係る次に掲げる金額	
	イ	その更正前の納付すべき税額がその更正により増加するときは、その増加する部分の税額
	ロ	その更正前の還付金の額に相当する税額がその更正により減少するときは、その減少する部分の税額
	ハ	純損失の繰戻し等による還付金額に係る還付加算金があるときは、その還付加算金のうちロに掲げる税額に対応する部分の金額
	ニ	その更正前の納付すべき税額がその更正により減少するときは、その減少する部分の税額
	ホ	その更正前の還付金の額に相当する税額がその更正により増加するときは、その増加する部分の税額

③　**決定通知書の記載事項**

決定通知書には、その決定に係る課税標準等及び税額等を記載しなければならない。この場合において、その決定が国税庁又は国税局の当該職員の調査に基づくものであるときは、その旨を附記しなければならない。（通法28③）

6　更正等の効力（更正、決定に伴う税額の納付……第十章第三節**4**参照）

①　**更正及び再更正の効力**

1又は**3**《再更正》の規定による更正（以下第72条《国税の徴収権の消滅時効》までにおいて「更正」という。）で既に確定した納付すべき税額を増加させるものは、既に確定した納付すべき税額に係る部分の国税についての納税義務に影響を及ぼさない。（通法29①）

②　**既に確定した税額を減少させる更正の効力**

既に確定した納付すべき税額を減少させる更正は、その更正により減少した税額に係る部分以外の部分の国税についての納税義務に影響を及ぼさない。（通法29②）

③　**更正又は決定を取り消す処分又は判決の効力**

更正又は決定を取り消す処分又は判決は、その処分又は判決により減少した税額に係る部分以外の部分の国税についての納税義務に影響を及ぼさない。（通法29③）

7　更正又は決定の所轄庁

更正又は決定は、これらの処分をする際におけるその国税の納税地（以下「**現在の納税地**」という。）を所轄する税務署長が行う。（通法30①）

国税についてその課税期間が開始した時以後にその納税地に異動があった場合において、その異動に係る納税地で現在の納税地以外のもの（以下「**旧納税地**」という。）を所轄する税務署長においてその異動の事実が知れず、又はその異動後の納税地が判明せず、かつ、その知れないこと又は判明しないことにつきやむを得ない事情があるときは、その旧納税地を所轄する税務署長は、上記にかかわらず、その国税について更正又は決定をすることができる。（通法30②）

上記の税務署長は、更正又は決定をした後、当該更正又は決定に係る国税につき既に適法に、他の税務署長に対し納税申告書が提出され、又は他の税務署長が決定をしていたため、当該更正又は決定をすべきでなかったものであることを知った場合には、遅滞なく、当該更正又は決定を取り消さなければならない。（通法30③）

8　更正又は決定の期間制限

更正又は決定等の期間制限は、次の(一)から(五)までによる。（通法70、71）

(一)	次のイからハに掲げる更正決定等は、当該イからハに定める期限又は日から５年（ロに規定する課税標準申告書の提出を要する国税で当該申告書の提出があったものに係る賦課決定（納付すべき税額を減少させるものを除く。）については、３年）を経過した日以後においては、することができない。（通法70①、通令29） イ　更正又は決定　　その更正又は決定に係る国税の法定申告期限（還付請求申告書に係る更正については当該申告書を提出した日とし、還付請求申告書の提出がない場合にする**2**《決定》の規定による決定又はその決定後にする更正については、還付請求申告書を提出することができる者についてその申告に係る還付金がなく、納付すべき税額があるものとした場合におけるその国税の法定申告期限とする。） ロ　課税標準申告書の提出を要する国税に係る賦課決定　　当該申告書の提出期限 ハ　課税標準申告書の提出を要しない賦課課税方式による国税に係る賦課決定　　その納税義務の成立の日
(二)	(一)の規定により更正をすることができないこととなる日前６月以内にされた更正の請求に係る更正又は当該更正に伴って行われることとなる加算税についてする賦課決定は、(一)の規定にかかわらず、当該更正の請求があった日から６月を経過する日まで、することができる。（通法70③）
(三)	(一)の規定により賦課決定をすることができないこととなる日前３月以内にされた納税申告書の提出（源泉徴収等による国税の納付を含む。以下(三)において同じ。）に伴って行われることとなる無申告加算税（**四2**⑧《更正又は決定を予知しないでした期限後申告又は修正申告の場合の無申告加算税の軽減》の規定の適用があるものに限る。）又は不納付加算税（**四3**②《納税の告知を予知しないでした納付の場合の税率の軽減》の規定の適用があるものに限る。）についてする賦課決定は、(一)の規定にかかわらず、当該納税申告書の提出があった日から３月を

経過する日まで、することができる。（通法70④）

(四)

次のイからハに掲げる更正決定等は、(一)～(三)の規定にかかわらず、(一)イ～ハに掲げる更正決定等の区分に応じ、(一)イ～ハに定める期限又は日から７年を経過する日まで、することができる。（通法70⑤）

イ　偽りその他不正の行為によりその全部若しくは一部の税額を免れ、又はその全部若しくは一部の税額の還付を受けた国税（当該国税に係る加算税及び過怠税を含む。）についての更正決定等

ロ　偽りその他不正の行為により当該課税期間において生じた純損失等の金額が過大にあるものとする納税申告書を提出していた場合における当該申告書に記載された当該純損失等の金額（当該金額に関し更正があった場合には、当該更正後の金額）についての更正（国税通則法第70条第２項又は(二)の規定の適用を受ける法人税に係る純損失等の金額に係るものを除く。）

ハ　第六章第四節**一１**①から同③まで《国外転出をする場合の譲渡所得等の特例》又は同**２**①から同③まで《贈与等により非居住者に資産が移転した場合の譲渡所得等の特例》の規定の適用がある場合（第十五章**四**《納税管理人》の規定による納税管理人の届出及び税理士法第30条《税務代理の権限の明示》（同法第48条の16《税理士の権利及び義務等に関する規定の準用》において準用する場合を含む。）の規定による書面の提出がある場合その他（１）で定める場合を除く。）の所得税（当該所得税に係る加算税を含む。国税通則法第73条第３項《時効の完成猶予及び更新》において「国外転出等特例の適用がある場合の所得税」という。）についての更正決定等

(五)

更正決定等で次のイ～ニに掲げるものは、当該イ～ニに定める期間の満了する日が(一)から(四)までにより更正決定等をすることができる期間の満了する日後に到来する場合には、(一)から(四)までにかかわらず、当該イ又はロに定める期間においても、することができる。（通法71①、通令30）

	更正決定等	期間
イ	更正決定等に係る不服申立て若しくは訴えについての裁決、決定若しくは判決（以下「裁決等」という。）による原処分の異動又は更正の請求に基づく更正に伴って課税標準等又は税額等に異動を生ずべき国税（当該裁決等又は更正に係る国税の属する税目に属するものに限る。）で当該裁決等又は更正を受けた者に係るものについての更正決定等	当該裁決等又は更正があった日から６月間
ロ	申告納税方式による国税につき、その課税標準の計算の基礎となった事実のうちに含まれていた無効な行為により生じた経済的成果がその行為の無効であることに基因して失われたこと、当該事実のうちに含まれていた取り消しうべき行為が取り消されたことその他これらに準ずる理由（通則法施行令第24条第４項《還付加算金の計算期間の特例に係る理由》に規定する理由――通則法第23条第２項第１号及び第３号《特別の場合の更正の請求》の規定により更正の請求の基因とされている理由〔修正申告書の提出又は更正若しくは決定があったことを理由とするものを除く。〕で法定申告期限後に生じたもの）に基づいてする更正（納付すべき税額を減少させる更正又は純損失等の金額で当該課税期間において生じたもの若しくは還付金の額を増加させる更正若しくはこれらの金額があるものとする更正に限る。）又は当該更正に伴い当該国税に係る加算税についてする賦課決定	当該理由が生じた日から３年間
ハ	更正の請求をすることができる期限について通則法第10条第２項《期間の計算及び期限の特例》又は第11条《災害等による期限の延長》の規定の適用がある場合における当該更正の請求に係る更正又は当該更正に伴って行われることとなる加算税についてする賦課決定	当該更正の請求があった日から６月間
ニ	(イ)に掲げる事由が生じた場合において、(ロ)に掲げる事由に基づいてする更正決定等 (イ)　国税庁、国税局又は税務署の当該職員が納税者にその国税に係る国外取引（非居住者（第二章第一節**一５**《定義》に規定する非居住者をいう。(イ)において同じ。）若しくは外国法人（法人税法第２条第四号《定義》に規定する外国法人をいう。(イ)において同じ。）との間で行う資産の販売、資産の購入、役務の提供その他の取引又は非居住者若しくは外国法人が提供する場を利用して行われる資産の販売、資産の購入、役務の提供その他の取引をいう。）又は国外財産（相続税法第20条の２《在外財産に対する相続税額の控除》に規定する財産をいう。）に関する書類（その作成又は保存に代えて電磁的記録の作成又は保存がされている場合における当該電磁的記録を含む。）又はその写しの提示又は提出を求めた場合において、その提示又は提出を求めた日から60日を超えない範囲内においてその準備に通常要する日数を勘案して	(ロ)の租税条約等の相手国等に対し(ロ)の要請に係る書面が発せられた日から３年間

当該職員が指定する日までにその提示又は提出がなかったこと（当該納税者の責めに帰すべき事由がない場合を除く。）。 (ロ)　国税庁長官（その委任を受けた者を含む。）が租税条約等の規定に基づき当該租税条約等の相手国等に(イ)の国外取引又は国外財産に関する情報の提供の要請をした場合（当該要請が(一)から(四)の規定により更正決定等をすることができないこととなる日の６月前の日以後にされた場合を除くものとし、当該要請をした旨の(イ)の納税者への通知が当該要請をした日から３月以内にされた場合に限る。）において、その国税に係る課税標準等又は税額等に関し、当該相手国等から提供があった情報に照らし非違があると認められること。

（**8**(四)ハで規定する(１)で定める場合）

(１)　**8**(四)ハで規定する(１)で定める場合は、次の(一)から(四)までに掲げる場合とする。（通令29②）

(一)	適用者（第六章第四節**一 1**①から同③まで《国外転出をする場合の譲渡所得等の特例》の規定の適用を受ける者をいう。以下(一)において同じ。）が国外転出（同①に規定する国外転出をいう。以下(１)において同じ。）の時までに第十五章**四**《納税管理人》の規定による納税管理人の届出（以下(１)において「**納税管理人の届出**」という。）をし、かつ、当該国外転出の日の属する年分の所得税に係る確定申告期限（第二章第一節**一**《定義》表内**41**に規定する確定申告期限をいう。以下(１)において同じ。）までに税理士法第30条《税務代理の権限の明示》（同法第48条の16《税理士の権利及び義務等に関する規定の準用》において準用する場合を含む。）の規定による書面（以下(１)において「**税務代理権限証書**」という。）の提出がある場合（次に掲げる場合を除く。） イ　非居住者（第二章第一節**一**表内**5**に規定する非居住者をいう。以下(１)において同じ。）である当該適用者が、当該確定申告期限から５年を経過する日（以下(一)において「**5年経過日**」という。）までに当該納税管理人を解任した場合において、その解任の日から４月を経過する日までに納税管理人の届出をしなかったとき。 ロ　５年経過日までに当該納税管理人の死亡又は解散その他(２)で定める事由（以下(１)において「**納税管理人の死亡等**」という。）が生じた場合において、非居住者である当該適用者が当該納税管理人の死亡等が生じたことを知った日から６月を経過する日までに納税管理人の届出をしなかったとき。 ハ　非居住者である当該適用者が５年経過日までに当該税務代理権限証書を提出した税務代理人（第十三章**二 3**(二)《納税義務者に対する調査の事前通知等》に規定する税務代理人をいう。以下(１)において同じ。）を解任した場合において、その解任の日から４月を経過する日までに税務代理権限証書の提出がなかったとき。 ニ　５年経過日までに当該税務代理権限証書を提出した税務代理人の死亡又は解散その他(２)で定める事由（以下(１)において「**税務代理人の死亡等**」という。）が生じた場合において、非居住者である当該適用者が当該税務代理人の死亡等が生じたことを知った日から６月を経過する日までに税務代理権限証書の提出がなかったとき。 ホ　当該適用者が５年経過日までに死亡したとき。
(二)	贈与（贈与者の死亡により効力を生ずる贈与を除く。以下(二)において同じ。）により非居住者に移転した第六章第四節**一 2**①《贈与等により非居住者に資産が移転した場合の譲渡所得等の特例》に規定する有価証券等又は同②に規定する未決済信用取引等若しくは同③に規定する未決済デリバティブ取引に係る契約（以下(１)において「**対象資産**」という。）につき同**2**①から同③までの規定の適用がある場合（次に掲げる場合を除く。） イ　適用者（当該対象資産につき第六章第四節**一 2**①から同③までの規定の適用を受ける者をいう。以下(二)において同じ。）が、当該贈与の日の属する年分の所得税に係る確定申告期限から５年を経過する日（以下(二)において「**5年経過日**」という。）までに国外転出をした場合において、当該国外転出の時までに納税管理人の届出をせず、又は当該国外転出の時若しくは当該確定申告期限のいずれか遅い時までに税務代理権限証書の提出がなかったとき。 ロ　５年経過日までに国外転出をした適用者が当該国外転出の時までに納税管理人の届出をし、かつ、当該国外転出の時又は当該贈与の日の属する年分の所得税に係る確定申告期限のいずれか遅い時までに税務代理権限証書の提出がある場合において、次に掲げる場合に該当するとき。 (イ)　非居住者である当該適用者が、５年経過日までに当該納税管理人を解任した場合において、その解任の日から４月を経過する日までに納税管理人の届出をしなかったとき。 (ロ)　５年経過日までに納税管理人の死亡等が生じた場合において、非居住者である当該適用者が当該納税

	管理人の死亡等が生じたことを知った日から６月を経過する日までに納税管理人の届出をしなかったとき。 (ハ) 非居住者である当該適用者が５年経過日までに当該税務代理権限証書を提出した税務代理人を解任した場合において、その解任の日から４月を経過する日までに税務代理権限証書の提出がなかったとき。 (ニ) ５年経過日までに税務代理人の死亡等が生じた場合において、非居住者である当該適用者が当該税務代理人の死亡等が生じたことを知った日から６月を経過する日までに税務代理権限証書の提出がなかったとき。 ハ 適用者が５年経過日までに死亡したとき。
(三)	相続又は遺贈（贈与者の死亡により効力を生ずる贈与を含む。）により非居住者に移転した対象資産につき第六章第四節**ー２**①から同③までの規定の適用がある場合（相続人（当該対象資産につきこれらの規定の適用を受ける者の相続人をいう。以下(三)において同じ。）のうちに次に掲げる場合のいずれかに該当する者がある場合を除く。） イ 非居住者である相続人にあっては、当該相続の開始の日の属する年分の所得税に係る確定申告期限までに納税管理人の届出をせず、若しくは当該確定申告期限までに税務代理権限証書の提出がなかったとき、又は当該確定申告期限までに納税管理人の届出をし、かつ、当該確定申告期限までに税務代理権限証書の提出がある場合において、次に掲げる場合に該当するとき。 (イ) 非居住者である当該相続人が、当該確定申告期限から５年を経過する日（以下(三)において「**５年経過日**」という。）までに当該納税管理人を解任した場合において、その解任の日から４月を経過する日までに納税管理人の届出をしなかったとき。 (ロ) ５年経過日までに納税管理人の死亡等が生じた場合において、非居住者である当該相続人が当該納税管理人の死亡等が生じたことを知った日から６月を経過する日までに納税管理人の届出をしなかったとき。 (ハ) 非居住者である当該相続人が５年経過日までに当該税務代理権限証書を提出した税務代理人を解任した場合において、その解任の日から４月を経過する日までに税務代理権限証書の提出がなかったとき。 (ニ) ５年経過日までに税務代理人の死亡等が生じた場合において、非居住者である当該相続人が当該税務代理人の死亡等が生じたことを知った日から６月を経過する日までに税務代理権限証書の提出がなかったとき。 ロ 居住者（第二章第一節**ー３**に規定する居住者をいう。(四)ロにおいて同じ。）である相続人にあっては、５年経過日までに国外転出をした場合において、当該国外転出の時までに納税管理人の届出をせず、若しくは当該国外転出の時若しくは当該相続の開始の日の属する年分の所得税に係る確定申告期限のいずれか遅い時までに税務代理権限証書の提出がなかったとき、又は５年経過日までに国外転出をした場合であって当該国外転出の時までに納税管理人の届出をし、かつ、当該国外転出の時若しくは当該確定申告期限のいずれか遅い時までに税務代理権限証書の提出がある場合において、イ(イ)から(ニ)までに掲げる場合に該当するとき。
(四)	(一)又は(二)に掲げる場合に該当している適用者が(一)イ又は(二)イに規定する５年経過日（以下(四)において「**５年経過日**」という。）までに死亡した場合（相続人（当該適用者の相続人をいう。以下(四)において同じ。）のうちに次に掲げる場合のいずれかに該当する者がある場合を除く。） イ 非居住者である相続人にあっては、当該死亡による相続の開始があったことを知った日から４月を経過する日までに納税管理人の届出をせず、若しくは同日までに税務代理権限証書の提出がなかったとき、又は同日までに納税管理人の届出をし、かつ、同日までに税務代理権限証書の提出がある場合において、次に掲げる場合に該当するとき。 (イ) 非居住者である当該相続人が、５年経過日までに当該納税管理人を解任した場合において、その解任の日から４月を経過する日までに納税管理人の届出をしなかったとき。 (ロ) ５年経過日までに納税管理人の死亡等が生じた場合において、非居住者である当該相続人が当該納税管理人の死亡等が生じたことを知った日から６月を経過する日までに納税管理人の届出をしなかったとき。 (ハ) 非居住者である当該相続人が５年経過日までに当該税務代理権限証書を提出した税務代理人を解任した場合において、その解任の日から４月を経過する日までに税務代理権限証書の提出がなかったとき。 (ニ) ５年経過日までに税務代理人の死亡等が生じた場合において、非居住者である当該相続人が当該税務代理人の死亡等が生じたことを知った日から６月を経過する日までに税務代理権限証書の提出がなかった

	とき。
	ロ　居住者である相続人にあっては、５年経過日までに国外転出をした場合において、当該国外転出の時までに納税管理人の届出をせず、若しくは当該国外転出の時若しくは(一)若しくは(二)イに規定する確定申告期限のいずれか遅い時までに税務代理権限証書の提出がなかったとき、又は５年経過日までに国外転出をした場合であって当該国外転出の時までに納税管理人の届出をし、かつ、当該国外転出の時若しくは当該確定申告期限のいずれか遅い時までに税務代理権限証書の提出がある場合において、イ(イ)から(ニ)までに掲げる場合に該当するとき。

(納税管理人でなくなる事由等)

(２)　(１)(一)ロ《還付金に係る決定等の期間制限の起算日等》に規定する納税管理人の死亡又は解散その他(２)で定める事由は、当該納税管理人が破産手続開始の決定又は後見開始の審判を受けたこととする。(通規11の３①)

(１)(一)ニに規定する税務代理人の死亡又は解散その他(２)で定める事由は、税務代理人（第十三章**二３**(二)《納税義務者に対する調査の事前通知等》に規定する税務代理人をいう。同**５**において同じ。）が次の(一)から(三)までのいずれかに該当することとする。(通規11の３②)

(一)	破産手続開始の決定又は後見開始の審判を受けたこと。
(二)	税理士法第26条第１項各号《登録の抹消》のいずれかに該当することとなったこと。
(三)	税理士法第43条《業務の停止》の規定に該当することとなったこと、同法第45条《脱税相談等をした場合の懲戒》若しくは第46条《一般の懲戒》の規定による税理士業務の停止の処分を受けたこと又は同法第48条の20第１項《違法行為等についての処分》の規定による業務の停止を命ぜられたこと。

((１)(三)に掲げる場合に該当している場合における同(三)に規定する相続人が５年経過日までに死亡した場合)

(３)　(１)(三)に掲げる場合に該当している場合における同(三)に規定する相続人（(３)の規定により(１)(三)に規定する相続人とみなされた者を含む。）が同(三)イ(イ)に規定する５年経過日までに死亡した場合には、当該相続人の相続人（以下この項において「**特定相続人**」という。）は、同(三)に規定する相続人とみなす。この場合において、当該特定相続人に係る同(三)の規定の適用については、同(三)イ中「当該相続の開始の日の属する年分の所得税に係る確定申告期限まで」とあり、及び「当該確定申告期限まで」とあるのは「当該相続人に係る被相続人の死亡による相続の開始があったことを知った日から４月を経過する日まで」と、同(三)イ(イ)中「当該確定申告期限」とあるのは「当該対象資産につき第六章第四節**一２**①から同③までの規定の適用を受けた者に係る相続の開始の日の属する年分の所得税に係る確定申告期限」とする。(通令29③)

((１)(四)に掲げる場合に該当している場合における同(四)に規定する相続人が５年経過日までに死亡した場合)

(４)　(１)(四)に掲げる場合に該当している場合における同(四)に規定する相続人（(４)の規定により(１)(四)に規定する相続人とみなされた者を含む。）が同(四)に規定する５年経過日までに死亡した場合には、当該相続人の相続人（以下この項において「**特定相続人**」という。）は、同(四)に規定する相続人とみなす。この場合において、当該特定相続人に係る同(四)の規定の適用については、同(四)イ中「当該死亡」とあるのは、「当該相続人に係る被相続人の死亡」とする。(通令29④)

(納税管理人の届出をする場合において相続人が２人以上あるとき)

(５)　(１)(三)イ若しくは同ロ又は同(四)イ若しくは同ロの納税管理人の届出をする場合において、(１)(三)又は同(四)に規定する相続人が２人以上あるときは、当該届出は、各相続人が連署による一の書面で行わなければならない。ただし、他の相続人の氏名を付記して各別に行うことを妨げない。(通令29⑤)

(他の相続人への要領通知義務)

(６)　(５)ただし書の方法により(５)の届出をした相続人は、遅滞なく、他の相続人に対し、当該届出の際に提出した書面に記載した事項の要領を通知しなければならない。(通令29⑥)

(納税者の責めに帰すべき事由がない場合)

(７)　**８**(五)ニ(イ)に規定する「納税者の責めに帰すべき事由がない場合」とは、例えば、同ニの納税者が調査においてその国税に係る国外取引又は国外財産に関する書類の提示又は提出を求められた後に、当該納税者又は書類保有者（当該納税者以外の者で当該書類を保有する者をいう。以下(7)において同じ。）が、災害があったこと、又は病気による入院をしたこと等により、指定された期限までにその提示又は提出をすることができない場合などのほか、当該書類保有者に当該書類の取寄せを依頼しても、当該書類の収集に相当な困難を伴うことが判明した場合をいう。

なお、当該書類の収集に相当な困難を伴うことが判明した場合とは、次に掲げる場合など、当該 納税者が通常取り得る手段を用いても入手できないことが客観的に確認することができる場合をいう。（国税の調査関係通達９－１）

⑴ 当該書類保有者が所在する国の国内法の規定により、当該書類の取得が困難である場合

⑵ 当該書類について、法令等の規定により保存すべき期間が徒過している場合

⑶ 当該書類保有者が所在不明となっている場合

⑷ 当該納税者が当該書類保有者から当該書類の提出を拒否された場合

（注） 当該納税者と当該書類保有者との間に支配関係や親族関係その他の特殊の関係がある場合、当該納税者が当該書類保有者の事業の方針の全部又は一部につき実質的に決定できる関係がある場合などには、基本的に書類の収集に相当な困難を伴うこととは言えないことに留意する。

（「相手国等から提供があった情報に照らし非違があると認められること」の範囲）

（8） **8**(五)二(ロ)に規定する「相手国等から提供があった情報に照らし非違があると認められること」とは、相手国等から提供があった情報から非違があると直接的に認められる場合のみならず、その情報が直接的に非違に結びつかない場合であっても、その情報とそれ以外の情報とを総合勘案した結果として非違があると合理的に推認される場合も含まれることに留意する。（国税の調査関係通達９－２）

二　所得税法の規定による更正又は決定の特例

1　更正又は決定をすべき事項及び更正通知書、決定通知書の記載事項の特例

①　更正又は決定をすべき事項に関する特例

所得税に係る更正又は決定については、**一 1**から同**3**まで《更正、決定、再更正》に規定する事項のほか、第十章第二節**二 1**②《確定申告書の記載事項》(六)又は同(七)に掲げる確定申告書等の記載事項についても行うことができる。この場合において、当該事項につき更正又は決定をするときは、**一 5**②又は同③《更正又は決定の手続》中「税額等」とあるのは、「税額等並びに第十章第二節**二 1**②《確定申告書の記載事項》(六)又は同(七)に掲げる事項」とする。(法154①)

②　更正通知書、決定通知書の記載事項の特例（所得金額、純損失の金額の内訳の附記）

所得税につき更正又は決定をする場合における更正通知書又は決定通知書には、**一 5**②又は同③に規定する事項を記載するほか、その更正又は決定に係る第十章第二節**二 1**②《確定申告書の記載事項》(一)に掲げる金額又は同**4**②《損失申告書の記載事項》(一)に掲げる純損失の金額についての所得（給与所得の金額にあっては、給与所得の金額から第四章第五節**三 5**①又は同②《所得金額調整控除》の規定による控除をした残額）別の内訳を付記しなければならない。(法154②、措令26の５①)

2　青色申告書に係る更正の特例

①　帳簿書類の調査

税務署長は、居住者の提出した青色申告書に係る年分の総所得金額、退職所得金額若しくは山林所得金額又は純損失の金額の更正をする場合には、その居住者の帳簿書類を調査し、その調査によりこれらの金額の計算に誤りがあると認められる場合に限り、これをすることができる。ただし、次の(一)及び(二)に掲げる場合は、その帳簿書類を調査しないでその更正をすることを妨げない。(法155①、措令26の５①)

(一)	その更正が不動産所得の金額、事業所得の金額及び山林所得の金額以外の各種所得の金額（給与所得の金額にあっては、給与所得の金額から第四章第五節**三 5**①又は同②《所得金額調整控除》の規定による控除をした残額）の計算又は第七章第一節《損益通算》、同章第二節**一**《純損失の繰越控除》若しくは同節**三**《雑損失の繰越控除》の規定の適用について誤りがあったことのみに基因するものである場合
(二)	当該申告書及びこれに添付された書類に記載された事項によって、不動産所得の金額、事業所得の金額又は山林所得の金額の計算が所得税法の規定に従っていないことその他その計算に誤りがあることが明らかである場合

②　更正理由の附記

税務署長は、居住者の提出した青色申告書に係る年分の総所得金額、退職所得金額若しくは山林所得金額又は純損失の金額の更正（①(一)に規定する事由のみに基因するものを除く。）をする場合には、その更正に係る更正通知書にその更正の理由を付記しなければならない。(法155②)

3　推計による更正又は決定

税務署長は、居住者に係る所得税につき更正又は決定をする場合には、その者の財産若しくは債務の増減の状況、収入若しくは支出の状況又は生産量、販売量その他の取扱量、従業員数その他事業の規模によりその者の各年分の各種所得の金額又は損失の金額（その者の提出した青色申告書に係る年分の不動産所得の金額、事業所得の金額及び山林所得の金額並びにこれらの金額の計算上生じた損失の金額を除く。）を推計して、これをすることができる。(法156)

4　同族会社等の行為又は計算の否認等

①　同族会社等の行為又は計算の否認等

税務署長は、次の(一)及び(二)に掲げる法人の行為又は計算で、これを容認した場合にはその株主等である居住者又はこれと②に定める特殊の関係のある居住者(その法人の株主等である非居住者と当該特殊の関係のある居住者を含む。(3)において同じ。)の所得税の負担を不当に減少させる結果となると認められるものがあるときは、その居住者の所得税に係る更正又は決定に際し、その行為又は計算にかかわらず、税務署長の認めるところにより、その居住者の各年分の第十章

第二節**二１**②(一)若しくは同(三)から同(五)まで《確定申告書の記載事項》、同**３**①(一)から同(三)まで《源泉徴収税額又は予納税額の還付を受けるための申告》又は同**４**②(一)、同(三)、同(五)若しくは同(七)《損失申告書の記載事項》に掲げる金額を計算することができる。(法157①)

<table>
<tr><td>(一)</td><td colspan="2">法人税法第２条第10号《定義》に規定する同族会社</td></tr>
<tr><td rowspan="4">(二)</td><td colspan="2">イからハまでのいずれにも該当する法人</td></tr>
<tr><td>イ</td><td>３以上の支店、工場その他の事業所を有すること。</td></tr>
<tr><td>ロ</td><td>その事業所の２分の１以上に当たる事業所につき、その事業所の所長、主任その他のその事業所に係る事業の主宰者又は当該主宰者の親族その他の当該主宰者と③に定める特殊の関係のある個人（以下「所長等」という。）が前に当該事業所において個人として事業を営んでいた事実があること。</td></tr>
<tr><td>ハ</td><td>ロに規定する事実がある事業所の所長等の有するその法人の株式又は出資の数又は金額の合計額がその法人の発行済株式又は出資（その法人が有する自己の株式又は出資を除く。）の総数又は総額の３分の２以上に相当すること。</td></tr>
</table>

（同族会社等の判定の時期）

（1）　上記の場合において、法人が(一)又は(二)に掲げる法人に該当するかどうかの判定は、①に規定する行為又は計算の事実のあった時の現況によるものとする。(法157②)

（法人税法等の同族会社等の行為又は計算の否認の規定の適用があった場合における更正又は決定について準用）

（2）　①の規定は、①の(一)又は(二)に掲げる法人の行為又は計算につき、法人税法第132条第１項《同族会社等の行為又は計算の否認》若しくは相続税法第64条第１項《同族会社等の行為又は計算の否認等》又は地価税法第32条第１項《同族会社等の行為又は計算の否認等》の規定の適用があった場合における①の居住者の所得税に係る更正又は決定について準用する。(法157③)

（移転をした一方の法人又は他方の法人の行為又は計算の否認）

（3）　税務署長は、合併（法人課税信託に係る信託の併合を含む。）、分割（法人課税信託に係る信託の併合を含む。）、現物出資若しくは法人税法第２条第12号の５の２に規定する現物分配又は同条第12号の16に規定する株式交換等若しくは株式移転（以下(3)において「合併等」という。）をした法人又は合併等により資産及び負債の移転を受けた法人(当該合併等により交付された株式又は出資を発行した法人を含む。以下(3)において同じ。）の行為又は計算で、これを容認した場合には当該合併等をした法人若しくは当該合併等により資産及び負債の移転を受けた法人の株主等である居住者又はこれと①に規定する特殊の関係のある居住者の所得税の負担を不当に減少させる結果となると認められるものがあるときは、その居住者の所得税に関する更正又は決定に際し、その行為又は計算にかかわらず、税務署長の認めるところにより、その居住者の各年分の第十章第二節**二１**②(一)若しくは同(三)から同(五)まで、同**３**①(一)から同(三)まで又は同**４**②(一)、同(三)、同(五)若しくは同(七)に掲げる金額を計算することができる。(法157④)

（同族会社等に対する低額譲渡）

（4）　山林（事業所得の基因となるものを除く。）又は譲渡所得の基因となる資産を法人に対し時価の２分の１以上の対価で譲渡した場合には、第五章第二節**二十四１**《贈与等の場合の譲渡所得等の特例》の規定の適用はないが、時価の２分の１以上の対価による法人に対する譲渡であっても、その譲渡が①の規定に該当する場合には、①の規定により、税務署長の認めるところによって、当該資産の時価に相当する金額により山林所得の金額、譲渡所得の金額又は雑所得の金額を計算することができる。(基通59－3)

②　**同族関係者の範囲**

①に規定する株主等と特殊の関係のある居住者は、次の(一)から(五)までに掲げる者とする。(令275)

(一)	当該株主等の親族
(二)	当該株主等と婚姻の届出をしていないが事実上婚姻関係と同様の事情にある者
(三)	当該株主等の使用人

(四)	(一)から(三)までに掲げる者以外の者で当該株主等から受ける金銭その他の資産によって生計を維持しているもの
(五)	(二)から(四)までに掲げる者と生計を一にするこれらの者の親族

③　事業の主宰者の特殊関係者の範囲

①《同族会社等の行為又は計算の否認等》(二)ロに規定する主宰者と特殊の関係のある個人は、次の(一)から(六)までに掲げる者及びこれらの者であった者とする。(令276)

(一)	当該主宰者の親族
(二)	当該主宰者とまだ婚姻の届出をしないが事実上婚姻関係と同様の事情にある者
(三)	当該主宰者の使用人
(四)	(一)から(三)までに掲げる者以外の者で当該主宰者から受ける金銭その他の資産によって生計を維持するもの
(五)	当該主宰者の雇主
(六)	(二)から(五)までに掲げる者と生計を一にするこれらの者の親族

三　更正等に伴う還付

1　更正等により源泉徴収税額等の控除不足額が増加した場合の還付

居住者の各年分の所得税につき更正（当該所得税についての処分等（更正の請求に対する処分又は**一2**《決定》の規定による決定をいう。）に係る不服申立て又は訴えについての決定若しくは裁決又は判決を含む。以下**三**において「更正等」という。）があった場合において、その更正等により第十章第二節**二3**《還付等を受けるための申告》①(一)若しくは同(二)又は同**4**②(六)若しくは同(七)《源泉徴収税額、予納税額及びこれらの控除不足額》に掲げる金額が増加したときは、税務署長は、その者に対し、その増加した部分の金額に相当する所得税を還付する。(法159①)

2　還付金の充当

第十章第六節**一3**《還付すべき源泉徴収税額の充当》の規定は、**1**の規定による還付金を未納の国税及び滞納処分費に充当する場合について、準用する。(令277②)

3　未納付の源泉徴収税額がある場合の還付

1の場合において、**1**の規定による還付金の額の計算の基礎となった源泉徴収税額のうちにまだ納付されていないものがあるときは、**1**の規定による還付金の額のうちその納付されていない部分の金額に相当する金額については、その納付があるまでは、還付しない。(法159②)

（源泉徴収を受けた旨の届出）

注　**1**の規定による還付を受ける者は、その還付を受ける金額のうちに**3**に規定する源泉徴収税額でまだ納付されていないものがある場合において、当該源泉徴収税額の納付があったときは、遅滞なく、その納付の日、その納付された源泉徴収税額その他必要な事項を記載した届出書を納税地の所轄税務署長に提出しなければならない。(令277③)

4　還付加算金

①　源泉徴収税額の還付金に係る還付加算金の計算期間

1の規定による還付金について還付加算金を計算する場合には、その計算の基礎となる第二章第一節**一**表内**48**(注) 1《還付加算金》の期間は、**1**の更正等の日の翌日以後１月を経過する日（当該更正等が次の(一)又(二)に掲げるものである場合には、当該(一)又は(二)に定める日。以下①において「１月経過日」という。）（当該１月経過日後に納付された**3**に規定する源泉徴収税額に係る還付金については、その納付の日）の翌日からその還付のための支払決定をする日又はその還付金につき充当をする日（同日前に充当をするのに適することとなった日がある場合には、その適することとなった日）までの期間とする。(法159③)

(一)	更正の請求に基づく更正（当該請求に対する処分に係る不服申立て又は訴えについての決定若しくは裁決又は判決を含む。以下(一)において同じ。）	当該請求の日の翌日以後３月を経過する日と当該請求に基づく更正の日の翌日以後１月を経過する日とのいずれか早い日
(二)	**一2**の規定による決定に係る更正（当該決定に係る不服申立て又は訴えについての決定若しくは裁決又は判決を含み、更正の請求に基づく更正及びその年分の総所得金額、退職所得金額及び山林所得金額の計算の基礎となった事実のうちに含まれていた無効な行為により生じた経済的成果がその行為の無効であることに基因して失われたこと、当該事実のうちに含まれていた取り消しうべき行為が取り消されたことその他これらに準ずる政令で定める理由に基づき行われた更正を除く。）	当該決定の日

（(1)で定める理由）

(1)　①(二)に規定する(1)で定める理由は、第二章第一節**一**表内**48**(注) 1《還付加算金》に規定する(2)で定める理由とする。(令277①)

（第二章第一節一表内**48**（注）１《還付加算金》に規定する（２）で定める理由）

（２）　（１）に規定する（２）で定める理由は、第十章第八節《更正の請求》**一２**（一）及び同（三）（同**２**（三）ホに掲げる理由を除く。）並びに法以外の国税に関する法律の規定により更正の請求の基因とされている理由（修正申告書の提出又は更正若しくは決定があったことを理由とするものを除く。）で当該国税の法定申告期限後に生じたものとする。（通令24④）

②　充当された還付金の計算除外等

１の規定による還付金を**１**の更正等に係る年分の所得税で未納のものに充当する場合には、その還付金の額のうちその充当する金額については、還付加算金を付さないものとし、その充当される部分の所得税については、延滞税を免除するものとする。（法159④）

５　更正等により予納税額の控除不足額等が増加した場合の還付

居住者の各年分の所得税につき更正等があった場合において、その更正等により第十章第二節**二３**《還付等を受けるための申告》（三）又は同**４**《確定損失申告》②（八）に掲げる金額が増加したときは、税務署長は、その者に対し、その増加した部分の金額に相当するこれらの規定に規定する予納税額（**６**から**７**②までにおいて「予納税額」という。）を還付する。（法160①）

６　還付する予納税額に係る延滞税の還付

税務署長は、**５**の規定による還付金の還付をする場合において、**５**に規定する年分の予納税額について納付された延滞税があるときは、その額のうち、**５**の規定により還付される予納税額に対応するものとして次の（一）に掲げる金額から（二）に掲げる金額を控除して計算した金額を併せて還付する。（法160②、令278①）

<table>
<tr><td>（一）</td><td colspan="2">５の更正等があった所得税に係る年分の第十章第二節《確定申告》二１②（七）注に掲げる税額（（二）において「予定納税額等」という。）について納付された延滞税の額の合計額（当該延滞税のうちに既に第十章第六節《還付》二１②《予納税額の還付》又は６の規定により還付されるべきこととなったものがある場合には、その還付されるべきこととなった延滞税の額を除く。）</td></tr>
<tr><td rowspan="4">（二）</td><td colspan="2">当該予定納税額等（第十章第六節《還付》二１①又は５の規定による還付金をもって充当される部分の金額を除く。）のうち次に定める順序により（一）の更正等に係る第十章第二節《確定申告》二１②（三）に掲げる金額（同②（四）に規定する源泉徴収税額がある場合には同（五）に掲げる金額とし、７④において準用する第十章第六節二３①（一）《還付すべき所得税額の充当の順序》の充当をされる所得税がある場合には当該所得税の額を加算した金額とする。）に達するまで順次求めた各予定納税額等につき国税に関する法律の規定により計算される延滞税の額の合計額</td></tr>
<tr><td>イ</td><td>当該予定納税額等のうち法定納期限を異にするものについては、その法定納期限の早いものを先順位とする。</td></tr>
<tr><td>ロ</td><td>法定納期限を同じくする予定納税額等のうち確定の日を異にするものについては、その確定の日の早いものを先順位とする。</td></tr>
<tr><td>ハ</td><td>法定納期限及び確定の日を同じくする予定納税額等のうち納付の日を異にするものについては、その納付の日の早いものを先順位とする。</td></tr>
</table>

７　予納税額等に係る還付加算金

①　還付加算金の計算期間

５の規定による還付金について還付加算金を計算する場合には、その計算の基礎となる第二章第一節**一**表内**48**（注）１《還付加算金》の期間は、**５**の規定により還付すべき予納税額の納付の日（その予納税額がその納期限前に納付された場合には、その納期限）の翌日からその還付のための支払決定をする日又はその還付金につき充当をする日（同日前に充当をするのに適することとなった日がある場合には、その適することとなった日。（二）において「充当日」という。）までの期間とする。ただし、その年分の所得税に係る確定申告期限（その確定申告期限後にその予納税額が納付された場合には、その納付の日）の翌日から次の（一）又は（二）に掲げる日のうちいずれか早い日までの日数は、当該期間に算入しない。（法160

③)

<table>
<tr><td rowspan="3">(一)</td><td colspan="3">5の更正等の日の翌日以後1月を経過する日（当該更正等が次に掲げるものである場合には、それぞれ次に定める日）</td></tr>
<tr><td>イ</td><td>更正の請求に基づく更正（当該請求に対する処分に係る不服申立て又は訴えについての決定若しくは裁決又は判決を含む。イにおいて同じ。）</td><td>当該請求の日の翌日以後3月を経過する日と当該請求に基づく更正の日の翌日以後1月を経過する日とのいずれか早い日</td></tr>
<tr><td>ロ</td><td>一2《決定》の規定による決定に係る更正（当該決定に係る不服申立て又は訴えについての決定若しくは裁決又は判決を含み、更正の請求に基づく更正及びその年分の総所得金額、退職所得金額及び山林所得金額の計算の基礎となった事実のうちに含まれていた無効な行為により生じた経済的成果がその行為の無効であることに基因して失われたこと、当該事実のうちに含まれていた取り消しうべき行為が取り消されたことその他これらに準ずる政令で定める理由に基づき行われた更正を除く。）</td><td>当該決定の日</td></tr>
<tr><td>(二)</td><td colspan="3">その還付のための支払決定をする日又はその還付金に係る充当日</td></tr>
</table>

（取り消しうべき行為が取り消されたことその他これらに準ずる理由）

注　①(一)ロに規定する注で定める理由は、第二章第一節一表内48(注)1《還付加算金》に規定する4①(2)で定める理由とする。(令278②)

②　充当される還付金の還付加算金の計算対象からの除外

5の規定による還付金をその額の計算の基礎とされた予納税額に係る年分の所得税で未納のものに充当する場合には、その還付金の額のうちその充当する金額については、還付加算金を付さないものとし、その充当される部分の所得税については、延滞税を免除するものとする。(法160④)

③　延滞税に係る還付金の還付加算金の計算対象からの除外

6の規定による還付金については、還付加算金は、付さない。(法160⑤)

④　還付金の充当の順序等

第十章第六節二3①又は同②《予納税額の充当の順序》の規定は、5又は6の規定による還付金を未納の国税及び滞納処分費に充当する場合について、同4《予納税額に係る還付加算金》②の規定は、5の規定による還付金について還付加算金の額を計算する場合についてそれぞれ準用する。(令278③)

四　加算税及び延滞税

1　過少申告加算税

①　過少申告加算税の税率

期限内申告書（還付請求申告書を含む。③において同じ。）が提出された場合（期限後申告書が提出された場合において、**2**①ただし書又は**2**⑨の規定の適用があるときを含む。）において、修正申告書の提出又は更正があったときは、当該納税者に対し、その修正申告又は更正に基づき第十章第三節**4**《期限後申告、修正申告又は更正、決定による納付》の規定により納付すべき税額に100分の10の割合（修正申告書の提出が、その申告に係る国税についての調査があったことにより当該国税について更正があるべきことを予知してされたものでないときは、100分の５の割合）を乗じて計算した金額に相当する過少申告加算税を課する。（通法65①）

②　過少申告加算税の加重

①の規定に該当する場合（**1**⑥の規定の適用がある場合を除く。）において、①に規定する納付すべき税額（①の修正申告又は更正前に当該修正申告又は更正に係る国税について修正申告書の提出又は更正があったときは、その国税に係る累積増差税額《③の(一)参照》を加算した金額）がその国税に係る期限内申告税額《③の(二)参照》に相当する金額と50万円とのいずれか多い金額を超えるときは、①の過少申告加算税の額は、①の規定にかかわらず、①の規定により計算した金額に、その超える部分に相当する税額（①に規定する納付すべき税額が当該超える部分に相当する税額に満たないときは、当該納付すべき税額）に100分の５の割合を乗じて計算した金額を加算した金額とする。（通法65②）

（図解）……累積増差税額がある場合の上記の規定を図示すれば次のとおり。（編者注）

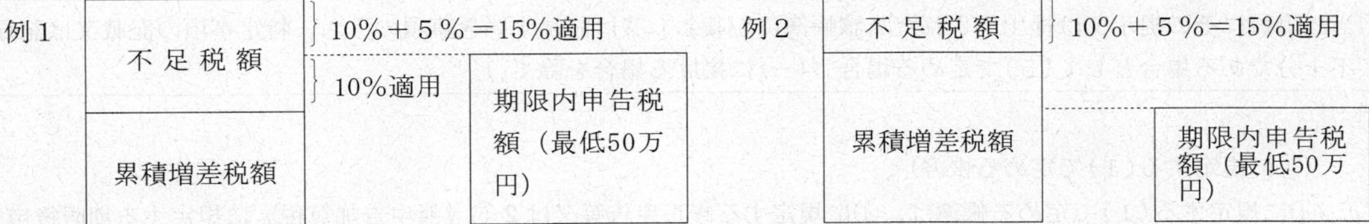

③　用語の意義

②において、「累積増差税額」及び「期限内申告税額」の用語の意義は、次の(一)及び(二)に定めるところによる。（通法65③）

(一)	累積増差税額	①の修正申告又は更正前にされたその国税についての修正申告書の提出又は更正に基づき第十章第三節**4**《期限後申告、修正申告又は更正、決定による納付》の規定により納付すべき税額の合計額（当該国税について、当該納付すべき税額を減少させる更正又は更正に係る不服申立て若しくは訴えについての決定、裁決若しくは判決による原処分の異動があったときはこれらにより減少した部分の税額に相当する金額を控除した金額とし、⑤の規定の適用があったときは、⑤の規定により控除すべきであった金額を控除した金額とする。）
(二)	期限内申告税額	期限内申告書（**2**①ただし書又は同⑨の規定の適用がある場合には、期限後申告書を含む。⑤(二)において同じ。）の提出に基づき国税通則法第35条第１項《期限内申告による納付》又は第十章第三節**4**《期限後申告、修正申告又は更正、決定による納付》の規定により納付すべき税額（これらの申告書に係る国税について、次に掲げる金額があるときは、当該金額を加算した金額とし、所得税に係るこれらの申告書に記載された還付金の額に相当する税額があるときは当該税額を控除した金額とする。） イ　第九章第二節**二**《外国税額控除》若しくは所得税法第165条の６《非居住者に係る外国税額の控除》の規定による控除をされるべき金額、①の修正申告若しくは更正に係る第十章第二節**二 1**《確定所得申告》②表(四)に規定する源泉徴収税額に相当する金額、同表(七)注に規定する予納税額又は第九章第三節《災害被害者に対する租税の減免》**2**の規定により軽減若しくは免除を受けた所得税の額

		ロ　（省略）……法人税関係 ハ　（省略）……地方法人税関係 ニ　（省略）……相続税、贈与税関係 ホ　（省略）……消費税関係

④　**帳簿の不提示・不提出、記載・記録が著しく不十分又は不十分である場合の加重措置**

①の規定に該当する場合において、当該納税者が、帳簿（(1)で定めるものに限るものとし、その作成又は保存に代えて電磁的記録の作成又は保存がされている場合における当該電磁的記録を含む。以下④及び**2**⑤において同じ。）に記載し、又は記録すべき事項に関しその修正申告書の提出又は更正（以下④において「修正申告等」という。）があった時前に、国税庁、国税局又は税務署の当該職員（以下④及び**2**⑤において「当該職員」という。）から当該帳簿の提示又は提出を求められ、かつ、次の(一)又は(二)に掲げる場合のいずれかに該当するとき（当該納税者の責めに帰すべき事由がない場合を除く。）は、①の過少申告加算税の額は、①及び②の規定にかかわらず、これらの規定により計算した金額に、①に規定する納付すべき税額（その税額の計算の基礎となるべき事実で当該修正申告等の基因となる当該帳簿に記載し、又は記録すべき事項に係るもの以外のもの（以下④において「帳簿に記載すべき事項等に係るもの以外の事実」という。）があるときは、当該帳簿に記載すべき事項等に係るもの以外の事実に基づく税額として(2)で定めるところにより計算した金額を控除した税額）に100分の10の割合（(二)に掲げる場合に該当するときは、100分の５の割合）を乗じて計算した金額を加算した金額とする。（通法65④）

(一)	当該職員に当該帳簿の提示若しくは提出をしなかった場合又は当該職員にその提示若しくは提出がされた当該帳簿に記載し、若しくは記録すべき事項のうち、納税申告書の作成の基礎となる重要なものとして(3)で定める事項（(二)及び**2**⑤において「特定事項」という。）の記載若しくは記録が著しく不十分である場合として(4)で定める場合
(二)	当該職員にその提示又は提出がされた当該帳簿に記載し、又は記録すべき事項のうち、特定事項の記載又は記録が不十分である場合として(5)で定める場合（(一)に掲げる場合を除く。）

（④に規定する(1)で定める帳簿）

(1)　④に規定する(1)で定める帳簿は、④に規定する修正申告等又は**2**⑤《無申告加算税》に規定する期限後申告等の基因となる事項に係る次の(一)から(三)までに掲げる帳簿のうち、④(一)に規定する特定事項（以下において「特定事項」という。）に関する調査について必要があると認められるものとする。（通規11の２①）

(一)	第十一章**三5**《取引に関する帳簿及び記載事項》に規定する仕訳帳及び総勘定元帳
(二)	同**三2**ただし書《青色申告者の備え付けるべき帳簿書類》の規定により同**2**ただし書に規定する財務大臣の定める簡易な記録の方法及び記載事項によることができる帳簿
(三)	所得税法施行規則第百二条第一項《事業所得等に係る取引に関する帳簿の記録の方法及び帳簿書類の保存》に規定する帳簿

（④に規定する帳簿に記載すべき事項等に係るもの以外の事実に基づく税額として(2)で定めるところにより計算した金額）

(2)　④に規定する帳簿に記載すべき事項等に係るもの以外の事実に基づく税額として(2)で定めるところにより計算した金額は、過少申告加算税の額の計算の基礎となるべき税額のうち④に規定する税額の計算の基礎となるべき事実で④に規定する帳簿に記載すべき事項等に係るもの以外の事実のみに基づいて④に規定する修正申告等があったものとした場合における当該修正申告等に基づき第十章第三節**4**の規定により納付すべき税額とする。（通令27①）

（④(一)に規定する(3)で定める事項）

(3)　④(一)に規定する(3)で定める事項は、売上げ（業務に係る収入を含む。）とする。（通規11の２②）

（④(一)に規定する(4)で定める場合）

(4)　④(一)に規定する(4)で定める場合は、同(一)の特定事項の金額の記載又は記録が、同(一)の帳簿に記載し、又は記録すべき特定事項の金額の２分の１に満たない場合とする。（通規11の２③）

(④(二)に規定する(5)で定める場合)

(5)　④(二)に規定する(5)で定める場合は、同(二)の特定事項の金額の記載又は記録が、同(二)の帳簿に記載し、又は記録すべき特定事項の金額の3分の2に満たない場合とする。(通規11の2④)

⑤　正当な理由に基づく場合の不適用

次の(一)及び(二)に掲げる場合には、①又は②に規定する納付すべき税額から当該(一)及び(二)に定める税額として(1)で定めるところにより計算した金額を控除して、これらの規定を適用する。(通法65⑤)

(一)	①又は②に規定する納付すべき税額の計算の基礎となった事実のうちにその修正申告又は更正前の税額（還付金の額に相当する税額を含む。）の計算の基礎とされていなかったことについて正当な理由があると認められるものがある場合　その正当な理由があると認められる事実に基づく税額
(二)	①の修正申告又は更正前に当該修正申告又は更正に係る国税について期限内申告書の提出により納付すべき税額を減少させる更正その他これに類するものとして(2)で定める更正（更正の請求に基づく更正を除く。）があった場合　当該期限内申告書に係る税額（還付金の額に相当する税額を含む。）に達するまでの税額

(過少申告加算税等を課さない部分の税額の計算等)

(1)　⑤に規定する(1)で定めるところにより計算した金額は、次の(一)から(三)までに掲げる場合の区分に応じ、当該(一)から(三)までに定める税額（**2**⑦において準用する場合にあっては、(一)に定める税額）とする。(通令27②)

(一)	⑤(一)に掲げる場合に該当する場合（(三)に掲げる場合を除く。）　⑤(一)に規定する正当な理由があると認められる事実のみに基づいて修正申告書の提出又は更正があったものとした場合におけるその申告又は更正に基づき法第十章第三節**4**の規定により納付すべき税額
(二)	⑤(二)に掲げる場合に該当する場合（(三)に掲げる場合を除く。）　次に掲げる場合の区分に応じ、それぞれ次に定める税額 イ　期限内申告書（③(二)に規定する期限内申告書をいう。以下同じ。）の提出により納付すべき税額がある場合　次に掲げる税額のうちいずれか少ない税額 （1）　①に規定する修正申告書の提出又は更正（以下(二)において「修正申告書の提出等」という。）により納付すべき税額 （2）　期限内申告書の提出により納付すべき税額から①の修正申告又は更正（以下(二)において「修正申告等」という。）前の税額を控除した税額（修正申告等前の還付金の額に相当する税額があるときは、期限内申告書の提出により納付すべき税額に当該還付金の額に相当する税額を加算した税額） ロ　期限内申告書の提出により納付すべき税額がない場合（ハに掲げる場合を除く。）　次に掲げる税額のうちいずれか少ない税額 （1）　修正申告書の提出等により納付すべき税額 （2）　修正申告等前の還付金の額に相当する税額 ハ　期限内申告書に係る還付金の額がある場合　次に掲げる税額のうちいずれか少ない税額 （1）　修正申告書の提出等により納付すべき税額 （2）　修正申告等前の還付金の額に相当する税額から期限内申告書に係る還付金の額に相当する税額を控除した税額
(三)	⑤(一)又は同(二)に掲げる場合のいずれにも該当する場合　(一)又は(二)に定める税額のうちいずれか多い税額

(⑤(二)に規定する納付すべき税額を減少させる更正に類するものとして(2)で定める更正)

(2)　⑤(二)に規定する納付すべき税額を減少させる更正に類するものとして(2)で定める更正は、期限内申告書に係る還付金の額を増加させる更正又は期限内申告書に係る還付金の額がない場合において還付金の額があるものとする更正とする。(通令27③)

⑥　更正を予知しないでした修正申告の場合の不適用

①の規定は、修正申告書の提出が、その申告に係る国税についての調査があったことにより当該国税について更正があ

るべきことを予知してされたものでない場合において、その申告に係る国税についての調査に係る第十三章第一節**二１**(四)及び同(五)に掲げる事項その他(１)で定める事項の通知（**２**⑥ニ及び**２**⑧において「調査通知」という。）がある前に行われたものであるときは、適用しない。(通法65⑥)

(⑥に規定する(１)で定める事項)

(１)　⑥に規定する(１)で定める事項は、第十三章第一節**二１**に規定する実地の調査において質問検査等（同**１**に規定する質問検査等をいう。）を行わせる旨（第十三章第一節**二７**《事前通知を要しない場合》の規定に該当する場合には、調査（第十三章第一節**二１**(一)に規定する調査をいう。）を行う旨）とする。(通令27④)

(⑥に規定する通知)

(２)　⑥に規定する通知には、第十三章第一節**二５**に規定する場合に該当する場合において同**５**に規定する税務代理人（当該税務代理人について同**６**に規定する場合に該当する場合には、同**６**に規定する代表する税務代理人）に対してする通知を含むものとする。(通令27⑤)

2　無申告加算税

①　無申告加算税の税率

次の(一)又は(二)のいずれかに該当する場合には、当該納税者に対し、当該(一)又は(二)に規定する申告、更正又は決定に基づき第十章第三節**４**《期限後申告、修正申告又は更正、決定による納付》の規定により納付すべき税額に100分の15の割合（期限後申告書又は(二)の修正申告書の提出が、その申告に係る国税についての調査があったことにより当該国税について更正又は決定があるべきことを予知してされたものでないときは、100分の10の割合）を乗じて計算した金額に相当する無申告加算税を課する。ただし、期限内申告書の提出がなかったことについて正当な理由があると認められる場合は、この限りでない。(通法66①)

(一)	期限後申告書の提出又は決定があった場合
(二)	期限後申告書の提出又は決定があった後に修正申告書の提出又は更正があった場合

②　納付すべき税額が50万円を超えるとき

①の規定に該当する場合（①ただし書又は⑨の規定の適用がある場合を除く。③及び⑥において同じ。）において、①に規定する納付すべき税額（①(二)の修正申告書の提出又は更正があったときは、その国税に係る累積納付税額を加算した金額。③において「加算後累積納付税額」という。）が50万円を超えるときは、①の無申告加算税の額は、①の規定にかかわらず、①の規定により計算した金額に、その超える部分に相当する税額（①に規定する納付すべき税額が当該超える部分に相当する税額に満たないときは、当該納付すべき税額）に100分の５の割合を乗じて計算した金額を加算した金額とする。(通法66②)

③　加算後累積納付税額が300万円を超えるとき

①の規定に該当する場合において、加算後累積納付税額（当該加算後累積納付税額の計算の基礎となった事実のうちに①各号に規定する申告、更正又は決定前の税額（還付金の額に相当する税額を含む。）の計算の基礎とされていなかったことについて当該納税者の責めに帰すべき事由がないと認められるものがあるときは、その事実に基づく税額として(１)で定めるところにより計算した金額を控除した税額）が300万円を超えるときは、①の無申告加算税の額は、①及び②の規定にかかわらず、加算後累積納付税額を次の(一)から(三)までに掲げる税額に区分してそれぞれの税額に当該(一)から(三)までに定める割合（期限後申告書又は①(二)の修正申告書の提出が、その申告に係る国税についての調査があったことにより当該国税について更正又は決定があるべきことを予知してされたものでないときは、その割合から100分の５の割合を減じた割合。以下③において同じ。）を乗じて計算した金額の合計額から累積納付税額を当該(一)から(三)までに掲げる税額に区分してそれぞれの税額に当該(一)から(三)までに定める割合を乗じて計算した金額の合計額を控除した金額とする。(通法66③)

(一)	50万円以下の部分に相当する税額	100分の15の割合
(二)	50万円を超え300万円以下の部分に相当する税額	100分の20の割合

(三)	300万円を超える部分に相当する税額	100分の30の割合

(③に規定する(１)で定めるところにより計算した金額)

(１)　③に規定する(１)で定めるところにより計算した金額は、③に規定する当該納税者の責めに帰すべき事由がないと認められる事実のみに基づいて①各号に規定する申告、更正又は決定があったものとした場合におけるその申告、更正又は決定に基づき第十章第三節**4**の規定により納付すべき税額とする。(通令27⑥)

④　累積納付税額

②及び③において、累積納付税額とは、①(二)の修正申告書の提出又は更正前にされたその国税についての次に掲げる納付すべき税額の合計額（当該国税について、当該納付すべき税額を減少させる更正又は更正若しくは**一２**《決定》の規定による決定に係る不服申立て若しくは訴えについての決定、裁決若しくは判決による原処分の異動があったときはこれらにより減少した部分の税額に相当する金額を控除した金額とし、⑦において準用する**１**⑤（(一)に係る部分に限る。以下③及び⑦において同じ。）の規定の適用があったときは**１**⑤の規定により控除すべきであった金額を控除した金額とする。）をいう。(通法66④)

(一)	期限後申告書の提出又は**一２**の規定による決定に基づき第十章第三節**4**《期限語申告、修正申告又は更正の、決定による納付》規定により納付すべき税額
(二)	修正申告書の提出又は更正に基づき第十章第三節**4**の規定により納付すべき税額

⑤　帳簿の不提示・不提出、記載・記録が著しく不十分又は不十分である場合の加重措置

①の規定に該当する場合において、当該納税者が、帳簿に記載し、又は記録すべき事項に関しその期限後申告書若しくは修正申告書の提出又は更正若しくは決定（以下⑤において「期限後申告等」という。）があった時前に、当該職員から当該帳簿の提示又は提出を求められ、かつ、次の(一)又は(二)に掲げる場合のいずれかに該当するとき（当該納税者の責めに帰すべき事由がない場合を除く。）は、①の無申告加算税の額は、①から③までの規定にかかわらず、これらの規定により計算した金額に、①に規定する納付すべき税額（その税額の計算の基礎となるべき事実で当該期限後申告等の基因となる当該帳簿に記載し、又は記録すべき事項に係るもの以外のもの（以下⑤において「帳簿に記載すべき事項等に係るもの以外の事実」という。）があるときは、当該帳簿に記載すべき事項等に係るもの以外の事実に基づく税額として(１)で定めるところにより計算した金額を控除した税額）に100分の10の割合（(二)に掲げる場合に該当するときは、100分の５の割合）を乗じて計算した金額を加算した金額とする。(通法66⑤)

(一)	当該職員に当該帳簿の提示若しくは提出をしなかった場合又は当該職員にその提示若しくは提出がされた当該帳簿に記載し、若しくは記録すべき事項のうち、特定事項の記載若しくは記録が著しく不十分である場合として(２)で定める場合
(二)	当該職員にその提示又は提出がされた当該帳簿に記載し、又は記録すべき事項のうち、特定事項の記載又は記録が不十分である場合として(３)で定める場合（(一)に掲げる場合を除く。）

(⑤に規定する帳簿に記載すべき事項等に係るもの以外の事実に基づく税額として(１)で定めるところにより計算した金額)

(１)　⑤に規定する帳簿に記載すべき事項等に係るもの以外の事実に基づく税額として(１)で定めるところにより計算した金額は、無申告加算税の額の計算の基礎となるべき税額のうち⑤に規定する税額の計算の基礎となるべき事実で⑤に規定する帳簿に記載すべき事項等に係るもの以外の事実のみに基づいて⑤に規定する期限後申告等があったものとした場合における当該期限後申告等に基づき第十章第三節**4**の規定により納付すべき税額とする。(通令27⑦)

(⑤(一)に規定する(２)で定める場合)

(２)　⑤(一)に規定する(２)で定める場合は、同(一)の特定事項の金額の記載又は記録が、同(一)の帳簿に記載し、又は記録すべき特定事項の金額の２分の１に満たない場合とする。(通規11の２⑤)

(⑤(二)に規定する(３)で定める場合)

(３)　⑤(二)に規定する(３)で定める場合は、同(二)の特定事項の金額の記載又は記録が、同(二)の帳簿に記載し、又

は記録すべき特定事項の金額の３分の２に満たない場合とする。（通規11の２⑥）

⑥　繰り返し無申告加算税等を課されたことがある場合の無申告加算税の加重措置

①の規定に該当する場合において、次の(一)及び(二)のいずれかに該当するときは、①の無申告加算税の額は、①から③までの規定にかかわらず、これらの規定により計算した金額に、①に規定する納付すべき税額に100分の10の割合を乗じて計算した金額を加算した金額とする。（通法66⑥）

(一)	その期限後申告書若しくは①(二)の修正申告書の提出（その申告に係る国税についての調査があったことにより当該国税について更正又は決定があるべきことを予知してされたものに限る。）又は更正若しくは決定があった日の前日から起算して５年前の日までの間に、その申告又は更正若しくは決定に係る国税の属する税目について、無申告加算税（期限後申告書又は①(二)の修正申告書の提出が、その申告に係る国税についての調査があったことにより当該国税について更正又は決定があるべきことを予知してされたものでない場合において課されたものを除く。）又は重加算税（**4**④において「無申告加算税等」という。）を課されたことがある場合
(二)	その期限後申告書若しくは①(二)の修正申告書の提出（その申告に係る国税についての調査があったことにより当該国税について更正又は決定があるべきことを予知してされたものでない場合において、その申告に係る国税についての調査通知がある前に行われたものを除く。）又は更正若しくは決定に係る国税の課税期間の初日の属する年の前年及び前々年に課税期間が開始した当該国税（課税期間のない当該国税については、当該国税の納税義務が成立した日の属する年の前年及び前々年に納税義務が成立した当該国税）の属する税目について、無申告加算税（⑧の規定の適用があるものを除く。）若しくは**4**②の重加算税（以下(二)及び**4**④(二)において「特定無申告加算税等」という。）を課されたことがあり、又は特定無申告加算税等に係る賦課決定をすべきと認める場合

⑦　正当な理由に基づく場合の不適用

1⑤の規定は、①(二)の場合について準用する。（通法66⑦）

⑧　更正又は決定を予知しないでした期限後申告又は修正申告の場合の無申告加算税の軽減

期限後申告書又は①(二)の修正申告書の提出が、その申告に係る国税についての調査があったことにより当該国税について更正又は決定があるべきことを予知してされたものでない場合において、その申告に係る国税についての調査通知がある前に行われたものであるときは、その申告に基づき第十章第三節**4**《期限後申告、修正申告又は更正、決定による納付》の規定により納付すべき税額に係る①の無申告加算税の額は、①から③までの規定にかかわらず、当該納付すべき税額に100分の５の割合を乗じて計算した金額とする。（通法66⑧）

⑨　期限後申告書の提出があった場合

①の規定は、期限後申告書の提出が、その申告に係る国税についての調査があったことにより当該国税について**一2**の規定による決定があるべきことを予知してされたものでない場合において、期限内申告書を提出する意思があったと認められる場合として注で定める場合に該当してされたものであり、かつ、法定申告期限から１月を経過する日までに行われたものであるときは、適用しない。（通法66⑨）

（注）　⑨に規定する期限内申告書を提出する意思があったと認められる場合として注で定める場合は、次の(一)又は(二)のいずれにも該当する場合とする。（通令27の２①）

(一)　⑨に規定する期限後申告書の提出があった日の前日から起算して５年前の日（消費税等（国税通則法第２条第９号《定義》に規定する課税資産の譲渡等に係る消費税を除く。）、航空機燃料税、電源開発促進税及び印紙税に係る期限後申告書（印紙税法第12条第５項《預貯金通帳等に係る申告及び納付等の特例》の規定によるものを除く。）である場合には、１年前の日）までの間に、当該期限後申告書に係る国税の属する税目について、①の(一)に該当することにより無申告加算税又は重加算税を課されたことがない場合であって、⑨の規定の適用を受けていないとき。

(二)　(一)に規定する期限後申告書に係る納付すべき税額の全額が法定納期限（当該期限後申告書に係る納付について、第十章第三節**1**（1）に規定する依頼を税務署長が受けていた場合又は電子情報処理組織による輸出入等関連業務の処理等に関する法律第４条第１項に規定する依頼を税関長が受けていた場合には、当該期限後申告書を提出した日。以下同じ。）までに納付されていた場合又は当該税額の全額に相当する金銭が法定納期限までに同節**5**（(一)に係る部分に限る。）の規定による委託に基づき納付受託者に交付されていた場合若しくは当該税額の全額について法定納期限までに同節**5**（(二)に係る部分に限る。）の規定により納付受託者が委託を受けていた場合

3　不納付加算税

①　不納付加算税の税率と正当な理由がある場合の不徴収

源泉徴収等による国税がその法定納期限までに完納されなかった場合には、税務署長等は、当該納税者から、納税の告知（国税通則法第36条第１項《納税の告知》の規定による納税の告知（同項第２号に係るものに限る。）をいう。②において同じ。）に係る税額又はその法定納期限後に当該告知を受けることなく納付された税額に100分の10の割合を乗じて計算した金額に相当する不納付加算税を徴収する。ただし、当該告知又は納付に係る国税を法定納期限までに納付しなかったことについて正当な理由があると認められる場合は、この限りでない。（通法67①）

②　納税の告知を予知しないでした納付の場合の税率の軽減

源泉徴収等による国税が国税通則法納税の告知を受けることなくその法定納期限後に納付された場合において、その納付が、当該国税についての調査があったことにより当該国税について当該告知があるべきことを予知してされたものでないときは、その納付された税額に係る①の不納付加算税の額は、①の規定にかかわらず、当該納付された税額に100分の５の割合を乗じて計算した金額とする。（通法67②）

③　その納付が法定納期限までに納付する意思があったと認められる場合に該当してされたものである場合

①の規定は、②の規定に該当する納付がされた場合において、その納付が法定納期限までに納付する意思があったと認められる場合として政令で定める場合に該当してされたものであり、かつ、当該納付に係る源泉徴収等による国税が法定納期限から１月を経過する日までに納付されたものであるときは、適用しない。（通法67③）

（注）　③に規定する法定納期限までに納付する意思があったと認められる場合として注で定める場合は、③に規定する納付に係る法定納期限の属する月の前月の末日から起算して１年前の日までの間に法定納期限が到来する源泉徴収による国税について、次の(一)又は(二)のいずれにも該当する場合とする。（通令27の２②）

(一)　国税通則法第36条第１項第２号《納税の告知》の規定による納税の告知（①ただし書に該当する場合における納税の告知を除く。）を受けたことがない場合

(二)　国税通則法第36条第１項第２号の規定による納税の告知を受けることなく法定納期限後に納付された事実（その源泉徴収による国税に相当する金銭が法定納期限までに第十章第三節**５**（(一)に係る部分に限る。）の規定による委託に基づき納付受託者に交付されていた場合及び当該国税について法定納期限までに同節**５**（(二)に係る部分に限る。）の規定により納付受託者が委託を受けていた場合並びに①ただし書に該当する場合における法定納期限後に納付された事実を除く。）がない場合

㊟　上記＿＿下線部については、令和６年４月１日以後、(二)中「その」が「第十章第三節**１**（４）《特定納付方法による国税の納付》の場合においてその源泉徴収等による国税が同**１**（８）に規定する日までに納付された事実並びにその」に、「当該国税」が「その源泉徴収等による国税」に改められる。（令５改通令附ただし書）

4　重 加 算 税

①　過少申告加算税に代えて課される重加算税の税率

１①《過少申告加算税の税率》の規定に該当する場合（修正申告書の提出が、その申告に係る国税についての調査があったことにより当該国税について更正があるべきことを予知してされたものでない場合を除く。）において、納税者がその国税の課税標準等又は税額等の計算の基礎となるべき事実の全部又は一部を隠蔽し、又は仮装し、その隠蔽し、又は仮装したところに基づき納税申告書を提出していたときは、当該納税者に対し、（１）で定めるところにより過少申告加算税の額の計算の基礎となるべき税額（その税額の計算の基礎となるべき事実で隠蔽し、又は仮装されていないものに基づくことが明らかであるものがあるときは、当該隠蔽し、又は仮装されていない事実に基づく税額として（２）で定めるところにより計算した金額を控除した税額）に係る過少申告加算税に代え、当該基礎となるべき税額に100分の35の割合を乗じて計算した金額に相当する重加算税を課する。（通法68①）

(注)１　上記＿＿下線部については、令和７年１月１日以後、①中「仮装し、」の次に「かつ、」が、「納税申告書」の次に「又は第十章第八節**ー３**《更正の請求》に規定する更正請求書（②において「更正請求書」という。）」が加えられる。（令６改所法等附１四ロ）

２　(注)１の改正後の①の規定は、令和７年１月１日以後に法定申告期限（国税に関する法律の規定により当該法定申告期限とみなされる期限を含み、**７**（３）(二)に規定する還付請求申告書については、当該申告書を提出した日とする。以下おいて同じ。）が到来する国税について適用され、同年１月１日前に法定申告期限が到来した国税については、なお従前の例による。（令６改所法等附19）

（加重された過少申告加算税等が課される場合における重加算税に代えられるべき過少申告加算税等）

（１）　①又は④（①の重加算税に係る部分に限る。）の規定により過少申告加算税に代えて重加算税を課する場合において、当該過少申告加算税について**１**②又は同④の規定により加算すべき金額があるときは、当該重加算税の額の計算

の基礎となるべき税額に相当する金額を当該過少申告加算税の額の計算の基礎となるべき税額から控除して計算するものとした場合における過少申告加算税以外の部分の過少申告加算税に代え、重加算税を課するものとする。（通令27の３①）

（注）不足税額に重加算税の対象となる部分がある場合には、重加算税対象部分を除いて過少申告加算税の加重がされるかどうかを判定する趣旨である。（編者注）

（重加算税を課さない部分の税額の計算）

（２）①（④の規定により適用される場合を含む。）に規定する隠蔽し、又は仮装されていない事実に基づく税額として計算した金額は、過少申告加算税の額の計算の基礎となるべき税額のうち当該事実のみに基づいて修正申告書の提出又は更正があったものとした場合におけるその申告又は更正に基づき第十章第三節**4**《期限後申告、修正申告又は更正、決定による納付》の規定により納付すべき税額とする。（通令28①）

②　無申告加算税に代えて課される重加算税の税率

2①《無申告加算税の税率》の規定に該当する場合（**2**①ただし書若しくは**2**⑨の規定の適用がある場合又は納税申告書の提出が、その申告に係る国税についての調査があったことにより当該国税について更正又は決定があるべきことを予知してされたものでない場合を除く。）において、納税者がその国税の課税標準等又は税額等の計算の基礎となるべき事実の全部又は一部を隠蔽し、又は仮装し、その隠蔽し、又は仮装したところに基づき法定申告期限までに納税申告書を提出せず、又は法定申告期限後に納税申告書を提出していたときは、当該納税者に対し、（1）で定めるところにより無申告加算税の額の計算の基礎となるべき税額（その税額の計算の基礎となるべき事実で隠蔽し、又は仮装されていないものに基づくことが明らかであるものがあるときは、当該隠蔽し、又は仮装されていない事実に基づく税額として（2）で定めるところにより計算した金額を控除した税額）に係る無申告加算税に代え、当該基礎となるべき税額に100分の40の割合を乗じて計算した金額に相当する重加算税を課する。（通法68②）

（注）１　上記～～下線部については、令和７年１月１日以後、②中「仮装し、」の次に「かつ、」が、「後に納税申告書」の次に「若しくは更正請求書」が加えられる。（令６改所法等附１四ロ）

２　（注）１の改正後の②の規定は、令和７年１月１日以後に法定申告期限（国税に関する法律の規定により当該法定申告期限とみなされる期限を含み、**7**（３）(二)に規定する還付請求申告書については、当該申告書を提出した日とする。以下において同じ。）が到来する国税について適用され、同年１月１日前に法定申告期限が到来した国税については、なお従前の例による。（令６改所法等附19）

（無申告加算税に代えて重加算税を課する場合において、**2**②の規定により加算すべき金額があるとき）

（１）②又は④（②の重加算税に係る部分に限る。）の規定により無申告加算税に代えて重加算税を課する場合において、当該無申告加算税について**2**②若しくは**2**③（これらの規定が**2**⑥の規定により適用される場合を含む。）又は**2**⑤の規定により加算し、又は計算すべき金額があるときは、当該重加算税の額の計算の基礎となるべき税額に相当する金額を当該無申告加算税の額の計算の基礎となるべき税額から控除して計算するものとした場合における無申告加算税以外の部分の無申告加算税に代え、重加算税を課するものとする。（通令27の３②）

（重加算税を課さない部分の税額の計算）

（２）②（④の規定により適用される場合を含む。）に規定する隠蔽し、又は仮装されていない事実に基づく税額として計算した金額は、無申告加算税の額の計算の基礎となるべき税額のうち当該事実のみに基づいて期限後申告書若しくは修正申告書の提出又は決定若しくは更正があったものとした場合におけるその申告又は決定若しくは更正に基づき第十章第三節**4**《期限後申告、修正申告又は更正、決定による納付》の規定により納付すべき税額とする。（通令28②）

③　不納付加算税に代えて課される重加算税の税率

3①の規定に該当する場合（同①ただし書又は**3**②若しくは③の規定の適用がある場合を除く。）において、納税者が事実の全部又は一部を隠蔽し、又は仮装し、その隠蔽し、又は仮装したところに基づきその国税をその法定納期限までに納付しなかったときは、税務署長等は、当該納税者から、不納付加算税の額の計算の基礎となるべき税額（その税額の計算の基礎となるべき事実で隠蔽し、又は仮装されていないものに基づくことが明らかであるものがあるときは、当該隠蔽し、又は仮装されていない事実に基づく税額として注で定めるところにより計算した金額を控除した税額）に係る不納付加算税に代え、当該基礎となるべき税額に100分の35の割合を乗じて計算した金額に相当する重加算税を徴収する。（通法68③）

（注）１　上記～～下線部については、令和７年１月１日以後、③中「仮装し、」の次に「かつ、」が加えられる。（令６改所法等附１四ロ）

２　（注）１の改正後の③の規定は、令和７年１月１日以後に法定申告期限（国税に関する法律の規定により当該法定申告期限とみなされる期限を含み、**7**（3）(二)に規定する還付請求申告書については、当該申告書を提出した日とする。以下において同じ。）が到来する国税について適用され、同年1月1日前に法定申告期限が到来した国税については、なお従前の例による。（令6改所法等附19）

（重加算税を課さない部分の税額の計算）

注　③（④の規定により適用される場合を含む。）に規定する隠蔽し、又は仮装されていない事実に基づく税額として計算した金額は、不納付加算税の額の計算の基礎となるべき税額のうち納税者が当該事実のみに基づいてその国税の法定納期限までに納付しなかった税額とする。（通令28③）

④　繰り返し無申告加算税等を課されたことがある場合の重加算税の加重措置

①から③までの規定に該当する場合において、次の(一)又は(二)のいずれか（①又は③の規定に該当する場合にあっては、(一)）に該当するときは、①から③までの重加算税の額は、これらの規定にかかわらず、これらの規定により計算した金額に、これらの規定に規定する基礎となるべき税額に100分の10の割合を乗じて計算した金額を加算した金額とする。（通法68④）

(一)	①から③までに規定する税額の計算の基礎となるべき事実で隠蔽し、又は仮装されたものに基づき期限後申告書若しくは修正申告書の提出、更正若しくは決定又は納税の告知（国税通則法第36条第1項（(二)に係る部分に限る。）《納税の告知》の規定による納税の告知をいう。以下(一)において同じ。）若しくは納税の告知を受けることなくされた納付があった日の前日から起算して5年前の日までの間に、その申告、更正若しくは決定又は告知若しくは納付に係る国税の属する税目について、無申告加算税等を課され、又は徴収されたことがある場合
(二)	その期限後申告書若しくは修正申告書の提出又は更正若しくは決定に係る国税の課税期間の初日の属する年の前年及び前々年に課税期間が開始した当該国税（課税期間のない当該国税については、当該国税の納税義務が成立した日の属する年の前年及び前々年に納税義務が成立した当該国税）の属する税目について、特定無申告加算税等を課されたことがあり、又は特定無申告加算税等に係る賦課決定をすべきと認める場合

5　加算税の税目

過少申告加算税、無申告加算税、不納付加算税及び重加算税は、その額の計算の基礎となる税額の属する税目の国税とする。（通法69）

6　加算税の賦課決定

加算税は、賦課課税方式による国税については、税務署長がその調査により賦課決定し、その賦課決定は、税務署長がその決定に係る課税標準及び納付すべき税額を記載した賦課決定通知書を送達して行う。（通法32①③）

（変 更 決 定）

（1）　税務署長は、加算税の賦課決定をした後、その決定をした課税標準又は納付すべき税額が過大又は過少であることを知ったときは、その調査により、その決定に係る加算税額を変更する決定をする。（通法32②）

この変更決定は、税務署長が次の(一)から(三)までに掲げる事項を記載した賦課決定通知書を送達して行う。（通法32④）

(一)	その決定前の課税標準及び納付すべき税額
(二)	その決定後の課税標準及び納付すべき税額
(三)	その決定により増加し又は減少する加算税額

（更正又は決定に関する規定の準用）

（2）　**－4**、同**5**③後段及び同**6**は、加算税の賦課決定及び変更決定について準用する。（通法32⑤）

（賦課決定の所轄庁等）

（3）　賦課決定は、現在の納税地を所轄する税務署長が行う。（通法33①）

次の(一)又は(二)のいずれかに該当する場合には、当該(一)又は(二)に定める税務署長は、上記の規定にかかわらず、当該(一)又は(二)に規定する更正若しくは決定若しくは期限後申告書若しくは修正申告書の提出により納付すべ

き国税又は源泉徴収等による国税に係る当該加算税についての賦課決定をすることができる。（通法33②）

(一)	**一7**に掲げる更正又は決定があったとき　　当該更正又は決定をした税務署長
(二)	更正若しくは決定で(一)以外のもの若しくは期限後申告書若しくは修正申告書の提出があった後に当該国税の納税地に異動があった場合又は源泉徴収等による国税につき納付すべき税額が確定した時以後に当該国税の納税地に異動があった場合において、これらの異動に係る納税地で現在の納税地以外のもの（以下(二)において「旧納税地」という。）を所轄する税務署長においてその異動の事実が知れず、又はその異動後の納税地が判明せず、かつ、その知れないこと又は判明しないことにつきやむを得ない事情があるとき　　旧納税地を所轄する税務署長

（注）　偽りその他不正の行為によりその全部若しくは一部の税額を免れ、若しくはその全部若しくは一部の税額の還付を受けた国税に係る加算税の賦課決定については当該国税の提出期限から７年を経過する日まですることができる。（通法70⑤、編者要約）

（加算税の納付）

（４）　過少申告加算税、無申告加算税又は重加算税（**４**①、同②又は同④（同①又は同②の重加算税に係る部分に限る。）の重加算税に限る。以下(４)において同じ。）に係る賦課決定通知書を受けた者は、当該通知書に記載された金額の過少申告加算税、無申告加算税又は重加算税を当該通知書が発せられた日の翌日から起算して１月を経過する日までに納付しなければならない。（通法35③）

7　延　滞　税

国税を納付しようとする者は、次の①から⑤までのいずれかに該当するときは、延滞税を納付しなければならない。（通法60①）

①	期限内申告書を提出した場合において、当該申告書の提出により納付すべき国税を法定納期限までに完納しないとき。
②	期限後申告書若しくは修正申告書を提出し、又は更正若しくは決定を受けた場合において、納付すべき国税があるとき。
③	納税の告知を受けた場合において、当該告知により納付すべき国税（⑤に規定する国税、不納付加算税、重加算税及び過怠税を除く。）をその法定納期限後に納付するとき。
④	予定納税に係る所得税をその法定納期限までに完納しないとき。
⑤	源泉徴収等による国税をその法定納期限までに完納しないとき。

（延滞税の額の計算）

（１）　延滞税の額は、国税の法定納期限（純損失の繰戻し等による還付金額が過大であったことにより納付すべきこととなった国税、輸入の許可を受けて保税地域から引き取られる物品に対する消費税等その他通則法施行令第25条《延滞税の計算期間の起算日の特例》に定める国税については、当該還付金について支払決定をし、又は充当をした日など同条第１項各号に定める日。(４)(一)において同じ。）の翌日からその国税を完納する日までの期間の日数に応じ、その未納の税額に年14.6％の割合を乗じて計算した金額とする。ただし、**納期限**（延納又は物納の許可の取消しがあった場合には、その取消しに係る書面が発せられた日。以下(１)から(５)までにおいて同じ。）までの期間又は納期限の翌日から２月を経過する日までの期間については、その未納の税額に年7.3％の割合を乗じて計算した金額とする。なお、延滞税は、その額の計算の基礎となる国税に併せて納付しなければならない。（通法60②③）

（注）　(１)に規定する延滞税の年14.6％の割合及び年7.3％の割合は、(１)の規定にかかわらず、各年の延滞税特例基準割合（平均貸付割合に年１％の割合を加算した割合をいう。以下において同じ。）が年7.3％の割合に満たない場合には、その年中においては、年14.6％の割合にあっては当該延滞税特例基準割合に年7.3％の割合を加算した割合とし、年7.3％の割合にあっては当該延滞税特例基準割合に年１％の割合を加算した割合（当該加算した割合が年7.3％の割合を超える場合には、年7.3％の割合）とする。（措法94①）

（一部納付が行われた場合の延滞税の額の計算等）

（２）　延滞税の額の計算の基礎となる国税の一部が納付されたときは、その納付の日の翌日以後の期間に係る延滞税の額の計算の基礎となる税額は、その納付された税額を控除した金額とする。（通法62①）

なお、本税と延滞税と併せて納付すべき場合において、納税者の納付した金額がその延滞税の額の計算の基礎となる本税の額に達するまでは、その納付した金額は、まずその計算の基礎となる本税に充てられたものとする。（通法62

②）

（延滞税の額の計算の基礎となる期間の特例）

（3）　修正申告書（偽りその他不正の行為により国税を免れ、又は国税の還付を受けた納税者が当該国税についての調査があったことにより当該国税について更正があるべきことを予知して提出した当該申告書（（4）において「特定修正申告書」という。）を除く。）の提出又は更正（偽りその他不正の行為により国税を免れ、又は国税の還付を受けた納税者についてされた当該国税に係る更正（（4）において「特定更正」という。）を除く。）があった場合において、次の(一)又は(二)のいずれかに該当するときは、当該申告書の提出又は更正により納付すべき国税については、（1）の期間から次に定める期間を控除して、延滞税の額を計算する。（通法61①）

(一)	その申告又は更正に係る国税について期限内申告書が提出されている場合において、その法定申告期限から１年を経過する日後に当該修正申告書が提出され、又は当該更正に係る更正通知書が発せられたとき	その法定申告期限から１年を経過する日の翌日から当該修正申告書が提出され、又は当該更正に係る更正通知書が発せられた日までの期間
(二)	その申告又は更正に係る国税について期限後申告書（還付を受けるための期限後申告書を含む。）が提出されている場合において、その期限後申告書の提出があった日の翌日から起算して１年を経過する日後に当該修正申告書が提出され、又は当該更正に係る更正通知書が発せられたとき	その期限後申告書の提出があった日の翌日から起算して１年を経過する日の翌日から当該修正申告書が提出され、又は当該更正に係る更正通知書が発せられた日までの期間

（期限内申告書等の提出の後、減額更正があった後、増額更正があったときの取扱い）

（4）　修正申告書の提出又は納付すべき税額を増加させる更正（これに類するものとして（5）で定める更正を含む。以下（4）において「増額更正」という。）があった場合において、その申告又は増額更正に係る国税について期限内申告書又は期限後申告書が提出されており、かつ、当該期限内申告書又は期限後申告書の提出により納付すべき税額を減少させる更正（これに類するものとして（6）で定める更正を含む。以下（4）において「減額更正」という。）があった後に当該修正申告書の提出又は増額更正があったときは、当該修正申告書の提出又は増額更正により納付すべき国税（当該期限内申告書又は期限後申告書に係る税額（還付金の額に相当する税額を含む。）に達するまでの部分として（7）で定める国税に限る。以下（4）において同じ。）については、（3）の規定にかかわらず、（1）に規定する期間から次に掲げる期間（特定修正申告書の提出又は特定更正により納付すべき国税その他の（8）で定める国税にあっては、(一)に掲げる期間に限る。）を控除して、（1）の規定を適用する。（通法61②）

(一)	当該期限内申告書又は期限後申告書の提出により納付すべき税額の納付があつた日（その日が当該国税の法定納期限前である場合には、当該法定納期限）の翌日から当該減額更正に係る更正通知書が発せられた日までの期間
(二)	当該減額更正に係る更正通知書が発せられた日（当該減額更正が更正の請求に基づく更正である場合には、同日の翌日から起算して１年を経過する日）の翌日から当該修正申告書が提出され、又は当該増額更正に係る更正通知書が発せられた日までの期間

（（4）に規定する納付すべき税額を増加させる更正に類するものとして（5）で定める更正）

（5）　（4）に規定する納付すべき税額を増加させる更正に類するものとして（5）で定める更正は、還付金の額を減少させる更正又は納付すべき税額があるものとする更正とする。（通令26②）

（（4）に規定する納付すべき税額を減少させる更正に類するものとして（6）で定める更正）

（6）　（4）に規定する納付すべき税額を減少させる更正に類するものとして（6）で定める更正は、（4）に規定する期限内申告書又は期限後申告書（以下「期限内申告書等」という。）に係る還付金の額を増加させる更正又は期限内申告書等に係る還付金の額がない場合において還付金の額があるものとする更正とする。（通令26③）

（（4）に規定する期限内申告書又は期限後申告書に係る税額に達するまでの部分として（7）で定める国税）

（7）　（4）に規定する期限内申告書又は期限後申告書に係る税額に達するまでの部分として（7）で定める国税は、次の

(一)から(三)までに掲げる場合の区分に応じ、当該(一)から(三)までに定める税額に相当する国税とする。(通令26④)

(一)	期限内申告書等の提出により納付すべき税額がある場合　次に掲げる税額のうちいずれか少ない税額 イ　(4)に規定する修正申告書の提出又は増額更正（以下「修正申告書の提出等」という。）により納付すべき税額 ロ　期限内申告書等の提出により納付すべき税額から(4)の修正申告又は増額更正（以下「修正申告等」という。）前の税額を控除した税額（修正申告等前の還付金の額に相当する税額があるときは、期限内申告書等の提出により納付すべき税額に当該還付金の額に相当する税額を加算した税額）
(二)	期限内申告書等の提出により納付すべき税額がない場合（(三)に掲げる場合を除く。）　次に掲げる税額のうちいずれか少ない税額 イ　修正申告書の提出等により納付すべき税額 ロ　修正申告等前の還付金の額に相当する税額
(三)	期限内申告書等に係る還付金の額がある場合　次に掲げる税額のうちいずれか少ない税額 イ　修正申告書の提出等により納付すべき税額 ロ　修正申告等前の還付金の額に相当する税額から期限内申告書等に係る還付金の額に相当する税額を控除した税額

((4)に規定するその他の(8)で定める国税)

(8)　(4)に規定するその他の(8)で定める国税は、次の(一)及び(二)に掲げる国税（(7)に規定する国税に限る。）とする。(通令26⑤)

(一)	(4)に規定する特定修正申告書の提出又は(4)に規定する特定更正により納付すべき国税
(二)	(4)に規定する減額更正が更正の請求に基づく更正である場合において、当該減額更正に係る更正通知書が発せられた日の翌日から起算して1年を経過する日までに修正申告書の提出等があったときの当該修正申告書の提出等により納付すべき国税（(一)前号に掲げる国税を除く。）

(災害等により納期限を延長した場合の延滞税の免除)

(9)　国税通則法第11条《災害等による期限の延長》の規定により国税の納期限を延長した場合には、その国税に係る延滞税のうちその延長をした期間に対応する部分の金額は、免除する。(通法63②)

(更正の請求等に伴う徴収猶予税額に対する延滞税の免除)

(10)　第十章第八節**ー5**②《更正の請求があった場合の徴収猶予》ただし書その他の国税に関する法律の規定により国税の徴収を猶予した場合には、その猶予をした国税に係る延滞税につき、その猶予をした期間のうち当該国税の納期限の翌日から2月を経過する日後の期間（その他国税通則法第63条第1項から第3項まで《納税の猶予等の場合の延滞税の免除》の規定により延滞税の免除がされた場合には、当該免除に係る期間に該当する期間を除く。）に対応する部分の金額の2分の1に相当する金額は、免除する。(通法63④)

(注)　(10)に規定する延滞税（以下(注)において「納税の猶予等をした国税に係る延滞税」という。）につきこれらの規定により免除し、又は免除することができる金額の計算の基礎となる期間を含む年の猶予特例基準割合（平均貸付割合に年0.5%の割合を加算した割合をいう。）が年7.3%の割合に満たない場合には、当該期間であってその年に含まれる期間に対応する納税の猶予等をした国税に係る延滞税についてのこれらの規定の適用については、(10)中「期間のうち当該国税の納期限の翌日から2月を経過する日後の期間」とあるのは「期間」と、「の2分の1」とあるのは「のうち特例延滞税額を超える部分の金額」とする。(措法94②)

(利子税を納付する場合の延滞税の計算期間)

(11)　利子税の額の計算の基礎となる期間は、延滞税の基礎となる期間に算入しない。(通法64②)

第十三章　国税の調査

第一節　税務調査手続

一　税務職員の質問検査権

1　当該職員の所得税等に関する調査に係る質問検査権

（1）　国税庁、国税局若しくは税務署（以下「国税庁等」という。）は、所得税に関する調査について必要があるときは、次の㈠から㈢までに定める者に質問し、その者の事業に関する帳簿書類その他の物件を検査し、又は当該物件（その写しを含む。）の提示若しくは提出を求めることができる。（通法74の２①）

㈠	所得税法の規定による所得税の納税義務がある者若しくは納税義務があると認められる者又は第十章第二節**二 4**①《確定損失申告》、同節**三 2**③《相続人による確定損失申告》若しくは同節**三 4**③《年の中途で出国をする場合の確定損失申告》（これらの規定を同法第166条《申告、納付及び還付》において準用する場合を含む。）の規定による申告書を提出した者
㈡	所得税法第225条第１項《支払調書及び支払通知書》に規定する調書、同法第226条第１項から第３項まで《源泉徴収票》に規定する源泉徴収票又は同法第227条から第228条の３まで《信託の計算書等》に規定する計算書若しくは調書を提出する義務がある者
㈢	㈠に掲げる者に金銭若しくは物品の給付をする義務があったと認められる者若しくは当該義務があると認められる者又は㈠に掲げる者から金銭若しくは物品の給付を受ける権利があったと認められる者若しくは当該権利があると認められる者

（2）　「調査」の意義（国税の調査関係通達１－１）

㈠　この章において、「調査」とは、国税（**1**に掲げる税目に限る。）に関する法律の規定に基づき、特定の納税義務者の課税標準等又は税額等を認定する目的その他国税に関する法律に基づく処分を行う目的で当該職員が行う一連の行為（証拠資料の収集、要件事実の認定、法令の解釈適用など）をいう。

㈡　上記㈠に掲げる調査には、更正決定等を目的とする一連の行為のほか、再調査決定や申請等の審査のために行う一連の行為も含まれることに留意する。

㈢　上記㈠に掲げる調査のうち、次のイ又はロに掲げるもののように、一連の行為のうちに納税義務者に対して質問検査等を行うことがないものについては、**二**から**三**までのそれぞれの規定は適用されないことに留意する。

イ　更正の請求に対して部内の処理のみで請求どおりに更正を行う場合の一連の行為。

ロ　修正申告書若しくは期限後申告書の提出又は源泉徴収等による国税（第二章第一節**一**（２）②に規定する源泉徴収等による国税をいう。以下同じ。）の納付があった場合において、部内の処理のみで更正若しくは決定又は納税の告知があるべきことを予知してなされたものには当たらないものとして過少申告加算税、無申告加算税又は不納付加算税の賦課決定を行うときの一連の行為。

（3）　「調査」に該当しない行為（国税の調査関係通達１－２）

当該職員が行う行為であって、次の㈠から㈤までに掲げる行為のように、特定の納税義務者の課税標準等又は税額等を認定する目的で行う行為に至らないものは、調査には該当しないことに留意する。また、これらの行為のみに起因して修正申告書若しくは期限後申告書の提出又は源泉徴収等による国税の自主納付があった場合には、当該修正申告書等の提出等は更正若しくは決定又は納税の告知があるべきことを予知してなされたものには当たらないことに留意する。

㈠　提出された納税申告書の自発的な見直しを要請する行為で、次に掲げるもの。

イ　提出された納税申告書に法令により添付すべきものとされている書類が添付されていない場合において、納税義務者に対して当該書類の自発的な提出を要請する行為。

ロ　当該職員が保有している情報又は提出された納税申告書の検算その他の形式的な審査の結果に照らして、提出された納税申告書に計算誤り、転記誤り又は記載漏れ等があるのではないかと思料される場合において、納税義務者に対して自発的な見直しを要請した上で、必要に応じて修正申告書又は更正の請求書の自発的な提出を要請する行為。

（二）　提出された納税申告書の記載事項の審査の結果に照らして、当該記載事項につき税法の適用誤りがあるのではないかと思料される場合において、納税義務者に対して、適用誤りの有無を確認するために必要な基礎的情報の自発的な提供を要請した上で、必要に応じて修正申告書又は更正の請求書の自発的な提出を要請する行為。

（三）　納税申告書の提出がないため納税申告書の提出義務の有無を確認する必要がある場合において、当該義務があるのではないかと思料される者に対して、当該義務の有無を確認するために必要な基礎的情報（事業活動の有無等）の自発的な提供を要請した上で、必要に応じて納税申告書の自発的な提出を要請する行為。

（四）　当該職員が保有している情報又は提出された所得税徴収高計算書の記載事項の確認の結果に照らして、源泉徴収税額の納税額に過不足徴収額があるのではないかと思料される場合において、納税義務者に対して源泉徴収税額の自主納付等を要請する行為。

（五）　源泉徴収に係る所得税に関して源泉徴収義務の有無を確認する必要がある場合において、当該義務があるのではないかと思料される者に対して、当該義務の有無を確認するために必要な基礎的情報（源泉徴収の対象となる所得の支払の有無）の自発的な提供を要請した上で、必要に応じて源泉徴収税額の自主納付を要請する行為。

（4）　「当該職員」の意義（国税の調査関係通達１－３）

1の規定により質問検査等を行うことができる「当該職員」とは、国税庁、国税局若しくは税務署又は税関の職員のうち、その調査を行う国税に関する事務に従事している者をいう。

（5）　質問検査等の相手方となる者の範囲（国税の調査関係通達１－４）

1の規定による当該職員の質問検査権は、それぞれに規定する者のほか、調査のために必要がある場合には、これらの者の代理人、使用人その他の従業者についても及ぶことに留意する。

（6）　質問検査等の対象となる「帳簿書類その他の物件」の範囲（国税の調査関係通達１－５）

1に規定する「帳簿書類その他の物件」には、国税に関する法令の規定により備付け、記帳又は保存をしなければならないこととされている帳簿書類のほか、各条に規定する国税に関する調査又は国税通則法第74条の３に規定する徴収の目的を達成するために必要と認められる帳簿書類その他の物件も含まれることに留意する。

（注）　「帳簿書類その他の物件」には、国外において保存するものも含まれることに留意する。

（7）　「物件の提示又は提出」の意義（国税の調査関係通達１－６）

1の規定において、「物件の提示」とは、当該職員の求めに応じ、遅滞なく当該物件（その写しを含む。）の内容を当該職員が確認し得る状態にして示すことを、「物件の提出」とは、当該職員の求めに応じ、遅滞なく当該職員に当該物件（その写しを含む。）の占有を移転することをいう。

2　税務調査において提出された物件の留置き手続

国税庁等又は税関の当該職員は、国税の調査について必要があるときは、当該調査において提出された物件を留め置くことができる。（通法74の７）

（提出物件の留置き、返還等）

（1）　国税庁等又は税関の当該職員は、**2**の規定により物件を留め置く場合には、当該物件の名称又は種類及びその数量、当該物件の提出年月日並びに当該物件を提出した者の氏名及び住所又は居所その他当該物件の留置きに関し必要な事項を記載した書面を作成し、当該物件を提出した者にこれを交付しなければならない。（通令30の３①）

（2）　当該職員は、**2**により留め置いた物件につき留め置く必要がなくなったときは、遅滞なく、これを返還しなければならない。（通令30の３②）

（3）　当該職員は、（2）に規定する物件を善良な管理者の注意をもって管理しなければならない。（通令30の３③）

（4）　「留置き」の意義等（国税の調査関係通達２－１）

（一）　**2**に規定する提出された物件の「留置き」とは、当該職員が提出を受けた物件について国税庁、国税局若しくは税務署又は税関の庁舎において占有する状態をいう。

ただし、提出される物件が、調査の過程で当該職員に提出するために納税義務者等が新たに作成した物件（提出するために新たに作成した写しを含む。）である場合は、当該物件の占有を継続することは**2**に規定する「留置き」には当たらないことに留意する。

（注）　当該職員は、留め置いた物件について、善良な管理者の注意をもって管理しなければならないことに留意する。

（二）　当該職員は、（2）に基づき、留め置いた物件について、留め置く必要がなくなったときは、遅滞なく当該物件を返還しなければならず、また、提出した者から返還の求めがあったときは、特段の支障がない限り、速やかに返還しなければならないことに留意する。

（5）　留置きに係る書面の交付手続（国税の調査関係通達２－２）

（1）から（3）の規定により交付する書面の交付に係る手続については、国税通則法第12条第４項《書類の送達》及び国税通則法施行規則第１条第１項《交付送達の手続》の各規定の適用があることに留意する。

3　特定事業者等への報告の求め

所轄国税局長は、特定取引の相手方となり、又は特定取引の場を提供する事業者（特別の法律により設立された法人を含む。）又は官公署（以下**3**において「特定事業者等」という。）に、特定取引者に係る特定事項について、特定取引者の範囲を定め、60日を超えない範囲内においてその準備に通常要する日数を勘案して定める日までに、報告することを求めることができる。（通法74の７の２①）

（3の規定による処分）

（1）　**3**の規定による処分は、国税に関する調査について必要がある場合において次の(一)から(三)までのいずれかに該当するときに限り、することができる。（通法74の７の２②）

(一)	当該特定取引者が行う特定取引と同種の取引を行う者に対する国税に関する過去の調査において、当該取引に係る所得の金額その他の特定の税目の課税標準が千万円を超える者のうち半数を超える数の者について、当該取引に係る当該税目の課税標準等又は税額等につき更正決定等（国税通則法第36条第１項（第２号に係る部分に限る。）《納税の告知》の規定による納税の告知を含む。）をすべきと認められている場合
(二)	当該特定取引者がその行う特定取引に係る物品又は役務を用いることにより特定の税目の課税標準等又は税額等について国税に関する法律の規定に違反する事実を生じさせることが推測される場合
(三)	当該特定取引者が行う特定取引の態様が経済的必要性の観点から通常の場合にはとられない不合理なものであることから、当該特定取引者が当該特定取引に係る特定の税目の課税標準等又は税額等について国税に関する法律の規定に違反する事実を生じさせることが推測される場合

（用語の意義）

（2）　**3**において、次の(一)から(四)までに掲げる用語の意義は、当該(一)から(四)までに定めるところによる。（通法74の７の２③）

(一)	所轄国税局長	特定事業者等の住所又は居所の所在地を所轄する国税局長をいう。
(二)	特定取引	電子情報処理組織を使用して行われる事業者等（事業者（特別の法律により設立された法人を含む。）又は官公署をいう。以下(二)において同じ。）との取引、事業者等が電子情報処理組織を使用して提供する場を利用して行われる取引その他の取引のうち**3**の規定による処分によらなければこれらの取引を行う者を特定することが困難である取引をいう。
(三)	特定取引者	特定取引を行う者（特定事業者等を除き、（1）(一)に掲げる場合に該当する場合にあっては、特定の税目について千万円の課税標準を生じ得る取引金額を超える同(一)の特定取引を行う者に限る。）をいう。
(四)	特定事項	次に掲げる事項をいう。 イ　氏名（法人については、名称） ロ　住所又は居所 ハ　番号（行政手続における特定の個人を識別するための番号の利用等に関する法律第２条第５項《定義》に規定する個人番号（国税通則法第124条《書類提出者の氏名、住所及び番号の記載》において「個人番号」という。）又は同法第２条第15項に規定する法人番号をいう。以下同じ。）

（注）　上記＿＿下線部については、情報通信技術の活用による行政手続等に係る関係者の利便性の向上並びに行政運営の簡素化及び効率化を図るためのデジタル社会形成基本法等の一部を改正する法律（令和６年法律第46号）により、政令で定める日以後、(四)中「第２条第15項」を「第２条第16項」に改める。（同法附則１二、８三）

（国税庁長官の承認）

（3）　所轄国税局長は、**3**の規定による処分をしようとする場合には、あらかじめ、国税庁長官の承認を受けなければならない。（通法74の７の２④）

（書面による通知）

（4）　**3**の規定による処分は、所轄国税局長が、特定事業者等に対し、**3**に規定する特定取引者の範囲その他**3**の規定により報告を求める事項及び**3**に規定する期日を書面で通知することにより行う。（通法74の７の２⑤）

（事務負担への配慮）

（5）　所轄国税局長は、**3**の規定による処分をするに当たっては、特定事業者等の事務負担に配慮しなければならない。（通法74の７の２⑥）

4　質問検査権限の解釈

1及び**2**（当該職員の質問検査権等）又は**3**の規定による当該職員又は国税局長の権限は、犯罪捜査のために認められたものと解してはならない。（通法74の８）

二　税務調査の事前通知

1　税務調査の事前通知

税務署長等（国税庁長官、国税局長若しくは税務署長又は税関長をいう。以下**三**《調査の終了の際の手続》までにおいて同じ。）は、国税庁等又は税関の当該職員（以下**1**において「当該職員」という。）に納税義務者に対し実地の調査において**1**《当該職員の質問検査権》の規定による質問、検査又は提示若しくは提出の要求（以下「質問検査等」という。）を行わせる場合には、あらかじめ、当該納税義務者（当該納税義務者について税務代理人がある場合には、当該税務代理人を含む。）に対し、その旨及び次に掲げる事項を通知するものとする。（通法74の９①、通令30の４②）

(一)	質問検査等を行う実地の調査（以下**1**において単に「調査」という。）を開始する日時
(二)	調査を行う場所
(三)	調査の目的
(四)	調査の対象となる税目
(五)	調査の対象となる期間
(六)	調査の対象となる帳簿書類その他の物件
(七)	その他調査の適正かつ円滑な実施に必要なものとして(1)で定める事項

（**1**(七)に規定する(1)で定める事項）

（1）　**1**(七)に規定する(1)で定める事項は、次の(一)から(四)までに掲げる事項とする。（通令30の４①）

(一)	調査の相手方である納税義務者の氏名及び住所又は居所
(二)	調査を行う当該職員の氏名及び所属官署（当該職員が複数であるときは、当該職員を代表する者の氏名及び所属官署）
(三)	(一)又は(二)に掲げる事項の変更に関する事項
(四)	**4**の規定の趣旨

（調査の事前通知に係る通知事項）

（2）　**1**(一)から同(七)に掲げる事項のうち、同(二)に掲げる事項については調査を開始する日時において質問検査等を行おうとする場所を、同(三)に掲げる事項については納税申告書の記載内容の確認又は納税申告書の提出がない場合における納税義務の有無の確認その他これらに類する調査の目的を、それぞれ通知するものとし、同(六)に掲げる事項については、同(六)に掲げる物件が国税に関する法令の規定により備付け又は保存をしなければならないこととされているものである場合にはその旨を併せて通知するものとする。（通令30の４②）

2　調査の「開始日時」又は「開始場所」の変更の協議

税務署長等は、**1**の規定による通知を受けた納税義務者から合理的な理由を付して**1**(一)又は**1**(二)に掲げる事項について変更するよう求めがあった場合には、当該事項について協議するよう努めるものとする。(通法74の９②)

3　用語の意義

二において、次の(一)及び(二)に掲げる用語の意義は、当該(一)及び(二)に定めるところによる。(通法74の９③)

(一)	納税義務者	**一1**(一)に掲げる者
(二)	税務代理人	税理士法第30条《税務代理の権限の明示》(同法第48条の16《税理士の権利及び義務等に関する規定の準用》において準用する場合を含む。)の書面を提出している税理士若しくは同法第48条の２《設立》に規定する税理士法人又は同法第51条第１項《税理士業務を行う弁護士等》の規定による通知をした弁護士若しくは同条第３項の規定による通知をした弁護士法人

4　通知事項以外の事項について非違が疑われる場合の質問検査権等

1の規定は、当該職員が、当該調査により当該調査に係る同(三)から同(六)までに掲げる事項以外の事項について非違が疑われることとなった場合において、当該事項に関し質問検査等を行うことを妨げるものではない。この場合において、**1**の規定は、当該事項に関する質問検査等については、適用しない。(通法74の９④)

5　税務代理人がある場合における納税義務者に対する調査の事前通知

納税義務者について税務代理人がある場合において、当該納税義務者の同意がある場合（税理士法施行規則第15条《税務代理権限証書》の税務代理権限証書（**6**において「**税務代理権限証書**」という。）に、**3**(一)に規定する納税義務者への調査の通知は税務代理人に対してすれば足りる旨の記載がある場合）に該当するときは、当該納税義務者への**1**の規定による通知は、当該税務代理人に対してすれば足りる。(通法74の９⑤、通規11の４①)

6　税務代理人が数人ある場合における代表する税務代理人への通知

納税義務者について税務代理人が数人ある場合において、当該納税義務者がこれらの税務代理人のうちから代表する税務代理人を定めた場合として、税務代理権限証書に、当該税務代理権限証書を提出する者を**6**の代表する税務代理人として定めた旨の記載がある場合に該当するときは、これらの税務代理人への**1**の規定による通知は、当該代表する税務代理人に対してすれば足りる。(通法74の９⑥、通規11の４②)

7　通知を要しない場合（事前通知の例外規定）

（１）　**1**にかかわらず、税務署長等が調査の相手方である**3**の納税義務者の申告若しくは過去の調査結果の内容又はその営む事業内容に関する情報その他国税庁等若しくは税関が保有する情報に鑑み、違法又は不当な行為を容易にし、正確な課税標準等又は税額等の把握を困難にするおそれその他国税に関する調査の適正な遂行に支障を及ぼすおそれがあると認める場合には、**1**の規定による通知を要しない。(通法74の10)

（２）　**1**又は**7**の規定の適用範囲（国税の調査関係通達５－１）

1又は**7**の規定が適用される調査には、更正決定等を目的とする調査のほか、再調査決定や申請等の審査のために行う調査も含まれることに留意する。

（３）　申請等の審査のために行う調査の事前通知（国税の調査関係通達５－２）

申請等の審査のため実地の調査を行う場合において、納税義務者に通知する事項である**1**(五)に掲げる「調査の対象となる期間」は、当該申請書等の提出年月日（提出年月日の記載がない場合は、受理年月日）となることに留意する。

（４）　事前通知事項としての「帳簿書類その他の物件」(国税の調査関係通達５－３)

実地の調査を行う場合において、納税義務者に通知する事項である**1**(六)に掲げる「調査の対象となる帳簿書類その他の物件」は、帳簿書類その他の物件が国税に関する法令の規定により備付け又は保存をしなければならないこととされている場合には、当該帳簿書類その他の物件の名称に併せて根拠となる法令を示すものとし、国税に関する法令の規定により備付け又は保存をすることとされていない場合には、帳簿書類その他の物件の一般的な名称又は内容を例示するものとする。

（５）　「調査の対象となる期間」として事前通知した課税期間以外の課税期間に係る「帳簿書類その他の物件」(国税の調査関係通達５－５)

事前通知した課税期間の調査について必要があるときは、事前通知した当該課税期間以外の課税期間（進行年分を含む。）に係る帳簿書類その他の物件も質問検査等の対象となることに留意する。

（注）　例えば、事前通知した課税期間の調査のために、その課税期間より前又は後の課税期間における経理処理を確認する必要があるときは、**4**によることなく必要な範囲で当該確認する必要がある課税期間の帳簿書類その他の物件の質問検査等を行うことは可能であることに留意する。

（6）　事前通知した日時等の変更に係る合理的な理由（国税の調査関係通達５－６）

2の規定の適用に当たり、調査を開始する日時又は調査を行う場所の変更を求める理由が合理的であるか否かは、個々の事案における事実関係に即して、当該納税義務者の私的利益と実地の調査の適正かつ円滑な実施の必要性という行政目的とを比較衡量の上判断するが、例えば、納税義務者等（税務代理人を含む。以下、（6）において同じ。）の病気・怪我等による一時的な入院や親族の葬儀等の一身上のやむを得ない事情、納税義務者等の業務上やむを得ない事情がある場合は、合理的な理由があるものとして取り扱うことに留意する。

（注）　**2**の規定による協議の結果、**1**(一)又は同(二)に掲げる事項を変更することとなった場合には、当該変更を納税義務者に通知するほか、当該納税義務者に税務代理人がある場合には、当該税務代理人にも通知するものとする。

ただし、**6**の規定により**1**の規定による通知を代表する税務代理人に対して行った場合には、当該変更は当該代表する税務代理人に通知すれば足りることに留意する。

なお、**5**の規定により**1**の規定による納税義務者への通知を税務代理人に対して行った場合には、当該変更は当該税務代理人に通知すれば足りることに留意する。

（7）　「その営む事業内容に関する情報」の範囲等（国税の調査関係通達５－７）

7に規定する「その営む事業内容に関する情報」には、事業の規模又は取引内容若しくは決済手段などの具体的な営業形態も含まれるが、単に不特定多数の取引先との間において現金決済による取引をしているということのみをもって事前通知を要しない場合に該当するとはいえないことに留意する。

（8）　「違法又は不当な行為」の範囲（国税の調査関係通達５－８）

7に規定する「違法又は不当な行為」には、事前通知をすることにより、事前通知前に行った違法又は不当な行為の発見を困難にする目的で、事前通知後は、このような行為を行わず、又は、適法な状態を作出することにより、結果として、事前通知後に、違法又は不当な行為を行ったと評価される状態を生じさせる行為が含まれることに留意する。

（9）　「違法又は不当な行為を容易にし、正確な課税標準等又は税額等の把握を困難にするおそれ」があると認める場合の例示（国税の調査関係通達５－９）

7に規定する「違法又は不当な行為を容易にし、正確な課税標準等又は税額等の把握を困難にするおそれ」があると認める場合とは、例えば、次の(一)から(五)までに掲げるような場合をいう。

(一)　事前通知をすることにより、納税義務者において、国税通則法第128条第２号又は同条第３号に掲げる行為を行うことを助長することが合理的に推認される場合。

(二)　事前通知をすることにより、納税義務者において、調査の実施を困難にすることを意図し逃亡することが合理的に推認される場合。

(三)　事前通知をすることにより、納税義務者において、調査に必要な帳簿書類その他の物件を破棄し、移動し、隠匿し、改ざんし、変造し、又は偽造することが合理的に推認される場合。

(四)　事前通知をすることにより、納税義務者において、過去の違法又は不当な行為の発見を困難にする目的で、質問検査等を行う時点において適正な記帳又は書類の適正な記載と保存を行っている状態を作出することが合理的に推認される場合。

(五)　事前通知をすることにより、納税義務者において、その使用人その他の従業者若しくは取引先又はその他の第三者に対し、上記(一)から(四)までに掲げる行為を行うよう、又は調査への協力を控えるよう要請する（強要し、買収し又は共謀することを含む。）ことが合理的に推認される場合。

(10)　「その他国税に関する調査の適正な遂行に支障を及ぼすおそれ」があると認める場合の例示（国税の調査関係通達５－10）

7に規定する「その他国税に関する調査の適正な遂行に支障を及ぼすおそれ」があると認める場合とは、例えば、次の(一)から(三)までに掲げるような場合をいう。

(一)　事前通知をすることにより、税務代理人以外の第三者が調査立会いを求め、それにより調査の適正な遂行に支障を及ぼすことが合理的に推認される場合。

(二)　事前通知を行うため相応の努力をして電話等による連絡を行おうとしたものの、応答を拒否され、又は応答がなかった場合。

(三)　事業実態が不明であるため、実地に臨場した上で確認しないと事前通知先が判明しない等、事前通知を行うことが困難な場合。

三　税務調査の終了の際の手続

1　更正決定等をすべきと認められない場合の通知

税務署長等は、国税に関する実地の調査を行った結果、更正決定等（国税通則法第36条第１項（第二号に係る部分に限る。）《納税の告知》の規定による納税の告知を含む。以下**三**において同じ。）をすべきと認められない場合には、納税義務者（**二３**(一)に掲げる納税義務者をいう。以下**三**において同じ。）であって当該調査において質問検査等の相手方となった者に対し、その時点において更正決定等をすべきと認められない旨を書面により通知するものとする。(通法74の11①)

2　更正決定等をすべきと認められる場合における調査結果の内容等の説明等

国税に関する調査の結果、更正決定等をすべきと認める場合には、当該職員は、当該納税義務者に対し、その調査結果の内容（更正決定等をすべきと認めた額及びその理由を含む。）を説明するものとする。(通法74の11②)

また、**2**の説明をする場合において、当該職員は、当該納税義務者に対し修正申告又は期限後申告を勧奨することができる。この場合において、当該調査の結果に関し当該納税義務者が納税申告書を提出した場合には不服申立てをすることはできないが更正の請求をすることはできる旨を説明するとともに、その旨を記載した書面を交付しなければならない。(通法74の11③)

3　納税義務者の同意がある場合の税務代理人への通知等

実地の調査により質問検査等を行った納税義務者について**二３**(二)に規定する税務代理人がある場合において、当該納税義務者の同意がある場合には、当該納税義務者への**1**及び**2**に規定する通知、説明又は交付（以下**3**において「通知等」という。）に代えて、当該税務代理人への通知等を行うことができる。(通法74の11④)

4　「更正決定等をすべきと認められない旨の通知又は修正申告書の提出等」後における再調査

（1）　**1**の通知をした後又は**2**の調査（実地の調査に限る。）の結果につき納税義務者から修正申告書若しくは期限後申告書の提出若しくは源泉徴収等による国税の納付があった後若しくは更正決定等をした後においても、当該職員は、新たに得られた情報に照らし非違があると認めるときは、**一１**《当該職員の質問検査権》の規定に基づき、当該通知を受け、又は修正申告書若しくは期限後申告書の提出若しくは源泉徴収等による国税の納付をし、若しくは更正決定等を受けた納税義務者に対し、質問検査等を行うことができる。(通法74の11⑤)

（2）　**1**又は**2**の規定の適用範囲（国税の調査関係通達６－１）

1又は**2**の規定は、再調査決定や申請等の審査のために行う調査など更正決定等を目的としない調査には適用されないことに留意する。

（3）　「更正決定等」の範囲（国税の調査関係通達６－２）

三に規定する「更正決定等」には、国税通則法第24条《更正》若しくは同法第26条《再更正》の規定による更正若しくは同法第25条《決定》の規定による決定又は同法第32条《賦課決定》の規定による賦課決定（過少申告加算税、無申告加算税、不納付加算税、重加算税及び過怠税の賦課決定を含む。）のほか、源泉徴収等による国税でその法定納期限までに納付されなかったものに係る同法第36条《納税の告知》に規定する納税の告知が含まれることに留意する。

（4）　「更正決定等をすべきと認めた額」の意義（国税の調査関係通達６－３）

2に規定する「更正決定等をすべきと認めた額」とは、当該職員が調査結果の内容の説明をする時点において得ている情報に基づいて合理的に算定した課税標準等、税額等、加算税又は過怠税の額をいう。

(注)　課税標準等、税額等、加算税又は過怠税の額の合理的な算定とは、例えば、次のようなことをいう。

イ　法人税の所得の金額の計算上当該事業年度の直前の事業年度分の事業税の額を損金の額に算入する場合において、課税標準等、税額等、加算税又は過怠税の額を標準税率により算出すること。

ロ　相続税において未分割の相続財産等がある場合において、課税標準等、税額等、加算税又は過怠税の額を相続税法第55条《未分割遺産に対する課税》の規定に基づき計算し、算出すること。

（5）　調査結果の内容の説明後の調査の再開及び再度の説明（国税の調査関係通達６－４）

国税に関する調査の結果、**2**の規定に基づき調査結果の内容の説明を行った後、当該調査について納税義務者から修正申告書若しくは期限後申告書の提出若しくは源泉徴収等による国税の納付がなされるまでの間又は更正決定等を行うまでの間において、当該説明の前提となった事実が異なることが明らかとなり当該説明の根拠が失われた場合など当該職員が当該説明に係る内容の全部又は一部を修正する必要があると認めた場合には、必要に応じ調査を再開した上で、その結果に基づき、再度、調査結果の内容の説明を行うことができることに留意する。

（6）　調査の終了の際の手続に係る書面の交付手続（国税の調査関係通達６－５）

三の規定による書面の交付に係る手続については、国税通則法第12条第４項《書類の送達》及び国税通則法施行規則

第１条第１項《交付送達の手続》の各規定の適用があることに留意する。

（７）　**4**の規定の適用（国税の調査関係通達６－６）

更正決定等を目的とする調査の結果、**1**の通知を行った後、又は**2**の調査（実地の調査に限る。）の結果につき納税義務者から修正申告書若しくは期限後申告書の提出若しくは源泉徴収等による国税の納付がなされた後若しくは更正決定等を行った後において、新たに得られた情報に照らして非違があると認めるときは、当該職員は当該調査（以下、（７）において「前回の調査」という。）の対象となった納税義務者に対し、前回の調査に係る納税義務に関して、再び質問検査等（以下、「再調査」という。）を行うことができることに留意する。

（注）１　情報の要否に関する制限は、前回の調査が実地の調査の場合に限られるため、前回の調査が実地の調査以外の調査である場合、（１）に規定する「新たに得られた情報」がなくても、**一1**（１）の規定により、調査について必要があるときは、再調査を行うことができることに留意する。

２　前回の調査は、更正決定等を目的とする調査であることから、前回の調査には、（２）に規定するように再調査決定又は申請等の審査のために行う調査は含まれないことに留意する。

（８）　「新たに得られた情報」の意義（国税の調査関係通達６－７）

4に規定する「新たに得られた情報」とは、**1**の通知又は**2**の説明（（５）の「再度の説明」を含む。）に係る国税の調査（実地の調査に限る。）において質問検査等を行った当該職員が、当該通知又は当該説明を行った時点において有していた情報以外の情報をいう。

（注）　調査担当者が調査の終了前に変更となった場合は、変更の前後のいずれかの調査担当者が有していた情報以外の情報をいう。

（９）　「新たに得られた情報に照らし非違があると認めるとき」の範囲（国税の調査関係通達６－８）

4に規定する「新たに得られた情報に照らし非違があると認めるとき」には、新たに得られた情報から非違があると直接的に認められる場合のみならず、新たに得られた情報が直接的に非違に結びつかない場合であっても、新たに得られた情報とそれ以外の情報とを総合勘案した結果として非違があると合理的に推認される場合も含まれることに留意する。

(10)　事前通知事項以外の事項について調査を行う場合の**4**の規定の適用（国税の調査関係通達６－９）

二4の規定により事前通知した税目及び課税期間以外の税目及び課税期間について質問検査等を行おうとする場合において、当該質問検査等が再調査に当たるときは、**4**の規定により、新たに得られた情報に照らし非違があると認められることが必要であることに留意する。

(11)　一の調査（国税の調査関係通達４－１）

(一)　調査は、納税義務者について税目と課税期間によって特定される納税義務に関してなされるものであるから、別段の定めがある場合を除き、当該納税義務に係る調査を一の調査として**二**から**三**までの規定が適用されることに留意する。

（注）　例えば、令和元年分から令和３年分までの所得税について実地の調査を行った場合において、調査の結果、令和３年分の所得税についてのみ更正決定等をすべきと認めるときには、令和元年分及び令和２年分の所得税については更正決定等をすべきと認められない旨を通知することに留意する。

(二)　源泉徴収に係る所得税の納税義務とそれ以外の所得税の納税義務は別個に成立するものであるから、源泉徴収に係る所得税の調査については、それ以外の所得税の調査とは別の調査として、**二**から**三**までの規定が適用されることに留意する。

(三)　同一の納税義務者に納付方法の異なる複数の印紙税の納税義務がある場合には、それぞれの納付方法によって特定される納税義務に関してなされる調査について、**二**から**三**までの規定が適用されることに留意する。

(12)　「課税期間」の意義等（国税の調査関係通達４－２）

(一)　(11)において、「課税期間」とは、国税通則法第２条第９号《定義》に規定する「課税期間」をいうのであるが、具体的には、次のとおりとなることに留意する。

イ　所得税については、暦年。ただし、年の中途で死亡した者又は出国をする者に係る所得税については、その年１月１日からその死亡又は出国の日までの期間。

ロ　個人事業者に係る消費税（消費税法第47条《引取りに係る課税貨物についての課税標準額及び税額の申告等》に該当するものを除く。）については、暦年。

(二)　**二**から**三**までの規定の適用に当たっては、課税期間のない国税については、次のとおりとする。

源泉徴収等による国税については、同一の法定納期限となる源泉徴収等による国税を一の課税期間として取り扱う。

(13)　「実地の調査」の意義（国税の調査関係通達４－４）

二及び**三**に規定する「実地の調査」とは、国税の調査のうち、当該職員が納税義務者の支配・管理する場所（事業所等）等に臨場して質問検査等を行うものをいう。

(14)　通知等の相手方（国税の調査関係通達４－５）

二から**三**までの各条に規定する納税義務者に対する通知、説明、勧奨又は交付（以下、⒁において「通知等」という。）の各手続の相手方は**二３**㈠に規定する「納税義務者」（法人の場合は代表者）となることに留意する。

ただし、納税義務者に対して通知等を行うことが困難な事情等がある場合には、権限委任の範囲を確認した上で、当該納税義務者が未成年者の場合にはその法定代理人、法人の場合にはその役員若しくは経理に関する事務の上席の責任者又は源泉徴収事務の責任者等、一定の業務執行の権限委任を受けている者を通じて当該納税義務者に通知等を行うこととしても差し支えないことに留意する。

⒂　税務代理人を通じた事前通知事項の通知（国税の調査関係通達８－１）

実地の調査の対象となる納税義務者について税務代理人がある場合における**二１**の規定による通知については、同**５**に規定する「納税義務者の同意がある場合」を除き、納税義務者及び税務代理人の双方に対して行うことに留意する。

ただし、納税義務者から同**１**の規定による通知について税務代理人を通じて当該納税義務者に通知して差し支えない旨の申立てがあったときは、「実地の調査において質問検査等を行わせる」旨、同**１**の㈠から㈦までに掲げる事項のうち㈣及び㈤に掲げる事項については当該納税義務者に対して通知を行い、その他の事項については当該税務代理人を通じて当該納税義務者へ通知することとして差し支えないことに留意する。

(注)１　**二５**に規定する「納税義務者の同意がある場合」には、平成26年６月30日以前に提出された税理士法第30条《税務代理の権限の明示》に規定する税務代理権限証書に、同**５**に規定する同意が記載されている場合を含むことに留意する。

２　**二６**に規定する「代表する税務代理人を定めた場合」、当該代表する税務代理人に対して通知すれば足りるが、同**６**に規定する「代表する税務代理人を定めた場合」には、平成27年６月30日以前に提出された税務代理権限証書に、代表する税務代理人が定められている場合も含むことに留意する。

⒃　税務代理人からの事前通知した日時等の変更の求め（国税の調査関係通達８－２）

実地の調査の対象となる納税義務者について税務代理人がある場合において、**二２**の規定による変更の求めは、当該納税義務者のほか当該税務代理人も行うことができることに留意する。

⒄　税務代理人がある場合の実地の調査以外の調査結果の内容の説明等（国税の調査関係通達８－３）

実地の調査以外の調査により質問検査等を行った納税義務者について税務代理人がある場合における**２**に規定する調査結果の内容の説明並びに**２**後段に規定する説明及び交付については、**３**に準じて取り扱うこととしても差し支えないことに留意する。

⒅　法に基づく事前通知と税理士法第34条《調査の通知》に基づく調査の通知との関係（国税の調査関係通達８－４）

実地の調査の対象となる納税義務者について税務代理人がある場合において、当該税務代理人に対して**二１**の規定に基づく通知を行った場合には、税理士法第34条《調査の通知》の規定による通知を併せて行ったものと取り扱うことに留意する。

⒆　一部の納税義務者の同意がない場合における税務代理人への通知等（国税の調査関係通達８－５）

二５及び**３**の規定の適用上、納税義務者の同意があるかどうかは、個々の納税義務者ごとに判断することに留意する。

(注)　例えば、相続税の調査において、複数の納税義務者がある場合における**二５**及び**３**の規定の適用については、個々の納税義務者ごとにその納税義務者の同意の有無により、その納税義務者に通知等を行うかその税務代理人に通知等を行うかを判断することに留意する。

第二節　処分の理由附記

行政手続法第３条第１項《適用除外》に定めるもののほか、国税に関する法律に基づき行われる処分その他公権力の行使に当たる行為（酒税法第２章《酒類の製造免許及び酒類の販売業免許等》の規定に基づくものを除く。）については、行政手続法第２章《申請に対する処分》（第８条《理由の提示》を除く。）及び第３章《不利益処分》（第14条《不利益処分の理由の提示》を除く。）の規定は、適用しない。（通法74の14①）

第十四章　不服申立て及び訴訟

一　総　　則

1　国税に関する処分についての不服申立て

①　国税に関する処分についての不服申立て

国税に関する法律に基づく処分で次の(一)から(三)までに掲げるものに不服がある者は、当該(一)から(三)までに定める不服申立てをすることができる。（通法75①）

(一)	税務署長、国税局長又は税関長がした処分（②に規定する処分を除く。）　次のイ又はロに掲げる不服申立てのうちその処分に不服がある者の選択するいずれかの不服申立て イ　その処分をした税務署長、国税局長又は税関長に対する再調査の請求 ロ　国税不服審判所長に対する審査請求
(二)	国税庁長官がした処分　国税庁長官に対する審査請求
(三)	国税庁、国税局、税務署及び税関以外の行政機関の長又はその職員がした処分　国税不服審判所長に対する審査請求

②　税務署長がした処分に係る事項に関する調査が国税局等の職員によってされた旨の記載がある書面により通知されたものについての不服申立て

国税に関する法律に基づき税務署長がした処分で、その処分に係る事項に関する調査が次の(一)及び(二)に掲げる職員によってされた旨の記載がある書面により通知されたものに不服がある者は、当該(一)及び(二)に定める国税局長又は国税庁長官がその処分をしたものとそれぞれみなして、国税局長がしたものとみなされた処分については当該国税局長に対する再調査の請求又は国税不服審判所長に対する審査請求のうちその処分に不服がある者の選択するいずれかの不服申立てをし、国税庁長官がしたものとみなされた処分については国税庁長官に対する審査請求をすることができる。（通法75②）

(一)	国税局の当該職員　その処分をした税務署長の管轄区域を所轄する国税局長
(二)	国税庁の当該職員　国税庁長官

③　再調査の請求についての決定になお不服があるときの審査請求

①(一)イ又は②（(一)に係る部分に限る。）の規定による再調査の請求（法定の再調査の請求期間経過後にされたものその他その請求が適法にされていないものを除く。④において同じ。）についての決定があった場合において、当該再調査の請求をした者が当該決定を経た後の処分になお不服があるときは、その者は、国税不服審判所長に対して審査請求をすることができる。（通法75③）

④　再調査の請求についての決定を経ない審査請求

①(一)イ又は②（(一)に係る部分に限る。）の規定による再調査の請求をしている者は、次の(一)及び(二)のいずれかに該当する場合には、当該再調査の請求に係る処分について、決定を経ないで、国税不服審判所長に対して審査請求をすることができる。（通法75④）

(一)	再調査の請求をした日（**二１**③の規定により不備を補正すべきことを求められた場合にあっては、当該不備を補正した日）の翌日から起算して３月を経過しても当該再調査の請求についての決定がない場合
(二)	その他再調査の請求についての決定を経ないことにつき正当な理由がある場合

⑤　国税庁、国税局、税務署又は税関の職員がした処分に不服がある場合の不服申立て

国税に関する法律に基づく処分で国税庁、国税局、税務署又は税関の職員がしたものに不服がある場合には、それぞれその職員の所属する国税庁、国税局、税務署又は税関の長がその処分をしたものとみなして、①の規定を適用する。(通法75⑤)

2　適用除外

①　適用除外

次の(一)及び(二)に掲げる処分については、**1**の規定は、適用しない。(通法76①)

(一)	本章**一**から**四**まで（編者注：通法75から113の２まで）又は行政不服審査法の規定による処分その他**1**の規定による不服申立て（以下「不服申立て」という。）についてした処分
(二)	行政不服審査法第７条第１項第７号《適用除外》に掲げる処分

②　不作為についての審査請求の適用除外

本章**一**から**四**まで（編者注：通法75から113の２まで）の規定による処分その他不服申立てについてする処分に係る不作為については、行政不服審査法第３条《不作為についての審査請求》の規定は、適用しない。(通法76②)

3　不服申立期間

①　不服申立期間

不服申立て（**1**③及び同④の規定による審査請求を除く。③において同じ。）は、処分があったことを知った日（処分に係る通知を受けた場合には、その受けた日）の翌日から起算して３月を経過したときは、することができない。ただし、正当な理由があるときは、この限りでない。(通法77①)

②　審査請求期間

1③の規定による審査請求は、**二４**⑩の規定による再調査決定書の謄本の送達があった日の翌日から起算して１月を経過したときは、することができない。ただし、正当な理由があるときは、この限りでない。(通法77②)

③　不服申立ての期間制限

不服申立ては、処分があった日の翌日から起算して１年を経過したときは、することができない。ただし、正当な理由があるときは、この限りでない。(通法77③)

④　国税通則法第22条《郵送等に係る納税申告書等の提出時期》の準用

国税通則法第22条《郵送等に係る納税申告書等の提出時期》の規定は、不服申立てに係る再調査の請求書又は審査請求書について準用する。(通法77④)

(参考)　国税通則法第22条《郵送等に係る納税申告書等の提出時期》

納税申告書（当該申告書に添付すべき書類その他当該申告書の提出に関連して提出するものとされている書類を含む。）その他国税庁長官が定める書類が郵便又は信書便により提出された場合には、その郵便物又は信書便物の通信日付印により表示された日（その表示がないとき、又はその表示が明瞭でないときは、その郵便物又は信書便物について通常要する送付日数を基準とした場合にその日に相当するものと認められる日）にその提出がされたものとみなす。

4　行政不服審査法との関係

①　行政不服審査法との関係

国税に関する法律に基づく処分に対する不服申立て(②に規定する審査請求を除く。)については、本章**一**から**四**まで(編者注：通法75から113の２まで）その他国税に関する法律に別段の定めがあるものを除き、行政不服審査法（同法第二章及び第三章《不服申立てに係る手続》を除く。）の定めるところによる。(通法80①)

②　国税庁長官に対する審査請求と行政不服審査法との関係

1①(二)又は同②（(二)に係る部分に限る。）の規定による審査請求については、本章**一**から**四**まで（編者注：通法75から113の２まで）(**二**及び**三**を除く。）その他国税に関する法律に別段の定めがあるものを除き、行政不服審査法の定めるところによる。（通法80②）

二　再調査の請求

1　再調査の請求書の記載事項等

①　再調査の請求書の記載事項等

再調査の請求は、次の(一)から(四)までに掲げる事項を記載した書面を提出してしなければならない。（通法81①）

(一)	再調査の請求に係る処分の内容
(二)	再調査の請求に係る処分があったことを知った年月日（当該処分に係る通知を受けた場合には、その受けた年月日）
(三)	再調査の請求の趣旨及び理由
(四)	再調査の請求の年月日

②　正当な理由の記載

①の書面（以下「再調査の請求書」という。）には、①に規定する事項のほか、**一3**①又は同③に規定する期間の経過後に再調査の請求をする場合においては、同①ただし書又は同③ただし書に規定する正当な理由を記載しなければならない。（通法81②）

③　再調査審理庁による不備補正の求め及び職権による補正

再調査の請求がされている税務署長その他の行政機関の長（以下「再調査審理庁」という。）は、再調査の請求書が①及び②又は国税通則法第124条《書類提出者の氏名、住所及び番号の記載》の規定に違反する場合には、相当の期間を定め、その期間内に不備を補正すべきことを求めなければならない。この場合において、不備が軽微なものであるときは、再調査審理庁は、職権で補正することができる。（通法81③）

④　再調査の請求人の陳述による補正

再調査の請求人は、③の補正を求められた場合には、その再調査の請求に係る税務署その他の行政機関に出頭して補正すべき事項について陳述し、その陳述の内容を当該行政機関の職員が録取した書面を確認することによっても、これをすることができる。（通法81④）

⑤　再調査の請求人が不備補正の求めに応じない場合等における再調査の請求の却下

③の場合において再調査の請求人が③の期間内に不備を補正しないとき、又は再調査の請求が不適法であって補正することができないことが明らかなときは、再調査審理庁は、**4**①から同⑥までに定める審理手続を経ないで、**3**①の規定に基づき、決定で、当該再調査の請求を却下することができる。（通法81⑤）

2　税務署長を経由する再調査の請求

①　税務署長を経由する再調査の請求

一1②（(一)に係る部分に限る。）の規定による再調査の請求は、当該再調査の請求に係る処分をした税務署長を経由してすることもできる。この場合において、再調査の請求人は、当該税務署長に再調査の請求書を提出してするものとする。（通法82①）

②　再調査の請求期間の計算

①の場合における再調査の請求期間の計算については、①の税務署長に再調査の請求書が提出された時に再調査の請求がされたものとみなす。（通法82③）

3　決　定

①　却下

再調査の請求が法定の期間経過後にされたものである場合その他不適法である場合には、再調査審理庁は、決定で、当該再調査の請求を却下する。（通法83①）

②　棄却

再調査の請求が理由がない場合には、再調査審理庁は、決定で、当該再調査の請求を棄却する。（通法83②）

③　取消し等

再調査の請求が理由がある場合には、再調査審理庁は、決定で、当該再調査の請求に係る処分の全部若しくは一部を取り消し、又はこれを変更する。ただし、再調査の請求人の不利益に当該処分を変更することはできない。（通法83③）

4　決定の手続等

①　口頭意見陳述の機会の付与

再調査審理庁は、再調査の請求人又は参加人（**四5**③に規定する参加人をいう。以下**二**及び**三**において同じ。）から申立てがあった場合には、当該申立てをした者（以下**4**において「申立人」という。）に口頭で再調査の請求に係る事件に関する意見を述べる機会を与えなければならない。ただし、当該申立人の所在その他の事情により当該意見を述べる機会を与えることが困難であると認められる場合には、この限りでない。（通法84①）

②　口頭意見陳述の手続

①本文の規定による意見の陳述（以下**4**において「口頭意見陳述」という。）は、再調査審理庁が期日及び場所を指定し、再調査の請求人及び参加人を招集してさせるものとする。（通法84②）

③　補佐人の帯同

口頭意見陳述において、申立人は、再調査審理庁の許可を得て、補佐人とともに出頭することができる。（通法84③）

④　行政機関の職員の同席

再調査審理庁は、必要があると認める場合には、その行政機関の職員に口頭意見陳述を聴かせることができる。（通法84④）

⑤　口頭意見陳述の制限

口頭意見陳述において、再調査審理庁又は④の職員は、申立人のする陳述が事件に関係のない事項にわたる場合その他相当でない場合には、これを制限することができる。（通法84⑤）

⑥　再調査の請求人又は参加人による証拠書類又は証拠物の提出

再調査の請求人又は参加人は、証拠書類又は証拠物を提出することができる。この場合において、再調査審理庁が、証拠書類又は証拠物を提出すべき相当の期間を定めたときは、その期間内にこれを提出しなければならない。（通法84⑥）

⑦　再調査決定書の記載事項等

再調査の請求についての決定は、主文及び理由を記載し、再調査審理庁が記名押印した再調査決定書によりしなければならない。（通法84⑦）

⑧　維持される処分を正当とする理由の明示

再調査の請求についての決定で当該再調査の請求に係る処分の全部又は一部を維持する場合における⑦に規定する理由においては、その維持される処分を正当とする理由が明らかにされていなければならない。（通法84⑧）

⑨　審査請求をすることができる旨の教示

再調査審理庁は、⑦の再調査決定書（再調査の請求に係る処分の全部を取り消す決定に係るものを除く。）に、再調査の請求に係る処分につき国税不服審判所長に対して審査請求をすることができる旨（却下の決定である場合にあっては、当該却下の決定が違法な場合に限り審査請求をすることができる旨）及び審査請求期間を記載して、これらを教示しなければならない。（通法84⑨）

⑩　再調査の請求についての決定の効力の発生

再調査の請求についての決定は、再調査の請求人（当該再調査の請求が処分の相手方以外の者のしたものである場合における**3**③の規定による決定にあっては、再調査の請求人及び処分の相手方）に再調査決定書の謄本が送達された時に、その効力を生ずる。（通法84⑩）

⑪　再調査決定書の参加人への送付

再調査審理庁は、再調査決定書の謄本を参加人に送付しなければならない。（通法84⑪）

⑫　証拠書類又は証拠物の提出人への返還

再調査審理庁は、再調査の請求についての決定をしたときは、速やかに、⑥の規定により提出された証拠書類又は証拠物をその提出人に返還しなければならない。（通法84⑫）

5　納税地異動の場合における再調査の請求先等

①　納税地異動の場合における再調査の請求先等

所得税等に係る税務署長又は国税局長（以下**5**及び**6**において「税務署長等」という。）の処分（国税の徴収に関する処分及び滞納処分（その例による処分を含む。）を除く。）又は国税通則法第36条第１項《納税の告知》の規定による納税の告知のうち同項第１号（不納付加算税及び第十二章**四 4**③又は同④（同③の重加算税に係る部分に限る。）《重加算税》の重加算税に係る部分に限る。）若しくは第２号に係るもの（以下**5**及び**6**において単に「処分」という。）があった時以後にその納税地に異動があった場合において、その処分の際における納税地を所轄する税務署長等と当該処分について**一 1**①(一)イ又は同②（(一)に係る部分に限る。）の規定による再調査の請求をする際における納税地（以下**5**において「現在の納税地」という。）を所轄する税務署長等とが異なることとなるときは、その再調査の請求は、これらの規定にかかわらず、現在の納税地を所轄する税務署長等に対してしなければならない。この場合においては、その処分は、現在の納税地を所轄する税務署長等がしたものとみなす。（通法85①）

②　納税地異動の場合において再調査の請求書がその処分に係る税務署長等に提出されたとき

①の場合において、再調査の請求書がその処分に係る税務署長等に提出されたときは、当該税務署長等は、その再調査の請求書を受理することができる。この場合においては、その再調査の請求書は、現在の納税地を所轄する税務署長等に提出されたものとみなす。（通法85③）

6　再調査の請求事件の決定機関の特例

所得税等に係る税務署長等の処分について再調査の請求がされている場合において、その処分に係る国税の納税地に異動があり、その再調査の請求がされている税務署長等と異動後の納税地を所轄する税務署長等とが異なることとなるときは、当該再調査の請求がされている税務署長等は、再調査の請求人の申立てにより、又は職権で、当該再調査の請求に係る事件を異動後の納税地を所轄する税務署長等に移送することができる。（通法86①）

三　審査請求

1　審査請求書の記載事項等

①　審査請求書の記載事項等

審査請求は、政令で定めるところにより、次の(一)から(四)までに掲げる事項を記載した書面を提出してしなければならない。（通法87①）

(一)	審査請求に係る処分の内容
(二)	審査請求に係る処分があったことを知った年月日（当該処分に係る通知を受けた場合にはその通知を受けた年月日

	とし、再調査の請求についての決定を経た後の処分について審査請求をする場合には再調査決定書の謄本の送達を受けた年月日とする。)
(三)	審査請求の趣旨及び理由
(四)	審査請求の年月日

(審査請求書の添付書類等)

(1) 国税に関する法律に基づく処分について審査請求をしようとする者は、②に規定する審査請求書に、①(三)の趣旨及び理由を計数的に説明する資料を添付するように努めなければならない。(通令32①)

② **審査請求書の記載事項**(①に規定する事項のほか)

①の書面(以下**三**において「審査請求書」という。)には、①に規定する事項のほか、次の(一)から(三)までに掲げる場合においては、当該(一)から(三)までに定める事項を記載しなければならない。(通法87②)

(一)	**一1**④(一)の規定により再調査の請求についての決定を経ないで審査請求をする場合　再調査の請求をした年月日
(二)	**一1**④(二)の規定により再調査の請求についての決定を経ないで審査請求をする場合　同(二)に規定する正当な理由
(三)	**一3**①から同③までに規定する期間の経過後において審査請求をする場合　同①から同③までのただし書に規定する正当な理由

③ **①(三)に規定する趣旨**

①(三)に規定する趣旨は、処分の取消し又は変更を求める範囲を明らかにするように記載するものとし、同(三)に規定する理由においては、処分に係る通知書その他の書面により通知されている処分の理由に対する審査請求人の主張が明らかにされていなければならないものとする。(通法87③)

2 処分庁を経由する審査請求

① **処分庁を経由する審査請求**

審査請求は、審査請求に係る処分(当該処分に係る再調査の請求についての決定を含む。)をした行政機関の長を経由してすることもできる。この場合において、審査請求人は、当該行政機関の長に審査請求書を提出してするものとする。(通法88①)

② **①の場合における審査請求期間の計算**

①の場合における審査請求期間の計算については、①の行政機関の長に審査請求書が提出された時に審査請求がされたものとみなす。(通法88③)

3 合意によるみなす審査請求

① **合意によるみなす審査請求**

税務署長、国税局長又は税関長に対して再調査の請求がされた場合において、当該税務署長、国税局長又は税関長がその再調査の請求を審査請求として取り扱うことを適当と認めてその旨を再調査の請求人に通知し、かつ、当該再調査の請求人がこれに同意したときは、その同意があった日に、国税不服審判所長に対し、審査請求がされたものとみなす。(通法89①)

② **①の通知に係る書面への処分の理由付記**

①の通知に係る書面には、再調査の請求に係る処分の理由が当該処分に係る通知書その他の書面により処分の相手方に通知されている場合を除き、その処分の理由を付記しなければならない。(通法89②)

③　①の規定に該当するときの再調査の請求書等の国税不服審判所等への送付等

①の規定に該当するときは、①の再調査の請求がされている税務署長、国税局長又は税関長は、その再調査の請求書等(編者注：「再調査の請求書及び関係書類その他の物件」をいう。以下同じ。）を国税不服審判所長に送付し、かつ、その旨を再調査の請求人及び参加人に通知しなければならない。この場合においては、その送付された再調査の請求書は、審査請求書とみなす。(通法89③)

4　他の審査請求に伴うみなす審査請求

①　他の審査請求に伴うみなす審査請求（1）

更正決定等（源泉徴収等による国税に係る納税の告知を含む。以下**4**、国税通則法第104条《併合審理等》及び**五２**①(二)において同じ。）について審査請求がされている場合において、当該更正決定等に係る国税の課税標準等又は税額等（その国税に係る附帯税の額を含む。以下**4**、通法第104条及び**五２**①(二)において同じ。）についてされた他の更正決定等について税務署長、国税局長又は税関長に対し再調査の請求がされたときは、当該再調査の請求がされた税務署長、国税局長又は税関長は、その再調査の請求書等を国税不服審判所長に送付し、かつ、その旨を再調査の請求人に通知しなければならない。(通法90①)

②　他の審査請求に伴うみなす審査請求（2）

更正決定等について税務署長、国税局長又は税関長に対し再調査の請求がされている場合において、当該更正決定等に係る国税の課税標準等又は税額等についてされた他の更正決定等について審査請求がされたときは、当該再調査の請求がされている税務署長、国税局長又は税関長は、その再調査の請求書等を国税不服審判所長に送付し、かつ、その旨を再調査の請求人及び参加人に通知しなければならない。(通法90②)

③　①及び②の場合における審査請求

①及び②の規定により再調査の請求書等が国税不服審判所長に送付された場合には、その送付がされた日に、国税不服審判所長に対し、当該再調査の請求に係る処分についての審査請求がされたものとみなす。(通法90③)

④　3の規定の準用

3②の規定は①又は②の通知に係る書面について、**3**③後段の規定は③の場合について準用する。(通法90④)

5　審査請求書の補正

①　国税不服審判所長による不備の補正の求め及び職権による補正

国税不服審判所長は、審査請求書が**1**又は国税通則法第124条《書類提出者の氏名、住所及び番号の記載》の規定に違反する場合には、相当の期間を定め、その期間内に不備を補正すべきことを求めなければならない。この場合において、不備が軽微なものであるときは、国税不服審判所長は、職権で補正することができる。(通法91①)

②　審査請求人の陳述による補正

審査請求人は、①の補正を求められた場合には、国税不服審判所に出頭して補正すべき事項について陳述し、その陳述の内容を国税不服審判所の職員が録取した書面を確認することによっても、これをすることができる。(通法91②)

6　審理手続を経ないでする却下裁決

①　審理手続を経ないでする却下裁決

5①の場合において、審査請求人が同①の期間内に不備を補正しないときは、国税不服審判所長は、**7**から**16**までに定める審理手続を経ないで、**17**①の規定に基づき、裁決で、当該審査請求を却下することができる。(通法92①)

②　審査請求が不適法であって補正することができない場合の却下

審査請求が不適法であって補正することができないことが明らかなときも、①と同様とする。(通法92②)

7　審理手続の計画的進行

審査請求人、参加人及び8①に規定する原処分庁（以下「審理関係人」という。）並びに担当審判官は、簡易迅速かつ公正な審理の実現のため、審理において、相互に協力するとともに、審理手続の計画的な進行を図らなければならない。（通法92の２）

8　答弁書の提出等

①　答弁書の提出等

国税不服審判所長は、審査請求書を受理したときは、その審査請求を6の規定により却下する場合を除き、相当の期間を定めて、審査請求の目的となった処分に係る行政機関の長（**一1**②（(一)に係る部分に限る。）に規定する処分にあっては、当該国税局長。以下「原処分庁」という。）から、答弁書を提出させるものとする。この場合において、国税不服審判所長は、その受理した審査請求書を原処分庁に送付するものとする。（通法93①）

②　答弁書の記載事項

①の答弁書には、審査請求の趣旨及び理由に対応して、原処分庁の主張を記載しなければならない。（通法93②）

③　答弁書の送付

国税不服審判所長は、原処分庁から答弁書が提出されたときは、これを審査請求人及び参加人に送付しなければならない。（通法93③）

9　担当審判官等の指定

①　担当審判官等の指定

国税不服審判所長は、審査請求に係る事件の調査及び審理を行わせるため、担当審判官１名及び参加審判官２名以上を指定する。（通法94①）

②　担当審判官等になれない者

国税不服審判所長が①の規定により指定する者は、次の(一)から(七)までに掲げる者以外の者でなければならない。（通法94②）

(一)	審査請求に係る処分又は当該処分に係る再調査の請求についての決定に関与した者
(二)	審査請求人
(三)	審査請求人の配偶者、四親等内の親族又は同居の親族
(四)	審査請求人の代理人
(五)	(三)及び(四)に掲げる者であった者
(六)	審査請求人の後見人、後見監督人、保佐人、保佐監督人、補助人又は補助監督人
(七)	**四5**①に規定する利害関係人

10　反論書等の提出

①　反論書等の提出

審査請求人は、8③の規定により送付された答弁書に記載された事項に対する反論を記載した書面（以下**10**及び**16**②(一)ロにおいて「反論書」という。）を提出することができる。この場合において、担当審判官が、反論書を提出すべき相当の期間を定めたときは、その期間内にこれを提出しなければならない。（通法95①）

②　参加人意見書の提出

参加人は、審査請求に係る事件に関する意見を記載した書面（以下**10**及び**16**②(一)ハにおいて「参加人意見書」という。）を提出することができる。この場合において、担当審判官が、参加人意見書を提出すべき相当の期間を定めたときは、そ

の期間内にこれを提出しなければならない。(通法95②)

③　**反論書及び参加人意見書の送付**

担当審判官は、審査請求人から反論書の提出があったときはこれを参加人及び原処分庁に、参加人から参加人意見書の提出があったときはこれを審査請求人及び原処分庁に、それぞれ送付しなければならない。(通法95③)

11　口頭意見陳述

①　**口頭意見陳述**

審査請求人又は参加人の申立てがあった場合には、担当審判官は、当該申立てをした者に口頭で審査請求に係る事件に関する意見を述べる機会を与えなければならない。(通法95の２①)

②　**口頭意見陳述における発問**

①の規定による意見の陳述（③及び**16**②(二)において「口頭意見陳述」という。）に際し、①の申立てをした者は、担当審判官の許可を得て、審査請求に係る事件に関し、原処分庁に対して、質問を発することができる。(通法95の２②)

③　**二４の規定の準用**

二４①ただし書、同②、同③及び同⑤の規定は、①の口頭意見陳述について準用する。この場合において、同②中「再調査審理庁」とあるのは「担当審判官」と、「再調査の請求人及び参加人」とあるのは「全ての審理関係人」と、同③中「再調査審理庁」とあるのは「担当審判官」と、同⑤中「再調査審理庁又は④の職員」とあるのは「担当審判官」と、それぞれ読み替えるものとする。(通法95の２③)

④　**参加審判官の権限**

参加審判官は、担当審判官の命を受け、②の許可及び③において読み替えて準用する**二４**⑤の行為をすることができる。(通法95の２④)

12　証拠書類等の提出

①　**審査請求人等の証拠書類等の提出**

審査請求人又は参加人は、証拠書類又は証拠物を提出することができる。(通法96①)

②　**原処分庁の証拠書類等の提出**

原処分庁は、当該処分の理由となる事実を証する書類その他の物件を提出することができる。(通法96②)

③　**提出期間**

①及び②の場合において、担当審判官が、証拠書類若しくは証拠物又は書類その他の物件を提出すべき相当の期間を定めたときは、その期間内にこれを提出しなければならない。(通法96③)

13　審理のための質問、検査等

①　**審理のための質問、検査等**

担当審判官は、審理を行うため必要があるときは、審理関係人の申立てにより、又は職権で、次の(一)から(四)までに掲げる行為をすることができる。(通法97①)

(一)	審査請求人若しくは原処分庁（④において「審査請求人等」という。）又は関係人その他の参考人に質問すること。
(二)	(一)に規定する者の帳簿書類その他の物件につき、その所有者、所持者若しくは保管者に対し、相当の期間を定めて、当該物件の提出を求め、又はこれらの者が提出した物件を留め置くこと。
(三)	(一)に規定する者の帳簿書類その他の物件を検査すること。
(四)	鑑定人に鑑定させること。

②　国税審判官等への嘱託

国税審判官、国税副審判官その他の国税不服審判所の職員は、担当審判官の嘱託により、又はその命を受け、①(一)又は同(三)に掲げる行為をすることができる。(通法97②)

③　身分証明書の携帯

国税審判官、国税副審判官その他の国税不服審判所の職員は、①(一)及び同(三)に掲げる行為をする場合には、その身分を示す証明書を携帯し、関係者の請求があったときは、これを提示しなければならない。(通法97③)

④　国税不服審判所長による審査請求人等の主張の採否

国税不服審判所長は、審査請求人等（審査請求人と特殊な関係がある者で政令で定めるものを含む。）が、正当な理由がなく、①(一)から同(三)まで又は②の規定による質問、提出要求又は検査に応じないため審査請求人等の主張の全部又は一部についてその基礎を明らかにすることが著しく困難になった場合には、その部分に係る審査請求人等の主張を採用しないことができる。(通法97④)

（審査請求人の特殊関係者の範囲）

（1）　④に規定する審査請求人と特殊な関係がある者で政令で定めるものは、次の(一)から(六)までに掲げる者とする。(通令34)

(一)	審査請求人の配偶者（婚姻の届出をしていないが、事実上婚姻関係と同様の事情にある者を含む。）その他審査請求人と生計を一にし、又は審査請求人から受ける金銭その他の財産により生計を維持している親族
(二)	審査請求人から受ける特別の金銭その他の財産により生計を維持している者で(一)に掲げる者以外のもの
(三)	審査請求人の使用人その他の従業者
(四)	審査請求人である法人の代表者（第二章第一節**三**《人格のない社団等に対する法の適用》に規定する人格のない社団等の管理人を含む。）
(五)	審査請求人が法人税法第２条第10号《同族会社の定義》に規定する同族会社である場合には、その判定の基礎となった株主又は社員である個人及びその者と(一)又は(二)に規定する関係がある者
(六)	審査請求人の代理人、総代又は納税管理人である個人

⑤　①又は②に規定する当該職員の権限

①又は②に規定する当該職員の権限は、犯罪捜査のために認められたものと解してはならない。(通法97⑤)

14　審理手続の計画的遂行

①　審理手続の計画的遂行

担当審判官は、審査請求に係る事件について、審理すべき事項が多数であり又は錯綜しているなど事件が複雑であることその他の事情により、迅速かつ公正な審理を行うため、**11**から**13**①までに定める審理手続を計画的に遂行する必要があると認める場合には、期日及び場所を指定して、審理関係人を招集し、あらかじめ、これらの審理手続の申立てに関する意見の聴取を行うことができる。(通法97の２①)

②　音声の送受信により通話をすることができる方法による意見の聴取

担当審判官は、審理関係人が遠隔の地に居住している場合その他相当と認める場合には、政令で定めるところにより、担当審判官及び審理関係人が音声の送受信により通話をすることができる方法によって、①に規定する意見の聴取を行うことができる。(通法97の２②)

（通話者等の確認）

（1）　担当審判官は、②の規定による意見の聴取を行う場合には、通話者及び通話先の場所の確認をしなければならない。(通令35)

③　審理手続の期日、場所及び終結の予定時期の決定及び通知

担当審判官は、①及び②の規定による意見の聴取を行ったときは、遅滞なく、**11**から**13**①までに定める審理手続の期日及び場所並びに**16**①の規定による審理手続の終結の予定時期を決定し、これらを審理関係人に通知するものとする。当該予定時期を変更したときも、同様とする。（通法97の２③）

15　審理関係人による物件の閲覧等

①　審理関係人による物件の閲覧等

審理関係人は、**16**①又は同②の規定により審理手続が終結するまでの間、担当審判官に対し、**12**①若しくは同②又は**13**①(二)の規定により提出された書類その他の物件の閲覧（電磁的記録にあっては、記録された事項を財務省令で定めるところにより表示したものの閲覧）又は当該書類の写し若しくは当該電磁的記録に記録された事項を記載した書面の交付を求めることができる。この場合において、担当審判官は、第三者の利益を害するおそれがあると認めるとき、その他正当な理由があるときでなければ、その閲覧又は交付を拒むことができない。（通法97の３①）

（電磁的記録に記録された事項の表示等）

（1）　①の規定による閲覧に係る電磁的記録に記録された事項の表示は、当該事項を紙面又は出力装置の映像面に表示する方法により行うものとする。（通規11の10①）

②　物件の閲覧等に係る意見聴取

担当審判官は、①の規定による閲覧をさせ、又は①の規定による交付をしようとするときは、当該閲覧又は交付に係る書類その他の物件の提出人の意見を聴かなければならない。ただし、担当審判官が、その必要がないと認めるときは、この限りでない。（通法97の３②）

③　閲覧日時及び場所の指定

担当審判官は、①の規定による閲覧について、日時及び場所を指定することができる。（通法97の３③）

④　書類の交付手数料

①の規定による交付を受ける審査請求人又は参加人は、（2）で定めるところにより、実費の範囲内において（2）で定める額の手数料を納めなければならない。（通法97の３④）

（④の規定により納付しなければならない手数料）

（1）　④の規定により納付しなければならない手数料の額は、用紙１枚につき10円（カラーで複写され、又は出力された用紙にあっては、20円）とする。この場合において、両面に複写され、又は出力された用紙については、片面を１枚として手数料の額を算定する。（通令35の２③）

（手数料の納付方法）

（2）　手数料は、財務省令で定める書面に収入印紙を貼って納付しなければならない。ただし、次の(一)及び(二)に掲げる場合は、この限りでない。（通令35の２④）

(一)	手数料の納付について収入印紙によることが適当でない審査請求として国税庁長官がその範囲及び手数料の納付の方法を官報により公示した場合において、公示された方法により手数料を納付する場合
(二)	国税不服審判所の事務所において手数料の納付を現金ですることが可能である旨及び当該事務所の所在地を国税庁長官が官報により公示した場合において、手数料を当該事務所において現金で納付する場合

⑤　書類の交付手数料の減額又は免除

担当審判官は、経済的困難その他特別の理由があると認めるときは、政令で定めるところにより、④の手数料を減額し、又は免除することができる。（通法97の３⑤）

（減額又は免除される額）

（1）　担当審判官は、①の規定による交付を受ける審査請求人又は参加人が経済的困難により手数料を納付する資力がないと認めるときは、①の規定による交付の求め１件につき2,000円を限度として、手数料を減額し、又は免除することができる。（通令35の２⑤）

16　審理手続の終結

①　審理手続の終結

担当審判官は、必要な審理を終えたと認めるときは、審理手続を終結するものとする。（通法97の４①）

②　物件が提出されない場合等の審理手続の終結

①に定めるもののほか、担当審判官は、次の(一)及び(二)のいずれかに該当するときは、審理手続を終結することができる。（通法97の４②）

(一)	次のイからホまでに掲げる規定の相当の期間内に、当該イからホまでに定める物件が提出されない場合において、更に一定の期間を示して、当該物件の提出を求めたにもかかわらず、当該提出期間内に当該物件が提出されなかったとき。 イ　**8**①前段　答弁書 ロ　**10**①後段　反論書 ハ　**10**②後段　参加人意見書 ニ　**12**③　証拠書類若しくは証拠物又は書類その他の物件 ホ　**13**①(二)　帳簿書類その他の物件
(二)	**11**①に規定する申立てをした審査請求人又は参加人が、正当な理由がなく、口頭意見陳述に出頭しないとき。

③　審理手続終結の通知

担当審判官が①及び②の規定により審理手続を終結したときは、速やかに、審理関係人に対し、審理手続を終結した旨を通知するものとする。（通法97の４③）

17　裁決

①　却下

審査請求が法定の期間経過後にされたものである場合その他不適法である場合には、国税不服審判所長は、裁決で、当該審査請求を却下する。（通法98①）

②　棄却

審査請求が理由がない場合には、国税不服審判所長は、裁決で、当該審査請求を棄却する。（通法98②）

③　取消し等

審査請求が理由がある場合には、国税不服審判所長は、裁決で、当該審査請求に係る処分の全部若しくは一部を取り消し、又はこれを変更する。ただし、審査請求人の不利益に当該処分を変更することはできない。（通法98③）

④　裁決の手続

国税不服審判所長は、裁決をする場合（**6**の規定により当該審査請求を却下する場合を除く。）には、担当審判官及び参加審判官の議決に基づいてこれをしなければならない。（通法98④）

18　国税庁長官の法令の解釈と異なる解釈等による裁決

国税不服審判所長は、国税庁長官が発した通達に示されている法令の解釈と異なる解釈により裁決をするとき、又は他の国税に係る処分を行う際における法令の解釈の重要な先例となると認められる裁決をするときは、あらかじめその意見を国税庁長官に通知しなければならない。（通法99①）

19　裁決の方式等

①　裁決書の記載事項等

裁決は、次の(一)から(四)までに掲げる事項を記載し、国税不服審判所長が記名押印した裁決書によりしなければならない。（通法101①）

(一)	主文
(二)	事案の概要
(三)	審理関係人の主張の要旨
(四)	理由

②　二４⑧の規定の準用

二４⑧の規定は、①の裁決について準用する。（通法101②）

③　裁決の効力の発生

裁決は、審査請求人（当該審査請求が処分の相手方以外の者のしたものである場合における**17**③の規定による裁決にあっては、審査請求人及び処分の相手方）に裁決書の謄本が送達された時に、その効力を生ずる。（通法101③）

④　裁決書の送付

国税不服審判所長は、裁決書の謄本を参加人及び原処分庁（**一１**②（(一)に係る部分に限る。）に規定する処分に係る審査請求にあっては、当該処分に係る税務署長を含む。）に送付しなければならない。（通法101④）

20　裁決の拘束力

①　裁決の拘束力

裁決は、関係行政庁を拘束する。（通法102①）

②　申請等に基づいてした処分が裁決で取り消された場合の当該処分に係る行政機関の長の義務

申請若しくは請求に基づいてした処分が手続の違法若しくは不当を理由として裁決で取り消され、又は申請若しくは請求を却下し若しくは棄却した処分が裁決で取り消された場合には、当該処分に係る行政機関の長は、裁決の趣旨に従い、改めて申請又は請求に対する処分をしなければならない。（通法102②）

③　国税に関する処分が取り消された場合等の公示

国税に関する法律に基づいて公示された処分が裁決で取り消され、又は変更された場合には、当該処分に係る行政機関の長は、当該処分が取り消され、又は変更された旨を公示しなければならない。（通法102③）

④　利害関係人への通知

国税に関する法律に基づいて処分の相手方以外の**四５**①に規定する利害関係人に通知された処分が裁決で取り消され、又は変更された場合には、当該処分に係る行政機関の長は、その通知を受けた者（審査請求人及び参加人を除く。）に、当該処分が取り消され、又は変更された旨を通知しなければならない。（通法102④）

21　証拠書類等の返還

国税不服審判所長は、裁決をしたときは、速やかに、**12**①又は同②の規定により提出された証拠書類若しくは証拠物又は書類その他の物件及び**13**①(二)の規定による提出要求に応じて提出された帳簿書類その他の物件をその提出人に返還しなければならない。（通法103）

四　雑　則

1　不服申立てと国税の徴収との関係

国税に関する法律に基づく処分に対する不服申立ては、その目的となった処分の効力、処分の執行又は手続の続行を妨げない。ただし、その国税の徴収のため差し押さえた財産（国税徴収法第89条の２第４項《参加差押えをした税務署長による換価》に規定する特定参加差押不動産を含む。）の滞納処分（その例による処分を含む。）による換価は、その財産の価額が著しく減少するおそれがあるとき、又は不服申立人（不服申立人が処分の相手方でないときは、不服申立人及び処分の相手方）から別段の申出があるときを除き、その不服申立てについての決定又は裁決があるまで、することができない。（通法105①）

2　不服申立人の地位の承継

①　不服申立人の地位の承継

不服申立人が死亡したときは、相続人（民法第951条《相続財産法人の成立》の規定の適用がある場合には、同条の法人）は、不服申立人の地位を承継する。（通法106①）

②　不服申立人の地位の承継の届出

①の場合において、不服申立人の地位を承継した者は、書面でその旨を国税不服審判所長等に届け出なければならない。この場合においては、届出書には、死亡若しくは分割による権利の承継又は合併の事実を証する書面を添附しなければならない。（通法106③）

3　代理人

①　代理人の選任

不服申立人は、弁護士、税理士その他適当と認める者を代理人に選任することができる。（通法107①）

②　代理人の権限

①の代理人は、各自、不服申立人のために、当該不服申立てに関する一切の行為をすることができる。ただし、不服申立ての取下げ及び代理人の選任は、特別の委任を受けた場合に限り、することができる。（通法107②）

4　総代

①　総代の互選

多数人が共同して不服申立てをするときは、３人を超えない総代を互選することができる。（通法108①）

②　総代互選の命令

共同不服申立人が総代を互選しない場合において、必要があると認めるときは、国税不服審判所長等は、総代の互選を命ずることができる。（通法108②）

③　総代の権限

総代は、各自、他の共同不服申立人のために、不服申立ての取下げを除き、当該不服申立てに関する一切の行為をすることができる。（通法108③）

④　総代が選任された場合の共同不服申立人の制限

総代が選任されたときは、共同不服申立人は、総代を通じてのみ③の行為をすることができる。（通法108④）

⑤　共同不服申立人に対する通知その他の行為

共同不服申立人に対する国税不服審判所長等（担当審判官及び**一１**①(二)又は同②（(二)に係る部分に限る。）の規定による審査請求に係る審理員を含む。）の通知その他の行為は、２人以上の総代が選任されている場合においても、１人の総代に対してすれば足りる。（通法108⑤）

⑥　**総代の解任**

共同不服申立人は、必要があると認める場合には、総代を解任することができる。（通法108⑥）

5　参加人

①　**参加人**（利害関係人の参加）

利害関係人（不服申立人以外の者であって不服申立てに係る処分の根拠となる法令に照らし当該処分につき利害関係を有するものと認められる者をいう。②において同じ。）は、国税不服審判所長等の許可を得て、当該不服申立てに参加することができる。（通法109①）

②　**利害関係人に対する参加の求め**

国税不服審判所長等は、必要があると認める場合には、利害関係人に対し、当該不服申立てに参加することを求めることができる。（通法109②）

③　**3①の規定の準用**

3①の規定は、参加人（①及び②の規定により当該不服申立てに参加する者をいう。）の不服申立てへの参加について準用する。（通法109③）

6　不服申立ての取下げ

不服申立人は、不服申立てについての決定又は裁決があるまでは、いつでも、書面により当該不服申立てを取り下げることができる。（通法110①）

7　3月後の教示

①　**3月後の教示**

再調査審理庁は、再調査の請求がされた日（**二1**③の規定により不備を補正すべきことを求めた場合にあっては、当該不備が補正された日）の翌日から起算して3月を経過しても当該再調査の請求が係属しているときは、遅滞なく、当該処分について直ちに国税不服審判所長に対して審査請求をすることができる旨を書面でその再調査の請求人に教示しなければならない。（通法111①）

②　**三3②の規定の準用**

三3②の規定は、①の教示に係る書面について準用する。（通法111②）

8　誤った教示をした場合の救済

①　**誤った教示をした場合の救済**

国税に関する法律に基づく処分をした行政機関が、不服申立てをすべき行政機関を教示する際に、誤って当該行政機関でない行政機関を教示した場合において、その教示された行政機関に対し教示された不服申立てがされたときは、当該行政機関は、速やかに、再調査の請求書又は審査請求書を再調査の請求をすべき行政機関又は国税不服審判所長若しくは国税庁長官に送付し、かつ、その旨を不服申立人に通知しなければならない。（通法112①）

②　**誤って再調査の請求をすることができる旨を教示しなかった場合の救済**

国税に関する法律に基づく処分（再調査の請求をすることができる処分に限る。③において同じ。）をした行政機関が、誤って再調査の請求をすることができる旨を教示しなかった場合において、国税不服審判所長に審査請求がされた場合であって、審査請求人から申立てがあったときは、国税不服審判所長は、速やかに、審査請求書を再調査の請求をすべき行政機関に送付しなければならない。ただし、**三8**③の規定により審査請求人に答弁書を送付した後においては、この限りでない。（通法112②）

③　**誤って審査請求をすることができる旨を教示しなかった場合の救済**

国税に関する法律に基づく処分をした行政機関が、誤って審査請求をすることができる旨を教示しなかった場合において、税務署長、国税局長又は税関長に対して再調査の請求がされた場合であって、再調査の請求人から申立てがあったときは、当該税務署長、国税局長又は税関長は、速やかに、再調査の請求書等を国税不服審判所長に送付しなければならない。（通法112③）

④　不服申立人及び参加人への通知

②及び③の規定により審査請求書又は再調査の請求書等の送付を受けた行政機関又は国税不服審判所長は、速やかに、その旨を不服申立人及び参加人に通知しなければならない。（通法112④）

⑤　みなす規定

①から③までの規定により再調査の請求書又は審査請求書が再調査の請求をすべき行政機関又は国税不服審判所長若しくは国税庁長官に送付されたときは、初めから再調査の請求をすべき行政機関に再調査の請求がされ、又は国税不服審判所長若しくは国税庁長官に審査請求がされたものとみなす。（通法112⑤）

五　訴　訟

1　行政事件訴訟法との関係

国税に関する法律に基づく処分に関する訴訟については、**五**及び他の国税に関する法律に別段の定めがあるものを除き、行政事件訴訟法その他の一般の行政事件訴訟に関する法律の定めるところによる。（通法114）

2　不服申立ての前置等

①　不服申立ての前置等

国税に関する法律に基づく処分で不服申立てをすることができるものの取消しを求める訴えは、審査請求についての裁決を経た後でなければ、提起することができない。ただし、次の(一)から(三)までのいずれかに該当するときは、この限りでない。（通法115①）

(一)	国税不服審判所長又は国税庁長官に対して審査請求がされた日の翌日から起算して３月を経過しても裁決がないとき。
(二)	更正決定等の取消しを求める訴えを提起した者が、その訴訟の係属している間に当該更正決定等に係る国税の課税標準等又は税額等についてされた他の更正決定等の取消しを求めようとするとき。
(三)	審査請求についての裁決を経ることにより生ずる著しい損害を避けるため緊急の必要があるとき、その他その裁決を経ないことにつき正当な理由があるとき。

②　裁判所への再調査決定書又は裁決書の謄本の送付

国税に関する法律に基づく処分についてされた再調査の請求又は審査請求について決定又は裁決をした者は、その決定又は裁決をした時にその処分についての訴訟が係属している場合には、その再調査決定書又は裁決書の謄本をその訴訟が係属している裁判所に送付するものとする。（通法115②）

3　原告が行うべき証拠の申出

①　原告が行うべき証拠の申出

国税に関する法律に基づく処分（更正決定等及び納税の告知に限る。以下①において「課税処分」という。）に係る行政事件訴訟法第３条第２項《処分の取消しの訴え》に規定する処分の取消しの訴えにおいては、その訴えを提起した者が必要経費又は損金の額の存在その他これに類する自己に有利な事実につき課税処分の基礎とされた事実と異なる旨を主張しようとするときは、相手方当事者である国が当該課税処分の基礎となった事実を主張した日以後遅滞なくその異なる事実を具体的に主張し、併せてその事実を証明すべき証拠の申出をしなければならない。ただし、当該訴えを提起した者が、その責めに帰することができない理由によりその主張又は証拠の申出を遅滞なくすることができなかったことを証明したときは、この限りでない。（通法116①）

②　時機に後れた攻撃防御方法の却下の規定のみなし適用

①の訴えを提起した者が①の規定に違反して行った主張又は証拠の申出は、民事訴訟法第157条第１項《時機に後れた攻撃防御方法の却下》の規定の適用に関しては、同項に規定する時機に後れて提出した攻撃又は防御の方法とみなす。（通法116②）

第十五章　雑　　則

一　事業所得等を有する者の帳簿書類の備付け等

1　記帳制度の対象者等

その年において不動産所得、事業所得若しくは山林所得を生ずべき業務を行う居住者又は第二章第二節**4**⑥(一)及び同(二)《非居住者に対する課税の方法》に定める国内源泉所得に係るこれらの業務を行う非居住者（青色申告書を提出することにつき税務署長の承認を受けている者を除く。）は、(1)で定めるところにより、帳簿を備え付けてこれにこれらの所得を生ずべき業務に係るその年の取引（恒久的施設を有する非居住者にあっては、第161条第1項第1号《国内源泉所得》に規定する内部取引に該当するものを含む。**2**において同じ。）のうち総収入金額及び必要経費に関する事項を(2)で定める簡易な方法により記録し、かつ、当該帳簿（その年においてこれらの業務に関して作成したその他の帳簿及びこれらの業務に関して作成し、又は受領した(3)で定める書類を含む。**3**において同じ。）を(4)で定めるところにより保存しなければならない。（法232①）

（帳簿の備付け、記録）

(1)　**1**に規定する居住者又は非居住者（(4)において「居住者等」という。）は、帳簿を備え、その適用を受ける年分の不動産所得の金額、事業所得の金額及び山林所得の金額が正確に計算できるように、これらの所得を生ずべき業務に係るその年の取引でこれらの所得に係る総収入金額及び必要経費に関する事項を、(2)に規定する記録の方法に従い、整然と、かつ、明瞭に記録しなければならない。（規102①）

（簡易な記録の方法）

(2)　**1**に規定する簡易な方法は、財務大臣の定める記録の方法とする。（規102②）

財務大臣は、(2)の規定により記録の方法を定めたときは、これを告示する。（規102⑥）

（注）　上記告示（昭59大蔵省告示第37号）は次ページ以下の〈告示〉のとおりである。（編者注）

（保存書類）

(3)　**1**に規定する書類は、次に掲げる書類とする。（規102③）

(一)　その年の決算に関して作成した棚卸表その他の書類

(二)　その年において**1**に規定する業務に関して作成し、又は受領した請求書、納品書、送り状、領収書その他これらに類する書類（自己の作成したこれらの書類でその写しのあるものは、当該写しを含む。）

（保存方法）

(4)　居住者等は、(1)の帳簿（その年において**1**に規定する業務に関して作成したその他の帳簿及び(3)(一)又は同(二)に掲げる書類を含む。(注)において「帳簿等」という。）を、第十一章**三10**《帳簿書類の整理保存》に規定する起算日から7年間（その他の帳簿及び(3)(一)又は同(二)に掲げる書類にあっては、5年間）、その者の住所地若しくは居所地又はその営む事業に係る事務所、事業所その他これらに準ずるものの所在地に保存しなければならない。この場合において、(3)(一)又は同(二)に掲げる書類は、これを整理して保存しなければならないものとする。（規102④）

（注）　(4)の期間は、帳簿についてはその閉鎖の日の属する年の翌年3月15日の翌日、書類についてはその作成又は受領の日の属する年の翌年3月15日の翌日から、それぞれ起算する。（規102⑤により読み替えて準用する規63⑤）

（非居住者に対する(1)から(4)までの規定の適用）

(5)　非居住者に対する(1)から(4)までの規定の適用については、(1)中「取引」とあるのは「取引（非居住者にあっては、第二章第二節**4**⑥(一)及び同(二)《非居住者に対する課税の方法》に定める国内源泉所得に係る所得((3)(一)において「国内源泉所得に係る所得」という。)に影響を及ぼす取引（恒久的施設を有する非居住者にあっては、第二章第二節の**4**①(一)《国内源泉所得》に規定する内部取引に該当するものを含む。）とする。)」と、(3)(一)中「の書類」とあるのは「の書類で国内源泉所得に係る所得に影響を及ぼすもの」と、同(二)及び**2**（2）中「含む。）」とあるのは「含む。）及び所得税法施行規則第68条の３第１号《内部取引に関する書類》に掲げる書類又はその写し」とする。（規102⑨）

〈告示〉　所得税法施行規則第102条第１項に規定する総収入金額及び必要経費に関する事項の簡易な記録の方法を定める告示（昭59大蔵省告示第37号、最終改正令３財務省告示第81号）

1（2）の規定に基づき、**1**（1）（**1**（5）の規定により読み替えて適用する場合を含む。）に規定する総収入金額及び必要経費に関する事項の簡易な記録の方法を次のように定め、昭和60年分の所得税から適用する。

①　**1**（1）（**1**（5）の規定により読み替えて適用する場合を含む。）に規定する取引のうち総収入金額及び必要経費に関する事項の記録の方法は、当該取引に係る業務の区分及び当該事項の区分に応じそれぞれ別表に定める記録の方法とする。

②　①の取引のうち不動産所得、事業所得及び山林所得に係る総収入金額又は必要経費に算入されない収入又は支出を含むものについては、その都度その総収入金額又は必要経費に算入されない金額を除いて記録しなければならない。ただし、その都度区分整理し難いものは、年末において一括して区分整理することができる。

別　表

一　事業所得の部

（イ）　**一 般 の 部**

区　分	記　録　方　法
(一)　売上（加工その他の役務の給付等売上と同様の性質を有する収入金額及び家事消費等を含む。）に関する事項	取引の年月日、売上先その他の相手方及び金額並びに日々の売上の合計金額を記載する。ただし、次に掲げるところによることができる。 （1）　少額な現金売上については、日々の合計金額のみを一括記載する。 （2）　小売その他これに類するものを行う者の現金売上については、日々の合計金額のみを一括記載する。 （3）　保存している納品書控、請求書控等によりその内容を確認できる取引については、日々の合計金額のみを一括記載する。 （4）掛売上の取引で保存している納品書控、請求書控等によりその内容を確認できるものについては、日々の記載を省略し、現実に代金を受け取った時に現金売上として記載する。この場合には、年末における売掛金の残高を記載するものとする。 （5）　いわゆる時貸については、日々の記載を省略し、現実に代金を受け取った時に現金売上として記載する。この場合には、年末における時貸の残高を記載するものとする。 （6）　棚卸資産の家事消費等については、年末において、消費等をしたものの種類別に、その合計金額を見積もり、当該合計金額のみを一括記載する。
(二)　(一)に掲げるもの以外の収入に関する事項	取引の年月日、事由、相手方及び金額を記載する。ただし、次に掲げるところによることができる。 （1）　少額な雑収入等については、その事由ごとに、日々の合計金額のみを一括記載する。 （2）　現実に入金した時に記載する。この場合には、年末における雑収入等の未収額及び前受額を記載するものとする。
(三)　仕入に関する事項	取引の年月日、仕入先その他の相手方及び金額並びに日々の仕入の合計金額を記載する。ただし、次に掲げるところによることができる。 （1）　少額な現金仕入については、日々の合計金額のみを一括記載する。 （2）保存している納品書、請求書等によりその内容を確認できる取引については、日々の合計金額のみを一括記載する。 （3）　掛仕入の取引で保存している納品書、請求書等によりその内容を確認できるものについては、日々の記載を省略し、現実に代金を支払った時に現金仕入として記載する。この場合には、年末における買掛金の残高を記載するものとする。 （4）　いわゆる時借については、日々の記載を省略し、現実に代金を支払った時に現金仕入として記載する。この場合には、年末における時借の残高を記載するものとする。
(四)　（3）に掲げるもの以外の費	雇人費、外注工費、減価償却費、貸倒金、地代家賃、利子割引料及びその他の経費の項目に区分して、それぞれその取引の年月日、事由、支払先及び金額を記載する。ただし、次に掲げるとこ

用に関する事項	ろによることができる。 （1）　少額な費用については、その項目ごとに、日々の合計金額のみを一括記載する。 （2）　現実に出金した時に記載する。この場合には、年末における費用の未払額及び前払額を記載するものとする。

（ロ）　**農業の部**

区　　分	記　　録　　方　　法
(一)　収入に関する事項 （1）　農産物（第六章第一節**ー6**の農産物をいう。以下この表において同じ。）の収穫に関する事項	収穫の年月日、農産物の種類及び数量を記載する。ただし、米、麦その他の穀物以外の農産物については、収穫に関する事項の記載を省略することができる。
（2）　農産物、繭、畜産物等の売上、家事消費等に関する事項	取引の年月日、売上先その他取引の相手方及び金額を記載する。ただし、次に掲げるところによることができる。 （1）　少額な現金売上については、日々の合計金額のみを一括記載する。 （2）　保存している納品書控、請求書控等によりその内容を確認できる取引については、日々の合計金額のみを一括記載する。 （3）　掛売上の取引で保存している納品書控、請求書控等によりその内容を確認できるものについては、日々の記載を省略し、現実に代金を受け取った時に現金売上として記載する。この場合には、年末における売掛金の残高を記載するものとする。 （4）　農産物の事業用消費若しくは家事消費等又は繭、畜産物等の家事消費等については、年末において、消費等をしたものの種類別にその合計を見積もり、それぞれその合計数量及び合計金額のみを一括記載する。
(二)　費用に関する事項 （1）　農産物の収穫価額に関する事項	収穫の年月日、農産物の種類及び数量を記載する。ただし、米、麦その他の穀物以外の農産物については、収穫に関する事項の記載を省略することができる。
（2）　（1）に掲げるもの以外の費用に関する事項	雇人費、小作料、減価償却費、貸倒金、利子割引料及びその他の経費の項目に区分して、それぞれの取引の年月日、事由、支払先及び金額を記載する。ただし、次に掲げるところによることができる。 （1）　少額な費用については、その項目ごとに、日々の合計金額のみを一括記載する。 （2）　まだ収穫していない農産物、未成育の牛馬等又は未成熟の果樹等について要した費用は、年末においてその整理を行う。 （3）　自ら収穫した農産物で肥料、飼料等として自己の農業に消費するものの事業用消費については、年末において、消費したものの種類別にその合計を見積もり、それぞれの合計数量及び合計金額のみを一括記載する。 （4）　現実に出金した時に記載する。この場合には、年末における費用の未払額及び前払額を記載するものとする。

二　不動産所得の部

区　　　分	記　　　録　　　方　　　法
(一)　収入に関する事項	賃貸料、雑収入のようにそれぞれ適宜な項目に区分して、それぞれその取引の年月日、事由、相手方及び金額を記載する。ただし、保存している契約書、領収書控等によりその内容を確認できる取引については、その項目ごとに、日々の合計金額のみを一括記載することができる。
(二)　費用に関する事項	雇人費、減価償却費、貸倒金、地代、借入金利子及びその他の経費の項目に区分して、それぞれその取引の年月日、事由、支払先及び金額を記載する。ただし、次に掲げるところによることができる。 (1)　少額な費用については、その項目ごとに、日々の合計金額のみを一括記載する。 (2)　現実に出金した時に記載する。この場合には、年末における費用の未払額及び前払額を記載するものとする。

三　山林所得の部

区　　　分	記　　　録　　　方　　　法
(一)　山林の伐採、譲渡、家事消費等の収入に関する事項	取引の年月日、売上先その他の相手方及び金額を記載する。ただし、次に掲げるところによることができる。 (1)　保存している納品書控、請求書控等によりその内容を確認できる取引については、日々の合計金額のみを一括記載する。 (2)　掛売上の取引で保存している納品書控、請求書控等によりその内容を確認できるものについては、日々の記載を省略し、現実に代金を受け取った時に現金売上として記載する。この場合には、年末における売掛金の残高を記載するものとする。 (3)　山林の家事消費等については、年末において、消費等をしたものの種類別にその合計金額を見積もり、当該合計金額のみを一括記載する。
(二)　費用に関する事項	雇人費、減価償却費、貸倒金、利子割引料及びその他の経費の項目に区分して、それぞれその取引の年月日、事由、支払先及び金額を記載する。ただし、次に掲げるところによることができる。 (1)　少額な費用については、その項目ごとに、日々の合計金額のみを一括記載する。 (2)　まだ伐採又は譲渡をしない山林について要した費用は、年末においてその整理を行う。 (3)　現実に出金した時に記載する。この場合には、年末における費用の未払額及び前払額を記載するものとする。

2　雑所得を生ずべき業務を行う者の総収入金額及び必要経費に関する書類の保存

その年において雑所得を生ずべき業務を行う居住者又は第二章第二節**4**⑥(一)及び(二)に定める国内源泉所得に係る雑所得を生ずべき業務を行う非居住者（(1)及び(2)において「居住者等」という。(編者注)）で、その年の前々年分のこれらの雑所得を生ずべき業務に係る収入金額が300万円を超えるものは、(1)で定めるところにより、これらの雑所得を生ずべき業務に係るその年の取引のうち総収入金額及び必要経費に関する事項を記載した書類として(2)で定める書類を保存しなければならない。(法232②)

(**2**に規定する(1)で定める保存方法)

(1)　居住者等は、(2)に規定する書類を整理し、その作成又は受領の日の属する年の翌年３月15日の翌日から５年間、これをその者の住所地若しくは居所地又は(2)に規定する業務を行う場所その他これらに準ずるものの所在地に保存しなければならない。(規102⑧)

(**2**に規定する(2)で定める書類)

(2)　**2**に規定する財務省令で定める書類は、**2**に規定する居住者等が**2**に規定する業務に関して作成し、又は受領した請求書、領収書その他これらに類する書類（自己の作成したこれらの書類でその写しのあるものは、当該写しを含む。）のうち、現金の収受若しくは払出し又は預貯金の預入若しくは引出しに際して作成されたものとする。(規102⑦)

3　税務調査に際しての帳簿の検査

国税庁、国税局又は税務署の当該職員は、**1**及び**2**の規定の適用を受ける者の所得税に係るこれらの規定に規定する総収入金額及び必要経費に関する事項の調査に際しては、**1**の帳簿又は**2**の書類を検査するものとする。ただし、当該帳簿又は当該書類の検査を困難とする事情があるときは、この限りでない。（法232③）

二　事業所得等に係る総収入金額報告書の提出制度

その年において不動産所得、事業所得若しくは山林所得を生ずべき業務を行う居住者又は第二章第二節**4**⑥(一)及び(二)《非居住者に対する課税の方法》に定める国内源泉所得に係るこれらの業務を行う非居住者で、その年中のこれらの所得に係る総収入金額（非居住者にあっては、第二章第二節**4**①《国内源泉所得》に規定する国内源泉所得に係る総収入金額に限る。）の合計額が3,000万円を超えるものは、その年分の所得税に係る確定申告書を提出している場合を除き、注で定めるところにより、当該合計額その他参考となるべき事項を記載した総収入金額報告書を、その年の翌年３月15日までに、税務署長に提出しなければならない。（法233）

（総収入金額報告書の記載事項等）

注　**二**の規定の適用を受ける**二**に規定する居住者又は非居住者は、**二**の規定により、次の(一)から(四)までに掲げる事項を記載した総収入金額報告書を、その年の翌年３月15日までに、納税地の所轄税務署長に提出しなければならない。（規103）

(一)	当該総収入金額報告書を提出する者の氏名、住所（国内に住所がない場合には、居所）及び個人番号（個人番号を有しない者にあっては、氏名及び住所（国内に住所がない場合には、居所））並びに住所地（国内に住所がない場合には、居所地）と納税地とが異なる場合には、その納税地
(二)	その年中の不動産所得、事業所得又は山林所得に係る総収入金額（非居住者にあっては、**二**に規定する国内源泉所得に係る総収入金額に限る。）の合計額及び当該合計額の所得ごとの内訳
(三)	不動産所得、事業所得又は山林所得の基因となる資産若しくは事業の所在地又はこれらの所得の生ずる場所
(四)	その他参考となるべき事項

三　期間及び期限

1　期間の計算

国税に関する法律において日、月又は年をもって定める期間の計算は、次の①から③までに定めるところによる。（通法10①）

①	期間の初日は、算入しない。ただし、その期間が午前零時から始まるとき、又は国税に関する法律に別段の定めがあるときは、この限りでない。
②	期間を定めるのに月又は年をもってしたときは、暦に従う。
③	②の場合において、月又は年の始めから期間を起算しないときは、その期間は、最後の月又は年においてその起算日に応当する日の前日に満了する。ただし、最後の月にその応当する日がないときは、その月の末日に満了する。

（注）　国税に関する法律に基づく政令及び省令に定める期間についても適用がある。**2**についても同様である。（編者注）

（規定の内容）

注　この規定は、期間の計算の基本原則で、なお次に留意する。（編者注）

(一)　「期間」とは、ある時点から他の時点まで継続する時の区分をいい、「期間の計算」とは、「……から10日以内」、「……から１月後」というように日、月、年をもって定めている期間の計算をいう。

(二)　「……の日の翌日から○月以内」というようにその期間が午前零時から始まるときは、初日を算入する。

(三)　「……から起算して」とういうように特に起算日を定めた場合も初日を算入する。

2　期限の特例

国税に関する法律に定める申告、申請、請求、届出その他書類の提出、通知、納付又は徴収に関する期限（年の中途で出国をする場合の確定申告期限のように、「……の時まで」と時をもって定めた期限を除く。）が日曜日、国民の祝日に関する法律に規定する休日その他一般の休日又は政令で定める日に当たるときは、これらの日の翌日をもってその期限とみなす。（通法10②、通令２）

（注）　政令で定める日は土曜日又は12月29日、同月30日若しくは同月31日とする。（通令２②）

なお、１月２日及び３日の年始休暇は、上記の「一般の休日」に該当する。（最高裁判決）また、延滞税の起算日は上記の特例により延長された期限の翌日とされる。（編者注）

3　災害等による期限の延長

国税庁長官、国税不服審判所長、国税局長又は税務署長は、災害その他やむを得ない理由により、国税に関する法律に基づく申告、申請、請求、届出その他書類の提出、納付又は徴収に関する期限までにこれらの行為をすることができないと認めるときは、次によりその理由のやんだ日から２月以内に限り、当該期限を延長することができる。（通法11）

(一)	国税庁長官による地域的な期限の延長	国税庁長官は、都道府県の全部又は一部にわたり災害その他やむを得ない理由により、所定の期限までにこれらの行為をすることができないと認める場合には、地域及び期日を指定して当該期限を延長するものとする。（通令３①）
(二)	災害その他やむを得ない理由による延長	国税庁長官は、災害その他やむを得ない理由により、所定の期限までにこれらの行為をすべき者（(一)の規定の適用がある者を除く。）であって当該期限までに当該行為のうち特定の税目に係る国税に関する法律又は情報通信技術を活用した行政の推進等に関する法律第６条第１項《電子情報処理組織による申請等》の規定により電子情報処理組織を使用して行う申告その他の特定の税目に係る特定の行為をすることができないと認める者（以下(二)において「対象者」という。）が多数に上ると認める場合には、対象者の範囲及び期日を指定して当該期限を延長するものとする。（通令３②）
(三)	納税者の申請に基づく個別的な期限の延長	国税庁長官、国税不服審判所長、国税局長又は税務署長は、災害その他やむを得ない理由により、所定の期限までにこれらの行為をすることができないと認める場合には、(一)及び(二)の規定の適用がある場合を除き、納税者の申請により、期日を指定して当該期限を延長するものとする。（通令３③） この場合の申請は、その理由がやんだ後相当の期間内にその理由を記載した書面でしなければならない。（通令３④）

（注）　**3**の「災害その他やむを得ない理由」とは、国税に関する法令に基づく申告、申請、請求、届出、その他書類の提出、納付または徴収に関する行為（以下「申告等」という。）の不能に直接因果関係を有するおおむね次に掲げる事実をいい、これらの事実に基因して資金不足を生じたため、納付ができない場合は含まない。（通基通11条関係の１）

①　地震、暴風、豪雨、豪雪、津波、落雷、地滑りその他の自然現象の異変による災害

②　火災、火薬類の爆発、ガス爆発、交通途絶その他の人為による異常な災害

③　申告等をする者の重傷病、申告等に用いる電子情報処理組織（行政手続等における情報通信の技術の利用に関する法律第３条第１項に規定する電子情報処理組織をいう。）で国税庁が運用するものの期限間際の使用不能その他の自己の責めに帰さないやむを得ない事実

四　納 税 管 理 人

1　納税管理人

個人である納税者が国内に住所及び居所（事務所及び事業所を除く。）を有せず、若しくは有しないこととなる場合又は国内に本店若しくは主たる事務所を有しない法人である納税者が国内にその事務所及び事業所を有せず、若しくは有しないこととなる場合において、納税申告書の提出その他国税に関する事項を処理する必要があるときは、その者は、当該事項を処理させるため、国内に住所又は居所を有する者で当該事項の処理につき便宜を有するもののうちから納税管理人を定めなければならない。（通法117①）

2　納税管理人の届出

納税者は、**1**の規定による納税管理人を定めたときは、当該納税管理人に係る国税の納税地を所轄する税務署長にその旨を届け出なければならない。その納税管理人を解任したときも、また同様とする。（通法117②）

（納税管理人の届出手続）

（1）　**2**の前段の規定による届出は、次の(一)から(四)までに掲げる事項を記載した書面でしなければならない。（通令

39①)

(一)	納税者の納税地
(二)	個人である納税者が国内に住所及び居所（事務所及び事業所を除く。以下同じ。）を有しないこととなる場合には、国外における住所又は居所となるべき場所
(三)	納税管理人の氏名及び住所又は居所
(四)	納税管理人を定めた理由

(納税管理人の解任の届出)

(2)　2の後段の規定による届出は、次の(一)から(三)までに掲げる事項を記載した書面でしなければならない。(通令39②)

(一)	納税者の納税地
(二)	解任した納税管理人の氏名及び住所又は居所
(三)	納税管理人を解任した理由

3　納税管理人の届出の求め

1の場合において、**1**の納税者が**2**の規定による納税管理人の届出をしなかったときは、当該納税者に係る国税の納税地を所轄する国税局長又は税務署長は、当該納税者に対し、**1**に規定する国税に関する事項のうち納税管理人に処理させる必要があると認められるものとして(1)で定めるもの（(2)から(4)までにおいて「特定事項」という。）を明示して、60日を超えない範囲内においてその準備に通常要する日数を勘案して指定する日（(3)において「指定日」という。）までに、**2**の規定による納税管理人の届出をすべきことを書面で求めることができる。(通法117③)

(納税管理人に処理させる必要があると認められる国税に関する事項)

(1)　**3**に規定する(1)で定める国税に関する事項は、次に掲げる事項その他これに類する事項とする。(通規12の2)

(一)	国税に関する調査において国税局長若しくは税務署長又は国税局若しくは税務署の当該職員（(二)において「国税局長等」という。）が**3**の納税者に対して発する書類を受領し、及び当該納税者に対して当該書類を送付すること。
(二)	国税に関する調査において**3**の納税者が国税局長等に対して提出する書類を受領し、及び当該国税局長等に対して当該書類を提出すること。

(国内便宜者への納税管理人となることの求め)

(2)　**1**の場合において、**1**の納税者が**2**の規定による納税管理人の届出をしなかったときは、当該納税者に係る国税の納税地を所轄する国税局長又は税務署長は、この法律の施行地に住所又は居所を有する者で特定事項の処理につき便宜を有するもの（(3)において「国内便宜者」という。）に対し、当該納税者の納税管理人となることを書面で求めることができる。(通法117④)

(特定納税管理人の指定)

(3)　**3**の国税局長又は税務署長は、**3**の納税者（以下(3)及び(5)において「特定納税者」という。）が指定日までに**2**の規定による納税管理人の届出をしなかったときは、(2)の規定により納税管理人となることを求めた国内便宜者のうち次の者を、特定事項を処理させる納税管理人（(4)及び(5)において「特定納税管理人」という。）として指定することができる。(通法117⑤)

イ	当該特定納税者と生計を一にする配偶者その他の親族で成年に達した者
ロ	当該特定納税者に係る国税の課税標準等又は税額等の計算の基礎となるべき事実について当該特定納税者との間の契約により密接な関係を有する者
ハ	電子情報処理組織を使用して行われる取引その他の取引を当該特定納税者が継続的に又は反復して行う場を

	提供する事業者

（特定納税管理人の指定の解除）

（４）（３）の国税局長又は税務署長は、（３）の規定により特定納税管理人を指定した場合において、当該特定納税管理人に特定事項を処理させる必要がなくなったときは、（３）の規定による特定納税管理人の指定を解除するものとする。（通法117⑥）

（特定納税管理人の指定及び解除の通知）

（５）（３）及び（４）の国税局長又は税務署長は、（３）の規定により特定納税管理人を指定したとき、又は（４）の規定により特定納税管理人の指定を解除したときは、特定納税管理人又は特定納税管理人であった者及び特定納税者に対し、書面によりその旨を通知する。（通法117⑦）

五　国税の課税標準等の端数計算等

1　国税の課税標準の端数計算

①　課税標準の1,000円未満切捨て

国税（印紙税及び附帯税を除く。以下**1**において同じ。）の課税標準（その税率の適用上課税標準から控除する金額があるときは、これを控除した金額。以下**1**において同じ。）を計算する場合において、その額に1,000円未満の端数があるとき、又はその全額が1,000円未満であるときは、その端数金額又はその全額を切り捨てる。（通法118①）

②　源泉所得税等の端数計算の特例

下記の注に掲げる国税の課税標準については、①の規定にかかわらず、その課税標準に１円未満の端数があるとき、又はその全額が１円未満であるときは、その端数金額又はその全額を切り捨てる。（通法118②）

（上記の国税）

注　②に規定する国税は、所得税法第４編第１章から第５章まで《源泉徴収》（同法第190条《年末調整に係る源泉徴収義務》及び第199条《退職所得に係る源泉徴収義務》〔同法第201条第１項《退職所得の受給に関する申告書が提出された場合の徴収税額》の規定の適用を受ける場合に限る。〕を除く。）の規定により徴収する所得税とする。（通令40①）

③　附帯税の課税標準の端数計算

附帯税の額を計算する場合において、その計算の基礎となる税額に10,000円未満の端数があるとき、又はその税額の全額が10,000円未満であるときは、その端数金額又はその全額を切り捨てる。（通法118③）

2　国税の確定金額の端数計算

①　国税の確定金額の100円未満切捨て

国税（自動車重量税、印紙税及び附帯税を除く。以下**2**において同じ。）の確定金額に100円未満の端数があるとき、又はその全額が100円未満であるときは、その端数金額又はその全額を切り捨てる。（通法119①）

②　源泉所得税等の端数計算の特例

下記の注に規定する国税の確定金額については、①の規定にかかわらず、その確定金額に１円未満の端数があるとき、又はその全額が１円未満であるときは、その端数金額又はその全額を切り捨てる。（通法119②）

（上記の国税）

注　②に規定する国税は、次に掲げる国税とする。（通令40②）

（一）　**1**②の注に掲げる国税

（二）　所得税法第190条又は第192条《年末調整に係る不足額の源泉徴収義務》の規定により徴収する所得税

③　**分割納付する国税の端数計算**

国税の確定金額を、２以上の納付の期限を定め、一定の金額に分割して納付することとされている場合において、その納付の期限ごとの分割金額に1,000円未満（②に規定する国税に係るものについては、１円未満）の端数があるときは、その端数金額は、すべて最初の納付の期限に係る分割金額に合算するものとする。（通法119③）

④　**附帯税の端数計算**

附帯税の確定金額に100円未満の端数があるとき、又はその全額が1,000円未満（加算税に係るものについては、5,000円未満）であるときは、その端数金額又はその全額を切り捨てる。（通法119④）

3　還付金等の端数計算等

還付金等の額に１円未満の端数があるときは、その端数金額を切り捨てる。（通法120①）

（還付加算金の端数計算）

（1）　還付加算金の確定金額に100円未満の端数があるとき、又はその全額が1,000円未満であるときは、その端数金額又はその全額を切り捨てる。（通法120③）

（還付加算金の額を計算する場合の還付金等の端数計算）

（2）　還付加算金の額を計算する場合において、その計算の基礎となる還付金等の額に10,000円未満の端数があるとき、又はその還付金等の額の全額が10,000円未満であるときは、その端数金額又はその全額を切り捨てる。（通法120④）

六　納 税 証 明 書

1　納税証明書の交付等

国税局長、税務署長又は税関長は、国税に関する事項のうち納付すべき税額その他**2**に定めるものについての証明書の交付を請求する者があるときは、その者に関するものに限り、**4**②に定めるところにより、これを交付しなければならない。納税証明書の交付を請求する者は、**4**③で定めるところにより、証明書の枚数を基準として定められる手数料を納付しなければならない。（通法123①②）

2　納税証明書の交付を請求することができる事項

納税証明書の交付を請求できる事項は、次の(一)から(六)までに掲げる事項とする。（通令41①）

<table>
<tr><td>(一)</td><td colspan="2">請求に係る国税の納付すべき額として確定した税額（国税通則法第15条第３項第２号から第４号まで及び第６号《納税義務の成立及びその納付すべき税額の確定》に掲げる国税については、その納税の告知に係る税額）並びにその納付した税額及び未納の税額（これらの額がないことを含む。）</td></tr>
<tr><td>(二)</td><td colspan="2">(一)の国税に係る国税徴収法第15条第１項《法定納期限等以前に設定された質権の優先》に規定する法定納期限等（同項第７号から第10号までに定める日を除く。）</td></tr>
<tr><td rowspan="3">(三)</td><td colspan="2">所得税又は法人税に関する次に掲げる金額で申告又は更正若しくは決定に係るもの（これらの額がないことを含む。）</td></tr>
<tr><td>イ</td><td>第三章第二節表内①に規定する総所得金額（不動産所得又は事業所得がある者については、不動産所得の金額又は事業所得の金額を含む。）、退職所得金額及び山林所得金額並びにこれらの金額から第八章に規定する所得控除の金額を控除した課税総所得金額、課税退職所得金額及び課税山林所得金額</td></tr>
<tr><td>ロ</td><td>法人の各事業年度の所得の金額及び退職年金等積立金の額並びに各対象会計年度（法人税法第15条の２《対象会計年度の意義》に規定する対象会計年度をいう。）の同法第82条の４第１項《課税標準》に規定する課税標準国際最低課税額</td></tr>
<tr><td>(四)</td><td colspan="2">国税徴収法第159条第３項《保全差押え》（国税通則法第38条第４項《繰上請求》において準用する場合を含む。）の規定により通知した金額</td></tr>
<tr><td>(五)</td><td colspan="2">国税につき滞納処分を受けたことがないこと</td></tr>
<tr><td>(六)</td><td colspan="2">(一)から(五)までに掲げるもののほか、財務省令《通規13》で定める事項</td></tr>
</table>

3　納税証明の対象とならない国税

次の(一)から(三)までに掲げる国税に関する事項は、**2**(一)から同(六)(同(五)を除く。)に掲げる事項に該当しないものとする。(通令41②)

(一)	所得税法第４編第１章から第５章まで《源泉徴収》又は国際観光旅客税法第16条第１項《国内事業者による特別徴収等》若しくは第17条第１項《国外事業者による特別徴収等》の規定により徴収する国税（所得税法第221条《源泉徴収に係る所得税の徴収》又は国際観光旅客税法第16条第３項若しくは第17条第３項の規定により徴収する国税を除く。）
(二)	自動車重量税、国際観光旅客税、印紙税（申告納税すべきもの及び過怠税を除く。）及び登録免許税（納税の告知がされたものを除く。）
(三)	法定納期限が**4**①の請求書を提出する日の３年前の日の属する会計年度前の会計年度に係る国税（**2**(一)の規定の適用については、未納の国税を除く。）

(国税につき滞納処分を受けたことがないこと)

注　**4**①の請求書を提出する日の３年前の日の属する会計年度前の会計年度において国税につき滞納処分を受けたことがないことは、**2**(五)に掲げる事項に該当しないものとする。(通令41③)

4　納税証明の手続

①　納税証明請求書の提出

1の証明書の交付を受けようとする者は、次の(一)から(四)までに掲げる事項を記載した請求書を国税局長、税務署長又は税関長に提出しなければならない。(通令41④)

(一)	証明を受けようとする事項
(二)	(一)の証明を受けようとする事項につき、次に掲げる場合の区分に応じ、それぞれ次に定める事項 イ　証明を受けようとする事項が、**2**(一)から同(四)まで及び同(六)に掲げる事項である場合　　当該証明を受けようとする国税の年度及び税目 ロ　証明を受けようとする事項が、**2**(五)に掲げる事項である場合　　当該証明を受けようとする期間
(三)	証明書の使用目的
(四)	証明書の枚数

(２以上の税目についての納税証明)

注　上記の請求書は、証明を受けようとする国税の税目の異なるごとに作成しなければならない。ただし、上記(一)の証明を受けようとする事項が**2**(一)に掲げる事項(未納の税額がないことに限る。)又は同(五)に掲げる事項である場合には、この限りでない。(通令41⑤)

②　納税証明書の交付

国税局長、税務署長又は税関長は、請求に係る①の証明書の使用目的が国税又は地方税と競合する債権に係る担保権の設定に関するものである場合、当該証明書が法令の規定に基づき国又は地方公共団体に提出すべきものである場合その他その使用目的につき相当の理由があると認める場合において、その証明書を交付するものとする。(通令41⑥)

③　納税証明書の交付手数料

1の規定により納付すべき手数料の額は、**1**の証明書１枚ごとに400円（情報通信技術を活用した行政の推進等に関する法律第６条第１項《電子情報処理組織による申請等》の規定により同項に規定する電子情報処理組織を使用して**1**の請求をする場合にあっては、370円）とする。この場合において、**2**(一)及び同(二)に掲げる事項並びに同(三)から同(六)までに掲げる事項ごとに１枚の証明書であるものとし、なお、その証明書が２以上の年度に係る国税に関するものであるときは、証明を受けようとする事項が未納の税額のみに係る場合を除き、その年度の数に相当する枚数の証明書であるものとして計算するものとする。(通令42①)

（交付手数料の納付方法）

（1）　上記の手数料は、収入印紙を①の請求書に貼って、納めなければならない。ただし、国税局又は税務署の事務所において③の手数料の納付を現金ですることが可能である旨及び当該事務所の所在地を国税庁長官が官報で公示した場合には、当該事務所において現金をもって納めることができる。（通令42②）

（災害等の場合の手数料の不徴収）

（2）　震災、風水害、落雷、火災その他これらに類する災害により財産につき相当な損失を受けた者がその復旧に必要な資金の借入れのために使用する納税証明書については、③の手数料の納付を要しないでその交付を請求することができる。生計の維持について困難な状況にある者が法律に定める扶助その他これに類する措置を受けるために使用する当該証明書についても、また同様とする。（通令42③）

七　書類提出者の氏名、住所及び番号の記載

1　書類提出者の氏名、住所及び番号の記載

国税に関する法律に基づき税務署長その他の行政機関の長又はその職員に申告書、申請書、届出書、調書その他の書類（以下**1**において「税務書類」という。）を提出する者は、当該税務書類にその氏名、住所又は居所及び番号（番号を有しない者にあっては、その氏名及び住所又は居所とし、税務書類のうち個人番号の記載を要しない書類（納税申告書及び調書を除く。）として**2**で定める書類については、当該書類を提出する者の氏名及び住所又は居所とする。）を記載しなければならない。この場合において、納税管理人若しくは代理人（代理の権限を有することを書面で証明した者に限る。以下**1**において同じ。）によって当該税務書類を提出するとき、又は不服申立人が総代を通じて当該税務書類を提出するときは、その代表者（人格のない社団等の管理人を含む。）、納税管理人若しくは代理人又は総代の氏名及び住所又は居所をあわせて記載しなければならない。（通法124）

2　個人番号の記載を要しない書類等

1に規定する**2**で定める書類は、納税申告書（第二章第一節**一**（2）⑥《定義》に規定する納税申告書をいう。）その他の個人番号（行政手続における特定の個人を識別するための番号の利用等に関する法律第２条第５項《定義》に規定する個人番号をいう。）を記載すべき書類の提出に関連し、又はその後続の手続として提出される税務書類（**1**に規定する税務書類をいう。）として国税庁長官が定める書類とする。（通規15①）

八　有限責任事業組合に係る組合員所得に関する計算書

有限責任事業組合契約に関する法律（平成17年法律第40号）第３条第１項《有限責任事業組合契約》に規定する有限責任事業組合契約（以下**八**において「組合契約」という。）によって成立する同法第２条《定義》に規定する有限責任事業組合の業務を執行する同法第29条第３項《会計帳簿の作成及び保存》に規定する組合員は、注で定めるところにより、当該有限責任事業組合に係る各組合員（当該組合契約に定める計算期間の中途において脱退又は加入をした組合員を含む。）に生ずる利益の額又は損失の額につき、当該有限責任事業組合に係る組合員所得に関する計算書を、当該計算期間の終了の日の属する年の翌年１月31日までに、税務署長に提出しなければならない。（法227の２）

（有限責任事業組合等に係る組合員所得に関する計算書）

注　有限責任事業組合契約に関する法律第３条第１項《有限責任事業組合契約》に規定する有限責任事業組合契約（(四)において「有限責任事業組合契約」という。）によって成立する同法第２条《定義》に規定する有限責任事業組合（以下注において「有限責任事業組合」という。）の業務を執行する同法第29条第３項《会計帳簿の作成及び保存》に規定する組合員又は投資事業有限責任組合契約に関する法律第３条第１項《投資事業有限責任組合契約》に規定する投資事業有限責任組合契約（(四)において「投資事業有限責任組合契約」という。）によって成立する同法第２条第２項《定義》に規定する投資事業有限責任組合（以下注において「投資事業有限責任組合」という。）の業務を執行する無限責任組合員は、法第227条の２《有限責任事業組合等に係る組合員所得に関する計算書》の規定により、当該有限責任事業組合又は投資事業有限責任組合（以下注において「事業組合」という。）に係る同条に規定する各組合員（以下注において「事業組合に係る組合員」という。）別に、次の(一)から(十)までに掲げる事項を記載した計算書を、当該事業組合の主たる事務所の所在地の所轄税務署長に提出しなければならない。（規96の２①）

(一)	当該事業組合に係る組合員の氏名又は名称、住所若しくは居所（国内に居所を有しない者にあっては、国外におけるその住所。以下(一)において同じ。）又は本店若しくは主たる事務所の所在地及び個人番号又は法人番号（個人番号及び法人番号を有しない者にあっては、氏名又は名称及び住所若しくは居所又は本店若しくは主たる事務所の所在地）
(二)	当該事業組合の名称及び主たる事務所の所在地並びに当該有限責任事業組合の会計帳簿を作成した組合員（有限責任事業組合契約に関する法律第29条第３項に規定する会計帳簿を作成した組合員をいう。）又は投資事業有限責任組合の業務を執行する無限責任組合員の氏名又は名称及び個人番号又は法人番号（個人番号及び法人番号を有しない者にあっては、氏名又は名称）
(三)	当該事業組合の計算期間（有限責任事業組合契約に関する法律第４条第３項第８号《組合契約書の作成》の有限責任事業組合の事業年度の期間又は投資事業有限責任組合契約に関する法律第８条第１項《財務諸表等の備付け及び閲覧等》の投資事業有限責任組合の事業年度の期間をいう。以下注において同じ。）及び当該組合の事業の内容
(四)	当該有限責任事業組合の計算期間の終了の時までに当該有限責任事業組合に係る組合員が当該有限責任事業組合契約に基づいて有限責任事業組合契約に関する法律第11条《組合員の出資》の規定により出資をした同条の金銭その他の財産の価額で同法第29条第２項の規定により当該組合の会計帳簿に記載された同項の出資の価額の合計額に相当する金額その他出資に関する事項又は当該投資事業有限責任組合の計算期間の終了の時までに当該投資事業有限責任組合に係る組合員が当該投資事業有限責任組合契約に基づいて投資事業有限責任組合契約に関する法律第６条第２項《組合員の出資》の規定により出資をした同項の金銭その他の財産の価額で当該投資事業有限責任組合の会計帳簿に記載された出資の価額の合計額に相当する金額その他出資に関する事項
(五)	当該事業組合の計算期間において当該事業組合に係る組合員が交付を受けた金銭その他の資産に係る有限責任事業組合契約に関する法律第35条第１項《財産分配に関する責任》に規定する分配額又は投資事業有限責任組合契約に関する法律第10条第１項《財産分配の制限》に規定する組合財産の価額のうち、当該組合員がその交付を受けた部分に相当する金額及び当該事業組合の計算期間の終了の時までに当該組合員がその交付を受けた部分に相当する金額の合計額
(六)	当該事業組合に係る組合員の有限責任事業組合契約に関する法律第33条《組合員の損益分配の割合》に規定する損益分配の割合又は投資事業有限責任組合契約に関する法律第16条《民法の準用》において準用する民法第674条《組合員の損益分配の割合》の規定による損益分配の割合
(七)	当該事業組合の計算期間における当該組合の損益計算書に計上されている収益及び費用の内訳並びに当該収益及び費用のうち当該組合に係る組合員の当該収益及び費用の額に相当する額
(八)	当該事業組合の計算期間の終了の日における当該組合の貸借対照表に計上されている資産及び負債の内訳並びに当該資産及び負債のうち当該組合に係る組合員の当該資産及び負債の額に相当する額（当該組合に係る組合員が当該計算期間の中途において脱退をした組合員である場合には、当該脱退をした日の直前における当該組合の貸借対照表その他これに類するものに計上されている資産及び負債の内訳並びに当該資産及び負債のうち当該脱退をした組合員の当該資産及び負債の額に相当する額）
(九)	当該事業組合に係る組合員が**四２**《納税管理人》の規定により届け出た納税管理人が明らかな場合には、その氏名及び住所又は居所
(十)	その他参考となるべき事項

第十六章　電子計算機を使用して作成する国税関係帳簿書類の保存方法等の特例（平成10年３月31日法律第25号）

一　趣　　旨

この法律は、情報化社会に対応し、国税の納税義務の適正な履行を確保しつつ納税者等の国税関係帳簿書類の保存に係る負担を軽減する等のため、電子計算機を使用して作成する国税関係帳簿書類の保存方法等について、所得税法、法人税法その他国税に関する法律の特例を定めるものとする。（電帳法１）

二　定　　義

この法律において、次の(一)から(八)までに掲げる用語の意義は、当該(一)から(八)までに定めるところによる。（電帳法２、電帳規１①②）

(一)	国　　税	国税通則法第２条１号《定義》に規定する国税をいう。
(二)	国税関係帳簿書類	国税関係帳簿（国税に関する法律の規定により備付け及び保存をしなければならないこととされている帳簿（輸入品に対する内国消費税の徴収等に関する法律第16条第11項（保税工場等において保税作業をする場合等の内国消費税の特例）に規定する帳簿を除く。）をいう。以下同じ。）又は国税関係書類（国税に関する法律の規定により保存をしなければならないこととされている書類をいう。以下同じ。）をいう。
(三)	電磁的記録	電子的方式、磁気的方式その他の人の知覚によっては認識することができない方式（(五)において「電磁的方式」という。）で作られる記録であって、電子計算機による情報処理の用に供されるものをいう。
(四)	保存義務者	国税に関する法律の規定により国税関係帳簿書類の保存をしなければならないこととされている者をいう。
(五)	電子取引	取引情報（取引に関して受領し、又は交付する注文書、契約書、送り状、領収書、見積書その他これらに準ずる書類に通常記載される事項をいう。以下同じ。）の授受を電磁的方式により行う取引をいう。 (注)　「電子取引」には、いわゆるＥＤＩ取引のほか、インターネット等による取引も、これに含まれることに留意する。
(六)	電子計算機出力マイクロフィルム	電子計算機を用いて電磁的記録を出力することにより作成するマイクロフィルムをいう。
(七)	電子計算機処理	電子計算機を使用して行われる情報の入力、蓄積、編集、加工、修正、更新、検索、消去、出力又はこれらに類する処理をいう。
(八)	納税地等	保存義務者が、国税関係帳簿書類に係る国税の納税者（第二章第一節**一**《用語の意義》（２）の表内⑤に規定する納税者をいう。以下(八)及び**七**(10)(二)ホにおいて同じ。）である場合には当該国税の納税地をいい、国税関係帳簿書類に係る国税の納税者でない場合には当該国税関係帳簿書類に係る対応業務（国税に関する法律の規定により業務に関して国税関係帳簿書類の保存をしなければならないこととされている場合における当該業務をいう。）を行う事務所、事業所その他これらに準ずるものの所在地をいう。

三　他の国税に関する法律との関係

国税関係帳簿書類の備付け又は保存及び国税関係書類以外の書類の保存については、他の国税に関する法律に定めるもののほか、この法律の定めるところによる。（電帳法３）

四　国税関係帳簿書類の電磁的記録による保存等

保存義務者は、国税関係帳簿（（1）で定めるものを除く。以下**四**、**五**及び**五**（2）並びに**七**及び**七**（3）において同じ。）の全部又は一部について、自己が最初の記録段階から一貫して電子計算機を使用して作成する場合には、（3）で定めるところにより、当該国税関係帳簿に係る電磁的記録の備付け及び保存をもって当該国税関係帳簿の備付け及び保存に代えることができる。（電帳法４①）

（**四**に規定する（1）で定める国税関係帳簿）

（1）　**四**に規定する（1）で定める国税関係帳簿は、所得税法の規定により備付け及び保存をしなければならないこととされている帳簿であって、資産、負債及び資本に影響を及ぼす一切の取引につき、正規の簿記の原則（同法の規定により備付け及び保存をしなければならないこととされている帳簿にあっては、複式簿記の原則）に従い、整然と、かつ、明瞭に記録されているもの以外のものとする。（電帳規２①）

（所轄税務署長等の承認を受けた国税関係書類に係る電磁的記録の保存）

（2）　保存義務者は、国税関係書類の全部又は一部について、自己が一貫して電子計算機を使用して作成する場合には、（4）で定めるところにより、当該国税関係書類に係る電磁的記録の保存をもって当該国税関係書類の保存に代えることができる。（電帳法４②）

（国税関係帳簿書類の電磁的記録による保存等）

（3）　**四**の規定により国税関係帳簿（**四**に規定する国税関係帳簿をいう。（8）（三）を除き、以下同じ。）に係る電磁的記録の備付け及び保存をもって当該国税関係帳簿の備付け及び保存に代えようとする保存義務者は、次の（一）から（三）までに掲げる要件（当該保存義務者が**七**（8）（一）に定める要件に従って当該電磁的記録の備付け及び保存を行っている場合には、（三）に掲げる要件を除く。）に従って当該電磁的記録の備付け及び保存をしなければならない。（電帳規２②）

<table>
<tr><td rowspan="5">（一）</td><td colspan="2">当該国税関係帳簿に係る電磁的記録の備付け及び保存に併せて、次に掲げる書類（当該国税関係帳簿に係る電子計算機処理に当該保存義務者が開発したプログラム（電子計算機に対する指令であって、一の結果を得ることができるように組み合わされたものをいう。以下（3）及び（8）（四）において同じ。）以外のプログラムを使用する場合にはイ及びロに掲げる書類を除くものとし、当該国税関係帳簿に係る電子計算機処理を他の者（当該電子計算機処理に当該保存義務者が開発したプログラムを使用する者を除く。）に委託している場合にはハに掲げる書類を除くものとする。）の備付けを行うこと。</td></tr>
<tr><td>イ</td><td>当該国税関係帳簿に係る電子計算機処理システム（電子計算機処理に関するシステムをいう。以下同じ。）の概要を記載した書類</td></tr>
<tr><td>ロ</td><td>当該国税関係帳簿に係る電子計算機処理システムの開発に際して作成した書類</td></tr>
<tr><td>ハ</td><td>当該国税関係帳簿に係る電子計算機処理システムの操作説明書</td></tr>
<tr><td>ニ</td><td>当該国税関係帳簿に係る電子計算機処理並びに当該国税関係帳簿に係る電磁的記録の備付け及び保存に関する事務手続を明らかにした書類（当該電子計算機処理を他の者に委託している場合には、その委託に係る契約書並びに当該国税関係帳簿に係る電磁的記録の備付け及び保存に関する事務手続を明らかにした書類）</td></tr>
<tr><td>（二）</td><td colspan="2">当該国税関係帳簿に係る電磁的記録の備付け及び保存をする場所に当該電磁的記録の電子計算機処理の用に供することができる電子計算機、プログラム、ディスプレイ及びプリンタ並びにこれらの操作説明書を備え付け、当該電磁的記録をディスプレイの画面及び書面に、整然とした形式及び明瞭な状態で、速やかに出力することができるようにしておくこと。</td></tr>
</table>

(三)	国税に関する法律の規定による当該国税関係帳簿に係る電磁的記録の提示又は提出の要求に応じることができるようにしておくこと。

（電磁的記録の保存への準用）

（4）　（3）の規定は、（2）の規定により国税関係書類（**二**(二)に規定する国税関係書類をいう。以下同じ。）に係る電磁的記録の保存をもって当該国税関係書類の保存に代えようとする保存義務者の当該電磁的記録の保存について準用する。この場合において、（3）中「**七**（8）(一)に定める要件に従って当該電磁的記録の備付け及び」とあるのは、「当該電磁的記録の記録事項の検索をすることができる機能（取引年月日その他の日付を検索の条件として設定すること及びその範囲を指定して条件を設定することができるものに限る。）を確保して当該電磁的記録の」と読み替えるものとする。（電帳規２③）

（電磁的記録の保存をもって承認を受けた国税関係書類の保存に代えられる場合）

（5）　（2）に規定するもののほか、保存義務者は、国税関係書類（（6）で定めるものを除く。以下（5）において同じ。）の全部又は一部について、当該国税関係書類に記載されている事項を（7）で定める装置により電磁的記録に記録する場合には、（8）で定めるところにより、当該国税関係書類に係る電磁的記録の保存をもって当該国税関係書類の保存に代えることができる。この場合において、当該国税関係書類に係る電磁的記録の保存が（8）で定めるところに従って行われていないとき（当該国税関係書類の保存が行われている場合を除く。）は、当該保存義務者は、当該電磁的記録を保存すべき期間その他の(10)で定める要件を満たして当該電磁的記録を保存しなければならない。（電帳法４③）

（国税関係書類の保存に代えられない書類）

（6）　（5）に規定する（6）で定める書類は、国税関係書類のうち、棚卸表、貸借対照表及び損益計算書並びに計算、整理又は決算に関して作成されたその他の書類とする。（電帳規２④）

（電磁的記録に記録する（7）で定める装置）

（7）　（5）に規定する（7）で定める装置は、スキャナとする。（電帳規２⑤）

（国税関係書類に係る電磁的記録の保存要件）

（8）　（5）の規定により国税関係書類（（5）に規定する国税関係書類に限る。以下(14)までにおいて同じ。）に係る電磁的記録の保存をもって当該国税関係書類の保存に代えようとする保存義務者は、次の(一)から(七)までに掲げる要件（当該保存義務者が国税に関する法律の規定による当該電磁的記録の提示又は提出の要求に応じることができるようにしている場合には、(五)（ロ及びハに係る部分に限る。）に掲げる要件を除く。）に従って当該電磁的記録の保存をしなければならない。（電帳規２⑥）

(一)	次に掲げる方法のいずれかにより入力すること。 イ　当該国税関係書類に係る記録事項の入力をその作成又は受領後、速やかに行うこと。 ロ　当該国税関係書類に係る記録事項の入力をその業務の処理に係る通常の期間を経過した後、速やかに行うこと（当該国税関係書類の作成又は受領から当該入力までの各事務の処理に関する規程を定めている場合に限る。）。
(二)	(一)の入力に当たっては、次に掲げる要件（当該保存義務者が(一)イ又はロに掲げる方法により当該国税関係書類に係る記録事項を入力したことを確認することができる場合にあっては、ロに掲げる要件を除く。）を満たす電子計算機処理システムを使用すること。 イ　スキャナ（次に掲げる要件を満たすものに限る。）を使用する電子計算機処理システムであること。 ⑴　解像度が、日本産業規格（産業標準化法第20条第１項《日本産業規格》に規定する日本産業規格をいう。以下において同じ。）Ｚ6016附属書ＡのＡ・１・２に規定する一般文書のスキャニング時の解像度である25.4ミリメートル当たり200ドット以上で読み取るものであること。 ⑵　赤色、緑色及び青色の階調がそれぞれ256階調以上で読み取るものであること。 ロ　当該国税関係書類の作成又は受領後、速やかに一の入力単位ごとの電磁的記録の記録事項に総務大臣が認定する時刻認証業務（電磁的記録に記録された情報にタイムスタンプを付与する役務を提供する業務をいう。）に係るタイムスタンプ（次に掲げる要件を満たすものに限る。以下(二)並びに**六**（1）(一)及び(二)に

	おいて「タイムスタンプ」という。）を付すこと（当該国税関係書類の作成又は受領から当該タイムスタンプを付すまでの各事務の処理に関する規程を定めている場合にあっては、その業務の処理に係る通常の期間を経過した後、速やかに当該記録事項に当該タイムスタンプを付すこと）。 ⑴　当該記録事項が変更されていないことについて、当該国税関係書類の保存期間（国税に関する法律の規定により国税関係書類の保存をしなければならないこととされている期間をいう。）を通じ、当該業務を行う者に対して確認する方法その他の方法により確認することができること。 ⑵　課税期間（第二章第二節**一**（２）表内⑨《定義》に規定する課税期間をいう。**七**（５）において同じ。）中の任意の期間を指定し、当該期間内に付したタイムスタンプについて、一括して検証することができること。 ハ　当該国税関係書類に係る電磁的記録の記録事項について、次に掲げる要件のいずれかを満たす電子計算機処理システムであること。 ⑴　当該国税関係書類に係る電磁的記録の記録事項について訂正又は削除を行った場合には、これらの事実及び内容を確認することができること。 ⑵　当該国税関係書類に係る電磁的記録の記録事項について訂正又は削除を行うことができないこと。
(三)	当該国税関係書類に係る電磁的記録の記録事項と当該国税関係書類に関連する**二**(二)に規定する国税関係帳簿の記録事項（当該国税関係帳簿が、**四**の規定により当該国税関係帳簿に係る電磁的記録の備付け及び保存をもって当該国税関係帳簿の備付け及び保存に代えられているもの又は**五**若しくは**五**（２）の規定により当該電磁的記録の備付け及び当該電磁的記録の電子計算機出力マイクロフィルムによる保存をもって当該国税関係帳簿の備付け及び保存に代えられているものである場合には、当該電磁的記録又は当該電子計算機出力マイクロフィルムの記録事項）との間において、相互にその関連性を確認することができるようにしておくこと。
(四)	当該国税関係書類に係る電磁的記録の保存をする場所に当該電磁的記録の電子計算機処理の用に供することができる電子計算機、プログラム、映像面の最大径が35センチメートル以上のカラーディスプレイ及びカラープリンタ並びにこれらの操作説明書を備え付け、当該電磁的記録をカラーディスプレイの画面及び書面に、次のような状態で速やかに出力することができるようにしておくこと。 イ　整然とした形式であること。 ロ　当該国税関係書類と同程度に明瞭であること。 ハ　拡大又は縮小して出力することが可能であること。 ニ　国税庁長官が定めるところにより日本産業規格Ｚ8305に規定する４ポイントの大きさの文字を認識することができること。
(五)	当該国税関係書類に係る電磁的記録の記録事項の検索をすることができる機能（次に掲げる要件を満たすものに限る。）を確保しておくこと。 イ　取引年月日その他の日付、取引金額及び取引先（ロ及びハにおいて「記録項目」という。）を検索の条件として設定することができること。 ロ　日付又は金額に係る記録項目については、その範囲を指定して条件を設定することができること。 ハ　二以上の任意の記録項目を組み合わせて条件を設定することができること。
(六)	（３）(三)の規定は、（５）の規定により国税関係書類に係る電磁的記録の保存をもって当該国税関係書類の保存に代えようとする保存義務者の当該電磁的記録の保存について準用する。

（国税庁長官が定める書類に記載されている事項を電磁的記録に記録する場合の保存）

（９）　（５）の規定により国税関係書類に係る電磁的記録の保存をもって当該国税関係書類の保存に代えようとする保存義務者は、当該国税関係書類のうち国税庁長官が定める書類（以下（９）及び⑾において「一般書類」という。）に記載されている事項を電磁的記録に記録する場合には、（８）(一)及び(三)に掲げる要件にかかわらず、当該電磁的記録の保存に併せて、当該電磁的記録の作成及び保存に関する事務の手続を明らかにした書類（当該事務の責任者が定められているものに限る。）の備付けを行うことにより、当該一般書類に係る電磁的記録の保存をすることができる。この場合において、（８）の規定の適用については、同(二)イ⑵中「赤色、緑色及び青色の階調がそれぞれ」とあるのは「白色から黒色までの階調が」と、同(二)ロ中「又は受領後、速やかに」とあるのは「若しくは受領後速やかに、又は当該国税関係書類をスキャナで読み取る際に、」と、「、速やかに当該」とあるのは「速やかに、又は当該国税関係書類をスキャナで読み取る際に、当該」と、同(四)中「カラーディスプレイ」とあるのは「ディスプレイ」と、「カラープリンタ」とあるのは「プリンタ」とする。（電帳規２⑦）

((5)の保存義務者が災害その他やむを得ない事情の場合)

(10)　(5)の保存義務者が、災害その他やむを得ない事情により、(5)前段に規定する(8)で定めるところに従って(5)前段の国税関係書類に係る電磁的記録の保存をすることができなかったことを証明した場合には、(8)及び(9)の規定にかかわらず、当該電磁的記録の保存をすることができる。ただし、当該事情が生じなかったとした場合において、当該(8)で定めるところに従って当該電磁的記録の保存をすることができなかったと認められるときは、この限りでない。(電帳規2⑧)

(過去分重要書類に係る電磁的記録の保存)

(11)　(5)の規定により国税関係書類に係る電磁的記録の保存をもって当該国税関係書類の保存に代えている保存義務者は、当該国税関係書類のうち当該国税関係書類の保存に代える日((二)において「基準日」という。)前に作成又は受領をした書類(一般書類を除く。以下(13)までにおいて「過去分重要書類」という。)に記載されている事項を電磁的記録に記録する場合において、あらかじめ、その記録する事項に係る過去分重要書類の種類及び次の(一)から(三)までに掲げる事項を記載した届出書(以下(11)及び(12)において「適用届出書」という。)を納税地等の所轄税務署長(当該過去分重要書類が、酒税法施行令第52条第4項ただし書《記帳義務》、たばこ税法施行令第17条第5項ただし書《記帳義務》、揮発油税法施行令第17条第5項ただし書《記帳義務》、石油ガス税法施行令第21条第4項ただし書《記帳義務》若しくは石油石炭税法施行令第20条第8項ただし書《記帳義務》の書類若しくは輸入の許可書、消費税法施行規則第27条第6項《帳簿の記載事項等》の書類若しくは輸入の許可があったことを証する書類又は国際観光旅客税法施行令第7条ただし書(同条の国外事業者に係る部分に限る。)《記帳義務》に規定する旅客名簿である場合にあっては、納税地等の所轄税関長。(12)において「所轄税務署長等」という。)に提出したとき(従前において当該過去分重要書類と同一の種類の書類に係る適用届出書を提出していない場合に限る。)は、(8)(一)に掲げる要件にかかわらず、当該電磁的記録の保存に併せて、当該電磁的記録の作成及び保存に関する事務の手続を明らかにした書類(当該事務の責任者が定められているものに限る。)の備付けを行うことにより、当該過去分重要書類に係る電磁的記録の保存をすることができる。この場合において、(8)の規定の適用については、(8)(二)ロ中「の作成又は受領後、速やかに」とあるのは「をスキャナで読み取る際に、」と、「こと(当該国税関係書類の作成又は受領から当該タイムスタンプを付すまでの各事務の処理に関する規程を定めている場合にあっては、その業務の処理に係る通常の期間を経過した後、速やかに当該記録事項に当該タイムスタンプを付すこと)」とあるのは「こと」とする。(電帳規2⑨)

(一)	届出者の氏名又は名称、住所若しくは居所又は本店若しくは主たる事務所の所在地及び法人番号(行政手続における特定の個人を識別するための番号の利用等に関する法律第2条第15項《定義》に規定する法人番号をいう。以下(一)及び**七**(4)から(6)までにおいて同じ。)(法人番号を有しない者にあっては、氏名又は名称及び住所若しくは居所又は本店若しくは主たる事務所の所在地)
(二)	基準日
(三)	その他参考となるべき事項

(過去分重要書類の所轄外税務署長への提出)

(12)　(11)の保存義務者は、(11)の規定の適用を受けようとする過去分重要書類につき、所轄税務署長等のほかに適用届出書の提出に当たり便宜とする税務署長(以下(12)において「所轄外税務署長」という。)がある場合において、当該所轄外税務署長がその便宜とする事情について相当の理由があると認めたときは、当該所轄外税務署長を経由して、その便宜とする事情の詳細を記載した適用届出書を当該所轄税務署長等に提出することができる。この場合において、当該適用届出書が所轄外税務署長に受理されたときは、当該適用届出書は、その受理された日に所轄税務署長等に提出されたものとみなす。(電帳規2⑩)

((11)の保存義務者が災害その他やむを得ない事情の場合)

(13)　(11)の規定により過去分重要書類に係る電磁的記録の保存をする保存義務者が、災害その他やむを得ない事情により、(5)前段に規定する(8)で定めるところに従って当該電磁的記録の保存をすることができないこととなったことを証明した場合には、(11)の規定にかかわらず、当該電磁的記録の保存をすることができる。ただし、当該事情が生じなかったとした場合において、当該(8)で定めるところに従って当該電磁的記録の保存をすることができないこととなったと認められるときは、この限りでない。(電帳規2⑪)

((5)後段に規定する(10)で定める要件)

(14)　(5)後段に規定する(10)で定める要件は、同項後段の国税関係書類に係る電磁的記録について、当該国税関係書類の保存場所に、国税に関する法律の規定により当該国税関係書類の保存をしなければならないこととされている期間、保存が行われることとする。(電帳規2⑫)

五　国税関係帳簿書類の電子計算機出力マイクロフィルムによる保存等

保存義務者は、国税関係帳簿の全部又は一部について、自己が最初の記録段階から一貫して電子計算機を使用して作成する場合には、(3)で定めるところにより、当該国税関係帳簿に係る電磁的記録の備付け及び当該電磁的記録の電子計算機出力マイクロフィルムによる保存をもって当該国税関係帳簿の備付け及び保存に代えることができる。(電帳法5①)

(所轄税務署長等の承認を受けた電子計算機出力マイクロフィルムによる保存)

(1)　保存義務者は、国税関係書類の全部又は一部について、自己が一貫して電子計算機を使用して作成する場合には、(4)で定めるところにより、当該国税関係書類に係る電磁的記録の電子計算機出力マイクロフィルムによる保存をもって当該国税関係書類の保存に代えることができる。(電帳法5②)

(所轄税務署長等の承認を受けた承認済国税関係帳簿書類に係る電子計算機出力マイクロフィルムによる保存)

(2)　**四**の規定により国税関係帳簿に係る電磁的記録の備付け及び保存をもって当該国税関係帳簿の備付け及び保存に代えている保存義務者又は**四**(2)の規定により国税関係書類に係る電磁的記録の保存をもって当該国税関係書類の保存に代えている保存義務者は、(5)で定める場合には、当該国税関係帳簿又は当該国税関係書類の全部又は一部について、(5)で定めるところにより、当該国税関係帳簿又は当該国税関係書類に係る電磁的記録の電子計算機出力マイクロフィルムによる保存をもって当該国税関係帳簿又は当該国税関係書類に係る電磁的記録の保存に代えることができる。(電帳法5③)

(国税関係帳簿書類の電子計算機出力マイクロフィルムによる保存等)

(3)　**五**の規定により国税関係帳簿に係る電磁的記録の備付け及び当該電磁的記録の電子計算機出力マイクロフィルムによる保存をもって当該国税関係帳簿の備付け及び保存に代えようとする保存義務者は、**四**(3)(一)から同(三)までに掲げる要件(当該保存義務者が**七**(8)(二)に定める要件に従って当該電磁的記録の備付け及び当該電磁的記録の電子計算機出力マイクロフィルムによる保存を行っている場合には、**四**(3)(三)に掲げる要件を除く。)及び次の(一)及び(二)に掲げる要件に従って当該電磁的記録の備付け及び当該電磁的記録の電子計算機出力マイクロフィルムによる保存をしなければならない。(電帳規3①)

<table>
<tr><td rowspan="3">(一)</td><td colspan="2">当該電子計算機出力マイクロフィルムの保存に併せて、次に掲げる書類の備付けを行うこと</td></tr>
<tr><td>イ</td><td>当該電子計算機出力マイクロフィルムの作成及び保存に関する事務手続を明らかにした書類</td></tr>
<tr><td>ロ</td><td>次に掲げる事項が記録された書類
(イ)　保存義務者(保存義務者が法人(法人税法第2条第8号《定義》に規定する人格のない社団等を含む。(イ)及び六(2)において同じ。)である場合には、当該法人の国税関係帳簿の保存に関する事務の責任者である者)の当該国税関係帳簿に係る電磁的記録が真正に出力され、当該電子計算機出力マイクロフィルムが作成された旨を証する記載及びその氏名
(ロ)　当該電子計算機出力マイクロフィルムの作成責任者の氏名
(ハ)　当該電子計算機出力マイクロフィルムの作成年月日</td></tr>
<tr><td>(二)</td><td colspan="2">当該電子計算機出力マイクロフィルムの保存をする場所に、日本産業規格B7186に規定する基準を満たすマイクロフィルムリーダプリンタ及びその操作説明書を備え付け、当該電子計算機出力マイクロフィルムの内容を当該マイクロフィルムリーダプリンタの画面及び書面に、整然とした形式及び明瞭な状態で、速やかに出力することができるようにしておくこと。</td></tr>
</table>

(電子計算機出力マイクロフィルムによる保存についての**四**(3)及び(3)の規定の準用)

(4)　(3)の規定は、(1)の規定により国税関係書類に係る電磁的記録の電子計算機出力マイクロフィルムによる保存をもって当該国税関係書類の保存に代えようとする保存義務者の当該電磁的記録の電子計算機出力マイクロフィルムによる保存について準用する。この場合において、(3)中「**四**(3)(一)から同(三)まで」とあるのは「**四**(3)(一)及び同(三)」と、「**七**(8)(二)に定める要件に従って当該電磁的記録の備付け及び」とあるのは「**七**(8)(二)ハから同ホまでに掲げる要件に従って」と、「及び次に」とあるのは「並びに次に」と読み替えるものとする。(電帳規3②)

((2)に規定する(5)で定める場合)

(5)　(2)に規定する(5)で定める場合は、**四**の規定により国税関係帳簿に係る電磁的記録の備付け及び保存をもって当該国税関係帳簿の備付け及び保存に代えている保存義務者の当該国税関係帳簿又は**四**(2)の規定により国税関係書類に係る電磁的記録の保存をもって当該国税関係書類の保存に代えている保存義務者の当該国税関係書類の全部又は一部について、その保存期間(国税に関する法律の規定により国税関係帳簿又は国税関係書類の保存をしなければならないこととされている期間をいう。)の全期間(電子計算機出力マイクロフィルムによる保存をもってこれらの電磁的記録の保存に代えようとする日以後の期間に限る。)につき電子計算機出力マイクロフィルムによる保存をもってこれらの電磁的記録の保存に代えようとする場合とする。(電帳規3③)

(電子計算機出力マイクロフィルムによる保存についての(3)及び(4)の規定の準用)

(6)　(3)及び(4)の規定は、(2)の規定により国税関係帳簿又は国税関係書類に係る電磁的記録の電子計算機出力マイクロフィルムによる保存をもって当該国税関係帳簿又は国税関係書類に係る電磁的記録の保存に代えようとする保存義務者の当該国税関係帳簿又は国税関係書類に係る電磁的記録の電子計算機出力マイクロフィルムによる保存について準用する。(電帳規3④)

六　電子取引の取引情報に係る電磁的記録の保存

所得税(源泉徴収に係る所得税を除く。)及び法人税に係る保存義務者は、電子取引を行った場合には、(1)で定めるところにより、当該電子取引の取引情報に係る電磁的記録を保存しなければならない。(電帳法7)

(電子取引の取引情報に係る電磁的記録の保存)

(1)　**六**に規定する保存義務者は、電子取引を行った場合には、当該電子取引の取引情報(**二**(五)に規定する取引情報をいう。以下(1)及び(3)において同じ。)に係る電磁的記録を、当該取引情報の受領が書面により行われたとした場合又は当該取引情報の送付が書面により行われその写しが作成されたとした場合に、国税に関する法律の規定により、当該書面を保存すべきこととなる場所に、当該書面を保存すべきこととなる期間、次に掲げる措置のいずれかを行い、**四**(3)(二)及び同(8)(五)並びに同(8)(六)において準用する**四**(3)(一)(同(一)イに係る部分に限る。)に掲げる要件(当該保存義務者が国税に関する法律の規定による当該電磁的記録の提示又は提出の要求(以下(1)において「電磁的記録の提示等の要求」という。)に応じることができるようにしている場合には、**四**(8)(五)(ロ及びハに係る部分に限る。)に掲げる要件(当該保存義務者が、その判定期間に係る基準期間における売上高が5,000万円以下である事業者である場合又は国税に関する法律の規定による当該電磁的記録を出力することにより作成した書面で整然とした形式及び明瞭な状態で出力され、取引年月日その他の日付及び取引先ごとに整理されたものの提示若しくは提出の要求に応じることができるようにしている場合であって、当該電磁的記録の提示等の要求に応じることができるようにしているときは、同(六)に掲げる要件)を除く。)に従って保存しなければならない。(電帳規4①)

(一)	当該電磁的記録の記録事項にタイムスタンプが付された後、当該取引情報の授受を行うこと。
(二)	次に掲げる方法のいずれかにより、当該電磁的記録の記録事項にタイムスタンプを付すこと。 イ　当該電磁的記録の記録事項にタイムスタンプを付すことを当該取引情報の授受後、速やかに行うこと。 ロ　当該電磁的記録の記録事項にタイムスタンプを付すことをその業務の処理に係る通常の期間を経過した後、速やかに行うこと(当該取引情報の授受から当該記録事項にタイムスタンプを付すまでの各事務の処理に関する規程を定めている場合に限る。)。
(三)	次のイ及びロに掲げる要件のいずれかを満たす電子計算機処理システムを使用して当該取引情報の授受及び当該電磁的記録の保存を行うこと。 イ　当該電磁的記録の記録事項について訂正又は削除を行った場合には、これらの事実及び内容を確認することができること。

	ロ　当該電磁的記録の記録事項について訂正又は削除を行うことができないこと。
(四)	当該電磁的記録の記録事項について正当な理由がない訂正及び削除の防止に関する事務処理の規程を定め、当該規程に沿った運用を行い、当該電磁的記録の保存に併せて当該規程の備付けを行うこと。

(用語の意義)

(2) (1)及び(2)において、次の各号に掲げる用語の意義は、当該各号に定めるところによる。(電帳規4②)

(一)	事業者	個人事業者(業務を行う個人をいう。以下(2)において同じ。)及び法人をいう。
(二)	判定期間	次に掲げる事業者の区分に応じそれぞれ次に定める期間をいう。 イ　個人事業者　　電子取引を行った日の属する年の1月1日から12月31日までの期間 ロ　法人　　電子取引を行った日の属する事業年度(法人税法第13条及び第14条《事業年度》に規定する事業年度をいう。(三)において同じ。)
(三)	基準期間	個人事業者についてはその年の前々年をいい、法人についてはその事業年度の前々事業年度(当該前々事業年度が1年未満である法人については、その事業年度開始の日の2年前の日の前日から同日以後1年を経過する日までの間に開始した各事業年度を合わせた期間)をいう。

(**六**の納税義務者が災害その他やむを得ない事情の場合)

(3) **六**に規定する保存義務者が、電子取引を行った場合において、災害その他やむを得ない事情により、**六**に規定する(2)で定めるところに従って当該電子取引の取引情報に係る電磁的記録の保存をすることができなかったことを証明したとき、又は納税地等の所轄税務署長が当該(2)で定めるところに従って当該電磁的記録の保存をすることができなかったことについて相当の理由があると認め、かつ、当該保存義務者が国税に関する法律の規定による当該電磁的記録及び当該電磁的記録を出力することにより作成した書面(整然とした形式及び明瞭な状態で出力されたものに限る。)の提示若しくは提出の要求に応じることができるようにしているときは、(1)の規定にかかわらず、当該電磁的記録の保存をすることができる。ただし、当該事情が生じなかったとした場合又は当該理由がなかったとした場合において、当該(2)で定めるところに従って当該電磁的記録の保存をすることができなかったと認められるときは、この限りでない。(電帳規4③)

七　他の国税に関する法律の規定の適用

四、**四**(2)若しくは同(5)前段、又は**五**、**五**(1)又は同(2)のいずれかに規定する**四**(3)、同(4)、同(8)、**五**(3)で定めるところに従って備付け及び保存が行われている国税関係帳簿又は保存が行われている国税関係書類に係る電磁的記録又は電子計算機出力マイクロフィルムに対する他の国税に関する法律の規定の適用については、当該電磁的記録又は電子計算機出力マイクロフィルムを当該国税関係帳簿又は当該国税関係書類とみなす。(電帳法8①)

(電磁的記録又は電子計算機出力マイクロフィルムに対する他の国税に関する法律の規定の適用)

(1) **十**に規定する**四**(3)、同(4)、同(8)、**五**(3)で定めるところに従って保存が行われている電磁的記録に対する他の国税に関する法律の規定の適用については、当該電磁的記録を国税関係書類以外の書類とみなす。(電帳法8②)

(**六**及び**七**又は(1)の規定の適用がある場合の青色申告の承認申請の適用関係)

(2) **六**及び**七**又は(1)の規定の適用がある場合には、次の(一)から(三)までに定めるところによる。(電帳法8③)

(一)	第十一章**二2**《青色申告の承認申請の却下》(一)の規定の適用については、同(一)中「帳簿書類」とあるのは、「帳簿書類」又は**四**《国税関係帳簿書類の電磁的記録による保存等》、**四**(2)若しくは同(5)前段、**五**《国税関係帳簿書類の電子計算機出力マイクロフィルムによる保存等》、**五**(1)又は同(2)若しくは**六**《電子取引の取引情報に係る電磁的記録の保存》のいずれか」とする。
(二)	第十一章**五1**《青色申告の承認の取消し》(一)の規定の適用については、同(一)中「帳簿書類」とあるのは、「帳簿書類」又は**四**《国税関係帳簿書類の電磁的記録による保存等》、**四**(2)若しくは同(5)前段、**五**《国税関係帳簿書類の電子計算機出力マイクロフィルムによる保存等》、**五**(1)又は同(2)若しくは**六**《電子取引の取

	引情報に係る電磁的記録の保存》のいずれか」とする。
(三)	(省略)

(修正申告等に係る過少申告加算税がある場合)

(3)　次に掲げる国税関係帳簿であって(4)で定めるものに係る電磁的記録の備付け及び保存又は当該電磁的記録の備付け及び当該電磁的記録の電子計算機出力マイクロフィルムによる保存が、国税の納税義務の適正な履行に資するものとして(8)で定める要件を満たしている場合における当該電磁的記録又は当該電子計算機出力マイクロフィルム((9)で定める日以後引き続き当該要件を満たしてこれらの備付け及び保存が行われているものに限る。以下(3)において同じ。)に記録された事項に関し第十章第七節**一 1**《修正申告》に規定する修正申告書((11)において「修正申告書」という。)の提出又は第十二章**一 1**《更正》若しくは同**一 3**《再更正》の規定による更正((11)において「更正」という。)(以下(3)において「修正申告等」という。)があった場合において、同章**四 1**《過少申告加算税》の規定の適用があるときは、同**1**の過少申告加算税の額は、同**1**の規定にかかわらず、同**1**の規定により計算した金額から当該過少申告加算税の額の計算の基礎となるべき税額(その税額の計算の基礎となるべき事実で当該修正申告等の基因となる当該電磁的記録又は当該電子計算機出力マイクロフィルムに記録された事項に係るもの以外のもの(以下(3)において「電磁的記録等に記録された事項に係るもの以外の事実」という。)があるときは、当該電磁的記録等に記録された事項に係るもの以外の事実に基づく税額として(10)で定めるところにより計算した金額を控除した税額)に100分の5の割合を乗じて計算した金額を控除した金額とする。ただし、その税額の計算の基礎となるべき事実で隠蔽し、又は仮装されたものがあるときは、この限りでない。(電帳法8④)

(一)	**四**の規定により国税関係帳簿に係る電磁的記録の備付け及び保存をもって当該国税関係帳簿の備付け及び保存に代えている保存義務者の当該国税関係帳簿
(二)	**五**又は**五**(2)の規定により国税関係帳簿に係る電磁的記録の備付け及び当該電磁的記録の電子計算機出力マイクロフィルムによる保存をもって当該国税関係帳簿の備付け及び保存に代えている保存義務者の当該国税関係帳簿

((3)に規定する(4)で定める国税関係帳簿)

(4)　(3)に規定する(4)で定める国税関係帳簿は、(3)に規定する修正申告等(以下(4)及び(5)において「修正申告等」という。)の基因となる事項に係る第十一章**三 5**《取引に関する帳簿及び記載事項》に規定する仕訳帳、総勘定元帳その他必要な帳簿(財務大臣の定める取引に関する事項の記載に係るものに限る。)、(保存義務者が、あらかじめ、これらの帳簿(以下(4)及び(5)において「特例国税関係帳簿」という。)に係る電磁的記録又は電子計算機出力マイクロフィルムに記録された事項に関し修正申告等があった場合には(3)の規定の適用を受ける旨及び次の(一)から(四)までに掲げる事項を記載した届出書を納税地等の所轄税務署長に提出している場合における当該特例国税関係帳簿に限る。)とする。(電帳規5①、令5財務省告示第93号)

(一)	届出に係る特例国税関係帳簿の種類
(二)	届出者の氏名又は名称、住所若しくは居所又は本店若しくは主たる事務所の所在地
(三)	届出に係る特例国税関係帳簿に係る電磁的記録の備付け及び保存又は当該電磁的記録の備付け及び当該電磁的記録の電子計算機出力マイクロフィルムによる保存をもって当該特例国税関係帳簿の備付け及び保存に代える日
(四)	その他参考となるべき事項

(取りやめの届出書の提出)

(5)　(4)の保存義務者は、特例国税関係帳簿に係る電磁的記録又は電子計算機出力マイクロフィルムに記録された事項に関し修正申告等があった場合において(3)の規定の適用を受けることをやめようとするときは、あらかじめ、その旨及び次に掲げる事項を記載した届出書を所轄税務署長等に提出しなければならない。この場合において、当該届出書の提出があったときは、その提出があった日の属する課税期間以後の課税期間については、(4)の届出書は、その効力を失う。(電帳規5②)

(一)	届出者の氏名又は名称、住所若しくは居所又は本店若しくは主たる事務所の所在地
(二)	(4)の届出書を提出した年月日
(三)	その他参考となるべき事項

(変更の届出書の提出)

(6)　(4)の保存義務者は、(4)の届出書に記載した事項の変更をしようとする場合には、あらかじめ、その旨及び次に掲げる事項を記載した届出書を所轄税務署長等に提出しなければならない。(電帳規5③)

(一)	届出者の氏名又は名称、住所若しくは居所又は本店若しくは主たる事務所の所在地
(二)	(4)の届出書を提出した年月日
(三)	変更をしようとする事項及び当該変更の内容
(四)	その他参考となるべき事項

(**四**(12)の準用)

(7)　**四**(12)の規定は、(4)から(6)までの届出書の提出について準用する。(電帳規5④)

((8)で定める要件)

(8)　(3)に規定する(8)で定める要件は、次の(一)及び(二)に掲げる保存義務者の区分に応じ当該(一)及び(二)に定める要件とする。(電帳規5⑤)

(一)	(3)(一)に規定する保存義務者　　次に掲げる要件(当該保存義務者が国税に関する法律の規定による当該国税関係帳簿に係る電磁的記録の提示又は提出の要求に応じることができるようにしている場合には、ハ((2)及び(3)に係る部分に限る。)に掲げる要件を除く。) イ　当該国税関係帳簿に係る電子計算機処理に、次に掲げる要件を満たす電子計算機処理システムを使用すること。 (1)　当該国税関係帳簿に係る電磁的記録の記録事項について訂正又は削除を行った場合には、これらの事実及び内容を確認することができること。 (2)　当該国税関係帳簿に係る記録事項の入力をその業務の処理に係る通常の期間を経過した後に行った場合には、その事実を確認することができること。 ロ　当該国税関係帳簿に係る電磁的記録の記録事項と関連国税関係帳簿(当該国税関係帳簿に関連する第2条国税関係帳簿(**二**(二)に規定する国税関係帳簿をいう。)をいう。ロにおいて同じ。)の記録事項(当該関連国税関係帳簿が、**四**の規定により当該関連国税関係帳簿に係る電磁的記録の備付け及び保存をもって当該関連国税関係帳簿の備付け及び保存に代えられているもの又は**五**若しくは**五**(2)の規定により当該電磁的記録の備付け及び当該電磁的記録の電子計算機出力マイクロフィルムによる保存をもって当該関連国税関係帳簿の備付け及び保存に代えられているものである場合には、当該電磁的記録又は当該電子計算機出力マイクロフィルムの記録事項)との間において、相互にその関連性を確認することができるようにしておくこと。 ハ　当該国税関係帳簿に係る電磁的記録の記録事項の検索をすることができる機能(次に掲げる要件を満たすものに限る。)を確保しておくこと。 (1)　取引年月日、取引金額及び取引先((2)及び(3)において「記録項目」という。)を検索の条件として設定することができること。 (2)　日付又は金額に係る記録項目については、その範囲を指定して条件を設定することができること。 (3)　二以上の任意の記録項目を組み合わせて条件を設定することができること。
(二)	(3)(二)に規定する保存義務者　次に掲げる要件 イ　(一)に定める要件 ロ　**五**(3)(一)ロ(イ)の電磁的記録に、(一)イ(1)及び(2)に規定する事実及び内容に係るものが含まれていること。 ハ　当該電子計算機出力マイクロフィルムの保存に併せて、国税関係帳簿の種類及び取引年月日その他の日付を特定することによりこれらに対応する電子計算機出力マイクロフィルムを探し出すことができる索引簿

	の備付けを行うこと。 ニ　当該電子計算機出力マイクロフィルムごとの記録事項の索引を当該索引に係る電子計算機出力マイクロフィルムに出力しておくこと。 ホ　当該国税関係帳簿の保存期間（国税に関する法律の規定により国税関係帳簿の保存をしなければならないこととされている期間をいう。）の初日から当該国税関係帳簿に係る国税の第二章第一節**一**（２）⑦に規定する法定申告期限（当該法定申告期限のない国税に係る国税関係帳簿については、当該国税の同（２）⑧に規定する法定納期限）後３年を経過する日までの間（当該保存義務者が当該国税関係帳簿に係る国税の納税者でない場合には、当該保存義務者が当該納税者であるとした場合における当該期間に相当する期間）、当該電子計算機出力マイクロフィルムの保存に併せて**四**（３）(二)及び(一)ハに掲げる要件（当該保存義務者が国税に関する法律の規定による当該国税関係帳簿に係る電磁的記録の提示又は提出の要求に応じることができるようにしている場合には、(一)ハ（⑵及び⑶に係る部分に限る。）に掲げる要件を除く。）に従って当該電子計算機出力マイクロフィルムに係る電磁的記録の保存をし、又は当該電子計算機出力マイクロフィルムの記録事項の検索をすることができる機能（(一)ハに規定する機能（当該保存義務者が国税に関する法律の規定による当該国税関係帳簿に係る電磁的記録の提示又は提出の要求に応じることができるようにしている場合には、(一)ハ⑴に掲げる要件を満たす機能）に相当するものに限る。）を確保しておくこと。

（軽減された過少申告加算税の対象となる国税関係帳簿に係る電磁的記録等の備付け等が行われる日）

(９)　(３)に規定する(９)で定める日は、(３)の修正申告書又は更正に係る課税期間（第二章第一節**一**（２）⑨に規定する課税期間をいう。以下(９)において同じ。）の初日（新たに業務を開始した個人の当該業務を開始した日の属する課税期間については、同日）とする。（電帳令２）

（軽減された過少申告加算税を課さない部分の税額の計算）

(10)　(３)に規定する電磁的記録等に記録された事項に係るもの以外の事実に基づく税額として(10)で定めるところにより計算した金額は、第十二章**四１**《過少申告加算税》の過少申告加算税の額の計算の基礎となるべき税額のうち(３)に規定する税額の計算の基礎となるべき事実で(３)に規定する電磁的記録等に記録された事項に係るもの以外の事実のみに基づいて(３)に規定する修正申告等があったものとした場合における当該修正申告等に基づき第十章第三節**４**《申告納税方式による国税等の納付》の規定により納付すべき税額とする。（電帳令３）

（重加算税がある場合）

(11)　(３)前段に規定する(４)で定めるところに従って保存が行われている(３)に規定する国税関係書類に係る電磁的記録若しくは(３)後段の規定により保存が行われている当該電磁的記録又は前条の保存義務者により行われた電子取引の取引情報に係る電磁的記録に記録された事項に関し第十章第二節**一３**《期限後申告》に規定する期限後申告書若しくは修正申告書の提出、更正若しくは第十二章**一２**《決定》の規定による決定又は納税の告知（国税通則法第36条第１項（第２号に係る部分に限る。）《納税の告知》の規定による納税の告知をいう。以下(11)において同じ。）若しくは納税の告知を受けることなくされた納付（以下(11)において「期限後申告等」という。）があった場合において、同章**四４**①、②及び③《重加算税》の規定に該当するときは、同**４**①、②及び③の重加算税の額は、これらの規定にかかわらず、これらの規定により計算した金額に、これらの規定に規定する基礎となるべき税額（その税額の計算の基礎となるべき事実で当該期限後申告等の基因となるこれらの電磁的記録に記録された事項に係るもの（隠蔽し、又は仮装された事実に係るものに限る。以下(11)において「電磁的記録に記録された事項に係る事実」という。）以外のものがあるときは、当該電磁的記録に記録された事項に係る事実に基づく税額として(12)で定めるところにより計算した金額に限る。）に100分の10の割合を乗じて計算した金額を加算した金額とする。（電帳法８⑤）

（加重された重加算税が課される部分の税額の計算）

(12)　(11)に規定する電磁的記録に記録された事項に係る事実に基づく税額として(12)で定めるところにより計算した金額は、第十二章**四１**から**３**まで《過少申告加算税等》の過少申告加算税の額、無申告加算税の額又は不納付加算税の額の計算の基礎となるべき税額のうち次の(一)及び(二)に掲げる場合の区分に応じ当該(一)及び(二)に定める税額とする。（電帳令４）

(一)	第十二章**四４**①から③まで《重加算税》に規定する隠蔽し、又は仮装されていない事実（以下(一)において「隠

	蔽仮装されていない事実」という。）がある場合　　当該隠蔽仮装されていない事実及び(11)に規定する電磁的記録に記録された事項に係る事実（以下(一)において「隠蔽仮装されていない事実等」という。）のみに基づいて第十章第二節**一 3**《期限後申告》に規定する期限後申告書若しくは同章第七節**一 1**《修正申告》に規定する修正申告書の提出又は第十二章**一 1**《更正》若しくは同**一 3**《再更正》の規定による更正若しくは同**一 2**《決定》の規定による決定（以下(12)において「期限後申告等」という。）があったものとした場合における当該期限後申告等に基づき第十章第三節**4**《申告納税方式による国税等の納付》の規定により納付すべき税額又は(11)の国税関係書類の保存義務者が当該隠蔽仮装されていない事実等のみに基づいてその第二章第一節**一**（２）②に規定する源泉徴収等による国税（以下(12)において「源泉徴収等による国税」という。）の同（２）⑧に規定する法定納期限（以下(12)において「法定納期限」という。）までに納付しなかった税額から当該隠蔽仮装されていない事実のみに基づいて期限後申告等があったものとした場合における当該期限後申告等に基づき第十章第三節**4**の規定により納付すべき税額又は当該保存義務者が当該隠蔽仮装されていない事実のみに基づいてその源泉徴収等による国税の法定納期限までに納付しなかった税額を控除した税額
(二)	(一)に掲げる場合以外の場合　　(11)に規定する電磁的記録に記録された事項に係る事実のみに基づいて期限後申告等があったものとした場合における当該期限後申告等に基づき第十章第三節**4**の規定により納付すべき税額又は(一)の保存義務者が当該電磁的記録に記録された事項に係る事実のみに基づいてその源泉徴収等による国税の法定納期限までに納付しなかった税額

（審査請求がある場合）

(13)　(11)の規定の適用がある場合における国税通則法施行規則第12条第１項《審査請求に係る書類の提出先》の規定の適用については、同項ただし書中「又は第４項」とあるのは「若しくは第４項」と、「）の重加算税」とあるのは「）又は第十六章**七**(11)（第十二章**四 4**③の重加算税に係る部分に限る。）（他の国税に関する法律の規定の適用）の重加算税」とする。（電帳規５⑥）

（賦課決定通知書への付記）

(14)　（３）又は(11)の規定の適用がある場合における過少申告加算税又は重加算税に係る第十二章**四 6**《賦課決定》に規定する賦課決定通知書には、当該過少申告加算税又は重加算税について（３）又は(11)の規定の適用がある旨を付記するものとする。（電帳規５⑧）

（国税通則法等の規定の適用）

(15)　(11)の規定の適用がある場合における国税通則法等の規定の適用については、電帳令第５条により読み替えられるものがある。

（電子帳簿保存法取扱通達の制定について）

(16)　電子計算機を使用して作成する国税関係帳簿書類の保存方法等の特例に関する法律の制定に伴い、この法律の取扱いについては、平成10年５月28日付課法５－４ほか６課共同の「電子帳簿保存法取扱通達」（最終改正令和４年６月24日付課総10－12ほか６課共同）の定めるところによる。

（注）　電子帳簿保存法関係申請書等の様式については、令和３年11月29日付課総10－26ほか８課共同「電子帳簿保存法関係届出書等の様式の制定について」の定めるところによる。

第十七章　復興特別所得税

第一節　総　則

1　用語の意義

この章において、次の(一)から(十八)までの各号に掲げる用語の意義は、当該各号に定めるところによる。（復興財確法6）

(一)	居住者	第二章第一節**一**《定義》表内**3**に規定する居住者をいう。
(二)	非永住者	第二章第一節**一**表内**4**に規定する非永住者をいう。
(三)	非居住者	第二章第一節**一**表内**5**に規定する非居住者をいう。
(四)	内国法人	第二章第一節**一**表内**6**に規定する内国法人をいう。
(五)	外国法人	第二章第一節**一**表内**7**に規定する外国法人をいう。
(六)	人格のない社団等	第二章第一節**一**表内**8**に規定する人格のない社団等をいう。
(七)	確定申告書	第二章第一節**一**表内**37**に規定する確定申告書及び第五章第三節**十3**②（2）（同節**十四3**において準用する場合を含む。）又は同章第四節**二3**（1）において準用する第十章第二節**二4**《確定損失申告》①の規定による申告書をいう。
(八)	復興特別所得税申告書	第二節**6**《課税標準及び税額の申告》の規定による申告書（当該申告書に係る期限後申告書を含む。）又は同**6**の（1）の規定による申告書をいう。
(九)	期限後申告書	第十章第二節**一3**に規定する期限後申告書をいう。
(十)	修正申告書	第十章第七節**1**に規定する修正申告書をいう。
(十一)	更正の請求	第十章第八節**一2**に規定する更正の請求をいう。
(十二)	更正請求書	第十章第八節**一3**に規定する更正請求書をいう。
(十三)	更正	第十二章**一1**《更正》又は同**3**《再更正》の規定による更正をいう。
(十四)	決定	第二節**12**の場合を除き、第十二章**一2**《決定》の規定による決定をいう。
(十五)	源泉徴収	復興税源法第四節の規定により復興特別所得税を徴収して納付することをいう。
(十六)	附帯税	第二章第一節**一**（2）表内④に規定する附帯税をいう。
(十七)	充当	復興財源法第30条の場合を除き、第二章第一節**一**表内**47**(注) 1の規定による充当をいう。
(十八)	還付加算金	第二章第一節**一**表内**48**に規定する還付加算金をいう。

2　法人課税信託の受託者等に対する本章の適用

① 人格のない社団等は、法人とみなして、本章《復興特別所得税》の規定を適用する。（復興財確法7①）

② 第二章第一節**一**表内**8の3**に規定する法人課税信託（以下②において「法人課税信託」という。）の受託者は、各法人課税信託の同章第二節**3**《法人課税信託の受託者等に関する通則》に規定する信託資産等及び固有資産等ごとに、それぞれ別の者とみなして、第十七章（**3**、**6**及び復興財確法第六節《罰則》を除く。）の規定を適用する。（復興財確法7②）

③ 第二章第二節**3**（1）《各法人課税信託の信託資産等及び固有資産等の帰属》及び同（2）《受託法人等に関するこの法律の適用》の規定は、②の規定を適用する場合について準用する。（復興財確法7③）

④ 第二章第二節**3**（3）から同（5）までの規定は、②の規定を適用する場合について準用する。（復興政令2）

3　納税義務者及び源泉徴収義務者

第二章第二節**1**《納税義務者》の規定その他の所得税に関する法令の規定により所得税を納める義務がある居住者、非居住者、内国法人又は外国法人は、基準所得税額につき、この復興財確法により、復興特別所得税を納める義務がある。（復興財確法８①）

同節**2**《源泉徴収義務者》の規定その他の所得税に関する法令の規定により所得税を徴収して納付する義務がある者は、その徴収して納付する所得税の額につき、この復興財確法により、源泉徴収をする義務がある。（復興財確法８②）

4　課税の対象

居住者又は非居住者に対して課される平成25年から令和19年までの各年分の所得税に係る基準所得税額には、この復興財確法により、復興特別所得税を課する。（復興財確法９①）

内国法人又は外国法人に対して課される平成25年１月１日から令和19年12月31日までの間に生ずる所得に対する所得税に係る基準所得税額には、この復興財源法により、復興特別所得税を課する。（復興財源法９②）

5　基準所得税額

第十七章において「基準所得税額」とは、次の(一)から(五)までに掲げる者の区分に応じそれぞれに定める所得税の額(附帯税の額を除く。）をいう。（復興財確法10）

(一)	非永住者以外の居住者	第二章第二節**4**《課税所得の範囲》表内①に定める所得につき、所得税法その他の所得税の税額の計算に関する法令の規定（第九章第二節**一5**《分配時調整外国税相当額控除》及び同節**二**①《外国税額控除》の規定を除く。(二)において同じ。）により計算した所得税の額
(二)	非永住者	第二章第二節**4**表内②に定める所得につき、所得税法その他の所得税の税額の計算に関する法令の規定により計算した所得税の額
(三)	非居住者	第二章第二節**4**表内③に定める所得につき、所得税法その他の所得税の税額の計算に関する法令の規定（所得税法第165条の５の３及び同法第165条の６の規定並びに租税特別措置法第９条の３の２第５項の規定により読み替えて適用される所得税法第170条の規定を除く。）により計算した所得税の額
(四)	内国法人	次に掲げる所得につき、所得税法、租税特別措置法その他の所得税の税額の計算に関する法令の規定（同法第９条の３の２第５項の規定により読み替えて適用される所得税法第175条の規定を除く。）により計算した所得税の額 イ　第二章第二節**4**表内④に定める所得 ロ　第四章第一節**三1**②に規定する国外公社債等の利子等、同③に規定する民間国外債の利子、租税特別措置法第６条第13項に規定する外貨債の利子、第四章第二節**五1**②に規定する国外投資信託等の配当等、同④に規定する国外株式の配当等、租税特別措置法第41条の９第２項に規定する懸賞金付預貯金等の懸賞金等、同法第41条の12第２項に規定する償還差益及び同法第41条の12の２第１項に規定する差益金額
(五)	外国法人	次に掲げる所得につき、所得税法、租税特別措置法その他の所得税の税額の計算に関する法令の規定（同法第９条の３の２第５項の規定により読み替えて適用される所得税法第179条の規定を除く。）により計算した所得税の額 イ　第二章第二節**4**表内⑤に定める所得 ロ　租税特別措置法第41条の９第２項に規定する懸賞金付預貯金等の懸賞金等、同法第41条の12第２項に規定する償還差益及び同法第41条の12の２第１項に規定する差益金額

6　納税地

復興特別所得税（源泉徴収に係るものを除く。）の納税地は、復興特別所得税を納める義務がある者の第二章第五節**1**《納税地》又は同節**2**《納税地の特例》の規定による所得税の納税地（同節**4**①《納税地の指定》の規定による指定があった場合には、その指定をされた納税地）とする。（復興財確法11①）

（源泉徴収に係る復興特別所得税の納税地）

（1）　源泉徴収に係る復興特別所得税の納税地は、源泉徴収をする義務がある者の第二章第五節**3**《源泉徴収に係る所得税の納税地》の規定による所得税の納税地（同節**4**②《源泉徴収に係る所得税の納税地の指定》の規定による指定があった場合には、その指定をされた納税地）とする。（復興財確法11②）

（所得税の納税地の指定の処分の取消しがあった場合）

（2）　第二章第五節**4**②（2）《納税地指定の処分の取消しがあった場合の申告等の効力》の規定は、所得税の納税地の指定の処分の取消しがあった場合における復興特別所得税について準用する。（復興財確法11③）

第二節　個人の納税義務

1　個人に係る復興特別所得税の課税標準

個人に対して課する復興特別所得税の課税標準は、その個人のその年分の基準所得税額とする。（復興財確法12）

2　個人に係る復興特別所得税の税率

個人に対して課する復興特別所得税の額は、その個人のその年分の基準所得税額に100分の2.1の税率を乗じて計算した金額とする。（復興財確法13）

3　分配時調整外国税相当額の控除

復興特別所得税申告書を提出する居住者が令和２年から令和19年までの各年において復興財確法第33条第１項の規定により読み替えて適用される第九章第二節**一 5**《分配時調整外国税相当額控除》の規定の適用を受ける場合において、その年の同**5**に規定する分配時調整外国税相当額がその年分の所得税の額として（1）で定める金額を超えるときは、（2）で定めるところにより、その超える金額をその年分の復興特別所得税の額から控除する。（復興財確法13の２①）

（**3**に規定する所得税の額として（1）で定める金額）

（1）　**3**に規定する所得税の額として（1）で定める金額は、**3**の居住者のその年分の所得税の額（第九章第二節**一 5**及び同節**二 1**の規定を適用しないで計算した場合の所得税の額とし、附帯税（第二章第一節**一**表内**46**(注)に規定する附帯税をいう。以下において同じ。）の額を除く。）とする。（復興政令２の２①）

（**3**の規定により復興特別所得税の額から控除する金額）

（2）　**3**の規定により復興特別所得税の額から控除する金額は、（1）に規定するその年分の所得税の額のみを基準所得税額（第一節**5**に規定する基準所得税額をいう。以下において同じ。）として**2**の規定を適用して計算した場合の復興特別所得税の額に相当する金額を限度とする。（復興政令２の２②）

（明細書の添付）

（3）　**3**の規定は、復興特別所得税申告書、修正申告書又は更正請求書に分配時調整外国税相当額（復興財確法第33条第１項の規定により読み替えて適用される第九章第二節**一 5**に規定する分配時調整外国税相当額をいう。以下において同じ。）、**3**の規定による控除を受ける金額及び当該金額の計算に関する明細を記載した書類の添付がある場合に限り、適用する。この場合において、**3**の規定により控除される金額は、当該書類に分配時調整外国税相当額として記載された金額を限度とする。（復興財確法13の２③）

4　外国税額の控除

復興特別所得税申告書を提出する居住者が平成25年から令和19年までの各年において第九章第二節**二 1**①《外国税額控除》の規定の適用を受ける場合において、その年の同①に規定する控除対象外国所得税の額が同①に規定する控除限度額を超えるときは、**2**及び**3**の規定を適用して計算したその年分の復興特別所得税の額のうち、その年において生じた同①に規定する国外所得金額に対応するものとして（2）で定めるところにより計算した金額を限度として、その超える金額を

その年分の復興特別所得税の額から控除する。（復興財確法14①）

（明細を記載した書類の添付）

（１） **4**の規定は、復興特別所得税申告書、修正申告書又は更正請求書に控除対象外国所得税等の額（第九章第二節**二1**①に規定する控除対象外国所得税の額又は所得税法第165条の６第１項に規定する控除対象外国所得税の額をいう。以下（１）において同じ。）、**4**の規定による控除を受けるべき金額及び当該金額の計算に関する明細を記載した書類の添付がある場合に限り、適用する。この場合において、**4**の規定による控除をされるべき金額の計算の基礎となる控除対象外国所得税等の額は、税務署長において特別の事情があると認める場合を除くほか、当該書類に控除対象外国所得税等の額として記載された金額を限度とする。（復興財確法14③）

（外国税額の控除限度額の計算）

（２） **4**に規定する（２）で定めるところにより計算した金額は、**4**の居住者のその年分の第一節**1**（七）に規定する確定申告書に係る第一節**5**に規定する基準所得税額につき**2**の規定を適用して計算した復興特別所得税の額に、その年分に係る第九章第二節**二1**③《控除限度額の計算》に規定する割合を乗じて計算した金額とする。（復興政令３①）

5　復興特別所得税申告書の提出がない場合の税額の特例

復興特別所得税申告書を提出する義務がない者に対して課する復興特別所得税の額は、**1**から**4**までの規定により計算した復興特別所得税の額によらず、その者のその年分の**7**（３）に規定する予納特別税額及び源泉徴収をされた、又はされるべき復興特別所得税の額の合計額による。（復興財確法15）

6　予定納税

平成25年から令和19年までの各年分の第十章第一節**一1**《予定納税額の納付》に規定する控除した金額及び当該控除した金額に100分の2.1を乗じて計算した金額の合計額が15万円以上である個人は、同**1**又は同節**二1**《特別農業所得者の予定納税額の納付》（これらの規定を所得税法第166条において準用する場合を含む。）の規定により納付すべき所得税に係る復興特別所得税を当該所得税に併せて国に納付しなければならない。（復興財確法16①）

（第十章第一節《予定納税の納付》の準用）

（１） 第十章第一節《予定納税の納付》の規定は、**6**の規定により納付すべき復興特別所得税について準用する。この場合において、第十章第一節**一1**《予定納税額の納付》中「控除した金額」とあるのは「控除した金額及び当該金額に100分の2.1を乗じて計算した金額の合計額」と、「所得税を」とあるのは「所得税及び復興特別所得税を」と、同節**二1**《特別農業所得者の予定納税額の納付》中「所得税」とあるのは「所得税及び復興特別所得税」と、同節**三1**④《申告納税見積額の計算》中「計算した金額」とあるのは「計算した金額及び当該金額に100分の2.1を乗じて計算した金額の合計額」と、同節**三4**①から同③までの規定及び同節**四1**《出国をする場合の予定納税額の納期限の特例》中「所得税」とあるのは「所得税及び復興特別所得税」と読み替えるものとする。（復興財確法16②、復興政令４①、復興省令２）

（予定納税があった場合の按分）

（２） **6**の規定による復興特別所得税及び所得税の納付があった場合においては、その納付額を**6**の規定により併せて納付すべき復興特別所得税の額及び所得税の額に按分した額に相当する復興特別所得税及び所得税の納付があったものとする。（復興財確法16③）

（端数計算）

（３） （２）の規定により納付があったものとされる復興特別所得税の額（以下「復興特別所得税納付額」という。）に１円未満の端数がある場合又は復興特別所得税納付額の全額が１円未満である場合において、その端数金額又は全額（以下（３）において「端数金額等」という。）に（一）に掲げる合計額を加算した金額から（二）に掲げる合計額を控除した金額（以下（３）において「調整後端数金額等」という。）が50銭以下であるときは、その端数金額等を切り捨てるものとし、その調整後端数金額等が50銭超であるときは、その端数金額等を１円とする。（復興政令４②）

（一）	その復興特別所得税納付額に係る（２）に規定する納付すべき復興特別所得税の額のうち既に納付された額に

	ついて、(３)の規定により切り捨てられた額の合計額
(二)	その復興特別所得税納付額に係る(２)に規定する納付すべき復興特別所得税の額のうち既に納付された額について、(３)の規定により１円とされた額を１円から控除した額の合計額（当該１円とされた額がない場合には、零）

((２)の規定により納付があったものとされた所得税の額)

(４)　(３)の規定の適用がある場合における(２)の規定により納付があったものとされた所得税の額は、(２)の納付額から(３)の規定を適用して計算した復興特別所得税納付額に相当する額を控除した額に相当する額とする。(復興政令４③)

7　課税標準及び税額の申告

第十章第二節**二１**①《確定申告書を提出すべき場合》、同節**三１**①《その年の翌年１月１日以後、確定申告書を提出しないで死亡した場合》(同**２**⑤《相続人が申告書の提出期限前に死亡した場合》において準用する場合を含む。)、同**２**①《相続人による確定所得申告》、同**３**①《その年の翌年１月１日以後出国する場合の確定所得申告》又は同**４**①《年の中途で出国をする場合の確定所得申告》(これらの規定を所得税法第166条において準用する場合を含む。）の規定により確定申告書を提出すべき者は、次の(一)から(五)までに掲げる事項を記載した申告書を、当該確定申告書の提出期限までに、税務署長に提出しなければならない。(復興財確法17①)

(一)	その年分の確定申告書に係る基準所得税額
(二)	(一)に掲げる基準所得税額につき**２**から**４**までの規定を適用して計算した復興特別所得税の額
(三)	その年分の第十章第二節**二１**②《確定申告書の記載事項》(四)に規定する源泉徴収税額に併せて源泉徴収をされた、又はされるべき復興特別所得税の額（当該復興特別所得税の額のうちに、出国申告書（同節**三４**《年の中途で出国をする場合の確定申告等》①から同③までの規定による確定申告書に併せて提出する復興特別所得税申告書をいう。以下**７**及び(３)において同じ。）を提出したことにより、又は出国申告書に係る復興特別所得税につき更正を受けたことにより還付される金額その他(４)で定める金額がある場合には、当該金額を控除した金額。以下(三)及び(四)並びに(１)(一)において「源泉徴収特別税額」という。）がある場合には、(二)に掲げる復興特別所得税の額からその源泉徴収特別税額を控除した金額
(四)	その年分の予納特別税額がある場合には、(二)に掲げる復興特別所得税の額（源泉徴収特別税額がある場合には、(三)に掲げる金額）から当該予納特別税額を控除した金額
(五)	(一)から(四)までに掲げる金額の計算の基礎その他(５)で定める事項

(確定申告書の記載事項)

(１)　確定申告書（**７**に規定する確定申告書を除く。）を提出する者は、**７**(一)から同(七)までに掲げる事項のほか、次の(一)から(三)までに掲げる事項を記載した申告書を、税務署長に提出しなければならない。(復興財確法17②)

(一)	**７**(三)に掲げる金額の計算上控除しきれなかった源泉徴収特別税額がある場合には、その控除しきれなかった金額
(二)	**７**(四)に掲げる金額の計算上控除しきれなかった予納特別税額がある場合には、その控除しきれなかった金額
(三)	(一)及び(二)に掲げる金額の計算の基礎その他(６)で定める事項

(復興特別所得税に係る復興特別所得税申告書、修正申告書又は更正請求)

(２)　その年分の復興特別所得税に係る復興特別所得税申告書、修正申告書又は更正請求書は、当該復興特別所得税と年分が同一である所得税に係る確定申告書、修正申告書又は更正請求書に併せて提出しなければならない。(復興財確法17③)

(予納特別税額)

(３)　**７**(四)及び(１)(二)に規定する予納特別税額とは、次の(一)及び(二)に掲げる税額の合計額（当該税額のうちに、出国申告書を提出したことにより、又は出国申告書に係る復興特別所得税につき更正を受けたことにより還付される金額がある場合には、当該金額を控除した金額）をいう。（復興財確法17④）

(一)	**6**の規定により納付すべき復興特別所得税の額
(二)	その年において出国申告書を提出したことにより、又は出国申告書に係る復興特別所得税につき更正若しくは決定を受けたことにより、次条又は第十章第三節**4**《期限後申告、修正申告又は更正、決定による納付》の規定により納付した、又は納付すべき復興特別所得税の額

（**7**(三)に規定する(4)で定める金額）

(4)　**7**(三)に規定する(4)で定める金額は、第二章第二節**4**①(六)に掲げる対価につき復興財確法第28条第１節《源泉徴収義務等》の規定により徴収された復興特別所得税の額のうち同条第７項の規定により同**1**の規定による徴収が行われたものとみなされる金額とする。（復興政令５②）

（課税標準及び税額の申告）

(5)　**7**(五)に規定する(5)で定める事項は、次に掲げる事項とする。（復興省令３①）

(一)　復興特別所得税申告書を提出する者の氏名、住所（国内に住所がない場合には、居所）及び行政手続における特定の個人を識別するための番号の利用等に関する法律第２条第５項に規定する個人番号（同項に規定する個人番号を有しない者にあっては、氏名及び住所（国内に住所がない場合には、居所））並びに住所地（国内に住所がない場合には、居所地）と納税地とが異なる場合には、その納税地

(二)　第十章第二節**二1**②(十一)ロ又は同節**二4**②(九)ロに規定する申告書と併せて復興特別所得税申告書を提出する場合には、これらの規定に規定する死亡をした者の氏名及びその死亡の時における住所（国内に住所がない場合には、居所）並びに住所地（国内に住所がない場合には、居所地）と納税地とが異なる場合には、その納税地

(三)　その他参考となるべき事項

（(1)(三)に規定する(6)で定める事項）

(6)　(1)(三)に規定する(6)で定める事項は、(1)(一)若しくは(二)に掲げる金額又はこれらの金額の計算の基礎に関し、参考となるべき事項とする。（復興省令３②）

（非居住者給与等申告書の記載事項）

(7)　所得税法第172条第１項の規定による申告書（以下(7)において「非居住者給与等申告書」という。）を提出すべき者は、その年分の非居住者給与等申告書に係る次の(一)から(五)までに掲げる事項を記載した申告書を、当該非居住者給与等申告書の提出期限までに、税務署長に提出しなければならない。（復興財確法17⑤）

(一)	所得税法第172条第１項第１号に掲げる所得税の額及び当該所得税の額につき**2**の規定を適用して計算した復興特別所得税の額
(二)	所得税法第172条第１項第２号に掲げる所得税の額及び当該所得税の額につき**2**の規定を適用して計算した復興特別所得税の額
(三)	(一)に掲げる復興特別所得税の額から(二)に掲げる復興特別所得税の額を控除した金額
(四)	その者が所得税法第171条に規定する退職手当等について同条の選択をする場合には、次に掲げる事項 イ　所得税法第172条第２項第１号に掲げる所得税の額及び当該所得税の額につき**2**の規定を適用して計算した復興特別所得税の額 ロ　所得税法第172条第２項第２号に掲げる所得税の額及び当該所得税の額に併せて源泉徴収をされた、又はされるべき復興特別所得税の額（当該所得税の額のうちに同法第170条の規定を適用して計算した所得税の額がある場合には、当該所得税の額につき**2**の規定を適用して計算した復興特別所得税の額を含む。） ハ　イに掲げる復興特別所得税の額からロに掲げる復興特別所得税の額を控除した金額
(五)	(一)及び(四)イに掲げる金額の計算の基礎その他(9)③で定める事項

（申告書の記載事項）

（8）　所得税法第173条第１項の規定による申告書を提出する者は、その年分の当該申告書に係る次の(一)から(四)までに掲げる事項を記載した申告書を、税務署長に提出しなければならない。（復興財確法17⑥）

(一)	所得税法第172条第２項第１号に掲げる所得税の額及び当該所得税の額につき**2**の規定を適用して計算した復興特別所得税の額
(二)	所得税法第172条第２項第２号に掲げる所得税の額及び当該所得税の額に併せて源泉徴収をされた、又はされるべき復興特別所得税の額（当該所得税の額のうちに同法第170条の規定を適用して計算した所得税の額がある場合には、当該所得税の額につき**2**の規定を適用して計算した復興特別所得税の額を含む。）
(三)	(一)に掲げる復興特別所得税の額から(一)に掲げる復興特別所得税の額を控除した金額
(四)	(一)に掲げる金額の計算の基礎その他（9）③で定める事項

（復興特別所得税申告書についての準用）

（9）①　（2）の規定は、その年分の復興特別所得税に係る（7）の規定による申告書（当該申告書に係る期限後申告書を含む。）若しくは（7）の規定による申告書又はこれらの申告書に係る修正申告書若しくは更正請求書について準用する。（復興財確法17⑦）

②　第十章第二節**三１**③又は同④の規定は、同③に規定する申告書と併せて提出する復興特別所得税申告書について準用する。（復興政令５①）

③　第十章第二節**三１**③《死亡の場合の申告書の記載事項》の規定は②において準用する第十章第二節**三１**③に規定する(一)から(三)で定める事項について、それぞれ準用する。（復興省令３③）

8　申告による納付等

7の規定による復興特別所得税申告書を提出した者は、当該復興特別所得税申告書に記載した**7**(二)に掲げる金額（同(三)に規定する源泉徴収特別税額があり、かつ、同(四)に規定する予納特別税額がない場合には、同(三)に掲げる金額とし、同(四)に規定する予納特別税額がある場合には、同(四)に掲げる金額とする。）があるときは、当該金額に相当する復興特別所得税を当該復興特別所得税申告書の提出期限までに、国に納付しなければならない。（復興財確法18①）

（納付すべき年分が同一である所得税があるとき）

（1）　**8**の規定により復興特別所得税を納付する場合（第十章第三節**4**《期限後申告、修正申告又は更正、決定による納付》の規定により復興特別所得税を納付する場合を含む。）において、同節**1**《確定申告による納付》から**3**《出国の場合の確定申告による納付》までの規定により納付すべき年分が同一である所得税があるとき（同節**4**の規定により納付すべき年分が同一である所得税があるときを含む。）は、当該復興特別所得税は、当該所得税に併せて納付しなければならない。（復興財確法18②）

（（1）の規定による復興特別所得税及び所得税の納付があった場合）

（2）　（1）の規定による復興特別所得税及び所得税の納付があった場合においては、その納付額を（1）の規定により併せて納付すべき復興特別所得税の額及び所得税の額に按分した額に相当する復興特別所得税及び所得税の納付があったものとする。（復興財確法18③）

（納付の延期）

（3）　**7**の規定による復興特別所得税申告書を提出した者が**8**の規定により納付すべき復興特別所得税の額（（5）において準用する第十章第四節**二２**①《延納許可申請書の提出》の申請書を提出する場合には、当該復興特別所得税の額からその申請書に記載した（4）の規定による延納を求めようとする復興特別所得税の額を控除した額）の２分の１に相当する金額以上の復興特別所得税を**8**の規定による納付の期限までに国に納付したときは、その者は、その残額についてその納付した年の５月31日までの期間、その納付を延期することができる。（復興財確法18④）

（復興特別所得税の延納許可）

（4）　税務署長は、第十章第四節**二１**《延払条件付譲渡に係る所得税額の延納》の規定により納付すべき所得税の延納の許可をする場合には、当該延納に係る所得税の額に100分の2.1を乗じて計算した金額に相当する復興特別所得税の延納を併せて許可するものとする。（復興財確法18⑤）

（復興特別所得税の納付の延期又は延納の許可についての準用）

（5）　第十章第四節**一2**《確定申告税額の延納の手続》及び同**3**《延納税額に対する利子税の納付》、同節**二1**①《担保の徴取》並びに同**2**《延払条件付譲渡に係る所得税額の延納の手続等》から同**6**《延納税額に係る延滞税の特例》までの規定は、（3）又は（4）の規定による復興特別所得税の納付の延期又は延納の許可について準用する。この場合において、同**1**①中「所得税の額」とあるのは「所得税及び復興特別所得税の額の合計額」と、「所得税に」とあるのは「所得税及び復興特別所得税に」と読み替えるものとする。（復興財確法18⑥）

（国外転出をする場合の譲渡所得等の特例の適用がある場合の納税猶予分に係る復興特別所得税）

（6）　第十章第五節**二1**①に規定する納税猶予分の所得税額に相当する所得税に係る復興特別所得税については、同①に規定する国外転出の時までに第十五章**四2**の規定による納税管理人の届出をし、かつ、当該復興特別所得税に係る復興特別所得税申告書の提出期限までに当該復興特別所得税の額に相当する担保を供した場合に限り、**8**の規定にかかわらず、当該国外転出の日から満了基準日（当該国外転出の日から５年を経過する日又は第十章第五節**二1**①に規定する帰国等の場合に該当することとなった日のいずれか早い日をいう。）の翌日以後４月を経過する日まで、その納税を猶予する。この場合においては、第十章第五節**二1**（①及び②を除く。）の規定を準用する。（復興財確法18⑦）

（注）　上記～～下線部については、令和７年１月１日以後、（6）中「かつ、」の次に「政令で定めるところにより」が加えられる。（令５改所法等附１五ハ）

（7）　第十章第五節**二1**（同**1**①（5）及び同（6）を除く。）の規定は、（6）の規定により納税を猶予する場合について準用する。この場合において、同**1**⑤（2）（一）中「納税猶予分の所得税額」とあるのは「納税猶予分の所得税額に相当する所得税に係る復興特別所得税の額」と、同（二）中「第二節**二1**《確定所得申告》②の（三）」とあるのは「第十八章第二節**6**《課税標準及び税額の申告》の（二）」と読み替えるものとする。（復興政令６③）

（8）　（6）に規定する納税猶予分の所得税額の端数計算及び当該納税猶予分の所得税額に相当する所得税に係る復興特別所得税の額の端数計算については、第十章第五節**二1**①（6）及び（7）において準用する第十章第五節**二1**⑤（2）の規定にかかわらず、これらの額の合計額によって行い、当該合計額に100円未満の端数があるとき、又はその全額が100円未満であるときは、その端数金額又はその全額を切り捨てる。（復興政令６④）

（（6）に規定する納税猶予分の所得税額に相当する所得税につき納税の猶予に係る期限の延長の適用がある場合）

（9）　（6）に規定する納税猶予分の所得税額に相当する所得税につき第十章第五節**二1**②の規定の適用がある場合における（6）の規定の適用については、（6）中「５年」とあるのは、「10年」とする。（復興財確法18⑧）

（贈与により非居住者に資産が移転した場合の譲渡所得等の特例の適用がある場合の納税猶予分に係る復興特別所得税）

（10）　第十章第五節**二2**①に規定する贈与納税猶予分の所得税額に相当する所得税に係る復興特別所得税については、当該復興特別所得税に係る復興特別所得税申告書の提出期限までに当該復興特別所得税の額に相当する担保を供した場合に限り、**8**の規定にかかわらず、第十章第五節**二2**①に規定する贈与の日から贈与満了基準日（当該贈与の日から５年を経過する日又は同①に規定する受贈者帰国等の場合に該当することとなった日のいずれか早い日をいう。）の翌日以後４月を経過する日まで、その納税を猶予する。この場合においては、第十章第五節**二2**（①から③までを除く。）の規定を準用する。（復興財確法18⑨）

（注）　上記～～下線部については、令和７年１月１日以後、（10）中「ついては、」の次に「政令で定めるところにより」が加えられる。（令５改所法等附１五ハ）

（相続又は遺贈により非居住者に資産が移転した場合の譲渡所得等の特例の適用がある場合の納税猶予分に係る復興特別所得税）

（11）　第十章第五節**二2**②に規定する相続等納税猶予分の所得税額に相当する所得税に係る復興特別所得税については、（12）で定めるところにより当該復興特別所得税の額に相当する担保を供し、かつ、当該復興特別所得税に係る復興特別所得税申告書の提出期限までに同②に定めるところにより第十五章**四2**の規定による納税管理人の届出をした場合に限り、**8**の規定にかかわらず、その相続の開始の日から相続等満了基準日（当該相続の開始の日から５年を経過する日又は第十章第五節**二２**②に規定する相続人帰国等の場合に該当することとなった日のいずれか早い日をいう。）の翌日以後４月を経過する日まで、その納税を猶予する。この場合においては、第十章第五節**二２**（①から③までを除く。）の規定を準用する。（復興財確法18⑩）

(12)　第十章第五節**二２**（同**２**①（５）及び同②（２）、同②（３）、同②（４）、同⑩（１）及び同⑪（６）を除く。）の規定は、(10)又は(11)の規定により納税を猶予する場合について準用する。この場合において、第十章第五節**二２**（５）中「相続等納税猶予分の所得税額」とあるのは「相続等納税猶予分の所得税額に相当する所得税に係る復興特別所得税の額」と、「所得税に係る②に規定する確定申告期限」とあるのは「所得税に係る復興特別所得税に係る復興特別所得税申告書の提出期限」と、「所得税に係る第七節**二５**①」とあるのは「所得税に係る第十七章**11**《期限後申告及び修正申告等の特例》⑥において準用する第十章第七節**二５**①」と、第十章第五節**二２**⑤（１）中「所得税につき第七節**二５**①」とあるのは「所得税に係る第十七章**11**⑥において準用する第十章第七節**二５**①」と、「相続等納税猶予分の所得税額」とあるのは「相続等納税猶予分の所得税額に相当する所得税に係る復興特別所得税の額」と、「②（③」とあるのは「第十七章**8**《申告による納付等》(11)（同(14)」と、「当該修正申告書に、②」とあるのは「当該修正申告書に、同(11)」と、第十章第五節**二２**⑥（２）(一)中「納税猶予分の所得税額」とあるのは「納税猶予分の所得税額に相当する所得税に係る復興特別所得税の額」と、同(二)中「第二節**二１**《確定所得申告》②の(三)」とあるのは「第十八章第二節**6**《課税標準及び税額の申告》の(二)」と、第十章第五節**二２**⑥（３）中「所得税額の合計額」とあるのは「所得税額の合計額に相当する所得税に係る復興特別所得税の額」と、「贈与の日」と、」とあるのは「贈与の日」と、「第二節**二１**《確定所得申告》②の(三)」とあるのは「第十八章第二節**6**《課税標準及び税額の申告》の(二)」と、」と読み替えるものとする。（復興政令６⑤）

(13)　（８）の規定は、(10)に規定する贈与納税猶予分の所得税額及び当該贈与納税猶予分の所得税額に相当する所得税に係る復興特別所得税の額又は(11)に規定する相続等納税猶予分の所得税額及び当該相続等納税猶予分の所得税額に相当する所得税に係る復興特別所得税の額について準用する。この場合において、（８）中「第十章第五節**二１**①（６）」とあるのは「第十章第五節**二２**①（６）」と、「（７）において準用する第十章第五節**二１**⑤（２）」とあるのは「(12)において準用する第十章第五節**二２**⑥（２）」と読み替えるものとする。（復興政令６⑥）

（(10)及び(11)に規定する納税猶予分の所得税額に相当する所得税につき納税の猶予に係る期限の延長の適用がある場合）

(14)　(10)及び(11)に規定する贈与納税猶予分の所得税額又は相続等納税猶予分の所得税額に相当する所得税につき第十章第五節**二２**③の規定の適用がある場合における(10)及び(11)の規定の適用については、これらの規定中「５年」とあるのは、「10年」とする。（復興財確法18⑪）

（復興特別所得税の納付）

(15)　**7**（６）の規定による申告書を提出した者は、当該申告書に記載した同（６）(三)に掲げる金額（同(四)ハに掲げる金額がある場合には、同(三)に掲げる金額と同(四)ハに掲げる金額との合計額）に相当する復興特別所得税を当該申告書の提出期限までに、国に納付しなければならない。（復興財確法18⑫）

（(15)の規定により復興特別所得税を納付する場合）

(16)　(15)の規定により復興特別所得税を納付する場合（第十章第三節**4**の規定により復興特別所得税を納付する場合を含む。）において、所得税法第172条第３項の規定により納付すべき年分が同一である所得税があるとき（第十章第三節**4**の規定により納付すべき年分が同一である所得税があるときを含む。）は、当該復興特別所得税は、当該所得税に併せて納付しなければならない。（復興財確法18⑬）

（端数計算）

(17)　**6**（６）及び同（４）の規定は、（２）（(18)において準用する場合を含む。）の規定により納付があったものとされる復興特別所得税の額に１円未満の端数がある場合又はその全額が１円未満である場合について準用する。（復興政令６②）

（復興特別所得税及び所得税の納付があった場合についての準用）

(18)　（２）の規定は、(16)の規定による復興特別所得税及び所得税の納付があった場合について準用する。（復興財確法18⑭）

第十章第四節**二４**《延払条件付譲渡に係る所得税額の延納の取消し》及び同**１**③注《延払条件付譲渡に係る税額の計算の細目》の規定は、（５）において準用する第十章第四節**二４**(二)に規定する同(二)(注)で定めるところにより計算した金額について準用する。（復興政令６①）

所得税法施行規則第２編第３章第２節第２款（同令第67条において準用する場合を含む。）の規定は、（３）又は（４）の規定による復興特別所得税の納付の延期又は延納の許可について準用する。（復興省令４①）

所得税法施行規則第２編第３章第２節第３款（同令第67条において準用する場合を含む。）の規定は、（６）、（９）、(10)、(11)及び(14)までの規定による復興特別所得税の納税の猶予について準用する。（復興省令４②）

9　申告による源泉徴収特別税額等の還付等

復興特別所得税申告書の提出があった場合において、当該復興特別所得税申告書に**７**（１）(一)に掲げる金額の記載があるときは、税務署長は、当該復興特別所得税申告書を提出した者に対し、当該金額に相当する復興特別所得税を還付する。（復興財確法19①）

（源泉徴収特別税額のうちにまだ納付されていないものがあるとき）

（１）　**９**の場合において、**９**の復興特別所得税申告書に記載された**７**（１）(一)に規定する源泉徴収特別税額のうちにまだ納付されていないものがあるときは、**９**の規定による還付金の額のうちその納付されていない部分の金額に相当する金額については、その納付があるまでは、還付しない。（復興財確法19②）

（予納特別税額の還付）

（２）　復興特別所得税申告書の提出があった場合において、当該復興特別所得税申告書に**７**（１）(二)に掲げる金額の記載があるときは、税務署長は、当該復興特別所得税申告書を提出した者に対し、当該金額に相当する同(二)に規定する予納特別税額（（３）において「予納特別税額」という。）を還付する。（復興財確法19③）

（予納特別税額について納付された延滞税があるとき）

（３）　税務署長は、（２）の規定による還付金の還付をする場合において、（２）の復興特別所得税申告書に係る年分の予納特別税額について納付された延滞税があるときは、その額のうち、（２）の規定により還付される予納特別税額に対応するものとして政令で定めるところにより計算した金額を併せて還付する。（復興財確法19④）

（還付する年分が同一である所得税に併せた還付）

（４）　**９**から（３）まで（（１）を除く。）の規定により還付する復興特別所得税は、第十章第六節**一１**《源泉徴収税額等の還付》又は同節**二１**《予納税額の還付》の規定により還付する年分が同一である所得税に併せて還付するものとする。（復興財確法19⑤）

（（４）の規定による復興特別所得税及び所得税の還付があった場合）

（５）　（４）の規定による復興特別所得税及び所得税の還付があった場合においては、その還付額を（４）の規定により併せて還付する復興特別所得税の額及び所得税の額に按分した額に相当する復興特別所得税及び所得税の還付があったものとする。（復興財確法19⑥）

（復興特別所得税の還付について準用）

（６）　第十章第六節**一４**①及び同②並びに同節**二４**①から④までの規定は、**９**から（４）までの規定により還付する復興特別所得税について準用する。（復興財確法19⑦）

（復興特別所得税の還付）

（７）　**７**（８）の規定による申告書の提出があった場合には、税務署長は、当該申告書を提出した者に対し、同（８）(三)に掲げる金額に相当する復興特別所得税を還付する。（復興財確法19⑧）

（復興特別所得税の額のうちにまだ納付されていないものがあるとき）

(8)　(7)の場合において、(7)の申告書に記載された**7**(8)(二)に掲げる復興特別所得税の額（復興財確法第28条第1項《源泉徴収義務等》の規定により併せて徴収されるべきものに限る。）のうちにまだ納付されていないものがあるときは、(7)の規定による還付金の額のうちその納付されていない部分の金額に相当する金額については、その納付があるまでは、還付しない。（復興財確法19⑨）

（還付する年分が同一である所得税に併せた還付）

(9)　(7)の規定により還付する復興特別所得税は、所得税法第173条第2項の規定により還付する年分が同一である所得税に併せて還付するものとする。（復興財確法19⑩）

（準用規定）

(10)　(5)の規定は、(9)の規定による復興特別所得税及び所得税の還付があった場合について準用する。（復興財確法19⑪）

（準用規定）

(11)　所得税法第173条第4項の規定は、(7)から(9)までの規定により還付する復興特別所得税について準用する。（復興財確法19⑫）

（申告による源泉徴収特別税額等の還付等の準用規定）

(12)　**9**、(2)、(3)又は(7)の規定により還付する復興特別所得税については、所得税法施行令第2編第5章第3節第1款（同令第293条において準用する場合を含む。）及び第297条の規定を準用する。この場合において、これらの規定中「確定申告書」とあるのは「復興特別所得税申告書」と、「源泉徴収税額」とあるのは「源泉徴収特別税額」と読み替えるほか、次の表の左欄に掲げる規定中同表の中欄に掲げる字句は、それぞれ同表の右欄に掲げる字句に読み替えるものとする。（復興政令7①）

第十章第六節**一2**①	**1**①《源泉徴収税額等の還付》又は**二1**①若しくは同②《予納税額の還付》	第十七章第二節**9**又は(2)若しくは(3)《申告による源泉徴収特別税額等の還付等》
第十章第六節**一2**①(二)	**1**②	第十七章第二節**9**(2)
第十章第六節**一2**⑤	**1**①又は**二1**《予定納税額の還付》①若しくは同②	第十七章第二節**9**又は(2)若しくは(3)
第十章第六節**一2**⑥	第二節**三1**④本文	第十七章第二節**7**《課税標準及び税額の申告》(7)において準用する第十章第二節**三1**④本文
第十章第六節**一3**①	**1**①	第十七章第二節**9**《申告による源泉徴収特別税額等の還付等》
第十章第六節**一3**①(一)	第二節**二1**②(七)注	第十七章第二節**7**(3)(一)又は同(二)
第十章第六節**二3**①	**1**①又は同②	第十七章第二節**9**(2)又は同(3)
第十章第六節**一3**②	**1**①の規定による還付金と**二1**①又は②	第十七章第二節**9**の規定による還付金と**9**(2)又は同(3)
第十章第六節**一3**②(一)	**1**①	第十七章第二節**9**
第十章第六節**一3**②(二)	**二1**①又は②	第十七章第二節**9**(2)又は同(3)
第十章第六節**二4**②	**1**①	第十七章第二節**9**(2)
	既に①若しくは	既に第十七章第二節**9**(6)において準用する①若しく

		は同節**14**（７）において準用する
	１①若しくは第十二章**三**《更正等に伴う還付》**５**	第十七章第二節**９**（２）若しくは同節**14**（４）
	①に	第十七章第二節**９**（６）において準用する①に
第十章第六節**二１**②(一)	②又は第十二章**三**《更正等による還付》**８**	第十七章第二節**９**（３）又は同節**14**（４）
第十章第六節**二１**②(二)	①又は第十二章**三５**《更正により予定納税額の控除不足額等が増加した場合の還付》	第十七章第二節**９**（２）又は同節**14**（４）
	第二節**二１**②(三)《確定所得申告に係る所得税額》	第十七章第二節**７**(二)《課税標準及び税額の申告》
	同項(四)	同項(三)
第297条第１項	法第173条第１項（退職所得の選択課税による還付）	復興財確法第17条第６項（課税標準及び税額の申告）
第297条第３項	法第173条第１項第３号	復興財確法第17条第６項第３号
	同条第２項	復興財確法第19条第８項（申告による源泉徴収特別税額等の還付等）

（端数計算）

(13)　**６**（３）及び同（４）の規定は、**９**（５）（同(10)において準用する場合を含む。）の規定により還付があったものとされる復興特別所得税の額に１円未満の端数がある場合又はその全額が１円未満である場合について準用する。（復興政令７②）

（申告による源泉徴収特別税額等の還付等）

(14)　第十章第六節**一２**②の規定は(12)において準用する第十章第六節**一２**②に規定する財務省令で定める事項について、所得税法施行規則第71条の規定は(12)において準用する所得税法施行令第297条第１項に規定する財務省令で定める事項について、それぞれ準用する。（復興省令５）

10　青色申告

①　第十一章**一**《青色申告》の承認を受けている者は、復興特別所得税申告書及び復興特別所得税申告書に係る修正申告書（②において「復興特別所得税申告書等」という。）について、青色の申告書により提出することができる。（復興財確法20①）

②　個人が第十一章**五１**《青色申告の承認の取消し》の規定により同**一**の承認を取り消された場合には、その取消しに係る同**五１**(一)から同(三)までに定める年分以後の各年分の復興特別所得税につきその個人が①の規定により青色の申告書により提出した復興特別所得税申告書等は、青色申告書（①の規定により青色の申告書によって提出する復興特別所得税申告書等をいう。）以外の申告書とみなす。（復興財確法20②）

11　期限後申告及び修正申告の特例

①　第十章第七節**二１**の規定は、復興特別所得税申告書を提出し、又は決定を受けた者（その相続人及び包括受遺者を含む。以下**11**において同じ。）の当該復興特別所得税申告書又は決定に係る基準所得税額の計算の基礎となる第十章第七節**二１**①に規定する総所得金額のうちに同①に規定する有価証券等に係る譲渡所得等の金額が含まれていることにより、当該復興特別所得税申告書又は決定に係る復興特別所得税につき第十章第七節**一１**(一)から(四)まで又は同**２**(一)から(四)までの事由が生じた場合について準用する。（復興財確法20の２①）

②　第十章第七節**二２**の規定は、復興特別所得税申告書を提出し、又は決定を受けた者の当該復興特別所得税申告書又は決定に係る基準所得税額の計算の基礎となる第十章第七節**二２**①に規定する総所得金額のうちに同①に規定する有価証券等の譲渡による事業所得の金額、譲渡所得の金額若しくは雑所得の金額、未決済信用取引等の決済による事業所得の

金額若しくは雑所得の金額又は未決済デリバティブ取引の決済による事業所得の金額若しくは雑所得の金額が含まれていることにより、当該復興特別所得税申告書又は決定に係る復興特別所得税につき第十章第七節**一 1**(一)から(四)まで又は同**2**(一)から(四)までの事由が生じた場合について準用する。(復興財確法20の２②)

③　第十章第七節**二 3**の規定は、復興特別所得税申告書を提出し、又は決定を受けた者の当該復興特別所得税申告書又は決定に係る基準所得税額の計算の基礎となる第十章第七節**二 3**①(一)及び(二)に規定する事業所得の金額、譲渡所得の金額若しくは雑所得の金額又は第十章第七節**二 1**②の各号に規定する事業所得の金額若しくは雑所得の金額につきこれらの号に掲げる場合に該当することとなったことにより、当該復興特別所得税申告書又は決定に係る復興特別所得税につき第十章第七節**一 1**の各号又は同**2**の各号の事由が生じたときについて準用する。(復興財確法20の２③)

④　第十章第七節**二 4**①、同④及び同⑤の規定は、**7**の規定による申告書の提出期限後に第十章第七節**二 4**①の規定に該当して同①の規定による期限後申告書を提出すべき者が、**7**の規定による申告書を提出すべき場合について準用する。(復興財確法20の２④)

⑤　第十章第七節**二 4**⑥の規定は、同①から同③までの規定により申告書を提出するこれらの規定に規定する居住者の相続人が提出すべき復興特別所得税申告書について準用する。(復興財確法20の２⑤)

⑥　第十章第七節**二 5**の規定は、復興特別所得税申告書を提出し、又は決定を受けた者について生じた第十章第七節**二 5**①に規定する遺産分割等の事由により、非居住者に移転した相続又は遺贈に係る同①に規定する対象資産が増加し、又は減少したことに基因して、当該復興特別所得税申告書又は決定に係る復興特別所得税につき第十章第七節**一 1**(一)から(四)まで又は同**2**(一)から(四)までの事由が生じた場合について準用する。(復興財確法20の２⑥)

(１)　第十章第七節**二 5**①(１)の規定は、⑥において準用する第十章第七節**二 5**①に規定する同(１)で定める事由について準用する。(復興政令７の２)

12　更正の請求の特例

①　第十章第八節**二 1**の規定は、復興特別所得税申告書を提出し、又は決定を受けた者（その相続人及び包括受遺者を含む。)の当該復興特別所得税申告書又は決定に係る基準所得税額の計算の基礎となる同**1**に規定する各種所得の金額につき同**1**に規定する事実が生じたことにより、同節**一 1**(一)から同(三)までの事由が生じた場合について準用する。(復興財確法21①)

②　第十章第八節**二 2**の規定は、個人が次に掲げる金額につき修正申告書を提出し、又は更正若しくは決定を受けた場合において、その修正申告書の提出又は更正若しくは決定に伴い、その修正申告書又は更正若しくは決定に係る年分の翌年分以後の各年分で決定を受けた年分に係る**7**(二)から同(四)までに掲げる金額（当該金額につき修正申告書の提出又は更正があった場合には、その申告又は更正後の金額）が過大となるとき、又は**7**(１)(一)若しくは同(二)に掲げる金額（当該金額につき修正申告書の提出又は更正があった場合には、その申告又は更正後の金額）が過少となるときについて準用する。(復興財確法21②)

(一)	確定申告書に記載すべき第十章第二節**二 1**②(一)若しくは同(三)から同(五)まで、同**3**①(一)から同(三)まで又は同**4**②(一)若しくは同(五)から同(八)まで（これらの規定を所得税法第166条において準用する場合を含む。)に掲げる金額
(二)	復興特別所得税申告書に記載すべき**7**(一)から同(四)まで又は**7**(１)(一)若しくは同(二)に掲げる金額

③　第十章第八節**二 3**の規定は、同**3**①に規定する国外転出の日の属する年分の復興特別所得税申告書を提出し、又は決定を受けた者（その相続人及び包括受遺者を含む。)の当該復興特別所得税申告書又は決定に係る基準所得税額の計算の基礎となる同**3**①に規定する有価証券等に係る譲渡所得等の金額につき第六章第四節**一 1**⑥本文（同⑥(１)の規定により適用する場合を含む。)、同⑦（同⑨において準用する場合を含む。）又は同⑪の規定の適用があることにより、当該年分の復興特別所得税につき次の(一)及び(二)に掲げる場合に該当することとなるときについて準用する。(復興財確法21③)

(一)	**7**(二)から同(四)までに掲げる金額（当該金額につき修正申告書の提出又は更正があった場合には、その申告又は更正後の金額）が過大となる場合
(二)	**7**(１)(一)又は同(二)に掲げる金額（当該金額につき修正申告書の提出又は更正があった場合には、その申告又は更正後の金額）が過少となる場合

④　第十章第八節**二 4**の規定は、同**4**①に規定する贈与、相続又は遺贈による移転をした日の属する年分の復興特別所得

税申告書を提出し、又は決定を受けた者（その相続人及び包括受遺者を含む。）の当該復興特別所得税申告書又は決定に係る基準所得税額の計算の基礎となる同**4**に規定する事業所得の金額、譲渡所得の金額又は雑所得の金額につき第六章第四節**一2**⑥前段（同⑥(1)の規定により適用する場合を含む。)、同⑦（同⑩において準用する場合を含む。）又は同⑪の規定の適用があることにより、当該年分の復興特別所得税につき③(一)及び(二)に掲げる場合に該当することとなるときについて準用する。（復興財確法21④）

⑤　第十章第八節**二5**の規定は、同**5**①に規定する有価証券等の譲渡又は同②に規定する未決済信用取引等若しくは未決済デリバティブ取引の決済をした日の属する年分の復興特別所得税申告書を提出し、又は決定を受けた者（その相続人及び包括受遺者を含む。）の当該復興特別所得税申告書又は決定に係る基準所得税額の計算の基礎となる同**5**①の各号に規定する事業所得の金額、譲渡所得の金額若しくは雑所得の金額又は同**5**②の各号に規定する事業所得の金額若しくは雑所得の金額につきこれらの号に掲げる場合に該当することとなったことにより、当該年分の復興特別所得税につき③(一)及び(二)に掲げる場合に該当することとなるときについて準用する。（復興財確法21⑤）

⑥　第十章第八節**二6**①の規定は、相続の開始の日の属する年分の復興特別所得税申告書を提出し、又は決定を受けた者について生じた第十章第七節**二4**①に規定する遺産分割等の事由により、非居住者に移転した相続又は遺贈に係る同①に規定する対象資産が減少し、又は増加したことに基因して、当該年分の復興特別所得税につき③(一)及び(二)に掲げる場合に該当することとなるときについて準用する。（復興財確法21⑥）

⑦　第十章第八節**二7**の規定は、同**7**に規定する国外転出の日の属する年分の復興特別所得税申告書を提出した者（その相続人及び包括受遺者を含む。）の当該復興特別所得税申告書に係る**7**(二)に掲げる復興特別所得税の額の計算において**3**の規定により控除される金額につき第九章第二節**三**①（同②において準用する場合を含む。）の規定により第九章第二節**三**①の規定の適用があることにより、当該年分の復興特別所得税につき③(一)に掲げる場合に該当することとなるときについて準用する。（復興財確法21⑦）

13　更正及び決定

①　復興特別所得税及び所得税に係る更正又は決定は、年分が同一であるこれらの税に係る更正又は決定に併せて行わなければならない。（復興財確法22①）

②　第十二章**二2**②の規定は、同②の規定により更正通知書（同②に規定する更正通知書をいう。）にその理由を付記して行う所得税の更正と併せて行う復興特別所得税の更正について準用する。（復興財確法22②）

14　更正等による源泉徴収特別税額等の還付等

（復興特別所得税につき更正等があった場合）

(1)　個人の各年分の復興特別所得税につき更正（当該復興特別所得税についての処分等（更正の請求に対する処分又は第十二章**一2**の規定による決定をいう。）に係る不服申立て又は訴えについての決定若しくは裁決又は判決を含む。以下(1)及び(3)において「更正等」という。）があった場合において、その更正等により**7**(1)(一)に掲げる金額が増加したときは、税務署長は、その個人に対し、その増加した部分の金額に相当する復興特別所得税を還付する。（復興財確法23①）

（源泉徴収特別税額のうちにまだ納付されていないものがあるとき）

(2)　(1)の場合において、(1)の規定による還付金の額の計算の基礎となった**7**(1)(一)に規定する源泉徴収特別税額のうちにまだ納付されていないものがあるときは、(1)の規定による還付金の額のうちその納付されていない部分の金額に相当する金額については、その納付があるまでは、還付しない。（復興財確法23②）

（更正等があった場合の予納特別税額を還付）

(3)　個人の各年分の復興特別所得税につき更正等があった場合において、その更正等により**7**(1)(二)に掲げる金額が増加したときは、税務署長は、その個人に対し、その増加した部分の金額に相当する同(二)に規定する予納特別税額（(3)において「予納特別税額」という。）を還付する。（復興財確法23③）

（予納特別税額について納付された延滞税があるとき）

(4)　税務署長は、(3)の規定による還付金の還付をする場合において、(3)に規定する年分の予納特別税額について納付された延滞税があるときは、その額のうち、(3)の規定により還付される予納特別税額に対応するものとして政

令で定めるところにより計算した金額を併せて還付する。（復興財確法23④）

（還付する年分が同一である所得税があるとき）

（５）　**14**から（４）まで（（２）を除く。）の規定により復興特別所得税を還付する場合において、第十二章**三１**から同**５**まで又は同**６**から同**９**まで（これらの規定を所得税法第168条において準用する場合を含む。）の規定により還付する年分が同一である所得税があるときは、当該復興特別所得税は、当該所得税に併せて還付するものとする。（復興財確法23⑤）

（（５）の規定による復興特別所得税及び所得税の還付があった場合）

（６）　（５）の規定による復興特別所得税及び所得税の還付があった場合においては、その還付額を（５）の規定により併せて還付する復興特別所得税の額及び所得税の額に按分した額に相当する復興特別所得税及び所得税の還付があったものとする。（復興財確法23⑥）

（準用規定）

（７）　第十二章**三５**①及び同②並びに同**９**①から同③までの規定は、**14**から（５）までの規定により還付する復興特別所得税について準用する。（復興財確法23⑦）

（読替規定）

（８）　（１）、（３）又は（４）の規定により還付する復興特別所得税については、第十二章**三３**及び**８**（これらの規定を所得税法施行令第295条において準用する場合を含む。）の規定を準用する。この場合において、これらの規定中「源泉徴収税額」とあるのは「源泉徴収特別税額」と読み替えるほか、次の表の左欄に掲げる同令の規定中同表の中欄に掲げる字句は、それぞれ同表の右欄に掲げる字句に読み替えるものとする。（復興政令８①）

第十二章**三２**	第十章第六節**一３**	第十七章第二節**９**（12）《申告による源泉徴収特別税額等の還付等の準用規定》において準用する第十章第六節**一３**
	１	第十七章第二節**14**（１）《更正等による源泉徴収特別税額等の還付等》
第十二章**三３**注	**１**	第十七章第二節**14**（１）
第278条第１項	法第160条第２項《更正等による予納税額の還付》	復興財確法第23条第４項《更正等による源泉徴収特別税額等の還付等》
第十二章**三６**（一）	**５**	第十七章第二節**14**（３）
	第十章第二節《確定申告》**二１**②（五）（注）	第十七章第二節**７**（３）（一）又は同（二）
	第十章第六節《還付》**二１**②《予納税額の還付》又は**６**	第十七章第二節**９**（３）又は同**14**（５）
第十二章**三６**（二）	第十章第六節《還付》**二１**①又は**５**	第十七章第二節**９**（２）又は同**14**（３）
	第十章第二節《確定申告》**二１**②（三）	第十七章第二節**７**（二）
	同（四）	同（三）
第十二章**三７**④	第十章第六節**二３**①又は②	第十七章第二節**９**（12）《申告による源泉徴収特別税額等の還付等の準用規定》において準用する第十章第六節**二３**①又は同②
	５又は**６**	第十七章第二節**14**（３）又は同（４）
	同節**二４**《予定納税に係る還付加算金》の②	第十七章第二節**９**（12）において準用する同節**二４**《予定納税に係る還付加算金》の②
	５	第十七章第二節**14**（３）

（端数計算）

（9）　**6**の（4）及び同（5）の規定は、（6）の規定により還付があったものとされる復興特別所得税の額に1円未満の端数がある場合又はその全額が1円未満である場合について準用する。（復興政令8②）

15　課税標準の端数計算等

本節の規定により課する復興特別所得税（附帯税を除く。（1）及び（2）において同じ。）の課税標準の端数計算については、第十五章**五1**《国税の課税標準の端数計算》の規定にかかわらず、その課税標準に1円未満の端数があるとき、又はその全額が1円未満であるときは、その端数金額又はその全額を切り捨てる。（復興財確法24①）

（確定金額の端数計算）

（1）　本節の規定により納付すべき復興特別所得税の確定金額の端数計算及び当該復興特別所得税の基準所得税額である所得税（附帯税を除く。（2）において同じ。）の確定金額の端数計算については、第十五章**五2**《国税の確定申告の端数計算》の規定にかかわらず、これらの確定金額の合計額によって行い、当該合計額に100円未満の端数があるとき、又はその全額が100円未満であるときは、その端数金額又はその全額を切り捨てる。（復興財確法24②）

（還付金等の額の端数計算）

（2）　本節の規定により還付すべき復興特別所得税及び所得税に係る還付金等（国税通則法第56条第1項に規定する還付金等をいう。**16**①において同じ。）の額の端数計算については、復興特別所得税及び所得税を一の税とみなしてこれを行う。（復興財確法24③）

（附帯税等の計算）

（3）　本節の規定により納付すべき復興特別所得税及び所得税に係る附帯税並びにこれらの附帯税の免除に係る金額（以下**15**において「附帯税等」という。）の計算については、その計算の基礎となるべきその年分の復興特別所得税及び所得税の合計額によって行い、算出された附帯税等をその計算の基礎となった復興特別所得税の額及び所得税の額に按分した額に相当する金額を復興特別所得税又は所得税に係る附帯税等の額とする。（復興財確法24④）

（還付加算金の計算）

（4）　本節の規定により還付すべき復興特別所得税及び所得税に係る還付加算金の計算については、その年分の復興特別所得税及び所得税に係る還付金の合計額又は復興特別所得税及び所得税に係る過誤納金の合計額によって行い、算出された還付加算金をその計算の基礎となった復興特別所得税及び所得税に係る還付金の額又は復興特別所得税及び所得税に係る過誤納金の額にそれぞれ按分した額に相当する金額を復興特別所得税又は所得税に係る還付加算金の額とする。（復興財確法24⑤）

（附帯税等及び還付加算金の計算をする場合の端数計算）

（5）　（3）（4）の規定により復興特別所得税及び所得税に係る附帯税等及び還付加算金の計算をする場合の端数計算は、復興特別所得税及び所得税を一の税とみなしてこれを行う。（復興財確法24⑥）

16　充当の特例

①　還付金等又は還付加算金を未納の復興特別所得税及び所得税に充当するときは、これらの税に併せて充当しなければならない。（復興財源法25①）

②　①の規定による充当があった場合においては、その充当に係る金額を納付すべき復興特別所得税の額及び所得税の額に按分した額に相当する復興特別所得税及び所得税の充当があったものとする。（復興財確法25②）

（課税標準の端数計算等）

注　**6**（3）及び同（4）の規定は、**15**（3）若しくは同（4）の規定により按分された復興特別所得税の額又は**16**②の規定により充当があったものとされる復興特別所得税の額に1円未満の端数がある場合又はその全額が1円未満である場合について準用する。（復興政令9）

第三節　法人の納税義務

1　法人に係る復興特別所得税の課税標準

法人に対して課する復興特別所得税の課税標準は、その法人の基準所得税額とする。（復興財確法26）

2　法人に係る復興特別所得税の税率

法人に対して課する復興特別所得税の額は、その法人の基準所得税額に100分の2.1の税率を乗じて計算した金額とする。（復興財確法27）

第四節　雑　　　則

1　当該職員の質問検査権等

① 国税通則法第74条の２第１項（第１号に係る部分に限る。）及び第74条の８から第74条の11までの規定は、復興特別所得税に関する調査を行う場合について準用する。（復興財確法32①）

② 国税通則法第74条の13の規定は、①において準用する同法第74条の２第１項の規定による復興特別所得税に関する質問、検査又は提示若しくは提出の要求をする場合について準用する。（復興財確法32②）

2　復興特別所得税に係る所得税法の適用の特例等

復興特別所得税に係る所得税をはじめとした法律の適用については、復興財確法33、復興政令12及び13により読み替えられる。

第十八章　国外財産調書及び財産債務調書

一　総　則

1　目的

この法律は、納税義務者の外国為替その他の対外取引並びに財産及び債務の国税当局による把握に資するため、国外送金等に係る調書の提出等に関する制度を整備し、もって所得税、法人税、相続税その他の内国税の適正な課税の確保を図ることを目的とする。(国外送金法１)

2　定義

この法律において、次の(一)から(十八)までに掲げる用語の意義は、当該(一)から(十八)までに定めるところによる。(国外送金法２)

(一)	**国内**　この法律の施行地をいう。
(二)	**国外**　この法律の施行地外の地域をいう。
(三)	**金融機関**　銀行その他の(１)で定める金融機関をいう。
(四)	**国外送金**　金融機関が行う為替取引によってされる国内から国外へ向けた支払（輸入貨物に係る荷為替手形その他の(２)で定める書類に基づく取立てによるものを除く。）をいう。
(五)	**国外からの送金等の受領**　金融機関が行う為替取引によってされる国外から国内へ向けた支払の受領（輸出貨物に係る荷為替手形その他の(２)で定める書類に基づく取立てによるものを除く。）又は金融機関が行う小切手、為替手形その他これらに準ずるもの（国外において支払がされるものに限る。）の買取りに係る対価の受領（輸出貨物に係る荷為替手形その他の(２)で定める書類の買取りに係るものを除く。）をいう。
(六)	**本人口座**　（省略）
(七)	**金融商品取引業者等**　金融商品取引法第２条第９項に規定する金融商品取引業者（同法第28条第１項に規定する第一種金融商品取引業を行う者に限る。)、同法第２条第11項に規定する登録金融機関又は投資信託及び投資法人に関する法律第２条第11項に規定する投資信託委託会社（国外においてこれらの者と同種類の業務を行う者を含む。）をいう。
(八)	**有価証券**　金融商品取引法第２条第１項に規定する有価証券その他これに準ずるもので(３)で定めるものをいう。
(九)	**国内証券口座**　（省略）
(十)	**国外証券口座**　（省略）
(十一)	**国外証券移管**　（省略）
(十二)	**国外証券受入れ**　（省略）
(十三)	**本人証券口座**　（省略）
(十四)	**電子決済手段等取引業者**　（省略）
(十五)	**電子決済手段**　（省略）
(十六)	**国内電子決済手段勘定**　（省略）
(十七)	**国外電子決済手段勘定**　（省略）
(十八)	**国外電子決済手段移転**　（省略）
(十九)	**国外電子決済手段受入れ**　（省略）
(二十)	**本人電子決済手段勘定**　（省略）

(二十一)	**国外財産**　国外にある財産をいう。
(二十二)	**修正申告書**　第十章第七節**1**に規定する修正申告書をいう。
(二十三)	**期限後申告書**　第十章第二節**3**に規定する期限後申告書をいう。
(二十四)	**更正**　第十二章**一1**又は同**一3**規定による更正をいう。
(二十五)	**決定**　第十二章**一2**の規定による決定をいう。

（金融機関の範囲）

（1）　**2**(三)に規定する（1）で定める金融機関は、次の(一)から(四)までに掲げるものとする。（国外送金令２①）

(一)	銀行法第２条第１項に規定する銀行、長期信用銀行法第２条に規定する長期信用銀行、信用金庫、信用金庫連合会、労働金庫、労働金庫連合会、信用協同組合及び中小企業等協同組合法第９条の９第１項第１号の事業を行う協同組合連合会
(二)	業として貯金の受入れをすることができる農業協同組合、農業協同組合連合会、漁業協同組合、漁業協同組合連合会、水産加工業協同組合及び水産加工業協同組合連合会
(三)	日本銀行、農林中央金庫、株式会社商工組合中央金庫、株式会社日本政策投資銀行及び株式会社国際協力銀行
(四)	資金決済に関する法律第２条第３項 に規定する資金移動業者

（輸入貨物等に係る書類の範囲）

（2）　**2**(四)及び同(五)に規定する（2）で定める書類は、次の(一)及び(二)に掲げる書類とする。（国外送金規２）

(一)	荷為替手形
(二)	次に掲げるいずれかの書類及びインボイスが添付されている受取証書 イ　船荷証券 ロ　航空運送状 ハ　イ又はロに掲げる書類に準ずるもの

（有価証券の範囲）

（3）　**2**(八)に規定する（3）で定める有価証券は、金融商品取引法第２条第２項の規定により有価証券とみなされる権利及び第二章第一節**一**表内**17**③に掲げる権利とする。（国外送金令３の２）

（対象となる財産の定義（範囲））

（4）　内国税の適正な課税の確保を図るための国外送金等に係る調書の提出等に関する法律（以下、本章において「法」という。）に規定する「財産」とは、金銭に見積もることができる経済的価値のある全てのものをいう。（国外送金通２－１）

二　国外財産に係る調書の提出等

1　国外財産調書の提出

①　国外財産調書、提出義務者、提出期限及び提出先

居住者（第二章第一節**3**に規定する居住者をいい、同**4**に規定する非永住者を除く。**2**⑦において同じ。）は、その年の12月31日においてその価額の合計額が5,000万円を超える国外財産を有する場合には、（1）で定めるところにより、その者の氏名、住所又は居所及び個人番号並びに当該国外財産の種類、数量及び価額その他必要な事項を記載した調書（以下「**国外財産調書**」という。）を、その年の翌年の６月30日までに、次の(一)及び(二)に掲げる者の区分に応じ当該(一)又は(二)に定める場所の所轄税務署長に提出しなければならない。ただし、同日までに当該国外財産調書を提出しないで死亡し、又は同**42**に規定する出国をしたときは、この限りでない。（国外送金法５①）

(一)	その年分の所得税の納税義務がある者　その者の所得税の納税地
(二)	前号に掲げる者以外の者　その者の住所地（国内に住所がないときは、居所地）

（国外財産調書の記載事項等）

（1）　国外財産調書（①に規定する国外財産調書をいう。⑦において同じ。）には、①本文の規定に該当する者の氏名、住所又は居所及び個人番号のほか、別表第一に定めるところにより、当該者の有する国外財産の種類、数量、価額（④に規定する国外財産の価額をいう。同表において同じ。）及び所在（②及び②（1）並びに②（3）及び②（5）の規定による国外財産の所在をいう。同表において同じ。）その他必要な事項を記載しなければならない。（国外送金規12①）

別表第一（（1）関係）　国外財産調書の記載事項

区　分	記載事項	備　考
(一)　土地	用途別及び所在別の地所数、面積及び価額	(1)　庭園その他土地に附設したものを含む。 (2)　用途別は、一般用及び事業用の別とする。
(二)　建物	用途別及び所在別の戸数、床面積及び価額	(1)　附属設備を含む。 (2)　用途別は、一般用及び事業用の別とする。
(三)　山林	用途別及び所在別の面積及び価額	(1)　林地は、土地に含ませる。 (2)　用途別は、一般用及び事業用の別とする。
(四)　現金	用途別及び所在別の価額	用途別は、一般用及び事業用の別とする。
(五)　預貯金	種類別、用途別及び所在別の価額	(1)　種類別は、当座預金、普通預金、定期預金等の別とする。 (2)　用途別は、一般用及び事業用の別とする。
(六)　有価証券	種類別、用途別及び所在別の数量及び価額並びに取得価額（特定有価証券にあっては、種類別、用途別及び所在別の数量及び価額）	(1)　種類別は、株式、公社債、投資信託、特定受益証券発行信託、貸付信託等の別及び銘柄の別とする。 (2)　用途別は、一般用及び事業用の別とする。
(七)　匿名組合契約の出資の持分	種類別、用途別及び所在別の数量及び価額並びに取得価額	(1)　種類別は、匿名組合の別とする。 (2)　用途別は、一般用及び事業用の別とする。
(八)　未決済信用取引等に係る権利	種類別、用途別及び所在別の数量及び価額並びに取得価額	(1)　種類別は、信用取引及び発行日取引の別並びに銘柄の別とする。 (2)　用途別は、一般用及び事業用の別とする。
(九)　未決済デリバティブ取引に係る権利	種類別、用途別及び所在別の数量及び価額並びに取得価額	(1)　種類別は、先物取引、オプション取引、スワップ取引等の別及び銘柄の別とする。 (2)　用途別は、一般用及び事業用の別とする。
(十)　貸付金	用途別及び所在別の価額	用途別は、一般用及び事業用の別とする。
(十一)　未収入金（受取手形を含む。）	用途別及び所在別の価額	用途別は、一般用及び事業用の別とする。
(十二)　書画骨とう及び美術工芸品	種類別、用途別及び所在別の数量及び価額（一点十万円未満のものを除く。）	(1)　種類別は、書画、骨とう及び美術工芸品の別とする。 (2)　用途別は、一般用及び事業用の別とする。
(十三)　貴金属類	種類別、用途別及び所在別の数量及び価額	(1)　種類別は、金、白金、ダイヤモンド等の別とする。 (2)　用途別は、一般用及び事業用の別とする。

(十四)　(四)、(十二)及び(十三)に掲げる財産以外の動産	種類別、用途別及び所在別の数量及び価額（一個又は一組の価額が十万円未満のものを除く。）	⑴　種類別は、(四)、(九)及び(十)に掲げる財産以外の動産について、適宜に設けた区分とする。 ⑵　用途別は、一般用及び事業用の別とする。
(十五)　その他の財産	種類別、用途別及び所在別の数量及び価額	⑴　種類別は、(一)から(十四)までに掲げる財産以外の財産について、預託金、保険の契約に関する権利等の適宜に設けた区分とする。 ⑵　用途別は、一般用及び事業用の別とする。

備考一　この表に規定する「事業用」とはその者の不動産所得、事業所得又は山林所得を生ずべき事業又は業務の用に供することをいい、「一般用」とは当該事業又は業務以外の用に供することをいうこと。

二　この表に規定する「預貯金」、「有価証券」、「公社債」、「投資信託」、「特定受益証券発行信託」又は「貸付信託」とは、所得税法第二条第一項に規定する預貯金、有価証券、公社債、投資信託、特定受益証券発行信託又は貸付信託をいうこと。

三　この表に規定する「取得価額」については、**三１**⑪の規定により同①に規定する財産債務調書への記載を要しないものとされる場合に記載すること。

四　この表に規定する「特定有価証券」とは第六章第四節**一１**①(１)に規定する有価証券をいい、「匿名組合契約の出資の持分」とは第六章第四節**一１**①に規定する匿名組合契約の出資の持分をいい、「未決済信用取引等」とは同②に規定する未決済信用取引等をいい、「未決済デリバティブ取引」とは同③に規定する未決済デリバティブ取引をいうこと。

（国外財産調書に係る財産の価額の合計額の判定）

（２）　①の財産の価額の合計額の判定は、（６）⑷の取扱いにより、国外財産調書に総額で記載することとした財産を含めて行うことに留意する。（国外送金通５－１）

（居住者であるかどうかの判定の時期）

（３）　①に規定する「居住者（第二章第一節**３**に規定する居住者をいい、同**４**に規定する非永住者を除く。）」であるかどうかの判定は、その年の12月31日の現況によることに留意する。（国外送金通５－２）

（国外財産調書の提出先の判定等）

（４）

⑴　国外財産調書の提出先については、その提出の際における①各号に定める場所の所轄税務署長となることに留意する。

⑵　国外財産調書の提出期限については、第十五章**三２**《期間の計算及び期限の特例》及び同**３**《災害等による期限の延長》の適用があり、その提出時期については、第十章第二節**一５**《郵送等に係る納税申告書等の提出時期》の適用があることに留意する。（国外送金通５－３）

（別表第一(六)、(十一)、(十四)、(十五)の財産の例示）

（５）

⑴　次に掲げる財産は、別表第一に規定する「(六)　有価証券」に該当する。

イ　質権又は譲渡担保の対象となっている有価証券

ロ　②(３)に規定する「株式に関する権利（株式を無償又は有利な価額で取得することができる権利その他これに類する権利を含む。）」のうち新株予約権

⑵　次に掲げる財産は、別表第一に規定する「(十一)　未収入金（受取手形を含む。）」に該当する。

イ　売掛金

ロ　その年の12月31日において既に弁済期が到来しているもので、同日においてまだ収入していないもの（未収法定果実、保険金、退職手当金等）

⑶　次に掲げる財産は、別表第一に規定する「(十四)　(四)、(十二)及び(十三)に掲げる財産以外の動産」に該当する。

イ　第六章第二節**三１**《棚卸資産の範囲》に掲げる財産

ロ　家財（別表第一に規定する「(十二)　書画骨とう及び美術工芸品」及び「(十三)　貴金属類」を除く。）

（注）　貴金属類のうち、いわゆる装身具として用いられるものは、その用途が事業用であるものを除き、家財として取り扱って差し支えない。

ハ　第六章第二節**五１**表内③から同⑦まで《減価償却資産の範囲》に掲げる財産

⑷　次に掲げる財産は、別表第一に規定する「(十五)　その他の財産」に該当する。

イ　②(3)に規定する「保険（共済を含む。）の契約に関する権利」
ロ　②(5)(一)に規定する「預託金又は委託証拠金その他の保証金」
ハ　②(5)(三)に規定する「民法第667条第１項に規定する組合契約」又はこれに類する契約に基づく出資
ニ　②(5)(四)に規定する「信託に関する権利」
ホ　**2**①(2)(三)に規定する「特許権、実用新案権、意匠権若しくは商標権又は著作権その他これらに類するもの」
（国外送金通５－４）

（国外財産調書の記載事項）

(6)　国外財産調書に記載する国外財産の種類、数量、価額及び所在については、別表第一に規定する(一)から(十五)までの財産の区分に応じて、同別表の「記載事項」に規定する「種類別」、「用途別」（一般用及び事業用の別）並びに「所在別」の「数量」及び「価額」を記載するのであるが、以下のとおり記載することとして差し支えないことに留意する。（国外送金通５－５）

⑴　財産の用途が一般用及び事業用の兼用である場合、用途は「一般用、事業用」と記載し、価額は、一般用部分と事業用部分とを区分することなく記載すること。

⑵　２以上の財産の区分からなる財産について、それぞれの財産の区分に分けて価額を算定することが困難な場合には、一体のものとして価額をいずれかの財産の区分にまとめて記載すること。

⑶　国外財産の所在は、国名及び所在地のほか、氏名又は名称を記載するが、規則別表第一に規定する(一)から(四)まで及び(十二)から(十四)までの財産の区分に該当する財産については、国名及び所在地のみを記載すること。
　また、国名は一般的に広く使用されている略称を記載すること。

⑷　第十章第二節**二１④イ**及び同**ロ**《事業所得等に係る総収入金額及び必要経費の内訳書》の確定申告書又は第十一章**四２**《青色申告書に添付すべき書類》の青色申告書に添付すべき書類（収支内訳書又は青色申告決算書）の「減価償却費の計算」欄に第二章第一節**一19**に規定する減価償却資産として記載されている財産については、その減価償却資産の価額の総額を記載すること。

②　国外財産の所在

①の国外財産の所在については、相続税法第10条《財産の所在》第１項及び第２項の規定の定めるところによる。（国外送金令10①）

（有価証券等の所在）

(1)　相続税法第10条第１項第８号に掲げる社債、株式、出資又は有価証券その他(2)で定める財産（以下(1)において「**有価証券等**」という。）が、金融商品取引業者等の営業所、事務所その他これらに類するものに開設された口座に係る振替口座簿（社債、株式等の振替に関する法律に規定する振替口座簿をいい、国外におけるこれに類するものを含む。）に記載若しくは記録がされ、又は当該口座に保管の委託がされているものである場合には、当該有価証券等の所在については、②の規定にかかわらず、当該口座が開設された金融商品取引業者等の営業所、事務所その他これらに類するものの所在による。（国外送金令10②）

(2)　(1)に規定する(2)で定める財産は、相続税法第10条第１項第７号及び第９号に掲げる財産並びに同条第２項に規定する財産に係る有価証券とする。（国外送金規12④）

（保険の契約に関する権利及び株式に関する権利の所在）

(3)　①の国外財産の所在について②の規定により相続税法第10条第１項の規定の定めるところによる場合又は(1)の規定による場合は、同法第10条第１項第５号に規定する保険金には保険（共済を含む。別表第一及び別表第三において同じ。）の契約に関する権利を、同項第８号に規定する株式には株式に関する権利（株式を無償又は有利な価額で取得することができる権利その他これに類する権利を含む。）を、それぞれ含むものとする。（国外送金規12②）

（相続税法第10条第１項第５号及び第８号により所在の判定を行う財産の例示）

(4)

⑴　(3)に規定する「保険（共済を含む。）の契約に関する権利」とは、その年の12月31日において、まだ保険事故（共済事故を含む。）が発生していない生命保険契約又は損害保険契約（一定期間内に保険事故が発生しなかった場合に

おいて返還金その他これに準ずるものの支払がない保険契約を除く。）の権利及び年金の方法により支払又は支給を受ける生命保険契約又は損害保険契約に係る保険金（共済金を含む。）で給付事由が発生しているものに関する権利をいう。

⑵　（３）括弧書に規定する「株式を無償又は有利な価額で取得することができる権利」には、例えば、ストックオプションが該当するが、当該権利のうちその年の12月31日が権利行使可能期間内に存しないものについては、国外財産調書への記載を要しないことに留意する。

また、「その他これに類する権利」には、株主となる権利、株式の割当てを受ける権利、株式無償交付期待権が含まれる。（国外送金通５－６）

（預託金その他国外財産の所在）

（５）①の国外財産の所在については、②及び（１）並びに（３）に定めるもののほか、次の各号に規定する場所による。ただし、㈡から㈣までに規定する財産に係る有価証券が金融商品取引業者等の営業所、事務所その他これらに類するものに開設された口座に係る（１）に規定する振替口座簿に記載若しくは記録がされ、又は当該口座に保管の委託がされているものである場合には、当該有価証券の所在については、当該各号の規定にかかわらず、当該口座が開設された金融商品取引業者等の営業所、事務所その他これらに類するものの所在による。（国外送金規12③）

㈠	預託金又は委託証拠金その他の保証金（相続税法第10条第１項第４号に掲げる財産を除く。以下㈠において「預託金等」という。）については、当該預託金等の受入れをした営業所、事務所その他これらに類するものの所在
㈡	有価証券（金融商品取引法第２条第１項第16号に掲げる有価証券、同項第17号に掲げる有価証券（同項第16号に掲げる有価証券の性質を有するものに限る。）及び同項第19号に掲げる有価証券をいい、同条第２項の規定によりこれらの有価証券とみなされる権利を含む。）については、当該有価証券の発行者（同条第５項に規定する発行者をいう。）の本店又は主たる事務所の所在
㈢	民法第667条第１項に規定する組合契約、匿名組合契約その他これらに類する契約に基づく出資については、これらの契約に基づいて事業を行う主たる事務所、事業所その他これらに類するものの所在
㈣	信託に関する権利（相続税法第10条第１項第９号及び前三号に規定する財産を除く。別表第一において同じ。）については、当該信託の引受けをした営業所、事務所その他これらに類するものの所在
㈤	第六章第四節**一１**②に規定する未決済信用取引等及び同③に規定する未決済デリバティブ取引に係る権利については、これらの取引に係る契約の相手方である金融商品取引業者等の営業所、事務所その他これらに類するものの所在
㈥	相続税法第10条第１項及び第２項並びに（３）並びに前各号に規定する財産以外の財産については、当該財産を有する者の住所（住所を有しない者にあっては、居所）の所在

（（５）により所在の判定を行う財産）

（６）

⑴　（５）㈠に規定する「預託金」には、例えば、預託金のある会員制ゴルフ会員権の預託金が該当し、「委託証拠金その他の保証金」には、例えば、外国為替証拠金取引に係る証拠金、不動産を賃借したことに伴い敷金又は保証金等の名目で支払った金銭で賃貸期間の経過に応じ又は賃貸期間の終了後に返還される部分の金額が該当する。

⑵　（５）㈢に規定する「その他これらに類する契約に基づく出資」には、例えば、外国におけるパートナーシップ契約等で共同事業性及び財産の共同所有性を有する事業体に対する出資が該当する。

⑶　（５）㈣に規定する「信託に関する権利」とは、信託法第２条第７項《定義》に規定する「受益権」及び外国の法令上これと同様に取り扱われるものが該当する。（国外送金通５－７）

（有価証券の内外判定）

（７）　有価証券（相続税法第10条第１項第７号から第９号までに掲げる財産に係る有価証券並びに同条第２項及び（５）㈡から㈣までに規定する財産に係る有価証券をいう。以下（７）において同じ。）の所在については、その年の12月31日における次の有価証券の区分に応じた場所により判定することに留意する。（国外送金通５－８）

⑴　金融商品取引業者等（**一２**㈦に規定する金融商品取引業者等をいう。以下（７）において同じ。）の営業所又は事

務所に開設された口座に係る振替口座簿（（１）に規定する振替口座簿をいう。）に記載若しくは記録がされ、又は当該口座に保管の委託がされている有価証券当該口座が開設された金融商品取引業者等の営業所又は事務所の所在

⑵　⑴以外の有価証券

相続税法第10条第１項第７号から第９号まで若しくは第２項又は（５）（二）から（四）までのいずれかに規定する所在

③　国外財産の所在の判定時期

②及び②（１）の規定による国外財産の所在の判定は、①に規定するその年の12月31日（④及び第五項において「その年の12月31日」という。）における現況による。（国外送金令10③）

④　国外財産の価額

①の国外財産の価額は、当該国外財産のその年の12月31日における時価又は時価に準ずるものとして（１）で定める価額による。（国外送金令10④）

（④に規定する時価に準ずるものとして（１）で定める価額）

（１）　④に規定する時価に準ずるものとして（１）で定める価額は、①に規定するその年の12月31日における国外財産の見積価額（当該国外財産が、その年分の事業所得（第四章第四節**一**に規定する事業所得をいう。以下（１）、別表第一及び別表第三において同じ。）の金額の計算の基礎となった第二章第一節**一**表内**16**に規定する棚卸資産である場合にあっては当該棚卸資産の評価額とし、同**40**に規定する青色申告書を提出する者の不動産所得（第四章第三節**一**に規定する不動産所得をいう。同表において同じ。）、事業所得又は山林所得（同章第七節**一**に規定する山林所得をいう。別表第一及び別表第三において同じ。）に係る第二章第一節**一**表内**19**に規定する減価償却資産である場合にあっては同日における当該減価償却資産の償却後の価額とする。）とする。（国外送金規12⑤）

（国外財産の価額の意義等）

（２）　国外財産の価額は、時価又は時価に準ずるものとして（１）に規定する「**見積価額**」によるが、時価とは、その年の12月31日における財産の現況に応じ、不特定多数の当事者間で自由な取引が行われる場合に通常成立すると認められる価額をいい、その価額は、専門家による鑑定評価額、金融商品取引所等の公表する同日の最終価格（同日の最終価格がない場合には、同日前の最終価格のうち同日に最も近い日の価額）などをいう。

また、見積価額とは、その年の12月31日における財産の現況に応じ、その財産の取得価額や売買実例価額などを基に、合理的な方法により算定した価額をいう。（国外送金通５－９）

（見積価額の例示）

（３）　（１）に規定する「**見積価額**」は、（１）括弧書に規定する棚卸資産又は減価償却資産に係る見積価額のほか、別表第一に掲げる財産の区分に応じ、例えば、次に掲げる方法により算定することができることに留意する。（国外送金通５－10）

⑴　別表第一（一）に掲げる財産（土地）

イ　その財産に対して、外国又は外国の地方公共団体の定める法令により固定資産税に相当する租税が課される場合には、その年の12月31日が属する年中に課された当該租税の計算の基となる課税標準額。

ロ　その財産の取得価額を基にその取得後における価額の変動を合理的な方法によって見積もって算出した価額。

ハ　その年の翌年１月１日から国外財産調書の提出期限までにその財産を譲渡した場合における譲渡価額。

⑵　規則別表第一（二）に掲げる財産（建物）

イ　（１）イ、ロ又はハに掲げる価額。

ロ　その財産が業務の用に供する資産以外のものである場合には、その財産の取得価額から、その年の12月31日における経過年数に応ずる償却費の額を控除した金額。

（注）　「経過年数に応ずる償却費の額」は、その財産の取得又は建築の時からその年の12月31日までの期間（その期間に１年未満の端数があるときは、その端数は１年とする。）の償却費の額の合計額とする。この場合における償却方法は、定額法（第六章第二節**五５ロ**（１）（イ）《減価償却資産の償却の方法》に規定する「定額法」をいう。）によるものとし、その耐用年数は、減価償却資産の耐用年数等に関する省令に規定する耐用年数による。

⑶　別表第一（三）に掲げる財産（山林）

（１）イ、ロ又はハに掲げる価額。

⑷　別表第一(五)に掲げる財産（預貯金）

その年の12月31日における預入高。

(注)　定期預金（定期貯金を含む。以下「定期預金等」という。）で、その年の12月31日において当該定期預金等に係る契約において定める預入期間が満了していないものについては、当該契約の時に預け入れした元本の金額を見積価額として差し支えない。

⑸　別表第一(六)に掲げる財産（有価証券）

金融商品取引所等に上場等されている有価証券以外の有価証券については、次の価額。

イ　その年の12月31日における売買実例価額（その年の12月31日における売買実例価額がない場合には、その年の12月31日前の同日に最も近い日におけるその年中の売買実例価額）のうち、適正と認められる売買実例価額。

ロ　イがない場合には、⑴ハに掲げる価額。

ハ　イ及びロがない場合には、次の価額。

(イ)　株式については、当該株式の発行法人のその年の12月31日又は同日前の同日に最も近い日において終了した事業年度における決算書等に基づき、その法人の純資産価額（帳簿価額によって計算した金額）に自己の持株割合を乗じて計算するなど合理的に算出した価額。

(ロ)　新株予約権については、その目的たる株式がその年の12月31日における金融商品取引所等の公表する最終価格がないものである場合には、その年の12月31日におけるその目的たる株式の見積価額から１株当たりの権利行使価額を控除した金額に権利行使により取得することができる株式数を乗じて計算した金額。

(注)　「その年の12月31日におけるその目的たる株式の見積価額」については、イ・ロ・ハ(イ)の取扱いに準じて計算した金額とすることができる。

ニ　イ、ロ及びハがない場合には、取得価額。

⑹　別表第一(七)に掲げる財産（匿名組合契約の出資の持分）

組合事業に係るその年の12月31日又は同日前の同日に最も近い日において終了した計算期間の計算書等に基づき、その組合の純資産価額（帳簿価額によって計算した金額）又は利益の額に自己の出資割合を乗じて計算するなど合理的に算出した価額。

ただし、営業者等から計算書等の送付等がない場合には、出資額によることとして差し支えない。

⑺　別表第一(八)に掲げる財産（未決済信用取引等に係る権利）

金融商品取引所等において公表された当該信用取引等に係る有価証券のその年の12月31日の最終の売買の価格（公表された同日における当該価格がない場合には、公表された同日における最終の気配相場の価格とし、公表された同日における当該価格及び当該気配相場の価格のいずれもない場合には、最終の売買の価格又は最終の気配相場の価格が公表された日でその年の12月31日前の同日に最も近い日におけるその最終の売買の価格又は最終の気配相場の価格とする。）に基づき、同日において当該信用取引等を決済したものとみなして算出した利益の額又は損失の額に相当する金額。

⑻　別表第一(九)に掲げる財産（未決済デリバティブ取引に係る権利）

イ　金融商品取引所等に上場等されているデリバティブ取引

取引所において公表されたその年の12月31日の最終の売買の価格（公表された同日における当該価格がない場合には、公表された同日における最終の気配相場の価格とし、公表された同日における当該価格及び当該気配相場の価格のいずれもない場合には、最終の売買の価格又は最終の気配相場の価格が公表された日でその年の12月31日前の同日に最も近い日におけるその最終の売買の価格又は最終の気配相場の価格とする。）に基づき、同日において当該デリバティブ取引を決済したものとみなして算出した利益の額又は損失の額に相当する金額（以下(8)において「みなし決済損益額」という。）。

ロ　上記イ以外のデリバティブ取引

(イ)　銀行、証券会社等から入手した価額（当該デリバティブ取引の見積将来キャッシュ・フローを現在価値に割り引く方法、オプション価格モデルを用いて算定する方法その他合理的な方法に基づいて算定されたこれらの者の提示価額に限る（以下(イ)において同じ。）。）に基づき算出したみなし決済損益額（その年の12月31日における価額がこれらの者から入手できない場合には、これらの者から入手したその年の12月31日前の同日に最も近い日における価額に基づき算出したみなし決済損益額。）。

(ロ)　上記(イ)により計算ができない場合には、備忘価額として１円。

⑼　別表第一(十)に掲げる財産（貸付金）

その年の12月31日における貸付金の元本の額。

⑽　別表第一(十一)に掲げる財産（未収入金（受取手形を含む。））

その年の12月31日における未収入金の元本の額。

⑾　別表第一(十二)及び(十三)に掲げる財産（書画骨とう及び美術工芸品並びに貴金属類）

イ　その年の12月31日における売買実例価額（その年の12月31日における売買実例価額がない場合には、その年の12月31日前の同日に最も近い日におけるその年中の売買実例価額）のうち、適正と認められる売買実例価額。

ロ　イがない場合には、⑴ハに掲げる価額。

ハ　イ及びロがない場合には、取得価額。

⑿　別表第一(十四)に掲げる財産（(四)、(十二)及び(十三)に掲げる財産以外の動産）

その財産が第六章第二節**五１**表内③から同⑦まで《減価償却資産の範囲》に掲げる財産で、業務の用に供する資産以外の資産である場合には、⑵ロの取扱いに準じて計算した価額。

(注)　その財産が家庭用動産で、かつ、その取得価額が100万円未満のものである場合には、その年の12月31日における当該財産の見積価額については、10万円未満のものであると取り扱って差し支えない。

⒀　別表第一(十五)に掲げる財産（その他の財産）

イ　②(３)に規定する「保険（共済を含む。）の契約に関する権利」については、その年の12月31日にその保険の契約を解約することとした場合に支払われることとなる解約返戻金の額。

ただし、その年中の12月31日前の日において解約することとした場合に支払われることとなる解約返戻金の額をその保険の契約をした保険会社等から入手している場合には、当該額によることとして差し支えない。

ロ　②(３)に規定する「株式に関する権利」に該当する「株式を無償又は有利な価額で取得することができる権利」(有価証券に該当するものを除く。）については、上記⑸の取扱いに準じて計算した価額。

ハ　民法第667条第１項《組合契約》に規定する組合契約その他これに類する契約に基づく出資については、組合等の組合事業に係るその年の12月31日又は同日前の同日に最も近い日において終了した計算期間の計算書等に基づき、その組合等の純資産価額（帳簿価額によって計算した金額）又は利益の額に自己の出資割合を乗じて計算するなど合理的に算出した価額。

ただし、組合等から計算書等の送付等がない場合には、出資額によることとして差し支えない。

ニ　信託に関する権利（信託受益権）については、次による。

(イ)　元本と収益との受益者が同一人である場合には、信託財産の見積価額。

(ロ)　元本と収益との受益者が元本及び収益の一部を受ける場合には、(イ)の価額にその受益割合を乗じて計算した価額。

(ハ)　元本の受益者と収益の受益者とが異なる場合には、次による。

A　元本を受益する場合

(イ)の価額から、Bにより算定した収益受益者に帰属する信託の利益を受ける権利の価額を控除した価額。

B　収益を受益する場合

受益者が将来受けると見込まれる利益の額の複利現価の額の合計額。

ただし、その年の12月31日が属する年中に給付を受けた利益の額に、信託契約の残存年数を乗じて計算した金額によることとして差し支えない。

ホ　イからニまでの財産以外の財産については、その財産の取得価額を基にその取得後における価額の変動を合理的な方法によって見積もって算定した価額。

（(１)に規定する見積価額のうち減価償却資産の償却後の価額の適用）

（４）

⑴　その財産が(１)に規定する青色申告書を提出する者の不動産所得、事業所得又は山林所得に係る減価償却資産（(２)において、「青色申告書に係る減価償却資産」という。）で、その用途が一般用及び事業用の兼用のものである場合には、その価額は、一般用部分と事業用部分に区分することなく(１)括弧書の規定を適用して計算した「減価償却資産の償却後の価額」によることとして差し支えない。

⑵　青色申告書に係る減価償却資産以外の第二章第一節**一**表内**19**に規定する減価償却資産の見積価額については、(１)括弧書の規定及び(１)に準じて計算した価額によることとして差し支えない。　（国外送金通５－11）

（有価証券等の取得価額の例示）

（５）　別表第一に規定する(六)から(九)までの財産の区分に該当する財産（別表第一備考四に規定する特定有価証券に該当する有価証券を除く。）が、**三１**⑨の規定により同①に規定する財産債務調書への記載を要しない財産である場合には、国外財産調書にその財産の取得価額を記載することとなるのであるが、その取得価額は、財産の区分に応じ、例えば次に掲げる方法により算定することができる。（国外送金通５－12）

⑴　別表第一(六)に掲げる財産（有価証券）又は(七)に掲げる財産（匿名組合契約の出資の持分）については、次の価額。

イ　金銭の払込み又は購入により取得した場合には、当該財産を取得したときに支払った金銭の額又は購入の対価のほか、購入手数料など当該財産を取得するために要した費用を含めた価額。

ロ　相続（限定承認を除く。）、遺贈（包括遺贈のうち限定承認を除く。）又は贈与により取得した場合には、被相続人、遺贈者又は贈与者の取得価額を引き継いだ価額。

ハ　イ、ロその他合理的な方法により算出することが困難である場合には、次の価額。

(イ)　当該財産に額面金額がある場合には、その額面金額。

(ロ)　その年の12月31日における当該財産の価額の100分の５に相当する価額。

⑵　別表第一(八)に掲げる財産（未決済信用取引等に係る権利）又は(九)に掲げる財産（未決済デリバティブ取引に係る権利）について、当該財産のその年の12月31日における価額を（３）の⑺又は⑻に掲げる方法より算出した価額により記載する場合にはゼロ。

（国外財産調書に記載する財産の価額の取扱い）

（６）　国外財産調書に記載された国外財産の種類、数量及び価額は、法に基づくものであるから、当該国外財産に関する所得税及び復興特別所得税の課税標準並びに相続税及び贈与税の課税価格は、各税に関する法令の規定に基づいて計算することに留意する。（国外送金通５－13）

⑤　国外財産の価額が外国通貨で表示される場合における当該国外財産の価額の本邦通貨への換算

④の規定による国外財産の価額が外国通貨で表示される場合における当該国外財産の価額の本邦通貨への換算は、その年の12月31日における外国為替の売買相場により行うものとする。（国外送金令10⑤）

（外貨で表示されている財産の邦貨換算の方法）

（１）　⑤に規定する「国外財産の価額が外国通貨で表示される場合における当該国外財産の価額の本邦通貨への換算」は、次による。（国外送金通５－14）

⑴　国外財産の邦貨換算は、国外財産調書の提出義務者の取引金融機関（その財産が預金等で、取引金融機関が特定されている場合は、その取引金融機関）が公表するその年の12月31日における最終の為替相場による。

ただし、その年の12月31日に当該相場がない場合には、同日前の当該相場のうち、同日に最も近い日の当該相場によるものとする。

⑵　（１）の「為替相場」は、邦貨換算を行う場合の外国為替の売買相場のうち、その外貨に係る、いわゆる対顧客直物電信買相場又はこれに準ずる相場をいう。

⑥　相続又は包括遺贈により取得した国外財産の全部又は一部が未分割の場合の取得価額の計算

相続又は包括遺贈により取得した国外財産について国外財産調書（①に規定する国外財産調書をいう。以下同じ。）を提出する場合において、当該相続又は包括遺贈により取得した国外財産の全部又は一部が共同相続人又は包括受遺者によってまだ分割されていないときは、その分割されていない国外財産については、各共同相続人又は包括受遺者が民法（第904条の２を除く。）の規定による相続分又は包括遺贈の割合に従って当該国外財産を取得したものとしてその価額を計算するものとする。（国外送金令10⑥）

（共有財産の持分の取扱い）

（１）　共有の財産については、以下のとおりとする。（国外送金通５－15）

⑴　共有の財産の持分の価額は、その財産の価額をその共有者の持分に応じてあん分した価額とする。

⑵　共有の財産について、共有する者のそれぞれの持分が定まっていない場合（持分が明らかでない場合を含む。）には、その財産の価額は、各共有者の持分は相等しいものと推定し、その推定した持分に応じてあん分した価額とする。

（同一人から２以上の国外財産調書の提出があった場合の取扱い）

（２）　国外財産調書の提出期限内に同一人から国外財産調書が２以上提出された場合には、特段の申出（国外財産調書の提出期限内における申出に限る。）がない限り、当該２以上の国外財産調書のうち最後に提出された国外財産調書を

もって、①の規定により提出された国外財産調書とする。（国外送金通５－16）

⑦　**相続国外財産の除外**

相続の開始の日の属する年（以下⑦、**2**及び**三 1**において「相続開始年」という。）の12月31日においてその価額の合計額が5,000万円を超える国外財産を有する相続人（遺贈（贈与をした者の死亡により効力を生ずる贈与を含む。以下同じ。）により財産を取得した者を含む。**2**及び**三 1**において同じ。）は、相続開始年の年分の国外財産調書については、その相続又は遺贈により取得した国外財産（**2**②から⑤までにおいて「相続国外財産」という。）を除外したところにより、①の規定を適用することができる。この場合において、①中「国外財産を」とあるのは、「国外財産（⑦に規定する相続国外財産（⑦に規定する相続開始年に取得したものに限る。）を除く。）を」とする。（国外送金法５②）

⑧　**書　式**

国外財産調書の書式は、別表第二による。（国外送金規12⑥）

(参考)

FA5102

整理番号

令和　年12月31日分　国外財産調書

受付印

提出用

平成二十八年十二月三十一日分以降用

国外財産を有する者	住所(又は事業所、事務所、居所など)	
	氏名	
	個人番号	電話番号(自宅・勤務先・携帯)

国外財産の区分	種類	用途	所在 国名	所在	数量	(上段は有価証券等の取得価額) 価額	備考
						円 円	
	合計額					合計表㉕へ	

(摘要)

(　)枚のうち(　)枚目

通信日付印(年月日)　(　・　・　)

(R2.1)

(国外財産調書合計表)

注　別表第二備考4の「合計表」は、表1のとおりである。(国外送金通5－17)

表１（国外財産調書合計表）

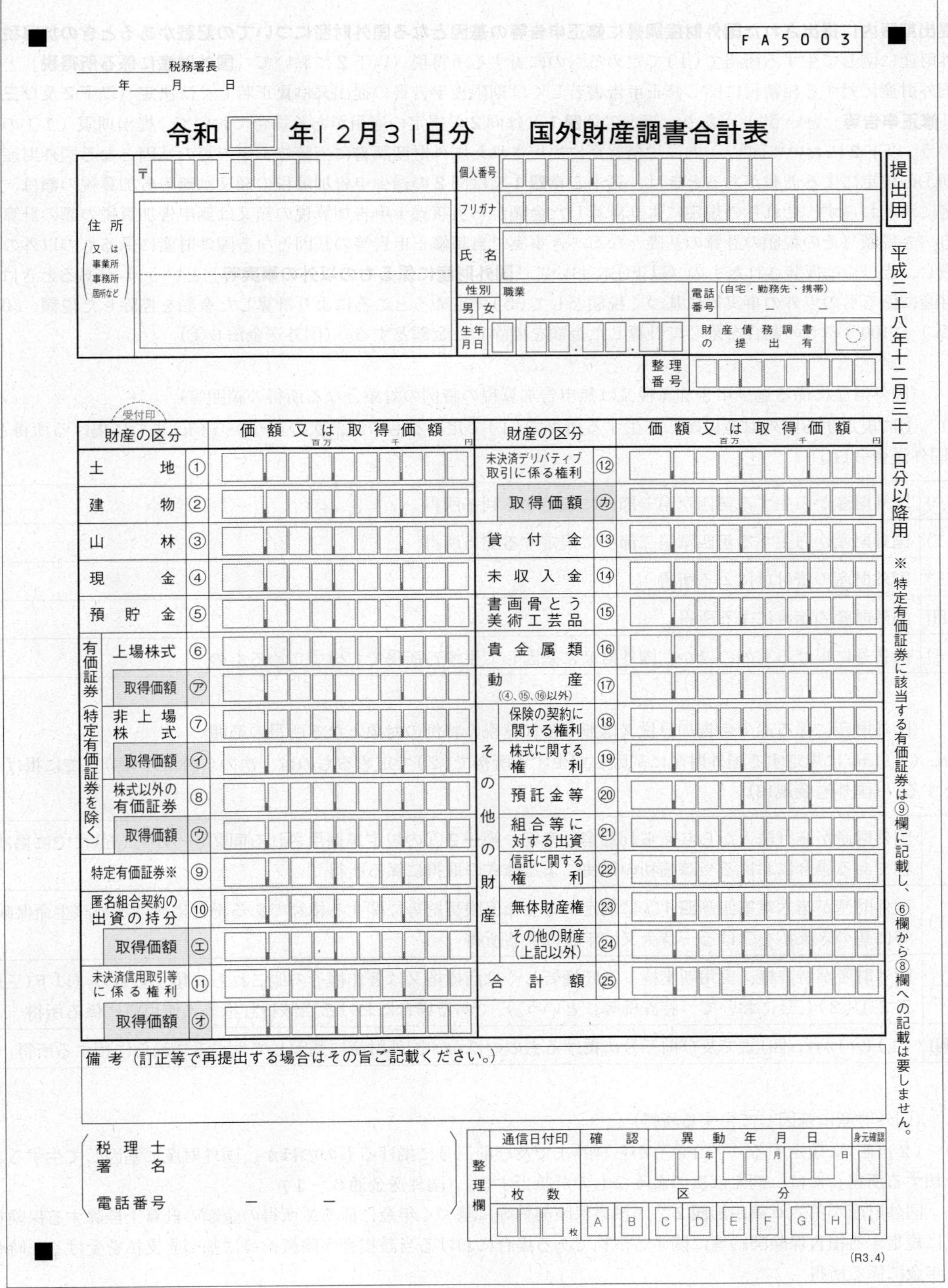

FA5003

税務署長
年　月　日

令和□年12月31日分　国外財産調書合計表

住所又は事業所事務所居所など	〒	個人番号	
		フリガナ	
		氏名	
		性別 男 女 / 職業	電話番号（自宅・勤務先・携帯）
		生年月日	財産債務調書の提出有 ○
		整理番号	

提出用

平成二十八年十二月三十一日分以降用

※特定有価証券に該当する有価証券は⑨欄に記載し、⑥欄から⑧欄への記載は要しません。

受付印

財産の区分		価額又は取得価額（百万・千・円）	財産の区分		価額又は取得価額（百万・千・円）
土地	①		未決済デリバティブ取引に係る権利	⑫	
建物	②		取得価額	㋕	
山林	③		貸付金	⑬	
現金	④		未収入金	⑭	
預貯金	⑤		書画骨とう美術工芸品	⑮	
有価証券（特定有価証券を除く） 上場株式	⑥		貴金属類	⑯	
取得価額	㋐		動産（④、⑮、⑯以外）	⑰	
非上場株式	⑦		その他の財産 保険の契約に関する権利	⑱	
取得価額	㋑		株式に関する権利	⑲	
株式以外の有価証券	⑧		預託金等	⑳	
取得価額	㋒		組合等に対する出資	㉑	
特定有価証券※	⑨		信託に関する権利	㉒	
匿名組合契約の出資の持分	⑩		無体財産権	㉓	
取得価額	㋓		その他の財産（上記以外）	㉔	
未決済信用取引等に係る権利	⑪		合計額	㉕	
取得価額	㋔				

備考（訂正等で再提出する場合はその旨ご記載ください。）

税理士署名

電話番号　－　－

整理欄	通信日付印	確認	異動年月日	身元確認
			年　月　日	
	枚数	区分		
	枚	A B C D E F G H I		

(R3.4)

2　国外財産に係る過少申告加算税又は無申告加算税の特例

①　提出期限内に提出された国外財産調書に修正申告等の基因となる国外財産についての記載があるときの加算税の軽減

国外財産に関して生ずる所得で（1）で定めるものに対する所得税（以下**2**において「**国外財産に係る所得税**」という。）又は国外財産に対する相続税に関し修正申告書若しくは期限後申告書の提出又は更正若しくは決定（以下**2**及び**三2**において「**修正申告等**」という。）があり、第十二章**四1**又は同**2**の規定の適用がある場合において、提出期限（**1**①の提出期限をいう。以下**2**において同じ。）内に税務署長に提出された国外財産調書に当該修正申告等の基因となる国外財産についての同①の規定による記載があるときは、第十二章**四1**又は同**2**の過少申告加算税の額又は無申告加算税の額は、これらの規定にかかわらず、これらの規定により計算した金額から当該過少申告加算税の額又は無申告加算税の額の計算の基礎となるべき税額（その税額の計算の基礎となるべき事実で当該修正申告等の基因となる国外財産に係るもの以外のもの又は隠蔽し、若しくは仮装されたもの（以下①において「**国外財産に係るもの以外の事実等**」という。）があるときは、当該国外財産に係るもの以外の事実等に基づく税額として（5）で定めるところにより計算した金額を控除した税額。③において同じ。）に100分の５の割合を乗じて計算した金額を控除した金額とする。（国外送金法６①）

（国外財産に係る過少申告加算税又は無申告加算税の特例の対象となる所得の範囲等）

（1）　①に規定する国外財産に関して生ずる所得で（1）で定めるものは、次の㈠から㈤までに掲げる所得とする。（国外送金令11①）

㈠	国外財産から生ずる第四章第一節**一**に規定する利子所得
㈡	国外財産から生ずる第四章第二節**一**に規定する配当所得
㈢	国外財産の貸付けによる所得
㈣	国外財産の譲渡による所得
㈤	前各号に掲げるもののほか、国外財産に基因して生ずる所得で（2）で定めるもの

（国外財産に係る過少申告加算税又は無申告加算税の特例の対象となる所得の範囲）

（2）　（1）㈤に規定する国外財産に基因して生ずる所得で（2）で定めるものは、次の㈠から㈣までに掲げる所得とする。（国外送金規13）

㈠	国外財産が発行法人から与えられた第六章第一節**一2**③の規定が適用される同②㈠から㈤までに掲げる権利である場合における当該権利の行使による株式の取得に係る所得
㈡	国外財産が第六章第四節**四1**③に規定する生命保険契約等に関する権利である場合における当該生命保険契約等に基づき支払を受ける一時金又は年金に係る所得
㈢	国外財産が特許権、実用新案権、意匠権若しくは商標権又は著作権その他これらに類するもの（以下㈢及び**三2**①（2）㈢において「特許権等」という。）である場合における当該特許権等の使用料に係る所得
㈣	（1）㈠から㈣まで及び前三号に掲げるもののほか、国外財産に基因して生ずるこれらに類する所得

（国外財産に基因して生ずる所得）

（3）　（2）㈣に規定する「（1）㈠から㈣まで及び前三号に掲げるもののほか、国外財産に基因して生ずるこれらに類する所得」には、例えば次のようなものが該当する。（国外送金通６－１）

⑴　国外財産が第六章第四節**四2**②《損害保険契約等に基づく年金に係る雑所得の金額の計算上控除する保険料等》に規定する損害保険契約等に関する権利である場合における当該損害保険契約等に基づき支払を受ける一時金又は年金に係る所得

⑵　国外財産が**1**②（5）㈢に規定する「民法第667条第１項に規定する組合契約、匿名組合契約その他これらに類する契約に基づく出資」である場合における当該出資に基づく所得

⑶　国外財産が**1**②（5）㈣に規定する「信託に関する権利」である場合における当該権利に基づく所得

⑷　国外財産が**1**②（5）㈤に規定する「第六章第四節**一1**②に規定する未決済信用取引等及び同③に規定する未決済デリバティブ取引に係る権利」である場合における当該未決済信用取引等及び未決済デリバティブ取引の決済等による所得

（国外財産に基因して生ずる所得に該当しないもの）

（4）　人的役務の提供に係る対価及び俸給、給料、賃金、歳費、賞与又はこれらの性質を有する給与その他人的役務の提供に対する報酬（株式を無償又は有利な価額で取得することができる権利その他これに類する権利の行使による経済的利益を除く。）については、①に規定する「国外財産に関して生ずる所得で（1）で定めるもの」に該当しないため、①及び③の規定は適用されないことに留意する。（国外送金通6－2）

（①に規定する国外財産に係るもの以外の事実等に基づく税額）

（5）　①に規定する国外財産に係るもの以外の事実等に基づく税額として（5）で定めるところにより計算した金額は、第十二章**四１**又は同**２**の過少申告加算税の額又は無申告加算税の額の計算の基礎となるべき税額（以下**２**及び**三２**③（2）において「過少申告加算税等基礎税額」という。）のうち次の(一)及び(二)に掲げる場合（③（2）から**７**（5）まで又は**三２**③（2）の規定の適用がある場合を除く。）の区分に応じ当該(一)及び(二)に定める税額の合計額とする。（国外送金令11②）

(一)	①に規定する税額の計算の基礎となるべき事実（以下⑦（3）まで並びに**三２**①（6）及び**三２**③（3）(一)において「税額の計算の基礎となるべき事実」という。）で①に規定する国外財産に係るもの以外の事実（第十二章**四４**①又は同②（これらの規定が同④の規定により適用される場合を含む。）に規定する隠蔽し、又は仮装されていない事実（以下**２**並びに**三２**①（6）及び**三２**③（2）において「隠蔽仮装されていない事実」という。）に係るものに限る。以下(一)及び③（2）において「国外財産に係るもの以外の事実」という。）がある場合　当該国外財産に係るもの以外の事実のみに基づいて修正申告等（①に規定する修正申告等をいう。以下**２**及び**三２**③（2）において同じ。）があったものとした場合における当該修正申告等に基づき第十章第三節**４**の規定により納付すべき税額
(二)	税額の計算の基礎となるべき事実で隠蔽し、又は仮装された事実（⑦（2）、⑦（3）(二)及び**三２**③（2）(二)において「隠蔽仮装された事実」という。）がある場合　第十二章**四４**①、同②又は同④（同①又は同②の重加算税に係る部分に限る。⑧において同じ。）の規定により過少申告加算税又は無申告加算税に代えて重加算税を課する場合における当該過少申告加算税又は無申告加算税の額の計算の基礎となるべき税額

②　①の国外財産調書の範囲

①の国外財産調書は、次の(一)及び(二)に掲げる場合の区分に応じ当該(一)又は(二)に定める国外財産調書とする。（国外送金法6②）

(一)	①の修正申告等が所得税に関するものである場合　　当該修正申告等に係る年分の国外財産調書（当該年分のその年の中途において当該修正申告等の基因となる国外財産を有しないこととなった場合における当該国外財産にあっては、当該年分の前年分の国外財産調書）
(二)	①の修正申告等が相続税に関するものである場合　　次のイからハまでに掲げる国外財産調書のいずれか イ　当該相続税に係る被相続人（遺贈をした者を含む。イ及び④(二)イにおいて同じ。）の相続開始年の前年分の国外財産調書（被相続人がその提出期限までに相続開始年の前年分の国外財産調書を提出しないで死亡した場合にあっては、被相続人の相続開始年の前々年分の国外財産調書） ロ　当該相続税に係る相続人の相続開始年の年分の国外財産調書 ハ　当該相続税に係る相続人の相続開始年の翌年分の国外財産調書

（死亡した者に係る修正申告等の場合の国外財産に係る過少申告加算税又は無申告加算税の特例の規定が適用される場合における国外財産調書等の取扱い）

（1）　①に規定する国外財産に係る所得税につき第十章第二節**三１**①又は同**２**①の規定の適用があり、かつ、当該国外財産につき国外財産調書を提出しないで死亡したことにより**１**①ただし書の規定の適用がある場合において、その死亡した者に係る修正申告等があったときにおける**２**の規定の適用については、次の(一)及び(二)に定めるところによる。（国外送金令12①）

(一)	②(一)に定める国外財産調書は、当該死亡した者の死亡した日の属する年の前々年分の国外財産調書とする。
(二)	④(一)に定める国外財産調書は、当該死亡した者の死亡した日の属する年の前々年分の国外財産調書（当該修

	正申告等の基因となる**1**⑦に規定する相続国外財産で相続開始年（同⑦に規定する相続開始年をいう。以下(二)において同じ。）に取得したものにあっては、相続開始年の年分の国外財産調書を除く。）とする。

（①及び③の適用の判断の基となる国外財産調書）

（2）　①及び③の規定の適用は、②若しくは④又は②（1）に規定する国外財産調書により判定するのであるから、これらの規定に規定する国外財産調書以外の国外財産調書に①に規定する「当該修正申告等の基因となる国外財産」の記載があった場合でも、③(二)の「記載がない場合」に該当することに留意する。（国外送金通６－４）

（国外財産調書の提出を要しない者から提出された国外財産調書の取扱い）

（3）　提出された国外財産調書に記載された国外財産の価額によれば**1**①（**1**⑦の規定により読み替えて適用する場合を含む。）の規定による国外財産調書の提出を要しない者から提出された国外財産調書は、②若しくは④又は②（1）に規定する国外財産調書に該当しないことに留意する。（国外送金通６－６）

③　国外財産調書が提出期限内に提出されないとき等の加算税の加重

国外財産に係る所得税又は国外財産に対する相続税に関し修正申告等（死亡した者に係るものを除く。）があり、第十二章**四 1**又は同**2**の規定の適用がある場合において、次の(一)及び(二)に掲げる場合のいずれかに該当するときは、これらの規定の過少申告加算税の額又は無申告加算税の額は、これらの規定にかかわらず、これらの規定により計算した金額に、当該過少申告加算税の額又は無申告加算税の額の計算の基礎となるべき税額に100分の５の割合を乗じて計算した金額を加算した金額とする。（国外送金法６③）

(一)	**1**①（**1**⑦の規定により読み替えて適用する場合を含む。）の規定により税務署長に提出すべき国外財産調書について提出期限内に提出がない場合（当該国外財産調書の提出期限の属する年の前年の12月31日において相続国外財産を有する者（その価額の合計額が5,000万円を超える国外財産で相続国外財産以外のものを有する者を除く。）の責めに帰すべき事由がない場合を除く。）
(二)	提出期限内に税務署長に提出された国外財産調書に記載すべき当該修正申告等の基因となる国外財産についての記載がない場合（当該国外財産調書に当該修正申告等の基因となる国外財産について記載すべき事項のうち重要なものの記載が不十分であると認められる場合を含むものとし、当該国外財産調書に記載すべき当該修正申告等の基因となる相続国外財産についての記載がない場合（当該相続国外財産を有する者の責めに帰すべき事由がない場合に限る。）を除く。）

（重要なものの記載が不十分であると認められる場合）

（1）　③(二)に規定する「記載すべき事項のうち重要なものの記載が不十分であると認められる場合」とは、**1**①（1）の規定により国外財産調書に記載すべき事項（以下（1）において「記載事項」という。）について誤りがあり、又は記載事項の一部が欠けていることにより、所得の基因となる国外財産の特定が困難である場合をいう。（国外送金通６－３）

④　③の国外財産調書の範囲

③の国外財産調書は、次の(一)及び(二)に掲げる場合の区分に応じ当該(一)又は(二)に定める国外財産調書とする。（国外送金法６④）

(一)	③の修正申告等が所得税に関するものである場合　　当該修正申告等に係る年分の国外財産調書（当該年分のその年の中途において当該修正申告等の基因となる国外財産を有しないこととなった場合における当該国外財産にあっては当該年分の前年分の国外財産調書とし、当該修正申告等の基因となる相続国外財産（相続開始年に取得したものに限る。）にあっては相続開始年の年分の国外財産調書を除く。）
(二)	③の修正申告等が相続税に関するものである場合　　次に掲げる国外財産調書の全て イ　当該相続税に係る被相続人の相続開始年の前年分の国外財産調書（被相続人がその提出期限までに相続開始年の前年分の国外財産調書を提出しないで死亡した場合にあっては、被相続人の相続開始年の前々年分の国外財産調書）にあっては、被相続人の相続開始年の前々年分の国外財産調書） ロ　当該相続税に係る相続人の相続開始年の年分の国外財産調書

	ハ　当該相続税に係る相続人の相続開始年の翌年分の国外財産調書

⑤　③の修正申告等が相続税に関するものである場合の適用除外

③の修正申告等が相続税に関するものである場合には、次の(一)及び(二)に掲げる者については、③の規定は、適用しない。(国外送金法６⑤)

(一)	当該相続税に係る相続人で**１**①（**１**⑦の規定により読み替えて適用する場合を含む。）の規定により税務署長に提出すべき相続開始年の翌年分の国外財産調書がないもの
(二)	当該相続税に係る相続人で相続開始年の翌年の12月31日において当該修正申告等の基因となる相続国外財産を有しないもの

⑥　国外財産調書の提出が更正又は決定があるべきことを予知してされたものでないときの取扱い

二１①（**二１**⑦の規定により読み替えて適用する場合を含む。）の規定により提出すべき国外財産調書が提出期限後に提出され、かつ、修正申告等があった場合において、当該国外財産調書の提出が、当該国外財産調書に係る国外財産に係る所得税又は国外財産に対する相続税についての調査があったことにより当該国外財産に係る所得税又は国外財産に対する相続税について更正又は決定があるべきことを予知してされたものでないとき（当該国外財産調書の提出が、当該国外財産に係る所得税又は国外財産に対する相続税についての第十二章**四１**⑥に規定する調査通知がある前にされたものである場合に限る。）は、当該国外財産調書は提出期限内に提出されたものとみなして、①又は③の規定を適用する。(国外送金法６⑥)

⑦　国外財産の取得、運用又は処分に係る書類の提示又は提出をしなかったときの加重

国外財産に係る所得税又は国外財産に対する相続税に関し修正申告等があり、第十二章**四１**又は同**四２**の規定の適用がある居住者が、当該修正申告等があった日前に、国税庁、国税局又は税務署の当該職員から②又は④に規定する国外財産調書に記載すべき国外財産の取得、運用又は処分に係る書類として財務省令で定める書類（その作成又は保存に代えて電磁的記録の作成又は保存がされている場合における当該電磁的記録を含む。）又はその写しの提示又は提出を求められた場合において、その提示又は提出を求められた日から60日を超えない範囲内においてその提示又は提出の準備に通常要する日数を勘案して当該職員が指定する日までにその提示又は提出をしなかったとき（当該居住者の責めに帰すべき事由がない場合を除く。）における①又は③の規定の適用については、次に定めるところによる。(国外送金法６⑦)

(一)	①の規定は、適用しない。
(二)	③中「100分の５」とあるのは「100分の10（(一)に掲げる場合に該当することにつき(一)の国外財産調書の提出期限の属する年の前年の12月31日において相続国外財産を有する者（その価額の合計額が5,000万円を超える国外財産で相続国外財産以外のものを有する者を除く。）の責めに帰すべき事由がない場合又は(二)に掲げる場合のうち(二)の国外財産調書に記載すべき当該修正申告等の基因となる相続国外財産についての記載がない場合（当該相続国外財産を有する者の責めに帰すべき事由がない場合に限る。）には、100分の５）」と、③(一)中「場合（当該国外財産調書の提出期限の属する年の前年の12月31日において相続国外財産を有する者（その価額の合計額が5,000万円を超える国外財産で相続国外財産以外のものを有する者を除く。）の責めに帰すべき事由がない場合を除く。）」とあるのは「場合」と、③(二)中「含むものとし、当該国外財産調書に記載すべき当該修正申告等の基因となる相続国外財産についての記載がない場合（当該相続国外財産を有する者の責めに帰すべき事由がない場合に限る。）を除く」とあるのは「含む」とする。

(国外財産の取得、運用又は処分に係る書類)

（1）　⑦に規定する財務省令で定める書類は、次の(一)から(七)までに掲げる国外財産の区分に応じ当該(一)から(七)までに定める書類（⑦の居住者が通常保存し、又は取得することができると認められるものに限る。）とする。(国外送金規13の２)

(一)	土地又は建物　　当該土地又は建物の取得、貸付け（他人に当該土地又は建物を使用させることを含む。）又は譲渡に関する事項が記載された書類
(二)	預貯金（第二章第一節**一10**に規定する預貯金をいう。以下(二)において同じ。）　　当該預貯金の預入、利子

	（これに類するものを含む。）の受領、払出し又は譲渡に関する事項が記載された書類
(三)	有価証券（第二章第一節**一17**に規定する有価証券をいう。以下(三)において同じ。）　当該有価証券の取得若しくは第六章第四節**一**④に規定する譲渡又は当該有価証券に係る第四章第一節**一**に規定する利子等、同章第二節**一**に規定する配当等その他これらに類するものの受領に関する事項が記載された書類
(四)	匿名組合契約（第六章第四節**一１**①に規定する匿名組合契約をいう。以下(四)において同じ。）の出資の持分　当該匿名組合契約の出資の持分の取得若しくは譲渡又は当該匿名組合契約に基づいて受ける利益の分配に関する事項が記載された書類
(五)	未決済信用取引等（第六章第四節**一１**②に規定する未決済信用取引等をいう。以下(五)において同じ。）又は未決済デリバティブ取引（同**１**③に規定する未決済デリバティブ取引をいう。以下(五)において同じ。）に係る権利　当該未決済信用取引等又は未決済デリバティブ取引に関する事項が記載された書類
(六)	貸付金　金銭の貸付け又は当該貸付金の利子の受領若しくは譲渡に関する事項が記載された書類
(七)	(一)～(六)に掲げる国外財産以外の国外財産　当該国外財産の取得、運用又は処分に関する事項が記載された書類

（特例適用国外財産以外の国外財産に係る事実があるとき）

（２）　100分の５控除特例規定、100分の５加算特例規定又は100分の10加算特例規定の適用がある場合において、税額の計算の基礎となるべき事実で100分の５控除特例規定、100分の５加算特例規定又は100分の10加算特例規定の適用がある国外財産以外の国外財産に係る事実（隠蔽仮装されていない事実に係るものに限る。以下（２）において「特例適用国外財産以外の国外財産に係る事実」という。）があるとき（（３）から（５）まで又は**三２**③（２）の規定の適用がある場合を除く。）は、過少申告加算税等基礎税額（隠蔽仮装された事実があるときは、当該隠蔽仮装された事実に基づく税額として①（５）(二)の規定に準じて計算した金額を控除した税額）から当該特例適用国外財産以外の国外財産に係る事実のみに基づいて修正申告等があったものとした場合における当該修正申告等に基づき第十章第三節**４**の規定により納付すべき税額（国外財産に係るもの以外の事実があるときは、当該特例適用国外財産以外の国外財産に係る事実及び当該国外財産に係るもの以外の事実のみに基づいて修正申告等があったものとした場合における当該修正申告等に基づき同**４**の規定により納付すべき税額）を控除した税額を100分の５控除特例適用対象税額、100分の５加算特例適用対象税額又は100分の10加算特例適用対象税額とする。（国外送金令11③）

（100分の５控除特例規定の適用があり、かつ、100分の５加算特例規定又は100分の10加算特例規定の適用がある場合）

（３）　100分の５控除特例規定の適用があり、かつ、100分の５加算特例規定又は100分の10加算特例規定の適用がある場合（（５）又は**三２**③（２）の規定の適用がある場合を除く。）には、まず、100分の５加算特例規定又は100分の10加算特例規定の適用がある国外財産に係る事実（隠蔽仮装されていない事実に係るものに限る。以下（３）において「加算特例適用国外財産に係る事実」という。）のみに基づいて修正申告等があったものとした場合における当該修正申告等に基づき第十章第三節**４**の規定により納付すべき税額（(一)に掲げる事実があるときは、加算特例適用国外財産に係る事実及び(一)に掲げる事実のみに基づいて修正申告等があったものとした場合における当該修正申告等に基づき同**４**の規定により納付すべき税額から(一)に定める税額を控除した税額）を加算特例適用対象税額とし、次に、過少申告加算税等基礎税額（次の(一)及び(二)に掲げる事実があるときは、当該(一)及び(二)に定める税額の合計額を控除した税額）から当該加算特例適用対象税額を控除した税額を100分の５控除特例適用対象税額とする。（国外送金令11④）

(一)	税額の計算の基礎となるべき事実で100分の５控除特例規定、100分の５加算特例規定又は100分の10加算特例規定の適用がある国外財産に係るもの以外の事実（隠蔽仮装されていない事実に係るものに限る。以下(一)において「特例適用国外財産に係るもの以外の事実」という。）　当該特例適用国外財産に係るもの以外の事実のみに基づいて修正申告等があったものとした場合における当該修正申告等に基づき第十章第三節**４**の規定により納付すべき税額
(二)	隠蔽仮装された事実　当該隠蔽仮装された事実に基づく税額として①（５）(二)の規定に準じて計算した税額

（100分の５加算特例規定の適用があり、かつ、100分の10加算特例規定の適用がある場合）

（４）　100分の５加算特例規定の適用があり、かつ、100分の10加算特例規定の適用がある場合（（５）又は**三２**③（２）の規定の適用がある場合を除く。）には、まず、100分の10加算特例規定の適用がある国外財産に係る事実（隠蔽仮装されていない事実に係るものに限る。以下（４）、（５）及び**三２**③（２）において「100分の10加算特例適用国外財産に係る事実」という。）のみに基づいて修正申告等があったものとした場合における当該修正申告等に基づき第十章三節**4**の規定により納付すべき税額（（３）(一)に掲げる事実があるときは、100分の10加算特例適用国外財産に係る事実及び同(一)に掲げる事実のみに基づいて修正申告等があったものとした場合における当該修正申告等に基づき同節**4**の規定により納付すべき税額から同(一)に定める税額を控除した税額）を100分の10加算特例適用対象税額とし、次に、過少申告加算税等基礎税額（（３）(一)及び(二)に掲げる事実があるときは、当該(一)及び(二)に定める税額の合計額を控除した税額）から当該100分の10加算特例適用対象税額を控除した税額を100分の５加算特例適用対象税額とする。（国外送金令11⑤）

（100分の５控除特例規定、100分の５加算特例規定及び100分の10加算特例規定の適用がある場合）

（５）　100分の５控除特例規定、100分の５加算特例規定及び100分の10加算特例規定の適用がある場合（**三２**③（２）の規定の適用がある場合を除く。）には、まず、100分の10加算特例適用国外財産に係る事実のみに基づいて修正申告等があったものとした場合における当該修正申告等に基づき第十章第三節**4**の規定により納付すべき税額（④(一)に掲げる事実があるときは、100分の10加算特例適用国外財産に係る事実及び同(一)に掲げる事実のみに基づいて修正申告等があったものとした場合における当該修正申告等に基づき同節**4**の規定により納付すべき税額から同(一)に定める税額を控除した税額）を100分の10加算特例適用対象税額とし、次に、100分の５加算特例規定の適用がある国外財産に係る事実（隠蔽仮装されていない事実に係るものに限る。以下（５）及び**三２**③（２）において「100分の５加算特例適用国外財産に係る事実」という。）及び100分の10加算特例適用国外財産に係る事実のみに基づいて修正申告等があったものとした場合における当該修正申告等に基づき第十章第三節**4**の規定により納付すべき税額から当該100分の10加算特例適用対象税額を控除した税額（同(一)に掲げる事実があるときは、100分の５加算特例適用国外財産に係る事実、100分の10加算特例適用国外財産に係る事実及び同(一)に掲げる事実のみに基づいて修正申告等があったものとした場合における当該修正申告等に基づき同節**4**の規定により納付すべき税額から当該100分の10加算特例適用対象税額及び同(一)に定める税額の合計額を控除した税額）を100分の５加算特例適用対象税額とし、次に、過少申告加算税等基礎税額（（３）(一)及び(二)に掲げる事実があるときは、当該(一)及び(二)に定める税額の合計額を控除した税額）から当該100分の５加算特例適用対象税額及び当該100分の10加算特例適用対象税額の合計額を控除した税額を100分の５控除特例適用対象税額とする。（国外送金令11⑥）

（用語の意義）

（６）　①及び⑦において、次の(一)から(七)までに掲げる用語の意義は、当該(一)から(七)までに定めるところによる。（国外送金令11⑦）

(一)	100分の５控除特例規定	①の規定をいう。
(二)	100分の５加算特例規定	③（⑦(二)の規定により読み替えて適用する場合（同(二)の規定により読み替えられた③の規定により③の過少申告加算税の額又は無申告加算税の額の計算の基礎となるべき税額に100分の５の割合を乗じて計算した金額を加算する場合に該当する場合に限る。）を含む。）の規定をいう。
(三)	100分の10加算特例規定	⑦(二)の規定により読み替えられた③（③の規定により③の過少申告加算税の額又は無申告加算税の額の計算の基礎となるべき税額に100分の10の割合を乗じて計算した金額を加算する場合に該当する場合に限る。）の規定をいう。
(四)	100分の５控除特例適用対象税額	①に規定する過少申告加算税の額又は無申告加算税の額の計算の基礎となるべき税額をいう。
(五)	100分の５加算特例適用対象税額	100分の５加算特例規定に規定する過少申告加算税の額又は無申告加算税の額の計算の基礎となるべき税額をいう。
(六)	100分の10加算特例適用対象税額	100分の10加算特例規定に規定する過少申告加算税の額又は無申告加算税の額の計算の基礎となるべき税額をいう。
(七)	加算特例適用対象税額	100分の５加算特例適用対象税額又は100分の10加算特例適用対象税額をいう。

（居住者の責めに帰すべき事由がない場合）

（７）　⑦に規定する「居住者の責めに帰すべき事由がない場合」とは、例えば、⑦の居住者が調査において国外財産調書に記載すべき国外財産の取得、運用又は処分に係る書類の提示又は提出を求められた後に、当該居住者又は書類保有者（当該居住者以外の者で当該書類を保有する者をいう。以下（７）において同じ。）が、災害があったこと、又は病気による入院をしたこと等により、指定された期限までにその提示又は提出をすることができない場合などのほか、当該書類保有者に当該書類の取寄せを依頼しても、当該書類の収集に相当な困難を伴うことが判明した場合をいう。

なお、当該書類の収集に相当な困難を伴うことが判明した場合とは、次に掲げる場合など、当該居住者が通常取り得る手段を用いても入手できないことが客観的に確認することができる場合をいう。（国外送金通６－７）

⑴　当該書類保有者が所在する国の国内法の規定により、当該書類の取得が困難である場合

⑵　当該書類について、法令等の規定により保存すべき期間が徒過している場合

⑶　当該書類保有者が所在不明となっている場合

⑷　当該居住者が当該書類保有者から当該書類の提出を拒否された場合

（注）　当該居住者と当該書類保有者との間に支配関係や親族関係その他の特殊の関係がある場合、当該居住者が当該書類保有者の事業の方針の全部又は一部につき実質的に決定できる関係がある場合などには、基本的に書類の収集に相当な困難を伴うこととは言えないことに留意する。

（国外財産調書の提出期限前にあった修正申告等に係る過少申告加算税等の特例適用）

（８）　①に規定する国外財産に係る所得税又は国外財産に対する相続税に関する修正申告等（①に規定する修正申告等をいう。以下（９）までにおいて同じ。）が、②(一)及び同(二)に定める国外財産調書の提出期限前にあった場合において、当該修正申告等があった時までに②(一)及び同(二)に定める国外財産調書が提出され、かつ、当該国外財産調書に当該修正申告等の基因となる国外財産の記載があるときは、①の適用があることに留意する。（国外送金通６－８）

（国外財産に関する書類の提示又は提出がなかった場合の過少申告加算税等の特例の対象となる国外財産の単位）

（９）　①又は③の規定の適用に当たっては、①（１）、同（５）及び（２）から（６）までの規定により、修正申告等の基因となる国外財産についての国外財産調書への記載の有無は、一の国外財産ごとに判定することとされているが、⑦の適用に当たっても、国外財産調書に記載すべき国外財産の取得、運用又は処分に係る一定の書類の提示又は提出の有無は、一の国外財産ごとに判定することに留意する。（国外送金通６－９）

⑧　重加算税を課する場合の重加算税の額の計算の基礎となるべき税額

①又は③（⑦(二)の規定により読み替えて適用する場合を含む。以下②（１）及び⑧において同じ。）の規定及び第十二章**四４**①、同②又は同④の規定の適用があり、同①、同②又は同④の規定により過少申告加算税又は無申告加算税に代えて重加算税を課する場合において、第十二章**四１**又は同**２**の過少申告加算税の額又は無申告加算税の額の計算の基礎となるべき事実（①又は③の規定の適用がある国外財産に係る事実を含む。）で隠蔽し、又は仮装されていないものに基づくことが明らかであるものがあるときは、当該重加算税の額の計算の基礎となるべき税額は、過少申告加算税等基礎税額から当該隠蔽し、又は仮装されていない事実のみに基づいて修正申告等があったものとした場合における当該修正申告等に基づき第十章第三節**４**の規定により納付すべき税額を控除した税額とする。（国外送金令12②）

（国外財産に係る過少申告加算税又は無申告加算税の特例の適用がある場合における賦課決定通知書の記載事項）

（１）　①又は③（⑦(二)の規定により読み替えて適用する場合を含む。以下（１）において同じ。）の規定の適用がある場合における過少申告加算税又は無申告加算税に係る第十二章**四６**に規定する賦課決定通知書には、当該過少申告加算税又は無申告加算税について①又は③の規定の適用がある旨を付記するものとする。（国外送金規14）

三　財産債務に係る調書の提出等

１　財産債務調書の提出

①　財産債務調書、提出義務者、提出期限及び提出先

次に掲げる申告書を提出すべき者又は提出することができる者は、当該申告書に記載すべきその年分の総所得金額（第三章第二節①に規定する総所得金額をいう。⑧において同じ。）及び山林所得金額（同②に規定する山林所得金額をいう。⑧において同じ。）の合計額が2,000万円を超え、かつ、その年の12月31日においてその価額の合計額が３億円以上の財産

又はその価額の合計額が１億円以上の国外転出特例対象財産（第六章第四節**一１**①に規定する有価証券等並びに同②に規定する未決済信用取引等及び同③に規定する未決済デリバティブ取引に係る権利をいう。⑧及び**２**②(一)において同じ）を有する場合には、(１)で定めるところにより、その者の氏名、住所又は居所及び個人番号（個人番号を有しない者にあっては、氏名及び住所又は居所）並びにその者が同日において有する財産の種類、数量及び価額並びに債務の金額その他必要な事項を記載した調書（以下「**財産債務調書**」という。）を、その年の翌年の６月30日までに、その者の所得税の納税地の所轄税務署長に提出しなければならない。ただし、同日までに当該財産債務調書を提出しないで死亡したときは、この限りでない。（国外送金法６の２①）

(一)	第十章第二節**二１**①（所得税法第166条において準用する場合を含む。）の規定による申告書（第十章第二節**三１**①（所得税法第166条において準用する場合を含む。）の規定に該当して提出すべきものを除く。）
(二)	第十章第二節**二３**①（所得税法第166条において準用する場合を含む。）の規定による申告書（その年分の第九章第一節**一**の規定を適用して計算した場合の所得税の額の合計額が配当控除（同章第二節**一１**に規定する配当控除をいう。(四)において同じ。）の額を超える場合における当該申告書に限る。）
(三)	第十章第二節**三４**①（所得税法第166条において準用する場合を含む。）の規定による申告書
(四)	第十章第二節**三４**②（所得税法第166条において準用する場合を含む。）の規定による申告書（その年の１月１日から同②の出国の時までの間の第九章第一節**一**の規定を適用して計算した場合の所得税の額の合計額が配当控除の額を超える場合における当該申告書に限る。）

（財産債務調書の記載事項等）

(１)　財産債務調書（①に規定する財産債務調書をいう。⑥において同じ。）には、①本文又は⑨前段の規定に該当する者の氏名、住所又は居所及び個人番号（個人番号を有しない者にあっては、氏名及び住所又は居所）のほか、別表第三に定めるところにより、その者の有する財産の種類、数量、価額（③に規定する財産の価額をいう。同表において同じ。）及び所在（②において準用する**二１**②及び同②(１)並びに②(１)において準用する**二１**②(３)及び同(５)の規定による財産の所在をいう。同表において同じ。）並びに債務の金額（③に規定する債務の金額をいう。同表において同じ。）その他必要な事項を記載しなければならない。（国外送金規15①）

別表第三（第十五条関係）　財産債務調書の記載事項

区分		記載事項	備考
財産	(一)　土地	用途別及び所在別の地所数、面積及び価額	(1)　庭園その他土地に附設したものを含む。 (2)　用途別は、一般用及び事業用の別とする。
	(二)　建物	用途別及び所在別の戸数、床面積及び価額	(1)　附属設備を含む。 (2)　用途別は、一般用及び事業用の別とする。
	(三)　山林	用途別及び所在別の面積及び価額	(1)　林地は、土地に含ませる。 (2)　用途別は、一般用及び事業用の別とする。
	(四)　現金	用途別及び所在別の価額	用途別は、一般用及び事業用の別とする。
	(五)　預貯金	種類別、用途別及び所在別の価額	(1)　種類別は、当座預金、普通預金、定期預金等の別とする。 (2)　用途別は、一般用及び事業用の別とする。
	(六)　有価証券	種類別、用途別及び所在別の数量及び価額並びに取得価額（特定有価証券にあっては、種類別、用途別及び所在別の数量及び価額）	(1)　種類別は、株式、公社債、投資信託、特定受益証券発行信託、貸付信託等の別及び銘柄の別とする。 (2)　用途別は、一般用及び事業用の別とする。
	(七)　匿名組合契約の出資の持分	種類別、用途別及び所在別の数量及び価額並びに取得価額	(1)　種類別は、匿名組合の別とする。 (2)　用途別は、一般用及び事業用の別とする。

	(八)　未決済信用取引等に係る権利	種類別、用途別及び所在別の数量及び価額並びに取得価額	(1)　種類別は、信用取引及び発行日取引の別並びに銘柄の別とする。 (2)　用途別は、一般用及び事業用の別とする。
	(九)　未決済デリバティブ取引に係る権利	種類別、用途別及び所在別の数量及び価額並びに取得価額	(1)　種類別は、先物取引、オプション取引、スワップ取引等の別及び銘柄の別とする。 (2)　用途別は、一般用及び事業用の別とする。
	(十)　貸付金	用途別及び所在別の価額	用途別は、一般用及び事業用の別とする。
	(十一)　未収入金（受取手形を含む。）	用途別及び所在別の価額	用途別は、一般用及び事業用の別とする。
	(十二)　書画骨とう及び美術工芸品	種類別、用途別及び所在別の数量及び価額（一点10万円未満のものを除く。）	(1)　種類別は、書画、骨とう及び美術工芸品の別とする。 (2)　用途別は、一般用及び事業用の別とする。
	(十三)　貴金属類	種類別、用途別及び所在別の数量及び価額	(1)　種類別は、金、白金、ダイヤモンド等の別とする。 (2)　用途別は、一般用及び事業用の別とする。
	(十四)　(四)、(十二)及び(十三)に掲げる財産以外の動産	種類別、用途別及び所在別の数量及び価額（一個又は一組の価額が10万円未満のものを除く。）	(1)　種類別は、(四)、(十二)及び(十三)に掲げる財産以外の動産について、適宜に設けた区分とする。 (2)　用途別は、一般用及び事業用の別とする。
	(十五)　その他の財産	種類別、用途別及び所在別の数量及び価額	(1)　種類別は、(一)から(十四)までに掲げる財産以外の財産について、預託金、保険の契約に関する権利等の適宜に設けた区分とする。 (2)　用途別は、一般用及び事業用の別とする。
債務	(十六)　借入金	用途別及び所在別の金額	用途別は、一般用及び事業用の別とする。
	(十七)　未払金（支払手形を含む。）	用途別及び所在別の金額	用途別は、一般用及び事業用の別とする。
	(十八)　その他の債務	種類別、用途別及び所在別の数量及び金額	(1)　種類別は、(十六)及び(十七)に掲げる債務以外の債務について、前受金、預り金等の適宜に設けた区分とする。 (2)　用途別は、一般用及び事業用の別とする。

備考一　この表に規定する「事業用」とはその者の不動産所得、事業所得又は山林所得を生ずべき事業又は業務の用に供することをいい、「一般用」とは当該事業又は業務以外の用に供することをいうこと。

二　この表に規定する「預貯金」、「有価証券」、「公社債」、「投資信託」、「特定受益証券発行信託」又は「貸付信託」とは、第二章第一節**一**に規定する預貯金、有価証券、公社債、投資信託、特定受益証券発行信託又は貸付信託をいうこと。

三　この表に規定する「特定有価証券」とは第六章第四節**一１**①(１)に規定する有価証券をいい、「匿名組合契約の出資の持分」とは第六章第四節**一１**①に規定する匿名組合契約の出資の持分をいい、「未決済信用取引等」とは同②に規定する未決済信用取引等をいい、「未決済デリバティブ取引」とは同③に規定する未決済デリバティブ取引をいうこと。

（財産債務調書に係る財産の価額の合計額の判定）

(２)　①又は⑨の財産の価額の合計額の判定は、(５)⑹及び⑺の取扱いにより、財産債務調書に総額で記載することとした財産を含めて行うことに留意する。（国外送金通６の２－１）

（居住者であるかどうかの判定の時期）

(３)　⑨に規定する居住者であるかどうかの判定は、その年の12月31日の現況によることに留意する。（国外送金通６の２－２）

（財産債務調書の提出先の判定等）

（4）

⑴　財産債務調書の提出先については、その提出の際における⑨各号に定める場所の所轄税務署長となることに留意する。

⑵　財産債務調書の提出期限については、第十五章**三2**《期間の計算及び期限の特例》及び同**三3**《災害等による期限の延長》の適用があり、その提出時期については、第十章第二節**一5**《郵送等に係る納税申告書等の提出時期》の適用があることに留意する。

（国外送金通6の2－3）

（規則別表第三(六)、(十一)、(十四)、(十五)の財産の例示）

（5）

⑴　次に掲げる財産は、別表第三に規定する「(六)　有価証券」に該当する。

イ　質権又は譲渡担保の対象となっている有価証券

ロ　**二1**②(3)に規定する「株式に関する権利（株式を無償又は有利な価額で取得することができる権利その他これに類する権利を含む。)」のうち新株予約権

(注)　**二1**②(3)括弧書に規定する「株式を無償又は有利な価額で取得することができる権利」のうちその年の12月31日が権利行使可能期間内に存しないものについては、財産債務調書への記載を要しないことに留意する。

また、「その他これに類する権利」には、株主となる権利、株式の割当てを受ける権利、株式無償交付期待権が含まれる。

⑵　次に掲げる財産は、別表第三に規定する「(十一)　未収入金（受取手形を含む。)」に該当する。

イ　売掛金

ロ　その年の12月31日において既に弁済期が到来しているもので、同日においてまだ収入していないもの（未収法定果実、保険金、退職手当金等）

⑶　次に掲げる財産は、別表第三に規定する「(十四)　(四)、(十二)及び(十三)に掲げる財産以外の動産」に該当する。

イ　第六章第二節**三1**《棚卸資産の範囲》に掲げる財産

ロ　家財（別表第三に規定する「(十二)　書画骨とう及び美術工芸品」及び「(十三)　貴金属類」を除く。)

(注)　貴金属類のうち、いわゆる装身具として用いられるものは、その用途が事業用であるものを除き、家財として取り扱って差し支えない。

ハ　第六章第二節**五1**表内③から同⑦まで《減価償却資産の範囲》に掲げる財産

⑷　次に掲げる財産は、別表第三に規定する「(十五)　その他の財産」に該当する。

イ　**二1**②(3)に規定する「保険（共済を含む。）の契約に関する権利」

(注)　**二1**②(3)に規定する「保険（共済を含む。）の契約に関する権利」の意義については、**二1**②(4)⑴参照。

ロ　**二1**②(5)(一)に規定する「預託金又は委託証拠金その他の保証金」

(注)　**二1**②(5)(一)に規定する「預託金」の意義については、**二1**②(6)⑴参照。

ハ　**二1**②(5)(三)に規定する「民法第667条第1項に規定する組合契約」又はこれに類する契約に基づく出資

(注)　**二1**②(5)(三)に規定する「その他これらに類する契約に基づく出資」の意義については、**二1**②(6)⑵参照。

ニ　**二1**②(5)(四)に規定する「信託に関する権利」

(注)　**二1**②(5)(四)に規定する「信託に関する権利」の意義については、**二1**②(6)⑶参照。

ホ　**二2**①(2)に規定する「特許権、実用新案権、意匠権若しくは商標権又は著作権その他これらに類するもの」

ヘ　財産的価値のある暗号資産（資金決済に関する法律第2条第5項に規定する「暗号資産」等）

（国外送金通6の2－4）

（別表第三(十七)の未払金の例示）

（4）　次に掲げる債務は、別表第三に規定する「(十七)　未払金（支払手形を含む。)」に該当する。（国外送金通6の2－5）

⑴　買掛金

⑵　その年の12月31日において既に弁済期が到来しているもので、同日においてまだ支出していないもの。

（財産債務調書の財産の記載事項）

（5）　財産債務調書に記載する財産の種類、数量、価額及び所在については、別表第三に規定する(一)から(十五)までの財産の区分に応じて、同別表の「記載事項」に規定する「種類別」、「用途別」（一般用及び事業用の別）並びに「所在別」の「数量」及び「価額」を記載するのであるが、以下のとおり記載することとして差し支えないことに留意す

る。(国外送金通６の２－６)

⑴　財産の用途が一般用及び事業用の兼用である場合、用途は「一般用、事業用」と記載し、価額は、一般用部分と事業用部分とを区分することなく記載すること。

⑵　２以上の財産の区分からなる財産について、それぞれの財産の区分に分けて価額を算定することが困難な場合には、一体のものとして価額をいずれかの財産の区分にまとめて記載すること。

⑶　財産の所在は、所在地のほか、氏名又は名称を記載するが、別表第三に規定する(一)から(四)まで及び(十二)から(十四)までの財産の区分に該当する財産については、所在地のみを記載すること。

⑷　規則別表第三に規定する(五)に該当する財産のうち、一口の預入高が50万円未満のものは、預入高に代えて所在欄又は備考欄に口座番号を記載すること。

(注)　この場合は、所在欄に金融機関の名称・支店名・所在地を記載し、所在欄又は備考欄に口座番号を記載することに留意する。

⑸　別表第三に規定する(六)に該当する財産のうち、第五章第三節**六１**《特定口座内保管上場株式等の譲渡等に係る所得計算等の特例》に規定する特定口座、同節**十五１**《非課税口座内の少額上場株式等に係る譲渡所得等の非課税》に規定する非課税口座又は同節**十六１**《未成年者口座内の少額上場株式等に係る譲渡所得等の非課税》に規定する未成年者口座に保管の委託がされているものについては、銘柄別に区分することなく記載すること。

⑹　別表第三に規定する(十一)及び(十五)の財産の区分に該当する財産のうち不動産所得、事業所得又は山林所得を生ずべき事業又は業務の用に供する債権であり、かつ、その年の12月31日における価額が300万円未満のものについては、所在別に区分することなく、その件数及び総額を記載すること。

⑺　第十章第二節**二１④イ**及び同**ロ**《事業所得等に係る総収入金額及び必要経費の内訳書》の確定申告書又は第十一章**四２**及び**３**《青色申告書に添付すべき書類》の青色申告書に添付すべき書類（収支内訳書又は青色申告決算書）の「減価償却費の計算」欄に第二章第一節**一19**に規定する減価償却資産として記載されている財産については、その減価償却資産の価額の総額を記載すること。

(注)　この場合においては、国内及び国外に所在する財産を保有している場合は、国内と国外に分けて総額を記載することに留意する。

(有価証券の所在)

(６)　有価証券（相続税法第10条第１項第７号から第９号までに掲げる財産に係る有価証券並びに同条第２項及び**二１**②(５)(二)から(四)までに規定する財産に係る有価証券をいう。以下(６)において同じ。）の所在については、その年の12月31日における次の有価証券の区分に応じた場所を記載することに留意する。(国外送金通６の２－７)

⑴　金融商品取引業者等（**一２**(七)に規定する金融商品取引業者等をいう。以下同じ。）の営業所又は事務所に開設された口座に係る振替口座簿（**二１**②(１)に規定する振替口座簿をいう。）に記載若しくは記録がされ、又は当該口座に保管の委託がされている有価証券当該口座が開設された金融商品取引業者等の営業所又は事務所の所在

⑵　⑴以外の有価証券

相続税法第10条第１項第７号から第９号まで若しくは第２項又は**二１**②(５)(二)から(四)までのいずれかに規定する所在

(財産債務調書の債務の記載事項)

(７)　財産債務調書に記載する債務の種類、金額及び所在については、別表第三に規定する(十六)から(十八)までの債務の区分に応じて、同別表の「記載事項」に規定する「種類別」、「用途別」(一般用及び事業用の別)並びに「所在別」の「金額」を記載するのであるが、以下のとおり記載することとして差し支えないことに留意する。(国外送金通６の２－８)

⑴　債務の用途が一般用及び事業用の兼用である場合、用途は「一般用、事業用」と記載し、金額は、一般用部分と事業用部分とを区分することなく記載すること。

⑵　別表第三に規定する(十六)から(十八)の債務の区分に該当する債務のうち、その年の12月31日における金額が300万円未満のものについては、所在別に区分することなく、その件数及び総額を記載すること。

(債務に係る所在)

(８)　別表第三に規定する(十六)から(十八)までの債務の区分に該当する債務に係る所在は、その債務の相手方の住所又は本店若しくは主たる事務所の所在とする。(国外送金通６の２－９)

(注)　財産債務調書には、その債務の相手方の所在地のほか、氏名又は名称を記載することに留意する。

② **財産の所在、有価証券等の所在、所在の判定時期**

二１②、同②(１)及び同③の規定は、①及び⑨の財産の所在について準用する。この場合において、**二１**③中「①」とあるのは、「**三１**①又は同⑨」と読み替えるものとする。(国外送金令12の２①)

(１) **二１**②(３)及び同(５)の規定は、①及び⑨の財産の所在について準用する。(国外送金規15②)

(２) **二１**②(２)の規定は、②において準用する**二１**②(１)に規定する(２)で定める財産について準用する。(国外送金規15③)

③ **財産の価額及び債務の金額**

①及び⑨の財産の価額は当該財産の①又は⑨に規定するその年の12月31日における時価又は時価に準ずるものとして(１)で定める価額により、①及び⑨の債務の金額は同日における現況による。(国外送金令12の２②)

(１) **二１**④(１)の規定は、財産に係る③に規定する時価に準ずるものとして(１)で定める価額について準用する。この場合において、**二１**④(１)中「①」とあるのは、「**三１**①又は同⑨」と読み替えるものとする。(国外送金規15④)

(財産の価額の意義等)

(２) 財産の価額は、時価又は時価に準ずるものとして(１)が準用する**二１**④(１)に規定する「見積価額」によるが、時価とは、その年の12月31日における財産の現況に応じ、不特定多数の当事者間で自由な取引が行われる場合に通常成立すると認められる価額をいい、その価額は、専門家による鑑定評価額、金融商品取引所等の公表する同日の最終価格（同日の最終価格がない場合には、同日前の最終価格のうち同日に最も近い日の価額）などをいう。

また、見積価額とは、その年の12月31日における財産の現況に応じ、その財産の取得価額や売買実例価額などを基に、合理的な方法により算定した価額をいう。(国外送金通６の２－10)

(見積価額の例示)

(３) (１)が準用する場合における**二１**④(１)に規定する「見積価額」は、同(１)括弧書に規定する棚卸資産又は減価償却資産に係る見積価額のほか、別表第三に掲げる財産の区分に応じ、例えば、次に掲げる方法により算定することができることに留意する。(国外送金通６の２－11)

⑴ 別表第三(一)に掲げる財産（土地）

イ その年の12月31日が属する年中に課された固定資産税の計算の基となる固定資産税評価額（地方税法第381条《固定資産課税台帳の登録事項》の規定により登録された基準年度の価格又は比準価格をいう。なお、その財産に対して、外国又は外国の地方公共団体の定める法令により固定資産税に相当する租税が課される場合には、その年の12月31日が属する年中に課された当該租税の計算の基となる課税標準額とする。)。

ロ その財産の取得価額を基にその取得後における価額の変動を合理的な方法によって見積もって算出した価額。

ハ その年の翌年１月１日から財産債務調書の提出期限までにその財産を譲渡した場合における譲渡価額。

⑵ 別表第三(二)に掲げる財産（建物）

イ (１)イ、ロ又はハに掲げる価額。

ロ その財産が業務の用に供する資産以外のものである場合には、その財産の取得価額から、その年の12月31日における経過年数に応ずる償却費の額を控除した金額。

(注) 「経過年数に応ずる償却費の額」は、その財産の取得又は建築の時からその年の12月31日までの期間（その期間に１年未満の端数があるときは、その端数は１年とする。）の償却費の額の合計額とする。この場合における償却方法は、定額法（第六章第二節**五５ロ**(１)(イ)《減価償却資産の償却の方法》に規定する「定額法」をいう。）によるものとし、その耐用年数は、減価償却資産の耐用年数等に関する省令に規定する耐用年数による。

⑶ 別表第三(三)に掲げる財産（山林）

⑴イ、ロ又はハに掲げる価額。

⑷ 別表第三(五)に掲げる財産（預貯金）

その年の12月31日における預入高。

(注) 定期預金（定期貯金を含む。以下「定期預金等」という。）で、その年の12月31日において当該定期預金等に係る契約において定める預入期間が満了していないものについては、当該契約の時に預け入れした元本の金額を見積価額として差し支えない。

⑸ 別表第三(六)に掲げる財産（有価証券）

金融商品取引所等に上場等されている有価証券以外の有価証券については、次の価額。

イ　その年の12月31日における売買実例価額（その年の12月31日における売買実例価額がない場合には、その年の12月31日前の同日に最も近い日におけるその年中の売買実例価額）のうち、適正と認められる売買実例価額。

ロ　イがない場合には、⑴ハに掲げる価額。

ハ　イ及びロがない場合には、次の価額。

（イ）　株式については、当該株式の発行法人のその年の12月31日又は同日前の同日に最も近い日において終了した事業年度における決算書等に基づき、その法人の純資産価額（帳簿価額によって計算した金額）に自己の持株割合を乗じて計算するなど合理的に算出した価額。

（ロ）　新株予約権については、その目的たる株式がその年の12月31日における金融商品取引所等の公表する最終価格がないものである場合には、その年の12月31日におけるその目的たる株式の見積価額から１株当たりの権利行使価額を控除した金額に権利行使により取得することができる株式数を乗じて計算した金額。

(注)　「その年の12月31日におけるその目的たる株式の見積価額」については、イ・ロ・ハ(イ)の取扱いに準じて計算した金額とすることができる。

ニ　イ、ロ及びハがない場合には、取得価額。

⑹　別表第三(七)に掲げる財産（匿名組合契約の出資の持分）

組合事業に係るその年の12月31日又は同日前の同日に最も近い日において終了した計算期間の計算書等に基づき、その組合の純資産価額（帳簿価額によって計算した金額）又は利益の額に自己の出資割合を乗じて計算するなど合理的に算出した価額。

ただし、営業者等から計算書等の送付等がない場合には、出資額によることとして差し支えない。

⑺　別表第三(八)に掲げる財産（未決済信用取引等に係る権利）

金融商品取引所等において公表された当該信用取引等に係る有価証券のその年の12月31日の最終の売買の価格(公表された同日における当該価格がない場合には、公表された同日における最終の気配相場の価格とし、公表された同日における当該価格及び当該気配相場の価格のいずれもない場合には、最終の売買の価格又は最終の気配相場の価格が公表された日でその年の12月31日前の同日に最も近い日におけるその最終の売買の価格又は最終の気配相場の価格とする。)に基づき、同日において当該信用取引等を決済したものとみなして算出した利益の額又は損失の額に相当する金額。

⑻　別表第三(九)に掲げる財産（未決済デリバティブ取引に係る権利）

イ　金融商品取引所等に上場等されているデリバティブ取引

取引所において公表されたその年の12月31日の最終の売買の価格（公表された同日における当該価格がない場合には、公表された同日における最終の気配相場の価格とし、公表された同日における当該価格及び当該気配相場の価格のいずれもない場合には、最終の売買の価格又は最終の気配相場の価格が公表された日でその年の12月31日前の同日に最も近い日におけるその最終の売買の価格又は最終の気配相場の価格とする。）に基づき、同日において当該デリバティブ取引を決済したものとみなして算出した利益の額又は損失の額に相当する金額（以下（8）において「みなし決済損益額」という。）。

ロ　上記イ以外のデリバティブ取引

（イ）　銀行、証券会社等から入手した価額（当該デリバティブ取引の見積将来キャッシュ・フローを現在価値に割り引く方法、オプション価格モデルを用いて算定する方法その他合理的な方法に基づいて算定されたこれらの者の提示価額に限る（以下(イ)において同じ。)。）に基づき算出したみなし決済損益額（その年の12月31日における価額がこれらの者から入手できない場合には、これらの者から入手したその年の12月31日前の同日に最も近い日における価額に基づき算出したみなし決済損益額。）。

（ロ）　上記(イ)により計算ができない場合には、備忘価額として１円。

⑼　別表第三(十)に掲げる財産（貸付金）

その年の12月31日における貸付金の元本の額。

⑽　別表第三(十一)に掲げる財産（未収入金（受取手形を含む。））

その年の12月31日における未収入金の元本の額。

⑾　別表第三(十二)及び(十三)に掲げる財産（書画骨とう及び美術工芸品並びに貴金属類）

イ　その年の12月31日における売買実例価額（その年の12月31日における売買実例価額がない場合には、その年の12月31日前の同日に最も近い日におけるその年中の売買実例価額）のうち、適正と認められる売買実例価額。

ロ　イがない場合には、（1）ハに掲げる価額。

ハ　イ及びロがない場合には、取得価額。

⑿　別表第三(十四)に掲げる財産（(四)、(十二)及び(十三)に掲げる財産以外の動産）

その財産が第六章第二節**五１**表内③から同⑦まで《減価償却資産の範囲》に掲げる財産で、業務の用に供する資産以外の資産である場合には、⑵ロの取扱いに準じて計算した価額。

(注)　その財産が家庭用動産で、かつ、その取得価額が300万円未満のものである場合には、その年の12月31日における当該財産の見積価額については、10万円未満のものであると取り扱って差し支えないことに留意する。

⒀　別表第三(十五)に掲げる財産（その他の財産）

イ　**二１**②(３)に規定する「保険（共済を含む）の契約に関する権利」については、その年の12月31日にその保険の契約を解約することとした場合に支払われることとなる解約返戻金の額。

ただし、その年中の12月31日前の日において解約することとした場合に支払われることとなる解約返戻金の額をその保険の契約をした保険会社等から入手している場合には、当該額によることとして差し支えない。

ロ　**二１**②(３)に規定する「株式に関する権利」に該当する「株式を無償又は有利な価額で取得することができる権利」（有価証券に該当するものを除く。）については、上記(５)の取扱いに準じて計算した価額。

ハ　民法第667条第１項《組合契約》に規定する組合契約その他これに類する契約に基づく出資については、組合等の組合事業に係るその年の12月31日又は同日前の同日に最も近い日において終了した計算期間の計算書等に基づき、その組合等の純資産価額（帳簿価額によって計算した金額）又は利益の額に自己の出資割合を乗じて計算するなど合理的に算出した価額。

ただし、組合等から計算書等の送付等がない場合には、出資額によることとして差し支えない。

ニ　信託に関する権利（信託受益権）については、次による。

(イ)　元本と収益との受益者が同一人である場合には、信託財産の見積価額。

(ロ)　元本と収益との受益者が元本及び収益の一部を受ける場合には、(イ)の価額にその受益割合を乗じて計算した価額。

(ハ)　元本の受益者と収益の受益者とが異なる場合には、次による。

A　元本を受益する場合

(イ)の価額から、Bにより算定した収益受益者に帰属する信託の利益を受ける権利の価額を控除した価額。

B　収益を受益する場合

受益者が将来受けると見込まれる利益の額の複利現価の額の合計額。

ただし、その年の12月31日が属する年中に給付を受けた利益の額に、信託契約の残存年数を乗じて計算した金額によることとして差し支えない。

ホ　イからニまでの財産以外の財産については、その財産の取得価額を基にその取得後における価額の変動を合理的な方法によって見積もって算定した価額。

((１)が準用する**二１**④(１)に規定する見積価額のうち減価償却資産の償却後の価額の適用)

(４)

⑴　その財産が(１)が準用する**二１**④(１)に規定する青色申告書を提出する者の不動産所得、事業所得又は山林所得に係る減価償却資産（⑵において、「青色申告書に係る減価償却資産」という。）で、その用途が一般用及び事業用の兼用のものである場合には、その価額は、一般用部分と事業用部分に区分することなく**二１**④(１)括弧書の規定を適用して計算した「減価償却資産の償却後の価額」によることとして差し支えない。

⑵　青色申告書に係る減価償却資産以外の第二章第一節**一**表内**19**に規定する減価償却資産の見積価額については、(１)が準用する**二１**④(１)括弧書の規定及び⑴に準じて計算した価額によることとして差し支えない。

(国外送金通６の２－12)

(有価証券等の取得価額の例示)

(５)　別表第三に規定する(六)から(九)までの財産の区分に該当する財産（別表第三備考三に規定する特定有価証券に該当する有価証券を除く。）の取得価額は、財産の区分に応じ、例えば次に掲げる方法により算定することができる。(国外送金通６の２－13)

⑴　別表第三(六)に掲げる財産（有価証券）又は(七)に掲げる財産（匿名組合契約の出資の持分）については、次の価額。

イ　金銭の払込み又は購入により取得した場合には、当該財産を取得したときに支払った金銭の額又は購入の対価のほか、購入手数料など当該財産を取得するために要した費用を含めた価額。

ロ　相続（限定承認を除く。）、遺贈（包括遺贈のうち限定承認を除く。）又は贈与により取得した場合には、被相続人、遺贈者又は贈与者の取得価額を引き継いだ価額。

ハ　イ、ロその他合理的な方法により算出することが困難である場合には、次の価額。

（イ）　当該財産に額面金額がある場合には、その額面金額。

（ロ）　その年の12月31日における当該財産の価額の100分の５に相当する価額。

⑵　別表第三(八)に掲げる財産（未決済信用取引等に係る権利）又は(九)に掲げる財産（未決済デリバティブ取引に係る権利）について、当該財産のその年の12月31日における価額を（３）⑺又は同⑻に掲げる方法より算出した価額により記載する場合にはゼロ。

④　財産の価額及び債務の金額が外国通貨で表示される場合における当該国外財産の価額の本邦通貨への換算

二１⑤の規定は、③の規定による財産の価額及び債務の金額について準用する。（国外送金令12の２③）

（外貨で表示されている財産債務の邦貨換算の方法）

（１）　④により財産の価額及び債務の金額について**二１**⑤を準用する場合における、外国通貨で表示される当該財産の価額又は債務の金額の本邦通貨への換算は、次による。（国外送金通６の２－17）

⑴　財産債務の邦貨換算は、財産債務調書の提出義務者の取引金融機関（その財産が預金等で、取引金融機関が特定されている場合は、その取引金融機関）が公表するその年の12月31日における最終の為替相場による。

ただし、その年の12月31日に当該相場がない場合には、同日前の当該相場のうち、同日に最も近い日の当該相場によるものとする。

⑵　財産に係る⑴の「為替相場」は、邦貨換算を行う場合の外国為替の売買相場のうち、その外貨に係る、いわゆる対顧客直物電信買相場又はこれに準ずる相場をいう。

⑶　債務に係る⑴の「為替相場」は、邦貨換算を行う場合の外国為替の売買相場のうち、その外貨に係る、いわゆる対顧客直物電信売相場又はこれに準ずる相場をいう。

⑤　相続又は包括遺贈により取得した財産又は承継した債務の全部又は一部が未分割の場合の取得価額の計算

二１⑥の規定は、相続又は包括遺贈により取得した財産又は承継した債務について財産債務調書（①に規定する財産債務調書をいう。以下同じ。）を提出する場合について準用する。（国外送金令12の２④）

（共有財産の持分の取扱い）

（１）　共有の財産については、**二１**⑥（１）の取扱いに準ずるものとする。（国外送金通６の２－14）

（債務の金額の意義）

（２）　債務の金額は、その年の12月31日における債務の現況に応じ、確実と認められる範囲の金額をいう。（国外送金通６の２－15）

（財産債務調書に記載する財産の価額及び債務の金額の取扱い）

（３）　財産債務調書に記載された財産の種類、数量及び価額並びに債務の種類及び金額は法に基づくものであるから、当該財産債務に関する所得税及び復興特別所得税の課税標準並びに相続税及び贈与税の課税価格は、各税に関する法令の規定に基づいて計算することに留意する。（国外送金通６の２－16）

（同一人から２以上の財産債務調書の提出があった場合の取扱い）

（４）　財産債務調書の提出期限内に同一人から財産債務調書が２以上提出された場合には、特段の申出（財産債務調書の提出期限内における申出に限る。）がない限り、当該２以上の財産債務調書のうち最後に提出された財産債務調書をもって、①の規定により提出された財産債務調書とする。（国外送金通６の２－18）

⑥　**書　式**

財産債務調書の書式は、別表第四による。（国外送金規15⑤）

（参考）

FA6103

整理番号

令和□□年12月31日分　財産債務調書

提出用

平成二十八年十二月三十一日分以降用

受付印

財産債務を有する者	住所（又は事業所、事務所、居所など）						
	氏名						
	個人番号		電話番号（自宅・勤務先・携帯）				

財産債務の区分	種類	用途	所在	数量	（上段は有価証券等の取得価額）財産の価額又は債務の金額	備考
					円 円	
国外財産調書に記載した国外財産の価額の合計額（うち国外転出特例対象財産の価額の合計額（　　　　）円（合計表㉘へ））					合計表㉖へ	

財産の価額の合計額	合計表㉗へ	債務の金額の合計額	合計表㉝へ

（摘要）

（　　　　）枚のうち１枚目

通信日付印（年月日）（　・　・　）

(R4.1)

（財産債務調書合計表）

注　規則別表第四備考４の「合計表」は、表２のとおりである。（国外送金通６の２－19）

表２（財産債務調書合計表）

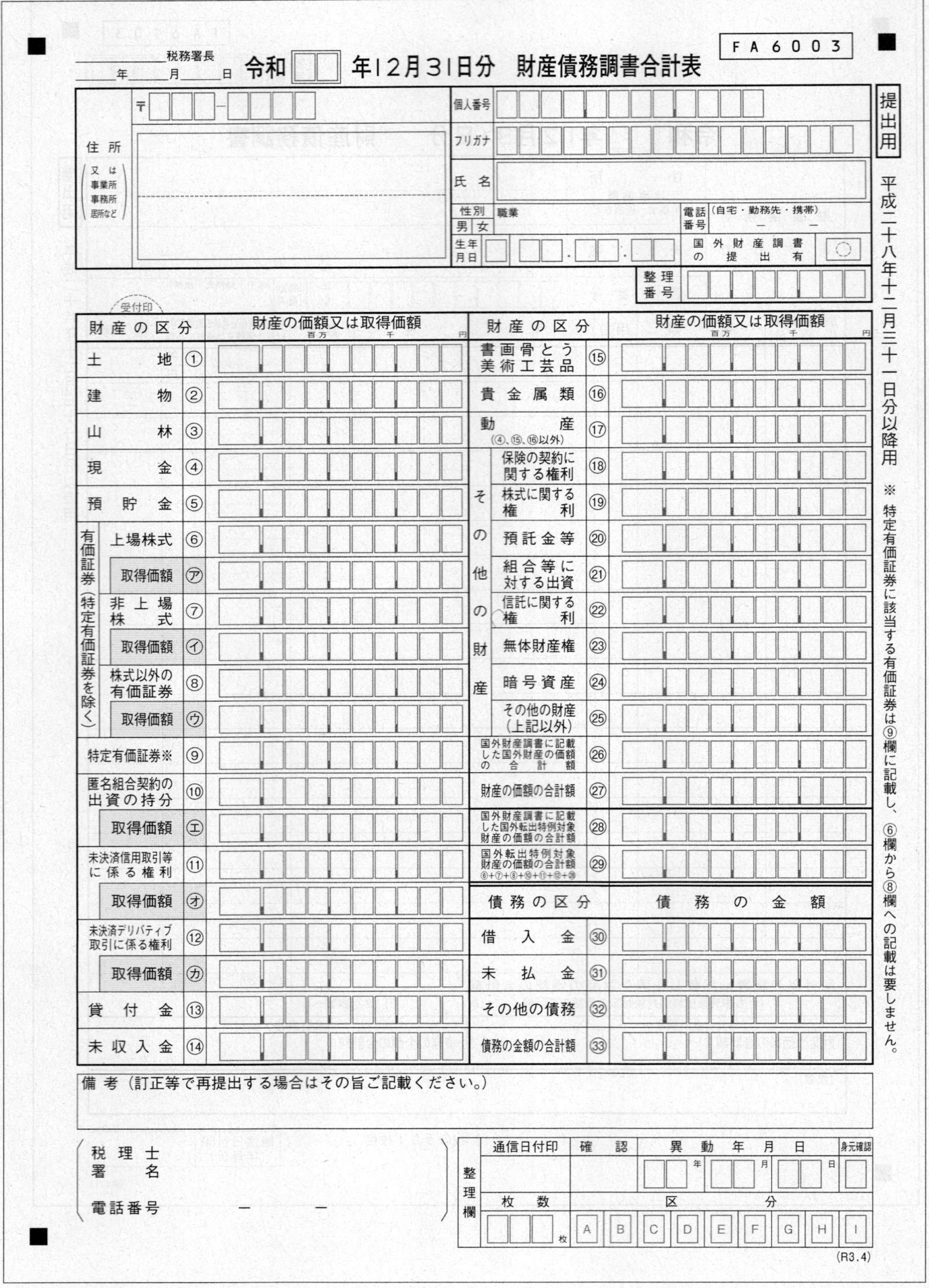

税務署長
年　月　日

令和　年12月31日分　財産債務調書合計表

FA6003

提出用

住所（又は事業所、事務所、居所など）　〒　－

個人番号

フリガナ

氏名

性別　男　女　職業

電話番号（自宅・勤務先・携帯）　－　－

生年月日　．　．

国外財産調書の提出有　○

整理番号

受付印

財産の区分	財産の価額又は取得価額（百万　千　円）	財産の区分	財産の価額又は取得価額（百万　千　円）
土地 ①		書画骨とう美術工芸品 ⑮	
建物 ②		貴金属類 ⑯	
山林 ③		動産（④、⑮、⑯以外） ⑰	
現金 ④		その他の財産　保険の契約に関する権利 ⑱	
預貯金 ⑤		その他の財産　株式に関する権利 ⑲	
有価証券（特定有価証券を除く）　上場株式 ⑥		その他の財産　預託金等 ⑳	
取得価額 ㋐		その他の財産　組合等に対する出資 ㉑	
非上場株式 ⑦		その他の財産　信託に関する権利 ㉒	
取得価額 ㋑		その他の財産　無体財産権 ㉓	
株式以外の有価証券 ⑧		その他の財産　暗号資産 ㉔	
取得価額 ㋒		その他の財産　その他の財産（上記以外） ㉕	
特定有価証券※ ⑨		国外財産調書に記載した国外財産の価額の合計額 ㉖	
匿名組合契約の出資の持分 ⑩		財産の価額の合計額 ㉗	
取得価額 ㋓		国外財産調書に記載した国外転出特例対象財産の価額の合計額 ㉘	
未決済信用取引等に係る権利 ⑪		国外転出特例対象財産の価額の合計額　⑥＋⑦＋⑧＋⑩＋⑪＋⑫＋㉘ ㉙	
取得価額 ㋔		**債務の区分**	**債務の金額**
未決済デリバティブ取引に係る権利 ⑫		借入金 ㉚	
取得価額 ㋕		未払金 ㉛	
貸付金 ⑬		その他の債務 ㉜	
未収入金 ⑭		債務の金額の合計額 ㉝	

備考（訂正等で再提出する場合はその旨ご記載ください。）

税理士署名

電話番号　－　－

整理欄	通信日付印	確認	異動年月日	身元確認
			年　月　日	
	枚数	区分		
	枚	A B C D E F G H I		

（R3.4）

平成二十八年十二月三十一日分以降用

※特定有価証券に該当する有価証券は⑨欄に記載し、⑥欄から⑧欄への記載は要しません。

⑦　総所得金額及び山林所得金額の合計額の計算

次の(一)から(二十一)までに掲げる規定の適用がある場合における①及び⑧に規定する総所得金額及び山林所得金額の合計額は、当該合計額に当該(一)から(二十一)までに定める金額を加算した金額とする。（国外送金令12の２⑤）

(一)	第四章第二節**五１**③の規定　同③に規定する上場株式等に係る配当所得等の金額（第五章第三節**十１**又は同**２**の規定の適用がある場合にあっては、これらの規定の適用後の金額）
(二)	第五章第一節**一１**の規定　同**１**に規定する土地等に係る事業所得等の金額
(三)	第五章第二節**一１**①（同**２**又は同**３**の規定により適用される場合を含む。以下(三)において同じ。）の規定　同**１**①に規定する長期譲渡所得の金額（第五章第二節**七１**、同節**八１**、同節**九１**、同節**十１**、同節**十一**①、同節**十二１**又は同節**十三１**の規定により控除される金額がある場合にあっては、当該長期譲渡所得の金額から当該控除される金額を控除した金額）
(四)	第五章第二節**二**①（同②において準用する場合を含む。以下(四)において同じ。）の規定　同①に規定する短期譲渡所得の金額（第五章第二節**七１**、同節**八１**、同節**九１**、同節**十１**又は同節**十一**①の規定により控除される金額がある場合にあっては、当該短期譲渡所得の金額から当該控除される金額を控除した金額）
(五)	第五章第三節**二１**の規定　同①に規定する一般株式等に係る譲渡所得等の金額（第五章第三節**十四２**②の規定の適用がある場合にあっては、同項の規定の適用後の金額）
(六)	第五章第三節**三**の規定　同節**三**に規定する上場株式等に係る譲渡所得等の金額（第五章第三節**十２**又は第五章第三節**十四２**①若しくは同②の規定の適用がある場合にあっては、これらの規定の適用後の金額）
(七)	租税特別措置法第37条の12第１項の規定　同項に規定する一般株式等の譲渡に係る国内源泉所得の金額
(八)	租税特別措置法第37条の12第３項の規定　同項に規定する上場株式等の譲渡に係る国内源泉所得の金額
(九)	第五章第四節**一１**の規定　同**１**に規定する先物取引に係る雑所得等の金額（第五章第四節**二１**の規定の適用がある場合にあっては、同**１**の規定の適用後の金額）
(十)	外国居住者等の所得に対する相互主義による所得税等の非課税等に関する法律第７条第８項後段（同法第11条第７項又は第15条第13項において準用する場合を含む。）の規定　同法第７条第８項（同法第11条第７項又は第15条第13項において準用する場合を含む。）に規定する申告不要第三国団体対象配当等に係る利子所得の金額又は配当所得の金額
(十一)	外国居住者等の所得に対する相互主義による所得税等の非課税等に関する法律第７条第10項後段（同法第11条第８項又は第15条第14項において準用する場合を含む。）の規定　同法第７条第10項（同法第11条第８項又は第15条第14項において準用する場合を含む。）に規定する特定対象利子に係る利子所得の金額
(十二)	外国居住者等の所得に対する相互主義による所得税等の非課税等に関する法律第７条第12項後段（同法第11条第９項又は第15条第15項において準用する場合を含む。）の規定　同法第７条第12項（同法第11条第９項又は第15条第15項において準用する場合を含む。）に規定する特定対象収益分配に係る配当所得の金額
(十三)	外国居住者等の所得に対する相互主義による所得税等の非課税等に関する法律第７条第14項後段（同法第11条第10項又は第15条第16項において準用する場合を含む。）の規定　同法第７条第14項（同法第11条第10項又は第15条第16項において準用する場合を含む。）に規定する申告不要特定対象配当等に係る利子所得の金額又は配当所得の金額
(十四)	外国居住者等の所得に対する相互主義による所得税等の非課税等に関する法律第７条第16項後段（同法第11条第11項又は第15条第17項において準用する場合を含む。）の規定　同法第７条第16項（同法第11条第11項又は第15条第17項において準用する場合を含む。）に規定する特定対象懸賞金等に係る一時所得の金額
(十五)	外国居住者等の所得に対する相互主義による所得税等の非課税等に関する法律第７条第18項後段（同法第11条第12項又は第15条第18項において準用する場合を含む。）の規定　同法第７条第18項（同法第11条第12項又は第15条第18項において準用する場合を含む。）に規定する特定対象給付補塡金等に係る雑所得等の金額
(十六)	租税条約等の実施に伴う所得税法、法人税法及び地方税法の特例等に関する法律（以下⑦において「租税条約等実施特例法」という。）第３条の２第14項後段の規定　同項に規定する申告不要第三国団体配当等に係る利子所得の金額又は配当所得の金額
(十七)	租税条約等実施特例法第３条の２第16項後段の規定　同項に規定する特定利子に係る利子所得の金額
(十八)	租税条約等実施特例法第３条の２第18項後段の規定　同項に規定する特定収益分配に係る配当所得の金額

(十九)	租税条約等実施特例法第３条の２第20項後段の規定　同項に規定する申告不要特定配当等に係る利子所得の金額又は配当所得の金額
(二十)	租税条約等実施特例法第３条の２第22項後段の規定　同項に規定する特定懸賞金等に係る一時所得の金額
(二十一)	租税条約等実施特例法第３条の２第24項後段の規定　同項に規定する特定給付補てん金等に係る雑所得等の金額

（還付申告等がある場合の所得税額の計算）

（1）　⑦各号に掲げる規定の適用がある場合における①(二)及び(四)の所得税の額の合計額は、当該合計額に当該各号に掲げる規定を適用して計算した場合の所得税の額を加算した額とする。（国外送金令12の２⑥）

（年末調整に係る住宅借入金等特別控除がある場合の配当控除の計算）

（2）　次の(一)及び(二)に掲げる規定の適用がある場合における①(二)及び(四)の配当控除の額は、当該配当控除の額に当該(一)又は(二)に掲げる規定により控除される金額を加算した額とする。（国外送金令12の２⑦）

(一)	第九章第二節**四18**①の規定
(二)	第九章第五節**1**の規定

⑧　**相続財産債務の除外**

相続開始年の年分の①(一)及び(二)に掲げる申告書に記載すべき総所得金額及び山林所得金額の合計額が2,000万円を超え、かつ、相続開始年の12月31日においてその価額の合計額が３億円以上の財産又はその価額の合計額が１億円以上の国外転出特例対象財産を有する相続人は、相続開始年の年分の財産債務調書については、その相続又は遺贈により取得した財産又は債務（⑩及び**2**②において「相続財産債務」という。）を除外したところにより、①の規定を適用することができる。この場合において、①中「の財産」とあるのは「の財産（相続又は遺贈により取得した財産（相続開始年に取得したものに限る。以下①において同じ。）を除く。）」と、「権利をいう。⑧及び**2**②(一)において同じ」とあるのは「権利をいい、相続又は遺贈により取得した財産を除く」とする。（国外送金法６の２②）

⑨　**その価額の合計額が10億円以上の財産を有する場合の財産債務調書の提出義務**

第二章第一節**一**表内**3**に規定する居住者（①（⑧の規定により読み替えて適用する場合を含む。以下⑨において同じ。）の規定により財産債務調書を提出すべき者を除く。）は、その年の12月31日においてその価額の合計額が10億円以上の財産を有する場合には、①の規定にかかわらず、財務省令で定めるところにより、財産債務調書を、その年の翌年の６月30日までに、次の(一)及び(二)に掲げる者の区分に応じ当該(一)又は(二)に定める場所の所轄税務署長に提出しなければならない。この場合においては、①ただし書の規定を準用する。（国外送金法６の２③）

(一)	その年分の所得税の納税義務がある者	その者の所得税の納税地
(二)	(一)に掲げる者以外の者	その者の住所地（国内に住所がないときは、居所地）

⑩　**⑨の規定を適用する場合の相続財産債務の除外**

相続開始年の12月31日においてその価額の合計額が10億円以上の財産を有する相続人は、相続開始年の年分の財産債務調書については、相続財産債務を除外したところにより、⑨の規定を適用することができる。この場合において、⑨中「の財産」とあるのは、「の財産（相続又は遺贈により取得した財産（相続開始年に取得したものに限る。）を除く。）」とする。（国外送金法６の２④）

⑪　**国財財産調書を提出する場合の財産債務明細書への記載**

二1①（同**1**⑦の規定により読み替えて適用する場合を含む。）の規定の適用がある場合における国外財産に係る財産債務調書に記載すべき事項（当該国外財産の価額を除く。）については、①（⑧の規定により読み替えて適用する場合を含む。）又は⑨（⑩の規定により読み替えて適用する場合を含む。）の規定にかかわらず、当該財産債務調書への記載を要しないものとする。（国外送金法６の２⑤）

2　財産債務に係る過少申告加算税又は無申告加算税の特例

①　提出期限内に提出された財産債務調書に修正申告等の基因となる国外財産についての記載があるときの加算税の軽減

二２①及び同**２**②の規定は、財産（**１**⑪の規定により財産債務調書への記載を要しない国外財産を除く。以下①及び②(三)において同じ。）若しくは債務に関して生ずる所得で（１）で定めるものに対する所得税（②において「**財産債務に係る所得税**」という。）又は財産に対する相続税に関し修正申告等があり、第十二章**四１**又は同**２**の規定の適用がある場合において、提出期限（**二２**①又は同⑨の提出期限をいう。②において同じ。）内に税務署長に提出された財産債務調書に当該修正申告等の基因となる財産又は債務についての**二２**①又は同⑨の規定による記載があるときについて準用する。（国外送金法６の３①）

（財産債務に係る過少申告加算税又は無申告加算税の特例の対象となる所得の範囲等）

（１）　①に規定する財産又は債務に関して生ずる所得で（１）で定めるものは、次の(一)から(六)までに掲げる所得とする。（国外送金令12の３①）

(一)	財産（①に規定する財産をいう。以下**２**において同じ。）から生ずる第四章第一節**一**に規定する利子所得
(二)	財産から生ずる第四章第二節**一**に規定する配当所得
(三)	財産の貸付けによる所得
(四)	財産の譲渡による所得
(五)	債務の免除による所得
(六)	前各号に掲げるもののほか、財産又は債務に基因して生ずる所得で（２）で定めるもの

（財産債務に係る過少申告加算税又は無申告加算税の特例の対象となる所得の範囲）

（２）　（１）(六)に規定する財産又は債務に基因して生ずる所得で（２）で定めるものは、次の(一)から(五)までに掲げる所得とする。（国外送金規16）

(一)	財産（①に規定する財産をいう。以下**２**において同じ。）が発行法人から与えられた第六章第一節**一２**③の規定が適用される同②(一)から(五)までに掲げる権利である場合における当該権利の行使による株式の取得に係る所得
(二)	財産が第六章第四節**四１**③に規定する生命保険契約等に関する権利である場合における当該生命保険契約等に基づき支払を受ける一時金又は年金に係る所得
(三)	財産が特許権等である場合における当該特許権等の使用料に係る所得
(四)	債務の免除以外の事由により債務が消滅した場合におけるその消滅した債務に係る所得
(五)	（１）(一)から(五)まで及び前各号に掲げるもののほか、財産又は債務に基因して生ずるこれらに類する所得

（財産債務に基因して生ずる所得）

（３）　（２）(五)に規定する「（１）(一)から(五)まで及び前各号に掲げるもののほか、財産又は債務に基因して生ずるこれらに類する所得」には、例えば次のようなものが該当する。（国外送金通６の３－１）

⑴　財産が第六章第四節**四２**②《損害保険契約等に基づく年金に係る雑所得の金額の計算上控除する保険料等》に規定する損害保険契約等に関する権利である場合における当該損害保険契約等に基づき支払を受ける一時金又は年金に係る所得

⑵　財産が**二１**②（５）(三)に規定する「民法第667条第１項に規定する組合契約、匿名組合契約その他これらに類する契約に基づく出資」である場合における当該出資に基づく所得

⑶　財産が**二１**②（５）(四)に規定する「信託に関する権利」である場合における当該権利に基づく所得

⑷　財産が**二１**②（５）(五)に規定する「第六章第四節**一１**②に規定する未決済信用取引等及び同③に規定する未決済デリバティブ取引に係る権利」である場合における当該未決済信用取引等及び未決済デリバティブ取引の決済等による所得

（財産債務に基因して生ずる所得に該当しないもの）

（4）　人的役務の提供に係る対価及び俸給、給料、賃金、歳費、賞与又はこれらの性質を有する給与その他人的役務の提供に対する報酬（株式を無償又は有利な価額で取得することができる権利その他これに類する権利の行使による経済的利益を除く。）については、①に規定する「財産又は債務に関して生じる所得で（1）で定めるもの」に該当しないため、①及び②の規定は適用されないことに留意する。（国外送金通６の３－２）

（国外財産に係るもの以外の事実等に基づく税額）

（5）　**二２**（5）の規定は、①において準用する**二２**①の規定を適用する場合（（6）、②（4）及び③（2）の規定の適用がある場合を除く。）について準用する。（国外送金令12の３②）

（**二２**⑦（2）の規定の準用）

（6）　**二２**⑦（2）の規定は、①において準用する**二２**①又は**三２**②において準用する**二２**③の規定の適用がある場合において、税額の計算の基礎となるべき事実で**三２**①又は同**２**②の規定の適用がある財産又は債務以外の財産又は債務に係る事実（隠蔽仮装されていない事実に係るものに限る。）があるとき（②（4）又は③（2）の規定の適用がある場合を除く。）について準用する。（国外送金令12の３③）

（財産債務調書の提出期限前にあった修正申告等に係る過少申告加算税等の特例適用）

（7）　①に規定する財産債務に係る所得税又は財産に対する相続税に関する修正申告等（**二２**①に規定する修正申告等をいう。）が、①において準用する**二２**②(一)及び同(二)に定める財産債務調書の提出期限前にあった場合において、当該修正申告等があった時までに①において準用する**二２**②(一)及び同(二)に定める財産債務調書が提出され、かつ、当該財産債務調書に当該修正申告等の基因となる財産又は債務の記載があるときは①において準用する**二２**①の規定の適用があることに留意する。（国外送金通６の３－６）

②　財産債務調書が提出期限内に提出されないとき等の加算税の加重

二２③及び**二２**④（(一)に係る部分に限る。）の規定は、財産債務に係る所得税に関し修正申告等（死亡した者に係るものを除く。）があり、第十二章**四１**又は同**２**の規定の適用がある場合において、次の(一)及び(二)に掲げる場合のいずれかに該当するときについて準用する。（国外送金法６の３②）

(一)	**三１**①（同⑧の規定により読み替えて適用する場合を含む。）の規定により税務署長に提出すべき財産債務調書について提出期限内に提出がない場合（当該財産債務調書の提出期限の属する年の前年の12月31日において相続財産債務を有する者（その価額の合計額が３億円以上の財産で相続若しくは遺贈により取得した財産以外のもの又はその価額の合計額が１億円以上の国外転出特例対象財産で相続若しくは遺贈により取得した財産以外のものを有する者を除く。）の責めに帰すべき事由がない場合を除く。）
(二)	**１**⑨（同⑩の規定により読み替えて適用する場合を含む。）の規定により税務署長に提出すべき財産債務調書について提出期限内に提出がない場合（当該財産債務調書の提出期限の属する年の前年の12月31日において相続財産債務を有する者（その価額の合計額が10億円以上の財産で相続又は遺贈により取得した財産以外のものを有する者を除く。）の責めに帰すべき事由がない場合を除く。）
(三)	提出期限内に税務署長に提出された財産債務調書に記載すべき当該修正申告等の基因となる財産又は債務についての記載がない場合（当該財産債務調書に当該修正申告等の基因となる財産又は債務について記載すべき事項のうち重要なものの記載が不十分であると認められる場合を含むものとし、当該財産債務調書に記載すべき当該修正申告等の基因となる相続財産債務についての記載がない場合（当該相続財産債務を有する者の責めに帰すべき事由がない場合に限る。）を除く。）

（重要なものの記載が不十分であると認められる場合）

（1）　②(二)に規定する「記載すべき事項のうち重要なものの記載が不十分であると認められる場合」とは、**三１**①（1）の規定により財産債務調書に記載すべき事項（以下（1）において「記載事項」という。）について誤りがあり、又は記載事項の一部が欠けていることにより、所得の基因となる財産債務の特定が困難である場合をいう。（国外送金通６の３－３）

（①及び②の適用の判断の基となる財産債務調書）

（２）　①及び②の規定の適用は、①において準用する**二２**②若しくは②において準用する**二２**④又は③（３）において準用する**二２**②（１）に規定する財産債務調書により判定するのであるから、これらの規定に規定する財産債務調書以外の財産債務調書に①に規定する「当該修正申告等の基因となる財産又は債務」の記載があった場合でも、②(二)の「記載がない場合」に該当することに留意する。（国外送金通６の３－４）

（財産債務調書の提出を要しない者から提出された財産債務調書の取扱い）

（３）　提出された財産債務調書に記載された財産の価額によれば**１**①（⑧の規定により読み替えて適用する場合を含む。）の規定による財産債務調書の提出を要しない者から提出された財産債務調書は、①において準用する**二２**②及び②において準用する**二２**④（**１**①に係る部分に限る。）又は③（３）において準用する**二２**②（１）の規定が適用される財産債務調書に該当しないことに留意する。（国外送金通６の３－７）

（①において準用する**二２**①の規定の適用があり、かつ、②において準用する**二２**②の規定の適用がある場合の取扱い）

（４）　**二２**⑥（３）の規定は、①において準用する**二２**①の規定の適用があり、かつ、②において準用する**二２**③の規定の適用がある場合（③（２）の規定の適用がある場合を除く。）について準用する。（国外送金令12の３④）

③　財産債務調書の取扱い、財産債務調書の提出が更正又は決定があるべきことを予知してされたものでないときの取扱い

二２⑥の規定は、①及び②の規定を適用する場合について準用する。（国外送金法６の３③）

（財産債務に係る過少申告加算税又は無申告加算税の特例の適用がある場合における賦課決定通知書の記載事項）

（１）　①又は②の規定の適用がある場合における過少申告加算税又は無申告加算税に係る第十二章**四６**に規定する賦課決定通知書には、当該過少申告加算税又は無申告加算税について①又は②の規定の適用がある旨を付記するものとする。（国外送金規17）

（**二２**①又は同**２**③の規定の適用があり、かつ、①又は②の規定の適用がある場合）

（２）　**二２**①又は同**２**③（同**２**⑦(二)の規定により読み替えて適用する場合を含む。）の規定の適用があり、かつ、①又は②の規定の適用がある場合には、まず、100分の10加算特例適用国外財産に係る事実のみに基づいて修正申告等があったものとした場合における当該修正申告等に基づき第十章第三節**４**の規定により納付すべき税額（(一)に掲げる事実があるときは、100分の10加算特例適用国外財産に係る事実及び(一)に掲げる事実のみに基づいて修正申告等があったものとした場合における当該修正申告等に基づき同節**４**の規定により納付すべき税額から(一)に定める税額を控除した税額）を**二２**⑦（６）(六)に規定する100分の10加算特例適用対象税額（以下（２）において「100分の10加算特例適用対象税額」という。）とし、次に、100分の５加算特例適用国外財産に係る事実、②の規定の適用がある財産又は債務に係る事実（隠蔽仮装されていない事実に係るものに限る。以下（２）において「100分の５加算特例適用財産債務に係る事実」という。）及び100分の10加算特例適用国外財産に係る事実のみに基づいて修正申告等があったものとした場合における当該修正申告等に基づき第十章第三節**４**の規定により納付すべき税額から当該100分の10加算特例適用対象税額を控除した税額（(一)に掲げる事実があるときは、100分の５加算特例適用国外財産に係る事実、100分の５加算特例適用財産債務に係る事実、100分の10加算特例適用国外財産に係る事実及び(一)に掲げる事実のみに基づいて修正申告等があったものとした場合における当該修正申告等に基づき同節**４**の規定により納付すべき税額から当該100分の10加算特例適用対象税額及び(一)に定める税額の合計額を控除した税額）を**二２**③（同**２**⑦(二)の規定により読み替えて適用する場合（同⑦(二)の規定により読み替えられた同**２**③の規定により同③の過少申告加算税の額又は無申告加算税の額の計算の基礎となるべき税額に100分の５の割合を乗じて計算した金額を加算する場合に該当する場合に限る。）及び②において準用する場合を含む。）に規定する過少申告加算税の額又は無申告加算税の額の計算の基礎となるべき税額（以下（２）において「100分の５加算特例適用対象税額」という。）とし、次に、過少申告加算税等基礎税額（次の(一)及び(二)に掲げる事実があるときは、当該(一)及び(二)に定める税額の合計額を控除した税額）から当該100分の５加算特例適用対象税額及び当該100分の10加算特例適用対象税額を控除した税額を**二２**①（①において準用する場合を含む。）に規定する過少申告加算税の額又は無申告加算税の額の計算の基礎となるべき税額とする。（国外送金令12の３⑤）

(一)	税額の計算の基礎となるべき事実で**二２**①又は③（同**２**⑦(二)の規定により読み替えて適用する場合を含む。）の規定の適用がある国外財産及び①又は②の規定の適用がある財産又は債務に係るもの以外の事実（隠蔽仮装されていない事実に係るものに限る。以下(一)において「特例適用国外財産及び財産債務に係るもの以外の事実」という。）　当該特例適用国外財産及び財産債務に係るもの以外の事実のみに基づいて修正申告等があったものとした場合における当該修正申告等に基づき第十章第三節**４**の規定により納付すべき税額
(二)	隠蔽仮装された事実　当該隠蔽仮装された事実に基づく税額として①(５)において準用する**二２**①(５)(二)の規定に準じて計算した税額

（死亡した者に係る修正申告等の場合の財産債務に係る過少申告加算税又は無申告加算税の特例の規定が適用される場合における財産債務調書等の取扱い）

（３）　**二２**③(１)及び同⑤の規定は、①において準用する**二２**①又は②において準用する**二２**③の規定の適用がある場合について準用する。（国外送金令12の４）

四　罰　則

①　国外財産調書に偽りの記載をして税務署長に提出した場合

国外財産調書に偽りの記載をして税務署長に提出したときは、その違反行為をした者は、１年以下の懲役又は50万円以下の罰金に処する。（国外送金法10①）

（注）　上記＿＿下線部については、刑法等の一部を改正する法律（令和４年法律第67号）の施行日（令和７年６月１日）以後、①中「懲役」を「拘禁刑」に改める。（令４刑法等の一部を改正する法律の施行に伴う関係法律の整理等に関する法律附則①）

②　国外財産調書不提出の場合

正当な理由がなくて国外財産調書をその提出期限までに税務署長に提出しなかったときは、その違反行為をした者は、１年以下の懲役又は50万円以下の罰金に処する。ただし、情状により、その刑を免除することができる。（国外送金法10②）

（注）　上記＿＿下線部については、刑法等の一部を改正する法律（令和４年法律第67号）の施行日（令和７年６月１日）以後、②中「懲役」を「拘禁刑」に改める。（令４刑法等の一部を改正する法律の施行に伴う関係法律の整理等に関する法律附則①）

令和６年分　給与所得の速算表

<table>
<tr><th colspan="2">給与等の収入金額の合計額</th><th colspan="2" rowspan="2">給与所得の金額</th></tr>
<tr><th>から</th><th>まで</th></tr>
<tr><td colspan="2">550,999円まで</td><td colspan="2">0円</td></tr>
<tr><td>551,000円</td><td>1,618,999円</td><td colspan="2">給与等の収入金額の合計額から550,000円を控除した金額</td></tr>
<tr><td>1,619,000</td><td>1,619,999</td><td colspan="2">1,069,000円</td></tr>
<tr><td>1,620,000</td><td>1,621,999</td><td colspan="2">1,070,000円</td></tr>
<tr><td>1,622,000</td><td>1,623,999</td><td colspan="2">1,072,000円</td></tr>
<tr><td>1,624,000</td><td>1,627,999</td><td colspan="2">1,074,000円</td></tr>
<tr><td>1,628,000</td><td>1,799,999</td><td rowspan="3">給与等の収入金額の合計額を「４」で割って千円未満の端数を切り捨て
（算出金額：Ａ）</td><td>「Ａ×2.4＋100,000円」で求めた金額</td></tr>
<tr><td>1,800,000</td><td>3,599,999</td><td>「Ａ×2.8－80,000円」で求めた金額</td></tr>
<tr><td>3,600,000</td><td>6,599,999</td><td>「Ａ×3.2－440,000円」で求めた金額</td></tr>
<tr><td>6,600,000</td><td>8,499,999</td><td colspan="2">「収入金額×0.9－1,100,000円」で求めた金額</td></tr>
<tr><td colspan="2">8,500,000円以上</td><td colspan="2">「収入金額－1,950,000円」で求めた金額</td></tr>
</table>

《計算例》「給与等の収入金額の合計額」が5,812,500円の場合の給与所得の金額

① 5,812,500円÷４＝1,453,125円

② 1,453,125円の千円未満の端数を切り捨てる　→　1,453,000円…Ａ

③ 1,453,000円×3.2－440,000円＝4,209,600円

◎所得金額調整控除

① 給与等の収入金額の合計額が850万円を超える場合の所得金額調整控除

給与等の収入金額の合計額が850万円を超える場合で、以下の場合に該当するときの総所得金額の計算においては、給与等の収入金額（その給与等の収入金額が1,000万円を超える場合には、1,000万円）から850万円を控除した金額の10％相当額を、給与所得の金額から控除する。

・本人が特別障害者に該当する場合

・年齢23歳未満の扶養親族又は特別障害者である同一生計配偶者若しくは扶養親族を有する場合

② 給与所得控除後の給与等の金額及び公的年金等に係る雑所得の金額がある場合の所得金額調整控除

給与所得控除後の給与等の金額及び公的年金等に係る雑所得の金額がある場合で、給与所得控除後の給与等の金額及び公的年金等に係る雑所得の金額の合計額が10万円を超えるときの総所得金額の計算においては、給与所得控除後の給与等の金額（10万円を限度）及び公的年金等に係る雑所得の金額（10万円を限度）の合計額から10万円を控除した残額を、給与所得の金額から控除する。

減価償却資産の耐用年数表

別表第一　機械及び装置以外の有形減価償却資産の耐用年数表

種　類	構造又は用途	細　目	耐用年数
建物	鉄骨鉄筋コンクリート造又は鉄筋コンクリート造のもの	事務所用又は美術館用のもの及び下記以外のもの	50年
		住宅用、寄宿舎用、宿泊所用、学校用又は体育館用のもの	47
		飲食店用、貸席用、劇場用、演奏場用、映画館用又は舞踏場用のもの	
		飲食店用又は貸席用のもので、延べ面積のうちに占める木造内装部分の面積が３割を超えるもの	34
		その他のもの	41
		旅館用又はホテル用のもの	
		延べ面積のうちに占める木造内装部分の面積が３割を超えるもの	31
		その他のもの	39
		店舗用のもの	39
		病院用のもの	39
		変電所用、発電所用、送受信所用、停車場用、車庫用、格納庫用、荷扱所用、映画製作ステージ用、屋内スケート場用、魚市場用又はと畜場用のもの	38
		公衆浴場用のもの	31
		工場（作業場を含む。）用又は倉庫用のもの	
		塩素、塩酸、硫酸、硝酸その他の著しい腐食性を有する液体又は気体の影響を直接全面的に受けるもの、冷蔵倉庫用のもの（倉庫事業の倉庫用のものを除く。）及び放射性同位元素の放射線を直接受けるもの	24
		塩、チリ硝石その他の著しい潮解性を有する固体を常時蔵置するためのもの及び著しい蒸気の影響を直接全面的に受けるもの	31
		その他のもの	
		倉庫事業の倉庫用のもの	
		冷蔵倉庫用のもの	21
		その他のもの	31
		その他のもの	38
	れんが造、石造又はブロック造のもの	事務所用又は美術館用のもの及び下記以外のもの	41
		店舗用、住宅用、寄宿舎用、宿泊所用、学校用又は体育館用のもの	38
		飲食店用、貸席用、劇場用、演奏場用、映画館用又は舞踏場用のもの	38
		旅館用、ホテル用又は病院用のもの	36
		変電所用、発電所用、送受信所用、停車場用、車庫用、格納庫用、荷扱所用、映画製作ステージ用、屋内スケート場用、魚市場用又はと畜場用のもの	34
		公衆浴場用のもの	30
		工場（作業場を含む。）用又は倉庫用のもの	
		塩素、塩酸、硫酸、硝酸その他の著しい腐食性を有する液体又は気体の影響を直接全面的に受けるもの及び冷蔵倉庫用のもの（倉庫事業の倉庫用のものを除く。）	22
		塩、チリ硝石その他の著しい潮解性を有する固体を常時蔵置するための	

種類	構造又は用途	細目	耐用年数
建物		もの及び著しい蒸気の影響を直接全面的に受けるもの	28年
		その他のもの	
		倉庫事業の倉庫用のもの	
		冷蔵倉庫用のもの	20
		その他のもの	30
		その他のもの	34
	金属造のもの（骨格材の肉厚が４ミリメートルを超えるものに限る。）	事務所用又は美術館用のもの及び下記以外のもの	38
		店舗用、住宅用、寄宿舎用、宿泊所用、学校用又は体育館用のもの	34
		飲食店用、貸席用、劇場用、演奏場用、映画館用又は舞踏場用のもの	31
		変電所用、発電所用、送受信所用、停車場用、車庫用、格納庫用、荷扱所用、映画製作ステージ用、屋内スケート場用、魚市場用又はと畜場用のもの	31
		旅館用、ホテル用又は病院用のもの	29
		公衆浴場用のもの	27
		工場（作業場を含む。）用又は倉庫用のもの	
		塩素、塩酸、硫酸、硝酸その他の著しい腐食性を有する液体又は気体の影響を直接全面的に受けるもの、冷蔵倉庫用のもの（倉庫事業の倉庫用のものを除く。）及び放射性同位元素の放射線を直接受けるもの	20
		塩、チリ硝石その他の著しい潮解性を有する固体を常時蔵置するためのもの及び著しい蒸気の影響を直接全面的に受けるもの	25
		その他のもの	
		倉庫事業の倉庫用のもの	
		冷蔵倉庫用のもの	19
		その他のもの	26
		その他のもの	31
	金属造のもの（骨格材の肉厚が３ミリメートルを超え４ミリメートル以下のものに限る。）	事務所用又は美術館用のもの及び下記以外のもの	30
		店舗用、住宅用、寄宿舎用、宿泊所用、学校用又は体育館用のもの	27
		飲食店用、貸席用、劇場用、演奏場用、映画館用又は舞踏場用のもの	25
		変電所用、発電所用、送受信所用、停車場用、車庫用、格納庫用、荷扱所用、映画製作ステージ用、屋内スケート場用、魚市場用又はと畜場用のもの	25
		旅館用、ホテル用又は病院用のもの	24
		公衆浴場用のもの	19
		工場（作業場を含む。）用又は倉庫用のもの	
		塩素、塩酸、硫酸、硝酸その他の著しい腐食性を有する液体又は気体の影響を直接全面的に受けるもの及び冷蔵倉庫用のもの	15
		塩、チリ硝石その他の著しい潮解性を有する固体を常時蔵置するためのもの及び著しい蒸気の影響を直接全面的に受けるもの	19
		その他のもの	24
	金属造のもの（骨格材の肉厚が３ミリメートル以下のものに限る。）	事務所用又は美術館用のもの及び下記以外のもの	22
		店舗用、住宅用、寄宿舎用、宿泊所用、学校用又は体育館用のもの	19
		飲食店用、貸席用、劇場用、演奏場用、映画館用又は舞踏場用のもの	19

種類	構造又は用途	細目	耐用年数
建物		変電所用、発電所用、送受信所用、停車場用、車庫用、格納庫用、荷扱所用、映画製作ステージ用、屋内スケート場用、魚市場用又はと畜場用のもの	19年
		旅館用、ホテル用又は病院用のもの	17
		公衆浴場用のもの	15
		工場（作業場を含む。）用又は倉庫用のもの 塩素、塩酸、硫酸、硝酸その他の著しい腐食性を有する液体又は気体の影響を直接全面的に受けるもの及び冷蔵倉庫用のもの 塩、チリ硝石その他の著しい潮解性を有する固体を常時蔵置するためのもの及び著しい蒸気の影響を直接全面的に受けるもの その他のもの	 12 14 17
	木造又は合成樹脂造のもの	事務所用又は美術館用のもの及び下記以外のもの	24
		店舗用、住宅用、寄宿舎用、宿泊所用、学校用又は体育館用のもの	22
		飲食店用、貸席用、劇場用、演奏場用、映画館用又は舞踏場用のもの	20
		変電所用、発電所用、送受信所用、停車場用、車庫用、格納庫用、荷扱所用、映画製作ステージ用、屋内スケート場用、魚市場用又はと畜場用のもの	17
		旅館用、ホテル用又は病院用のもの	17
		公衆浴場用のもの	12
		工場（作業場を含む。）用又は倉庫用のもの 塩素、塩酸、硫酸、硝酸その他の著しい腐食性を有する液体又は気体の影響を直接全面的に受けるもの及び冷蔵倉庫用のもの 塩、チリ硝石その他の著しい潮解性を有する固体を常時蔵置するためのもの及び著しい蒸気の影響を直接全面的に受けるもの その他のもの	 9 11 15
	木骨モルタル造のもの	事務所用又は美術館用のもの及び下記以外のもの	22
		店舗用、住宅用、寄宿舎用、宿泊所用、学校用又は体育館用のもの	20
		飲食店用、貸席用、劇場用、演奏場用、映画館用又は舞踏場用のもの	19
		変電所用、発電所用、送受信所用、停車場用、車庫用、格納庫用、荷扱所用、映画製作ステージ用、屋内スケート場用、魚市場用又はと畜場用のもの	15
		旅館用、ホテル用又は病院用のもの	15
		公衆浴場用のもの	11
		工場（作業場を含む。）用又は倉庫用のもの 塩素、塩酸、硫酸、硝酸その他の著しい腐食性を有する液体又は気体の影響を直接全面的に受けるもの及び冷蔵倉庫用のもの 塩、チリ硝石その他の著しい潮解性を有する固体を常時蔵置するためのもの及び著しい蒸気の影響を直接全面的に受けるもの その他のもの	 7 10 14
	簡易建物	木製主要柱が10センチメートル角以下のもので、土居ぶき、杉皮ぶき、ルーフィングぶき又はトタンぶきのもの	10
		掘立造のもの及び仮設のもの	7

種類	構造又は用途	細目	耐用年数
建物附属設備	電気設備（照明設備を含む。）	蓄電池電源設備	6年
		その他のもの	15
	給排水又は衛生設備及びガス設備		15
	冷房、暖房、通風又はボイラー設備	冷暖房設備（冷凍機の出力が22キロワット以下のもの）	13
		その他のもの	15
	昇降機設備	エレベーター	17
		エスカレーター	15
	消火、排煙又は災害報知設備及び格納式避難設備		8
	エヤーカーテン又はドアー自動開閉設備		12
	アーケード又は日よけ設備	主として金属製のもの	15
		その他のもの	8
	店用簡易装備		3
	可動間仕切り	簡易なもの	3
		その他のもの	15
	前掲のもの以外のもの及び前掲の区分によらないもの	主として金属製のもの	18
		その他のもの	10
構築物	鉄道業用又は軌道業用のもの	軌条及びその附属品	20
		まくら木 木製のもの コンクリート製のもの 金属製のもの	 8 20 20
		分岐器	15
		通信線、信号線及び電燈電力線	30
		信号機	30
		送配電線及びき電線	40
		電車線及び第三軌条	20
		帰線ボンド	5
		電線支持物（電柱及び腕木を除く。）	30
		木柱及び木塔（腕木を含む。） 架空索道用のもの その他のもの	 15 25
		前掲以外のもの 線路設備 軌道設備 道床	 60

種　類	構　造　又 は　用　途	細　　　　　　　　　目	耐　用 年　数
構　築 物		その他のもの	16年
		土工設備	57
		橋りょう	
		鉄筋コンクリート造のもの	50
		鉄骨造のもの	40
		その他のもの	15
		トンネル	
		鉄筋コンクリート造のもの	60
		れんが造のもの	35
		その他のもの	30
		その他のもの	21
		停車場設備	32
		電路設備	
		鉄柱、鉄塔、コンクリート柱及びコンクリート塔	45
		踏切保安又は自動列車停止設備	12
		その他のもの	19
		その他のもの	40
	その他の鉄道用又は軌道用のもの	軌条及びその附属品並びにまくら木	15
		道　　床	60
		土工設備	50
		橋りょう	
		鉄筋コンクリート造のもの	50
		鉄骨造のもの	40
		その他のもの	15
		トンネル	
		鉄筋コンクリート造のもの	60
		れんが造のもの	35
		その他のもの	30
		その他のもの	30
	発電用又は送配電用のもの	小水力発電用のもの（農山漁村電気導入促進法（昭和27年法律第358号）に基づき建設したものに限る。）	30
		その他の水力発電用のもの（貯水池、調整池及び水路に限る。）	57
		汽力発電用のもの（岸壁、さん橋、堤防、防波堤、煙突、その他汽力発電用のものをいう。）	41
		送電用のもの	
		地中電線路	25
		塔、柱、がい子、送電線、地線及び添架電話線	36
		配電用のもの	
		鉄塔及び鉄柱	50
		鉄筋コンクリート柱	42
		木　　柱	15
		配電線	30
		引込線	20
		添架電話線	30

種類	構造又は用途	細目	耐用年数
構築物		地中電線路	25年
	電気通信事業用のもの	通信ケーブル 光ファイバー製のもの その他のもの	 10 13
		地中電線路	27
		その他の線路設備	21
	放送用又は無線通信用のもの	鉄塔及び鉄柱 円筒空中線式のもの その他のもの	 30 40
		鉄筋コンクリート柱	42
		木塔及び木柱	10
		アンテナ	10
		接地線及び放送用配線	10
	農林業用のもの	主としてコンクリート造、れんが造、石造又はブロック造のもの 果樹棚又はホップ棚 その他のもの	 14 17
		主として金属造のもの	14
		主として木造のもの	5
		土管を主としたもの	10
		その他のもの	8
	広告用のもの	金属造のもの	20
		その他のもの	10
	競技場用、運動場用、遊園地用又は学校用のもの	スタンド 主として鉄骨鉄筋コンクリート造又は鉄筋コンクリート造のもの 主として鉄骨造のもの 主として木造のもの	 45 30 10
		競輪場用競走路 コンクリート敷のもの その他のもの	 15 10
		ネット設備	15
		野球場、陸上競技場、ゴルフコースその他のスポーツ場の排水その他の土工施設	30
		水泳プール	30
		その他のもの 児童用のもの すべり台、ぶらんこ、ジャングルジムその他の遊戯用のもの その他のもの その他のもの 主として木造のもの その他のもの	 10 15 15 30

種　類	構　造　又 は　用　途	細　　　　　　　　目	耐　用 年　数
構　築 物	緑化施設及び庭園	工場緑化施設	7年
		その他の緑化施設及び庭園（工場緑化施設に含まれるものを除く。）	20
	舗装道路及び舗装路面	コンクリート敷、ブロック敷、れんが敷又は石敷のもの	15
		アスファルト敷又は木れんが敷のもの	10
		ビチューマルス敷のもの	3
	鉄骨鉄筋コンクリート造又は鉄筋コンクリート造のもの（前掲のものを除く。）	水道用ダム	80
		トンネル	75
		橋	60
		岸壁、さん橋、防壁（爆発物用のものを除く。）、堤防、防波堤、塔、やぐら、上水道、水そう及び用水用ダム	50
		乾ドック	45
		サイロ	35
		下水道、煙突及び焼却炉	35
		高架道路、製塩用ちんでん池、飼育場及びへい	30
		爆発物用防壁及び防油堤	25
		造船台	24
		放射性同位元素の放射線を直接受けるもの	15
		その他のもの	60
	コンクリート造又はコンクリートブロック造のもの（前掲のものを除く。）	やぐら及び用水池	40
		サイロ	34
		岸壁、さん橋、防壁（爆発物用のものを除く。）、堤防、防波堤、トンネル、上水道及び水そう	30
		下水道、飼育場及びへい	15
		爆発物用防壁	13
		引湯管	10
		鉱業用廃石捨場	5
		その他のもの	40
	れんが造のもの（前掲のものを除く。）	防壁（爆発物用のものを除く。）、堤防、防波堤及びトンネル	50
		煙突、煙道、焼却炉、へい及び爆発物用防壁 塩素、クロールスルホン酸その他の著しい腐食性を有する気体の影響を受けるもの その他のもの	 7 25
		その他のもの	40
	石造のもの（前掲のものを除く。）	岸壁、さん橋、防壁（爆発物用のものを除く。）、堤防、防波堤、上水道及び用水池	50
		乾ドック	45
		下水道、へい及び爆発物用防壁	35
		その他のもの	50

種類	構造又は用途	細目	耐用年数
構築物	土造のもの（前掲のものを除く。）	防壁（爆発物用のものを除く。）、堤防、防波堤及び自動車道	40年
		上水道及び用水池	30
		下水道	15
		へい	20
		爆発物用防壁及び防油堤	17
		その他のもの	40
	金属造のもの（前掲のものを除く。）	橋（はね上げ橋を除く。）	45
		はね上げ橋及び鋼矢板岸壁	25
		サイロ	22
		送配管 鋳鉄製のもの 鋼鉄製のもの	 30 15
		ガス貯そう 液化ガス用のもの その他のもの	 10 20
		薬品貯そう 塩酸、ふっ酸、発煙硫酸、濃硝酸その他の発煙性を有する無機酸用のもの 有機酸用又は硫酸、硝酸その他前掲のもの以外の無機酸用のもの アルカリ類用、塩水用、アルコール用その他のもの	 8 10 15
		水そう及び油そう 鋳鉄製のもの 鋼鉄製のもの	 25 15
		浮きドック	20
		飼育場	15
		つり橋、煙突、焼却炉、打込み井戸、へい、街路灯及びガードレール	10
		露天式立体駐車設備	15
		その他のもの	45
	合成樹脂造のもの（前掲のものを除く。）		10
	木造のもの（前掲のものを除く。）	橋、塔、やぐら及びドック	15
		岸壁、さん橋、防壁、堤防、防波堤、トンネル、水そう、引湯管及びへい	10
		飼育場	7
		その他のもの	15
	前掲のもの以外のもの及び前掲の区分によらないもの	主として木造のもの	15
		その他のもの	50

種　類	構造又は用途	細　　目	耐用年数
船　舶	船舶法（明治32年法律第46号）第４条から第19条までの適用を受ける鋼船		
	漁　船	総トン数が500トン以上のもの	12年
		総トン数が500トン未満のもの	9
	油そう船	総トン数が2,000トン以上のもの	13
		総トン数が2,000トン未満のもの	11
	薬品そう船		10
	その他のもの	総トン数が2,000トン以上のもの	15
		総トン数が2,000トン未満のもの	
		しゅんせつ船及び砂利採取船	10
		カーフェリー	11
		その他のもの	14
	船舶法第４条から第19条までの適用を受ける木船		
	漁　船		6
	薬品そう船		8
	その他のもの		10
	船舶法第４条から第19条までの適用を受ける軽合金船（他の項に掲げるものを除く。）		9
	船舶法第４条から第19条までの適用を受ける強化プラスチック船		7
	船舶法第４条から第19条までの適用を受ける水中翼船及びホバークラフト		8
	その他のもの		
	鋼　船	しゅんせつ船及び砂利採取船	7
		発電船及びとう載漁船	8
		ひ　き　船	10
		その他のもの	12
	木　船	とう載漁船	4
		しゅんせつ船及び砂利採取船	5
		動力漁船及びひき船	6
		薬品そう船	7
		その他のもの	8

種類	構造又は用途	細目	耐用年数
船舶	その他のもの	モーターボート及びとう載漁船	4年
		その他のもの	5
航空機	飛行機	主として金属製のもの	
		最大離陸重量が130トンを超えるもの	10
		最大離陸重量が130トン以下のもので5.7トンを超えるもの	8
		最大離陸重量が5.7トン以下のもの	5
		その他のもの	5
	その他のもの	ヘリコプター及びグライダー	5
		その他のもの	5
車両及び運搬具	鉄道用又は軌道用車両（架空索道用搬器を含む。）	電気又は蒸気機関車	18
		電車	13
		内燃動車（制御車及び附随車を含む。）	11
		貨車	
		高圧ボンベ車及び高圧タンク車	10
		薬品タンク車及び冷凍車	12
		その他のタンク車及び特殊構造車	15
		その他のもの	20
		線路建設保守用工作車	10
		鋼索鉄道用車両	15
		架空索道用搬器	
		閉鎖式のもの	10
		その他のもの	5
		無軌条電車	8
		その他のもの	20
	特殊自動車（別表第２に掲げる減価償却資産に含まれるブルドーザー、パワーショベルその他の自走式作業用機械並びにトラクター及び農林業用運搬器具を含まない。）	消防車、救急車、レントゲン車、散水車、放送宣伝車、移動無線車及びチップ製造車	5
		モータースィーパー及び除雪車	4
		タンク車、じんかい車、し尿車、寝台車、霊きゅう車、トラックミキサー、レッカーその他特殊車体を架装したもの	
		小型車（じんかい車及びし尿車にあっては積載量が２トン以下、その他のものにあっては総排気量が２リットル以下のものをいう。）	3
		その他のもの	4
	運送事業用、貸自動車業用又は自動車教習所用の車両及び運搬具（前掲のものを除く。）	自動車（二輪又は三輪自動車を含み、乗合自動車を除く。）	
		小型車（貨物自動車にあっては積載量が２トン以下、その他のものにあっては総排気量が２リットル以下のものをいう。）	3
		その他のもの	
		大型乗用車（総排気量が３リットル以上のものをいう。）	5
		その他のもの	4
		乗合自動車	5
		自転車及びリヤカー	2

種類	構造又は用途	細目	耐用年数
車両及び運搬具		被けん引車その他のもの	4年
	前掲のもの以外のもの	自動車（二輪又は三輪自動車を除く。） 小型車（総排気量が0.66リットル以下のものをいう。） その他のもの 貨物自動車 ダンプ式のもの その他のもの 報道通信用のもの その他のもの	 4 4 5 5 6
		二輪又は三輪自動車	3
		自転車	2
		鉱山用人車、炭車、鉱車及び台車 金属製のもの その他のもの	 7 4
		フォークリフト	4
		トロッコ 金属製のもの その他のもの	 5 3
		その他のもの 自走能力を有するもの その他のもの	 7 4
工具	測定工具及び検査工具（電気又は電子を利用するものを含む。）		5
	治具及び取付工具		3
	ロール	金属圧延用のもの	4
		なっ染ロール、粉砕ロール、混練ロールその他のもの	3
	型（型枠を含む。）、鍛圧工具及び打抜工具	プレスその他の金属加工用金型、合成樹脂、ゴム又はガラス成型用金型及び鋳造用型	2
		その他のもの	3
	切削工具		2
	金属製柱及びカッペ		3
	活字及び活字に常用される金属	購入活字（活字の形状のまま反復使用するものに限る。） 自製活字及び活字に常用される金属	2 8
	前掲のもの以外のもの	白金ノズル	13
		その他のもの	3
	前掲の区分によらないもの	白金ノズル	13
		その他の主として金属製のもの	8
		その他のもの	4

種類	構造又は用途	細目	耐用年数
器具及び備品	1　家具、電気機器、ガス機器及び家庭用品（他の項に掲げるものを除く。）	事務机、事務いす及びキャビネット 主として金属製のもの その他のもの	 15年 8
		応接セット 接客業用のもの その他のもの	 5 8
		ベッド	8
		児童用机及びいす	5
		陳列だな及び陳列ケース 冷凍機付又は冷蔵機付のもの その他のもの	 6 8
		その他の家具 接客業用のもの その他のもの 主として金属製のもの その他のもの	 5 15 8
		ラジオ、テレビジョン、テープレコーダーその他の音響機器	5
		冷房用又は暖房用機器	6
		電気冷蔵庫、電気洗濯機その他これらに類する電気又はガス機器	6
		氷冷蔵庫及び冷蔵ストッカー（電気式のものを除く。）	4
		カーテン、座ぶとん、寝具、丹前その他これらに類する繊維製品	3
		じゅうたんその他の床用敷物 小売業用、接客業用、放送用、レコード吹込用又は劇場用のもの その他のもの	 3 6
		室内装飾品 主として金属製のもの その他のもの	 15 8
		食事又はちゅう房用品 陶磁器製又はガラス製のもの その他のもの	 2 5
		その他のもの 主として金属製のもの その他のもの	 15 8
	2　事務機器及び通信機器	謄写機器及びタイプライター 孔版印刷又は印書業用のもの その他のもの	 3 5
		電子計算機 パーソナルコンピュータ（サーバー用のものを除く。） その他のもの	 4 5
		複写機、計算機（電子計算機を除く。）、金銭登録機、タイムレコーダーその他これらに類するもの	5
		その他の事務機器	5

種類	構造又は用途	細目	耐用年数
器具及び備品		テレタイプライター及びファクシミリ	5年
		インターホーン及び放送用設備	6
		電話設備その他の通信機器 デジタル構内交換設備及びデジタルボタン電話設備 その他のもの	 6 10
	3 時計、試験機器及び測定機器	時計	10
		度量衡器	5
		試験又は測定機器	5
	4 光学機器及び写真製作機器	オペラグラス	2
		カメラ、映画撮影機、映写機及び望遠鏡	5
		引伸機、焼付機、乾燥機、顕微鏡その他の機器	8
	5 看板及び広告器具	看板、ネオンサイン及び気球	3
		マネキン人形及び模型	2
		その他のもの 主として金属製のもの その他のもの	 10 5
	6 容器及び金庫	ボンベ 溶接製のもの 鍛造製のもの 塩素用のもの その他のもの	 6 8 10
		ドラムかん、コンテナーその他の容器 大型コンテナー（長さが6メートル以上のものに限る。） その他のもの 金属製のもの その他のもの	 7 3 2
		金庫 手さげ金庫 その他のもの	 5 20
	7 理容又は美容機器		5
	8 医療機器	消毒殺菌用機器	4
		手術機器	5
		血液透析又は血しよう交換用機器	7
		ハバードタンクその他の作動部分を有する機能回復訓練機器	6
		調剤機器	6
		歯科診療用ユニット	7
		光学検査機器 ファイバースコープ その他のもの	 6 8

種類	構造又は用途	細目	耐用年数
器具及び備品		その他のもの 　レントゲンその他の電子装置を使用する機器 　　移動式のもの、救急医療用のもの及び自動血液分析器 　　その他のもの 　その他のもの 　　陶磁器製又はガラス製のもの 　　主として金属製のもの 　　その他のもの	 4年 6 3 10 5
	9　娯楽又はスポーツ器具及び興行又は演劇用具	たまつき用具	8
		パチンコ器、ビンゴ器その他これらに類する球戯用具及び射的用具	2
		ご、しょうぎ、まあじゃん、その他の遊戯具	5
		スポーツ具	3
		劇場用観客いす	3
		どんちょう及び幕	5
		衣しょう、かつら、小道具及び大道具	2
		その他のもの 　主として金属製のもの 　その他のもの	 10 5
	10　生　物	植　物 　貸付業用のもの 　その他のもの	 2 15
		動　物 　魚　類 　鳥　類 　その他のもの	 2 4 8
	11　前掲のもの以外のもの	映画フィルム（スライドを含む。）、磁気テープ及びレコード	2
		シート及びロープ	2
		きのこ栽培用ほだ木	3
		漁　具	3
		葬儀用具	3
		楽　器	5
		自動販売機（手動のものを含む。）	5
		無人駐車管理装置	5
		焼却炉	5
		その他のもの 　主として金属製のもの 　その他のもの	 10 5

種　類	構　造　又 は　用　途	細　　　　　　　　　　目	耐　用 年　数
	12　前掲する資産のうち、当該資産について定められている前掲の耐用年数によるもの以外のもの及び前掲の区分によらないもの	主として金属製のもの	**15**年
		その他のもの	**8**

別表第二　機械及び装置の耐用年数表

番号	設　備　の　種　類	細　　　　目	耐用年数
1	食料品製造業用設備		10年
2	飲料、たばこ又は飼料製造業用設備		10
3	繊維工業用設備	炭素繊維製造設備 　黒鉛化炉 　その他の設備 その他の設備	 3 7 7
4	木材又は木製品（家具を除く。）製造業用設備		8
5	家具又は装備品製造業用設備		11
6	パルプ、紙又は紙加工品製造業用設備		12
7	印刷業又は印刷関連業用設備	デジタル印刷システム設備 製本業用設備 新聞業用設備 　モノタイプ、写真又は通信設備 　その他の設備 その他の設備	4 7 3 10 10
8	化学工業用設備	臭素、よう素又は塩素、臭素若しくはよう素化合物製造設備 塩化りん製造設備 活性炭製造設備 ゼラチン又はにかわ製造設備 半導体用フォトレジスト製造設備 フラットパネル用カラーフィルター、偏光板又は偏光板用フィルム製造設備 その他の設備	5 4 5 5 5 5 8
9	石油製品又は石炭製品製造業用設備		7
10	プラスチック製品製造業用設備（他の号に掲げるものを除く。）		8
11	ゴム製品製造業用設備		9
12	なめし革、なめし革製品又は毛皮製造業用設備		9
13	窯業又は土石製品製造業用設備		9
14	鉄鋼業用設備	表面処理鋼材若しくは鉄粉製造業又は鉄スクラップ加工処理業用設備 純鉄、原鉄、ベースメタル、フェロアロイ、鉄素形材又は鋳鉄管製造業用設備 その他の設備	5 9 14
15	非鉄金属製造業用設備	核燃料物質加工設備 その他の設備	11 7
16	金属製品製造業用設備	金属被覆及び彫刻業又は打はく及び金属製ネームプレート製造業用設備 その他の設備	6 10

番号	設備の種類	細目	耐用年数
17	はん用機械器具（はん用性を有するもので、他の器具及び備品並びに機械及び装置に組み込み、又は取り付けることによりその用に供されるものをいう。）製造業用設備（第20号及び第22号に掲げるものを除く。）		年 12
18	生産用機械器具（物の生産の用に供されるものをいう。）製造業用設備（次号及び第21号に掲げるものを除く。）	金属加工機械製造設備 その他の設備	9 12
19	業務用機械器具（業務用又はサービスの生産の用に供されるもの（これらのものであって物の生産の用に供されるものを含む。）をいう。）製造業用設備（第17号、第21号及び第23号に掲げるものを除く。）		7
20	電子部品、デバイス又は電子回路製造業用設備	光ディスク（追記型又は書換え型のものに限る。）製造設備 プリント配線基板製造設備 フラットパネルディスプレイ、半導体集積回路又は半導体素子製造設備 その他の設備	6 6 5 8
21	電気機械器具製造業用設備		7
22	情報通信機械器具製造業用設備		8
23	輸送用機械器具製造業用設備		9
24	その他の製造業用設備		9
25	農業用設備		7
26	林業用設備		5
27	漁業用設備（次号に掲げるものを除く。）		5
28	水産養殖業用設備		5
29	鉱業、採石業又は砂利採取業用設備	石油又は天然ガス鉱業用設備 　坑井設備 　掘さく設備 　その他の設備 その他の設備	 3 6 12 6
30	総合工事業用設備		6

番号	設備の種類	細目	耐用年数
31	電気業用設備	電気業用水力発電設備	年 22
		その他の水力発電設備	20
		汽力発電設備	15
		内燃力又はガスタービン発電設備	15
		送電又は電気業用変電若しくは配電設備	
		需要者用計器	15
		柱上変圧器	18
		その他の設備	22
		鉄道又は軌道業用変電設備	15
		その他の設備	
		主として金属製のもの	17
		その他のもの	8
32	ガス業用設備	製造用設備	10
		供給用設備	
		鋳鉄製導管	22
		鉄鋳製導管以外の導管	13
		需要者用計量器	13
		その他の設備	15
		その他の設備	
		主として金属製のもの	17
		その他のもの	8
33	熱供給業用設備		17
34	水道業用設備		18
35	通信業用設備		9
36	放送業用設備		6
37	映像、音声又は文字情報制作業用設備		8
38	鉄道業用設備	自動改札装置	5
		その他の設備	12
39	道路貨物運送業用設備		12
40	倉庫業用設備		12
41	運輸に附帯するサービス業用設備		10
42	飲食料品卸売業用設備		10
43	建築材料、鉱物又は金属材料等卸売業用設備	石油又は液化石油ガス卸売用設備（貯そうを除く。）	13
		その他の設備	8
44	飲食料品小売業用設備		9
45	その他の小売業用設備	ガソリン又は液化石油ガススタンド設備	8
		その他の設備	
		主として金属製のもの	17
		その他のもの	8

番号	設備の種類	細目	耐用年数
46	技術サービス業用設備（他の号に掲げるものを除く。）	計量証明業用設備 　その他の設備	年 **8** **14**
47	宿泊業用設備		**10**
48	飲食店業用設備		**8**
49	洗濯業、理容業、美容業又は浴場業用設備		**13**
50	その他の生活関連サービス業用設備		**6**
51	娯楽業用設備	映画館又は劇場用設備 遊園地用設備 ボウリング場用設備 その他の設備 　主として金属製のもの 　その他のもの	**11** **7** **13** **17** **8**
52	教育業（学校教育業を除く。）又は学習支援業用設備	教習用運転シミュレータ設備 その他の設備 　主として金属製のもの 　その他のもの	**5** **17** **8**
53	自動車整備業用設備		**15**
54	その他のサービス業用設備		**12**
55	前掲の機械及び装置以外のもの並びに前掲の区分によらないもの	機械式駐車設備 ブルドーザー、パワーショベルその他の自走式作業用機械設備 その他の設備 　主として金属製のもの 　その他のもの	**10** **8** **17** **8**

別表第三　無形減価償却資産の耐用年数表

種　　　　類	細　　　　目	耐用年数
漁　業　権		10年
ダム使用権		55
水　利　権		20
特　許　権		8
実用新案権		5
意　匠　権		7
商　標　権		10
ソフトウエア	複写して販売するための原本 その他のもの	3 5
育 成 者 権	種苗法（平成10年法律第83号）第４条第２項に規定する品種 その他	10 8
営　業　権		5
専用側線利用権		30
鉄道軌道連絡通行施設利用権		30
電気ガス供給施設利用権		15
水道施設利用権		15
工業用水道施設利用権		15
電気通信施設利用権		20

（注）　第六章第二節**五１**（注）１の規定による同１⑧に掲げる無形固定資産とみなされる同⑧に規定する権利の第六章第二節**五８イ**に規定する耐用年数は、15年とする。（平28財務省令27附⑤）

別表第四　生物の耐用年数表

種　類	細　目	耐用年数
牛	繁殖用（家畜改良増殖法（昭和25年法律第209号）に基づく種付証明書、授精証明書、体内受精卵移植証明書又は体外受精卵移植証明書のあるものに限る。）	年
	役肉用牛	6
	乳用牛	4
	種付用（家畜改良増殖法に基づく種畜証明書の交付を受けた種おす牛に限る。）	4
	その他用	6
馬	繁殖用（家畜改良増殖法に基づく種付証明書又は授精証明書のあるものに限る。）	6
	種付用（家畜改良増殖法に基づく種畜証明書の交付を受けた種おす馬に限る。）	6
	競走用	4
	その他用	8
豚		3
綿羊及びやぎ	種付用	4
	その他用	6
かんきつ樹	温州みかん	28
	その他	30
りんご樹	わい化りんご	20
	その他	29
ぶどう樹	温室ぶどう	12
	その他	15
なし樹		26
桃樹		15年
桜桃樹		21
びわ樹		30
くり樹		25
梅樹		25
かき樹		36
あんず樹		25
すもも樹		16
いちじく樹		11
キウイフルーツ樹		22
ブルーベリー樹		25
パイナップル		3
茶樹		34
オリーブ樹		25
つばき樹		25
桑樹	立て通し	18
	根刈り、中刈り、高刈り	9
こりやなぎ		10
みつまた		5
こうぞ		9
もう宗竹		20
アスパラガス		11
ラミー		8
まおらん		10
ホップ		9

別表第五　公害防止用減価償却資産の耐用年数表

種　　　類	耐用年数
構　築　物	年 **18**
機械及び装置	**5**

別表第六　開発研究用減価償却資産の耐用年数表

種　　　類	細　　　目	耐用年数
建物及び建物附属設備	建物の全部又は一部を低温室、恒温室、無響室、電磁しゃへい室、放射性同位元素取扱室その他の特殊室にするために特に施設した内部造作又は建物附属設備	年 **5**
構　築　物	風どう、試験水そう及び防壁 ガス又は工業薬品貯そう、アンテナ、鉄塔及び特殊用途に使用するもの	**5** **7**
工　　　具		**4**
器具及び備品	試験又は測定機器、計算機器、撮影機及び顕微鏡	**4**
機械及び装置	汎(はん)用ポンプ、汎(はん)用モーター、汎(はん)用金属工作機械、汎(はん)用金属加工機械その他これらに類するもの その他のもの	**7** **4**
ソフトウエア		**3**

別表第七　平成19年３月31日以前に取得をされた減価償却資産の償却率表

耐用年数	旧定額法の償却率	旧定率法の償却率	耐用年数	旧定額法の償却率	旧定率法の償却率
年			51 年	0.020	0.044
2	0.500	0.684	52	0.020	0.043
3	0.333	0.536	53	0.019	0.043
4	0.250	0.438	54	0.019	0.042
5	0.200	0.369	55	0.019	0.041
6	0.166	0.319	56	0.018	0.040
7	0.142	0.280	57	0.018	0.040
8	0.125	0.250	58	0.018	0.039
9	0.111	0.226	59	0.017	0.038
10	0.100	0.206	60	0.017	0.038
11	0.090	0.189	61	0.017	0.037
12	0.083	0.175	62	0.017	0.036
13	0.076	0.162	63	0.016	0.036
14	0.071	0.152	64	0.016	0.035
15	0.066	0.142	65	0.016	0.035
16	0.062	0.134	66	0.016	0.034
17	0.058	0.127	67	0.015	0.034
18	0.055	0.120	68	0.015	0.033
19	0.052	0.114	69	0.015	0.033
20	0.050	0.109	70	0.015	0.032
21	0.048	0.104	71	0.014	0.032
22	0.046	0.099	72	0.014	0.032
23	0.044	0.095	73	0.014	0.031
24	0.042	0.092	74	0.014	0.031
25	0.040	0.088	75	0.014	0.030
26	0.039	0.085	76	0.014	0.030
27	0.037	0.082	77	0.013	0.030
28	0.036	0.079	78	0.013	0.029
29	0.035	0.076	79	0.013	0.029
30	0.034	0.074	80	0.013	0.028
31	0.033	0.072	81	0.013	0.028
32	0.032	0.069	82	0.013	0.028
33	0.031	0.067	83	0.012	0.027
34	0.030	0.066	84	0.012	0.027
35	0.029	0.064	85	0.012	0.026
36	0.028	0.062	86	0.012	0.026
37	0.027	0.060	87	0.012	0.026
38	0.027	0.059	88	0.012	0.026
39	0.026	0.057	89	0.012	0.026
40	0.025	0.056	90	0.012	0.025
41	0.025	0.055	91	0.011	0.025
42	0.024	0.053	92	0.011	0.025
43	0.024	0.052	93	0.011	0.025
44	0.023	0.051	94	0.011	0.024
45	0.023	0.050	95	0.011	0.024
46	0.022	0.049	96	0.011	0.024
47	0.022	0.048	97	0.011	0.023
48	0.021	0.047	98	0.011	0.023
49	0.021	0.046	99	0.011	0.023
50	0.020	0.045	100	0.010	0.023

別表第八　平成19年４月１日以後に取得をされた減価償却資産の定額法の償却率表

耐用年数	償却率	耐用年数	償却率
年		年 51	0.020
2	0.500	52	0.020
3	0.334	53	0.019
4	0.250	54	0.019
5	0.200	55	0.019
6	0.167	56	0.018
7	0.143	57	0.018
8	0.125	58	0.018
9	0.112	59	0.017
10	0.100	60	0.017
11	0.091	61	0.017
12	0.084	62	0.017
13	0.077	63	0.016
14	0.072	64	0.016
15	0.067	65	0.016
16	0.063	66	0.016
17	0.059	67	0.015
18	0.056	68	0.015
19	0.053	69	0.015
20	0.050	70	0.015
21	0.048	71	0.015
22	0.046	72	0.014
23	0.044	73	0.014
24	0.042	74	0.014
25	0.040	75	0.014
26	0.039	76	0.014
27	0.038	77	0.013
28	0.036	78	0.013
29	0.035	79	0.013
30	0.034	80	0.013
31	0.033	81	0.013
32	0.032	82	0.013
33	0.031	83	0.013
34	0.030	84	0.012
35	0.029	85	0.012
36	0.028	86	0.012
37	0.028	87	0.012
38	0.027	88	0.012
39	0.026	89	0.012
40	0.025	90	0.012
41	0.025	91	0.011
42	0.024	92	0.011
43	0.024	93	0.011
44	0.023	94	0.011
45	0.023	95	0.011
46	0.022	96	0.011
47	0.022	97	0.011
48	0.021	98	0.011
49	0.021	99	0.011
50	0.020	100	0.010

別表第九　平成19年４月１日から平成24年３月31日までの間に取得をされた減価償却資産の定率法の償却率、改定償却率及び保証率の表

耐用年数	償却率	改定償却率	保証率
年			
2	1.000	—	—
3	0.833	1.000	0.02789
4	0.625	1.000	0.05274
5	0.500	1.000	0.06249
6	0.417	0.500	0.05776
7	0.357	0.500	0.05496
8	0.313	0.334	0.05111
9	0.278	0.334	0.04731
10	0.250	0.334	0.04448
11	0.227	0.250	0.04123
12	0.208	0.250	0.03870
13	0.192	0.200	0.03633
14	0.179	0.200	0.03389
15	0.167	0.200	0.03217
16	0.156	0.167	0.03063
17	0.147	0.167	0.02905
18	0.139	0.143	0.02757
19	0.132	0.143	0.02616
20	0.125	0.143	0.02517
21	0.119	0.125	0.02408
22	0.114	0.125	0.02296
23	0.109	0.112	0.02226
24	0.104	0.112	0.02157
25	0.100	0.112	0.02058
26	0.096	0.100	0.01989
27	0.093	0.100	0.01902
28	0.089	0.091	0.01866
29	0.086	0.091	0.01803
30	0.083	0.084	0.01766
31	0.081	0.084	0.01688
32	0.078	0.084	0.01655
33	0.076	0.077	0.01585
34	0.074	0.077	0.01532
35	0.071	0.072	0.01532
36	0.069	0.072	0.01494
37	0.068	0.072	0.01425
38	0.066	0.067	0.01393
39	0.064	0.067	0.01370
40	0.063	0.067	0.01317
41	0.061	0.063	0.01306
42	0.060	0.063	0.01261
43	0.058	0.059	0.01248
44	0.057	0.059	0.01210
45	0.056	0.059	0.01175
46	0.054	0.056	0.01175
47	0.053	0.056	0.01153
48	0.052	0.053	0.01126
49	0.051	0.053	0.01102
50	0.050	0.053	0.01072

別表第九　平成19年４月１日から平成24年３月31日までの間に取得をされた減価償却資産の定率法の償却率、改定償却率及び保証率の表

耐用年数	償　却　率	改定償却率	保証率
51 年	0.049	0.050	0.01053
52	0.048	0.050	0.01036
53	0.047	0.048	0.01028
54	0.046	0.048	0.01015
55	0.045	0.046	0.01007
56	0.045	0.046	0.00961
57	0.044	0.046	0.00952
58	0.043	0.044	0.00945
59	0.042	0.044	0.00934
60	0.042	0.044	0.00895
61	0.041	0.042	0.00892
62	0.040	0.042	0.00882
63	0.040	0.042	0.00847
64	0.039	0.040	0.00847
65	0.038	0.039	0.00847
66	0.038	0.039	0.00828
67	0.037	0.038	0.00828
68	0.037	0.038	0.00810
69	0.036	0.038	0.00800
70	0.036	0.038	0.00771
71	0.035	0.036	0.00771
72	0.035	0.036	0.00751
73	0.034	0.035	0.00751
74	0.034	0.035	0.00738
75	0.033	0.034	0.00738
76	0.033	0.034	0.00726
77	0.032	0.033	0.00726
78	0.032	0.033	0.00716
79	0.032	0.033	0.00693
80	0.031	0.032	0.00693
81	0.031	0.032	0.00683
82	0.030	0.031	0.00683
83	0.030	0.031	0.00673
84	0.030	0.031	0.00653
85	0.029	0.030	0.00653
86	0.029	0.030	0.00645
87	0.029	0.030	0.00627
88	0.028	0.029	0.00627
89	0.028	0.029	0.00620
90	0.028	0.029	0.00603
91	0.027	0.027	0.00649
92	0.027	0.027	0.00632
93	0.027	0.027	0.00615
94	0.027	0.027	0.00598
95	0.026	0.027	0.00594
96	0.026	0.027	0.00578
97	0.026	0.027	0.00563
98	0.026	0.027	0.00549
99	0.025	0.026	0.00549
100	0.025	0.026	0.00546

別表第十　平成24年４月１日以後に取得をされた減価償却資産の定率法の償却率、改定償却率及び保証率の表

耐用年数	償却率	改定償却率	保証率
年 2	1.000	—	—
3	0.667	1.000	0.11089
4	0.500	1.000	0.12499
5	0.400	0.500	0.10800
6	0.333	0.334	0.09911
7	0.286	0.334	0.08680
8	0.250	0.334	0.07909
9	0.222	0.250	0.07126
10	0.200	0.250	0.06552
11	0.182	0.200	0.05992
12	0.167	0.200	0.05566
13	0.154	0.167	0.05180
14	0.143	0.167	0.04854
15	0.133	0.143	0.04565
16	0.125	0.143	0.04294
17	0.118	0.125	0.04038
18	0.111	0.112	0.03884
19	0.105	0.112	0.03693
20	0.100	0.112	0.03486
21	0.095	0.100	0.03335
22	0.091	0.100	0.03182
23	0.087	0.091	0.03052
24	0.083	0.084	0.02969
25	0.080	0.084	0.02841
26	0.077	0.084	0.02716
27	0.074	0.077	0.02624
28	0.071	0.072	0.02568
29	0.069	0.072	0.02463
30	0.067	0.072	0.02366
31	0.065	0.067	0.02286
32	0.063	0.067	0.02216
33	0.061	0.063	0.02161
34	0.059	0.063	0.02097
35	0.057	0.059	0.02051
36	0.056	0.059	0.01974
37	0.054	0.056	0.01950
38	0.053	0.056	0.01882
39	0.051	0.053	0.01860
40	0.050	0.053	0.01791
41	0.049	0.050	0.01741
42	0.048	0.050	0.01694
43	0.047	0.048	0.01664
44	0.045	0.046	0.01664
45	0.044	0.046	0.01634
46	0.043	0.044	0.01601
47	0.043	0.044	0.01532
48	0.042	0.044	0.01499
49	0.041	0.042	0.01475
50	0.040	0.042	0.01440

耐用年数	償　却　率	改定償却率	保　証　率
51 年	0.039	0.040	0.01422
52	0.038	0.039	0.01422
53	0.038	0.039	0.01370
54	0.037	0.038	0.01370
55	0.036	0.038	0.01337
56	0.036	0.038	0.01288
57	0.035	0.036	0.01281
58	0.034	0.035	0.01281
59	0.034	0.035	0.01240
60	0.033	0.034	0.01240
61	0.033	0.034	0.01201
62	0.032	0.033	0.01201
63	0.032	0.033	0.01165
64	0.031	0.032	0.01165
65	0.031	0.032	0.01130
66	0.030	0.031	0.01130
67	0.030	0.031	0.01097
68	0.029	0.030	0.01097
69	0.029	0.030	0.01065
70	0.029	0.030	0.01034
71	0.028	0.029	0.01034
72	0.028	0.029	0.01006
73	0.027	0.027	0.01063
74	0.027	0.027	0.01035
75	0.027	0.027	0.01007
76	0.026	0.027	0.00980
77	0.026	0.027	0.00954
78	0.026	0.027	0.00929
79	0.025	0.026	0.00929
80	0.025	0.026	0.00907
81	0.025	0.026	0.00884
82	0.024	0.024	0.00929
83	0.024	0.024	0.00907
84	0.024	0.024	0.00885
85	0.024	0.024	0.00864
86	0.023	0.023	0.00885
87	0.023	0.023	0.00864
88	0.023	0.023	0.00844
89	0.022	0.022	0.00863
90	0.022	0.022	0.00844
91	0.022	0.022	0.00825
92	0.022	0.022	0.00807
93	0.022	0.022	0.00790
94	0.021	0.021	0.00807
95	0.021	0.021	0.00790
96	0.021	0.021	0.00773
97	0.021	0.021	0.00757
98	0.020	0.020	0.00773
99	0.020	0.020	0.00757
100	0.020	0.020	0.00742

別表第十一　平成19年３月31日以前に取得をされた減価償却資産の残存割合表〈平成21年分以後の所得税について適用〉

種　類	細　目	残存割合
別表第一、別表第二、別表第五及び別表第六に掲げる減価償却資産（同表に掲げるソフトウエアを除く。）		0.100
別表第三に掲げる無形減価償却資産、別表第六に掲げるソフトウエア並びに鉱業権及び坑道		0
別表第四に掲げる生物	牛	
	繁殖用の乳用牛及び種付用の役肉用牛	0.200
	種付用の乳用牛	0.100
	その他用のもの	0.500
	馬	
	繁殖用及び競走用のもの	0.200
	種付用のもの	0.100
	その他用のもの	0.300
	豚	0.300
	綿羊及びやぎ	0.050
	果樹その他の植物	0.050

附則別表　経過年数表（附則第２項関係）

(一)

耐用年数	未償却割合		経過年数	耐用年数	未償却割合		経過年数	耐用年数	未償却割合		経過年数
	以上	未満			以上	未満			以上	未満	
年			年	年			年	年			年
3	0.000	1.000	1	9	0.722	1.000	1	15	0.833	1.000	1
				9	0.521	0.722	2	15	0.694	0.833	2
				9	0.376	0.521	3	15	0.578	0.694	3
				9	0.272	0.376	4	15	0.481	0.578	4
				9	0.196	0.272	5	15	0.401	0.481	5
				9	0.000	0.196	6	15	0.000	0.401	6
4	0.375	1.000	1	10	0.750	1.000	1	16	0.844	1.000	1
4	0.000	0.375	2	10	0.563	0.750	2	16	0.712	0.844	2
				10	0.422	0.563	3	16	0.601	0.712	3
				10	0.316	0.422	4	16	0.507	0.601	4
				10	0.237	0.316	5	16	0.428	0.507	5
				10	0.000	0.237	6	16	0.000	0.428	6
5	0.500	1.000	1	11	0.773	1.000	1	17	0.853	1.000	1
5	0.250	0.500	2	11	0.598	0.773	2	17	0.728	0.853	2
5	0.000	0.250	3	11	0.462	0.598	3	17	0.621	0.728	3
				11	0.357	0.462	4	17	0.529	0.621	4
				11	0.276	0.357	5	17	0.452	0.529	5
				11	0.000	0.276	6	17	0.000	0.452	6
6	0.583	1.000	1	12	0.792	1.000	1	18	0.861	1.000	1
6	0.340	0.583	2	12	0.627	0.792	2	18	0.741	0.861	2
6	0.198	0.340	3	12	0.497	0.627	3	18	0.638	0.741	3
6	0.000	0.198	4	12	0.393	0.497	4	18	0.550	0.638	4
				12	0.312	0.393	5	18	0.473	0.550	5
				12	0.000	0.312	6	18	0.000	0.473	6
7	0.643	1.000	1	13	0.808	1.000	1	19	0.868	1.000	1
7	0.413	0.643	2	13	0.653	0.808	2	19	0.753	0.868	2
7	0.266	0.413	3	13	0.528	0.653	3	19	0.654	0.753	3
7	0.171	0.266	4	13	0.426	0.528	4	19	0.568	0.654	4
7	0.000	0.171	5	13	0.344	0.426	5	19	0.493	0.568	5
				13	0.000	0.344	6	19	0.000	0.493	6
8	0.687	1.000	1	14	0.821	1.000	1	20	0.875	1.000	1
8	0.472	0.687	2	14	0.674	0.821	2	20	0.766	0.875	2
8	0.324	0.472	3	14	0.553	0.674	3	20	0.670	0.766	3
8	0.223	0.324	4	14	0.454	0.553	4	20	0.586	0.670	4
8	0.153	0.223	5	14	0.373	0.454	5	20	0.513	0.586	5
8	0.000	0.153	6	14	0.000	0.373	6	20	0.000	0.513	6

(二)

耐用年数	未償却割合		経過年数	耐用年数	未償却割合		経過年数	耐用年数	未償却割合		経過年数
	以上	未満			以上	未満			以上	未満	
年			年	年			年	年			年
21	0.881	1.000	1	27	0.907	1.000	1	33	0.924	1.000	1
21	0.776	0.881	2	27	0.823	0.907	2	33	0.854	0.924	2
21	0.684	0.776	3	27	0.746	0.823	3	33	0.789	0.854	3
21	0.602	0.684	4	27	0.677	0.746	4	33	0.729	0.789	4
21	0.531	0.602	5	27	0.614	0.677	5	33	0.674	0.729	5
21	0.000	0.531	6	27	0.000	0.614	6	33	0.000	0.674	6
22	0.886	1.000	1	28	0.911	1.000	1	34	0.926	1.000	1
22	0.785	0.886	2	28	0.830	0.911	2	34	0.857	0.926	2
22	0.696	0.785	3	28	0.756	0.830	3	34	0.794	0.857	3
22	0.616	0.696	4	28	0.689	0.756	4	34	0.735	0.794	4
22	0.546	0.616	5	28	0.627	0.689	5	34	0.681	0.735	5
22	0.000	0.546	6	28	0.000	0.627	6	34	0.000	0.681	6
23	0.891	1.000	1	29	0.914	1.000	1	35	0.929	1.000	1
23	0.794	0.891	2	29	0.835	0.914	2	35	0.863	0.929	2
23	0.707	0.794	3	29	0.764	0.835	3	35	0.802	0.863	3
23	0.630	0.707	4	29	0.698	0.764	4	35	0.745	0.802	4
23	0.562	0.630	5	29	0.638	0.698	5	35	0.692	0.745	5
23	0.000	0.562	6	29	0.000	0.638	6	35	0.000	0.692	6
24	0.896	1.000	1	30	0.917	1.000	1	36	0.931	1.000	1
24	0.803	0.896	2	30	0.841	0.917	2	36	0.867	0.931	2
24	0.719	0.803	3	30	0.771	0.841	3	36	0.807	0.867	3
24	0.645	0.719	4	30	0.707	0.771	4	36	0.751	0.807	4
24	0.577	0.645	5	30	0.648	0.707	5	36	0.699	0.751	5
24	0.000	0.577	6	30	0.000	0.648	6	36	0.000	0.699	6
25	0.900	1.000	1	31	0.919	1.000	1	37	0.932	1.000	1
25	0.810	0.900	2	31	0.845	0.919	2	37	0.869	0.932	2
25	0.729	0.810	3	31	0.776	0.845	3	37	0.810	0.869	3
25	0.656	0.729	4	31	0.713	0.776	4	37	0.755	0.810	4
25	0.590	0.656	5	31	0.656	0.713	5	37	0.703	0.755	5
25	0.000	0.590	6	31	0.000	0.656	6	37	0.000	0.703	6
26	0.904	1.000	1	32	0.922	1.000	1	38	0.934	1.000	1
26	0.817	0.904	2	32	0.850	0.922	2	38	0.872	0.934	2
26	0.739	0.817	3	32	0.784	0.850	3	38	0.815	0.872	3
26	0.668	0.739	4	32	0.723	0.784	4	38	0.761	0.815	4
26	0.604	0.668	5	32	0.666	0.723	5	38	0.711	0.761	5
26	0.000	0.604	6	32	0.000	0.666	6	38	0.000	0.711	6

(三)

耐用年数	未償却割合 以上	未償却割合 未満	経過年数	耐用年数	未償却割合 以上	未償却割合 未満	経過年数	耐用年数	未償却割合 以上	未償却割合 未満	経過年数
年			年	年			年	年			年
39	0.936	1.000	1	45	0.944	1.000	1	51	0.951	1.000	1
39	0.876	0.936	2	45	0.891	0.944	2	51	0.904	0.951	2
39	0.820	0.876	3	45	0.841	0.891	3	51	0.860	0.904	3
39	0.768	0.820	4	45	0.794	0.841	4	51	0.818	0.860	4
39	0.718	0.768	5	45	0.750	0.794	5	51	0.778	0.818	5
39	0.000	0.718	6	45	0.000	0.750	6	51	0.000	0.778	6
40	0.937	1.000	1	46	0.946	1.000	1	52	0.952	1.000	1
40	0.878	0.937	2	46	0.895	0.946	2	52	0.906	0.952	2
40	0.823	0.878	3	46	0.847	0.895	3	52	0.863	0.906	3
40	0.771	0.823	4	46	0.801	0.847	4	52	0.821	0.863	4
40	0.722	0.771	5	46	0.758	0.801	5	52	0.782	0.821	5
40	0.000	0.722	6	46	0.000	0.758	6	52	0.000	0.782	6
41	0.939	1.000	1	47	0.947	1.000	1	53	0.953	1.000	1
41	0.882	0.939	2	47	0.897	0.947	2	53	0.908	0.953	2
41	0.828	0.882	3	47	0.849	0.897	3	53	0.866	0.908	3
41	0.777	0.828	4	47	0.804	0.849	4	53	0.825	0.866	4
41	0.730	0.777	5	47	0.762	0.804	5	53	0.786	0.825	5
41	0.000	0.730	6	47	0.000	0.762	6	53	0.000	0.786	6
42	0.940	1.000	1	48	0.948	1.000	1	54	0.954	1.000	1
42	0.884	0.940	2	48	0.899	0.948	2	54	0.910	0.954	2
42	0.831	0.884	3	48	0.852	0.899	3	54	0.868	0.910	3
42	0.781	0.831	4	48	0.808	0.852	4	54	0.828	0.868	4
42	0.734	0.781	5	48	0.766	0.808	5	54	0.790	0.828	5
42	0.000	0.734	6	48	0.000	0.766	6	54	0.000	0.790	6
43	0.942	1.000	1	49	0.949	1.000	1	55	0.955	1.000	1
43	0.887	0.942	2	49	0.901	0.949	2	55	0.912	0.955	2
43	0.836	0.887	3	49	0.855	0.901	3	55	0.871	0.912	3
43	0.787	0.836	4	49	0.811	0.855	4	55	0.832	0.871	4
43	0.742	0.787	5	49	0.770	0.811	5	55	0.794	0.832	5
43	0.000	0.742	6	49	0.000	0.770	6	55	0.000	0.794	6
44	0.943	1.000	1	50	0.950	1.000	1	56	0.955	1.000	1
44	0.889	0.943	2	50	0.903	0.950	2	56	0.912	0.955	2
44	0.839	0.889	3	50	0.857	0.903	3	56	0.871	0.912	3
44	0.791	0.839	4	50	0.815	0.857	4	56	0.832	0.871	4
44	0.746	0.791	5	50	0.774	0.815	5	56	0.794	0.832	5
44	0.000	0.746	6	50	0.000	0.774	6	56	0.000	0.794	6

(四)

耐用年数	未償却割合		経過年数	耐用年数	未償却割合		経過年数	耐用年数	未償却割合		経過年数
	以上	未満			以上	未満			以上	未満	
年			年	年			年	年			年
57	0.956	1.000	1	63	0.960	1.000	1	69	0.964	1.000	1
57	0.914	0.956	2	63	0.922	0.960	2	69	0.929	0.964	2
57	0.874	0.914	3	63	0.885	0.922	3	69	0.896	0.929	3
57	0.835	0.874	4	63	0.849	0.885	4	69	0.864	0.896	4
57	0.799	0.835	5	63	0.815	0.849	5	69	0.833	0.864	5
57	0.000	0.799	6	63	0.000	0.815	6	69	0.000	0.833	6
58	0.957	1.000	1	64	0.961	1.000	1	70	0.964	1.000	1
58	0.916	0.957	2	64	0.924	0.961	2	70	0.929	0.964	2
58	0.876	0.916	3	64	0.888	0.924	3	70	0.896	0.929	3
58	0.839	0.876	4	64	0.853	0.888	4	70	0.864	0.896	4
58	0.803	0.839	5	64	0.820	0.853	5	70	0.833	0.864	5
58	0.000	0.803	6	64	0.000	0.820	6	70	0.000	0.833	6
59	0.958	1.000	1	65	0.962	1.000	1	71	0.965	1.000	1
59	0.918	0.958	2	65	0.925	0.962	2	71	0.931	0.965	2
59	0.879	0.918	3	65	0.890	0.925	3	71	0.899	0.931	3
59	0.842	0.879	4	65	0.856	0.890	4	71	0.867	0.899	4
59	0.807	0.842	5	65	0.824	0.856	5	71	0.837	0.867	5
59	0.000	0.807	6	65	0.000	0.824	6	71	0.000	0.837	6
60	0.958	1.000	1	66	0.962	1.000	1	72	0.965	1.000	1
60	0.918	0.958	2	66	0.925	0.962	2	72	0.931	0.965	2
60	0.879	0.918	3	66	0.890	0.925	3	72	0.899	0.931	3
60	0.842	0.879	4	66	0.856	0.890	4	72	0.867	0.899	4
60	0.807	0.842	5	66	0.824	0.856	5	72	0.837	0.867	5
60	0.000	0.807	6	66	0.000	0.824	6	72	0.000	0.837	6
61	0.959	1.000	1	67	0.963	1.000	1	73	0.966	1.000	1
61	0.920	0.959	2	67	0.927	0.963	2	73	0.933	0.966	2
61	0.882	0.920	3	67	0.893	0.927	3	73	0.901	0.933	3
61	0.846	0.882	4	67	0.860	0.893	4	73	0.871	0.901	4
61	0.811	0.846	5	67	0.828	0.860	5	73	0.841	0.871	5
61	0.000	0.811	6	67	0.000	0.828	6	73	0.000	0.841	6
62	0.960	1.000	1	68	0.963	1.000	1	74	0.966	1.000	1
62	0.922	0.960	2	68	0.927	0.963	2	74	0.933	0.966	2
62	0.885	0.922	3	68	0.893	0.927	3	74	0.901	0.933	3
62	0.849	0.885	4	68	0.860	0.893	4	74	0.871	0.901	4
62	0.815	0.849	5	68	0.828	0.860	5	74	0.841	0.871	5
62	0.000	0.815	6	68	0.000	0.828	6	74	0.000	0.841	6

(五)

耐用年数	未償却割合		経過年数	耐用年数	未償却割合		経過年数	耐用年数	未償却割合		経過年数
	以上	未満			以上	未満			以上	未満	
年			年	年			年	年			年
75	0.967	1.000	1	81	0.969	1.000	1	87	0.971	1.000	1
75	0.935	0.967	2	81	0.939	0.969	2	87	0.943	0.971	2
75	0.904	0.935	3	81	0.910	0.939	3	87	0.915	0.943	3
75	0.874	0.904	4	81	0.882	0.910	4	87	0.889	0.915	4
75	0.846	0.874	5	81	0.854	0.882	5	87	0.863	0.889	5
75	0.000	0.846	6	81	0.000	0.854	6	87	0.000	0.863	6
76	0.967	1.000	1	82	0.970	1.000	1	88	0.972	1.000	1
76	0.935	0.967	2	82	0.941	0.970	2	88	0.945	0.972	2
76	0.904	0.935	3	82	0.913	0.941	3	88	0.918	0.945	3
76	0.874	0.904	4	82	0.885	0.913	4	88	0.893	0.918	4
76	0.846	0.874	5	82	0.859	0.885	5	88	0.868	0.893	5
76	0.000	0.846	6	82	0.000	0.859	6	88	0.000	0.868	6
77	0.968	1.000	1	83	0.970	1.000	1	89	0.972	1.000	1
77	0.937	0.968	2	83	0.941	0.970	2	89	0.945	0.972	2
77	0.907	0.937	3	83	0.913	0.941	3	89	0.918	0.945	3
77	0.878	0.907	4	83	0.885	0.913	4	89	0.893	0.918	4
77	0.850	0.878	5	83	0.859	0.885	5	89	0.868	0.893	5
77	0.000	0.850	6	83	0.000	0.859	6	89	0.000	0.868	6
78	0.968	1.000	1	84	0.970	1.000	1	90	0.972	1.000	1
78	0.937	0.968	2	84	0.941	0.970	2	90	0.945	0.972	2
78	0.907	0.937	3	84	0.913	0.941	3	90	0.918	0.945	3
78	0.878	0.907	4	84	0.885	0.913	4	90	0.893	0.918	4
78	0.850	0.878	5	84	0.859	0.885	5	90	0.868	0.893	5
78	0.000	0.850	6	84	0.000	0.859	6	90	0.000	0.868	6
79	0.968	1.000	1	85	0.971	1.000	1	91	0.973	1.000	1
79	0.937	0.968	2	85	0.943	0.971	2	91	0.947	0.973	2
79	0.907	0.937	3	85	0.915	0.943	3	91	0.921	0.947	3
79	0.878	0.907	4	85	0.889	0.915	4	91	0.896	0.921	4
79	0.850	0.878	5	85	0.863	0.889	5	91	0.872	0.896	4
79	0.000	0.850	6	85	0.000	0.863	6	91	0.000	0.872	6
80	0.969	1.000	1	86	0.971	1.000	1	92	0.973	1.000	1
80	0.939	0.969	2	86	0.943	0.971	2	92	0.947	0.973	2
80	0.910	0.939	3	86	0.915	0.943	3	92	0.921	0.947	3
80	0.882	0.910	4	86	0.889	0.915	4	92	0.896	0.921	4
80	0.854	0.882	5	86	0.863	0.889	5	92	0.872	0.896	5
80	0.000	0.854	6	86	0.000	0.863	6	92	0.000	0.872	6

(六)

耐用年数	未償却割合		経過年数	耐用年数	未償却割合		経過年数	耐用年数	未償却割合		経過年数
	以上	未満			以上	未満			以上	未満	
年			年	年			年	年			年
93	0.973	1.000	1	96	0.974	1.000	1	99	0.975	1.000	1
93	0.947	0.973	2	96	0.949	0.974	2	99	0.951	0.975	2
93	0.921	0.947	3	96	0.924	0.949	3	99	0.927	0.951	3
93	0.896	0.921	4	96	0.900	0.924	4	99	0.904	0.927	4
93	0.872	0.896	5	96	0.877	0.900	5	99	0.881	0.904	5
93	0.000	0.872	6	96	0.000	0.877	6	99	0.000	0.881	6
94	0.973	1.000	1	97	0.974	1.000	1	100	0.975	1.000	1
94	0.947	0.973	2	97	0.949	0.974	2	100	0.951	0.975	2
94	0.921	0.947	3	97	0.924	0.949	3	100	0.927	0.951	3
94	0.896	0.921	4	97	0.900	0.924	4	100	0.904	0.927	4
94	0.872	0.896	5	97	0.877	0.900	5	100	0.881	0.904	5
94	0.000	0.872	6	97	0.000	0.877	6	100	0.000	0.881	6
95	0.974	1.000	1	98	0.974	1.000	1				
95	0.949	0.974	2	98	0.949	0.974	2				
95	0.924	0.949	3	98	0.924	0.949	3				
95	0.900	0.924	4	98	0.900	0.924	4				
95	0.877	0.900	5	98	0.877	0.900	5				
95	0.000	0.877	6	98	0.000	0.877	6				

法令及び通達索引

（注）法律、政令、規則については、原則として第１項の見出しのページを示した。
　また、原則として令和６年分に適用される条文を示した。

国税通則法

国税通則法施行令

国税通則法施行規則

所得税法

所得税法施行令

所得税法施行規則

所得税基本通達

法第２条（定義）関係

法第３条（居住者及び非居住者等の区分）関係

法第７条（課税所得の範囲）関係

法第９条（非課税所得）関係

法第37条（必要経費）関係

法第36条及び第37条（収入金額及び必要経費）共通関係

法第38条（譲渡所得の金額の計算上控除する取得費）関係

法第39条（棚卸資産等の自家消費の場合の総収入金額算入）関係

法第40条（棚卸資産の贈与等の場合の総収入金額算入）関係

所得税個別通達

租税特別措置法

租税特別措置法施行令

租税特別措置法施行規則

租税特別措置法基本通達

措法第33条の４（収用交換等の場合の譲渡所得等の特別控除）関係

措法第33条の５（収用交換等に伴い代替資産を取得した場合の更正の請求、修正申告等）関係

措法第33条の６（収用交換等により取得した代替資産等の取得価額の計算）関係

措法第34条（特定土地区画整理事業等のために土地等を譲渡した場合の譲渡所得の特別控除）関係

措法第34条の２（特定住宅地造成事業等のために土地等を譲渡した場合の譲渡所得の特別控除）関係

措法第34条の３（農地保有の合理化等のために農地等を譲渡した場合の譲渡所得の特別控除）関係

措法第35条（居住用財産の譲渡所得の特別控除）関係

措法第35条の２（特定期間に取得をした土地等を譲渡した場合の長期譲渡所得の特例控除）関係

措法第35条の３（低未利用土地等を譲渡した場合の長期譲渡所得の特別控除）関係

措法第36条（譲渡所得の特別控除額の特例等）関係

措法第36条の２（特定の居住用財産の買換えの場合の長期譲渡所得の課税の特例）関係

措法第36条の３（特定の居住用財産の買換えの場合の更正の請求、修正申告等）関係

措法第37条（特定の事業用資産の買換えの場合の譲渡所得の課税の特例）関係

措法第37条の14の2《未成年者口座内の少額上場株式等に係る譲渡所得等の非課税》関係

措法第39条（相続財産に係る譲渡所得の課税の特例）関係

措法第40条の3の2（債務処理計画に基づき資産を贈与した場合の課税の特例）関係

措法第41条（住宅借入金等を有する場合の所得税額の特別控除）関係

措法第41条の2の2（年末調整に係る住宅借入金等を有する場合の所得税額の特別控除）関係

措法第41条の3の2（特定の増改築等に係る住宅借入金等を有する場合の所得税額の特別控除の控除額に係る特例）関係

措法第41条の3の11（所得金額調整控除）関係

措法第41条の4（不動産所得に係る損益通算の特例）関係

措法第41条の4の2（特定組合員等の不動産所得に係る損益通算等の特例）関係

措法第41条の4の3（国外中古建物の不動産所得に係る損益通算等の特例）関係

措法第41条の5（居住用財産の買換え等の場合の譲渡損失の損益通算及び繰越控除）関係

租税特別措置法個別通達

耐用年数省令

耐用年数通達

災免法関係

〔災　免　法〕

〔災　免　令〕

〔通　達〕

電帳法関係

〔電　帳　法〕

〔電　帳　令〕

〔電　帳　規〕

国外送金法関係

復興特別所得税関係

〔復興財確法〕

〔復興政令〕

〔復興省令〕

新型コロナ税特法関係

〔新型コロナ税特法〕

〔新型コロナ税特令〕

〔新型コロナ税特規〕

〔新型コロナ税特通〕

〔関連通達〕

50 音 順 索 引

【あ】

【い】

【う】

【え】

【お】

【か】

【き】

【く】

【け】

【こ】

【さ】

【し】

【す】

【せ】

【そ】

【た】

【ち】

【つ】

【て】

【と】

【な・に・ね】

【の】

【は】

【ひ】

【ふ】

【へ】

【ほ】

【ま・み・む・め・も】

【や・ゆ】

【よ】

【ら・り】

【る・れ・ろ・わ】